BIOCHIMIE

BIOCHIMIE

• D. VOET • J. G. VOET •

2e édition

Traduction de la 3e édition américaine par Guy Rousseau et Lionel Domenjoud

 de boeck

Pour toute information sur notre fonds et les nouveautés dans votre domaine de spécialisation, consultez notre site web : **www.deboeck.com**

© De Boeck & Larcier s.a., 2005   2e édition
Éditions De Boeck Université
Rue des Minimes 39, B-1000 Bruxelles
Pour la traduction et l'adaptation française

Imprimé en Espagne

Dépôt légal :
Bibliothèque Nationale, Paris : septembre 2005
Bibliothèque royale de Belgique, Bruxelles : 2005/0074/123   ISBN 2-8041-4795-9

À
nos parents, qui nous ont encouragés,
nos professeurs, qui nous ont formés,
et nos enfants, qui nous ont supportés.

AVANT-PROPOS À LA TROISIÈME ÉDITION

La biochimie est un domaine fascinant et d'une grande portée pratique, sans nul doute en raison de l'intérêt de l'homme pour l'homme. Le bien-être humain, notamment aux plans médical et nutritionnel, a connu une amélioration notable grâce à la compréhension sans cesse croissante de la biochimie. En fait, il ne se passe pratiquement pas un jour sans qu'une découverte biomédicale soit annoncée, dont bénéficiera une partie de la population. D'autres avancées dans ce domaine en évolution croissante conduiront indubitablement à des progrès encore plus spectaculaires pour comprendre la nature et maîtriser nos destins. Il est donc capital que ceux qui se destinent à une carrière en sciences biomédicales aient de solides connaissances en biochimie.

Ce livre est fondé sur notre expérience d'enseignants en premier et deuxième cycles de l'université de Pennsylvanie et du Swarthmore College, et a été conçu pour donner aux étudiants de solides bases en biochimie. Nous supposons que les étudiants qui utiliseront ce livre ont bénéficié d'un an d'enseignement de chimie de premier cycle et d'au moins un semestre d'enseignement de chimie organique et qu'ils possèdent donc de bonnes notions de chimie générale et connaissent les principes de base et la nomenclature de la chimie organique. Ils doivent par ailleurs avoir suivi un enseignement d'un an de biologie générale au cours duquel les concepts élémentaires de la biochimie leur ont été inculqués. Il est conseillé aux étudiants qui n'auraient pas ces prérequis de lire des ouvrages d'introduction relatifs à ces différentes disciplines.

Au cours des huit années écoulées depuis la publication de la deuxième édition de *Biochimie*, le champ de la biochimie a continué à s'étendre à une cadence accélérée. Une caractéristique de cet enrichissement phénoménal des connaissances, fruit du travail de milliers de scientifiques doués et passionnés, est la mise à jour de nouveaux paradigmes tout autant qu'une expansion considérable de chaque domaine particulier. Par exemple, le nombre de structures de protéines et d'acides nucléiques déterminées par rayons X ou par RMN a quadruplé. Qui plus est, la qualité et la complexité de ces structures se sont améliorées au point de faire progresser considérablement notre compréhension de la biochimie structurale. Par ailleurs, la conception et la pratique de nombreux aspects de la biochimie s'appuient à présent sur cette nouvelle discipline qu'est la bioinformatique. Lors de la publication de la deuxième édition de *Biochimie*, aucun génome n'avait été séquencé. On en connaît à présent plus d'une centaine, génome humain compris, et on en publie de nouveaux à raison d'un par semaine. De même, on note une explosion des connaissances en biologie moléculaire des eucaryotes et des procaryotes, contrôle métabolique, repliement des protéines, transport des électrons, transports membranaires, immunologie, transduction du signal, etc. En fait, ces progrès retentissent sur la vie de tous les jours, dans la mesure où ils ont modifié la pratique médicale, la protection de la santé, et la production alimentaire.

■ THÉMATIQUE

En écrivant ce livre, nous avons mis l'accent sur plusieurs points. Premièrement, la biochimie est une somme de connaissances obtenues par l'expérimentation. En les exposant, nous nous sommes efforcés d'expliquer comment elles ont été acquises. L'effort supplémentaire que l'étudiant devra fournir en suivant une telle démarche sera, nous le pensons, amplement récompensé car il lui donnera l'attitude critique indispensable pour réussir dans n'importe quelle discipline scientifique. Bien que la science soit généralement considérée comme impersonnelle, elle est en fait une discipline façonnée par les travaux souvent très originaux de chercheurs particuliers. C'est pourquoi nous donnons le nom des biochimistes les plus éminents (la plupart d'entre eux étant toujours en activité) et indiquons souvent la stratégie qu'ils ont adoptée pour résoudre des casse-têtes biochimiques. Toutefois, l'étudiant doit savoir que la plupart des travaux décrits n'auraient pu être menés à bien sans les efforts dévoués et souvent indispensables de nombreux collaborateurs.

L'unité de la vie et ses modifications au cours de l'évolution est un deuxième point sur lequel nous insistons dans cet ouvrage. L'une des caractéristiques les plus étonnantes de la vie sur la terre est son immense diversité et son pouvoir d'adaptation. Toutefois, la recherche biochimique a clairement démontré que tous les êtres vivants sont très proches à l'échelle moléculaire. Par conséquent, les différences moléculaires observées entre différents organismes ont apporté de précieux renseignements sur l'évolution des espèces et ont permis d'identifier les rouages cruciaux de leur machinerie moléculaire.

Troisième point important : les processus biologiques font intervenir des réseaux de contrôle sophistiqués et interdépendants. De tels réseaux permettent aux organismes de garder un milieu intérieur relativement constant, de répondre rapidement à des stimuli externes, de croître et de se différencier.

Quatrième point : la biochimie a des conséquences importantes au plan médical. Cela nous amène à illustrer de nombreux principes biochimiques par des processus physiologiques normaux ou pathologiques et à traiter du mécanisme d'action de certains médicaments.

■ ORGANISATION ET CONTENU

En raison de l'avalanche d'informations nouvelles en biochimie, les enseignants ont mis en œuvre des méthodes d'apprentissage plus actives, telles que l'étude par problèmes, l'enseignement fondé sur les découvertes, et le travail par groupes d'étudiants. Ces nouvelles techniques impliquent plus d'interactions entre étudiants et professeurs, ainsi que plus de temps à passer ensemble. En rédigeant la troisième édition de cet ouvrage, nous avons donc dû faire face non seulement à une augmentation du contenu, mais aussi aux exigences de cette nouvelle pédagogie. Nous avons relevé ce défi en présentant la matière aussi complètement et précisément que possible, de sorte qu'étudiants et enseignants disposent du bagage nécessaire à la mise en oeuvre de ces pédagogies innovantes. Nous rencontrons ainsi la critique que ces méthodes modernes d'enseignement tendent vers une diminution du contenu du cours. La façon dont notre traité est rédigé devrait permettre aux enseignants d'orienter leurs étudiants dans des domaines à aborder à part soi, tout en offrant des sujets à étudier ensemble.

Dans cette troisième édition de *Biochimie*, nous avons ajouté un grand nombre des notions nouvelles acquises au cours des huit dernières années, ce qui enrichit presque toutes les sections. Cependant, mises à part les exceptions notées ci-dessous, nous avons gardé la même organisation de base que pour les deux éditions précédentes.

Le livre est divisé en cinq parties :

Introduction et notions de base : un chapitre d'introduction suivi de plusieurs chapitres dans lesquels les propriétés des solutions aqueuses et les principes de la thermodynamique sont rappelés.

Les biomolécules : étude structurale et fonctionnelle des protéines, des acides nucléiques, des glucides et des lipides.

Les mécanismes d'action des enzymes : une introduction aux propriétés des enzymes, à la cinétique enzymatique, et aux mécanismes réactionnels des enzymes.

Le métabolisme : étude de la synthèse et de la dégradation des glucides, des lipides, des acides aminés et des nucléotides en insistant sur l'origine et l'utilisation de l'énergie.

L'expression et la transmission de l'information génétique : développement de l'étude de la structure des acides nucléiques exposée dans la partie II, suivie de la biologie moléculaire des procaryotes et des eucaryotes.

Ce plan nous permet d'aborder les principaux domaines de la biochimie de façon logique et cohérente. Cependant, la biochimie contemporaine est une science d'une telle portée que pour garder un niveau relativement homogène, nous apportons davantage d'informations que n'en dispensent la plupart des cours de biochimie sur un an. Nous pensons que cet approfondissement des connaissances est un des points forts de cet ouvrage ; il permettra à l'enseignant de concevoir son cours comme il l'entend et à l'étudiant d'approfondir l'enseignement reçu.

L'ordre dans lequel sont traitées les différentes questions est *grosso modo* identique à celui de la plupart des cours de biochimie. Toutefois, plusieurs points quant à l'organisation du livre méritent des commentaires :

1. Le Chapitre 5 (acides nucléiques, expression des gènes et technologie de l'ADN recombinant) permet à présent d'introduire d'emblée la biologie moléculaire en raison du rôle capital joué par la technologie de l'ADN recombinant dans la biochimie moderne. Pour la même raison, le contenu du chapitre qui était consacré à la génétique et aux démarches qui ont abouti à la découverte du rôle de l'ADN a été réparti entre les Chapitres 1 (la vie) et 5, et les sections concernant le séquençage des acides nucléiques et la synthèse des oligonucléotides apparaissent maintenant dans le Chapitre 7 (structures covalentes des protéines et des acides

nucléiques). De même, le champ en pleine expansion de la bioinformatique est traité dans une section séparée du Chapitre 7.

2. La thermodynamique fait l'objet de deux chapitres. Les notions de base de la thermodynamique – enthalpie, entropie, énergie libre, équilibres des réactions – sont étudiées dans le Chapitre 3 car ces notions sont indispensables pour comprendre la biochimie structurale, l'enzymologie et la cinétique des réactions. La thermodynamique liée au métabolisme – la thermodynamique des composés phosphorylés et des réactions d'oxydo-réduction – fait l'objet du Chapitre 16 car il n'est pas utile de connaître ces notions avant les chapitres suivants.

3. Les techniques de purification des protéines sont décrites dans un chapitre à part (Chapitre 6) qui précède l'étude de la structure et de la fonction des protéines. Nous avons fait ce choix afin de ne pas donner aux étudiants l'impression que les protéines sont plus ou moins « sorties d'un chapeau ». Toutefois, le Chapitre 6 a été conçu comme un chapitre de référence qui peut être consulté autant que nécessaire. Pour les mêmes raisons, ce chapitre traite également des techniques de purification des acides nucléiques.

4. Le Chapitre 10 décrit en détail les propriétés de l'hémoglobine, ce qui permet de concrétiser l'étude précédente sur la structure et la fonction des protéines. Ce chapitre fait appel à la théorie de l'allostérie pour expliquer la nature coopérative de la liaison de l'oxygène à l'hémoglobine. Le passage de la théorie de l'allostérie à l'enzymologie (Chapitre 13) devrait aller de soi.

5. Les concepts du contrôle du métabolisme sont exposés dans les chapitres sur la glycolyse (Chapitre 17) et sur le métabolisme du glycogène (Chapitre 18) par le biais d'études sur l'origine du flux métabolique, la régulation allostérique, les cycles de substrat, les modifications covalentes d'enzymes et les cascades cycliques, ainsi que d'une nouvelle section sur l'analyse du contrôle métabolique. Nous pensons que ces concepts sont mieux compris quand ils sont étudiés dans un contexte métabolique plutôt que traités à part.

6. En raison du progrès rapide des connaissances sur la transduction du signal en biologie, ce sujet important est traité dans un chapitre à part, le Chapitre 19.

7. Il n'y a pas de chapitre consacré à l'étude des coenzymes. Il nous a semblé plus rationnel d'étudier ces molécules en même temps que les réactions enzymatiques auxquelles elles participent.

8. La glycolyse (Chapitre 17), le métabolisme du glycogène (Chapitre 18), le cycle de l'acide citrique (Chapitre 21), et le transport des électrons et les phosphorylations oxydatives (Chapitre 22) sont étudiés en détail comme modèles de voies métaboliques classiques en mettant l'accent sur nombre des mécanismes de catalyse et de contrôle des enzymes mises en jeu. Les principes étudiés dans ces chapitres sont repris de manière moins approfondie dans les autres chapitres de la 4e Partie.

9. L'étude des transports membranaires (Chapitre 20) précède celle des voies métaboliques mitochondriales, telles que le cycle de l'acide citrique, le transport des électrons et les phosphorylations oxydatives. Ainsi, la notion de compartimentation des processus biologiques devient facilement compréhensible. Nous y avons ajouté l'étude de la neurotransmission car elle dépend étroitement des transports membranaires.

10. L'étude de la synthèse et de la dégradation des lipides fait l'objet d'un seul chapitre (Chapitre 25) de même que l'étude du métabolisme des acides aminés (Chapitre 26) et des nucléotides (Chapitre 28).

11. Le métabolisme énergétique est résumé et intégré en fonction de la spécialisation des organes dans le Chapitre 27, à la suite de l'étude du métabolisme des glucides, des lipides et des acides aminés.

12. Les principes de base de la biologie moléculaire des procaryotes et des eucaryotes, esquissés dans le Chapitre 5, sont présentés dans des chapitres successifs : réplication, réparation et recombinaison de l'ADN (Chapitre 30), transcription (Chapitre 31) et traduction (Chapitre 32). Les virus (Chapitre 33) sont ensuite présentés en tant que paradigmes de fonctions cellulaires plus complexes, avant l'étude des nouveaux concepts sur l'expression des gènes des eucaryotes (Chapitre 34).

13. Le dernier chapitre (Chapitre 35) est une suite de mini-chapitres qui décrivent la biochimie de processus typiques de physiologie humaine : coagulation du sang, réponse immunitaire et contraction musculaire.

Le vieil adage selon lequel vous apprenez mieux une question en l'enseignant signifie simplement qu'apprendre est une démarche active plutôt que passive. Les problèmes donnés à la fin de chaque chapitre ont pour but d'inciter les étudiants à réfléchir plutôt qu'à régurgiter simplement des connaissances mal assimilées et vite oubliées. Certains problèmes sont faciles et d'autres (marqués par un astérisque) sont plutôt difficiles. Toutefois, résoudre de tels problèmes peut être une des meilleures récompenses pour celui qui apprend. Ce n'est qu'en réfléchissant longuement et intensément que les étudiants peuvent faire cette somme de connaissances.

Nous donnons une liste de références bibliographiques à la fin de chaque chapitre afin de fournir aux étudiants des points de départ pour une recherche bibliographique personnelle. L'immensité du champ de la littérature biochimique nous a contraints à n'indiquer que les publications de travaux de recherche les plus importants. Nous donnons également la liste des revues et monographies qui nous semblent les plus utiles sur les différentes questions traitées dans chaque chapitre.

Enfin, bien que nous ayons œuvré pour que ce livre soit exempt d'erreurs, nous ne nous faisons pas trop d'illusions. Nous sommes particulièrement reconnaissants envers les nombreux lecteurs de la première et de la seconde édition, étudiants et professeurs, qui ont pris la peine de nous suggérer des améliorations et de nous signaler des erreurs. Nous espérons vivement que les lecteurs de cette troisième édition nous feront également cette faveur.

Donald Voet

Judith G. Voet

REMERCIEMENTS

À cet ouvrage ont contribué de nombreuses personnes ; plusieurs d'entre elles méritent d'être mentionnées tout particulièrement :

David Harris, notre éditeur exécutif, a dirigé le projet de main de maître. Patrick Fotzgerald, notre nouvel éditeur, nous a assisté lors de la commercialisation de cette édition.

Barbara Heaney, notre responsable du développement, a coordonné non seulement les données artistiques, mais également les programmes d'écriture.

Suzanne Ingrao, notre éditeur de production, a dirigé avec intelligence et patience la confection du livre.

Connie Parks

Laura Ierardi a combiné les textes, les illustrations et les tableaux au sein des pages de manière intelligente.

Madelyn Lesure a conçu la typographie du livre et sa couverture.

Hilary Newman et Elyse Reider ont rassemblé un grand nombre de photographies du livre et ont veillé à leur bon usage.

Edward Starr et Sigmund Malinowski ont coordonné l'agencement des illustrations.

La plupart des illustrations de cette troisième édition de *Biochimie* proviennent de la première et seconde éditions, et sont fournies par John et Bette Woolsey, et Patrick Lane de J/B Woolsey Associates.

Les coordonnées atomiques de la plupart des protéines et des acides nucléiques présentées dans ce manuel ont été obtenues à la Protein Data Bank, qui est gérée par le Research Collaboratory for Structural Bioinformatics (RCSB). Nous avons réalisé ces illustrations en utilisant les programmes de graphisme moléculaire RIBBONS de Mike Carson, INSIGHT II de BIOSYM Technologies, et RasMol de Roger Sayle. Beaucoup d'illustrations ont été réalisées généreusement par d'autres personnes, ainsi que via le logiciel MOLSCRIPT de Per Kraulis.

Nous souhaitons remercier particulièrement ces collègues qui ont revu le manuel, aussi bien dans sa forme actuelle que dans ses premières version :

Joseph Babitch, *Texas Christian University*

E.J. Berhman, *Ohio State University*

Karl D. Bishop, *Bucknell University*

Robert Blankenshop, *Arizona State University*

Charles L. Borders, Jr., *The College of Wooster*

Kenneth Brown, *University of Texas at Arlington*

Larry G. Butler, *Purdue University*

Carol Caparelli, *Fox Chase Cancer Center*

W. Scott Champney, *East Tennessee State University*

Paul F. Cook, *The University of Oklahoma*

Glenn Cunningham, *University of Central Florida*

Eugene Davidson, *Georgetown University*

Don Dennis, *University of Delaware*

Walter A. Deutsch, *Louisiana State University*

Kelsey R. Downum, *Florida International University*

William A. Eaton, *National Institutes of Health*

David Eisenberg, *University of California at Los Angeles*

Jeffrey Evans, *University of Southern Mississippi*

David Fahrney, *Colorado State University*

Paul Fitzpatrick, *Texas A&M University*

Robert Fletterick, *University of California at San Francisco*

Norbert C. Furumo, *Eastern Illinois University*

Scott Gilbert, *Swarthmore College*

Guido Guidotti, *Harvard University*

James H. Hageman, *New Mexico State University*

Lowell Hager, *University of Illinois at Urbana–Champaign*

James H. Hammons, *Swarthmore College*

Edward Harris, *Texas A&M University*

Angela Hoffman, *University of Portland*

Ralph A. Jacobson, *California Polytechnic State University*

Eileen Jaffe, *Fox Chase Cancer Center*

Jan G. Jaworski, *Miami University*

William P. Jencks, *Brandeis University*

Mary Ellen Jones, *University of North Carolina*

Jason D. Kahn, *University of Maryland*

Tokuji Kimura, *Wayne State University*

Barrie Kitto, *University of Texas at Austin*

Daniel J. Kosman, *State University of New York at Buffalo*

Robert D. Kuchta, *University of Colorado, Boulder*

Thomas Laue, *University of New Hampshire*

Albert Light, *Purdue University*

Dennis Lohr, *Arizona State University*

Larry Louters, *Calvin College*

Robert D. Lynch, *University of Lowell*

Harold G. Martinson, *University of California at Los Angeles*

Michael Mendenhall, *University of Kentucky*

Sabeeha Merchant, *University of California at Los Angeles*

Christopher R. Meyer, *California State University at Fullerton*

Ronald Montelaro, *Louisiana State University*

Scott Moore, *Boston University*

Harry F. Noller, *University of California at Santa Cruz*

John Ohlsson, *University of Colorado*

Gary L. Powell, *Clemson University*

Alan R. Price, *University of Michigan*

Paul Price, *University of California at San Diego*

Thomas I. Pynadath, *Kent State University*

Frank M. Raushel, *Texas A&M University*

Ivan Rayment, *University of Wisconsin*

Frederick Rudolph, *Rice University*

Raghupathy Sarma, *State University of New York at Stony Brook*

Paul R. Schimmel, *The Scripps Research Institute*

Thomas Schleich, *University of California at Santa Cruz*

Allen Scism, *Central Missouri State University*

Charles Shopsis, *Adelphi University*

Marvin A. Smith, *Brigham Young University*

Thomas Sneider, *Colorado State University*

Jochanan Stenish, *Western Michigan University*

Phyllis Strauss, *Northeastern University*

JoAnne Stubbe, *Massachusetts Institute of Technology*

William Sweeney, *Hunter College*

John Tooze, *European Molecular Biology Organization*

Mary Lynn Trawick, *Baylor University*

Francis Vella, *University of Saskatchewan*

Harold White, *University of Delaware*

William Widger, *University of Houston*

Ken Willeford, *Mississippi State University*

Lauren Williams, *Georgia Institute of Technology*

Jeffery T. Wong, *University of Toronto*

Beulah M. Woodfin, *The University of New Mexico*

James Zimmerman, *Clemson University*

D.V.

J.G.V.

SOMMAIRE

TABLE DES MATIÈRES

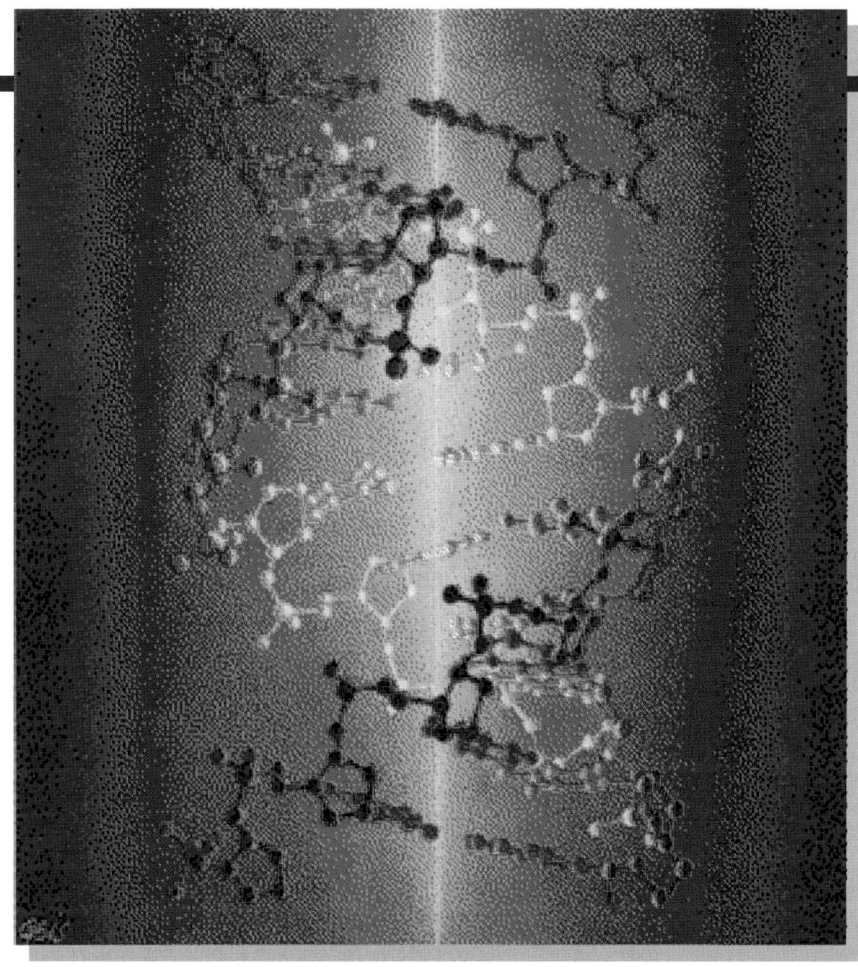

« Hote wire », ADN illuminé par son axe en forme d'hélice

PARTIE

I

INTRODUCTION ET CONTEXTE

Chapitre

1

La vie

Il est d'habitude facile de déterminer si quelque chose est vivant ou non. En effet, les organismes vivants ont beaucoup de propriétés communes, telles que la capacité de récupérer de l'énergie à partir d'aliments pour assurer leurs différentes fonctions, la possibilité de s'adapter rapidement à des changements dans leur environnement, la faculté de croître, de se différencier et — peut-être ce qu'il y a de plus parlant — de se reproduire. Bien sûr, un organisme donné peut ne pas présenter toutes ces caractéristiques. Par exemple, les mules, qui sont bien vivantes, ne se reproduisent que rarement. Inversement, la matière inanimée peut présenter certaines propriétés du vivant. C'est le cas des cristaux, susceptibles d'augmenter de volume lorsqu'on les immerge dans une solution sursaturée du cristal en question. Ainsi, la vie, comme beaucoup

d'autres phénomènes complexes, est sans doute impossible à définir de façon précise. Norman Horowitz a cependant proposé trois critères pratiques pour reconnaître les systèmes vivants : réplication, catalyse et mutabilité. Une grande partie de cet ouvrage explique comment les êtres vivants assurent ces fonctions.

La biochimie est l'étude de la vie à l'échelle moléculaire. Cette étude sera d'autant plus intéressante qu'elle porte sur la biologie des organismes, voire même des populations de tels organismes. Ce chapitre d'introduction commence donc par une étude sommaire du monde vivant. Suivront un examen succinct des grandes lignes de la biochimie, puis une discussion sur les origines de la vie et, finalement, une introduction à la littérature biochimique.

1 ■ LES PROCARYOTES

On sait depuis longtemps que la vie est fondée sur des unités morphologiques appelées **cellules**. La formulation de ce concept est généralement attribuée à une publication de 1838 de Matthias Schleiden et Theodor Schwann, mais ses origines découlent sans doute des observations faites au dix-septième siècle par les premiers microscopistes tels que Robert Hooke. On distingue deux grandes catégories de cellules : les **eucaryotes** (du grec *eu*, bien ou vrai et *karyon*, amande ou noix), qui ont un **noyau** délimité par une membrane qui renferme leur **ADN** (**acide désoxyribonucléique**), et les **procaryotes** (du grec *pro*, avant), qui sont dépourvus de noyau. Les procaryotes, qui comprennent les différents types de bactéries, ont une structure relativement simple et sont toujours unicellulaires (bien qu'ils puissent former des filaments ou des colonies de cellules indépendantes). On estime qu'ils représentent à peu près la moitié de la biomasse de notre planète. Les eucaryotes, qui peuvent être multicellulaires ou unicellulaires, sont beaucoup plus complexes que les procaryotes. (Les **virus**, qui sont des entités plus simples que les cellules, ne sont pas classés comme organismes vivants, car ils sont dépourvus de la machinerie métabolique qui leur permettrait de se reproduire hors de leur cellule hôte. Ce sont essentiellement des agrégats moléculaires de grande taille.) Dans cette section, nous étudierons les procaryotes. La section suivante sera consacrée à l'étude des eucaryotes.

A. *Morphologie et fonctions*

Les procaryotes sont les organismes les plus nombreux et les plus répandus sur Terre. Ceci parce que leurs métabolismes différents et souvent très adaptables leur permettent de vivre dans une variété considérable d'habitats. Outre la possibilité qu'ils ont de vivre dans notre environnement familier tempéré et oxygéné, certains types de bactéries peuvent se développer dans des conditions de vie hostiles aux eucaryotes, ou même exiger ces conditions, telles que des environnements chimiques défavorables, des températures élevées (jusqu'à 113 °C) ou encore l'absence d'oxygène. De plus, la vitesse de reproduction rapide des procaryotes (au mieux < 20 minutes pour une division cellulaire dans la plupart des espèces) leur permet de mettre à profit des conditions de vie momentanément favorables. Inversement, la possibilité pour beaucoup de bactéries de former des **spores** résistantes leur permet de survivre dans des conditions hostiles.

a. Les procaryotes ont une anatomie relativement simple

Les procaryotes, observés pour la première fois en 1683 par l'inventeur du microscope, Antoine van Leeuwenhoek, ont une taille généralement comprise entre 1 et 10 µm. On distingue trois formes typiques (Fig. 1-1) : sphéroïdale (coques), en bâtonnet (bacilli), ou enroulée en hélice (spirilles), mais ils présentent tous la même disposition générale (Fig. 1-2). Les procaryotes sont délimités, comme toutes les cellules, par une membrane cellulaire (membrane plasmique) d'une épaisseur d'environ 70 Å constituée d'une bicouche lipidique dans laquelle sont enchâssées des protéines. Celles-ci contrôlent l'entrée et la sortie de molécules et catalysent un certain nombre de réactions. La membrane plasmique de la plupart des procaryotes est entourée d'une paroi cellulaire rigide polysaccharidique dont l'épaisseur varie de 30 à 250 Å et dont le rôle essentiel est de protéger la cellule de lésions mécaniques et d'empêcher son éclatement si la pression osmotique du milieu est inférieure à la pression osmotique intracellulaire. Certaines bactéries s'enrobent en plus dans une capsule gélatineuse polysaccharidique qui les protège des moyens de défense des organismes supérieurs. Bien que les procaryotes ne contien-

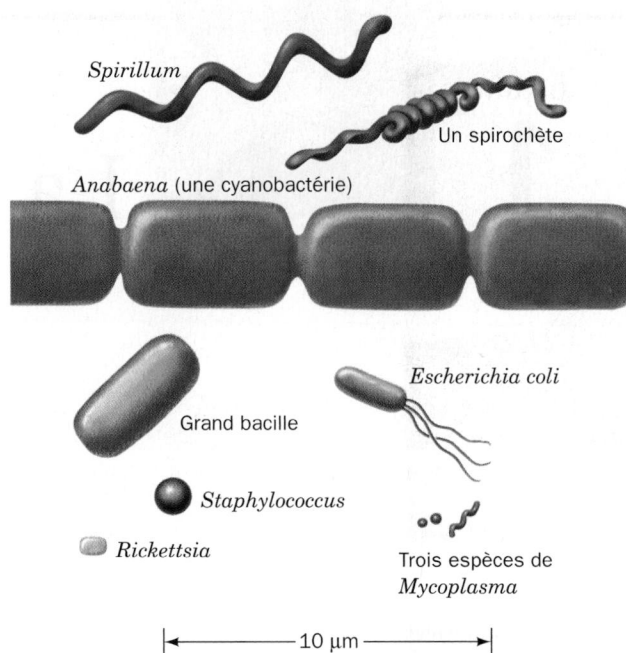

FIGURE 1-1 Dessins à l'échelle de quelques cellules procaryotes.

nent pas les organites subcellulaires membranaires caractéristiques des eucaryotes (Section 1-2), leur membrane plasmique peut se replier pour donner des structures multicouches appelées mésosomes. On pense que les mésosomes sont le siège de la réplication de l'ADN ainsi que d'autres réactions enzymatiques particulières.

Le **cytoplasme** des procaryotes (contenu cellulaire) n'a rien à voir avec une soupe homogène. Son unique **chromosome** (la molécule d'ADN, qui peut être présente en plusieurs copies dans le cas d'une cellule en croissance rapide) se trouve condensé pour former un corpuscule appelé **nucléoïde.** Le cytoplasme contient également de nombreux types d'**ARN (acide ribonucléique)**, une collection d'**enzymes** solubles (protéines qui catalysent des réac-

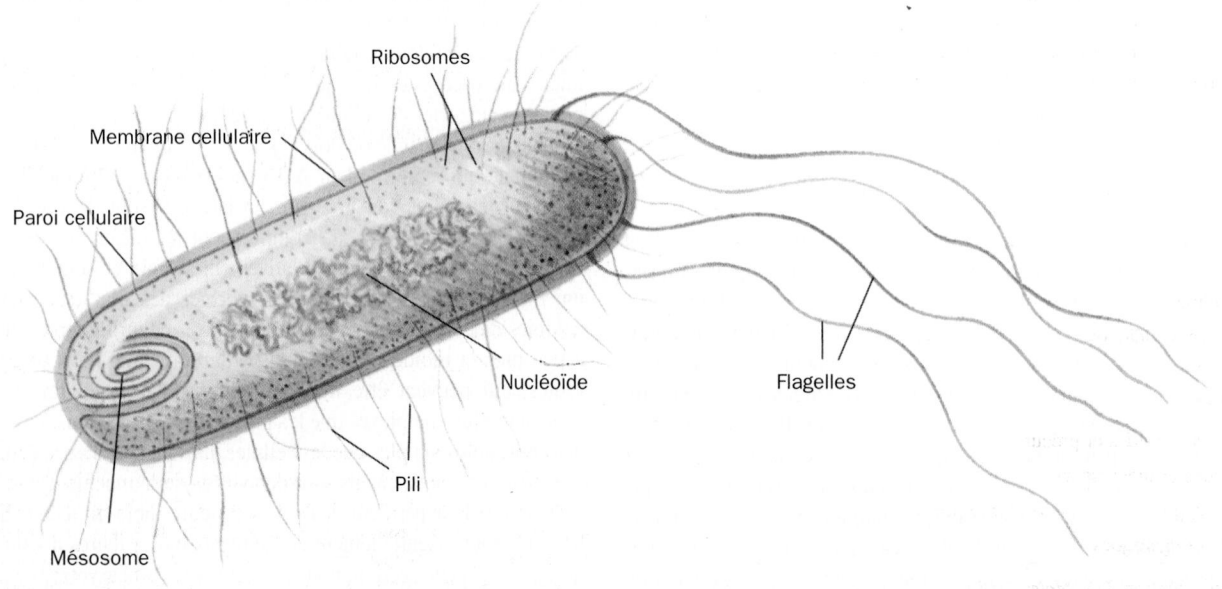

FIGURE 1-2 Représentation schématique d'une cellule procaryote.

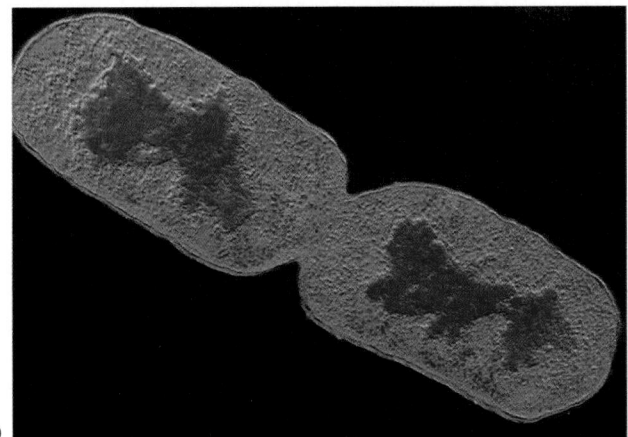

(a)

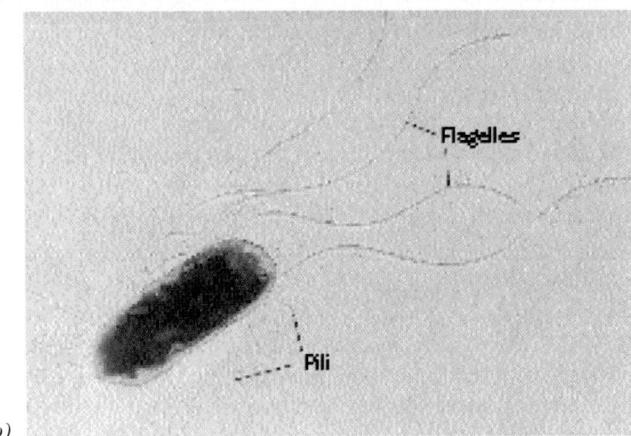

(b)

FIGURE 1-3 Micrographies électroniques de cellules d'*E. coli*
(*a*) Colorées pour montrer la structure interne [CNRI] ; (*b*) Colorée pour
révéler les flagelles et les pili. [Avec la permission de Howard Berg, Harvard University.]

tions spécifiques) et plusieurs milliers de particules d'un diamètre de 250 Å appelées **ribosomes,** sièges de la synthèse protéique.

De nombreuses bactéries présentent un ou plusieurs appendices en forme de fouet appelés **flagelles,** qui servent au déplacement. Certaines bactéries portent aussi des projections filamenteuses appelées **pili.** Certains pili servent de conduits pour l'ADN lors de la conjugaison sexuelle (un processus au cours duquel l'ADN est

TABLEAU 1-1 Composition moléculaire de *E. coli*

Constituant	Pourcentage en poids
H_2D	70
Protéine	15
Acides nucléiques :	
ADN	1
ARM	6
Polysaccharides et précurseurs	3
Lipides et précurseurs	2
Autres petites molécules organiques	1
Ions inorganiques	1

Source : Watson, J.D., *Molecular Biology of the Gene* (3ᵉ éd.), p. 69, Benjamin (1976).

transféré d'une cellule à une autre ; les procaryotes se reproduisent généralement par division binaire), d'autres aident la bactérie à se fixer aux cellules de l'organisme hôte.

La bactérie ***Escherichia coli*** (en abrégé ***E. coli*** et ainsi appelée d'après celui qui l'a découverte, Theodor Escherichs) est l'organisme le mieux caractérisé au point de vue biologique, en raison du nombre de travaux biochimiques et génétiques qui lui furent consacrés au cours des soixante dernières années. À vrai dire, une bonne partie de ce manuel a trait à la biochimie d'*E. coli.* Les cellules de cet habitant courant du colon des mammifères supérieurs (Fig. 1-3) sont typiquement des bâtonnets de 2 µm de long et d'1 µm de diamètre et elles pèsent ~2×10^{-12} g. L'ADN de cette bactérie a une masse moléculaire de $2,5 \times 10^9$ **daltons (Da)*** et code ~4300 protéines (dont seulement ~60 à 70 % ont été identifiées), bien qu'on n'en trouve simultanément que ~2600 dans une cellule donnée. Dans l'ensemble, *E. coli* contient de 3000 à 6000 types de molécules différentes, dont des protéines, des acides nucléiques, des polysaccharides, des lipides et une grande variété de petites molécules et d'ions (Tableau 1-1).

b. Les procaryotes utilisent plusieurs sources d'énergie métabolique

Les besoins nutritionnels des procaryotes sont extrêmement variés. Les **autotrophes** (du grec *autos*, soi-même et *trophos*, qui nourrit) peuvent synthétiser tous leurs constituants cellulaires à partir de molécules simples telles que H_2O, CO_2, NH_3 et H_2S. Bien sûr, ils ont besoin d'une source d'énergie pour assurer ces synthèses ainsi que leurs autres fonctions. Les **chimiolithotrophes** (du grec *lithos*, pierre) tirent leur énergie de l'oxydation de composés organiques tels que NH_3, H_2S ou même Fe^{2+} :

$$2\ NH_3 + 4O_2 \longrightarrow 2\ HNO_3 + 2\ H_2O$$
$$H_2S + 2\ O_2 \longrightarrow H_2SO_4$$
$$4\ FeCO_3 + O_2 + 6\ H_2O \longrightarrow 4\ Fe(OH)_3 + 4\ CO_2$$

De fait, des études récentes ont révélé l'existence de vastes colonies de chimiolithotrophes à croissance extrêmement lente, qui vivent jusqu'à 5 kilomètres de profondeur et dont la biomasse rivalise avec celle des organismes de surface.

Les **photoautotrophes** sont des autotrophes qui tirent leur énergie de la **photosynthèse** (Chapitre 24), un processus par lequel l'énergie lumineuse assure le transfert, sur le CO_2, d'électrons de donneurs inorganiques pour former des **glucides** [$(CH_2O)_n$]. Dans la forme la plus courante de photosynthèse, le donneur d'électrons de la réaction dépendant de la lumière est l'eau :

$$nCO_2 + nH_2O \longrightarrow (CH_2O)_n + nO_2$$

Ce processus est utilisé chez les **cyanobactéries** autrefois appelées **algues bleues** (par ex., les organismes visqueux de couleur verte qui se développent sur les parois des aquariums), ainsi que chez

---

*La **masse moléculaire** peut être exprimée en daltons, un dalton étant égal au 1/12ᵉ de la masse de l'atome de ¹²C [unité de masse atomique (uma)]. Cette quantité peut également s'exprimer en termes de **poids moléculaire**, quantité sans dimension, égale au rapport de la masse de la particule sur le 1/12ᵉ de la masse de l'atome de ¹²C et symbolisée par M_r (pour masse moléculaire relative). Dans ce manuel, nous donnerons plutôt la masse moléculaire (en kD, pour milliers de daltons) que le poids moléculaire d'une particule.

les plantes. On pense que cette forme de photosynthèse est probablement à l'origine de l'oxygène qui se trouve dans l'atmosphère terrestre. Certaines espèces de cyanobactéries ont la possibilité de transformer l'azote atmosphérique en composés organiques azotés. Cette propriété de **fixation de l'azote** fait de ces organismes ceux qui assurent leurs besoins nutritionnels de la façon la plus élémentaire : mis à part leur besoin de petites quantités de minéraux, ils peuvent littéralement vivre de lumière solaire et d'air.

Sous une forme plus primitive de la photosynthèse, des molécules telles que H_2, H_2S, le thiosulfate ou des composés organiques sont des donneurs d'électrons dans des réactions exigeant la lumière telles que :

$$nCO_2 + 2nH_2S \longrightarrow (CH_2O)_n + nH_2O + 2nS$$

Les **bactéries photosynthétiques pourpres** ou **vertes** qui utilisent ce processus peuvent vivre dans des habitats sans oxygène tels que des mares boueuses peu profondes où H_2S se forme suite à la pourriture de matière organique.

Les **hétérotrophes** (du grec *heteros*, autre) tirent leur énergie de l'oxydation de composés organiques et donc se trouvent finalement dépendants des autotrophes pour la fourniture de ces composés. Les **aérobies obligatoires** (dont les animaux) doivent utiliser l'oxygène, tandis que les **anaérobies** utilisent des agents oxydants comme le sulfate (**bactéries sulfato-réductrices**) ou le nitrate (**bactéries dénitrifiantes**). Beaucoup d'organismes peuvent dégrader partiellement différents composés organiques grâce à des mécanismes d'oxydo-réduction intramoléculaires appelés **fermentations**. Les **anaérobies facultatifs** tels qu'*E. coli* peuvent vivre avec ou sans oxygène. Les **anaérobies obligatoires**, au contraire, sont empoisonnés par l'oxygène. On pense que leurs métabolismes sont proches du métabolisme des premières formes de vie (il y a environ 3,8 milliards d'années, lorsque l'atmosphère terrestre ne contenait pas d'oxygène ; voir Section 1-5B). Quoi qu'il en soit, il y a peu de composés organiques qui ne puissent être métabolisés par un procaryote.

B. *Classification des procaryotes*

Les méthodes classiques de la **taxonomie** (science de la classification biologique), qui utilisent essentiellement les comparaisons anatomiques entre organismes contemporains et fossiles, sont pratiquement inutilisables pour les procaryotes. En effet, les structures cellulaires relativement simples des procaryotes, y compris celles des bactéries les plus anciennes comme le montrent leurs restes microfossiles, n'apportent que peu de renseignements sur leurs relations phylogéniques (**phylogenèse** : développement des espèces au cours de l'évolution). Ce problème se trouve accentué par le fait qu'il existe peu de corrélations chez les procaryotes entre morphologie et fonction métabolique. De plus la définition, propre aux eucaryotes, d'une espèce comme étant une population d'individus capable de se reproduire entre eux, n'a aucun sens chez les procaryotes dont la reproduction est asexuée. Par conséquent, les schémas conventionnels de classification des procaryotes sont plutôt arbitraires et ne peuvent faire état des relations phylogéniques que l'on trouve dans les schémas de classification des eucaryotes (Section 1-2B).

Selon le schéma le plus classique, les **procaryotes** (appelés aussi **monères**) peuvent appartenir à deux groupes : les cyanobactéries et les **bactéries**. Ces dernières sont divisées en 19 sous-groupes en fonction de la variété de leurs caractéristiques propres, notamment la structure de la cellule, leur comportement métabolique et leurs propriétés de coloration.

Un schéma de classification plus simple, qui repose sur les propriétés de la paroi cellulaire, permet de ranger les procaryotes en trois types principaux : les **mycoplasmes**, les **bactéries Gram positif** et les **bactéries Gram négatif**. Les mycoplasmes n'ont pas la paroi cellulaire rigide des autres procaryotes. Ce sont les plus petites de toutes les cellules vivantes (leur diamètre ne fait que 0,12 μm, Fig. 1-1) et elles n'ont que 20 % environ de l'ADN d'*E. coli*. Cette quantité d'information génétique représente probablement le minimum nécessaire à l'élaboration de la machinerie métabolique indispensable à la vie cellulaire. Les bactéries Gram positif et Gram négatif se distinguent selon qu'elles retiennent ou non le **colorant de Gram** (procédé mis au point en 1884 par Christian Gram, qui consiste à fixer les cellules par la chaleur, à les traiter successivement par le cristal violet et par l'iode, puis à les décolorer par l'éthanol ou l'acétone). Les bactéries Gram négatif possèdent autour de leur paroi cellulaire une **membrane externe** complexe qui exclut le colorant de Gram, alors que cette membrane fait défaut chez les bactéries Gram positif (Section 11-3B).

La mise au point, ces dernières décennies, de techniques de détermination des séquences d'acides aminés des protéines (Section 7-1) et des séquences de bases des acides nucléiques (Section 7-2A) a apporté de nombreuses informations sur les relations phylogéniques entre organismes. Ces techniques permettent d'utiliser ces relations sur une base quantitative, et ainsi d'élaborer un système de classification des procaryotes fondé sur des données phylogéniques.

D'après l'analyse des séquences d'ARN ribosomial, Carl Woese a montré qu'un groupe de procaryotes, qu'il a appelées **Archaea** (également connues sous le nom d'**Archébactéries**), semblait aussi éloigné des autres procaryotes, les **Bacteria** (également appelées **Eubactéries**), que ces deux groupes le sont des **Eucarya** (les Eucaryotes). On a d'abord cru que les Archaea correspondaient à trois types différents d'organismes insolites : les **méthanogènes**, anaérobies obligatoires qui produisent du méthane (gaz des marais) grâce à la réduction du CO_2 par l'H_2 ; les **halobactéries** qui ne peuvent vivre que dans des eaux saumâtres (> 2M NaCl) ; et certains **thermoacidophiles**, organismes qui vivent dans des sources d'eau chaude acide (~90°C et pH < 2). D'après des données récentes, cependant, ~40 % des micro-organismes des océans sont des Archaea, ce qui en ferait la forme de vie la plus abondante sur Terre.

Compte tenu d'un certain nombre de propriétés biochimiques fondamentales différentes chez les Archaea, les Bacteria et les Eucarya, mais qui sont communes au sein de chacun de ces groupes, Woese a proposé que ces groupes d'organismes constituent les trois **règnes fondamentaux** ou **domaines** de l'évolution du vivant (au lieu de la division classique entre procaryotes et eucaryotes). Cependant, des travaux ultérieurs sur les séquences d'ADN ont révélé que les Eucarya ont avec les Archaea des similitudes de séquence qu'ils ne partagent pas avec les Bacteria. De toute évidence, les Archaea et les Bacteria proviennent de la bifurcation d'une même forme de vie primitive, après quoi les Eucarya divergèrent des Archaea, comme le montre l'**arbre phylogénique** de la Fig. 1-4.

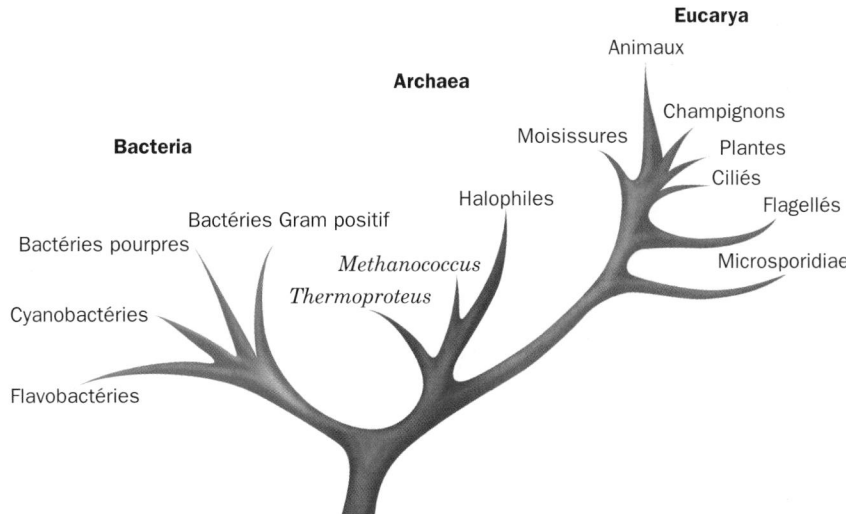

Eucarya

Archaea

Bacteria

Animaux
Champignons
Plantes
Ciliés
Flagellés
Microsporidiae
Moisissures
Halophiles
Bactéries Gram positif
Methanococcus
Thermoproteus
Bactéries pourpres
Cyanobactéries
Flavobactéries

FIGURE 1-4 L'arbre phylogénique. Cet « arbre généalogique » montre les relations évolutives au sein des trois règnes fondamentaux qui regroupent tous les êtres vivants. La racine de l'arbre correspond à l'ancêtre commun de toutes les formes de vie sur Terre. [D'après Wheelis, M.L., Kandler, O., and Woese, C.R., *Proc. Natl. Acad. Sci.* **89**, 2931 (1992).]

2 ■ LES EUCARYOTES

Les cellules eucaryotes ont généralement un diamètre compris entre 10 et 100 µm, soit un volume mille à un million de fois supérieur à celui des procaryotes typiques. Toutefois, ce qui caractérise le mieux la cellule eucaryote ce n'est pas la taille, mais le fait qu'elle contient une multitude d'organites fermés par une membrane, chacun ayant une fonction spécialisée (Fig. 1-5). En fait, *la structure et les fonctions des eucaryotes sont plus complexes que celles des procaryotes, à tous les niveaux d'organisation et ce, depuis le niveau moléculaire.*

Les eucaryotes et les procaryotes se sont développés selon des stratégies évolutives fondamentalement différentes. Les procaryotes ont tiré parti de la simplicité et de la miniaturisation : leur

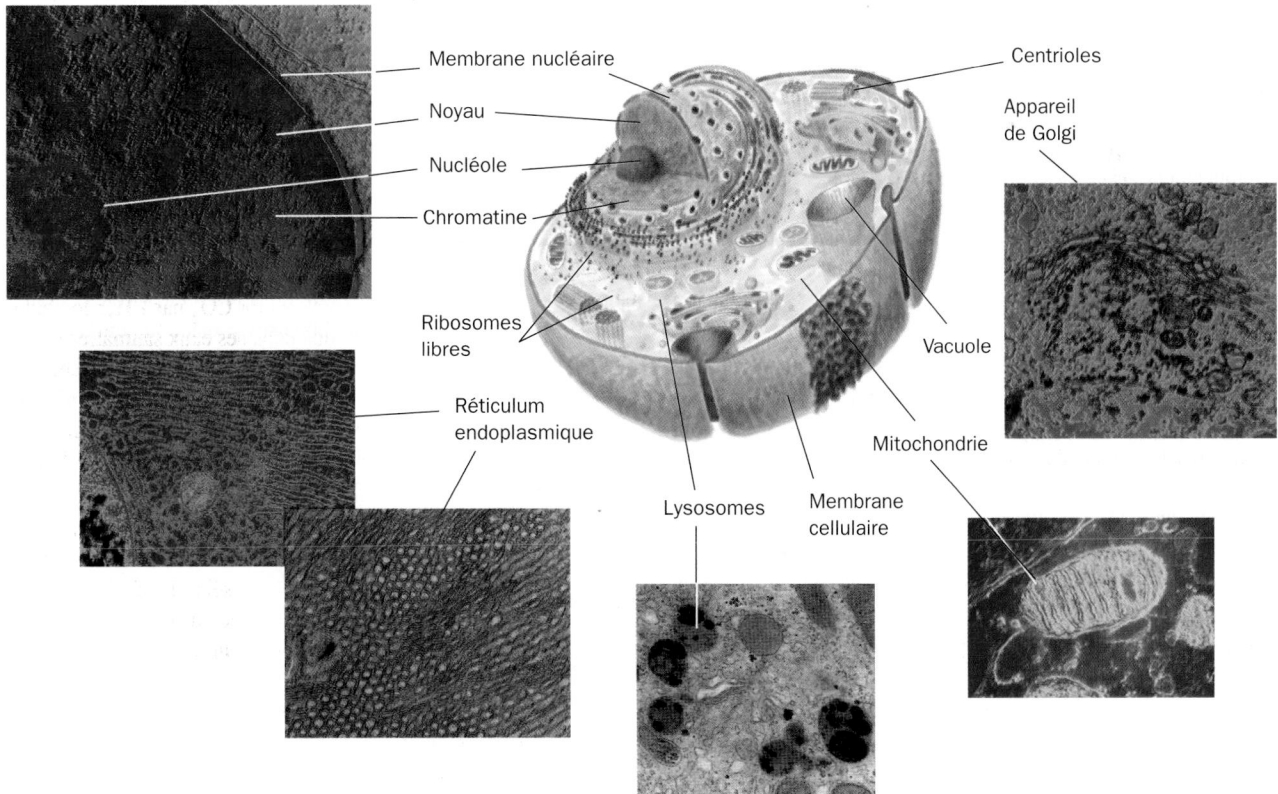

Membrane nucléaire
Noyau
Nucléole
Chromatine
Ribosomes libres
Réticulum endoplasmique
Lysosomes
Membrane cellulaire
Mitochondrie
Vacuole
Appareil de Golgi
Centrioles

FIGURE 1-5 Représentation schématique d'une cellule animale avec les micrographies électroniques de ses organites. [Noyau : Tetkoff-Rhône-Mérieux, CNRI/Photo Researchers ; réticulum endoplasmique rugueux et appareil de Golgi : Secchi-Lecaque/Roussel-UCLAF/CNRI/Photo Researchers ; réticulum endoplasmique lisse : David M.Phillips/Visuals Unlimited ; mitochondries : CNRI/Photo Researchers ; lysosome : Biophoto Associates/Photo Researchers.]

FIGURE 1-6 Dessin par T.A. Bramley, in Carlile, M., *Trends Biochem. Sci.* **7**, 128 (1982). [Copyright © Elsevier Biomedical Press, 1982, avec permission.]

vitesse de croissance rapide leur permet d'occuper des niches écologiques sujettes à des variations considérables quant aux nutriments disponibles. Au contraire, la complexité des eucaryotes, responsable de leur plus grande taille et de la lenteur de leur développement si on les compare aux procaryotes, leur donne la supériorité dans des environnements stables où les ressources sont limitées (Fig. 1-6). C'est donc une erreur de considérer les procaryotes comme des organismes plus primitifs, sur le plan évolutif, que les eucaryotes. Ces deux types d'organismes se sont en fait bien adaptés à leurs styles de vie respectifs.

Le premier microfossile d'eucaryote connu date d'environ 1,4 milliard d'années, soit 2,4 milliards d'années après l'apparition de la vie. D'où l'idée classique que les eucaryotes sont issus d'un procaryote particulièrement évolué, probablement un mycoplasme. Toutefois, les différences entre eucaryotes et procaryotes modernes sont telles que cette hypothèse est improbable. Peut-être les premiers eucaryotes qui, selon Woese, seraient issus d'une forme de vie primitive, n'étaient-ils pas très performants et étaient donc rares. C'est seulement après s'être pourvus de quelques-uns des organites complexes décrits dans la section suivante qu'ils seraient devenus assez courants pour donner des restes fossiles significatifs.

A. *Architecture cellulaire*

Les cellules eucaryotes, comme les procaryotes, sont limitées par une membrane plasmique. À cause de leur grande taille, les rapports surface/volume des cellules eucaryotes sont beaucoup plus petits que ceux des procaryotes (la surface d'un objet est pro-

portionnelle au carré du rayon, tandis que son volume est proportionnel au cube du rayon). Cette contrainte géométrique, et le fait que beaucoup d'enzymes indispensables sont associées à des membranes, explique en partie la présence de grandes quantités de membranes intracellulaires chez les eucaryotes (la membrane plasmique représente moins de 10 % des membranes d'une cellule eucaryote). Étant donné que tout ce qui entre ou sort d'une cellule doit, d'une manière ou d'une autre, traverser sa membrane plasmique, la surface de beaucoup de cellules eucaryotes est augmentée par la présence de nombreuses projections et/ou invaginations (Fig. 1-7). De plus, certaines parties de la membrane plasmique forment souvent des invaginations internes par un mécanisme appelé **endocytose**, si bien que la cellule englobe des portions du milieu extérieur. Ainsi, les cellules eucaryotes peuvent engloutir et digérer des particules alimentaires comme les bactéries, alors que les procaryotes ne peuvent absorber que de simples molécules nutritives. Le contraire de l'endocytose, mécanisme appelé **exocytose**, est un mécanisme de sécrétion courant chez les eucaryotes.

a. Le noyau contient l'ADN de la cellule

Le noyau, organite le plus remarquable de la cellule eucaryote, est le lieu de stockage de son information génétique. Cette information est codée dans la séquence des bases des molécules d'ADN qui constituent les chromosomes, dont le nombre est caractéristique de chaque espèce. Les chromosomes sont constitués de **chromatine**, un complexe d'ADN et de protéines. La quantité d'information génétique contenue chez les eucaryotes est considérable ; par exemple, une cellule humaine contient 700 fois plus d'ADN

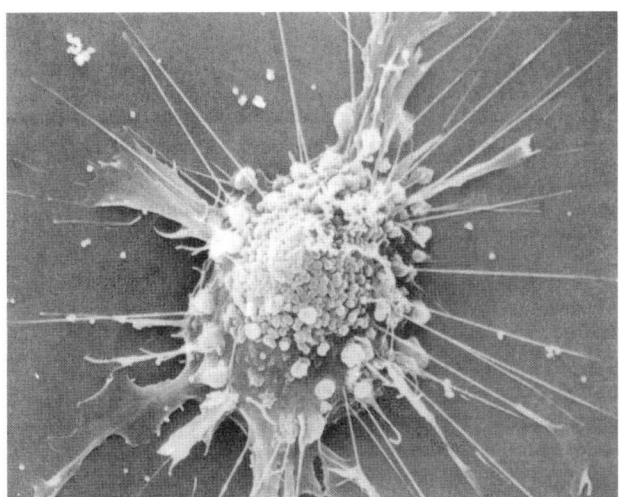

FIGURE 1-7 Micrographie électronique à balayage d'un fibroblaste. [Avec la permission de Guenther Albrecht-Buehler, Northwestern University.]

qu'*E. coli* (par analogie avec les termes qui définissent la mémoire des ordinateurs, le **génome** (équipement génétique) de chaque cellule humaine équivaut à 800 mégabits d'information — soit environ 200 fois pluss que n'en contient cet ouvrage). Dans le noyau, l'information génétique codée par l'ADN est transcrite en molécules d'ARN (Chapitre 31) qui, après de profondes modifications, seront transportées dans le cytoplasme (contenu de la cellule eucaryote moins le noyau) où elles vont diriger la synthèse protéique au niveau des ribosomes (Chapitre 32). L'enveloppe nucléaire est constituée d'une double membrane perforée de nombreux pores d'environ 90 Å de diamètre, dont le rôle est de réguler les flux d'entrée et de sortie des protéines et de l'ARN entre le noyau et le cytoplasme.

Le noyau de la plupart des cellules eucaryotes contient au moins un corps dense en microscopie électronique, appelé **nucléole**, lieu d'assemblage des ribosomes. Celui-ci contient les segments de chromosomes porteurs de gènes en copies multiples codant les ARN ribosomiaux. Ces gènes sont transcrits dans le nucléole et les ARN ainsi synthétisés s'associent aux protéines ribosomiales importées depuis leur lieu de synthèse dans le **cytosol** (le cytoplasme moins les organites membranaires). Les ribosomes immatures résultants sont alors exportés dans le cytosol, où leur assemblage est achevé. La synthèse protéique ne peut donc avoir lieu que dans le cytosol.

b. Le réticulum endoplasmique et l'appareil de Golgi assurent les modifications des protéines membranaires et des protéines sécrétées

La structure membranaire la plus importante de la cellule, découverte en 1945 par Keith Porter, forme un compartiment en labyrinthe appelé **réticulum endoplasmique**. Une grande partie de cet organite, appelé **réticulum endoplasmique rugueux**, est garnie de ribosomes qui sont impliqués dans la synthèse des protéines liées aux membranes ou destinées à être sécrétées. Le **réticulum endoplasmique lisse**, qui n'est pas associé à des ribo-

somes, est le siège de la synthèse des lipides. La plupart des molécules synthétisées dans le réticulum endoplasmique sont ensuite transportées vers l'**appareil de Golgi** (Camillo Golgi fut le premier à décrire cette structure en 1898), un empilement de vésicules membraneuses aplaties dans lesquelles ces molécules poursuivent leur maturation (Section 23-3B).

c. Les mitochondries sont le siège du métabolisme oxydatif

Les **mitochondries** (du grec *mitos*, fil et *chondros*, granule) sont le siège de la **respiration** cellulaire (métabolisme aérobie) chez presque tous les eucaryotes. Ces organites cytoplasmiques, qui sont suffisamment grands pour avoir été découverts par les cytologistes du dix-neuvième siècle, varient en taille et en forme mais sont généralement ellipsoïdes avec des dimensions de l'ordre de 1×2 µm — comparables à celles des bactéries. Une cellule eucaryote type contient environ 2000 mitochondries, ce qui correspond grosso modo au cinquième du volume total de la cellule.

Par examen en microscopie électronique, George Palade et Fritjof Sjöstrand furent les premiers à montrer que la mitochondrie présente deux membranes : une membrane externe lisse et une membrane interne fortement plissée formant des invaginations appelées **crêtes**. Les mitochondries ont donc deux compartiments, l'**espace intermembranaire** et, à l'intérieur, la **matrice** dont la consistance est proche de celle d'un gel. Les enzymes qui catalysent les réactions de la respiration se trouvent soit dans la **matrice**, soit dans la membrane interne mitochondriale. *Ces enzymes assurent le couplage entre l'oxydation de nutriments productrice d'énergie et la synthèse de l'***adénosine triphosphate** (**ATP** ; Section 1-3B et Chapitre 22), laquelle nécessite un apport d'énergie. L'adénosine triphosphate, après avoir été exporté dans le reste de la cellule, constitue le carburant des différents mécanismes consommateurs d'énergie.

L'identité de taille et de forme n'est pas le seul critère de ressemblance entre mitochondrie et bactérie. La matrice des mitochondries contient un ADN qui leur est propre, de l'ARN, et des ribosomes qui permettent la synthèse de plusieurs des constituants mitochondriaux. De plus, elles se reproduisent par division binaire, et le mécanisme de respiration qu'elles assument ressemble étonnamment à celui des bactéries aérobies modernes. Ces observations ont conduit à l'hypothèse, formulée par Lynn Margulis et maintenant largement admise, selon laquelle les mitochondries seraient issues de bactéries aérobies Gram négatif, libres à l'origine, et qui auraient établi une symbiose avec un eucaryote anaérobie primitif. Les nutriments fournis par l'eucaryote et consommés par les bactéries se trouvaient vraisemblablement « remboursés » plusieurs fois grâce au métabolisme oxydatif très efficace que ces bactéries conféraient à l'eucaryote. Cette hypothèse est confortée par la découverte qu'une amibe, *Pelomyxa pelustris*, un des rares eucaryotes dépourvus de mitochondries, abrite en permanence des bactéries aérobies assurant une telle relation symbiotique.

d. Les lysosomes et les peroxysomes sont des réservoirs d'enzymes de dégradation

Les **lysosomes**, découverts en 1949 par Christian de Duve, sont des organites limités par une simple membrane. Leur taille et leur morphologie sont variables, bien que leur diamètre moyen soit de 0,1 à 0,8 µm. Les lysosomes sont essentiellement des sacs membraneux remplis de nombreux types d'enzymes d'hydrolyse. Ils assurent la dégradation de produits amenés par endocytose ainsi que le recyclage de composants cellulaires (Section 32-6). Des recherches cytologiques ont montré que les lysosomes se forment par bourgeonnement de l'appareil de Golgi.

Les **peroxysomes** (appelés parfois **microcorpuscules**) sont des organites fermés par une membrane et dont le diamètre est de 0,5 μm. Ils contiennent des enzymes d'oxydation. Les peroxysomes doivent leur nom au fait que certaines réactions peroxysomiales produisent du **peroxyde d'hydrogène** (H_2O_2), molécule réactive qui peut être utilisée dans l'oxydation enzymatique d'autres molécules, ou dégradée via une réaction de dismutation catalysée par la **catalase** :

$$2\ H_2O_2 \longrightarrow 2\ H_2O + O_2$$

On pense que le rôle des peroxysomes est de protéger les composants de la cellule de l'attaque oxydative par H_2O_2. Les peroxysomes, tout comme les mitochondries, se forment par simple division, et on admet qu'ils ont également une origine bactérienne. Certaines plantes contiennent un type particulier de peroxysome, le **glyoxysome**, ainsi appelé car siège d'une série de réactions qui constituent ce qu'on appelle la voie du **glyoxylate** (Section 23-2).

e. Le cytosquelette organise le cytosol

Le cytosol, loin d'être une solution homogène, est un gel très organisé dont la composition peut varier d'une région à l'autre de la cellule. Une bonne part de sa variabilité interne est due à l'action du **cytosquelette**, vaste réseau de filaments qui confère à la cellule sa forme et la faculté de se déplacer, et qui assure la disposition et les mouvements de ses organites (Fig. 1-8).

Les composants les plus remarquables du cytosquelette sont les **microtubules**, d'un diamètre de ~250 Å et constitués d'une pro-

téine, la **tubuline** (section 35-3F). Ils forment l'ossature de soutien qui guide les mouvements des organites dans la cellule. Par exemple, le **fuseau mitotique** est un assemblage de microtubules et de protéines associées, qui permet la séparation des chromosomes au cours de la division cellulaire. Les microtubules sont également les principaux constituants des **cils**, appendices semblables à des cheveux qui prolongent de nombreuses cellules et assurent, par fouettement, le mouvement du liquide environnant la cellule ou la propulsion d'organismes unicellulaires dans leur milieu. Les cils très longs, comme la queue des spermatozoïdes, sont appelés **flagelles** (les flagelles des procaryotes, constitués de la protéine **flagelline,** sont tout à fait différents et n'ont aucune relation avec ceux des eucaryotes). D'après des données récentes, les cils proviendraient eux aussi de bactéries autrefois libres — peut-être les spirochètes.

Les **microfilaments** sont des fibres d'environ 90 Å de diamètre constituées de la protéine appelée **actine**. Comme les microtubules, les microfilaments ont une fonction de soutien mécanique. De plus, en interagissant avec la protéine **myosine**, les microfilaments forment des assemblages contractiles à l'origine de beaucoup de mouvements intracellulaires tels que les flux cytoplasmiques et la formation de protubérances ou d'invaginations cellulaires. Notons, et ceci est important, que l'actine et la myosine sont les constituants protéiques principaux du muscle (Section 35-3A).

Les troisièmes composants principaux du cytosquelette sont les **filaments intermédiaires**, fibres protéiques de 100 à 150 Å de diamètre. Leur abondance dans les régions de la cellule soumises à des contraintes mécaniques suggère qu'ils ont un rôle de soutien structural. Par exemple, la peau des animaux supérieurs contient un vaste réseau de filaments intermédiaires constitués de la protéine **kératine** (Section 8-2A), laquelle est en grande partie res-

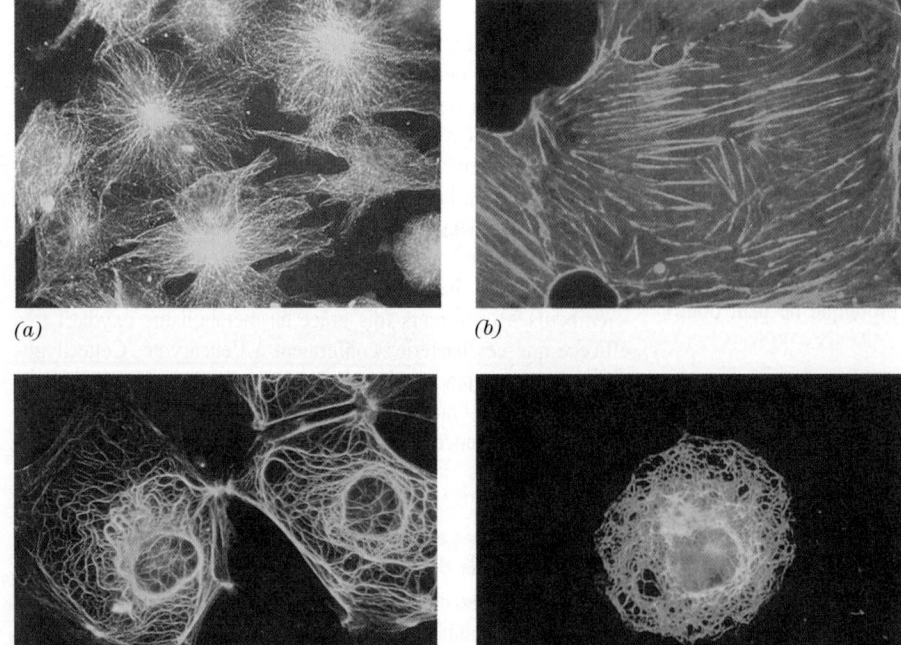

(a)   *(b)*

(c)   *(d)*

FIGURE 1-8 Micrographie par immunofluorescence pour révéler le cytosquelette. Les cellules ont été marquées avec des anticorps fluorescents dirigés contre (a) la tubuline, (b) l'actine, (c) la kératine, (d) la **vimentine** (une protéine constituante d'une catégorie de filaments intermédiaires). [*a* et *d* : K.G. Murti/Visuals Unlimited ; *b* : M. Schliwa/Visuals Unlimited ; *c* : avec la permission de Mary Osborn, Max-Planck Institut für Molecular Biologie, Allemagne.]

ponsable de la résistance de ce revêtement extérieur protecteur. Contrairement aux microtubules et microfilaments, les filaments intermédiaires sont constitués de protéines très variables en taille et en composition, qu'il s'agisse des différents types cellulaires d'un même organisme ou de types cellulaires correspondants chez des organismes différents.

f. Les cellules végétales sont entourées de parois cellulaires rigides

Les cellules végétales (Fig. 1-9) possèdent tous les organites décrits ci-dessus. Elles ont, en plus, d'autres caractéristiques, la plus marquante étant une paroi cellulaire rigide qui recouvre la membrane plasmique. Cette paroi cellulaire, dont le principal composant est un polysaccharide fibreux, la **cellulose** (Section 11-2C), assure la solidité structurale des plantes.

Une **vacuole** est un espace limité par une membrane et rempli de liquide. Bien que l'on trouve des vacuoles dans les cellules animales, elles sont surtout abondantes dans les cellules végétales, où elles occupent classiquement 90 % du volume d'une cellule mature. Les vacuoles servent de réserve pour les nutriments, les déchets et des substances particulières telles que les pigments. La concentration relativement élevée de solutés dans une vacuole végétale provoque un afflux d'eau par osmose, d'où une augmentation de sa pression interne. Cet effet, ainsi que la résistance de la paroi cellulaire à l'éclatement, sont en grande partie responsables de la turgescence rigide des plantes non ligneuses.

g. Les chloroplastes sont le siège de la photosynthèse chez les plantes

L'une des caractéristiques les plus importantes des plantes est leur faculté d'assurer la photosynthèse. Le siège de la photosynthèse est un organite appelé **chloroplaste**. Celui-ci, bien que plusieurs fois plus grand qu'une mitochondrie, lui ressemble par la présence d'une membrane interne et d'une membrane externe. De plus, l'espace limité par la membrane interne du chloroplaste, le **stroma**, ressemble à la matrice mitochondriale dans la mesure où il contient de nombreuses enzymes solubles. Cependant, la membrane interne du chloroplaste ne se plisse pas en crêtes. En fait, le stroma entoure un troisième système membraneux qui forme des empilements, reliés entre eux, de sacs en forme de disques appelés

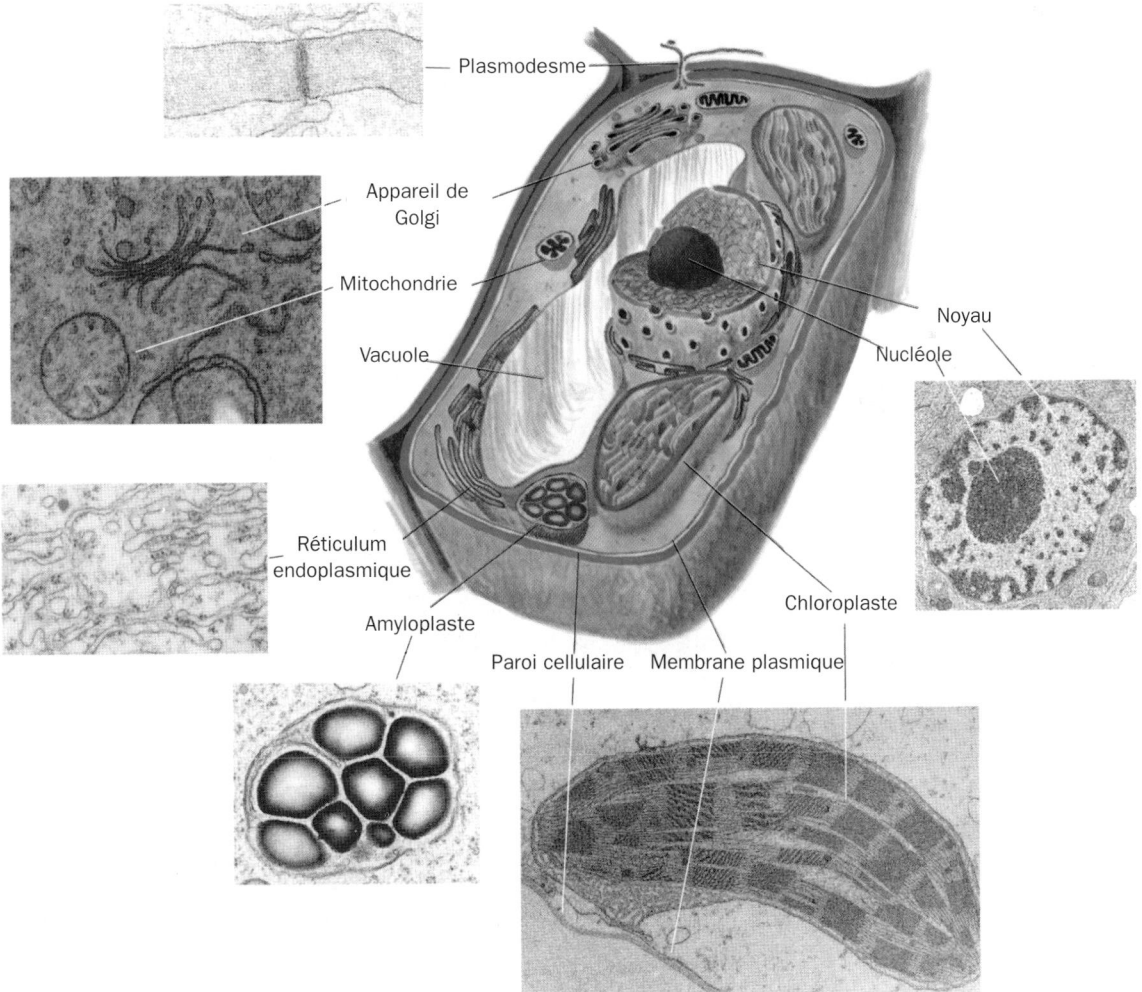

FIGURE 1-9 Dessin d'une cellule végétale avec les micrographies électroniques de ses organites. [Plasmodesme : avec la permission de Hilton Mollenhauer, USDA ; noyau : avec la permission de Myron Ledbetter, Brookhaven National Laboratory ; appareil de Golgi : avec la permission de W. Gordon Whaley, University of Texas ; chloroplaste : avec la permission de Lewis Shumway, College of Eastern Utah ; amyloplaste : Biophoto Associates ; réticulum endoplasmique : Biophoto Associates/Photo Researchers.]

thylacoïdes. Ceux-ci contiennent le pigment photosynthétique, la **chlorophylle**. Le thylacoïde tire parti de l'énergie lumineuse captée par la chlorophylle pour synthétiser de l'ATP qui sera utilisé dans le stroma pour assurer des réactions de biosynthèse de glucides et autres produits (Chapitre 24).

Les chloroplastes possèdent, comme les mitochondries, leurs propres ADN, ARN et ribosomes, et ils se reproduisent par simple division. Il semble que les chloroplastes, tout comme les mitochondries, sont issus d'une cyanobactérie primitive qui se serait introduite dans un eucaryote non photosynthétique ancestral. En fait, plusieurs eucaryotes non photosynthétiques modernes ont précisément établi une telle symbiose avec d'authentiques cyanobactéries. Ainsi, la *plupart des eucaryotes modernes sont des « métis » génétiques puisque des ascendants différents sont à l'origine de leur composition nucléaire, mitochondriale, peroxysomale, ciliée (probablement), et — dans le cas des plantes — chloroplastique.*

B. *Phylogénie et différenciation*

L'une des caractéristiques les plus remarquables des eucaryotes est leur diversité morphologique considérable, aussi bien sur le plan cellulaire que sur celui de l'organisme. Ainsi, comparez l'architecture des différentes cellules humaines représentées à la Fig. 1-10. De même, considérez les énormes différences anatomiques entre, par exemple, une amibe, un chêne et un être humain.

Les schémas taxonomiques fondés à la fois sur la morphologie générale et sur les séquences des protéines et des acides nucléiques (Sections 7-1 et 7-2) indiquent que les eucaryotes peuvent être classés en trois règnes : **Fungi** (champignons), **Plantae** (plantes) et **Animalia** (animaux). Toutefois, la relative simplicité de la structure de nombreux eucaryotes unicellulaires rend leur classification selon ce schéma plutôt arbitraire. Aussi attribue-t-on généralement à ces organismes un quatrième règne, celui des **Protistes**. (Notez que les schémas de classification biologique sont établis pour la convenance des biologistes ; la nature se prête rarement à une classification aussi nette.) La Figure 1-11 représente un arbre phylogénique des eucaryotes.

La comparaison de l'anatomie des organismes vivants ou fossiles montre que les différents règnes d'organismes multicellulaires ont évolué indépendamment à partir des protistes (Fig. 1-11). Les programmes de croissance, différenciation et développement suivis par les eucaryotes multicellulaires (**les métazoaires**) depuis la fécondation de l'ovule jusqu'à l'organisme adulte fournissent des indications remarquables sur l'histoire de l'évolution. Par exemple, tous les vertébrés présentent des fentes en forme de branchies aux premiers stades embryonnaires, ce qui témoigne de leur ascendance commune avec les poissons (Fig. 1-12). À vrai dire, ces embryons précoces ont des tailles et des anatomies très voisines même si elles se révèlent très différentes chez les formes adultes correspondantes. De telles observations ont conduit Ernst Haeckel à formuler son affirmation célèbre

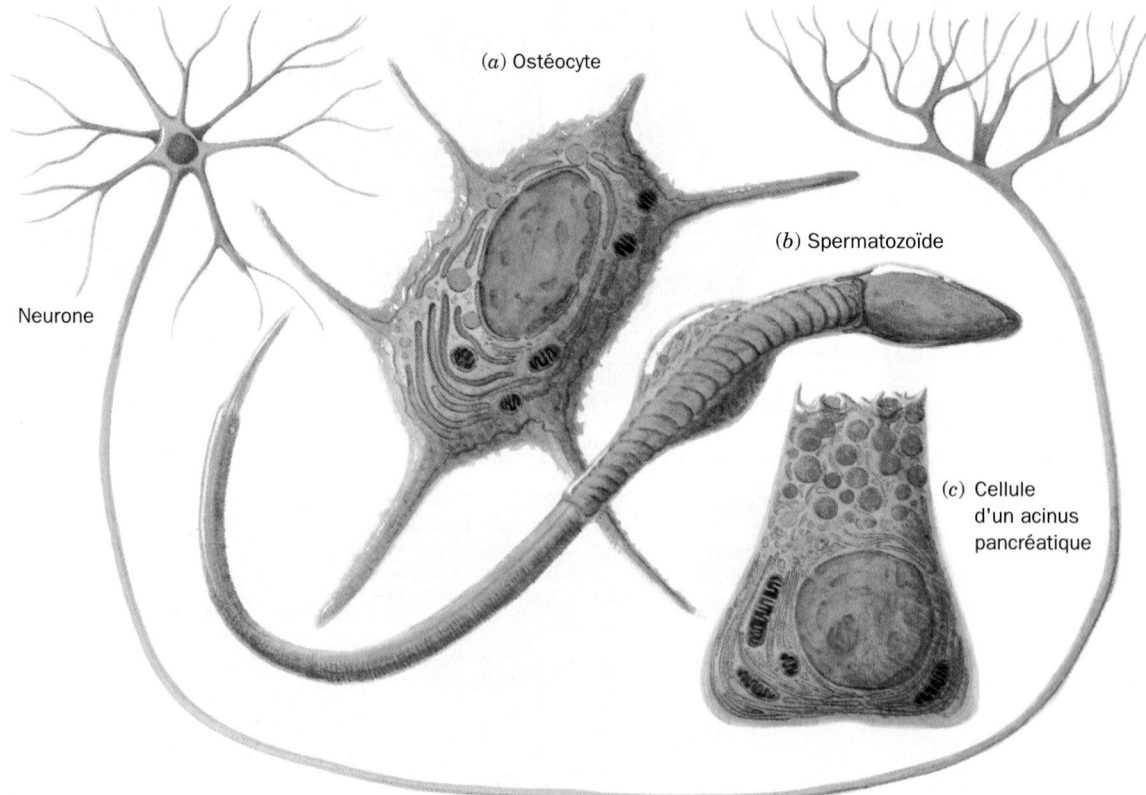

FIGURE 1-10 Dessins de quelques cellules humaines : (*a*) un ostéocyte (cellule osseuse), (*b*) un spermatozoïde, (*c*) une cellule d'acinus pancréatique (qui sécrète des enzymes de la digestion), et (*d*) un neurone (cellule nerveuse).

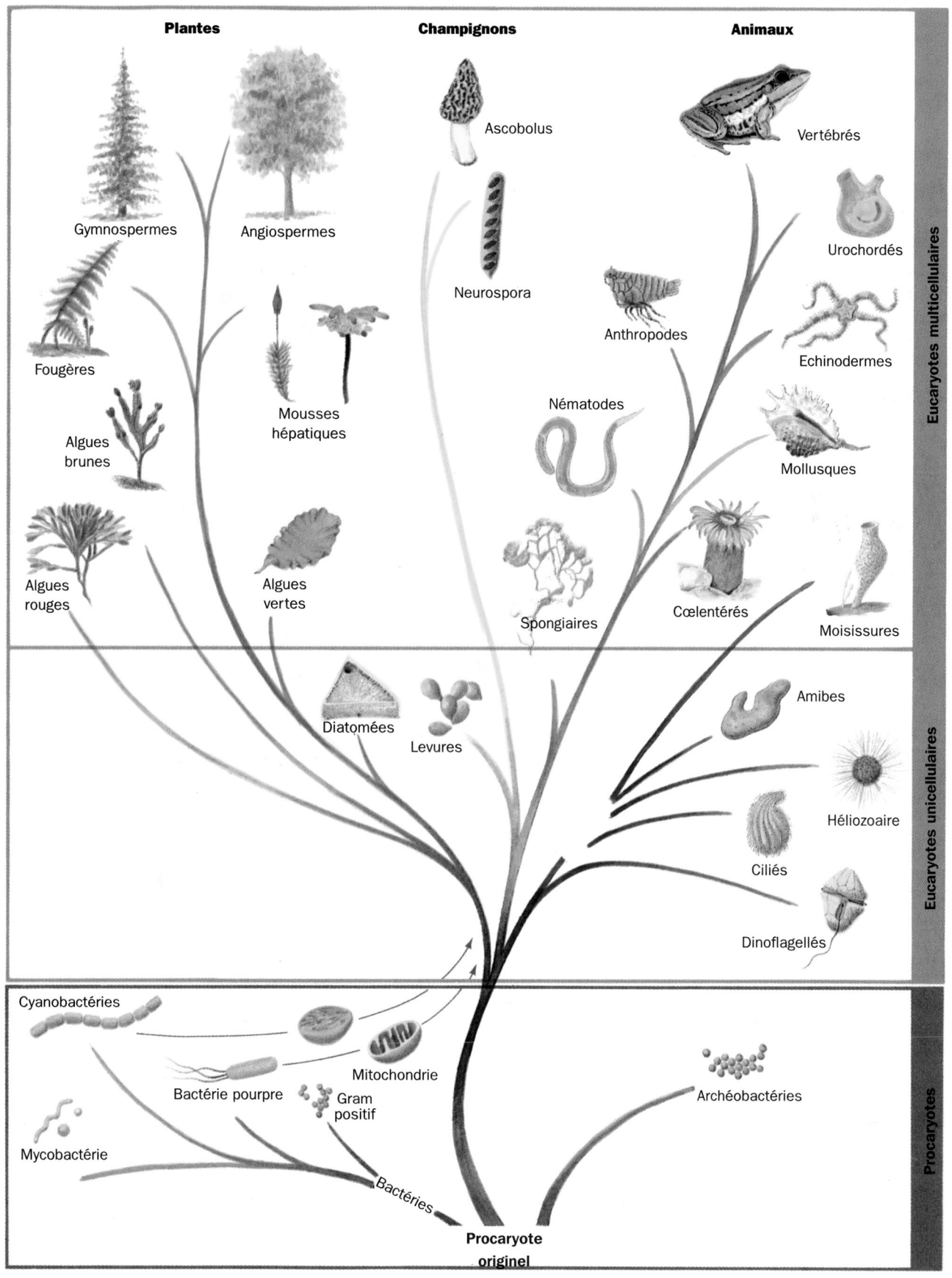

FIGURE 1-11 **Arbre phylogénique de l'évolution de la vie cellulaire sur la Terre.**

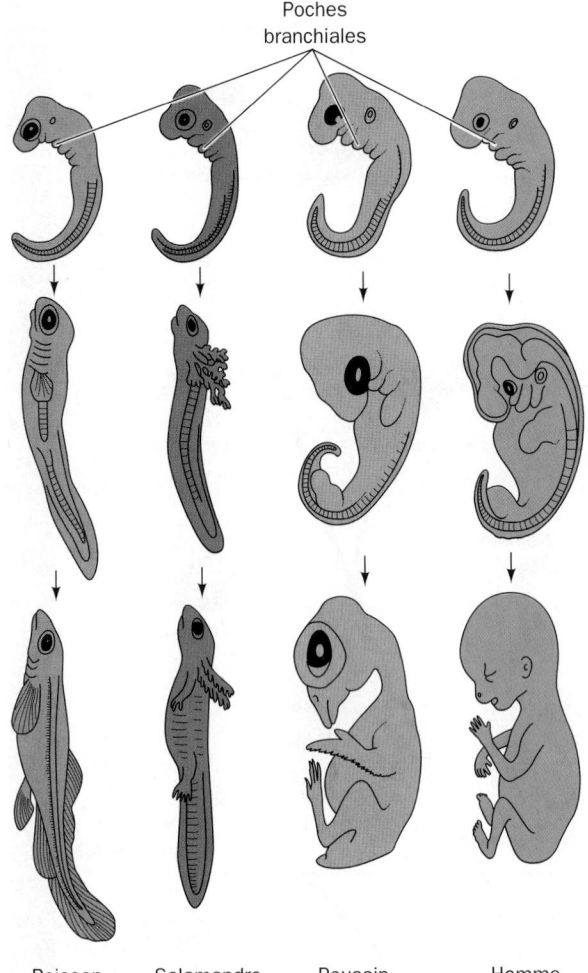

Poches
branchiales

Poisson   Salamandre   Poussin   Homme

**FIGURE 1-12 Le développement embryonnaire d'un poisson, d'un
amphibien (salamandre), d'un oiseau (poule) et d'un mammifère
(homme).** Aux stades précoces, leur taille et leur anatomie sont très semblables (les dessins du haut sont sensiblement à la même échelle), bien
qu'il soit actuellement établi que ces similitudes sont moins grandes que
ne l'indiquent ces représentations classiques ; elles divergent ensuite.
[D'après Haeckel, E., *Anthropogenie oder Entwickelungsgeschichte des
Menschen*, Engelmann (1874).]

(quoique exagérée) : *l'ontogenèse est une récapitulation de la phylogenèse* (ontogenèse : développement biologique). L'élucidation
du mécanisme de la différenciation cellulaire des eucaryotes est
l'un des principaux objectifs à long terme de la biochimie
moderne.

3 ■ LA BIOCHIMIE : PROLOGUE

La biochimie, comme son nom l'indique, est la chimie de la vie.
Elle établit donc un pont entre la chimie, qui étudie les structures
et les interactions des atomes et molécules, et la biologie, qui étudie les structures et les interactions des cellules et organismes.
Puisque les êtres vivants sont constitués de molécules inanimées,

*la vie, à son niveau le plus élémentaire, est un phénomène biochi-
mique.*

Bien que les propriétés macroscopiques des êtres vivants soient
extrêmement variées, comme nous venons de le voir, leur biochimie remarquablement similaire fournit un thème unificateur pour
leur étude. Par exemple, l'information héréditaire est codée et
exprimée de manière pratiquement identique dans toute vie cellulaire. De plus, les séquences de réactions biochimiques appelées
voies métaboliques, tout comme les structures des enzymes qui
les catalysent sont, pour beaucoup de processus fondamentaux,
quasi identiques quel que soit l'organisme. Il y a donc de fortes
présomptions que toutes les formes de vie connues soient issues
d'un même ancêtre commun où ces caractéristiques biochimiques
étaient déjà assurées.

Bien que la biochimie soit un domaine extrêmement diversifié,
elle s'intéresse essentiellement à un nombre restreint de questions
interdépendantes :

1. Quelles sont les structures chimiques et tridimensionnelles
des molécules biologiques et de leurs assemblages ? Comment ces
structures se forment-elles et comment leurs propriétés changent-
elles selon ces structures ?

2. Comment les protéines fonctionnent-elles ? Autrement dit,
quels sont les mécanismes moléculaires de la catalyse enzymatique, comment les récepteurs reconnaissent-ils et fixent-ils des
molécules spécifiques, et quels sont les mécanismes intra- et intermoléculaires qui permettent aux récepteurs de transmettre l'information qui résulte de cette liaison ?

3. Comment l'information génétique s'exprime-t-elle et comment est-elle transmise aux générations suivantes ?

4. Comment les molécules biologiques et les assemblages
moléculaires sont-ils synthétisés ?

5. Quels sont les mécanismes de contrôle qui coordonnent les
multitudes de réactions biochimiques qui se déroulent dans les cellules et les organismes ?

6. Comment les cellules et les organismes se développent-ils,
se différencient-ils et se reproduisent-ils ?

Ces questions sont présentées sommairement dans cette section et
seront approfondies ultérieurement dans d'autres chapitres. Dans
tous les cas cependant, nos connaissances, si étendues soient-elles,
sont limitées par notre ignorance ; ce constat deviendra évident à
mesure que vous lirez cet ouvrage.

A. *Structures biologiques*

Les êtres vivants sont extrêmement complexes. Comme nous
l'avons vu dans la Section 1-1 A, même la cellule d'*E. coli* relativement simple contient quelque 3 à 6 mille composés différents
dont la plupart sont propres à *E. coli* (Fig. 1-13). Les organismes
supérieurs ont une plus grande complexité. Chez **Homo sapiens**
(l'être humain), par exemple, on compte 100 000 types de molécules différentes, dont on n'a caractérisé qu'une minorité. On
pourrait donc penser que la compréhension biochimique cohérente
de n'importe quel organisme exige un travail tel qu'il soit irréali-
sable. Cependant, ce n'est pas le cas. *Les êtres vivants présentent
une régularité sous-jacente qui résulte du caractère hiérarchique*

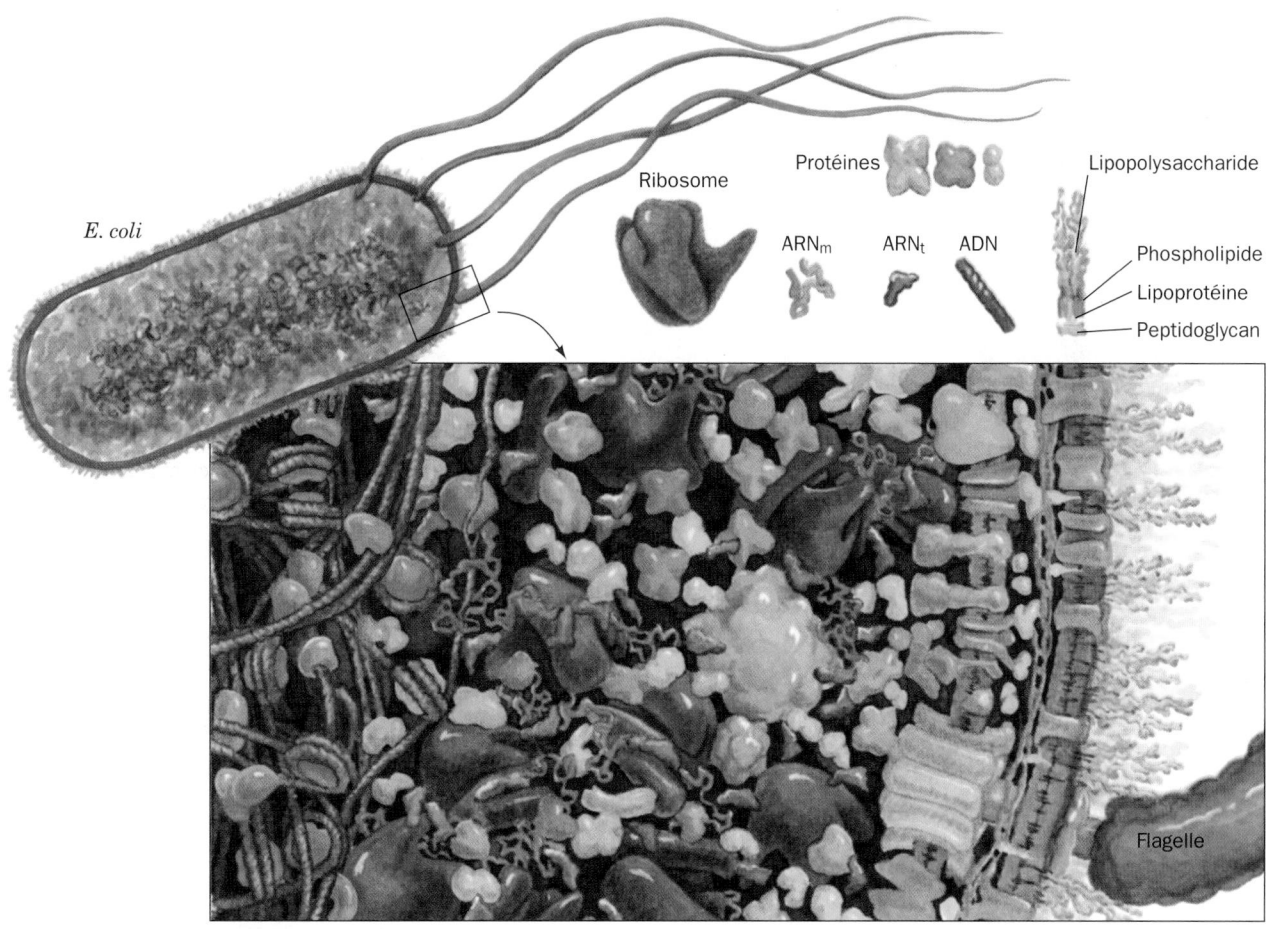

E. coli
Ribosome
Protéines
Lipopolysaccharide
ARN$_m$ ARN$_t$ ADN
Phospholipide
Lipoprotéine
Peptidoglycan
Flagelle

FIGURE 1-13 Coupe transversale simulée d'une cellule d'*E.coli* grossie environ un million de fois. À droite du dessin, on voit la paroi cellulaire multicouche et la membrane, ornée sur sa surface externe par des polysaccharides (Section 11-3B). Un flagelle (*en bas à droite*) est mû par un moteur ancré dans la membrane interne (Section 35-3G). Le cytoplasme, qui occupe la région centrale du dessin, est occupé essentiellement par des ribosomes engagés dans la synthèse protéique (Section 32-3). À gauche du dessin, on voit un enchevêtrement dense d'ADN complexé à des protéines spécifiques. Seules les macromolécules et les grands assemblages moléculaires sont représentés. Dans la cellule vivante, le reste du cytoplasme est en fait occupé par des petites molécules, y compris de l'eau (la taille d'une molécule d'eau aurait, à cette échelle, celle du point à la fin de cette phrase. [D'après un dessin de David Goodsell, UCLA.]

de leur organisation. Des études anatomiques et cytologiques ont montré que les organismes pluricellulaires sont des ensembles d'organes, faits de tissus constitués de cellules, elles-mêmes composées d'organites subcellulaires (Figure 1-14). À ce stade de la hiérarchie, nous entrons dans le domaine de la biochimie car les organites sont constitués d'**assemblages supramoléculaires**, tels que les membranes ou les fibres, qui sont des agrégats organisés de **macromolécules** (polymères de masse moléculaire de plusieurs milliers de daltons et plus).

Comme le montre le Tableau 1-1, *E. coli* et les êtres vivants en général ne renferment qu'un petit nombre de macromolécules de types différents : des **protéines** (du dieu grec *Protée*, qui changeait de forme à volonté), des **acides nucléiques** et des **polysaccharides** (du grec *sakcharon*, sucre). *Toutes ces substances résultent d'une construction modulaire ; elles sont constituées d'unités monomériques reliées entre elles qui correspondent au niveau le plus bas de notre hiérarchie structurale*. Ainsi, comme le montre la Fig. 1-15, les protéines sont des polymères d'acides aminés (Section 4-1B), les acides nucléiques sont des polymères de nucléotides (Section 5-1) et les polysaccharides sont des polymères de sucres (Section 11-2). Les **lipides** (du grec *lipos*, graisse), la quatrième catégorie principale de biomolécules, sont trop petits pour être considérés comme macromolécules, mais ils résultent également d'une construction modulaire (Section 12-1).

Le travail du biochimiste s'est trouvé considérablement simplifié quand on s'aperçut *qu'il y a relativement peu d'espèces d'unités monomériques constituant chacun des types de macromolécules biologiques*. Les protéines sont toutes synthétisées à partir des 20 mêmes **acides aminés**, les acides nucléiques sont formés à partir de 8 **nucléotides** différents (4 pour l'ADN, 4 pour l'ARN), et l'on ne trouve couramment qu'environ 8 sortes de **sucres** dans les polysaccharides. La grande diversité des propriétés de chaque type de macromolécules est due essentiellement au nombre considérable de possibilités d'arrangements de leurs unités monomériques et, dans beaucoup de cas, à des modifications chimiques de ces unités.

L'une des questions centrales de la biochimie est de savoir comment sont réalisées les structures biologiques. Comme nous l'expliquerons dans d'autres chapitres, les unités monomériques des macromolécules sont soit obtenues directement par la cellule

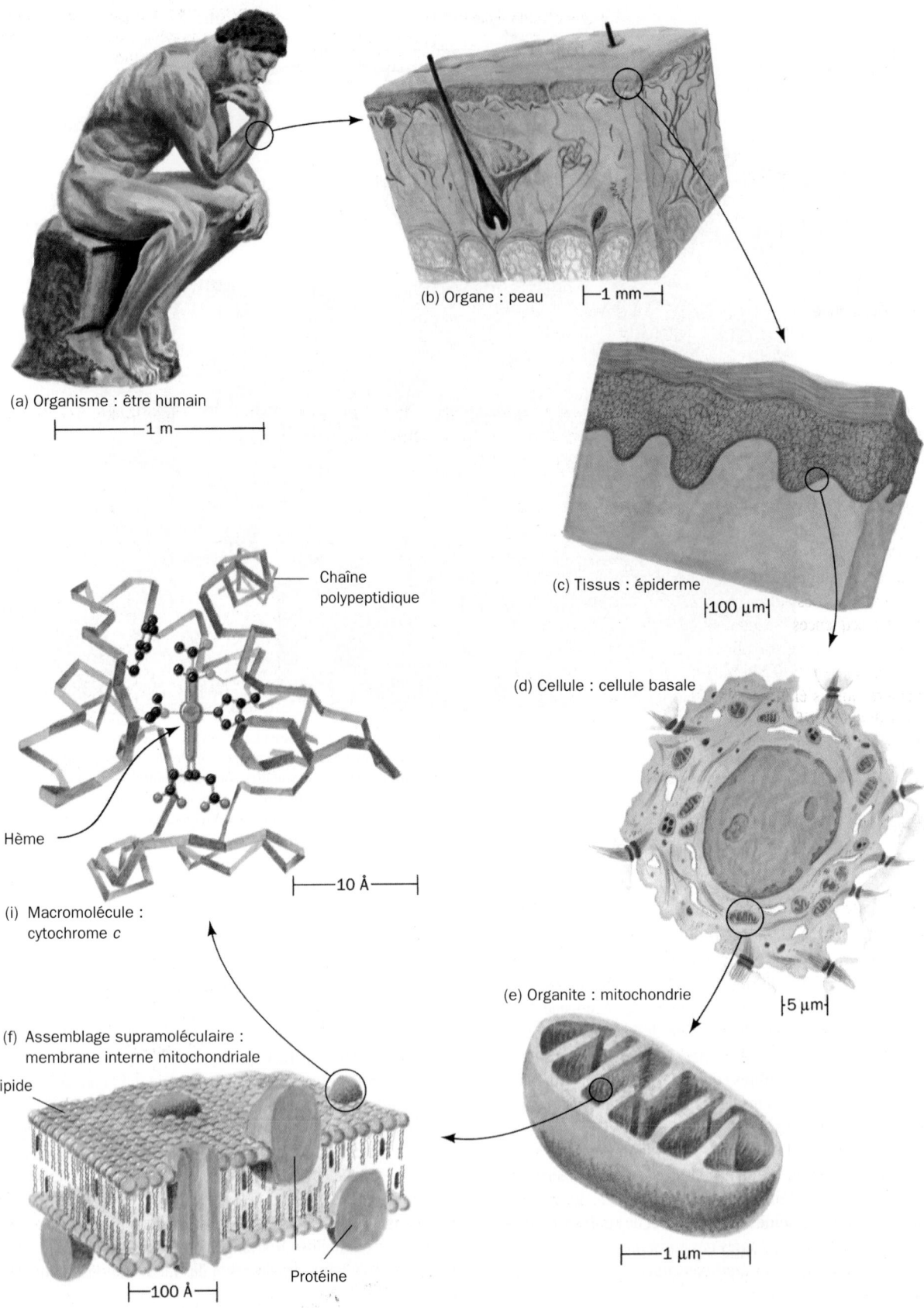

(a) Organisme : être humain
├────── 1 m ──────┤

(b) Organe : peau ├─1 mm─┤

(c) Tissus : épiderme ├100 µm┤

(d) Cellule : cellule basale

(e) Organite : mitochondrie ├5 µm┤

Chaîne polypeptidique

Hème

(i) Macromolécule : cytochrome *c* ├─── 10 Å ───┤

(f) Assemblage supramoléculaire : membrane interne mitochondriale

Lipide

Protéine ├100 Å┤

├──── 1 µm ────┤

FIGURE 1-14 **Exemple de l'organisation hiérarchique des structures biologiques.**

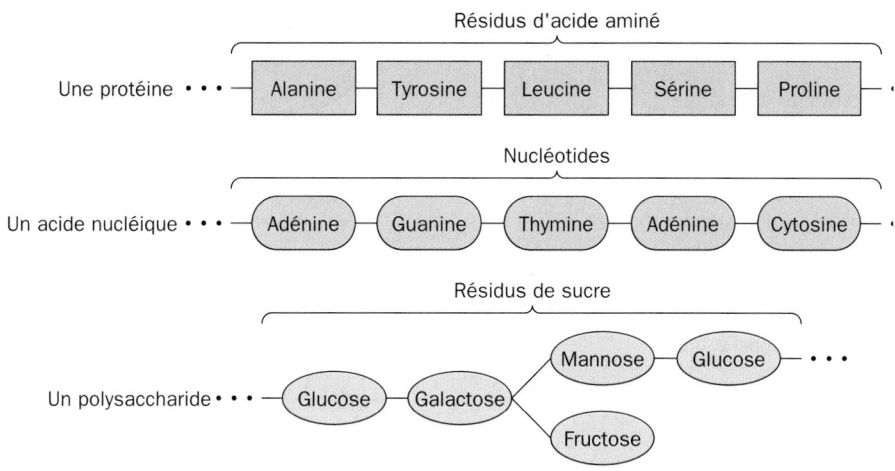

FIGURE 1-15 L'organisation polymérique des protéines, des acides nucléiques et des polysaccharides.

sous forme de nutriments, soit synthétisées enzymatiquement à partir de substances plus simples. Les macromolécules sont synthétisées à partir de leurs précurseurs monomériques grâce à des processus enzymatiques complexes.

Les protéines néo-synthétisées se replient spontanément pour acquérir leur conformation native (Section 9-1A) ; autrement dit, elles subissent un **auto-assemblage**. C'est leur séquence en acides aminés qui semble imposer leur structure tridimensionnelle. De même, les structures des autres types de macromolécules sont spécifiées par les séquences de leurs unités monomériques. Le principe de l'auto-assemblage s'applique aussi à l'édification des complexes supramoléculaires. Toutefois, on ne sait pratiquement rien de la manière dont s'élaborent les structures biologiques supérieures. Un des objectifs majeurs de la recherche biologique est d'élucider les mécanismes de croissance et de différenciation des cellules et des organismes.

B. *Processus métaboliques*

Un nombre impressionnant de réactions chimiques ont lieu simultanément dans toute cellule vivante. Toutefois, ces réactions sont agencées de sorte qu'elles s'organisent en un processus cohérent que nous appellerons la vie. Par exemple, la plupart des réactions biologiques font partie d'une voie métabolique ; autrement dit, chaque réaction est un maillon d'une chaîne qui assure la formation d'un ou de plusieurs produits spécifiques. De plus, l'une des caractéristiques de la vie est que les vitesses de ses réactions sont si étroitement ajustées qu'il y a rarement, dans une voie métabolique, de besoins en substrats insatisfaits ou accumulation inutile de produits.

Classiquement, on distingue deux grands volets dans le métabolisme (distinction qui n'est pas forcément logique) :

1. Le **catabolisme** (ou dégradation), au cours duquel les nutriments et les substances cellulaires sont dégradés afin de sauvegarder les molécules qui les constituent et/ou de fournir de l'énergie.

2. L'**anabolisme** (ou biosynthèse), c'est-à-dire la synthèse de biomolécules à partir de molécules plus simples.

L'énergie nécessaire aux processus anaboliques est fournie grâce au catabolisme, essentiellement sous forme d'**adénosine triphosphate (ATP)**. Exemples de processus générateurs d'énergie : la photosynthèse et l'oxydation biologique de nutriments qui forment de l'ATP à partir d'**adénosine diphosphate (ADP)** et d'un ion phosphate.

Adénosine diphosphate (ADP)

Adénosine triphosphate (ATP)

À l'inverse, des processus qui consomment de l'énergie, comme les biosynthèses, le transport de molécules contre un gradient de concentration, ou encore la contraction musculaire, sont assurés grâce à cette réaction en sens inverse, soit l'hydrolyse de l'ATP :

$$ATP + H_2O \rightleftharpoons ADP + HPO_4^{2-}$$

Ainsi, *les processus anaboliques et cataboliques sont couplés entre eux par l'intervention de la « monnaie » de l'énergie biologique universelle, l'ATP.*

C. *Expression et transmission de l'information génétique*

L'acide désoxyribonucléique (ADN) est le dépositaire de l'information génétique de la cellule. Cette macromolécule, schématisée à la Fig. 1-16, se présente sous forme de deux brins de **nucléotides** reliés les uns aux autres, chaque nucléotide étant composé d'un sucre, le **désoxyribose**, d'un groupement phosphate, et de l'une de ces quatre bases : **adénine (A), thymine (T), guanine (G)** ou **cytosine (C)**. C'est la séquence des bases qui contient l'information génétique. Chaque base de l'ADN est associée par liaison hydrogène à une base du brin opposé, formant ce que l'on appelle une

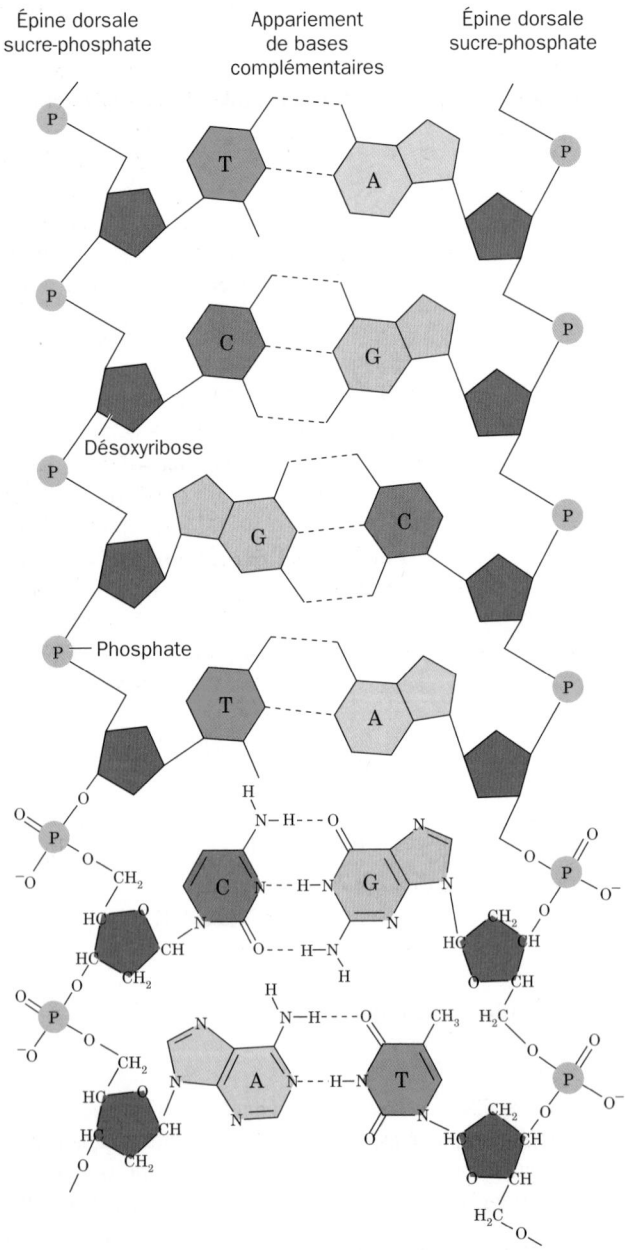

FIGURE 1-16 L'ADN double brin. Les deux chaînes polynucléotidiques s'associent grâce à l'appariement de bases complémentaires. A s'apparie avec T, et G avec C, en formant des liaisons hydrogène spécifiques.

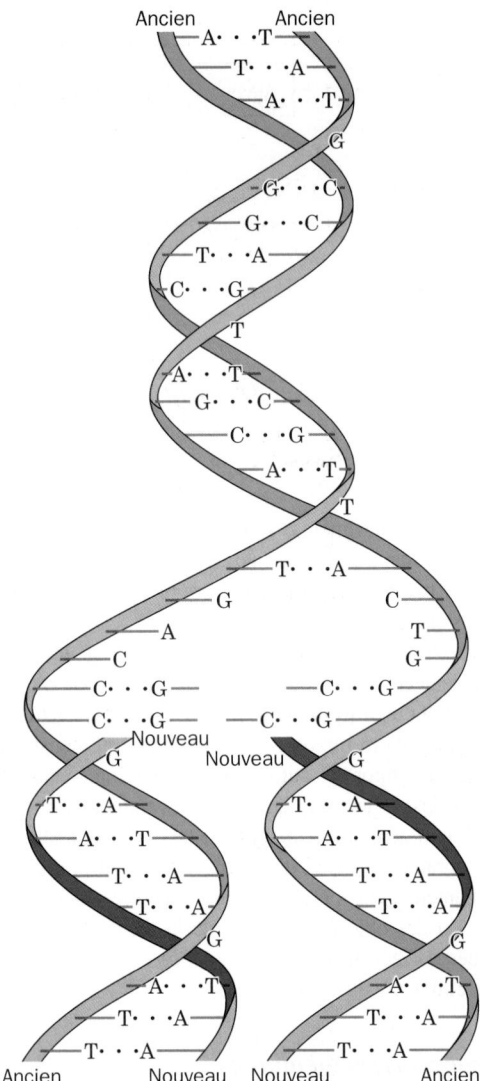

FIGURE 1-17 Représentation schématique de la réplication de l'ADN. Chaque brin d'ADN parental (en rouge) sert de matrice pour la synthèse d'un brin nouveau complémentaire (en vert). Ceci donne des molécules double brin identiques.

paire de bases. Toutefois, A ne peut se lier qu'à T, et G à C, si bien que les deux brins sont **complémentaires** : la séquence d'un brin détermine la séquence de l'autre.

La division d'une cellule doit s'accompagner de la réplication de son ADN. Dans ce processus enzymatique, chaque brin d'ADN sert de matrice pour la synthèse de son brin complémentaire (Fig. 1-17 ; Section 5-4C). Ainsi, chaque cellule fille possède une molécule d'ADN entière (ou un lot de molécules d'ADN), chacune constituée d'un brin parental et d'un brin nouveau. On parle de **mutations** lorsque de rares erreurs de copie ou des lésions du brin parental entraînent l'incorporation de bases erronées dans le brin nouveau. La plupart des mutations sont soit inoffensives, soit nuisibles. Toutefois, il arrive qu'une mutation entraîne des conséquences qui confèrent un avantage sélectif à son bénéficiaire. Selon la théorie de l'évolution de Darwin, les individus qui ont subi de telles mutations ont une probabilité accrue de se reproduire. C'est grâce à la succession de telles mutations que de nouvelles espèces apparaissent.

L'expression de l'information génétique se fait en deux étapes. Au cours de la première étape, appelée **transcription**, un brin d'ADN sert de matrice pour la synthèse d'un brin complémentaire d'acide ribonucléique (ARN ; Section 31-2). Cet acide nucléique, généralement simple brin, ne diffère chimiquement de l'ADN (Fig. 1-16) que par son sucre, le **ribose,** à la place du désoxyribose de l'ADN, et par l'**uracile (U)** qui remplace la thymine de l'ADN.

Ribose **Uracile**

Au cours de la deuxième étape de l'expression de l'information génétique, processus enzymatique appelé **traduction**, les ribosomes lient entre eux les acides aminés pour former des protéines (Section 32-3). L'ordre selon lequel les acides aminés sont reliés les uns aux autres est imposé par la séquence des bases de l'ARN. Par conséquent, puisque les protéines sont des auto-assemblages, l'information génétique codée par l'ADN permet, par l'intermédiaire de l'ARN, de déterminer la structure et la fonction des protéines. Des systèmes de régulation complexes encore imparfaitement élucidés permettent l'expression de certains gènes dans une cellule donnée et dans des conditions physiologiques particulières.

4 ■ LA GÉNÉTIQUE : VUE D'ENSEMBLE

Il suffit de remarquer la ressemblance entre enfant et parent pour se dire que les caractères physiques sont héréditaires. Cependant,

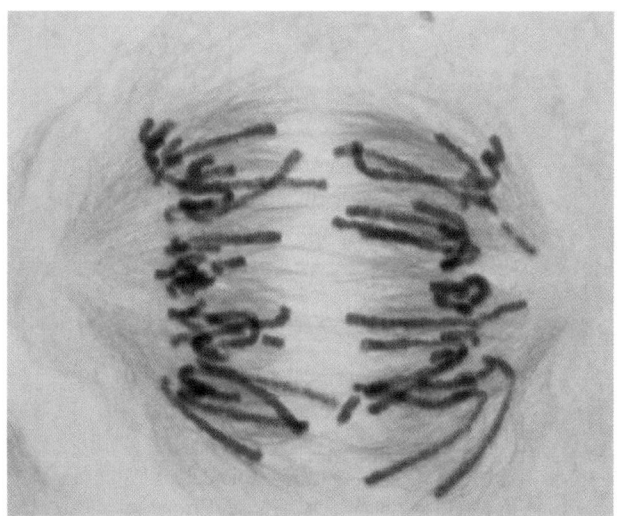

FIGURE 1-18 Les chromosomes. Microphotographie d'une cellule végétale (*Scadoxus katherinae* Bak.) en anaphase mitotique, montrant les chromosomes attirés par le fuseau mitotique vers les pôles opposés de la cellule. Les microtubules du fuseau sont colorés en rouge et les chromosomes en bleu. [Avec la permission d'Andrew S. Bajer, University of Oregon.]

le mécanisme de l'hérédité est resté inconnu jusqu'à une époque récente. D'après la théorie de la **pangenèse**, que l'on doit aux anciens Grecs, le sperme — qui a évidemment rapport avec la procréation — est constitué de particules représentatives de toutes les parties du corps (les **pangènes**). Cette idée fut reprise à la fin du dix-huitième siècle par Jean-Baptiste de Lamarck. D'après sa théorie (le **Lamarckisme**), les caractères acquis par un individu, comme le développement musculaire suite à l'exercice, sont transmis à sa descendance. La pangenèse, ainsi que certains aspects du Lamarckisme, furent admis par la plupart des biologistes du dix-neuvième siècle, y compris Charles Darwin.

C'est la découverte, au milieu du dix-neuvième siècle, que tous les organismes sont issus d'une seule cellule, qui permit l'épanouissement de la biologie moderne. Dans sa théorie du **plasma germinatif**, Auguste Weissman fit remarquer que le sperme et l'ovule, c'est-à-dire les **cellules germinales** (dont les précurseurs sont très tôt mis à part des autres lors du développement embryonnaire), descendent directement des cellules germinales de la génération précédente. Quant aux autres cellules du corps, les **cellules somatiques**, elles proviennent bien des cellules germinales, mais ne leur donnent pas naissance. Weissman réfuta la pangenèse et le Lamarckisme en montrant que les descendants des souris dont la queue avait été amputée à chaque génération, conservaient une queue de longueur normale.

A. *Les chromosomes*

Au cours des années 1860, on put observer dans le noyau des cellules eucaryotiques des corpuscules allongés que l'on a appelés chromosomes (du grec *chromos*, couleur et *soma*, corps), parce qu'on pouvait les mettre en évidence avec des colorants basiques (Fig. 1-18). Normalement, il y a deux copies de chaque chromosome (on parle de **paires homologues**) dans chaque cellule somatique. Le nombre de chromosomes distincts, et donc de paires (*N*), s'appelle le **nombre haploïde** ; le nombre total (2*N*) est le **nombre diploïde**. Les espèces peuvent différer par leur nombre haploïde de chromosomes (Tableau 1-2).

TABLEAU 1-2   Nombre de chromosomes (2*N*) chez quelques eucaryotes

Organisme	Chromosomes
Homme	46
Chien	78
Rat	42
Dinde	82
Grenouille	26
Drosophile	8
Bernard-l'ermite	~254
Pois potager	14
Pomme de terre	48
Levure	34
Algue verte	~20

Source : Ayala, F.J. and Kiger, J.A., Jr., *Modern Genetics* (2ᵉ éd.), p. 9, Benjamin/Cummings (1984).

a. Les cellules somatiques se divisent par la mitose

La division des cellules somatiques est connue sous le terme de **mitose** (Fig. 1-19) ; elle est précédée par la duplication de chaque chromosome en deux **chromatides** pour former une cellule avec $4N$ chromosomes. Pendant la division cellulaire, chaque chromosome est attaché au **fuseau mitotique** par le **centromère** et orienté de façon telle que les chromatides de tous les chromosomes soient alignées sur la plaque équatoriale. Un membre de chaque paire de chromatides est alors attiré par le fuseau à chaque pôle opposé de la cellule en division, pour former deux cellules filles diploïdes possédant le même nombre $2N$ de chromosomes que la cellule mère.

b. Les cellules reproductrices dérivent de la méiose

La formation des cellules reproductrices se fait par la **méiose** (Fig. 1-20), laquelle requiert deux divisions successives. Les chromosomes se répliquent avant la première division, mais les chromatides sœurs ainsi formées restent attachées à leur centromère. Les chromosomes dédoublés homologues se présentent appariés et s'alignent alors comme une tirette éclair à travers la plaque équatoriale de la cellule. Ceci permet l'échange de fragments correspondants de chromosomes homologues par un processus appelé le **crossing-over**. Le fuseau déplace les membres de chaque paire homologue aux pôles opposés de la cellule, de sorte que chaque cellule fille contient N chromosomes dédoublés. Dans la deuxième division méiotique, chaque groupe de chromatides sœurs se sépare en chromosomes qui se retrouvent aux pôles opposés de la cellule en cours de division, pour former finalement quatre cellules haploïdes, les **gamètes**. La fécondation est la fusion d'un gamète mâle, le spermatozoïde, avec un gamète femelle, l'ovule, pour former une cellule diploïde, le **zygote**, qui a donc reçu N chromosomes de chacun de ses parents.

B. *L'hérédité mendélienne*

Les lois fondamentales de l'hérédité ont été publiées par Gregor Mendel en 1866. Il les avait découvertes par l'analyse d'une série de **croisements**, maintenant dits **génétiques**, entre des lignées de pois potager, *Pisum sativum*, appelées pures parce qu'elles génèrent par autofécondation une descendance identique à la lignée parentale. Ces lignées différaient par des caractères bien définis, comme la forme (ronde ou bien ridée), ou la couleur (jaune ou verte), de la graine ou encore la couleur (pourpre ou blanche) de la fleur. Mendel observe que s'il croise des parents (P) qui diffèrent par un seul caractère, par exemple la forme de la graine, la descendance F_1 (la première génération résultant du croisement) présente le caractère de l'un des parents seulement, et dans ce cas particulier, des graines rondes (Fig. 1-21). Le caractère observé en F_1 est appelé **dominant**, tandis que l'autre est appelé **récessif**. En F_2, la descendance autofécondée de la F_1, les trois quarts des graines ont le caractère dominant et un quart ont le caractère récessif. Les individus possédant le caractère récessif le transmettent d'une manière stable à leur descendance F_3. Les individus F_2 possédant le caractère dominant se classent en deux groupes selon leur descendance F_3 : un groupe d'un tiers d'entre eux transmet le caractère dominant de manière stable et deux tiers d'entre eux produisent une F_3 ayant le même rapport de 3 individus de caractère dominant pour 1 individu de caractère récessif, que la génération F_2.

Mendel interprète ses observations en faisant l'hypothèse que *les différentes paires de caractères alternatifs résultent chacune de*

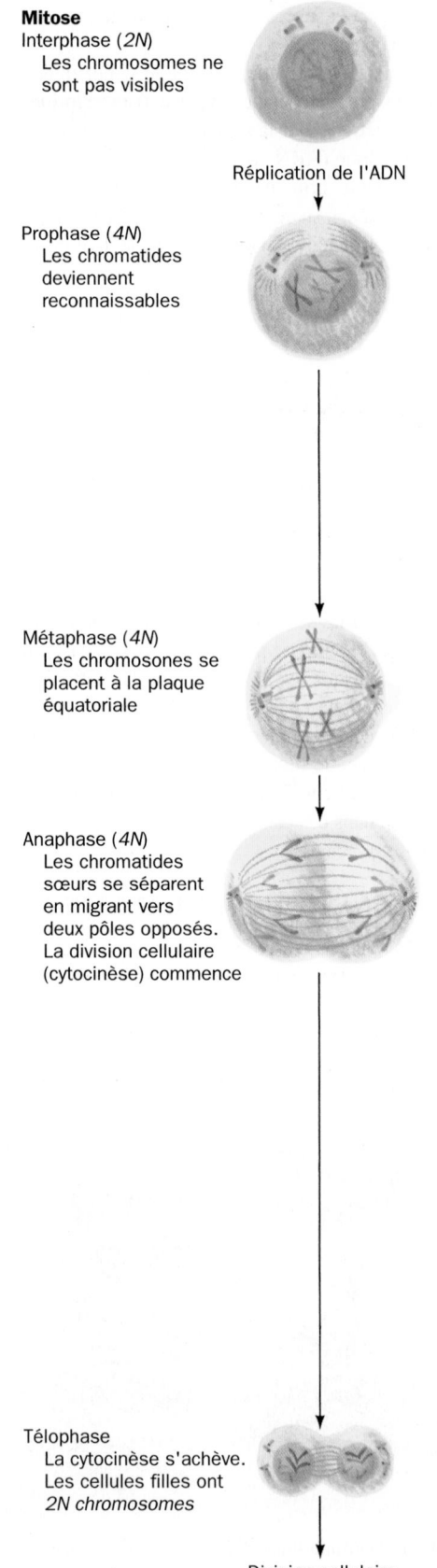

Mitose

Interphase (*2N*)
  Les chromosomes ne sont pas visibles

Réplication de l'ADN

Prophase (*4N*)
  Les chromatides deviennent reconnaissables

Métaphase (*4N*)
  Les chromosones se placent à la plaque équatoriale

Anaphase (*4N*)
  Les chromatides sœurs se séparent en migrant vers deux pôles opposés. La division cellulaire (cytocinèse) commence

Télophase
  La cytocinèse s'achève. Les cellules filles ont *2N chromosomes*

Division cellulaire

FIGURE 1-19 La mitose est le mode normal de division cellulaire chez les eucaryotes. La mitose produit deux cellules filles, chacune avec les mêmes compléments chromosomiques (*2N*) que la cellule parentale.

Méiose
Interphase (*2N*)

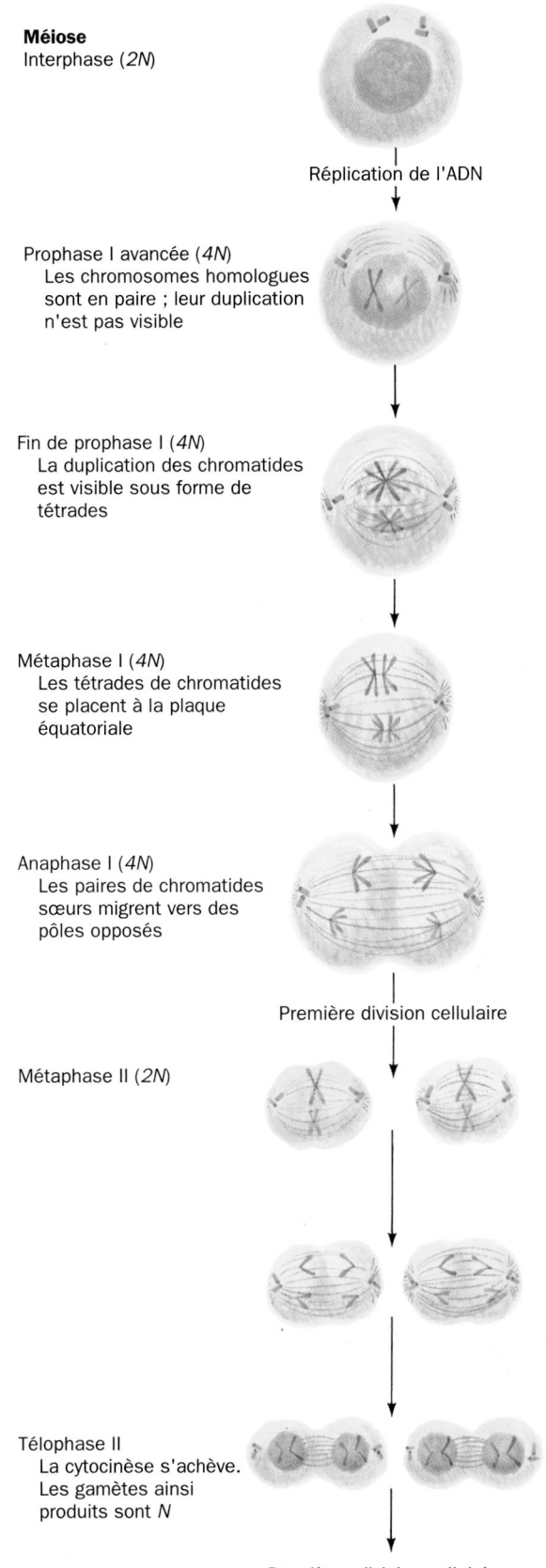

Réplication de l'ADN

Prophase I avancée (*4N*)
   Les chromosomes homologues
   sont en paire ; leur duplication
   n'est pas visible

Fin de prophase I (*4N*)
   La duplication des chromatides
   est visible sous forme de
   tétrades

Métaphase I (*4N*)
   Les tétrades de chromatides
   se placent à la plaque
   équatoriale

Anaphase I (*4N*)
   Les paires de chromatides
   sœurs migrent vers des
   pôles opposés

Première division cellulaire

Métaphase II (*2N*)

Télophase II
   La cytocinèse s'achève.
   Les gamètes ainsi
   produits sont *N*

Deuxième division cellulaire

**FIGURE 1-20 La méiose produit les gamètes (cellules reproductrices
et sexuées).** La méiose comprend deux divisions cellulaires successives
qui forment quatre cellules filles possédant chacune un seul assortiment
(1*N*) de chromosomes.

Génération *P*

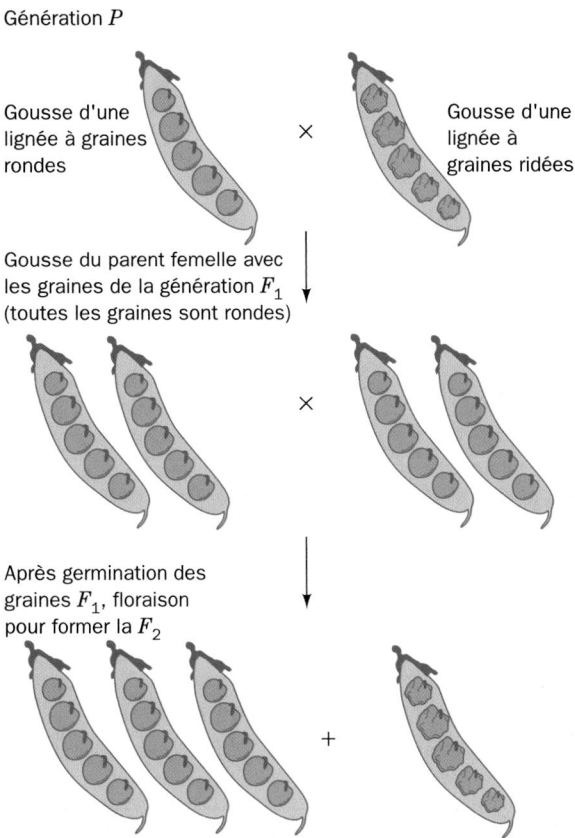

Gousse d'une
lignée à graines
rondes

×

Gousse d'une
lignée à
graines ridées

Gousse du parent femelle avec
les graines de la génération F_1
(toutes les graines sont rondes)

×

Après germination des
graines F_1, floraison
pour former la F_2

+

Les graines F_2 sont rondes (3/4) ou ridées (1/4),
ségrégeant à l'intérieur des gousses des plantes femelles F_1

FIGURE 1-21 Croisements génétiques. Le croisement d'une lignée de
pois à graines rondes avec une lignée à graines ridées produit une descendance F_1 dont toutes les graines sont rondes. L'autofécondation des
individus F_1 issus de ces graines produit une génération de graines F_2
dans le rapport 3 rondes : 1 ridée.

*l'action d'un facteur (appelé plus tard un **gène**) qui possède des
formes alternatives (**allèles**). Chaque plante possèderait donc une
paire de gènes déterminant un caractère particulier, dont un exemplaire est hérité de chacun de ses parents.* Les allèles qui déterminent la forme des graines sont symbolisés par *R* pour les graines
rondes et *r* pour les graines ridées (on écrit les symboles des gènes
en italiques). Les plantes à descendance pure qui transmettent le
caractère rond ou ridé ont des **génotypes** *RR* ou *rr*, et sont dites
homozygotes pour la forme de la graine. Les plantes qui ont le
génotype *Rr* sont **hétérozygotes** pour la forme de la graine et elles
ont le **phénotype** rond (caractère apparent) parce que *R* est dominant sur *r*. *Les deux allèles ne se mélangent ni ne se fondent en
aucun cas dans ces plantes et sont transmis au hasard à la descendance par les gamètes* (Fig. 1-22).

   Mendel découvrit aussi que *différents caractères sont hérités de
manière indépendante l'un de l'autre.* Par exemple, s'il croise des
pois à graines rondes et jaunes (*RRYY*) avec des pois à graines
ridées et vertes (*rryy*) la descendance F_1 qui est *RrYy* a des graines
rondes et jaunes parce que le caractère jaune est dominant sur le
caractère vert. Mais la F_2 fait apparaître quatre phénotypes de
graines, dans les proportions 9 rondes et jaunes, 3 rondes et vertes,

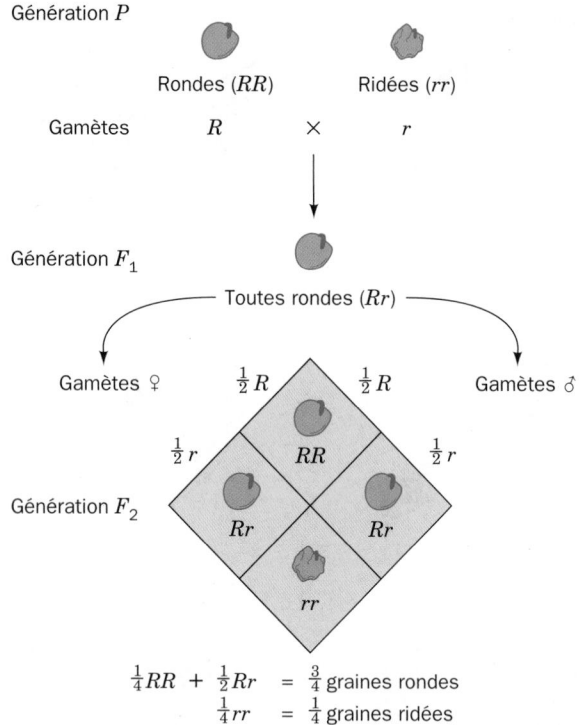

Génération P

Rondes (*RR*)   Ridées (*rr*)

Gamètes   *R*   ×   *r*

Génération F_1

Toutes rondes (*Rr*)

Gamètes ♀ $\frac{1}{2}R$ $\frac{1}{2}R$ Gamètes ♂

$\frac{1}{2}r$ *RR* $\frac{1}{2}r$

Génération F_2 *Rr*   *Rr*

rr

$$\frac{1}{4}RR + \frac{1}{2}Rr = \frac{3}{4} \text{ graines rondes}$$
$$\frac{1}{4}rr = \frac{1}{4} \text{ graines ridées}$$

FIGURE 1-22 Génotypes et phénotypes. Dans un croisement entre une lignée de pois à graines rondes et une lignée à graines ridées, la génération F_1 a le phénotype à graines rondes à cause de la dominance du génotype rond sur le génotype ridé. Les trois quarts des graines constituant la F_2 sont rondes et un quart sont ridées parce qu'un seul allèle de ces gènes est transmis à un gamète et que l'union des gamètes est aléatoire.

3 ridées et jaunes, pour 1 ridée et verte. Ce résultat montre qu'il n'y a pas de tendance à l'association des gènes provenant du même parent (Fig. 1-23). Plus tard, il a été montré que *l'indépendance de ségrégation et de réassociation n'est vraie que pour les gènes portés par des chromosomes différents.*

Il n'y a pas toujours dominance d'un caractère sur un autre. Par exemple, si l'on croise une variété pure à fleurs rouges de gueule-de-loup, *Antirrhinum,* avec une variété pure à fleurs blanches, on obtient une F_1 à fleurs roses. La F_2 à chaque génération se compose d'individus à fleurs rouges, roses ou blanches dans les proportions 1:2:s1 parce que les fleurs des homozygotes pour le gène de couleur rouge (*AA*) contiennent plus de pigment rouge que celles des hétérozygotes *Aa* (Fig. 1-24). Les caractères rouge et blanc sont donc appelés **codominants**. Dans de tels cas, le phénotype révèle le génotype.

Un gène donné peut avoir plusieurs allèles. Un bon exemple est celui du déterminisme des **groupes sanguins ABO** chez l'Homme (Section 12-3E). Un individu aura un sang de type A, de type B, de type AB ou de type O selon que ses globules rouges portent l'antigène A, l'antigène B, ces deux antigènes, ou aucun des deux. Les antigènes A et B sont spécifiés par les allèles codominants (ils s'expriment tous deux) I^A et I^B et le phénotype O est homozygote pour l'allèle récessif *i.*

C. *La théorie chromosomique de l'hérédité*

La théorie de l'hérédité proposée par Mendel a été presque complètement ignorée par ses contemporains. Ceci s'explique en

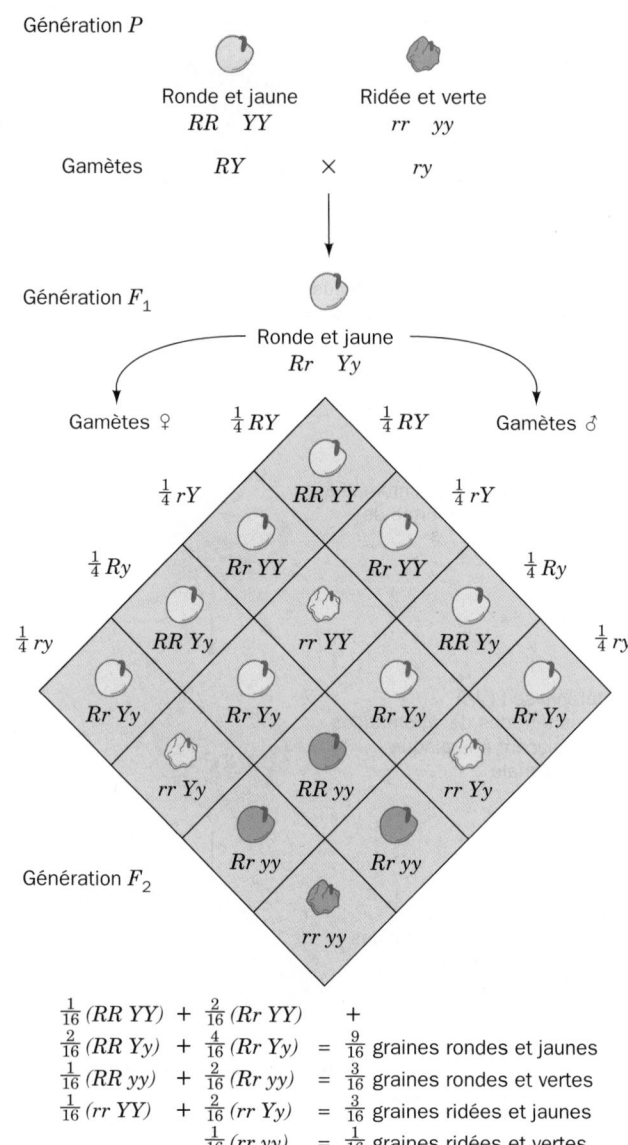

Génération P

Ronde et jaune   Ridée et verte
RR YY   *rr yy*

Gamètes   *RY*   ×   *ry*

Génération F_1

Ronde et jaune
Rr Yy

Gamètes ♀ $\frac{1}{4}RY$ $\frac{1}{4}RY$ Gamètes ♂

$\frac{1}{4}rY$ *RR YY* $\frac{1}{4}rY$

$\frac{1}{4}Ry$ *Rr YY*   *Rr YY* $\frac{1}{4}Ry$

$\frac{1}{4}ry$ *RR Yy*   *rr YY*   *RR Yy* $\frac{1}{4}ry$

Rr Yy   *Rr Yy*   *Rr Yy*   *Rr Yy*

rr Yy   *RR yy*   *rr Yy*

Génération F_2 *Rr yy*   *Rr yy*

rr yy

$$\frac{1}{16}(RR\ YY) + \frac{2}{16}(Rr\ YY) +$$
$$\frac{2}{16}(RR\ Yy) + \frac{4}{16}(Rr\ Yy) = \frac{9}{16} \text{ graines rondes et jaunes}$$
$$\frac{1}{16}(RR\ yy) + \frac{2}{16}(Rr\ yy) = \frac{3}{16} \text{ graines rondes et vertes}$$
$$\frac{1}{16}(rr\ YY) + \frac{2}{16}(rr\ Yy) = \frac{3}{16} \text{ graines ridées et jaunes}$$
$$\frac{1}{16}(rr\ yy) = \frac{1}{16} \text{ graines ridées et vertes}$$

FIGURE 1-23 L'indépendance de réassociation. Les allèles *R* (pour ronde) ou *r* (pour ridée), et *Y* (pour jaune) ou *y* (pour vert) se séparent et se réassocient indépendamment. La descendance F_2 comprend ainsi neuf génotypes possibles qui expriment quatre phénotypes différents, à cause de la dominance.

partie par le fait qu'il utilisa la théorie des probabilités, une discipline étrangère à la plupart des biologistes de l'époque. La raison principale est cependant qu'il était en avance sur son temps : les connaissances en anatomie et en physiologie étaient insuffisantes pour comprendre ses explications. Par exemple, la mitose et la méiose étaient encore inconnues. Cependant, après la redécouverte des travaux de Mendel en 1900, il est apparu que les principes qu'il avait proposés expliquaient l'hérédité aussi biens chez les animaux que chez les plantes. En 1903, quand Sutton s'aperçut que les chromosomes et les gènes avaient un devenir parallèle, il formula la **théorie chromosomique de l'hérédité**, dans laquelle il proposait que les gènes sont des parties de chromosomes.

Le premier caractère à avoir été attribué à un chromosome est le type sexuel. *Chez la plupart des animaux eucaryotes, les cellules des femelles contiennent chacune deux **chromosomes X (XX)**,*

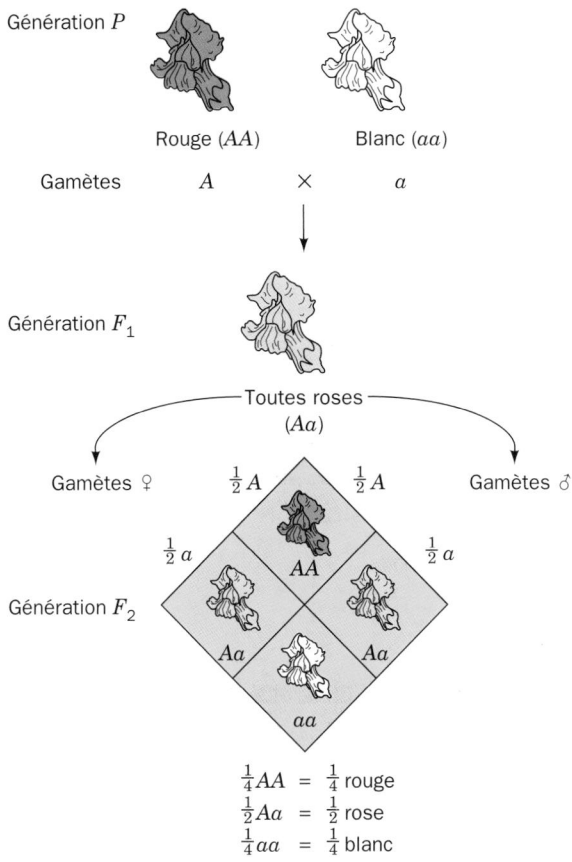

Génération *P*

Rouge (*AA*)   Blanc (*aa*)

Gamètes   *A*   ×   *a*

Génération *F*₁

Toutes roses
(*Aa*)

Gamètes ♀ $\frac{1}{2}A$ $\frac{1}{2}A$ Gamètes ♂

$\frac{1}{2}a$ *AA* $\frac{1}{2}a$

Génération *F*₂   *Aa*   *Aa*

aa

$\frac{1}{4}AA = \frac{1}{4}$ rouge
$\frac{1}{2}Aa = \frac{1}{2}$ rose
$\frac{1}{4}aa = \frac{1}{4}$ blanc

FIGURE 1-24 La codominance. Dans le croisement entre *Antirrhinum*
(gueule-de-loup) à fleurs rouges (*AA*) et *Antirrhinum* à fleurs blanches
(*aa*), la génération *F*₁ (*Aa*) est rose ; ceci démontre que les allèles *A* et *a*
sont codominants. Les individus *F*₂ possèdent des fleurs, soit rouges, soit
roses, soit blanches, en proportions 1:2:1, respectivement.

*tandis que les cellules des mâles contiennent un seul chromosome X
et un* **chromosome Y,** *dont la forme est différente* (*XY* ; Fig. 1-25).
Les ovules contiennent donc un seul chromosome X et le spermatozoïde contient soit un X, soit un Y (Fig. 1-25). La fécondation par
un spermatozoïde porteur d'un X entraîne donc la formation d'un
zygote XX femelle, et par un spermatozoïde porteur d'un Y, d'un
zygote XY mâle. C'est la probabilité 0,5 de chaque spermatozoïde
qui explique le rapport 1:1 entre mâles et femelles chez beaucoup
d'espèces. Les chromosomes X et Y sont donc appelés **chromosomes sexuels** ; les autres chromosomes sont les **autosomes.**

a. La mouche du vinaigre est le modèle favori des généticiens

Le développement de la recherche en génétique s'est fortement
accéléré après le choix par Thomas Hunt Morgan d'utiliser la
mouche du vinaigre *Drosophila melanogaster* comme matériel
expérimental. Ce petit insecte très prolifique (Fig. 1-26), que l'on
voit voler autour des fruits mûrs vers la fin de l'été, est facilement
élevé en laboratoire où il peut produire une nouvelle génération en
14 jours. Avec *Drosophila*, les résultats d'un croisement peuvent
être connus 25 fois plus vite qu'avec le pois. Actuellement, *Drosophila* est l'organisme supérieur le mieux caractérisé génétiquement.

La première souche mutante à être identifiée chez *Drosophila*
avait les yeux blancs, alors que le **type sauvage** naturel a les yeux

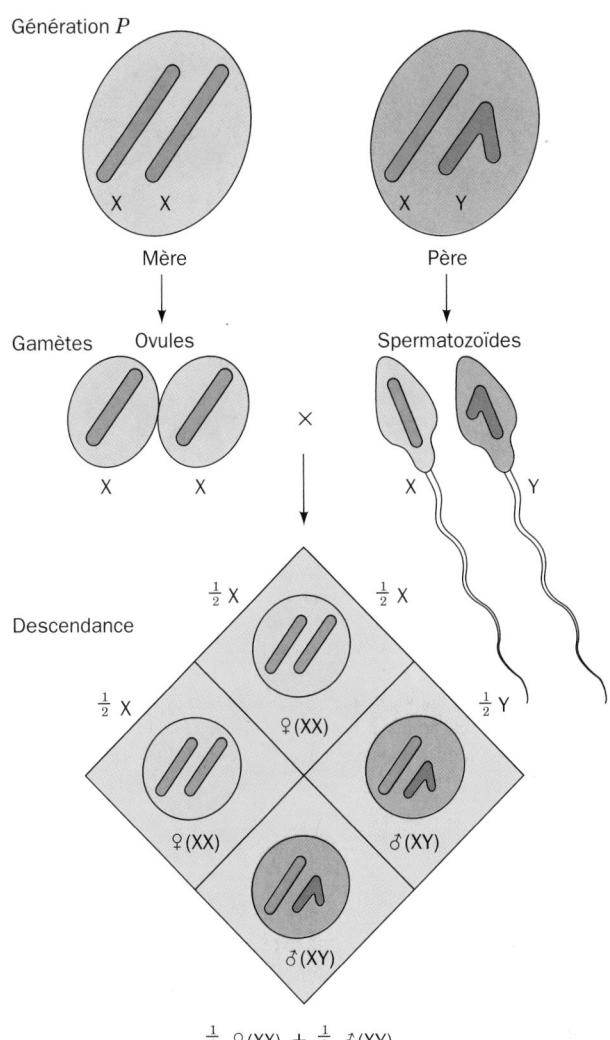

Génération *P*

Mère   Père

Gamètes   Ovules   Spermatozoïdes

X   X   X   Y

$\frac{1}{2}$ X $\frac{1}{2}$ X

Descendance

$\frac{1}{2}$ X   ♀(XX) $\frac{1}{2}$ Y

♀(XX)   ♂(XY)

♂(XY)

$\frac{1}{2}$ ♀(XX) + $\frac{1}{2}$ ♂(XY)

FIGURE 1-25 La ségrégation indépendante. La ségrégation indépendante des chromosomes sexuels X et Y entraîne la production de femelles
et de mâles en proportions 1:1.

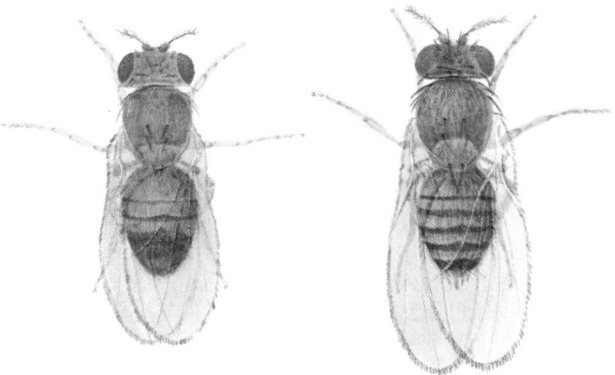

FIGURE 1-26 La mouche du vinaigre *Drosophila melanogaster*. Le
mâle, à gauche, et la femelle, à droite, sont représentés à la même échelle ;
leur taille est de l'ordre de 2 mm et leur poids de l'ordre de 1 mg.

(a)

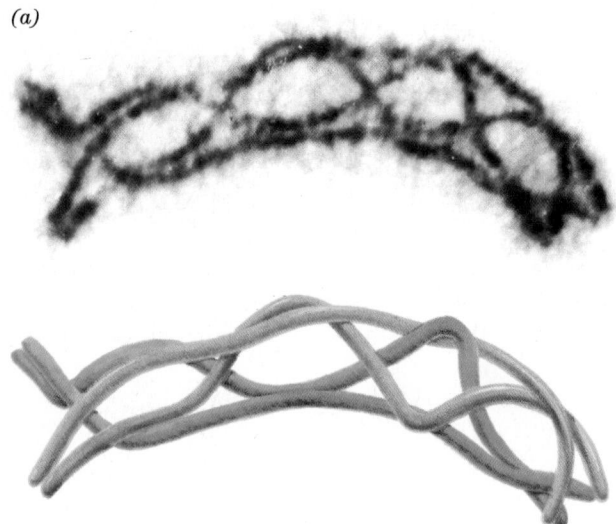

FIGURE 1-27 Le crossing-over. (a) Micrographie électronique et interprétation d'une tétrade constituée par deux paires homologues de chromatides sœurs (de même couleur), vue au cours de la méiose, chez la sauterelle (*Chorthippus parallelus*). Les chromatides non-sœurs (de couleurs différentes) peuvent subir une recombinaison à tout point où elles se croisent. [Avec l'autorisation de Bernard John, The Austalian National University.] (b) Diagramme schématisant une étape de la recombinaison par crossing-over, de deux gènes à deux allèles (*A-a* et *B-b*).

(b)

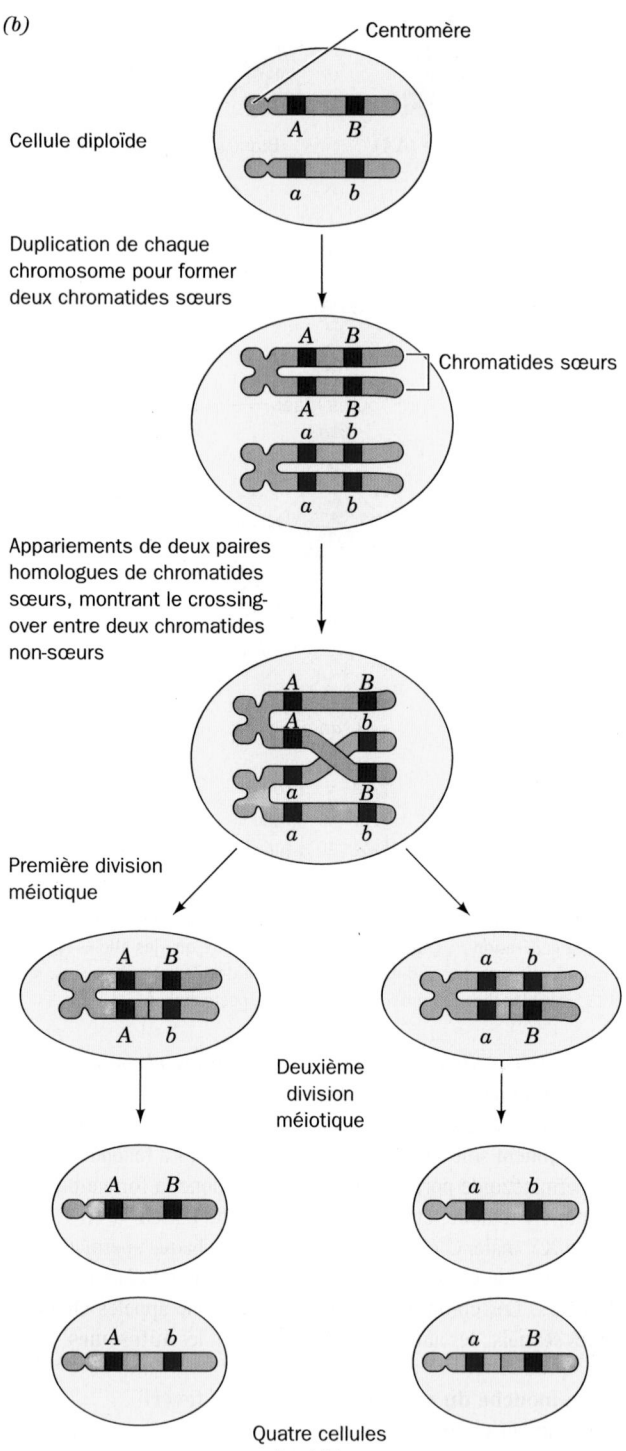

rouges. En réalisant des croisements entre la souche aux yeux blancs et le type sauvage, Morgan a pu démontrer que la transmission du gène conférant les yeux blancs (*w*) se fait avec celle du chromosome X. Ceci montre que le gène *w* est localisé sur le chromosome X et que le chromosome Y ne contient pas ce gène. Le gène *w* est donc dit « **lié au sexe** ».

b. Les cartes génétiques sont établies à partir des fréquences de crossing-over

Au cours des années suivantes, la localisation chromosomique de nombreux gènes a été établie chez *Drosophila*. Les gènes qui sont localisés sur le même chromosome ne se transmettent pas de manière strictement indépendante. Une paire de **gènes** ainsi **liés** se **recombine**, chaque gène échangeant ses allèles entre les deux chromosomes parentaux, selon une certaine fréquence caractéristique pour chaque paire de gènes. Le phénomène cytologique à la base de ces résultats génétiques survient au début de la méiose, quand les deux chromatides de chaque paire parentale sont alignées. En métaphase I (Fig. 1-20), on peut observer des chromatides non-sœurs d'une même tétrade échanger par crossing-over des segments équivalents, sous forme de chiasmas (Fig. 1-27). La localisation sur un chromosome d'un point de crossing-over est quasi aléatoire d'un événement à l'autre. Il s'ensuit que *la fréquence de crossing-over concernant une paire de gènes liés est fonction de la distance physique qui les sépare le long du chromosome*. Morgan et Alfred Sturtevant ont eu l'idée d'utiliser ces fréquences pour **cartographier** (localiser) les positions relatives des gènes le long des 4 chromosomes de *Drosophila*. Ces études ont démontré que *les chromosomes correspondent à des structures génétiques linéaires et non ramifiées*. On sait actuellement que les **cartes génétiques** ainsi établies (Fig. 1-28) sont parallèles aux séquences correspondantes de l'ADN le long des chromosomes.

c. Des gènes qui ne sont pas allèles se complémentent l'un l'autre

On peut savoir par un **test de complémentation** si deux gènes récessifs affectant des fonctions ou caractères semblables sont des formes différentes du même gène (allèles) ou sont des gènes différents. Pour réaliser ce test, une lignée homozygote de l'une des formes récessives est croisée avec l'homozygote pour l'autre forme récessive. Si les deux gènes ne sont pas alléliques, la descendance de ce croisement sera de phénotype sauvage parce que chacun des

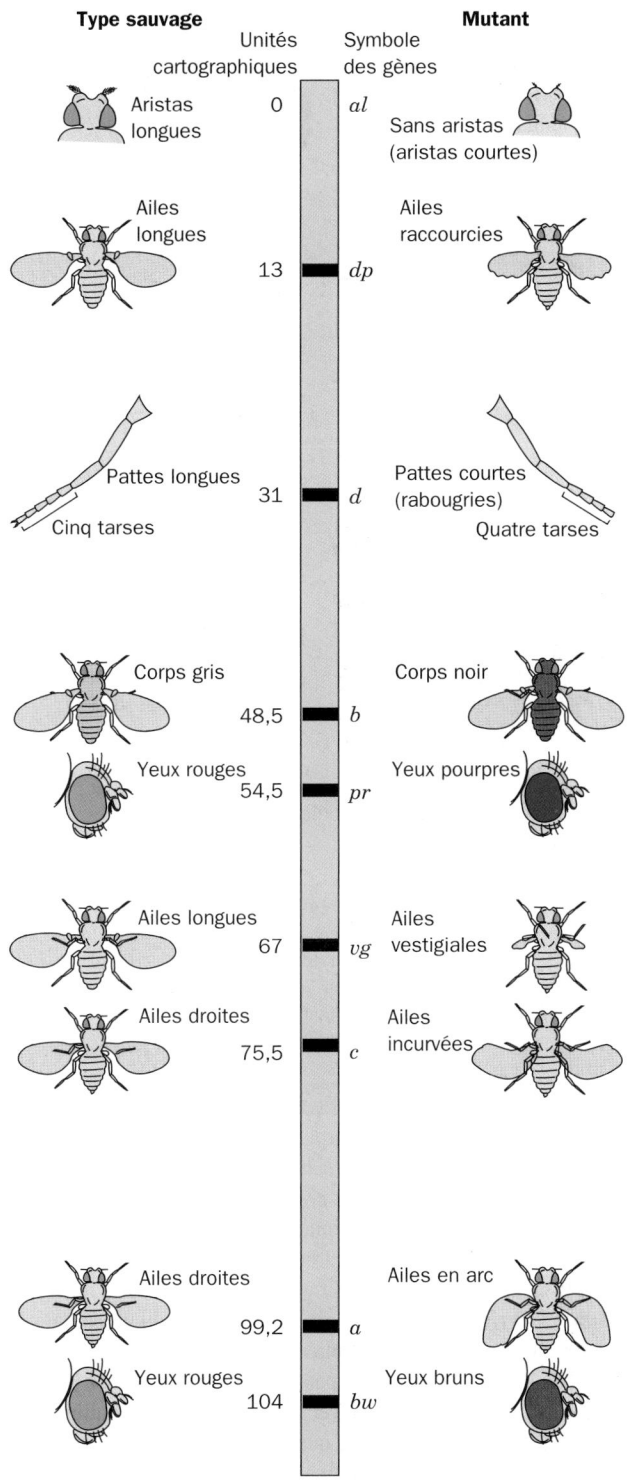

FIGURE 1-28 Carte génétique partielle du chromosome 2 de la drosophile. La position des gènes est donnée en unités cartographiques (centimorgans). Deux gènes proches qui se recombinent à une fréquence de *m s%* sont distants l'un de l'autre de ~*m* centimorgans.

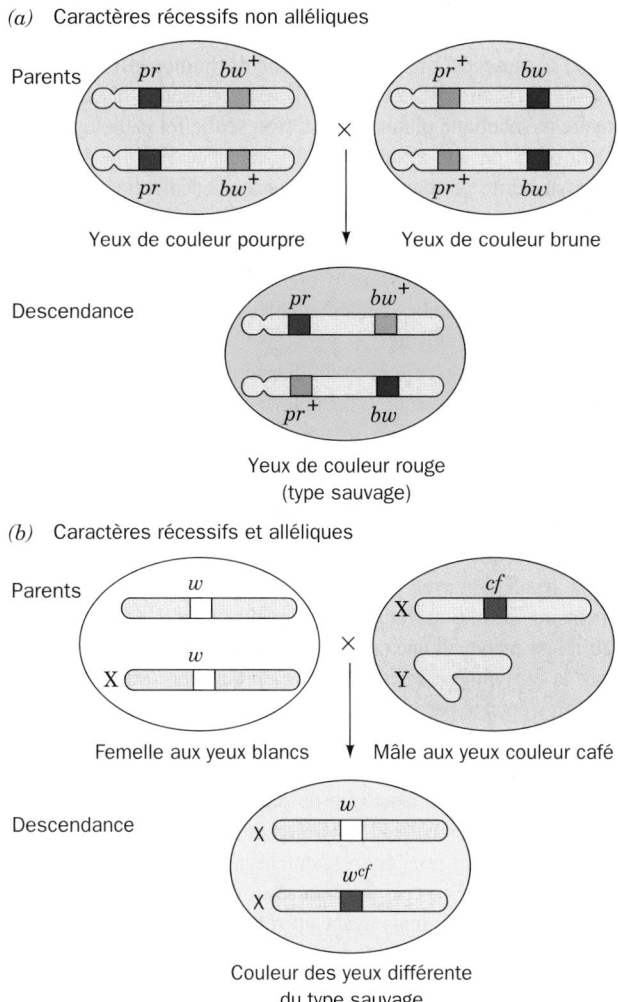

FIGURE 1-29 Le test de complémentation. Ce test permet de savoir si deux formes récessives, correspondant au même caractère, sont déterminées par deux allèles du même gène ou non. Deux exemples pris chez la drosophile sont illustrés ici : (a) Si un homozygote pour la couleur pourpre (*pr*) de l'œil est croisé avec un homozygote pour la couleur brune (*bw*) de l'œil, la descendance F1 est de phénotype sauvage (yeux rouges). Ceci indique que les caractères *pr* et *bw* dépendent de gènes différents (l'exposant ⁺ désigne les allèles sauvages). (b) Si une femelle homozygote pour le gène *w*, déterminant l'œil de couleur blanche, lié au sexe, est croisée avec un mâle ayant des yeux couleur « café » (*cf*), caractère lié au sexe, lui aussi, la descendance femelle a les yeux couleur café, et la descendance mâle a les yeux blancs. Les gènes *w* et *cf* sont donc allèles l'un de l'autre.

chromosomes homologues apportera la fonction de type sauvage qui manque à l'autre ; ils se complémentent. Par exemple, si l'on croise une drosophile homozygote pour une mutation de la couleur des yeux appelée *pr* (pourpre), avec une homozygote pour une autre mutation de la couleur des yeux, appelée *bw (brune)*, la des-cendance aura le type sauvage aux yeux rouges, ce qui montre que ces deux gènes ne sont pas alléliques (Fig. 1-29*a*). Au contraire, si l'on croise une drosophile femelle homozygote pour le gène *w* lié au sexe, donnant des yeux de couleur blanche, avec un mâle porteur de l'allèle lié au sexe *cf* donnant des yeux de couleur café, la descendance femelle n'aura pas les yeux de type sauvage (Fig. 1-29*b*). On en conclut que les gènes *w* et *cf* sont des allèles.

d. Ce sont les gènes qui dirigent la production des protéines

Il fallut un certain temps pour comprendre comment les gènes contrôlent les caractéristiques des êtres vivants. Archibald Garrod fut le premier à proposer une relation spécifique entre les gènes et les enzymes. Si des individus sont atteints d'**alcaptonurie**, ils produisent une urine qui devient très foncée après exposition à l'air libre, à cause de l'oxydation de **l'acide homogentisique** qu'ils excrètent (Section 16-3A). En 1902, Garrod montra que cette anomalie métabolique plutôt bénigne (son seul effet pathologique est l'arthrite à un âge avancé) est le résultat de l'action d'un gène récessif hérité de manière mendélienne. Il démontra ensuite que ces malades sont incapables de métaboliser l'acide homogentisique ingéré et en tira la conclusion *qu'il leur manque une enzyme qui métabolise cette substance*. Enfin, Garrod décrivit l'alcaptonurie et d'autres maladies humaines héréditaires comme des **erreurs innées du métabolisme**.

À partir d'expériences ayant débuté en 1940, et qui marquent le début de la génétique biochimique, George Beadle et Edward Tatum ont montré qu'*il existe une correspondance univoque entre une mutation et la disparition d'une enzyme donnée*. La moisissure *Neurospora* de type sauvage pousse normalement sur un « milieu minimum » dans lequel les seules sources de carbone et d'azote sont le glucose et NH_3. Certains mutants de *Neurospora*, obtenus après irradiation avec les rayons X, ont un besoin nutritif supplémentaire. Beadle et Tatum ont démontré pour plusieurs mutants qu'il leur manquait une enzyme normalement présente pour effectuer la biosynthèse de la substance en question (Section 16-3A). Ce fait s'énonce par l'expression célèbre : **un gène - une enzyme**. Actuellement, on reconnaît que ce principe n'est qu'en partie vrai, puisque beaucoup de gènes codent des protéines qui ne sont pas des enzymes et que beaucoup de protéines sont formées de plusieurs sous-unités codées par des gènes différents (Section 8-5). Une manière plus juste de s'exprimer serait d'écrire : **un gène - un polypeptide**. Même ceci ne serait pas tout à fait exact, puisque des ARN non traduits, mais ayant un rôle structural ou fonctionnel, sont eux aussi spécifiés par des gènes.

D. *La génétique bactérienne*

Les bactéries présentent plusieurs avantages pour l'analyse génétique. *Un des plus manifestes est le fait que beaucoup d'espèces ont un temps de génération de moins de 20 minutes, si les conditions sont favorables. On a ainsi la possibilité d'obtenir les résultats d'une expérience de génétique en quelques heures, alors que cela prendrait des semaines, voire des années, avec des organismes supérieurs. Un nombre incroyablement grand de bactéries peut être obtenu rapidement ($\sim 10^{10}$ mL^{-1}), ce qui permet l'observation d'événements biologiques très rares*. Par exemple, un événement de fréquence de 1 par million peut être détecté sans difficulté chez les bactéries en quelques minutes. Tenter d'obtenir un résultat analogue avec *Drosophila* demanderait un travail énorme et sans doute voué à l'échec. De plus, les bactéries sont généralement haploïdes ; leur phénotype illustre donc leur génotype. Il n'en reste pas moins que les principes de base de la génétique ont été élucidés en étudiant des plantes et des animaux. Ceci est dû au fait que les bactéries ne se reproduisent pas via un cycle sexué comme les organismes supérieurs ; on ne peut donc normalement pas appliquer la technique de base de la génétique classique, le croisement génétique. En fait, avant que l'on sache que l'ADN est le vecteur de l'information génétique, il n'apparaissait pas clairement que les bactéries avaient un chromosome.

L'étude génétique des bactéries a effectivement commencé dans les années 1940, après la mise au point de techniques d'iso-

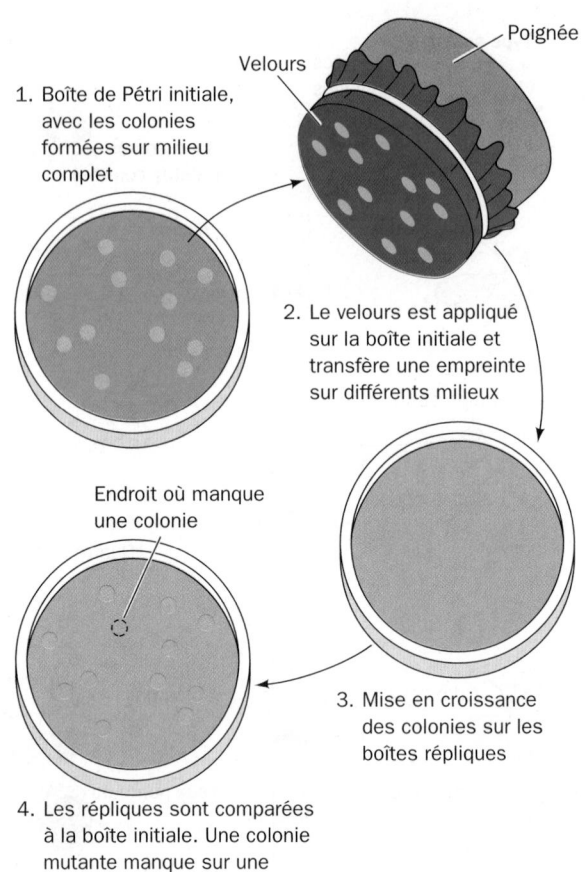

1. Boîte de Pétri initiale, avec les colonies formées sur milieu complet

Velours

Poignée

2. Le velours est appliqué sur la boîte initiale et transfère une empreinte sur différents milieux

3. Mise en croissance des colonies sur les boîtes répliques

Endroit où manque une colonie

4. Les répliques sont comparées à la boîte initiale. Une colonie mutante manque sur une boîte réplique

FIGURE 1-30   La technique des répliques. Cette technique permet de transférer rapidement et efficacement les colonies d'une boîte de Pétri sur d'autres boîtes contenant un milieu différent. Puisque les colonies bactériennes ont la même distribution sur la boîte initiale et sur les répliques, il est facile de repérer les mutants pour les identifier.

lement de bactéries mutantes. Étant donné que les bactéries n'ont que très peu de caractères morphologiques faciles à reconnaître, *les mutants sont détectés et sélectionnés par leur aptitude ou leur inaptitude à la croissance dans certaines conditions*. Par exemple, *E. coli* de type sauvage se multiplie sur un milieu contenant du glucose comme seule source de carbone. Des mutants incapables de synthétiser la **leucine** auront besoin de leucine dans le milieu de culture. Des mutants devenus résistants à un antibiotique comme l'**ampicilline** peuvent se multiplier en présence de cet antibiotique, alors que le type sauvage ne le peut pas. Des mutants chez lesquels une protéine essentielle est devenue thermolabile se multiplient à 30 °C, mais non à 42 °C, alors que le type sauvage peut se multiplier aux deux températures. Avec un protocole adapté, on peut donc sélectionner une colonie bactérienne porteuse d'une mutation donnée ou d'une combinaison de mutations. La méthode utilisée pour cela est la **réplique par tampon de velours** (Fig. 1-30).

E. *La génétique des virus*

*Les virus sont des particules infectieuses formées d'une molécule d'acide nucléique entourée par une **capside** (enveloppe) protectrice, constituée en majorité ou uniquement par des protéines*. Une particule virale (virion) s'attache de manière spécifique à une cel-

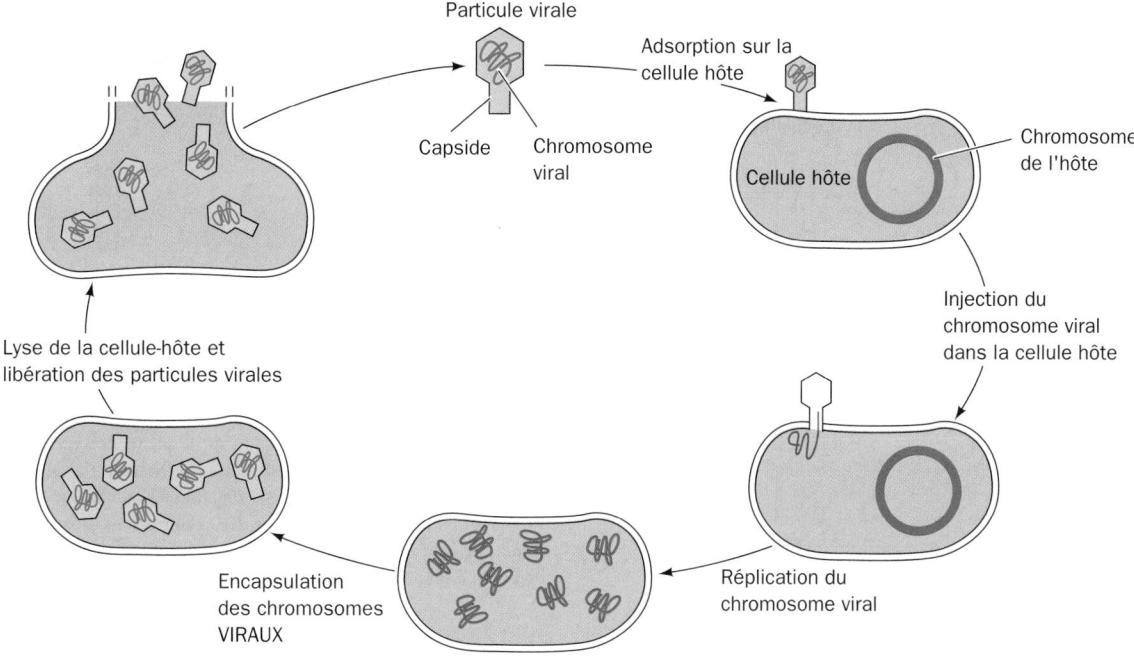

FIGURE 1-31 **Le cycle biologique d'un virus**.

lule sensible dans laquelle elle introduit son acide nucléique. Au cours de l'infection (Fig. 1-31), le chromosome viral oriente le métabolisme cellulaire vers la production de nouveaux virions. Une infection virale se termine généralement par la **lyse** de la cellule hôte, qui libère alors des dizaines, voire des milliers, de particules virales capables de recommencer le cycle infectieux. Les virus, qui n'ont pas de métabolisme propre, sont des parasites complets. Ils ne sont donc pas des organismes vivants, puisqu'en l'absence de leur hôte ils sont biologiquement inertes comme n'importe quelle autre macromolécule.

a. Les virus sont aussi le siège du phénomène de complémentation et de recombinaison

La génétique des virus peut être analysée par les moyens classiques comme dans le cas des organismes cellulaires. Seulement, comme les virus n'ont aucun métabolisme propre, on les détecte d'habitude par leur aptitude à lyser les cellules hôtes. La présence de **bactériophages** (virus qui infectent des bactéries, **phages** en abrégé ; du grec *phagein,* manger) viables est révélée par les **plages de lyse** (taches claires) qu'ils provoquent sur un tapis bactérien obtenu en boîtes de culture (Fig. 1-32). Ces plages dérivent d'un point à partir duquel une seule particule s'est multipliée, en provoquant la lyse de toutes les bactéries de la plage. Un phage mutant qui ne peut produire de descendance que dans des **conditions** dites **permissives**, peut être détecté par son incapacité à se reproduire dans d'autres conditions dites **restrictives**, dans lesquelles le type sauvage est viable. Ces conditions sont déterminées très souvent par la nature de la souche bactérienne utilisée comme hôte, ou par une modification de la température.

Les virus sont capables de complémentation. L'infection simultanée d'une bactérie par un mélange de deux phages mutants différents peut produire une descendance dans des conditions telles qu'aucun des mutants ne peut se reproduire seul. Dans ces cas précis, on en conclut que chaque phage assure une fonction qui ne

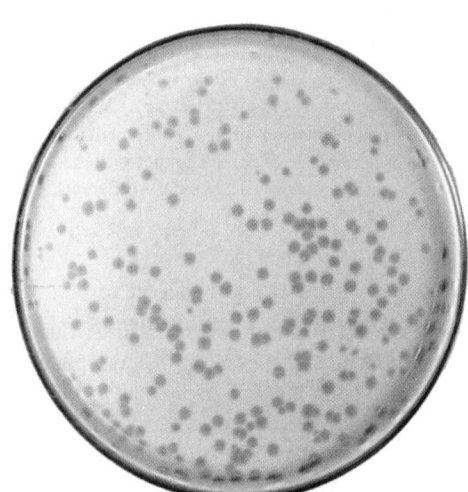

FIGURE 1-32 **La détection de virus mutants**. Ceci représente une culture en boîte de Pétri, avec un tapis bactérien de *E. coli,* sur lequel le bactériophage T4 a formé des plages de lyse. [Bruce Iverson.]

peut être assurée par l'autre. On dit alors que chacune des mutations fait partie d'un **groupe de complémentation** différent, notion que l'on peut assimiler à celle de gène.

Les chromosomes viraux peuvent se recombiner lorsqu'une cellule bactérienne est infectée en même temps par des particules mutantes différentes du même virus (Fig 1-33). La dynamique de la recombinaison est différente de celle des eucaryotes ou des bactéries. En effet, le chromosome viral peut entrer en recombinaison au cours de n'importe quel cycle de réplication de l'ADN viral. La descendance résultant de recombinaisons peut donc contenir la plupart sinon tous les types de recombinants possibles.

b. L'unité de recombinaison est la paire de bases

La vitesse de multiplication des phages est telle qu'elle permet la détection d'événements de recombinaison de fréquence 10^{-8}. Au

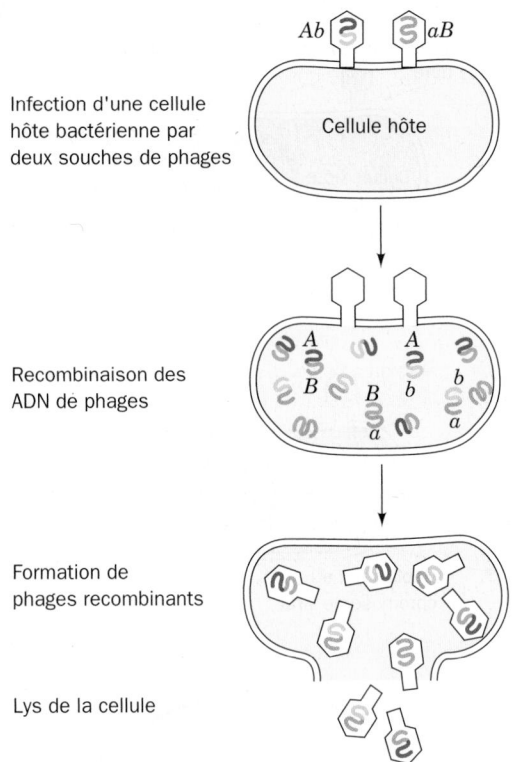

FIGURE 1-33 **La recombinaison virale**. La recombinaison entre des chromosomes de bactériophages a lieu lorsqu'une bactérie hôte est infectée simultanément par deux phages de génotypes différents, par exemple pour deux gènes *Ab* et *aB*.

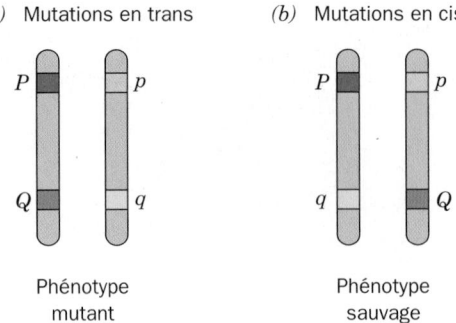

(a) Mutations en trans   (b) Mutations en cis

Phénotype mutant   Phénotype sauvage

FIGURE 1-34 **Le test cis-trans**. Considérons un chromosome présent en deux exemplaires homologues, dans lesquels deux sites du même gène, *P* et *Q*, sont aussi sous une forme mutante *p* et *q*. (*a*) Si les deux mutations sont en configuration cis, c'est-à-dire sur le même exemplaire chromosomique, un gène sera *P* et *Q*, c'est-à-dire fonctionnel, l'autre sera *p* et *q*, mais l'ensemble sera de phénotype fonctionnel sauvage. (*b*) Si les mutations sont en trans, c'est-à-dire sur des exemplaires chromosomiques différents, les deux gènes seront mutants, non fonctionnels, et l'ensemble conduira à un phénotype mutant.

cours des années 1950, Seymour Benzer a réalisé l'étude génétique fine de la région *rII* du chromosome du **bactériophage T4**. Cette région, longue d'environ 4000 pb, représente à peu près 2 % du génome du phage T4 et se compose de deux groupes de complémentation adjacents appelés *rIIA* et *rIIB*. Dans un hôte permissif comme *E. coli* B, une mutation de type *rII*, qui rend inactif le produit de l'un ou l'autre de ces deux gènes, permet cependant la production de plages beaucoup plus grandes (appelées *r*, pour « rapid lysis ») que celles du phage de type sauvage. La souche restrictive *E. coli* K12(λ) ne peut être lysée que par le type sauvage *rII⁺*. La présence de plages sur une boîte de culture de *E. coli* K12(λ) après co-infection avec deux mutants *rII* différents mais du même groupe de complémentation, démontre que la *recombinaison peut avoir lieu à l'intérieur même d'un gène*. Cette démonstration rendait ainsi caduc le modèle selon lequel les gènes seraient des corpuscules discontinus, placés comme des perles sur un filament, le chromosome, et selon lequel la recombinaison a lieu seulement entre les perles, échangeant des gènes intacts. La cartographie génétique de mutants *rII* à plus de 300 sites différents dans les régions *rIIA* et *rIIB* montre à l'évidence que *les gènes, tout comme les chromosomes, sont des structures linéaires non ramifiées*.

Benzer a également démontré que, dans un test de complémentation, deux mutants de complémentation donneront une descendance sur l'hôte restrictif à condition que les deux mutations soient en configuration **cis** (sur le même chromosome, Fig. 1-34a). Par contre, le test sera négatif si les deux mutations concernent le même gène et sont en configuration **trans** (ici les mutations

sont sur des chromosomes différents ; Fig. 1-34*b*). En effet, ce n'est que lorsque les deux mutations intéressent le même gène que l'autre gène reste fonctionnel. Le terme de **cistron** a été inventé pour désigner l'unité de fonction génétique ainsi mise en évidence par ce **test cis-trans**. Ce terme est depuis lors utilisé comme synonyme de gène ou de groupe de complémentation.

La recombinaison de couples de mutants *rII* a été observée jusqu'à une fréquence aussi faible que 0,01 %, bien que la limite de détection puisse descendre à 0,0001 %. On peut calculer que, chez T4, une fréquence de recombinaison de 1 % correspond à une distance physique de 240 pb entre les sites mutés ; l'unité de recombinaison ne dépasse donc pas 0,01 × 240 = 2,4 pb. Ceci est une estimation maximale, compte tenu du mécanisme de recombinaison. Ces études de cartographie génétique à haute résolution ont ainsi permis de conclure que *l'ordre de grandeur de l'unité de recombinaison est la paire de bases*.

5 ■ L'ORIGINE DE LA VIE

L'homme s'est toujours interrogé sur le mystère de son existence. Toutes les cultures connues à ce jour, primitives comme évoluées, ont élaboré un mythe pour expliquer l'apparition de la vie. Ce n'est qu'à l'époque moderne, cependant, que l'on a pu adopter une attitude scientifique pour tenter de comprendre l'origine de la vie et en soumettre les hypothèses à la vérification expérimentale. Charles Darwin, père de la théorie de l'évolution, fut l'un des premiers à entreprendre une telle démarche. En 1871, il écrivait à un collègue :

On dit souvent que toutes les conditions pour la première apparition d'un organisme vivant, conditions qui auraient pu exister depuis toujours, sont maintenant réunies. Mais si (et quel énorme « si ») nous pouvions imaginer que, dans une petite mare d'eau tiède, contenant toutes sortes de sels ammoniaqués et phosphorés, en présence de lumière, de chaleur et d'électricité, etc., une protéine se soit chimiquement formée prête à subir des modifications encore plus complexes, à l'heure actuelle, une telle substance serait immédiatement

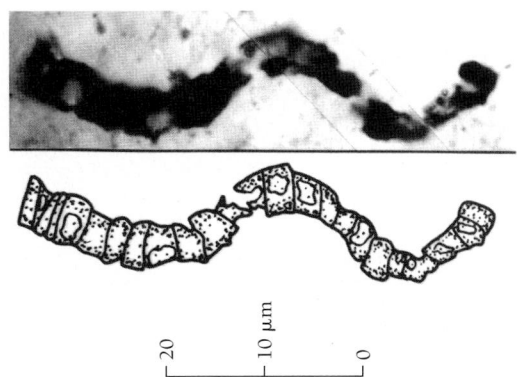

FIGURE 1-35 Microfossile de cellules bactériennes filamenteuses. Ce fossile (on en donne en dessous une interprétation graphique) a été découvert dans une roche d'environ 3400 millions d'années provenant de l'ouest de l'Australie. [Avec la permission de J. Williams Schopf, UCLA.]

dévorée, ou absorbée, ce qui ne se serait pas produit avant l'arrivée d'êtres vivants.

Selon des études par datation radioactive, la Terre s'est formée il y a environ 4,6 milliards d'années. Cependant, les multiples impacts de météorites ont rendu sa surface trop brûlante pour que la vie puisse s'y développer avant plusieurs centaines de millions d'années. La première trace fossile de vie, issue d'organismes semblables aux bactéries actuelles (Fig. 1-35), remonte à 3,5 milliards d'années. Les plus anciennes roches sédimentaires connues, qui ont environ 3,8 milliards d'années, ont été soumises à des perturbations métamorphiques suffisantes (500 °C et 5000 atm) pour anéantir tout microfossile qu'elles auraient pu contenir. Il n'en reste pas moins (mais c'est controversé) que leur analyse géochimique y montre des inclusions carbonacées qui pourraient être d'origine biologique. La vie aurait donc pu exister à l'époque de ces dépôts sédimentaires. Dans ce cas, la vie sur Terre a dû apparaître il y a environ 4 milliards d'années, dans un laps de temps ne dépassant pas la centaine de millions d'années. L'ère prébiotique antérieure n'a pas laissé de trace. *Par conséquent, nous ne pouvons espérer expliquer exactement comment la vie est apparue. Cependant, des expériences en laboratoire peuvent au moins montrer quels types de réactions chimiques abiotiques ont pu conduire à la formation de systèmes vivants.* Le caractère biochimique et génétique unitaire des organismes actuels suggère que la vie telle que nous la connaissons n'est apparue qu'une seule fois (si la vie est apparue plus d'une fois, les autres formes ont rapidement disparu, peut-être parce qu'elles ont été &1 mangées &2 par la forme actuelle). Ainsi, la comparaison des messages génétiques correspondants d'une grande variété d'organismes actuels, devrait permettre de déduire des modèles plausibles concernant les messages primitifs dont ils sont issus.

On admet généralement que le développement de la vie s'est fait en trois étapes (Fig. 1-36) :

1. L'évolution chimique, au cours de laquelle de simples molécules géologiques ont réagi pour former des polymères organiques complexes.

2. L'organisation spontanée d'un grand nombre de ces polymères pour donner des entités capables de se répliquer. C'est au cours de ce processus qu'est intervenue la transition entre un rassemblement inerte de molécules réactives et les systèmes vivants.

3. L'évolution biologique aboutissant finalement à la complexité des formes modernes de vie.

Dans cette section, nous exposons dans leurs grandes lignes les hypothèses concernant ces mécanismes. Auparavant, nous allons expliquer pourquoi, de tous les éléments, le carbone est le seul qui convienne au fondement de la chimie complexe nécessaire à la vie.

A. *Les propriétés uniques du carbone*

La matière vivante est formée, comme le montre le Tableau 1-3, d'un petit nombre d'éléments. C, H, O, N, P et S, tous capables de former des liaisons covalentes, représentent environ 92 % du poids sec des êtres vivants (la plupart des organismes contiennent environ 70 % d'eau). Le reste est constitué d'éléments présents essentiellement sous forme d'ions et que l'on ne trouve généralement qu'à l'état de traces (ils interviennent le plus souvent aux sites actifs des enzymes). Remarquez, cependant, que 65 des 90 éléments que l'on trouve dans la nature n'ont pas de rôle biologique connu. Inversement, à l'exception de l'oxygène et du calcium, les éléments les plus abondants de la matière vivante ne sont que des constituants mineurs de la croûte terrestre (où l'on trouve par ordre décroissant : O, 47 % ; Si, 28 % ; Al, 7,9 % ; Fe, 4,5 % et Ca, 3,5 %).

La prédominance du carbone dans la matière vivante est sans aucun doute le résultat de son exceptionnelle versatilité chimique, lorsqu'on le compare à tous les autres éléments. Le carbone a la propriété unique de former un nombre de composés pratiquement infini en raison de sa capacité d'établir jusqu'à quatre liaisons covalentes extrêmement stables (y compris des simples, doubles et triples liaisons), capacité associée à son pouvoir de constituer des chaînes de taille illimitée grâce à des liaisons covalentes C—C. Ainsi, sur les 17 millions de composés chimiques connus, près de 90 % sont des substances organiques (c'est-à-dire qui contiennent

TABLEAU 1-3 Composition élémentaire du corps humain

Élément	Poids sec (%)[a]	Éléments à l'état de traces
C	61,7	B
N	11,0	F
O	9,3	Si
H	5,7	V
Ca	5,0	Cr
P	3,3	Mn
K	1,3	Fe
S	1,0	Co
Cl	0,7	Cu
Na	0,7	Zn
Mg	0,3	Se
		Mo
		Sn
		I

[a] Calculé d'après Frieden, E., *Sci. Am.* **227**(1), 54–55 (1972).

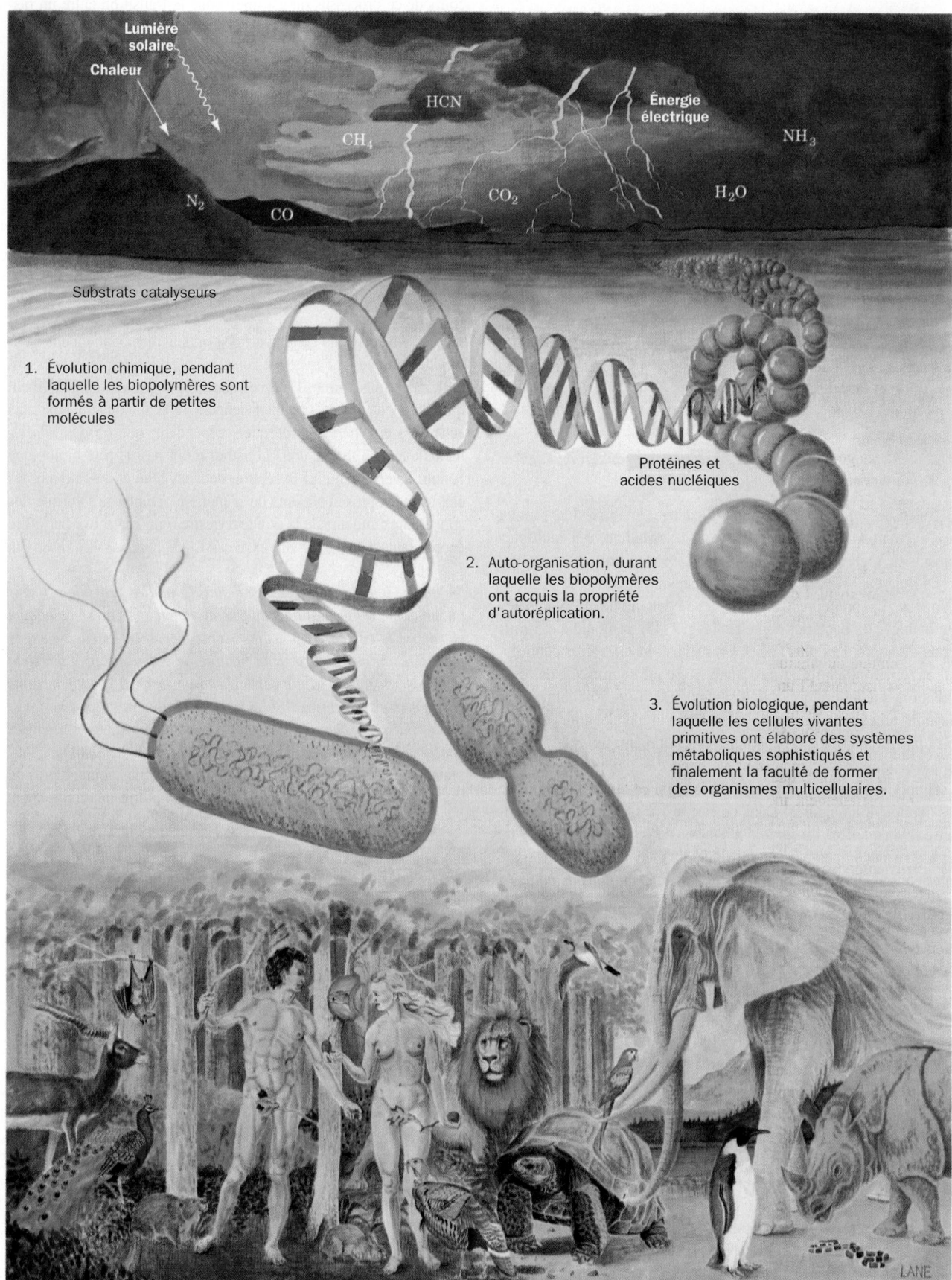

Lumière solaire

Chaleur

HCN

CH_4

Énergie électrique

NH_3

N_2

CO

CO_2

H_2O

Substrats catalyseurs

1. Évolution chimique, pendant laquelle les biopolymères sont formés à partir de petites molécules

Protéines et acides nucléiques

2. Auto-organisation, durant laquelle les biopolymères ont acquis la propriété d'autoréplication.

3. Évolution biologique, pendant laquelle les cellules vivantes primitives ont élaboré des systèmes métaboliques sophistiqués et finalement la faculté de former des organismes multicellulaires.

LANE

FIGURE 1-36 Les trois stades de l'évolution de la vie.

du carbone). Examinons les autres éléments du tableau périodique afin de comprendre pour quelles raisons ils ne possèdent pas ces deux propriétés combinées.

Seuls cinq éléments, B, C, N, Si et P, ont la possibilité d'établir chacun au moins 3 liaisons et ainsi de former des chaînes d'atomes liées par covalence, avec éventuellement des chaînes latérales. Les autres éléments sont soit des métaux, qui forment plutôt des ions que des liaisons covalentes ; soit des gaz rares, qui sont, par essence, chimiquement inertes ; ou encore des atomes tels que H ou O, qui ne peuvent établir chacun qu'une ou deux liaisons covalentes. Toutefois, bien que B, N, Si et P puissent être impliqués chacun dans au moins trois liaisons covalentes, ils ne conviennent pas, pour les raisons indiquées ci-dessous, en tant qu'éléments de base d'une chimie complexe.

Le bore, ayant moins d'électrons valentiels (3) que d'orbitales de valence (4), est déficitaire en électrons. Ceci restreint fortement le nombre et la stabilité de composés que B peut former. L'azote a le problème inverse ; ses cinq électrons valenciels le rendent riche en électrons. Les répulsions qui s'exercent entre les paires d'électrons non partagées et les atomes d'azote liés par covalence diminuent fortement l'énergie d'une liaison N—N ($171 \ kJ \cdot mol^{-1}$ au lieu de $348 \ kJ \cdot mol^{-1}$ pour une liaison C—C simple), en comparaison à la triple liaison anormalement stable de la molécule N_2 ($946 \ kJ \cdot mol^{-1}$). C'est pourquoi même de courtes chaînes d'atomes d'azote liés par covalence ont tendance à se décomposer en N_2, souvent brutalement. Le silicium et le carbone se trouvant dans la même colonne du tableau périodique, on pourrait espérer leur trouver des propriétés chimiques voisines. Toutefois, l'importance du rayon atomique du silicium empêche deux atomes de Si de s'approcher suffisamment l'un de l'autre pour un recouvrement orbital satisfaisant. Il s'ensuit que les liaisons Si—Si sont faibles ($177 \ kJ \cdot mol^{-1}$) et les liaisons multiples correspondantes sont rarement stables. Au contraire, les liaisons Si—O sont tellement stables ($369 \ kJ \cdot mol^{-1}$) que les chaînes où alternent des atomes Si et O sont parfaitement inertes (les minerais de silicate, dont la trame est constituée par de telles liaisons, forment la croûte terrestre). Certes, les écrivains de science-fiction ont imaginé que les **silicones**, composés organosiliconés huileux ou caoutchouteux avec une ossature d'unités Si—O liées entre elles (par exemple les **méthylsilicones**), pourraient constituer la base chimique de formes

de vie extraterrestre. Toutefois, l'inertie même des liaisons Si—O rend cette éventualité improbable. Le phosphore, qui se trouve en dessous de l'azote dans le tableau périodique, forme des chaînes encore moins stables d'atomes liés par covalence.

Ce qui précède n'implique pas que des liaisons hétéronucléaires soient instables. Au contraire, les protéines présentent des liaisons C—N—C, les glucides des liaisons C—O—C et les acides nucléiques des liaisons C—O—P—O—C. Cependant, *ces liaisons hétéronucléaires sont moins stables que les liaisons C—C. En réalité, ce sont ces liaisons hétéronucléaires qui sont généralement les sites de coupures chimiques lors de la dégradation des macromolécules et, réciproquement, ce sont ces liaisons qui sont créées quand des unités monomériques sont assemblées pour former des* macromolécules. Pour les mêmes raisons, des liaisons homonucléaires autres que les liaisons C—C sont si réactives qu'elles sont extrêmement rares dans les systèmes biologiques, mises à part les liaisons S—S dans les protéines.

B. *L'évolution chimique*

Dans le reste de cette section, nous décrivons le scénario le plus vraisemblable pour expliquer l'origine de la vie. *Toutefois, rappelez-vous qu'il y a des objections scientifiques valables à l'encontre de ce scénario ainsi qu'à plusieurs autres qui ont été sérieusement considérés, si bien que nous sommes loin de savoir comment la vie est apparue.*

On pense que le système solaire s'est formé à la suite de l'implosion gravitationnelle d'un immense nuage interstellaire de poussières et de gaz. La plus grande partie de ce nuage, composé essentiellement d'hydrogène et d'hélium, s'est condensée pour former le soleil. L'élévation de la température et de la pression au centre du protosoleil a allumé la réaction thermonucléaire autoentretenue qui constitue depuis lors la source énergétique du soleil. Les planètes, qui se sont formées d'amas de poussières plus petits, n'avaient pas la masse suffisante pour être l'objet d'un tel processus. En fait, les petites planètes, dont la Terre, sont constituées essentiellement d'éléments plus lourds car leurs masses sont trop faibles pour retenir par gravitation beaucoup de H_2 et de He.

L'atmosphère primitive de la terre était très différente de ce qu'elle est aujourd'hui. Elle ne pouvait contenir des quantités significatives d'O_2, substance très réactive. Il est probable que l'atmosphère contenait plutôt, outre H_2O, N_2 et CO_2 qu'on y trouve maintenant, de petites quantités de CO, CH_4, NH_3, SO_2 et peut être H_2, toutes ces molécules ayant été décelées par spectroscopie dans l'espace interstellaire. Les propriétés chimiques d'un tel mélange de gaz rendaient l'**atmosphère réductrice,** contrairement à l'atmosphère terrestre actuelle qui est une **atmosphère oxydante** (bien que des données récentes semblent au contraire indiquer que la Terre primitive avait une atmosphère oxydante).

Dans les années 1920, Alexander Oparin et J.B.S. Haldane, chacun de leur côté, ont suggéré que *les radiations ultraviolettes (UV) du soleil (qui actuellement sont fortement absorbées par la couche d'ozone (O_3) dans la haute atmosphère) ou des éclairs d'orage auraient fait réagir des molécules de l'atmosphère réductrice initiale pour former des composés organiques simples tels que des acides aminés, des bases d'acide nucléique, et des sucres.* En 1953, Stanley Miller et Harold Urey ont démontré expérimentalement qu'un tel processus était possible en utilisant l'appareil représenté à la Fig. 1-37. Ils ont ainsi simulé les effets d'éclairs d'orage dans l'atmosphère initiale en soumettant un mélange chauffé à reflux d'H_2O, CH_4, NH_3 et H_2 à des décharges électriques pendant une semaine. La solution obtenue à la fin de l'expérience contenait des quantités significatives de composés organiques hydrosolubles (les plus abondants d'entre eux sont donnés dans le Tableau 1-4), ainsi qu'une quantité substantielle de goudron insoluble (composé polymérisé). Plusieurs des composés solubles sont des acides aminés constituant les protéines et beaucoup d'autres, comme nous allons le voir, sont également intéressants sur le plan biochimique. Des expériences analogues dans lesquelles les conditions expérimentales, le mélange de gaz et/ou la source d'énergie, ont été modifiés, ont conduit à la synthèse de

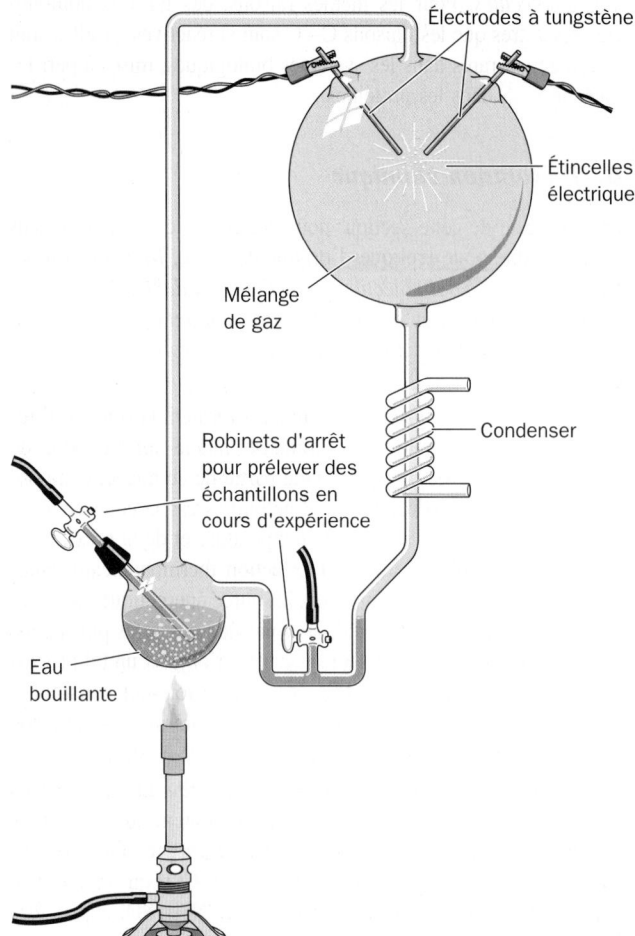

Électrodes à tungstène

Étincelles électriques

Mélange de gaz

Robinets d'arrêt pour prélever des échantillons en cours d'expérience

Condenser

Eau bouillante

FIGURE 1-37 Appareillage destiné à provoquer la synthèse de produits organiques comme sur la Terre prébiotique. Un mélange de gaz censé correspondre à l'atmosphère réductrice de la Terre primitive est soumis à des décharges électriques, en vue de simuler les effets des éclairs, tandis que l'eau contenue dans le ballon est chauffée à reflux afin que les produits nouvellement formés se dissolvent dans l'eau et s'accumulent dans le ballon. [D'après Miller, S.L and Orgel, L.E., *The Origins of Life on Earth,* p. 84, Prentice-Hall (1974).]

TABLEAU 1-4 Rendements après décharges électriques dans un mélange de CH$_4$, NH$_3$, H$_2$O et H$_2$

Composé	Rendement (%)
Glycine [a]	2,1
Acide glycolique	1,9
Sarcosine	0,25
Alanine [a]	1,7
Acide lactique	1,6
N-Méthylalanine	0,07
Acide α-amino-n-butyrique	0,34
Acide α-aminoisobutyrique	0,007
Acide α-hydroxybutyrique	0,34
β-Alanine	0,76
Acide succinique	0,27
Acide aspartique [a]	0,024
Acide glutamique [a]	0,051
Acide iminodiacétique	0,37
Acide iminoacéticpropionic	0,13
Acide formique	4,0
Acide acétique	0,51
Acide propionique	0,66
Urée	0,034
N-Methylurea	0,051

[a] Acide aminé présent dans les protéines.

Source : Miller, S.J. and Orgel, L.E., *The Origins of Life on Earth,* p. 85, Prentice-Hall (1974).

beaucoup d'autres acides aminés. Ces résultats, et la découverte de la présence de la plupart de ces mêmes acides aminés dans des météorites carbonées, suggèrent fortement que ces substances se trouvaient en quantités non négligeables sur la Terre initiale. En fait, il est probable qu'une abondance de molécules organiques ont été apportées sur la Terre primitive par les météorites qui l'ont bombardée si intensément.

Les bases des acides nucléiques peuvent aussi être synthétisées dans ces conditions prébiotiques probables. En particulier, l'adénine peut être obtenue par condensation de HCN, composé abondant dans l'atmosphère prébiotique, via une réaction catalysée par NH$_3$ [remarquez que la formule brute de l'adénine est (HCN)$_5$]. Les autres bases ont été synthétisées par des réactions similaires impliquant HCN et H$_2$O. Des sucres ont été obtenus par polymérisation de la formaldéhyde (CH$_2$O), grâce à des réactions catalysées par des cations divalents, de l'alumine ou des argiles. Il n'est donc pas étonnant que ces composés soient les constituants de base

des molécules biologiques. *C'étaient apparemment les substances organiques les plus courantes dans les temps prébiotiques.*

Les réactions prébiotiques décrites ci-dessus ont pu se manifester pendant plusieurs centaines de millions d'années. Finalement, on suppose que les océans présentaient la consistance organique d'une soupe diluée. Certes, on peut penser que dans beaucoup d'endroits, tels que les mares laissées par les marées ou les lacs peu profonds, la soupe prébiotique était beaucoup plus concentrée. De tels environnements devaient permettre l'association des molécules organiques pour donner des polypeptides et des polynucléotides (acides nucléiques) par exemple. Il est très vraisemblable que ces réactions étaient catalysées par adsorption des molécules réactionnelles sur des minerais tels que les argiles. Cependant, pour que la vie puisse apparaître, les vitesses de synthèse de ces polymères complexes devaient être très supérieures aux vitesses de leur hydrolyse. Par conséquent, la « mare » dans laquelle la vie est apparue devait être plutôt froide que chaude, peut-être même à une température inférieure à 0 °C (l'eau de mer ne gèle pour se retrouver à l'état solide qu'en dessous de –21 °C), car les réactions d'hydrolyse sont fortement ralenties à des températures aussi basses.

C. *L'émergence des systèmes vivants*

Les systèmes vivants ont la faculté de s'autorépliquer. La complexité inhérente à ce processus est telle qu'aucune invention humaine n'a pu ne serait-ce qu'approcher cette propriété. Il est clair qu'il n'existe qu'une probabilité infinitésimale pour qu'un mélange de molécules se rassemble au hasard pour donner une entité vivante (on a dit que la chance qu'une cellule vivante se forme spontanément à partir de simples molécules organiques pouvait être comparée à celle qu'un avion à réaction moderne soit assemblé par un ouragan soufflant sur un entrepôt de pièces détachées). Comment la vie a-t-elle pu apparaître ? Il est très vraisemblable qu'elle a été guidée selon le principe darwinien de la survie au mieux adapté, transposé à l'échelle moléculaire.

a. La vie est née probablement suite à la formation de molécules d'ARN autoréplicatives

Beaucoup pensent que le système autoréplicatif initial était constitué par un rassemblement de molécules d'acides nucléiques car, comme nous l'avons vu dans la Section 1-3 C, de telles molécules peuvent diriger la synthèse de molécules qui leur sont complémentaires. L'ARN, tout comme l'ADN, peut diriger la synthèse d'un brin complémentaire. En fait, l'ARN est le matériel héréditaire de nombreux virus (Chapitre 33). La polymérisation des molécules progénotes devait être due, en premier lieu, à un simple processus chimique et par conséquent devait manquer de précison. Les premières molécules progénotes ne pouvaient donc être qu'approximativement complémentaires aux molécules parentales. Néanmoins, des cycles répétés de synthèse d'acides nucléiques auraient probablement épuisé le stock de nucléotides libres, d'où une vitesse de synthèse de nouvelles molécules d'acide nucléique limitée par la vitesse de dégradation des molécules anciennes. Supposez qu'au cours de ce processus une molécule d'acide nucléique née au hasard soit plus résistante que ses cousines, en vertu d'une structure repliée. La descendance de cette molécule ou, tout au moins, ses copies les plus fidèles, auraient pu se propager aux dépens des molécules non résistantes ; autrement dit, les molécules résistantes auraient eu un avantage darwinien sur leurs voisines. Des études théoriques indiquent qu'un tel système de molécules évoluerait afin d'optimiser l'efficacité de sa réplication compte tenu de ses propres contraintes physiques et chimiques.

On pense qu'au cours de l'étape suivante de l'évolution, les acides nucléiques dominants ont acquis la propriété d'influencer l'efficacité et la précision de leur propre réplication. Chez les êtres vivants, ce processus implique la synthèse ribosomiale, dirigée par les acides nucléiques, des enzymes qui catalysent la synthèse d'acides nucléiques. On ignore comment une synthèse protéique dirigée par des acides nucléiques aurait pu être assurée avant que n'apparaissent les ribosomes, car les acides nucléiques n'ont pas la propriété d'interagir avec des acides aminés déterminés. Cette difficulté illustre le problème majeur de la reconstitution du cheminement de l'évolution prébiotique. Supposez l'apparition d'un quelconque système rudimentaire d'acides nucléiques susceptible d'améliorer l'efficacité de leur propre réplication. Ce système a dû être finalement remplacé, vraisemblablement sans laisser de témoignage de son existence, par le système ribosomial beaucoup plus efficace. Notre système hypothétique de synthèse d'acides nucléiques est donc analogue à l'échafaudage utilisé pour la construction d'un bâtiment. Une fois le bâtiment construit, l'échafaudage est enlevé sans laisser la trace de sa présence. *La plupart des idées développées dans cette section doivent donc être considérées comme de pures conjectures intellectuelles.* Faute d'avoir assisté à l'événement, il

semble improbable que nous puissions jamais savoir avec certitude comment la vie est apparue.

*Quant à l'évolution des systèmes autoréplicants, on peut admettre qu'ils étaient initialement constitués uniquement d'ARN, scénario appelé le « **monde de l'ARN** ».* Cette idée est fondée, en partie, sur l'observation que certains types d'ARN présentent des propriétés catalytiques analogues à celles des enzymes (Section 31-4A). De plus, puisque les ribosomes sont formés pour environ 2/3 d'ARN et pour seulement 1/3 de protéines, il est plausible que les premiers ribosomes étaient de l'ARN à 100 %. Une relation de coopération entre ARN et protéines a pu s'établir quand ces protoribosomes autoréplicants ont acquis la propriété d'influencer la synthèse des protéines pour accroître l'efficacité et/ou la précision de la synthèse d'ARN. *Partant, l'ARN serait la première molécule de la vie ; la participation de l'ADN et des protéines correspondrait à des raffinements ultérieurs qui auraient amélioré les aptitudes darwiniennes d'un système autoréplicatif déjà présent.*

Les différents systèmes décrits ci-dessus étaient limités à la « mare » primitive. Un système autoréplicant qui aurait développé une structure plus efficace aurait dû, par conséquent, partager ses avantages avec tous les « habitants » de la « mare », un cas de figure qui diminue l'avantage sélectif de l'amélioration. Ce n'est qu'en formant des compartiments, c'est-à-dire des cellules, que les systèmes biologiques en cours d'élaboration pouvaient recueillir pour leur bénéfice propre toute amélioration nouvelle. Ce faisant, la formation de cellules permettait de conserver et protéger tout système autoréplicatif, l'aidant ainsi à s'émanciper de sa « mare » d'origine. En fait, l'importance de la compartimentation est telle qu'elle a pu précéder l'élaboration de systèmes autoréplicants. Toutefois, la formation des frontières cellulaires a son prix. Comme nous le verrons dans d'autres chapitres, les cellules doivent consacrer beaucoup de leur énergie métabolique à assurer le transport sélectif de substances au travers de leurs membranes cellulaires. Actuellement, on ne sait rien de la manière dont les frontières cellulaires ont été créées, ni de leur constitution. Toutefois, une théorie plausible veut que les membranes seraient apparues comme des vésicules vides dont les surfaces externes auraient servi de sites de liaison pour des entités telles que les enzymes et les chromosomes, ce qui aurait facilité leurs fonctions. L'évolution aurait alors aplati et plissé ces vésicules, de sorte qu'elles englobent les assemblages moléculaires qui leur étaient associés, formant ainsi les premières cellules.

b. La lutte pour les ressources énergétiques a conduit au développement des voies métaboliques, de la photosynthèse et de la respiration

À ce stade de leur développement, les entités que nous avons décrites répondaient déjà aux critères de la vie proposés par Horowitz (réplication, catalyse, mutabilité). Les réactions de polymérisation qui permettaient à ces organismes primitifs de se répliquer dépendaient complètement de l'environnement pour l'apport des monomères indispensables et des composés riches en énergie comme l'ATP ou, plus vraisemblablement, de simples polyphosphates, moteurs de ces réactions. Lorsque certains des composants indispensables contenus dans la soupe prébiotique se firent rares, les organismes élaborèrent des systèmes enzymatiques capables de synthétiser ces substances à partir de précurseurs plus simples et plus abondants. D'où le développement de voies métaboliques productrices d'énergie. Cependant, ce progrès ne fit que retarder une « crise de l'énergie », car ces voies devaient consommer d'autres substances riches en énergie préexistantes. La rareté croissante de toutes ces substances conduisit finalement au développement de la photosynthèse, qui permettait de tirer parti d'une source énergétique pratiquement inépuisable : le soleil. Toutefois, ce processus, comme nous l'avons vu dans la Section 1-1A, consomme des agents réducteurs comme H_2S. L'épuisement de ces substances conduisit à un raffinement du processus de la photosynthèse où H_2O (substance ubiquitaire) devint l'agent réducteur, avec la formation d'O_2 comme produit annexe. La découverte récente, dans des roches datant d'environ 3,5 milliards d'années, de micro-organismes fossilisés apparentés aux cyanobactéries, plaide en faveur du fait que la photosynthèse productrice d'oxygène est apparue très tôt dans l'histoire de la vie.

L'apparition de la photosynthèse souleva un nouveau problème. L'accumulation d'O_2, une molécule très réactive qui finit par transformer l'atmosphère réductrice de la terre prébiotique en l'atmosphère oxydante actuelle (21 % O_2), a pu perturber les systèmes métaboliques qui avaient été conçus pour fonctionner dans des conditions réductrices. L'accumulation d'oxygène a donc conduit à des perfectionnements métaboliques destinés à protéger les organismes contre des dommages dus à l'oxydation. Plus important, elle conduisit à l'élaboration d'une forme de métabolisme énergétique beaucoup plus efficace que ce qui était possible jusqu'alors, la **respiration** (métabolisme oxydatif), laquelle utilisa comme agent oxydant l'oxygène devenu ainsi disponible.

Comme nous l'avons déjà souligné, les systèmes de base de la réplication et du métabolisme des organismes actuels sont apparus très tôt dans l'histoire de la vie sur Terre. En fait, beaucoup de procaryotes modernes semblent identiques à leurs ancêtres éloignés. L'arrivée des eucaryotes, comme indiqué dans la Section 1-2, s'est produite peut-être 2 milliards d'années après que les procaryotes se soient solidement implantés. Selon les relevés fossiles, les organismes multicellulaires ne sont apparus qu'il y a 700 millions d'années. Ils représentent donc une innovation relativement récente dans le cours de l'évolution.

6 ■ LA LITTÉRATURE EN BIOCHIMIE

La littérature biochimique représente des données obtenues depuis plus d'un siècle par des dizaines de milliers de chercheurs. Par conséquent, un traité de biochimie ne peut rendre compte que des résultats les plus marquants dans cette masse d'information. De plus, la vitesse considérable (probablement supérieure à celle des autres disciplines intellectuelles) à laquelle s'accumulent les connaissances en biochimie signifie que des avancées importantes seront obtenues à coup sûr pendant l'année nécessaire à la sortie de ce livre. Un étudiant en biochimie sérieux doit donc consulter régulièrement la littérature biochimique pour étoffer les questions qui sont traitées (ou omises) dans cet ouvrage, et pour se tenir au courant des dernières découvertes. Cette section suggère quelques pistes pour y parvenir.

A. *Conduire une recherche bibliographique*

La littérature de base en biochimie, qui reprend les résultats des recherches dans cette discipline, correspond à des dizaines de milliers d'articles par an dans plus de 200 périodiques. On ne peut donc consulter cette littérature volumineuse que de manière très sélective. La plupart des biochimistes se limitent aux périodiques susceptibles de publier des résultats qui les concernent directement. En fait, ils parcourent la table des matières de ces périodiques pour trouver des titres d'articles suffisamment intéressants.

Il est difficile de se mettre au courant d'un nouveau sujet en commençant par les articles parus dans les différents périodiques. Il est préférable, afin d'avoir une vue d'ensemble d'un sujet de biochimie particulier, de commencer par les revues et monographies qui s'y rapportent. Ils présentent généralement un résumé des travaux récents (au moment de leur publication) dans le domaine concerné, souvent du point de vue personnel des auteurs. Il y a, en gros, deux types de revues : celles qui sont surtout un travail de compilation, et celles qui évaluent de façon critique les résultats et s'efforcent de les replacer dans un contexte plus général. Ce dernier type de revue est, bien entendu, plus approprié, surtout pour quelqu'un qui n'a pas de connaissances particulières sur le sujet. La plupart des revues sont publiées dans des ouvrages ou encore dans des périodiques spécialisés (Tableau 1-5), bien que beaucoup de périodiques qui publient des articles de recherche présentent de temps en temps des revues.

Les monographies et revues relatives à un sujet donné sont généralement faciles à trouver grâce à l'utilisation des catalogues de bibliothèque et à l'index des principaux périodiques qui publient des articles de revue (les références données à la fin des chapitres de cet ouvrage peuvent également être utiles). La liste des références que l'on trouve dans de tels articles constitue un outil important. On y trouve les revues précédentes traitant des mêmes sujets ou de sujets voisins, ainsi que les références des articles de recherche les plus importants sur la question. Notez le nom des auteurs de ces articles ainsi que ceux des journaux dans lesquels ils publient. Quand les revues les plus récentes et les articles que vous avez trouvés renvoient aux mêmes articles antérieurs, votre recherche bibliographique est à jour. Enfin, pour vous familiariser avec les derniers développements sur le sujet, recherchez les publications les plus récentes des groupes de chercheurs les plus actifs dans ce domaine.

Biological Abstracts, *Chemical Abstracts* et *Science Citation Index* sont très utiles pour situer les références. Ces abrégés donnent, à la fois par auteur et par sujet, la liste des articles parus dans de très nombreux périodiques. Les *Biological Abstracts* et *Chemical Abstracts* résument en anglais les articles répertoriés (y compris beaucoup d'articles écrits en langue étrangère). *Science Citation Index* publie la liste de tous les articles parus une année donnée et qui citent une publication antérieure particulière, ce qui permet de suivre les développements successifs dans un domaine spécifique.

La plupart des bibliothèques universitaires sont abonnées, via le web, à des services de recherche de références informatisés tels que ceux de Chemical Abstracts Services (CAS online), Current contents, Medline et Science Citation Index. Medline peut être consulté gratuitement via le National Center for Biotechnology

TABLEAU 1-5 **Quelques périodiques de biochimie**

Accounts of Chemical Research

Advances in Enzymology and Related Areas of Molecular Biology

Advances in Protein Chemistry

Angewandte Chemie, International Edition in English[a]

Annual Review of Biochemistry

Annual Review of Biophysics and Biomolecular Structure

Annual Review of Cell and Developmental Biology

Annual Review of Genetics

Annual Review of Immunology

Annual Review of Medicine

Annual Review of Microbiology

Annual Review of Physiology

Annual Review of Plant Physiology and Plant Molecular Biology

Biochemical Journal[a]

BioEssays

Cell[a]

Chemistry and Biology

Critical Reviews in Biochemistry and Molecular Biology

Critical Reviews in Eukaryotic Gene Expression

Current Biology

Current Opinion in Biotechnology[a]

Current Opinion in Cell Biology

Current Opinion in Genetics and Development

Current Opinion in Structural Biology

Essays in Biochemistry

FASEB Journal[a]

Harvey Lectures

Journal of Biological Chemistry[a]

Methods in Enzymology

Nature[a]

Nature Reviews Molecular Cell Biology

Nature Structural Biology[a]

Proceedings of the National Academy of Sciences USA[a]

Progress in Biophysics and Molecular Biology

Progress in Nucleic Acid Research and Molecular Biology

Protein Science[a]

Quarterly Reviews of Biophysics

Science[a]

Scientific American

Structure[a]

Trends in Biochemical Sciences

[a] Périodiques qui publient essentiellement des articles de recherche.

Information (NCBI) (http://www.ncbi.nlm.nih.gov/PubMed) et le BioMedNet (http://www.bmn.com). Si l'on s'en sert correctement, ces services de recherche bibliographique sont des outils extrêmement efficaces pour trouver des renseignements précis.

B. *Lire une publication*

Les articles de recherche sont généralement divisées en cinq parties. On y trouve un résumé avant (ou après pour certains journaux) l'article lui-même. L'article continue (ou commence) par une introduction, qui contient généralement une mise au point sur le domaine de recherche concerné, le but du travail et un aperçu des conclusions. Dans la section suivante sont décrites les méthodes expérimentales. Viennent ensuite la présentation des résultats et enfin une discussion qui met en évidence les conclusions et les confronte à celles d'autres travaux dans le domaine. La plupart des publications sont des « articles » qui peuvent couvrir plus d'une dizaine de pages. Cependant, beaucoup de périodiques présentent également des « communications », d'une à deux pages en général, publiées plus rapidement que les articles.

Savoir lire un article scientifique n'est pas évident. Il ne faut surtout pas lire l'article d'un bout à l'autre comme on lirait une « nouvelle ». En fait, la plupart des chercheurs ne lisent que rarement un article dans sa totalité. C'est une perte de temps et d'efficacité. Ils préfèrent examiner rapidement certaines parties de l'article et n'approfondir que ce qui retient leur attention. Le paragraphe suivant donne une méthode de lecture relativement efficace des articles scientifiques. *Il s'agit d'une méthode active, où le lecteur doit constamment évaluer ce qu'il lit et le rattacher à ses propres connaissances.* De plus, le lecteur doit garder un esprit critique car tout article peut comporter des erreurs, notamment dans l'interprétation des résultats expérimentaux et dans les hypothèses que ceux-ci évoquent.

Si le titre d'un article éveille l'intérêt du lecteur, cet intérêt doit être confirmé par la lecture du résumé. Pour beaucoup d'articles, même ceux qui apportent des renseignements utiles, on peut s'en tenir là. Si vous décidez de continuer la lecture, lisez d'abord attentivement l'introduction qui vous donnera une vue générale du travail publié. Arrivés là, la plupart des scientifiques chevronnés examinent les conclusions de l'article, afin de mieux comprendre ce qui a été trouvé. Si un effort supplémentaire semble utile, ils analysent les résultats pour vérifier que les données expérimentales corroborent les conclusions. La partie concernant les méthodes n'est généralement pas lue en détail car, souvent écrite sous forme condensée, elle n'est guère compréhensible que pour un spécialiste du domaine des recherches. Toutefois, pour ces spécialistes, la description des méthodes peut être la partie la plus intéressante de l'article. À ce stade, ce qui reste éventuellement à lire est dicté par les points qui resteraient à éclaircir. Dans la plupart des cas, on sera contraint de consulter des références citées dans l'article. De toute façon, à moins que vous n'ayez l'intention de refaire ou de poursuivre une partie des recherches décrites, il est rarement nécessaire de lire l'article en détail. Le faire de manière critique vous demanderait alors plusieurs heures pour un article de longueur moyenne.

RÉSUMÉ DU CHAPITRE

1 ■ Les procaryotes. Les procaryotes sont des organismes unicellulaires dépourvus de noyau. La plupart des procaryotes ont des structures semblables : une paroi cellulaire rigide autour d'une membrane cellulaire qui renferme le cytoplasme. Le chromosome unique de la cellule est condensé pour former le nucléoïde. *Escherichia coli*, l'organisme le mieux caractérisé sur le plan biochimique, est un procaryote typique. Les procaryotes ont des besoins nutritifs très variés. Les chimiolithotrophes métabolisent des substances inorganiques. Les photolithotrophes, tels que les cyanobactéries, assument la photosynthèse. Les hétérotrophes, qui vivent grâce à l'oxydation de substances organiques, sont classés comme aérobies s'ils utilisent l'oxygène dans ce processus, et comme anaérobies s'ils utilisent d'autres agents oxydants comme accepteurs terminaux d'électrons. Les schémas traditionnels de classification des procaryotes sont plutôt arbitraires car il n'y a que peu de corrélation entre leur morphologie et leur métabolisme. Toutefois, en comparant les séquences d'acides nucléiques et de protéines, on a pu montrer que tous les organismes vivants appartiennent à trois branches distinctes de l'arbre de l'évolution : les Archea (archébactéries), les Bacteria (eubactéries) et les Eucarya (eucaryotes).

2 ■ Les eucaryotes. Les cellules des eucaryotes, beaucoup plus complexes que celles des procaryotes, sont caractérisées par la présence de nombreux organites limités par des membranes. Le plus remarquable d'entre eux est le noyau, qui contient les chromosomes de la cellule, et le nucléole, où sont assemblés les ribosomes. Le réticulum endoplasmique est le site de synthèse des lipides et des protéines destinées à être secrétées. La maturation ultérieure de ces produits a lieu dans l'appareil de Golgi. Les mitochondries, sièges du métabolisme oxydatif, sont probablement issues d'une relation symbiotique entre une bactérie aérobie et un eucaryote primitif. Les chloroplastes, sièges de la photosynthèse chez les végétaux, sont de même issus d'une cyanobactérie. Parmi les autres organites eucaryotiques, on trouve le lysosome, qui est une vésicule de digestion intracellulaire, et le peroxysome, qui contient une variété d'enzymes oxydatives, dont certaines conduisent à la formation d'H_2O_2. Le cytoplasme des eucaryotes comporte un cytosquelette sous-jacent dans lequel on trouve les microtubules, constitués de tubuline ; les microfilaments, composés d'actine ; et les filaments intermédiaires, constitués de protéines différentes selon le type cellulaire. Les eucaryotes présentent une diversité morphologique considérable, aussi bien au niveau cellulaire qu'au niveau de l'organisme. Ils sont répartis en quatre règnes : Protistes, Plantes, Champignons et Animaux. Le schéma du développement embryonnaire des êtres multicellulaires reflète partiellement l'histoire de leur évolution.

3 ■ La biochimie : prologue. Les organismes ont une structure hiérarchique que l'on retrouve jusqu'à l'échelle moléculaire. Ils ne contiennent que trois types de macromolécules de base : protéines, acides nucléiques et polysaccharides, ainsi que des lipides, tous étant constitués d'unités monomériques. La structure biologique native des macromolécules et des complexes supramoléculaires se forme grâce à un processus d'auto-assemblage. On ne sait pratiquement rien des mécanismes d'auto-assemblage des structures biologiques plus complexes. Le métabolisme est organisé en une série de voies étroitement régulées. On distingue des voies cataboliques ou anaboliques, selon qu'elles assurent la dégradation ou la synthèse de molécules. La « monnaie » courante dans tous ces processus est l'ATP, dont la synthèse peut être assurée par plusieurs voies cataboliques différentes et dont l'hydrolyse rend possible la plupart des voies anaboliques. L'ADN, la molécule garante de l'hérédité de la cellule, contient l'information génétique dans la séquence de ses bases. Les séquences de bases complémentaires de ses deux brins leur permettent de servir de matrices pour leur propre réplication et pour la synthèse de brins d'ARN complémentaires. Les ribosomes synthétisent les protéines en réunissant les acides aminés entre eux selon l'ordre spécifié par la séquence des bases de l'ARN.

4 ■ La génétique : vue d'ensemble. Les cellules eucaryotes contiennent un nombre caractéristique de paires de chromosomes homologues. Au cours de la mitose, chaque cellule fille reçoit une copie de chacun de ces chromosomes, mais lors de la méiose chaque gamète ne reçoit qu'un membre de chaque paire de chromosomes homologues. La fécondation est la fusion de deux gamètes haploïdes pour former un zygote diploïde. D'après les lois mendéliennes de l'hérédité les caractères présents sous des formes différentes, fixés dans des lignées pures, sont déterminés par différents allèles d'un même gène. Ces allèles peuvent être dominants, codominants ou récessifs, et déterminent ainsi le phénotype des hétérozygotes. Les différents gènes s'associent de manière indépendante quand ils sont localisés sur des chromosomes différents. La liaison génétique entre des gènes localisés sur le même chromosome n'est toutefois pas totale, parce qu'il y a des échanges par crossing-over entre les chromatides homologues lors de la méiose. La fréquence avec laquelle les gènes différents se recombinent est fonction de la distance physique entre eux, étant donné que le crossing-over est distribué de manière aléatoire le long d'un chromosome. Cette particularité permet la construction des cartes génétiques. Le test de complémentation permet de savoir si deux caractères récessifs dépendent d'allèles récessifs du même gène, ou de formes récessives de gènes différents. La nature des gènes répond en grande partie à l'aphorisme « un gène-un polypeptide ». Les souches mutantes de bactériophages sont détectées par leur aptitude à lyser leurs hôtes dans des conditions restrictives variées. L'analyse de la structure fine de la région *rII* du chromosome du bactériophage T4 a montré que la recombinaison peut avoir lieu à l'intérieur même d'un gène, que les gènes ont une structure linéaire et non ramifiée, et que l'unité de mutation et de recombinaison correspond à une paire de bases.

5 ■ L'origine de la vie. La vie est fondée sur le carbone qui, de tous les éléments du tableau périodique, est le seul à avoir une chimie suffisamment complexe et à pouvoir former un nombre pratiquement infini de chaînes stables d'atomes liés par covalence. Des réactions entre les molécules de l'atmosphère réductrice de la Terre prébiotique ont permis la formation de molécules organiques simples, précurseurs des molécules biologiques. Au cours de réactions catalysées notamment par les argiles, des polypeptides et des polynucléotides se sont formés. Ils ont évolué sous la pression de la compétition pour s'approprier les unités monomériques disponibles. Finalement, un acide nucléique, très vraisemblablement de l'ARN, a acquis la propriété d'influencer sa propre réplication en ordonnant la synthèse de protéines qui catalysent la synthèse de polynucléotides. Après quoi, les membranes cellulaires se sont constituées pour former des entités vivantes. Plus tard, des mécanismes métaboliques se sont mis en place afin de synthétiser les intermédiaires indispensables à partir de précurseurs disponibles, ainsi que les composés riches en énergie nécessaires pour assurer ces réactions. C'est ainsi que la photosynthèse et la respiration se mirent en place pour adapter les êtres vivants aux modifications qu'ils produisaient dans l'environnement.

6 ■ La littérature en biochimie. La vitesse à laquelle la littérature biochimique s'accroît et son abondance nous contraignent à la consulter si l'on veut maîtriser une question de cette discipline. La lecture de revues permet d'accéder à une spécialité donnée. Pour se tenir au courant dans n'importe quel domaine, on doit cependant lire régulièrement les articles qui s'y rapportent, avec esprit critique et discernement.

RÉFÉRENCES

PROCARYOTES ET EUCARYOTES

Becker, W.M., Kleinsmith, L.J., et Hardin, J., *The World of the Cell* (4e éd.), Benjamin/Cummings (2000). [Un ouvrage de biologie très abordable.]

Campbell, N.A., Reece, J.B., et Mitchell, L.G., *Biologie* (2e éd.), De Boeck Université (2004). [Un traité très complet, parmi d'autres, de biologie générale.]

de Duve, C., *À l'Écoute du Vivant*, Odile Jacob (2002). [Une histoire de la Vie et de son évolution depuis les origines jusqu'aux êtres humains, centrée sur « explication » et « signification ».]

Dulbecco, R., *The Design of Life*, Yale University Press (1987). [Introduction pénétrante à une vision moderne de la biologie et de la biochimie.]

Fredrickson, J.K. et Ontstott, T.C., Les micro-organismes de l'intérieur du Globe, *Pour la Science N° 230* : 90-95 (1996).

Frieden, E., The chemical elements of life, *Sci. Am.* **227**(1) : 52-60 (1972).

Goodsell, D.S., *The Machinery of Life*, Springer-Verlag (1993) ; A look inside the living cell, *Am. Scientist* **80**, 457-465 (1992), et Inside a living cell, *Trends Biochem. Sci.* **16**, 203-206 (1991).

Holt, J.G., Krieg, N.R., Sneath, H.A., Staley, J.T., et Williams, S.T., *Bergey's Manual of Determinative Bacteriology* (9e éd.), Williams and Wilkins (1994).

Holtzman, E. et Novikoff, A.B., *Cells and Organelles* (3e éd.), Holt, Rinehart, & Winston (1984).

Madigan, M.T., Martinko, J.M., et Parker, J., *Brock Biology of Microorganisms* (9e éd.), Prentice-Hall (2000).

Margulis, L. et Schwartz, K.V., *Five Kingdoms. An Illustrated Guide to the Phyla of Life on Earth* (3e éd.), Freeman (1998).

Pace, N.R., A molecular view of microbial diversity and the biosphere, *Science* **276**, 734-740 (1997).

Rensberger, B., *Au cœur de la vie - au royaume de la cellule vivante* (1re éd.), De Boeck Université (1999). [Présenté avec humour, ce livre permet d'acquérir avec facilité les connaissances fondamentales de la biologie cellulaire.].

Stanier, R.Y., Ingrahan, J.L., Wheelis, M.L., et Painter, P.R., *The Microbial World* (5e éd.), Prentice-Hall (1986).

Whitman, W.B., Coleman, D.C., et Wiebe, W.J., Prokaryotes : The unseen majority, *Proc. Natl. Acad. Sci.* **95**, 6578-6583 (1998). [Evalue le nombre de procaryotes sur Terre (4-6 × 10^30 cellules) et la masse totale de leur carbone cellulaire (3.5-5.5 × 10^14 kg, ce qui représente 66-100 % du carbone des végétaux).]

GÉNÉTIQUE

Benzer, S., The fine structure of the gene, *Sci. Am.* **206**(1), 70-84 (1962).

Cairns, J., Stent, G.S., et Watson, J. (Éds) *Phage and the Origins of Molecular Biology*, Cold Spring Harbor Laboratory (1992). [Une série d'articles scientifiques par plusieurs des pionniers de la biologie moléculaire.]

Griffiths, A.F., Gelbart, W.M., Lewontin, R.C., et Miller, J.H., *Introduction à l'analyse génétique* (7e éd.), De Boeck Université (2002).

Russell, P.J., *Genetics* (5e éd.), Addison Wesley Longman (1998).

Snustad, D.P., Simmons, M.J., et Jenkins, J.B., *Principles of Genetics*, Wiley (1997).

ORIGINE DE LA VIE

Bada, J.L. et Lazcano, A., Prebiotic soup-Revisiting the Miller experiment, *Science* **300**, 745-746 (2003).

Bernstein, M.P., Standford, S.A., et Allamandola, S.A., Les briques de la Vie, *Pour la Science N° 262* : 70-79 (1999). [Une discussion de la possibilité que les molécules organiques complexes qui ont servi de matériau de départ pour la vie aient été apportées sur la Terre primitive par des météorites.]

Brack, A. (Éd.), *The molecular Origins of Life*, Cambridge University Press (1998).

de Duve, C., *Poussière de Vie*, Fayard, Paris (1996).

Doolittle, F.W., Phylogenetic classification and the universal tree, *Science* **284**, 3124-2128 (1999). [Comment le transfert horizontal de gènes entre les différentes formes de vie pourrait compromettre l'élucidation de « l'Arbre de Vie Universel », dans la mesure où un tel « Arbre » est un modèle valable de l'histoire de la Vie.]

Dyson, F., *Origins of Life*, Cambridge University Press (1985). [Dissertation philosophique fascinante d'un spécialiste réputé de la physique théorique sur les hypothèses concernant l'origine de la Vie.]

Faústo da Silva, J.R. et Williams, R.J.P., *The Biological Chemistry of the Elements*, Oxford (1991).

Knoll, A.H., The early evolution of eukaryotes : A geological perspective, *Science* **256**, 622-627 (1992).

Lahav, N., *Biogenesis. Theories of Life's Origins*, Oxford University Press (1999).

Lazcano, A. et Miller, S.L., The origin and early evolution of life : Prebiotic chemistry, the pre-RNA world, and time, *Cell* **85**, 793-798 (1996).

Lifson, S., On the crucial stages in the origin of animate matter, *J. Mol. Evol.* **44**, 1-8 (1997).

Mojzsis, S.J., Arrhenius, G., McKeegan, K.D., Harrison, T.M., Nutman, A.P., et Friend, C.R.L., Evidence for life on Earth before 3,800 million years ago, *Nature* **384**, 55-57 (1996).

Orgel, L.E., The origin of life-a review of facts and speculations, *Trends Biochem. Sci.* **23**, 491-495 (1998). [Une revue des hypothèses en vogue sur les origines de la Vie ainsi qu'une discussion des arguments pour ou contre.]

Pour la Science, N° 206 (1994) [Un numéro spécial sur la « Vie dans l'Univers ».]

Schopf, J.W., *Cradle of Life, The Discovery of the World's Oldest Fossils*, Princeton University Press (1999). [Mais voir également Brasier, M.D., Green, O.R., Jephcoat, A.P., Kleppe, A.K., Van Kranendonck, M.J., Linday, J.F., Steel, A., et Grassineau, N.V., Questioning the evidence of the Earth's oldest fossils, *Nature* **416**, 76-81 (2002).]

Shapiro, R., *Origins. A Skeptics Guide to the Creation of Life on Earth*, Summit Books (1986). [Une critique pénétrante et amusante des hypothèses actuelles sur l'origine de la Vie.]

Woese, C.R. et Pace, N.R., Probing RNA structure, function, and history by comparative analysis, *in* Gesteland, R.F. and Atkins, J.F. (Éds) *The RNA World*, pp. 91-117, Cold Spring Harbor Laboratories (1993).

LITTÉRATURE SCIENTIFIQUE

Garrat, J., Overton, T., et Threlfall, T., *Chimie : L'art de se poser les bonnes questions. Décryptage critique d'un texte scientifique* (1re éd.), De Boeck Université (2000).

PROBLÈMES

Il est très difficile d'apprendre correctement quelque chose sans y participer d'une manière ou d'une autre. Les problèmes en fin de chapitre sont donc une partie importante de ce manuel. Peu de problèmes font appel à la mémoire. Ils sont plutôt destinés à vous faire réfléchir et à proposer des aperçus non traités dans le livre. Leur difficulté va de ceux qui ne demandent que quelques moments de réflexion à ceux qui peuvent nécessiter une heure ou plus d'effort intense pour les résoudre. Les problèmes les plus difficiles sont signalés par un astérisque (*).

1. Dans des conditions de croissance optimales, une cellule d'*E. coli* se divise environ toutes les 20 minutes. Si aucune cellule ne meurt, combien de temps faudra-t-il pour qu'une cellule d'*E. coli* en culture dans un flacon de 10 L et dans des conditions optimales, parvienne à sa densité cellulaire maximum de 10^{10} cellules · mL^{-1} (une culture « saturée ») ? En supposant que les conditions optimales puissent être maintenues, combien de temps faudrait-il pour que le volume total des cellules seules atteigne 1 km^3 ? (Supposez qu'une cellule d'*E. coli* soit un cylindre long de 2 μm avec un diamètre de 1 μm).

2. Sans les revoir, représentez schématiquement une cellule bactérienne et une cellule animale. Quelles sont les fonctions des différents organites ? Combien d'ascendants différents acquis au cours de l'évolution une cellule animale type pourrait-elle avoir ?

3. Comparez les rapports surface/volume d'une cellule d'*E. coli* typique (ses dimensions sont données avec le Problème 1) et d'une cellule eucaryote typique qui serait une sphère d'un diamètre de 20 μm. Comment cette différence affecte-t-elle le style de vie de ces deux types de cellules ? Afin d'améliorer leur pouvoir d'absorber des nutriments, les **cellules à bordure en brosse** de l'épithélium intestinal ont des plages « veloutées » de **microvilli** qui se projettent dans la lumière intestinale. De combien le rapport surface/volume de cette cellule eucaryote est-il modifié si 20% de sa surface sont recouverts de microvilli cylindriques d'un diamètre de 0,1 μm et d'une longueur de 1 μm, qui se présentent comme un quadrillage avec un espacement de 0,2 μm de centre à centre ?

4. Plusieurs protéines d'*E. coli* se trouvent normalement à des concentrations de deux molécules par cellule. Quelle est la concentration molaire d'une telle protéine (les dimensions d'*E. coli* sont données avec le Problème 1) ? Réciproquement, combien de molécules de glucose une cellule d'*E. coli* contient-elle, si la concentration interne en glucose est de 1 mM ?

5. L'ADN d'un chromosome d'*E. coli* est long de 1,6 mm lorsqu'il est en extension, et a un diamètre de 20 Å. Quelle fraction d'une cellule d'*E. coli* est-elle occupée par son ADN (les dimensions d'une cellule d'*E. coli* sont données avec le Problème 1) ? Une cellule humaine contient 700 fois plus d'ADN qu'une cellule d'*E. coli* et est typiquement sphérique avec un diamètre de 20 μm. Quelle fraction d'une telle cellule humaine est occupée par son AND ?

*6. Une nouvelle planète vient d'être découverte qui a approximativement la même orbite autour du soleil que la Terre, mais elle est invisible de la Terre car elle est toujours au côté opposé du soleil. Des sondes interplanétaires ont déjà établi que cette planète a une atmosphère non négligeable. L'Administration Nationale de l'Aéronautique et de l'Espace se prépare à lancer une nouvelle sonde inhabitée qui atterrira à la surface de la planète. Décrivez une expérience simple qui permettrait de déceler la présence de vie à la surface de cette planète (supposez, s'il y a vie, qu'il s'agirait vraisemblablement de micro-organismes, incapables donc de marcher vers les caméras vidéo de l'engin et de dire « Salut »).

7. Il a été suggéré qu'en cas de guerre nucléaire totale, la Terre serait recouverte de nuages de poussière et de fumée, si bien que la surface entière de la planète serait plongée dans l'obscurité et donc extrêmement froide (bien en dessous de 0 °C) pendant plusieurs années (ce qu'on a dénommé l'« hiver nucléaire »). Dans ce cas, on pense que la vie eucaryotique serait exterminée et que les bactéries prendraient possession de la Terre. Pourquoi ?

8. Mendel a utilisé le **testcross** comme méthode d'analyse génétique. Ce test consiste à croiser les hybrides F$_1$ avec le parent récessif. Quelle est la ségrégation attendue dans la descendance après un testcross mettant en jeu différentes couleurs de graines, chez le pois ? On peut poser la même question pour la gueule-de-loup (*Antirrhinum*), qui présente des couleurs de fleurs différentes (utiliser le parent à fleurs blanches comme testeur).

9. La question de la paternité d'un enfant peut souvent être tranchée par des tests sanguins. Les groupes sanguins M, N et MN (Section 12-3E) dépendent de deux allèles L^M et L^N, à un locus ; le groupe sanguin Rh$^+$ dépend d'un allèle dominant R, à un locus. Les loci L et R et ABO sont sur des chromosomes différents. Le tableau suivant présente les types sanguins pour les trois loci concernant une mère, ses trois enfants, et deux pères putatifs. Indiquer en justifiant, lorsque cela est possible, lequel peut être ou non le père de chaque enfant.

Enfant 1	B	M	Rh$^-$
Enfant 2	B	MN	Rh$^+$
Enfant 3	AB	MN	Rh$^+$
Mère	B	M	Rh$^+$
Père 1	B	MN	Rh$^+$
Père 2	AB	N	Rh$^+$

10. La forme la plus fréquente de daltonisme consiste à ne pouvoir distinguer la couleur rouge de la couleur verte, et elle affecte quasi uniquement les hommes. Quels sont les génotypes et les phénotypes des enfants et des petits-enfants d'un homme daltonien et d'une femme sans ancêtre daltonien, en supposant que les enfants se marient avec des personnes sans ancêtres daltoniens ?

11. On pense que les bactéries photosynthétiques vertes et pourpres sont semblables aux premiers organismes capables de réaliser la photosynthèse. Imaginez la composition de l'atmosphère terrestre lorsque ces organismes firent leur apparition.

12. Visitez votre bibliothèque de biochimie locale (il peut s'agir de la bibliothèque de biologie, de chimie ou de médecine). Repérez où sont rangées les publications récentes, les publications reliées et les livres. Feuilletez la table des matières d'un important journal de biochimie classique tel que *Biochemistry, Cell* ou *Proceedings of the National Academy of Sciences* et choisissez un titre qui vous intéresse. Examinez l'article correspondant et notez comment il est construit. De même, parcourez un des articles du dernier volume de *Annual Review of Biochemisty*.

13. En utilisant MedLine, recherchez les publications de votre chercheur préféré en biochimie au cours des cinq dernières années. Cette personne pourrait être un récent lauréat du Prix Nobel ou quelqu'un de votre Université. Si vous utilisez le site web BioMedNet, vous devrez vous inscrire via votre Institution (c'est gratuit) pour obtenir un nom d'utilisateur et un mot de passe. Attention : même si le nom de la personne de votre choix n'est pas courant, il n'est pas exclu que votre liste mentionne des publications de quelqu'un d'autre portant le même nom.

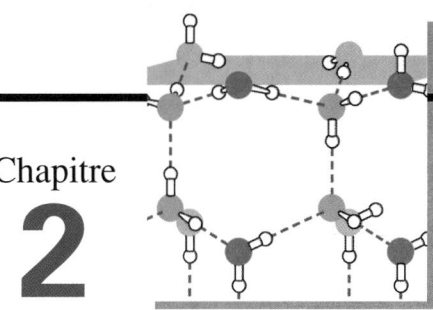

Les solutions aqueuses

Les processus vitaux, tels que nous les connaissons, se déroulent en solution aqueuse. En effet, la vie sur Terre est apparemment née dans une sorte de mer primitive (Section 1-5B) et, comme l'indiquent les traces fossiles, elle ne s'est aventurée en terrain sec que relativement récemment. Cependant, même les organismes qui ont acquis la capacité de vivre hors de l'eau contiennent toujours « un peu d'océan » : la composition des liquides intra- et extracellulaires est très semblable à celle de l'eau de mer. Ceci est vrai même pour des organismes qui vivent dans des environnements aussi exceptionnels que les eaux saumâtres saturées, les sources d'eau chaude sulfureuse et acide, et le pétrole.

L'eau est si banale que nous la considérons généralement comme un liquide insipide de nature simple. C'est pourtant un liquide réactif chimiquement et dont les propriétés physiques sont si extraordinaires que, si les chimistes l'avaient découverte récemment, elle aurait sans aucun doute été cataloguée comme substance insolite.

Les propriétés de l'eau ont une portée biologique capitale. *Les structures des molécules sur lesquelles la vie est fondée — protéines, acides nucléiques, lipides, glucides complexes — dépendent directement des interactions qu'elles établissent avec le milieu aqueux. L'ensemble des propriétés de solvant de l'eau lui permettent d'assurer de telles associations intra- et intermoléculaires, ce qu'aucun autre solvant ne peut faire.* Bien que l'hypothèse d'une vie fondée sur d'autres polymères organiques que les protéines et les acides nucléiques soit plausible, il est inconcevable que l'organisation structurale et la chimie complexe des êtres vivants puissent exister dans un autre milieu qu'un milieu aqueux. Des observations directes de Mars, la seule planète du système solaire où règnent des températures compatibles avec la vie, montrent qu'il n'y a ni eau, ni vie, du moins en surface.

Les structures et processus biologiques ne peuvent être compris qu'en fonction des propriétés physiques et chimiques de l'eau. Nous commencerons donc ce chapitre par une étude des proprié-tés moléculaires et des propriétés de solvant de l'eau. Dans la section qui suit, nous envisagerons ses particularités chimiques, c'est-à-dire la nature des acides et bases en solution aqueuse.

1 ■ PROPRIÉTÉS DE L'EAU

Les propriétés physiques et les propriétés de solvant singulières de l'eau ont pour origine son extraordinaire cohésion interne comparée à celle des autres liquides. Dans cette section, nous étudierons les bases physiques de ce phénomène.

A. *Structure et interactions*

La molécule H_2O a une forme courbe avec une distance de 0,958 Å pour la liaison O—H et un angle H—O—H de 104,5° (Fig. 2-1). La différence d'électronégativité importante entre H et O confère un caractère ionique de 33 % à la liaison O—H, comme l'indique la valeur du moment dipolaire de la molécule d'eau, égale à 1,85 unités debye. L'eau est sans aucun doute une molécule très polaire, propriété qui a des implications considérables pour les systèmes vivants.

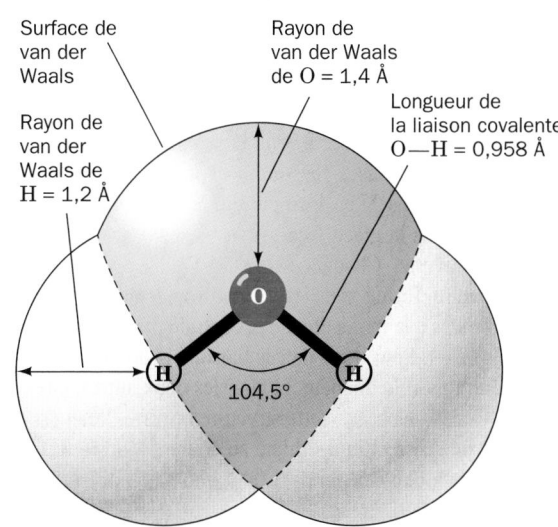

FIGURE 2-1 Structure de la molécule d'eau. Les contours du dessin représentent l'enveloppe de van der Waals de la molécule (où les facteurs attractifs des interactions de van der Waals équilibrent les facteurs répulsifs). Les bras entre les atomes correspondent aux liaisons covalentes.

a. Les molécules d'eau s'associent par l'intermédiaire de liaisons hydrogène

Les interactions électrostatiques entre les dipôles de deux molécules d'eau tendent à les orienter de sorte que la liaison O—H d'une molécule d'eau est dirigée vers le nuage d'électrons d'un doublet non partagé de l'oxygène de l'autre molécule d'eau. Il en résulte une association intermoléculaire vectorielle appelée **liaison hydrogène** (Fig. 2-2), une interaction au rôle crucial, aussi bien pour les propriétés de l'eau elle-même, que pour son rôle comme solvant biochimique. Généralement, *on représente une liaison hydrogène ainsi : D—H ⋯ A où D—H est un «groupe donneur» faiblement acide tel que N—H ou O—H, et A un atome porteur d'un doublet non partagé et donc un « atome accepteur » faiblement basique tel que N ou O*. Une liaison hydrogène est donc mieux représentée par $^\delta D$—$H^{\delta+} \cdots ^\delta A$, où la séparation de charge dans la liaison D—H résulte de la plus grande électronégativité de D par rapport à H. La présence spécifique, au centre d'une telle liaison, d'un atome d'hydrogène et non pas d'un autre atome s'explique par la petite taille de l'atome d'hydrogène. Seul le noyau de l'hydrogène peut s'approcher suffisamment du nuage d'électrons du doublet non partagé d'un atome accepteur pour établir une interaction électrostatique conséquente. De plus, comme l'indiquent de récentes mesures par dispersion des rayons X, la liaison hydrogène est de nature partiellement (~10 %) covalente.

Les liaisons hydrogène se caractérisent par une distance H ⋯ A qui est plus courte d'au moins 0,5 Å que la distance de van der Waals (distance la plus courte qui sépare deux atomes non liés) calculée entre ces atomes. Par exemple, pour l'eau, la distance de la liaison hydrogène O ⋯ H est ~1,8 Å contre 2,6 Å pour la distance de van der Waals correspondante. L'énergie de rupture d'une liaison hydrogène (~20 kJ·mol⁻¹ pour l'eau) est petite comparée à celle de liaisons covalentes (par exemple, 460 kJ·mol⁻¹ pour une liaison O—H covalente). Toutefois, la plupart des molécules biologiques ont tellement de groupes qui établissent des liaisons hydrogène que celles-ci sont d'une importance capitale dans l'élaboration de leurs structures tridimensionnelles et de leurs associations intermoléculaires. Nous reverrons les liaisons hydrogène dans la section 8-4 B.

b. Les propriétés physiques de la glace et de l'eau à l'état liquide sont essentiellement le résultat de liaisons hydrogène intermoléculaires

La structure de la glace fournit un exemple frappant de la force cumulée de nombreuses liaisons hydrogène. Des études de diffraction des rayons X et des neutrons, ont montré que les molécules d'eau dans la glace sont agencées selon une structure anormalement ouverte. Chaque molécule d'eau se trouve au centre d'un tétraèdre formé par les quatre molécules d'eau les plus proches reliées à la molécule d'eau centrale par des liaisons hydrogène (Fig. 2-3). Pour deux de ces liaisons hydrogène, la molécule d'eau centrale est le donneur, et pour les deux autres, elle est l'accepteur. Conséquence de cette structure ouverte, l'eau est une des très rares substances qui se dilate au cours du gel (à 0 °C, l'eau à l'état liquide a une densité de 1,00 g·mol⁻¹, tandis que la glace a une densité de 0,92 g·mol⁻¹).

La dilatation de l'eau qui gèle a des conséquences exceptionnelles pour la vie sur Terre. Si l'eau se contractait en gelant, elle deviendrait plus dense. La glace coulerait au fond des lacs et des océans au lieu de flotter. Cette glace serait protégée du soleil, si

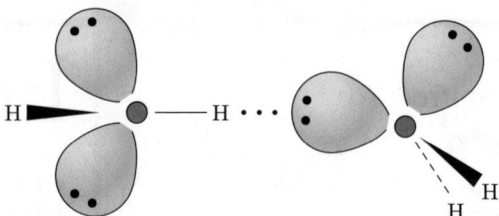

FIGURE 2-2 Une liaison hydrogène entre deux molécules d'eau. La force de cette interaction est maximale quand la liaison covalente O—H est dirigée vers le nuage d'un doublet d'électrons non partagé de l'atome d'oxygène auquel la molécule d'eau est liée par liaison hydrogène.

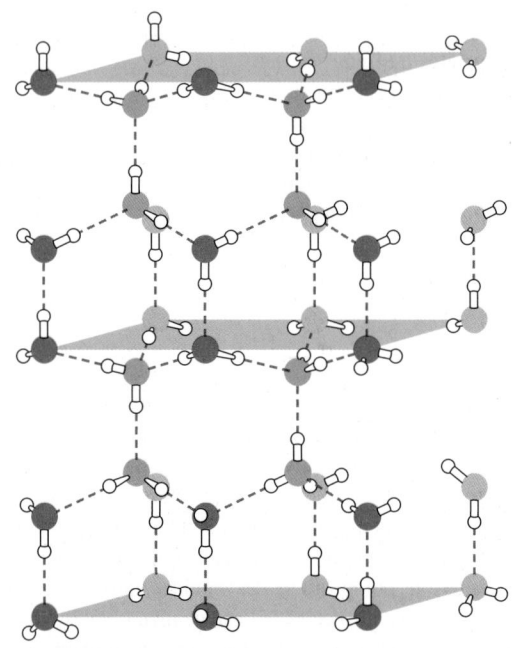

FIGURE 2-3 Structure de la glace. L'arrangement tétraédrique des molécules d'eau est dû à la disposition quasi- tétraédrique des orbitales hybrides sp^3 (deux contenant une paire d'électrons de liaison O—H, deux contenant une paire d'électrons libre) de chaque atome d'oxygène (Fig. 2-2). Les atomes d'oxygène et d'hydrogène sont représentés, respectivement, par des sphères rouges et blanches, et les liaisons hydrogène par des pointillés. Noter la structure ouverte de la glace qui lui confère sa faible densité par rapport à l'eau liquide. [D'après Pauling, L., *The Nature of the Chemical Bond (3ᵉ éd.)* p. 465, Cornell University Press (1960).]

bien que les océans, à l'exception d'une mince couche de liquide à la surface par temps chaud, se trouveraient en permanence sous forme solide gelée (l'eau à grandes profondeurs, même dans les océans tropicaux, est proche de 4 °C, température à laquelle sa densité est maximum). La réflection de la lumière du soleil par ces océans gelés et leur effet de refroidissement de l'atmosphère donneraient des températures sur la terre beaucoup plus froides que maintenant ; autrement dit, la Terre se trouverait constamment à l'ère glaciaire. De plus, puisque la vie est vraisemblablement apparue dans l'océan, il paraît improbable que la vie aurait pu se développer si la glace se contractait après le gel.

Bien que la fusion de la glace corresponde à l'effondrement de sa structure agencée par liaisons hydrogène, de telles liaisons persistent entre les molécules d'eau à l'état liquide. La chaleur de sublimation de la glace à 0 °C est de 46,9 kJ·mol⁻¹. Toutefois, seulement environ 6 kJ·mol⁻¹ de cette valeur peuvent être attribués à l'énergie cinétique des molécules d'eau à l'état gazeux. Les 41 kJ·mol⁻¹ restants doivent, par conséquent, correspondre à l'énergie nécessaire pour rompre les interactions par liaisons hydrogène qui maintiennent le cristal de glace. La chaleur de fusion de la glace (6,0 kJ·mol⁻¹) représente ~15 % de l'énergie nécessaire pour détruire la structure de la glace. *L'eau à l'état liquide ne présente donc qu'environ 15 % de moins de liaisons hydrogène que la glace à 0 °C.* De fait, le point d'ébullition de l'eau est supérieur de 264 °C à celui du méthane (CH_4), une substance qui a presque la même masse moléculaire que l'eau mais qui est incapable d'établir des liaisons hydrogène (en l'absence d'associations intermoléculaires, des substances qui ont des masses moléculaires égales devraient avoir des points d'ébullition identiques). Ceci reflète l'extraordinaire cohésion interne de l'eau à l'état liquide, due à ses liaisons hydrogène intermoléculaires.

c. La structure de l'eau à l'état liquide fluctue rapidement

Des mesures de diffraction de rayons X et de neutrons par les molécules d'eau ont révélé une structure complexe. A une température proche de 0 °C la distance moyenne entre O···O les plus proches est de 2,82 Å, soit légèrement supérieure à la distance correspondante de 2,76 Å trouvée dans la glace, et ce, malgré la densité plus élevée à l'état liquide. Ces mesures par rayons X montrent également que chaque molécule d'eau est entourée en moyenne par 4,4 molécules voisines les plus proches, ce qui suggère fortement que la structure de base de l'eau à l'état liquide est essentiellement tétraédrique. Cette conclusion est corroborée par les distances intermoléculaires supplémentaires de ~4,5 et ~7,0 Å trouvées dans l'eau à l'état liquide, qui correspondent à peu près aux distances qui sépareraient les deuxième et troisième molécules les plus proches dans une structure tétraédrique de type glace. Toutefois, l'eau à l'état liquide présente également une distance intermoléculaire de 3,5 Å, laquelle ne peut s'expliquer par une structure de type glace. De plus, ces distances moyennes deviennent beaucoup moins bien discernables lorsqu'on approche des températures physiologiques, ce qui traduit la destruction de la structure de base de l'eau par la chaleur.

La structure de l'eau à l'état liquide n'est pas facile à décrire. En effet, chaque molécule d'eau se réoriente environ une fois toutes les 10⁻¹² s, ce qui rends la détermination de la structure instantanée de l'eau un problème difficile à résoudre, tant sur le plan expérimental que théorique (peu de techniques expérimentales peuvent effectuer des mesures dans des temps aussi courts). En réalité, ce n'est que grâce à l'avènement récent de nouvelles méthodes de calcul que les théoriciens sont en passe de décrire la structure intermoléculaire de l'eau à l'état liquide.

En majorité, les molécules de l'eau à l'état liquide sont chacune réunies par liaisons hydrogène aux quatre molécules les plus proches comme dans la glace. Cependant, ces liaisons hydrogène sont déformées, ce qui rend les réseaux de molécules liées irréguliers et variés, le nombre de liaisons hydrogène établies par chaque molécule variant de 3 à 6. Par exemple, on trouve fréquemment dans l'eau à l'état liquide des cycles de 3 à 7 unités de molécules liées par liaisons hydrogène (Fig. 2-4), au lieu des cycles à 6 unités -tels que dans le cyclohexane — caractéristiques de la glace (Fig. 2-3). De plus, ces réseaux se font et se défont continuellement dans des temps de l'ordre de 2 × 10⁻¹¹ s. *L'eau à l'état*

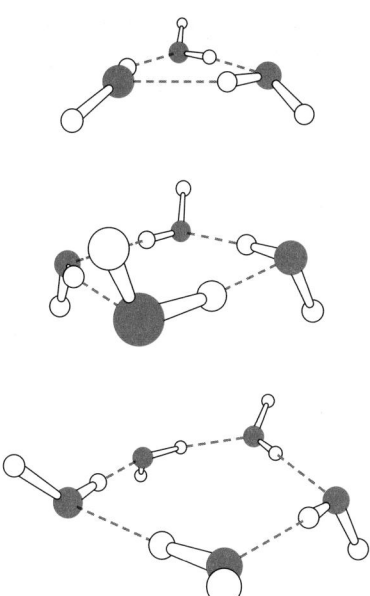

FIGURE 2-4 Structures trimérique, tétramérique et pentamérique de l'eau telles que prédites par la théorie et confirmées par la spectroscopie. Noter que ces cycles sont pratiquements plans, chaque molécule d'eau se comportant aussi bien comme donneur que comme accepteur de liaison hydrogène et les atomes d'hydrogène libres se projetant au dessus et en dessous du plan. [D'après Liu, K., Cruzan, J. D., and Saykelly, R. J., *Science* **271**, 930 (1996).]

liquide forme donc un réseau de molécules unies par liaisons hydrogène qui varie constamment et qui ressemble, sur des distances très courtes, au réseau qu'on trouve dans la glace.

B. *L'eau en tant que solvant*

La solubilité est due à la propriété d'un solvant d'interagir plus fortement avec les molécules d'un soluté que les particules de soluté n'interagissent entre elles. On dit de l'eau qu'elle est le « solvant universel ». Bien que cet énoncé ne puisse être pris au pied de la lettre, l'eau dissout plus de catégories de substances et en plus grandes quantités que n'importe quel autre solvant. En particulier, le caractère polaire de l'eau en fait un solvant excellent pour les substances polaires et ioniques, que l'on qualifie, pour cette raison, d'**hydrophiles** (du grec, *hydro*, eau et *philos*, qui aime). Par ailleurs, les substances non polaires sont pratiquement insolubles dans l'eau (« l'huile et l'eau ne se mélangent pas ») et sont donc qualifiées d'**hydrophobes** (du grec, *phobos*, peur). Toutefois, les substances non polaires sont solubles dans des solvants non polaires tels que CCl_4 ou l'hexane. On peut résumer ceci par la maxime « qui se ressemble s'assemble ».

Pourquoi les sels se dissolvent-ils dans l'eau ? La cohésion des sels tels que NaCl ou K_2HPO_4 est assurée par des forces ioniques. Les ions d'un sel, comme toute charge électrique, interagissent selon la **loi de Coulomb** :

$$F = \frac{kq_1q_2}{Dr^2} \qquad [2.1]$$

où F est la force qui naît entre les deux charges q_1 et q_2, séparées par la distance r, D étant la **constante diélectrique** du milieu ambiant, et k une constante de proportionnalité ($8,99 \times 10^9$ J·m·C⁻²). Donc, si la constante diélectrique d'un milieu augmente, la force entre les charges qui s'y trouvent diminue ; autrement dit, la constante diélectrique d'un solvant est une mesure de sa capacité à séparer des charges de signe opposé. Dans le vide, D est égal à 1 et dans l'air, elle est à peine supérieure. Les constantes diélectriques de plusieurs solvants usuels et leurs moments dipolaires permanents sont donnés dans le Tableau 2-1. Notez que ces valeurs ont tendance à varier dans le même sens, bien que de façon irrégulière.

La constante diélectrique de l'eau est parmi les plus élevées de n'importe quel liquide pur, alors que celles des substances non polaires telles que les hydrocarbures, sont relativement faibles. La force entre deux ions séparés par une distance donnée est, par conséquent, 30 à 40 fois supérieure dans des liquides non polaires tels que l'hexane ou le benzène à ce qu'elle est dans l'eau. Ainsi, dans des solvants non polaires (faible valeur de D), les ions de charge opposée s'attirent l'un vers l'autre si fortement qu'ils fusionnent pour former un sel, alors que les forces beaucoup plus faibles entre ces ions en milieu aqueux (D élevée) permettent à une grande partie de ces ions de rester séparés.

Un ion immergé dans un solvant polaire attire les extrémités de charge opposée des dipôles du solvant, comme le montre la Fig. 2-5 dans le cas de l'eau. L'ion est ainsi entouré de plusieurs couches concentriques de molécules orientées du solvant. On dit que ces ions sont **solvatés,** ou **hydratés** si le solvant est l'eau. Le champ électrique formé par les dipôles du solvant s'oppose à celui de l'ion si bien que la charge ionique est répartie dans l'ensemble du complexe solvaté. Cet arrangement atténue fortement les forces de Coulomb interioniques, ce qui explique pourquoi les solvants polaires ont des constantes diélectriques si élevées.

L'effet d'orientation des charges ioniques sur les molécules dipolaires est contrecarré par des mouvements d'origine thermique, qui ont tendance à réorienter continuellement toutes les molécules de façon aléatoire. Les dipôles d'un complexe solvaté ne sont donc que partiellement orientés. Si la constante diélectrique de l'eau est aussi élevée, comparée à celle d'autres liquides ayant des moments dipolaires comparables, c'est en raison de la structure de l'eau maintenue par liaisons hydrogène qui lui permet d'adopter des structures orientées, lesquelles s'opposent au brouillage thermique, assurant ainsi une répartition beaucoup plus efficace des charges.

TABLEAU 2-1   Constantes diélectriques et moments dipolaires moléculaires permanents de quelques solvants classiques

Solvant	Constante diélectrique	Moment dipolaire (unités debye)
Formamide	110,0	3,37
Eau	78,5	1,85
Diméthyl sulfoxyde	48,9	3,96
Méthanol	32,6	1,66
Éthanol	24,3	1,68
Acétone	20,7	2,72
Ammoniac	16,9	1,47
Chloroforme	4,8	1,15
Ether diéthylique	4,3	1,15
Benzène	2,3	0,00
Tétrachlorure de carbone	2,2	0,00
Hexane	1,9	0,00

D'après Brey, W,S,, *Physical Chemistry and Its Biological Applications*, p. 26, Academic Press (1978),

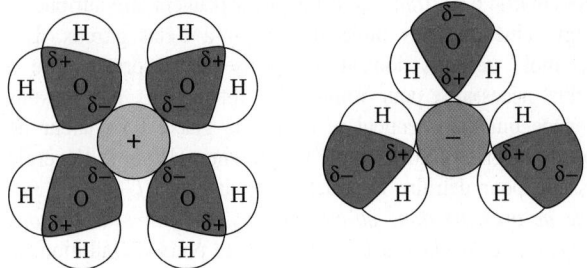

FIGURE 2-5   Solvatation d'ions par des molécules d'eau orientées.

Les liaisons dipolaires de molécules polaires non chargées les rendent solubles en solution aqueuse pour les mêmes raisons qui rendent les substances ioniques hydrosolubles. Les solubilités des substances polaires ioniques sont augmentées si elles portent des substituants fonctionnels tels que des groupes hydroxyle (—OH), céto (C=O), carboxyle (—CO$_2$H ou COOH), ou amino (—NH$_2$), qui peuvent établir des liaisons hydrogène avec l'eau comme le montre la Fig. 2-6. En fait, les biomolécules hydrosolubles telles que les protéines, les acides nucléiques et les glucides regorgent de tels groupes. Au contraire, les substances non polaires sont dépourvues de groupes donneurs et accepteurs de liaisons hydrogène.

a. Les molécules amphiphiles forment des micelles et des bicouches

La plupart des molécules biologiques présentent à la fois des parties polaires (ou chargées) et non polaires si bien qu'elles sont simultanément hydrophiles et hydrophobes. De telles molécules, les **acides gras** par exemple (Fig. 2-7), sont appelées **amphiphiles** ou **amphipathiques** (du grec, *amphi*, les deux et *pathos*, passion). Comment les molécules amphiphiles se comportent-elles en milieu

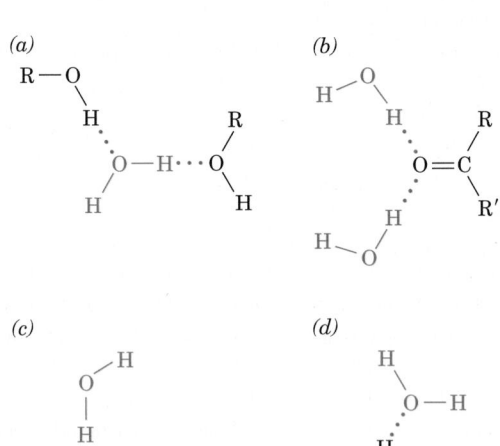

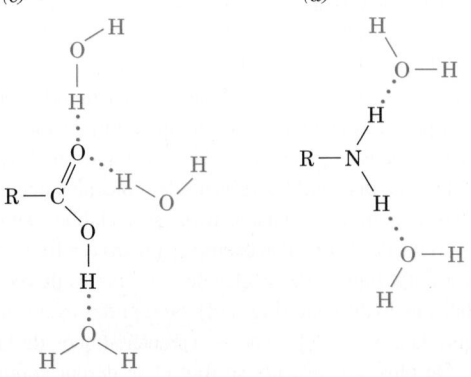

FIGURE 2-6   Liaisons hydrogène entre groupes fonctionnels. Des liaisons hydrogène se forment entre l'eau et (*a*) des groupes hydroxyle, (*b*) des groupes céto, (*c*) des groupes carboxyle, et (*d*) des groupes amino.

$$CH_3CH_2CH_2CH_2CH_2CH_2CH_2CH_2CH_2CH_2CH_2CH_2CH_2CH_2CH_2 {-} \overset{\overset{O}{\|}}{C} {-} O^-$$

Palmitate ($C_{15}H_{31}COO^-$)

$$CH_3CH_2CH_2CH_2CH_2CH_2CH_2CH_2 {-} \overset{\overset{H}{|}}{C} {=} \overset{\overset{H}{|}}{C} {-} CH_2CH_2CH_2CH_2CH_2CH_2 {-} \overset{\overset{O}{\|}}{C} {-} O^-$$

Oleate ($C_{17}H_{33}COO^-$)

FIGURE 2-7 Exemples d'acides gras sous forme anionique. Ils présentent un groupe carboxylate polaire associé à une longue chaîne hydrocarbonée non polaire.

aqueux ? L'eau, bien sûr, a tendance à hydrater la partie hydrophile d'un amphiphile, mais elle a tendance, aussi, à exclure la partie hydrophobe. Les amphiphiles ont, par conséquent, tendance à former des agrégats structurés dispersés dans l'eau. De tels agrégats peuvent prendre la forme de **micelles**, globules comprenant jusqu'à plusieurs milliers d'amphiphiles orientés de sorte que leurs groupes hydrophiles sont à la surface du globule, où ils peuvent interagir avec le solvant aqueux, tandis que leurs groupes hydrophobes se regroupent au centre afin d'en exclure le solvant (Fig. 2-8*a*). Autre possibilité, les amphiphiles peuvent se disposer pour former des feuillets en bicouche ou des vésicules (Fig. 2-8*b*), dans lesquels les groupes polaires sont au contact de la phase aqueuse.

Les interactions qui stabilisent une micelle ou une bicouche sont appelées collectivement **forces hydrophobes** ou **interactions hydrophobes**, pour signifier qu'elles résultent de la tendance de l'eau à exclure les groupes hydrophobes. Les interactions hydrophobes sont relativement faibles comparées aux liaisons hydrogène et ne sont pas orientées. Néanmoins, les interactions hydrophobes jouent un rôle clé en biologie, car, comme nous le verrons dans d'autres chapitres, elles sont largement responsables de l'intégrité structurale des macromolécules biologiques (Sections 8-4C et 29-2C) ainsi que de celle des agrégats supramoléculaires comme les membranes. Notez que les interactions hydrophobes sont particulières à un environnement aqueux. D'autres solvants polaires ne permettent pas de telles associations.

C. *Mobilité du proton*

Quand un courant électrique traverse une solution ionique, les ions migrent vers l'électrode de signe opposé à une vitesse proportion-

TABLEAU 2-2   Mobilités ioniques[a] dans l'eau à 25 °C

Ion	Mobilité $\times 10^{-5}$ ($cm^2 \cdot V^{-1} \cdot s^{-1}$)
H_3O^+	362,4
Li^+	40,1
Na^+	51,9
K^+	76,1
NH_4^+	76,0
Mg^{2+}	55,0
Ca^{2+}	61,6
OH^-	197,6
Cl^-	76,3
Br^-	78,3
CH_3COO^-	40,9
SO_4^{2-}	79,8

[a] La mobilité ionique est la distance parcourue par un ion en une seconde sous l'influence d'un champ électrique de 1 volt par cm.

D'après Brey, W.S., *Physical Chemistry and its Biological Applications*, p. 172, Academic Press (1978).

nelle au champ électrique et inversement proportionnelle au frottement par friction subi par l'ion au cours de son déplacement dans la solution. Ce dernier facteur, comme le montre le Tableau 2-2, varie avec la taille de l'ion. Notez cependant que les mobilités ioniques de H_3O^+ et OH^- sont anormalement élevées comparées à

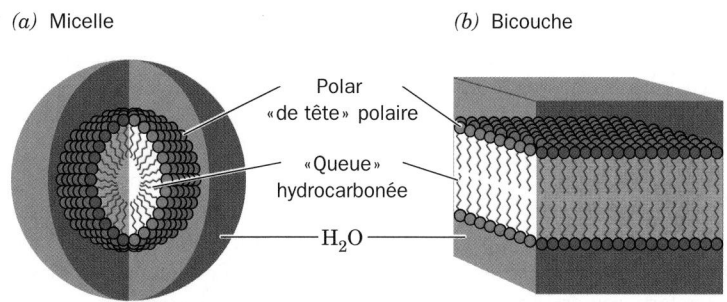

(*a*) Micelle   (*b*) Bicouche

Polar « de tête » polaire

« Queue » hydrocarbonée

H_2O

FIGURE 2-8 Associations de molécules amphipathiques en solutions aqueuses. Les groupes « de tête » polaires sont hydratés, alors que les « queues » non polaires se rassemblent pour exclure la solution aqueuse : (*a*) Agrégat sphéroïde de molécules amphipathiques appelé « micelle ».

(*b*) Agrégat de molécules amphipathiques disposées selon un plan, appelé une **bicouche**. La bicouche peut former une enveloppe fermée sphérique, appelée vésicule, qui renferme une petite quantité de solution aqueuse.

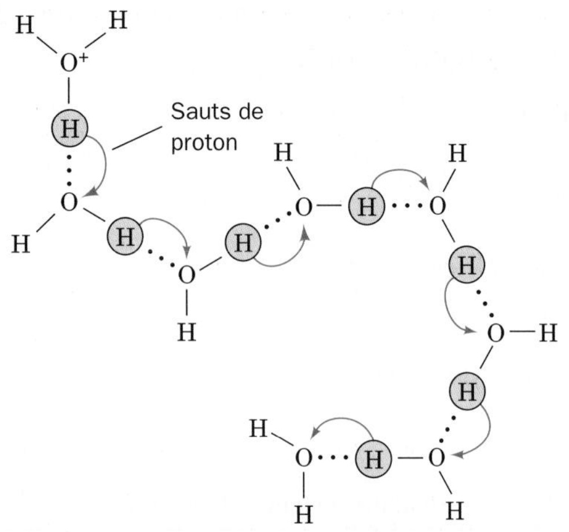

FIGURE 2-9 Mécanisme de déplacement d'ions hydronium en solution aqueuse par sauts de proton. Les sauts de proton, qui se font essentiellement au hasard, sont très rapides comparés à la migration moléculaire directe, ce qui explique les mobilités ioniques élevées observées pour les ions hydronium et hydroxyle en solutions aqueuses.

celles d'autres ions. Pour H_3O^+ (**ion hydronium**, symbolisé par H^+ ; un proton nu n'est pas stable en solution aqueuse), ce déplacement rapide est dû à la capacité des protons à sauter d'une molécule d'eau à une autre comme le représente la Fig. 2-9. Bien qu'un ion hydronium donné puisse se déplacer dans une solution de la même manière qu'un ion Na^+ par exemple, la rapidité du mécanisme de saut de proton fait que la mobilité ionique réelle de l'ion H_3O^+ est beaucoup plus grande qu'elle ne le serait autrement (la durée de vie moyenne d'un ion H_3O^+ donné est de 10^{-12} s à 25 °C). La mobilité ionique anormalement élevée de l'ion OH^- s'explique également par le saut de proton mais, dans ce cas, le déplacement de l'ion se fait dans la direction opposée à celle du saut du proton. Le saut de proton explique également que *les réactions acide-base soient parmi les réactions les plus rapides en milieu aqueux* et ceci est probablement important dans les réactions biologiques de transfert de protons.

2 ■ ACIDES, BASES ET TAMPONS

Les molécules biologiques, telles que les protéines et les acides nucléiques, portent de nombreux groupes fonctionnels, comme les groupes carboxyle et aminé, qui peuvent être l'objet de réactions acide-base. Beaucoup de propriétés de ces molécules varient donc avec l'acidité des solutions dans lesquelles elles se trouvent. Dans cette section, nous étudions la nature des réactions acide-base et la manière dont les acidités sont contrôlées, tant dans l'organisme qu'au laboratoire.

A. Réactions acide-base

Les **acides** et les **bases**, selon la définition formulée par Svante Arrhénius dans les années 1880, sont des substances qui peuvent donner respectivement soit des protons, soit des ions hydroxyde. Cette définition est insuffisante car, par exemple, elle n'explique pas pourquoi NH_3, auquel manque un groupe OH^-, possède les propriétés d'une base. Selon une définition plus générale formulée

par Johannes Brønsted et Thomas Lowry en 1923, *un acide est une substance qui peut céder des protons (comme dans la définition d'Arrhénius) et une base est une substance qui peut accepter des protons.* D'après cette définition, dans chaque réaction acide base,

$$HA + H_2O \rightleftharpoons H_3O^+ + A^-$$

un **acide de Brønsted** (ici HA) réagit avec une **base de Brønsted** (ici H_2O) pour donner la **base conjuguée** de l'acide (A^-) et l'**acide conjugué** de la base (H_3O^+) (cette réaction s'écrit généralement en abrégé $HA \rightleftharpoons H^+ + A^-$ la participation de H_2O étant sous-entendue). En conséquence, l'ion acétate (CH_3COO^-) est la base conjuguée de l'acide acétique (CH_3COOH) et l'ion ammonium (NH_4^+) est l'acide conjugué de l'ammoniac (NH_3). (Dans une définition encore plus générale des acides et des bases, Gilbert Lewis décrit un **acide de Lewis** comme une substance capable d'accepter une paire d'électrons, et une **base de Lewis** comme une substance capable de donner une paire d'électrons. Cette définition, qui s'applique aussi bien aux systèmes aqueux qu'aux systèmes non aqueux, est inutilement large pour décrire la plupart des phénomènes biochimiques).

a. La force d'un acide est déterminée par sa constante de dissociation

La réaction de dissociation d'un acide (cf. ci-dessus) est caractérisée par sa **constante d'équilibre** qui, dans le cas des réactions acide-base, est appelée **constante de dissociation**,

$$K = \frac{[H_3O^+][A^-]}{[HA][H_2O]} \qquad [2.2]$$

valeur qui mesure les affinités relatives pour le proton des paires acide-base conjuguées HA/A^- et H_3O^+/H_2O. Dans cet exemple, comme dans tout ce livre, les quantités mises entre crochets symbolisent les concentrations molaires des substances indiquées. Comme dans les solutions aqueuses diluées la concentration de l'eau est pratiquement constante, soit $[H_2O]$ = 1000 g·L^{-1}/18,015 g·mol^{-1} = 55,5 M, ce terme est généralement associé à la constante de dissociation, qui donne alors l'expression suivante :

$$K_a = K[H_2O] = \frac{[H^+][A^-]}{[HA]} \qquad [2.3]$$

Cependant, par concision nous omettrons désormais l'indice « a ». Les constantes de dissociation des acides utiles pour préparer des solutions en biochimie sont données dans le Tableau 2-3.

Les acides peuvent être classés en fonction de leur force relative, c'est-à-dire de leur aptitude à transférer un proton à l'eau. Les acides dont la constante de dissociation est inférieure à celle de H_3O^+ (par définition égale à 1 en solutions aqueuses) ne s'ionisent que partiellement en solutions aqueuses et sont appelés **acides faibles** ($K < 1$). Au contraire, les **acides forts** ont des constantes de dissociation supérieures à celle de H_3O^+ si bien qu'ils sont complètement ionisés en solutions aqueuses ($K > 1$). Les acides donnés dans le Tableau 2-3 sont tous des acides faibles. Toutefois, de nombreux acides appelés « acides minéraux » tels que $HClO_4$, HNO_3, HCl et H_2SO_4 (pour la première ionisation) sont des acides forts. Puisque tous les acides forts cèdent rapidement tous leurs protons à H_2O, l'acide le plus fort qui peut exister de façon stable

TABLEAU 2-3 Constantes de dissociation et pK à 25 °C de quelques acides utilisés couramment au laboratoire comme tampons en biochimie

Acide	K	pK
Acide oxalique	$5,37 \times 10^{-2}$	$1,27 \ (pK^1)$
H_3PO_4	$7,08 \times 10^{-3}$	$2,15 \ (pK^1)$
Acide citrique	$7,41 \times 10^{-4}$	$3,13 \ (pK^1)$
Acide formique	$1,78 \times 10^{-4}$	$3,75$
Acide succinique	$6,17 \times 10^{-5}$	$4,21 \ (pK^1)$
Oxalate$^-$	$5,37 \times 10^{-5}$	$4,27 \ (pK^2)$
Acide acétique	$1,74 \times 10^{-5}$	$4,76$
Citrate$^-$	$1,74 \times 10^{-5}$	$4,76 \ (pK^2)$
Citrate^{2-}	$3,98 \times 10^{-7}$	$5,40 \ (pK^3)$
Succinate$^-$	$2,29 \times 10^{-6}$	$5,64 \ (pK^2)$
Acide 2-(N-Morpholino)éthanesulfonique (MES)	$8,13 \times 10^{-7}$	$6,09$
Acide cacodylique	$5,37 \times 10^{-7}$	$6,27$
H_2CO_3	$4,47 \times 10^{-7}$	$6,35 \ (pK^1)$
Acide N-(2-Acétamido)iminodiacétique (ADA)	$2,69 \times 10^{-7}$	$6,57$
Pipérazine-N,N′-bis(acide 2-éthanesulfonique) (PIPES)	$1,74 \times 10^{-7}$	$6,76$
Acide N-(2-Acétamido)-2-aminoéthanesulfonique (ACES)	$1,58 \times 10^{-7}$	$6,80$
$H2PO_4^-$	$1,51 \times 10^{-7}$	$6,82 \ (pK^2)$
Acide 3-(N-Morpholino)propanesulfonique (MOPS)	$7,08 \times 10^{-8}$	$7,15$
Acide N-2-Hydroxyéthylpipérazine-N′-2-éthanesulfonique (HEPES)	$3,39 \times 10^{-8}$	$7,47$
Acide N-2-Hydroxyéthylpipérazine-N′-3-propanesulfonique (HEPPS)	$1,10 \times 10^{-8}$	$7,96$
N-[Tris(hydroxyméthyl)méthyl]glycine (Tricine)	$8,91 \times 10^{-9}$	$8,05$
Tris(hydroxyméthyl)aminométhane (TRIS)	$8,32 \times 10^{-9}$	$8,08$
Glycylglycine	$5,62 \times 10^{-9}$	$8,25$
N,N′-Bis(2-hydroxyéthyl)glycine (Bicine)	$5,50 \times 10^{-9}$	$8,26$
Acide borique	$5,75 \times 10^{-10}$	$9,24$
NH_4^+	$5,62 \times 10^{-10}$	$9,25$
Glycocolle	$1,66 \times 10^{-10}$	$9,78$
HCO_3^-	$4,68 \times 10^{-11}$	$10,33 \ (pK^2)$
Pipéridine	$7,58 \times 10^{-12}$	$11,12$
HPO_4^{2-}	$4,17 \times 10^{-13}$	$12,38 \ (pK^3)$

Principalement d'après Dawson et al., *Data for Biochemical Research* (3e édition), p. 424-425, Oxford Science Publications (1986) et Good et al., *Biochemistry* **5,** 467 (1966).

en solutions aqueuses est H_3O^+. De même, il ne peut y avoir de base plus forte en solutions aqueuses que OH^-.

L'eau étant un acide, elle a une constante de dissociation :

$$K = \frac{[H^+][OH-]}{[H_2O]}$$

Comme déjà vu, la constante $[H_2O] = 55,5 \ M$ peut être combinée à la constante de dissociation pour donner l'expression de la constante d'ionisation de l'eau,

$$K_w = [H^+] [OH^-] \qquad [2.4]$$

La valeur de K_w à 25 °C est de $10^{-14} M^2$. L'eau pure doit contenir des quantités équimoléculaires de H^+ et OH^-, d'où $[H^+] = [OH^-] = (K_w)^{1/2} = 10^{-7} \ M$. Comme $[H^+]$ et $[OH^-]$ sont liés réciproquement par l'équation [2.4], si $[H^+]$ est supérieure à cette valeur, $[OH^-]$

doit avoir une valeur correspondante inférieure et vice versa. Des solutions où $[H^+] = 10^{-7} M$ sont dites **neutres**, celles où $[H^+] > 10^{-7}$ M sont dites **acides** et celles dont $[H^+] < 10^{-7} M$ sont dites **basiques**. La plupart des solutions physiologiques ont des concentrations en ions hydrogène proches de la neutralité. Par exemple, le sang humain est légèrement basique avec $[H^+] = 4,0 \times 10^{-8} M$.

Les valeurs de $[H^+]$ pour la plupart des solutions sont malencontreusement petites et difficiles à comparer. On doit à Søren Sørensen (1909) une valeur plus pratique, le **pH** :

$$pH = -\log [H^+] \qquad [2.5]$$

Le pH de l'eau pure est égal à 7,0, tandis que les solutions acides ont des pH < 7 et les solutions basiques des pH > 7. Pour une solution d'acide fort 1 M, le pH = 0 et pour une solution de base forte 1 M, le pH = 14. Notez que si deux solutions ne diffèrent que par une unité de pH, elles diffèrent en $[H^+]$ d'un facteur 10. Le pH d'une solution peut être déterminé de manière précise et facile par des mesures électrochimiques, grâce à un **pH mètre**.

b. Le pH d'une solution est déterminé par les concentrations relatives d'acides et de bases

La relation entre le pH d'une solution et les concentrations d'un acide et de sa base conjuguée peut être facilement déduite après réarrangement de l'Éq. [2.3]

$$[H+] = K\left(\frac{[HA]}{[A-]}\right)$$

et substitution dans l'Éq. [2.5]

$$pH = -\log K + \log\left(\frac{[A-]}{[HA]}\right)$$

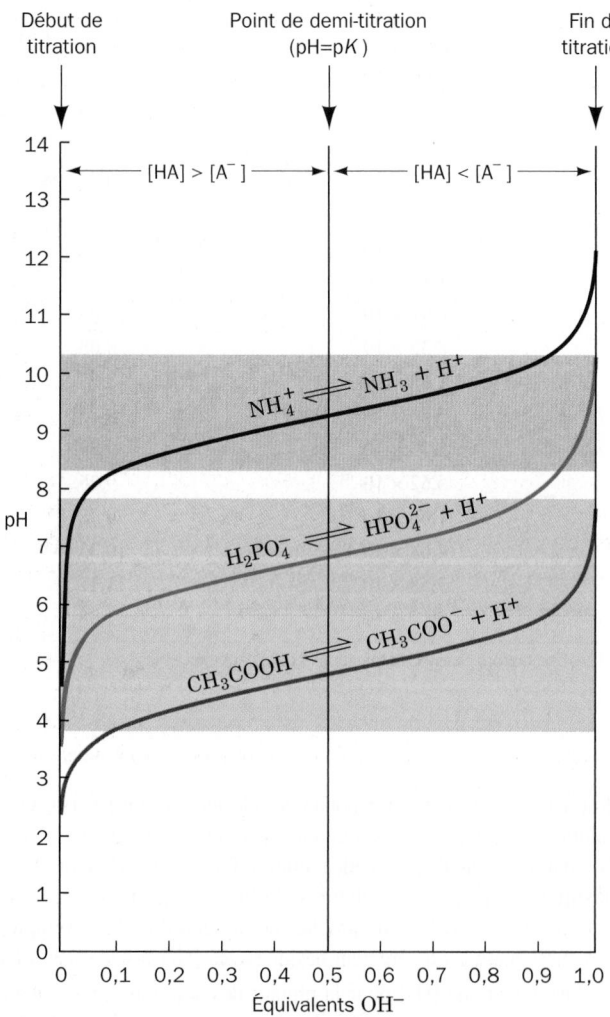

Début de titration

Point de demi-titration (pH=pK)

Fin de titration

En définissant p$K = -\log K$, par analogie avec l'Éq. [2.5], nous obtenons l'**équation de Henderson-Hasselbalch** :

$$pH = pK + \log\left(\frac{[A-]}{[HA]}\right) \qquad [2.6]$$

Cette équation montre que *le pK d'un acide est égal au pH de la solution quand les concentrations molaires de l'acide et de sa base conjuguée sont égales*. Le Tableau 2-3 donne les valeurs de pK de plusieurs acides.

B. Tampons

Une goutte de 0,01 mL de HCl 1 *M* ajoutée à 1 L d'eau pure abaissera le pH de l'eau de 7 à 5, ce qui correspond à une multiplication de $[H^+]$ par 100. Néanmoins, puisque les propriétés des substances biologiques varient significativement pour de faibles variations de pH, elles nécessitent un environnement où le pH est insensible à l'addition d'acides ou de bases. Pour bien comprendre comment cela est possible, étudions la titration d'un acide faible par une base forte.

La Fig. 2-10 montre comment varie le pH d'un litre des solutions 1 *M* d'acide acétique, d'$H_2PO_4^-$ et d'ion ammonium (NH_4^+) lorsqu'on ajoute des quantités progressives d'ion OH^-. Les courbes de titration telles que celles représentées à la Fig. 2-10 ainsi que les courbes de distribution telles que celles représentées à la Fig. 2-11, peuvent être calculées en utilisant l'équation d'Henderson-Hasselbalch. Peu après le début du titrage, une fraction significative de A^- présent résulte de la dissociation de HA. De même, près de la fin de la titration, beaucoup de HA provient de la réaction de A^- avec H_2O. Cependant, tout au long de la titration, les ions OH^- ajoutés réagissent pratiquement complètement avec HA pour donner A^-, de la sorte que :

$$[A^-] = \frac{x}{V} \qquad [2.7]$$

où x représente les équivalents d'ions OH^- ajoutés et V le volume de la solution. Si c_0 représente les équivalents de HA initialement présents,

$$[HA] = \frac{c_0 - x}{V} \qquad [2.8]$$

En intégrant ces relations dans l'Éq. [2.6], on obtient :

$$pH = pK + \log\left(\frac{x}{c_0 - x}\right) \qquad [2.9]$$

qui correspond précisément à l'équation d'une courbe de titration sauf aux extrémités (ces régions nécessitent des traitements plus précis qui tiennent compte des ionisations de l'eau).

Plusieurs détails concernant les courbes de titration de la Fig. 2-10 sont à signaler :

1. Les courbes ont une forme similaire mais sont décalées verticalement le long de l'axe de pH.

2. Le pH au **point d'équivalence** de chaque titration (où il y a autant d'équivalents OH^- ajoutés que d'équivalents de HA présents initialement) est > 7 à cause de la réaction de A^- avec H_2O pour donner HA + OH^- ; de même, chaque pH initial est < 7.

FIGURE 2-10   Courbes de titration acide-base d'1 L de solutions 1 *M* d'acide acétique, de H$_2$PO$_4$ et de NH$_4$ par une base forte. Au début de chaque titration, la forme acide de la paire acide-base conjuguée prédomine très largement. Au point de demi-titration, où pH = pK, la concentration de l'acide égale celle de sa base conjuguée. Enfin, à la fin de la titration, où les équivalents en base forte ajoutés sont égaux aux équivalents d'acide présents au départ, la base conjuguée est en grand excès par rapport à l'acide. Les bandes ombrées indiquent les intervalles de pH à l'intérieur desquelss la solution correspondante peut agir véritablement comme tampon.

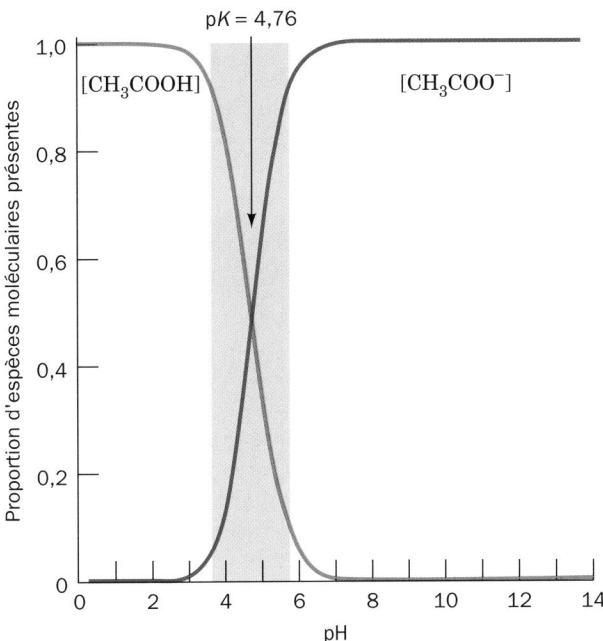

FIGURE 2-11 Courbes de distribution pour l'acide acétique et l'ion acétate selon le pH. La proportion de l'espèce présente est égale au rapport de la concentration en CH_3COOH ou CH_3COO^- sur les concentrations totales de ces espèces. La région ombrée indique la zone tampon égale à pK ± 1 généralement acceptée.

3. Le pH au point d'inflexion de chaque titration est égal au pK de son acide correspondant ; d'après l'équation de Henderson-Hasselbalch, $[HA] = [A^-]$.

4. La pente de chaque courbe de titration est beaucoup plus faible au niveau du point d'inflexion qu'à ses extrémités. Ceci signifie que *lorsque $[HA] \approx [A^-]$, le pH de la solution est peu sensible à l'addition d'une base forte ou d'un acide fort. Une telle solution, connue sous le nom de **tampon acide-base,** s'oppose aux changements de pH car de petites quantités de H^+ ou OH^- ajoutées réagissent respectivement avec A^- ou HA présent sans modifier fortement la valeur de $\log ([A^-]/[HA])$.*

a. Les tampons stabilisent le pH d'une solution

Le pouvoir d'un tampon de s'opposer à des variations de pH après addition d'un acide ou d'une base est directement proportionnel à la concentration totale de la paire acide-base conjuguée, $[HA] + [A^-]$. Elle est maximale quand pH = pK et diminue rapidement après un changement de pH à partir de ce point. En règle générale, *un acide faible a un bon **pouvoir tampon** dans une zone de pH qui ne s'écarte pas de plus d'une unité du pK de l'acide* (cf. les zones ombrées des Fig. 2-10 et 2-11). Au delà de cette zone, où le rapport $[A^-]/[HA] > 10$, le pH de la solution varie rapidement après addition d'une base forte. Un tampon est également inopérant après addition d'un acide fort lorsque son pK excède le pH de plus de une unité.

Les liquides biologiques intracellulaires ou extracellulaires sont fortement tamponnés. Par exemple, le pH du sang chez des individus en bonne santé est étroitement contrôlé à pH 7,4. Les ions phosphate et bicarbonate que l'on trouve dans la plupart des

liquides biologiques sont importants à cet égard car leurs pK se situent dans cette zone (Tableau 2-3). De plus, beaucoup de molécules biologiques, telles que les protéines, les acides nucléiques et les lipides, ainsi que de nombreuses petites molécules organiques, portent de nombreux groupes acides ou basiques qui jouent également un rôle tampon dans la zone du pH physiologique.

Avant le début du vingtième siècle, on ignorait que les propriétés des molécules biologiques varient selon l'acidité de la solution, si bien qu'à cette époque, l'acidité des préparations biochimiques était rarement contrôlée. En conséquence, ces premières expériences biochimiques n'apportaient que de maigres résultats. Plus récemment, les préparations biochimiques ont été tamponnées systématiquement afin de simuler les propriétés des liquides biologiques naturels. Beaucoup d'acides faibles du Tableau 2-3 sont utilisés couramment comme tampons dans les préparations biochimiques. En pratique, l'acide faible choisi et l'un de ses sels solubles sont dissous dans des proportions presque équimolaires pour avoir le pH désiré et, à l'aide d'un pH mètre, le pH de la solution obtenue est ajusté par titrations avec un acide fort ou une base forte.

C. *Polyacides*

Des substances qui portent plus d'un groupe acide ou basique telles que H_3PO_4 ou H_2CO_3, ainsi que la plupart des biomolécules, sont appelées **polyacides**. Les courbes de titration de ces substances, comme le montre la Fig. 2-12 pour H_3PO_4, sont caractérisées par plusieurs pK, un pour chaque étape d'ionisation. Les calculs exacts des concentrations des diverses espèces ioniques présentes pour un pH donné sont nettement plus complexes que dans le cas d'un **monoacide**.

Les pK de deux groupes acide-base étroitement associés ne sont pas indépendants. La charge ionique qui résulte de la dissociation d'un proton inhibe de manière électrostatique la dissociation ultérieure d'un proton de la même molécule, augmentant ainsi les valeurs des pK correspondants. Cet effet, d'après la loi de Coulomb, diminue si la distance entre deux groupes ionisables augmente. Par exemple, les pK des deux groupes carboxyle adjacents de l'**acide oxalique** diffèrent de 3 unités de pH (Tableau 2-3) alors que ceux de l'**acide succinique**, où les groupes carboxyle sont séparés par deux groupes méthylène, diffèrent de 1,4 unités de pH.

$$H-O-\overset{\overset{\displaystyle O}{\|}}{C}-\overset{\overset{\displaystyle O}{\|}}{C}-O-H \qquad H-O-\overset{\overset{\displaystyle O}{\|}}{C}-CH_2CH_2-\overset{\overset{\displaystyle O}{\|}}{C}-O-H$$

Acide oxalique   **Acide succinique**

De même, des ionisations successives à partir d'un même centre, comme dans H_3PO_4 ou H_2CO_3, donnent des pK qui diffèrent de 4 à 5 unités de pH. Si les pK d'ionisations successives d'un polyacide diffèrent d'au moins 3 unités de pH, on peut supposer à juste titre, que, pour un pH donné, seuls les membres de la paire acide-base conjuguée qui présentent la valeur de pK la plus proche, seront en concentration significative. Bien sûr, ceci facilite considérablement les calculs qui permettent de déterminer les concentrations des différentes espèces ioniques présentes.

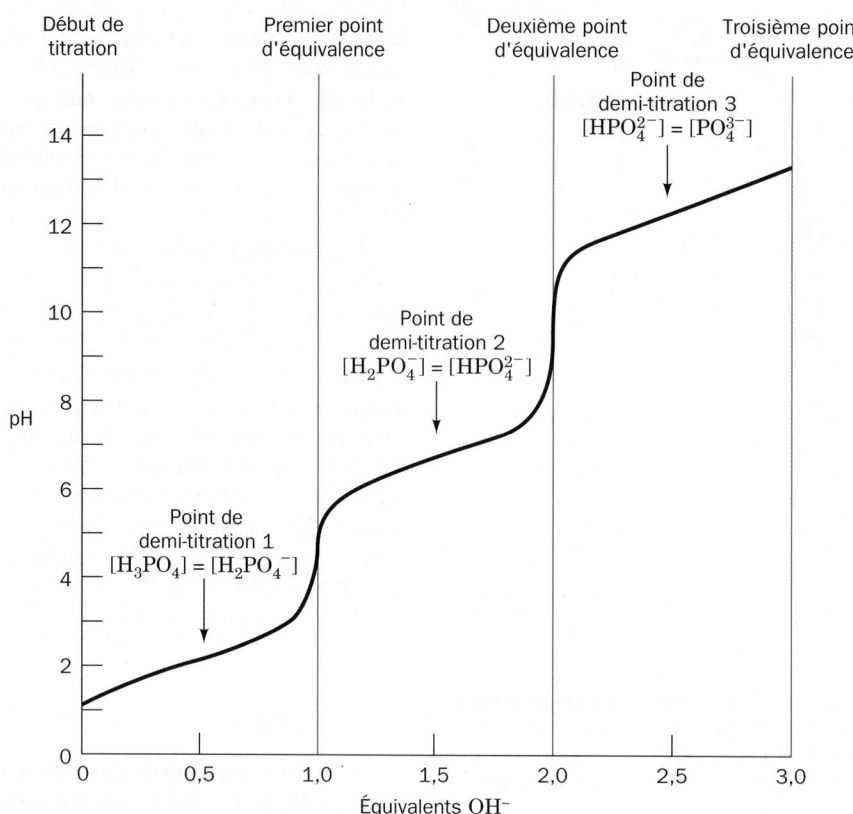

FIGURE 2-12 **Courbe de titration d'une solution d'1 L de H₃PO₄**
1 *M*. Les deux points d'équivalence intermédiaires se situent dans les
zones les plus en pente de la courbe. Noter la faible pente de la courbe
au début et à la fin de la titration comparée aux extrémités des courbes de
titration de la Fig. 2-10. Ceci indique que H_3PO_4 ($pK_1 = 2,15$) est plutôt
un acide fort et que PO_3^{4-} ($pK_3 = 12,38$) est plutôt une base forte.

a. Les polyacides qui ont des p*K* rapprochés ont des constantes d'ionisation moléculaires

Si les p*K* d'un polyacide ne diffèrent que de moins de ~2 unités pH, ce qui est vrai pour la majorité des biomolécules, les
constantes d'ionisation déterminées par titration ne sont pas de
vraies constantes d'ionisation mais correspondent plutôt à l'ionisation moyenne des groupes impliqués. Par conséquent les
constantes d'ionisation obtenues sont appelées **constantes d'ionisation moléculaires**.

Considérons les équilibres acide-base de la Fig. 2-13, où il y a
deux sites de protonation non équivalents. Dans ce cas, les valeurs

K_A, K_B, K_C et K_D, constantes d'ionisation de chacun des groupes,
sont aussi appelées **constantes d'ionisation microscopiques**. La
constante d'ionisation moléculaire qui correspond au départ du
premier proton de HAH est :

$$K_1 = \frac{[H^+]([AH^-] + [HA^-])}{[HAH]} = K_A + K_B \qquad [2.10]$$

De même, la constante d'ionisation moléculaire K_2 pour le départ
du deuxième proton est :

$$K_2 = \frac{[H^+][A^{2-}]}{[AH^-] + [HA^-]} = \frac{1}{(1/K_C) + (1/K_D)} \qquad [2.11]$$

$$= \frac{K_C K_D}{(K_C + K_D)}$$

Si $K_A \gg K_B$, on a $K_1 \approx K_A$; autrement dit, la première constante
d'ionisation moléculaire est égale à la constante d'ionisation
microscopique du groupe le plus acide. De même, si $K_D \gg K_C$, on
a $K_2 \approx K_C$, si bien que la deuxième constante d'ionisation moléculaire est la constante d'ionisation microscopique du groupe le
moins acide. Si les étapes d'ionisation ont des p*K* suffisamment
éloignés, les constantes d'ionisation moléculaires sont, comme
prévu, identiques aux constantes d'ionisation microscopiques.

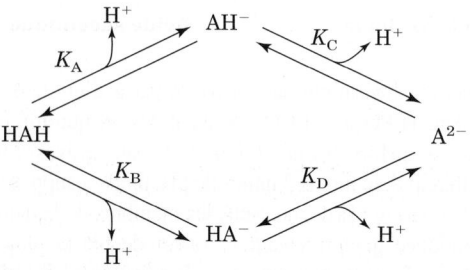

FIGURE 2-13 **Ionisation d'un acide porteur de deux sites de protonation non équivalents.**

RÉSUMÉ DU CHAPITRE

1 ■ Propriétés de l'eau L'eau est une substance extraordinaire et ses propriétés ont une grande importance biologique. Une molécule d'eau peut s'engager simultanément dans quatre liaisons hydrogène : deux en tant que donneur et deux en tant qu'accepteur. Ces liaisons hydrogène sont responsables de la structure ouverte et de la faible densité de la glace. Une telle structure à liaisons hydrogène existe également dans l'eau liquide, comme en témoigne le point d'ébullition élevé de l'eau comparé à celui d'autres substances de masse moléculaire similaire. Des données physiques et théoriques montrent que l'eau à l'état liquide garde une structure moléculaire maintenue par des liaisons hydrogène qui fluctue très rapidement, et qui, sur de très courtes distances, ressemble à celle de la glace. Les propriétés uniques de l'eau en tant que solvant sont dues à son caractère polaire et à sa faculté d'établir des liaisons hydrogène. En solutions aqueuses, les substances ioniques et polaires sont entourées de nombreuses couches concentriques d'hydratation faites de dipôles d'eau orientés qui ont pour effet d'atténuer les interactions électrostatiques entre les charges de la solution. L'agitation thermique des molécules d'eau orientées est contrecarrée par leurs associations via les liaisons hydrogène, ce qui explique la constante diélectrique élevée de l'eau. Les substances non polaires sont pratiquement insolubles dans l'eau. Toutefois, des substances amphipathiques s'associent en solutions aqueuses pour former des micelles ou des bicouches en vertu de l'effet combiné des interactions hydrophobes entre les parties non polaires de ces molécules et des interactions hydrophiles entre leurs groupes polaires et le solvant aqueux. Les ions H_3O^+ et OH^- ont des mobilités ioniques anormalement élevées en solutions aqueuses car le déplacement de ces ions dans ces solutions se fait essentiellement par saut de proton d'une molécule d'eau à une autre.

2 ■ Acides, bases et tampons Selon Brønsted, un acide est une substance qui peut donner un proton tandis qu'une base est une sub-stance qui peut accepter un proton. Après perte d'un proton, un acide de Brønsted devient une base conjuguée. Lors d'une réaction acide-base, un acide donne son proton à une base. L'eau peut réagir comme acide pour donner l'ion hydroxyde OH^-, ou comme une base pour donner l'ion hydronium H_3O^+. La force d'un acide est donnée par la valeur de sa constante de dissociation, K. Les acides faibles, dont la constante de dissociation est inférieure à celle de H_3O^+, ne sont que partiellement dissociés en solutions aqueuses. L'eau a une constante de dissociation de 10^{-14} M à 25 °C. L'acidité d'une solution s'exprime facilement par le pH = $-\log$ [H^+]. Les valeurs de pH, pK et les concentrations de la paire acide-base conjuguée sont reliées entre elles par l'équation de Henderson-Hasselbalch. Un tampon acide-base est un mélange d'un acide faible avec sa base conjuguée dans une solution dont le pH est voisin du pK de l'acide. Le rapport [A^-]/[HA] dans un tampon ne varie pas notablement après addition d'acides forts ou de bases fortes, si bien que le pH d'un tampon n'est pas fortement modifié par ces substances. Les tampons ne sont véritablement efficaces que dans la zone de pH égale à pK ± 1. En dehors de cette zone, le pH de la solution change rapidement après addition d'acide fort ou de base forte. Le pouvoir tampon dépend aussi de la concentration totale de la paire acide-base conjuguée. Les liquides biologiques sont généralement tamponnés à un pH proche de la neutralité. Beaucoup d'acides sont des polyacides. Cependant, à moins que les pK de leurs différentes ionisations ne diffèrent de moins de 2 à 3 unités de pH, les calculs de pH peuvent être faits comme si ces acides étaient un mélange d'acides faibles indépendants. Pour les polyacides dont les pK diffèrent de moins de 2 ou 3 unités de pH, les constantes d'ionisation moléculaires observées sont simplement liées aux constantes d'ionisations microscopiques des groupes ionisables individuels.

RÉFÉRENCES

Cooke, R. et Kuntz, I.D., The properties of water in biological systems, *Ann. Rev. Biophys. Bioeng.* **3**, 95–126 (1974).

Edsall, J.T. et Wyman, J., *Biophysical Chemistry*, Vol. 1, chapitres 2, 8, et 9, Academic Press (1958). [Contient une étude détaillée de la structure de l'eau et des équilibres acide–base.]

Eisenberg, D. et Kauzman, W., *The Structure and Properties of Water*, Oxford University Press (1969). [Une vaste monographie très bien documentée.]

Franks, F., *Water*, The Royal Society of Chemistry (1993).

Gestein, M. et Levitt, M., Simulating water and the molecules of life, *Sci. Am.* **279**(5), 100–105 (1998).

Martin, T.W. et Derewenda, Z.S., The name is bond—H bond, *Nature Struct. Biol.* **6**, 403–406 (1999). [Revue de l'histoire et de la nature de la liaison hydrogène et description des expériences par diffraction des rayons X qui démontrent le caractère partiellement covalent de la liaison hydrogène.]

Segel, I.H., *Biochemical Calculations* (2e éd.), chapitre 1, Wiley (1976). [Une discussion abordable de la chimie acide-base, assortie de problèmes avec leur solution.]

Stillinger, F.H., Water revisited, *Science* **209**, 451–457 (1980). [Une vision élémentaire de la structure de l'eau.]

Tanford, C., *The Hydrophobic Effect*: *Formation of Micelles and Biological Membranes* (2e éd.), chapitres 5 et 6, Wiley–Interscience (1980). [Une discussion sur la structure de l'eau et des micelles.]

Westhof, E., *Water and Biological Macromolecules*, CRC Press (1993).

Zumdahl, S.S., *Chemical Principles* (4e éd.), chapitres 7 et 8, Houghton Mifflin (2002). [Une discussion de la chimie acide-base, comme on en trouve dans la plupart des traités de chimie générale.]

PROBLÈMES

1. Dessinez le réseau de liaisons hydrogène que l'eau établit avec l'acétamide (CH_3CONH_2) et la pyridine (le benzène où un CH est remplacé par N).

2. Expliquez pourquoi les constantes diélectriques des paires de liquides suivantes se trouvent dans l'ordre indiqué dans le Tableau 2-1 : (a) tétrachlorure de carbone et chloroforme; (b) éthanol et méthanol; (c) acétone et formamide.

3. On obtient des micelles « inversées » en dispersant des molécules amphipathiques dans un solvant non polaire, comme le benzène, en présence d'une petite quantité d'eau (des contre-ions sont également nécessaires si les groupes portés par la tête sont ioniques). Dessinez la structure d'une micelle inversée et indiquez quelles sont les forces qui la stabilisent.

*4. Des molécules amphipathiques en solutions aqueuses ont tendance à se rassembler aux surfaces telles que les interfaces liquide-solide ou liquide-gaz. On les désigne alors par molécules **tensioactives** ou **surfactants**. Expliquez ce phénomène compte tenu des propriétés des amphiphiles et indiquez quelle sera la conséquence des surfactants sur la tension superficielle de l'eau (la tension superficielle est une mesure de la cohésion interne d'un liquide comme le prouve la force indispensable pour augmenter l'étendue de sa surface). Expliquez pourquoi les surfactants comme les savons et les détergents dispersent efficacement les substances huileuses et les saletés grasses en solutions aqueuses. Pourquoi les surfactants en solutions aqueuses moussent-ils et pourquoi ce pouvoir moussant diminue-t-il en présence de substances huileuses ?

5. Indiquez comment varient les forces des liaisons hydrogène et les forces hydrophobes en fonction de la constante diélectrique du milieu.

6. À partir des données du Tableau 2-2, indiquez le temps nécessaire pour qu'un ion K^+ et un ion H^+ se déplacent chacun d'un cm dans un champ électrique de $100 \, V \cdot cm^{-1}$.

7. Expliquez pourquoi la mobilité de H^+ dans la glace n'est inférieure que d'un ordre de grandeur par rapport à sa mobilité dans l'eau liquide alors que la mobilité de Na^+ dans NaCl solide est égale à zéro.

8. Calculez le pH de (a) HCl 0,01 M; (b) NaOH 0,1 M; (c) HNO_3 $3 \times 10^{-5} M$; (d) $HClO_4$ $5 \times 10^{-10} M$; et (e) KOH $2 \times 10^{-8} M$.

9. Le volume d'une cellule bactérienne typique est de l'ordre de 1,0 μm^3. A pH 7, combien de protons sont contenus dans la cellule bactérienne ? Une cellule bactérienne contient des milliers de macromolécules, telles que des protéines et des acides nucléiques, chacune portant de très nombreux groupes ionisables. Qu'apporte votre résultat à l'idée courante que les groupes ionisables baignent continuellement dans des ions H^+ et OH^- ?

10. En utilisant les données du Tableau 2-3, calculez les concentrations de toutes les espèces moléculaires et ioniques ainsi que le pH des solutions aqueuses ayant les compositions formelles suivantes : (a) acide acétique 0,01 M; (b) chlorure d'ammonium 0,25 M; (c) acide acétique 0,05 M + acétate de sodium 0,10 M; et (d) acide borique $[B(OH)_3]$ 0,20 M + borate de sodium $[NaB(OH)_4]$ 0,05 M.

11. Les indicateurs de pH sont des acides faibles qui changent de couleur lorsque leurs états d'ionisation changent. Quand une petite quantité d'un indicateur choisi à bon escient est ajoutée à une solution d'un acide ou d'une base en cours de titration, le changement de couleur « indique » la **fin de la titration**. La **phénolphtaléine** est un indicateur de pH courant qui, en solutions aqueuses, passe de l'incolore au rouge-violet dans une zone de pH comprise entre 8,2 et 10,00. En vous reportant aux Fig. 2-10 et 2-12, montrez si la phénolphtaléine permettra de déterminer avec précision la fin de la titration par une base forte pour : (a) l'acide acétique, (b) NH_4Cl; et (c) H_3PO_4 (à chacun de ses trois points d'équivalence).

*12. La composition formelle d'une solution aqueuse est la suivante : K_2HPO_4 0,12 M + KH_2PO_4 0,08 M. À partir des données du Tableau 2-3, calculez les concentrations de toutes les espèces ioniques et moléculaires dans la solution ainsi que le pH de la solution.

13. L'eau distillée à l'air libre contient du dioxyde de carbone dissous à la concentration de $1,0 \times 10^{-5} M$. En utilisant les données du Tableau 2-3, calculez le pH d'une telle solution.

14. Calculez les concentrations formelles d'acide acétique et d'acétate de sodium nécessaires pour préparer une solution tampon de pH 5 dont la concentration totale en acétate est de 0,20 M. Le pK de l'acide acétique est donné dans le Tableau 2-3.

15. Afin de purifier une protéine donnée, vous avez besoin d'un tampon de glycine 0,1 M à pH 9,4. Malheureusement, il n'y a plus de glycine à la réserve de votre laboratoire. Toutefois, vous avez réussi à trouver deux solutions tampon de glycine 0,1 M, l'une à pH 9,0 et l'autre à pH 10,00. Quels volumes de chacune de ces solutions allez-vous mélanger afin d'obtenir 200 mL du tampon dont vous avez besoin ?

16. Une réaction enzymatique se déroule dans une solution de 10 mL dont la concentration totale en citrate est de 120 mM et le pH initial de 7,00. Au cours de la réaction (qui n'implique pas le citrate), il y a production de 0,2 milliéquivalents d'acide. À partir des données du Tableau 2-3, calculez le pH final de la solution. Quel aurait été le pH final de la solution en absence de tampon citrate, en supposant que les autres composés de la solution n'ont pas de pouvoir tampon significatif et qu'au départ la solution est à pH 7 ?

*17. Le **pouvoir tampon** d'une solution, β, est égal au rapport de la quantité de base ajoutée, exprimée en équivalents, divisée par la variation de pH correspondant. C'est en fait l'inverse de la pente de la courbe de titration (Éq. [2-9]). Déduisez l'équation de β et montrez que β est maximum lorsque pH = pK.

18. À partir des données du Tableau 2-3, calculez les constantes d'ionisation microscopiques de l'acide oxalique et de l'acide succinique. Comparez ces valeurs avec celles des constantes d'ionisation moléculaires correspondantes.

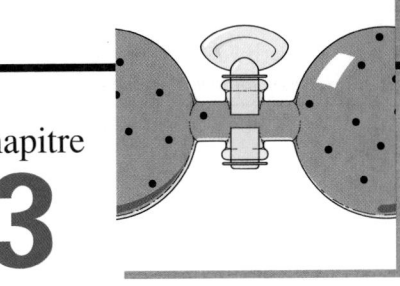

Chapitre 3

Principes de thermodynamique : vue d'ensemble

Vous ne pouvez pas gagner.
   Premier principe de la thermodynamique
Vous ne pouvez même pas rentrer dans vos frais.
   Deuxième principe de la thermodynamique
Vous ne pouvez pas rester hors du coup.
   Troisième principe de la thermodynamique

Les êtres vivants sont le siège d'un flux constant d'énergie. Par exemple, au cours de la photosynthèse, les plantes transforment l'énergie du rayonnement solaire, principale source d'énergie pour la vie sur la Terre, en énergie chimique contenue dans les glucides et autres substances organiques. Les plantes, ou les animaux qui les consomment, métabolisent ensuite ces substances pour faire fonctionner des mécanismes tels que la synthèse de biomolécules, le maintien de gradients de concentration, et la contraction musculaire. Ces processus transforment finalement l'énergie en chaleur, qui est dissipée dans l'environnement. Une part importante de l'appareillage biochimique cellulaire doit donc être consacrée à l'acquisition et à l'utilisation de l'énergie.

La **thermodynamique** (du grec *therme*, chaleur et *dynamis*, puissance) est une description très élégante des relations entre les différentes formes d'énergie et de la manière dont l'énergie influence la matière à l'échelle macroscopique par opposition à l'échelle moléculaire ; autrement dit, elle traite de quantités de matière suffisamment grandes pour que leurs propriétés moyennes, telles que la température et la pression, soient correctement définies. En fait, les principes fondamentaux de la thermodynamique furent élaborés au dix-neuvième siècle avant que la théorie atomique de la matière soit reconnue.

La connaissance de la thermodynamique nous permet de déterminer si un processus physique est possible. La thermodynamique est donc indispensable pour comprendre pourquoi les macromolécules se replient pour donner leurs conformations natives, comment sont conçues les voies métaboliques, pourquoi des molécules traversent des membranes biologiques, comment est produite la force mécanique des muscles, etc. La liste est interminable. Toutefois, le lecteur doit savoir que la thermodynamique ne renseigne pas sur la vitesse à laquelle se déroule réellement tel ou tel processus. Par exemple, bien que la thermodynamique nous affirme que la réaction du glucose avec l'oxygène libère de grandes quantités d'énergie, elle ne nous indique pas que ce mélange est indéfiniment stable à température ambiante en l'absence d'enzymes appropriées. Pour prévoir les vitesses de réaction, nous verrons dans la Section 14-1C qu'il faut recourir à la description des mécanismes des processus à l'échelle moléculaire. Néanmoins, la thermodynamique est également indispensable pour formuler de tels modèles mécanistiques car ceux-ci doivent se conformer à ses principes.

En ce qui concerne la biochimie, la thermodynamique est surtout utile pour définir les conditions qui permettent à des processus de se faire *spontanément* (par eux-mêmes). Nous allons donc rappeler les éléments de thermodynamique qui nous permettront de prévoir la spontanéité chimique et biochimique : le premier et le deuxième principes de la thermodynamique, le concept d'énergie libre et les caractéristiques des processus à l'équilibre. Il est indispensable de se familiariser avec ces principes pour comprendre un grand nombre des questions étudiées dans cet ouvrage. Toutefois, nous n'examinerons l'aspect thermodynamique du métabolisme qu'aux Sections 16-4 à 16-6.

1 ■ PREMIER PRINCIPE DE LA THERMODYNAMIQUE : L'ÉNERGIE SE CONSERVE

En thermodynamique, un **système** se définit comme la partie de l'univers digne d'intérêt, tel qu'un tube à essai ou un organisme ; le reste de l'univers constitue le **milieu extérieur**. Un système est dit **ouvert**, **fermé** ou **isolé** selon qu'il échange ou non de la matière et de l'énergie avec le milieu extérieur, uniquement de l'énergie, ou ni l'un ni l'autre. Les organismes vivants qui consomment des nutriments, rejettent des produits de dégradation et produisent du travail et de la chaleur, sont des exemples de systèmes ouverts ; si un organisme était scellé dans une boîte non étanche, il constituerait avec la boîte un système fermé, tandis que si la boîte était parfaitement isolée, le système serait dit clos (isolé).

A. *L'énergie*

Le **premier principe de la thermodynamique** est un énoncé mathématique de la loi de la conservation de l'énergie : *l'énergie ne peut être ni créée ni détruite.*

$$\Delta U = U_{finale} - U_{initiale} = q - w \qquad [3.1]$$

où U est l'énergie, q la **chaleur** absorbée *par* le système *aux dépens* du milieu extérieur, et w le **travail** accompli *par* le système *dans* le milieu extérieur. La chaleur correspond à des mouvements moléculaires faits au hasard, tandis que le travail, défini par la force multipliée par la distance parcourue sous son influence, correspond à un mouvement organisé. La force peut prendre de multiples formes : la force de gravitation exercée par une masse sur une autre, la force de dilatation exercée par un gaz, la force de tension exercée par un ressort ou une fibre musculaire, la force électrique d'une charge sur une autre ou les forces de dissipation de frottement ou de viscosité. Les processus qui s'accompagnent d'une libération de chaleur, lesquels ont, par convention, une valeur q négative, sont appelés **processus exothermiques** (du grec *exo*, hors de). Les processus au cours desquels le système absorbe de la chaleur (q positif) sont appelés **processus endothermiques** (du grec *endon*, de l'intérieur). Selon cette convention, le travail accompli par le système contre une force externe est défini comme une valeur positive.

L'unité d'énergie standard international (SI), le **joule (J)**, remplace régulièrement la **calorie (cal)** dans la terminologie scientifique moderne. La **grande calorie** (**Cal**, avec un C majuscule), est une unité qu'affectionnent les nutritionnistes. Les relations entre ces valeurs et d'autres unités, ainsi que les valeurs de constantes qui seront utiles dans ce chapitre sont réunies dans le Tableau 3-1.

a. Les fonctions d'état sont indépendantes de la voie empruntée par le système

*L'expérimentation a toujours démontré que l'énergie d'un système ne dépend que de ses propriétés actuelles ou de son **état**, et non de la manière dont il a atteint cet état.* Par exemple, l'état d'un système constitué par un échantillon de gaz donné est entièrement défini par sa pression et sa température. L'énergie de cet échantillon de gaz n'est fonction que de ces **fonctions d'état** (valeurs qui ne dépendent que de l'état du système) et par conséquent est elle-même une fonction d'état. En conséquence, il n'y a pas de

TABLEAU 3-1 Unités et constantes thermodynamiques

Joule (J)
  1 J = 1 kg·m²·s⁻²   1 J = 1 C·V (coulomb volt)
  1 J = 1 N·m (mètre Newton)

Calorie (cal)
  1 cal élève la température de 1 g d'eau de 14,5 à 15,5 °C
  1 cal = 4,184 J

Grande calorie (Cal)
  1 Cal = 1 kcal   1 Cal = 4184 J

Nombre d'Avogadro (N)
  N = 6,0221 × 10²³ molécules·mol⁻¹

Coulomb (C)
  1 C = 6,241 × 10¹⁸ charges d'électron

Faraday ($\mathscr{F}$)
  1 $\mathscr{F}$ = N charges d'électron
  1 $\mathscr{F}$ = 96.485 C·mol⁻¹ = 96.485 J·V⁻¹·mol⁻¹

Échelle de température de Kelvin (K)
  0 K = zéro absolu   273,15 K = 0 °C

Constante de Boltzmann (k_B)
  k_B = 1,3807 x 10⁻²³ J·K⁻¹

Constante des gaz parfaits (R)
  R = Nk_B R = 1,9872 cal·K⁻¹·mol⁻¹
  R = 8,3145 J·K⁻¹·mol⁻¹   R = 0,08206 L·atm·K⁻¹·mol⁻¹

variation nette de l'énergie ($\Delta U = 0$) pour tout processus au cours duquel le système revient à son état initial (**processus cyclique**).

Pris séparément, ni la chaleur ni le travail ne peuvent être considérés comme des fonctions d'état car chacune de ces valeurs dépend de la **voie** empruntée par un système pour passer d'un état à un autre. Par exemple, lors du passage d'un état initial à un état final, un gaz peut produire du travail en se dilatant contre une force extérieure, ou ne pas en produire en l'absence de résistance extérieure. Pour se conformer à l'Éq. [3.1], la chaleur doit aussi dépendre de la voie suivie. Se référer au contenu en chaleur ou en travail d'un système n'a donc aucune signification (tout comme se référer au nombre de billets de 2 Euros et de 10 Euros dans un compte en banque de 100 €). En accord avec cette propriété, la chaleur ou le travail produits pendant un changement d'état ne sont jamais désignés par Δq ou Δw mais seulement par q ou w.

B. *L'enthalpie*

Toute combinaison des seules fonctions d'état aboutit obligatoirement à une fonction d'état. Une de ces combinaisons, connue sous le nom d'**enthalpie** (du grec *enthalpein*, se réchauffer) s'exprime par :

$$H = U + PV \qquad [3.2]$$

où V est le volume du système et P sa pression. L'enthalpie est une valeur particulièrement intéressante pour décrire les systèmes biologiques car, *à pression constante, condition qui caractérise la plupart des processus biochimiques, la variation d'enthalpie entre l'état initial et l'état final d'un processus, ΔH, est égale à la quantité de chaleur libérée ou absorbée, quantité facilement mesurable.* Pour le montrer, considérons deux catégories de travail : d'une part, le travail pression-volume ($P - V$), dû à une augmentation de volume contre une pression extérieure ($P \Delta V$), et d'autre part, toute autre forme de travail (w') :

$$w = P\Delta V + w' \qquad [3.3]$$

En combinant les équations [3.1], [3.2] et [3.3], on obtient :

$$\Delta H = \Delta U + P\Delta V = q_p - w + P\Delta V = q_p - w' \qquad [3.4]$$

où q_p est égale à la chaleur transférée à pression constante. Donc, si $w' = 0$, ce qui est fréquent avec les réactions chimiques, $\Delta H = q_p$. De plus, les variations de volume sont négligeables dans la plupart des processus biochimiques, si bien que les différences entre leurs valeurs de ΔH et ΔU sont souvent insignifiantes.

Nous pouvons maintenant comprendre l'utilité des fonctions d'état. Par exemple, supposons que nous voulions calculer la variation d'enthalpie qui accompagne l'oxydation complète de 1 g de glucose en CO_2 et H_2O dans le tissu musculaire. Il serait extrêmement difficile, sur le plan expérimental, de faire cette mesure directement. Ceci pour une raison majeure : les variations d'enthalpie qui accompagnent les nombreuses réactions métaboliques non impliquées dans l'oxydation du glucose et qui se déroulent normalement dans le tissu musculaire interféreraient fortement avec notre mesure d'enthalpie. L'enthalpie étant une fonction d'état, nous pouvons cependant mesurer l'enthalpie de combustion du glucose dans n'importe quel appareil de notre choix, par exemple un calorimètre à pression constante au lieu d'un muscle, et obtenir en fait la même valeur. Naturellement, sceci est vrai même si nous ne connaissons pas le mécanisme qui permet au muscle de transformer le glucose en CO_2 et H_2O, dès lors que nous pouvons montrer que ces substances sont réellement les produits métaboliques ultimes. *En général, la variation d'enthalpie de n'importe quelle voie réactionnelle hypothétique peut être déterminée à partir de la variation d'enthalpie de n'importe quelle autre voie réactionnelle faisant intervenir les mêmes substrats pour conduire aux mêmes produits.*

Nous avons déjà signalé dans ce chapitre que la thermodynamique permet de savoir si un processus donné peut être spontané. Toutefois, le premier principe de la thermodynamique n'est pas suffisant à lui seul pour fournir une telle indication, comme le montre l'exemple suivant. Si deux objets à températures différentes sont mis en contact, nous savons que la chaleur ira spontanément de l'objet le plus chaud vers l'objet le plus froid et jamais l'inverse. Cependant, chacun de ces processus est compatible avec le premier principe de la thermodynamique puisque l'énergie globale des deux objets est indépendante de la répartition de la température entre eux. En conséquence, nous devons rechercher un autre critère de spontanéité que la seule conformité au premier principe de la thermodynamique.

2 ■ DEUXIÈME PRINCIPE DE LA THERMODYNAMIQUE : L'UNIVERS TEND VERS UN DÉSORDRE MAXIMAL

Quand un nageur plonge dans l'eau (processus spontané), l'énergie représentée par le mouvement cohérent de son corps est transformée en énergie correspondant au mouvement thermique chaotique des molécules d'eau avoisinantes. Le processus inverse, le nageur éjecté de l'eau calme par le mouvement des molécules d'eau devenu soudainement cohérent, n'a jamais été observé,

même si un tel phénomène ne viole ni le premier principe de la thermodynamique ni les lois de Newton sur le mouvement. En fait, *les processus spontanés sont caractérisés par le passage de l'ordre (dans ce cas le mouvement cohérent du corps du nageur) au désordre (ici le mouvement thermique chaotique des molécules d'eau).* Le **deuxième principe de la thermodynamique**, qui exprime ce phénomène, fournit donc un critère de spontanéité du processus. Remarquez que la thermodynamique ne donne aucune indication sur la vitesse du processus ; ceci est du domaine de la **cinétique chimique** (Chapitre 14). Autrement dit, un processus spontané peut ne se dérouler qu'à une vitesse infime.

A. *Spontanéité et désordre*

Selon le deuxième principe de la thermodynamique, et conformément à toutes les expériences, *les processus spontanés se déroulent dans la direction qui augmente le **désordre** total de l'univers,* c'est-à-dire du système et de son milieu extérieur. Dans ce contexte, on définit le désordre comme le nombre de solutions équivalentes, W, pour disposer les composantes de l'univers. Par exemple, considérons un système isolé composé de deux flacons de volume égal, contenant un total de N molécules identiques d'un gaz parfait (Fig. 3-1). Quand le robinet d'arrêt qui relie les deux flacons est ouvert, il y a une probabilité égale pour qu'une molécule donnée occupe l'un ou l'autre des deux flacons, si bien qu'il y un total de 2^N solutions probables équivalentes pour que les N molécules se distribuent dans les deux flacons. Puisque les molécules de gaz sont indiscernables les unes des autres, il n'y a que $(N + 1)$ états différents du système : ceux avec 0, 1, 2,... $(N-1)$ ou N molécules dans le flacon de gauche. La théorie de la probabilité montre que le nombre (indiscernable) de solutions, W_L, d'avoir L des N molécules dans le flacon de gauche est :

$$W_L = \frac{N!}{L!(N-L)!}$$

La probabilité qu'un tel état existe est obtenue en divisant cette valeur par le nombre total d'états possibles : $W_L/2^N$.

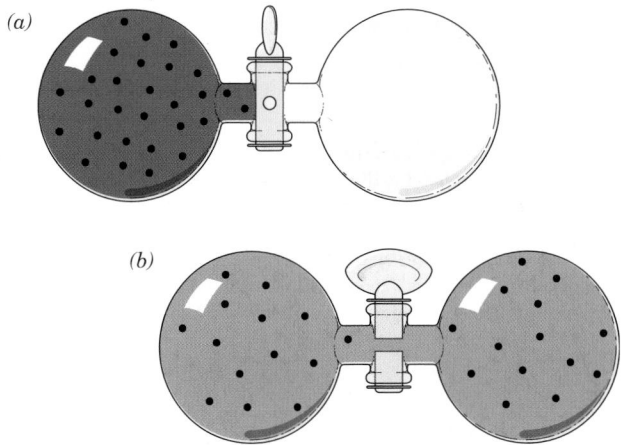

FIGURE 3-1 Deux ballons de volumes égaux communiquant par un robinet d'arrêt. En (*a*), un gaz remplit le ballon de gauche, le vide est fait dans celui de droite et le robinet est fermé. Quand on ouvre le robinet (*b*), les molécules de gaz diffusent dans les deux sens entre les ballons et peuvent se répartir de sorte que la moitié d'entre elles occupent chaque ballon.

Quelle que soit la valeur de N, l'état le plus probable, c'est-à-dire celui qui aura la valeur la plus élevée de W_L, est celui où la moitié des molécules se trouve dans un flacon ($L = N/2$ si N est un nombre pair). Au fur et à mesure que N augmente, la probabilité pour que L soit presque égal à $N/2$ tend vers un : par exemple, si $N = 10$, la probabilité que N soit égal à ± 20 % de $N/2$ (c'est-à-dire 4, 5 ou 6) est de 0,66, tandis que si $N = 50$ cette probabilité (L serait compris entre 20 et 30) est de 0,88. Pour un nombre de molécules significatif du point de vue chimique, disons $N = 10^{23}$, la probabilité pour que le nombre de molécules dans le flacon de gauche diffère de celui du flacon de droite d'un rapport aussi insignifiant que celui d'une molécule sur 10 milliards, est 10^{-434}, autant dire zéro. Par conséquent, si le nombre de molécules dans chaque flacon de la Fig. 3-1*b* est toujours identique, ce n'est pas une conséquence d'une quelconque loi sur le mouvement (l'énergie du système est la même quel que soit l'arrangement des molécules) ; *c'est parce que les probabilités d'existence de tous les autres états sont absolument insignifiantes* (Fig. 3-2). De la même façon, si notre nageur n'est pas rejeté de l'eau ni même sensiblement remué par le mouvement cohérent imprévu des molécules d'eau, c'est parce que la probabilité d'un tel événement est nulle.

B. *L'entropie*

Dans les systèmes chimiques, W, le nombre de solutions équivalentes pour disposer un système selon un état particulier est, en général, malheureusement très élevé. Par exemple, lorsque les deux flacons jumeaux ci-dessus contiennent N molécules de gaz, $W_{N/2} \approx 10^{N\ln 2}$, d'où, si $N = 10^{23}$, $W_{5 \times 10^{22}} \approx 10^{7 \times 10^{22}}$. Afin de pouvoir utiliser W plus facilement, nous définissons, comme le fit Ludwig Boltzmann en 1877, une quantité appelée **entropie** (du grec *en*, dans et *trope*, tournant) :

$$S = k_B \ln W \qquad [3.5]$$

qui augmente avec W mais d'une façon facilement maîtrisable. Dans cette expression, k_B est la **constante de Boltzmann** (Tableau 3-1). Pour notre système de deux flacons jumeaux, $S = k_B N \ln 2$. Donc, l'entropie du système, dans son état le plus probable, est proportionnelle au nombre de molécules de gaz qu'il contient.

Notez que *l'entropie est une fonction d'état car elle ne dépend que de paramètres relatifs à l'état*.

Les lois du hasard poussent tout système de taille raisonnable à prendre spontanément son arrangement le plus probable, celui dont l'entropie est maximum, simplement parce que la probabilité de cet état est écrasante. Par exemple, supposons que toutes les N molécules du système de nos flacons jumeaux se trouvent initialement dans le flacon de gauche (Fig. 3-1*a* ; $W_N = 1$ et $S = 0$ car il n'y a qu'un seul moyen d'y parvenir). Après l'ouverture du robinet d'arrêt, les molécules vont, par simple diffusion et au hasard, entrer dans le flacon de droite et en sortir jusqu'à ce qu'elles arri-

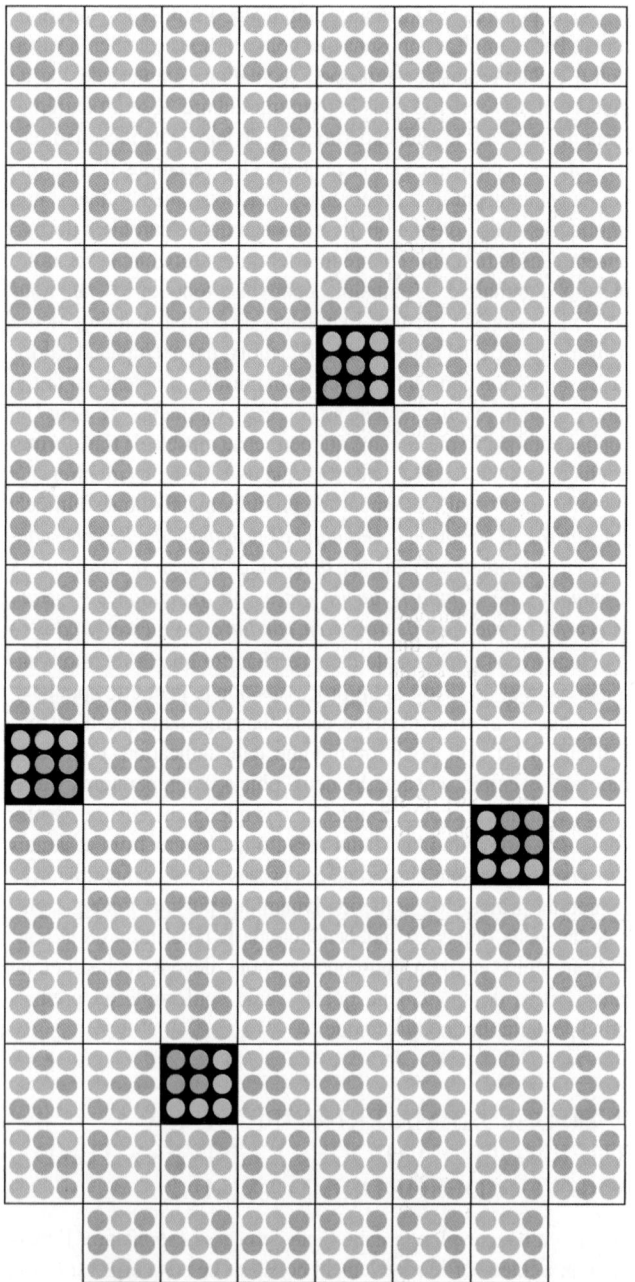

FIGURE 3-2 Improbabilité d'un ordre minimum. Considérons un « univers » simple formé par un ensemble de carrés à 9 positions qui contiennent tous 4 « molécules » identiques *(points rouges)*. Si les 4 molécules sont disposées en carré, nous appellerons cette disposition un « cristal » ; sinon, nous l'appellerons un « gaz ». Le nombre total d'arrangements différents de nos quatre molécules en 9 positions est :

$$W = \frac{9 \cdot 8 \cdot 7 \cdot 6}{4 \cdot 3 \cdot 2 \cdot 1} = 126$$

Le numérateur indique que la première molécule peut occuper n'importe laquelle des 9 positions de l'univers, que la deuxième molécule peut occuper l'une des 8 positions encore libres et ainsi de suite, tandis que le dénominateur donne le nombre d'arrangements aléatoires des 4 molécules identiques. Sur les 126 arrangements possibles dans cet univers, seuls 4 sont des cristaux *(carrés noirs)*. Ainsi, même dans cet univers simple livré au hasard, il y a une probalité 30 fois supérieure pour qu'existe un gaz désordonné plutôt qu'un cristal ordonné. [Figure avec copyright à Irving Geis.]

Un cristal

Un gaz

vent finalement à leur état le plus probable (entropie maximum), celui où la moitié des molécules se trouve dans chaque flacon. Les molécules de gaz continueront ensuite à diffuser entre les deux flacons dans les deux directions mais il n'y aura plus de changement macroscopique (net) dans le système. On dit que le système a atteint l'**équilibre**.

Selon l'Éq. [3.5], le processus d'expansion spontanée que nous venons de voir entraîne l'augmentation de l'entropie du système. En général, *pour tout processus à énergie constante ($\Delta U = 0$), un processus spontané est caractérisé par $\Delta S > 0$.* Puisque l'énergie de l'univers est constante (l'énergie peut prendre différentes formes mais ne peut être ni créée ni détruite), *tout processus spontané doit provoquer l'augmentation de l'entropie de l'univers* :

$$\Delta S_{\text{système}} + \Delta S_{\text{milieu extérieur}} = \Delta S_{\text{univers}} > 0 \qquad [3.6]$$

L'équation [3.6] est l'expression courante du deuxième principe de la thermodynamique. C'est un énoncé de la tendance générale de tous les processus spontanés à accroître le désordre de l'univers ; autrement dit, *l'entropie de l'univers tend vers un maximum.*

Les conclusions tirées de notre appareil à flacons jumeaux peuvent s'appliquer pour expliquer, par exemple, pourquoi le sang transporte l'oxygène et le CO_2 entre les poumons et les tissus. Les solutés en solution se comportent comme les gaz en ce qu'ils tendent à maintenir une concentration uniforme dans le volume qu'ils occupent, car c'est leur arrangement le plus probable. Dans les poumons, où la concentration en O_2 est supérieure à ce qu'elle est dans le sang veineux qui les irrigue, il entre plus d'oxygène dans le sang qu'il n'en sort. Par ailleurs, dans les tissus, où la concentration en O_2 est inférieure à celle du sang artériel, il y a une diffusion nette d'O_2 du sang vers les tissus. La situation inverse s'applique au transport du CO_2, puisque la concentration en CO_2 est faible dans les poumons mais élevée dans les tissus. Cependant, souvenez-vous que la thermodynamique ne donne aucune indication quant aux vitesses de transport d'O_2 et de CO_2 vers les tissus et hors de ceux-ci. Les vitesses de ces processus dépendent des propriétés physico-chimiques du sang, des poumons et du système cardiovasculaire.

L'équation [3.6] ne signifie pas qu'un système donné ne peut devenir plus ordonné. Toutefois, comme nous le verrons dans la Section 3-3, *un système ne peut devenir plus ordonné que si le milieu extérieur augmente son désordre d'une quantité supérieure, après apport d'énergie au système.* Par exemple, les organismes vivants, qui sont organisés à partir du niveau moléculaire et donc particulièrement bien ordonnés, atteignent cet ordre en provoquant le désordre des nutriments qu'ils consomment. Par conséquent, *manger est aussi bien une manière d'acquérir une structure ordonnée que de se procurer de l'énergie.*

L'état d'un système peut correspondre à une répartition de quantités plus complexes que celles de molécules de gaz dans un flacon ou de molécules de solutés dans un solvant. Par exemple, si notre système est constitué par une molécule de protéine en solution aqueuse, ses différents états varient, comme nous le verrons, en fonction de la conformation des résidus d'acide aminé de la protéine ainsi que de la distribution et de l'orientation des molécules d'eau qui lui sont associées. Le deuxième principe de la thermodynamique s'applique ici parce qu'une molécule de protéine en solution aqueuse prend sa conformation native essentiellement en réponse à la tendance de la structure de l'eau environnante à atteindre un désordre maximum (Section 8-4 C).

C. *Mesure de l'entropie*

Dans les systèmes chimiques et biologiques, il est très difficile, voire impossible, de calculer l'entropie d'un système en dénombrant ses possibilités, *W,* d'atteindre son état le plus probable. Une définition équivalente et plus pratique de l'entropie a été proposée en 1864 par Rudolf Clausius. Pour les processus spontanés :

$$\Delta S \geq \int_{\text{initial}}^{\text{final}} \frac{dq}{T} \qquad [3.7]$$

où T est la température absolue à laquelle a lieu le transfert de chaleur. La preuve de l'équivalence de nos deux définitions de l'entropie, qui demande des connaissances élémentaires en mécanique statistique, peut être trouvée dans de nombreux ouvrages de chimie physique. Il est évident, cependant, que tout système voit son désordre augmenter progressivement (l'entropie augmente) si sa température s'élève (cf. Fig. 3-3). L'égalité dans l'Éq. [3.7] ne s'applique que pour les processus dans lesquels le système reste à

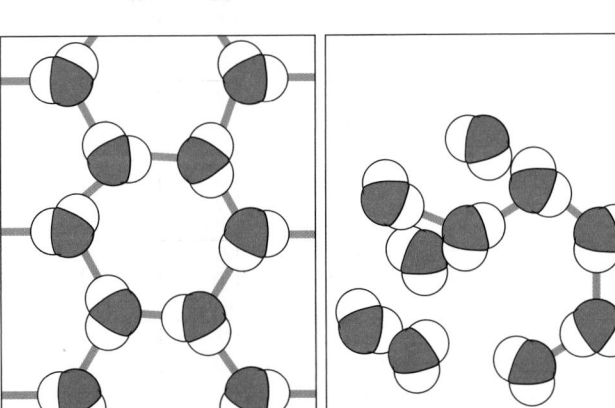

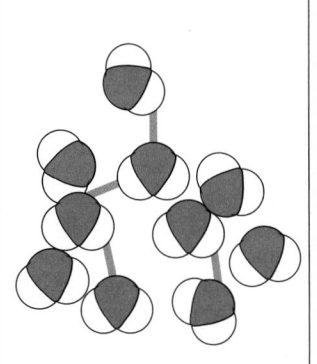
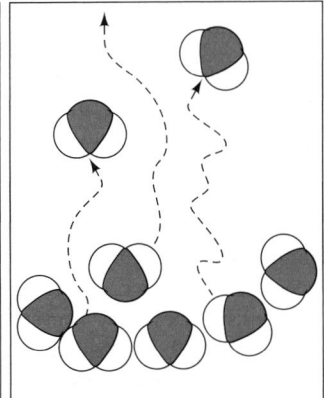

| Glace (–273 à 0°C) | Glace fondante (0°C) | Eau liquide (0 à 100°C) | Eau bouillante (100°C) |

FIGURE 3-3 Relation entre entropie et température. La structure de l'eau, ou de toute autre substance, devient de plus en plus désordonnée lorsque la température s'élève, donc son entropie augmente.

l'équilibre tout au long de la variation ; c'est ce qu'on appelle des **processus réversibles**.

À température constante, condition typique des processus biologiques, l'Éq. [3.7] se réduit à :

$$\Delta S \geq \frac{q}{T} \qquad [3.8]$$

Ainsi, la variation d'entropie d'un processus réversible à température constante peut être déterminée directement par des mesures de la quantité de chaleur transférée et de la température à laquelle ce transfert a lieu. Toutefois, puisqu'un processus à l'équilibre ne peut varier qu'à une vitesse infime (les processus à l'équilibre sont, par définition, immuables), les processus réels peuvent approcher, mais jamais atteindre complètement la réversibilité. Par conséquent, *la variation de l'entropie de l'univers qui accompagne tout processus réel est toujours supérieure à sa valeur idéale (réversible)*. Autrement dit, lorsqu'un système part de son état initial puis y revient au cours d'un processus réel, l'entropie de l'univers doit augmenter, même si l'entropie du système (fonction d'état) ne change pas.

3 ■ L'ÉNERGIE LIBRE : INDICE DE SPONTANÉITÉ

L'augmentation du désordre de l'univers liée aux processus spontanés est un critère de spontanéité inutilisable car il n'est pas possible de déterminer l'entropie de l'univers entier. Même la connaissance du changement d'entropie du système ne permet pas d'en prédire le caractère spontané ou non. Ceci parce que les processus exothermiques ($\Delta H_{\text{système}} < 0$) peuvent être spontanés même s'ils sont caractérisés par $\Delta S_{\text{système}} < 0$. Par exemple, 2 moles de H_2 et 1 mole d'O_2 soumises à une décharge d'étincelles réagissent au cours d'une réaction très exothermique pour donner 2 moles de H_2O. Toutefois deux molécules d'eau, chacune avec trois atomes contraints à rester ensemble, sont plus ordonnées que les trois molécules diatomiques à partir desquelles elles se sont formées. De même, dans des conditions appropriées, beaucoup de protéines **dénaturées** (dépliées) se replieront spontanément pour retrouver leurs conformations **natives** (repliées normalement) hautement ordonnées (Section 9-1A). Ce que nous voulons réellement, par conséquent, c'est une fonction d'état qui prévoie si un processus donné est spontané ou non. Nous allons l'étudier ci-dessous.

A. *L'énergie libre de Gibbs*

L'**énergie libre de Gibbs** :

$$G = H - TS \qquad [3.9]$$

formule proposée par J. Willard Gibbs en 1878, est l'indice de spontanéité des processus à température et pression constantes. Pour les systèmes qui ne peuvent accomplir qu'un travail pression-volume ($w' = 0$), en combinant les équations [3.4] et [3.9] à température T et pression P constantes on obtient :

$$\Delta G = \Delta H - T\Delta S = q_p - T\Delta S \qquad [3.10]$$

Mais d'après l'équation [3.8], $T\Delta S \geq q$ pour des processus spontanés à T constante. Par conséquent, $\Delta G \leq 0$ *est le critère de spon-*

TABLEAU 3-2 **Variation de spontanéité de la réaction (signe de ΔG) en fonction des signes de ΔH et de ΔS**

ΔH	ΔS	$\Delta G = \Delta H - T\Delta S$
−	+	La réaction est favorable pour ce qui concerne aussi bien l'enthalpie (exothermique) que l'entropie. Elle est spontanée (exergonique) à toutes températures.
−	−	La réaction est favorable pour l'enthalpie mais défavorable pour l'entropie. Elle ne sera spontanée qu'aux températures *en dessous* de $T = \Delta H/\Delta S$.
+	+	La réaction est défavorable pour l'enthalpie (endothermique) mais favorable pour l'entropie. Elle ne sera spontanée qu'aux températures *au-dessus* de $T = \Delta H/\Delta S$.
+	+	La réaction est défavorable aussi bien pour l'enthalpie que pour l'entropie. Elle est *non* spontanée (endergonique) à toutes les températures

tanéité que nous cherchons pour T et P constants, conditions typiques des processus biochimiques.

Les processus spontanés, c'est-à-dire ceux qui ont des valeurs de ΔG négatives, sont dits **exergoniques** (du grec *ergon*, travail) ; ils peuvent être utilisés pour effectuer un travail. Les processus non spontanés, dont les valeurs de ΔG sont positives, sont appelés **endergoniques** ; ils doivent être accompagnés d'un apport d'énergie libre (les mécanismes sont étudiés dans la Section 3-4C). Les processus à l'équilibre, ceux pour lesquels les réactions en sens direct et en sens inverse sont parfaitement équilibrées, sont caractérisés par un $\Delta G = 0$. Remarquez que la valeur de ΔG varie directement avec la température. Ceci explique, par exemple, que la structure native d'une protéine, dont l'élaboration à partir de sa forme dénaturée s'accompagne à la fois d'un $\Delta H < 0$ et d'un $\Delta S < 0$, prédomine à la température sous laquelle $\Delta H = T\Delta S$ (**température de dénaturation**), alors que la protéine dénaturée prédomine au-dessus de cette température. La variation de spontanéité d'un processus en fonction des signes de ΔH et ΔS est résumée dans le Tableau 3-2.

B. *Énergie libre et travail*

Quand un système à température et pression constantes ne fait aucun travail pression-volume, l'Éq. [3.10] doit être développée comme suit :

$$\Delta G = q_p - T\Delta S - w' \qquad [3.11]$$

ou, puisque $T\Delta S \geq q_p$ (Éq. [3.8]),

$$\Delta G \leq -w'$$

soit :

$$\Delta G \geq w' \qquad [3.12]$$

Puisque le travail pression-volume est insignifiant dans les systèmes biologiques, *pour un processus biologique, ΔG représente son travail maximum récupérable*. Le ΔG d'un processus indique par conséquent la séparation de charge maximum qu'il peut assurer, le gradient de concentration maximum qu'il peut former (Section 3-4A), l'activité musculaire maximum qu'il peut produire, etc. En fait, pour les processus réels, qui ne peuvent que tendre vers la réversibilité, l'inégalité de l'Éq. [3.12] s'applique, ce qui veut dire que *le travail potentiel de n'importe quel système n'est jamais récupéré à 100 %*. Ceci est révélateur du caractère dissipatif inhérent à la nature. En réalité, comme nous l'avons déjà vu, c'est précisément ce caractère dissipatif qui fournit la force motrice globale pour n'importe quel changement.

Il est important de rappeler qu'une forte valeur négative de ΔG ne signifie pas qu'une réaction chimique se fera à une vitesse mesurable. Celle-ci dépend du mécanisme détaillé de la réaction, qui est indépendant de ΔG. Par exemple, la plupart des biomolécules, y compris les protéines, les acides nucléiques, les glucides et les lipides, sont thermodynamiquement instables à l'hydrolyse mais, néanmoins, ne s'hydrolysent spontanément qu'à des vitesses insignifiantes d'un point de vue biologique. Ce n'est qu'en présence d'enzymes appropriées que l'hydrolyse de ces molécules se fera à une vitesse raisonnable. Cependant, un catalyseur, qui par définition n'est pas modifié au cours de la réaction, n'affecte en rien son ΔG. Autrement dit, *une enzyme ne peut que permettre d'atteindre plus rapidement l'état d'équilibre thermodynamique ; elle ne peut, en aucun cas, rendre possible une réaction dont le ΔG est positif.*

4 ■ LES ÉQUILIBRES CHIMIQUES

L'entropie (le désordre) d'une substance augmente avec son volume. Par exemple, comme nous l'avons vu avec notre appareil à flacons jumeaux (Fig. 3-1), un ensemble de molécules de gaz, en occupant tout le volume possible, atteint son entropie maximum. De même, des molécules dissoutes se répartissent uniformément dans l'ensemble du volume de la solution. L'entropie est donc fonction de la concentration.

Si l'entropie varie avec la concentration, il doit en être de même de l'énergie libre. Ainsi, comme nous le montrons dans cette section, la variation d'énergie libre d'une réaction chimique dépend des concentrations de ses réactifs et de ses produits. Ce phénomène a une signification importante en biochimie, car les réactions enzymatiques peuvent se dérouler dans les deux directions en fonction des concentrations relatives de leurs substrats et de leurs produits. Ainsi, la direction de beaucoup de réactions catalysées par des enzymes dépend de la disponibilité de leurs **substrats** (les réactifs) et de la demande métabolique de leurs produits (bien que la plupart des voies métaboliques soient unidirectionnelles ; Section 16-6 C).

A. *Constantes d'équilibre*

La relation entre la concentration et l'énergie libre d'une substance A, qui est démontrée dans l'appendice de ce chapitre, est approximativement :

$$\overline{G}_A - \overline{G}_A^\circ = RT \ln [A] \qquad [3.13]$$

où $\overline{G}_A$ est appelée soit **énergie libre partielle molaire** soit **potentiel chimique** de A (la barre indique la quantité par mole), $\overline{G}_A^\circ$ étant l'énergie libre partielle molaire de A dans son **état standard** (voir Section 3-4 B), R la constante des gaz parfaits (Tableau 3-1) et [A] la concentration molaire de A. Ainsi pour la réaction générale,

$$a\text{A} + b\text{B} \rightleftharpoons c\text{C} + d\text{D}$$

puisque les énergies libres s'additionnent et que la variation d'énergie libre d'une réaction est égale à la somme des énergies libres des produits moins celles des réactifs, la variation d'énergie libre pour cette réaction est :

$$\Delta G = c\overline{G}_C + d\overline{G}_D - a\overline{G}_A - b\overline{G}_B \qquad [3.14]$$

En substituant cette relation dans l'Éq. [3.13], nous obtenons :

$$\Delta G = \Delta G^\circ + RT \ln \left(\frac{[C]^c [D]^d}{[A]^a [B]^b} \right) \qquad [3.15]$$

où ΔG° est la variation d'énergie libre de la réaction lorsque tous les réactifs et produits sont dans leur état standard. Donc, l'expression de la variation d'énergie libre d'une réaction présente deux parties : (1) un terme constant dont la valeur ne dépend que de la réaction, et (2) un terme variable qui dépend des concentrations des réactifs et des produits, de la stœchiométrie de la réaction, et de la température.

Pour une réaction à l'équilibre, il n'y a pas de variation *nette* car l'énergie libre de la réaction directe compense exactement celle de la réaction inverse. Par conséquent, $\Delta G = 0$ et l'Éq. [3.15] devient :

$$\Delta G^\circ = -RT \ln K_{eq} \qquad [3.16]$$

où K_{eq} est la **constante d'équilibre** de la réaction :

$$K_{eq} = \frac{[C]_{eq}^c [D]_{eq}^d}{[A]_{eq}^a [B]_{eq}^b} = e^{-\Delta G^\circ / RT} \qquad [3.17]$$

où l'indice « eq » indique les valeurs des concentrations à l'équilibre. (La condition d'équilibre est en général facile à déduire du contexte de la situation si bien que les concentrations à l'équilibre s'expriment fréquemment sans cet indice). *La constante d'équilibre d'une réaction peut donc se calculer à partir de la valeur de la variation de l'énergie libre standard et vice versa.* Le Tableau 3-3 donne les relations numériques entre ΔG° et K_{eq}. Notez qu'une variation d'un facteur 10 de K_{eq} à 25 °C correspond à une variation de ΔG° égale à 5,7 kJ · mol^{-1}, soit moins de la moitié de l'énergie libre d'une simple liaison hydrogène.

Les équations [3.15] à [3.17] montrent que quand les substrats d'une réaction sont en excès par rapport à leurs concentrations à l'équilibre, la réaction nette se fera dans le sens direct jusqu'à ce

TABLEAU 3-3 **Variation de K_{eq} en fonction de ΔG° à 25 °C**

K_{eq}	ΔG° (kJ·mol^{-1})
10^6	−34,3
10^4	−22,8
10^2	−11,4
10^1	−5,7
10^0	0,0
10^{-1}	5,7
10^{-2}	11,4
10^{-4}	22,8
10^{-6}	34,3

que les substrats en excès soient transformés en produits et que l'équilibre soit atteint. Inversement, quand les produits sont en excès, la réaction nette se fait en sens inverse afin de transformer les produits en substrats jusqu'à ce que le rapport des concentrations à l'équilibre soit également atteint. Ainsi, comme l'énonce le **principe de Le Châtelier,** *tout écart de l'équilibre met en branle un processus qui tend à rétablir le système à l'équilibre. Tous les systèmes isolés doivent, par conséquent, atteindre inévitablement l'équilibre.* Les systèmes vivants échappent à ce cul-de-sac thermodynamique, car ce sont des systèmes ouverts (Section 16-6 A).

La variation de la constante d'équilibre en fonction de la température est obtenue en substituant l'Éq. [3.10] dans l'Éq. [3.16] après réarrangement :

$$\ln K_{eq} = \frac{-\Delta H^\circ}{R}\left(\frac{1}{T}\right) + \frac{\Delta S^\circ}{R} \qquad [3.18]$$

où H° et S° représentent l'enthalpie et l'entropie à l'état standard. Si ΔH° et ΔS° sont indépendants de la température, ce qui est souvent le cas en première approximation, une représentation de ln K_{eq} en fonction de $1/T$, connue sous le nom de **graphique de van't Hoff**, donne une droite de pente $-\Delta H^\circ/R$ avec une intersection égale à $\Delta S^\circ/R$. Cette relation permet de calculer les valeurs de ΔH° et ΔS° à partir des valeurs de K_{eq} mesurées à deux températures ou plus. Les données par calorimétrie, jusque récemment très difficiles à mesurer pour les processus biochimiques, ne sont donc pas nécessaires pour obtenir les valeurs de ΔH° et de ΔS°. En conséquence, la plupart des données thermodynamiques en biochimie ont été acquises en utilisant l'Éq. [3.18]. Cependant, la mise au point récente du **microcalorimètre à balayage** offre la possibilité de mesurer directement le ΔH (q_p) des processus biochimiques. En fait, une différence entre les valeurs de ΔH° d'une réaction mesurée par calorimétrie et par la représentation de van't Hoff semble indiquer que la réaction fait intervenir un ou plusieurs états intermédiaires, en plus de l'état initial et de l'état final implicites dans la formulation de l'Éq. [3.18].

B. Variations d'énergie libre standard

Puisqu'on ne peut mesurer que des différences d'énergie libre, ΔG, et non les énergies libres elles-mêmes, il est nécessaire de définir un état standard auquel on pourra se référer, afin de comparer les énergies libres de différentes substances (tout comme nous nous référons au niveau de la mer, dont la hauteur a été arbitrairement fixée à zéro, pour déterminer les altitudes de lieux géographiques). Par convention, l'énergie libre de tous les éléments purs dans leur état standard de 25 °C, 1 atm., et sous leur forme la plus stable (ex. O_2 et non O_3), est égale à zéro. **L'énergie libre de formation** de toute molécule, ΔG_f°, est définie comme la variation d'énergie libre qui accompagne la formation d'1 mole de cette substance, dans son état standard, à partir des éléments qui la composent dans leur état standard. La variation d'énergie libre standard pour toute réaction peut être calculée d'après l'équation :

$$\Delta G^\circ = \sum \Delta G_f^\circ \text{ (produits)} - \sum \Delta G_f^\circ \text{ (substrats)} \qquad [3.19]$$

Le Tableau 3-4 donne une liste d'énergies libres de formation, ΔG_f°, pour une série de substances d'intérêt biochimique.

TABLEAU 3-4 Énergies libres de formation de quelques composés d'intérêt biochimique

Composé	$-\Delta G_f^\circ$ (kJ·mol^{-1})
Acétaldéhyde	139,7
Acétate$^-$	369,2
Acétyl-CoA	374,1 [a]
cis-Aconitate^{3-}	920,9
CO_2 (g)	394,4
CO_2 (aq)	386,2
HCO_3^-	587,1
Citrate^{3-}	1166,6
Dihydroxyacétone phosphate^{2-}	1293,2
Ethanol	181,5
Fructose	915,4
Fructose-6-phosphate^{2-}	1758,3
Fructose-1,6-bisphosphate^{4-}	2600,8
Fumarate^{2-}	604,2
α-D-glucose	917,2
Glucose-6-phosphate^{2-}	1760,2
Glycéraldéhyde-3-phosphate^{2-}	1285,6
H^+	0,0
H_2 (g)	0,0
H_2O (l)	237,2
Isocitrate^{3-}	1160,0
α-Cétoglutarate^{2-}	798,0
Lactate$^-$	516,6
L-Malate^{2-}	845,1
OH^-	157,3
Oxaloacétate^{2-}	797,2
Phosphoénolpyruvate^{3-}	1269,5
2-Phosphoglycérate^{3-}	1285,6
3-Phosphoglycérate^{3-}	1515,7
Pyruvate$^-$	474,5
Succinate^{2-}	690,2
Succinyl-CoA	686,7 [a]

[a] Pour la formation à partir d'éléments libres + CoA libre (coenzyme A).

D'après Metzler, D.E., *Biochemistry, The Chemical Reactions of Living Cells,* pp. 162-164, Academic Press (1977).

a. Conventions d'état standard en biochimie

La convention utilisée en chimie physique définit ainsi l'état standard d'un soluté : **activité** égale à un, à 25 °C et 1 atm. (l'activité correspond à la concentration corrigée en raison d'un comportement non idéal, comme cela est expliqué dans l'appendice de ce chapitre ; pour les solutions diluées typiques des réactions biochimiques en laboratoire, de telles corrections sont minimes, si bien que les activités peuvent être assimilées aux concentrations). Toutefois, étant donné que les réactions biochimiques se déroulent généralement dans des solutions diluées à pH neutre, un état standard quelque peu différent a été adopté pour les systèmes biologiques :

■ L'état standard de l'eau est celui du liquide pur, si bien que l'activité de l'eau pure est assimilée à 1, malgré que sa concentration soit égale à 55,5 *M*. Le terme [H$_2$O] est donc inclus dans la valeur de la constante d'équilibre. Cette convention simplifie les expressions d'énergie libre pour les réactions en solutions aqueuses diluées où l'eau est un réactif ou un produit, car ainsi, le terme [H$_2$O] peut être ignoré.

■ L'activité de l'ion hydrogène est égale à 1 au pH physiologique de 7, plutôt qu'à pH 0, valeur qui caractérise l'état standard en chimie physique, et où beaucoup de substances biologiques sont instables.

■ L'état standard d'une substance qui peut être l'objet d'une réaction acido-basique est défini en fonction de la concentration totale de ses différentes formes qui s'ionisent spontanément à pH 7. À l'inverse, la convention en chimie physique se réfère à une espèce pure, qu'elle existe ou pas à pH 0. L'avantage de la convention utilisée en biochimie, c'est que la concentration totale d'une substance ayant de multiples états ionisés, ce qui est le cas des biomolécules, est habituellement plus facile à mesurer que la concentration de l'une de ses espèces ioniques. Cependant, puisque l'état d'ionisation d'un acide ou d'une base varie avec le pH, les énergies libres standard calculées selon la convention adoptée en biochimie ne sont valables qu'à pH 7.

Selon cette convention, les variations d'énergie libre standard des substances sont symbolisées couramment par $\Delta G^{\circ\prime}$ afin de les distinguer des variations d'énergie libre standard mesurées en chimie-physique, soit ΔG° (notez que la valeur de ΔG pour n'importe quel processus étant expérimentalement mesurable, elle est indépendante de l'état standard choisi; soit $\Delta G = \Delta G^\prime$). De même, la constante d'équilibre en biochimie, qui est définie à partir de $\Delta G^{\circ\prime}$ au lieu de ΔG° dans l'équation [3.17], est symbolisée par $K^\prime_{eq}$.

La relation entre ΔG° et $\Delta G^{\circ\prime}$ est souvent simple. Il y a trois cas de figure :

1. Si les espèces réactives ne comportent ni H$_2$O ni H$^+$, les expressions de $\Delta G^{\circ\prime}$ et ΔG° sont identiques.

2. Dans le cas d'une réaction en solution aqueuse diluée qui donne *n* molécules d'H$_2$O :

$$A + B \rightleftharpoons C + D + nH_2O$$

Les équations [3.16] et [3.17] montrent que :

$$\Delta G^\circ + RT \ln K_{eq} = -RT \ln \left(\frac{[C][D][H_2O]^n}{[A][B]} \right)$$

D'après la convention utilisée en biochimie, à savoir l'activité de l'eau pure égale à 1,

$$\Delta G^{\circ\prime} - RT \ln K^\prime_{eq} = -RT \ln \left(\frac{[C][D]}{[A][B]} \right)$$

D'où :

$$\Delta G^{\circ\prime} = \Delta G^\circ + nRT \ln [H_2O] \qquad [3.20]$$

avec [H$_2$O] = 55,5 *M* (concentration de l'eau en solution aqueuse), si bien que pour une réaction à 25 °C qui forme 1 mol d'H$_2$O, $\Delta G^{\circ\prime} = \Delta G^\circ + 9{,}96$ kJ·mol^{-1}.

3. Pour une réaction qui implique des ions H$^+$ telle que :

$$A + B \rightleftharpoons C + HD$$
$$\big\Vert K$$
$$D^- + H^+$$

où :

$$K = \frac{[H^+][D^-]}{[HD]}$$

nous obtenons, par des approches identiques à celles que nous venons de voir, la relation :

$$\Delta G^{\circ\prime} = \Delta G^\circ - RT \ln(1 + K/[H^+]_0) + RT \ln[H^+]_0 \qquad [3.21]$$

où [H$^+$]$_0$ = 10^{-7} *M*, seule valeur de [H$^+$] pour laquelle cette équation est valable. Bien sûr, si plus d'une espèce ionisée intervient dans la réaction et/ou si l'une d'entre elles est un polyacide, l'Éq. [3.21] devient plus compliquée.

B. *Réactions couplées*

L'additivité des variations d'énergie libre permet à une réaction endergonique d'être entraînée par une réaction exergonique, dans des conditions appropriées. Ce phénomène constitue la base thermodynamique du fonctionnement des voies métaboliques, car la plupart de ces suites de réactions comprennent aussi bien des réactions endergoniques que des réactions exergoniques. Considérons la réaction en deux étapes suivante :

(1) $\qquad\qquad$ A + B $\rightleftharpoons$ C + D $\qquad$ ΔG_1

(2) $\qquad\qquad$ D + E $\rightleftharpoons$ F + G $\qquad$ ΔG_2

Si $\Delta G_1 \geq 0$, la réaction (1) n'aura pas lieu spontanément. Cependant, si ΔG_2 est suffisamment exergonique de sorte que $\Delta G_1 + \Delta G_2 < 0$, alors, même si la concentration à l'équilibre de D dans la réaction (1) reste relativement faible, elle sera plus importante que dans la réaction (2). Comme la réaction (2) transforme D en produits, la réaction (1) se fera dans le sens direct afin de maintenir la concentration de D à sa valeur à l'équilibre. La réaction (2) très exergonique *entraîne* ainsi la réaction (1) endergonique et on dit que les deux réactions sont **couplées** grâce à leur intermédiaire commun D. On peut aussi montrer que ces réactions couplées se font spontanément (mais pas nécessairement à une vitesse convenable), en additionnant les réactions (1) et (2), ce qui donne la réaction globale :

(1) + (2) $\qquad$ A + B + E $\rightleftharpoons$ C + F + G $\qquad$ ΔG_3

où $\Delta G_3 = \Delta G_1 + \Delta G_2 < 0$. *Tant que la réaction globale (séquence des réactions) est exergonique, elle se fera dans le sens direct.* Ainsi, l'énergie libre qui accompagne l'hydrolyse de l'ATP, réaction très exergonique, est utilisée pour permettre à de nombreux processus biologiques, en fait endergoniques, de s'accomplir jusqu'au bout (Section 16-4C).

■ APPENDICE : L'ÉNERGIE LIBRE DÉPEND DE LA CONCENTRATION

Pour démontrer que l'énergie libre d'une substance est fonction de sa concentration, considérons la variation d'énergie libre d'un gaz parfait qui subit une variation de pression réversible à température constante ($w' = 0$, car un gaz parfait est incapable d'accomplir un travail autre qu'un travail pression-volume). En substituant les Éq. [3.1] et [3.2] dans l'Éq. [3.9] et en calculant les différentielles on obtient :

$$dG = dq - dw + P \, dV + V \, dP - T \, dS \qquad [3.A1]$$

Après substitution des formes différentielles des Éq. [3.3] et [3.8] dans cette expression, celle-ci se réduit à :

$$dG = V \, dP \qquad [3.A2]$$

L'équation des gaz parfaits est $PV = nRT$, où n désigne le nombre de moles de gaz. Donc,

$$dG = nRT \frac{dP}{P} = nRT \, d \ln P \qquad [3.A3]$$

Ce résultat concernant une phase gazeuse peut s'appliquer au domaine des solutions chimiques plus en rapport avec la biochimie, en utilisant la **loi de Henry**, pour une solution contenant le soluté volatil A en équilibre avec la phase gazeuse :

$$P_A = K_A X_A \qquad [3.A4]$$

Dans cette expression, P_A est la pression partielle de A lorsque sa fraction molaire dans la solution est X_A, et K_A est la **constante de la loi de Henry** pour A dans le solvant utilisé. Cependant, il est généralement plus facile d'exprimer les concentrations des solutions relativement diluées des systèmes chimiques et biologiques en termes de molarité plutôt qu'en fractions molaires. Pour une solution diluée :

$$X_A \approx \frac{n_A}{n_{\text{solvant}}} = \frac{[A]}{\text{solvant}} \qquad [3.A5]$$

où la concentration du solvant [solvant] est à peu près constante. Ainsi,

$$P_A \approx K'_A [A] \qquad [3.A6]$$

où $K'_A = K_A/[\text{solvant}]$. En substituant cette expression dans l'Éq. [3.A3], on obtient :

$$dG_A = n_A RT \, d \, (\ln K'_A + \ln [A]) = n_A RT \, d \ln [A] \quad [3.A7]$$

L'énergie libre, tout comme l'entropie et l'enthalpie, est une quantité relative qui ne peut être définie que par rapport à un certain état standard arbitraire. L'état standard est généralement défini pour une température de 25 °C, une pression de 1 atm., et, pour raison de simplicité mathématique, [A] = 1. L'intégration de l'Éq. [3.A7] entre l'état standard, [A] = 1 et l'état final, [A] = [A] donne :

$$G_A - G^\circ_A = n_A RT \ln [A] \qquad [3.A8]$$

où G°_A est l'énergie libre de A à l'état standard et où [A] représente en fait le rapport de concentration [A]/l. Puisque la loi de Henry n'est valable que pour les solutions réelles diluées à l'infini, l'état standard est néanmoins défini comme l'état purement hypothétique d'un soluté 1 M avec les propriétés qu'il aurait à dilution infinie.

Les termes relatifs à l'énergie libre de l'Éq. [3.A8] peuvent être convertis de **grandeurs extensives** (qui dépendent de la quantité de matériel) en **grandeurs intensives** (indépendantes de la quantité de matériel) en divisant les deux termes de l'équation par n_A, ce qui donne :

$$\overline{G}_A - \overline{G}^\circ_A = RT \ln [A] \qquad [3.A9]$$

L'équation [3.A9] ne s'applique qu'aux solutions qui suivent exactement la loi de Henry, bien que les solutions réelles ne suivent cette loi que pour une dilution infinie à condition que le soluté soit volatil. Toutes ces difficultés peuvent être éliminées en remplaçant [A] de l'Éq. [3.A9] par une quantité, a_A, appelée **activité** de A, définie par :

$$a_A = \gamma_A \, [A] \qquad [3.A10]$$

où γ_A est le **coefficient d'activité** de A. L'équation [3.A9] devient alors,

$$\overline{G}_A - \overline{G}^\circ_A = RT \ln a_A \qquad [3.A11]$$

dans laquelle tout ce qui s'éloigne du comportement idéal, y compris la possibilité pour le système d'effectuer un travail autre qu'un travail pression-volume, se retrouve dans le coefficient d'activité, lequel est une quantité expérimentalement mesurable. Le comportement idéal n'est approché que pour des dilutions infinies ; c'est-à-dire que $\gamma_A \to 1$ quand [A] $\to 0$. L'état standard dans l'Éq. [3.A11] est redéfini comme celui dont l'activité égale 1.

Les concentrations des réactifs et produits dans la plupart des réactions biochimiques en laboratoire sont souvent si faibles (de l'ordre du millimolaire ou moins) que les cœfficients d'activité de ces différentes espèces sont proches de 1. Par conséquent, les activités de la plupart des espèces biochimiques dans les conditions d'expériences en laboratoire peuvent être calculées de façon approximative, mais satisfaisante, en utilisant leurs concentrations molaires :

$$\overline{G}_A - \overline{G}^\circ_A = RT \ln [A] \qquad [3.13]$$

Cependant, le cœfficient d'activité d'une substance varie avec la concentration totale de toutes les substances présentes, y compris la sienne propre. Ainsi, bien que les concentrations de la plupart des biomolécules dans la cellule soient très basses, prises dans leur ensemble elles donnent des valeurs telles (p. ex., voir Fig. 1-13) que les cœfficients d'activité des substances individuelles s'écartent significativement de l'unité. Il est malheureusement difficile de mesurer de telles valeurs dans un compartiment cellulaire (où il est d'ailleurs aussi difficile de déterminer la concentration d'une substance quelconque).

RÉSUMÉ DU CHAPITRE

1 ■ Premier principe de la thermodynamique : l'énergie se conserve Le premier principe de la thermodynamique :

$$U = q - W \qquad [3.1]$$

où *q* est la chaleur et *w* le travail, est l'énoncé du principe de la conservation de l'énergie. L'énergie est une fonction d'état car l'énergie d'un système ne dépend que de l'état du système. L'enthalpie,

$$H = U + PV \qquad [3.2]$$

où *P* est la pression et *V* le volume, est une fonction d'état très proche, qui donne la valeur de la chaleur à pression constante dans des conditions où ne peut être effectué que du travail pression-volume.

2 ■ Deuxième principe de la thermodynamique : l'Univers tend vers un désordre maximum L'entropie, autre fonction d'état, se définit ainsi :

$$S = k_B \ln W \qquad [3.5]$$

où *W*, le désordre, est le nombre de possibilités équivalentes pour arranger le système dans les conditions qui lui sont imposées et k_B est la constante de Boltzmann. Le deuxième principe de la thermodynamique énonce que l'univers tend vers un désordre maximum, d'où $\Delta S_{univers} > 0$ pour n'importe quel processus réel.

3 ■ L'énergie libre : indice de spontanéité L'énergie libre de Gibbs d'un système

$$G = H - TS \qquad [3.9]$$

diminue lors d'un processus spontané à pression constante. Lorsqu'un processus est à l'équilibre, le système ne subit aucune variation nette, si bien que $\Delta G = 0$. Un processus idéal, dans lequel le système est toujours à l'équilibre, est dit réversible. Tous les processus réels sont irréversibles car les processus à l'équilibre ne peuvent se produire qu'à des vitesses infinitésimales.

4 ■ Équilibres chimiques Pour une réaction chimique,

$$aA + bB \rightleftharpoons cC + dD$$

la variation de l'énergie libre de Gibbs s'exprime par :

$$\Delta G = \Delta G^\circ + RT \ln \left(\frac{[C]^c [D]^d}{[A]^a [B]^b} \right) \qquad [3.15]$$

où ΔG°, la variation d'énergie libre standard, est la variation d'énergie libre à 25°C pour une pression de 1 atm., et pour des activités des réactifs et des produits égales à l'unité. L'état standard biochimique, $\Delta G^{\circ\prime}$, est défini de la même façon mais pour des solutions aqueuses diluées de pH 7, pour lesquelles les activités de l'eau et de H^+ sont toutes deux égales à l'unité. À l'équilibre :

$$\Delta G^{\circ\prime} = -RT \ln K'_{eq} = -RT \ln \left(\frac{[C]^c_{eq}[D]^d_{eq}}{[A]^a_{eq}[B]^b_{eq}} \right) \qquad [3.17a]$$

où K'_{eq} est la constante d'équilibre selon les conventions biochimiques. Une réaction endergonique ($\Delta G > 0$) peut être entraînée par une réaction exergonique ($\Delta G < 0$) si les deux réactions sont couplées et si l'ensemble est exergonique.

RÉFÉRENCES

Atkins, P.W., *The Second Law*, Scientific American Books (1984). [Une explication incisive, bien que non mathématique, du second principe de la thermodynamique.]

Atkins, P.W. et de Paula, J., *Chimie physique* (2e éd.), chapitres 1–10, De Boeck Université (2004). [Exposé assez détaillé sur la thermodynamique, tel qu'on en trouve dans la plupart des traités de chimie physique.]

Chouaib, F., Huntz-Aubriot, A.M., Larcher, C., et Michaut, J.P., *Thermodynamique et équilibres chimiques*, De Boeck Université (1994). [Un outil pédagogique accessible, assorti d'exercices et de problèmes avec leurs solutions.]

Dickerson, R.E., *Molecular Thermodynamics*, Benjamin (1969).

Edsall, J.T. et Gutfreund, H., *Biothermodynamics*, Wiley (1983).

Eisenberg, D. et Crothers, D., *Physical Chemistry with Applications to Life Sciences*, chapitres 1–5, Benjamin (1979).

Hammes, G.G., *Thermodynamics and Kinetics for Biological Sciences*, Wiley (2000).

Nash, L.K., *CHEMTHERMO : A Statistical Approach to Classical Chemical Thermodynamics*, Addison – Wesley (1971). [Texte d'un niveau élémentaire, mais remarquablement bien écrit.]

Segel, I.H., *Biochemical Calculations* (2e éd.), chapitre 3, Wiley (1976). [Contient des problèmes très instructifs, avec leur solution détaillée.]

Tinoco, I., Jr., Sauer, K., Wang, J.C., et Puglisi, J.C., *Physical Chemistry. Principles and Applications in Biological Sciences* (4e éd.), chapitres 2–5, Prentice-Hall (2002).

van Holde, K.E., Johnson, W.C., et Ho, P.S., *Principles of Physical Biochemistry*, chapitres 1–3, Prentice-Hall (1998). [On y trouve dans la Section 2.3 la démonstration que les formules de Boltzmann et de Clausius pour exprimer le second principe de la thermodynamique sont équivalentes.]

Wood, W.B., Wilson, J.H., Benbow, R.M., et Hood, L.E., *Biochemistry, A Problems Approach* (2e éd.), chapitre 9, Benjamin/Cummings (1981). [Un recueil de questions-réponses.]

PROBLÈMES

1. « Tu es cendres et tu retourneras en cendres, tu es poussière et tu retourneras en poussière », nous dit la Bible. Pourquoi une famille de thermodynamiciens en deuil serait-elle tout autant réconfortée par l'énoncé du deuxième principe de la thermodynamique ?

2. Combien de volées d'escaliers de 4 mètres de haut une personne obèse de 75 kg doit-elle monter pour annuler les effets de la consommation d'un hamburger de 500 Cal ? Supposez que le rendement de la transformation de l'énergie alimentaire en énergie mécanique soit de 20 %. La force gravitationnelle d'un objet de masse *m* kg est $F = mg$, où la constante de gravitation $g = 9,8 \, m \cdot s^{-2}$.

3. En fonction des concepts de la thermodynamique, pourquoi est-il plus difficile de garer une voiture dans un espace réduit que de la sortir de cet endroit ?

4. On a dit qu'une armée de singes consciencieux, tapant à la machine à écrire au hasard, arriverait finalement à produire toutes les œuvres de Shakespeare. Combien de temps faudrait-il en moyenne à 1 million de singes, chacun tapant sur une machine à écrire de 46 touches (espace inclus, mais pas de touche de retour) à la vitesse d'une touche frappée à la seconde, pour taper la phrase « To be or not to be » ? Combien de temps faudrait-il, en moyenne, à un singe pour faire ce travail sur un ordinateur si l'ordinateur n'accepte que la bonne lettre dans la phrase, pour se déplacer ensuite à la lettre suivante (c.à.d. que l'ordinateur sait ce qu'il veut) ? Quelles indications ces résultats apportent-ils sur la probabilité de l'ordre s'établissant au hasard à partir du désordre, par rapport à l'ordre s'établissant grâce à un processus évolutif ?

5. Montrez que le transfert de chaleur d'un objet plus chaud vers un objet moins chaud, mais non le transfert inverse, obéit au deuxième principe de la thermodynamique.

6. Le monoxyde de carbone peut cristalliser, les molécules de CO formant des rangs parallèles. Puisque le CO est une molécule presque ellipsoïdale, les molécules de CO adjacentes pourraient aussi bien s'aligner tête contre queue que tête contre tête en l'absence d'effets de polarité. Dans un cristal contenant 10^{23} molécules de CO, quelle est l'entropie de toutes les molécules de CO alignées tête contre queue ?

7. Le Bureau des Brevets Européens a reçu et continue de recevoir de nombreuses candidatures concernant des machines à mouvement perpétuel. De telles machines sont classées en deux catégories, celles qui violent le premier principe de la thermodynamique et celles qui violent le deuxième principe de la thermodynamique. Pour une machine à mouvement perpétuel de la première catégorie, l'erreur est généralement facile à déceler : par exemple, un générateur électrique actionné par un moteur et qui produirait une quantité d'énergie supérieure à celle fournie par le moteur. L'erreur pour des machines à mouvement perpétuel de la 2ème catégorie est cependant plus subtile. Prenez, par exemple, un bateau qui utilise l'énergie thermique extraite de la mer grâce à une pompe à chaleur pour faire bouillir de l'eau afin d'actionner une machine à vapeur qui ferait marcher le bateau ainsi que la pompe. Montrez, en termes généraux, qu'un tel système à propulsion violerait le deuxième principe de la thermodynamique.

8. En utilisant les données du Tableau 3-4, calculez les valeurs de $\Delta G°$ à 25 °C pour les réactions métaboliques suivantes :

(a) $C_6H_{12}O_6 + 6\ O_2 \rightleftharpoons 6\ CO_2\ (aq) + 6\ H_2O\ (l)$
   Glucose

(b) $C_6H_{12}O_6 \rightleftharpoons 2(CH_3CH_2OH) + 2\ CO_2\ (aq)$
   Glucose   **Éthanol**

(c) $C_6H_{12}O_6 \rightleftharpoons 2(CH_3CHOHCOO^-) + 2H^+$
   Glucose   **Lactate**

[Ces réactions correspondent, respectivement, au métabolisme oxydatif, à la fermentation alcoolique par des levures en l'absence d'oxygène, et à la fermentation homolactique dans le muscle squelettique qui utilise l'énergie plus rapidement que le métabolisme oxydatif ne peut en fournir (Section 17-3B).

*9. Les formes natives et dénaturées d'une protéine sont généralement en équilibre comme suit :

$$\text{protéine } (\textit{dénaturée}) \rightleftharpoons \text{protéine } (\textit{native})$$

Pour une solution donnée de la protéine **ribonucléase A**, dont la concentration en protéine totale est de $2{,}0 \times 10^{-3}$M, les concentrations des formes dénaturée et native sont données dans le tableau suivant pour les températures de 50 °C et 100 °C :

Température (°C)	[Ribonucléase (*dénaturée*)] (*M*)	[Ribonucléase A (*native*)] (*M*)
50	$5{,}1 \times 10^{-6}$	$2{,}0 \times 10^{-3}$
100	$2{,}8 \times 10^{-4}$	$1{,}7 \times 10^{-3}$

(a) Calculez $\Delta H°$ et $\Delta S°$ pour la réaction de repliement en supposant que ces valeurs sont indépendantes de la température ; (b) Calculez $\Delta G°$ pour le repliement de la ribonucléase A à 25 °C. Ce processus est-il spontané dans des conditions d'état standard à cette température ? (c) Quelle est la température de dénaturation de la ribonucléase A dans des conditions d'état standard ?

*10. En utilisant les données du Tableau 3-4, calculez le $\Delta G_f°'$ pour les composés suivants à 25 °C : (a) H_2O (*l*) ; (b) saccharose (saccharose + $H_2O \rightleftharpoons$ glucose + fructose : $\Delta G°' = -29{,}3$ kJ·mol^{-1}) ; et (c) acétate d'éthyl(acétate d'éthyl + $H_2O \rightleftharpoons$ éthanol + acétate$^-$ + H^+ : $\Delta G°' = -19{,}7$ kJ·mol^{-1} ; le pK de l'acide acétique est de 4,76).

11. Calculez les constantes d'équilibre pour l'hydrolyse des composés suivants à pH 7 et 25 °C : (a) phosphoénolpyruvate ($\Delta G°' = -61{,}9$ kJ·mol^{-1}) ; (b) pyrophosphate ($\Delta G°' = -33{,}5$ kJ·mol^{-1}) ; et (c) glucose-1-phosphate ($\Delta G°' = -20{,}9$ kJ·mol^{-1}).

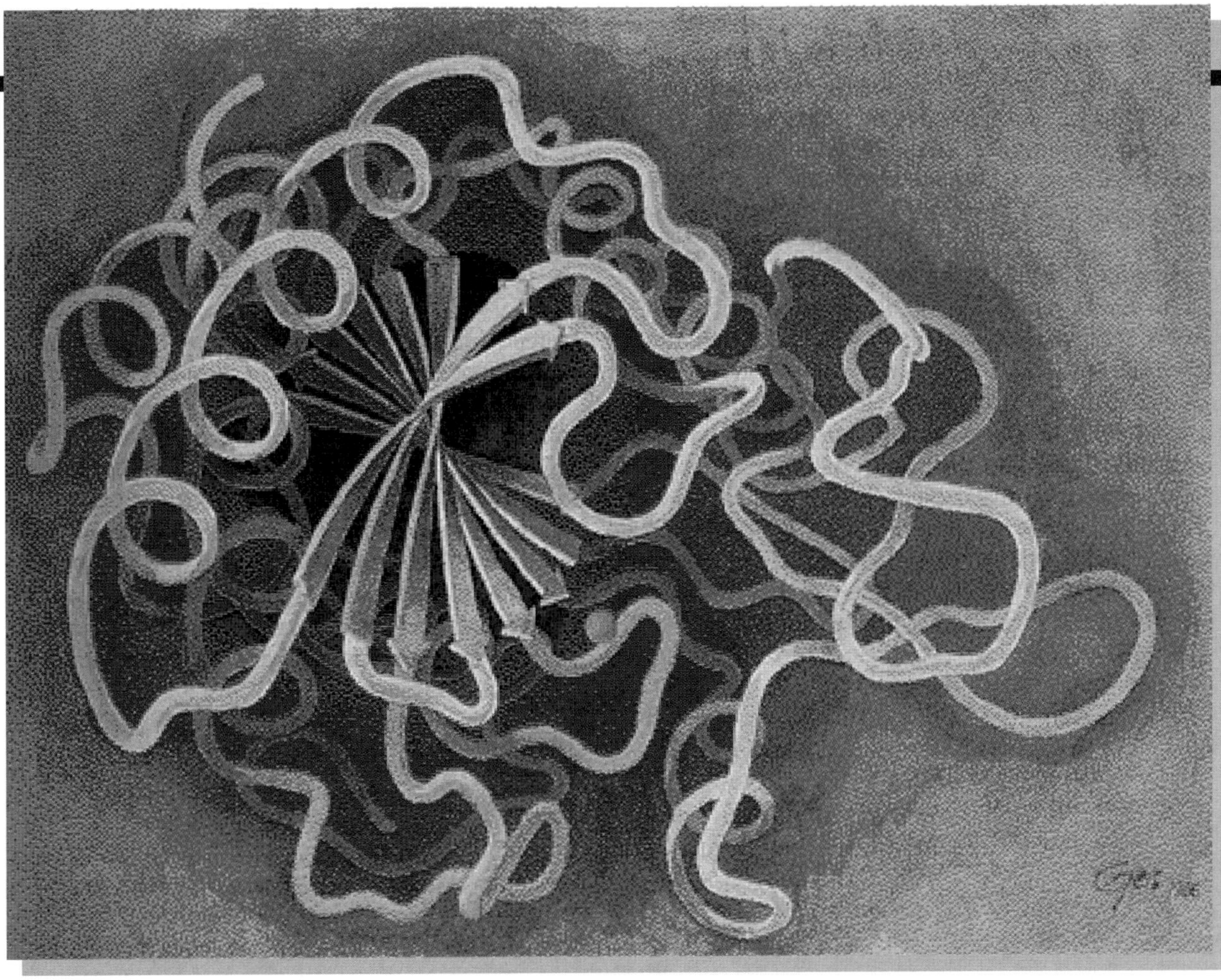

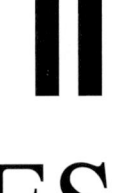

L'enzyme de digestion, la carboxypeptidase bovine A montrant son feuillet β central.

PARTIE

II

BIOMOLÉCULES

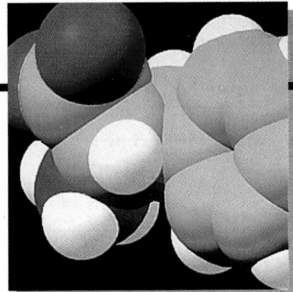

Acides aminés

Il n'est pas étonnant que les premières recherches en biochimie aient été consacrées essentiellement à l'étude des protéines. Les protéines constituent la classe de macromolécules dont les propriétés physico-chimiques sont le mieux définies et elles étaient donc généralement plus faciles à isoler et caractériser que les acides nucléiques, les polysaccharides, ou les lipides. De plus, les protéines ont des fonctions biochimiques évidentes, en particulier lorsqu'il s'agit d'enzymes. Le rôle prépondérant que jouent les protéines dans les processus biologiques est donc reconnu depuis les premiers jours de la biochimie. À l'inverse, il a fallu attendre la fin des années 1940 pour qu'on prenne conscience du rôle des acides nucléiques dans la transmission et l'expression de l'information génétique, et les années 1980 pour qu'on découvre leurs fonctions catalytiques ; le rôle des lipides dans les membranes biologiques ne fut pas connu avant les années 1960, et les fonctions biologiques des polysaccharides sont encore quelque peu mystérieuses.

   Dans ce chapitre, nous étudierons les structures et les propriétés des unités monomériques des protéines, les **acides aminés**. C'est à partir de ces substances que les protéines sont synthétisées par des mécanismes que nous étudierons dans le chapitre 32. Les

acides aminés sont également des métabolites énergétiques et, dans le règne animal, beaucoup d'entre eux sont des nutriments indispensables (Chapitre 26). De plus, comme nous le verrons, beaucoup d'acides aminés et leurs dérivés ont une importance biochimique en tant que tels (Section 4-3B).

1 ■ ACIDES AMINÉS DES PROTÉINES

Les analyses d'un très grand nombre de protéines provenant des sources les plus diverses ont montré que *toutes les protéines sont formées de 20 acides aminés « standard » dont la liste est donnée dans le Tableau 4-1*. Ces substances sont des **α-aminoacides**, car, à l'exception de la **proline**, ils présentent un groupe amine primaire et un groupe acide carboxylique substitués sur le même atome de carbone (Fig. 4-1 ; la proline a un groupe amine secondaire).

A. *Propriétés générales*

Les valeurs de pK des 20 α–aminoacides des protéines sont données dans le Tableau 4-1 où pK_1 et pK_2 correspondent respectivement aux groupes α–carboxylique et α–aminé, et pK_R correspond aux groupes des chaînes latérales ayant des propriétés acidobasiques. D'après le Tableau 4-1, les valeurs de pK des groupes acides α-carboxyliques sont proches de 2,2, si bien que pour un pH supérieur à 3,5, ces groupes sont presque entièrement sous forme carboxylate. Tous les groupes α-aminés ont des valeurs de pK proches de 9,4 et sont donc presque entièrement sous forme amine protonée (ion ammonium) à des pH inférieurs à 8,0. Ceci a une conséquence importante sur le plan structural : *dans une zone de pH physiologique les groupes acide carboxylique et aminé d'un α-aminoacide sont, tous deux, complètement ionisés (Fig. 4-2).* Un acide aminé peut donc se comporter comme un acide ou comme une base. Les substances douées de cette propriété sont des **amphotères** et elles sont appelées **ampholytes** (de : *ampho*térique

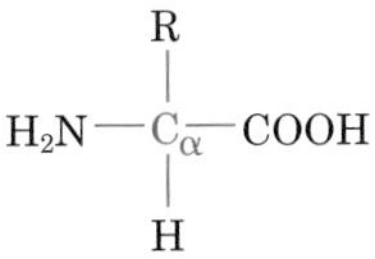

$$H_2N-\underset{\underset{H}{|}}{\overset{\overset{R}{|}}{C_\alpha}}-COOH$$

FIGURE 4-1 Formule générale de la structure d'un α-aminoacide. Il y a 20 groupes R différents dans les acides aminés courants (Tableau 4-1).

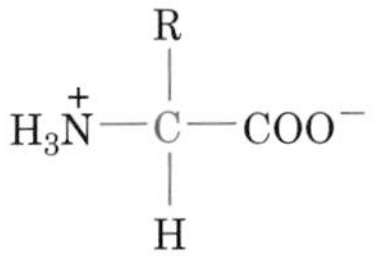

$$H_3\overset{+}{N}-\underset{\underset{H}{|}}{\overset{\overset{R}{|}}{C}}-COO^-$$

FIGURE 4-2 La forme « ion dipolaire » des α-aminoacides telle qu'on la trouve aux pH physiologiques.

TABLEAU 4-1 **Structures covalentes et abréviations des acides aminés « standard » des protéines, leur fréquence, et les valeurs de pK de leurs groupes ionisables**

Nom, symbole en trois lettres, symbole en une lettre	Structure[a]	Masse du résidu (D)[b]	Fréquence moyenne dans les protéines (%)[c]	pK_1 α-COOH[d]	pK_2 α-NH$_3^+$[d]	pK_R chaîne latérale[d]
Acides aminés à chaîne latérale non polaire						
Glycine Gly G	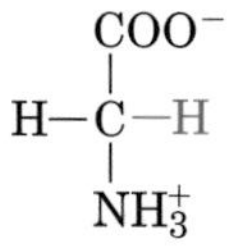	57,0	6,8	2,35	9,78	
Alanine Ala A	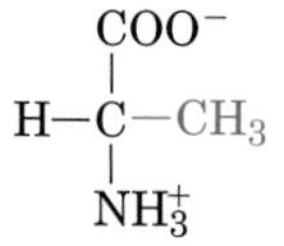	71,1	7,6	2,35	9,87	
Valine Val V	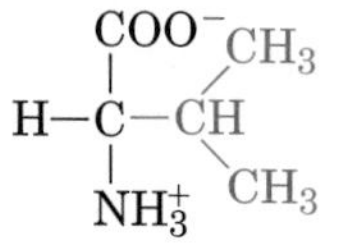	99,1	6,6	2,29	9,74	
Leucine Leu L	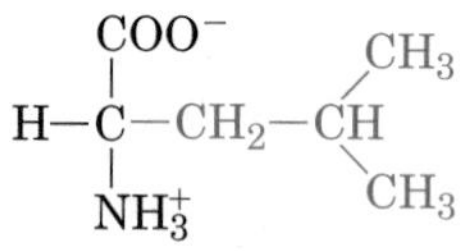	113,2	9,5	2,33	9,74	
Isoleucine Ile I	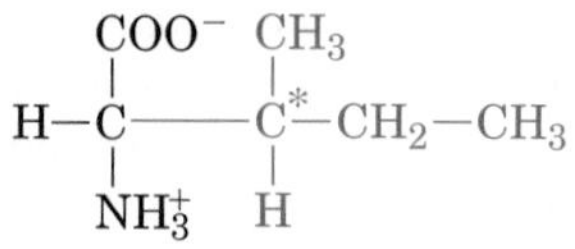	113,2	5,8	2,32	9,76	
Méthionine Met M	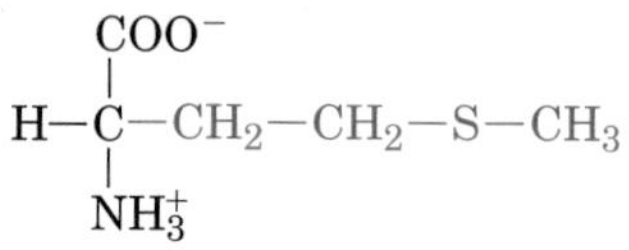	131,2	2,4	2,13	9,28	
Proline Pro P	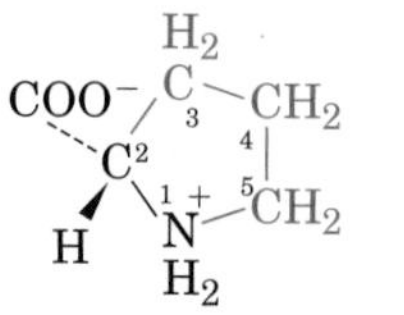	97,1	5,0	1,95	10,64	
Phénylalanine Phe F	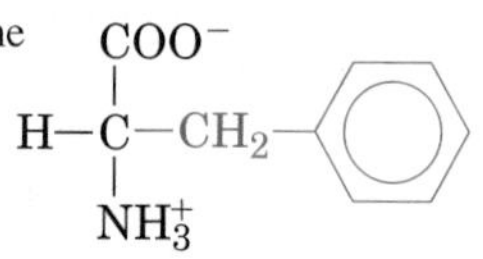	147,2	4,1	2,20	9,31	
Tryptophane Trp W	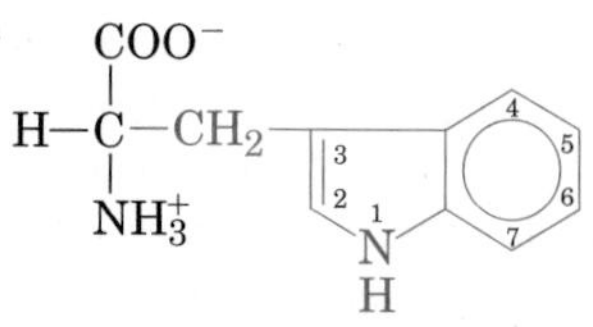	186,2	1,2	2,46	9,41	

(suite page suivante)

[a] Les formes ioniques représentées sont celles qui prédominent à pH 7,0 (excepté pour celle de l'histidine[e]) bien que la masse du résidu soit donnée pour le composé neutre. Les atomes C$_\alpha$, ainsi que ceux marqués d'un astérisque, sont des centres chiraux représentés selon la convention de Fischer. La numérotation des atomes des hétérocycles est standard.

[b] Les masses des résidus sont données pour les résidus neutres. Pour avoir les masses moléculaires des acides aminés correspondants, ajouter 18,0 D, masse moléculaire de l'eau. Pour avoir la masse des chaînes latérales, ôter 56,0 D, masse formelle d'une liaison peptidique, de la masse des résidus.

[c] Composition moyenne en acides aminés tirée de la base de données SWISS-PROT (http://www.expasy.ch/sprot), livraison 40,7.

[d] D'après : Dawson, R. M. C., Elliott, W. H., and Jones, K. M. *Data for Biochemical Research* (3e ed.), pp. 1-31, Oxford Science Publications (1986).

[e] Les deux formes, neutre et protonée, de l'histidine sont présentes à pH 7,0 car son pK_R est proche de 7,0. Ici, la numérotation du noyau imidazole de l'histidine est conforme à la convention biochimique. Dans la convention IUPAC, le N3 selon la convention biochimique est N1 et la numérotation augmente dans le sens horaire autour du cycle.

[f] Les symboles en trois et une lettres pour l'asparagine *ou* l'acide aspartique sont Asx et B, alors que pour la glutamine *ou* l'acide glutamique ce sont Glx et Z. Le symbole en une lettre pour un acide aminé indéterminé ou non standard est X.

TABLEAU 4-1 (*Suite*)

Nom, symbole en trois lettres, symbole en une lettre	Structure[a]	Masse du résidu (D)[b]	Fréquence moyenne dans les protéines (%)[c]	pK_1 α-COOH[d]	pK_2 α-NH_3^+[d]	pK_R chaîne latérale[d]
Acides aminés à chaîne latérale polaire non chargée						
Sérine Ser S	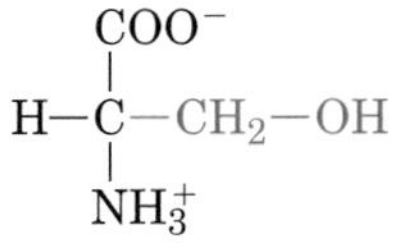 $H-C(NH_3^+)(COO^-)-CH_2-OH$	87,1	7,1	2,19	9,21	
Thréonine Thr T	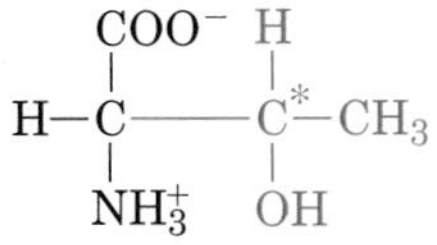 $H-C(NH_3^+)(COO^-)-C^*H(OH)-CH_3$	101,1	5,6	2,09	9,10	
Asparagine[f] Asn N	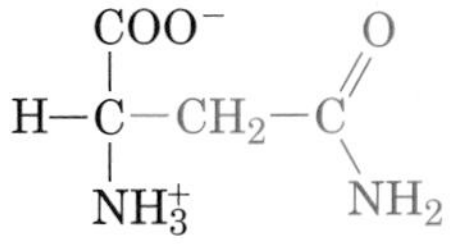 $H-C(NH_3^+)(COO^-)-CH_2-C(=O)-NH_2$	114,1	4,3	2,14	8,72	
Glutamine[f] Gln Q	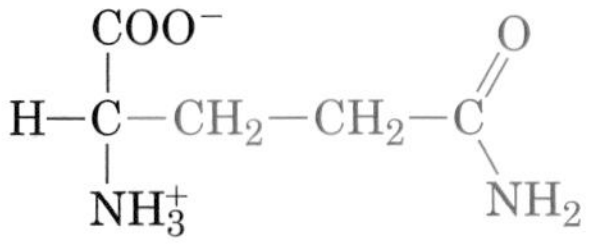 $H-C(NH_3^+)(COO^-)-CH_2-CH_2-C(=O)-NH_2$	128,1	3,9	2,17	9,13	
Tyrosine Tyr Y	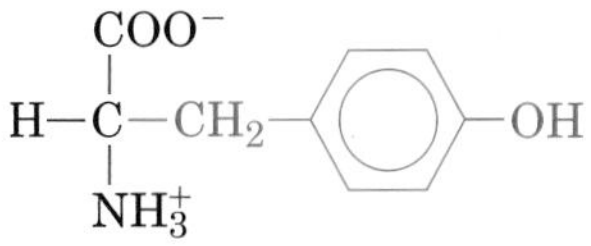 $H-C(NH_3^+)(COO^-)-CH_2-C_6H_4-OH$	163,2	3,2	2,20	9,21	10,46 (phénol)
Cystéine Cys C	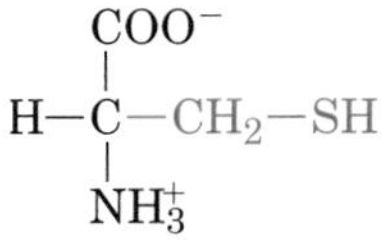 $H-C(NH_3^+)(COO^-)-CH_2-SH$	103,1	1,6	1,92	10,70	8,37 (sulfhydryle)
Acides aminés à chaîne latérale polaire chargée						
Lysine Lys K	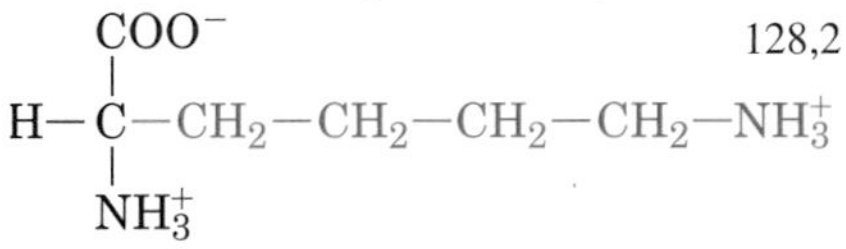 $H-C(NH_3^+)(COO^-)-CH_2-CH_2-CH_2-CH_2-NH_3^+$	128,2	6,0	2,16	9,06	10,54 (ε-NH_3^+)
Arginine Arg R	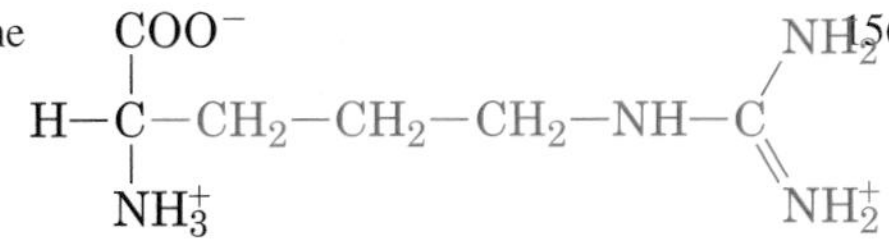 $H-C(NH_3^+)(COO^-)-CH_2-CH_2-CH_2-NH-C(NH_2)(=NH_2^+)$	156,2	5,2	1,82	8,99	12,48 (guanidino)
Histidine[e] His H	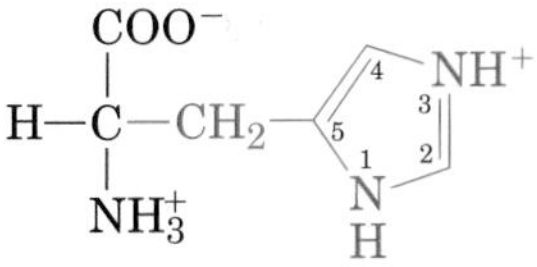 $H-C(NH_3^+)(COO^-)-CH_2-$ (imidazole)	137,1	2,2	1,80	9,33	6,04 (imidazole)
Acide aspartique[f] Asp D	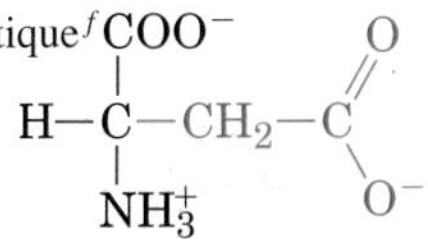 $H-C(NH_3^+)(COO^-)-CH_2-C(=O)-O^-$	115,1	5,2	1,99	9,90	3,90 (β-COOH)
Acide glutamique[f] Glu E	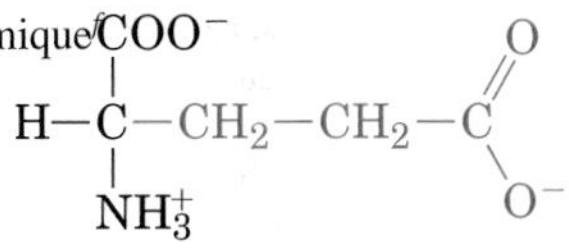 $H-C(NH_3^+)(COO^-)-CH_2-CH_2-C(=O)-O^-$	129,1	6,5	2,10	9,47	4,07 (γ-COOH)

et electro*lytes*). Dans la Section 4-1D, nous étudierons de manière plus approfondie les propriétés acido-basiques des acides aminés. Les molécules porteuses de groupes chargés de polarité opposée sont appelées **zwitterions** (de l'allemand *zwitter*, hybride) ou **ions dipolaires**. Le caractère dipolaire des α-aminoacides a été vérifié par plusieurs méthodes, y compris par des mesures de spectroscopie et par des déterminations aux rayons X de la structure cristallisée (à l'état solide, les α-aminoacides sont dipolaires, car le groupe amine basique enlève un proton au groupe acide carboxylique voisin). Les acides aminés étant des ions dipolaires, leurs propriétés physiques sont caractéristiques des composés ionisés. Par exemple, la plupart des α-aminoacides ont des points de fusion proches de 300 °C, alors que leurs dérivés non ionisés fondent généralement vers 100 °C. De plus, les acides aminés, comme d'autres composés ionisés, sont plus solubles dans des solvants polaires que dans des solvants non polaires. En fait, la plupart des acides α-aminés sont très solubles dans l'eau mais pratiquement insolubles dans la plupart des solvants organiques.

B. *Liaisons peptidiques*

Les acides α-aminés se polymérisent, du moins théoriquement, avec élimination d'une molécule d'eau, comme le montre la Fig. 4-3. La liaison CO-NH formée, découverte indépendamment par Emil Fischer et Franz Hofmeister en 1902, s'appelle **liaison peptidique**. Les polymères constitués de deux, trois, d'un petit nombre (de 3 à 10), ou d'un grand nombre de **résidus d'acide aminé** (**ou unités peptidiques**) sont appelés respectivement **dipeptides, tripeptides, oligopeptides** ou **polypeptides**. Toutefois, ces substances sont souvent désignées simplement par « peptides ». *Les protéines sont des molécules constituées d'une ou plusieurs chaînes polypeptidiques.* La taille de ces polypeptides va de ~40 à plus de 33 000 résidus d'acide aminé (bien qu'il y en ait peu de plus de 1500 résidus). Sachant que la masse moyenne d'un acide aminé est ~110 D, ces polypeptides ont des masses moléculaires comprises entre ~4 et plus de ~3600 kD.

*Les polypeptides sont des **polymères linéaires*** ; autrement dit, chaque acide aminé est lié à ses voisins par ses deux extrémités, au lieu de former des chaînes branchées. Ceci reflète l'ingénieuse simplicité sous-jacente de la construction des macromolécules par les systèmes vivants car, comme nous le verrons, les acides nucléiques qui codent les séquences en acide aminés des polypep-

tides sont aussi des polymères linéaires. Ceci permet une relation directe entre la séquence de monomères (nucléotides) d'un acide nucléique et la séquence de monomères (acides aminés) du polypeptide correspondant sans autre complication pour indiquer les positions et les séquences de chaînes branchées éventuelles.

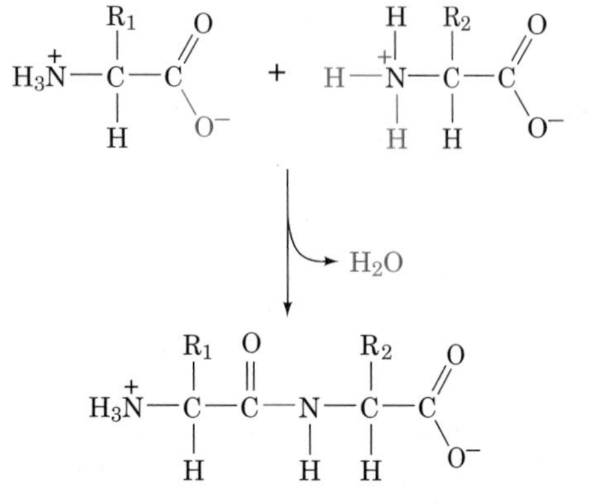

Puisqu'il y a 20 choix différents possibles pour chaque résidu d'acide aminé d'une chaîne polypeptidique, il est facile d'imaginer qu'un nombre considérable de protéines différentes puisse exister. Par exemple, dans le cas des dipeptides, à chacun des 20 choix différents pour le premier résidu d'acide aminé correspondent 20 choix différents pour le deuxième résidu, soit un total de $20^2 = 400$ dipeptides différents. De même, pour les tripeptides il y a 20 possibilités pour chacun des 400 dipeptides possibles, soit un total de $20^3 = 8000$ tripeptides différents. Une molécule de protéine relativement petite est constituée d'une seule chaîne polypeptidique de 100 résidus. Cela donne $20^{100} = 1,27 \times 10^{130}$ chaînes polypeptidiques différentes de cette longueur, un nombre très supérieur au nombre d'atomes estimé dans l'univers (9×10^{78}). En réalité, on ne trouve dans la nature qu'une infime fraction du nombre de molécules protéiques possibles. Néanmoins, *les différents organismes qui vivent sur Terre synthétisent à eux tous un nombre considérable de molécules protéiques différentes dont les caractéristiques physico-chimiques très diverses sont dues essentiellement aux propriétés différentes des 20 acides aminés protéiques.*

C. *Classification et caractéristiques*

Le moyen le plus courant et peut être le plus utile de classer les 20 acides aminés des protéines est de considérer les polarités de leurs chaînes latérales (**groupes R**). En effet, les protéines se replient pour prendre leurs conformations natives essentiellement en vertu de la tendance à éloigner leurs chaînes latérales hydrophobes du contact de l'eau et à hydrater leurs chaînes latérales hydrophiles (Chapitres 8 et 9). D'après ce mode de classification, il y a trois types principaux d'acides aminés : (1) à groupes R non polaires, (2) à groupes R polaires non chargés, et (3) à groupes polaires chargés.

a. **Les chaînes latérales non polaires ont des formes et des dimensions variées**

On trouve neuf acides aminés à chaînes latérales non polaires. La **glycine** (ou le glycocolle qui, lorsqu'il fut découvert comme constituant de la gélatine en 1820, fut le premier acide aminé à être identifié dans un hydrolysat protéique) a la chaîne latérale la plus petite possible, un atome d'hydrogène. L'**alanine**, la **valine**, la **leucine** et l'**isoleucine** ont des chaînes latérales hydrocarbonées aliphatiques dont la longueur va d'un groupe méthyl pour l'alanine, à des groupes isomères de butyl pour la leucine et l'isoleucine. La **méthionine** a une chaîne latérale thioéther qui rappelle un groupe *n*-butyl par beaucoup de ses propriétés physiques (C et S ont presque les mêmes électronégativités et S possède à peu près la taille d'un groupe méthylène). La **proline**, un acide cyclique à fonction amine secondaire, présente des contraintes conformationnelles imposées par la nature cyclique de sa chaîne latérale pyrrolidine, ce qui est unique parmi les 20 acides aminés protéiques. La **phénylalanine**, avec son groupe phényl (Fig. 4-4), et le **tryptophane**, avec son noyau indole, ont des chaînes latérales aromatiques qui se caractérisent par un encombrement stérique et une absence de polarité.

FIGURE 4-3 Condensation de deux α-aminoacides pour former un dipeptide. La liaison peptidique est montrée en rouge.

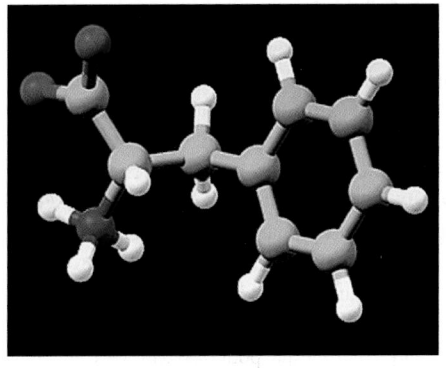
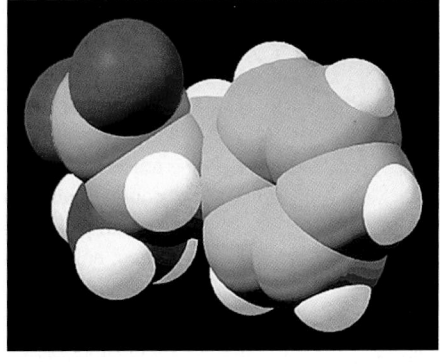

(a)   *(b)*

FIGURE 4-4 Structure de la phénylala-nine. Représentations graphiques par ordinateur de la phénylalanine, un a-aminoacide : (a) structure « boules (atomes) et bâtonnets (liens covalents) » ; (b) structure qui rend compte de l'espace occupé par la molécule. Celle-ci, où les couleurs correspondent aux types d'atomes (C en vert, H en blanc, N en bleu et O en rouge), a la même conformation et la même orientation dans les deux modèles.

b. Les chaînes latérales polaires non chargées ont des groupes hydroxyle, amide ou thiol

On trouve six acides aminés à chaînes latérales polaires non chargées. La **sérine** et la **thréonine** portent des groupes hydroxyle R de tailles différentes. L'**asparagine** et la **glutamine** ont des chaînes latérales de tailles différentes portant chacune un groupe amide. La **tyrosine** présente un groupe phénol qui, associé aux groupes aromatiques de la phénylalanine et du tryptophane, est responsable de l'absorption en UV et de la fluorescence des protéines. La **cystéine** a un groupe thiol unique parmi les 20 acides aminés, ce qui lui permet souvent de former un pont disulfure avec un autre résidu cystéine (Fig. 4-5) après oxydation de leurs groupes thiols. Ce composé dimérique était appelé dans la littérature biochimique ancienne la **cystine**. Le pont disulfure joue un rôle important dans la structure des protéines : *il peut unir deux chaînes peptidiques distinctes ou il peut réunir deux cystéines de la même chaîne.* La confusion due à la similitude des noms cystéine et cystine a conduit à désigner parfois la cystéine par résidu **demi-cystine**. Toutefois, lorsqu'on a réalisé que la cystine provenait d'une liaison croisée entre deux résidus cystéine après biosynthèse du polypeptide, le mot cystine est tombé en désuétude.

c. Les chaînes latérales polaires peuvent être chargées positivement ou négativement

Cinq acides aminés ont des chaînes latérales chargées. Les acides aminés basiques sont chargés positivement à pH physiologique ; ce sont la **lysine** qui a une chaîne butylammonium, l'**arginine**, qui porte un groupe guanidinium, et l'**histidine** qui porte un cycle imidazolium. Sur les 20 α–aminoacides, seule l'histidine, dont le $pK_R = 6,0$, s'ionise dans une zone de pH physiologique. À pH 6,0, la chaîne latérale imidazole n'est qu'à 50 % chargée, donc l'histidine est neutre pour les pH physiologiques les plus élevés. En conséquence, la chaîne latérale de l'histidine participe souvent aux réactions catalytiques des enzymes. Les acides aminés acides, l'**acide aspartique** et l'**acide glutamique**, sont chargés négativement pour des pH > 3 ; sous forme ionisée, ils sont souvent appelés **aspartate** et **glutamate**. L'asparagine et la glutamine sont respectivement les amides de l'acide aspartique et de l'acide glutamique.

La répartition des 20 acides aminés dans trois groupes différents est plutôt arbitraire. Par exemple, la glycine et l'alanine, les plus petits des acides aminés, et le tryptophane, avec son noyau hétérocyclique, pourraient aussi bien être rangés parmi les acides aminés polaires non chargés. De même, on pourrait proposer que la tyrosine et la cystéine, avec leurs chaînes latérales ionisables, sont des acides aminés polaires chargés, notamment à pH élevé, tandis que l'asparagine et la glutamine sont presque aussi polaires que les carboxylates qui leur correspondent, l'aspartate et le glutamate.

Les 20 acides aminés diffèrent considérablement quant à leurs propriétés physico-chimiques telles que polarité, acidité, basicité, aromaticité, encombrement, flexibilité de conformation, aptitude à des réactions croisées et à établir des liaisons hydrogène, et réactivité chimique. Ces nombreuses caractéristiques, dont beaucoup sont interdépendantes, sont en grande partie responsables des multiples propriétés des protéines.

D. *Propriétés acido-basiques*

Les acides aminés ont des propriétés acido-basiques remarquables. Les α-aminoacides ont deux ou, pour ceux qui ont des chaînes latérales ionisables, trois groupes acido-basiques. La courbe de titration de la glycine, le plus simple des acides aminés, est représentée sur la Fig. 4-6. A très faible pH, les deux groupes acido-basiques de la glycine sont entièrement protonés, d'où la forme

FIGURE 4-5 Structure de la cystine. Le résidu cystine est constitué de deux résidus cystéine reliés par un pont disulfure.

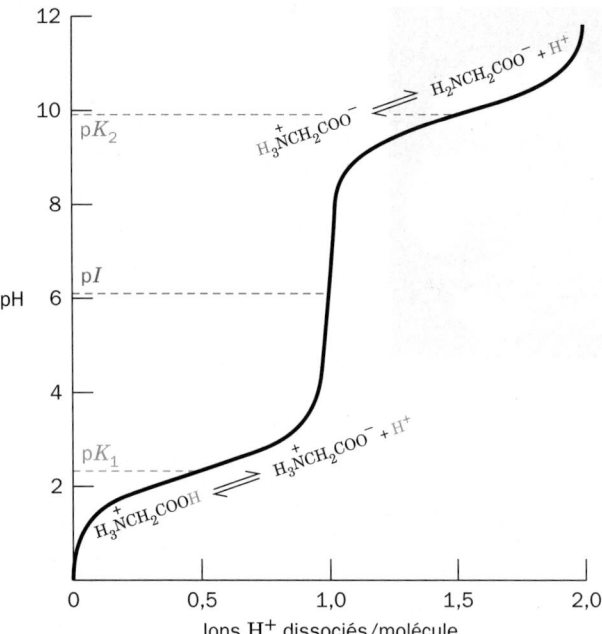

FIGURE 4-6 Courbe de titration de la glycine. Les autres acides monoaminés monocarboxyliques s'ionisent de façon identique. [D'après Meister, A., *Biochemistry of Amino Acids* (2ᵉ éd.), Vol. 1, p. 30, Academic Press, 1965.]

cationique $^+H_3NCH_2COOH$. Au cours de la titration par une base forte comme NaOH, la glycine perd successivement deux protons comme le font les polyacides.

Les valeurs de pK des deux groupes ionisables de la glycine sont suffisamment différentes pour que l'équation de Henderson-Hasselbalch

$$pH = pK + \log\left(\frac{[A–]}{[HA]}\right) \qquad [2.6]$$

soit applicable en bonne approximation à chaque partie de sa courbe de titration. Par conséquent, le pK de chaque étape d'ionisation correspond au point médian de la partie correspondante de la courbe (Sections 2-2A et 2-2C) ; à pH 2,35, les concentrations de la forme cationique $^+H_3NCH_2COOH$, et de la forme ion dipolaire $^+H_3NCH_2COO^-$, sont égales ; de même à pH 9,78 les concentrations de la forme ion dipolaire et de la forme anionique, $H_2NCH_2COO^-$, sont égales. *Remarquez que les acides aminés ne prennent jamais la forme neutre en solution aqueuse.*

Le pH auquel une molécule ne présente aucune charge électrique nette est appelé son **point isoélectrique, pI**. Pour les α-aminoacides, l'application de l'équation de Henderson-Hasselbalch signifie, avec une grande précision, que

$$pI = 1/2\ (pK_i + pK_j) \qquad [4.1]$$

où K_i et K_j sont les constantes de dissociation des deux étapes d'ionisation qui font intervenir la forme neutre. Pour les acides monoaminés monocarboxyliques tels que la glycine, K_i et K_j correspondent à K_1 et K_2. Cependant, pour les acides aspartique et glutamique, K_i et K_j sont respectivement K_1 et K_R, tandis que pour

l'arginine, l'histidine et la lysine, ces constantes correspondent à K_R et K_2.

Le pK de l'acide acétique (4,76), typique des acides monocarboxyliques aliphatiques, est ~2,4 unités de pH plus élevé que le pK_1 de son dérivé α–aminoacide, la glycine. Cette grande différence des valeurs de pK d'un même groupe fonctionnel est due, comme nous l'avons vu dans la Section 2-2C, à l'influence électrostatique du groupe ammonium chargé positivement de la glycine ; en effet, ce groupe NH_3^+ favorise la répulsion du proton de son groupe COOH. Réciproquement, le groupe carboxylate de la glycine augmente la basicité de son groupe amino (pK_2 = 9,78) comparé à celui de l'ester méthylique de la glycine (pK = 7,75). Toutefois les groupes NH_3^+ de la glycine et de ses esters sont significativement moins acides que ne le sont les amines aliphatiques (p$K \approx$ 10,7) en raison du caractère électro-attractif du groupe carboxylique.

L'influence électronique d'un groupe fonctionnel sur un autre diminue rapidement avec l'éloignement entre les groupes. C'est pourquoi les valeurs de pK des groupes α-carboxylate des acides aminés et des groupes carboxylate des chaînes latérales des acides aspartique et glutamique forment une série, avec des valeurs de pK de plus en plus proches des valeurs de pK des acides monocarboxyliques aliphatiques. De même, la constante d'ionisation du groupe amino de la chaîne latérale de la lysine a une valeur identique à celle d'une amine aliphatique.

a. Les protéines ont des courbes de titration complexes

Les courbes de titration des α-aminoacides à chaîne latérale ionisable, telles que celle de l'acide glutamique, donnent les trois valeurs de pK prévues. Cependant, les courbes de titration des polypeptides et des protéines, comme par exemple celle représentée sur la Fig. 4-7, ne donnent que rarement des indications sur les valeurs des pK individuels en raison du grand nombre de groupements ionisables présents (on trouve en moyenne 30 % de chaînes latérales d'acides aminés ionisables dans une protéine ; Tableau 4-1). De plus, la structure covalente et tridimensionnelle d'une protéine peut modifier le pK de chaque groupe ionisable de plusieurs unités de pH par rapport à sa valeur lorsque l'acide aminé est seul. Ceci résulte de l'influence électrostatique de groupes chargés voisins, de l'effet du solvant dû à la proximité de groupes de faible constante diélectrique, et enfin de l'établissement de liaisons hydrogène. La courbe de titration d'une protéine dépend également de la concentration en sels, comme le montre la Fig. 4-7 car les ions salins protègent, par effet électrostatique, les chaînes latérales les unes des autres, diminuant ainsi les interactions entre charges.

E. *Notes sur la nomenclature*

Les abréviations en trois lettres des 20 acides aminés sont données dans le Tableau 4-1. Il est utile de mémoriser ces symboles car ils sont très utilisés dans la littérature biochimique, y compris dans ce livre. Ces abréviations correspondent, en général, aux trois premières lettres du nom de l'acide aminé en question ; elles se prononcent comme elles s'écrivent.

Le symbole **Glx** désigne aussi bien Glu que Gln, de même que **Asx** désigne Asp et Asn. Ces symboles ambigus sont le résultat d'expériences de laboratoire : Asn et Gln sont facilement hydroly-

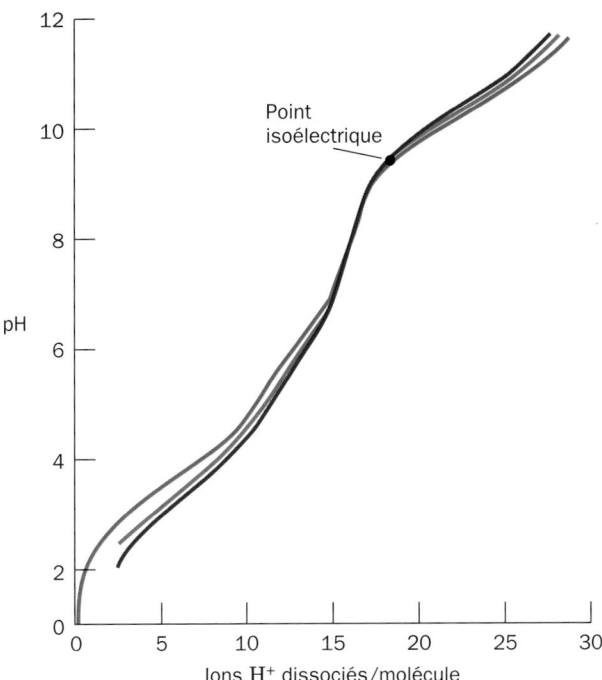

FIGURE 4-7 Courbes de titration de la ribonucléase A à 25 °C. La concentration en KCl est 0,01 *M* pour la courbe bleue, 0,03 *M* pour la courbe rouge, et 0,15 *M* pour la courbe verte. [D'après Tanford, C. et Hauenstein, J.D., *J. Am. Chem. Soc.* **78**, 5287 (1956).]

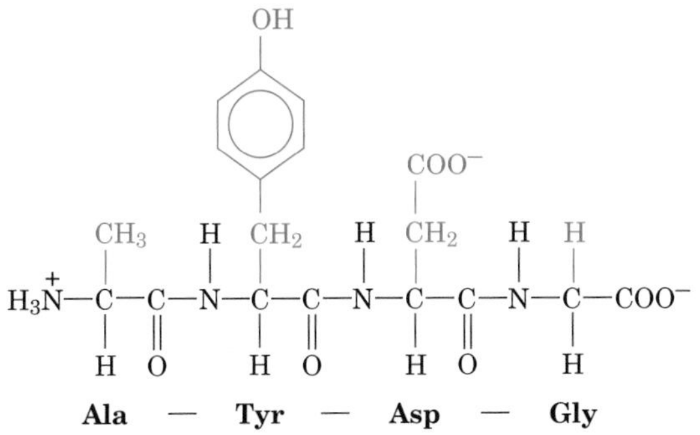

sés respectivement en acide aspartique et acide glutamique, dans les conditions acides ou basiques généralement utilisées pour les détacher des protéines (Section 7-1D). Par conséquent, si l'on ne prend pas certaines précautions, on ne peut pas savoir si un Glu identifié était initialement Glu ou Gln, et il en est de même pour Asp et Asn.

Les symboles en une lettre sont également donnés dans le Tableau 4-1. Ce code plus compact est souvent utilisé pour comparer les séquences en acides aminés de plusieurs protéines semblables et devrait donc être mémorisé par les étudiants sérieux. Remarquez que les symboles en une lettre correspondent en général à la première lettre du nom du résidu de l'acide aminé. Cependant, pour les résidus dont le nom commence par la même lettre, celle-ci est réservée au résidu le plus abondant du lot.

On désigne les résidus d'acide aminé dans les polypeptides en remplaçant le suffixe **-ine** du nom de l'acide aminé, par le suffixe **-yl**. Les chaînes polypeptidiques sont décrites en commençant par le groupe aminoterminal (appelé **N-terminal**) et en donnant ensuite le nom de chaque résidu de la séquence jusqu'au groupe carboxyterminal (appelé **C-terminal**). On donne à l'acide C-terminal le nom de l'acide aminé qui lui correspond. Par exemple, le composé donné dans la Fig. 4-8 est l'alanyltyrosylaspartylglycine. Bien entendu, les noms de chaînes polypeptidiques qui ont un nombre de résidus plus important sont extrêmement lourds. L'utilisation des abréviations que nous venons de voir pallie partiellement cet inconvénient. Ainsi le tétrapeptide ci-dessus s'écrit Ala-Tyr-Asp-Gly avec les abréviations en trois lettres, et AYDG avec les symboles en une lettre. Notez que ces abréviations sont tou-

FIGURE 4-8 Le tétrapeptide Ala-Tyr-Asp-Gly.

jours écrites avec l'extrémité N-terminale à gauche et l'extrémité C-terminale à droite.

Les différents atomes qui diffèrent de l'hydrogène dans les chaînes latérales d'acide aminé sont souvent désignés en utilisant la séquence de l'alphabet grec, en commençant par l'atome de carbone adjacent au groupe carbonyle du peptide (l'atome C_α). Ainsi, comme le montre la Fig. 4-9, on dit que le résidu Glu a un groupe γ-carboxyle et que Lys a un groupe ζ-aminé (également désigné ε-aminé puisque l'atome N est un substituant du C_ε. Malheureusement cette convention est ambiguë pour certains acides aminés. Aussi a-t-on recours au système de numérotation des atomes utilisé pour les molécules organiques, comme montré dans le Tableau 4-1 pour les chaînes latérales hétérocycliques.

2 ■ ACTIVITÉ OPTIQUE

Les acides aminés obtenus par hydrolyse douce de protéines sont tous, à l'exception de la glycine, **optiquement actifs**; autrement dit, ils font tourner le plan de la lumière polarisée plane (cf. ci-dessous).

Les molécules optiquement actives ont une asymétrie telle qu'elles ne sont pas superposables à leur image dans un miroir, de la même manière qu'une main gauche n'est pas superposable à son image dans un miroir, une main droite. Ce cas de figure est caractéristique de substances ayant des atomes de carbone avec quatre substituants différents. Les deux molécules de ce type représentées sur la Fig. 4-10 ne sont pas superposables puisque ce

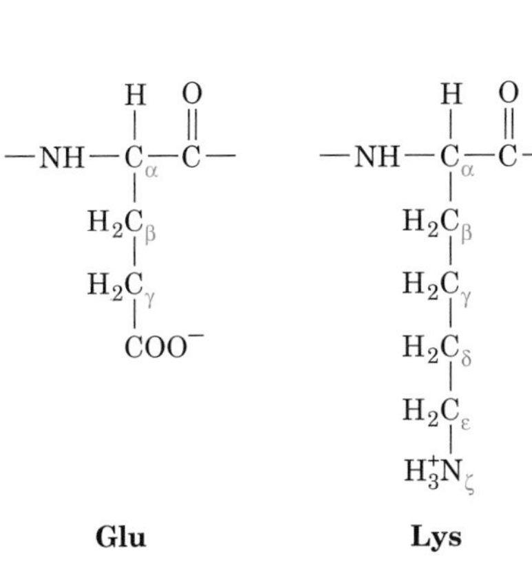

FIGURE 4-9 Utilisation des lettres grecques pour désigner les atomes des groupes R glutamyl et lysyl.

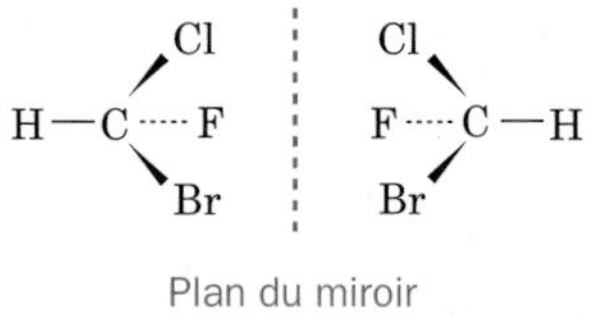

Cl   Cl

H—C----F   F----C—H

Br   Br

Plan du miroir

FIGURE 4-10   Les deux énantiomères du fluorochlorobromométhane. Les quatre substituants sont disposés en tétraèdre autour de l'atome central. Les lignes en pointillés indiquent qu'un substituant est derrière le plan de la figure, un triangle, qu'il est au-dessus du plan et un simple trait, qu'il est dans le plan de la figure. Le plan du miroir qui définit les énantiomères est représenté par une ligne verticale en pointillés.

sont des images en miroir. Les atomes centraux de telles constellations atomiques sont appelés **centres asymétriques** ou **centres chiraux** et on dit qu'ils ont la propriété de **chiralité** (du grec *cheir*, main). Les atomes C_α de tous les acides aminés, à l'exception de la glycine, sont des centres asymétriques. La glycine, qui a deux atomes d'hydrogène sur son C_α, est superposable à son image en miroir et n'est donc pas optiquement active.

Des molécules non superposables à leur image en miroir sont **des énantiomères** l'une de l'autre. Des molécules énantiomères ne peuvent être distinguées physiquement ou chimiquement par la plupart des techniques. *Ce n'est qu'en recherchant leur asymétrie, par exemple au moyen de la lumière polarisée plane ou avec des réactifs qui ont aussi des centres chiraux, que l'on peut les distinguer et/ou les utiliser différemment.*

En nomenclature courante, trois systèmes permettent de classer un stéréo-isomère particulier d'une molécule optiquement active. Ces trois systèmes sont expliqués dans les sections suivantes.

A. *Classification empirique*

Les molécules sont classées comme **dextrogyres** (du latin *dexter*, droite) ou **lévogyres** (du latin *laevus*, gauche) selon qu'elles dévient le plan de la lumière polarisée plane dans le sens des aiguilles d'une montre ou en sens contraire par rapport à l'observateur. Ceci peut être déterminé avec un instrument appelé **polarimètre** (Fig. 4-11). La mesure quantitative de l'activité optique d'une molécule est appelée son **pouvoir rotatoire spécifique** :

$$[\alpha]_D^{25} = \frac{\text{déviation observée (degrés)}}{\text{chemin optique (dm)} \quad \times \quad \text{concentration} \ (g \cdot cm^{-3})} \qquad [4.2]$$

où l'exposant 25 indique la température à laquelle les mesures de polarimétrie sont faites habituellement (25 °C) et l'indice D précise la lumière monochromatique utilisée traditionnellement en polarimétrie, la raie D du spectre du sodium (589,3 nm). Les molécules dextrogyres ou lévogyres ont, par convention, des valeurs positives ou négatives de $[\alpha]_D^{25}$. Les molécules dextrogyres sont donc désignées par le signe (+) et leurs énantiomères lévogyres par le signe (–). Dans une nomenclature équivalente, mais obsolète, les lettres minuscules *d (dextro)* et *l (levo)* sont utilisées.

La relation entre le signe et la valeur du pouvoir rotatoire spécifique d'une molécule et sa structure est complexe et mal comprise. Il n'est pas possible de prévoir avec certitude la valeur, ni même le signe, du pouvoir rotatoire spécifique d'une molécule donnée. Par exemple, la proline, la leucine et l'arginine qui sont isolées de protéines, ont respectivement des pouvoirs rotatoires spécifiques en solutions aqueuses pures de –86,2°, –10,4° et +12,5°. Leurs énantiomères ont des valeurs de $[\alpha]_D^{25}$, identiques, mais de signes opposés. Comme on pouvait le prévoir, en raison de la nature acido-basique des acides aminés, ces valeurs varient avec le pH de la solution.

Ce système de classification empirique des isomères optiques ne fournit aucune indication interprétable actuellement quant à la **configuration absolue** (l'arrangement spatial) des groupes chimiques autour d'un centre chiral. De plus, une molécule ayant plus d'un centre asymétrique peut présenter un pouvoir rotatoire qui n'est pas relié de façon évidente aux pouvoirs rotatoires des

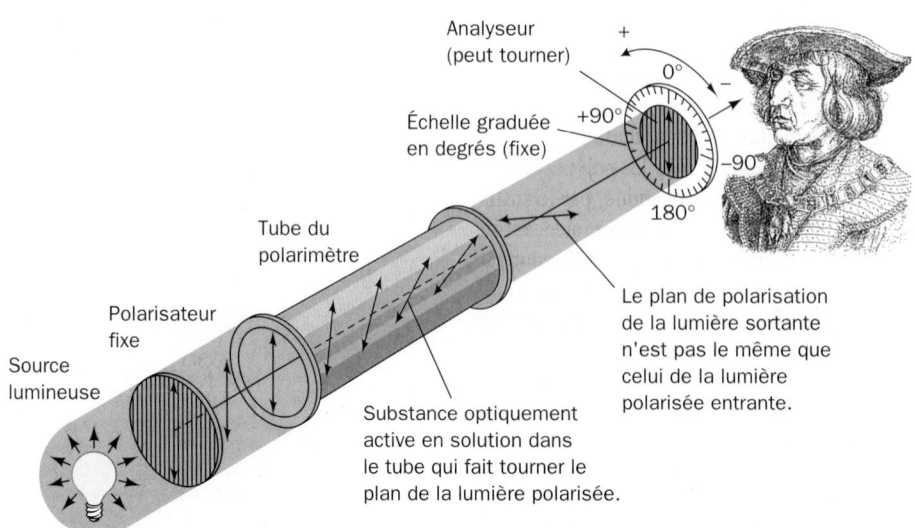

FIGURE 4-11   Représentation schématique d'un polarimètre. Cet appareil permet de mesurer le pouvoir rotatoire.

centres chiraux individuels. Pour cette raison, le schéma de classification suivant est plus utile.

A. *La convention de Fischer*

Dans ce système, la configuration des groupes autour d'un centre asymétrique est reliée au centre asymétrique de la **glycéraldéhyde**, molécule qui possède un centre asymétrique. Selon une convention introduite par Emil Fischer en 1891, les stéréo-isomères (+) et (−) de la glycéraldéhyde sont désignés respectivement par **D-glycéraldéhyde** et **L-glycéraldéhyde** (notez l'utilisation de petites lettres majuscules). Sachant qu'il n'avait que 50 % de chances d'avoir raison, Fischer émit l'hypothèse que les configurations de ces molécules étaient celles représentées à la Fig. 4-12. Fischer proposa aussi une notation sténographique commode pour ces molécules, connue sous le nom de **projections de Fischer**, également données dans la Fig. 4-12. Selon la convention de Fischer, les liaisons horizontales se projettent au-dessus du plan de la figure et les liaisons verticales se projettent en dessous du plan de la figure, comme le montrent clairement les formules géométriques représentées sur la même figure.

La configuration des groupes autour d'un centre chiral peut être reliée à celle de la glycéraldéhyde par conversion chimique de ces groupes en ceux de la glycéraldéhyde via des réactions de stœchiométrie connue. Pour les α-aminoacides, l'arrangement des groupes amino, carboxyle, R, et H autour de l'atome C_α est rattaché respectivement à celui des groupes hydroxyle, aldéhyde, CH_2OH et H de la glycéraldéhyde. De cette manière, on dit que la L-glycéraldéhyde et les L-α-aminoacides ont la même configuration relative (Fig. 4-13). Selon cette méthode, les configurations

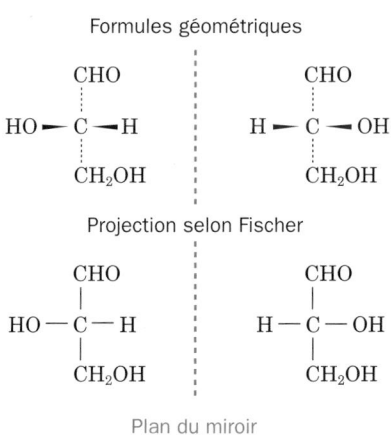

Formules géométriques

L-Glycéraldéhyde   D-Glycéraldéhyde

FIGURE 4-12 Configurations pour désigner les énantiomères de la glycéraldéhyde selon la convention de Fischer. Ces énantiomères sont représentés par leurs formules géométriques (*en haut*) et par leurs projections selon Fischer (*en bas*). Noter que dans la projection de Fischer toutes les liaisons horizontales sont orientées en avant du plan et toutes les liaisons verticales sont orientées en arrière du plan. Les plans des miroirs qui définissent les énantiomères sont représentés par des pointillés. (Les projections de Fischer traditionnelles ne mettent pas en évidence l'atome central de carbone chiral. Cependant, dans cet ouvrage, les projections de Fischer seront données généralement avec un C central).

L-Glycéraldéhyde   D-Glycéraldéhyde

FIGURE 4-13 Configurations de la L-glycéraldéhyde et des L-α-aminoacides.

des α-aminoacides peuvent être décrites sans se référer à leurs rotations spécifiques.

Tous les α-aminoacides protéiques ont la configuration stéréochimique L ; cela signifie qu'ils ont tous la même configuration relative autour de leurs atomes C_α. En 1949, une nouvelle technique de cristallographie aux rayons X permit de démontrer que le choix arbitraire de Fischer était correct : la désignation de la configuration relative des centres chiraux est la même que celle de leur configuration absolue. La configuration absolue des résidus de L-α-aminoacides peut être facilement retrouvée grâce au vocable mnémotechnique « CORN » comme représenté à la Fig. 4-14.

a. Les diastéréoisomères ont des propriétés chimiques et physiques différentes

Une molécule peut avoir plusieurs centres asymétriques. Pour de telles molécules, les termes **stéréo-isomères** et **isomères optiques** s'appliquent à celles qui présentent des configurations différentes autour d'au moins un de leurs centres chiraux, mais qui sont, par ailleurs, identiques. Le terme énantiomère désigne toujours une molécule qui est l'image en miroir de la molécule considérée, c'est-à-dire différente pour tous ses centres chiraux. Chaque centre asymétrique d'une molécule chirale pouvant présenter deux configurations possibles, une molécule à *n* centres chiraux possède 2^n stéréo-isomères différents possibles et 2^{n-1} paires d'énantiomères. La thréonine et l'isoleucine ont chacune deux centres chiraux et donc $2^2 = 4$ stéréo-isomères possibles. Les formes de la thréonine et de la leucine isolées des protéines, ont été, par convention, appelées les formes L, et sont données dans le Tableau 4-1. Les images en miroir des formes L sont les formes D. Leurs deux autres isomères optiques sont appelés **diastéroisomères** (ou formes **allo**) des formes enantiomères D et L. Les configurations

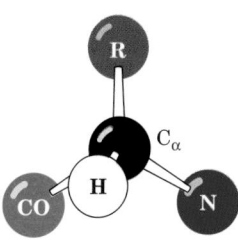

FIGURE 4-14 Procédé mnémotechnique « CORN » pour retrouver la configuration des acides aminés de la série L. En regardant le carbone C_a depuis son atome d'hydrogène substituant, ses autres substituants se lisent **CO—R—N** dans le sens horaire comme on le voit sur la figure. Ici, CO, R, et N, sont respectivement le groupe carbonyle, la chaîne latérale et l'atome d'azote de la chaîne principale. [D'après Richardson, J.S., *Adv .Protein Chem.* **34**, 171, 1981.]

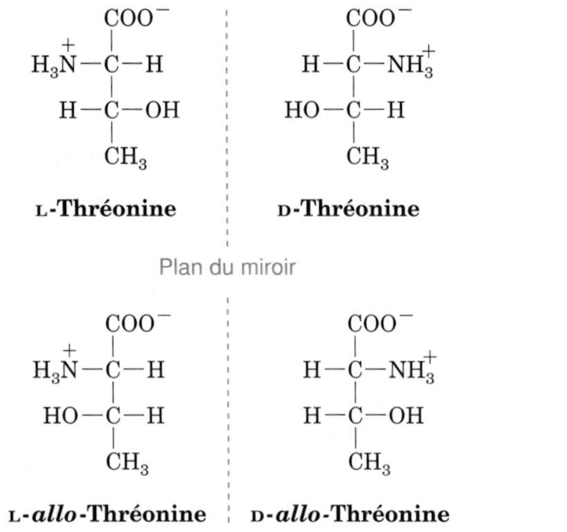

FIGURE 4-15 Projections de Fischer des quatre stéréo-isomères de la thréonine. Les formes D et L sont les images en miroir l'une de l'autre, comme le sont les formes D-*allo* et L-*allo*. Les D- et L-thréonine sont chacune les diastéréo-isomères des D-*allo*- et L-*allo* thréonines.

relatives des quatre stéréo-isomères de la thréonine sont données dans la Fig. 4-15. Notez les points suivants :

1. Les formes D-*allo* et L-*allo* sont les images en miroir l'une de l'autre, tout comme les formes D et L. Aucune des formes allo n'est reliée, en ce qui concerne la symétrie, à l'une ou l'autre des formes D et L.

2. Contrairement aux paires d'énantiomères, les diastéréoisomères ont des propriétés physiques et chimiques si différentes qu'on peut les distinguer facilement les uns des autres, par exemple par les points de fusion, les spectres, la réactivité chimique ; à proprement parler, ce sont des composés différents.

Un cas particulier de diastéréoisomérie se présente lorsque les deux centres asymétriques sont chimiquement identiques. Dans ce cas, deux des quatre projections de Fischer représentées dans la Fig. 4-15 correspondent à la même molécule. Ceci, parce que les deux centres asymétriques de cette molécule sont les images en miroir l'un de l'autre. Une telle molécule peut être superposée à son image dans un miroir et est donc optiquement inactive par **compensation interne** ; elle est appelée forme **méso**. Les trois isomères optiques de la cystine sont représentés dans la Fig. 4-16, où, comme il se doit, les isomères D et L sont les images en miroir l'un de l'autre. On ne trouve que la L-cystine dans les protéines.

A. *Le système Cahn-Ingold-Prelog*

Malgré son utilité, le système de Fischer est mal commode et parfois ambigu pour des molécules ayant plus d'un centre asymétrique. Pour cette raison, un schéma de nomenclature absolue fut proposé en 1956 par Robert Cahn, Christopher Ingold et Vladimir Prelog. Dans ce système, les quatre groupes autour d'un centre chiral sont rangés dans un ordre de priorité spécifique bien qu'arbitraire : *les atomes liés à un centre chiral qui ont un nombre atomique plus grand précèdent les atomes ayant un nombre atomique plus petit.* Par exemple, l'atome d'oxygène d'un groupe OH est prioritaire par rapport à l'atome de carbone d'un groupe CH_3 lié au même atome de C chiral. Si certains des premiers atomes des groupes substituants sont du même élément, la priorité de ces groupes s'établit d'après les nombres atomiques des deuxième, troisième, etc. atomes depuis le centre chiral. Par exemple, un groupe CH_2OH a la priorité sur un groupe CH_3. Il y a d'autres règles (données dans les références de ce chapitre et dans beaucoup de traités de chimie organique) pour déterminer le classement prioritaire de substituants à liaisons multiples ou d'isotopes différents. L'ordre de priorité de certains groupes fonctionnels classiques est

$$SH > OH > NH_2 > COOH > CHO$$
$$> CH_2OH > C_6H_5 > CH_3 > {}^2H > {}^1H$$

Notez que chacun des groupes substituants sur un centre chiral doit avoir un classement prioritaire différent ; sinon, le centre ne pourrait être asymétrique.

On désigne la priorité des groupes par les lettres W, X, Y, Z, sachant que l'ordre de priorité est W > X > Y > Z. Pour établir la configuration du centre chiral, celui-ci est observé depuis le centre asymétrique en direction du groupe Z (à priorité la plus faible). *Si l'ordre des groupes* W → X → Y *vu dans cette direction est dans le sens des aiguilles d'une montre, la configuration du centre asymétrique est dite (R)* (du latin *rectus,* droit) *; si l'ordre de* W → X → Y *est dans le sens anti-horaire, le centre asymétrique est dit (S)* (du latin *sinister,* gauche). Ainsi, la L-glycéraldéhyde est désignée par (*S*)-glycéraldéhyde (Fig. 4-17) ; de même, la L-alanine est la (*S*)-alanine (Fig. 4-18). En fait, tous les L-acides aminés protéiques sont des (*S*)-acides aminés, à l'exception de la L-cystéine, qui est la (*R*)-cystéine.

Le grand avantage de ce système appelé système de **Cahn-Ingold-Prelog** ou **système (RS),** c'est que les chiralités des composés à plusieurs centres asymétriques peuvent être décrites sans la moindre ambiguïté. Par exemple, dans le système (*RS*), la L-thréonine est la (2*S*, 3*R*)-thréonine, tandis que la L-isoleucine est la (2*S*, 3*S*)-isoleucine (Fig. 4-19).

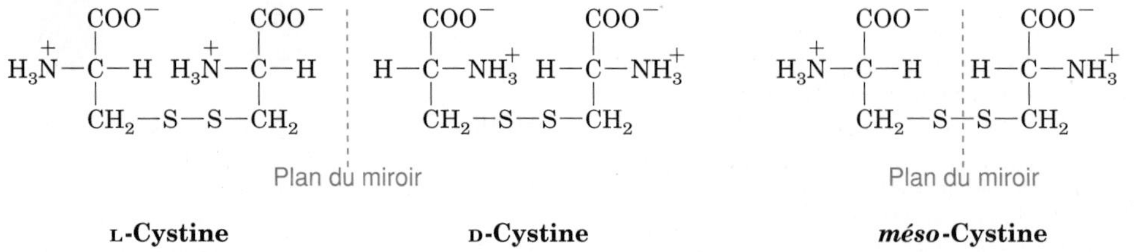

FIGURE 4-16 Les trois stéréo-isomères de la cystine. Les formes D et L sont symétriques par rapport à un miroir, alors que la forme méso présente une symétrie interne et n'est donc pas optiquement active.

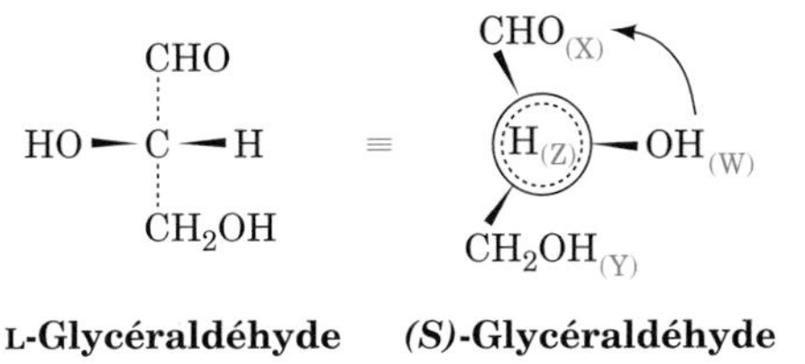

L-Glycéraldéhyde   (S)-Glycéraldéhyde

FIGURE 4-17 Formule structurale de la L-glycéraldéhyde. Sa représentation équivalente dans le système (RS) montre qu'il s'agit de la (S)-glycéraldéhyde. Dans le dessin de droite, le carbone chiral est figuré par un grand cercle, et l'atome d'hydrogène, qui est situé derrière le plan de la figure, est représenté par un petit cercle en pointillés.

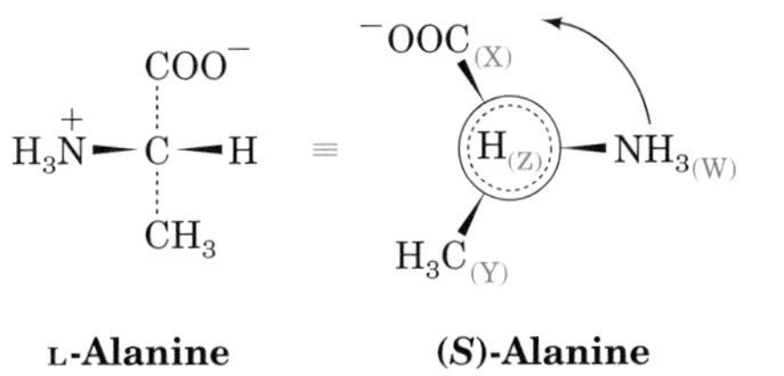

L-Alanine   (S)-Alanine

FIGURE 4-18 Formule structurale de la L-alanine. Sa représentation équivalente dans le système (RS) montre que c'est la (S)-alanine.

a. Les centres prochiraux ont des substituants différents

Deux substituants chimiquement identiques sur un centre tétraédrique — qui serait chiral sans cette identité — sont géométriquement distincts ; autrement dit, un tel centre n'a pas de symétrie de rotation, si bien qu'on peut sans aucune ambiguïté lui affecter un côté gauche et un côté droit. Prenons l'exemple des substituants de l'atome C1 de l'éthanol (le groupe CH_2 ; Fig. 4-20a). Si l'un des atomes d'hydrogène était transformé en un autre groupe (autre que CH_3 ou OH), C1 serait un centre chiral. Les deux atomes d'hydrogène sont dès lors appelés **prochiraux**. Si, arbitrairement, nous affectons les indices a et b aux atomes d'hydrogène (Fig. 4-20), alors H_b est dit ***pro-R*** car, en observant depuis le C1 vers H_a (comme s'il était le groupe Z d'un centre chiral), l'ordre de priorité des autres substituants diminue dans le sens horaire (Fig. 4-20b). De même, on dit que H_a est ***pro-S*** (Fig. 4-20c).

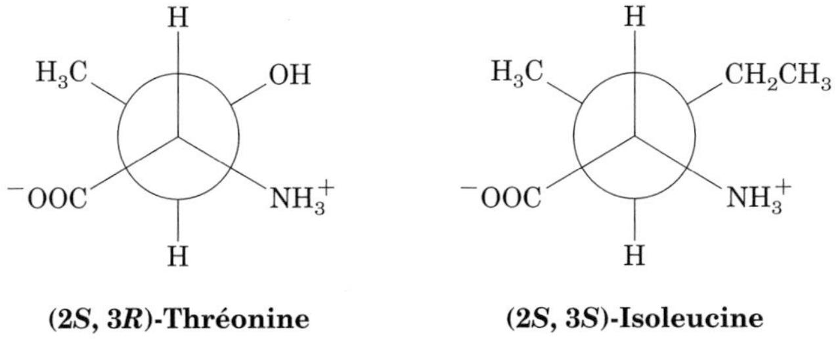

(2S, 3R)-Thréonine   (2S, 3S)-Isoleucine

FIGURE 4-19 Représentations en projection de Newman des stéréo-isomères de la thréonine et de l'isoleucine tels qu'on les trouve dans les protéines. Notez que la liaison C_α—C_β est vue depuis une extrémité. L'atome le plus proche, C_α, est représenté par la convergence des trois liaisons à ses substituants, alors que l'atome le plus éloigné, C_β, est représenté par un cercle d'où se projettent ses trois substituants.

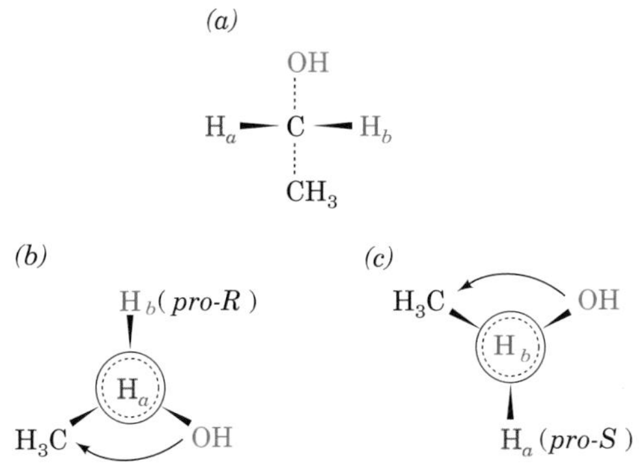

FIGURE 4-20 Représentations de l'éthanol. (*a*) Noter que H_a et H_b, bien que chimiquement identiques, peuvent être distingués : en faisant tourner la molécule de 180° autour de son axe vertical afin d'intervertir ses deux atomes d'hydrogène, on n'obtient pas la même vue de la molécule, car la rotation a également interverti les groupes chimiquement différents OH et CH_3. (*b*) Vue à partir de C1 vers H_a, qui est l'atome d'hydrogène *pro-S* (cercle en pointillés). (*c*) Vue de C1 vers H_b, l'atome d'hydrogène *pro-R*.

Les objets plans qui n'ont pas de symétrie de rotation possèdent également la propriété de chiralité. Par exemple, dans beaucoup de réactions enzymatiques, une addition stéréospécifique à un atome de carbone trigonal se fait d'un côté donné de cet atome, ce qui crée un centre chiral (Section 13-2A). Si un carbone trigonal fait face à l'observateur de sorte que l'ordre de priorité de ses substituants diminue dans le sens horaire (Fig. 4-21a), ce côté est désigné par **côté *re*** (de *rectus*). Le côté opposé est désigné par **côté *si*** (de *sinister*) car les priorités de ses substituants diminuent dans le sens anti-horaire (Fig. 4-21b). En comparant les Fig. 4-20b et 4-21a, on constate que l'addition d'un atome d'hydrogène du côté *re* de l'atome C1 de l'acétaldéhyde occupe la position *pro-R* du centre tétraédrique qui en résulte. Réciproquement, un atome d'hydrogène *pro-S* est formé par addition du côté *si* de ce centre trigonal (Fig. 4-20c et 4-21b).

Des composés étroitement apparentés, qui ont la même représentation de configuration selon la convention DL de Fischer, peuvent avoir des représentations différentes dans le système (RS). Par conséquent, nous utiliserons le plus souvent la convention de Fischer. Cependant, le système (RS) est indispensable pour décrire la prochiralité et les réactions stéréospécifiques, aussi le trouverons nous inestimable pour décrire les réactions enzymatiques.

D. *Chiralité et biochimie*

La synthèse chimique classique de molécules chirales conduit à des mélanges **racémiques** de ces molécules (quantités égales de chacun des deux membres de la paire énantiomère). En effet, les processus chimiques et physiques n'ont d'ordinaire pas de préfé-

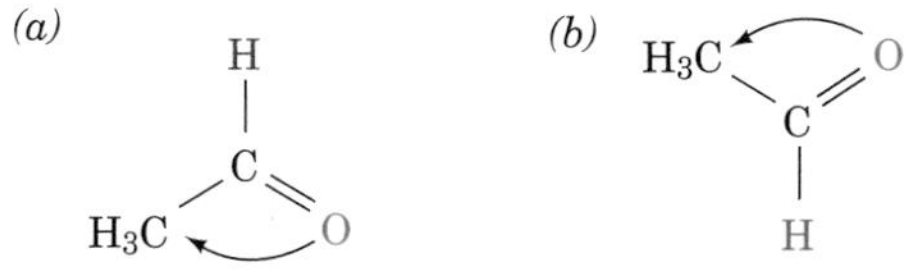

FIGURE 4-21 Représentations de l'acétaldéhyde. (*a*) Côté *re* et (*b*) côté *si*.

rences stéréochimiques. Par conséquent, il y a des chances égales pour qu'un centre asymétrique de chaque configuration soit ainsi synthétisé. Si l'on veut obtenir un produit optiquement actif, on doit utiliser un processus chiral. Généralement, on utilise des réactifs chiraux, bien qu'en principe l'utilisation de toute influence asymétrique telle la lumière polarisée plane dans une direction puisse provoquer une asymétrie nette dans le produit d'une réaction.

L'une des caractéristiques les plus surprenantes des processus vitaux, c'est qu'ils produisent des molécules optiquement actives. *La biosynthèse d'une substance qui possède des centres asymétriques conduit presque toujours à la formation d'un stéréo-isomère pur.* Le fait que les résidus d'acide aminé des protéines ont tous la configuration L n'en est qu'un exemple parmi d'autres. D'où l'idée d'un test simple pour diagnostiquer la présence d'une vie extraterrestre passée ou présente dans les roches lunaires ou les météorites tombées sur la terre, qui consisterait à déceler dans ces matériaux une activité optique nette. Si tel était le cas, la molécule asymétrique ainsi détectée pourrait avoir été produite par biosynthèse. À nos jours, même si l'on a extrait des α-aminoacides de météorites carbonifères, le fait qu'on les ait trouvés sous forme de mélanges racémiques est plus en faveur d'une origine chimique que biologique.

Que la vie terrestre soit fondée sur certaines molécules chirales plutôt que sur leurs énantiomères, constitue une des énigmes des origines de la vie; par exemple, elle utilise les L-acides aminés et non les D-acides aminés. Que des facteurs physiques, tels que la lumière polarisée, aient pu favoriser la synthèse de molécules prébiotiques asymétriques en quantités significatives (Section 1-5B) ne constitue pas un argument convaincant. Il est possible que des formes de vie fondées sur des L-acides aminés soient apparues par hasard, puis qu'elles aient simplement « dévoré » toutes les formes de vie basées sur des D-acides aminés.

3 ■ ACIDES AMINÉS « NON STANDARD »

Les 20 acides aminés protéiques ne sont pas les seuls acides aminés présents dans les systèmes biologiques. On trouve des acides aminés non standard en proportions souvent importantes dans les protéines ainsi que dans des polypeptides biologiquement actifs. Cependant, un grand nombre d'acides aminés ne sont jamais trouvés dans les protéines. Ils jouent, avec leurs formes dérivées, des rôles biologiques non négligeables.

D. *Dérivés d'acides aminés dans les protéines*

Seuls les 20 acides aminés protéiques du Tableau 4-1 sont représentés dans le code génétique « universel », qui est pratiquement le même pour tous les organismes vivants connus (Section 5-4B). Néanmoins, beaucoup d'autres acides aminés (quelques-uns sont donnés dans la Fig. 4-22) se trouvent dans certaines protéines. *Dans tous les cas connus, à une exception près (Section 32-2D), ces acides aminés insolites résultent de la modification spécifique d'un résidu d'acide aminé intervenue après la synthèse de la chaîne polypeptidique.* Parmi les résidus d'acides modifiés les plus importants, citons la **4-hydroxyproline** et la **5-hydroxylysine**. Ces deux résidus d'acide aminé sont des constituants structuraux importants d'une protéine fibreuse, le **collagène**, la protéine la plus

abondante chez les mammifères (Section 8-2B). Les acides aminés des protéines qui forment des complexes avec les acides nucléiques sont souvent modifiés. Par exemple, les protéines ribosomiales (Section 32-3A) et les protéines de chromosomes appelées **histones** (Section 34-1A) peuvent être méthylées, acétylées, ou/et phosphorylées spécifiquement. Plusieurs dérivés de résidus d'acide aminé sont donnés dans la Fig. 4-22. La *N*-**formylméthionine** constitue, dans un premier temps, le résidu N-terminal de toutes les protéines des procaryotes, mais elle est habituellement éliminée au cours du processus de maturation de la protéine (Section 32-3C). L'acide γ-**carboxyglutamique** est trouvé dans plusieurs protéines impliquées dans la coagulation du sang (Section 35-1B). Il faut bien comprendre que, dans la plupart des cas, ces modifications sont importantes, voire indispensables, pour que la protéine soit fonctionnelle.

On trouve des résidus de D-acides aminés dans bon nombre de polypeptides bactériens relativement petits (< 20 résidus) synthétisés le plus souvent par voie enzymatique plutôt que sur les ribosomes. C'est dans les parois des bactéries que ces polypeptides semblent les plus abondants (Section 11-3B), la présence de D-acides aminés les rendant moins vulnérables à l'attaque des **peptidases** (enzymes qui hydrolysent les liaisons peptidiques) que beaucoup d'organismes utilisent pour digérer les parois des cellules bactériennes. De même, on trouve des D-acides aminés dans de nombreux antibiotiques peptidiques synthétisés par les bactéries, comme la **valinomycine**, la **gramicidine A** (Section 20-2C) et l'**actinomycine D** (Section 31-2D). Les résidus de D-acides aminés sont également des constituants essentiels à la fonction de plusieurs polypeptides synthétisés sur les ribosomes, chez les eucaryotes ainsi que chez les procaryotes. Ces résidus de D-acides aminés sont formés après la traduction, vraisemblablement par inversion enzymatique de résidus de L-acides aminés pré-existants.

B. *Rôles particuliers des acides aminés*

Outre leur rôle comme constituants des protéines, les acides aminés et leurs dérivés exercent plusieurs fonctions biologiques importantes; la Fig. 4-23 donne quelques exemples de ces molécules. Cette autre utilisation des acides aminés illustre l'opportunisme biologique que nous retrouverons fréquemment. *La nature tend à adapter à de nouvelles fonctions des matériaux et des processus déjà existants.*

Les acides aminés et leurs dérivés jouent souvent le rôle de messagers chimiques dans les communications entre cellules. Par exemple, la glycine, l'**acide γ-aminobutyrique** (GABA; produit de décarboxylation du glutamate) et la **dopamine** (formée à partir de tyrosine) sont des neurotransmetteurs (substances libérées par des cellules nerveuses pour modifier le comportement des cellules voisines; Section 20-5C); l'**histamine** (produit de décarboxylation de l'histidine) est un puissant médiateur local des réactions allergiques; et la **thyroxine** (formée à partir de tyrosine), est une hormone thyroïdienne iodée qui stimule généralement le métabolisme des vertébrés (Section 19-1D).

Certains acides aminés sont des intermédiaires dans divers processus métaboliques. Parmi eux, citons la **citrulline** et l'**ornithine**, intermédiaires dans le cycle de l'urée (Section 26-2B), l'**homocystéine**, intermédiaire dans le métabolisme des acides aminés (Section 26-3E), et la **S-adénosylméthionine**, un agent méthylant biologique (Section 26-3E).

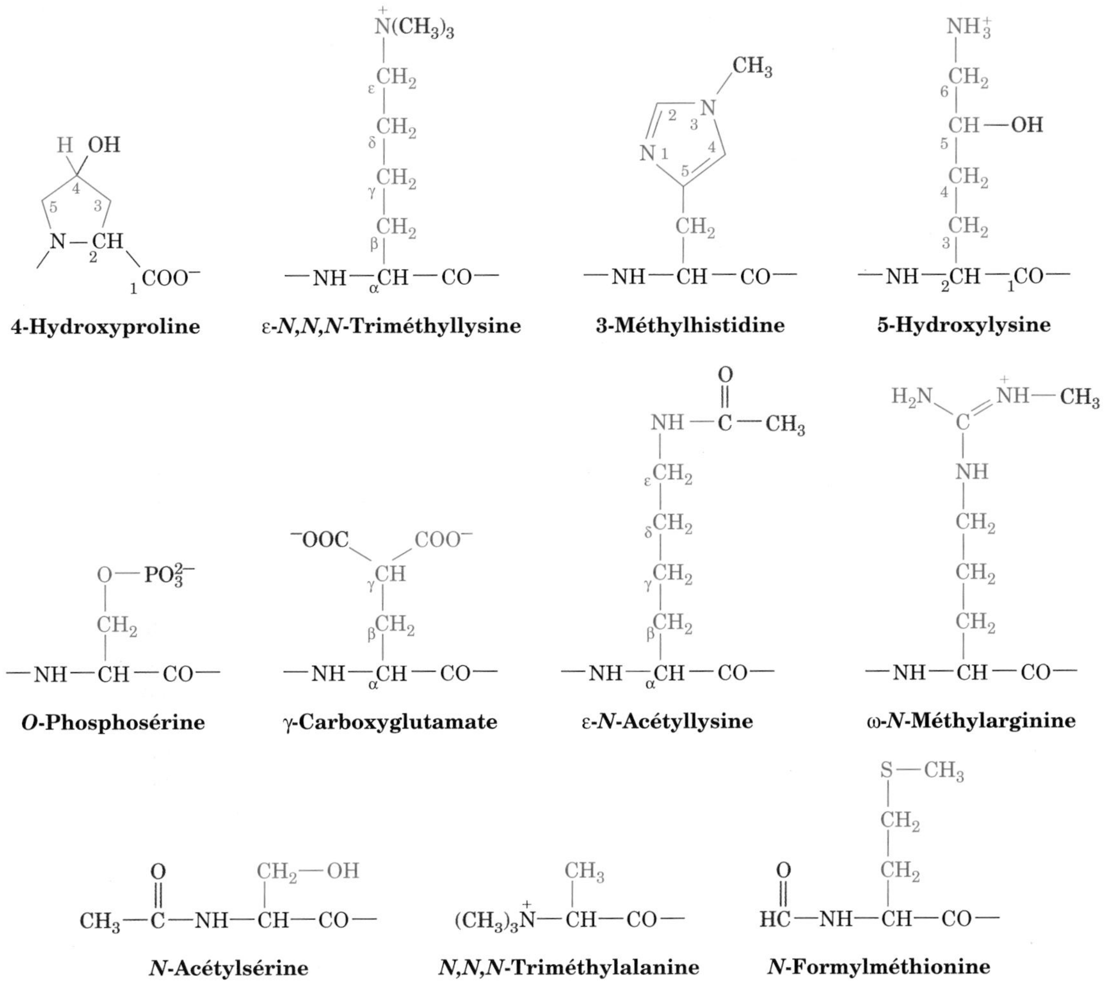

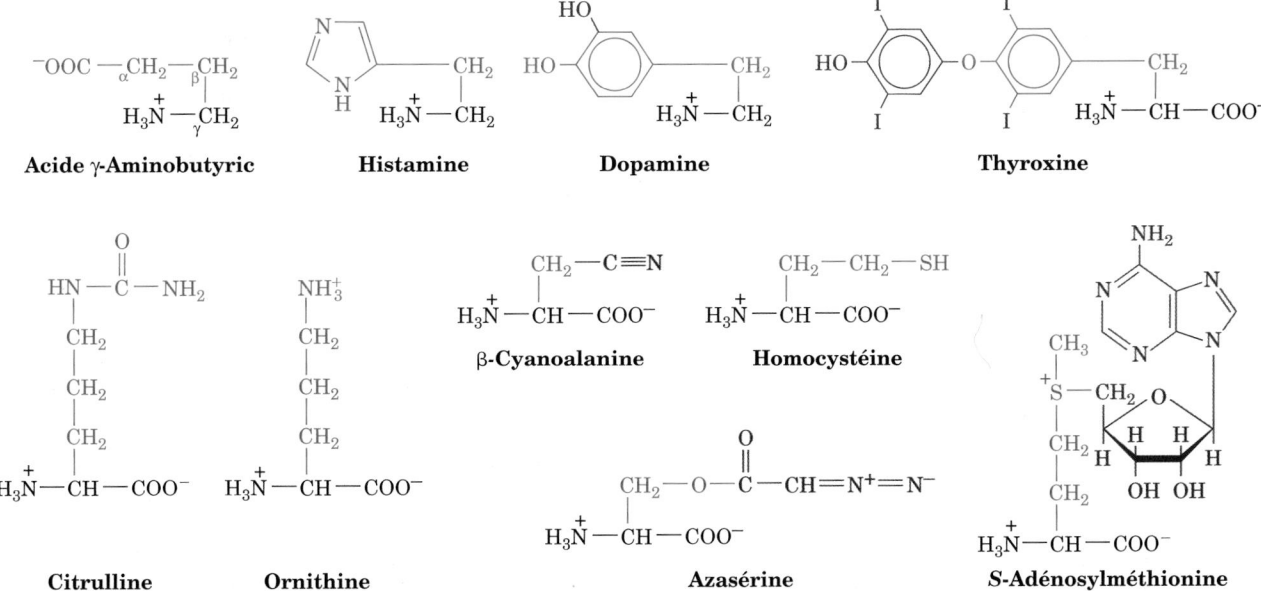

FIGURE 4-22 Quelques résidus d'acide aminé inhabituels que l'on trouve dans certaines protéines. Tous ces résidus sont formés par modification de l'un des 20 acides aminés « standard », après biosynthèse de la chaîne polypeptidique. Les résidus d'acide aminé qui sont modifiés au niveau de leur N_α se trouvent en position N-terminale des protéines.

FIGURE 4-23 Quelques dérivés, produits naturellement, d'acides aminés « standard » et quelques acides aminés que l'on ne trouve pas dans les protéines.

La diversité de la nature est remarquable. On a trouvé plus de 700 acides aminés différents chez les plantes, les champignons et les bactéries. Le plus souvent, leurs fonction biologiques ne sont pas évidentes, même si la toxicité de certains peut signifier qu'ils jouent un rôle protecteur. En fait, certains d'entre eux comme

l'**azasérine** sont des antibiotiques utiles en thérapeutique. La plupart de ces acides aminés sont de simples dérivés des 20 acides aminés protéiques même si quelques-uns, tels que l'azasérine et la **β-cyanoalanine** Fig. 4-23) ont une structure tout à fait particulière.

RÉSUMÉ DU CHAPITRE

1 ■ **Acides aminés des protéines** Les protéines sont des polymères linéaires synthétisés à partir des 20 α-aminoacides protéiques qui, après condensation, forment des liaisons peptidiques. Ces acides aminés ont tous un groupe carboxyle dont le pK est proche de 2,2 et un substituant aminé dont le pK est proche de 9,4, qui sont portés par le même atome de carbone, l'atome C_α. Les α–aminoacides sont des ions dipolaires, ^+H_3N—CHR—COO$^-$, dans la zone de pH physiologique. On classe généralement les acides aminés en fonction de la polarité de leur chaîne latérale, R, également portée par l'atome C_α. La glycine, l'alanine, la valine, la leucine, l'isoleucine, la méthionine, la proline (qui est en fait un acide à fonction amine secondaire), la phénylalanine et le tryptophane sont des acides aminés non polaires ; la sérine, la thréonine, l'asparagine, la glutamine, la tyrosine et la cystéine sont des acides aminés polaires non chargés ; la lysine, l'arginine, l'histidine, l'acide aspartique et l'acide glutamique sont polaires et chargés. Les chaînes latérales de beaucoup de ces acides aminés portent des groupes acido-basiques ; les propriétés des protéines qui les contiennent dépendent donc du pH.

2 ■ **Activité optique** Les atomes C_α de tous les α–aminoacides sauf la glycine portent chacun quatre substituants différents et sont

donc des centres chiraux. Selon la convention de Fischer qui établit une relation entre les configurations de la D- ou de la L-glycéraldéhyde et celle du centre asymétrique considéré, tous les acides aminés protéiques ont la configuration L ; autrement dit, ils ont tous un atome C_α de même configuration absolue. Selon le système de nomenclature chirale de Cahn-Ingold-Prelog (*RS*), ce sont tous, à l'exception de la cystéine, des (*S*)-aminoacides. Les chaînes latérales de la thréonine et de l'isoleucine présentent également des centres chiraux. Un centre prochiral n'a pas de symétrie de rotation et donc ses substituants, dans le cas d'un atome central, ou ses côtés, dans le cas d'une molécule plane, sont distincts.

3 ■ **Acides aminés « non standard »** Des résidus d'acide aminé autres que les 20 acides aminés standard ont également des fonctions biologiques importantes. Ces résidus « non standard » sont formés par des modifications chimiques spécifiques, à partir de résidus d'acide aminé présents dans des protéines déjà synthétisées. Les acides aminés et leurs dérivés jouent aussi des rôles biologiques particuliers : neurotransmetteurs, intermédiaires métaboliques et poisons par exemple.

RÉFÉRENCES

HISTORIQUE

Vickery, H.B. et Schmidt, C.L.A., The history of the discovery of amino acids, *Chem. Rev.* **9**, 169–318 (1931).

Vickery, H.B., The history of the discovery of the amino acids. A review of amino acids discovered since 1931 as components of native proteins, *Adv. Protein Chem.* **26**, 81–171 (1972).

PROPRIÉTÉS DES ACIDES AMINÉS

Barrett, G.C. et Elmore, D.T., *Amino Acids and Peptides*, Chapters 1–4, Cambridge University Press (1998).

Cohn, E.J. and Edsall, J.T., *Proteins, Amino Acids and Peptides as Ions and Dipolar Ions*, Academic Press (1943). [Un ouvrage classique dans le domaine.]

Davies, J.S. (Éd.), *Amino Acids and Peptides*, Chapman & Hall (1985). [Un ouvrage de référence sur les acides aminés.]

Edsall, J.T. et Wyman, J., *Biophysical Chemistry*, Vol. 1, Academic Press (1958). [Un exposé détaillé sur la chimie physique des acides aminés.]

Jakubke, H.-D. et Jeschkeit, H., *Amino Acids, Peptides and Proteins*, traduit de l'allemand en anglais par Cotterrell, G.P., Wiley (1977).

Meister, A., *Biochemistry of the Amino Acids* (2e éd.), Vol. 1, Academic Press (1965). [Les propriétés des acides aminés y sont reprises en détail.]

ACTIVITÉ OPTIQUE

Cahn, R.S., An introduction to the sequence rule, *J. Chem. Ed.* **41**, 116–125 (1964). [Une présentation du système de nomenclature Cahn-Ingold-Prelog.]

Huheey, J.E., A novel method for assigning R,S labels to enantiomers, *J. Chem. Ed.* **63**, 598–600 (1986).

Lamzin, V.S., Dauter, Z., et Wilson, K.S., How nature deals with stereoisomers, *Curr. Opin. Struct. Biol.* **5**, 830–836 (1995). [Une discussion sur les protéines synthétisées à partir de D-aminoacides.]

Mislow, K., *Introduction to Stereochemistry*, Benjamin (1966).

Solomons, T.W.G., *Organic Chemistry* (7th ed. upgrade), chapitre 5, Wiley (2001). [Un exposé sur la chiralité, comme on en trouve dans la plupart des traités de chimie organique.]

ACIDES AMINÉS « NON STANDARD »

Amino Acids, Peptides, and Proteins, The Royal Society of Chemistry. [Publication annuelle contenant des revues de la littérature sur les acides aminés.]

Fowden, L., Lea, P.J., et Bell, E.A., The non-protein amino acids of plants, *Adv. Enzymol.* **50**, 117–175 (1979).

Fowden, L., Lewis, D., et Tristram, H., Toxic amino acids : their action as antimetabolites, *Adv. Enzymol.* **29**, 89–163 (1968).

Kleinkauf, H. et Döhren, H., Nonribosomal polypeptide formation on multifunctional proteins, *Trends Biochem. Sci.* **8**, 281–283 (1993).

Mor, A., Amiche, M., et Nicholas, P., Enter a new post-transcriptional modification : D-amino acids in gene-encoded peptides, *Trends Biochem. Sci.* **17**, 481–485 (1992).

Thompson, J. et Donkersloot, J.A., N-(Carboxyalkyl)amino acids : Occurrence, synthesis, and functions, *Annu. Rev. Biochem.* **61**, 517–557 (1992).

PROBLÈMES

1. Nommez de mémoire les 20 acides aminés standard. Donnez leurs symboles en trois lettres et en une lettre. Parmi ceux-ci, identifiez les deux acides aminés qui sont isomères et les deux autres qui, bien que non isomères, ont la même masse moléculaire lorsque les molécules sont neutres.

2. Dessinez la structure des oligopeptides suivants sous leurs formes ioniques prédominantes à pH 7 : (a) Phe-Met-Arg, (b) acide tryptophanyl-lysylaspartique, et (c) Gln-Ile-His-Thr.

3. Combien y a-t-il de pentapeptides différents ayant chacun un résidu de Gly, Asp, Tyr, Cys, et Leu ?

4. Dessinez la structure des deux oligopeptides suivants, sachant que leurs résidus Cys sont reliés par un pont disulfure : Val-Cys ; Ser-Cys-Pro.

*5. Quelles sont les concentrations des différentes espèces ioniques dans une solution de lysine 0,1 M à pH 4, pH 7 et pH 10 ?

6. Établissez l'Éq. [4-1] pour un acide monoaminé monocarboxylique (utilisez l'équation de Henderson-Hasselbalch).

*7. Le **point isoionique** d'un composé est le pH d'une solution du composé dans l'eau pure. Quel est le point isoionique d'une solution de glycine 0,1 M ?

8. L'hémoglobine humaine normale a un point isoélectrique de 6,87. Une variété mutante de l'hémoglobine, appelée **hémoglobine de l'anémie falciforme** a un point isoélectrique de 7,09. La courbe de titration de l'hé-moglobine montre que, dans cette zone de pH, 13 groupes changent d'état d'ionisation pour une variation d'une unité de pH. Calculez la différence de charge ionique entre les molécules d'hémoglobine normale et d'hémoglobine de l'anémie falciforme.

9. Indiquez si les objets familiers suivants ont un caractère chiral, prochiral, ou non chiral.

(a) un gant

(b) une balle de tennis

(c) une bonne paire de ciseaux

(d) une vis

(e) cette page

(f) un rouleau de papier hygiénique

(g) un flocon de neige

(h) un escalier en colimaçon

(i) une volée d'escaliers normale

(j) un trombone

(k) une chaussure

(l) une paire de lunettes

10. Représentez quatre formules équivalentes en projection de Fischer de la L-alanine (cf. Fig. 4-12 et 4-13).

*11. (a) Représentez les formules développées et en projection de Fischer du (S)-3-méthylhexane. (b) Représentez tous les stéréo-isomères du 2,3-dichlorobutane. Donnez leurs noms selon le système (RS) et indiquez celui qui a la forme méso.

12. Identifiez et nommez les centres ou côtés prochiraux des molécules suivantes :

(a) Acétone

(b) Propène

(c) Glycine

(d) Alanine

(e) Lysine

(f) 3-Méthylpyridine

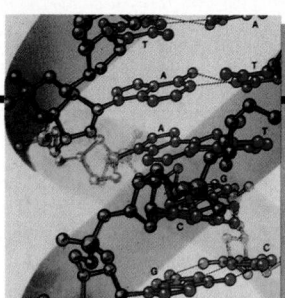

Chapitre

5

Acides nucléiques, expression des gènes et technologie de l'ADN recombinant

La compréhension de quasi tous les aspects de la biochimie passe de plus en plus par la connaissance des mécanismes de l'expression des gènes ainsi que de la manière de les manipuler. Bien que nous n'étudierons ces questions en détail que dans la partie V de ce traité, il convient donc d'en aborder dès à présent les principes généraux. Nous décrirons dans ce chapitre la structure chimique des acides nucléiques, la façon dont on a découvert que l'ADN est le support de l'information génétique, la structure de la forme principale de l'ADN et, dans ses grandes lignes, comment l'informa-

tion portée par les gènes dirige la synthèse de l'ARN et des protéines (les mécanismes de l'expression des gènes) et comment l'ADN est répliqué. Nous terminerons ce chapitre par des notions de génie génétique, à savoir comment manipuler expérimentalement l'ADN et l'exprimer, une pratique qui a révolutionné la biochimie.

1 ■ NUCLÉOTIDES ET ACIDES NUCLÉIQUES

Les **nucléotides** et leurs dérivés sont des substances biologiques ubiquitaires qui participent à presque tous les processus biochimiques :

1. Ce sont les unités monomériques des acides nucléiques, ce qui leur confère un rôle central dans le stockage et l'expression de l'information génétique.

2. Les **nucléosides triphosphates**, plus particulièrement l'ATP (Section 1-3B), sont les produits terminaux riches en énergie de la majorité des voies qui libèrent de l'énergie et sont les substances dont l'utilisation rend possible la plupart des processus qui exigent de l'énergie.

3. La plupart des voies métaboliques sont régulées, du moins en partie, par les concentrations de nucléotides comme l'ATP et l'ADP. De plus, comme nous le verrons, certains nucléotides fonctionnent comme signaux intracellulaires de régulation pour l'activité de nombreux processus métaboliques.

4. Des dérivés nucléotidiques, comme le **nicotinamide adénine dinucléotide** (Section 13-2A), le **flavine adénine dinucléotide** (Section 16-2C) et le **coenzyme A** (Section 21-2) participent obligatoirement à de nombreuses réactions enzymatiques.

5. Les nucléotides entrent dans la composition des **ribozymes**, acides nucléiques doués de propriétés enzymatiques et, à ce titre, ils exercent d'importantes activités catalytiques.

A. *Nucléotides, nucléosides et bases*

*Les nucléotides sont des esters phosphates d'un sucre à cinq carbones (d'où son nom de **pentose** ; section 11-1A) où une base azo-*

(a) *(b)*

Ribonucléotides Désoxyribonucléotides

FIGURE 5-1 Structure chimique des *(a)* ribonucléotides et *(b)* désoxyribonucléotides.

tée est liée de façon covalente au *C1'* du résidu de sucre. Dans les **ribonucléotides** (Fig. 5-1*a*), unités monomériques de l'ARN, le pentose est le **D-ribose**, alors que dans les **désoxyribonucléotides** (ou simplement les **désoxynucléotides** ; Fig. 5-1*b*), unités monomériques de l'ADN, le pentose est le **2'-désoxy-D-ribose** (notez que les chiffres suivis du signe « prime » désignent les atomes de carbone du résidu ribose alors que les chiffres sans ce signe désignent les atomes de la base azotée). Le groupe phosphate peut estérifier un groupe en 5' ou en 3' du pentose pour donner respectivement son **5'-nucléotide** (Fig. 5-1) ou son **3'-nucléotide**. S'il n'y a pas de groupe phosphate, le composé est un **nucléoside**. Par exemple, un 5'-nucléotide peut être appelé aussi **nucléoside-5'-phosphate**. Dans tous les nucléotides et nucléosides naturels, la liaison (appelée glycosidique ; Section 11-1C) qui relie la base azotée à l'atome C1' du pentose se projette du même côté du noyau ribose que la liaison C4'—C5' (pour donner la configuration β ; Section 11-1B) plutôt que du côté opposé (la configuration α). Remarquez que les groupes phosphates des nucléotides portent deux charges négatives aux pH physiologiques ; autrement dit, *les nucléotides sont des acides moyennement forts*.

*Les bases azotées sont des molécules planes, aromatiques et hétérocycliques qui, pour la plupart, sont des dérivés de la **purine** ou de la **pyrimidine***.

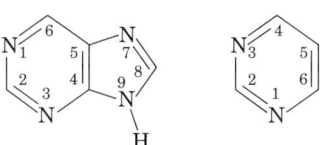

Purine Pyrimidine

Les structures, les noms et les abréviations des bases, des nucléosides et des nucléotides usuels sont donnés dans le Tableau 5-1. Les composés puriques principaux des acides nucléiques sont les résidus **adénine** et **guanine** ; les principaux résidus pyrimidiques sont ceux de la **cytosine**, de l'**uracile** (que l'on trouve principalement dans l'ARN), et de la **thymine** (ou 5-méthyluracile, que l'on trouve essentiellement dans l'ADN). Les purines forment des liaisons glycosidiques avec le ribose via leur atome N9, alors que les pyrimidines le font par leur atome N1 (notez que les systèmes de numérotation des atomes des purines et des pyrimidines sont différents).

B. *Structure chimique de l'ADN et de l'ARN*

Les structures chimiques des acides nucléiques furent élucidées au début des années 1950 suite aux travaux de Phoebus Levine et,

après lui, de Alexander Todd. *Les acides nucléiques, sauf quelques exceptions, sont des polymères linéaires de nucléotides dont les groupes phosphate font le pont entre les positions 3' et 5' de résidus successifs de sucres (Fig. 5-2)*. Les groupes phosphate de ces **polynucléotides**, devenus des groupes **phosphodiester**, sont acides ; *aux pH physiologiques, les acides nucléiques sont donc des polyanions*. Les polynucléotides sont des molécules directionnelles. Chacune possède une **extrémité 3'** (celle dont l'atome C3' n'est pas relié à un nucléotide voisin) et une **extrémité 5'** (celle dont l'atome C5' n'est pas relié à un nucléotide voisin).

a. La composition en bases de l'ADN suit les règles de Chargaff

L'ADN possède en nombres égaux les résidus adénine et thymine (A = T) et en nombres égaux ceux de la guanine et de la cytosine (G = C). Ces égalités, connues sous le nom de **règles de Chargaff**, ont été découvertes à la fin des années 1940 par Erwin Chargaff qui avait, pour la première fois, mis au point et utilisé des méthodes quantitatives pour la séparation et l'analyse des hydrolysats d'ADN. Chargaff a aussi montré que la composition en bases de l'ADN d'un organisme donné est caractéristique et qu'elle est indépendante du tissu duquel l'ADN est extrait, de l'âge de l'organisme en question, de son état nutritionnel et de n'importe quel autre facteur de son environnement. La base structurale des règles de Chargaff est que, dans l'ADN double brin, G est toujours associé par liaisons hydrogène à C (avec laquelle elle forme une **paire de bases**), tandis que A forme toujours une paire de bases avec T (Fig. 1-16).

La composition en bases de l'ADN varie fortement parmi les êtres vivants ; cela va de ~25 % à 75 % en G + C entre les différentes espèces de bactéries. Par contre, elle est assez semblable entre espèces voisines ; par exemple, chez les mammifères, le contenu en G + C va de 39 % à 46 %.

L'ARN, qui se trouve habituellement sous forme de molécules simple brin ne subit apparemment pas les mêmes contraintes quant à sa composition en bases. Cependant, les ARN double brin, qui constituent le matériel génétique de plusieurs virus, suivent également les règles de Chargaff (ici A s'associe à U, comme à T dans l'ADN ; Fig. 1-16). Par contre, les ADN simple brin, que l'on trouve dans certains virus, ne suivent pas les règles de Chargaff. C'est en pénétrant dans leurs cellules hôtes qu'ils prennent la structure double brin par réplication, et dès lors, la composition en bases suit les règles de Chargaff.

b. Les bases des acides nucléiques peuvent être modifiées

Certains ADN contiennent des bases dérivées des bases normales par modification chimique. Par exemple, dA et dC sont partiellement remplacées dans l'ADN de nombreux organismes, respectivement par la *N*⁶-méthyl-dA et par la **5-méthyl-dC**.

N ⁶-Méthyl-dA 5-Méthyl-dC

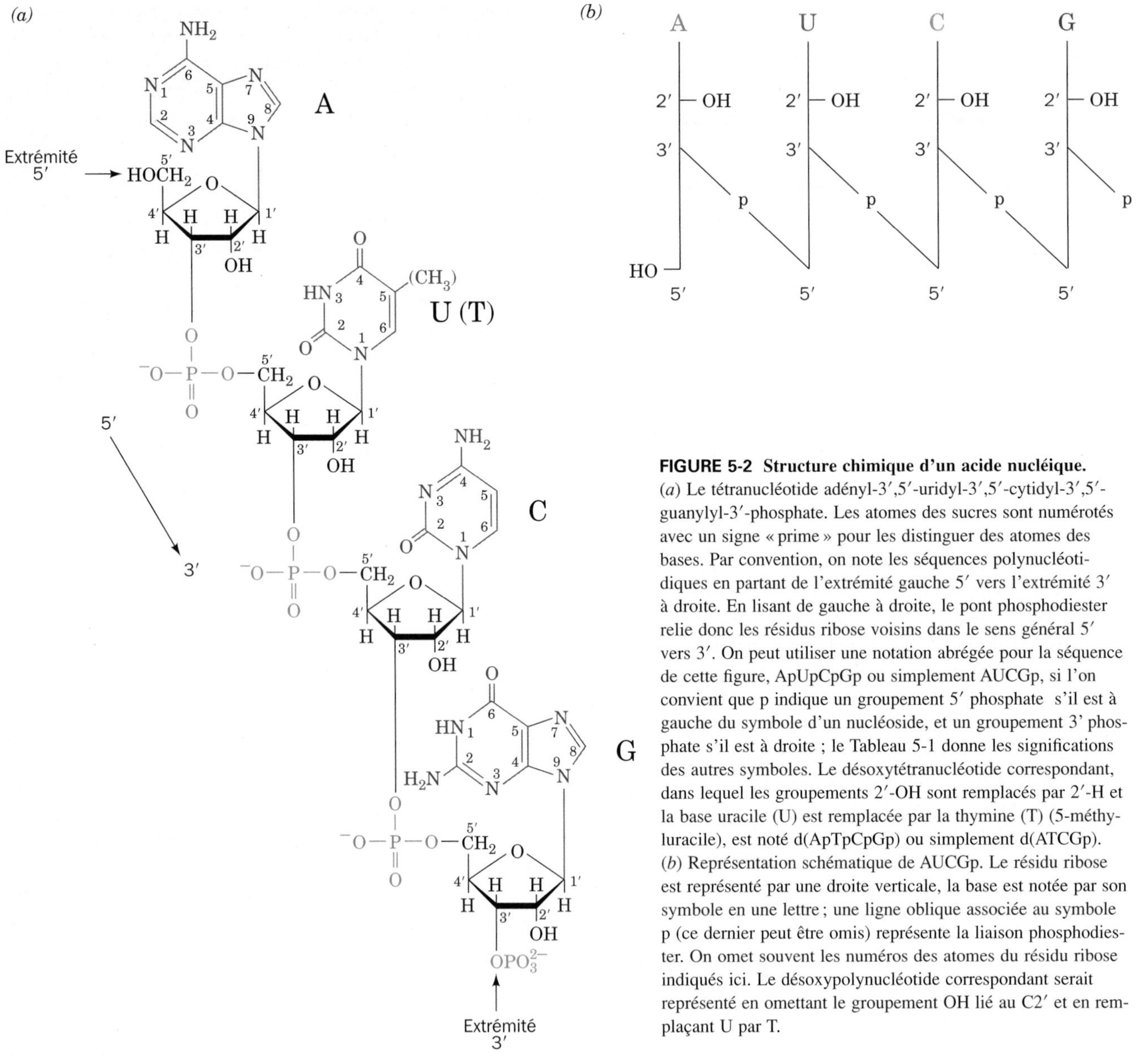

(a)

(b)

FIGURE 5-2 Structure chimique d'un acide nucléique.
(a) Le tétranucléotide adényl-3',5'-uridyl-3',5'-cytidyl-3',5'-guanylyl-3'-phosphate. Les atomes des sucres sont numérotés avec un signe « prime » pour les distinguer des atomes des bases. Par convention, on note les séquences polynucléotidiques en partant de l'extrémité gauche 5' vers l'extrémité 3' à droite. En lisant de gauche à droite, le pont phosphodiester relie donc les résidus ribose voisins dans le sens général 5' vers 3'. On peut utiliser une notation abrégée pour la séquence de cette figure, ApUpCpGp ou simplement AUCGp, si l'on convient que p indique un groupement 5' phosphate s'il est à gauche du symbole d'un nucléoside, et un groupement 3' phosphate s'il est à droite ; le Tableau 5-1 donne les significations des autres symboles. Le désoxytétranucléotide correspondant, dans lequel les groupements 2'-OH sont remplacés par 2'-H et la base uracile (U) est remplacée par la thymine (T) (5-méthyluracile), est noté d(ApTpCpGp) ou simplement d(ATCGp).
(b) Représentation schématique de AUCGp. Le résidu ribose est représenté par une droite verticale, la base est notée par son symbole en une lettre ; une ligne oblique associée au symbole p (ce dernier peut être omis) représente la liaison phosphodiester. On omet souvent les numéros des atomes du résidu ribose indiqués ici. Le désoxypolynucléotide correspondant serait représenté en omettant le groupement OH lié au C2' et en remplaçant U par T.

Ces bases sont produites par modification enzymatique, spécifique de la séquence de l'ADN normal (Sections 5-5A et 30-7). Les bases modifiées suivent les règles de Chargaff si on les considère comme équivalentes aux bases normales dont elles dérivent. De même, de nombreuses bases dans l'ARN, surtout dans les **ARN de transfert** (**ARNt** ; Section 32-2A) sont modifiées.

c. L'ARN est sensible à l'hydrolyse alcaline ; l'ADN ne l'est point

L'ARN est très sensible à l'hydrolyse alcaline selon la réaction représentée dans la Fig. 5-3 ; elle produit un mélange de nucléotides 2' et 3'. Par contre, l'ADN, qui ne possède pas de groupe 2'-OH, est résistant à l'hydrolyse alcaline et est donc beaucoup plus stable chimiquement que l'ARN. C'est probablement la raison pour laquelle l'ADN est devenu la mémoire génétique de la cellule, plutôt que l'ARN.

2 ■ L'ADN EST LE SUPPORT DE L'INFORMATION GÉNÉTIQUE

Les acides nucléiques ont été isolés pour la première fois en 1869 par Friedrich Miescher, qui les a appelés ainsi parce qu'il les a trouvés dans les noyaux des **leucocytes** provenant du pus de pansements chirurgicaux. La présence d'acides nucléiques dans d'autres cellules fut démontrée au cours des années suivantes mais il a fallu 75 ans pour comprendre leur fonction biologique. Ainsi, au cours des années 1930-1940, on croyait encore que les acides nucléiques étaient constitués par une séquence monotone des quatre bases, ce qui explique qu'on ne songeait pas à leur attribuer une fonction génétique. C'était l'**hypothèse tétranucléotidique**. On pensait plutôt que les gènes étaient des protéines, puisque celles-ci étaient, à l'époque, les seuls composés connus comme pouvant rendre compte d'une spécificité d'action. Dans cette sec-

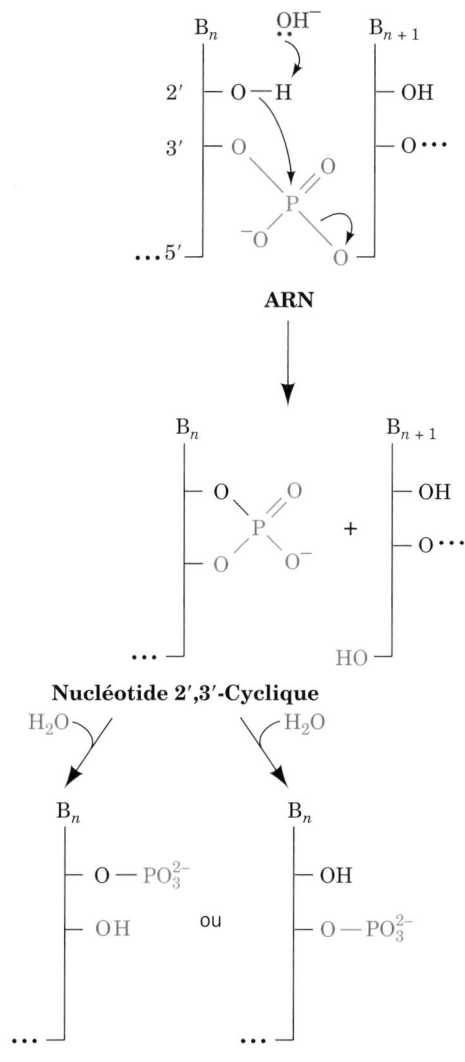

FIGURE 5-3 Mécanisme de l'hydrolyse alcaline de l'ARN. La solution alcaline provoque la déprotonation du groupe 2′-OH et facilite l'attaque nucléophile du noyau phosphore proche, ce qui entraîne le clivage de la chaîne de l'ARN. Il se forme un cycle phosphate lié aux C2′ et C3′, qui sera hydrolysé soit en 2′ soit en 3′phosphate.

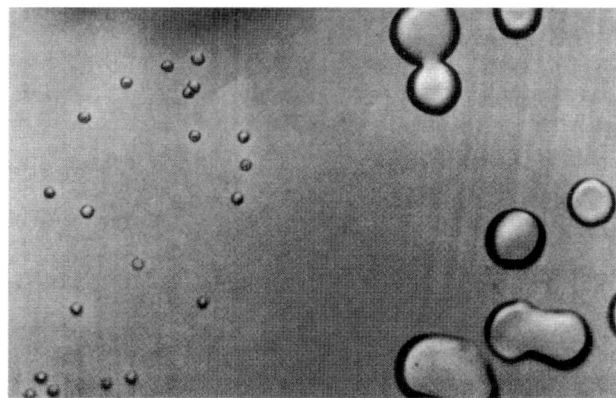

FIGURE 5-4 Pneumocoques. Les grandes colonies brillantes sont des colonies de pneumocoques virulents de type S, résultant de la transformation de pneumocoques non virulents de type R (les colonies de petites taille), par l'ADN extrait de pneumocoques S tués par la chaleur. [D'après Avery O.T., MacLeod C.M., et McCarty, M., *J.Exp. Med.* **79**, 153 (1944). Copyright © 1944 par Rockefeller University Press.]

ment lisses (S pour smooth) et rugueuses (R pour rough), en culture (Fig. 5-4).

En 1928, Frederick Griffith fait une découverte étonnante. L'injection à des souris, d'un mélange de pneumocoques R, vivants, et S, tués par la chaleur, entraîne la mort de la plupart des souris. Fait plus surprenant encore, le sang des souris mortes contient des pneumocoques S vivants. Les pneumocoques S tués, initialement injectés aux souris ont, en quelque sorte, **transformé** les pneumocoques R inoffensifs en forme S virulente. De plus, la descendance des pneumocoques transformés est aussi S, indiquant que la transformation est stable. Ultérieurement, la même transformation fut réalisée *in vitro*, en mélangeant des cellules R avec un extrait acellulaire de cellules S. Restait à déterminer la nature du **principe transformant**.

En 1944, Oswald Avery, Colin MacLeod et Maclyn McCarty publient les résultats de 10 ans de recherche attestant que *le principe transformant est l'ADN*. Leur conclusion est fondée sur le fait que le principe transformant, purifié au mieux selon les moyens de l'époque, possède toutes les propriétés physiques et chimiques de l'ADN, et que l'on n'y détecte pas de protéines. Le principe transformant n'est pas diminué par l'action d'enzymes qui catalysent l'hydrolyse des protéines et de l'ARN, mais il est complètement inactivé après traitement par une enzyme qui catalyse l'hydrolyse de l'ADN. On en déduit que l'*ADN est bien le support de l'information génétique*.

La découverte d'Avery et de ses collaborateurs sous-tendait une idée trop en avance sur l'époque. Ainsi fut-elle accueillie d'abord avec scepticisme, puis resta pratiquement ignorée. En fait, Avery lui-même n'avait pas déclaré clairement que l'ADN est le matériau de l'hérédité, mais qu'il possédait une « spécificité biologique ». Ses travaux ont cependant inspiré plusieurs biochimistes, comme Erwin Chargaff, qui détermina de manière précise les rapports des bases dans l'ADN avec la nouvelle technique de **chromatographie sur papier** (Section 6-3D), rejetant ainsi l'hypothèse tétranucléotidique, et suggérant que l'ADN est une molécule plus complexe qu'on ne l'avait supposé.

tion, nous décrirons les expériences qui ont permis de démontrer le rôle génétique de l'ADN.

A. *Le principe transformant est l'ADN*

La forme virulente du pneumocoque (*Diplococcus pneumoniae*), bactérie qui provoque une pneumonie, est recouverte d'une paroi cellulaire garnie de motifs polysaccharidiques qui constituent les sites de liaison (les **antigènes O ;** Section 11-3B) permettant la reconnaissance des cellules qu'elle infecte. Des pneumocoques mutants dépourvus de ces motifs, à cause de l'absence d'une enzyme indispensable à leur biosynthèse, ne sont plus pathogènes. Les formes virulentes ou non pathogènes sont connues sous l'appellation S ou R, à cause de l'aspect de leurs colonies, respective-

FIGURE 5-5 Souris transgénique. La souris géante de gauche s'est développée à partir d'un ovule fécondé dans lequel on a microinjecté de l'ADN contenant le gène de l'hormone de croissance du rat. L'individu normal de droite provient de la même portée. [Avec l'autorisation de Ralph Brinster, University of Pennsylvania.]

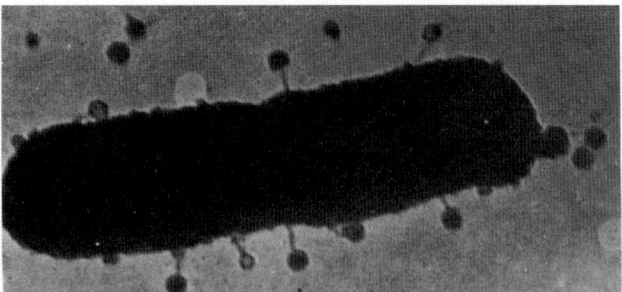

FIGURE 5-6 Bactériophages accrochés à la surface d'une bactérie. Micrographie électronique, parmi les premières, d'une cellule de *E. coli*, sur laquelle des **bactériophages T5** sont fixés par leur queue. [Avec l'autorisation de Thomas F. Anderson, Fox Chase Cancer Center.]

Plus tard, la démonstration est faite que les eucaryotes peuvent aussi être transformés par l'ADN. Celui-ci est donc le matériau de l'hérédité chez les eucaryotes également ; les études cytologiques montrent d'ailleurs que l'ADN est présent dans les chromosomes. En 1982, Ralph Brinster fait une démonstration spectaculaire de la transformation chez les eucaryotes. Il microinjecte de l'ADN contenant le gène codant le polypeptide qui constitue l'**hormone de croissance** du rat, dans le noyau d'ovules fécondés de souris (cette technique est exposée dans la Section 5-5H) et implante ces œufs dans l'utérus de femelles porteuses. Il obtient ainsi des souris géantes (Fig. 5-5), dont le sérum contient l'hormone de crois-

sance de rat en concentration élevée et qui atteignent un poids double de celui des souris non traitées. De tels animaux génétiquement modifiés sont appelés **transgéniques**.

B. *L'ADN est la molécule de l'hérédité chez de nombreux bactériophages*

Les micrographies électroniques des bactéries infectées par des phages montrent les enveloppes, à tête vide, des particules phagiques accrochées à la surface bactérienne (Fig. 5-6). Roger Herriott déduit de cette observation « qu'il se peut que le virus agisse comme une petite seringue hypodermique remplie de principe transformant », que le virus injecte dans l'hôte bactérien (Fig. 5-7). Cette hypothèse, illustrée par la Fig. 5-8, a inspiré les expériences réalisées en 1952 par Alfred Hershey et Martha Chase. Des **bactériophages T2** sont multipliés dans *E. coli* poussant dans un milieu contenant les isotopes radioactifs ^{32}P et ^{35}S. La capside

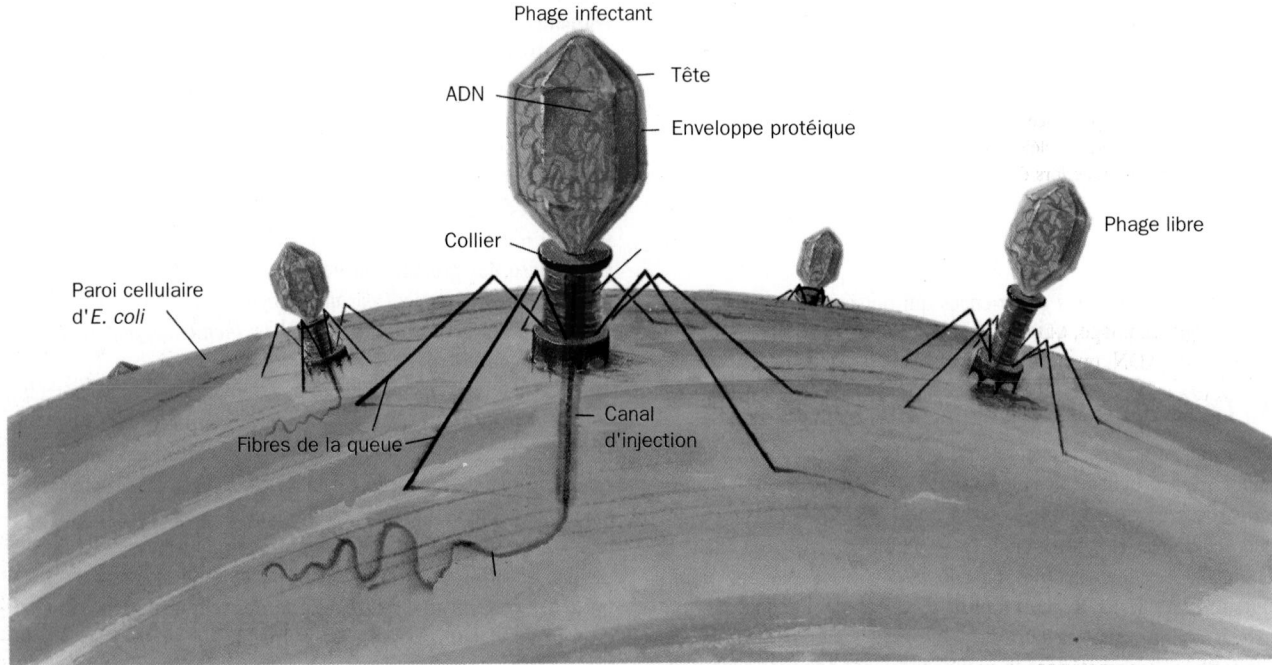

FIGURE 5-7 Dessin schématisant un bactériophage T2, injectant son ADN dans une cellule de *E. coli*.

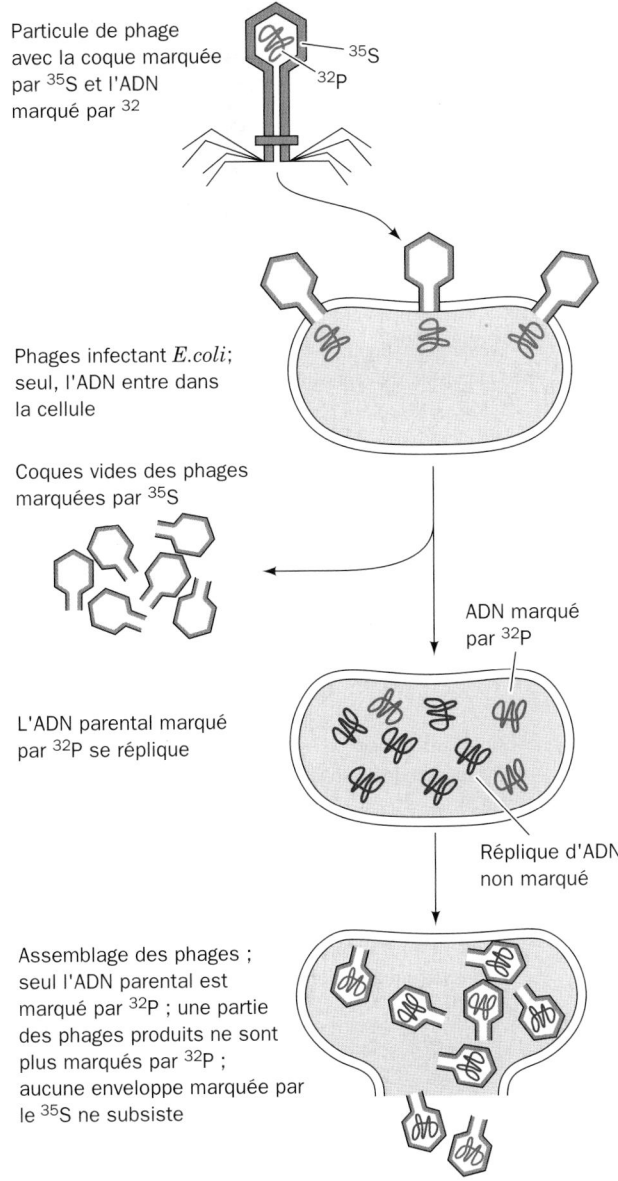

Particule de phage avec la coque marquée par ^{35}S et l'ADN marqué par ^{32}

Phages infectant *E.coli* ; seul, l'ADN entre dans la cellule

Coques vides des phages marquées par ^{35}S

ADN marqué par ^{32}P

L'ADN parental marqué par ^{32}P se réplique

Réplique d'ADN non marqué

Assemblage des phages ; seul l'ADN parental est marqué par ^{32}P ; une partie des phages produits ne sont plus marqués par ^{32}P ; aucune enveloppe marquée par le ^{35}S ne subsiste

FIGURE 5-8 L'expérience de Hershey et Chase. Cette expérience démontre que l'acide nucléique du phage est le seul composant qui pénètre la cellule hôte lors de l'infection par le phage.

protéique du phage, qui ne contient pas de P, est donc marquée par ^{35}S et son ADN, qui ne contient pas de S, par ^{32}P. Les phages ainsi marqués sont ensuite ajoutés à une culture d'*E. coli* poussant dans un milieu non marqué . Un temps d'incubation suffisant permet aux phages d'infecter les bactéries, après quoi la suspension est agitée dans un broyeur de ménage pour détacher les enveloppes de phages vides adhérant aux cellules. Ce traitement, pourtant assez brutal, n'abîme pas les bactéries et n'empêche pas l'infection de se poursuivre. Après centrifugation (voir Section 6-5), ce qui permet de séparer les enveloppes vides des phages et les bactéries, l'analyse montre que les enveloppes de phages contiennent la majorité du ^{35}S, et les bactéries, la majorité du ^{32}P. De plus, on retrouve dans la descendance des phages 30 % du ^{32}P, mais seulement 1 %

du ^{35}S. Hershey et Chase peuvent donc en conclure que l'ADN du phage est le seul composé essentiel pour produire les nouvelles particules. *L'ADN est donc le matériau de l'hérédité.* Plus récemment, on a montré que l'ADN purifié à partir de phages peut, à lui seul, après une opération appelée **transfection**, provoquer une infection normale dans un hôte bactérien, traité pour le rendre compétent. La transfection diffère de la transformation en ce sens que cette dernière implique généralement la recombinaison d'un fragment d'ADN homologue avec le chromosome bactérien.

En 1952, les connaissances en biochimie sont déjà avancées et la démonstration d'Hershey et Chase est acceptée beaucoup plus facilement que l'identification du principe transformant à l'ADN, par Avery, 8 ans plus tôt. Quelques mois après, les premières hypothèses sur la nature du **code génétique** (la correspondance entre la séquence des bases d'un gène et la séquence en acides aminés d'une protéine, Section 5-4B) sont formulées, et James Watson et Francis Crick établissent la structure de l'ADN. En 1955, on montre que, chez les eucaryotes, le contenu en ADN des cellules somatiques est deux fois celui des cellules reproductrices. Le fait que cette observation soit présentée comme un argument supplémentaire en faveur du rôle génétique de l'ADN, alors que les autres molécules composant les chromosomes varient aussi dans les mêmes proportions, ne suscite pourtant que peu de commentaires.

3 ■ L'ADN EN DOUBLE HÉLICE

L'élucidation de la structure de l'ADN par Watson et Crick en 1953 marque, dit-on, l'avènement de la biologie moléculaire moderne. Si la **structure Watson-Crick** de l'ADN revêt une telle importance, c'est parce qu'elle met en lumière non seulement la molécule la plus fondamentale de la vie, mais aussi le mécanisme de l'hérédité. Cette découverte, considérée comme un des plus beaux succès de la démarche scientifique, réconciliait de nombreuses données, dont certaines étaient encore loin d'être acceptées par tous :

1. Les règles de Chargaff. À l'époque, les relations A = T et G = C restaient inexpliquées, même par Chargaff.

2. Les formes tautomériques exactes des bases. Les rayons X, la résonance magnétique nucléaire (RMN) et des analyses spectroscopiques ont solidement établi que les bases des acides nucléiques sont sous leurs formes tautomériques céto (Tableau 5-1). Ceci n'était pas vraiment admis en 1953. On pensait, en effet, que la guanine et la thymine étaient sous leur forme énolique (Fig. 5-9), ce qui était censé rendre maximale la stabilité en résonance de ces molécules aromatiques. Jerry Donohue, expert de la détermination, par diffraction des rayons X, des structures physiques des petites molécules organiques et collègue de Watson et de Crick, montra que la forme céto est la plus fréquente, ce qui permettait alors de concevoir les appariements corrects entre les bases par des liaisons hydrogène.

3. La nature hélicoïdale de l'ADN. Cette information était fondée sur la photographie d'une fibre d'ADN diffractant les rayons X, prise par Rosalind Franklin (Fig. 5-10). En effet, l'ADN est une molécule filamenteuse qui ne peut cristalliser mais peut être rassemblée en fibres constituées par des faisceaux parallèles de molécules. Crick était bien entraîné à l'étude des cris-

TABLEAU 5-1 **Noms et abréviations des bases, des nucléosides et des nucléotides dans les acides nucléiques**

Formules des bases	Base (X = H)	Nucléoside (X = ribose[a])	Nucléotide[b] (X = ribose phosphate[a])
	Adénine	Adénosine	Acide adénylique
	Ade	Ado	Adénosine monophosphate
	A	A	AMP
	Guanine	Guanosine	Acide guanylique
	Gua	Guo	Guanosine monophosphate
	G	G	GMP
	Cytosine	Cytidine	Acide cytidilique
	Cyt	Cyd	Cytidine monophosphate
	C	C	CMP
	Uracile	Uridine	Acide uridylique
	Ura	Urd	Uridine monophosphate
	U	U	UMP
	Thymine	Désoxythymidine	Acide désoxythymidylique
	Thy	dThd	Désoxythymidine monophosphate
	T	dT	dTMP

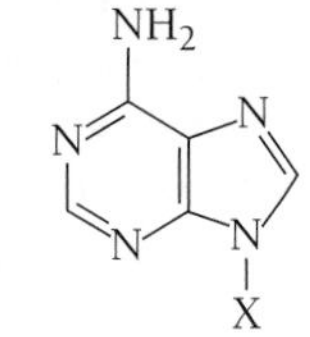

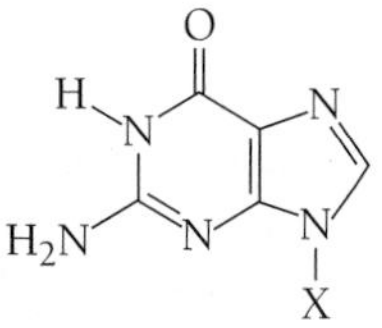

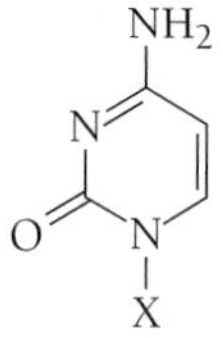

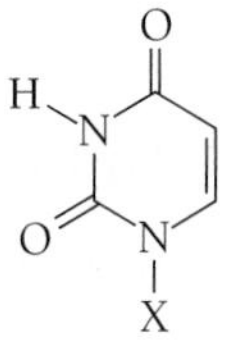

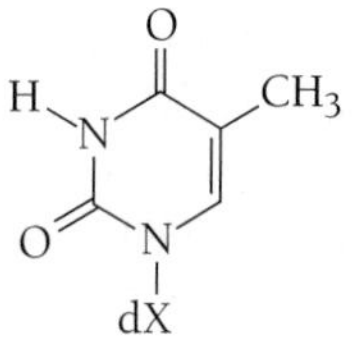

[a] La présence d'une unité 2′-désoxyribose à la place du ribose, comme dans l'ADN, est simplifiée par les préfixes « désoxy » ou « d ». Par exemple, le désoxynucléoside de l'adénine est la désoxyadénosine ou dA. Cependant, pour les résidus contenant de la thymine, que l'on trouve rarement dans les ARN, le préfixe est redondant et peut être omis. La présence d'une unité ribose peut être indiquée explicitement par les préfixes « ribo » ou « r ». Ainsi, le ribonucléotide de la thymine est la ribothymidine ou rT.

[b] La position du groupe phosphate dans un nucléotide peut être indiquée explicitement comme, par exemple, 3′-AMP et 5′-GMP.

taux par rayons X, et il avait justement formulé les équations rendant compte de la diffraction de molécules hélicoïdales. L'examen de la photographie de Franklin lui permit de déduire que (a) l'ADN est une molécule hélicoïdale et (b) ses bases aromatiques, de forme plane, forment un empilement d'anneaux, parallèle à l'axe de la fibre.

Ces données ne fournirent que quelques points de repères pour élucider la structure de l'ADN. Celle-ci surgit essentiellement de l'imagination de Watson et de Crick qui l'exercèrent sur de nombreux modèles. Une fois publié, le modèle de Watson-Crick fut rapidement accepté car il était à la fois simple et rendait compte des propriétés biologiques de l'ADN. Des recherches ultérieures

en ont confirmé l'exactitude, moyennant quelques modifications de détail.

A. *La structure Watson-Crick : l'ADN-B*

Les fibres d'ADN présentent la conformation appelée B. Celle-ci est fondée sur leur mode de diffraction des rayons X, quand le contre-ion est un cation métallique alcalin, comme Na⁺, et quand l'humidité relative est > 92 %. L'**ADN-B** *est considéré comme la forme **native** (biologiquement active) de l'ADN, notamment parce que son mode de diffraction des rayons X ressemble à celui de l'ADN des têtes intactes des spermatozoïdes.*

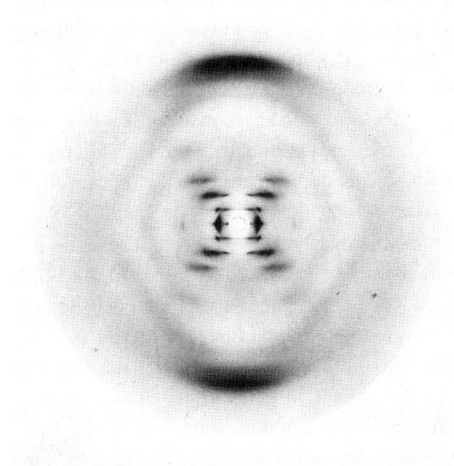

FIGURE 5-9 **Quelques conversions possibles des bases en formes tautomères.** Résidus de la thymine (*a*) et de la guanine (*b*). Les résidus de la cytosine et de l'adénine peuvent subir des déplacements semblables de protons.

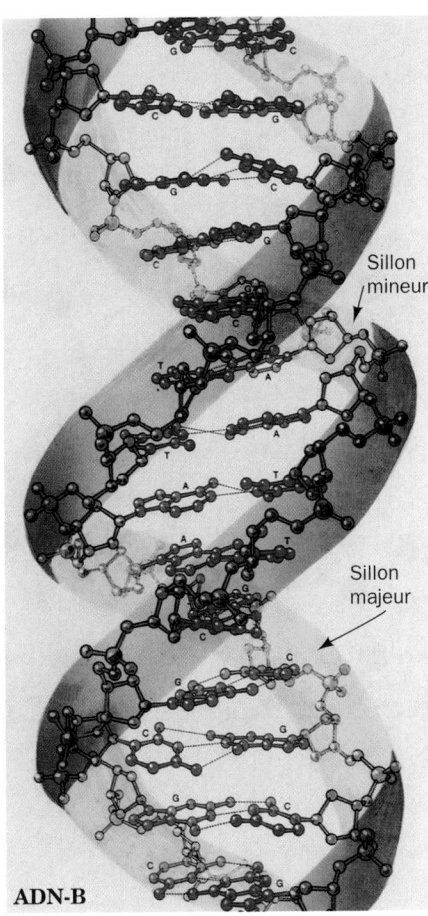

FIGURE 5-11 **Structure 3-D de l'ADN-B**. L'hélice est dessinée d'après la structure par rayons X du dodécamère autocomplémentaire d(CGCGAATTCGCG) déterminée par Richard Dickerson et Horace Drew. La vue est perpendiculaire à l'axe de l'hélice. Les enchaînements sucre-phosphate tournant en sens opposés en périphérie de la molécule sont en bleu et sont soulignés par le ruban bleu-vert. Les bases, au centre, sont en rouge ; elles sont associées en paires par liaisons hydrogène. Les atomes H n'ont pas été représentés pour ne pas surcharger le dessin. [Copyrighted, Irving Geis.]

FIGURE 5-10 **Photographie, prise par Rosalind Franklin, de la diffraction des rayons X par une fibre d'ADN-Na⁺, de conformation B, orientée verticalement.** C'est cette photographie qui a procuré l'élément clé pour comprendre la structure de Watson-Crick. La disposition des taches centrales en X indique qu'il s'agit d'une hélice ; les arcs de cercles en noir foncé en haut et en bas de l'image de diffraction correspondent à une distance de 3,4 Å ; ils montrent que la structure de l'ADN se répète de manière périodique tous les 3,4 Å, le long de l'axe de la fibre. [Fournie aimablement par Maurice Wilkings, King's College, Londres.]

La structure Watson-Crick de l'ADN-B possède les trois caractéristiques principales suivantes :

1. *Cet ADN est constitué de deux chaînes polynucléotidiques tournant autour du même axe selon une spirale de pas vers la droite, ce qui forme une double hélice d'un diamètre de ~20 Å (Fig. 5-11). Les deux chaînes tournent en sens opposés (elles sont antiparallèles)* et s'enroulent l'une autour de l'autre, de telle manière qu'elles ne peuvent pas être séparées sans détordre l'hélice. Les bases sont à l'intérieur de l'hélice et les liaisons sucre-phosphate forment des spirales à l'extérieur de l'hélice, ce qui minimise la répulsion entre les charges négatives des groupes phosphate.

2. *Les plans constitués par les bases sont pratiquement perpendiculaires à l'axe de l'hélice. Chaque base est reliée par liaisons hydrogène à une base de la chaîne opposée pour former une* **paire de bases** (**pb**) *dans le même plan* (Fig. 5-11). Ce sont les interactions par liaisons hydrogène, connues sous le terme d'**appariement complémentaire des bases**, qui sont responsables de l'association spécifique entre les deux chaînes de la double hélice.

3. *L'hélice « idéale » d'ADN-B a un pas de 10 paires de bases* (correspondant donc à une fraction de tour de 36° par pb). Étant donné que les bases ont une épaisseur de van der Waals de 3,4 Å et qu'elles sont en partie tassées l'une sur l'autre (**tassement des bases**, Fig. 5-11), le **pas** de l'hélice (translation par tour) est de 34 Å.

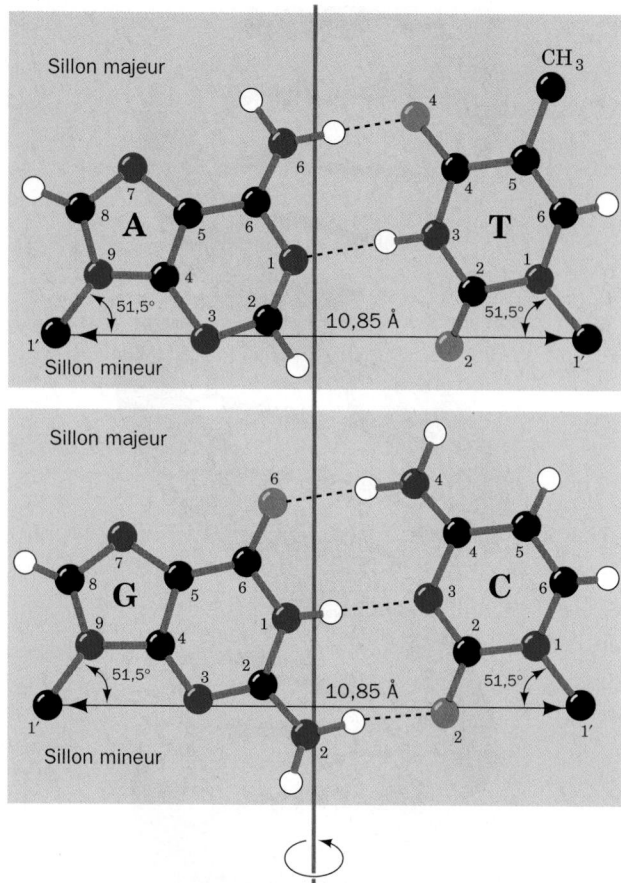

FIGURE 5-12 Les paires de bases Watson-Crick. La droite qui réunit les atomes C1′ des résidus ribose a une longueur identique pour les deux paires de bases et fait des angles égaux de 51,5° avec les liaisons glycosidiques aux bases. Cette géométrie crée une série d'axes de symétrie de pseudo-ordre deux, parfois appelés **axes dyades,** qui passent par le centre de chaque paire de bases, et qui sont perpendiculaires à l'axe de l'hélice, représenté par une droite en rouge. On remarque que A avec T, et C avec G, s'associent respectivement par deux et par trois liaisons hydrogène. [D'après Arnott S., Dover S.D., et Wonacott, A.J., *Acta Cryst.* **B25**, 2196 (1969).]

La propriété la plus remarquable de la structure Watson-Crick est qu'*elle n'admet que deux types d'appariements : un résidu adénine ne peut s'apparier qu'avec un résidu thymine et vice versa, et chaque résidu guanine ne peut s'apparier qu'avec un résidu cytosine et vice versa*. La disposition dans l'espace des paires de bases A·T et G·C, les **paires de bases Watson-Crick**, est illustrée dans la Fig. 5-12. *Les deux paires de bases sont interchangeables en ce sens qu'elles peuvent se remplacer l'une l'autre dans la double hélice, sans changer les positions des atomes C1′ du squelette sucre-phosphate. De même, on peut échanger les bases d'une même paire et donc substituer G·C à C·G ou A·T à T·A sans perturber la structure de la double hélice.* Toute autre combinaison en paires de bases (A·G ou A·C, par exemple)) déformerait la double hélice au point de provoquer une réorientation importante du squelette sucre-phosphate.

L'ADN-B présente deux profonds sillons extérieurs qui suivent les enchaînements sucre-phosphate, en raison du fait que l'axe de l'hélice passe à peu près par le centre de chaque paire de bases. Les deux sillons sont de profondeurs inégales (Fig. 5-11). Ceci,

parce que (1) le bord supérieur de chaque paire de bases, comme le montre la Fig. 5-12, a une structure différente de celle du bord inférieur ; et (2) les résidus désoxyribose sont asymétriques. Le **sillon mineur** expose le côté de chaque paire de bases d'où se projettent ses atomes C1′ (il s'ouvre vers le bas dans la Fig. 5-12), alors que le **sillon majeur** expose le bord opposé de la paire de bases (il s'ouvre vers le haut dans la Fig. 5-12).

Bien que l'ADN-B soit, de loin, la forme la plus fréquente dans la cellule, on connaît d'autres structures d'ADN et d'ARN en double hélice. Celles-ci sont discutées dans la Section 29-1B.

B. *La réplication de l'ADN est « semi-conservative »*

La structure Watson-Crick est compatible avec n'importe quelle séquence de bases sur un brin, pourvu que l'autre possède la séquence de bases complémentaire. Ceci permet donc de comprendre les règles de Chargaff. On peut aussi en déduire le fait plus important que *l'information génétique est entièrement contenue dans n'importe lequel des deux brins*. Chaque chaîne polynucléotidique peut donc servir de matrice pour la synthèse d'une nouvelle chaîne complémentaire, grâce aux mêmes interactions que celles qui autorisent l'appariement des bases (Fig. 1-17). Les deux chaînes d'une molécule « parentale » doivent donc se séparer pour permettre la synthèse, catalysée par une enzyme, d'une nouvelle chaîne complémentaire copiée sur chaque molécule parentale. Il en résulte deux molécules d'ADN à double hélice (**duplex**), chacune étant formée par une des chaînes parentales et une des chaînes néosynthétisées. Ce mode de réplication est dit « **semi-conservatif** » pour le distinguer d'un mode « **conservatif** » qui donnerait, en supposant qu'il existe, une molécule duplex entièrement néosynthétisée et la molécule duplex parentale. Le mécanisme de la réplication de l'ADN est le sujet principal du chapitre 30.

La nature semi-conservative de la réplication de l'ADN a été démontrée de manière élégante en 1958 par Matthew Meselson et Franklin Stahl, par l'expérience suivante. La densité de l'ADN est augmentée par incorporation de l'isotope lourd ^{15}N de l'azote (^{14}N étant l'isotope le plus abondant dans la nature). Pour ce faire, *E. coli* est cultivé durant 14 générations dans un milieu ne contenant que du $^{15}NH_4Cl$ comme source d'azote. Ces bactéries « lourdes » sont alors transférées directement dans un milieu ne contenant que du ^{14}N et la densité de leur ADN est ensuite mesurée pour chaque génération de bactéries, après **ultracentrifugation en gradient de densité à l'équilibre** (une technique qui permet de séparer les macromolécules en fonction de leur densité et précisément mise au point par Meselson, Stahl et Jerome Vinograd, pour séparer l'ADN contenant ^{15}N de celui contenant ^{14}N ; Section 6-5B).

Les résultats de l'expérience de Meselson et Stahl sont présentés dans la Fig. 5-13. Après une génération, au cours de laquelle le nombre de cellules a doublé, tout l'ADN présente une densité exactement intermédiaire entre l'ADN complètement ^{15}N et l'ADN ^{14}N. Cet ADN contient donc en quantités égales les isotopes ^{15}N et ^{14}N, conformément à ce qui est attendu après une génération en cas de réplication semi-conservative. La réplication « conservative », au contraire, aurait conservé tout l'ADN de type parental, ici de densité élevée, et formé une quantité égale d'ADN de densité faible. Après deux générations, on constate que la moitié des molécules d'ADN ont une densité faible, étant formées de ^{14}N, tandis que l'autre moitié reste de densité intermédiaire (en fait

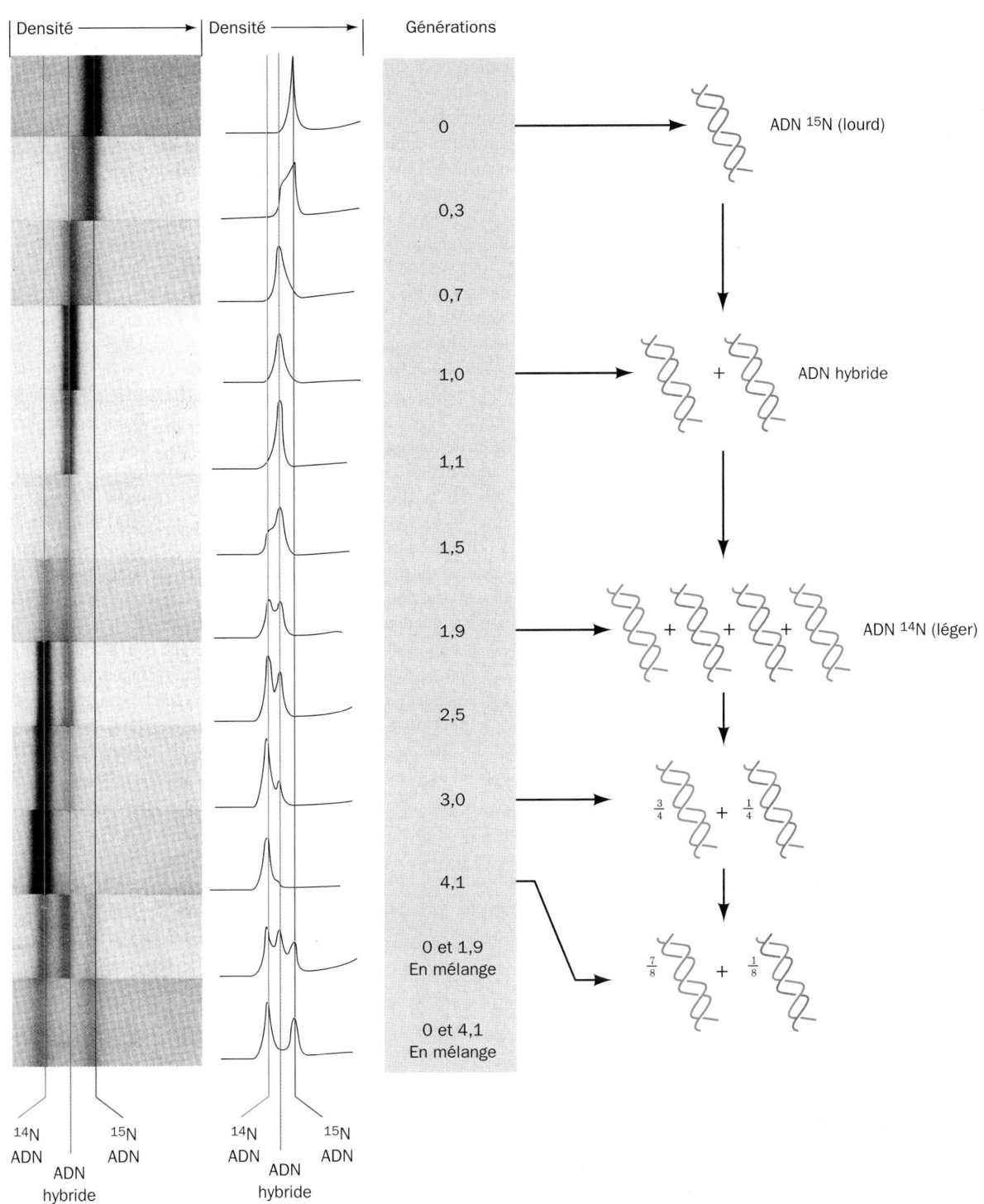

FIGURE 5-13 Démonstration de la nature semi-conservative de la réplication de l'ADN, chez *E. coli*, par ultracentrifugation en gradient de densité. L'ADN a été dissous dans une solution aqueuse de CsCl de densité de 1,71 g/cm³ puis soumis à une accélération de 140 000 fois celle de la pesanteur dans une ultracentrifugeuse analytique, qui permet d'observer les échantillons en cours de migration. Cette énorme accélération redistribue le CsCl dans la solution de sorte que sa concentration augmente avec le rayon dans l'ultracentrifugeuse. En conséquence, l'ADN migre dans ce gradient de densité jusqu'à trouver sa position d'équilibre selon sa densité de flottation. Les clichés de gauche montrent les photographies, par absorbance dans l'UV, des cellules d'ultracentrifugation dans lesquelles on distingue des bandes correspondant à l'ADN, qui absorbe très fortement la lumière UV. Les photographies sont placées de manière à faire correspondre sur la même verticale les régions de densités égales. Les clichés au centre présentent les enregistrements microdensitométriques des mêmes photographies, dont les hauteurs des pics sont proportionnelles à la concentration en ADN. L'ADN synthétisé en présence de ¹⁵N a une densité supérieure. Les bandes les plus à droite, correspondent à une distance plus grande par rapport à l'axe du rotor, représentent l'ADN le plus riche en ¹⁵N, tandis que l'ADN non marqué, formé de ¹⁴N, forme les bandes les plus à gauche, dont la densité est inférieure de 0,014 g/cm³. Les bandes intermédiaires, bien alignées, correspondent à un ADN duplex dans lequel un brin est ¹⁵N et l'autre ¹⁴N. Les interprétations sont dessinées à droite de la figure ; elles indiquent, à chaque cycle de réplication, les nombres relatifs de brins d'ADN fournis par les molécules parentales : type parental à 100 % d'ADN ¹⁵N (deux chaînes bleues) ; type hybride (une chaîne bleue, une rouge), type entièrement néo-synthétisé, ADN ¹⁴N (deux chaînes rouges). [D'après Meselson, M. et Stahl, F.W., *Proc. Natl. Acad. Sci.* **44**, 674 (1958).]

des hybrides ^{15}N–^{14}N) comme les molécules de première génération. Cette répartition est aussi en accord avec le modèle semi-conservatif et contredit le modèle conservatif. Au cours des générations ultérieures, la proportion d'ADN « léger » s'accroît par rapport à la proportion d'ADN de densité intermédiaire, qui finit par n'être présent qu'à l'état de traces. Ceci concorde parfaitement avec le modèle semi-conservatif, tout en réfutant le modèle conservatif. En effet, ce dernier aboutirait à la persistance de l'ADN-^{15}N (parental), sans apparition d'ADN de densité intermédiaire.

C. *Dénaturation et renaturation de l'ADN*

Lorsqu'une solution d'ADN duplex est chauffée au dessus d'une certaine température, sa structure initiale disparaît parce que les deux chaînes complémentaires se séparent et prennent chacune une conformation aléatoire ondulante appelée **enroulement au**

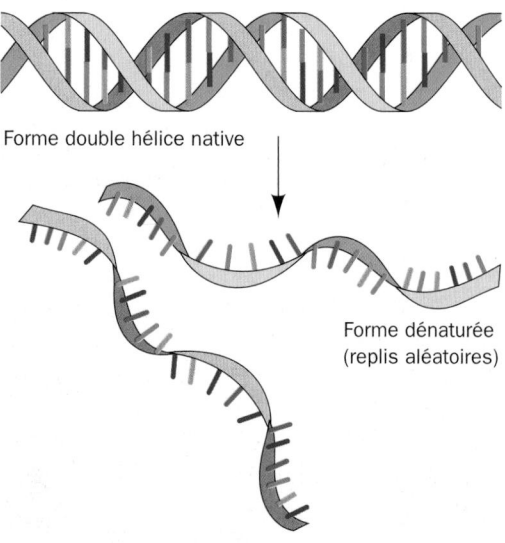

Forme double hélice native

Forme dénaturée
(replis aléatoires)

FIGURE 5-14 Représentation schématique de la séparation des brins de l'ADN duplex lors de sa dénaturation par la chaleur.

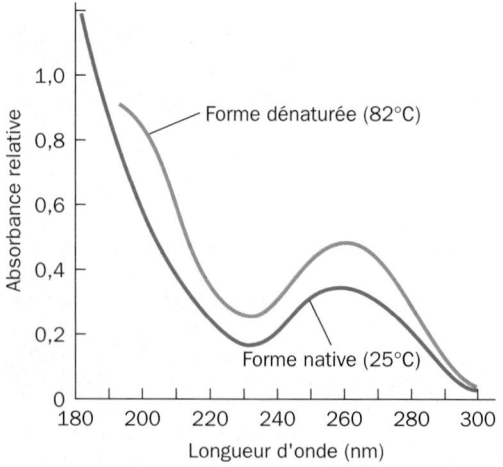

FIGURE 5-15 Spectre d'absorbance UV de l'ADN *d'E. coli* **natif ou dénaturé par la chaleur.** Remarquer que la dénaturation ne change pas la forme générale de la courbe d'absorbance mais augmente son intensité. [D'après Voet, D., Gratzer, W.B., Cox, R.A., et Doty, P., *Biopolymers* **1**, 205 (1963).]

hasard (« *random coil* ») *(Fig. 5-14).* Ce phénomène de **dénaturation** s'accompagne d'une modification qualitative des propriétés physiques de l'ADN. Ainsi, la viscosité élevée des solutions natives d'ADN, qui résulte de la résistance à la déformation des molécules duplex en forme de cylindres assez rigides, chute rapidement dès que l'ADN se dénature, c'est-à-dire prend la forme de deux simples chaînes relativement libres.

a. La dénaturation de l'ADN est un processus coopératif

La méthode la plus simple pour suivre la dénaturation à partir de l'état natif consiste à déterminer l'évolution du spectre d'absorbance des UV par la solution d'ADN. Pendant la dénaturation, l'absorbance, qui est due essentiellement aux bases aromatiques, s'accroît de près de 40 % à toutes les longueurs d'ondes (Fig. 5-15). Ce phénomène s'appelle l'effet d'**hyperchromicité** (du grec *hyper*, au dessus et *chroma*, couleur) ; il provient de l'abolition des interactions électroniques entre les bases appariées. Cette variation de l'absorbance peut être suivie à la longueur d'onde de 260 nm et elle se produit pour un écart étroit de températures (Fig. 5-16). Ceci montre que la dénaturation de l'ADN commence à certains endroits, en provoquant ainsi une déstabilisation de la structure du reste de la molécule : c'est un **phénomène coopératif.** On peut donc décrire la dénaturation de l'ADN comme un phénomène semblable à la fusion d'un solide qui n'aurait qu'une dimension. Ainsi, la Fig. 5-16 représente une **courbe de fusion** en fonction de la température. La valeur de la température au point correspondant à 50% de la variation d'hyperchromicité, s'appelle la **température de fusion** ou T_m (m pour « melting »).

La stabilité de la double hélice d'ADN, indiquée par sa T_m, dépend de plusieurs facteurs, dont la nature du solvant, l'identité

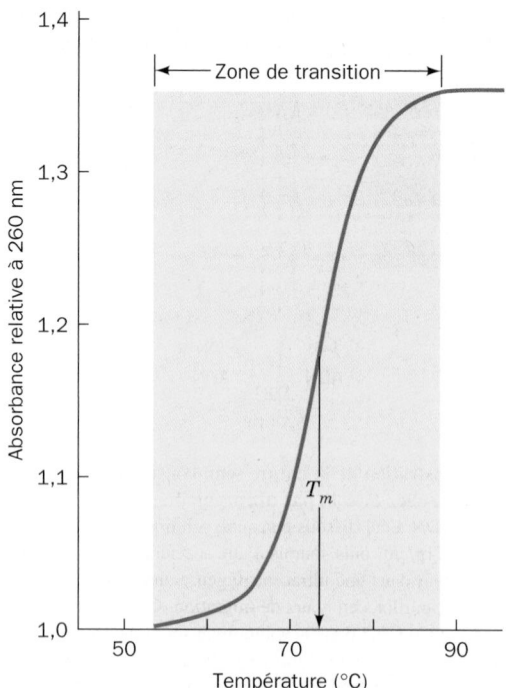

FIGURE 5-16 Exemple de courbe de fusion de l'ADN. L'absorbance relative est le rapport entre l'absorbance (généralement mesurée à 260 nm), à la température indiquée, et l'absorbance à 25 °C. La température de fusion, T_m, est celle à laquelle on atteint 50 % de l'accroissement maximal d'absorbance.

et la concentration des ions en solution et le pH. Ainsi, l'ADN double brin se dénature (sa T_m diminue) en conditions alcalines, lesquelles ionisent certaines bases et perturbent alors leur appariement. La T_m s'accroît de manière linéaire en fonction de la composition molaire, en %, des bases G et C (Fig. 5-17), ce qui montre bien que les paires de bases GC appariées par trois liaisons hydrogène sont plus stables que les paires AT, appariées seulement par deux liaisons hydrogène.

b. L'ADN peut être renaturé

Si une solution d'ADN dénaturé est refroidie rapidement bien en dessous de sa T_m, l'ADN résultant ne sera que très partiellement apparié (Fig. 5-18) car les brins complémentaires n'ont pas assez de temps pour se réassocier complètement avant l'établissement d'appariements partiels aléatoires qui « gèlent » efficacement de telles structures. Cependant, si on refroidit lentement la solution d'ADN dénaturé et qu'on la maintient à une température d'environ 25 °C en dessous de sa T_m, l'énergie thermique du système sera suffisante pour que des appariements de bases s'établissent sur des courtes distances grâce à des dénaturations et renaturations successives, mais insuffisante pour dénaturer de longues séquences complémentaires. Dans ces **conditions d'« annélation » (annealing),** découvertes par Julius Marmur en 1960, l'ADN dénaturé finira par se renaturer complètement. De même, des brins complémentaires d'ADN et d'ARN, selon un processus appelé **hybridation**, prendront des structures hybrides en double hélice à peine moins stables que les ADN en double hélice correspondants.

D. *Longueur de l'ADN*

Les molécules d'ADN sont en général très grandes (Fig. 5-19). La masse moléculaire de l'ADN a été déterminée par de nombreuses techniques, dont l'ultracentrifugation (Section 6-5), les mesures de longueur faites sur des images de microscopie électronique (une paire de bases de l'ADN-B Na$^+$ a une masse moléculaire moyenne de 660 D et une épaisseur de 3,4 Å) et par **autoradiographie** (technique dans laquelle la position d'une substance radioactive

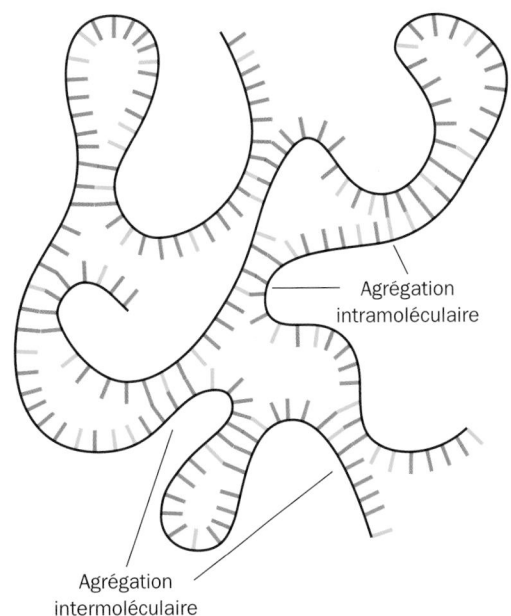

FIGURE 5-18 ADN partiellement renaturé. Représentation schématique de structures d'ADN formées après un appariement imparfait, dû à un refroidissement rapide bien en dessous du T_m après dénaturation par la chaleur. Les appariements partiels, qui entraînent une agrégation de l'ensemble, peuvent être intra- et intermoléculaires.

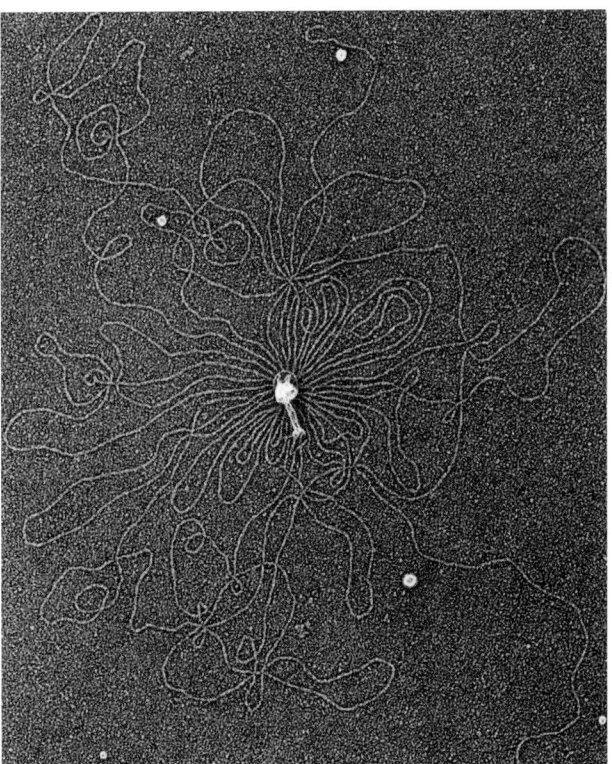

FIGURE 5-19 Micrographie électronique d'un bactériophage T2 et de son ADN. Le phage a été lysé (ouvert) par choc osmotique avec de l'eau distillée, ce qui fait sortir l'ADN. Il est difficile de voir l'ADN duplex au microscope électronique sans traitement spécial, étant donné qu'il n'a que 20 Å de diamètre. **La technique de Kleinschmidt** consiste à l'épaissir jusqu'à 200 Å de diamètre en le recouvrant d'une protéine basique dénaturée, comme ici. [D'après Kleinschmidt, A.K., Lang, D., Jacherts, D., et Zahn, R.K., *Biochim. Biophys. Acta* **61**, 861 (1962).]

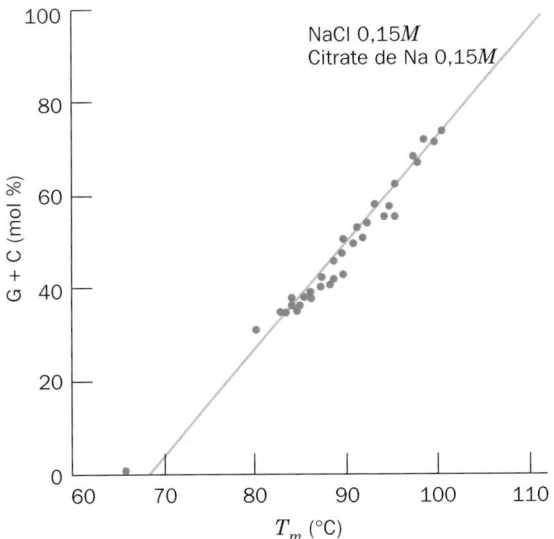

FIGURE 5-17 Variation de T_m d'ADN divers, en fonction de leur contenu en G + C. Les ADN ont été dissous dans une solution contenant du NaCl 0,15*M* et du citrate de Na à 0,015*M*. [D'après Marmur, J., et Doty, P., *J. Mol. Biol.***5**, 113 (1962).]

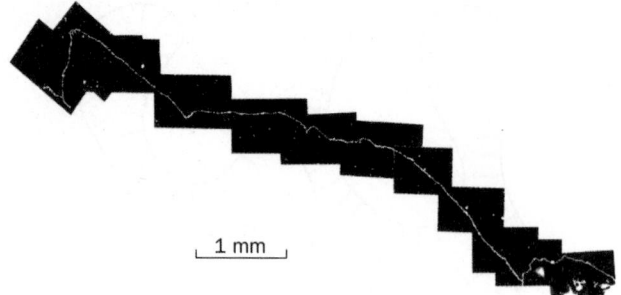

FIGURE 5-20 **Autoradiographie d'ADN de *Drosophila melanogaster*.** Des cellules de *D. melanogaster* ont été cultivées en présence de thymidine marquée au [³H], lysées, étalées sur une lame de verre et recouvertes d'une émulsion photographique qui a été développée après une exposition de 5 mois. La courbe en blanc (il s'agit d'un positif de la photo) produite par l'émission radioactive du [³H] correspond au filament d'ADN. Sa longueur est de 1,2 cm. (D'après Kavenoff, R., Klotz, L.C., and Zimm, B.H., *Cold Spring Harbor Symp. Quant. Biol.* **38**, 4 (1973). [Copyrighted 1974 Cold Spring Harbor Laboratory Press.]

dans un échantillon est déterminée par le noircissement d'une émulsion photographique sur laquelle, ou dans laquelle, l'échantillon est déposé ; Fig. 5-20). Le nombre de paires de bases et les **longueurs totales** développées par l'ADN natif complet de quelques organismes choisis pour leur complexité croissante, sont présentés dans le tableau 5-2. Comme on pouvait s'y attendre, la quantité d'ADN par complément haploïde d'un organisme varie plus ou moins en fonction de sa complexité. Il y a cependant des exceptions remarquables comme le dernier exemple du Tableau 5-2.

On a pu visualiser l'ADN de cellules procaryotes et montrer ainsi que leur **génome** (ensemble de l'information génétique) est constitué d'une seule molécule d'ADN généralement circulaire. Bruno Zimm a pu de même démontrer que *le chromosome le plus grand de* Drosophila melanogaster *contient une seule molécule d'ADN*, en comparant la masse moléculaire de l'ADN de ce chromosome à la longueur de l'ADN de ce chromosome, mesurée en cytométrie. Il est probable que d'autres chromosomes d'organismes eucaryotes contiennent aussi une seule molécule d'ADN.

La forme très allongée de l'ADN duplex (le diamètre de l'ADN-B n'est que de 20 Å), ainsi que sa raideur relative, le rendent très fragile aux agressions mécaniques en dehors de l'environnement protecteur de la cellule. (Si l'ADN de *Drosophila* visualisé sur la Fig. 5-20 était agrandi pour lui donner le diamètre d'un spaghetti – soit 500 000 fois –, il aurait 6 km de long et posséderait certaines propriétés mécaniques de ce spaghetti avant cuisson !). Les forces hydrodynamiques produites par les manipulations courantes en laboratoire, telles que mélanges, agitation, pipettages, brisent l'ADN en morceaux relativement petits. L'isolement d'une molécule intacte d'ADN exige donc des précautions extrêmes. Avant 1960, les masses moléculaires mesurées de l'ADN extrait ne dépassaient pas 10 millions de daltons (environ 15 **kb**, où 1 kb = 1 kilobase-pairée = 1000 bp). Par contre, des fragments d'ADN d'une masse moléculaire assez uniforme, descendant jusqu'à quelques centaines de pb, peuvent être produits en contrôlant les fréquences de cassures (**dégradation par cisaillement**), notamment par pipettage répété, par le passage dans un broyeur à haute vitesse, et par l'exposition à des ultrasons de forte intensité et de haute fréquence, procédé appelé « **sonication** ».

4 ■ EXPRESSION DES GÈNES ET RÉPLICATION : VUE D'ENSEMBLE

Comment les gènes fonctionnent-ils, c'est-à-dire comment déterminent-ils la synthèse d'ARN et de protéines, et comment se répliquent-ils ? Les réponses à ces questions resortissent à la discipline appelée **biologie moléculaire**. En 1958, Francis Crick résuma, en une formule choc, les relations entre l'ADN, l'ARN et les protéines dans un schéma logique qu'il appela le **dogme central de la biologie moléculaire** : *l'ADN dirige sa propre réplication et sa*

TABLEAU 5-2   Tailles de quelques molécules d'ADN

Organisme	Nombre de paires de bases (kb)[a]	Longueur (μm)
Viruses		
Polyome SV40	5,2	1,7
Bactériophage λ	48,6	17
Bactériophages T2, T4, T6	166	55
Variole de la poule	280	193
Bactéries		
Mycoplasma hominis	760	260
Escherichia coli	4 600	1 600
Eucaryotes		
Levure (pour 17 chromosomes haploïdes)	12 000	4 100
Drosophile (pour 4 chromosomes haploïdes)	180 000	61 000
Homme (pour 23 chromosomes haploïdes)	3 200 000	1 100 000
Un Dipneuste (pour 19 chromosomes haploïdes)	102 000 000	35 000 000

[a] kb = kilopaires de bases = 1000 paires de bases (pb)
Source principale : Kornberg, A. et Baker, T.A., *DNA Replication* (2ᵉ éd.), p. 20, Freeman (1992).

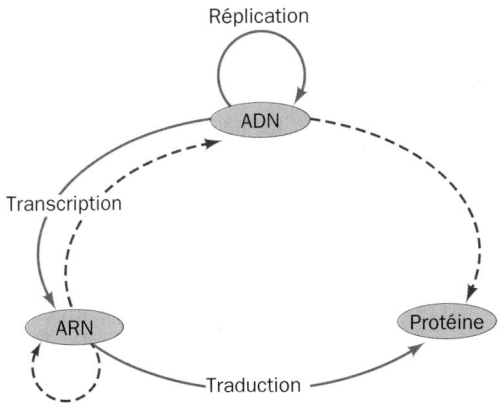

FIGURE 5-21 Le dogme central de la biologie moléculaire. Les flèches en trait plein indiquent les types de transferts d'information génétique qui ont lieu dans toutes les cellules. Des transferts particuliers sont indiqués par les flèches en pointillés : l'**ARN polymérase ARN-dépendante** se trouve dans certains virus à ARN et dans certaines plantes (on n'en connaît pas le rôle) ; l'**ADN polymérase ARN-dépendante** (ou **transcriptase réverse**) se trouve dans d'autres virus à ARN (les rétrovirus) ; la synthèse directe de protéines par traduction d'ADN n'est pas connue mais n'est pas forcément impossible. Cependant, les flèches manquantes sont des transferts d'information dont le dogme central dit qu'ils sont impossibles : des protéines spécifiant la synthèse d'ADN, d'ARN ou de protéines. En d'autres termes, les *protéines ne peuvent être que les destinataires de l'information génétique.* [D'après Crick F., *Nature* **227**, 562 (1970).]

*transcription en ARN qui, à son tour, dirige sa **traduction** en protéines (Fig. 5-21).* Ici, le terme « transcription » indique que l'information passe de l'ADN à l'ARN dans la même langue, celle de la séquence des bases ; le terme « traduction » signifie que lorsque l'information passe de l'ARN aux protéines, il y a changement de langue vers celle de la séquence en acides aminés (Fig. 5-22). La machinerie chargée de réaliser de manière coordonnée et avec une haute fidélité l'expression des gènes et la réplication de l'ADN occupe une partie importante de la cellule. Ce sont ces tâches complexes que nous résumons ci-dessous de façon à faire comprendre la technologie de l'ADN recombinant (Section 5-5). Cette matière sera traitée en détail aux Chapitres 29 à 34.

```
ADN   5′ — A–G–A–G–G–T–G–C–T — 3′
      3′ — T–C–T–C–C–A–C–G–A — 5′
                    ↓
ARNm  5′ — A–G–A–G–G–U–G–C–U — 3′
ARNt       U–C–U  C–C–A  C–G–A
              ⎣___⎦  ⎣___⎦  ⎣___⎦
          Arginine Glycine Alanine
                    ↓
Polypeptide       –Arg–Gly–Ala–
```

FIGURE 5-22 L'expression des gènes. Un brin d'ADN dirige la synthèse d'ARN ; c'est la transcription. La séquence des bases de cet ARN est complémentaire de celle du brin d'ADN. La traduction des **ARN messagers** (**ARNm**) implique l'alignement d'**ARN de transfert** (**ARNt**) avec l'ARNm par l'appariement des bases complémentaires de segments de trois nucléotides appelés codons. Chaque type d'ARNt porte un acide aminé particulier. Ces acides aminés sont alors unis par liaison covalente sur le ribosome pour former un polypeptide. Ainsi, la séquence des bases dans l'ADN détermine celle des acides aminés dans les protéines.

A. *Synthèse de l'ARN : la transcription*

L'enzyme qui catalyse la synthèse de l'ARN est l'**ARN polymérase**. Elle assure le couplage, dirigé par l'ADN, des **nucléosides triphosphates** (**NTP**), à savoir l'**adénosine triphosphate** (**ATP**), la **cytidine triphosphate** (**CTP**), la **guanosine triphosphate** (**GTP**) et l'**uridine triphosphate** (**UTP**) dans une réaction qui libère l'ion pyrophosphate $P_2O_7^{4-}$:

$$(ARN)_{n \text{ résidus}} + NTP \rightarrow (ARN)_{n+1 \text{ résidus}} + P_2O_7^{4-}$$

La synthèse de l'ARN progresse par étapes dans la direction $5' \rightarrow 3'$ de sorte que tout nouveau nucléotide s'accroche au groupe $3'$-OH libre de la chaîne d'ARN en croissance (Fig. 5-23). L'ARN polymérase sélectionne ce nucléotide à la condition qu'il forme

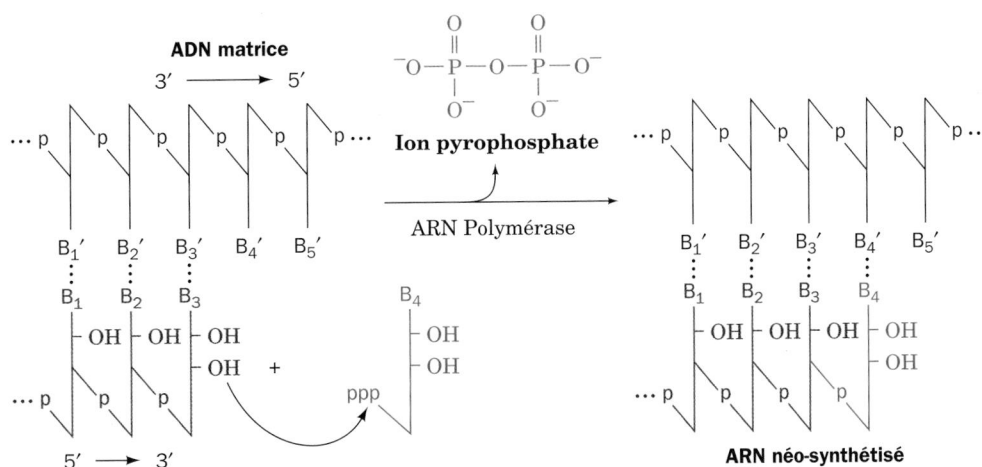

FIGURE 5-23 Comment agissent les ARN polymérases. Ces enzymes relient les ribonucléosides triphosphates sur des matrices faites de segments d'ADN, de sorte que la chaîne d'ARN en formation s'allonge dans le sens $5' \rightarrow 3'$.

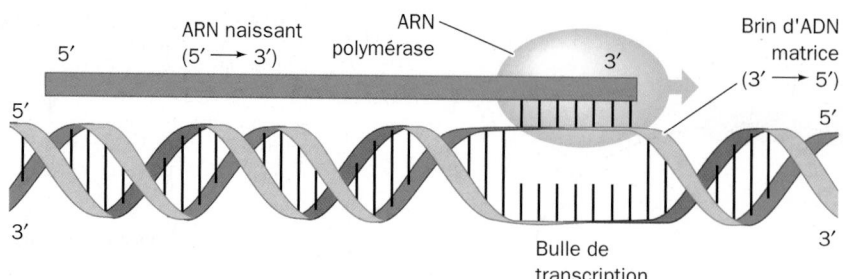

FIGURE 5-24 Fonction de la bulle de transcription. Dans la région en cours de transcription, la double hélice de l'ADN est déroulée sur un tour environ pour permettre au brin sens de l'ADN de former un court segment hybride ADN-ARN double hélice avec l'extrémité 3′ de l'ARN néo-synthétisé. Au fur et à mesure que l'ARN polymérase progresse le long de la matrice d'ADN (ici vers la droite), l'ADN se déroule en avant de l'extrémité 3′ de l'ARN en formation et se réenroule derrière elle, provoquant ainsi le détachement de l'ARN néo-synthétisé du brin matrice (antisens).

une paire de bases Watson-Crick avec le brin d'ADN qui est transcrit, la **chaîne matrice** (une seule des deux chaînes de l'ADN double brin est transcrite à la fois). En effet, en se déplaçant le long de l'ADN qu'elle transcrit, l'ARN polymérase sépare un court segment (~10 pb) de ses deux brins pour donner une « **bulle de transcription** », ce qui permet à cette partie de la chaîne matrice de former transitoirement avec l'ARN en voie de synthèse un court hybride ADN-ARN en double hélice (Fig. 5-24). Une telle hélice, tout comme l'ADN double brin, comporte deux chaînes antiparallèles ; la chaîne matrice d'ADN est donc lue dans la direction $3′ \rightarrow 5′$.

Toutes les cellules contiennent de l'ARN polymérase. Chez les bactéries, un seul type de cette enzyme catalyse la synthèse de quasi tous les ARN cellulaires. Certains virus ont des ARN polymérases qui ne synthétisent que les ARN spécifiques du virus. Les cellules eucaryotes contiennent quatre ou cinq types d'ARN polymérases qui synthétisent chacune une classe différente d'ARN.

a. L'initiation de la transcription est contrôlée très précisément

La chaîne matrice de l'ADN contient des sites de contrôle. Il s'agit de séquences particulières de bases qui déterminent l'endroit où l'ARN polymérase commence à transcrire (là où, sur l'ADN, les deux premiers nucléotides de l'ARN sont couplés), ainsi que la fréquence à laquelle l'ARN polymérase y démarre la transcription. Des protéines particulières, dites **activateurs** ou **répresseurs** chez les procaryotes, et **facteurs de transcription** chez les eucaryotes, se lient à ces sites de contrôle ou à d'autres protéines qui font de même, et stimulent (ou inhibent) ainsi l'initiation de la transcription par l'ARN polymérase. Dans le cas d'ARN qui codent des protéines, les **ARN messagers** (**ARNm**), ces sites de contrôle précèdent le site d'initiation (on les dit « en amont » de celui-ci par rapport à la direction du déplacement de l'ARN polymérase).

C'est principalement la fréquence d'initiation de la synthèse d'un ARNm qui détermine la vitesse à laquelle la protéine qu'il code sera synthétisée, ou même si elle le sera. Chez les procaryotes, cette fréquence est contrôlée de façon relativement simple. Ainsi, pour initier la transcription, et c'est le cas de nombreux gènes procaryotes, il suffit que l'ARN polymérase se lie à une

séquence, appelée **promoteur**, en amont du site d'initiation. Cependant, tous les promoteurs ne sont pas égaux à cet égard : la fréquence d'initiation est plus grande pour les promoteurs dits efficaces que pour d'autres dont la séquence est à peine différente. Donc, la fréquence de transcription d'un gène dépend de la séquence du promoteur qui lui est associé.

Chez les procaryotes, la fréquence d'initiation de la transcription peut être contrôlée de manière plus complexe. C'est le cas de l'**opéron lac** chez *E. coli*, un groupe de trois gènes successifs (*Z*, *Y* et *A*), qui codent des protéines requises pour le métabolisme du **lactose** (un sucre) par la bactérie (Section 11-2B). En absence de lactose, une protéine appelée **répresseur *lac*** se lie spécifiquement à un site de contrôle, appelé **opérateur**, dans l'opéron *lac* (Section 31-3B). Ceci empêche l'ARN polymérase d'initier la transcription des gènes de l'opéron *lac* (Fig. 5-25*a*), ce qui arrête la synthèse de protéines inutiles. Lorsque le lactose devient disponible, le métabolisme de la bactérie en convertit une petite quantité en **allolactose** (un autre sucre). Celui-ci, appelé **inducteur**, se lie spécifiquement au répresseur *lac*, ce qui provoque la dissociation de ce dernier de l'ADN de l'opérateur, permettant ainsi à l'ARN polymérase d'initier la transcription des gènes de l'opéron *lac* (Fig. 5-25*b*).

Chez les eucaryotes, les sites de régulation de l'initiation de la transcription peuvent être répartis sur de grandes distances et localisés parfois très loin (jusqu'à plusieurs dizaines de kb ; Section 34-3) du site d'initiation. De plus, la machinerie transcriptionnelle qui interagit avec ces sites et provoque ainsi l'initiation de la transcription par l'ARN polymérase est d'une extrême complexité et peut comprendre une cinquantaine de protéines ; Section 34-3.

b. La terminaison de la transcription est un processus relativement simple

L'endroit de la chaîne matrice d'ADN où l'ARN polymérase termine la transcription et libère l'ARN complètement synthétisé est déterminé par la séquence de bases de cette région. Cependant, le contrôle de cette étape joue rarement un rôle dans la régulation de l'expression génique. De fait, la machinerie cellulaire impliquée ici est beaucoup plus simple que celle de l'initiation de la transcription (Section 31-2D).

(a) **Sans inducteur**

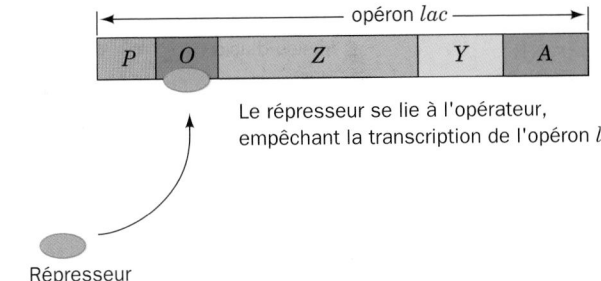

Le répresseur se lie à l'opérateur,
empêchant la transcription de l'opéron *l*

Répresseur

(b) **Avec inducteur**

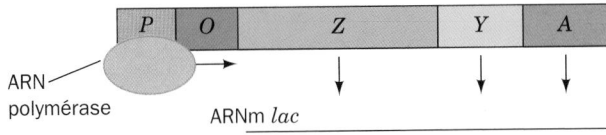

ARN
polymérase

ARNm *lac*

Inducteur

Transcription des gènes
de structure *lac*

Le complexe inducteur-répresseur
ne se lie pas à l'opérateur

FIGURE 5-25 Contrôle de la transcription de l'opéron *lac*. *(a)* En
l'absence d'un inducteur tel que l'allolactose, le répresseur *lac* se lie à
l'opérateur (*O*), empêchant ainsi l'ARN polymérase de transcrire les
gènes *Z*, *Y* et *A* de l'opéron *lac*. *(b)* Après liaison de l'inducteur, le
répresseur *lac* se dissocie de l'opérateur, ce qui permet à l'ARN polymérase de se lier au promoteur (*P*) et de transcrire les gènes *Z*, *Y* et *A*.

c. L'ARN des eucaryotes subit des modifications post-transcriptionnelles

Chez les procaryotes, la majorité des ARNm sont traduits
comme tels. Chez les eucaryotes, au contraire, la plupart des produits de transcription ne deviennent fonctionnels que moyennant
d'importantes **modifications post-transcriptionnelles**. Pour les
ARNm, celles-ci comprennent l'addition enzymatique, du côté 5′
de l'ARN, d'une « coiffe » contenant une 7-méthylguanosine, et du
côté 3′ de l'ARN, d'une « queue » d'environ 250 nucléotides

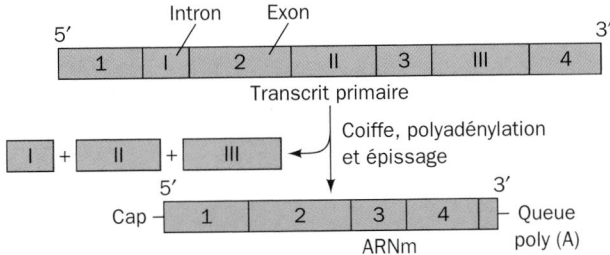

**FIGURE 5-26 Maturation post-transcriptionnelle des ARNm euca-
ryotes.** La plupart des produits primaires de transcription ne deviennent
fonctionnels que moyennant des modifications covalentes ultérieures,
telles que l'ajout d'une coiffe en 5′ et d'une queue poly(A) en 3′, ainsi
que l'épissage après excision des introns situés entre les exons.

d'**acide polyadénylique [poly(A)]**. Cependant, la modification la
plus frappante de la plupart des transcrits eucaryotes est l'**épissage**. Au cours de ce processus, un ou plusieurs fragments d'ARN,
souvent très longs, appelés **introns** (séquences intercalées) sont
découpés de l'ARN et les **exons** (séquences exprimées) restants
sont reliés dans l'ordre pour donner l'ARNm mature (Fig. 5-26 ;
Section 31-4A). Ainsi, plusieurs ARNm différents peuvent être
issus d'un même gène par sélection de différents sites d'initiation
de la trancription et (ou) d'épissage, ce qui permet la production
de protéines distinctes, souvent histo-spécifiques (Section 34-3C).

B. *Synthèse des protéines : la traduction*

Les polypeptides sont synthétisés, sous la direction des ARNm
correspondants, par les **ribosomes**, organites présents en grand
nombre dans le cytosol et composés pour deux tiers d'ARN et pour
un tiers de protéines ; leur masse moléculaire est d'environ
2500 kD chez les procaryotes et 4200 kD chez les eucaryotes. Les
ARN ribosomiaux (**ARNr**), et il en existe plusieurs types, sont
transcrits sur une matrice d'ADN tout comme les autres classes
d'ARN.

a. Les ARN de transfert présentent les acides aminés aux ribosomes

Les ARNm consistent essentiellement en groupes consécutifs
de trois nucléotides appelés **codons**, dont chacun (mais nous verrons des exceptions) spécifie un acide aminé particulier. Cependant, ces codons ne lient pas les acides aminés. En fait, sur le ribosome, *ils lient spécifiquement des **ARN de transfert** (**ARNt**) qui
sont unis par lien covalent à l'acide aminé correspondant*
(Fig. 5-27). Un ARNt comprend ~76 nucléotides (d'où une masse
et une complexité structurale comparables à celles d'une protéine

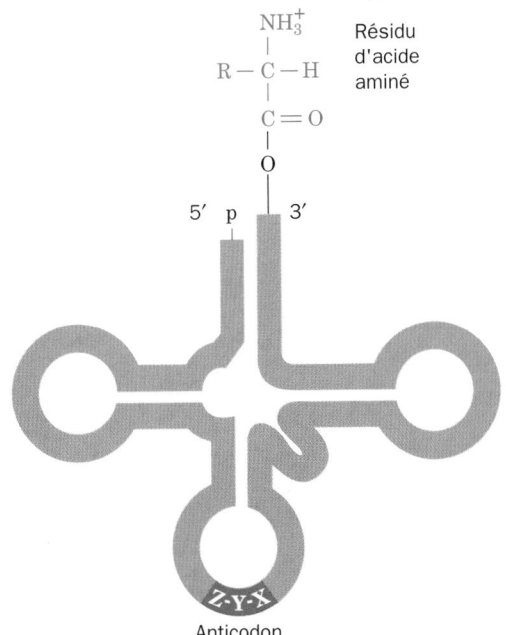

$$NH_3^+$$
$$R - C - H$$
$$C = O$$
$$O$$

Résidu
d'acide
aminé

5′ p   3′

Anticodon

**FIGURE 5-27 L'ARN de transfert (ARNt) sous sa forme en « feuille
de trèfle ».** Son résidu d'acide aminé lié par covalence forme un aminoacyl-ARNt (en-haut) et son anticodon (en bas), un segment de trois
nucléotides, s'apparie avec le codon complémentaire de l'ARNm pendant
la traduction.

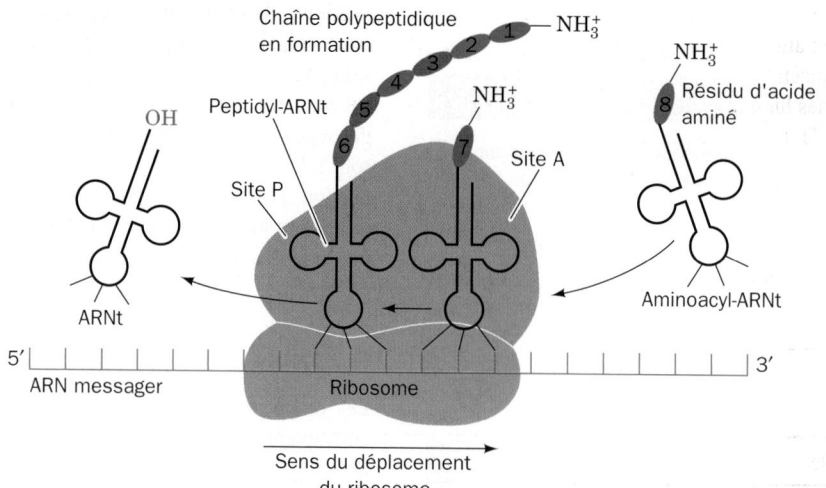

FIGURE 5-28   Représentation schématique du mécanisme de la traduction. Le ribosome lie un ARNm et deux ARNt et facilite leur association spécifique par des interactions codon-anticodon consécutives. Le site ribosomial de liaison le plus proche de l'extrémité 5′ de l'ARNm lie un **peptidyl-ARNt** (l'ARNt auquel la chaîne polypeptidique en croissance est rattachée par liaison covalente, *à gauche*) et est donc appelé **site P**, tandis que le site plus proche de l'extrémité 3′ lie un aminoacyl-ARNt (à droite) et est donc appelé **site A**. Le ribosome catalyse le transfert du polypeptide, à partir du peptidyl-ARNt sur l'aminoacyl-ARNt, ce qui forme un nouveau peptidyl-ARNt dont la chaîne polypeptidique possède un résidu de plus à son extrémité C-terminale. L'ARNt déchargé est éjecté du site P et le peptidyl-ARNt, ainsi que l'ARNm qui lui est associé, passent du site A au site P, ce qui permet au codon suivant de lier, sur le site A, l'aminoacyl-ARNt correspondant.

de taille moyenne) et contient une séquence de trois nucléotides, son **anticodon**, lequel est complémentaire au(x) codon(s) qui spécifie(nt) l'acide aminé lié à cet ARNt (voir ci dessous). Sous l'action d'une enzyme qui reconnaît spécifiquement à la fois l'ARNt et l'acide aminé (voir ci dessous), ce dernier est lié de façon covalente à l'extémité 3′ de l'ARNt correspondant pour former un **aminoacyl-ARNt** (on parle de « charge » de l'ARNt). Pendant la traduction, l'ARNm défile à travers le ribosome de sorte que chaque codon, tout à tour, lie l'aminoacyl-ARNt correspondant

(Fig. 5-28). Au cours de la traduction, le ribosome transfère le résidu d'acide aminé de l'ARNt sur l'extrémité C-terminale de la chaîne polypeptidique en formation (Fig. 5-29). *Ainsi, la croissance du polypeptide se fait de l'extrémité N-terminale vers l'extrémité C-terminale.*

b. Le code génétique

La correspondance entre la séquence des bases d'un codon et le résidu d'acide aminé qu'il spécifie est connue sous le nom de

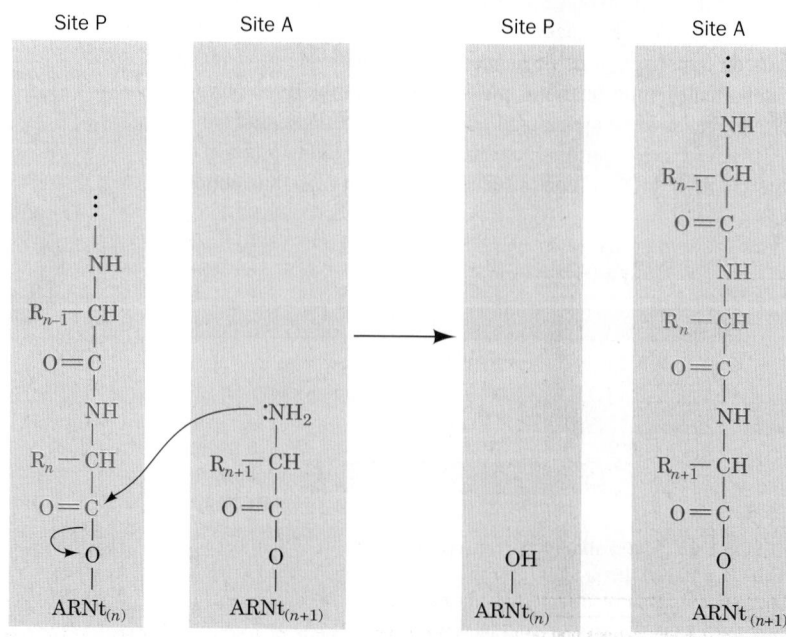

FIGURE 5-29   Formation de la liaison peptidique sur le ribosome. Le groupe amino de l'aminoacyl-ARNt dans le site A déplace, par attaque nucléophile, l'ARNt de l'ester de peptidyl-ARNt qui se trouve au site P, formant ainsi une nouvelle liaison peptidique et transférant le polypeptide naissant sur l'ARNt du site A.

code génétique (Tableau 5-3). Sa quasi universalité chez tous les êtres vivants fournit un argument de poids pour dire que la vie sur Terre remonte à un ancêtre commun et permet, par exemple, de faire exprimer des gènes humains par *E. coli* (Section 5-5G). Chacune des quatre bases U, C, A et G peut occuper chacune des trois positions d'un codon, ce qui donne $4^3 = 64$ codons possibles. Parmi ceux-ci, 61 spécifient des acides aminés (dont il n'y a que 20 types différents dans les protéines). Les trois codons restants, UAA, UAG et UGA sont des **codons stop** qui donnent au ribosome l'ordre d'arrêter la synthèse du polypeptide et de libérer

TABLEAU 5-3   Le code génétique « standard »[a]

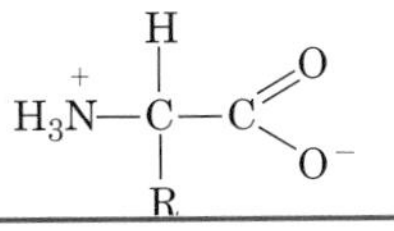

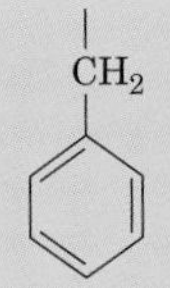

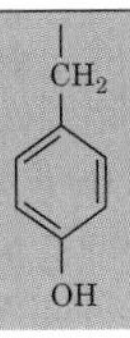

Première position (extrémité 5')	Deuxième position				Troisième position (extrémité 3')
	U	**C**	**A**	**G**	
U	UUU / UUC — Phe; UUA / UUG — Leu	UCU / UCC / UCA / UCG — Ser	UAU / UAC — Tyr; UAA / UAG — STOP	UGU / UGC — Cys; UGA — STOP; UGG — Trp	U / C / A / G
C	CUU / CUC / CUA / CUG — Leu	CCU / CCC / CCA / CCG — Pro	CAU / CAC — His; CAA / CAG — Gln	CGU / CGC / CGA / CGG — Arg	U / C / A / G
A	AUU / AUC / AUA — Ile; AUG — Met[b]	ACU / ACC / ACA / ACG — Thr	AAU / AAC — Asn; AAA / AAG — Lys	AGU / AGC — Ser; AGA / AGG — Arg	U / C / A / G
G	GUU / GUC / GUA / GUG — Val	GCU / GCC / GCA / GCG — Ala	GAU / GAC — Asp; GAA / GAG — Glu	GGU / GGC / GGA / GGG — Gly	U / C / A / G

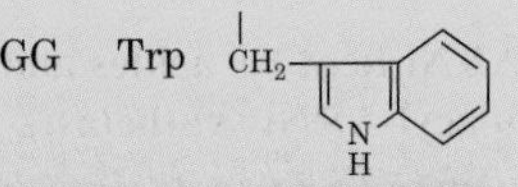

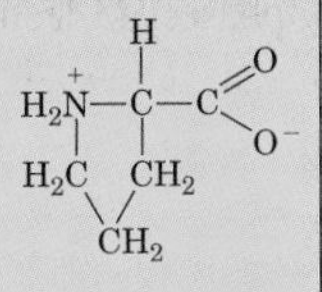

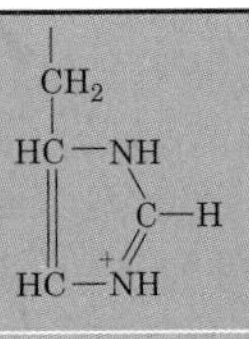

[a] Les résidus d'acides aminés non polaires sont brun clair, les résidus basiques sont bleus, les résidus acides sont rouges, et les résidus polaires non chargés sont violets.
[b] AUG fait partie du signal d'initiation de la traduction et code par ailleurs les résidus Met internes.

l'ARNm. Tous les acides aminés sauf deux (Met et Trp) sont spé-cifiés par plus d'un codon et trois (Leu, Ser et Arg) le sont par six codons. Selon un terme emprunté aux mathématiques (lorsqu'un élément correspond à plusieurs valeurs différentes) le code géné-tique est dit « **dégénéré** ».

Notez que le tableau du code n'est pas le fait du hasard. La plu-part des codons, dits **synonymes**, qui spécifient un même acide aminé occupent la même case dans le Tableau 5-3, c'est-à-dire qu'ils ne diffèrent que par le troisième (en 3′) nucléotide. De plus, la plupart des codons qui spécifient un acide aminé non polaire ont un G en première position et (ou) un U en deuxième position (Tableau 5-3).

Un ARNt peut reconnaître jusqu'à trois codons synonymes parce que la base en 5′ d'un codon et la base en 3′ de l'anticodon correspondant n'interagissent pas nécessairement par appariement de Watson-Crick (Section 32-2D ; rappelez-vous que le codon et l'anticodon s'associent de manière antiparallèle pour former un court segment d'ARN double brin). Ainsi, certaines cellules pos-sèdent bien moins que les 61 ARNt qui seraient requis pour un assortiment 1:1 avec les 61 codons qui spécifient des acides ami-nés, bien qu'en fait certaines cellules comptent jusqu'à 150 types différents d'ARNt.

c. Les ARNt lient les acides aminés sous l'action des aminoacyl-ARNt synthétases

Lorsqu'il synthétise un polypeptide, le ribosome ne reconnaît pas l'acide aminé lié à un ARNt, mais bien si l'anticodon de ce dernier se lie au codon de l'ARNm (l'anticodon et l'acide aminé sur un ARNt chargé sont en réalité assez éloignés l'un de l'autre, comme le montre la Fig. 5-27). *Une traduction fidèle requiert donc deux étapes critiques, la charge du bon acide aminé sur l'ARNt et la reconnaissance correcte du codon par l'anticodon correspon-dant.* Les enzymes qui catalysent la première de ces étapes sont les **aminoacyl-ARNt synthétases (aaRS).** Une cellule typique contient 20 aaRS, une pour chaque acide aminé. Dès lors, une aaRS donnée chargera tous les ARNt qui possèdent un codon spé-cifiant son acide aminé. Cette aaRS (et il en est de même des autres) doit donc pouvoir distinguer ces ARNt de tous les autres présents dans la cellule, malgré leur grande similitude physique et structurale. La plupart des aaRS le font par reconnaissance de l'an-ticodon de l'ARNt correspondant ; certaines reconnaissent plutôt d'autres sites sur les ARNt en question.

d. La traduction débute à un codon AUG particulier

Les ribosomes lisent les ARNm dans la direction 5′ → 3′ (de « l'amont » vers « l'aval »). Le codon d'initiation est AUG, lequel spécifie un résidu Met. Cependant, l'ARNt qui reconnaît ce codon d'initiation n'est pas du même type que celui qui présente aux ribosomes les résidus Met internes du polypeptide, bien que ces deux types d'ARNt soient chargés par la même **méthionyl-ARNt synthétase (MetRS).**

Pour qu'un polypeptide soit synthétisé selon la séquence cor-recte en acides aminés, il est essentiel que le ribosome maintienne le registre entre l'ARNm et les ARNt qui se présentent, c'est-à-dire, la **phase de lecture** (ou cadre de lecture) correcte. Comme le montre la Fig. 5-30, un décalage d'un seul nucléotide le long d'un ARNm provoquera la synthèse d'un polypeptide complètement

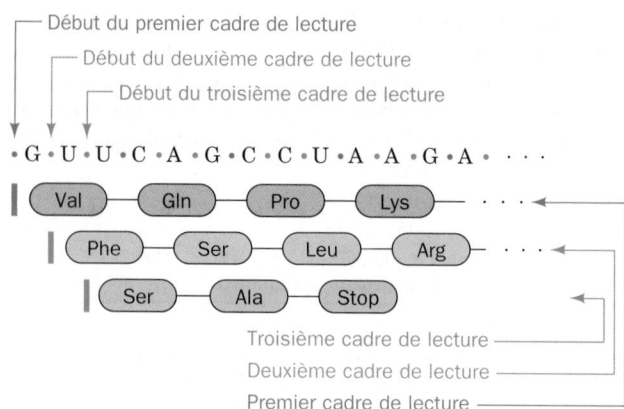

FIGURE 5-30 Cadres (ou phases) de lecture des nucléotides. Un ARNm pourrait être lu dans chacun des trois cadres de lecture possibles, chacun conduisant à un polypeptide différent.

différent en aval de ce décalage. Ainsi, le codon d'initiation de la traduction AUG détermine également la phase de lecture du poly-peptide. Or, AUG spécifie aussi les résidus Met internes ; de plus, un ARNm est susceptible de contenir plusieurs AUG dans des phases de lecture différentes. Comment, parmi ceux-ci, le ribo-some choisit-il le codon d'initiation ? Chez les procaryotes, le ribo-some identifie le codon d'initiation grâce à une séquence particu-lière de l'ARNm située juste en 5′ de ce codon, donc dans la région non codante. Chez les eucaryotes, le codon d'initiation est généralement le premier AUG rencontré en aval de la coiffe située à l'extrémité 5′ de l'ARNm.

e. Les ARNm des procaryotes ont une demi-vie courte

Chez les procaryotes, la transcription et la traduction se passent dans le même compartiment cellulaire, le cytosol (Figs. 1-2 et 1-13). Ceci permet aux ribosomes de s'attacher à l'extrémité 5′ des ARNm avant même que leur synthèse soit terminée et de com-mencer à en traduire le polypeptide correspondant. Ceci est essen-tiel car l'extrémité 5′ d'un ARNm peut être dégradée alors que l'extrémité 3′ n'est pas encore transcrite. En effet, la demi-vie moyenne des ARNm des procaryotes n'est que de 1 à 3 minutes en raison de leur dégradation hydrolytique par des enzymes appelées **nucléases.** Ce renouvellement rapide des ARNm permet aux pro-caryotes de réagir en quelques minutes aux modifications de leur environnement en synthétisant de nouvelles protéines adéquates (pour rappel, les procaryotes se sont adaptés à survivre malgré des fluctuations rapides dans la disponibilité en nutriments ; Sec-tion 1-2).

Les eucaryotes, au contraire, mènent une existence plus sédentaire. Leurs ARN sont transcrits dans le noyau et c'est là qu'ils subissent les modifications post-transcriptionnelles, alors que les ribosomes se trouvent dans le cytosol où a lieu la tra-duction (Fig. 1-5). Les ARNm matures doivent donc être trans-portés du noyau vers le cytosol pour y être traduits. Par consé-quent, la demi-vie des ARNm des eucaryotes peut atteindre plusieurs heures.

f. Les protéines subissent des modifications post-traductionnelles et sont dégradées

Les polypeptides néo-synthétisés doivent souvent être modifiés après traduction afin d'assumer leur fonction. Pour beaucoup de protéines, le résidu Met N-terminal spécifié par le codon d'initiation est enlevé par une **protéase** (enzyme qui catalyse la coupure hydrolytique des liaisons peptidiques) particulière. Les protéines subissent ensuite de nombreuses autres modifications chimiques de certains de leurs résidus, telles que clivage protéolytique, acylation, hydroxylation, méthylation et phosphorylation (Section 4-3A). De plus, les protéines des eucaryotes, mais pas celles des procaryotes, peuvent être l'objet d'une **glycosylation** (addition de polysaccharides) sur des sites spécifiques (Sections 11-3C et 23-3B). En fait, les **glycoprotéines** (protéines ainsi glycosylées) sont la forme la plus courante des protéines des eucaryotes et les groupes polysaccharidiques peuvent représenter 90 % ou plus de leur masse.

Toutes les cellules possèdent plusieurs mécanismes pour dégrader les protéines en acides aminés. La cellule peut ainsi éliminer les protéines endommagées ou anormales, détruire celles devenues inutiles, ou encore les utiliser comme nutriments. La durée de vie d'une protéine dans la cellule peut ne pas dépasser une fraction de minute, bien que la plupart se maintiennent pendant des jours, voire des semaines, du moins chez les eucaryotes. Les cellules sont donc des entités dynamiques qui renouvellent constamment la plus grande partie de leurs constituants, en particulier leurs ARN et leurs protéines.

C. *Réplication de l'ADN*

La réaction chimique qui assure la réplication de l'ADN (Fig. 5-31) est pratiquement identique à celle qui synthétise l'ARN (Fig. 5-23), sauf pour deux différences importantes : (1) les substrats sont les désoxynucléosides triphosphates (**dNTP**) et non les nucléosides triphosphates et (2) l'enzyme qui catalyse la réaction n'est pas l'ARN polymérase, mais bien l'**ADN polymérase**. Les propriétés de cette dernière entraînent une troisième différence majeure entre ARN et ADN pour ce qui concerne leur synthèse. Alors que l'ARN polymérase peut unir deux nucléotides sur une matrice d'ADN, *l'ADN polymérase ne peut qu'allonger (dans la direction 5' → 3') un polynucléotide préexistant apparié par ses bases à la chaîne matrice d'ADN.* Ainsi, contrairement à l'ARN polymérase qui peut mettre en route la synthèse d'ARN *de novo*, *l'ADN polymérase requiert une* **amorce** *oligonucléotidique, qu'elle complètera.*

a. Les amorces sont constituées d'ARN

Si l'ADN polymérase ne peut synthétiser l'ADN *de novo*, d'où viennent les amorces ? Le fait inattendu est qu'il s'agit d'ARN et non pas d'ADN. Chez *E. coli*, ces amorces ARN sont synthétisées soit par l'ARN polymérase (celle qui synthétise tous les ARN), soit par une ARN polymérase particulière appelée **primase**. C'est alors à l'ADN polymérase d'allonger l'amorce ARN, qui sera ensuite enlevée et remplacée par de l'ADN, comme expliqué ci-dessous. Cette complexité supplémentaire dans la synthèse d'ADN augmente la fidélité de sa réplication. La cellule produit de très nombreuses copies d'un ARN donné et peut donc tolérer une erreur occasionnelle dans la synthèse d'une molécule. Au contraire, lors de la synthèse de l'ADN, qui est le dépositaire de l'information génétique, une seule erreur est une mutation qui peut être transmise à tous les descendants de cette cellule. Étant donné qu'une paire de bases Watson-Crick est partiellement stabilisée par les paires de bases voisines (une interaction coopérative), les premières paires de bases formées dans un polynucléotide néo-synthétisé seront moins stables que les paires de bases formées ultérieurement. Un appariement erroné touchera donc plus probablement les premières que les dernières paires de bases incorporées. Une amorce constituée d'ADN ne pourrait être distinguée du reste de l'ADN pour être remplacée par de l'ADN correctement synthétisé. Une amorce ARN, quant à elle, peut être facilement identifiée et remplacée.

b. Les deux brins d'ADN se répliquent de manière différente

Il existe une quatrième différence dans les mécanismes de synthèse entre ARN et ADN. Alors que la transcription de l'ADN intéresse un seul de ses deux brins à la fois, ses deux brins se répliquent simultanément dans la plupart des cas. Cette réaction de déroule à la **fourche de réplication**, là où se séparent les deux

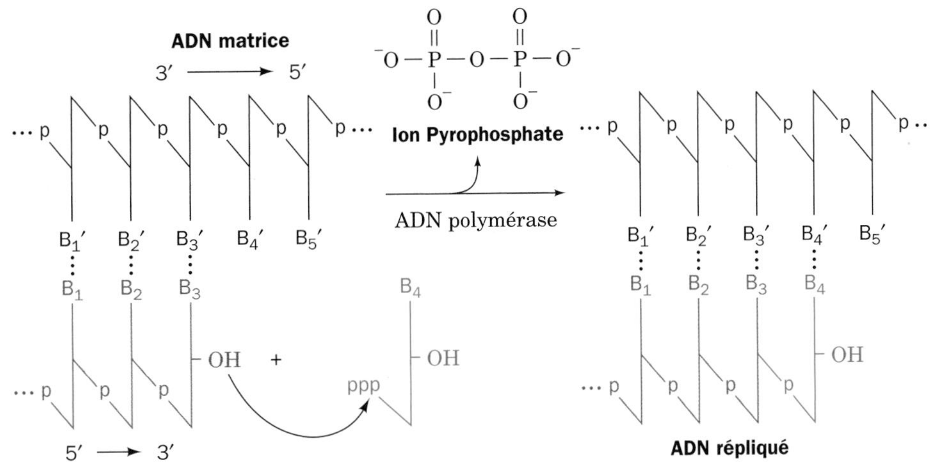

FIGURE 5-31 Action des ADN polymérases. Les ADN polymérases assemblent les désoxyribonucléosides triphosphates qui se présentent, en face d'une matrice d'ADN simple brin, de telle façon que le brin néo-synthétisé soit allongé de 5' vers 3'.

(a)

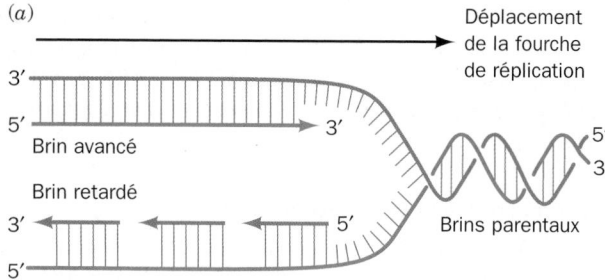

Déplacement
de la fourche
de réplication

Brin avancé

Brin retardé

Brins parentaux

FIGURE 5-32 Réplication de l'ADN duplex chez *E. coli*. (*a*) Les deux molécules d'ADN polymérase sont associées dans la fourche de réplication ; de plus, l'ADN polymérase ne peut synthétiser l'ADN que de 5′ vers 3′. Dès lors, le brin avancé est synthétisé de manière continue, tandis que le brin retardé est synthétisé de manière discontinue, par segments. (*b*) La raison en est que la matrice du brin retardé ne peut être copiée que si elle fait une boucle pour défiler dans la direction 3′-5′ devant l'ADN polymérase. Ainsi, lorsque l'ADN polymérase en train de synthétiser le brin retardé rencontre le segment de ce brin synthétisé antérieurement, elle libère la matrice de ce brin puis s'y réassocie plus en amont, pour allonger l'amorce ARN suivante.

(b)

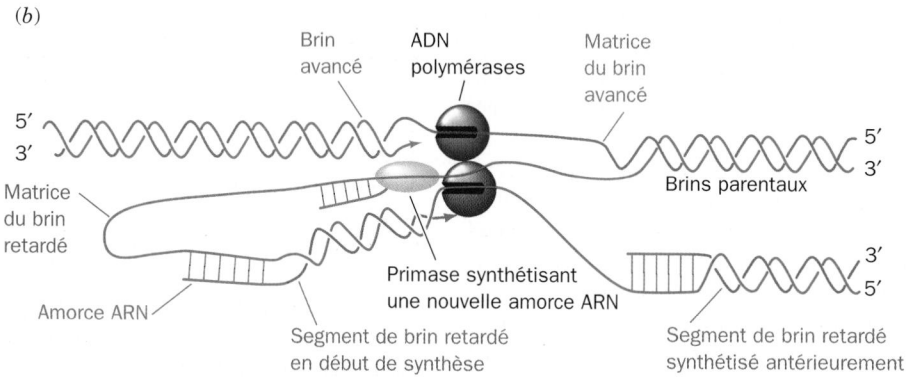

Brin avancé

ADN polymérases

Matrice du brin avancé

Matrice du brin retardé

Brins parentaux

Amorce ARN

Primase synthétisant une nouvelle amorce ARN

Segment de brin retardé en début de synthèse

Segment de brin retardé synthétisé antérieurement

brins de l'ADN parental et où sont synthétisés les deux brins fils (Fig. 1-17), chacun par une molécule différente d'ADN polymérase. Une de ces molécules copie de façon continue le brin parental qui est orienté dans la direction 3′ → 5′ à partir de la fourche de réplication et synthétise ainsi, dans la direction 5′ → 3′, le brin fils, appelé **brin avancé**. Cependant, la deuxième molécule d'ADN polymérase, située elle aussi dans la fourche de réplication, synthétise également l'ADN dans la direction 5′ → 3′, et doit se déplacer avec la fourche. Dans ce cas, comment peut-elle copier le brin parental qui, lui aussi, est orienté dans la même direction 5′→ 3′ à partir de la fourche de réplication ? La réponse est que *cette deuxième molécule d'ADN polymérase synthétise le **brin dit retardé** de façon discontinue, par fragments ((Fig. 5-32a).* Pour ce faire, elle se lie à une boucle formée par la matrice du brin retardé de manière à allonger dans la direction 5′ → 3′ l'amorce ARN néo-synthétisée (Fig. 5-32*b* ; elle se déplace ainsi dans la direction opposée) jusqu'à ce qu'elle rencontre l'amorce synthétisée antérieurement. L'ADN polymérase quitte alors la matrice du brin retardé pour s'y attacher à nouveau en amont de sa position précédente et y allonger l'amorce ARN suivante. Le brin retardé est donc synthétisé de manière discontinue et le brin avancé, de manière continue. Chez *E. coli*, la synthèse des amorces du brin retardé est catalysée par la primase, qui accompagne la fourche de réplication (Fig. 5-32b), tandis que celle des amorces du brin avancé, forcément beaucoup plus rare, est la plus efficace lorsque la primase et l'ARN polymérase sont toutes deux présentes.

c. La synthèse du brin retardé requiert plusieurs enzymes

Il existe chez *E. coli* deux types d'ADN polymérases, **Pol III** et **Pol I**, qui sont essentielles à sa survie. Pol III est l'ADN réplicase, celle qui synthétise les brins avancés et la plupart des brins retardés. Pol I, quant à elle, enlève les amorces ARN et les remplace par de l'ADN. En effet Pol I est non seulement une ADN polymérase, mais aussi une **exonucléase 5′ → 3′** (enzyme qui détache par hydrolyse un ou plusieurs nucléotides de l'extrémité d'un polynucléotide, plutôt que le cliver à un site interne). Pour exercer cette deuxième activité, Pol I se lie au niveau de cassures simple brin (là où deux nucléotides successifs ne sont pas réunis par liaison covalente, comme du côté 5′ d'une amorce ARN après synthèse du fragment du brin retardé). Pol I enlève alors au brin interrompu un fragment de 1 à 10 nucléotides dans la direction 5′ → 3′ à partir de la cassure (Fig. 5-33). Les activités ADN polymérase et exonucléase 5′ → 3′ de Pol I s'exercent de concert, de sorte que *l'enlèvement de l'amorce ARN par l'activité exonucléase 5′ → 3′ s'accompagne de son remplacement par de l'ADN (Fig. 5-34).*

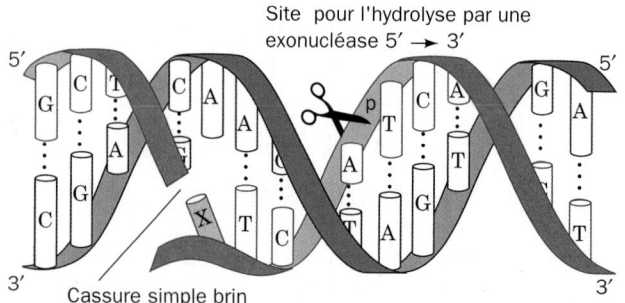

Site pour l'hydrolyse par une exonucléase 5′ → 3′

Cassure simple brin

FIGURE 5-33 Fonction exonucléase 5′ → 3′ de l'ADN polymérase I. Cette activité enzymatique excise au moins 10 nucléotides à partir de l'extrémité 5′ d'une cassure simple brin. Le nucléotide situé juste après la cassure (marqué X) peut être apparié ou non.

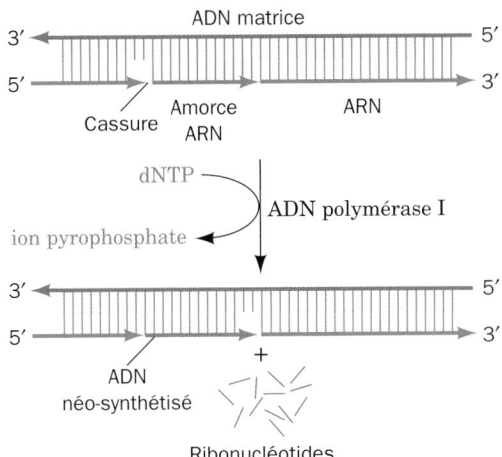

FIGURE 5-34 Remplacement des amorces ARN par de l'ADN lors de la synthèse du brin retardé. Chez *E. coli*, l'amorce ARN à l'extrémité 5′ du segment d'ADN néo-synthétisé est enlevée sous l'action exonucléase 5′ → 3′ de l'ADN polymérase I, et est remplacée par de l'ADN sous l'action ADN polymérase de l'enzyme.

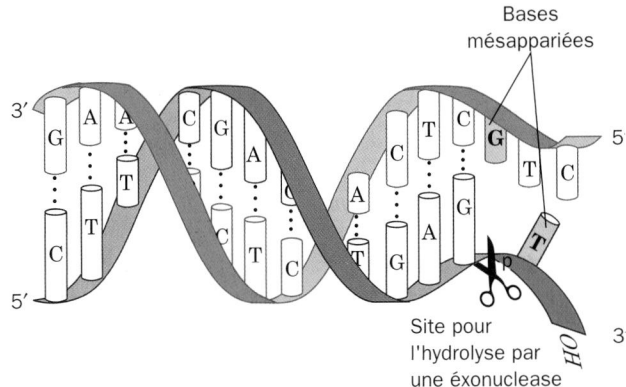

FIGURE 5-36 Fonction exonucléase 3′ → 5′ de l'ADN polymérase I et de l'ADN polymérase III. Chez *E. coli*, cette activité enzymatique excise les nucléotides mésappariés à partir de l'extrémité 3′ du brin croissant d'ADN.

La synthèse du brin avancé se termine par le remplacement de l'unique amorce ARN par de l'ADN. Quant à celle du brin retardé, elle n'est complète qu'après soudure des cassures qui séparent les innombrables fragments synthétisés de manière discontinue. Cette tâche revient à une enzyme distincte, l'**ADN ligase**, qui établit une liaison covalente entre les groupes 3′-OH et 5′-phosphate voisins (Fig. 5-35).

d. Les erreurs de séquence dans l'ADN peuvent être corrigées

Chez *E. coli*, l'ARN polymérase commet des fautes à raison d'environ 1 base erronée pour 10^4 nucléotides transcrits. Par contre, l'ADN néo-synthétisé ne contient qu'une erreur pour 10^8 à 10^{10} pb. Comme nous l'avons vu, l'usage d'amorces ARN minimise le risque de fautes dans la synthèse du brin retardé. Cependant, la raison principale du caractère extraordinairement fidèle de la réplication est que Pol I et Pol III ont toutes deux une activité d'**exonucléase 3′ → 5′**. Cette activité dégrade, à raison d'un

nucléotide à la fois, l'extrémité 3′ néosynthétisée du brin fils (Fig. 5-36), ce qui annule la réaction de polymérisation. La fonction d'exonucléase 3′ → 5′ de ces polymérases est activée par le mésappariement de bases. Ceci permet la correction des fautes éventuellement commises par la fonction de polymérase de ces enzymes et augmente de façon singulière la fidélité de réplication. Outre ces mécanismes de correction par Pol I et Pol III, toutes les cellules possèdent d'ailleurs une batterie d'enzymes capables de détecter et de corriger les erreurs résiduelles dans la réplication, de même que les dommages subis par l'ADN suite à l'action d'agents tels que les radiations UV et les **mutagènes** (substances qui endommagent l'ADN en réagissant chimiquement avec lui), ainsi que par hydrolyse spontanée. Chez *E. coli*, c'est Pol I qui catalyse le remplacement des fragments d'ADN excisés part ces enzymes.

5 ■ LE CLONAGE MOLÉCULAIRE

Une des difficultés majeures dans presque tous les domaines de recherche en biochimie est d'obtenir des quantités suffisantes de la substance étudiée. Par exemple, un volume de culture liquide de *E. coli* de 10 litres, poussé à son titre maximum de 10^{10} cellules par mL, contient au plus 7 mg d'ADN polymérase I, et beaucoup de protéines cellulaires sont présentes en quantités bien moindres. Il est rare que plus de la moitié de la quantité d'une protéine présente dans le matériel biologique puisse être préparée jusqu'à purification (Chapitre 6). Les protéines extraites de cellules eucaryotes sont souvent plus difficiles à préparer encore, car beaucoup de tissus d'eucaryotes, qu'ils proviennent directement d'un organisme entier ou qu'ils soient cultivés *in vitro*, ne sont disponibles qu'en petites quantités. Pour ce qui concerne l'ADN, la culture ci-dessus de 10 litres d'*E. coli* contiendrait environ 0,1 mg de chaque kb d'ADN chromosomique. C'est une longueur suffisante pour y trouver un gène procaryote. Cependant, la purification d'un fragment précis, en présence du reste de l'ADN (qui comprend 4,6 millions de pb), est une tâche quasi impossible. Ces difficultés ont été surmontées par la mise au point des techniques de **clonage moléculaire** (par analogie avec le **clone**, qui est un ensemble d'organismes identiques provenant d'un seul ancêtre). Ces méthodes s'appellent aussi

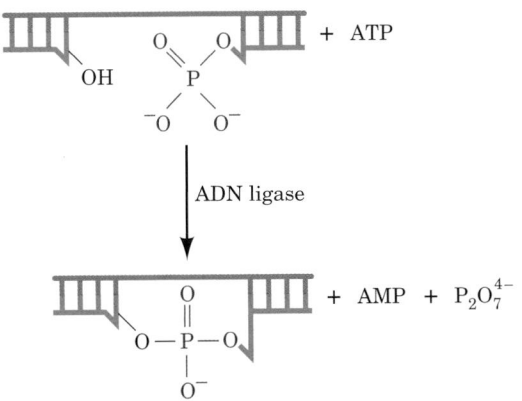

FIGURE 5-35 Fonction de l'ADN ligase. L'ADN ligase répare les cassures simple brin dans l'ADN duplex. L'énergie de cette réaction est fournie par l'hydrolyse de l'ATP ou d'un composé similaire.

génie génétique et technologie de l'**ADN recombinant** ; elles ont contribué de manière décisive aux énormes progrès de la biochimie et ont permis le développement rapide de la biotechnologie en tant qu'industrie, ceci depuis la fin des années 1970.

L'idée de base du clonage moléculaire est d'insérer un segment d'ADN d'intérêt dans une molécule d'ADN à réplication autonome, appelée **vecteur de clonage** *ou* **véhicule***, de manière à ce que le segment d'ADN soit répliqué en même temps que le vecteur.* Un tel **vecteur chimérique** (*chimère* est un terme issu de la mythologie grecque désignant un monstre à tête de lion, au corps de bouc et à queue de serpent) est ensuite cloné dans une **cellule hôte** (comme *E. coli* ou la levure) qui produit alors de grandes quantités du segment d'ADN inséré. Si un gène ainsi cloné est flanqué correctement par les séquences de régulation de la transcription et de la traduction, les cellules hôtes peuvent aussi produire de grandes quantités de l'ARN et de la protéine codés par ce gène. Les techniques du génie génétique, dont la compréhension est requise pour celle de nombreuses expériences décrites dans ce traité, sont exposées dans cette section.

A. *Endonucléases de restriction*

Le clonage moléculaire exige qu'on puisse manipuler des fragments d'ADN de séquence bien précise. On utilise pour cela des enzymes appelées **endonucléases de restriction**.

On sait que des bactériophages se propageant normalement sur une souche de *E. coli* telle que K12 peuvent présenter un taux d'infection négligeable (environ 0,001 %) sur une autre souche, dite B, de *E. coli*. Cependant, le peu de virions obtenus dans cette dernière souche se multiplient de manière efficace dans cette souche B et maintenant très peu dans la souche initiale K12. Il est clair que la souche B a modifié ces bactériophages. Quel est donc le mécanisme moléculaire de cette **modification de spécificité d'hôte** ? Werner Arber a prouvé qu'il s'agit d'un **mécanisme de restriction** et de **modification** dans la bactérie hôte, constitué par deux enzymes, une **endonucléase de restriction** (on dit aussi **enzyme de restriction** ; les endonucléases catalysent le clivage interne hydrolytique des polynucléotides) et une **méthylase de modification** adaptée à l'endonucléase. *Les endonucléases de restriction reconnaissent une séquence de bases spécifique portant sur 4 à 8 bases de l'ADN duplex et y coupent les deux brins du duplex.* Les méthylases de modification méthylent une base spécifique de cette même séquence ; pour l'adénine, au groupement amine, et pour la cytosine, soit en position 5, soit au groupement amine.

L'enzyme de restriction ne coupe plus cette séquence lorsqu'elle a été méthylée. Un brin d'ADN fraîchement répliqué par la bactérie est ainsi protégé contre la dégradation, par la méthylation du brin matrice avec lequel il forme un duplex, et par sa propre méthylation avant la réplication suivante. Un tel système de modification-restriction protège donc la bactérie contre l'incorporation d'ADN étranger, souvent viral, qui peut être reconnu et coupé par une enzyme de restriction, avant d'être dégradé complètement par les exonucléases bactériennes. Les ADN exogènes sont rarement modifiés de manière spécifique avant d'être reconnus comme substrats par les enzymes de restriction. Cependant, si un génome viral vient à être modifié correctement par un nouvel hôte, il peut se reproduire dans une cellule hôte du même type que celle où il a été modifié. Sa descendance ne sera dès lors plus modifiée de la

manière qui lui permettait de se multiplier dans son hôte originel (lequel possède des systèmes de restriction-modification différents).

On connaît trois types d'endonucléases de restriction. Les enzymes de restriction des **Types I** et **III** possèdent les activités endonucléase et méthylase sur la même molécule protéique. Les enzymes de restriction de Type I coupent l'ADN à un site sans doute aléatoire, localisé à 1 kb au moins de la séquence reconnue, tandis que pour les enzymes de Type III, les sites de reconnaissance et de coupure ne sont distants que de 24 à 26 pb. Par contre, les enzymes de restriction de **Type II**, découvertes par Hamilton Smith et Daniel Nathans à la fin des années 1960, sont distinctes de leur méthylases correspondantes. *Elles coupent l'ADN à des sites spécifiques dans la séquence de reconnaissance ; cette propriété en a fait des outils biochimiques indispensables pour les « manipulations » de l'ADN.* Dans ce qui suit, il ne sera question que des enzymes de restriction du Type II.

On a caractérisé, à partir de nombreuses espèces bactériennes, plus de 3000 espèces d'enzymes de restriction de Type II, pour environ 200 séquences distinctes. Quelques-unes parmi les plus utilisées sont présentées dans le Tableau 5-4. Une endonucléase de restriction est appelée par la première lettre, en majuscule, du genre de la bactérie qui la produit et par les deux premières lettres, en minuscules, de l'espèce, suivie par le type sérologique ou l'identifiant de la souche de bactérie, et le numéro en chiffres romains de l'enzyme si la bactérie possède plusieurs enzymes de restriction. Par exemple, *Eco*RI est produite par la souche RY13 de *E. coli*.

a. La plupart des enzymes de restriction reconnaissent des séquences d'ADN palindromiques

La plupart des sites de reconnaissance des enzymes de restriction possèdent une symétrie d'ordre deux avec inversion, comme le montre le diagramme de la Fig. 5-37. Ces motifs s'appellent des **palindromes**.

Un palindrome est un mot ou une phrase que l'on peut lire aussi bien de gauche à droite que de droite à gauche, comme la phrase « Esope reste ici et se repose ».

De nombreuses enzymes de restriction, dont *Eco*RI (Fig. 5-37*a*), catalysent le clivage des deux brins à des positions qui sont éloignées de manière symétrique par rapport au centre de la séquence de reconnaissance palindromique. Ceci génère des fragments possédant des extrémités simple brin d'une longueur de un à quatre nucléotides, complémentaires les unes des autres. Les fragments de restriction avec de telles **extrémités cohésives** ou **bouts collants** peuvent s'associer par appariement avec d'autres fragments de restriction générés par la même enzyme de restriction. Certaines coupures spécifiques, comme celles dues à *Eco*RV (Fig. 5-37*b*), passent par l'axe de symétrie du palindrome et produisent ainsi des fragments complètement appariés, à **extrémités franches**. Si l'on considère qu'une base donnée a la probabilité 1/4 de se trouver à un site nucléotidique quelconque (en supposant que l'ADN possède les quatre bases en proportions égales), une enzyme de restriction dont le site de reconnaissance porte sur n paires de bases, produit en moyenne des fragments d'une longueur de 4^n paires de bases. Ainsi, *Alu*I (séquence de reconnaissance de 4 pb) et *Eco*RI (séquence de reconnaissance de 6 pb) devraient produire respectivement des fragments d'une longueur moyenne de $4^4 = 256$ et $4^6 = 4096$ pb.

TABLEAU 5-4 Séquence de reconnaissance et site de coupure de quelques enzymes de restriction du type II

Enzyme	Séquence de reconnaissance [a]	Micro-organisme
*Alu*I	AG↓C*T	*Arthrobacter luteus*
*Bam*HI	G↓GATC*C	*Bacillus amyloliquefaciens* H
*Bgl*I	GCCNNNN↓NGCC	*Bacillus globigii*
*Bgl*II	A↓GATCT	*Bacillus globigii*
*Eco*RI	G↓AA*TTC	*Escherichia coli* RY13
*Eco*RII	↓CC*(^A_T)GG	*Escherichia coli* R245
*Eco*RV	GA*T↓ATC	*Escherichia coli* J62 pLG74
*Hae*II	RGCGC↓Y	*Haemophilus aegyptius*
*Hae*III	GG↓C*C	*Haemophilus aegyptius*
*Hin*dIII	A*↓AGCTT	*Haemophilus influenzae* R$_d$
*Hpa*II	C↓C*GG	*Haemophilus parainfluenzae*
*Msp*I	C*↓CGG	*Moraxella* species
*Pst*I	CTGCA*↓G	*Providencia stuartii* 164
*Pvu*II	CAG↓C*TG	*Proteus vulgaris*
*Sal*I	G↓TCGAC	*Streptomyces albus* G
*Taq*I	T↓CGA*	*Thermus aquaticus*
*Xho*I	C↓TCGAG	*Xanthomonas holcicola*

[a] La séquence de reconnaissance est donnée pour un seul brin, de 5′ en 3′. Le site de coupure est marqué par une flèche vers le bas et la base modifiée, si elle est connue, est marquée d'un astérisque (A* est la *N*^{6}-méthyladénine et C* est la 5-méthylcytosine). R représente l'un ou l'autre nucléotide purique ; Y, l'un ou l'autre nucléotide pyrimidique ; N l'un des quatre nucléotides.

Source : Roberts S.J. et Macelis, D., REBASE. The restriction enzyme data base. http://rebase.neb.com.

b. Les cartes de restriction permettent de caractériser une molécule d'ADN

Le traitement d'une molécule d'ADN par une endonucléase de restriction produit une série de fragments bien précis qui peuvent être séparés selon leur longueur sur un **gel d'électrophorèse** (Fig. 5-38). (Cette technique consiste à déposer des molécules chargées en haut d'une mince plaque d'un gel de polyacrylamide ou d'agarose et de les séparer en appliquant un champ électrique. Dans les conditions appropriées, les fragments d'ADN se dépla-

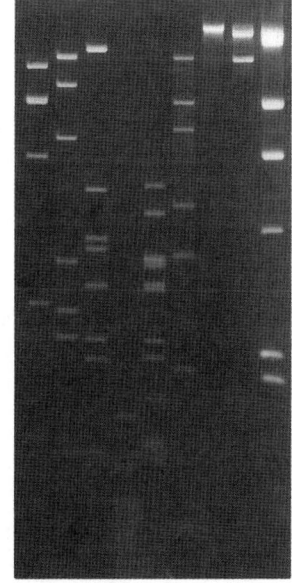

FIGURE 5-38 Électrophorèse, sur gel d'agarose, de fragments de restriction. Le plasmide pAgK84 d'*Agrobacterium radiobacter* a été digéré par (A) *Bam*HI, (B) *Pst*I, (C) *Bgl*II, (D) *Hae*III, (E) *Hinc*II, (F) *Sac*I, (G) *Xba*I et (H) *Hpa*I. La piste (I) contient les fragments de l'ADN du phage λ digéré par *Hin*dIII, dont les longueurs connues servent de référence. Les fragments d'ADN sont rendus ici visibles par fluorescence sur fond noir. [d'après Slota, J.E., et Farrand, S.F., *Plasmid* **8**, 180 (1982). Copyright 1982, Academic Press.]

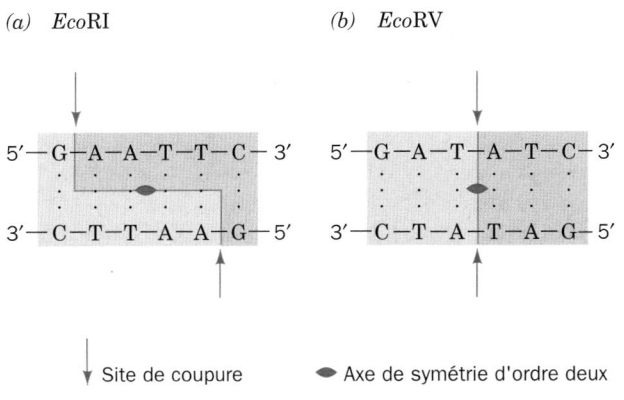

FIGURE 5-37 Sites de restriction. Les séquences de reconnaissance des endonucléases de restriction (*a*) *Eco*RI et (*b*) *Eco*RV, avec leur symétrie d'ordre deux (palindromique), *en rouge*, et leurs sites de coupure (*flèches*). Noter que *Eco*RI donne des fragments d'ADN à bouts collants, tandis que ceux produits par *Eco*RV sont à bouts francs.

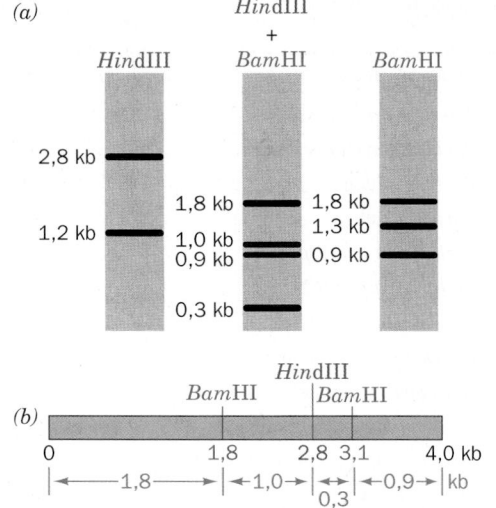

(a)

(b)

FIGURE 5-39 Construction d'une carte de restriction. (*a*) Profils présumés, en gel d'électrophorèse, des fragments d'un ADN obtenus avec *Hind*III, *Bam*HI ou le mélange des deux. Les longueurs des différents fragments sont indiquées. (*b*) Carte de restriction de l'ADN, construite à partir des informations obtenues en *a*. Cette carte peut être présentée dans les deux sens. Les nombre en *vert* indiquent les tailles (en kb) des fragments de restriction corespondants.

cent en fonction de leur taille, les plus courts migrant plus rapidement. Pour un exposé plus complet, voir Section 6-4B). Les brins complémentaires peuvent ensuite être séparés par la dénaturation de l'ADN suivie d'une électrophorèse, ou par ultracentrifugation en gradient alcalin de CsCl (on se rappellera que l'ADN se dénature en conditions alcalines.)

Un diagramme d'une molécule d'ADN avec indication des positions relatives des sites de coupure par différentes enzymes s'appelle une **carte de restriction**. Cette carte est construite, après avoir hydrolysé l'ADN avec deux enzymes de restriction ou plus (une à la fois ou en mélanges), en comparant les longueurs des fragments dans ces hydrolysats, obtenues par leurs mobilités électrophorétiques, et en référence à des standards de masse moléculaire connue. Par exemple, considérons la molécule linéaire de 4 kb, qui est coupée par *Bam*HI et *Hind*III, seules ou en mélange, en fragments ayant les longueurs indiquées dans la Fig. 5-39*a*. L'information obtenue est suffisante pour en déduire les positions des sites de restriction dans la molécule intacte et pour construire la carte représentée dans la Fig. 5-39*b*. La carte de restriction du chromosome (5243 pb) du **virus simien 40 (SV40)** est présentée dans la Fig. 5-40. Les sites de restriction sont des repères physiques que l'on peut localiser facilement sur la molécule d'ADN. *Les cartes de restriction constituent donc un moyen pratique pour localiser des séquences de bases précises sur un chromosome, ou bien pour estimer le degré de divergence entre deux chromosomes.*

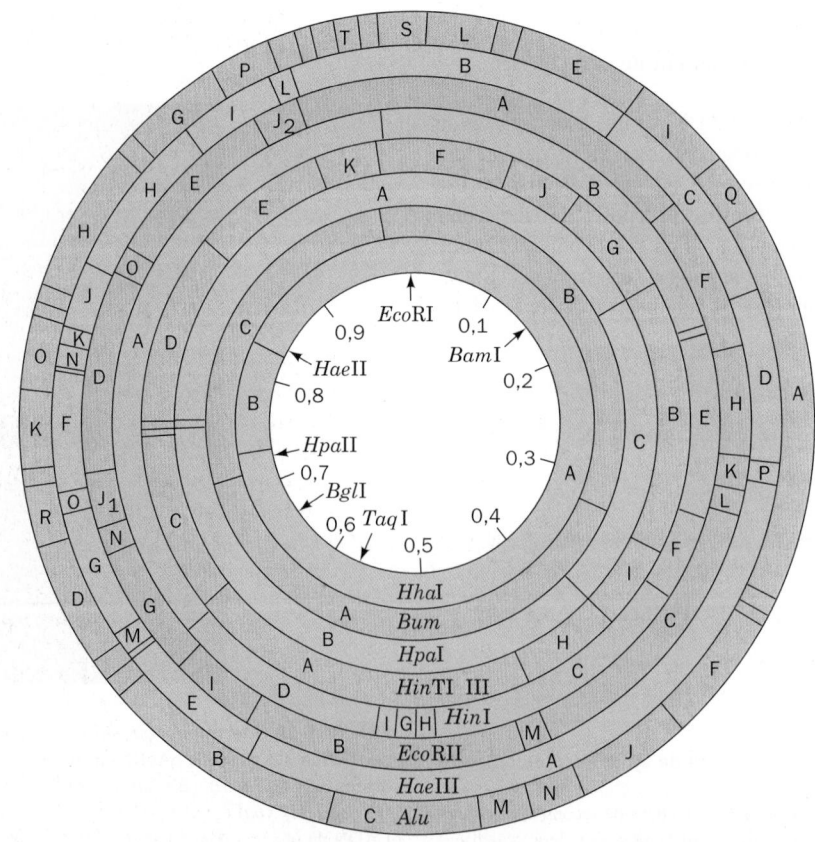

FIGURE 5-40 Carte de restriction de l'ADN circulaire (5243 pb) de SV40. Le cercle central donne les coordonnées des sites uniques pour six enzymes, dont le site unique pour *Eco*RI, choisi comme origine. Les lettres A, B, C, . . . dans chaque anneau représentent les fragments de restriction obtenus avec l'enzyme correspondant, dans l'ordre de longueurs décroissantes. [D'après Nathans, D., *Science* **206**, 905 (1979).]

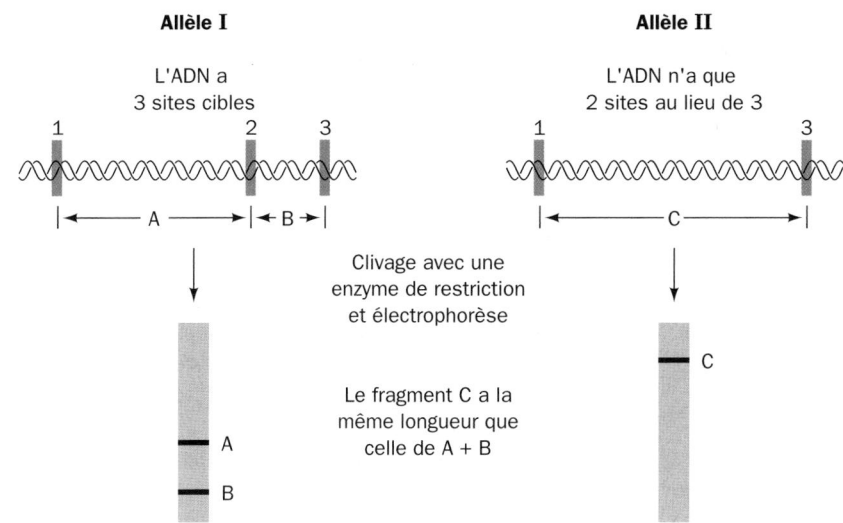

Allèle I

L'ADN a
3 sites cibles

Allèle II

L'ADN n'a que
2 sites au lieu de 3

Clivage avec une
enzyme de restriction
et électrophorèse

Le fragment C a la
même longueur que
celle de A + B

FIGURE 5-41 Polymorphisme de longueur des fragments de restriction. Une mutation dans un site de restriction localisé sur un fragment d'ADN change le nombre et les tailles de ses fragments de restriction.

c. Le polymorphisme de longueur des fragments de restriction fournit des marqueurs pour caractériser des gènes

L'individualité chez l'Homme et d'autres espèces résulte pour une grande part du polymorphisme génétique élevé de l'espèce. Ainsi, les chromosomes homologues humains présentent des différences de séquence environ toutes les 1250 pb. Les différences portent parfois sur des sites de restriction, qui sont ainsi éliminés ou créés (Fig. 5-41). Les hydrolysats de chromosomes homologues par des enzymes de restriction contiennent donc des fragments de longueurs variables ; ce polymorphisme, observé directement sur l'ADN, s'appelle le **polymorphisme de longueur des fragments de restriction** (**RFLP** ; Fig. 5-42). À l'exception des jumeaux identiques, chaque individu possède donc en ensemble de RFLP qui lui est propre (son **haplotype**), d'où l'intérêt des RFLP à des fins d'identification.

Les RFLP sont très précieux en médecine pour poser le diagnostic de maladie héréditaire, même si le défaut moléculaire n'est pas connu. En effet, si un RFLP donné est si proche d'un gène délétère que la probabilité de recombinaison, en passant d'une génération à la suivante, soit minime (se rappeler que la probabilité de recombinaison entre deux gènes augmente avec la distance qui les sépare sur un chromosome ; Section 1-4C), la détection de ce RFLP chez une personne indique une probabilité élevée qu'elle ait hérité aussi de ce gène délétère. Par exemple, la **maladie de Huntington**, qui entraîne une dégénérescence progressive mais fatale du système nerveux et dont les symptômes apparaissent vers l'âge de 40 ans, est due à un défaut génétique dominant, dont le gène n'a été identifié que récemment (Section 30-7). L'identification d'un RFLP en association étroite avec le gène délétère a permis de prévoir si les enfants susceptibles d'être victimes de cette maladie étaient porteurs du gène dominant (à partir d'un couple dont un parent est porteur, la probabilité est de 50 %). Ce type de test, pratiqué sur des cellules fœtales, permet le dépistage prénatal de nombreuses anomalies génétiques. (L'existence d'un test au stade fœtus semble en réalité avoir pour effet d'augmenter le nombre de naissances chez ces couples, car beaucoup d'entre eux, connaissant le risque élevé de conception d'un enfant porteur du gène, choisissaient auparavant de ne pas avoir d'enfant.)

B. *Vecteurs de clonage*

On utilise des plasmides, des virus et des chromosomes artificiels comme vecteurs de clonage pour le génie génétique.

a. Vecteurs de clonage dérivés de plasmides

Les **plasmides** sont des ADN duplex circulaires d'une longueur de 1 à 200 kb, contenant notamment une **origine de réplication** (site où débute la réplication de l'ADN ; Section 30-3C), qui permet leur propagation autonome à l'intérieur d'une cellule de bactérie ou de levure. Les plasmides sont parfois considérés

Pédigrees et génotypes

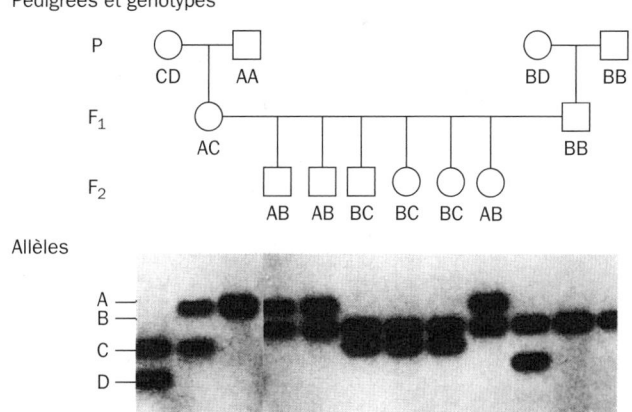

Allèles

FIGURE 5-42 Les RFLP sont hérités comme des caractères mendéliens. Dans l'exemple choisi, quatre allèles d'un même gène, caractérisés chacun par des fragments différents (marqueurs) résultant de sites de restriction variables, peuvent se trouver dans chaque génotype diploïde selon toutes les combinaisons 2 à 2 et ségréger de manière indépendante à chaque génération (les cercles représentent les femelles et les carrés les mâles). Dans la génération parentale *P*, deux individus ont des haplotypes hétérozygotes (CD et BD) et les deux autres ont des haplotypes homozygotes (AA et BB) pour le gène considéré. Les descendants de première génération (F_1) ont des haplotypes AC ou BB. Donc, chaque individu de la 2e génération (F_2) hérite soit A, soit C de la mère et B du père. [Avec l'autorisation de Ray White, University of Utah Medical School].

comme des parasites moléculaires. Dans de nombreux cas, cependant, ils confèrent à leur hôte des fonctions utiles qu'il ne possède pas, telles que la résistance à un ou des antibiotiques. L'apparition de souches pathogènes résistantes aux antibiotiques, depuis l'usage thérapeutique de ces derniers, résulte en partie de la prolifération rapide et de l'échange entre ces souches, de plasmides contenant des gènes conférant la résistance à des antibiotiques.

Certains types de plasmides ont un faible nombre de copies par cellule, voire une copie seulement, et se répliquent une fois par cycle cellulaire, comme le chromosome bactérien ; on dit que leur réplication est sous le **contrôle strict** de la cellule. La plupart des plasmides utilisés en clonage moléculaire sont au contraire sous **contrôle relâché**, puisqu'ils sont présents à raison de 10 à quelque 700 copies par cellule. De plus, si la synthèse protéique de la bactérie hôte est inhibée par le **chloramphénicol**, un antibiotique qui empêche ainsi la division cellulaire (Section 32-3G), ces plasmides continuent à se répliquer jusqu'à accumuler 2 à 3 mille copies par cellule, ce qui représente finalement près de la moitié de l'ADN total de la cellule à ce stade. Les plasmides qui ont été construits par génie génétique (Section 5-5C) pour être utilisés dans le clonage moléculaire, sont en général assez petits. Ils sont sous contrôle relâché, contiennent des gènes conférant une résistance à un ou plusieurs antibiotiques, et possèdent plusieurs sites de restriction bien placés, dans lesquels l'ADN à cloner peut être inséré. On a en effet ajouté à de nombreux vecteurs plasmidiques un segment synthétique d'environ 100 pb, bien localisé et connu sous le nom de lien polyvalent (« **polylinker** »). Celui-ci présente une série de sites de restriction qui sont par ailleurs absents du plasmide. Le plasmide d'*E. coli* appelé **pUC18** (Fig. 5-43) est un bon exemple de vecteur de clonage utilisé actuellement (« pUC » est l'abrégé de « plasmid Universal Cloning »).

L'expression d'un plasmide chimérique dans une bactérie hôte a été démontrée pour la première fois en 1973 par Herbert Boyer et Stanley Cohen. La bactérie hôte incorpore un plasmide quand les deux sont mélangés en présence de cations bivalents comme le Ca^{++} et portés brièvement à ~42 °C (ce qui accroît la perméabilité de la paroi et de la membrane à l'ADN ; ces bactéries sont dites **compétentes pour la transformation**). Cependant, un plasmide incorporé ne s'établit de manière permanente dans l'hôte (la transformation) que dans 0,1 % des cas environ.

Les vecteurs plasmidiques ne permettent pas de cloner des ADN d'une longueur supérieure à ~10 kb. Ceci résulte du fait que le temps nécessaire à la réplication du plasmide augmente avec sa taille. Les plasmides possédant des insertions d'une grande longueur, inutiles pour eux, sont perdus au profit des plasmides ayant perdu les mêmes insertions par délétions aléatoires, ce qui entraîne leur réplication plus rapide.

b. Vecteurs de clonage construits à partir de virus

Le **bactériophage λ** (Fig. 5-44) est un autre vecteur de clonage, dont l'avantage est qu'on peut y cloner des fragments d'ADN allant jusqu'à 16 kb. Le tiers central du génome de ce

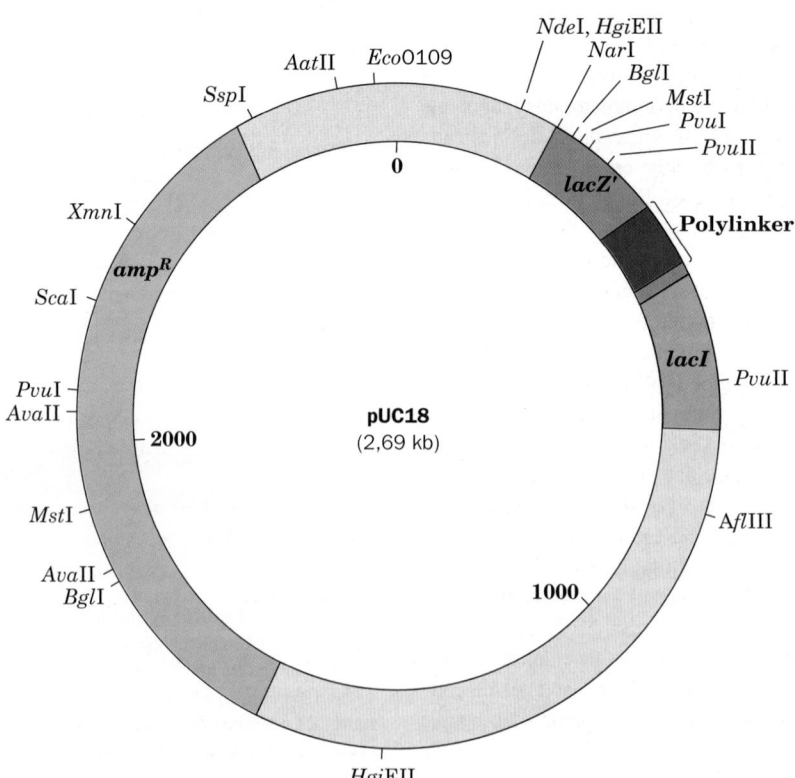

FIGURE 5-43 Le vecteur de clonage pUC18. Carte de restriction du plasmide pUC18 montrant les positions des gènes ***amp*^{R}**, ***lacZ'*** et ***lacI*. Le gène *amp*^{R} permet la résistance à l'**ampicilline** (antibiotique dérivé de la pénicilline ; Section 11-3B) ; *lacZ'* est une forme modifiée du gène **lacZ**, codant l'enzyme **β–galactosidase** (Section 11-2B) ; et *lacI* code le répresseur *lac*, protéine contrôlant la transcription de *lacZ* (cf. Sections 31-1A et 31-3B). Le « polylinker », qui code un segment polypeptidique de 18 résidus, proche de l'extrémité N-terminale de la β–galactosidase, contient 13 sites de restriction différents qui ne se retrouvent pas ailleurs dans le plasmide.

virus, dont la taille totale est de 48,5 kb, n'est pas nécessaire pour la réalisation du cycle lytique (Section 33-3A). Cette région peut donc être remplacée par de l'ADN étranger d'une longueur égale ou légèrement supérieure, en utilisant les méthodes décrites dans la Section 5-5C. L'ADN chimérique peut alors être introduit dans les cellules hôtes en infectant celles-ci avec des phages ayant incorporé cet ADN par un système d'empaquetage *in vitro* (Section 33-3B). L'autre avantage des phages comme vecteurs de clonage est que l'ADN chimérique peut être produit en grande quantité sous une forme facile à purifier.

Les phages λ peuvent être utilisés pour cloner des fragments d'ADN encore plus longs. En effet, le mécanisme par lequel ces phages réalisent l'empaquetage de l'ADN dans leurs coques exige que l'ADN possède des **séquences *cos*** spécifiques de 16 pb, distantes de 36 à 51 kb l'une de l'autre (Section 33-3B). Si on place donc deux sites *cos* à la distance requise sur un vecteur, en utilisant un système d'empaquetage *in vitro*, on obtient un vecteur appelé **cosmide**, qui peut contenir un ADN étranger d'une longueur allant jusqu'à ~49 kb. Les cosmides n'ont plus de gènes du phage, mais grâce à une origine de réplication, ils se répliquent comme des plasmides après l'injection dans la cellule hôte.

Le **bactériophage filamenteux M13** (Fig. 5-45) est aussi un vecteur très utile. Il possède un ADN circulaire monocaténaire

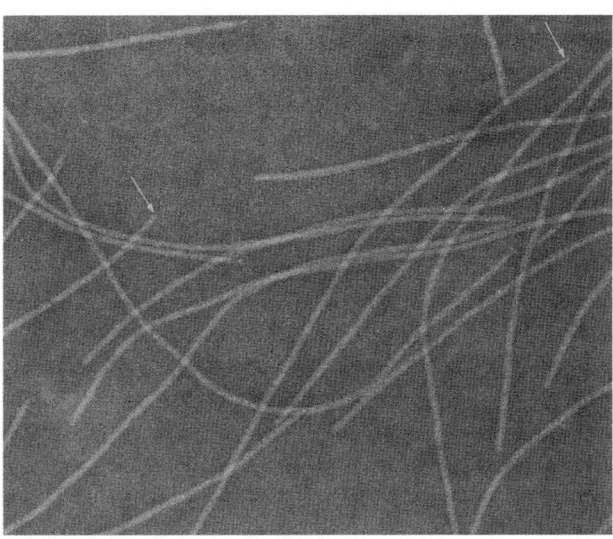

FIGURE 5-45 Micrographie électronique du bactériophage filamenteux M13. Remarquer quelques filaments se terminant par une pointe (*flèches*). [Avec l'autorisation de Robley Williams, Stanford University, et de Harold Fisher, University of Rhode Island.]

contenu dans un tube composé d'environ 2700 molécules, arrangées en hélice, d'une même protéine. Ce nombre est déterminé par la longueur de l'ADN à recouvrir ; on peut donc insérer de l'ADN étranger au sein d'une région non essentielle du chromosome du phage M13, ce qui produira simplement des particules de phages plus longues. Bien que les vecteurs M13 ne soient pas capables de maintenir de manière stable des insertions de plus d'un kb, ils sont néanmoins très fréquemment utilisés pour produire l'ADN en vue du séquençage (Section 7-2A), car ils produisent directement l'ADN simple brin requis.

Les **baculovirus** désignent un vaste groupe de différents virus pathogènes pour les insectes (comme ils n'infectent pas les vertébrés, on peut les utiliser au laboratoire en toute sécurité) ; on les propage en culture de cellules d'insectes. La réplication de certains baculovirus dans de telles cultures peut se faire sans une région particulière du génome viral (double brin). On peut donc remplacer cette région par un fragment d'ADN étranger allant jusqu'à 15 kb.

c. Vecteurs YAC et BAC

Des fragments d'ADN plus grands que ceux que l'on peut cloner dans les cosmides peuvent l'être dans des **chromosomes artificiels de levure** (Yeast Artificial Chromosomes, **YAC**) et dans des **chromosomes artificiels de bactéries** (Bacterial Artificial Chromosomes, **BAC**). Les YAC sont des segments linéaires d'ADN contenant tous les éléments requis pour la réplication chez la levure. Ils doivent donc posséder une **origine de réplication** (appelée **ARS** pour « autonomously replicating sequence »), un **centromère** (segment du chromosome qui s'attache au fuseau lors de la mitose et de la méiose), et des **télomères** (les extrémités des chromosomes linéaires, nécessaires à leur réplication ; Section 30-4D). Les BAC, qui se répliquent chez *E. coli*, proviennent de plasmides circulaires très longs et que l'on trouve à raison d'une copie par cellule, comme les chromosomes. YAC et BAC possèdent les

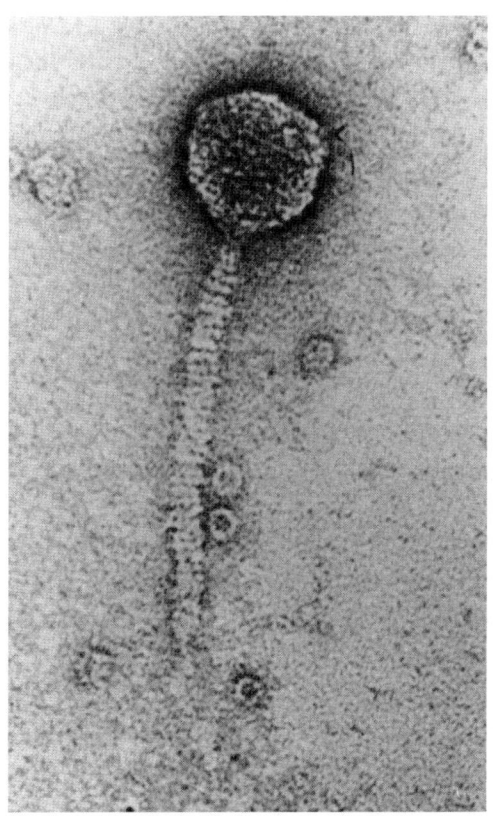

FIGURE 5-44 Micrographie électronique du bactériophage λ. Le bactériophage λ uches d'*E. coli*. Lorsqu'il se lie à une bactérie d'une telle souche, l'ADN contenu dans la « tête » du phage passe dans sa « queue » pour être injecté dans la bactérie, où il se réplique une centaine de fois avant son empaquetage pour constituer ainsi sa descendance. [Avec l'autorisation de A.F. Howatson, tiré de Lewin, B., *Gene expression*, Vol. 3, Fig. 5.23, Wiley (1977).]

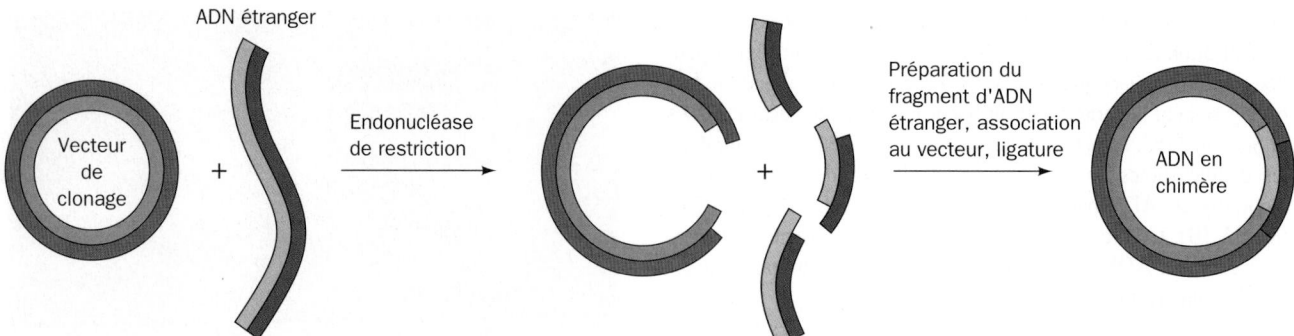

FIGURE 5-46 Construction d'une molécule d'ADN recombinant. Un fragment de restriction est inséré dans la coupure complémentaire faite par une enzyme de restriction dans un vecteur de clonage. Les bouts collants du vecteur et de l'ADN étranger s'associent et sont ensuite unis par liaisons covalentes, à l'intervention de l'ADN ligase, pour donner un ADN chimérique.

séquences nécessaires et suffisantes pour la réplication autonome, le contrôle du nombre de copies, et le clivage du plasmide dédoublé lors de la division cellulaire. Les YAC et les BAC permettent de cloner des ADN de plusieurs centaines de kb.

C. *Manipulation des gènes*

L'ADN à cloner est d'habitude préparé sous forme d'un fragment de séquence bien précise en utilisant des enzymes de restriction (dans le cas des vecteurs M13, il est nécessaire de convertir l'ADN simple brin du phage en double brin avec l'ADN polymérase I, afin de disposer de sites de restriction, toujours double brin). Rappelons que la plupart des enzymes de restriction coupent l'ADN duplex à des sites palindromiques spécifiques et génèrent des extrémités simple brin complémentaires l'une de l'autre (les extrémités cohésives ; Section 5-5A). Janet Mertz et Ron Davis ont montré en 1972 *qu'un fragment de restriction peut être inséré dans la coupure faite dans un vecteur par la même enzyme de restriction (Fig. 5-46). Les extrémités cohésives des deux ADN peuvent donc se réassocier spécifiquement, si l'on respecte les conditions d'une bonne réassociation, et elles peuvent être unies (épissées) de manière covalente par l'ADN ligase (Fig. 5-35* ; l'ADN ligase produite par le **bactériophage T4** doit être utilisée si les coupures de restriction ont des extrémités franches, comme celles générées par *Alu*I, *Eco*RV, ou *Hae*III ; Tableau 5-4). *Un avantage majeur de l'utilisation d'une enzyme de restriction pour construire un vecteur chimérique réside dans le fait que l'ADN inséré ainsi peut être excisé du vecteur par la même enzyme de restriction.*

Si l'ADN étranger et le vecteur n'ont pas de site de restriction en commun à une position neutre pour les fonctions, on peut cependant les épisser en utilisant, comme l'ont montré Dale Kaiser et Paul Berg, la **désoxynucléotidyl transférase terminale (transférase terminale)**. Cette enzyme de mammifère ajoute des nucléotides à l'extrémité 3'-OH d'une chaîne d'ADN ; c'est la seule ADN polymérase qui n'a pas besoin de matrice. Ainsi, la transférase terminale, en présence de dTTP, synthétise des queues poly(dT) d'environ 100 résidus aux extrémités 3' du segment d'ADN que l'on veut cloner (Fig. 5-47). De son côté, le vecteur est coupé par voie enzymatique à un site spécifique et les extrémités 3' du site de clivage sont allongées de la même manière par des queues poly(dA). Les queues homopolymériques sont donc com-

plémentaires et peuvent s'associer. Les trous éventuels résultant de longueurs différentes sont alors comblés par l'ADN polymérase I, et les chaînes de même sens sont réunies par l'ADN ligase.

Le désavantage de cette technique est qu'elle élimine les sites de restriction qui ont permis de fabriquer l'insert d'ADN étranger et de cliver le vecteur. Il peut donc être difficile de récupérer le fragment inséré d'un vecteur ainsi construit. Une autre technique ne présente pas cette difficulté. Elle consiste à ajouter aux deux extrémités de l'ADN étranger, avant clonage, un lien (« linker »), constitué par une séquence palindromique synthétique qui possède un site de restriction identique à celui du site de clonage du vecteur (la synthèse chimique d'oligonucléotides est exposée dans la Section 7-6). Ce lien est attaché à l'ADN étranger par une ligature sur extrémités franches catalysée par la ligase de T4 et il est traité ensuite par l'enzyme de restriction correspondant au site pour former les extrémités cohésives adaptées à une ligature avec le vecteur (Fig. 5-48).

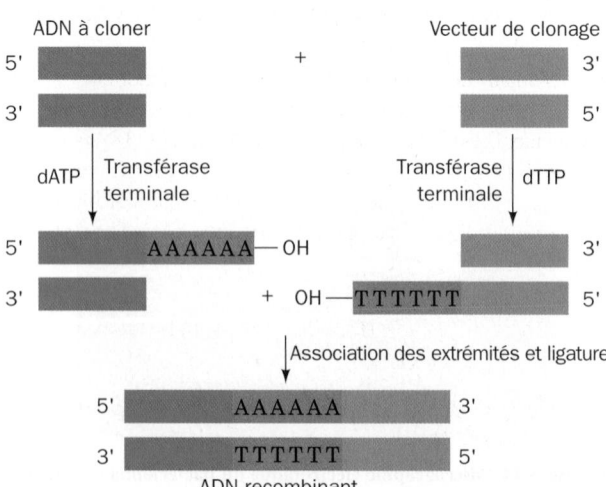

FIGURE 5-47 Épissage de l'ADN par la transférase terminale. Deux fragments d'ADN peuvent être réunis par le biais des extrémités complémentaires homopolymériques ajoutées sous l'action de la transférase terminale. Les extrémités poly(dA) et poly(dT) représentées ici pourraient être aussi bien des extrémités poly(dC) et poly(dG).

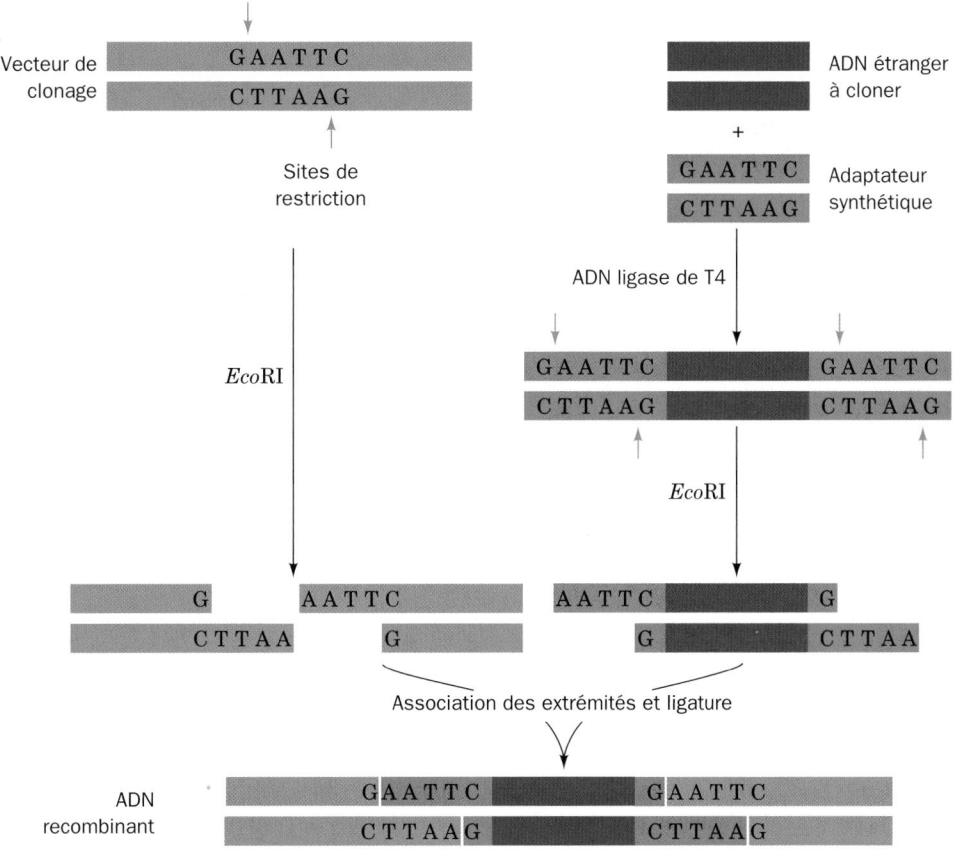

FIGURE 5-48 Construction d'une molécule d'ADN recombinant via la ligature d'adaptateurs oligonucléotidiques de synthèse. Dans l'exemple ci-dessus, l'adaptateur et le vecteur de clonage ont des sites de restriction *Eco*RI (*flèches rouges*).

a. Les cellules transformées correctement doivent être sélectionnées

La transformation et la construction de vecteurs chimériques ont un rendement très faible. Comment s'y prend-on pour ne sélectionner que les cellules transformées par un vecteur dans sa forme correcte ? En cas de transformation par un plasmide, on utilise habituellement un double criblage avec des antibiotiques et (ou) des substrats chromogènes (produisant une coloration lorsqu'ils sont métabolisés). Par exemple, le plasmide pUC18 contient le gène *lacZ'* (Fig. 5-43 ; une forme modifiée du gène *Z* de l'opéron *lac* ; Fig. 5-25). Le gène *lacZ'* code la **β-galactosidase**, une enzyme qui catalyse l'hydrolyse du lien entre l'O1 du sucre β– et un substituant.

5-Bromo-4-chloro-3-indolyl-β-D-galactoside (X-gal)
(*incolore*)

β-D-Galactose

β-D-Galactose   5-Bromo-4-chloro-3-hydroxyindole
(*bleu*)

L'utilisation d'un analogue incolore, le **5-bromo-4-chloro-3-indolyl-β-D-galactoside** (appelé simplement **X-gal**), entraîne après hydrolyse par la β-galactosidase, la production d'un catabolite de couleur bleue. *E. coli* transformé par le plasmide pUC18 sauvage donne des colonies bleues. Par contre, *E. coli* transformé par un plasmide pUC18 contenant une insertion d'ADN étranger dans son

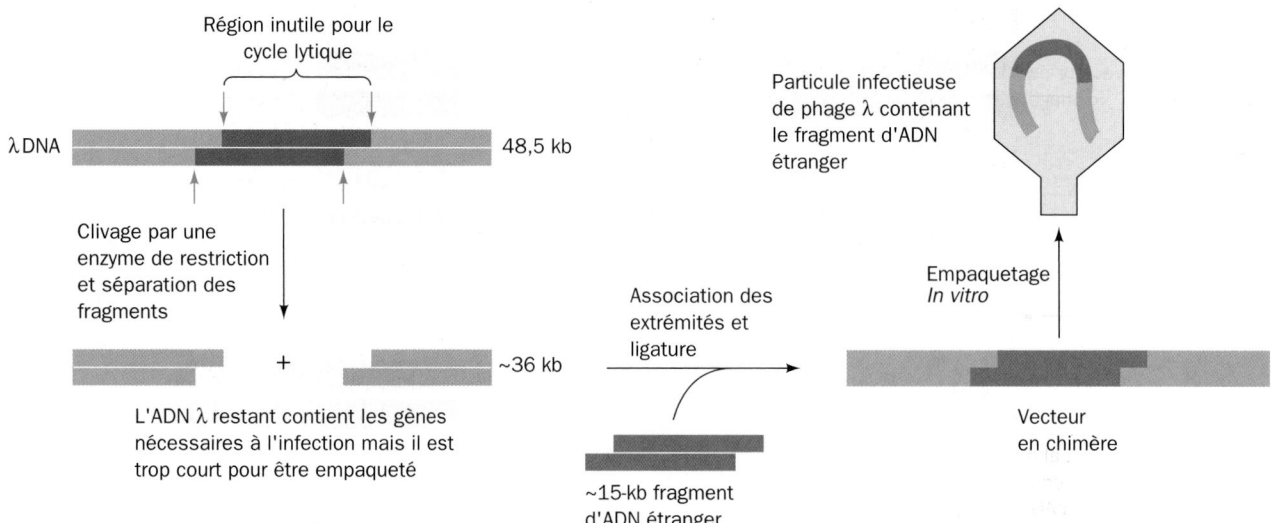

FIGURE 5-49   Clonage d'ADN étranger dans des phages λ. entielle du génome du phage peut être remplacée par de l'ADN étranger, et l'ADN empaqueté pour former une particule infectieuse, à condition que la taille de l'ADN étranger soit voisine de celle de l'ADN qu'il remplace.

site de clonage (le polylinker) donne des colonies incolores (blanches), car la séquence insérée interrompt la séquence codant la protéine du gène *lac*Z′, ce qui supprime l'activité β-galactosidase. Les bactéries qui n'ont pas réussi à incorporer de plasmide pourraient former des colonies blanches en présence de X-gal mais elles sont éliminées par la présence de l'antibiotique **ampicilline** dans le milieu (Fig. 11-25). Les bactéries qui ne contiennent pas de plasmide sont sensibles à l'ampicilline, alors que celles qui contiennent le plasmide poussent, car le plasmide apporte le gène de résistance *amp*^R. Des gènes tels que *amp*^R sont dits **marqueurs de sélection**.

Les phages λ modifiés par génie génétique en vue d'être utilisés comme vecteurs contiennent des sites de restriction bordant le tiers central du génome non indispensable au cycle lytique (Section 5-5B). Ce fragment peut donc être remplacé, comme indiqué ci-dessus, par de l'ADN étranger (Fig. 5-49). L'ADN ne peut être empaqueté dans les coques de phages que si sa longueur se situe entre 75 et 105 % des 48,5 kb du génome du phage λ sauvage. Il s'ensuit que les vecteurs phages λ qui n'ont pas réussi à incorporer un insert d'ADN étranger ne peuvent être empaquetés ni multipliés, car ils sont trop courts pour former des virions infectieux. Les vecteurs cosmidiques ont les mêmes propriétés. De plus, les clones en cosmides sont récoltés en les réempaquetant dans des particules de phages. Ainsi, tout cosmide qui aurait perdu, par délétions aléatoires, une quantité d'ADN qui le rende plus court que la longueur limite, ne sera pas maintenu. C'est ce qui explique pourquoi les cosmides peuvent assurer la propagation de longs inserts, ce que ne peuvent pas faire la plupart des autres types de plasmides.

D. Identification de séquences spécifiques d'ADN : le transfert selon Southern

L'ADN possédant une séquence spécifique peut être identifié par un procédé inventé par Edwin Southern, et connu sous le nom de **technique de transfert selon Southern**, souvent appelé « **Southern blotting** » (Fig. 5-50). Ce procédé utilise la propriété intéressante de la nitrocellulose de fixer de manière très stable l'ADN

simple brin (il ne fixe pas l'ADN duplex). Les membranes de **nylon** et de **difluorure de polyvinylidine** (**PVDF**) ont cette même propriété. Après une électrophorèse d'ADN duplex, le gel est trempé dans une solution de NaOH 0,5 *M*, ce qui fait passer l'ADN sous forme simple brin. Le gel est alors recouvert d'une membrane de nitrocellulose ; celle-ci est recouverte à son tour de plusieurs couches de serviettes en papier et l'ensemble est comprimé par une lourde plaque. Le liquide contenu dans le gel est ainsi extrait du gel par capillarité à travers la membrane de nitrocellulose, laquelle retient l'ADN simple brin qui y laisse une empreinte point par point. On peut aussi provoquer le transfert par électrophorèse, processus appelé « **électrotransfert** » ou « **electroblotting** ». La feuille de nitrocellulose est alors séchée sous vide à 80 °C, ce qui fixe l'ADN dans sa position initiale, puis traitée par un volume minimum d'une solution contenant une **sonde** : un fragment simple brin d'ADN ou un ARN marqués par le ^32P, complémentaires de la séquence d'ADN recherchée. La membrane humide est alors incubée pendant plusieurs heures à une température convenant à la renaturation, pour laisser la sonde reconnaître sa cible et s'hybrider avec elle ; elle est ensuite lavée pour enlever les séquences sondes non hybridées, séchée et placée sur un film sensible aux rayons X, ce qui produira une autoradiographie. L'emplacement des molécules complémentaires des séquences sondes radioactives est ainsi révélé par le noircissement du film après son développement.

Un fragment d'ADN contenant une séquence de bases particulière, un RFLP par exemple, peut être ainsi détecté et isolé. La sonde radioactive peut être l'ARNm correspondant lorsqu'une source naturelle est disponible. C'est le cas des **réticulocytes** (globules rouges immatures), qui ne produisent pratiquement pas d'autres protéines que la **globine** (sous forme d'**hémoglobine**, elle transporte l'oxygène dans le sang) et qui sont donc riches en ARNm codant la globine. En se fondant sur le code génétique (Tableau 5-3), on peut aussi identifier un gène codant une protéine de séquence en acides aminés connue, à l'aide d'une sonde radioactive synthétique qui est un mélange de tous les oligonucléotides susceptibles de coder une région peu dégénérée du gène (Fig. 5-51).

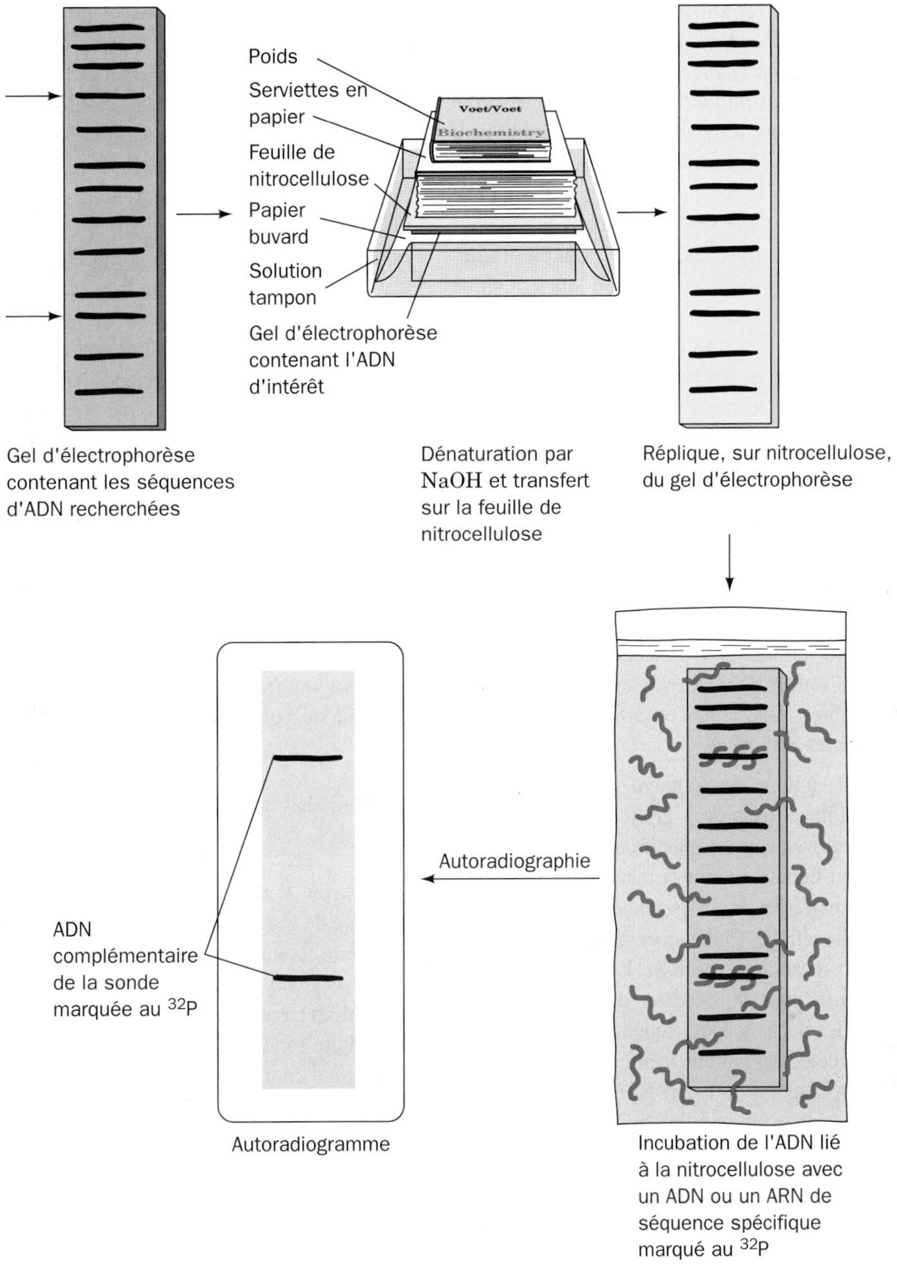
Poids
Serviettes en papier
Feuille de nitrocellulose
Papier buvard
Solution tampon
Gel d'électrophorèse contenant l'ADN d'intérêt
Voet/Voet
Biochemistry
Gel d'électrophorèse contenant les séquences d'ADN recherchées
Dénaturation par NaOH et transfert sur la feuille de nitrocellulose
Réplique, sur nitrocellulose, du gel d'électrophorèse
Autoradiographie
ADN complémentaire de la sonde marquée au ^{32}P
Autoradiogramme
Incubation de l'ADN lié à la nitrocellulose avec un ADN ou un ARN de séquence spécifique marqué au ^{32}P

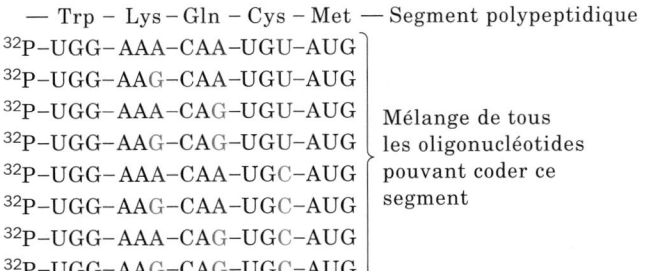

FIGURE 5-50 **Les étapes de la détection de séquences spécifiques dans un ADN par la technique de transfert selon Southern.**

— Trp – Lys – Gln – Cys – Met — Segment polypeptidique

^{32}P–UGG–AAA–CAA–UGU–AUG
^{32}P–UGG–AAG–CAA–UGU–AUG
^{32}P–UGG–AAA–CAG–UGU–AUG
^{32}P–UGG–AAG–CAG–UGU–AUG
^{32}P–UGG–AAA–CAA–UGC–AUG
^{32}P–UGG–AAG–CAA–UGC–AUG
^{32}P–UGG–AAA–CAG–UGC–AUG
^{32}P–UGG–AAG–CAG–UGC–AUG

} Mélange de tous les oligonucléotides pouvant coder ce segment

FIGURE 5-51 **Une sonde oligonucléotidique dégénérée.** Ce type de sonde est un mélange de tous les oligonucléotides susceptibles de coder un segment polypeptidique de séquence connue. En pratique, ce dernier est choisi pour contenir le maximum de résidus spécifiés par des codons pas ou peu dégénérés. Dans le pentapeptide illustré ici, Trp et Met sont chacun spécifiées par un seul codon, et Lys, Gln et Cys le sont chacun par deux codons qui ne diffèrent que par leur troisième base (en *bleu* et en *rouge* ; Tableau 5-3), ce qui donne un total de $1 \times 2 \times 2 \times 2 \times 1 = 8$ oligonucléotides. Ceux-ci sont alors marqués au ^{32}P afin d'être utilisés dans le transfert selon Southern.

Le transfert selon Southern est utilisé pour le diagnostic des maladies génétiques et leur détection avant la naissance. Ces maladies sont souvent dues à un changement spécifique dans un seul gène, pouvant être une substitution d'une base, une délétion ou une insertion. La température d'hybridation de la sonde peut être ajustée de sorte que seul un oligonucléotide parfaitement complémentaire d'une séquence d'ADN s'hybride de manière stable avec lui. Un mésappariement d'une seule base, dans les mêmes conditions, doit empêcher toute hybridation. Par exemple, l'**anémie falciforme** résulte d'une seule substitution nucléotidique A → T dans le gène qui code la sous-unité β de l'hémoglobine, ce qui entraîne le changement d'un résidu Glu β6 en Val (Section 7-3A). Un oligonucléotide de 19 bases, complémentaire du segment muté du gène causant l'anémie falciforme, s'hybride bien, à une température précise, à l'ADN des individus homozygotes pour ce gène, alors qu'il ne s'hybride pas à l'ADN des individus normaux. L'oligonucléotide complémentaire du même segment du gène normal de l'hémoglobine β donne un résultat inverse. L'ADN des hétérozygotes (qui possèdent un allèle normal et un allèle muté du gène de l'hémoglobine β) s'hybride aux deux sondes, mais moins bien que l'ADN des homozygotes. Les sondes oligonucléotidiques peuvent donc être utilisés pour le diagnostic prénatal de l'anémie falciforme. Les sondes d'ADN remplacent aussi de plus en plus souvent les cultures tests, lentes et moins précises, pour l'identification des bactéries pathogènes.

Une variante de la technique de Southern pour détecter des séquences d'ADN spécifiques consiste à greffer sur la séquence sonde une enzyme qui, moyennant les réactifs appropriés, provoquera un dépôt coloré ou fluorescent sur la membrane. Ces techniques de détection sont préférées, pour les analyses cliniques, aux méthodes utilisant la radioactivité. Celles-ci exigent en effet, outre l'autoradiographie, des précautions spéciales lors des manipulations, à cause des risques pour la santé, et des règles strictes concernant le stockage des déchets. Des séquences d'ARN spécifiques peuvent aussi être détectées par une méthode similaire appelée, par analogie géographique, le transfert **Northern** (**Northern blot**), dans lequel c'est l'ARN qui est immobilisé sur la nitrocellulose et qui est détecté par des sondes d'ARN ou d'ADN complémentaires radiomarquées.

E. *Bibliothèques génomiques*

Pour cloner un fragment particulier d'ADN, il faut d'abord le purifier. On peut se rendre compte de l'importance d'un tel travail en réalisant qu'un fragment d'ADN de 1 kb représente seulement 0,000029 % du génome humain, qui compte 3,2 milliards de pb. Un fragment d'ADN peut être visualisé par la technique de Southern réalisée sur un lysat, obtenu par enzyme(s) de restriction, de l'ADN génomique total qui le contient (Section 5-5F). Dans la pratique, il est généralement plus difficile d'identifier un gène particulier et de le cloner ensuite, que de cloner la totalité du génome découpé en fragments et d'identifier le ou les clones contenant la séquence que l'on recherche. Une telle collection de clones s'appelle une **bibliothèque** ou **banque génomique**. Une banque génomique d'une espèce donnée peut n'être faite qu'une seule fois, puisqu'on peut la maintenir et l'amplifier pour la cribler chaque fois qu'une nouvelle sonde devient disponible.

Les banques génomiques sont constituées par un procédé appelé **clonage aléatoire**. L'ADN chromosomique d'un individu de l'espèce à étudier est isolé, coupé en fragments d'une taille moyenne compatible avec le clonage dans le vecteur choisi, et inséré dans celui-ci par les méthodes décrites dans la Section 5-5B. L'ADN est fragmenté partiellement (en limitant le temps de réaction avec l'enzyme de restriction) plutôt que complètement, de telle façon que la banque génomique puisse contenir des séquences intactes de tous les gènes, y compris celles qui contiennent les sites de restriction. On peut aussi fragmenter l'ADN au hasard par agitation rapide ou sonication de la solution d'ADN mais il faut alors faire subir certains traitements aux fragments avant de les insérer dans les vecteurs de clonage. Des banques génomiques ont été réalisées pour de nombreuses espèces, dont on citera la levure, la drosophile, la souris et l'Homme.

a. Il faut cribler de nombreux clones pour trouver le gène que l'on cherche

Le nombre de fragments aléatoires qu'il faut cloner pour s'assurer d'une probabilité élevée qu'une séquence donnée soit représentée au moins une fois dans la banque génomique peut être calculé comme suit : la probabilité P qu'un ensemble de N clones contient un fragment présent en proportion f (pb/pb) dans le génome de l'organisme est :

$$P = 1 - (1 - f)^N \qquad [5\text{-}1]$$

On en déduit que :

$$N = \log(1 - P)/\log(1 - f) \qquad [5\text{-}2]$$

Pour avoir $P = 0{,}99$ de trouver un fragment de 10 kb dans le génome de *E. coli* (un seul chromosome de 4639 kb) ($f = 0{,}00216$), il faut au moins $N = 2134$ clones ; avec le génome de 180 000 kb de *Drosophila* ($f = 0{,}0000606$), il faut au moins 83 000 clones. L'établissement de banques génomiques dans YAC ou BAC permet de réduire fortement le nombre de clones nécessaires à l'isolement d'un gène donné à partir d'un grand génome.

Puisqu'on ne dispose pas d'index de la bibliothèque, il faut d'abord la cribler pour voir si un gène donné y est représenté. Ce criblage peut se faire par hybridation directe sur l'empreinte des colonies ; on parle d'**hybridation sur colonies** ou d'**hybridation in situ** (du latin *in situ*, en place) (Fig. 5-52). Ainsi, les colonies correspondant à des clones, chez la levure ou les bactéries, ainsi que les plages de lyses chez les phages, sont transférées par la méthode des répliques (Fig. 1-30), depuis une boîte de Petri sur un filtre de nitrocellulose. Le filtre est traité avec NaOH pour lyser les cellules ou les phages et dénaturer l'ADN qui peut alors se fixer à la nitrocelllulose (cette dernière fixe de manière préférentielle l'ADN simple brin). Le filtre est ensuite séché pour fixer l'ADN en place et traité dans les conditions favorables à l'hybridation avec une sonde radioactive correspondant au gène recherché ; il est lavé, puis autoradiographié. *Seules les colonies ou les plages contenant le gène recherché vont fixer la sonde et impressionner le film.* Les clones correspondants peuvent être ensuite repérés sur la boîte initiale et isolés. Plus d'un million de clones d'une banque génomique d'ADN humain peuvent ainsi être criblés rapidement pour trouver n'importe quelle séquence d'ADN.

De nombreux gènes et groupes de gènes eucaryotes s'étendent sur de très grandes longueurs d'ADN (Section 34-2), dépassant 1 000 kb dans certains cas. Avec les banques génomiques prépa-

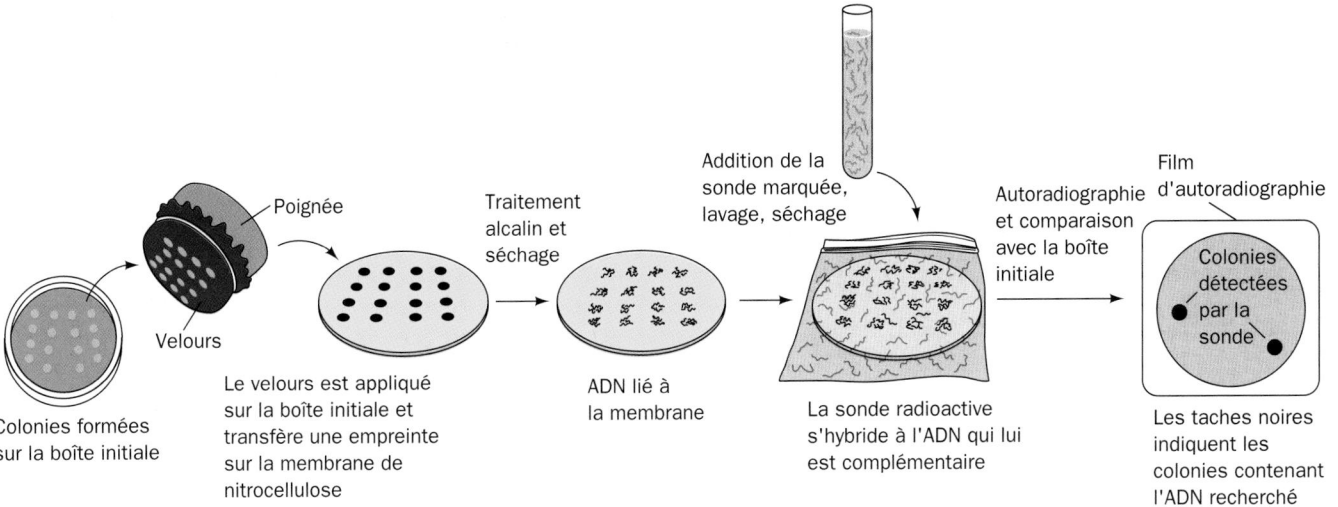

FIGURE 5-52 Hybridation (*in situ*) sur colonies. Cette technique permet d'identifier les clones contenant un ADN recherché.

rées dans les vecteurs basés sur les plasmides, phages ou cosmides, de telles longueurs ne peuvent être reconstituées qu'à partir de clones correspondant à des fragments chevauchants (Fig. 5-53). Pour reconstruire de tels complexes, chaque fragment isolé avec succès peut, à son tour, être utilisé comme sonde pour identifier le fragment partiellement chevauchant suivant. Ce procédé s'appelle la **marche sur chromosome**. Les YAC et les BAC permettent de

réduire considérablement le recours à ce procédé laborieux et source d'erreurs.

F. *Amplification d'ADN par réaction en chaîne à la polymérase*

À côté des techniques de clonage moléculaire qui restent indispensables à la recherche biochimique moderne, la **réaction en chaîne à la polymérase (PCR)**, est un moyen rapide et plus facile d'amplifier un fragment spécifique d'ADN d'une longueur allant jusqu'à 6 kb. Dans cette méthode (Fig. 5-54), décrite par Kerry Mullis en 1985, un échantillon d'ADN dénaturé par la chaleur (les deux chaînes étant donc séparées l'une de l'autre) est mis à incuber avec l'ADN polymérase, les dNTP, et deux amorces oligonucléotidiques reconnaissant les séquences flanquant le fragment à amplifier. Ces amorces servent de substrat à l'ADN polymérase et permettent à celle-ci de synthétiser de nouveaux brins complémentaires. Des cycles successifs de ce processus, qui doublent chaque fois la quantité d'ADN amplifié, permettent de commencer l'amplification à partir d'une seule copie. À chaque cycle, en effet, les deux brins de l'ADN duplex formé sont séparés par dénaturation à 95 °C, après quoi la température est abaissée de sorte que les amorces s'hybrident à nouveau avec leurs sites complémentaires sur l'ADN, et l'ADN polymérase synthétise à nouveau des brins complémentaires (Section 5-4C). L'utilisation d'une ADN polymérase bactérienne résistante à la température de dénaturation, comme l'**ADN polymérase Taq** de *Thermus aquaticus* ou l'**ADN polymérase Pfu** de *Pyrococcus furiosus*, toutes deux stables à 95 °C, dispense de l'ajout d'une quantité d'enzyme fraîche après chaque étape de dénaturation. De cette façon, si les quantités d'amorces et de dNTP sont suffisantes, il suffit de faire varier la température d'une manière cyclique pour réaliser la PCR.

En théorie, une vingtaine de cycles d'amplification par PCR augmentent la quantité de séquence cible d'un facteur 10^6, avec une spécificité élevée. En pratique, le nombre de copies de séquences cibles double à chaque cycle, jusqu'à obtenir plus de complexes amorces-matrice que ne peut en synthétiser la polymé-

FIGURE 5-53 La marche sur chromosome. Un segment d'ADN, trop grand pour être séquencé en une seule étape, est fragmenté et cloné. Un clone est choisi et l'insert d'ADN qu'il contient est séquencé. Un petit fragment de cet insert est sous-cloné et utilisé comme sonde pour trouver un clone contenant un insert chevauchant, lequel est séquencé à son tour. Une telle opération répétée permet une « marche » sur le chromosome, marche qui peut d'ailleurs se faire dans les deux sens.

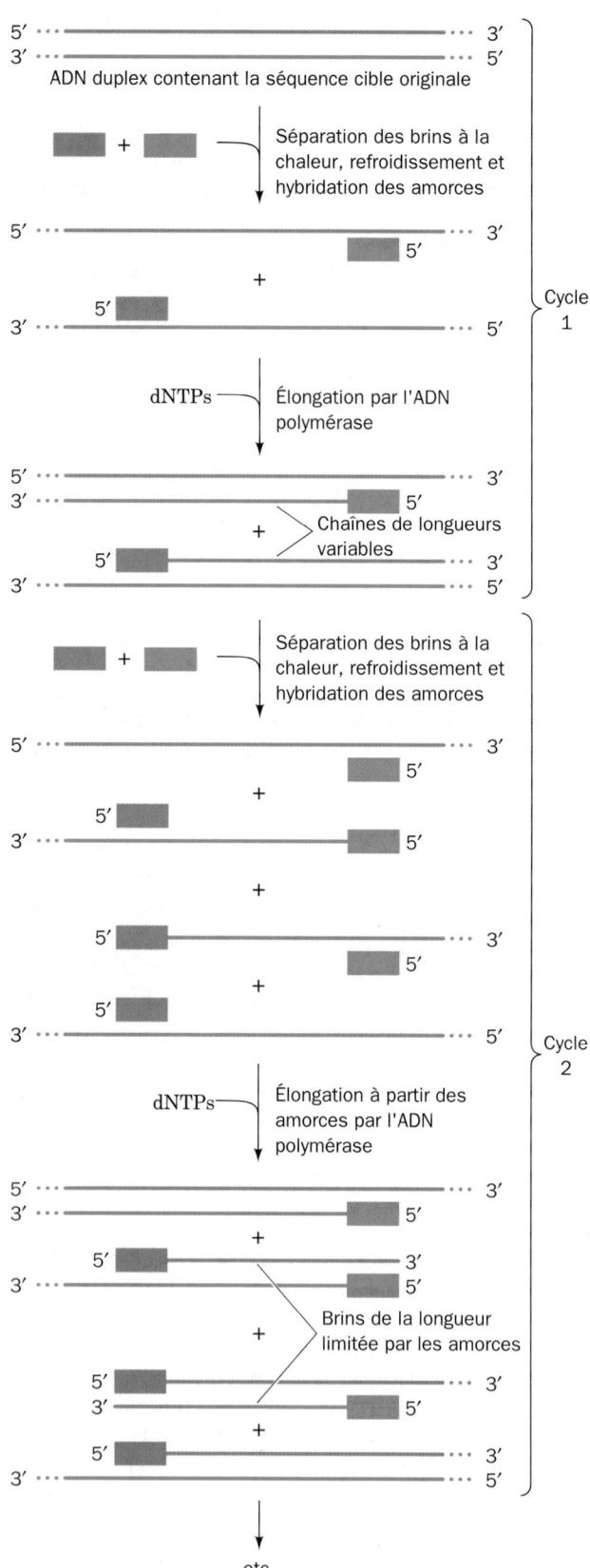

FIGURE 5-54 La réaction en chaîne à la polymérase (PCR). À la même étape de chaque cycle de cette réaction, les brins d'ADN duplex sont séparés par dénaturation à la chaleur et la préparation est refroidie de manière à ce qu'une amorce synthétique d'ADN s'hybride à un site complémentaire sur chaque brin ; les amorces sont alors des sites d'extension pour l'ADN polymérase. Les mêmes étapes sont répétées sur de nombreux cycles. Le nombre de chaînes d'une longueur unitaire double en principe à chaque cycle à partir du second cycle.

rase pendant la durée du cycle, auquel cas l'amplification en fonction du temps devient linéaire, plutôt que géométrique. Cette méthode permet d'amplifier un ADN cible présent en une seule copie dans un échantillon contenant 10^5 cellules. On peut donc l'utiliser sans purification préalable de l'ADN (cependant, puisque le taux d'amplification est très élevé, il faut éviter tout risque de contamination par de l'ADN extérieur de séquence similaire). L'ADN ainsi amplifié peut être étudié par différentes techniques telles que l'analyse des RFLP, l'hybridation selon Southern et le séquençage direct (Section 7-2A). L'amplification par PCR peut être considérée comme un clonage moléculaire sans cellules ni vecteur, réalisable *in vitro* par des automates en 30 minutes, alors qu'il aurait fallu des jours, voire des semaines avec les techniques de clonage exposées ci-dessus.

a. La PCR a de nombreuses applications

L'amplification par PCR est devenue indispensable pour une très grande variété d'applications. En biologie clinique, elle est utilisée pour le diagnostic rapide de maladies infectieuses et pour la détection d'événements pathologiques rares comme les mutations pouvant conduire au cancer (Section 19-3B). En médecine légale, on peut utiliser un seul poil, spermatozoïde ou goutte de sang pour identifier son propriétaire. À cette fin, on analyse d'habitude de **courtes répétitions en tandem** (littéralement : les unes derrière les autres) (**STR**), segments d'ADN constitués de séquences répétées d'une longueur de 2 à 7 pb telles que $(CA)_n$ (le génome humain en contient environ 100 000) et $(ATGC)_n$, dispersés dans le génome. Pour de nombreuses STR, le nombre n de répétitions dans un groupe (dans un tandem) est variable et déterminé génétiquement ; il varie de 1 à 40 pour les $(CA)_n$ de certaines STR. Les STR sont donc des marqueurs individuels comme le sont les RFLP. On peut amplifier par PCR l'ADN d'un STR donné avec des amorces complémentaires des séquences flanquantes non répétées et donc spécifiques de ce STR. On détermine, pour l'individu étudié, le nombre n de répétitions au sein de ce STR, par électrophorèse en gel de polyacrylamide, qui donne la masse moléculaire (Section 6-6C), ou par séquençage direct (Section 7-2A). Une fois connu le nombre n pour plusieurs STR bien caractérisées (celles pour lesquelles n a été déterminé chez un grand nombre d'individus d'origines ethniques différentes), on dispose de l'haplotype du propriétaire de l'ADN, ce qui permet de l'identifier sans ambiguïté.

Les STR sont utilisées à grande échelle pour confirmer ou infirmer des liens de parenté. Ainsi, d'après la tradition orale, Thomas Jefferson, troisième président des États-Unis, eut de son esclave Sally Hemmings un fils nommé Eston Hemmings, né en 1908, et qui ressemblait étrangement à Jefferson. On sait que le chromosome Y, à l'exception de ses extrémités qui subissent la recombinaison (avec le chromosome X), est transmis comme tel (sauf pour de rares mutations) de père en fils. Or, les chromosomes Y des descendants d'Eston Hemmings et de l'oncle de Jefferson (ce dernier n'eut pas de fils légitime) contiennent des haplotypes STR identiques. Thomas Jefferson était donc vraisemblablement le père d'Eston Hemmings, avec la nuance que le père d'Eston Hemmings aurait aussi bien pu être un parent de la lignée masculine des Jefferson.

On peut aussi amplifier l'ARN par PCR après l'avoir converti en ADN complémentaire (**ADNc**) sous l'action d'une enzyme, l'**ADN polymérase ARN-dépendante** (aussi appelée **transcriptase réverse**). Cette enzyme, produite par certains virus à ARN appelés **rétrovirus** (Section 30-4C), agit comme l'ADN polymérase I, sauf qu'elle utilise une matrice ARN.

On a mis au point des variantes de la PCR conduisant elles-mêmes à de nombreuses applications. Par exemple, l'ADN simple brin nécessaire au séquençage (Section 7-2A), peut être obtenu rapidement par une **PCR asymétrique**, dans laquelle une quantité très faible d'une seule amorce sera épuisée après quelques cycles. Au cours des cycles suivants, l'autre amorce, en quantité non limitante, ne synthétisera plus qu'un seul brin (bien que cette réaction d'amplification sera linéaire plutôt qu'exponentielle, dès que l'amorce limitante sera épuisée). Si l'on craint que les amorces ne s'hybrident à plus d'un site de l'ADN à amplifier, les **amorces nichées** permettent de n'amplifier que la séquence d'intérêt. Pour ce faire, on pratique une PCR normale avec une paire d'amorces, mais les produits de cette PCR sont alors amplifiés à nouveau avec une deuxième paire d'amorces qui, cette fois, s'hybrident à des régions plus internes de la séquence cible. Comme il est improbable que ces deux paires d'amorces s'hybrident toutes deux de façon ciblée en dehors de la région d'intérêt, on n'amplifiera ainsi que la séquence souhaitée.

b. L'Homme de Neandertal n'est pas l'ancêtre de l'Homme moderne

La PCR est aussi à la base d'une nouvelle discipline que l'on peut appeler l'**archéologie moléculaire**. Ainsi, cette technique a été utilisée par Svante Pääbo pour déterminer si l'Homme de Neandertal et l'Homme moderne appartiennent ou non à la même espèce. L'Homme de Neandertal (ou Neanderthal) était environ 30 % plus corpulent que l'Homme actuel, et se caractérisait par une puissante musculature, un front bas et des arcades sourcillières proéminentes. D'après la datation radioactive des fossiles, il disparut il y a environ 28 000 ans après avoir occupé pendant plus de 100 000 ans l'Europe et l'ouest de l'Asie. Durant la fin de cette période, il a donc coexisté avec nos ancêtres directs, lesquels pourraient bien être responsables de sa disparition. D'où la question de savoir si *Homo Neandertalensis* appartient à une ancienne race de l'espèce *Homo sapiens*, ou bien constitue une espèce à part entière. Les critères morphologiques ne permettant pas de trancher, une chose à faire était de comparer des séquences d'ADN d'humains actuels à celles de Neandertaliens.

De l'ADN fut extrait de 0,4 g d'os de Neandertalien et l'ADN mitochondrial (**ADNmt**) amplifié par PCR. L'ADNmt fut choisi plutôt que l'ADN nucléaire parce qu'une séquence d'ADNmt est 100 à 1000 fois plus abondante qu'une séquence particulière d'ADN nucléaire en raison du grand nombre de mitochondries

dans la cellule. La comparaison porta sur 986 échantillons humains modernes provenant d'un grand nombre d'ethnies différentes et sur 16 échantillons de chimpanzés apparentés (les animaux actuels les plus proches de l'Homme moderne). Un arbre phylogénique fondé sur les différences de séquences montre que la divergence (dernier ancêtre commun) entre humains et chimpanzés remonte à 4 millions d'années, que celle entre humains et Neandertaliens date d'à peu près 600 000 ans, et que différents groupes d'*Homo sapiens* se sont séparés il y a environ 150 000 ans. On en conclut que la contribution des Neandertaliens au patrimoine génétique des humains modernes pendant leur coexistence millénaire été négligeable et que donc *Homo Neandertalensis* et *Homo sapiens* constituent des espèces distinctes. Ceci fut confirmé par une analyse similaire portant sur un autre échantillon Neandertalien d'origine géographique très distante.

c. L'ADN se dégrade rapidement sur des périodes géologiques

On cite des cas d'amplification par PCR portant sur de l'ADN de fossiles vieux de plusieurs millions d'années ou extrait d'insectes prisonniers dans de l'ambre (résine fossilisée) datant de 135 millions d'années (ceci a inspiré le roman et le film *Jurassic Park*). Cependant, l'ADN se décompose au cours des périodes géologiques, principalement par hydrolyse du squelette sucres-phosphates et attaque oxydative des bases. Combien de temps l'ADN d'un fossile peut-il y résister avant de devenir méconnaissable ?

Les résidus d'acide aminé dans les protéines hydratées se racémisent à une vitesse similaire à celle de la décomposition de l'ADN. Dans un organisme, la quantité de protéines dépasse de loin celle des séquences spécifiques d'ADN. Le rapport des énantiomères (D/L) d'un résidu d'acide aminé peut donc être déterminé directement, sans passer par une amplification comme pour l'ADN. Ce rapport a été déterminé pour Asp (l'acide aminé qui racémise le plus vite) dans un grand nombre d'échantillons archéologiques dont l'âge avait été authentifié. La conclusion est que des séquences intactes d'ADN ne peuvent être obtenues qu'à partir d'échantillons dans lesquels le rapport Asp D/L est inférieur à 0,08. Ces études montrent que la survie de séquences d'ADN reconnaissables ne dépasse pas quelques milliers d'années dans les régions chaudes telles que l'Égypte, mais peut atteindre 100 000 ans sous des climats froid (Sibérie). L'amplification d'ADN soi-disant très ancien résulte donc le plus souvent de celle d'ADN actuel (notamment celui des expérimentateurs) contaminant les échantillons. Ainsi, l'ADN du fossile Neandertalien mentionné plus haut était décomposé au point qu'il a fallu étudier son ADNmt plutôt que son ADN nucléaire.

En dépit de ce qui précède, on a constaté que certaines spores bactériennes restent viables quasi indéfiniment. Elles sont formées en réaction à des conditions hostiles par plusieurs groupes de bactéries, dont les bacilles, et permettent à la bactérie de survivre en attendant. Ces spores sont protégées par une épaisse enveloppe protéique, leur cytoplasme est partiellement déshydraté et minéralisé et leur ADN est stabilisé par des protéines spécialisées (Section 29-1B). Ainsi a-t-on pu cultiver un bacille extrait d'une abeille emprisonnée dans de l'ambre il y a 25 à 40 millions d'années. De même, un bacille halophile (« amateur de sel ») fut cultivé à partir d'une minuscule (~9 µL) inclusion d'eau saumâtre dans un cristal d'un dépôt salin datant de 250 millions d'années. La surface de l'ambre et du cristal avait bien sûr été stérilisée chimiquement avant extraction.

G. *Production de protéines*

Une des applications les plus importantes des techniques de l'ADN recombinant est la production en grandes quantités de protéines rares ou nouvelles. Le procédé est relativement simple pour les protéines bactériennes. Un **gène de structure** (qui code une protéine) est cloné dans un **vecteur d'expression** plasmidique ou viral. Ce vecteur contient, à un site approprié, les séquences de régulation nécessaires à la transcription et à la traduction conduisant à l'expression de la protéine qui correspond au gène cloné. En utilisant un plasmide dont la réplication est sous contrôle relâché (Section 5-5B) et qui possède un promoteur efficace, la quantité de la protéine ainsi produite peut atteindre 30 % des protéines totales de la bactérie hôte. Ces organismes génétiquement modifiés s'appellent des « **superproducteurs** ».

Les cellules bactériennes séquestrent souvent, dans des **corps d'inclusion,** de grandes quantités de ces protéines inutiles pour la bactérie, sous forme insoluble et dénaturée (Fig. 5-55). Les protéines extraites de ces corps d'inclusion doivent donc être renaturées, le plus souvent en les dissolvant d'abord dans une solution d'**urée** ou d'**ions guanidium** (substances qui induisent la dénaturation des protéines),

$$
\underset{\textbf{Urée}}{N_2H\!-\!\overset{\displaystyle O}{\overset{\|}{C}}\!-\!NH_2}
\qquad\qquad
\underset{\textbf{Ion guanidium}}{N_2H\!-\!\overset{\displaystyle NH_2^+}{\overset{\|}{C}}\!-\!NH_2}
$$

puis en éliminant lentement l'agent dénaturant à travers une membrane qui laisse passer ce dernier, mais pas la protéine. Ceci peut se faire par **dialyse** ou **ultrafiltration** (Section 6-3B) ; la dénaturation et la renaturation des protéines sont discutées à la Section 9-1A.

Si l'on veut éviter cette complication, on peut manipuler le gène de la protéine d'intérêt pour que celle-ci soit précédée de la **séquence signal** bactérienne. Chez les bactéries Gram négatif comme *E. coli*, une telle séquence induit la sécrétion de la protéine qui la contient dans l'**espace périplasmique** (c'est-à-dire entre la membrane plasmique et la paroi de la bactérie ; les séquences signal sont discutées à la Section 12-4B). La séquence signal est ensuite enlevée par une protéase bactérienne spécifique. Les protéines ainsi sécrétées, en faible quantité, peuvent alors être libérées dans le milieu par un choc osmotique (Section 6-1B) qui brise la membrane externe (Section 1-1B ; la paroi bactérienne est poreuse), si bien que la purification est beaucoup plus simple que celle des protéines intracellulaires.

Un autre problème est que la protéine étrangère ainsi produite peut être toxique pour la cellule hôte (s'il s'agit d'une protéase, elle pourra détruire les protéines de l'hôte) et tue la culture avant que celle-ci ne donne assez de la protéine d'intérêt. Une solution est de placer le gène codant la protéine toxique sous le contrôle d'un promoteur inductible, par exemple le promoteur *lac* dans un plasmide qui possède le gène codant le répresseur *lac* (Sec-

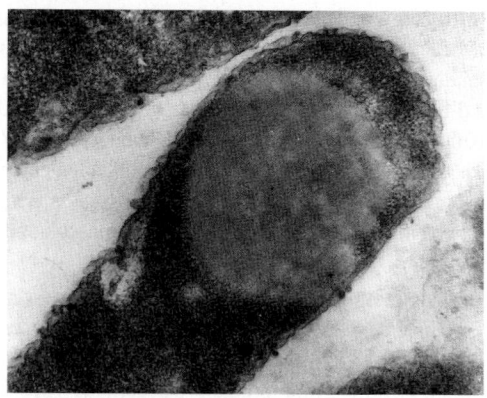

FIGURE 5-55   Micrographie électronique d'un corps d'inclusion d'une protéine, la prochymosine, dans *E. coli*. [Avec l'autorisation de Teruhiko Beppu, Nikon University, Japon.]

tion 5-4A). La liaison de ce dernier au promoteur *lac* préviendra l'expression de la protéine étrangère comme elle le fait pour les gènes de l'opéron *lac* (Fig. 5-25*a*). Lorsque les cellules ont atteint une haute concentration dans la culture, y on ajoute un inducteur qui libère le répresseur et permet l'expression de la protéine étrangère (Fig. 5-25*b*), celle-ci étant produite en grande quantité avant que les bactéries ne meurent. Pour le répresseur *lac*, l'inducteur de choix est l'**isopropylthiogalactoside** (**IPTG** ; Section 31-1A), un analogue synthétique non métabolisable de l'allolactose, inducteur naturel du répresseur *lac*.

Lorsqu'on insère un segment d'ADN dans un vecteur (voir Fig. 5-46), les paires de bouts collants produites par restriction peut se réassocier. En conséquence, les produits d'une réaction de ligation contiendront des vecteurs réunis en tandem, les inserts, et diverses combinaisons linéaires et circulaires des précédents. S'il s'agit de systèmes d'expression, 50 % des gènes de structure insérés dans un vecteur circulaire le seront dans le mauvais sens par rapport aux séquences de contrôle transcriptionnel et traductionnel et ne seront donc pas exprimés correctement. On peut améliorer l'efficacité de la bonne ligation en recourant au **clonage directionnel** (Fig. 5-56). On utilise dans ce cas deux enzymes de restriction différentes afin de produire deux types de bouts collants tant dans le vecteur que dans l'insert. Dans les systèmes d'expression, on les arrange de telle manière que l'insertion du gène de structure ne peut se faire que dans l'orientation nécessaire à l'expression.

a. On peut faire produire des protéines d'eucaryotes par des bactéries et par des cellules eucaryotes

La synthèse d'une protéine d'eucaryote dans un hôte procaryote soulève plusieurs difficultés qu'on ne rencontre pas avec les protéines de procaryotes :

1. Les éléments eucaryotes du contrôle de la synthèse d'ARN et de protéines ne sont pas reconnus par la bactérie hôte.

2. Les bactéries ne possèdent pas la machinerie d'excision des introns présents dans la plupart des produits de transcription chez les eucaryotes ; elles ne peuvent donc réaliser l'épissage (Section 5-4A).

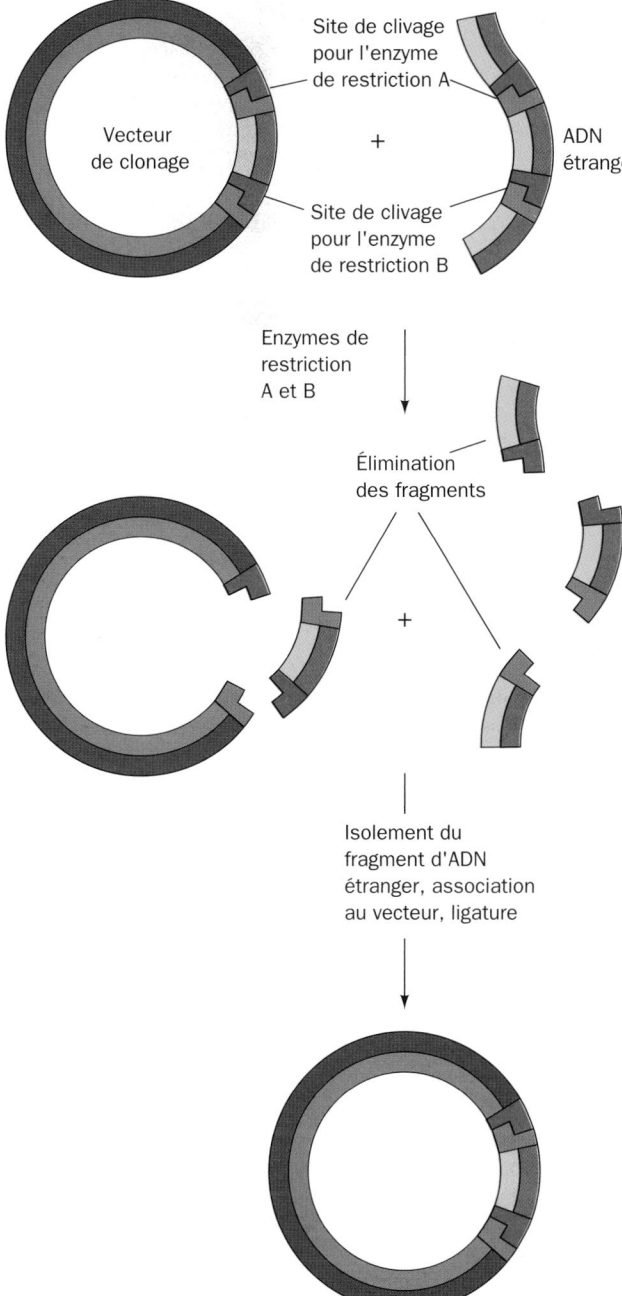

FIGURE 5-56 Construction d'une molécule d'ADN recombinant par clonage directionnel. On utilise deux enzymes de restriction qui donnent des bouts collants différents, de sorte que le fragment d'ADN étranger ne puisse s'insérer dans le vecteur de clonage que dans une seule orientation.

3. Les bactéries ne possèdent pas l'équipement enzymatique nécessaire aux modifications post-traductionnelles qui rendent fonctionnelles de nombreuses protéines d'eucaryotes (Section 32-5). Ainsi, les bactéries ne produisent pas de protéines glycosylées, même si, dans de nombreux cas, la glycosylation ne semble pas affecter la fonction.

4. Il arrive que les protéines d'eucaryotes soient dégradées préférentiellement par des protéases bactériennes (Section 32-6A).

On peut résoudre le problème de la non reconnaissance des éléments de contrôle eucaryotes en insérant la partie codante du gène d'eucaryote dans un vecteur contenant au site correct des éléments de contrôle bactérien. On peut supprimer la nécessité d'exciser des introns en clonant l'ADNc fait à partir de l'ARNm mature. On peut aussi synthétiser chimiquement le gène s'il code une petite protéine dont la séquence est connue (Section 7-6A). Aucune de ces stratégies n'est universelle, car la plupart des ARNm sont trop peu abondants pour être isolés des autres, et parce que beaucoup de protéines d'eucaryotes sont trop longues pour que le gène correspondant puisse être synthétisé chimiquement. De même, il n'y a pas de recette générale pour résoudre la question des modifications post-traductionnelles des protéines d'eucaryotes.

Récemment, la protéolyse de certaines protéines d'eucaryotes par la bactérie a pu être évitée en insérant, dans la même phase de lecture, le gène d'eucaryote dans un gène bactérien. On obtient ainsi une **protéine hybride** ou **protéine de fusion** possédant du côté N-terminal un polypeptide d'origine bactérienne, qui empêche, dans certains cas, les protéases bactériennes de reconnaître la nature étrangère du segment d'origine eucaryotique. La purification d'une protéine de fusion peut être grandement facilitée en tirant parti des propriétés de liaison spécifique de sa partie N-terminale dans une technique appelée **chromatographie d'affinité** (Section 6-3C). De plus, la partie C-terminale insoluble d'une protéine peut devenir soluble au sein d'une protéine de fusion. Les deux segments polypeptidiques peuvent être ensuite séparés par un traitement avec une protéase qui coupe un site spécifique placé exprès à la jonction entre les deux segments (voir ci-dessous).

La mise au point de vecteurs de clonage pouvant se propager dans des hôtes eucaryotes, comme la levure ou les cellules animales en culture, a permis de résoudre la plupart de ces difficultés (la maturation post-traductionnelle, en particulier la glycosylation, peut cependant se faire de manière différente entre les eucaryotes). Les vecteurs fondés sur les baculovirus, qui se répliquent en cultures de cellules d'insectes, sont très intéressants à cet égard. Enfin, on dispose de **vecteurs navettes** qui peuvent se multiplier aussi bien dans *E. coli* que dans la levure et peuvent donc faire passer des gènes clonés entre ces deux types de cellules.

b. La production de protéines par des organismes recombinants conduit à des applications importantes

La possibilité de synthétiser une protéine donnée en grandes quantités a déjà eu un impact considérable en médecine, en agriculture et dans l'industrie. Les produits utilisés couramment en clinique comprennent l'**insuline humaine** (une hormone polypeptidique qui contrôle le métabolisme énergétique et dont dépend la survie de certains diabétiques; Section 27-3B), l'hormone de croissance humaine (**somatotropine**, qui assure le développement des muscles, des os et du cartilage et qui est utilisée pour stimuler la croissance d'enfants trop petits; Section 19-1J), l'**érythropoïétine** (facteur de croissance protéique sécrété par le rein, qui stimule la production des globules rouges et est utilisé pour traiter l'anémie due à certaines maladies rénales), plusieurs types de facteurs qui stimulent la prolifération des globules blancs et les activent (**colony-stimulating factors**, utilisés pour combattre certains effets cytotoxiques de la chimiothérapie et pour faciliter la tolérance aux greffes de moelle osseuse), ainsi que l'**activateur tissulaire du plasminogène** (**t-PA**, pour solubiliser les caillots sanguins responsables des infarctus du myocarde et de certains accidents vasculaires cérébraux ; Section 35-1F). Les vaccins synthétiques comprenant les composants non pathogènes mais immunogènes des agents pathogènes, permettent de supprimer les risques dus à l'utilisation, comme vaccins, de virus ou de bactéries tués ou atténués ; ils permettent aussi la conception de nouveau types de vaccins. L'utilisation de **facteurs de coagulation** recombinants dans le traitement de l'**hémophilie** (maladie héréditaire où manque un de ces facteurs ; Section 35-1C) a permis d'éviter de devoir extraire ces protéines rares à partir de grandes quantités de sang humain et donc de supprimer le risque élevé que des hémophiles ne contractent des maladies transmises par le sang, comme l'hépatite et le **syndrome d'immunodéficience acquise** (**SIDA**). La somatotropine bovine (**bST**) est connue depuis longtemps comme stimulant la lactation chez les vaches laitières à raison d'un gain de 15 % environ. Son utilisation a été rendue économiquement intéressante grâce à la technique de l'ADN recombinant, car la bST ne pouvait être obtenue auparavant qu'en quantités très faibles à partir des hypophyses de bovins. La somatotropine porcine recombinante (**pST**), administrée à des porcelets, assure une croissance de ~15 % supérieure et une viande plus maigre, avec ~20 % de nourriture en moins.

c. La mutagenèse dirigée ou la mutagenèse par cassettes fournit des protéines dont la séquence est modifiée spécifiquement

Il est aussi important de pouvoir modifier à volonté des protéines en vue d'applications particulières, et ce en changeant leur séquence en acides aminés à des endroits bien précis. Une méthode mise au point par Michael Smith est la **mutagenèse dirigée**. Ici, on réalise la réplication du gène d'intérêt par l'ADN polymérase I en utilisant comme amorce un oligonucléotide contenant un court segment de ce gène dont la séquence correspond à la nouvelle séquence en acides aminés souhaitée (pour les techniques de synthèse, voir la Section 7-5A). Une telle amorce pourra s'hybrider à la séquence sauvage correspondante si le mésappariement ne porte que sur quelques bases, et son extension par l'ADN polymérase fournira le gène modifié (Fig. 5-57). Celui-ci peut alors être inséré dans un organisme adéquat par les techniques exposées à la Section 5-5C et propagé (cloné) en quantité désirée. La mutagenèse dirigée peut aussi se faire par PCR en utilisant une amorce mutée pour amplifier le gène d'intérêt, de sorte que sa séquence soit modifiée comme on le souhaite.

L'obtention, par mutagenèse dirigée, d'un variant de la **subtilisine** (Section 15-3B) en remplaçant la Met 222 par Ala (Met 222 → Ala) a permis d'utiliser cette protéase bactérienne dans les détergents pour lessives qui contiennent un agent blanchissant (ce dernier inactive la subtilisine normale en oxydant le résidu Met 222). On peut produire des **anticorps monoclonaux** (population homogène d'anticorps produits par un clone cellulaire ; Sections 6-1D et 35-2B) dirigés contre des protéines spécifiques et de les utiliser comme agents antitumoraux. Cependant, étant donné que les anticorps monoclonaux actuels sont des protéines

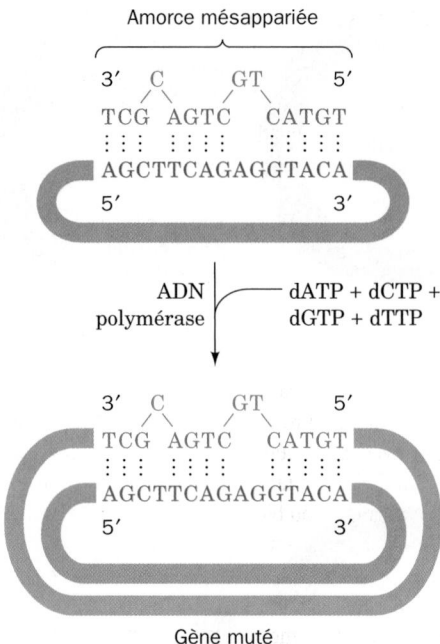

FIGURE 5-57 Mutagenèse dirigée. Un oligonucléotide comprenant les changements de bases désirés est synthétisé chimiquement et hybridé à l'ADN codant le gène à modifier (*brin en vert*). L'amorce mésappariée est ensuite allongée par l'ADN polymérase I, ce qui produit le gène muté (*brin en bleu*). Celui-ci peut alors être inséré dans un hôte approprié pour donner de grandes quantités de l'ADN mutant ou de l'ARN correspondant, ou encore pour produire la protéine modifiée, traduite à partir de ce dernier, et (ou) pour donner un organisme génétiquement modifié.

de souris, ils sont inefficaces comme agents thérapeutiques chez l'Homme parce qu'ils provoquent une réponse immunitaire contre les protéines de souris. Cet obstacle peut être levé en « humanisant » les anticorps monoclonaux : on remplace par mutagenèse dirigée les séquences spécifiques de souris par des séquences humaines, non reconnues par le système immunitaire humain.

Dans la **mutagenèse par cassettes**, on synthétise chimiquement des oligonucléotides complémentaires contenant la ou les mutations d'intérêt (Section 7-6A) et on les hybride pour obtenir une « cassette » double brin. Cette cassette est insérée dans le gène cible, qui doit donc contenir un site de restriction approprié unique (lequel peut être créé par mutagenèse dirigée, la cassette possédant les bouts collants correspondants). Autre possibilité : si la cassette est destinée à remplacer un fragment du gène cible, ce fragment doit être flanqué de deux sites de restriction, pour bien faire différents. La mutagenèse par cassette est très utile si l'on veut insérer un court peptide dans une protéine d'intérêt (par exemple, un site clivable par une protéase dans une protéine de fusion), ou bien soumettre une région particulière d'une protéine à la mutagenèse à répétition, ou encore produire une protéine en autant d'exemplaires différents qu'il y a de séquences possibles dans un court segment de celle-ci (en synthétisant un mélange de cassettes contenant tous les variants de tous les codons ; Section 7-6C).

Nous verrons dans ce traité de nombreux exemples dans lesquels la fonction d'une protéine a été caractérisée en remplaçant par mutagenèse dirigée un résidu spécifique ou un segment polypeptidique, susceptibles de jouer un rôle fonctionnel ou structural important. On comprendra donc que la mutagenèse dirigée soit devenue indispensable en enzymologie.

d. Les gènes rapporteurs peuvent être utilisés pour évaluer l'activité transcriptionnelle

La vitesse à laquelle un gène de structure est transcrit dépend de ses séquences de contrôle (généralement situées en amont). On peut donc évaluer cette vitesse en remplaçant sa portion codante par celle d'un gène indicateur, en jargon scientifique : **gène rapporteur**, qui code une protéine facile à détecter, ou en la fusionnant en phase avec un tel gène. Un gène rapporteur déjà mentionné est le gène *LacZ*, dont le taux d'expression est évalué sur base de l'intensité de la coloration bleue qui apparaît en présence de X-gal (Section 5-5C). Il existe un grand nombre de gènes rapporteurs. Un des plus populaires est celui qui code la **protéine à fluorescence verte (GFP).** Celle-ci, produite par la méduse bioluminescente *Aequora victoria*, émet une lumière fluorescente verte d'une longueur d'onde (à son maximum) de 508 nm lorsqu'elle est irradiée par une lumière bleue ou ultra-violette (idéalement 400 nm). Cette protéine non toxique possède une fluorescence intrinsèque et cette activité ne requiert ni substrat ni cofacteur, contrairement à d'autres protéines fluorescentes. On peut donc en détecter la présence sous UV ou avec un fluorimètre, et la localisation cellulaire avec un microscope à fluorescence (Fig. 5-58). Une manière de déterminer l'activité transcriptionnelle d'un gène est donc de placer le gène GFP sous le contrôle du gène en question (la GFP reste fluorescente au sein d'une protéine de fusion). On a produit par génie génétique nombre de variants de la GFP qui se distinguent par leurs longueurs d'onde d'excitation et d'émission. On peut ainsi suivre simultanément l'activité transcriptionnelle de plusieurs gènes différents. De plus, la mise au point de variants de la GFP sensibles au pH permet de déterminer le pH dans les compartiments cellulaires.

H. *Organismes transgéniques et thérapie génique*

Pour de nombreuses applications, on préfère modifier un organisme, plutôt qu'un gène codant une protéine à modifier, ce qui correspond mieux à ce qu'on appelle le génie génétique. Les organismes multicellulaires qui expriment un gène venant d'une autre espèce sont appelés **transgéniques** et ces gènes transférés s'appellent **transgènes**. Pour rendre la modification permanente, c'est-à-dire héréditaire, le transgène doit être intégré de manière stable dans les cellules germinales. Dans le cas de la souris, on réalise cette opération en injectant (transfectant) l'ADN cloné codant les caractères désirés dans un **pronucleus** d'un ovule fécondé (Fig. 5-59 ; un ovule fécondé contient deux pronuclei, l'un provenant du spermatozoïde et l'autre de l'ovule, qui fusionnent pour former le noyau de l'oeuf), et en réimplantant l'ovule dans l'utérus d'une mère porteuse. L'ADN s'intègre au hasard dans le génome du pronucleus par un mécanisme mal compris. Une autre technique est de transfecter le gène modifié (que l'on peut d'ailleurs préparer de sorte qu'il remplace par recombinaison le

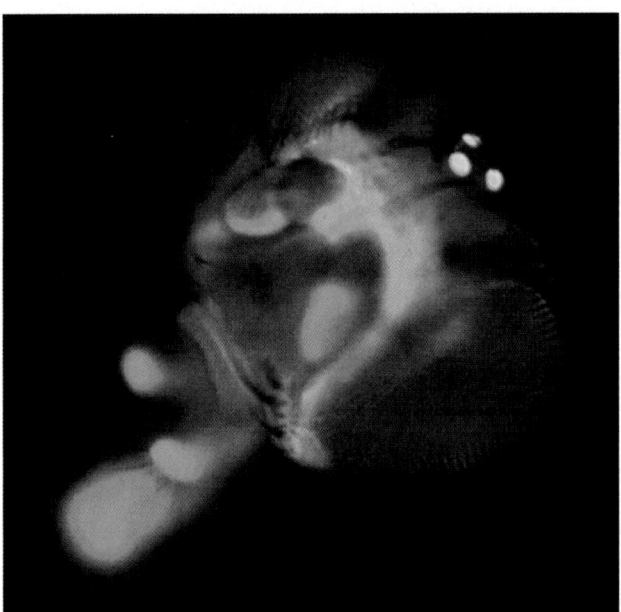

FIGURE 5-58 La protéine à fluorescence verte (GFP) comme gène rapporteur. Une drosophile a été « transformée » avec le gène codant la GFP placé sous le contrôle du gène *per* de *Drosophila*. Le gène *per* code une « protéine de l'horloge interne », protéine impliquée dans la régulation du rythme circadien (journalier) de la mouche. On constate que l'intensité de la fuorescence verte dans la tête, isolée du corps comme montré ici, oscille en fonction de l'heure du jour et que ce rythme peut être modifiée par la lumière (cette fluorescence se manifeste également dans d'autres parties du corps). On conclut que les cellules de *Drosophila* possèdent des photorécepteurs individuels, ainsi qu'une horloge indépendante. Alors qu'on considérait la tête comme « l'oscillateur en chef » de la mouche, on voit ici qu'elle ne coordonne pas tous les rythmes de l'animal. [Avec l'autorisation de Steve A. Kay, The Scripps Research Institute, La Jolla, California.]

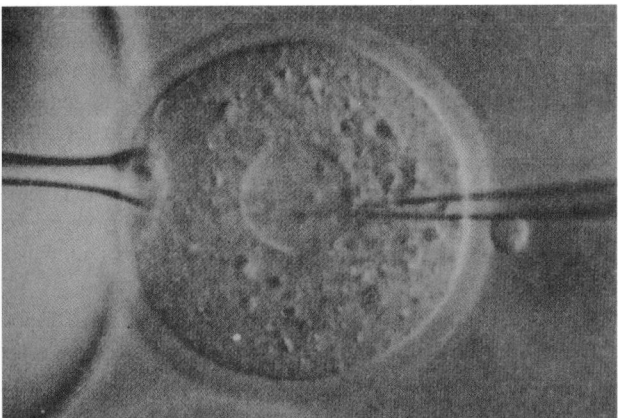

FIGURE 5-59 Microinjection d'ADN dans le pronucleus d'un ovule fécondé de souris. L'ovule est maintenu par une succion appliquée par une pipette, vue du côté gauche de la figure. [Science Vu/Visuals Unlimited].

gène normal) dans des **cellules souches embryonnaires**, cellules indifférenciées qui peuvent donner naissance *in utero* à un organisme complet. En transfectant un gène rendu inactif on peut ainsi inactiver (« to knock out ») de façon permanente le gène normal correspondant. Les hétérozygotes pour le gène modifié par l'une ou l'autre de ces méthodes peuvent être croisés de façon à donner une descendance d'homozygotes pour le gène modifié. Le recours aux souris transgéniques, en particulier les **souris knockout** a largement contribué à la compréhension de l'expression des gènes chez les vertébrés (Section 34-4C).

a. Les organismes transgéniques offrent de nombreuses applications

Des protocoles ont été mis au point pour produire des animaux d'élevage transgéniques tels que bovins, chèvres, porcs, moutons, mules et chevaux (on a aussi cloné, outre les souris de laboratoire, des lapins et des chats). Ces animaux pourraient gagner plus de poids avec moins d'aliments et/ou mieux résister à certaines maladies. Cependant, ces objectifs demandent une meilleure connaissance des gènes impliqués. Une application surprenante est de faire produire dans le lait d'animaux d'élevage transgéniques des protéines d'intérêt pharmaceutique, comme l'hormone de croissance humaine ou des facteurs de coagulation sanguine. De telles vaches transgéniques pourraient produire, selon les prévisions, plusieurs grammes de protéine étrangère par litre de lait, ce qui correspondrait à des dizaines de kg par an, et ceci à un coût bien moindre que par des bactéries modifiées. Un petit troupeau de vaches pourrait ainsi satisfaire aux besoins mondiaux en une protéine particulièrement utilisée en médecine.

La transplantation rénale, hépatique, pulmonaire ou cardiaque à partir de donneurs (l'**allotransplantation** ; du grec *allos*, autre) a permis de sauver des dizaines de milliers de vies ces trois dernières décennies. Cependant, la pénurie d'organes est telle qu'aux États-Unis, par exemple, on ne peut satisfaire qu'à 5 % des demandes. Une solution serait de transplanter des organes tirés d'animaux de taille humaine, tels que le porc (la **xénotransplantation** ; du grec *xenos*, étranger). Cependant, un organe de porc transplanté chez l'Homme est détruit en quelques minutes par une suite de réactions du **système du complément** (la première ligne des défenses immunologiques ; Section 35-2F) qui sont déclenchées par les antigènes étrangers bordant les vaisseaux sanguins de la xénogreffe. Ce **rejet suraigu** survient parce que le tissu porcin ne possède pas les protéines (humaines) qui inhibent le système du complément humain. On a pu éviter un tel rejet lors de transplantations, chez des primates, d'organes de porcs transgéniques pour ces protéines inhibitrices du complément. Bien que de nombreux problèmes subsistent, la xénotransplantation devrait, grâce au génie génétique, pouvoir remplacer dans certains cas l'allotransplantation.

Des plantes transgéniques commencent aussi à être disponibles, augurant d'une nouvelle « révolution verte », comme celle qui a commencé à changer l'agriculture mondiale il y a une trentaine d'années. Par exemple, lors de la sporulation plusieurs souches de la bactérie du sol *Bacillus thuringiensis* (**Bt**) expriment des protéines qui se lient spécifiquement aux cellules intestinales de certains insectes. Elles provoquent la lyse de ces cellules et la mort de l'insecte par manque de nourriture et par infection. Ces protéines sont des **δ-endotoxines**, et les spores de Bt les contiennent sous forme de **cristaux de protéines**. Elles sont inoffensives pour les vertébrés ; les spores de Bt ont donc été utilisées pour contrôler les attaques de **chenilles processionnaires**. Malheureusement, l'effet protecteur par Bt dure peu de temps. Cependant, le gène pour une telle endotoxine a été cloné et a été transféré chez le maïs. Les essais sur le terrain ont démontré une protection contre la **pyrale du maïs**, gros ravageur qui vit pendant la majeure partie de son cycle à l'intérieur même de la plante et est donc inaccessible aux insecticides. Ainsi, dans les plantations de **maïs Bt**, pratiquées à grande échelle aux États-Unis, l'emploi d'insecticides chimiques a pu être très réduit. Les gènes des δ-endotoxines ont été clonés dans de nombreuses plantes d'intérêt agronomique, comme la pomme de terre, le soja et le coton. L'on modifie les plantes par génie génétique pour augmenter leur résistance aux herbicides (ce qui permet d'adapter l'usage de ceux-ci dans le contrôle des mauvaises herbes), aux virus, aux bactéries et aux champignons ; pour mieux contrôler la maturation (de façon à mettre la récolte sur le marché en temps opportun) ; pour accroître la tolérance aux modifications de l'environnement, telles que le froid, la chaleur, l'humidité et la salinité ; pour modifier la teneur en vitamines, amidon, protéines et matières grasses (afin d'améliorer les propriétés nutritionnelles et la production des denrées alimentaires de base).

b. La thérapie génique ouvre d'importantes perspectives médicales

La **thérapie génique**, c'est-à-dire le transfert de matériel génétique nouveau aux cellules d'un individu dans un but thérapeutique pour ce même individu, est devenue réalité depuis 1990, lorsque W. French Anderson et Michael Blaese l'ont tentée avec succès chez deux enfants (Section 28-4A) souffrant d'**immunodéficience combinée sévère** (SCID ; appellation qui recouvre plusieurs maladies génétiques, invalidant le système immunitaire au point que les patients ne peuvent survivre que dans un environnement stérile). On connaît actuellement près de 4000 maladies génétiques qui sont des cibles potentielles pour la thérapie génique.

Bien que plusieurs protocoles de transfert de gènes soient actuellement mis au point pour la thérapie génique, ceux qui utilisent des rétrovirus comme vecteurs sont les plus employés. Les rétrovirus sont des virus à ARN capables, lors de leur entrée dans la cellule hôte, d'utiliser leur transcriptase réverse pour transcrire en ADN complémentaire leur génome viral, formant ainsi un hybride ARN-ADN. L'enzyme utilise alors l'ADN néo-synthétisé comme matrice pour synthétiser un ADN complémentaire identique à l'ARN tout en dégradant l'ARN initial (Section 30-4C). L'ADN double brin ainsi formé est ensuite intégré à un chromosome (dont il fera désormais partie) de l'hôte, une propriété très intéressante pour le transfert de gènes. Les ARN rétroviraux qui font l'objet de ces protocoles ont été modifiés auparavant de manière à remplacer les gènes codant les protéines essentielles au virus par les gènes adéquats pour la thérapie génique. Les cellules infectées par ces virus modifiés contiennent donc les gènes à transférer dans leurs chromosomes et n'ont plus l'information génétique pour multiplier le virus.

Il existe trois types de thérapie génique :

1. La méthode *ex vivo* (hors de l'organisme) qui consiste à prélever les cellules, y faire pénétrer le vecteur et les réinjecter. On la pratique d'habitude sur cellules de moelle osseuse, qui contiennent les précurseurs des cellules sanguines.

2. L'approche *in situ*, lors de laquelle le vecteur est introduit directement dans le tissu malade. On y recourt, par exemple, pour traiter des tumeurs en y injectant un vecteur porteur d'un gène qui code une toxine ou qui peut rendre la tumeur sensible à la chimiothérapie ou au système immunitaire ; ou encore pour traiter la **mucoviscidose**, par inhalation d'un aérosol qui contient un vecteur codant la protéine normale (la mucoviscidose, ou **fibrose kystique**, est une des maladies génétiques les plus fréquentes. Elle résulte de la déficience d'une protéine impliquée dans la sécrétion des ions chlorure dans les poumons et d'autres tissus, d'où la production d'un mucus trop épais. Ceci conduit à des infections pulmonaires à répétition qui peuvent entraîner une mort précoce).

3. La méthode *in vivo* (dans l'organisme). Ici, le vecteur est injecté directement dans la circulation sanguine. Bien qu'aucun essai clinique n'ait été publié, c'est en principe la méthode de choix pour la thérapie génique.

Le premier succès clinique bien documenté de la thérapie génique a été publié par Alain Fischer. Deux enfants ont été apparemment guéris, par traitement *ex vivo* de cellules de leur moelle osseuse, d'une forme de SCID appelée **SCID-X1** (causée par une mutation du gène codant le **récepteur γc des cytokines**, facteurs de croissance protéiques qui sont requis pour la différenciation, la multiplication et la survie des globules blancs appelés **cellules T** ; Section 35-2D). Plusieurs autres enfants ont été ainsi traités depuis lors, mais deux d'entre eux ont développé une leucémie (qui a heureusement répondu à chimiothérapie) attribuée à l'insertion du vecteur viral dans un site inapproprié du génome. Les recherches doivent donc encore progresser dans la mise au point de vecteurs efficaces et sûrs, moyennant quoi la thérapie génique pourrait révolutionner la pratique médicale dans les années à venir.

I. *Implications sociales, éthiques et légales*

Lors de la naissance du génie génétique au début des années 1970, les scientifiques connaissaient peu de choses concernant l'absence de risque des expériences proposées. Il était facile de comprendre qu'il serait téméraire de chercher à introduire le gène de la **toxine de la diphtérie** (Section 32-3G) dans *E. coli,* ce qui transformerait ce symbiote de l'Homme en pathogène mortel. Mais était-ce facile d'évaluer les risques biologiques d'un clonage, dans ce même *E. coli*, des gènes viraux responsables de tumeurs, même s'il s'agissait d'une technique utile pour la recherche sur ces virus ? On comprend ainsi que les biologistes moléculaires aient décidé en 1975 un moratoire sur les expériences de clonage moléculaire, jusqu'à ce que les risques soient évalués. Cette décision provoqua un débat passionné, d'abord entre les biologistes moléculaires, puis sur la place publique. Ce débat opposait ceux pour qui le bénéfice énorme attendu des recherches sur l'ADN recombinant justifiait qu'elles soient poursuivies dès que des mesures de sécurité seraient prises, et ceux

pour qui le danger potentiel était si grand que de telles recherches devraient être arrêtées de toute façon.

Le point de vue des premiers a prévalu, puisqu'en 1976 le gouvernement des États-Unis édicta des règles concernant la recherche sur l'ADN recombinant. Les expériences indiscutablement dangereuses étaient interdites. Pour d'autres, il fallait empêcher la dissémination d'organismes de laboratoires en les confinant par des moyens physiques ou biologiques. Le confinement biologique signifie que l'on ne clonera des plasmides modifiés que dans des cellules hôtes dont le génotype déficient ne permet pas leur survie en dehors du laboratoire. Par exemple, la souche χ1776 est la première d'*E. coli* qui ait été reconnue sans risque parce qu'elle possède plusieurs caractéristiques de ce type, dont un besoin en acide diaminopimélique. Ce métabolite intermédiaire dans la biosynthèse de la lysine (Section 26-5B) n'est en effet disponible ni dans l'intestin humain ni dans l'environnement.

Avec les progrès de la recherche sur l'ADN recombinant, il est apparu que les craintes étaient excessives et très souvent sans fondement. Pas un seul organisme génétiquement modifié produit jusqu'ici n'a posé un risque inattendu pour la santé. Au contraire, les techniques de l'ADN recombinant ont très souvent supprimé des risques pour la santé, comme ceux auxquels sont exposés les chercheurs qui étudient des pathogènes dangereux, tels que le virus du **SIDA**. En fait, les règles à appliquer en recherche sur l'ADN recombinant s'assouplissent régulièrement depuis 1979.

L'apparition de nouvelles techniques de génie génétique pose cependant des questions aux plans social, éthique et légal (Fig. 5-60). Par exemple, on prescrit en routine de l'érythropoïétine pour traiter l'anémie qui résulte de certaines maladies rénales. Faut-il pour autant autoriser son usage chez les athlètes qui veulent augmenter le nombre de leurs globules rouges et donc la capacité de leur sang à transporter de l'oxygène ? Un tel dopage sans contrôle peut en effet épuiser le muscle cardiaque. Peu de personnes contestent la thérapie génique quand il s'agit de guérir, si c'est possible, des maladies génétiques comme l'**anémie falciforme** (affection douloureuse et débilitante due à une forme anormale des globules rouges et qui peut conduire à une mort précoce ; Section 10-3B) ou la **maladie de Tay-Sachs** (causée par l'absence d'**hexosaminidase A**, une enzyme lysosomiale, et caractérisée par un dysfonctionnement progressif des neurones avec issue fatale vers l'âge de trois ans ; Section 25-8C). Cependant, s'il devient possible de changer des caractères complexes (multigéniques), comme la force physique ou l'intelligence, quels sont les changements souhaitables, et dans quelles circonstances, et qui doit décider s'il faut les mettre en œuvre ? Faut-il recourir à la thérapie génique uniquement pour corriger des maladies héréditaires à l'échelle des cellules somatiques d'un individu, ou bien peut-on chercher à modifier aussi les gènes de la lignée germinale, qui pourront alors être transmis sous cette forme nouvelle aux générations ultérieures ? On sait cloner des ovins, des bovins, des souris. Que penser du clonage d'êtres humains, naturellement doués ou préalablement modifiés par génie génétique ? S'il devient possible de connaître la constitution génétique d'un individu, pourrat-on utiliser cette information pour évaluer ses capacités scolaires ou son adéquation à tel emploi, ou encore pour calculer sa police d'assurance ? Selon la législation des États-Unis, on peut breveter

FIGURE 5-60 [Dessin par T.A. Bramley, *in* Andersen, K., Shanmugam, K.T., Lim, S.T., Csonka, L.N., Tait, R., Hennecke, H., Scott, D.B., Hom, S.S.M., Haury, J.F., Valentine, A., and Valentine, R.C., *Trends Biochem. Sci.* **5**, 35 (1980). Copyright © Elsevier Biochemical Press, 1980. Avec autorisation.]

des gènes humains nouvellement séquencés, même si on ne connaît pas leur fonction. Dans quelle mesure ces nouveaux droits de propriété n'empêcheront-ils pas la mise au point de thérapeu- tiques fondées sur de tels gènes ? Autant de questions qui ressor- tissent au domaine de cette nouvelle discipline philosophique appelée **bioéthique**.

RÉSUMÉ DU CHAPITRE

1 ■ Nucléotides et acides nucléiques Un nucléotide comprend un ribose ou un 2'-désoxyribose dont l'atome C1' établit une liaison glycosidique avec une base azotée et dont la position 3' ou 5' est estéri- fiée par un groupe phosphate. Les nucléosides sont dépourvus de ce groupe phosphate. Dans la grande majorité des nucléotides, les bases azotées sont les purines adénine et guanine, et les pyrimidines cytosine et thymine (dans l'ADN) ou uracil (dans l'ARN). Les acides nucléiques sont des polymères linéaires de nucléotides ; ces derniers comportent un résidu ribose dans l'ARN et un résidu désoxyribose dans l'ADN. Les C3' sont reliés aux C5' par une liaison phosphodiester. Dans les doubles hélices d'ADN comme d'ARN, les compositions en bases sui- vent les règles de Chargaff : A = T (U) et G = C. L'ARN, contrairement à l'ADN, est sensible à l'hydrolyse alcaline.

2 ■ L'ADN est le support de l'information génétique Les extraits de pneumocoques virulents de type S transforment les pneumo- coques de type R non pathogènes en forme S. Le principe transformant est l'ADN. De même, le marquage radioactif permet de démontrer que la substance génétiquement active du bactériophage T2 est l'ADN. La capside virale ne sert qu'à protéger l'ADN qu'elle contient et à l'injec- ter dans la bactérie hôte. Ceci démontre que l'ADN est la molécule de l'hérédité.

3 ■ **L'ADN en double hélice** L'ADN-B désigne une double hélice de pas vers la droite, constituée de deux chaînes antiparallèles de sucre-phosphate ayant un pas de 34 Å pour 10 pb, les bases étant pratiquement perpendiculaires à l'axe de l'hélice. Les bases des chaînes opposées établissent des liaisons hydrogène d'une manière complémentaire résultant de leur géométrie, pour former les paires de bases A·T et G·C, dites de Watson-Crick. L'ADN se réplique selon le mode semi-conservatif, démontré par l'expérience de Meselson et Stahl. Lorsque l'ADN est chauffé à une température supérieure à sa T_m (température de dénaturation), ses deux chaînes se séparent. On peut suivre cette dénaturation par l'hyperchromicité du spectre UV de l'ADN dénaturé. On peut renaturer l'ADN en le portant à ~25 °C en dessous de sa T_m. Les molécules d'ADN sous leur forme naturelle peuvent atteindre de très grandes longueurs ; comme elles ont une certaine rigidité, ceci provoque facilement des cassures lors des manipulations de laboratoire.

4 ■ **Expression des gènes et réplication : vue d'ensemble** Les gènes s'expriment selon le « dogme central » de la biologie moléculaire : l'ADN dirige sa propre réplication ainsi que sa transcription en ARN, lequel dirige sa traduction en protéines. L'ARN est synthétisé sur une matrice d'ADN par l'ARN polymérase à partir de ribonucléosides triphosphates. Le brin d'ADN qui sert de matrice est lu de 3′ en 5′ et l'ARN est synthétisé de 5′ en 3′. La vitesse de transcription d'un gène donné dépend de sites de contrôle. Pour les ARNm, ceux-ci sont d'habitude situés en amont du site d'initiation de la transcription, parfois sur de grandes distances, en particulier chez les eucaryotes. La plupart des ARNm des eucaryotes ne deviennent fonctionnels que moyennant des modifications post-transcriptionnelles telles que l'épissage (enlèvement des introns et ligature des exons qui les bordent).

Les ARNm dirigent la synthèse des polypeptides sur les ribosomes. Ces derniers facilitent la liaison des codons de l'ARNm aux anticodons des ARNt porteurs des acides aminés correspondants, puis catalysent la formation de la liaison peptidique entre les acides aminés successifs. La correspondance entre les codons et les acides aminés portés par les ARNt qui se lient aux codons s'appelle le code génétique. La liaison covalente entre ARNt et acides aminés est catalysée par des enzymes appelées aminoacyl-ARNt synthétases. La bonne phase de lecture pour la synthèse du polypeptide suppose une sélection correcte du site d'initiation de la traduction. Les protéines néo-synthétisées doivent souvent subir, pour leur fonction, des modifications post-traductionnelles, comme le clivage à des endroits bien précis ou (uniquement chez les eucaryotes) la glycosylation. Dans la cellule, les protéines ont des durées de vie qui vont de la minute pour certaines, à plusieurs jours ou semaines pour d'autres.

L'ADN est synthétisé à partir de désoxynucléosides triphosphates par l'ADN polymérase. Cette enzyme ne peut allonger que des polynucléotides préexistants liés à la matrice d'ADN et exige donc une amorce. Dans la cellule, ces amorces sont des ARN synthétisés sur matrice d'ADN par une ARN polymérase. La réplication des deux brins d'ADN a lieu dans la fourche de réplication. Chez *E. coli*, la réplication de l'ADN double brin est effectuée par deux molécules

d'ADN polymérase III, une pour le brin avancé, une pour le brin retardé. Le brin avancé est synthétisé d'une pièce. Le brin retardé doit faire une boucle sur lui-même pour être lu de 3′ vers 5′, car les DNA polymérases ne peuvent allonger l'ADN que dans la direction 5′ → 3′ ; sa synthèse est donc discontinue. Les amorces ARN pour le brin retardé sont synthétisées par la primase. Dès qu'un morceau du brin retardé a été synthétisé, son amorce est remplacée par la combinaison des activités d'exonucléase 5′ → 3′ et de polymérase de l'ADN polymérase I. Les morceaux successifs du brin retardé sont alors reliés entre eux par l'ADN ligase. Les ADN polymérases I et III possèdent également une activité exonucléasique 3′ → 5′ qui détecte les erreurs éventuelles d'appariement dans l'ADN néo-synthétisé et enlève les nucléotides mésappariés.

5 ■ **Le clonage moléculaire** Les techniques de clonage moléculaire ont révolutionné la pratique de la biochimie. Des fragments définis d'ADN sont produits par les endonucléases de restriction de type II (enzymes de retriction), qui coupent l'ADN à des sites généralement palindromiques portant sur quatre à six bases. Les cartes de restriction fournissent des points physiques de référence facilement localisés sur la molécule d'ADN. Le polymorphisme de longueur des fragments de restriction (RFLP) permet d'identifier des différences chromosomiques et offre un outil excellent pour les tests d'identité, la recherche de liens de parenté et le diagnostic de maladies héréditaires. Un fragment d'ADN peut être produit en grande quantité en l'insérant dans un vecteur de clonage selon les techniques de l'ADN recombinant. Les vecteurs peuvent être des plasmides modifiés génétiquement, des virus, des cosmides, des chromosomes artificiels de levure (YAC) ou de bactéries (BAC). L'ADN à cloner est généralement préparé sous forme d'un fragment de restriction, de façon qu'il puisse être ligaturé spécifiquement dans un site de restriction ouvert du vecteur. L'épissage d'un gène peut aussi se faire en fixant des extrémités complémentaires homopolymériques sur le fragment d'ADN et sur le vecteur, ou en fixant des extrémités palindromiques artificielles qui contiennent les séquences de restriction, qui serviront de liens cohésifs. L'introduction de vecteurs recombinants dans une cellule hôte appropriée, permet la production du segment d'ADN étranger en quantité pratiquement illimitée. Les cellules effectivement transformées peuvent être identifiées avec des marqueurs de sélection et des substrats chromogènes. On peut détecter des séquences spécifiques dans l'ADN par le transfert selon Southern, et faire de même pour l'ARN par transfert Northern. Un gène particulier peut être isolé en criblant une banque génomique de l'organisme qui possède ce gène. La réaction en chaîne à la polymérase (PCR) est une méthode particulièrement rapide et pratique pour identifier, comme pour obtenir, des séquences spécifiques d'ADN. Les techniques du génie génétique sont exploitées pour produire en grandes quantités des protéines rares ou modifiées de manière spécifique ou pour suivre l'expression de gènes par le biais de gènes rapporteurs tels que ceux codant des protéines fluorescentes. Elles sont aussi utilisées pour produire des plantes ou des animaux transgéniques et pour la thérapie génique. L'avènement des techniques de l'ADN recombinant soulève de nombreuses questions d'ordre social, éthique et légal, dont la solution déterminera l'usage qui sera fait de la biotechnologie.

■ RÉFÉRENCES

SITE INTERNET

REBASE. The restriction enzyme database. http://rebase.neb.com

RÔLE DE L'ADN

Avery, O.T., MacLeod, C.M., et McCarty, M., Studies on the chemical nature of the substance inducing transformation of pneumococcal types, *J. Exp. Med.* **79**, 137–158 (1944). [La publication princeps attestant que le principe transformant est l'ADN.]

Hershey, A.D. et Chase, M., Independent functions of viral proteins and nucleic acid in growth of bacteriophage, *J. Gen. Physiol.* **36**, 39–56 (1952).

McCarty, M., *The Transforming Principle*, Norton (1985). [Un historique de la découverte que les gènes sont constitués d'ADN.]

Palmiter, R.D., Brinster, R.L., Hammer, R.E., Trumbauer, M.E., Rosenfeld, M.G., Birmberg, N.C., et Evans, R.M., Dramatic growth of mice that develop from eggs microinjected with metallothionein – growth hormone fusion genes, *Nature* **300**, 611–615 (1982).

Stent, G.S., Prematurity and uniqueness in scientific discovery, *Sci. Am.* **227**(6) : 84–93 (1972). [Un point de vue fascinant sur ce que signifie, en philosophie des sciences, « être en avance sur son temps » comme Avery, et sur la créativité en science.]

STRUCTURE ET PROPRIÉTÉS DE L'ADN-B

Bloomfield, V.A., Crothers, D.M., et Tinoco, I., Jr., Nucleic Acids. *Structures, Properties, and Functions*, University Science Books (2000).

Crick, F., *What Mad Pursuit*, Basic Books (1988). [Une autobiographie scientifique.]

Judson, H.F., *The Eighth Day of Creation*, Part I, Simon & Schuster (1979). [Un récit prenant de la découverte de la double hélice d'ADN.]

Meselson, M. et Stahl, F.W., The replication of DNA in *Escherichia coli*, *Proc. Natl. Acad. Sci.* **44**, 671–682 (1958). [La publication célèbre où est démontrée la nature semi-conservative de la réplication de l'ADN.]

Saenger, W., *Principles of Nucleic Acid Structure*, Springer-Verlag (1984).

Sayre, A., *Rosalind Franklin and DNA*, Norton (1975) [D'après cette biographie, Rosalind Franklin, morte en 1958, a contribué bien plus qu'on ne le dit à la découverte de la structure de l'ADN] ; *et* Piper, A., Light on a dark lady, *Trends Biochem. Sci.* **23**, 151–154 (1998). [Un résumé de la vie de Rosalind Franklin.]

Schlenk, F., Early nucleic acid chemistry, *Trends Biochem. Sci.* **13**, 67–68 (1988).

Voet, D. et Rich, A., The crystal structures of purines, pyrimidines and their intermolecular structures, *Prog. Nucleic Acid Res. Mol. Biol.* **10**, 183–265 (1970).

Watson, J.D., *The Double Helix*, Atheneum (1968). [Un compte-rendu autobiographique provocant de la découverte de la structure de l'ADN.]

Watson, J.D. et Crick, F.H.C., Molecular structure of nucleic acids, *Nature* **171**, 737–738 (1953) ; *et* Genetic implications of the structure of deoxyribonucleic acid, *Nature* **171**, 964–967 (1953). [Les articles originaux considérés comme marquant l'origine de la biologie moderne.]

Wing, R., Drew, H., Takano, T., Broka, C., Tanaka, S., Itakura, K., et Dickerson, R.E., Crystal structure analysis of a complete turn of B-DNA, *Nature* **287**, 755–758 (1980). [La première structure cristallographique par rayons X d'un fragment d'ADN-B ; elle confirmait celle proposée par Watson et Crick sur base (moins fiable) de la diffraction d'une fibre d'ADN.]

Zimm, B.H., One chromosome : one DNA molecule, *Trends Biochem. Sci.* **24**, 121–123 (1999). [La démarche scientifique qui permit d'établir que chaque chromosome ne contient qu'un segment d'ADN.]

LE CLÔNAGE MOLÉCULAIRE

Anderson, W.F., Human gene therapy, *Nature* **392** April 30 Supp., 25–30 (1998).

Ausbel, F.M., Brent, R., Kingston, R.E., Moore, D.D., Seidman, J.G., Smith, J.A., et Struhl, K., *Short Protocols in Molecular Biology* (4e éd.), Wiley (1999).

Birren, B., Green, E.D., Klapholz, S., Myers, R.M., et Roskams, J. (Éds), *Genome Analysis. A Laboratory Manual*, Cold Spring Harbor Laboratory Press (1997). [En quatre volumes.]

Burden, D.W. et Whitney, D.B., *Biotechnology: Proteins to PCR*, Birkhäuser (1995).

Carey, P.R. (Éd.), *Protein Engineering and Design*, Part II : Production, Academic Press (1996). [Inclut des chapitres sur les systèmes d'expression en *E. coli* et en levure et sur les techniques de mutagenèse.]

Cavazzana-Calvo, M., et al., Gene therapy of human severe combined immunodeficiency (SCID)-X1 disease, *Science* **288**, 669–672 (2000).

Coombs, G.S. et Corey, D.R., Site-directed mutagenesis and protein engineering, *in* Angeletti, R.H. (Éd.), *Proteins. Analysis and Design*, Chapter 4, Academic Press (1998).

Cooper, A. et Wayne, R., New uses for old DNA, *Curr. Opin. Biotech.* **9**, 49–53 (1998). [Succès et embûches dans l'étude de l'ADN antique.]

Cooper, D.K.C., Gollackner, B., et Sachs, D.H., Will the pig solve the transplantation backlog ? *Annu. Rev. Med.* **53**, 133–147 (2002).

Dieffenbach, C.W. et Dveksler, G.S. (Éds.), *PCR Primer*: A Laboratory Manual, Cold Spring Harbor Laboratory Press (1995).

Erlich, H.A. et Arnheim, N., Genetic analysis using the polymerase chain reaction, *Annu. Rev. Genet.* **26**, 479–506 (1992).

Fersht, A. et Winter, G., Protein engineering, *Trends Biochem. Sci.* 17, 292–294 (1992).

Foster, E.A., Jobling, M.A., Taylor, P.G., Donnelly, P., de Knijff, P., Mieremet, R., Zerjal, T., et Tyler-Smith, C., Jefferson fathered slave's last child, *Nature* **396**, 27–28 (1998).

Gadowski, P.J. et Henner, D. (Éds.), *Protein Overproduction in Heterologous Systems, Methods.* **4**(2) (1992).

Glick, B.R. et Pasternak, J.J., *Molecular Biotechnology. Principles and Applications of Recombinant DNA* (2nd ed.), ASM Press (1998).

Glover, D.M. et Hames, B.D. (Eds.), *DNA Cloning. A Practical Approach*, IRL Press (1995). [En quatre volumes.]

Goeddel, D.V. (Ed.), Gene Expression Technology, *Methods Enzymol.* **185** (1990).

Howe, C., *Gene Cloning and Manipulation*, Cambridge University Press (1995).

Krings, M., Stone, A., Schmitz, R.W., Krainitzki, H., Stoneking, M., et Pääbo, S., Neandertal DNA sequences and the origin of modern humans ; *et* Lindahl, T., Facts and artifacts of ancient DNA, Cell **90**, 19–30 ; *et* 1–3 (1997) ; *et* Ovchinnikov, I.V., Götherström, A., Romanova, G.P., Kharitonov, V.M., Lidén, K., and Goodwin, W., Molecular analysis of Neanderthal DNA from the northern Caucasus, *Nature* **404**, 490–493 (2000).

Mullis, K.B., The unusual origin of the polymerase chain reaction. *Sci. Am.* **262**(4) : 56–65 (1990).

Nicholl, D.S.T., *An Introduction to Genetic Engineering* (2e éd.), Cambridge University Press (2003).

Platt, J.L., New directions for organ transplantation, *Nature* **392** April 30 Supp., 11–17 (1998).

Rees, A.R., Sternberg, M.J.E., et Wetzel, R. (Éds.), *Protein Engineering. A Practical Approach*, IRL Press (1992).

Sambrook, J. et Russel, D.W., *Molecular Cloning* (3e éd.), Cold Spring Harbor Laboratory (2001). [Trois volumes de protocoles de laboratoire assortis des explications scientifiques nécessaires.]

Tsien, R.Y., The green fluorescent protein, *Annu. Rev. Biochem.* **67**, 509–544 (1998).

Verma, I.M. et Somia, N., Gene therapy—promises, problems, prospects, *Nature* **289**, 239–242 (1997).

Vreeland, R.H., Rosenzweig, W.D., et Powers, D.W., Isolation of a 250 million-year-old halotolerant bacterium from a primary salt crystal, *Nature* **407**, 897–900 (2000).

Watson, J.D., Gilman, M., Witkowski, J., et Zoller, M., *Recombinant DNA* (2e éd.), Freeman (1992). [Description détaillée des méthodes, découvertes, et résultats de la technologie et de la recherche concernant l'ADN recombinant.]

Wells, R.D., Klein, R.D., et Singleton, C.K., Type II restriction enzymes, *in* Boyer, P.D. (Éd.), *The Enzymes* (3e éd.), Vol. 14, pp. 137–156, Academic Press (1981).

Wu, R., Grossman, L., et Moldave, K. (Eds.), *Recombinant DNA*, Parts A–I, *Methods Enzymol.* **68, 100, 101, 153–155,** *et* **216–218** (1979, 1983, 1987, 1992, et 1993).

PROBLÈMES

1. La séquence des bases d'un des deux brins d'un segment de 20 pb d'ADN duplex est la suivante :

5'-GTACCGTTCGACGGTACATC-3'

Quelle est la séquence des bases du brin complémentaire ?

2. Les bases qui ne font pas parties des paires définies par Watson et Crick sont importantes en biologie. Par exemple : (a) l'**hypoxanthine** (6-oxopurine) est l'une des bases possibles de l'anticodon des ARNt. Avec quelle base de l'ARNm l'hypoxanthine va-t-elle s'apparier ? Dessinez la structure d'une telle paire de bases. (b) La troisième position de l'interaction codon-anticodon entre l'ARNt et l'ARNm est souvent occupée par une paire G · U. Dessinez la structure vraisemblable d'une telle paire de bases. (c) Beaucoup d'espèces d'ARNt réunissent, au sein de leur structure, U · A · U par des liaisons hydrogène. Dessinez deux structures possibles dans lesquelles chaque U forme au moins deux liaisons hydrogène avec A. (d) Des mutations peuvent apparaître pendant la réplication de l'ADN, à cause de mésappariements causés par le passage transitoire à la forme tautomérique d'une base. Dessinez la structure d'une paire de bases respectant la géométrie de Watson-Crick, mais contenant une forme tautomérique rare de l'adénine. Quel changement de la séquence va-t-il résulter d'un tel mésappariement ?

3. (a) Quelle est la masse moléculaire et la longueur d'un ADN-B codant une protéine de 40 kD ? (b) Combien de tours d'hélice trouve-t-on dans cet ADN, et quel est son rapport axial (rapport longueur sur largeur) ?

4*. L'orientation antiparallèle des chaînes complémentaires de l'ADN duplex a été démontrée de manière élégante par Arthur Kornberg en 1960, grâce à l'analyse du « **nearest-neighbor** » (voisin immédiat). Dans cette méthode, l'ADN est synthétisé par l'ADN polymérase I à partir de désoxynucléosides triphosphates dont un est marqué radioactivement au ^{32}P en position α du groupement phosphate et les trois autres sont non marqués. Le produit formé est ensuite traité avec l'ADNase I, qui catalyse l'hydrolyse des liaisons phosphodiester du côté 3' de tous les désoxynucléotides. Dans l'exemple ci-dessus où c'est ppp*A qui est marqué (p* représente un groupement phosphate marqué au ^{32}P), on peut déterminer les fréquences relatives de chaque nucléotide voisin immédiat de A dans l'ADN, soit ApA, CpA, GpA et TpA, par l'analyse des quantités relatives de Ap*, Cp*, Gp* et Tp*. Les fréquences relatives avec lesquelles les 12 autres dinucléotides se présentent peuvent être déterminées en marquant, à leur tour et de la même manière, les trois autres nucléosides triphosphates pour effectuer la même réaction. Il y a alors équivalence des fréquences de certaines paires de dinucléotides. Cependant, ces équivalences ne seront pas identiques si l'ADN duplex est constitué par des chaînes parallèles ou antiparallèles. Quelles seraient les équivalences dans les deux hypothèses ?

$$ppp^*A + pppC + pppG + pppT$$

$$PP_i \longleftarrow \Big| \text{ ADN polymérase}$$

$$\cdots pCpTp^*ApCpCp^*ApGp^*Ap^*ApTp \cdots$$

$$H_2O \Big| \text{ ADNase I}$$

$$\cdots + Cp + Tp^* + Ap + Cp + Cp^* + Ap + Gp^* + Ap^* + Ap + Tp + \cdots$$

5. Quel serait l'effet des traitements suivants sur la courbe de dénaturation d'une solution d'ADN-B dissous dans une solution $0,5M$ en NaCl ? Expliquez pourquoi. (a) Diminuer la concentration en NaCl. (b) Forcer le passage de la solution, sous pression élevée, par un trou très étroit. (c) Amener la solution à $0,1M$ en adénine. (d) Chauffer la solution à 25 °C au dessus du point de fusion de l'ADN et la refroidir immédiatement à 35 °C en dessous de ce point de fusion.

6. Quel est le mécanisme de la dénaturation de l'ADN duplex en milieu alcalin ? (sachant que certaines bases sont relativement acides).

7. L'ADN duplex suivant est transcrit de gauche à droite tel qu'imprimé ci-dessous.

5'-TCTGACTATTCAGCTCTCTGGCACATAGCA-3'
3'-AGACTGATAAGTCGAGAGACCGTGTATCGT-5'

(a) Identifiez le brin codant. (b) Quelle est la séquence en acides aminés du polypeptide codé par cette séquence d'ADN ? Supposez que la traduction commence au premier codon d'initiation. (c) Pourquoi la séquence UGA dans l'ARNm transcrit n'arrête-t-elle pas la traduction ?

8. Après épissage, un ARNm mature a la séquence suivante, dans laquelle la ligne verticale indique la position de la jonction d'épissage (les nucléotides entre lesquels un intron a été enlevé).

5'-CUAGAUGGUAG |

GUACGGUUAUGGGAUAACUCUG-3'

(a) Quelle est la séquence du polypeptide codé par cet ARNm ? Supposez que la traduction commence au premier codon d'initiation. (b) Quelle serait la séquence du polypeptide si le système d'épissage avait par erreur enlevé le GU du côté 3' de la jonction d'épissage ? (c) Quelle serait la séquence du polypeptide si le système d'épissage avait par erreur omis d'enlever un G à la jonction d'épissage ? (d) Y-a-t-il une relation entre les polypeptides dont il est question en b et en c ? si oui, pourquoi ?

9. La prise en charge de l'acide aminé correct par un ARNt est aussi importante pour une traduction correcte que la reconnaissance correcte d'un codon par l'aminoacyl-ARNt correspondant. Pourquoi ?

10. Lors de la réplication de l'ADN, le brin avancé et le brin retardé sont ainsi nommés parce que tout segment du brin retardé est toujours synthétisé après le segment correspondant du brin avancé. Expliquez pourquoi il doit en être ainsi.

11. L'ADN du virus SV40 est une molécule circulaire de 5243 pb contenant 40 % de G + C. Si on n'a pas d'information sur la séquence, quels sont les nombres de sites attendus pour les enzymes de restriction *Taq*I, *Eco*RII, *Pst*I, et *Hae*II sur cette molécule ? (Les nombre réels pour trois de ces enzymes sont indiqués à la Fig. 5-40).

12. Parmi les enzymes de restriction du Tableau 5-4, quelles sont celles qui produisent des extrémités franches ? Quels sont celles qui forment ensemble des **isoschizomères** (du grec *isos*, identique, et *schizein*, couper) ? (Les isoschizomères sont des enzymes reconnaissant la même séquence mais qui ne coupent pas nécessairement le même site nucléotidique). Quelles sont celles qui sont des **isocaudamères** (du latin *cauda*, queue) (produisant des extrémités cohésives identiques) ?

13. En étudiant une bactérie découverte récemment dans les égouts de votre ville, vous isolez un plasmide qui pourrait héberger des gènes conférant la résistance à plusieurs antibiotiques. Vous décidez de réaliser la carte de restriction de ce plasmide. Les tailles des fragments de restriction du plasmide sont déterminées à partir de leur mobilité électrophorétique relative en gels d'agarose. À partir de ces tailles de fragments, données dans le tableau ci-dessous, construisez la carte de restriction du plasmide.

Taille des fragments de restriction d'un ADN plasmidique

Enzyme de restriction	Taille des fragments (kb)
*Eco*RI	5,4
*Hind*III	2,1 ; 1,9 ; 1,4
*Sal*I	5,4
*Eco*RI + *Hind*III	2,1 ; 1,4 ; 1,3 ; 0,6
*Eco*RI + *Sal*I	3,2 ; 2,2
*Hind*III + *Sal*I	1,9 ; 1,4 ; 1,2 ; 0,9

14. Le plasmide pBR322 contient les gènes *amp*^R et *tet*^R, qui confèrent respectivement la résistance à l'ampicilline et à la **tétracycline** (Section 32-3G), des antibiotiques. Le gène *tet*^R contient un site de coupure pour l'enzyme de restriction *Sal*I et il n'y en a pas d'autre dans le reste du plasmide. Comment feriez-vous pour sélectionner des *E.coli* transformés par pBR322 dans lequel un ADN étranger aurait été inséré dans ce site *Sal*I ?

15. Combien de fragments d'ADN de levure d'une longueur moyenne de 5 kb faut-il cloner pour que la banque génomique contienne un fragment particulier avec une probabilité de 0,9 ; de 0,99 ; de 0,999 ? Le génome de levure contient 12 100 kb.

16. De nombreuses manipulations en génie génétique sont faites avec des trousses vendues dans le commerce. Une entreprise comme Genbux en prépare de nouvelles et vous a demandé votre avis sur la possibilité de réaliser une trousse contenant un vecteur de clonage qui serait un phage λ dont la région centrale, non essentielle au cycle lytique, aurait été enlevée. Il suffirait alors à l'acheteur de faire pousser la quantité requise de phage, d'en isoler l'ADN, et de le cliver avec une enzyme de restriction, en étant ainsi dispensé d'éliminer cette région centrale. Que conseilleriez-vous à cette compagnie ?

17. Quelle serait la séquence des deux amorces de 10 nucléotides susceptibles d'amplifier par PCR la région centrale de 40 nucléotides dans l'ADN simple brin suivant qui fait 50 nucléotides ?

5′-AGCTGGACCACTGATCATTGACTGCTAGCGTCA
GTCCTAGTAGACTGACG-3′

18. Un segment de protéine dont la séquence est la suivante -Phe-Cys-Gly-Val-Leu-His-Lys-Met-Glu-Thr- est codé par le segment d'ADN suivant :

5′-UUGUGCGGAGUCCUACACAAGAUGGAGACA-3′

Proposez un oligonucléotide de 18 bases qui pourrait être utilisé en mutagenèse dirigée pour changer le segment Leu-His en Ile-Pro.

Chapitre

6

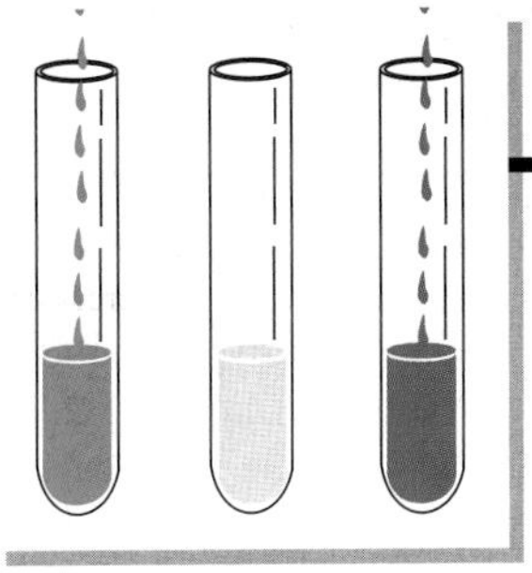

Techniques de purification des protéines et des acides nucléiques

Une part importante des recherches en biochimie requiert la purification des substances auxquelles on s'intéresse car celles-ci doivent être pratiquement exemptes de contaminants si l'on veut les étudier correctement. Il s'agit souvent d'un travail très considérable car une cellule type contient des milliers de substances différentes, dont beaucoup possèdent des propriétés physico-chimiques semblables à celles d'autres constituants cellulaires. De plus, la substance à laquelle on s'intéresse peut être instable et se trouver en quantités infimes. Ainsi, une substance qui représente < 0,1 % du poids sec d'un tissu doit être obtenue à 98 % de pureté. Des problèmes de purification de cet ordre seraient considérés comme insurmontables par la plupart des chimistes de synthèse. Il n'est donc pas surprenant que notre compréhension des processus biochimiques ait été fonction de notre capacité à purifier les substances biologiques.

Ce chapitre donne une vue d'ensemble des techniques les plus utilisées pour l'isolement, la purification et, dans une certaine mesure, la caractérisation des protéines et des acides nucléiques, ainsi que d'autres espèces de molécules biologiques. Ces techniques sont les outils de base de la biochimie et leur mise en œuvre représente la plus grande part des efforts quotidiens du biochimiste « à la paillasse ». De plus, beaucoup de ces techniques sont utilisées en routine pour des applications cliniques. *On peut dire qu'une bonne compréhension des techniques décrites dans ce chapitre est nécessaire pour apprécier la signification et les limites de la plupart des informations présentées dans cet ouvrage.* Ce chapitre doit donc être considéré comme un outil de référence à consulter aussi souvent que l'exige la lecture des chapitres suivants. La plupart des techniques de séparation des protéines étant applicables à celle des acides nucléiques, nous verrons tout d'abord comment l'on purifie les protéines, puis comment l'on peut utiliser ces techniques pour la séparation des acides nucléiques.

1 ■ ISOLEMENT DES PROTÉINES

Les protéines représentent une partie importante de la masse de tout organisme. Une protéine peut être la substance principale d'un tissu, comme l'est l'**hémoglobine** dans les globules rouges. Inversement, une protéine comme le répresseur de l'opéron lactose d'*E. coli* (le **répresseur** *lac*, Section 31-3B) peut, normalement, ne se trouver qu'à raison de quelques molécules par cellule. Ce sont les mêmes techniques qu'on utilise pour isoler et purifier ces deux protéines, même si, en général, plus la concentration initiale de la substance est faible, plus elle est difficile à isoler à l'état pur.

Dans cette section, nous parlerons du soin à apporter dans la manipulation des protéines et dégagerons une stratégie générale pour leur purification. Leur isolement et leur purification représentent souvent des jours de travail pour obtenir quelques milligrammes ou moins de la protéine désirée. Toutefois, comme nous le verrons, les techniques d'analyse modernes ont atteint un tel degré de sensibilité que cette toute petite quantité est d'habitude suffisante pour caractériser entièrement la protéine. Notez que les techniques décrites dans ce chapitre sont utilisables pour séparer la plupart des molécules biologiques.

A. *Choix d'une source de protéines*

Les protéines qui assurent des fonctions identiques se retrouvent en général chez de nombreux organismes. Par exemple, la plupart des enzymes qui assurent les processus métaboliques fondamentaux ou qui sont impliquées dans l'expression et la transmission de l'information génétique, sont communes à toute vie cellulaire. Bien sûr, les propriétés d'une protéine donnée peuvent présenter des différences non négligeables selon sa source. En fait, on peut trouver différentes variantes d'une même protéine dans les différents tissus du même organisme, ou même dans les différents compartiments de la même cellule. Par conséquent, si on a l'embarras du choix, l'isolement d'une protéine peut être fortement simplifié par une sélection judicieuse de la source de protéine. Ce choix doit tenir compte de critères tels que : possibilité de se procurer facilement des quantités suffisantes du tissu d'où l'on veut isoler la protéine, teneur de la protéine recherchée dans ce tissu, et toutes propriétés particulières de la protéine choisie qui faciliteront sa stabilisation et son isolement. On utilise souvent des tissus d'animaux domestiques tels que poulets, bœufs, porcs ou rats. On peut également partir de micro-organismes facilement disponibles comme *E. coli* ou la **levure de boulangerie** (*Saccharomyces cerevisiae*). Nous verrons cependant que des protéines des organismes les plus divers ont été étudiées.

Les techniques de clonage moléculaire (Section 5-5) sont en voie de supplanter les techniques classiques de production de protéines. Pratiquement n'importe quel gène codant une protéine peut être isolé de son organisme d'origine, éventuellement modifié (par génie génétique), et exprimé en grande quantité (surexprimé) dans un organisme approprié mis en culture tel que *E. coli* ou la levure. La protéine ainsi clonée peut représenter jusqu'à 30 % des protéines totales de la cellule surproductrice. Ceci facilite grandement l'isolement de la protéine clonée, comparé à l'isolement de la même protéine produite par son organisme d'origine (où la protéine pourrait se trouver en quantités infimes).

B. *Techniques de solubilisation*

Pour isoler une protéine, ou toute autre molécule biologique, la première étape consiste à l'obtenir en solution. Dans certains cas, les protéines sériques du sang par exemple, la nature a déjà résolu ce problème. Cependant, une protéine doit être généralement libérée des cellules où elle se trouve. La technique choisie pour y parvenir va dépendre des caractéristiques mécaniques du tissu de départ ainsi que de la localisation intracellulaire de la protéine.

Si la protéine recherchée se trouve dans le cytosol, il suffira de faire éclater la cellule (**lyse**). La méthode la plus simple et la plus douce appelée **lyse osmotique**, consiste à mettre les cellules en suspension dans une **solution hypotonique**, c'est-à-dire une solution dont la concentration molaire totale en solutés est inférieure à celle de l'intérieur de la cellule dans son état physiologique normal. Grâce à la pression osmotique, l'eau diffuse dans la solution intracellulaire plus concentrée, provoquant ainsi le gonflement puis l'éclatement des cellules. Cette technique est efficace avec les cellules animales, mais est généralement sans effet avec les cellules qui ont une paroi cellulaire, comme les bactéries ou les cellules végétales. L'utilisation d'une enzyme, telle que le **lysozyme**, qui dégrade chimiquement les parois bactériennes (Section 15-2), est parfois efficace pour ces cellules. Les détergents et les solvants organiques comme l'acétone ou le toluène sont aussi utiles pour lyser les cellules, mais il faut être prudent avec ces substances car elles peuvent provoquer la dénaturation de la protéine recherchée (Section 8-4E).

Dans beaucoup de cas, on doit recourir à un traitement mécanique pour faire éclater les cellules : broyage en présence de sable ou d'alumine, utilisation d'un mélangeur à haute vitesse (analogue aux appareils ménagers), d'un **homogénéiseur** (instrument qui broie les tissus avec un piston de diamètre très ajusté qui va et vient à l'intérieur d'un tube cylindrique), d'une presse connue sous le nom de **Presse de French** (dispositif qui provoque l'ouverture des cellules en les forçant à passer sous haute pression par un tout petit orifice), ou d'un **sonicateur** (les cellules sont détruites par les ultrasons). Une fois les cellules ouvertes, le **lysat** obtenu peut être filtré ou centrifugé afin d'éliminer les particules cellulaires, laissant dans le surnageant la protéine recherchée.

Si la protéine d'intérêt est un constituant de structures subcellulaires telles que membranes ou mitochondries, une purification très importante de la protéine peut être réalisée en séparant ces structures du reste du matériel cellulaire. On recourt d'habitude à la **centrifugation différentielle**. Cette technique consiste à centrifuger le lysat cellulaire à une vitesse qui n'élimine que les constituants cellulaires plus denses que l'organite que l'on veut récupérer, suivie d'une autre centrifugation qui fait sédimenter le constituant subcellulaire désiré. La protéine recherchée est alors séparée de ce dernier par extraction avec des solutions salines concentrées ou, dans le cas de protéines fortement liées à des membranes, avec des solutions de détergents ou de solvants organiques comme le butanol, qui solubilisent les lipides.

C. *Stabilisation des protéines*

Une fois la protéine hors de son contexte naturel, elle se trouve exposée à de nombreux agents qui peuvent l'endommager de manière irréversible. Ces influences doivent être contrôlées soigneusement à tous les stades du processus de purification, sous peine de voir le rendement de celle-ci fortement diminué, voire nul.

L'intégrité structurale de beaucoup de protéines dépend du pH, en raison des nombreux groupes acido-basiques qu'elles portent. Afin d'éviter d'endommager les substances biologiques par des variations de pH, on utilise couramment des solutions tampons qui maintiennent le pH dans la zone de stabilité de ces substances.

Les protéines sont facilement **dénaturées** à haute température. Bien que les stabilités thermiques des protéines soient très variables, beaucoup d'entre elles se dénaturent lentement au dessus de 25 °C. Par conséquent, la purification des protéines se fait normalement à des températures proches de 0 °C. Toutefois, de nombreuses protéines ne sont stables qu'à des températures beaucoup plus basses, certaines mêmes n'étant stables qu'à une température inférieure à –100 °C. Réciproquement, quelques protéines **instables au froid** sont déstabilisées en dessous de températures critiques.

Les caractéristiques de stabilité thermique d'une protéine peuvent parfois faciliter sa purification. Une protéine thermostable dans un mélange brut peut être fortement purifiée en chauffant quelques instants le mélange, afin de dénaturer et de précipiter la plupart des protéines contaminantes sans affecter la protéine intéressante.

Les cellules contiennent des **protéases** (enzymes qui catalysent l'hydrolyse des liaisons peptidiques) ainsi que d'autres enzymes de dégradation qui, après la lyse cellulaire, se trouvent libérées dans la solution en même temps que la protéine recherchée. Il faut donc s'assurer que cette dernière n'est pas affectée par ces enzymes. On peut souvent inactiver les enzymes de dégradation à des pH ou des températures qui n'endommagent pas la protéine. On peut également utiliser des agents chimiques qui inhibent spécifiquement les enzymes de dégradation, sans affecter la protéine d'intérêt. Bien entendu, à mesure que le processus de purification avance, ces enzymes de dégradation se font de plus en plus rares.

Certaines protéines sont plus résistantes que d'autres à la protéolyse. La purification de telles protéines peut se faire en maintenant le mélange de protéines brutes dans des conditions où les enzymes protéolytiques restent actives. Cette technique dite d'**autolyse** facilite la purification de la protéine résistante car il est généralement beaucoup plus facile d'éliminer sélectivement les produits de dégradation des protéines contaminantes plutôt que les protéines intactes.

Beaucoup de protéines sont dénaturées au contact de l'interface air-eau, si bien qu'à faibles concentrations une fraction non négligeable de la protéine peut être perdue par adsorption aux surfaces. Il faut donc éviter de faire mousser une solution protéique et il convient de la conserver sous forme concentrée. D'autres facteurs peuvent affecter une protéine : oxydation de résidus cystéine et formation de ponts disulfures ; contamination par des métaux lourds, qui peuvent se lier de façon irréversible à des protéines ; concentration saline et caractère polaire de la solution qui doivent rester dans la zone de stabilité de la protéine. Enfin, beaucoup de microorganismes raffolent des protéines, aussi faut-il conserver celles-ci dans des conditions où la croissance des micro-organismes est inhibée [par exemple au réfrigérateur et (ou) en présence d'une petite quantité d'une substance toxique qui ne réagit pas avec les protéines, comme **l'azidure de sodium** (NaN_3)].

D. *Dosage des protéines*

Lorsqu'on purifie une substance, on doit pouvoir la déceler quantitativement et spécifiquement. Une protéine représente rarement plus de quelques pour-cent du poids de son tissu d'origine et se trouve généralement en beaucoup plus petites quantités. De plus, une grande partie du matériel biologique d'où est extraite la protéine désirée est également de nature protéique. En conséquence, on doit disposer d'une méthode de dosage spécifique, et très sensible, de la protéine que l'on purifie. En outre, le dosage doit être facile à réaliser car répété de nombreuses fois, souvent à chaque stade de la purification.

Parmi les dosages de protéine les plus simples, il y a ceux qui s'appliquent aux enzymes qui catalysent des réactions dont les produits sont facilement décelables. Par exemple, tel produit peut avoir un spectre d'absorption ou de fluorescence caractéristique mesurable ; ou bien, la réaction enzymatique peut consommer ou produire un acide si bien que l'enzyme est dosable par titration. Si le produit d'une réaction enzymatique n'est pas facile à doser, sa présence peut néanmoins être révélée par un traitement chimique ultérieur qui donnera un produit plus facilement décelable. Souvent, on peut y parvenir grâce à une **réaction enzymatique couplée**, où le produit de l'enzyme que l'on veut doser est transformé en une molécule décelable, par une enzyme ajoutée.

On peut doser des protéines autres que des enzymes en tirant parti de leur faculté de se lier à des molécules spécifiques ou en observant leurs effets biologiques. Par exemple, les protéines correspondant à des récepteurs sont souvent dosées en les incubant avec une molécule radioactive à laquelle elles se lient spécifiquement, puis, après tamisage du mélange sur un filtre qui retient les protéines, on dose la quantité de radioactivité liée au filtre. La présence d'une hormone peut être révélée par le biais de son action sur un échantillon de tissu standard ou sur l'organisme entier. Ces derniers types de dosage sont généralement assez longs, car la réponse attendue peut demander des jours. De plus, la reproductibilité de ces méthodes est souvent peu satisfaisante compte tenu du comportement complexe des systèmes vivants. On n'utilise donc ces méthodes de dosage qu'en dernier recours.

a. Les techniques immunochimiques permettent de déceler facilement de petites quantités de protéines spécifiques

Les techniques **immunochimiques** sont à la base de méthodes de dosage de protéines très sensibles et spécifiques. Ces méthodes utilisent des **anticorps**, protéines produites par le système immunitaire d'un animal en réponse à l'introduction d'une protéine étrangère, et qui se lient spécifiquement à cette protéine étrangère (les anticorps et le système immunitaire sont étudiés dans la Section 35-2).

Les anticorps extraits du sérum d'un animal immunisé contre une protéine donnée sont produits par une multitude de cellules différentes. Les anticorps ainsi synthétisés constituent donc un mélange hétérogène de molécules qui diffèrent dans leurs spécificités propres et dans leurs affinités de liaison avec la protéine cible. Les cellules qui produisent des anticorps meurent généralement après quelques divisions cellulaires si bien qu'il n'est pas possible de cultiver (cloner) l'une d'entre elles afin de produire une seule sorte d'anticorps en quantité suffisante. On peut cependant obtenir de tels **anticorps monoclonaux** en fusionnant une cellule produisant l'anticorps désiré avec une cellule d'un cancer du système immunitaire appelé **myélome** (Section 35-2B). La cellule résultante, appelée **hybridome,** a la possibilité de se diviser indéfiniment et, lorsqu'elle est mise en culture, elle produit de grandes quantités de l'anticorps monoclonal souhaité.

On peut détecter directement, voire isoler, une protéine en la faisant précipiter avec ses anticorps correspondants. On peut aussi la détecter indirectement, par **dosage radio-immunologique** appelé **RIA (radioimmunoassay)**, en déterminant le degré de compétition entre la protéine et une protéine standard marquée (par un radio-élément) pour se lier à l'anticorps (Section 19-1A). Pour le **dosage immunoenzymatique** appelé **ELISA (enzyme-linked immunosorbent assay)** (Fig. 6-1), on procède de la façon suivante :

1. L'anticorps spécifique de la protéine que l'on veut doser est immobilisé sur un support solide inerte, comme le polystyrène.

2. La solution qui contient la protéine à doser est mise au contact du support recouvert d'anticorps dans des conditions favorables à la liaison protéine-anticorps, et les protéines qui ne se sont pas liées sont éliminées par lavage.

3. Le complexe protéine-anticorps résultant est alors mis en présence d'un deuxième anticorps spécifique de la protéine, auquel on a lié par covalence une enzyme facilement dosable.

4. Après élimination par lavage de toute enzyme non fixée, on dose l'enzyme du complexe immobilisé enzyme-anticorps-protéine-anticorps, et l'on en déduit la quantité de protéine présente.

Les dosages RIA et ELISA sont tous deux très utilisés pour déceler la présence de petites quantités de protéines spécifiques ainsi que d'autres substances biologiques, aussi bien dans les laboratoires de recherche que dans les laboratoires d'analyses médicales. Par exemple, un test de grossesse pratiqué couramment et fiable quelques jours après la fécondation, utilise le dosage ELISA pour déceler la présence de l'hormone placentaire appelée **gonadotropine chorionique** (Section 19-1I) dans l'urine maternelle.

E. *Stratégie générale de purification des protéines*

Ce n'est qu'en 1926, suite à la première cristallisation d'une enzyme, l'**uréase** du haricot-sabre (jack bean), par James Summer qu'on admit que les protéines sont des substances bien définies. Jusqu'alors, on pensait que les masses moléculaires élevées des protéines étaient le résultat de l'agrégation colloïdale de substances mystérieuses de faible masse moléculaire. Lorsqu'on réalisa qu'il était possible, en principe, de purifier des protéines, on se mit sérieusement à l'ouvrage.

Les techniques de purification de protéines disponibles durant la première moitié du vingtième siècle étaient extrêmement grossières comparées aux techniques actuelles. La purification de protéines était un travail ardu, relevant autant de l'artisanat que de la science. En général, la mise au point d'une méthode de purification satisfaisante pour une protéine donnée représentait plusieurs années de travail, ce qui nécessitait d'énormes quantités de matériel de départ. Malgré cela, dès 1940, environ 20 enzymes avaient été isolées à l'état pur.

Depuis lors, des dizaines de milliers de protéines ont été purifiées et caractérisées à des degrés divers. Les techniques de séparation modernes ont atteint un tel pouvoir de résolution qu'il est à présent possible d'obtenir en quantité des populations de protéines différentes ayant des propriétés tellement voisines que leur mélange aurait été pris, encore récemment, pour une seule substance à l'état pur. Toutefois, la mise au point d'un procédé efficace pour purifier une protéine peut toujours constituer un défi intellectuel et un travail de longue haleine.

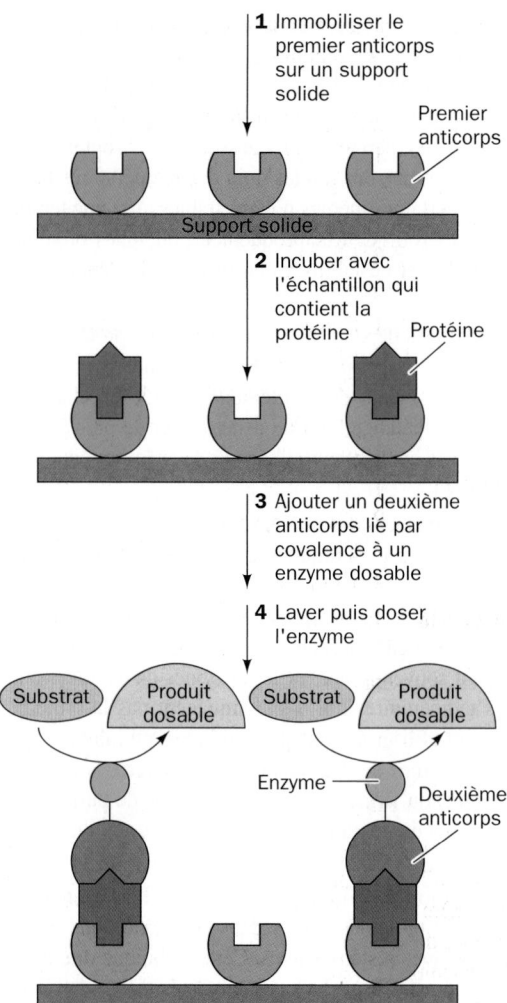

FIGURE 6-1 Test immunoenzymatique ou ELISA (*enzyme-linked immunosorbent assay*).

Les protéines sont purifiées par des méthodes de fractionnement. Dans une suite d'étapes indépendantes les unes des autres, les différentes propriétés physico-chimiques de la protéine recherchée sont mises à profit pour l'isoler progressivement des autres substances. Le but de l'opération n'est pas tant de réduire la perte de la protéine désirée, que d'éliminer sélectivement les autres composants du mélange afin que seule la molécule intéressante subsiste.

On peut admettre, dans l'absolu, qu'il n'est pas possible de prouver qu'une substance est pure. Cependant, *le critère opérationnel pour confirmer l'état de pureté revient à la méthode dite par défaut : démontrer, par tous les moyens possibles, que l'échantillon d'intérêt ne contient qu'un seul constituant*. Par conséquent, avec l'avènement de nouvelles techniques de séparation, les critères de pureté doivent être actualisés. On sait par l'expérience qu'un échantillon d'une substance réputée pure, soumis à une technique nouvelle de séparation, s'est révélé parfois être un mélange de plusieurs constituants.

Les propriétés des protéines et autres biomolécules exploitées dans les différentes techniques de séparation sont la solubilité, la charge ionique, la taille moléculaire, les propriétés d'adsorption et de liaison à d'autres molécules biologiques. Certaines des méthodes que nous allons décrire, et les caractéristiques des protéines dont elles dépendent, sont indiquées ci-dessous :

Caractéristiques	Techniques
Solubilité :	1. Solubilisation saline (« Salting in »)
	2. Précipitation saline (« Salting out »)
Charge ionique :	1. Chromatographie par échange d'ions
	2. Électrophorèse
	3. Focalisation isoélectrique
Caractère polaire :	1. Chromatographie d'adsorption
	2. Chromatographie sur papier
	3. Chromatographie en phase inverse
	4. Chromatographie par interactions hydrophobes
Taille moléculaire :	1. Dialyse et ultrafiltration
	2. Électrophorèse en gel
	3. Chromatographie par filtration sur gel
	4. Ultracentrifugation
Spécificité de liaison :	1. Chromatographie d'affinité

La suite de ce chapitre sera consacrée à la description de ces techniques de séparation.

2 ■ SOLUBILITÉ DES PROTÉINES

Les multiples groupes acido-basiques d'une protéine rendent ses propriétés de solubilité dépendantes de la concentration en sels dissous, du caractère polaire du solvant, du pH et de la température. Des protéines différentes ont des solubilités qui varient fortement dans des conditions expérimentales données : certaines protéines précipitent dans des conditions où d'autres restent parfaitement solubles. Ce comportement est utilisé systématiquement pour purifier les protéines.

A. *Influence de la concentration en sels*

La solubilité d'une protéine en solution aqueuse est fonction de la concentration en sels dissous (Fig. 6-2 à 6-4). La concentration en sels des Fig. 6-2 et 6-3 est exprimée par ce qu'on appelle la **force ionique**, *I*, qui est définie par

$$I = \frac{1}{2} \sum c_i Z_i^2 \qquad [6.1]$$

où c_i est la concentration molaire des différentes espèces ioniques et Z_i leur charge ionique. On utilise ce paramètre pour tenir compte des effets des charges ioniques à la suite de considérations théoriques concernant les solutions ioniques. Cependant, comme le montre la Fig. 6-3, la solubilité d'une protéine pour une force ionique donnée varie selon la nature des ions en solution. L'ordre d'efficacité de ces différents ions pour modifier la solubilité des protéines est pratiquement le même pour différentes protéines et semble essentiellement dû à la taille et à l'hydratation de l'ion.

La solubilité d'une protéine à faible force ionique augmente généralement avec la concentration en sel (côté gauche de la Fig. 6-3 et les différentes courbes de la Fig. 6-4). L'explication de ce phénomène, appelé « **salting in** » (solubilisation saline), est la suivante. A mesure que la concentration en sel de la solution pro-

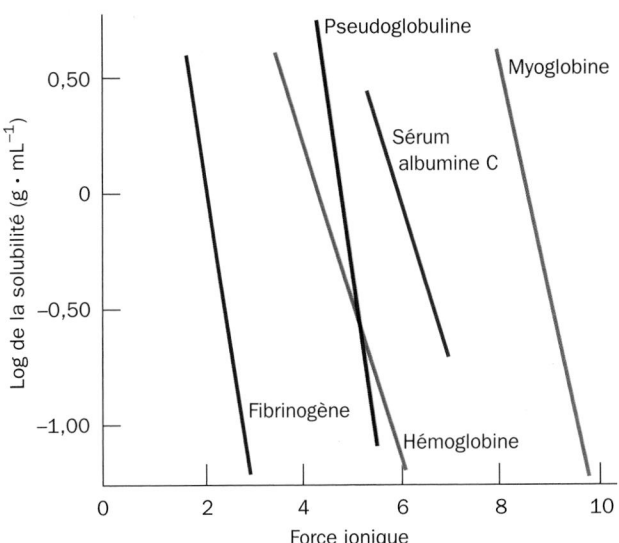

FIGURE 6-2 Solubilité de plusieurs protéines dans des solutions de sulfate d'ammonium. [D'après Cohn, E.J. et Edsall, J.T., *Proteins, Amino Acids and Peptides*, p. 602, Academic Press (1943).]

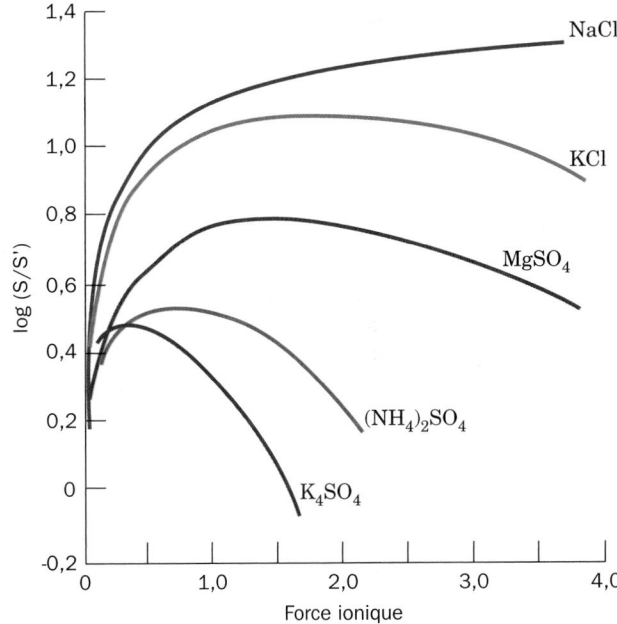

FIGURE 6-3 Solubilité de la carboxyhémoglobine à son point isoélectrique en fonction de la force ionique et de la nature des ions. S et S′ sont, respectivement, les solubilités de la protéine dans la solution saline et dans l'eau pure. C'est le logarithme de leurs rapports qui a été porté en graphique, afin que les courbes de solubilité soient à la même échelle. [D'après Green, A.A., *J. Biol. Chem.* **95**, 47, 1932).]

téique augmente, les contre-ions ajoutés entourent de manière plus efficace les multiples charges ioniques des molécules protéiques, augmentant ainsi leur solubilité.

Pour des forces ioniques élevées, la solubilité des protéines, tout comme celle d'autres substances, diminue. Cet effet, appelé « **salting out** » (précipitation saline), est dû essentiellement à la

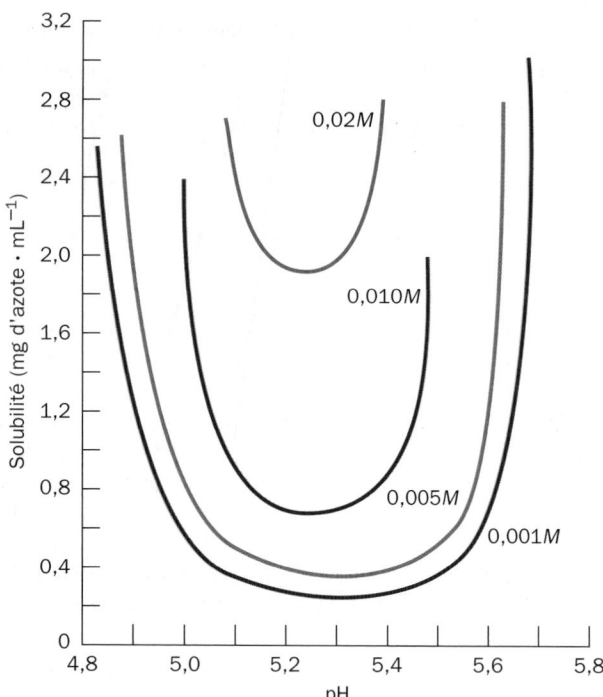

FIGURE 6-4 Solubilité de la b-lactoglobuline en fonction du pH à différentes concentrations de NaCl. [D'après Fox, S. et Foster, J.S., *Introduction to Protein Chemistry*, p. 242, Wiley, 1975).]

compétition entre les ions salins ajoutés et les autres solutés dissous, pour la solvatation des molécules. Pour de fortes concentrations salines, il y a tellement d'ions ajoutés qui sont solvatés, que la quantité de solvant disponible est insuffisante pour dissoudre les autres solutés. En thermodynamique, on dit que l'activité du solvant (concentration réelle; Appendice au Chapitre 3) a diminué. Il s'ensuit que les interactions soluté-soluté sont plus fortes que les interactions soluté-solvant, d'où la précipitation du soluté.

Le « salting out » est à la base des méthodes les plus courantes de purification des protéines. La Fig. 6-2 montre que les solubilités de différentes protéines varient fortement selon la concentration en sel. Par exemple, pour une force ionique de 3, le fibrinogène est beaucoup moins soluble que les autres protéines de la Fig. 6-2. *En amenant la concentration en sel d'une solution contenant un mélange de protéines à une valeur tout juste inférieure à celle pour laquelle la protéine désirée précipite, on élimine de la solution beaucoup de protéines indésirables. Puis, après avoir filtré ou centrifugé les protéines précipitées, on augmente la concentration en sel de la solution restante afin de précipiter la protéine recherchée.* Par ce procédé, on peut purifier et concentrer de façon significative de grandes quantités de la protéine. En conséquence, la précipitation saline constitue souvent la première étape des méthodes de purification de protéines. Le sulfate d'ammonium est le sel le plus utilisé pour purifier les protéines par exclusion, car sa très grande solubilité (3,9 *M* dans l'eau à 0 °C) permet de préparer des solutions à forces ioniques élevées (jusqu'à 23,4 dans l'eau à 0 °C).

Certains ions, en particulier I^-, ClO_4^-, SCN^-, Li^+, Mg^{2+}, Ca^{2+} et Ba^{2+} augmentent la solubilité des protéines au lieu de les précipiter. Ces ions peuvent également dénaturer les protéines (Section 8-4E). Réciproquement, les ions qui diminuent la solubilité des pro-

téines stabilisent leurs structures natives, si bien que les protéines précipitées par « salting out » ne sont pas dénaturées.

B. *Influence des solvants organiques*

Les solvants organiques miscibles à l'eau, tels que l'acétone ou l'éthanol, sont généralement de bons agents pour précipiter les protéines. En effet, leur faible constante diélectrique abaisse le pouvoir de solvatation de leurs solutions aqueuses pour des ions dissous comme les protéines. Les solubilités différentes des protéines dans ces mélanges de solvants sont à la base d'une technique de fractionnement intéressante. Ce procédé est en général utilisé à des températures proches de 0 °C ou inférieures, car à des températures plus élevées, les solvants organiques ont tendance à dénaturer les protéines. L'abaissement de la constante diélectrique par les solvants organiques amplifie simultanément les différences de comportement des protéines soumises à la précipitation saline, si bien qu'on peut associer ces deux techniques avec bonheur. Par ailleurs, certains solvants organiques miscibles à l'eau, tels que le diméthyl sulfoxyde (DMSO) ou la N,N-diméthyl formamide (DMF), sont plutôt de bons solvants de protéines en raison de leurs constantes diélectriques relativement élevées.

C. *Influence du pH*

Les protéines portent généralement de nombreux groupes ionisables dont les valeurs de p*K* sont différentes. Il existe une valeur de pH, caractéristique de chaque protéine, pour laquelle il y a autant de charges positives que de charges négatives sur la molécule. A ce pH, qui est le point isoélectrique, p*I*, de la protéine (Section 4-1D), la molécule de protéine a donc une charge nette égale à zéro, et reste par conséquent immobile si on la place dans un champ électrique.

La Fig. 6-4 montre que la solubilité de la b-lactoglobuline est au minimum pour un pH proche de son p*I* (5,2) dans des solutions de NaCl diluées, et qu'elle augmente de façon plus ou moins symétrique de part et d'autre de son p*I*. Cette variation de solubilité, que l'on retrouve avec la plupart des protéines, s'explique facilement. Des considérations physico-chimiques suggèrent que les propriétés de solubilité de molécules non chargées sont insensibles à la concentration saline. Par conséquent, en première approximation, une protéine à son point isoélectrique ne devrait pas être mise en solution. Par contre, au fur et à mesure que le pH s'écarte du p*I* de la protéine, ce qui provoque une augmentation de la charge nette de la protéine, le **« salting in »** se trouve facilité en raison de l'augmentation des interactions électrostatiques entre molécules voisines. Par conséquent, *dans des solutions de concentrations salines moyennes, la solubilité d'une protéine en fonction du pH atteindra un minimum au p*I* de la protéine et augmentera lorsque le pH s'écarte du p*I*.*

Les protéines ont des compositions en acides aminés différentes, et donc, comme le montre le Tableau 6-1, des p*I* différents. Cette particularité est à l'origine d'une méthode de purification des protéines appelée **précipitation isoélectrique**. Celle-ci consiste à amener le pH d'un mélange de protéines à la valeur du p*I* de la protéine que l'on veut isoler, afin de diminuer de façon sélective sa solubilité. Pratiquement, on combine cette technique avec celle du « salting out » si bien que la protéine en cours de purification est généralement précipitée à un pH proche de son p*I*.

TABLEAU 6-1 **Points isoélectriques de quelques protéines courantes**

Protéine	pH isoélectrique
Pepsine	<1,0
Ovalbumine (poule)	4,6
Sérum albumine (homme)	4,9
Tropomyosine	5,1
Insuline (bœuf)	5,4
Fibrinogène (homme)	5,8
γ-Globuline (homme)	6,6
Collagène	6,6
Myoglobine (cheval)	7,0
Hémoglobine (homme)	7,1
Ribonucléase A (bœuf)	7,8
Cytochrome *c* (cheval)	10,6
Histone (bœuf)	10,8
Lysozyme (poule)	11,0
Salmine (saumon)	12,1

D. *Cristallisation*

Lorsqu'une protéine se trouve dans un état de purification raisonnable, on peut arriver à la cristalliser. Une façon de faire est de porter la solution de protéine à une concentration en agent précipitant (dont nous venons de parler) juste au-delà de son point de saturation. Après un certain temps (de quelques minutes à plusieurs mois), et souvent lorsque la concentration de l'agent précipitant n'a été augmentée que progressivement, il arrive que la protéine précipite de la solution sous forme cristallisée. Il peut être nécessaire de faire varier les caractéristiques de la solution et la nature des agents précipitants pour obtenir la protéine sous forme de cristaux. La taille des cristaux va du mm au mm, ou plus. Ces derniers cristaux, qui nécessitent généralement beaucoup de soins pour se former, peuvent convenir pour l'analyse cristallographique aux rayons X (Section 8-3A). La Fig. 6-5 montre plusieurs de ces cristaux.

3 ■ SÉPARATION PAR CHROMATOGRAPHIE

En 1903, le botaniste russe Mikhail Tswett parvint à séparer des pigments de feuilles de plantes en solution en utilisant des adsorbants solides. Il baptisa ce procédé **chromatographie** (du grec, *chroma*, couleur et *graphein*, écrire) probablement en raison des bandes colorées qui apparaissaient sur l'adsorbant au fur et à mesure que les pigments du mélange se séparaient les uns des autres (et peut-être aussi parce que Tswett signifie couleur en russe).

Les techniques de séparation modernes reposent essentiellement sur des procédés chromatographiques. Dans toutes ces techniques, le mélange de substances que l'on veut fractionner est dissous dans une phase liquide ou gazeuse : la **phase mobile**. La solution obtenue est filtrée au travers d'une colonne constituée d'un support solide poreux : la **phase stationnaire**, qui peut être associée à un liquide dans certains types de chromatographie. Les interactions des différents solutés avec la phase stationnaire ralentissent plus ou moins leur migration à travers le support selon les propriétés respectives de chaque soluté. Au début de l'opération, le mélange à fractionner forme une bande très étroite. Les forces de rétention s'exercent différemment sur chaque composé et les font migrer chacun à une vitesse différente. Le mélange se trouve ainsi fractionné en plusieurs bandes de substances pures.

Le pouvoir de résolution de la chromatographie vient de ce que le processus de séparation se déroule de manière continue. Une seule étape de purification (souvent appelée «plateau théorique» par analogie avec les processus de distillation) peut être tout à fait insuffisante pour séparer les constituants d'un mélange. Toutefois, puisque l'opération se fait de manière ininterrompue, elle se répète plusieurs centaines, voire plusieurs centaines de milliers de fois, si bien que les constituants du mélange se trouvent séparés. Ils peuvent être recueillis en différentes fractions pour être analysés et/ou subir un fractionnement ultérieur.

Les différentes techniques chromatographiques sont classées en fonction de leur phase mobile et leur phase stationnaire. Par exemple, dans une chromatographie gaz-liquide, les phases mobile et stationnaire sont respectivement gazeuse et liquide, alors que dans une chromatographie liquide-liquide, ce sont deux liquides non-miscibles, dont l'un est lié à un support solide inerte. On peut encore préciser le type de technique chromatographique en spécifiant la nature des interactions principales entre la phase stationnaire et les substances à séparer. Par exemple, si la force de rétention est de nature ionique, la technique de séparation est appelée **chromatographie par échange d'ions** alors que si elle est due à l'adsorption des molécules de soluté sur la phase stationnaire solide, on parle de **chromatographie d'adsorption**.

(a) (b) (c)

(d) (e) (f)

FIGURE 6-5 Cristaux de protéines. (*a*) azurine de *Pseudomonas aeruginosa*, (*b*) flavodoxine de *Desulfovibrio vulgaris,* (*c*) rubrédoxine de *Clostridium pasteurianum*, (*d*) azidometmyohémérythrine du ver marin *Siphonosoma funafuti*, (*e*) hémoglobine de lamproie et (*f*) protéine de bactériochlorophylle *a* de *Prosthecochloris aestuarii*. Ces protéines sont colorées à cause de leurs chromophores associés (groupes qui absorbent la lumière) ; les protéines sont incolores en l'absence de tels groupes liés. [*a* à *c*, avec la permission de Larry Sieker, University of Washington ; *d* et *e*, avec la permission de Wayne Hendrikson, Columbia University ; *f*, avec la permission de John Olsen, Brookhaven National Laboratories et de Brian Matthews, University of Oregon.]

Nous avons vu qu'une cellule contient un très grand nombre de composés différents, dont beaucoup ont des propriétés voisines. Par conséquent, les techniques d'isolement de la plupart des substances biologiques font appel à plusieurs étapes chromatographiques indépendantes afin de purifier la substance intéressante selon différents critères. Dans cette section, nous décrivons les techniques chromatographiques les plus utilisées.

A. *Chromatographie par échange d'ions*

*Dans le processus d'**échange d'ions**, les ions liés électrostatiquement à un support insoluble et chimiquement inerte sont remplacés de manière réversible par des ions en solution :*

$$R^+A^- + B^- \rightleftharpoons R^+B^- + A^-$$

Dans ce cas R^+A^- est un **échangeur d'anions** sous la forme A^-, et B^- symbolise les anions en solution. De même, les **échangeurs de cations** portent des groupes chargés négativement qui lient des cations de manière réversible. Par conséquent, les polyanions se fixent aux échangeurs d'anions et les polycations, aux échangeurs

de cations. Cependant, les protéines et d'autres **polyélectrolytes** (polymères polyioniques) qui portent à la fois des charges positives et des charges négatives, peuvent se lier aussi bien à des échangeurs de cations qu'à des échangeurs d'anions, selon la valeur de leur charge nette. *L'affinité avec laquelle un polyélectrolyte donné se lie à un échangeur d'ions donné dépend de la nature et des concentrations des autres ions en solution, en raison de la compétition entre ces différents ions pour les sites de liaison de l'échangeur d'ions. Les affinités de liaison des polyélectrolytes porteurs de groupes acido-basiques sont également fortement dépendantes du pH, en raison de la variation de leur charge nette avec le pH.* On tire parti de ces principes pour isoler des molécules biologiques par **chromatographie par échange d'ions** (Fig. 6-6), décrite ci-dessous.

Lorsqu'on purifie une protéine (ou tout autre polyélectrolyte) le pH et la concentration saline de la solution tampon dans laquelle la protéine est dissoute, sont choisis de sorte que la protéine désirée soit fortement liée à l'échangeur d'ion choisi. Un petit volume de la solution protéique non purifiée est déposé en haut de la colonne dans laquelle on a tassé l'échangeur d'ion et la colonne est lavée avec cette solution tampon.

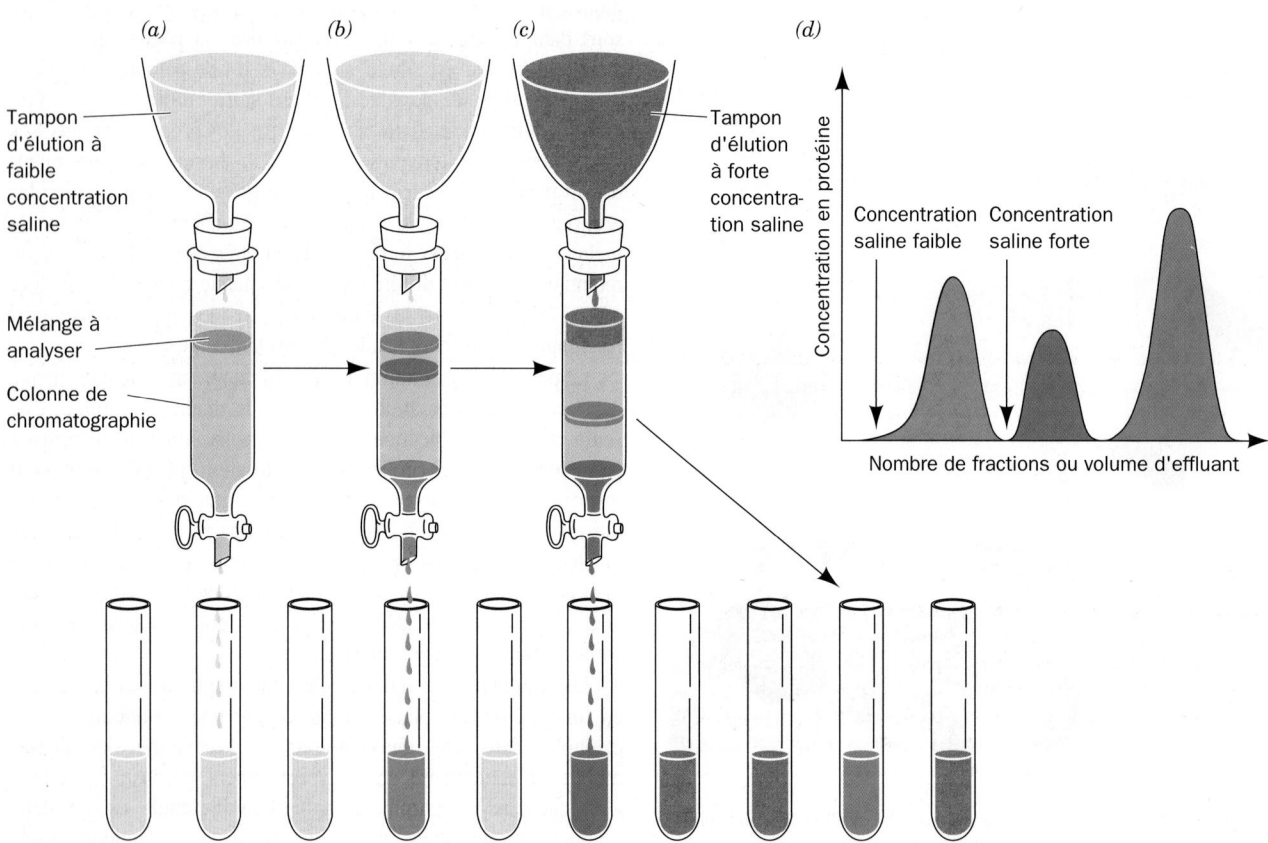

FIGURE 6-6 Chromatographie d'échanges d'ions avec élution par paliers. La partie brun clair de la colonne représente l'échangeur d'ions et les bandes colorées représentent les différentes protéines. (*a*) Le mélange de protéines est lié à la partie supérieure de l'échangeur d'ions dans la colonne. (*b*) Au cours de l'élution, les différentes protéines se séparent sous forme de bandes bien distinctes en raison de leurs affinités différentes pour l'échangeur d'ions et compte tenu des caractéristiques de la solution. À ce stade, la première bande de protéine (*en rouge*) a traversé la colonne et est recueillie séparément, alors que les bandes restantes, moins mobiles, sont encore dans le haut de la colonne. (*c*) La concentration saline du tampon d'élution a été augmentée afin d'accroître la mobilité des bandes restantes et de les éluer. (*d*) Profil d'élution des protéines à la sortie de la colonne.

Des protéines différentes se lient à l'échangeur d'ions avec des affinités différentes. Au fur et à mesure que la colonne est lavée avec le tampon, procédé appelé **élution**, *les protéines ayant une affinité relativement faible pour l'échangeur d'ions migrent plus rapidement dans la colonne que celles qui se lient à l'échangeur avec des affinités supérieures.* En effet, la progression d'une protéine donnée dans la colonne est retardée par rapport à celle du solvant, en raison des interactions entre les molécules de la protéine et l'échangeur d'ions.

Plus l'affinité de liaison d'une protéine pour l'échangeur d'ions sera forte, plus la protéine sera retardée. Ainsi les protéines qui sont fortement liées à l'échangeur d'ions peuvent être éluées en remplaçant le tampon d'élution par un tampon de concentration saline supérieure (et/ou de pH différent), procédé appelé **élution par paliers**.

L'utilisation d'un collecteur de fractions permet de purifier une substance en ne gardant que les fractions de l'effluent de la colonne qui la contiennent. Les substances séparées par chromatographie peuvent être détectées de différentes façons. Par exemple, on suivra directement, par couplage à un détecteur, le contenu d'un effluent de colonne en fonction de son absorbance dans l'UV à une longueur d'onde appropriée [280 nm pour les protéines (parce que les chaînes latérales aromatiques de His, Phe, Trp et Tyr absorbent fortement à cette longueur d'onde) et 260 nm pour les acides nucléiques (leur absorbance maximum; Fig. 5-15)], sa fluorescence, sa radioactivité, son index de réfraction, son pH, ou sa conductivité électrique. Ces propriétés peuvent aussi être mesurées sur chaque fraction individuelle après la chromatographie. Enfin, comme discuté à la Section 6-1D, la détection des molécules biologiques est possible par le biais de leur activité enzymatique ou biologique.

a. L'élution par gradient améliore les séparations par chromatographie

Le procédé de purification peut être encore amélioré en éluant la colonne chargée en protéines par la méthode d'**élution par gradient**. Ici, on fait varier la concentration en sel et/ou le pH de façon continue en même temps que la colonne est éluée, afin de libérer, les unes après les autres, les différentes protéines liées à l'échangeur d'ions. Ce procédé permet généralement une meilleure séparation des protéines que lorsque la colonne est éluée par une seule solution ou par paliers.

Différents types de gradients d'élution ont été utilisés avec succès pour purifier des molécules biologiques. Le plus utilisé est le **gradient linéaire**, où la concentration de la solution d'élution varie de façon linéaire avec le volume de la solution qui passe dans la colonne. La Fig. 6-7 montre un dispositif simple qui permet d'obtenir un tel gradient. La concentration en soluté, c, de la solution qui sort du récipient mélangeur se calcule par l'expression

$$c = c_2 - (c_2 - c_1)f \qquad [6.2]$$

où c_1 désigne la concentration initiale de la solution dans le récipient mélangeur, c_2 sa concentration dans le récipient réservoir et f la fraction restante des volumes combinés des solutions présentes initialement dans les deux réservoirs. Les gradients linéaires obtenus par augmentation de la concentration saline sont probablement plus couramment utilisés que tous les autres moyens d'élution. Cependant, on peut obtenir des gradients de différentes formes en utilisant deux ou plusieurs réservoirs dont les surfaces transversales sont différentes, ou grâce à des dispositifs de mélange programmés.

b. Il existe plusieurs sortes d'échangeurs d'ions

Les échangeurs d'ions sont des groupes chargés liés par covalence à une matrice de support. La nature chimique de ces groupes détermine les types d'ions qui peuvent se lier à l'échangeur et leur affinité pour celui-ci. Les propriétés chimiques et mécaniques d'une matrice déterminent les caractéristiques du flux, l'accessibilité des ions et la stabilité de l'échangeur d'ions.

Pour la purification des protéines on utilise couramment comme matrices de support d'échangeurs d'ions plusieurs sortes de substances, appelées familièrement **résines**, telles que la cellulose (Fig. 6-8), le polystyrène, les gels d'agarose, les gels de dextran réticulé (cf. Section 6-3B). Le Tableau 6-2 donne les caracté-

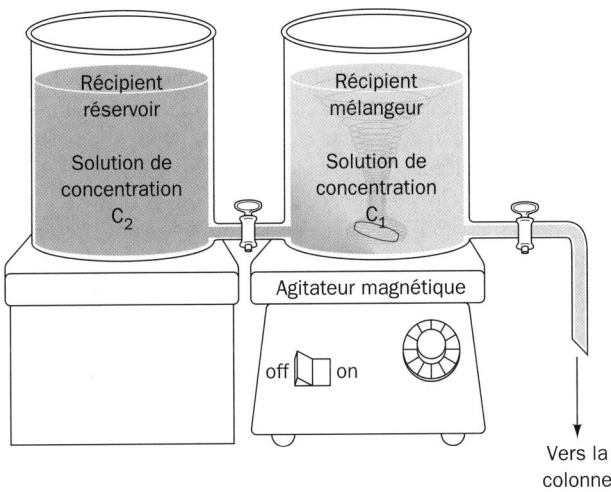

FIGURE 6-7 Dispositif pour créer un gradient de concentration linéaire. Deux récipients qui communiquent et de sections identiques, sont remplis au départ avec des volumes égaux de solutions de concentrations différentes. Au fur et à mesure que la solution de concentration c_1 sort du récipient mélangeur, elle est partiellement remplacée par une solution de concentration c_2 provenant du récipient réservoir. La concentration dans le récipient mélangeur varie linéairement depuis sa concentration initiale c_1, jusqu'à la concentration finale c_2, comme l'exprime l'Éq. [6.2].

FIGURE 6-8 Formules chimiques d'échangeurs d'ions dérivés de cellulose.

DEAE: $R = -CH_2 - CH_2 - \overset{+}{N}H(CH_2CH_3)_2$
CM: $R = -CH_2 - COO^-$

TABLEAU 6-2 Quelques échangeurs d'ions utilisés en biochimie

Nom[a]	Caractéristiques	Groupement ionisable	Remarques
DEAE-Cellulose	Faiblement basique	Diéthylaminoéthyl $-CH_2CH_2N(C_2H_5)_2$	Pour séparer les protéines acides des neutres
CM-Cellulose	Faiblement acide	Carboxyméthyl $-CH_2COOH$	Pour séparer les protéines basiques des neutres
P-Cellulose	Fortement et faiblement acide	Phosphate $-OPO_3H_2$	Dibasique ; retient fortement les protéines basiques
Bio-Rex 70	Faiblement acide, à base de polystyrène	Acide carboxylique $-COOH$	Pour séparer les protéines basiques et les amines
DEAE-Sephadex	Gel de dextran réticulé faiblement basique	Diéthylaminoéthyl $-CH_2CH_2 N(C_2H_5)_2$	Pour séparer les protéines acides des neutres en combinant chromatographie et filtration sur gel
SP-Sepharose	Gel d'agarose réticulé fortement acide	Méthylsulfonate $-CH_2SO_3 H$	Pour séparer les protéines basiques en combinant chromatographie et filtration sur gel
CM Bio-Gel A	Gel d'agarose réticulé faiblement acide	Carboxyméthyl $-CH_2COOH$	Pour séparer les protéines basiques des neutres en combinant chromatographie et filtration sur gel

[a] Les gels Sephadex et Sepharose sont fabriqués par Amersham Pharmacia Biotech, Piscataway, New Jersey ; les résines Bio-Rex et les gels Bio-Gel sont fabriqués par BioRad Laboratories, Hercules, California, USA.

ristiques des échangeurs d'ions d'utilisation courante que l'on trouve dans le commerce.

Les échangeurs d'ions cellulosiques sont parmi les plus utilisés pour séparer les molécules biologiques. La cellulose, préparée à partir du bois ou du coton, est légèrement modifiée par l'adjonction de groupes ioniques pour devenir un échangeur d'ions. L'échangeur d'anions cellulosique le plus utilisé est la **diéthylaminoéthyl (DEAE)-cellulose**, tandis que la **carboxyméthyl (CM)-cellulose** est l'échangeur de cations cellulosique le plus utilisé (Fig. 6-8).

Les échangeurs d'ions en gel peuvent présenter les mêmes types de groupes chargés que les échangeurs d'ions cellulosiques. L'avantage des échangeurs d'ions sous forme de gel, c'est qu'ils cumulent les propriétés de séparation par filtration sur gel (Section 6-3B) avec celles des échangeurs d'ions. En raison du nombre élevé de leurs groupes chargés, dû à leur structure poreuse, ces gels ont une capacité de charge supérieure à celle des échangeurs d'ions cellulosiques.

Les matrices cellulosiques ou en gel présentent l'inconvénient de se tasser facilement (souvent à cause des pressions élevées que l'on applique pour tenter d'augmenter la vitesse d'écoulement de l'effluent), ce qui ralentit fortement la vitesse d'élution. On a pallié cet inconvénient par la mise au point de matrices non compressibles telles que des dérivés de silice, ou des billes de verre enrobées. De telles matrices permettent des vitesses d'écoulement et des pressions très élevées, même lorsqu'elles sont sous forme de poudre très fine, et donnent ainsi des séparations par chromatographie plus efficaces (cf. HPLC, Section 6-3D).

B. Chromatographie par filtration sur gel

Dans la **chromatographie par filtration sur gel***, appelée également* **chromatographie par exclusion** *ou par* **tamisage moléculaire***, les molécules sont séparées selon leur taille et leur forme.*

Ici la phase stationnaire est constituée par des billes d'une substance hydratée spongiforme dont les pores correspondent à une zone relativement étroite de dimensions moléculaires. Si une solution aqueuse contenant des molécules de tailles différentes traverse une telle colonne, qui constitue en quelque sorte un « tamis moléculaire », les molécules trop grandes pour entrer dans les billes par les pores sont exclues du volume du solvant qui se trouve à l'intérieur des billes. Ces molécules de tailles supérieures traversent donc la colonne plus rapidement, c'est-à-dire dans un volume d'éluant plus petit que les molécules qui passent à travers les pores (Fig. 6-9).

La masse moléculaire des plus petites molécules incapables de pénétrer par les pores d'un gel donné est ce qu'on appelle la **limite d'exclusion** du gel. Cette valeur dépend, jusqu'à un certain point, de la forme moléculaire car les molécules de forme allongée, en raison de leur rayon d'hydratation supérieur, ont moins de chances de pénétrer dans les pores d'un gel donné que les molécules sphériques de volume moléculaire identique.

Le cheminement d'une molécule dans une colonne de gel peut être déterminé quantitativement. Si V_x est le volume occupé par les billes du gel, et V_0 le **volume mort**, à savoir le volume de l'espace du solvant qui entoure les billes, V_t, le **volume total** de la colonne est égal à la somme :

$$V_t = V_x + V_0 \qquad [6.3]$$

En général, V_o vaut environ 35 % de V_t.

Le **volume d'élution** d'un soluté donné, V_e, est le volume de solvant nécessaire pour éluer le soluté de la colonne après son dépôt sur le gel. Le volume mort d'une colonne est déterminé facilement par mesure du volume d'élution d'un soluté dont la masse moléculaire est supérieure à la limite d'exclusion du gel. Le cheminement d'un soluté donné dans un gel donné est donc caracté-

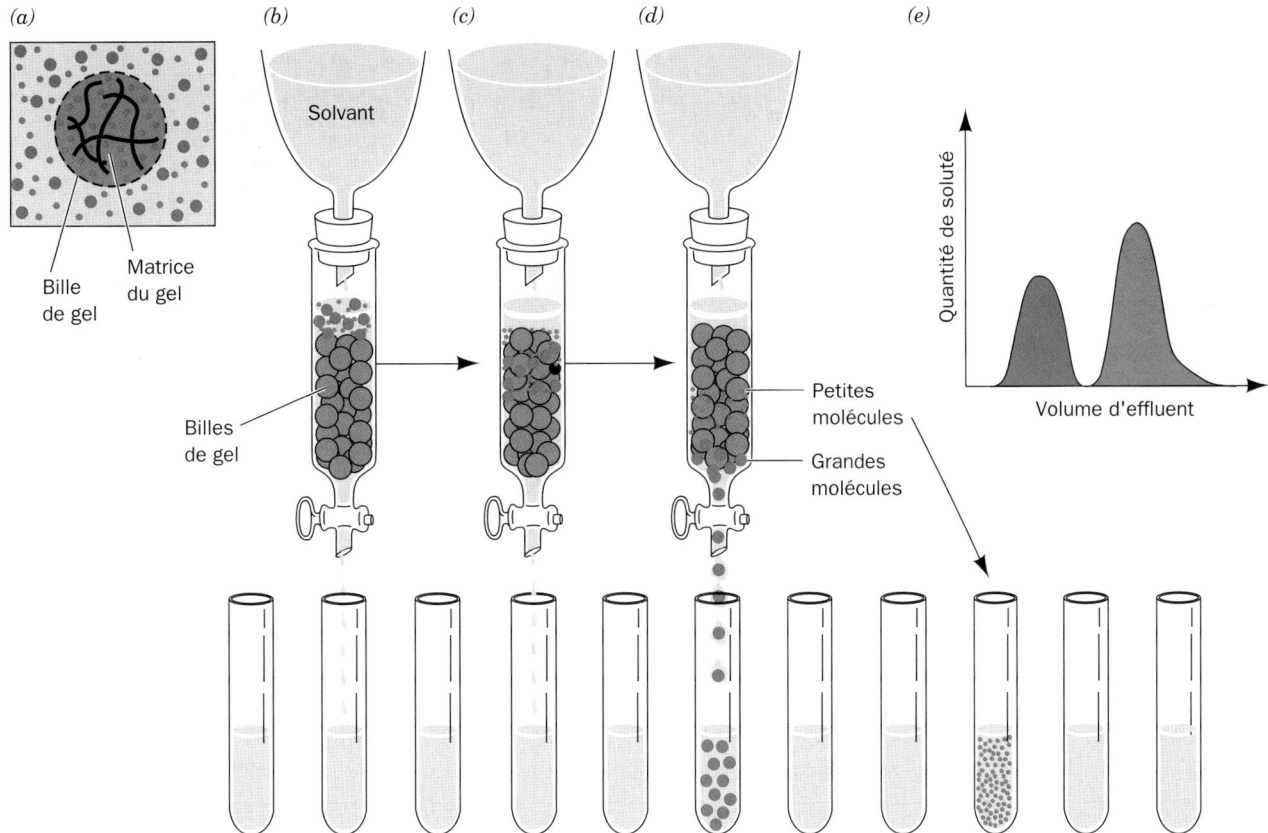

FIGURE 6-9 Chromatographie par filtration sur gel. (*a*) Une bille de gel, dont les contours sont figurés par une ligne en pointillés, est constituée d'une matrice (*lignes noires ondulées*) qui retient le solvant dans un espace dit interne. Les plus petites molécules (*points rouges*) peuvent entrer librement dans cet espace interne de la bille de gel depuis l'espace de solvant externe. Par contre, les plus grandes molécules (*points bleus*) sont trop grandes pour pénétrer par les pores du gel. (*b*) La solution échantillon commence à entrer dans la colonne de gel (les billes de gel sont maintenant figurées par des sphères brunes). (*c*) Les plus petites molécules peuvent pénétrer dans le gel et migrent dans la colonne plus lentement que les molécules plus grosses qui sont exclues du gel. (*d*) Les plus grandes molécules sortent de la colonne pour être recueillies séparément des petites molécules qui nécessitent une addition supplémentaire de solvant pour être éluées de la colonne. (*e*) Le profil d'élution du chromatogramme montre qu'il y a eu séparation complète des deux composés, celui dont les molécules sont plus grandes étant élué en premier.

risé par le rapport V_e/V_0, le **volume d'élution relatif**, valeur indépendante de la dimension de la colonne utilisée.

Les molécules dont les masses moléculaires s'échelonnent en dessous de la limite d'exclusion d'un gel seront éluées du gel dans l'ordre de leurs masses moléculaires, les plus grandes étant éluées en premier. Ceci parce que les tailles des pores de n'importe quel gel varient à l'intérieur d'une zone étroite, si bien que les molécules les plus grandes disposent d'un volume de gel inférieur à celui dont disposent les molécules plus petites. Ce phénomène est à la base de la chromatographie par filtration sur gel.

a. La chromatographie par filtration sur gel peut servir à estimer les masses moléculaires

Il existe une relation linéaire entre le volume d'élution relatif d'une substance et le logarithme de sa masse moléculaire pour un éventail considérable de masses moléculaires (Fig. 6-10). Si l'on fait un graphique tel que celui de la Fig. 6-10, pour une colonne de filtration sur gel donnée, avec des macromolécules de masses moléculaires connues, *la masse moléculaire d'une substance inconnue peut être estimée d'après sa position sur le graphique.*

La précision de cette technique est relative, dans la mesure où les formes des molécules connues et inconnues sont supposées identiques. Néanmoins, la chromatographie par filtration sur gel est souvent utilisée pour estimer des masses moléculaires car elle est applicable à des échantillons non purifiés (sous réserve que la molécule intéressante puisse être identifiée) et qu'elle peut être réalisée rapidement à l'aide d'un dispositif simple.

b. La plupart des gels sont constitués de dextran, d'agarose ou de polyacrylamide

Les composés les plus couramment utilisés pour faire des gels de chromatographie sont le **dextran** (un polymère de glucose de haut poids moléculaire synthétisé par la bactérie *Leuconostoc mesenteroides*), l'**agarose** (un polymère linéaire où alternent le D-galactose et le 3,6-anhydro-L-galactose extrait d'algues rouges), et la **polyacrylamide** (cf. Section 6-4B). Dans le Tableau 6-3, on trouve les propriétés de plusieurs gels couramment utilisés pour la séparation de molécules biologiques. La porosité des gels à base de dextran, commercialisés sous le nom de Sephadex, dépend de la masse moléculaire du dextran utilisé et de l'introduction d'uni-

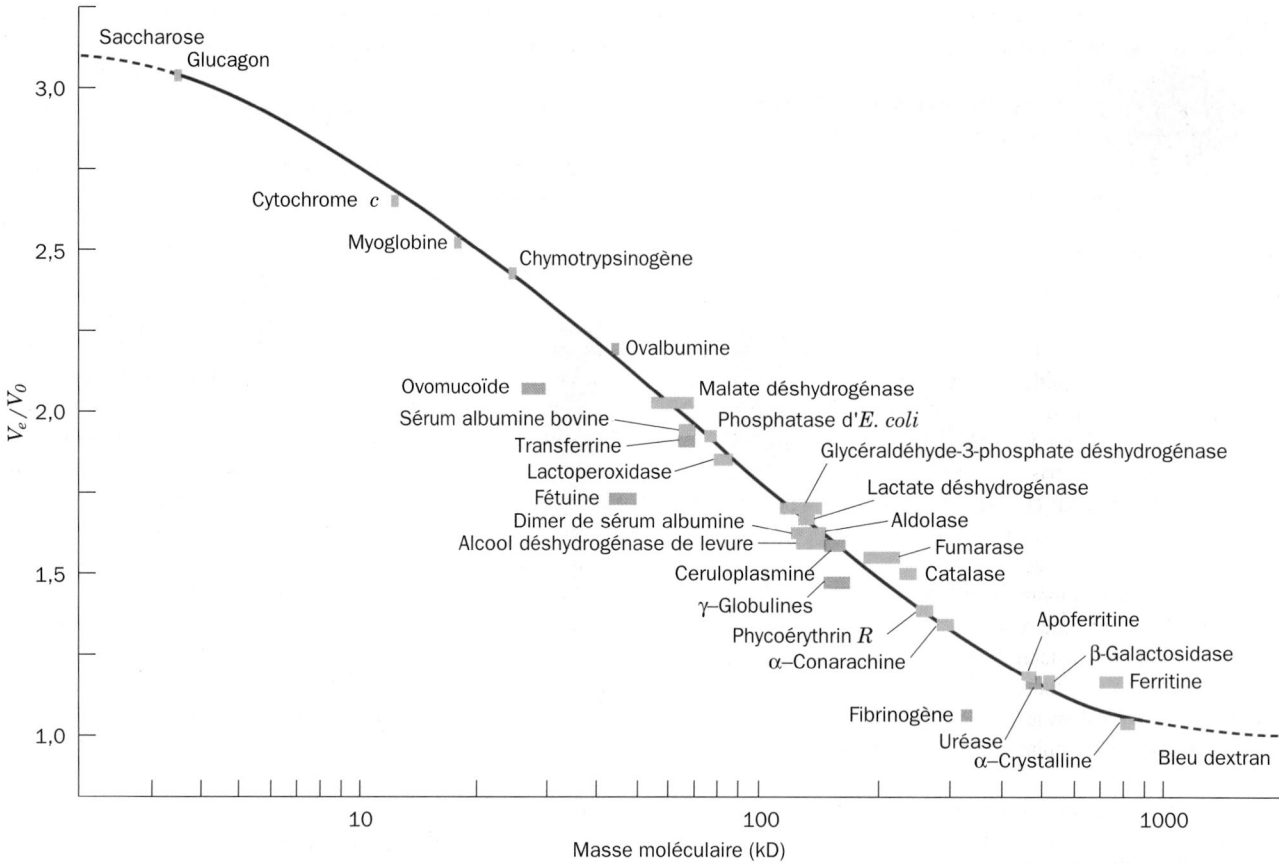

FIGURE 6-10 Détermination de masses moléculaires en chromato-graphie par filtration sur gel. Le graphique montre le volume d'élution relatif en fonction du logarithme de la masse moléculaire de plusieurs protéines sur une colonne de dextran réticulé (Sephadex G-200) à pH 7,5. Les barres oranges correspondent à des glycoprotéines (protéines aux-quelles sont liés des groupes oligosaccharidiques. [D'après Andrews, P., *Biochem. J.* **96,** 597, (1965).]

TABLEAU 6-3   Quelques matrices courantes pour filtration sur gel

Nom[a]	Type	Intervalle de fractionnement (kD)
Sephadex G-10	Dextran	0,05-0,7
Sephadex G-25	Dextran	1-5
Sephadex G-50	Dextran	1-30
Sephadex G-100	Dextran	4-150
Sephadex G-200	Dextran	5-600
Bio-Gel P-2	Polyacrylamide	0,1-1,8
Bio-Gel P-6	Polyacrylamide	1-6
Bio-Gel P-10	Polyacrylamide	1,5-20
Bio-Gel P-30	Polyacrylamide	2,4-40
Bio-Gel P-100	Polyacrylamide	5-100
Bio-Gel P-300	Polyacrylamide	60-400
Sépharose 6B	Agarose	10-4 000
Sépharose 4B	Agarose	60-20 000
Sépharose 2B	Agarose	70-40 000
Bio-Gel A-5	Agarose	10-5 000
Bio-Gel A-50	Agarose	100-50 000
Bio-Gel A-150	Agarose	1000-150 000

[a] Les gels de Sephadex et de Sepharose sont fabriqués par Amersham Pharmacia Biotech ; les gels Bio-Gel sont fabriqués par BioRad Laboratories.

tés d'éther de glycérol qui forment des liaisons croisées avec les groupes hydroxyles des chaînes de polyglucose. Les différents types de Sephadex disponibles ont des limites d'exclusion qui vont de 0,7 à 600 kD. Dans les gels de polyacrylamide, la taille des pores dépend également du nombre de liaisons croisées qui se forment entre les molécules voisines de polyacrylamide (Section 6-4B). Ces gels sont vendus sous le nom de Bio-Gel P et ont des limites d'exclusion comprises entre 0,2 à 400 kD. On peut séparer des molécules de très grande taille et des complexes supra-moléculaires avec des gels d'agarose, commercialisés sous les noms de Sepharose et de Bio-Gel A, et dont les limites d'exclusion vont jusqu'à 150 000 kD.

La filtration sur gel est souvent utilisée pour « dessaler » une solution protéique. Ainsi, on peut facilement éliminer le sulfate d'ammonium d'une protéine qui a été précipitée par ce sel en solu-bilisant le précipité protéique dans un volume minimum d'un tam-pon convenable et en déposant cette solution sur une colonne d'un gel dont la limite d'exclusion est inférieure à la masse moléculaire de la protéine. Au cours de l'élution de la colonne par le tampon, la protéine précèdera le sulfate d'ammonium.

On peut greffer sur les gels de dextran ou d'agarose des groupes ionisables tels que DEAE ou CM, pour obtenir des gels échangeurs d'ions (Section 6-3A). Les substances chromatographiées sur ces gels sont alors séparées en raison de leur charge ionique, de leur taille et de leur forme.

c. La dialyse est une forme de filtration moléculaire

*La **dialyse** permet de séparer les molécules selon leur taille, en utilisant des membranes semiperméables dont les pores ont une taille inférieure aux dimensions macromoléculaires.* Ces pores laissent diffuser les petites molécules, telles que celles du solvant, des sels, et de petits métabolites, au travers de la membrane mais bloquent le passage de molécules plus grandes. La **cellophane** (acétate de cellulose) est le matériau de dialyse le plus utilisé, bien que d'autres substances telles que la cellulose ou le **collodion** le soient également. Les **poids moléculaires d'exclusion** des membranes de dialyse (taille de la plus petite particule qui ne peut les traverser) varient de 0,5 à 500 kD.

La dialyse (qui n'est pas une technique chromatographique) est utilisée couramment pour changer le solvant dans lequel sont dissoutes les macromolécules. Une solution macromoléculaire est mise à l'intérieur d'un sac à dialyse (obtenu généralement en nouant le boyau de membrane à dialyse aux deux extrémités), puis immergée dans un volume relativement grand du nouveau solvant (Fig. 6-11*a*). Après plusieurs heures d'agitation, les solutions se trouveront à l'équilibre mais les macromolécules seront restées à l'intérieur du sac à dialyse (Fig. 6-11*b*). On peut recommencer l'opération jusqu'au remplacement complet d'un système de solvant par un autre.

On peut aussi recourir à la dialyse pour concentrer une solution macromoléculaire en plaçant un sac à dialyse rempli, au contact d'un polymère déshydratant qui ne peut traverser la membrane, tel que le **polyéthylène glycol** [HOCH$_2$(CH$_2$—O—CH$_2$)$_n$CH$_2$OH]. La concentration résulte du fait que les molécules d'eau diffusent à travers la membrane et sont adsorbées par le polymère. On peut utiliser une technique voisine pour concentrer les solutions macromoléculaires, l'**ultrafiltration**. Ici, une solution macromoléculaire est forcée, sous pression ou par centrifugation, à travers un disque de membrane semiperméable. Le solvant et les petites molécules passent à travers la membrane, laissant ainsi une solution macromoléculaire plus concentrée. On trouve des membranes d'ultrafiltration dont les pores sont de diamètres différents, ce qui permet de séparer ainsi des macromolécules de tailles différentes. Enfin, l'on peut débarrasser une solution de son solvant par **lyophilisation** (congélation-dessication), en congelant la solution et en sublimant le solvant sous vide.

C. *Chromatographie d'affinité*

L'une des propriétés les plus étonnantes de beaucoup de protéines, c'est leur faculté de se lier étroitement à des molécules spécifiques sans faire intervenir de liaisons covalentes. Cette propriété permet de purifier de telles protéines par **chromatographie d'affinité** (Fig. 6-12). Dans cette technique, une molécule appelée **ligand** (par analogie avec les ligands fixés aux molécules par coordination), qui se lie spécifiquement à la protéine souhaitée, est fixée par covalence à une matrice inerte et poreuse. *Quand une solution protéique non purifiée traverse ce matériel chromatographique, la protéine d'intérêt se lie au ligand immobilisé, tandis que les autres substances sortent de la colonne en même temps que le tampon. On peut alors récupérer la protéine désirée sous forme très pure en modifiant les conditions d'élution, de sorte que la protéine se détache de la matrice chromatographique.* Le grand avantage de la

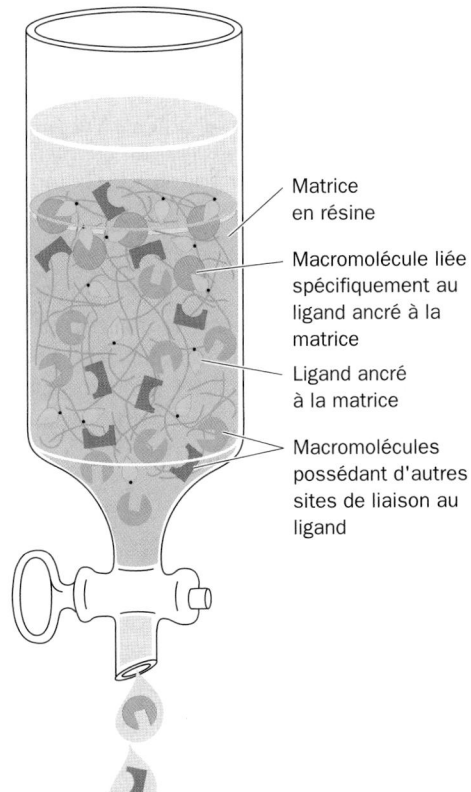

FIGURE 6-12 **Chromatographie d'affinité.** Un ligand (*en jaune*) est ancré par liaison covalente à une matrice poreuse. Le mélange à purifier (dont les sites de liaison pour le ligand sont représentés par les carrés échancrés, les demi-cercles, et les triangles) est chargé sur la colonne. Seules certaines molécules (représentées par des cercles oranges) se lient spécifiquement au ligand ; les autres passent à travers la colonne.

Matrice en résine

Macromolécule liée spécifiquement au ligand ancré à la matrice

Ligand ancré à la matrice

Macromolécules possédant d'autres sites de liaison au ligand

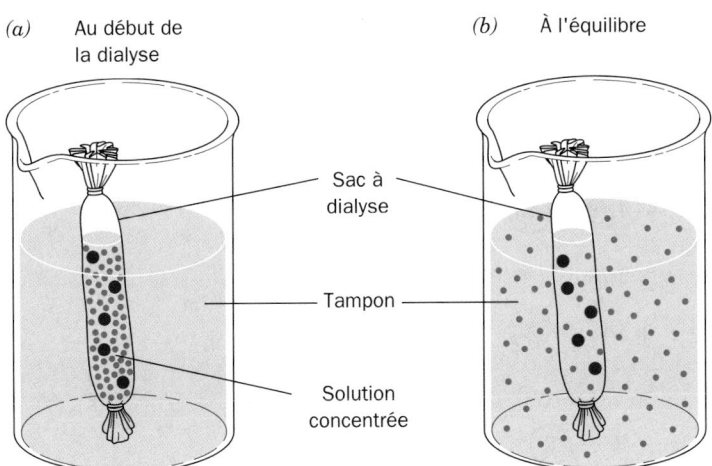

(a) Au début de la dialyse

(b) À l'équilibre

Sac à dialyse

Tampon

Solution concentrée

FIGURE 6-11 **Séparation de petites et de grandes molécules par dialyse**. (*a*) Seules les petites molécules peuvent diffuser à travers les pores du sac, qui est ici un boyau noué aux deux bouts. (*b*) À l'équilibre les concentrations des petites molécules sont pratiquement les mêmes à l'intérieur et à l'extérieur du sac, alors que les macromolécules restent dans le sac.

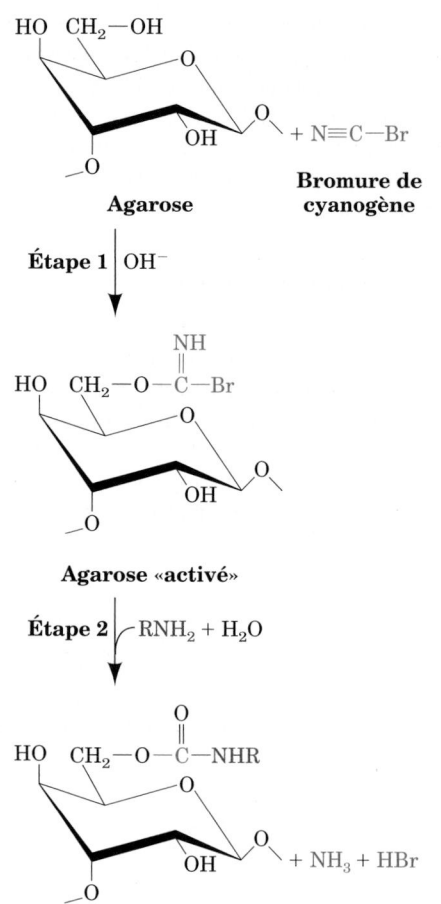

FIGURE 6-13 Liaison covalente d'un ligand à l'agarose. Synthèse d'agarose activé par le bromure de cyanogène (*en haut*) et sa réaction avec une amine primaire donnant ainsi un ligand lié par covalence pour chromatographie d'affinité (*en bas*).

En chromatographie d'affinité, la matrice doit être chimiquement inerte, avoir une grande porosité, et présenter de nombreux groupes fonctionnels capables de se lier par covalence aux ligands. L'agarose, avec ses nombreux groupes hydroxyle libres, est de loin le plus utilisé des quelques composés disponibles qui remplissent ces conditions. Si le ligand a une fonction amine primaire qui n'est pas impliquée dans sa liaison à la protéine recherchée, le ligand peut être lié par covalence à l'agarose en deux temps (Fig. 6-13) :

1. On fait réagir l'agarose avec du **bromure de cyanogène** pour donner un intermédiaire « activé » mais stable (disponible dans le commerce).

2. Le ligand réagit avec l'agarose activé pour donner un produit lié par covalence.

Beaucoup de protéines sont incapables de se fixer à leur ligand couplé au bromure de cyanogène, à cause d'interférences stériques avec la matrice d'agarose. On évite ce problème en fixant le ligand à l'agarose par l'intermédiaire d'un bras d'espacement souple. De telles résines activées sont disponibles dans le commerce. Ainsi, l'agarose « activé à l'époxy » présente un bras d'espacement (par exemple une chaîne de 12 carbones) qui relie la résine à un groupe époxy réactif. Le groupe époxy peut réagir avec un grand nombre des groupes nucléophiles présents sur les ligands, ce qui permet de lier par covalence le ligand choisi à l'agarose via un bras de longueur déterminée (Fig. 6-14).

Le ligand utilisé en chromatographie d'affinité pour isoler une protéine donnée, doit avoir une affinité suffisante pour immobiliser la protéine sur le gel d'agarose mais pas trop forte, sous peine d'empêcher son détachement ultérieur. Si le ligand est un substrat d'une enzyme que l'on veut isoler, les conditions chromatographiques ne doivent pas permettre à l'enzyme d'être fonctionnelle, sinon le ligand sera transformé.

Une fois la protéine fixée sur la colonne de chromatographie d'affinité et celle-ci lavée des impuretés, la protéine doit être détachée de la colonne. Une méthode consiste à éluer la colonne avec une solution d'un composé qui a une plus forte affinité pour le site de liaison de la protéine que n'en a le ligand. Une autre méthode consiste à modifier les propriétés de la solution afin de déstabiliser

chromatographie d'affinité, c'est qu'elle exploite les propriétés biochimiques uniques de la protéine d'intérêt, au lieu de reposer sur les petites différences physico-chimiques entre protéines qui sont à la base des autres techniques chromatographiques.

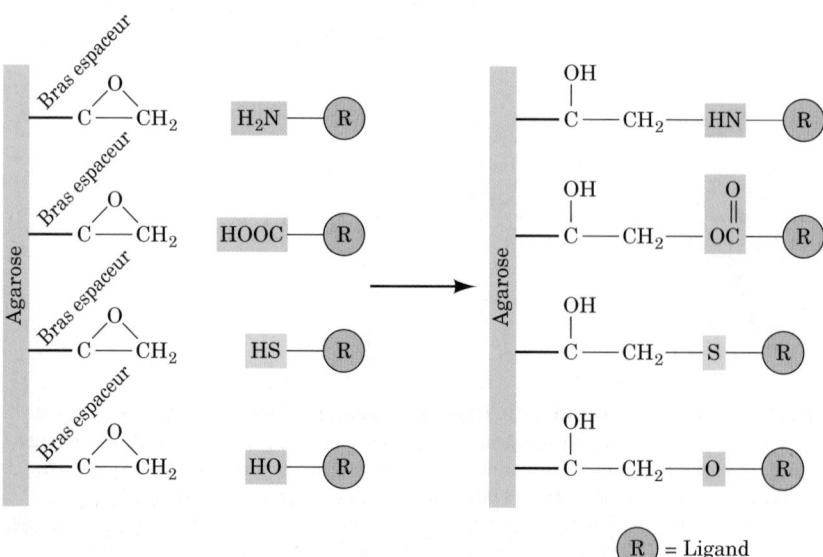

FIGURE 6-14 Substitution de l'agarose activé par époxydation. Exemples de groupes nucléophiles qui peuvent être liés par covalence à de l'agarose activé par époxydation, via ses groupes époxy.

R = Ligand

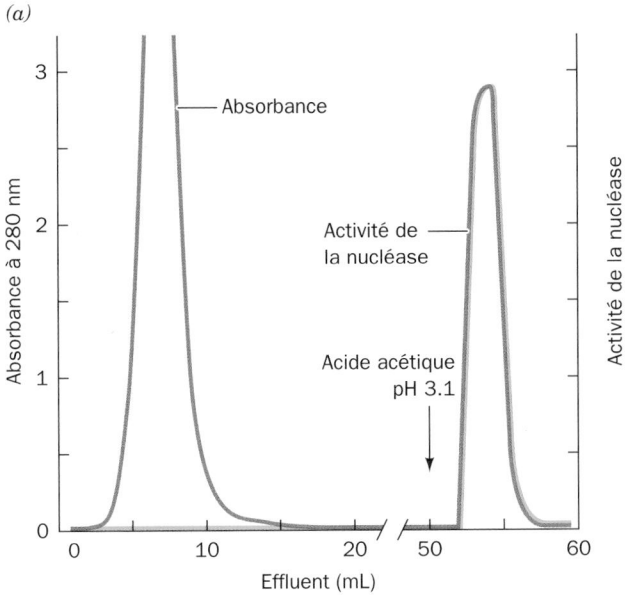

(b)

FIGURE 6-15 (*a*) Purification de la **nucléase de staphylocoque** (enzyme qui hydrolyse l'ADN) par chromatographie d'affinité. Le composé représenté en (*b*) dont la partie diphosphothymidine se lie spécifiquement à l'enzyme, a été lié par covalence à de l'agarose activé par le bromure de cyanogène. La colonne a été équilibrée avec un tampon borate 0,05 *M*, pH 8,0, contenant du $CaCl_2$ 0,01 *M*, et environ 40 mg de matériel partiel-lement purifié ont été déposés sur la colonne. Après lavage des molécules non liées, par passage de 50 mL de tampon dans la colonne, de l'acide acétique 0,1 *M* a été ajouté pour éluer l'enzyme. Toute l'activité enzyma-tique initiale, dont 8,2 mg de nucléase pure, a été récupérée. [D'après Cuatrecasas, P., Wilcheck, M., et Anfinsen, C. B., *Proc. Natl. Acad. Sci.* **61**, 636 (1968).]

le complexe protéine-ligand, par exemple en changeant le pH, la force ionique et/ou la température. Cependant, on doit veiller à ce que les propriétés de la solution n'endommagent pas la protéine de façon irréversible. La Fig. 6-15 donne un exemple de purification de protéine par chromatographie d'affinité.

La chromatographie d'affinité a été utilisée pour isoler des enzymes, des anticorps, des protéines de transport, des récepteurs hormonaux, des membranes, et même des cellules entières. Ainsi, **le récepteur de l'insuline** (Section 19-3A), une protéine qui n'existe qu'en très faibles quantités à la surface cellulaire et dont toutes les autres propriétés étaient restées inconnues, a été isolé en liant de l'**insuline** (une hormone protéique, Section 7-1) par cova-lence à de l'agarose. Le génie génétique (Section 5-5G) a permis la purification, par chromatographie d'affinité, de protéines sans ligand connu, en reliant celles-ci à une protéine dont un ligand est disponible (on parle alors de protéine de fusion). Par exemple, les protéines de fusion dont la partie aminoterminale est l'enzyme **gluthation-*S*-transférase** (**GST** ; Section 25-7C) lient fortement le **glutathion** (un tripeptide, Section 21-2B) et sont donc facile-ment purifiées par chromatographie d'affinité sur glutathion-aga-rose. Le pouvoir de séparation par chromatographie d'affinité pour une protéine donnée est souvent très supérieur à celui d'autres techniques chromatographiques (cf. Tableau 6-4). En réalité, une seule étape de chromatographie d'affinité peut remplacer un pro-tocole à plusieurs étapes déjà éprouvé, et aboutir à une protéine plus pure avec un meilleur rendement.

a. La chromatographie par immunoaffinité utilise la spécificité de liaison des anticorps monoclonaux

L'association de l'immunochimie et de la chromatographie d'affinité a engendré une méthode performante de purification des biomolécules. En fixant, par liaisons croisées, des anticorps mono-clonaux (Section 6-1D) à un support approprié, on obtient une matrice qui ne se liera qu'à la protéine contre laquelle l'anticorps est dirigé. Par cette **chromatographie d'immunoaffinité** on peut arriver à un facteur de purification égal à 10 000 en une seule étape. Les inconvénients de cette technique tiennent à la difficulté d'obtenir des anticorps monoclonaux et aux conditions sévères parfois exigées pour éluer la protéine liée.

D. Autres techniques chromatographiques

D'autres techniques chromatographiques intéressantes en biochi-mie sont présentées brièvement ci-dessous.

a. La chromatographie d'adsorption permet de séparer des substances non polaires

Dans la **chromatographie d'adsorption** (la première-née des méthodes chromatographiques), les molécules sont adsorbées physiquement, par liaisons de Van der Waals et ponts hydrogène, à la surface de substances insolubles telles que l'**alumine** (Al_2O_3), le charbon, la **terre de diatomées** (appelée aussi **kie-selguhr**, fossiles siliceux des organismes unicellulaires que sont

TABLEAU 6-4 **Purification de la glucokinase de foie de rat**

Étape	Activité spécifique (nkat · g⁻¹)[a]	Rendement (%)	Facteur de purification[b]
Protocole A : Procédé chromatographique traditionnel			
1. Surnageant de foie	0,17	100	1
2. Précipité par $(NH_4)_2SO_4$	c	c	c
3. Chromatographie sur DEAE-Sephadex par élution fractionnée avec KCl	4,9	52	296
4. Chromatographie sur DEAE-Sephadex par élution avec un gradient linéaire de KCl	23	45	140
5. Chromatographie sur DEAE-cellulose par élution avec un gradient linéaire de KCl	44	33	260
6. Concentration par élution fractionnée avec KCl à partir de DEAE-Sephadex	80	15	480
7. Chromatographie sur Bio-Gel P-225	130	15	780
Protocole B : Procédé par chromatographie d'affinité			
1. Surnageant de foie	0,092	100	1
2. Chromatographie sur DEAE-cellulose par élution fractionnée avec KCl	20,1	104	220
3. Chromatographie d'affinité[d]	**420**	**83**	**4500**

[a] Un **katal** (en abrégé, **kat**) est la quantité d'enzyme qui catalyse la transformation d'1 mole de substrat par seconde dans les conditions standard. Un nanokatal (nkat) égale 10^{-9} kat.

[b] Calculée à partir de l'activité spécifique ; on attribue arbitrairement la valeur «un» à la première étape.

[c] L'activité n'a pu être mesurée avec précision à ce stade en raison de la présence d'enzymes contaminantes dont l'activité ne peut être évaluée avec certitude.

[d] Le support pour la chromatographie d'affinité a été obtenu en fixant de la glucosamine (un inhibiteur de la glucokinase) via un bras espaceur de 6-aminohexanoyl à de l'agarose activé par NCBr.

D'après Cornish-Bowden, A., *Fundamentals of Enzyme Kinetics,* p.48, Butterworths (1979) adapté de Parry, M.J. et Walker, D.G., *Biochem.J.* **99**, 266 (1966) pour le protocole A et de Holroyde et al., *Biochem. J.* **153**, 363 (1976) pour le protocole B.

les diatomées), le saccharose finement pulvérisé, ou le **gel de silice** (acide silicique). Les molécules sont ensuite éluées par un solvant pur comme le chloroforme, l'hexane, l'éther éthylique ou par un mélange de ces solvants. Le mécanisme de séparation repose sur le partage des différentes substances entre la matrice polaire de la colonne et le solvant non polaire. Cette technique est plus souvent utilisée pour séparer des molécules non polaires que des protéines.

b. La chromatographie sur hydroxyapatite permet de séparer des protéines

Les protéines s'adsorbent sur un gel d'h**ydroxyapatite** cristallin, une forme insoluble de phosphate de calcium de formule empirique $Ca_5 (PO_4)_3OH$. La séparation des protéines est obtenue par élution avec un gradient d'un tampon phosphate (la présence d'autres anions est sans importance). Le fondement physico-chimique de cette technique de fractionnement implique, semble-t-il, l'adsorption des anions sur les sites Ca^{2+} et des cations sur les sites PO_4^{3-} du réseau cristallin d'hydroxyapatite.

c. La chromatographie sur papier permet de séparer de petites molécules polaires

La **chromatographie sur papier**, mise au point en 1941 par Archer Martin et Richard Synge, a joué un rôle prépondérant en analyse biochimique, en permettant de séparer efficacement, avec un équipement rudimentaire, des petites molécules comme les acides aminés, les oligopeptides, les nucléotides et les oligonucléotides. Bien que la chromatographie sur papier ait été supplantée par les techniques plus modernes décrites dans ce chapitre, nous en parlons brièvement en raison de son importance historique et parce que beaucoup de ses principes et techniques auxiliaires sont directement applicables à ces techniques modernes.

Dans la chromatographie sur papier (Fig. 6-16), quelques gouttes d'une solution contenant un mélange de substances à séparer sont déposées à environ 2 cm de l'extrémité d'une bande de papier filtre. Après séchage, cette extrémité du papier est plongée dans un mélange de solvant préparé à partir de composants aqueux et organiques ; par exemple, eau/butanol/acide acétique en proportions 4:5:1, ou bien éthanol aqueux à 77 %, ou encore eau/alcool *t*-amylique/pyridine en proportions 6:7:7. Le papier doit également être en contact avec les vapeurs du solvant à l'équilibre. Le solvant imprègne le papier par capillarité, en raison de la nature fibreuse de celui-ci. La phase aqueuse du solvant imbibe la cellulose du papier et forme avec elle une phase stationnaire de type gel. Le composant organique du solvant continue à migrer, constituant ainsi la phase mobile.

Les vitesses de migration des différentes substances qui se séparent dépendent de leurs solubilités relatives dans la phase polaire stationnaire et la phase non polaire mobile . Au cours d'une seule étape de ce système de séparation, un soluté donné se répartit entre les phases mobile et stationnaire en fonction de son **coefficient de partage**, une constante d'équilibre égale à :

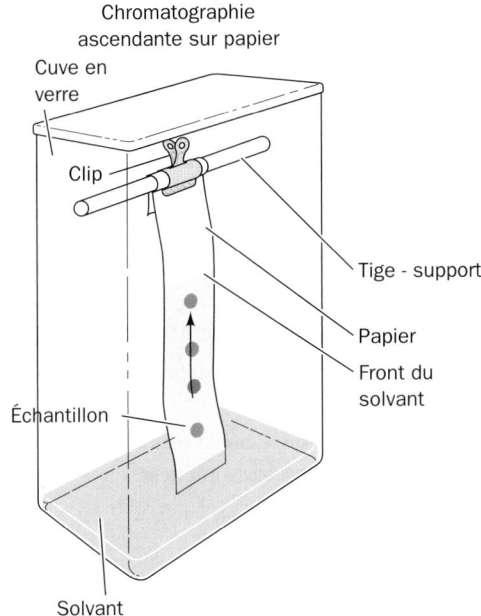

FIGURE 6-16 Dispositif expérimental pour chromatographie sur papier.

$$K_p = \frac{\text{concentration dans la phase stationnaire}}{\text{concentration dans la phase mobile}} \quad [6.4]$$

Les molécules se séparent donc selon leur caractère polaire, les molécules non polaires se déplaçant plus vite que les molécules polaires.

Lorsque le front du solvant a parcouru une distance appropriée, le **chromatogramme** est retiré du solvant et séché. Si les substances séparées sont invisibles, on peut les révéler par leur radioactivité, leur fluorescence ou leur capacité à atténuer la fluorescence naturelle du papier sous un éclairage UV, ou encore en pulvérisant sur le chromatogramme une solution d'un produit qui donne une réaction colorée avec la substance recherchée.

La vitesse de migration d'une substance peut s'exprimer selon le rapport

$$R_f = \frac{\text{distance parcourue par la substance}}{\text{distance parcourue par le front du solvant}} \quad [6.5]$$

Pour un système de solvant donné et un type de papier, chaque substance a une valeur de R_f caractéristique.

Il arrive qu'une seule chromatographie sur papier ne suffise pas pour séparer les constituants d'un mélange complexe. On peut dans ce cas recourir à la **chromatographie sur papier à deux dimensions** (Fig. 6-17). Pour cela, on réalise un chromatogramme comme précédemment, mais on dépose l'échantillon à proximité d'un coin de la feuille de papier filtre et on le chromatographie parallèlement à un bord de la feuille. La chromatographie terminée et le papier séché, le chromatogramme est tourné de 90° et chromatographié parallèlement au deuxième bord du papier, en utilisant un autre système de solvant. Comme chaque substance migre selon une vitesse caractéristique pour un système de solvant

donné, la deuxième chromatographie est censée améliorer nettement la séparation des substances contenues dans le mélange.

d. La chromatographie sur couche mince permet de séparer des molécules organiques

Dans la **chromatographie sur couche mince** (TLC), un fin (~0,25 mm) revêtement d'un produit solide étalé sur une plaque de verre ou de plastique joue un rôle identique à celui du papier dans la chromatographie sur papier. Cependant, dans la TLC, le matériau chromatographique peut être extrêmement varié : échangeurs d'ions, supports de filtration sur gel, adsorbants physiques. Selon le choix du solvant qui sert de phase mobile, la séparation peut être le résultat d'adsorption, de partage, de filtration sur gel, d'échange d'ions ou de toute combinaison de ces mécanismes. La chromatographie sur couche mince est utilisée systématiquement pour analyser des molécules organiques, compte tenu de ses avantages : facilité, rapidité et haute résolution.

e. La chromatographie en phase inverse permet la séparation de produits non polaires, y compris des protéines dénaturées

La **chromatographie en phase inverse** (RPC) est une forme de chromatographie de partage liquide-liquide dans laquelle le caractère polaire des phases est inversé par rapport à celui de la chromatographie sur papier : la phase stationnaire est un liquide non polaire immobilisé sur un support solide pratiquement inerte et la phase mobile est un liquide plus polaire. La RPC a été mise au point initialement pour séparer des mélanges de produits non polaires comme les lipides, mais elle s'est également révélée efficace pour séparer des produits polaires tels que des oligonucléotides et des protéines, sous réserve qu'ils présentent des zones non polaires accessibles. Dans les protéines natives, les chaînes latérales non polaires ont tendance à se localiser dans les zones internes dépourvues d'eau de la protéine (Section 8-3B). Cependant, lorsque celle-ci est dénaturée, ces chaînes latérales se trouvent exposées au solvant. Même lorsque la protéine est sous sa forme native, une proportion significative de ces groupes hydro-

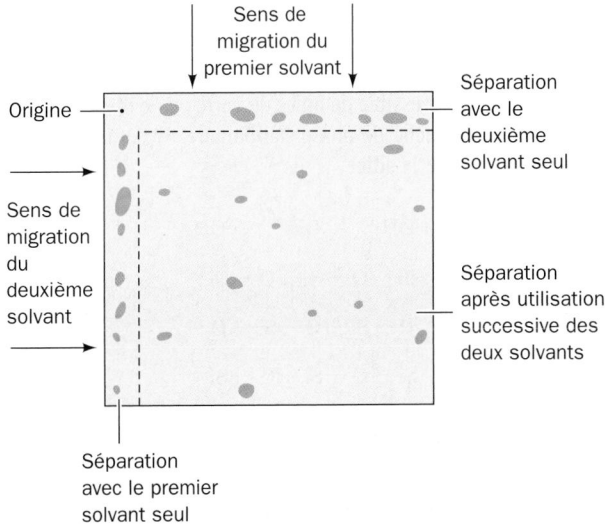

FIGURE 6-17 Chromatographie à deux dimensions sur papier.

phobes se trouve, du moins en partie, exposée au solvant à la surface de la protéine. Par conséquent, sous certaines conditions, les protéines établissent des interactions de nature hydrophobe avec les groupes non polaires fixés sur une matrice immobilisée. Les interactions hydrophobes dans la RPC sont fortes. Par conséquent, la phase mobile pour l'élution doit être fortement non polaire (elle doit être très concentrée en solvants organiques tels que l'acétonitrile) pour déplacer de la phase stationnaire les substances adsorbées sur celle-ci. Il s'en suit que la RPC dénature souvent les protéines.

f. La chromatographie par interactions hydrophobes sépare les protéines natives en vertu de l'hydrophobicité de surface

Les interactions hydrophobes sont à la base, non seulement de la RPC, mais également de la **chromatographie par interactions hydrophobes (HIC)**. Dans la RPC la phase stationnaire a un caractère fortement hydrophobe, ce qui provoque souvent la dénaturation de la protéine. Dans l'HIC, au contraire, la phase stationnaire est un produit hydrophile, tel qu'un gel d'agarose légèrement substitué par des groupes hydrophobes, en général des résidus octyle ou phényle. Les interactions hydrophobes qui s'établissent dans l'HIC sont donc généralement faibles, de sorte que les protéines conservent leur structure native. L'élution se fait selon un gradient qui réduit progressivement ces faibles interactions hydrophobes. On utilise des tampons aqueux avec, par exemple, des concentrations en sel décroissantes (les interactions hydrophobes sont renforcées par augmentation de la force ionique ; Section 6-2A), des concentrations en détergents croissantes, ou des augmentations de pH. Par conséquent, l'HIC sépare les protéines natives en fonction de leur degré d'hydrophobicité de surface, un critère différent de ceux sur lesquels se fondent les autres modes de chromatographie.

g. L'HPLC a permis d'améliorer fortement le pouvoir de séparation

Dans la **chromatographie liquide à haute performance (HPLC),** la séparation peut être fondée sur l'adsorption, l'échange d'ions, l'exclusion par la taille, ou sur l'HIC ou la RPC que nous venons de décrire. Cependant, le pouvoir de séparation est fortement amélioré grâce à l'utilisation de colonnes à haute résolution, d'où des temps de rétention fortement réduits. On utilise des colonnes étroites relativement longues dans lesquelles on entasse une matrice incompressible de billes de verre ou de plastique enrobées d'une fine couche de phase stationnaire. Éventuellement, la matrice peut être de la **silice**

```
   OH        OH        OH
   |         |         |
   Si — O — Si — O — Si
   |    |    |    |    |
   O — Si — O — Si — O
   |    |    |    |    |
   Si — O — Si — O — Si
```

Silice

dont les groupes hydroxyles disponibles peuvent être chimiquement modifiés pour donner des groupements fonctionnels utilisés fréquemment en chromatographie par échange d'ions, RPC, HIC ou chromatographie d'affinité. La phase mobile peut être l'un des systèmes de solvants déjà vus, y compris les mélanges binaires, voire tertiaires, utilisés pour les élutions par gradient. Cependant, pour ce qui est de l'HPLC, la phase mobile traverse la colonne remplie d'une matrice très compactée sous des pressions qui peuvent atteindre 5000 psi (livre par pouce carré), ce qui diminue fortement la durée de l'analyse. Les substances éluées sont détectées à la sortie de la colonne par l'absorption en UV, l'indice de réfraction ou la fluorescence. L'HPLC présente les avantages suivants :

1. Haute résolution, qui permet la purification systématique de mélanges impossibles à analyser par d'autres techniques.

2. Rapidité, qui permet de réaliser en moins d'une heure la plupart des séparations.

3. Forte sensibilité, qui, dans le meilleur des cas, permet de doser des quantités de substances inférieures à la picomole.

4. Possibilité d'automatisation.

Pour toutes ces raisons, la plupart des laboratoires de biochimie sont actuellement équipés d'un appareil d'HPLC. Celle-ci est également utilisée pour l'analyse clinique des liquides du corps, car elle permet en routine le dosage rapide et automatique de quantités de l'ordre du nanogramme de produits biologiques comme les vitamines, les stéroïdes, les lipides, et les métabolites issus de médicaments.

4 ■ ÉLECTROPHORÈSE

L'**électrophorèse**, c'est-à-dire le déplacement d'un ion dans un champ électrique, est couramment utilisée pour séparer des molécules biologiques. Selon les lois de l'électrostatique, la force électrique, $F_{électrique}$, qui s'exerce sur un ion porteur d'une charge q dans un champ électrique E est :

$$F_{électrique} = qE \qquad [6.6]$$

Au déplacement électrophorétique de l'ion dans la solution s'oppose une force de friction :

$$F_{friction} = vf \qquad [6.7]$$

où v est la vitesse de déplacement de l'ion et f est son **coefficient de friction**. *Le coefficient de friction est une mesure de la résistance que la solution exerce sur l'ion qui se déplace. Ce coefficient dépend de la taille, de la forme et de l'état de solvatation de l'ion ainsi que de la viscosité de la solution (Section 6-5A).* Dans un champ électrique constant, les forces qui s'exercent sur l'ion s'équilibrent :

$$qE = vf \qquad [6.8]$$

ainsi chaque ion se déplace à une vitesse caractéristique constante. La **mobilité électrophorétique** μ d'un ion se définit par :

$$\mu = v/E = q/f \qquad [6.9]$$

Les mobilités électrophorétiques (ioniques) de plusieurs petits ions classiques dans de l'eau à 25 °C sont données dans le Tableau 2.2.

L'équation [6.9] n'est valable que pour les ions en solution diluée à l'infini et dans un solvant non conducteur. En solution aqueuse, les polyélectrolytes comme les protéines sont entourés d'un nuage de contre-ions, ce qui crée un champ électrique supplémentaire d'une intensité telle que l'Éq. [6.9] n'est, au mieux, qu'une médiocre approximation de la réalité. Malheureusement, la complexité des solutions ioniques n'a pas permis, jusqu'à maintenant, le développement d'une théorie pour prévoir avec précision la mobilité des polyélectrolytes. Toutefois, l'Éq. [6.9] montre qu'à leur point isoélectrique, pI, les molécules ont une mobilité électrophorétique nulle. De plus, pour les protéines et autres polyélectrolytes doués de propriétés acido-basiques, la charge ionique, et donc la mobilité électrophorétique, est fonction du pH.

La séparation des protéines par électrophorèse a été décrite pour la première fois en 1937 par le biochimiste suédois Arne Tisélius. La technique qu'il a mise au point, l'**électrophorèse à front mobile**, a été, durant les premières années de la chimie des protéines, l'une des rares techniques d'analyse performantes. Cependant, puisque ce processus se déroule entièrement en solution, il faut éviter le mélange par convexion des protéines en mouvement, ce qui requiert un appareillage lourd nécessitant de grandes quantités de produits à analyser. L'électrophorèse à front mobile a donc été remplacée par l'**électrophorèse en zones**, technique où l'échantillon est contraint à se déplacer dans un support solide tel que le papier filtre, l'acétate de cellulose ou, le plus souvent, un gel. Ainsi, le mélange de l'échantillon par convexion est éliminé, inconvénient qui limitait le pouvoir de résolution de l'électrophorèse à front mobile. De plus, dans l'électrophorèse en zone, les différents constituants de l'échantillon migrent sous forme de bandes bien individualisées (zones) et de petites quantités de matériel biologique suffisent.

A. *Électrophorèse sur papier*

Dans l'**électrophorèse sur papier**, l'échantillon est déposé en un point au milieu d'une bande de papier filtre ou d'acétate de cellulose imbibée de solution tampon. Les extrémités de la bande plongent dans deux réservoirs de tampon séparés dans lesquels sont placées les électrodes (Fig. 6-18). Quand on fait passer un courant continu (souvent ~20 V · cm^{-1}), les ions de l'échantillon migrent vers les électrodes de signe opposé, à des vitesses différentes pour former finalement des bandes bien séparées. La vitesse de migration d'un ion est influencée, dans une certaine mesure, par ses interactions avec la matrice support, mais elle est essentiellement fonction de sa charge. Lorsque l'électrophorétogramme est achevé (en général après quelques heures), la bande est séchée et les constituants de l'échantillon sont localisés par les mêmes méthodes que celles utilisées dans la chromatographie sur papier (Section 6-3D).

L'électrophorèse sur papier et la chromatographie sur papier sont assez comparables. Toutefois, *dans la première, les ions sont séparés essentiellement en fonction de leur charge ionique, tandis qu'en chromatographie sur papier les molécules se séparent en fonction de leur caractère polaire.* Les deux méthodes sont souvent combinées dans une technique à deux dimensions appelée « **fingerprinting** » (« empreinte digitale ») où l'échantillon est traité de la même manière que dans la chromatographie sur papier à deux dimensions (Section 6-3D), si ce n'est qu'il est soumis à

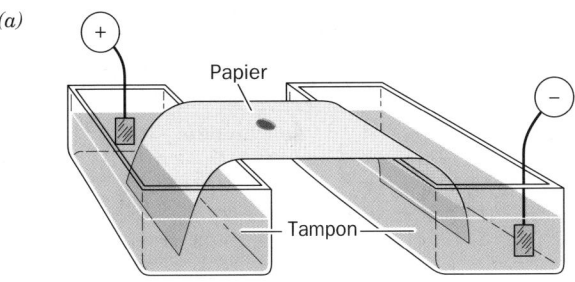

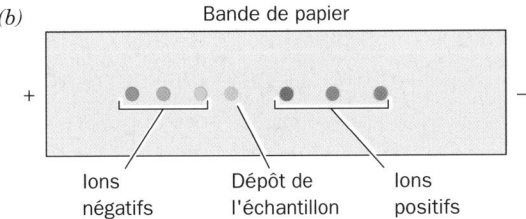

FIGURE 6-18 Électrophorèse sur papier. (*a*) Représentation de l'appareil utilisé. L'échantillon est déposé en un point au milieu de la feuille de papier imbibée de tampon. Les extrémités du papier plongent dans les réservoirs de tampon dans lesquels sont placées les électrodes, et un champ électrique est appliqué. (*b*) Représentation de l'électrophorégramme obtenu. Notez que les ions positifs (cations) ont migré vers la cathode et que les ions négatifs (anions) ont migré vers l'anode. Les molécules non chargées n'ont pas migré.

une électrophorèse à la place de la deuxième chromatographie. Les molécules se séparent donc en fonction de leur charge et de leur caractère polaire.

B. *Électrophorèse en gel*

L'**électrophorèse en gel** est une des méthodes de routine les plus performantes pour séparer des macromolécules. Elle a largement supplanté l'électrophorèse sur papier. Les gels d'usage courant, polyacrylamide et agarose, ont des pores de dimensions moléculaires dont on peut spécifier la taille. *Pour séparer les molécules, on tire parti à la fois de leur mobilité électrophorétique et de la filtration sur gel.* Cependant, les gels utilisés dans cette technique ont pour effet de ralentir la migration des grosses molécules par rapport aux plus petites. C'est l'inverse de ce qui se passe en chromatographie par filtration sur gel, car s'il y a un espace pour le solvant entre les billes dans cette dernière, il n'en est rien dans l'électrophorèse en gel (ici les gels sont directement coulés dans le dispositif à électrophorèse). Puisque les molécules de l'échantillon ne peuvent quitter le gel, le déplacement électrophorétique des molécules les plus grosses se trouve gêné par rapport à celui des molécules plus petites.

Dans l'**électrophorèse en gel de polyacrylamide (PAGE)**, les gels sont formés par la polymérisation, induite par radicaux libres, d'**acrylamide** et de ***N,N'*-méthylènebisacrylamide** dans un tampon choisi (Fig. 6-19). D'habitude, on coule le gel sous forme

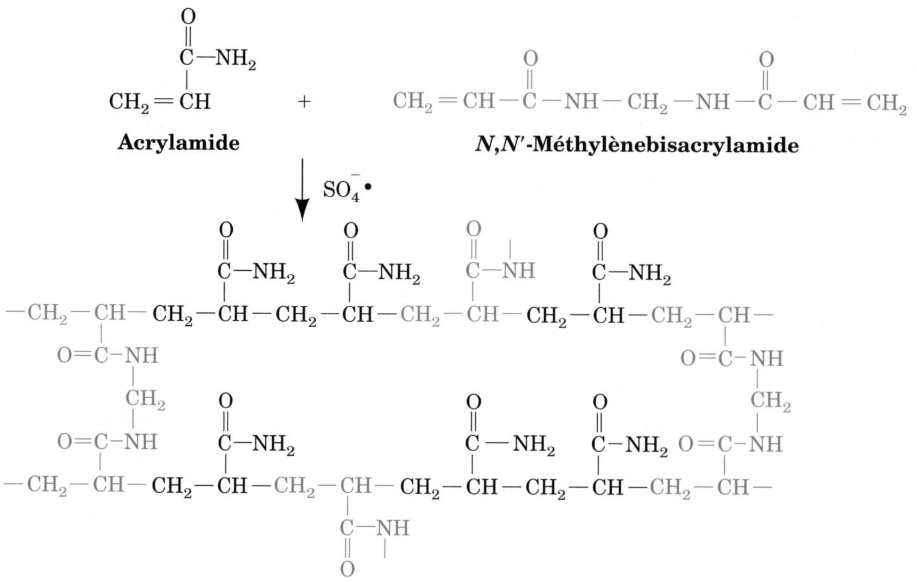

FIGURE 6-19 Polymérisation d'acrylamide et de *N,N'*-méthylènebisacrylamide pour former un gel de polyacrylamide réticulé. La polymérisation est induite par des radicaux libres issus de la décomposition chimique de **persulfate d'ammonium** ($S_2O_8^{2-}$ ® 2 SO_4^-·) ou de la photodécomposition de la riboflavine en présence de traces d'oxygène. Dans les deux cas, de la ***N,N,N',N'*-tetraméthyléthylènediamine (TEMED)**, un stabilisateur de radicaux libres, est généralement ajoutée au gel. Les propriétés physiques et la taille des pores du gel dépendent de la proportion de polyacrylamide du gel et de son degré de réticulation. Les concentrations en polyacrylamide les plus couramment utilisées sont comprises entre 3 et 15 % avec une quantité de TEMED égale à 5 % de l'acrylamide totale présente.

d'une fine plaque rectangulaire, dans laquelle plusieurs échantillons peuvent être analysés simultanément en parallèle (Fig. 6-20, un moyen aisé de comparer des échantillons similaires). Le tampon, qui est le même dans les deux réservoirs et dans le gel, a un pH (généralement ~9 pour les protéines) tel que les macromolécules ont toutes une charge nette négative et vont donc migrer vers l'anode dans le réservoir inférieur. Les échantillons, qui peuvent ne contenir que 10 μg de macromolécule, sont dissous dans un volume minimum de solution de glycérol ou de saccharose suffisamment dense pour qu'ils ne se mélangent pas au tampon contenu dans le réservoir supérieur, et sont déposés dans des puits préformés au sommet du gel (Fig. 6-20). Éventuellement, l'échantillon peut être mis à l'intérieur d'un gel de faible longueur, le « gel-échantillon », dont les pores sont trop grands pour gêner la migration des macromolécules. Un courant continu de ~300 V est appliqué à travers le gel durant un temps suffisant (30 à 90 minutes) pour séparer les constituants macromoléculaires en une série de bandes distinctes, puis le gel est retiré de son support et les bandes visualisées par une méthode appropriée (cf. ci-dessous). Par cette technique, un mélange de protéines de 0,1 à 0,2 mg peut donner jusqu'à 20 bandes différentes.

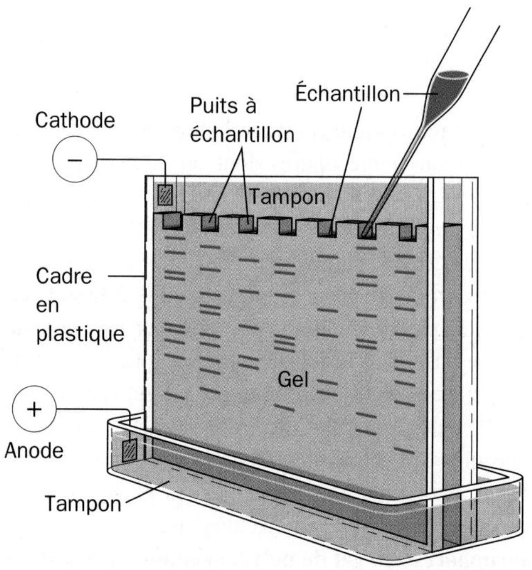

a. L'électrophorèse à pH discontinu (« disc electrophoresis ») donne une résolution supérieure

La finesse des bandes et donc le pouvoir de résolution de la méthode précédente sont limités par la longueur de la colonne de l'échantillon lorsqu'il pénètre dans le gel. Dans une technique ingénieuse, appelée **électrophorèse à pH discontinu** ou **« disc(ontinuous) electrophoresis »**, les bandes se trouvent fortement affinées. Ici, on utilise deux gels et plusieurs tampons (Fig. 6-21). Le gel de séparation est préparé comme nous l'avons déjà vu ; on coule sur celui-ci un gel à larges pores, dit gel de concentration ou gel « espaceur », de faible hauteur (1 cm). Le tampon du réservoir inférieur et du gel de séparation est comme déjà décrit, mais celui de la solution (ou gel) de l'échantillon et du gel de concentration a un pH inférieur d'environ deux unités à celui du précédent. Le pH du tampon du réservoir supérieur, qui doit contenir un acide faible (généralement de la glycine, $pK_2 = 9,78$), est ajusté à un pH proche de celui du réservoir inférieur.

FIGURE 6-20 Appareil à électrophorèse en plaque. Les échantillons sont déposés dans des puits répartis au sommet du gel et soumis à l'électrophorèse en parallèle.

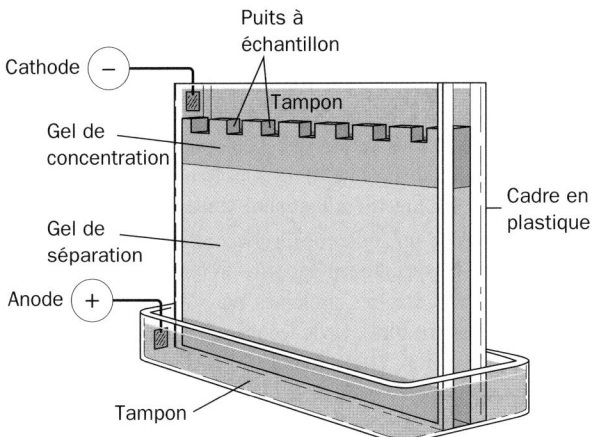

FIGURE 6-21 Appareil d'électrophorèse à pH discontinu (« disc electrophoresis »).

Lorsque le courant est mis, les ions du tampon du réservoir supérieur migrent dans le gel de concentration tandis que les ions du tampon du gel de concentration migrent devant eux. Il en résulte que les ions du tampon du réservoir supérieur trouvent un pH très inférieur à leur pK. Ils prennent alors leur forme neutre (ou de zwittérion dans le cas de la glycine), ce qui les rend électrophorétiquement immobiles. Ceci entraîne un déficit en porteurs de charges : la résistance électrique R augmente donc dans cette région. Compte tenu du besoin d'un courant constant d'intensité I dans tout le circuit électrique, ceci entraîne, en vertu de la loi d'Ohm ($E = RI$), une forte augmentation très locale du champ électrique, E. Suite à cette augmentation du champ, les anions macromoléculaires migrent rapidement jusqu'à ce qu'ils atteignent la région où se trouvent les ions du tampon du gel de concentration ; ici ils ralentissent car il n'y a pas de déficit en ions dans cette région. *Ainsi, les ions macromoléculaires vont atteindre le gel de séparation sous forme de bandes ou de disques très fins (~0,01 mm d'épaisseur) rangés selon leur mobilité* et qui se trouvent entre les ions en mouvement du réservoir supérieur et ceux du gel de concentration. Lorsque les ions macromoléculaires arrivent dans le gel de séparation, ils sont ralentis par effet de filtration sur gel. Ceci permet aux ions du tampon du réservoir supérieur de dépasser les bandes macromoléculaires et, comme le pH du gel de séparation est supérieur, ils prennent leur forme chargée maximum lorsqu'à leur tour ils pénètrent dans le gel. Le déficit en porteurs de charge s'annule donc et, à partir de là, la séparation par électrophorèse se déroule normalement. Cependant, *le fait que les bandes macromoléculaires sont très compactes lorsqu'elles pénètrent dans le gel de séparation augmente fortement la résolution de séparation des macromolécules* (cf. Fig. 6-22).

b. Les gels d'agarose sont utilisés pour séparer par électrophorèse des molécules de grande taille

Les pores de très grande taille nécessaires pour séparer par PAGE des composés de haute masse moléculaire (>200 kD) nécessitent des gels dont les concentrations en polyacrylamide sont si faibles (< 2,5 %) qu'ils sont trop mous pour être utilisés. Cette difficulté est contournée en utilisant des gels d'agarose (Fig. 6-13). Par exemple, un gel d'agarose à 0,8 % est utilisé pour séparer des acides nucléiques dont la masse moléculaire peut atteindre 50 000 kD.

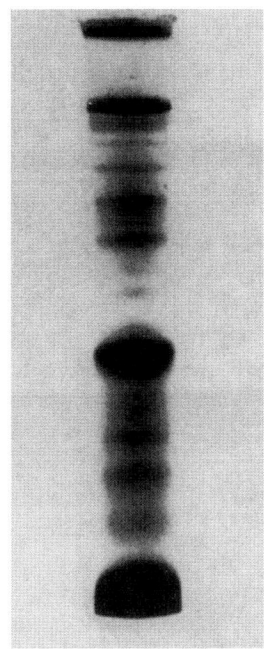

FIGURE 6-22 Électrophorèse à pH discontinu d'un échantilon de sérum humain dans une colonne de gel de polyacrylamide de 0,5 × 4,0 cm. Les protéines ont été colorées par de l'amido black. [Avec la permission de Robert W. Hartley, NIH.]

c. Les bandes de gel peuvent être détectées par coloration, comptage radioactif, ou immunotransfert

Après séparation par électrophorèse en gel, les bandes obtenues peuvent être localisées par différentes techniques. Les protéines sont souvent révélées par coloration. Le **bleu brillant de Coomassie**, le colorant le plus utilisé à cet effet, est appliqué en

R250: R = H
G250: R = CH$_3$

Bleu de Coomassie brillant

plongeant le gel dans une solution alcoolique acide du colorant. Ainsi, les protéines sont fixées dans le gel suite à leur dénaturation, et le colorant se complexe aux protéines. L'excès de colorant est éliminé par lavages successifs du gel avec une solution acide ou par électrophorèse. On peut ainsi détecter des bandes contenant 0,1 mg de protéine. Lorsque la quantité de protéines y est plus faible encore, on peut les révéler par **coloration à l'argent,** environ 50 fois plus sensible mais plus difficile à utiliser. La **fluorescamine**, autre colorant des protéines, est une molécule non fluorescente qui, après réaction avec des amines primaires comme la lysine, forme un produit très fluorescent après irradiation par UV.

Fluorescamine
(non fluorescente)   **Adduit de fluorescamine**
                              (fortement fluorescent)

Comme d'autres substances, les protéines peuvent être détectées par absorption en UV sur toute la longueur du gel. Si l'échantillon est radioactif, on peut soit sécher le gel sous vide, ce qui donnera au gel l'aspect de la cellophane, soit l'envelopper de plastique puis le mettre au contact d'un film sensible aux rayons X. Après un certain temps (de quelques minutes à plusieurs semaines selon l'intensité des radiations), le film est développé et **l'autoradiographie** obtenue donne la position des composés radioactifs, lesquels noircissent le film (on peut aussi utiliser un détecteur sensible aux radiations –un film électronique- qui révélera la position des composés radioactifs en quelques secondes). On peut également découper le gel dans le sens de la largeur et mesurer dans un **compteur à scintillation** l'intensité de radioactivité de chacune des tranches obtenues. Cette dernière méthode est quantitative et donne des résultats plus précis que l'autoradiographie. On peut encore éluer les produits contenus dans les tranches de gel pour les identifier et/ou les soumettre à tout autre traitement.

Si l'on dispose d'un anticorps dirigé contre la protéine d'intérêt, on peut détecter spécifiquement cette protéine sur le gel en présence de beaucoup d'autres protéines par « **immunotransfert** » (appelé aussi **Western blot).** Cette technique, variante du Southern blotting (Section 5-5D), est semblable à l'ELISA (Section 6-1D). On la réalise de la manière suivante (Fig. 6-23) :

1. Une fois l'électrophorèse terminée, le gel est appliqué, comme sur un buvard (blotting), sur une feuille de nitrocellulose (voir Fig. 5-50). Celle-ci lie fortement les protéines de façon non spécifique [des membranes de nylon ou de difluorure de polyvinylidine (PVDF) peuvent également être utilisées].

2. Les sites d'adsorption en excès sur la nitrocellulose sont saturés par une protéine non spécifique comme la **caséine** (une protéine du lait ; le lait écrémé est également utilisé) afin d'éviter l'adsorption non spécifique des anticorps (qui sont aussi des protéines) utilisés lors des étapes 3 et 4.

3. La feuille de nitrocellulose est traitée par un anticorps (en général obtenu chez le lapin) dirigé contre la protéine d'intérêt (anticorps primaire).

4. Après avoir éliminé, par lavage, l'excès d'anticorps primaire, la feuille de nitrocellulose est mise en présence d'un anticorps de chèvre (anticorps secondaire) dirigé contre tous les anticorps de lapin, et auquel est liée, par covalence, une enzyme facile à doser.

5. Un nouveau lavage permet d'éliminer l'excès d'anticorps secondaire, après quoi l'enzyme liée à celui-ci est mise en évidence par une réaction colorée, ce qui fait apparaître la protéine recherchée sous forme d'une bande colorée sur la nitrocellulose.

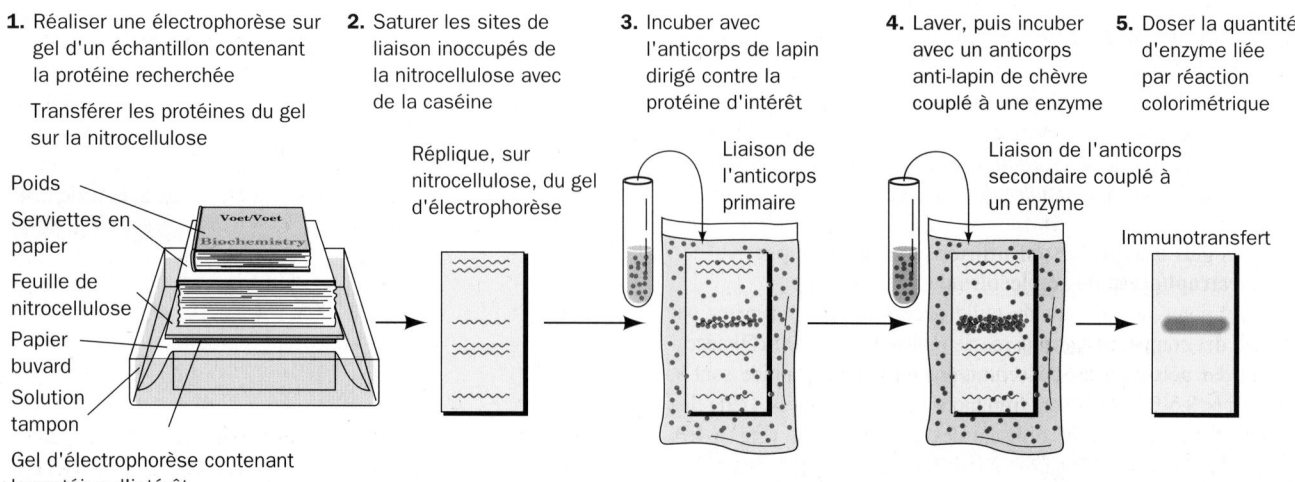

1. Réaliser une électrophorèse sur gel d'un échantillon contenant la protéine recherchée

Transférer les protéines du gel sur la nitrocellulose

Poids
Serviettes en papier
Feuille de nitrocellulose
Papier buvard
Solution tampon

Gel d'électrophorèse contenant la protéine d'intérêt

2. Saturer les sites de liaison inoccupés de la nitrocellulose avec de la caséine

Réplique, sur nitrocellulose, du gel d'électrophorèse

3. Incuber avec l'anticorps de lapin dirigé contre la protéine d'intérêt

Liaison de l'anticorps primaire

4. Laver, puis incuber avec un anticorps anti-lapin de chèvre couplé à une enzyme

Liaison de l'anticorps secondaire couplé à un enzyme

5. Doser la quantité d'enzyme liée par réaction colorimétrique

Immunotransfert

FIGURE 6-23 Détection des protéines par immunotransfert.

On peut aussi marquer par l'isotope radioactif ^{125}I l'anticorps primaire utilisé dans la 3e étape, puis, après avoir lavé l'anticorps en excès, localiser par autoradiographie la protéine sur la feuille de nitrocellulose.

C. *SDS - PAGE*

Les savons et les détergents, molécules amphipathiques (Section 2-1B), sont des agents dénaturants puissants des protéines pour des raisons qui seront données dans la Section 8-4E. Le **dodécyl sulfate de sodium (SDS),**

$$[CH_3—(CH_2)_{10}—CH_2—O—SO_3^-]Na^+$$
Dodécyl sulfate de sodium (SDS)

un détergent souvent utilisé en biochimie, se lie très fortement aux protéines en leur conférant une forme de bâtonnet. La plupart des protéines se lient au SDS dans le même rapport : 1,4 g de SDS/g de protéine (environ une molécule de SDS pour deux résidus d'acides aminés). La forte charge négative globale apportée par le SDS masque la charge intrinsèque des protéines, si bien que les

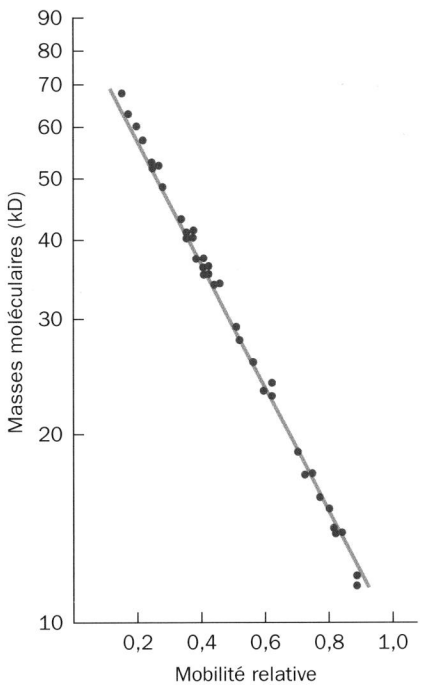

FIGURE 6-25 Relation logarithmique entre la masse moléculaire d'une protéine et sa mobilité électrophorétique relative en SDS-PAGE. Cette relation est portée en graphique pour 37 polypeptides allant de 11 à 70 kD. [D'après Weber, K. et Osborn, M., *J. Biol. Chem.* **244**, 4406, (1969).]

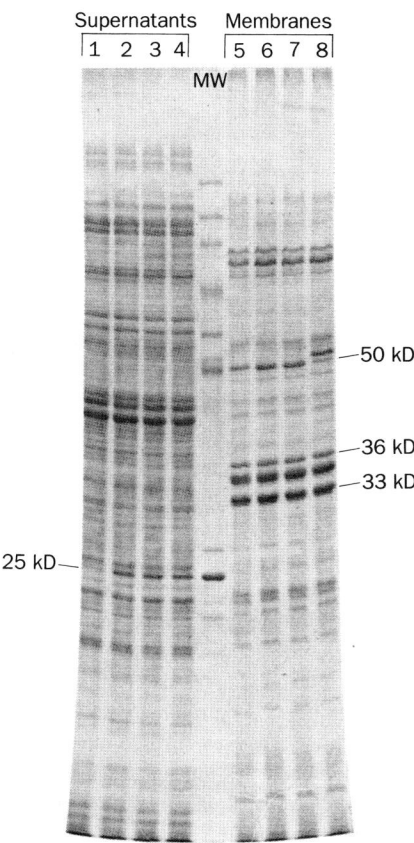

FIGURE 6-24 SDS-PAGE. Profil d'une électrophorèse à pH discontinu en gel de polyacrylamide-SDS, du surnageant (*à gauche*) et des fractions membranaires (*à droite*) de différentes souches de la bactérie *Salmonella typhimurium*. Les échantillons contenant chacun 200 µg de protéines ont migré en parallèle sur une plaque de gel contenant 10 % de polyacrylamide, de 35 cm de long et 0,8 mm d'épaisseur. La bande marquée MW correspond à des poids moléculaires standard. [Avec la permission de Giovanna F. Ames, University of California at Berkeley.]

protéines traitées au SDS ont tendance à avoir des rapports charge/masse identiques et des formes semblables. Par conséquent, *l'électrophorèse de protéines en gel de polyacrylamide contenant du SDS sépare celles-ci en fonction de leur masse moléculaire, par effet de filtration sur gel.* La Fig. 6-24 donne un exemple du pouvoir de résolution et de la reproductibilité de la **SDS-PAGE**.

La SDS-PAGE permet de déterminer la masse moléculaire des protéines « normales » avec une précision de l'ordre de 5 à 10 %. Les mobilités relatives des protéines dans de tels gels varient en effet de façon linéaire avec le logarithme de leur masse moléculaire (Fig. 6-25). En pratique, la masse moléculaire d'une protéine est déterminée en la soumettant à l'électrophorèse en même temps que des protéines « marqueurs » de masses moléculaires connues qui encadrent celle de la protéine d'intérêt.

Beaucoup de protéines sont formées de plusieurs chaînes polypeptidiques (Section 8-5A). Le traitement par le SDS détruit les interactions non covalentes entre ces sous-unités. Ainsi, la SDS-PAGE donne la masse moléculaire des sous-unités au lieu de celle de la protéine intacte, sauf si les sous-unités sont unies par ponts disulfure. Toutefois, on ajoute généralement du mercaptoéthanol aux gels de SDS-PAGE afin de réduire ces ponts disulfures (Section 7-1B).

D. *Focalisation isoélectrique*

Une protéine porte des groupes chargés positivement et négativement et a donc un point isoélectrique, p*I*, à savoir le pH auquel elle reste immobile dans un champ électrique (Section 4-1D). *Si un mélange de protéines est soumis à une électrophorèse dans une* *solution ayant un gradient de pH stable et dont le pH augmente lentement de l'anode vers la cathode, chaque protéine va migrer jusqu'à l'endroit où le pH du gradient est égal à son point iso-électrique.* Si une molécule de protéine s'écarte de cette position, sa charge nette changera puisque la protéine se déplace dans une zone de pH différente, et les forces électrophorétiques résultantes la feront revenir à la position qui correspond à son point iso-électrique. Chaque protéine se trouve donc «concentrée» sous forme d'une bande étroite de $\pm$ 0,01 unité pH autour de son point iso-électrique. On appelle donc ce processus **focalisation isoélec-trique** ou **isoélectrofocalisation (IEF)**.

Un gradient de pH formé en mélangeant deux tampons diffé-rents dans des rapports qui varient en continu sera instable dans un champ électrique en raison de la migration des ions du tampon qui se déplaceront vers l'électrode de signe opposé. L'IEF pallie ce problème, car le gradient de pH est obtenu en mélangeant des oli-gomères de faible masse moléculaire (300 à 600 Da) qui portent des groupes amino et carboxyliques aliphatiques (Fig. 6-26) for-mant ainsi un éventail de points isoélectriques. Sous l'influence du champ électrique qui traverse la solution, ces **ampholytes** (élec-trolytes amphotères) vont se répartir en fonction de leurs points isoélectriques, les plus acides se rassemblant à l'anode et les autres se plaçant progressivement en fonction de leur basicité, les plus basiques se concentrant à la cathode. Le gradient de pH, qui est maintenu par le champ électrique (d'environ 1000 V), résulte du pouvoir tampon de ces polyampholytes. On peut protéger le gra-dient de pH des courants de convexion en le préparant dans un gel de polyacrylamide faiblement réticulé sous forme de tube ou de couche mince. Les gels d'IEF contiennet souvent de l'urée ~6*M*. Ce puissant agent dénaturant des protéines, contrairement au SDS, n'est pas chargé et ne peut donc pas modifier directement la charge d'une protéine.

On peut aussi pratiquer l'IEF en gels contenant des **gradients de pH immobilisés**. Ceux-ci sont constitués de dérivés d'acryla-mide liés par covalence à des ampholytes. Avec un appareil à gra-dient comme celui de la Fig. 6-7, on polymérise un gel à partir d'un mélange, dont la composition varie constamment, de dérivés d'acrylamide de p*K* différents, de sorte que le pH varie en continu d'un bout à l'autre du gel.

Le fait que la focalisation isoélectrique sépare les protéines en bandes très fines explique l'usage tant analytique que préparatif de cette technique. Beaucoup de préparations protéiques que l'on sup-posait homogènes ont été séparées par IEF en plusieurs compo-sants. L'IEF peut être associée à l'électrophorèse, ce qui donne une technique de séparation extrêmement performante, l'**électropho-rèse sur gel en deux dimensions ou électrophorèse 2D** (Fig. 6-27). On peut ainsi détecter jusqu'à 5000 protéines diffé-

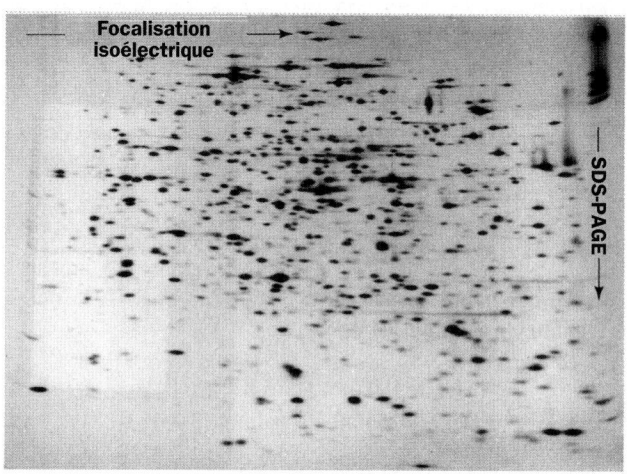

FIGURE 6-27 Électrophorèse sur gel en deux dimensions. Autoradio-gramme montrant la séparation des protéines d'*E. coli* après électropho-rèse 2D (focalisation isoélectrique dans la dimension horizontale et SDS-PAGE dans la dimension verticale). Un échantillon de 10 µg de protéines d'*E. coli* où l'on avait préalablement incorporé des acides aminés mar-qués au ^{14}C, a été soumis à focalisation isoélectrique dans un tube de $2{,}5 \times 130$ mm d'un gel de polyacrylamide contenant de l'urée. Le tube de gel a alors été récupéré et placé le long d'une plaque de gel de poly-acrylamide-SDS, avant nouvelle électrophorèse. Plus de mille taches ont été comptées sur l'autoradiogramme original, après une exposition de 825 h. [Avec la permission de Patrick O'Farrell, University of California at San Francisco.]

rentes sur un seul gel. Ceci fait de l'électrophorèse 2D un outil pré-cieux en **protéomique,** discipline qui consiste à étudier le **pro-téome.** (Par analogie avec le terme « génome », on définit le pro-téome comme l'ensemble de toutes les protéines présentes dans un tissu ou un organisme, en précisant leur quantité, localisation, modifications, interactions et activités, ainsi bien sûr que leur iden-tité). Les taches (« spots ») du gel coloré qui correspondent à des protéines pures peuvent être excisées du gel (avec scalpel ou un robot guidé par une image digitalisée du gel enregistrée par balayage optique ou caméra digitale) et décolorées. Les protéines sont ensuite éluées de ces fragments de gel en vue de leur identi-fication et/ou caractérisation, souvent par spectrométrie de masse (Section 7-1J). Des différences dans le protéome de préparations similaires peuvent être mises en évidence en comparant les posi-tions et les intensités des taches sur les gels 2D de telles prépara-tions, au besoin à l'aide d'un ordinateur après enregistrement de l'image des gels. De nombreux gels 2D de référence sont acces-sibles sur la toile via http://www.expasy.ch/ch2d/2d-index.html. On trouve dans ces bases de données les images de gels 2D et l'identité de nombreuses protéines ainsi identifiées, provenant d'une multitude d'organismes et de tissus.

E. *Électrophorèse en capillaire*

Bien que l'électrophorèse en gel soit une méthode classique très efficace pour séparer des molécules chargées, elle demande géné-ralement plusieurs heures et elle est difficile à rendre quantitative et à automatiser. Une variante qui n'a pas ces inconvénients est l'**électrophorèse en capillaire (CE)**, que l'on réalise dans des

$$-CH_2-N-(CH_2)_n-N-CH_2-$$
$$\underset{\displaystyle NR_2}{\overset{\displaystyle (CH_2)_n}{|}} \qquad \underset{}{\overset{\displaystyle |}{R}}$$

$$n = 2 \text{ ou } 3$$
$$R = H \text{ ou} - (CH_2)_n - COOH$$

FIGURE 6-26 Formule générale des ampholytes utilisés en focalisa-tion isoélectrique.

tubes capillaires très étroits (20 à 100 μm de diamètre interne) en quartz, verre ou plastique. L'étroitesse de ces capillaires dissipe rapidement la chaleur et permet donc l'utilisation de champs électriques élevés (de 100 à 300 V · cm^{-1}, soit environ 10 fois plus que pour la plupart des autres techniques électrophorétiques), ce qui réduit les temps de séparation à quelques minutes. De plus, ces séparations rapides minimisent l'étalement des bandes par diffusion, rendant celles-ci extrêmement nettes. Les capillaires peuvent être remplis d'un tampon (comme dans l'électrophorèse à front mobile, mais ici le diamètre étroit du capillaire élimine pratiquement toute possibilité de mélange dû aux courants de convection), de gel de polyacrylamide-SDS (séparation selon la masse moléculaire ; Section 6-4C), ou d'ampholytes (focalisation isoélectrique ; Section 6-4D). Ces techniques de CE ont un pouvoir de résolution extrêmement important et peuvent être automatisées d'une manière identique à l'HPLC, c'est-à-dire, avec une charge automatique de l'échantillon et un système de détection en direct. La CE ne permettant de séparer que de petites quantités de substances, elle ne peut être utilisée que comme technique d'analyse.

5 ■ ULTRACENTRIFUGATION

Si un récipient rempli de sable et d'eau est agité puis laissé au repos, le sable se déposera rapidement au fond du récipient sous l'influence de la gravité terrestre (accélération : $g = 9,81$ m · s^{-2}). Cependant les macromolécules en solution, soumises au même champ de gravitation, ne sédimentent pas de façon perceptible car leur mouvement thermique désordonné (mouvement Brownien) assure leur répartition uniforme dans toute la solution. *Ce n'est que lorsqu'elles sont l'objet d'accélérations considérables que les macromolécules commencent à sédimenter à la manière des grains de sable.*

L'ultracentrifugeuse, mise au point vers 1923 par le biochimiste suédois The Svedberg, peut atteindre des vitesses de rotation de 80 000 rpm (révolutions par minute) ce qui crée des champs de centrifugation supérieurs à 600 000 g. Cet appareil permit à Svedberg de montrer pour la première fois que les protéines sont des macromolécules de nature homogène et que beaucoup de protéines sont formées de sous-unités. L'ultracentrifugation est devenue un outil indispensable pour isoler des protéines, des acides nucléiques et des particules subcellulaires. Dans cette section, nous donnerons les grandes lignes de la théorie et de l'utilisation de l'ultracentrifugation.

A. *Sédimentation*

La vitesse à laquelle une particule sédimente dans l'ultracentrifugeuse est fonction de sa masse. La force $F_{sédimentation}$ qui s'exerce pour sédimenter une particule de masse m située à une distance r du point autour duquel elle tourne avec une vitesse angulaire ω (en radians · s^{-1}) est égale à la force centrifuge ($m\omega^2 r$) qui s'exerce sur la particule moins la force de flottaison ($V_p\rho\omega^2 r$) exercée par la solution :

$$F_{sédimentation} = m\omega^2 r - V_p\rho\omega^2 r \qquad [6.10]$$

où V_p est le volume de la particule et ρ la densité de la solution. Cependant, le déplacement d'une particule dans une solution,

comme nous l'avons vu en étudiant l'électrophorèse, est contre-carré par la force de friction :

$$F_{friction} = vf \qquad [6.7]$$

où $v = dr/dt$ est la vitesse de déplacement de la particule qui sédimente et f est le coefficient de friction. Le coefficient de friction de la particule peut être calculé en mesurant sa vitesse de diffusion.

Sous l'influence de la force de gravitation (force centrifuge), la particule se déplace jusqu'à ce que les forces qui s'exercent sur elle s'équilibrent exactement :

$$m\omega^2 r - V_p\rho\omega^2 r = vf \qquad [6.11]$$

La masse d'une mole de particules M est :

$$M = mN \qquad [6.12]$$

où N est le nombre d'Avogadro (6,022 × 10^{23}). Ainsi, le volume d'une particule, V_p, peut s'exprimer en fonction de sa masse molaire :

$$V_p = \overline{V}m = \frac{\overline{V}M}{N} \qquad [6.13]$$

où $\overline{V}$, le **volume spécifique partiel** de la particule, est égal à la variation de volume lorsque 1 g (poids sec) de particules est dissous dans un volume infini du soluté. Pour la plupart des protéines dissoutes dans l'eau pure à 20°C, $\overline{V}$ est proche de 0,73 cm^3 · g^{-1} (Tableau 6-5). En fait, pour les protéines dont la composition en acides aminés est connue, $\overline{V}$ peut être calculé avec une bonne approximation en faisant la somme des volumes spécifiques partiels de ses résidus d'acides aminés, ce qui signifie que les atomes dans les protéines sont très proches les uns des autres (Section 8-3B).

a. **Une particule peut être caractérisée par sa vitesse de sédimentation**

En substituant les équations [6.12] et [6.13] dans l'équation [6.11], on obtient :

$$vf = \frac{M(1 - \overline{V}\rho)\omega^2 r}{N} \qquad [6.14]$$

On peut définir maintenant le **coefficient de sédimentation** s

$$s = \frac{v}{\omega^2 r} = \frac{1}{\omega^2}\left(\frac{d\ln r}{dt}\right) = \frac{M(1 - \overline{V}\rho)}{Nf} \qquad [6.15]$$

Le coefficient de sédimentation, valeur analogue à la mobilité électrophorétique (Éq. [6.9]) car exprimée en vitesse par unité de force, est généralement exprimé en unités de 10^{-13} s, que l'on appelle des unités **Svedberg (S)**. Par souci d'uniformité, on donne généralement la valeur du coefficient de sédimentation telle qu'elle serait à 20°C dans un solvant ayant la densité et la viscosité de l'eau pure. Cette valeur est symbolisée par $s_{20,w}$. Le Tableau 6-5 et la Fig. [6-28] donnent les valeurs de $s_{20,w}$ en unités Svedberg de plusieurs composés biologiques.

D'après l'équation [6.15], la masse d'une particule $m = M/N$ peut être calculée à partir de son coefficient de sédimentation, s, et de la densité, ρ, si l'on connaît la valeur de son coefficient de

TABLEAU 6-5 **Constantes physiques de quelques protéines**

Protéine	Masse moléculaire (kD)	Volume spécifique partiel $\overline{V}_{20,w}$ ($cm^3 \cdot g^{-1}$)	Coefficient de sédimentation $s_{20,w}$ (S)	Rapport de friction f/f_0
Lipase (lait)	6,7	0,714	1,14	1,190
Ribonucléase A (pancréas bovin)	12,6	0,707	2,00	1,066
Cytochrome *c* (cœur de bœuf)	13,4	0,728	1,71	1,190
Myoglobine (cœur de cheval)	16,9	0,741	2,04	1,105
α-Chymotrypsine (pancréas bovin)	21,6	0,736	2,40	1,130
Crotoxine (serpent à sonnette)	29,9	0,704	3,14	1,221
Concanavaline B (haricot-sabre)	42,5	0,730	3,50	1,247
Toxine de la diphtérie	70,4	0,736	4,60	1,296
Cytochrome oxydase (*P. aeruginosa*)	89,8	0,730	5,80	1,240
Lactate déshydrogénase H (poulet)	150	0,740	7,31	1,330
Catalase (foie de cheval)	222	0,715	11,20	1,246
Fibrinogène (homme)	340	0,725	7,63	2,336
Hémocyanine (seiche)	612	0,724	19,50	1,358
Glutamate déshydrogénase (foie de bœuf)	1015	0,750	26,60	1,250
Protéine du virus de la mosaïque du navet jaune	3013	0,740	48,80	1,470

D'après Smith, M.H., *dans* Sober, H.A. (Ed.), *Handbook of Biochemistry and Molecular Biology* (2nd ed.), p. C-10, CRC Press (1970).

friction *f* et son volume partiel spécifique $\overline{V}$. En fait, avant les années 1970, la plupart des masses de macromolécules étaient calculées grâce à l'**ultracentrifugeuse analytique**, qui permet de mesurer la vitesse de sédimentation de molécules en cours de centrifugation grâce à un dispositif optique (les masses des macromolécules sont trop importantes pour qu'on puisse les déterminer de façon précise par les techniques physiques classiques comme les mesures du point de fusion ou de pression osmotique). Bien que l'arrivée de techniques beaucoup plus simples pour déterminer les masses moléculaires, la chromatographie en filtration sur gel (Section 6-3B) et la SDS-PAGE (Section 6-4C) par exemple, ait pratiquement rejeté la technique d'ultracentrifugation analytique aux oubliettes, la mise au point récente de nouveaux instruments a remis cette technique à la mode. Elle est particulièrement utile pour caractériser les complexes de macromolécules associées.

b. Le rapport de friction est révélateur de la solvatation et de la forme des molécules

Pour des particules sphériques non solvatées de rayon r_p, le coefficient de friction peut être calculé à partir de l'**équation de Stokes**

$$f = 6\pi\eta r_p \qquad [6.16]$$

où h est la **viscosité** de la solution. La solvatation augmente le coefficient de friction d'une particule en augmentant son volume réel ou **volume hydrodynamique**. De plus, *f* est minimum quand la particule est une sphère. Ceci, parce qu'une particule non sphérique a une surface plus grande qu'une particule sphérique de même volume et qu'elle présente donc, en moyenne, une plus grande surface de contact lors du déplacement qu'une sphère.

Le coefficient de friction, *f*, d'une particule dont on connaît la masse et le volume spécifique partiel peut être déterminé par ultracentrifugation à partir de l'Éq. [6.15]. Le rayon effectif ou **rayon**

de Stokes r_p d'une particule en solution peut être calculé en résolvant l'Éq. [6.16], à partir des valeurs de *f* et η déterminées expérimentalement. Réciproquement, le coefficient de friction minimum, f_0, d'une particule peut être calculé à partir de la masse et du volume spécifique partiel de la particule, en supposant qu'elle soit de forme sphérique ($V_p = 4/3\pi r_p^3$) et non solvatée :

$$f_0 = 6\pi\eta \left(\frac{3M\overline{V}}{4\pi N} \right)^{1/3} \qquad [6.17]$$

Si le **rapport de friction**, f/f_0, d'une particule est très supérieur à 1, cela signifie que la particule est fortement solvatée et/ou fortement allongée. Les rapports de friction de quelques protéines sont donnés dans le Tableau 6-5. Les protéines « globulaires » dont on sait, d'après l'étude de leurs structures, qu'elles sont relativement compactes et sphéroïdes (Section 8-3B) ont des rapports de friction qui vont jusqu'à ~1,5. Des molécules fibreuses comme l'ADN et la protéine de coagulation du sang, le **fibrinogène** (Section 35-1A), ont des rapports de friction plus élevés. Après dénaturation, les coefficients de friction des protéines globulaires augmentent jusqu'à une valeur double car les protéines dénaturées prennent des conformations « **random coil** » (enroulées au hasard) souples et instables, où toutes les régions de la molécule se trouvent au contact du solvant (Section 8-1D).

B. *Ultracentrifugation préparative*

Comme leur nom l'indique, les **ultracentrifugeuses préparatives** permettent de préparer des échantillons en quantité, et diffèrent des ultracentrifugeuses analytiques par l'absence de dispositif d'observation de l'échantillon. Les rotors de ces centrifugeuses contiennent des tubes cylindriques dont les axes peuvent être parallèles, perpendiculaires, ou faire un certain angle avec l'axe de rotation du rotor, selon l'usage souhaité (Fig. 6-29).

Pour dériver l'Éq. [6.15], nous avons supposé que la sédimentation se fait en milieu homogène. Cependant, la sédimentation

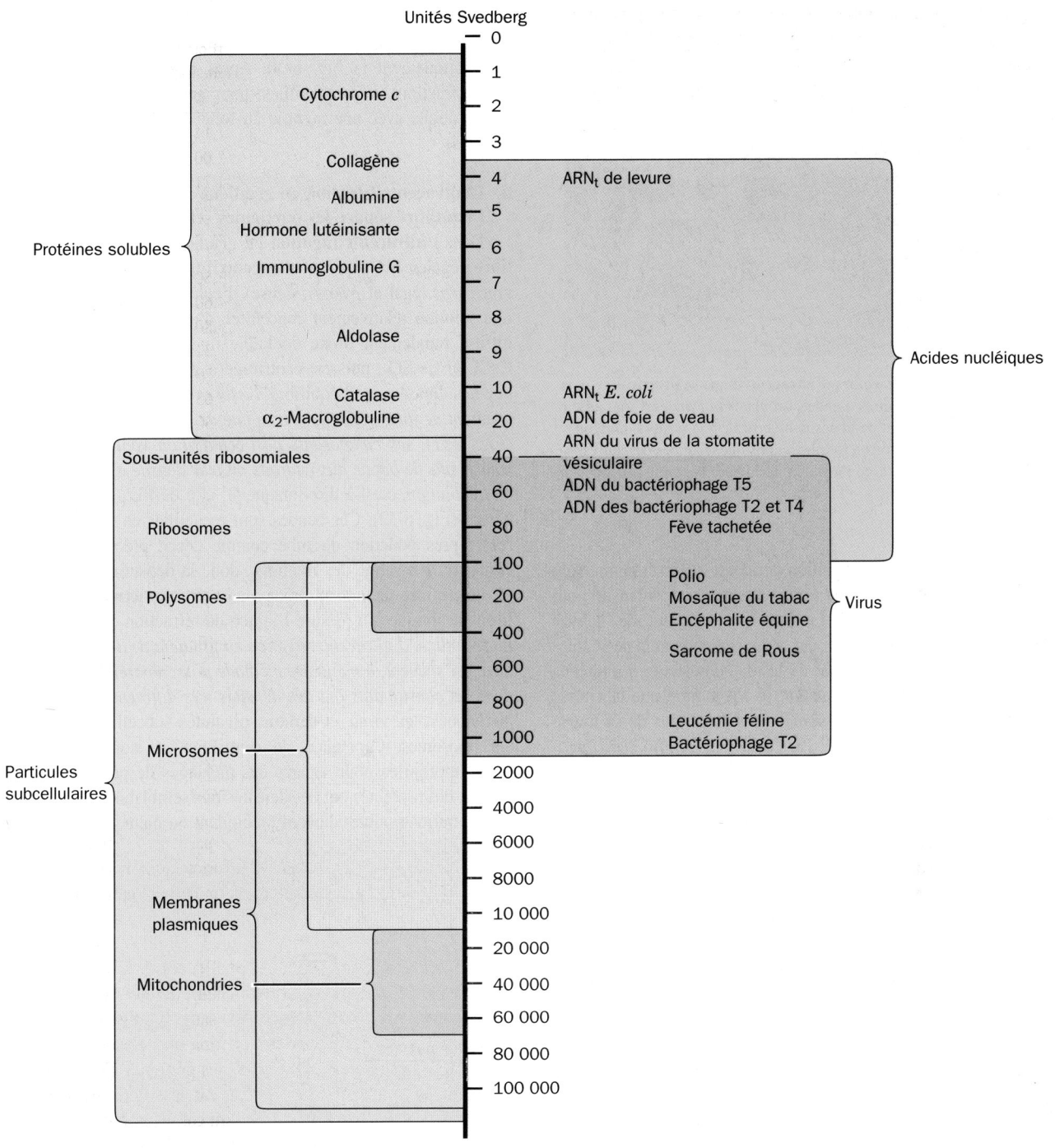

FIGURE 6-28 **Valeurs des coefficients de sédimentation, en unités Svedberg (S), de quelques constituants biologiques**. [D'après un schéma fourni par Beckman Instruments, Inc.]

peut être réalisée dans une solution d'un composé inerte, comme le saccharose ou le CsCl, dans laquelle la concentration de la solution, et donc sa densité, augmente depuis le sommet jusqu'au fond du tube à centrifuger. L'utilisation de tels **gradients de densité** augmente fortement le pouvoir de résolution de l'ultracentrifugeuse. Deux applications des gradients de densité sont très utilisées : (1) l'**ultracentrifugation zonale** et (2) l'**ultracentrifugation en gradient de densité à l'équilibre**.

a. L'ultracentrifugation zonale sépare les particules selon leur coefficient de sédimentation

Dans l'ultracentrifugation zonale, une solution de macromolécules est soigneusement déposée au-dessus d'un gradient de densité préparé à l'aide d'un dispositif analogue à celui représenté dans la Fig. 6-7. Le rôle du gradient de densité est d'assurer le passage en douceur des différentes plages (ou zones) macromoléculaires en minimisant le mélange de la solution par convexion. Le

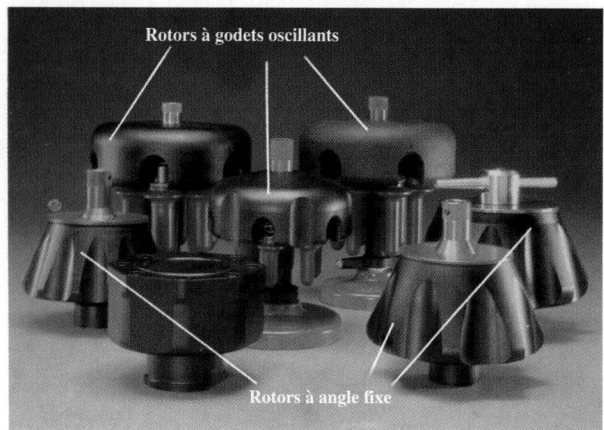

FIGURE 6-29 Quelques rotors d'ultracentrifugeuse préparative. Les tubes à centrifuger des rotors à godets oscillants (*à l'arrière*) sont articulés de sorte qu'ils passent de la position verticale à la position horizontale sitôt que le rotor se met à tourner, tandis que les tubes des autres rotors font un angle fixe avec l'axe du rotor. [Avec la permission de Beckman Instruments, Inc.]

saccharose, qui donne une solution sirupeuse et biochimiquement inerte, est souvent utilisé pour former un gradient de densité pour l'ultracentrifugation zonale. La pente du gradient de densité obtenu est généralement faible, car la densité maximum de la solution doit être inférieure à celle de la macromolécule d'intérêt la moins dense. Cependant, l'équation [6.15] montre que la vitesse de sédimentation d'une macromolécule dépend plus de sa masse moléculaire que de sa densité. Par conséquent, *l'ultracentrifugation zonale sépare des macromolécules de formes identiques essentiellement en fonction de leurs masses moléculaires.*

Au cours de la centrifugation, chaque type de macromolécule traverse le gradient à une vitesse qui dépend essentiellement

de son coefficient de sédimentation et donc se déplace sous forme d'une zone distincte d'autres zones, comme le montre schématiquement la Fig. 6-30. Après centrifugation, les différentes fractions sont recueillies, pour analyse ultérieure, par un trou pratiqué avec une aiguille au fond du tube à centrifuger en cellulose.

b. L'ultracentrifugation en gradient de densité à l'équilibre sépare les particules selon leur densité

Dans l'**ultracentrifugation en gradient de densité à l'équilibre**, également appelée **ultracentrifugation isopycnique** (du grec : *isos*, égal et *pyknos*, dense), l'échantillon est dissous dans une solution relativement concentrée d'une substance dense, qui diffuse rapidement (donc de faible masse moléculaire) comme $CsCl$ ou Cs_2SO_4, puis est centrifugé à grande vitesse jusqu'à ce que la solution soit à l'équilibre. *La force centrifuge élevée crée un gradient de forte pente dans le soluté de faible masse moléculaire (Fig. 6-31); les composants de l'échantillon vont s'y équilibrer sous forme de bande aux endroits où leur densité est égale à celle de la solution,* c'est-à-dire lorsque $(1 - \overline{V}\rho$ de l'Éq. [6.15] est égal à zéro (Fig. 6-32). Ces bandes sont recueillies en fractions séparées, après ponction du tube comme décrit précédemment. La concentration saline des fractions, donc la densité de la solution, est déterminée facilement grâce à un **réfractomètre d'Abbé**, instrument optique qui mesure l'indice de réfraction d'une solution. *La technique d'ultracentrifugation en gradient de densité à l'équilibre est souvent la meilleure méthode pour séparer des mélanges dont les constituants ont des densités très différentes* : les acides nucléiques, les virus, et certains organites subcellulaires comme les ribosomes. Cependant, la centrifugation isopycnique n'est guère appropriée pour séparer des mélanges de protéines, car la plupart des protéines ont des densités très semblables (de plus, des concentrations salines élevées précipitent ou même dénaturent les protéines).

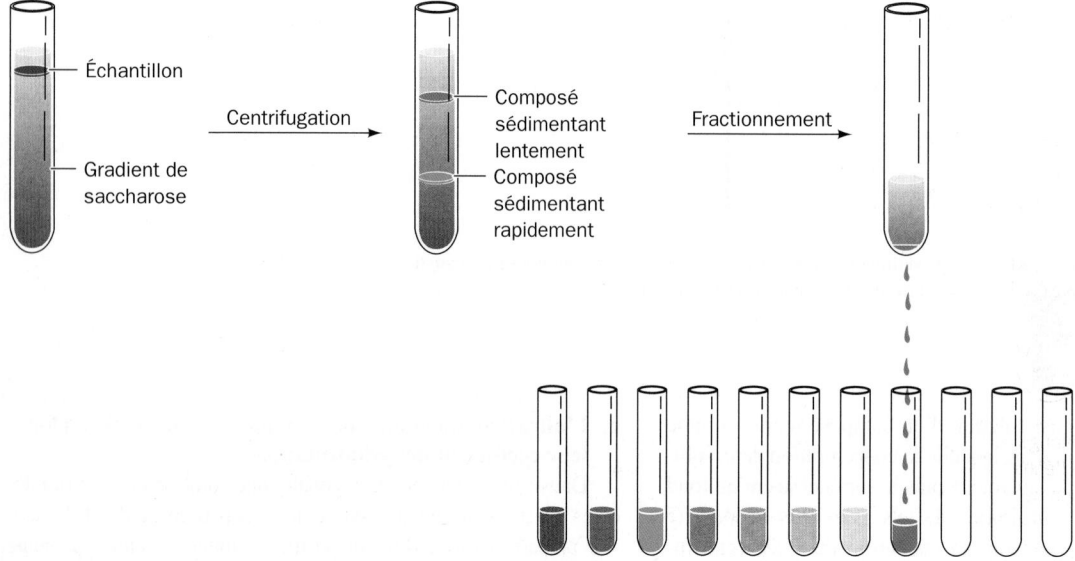

FIGURE 6-30 La centrifugation zonale. L'échantillon est déposé à la surface d'un gradient de saccharose (*à gauche*). Lors de la centrifugation (*au centre*), chaque particule sédimente à une vitesse qui dépend essen-tiellement de sa masse. À la fin de la centrifugation, le tube à centrifuger est percé et les particules séparées (zones) sont recueillies (*à droite*).

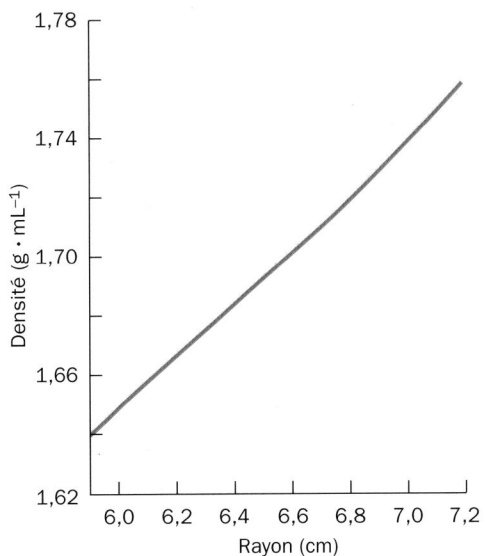

FIGURE 6-31 Répartition de densité à l'équilibre d'une solution de CsCl dans une ultracentrifugeuse tournant à 39 460 rpm. La densité initiale de la solution était de 1,7 g· mL⁻¹. [D'après Ifft, J. B., Voet, D. H., and Vinograd, J., *J. Phys. Chem.* **65**, 1138 (1961).]

6 ■ FRACTIONNEMENT DES ACIDES NUCLÉIQUES

Dans ce qui précède, nous avons exposé les principales méthodes pour isoler et caractériser les protéines. Certaines de ces méthodes, moyennant adaptation éventuelle, sont utilisées couramment pour fractionner les acides nucléiques selon leur longueur, leur compo-

sition en bases ou leur séquence. De nombreuses autres techniques ne s'appliquent qu'aux acides nucléiques. Dans cette section, nous verrons les protocoles de séparation des acides nucléiques qui sont les plus utilisés.

A. *Méthodes en solution*

Les acides nucléiques natifs sont toujours associés à des protéines. Dès que les cellules sont broyées (Section 6-1B), les acides nucléiques doivent donc être déprotéinisés. On peut réaliser cette opération en agitant (très doucement si on veut isoler un ADN de haut poids moléculaire ; Section 5-3D) la solution aqueuse contenant le complexe protéine-acide nucléique dans un mélange 25:24:1 de phénol, de chloroforme et d'alcool isoamylique. Ceci dénature les protéines et les fait passer dans la phase organique, non miscible à l'eau, qui est ensuite séparée par centrifugation de la phase aqueuse contenant les acides nucléiques (s'il y a beaucoup de protéines, celles-ci forment un précipité blanc entre les deux phases). On peut aussi (ou en plus) séparer les protéines des acides nucléiques par traitement avec des agents dénaturants tels que les détergents, le chlorure de guanidium ou de hautes concentrations en sels, et (ou) en hydrolysant les protéines par des enzymes protéolytiques. Les acides nucléiques, comprenant les ARN et ADN, peuvent être alors récupérés après précipitation à l'éthanol. On peut ensuite conserver seulement les ARN, en traitant le précipité repris en solution avec l'**ADNase pancréatique** qui hydrolyse l'ADN. Inversement, on peut débarrasser l'ADN de l'ARN par traitement à l'**ARNase**. On peut aussi séparer l'ARN de l'ADN par ultracentrifugation (Section 6-5B).

Au cours de toutes ces opérations et de celles qui suivent, il faut protéger les acides nucléiques de la dégradation qui résulte des activités nucléasiques, présentes dans le matériel biologique tout comme sur les mains de l'expérimentateur. Les nucléases peu-

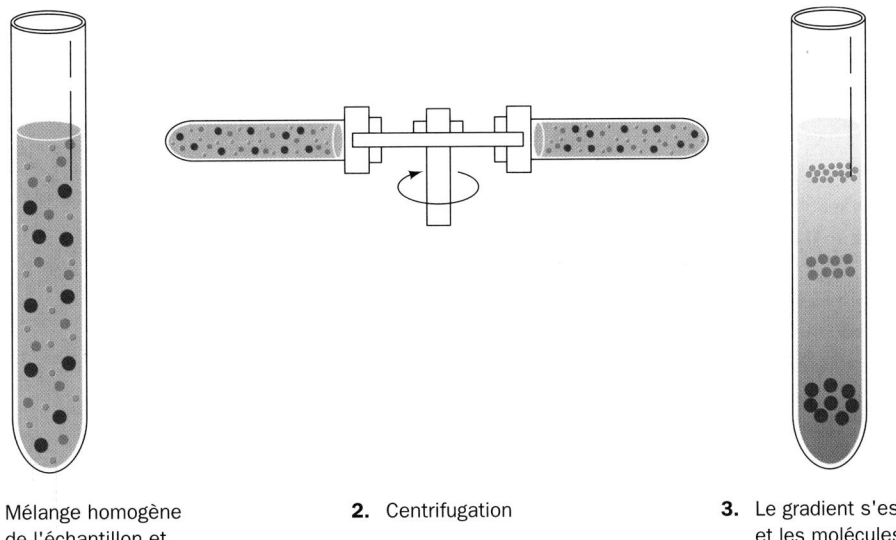

1. Mélange homogène de l'échantillon et de la substance qui va former le gradient

2. Centrifugation

3. Le gradient s'est formé et les molécules sont rassemblées à leurs positions isopycniques

FIGURE 6-32 Ultracentrifugation isopycnique. Centrifugation d'un mélange homogène de macromolécules dans une solution d'un soluté dense diffusant rapidement comme le CsCl (*à gauche*). À l'équilibre dans un champ de centrifugation, le soluté forme un gradient de densité dans lequel les macromolécules migrent jusqu'à ce qu'elles trouvent une densité égale à leur propre densité de flottation (*à droite*).

vent être inhibées par des agents chélateurs comme l'**acide éthylènediamine tétra-acétique (EDTA)**,

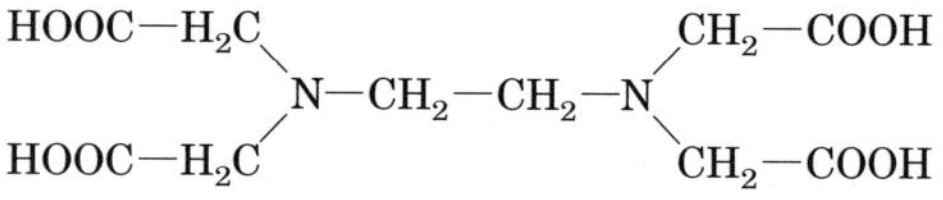

$$\text{HOOC}-\text{H}_2\text{C} \quad \quad \quad \text{CH}_2-\text{COOH}$$
$$\text{N}-\text{CH}_2-\text{CH}_2-\text{N}$$
$$\text{HOOC}-\text{H}_2\text{C} \quad \quad \quad \text{CH}_2-\text{COOH}$$

Acide éthylènediamine tétra-acétique (EDTA)

qui a la propriété de séquestrer les cations bivalents indispensables à l'activation des nucléases. Dans les cas où aucune activité nucléasique ne peut être tolérée, toute la vaisselle en verre doit être autoclavée, pour dénaturer les nucléases à haute température ; l'expérimentateur doit en outre porter des gants en plastique stériles. Les acides nucléiques sont néanmoins plus faciles à purifier que les protéines, car ils ne possèdent pas, dans la plupart des cas, des structures tertiaires complexes qui les rendraient fragiles dans les conditions extrêmes de leur purification.

B. *Chromatographie*

La majorité des techniques chromatographiques utilisées pour séparer les protéines (Section 6-3) sont applicables aux acides nucléiques. La chromatographie sur papier ou sur couche mince permet de fractionner les oligonucléotides. Ces méthodes sont maintenant remplacées par les techniques d'HPLC, en particulier en phase inverse, beaucoup plus efficaces. Les acides nucléiques plus longs sont souvent séparés par d'autres méthodes, comprenant la chromatographie par échange d'ions et la filtration sur gel.

a. L'hydroxyapatite peut être utilisée pour isoler et fractionner l'ADN

L'hydroxyapatite (forme de phosphate de calcium, Section 6-3D) est utilisée avec succès pour la purification et le fractionnement de l'ADN par chromatographie. L'ADN double brin s'y lie plus fortement que la plupart des autres molécules. On peut donc isoler rapidement de l'ADN à partir d'un lysat cellulaire déposé sur une colonne d'hydroxyapatite, en lavant la colonne avec une solution tampon phosphate de concentration faible afin de décrocher seulement les ARN et les protéines et en éluant ensuite l'ADN avec une solution concentrée en phosphate. L'ADN simple brin est élué de l'hydroxyapatite à une concentration en phosphate inférieure à celle qui élue l'ADN double brin.

b. Les ARN messagers peuvent être isolés par chromatographie d'affinité

On utilise la chromatographie d'affinité (Section 6-3C) pour séparer des acides nucléiques particuliers. Par exemple, la plupart des ARN messagers eucaryotes (ARNm) ont une séquence poly(A) à leur extrémité 3′ (Section 5-4A). Ils peuvent être retenus sur une matrice d'agarose ou de cellulose à laquelle on a greffé des séquences poly(U) par liaisons covalentes. Les séquences poly(A) s'hybrident spécifiquement aux séquences poly(U) à concentration élevée en sels et à température assez basse. Les ARNm peuvent être élués ensuite en modifiant ces deux conditions. De plus, si la séquence d'un ARNm est au moins partiellement connue, par exemple en se fondant sur la séquence en acides aminés correspondante, il est possible de synthétiser un brin com-

plémentaire ADN d'un ARNm, par les méthodes décrites dans la section 7-6A, et de l'utiliser pour isoler cet ARNm particulier.

C. *Électrophorèse*

Les acides nucléiques d'un type particulier peuvent être séparés par électrophorèse en gel de polyacrylamide (Sections 6-4B et 6-4C), puisque la mobilité électrophorétique dans ces gels est inversement proportionnelle à la masse moléculaire. La limite d'utilisation de ces gels d'acrylamide vient du fait que des acides nucléiques de l'ordre du millier de paires de bases n'y pénètrent pas, même si le gel est faiblement réticulé. On a surmonté partiellement cet inconvénient en utilisant des gels d'agarose. On peut ainsi fractionner des acides nucléiques assez longs sur des gels contenant peu d'agarose et par exemple séparer les plasmides de l'ADN beaucoup plus grand contenu dans le chromosome bactérien.

a. L'ADN duplex peut être détecté par sa coloration sélective avec des agents intercalants

Si on doit isoler des bandes d'ADN d'un gel, il faut pouvoir les repérer. L'ADN double brin est rapidement coloré par des molécules aromatiques cationiques et de forme plane, telles que l'ion **éthidium**, l'**acridine orange** ou la **proflavine**.

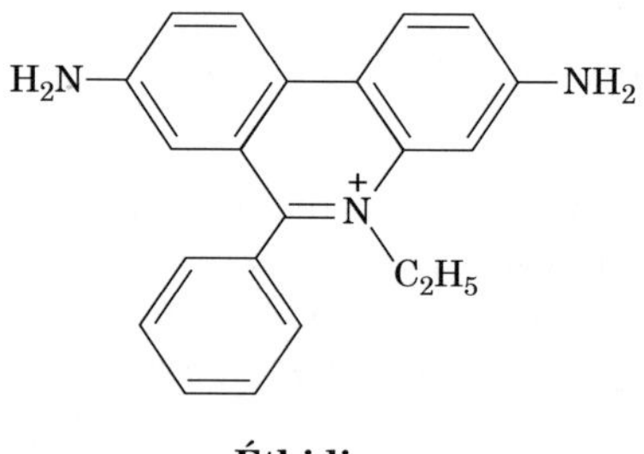

Éthidium

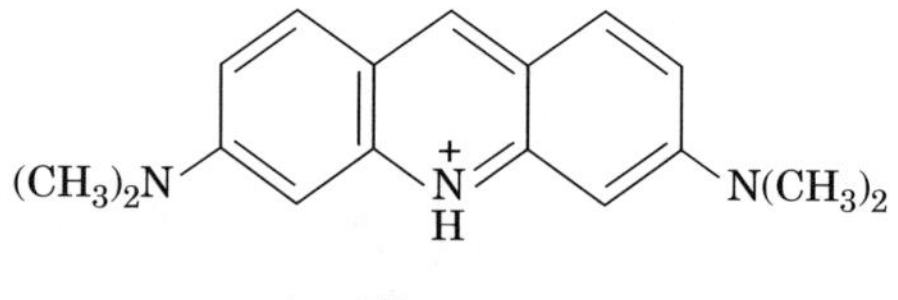

Acridine orange

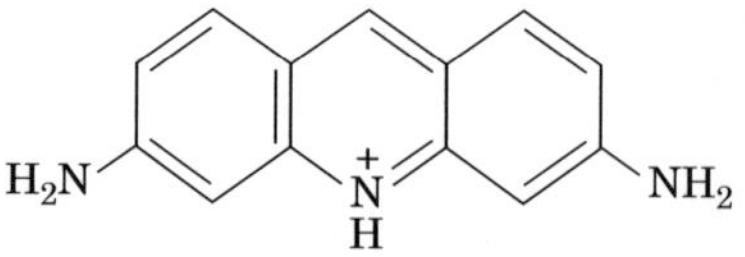

Proflavine

Ces colorants forment un complexe avec l'ADN en s'**intercalant** par glissement entre les paires de bases empilées. Après excitation par les rayons UV, leur fluorecence est beaucoup plus intense qu'à l'état libre. Ainsi, on détectera aussi peu que 50 ng d'ADN dans un gel en colorant celui-ci avec le bromure d'éthidium (Fig. 6-33). L'ADN simple brin et l'ARN augmentent aussi la fluorescence de l'éthidium, mais dans une mesure moindre que l'ADN duplex.

FIGURE 6-33 Électrophorégramme d'un gel d'agarose d'ADN double hélice. Après l'électrophorèse, le gel a été immergé dans une solution de bromure d'éthidium, lavé et photographié sous UV. La fluorescence du cation éthidium est fortement augmentée s'il forme un complexe avec l'ADN. Les bandes fluorescentes indiquent donc des fragments d'ADN de longueurs différentes. Les trois pistes parallèles contiennent des échantillons identiques afin de démontrer la reproductibilité de cette technique. [Photo prise par Elizabeth Levine. Extrait de Freidelder D., *Biophysical Chemistry. Applications to Biochemistry and Molecular Biology* (2ᵉ éd.). p. 292, W.H. Freeman (1982). Utilisation autorisée.]

b. Des ADN très longs sont séparables par électrophorèse en champ pulsé

La longueur des ADN pouvant être séparés par les électrophorèses habituelles ne dépasse pas 100 000 pb, même si les gels ne contiennent que 0.1% d'agarose (ce qui par ailleurs rend ces gels extrêmement fragiles). L'invention de l'**électrophorèse en champ pulsé** (**PFGE**) par Charles Cantor et Cassandra Smith a permis de repousser cette limite à plus de 10 millions de pb (6,6 millions de kD). L'appareil d'électrophorèse utilisé en PFGE est équipé de deux paires d'électrodes, ou plus, disposées à la périphérie d'un gel d'agarose en plaque. Les paires d'électrodes opposées envoient un courant par pulsions d'une durée variant de 0,1 à 1000 s, selon les longueurs des ADN à séparer. Le déplacement de l'ADN exige que ces molécules très longues trouvent un passage à travers le labyrinthe des mailles du gel en direction de l'anode. Si la direction du champ électrique change brusquement, les molécules d'ADN sont forcées de réorienter leur axe longitudinal dans le nouveau champ, avant de pouvoir continuer leur progression dans le gel. Le temps nécessaire à cette réorientation augmente avec la longueur de la molécule. On peut ainsi choisir une disposition des électrodes et des durées de chaque pulsion électrique, pour obtenir une migration plus rapide des ADN les plus courts, ce qui entraînera leur séparation en fonction de leur longueur (Fig. 6-34).

D. *Ultracentrifugation*

L'ultracentrifugation à l'équilibre en gradient de densité de CsCl (Section 6-5B) est un des procédés de séparation d'ADN les plus

utilisés. La densité de flottation r du CsCl au niveau de la bande d'ADN-Cs⁺ dépend de la composition en bases selon :

$$\rho = 1{,}660 + 0{,}098\, X_{G+C} \qquad [6.18]$$

Le gradient de CsCl sépare donc l'ADN en fonction de sa composition en bases. Par exemple, les ADN eucaryotes contiennent souvent des fractions minoritaires qui forment des bandes séparées de la bande majoritaire. Certaines bandes appelées **satellites** correspondent à l'ADN mitochondrial ou chloroplastique. Une classe importante d'ADN satellite est constituée par des **séquences répétées** qui sont des courts fragments d'ADN répétés sur un chromosome des centaines, des milliers et dans quelques cas, des millions de fois (Section 34-2B). De même, les plasmides peuvent être séparés de l'ADN du chromosome bactérien par ultracentrifugation en gradient de densité à l'équilibre.

L'ADN simple brin est plus dense de ~0,015 g·cm⁻³ que l'ADN duplex correspondant. Il peut donc en être séparé par ultracentrifugation en gradient de densité à l'équilibre. L'ARN est trop dense pour former des bandes dans le CsCl mais il en forme dans le Cs_2SO_4. Les hybrides ARN-ADN forment une bande dans le

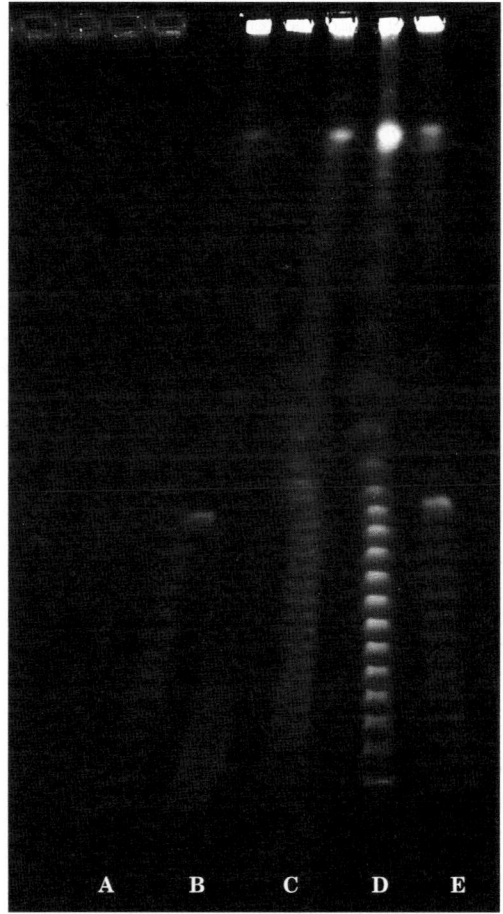

FIGURE 6-34 Électrophorèse en champ pulsé (PFGE) d'une population de fragments d'ADN de bactériophage de différentes tailles. Les pistes A et E contiennent le même échantillon. Les tailles des ADN diminuent (leur mobilité augmente) vers le bas de l'électrophorégramme. [Avec la permission de Charles Cantor, Boston University.]

CsCl pour une densité plus élevée que l'ADN duplex correspondant.

L'ARN peut être fractionné par ultracentrifugation zonale dans un gradient de saccharose (Section 6-5B). Les ARN sont ici séparés en fonction de leur masse. Ainsi, l'ARN ribosomal, qui est l'ARN majoritaire dans une cellule, est subdivisé en classes de vitesse de sédimentation ; par exemple, l'ARN de la petite sous-unité ribosomiale de *E. coli* est connu sous le nom d'**ARN 16 S** (Section 32-3A).

RÉSUMÉ DU CHAPITRE

1 ■ Isolement des protéines Les macromolécules cellulaires sont solubilisées en désorganisant les cellules par différents traitements chimiques ou mécaniques tels que les détergents ou les broyeurs. Après lyse des cellules, une purification partielle par centrifugation différentielle permet d'éliminer les débris cellulaires ou d'isoler le composant cellulaire souhaité. Une fois sorties du contexte protecteur de la cellule, les protéines et autres macromolécules doivent être protégées de la destruction par des pH ou températures extrêmes, ou encore par dégradation enzymatique, chimique, ou mécanique. L'état de pureté d'une substance en cours de purification doit être contrôlé tout au long de la purification par un dosage spécifique.

2 ■ Solubilité des protéines Les protéines sont facilement purifiées en quantités appréciables par précipitation fractionnée, appelée "salting out" (précipitation saline), où les solubilités des protéines sont modifiées en faisant varier la concentration saline ou le pH.

3 ■ Séparation par chromatographie En chromatographie par échange d'ions on utilise des supports tels que la cellulose ou des gels de dextran réticulés. Les séparations sont dues aux interactions électrostatiques différentes entre les groupes chargés du support échangeur d'ions et ceux des substances en cours de séparation. On peut détecter les molécules par leur absorbance dans l'UV, leur fluorescence, leur radioactivité ou leur activité enzymatique. Dans la chromatographie par filtration sur gel , les molécules se séparent en fonction de leur taille et de leur forme sur des billes de dextrans réticulés, de polyacrylamide ou d'agarose, dont les pores ont des dimensions moléculaires. Une colonne de filtration sur gel calibrée peut être utilisée pour déterminer les masses moléculaires des macromolécules. La chromatographie d'affinité permet de séparer des biomolécules en utilisant leur capacité biochimique particulière de se lier spécifiquement à d'autres molécules. La chromatographie liquide à haute performance (HPLC) met en jeu n'importe laquelle des techniques de séparation précédentes mais avec des supports chromatographiques de haute résolution, des solvants sous hautes pressions et des systèmes automatiques de mélange de solvants et de détection, ce qui permet d'obtenir des degrés de séparation très supérieurs à ceux obtenus par les techniques chromatographiques traditionnelles. La chromatographie d'adsorption, la chromatographie sur papier, la chromatographie sur couche mince (TLC), la chromatographie en phase inverse (RPC) et la chromatographie par interactions hydrophobes (HIC) sont également des techniques intéressantes en biochimie.

4 ■ Électrophorèse Lors de l'électrophorèse, les molécules chargées sont séparées en fonction de leur vitesse de déplacement dans un champ électrique sur un support solide comme le papier, l'acétate de cellulose, la polyacrylamide réticulée ou l'agarose. L'électrophorèse en gel utilise comme support des gels de polyacrylamide ou d'agarose réticulés; ainsi, les molécules sont séparées selon leur taille par filtration sur gel et selon leur charge. Les molécules séparées sont visualisées par coloration, autoradiographie ou immunotransfert. Le détergent anionique dodécylsulfate de sodium (SDS) dénature les protéines et les recouvre uniformément, ce qui donne à la plupart des protéines une densité de charge et une forme semblables. La technique SDS-PAGE peut être utilisée pour déterminer la masse des macromolécules. Dans la focalisation isoélectrique (IEF), les protéines sont immergées dans un gradient de pH stable et soumises à un champ électrique qui les fait migrer jusqu'à la position correspondant à leur point isoélectrique. Dans l'électrophorèse en capillaire, l'utilisation de tubes capillaires très étroits et de champs électriques élevés permet des séparations rapides avec une très bonne résolution, à partir de faibles quantités de matériel.

5 ■ Ultracentrifugation Lors de l'ultracentrifugation, les molécules sont séparées en les soumettant à des champs de gravitation suffisamment élevés pour contrecarrer les forces de diffusion. On peut séparer les molécules et déterminer leur masse moléculaire à partir de leur vitesse de sédimentation dans un solvant ou dans un gradient pré-établi avec une substance inerte de faible masse moléculaire comme le saccharose. Les molécules peuvent être également séparées en fonction de leur densité de flottation dans une solution où l'on a établi un gradient d'une substance dense qui diffuse rapidement comme le CsCl. L'écart de la valeur du rapport de friction d'une molécule par rapport à l'unité est révélateur de son degré de solvatation et de sa forme.

6 ■ Fractionnement des acides nucléiques On peut fractionner les acides nucléiques par plusieurs des techniques utilisées aussi pour fractionner les protéines. La chromatographie sur hydroxyapatite permet de séparer les ADN simple brin des ADN double brin. L'électrophorèse en gels de polyacrylamide ou d'agarose permet de séparer les ADN essentiellement en fonction de leur longueur. Les ADN très longs peuvent être séparés par électrophorèse en champ pulsé (PFGE) en gels d'agarose. L'ADN peut être fractionné en fonction de sa composition en bases par ultracentrifugation en gradient de CsCl. On peut séparer des espèces différentes d'ARN par ultracentrifugation zonale dans un gradient de saccharose.

RÉFÉRENCES

GÉNÉRALITÉS

Bollag, D.M., Rozycki, D., et Edelstein, S.J., *Protein Methods* (2ᵉ éd.), Wiley-Liss (1996).

Boyer, R.F., *Modern Experimental Biochemistry* (3ᵉ éd.), Benjamin Cummings (2001).

Burden, D.W. et Whitney, D.B., *Biotechnology: Proteins to PCR*, Chapters 2–6, and 8, Birkhäuser (1995).

Freifelder, D., *Physical Biochemistry* (2e éd.), Freeman (1983). [Traité des techniques d'analyse en biophysique.]

Harding, S.E. et Chowdhry, B.Z. (Éds.)., *Protein Ligand Interactions : Structure and Spectroscopy. A Practical Approach*, Oxford University Press (2001). [On y trouve des techniques de physique pour étudier les protéines et leurs interactions avec d'autres molécules.]

Janson, J.C. et Rydén, L. (Éds.), *Protein Purification: Principles, High Resolution Methods, and Applications*, Wiley (1998). [On y présente en détail nombre de techniques de séparation par chromatographie et électrophorèse.]

Karger, B.L. et Hancock, W.S. (Éds.), *High Resolution Separation and Analysis of Biological Macromolecules, Part A. Fundamentals ; Part B. Applications, Methods Enzymol.* **270** et **271** (1996).

Marshak, D.R., Kadonaga, J.T., Burgess, R.R., Knuth, M.W., Brennan, W.A., Jr., et Lin, S.-H., *Strategies for Protein Purification and Characterization*, Cold Spring Harbor Laboratory Press (1996).

Pingoud, A., Urbanke, C., Hoggett, J., et Jeltsch, A., *Biochemical Methods. A Concise Guide for Students and Researchers*, Wiley–VCH (2002).

Roe, S. (Éd.), *Protein Purification Techniques. A Practical Approach* (2e éd.) ; et *Protein Purification Applications. A Practical Approach* (2e éd.), Oxford University Press (2001).

Rosenberg, I.M., *Protein Analysis and Purification : Benchtop Techniques*, Birkhäuser (1996).

Scopes, R., *Protein Purification : Principles and Practice* (3e éd.), Springer-Verlag (1994).

Switzer, R. et Garrity, L., *Experimental Biochemistry. Theory and Exercises in Fundamental Methods* (3e éd.), Freeman (1999).

Tinoco, I., Sauer, K., Wang, J.C., et Puglisi, J.C., *Physical Chemistry. Principles and Applications in Biological Sciences* (4e éd.), chapitre 6, Prentice-Hall (2002).

Walker, J.M. (Éd.), *The Protein Protocols Handbook* (2e éd.), Humana Press (2002).

SOLUBILITÉ ET CRISTALLISATION

Arakawa, T. et Timasheff, S.N., Theory of protein solubility, *Methods Enzymol.* **114**, 49–77 (1985).

Ducruix, A. et Giegé, R. (Éds.), *Crystallization of Nucleic Acids and Proteins. A Practical Approach*, (2e éd.), Oxford University Press (1999).

Edsall, J.T. et Wyman, J., *Biophysical Chemistry*, Vol. 1, Academic Press (1958). [Un grand classique sur les propriétés acide–base et électrostatiques des acides aminés et des protéines.]

McPherson, A., *Crystallization of Biological Macromolecules*, Cold Spring Harbor Laboratory Press (1999).

CHROMATOGRAPHIE

Dean, P.D.G., Johnson, W.S., et Middle, F.A. (Éds.), *Affinity Chromatography. A Practical Approach,* IRL Press (1985).

Fischer, L., Gel filtration chromatography (2e éd.), in Work, T.S. and Burdon, R.H. (Eds.), *Laboratory Techniques in Biochem-istry and Molecular Biology*, Vol. 1, Part II, North-Holland Biomedical Press (1980).

Meyer, V.R., *Practical High-Performance Liquid Chromatography* (2e éd.), Wiley (1994).

Oliver, R.W.A. (Ed.), *HPLC of Macromolecules. A Practical Approach* (2e éd.), IRL Press (1998).

Rossomando, E.F., *HPLC in Enzymatic Analysis* (2e éd.), Wiley (1998).

Schott, H., *Affinity Chromatography*, Dekker (1984).

Weston, A. et Brown, P.R., HPLC and CE. *Principles and Practice*, Academic Press (1997).

ÉLECTROPHORÈSE

Altria, K.D., *Capillary Electrophoresis Guidebook*, Humana Press (1996).

Baker, D.R., *Capillary Electrophoresis*, Wiley (1995).

Burmeister, M. et Ulanovsky, L., *Pulsed-Field Gel Electrophoresis*, Humana Press (1992).

Cantor, C.R. et Schimmel, P.R., *Biophysical Chemistry*, chapitre 12, Freeman (1980).

Gersten, D.M., *Gel Electrophoresis: Proteins,* Wiley (1996).

Griffin, T.J. et Aebersold, R., Advances in proteome analysis by mass spectrometry, *J. Biol. Chem.* **276**, 45497–45500 (2001).

Hames, B.D. (Éd.), *Gel Electrophoresis of Proteins. A Practical Approach* (3rd ed.), IRL Press (1998).

Jones, P., *Gel Electrophoresis: Essential Techniques*, Wiley (1999).

Karger, B.L., Chu, Y.-H., et Foret, F., Capillary electrophoresis of proteins and nucleic acids, *Annu. Rev. Biophys. Biomol. Struct.* **24**, 579–610 (1995).

Monaco, A.P. (Éd.), *Pulsed Field Gel Electrophoresis. A Practical Approach*, IRL Press (1995).

Righetti, P.G., Immobilized pH gradients : Theory and methodology, *in* Burdon, R.H. et van Knippenberg, P.H. (Éds.), *Laboratory Techniques in Biochemistry and Molecular Biology*, Vol. 20, Elsevier (1990). [On y explique la focalisation isoélectrique.]

Strahler, J.R. et Hanash, S.M., Immobilized pH gradients: Analytical and preparative use, *Methods* **3**, 109–114 (1991).

Wehr, T., Rodríeguez-Diaz, R., et Zhu, M., *Capillary Electrophoresis of Proteins*, Marcel Dekker (1999).

Westermeier, R., *Electrophoresis in Practice* (2e éd.), VCH (1997).

ULTRACENTRIFUGATION

Cantor, C.R. et Schimmel, P.R., *Biophysical Chemistry*, chapitres 10 et 11, Freeman (1980).

Harding, S.E., Rowe, A.J., et Horton, J.C. (Eds.), *Analytical Ultracentrifugation in Biochemistry and Polymer Science*, Royal Society of Chemistry (1992).

Hesley, P., Defining the structure and stability of macromolecular assemblages in solution: The re-emergence of analytical ultracentrifugation as a practical tool, *Structure* **4**, 367–373 (1996).

Hinton, R. et Dobrata, M., Density gradient ultracentrifugation, in Work, T.S. et Work, E. (Éds.), *Laboratory Techniques in Biochemistry and Molecular Biology*, Vol. 6, Part I, North-Holland (1978).

Laue, T., Biophysical studies by ultracentrifugation, *Curr. Opin. Struct. Biol.* **11**, 579–583 (2001) ; *et* Laue, T.M. et Stafford, W.F., III, Modern applications of analytical ultracentrifugation, *Annu. Rev. Biophys. Biomol. Struct.* **28**, 75–100 (1999).

Schachman, H.K., *Ultracentrifugation in Biochemistry*, Academic Press (1959). [Un ouvrage classique sur l'ultracentrifugation.]

Schuster, T.M. et Toedt, J.M., New revolutions in the evolution of analytical ultracentrifugation, *Curr. Opin. Struct. Biol.* **6**, 650–658 (1996).

Stafford, W.F., III, Sedimentation velocity spins a new weave for an old fabric, *Curr. Opin. Biotech.* **8**, 14–24 (1997).

van Holde, K.E., Sedimentation analyses of proteins, *in* Neurath, H. et Hill, R.L. (Éds.), *The Proteins* (3e éd.), Vol. 1, pp. 225–291, Academic Press (1975).

PROBLÈMES

1. Quelles sont les forces ioniques de solutions 1,0 M en NaCl, en $(NH_4)_2SO_4$, ou en K_3PO_4 ? Dans laquelle de ces solutions une protéine serait-elle la plus soluble ? La moins soluble ?

2. Une **solution saline isotonique** (qui a la même concentration saline que le sang) contient du NaCl à 0,9 %. Quelle est sa force ionique ?

3. Dans quel ordre les acides aminés suivants : arginine, acide aspartique, histidine et leucine, seront-ils élués d'une colonne de résine échangeuse d'ions de P-cellulose par un tampon de pH 6 ?

4. Dans quel ordre les protéines suivantes : fibrinogène, hémoglobine, lysozyme, pepsine et ribonucléase A, seront-elles éluées d'une colonne échangeuse d'ions de CM-cellulose par un gradient en sel croissant, à pH 7 (cf. Tableau 6-1) ?

5. Dans quel ordre les protéines suivantes : catalase, a-chymotrypsine, concanavaline B, lipase et myoglobine, seront-elles éluées d'une colonne de Sephadex G-50 (cf. Tableau 6-5) ?

6. Estimez la masse moléculaire d'une protéine inconnue éluée d'une colonne de Sephadex G-50 entre le cytochrome c et la ribonucléase A (cf. Tableau 6-5).

7. Un gel de chromatographie de Bio-Gel P-30, d'un volume total de 100 ml, est versé dans une colonne. Le volume d'élution de l'hexokinase (une protéine de 96 kD) sur cette colonne est de 34 mL. Celui d'une protéine inconnue est de 50 mL. Quel est le volume mort de la colonne, le volume occupé par le gel et le volume d'élution relatif de la protéine inconnue ?

8. Quelle méthode chromatographique utiliseriez-vous pour séparer les paires de substances suivantes ? (a) Ala-Phe-Lys, Ala-Ala-Lys ; (b) lysozyme, ribonucléase A (cf. Tableau 6-1) ; et (c) hémoglobine, myoglobine (cf. Tableau 6-1).

9. Quel est l'ordre des valeurs de R_f des acides aminés suivants en chromatographie sur papier avec un système de solvant eau/butanol/acide acétique, le pH de la phase aqueuse étant de 4,5 : alanine, acide aspartique, lysine, acide glutamique, phénylalanine, et valine ?

10. L'acide g-aminobutyrique, un neurotransmetteur, est présumé se lier à une protéine réceptrice spécifique dans le tissu nerveux. Imaginez un protocole expérimental pour purifier partiellement un tel récepteur.

11. Un mélange des acides aminés suivants : arginine, cystéine, acide glutamique, histidine, leucine et sérine est déposé sur une bande de papier et soumis à une électrophorèse dans un tampon à pH 7,5. Dans quelles directions ces acides aminés vont-ils migrer et quelles sont leurs mobilités relatives ?

12. Dessinez l'aspect d'un « fingerprint » des tripeptides suivants : Asn-Arg-Lys, Asn-Leu-Phe, Asn-His-Phe, Asp-Leu-Phe, et Val-Leu-Phe,

sachant que la chromatographie sur papier est réalisée dans le système de solvant eau/butanol/acide acétique (pH 4,5) et que l'électrophorèse est faite dans un tampon de pH 6,5.

13. Quelle est la masse moléculaire d'une protéine dont la mobilité électrophorétique relative est de 0,5 dans un gel de polyacrylamide-SDS identique à celui de la Fig. 6-25 ?

14. Expliquez pourquoi la masse moléculaire du fibrinogène est nettement surestimée lorsqu'on la mesure en utilisant une colonne de filtration sur gel calibrée (Fig. 6-10), alors qu'on peut la déterminer avec une bonne précision à partir de sa mobilité électrophorétique dans un gel de polyacrylamide-SDS (cf. Tableau 6-5).

15. (a) Quelle serait la disposition relative des protéines suivantes après focalisation isoélectrique : insuline, cytochrome c, histone, myoglobine, et ribonucléase A. (b) Esquissez l'aspect d'un gel 2D contenant du cytochrome c, de la myoglobine et de la ribonucléase A (cf. Tableaux 6-1 et 6-5).

16. Calculez en unités de gravitation (g), l'accélération centrifuge qui s'exerce sur une particule située à 6,5 cm de l'axe du rotor d'une ultracentrifugeuse tournant à 60 000 rpm (1 g = 9,81 m · s^{-2}).

17. En solution dans un tampon dilué à 20 °C, l'aldolase du muscle de lapin a un coefficient de friction égal à $8,74 \times 10^{-8}$g · s^{-1}, un coefficient de sédimentation de 7,35 S, et un volume partiel spécifique égal à 0,742 cm^3 · g^{-1}. Calculez la masse moléculaire de l'aldolase, la densité de la solution étant de 0,998 g · cm^{-3}.

*18. Le coefficient de sédimentation d'une protéine a été mesuré en suivant sa sédimentation à 20 °C dans une ultracentrifugeuse tournant à 35 000 rpm.

Temps, t (min.)	Distance entre la frontière et le centre de rotation r (cm)
4	5,944
6	5,966
8	5,987
10	6,009
12	6,032

La densité de la solution est égale à 1,030 g · cm^{-3}, le volume partiel spécifique de la protéine est de 0,725 cm^3 · g^{-1} et son coefficient de friction de $3,72 \times 10^{-8}$ g · s^{-1}. Calculez le coefficient de sédimentation de la protéine en unités Svedberg et sa masse moléculaire.

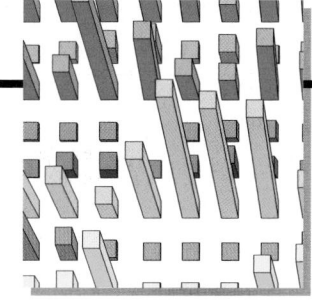

Chapitre

7

Structures covalentes des protéines et des acides nucléiques

Les protéines sont au cœur de l'action dans les processus biologiques. Tout d'abord, elles régulent l'ensemble des réactions chimiques que l'on appelle globalement la vie. Elles agissent ici directement, en tant qu'enzymes, et indirectement en tant que messagers chimiques, les hormones, et comme récepteurs de ces hormones. Les protéines transportent et mettent en réserve des produits biologiquement importants comme les ions métalliques, O_2, le glucose, les lipides et beaucoup d'autres molécules. Sous forme de fibres musculaires et autres assemblages contractiles, les protéines assurent le mouvement mécanique coordonné de nombreux processus biologiques, tels que la séparation des chromosomes au cours de la division cellulaire et le mouvement de vos yeux à la lecture de cette page. Des protéines comme la **rhodopsine** dans la rétine de l'œil perçoivent une information sensorielle qui est transmise par le biais de protéines des cellules nerveuses. Les protéines du système immunitaire, telles que les **immunoglobulines,** constituent un système de défense indispensable chez les animaux supérieurs. Les protéines participent activement au contrôle de l'expression de l'information génétique, tout en étant des produits de cette expression. Cependant, les protéines ont également des rôles passifs ; ainsi le **collagène** donne aux os, tendons, et ligaments leur résistance élastique caractéristique. Sans nul doute, le vieux cliché selon lequel les protéines sont les « pierres de construction » de la vie est totalement vérifié.

On sait depuis la deuxième moitié du vingtième siècle que l'ADN est le dépositaire de l'information génétique et on connaît depuis lors la relation entre ARN et synthèse protéique. Cependant, il a fallu attendre les années 1970 pour montrer que l'ARN peut former des structures dont la complexité n'a rien à envier à celles des protéines et le milieu des années 1980 pour découvrir que l'ARN est un catalyseur d'importantes fonctions biologiques.

La fonction d'une protéine ou d'un acide nucléique ne peut être comprise que par sa structure, c'est-à-dire les relations tridimensionnelles entre les atomes qui les constituent. La description des protéines et des acides nucléiques, comme celle d'autres poly-

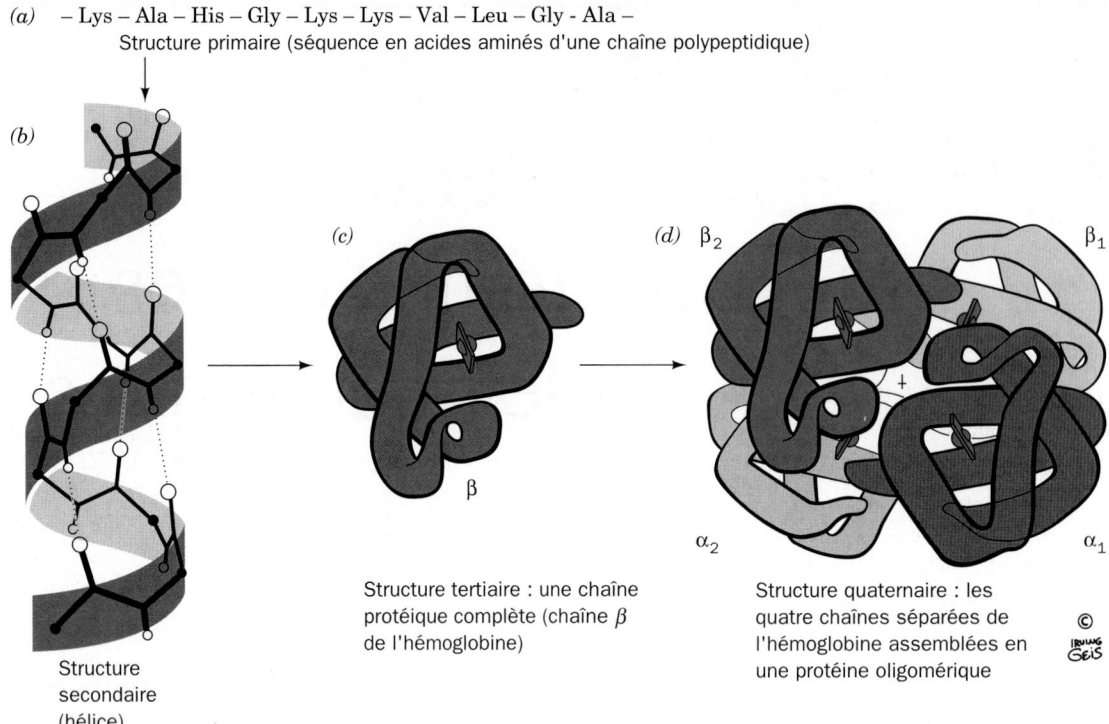

(*a*) – Lys – Ala – His – Gly – Lys – Lys – Val – Leu – Gly - Ala –

Structure primaire (séquence en acides aminés d'une chaîne polypeptidique)

(*b*)

Structure
secondaire
(hélice)

(*c*)

β

Structure tertiaire : une chaîne
protéique complète (chaîne β
de l'hémoglobine)

(*d*) β₂   β₁

α₂   α₁

Structure quaternaire : les
quatre chaînes séparées de
l'hémoglobine assemblées en
une protéine oligomérique

FIGURE 7-1 Hiérarchie structurale dans les protéines. (*a*) structure primaire, (*b*) structure secondaire,
(*c*) structure tertiaire, et (*d*) structure quaternaire. [Copyright Irving Geis.]

mères, se fait traditionnellement selon quatre niveaux d'organisation (Fig. 7-1) :

1. La **structure primaire** d'une protéine est la séquence en acides aminés de sa (ses) chaîne(s) polypeptidique(s) ; pour un acide nucléique, c'est la séquence de ses bases.

2. La **structure secondaire** est l'arrangement spatial local des atomes du squelette d'un polypeptide ou d'un acide nucléique, sans tenir compte de la conformation de leurs chaînes latérales.

3. La **structure tertiaire** désigne la structure tridimensionnelle du polypeptide ou de l'acide nucléique dans son ensemble. La distinction entre structures secondaire et tertiaire est, de fait, un peu floue ; en pratique, le terme structure secondaire désigne des entités structurales bien caractérisées, comme des hélices.

4. Beaucoup de protéines sont constituées d'au moins deux chaînes polypeptidiques, appelées de manière plutôt vague **sous-unités**, qui sont réunies par des interactions non covalentes et, dans certains cas, par des ponts disulfure. La **structure quaternaire** d'une protéine désigne l'arrangement spatial de ses sous-unités. La même définition s'applique aux acides nucléiques.

Ce chapitre est consacré aux structures primaires des protéines et des acides nucléiques, à la façon dont elles sont déterminées et à leurs significations biologique et évolutive. Nous étudierons aussi la bioinformatique ainsi que les méthodes de synthèse chimique des chaînes polypeptidiques et oligonucléotidiques. Les structures secondaire, tertiaire, et quaternaire des protéines et des acides nucléiques sont, comme nous le verrons, une conséquence

de leur structure primaire. Pour les protéines, il en sera question dans les Chapitres 8 et 9 ; pour les acides nucléiques, dans les Chapitres 29, 31 et 32.

1 ■ DÉTERMINATION DE LA STRUCTURE PRIMAIRE DES PROTÉINES

La première détermination de la séquence complète en acides aminés d'une protéine par Frederick Sanger en 1953, celle de l'**insuline** de bœuf (une hormone polypeptidique) , eut une portée biochimique considérable en établissant, une fois pour toutes, que les protéines ont des structures covalentes uniques. Depuis lors, les séquences en acides aminés de dizaines de milliers de protéines ont été élucidées. Cette masse d'informations a été d'une importance capitale dans l'élaboration des concepts modernes de la biochimie, et ce pour plusieurs raisons :

1. La connaissance de la séquence en acides aminés d'une protéine est indispensable pour comprendre son mécanisme d'action au niveau moléculaire et est une condition essentielle pour déterminer ses structures par rayons X et par résonance magnétique nucléaire (RMN) (Section 8-3A).

2. Les comparaisons de séquence de protéines analogues d'un même individu, de membres de la même espèce, et de membres d'espèces apparentées ont fourni d'importants renseignements sur le fonctionnement des protéines et ont montré les relations évolutives qui existent entre les protéines et les organismes qui les produisent. Ces analyses, comme nous le verrons dans la section 7-3,

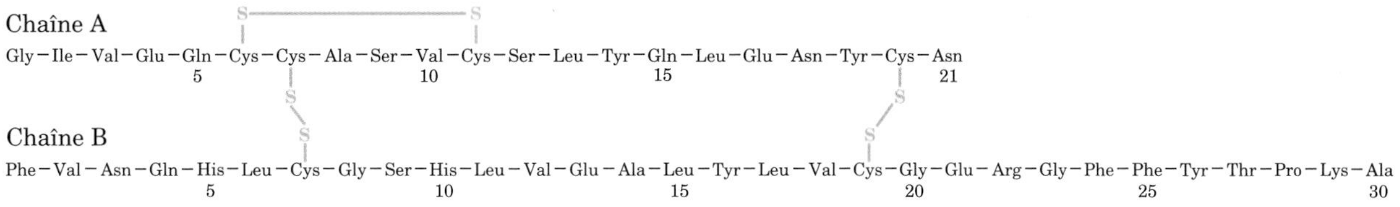

Chaîne A

Gly—Ile—Val—Glu—Gln—Cys—Cys—Ala—Ser—Val—Cys—Ser—Leu—Tyr—Gln—Leu—Glu—Asn—Tyr—Cys—Asn

Chaîne B

Phe—Val—Asn—Gln—His—Leu—Cys—Gly—Ser—His—Leu—Val—Glu—Ala—Leu—Tyr—Leu—Val—Cys—Gly—Glu—Arg—Gly—Phe—Phe—Tyr—Thr—Pro—Lys—Ala

FIGURE 7-2 Structure primaire de l'insuline bovine. Remarquez les ponts disulfure intra- et intercaténaires.

complètent et prolongent des études taxonomiques basées sur des comparaisons anatomiques.

3. Les analyses de séquences d'acides aminés ont des applications cliniques importantes car beaucoup de maladies héréditaires sont dues à des mutations qui modifient la nature d'un acide aminé dans une protéine. Ce fait étant établi, des tests diagnostiques fiables et, dans certains cas, des traitements qui diminuent les symptômes, ont été mis au point.

L'élucidation de la structure primaire de l'insuline, qui contient 51 résidus (Fig. 7-2), fut l'œuvre de nombreux chercheurs pendant plus d'une décennie et a nécessité en tout environ 100 g de protéine. Les techniques de détermination des structures primaires sont devenues, depuis, si raffinées et automatisées que des protéines de cette taille peuvent être séquencées par un technicien spécialisé en quelques jours à partir de quelques microgrammes de protéine. Le séquençage des 1021 résidus de l'enzyme **β-galactosidase** en 1978 prouva que le séquençage de presque n'importe quelle protéine pouvait être tenté. Malgré ces progrès, la méthode de base pour la détermination de la structure primaire des protéines au moyen de techniques de chimie est celle mise au point par Sanger. La méthode comporte trois parties conceptuelles, chacune pouvant être divisée en plusieurs étapes expérimentales.

1. Préparation de la protéine pour le séquençage :

   a. Déterminer le nombre de chaînes polypeptidiques (sous-unités) différentes de la protéine.

   b. Rompre les ponts disulfure de la protéine.

   c. Séparer et purifier les sous-unités individuelles.

   d. Déterminer la composition en acides aminés des sous-unités.

2. Séquençage des chaînes polypeptidiques :

   a. Fragmenter les sous-unités à des endroits spécifiques pour obtenir des peptides suffisamment petits pour être séquencés directement.

   b. Séparer et purifier les fragments.

   c. Déterminer la séquence en acides aminés de chaque fragment peptidique.

   d. Répéter l'étape 2(a) avec une méthode de fractionnement de spécificité différente afin que la sous-unité soit hydrolysée au niveau de liaisons peptidiques différentes. Séparer ces fragments peptidiques comme dans 2(b) et déterminer leur séquence en acides aminés comme dans 2(c).

3. Reconstitution de la structure complète :

   a. Recouvrir les points d'hydrolyse d'une série de fragments peptidiques par l'autre série. Par comparaison, les séquences de ces séries de polypeptides peuvent être mises dans l'ordre qui correspond à celui de la sous-unité, ce qui donne sa séquence en acides aminés.

   b. Déterminer la position des ponts disulfure, s'il y en a, entre les sous-unités et à l'intérieur de celles-ci.

Ces différentes étapes seront étudiées dans les sections qui suivent.

A. *Analyse des groupements terminaux : combien y a-t-il de sous-unités différentes ?*

Chaque chaîne polypeptidique (si elle n'est pas circulaire ou bloquée chimiquement) a un résidu N-terminal et un résidu C-terminal. En identifiant ces **groupements terminaux**, nous pouvons déterminer le nombre de polypeptides qui diffèrent chimiquement dans une protéine. Par exemple, l'insuline possède des quantités égales de résidus N-terminaux Phe et Gly, ce qui indique qu'elle a deux chaînes polypeptidiques différentes en nombre égal.

a. Identification de l'extrémité N-terminale

Il existe plusieurs méthodes efficaces pour identifier le résidu N-terminal d'un polypeptide. Le chlorure de **1-diméthylamino-naphtalène-5-sulfonyl (chlorure de dansyl)** réagit avec les amines primaires (y compris avec le groupe ε-aminé de Lys) pour donner des polypeptides dansylés (Fig. 7-3). Une hydrolyse acide (Section 6-1D) libère le résidu N-terminal sous forme d'**acide aminé dansylé** qui présente une fluorescence jaune si forte qu'il peut être identifié par chromatographie à partir d'aussi peu que 100 picomole [1 picomole (pmole) = 10^{-12} mole].

Dans la méthode la plus utilisée pour identifier le résidu N-terminal, la **dégradation d'Edman** (du nom de son inventeur, Pehr Edman), le **phénylisothiocyanate (PITC, réactif d'Edman)** réagit avec les groupes amino N-terminaux des protéines en milieu légèrement alcalin pour former leur **adduit phénylthiocarbamyl (PTC)** (Fig. 7-4). Ce produit est traité par un acide fort anhydre comme l'acide trifluoroacétique, qui libère le résidu N-terminal sous sa forme dérivée **thiazolinone** mais sans hydrolyser les autres liaisons peptidiques. *La dégradation d'Edman libère donc le résidu d'acide aminé N-terminal mais laisse intact le reste de la chaîne polypeptidique.* Le dérivé thiazolinone de l'acide aminé est extrait sélectivement par un solvant organique et transformé en dérivé beaucoup plus stable, la **phénylthiohydantoïne (PTH),** par

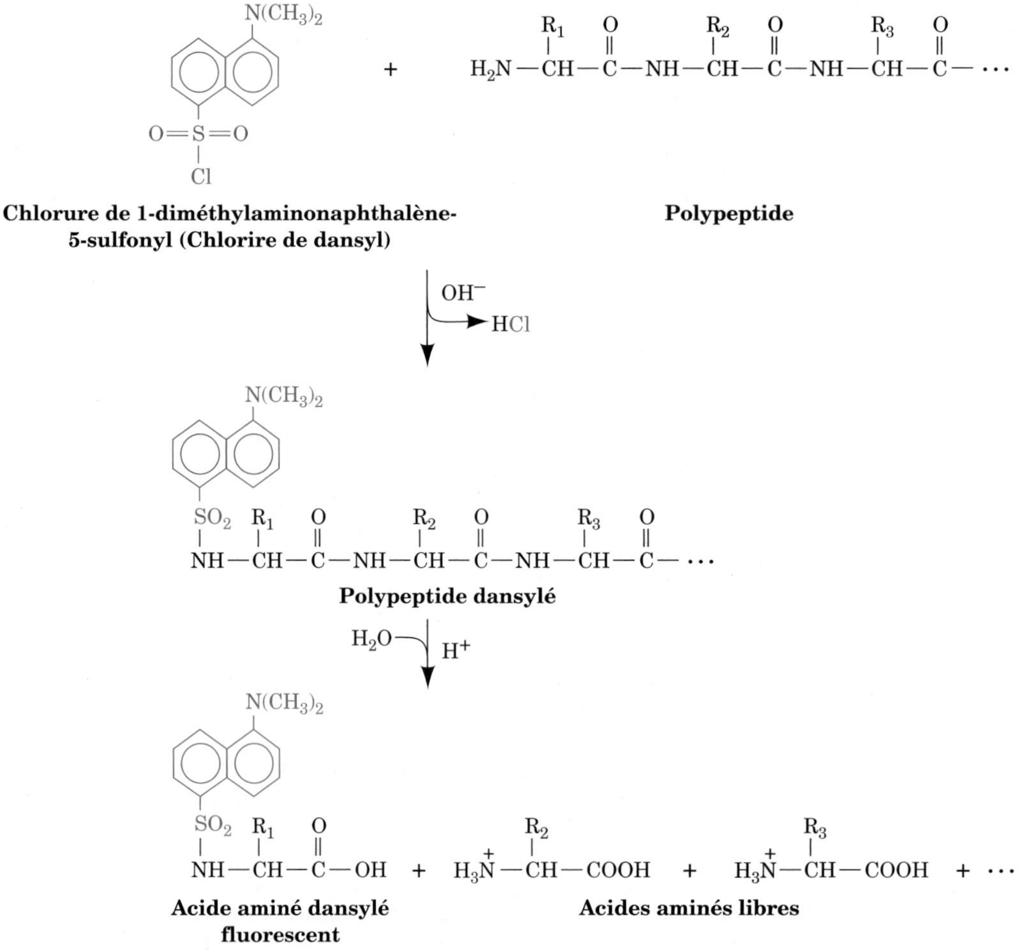

Chlorure de 1-diméthylaminonaphthalène-5-sulfonyl (Chlorire de dansyl)

Polypeptide

Polypeptide dansylé

Acide aminé dansylé fluorescent

Acides aminés libres

FIGURE 7-3 Réaction du chlorure de dansyl dans l'analyse du groupement N-terminal.

traitement avec un acide dilué. Ce PTH-aminoacide est le plus souvent identifié en comparant son temps de rétention sur HPLC avec celui de PTH-aminoacides connus.

La différence la plus importante entre la dégradation d'Edman et les autres méthodes d'identification du résidu N-terminal c'est que *nous pouvons déterminer la séquence en acides aminés depuis l'extrémité N-terminale vers l'intérieur de la chaîne en soumettant le polypeptide à des cycles répétés de la dégradation d'Edman et, après chaque cycle, en identifiant le nouveau PTH-aminoacide libéré*. Cette technique a été automatisée, d'où un gain de temps et de matériel considérable (Section 7-1G).

b. Identification de l'extrémité C-terminale

Il n'y a pas de technique chimique fiable comparable à la dégradation d'Edman pour l'analyse séquentielle d'un polypeptide depuis son extrémité C-terminale. On peut cependant y parvenir par des méthodes enzymatiques, en utilisant des **exopeptidases** (enzymes qui libèrent un résidu terminal d'un polypeptide). Parmi elles, on trouve les **carboxypeptidases**, qui catalysent l'hydrolyse des résidus C-terminaux des polypeptides :

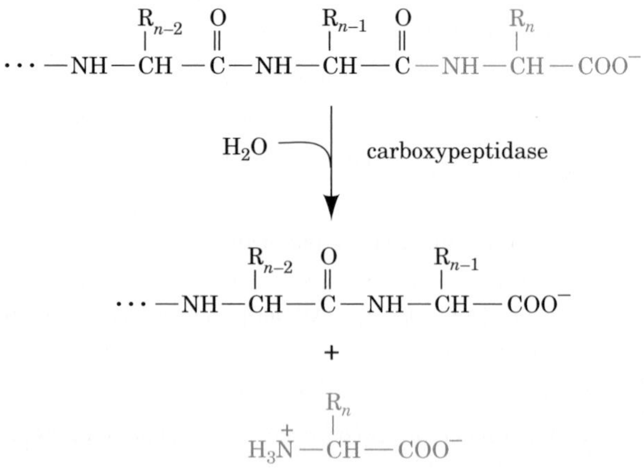

Les carboxypeptidases, comme toutes les enzymes, sont très spécifiques (sélectives) quant à la nature chimique des molécules dont elles catalysent les réactions (Section 13-2). Les spécificités des différentes carboxypeptidases utilisées couramment pour les chaînes latérales sont données dans le Tableau 7-1. Le deuxième

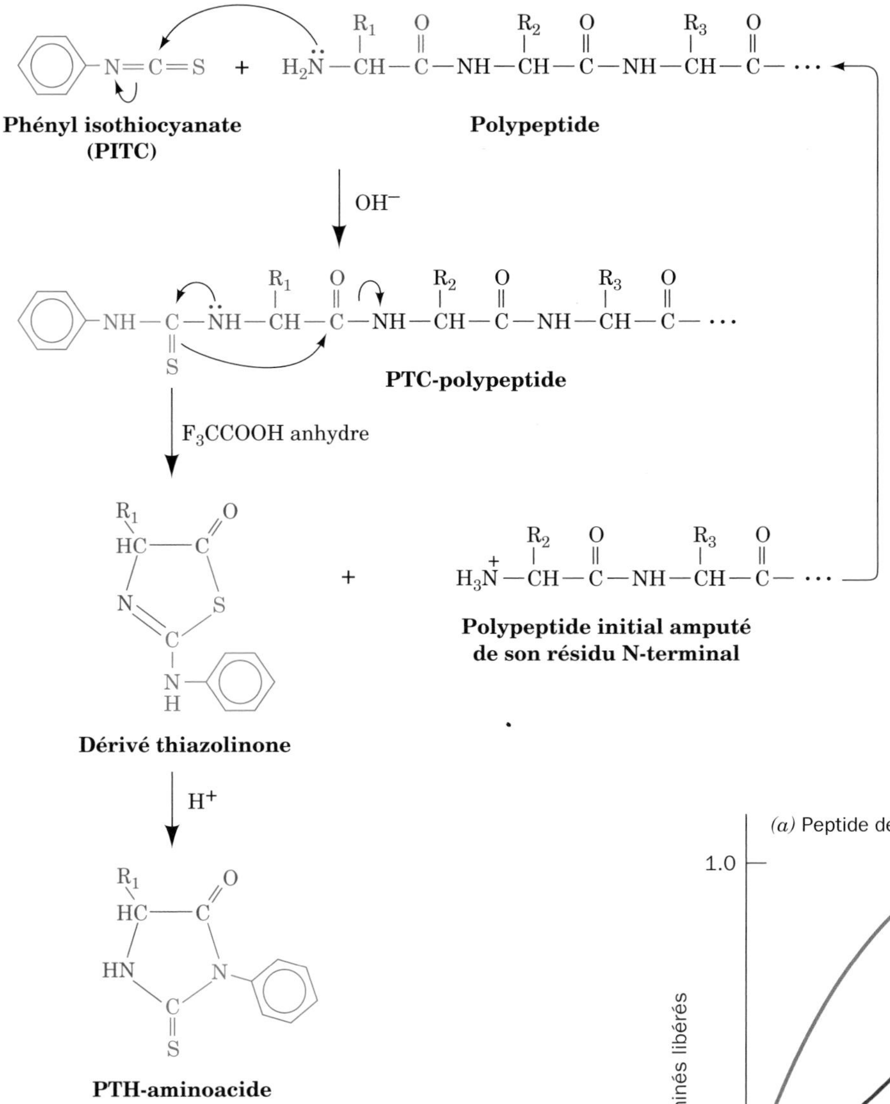

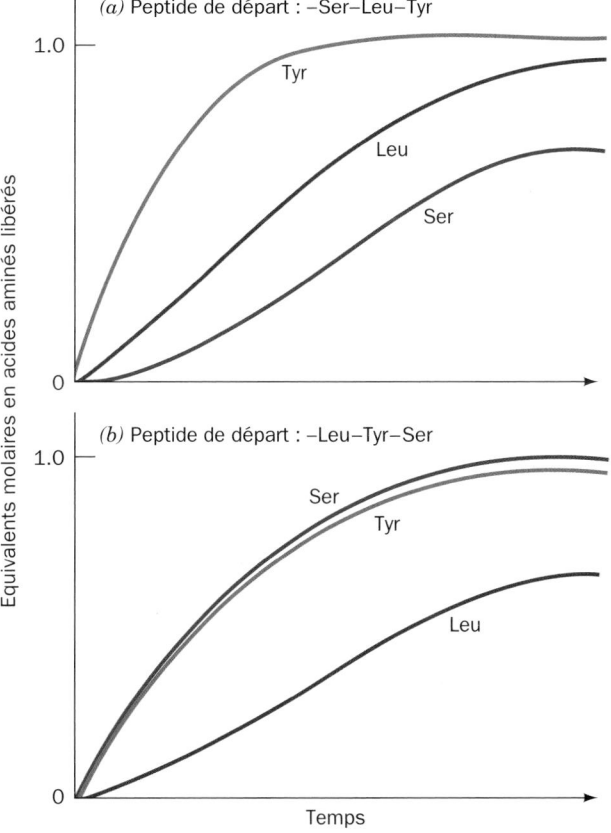

FIGURE 7-4 La dégradation d'Edman. Noter que la réaction se fait en trois étapes distinctes qui nécessitent chacune des conditions tout à fait différentes. Les résidus d'acides aminés peuvent ainsi être enlevés de l'extrémité N-terminale du polypeptide de façon séquentielle contrôlée.

FIGURE 7-5 Vitesse hypothétique du détachement par la carboxypeptidase d'acides aminés de peptides ayant les séquences C-terminales indiquées. (*a*) Toutes les liaisons sont hydrolysées à la même vitesse. (*b*) Ser est détachée lentement, Tyr est enlevée rapidement, et Leu est enlevée à une vitesse intermédiaire.

type d'exopeptidases indiquées dans le Tableau 7-1, les **aminopeptidases,** hydrolysent séquentiellement les acides aminés depuis l'extrémité N-terminale d'un polypeptide ; elles ont été également utilisées pour déterminer les séquences N-terminales.

Pourquoi ne peut-on pas utiliser les carboxypeptidases pour déterminer les séquences d'acides aminés ? Si une carboxypeptidase hydrolyse à la même vitesse tous les résidus C-terminaux, quelle que soit leur nature, on pourra alors, en suivant l'ordre d'apparition des différents acides aminés libérés dans le mélange réactionnel (Fig. 7-5*a*), déterminer la séquence de plusieurs acides aminés depuis l'extrémité C-terminale. Cependant, si, par exemple, le deuxième résidu est hydrolysé à une vitesse très supérieure à celle du premier résidu, les deux acides aminés sembleront libérés simultanément (Fig. 7-5*b*). Les carboxypeptidases présentent en fait une spécificité vis-à-vis des chaînes latérales, si bien que leur utilisation, seules ou en mélanges, ne peut au plus fournir

TABLEAU 7-1 **Spécificités de quelques exopeptidases**

Enzyme	Origine	Spécificité [a]
Carboxypeptidase A	Pancréas de bœuf	$R_n \neq$ Arg, Lys, Pro ; $R_{n-1} \neq$ Pro
Carboxypeptidase B	Pancréas de bœuf	$R_n =$ Arg, Lys ; $R_{n-1} \neq$ Pro
Carboxypeptidase C	Feuilles de citron	Tous les résidus C-terminaux libres ; pH optimum = 3,5
Carboxypeptidase Y	Levure	Tous les résidus C-terminaux libres mais lent avec $R_n =$ Gly
Leucine aminopeptidase	Rein de porc	$R_1 \neq$ Pro
Aminopeptidase M	Rein de porc	Tous les résidus N-terminaux libres

[a] $R_1 =$ le résidu N-terminal ; $R_n =$ le résidu C-terminal.

la séquence que de quelques résidus C-terminaux d'un polypeptide.

Les résidus C-terminaux précédés d'une Pro ne sont pas hydrolysés par les carboxypeptidases A et B (Tableau 7-1). Généralement, on a recours alors à des méthodes chimiques pour identifier le résidu C-terminal. Dans la plus fiable de ces méthodes, l'**hydrazinolyse,** un polypeptide est traité par l'**hydrazine** anhydre à 90 °C pendant 20 à 100 heures en présence d'une résine échangeuse d'ions légèrement acide (elle joue le rôle de catalyseur) :

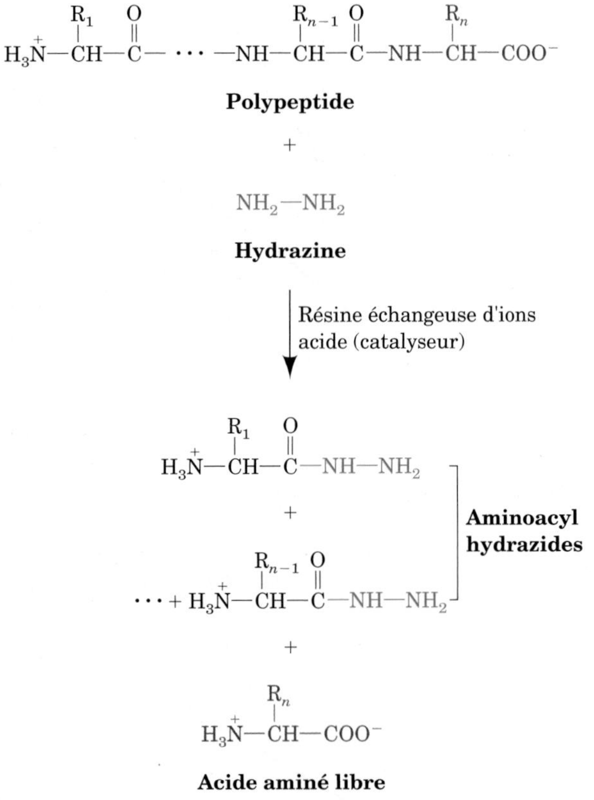

Polypeptide

+

$NH_2\!-\!NH_2$

Hydrazine

↓ Résine échangeuse d'ions acide (catalyseur)

Aminoacyl hydrazides

+

Acide aminé libre

Toutes les liaisons peptidiques sont ainsi hydrolysées, et l'on trouve dans le mélange tous les acides aminés sous forme d'aminoacyl hydrazides sauf le résidu C-terminal, qui est libéré sous forme d'acide aminé libre que l'on peut identifier par chromatographie. Malheureusement, l'hydrazinolyse s'accompagne de nombreuses réactions annexes, ce qui limite son emploi aux polypeptides résistant aux carboxypeptidases.

B. *Coupure des ponts disulfure*

L'étape suivante dans l'analyse de la séquence consiste à rompre les ponts disulfure entre des résidus Cys. Ceci doit être fait pour deux raisons :

1. Permettre la séparation des chaînes polypeptidiques (si elles sont liées par ponts disulfure).

2. Empêcher la conformation de la protéine native, qui est stabilisée par des ponts disulfure, de s'opposer à l'action des agents protéolytiques (qui hydrolysent les protéines) utilisés dans les déterminations des structures primaires (Section 7-1E).

On détermine la position des ponts disulfure lors de la dernière étape de l'analyse de la séquence (Section 7-1I).

Les ponts disulfure sont le plus souvent rompus par réduction avec le **2-mercaptoéthanol**

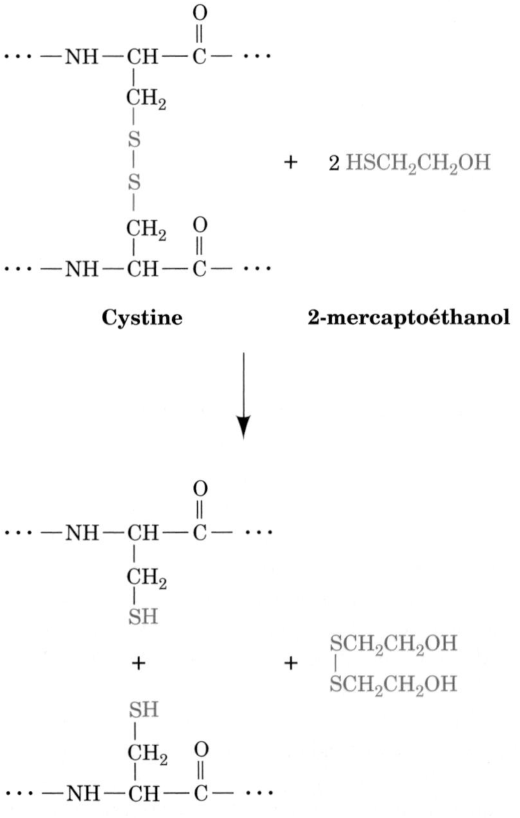

Cystine   **2-mercaptoéthanol**

ou avec les diastéréoisomères **dithiothréitol** ou **dithioérythritol** (**réactif de Cleland**) :

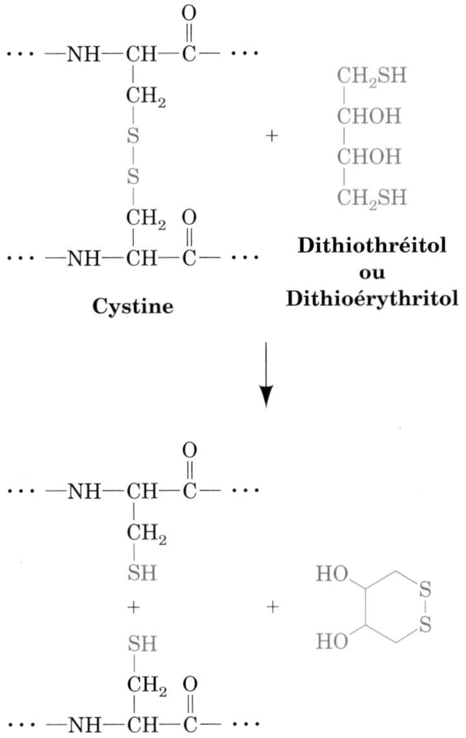

Cystine + **Dithiothréitol ou Dithioérythritol**

Afin que tous les ponts disulfure soient exposés à l'agent réducteur, la réaction est généralement faite dans des conditions qui dénaturent la protéine. Les groupements SH libres résultants sont alors alkylés, généralement par traitement avec de l'**acide iodoacétique**,

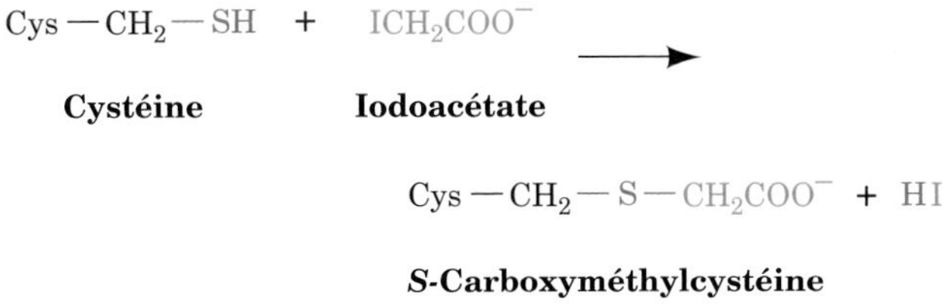

Cystéine   **Iodoacétate**

Cys — CH$_2$ — S — CH$_2$COO$^-$ + HI

S-Carboxyméthylcystéine

afin d'éviter que les ponts disulfure ne se reforment par auto-oxydation. Les dérivés *S*-alkylés sont stables à l'air et dans les conditions requises pour l'hydrolyse des liaisons peptidiques qui va suivre.

C. *Séparation, purification, et caractérisation des chaînes polypeptidiques*

Les polypeptides différents d'une protéine doivent être séparés et purifiés pour pouvoir en déterminer la séquence en acides aminés.

La dissociation des sous-unités, tout comme la dénaturation, est réalisée en milieu acide ou basique, avec des concentrations salines faibles, à température élevée, ou en utilisant des agents dénaturants comme l'urée, l'ion guanidinium (Section 5-5G), ou des détergents tels que le dodécylsulfate de sodium (SDS ; Section 6-4C). Les sous-unités dissociées peuvent être séparées par les méthodes décrites dans le Chapitre 6 qui reposent sur de petites différences de taille et de polarité entre polypeptides. Les chromatographies par échange d'ions ou par filtration sur gel sont le plus souvent utilisées.

Il est bien sûr intéressant de connaître le nombre de résidus du polypeptide à séquencer, ce que l'on peut déduire de sa masse moléculaire (environ 110 D/résidu). La masse moléculaire peut être mesurée, au mieux, avec une précision de l'ordre de 5 à 10 % par les techniques de laboratoire classiques telles que chromatographie par filtration sur gel et SDS-PAGE (Sections 6-3B et 6-4C). Cependant, ces dernières années, la spectrométrie de masse (Section 7-1J) a fourni des moyens beaucoup plus rapides et précis pour déterminer la masse moléculaire des macromolécules. Les masses moléculaires de polypeptides >100 kD en quantités picomolaires peuvent être ainsi déterminées avec une précision de l'ordre de 0, 01 %.

D. *Composition en acides aminés*

Avant de commencer le séquençage d'un polypeptide, il est utile de connaître sa composition en acides aminés, c'est-à-dire le nombre de résidus d'acide aminé différents qu'il contient. *La composition en acides aminés d'une sous-unité est déterminée après hydrolyse totale suivie par l'analyse quantitative des acides aminés libérés.* L'hydrolyse d'un polypeptide peut être obtenue par des méthodes chimiques (acide ou basique) ou enzymatiques, bien qu'aucune de ces méthodes à elle seule soit pleinement satisfaisante. Pour réaliser l'hydrolyse acide, le polypeptide est dissous dans de l'HCl 6*M*, scellé dans un tube sous vide afin d'éviter l'auto-oxydation des acides aminés soufrés, et chauffé entre 100 et 120 °C durant 10 à 100 h. La durée importante de l'hydrolyse est nécessaire pour obtenir la libération complète des acides aminés aliphatiques Val, Leu, et Ile. Malheureusement, toutes les chaînes latérales ne résistent pas à ces conditions drastiques. Ser, Thr, et Tyr sont partiellement dégradées, même si l'on peut apporter des facteurs de correction en suivant leur disparition en fonction du temps d'hydrolyse. Un problème plus sérieux vient de ce que l'hydrolyse acide détruit presque complètement les résidus Trp. De plus, Gln et Asn sont transformées en Glu et Asp plus NH$_4^+$ si bien qu'on ne peut mesurer séparément après l'hydrolyse acide que les quantités de Asx (= Asp + Asn), Glx (= Glu + Gln), et de NH$_4^+$ (= Asn + Gln).

L'hydrolyse basique des polypeptides est réalisée dans 2 à 4*M* NaOH à 100 °C durant 4 à 8 h. Ce traitement pose encore plus de problèmes car il provoque la décomposition de Cys, Ser, Thr, et Arg et il désamine partiellement et racémise les autres acides aminés. L'hydrolyse alcaline est donc utilisée essentiellement pour déterminer le contenu en Trp.

La digestion enzymatique totale d'un polypeptide nécessite un mélange de peptidases car une peptidase donnée n'hydrolyse pas toutes les liaisons peptidiques. Les Tableaux 7-1 et 7-2 indi-

TABLEAU 7-2 **Spécificités de quelques endopeptidases**

Enzyme	Origine	Spécificité	Remarques

$$\begin{array}{cccc} & \overset{R_{n-1}}{\underset{|}{}} & \overset{O}{\underset{\|}{}} & & \overset{R_n}{\underset{|}{}} & \overset{O}{\underset{\|}{}} \\ -NH-CH-C & & & NH-CH-C- \end{array}$$

↑

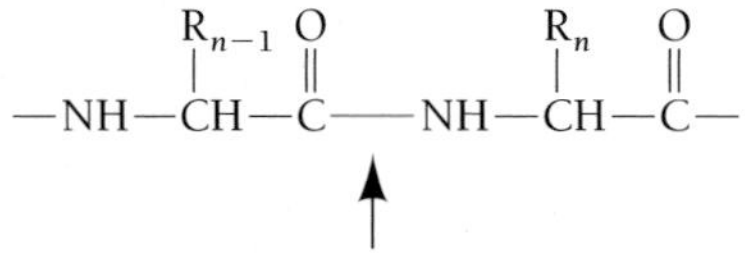

**Liaison peptidique
hydrolysable**

Enzyme	Origine	Spécificité	Remarques
Trypsine	Pancréas de bœuf	R_{n-1} = Résidus chargés positive-ment : Arg, Lys ; $R_n \neq$ Pro	Très spécifique
Chymotrypsine	Pancréas de bœuf	R_{n-1} = Résidus hydrophobes encombrants : Phe, Trp, Tyr ; $R_n \neq$ Pro	Hydrolyse plus lente avec R_{n-1} = Asn, His, Met, Leu
Elastase	Pancréas de bœuf	R_{n-1} = résidus neutres de petite taille : Ala, Gly, Ser, Val ; $R_n \neq$ Pro	
Thermolysine	*Bacillus thermoproteolyticus*	R_n = Ile, Met, Phe, Trp, Tyr, Val ; $R_{n-1} \neq$ Pro	Hydrolyse parfois quand $-R_n$ = Ala, Asp, His, Thr ; thermo-stable
Pepsine	Muqueuse gastrique de bœuf	R_n = Leu, Phe, Trp, Tyr ; $R_{n-1} \neq$ Pro	Également avec d'autres résidus ; vraiment non spéci-que
Endopeptidase Arg-C	Glande sous-maxillaire de souris	R_{n-1} = Arg	Peut hydrolyser à R_{n-1} = Lys
Endopeptidase Asp-N	*Pseudomonas fragi*	R_n = Asp	Peut hydrolyser à R_n = Glu
Endopeptidase Glu-C	*Staphylococcus aureus*	R_{n-1} = Glu	Peut hydrolyser à R_{n-1} = Gly
Endopeptidase Lys-C	*Lysobacter enzymogenes*	R_{n-1} = Lys	Peut hydrolyser à R_{n-1} = Asn

quent les spécificités des exopeptidases et des **endopeptidases** (enzymes qui hydrolysent les liaisons peptidiques internes) utili-sées couramment dans ce but. On recourt souvent à la **pronase,** un mélange de protéases relativement non spécifiques extrait de *Streptomyces griseus,* pour obtenir une protéolyse totale. La quantité d'enzyme utilisée ne dépasse pas environ 1 % du poids du polypeptide à hydrolyser car les enzymes protéolytiques s'au-todégradent et, étant elles-mêmes des protéines, elles contami-neraient significativement l'hydrolysat final si elles sont en trop grandes quantités. La digestion enzymatique est essentiellement utilisée pour déterminer les quantités de Trp, Asn, et Gln d'un polypeptide, acides aminés qui sont détruits par les méthodes chimiques plus sévères.

a. L'analyse des acides aminés a été automatisée

La composition en acides aminés d'un hydrolysat de polypep-tide peut être déterminée quantitativement au moyen d'un **analy-seur d'acides aminés** automatique. Cet appareil sépare les acides aminés par chromatographie d'échange d'ions, technique mise au point par William Stein et Stanford Moore, ou par chromatogra-phie en phase inverse en utilisant l'HPLC (Section 6-3D). Les acides aminés sont dérivatisés, avant ou après passage sur la colonne, avec le chlorure de dansyl, le réactif d'Edman, ou l'*o*-**phthalaldéhyde (OPA)** + du 2-mercaptoéthanol. Ces deux der-niers réagissent avec les acides aminés pour donner des adduits très fluorescents :

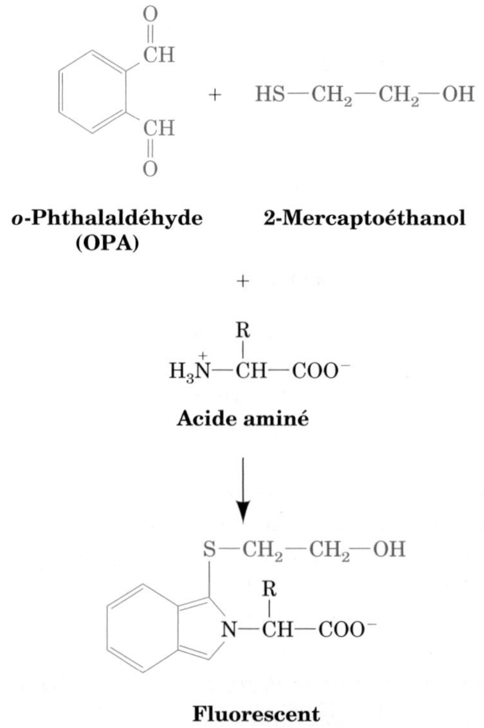

o-**Phthalaldéhyde
(OPA)**   **2-Mercaptoéthanol**

+

Acide aminé

Fluorescent

Les acides aminés sont alors identifiés en fonction de leur volume d'élution caractéristique (temps de rétention en HPLC ; Fig. 7-6)

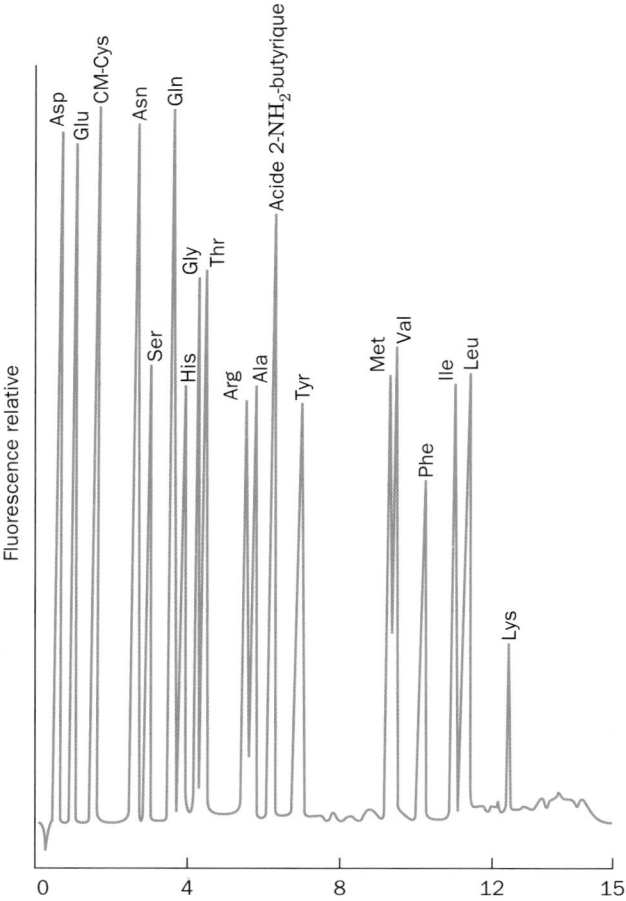

FIGURE 7-6 Analyse des acides aminés. Séparation par HPLC en phase inverse d'acides aminés dérivatisés par l'OPA. [D'après Hunkapiller, M.W., Strickler, J.E., et Wilson, K.J., *Science* **226**, 309 (1984).

et leur quantité dosée en fonction de leur intensité de fluorescence (absorbance en UV pour les PTC-aminoacides). Avec les analyseurs d'acides aminés modernes, l'analyse complète d'un hydrolysat protéique peut être faite en moins d'une heure avec une sensibilité de l'ordre d'une pmol de chaque acide aminé.

b. La composition en acides aminés des protéines est révélatrice de leur structure

L'analyse des acides aminés d'un grand nombre de protéines montre que la composition de celles-ci en acides aminés est extrêmement variable. Leu, Ala, Gly, Ser, Val, et Glu sont les résidus les plus fréquents (> 6 % en quantité ; Tableau 4-1), alors que His, Met, Cys, et Trp sont moins fréquents (< 3 % en quantité). En réalité, de nombreuses protéines sont dépourvues d'un ou de plusieurs acides aminés « standards ». Le rapport du nombre de résidus polaires sur le nombre de résidus non polaires est généralement > 1 pour les protéines globulaires et tend à diminuer avec la taille de la protéine. En effet, comme nous le verrons dans le Chapitre 8, les protéines globulaires ont un cœur hydrophobe et une surface hydrophile ; autrement dit, elles ont une structure de type micelle. Cependant, les résidus non polaires prédominent dans les protéines membranaires, car ces protéines, se trouvant dans un environnement non polaire (Section 12-3A), doivent avoir une surface hydrophobe.

E. *Réactions d'hydrolyse spécifiques de liaisons peptidiques*

Les polypeptides qui ont plus de 40 à 100 résidus ne peuvent être séquencés directement (Section 7-1G). Les polypeptides de taille supérieure doivent donc être hydrolysés, enzymatiquement ou chimiquement, en fragments suffisamment petits pour être séquencés. Dans les deux cas, l'hydrolyse doit être complète et très spécifique de sorte que la superposition des séquences des fragments peptidiques d'une sous-unité, dans le bon ordre, corresponde à celle de la sous-unité intacte.

a. La trypsine hydrolyse spécifiquement les liaisons peptidiques après des résidus chargés positivement

Tout comme les exopeptidases, les endopeptidases ont des exigences quant à la nature des résidus qui encadrent la liaison peptidique **scissille**, c'est-à-dire à hydrolyser. Les spécificités des endopeptidases les plus souvent utilisées pour fragmenter les polypeptides sont données dans le Tableau 7-2. La **trypsine**, enzyme de la digestion, a la spécificité la plus grande et constitue donc le membre le plus intéressant dans l'arsenal des peptidases utilisées pour fragmenter les polypeptides. Elle coupe les liaisons peptidiques du côté C (vers l'extrémité C-terminale) des résidus chargés positivement Arg et Lys si le résidu suivant n'est pas Pro :

Étant donné que la trypsine hydrolyse les liaisons peptidiques qui suivent des résidus chargés positivement, des sites d'hydrolyse par la trypsine peuvent être ajoutés *à* ou enlevés *d'*un polypeptide en ajoutant ou en enlevant par voie chimique des charges positives *à* ou *de* ses chaînes latérales. Par exemple, la charge positive de Lys disparaît après traitement avec un anhydride dicarboxylique comme l'**anhydride citraconique.** Il se forme un dérivé, chargé négativement, du groupe ε-aminé de la lysine, que la trypsine ne reconnaît pas :

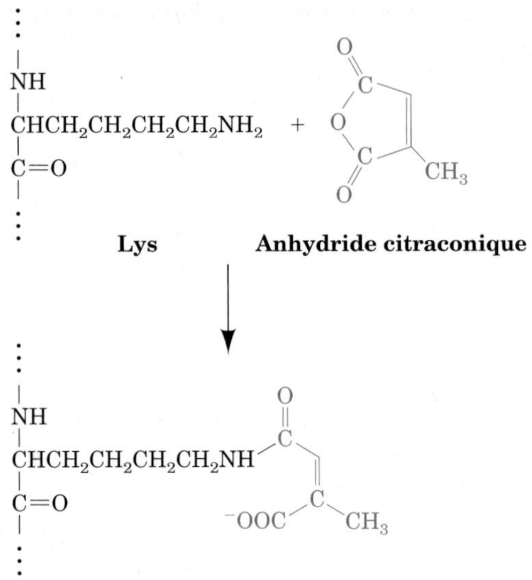

Lys   **Anhydride citraconique**

Après hydrolyse trypsique du polypeptide, le résidu Lys peut être régénéré afin d'être identifié par hydrolyse en milieu acide doux (pH 2-3). Inversement, Cys peut être **aminoalkylé** par une **β-haloamine** pour donner un résidu chargé positivement qui est hydrolysable par la trypsine :

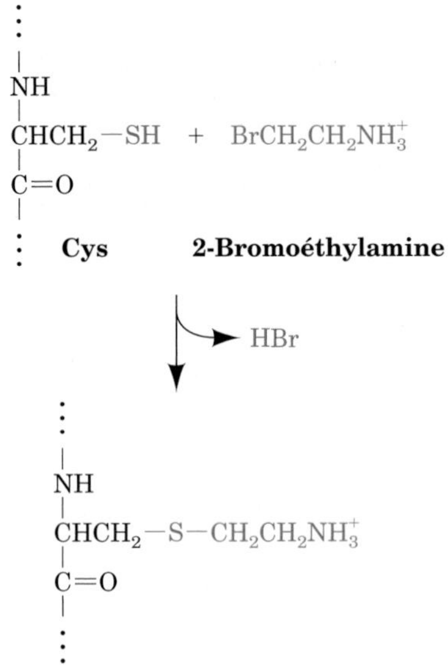

Cys   **2-Bromoéthylamine**

De telles réactions élargissent les possibilités d'utilisation de la trypsine afin de profiter davantage de sa grande spécificité.

Les autres endopeptidases qui figurent dans le Tableau 7-2 sont moins spécifiques que la trypsine et donnent souvent une série de fragments peptidiques dont les séquences se recouvrent. Toutefois, en réalisant une **protéolyse ménagée**, en jouant sur les conditions expérimentales et en limitant le temps de réaction, ces endopeptidases moins spécifiques peuvent livrer des fragments peptidiques utiles. Ceci est dû au fait que la structure complexe de la protéine (sous-unité) native masque de nombreuses liaisons peptidiques qui seraient hydrolysables si elles n'étaient pas à l'intérieur de la molécule protéique. Dans des conditions et des temps de réaction appropriés, seules les liaisons peptidiques de la protéine native qui sont initialement accessibles à la peptidase seront hydrolysées. La protéolyse ménagée est particulièrement utile pour obtenir des fragments peptidiques de taille idoine à partir de sous-unités qui

ont trop ou pas assez de résidus Arg et Lys pour obtenir de tels fragments avec la trypsine (bien que, s'il y en a trop, la protéolyse ménagée par la trypsine puisse être intéressante).

b. Le bromure de cyanogène hydrolyse spécifiquement les liaisons peptidiques après les résidus Met

Plusieurs réactifs chimiques provoquent la rupture de la liaison peptidique entre des résidus spécifiques. Le plus utile d'entre eux, le **bromure de cyanogène** (CNBr), provoque la rupture spécifique et quantitative de la liaison du côté C des résidus Met pour donner une **peptidyl homosérine lactone** :

Bromure de Cyanogène

Méthyl thiocyanate

Peptidyl-homosérine lactone

peptide

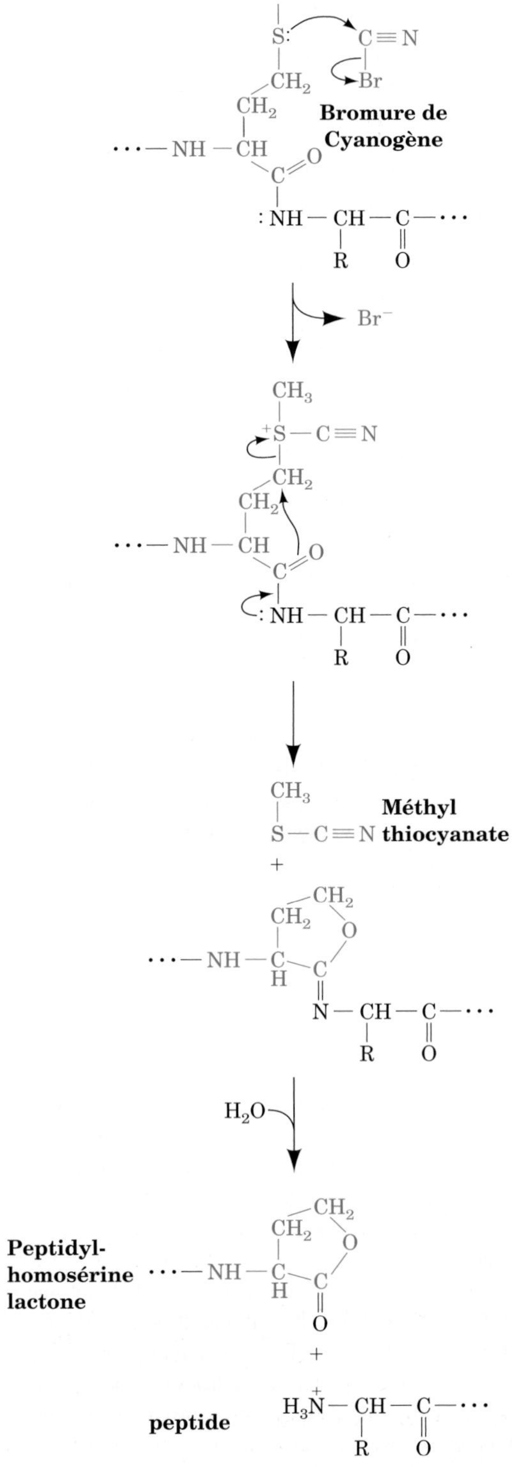

La réaction se fait en milieu acide (HCl 0,1*M* ou acide formique à 70 %) ce qui dénature la plupart des protéines, si bien que la rupture a lieu normalement après tous les résidus Met.

Un fragment peptidique issu d'un traitement d'hydrolyse spécifique peut néanmoins être encore trop long pour être séquencé. Dans ce cas, après purification, le peptide sera soumis à un deuxième traitement de fragmentation à l'aide d'un autre procédé d'hydrolyse.

F. *Séparation et purification des fragments peptidiques*

Nous devons à nouveau utiliser des techniques de séparation, cette fois pour isoler les fragments peptidiques obtenus par hydrolyse spécifique, afin d'en déterminer la séquence. Les résidus non polaires des fragments peptidiques ne sont pas protégés de l'environnement aqueux comme dans la protéine native (Chapitre 8). Par conséquent, de nombreux fragments peptidiques s'agrègent, précipitent et/ou s'adsorbent aux supports chromatographiques, ce qui se traduit par des pertes en peptides inacceptables. Jusqu'en 1980, la mise au point de méthodes permettant la séparation des fragments peptidiques d'un mélange a constitué le défi technique principal pour la détermination d'une séquence protéique ; c'est aussi l'étape nécessitant le plus de temps. Ces méthodes impliquaient l'utilisation de dénaturants comme l'urée et le SDS, afin de solubiliser les fragments peptidiques, et la recherche de supports chromatographiques et de conditions destinés à réduire les pertes par adsorption. Heureusement, l'avènement de l'HPLC en phase inverse (Section 6-3D) a fait de la séparation des fragments peptidiques une technique de routine.

G. *Détermination de la séquence*

Une fois obtenus, par hydrolyses spécifiques, les fragments peptidiques de taille adéquate, leurs séquences en acides aminés peuvent être déterminées. *Ceci est effectué par des cycles répétés de la dégradation d'Edman* (Section 7-1A). Pour cela, un dispositif automatique a été mis au point pour la première fois par Edman et Geoffrey Begg. Dans les séquenceurs modernes, l'échantillon peptidique est adsorbé sur une membrane de difluorure de polyvinyli-

dine (PVDF) ou séché sur un disque en papier de fibre de verre imprégné d'un sel d'ammonium quaternaire polymérisé, le **polybrène**. Dans les deux cas, ceci immobilise le peptide mais laisse pénétrer les réactifs de la dégradation d'Edman. Des quantités précises de réactifs, en solution ou sous forme de vapeurs entraînées par un courant d'argon (minimisant ainsi les pertes en peptide), sont ajoutées à intervalles programmés dans la cellule où a lieu la réaction. Les thiazolinone-aminoacides sont enlevés automatiquement pour être convertis en PTH-aminoacides correspondants (Fig. 7-4), et identifiés par HPLC. Ces instruments peuvent séquencer un résidu à l'heure.

Généralement, on peut identifier entre 40 et 60 résidus depuis l'extrémité N-terminale d'un peptide (100 ou plus avec les appareils les plus performants) avant que les effets cumulatifs de réactions incomplètes, de réactions secondaires, et la perte de peptides rendent difficile l'identification d'autres acides aminés. Moins de 0,1 picomole de PTH-aminoacide peut être décelée et identifiée par un dispositif d'HPLC en phase inverse muni d'un détecteur UV. Il suffit donc de 1 ou 10 pmoles (quantités invisibles) d'un peptide pour en déterminer les 5 ou 25 premiers résidus du côté N-terminal.

H. *Mise en ordre des fragments peptidiques*

Les fragments peptidiques ayant été séquencés individuellement, reste à élucider l'ordre dans lequel ils se trouvent dans le polypeptide original. *Ceci est obtenu en comparant les séquences en acides aminés d'une série de fragments peptidiques avec celles d'une deuxième série dont les sites d'hydrolyse recouvrent ceux de la première série (Fig. 7-7).* Les segments peptidiques partiellement superposables doivent être suffisamment longs pour pouvoir identifier chaque site d'hydrolyse sans ambiguïté, mais comme il existe 20 possibilités pour chaque résidu d'acide aminé, un recouvrement de quelques résidus seulement est en général suffisant.

I. *Position des ponts disulfure*

La dernière étape dans une analyse de séquence d'acides aminés consiste à déterminer les positions des ponts disulfure (il n'y en a pas toujours). Pour cela, on hydrolyse un échantillon de la protéine native dans des conditions qui épargnent ses ponts disulfure. Les

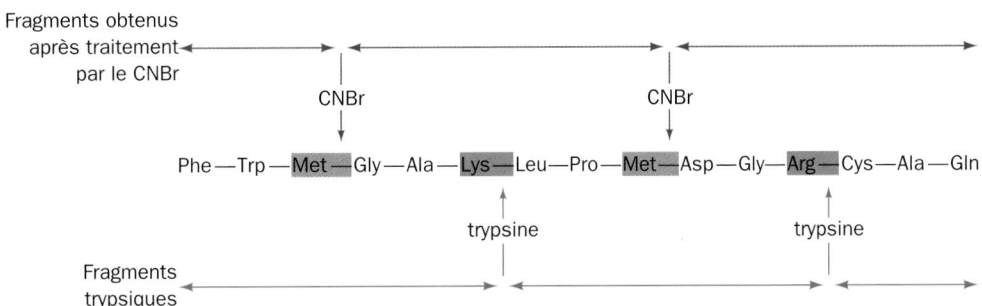

FIGURE 7-7 La séquence en acides aminés d'une chaîne polypeptidique est déterminée en comparant les séquences de deux séries de fragments peptidiques se recouvrant mutuellement. Dans cet exemple, les deux séries de fragments peptidiques ont été obtenues en hydrolysant par la trypsine le polypeptide après tous ses résidus Arg et Lys et, dans une autre réaction, après tous ses résidus Met par traitement avec CNBr.

L'ordre des deux premiers peptides trypsiques est établi, par exemple, en remarquant que le peptide obtenu après CNBr : Gly-Ala-Lys-Leu-Pro-Met a ses séquences N- et C- terminales en commun avec, respectivement, les extrémités C- et N- terminales des deux peptides trypsiques. Ainsi, l'ordre des fragments peptidiques dans la chaîne polypeptidique de départ peut être établi.

fragments peptidiques sont séparés par HPLC en phase inverse et ceux qui contiennent des résidus Cys sont identifiés en déterminant la composition des fragments en acides aminés (Section 7-1D). Les résidus Cys porteurs d'un groupement SH libre peuvent être identifiés en les marquant par l'iodoacétate radioactif (Section 7-1B). Les fragments contenant des résidus Cys sont ensuite soumis à la dégradation d'Edman. Bien que les peptides unis par pont disulfure donnent à chaque étape (du moins au début) deux PTH-aminoacides, leur place au sein de la séquence de la protéine, établie antérieurement, est assez facile à déterminer, ce qui permet de connaître la position des ponts disulfure.

J. Caractérisation et séquençage de polypeptides par spectrométrie de masse

La **spectrométrie de masse** («*M*ass *S*pectrometry»: **MS**) est devenue une technique importante pour caractériser et séquencer les polypeptides. *Cette technique permet de mesurer de façon précise le rapport masse/charge (m/z) des ions en phase gazeuse* (où *m* est la masse de l'ion, et *z* sa charge). Avant 1985, des macromolécules comme les protéines et les acides nucléiques ne pouvaient être analysées par MS. Elles étaient en effet détruites par la méthode de production d'ions en phase gazeuse: vaporisation par

(a) Ionisation par électrospray (ESI)

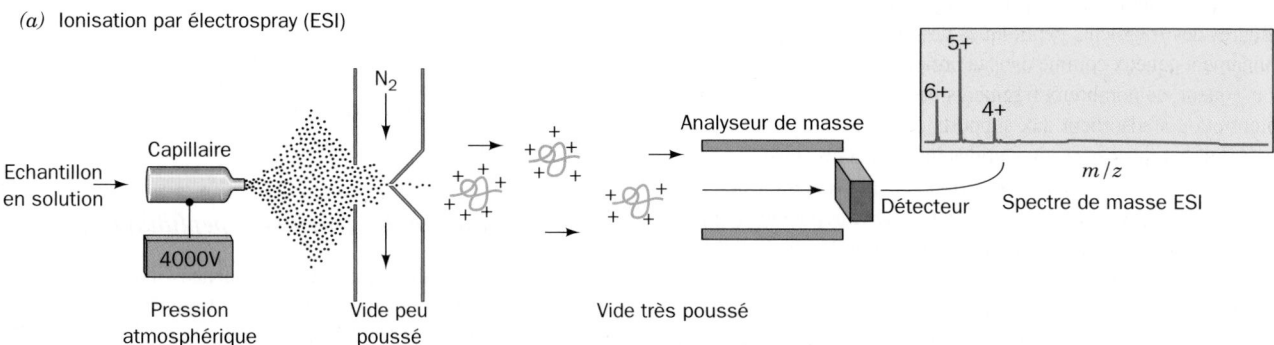

(b) Désorption/ionisation au laser assistée par matrice (MALDI)

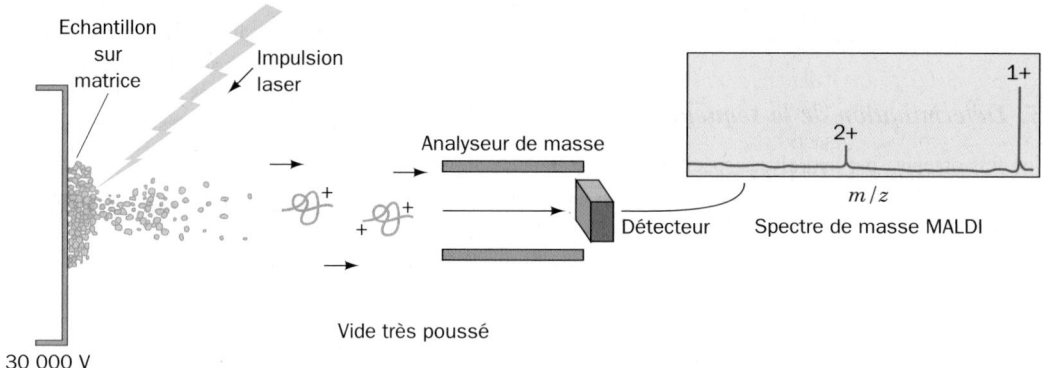

(c) Bombardement par atomes accélérés (FAB)

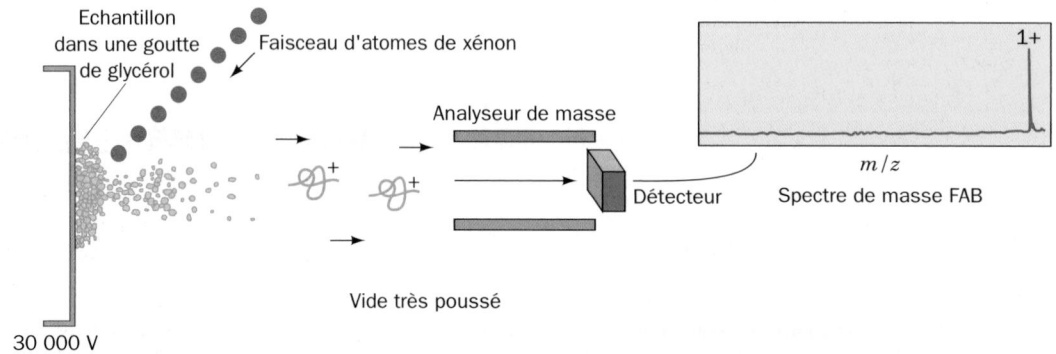

FIGURE 7-8 Production en phase gazeuse des ions requis pour l'analyse des protéines par spectrométrie de masse. (*a*) Via ionisation par electrospray (ESI), (*b*) via désorption/ionisation au laser assistée par matrice (MALDI), et (*c*) via bombardement par atomes accélérés (FAB). Dans l'ESI, on utilise un flux sec d'azote ou d'un autre gaz pour susciter l'évaporation du solvant à partir des gouttelettes. [D'après Fitzgerald, M.C. et Siuzdak, G., *Chem. Biol.* 3, 708 (1996).]

la chaleur, suivie d'ionisation par bombardement aux électrons. Trois techniques ont permis de lever cet obstacle :

1. L'**ionisation par electrospray** (« *Electro*spray *I*onization » : **ESI** ; Fig. 7-8*a*), mise au point par John Fenn, où une solution de la macromolécule, un peptide par exemple, est pulvérisée au moyen d'un étroit capillaire maintenu à un haut voltage (~ 4000 V), formant ainsi de très fines gouttelettes chargées d'où le solvant s'évapore rapidement. Ceci donne une série d'ions macromoléculaires en phase gazeuse porteurs de charges ioniques de l'ordre de +0,5 à +2 par kD. Pour les polypeptides, les charges ioniques résultent de la protonation des chaînes latérales basiques des Lys et des Arg [ions $(M + nH)^{n+}$].

2. La **désorption/ionisation au laser assistée par matrice** (« *M*atrix-*A*ssisted *L*aser *D*esorption/*I*onization » : **MALDI** ; Fig. 7-8*b*) dans laquelle la macromolécule est enrobée dans une matrice cristalline de molécules organiques de faible poids moléculaire et irradiée par de courtes (ns) et intenses impulsions d'un rayon laser d'une longueur d'onde telle qu'elle n'est pas absorbée par l'échantillon, mais bien par la matrice (on prépare cette dernière en faisant sécher une goutte de solution contenant la macromolécule mélangée à un vaste excès de la molécule organique). L'énergie absorbée par la matrice éjecte de sa surface, dans la phase gazeuse, les macromolécules intactes, qui sont alors d'habitude porteuses d'une charge +1, mais parfois +2, +3, etc., pour les molécules plus grosses. Une des rares substances qui convienne comme matrice pour les polypeptides est l'**acide gentisique** (acide 2,5-dihydroxybenzoïque). La MALDI permet de caractériser des polypeptides de > 300 kD.

3. Le **bombardement par atomes accélérés** (« *F*ast *A*tom *B*ombardment » : **FAB** ; Fig. 7-8*c*). Ici, le polypeptide est dissous dans un solvant peu volatil comme le **glycérol**, et bombardé par un rayon peu énergétique d'atomes d'Ar ou de X^e, ou d'ions Cs^+. Ce traitement provoque l'éjection de la macromolécule dans la phase gazeuse avec une charge +1. La masse limite analysable par FAB

étant de ~ 7 kD, son utilisation est réservée aux polypeptides ayant moins de 70 résidus.

Dans chacune de ces techniques, les ions macromoléculaires en phase gazeuse sont introduits dans le spectromètre de masse qui donne leurs valeurs m/z avec une précision > 0, 01 %. Si la valeur z d'un ion peut être déterminée, sa masse moléculaire peut être dès lors mesurée avec une précisison de loin supérieure à celle de toute autre méthode. Examinons, par exemple, le spectre de masse de la **myoglobine**, une protéine de 16 951 D, déterminé par **ESI-MS** (Fig. 7-9). On voit que les pics successifs du spectre diffèrent par une seule charge ionique, celui situé le plus à droite correspondant à un ion $(M + 9H)^{9+}$. Donc, pour le spectre de masse d'une macromolécule de masse moléculaire M donnant deux pics adjacents de valeurs m/z p_1 et p_2 pour des ions de charges z_1 et $z_1 - 1$,

$$p_1 = \frac{M + z_1}{z_1} \qquad [7.1]$$

et

$$p_2 = \frac{M + z_1 - 1}{z_1 - 1} \qquad [7.2]$$

Ces deux équations linéaires peuvent être facilement résolues pour leurs deux inconnues M et z_1.

Puisque la plupart des spectromètres de masse ne peuvent détecter des ions de valeur m/z supérieure à quelques milliers, la ESI-MS procure l'avantage que ses ions de charge élevée permettent l'analyse de molécules de masse moléculaires >100 kD. Un autre avantage de l'ESI-MS est qu'elle peut être adaptée pour analyser en continu l'éluant d'une HPLC ou d'une électrophorèse en capillaire. C'est ainsi qu'on l'utilise, par exemple, pour caractériser l'hydrolysat à la trypsine d'une protéine en déterminant les masses moléculaires des peptides qui la composent (Section 7-1K).

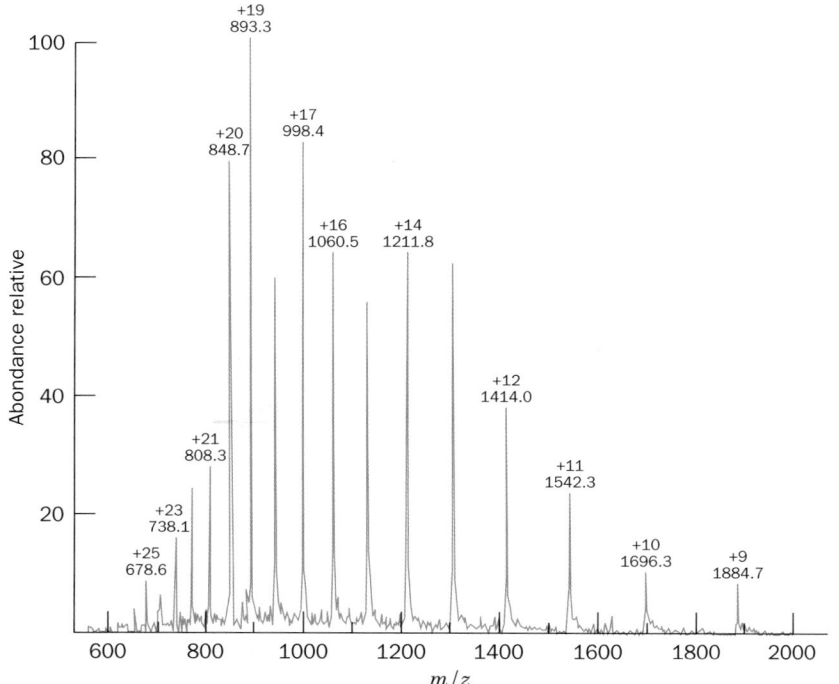

FIGURE 7-9 Spectre ESI-MS de l'apomyoglobine (16 951 D) de cœur de cheval. Les rapports m/z mesurés et les charges déduites pour la plupart des pics sont indiqués. La distribution des pics est en cloche, une caractéristique typique des spectres ESI-MS. Tous les pics ont des épaulements parce que les éléments du polypeptide contiennent des traces d'isotopes plus lourds (par exemple, le carbone trouvé dans la nature contient 98,9 % de ^{12}C et 1,1 % de ^{13}C ; le soufre naturel contient 0,8 % de ^{33}S, 4,2 % de ^{34}S et 95,0 % de ^{35}S). [D'après Yates, J.R., *Methods Enzymol.* 271, 353 (1996).]

(a)   Spectromètres de masse en tandem avec ionisation par electrospray

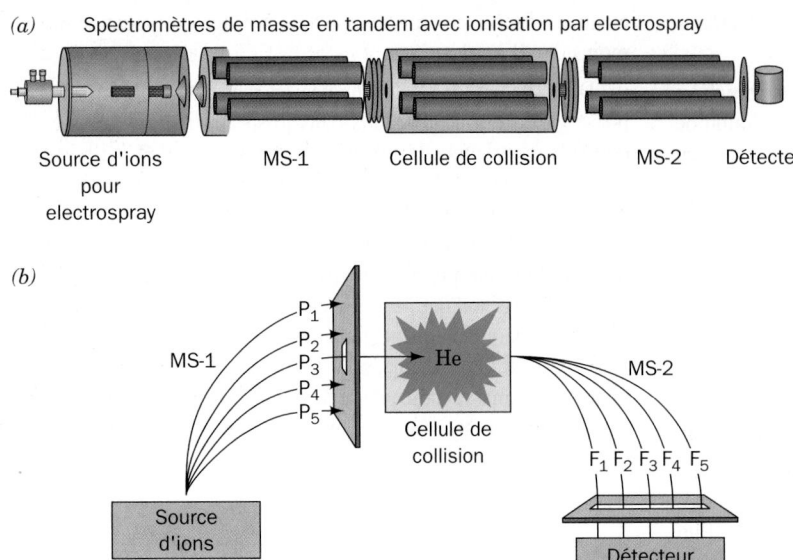

Source d'ions
pour
electrospray   MS-1   Cellule de collision   MS-2   Détecteur

FIGURE 7-10 Séquençage d'une protéine par spectrométrie de masse en tandem (MS/MS). (*a*) Une MS/MS comporte une source d'ions (ici un système ESI), un premier spectromètre de masse (MS-1), une cellule de collision, un deuxième spectromètre de masse (MS-2), et un détecteur. (*b*) La source d'ions produit, à partir d'un hydrolysat de la protéine à analyser, les ions peptidiques en phase gazeuse P_1, P_2, etc. Ces peptides sont séparés par le MS-1 selon leurs valeurs m/z et l'un d'eux, ici P_3, est dirigé vers la cellule de collision où il vient frapper des atomes d'hélium. Ceci désintègre l'ion peptidique en fragments F_1, F_2, etc. qui sont envoyés dans le MS-2 où leurs valeurs m/z sont déterminées. [Partie *a* d'après Yates, J.R.., *Methods Enzymol.* 271, 358 (1996) *et* Partie *b* d'après Biemann, K. et Scoble, H.A., *Science* 237, 992 (1987).]

a. Séquençage de peptides par spectrométrie de masse

On peut séquencer directement des petits peptides (< 25 résidus) par **spectrométrie de masse en tandem (MS/MS ;** on couple deux spectromètres de masse en tandem ; Fig. 7-10). La fonction du premier spectromètre de masse est de sélectionner l'ion polypeptidique d'intérêt parmi les autres ions polypeptidiques et les agents contaminants éventuellement présents. L'ion polypeptidique sélectionné (P_3 dans la Fig. 7-10*b*) passe alors dans une cellule de collision où il entre en collision avec des atomes chimiquement inertes comme l'hélium. L'énergie transmise alors à l'ion polypeptidique provoque la cassure préférentielle de l'une de ses nombreuses liaisons peptidiques pour donner un ou deux fragments chargés (Fig. 7-11). Les masses moléculaires des fragments chargés sont alors déterminées par le deuxième spectromètre de masse.

En comparant les masses moléculaires de séries de fragments de plus en plus grands, les masses moléculaires des résidus d'acides aminés, et donc leur identité, peuvent être déterminées. La séquence complète du polypeptide est ainsi élucidée. Cependant, la MS ne permet pas de distinguer les résidus isomériques Leu et Ileu, car ils ont la même masse, ni les résidus Gln et Lys avec certitude, car ils ne diffèrent que par 0,036 D. L'informatisation de cette méthode comparative a réduit le temps nécessaire au séquençage d'un court polypeptide à quelques minutes, alors

(a)

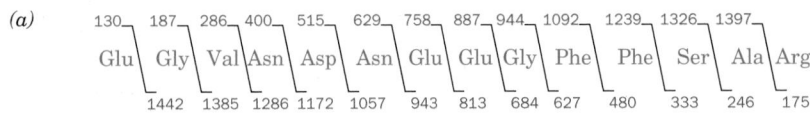

130	187	286	400	515	629	758	887	944	1092	1239	1326	1397

Glu | Gly | Val | Asn | Asp | Asn | Glu | Glu | Gly | Phe | Phe | Ser | Ala | Arg

| | 1442 | 1385 | 1286 | 1172 | 1057 | 943 | 813 | 684 | 627 | 480 | 333 | 246 | 175 |

(b)

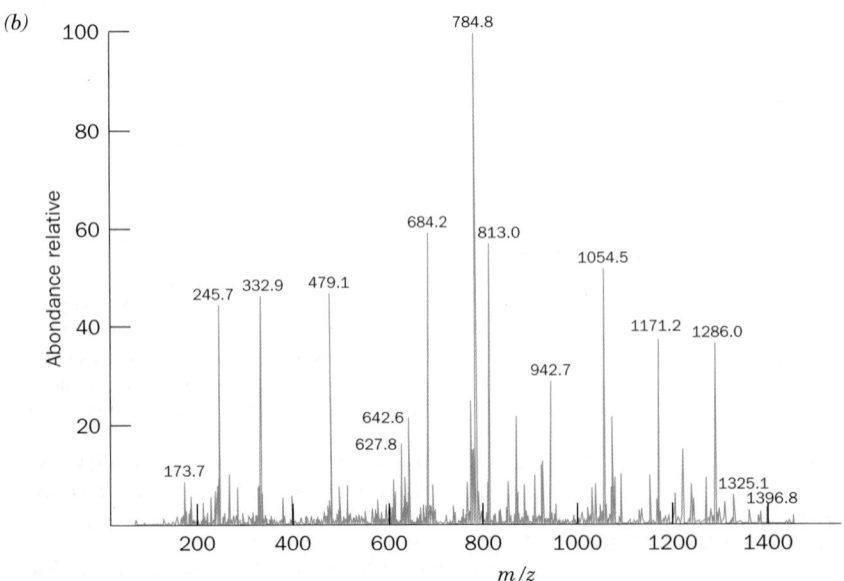

FIGURE 7-11 Spectre de masse en tandem de l'ion doublement chargé du [Glu¹]fibrinopeptide B humain (14 résidus, m/z = 786). (*a*) Séquence du peptide. Les rangées de valeurs supérieure et inférieure correspondent, respectivement, aux masses moléculaires des fragments chargés N-terminaux et C-terminaux formés après clivage selon la diagonale qui les relie. (*b*) Spectre de masse du peptide fragmenté. Les valeurs m/z des fragments les plus abondants sont indiquées au dessus des pics correspondants. L'énergie des collisions a été réglée de manière à ce que chaque ion peptidique ne se fragmente en moyenne qu'une seule fois. On note que, dans ces conditions, les fragments prédominants ont une valeur z de 1 et contiennent l'extrémité C-terminale intacte du peptide. [D'après Yates, J.R., *Methods Enzymol.* 271, 354 (1996).]

que 30 à 50 minutes sont nécessaire pour un seul cycle de dégradation d'Edman. La fiabilité de la MS a encore été améliorée par la comparaison informatique, à partir de bases de données, du spectre de masse mesuré avec celui de peptides de séquence connue.

De plus, on peut déterminer les séquences de plusieurs polypeptides dans un mélange, même en présence de contaminants, en sélectionnant séquentiellement les ions polypeptidiques correspondants dans le premier spectromètre de masse du tandem. De la sorte, en séparant et purifiant les fragments polypeptidiques d'un hydrolysat protéique en vue de leur séquençage, la spectrométrie de masse nécessite moins de travail que la technique d'Edman. Enfin, la spectrométrie de masse peut être utilisée pour séquencer des peptides dont les extrémités N-terminales sont bloquées chimiquement (une modification post-traductionnelle courante chez les eucaryotes qui interdit la dégradation d'Edman) et pour mettre en évidence d'autres modifications post-traductionnelles comme les phosphorylations (Section 4-3A) et les glycosylations (Section 11-3C). Bien que la technique d'Edman reste la référence pour le séquençage en acides aminés (haute sensibilité, pas d'ambiguïté, possibilité de séquencer des peptides de 100 résidus), la MS est devenue un outil important pour caractériser les polypeptides.

K. *Carte peptidique*

La détermination de la séquence d'une protéine peut être une tâche longue et difficile. Cependant, une fois que la structure primaire d'une protéine a été élucidée, celle d'une protéine presqu'identique, telle que celle trouvée chez une espèce très voisine ou après une mutation ou une modification chimique, sera déterminée plus facilement. Classiquement, ceci était fait en combinant la chromatographie sur papier et l'électrophorèse sur papier (Section 6-4A) d'hydrolysats protéiques partiels, technique appelée « **fingerprint** » (technique des empreintes) ou **carte peptidique**. Les fragments peptidiques qui comportent des modifications d'acide(s) aminé(s) vont migrer à des endroits différents sur leur « fingerprint » (carte peptidique) comparés aux peptides correspondants de la protéine originale (Fig. 7-12). On peut alors éluer les peptides différents et les séquencer afin d'établir les différences entre la protéine originale et la protéine apparentée sans devoir séquencer celle-ci entièrement.

Actuellement, on appelle carte peptidique toute méthode qui fragmente une protéine de manière reproductible et en sépare les peptides de sorte que des protéines apparentées en donnent un patron différent. On peut ainsi réaliser une carte peptidique par électrophorèse en gel à deux dimensions ou par des techniques à haute résolution à une dimension, comme l'HPLC, la SDS-PAGE, la focalisation isoélectrique ou l'électrophorèse en capillaire (Sections 6-3 et 6-4). Quelle que soit la méthode, on isole les peptides correspondants qui diffèrent et on les séquence pour déterminer les différences de séquence entre les protéines que l'on compare.

2 ■ SÉQUENÇAGE DES ACIDES NUCLÉIQUES

La stratégie de base du séquençage des acides nucléiques est semblable à celle du séquençage des protéines (Section 7-1), dans la mesure où elle comprend :

1. La coupure spécifique et le fractionnement du polynucléotide à séquencer en fragments suffisamment courts pour être séquencés complètement.

2. Le séquençage proprement dit des fragments ainsi produits.

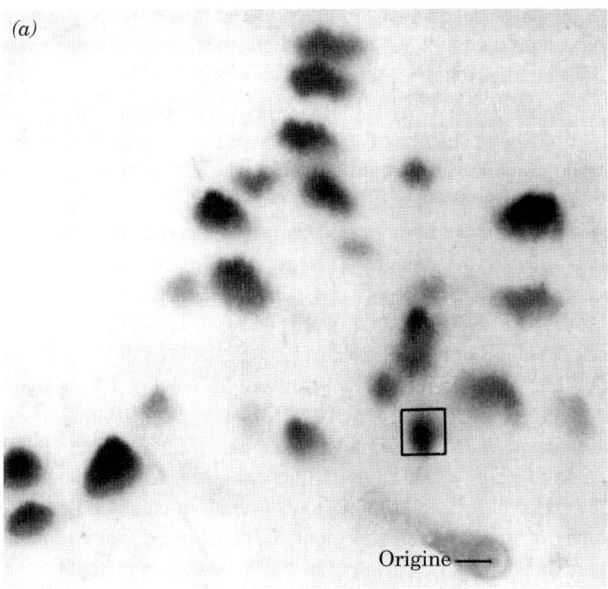

(a)

Origine ——

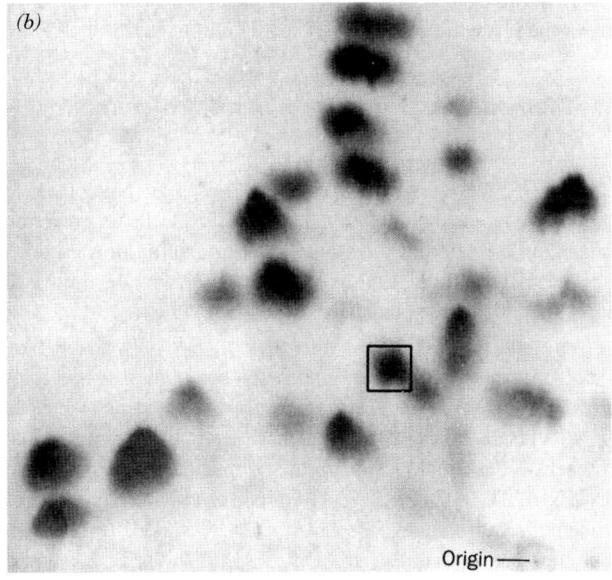

(b)

Origin ——

FIGURE 7-12 Carte peptidique. Comparaison de cartes peptidiques d'hydrolysats trypsiques de *(a)* hémoglobine A (HbA) et *(b)* hémoglobine S (HbS). Les peptides différents de ces deux formes d'hémoglobine sont encadrés. Ces peptides correspondent aux huit résidus N-terminaux de la sous-unité β de l'hémoglobine. Leurs séquences sont :

Hemoglobin A	Val2	His2	Leu2	Thr2	Pro2	**Glu**2	Glu2	Lys
Hemoglobin S	Val2	His2	Leu2	Thr2	Pro2	**Val**2	Glu2	Lys
	β1	2	3	4	5	**6**	7	8

[Avec la permission de Corrado Baglioni, State University of New York at Albany.]

3. La mise en ordre des fragments en recommençant les deux étapes précédentes avec un procédé de coupure différent, qui produira des fragments chevauchants par rapport au premier ensemble de fragments.

Jusqu'à 1975 environ, le séquençage des acides nucléiques avait un important retard sur le séquençage des protéines, en particulier parce qu'il n'y avait pas alors d'endonucléases spécifiques d'une séquence de plus d'un nucléotide. Pour les ARN, on en était réduit à les couper en fragments relativement petits par hydrolyse partielle avec des enzymes telles que la **ribonucléase T1** (tirée d'*Aspergillus oryzae*), qui coupe les ARN après un résidu guanine, ou avec la **ribonucléase A pancréatique**, qui coupe après un résidu pyrimidique. De plus, pour les polynucléotides, il n'y a pas de méthode analogue à celle d'Edman pour les protéines (Section 7-1A). Les polynucléotides étaient donc séquencés par digestion partielle avec une des deux exonucléases : la **phosphodiestérase de venin de serpent**, qui enlève les résidus à partir de l'extrémité 3′ des polynucléotides (Fig. 7-13), ou la **phosphodiestérase de rate**, qui agit de manière semblable mais à partir de l'extrémité 5′. Les fragments oligonucléotidiques ainsi obtenus étaient identifiés par leur mobilité en chromatographie ou en électrophorèse. Il est clair que le séquençage d'ARN dans ces conditions est laborieux.

Le premier acide nucléique d'intérêt biologique qui a été séquencé, par Robert Holley, est l'**ARNt de l'alanine** de levure (Section 32-2A). Le séquençage de cette molécule, longue de seulement 76 nucléotides, a duré 7 ans, jusqu'en 1965, soit douze ans après que Frederick Sanger eut déterminé la séquence des acides aminés de l'insuline. Cette première a été suivie rapidement par d'autres séquençages de nombreuses espèces d'ARNt et d'**ARN ribosomiaux 5S** (Section 32-3A) provenant de plusieurs espèces. L'art du séquençage des ARN par ces techniques a atteint son apogée en 1976, lorsque Walter Fiers termina la séquence des 3569 nucléotides du génome du **bactériophage MS2**. Par comparaison, le séquençage de l'ADN était en ce moment à un stade bien plus primitif en raison de l'absence d'endonucléases spécifiques d'une séquence d'ADN.

```
G C A C U U G A
          |
          | phosphodiestérase de
          | venin de serpent
          ▼
G C A C U U G A
G C A C U U G
G C A C U U
G C A C U
G C A C
G C A
G C    + Mononucléotides
```

FIGURE 7-13 Détermination de la séquence d'un oligonucléotide par digestion partielle avec la phosphodiestérase de venin de serpent. Cette enzyme libère l'un après l'autre les nucléotides, à partir de l'extrémité 3′ d'un polynucléotide ayant un 3′-OH libre. La digestion partielle d'un oligonucléotide avec la phosphodiestérase de venin de serpent donne, comme c'est indiqué, un mélange de fragments de toutes les longueurs, que l'on peut séparer par chromatographie. La comparaison des compositions en bases des paires de fragments ne différant que par un nucléotide, permet d'identifier le nucléotide 3′ terminal du fragment le plus long. On peut ainsi établir la séquence de l'oligonucléotide.

Après 1975, des progrès importants furent réalisés dans les techniques de séquençage. Ils étaient dus à trois nouveautés :

1. La découverte des endonucléases de restriction, enzymes qui coupent l'ADN duplex à des sites spécifiques par leur séquence (Section 5-5A).

2. La mise au point des techniques de clonage moléculaire, qui permettent d'isoler un fragment d'ADN identifiable en quantité suffisante pour le séquencer.

3. La mise au point des techniques de séquençage de l'ADN.

Ces procédés ont permis la percée extraordinaire de la biologie moléculaire au cours des deux dernières décennies, comme nous le discuterons dans les chapitres suivants. Les techniques de séquençage de l'ADN font l'objet de cette section.

Le développement des techniques de séquençage des acides nucléiques a été si rapide qu'il est devenu plus facile de déterminer la séquence de bases d'un gène que de déterminer directement la séquence des acides aminés de la protéine correspondante, bien que ces deux types de données fournissent des informations complémentaires (Section 7-2C). Le nombre de nouvelles séquences d'ADN est tel – plus de 35 milliards de bases dans près de 22 millions de séquences début 2003, et cette quantité double tous les ans – que seuls des ordinateurs peuvent les stocker. La première séquence complète d'un génome, celui de la bactérie Gram négatif *Hemophilus influenzae*, fut publiée par Craig Venter en 1995. À la mi-2003, on disposait des séquences complètes du génome de 135 procaryotes (sans compter toutes celles en cours de détermination) et de 11 eucaryotes dont *Saccharomyces cerevisiae* (la levure de boulanger), *Caenorhabditis elegans* (un nématode), *Drosophila melanogaster* (la mouche du vinaigre), *Arabidopsis thaliana* (une plante à fleurs), la souris et l'Homme (Tableau 7-3).

A. Méthode par blocage de chaîne en cours de synthèse

Après 1975, plusieurs méthodes furent mises au point pour le séquençage rapide de longs fragments d'ADN. Celle de Frederick Sanger, qui est exposée ci-dessous (« **chain-terminator method** », appelée aussi **méthode didésoxy**), a été utilisée pour déterminer la plupart des séquences élucidées jusqu'ici.

Cette méthode consiste à faire agir l'ADN polymérase I de E. coli (Section 5-4C) pour synthétiser des copies complémentaires de l'ADN simple brin à séquencer. Comme nous l'avons vu, en utlisant la chaîne à séquencer comme matrice, l'ADN polymérase I assemble les quatre désoxynucléosides triphosphate (dNTP), dATP, dCTP, dGTP, dTTP, en un polynucléotide complémentaire qui s'allonge de la direction 5′ vers 3′ (Fig. 5-30). Pour amorcer la synthèse d'ADN, l'ADN polymérase requiert une amorce associée de façon stable par appariement de bases avec la matrice d'ADN. Si l'ADN à séquencer est un fragment de restriction, comme c'est souvent le cas, il commence et se termine par un site de restriction. L'amorce peut alors être un court fragment d'ADN comportant le site de restriction et qui s'hybride avec la chaîne à répliquer. Pour obtenir les ADN matrice à séquencer en quantité suffisante, on les a clonés dans des vecteurs de type M13 (Section 5-5B) ou on les a amplifiés par PCR (Section 5-5F), deux techniques qui fournissent les ADN simple brin nécessaires.

TABLEAU 7-3 **Quelques génomes séquencés**

Organisme	Taille du génome haploïde (kb)	Nombre de chromosomes
Mycoplasma genitalium (parasite humain)	580	1
Rickettsia prowazeki (bactérie, provoque le typhus, sans doute apparentée aux mitochondries)	1112	1
Borrelia burgdorferi (spirochète de la maladie de Lyme)	1444	1
Methanococcus jannaschii (archébactérie méthanogène thermophile)	1665	1
Haemophilus influenzae (bactérie pathogène pour l'Homme)	1830	1
Archaeoglobus fulgidus (archébactérie sulfato-réductrice hyperthermophile)	2178	1
Synechocystis sp. (cyanobactérie)	3573	1
Mycobacterium tuberculosis (provoque la tuberculose)	4412	1
Escherichia coli (bactérie, symbionte de l'Homme)	4639	1
Schizosaccharomyces pombe (levure fissipare)	13 800	3
Saccharomyces cerevisiae (levure bourgeonnante ou de boulangerie)	11 700	16
Plasmodium falciparum (protozoaire, provoque la malaria)	30 000	14
Caenorhabditis elegans (ver nématode)	97 000	6
Drosophila melanogaster (mouche du vinaigre)	137 000	4
Arabidopsis thaliana (plante à fleurs)	117 000	5
Oryza sativa (riz)	430 000	12
Mus musculus (souris)	2 500 000	20
Ratus norvegicus (rat)	2 600 000	21
Homo sapiens (Homme)	3 200 000	23

Source: principalement http://www.ncbi.nlm.nih.gov:80/PMGifs/Genomes/org.html

L'ADN polymérase I possède une activité exonucléase $5' \rightarrow 3'$ (Fig. 5-33). Cette action dépend d'un site catalytique différent et séparé de ceux qui catalysent la réaction de polymérisation et l'activité exonucléase $3' \rightarrow 5'$ (Fig. 5-36). Ceci a été démontré en observant le fait que si l'enzyme est coupée en deux par protéolyse spécifique, le fragment le plus grand (C-terminal, connu sous le nom de **fragment de Klenow**) possède les activités polymérase et exonucléase $3' \rightarrow 5'$, tandis que le petit fragment (N-terminal) possède l'activité exonucléase $5' \rightarrow 3'$. Dans les opérations de séquençage, on utilise seulement le fragment de Klenow, afin d'être sûr que toutes les chaînes ainsi répliquées possèdent la même terminaison en 5'.

a. La synthèse, par l'ADN polymérase, d'un ADN marqué est arrêtée après l'incorporation d'une base spécifique didésoxy

Dans la méthode par blocage de la chaîne (« chain terminator method ») (Fig. 7-14), *l'ADN à séquencer est incubé avec le frag-* *ment de Klenow de l'ADN polymérase I, en présence d'une amorce appropriée et des quatre désoxyribonucléosides triphosphate (dNTP). Au moins un des quatre dNTP, souvent le dATP, est marqué en α par le ^{32}P ; sinon, on marque l'amorce en α-^{32}P. En plus, il faut ajouter au mélange réactionnel une petite proportion d'un analogue de l'un des quatre dNTP, à savoir un **2′, 3′-didésoxynucléoside triphosphate (ddNTP)**,*

2′,3′-Dideoxynucleoside triphosphate

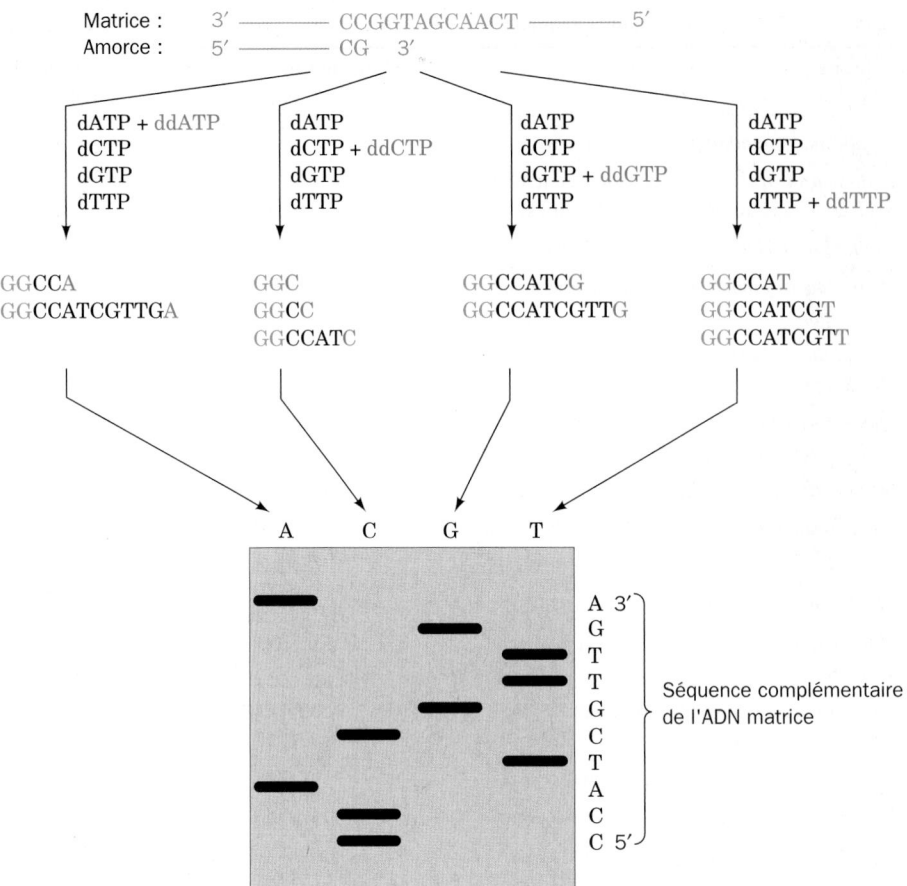

FIGURE 7-14 **Diagramme des étapes suivies dans la méthode de séquençage par blocage de chaîne en cours de synthèse (méthode « chain-terminator » ou « didésoxy »).** Le symbole ddATP représente la didésoxyadénosine triphosphate, etc. La séquence obtenue en lisant le gel de bas en haut (du plus court au plus long des fragments) est complémentaire de la séquence de l'ADN matrice.

Quand l'analogue didésoxy est incorporé dans la chaîne polynucléotidique en extension à la place du nucléotide normal, la synthèse s'arrête à cause de l'absence du groupement 3'-OH. L'ajout d'une faible proportion de l'analogue par rapport au nucléotide normal provoque la formation d'une *série de chaînes tronquées, chacune étant terminée par l'analogue didésoxy à une des positions occupées par la base normale.* Chacun des quatre ddNTP est ajouté dans un tube à essai différent.

Les mélanges marqués au ³²P ainsi produits sont déposés sur un gel d'électrophorèse dans des pistes parallèles voisines. Ce **gel de séquence** est une feuille longue et mince (de 0,1 mm sur parfois 100 cm) de polyacrylamide. Il contient ~7*M* d'urée et l'électrophorèse est pratiquée à ~70 °C afin d'éliminer toutes les liaisons hydrogène. *Dans ces conditions, les fragments d'ADN ne se séparent qu'en fonction de leur taille.* On peut alors déduire directement la séquence du brin néorépliqué en lisant, de bas en haut, l'autoradiogramme du gel de séquence (Fig. 7-15). Une lecture automatisée par ordinateur est aussi possible. Comme le pouvoir de résolution d'un tel gel ne permet pas de séparer plus de 300 à 400 chaînes (et donc pb), deux gels, le premier mis sous tension pendant un temps plus long et souvent à un voltage plus élevé que l'autre, peuvent révéler la séquence d'un même fragment sur près de 800 pb.

On peut améliorer la qualité des autoradiogrammes en utilisant des dNTP dont les groupements phosphate α ont été marqués avec le ³⁵S plutôt qu'avec le ³²P.

α-Thio-[³⁵S]-dNTP

Ceci résulte du fait que les noyaux ³⁵S émettent des particules β d'énergie plus faible et donc de parcours plus court que le ³²P, ce qui forme des bandes plus fines sur l'autoradiogramme. On peut aussi obtenir des gels plus faciles à interpréter en remplaçant le fragment de Klenow par l'**ADN polymérase T7 (du bactériophage T7**, moins sensible à la présence des ddNTP que le fragment de Klenow, et qui donne des bandes d'intensités plus égales) ou par celle de bactéries thermophiles comme *Thermus aquaticus*

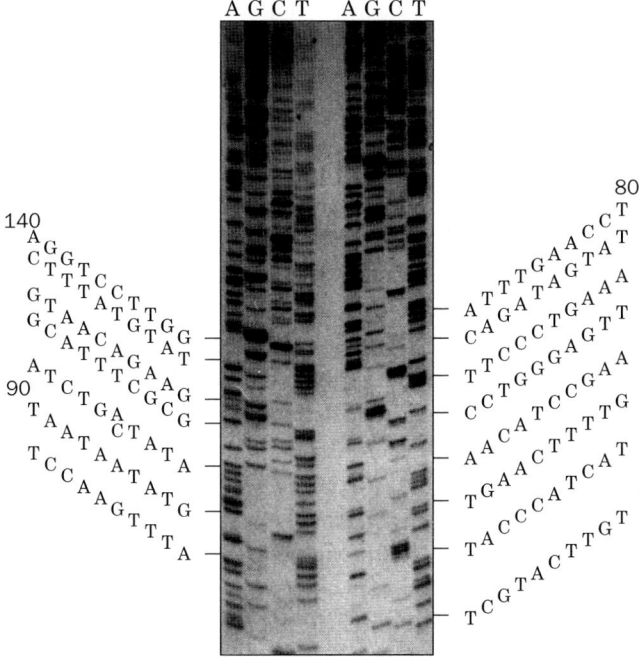

FIGURE 7-15 Autoradiographie d'un gel de séquençage. Les fragments d'ADN ont été obtenus avec la méthode par blocage de chaîne en cours de synthèse. Deux dépôts, le premier à gauche et le second à droite, ont été faits à 90 min d'intervalle. La séquence est définie pour 140 nucléotides successifs et est indiquée sur les côtés. [D'après Hindley, J., DNA sequencing, *in* Works, T.S., et Burdon, R.H. (Éds.), *Laboratory Techniques in Biochemistry and Molecular Biology*, Vol. 10, p. 82, Elsevier (1983). Avec autorisation.]

(polymérase *Taq* ; Section 5-5F), qui sont stables au dessus de 90 °C et qui peuvent donc être utilisées à des températures suffisantes pour dénaturer des régions plus stables de la séquence d'ADN.

Pour un technicien entraîné, il ne faut quelques heures de travail pour séquencer un fragment d'ADN de 800 nucléotides par la méthode didésoxy. En réalité, lorsqu'il faut séquencer une longue molécule, le travail le plus long est de s'assurer que tous les fragments qu'elle donne (par les méthodes décrites dans la section 5-5E) sont clonés et ordonnés, alors que le séquençage proprement dit est assez rapide.

b. On peut séquencer un ARN après l'avoir transcrit en ADNc

L'ARN peut être séquencé rapidement en modifiant quelque peu les procédés utilisés pour l'ADN. L'ARN à séquencer est transcrit en une chaîne complémentaire d'ADN (ADNc) sous l'action de la transcriptase réverse (Section 5-5F). L'ADNc peut alors être séquencé normalement.

c. La méthode par blocage de chaîne a été automatisée

Lorsqu'il a fallu séquencer de long morceaux d'ADN tels que des chromosomes entiers, on a accéléré le procédé en automatisant et en informatisant la méthode par blocage de chaîne. On a dû, pour cela, remplacer le marquage radioactif par le marquage fluorescent, éliminant du même coup les dangers liés à l'usage des radio-isotopes et le problème de leur stockage. Deux types de systèmes à fluorescence équipent les séquenceurs d'ADN automatiques disponibles sur le marché :

1. Quatre réactions dans un seul puits du gel Les amorces utilisées dans chacune des quatre réactions d'extension sont, chacune, liées en 5′ à un colorant fluorescent différent. Les quatre produits de réactions réalisées indépendamment sont ensuite mélangés et soumis à l'électrophorèse dans un seul puits. La base terminale de chaque fragment, lorsqu'il sort du gel, est identifiée par son spectre caractéristique de fluorescence activé par laser (Fig. 7-16).

2. Une seule réaction dans un seul puits du gel Chacun des quatre ddNTP utilisés pour bloquer la chaîne en cours de polymérisation est lié de manière covalente à un composé fluorescent dif-

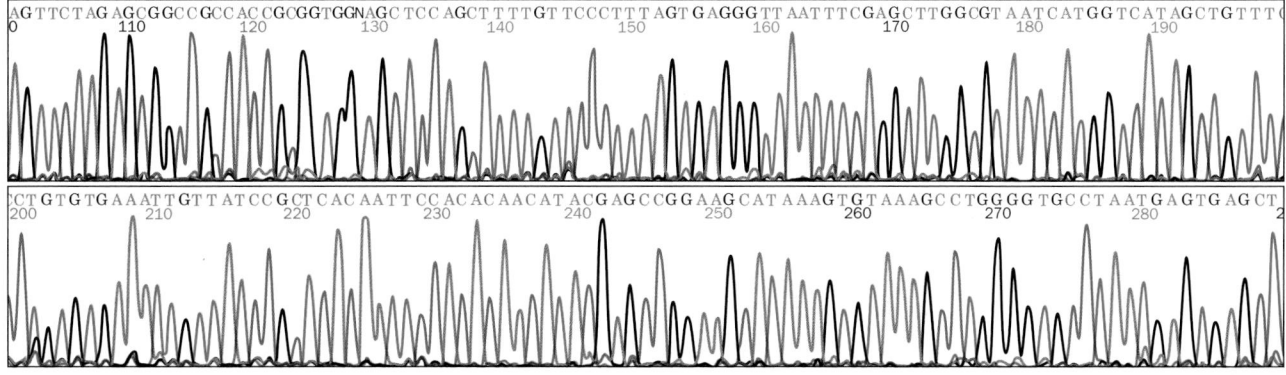

FIGURE 7-16 Partie de l'enregistrement d'un séquençage réalisé avec les quatre produits de réaction déposés dans le même puits du gel. Chacune des quatre courbes de couleur différente indique la variation d'intensité de fluorescence d'un colorant différent lié à l'amorce d'extension utilisée avec un des ddNTP qui bloquera la réaction d'extension commencée à partir de cette amorce. Les couleurs verte, rouge, noire et bleue correspondent dans l'ordre au ddATP, ddTTP, ddGTP et ddCTP. La base 3′-terminale de chaque oligonucléotide, la taille de ce dernier déterminant sa position dans le gel, est identifiée par le pic de fluorescence correspondant à la bande dans le gel. Les lettres écrites au dessus des pics indiquent la base correspondant au pic et les nombres, sa position dans le segment d'ADN. [Avec l'autorisation de Mark Adams, The Institute for Genomic Research, Gaithersburg, Maryland.]

férent. La réaction d'élongation se fait donc dans un seul récipient et le mélange de fragments est soumis à l'électrophorèse de séquence dans un seul puits du gel. La base terminale de chaque fragment est identifiée par son spectre caractéristique de fluorescence.

Les détecteurs de fluorescence utilisés dans tous ces systèmes, qui font des erreurs à raison d'environ 1 base sur 100, sont pilotés par ordinateur et l'acquisition des séquences est ainsi automatisée. Dans les systèmes les plus perfectionnés, le gel d'électrophorèse en plaque est remplacé par un faisceau de 96 capillaires, la préparation de l'échantillon et son dépôt sur ces capillaires sont robotisés, et l'électrophorèse ainsi que l'analyse des résultats sont entièrement automatisées. On peut ainsi séquencer simultanément, en 2,5 heures, 96 fragments d'ADN d'environ 600 bases, soit 550 000 bases par jour, le tout pour seulement 15 minutes de surveillance, ce qui est énorme en regard des quelque 25 000 bases par an qu'un technicien entraîné peut séquencer par les méthodes manuelles. Néanmoins, un tel automate opérant en continu mettrait une trentaine d'années pour séquencer les 3,2 milliards de pb du génome humain, même en se limitant à deux séries de fragments chevauchants. En fait, au moins dix de ces séries sont nécessaires pour ne pas manquer certaines séquences dans de très longs fragments

(Section 5-5E) et pour réduire le risque d'erreur en dessous de 0,01 % (Section 7-2B). On trouve donc plus de 100 robots de ce type dans les grands centres de séquençage.

B. *Séquençage des génomes*

Un gros obstacle technique au séquençage d'un génome n'est pas le séquençage des segments d'ADN comme tels, mais bien leur assemblage (il peut y en avoir des dizaines de milliers, voire de millions, d'après la taille du génome) en « blocs » contigus (les **contigs**) et ceci dans l'ordre correct. Une manière de procéder est la « marche sur chromosome » (Section 5-5E). Cependant, cette approche serait trop longue et coûteuse pour un génome d'eucaryote. Par exemple, pour séquencer un chromosome humain de longueur moyenne (125 millions de pb) avec les inserts de ~10 kb d'une bibliothèque plasmidique, il faudrait un minimum de $1,25 \times 10^8/10\ 000 = 12\ 500$ cycles de cette méthode laborieuse.

a. Séquençage génomique conventionnel

Une stratégie plus efficace fut mise au point à la fin des années 1980 (Fig. 7-17a). On prépare d'abord pour chaque

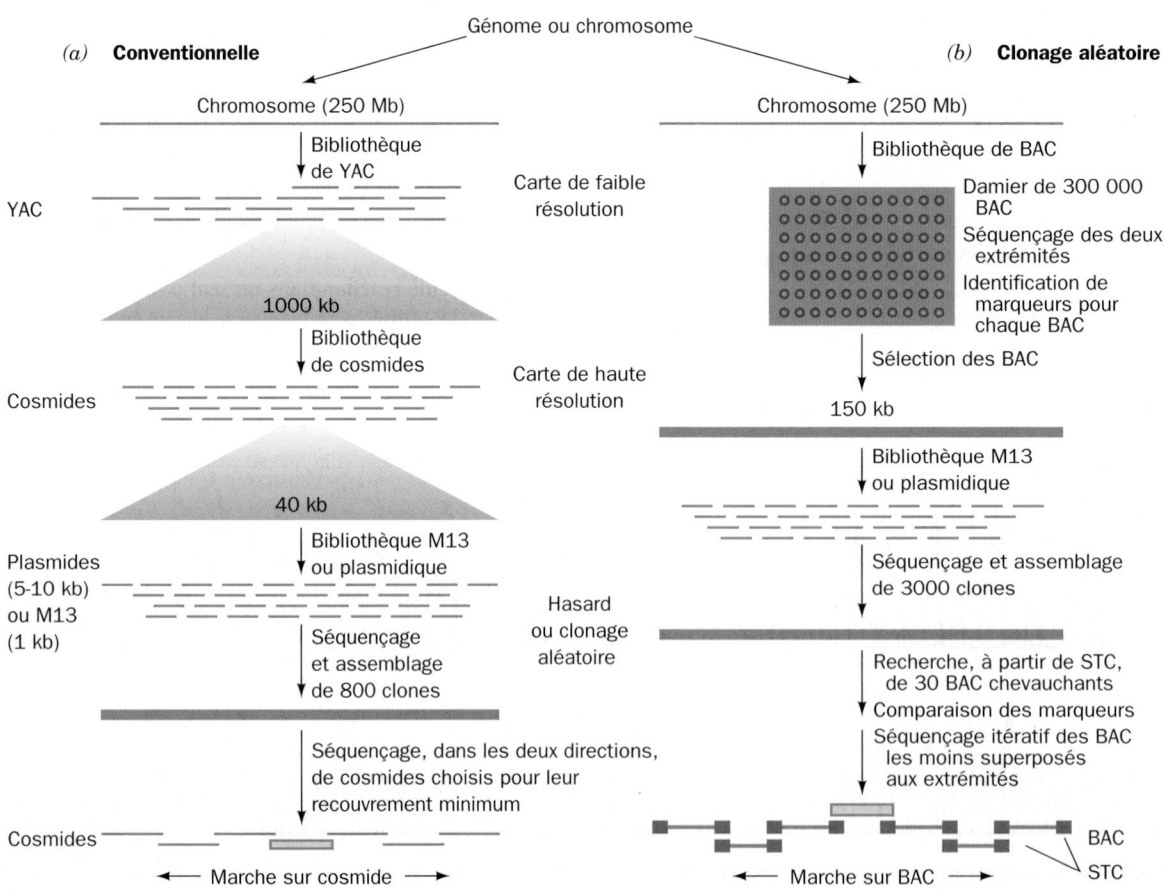

FIGURE 7-17 Stratégies de séquençage des génomes. (*a*) Stratégie conventionnelle. On prépare trois groupes d'inserts de taille décroissante et, après séquençage, on les dispose dans l'ordre par marche sur cosmide et en recourant à des repères comme des STS et des EST (voir ci-dessous). (*b*) Stratégie par clonage aléatoire. Celle-ci n'utilise que deux

niveaux de clonage et recourt à des algorithmes informatiques sophistiqués ainsi qu'à des STC pour organiser en chromosomes entiers les inserts séquencés. [D'après Venter, J.C., Smith H.O., et Hood, L., *Science* 381, 365 (1996).]

chromosome une carte physique de faible résolution en identifiant des repères communs dans des inserts chevauchants de ~250 kb clonés dans des YAC (chromosomes artificiels de levure). Ces repères sont souvent des segments de 200 à 300 pb appelés **sites marqueurs de séquence** (« *Sequence-Tagged Sites* » : **STS**) dont la séquence n'apparaît qu'une seule fois dans le génome. Deux clones contenant le même STS seront donc chevauchants. Les inserts contenant ces STS sont alors fragmentés au hasard (d'habitude par sonication ; Section 5-3D) en segments de ~40 kb que l'on clone en vecteurs cosmidiques de manière à pouvoir élaborer une carte de haute résolution en y identifiant les repères chevauchants. Ces inserts cosmidiques sont à leur tour fragmentés au hasard en segments chevauchants de 5 à 10 kb, voire 1 kb, en vue de leur insertion dans des vecteurs plasmidiques ou de type M13 (« shotgun cloning » ou clonage aléatoire, Section 5-5E). Ces inserts (~800 clones M13 par cosmide) sont alors séquencés (~400 pb par clone) et rassemblés par ordinateur en contigs pour donner la séquence de l'insert cosmidique de départ (la redondance sera donc : 400 pb par clone × 800 clones par cosmide / 40 000 pb par cosmide = 8). Pour finir, les inserts cosmidiques sont mis en ordre par « **marche sur cosmide** » (équivalent informatique de la marche sur chromosome ; Fig. 5-53) en superposant les points de repère, ce qui donne la séquence des inserts en YAC, lesquels sont ensuite ordonnés sur base de leurs STS pour aboutir à la séquence du chromosome.

Cette stratégie conventionnelle suppose que l'on identifie d'abord dans le génome à séquencer un nombre suffisant de STS espacés assez régulièrement. Le problème est que le génome de la plupart des eucaryotes complexes contient un grand nombre de **séquences répétitives**, courts segments d'ADN répétés à la queue leu leu des centaines, des milliers, voire des millions de fois (Section 34-2B ; ~40 % du génome humain est constitué de telles séquences, dont la fonction – si elles en ont une – est inconnue). Ce phénomène augmente singulièrement la difficulté de trouver des STS. On remplace donc ces derniers par des ADNc appelés **marqueurs de séquences exprimées** (« *Expressed Sequence Tags* » : **EST**). Puisque les ARNm correspondants codent des protéines, on peut quasi exclure que ces EST contiennent des séquences répétitives.

b. Clonage aléatoire (« shotgun cloning »)

Au moment où fut atteint le premier objectif du **projet « génome humain »**, à savoir identifier des STS et des EST toutes les 100 kb environ, les progrès en informatique et en techniques de clonage permirent une stratégie de séquençage plus directe, qui rendait inutile la cartographie de faible résolution (par YAC) et de haute résolution (par cosmides). Cette méthode, dite de clonage aléatoire, fut proposée par Craig Venter, Hamilton Smith et Leroy Hood. Ici, le génome est fragmenté au hasard, un très grand nombre de fragments clonés sont séquencés, et ceux-ci sont mis en ordre en identifiant les paires de fragments chevauchants. D'après les calculs statistiques, la probabilité qu'une base ne soit pas séquencée est e^{-c}, où c est la redondance de séquençage ($c = LN/G$, où L est la longueur moyenne, en pb, des inserts clonés, N est le nombre d'inserts séquencés, et G est la longueur, en pb, du génome), $G \, e^{-c}$ est la

somme des longueurs des parties qui séparent les contigs, et G/N est la longueur moyenne des ces parties.

Pour les génomes bactériens, on applique cette stratégie comme telle en séquençant des dizaines de milliers de fragments et en les mettant en ordre à l'aide d'algorithmes capables de reconstituer des contigs à partir d'un très grand nombre de petites séquences. Pour combler les vides entre les contigs (« mettre la dernière main » au séquençage), il suffit alors de synthétiser des amorces pour PCR complémentaires aux extrémités des contigs, à l'aide desquelles on isole les segments manquants (par marche sur chromosome).

Pour les génomes d'eucaryotes, leur taille bien plus considérable fait que l'on doit procéder en plusieurs étapes (Fig. 7-17*b*). On commence par produire une bibliothèque de chromosomes artificiels de bactérie (des BAC ; ceux-ci sont plus faciles à manipuler que les YAC) contenant des inserts de ~150 kb (dans le cas du génome humain, pour une redondance de ~15 fois – qui laisserait encore environ 1 kb non séquencée – il faudrait ~300 000 de ces clones). L'insert de chaque clone BAC est identifié en séquençant ~500 pb à partir de chaque extrémité, ce qui donne des **connecteurs marqueurs de séquence** (« *Sequence-Tagged Connectors* » : **STC** ou **BAC-ends**). Pour les 300 000 clones ci-dessus, cela représenterait ~300 000 kb, soit 10 % du génome humain. Un premier insert en BAC est fragmenté et les fragments sont clonés au hasard en vecteurs plasmidiques ou de type M13 (ce qui donne environ ~3000 clones chevauchants), séquencés et assemblés en contigs. La séquence de ce BAC de départ est alors comparée avec celles des bases de données de STC afin d'identifier les ~30 clones BAC chevauchants. Les deux clones qui ont le plus faible degré de superposition à l'une ou l'autre de leurs extrémités sont séquencés et ce protocole est répété juqu'à obtenir la séquence de tout le chromosome (on parle de « marche sur BAC »). Pour le génome humain, il a ainsi fallu séquencer ~20 000 inserts en BAC. L'ordre définitif des séquences est vérifié en recourant aux bases de données de STS et d'EST.

La méthode par clonage aléatoire est facile à automatiser et sa mise en œuvre par des robots est plus rapide et moins coûteuse que la stratégie conventionnelle. C'est donc par la première de ces deux approches qu'ont été séquencés, souvent en quelques mois, la plupart des génomes publiés et, grâce à elle, on a gagné plusieurs années pour le séquençage du génome humain.

c. Le génome humain a été séquencé

Une première version du génome humain fut publiée début 2001 par deux équipes indépendantes : l'International Human Genome Sequencing Consortium, dirigé par Francis Collins, Eric Lander et John Sulston, et un groupe dirigé par Craig Venter et affilié pour l'essentiel à la firme Celera Genomics. Cette réalisation stupéfiante, qui couronnait plus d'une décennie d'efforts impliquant des centaines de scientifiques, est censée révolutionner la compréhension et la pratique de la biochimie et de la médecine. Cependant, un gros travail reste à faire pour mettre la dernière main au séquençage et pour annoter cette séquence de ~3,2 milliards de nucléotides, dont il manque encore 10 %, essentiellement des séquences hautement répétitives. On peut néanmoins en tirer plusieurs informations importantes :

1. Près de la moitié du génome humain est constitué de différents types de séquences répétées.

2. Environ 28 % seulement du génome sont transcrits en ARN.

3. Il n'y a que 1,1 à 1,4 % du génome (~5 % de l'ARN transcrit) qui code des protéines.

4. Le génome humain ne contiendrait que ~30 000 gènes codant des protéines [on parle de **cadres ouverts de lecture** («*O*pen *R*eading *F*rames» : **ORF**)] au lieu de 50 000 à 140 000 ORF prédites par extrapolation. Ces valeurs, qui devront être revues puisque la détection des ORF ira en s'améliorant, sont à comparer au nombre d'ORF chez la levure (~6000), *Drosophila* (~13 000), *C. elegans* (~18 000) et *Arabidopsis* (~26 000).

5. Un petit nombre seulement des familles de protéines humaines sont typiques des vertébrés ; la plupart se retrouvent dans d'autres formes de vie, sinon dans toutes.

6. Deux génomes humains pris au hasard ne diffèrent, en moyenne, que d'un nucléotide sur 1250 ; deux individus non apparentés sont donc génétiquement identiques à plus de 99,9 %. Si l'organisme des humains et des vertébrés en général est plus complexe que celui des formes de vie inférieures, ce n'est donc pas parce que les premiers auraient un beaucoup plus grand nombre d'ORF. Cette différence serait plutôt due à la plus grande complexité des protéines des vertébrés ; elles possèdent plus de domaines (ou modules) que celles des invertébrés et ces modules sont plus souvent exprimés de façon sélective par épissage différentiel des gènes (Section 5-4A). Ainsi, de nombreux gènes de vertébrés codent chacun plusieurs protéines similaires, mais aux propriétés légèrement différentes.

Pour une exploration du génome humain, on peut consulter http://www.ncbi.nlm.nih.gov/Genomes/index.html (séquences de l'International Human Genome Sequencing Consortium) et http://publication.celera.com (séquences de la firme Celera).

C. *Séquencer des gènes plutôt que des protéines ?*

Les séquences en acides aminés des protéines sont spécifiées par les séquences des bases des acides nucléiques (Section 5-4B) si bien que, connaissant le code génétique (Tableau 5-3) et les séquences d'initiation de la transcription et de la traduction (Sections 31-3 et 32-3C), la structure primaire d'une protéine peut être déduite de celle de l'acide nucléique correspondant. Les techniques de séquençage des acides nucléiques sont restées pendant longtemps loin derrière celles des protéines, mais à la fin des années 1970 les méthodes de séquençage de l'ADN ont fait de tels progrès qu'il est devenu plus facile de séquencer un segment d'ADN que la protéine qu'il spécifie. Bien que les structures primaires de protéines soient maintenant déduites systématiquement des séquences d'ADN, le séquençage direct des protéines reste un outil biochimique indispensable pour plusieurs raisons importantes :

1. La position des ponts disulfure ne peut être déterminée que par le séquençage de la protéine.

2. Beaucoup de protéines subissent des changements après leur biosynthèse par l'élimination de certains résidus et par des modifications spécifiques d'autres résidus (Section 32-5). La nature de ces modifications, souvent essentielles à la fonction de la protéine, ne peut être déterminée que par le séquençage direct de la protéine.

3. Il est souvent difficile d'identifier et d'isoler un acide nucléique qui code une protéine d'intérêt. De fait, un des moyens les plus efficaces d'y parvenir est de déterminer la séquence en acides aminés d'au moins une partie de la protéine, d'en déduire la séquence en bases du segment de l'ADN qui code ce segment polypeptidique, et de synthétiser chimiquement cet ADN afin de l'utiliser pour identifier et isoler le gène (ou les gènes) qui contient cette séquence de bases par transfert selon Southern ou par PCR (Sections 5-5D et 5-5F). On parle ici de **génétique inverse** puisque, chez les procaryotes, on partait traditionnellement de la génétique pour caractériser des protéines, et non l'inverse. Pour les organismes dont les génomes ont été séquencés, on peut faire de la génétique inverse *in silico*, c'est-à-dire par ordinateur.

4. Une erreur fréquente lors du séquençage de l'ADN provient de l'insertion ou de la délétion involontaire d'un seul nucléotide. Ceci change le cadre de lecture apparent du gène (Section 5-4A) et donc modifie les prédictions pour tous les résidus d'acides aminés à partir du point erroné. Une vérification de la séquence en acides aminés prédite, par séquençage direct d'une série d'oligopeptides répartis tout au long de la protéine, permet de déceler facilement de telles erreurs.

5. Le code génétique « standard » n'est pas universel : il diffère légèrement de celui des mitochondries et de celui de certains protozoaires (Section 32-1D). De plus, chez certaines espèces de protozoaires, les transcrits d'ARN sont « corrigés », c'est-à-dire que leurs séquences sont modifiées avant d'être traduites (Section 31-4A). Ces anomalies du code génétique ont été découvertes en comparant la séquence en acides aminés de certaines protéines et la séquence en bases des gènes correspondants. S'il existe d'autres anomalies du code génétique, elles seront sans aucun doute découvertes de la même manière.

3 ■ ÉVOLUTION CHIMIQUE DES PROTÉINES

Les individus, comme toutes les espèces, sont caractérisés par leur patrimoine génétique héréditaire. Celui-ci définit la séquence en acides aminés de toutes ses protéines, ainsi que leur quantité et la programmation de leur synthèse dans chaque cellule. La composition en protéines d'un organisme est donc l'expression directe de son patrimoine génétique.

Dans cette section, nous nous intéresserons plus spécialement aux séquences d'acides aminés en fonction de l'évolution, c'est-à-dire à l'**évolution chimique** des protéines. Les changements au cours de l'évolution, dus à des mutations qui se font au hasard, modifient souvent la structure primaire d'une protéine. Une modification par mutation dans une protéine, si elle doit se propager, doit d'une certaine façon augmenter, ou au moins ne pas diminuer, la probabilité de survie et de reproduction du mutant. Beaucoup de mutations sont nuisibles et souvent létales par leurs effets ; elles disparaissent donc rapidement. Cependant, en de rares occasions, une mutation à première vue défavorable améliore en fait l'adaptation de son hôte à son environnement naturel, comme nous allons le voir ci-dessous.

A. *L'anémie falciforme : influence de la sélection naturelle*

L'**hémoglobine**, le pigment rouge du sang, est une protéine dont la fonction principale est de transporter l'oxygène dans tout le corps. Une molécule d'hémoglobine est un tétramère $\alpha_2\beta_2$; autrement dit, elle est constituée de deux chaînes α identiques et de deux chaînes β identiques (Fig. 7-1*d*). L'hémoglobine se trouve dans les **érythrocytes** (les globules rouges ; du grec *erythros*, rouge et *kytos*, recipient creux) dont elle représente environ 33 % du poids chez les individus normaux, une concentration presqu'identique à celle qu'elle a à l'état cristallisé. À chacun des cycles de leur périple dans le système circulatoire, les érythrocytes, qui se présentent normalement sous forme de disques souples biconcaves (Fig. 7-18*a*), doivent se comprimer dans les capillaires de diamètre inférieur au leur.

Chez les individus atteints de la maladie héréditaire dite anémie à cellules falciformes (« en faucille »), ou **anémie falciforme** ou encore **drépanocytose** (du grec *drepanos*, faucille), de nombreux érythrocytes ont une forme irrégulière en croissant lorsque la concentration en oxygène est basse, ce qui est le cas dans les capillaires (Fig. 7-18*b*). Cette forme anormale augmente la rigidité des érythrocytes, ce qui gêne leur passage dans les capillaires. Les cellules falciformes entravent par conséquent la circulation du sang dans les capillaires de sorte qu'en cas de « crise », elle peut être bloquée dans certaines régions, ce qui entraîne des lésions tissulaires importantes et des douleurs atroces. De plus, les individus atteints de cette maladie souffrent d'**anémie hémolytique** grave (destruction des globules rouges) car la diminution de résistance mécanique de leurs érythrocytes diminue de moitié la durée de vie normale (120 jours) de ces cellules. Les effets de cette maladie sont tels qu'avant la dernière moitié du vingtième siècle, les individus atteints d'anémie falciforme n'atteignaient que rarement l'âge adulte (les traitements modernes ne permettent pourtant pas d'obtenir la guérison).

a. L'anémie falciforme est une maladie moléculaire

En 1945, Linus Pauling pensa à juste titre que l'*anémie falciforme, qu'il appela une **maladie moléculaire**, est due à la présence d'une hémoglobine mutante*. Pauling et ses collaborateurs démontrèrent alors, par des études électrophorétiques, que l'hémoglobine normale humaine (**HbA**) a une charge anionique plus négative d'environ deux unités que l'hémoglobine de l'anémie falciforme (**HbS** ; Fig. 7-19).

En 1956, Vernon Ingram mit au point la technique de la carte peptidique (Section 7-1K) afin de préciser la différence entre l'HbA et l'HbS. Les cartes d'Ingram d'hydrolysats tryptiques de HbA et HbS montrèrent que leurs sous-unités α sont identiques mais que leurs sous-unités β contiennent un peptide tryptique différent (Fig. 7-12). Des études de séquençage montrèrent finalement que cette différence vient du remplacement du Glu $\beta6$ de HbA (le Glu en 6ᵉ position de chaque sous-unité β) par une Val dans HbS (Glu $\beta6 \rightarrow$ Val), expliquant ainsi la différence de charge observée par Pauling. C'était la première démonstration qu'une maladie héréditaire est due à un changement spécifique d'un acide aminé d'une protéine. *Cette mutation provoque l'agrégation de l'HbS désoxygénée en filaments suffisamment volumineux et rigides pour déformer les érythrocytes* – exemple remarquable de

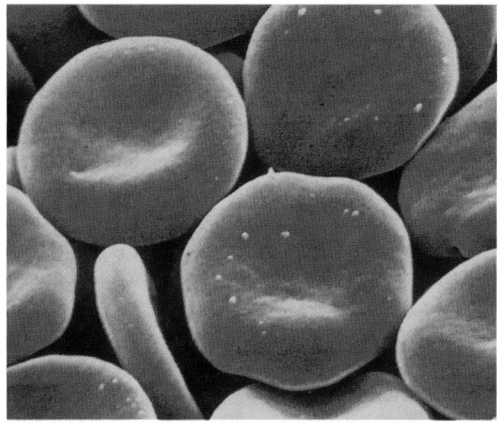

(a)

(b)

FIGURE 7-18 Micrographies à balayage électronique d'érythrocytes humains. *(a)* Érythrocytes humains normaux montrant leur forme en disque biconcave. [David M. Phillips/Visuals Unlimited]. *(b)* Érythrocytes en forme de « faucille » de malade atteint d'anémie falciforme. [Bill Longcore/Photo Researchers, Inc.]

l'influence de la structure primaire sur la structure quaternaire. La structure de ces filaments sera approfondie dans la section 10-3B.

b. Le trait drépanocytaire confère la résistance à la malaria

L'anémie falciforme est héréditaire et obéit aux lois de la génétique mendelienne (Section 1-4B). L'hémoglobine des individus homozygotes pour l'anémie falciforme est presque totalement de l'HbS. Au contraire, les individus hétérozygotes ont une hémoglobine qui contient environ 40 % de HbS (Fig. 7-19). De telles personnes, dont on dit qu'elles ont le **trait drépanocytaire**, mènent

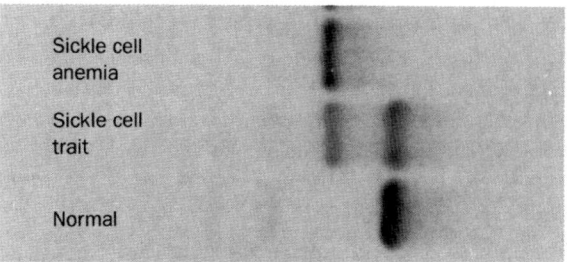

FIGURE 7-19 Électrophorégramme d'hémoglobines d'individus normaux et d'individus ayant le trait drépanocytaire ou l'anémie falciforme. [D'après Montgomery, R., Dryer, R.L., Conway, T.W., et Spector, A.A., *Biochemistry, A Case Oriented Approach* (4th ed.), *p. 87*, Copyright 1983 C.V. Mosby Company, Inc.]

TABLEAU 7-4 Séquences en acides aminés de cytochromes *c* de 38 espèces

Positions : −9 −5 −1 1 5 10 15 20 25 30 35 40

Mammifères

Espèce	Séquence
Homme, chimpanzé	a G D V E K G K K I F I M K C S Q C H T V E K G G K H K T G P N L H G L F G R K T G Q A
Singe rhésus	a G D V E K G K K I F I M K C S Q C H T V E K G G K H K T G P N L H G L F G R K T G Q A
Cheval	a G D V E K G K K I F V Q K C A Q C H T V E K G G K H K T G P N L H G L F G R K T G Q A
Âne	a G D V E K G K K I F V Q K C A Q C H T V E K G G K H K T G P N L H G L F G R K T G Q A
Vache, porc, mouton	a G D V E K G K K I F V Q K C A Q C H T V E K G G K H K T G P N L H G L F G R K T G Q A
Chien	a G D V E K G K K I F V Q K C A Q C H T V E K G G K H K T G P N L H G L F G R K T G Q A
Lapin	a G D V E K G K K I F V Q K C A Q C H T V E K G G K H K T G P N L H G L F G R K T G Q A
Baleine grise de Californie	a G D V E K G K K I F V Q K C A Q C H T V E K G G K H K T G P N L H G L F G R K T G Q A
Grand kangourou gris	a G D V E K G K K I F V Q K C A Q C H T V E K G G K H K T G P N I N G I F G R K T G Q A

Autres vertébrés

Espèce	Séquence
Poulet, dinde	a G D I E K G K K I F V Q K C S Q C H T V E K G G K H K T G P N L H G L F G R K T G Q A
Pigeon	a G D I E K G K K I F V Q K C S Q C H T V E K G G K H K T G P N L H G L F G R K T G Q A
Canard de Pékin	a G D V E K G K K I F V Q K C S Q C H T V E K G G K H K T G P N L H G L F G R K T G Q A
Tortue d'eau douce	a G D V E K G K K I F V Q K C A Q C H T V E K G G K H K T G P N L N G L I G R K T G Q A
Serpent à sonnette	a G D V E K G K K I F T M K C S Q C H T V E K G G K H K T G P N L H G L F G R K T G Q A
Crapaud	a G D V E K G K K I F V Q K C A Q C H T C E K G G K H K V G P N L Y G L I G R K T G Q A
Thon	a G D V A K G K K T F V Q K C A Q C H T V E N G G K H K V G P N L W G L F G R K T G Q A
Roussette	a G D V E K G K K V F V Q K C A Q C H T V E N G G K H K T G P N L S G L F G R K T G Q A

Insectes

Espèce	Séquence
Samia cynthia (papillon)	h G V P A G N A E N G K K I F V Q R C A Q C H T V E A G G K H K V G P N L H G F Y G R K T G Q A
Sphinx du tabac (papillon)	h G V p A G N A D N G K K I F V Q R C A Q C H T V E A G G K H K V G P N L H G F F G R K T G Q A
Lucilie bouchère (une mouche)	h G V P A G D V E K G K K I F V Q R C A Q C H T V E A G G K H K V G P N L H G L F G R K T G Q A
Drosophila (mouche du vinaigre)	h G V P A G D V E K G K K L F V Q R C A Q C H T V E A G G K H K V G P N L H G L I G R K T G Q A

Champignons

Espèce	Séquence
Levure de boulangerie	h T E F K A G S A K K G A T L F K T R C L Q C H T V E K G G P H K V G P N L H G I F G R H S G Q A
Candida krusei (une levure)	h P A P F E Q G S A K K G A T L F K T R C A Q C H T I E A G G P H K V G P N L H G I F S R H S G Q A
Neurospora crassa (une moisissure)	h G F S A G D S K K G A N L F K T R C A Q C H T L E E G G G N K I G P A L H G L F G R K T G S V

Plantes supérieures

Espèce	Séquence
Germe de blé	a A S F S E A P P G N P D A G A K I F K T K C A Q C H T V D A G A G H K Q G P N L H G L F G R Q S G T T
Sarrasin (graine)	a A T F S E A P P G N I K S G E K I F K T K C A Q C H T V E K G A G H K Q G P N L N G L F G R Q S G T T
Tournesol (graine)	a A S F A E A P P G D P T T G A K I F K T K C A Q C H T V E K G A G H K Q G P N L N G L F G R Q S G T T
Haricot mungo	a A S F B E A P P G B S K S G E K I F K T K C A Q C H T V D K G A G H K Q G P N L N G L F G R Q S G T T
Chou-fleur	a A S F B E A P P G B S K S G E K I F K T K C A Q C H T V D K G A G H K Q G P N L N G L F G R Q S G T T
Potiron	a A S F B E A P P G B S K A G E K I F K T K C A Q C H T V D K G A G H K Q G P N L N G L F G R Q S G T T
Sésame (graine)	a A S F B E A P P G B V K S G E K I F K T K C A Q C H T V D K G A G H K Q G P N L N G L F G R Q S G T T
Ricin (graine)	a A S F B E A P P G B V K A G E K I F K T K C A Q C H T V E K G A G H K Q G P N L N G L F G R Q S G T T
Coton (graine)	a A S F Z E A P P G B A K A G E K I F K T K C A Q C H T V D K G A G H K Q G P N L N G L F G R Q S G T T
Jute (graine)	a A S F Z E A P P G B A K A G E K I F K T K C A Q C H T V E K G A G H K Q G P N L N G L F G R Q S G T T

Nombre d'acides aminés différents : 1 3 5 5 5 1 3 3 4 1 4 3 2 1 3 1 1 1 1 4 2 4 1 2 3 2 1 4 1 1 2 1 5 1 3 3 2 1 3 2 1 3 3

[a] Les chaînes latérales d'acides aminés ont été ombrées selon leurs caractères polaires de sorte que les résidus invariants ou les substitutions conservatrices s'identifient par une bande verticale de la même couleur. La lettre a au début de la chaîne indique que le groupe amino N-terminal est acétylé ; un h indique que le groupe acétyl est absent.

Source : D'après Dickerson, R.E., *Sci. Am.* **226**(4) : 58-72 (1972), avec des corrections de Dickerson, R.E., et Timkovitch, R., *dans* Boyer, P.D. (Éd.), *The Enzymes* (3rd ed.), Vol.11, *pp.* 421-422, Academic Press (1975). Copyright Irving Geis.

une vie normale même si leurs érythrocytes ont une durée de vie plus courte que ceux d'individus normaux.

Le trait drépanocytaire et l'anémie falciforme se manifestent essentiellement chez des personnes originaires d'Afrique équatoriale. Les régions d'Afrique équatoriale où la **malaria** est une des causes principales de décès (jusqu'à 50 % de mortalité infantile due à la malaria), comme le montre la Fig. 7-20, coïncident étroitement avec les régions où le gène de l'anémie falciforme est répandu (jusqu'à 40 % de la population dans certains endroits porte ce gène). Cette observation a conduit Anthony Allison à proposer que *les individus hétérozygotes pour HbS sont résistants à la malaria, c'est-à-dire qu'ils sont moins sujets à mourir de la malaria.*

La malaria est probablement la maladie infectieuse qui cause le plus de décès actuellement : sur les 2,5 milliards de personnes qui vivent dans les régions où la malaria est endémique, 100 millions sont atteintes par la maladie et environ un million, surtout de très jeunes enfants, en meurent chaque année. En Afrique, la malaria est due au protozoaire *Plasmodium falciparum* véhiculé par un

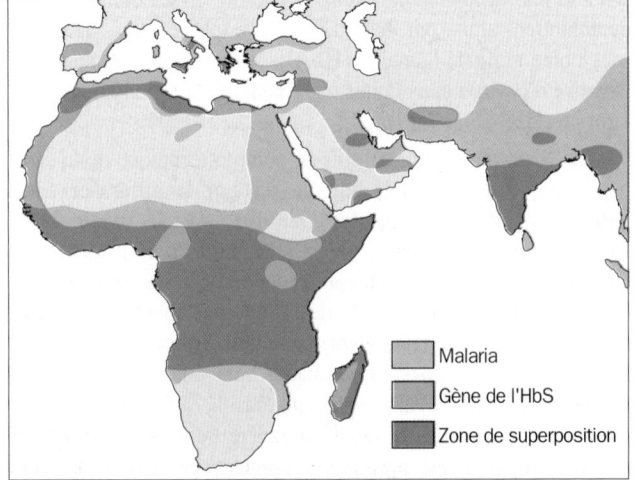

FIGURE 7-20 Carte indiquant les régions du monde où la malaria causée par *P. falciparum* était répandue avant 1930, ainsi que la répartition du gène de l'anémie falciforme.

Légende : Malaria — Gène de l'HbS — Zone de superposition

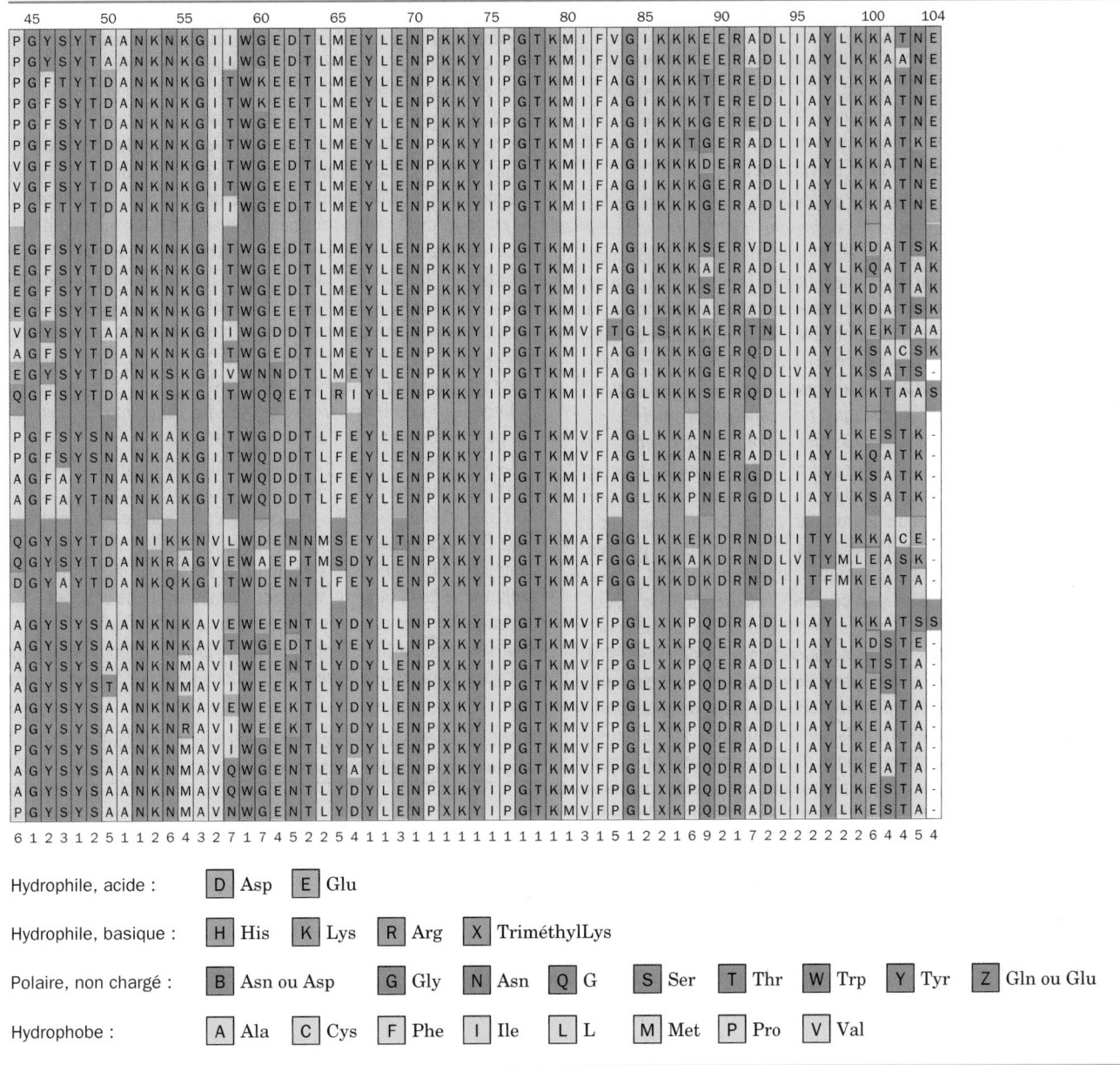

Hydrophile, acide : ☐ D Asp   ☐ E Glu

Hydrophile, basique : ☐ H His   ☐ K Lys   ☐ R Arg   ☐ X TriméthylLys

Polaire, non chargé : ☐ B Asn ou Asp   ☐ G Gly   ☐ N Asn   ☐ Q G   ☐ S Ser   ☐ T Thr   ☐ W Trp   ☐ Y Tyr   ☐ Z Gln ou Glu

Hydrophobe : ☐ A Ala   ☐ C Cys   ☐ F Phe   ☐ I Ile   ☐ L L   ☐ M Met   ☐ P Pro   ☐ V Val

moustique, protozoaire qui demeure dans un érythrocyte pendant presque tout son cycle de vie de 48 h. Les plasmodia augmentent l'acidité des érythrocytes qu'ils infectent d'environ 0,4 unité de pH et provoquent l'adhérence de ceux-ci à une protéine qui borde les parois des capillaires, via des protubérances protéiques qui se forment à la surface des érythrocytes (sinon, la rate retirerait ces érythrocytes infectés de la circulation, tuant ainsi le parasite). La mort est souvent due à l'accumulation d'érythrocytes dans un organe vital (comme le cerveau dans le cas de la malaria cérébrale) où la circulation sanguine est alors pratiquement bloquée.

Comment le trait drépanocytaire peut-il conférer la résistance à la malaria ? Normalement, environ 2 % des érythrocytes d'individus porteurs du trait drépanocytaire présentent la forme en faucille lorsque la concentration en oxygène est faible, c'est-à-dire dans les capillaires. Cependant, l'abaissement du pH dans les érythrocytes infectés par le *Plasmodium* augmente cette proportion jusqu'à

40 %, ce qui permet vraisemblablement, au premier stade de l'infection, le retrait préférentiel des érythrocytes infectés de la circulation. Aux stades ultérieurs, alors que les érythrocytes infectés adhèrent aux parois des capillaires, la forme en faucille due à cet environnement pauvre en oxygène peut désorganiser le parasite, mécaniquement et/ou métaboliquement. En conséquence, les porteurs du trait drépanocytaire dans les régions où sévit la malaria ont un avantage d'adaptation : la partie de la population qui est hétérozygote (les porteurs du trait drépanocytaire) augmente jusqu'à ce que l'avantage dû à leur meilleur taux de reproduction se trouve compensé par la proportion croissante d'homozygotes non (ou moins) viables (ceux qui ont l'anémie falciforme). Ainsi l'*anémie falciforme donne un exemple darwinien classique des conséquences d'adaptation liées à une seule mutation dans la compétition biologique permanente entre organismes pour des ressources communes.*

B. *Variations entre espèces de protéines homologues : effets de la dérive naturelle*

Les structures primaires d'une protéine donnée d'espèces voisines sont très semblables. Si l'on admet, selon la théorie de l'évolution, que des espèces voisines sont issues d'un ancêtre commun, il en résulte que chacune de leurs protéines doit également avoir évolué depuis la protéine correspondante de cet ancêtre.

Une protéine bien adaptée à sa fonction, c'est-à-dire qui ne peut pas subir d'amélioration physiologique importante, continue néanmoins à évoluer. La nature aléatoire des mécanismes de mutation va, avec le temps, modifier une telle protéine sans pour autant affecter significativement sa fonction, un processus appelé la **dérive naturelle** (les mutations nuisibles sont, évidemment, rapidement rejetées par sélection naturelle). *La comparaison des structures primaires de **protéines homologues** (protéines apparentées sur le plan de l'évolution) indique par conséquent quels sont, parmi les résidus d'acides aminés des protéines, ceux qui sont indispensables à sa fonction, ceux qui ont moins d'importance, et ceux qui n'ont pas de rôle spécifique.* Si, par exemple, on retrouve la même chaîne latérale à un endroit particulier de la séquence en acides aminés d'une série de protéines homologues, on peut en déduire que les propriétés chimiques et/ou structurales de ce **résidu invariant** le rendent seul capable d'assurer un rôle essentiel au sein de la protéine. D'autres positions d'acides aminés peuvent avoir des exigences en chaîne latérale moins rigoureuses si bien que des résidus qui ont des propriétés similaires (par exemple ceux à propriétés acides : Asp et Glu) conviendront ; de telles positions sont appelées **substitutions conservatrices**. Par ailleurs, beaucoup de résidus d'acides aminés différents peuvent être tolérés en certaines positions, ce qui indique que les besoins fonctionnels de cette position ne sont pas vraiment spécifiques. Une telle position est qualifiée d'**hypervariable.**

a. Le cytochrome *c* est une protéine bien adaptée

Pour illustrer ces points, étudions la structure primaire d'une protéine d'eucaryote pratiquement universelle, le **cytochrome *c*.** Le cytochrome *c* a une seule chaîne polypeptidique de 103 à 104 résidus chez les vertébrés, mais jusqu'à 8 résidus supplémentaires à l'extrémité N-terminale chez les autres groupes. On le trouve dans la mitochondrie comme composant de la **chaîne de transport des électrons**, un système métabolique complexe qui intervient dans la phase terminale de l'oxydation des nutriments pour produire de l'adénosine triphosphate (ATP) (Section 22-2). Le rôle du cytochrome *c* est de transférer des électrons d'un complexe enzymatique appelé **cytochrome *c* réductase** à un autre complexe appelé **cytochrome *c* oxydase.**

Il est admis que la chaîne de transport des électrons a pris sa forme actuelle il y a 1,5 à 2 milliards d'années au moment où les organismes développaient la faculté de respirer (Section 1-5C). Depuis lors, les composants de ce complexe multienzymatique ont très peu changé, comme le prouve le fait que le cytochrome *c* de n'importe quel eucaryote, disons un pigeon, réagira *in vitro* avec la cytochrome *c* oxydase de n'importe quel autre eucaryote, par exemple, du blé. En effet, des cytochromes *c* hybrides constitués de fragments liés par covalence et provenant d'espèces aussi éloignées que le cheval et la levure (préparés par génie génétique) conservent une activité biologique.

b. La comparaison des séquences protéiques donne des informations taxonomiques

Emanuel Margoliash, Emil Smith, et d'autres, ont élucidé les séquences en acides aminés de plus d'une centaine de cytochromes *c* d'eucaryotes les plus divers, depuis la levure jusqu'à l'homme. Les séquences provenant de 38 de ces organismes sont disposées dans le Tableau 7-4 de sorte à maximaliser les similitudes entre les résidus alignés verticalement (voir Section 7-4B pour les méthodes d'alignement). Les différents résidus dans ce tableau ont été coloriés en fonction de leurs propriétés physiques pour mettre en évidence le caractère conservé des substitutions d'acides aminés. L'examen du Tableau 7-4 montre que le cytochrome *c* est une protéine à évolution conservatrice. On trouve un total de 38 résidus sur 105 qui sont invariants (23 sur l'ensemble des cytochromes séquencés) et la plupart des autres résidus sont des substitutions conservatrices (rangée du bas dans le Tableau 7-4). Par ailleurs, il y a huit positions où l'on trouve six résidus différents ou plus, qui sont par conséquent des résidus hypervariables.

Le rôle biochimique évident de certains résidus permet de comprendre facilement pourquoi ils sont invariants. Par exemple, His 18 et Met 80 établissent des liaisons avec l'atome de Fe à propriété redox du cytochrome *c* ; toute substitution dans ces positions par d'autres résidus inactive la protéine. Cependant, la signification biochimique de la plupart des résidus invariants et de ceux issus de substitutions conservatrices ne peut être comprise qu'en fonction de la structure tridimensionnelle de la protéine ; on y reviendra dans la section 9-6A. Quels enseignements peut-on tirer de la

TABLEAU 7-5 Matrice des différences en acides aminés pour 26 cytochromes *c* d'espèces différentes [a]

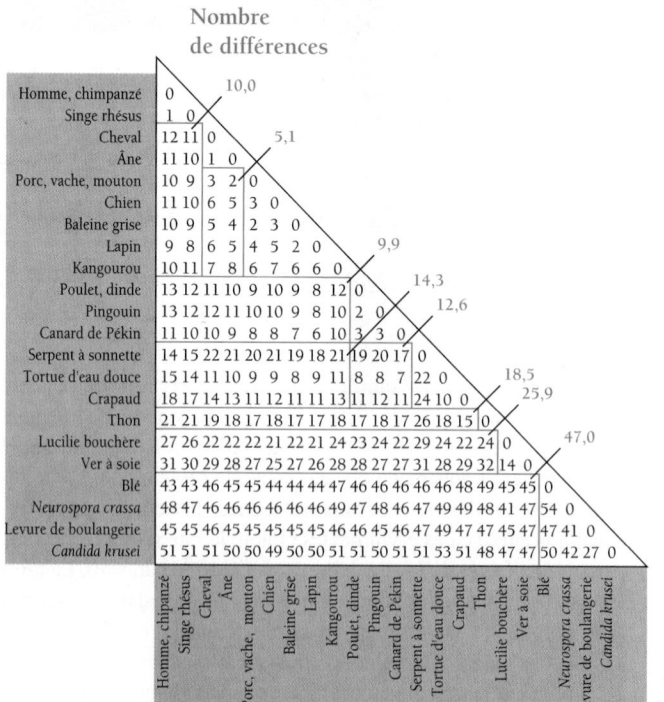

[a] Chaque valeur du tableau indique le nombre de différences en acides aminés entre le cytochrome *c* de l'espèce indiquée à gauche et celui de l'espèce figurant sous cette valeur.

simple comparaison des séquences en acides aminés de protéines apparentées ? Les conclusions vont en fait assez loin.

Le moyen le plus facile de comparer les différences évolutives entre deux protéines homologues consiste à compter les différences en acides aminés entre ces protéines (il serait plus réaliste de considérer le nombre minimum de changements de bases subis par l'ADN pour passer d'une protéine à l'autre, mais étant donné la rareté avec laquelle les mutations sont acceptées, le dénombrement des différences en acides aminés donne des informations identiques). Le Tableau 7-5 donne le nombre de différences dans les séquences d'acides aminés de 22 cytochromes *c* parmi ceux donnés dans le Tableau 7-4. Il est arrangé pour mettre en évidence les relations entre groupes d'espèces voisines. L'ordre de ces différences est tout à fait en accord avec les données de la taxonomie classique. Ainsi, les cytochromes *c* de primates ressemblent beau-

coup plus à ceux d'autres mammifères qu'à ceux, par exemple, d'insectes (8 à 12 différences avec les mammifères contre 26 à 31 avec les insectes). De même, les cytochromes *c* de champignons diffèrent autant de ceux de mammifères (45 à 51 différences) ou d'insectes (41 à 47) qu'ils diffèrent de ceux de plantes supérieures (47 à 54).

L'analyse par ordinateur de données comme celles du Tableau 7-5 permet de dresser (par les méthodes exposées dans la Section 7-4C) *un arbre phylogénétique qui indique les relations ancestrales entre les organismes qui produisent ces protéines.* L'arbre obtenu avec le cytochrome *c* est représenté dans la Fig. 7-21. Des arbres similaires ont été obtenus avec d'autres protéines. Chaque point de branchement de l'arbre indique l'existence probable d'un ancêtre commun à tous les organismes qui se trouvent au-dessus. Les distances évolutives relatives qui séparent deux points de branchement

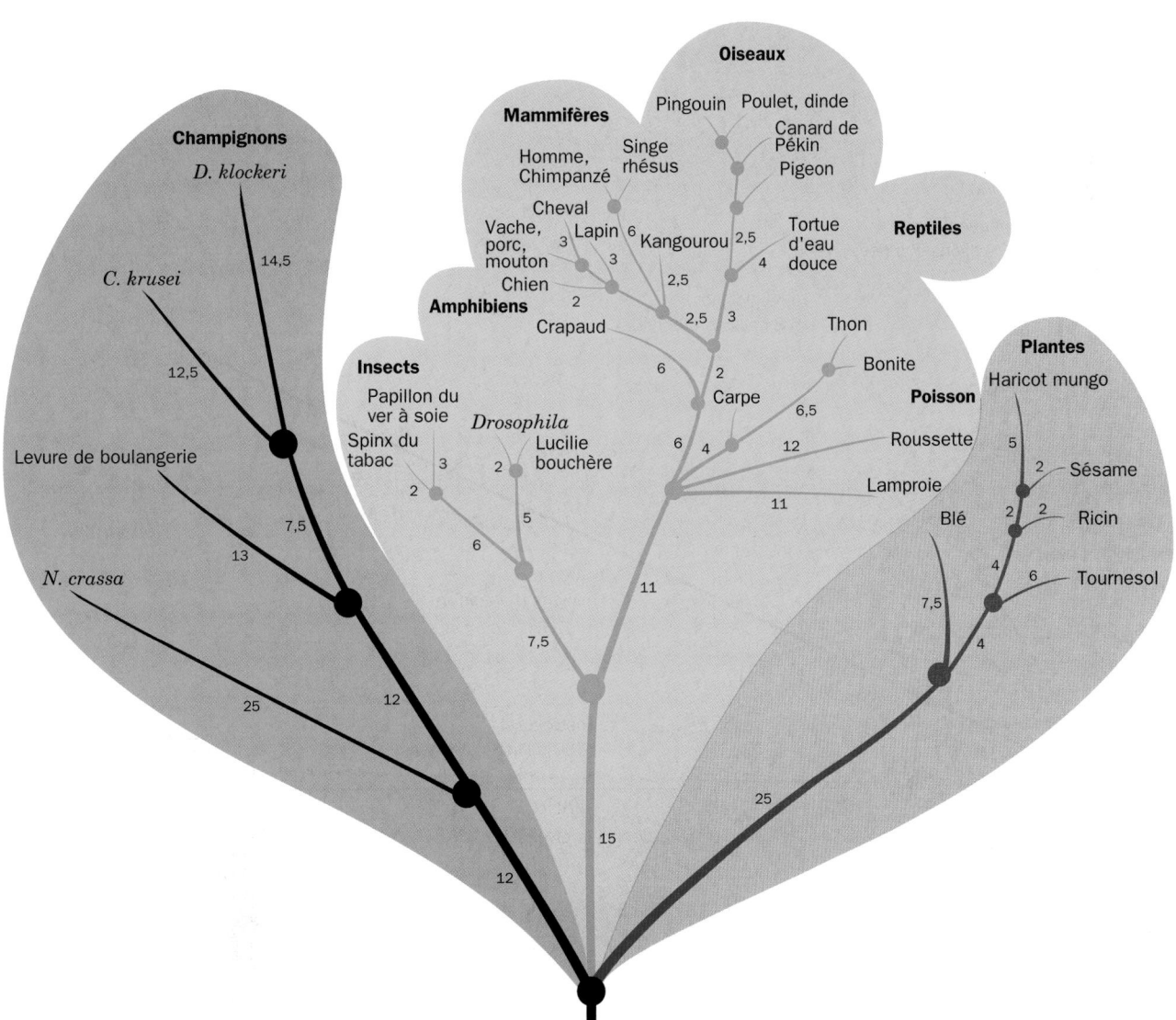

FIGURE 7-21 Arbre phylogénétique du cytochrome *c*. Cet arbre a été dressé par analyse informatique de différences comme celles du Tableau 7-5 (voir Section 7-4C). Chaque point de branchement correspond à un organisme considéré comme ancêtre des espèces situées plus haut dans l'arbre et qui lui sont reliées. Les nombres figurant à côté de

chaque branche indiquent les différences, en unités PAM, entre les cytochromes *c* de ces points de branchement ou espèces. [D'après Dayhoff, M.O., Park, C.M., et McLaughlin, P.J., *in* Dayhoff, M.O. (Éd.), *Atlas of Protein Sequence and Structure, p. 8*, National Biomedical Research Foundation, 1972).

voisins sont exprimées en nombre de différences en acides aminés pour 100 résidus de la protéine (Pourcentage de Mutations ponctuelles Acceptées ; «*P*ercentage of *A*ccepted point *M*utations ou **unités PAM).** Ceci permet de mesurer quantitativement le degré de relation entre les différentes espèces, ce que la taxonomie macroscopique ne peut pas faire. Notez que les distances évolutives des cytochromes *c* contemporains depuis le point de branchement le plus bas de leur arbre sont sensiblement égales. Bien entendu, les cytochromes *c* des organismes prétendument inférieurs ont évolué de la même manière que ceux des organismes supérieurs.

c. Les protéines évoluent à des vitesses qui leur sont propres

On peut porter en graphique les valeurs de distance évolutive en fonction du temps qui sépare les espèces divergentes d'après les datations radioactives des restes fossiles. Pour le cytochrome *c*, ce tracé est pratiquement linéaire, ce qui signifie que le cytochrome *c* a subi des mutations régulièrement tout au long de l'échelle de temps géologique (Fig. 7-22). Ceci est également vrai pour les trois autres protéines dont les vitesses d'évolution sont montrées à la Fig. 7-22. Chacune a sa propre vitesse de modification, appelée

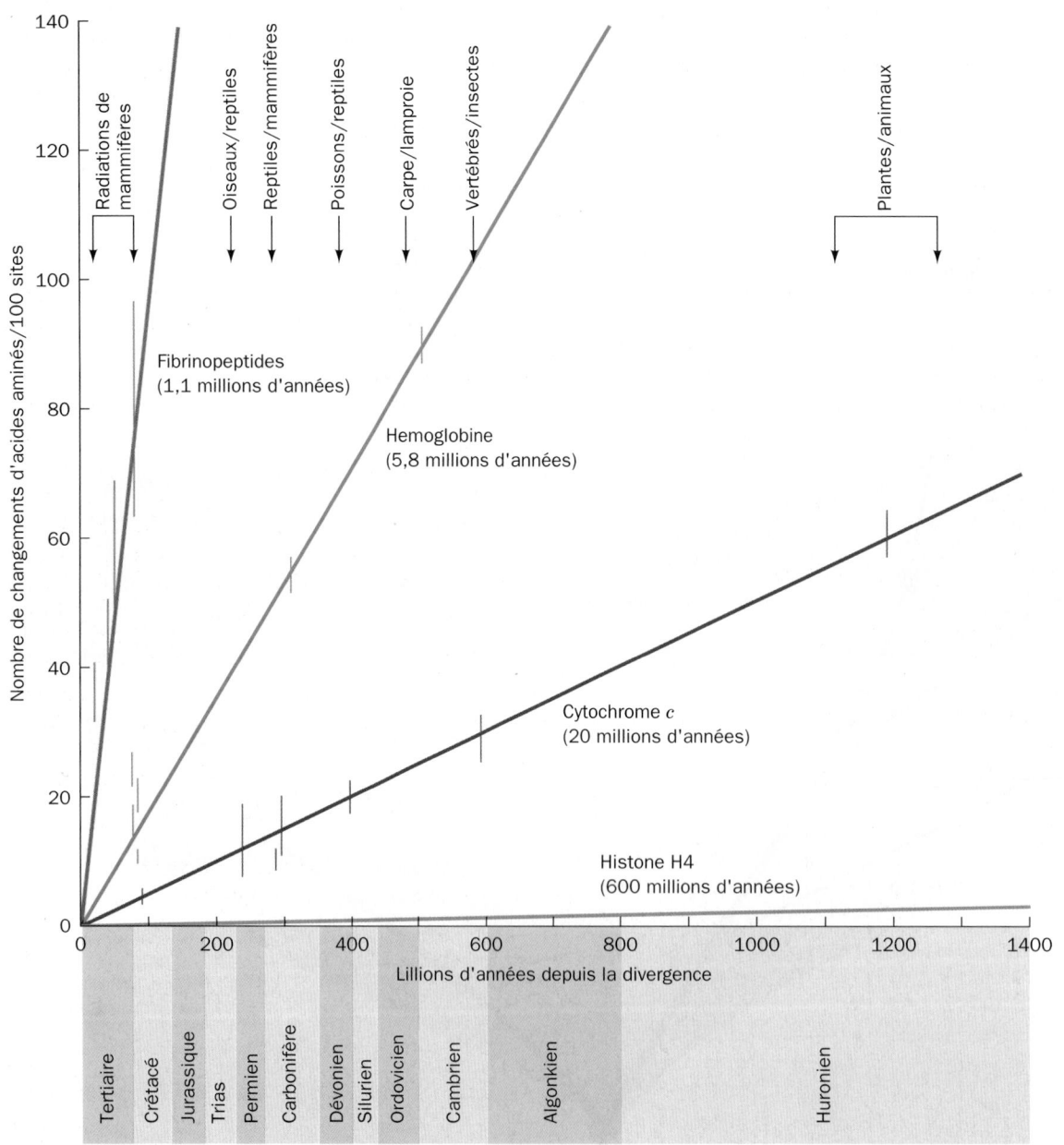

FIGURE 7-22 Vitesses d'évolution de quatre protéines non apparentées. Le graphique a été obtenu en portant les différences moyennes, en unités PAM, des séquences d'acides aminés des deux côtés d'un point de branchement d'un arbre phylogénétique (corrigées pour tenir compte du fait qu'il peut y avoir plus d'une mutation à un site donné) en fonction du temps, selon les données paléontologiques, depuis que les espèces correspondantes ont divergé de leur ancêtre commun. Les barres d'erreur indiquent la dispersion expérimentale des données de séquence. La vitesse d'évolution de chaque protéine, qui est inversement proportionnelle à la pente de sa droite, est indiquée à côté de la droite comme son unité de période évolutive. [Copyright Irving Geis.]

unité de période évolutive, définie comme le temps nécessaire pour que la séquence en acides aminés d'une protéine change de 1 % depuis le point de divergence de deux espèces. Pour le cytochrome c, l'unité de période évolutive est de 20,0 millions d'années. Comparez cette valeur à celle de l'**histone H4** beaucoup moins variante (600 millions d'années) et à celles de l'hémoglobine (5,8 millions d'années) et des **fibrinopeptides** (1,1 million d'années), protéines beaucoup plus variantes.

Les données précédentes ne signifient pas que les fréquences de mutation dans les ADN qui codent ces protéines sont différentes, mais plutôt que *la vitesse à laquelle les mutations sont acceptées dans une protéine dépend de l'impact que les changements d'acides aminés auront sur la fonction de la protéine.* Le cytochrome c, par exemple, est une petite protéine qui, pour assurer ses fonctions biologiques, doit interagir avec des complexes protéiques de grande taille sur une grande partie de sa surface. Tout changement par mutation du cytochrome c affectera très vraisemblablement ces interactions à moins que les complexes ne subissent des mutations simultanées qui leur permettraient de s'accommoder du changement, éventualité très peu vraisemblable. Ceci rend compte de la stabilité évolutive du cytochrome c. L'histone H4 est une protéine qui se lie à l'ADN dans les chromosomes des eucaryotes (Section 34-1A). Son rôle essentiel dans le compactage du patrimoine génétique la rend tout à fait intolérante à tout changement mutationnel. À dire vrai, l'histone H4 est tellement bien adaptée à sa fonction que les histones H4 du petit pois et de la vache, espèces qui ont divergé il y a 1,2 milliards d'années, ne diffèrent que par deux substitutions conservatrices sur leurs 102 acides aminés. L'hémoglobine, comme le cytochrome c, est une machine moléculaire complexe (Section 10-2). Cependant, elle fonctionne comme une molécule flottante libre, si bien que ses groupes de surface sont généralement plus tolérants au changement que ne le sont ceux du cytochrome c (sauf dans le cas de l'HbS ; Section 10-3B). Ceci explique la plus grande vitesse de changement de l'hémoglobine. Les fibrinopeptides sont des polypeptides d'environ 20 résidus qui se forment par protéolyse à partir du **fibrinogène**, protéine des vertébrés, pour donner la **fibrine** au cours du processus de la coagulation du sang (Section 35-1A). Une fois excisés, les fibrinopeptides sont éliminés. Aucune pression sélective ne s'exerce donc sur eux pour que soit maintenue leur séquence en acides aminés, d'où une vitesse de changement élevée. Si l'on admet que les fibrinopeptides se sont modifiés au hasard, les unités de période évolutive mentionnées plus haut indiquent que dans le cas de l'hémoglobine, seulement 1,1/5,8 = 1/5 des changements d'acides aminés faits au hasard ont été acceptés, alors que cette valeur est de 1/18 pour le cytochrome c et de 1/550 pour l'histone H4.

d. Les vitesses d'apparition des mutations sont constantes en fonction du temps

Les substitutions d'acides aminés dans une protéine sont essentiellement dues aux changements d'une seule base dans le gène qui code la protéine (Section 5-4B). Si de telles **mutations ponctuelles** résultent essentiellement d'erreurs lors de la réplication de l'ADN, alors la vitesse à laquelle une protéine donnée accumule les mutations devrait être constante en fonction du nombre de générations. Si, cependant, le processus de mutation est la conséquence de la dégradation chimique aléatoire de l'ADN, la vitesse

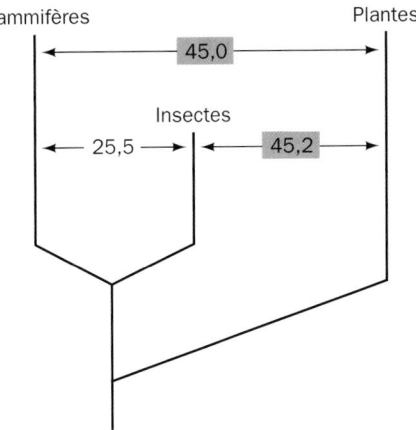

FIGURE 7-23 Arbre phylogénétique du cytochrome c. Cet arbre montre le nombre moyen de différences en acides aminés entre les cytochromes c de mammifères, d'insectes et de plantes. Les mammifères et les insectes ont divergé des plantes à une période aussi lointaine depuis leur point de branchement commun. [D'après Dickerson, R.E. et Timkovitch, R., *in* Boyer, P.D. (Éd.), *The Enzymes* (3rd ed.) Vol. 11, *p.* 447, Academic Press, (1975).]

d'apparition des mutations devrait être constante avec le temps absolu. Afin de choisir entre ces deux hypothèses, comparons les vitesses de divergence du cytochrome c chez les insectes et chez les mammifères.

Les insectes se reproduisent plus vite que les mammifères. Par conséquent, si la réplication de l'ADN était la cause principale des erreurs par mutation depuis l'époque où les lignées insecte et mammifère ont divergé, les insectes auraient dû évoluer davantage depuis les plantes que ne l'ont fait les mammifères. Toutefois, l'arbre phylogénétique de la figure 7-23 montre que le nombre moyen de différences en acides aminés entre les cytochromes c d'insectes et de plantes (45,2) est pratiquement le même que celui entre les mammifères et les plantes (45,0). Nous en concluons que le cytochrome c a accumulé les mutations à vitesse constante en fonction du temps plutôt qu'en fonction du nombre de générations. Ceci implique que *les mutations ponctuelles dans l'ADN s'accumulent à une vitesse constante en fonction du temps, c'est-à-dire sous l'effet de modifications chimiques aléatoires, plutôt qu'à la suite d'erreurs lors du processus de réplication.*

e. Les comparaisons de séquence renseignent sur l'époque d'apparition des grands règnes du Vivant

Pour savoir quand deux espèces se sont individualisées à partir d'un ancêtre commun, on se base sur les fossiles datés par leur radioactivité. Cependant, les traces fossiles des formes de vie macroscopiques ne remontent qu'à ~600 millions d'années (apparition des pluricellulaires) et les comparaisons phylogénétiques des microfossiles (unicellulaires) fondées sur la morphologie ne sont pas fiables. Les époques proposées pour la divergence des grandes branches du Vivant (animaux, plantes, champignons, protozoaires, eubactéries et archébactéries ; Figs. 1-4 et 1-11) et basées principalement sur une comparaison de caractéristiques communes n'étaient donc que très approximatives.

Le foisonnement de séquences protéiques dans les bases de données (Section 7-4A) permit à Russell Doolittle de comparer les séquences d'un très grand nombre d'enzymes représentées dans les groupes en question (531 séquences pour 57 enzymes différentes). Son analyse plaide pour l'existence d'une **horloge moléculaire** qui donne avec une bonne précision l'époque de divergence de ces groupes. En supposant que des séquences homologues divergent à une vitesse uniforme, cette horloge fut calibrée sur base des séquences de vertébrés pour lesquels le relevé fossile donne une époque d'origine qui soit fiable. D'après les résultats de cette étude, le dernier ancêtre commun des animaux, des plantes et des champignons remonte à ~1 milliard d'années, les plantes s'étant distinguées des animaux peu de temps avant les champignons ; les protozoaires se sont séparés des autres eucaryotes il y a ~1,2 milliard d'années ; le dernier ancêtre commun des eucaryotes et des archébactéries vivait il y a ~1,8 milliard d'années et celui des eucaryotes et des bactéries un peu plus de 2 milliards d'années ; enfin, que les bactéries Gram positif et Gram négatif se séparèrent il y a ~1,4 milliard d'années.

f. L'évolution des protéines ne constitue pas la base de l'évolution des organismes

Malgré la concordance étroite qui existe entre les arbres phylogénétiques établis à partir de similitudes de séquences et les analyses taxonomiques classiques, il semble bien que l'évolution des séquences protéiques ne constitue pas le seul, ni même le principal fondement de l'évolution des organismes. Il y a, par exemple, plus de 99 % d'identité de séquence entre les protéines correspondantes de l'homme et de nos parents les plus proches, les chimpanzés (leurs cytochromes *c* sont identiques). C'est le taux de similitude que l'on observe parmi des espèces voisines de mouches et de mammifères. Cependant, les différences anatomiques et comportementales entre l'homme et le chimpanzé sont si grandes qu'ils ont été classés dans des familles différentes. *Ceci suggère que la divergence rapide entre l'homme et le chimpanzé est due à un nombre relativement restreint de modifications dans les segments de l'ADN qui contrôlent l'expression génique, c'est-à-dire, la quantité, le lieu et le moment de la synthèse de chaque protéine.* De telles mutations ne changent pas les séquences protéiques mais peuvent avoir des répercussions importantes pour l'organisme.

C. *Évolution par duplication de gènes*

La plupart des protéines ont des similitudes de séquences très importantes avec d'autres protéines d'un même organisme. De telles protéines se sont formées par **duplication de gène**, résultat très probable d'une recombinaison génétique aberrante où un seul chromosome a acquis deux copies du gène initial en question (le mécanisme de la recombinaison génétique sera étudié dans la section 30-6A). *La duplication de gène est un moyen d'évolution particulièrement efficace car l'un des gènes dupliqués peut évoluer vers une nouvelle fonction par sélection naturelle tandis que son homologue continue à diriger la synthèse d'une protéine ancestrale indispensable.*

Les protéines de la famille **globine**, où l'on trouve l'hémoglobine et la **myoglobine,** offrent un très bon exemple d'évolution par duplication de gène. L'hémoglobine transporte l'oxygène des poumons (ou des branchies ou de la peau) aux tissus. La myoglobine, qui se trouve dans les muscles, facilite la diffusion rapide de l'oxygène dans ces tissus et fonctionne aussi comme protéine de stockage de l'oxygène. *Les séquences des sous-unités α et β de l'hé-*

moglobine (pour rappel, l'hémoglobine est un tétramère $\alpha_2\beta_2$) et de la myoglobine sont très semblables.

L'arbre phylogénétique de la famille globine indique que ses membres, dans l'espèce humaine, sont apparus au cours des événements suivants (Fig. 7-24) :

1. La globine ancestrale fonctionnait sans doute simplement comme une protéine de stockage de l'oxygène. De fait, les globines de certains invertébrés contemporains assurent toujours cette fonction. Par exemple si l'on traite une planorbe (proche de l'escargot) avec du CO (qui, en se liant aux globines, les empêche de fixer l'oxygène ; Section 10-1A) le comportement de cet animal dans une eau bien aérée n'est pas affecté, mais si la concentration en oxygène diminue, la planorbe ainsi empoisonnée devient encore plus lente qu'une planorbe normale.

2. La duplication du gène ancestral de la globine, il y a environ 1,1 milliard d'années, a permis aux deux gènes résultant d'évoluer séparément si bien que, en vertu d'une succession de mutations ponctuelles, une hémoglobine monomérique est apparue qui avait une affinité pour l'oxygène suffisamment faible pour pouvoir transférer l'oxygène à la myoglobine. On trouve encore une telle hémoglobine monomérique dans le sang de la **lamproie**, vertébré primitif qui, selon les données paléontologiques, a conservé sa morphologie proche de l'anguille depuis plus de 425 millions d'années.

3. Le caractère tétramérique de l'hémoglobine est une particularité structurale qui a fortement amélioré sa capacité à transporter l'oxygène avec efficacité (Section 10-2C). Cet avantage adaptatif a donné naissance à la chaîne β par duplication de la chaîne α.

4. Chez le fœtus des mammifères, l'oxygène est apporté par le sang maternel. L'**hémoglobine foetale**, un tétramère $\alpha_2\gamma_2$ dans lequel la **chaîne γ** est une variante de la chaîne β dont le gène s'est dupliqué, a une affinité pour l'oxygène intermédiaire entre celle de l'hémoglobine normale adulte et celle de la myoglobine.

5. Les embryons humains, durant les huit semaines qui suivent la conception, synthétisent une hémoglobine $\zeta_2\epsilon_2$ dont les **chaînes ζ** et **ε** sont respectivement des variantes des chaînes α et β après duplication de leurs gènes.

6. Chez les primates, la chaîne β a subi une duplication relativement récente pour donner une **chaîne δ**. L'hémoglobine $\alpha_2\delta_2$ que l'on trouve en quantité mineure dans l'hémoglobine d'adultes normaux (environ 1 %) n'a pas de fonction spéciale connue. Il se peut qu'elle en acquière une (cependant, le génome humain contient des restes de gènes de globine qui ne sont plus exprimés ; Section 34-2F).

Les protéines homologues appartenant à un même organisme, et les gènes qui les codent, sont dits **paralogues** (du grec *para*, le long de). Les protéines et gènes homologues d'organismes différents et issus de la divergence des espèces (les différents cytochromes *c*, par exemple) sont dits **orthologues** (du grec *ortho*, droit). Ainsi, les globines α et β et la myoglobine sont des paralogues, alors que les globines α des différentes espèces sont des orthologues.

Notre présentation de la famille globine implique que l'évolution des protéines par duplication de gène a conduit à des protéines aux propriétés structurales et fonctionnelles similaires. Un autre exemple bien connu de ce phénomène a permis la formation d'une famille d'endopeptidases, où l'on trouve la trypsine, la chymotrypsine, et l'élastase. Ces enzymes de la digestion paralogues, qui sont sécrétées par le pancréas dans le duodénum, ont des propriétés très semblables, leur différence étant liée essentiellement à leur spécificité de chaîne latérale (Tableau 7-2). Nous verrons dans la Section 15-3B comment ces différences s'expliquent en fonction de la structure. Prises individuellement, ces trois enzymes ne dégradent une protéine qu'incomplètement, mais ensemble elles constituent un système protéolytique puissant.

Comme nous l'avons déjà dit et comme nous le verrons en détail dans la Section 9-1, *la structure tridimensionnelle d'une protéine, et donc sa fonction, sont dictées par sa structure primaire.* La plupart des protéines qui ont été séquencées ont plus ou moins de similitudes avec d'autres protéines connues. En réalité, *de nombreuses protéines sont des mosaïques de motifs de séquence que l'on retrouve dans d'autres protéines*. Il est donc vraisemblable que la plupart des milliers de protéines propres à tout organisme sont apparues par duplication de gène. Ceci conduit à penser que l'apparition d'une protéine dotée d'une séquence et d'une fonction nouvelles est un événement extrêmement rare en biologie – qui n'a peut-être pas eu lieu depuis les premières étapes de la vie sur Terre.

4 ■ INTRODUCTION À LA BIOINFORMATIQUE

La profusion des séquences et des données structurales au cours des dernières décennies a donné naissance à la **bioinformatique,**

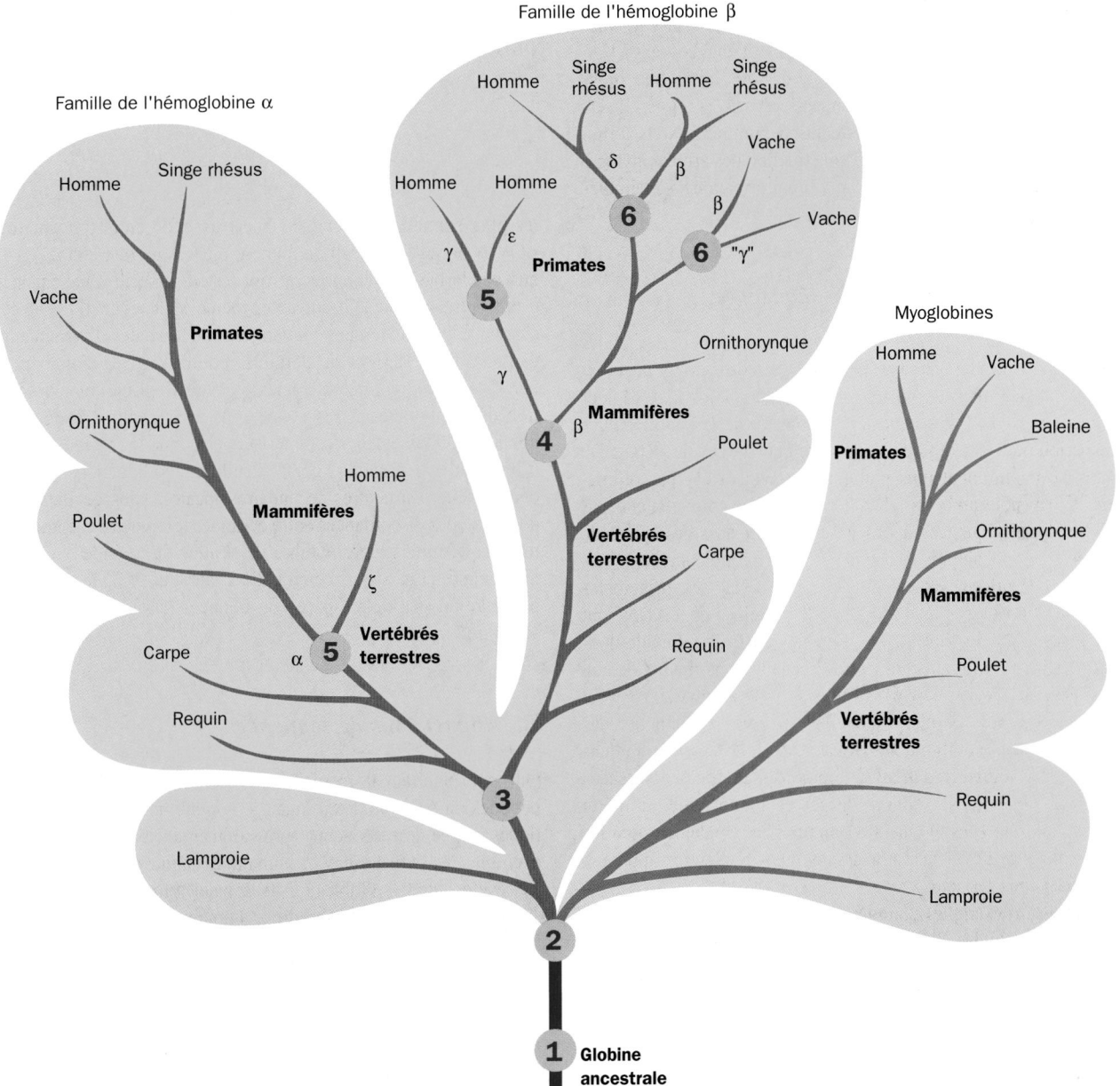

FIGURE 7-24 Arbre phylogénétique de la famille globine. Les points de branchement entourés d'un cercle représentent des duplications de gène et les points de branchement non marqués correspondent à des divergences d'espèces. [D'après Dickerson, R.E. et Geis, I., *Hemoglobin, p. 82,* Benjamin / Cummings, (1983).]

située au carrefour de la biotechnologie et de la science des ordinateurs. C'est grâce aux outils informatiques mis au point par les spécialistes de cette nouvelle discipline que l'on peut exploiter la mine des données biologiques, et cette recherche a déjà fourni des résultats surprenants.

Comme vu dans la section précédente, l'alignement des séquences de protéines homologues donne de précieux indices sur les résidus essentiels pour la fonction de ces protéines et sur leurs relations évolutives. Les protéines étant codées par des acides nucléiques, on peut tirer la même information de l'alignement de séquences homologues d'ADN ou d'ARN. De plus, c'est en alignant des séquences d'ADN que l'on peut reconstituer celle des chromosomes à partir d'un grand nombre de segments séquencés (Section 7-2B).

Si les séquences de deux protéines ou acides nucléiques sont très semblables on peut les aligner à l'œil. C'est ainsi qu'on a procédé pour les séquences des cytochromes *c* du Tableau 7-4. Mais comment faire quand ce n'est pas le cas ? C'est en recourant à l'ordinateur, comme nous l'expliquons ci-dessous après une brève introduction sur les banques de données accessibles à tous. Il sera essentiellement question d'alignements peptidiques. Nous terminerons par un court exposé sur la construction des arbres phylogénétiques. L'analyse des structures par bioinformatique sera étudiée dans les Chapitres 9 et 10.

A. *Bases de données sur les séquences*

La possibilité de séquencer facilement des protéines et des acides nucléiques a accéléré le rythme de ces déterminations au point qu'il n'est plus réaliste, compte tenu de leur nombre et de leur longueur (en particulier celle des génomes), de les publier dans des périodiques scientifiques comme c'était le cas au début. De plus, il est infiniment plus pratique d'y avoir accès par ordinateur. C'est pourquoi les chercheurs confient directement par Internet leurs séquences à des bases (on dit aussi banques) de données dont la plupart sont mises à jour quotidiennement. Les sites *Web* [Uniform Resource Locators ; URL] des principales bases de données sur les séquences de protéines et d'ADN sont mentionées dans le Tableau 7-6. Pour les URL de bases de donnéespécialisées (organismes ou organelles particuliers), on consultera « Amos'WWW Links » (http://www.expasy.ch/alinks.html). Ce dernier site *Web* donne également des connexions avec nombre d'autres bases de données biochimiques et avec des logiciels d'analyse biomoléculaire, des références bibliographiques, des exercices dirigés et d'autres sites d'intérêt biomédical. Ces sites évoluent d'ailleurs plus rapidement que les organismes, les uns disparaissant sans préavis, d'autres apparaissant quasi tous les jours.

En guise d'exemple, examinons la base annotée de séquences de protéines appelée SWISS-PROT. Une séquence déposée dans cette base commence par sa carte d'identité (code ID) sous la forme X_Y où X (jusqu'à 4 caractères) est une abréviation mnémotechnique du nom de la protéine (par exemple CYC pour cytochrome *c* et HBA pour la chaîne α de l'hémoglobine) et Y (jusqu'à 5 caractères) un code permettant d'identifier l'origine biologique de la protéine et comportant d'habitude les trois premières lettres du genre et les deux premières de l'espèce [par exemple CANFA pour *Canis familiaris* (le chien domestique)]. Pour les organismes

---

TABLEAU 7-6 **Adresses Web des principales banques de données sur les séquences de protéines et d'ADN**

Banques de données contenant des séquences de protéines

ExPASy Molecular Biology Server (SWISS-PROT):
http://expasy.ch/

Protein Information Resource (PIR):
http://pir.georgetown.edu/

Protein Research Foundation (PRF):
http://www.prf.or.jp/en/

Banques de données contenant des séquences de gènes

GenBank:
http://www.ncbi.nlm.nih.gov/Genbank/GenbankSearch.html

European Bioinformatics Institute (EBI):
http://srs.ebi.ac.uk/

DBGET/LinkDB Integrated Database Retrieval System:
http://www.genome.ad.jp/dbget/

---

les plus communs, cependant, Y est un code autoexplicatif (ex : BOVIN ou ECOLI). Suit un numéro d'accès tel que P04567, assigné par la base de données, et qui restera associé à la séquence, d'une mise à jour à la suivante, même si le code ID doit être changé. L'enregistrement contient ensuite ses dates d'introduction dans SWISS-PROT et de dernière modification et d'annotation, une liste de références (en connexion avec MedLine), une description de la protéine, et ses connexions avec d'autres banques de données. Un tableau des caractéristiques donne les régions ou sites d'intérêt de la protéine (ponts disulfure, modifications post-traductionnelles, structures secondaires locales, sites de liaison) et d'éventuelles discordances entre certaines références. L'enregistrement se termine par le nombre de résidus du peptide, son poids moléculaire et sa séquence en code à une lettre (Tableau 4-1). La présentation des autres bases de données sur les séquences est similaire.

B. *Alignements de séquences*

On peut quantifier la ressemblance des séquences de deux polypeptides ou ADN en déterminant le nombre de leurs résidus identiques qui se correspondent après alignement des séquences. Par exemple, les cytochromes *c* humain et canin, qui diffèrent pour 11 résidus sur 104 (Tableau 7-5), sont identiques à 89 % [(104 − 11)/104 × 100] ; les cytochromes *c* humain et de levure sont identiques à 57 % [(104 − 45)/104 × 100]. D'après le Tableau 4, le cytochrome *c* de levure possède du côté N-terminal 5 résidus absents du cytochrome *c* humain, mais il lui manque le résidu C-terminal de la protéine humaine. Par convention, c'est la longueur de la séquence la plus courte qui est portée au dénominateur pour déterminer le pourcentage d'identité. On peut de même calculer le pourcentage de similitude de deux peptides, une fois définis les résidus d'acides aminés que l'on considère comme semblables (Asp et Glu, par exemple).

a. Le diagnostic d'homologie de séquences n'est pas toujours facile

Pour comprendre l'évolution des protéines, examinons un modèle simple. Soit une protéine de 100 résidus où toutes les mutations ponctuelles surviennent à vitesse constante et sont acceptées avec la même probabilité. Ainsi, à une distance évolutive d'une unité PAM (Section 7-3B), la protéine originale et celles qui en dérivent sont identiques à 99 %. À une distance de deux unités PAM, elle sont identiques à $(0,99)^2 \times 100 = 98\%$, et de 50 unités PAM, identiques à $(0,99)^{50} = 61\%$ (et non 50 % comme on pourrait l'imaginer). En effet, *la mutation est un phénomène stochastique (qui survient au hasard selon la loi des probabilités) : à chaque étape de l'évolution, chaque résidu a une chance égale de subir la mutation.* Certains résidus peuvent donc être modifiés deux fois ou plus avant même que d'autres ne subissent un seul changement. Il s'en suit qu'un graphique du pourcentage d'identité en fonction de la distance évolutive (Fig. 7-25*a*) est une courbe exponentielle qui approche zéro sans jamais l'atteindre. Même à de très grandes distances évolutives,

la protéine originale et celles qui en dérivent présentent toujours des identités de séquence.

L'évolution des protéines naturelles est plus complexe que celle prédite par notre exemple simple. Une des raisons en est que certains acides aminés sont plus susceptibles que d'autres de donner des mutations acceptées ; une autre raison, que la distribution des acides aminés dans les protéines n'est pas uniforme (en moyenne, 9,5 % des résidus des protéines sont des Leu, mais 1,2 % seulement sont des Trp ; Tableau 4-1). En conséquence, les protéines naturelles évoluent encore plus lentement que celle de notre modèle (Fig. 7-25*b*).

À quel point du processus évolutif l'homologie n'est-elle plus identifiable ? Si deux polypeptides de même longueur et de séquence aléatoire avaient la même composition, soit 5 % de chacun des 20 acides aminés, ils devraient avoir en moyenne 5 % d'identité. Cette valeur est cependant affectée par le caractère aléatoire des mutations. Les calculs statistiques montrent qu'il y a 95 % de chances que l'identité soit comprise entre 0 et 10 % pour des peptides de 100 résidus. Cependant, comme nous l'avons vu pour les cytochromes *c*, des peptides homologues peuvent avoir des longueurs différentes, en raison de la perte ou de l'acquisition de résidus aux extrémités. Si nous décalons de 1 à 5 résidus l'alignement de nos deux peptides aléatoires constitués de 100 résidus, l'identité moyenne attendue pour le meilleur alignement monte à 8 %, la valeur étant comprise entre 4 et 12 % pour 95 % des alignements. Une valeur sur 20 s'écartera donc de ces moyennes (> 12 % ou < 4 %) et une paire sur 40 donnera plus de 12 % d'identité.

Mais il y a plus. Les mutations peuvent provoquer l'insertion ou la délétion d'un résidu ou plus, ce qui peut créer des interruptions dans une des séquences par rapport à l'autre. Si l'on accepte un nombre illimité de tels intervalles, on pourra toujours trouver un alignement qui donne une correspondance parfaite entre deux chaînes. C'est le cas, par exemple, pour les deux peptides de 15 résidus ci-dessous qui ne partagent en fait qu'un résidu identique (Y ; code à une lettre, Tableau 4-1) à la même position.

SQMCILFKAQMNYGH
MFYACRLPMGAHYWL

SQMCILFKAQMNYGH
--M---F-----Y--ACRLPMGAHYWL

Il est donc exclu d'admettre un nombre illimité d'intervalles pour favoriser l'assortiment de deux peptides, sans toutefois les interdire, puisque des insertions et des délétions (collectivement appelées **indels**) peuvent effectivement survenir. Chaque intervalle toléré dans la séquence devra alors être pénalisé dans l'algorithme d'alignement, de sorte à équilibrer la recherche du meilleur alignement entre peptides apparentés et le rejet des alignements inappropriés. Cependant, en procédant de la sorte (les méthodes sont décrites ci-dessous), *des protéines non apparentées pourront présenter des identités de séquence allant de 15 à 25 %, valeurs que l'on peut trouver pour des protéines réelle-*

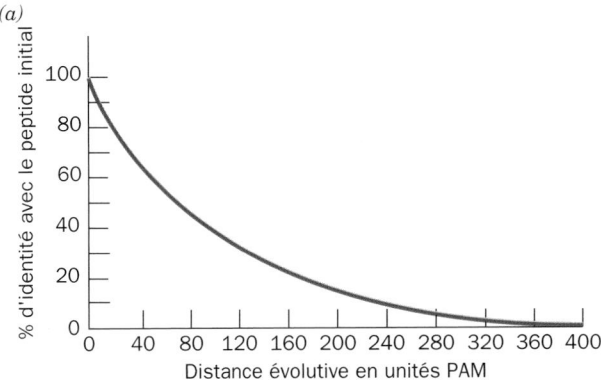

(a)

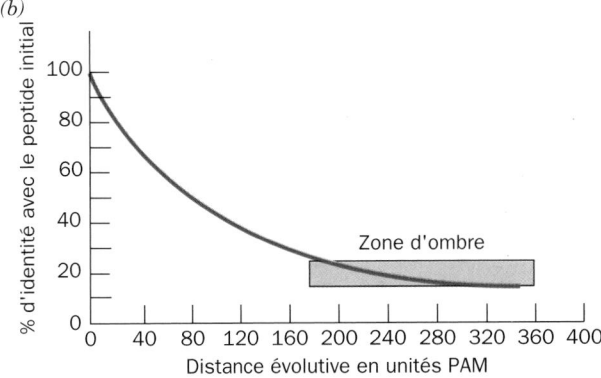

(b)

FIGURE 7-25 Vitesse de changements dans les séquences des protéines au cours de leur évolution. (*a*) Cas d'une protéine évoluant au hasard et qui comporte au départ 5 % de chacun des 20 résidus d'acides aminés « standard ». (*b*) Cas d'une protéine de composition moyenne en acides aminés et qui évolue comme on l'observe dans la nature, certains changements de résidus étant plus susceptibles d'être acceptés que d'autres, en plus d'insertions et de délétions occasionnelles. [Partie *b* d'après Doolittle, R.F., *Methods Enzymol.* 183, 103 (1990).]

ment apparentées. Ceci explique la **zone d'ombre** dans la Fig. 7-25*b*. On doit recourir à des algorithmes d'alignement sophistiqués pour pouvoir faire, dans cette zone, la distinction entre protéines homologues ou non.

b. Alignement de séquences par matrices de points

Comment aligner les séquences de deux polypeptides (**alignement par paire**)? La méthode la plus simple est celle de la **matrice de points** (**graphique de points** ou **graphique en diagonale**). Il suffit d'écrire horizontalement la séquence d'un des peptides, et verticalement la séquence de l'autre, et d'inscrire un point dans la matrice en regard des résidus identiques. Un tel graphique pour un peptide confronté à lui même donne une matrice carrée présentant une rangée de points en diagonale et une nuée de points où les identités sont le fruit du hasard. Si les peptides sont très semblables, il manque peu de points sur la diagonale (comme à la Fig. 7-26*a*), tandis qu'il en manque beaucoup pour les peptides de parenté lointaine et qu'alors la diagonale est décalée pour chaque intervalle dans un peptide par rapport à l'autre (Fig. 7-26*b*). Une fois l'alignement réalisé, encore faut-il le coter pour déterminer dans quelle mesure il reflète la réalité. Une manière simple et efficace de calculer une tel **indice d'alignement** («*Alignment Score*»: **AS**) est d'ajouter 10 pour chaque identité, sauf pour celles de Cys, qui compte pour 20 (les résidus Cys exercent souvent une fonction indispensable), et de soustraire 25 pour chaque intervalle. On peut ensuite calculer un **indice d'alignement normalisé**

(**NAS**) en divisant l'AS par le nombre de résidus du plus court des deux peptides et multipliant par 100. Ainsi, l'alignement de la chaîne a de l'hémoglobine humaine (141 résidus) et de la myoglobine humaine (153 résidus; Fig. 7-27) donne un AS de $37 \times 10 + 1 \times 20 - 1 \times 25 = 365$ et un NAS de $(365/141) \times 100 = 259$. D'après l'analyse statistique, cet NAS indique une homologie. Un appariement parfait donnerait un NAS de 1000 en absence de Cys ou d'intervalle. Les valeurs acceptables pour la NAS diminuent avec la longueur du peptide car la proportion de correspondances sera d'autant plus grande que les peptides sont courts (2 correspondances surviendront plus fréquemment au hasard pour 10 résidus que 20 pour 100 résidus, bien que le NAS soit de 200 dans les deux cas).

c. Les alignements devraient être pondérés en fonction de la probabilité de la substitution des résidus

Les méthodes ci-dessus peuvent être appliquées « à la main », en particulier quand l'alignement est évident. Mais comment faire pour aligner une nouvelle séquence sur un grand nombre de polypeptides (en fait chaque nouvelle séquence est alignée sur toutes les séquences connues)? De plus, les alignements ne sont pas évidents dans la zone d'ombre (Fig. 7-25*b*). Il faut donc recourir à des analyses statistiques par ordinateur pour faire la distinction, avec un maximum de sensibilité, entre les relations évolutives distantes et les similitudes qui sont le fruit du hasard.

(a) Cytochrome *c* de thon

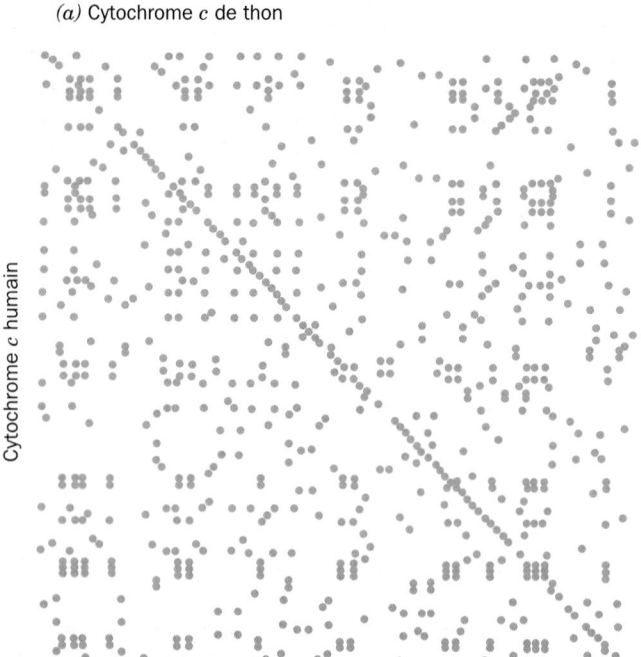

(b) Cytochrome *c₂* de *Rhodospirillum rubrum*

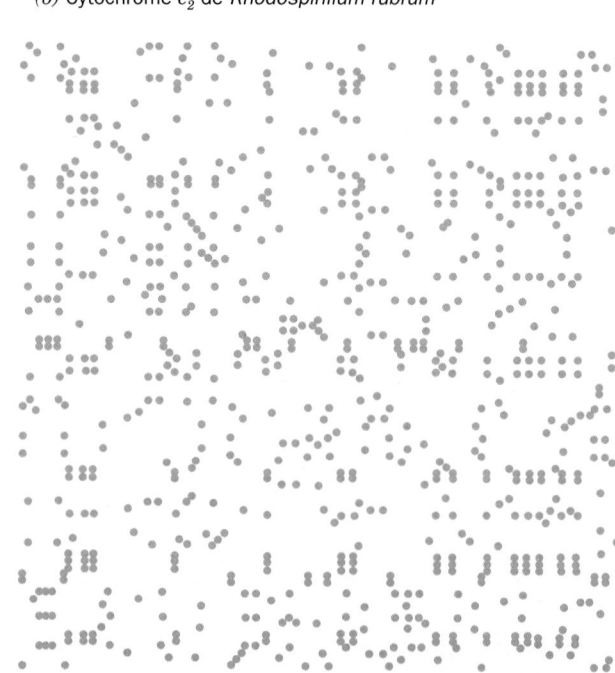

FIGURE 7-26 Alignements de séquences par matrices de points. Alignements par graphiques de points (*a*) du cytochrome *c* humain (104 résidus) avec le cytochrome *c* de thon (103 résidus) et (*b*) du cytochrome *c* humain avec le cytochrome *c₂* de *Rhodospirillum rubrum* (cytochrome bactérien de type *c* comportant 112 résidus). Les extrémités N-terminales de ces peptides sont en haut à gauche des graphiques. Les deux protéines de la Partie *a* partagent 82 identités, celles de la Partie *b*, 40 identités. Dans la Partie *b* on voit mieux la diagonale si l'on observe le graphique dans le plan du papier à partir du coin inférieur droit. À noter que cette diagonale présente deux déplacements horizontaux, un près du centre, un autre près de l'extrémité C-terminale. Ceci traduit la présence d'inserts dans la protéine de *Rhodospirillum* par rapport à la protéine humaine. [D'après Gibbs, A.J, et McIntyre, G.A., *Eur. J. Biochem.* 16, 2 (1970).]

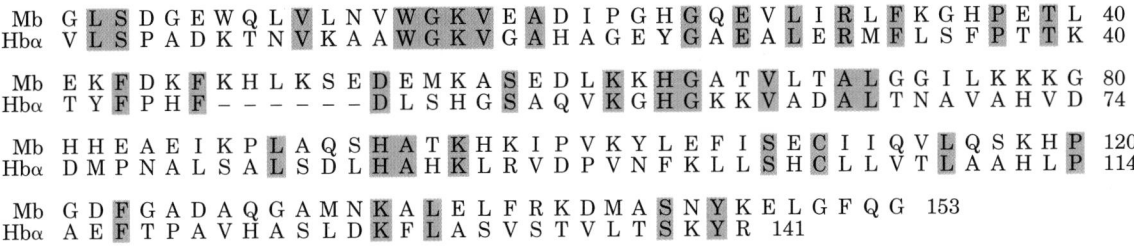

AS = 365   NAS = 259   % ID = 27,0

FIGURE 7-27 Alignement optimal de la myoglobine humaine (Mb, 153 résidus) avec la chaîne a de l'hémoglobine humaine (Hbα, 141 résidus). Les résidus identiques sont encadrés et les intervalles sont indiqués par des tirets. [D'après Doolittle, R.F., *Of URFs and ORFs*, University Science Books (1986).]

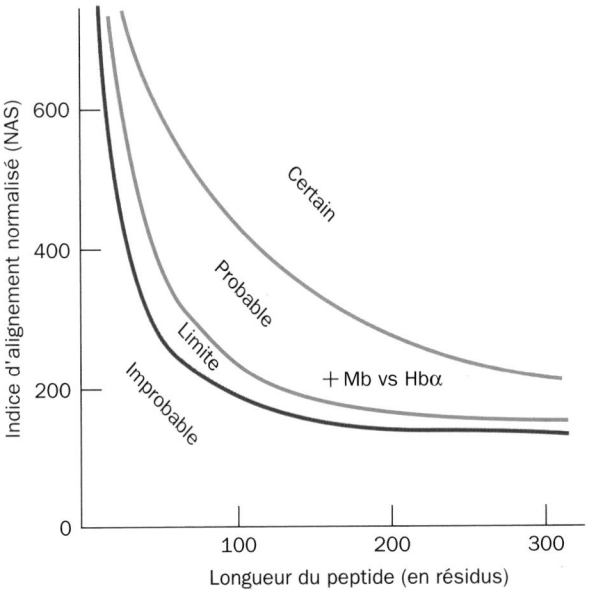

FIGURE 7-28 Évaluation du degré de confiance des indices d'alignement normalisés (NAS) pour comparer des séquences peptidiques. Noter comment la validité des NAS varie avec la longueur du peptide. La croix indique la position de l'alignement de la Mb avec la Hbα (Fig. 7-27). [D'après Doolittle, R.F., *Methods Enzymol.* 183, 102 (1990).]

On peut donner à une matrice de points une forme mathématique en remplaçant chaque point (identité de deux résidus) par 1 et chaque absence de correspondance par 0. Ici, la matrice d'un peptide avec lui-même donne une matrice diagonale carrée (tous les 1 sur la diagonale et quelques 1 en dehors de celle-ci), et celle de deux peptides étroitement apparentés donne plusieurs diagonales avec des zéros. Ce système est cependant très rigide : il ne fait pas la différence entre les substitutions conservatrices et celles qui sont hypervariables. Or, certaines substitutions sont plus facilement acceptées que d'autres. Quelles sont ces substitutions favorisées ? Comment les quantifier ? Comment cette information peut-elle conforter notre diagnostic de la parenté lointaine de deux peptides ?

Une manière de pondérer (d'une quantité qui augmente avec la probabilité) un changement de résidu est de se fonder sur le code génétique (Tableau 5-3). Les changements de résidus qui n'exigent que le changement d'une seule base [par exemple Leu (CUX) → Pro (CCX)] seront plus fréquents (et seront affectés d'un plus grand indice de pondération) que ceux qui exigent deux changements de bases [par exemple Leu (CUX) → Thr (ACX)], lesquels seront plus pondérés que ceux qui exigent trois changements de bases [par exemple His (CAU/C) → Trp (UGG)]. Bien sûr, l'indice de pondération le plus grand serait affecté à l'événement le plus probable, à savoir l'absence de changement. Cependant, cette approche permet de pondérer la probabilité d'une mutation, mais pas celle d'être acceptée (ce qui dépend de la sélection darwinienne). En réalité, plus de la moitié des résidus changés par la mutation d'une seule base le sont en résidus aux propriétés physiques différentes, lesquels sont donc moins acceptables.

Une pondération plus réaliste serait d'affecter d'une plus grande probabilité le remplacement d'un résidu par un autre qui lui soit physiquement similaire. En effet, une mutation Lys → Arg a de plus grandes chances d'être acceptée que, disons, Lys → Phe. Le problème est de trouver une base théorique à une telle formulation, car on ne voit pas bien comment évaluer les propriétés qu'on doit attendre des différents résidus pour l'exercice de leurs nombreuses fonctions dans d'innombrables protéines.

d. Les matrices de substitution d'unités PAM sont fondées sur les vitesses d'évolution des protéines effectivement observées

Une méthode expérimentale pour déterminer la probabilité avec laquelle les différents changements de résidus sont acceptés est de les pondérer selon la fréquence observée en fait au cours de l'évolution des protéines. C'est ce que fit Margaret Dayhoff en comparant les séquences d'un grand nombre de protéines étroitement apparentées. Le pourcentage d'identité de ces protéines était suffisant (> 85 %) pour assurer leur alignement correct et pour que le remplacement d'un résidu ne donne pas des paires différentes dans les différentes protéines. Elle détermina la fréquence relative des $20 \times 19/2 = 190$ possibilités de changement (on divise par deux car les changements A → B sont aussi probables que B → A). À partir de telles données, on peut construire une matrice carrée symétrique, dont les éléments M_{ij} (20 dans chaque sens) donnent la probabilité que, dans une séquence apparentée, l'acide aminé i remplacera l'acide aminé j après un intervalle évolutif déterminé – habituellement une unité PAM. À partir de cette **matrice PAM-1**, on peut construire une matrice de probabilité de mutations pour d'autres distances évolutives, par exemple N unités PAM, en multipliant N fois la matrice par elle-même ($[M]^N$), ce qui donne une matrice PAM-N. Dans ce cas, un élément de la **matrice des cotes de parenté** (« relatedness odds matrix »), R, est :

$$R_{ij} = M_{ij}/f_i \qquad [7.3]$$

où M_i est ici un élément de la matrice PAM-N et f_i est la probabilité que l'acide aminé i surviendra par hasard dans la seconde séquence. R_{ij} est la probabilité que l'acide aminé i remplacera l'acide aminé j (ou vice-versa) par occurrence de i par occurrence de j. Lorsqu'on compare deux polypeptides, résidu par résidu, les R_{ij} pour chaque position sont multipliés afin d'obtenir les **cotes de parenté** pour l'ensemble du polypeptide. Par exemple, quand l'hexapeptide A-B-C-D-E-F évolue pour donner l'hexapeptide P-Q-R-S-T-U,

$$\text{cotes de parenté} = R_{AP} \times R_{BQ} \times R_{CR} \times R_{DS}$$
$$\times R_{ET} \times R_{FU} \qquad [7.4]$$

Un calcul plus facile est de prendre le logarithme de chaque R_{ij}, ce qui donne la **matrice de substitution du logarithme des cotes** (log odds substitution matrix). Dans ce cas, il suffit d'additionner, plutôt que de multiplier, les éléments de cette matrice pour obtenir le **logarithme des cotes** (log odds). Ainsi, pour notre paire d'hexapeptides :

$$\text{logarithme des cotes} = \log R_{AP} + \log R_{BQ} + \log R_{CR} + \log R_{DS}$$
$$+ \log R_{ET} + \log R_{FU} \qquad [7.5]$$

Puisque c'est le logarithme des cotes de la paire de peptides que l'on veut optimiser pour obtenir leur meilleur alignement, ce sont ces valeurs que nous utiliserons comme indices d'alignement.

Le Tableau 7-7 donne la matrice **PAM-250** de substitution du logarithme des cotes, dans laquelle tous les éléments ont été mul-

tipliés par 10 pour la rendre plus lisible (on ne fait qu'ajouter un facteur d'échelle). Chaque élément sur une diagonale de la matrice donne la « mutabilité » de l'acide aminé correspondant, les autres éléments donnant leurs probabilités d'échange. Un indice neutre (fruit du hasard) est 0, tandis qu'une paire d'acides aminés avec un indice de −3 ne s'échange qu'avec $10^{-3/10} = 0{,}50$ de la fréquence attendue du hasard. Dans cette matrice de substitution les résidus d'acide aminé les plus susceptibles de se remplacer l'un l'autre (les paires qui ont les valeurs de log R_{ij} les plus élevées) dans des protéines apparentées sont regroupés. Notez que ce regroupement correspond assez bien à ce qu'on attendrait de leurs propriétés physiques.

Dans le Tableau 7-7 les identités (pas de remplacement) tendent à avoir les valeurs les plus élevées. Trp et Cys (valeurs de 17 et 12 sur la diagonale) sont les résidus les moins susceptibles d'être remplacés, alors que Ser, Ala et Asn (valeur de 2) sont les plus facilement mutés. La paire de résidus la moins échangeable est Cys et Trp (−8), alors que celle la plus échangeable est Tyr et Phe (7), bien que ces derniers soient les moins susceptibles d'échange avec d'autres résidus (valeurs pour la plupart négatives). De même, les résidus chargés et polaires ont très peu de chance de s'échanger avec des résidus non polaires (valeurs à peu près toujours négatives).

La fiabilité d'alignement de séquences connues pour l'éloignement de leur parenté évolutive a été évaluée sur base de leurs valeurs PAM (N). La matrice PAM-250 de substitution du logarithme des cotes a tendance a donner les meilleurs alignements, à savoir les indices d'alignement les plus élevés par rapport à ceux obtenus avec des matrices de substitution fondées sur des valeurs PAM plus grandes ou plus petites. Notez que, d'après la Fig. 7-25*b*, à 250 PAM, 80 % des résidus du polypeptide de départ ont été remplacés.

e. Alignement de séquences avec l'algorithme Needleman-Wunsch

L'utilisation d'une matrice de substitution du logarithme des cotes pour trouver un alignement est évidente, mais laborieuse. Pour comparer deux séquences, plutôt que de construire une matrice avec des 1 pour toutes les positions qui correspondent, on introduit la valeur appropriée à chaque position dans la matrice de substitution du logarithme des cotes. Cette matrice donne ainsi toutes les paires de combinaisons possibles pour les deux séquences. Dans la Fig. 7-29*a*, nous utilisons la matrice PAM-250 du logarithme des cotes avec, horizontalement, un peptide de 10 résidus et, verticalement, un peptide de 11 résidus. L'alignement de ces deux peptides doit donc faire apparaître au moins un intervalle ou un débordement, si un alignement est possible.

On doit à Saul Needleman et Christian Wunsch un algorithme permettant le meilleur alignement de deux peptides (celui qui donne la valeur la plus élevée pour le logarithme des cotes). On commence au coin inférieur droit (extrémités C-terminales) de la matrice, à la position (M, N) (où $M = 11$ et $N = 10$ dans la Fig. 7-29*a*) et on ajoute sa valeur (ici 2) à la valeur de la position ($M − 1$, $N − 1$) [ici 12, de sorte que la valeur de la position ($M − 1$, $N − 1$), c'est-à-dire (10, 9), devienne 14 dans la matrice transformée]. En poursuivant par itération, on ajoute à la valeur de l'élément en position (i, j) la valeur maximum des éléments (p, $j + 1$), où $p = i + 1$, $i + 2$, . . . , M, et ceux de ($i +$

TABLEAU 7-7 **Matrice de substitution du logarithme des cotes PAM-250**

	C	S	T	P	A	G	N	D	E	Q	H	R	K	M	I	L	V	F	Y	W
C Cys	12																			
S Ser	0	2																		
T Thr	−2	1	3																	
P Pro	−3	1	0	6																
A Ala	−2	1	1	1	2															
G Gly	−3	1	0	−1	1	5														
N Asn	−4	1	0	−1	0	0	2													
D Asp	−5	0	0	−1	0	1	2	4												
E Glu	−5	0	0	−1	0	0	1	3	4											
Q Gln	−5	−1	−1	0	0	−1	1	2	2	4										
H His	−3	−1	−1	0	−1	−2	2	1	1	3	6									
R Arg	−4	0	−1	0	−1	−3	0	−1	−1	1	2	6								
K Lys	−5	0	0	−1	−1	−2	1	0	0	1	0	3	5							
M Met	−5	−2	−1	−2	−1	−3	−2	−3	−2	−1	−2	0	0	6						
I Ile	−2	−1	0	−2	−1	−3	−2	−2	−2	−2	−2	−2	−2	2	5					
L Leu	−6	−3	−2	−3	−2	−4	−3	−4	−3	−2	−2	−3	−3	4	2	6				
V Val	−2	−1	0	−1	0	−1	−2	−2	−2	−2	−2	−2	−2	2	4	2	4			
F Phe	−4	−3	−3	−5	−4	−5	−4	−6	−5	−5	−2	−4	−5	0	1	2	−1	9		
Y Tyr	0	−3	−3	−5	−3	−5	−2	−4	−4	−4	0	−4	−4	−2	−1	−1	−2	7	10	
W Trp	−8	−2	−5	−6	−6	−7	−4	−7	−7	−5	−3	2	−3	−4	−5	−2	−6	0	0	17
	Cys	Ser	Thr	Pro	Ala	Gly	Asn	Asp	Glu	Gln	His	Arg	Lys	Met	Ile	Leu	Val	Phe	Tyr	Trp

Source : Dayhoff, M.O. (Ed), *Atlas of Protein Seqence and Structure*, Vol. 5, Supplement 3, *p. 352*, National Biomedical Research Foundation (1978).

(a) Matrice de comparaison

	V	E	D	Q	K	L	S	K	C	N
V	4	-2	-2	-2	-2	2	-1	-2	-2	-2
E	-2	4	3	2	0	-3	0	0	-5	1
N	-2	1	2	1	1	-3	1	1	-4	2
K	-2	0	0	1	5	-3	0	5	-5	1
L	2	-3	-4	-2	-3	6	-3	-3	-6	-3
T	0	0	0	-1	0	-2	1	0	-2	0
R	-2	-1	-1	1	3	-3	0	3	-4	0
P	-1	-1	-1	0	-1	-3	1	0	-3	0
K	-2	0	0	1	5	-3	0	5	-5	0
C	-2	-5	-5	-5	-5	-6	0	-5	12	-4
D	-2	3	4	2	0	-4	0	0	-5	2

(c) Matrice transformée

	V	E	D	Q	K	L	S	K	C	N
V	(41)	33	31	29	24	22	18	12	0	-2
E	31	(37)	35	33	26	17	19	14	-3	1
N	29	32	(33)	32	27	17	20	15	-2	2
K	24	26	26	27	(31)	17	19	19	-3	1
L	25	20	18	21	17	(26)	16	11	-4	-3
T	23	23	23	22	19	18	(20)	14	0	0
R	18	19	19	21	23	17	19	17	-2	0
P	18	18	18	19	18	16	(20)	14	-1	0
K	12	14	14	15	19	11	14	(19)	-3	0
C	2	-1	-3	-3	-3	-4	2	-3	(14)	-4
D	-2	3	4	2	0	-4	0	0	-5	(2)

(b) Transformation de la matrice selon l'alignement Needleman-Wunsch

	V	E	D	Q	K	L	S	K	C	N
V	4	-2	-2	-2	-2	2	-1	-2	-2	-2
E	-2	4	3	2	0	-3	0	0	-5	1
N	-2	1	2	1	1	-3	1	1	-4	2
K	-2	0	0	1	5	-3	0	5	-5	1
L	2	-3	-4	-2	3	6	-3	-3	-6	-3
T	0	0	0	-1	0	-2	1	0	-2	0
R	-2	-1	-1	1	-3	17	19	17	-2	0
P	-1	-1	-1	0	-1	16	20	14	-1	0
K	-2	0	0	1	5	11	14	19	-3	0
C	-2	-5	-5	-5	-5	-4	2	-3	14	-4
D	-2	3	4	2	0	-4	0	0	-5	2

(d) Alignement

VEDQKLS--KCN
VEN-KLTRPKCD

ou

VEDQKL--SKCN
VEN-KLTRPKCD

FIGURE 7-29   Comment utiliser l'algorithme de Needleman-Wunsch pour aligner un peptide de 10 résidus (*horizontalement*) avec un peptide de 11 résidus (*verticalement*). (a) Matrice de comparaison, dont les éléments sont les valeurs correspondantes dans la matrice de substitution du logarithme des cotes PAM-250 (Tableau 7-7). (b) Transformation de Needleman-Wunsch après plusieurs étapes, en partant d'en bas à droite. Les valeurs en rouge ont déjà été transformées. L'indice de Needleman-Wunsch pour l'alignement T-K (petit encadré) est la somme de sa valeur PAM-250 (0) et de la plus grande des valeurs de l'encadré en forme de L (19). Le processus de transformation est expliqué dans le texte. (c) Matrice de Needleman-Wunsch terminée. Le meilleur alignement suit la ligne de crête comme décrit dans le texte. Les résidus alignés sont ceux dont les éléments correspondants sont entourés d'un cercle. Noter l'ambiguïté de cet alignment. (d) Les deux alignements équivalents obtenus ; les résidus identiques dans les alignements sont en vert.

1, q), où q = j + 1, j + 2, ... N. La Fig. 7-29b montre ce processus à un stade intermédiaire avec la valeur originale de la position (6, 5) dans un petit encadré et les valeurs transformées des positions (p, 6), où p = 7, 8, …, 11, et des positions (7, q), où q = 6, 7, …, 10, dans l'encadré en forme de L. Dans celle-ci, la valeur maximum des éléments matriciels est 19 ; c'est la valeur à ajouter à la valeur (0) de la position (6, 5) pour donner la valeur 19 dans la matrice transformée. On répète l'opération,

du coin inférieur droit au coin supérieur gauche de la matrice, jusqu'à ce que tous ses éléments aient été ainsi traités, pour donner la matrice complètement transformée montrée à la Fig. 7-29c. L'**algorithme Needleman-Wunsch** donne ainsi les valeurs du logarithme des cotes pour tous les alignements possibles des deux séquences.

On trouve le meilleur alignement (celui qui donne la valeur la plus élevée pour le logarithme des cotes) en traçant la ligne de crête de la matrice transformée (7-29*c*) en partant de sa valeur maximum au coin supérieur gauche ou ses environs (extrémité N-terminale) vers le coin inférieur droit ou ses environs (extrémité C-terminale). En effet, l'alignement de toute paire de résidus est indépendant de celui de toute autre paire. Donc, le meilleur indice jusqu'à un point quelconque d'un alignement est le meilleur indice jusqu'au point précédent, plus l'indice ajouté par la nouvelle étape. Ce schéma additif d'indices est fondé sur la supposition que les mutations affectant des sites différents sont acceptées indépendamment les unes des autres, ce qui semble en accord avec l'évolution des protéines bien que l'on connaisse l'importance structurale et fonctionnelle des interactions spécifiques de certains résidus au sein des protéines.

La ligne qui réunit les paires de résidus alignés (entourés d'un cercle dans la Fig. 7-29*c*) doit toujours aller vers le bas à droite. En effet, un déplacement vers le haut ou vers la gauche ou même en ligne directe vers le bas ou vers la droite impliquerait l'alignement d'un résidu d'un peptide avec plus d'un résidu de l'autre peptide. Tout autre mouvement que $(+1, +1)$ signifie la présence d'un intervalle. La Fig. 7-29*d* montre le meilleur alignement des deux polypeptides, celui qui correspond aux lignes de la 7-29*c*. Notez que cet alignement n'est pas univoque. Si on aligne S du 10-mère avec T ou P du 11-mère on obtient la même valeur de logarithme des cotes, ce qui ne permet pas de choisir entre ces deux possibilités. L'indice global d'alignement est donné par la valeur maximum de la matrice transformée, ici 41, que l'on trouve au coin supérieur gauche de l'alignement (7-29*c*).

L'algorithme Needleman-Wunsch optimise l'alignement global des deux peptides en maximisant l'indice d'alignement pour l'ensemble des deux séquences (même si cela n'a pas de portée biologique). Cependant, puisque de nombreuses protéines sont constituées de motifs que l'on retrouve dans beaucoup d'entre elles , il serait préférable d'optimiser l'alignement local de deux peptides, c'est-à-dire ne maximiser leur indice d'alignement que pour leurs régions homologues. C'est ce que fait l'algorithme proposé par Temple Smith et Michael Waterman, qui est une variante de l'algorithme Needleman-Wunsch. L'**algorithme Smith-Waterman** tire parti du fait que, dans les systèmes d'évaluation basés sur des matrices de sustitution, l'indice cumulatif au cours du processus d'alignement diminue dans les régions de faible corrrespondance des séquences. L'algorithme Smith-Waterman interrompt le processus là où l'indice cumulatif tombe à zéro. Deux peptides peuvent présenter plusieurs alignements locaux de ce type.

f. Pénalités pour les intervalles

S'il y a des intervalles libres dans les alignements, on devrait en soustraire la pénalité, de l'indice global d'alignement, pour obtenir l'indice d'alignement final. Puisqu'une simple mutation peut insérer ou supprimer plus d'un résidu, un long intervalle devrait être pénalisé à peine plus qu'un court. On représente donc ce type de pénalité par $a + bk$, où a est la pénalité pour la présence d'un intervalle, k est sa longueur en résidus, et b la pénalité par résidu absent. Faute de théorie statistique satisfaisante pour optimiser les valeurs de a et b, celles-ci sont tirées d'études empiriques qui donnent $a = -8$ et $b = -2$ pour les matrices PAM-250. L'indice d'alignement final pour les deux alignements de la Fig. 7-29*d* (qui

tous deux ont un intervalle de 1 résidu et un intervalle de 2 résidus) est $41 - (8 + 2 \times 1) - (8 + 2 \times 2) = 19$.

g. Alignements pairés avec BLAST et FASTA

L'algorithme Needleman-Wunsch et plus tard l'algorithme Smith-Waterman (adaptés pour l'informatique) ont été largement utilisés dans les années 1970 et 1980 pour rechercher des relations entre protéines. Il a fallu cependant accélérer considérablement le procédé afin de pouvoir comparer chaque nouvelle séquence au nombre toujours croissant des séquences déposées dans les bases de données. Les ordinateurs modernes y arrivent grâce à l'utilisation, dans la plupart des programmes d'alignement de séquences, d'**algorithmes heuristiques**. Ces algorithmes font des « conjectures éclairées », ce qui augmente singulièrement la vitesse du programme au risque de diminuer la précision des résultats ; pour les alignements de séquences, les algorithmes heuristiques sont fondés sur la manière dont les séquences évoluent. Plutôt que d'expliquer comment ces programmes fonctionnent, nous décrirons ci-dessous comment les utiliser. La matrice de substitution PAM-250 est basée sur une extrapolation : on suppose, pour la calculer, que la vitesse de mutation sur une unité PAM de distance évolutive est la même que sur 250 unités PAM, ce qui n'est pas nécessairement le cas. Après tout, des protéines homologues séparées par de grandes distances évolutives peuvent diverger quant à leur fonction, et donc dans leurs vitesses d'évolution (rappelez-vous que des protéines différentes évoluent à des vitesses différentes ; Fig. 7-22). Il fallait tenir compte de cette possibilité, ainsi que du très grand nombre de séquences déchiffrées depuis le calcul des matrices PAM au milieu des années 1970. À cette fin, on calcula une matrice de substitution du logarithme des cotes sur base d'environ 2000 blocs de séquences alignées à partir d'environ 500 groupes de protéines apparentées. La matrice de substitution qui donne le meilleur résultat pour des alignements sans intervalles s'appelle **BLOSUM62** (pour « *b*lock *s*ubstitution *m*atrix » ; 62 signifie que tous les blocs de polypeptides alignés dans lesquels l'identité est $\geq 62\,\%$ sont pondérés comme une seule séquence afin de réduire la contribution des séquences étroitement apparentées), alors que **BLOSUM50** semble meilleure pour les alignements avec intervalles. Les alignements de séquences basés sur les matrices BLOSUM62 ou BLOSUM50 sont d'une plus grande sensibilité (capacité à identifier des séquences de parenté lointaine) que ceux obtenus avec la matrice PAM-250.

Les deux logiciels d'accès libre, basés sur des programmes heuristiques, les plus utilisés pour aligner par paires des séquences polypeptidiques ou polynucléotidiques sont appelés **BLAST** (pour « *B*asic *L*ocal *A*lignment *S*earch *T*ool ») et **FASTA**. Leurs stratégies de recherche sont différentes. Par conséquent, dans une même base de données ces deux programmes trouveront les mêmes peptides ou ADN qui ont une grande similitude de séquence avec la séquence d'interrogation, mais pas nécessairement les mêmes séquences homologues de faible similitude. Les deux programmes visent à obtenir le meilleur compromis entre sensibilité (définie au paragraphe précédent) et sélectivité (rejet de séquences non apparentées donnant par hasard de bons indices d'alignement).

Voyons d'abord comment comparer des peptides avec le logiciel BLAST. Ce programme, que l'on doit à Stephen Altschul, est d'accès libre pour usage interactif via le *Web* (http://www.ncbi.nlm.nih.gov/BLAST/) sur un serveur du National Center for Biotechnology Information (NCBI ; on peut travailler gratuitement avec ce programme via le *Web* avec un ordinateur personnel bien que ce programme « tourne » sur les ordinateurs du NCBI). BLAST recherche, dans la base de données choisie, un nombre de séquences déterminé par l'utilisateur, dont l'alignement s'apparie le mieux avec la séquence d'interrogation.

Les bases de données des protéines contiennent actuellement environ 900 000 séquences peptidiques. BLAST ne doit donc pas perdre de temps sur une séquence dont la similitude avec la séquence d'interrogation a peu de chance de dépasser un indice d'alignement minimum. Les alignements pairés (voir Fig. 30*a*) trouvés par BLOSUM62 sont donnés dans l'ordre décroissant de signification statistique, et sont présentés en faisant coincider les positions des résidus identiques ou similaires dans la séquence d'interrogation et les séquences trouvées. Ce programme indique aussi le nombre de résidus identiques, les paires de résidus dont

(a) **Alignement par paire selon BLAST**

```
>sp|P38524|HPI2_ECTVA HIGH POTENTIAL IRON-SULFUR PROTEIN, ISOZYME 2 (HIPIP 2)
          Length = 71

Score = 50.4 bits (118), Expect = 6e-07
Identities = 27/69 (39%), Positives = 35/69 (50%), Gaps = 4/69 (5%)

Query: 1  EPRAEDGHAHDYVNEAADASG--HPRYQEGQLCENCAFWGEAVQDGWGRCTHPDFDEVLVKAEGWCSVY  67
          E +ED  A   +    DAS  HP Y+EGQ C NC   + +A   WG C+   F   LV A GWC+ +
Sbjct: 2  ERLSEDDPAAQALEYRHDASSVQHPAYEEGQTCLNCLLYTDASAQDWGPCS--VFPGKLVSANGWCTAW   68
```

(b) **Alignement par paire selon FASTA**

```
>>SWALL:HPI2_ECTVA P38524 HIGH POTENTIAL IRON-SULFUR PRO (71 aa)
initn: 102 init1: 77 opt: 116 Z-score: 278.0 expect() 4e-08
Smith-Waterman score: 116; 39.130% identity in 69 aa overlap (1-67:2-68)

               10        20        30        40        50        60        70
Sequen   EPRAEDGHAHDYVNEAADASG--HPRYQEGQLCENCAFWGEAVQDGWGRCTHPDFDEVLVKAEGWCSVYAPAS
         :  .::  .  :   :::.  ::  ::.:::.: ::  .  :: . :: :  .:::. : . :::: :
SWALL:   MERLSEDDPAAQALEYRHDASSVQHPAYEEGQTCLNCLLYTDASAQDWGPCSV--FPGKLVSANGWCTAWVAR
               10        20        30        40        50        60        70
```

(c) **Alignement de séquences multiples selon CLUSTAL X**

```
                             *  *    :.:..: ..        *.  * **  ::          **  *    .*     *    :***:..
1  sp|P38524|HPI2  -----MERLSEDDPAAQALEYRHDASSVQ-HPAYE---EGQTCLNCLLYTDASAQDWGPC--SVFPGKLVSANGWCTAWWAR-
2  sp|P38941|HPI1  -----AERLDENSPEALALNYKHDGASVD-HPSHA---AGQKCINCLLYTDPSATEWGGC--AVFPNKLVNANGWCTAYVARG
3  sp|P00265|HPIS  -----APVDEKNPQAVALGYVSDAAKAD-KAKYKQFVAGSHCGNCALFQGKATDAVGGC--PLFAGKQVANKGWCSAWAKKA
4  sp|P04168|HPI1  --------EPRAEDGHAHDYVNEAADASGHPRYQ---EGQLCENCAFWGEAVQDGWGRCTHPDFDEVLVKAEGWCSVYAPAS
5  sp|P04169|HPI2  GLPDGVEDLPKAEDDHAHDYVNDAADTD-HARFQ---EGQLCENCQFWVDYVN-GWGYCQHPDFTDVLVRGEGWCSVYAPA-
```

FIGURE 7-30 Exemples d'alignements de séquences peptidiques. *(a)* BLAST, *(b)* FASTA, et *(c)* CLUSTAL. Les protéines alignées sont des **protéines fer-soufre à haut potentiel (HIPIP)**, petites protéines bactériennes dont les séquences sont reprises dans la base de données SWISS-PROT. Les résidus d'acide aminé sont indiqués par leur code à une lettre (Tableau 4-1) et les intervalles, par des tirets. Dans les Parties *a* et *b*, la séquence d'interrogation (Sequen dans *b*), est l'isoenzyme 1 de HIPIP d'*Ectothiorhodospira halophila* (HPI1_ECTHA, numéro d'accès P04168 dans SWISS-PROT ; les isoenzymes sont des formes génétiquement distinctes d'enzymes similaires aux plans catalytique et structural, appartenant au même organisme) et la séquence trouvée (SWALL dans *b*) est l'isoenzyme 2 de HIPIP d'*Ectothiorhodospira vacuolata* (HPI2_ECTVA, numéro d'accès P38524 dans SWISS-PROT). Dans *a* et *b*, les premières lignes *(en vert)* donnent la séquence trouvée, avec sa longueur en résidus. Suivent *(en noir)* des statistiques sur l'alignement. En dessous, la séquence d'interrogation et la séquence trouvée sont alignées *(en bleu)* de manière à faire coincider verticalement les résidus identiques et les résidus similaires, ceux-ci étant repris *(en noir)* entre ces deux lignes [les résidus identiques sont indiqués par leur code à une lettre dans BLAST et par deux points (:) dans FASTA ; les résidus similaires sont indiqués par un plus (+) dans BLAST et par un point (.) dans FASTA]. Les recherches par BLAST et FASTA ne fournissent que des alignements par paires de ce type. La Partie *c* montre un alignement de cinq séquences de HIPIP, les deux séquences mentionnées ci-dessus, les isozymes 1 et 2 correspondants, et la HIPIP de *Rhodocyclus gelatinosus* (P00265). Dans cet alignement de séquences multiples, les résidus sont colorés selon leur type et le degré de confiance de leur alignement. A la ligne supérieure *(en noir)* on trouve un astérisque (*) pour les colonnes dont tous les résidus sont identiques, un (:) pour celles dont tous les résidus sont très similaires (MILV) et un (.) pour celles où les résidus sont tous assez semblables (CSA). Noter que l'alignement des 21 premiers résidus de P04168 (la séquence d'interrogation dans *a* et *b*) avec P38524 dans la partie *c* diffère de celui en *a* et *b*.

l'échange donne une valeur positive dans la matrice de substitution, ainsi que les intervalles sur toute la longueur de l'alignement. BLAST calcule la signification statistique d'un alignement en termes de « valeur E » (pour « *E*xpectation »), à savoir le nombre d'alignements d'indice au moins aussi élevé dus au hasard dans la base de données. Ainsi, une valeur E de 5 veut dire que l'alignement n'a pas de signification statistique, alors qu'une E de 0,01 est très significative, et qu'un alignement avec une valeur E de 1×10^{-20} donne la quasi certitude que la séquence d'interrogation et la séquence trouvée sont homologues. BLAST donne aussi, pour chaque alignement, un « indice par bit » qui est une sorte d'indice d'alignement normalisé.

FASTA, un programme écrit par William Pearson, est d'accès libre pour usage interactif via le *Web* (http://www.ebi.ac.uk/fasta33) sur un serveur de l'European Bioinformatics Institute (EBI). Les données d'entrée de FASTA sont comme dans BLAST, mais elles donnent à l'utilisateur le choix de la matrice de substitution (dont plusieurs matrices PAM et BLOSUM ; par défaut, on a BLOSUM50) ainsi que celui des paramètres de pénalité pour les intervalles (des options semblables sont disponibles avec « advanced search » de BLAST). Pour aligner des peptides, on peut choisir la valeur 1 ou 2 pour le paramètre *ktup* (pour *k*-tuple), à savoir le nombre de résidus consécutifs dans les « mots » utilisés par FASTA dans sa recherche des identités (*ktup* peut monter jusqu'à 6 pour les alignements d'acides nucléiques). Plus la valeur de *ktup* est petite, plus la sensibilité de la recherche est grande, mais plus elle prend de temps. La valeur de 2 pour *ktup* attribuée par défaut est suffisamment « sensible » pour la plupart des recherches d'alignements de peptides. Les données fournies par FASTA (Fig. 7-30*b*) sont présentées de la même manière que par BLAST.

h. Alignement de plusieurs séquences avec CLUSTAL

BLAST et FASTA n'alignent les séquences que par paires. Si l'on veut aligner en même temps plus de deux séquences, afin d'obtenir des **alignements de séquences multiples** comme dans le Tableau 7-4, on doit recourir à un autre type de programme. Un des plus utilisés, CLUSTAL, est d'accès libre pour usage interactif via le *Web* (http://www2.ebi.ac.uk/clustalw/). On entre un fichier contenant toutes les séquences (peptides ou ADN) à aligner. Comme avec FASTA et « advanced » BLAST, l'utilisateur peut sélectionner dans CLUSTAL la matrice de substitution et les paramètres de pénalité pour les intervalles. CLUSTAL commence par rechercher tous les alignements par paires possibles pour les séquences introduites. Le programme peut ainsi déterminer parmi celles-ci les relations réciproques sur base de leurs indices de similitude et construire un arbre phylogénétique rudimentaire appelé dendrogramme. En partant de l'alignement pairé affecté de l'indice le plus élevé, le programme réaligne ensuite les séquences restantes qu'il ajoute par ordre de relations décroissantes avec les précédentes, en incluant des intervalles si nécessaire. On obtient ainsi un alignement des toutes les séquences (Fig. 7-30*c*). Les programmes d'alignements de séquences multiples sont facilement trompés par la présence de séquences non homologues ou par celles dont les segments homologues se présentent dans un ordre différent. Il convient donc d'examiner soigneusement les alignements fournis par ces programmes pour déterminer s'ils ont du sens et, si nécessaire,

les corrriger et les élaguer « à la main ». Ainsi, dans les Figs. 7-30*a* et *b*, l'alignement des 21 premiers résidus de la séquence d'interrogation (P04168) avec la séquence trouvée (P38524) n'est pas le même que dans la Fig. 7-30*c*.

i. Les profils augmentent la sensibilité des alignements de séquence

Les alignements de séquences multiples peuvent améliorer la sensibilité des recherches de similitude, c'est-à-dire la détection de similitudes de séquence faibles, mais significatives. Par exemple, en alignements par paires, le peptide A peut être similaire au peptide B, et celui-ci similaire au peptide C, sans que A et C n'apparaissent comme similaires. Cependant, un alignement de séquences multiples pour A, B et C montrera une similitude entre les peptides A et C. Cette notion a été exploitée pour construire des **profils** (aussi appelés **matrices d'indices de position**). Ici, pour chaque position dans les alignements de séquences multiples les résidus hautement conservés sont affectés d'un indice positif élevé, ceux qui sont faiblement conservés, un indice voisin de zéro, et les non conservés, un indice très négatif. Parmi les algorithmes permettant d'obtenir de tels profils, nombreux sont ceux qui se fondent sur les modèles statistiques appelés **modèles de Markov cachés** (« *H*idden *M*arkov *M*odels » : **HMM**). Ce genre de profils de conservation a permis d'identifier des séquences si éloignées, sur le plan évolutif, d'une séquence d'interrogation (aussi loin dans la zone d'ombre) qu'elles échappent à la recherche par BLAST et FASTA.

Le programme **PSI-BLAST** (pour « *P*osition-*S*pecific *I*terated BLAST), d'accès libre via http://www.ncbi.nlm.nih.gov/BLAST/, utilise les résultats d'une recherche BLAST sur une séquence d'interrogation pour donner un profil, lequel est employé pour rechercher de nouveaux alignements. Il s'agit d'un processus itératif dans lequel le profil obtenu après chaque recherche d'alignement est utilisé pour produire une nouvelle recherche, etc., jusqu'à épuisement d'alignements supplémentaires significatifs. Par exemple, pour la séquence d'interrogation utilisée dans les Figs. 7-30*a* et *b* (HPI1_ECTHA ; numéro d'accès SWISS-PROT P04168), BLAST et FAST ne trouvent que cinq séquences (réponses pertinentes ou « hits ») de valeur E inférieure à 0,001 dans la base de données SWISS-PROT (celles de la Fig. 7-30*c*, dont une est alignée avec elle-même). Par contre, PSI-BLAST en trouve 22 après deux itérations (sans réponse pertinente à la troisième itération : on dit que la recherche est alors convergente). Ainsi, l'analyse par profils permet la détection de relations de séquence subtiles, mais significatives, qui donnent de précieux renseignements aux plans évolutif et fonctionnel, comme nous le verrons dans les chapitres suivants.

j. Les gènes de structure devraient être alignés selon les polypeptides qu'ils codent

Il est fréquent qu'on ne connaisse d'une protéine que la séquence d'ADN qui la code. En fait, la plupart des séquences protéiques ont été déduites de séquences d'ADN. On peut bien sûr aligner des séquences d'acides nucléiques avec BLAST, FASTA et CLUSTAL. Pour les gènes de structure, il est cependant préférable de comparer les séquences d'acides aminés correspondantes plutôt que les séquences de bases. En effet, ceci permet d'identifier des séquences ayant partagé un ancêtre commun il y a plus d'un milliard d'années (par exemple celles du cytochrome *c* et de l'histone H4 ; Fig. 7-22), alors qu'il est rare de détecter des homologies entre séquences d'ADN non codant ayant divergé il y a plus de 200 millions d'années et entre séquences d'ADN codant ayant divergé il y a plus de 600 millions d'années. Les trois raisons en sont les suivantes :

1. L'ADN n'est fait que de quatre bases différentes, alors que les peptides sont constitués de 20 résidus différents d'acides aminés. Il y aura donc beaucoup plus de faux alignements avec l'ADN, du moins pour les courtes séquences, qu'avec les peptides (dans un graphique de points, en moyenne 25 % des cases seront occupées pour deux ADN non apparentés, plutôt que 5 % pour deux polypeptides non apparentés).

2. L'ADN évolue beaucoup plus rapidement que les protéines. Dans les régions codantes des gènes de structure, 24 % des simples changements de bases ne changent pas l'acide aminé codé. Il existe donc peu de contraintes évolutives pour maintenir l'identité de séquence de ces bases ou celle des régions noncodantes (par exemple les introns) des gènes en question. Les contraintes évolutives sont donc plus sévères pour les protéines que pour l'ADN.

3. Les alignements directs de séquences d'ADN n'utilisent pas des matrices de substitution d'acides aminés telles que PAM-250 et BLOSUM62. Ils ne sont donc pas soumis aux contraintes évolutives qu'impliquent ces matrices (bien qu'il existe des matrices analogues en 4 × 4 pour les substitutions de bases).

Si l'on connaît la séquence des bases d'un gène de structure, on peut d'habitude identifier ses régions de contrôle probables, en particulier le codon d'initiation de la traduction et le codon stop. Ceci permet de déterminer lequel des deux brins complémentaires d'ADN est le **brin sens** (celui dont la séquence est la même que celle de l'ARNm transcrit à partir de l'ADN) et donne le cadre de lecture correct. Même s'il n'est pas évident qu'un segment d'ADN flanqué de ce qui semble un codon d'initiation et un codon stop code une protéine, on peut comparer les séquences en acides aminés des six cadres de lecture possibles (trois pour chacun des brins complémentaires d'ADN). C'est d'ailleurs ce que font automatiquement BLAST et FASTA lorsqu'ils alignent des séquences peptidiques déduites de séquences d'ADN.

C. *Construction d'arbres phylogénétiques*

Les arbres phylogénétiques furent inventés par Linné, le biologiste du dix-huitième siècle à qui l'on doit le système de taxonomie (classification biologique) encore utilisé aujourd'hui. À l'origine, ces arbres (Fig. 1-4) étaient fondés sur des caractères morphologiques, dont la mesure était très subjective. Ce n'est qu'avec l'avènement de l'analyse des séquences qu'on a pu établir des arbres phylogénétiques sur une base quantitative (Fig. 7-21). Les caractéristiques de ces arbres et la manière de les construire sont présentées dans les paragraphes qui suivent.

La Fig. 7-31*a* est un arbre phylogénétique qui montre les relations évolutives de quatre gènes homologues, A, B, C, et D. L'arbre se compose de quatre **feuilles**, ou **nœuds externes**, chacun représentant un de ces gènes, et de deux **embranchements** ou **nœuds internes**, qui représentent des gènes ancestraux, la longueur de chaque **branche** indiquant le degré de différence entre les

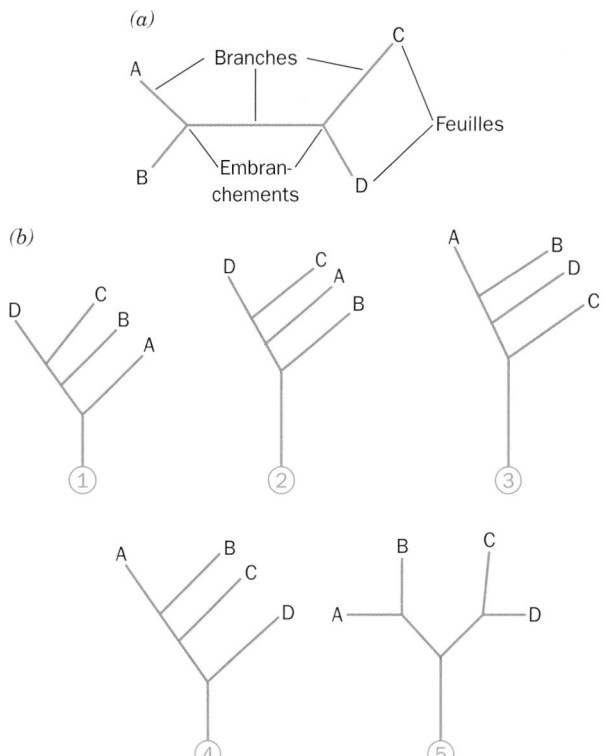

FIGURE 7-31 Arbres phylogénétiques. (*a*) Arbre déraciné avec quatre feuilles (A, B, C, et D) et deux embranchements. (*b*) Les cinq arbres enracinés que l'on peut obtenir à partir de l'arbre déraciné de la Partie *a*. Les racines et leur numéro sont en rouge.

deux nœuds qu'elle relie. Tous les embranchements sont binaires, un gène n'étant censé donner que deux descendants à la fois de sorte que les branches ne peuvent que bifurquer (les embranchements sont cependant parfois tellement proches qu'il est impossible de déterminer leur ordre, comme dans la racine de la Fig. 7-21). Notez que c'est un **arbre déraciné** : il indique les relations entre les quatre gènes, mais ne renseigne pas sur les processus évolutifs qui leur ont donné naissance. Les cinq chemins évolutifs différents possibles pour arriver à cet arbre sont représentés à la Fig. 7-31*b* sous forme d'**arbres enracinés** différents, dans lesquels le nœud où la racine devient arbre correspond au dernier ancêtre commun des quatre gènes. Si l'on ne connaît que les gènes A, B, C, et D, l'analyse phylogénétique ne permet pas de choisir entre ces arbres enracinés. Pour trouver la racine d'un arbre, il faut obtenir la séquence d'un **gène hors groupe**, homologue de ceux de l'arbre, mais plus éloigné d'eux qu'ils ne le sont l'un de l'autre. La racine étant ainsi identifiée, on peut élucider le chemin évolutif qui a conduit à ces gènes.

Le nombre d'arbres différents ayant le même nombre *n* de feuilles augmente extrêmement vite avec *n* (il dépasse 2 millions quand *n* = 10). Malheureusement, *il n'existe pas de méthode pour construire un arbre phylogénétique optimal*. Il n'y a en effet pas de consensus sur ce qu'est un arbre phylogénétique optimal. On trouve donc de nombreux programmes pour y arriver sur base d'alignements de séquence.

Un type de méthode consiste à convertir les données de séquence en une **matrice de distances**, à savoir un tableau qui donne les distances évolutives entre toutes les paires de gènes dans l'ensemble des données (Tableau 7-5). On entend par distances le nombre de différences de séquence entre deux gènes (idéalement corrigé pour la possibilité qu'un site donné subisse plusieurs mutations). Ces nombres servent à calculer la longueur des branches de l'arbre en supposant qu'elles sont additives, c'est-à-dire que la distance entre deux paires de feuilles est la somme des longueurs des branches qui les relient.

La manière la plus simple, si l'on peut dire, de construire un arbre phylogénétique est la méthode de jonction des séquences voisines, dite **méthode N-J** (pour « *Neighbor-Joining* »). On commence par supposer qu'il n'y a qu'un nœud interne, Y, et que les N feuilles en irradient toutes en étoile (Fig. 7-32a). Les longueurs des branches de l'étoile sont alors calculées d'après des relations telles que $d_{AB} = d_{AY} + d_{BY}$ (où d_{AB} est la longueur totale des branches reliant les feuilles A et B, etc.,), $d_{AC} = d_{AY} + d_{CY}$, et $d_{BC} = d_{BY} + d_{CY}$, de sorte que, par exemple, $d_{AY} = 1/2(d_{AB} + d_{AC} - d_{BC})$. Une paire de feuilles est alors transférée de l'étoile vers un nouveau nœud interne, X, qui est relié au centre de l'étoile par une nouvelle branche, XY (Fig. 7-32b), et la somme des longueurs de toutes les branches, S_{AB}, de cet arbre corrigé est calculée comme suit :

$$S_{AB} = d_{AX} + d_{BX} + d_{XY} + \sum_{k \neq A,B}^{N} d_{kY}$$

$$= \frac{d_{AB}}{2} + \frac{[2Q - RA - R_B]}{2(N-2)} \qquad [7.6]$$

où

$$Q = \sum_{i=1}^{N} \sum_{j=1}^{i-1} d_{ij} \qquad [7.7]$$

(à savoir la somme de tous les éléments hors diagonale dans la moitié unique de la matrice de distances),

$$R_A = \sum_{i=1}^{N} d_{Ai} \qquad [7.8]$$

(à savoir la somme des éléments dans la Aième rangée de la matrice de distances), et

$$R_B = \sum_{i=1}^{N} d_{Bi} \qquad [7.9]$$

Lers deux feuilles sont alors ramenées à leur position initiale, remplacées par une seconde paire de feuilles, et la longueur totale des branches est recalculée. Le processus est répété jusqu'à ce que toutes les paires possibles de feuilles $N(N-1)/2$ aient été ainsi traitées. Les membres de la paire qui donne la plus petite valeur de S_{ij} (la plus courte longueur totale des branches), qui seront les plus proches voisins dans l'arbre final, sont combinés en une seule unité correspondant à leur longueur moyenne, pour donner une étoile avec une branche en moins. Si les feuilles A et B sont choisies comme voisines, les longueurs des branches qui les relient sont alors estimées comme suit :

$$d_{AX} = \frac{d_{AB}}{2} + \frac{R_A - R_B}{2(N-2)} \qquad [7.10]$$

$$d_{BX} = d_{AB} - d_{AX} \qquad [7.11]$$

et

$$d_{XY} = \frac{(N-1)(R_i + R_j) - 2Q - (N^2 - 3N + 2)d_{AB}}{2(N-2)(N-3)} \qquad [7.12]$$

En supposant que la plus petite valeur de toutes les S_{ij} est celle de S_{AB}, on calcule une nouvelle matrice de distances dont les éléments, d'_{ij}, sont les mêmes que ceux de la d_{ij}, excepté que $d'_{A-B,i} = d'_{i,A-B} = (d_{Ai} + d_{Bi})/2$, où $d'_{A-B,i}$ est la distance entre la moyenne des feuilles A et B et la feuille i. On reprend ensuite tout le processus jusqu'à trouver toutes les paires de séquences les plus voisines, pour obtenir un arbre phylogénétique. La Fig. 7-33 est un arbre phylogénétique déraciné fourni par CLUSTAL avec la méthode N-J à partir des alignements de séquences multiples de la Fig. 7-30c.

La méthode N-J est un des procédés de construction d'arbres **basés sur la distance**. Il en existe qui se fondent sur d'autres critères, dont les deux plus populaires sont :

1. Les **méthodes du maximum de parcimonie (méthodes MP)**, basées sur le principe du « rasoir d'Occam » : la meilleure explication des données est celle qui est la plus simple. Les méthodes MP supposent (peut-être à tort) que l'évolution procède via le moins de changements génétiques possibles et que donc les meilleurs arbres phylogénétiques sont ceux qui demandent le plus petit nombre de changements de séquence pour rendre compte des alignements de séquences multiples.

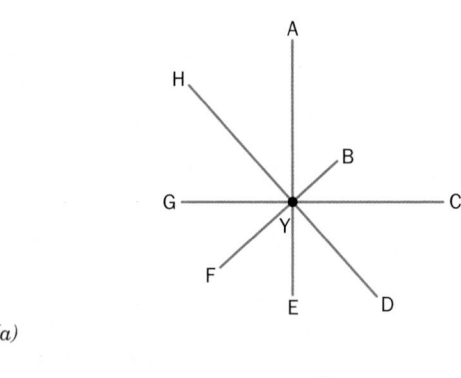

(a)

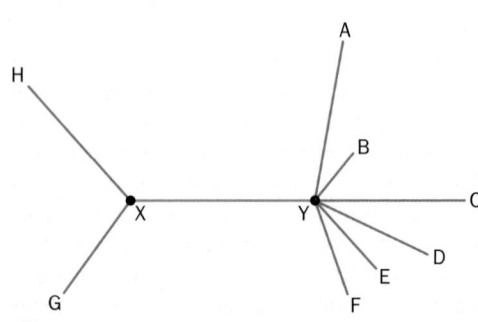

(b)

FIGURE 7-32 Comment dresser un arbre phylogénétique selon la méthode N-J. *(a)* Configuration de départ. *(b)* Transfert des feuilles G et H vers un nouvel embranchement relié à l'étoile centrale (en rouge).

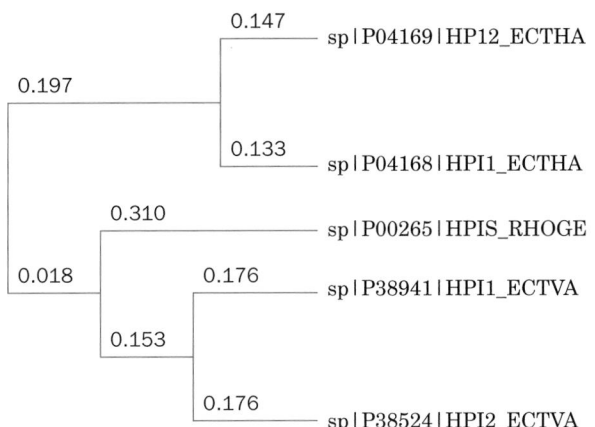

FIGURE 7-33 Arbre phylogénétique déraciné pour les cinq séquences des HIPIP alignées dans la Fig. 7-30c. L'arbre a été obtenu par CLUSTAL avec la méthode N-J. Les nombres indiquent les valeurs relatives des branches associées.

2. Les **méthodes du maximum de vraisemblance (méthodes ML)**. Elles trouvent l'arbre et les longueurs de branches qui ont la plus grande probabilité de fournir les alignements de séquences multiples observés. Ces méthodes se basent sur un modèle évolutif qui donne une probabilité pour chaque type de changement de résidu (des matrices de substitution PAM, par exemple).

Puisque le nombre d'arbres possibles augmente très rapidement avec le nombre de feuilles, la construction d'un arbre pylogénétique consomme beaucoup de temps d'ordinateur, même pour des petits groupes de séquences alignées (par exemple $N = 20$, bien que les méthodes basées sur la distance soient à cet égard moins exigeantes que les méthodes MP ou ML). Enfin, en raison des ambiguïtés inhérentes à toutes les méthodes de construction d'arbres phylogénétiques, des tests statistiques ont été mis au point pour vérifier la validité d'un arbre déterminé.

5 ■ SYNTHÈSE CHIMIQUE DE POLYPEPTIDES

Dans cette section nous décrirons la synthèse chimique des polypeptides à partir d'acides aminés. La possibilité de fabriquer des polypeptides que l'on ne trouve pas dans la nature offre un intérêt biomédical considérable :

1. Rechercher les propriétés de polypeptides en faisant varier systématiquement leurs chaînes latérales.

2. Synthétiser des polypeptides à propriétés uniques, en particulier des polypeptides ayant des chaînes latérales non standard ou avec des radioéléments incorporés dans des résidus spécifiques (aucune de ces possibilités n'est réalisable actuellement par les méthodes biologiques).

3. Synthétiser des polypeptides pharmacologiquement actifs qui sont très rares dans la nature ou qui n'existent pas.

L'une des applications les plus prometteuses de la synthèse polypeptidique est la production de vaccins synthétiques. Les vaccins, qui sont classiquement constitués de virus « tués » (inactivés) ou atténués (« vivants » mais mutés afin de ne pas donner de maladie à l'homme), stimulent le système immunitaire qui synthétise des anticorps dirigés spécifiquement contre ces virus, conférant ainsi l'immunité vis-à-vis d'eux (la réponse immunitaire est étudiée dans la Section 35-2A). L'utilisation de ces vaccins n'est cependant pas sans risque ; les vaccins atténués, par exemple, peuvent retrouver, suite à une mutation, une forme virulente et des vaccins constitués de virus « tués » ont, à plusieurs occasions, entraîné la maladie car ils contenaient des virus « vivants ». De plus, il est difficile de cultiver des virus en quantité et donc d'en avoir suffisamment pour la production de vaccins. De tels problèmes seront éliminés si l'on prépare des vaccins à partir de polypeptides synthétiques qui contiennent les séquences en acides aminés des déterminants antigéniques viraux (groupements moléculaires qui stimulent le système immunitaire pour la synthèse d'anticorps dirigés contre eux). En réalité, plusieurs de ces vaccins synthétiques sont déjà utilisés couramment.

Les premiers polypeptides synthétisés chimiquement ne contenaient qu'un seul type d'acide aminé et pour cette raison on les appelle des **homopolypeptides**. De tels composés comme la **polyglycine**, la **polysérine**, et la **polylysine** sont facilement synthétisés par les techniques classiques de la chimie des polymères. Ils ont servi de modèles dans l'étude des propriétés physicochimiques des polypeptides, comme le comportement conformationnel et les interactions avec le milieu aqueux.

La première synthèse chimique d'un polypeptide biologiquement actif a été celle de l'hormone **ocytocine,** un nonapeptide (9 résidus d'acide aminé) par Vincent du Vigneaud en 1953 :

$$Gly-Leu-Pro-\overset{\lceil---S-S---\rceil}{Cys}-Asn-Gln-Ile-Tyr-Cys$$

Oxytocine

Depuis, des améliorations dans la méthodologie de la synthèse de polypeptides ont permis la synthèse de nombreux polypeptides biologiquement actifs et de plusieurs protéines.

A. *Méthodes de synthèse*

Les polypeptides sont synthétisés chimiquement en liant par covalence (couplage) l'un après l'autre, les acides aminés à l'extrémité de la chaîne polypeptidique en construction. Imaginez qu'on synthétise un polypeptide depuis son extrémité C-terminale vers son extrémité N-terminale ; cela signifie que la chaîne en formation se termine par un groupement aminé libre. Donc, le groupement α-aminé de chaque acide aminé que l'on veut incorporer à la chaîne doit être chimiquement protégé (bloqué) sinon il pourrait réagir avec des molécules analogues ainsi qu'avec le groupement aminé N-terminal de la chaîne. Une fois que le nouvel acide aminé a été couplé, son groupement aminé N-terminal doit être « déprotégé » (débloqué) afin que la liaison peptidique suivante puisse être formée. *Chaque addition d'acide aminé nécessite donc une étape de couplage et une étape de déblocage.* De plus, les chaînes latérales réactives doivent être bloquées pour éviter qu'elles ne participent aux réactions de couplage, puis « débloquées » à la fin de la synthèse.

Les premières synthèses de polypeptides telles que celle de l'octocine ont été réalisées entièrement en solution. Les pertes inhérentes à l'isolement et à la purification du produit de la réaction après chacune des nombreuses étapes, expliquent les faibles quantités du polypeptide final obtenues. Cette difficulté a été contournée astucieusement par Bruce Merrifield en 1962, par la mise au point de la **synthèse en phase solide (SPPS).** Selon cette méthode, la chaîne polypeptidique en formation est ancrée par covalence, généralement par son extrémité C-terminale, à un support solide insoluble tel que des billes de résine en polystyrène, puis les acides aminés convenablement bloqués et les réactifs sont ajoutés dans un ordre approprié (Fig. 7-34). Cela permet la récupération quantitative et la purification des produits intermédiaires par simple filtration et lavage des billes.

Lorsque les chaînes polypeptidiques sont synthétisées par addition d'acides aminés vers leur extrémité N-terminale (sens opposé à celui de la biosynthèse des protéines ; Section 5-4B), le groupement a-aminé de chaque acide aminé ajouté successivement doit être protégé chimiquement pendant la réaction de couplage. À cet

effet, on utilise souvent le groupement ***tert*-butyloxycarbonyl (Boc)**

$$(CH_3)_3C-O-\overset{\overset{\displaystyle O}{\|}}{C}-Cl \;+\; H_2N-\overset{\overset{\displaystyle R}{|}}{C}H-\overset{\overset{\displaystyle O}{\|}}{C}\overset{\displaystyle O}{\underset{\displaystyle O^-}{}}$$

Chlorure de *t*-butyloxycarbonyl   **α-Aminoacide**

$$\longrightarrow HCl$$

$$(CH_3)_3C-O-\overset{\overset{\displaystyle O}{\|}}{C}-NH-\overset{\overset{\displaystyle R}{|}}{C}H-\overset{\overset{\displaystyle O}{\|}}{C}\overset{\displaystyle O}{\underset{\displaystyle O^-}{}}$$

Boc-aminoacide

ou encore le groupement **9-fluorénylmethoxycarbonyl (Fmoc).**

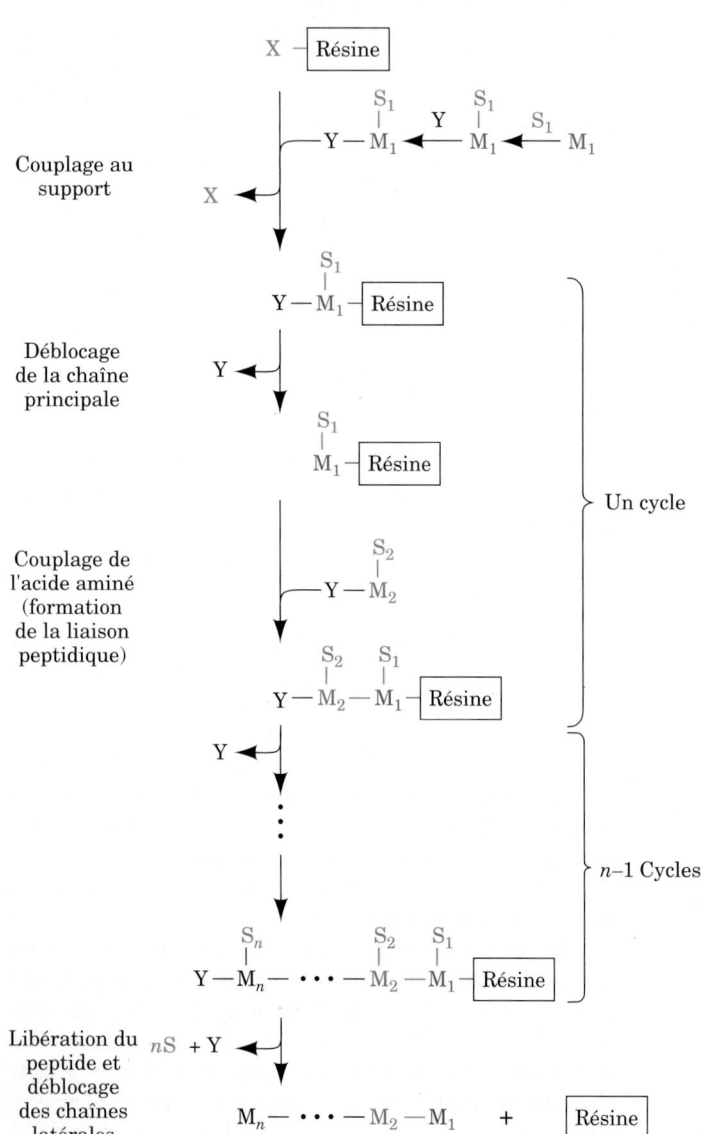

Couplage au support

Déblocage de la chaîne principale

Couplage de l'acide aminé (formation de la liaison peptidique)

Un cycle

n–1 Cycles

Libération du peptide et déblocage des chaînes latérales

FIGURE 7-34   Suite des réactions pour la synthèse d'un polypeptide en phase solide. Le symbole M_i correspond au *ième* résidu d'acide aminé qui doit être ajouté au polypeptide, S_i est le groupement protecteur de sa chaîne latérale, et Y symbolise le groupement protecteur de la chaîne principale. Les réactions spécifiques sont discutées dans le texte. [D'après Erikson, B.W. et Merrifield, R.B., *in* Neurath, H. et Hill, R.L. (Éds.), *The Proteins* (3rd ed.), Vol. 2, p. 259, Academic Press (1979).]

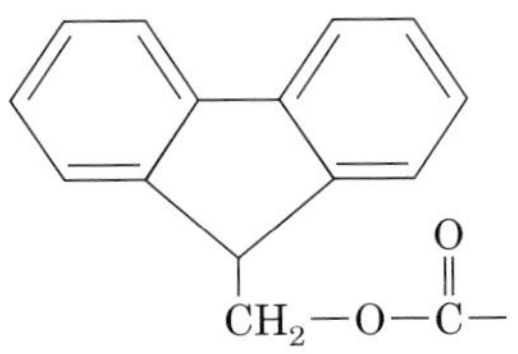

**Groupement 9-fluorénylmethoxycarbonyl
(Fmoc)**

Comme ces deux groupements subissent des réactions analogues, nous ne parlerons que du groupement Boc.

a. Ancrage de la chaîne au support inerte

La première étape de la SPPS consiste à coupler l'acide aminé C-terminal au support solide. Le support le plus souvent utilisé est une résine en polystyrène réticulé sur laquelle sont greffés des groupements chlorométhyle. Le couplage à la résine se fait par la réaction suivante :

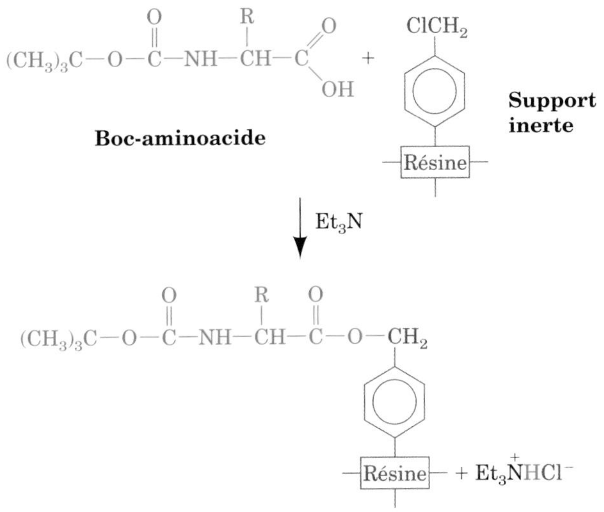

et la résine couplée à l'acide aminé est filtrée et lavée. Le groupement aminé est alors débloqué par traitement avec un acide anhydre comme l'acide trifluoroacétique, qui n'affecte pas la liaison ester alkylbenzyle à la résine support :

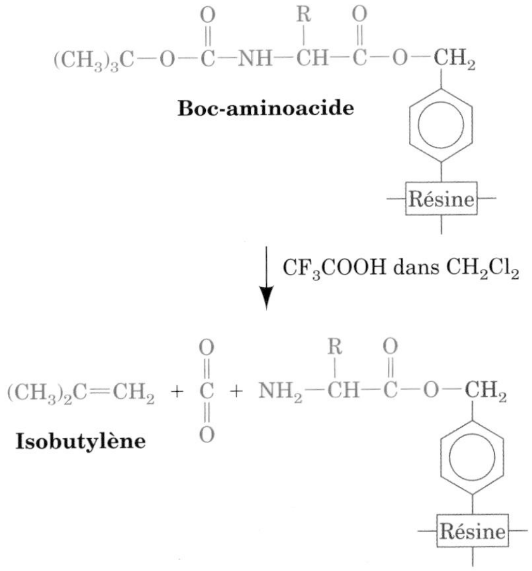

b. Couplage des acides aminés

La réaction qui permet de coupler deux acides aminés par une liaison peptidique est endergonique et doit donc être activée pour avoir un rendement significatif. L'agent activateur le plus souvent utilisé est une **carbodiimide** (R-N=C=N-R') comme le **dicyclohexylcarbodiimide (DCCD)** :

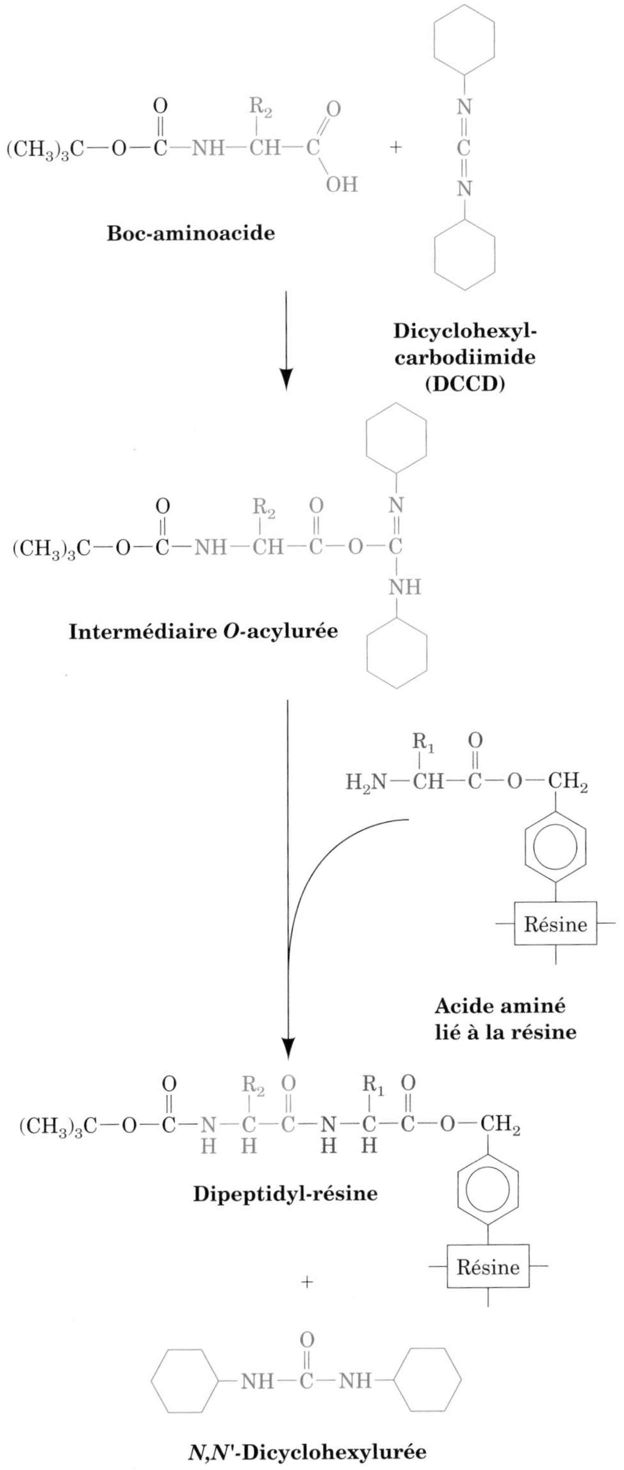

L'intermédiaire *O*-acylurée qui résulte de la réaction entre le DCCD et le groupement carboxyle du dérivé protégé Boc-acide aminé réagit facilement avec l'acide aminé lié à la résine pour former avec un haut rendement la liaison peptidique souhaitée. En alternant successivement les réactions de déblocage et de couplage on peut ainsi synthétiser un polypeptide de séquence voulue. *La nature répétitive de ces opérations a permis d'automatiser facilement la méthode SPPS.*

Pendant la synthèse peptidique, beaucoup de chaînes latérales doivent être protégées pour éviter qu'elles ne réagissent avec le réactif de couplage. Bien qu'il existe de nombreux groupements de blocage, le groupement benzyle est le plus souvent utilisé (Fig. 7-35).

c. Détachement du polypeptide de la résine

La dernière étape de la SPPS est la libération du polypeptide de son support solide. La liaison benzyle ester qui unit l'extrémité C-terminale du polypeptide à la résine peut être rompue par action de l'acide fluorhydrique liquide :

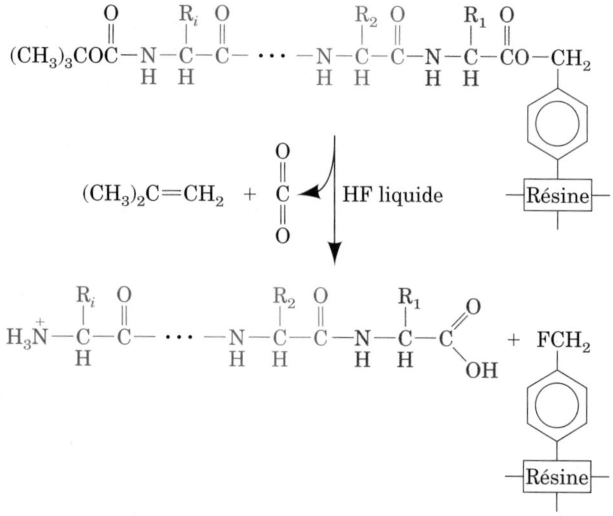

Le groupement Boc lié à l'extrémité N-terminale du polypeptide, ainsi que les groupements benzyle qui protègent les chaînes latérales, sont aussi enlevés par ce traitement.

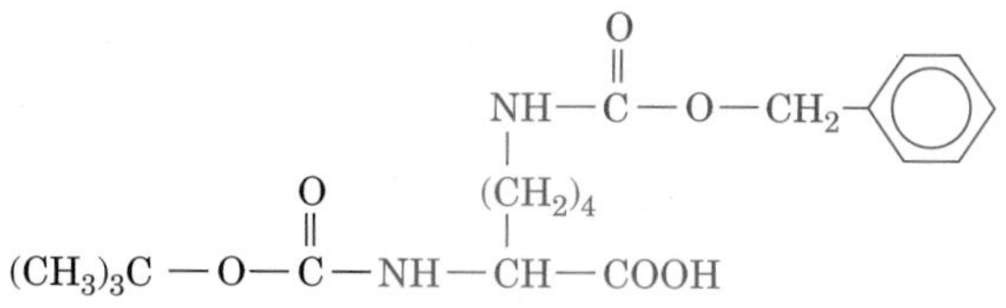

B. *Difficultés et perspectives*

Les étapes dont nous venons de tracer les grandes lignes semblent simples, mais elles ne le sont qu'en apparence. Une des principales difficultés de l'ensemble du procédé est son faible rendement. Voyons pour quelles raisons. La synthèse d'une chaîne polypeptidique à n liaisons peptidiques demande, au minimum, $2n$ étapes réactionnelles – une pour le couplage et une pour le déblocage de chaque résidu. Si l'on veut synthétiser un polypeptide de la taille d'une protéine avec un rendement suffisant, il faut que chaque réaction soit pratiquement quantitative sinon le rendement final sera fortement diminué. Par exemple, la synthèse d'un polypeptide de 101 résidus, dans laquelle chaque étape réactionnelle se déroule avec un rendement fantastique de 98 % tout au long des 200 réactions, n'aura un rendement final que de $0,98^{200} \times 100 = 2$ %. Par conséquent, bien que la synthèse d'oligopeptides soit maintenant classique, la synthèse de grands polypeptides demande une vigilance presque obsessionnelle au moindre détail chimique.

Boc, N^{ε}-benzyloxycarbonyl-Lys

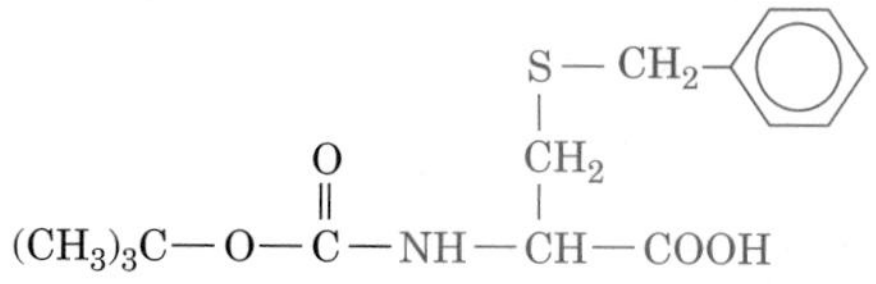

Boc, S-benzyl-Cys

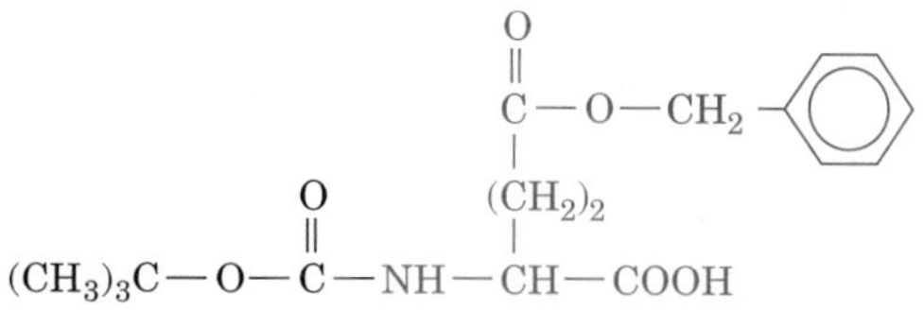

Boc-Glu, γ-Benzyl ester

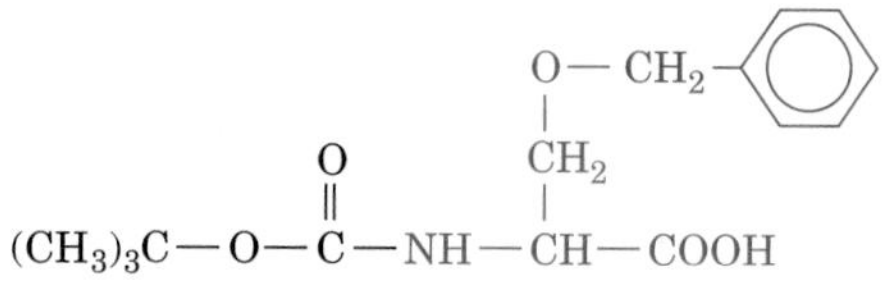

Boc, O-benzyl-Ser

FIGURE 7-35 Exemples d'acides aminés dont les chaînes latérales sont protégées par un groupement benzyl et les groupes α-amino par un groupement Boc. Ces dérivés peuvent être utilisés directement dans les réactions de couplage pour former des liaisons peptidiques.

Un problème annexe se posera une fois le polypeptide synthétique détaché : il devra être purifié. Cette étape peut être difficile en raison d'un nombre non négligeable de réactions incomplètes et/ou de réactions secondaires qui se feront durant la synthèse, d'où la formation d'une série de composés très proches du polypeptide de grande taille. Cette purification est toutefois grandement facilitée par les techniques de HPLC en phase inverse (Section 6-3D), et la qualité des composés intermédiaires et des produits finis peut être déterminée facilement par spectrométrie de masse (Section 7-1J)

En utilisant la SPPS automatisée, Merrifield a synthétisé l'hormone **bradykinine** (un nonapeptide) avec un rendement de 85 % :

Arg-Pro-Pro-Gly-Phe-Ser-Pro-Phe-Arg
Bradykinine

Cependant, ce n'est qu'en 1988 grâce à des progrès continus dans l'amélioration des rendements de réactions (>99,5 % en moyenne) et dans l'élimination de réactions secondaires, qu'on a pu synthétiser des polypeptides d'environ 100 résidus de bonne qualité. Ainsi, Stephen Kent a synthétisé la **protéase de HIV** (99 résidus) [enzyme indispensable à la maturation du **virus de l'immunodéficience humaine (HIV,** ou **virus du SIDA ;** Section 15-4C)] avec un tel rendement et une telle pureté, qu'après renaturation (la protéase s'est repliée pour prendre sa conformation native ; Section 9-1A) elle présentait une activité biologique totale. De plus, cette protéine synthétique a été cristallisée et sa structure par rayons X s'est révélée identique à celle de la protéase HIV naturelle. Kent a aussi synthétisé la protéase HIV à partir de D-amino acides et a vérifié expérimentalement, pour la première fois, qu'une telle protéine présente la chiralité opposée à celle de sa contre-partie biologique. Qui plus est, cette protéase de D-amino acides catalyse l'hydrolyse de son polypeptide « cible » formé de D-aminoacides, mais non celle du polypeptide « cible » formé de L-aminoacides comme le fait la protéase HIV naturelle.

En dépit de ce qui précède, l'accumulation, sur la résine, de produits dérivés, limite à environ 60 résidus la taille des polypeptides qui peuvent être synthétisés en routine par SPPS. Kent a toutefois permis d'aller plus loin en mettant au point la technique de **ligation chimique native.** Ici, deux peptides sont réunis par liaison peptidique pour donner un polypeptide dont la longueur peut atteindre 120 résidus (Fig. 7-36). Plusieurs segments peptidiques peuvent ainsi être couplés successivement, ce qui permet d'espérer la synthèse chimique de polypeptides comportant plusieurs centaines de résidus. Bien sûr, cette technique exige que chaque liaison peptidique ainsi formée ait un résidu Cys du côté C-terminal.

1 ■ SYNTHÈSE CHIMIQUE D'OLIGONUCLÉOTIDES

Les techniques de clonage moléculaire (Section 5-5) ont permis de pratiquer des manipulations génétiques sur divers organismes en vue de mieux connaître leur fonctionnement cellulaire, de changer leurs caractères génétiques et de produire en grande quantité des protéines rares ou modifiées de manière spécifique. *La possibilité de synthétiser par voie chimique des oligonucléotides de l'ADN ayant une séquence spécifique, fait partie de cet ensemble de techniques moléculaires.* Par exemple, nous avons vu que des oligonucléotides particuliers servent de sondes pour le transfert selon Southern (Section 5-5D) et pour l'hybridation *in situ* (Section 5-5E), sont des amorces pour la PCR (Section 5-5F), et sont nécessaires pour la mutagenèse dirigée (Section 5-5G).

A. *Méthodes de synthèse*

La méthode de base pour la synthèse d'oligonucléotides est assez analogue à celle de la synthèse de polypeptides (Section 7-5A) : *un nucléotide déterminé, protégé chimiquement, est couplé à l'extrémité en croissance de la chaîne oligonucléotidique ; après cela, le groupement protecteur est enlevé, et le cycle est répété jusqu'à ce que l'oligonucléotide voulu soit synthétisé.* La première méthode de synthèse d'ADN, la **méthode phosphodiester** a été mise au point par H. Gobind Khorana dans les années 1960. Elle demande un travail long au cours duquel toutes les réactions se déroulent en solution, tous les produits devant être isolés avant d'effectuer l'étape suivante. Khorana a pourtant utilisé cette méthode, mais en

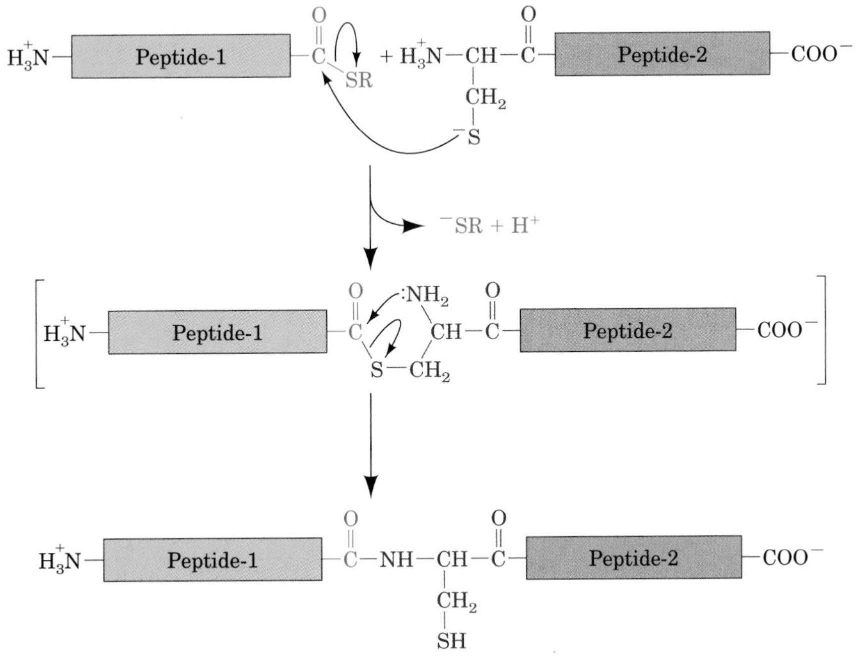

FIGURE 7-36 La réaction de ligation chimique native. Le Peptide 1 possède un groupement C-terminal thioester (R est un groupement alkylé) et l'extrémité N-terminale du Peptide 2 est une Cys. La réaction, qui se déroule en solution aqueuse à pH 7, commence par l'attaque nucléophile du groupement thiol du résidu Cys du Peptide 2 sur le groupement thioester du Peptide 1 pour donner, dans un réaction d'échange de thiols, un nouveau groupement thioester. Cet intermédiaire (représenté entre crochets) subit une attaque nucléophile intramoléculaire rapide pour donner une liaison peptidique native au site de ligation. [D'après Dawson, P.E., Muir, T.W., Clark-Lewis, I., et Kent, S.B.H., *Science* 266, 777 (1994).]

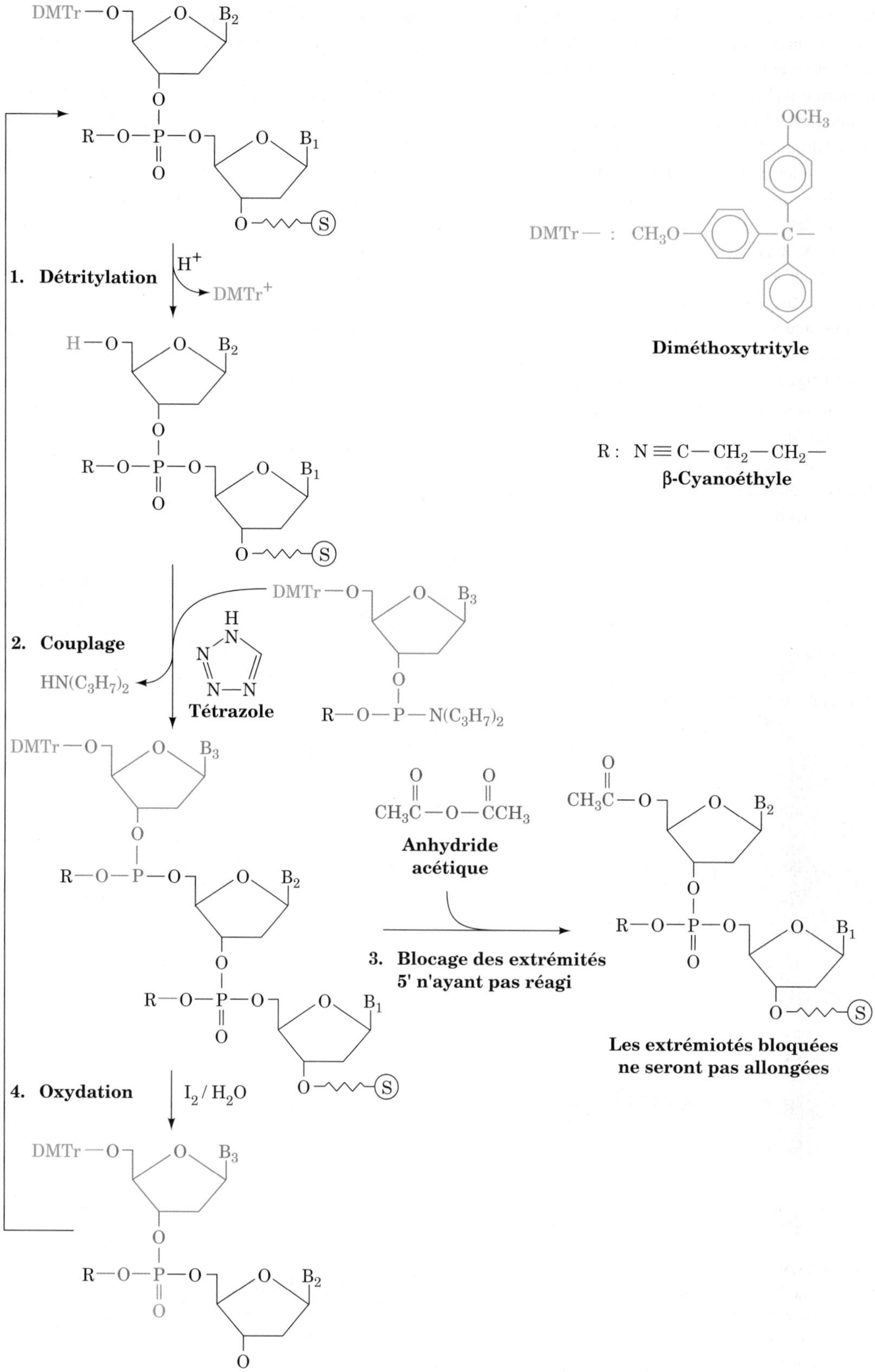

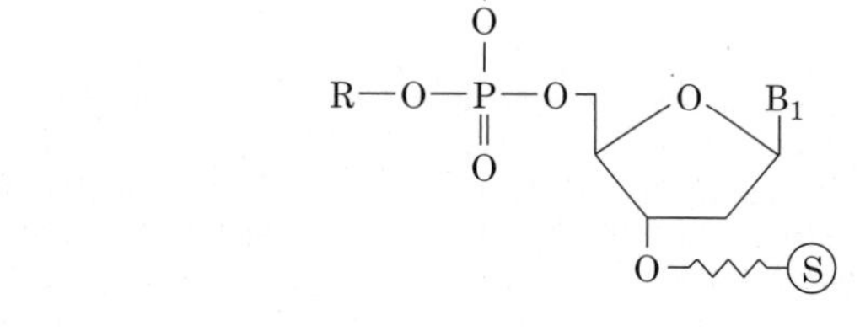

FIGURE 7-37 Cycle de réactions permettant la synthèse d'oligonu-cléotides par la méthode aux phosphoramidites. B_1, B_2 et B_3 représentent les bases protégées et S un support solide inerte, par exemple en verre de porosité définie.

la combinant avec des techniques enzymatiques, pour synthétiser un gène d'ARNt de 126 nucléotides. Ce projet a demandé plusieurs années de travail à de nombreux chimistes avertis.

a. Méthode aux phosphoramidites

Les procédés précédents, qui étaient laborieux et coûteux, ont été remplacés au début des années 1980 par des méthodes de synthèse en phase solide, beaucoup plus rapides, et qui permettaient l'automatisation de la synthèse d'oligonucléotides. Le procédé chimique actuellement le plus utilisé a été inventé par Robert Letsinger et développé ensuite par Marvin Caruthers. Il est connu sous le nom de **méthode aux phosphoramidites**. Cette réaction se déroule en milieu non aqueux ; elle consiste à ajouter d'une manière séquentielle un seul nucléotide à la fois à une chaîne croissante, comme suit (Fig. 7-37) :

1. Le groupement protecteur, le **diméthoxytrityle (DMTr)** placé à l'extrémité 5' de la chaîne croissante d'oligonucléotide (laquelle est accrochée par son extrémité 3' à un support solide appelé S) est enlevé par traitement avec un acide comme l'**acide trichloroacétique** (Cl_3CCOOH).

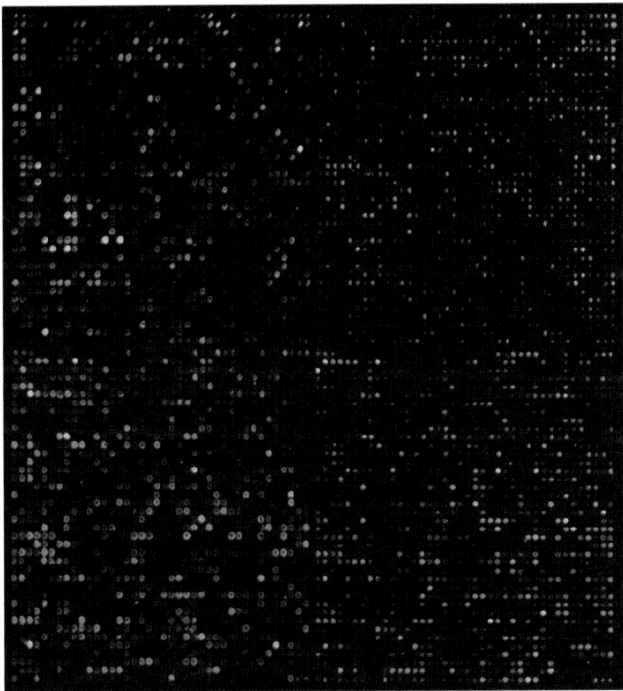

FIGURE 7-38 Une puce à ADN. Ce damier d'environ 6000 gènes contient la plupart des gènes de la levure de boulangerie, un par case. La puce a été hybridée aux ADNc obtenus à partir des ARNm extraits de levure. Les ADNc dérivés de cellules cultivées en présence de glucose ont été marqués avec un colorant donnant une fluorescence rouge, ceux dérivés de cellules cultivées en absence de glucose, avec un colorant donnant une fluorescence verte. Ainsi, les taches rouges désignent les gènes dont la transcription est stimulée par la présence de glucose, les vertes ceux dont la transcription est stimulée par l'absence de glucose ; les taches jaunes (*rouge* plus *vert*) indiquent les gènes dont l'expression est insensible au glucose. [Avec la permission de Patrick Brown, Stanford University School of Medicine.]

2. L'extrémité 5' de l'oligonucléotide ainsi libérée est couplée avec le dérivé phosphoramidite en 3' du désoxynucléoside suivant à placer dans la chaîne. L'agent de ce couplage est le **tétrazole**, qui assure la protonation de la partie diisopropylamine du nucléotide à ajouter pour en faire un bon groupement de découplage. À ce stade, on peut incorporer dans l'oligonucléotide en croissance des nucléosides modifiés (contenant, par exemple, un groupement fluorescent). On peut de même synthétiser un mélange d'oligonucléotides contenant différentes bases à la même position, en ajoutant le mélange correspondant de nucléosides.

3. Toute extrémité 5' n'ayant pas réagi (le rendement du couplage est supérieur à 99 %) est gelée par une acétylation, de façon à bloquer l'extension d'oligonucléotides erronés.

4. Le groupement phosphite triester qui résulte de l'étape de couplage est oxydé avec I_2 en phosphate triester plus stable, allongeant ainsi la chaîne d'un nucléotide.

Dans les synthétiseurs automatiques actuellement sur le marché, la séquence de réactions peut être répétée jusqu'à 150 fois avec une durée de 40 minutes ou moins pour chaque cycle. Dès qu'un oligonucléotide de séquence précise a été synthétisé, il est libéré de son support par NH_4OH qui enlève aussi les différents groupements protecteurs, y compris ceux qui protègent les amines exocycliques sur les bases. Le produit obtenu peut ensuite être purifié par HPLC et/ou par électrophorèse sur gel pour le séparer des séquences avortées et des groupements protecteurs.

B. *Puces à ADN*

Si l'on a déterminé la séquence du génome humain, c'est en réalité pour atteindre un objectif plus ambitieux encore. Les grandes questions d'intérêt biologique sont en effet : quelles sont les fonctions de ces ~30 000 gènes ; dans quelles cellules, dans quelles circonstances, et à quel degré sont-ils exprimés ; comment les produits de ces gènes interagissent-ils pour donner un organisme fonctionnel ; enfin, quelles sont les conséquences médicales de leurs mutations ? La montagne de données nécessaires pour y répondre ne peuvent être acquises par l'approche classique « gène par gène ». Ce qu'il faut, ce sont des méthodes globales d'analyse des processus biologiques, permettant de suivre simultanément toutes les composantes d'un système biologique.

Une technologie récente susceptible de répondre à cette exigence est celle des **puces à ADN** [également appelées microréseaux ou **microdamiers à ADN** (« microarrays ») ou encore **puces de gènes** (« gene chips ») ; Fig. 7-38]. Il s'agit de damiers de différents oligonucléotides d'ADN ancrés à la surface d'un support de verre ou de nylon sur une grille carrée d'environ 1 cm de côté. Un des procédés actuels de fabrication des puces à ADN permet la synthèse simultanée d'un très grand nombre (jusqu'à un million) d'oligonucléotides différents en combinant la photolithographie (utilisée dans la fabrication des puces électroniques) et la synthèse d'ADN en phase solide. Dans cette technique, mise au point par Stephen Fodor, les nucléotides servant à la synthèse des oligonucléotides portent chacun à leur extrémité 5' un groupement protecteur qui peut être enlevé photochimiquement et qui exerce la même fonction que le groupement DMTr dans la synthèse conventionnelle d'ADN en phase solide (Fig. 7-37). Les oligonucléotides qui, à un stade déterminé de leur synthèse, exigent par exemple une T à la position suivante, sont déprotégés par un faisceau lumineux qui les atteint moyennant le masquage, sur la grille, des positions où c'est une autre base qui doit être incorporée. La puce est alors incubée avec une solution de nucléotide thymidylique activé qui ne peut réagir qu'avec les oligonucléotides déprotégés. Après lavage du nucléotide non incorporé, le processus est répété avec différents masquages pour chacune des trois autres bases. En répétant N fois ces quatre étapes, on peut synthétiser en $4N$ cycles de couplages un damier comportant toutes les séquences possibles (4^N) de N résidus si N $\leq$ 30. Une autre manière de fabriquer des puces à ADN est de synthétiser les oligonucléotides par la méthode chimique classique aux phosphoramidites (Section 7-6A). Ici, on projette sur un endroit précis de la puce, par la technique des imprimantes à jet d'encre, des gouttes de réactifs d'un volume de l'ordre du nanolitre. D'autres types de puces sont confectionnées par des robots qui déposent sur celles-ci différentes sortes de molécules d'ADN, telles que ADNc, produits de PCR, ou encore nucléotides synthétiques.

Une des applications des puces à ADN consiste à disposer des oligonucléotides de L résidus (les sondes) en un réseau de L colonnes sur 4 rangées, soit un total de $4L$ séquences. La sonde dans la Mième colonne du réseau possède la séquence « standard », sauf qu'à la Mième position de la sonde on trouve une base différente (A, C, G ou T) dans chaque rangée. Ainsi dans chaque colonne, une seule des quatre sondes d'ADN possédera la séquence standard, les trois autres s'en distinguant par une seule base. On hybride alors ce damier « sonde » avec l'ADN ou l'ARN complémentaire « cible » dont il s'agit de déterminer la différence par rapport à l'ADN standard, puis on lave l'ADN ou l'ARN non hybridé. L'ADN ou l'ARN cible a été marqué par un réactif fluorescent de manière à ce que les positions où il se

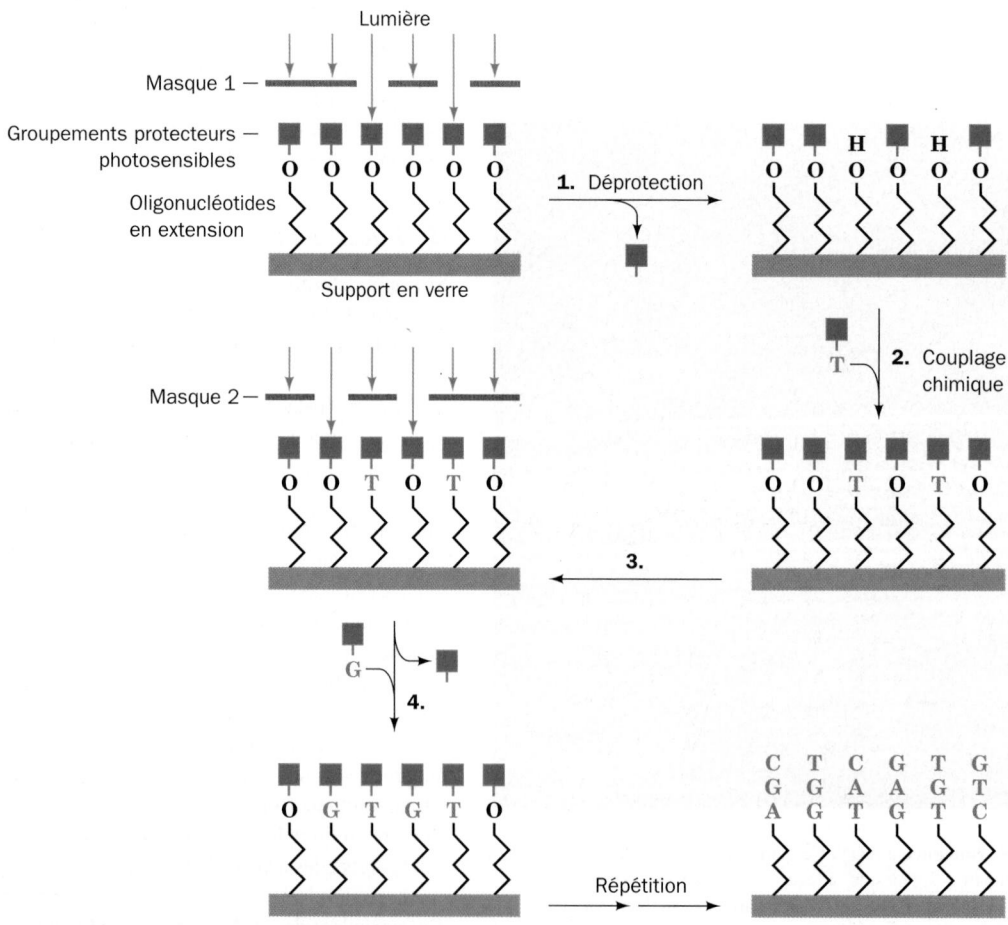

FIGURE 7-39 Synthèse d'une puce à ADN par photolithographie.
Dans une première étape, les oligonucléotides ancrés à un support en verre et porteurs d'un groupement protecteur photosensible à leur extrémité 5′ (carré plein rouge) sont exposés à la lumière à travers une grille de masquage qui ne permet d'irradier que les oligonucléotides à coupler, à un résidu T par exemple. La lumière déprotège ces oligonucléotides qui sont dès lors les seuls à réagir avec le nucléotide T activé, avec lequel on incube la puce dans une deuxième étape. On répète tout le protocole dans

les étapes 3 et 4, mais cette fois avec une grille de masquage pour les résidus G, puis on le reprend pour les résidus A et pour les résidus C, ce qui permet d'allonger d'un résidu tous les nucléotides. Ces quatre cycles sont repris aussi longtemps qu'il y a des nucléotides à ajouter pour obtenir l'assortiment d'oligonucléotides souhaité. [D'après Pease, A.C., Solas, D., Sullivan, E.J., Cronin, M.T., Holmes, C.P., et Fodor, S.P.A., *Proc. Natl. Acad. Sci.* 91, 5023 (1994).]

lie sur le damier sonde puissent être révélées par laser. On peut ajuster les conditions d'hybridation pour que le mésappariement d'un seule base réduise significativement la liaison. Ainsi, un ADN ou un ARN cible qui diffère de l'ADN complémentaire standard par le changement d'une seule base à la *M*ième position, disons A au lieu de C, sera facilement détecté par une augmentation de fluorescence dans la rangée correspondant à A dans la *M*ième colonne, par rapport à la fluorescence aux autres positions [Un ADN ou ARN cible parfaitement complémentaire à l'ADN standard donnera une fluorescence élevée dans chacune de ses colonnes pour la rangée (position des bases) correspondant à la séquence standard]. Un système de détection de fluorescence par balayage piloté par ordinateur permet de déterminer rapidement l'intensité de fluorescence pour chaque position sur le damier, et donc la variation de séquence par rapport à l'ADN standard. On peut ainsi détecter automatiquement les polymorphismes de séquence qui n'intéressent qu'une seule base [**polymorphismes d'un seul nucléotide** (**SNP** ou « snips »)]. Il apparaît de plus en plus clairement que des différences génétiques, en particulier les SNP, sont impliquées dans la susceptibilité individuelle à de nombreuses maladies ainsi qu'aux effets secondaires indésirables de certains médicaments (Section 15-4B).

Dans une autre application des puces à ADN, un robot dépose en réseau, sur un support en verre, jusqu'à 10 000 ADN différents. Ceux-ci sont le plus souvent des inserts de clones d'ADNc ou des marqueurs de séquences exprimées (EST) synthétisés automatiquement par PCR. Ces microdamiers d'ADN peuvent servir à suivre le degré d'expression des gènes correspondants dans un tissu donné, en fonction du degré d'hybridation de la population d'ARNm ou d'ADNc du tissu, marquée par fluorescence. On peut ainsi déterminer le patron d'expression de gènes (**profil d'expression**) dans différents tissus d'un même organisme (Fig. 7-40) et voir comment ce patron est modifié au cours de certaines maladies ou par des médicaments (validés ou potentiels). Une autre application des puces à ADN est l'identification d'agents infectieux sur base de régions spécifiques de leur ADN. Les puces à ADN constituent un outil extrêmement prometteur pour comprendre les interactions des gènes (en fait, de leurs produits) lors de la multiplication cellulaire et des modifications de leur environment, pour caractériser et diagnostiquer des maladies, qu'elles soient infectieuses ou non (les cancers, par exemple), identifier les facteurs de risque génétiques de les contracter et proposer des traitements adaptés, ainsi que pour mettre au point de nouveaux médicaments.

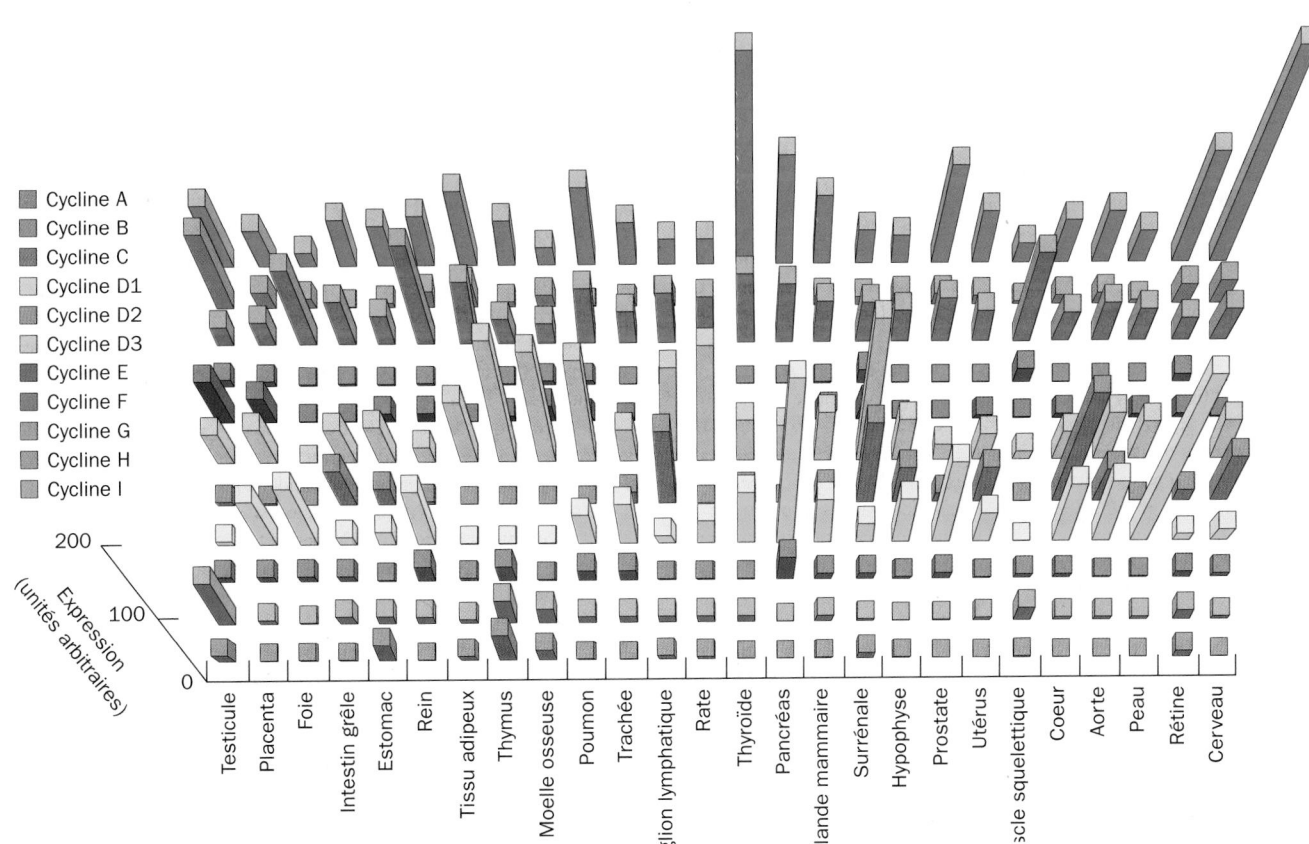

FIGURE 7-40 Différences d'expression, dans les tissus humains, des gènes codant les protéines appelées cyclines (Section 34-4C). Les niveaux d'hybridation des différents ARNm des cyclines dans chacun des tissus indiqués ont été mesurés avec des puces à ADN. [D'après Gerhold, D., Rushmore, T., et Caskey, C.T., *Trends Biochem. Sci.* 24, 172 (1999).]

C. *SELEX*

Les acides nucléiques tels que l'ADN et l'ARN sont généralement considérés comme l'équivalent de « bandes magnétiques » moléculaires passives dont la structure importe peu. En fait, des fonctions particulières de certains acides nucléiques, comme les ARNt et les ARN ribosomiaux (Section 32-2B et 32-3A), exigent que ces molécules adoptent une structure tridimensionnelle bien définie. Cette notion a inspiré à Larry Gold la mise au point d'un procédé appelé **SELEX** (« *Systematic Evolution of Ligands by Exponential Enrichment* ») permettant d'obtenir des oligonucléotides simple brin qui se lient spécifiquement à une molécule cible avec une haute affinité.

Dans la technique SELEX, on part d'une bibliothèque de polynucléotides qui ont une séquence connue et fixe à leurs extrémités 5' et 3' et une région centrale de séquences aléatoires. Ces dernières sont synthétisées en phase solide en ajoutant un mélange des quatre nucléosides triphosphate plutôt qu'un seul aux positions à brouiller. Pour une région variable de 30 nucléotides, on obtiendra ainsi un mélange de $4^{30} \approx 10^{18}$ oligonucléotides différents. L'étape suivante est de sélectionner dans ce mélange les séquences qui se lient sélectivement à une molécule cible, X. Les oligonucléotides qui se lient à X avec une affinité supérieure à la moyenne peuvent être séparés des autres oligo-nucléotides par différents techniques, dont la chromatographie d'affinité (Section 6-3C), X étant lié à une matrice appropriée, et les complexes X-oligonucléotides étant précipités avec des anticorps anti X. On sépare alors de X les oligonucléotides, lesquels sont ensuite amplifiés par clonage ou par PCR. On répète ainsi plusieurs cycles (10 à 15) de sélection et d'amplification, ce qui donne des oligonucléotides qui se lient à X avec une très haute affinité. Ces derniers doivent, pour se lier à X, entrer en compétition avec un beaucoup plus grand nombre d'oligonucléotides de basse affinité, ce qui explique pourquoi plusieurs cycles d'enrichissement sont nécessaires.

SELEX donne des résultats remarquables. Les oligonucléotides ainsi sélectionnés, qu'on appelle **aptamères**, se lient à X avec des constantes d'équilibre (écrites pour la dissociation) de l'ordre de $10^{-9}\,M$ si X est une protéine et entre $10^{-3}\,M$ et $10^{-6}\,M$ si X est une petite molécule (pour l'interaction A + B Ö A $\rightleftharpoons$ B, la constante de dissociation $K_D = [A][B]/[A \bullet B]$). De plus, les aptamères se lient à leurs molécules cibles avec une haute spécificité. Ainsi, dans une famille de protéines, ils ne reconnaissent que le membre pour la liaison duquel ils ont été sélectionnés. Les aptamères peuvent interagir avec une panoplie de cibles différentes : ions, petites molécules, protéines, organites, voire des cellules intactes. Ces propriétés en font des agents d'un grand intérêt potentiel en diagnostic et en thérapeutique.

■ RÉSUMÉ DU CHAPITRE

1 ■ **Détermination de la structure primaire des protéines** La première étape dans la détermination de la séquence en acides aminés d'une protéine consiste à dénombrer les chaînes polypeptidiques différentes par l'analyse des groupements terminaux. Les ponts disulfure sont alors rompus par voie chimique, puis les différents polypeptides sont séparés et purifiés, et leur composition en acides aminés est déterminée. Les polypeptides sont alors hydrolysés spécifiquement, par voie enzymatique ou chimique, en peptides plus petits qui sont séparés, purifiés et séquencés par la méthode d'Edman (automatisée). En répétant ce processus avec des méthodes d'hydrolyse de spécificité différente, on obtient des peptides de recouvrement dont les séquences en acides aminés, comparées à celles des premiers fragments peptidiques, permettent de reconstituer la structure primaire du polypeptide initial. Celle-ci est complétée en établissant la position des ponts disulfure. Il faut pour cela dégrader la protéine sans que ses ponts disulfure soient rompus. Puis, en séquençant les paires de fragments peptidiques liés par ponts disulfure, on peut déduire la position de ces ponts dans la protéine intacte. La spectrométrie de masse permet de déterminer la masse moléculaire de peptides vaporisés via l'ionisation par electrospray ou la désorption/ionisation au laser assistée par matrice. En appliquant ces techniques sur deux spectromètres de masse en tandem équipés d'une cellule de collision, on peut obtenir rapidement la séquence de peptides courts. Une fois connue la structure primaire d'une protéine, ses variantes mineures, qui peuvent être dues à des mutations ou des modifications chimiques, peuvent être facilement décelées par la technique des cartes peptidiques.

2 ■ **Séquençage des acides nucléiques** Les acides nucléiques peuvent être séquencés selon une stratégie semblable à celle utilisée pour les protéines. Dans la méthode par blocage de chaîne en cours de synthèse, l'ADN à séquencer est répliqué par une ADN polymérase en présence des quatre désoxynucléosides triphosphate, l'un d'eux étant marqué au ^{32}P en α, et d'une petite quantité d'un analogue didésoxy de l'un des nucléosides triphosphate. Ceci donne une série de chaînes marquées au ^{32}P qui se terminent juste après la position occupée par la base correspondante. L'électrophorèse en gel de séquençage des quatre lots d'ADN côte à côte permet de séparer les fragments dont la longueur ne diffère que par un nucléotide. Une autoradiographie du gel contenant les quatre échantillons donne la séquence de bases de l'ADN complémentaire. L'ARN peut être séquencé en réalisant la séquence de son ADNc. Les méthodes automatiques, qui portent sur des fragments d'ADN marqués par fluorescence, accélèrent l'obtention des séquences d'ADN et rendent possible le séquençage de très long génomes comme le génome humain. Une stratégie classique est de cartographier le génome d'intérêt en séquençant un très grand nombre de repères tels que les sites marqueurs de séquence (STS) et les marqueurs de séquences exprimées (EST). Des clones YAC contenant ces points de repère sont alors coupés en fragments qui sont sous-clonés et séquencés, puis assemblés par ordinateur en contigs, lesquels sont à leur tour assemblés en chromosomes sur base des séquences repères. Les progrès en techniques de clonage et en informatique permettent actuellement de séquencer des génomes par clonage aléatoire. On peut le réaliser directement pour les génomes bactériens. Pour les génomes des eucaryotes, on en clone de longs segments dans des chromosomes artificiels de bactérie (BAC), dont les extrémités sont séquencées pour donner des connecteurs marqueurs de séquence (STC). Les inserts des BAC sont ensuite fragmentés, soumis au clonage aléatoire, séquencés et assemblés en contigs. On utilise alors les STC pour réunir en chromosomes, par « marche sur BAC », les inserts séquencés des BAC.

3 ■ Évolution chimique L'anémie falciforme est une maladie moléculaire qui touche les individus homozygotes pour une modification du gène qui code la chaîne β de l'hémoglobine. Des études par carte peptidique et séquençage ont montré que cette modification provenait d'une mutation ponctuelle qui change Glu β6 en Val. Chez les hétérozygotes, le trait drépanocytaire confère la résistance à la malaria sans conséquences graves. Ceci explique sa haute fréquence chez les populations qui vivent dans des régions où sévit la malaria. Les cytochromes *c* de nombreuses espèces eucaryotes contiennent beaucoup de résidus invariants ou issus de substitutions conservatrices. Par conséquent, cette protéine est bien adaptée à sa fonction. Les différences en acides aminés des nombreux cytochromes *c* ont permis de construire leur arbre phylogénétique, qui est identique à celui obtenu par la taxonomie classique. Lorsqu'on porte en graphique, en fonction du temps géologique, le nombre de différences de séquence entre protéines homologues d'espèces voisines (si celles-ci sont issues d'un ancêtre commun selon les données paléontologiques), on trouve que les mutations ponctuelles « acceptées » se sont produites à une fréquence constante. Les protéines dont les fonctions tolèrent difficilement les changements de séquence ont évolué plus lentement que celles qui sont plus tolérantes à ces changements. L'étude phylogénétique de la famille globine – la myoglobine et les chaînes α et β de l'hémoglobine – montre que ces protéines se sont apparues par duplication de gène. Selon ce processus, la fonction originale de la protéine est conservée, alors que la copie dupliquée manifeste une nouvelle propriété. Beaucoup, sinon la plupart, des protéines ont évolué par duplication de gène.

4 ■ Introduction à la bioinformatique Les séquences d'acides nucléiques et de protéines sont déposées dans des bases de données dont les archives grossissent rapidement et qui sont d'accès libre sur le *Web*. L'alignement de séquences homologues renseigne sur leurs fonctions et leur évolution. Pour aligner des séquences de parenté lointaine, il faut recourir à des algorithmes statistiques et informatiques sophistiqués comme BLAST, FASTA et CLUSTAL. La construction d'un arbre phylogénétique optimal fondé sur des alignements de séquences demande des calculs pour lesquels il n'existe pas de solution univoque.

5 ■ Synthèse chimique de polypeptides Pour synthétiser des polypeptides par voie chimique, on réalise le couplage des acides aminés, l'un après l'autre, à l'extrémité N-terminale du polypeptide en cours de synthèse. Le groupement α-aminé de chaque acide aminé doit être protégé chimiquement durant la réaction de couplage, puis débloqué avant la prochaine étape de couplage. Les chaînes latérales réactives doivent également être protégées de même, mais elles ne seront débloquées qu'en fin de synthèse. La récupération du produit intermédiaire à chacune des nombreuses étapes de la synthèse est une difficulté qu'on ne rencontre pas avec les techniques de synthèse en phase solide. Ces méthodes ont permis de fabriquer de nombreux polypeptides biologiquement actifs et même de petites protéines en quantités utiles. Des polypeptides de plus grande taille peuvent maintenant être obtenus par la technique de ligation chimique.

6 ■ Synthèse chimique d'oligonucléotides Les oligonucléotides sont requis pour les techniques de l'ADN recombinant ; on peut les utiliser pour identifier les formes normales et mutées des gènes, ou pour modifier des gènes d'intérêt par mutagenèse dirigée sur un site donné. Des oligonucléotides de séquence définie peuvent être synthétisés selon la méthode aux phosphoramidites, un procédé en milieu non aqueux, en phase solide, dont on peut automatiser les cycles. Les puces à ADN, que l'on peut fabriquer par synthèse photolithographique d'ADN ou par dépôt robotisé d'ADN sur un support en verre, trouvent des applications de plus en plus nombreuses : détection de polymorphismes d'un seul nucléotide, profils d'expression de gènes, identification d'agents infectieux. La technique SELEX permet de sélectionner et d'amplifier les membres d'une vaste bibliothèque de polynucléotides qui se lient spécifiquement à une molécule cible. Ces aptamères, de haute affinité et de grande spécificité pour la molécule cible, sont des outils prometteurs pour le diagnostic et la thérapeutique.

RÉFÉRENCES

SÉQUENÇAGE DES PROTÉINES

Aebersold, R. et Patterson, S.D., Current problems and technical solutions in protein biochemistry, *in* Angeletti, R.H. (Éd.), *Proteins. Analysis and Design*, Chapter 1, Academic Press (1998). [Décrit des méthodes modernes de caractérisation des protéines .]

Allen, G., Sequencing of proteins and peptides, in Burdon, R.M. et van Knippenberg, P.H. (Éds.), *Laboratory Techniques in Biochemistry and Molecular Biology*, Vol. 9 (2nd revised ed.), Elsevier (1989).

Barrett, G.C. et Elmore, D.T., *Amino Acids and Peptides*, Chapter 5, Cambridge University Press (1998).

Bhown, A.S. (Éd.), *Protein/Peptide Sequence Analysis : Current Methodologies*, CRC Press (1988).

Bogusky, M.S., Ostell, J., et States, D.J., Molecular sequence data-bases and their uses, *in* Rees, A.R., Sternberg, M.J.E., et Wetzel, R. (Éds.), *Protein Engineering. A Practical Approach*, *pp. 57–88*, IRL Press (1992).

Chapman, J.R. (Éd.), *Protein and Peptide Analysis by Mass Spectrometry*, Humana Press (1996).

Costello, C.E., Bioanalytic applications of mass spectrometry, *Curr. Opin. Biotech.* **10**, 22–28 (1999).

Creighton, T.E., *Proteins* (2e éd.), Chapters 1 et 3, Freeman (1993).

Findlay, J.B.C. et Geisow, M.J. (Éds.), *Protein Sequencing, A Practical Approach*, IRL Press (1989).

James, P. (Éd.), *Proteome Research : Mass Spectrometry*, Springer-Verlag (2001).

Karger, B.L. et Hancock, W.S. (Éds.), *Methods Enzymol.* **270** et **271**, Section III. Mass spectrometry (1996).

Mann, M., Hendrickson, R.C., et Pandey, A., Analysis of proteins and proteomes by mass spectrometry, *Annu. Rev. Biochem.* **70**, 437–473 (2001).

Matsudaira, P.T. (Éd.), *A Practical Guide to Protein and Peptide Purification and Microsequencing*, Academic Press (1989).

Rappsilber, J. et Mann, M., What does it mean to identify a protein in proteomics ? *Trends Biochem. Sci.* **27**, 74–78 (2002).

Sanger, F., Sequences, sequences, and sequences, *Annu. Rev. Biochem.* **57**, 1–28 (1988). [Une autobiographie scientifique qui donne une idée des difficultés des débuts du séquençage des protéines.]

Simpson, R.J. et Reid, G.E., Sequence analysis of gel-resolved proteins, *in* Hames, B.D. (Éd.), *Gel Electrophoresis of Proteins. A Practical Approach*, pp. 237–267 (1998).

Siuzdak, G., *Mass Spectrometry for Biotechnology*, Academic Press (1996).

Wilm, M., Mass spectrometric analysis of proteins, *Adv. Prot. Chem.* **54**, 1–30 (2000).

SÉQUENÇAGE DES ACIDES NUCLÉIQUES

Ansorge, W., Voss, H., et Zimmermann, J. (Éds.), *DNA Sequencing Strategies. Automated and Advanced Approaches*, Wiley (1997).

Brown, T.A., *Essentials of Medical Genomics*, Wiley-Liss (2003).

Brown, T.A., Genomes, (2nd ed.), Wiley-Liss (2002).

Cantor, C.R. et Smith, C.L., *Genomics. The Science and Technology Behind the Human Genome Project*, Wiley-Interscience (1999).

Collins, F.S., Patrinos, A., Jordan, E., Chakravarti, A., Gesteland, R., Walters, L., and the members of the DOE and NIH planning groups, New goals for the U.S. human genome project : 1998–2003, *Science* **282**, 682–689 (1998).

DeLoukis, P., et al., A physical map of 30,000 human genes, *Science* **282**, 744–746 (1998). [On peut trouver les cartes des gènes sur les chromosomes en consultant http://www.ncbi.nlm.nih.gov/genemap99.]

Graham, C.A. et Hill, A.J.M. (Éds.), *DNA Sequencing Protocols* (2e éd.), Humana Press (2001).

Howe, C.J. et Ward, E.S., *Nucleic Acid Sequencing. A Practical Approach*, IRL Press (1989).

Lipschutz, R.J. et Fodor, S.P.A., Advanced DNA sequencing technologies, *Curr. Opin. Struct. Biol.* **4**, 376–380 (1994).

Primrose, S.B., *Principles of Genome Analysis* (2e éd.), Blackwell Science (1998).

Roe, B.A. (Éd.), *DNA Sequencing, Methods* **3**(1) (1991).

Venter, J.C., Smith, H.O., et Hood, L., A new strategy for genome sequencing, *Science* **381**, 364–366 (1996). [Décrit la stratégie de séquençage du génome par clonage aléatoire.]

LES SÉQUENCES DE QUELQUES GÉNOMES

Adams, M.D., et al., The genome sequence of *Drosophila melanogaster*, *Science* **287**, 2185–2195 (2000).

Anderson, S.E.V., et al., The genome sequence of *Rickettsia prowazekii* and the origin of mitochondria, *Nature* **396**, 133–140 (1998).

Blattner, F.R., et al., The complete genome sequence of *Escherichia coli* K-12, *Science* **277**, 1453–1474 (1997).

Bult, C.J., et al., Complete genome sequence of the methanogen archeon, *Methanococcus jannaschii*, *Science* **273**, 1058–1073 (1996).

Cole, S.T., et al., Massive genetic decay in the leprosy bacillus, *Nature* **409**, 1007–1011 (2001).

Cole, S.T., et al., Deciphering the biology of *Mycobacterium tuberculosis* from the complete genome sequence, *Nature* **393**, 537–544 (1998).

Fleischman, R.D., et al., Whole-genome random sequencing and assembly of *Haemophilus influenzae* Rd., *Science* **269**, 496–512 (1995).

Fraser, C.M., et al., The minimal gene complement of *Mycoplasma genitalium*, *Science* **270**, 397–403 (1995).

Fraser, C.M., et al., Genomic sequence of a Lyme disease spirochaete, *Borrelia burgdorferi*, *Nature* **390**, 580–586 (1997).

Gardiner, M.J., et al., Genome sequence of the human malaria parasite *Plasmodium falciparum*, *Nature* **419**, 498–511 (2002).

Goffeau, A., et al., The yeast genome directory, *Nature* **387** (May 29, 1997 Suppl.), 5–105 (1997).

International Human Genome Sequencing Consortium, Initial sequencing and analysis of the human genome, *Nature* **409**, 860–921 (2001).

Kaneko, T., et al., Sequence analysis of the genome of the unicellular cyanobacterium *Synechocystis* sp. strain PCC6803. II. Sequence determination of the entire genome and assignment of potential protein-coding regions, *DNA Res.* **3**, 109–136 (1996).

Mouse Genome Sequencing Consortium, Initial sequencing and comparative analysis of the mouse genome, *Nature* **420**, 520–562 (2002).

The Arabidopsis Genome Initiative, The analysis of the genome sequence of the flowering plant *Arabidopsis thaliana*, *Nature* **408**, 796–815 (2000).

The *C. elegans* Sequencing Consortium, Genome sequence of the nematode *C. elegans*. A platform for investigating biology, *Science* **282**, 2012–2017 (1998).

Venter, J.C., et al., The sequence of the human genome, *Science* **291**, 1304–1351 (2001).

Wood, V., et al., The genome sequence of *Schizosaccharomyces pombe*, *Nature* **415**, 871–880 (2002).

Yu, J., et al., A draft sequence of the rice genome (*Oryza sativa* L. spp. *indica*) ; et Goff, S.A., et al., A draft sequence of the rice genome (*Oryza sativa* L. spp. *japonica*), *Science* **296**, 79–92 ; et 92–113 (2002).

ÉVOLUTION CHIMIQUE

Allison, A.C., The discovery of resistance to malaria of sickle-cell heterozygotes, *Biochem. Mol. Biol. Educ.* **30**, 279–287 (2002).

Dickerson, R.E., The structure and history of an ancient protein, *Sci. Am.* **226**(4), 58–72 (1972). [Traite de l'évolution du cytochrome c.]

Dickerson, R.E. et Geis, I. *Hemoglobin*, Chapter 3, Benjamin/Cummings (1983). [Exposé détaillé sur l'évolution de la globine.]

Dickerson, R.E. et Timkovich, R., Cytochromes c, *in* Boyer, P.D. (Éd.), The Enzymes (3e éd.), Vol. 11, *pp.* 397–547, Academic Press (1975). [Analyse fouillée des études de séquence sur le cytochrome *c*.]

Doolittle, R.F., Feng, D.F., Tsang, S., Cho, G., et Little, E., Determining divergence times of the major kingdoms of living organisms with a protein clock, *Science* **271**, 470–477 (1996).

Ingram, V.M., A case of sickle-cell anaemia : A commentary, *Biochim. Biophys. Acta* **1000**, 147–150 (1989). [Compte rendu scientifique sur la mise au point des cartes peptidiques pour caractériser l'hémoglobine de l'anémie falciforme.]

Kimura, M., The neutral theory of molecular evolution, *Sci. Am.* **241**(5), 98–126 (1979).

King, M.C. et Wilson, A.C., Evolution at two levels in humans and chimpanzees, *Science* **188**, 107–116 (1975).

Moore, G.R. et Pettigrew, G.W., *Cytochromes c. Evolutionary, Structural and Physicochemical Aspects*, Springer-Verlag (1990).

Nagel, R.L. et Roth, E.F., Jr., Malaria and red cell genetic defects, *Blood* **74**, 1213–1221 (1989). [Revue très instructive sur les différents « défauts » génétiques, dont l'anémie falciforme, qui protègent contre la malaria et comment ils le font.]

Strasser, B.J., Sickle cell anemia, a molecular disease, *Science* **286,** 1488–1490 (1999). [Un historique du travail de Pauling sur l'anémie falciforme.]

Wilson, A.C., The molecular basis of evolution, *Sci Am.* **253**(4), 164–173 (1985).

BIOINFORMATIQUE

Altschul, S.F. et Koonin, E.V., Iterated profile searches with PSI-BLAST—a tool for discovery in protein data bases, *Trends Biochem. Sci.* **23,** 444–447 (1998).

Baxevanis, A.D. et Ouellette, B.F.F. (Éds.), *Bioinformatics*, Wiley-Interscience (1998). [Un ensemble d'articles qui font autorité.]

Bork, P. (Éd.), *Analysis of Amino Acid Sequences*, *Adv. Prot. Chem.* **54** (2000). [Contient des articles instructifs sur les alignements de séquence et l'obtention d'arbres phylogénétiques.]

Database Issue, *Nucleic Acids Res.* **31**(1) (2003). [Mise à jour annuelle des nombreuses bases de données d'intérêt biomoléculaire. Ce numéro est traditionnellement le premier de l'année.]

Doolittle, R.F. (Éd.), *Molecular Evolution : Computer Analysis of Proteins and Nucleic Acids* ; et *Computing Methods for Macromolecular Sequence Analysis*, *Methods Enzymol.* **183** (1990) ; et **266** (1996).

Doolittle, R.F., Of *Urfs et Orfs. A Primer of How to Analyze Derived Amino Acid Sequences*, University Science Books (1986).

Durbin, R., Eddy, S., Krogh, A., et Mitchison, G., *Biological Sequence Analysis. Probabilistic Models of Proteins and Nucleic Acids,* Cambridge University Press (1998).

Gibson, G. et Muse, S.V., *A Primer of Genomic Science*, Sinauer Associates (2002).

Henikoff, S., Scores for sequence searches and alignments, *Curr. Opin. Struct. Biol.* **6**, 353–360 (1996).

Higgins, D. et Taylor, W. (Éds.), *Bioinformatics. Sequence, Structure and Databanks*, Oxford University Press (2000).

Jeanmougin, F. et Thompson, J.D., Multiple sequence alignment with Clustal X, *Trends Biochem. Sci.* **23**, 403–405 (1998).

Jones, D.T. et Swindells, M.B., Getting the most from PSI-BLAST, *Trends Biochem. Sci.* 27, **161**–164 (2002).

Koonin, E.V., Aravind, L., et Kondrashov, A.S., The impact of comparative genomics on our understanding of evolution, *Cell* **101**, 573–576 (2000).

Mann, M. et Pandey, A., Use of mass spectrometry–derived data to annotate nucleotide and protein sequence databases, *Trends Biochem. Sci.* **26**, 54–61 (2001).

Médecine/Sciences **18**, 237-250, 366-374, 492-502, 616-622, 767-774, 1146-1154 (2002). [Une série d'articles en français visant à familiariser le néophyte avec différents aspects pratiques de la bioinformatique.]

Misener, S. et Krawetz, S.A. (Éds.), *Bioinformatics Methods and Protocols*, Humana Press (2000). [Un ouvrage de référence.]

Needleman, S.B. et Wunsch, C.D., A general method applicable to the search for similarities in the amino acid sequence of two proteins, *J. Mol. Biol.* **48**, 443–453 (1970). [L'algorithme de Needleman–Wunsch.]

Pagel, M., Inferring the historical patterns of biological evolution, *Nature* **401**, 877–884 (1999). [Une revue de la question.]

Trends Guide to Bioinformatics, Trends Supplement 1998, Elsevier (1998). [Ensemble intéressant de travaux dirigés publiés en suppléments des périodiques « Trends » tels que *Trends Biochem. Sci.*]

SYNTHÈSE DE POLYPEPTIDES

Atherton, E. et Sheppard, R.C., *Solid Phase Peptide Synthesis. A Practical Approach*, IRL Press (1989).

Barrett, G.C. et Elmore, D.T., *Amino Acids and Peptides*, Chapter 7, Cambridge University Press (1998).

Bodanszky, M., *Principles of Peptide Synthesis*, Springer-Verlag (1993).

Dawson, P.E. et Kent, S.B.H., Synthesis of native proteins by chemical ligation, *Annu. Rev. Biochem.* **69**, 923–960 (2000).

Fields, G.B. (Éd.), *Solid-Phase Peptide Synthesis, Meth. Enzymol.* **289** (1997).

Kent, S.B.H., Alewood, D., Alewood, P., Baca, M., Jones, A., et Schnölzer, M., Total chemical synthesis of proteins : Evolution of solid phase synthetic methods illustrated by total chemical synthesis of the HIV-1 protease, *in* Epton, R. (Éd.), *Innovation & Perspectives in Solid Phase Synthesis*, SPPC Ltd. (1992) ; et Milton, R.C. deL., Milton, S.C.F., et Kent, S.B.H., Total chemical synthesis of a d-enzyme : The enantiomers of HIV-1 protease show demonstration of reciprocal chiral substrate specificity, *Science* **256**, 1445–1448 (1992).

Merrifield, B., Solid phase synthesis, *Science* **232**, 342–347 (1986).

Wilken, J. et Kent, S.B.H., Chemical protein synthesis, *Curr. Opin. Biotech.* **9**, 412–426 (1998).

SYNTHÈSE CHIMIQUE D'OLIGONUCLÉOTIDES

Caruthers, M.H., Beaton, G., Wu, J.V., et Wiesler, W., Chemical synthesis of deoxynucleotides and deoxynucleotide analogs, *Methods Enzymol.* **211**, 3–20 (1992) ; et Caruthers, M.H., Chemical synthesis of DNA et DNA analogues, *Acc. Chem. Res.* **24**, 278–284 (1991).

Gait, M.J. (Éd.), *Oligonucleotide Synthesis. A Practical Approach*, IRL Press (1984).

Gerhold, D., Rushmore, T., et Caskey, C.T., DNA chips : Promising toys have become powerful tools, *Trends Biochem. Sci.* **24**, 168–173 (1999).

Gold, L., The SELEX process : A surprising source of therapeutic and diagnostic compounds, *Harvey Lectures* **91**, 47–57 (1997).

Hermann, T. et Patel, D.J., Adaptive recognition by nucleic acid aptamers, *Science* **287**, 820–825 (2000). [Une revue de la question.]

Nature Genetics Supplement **21**, 1–60 (January, 1999). [Un ensemble d'articles sur les puces à ADN qui font autorité.]

Ramsey, G., DNA chips : State-of-the-art, *Nature Biotech.* **16**, 40–44 (1999).

Schena, M. (Éd.), *DNA Microarrays. A Practical Approach*, Oxford University Press (1999).

Wilson, D.S. et Szostak, J.W., In vitro selection of functional nucleic acids, *Annu. Rev. Biochem.* **68**, 611–647 (1999). [Discute SELEX].

Young, R., Biomedical discovery with DNA arrays, *Cell* **102**, 9–15 (2000).

PROBLÈMES

Remarque : Les compositions en acides aminés de polypeptides dont la séquence est inconnue sont écrites entre parenthèses avec des virgules séparant les acides aminés comme dans (Gly, Tyr, Val). Les séquences dont les acides aminés sont connus sont écrites avec le nom des résidus dans l'ordre et séparés par des traits d'union ; par exemple : Tyr-Val-Gly.

1. Donnez le résultat de l'hydrolyse des peptides suivants par les agents indiqués.

a. Ser-Ala-Phe-Lys-Pro par la chymotrypsine
b. Thr-Cys-Gly-Met-Asn par NCBr
c. Leu-Arg-Gly-Asp par la carboxypeptidase A
d. Gly-Phe-Trp-Asp-Phe-Arg par l'endopeptidase Asp-N
e. Val-Trp-Lys-Pro-Arg-Glu par la trypsine

2. On soumet une protéine à l'analyse des groupements terminaux par le chlorure de dansyl. Les aminoacides dansylés libérés sont trouvés en rapport molaire de deux Ser pour une Ala. Quelles conclusions peut-on en tirer quant à la nature de la protéine ?

3. Une protéine est dégradée par la carboxypeptidase B. Arg et Lys sont rapidement libérées, après quoi on n'observe plus de changement ; quelle indication ce résultat fournit-il quant à la structure primaire de la protéine ?

4. Soit le polypeptide suivant :

Asp-Trp-Val-Arg-Asn-Ser-Phe-Cys-Gln-Gly-Pro-Tyr-Met

(a) Quels acides aminés seraient libérés après son hydrolyse acide totale ?
(b) Quels acides aminés seraient libérés après son hydrolyse alcaline totale ?

5. Avant l'introduction de la méthode d'Edman, la structure primaire des protéines était élucidée en réalisant des hydrolyses acides partielles. Les oligopeptides résultants étaient séparés et leur composition en acides aminés était déterminée. Soit un polypeptide dont la composition en acides aminés est la suivante : $(Ala_2, Asp, Cys, Leu, Lys, Phe, Pro, Ser_2 Trp_2)$. Le traitement avec la carboxypeptidase A n'a libéré que Leu. Par hydrolyse acide partielle, les oligopeptides dont la composition est la suivante ont été obtenus :

(Ala, Lys)	(Ala,Ser$_2$)	(Cys,Leu)
(Ala, Lys, Trp)	(Ala, Trp)	(Cys, Leu, Pro)
(Ala,Pro)	(Asp, Lys, Phe)	(Phe, Ser, Trp)
(Ala, Pro, Ser)	(Asp, Phe)	(Ser, Trp)
(Ser$_2$, Trp)		

Déterminez la séquence en acides aminés du polypeptide.

*6. Un polypeptide est soumis aux techniques de dégradation suivantes qui donnent les fragments peptidiques dont les séquences sont indiquées. Quelle est la structure primaire du polypeptide entier ?

I. **Traitement au bromure de cyanogène :**

1. Asp-Ile-Lys-Gln-Met
2. Lys
3. Lys-Phe-Ala-Met
4. Tyr-Arg-Gly-Met

II. **Hydrolyse par la trypsine :**

5. Gln-Met-Lys
6. Gly-Met-Asp-Ile-Lys
7. Phe-Ala-Met-Lys
8. Tyr-Arg

7. Le traitement d'un polypeptide avec le dithiothréitol donne deux polypeptides qui ont la séquence en acides aminés suivante :

1. Ala-Phe-Cys-Met-Tyr-Cys-Leu-Trp-Cys-Asn
2. Val-Cys-Trp-Val-Ile-Phe-Gly-Cys-Lys

L'hydrolyse par la chymotrypsine du polypeptide intact donne les fragments peptidiques dont la composition en acides aminés est la suivante :

3. (Ala, Phe)
4. (Asn, Cys$_2$, Met, Tyr)

5. (Cys, Gly, Lys)
6. (Cys$_2$, Leu, Trp$_2$, Val)
7. (Ile, Phe, Val)

Indiquez les positions des ponts disulfure dans le polypeptide initial.

*8. Un polypeptide ayant subi les traitements suivants a donné les résultats indiqués. Quelle est la structure primaire du polypeptide ?

I. **Hydrolyse acide :**

1. (Arg, Asx, Cys$_2$, Gly, Ile, Leu, Lys, Met, Phe, Pro, Ser)

II. **Dégradation d'Edman (un cycle) :**

2. (Leu)
3. (Ser)

III. **Carboxypeptidase A (durant un temps suffisant pour enlever un résidu par chaîne) :**

4. (Asp)

IV. **Dithioérythritol + acide iodoacétique suivi d'hydrolyse trypsique :**

5. (Arg, Ser)
6. (Asp, Met)
7. (Cys, Gly, Ile, Leu, Phe, Pro)
8. (Cys, Lys)

V. **Dithioérythritol + 2-bromoéthylamine suivi d'hydrolyse trypsique :**

9. (Arg, Ser)
10. (Asp, Met)
11. (Cys)
12. (Cys, Gly, Leu)
13. (Ile, Phe, Pro)
14. (Lys)

VI. **Chymotrypsine :**

15. Pas de fragments

VII. **Pepsine :**

16. (Arg, Asp, Cys$_2$, Gly, Leu, Lys, Met, Ser)
17. (Ile, Phe, Pro)

9. Un polypeptide soumis aux traitements suivants donne les résultats indiqués. Quelle est sa structure primaire ?

I. **Hydrolyse acide :**

1. (Ala, Arg, Cys, Glx, Gly, Lys, Leu, Met, Phe, Thr)

II. **Aminopeptidase M :**

2. Pas de fragments

III. **Carboxypeptidase A + carboxypeptidase B :**

3. Pas de fragments

IV. **Trypsine puis dégradation d'Edman des produits séparés :**

4. Cys-Gly-Leu-Phe-Arg
5. Thr-Ala-Met-Glu-Lys

*10. Alors que vous êtes en expédition dans la jungle amazonienne, vous isolez un polypeptide que vous pensez être l'hormone de croissance d'une araignée géante. Malheureusement, votre séquenceur portable a été si maltraité à l'aéroport qu'il refuse de fournir la séquence de plus de quatre acides aminés consécutifs. Néanmoins, vous persévérez et obtenez les résultats suivants :

I. **Hydrazinolyse :**

1. (Val)

II. **Traitement au chlorure de dansyl puis hydrolyse acide :**

2. (Dansyl-Pro)

III. Trypsine puis dégradation d'Edman des fragments séparés :

3. Gly-Lys
4. Phe-Ile-Val
5. Pro-Gly-Ala-Arg
6. Ser-Arg

(a) Donnez le maximum de renseignements concernant la séquence en acides aminés du polypeptide. (b) Compte tenu de l'état de votre séquenceur, quelle technique supplémentaire serait la plus appropriée pour vous permettre de compléter la détermination de la séquence du polypeptide ?

11. Après ionisation par electrospray, le spectre de masse d'un protéine inconnue vous donne quatre pics sucessifs dont les valeurs *m/z* sont 953,9, 894,4, 841,8, et 795,1. Quelle est la masse moléculaire de la protéine et quelles sont les charges ioniques des ions responsables des quatre pics ?

12. La figure 7-41 représente l'autoradiographie d'un gel de séquençage d'un ADN séquencé par blocage de chaîne en cours de synthèse. Quelle est la séquence du brin matrice correspondant aux bases n°s 50 à 100 ? Si vous trouvez une position à laquelle il vous semble manquer une bande, laissez un point d'interrogation à la place de la base indéterminée dans la séquence.

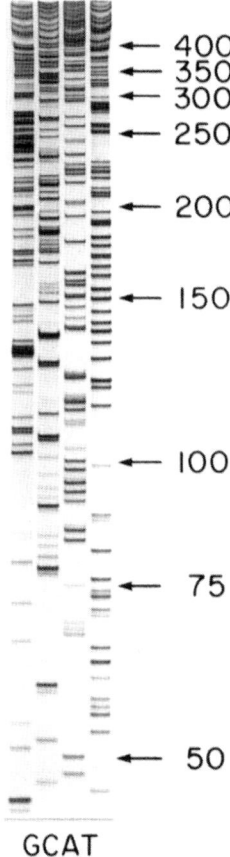

FIGURE 7-41 [Communiqué aimablement par Barton Slatko, New Englad Biolabs Inc., Beverly, Massachusetts.]

13. À partir du Tableau 7-5, comparez les relations des champignons avec les plantes supérieures et les animaux. On dit souvent que les champignons sont des plantes non vertes. A la lumière de vos analyses, cette classification est-elle fondée ?

14. La **β-thalassémie**, maladie héréditaire due à une hémoglobine anormale, est répandue parmi les populations du pourtour méditerranéen et des régions d'Asie où la malaria est répandue (Fig. 7-20). La maladie est caractérisée par une diminution de la synthèse de la chaîne β de l'hémoglobine. Les hétérozygotes pour le gène de la β-thalassémie, qui ont ce

qu'on appelle une **thalassémie mineure**, ne sont que légèrement affectés. Par contre, les homozygotes pour ce gène ont l'**anémie de Cooley** ou **thalassémie majeure** ; ils sont si gravement atteints qu'ils ne survivent pas au-delà de l'enfance. Environ 1 % des enfants nés dans les régions où sévit la malaria autour de la mer Méditerranée souffrent de l'anémie de Cooley. Pourquoi supposez-vous que le gène de la β-thalassémie est si répandu dans cette région ? Justifiez votre réponse.

15. Les plantes légumineuses synthétisent une globine monomérique qui fixe l'oxygène appelée **leghémoglobine** (Section 26-6). À partir de vos connaissances en biologie, dessinez l'arbre de l'évolution des globines (Fig. 7-24) en y incluant la leghémoglobine à la position la plus vraisemblable.

16. Étant donné que les mutations ponctuelles sont dues essentiellement à des modifications chimiques qui sont le fait du hasard, on pourrait croire que la vitesse à laquelle les mutations apparaissent dans un gène qui code une protéine varie avec la taille du gène (nombre d'acides aminés spécifiés par le gène). Toutefois, même si les vitesses auxquelles les protéines évoluent varient fortement, ces vitesses semblent indépendantes de la taille de la protéine. Expliquez pourquoi.

17. Établissez les matrices de points des macromolécules suivantes avec elles-mêmes : (a) Un peptide de 100 résidus possédant des segments pratiquement identiques des positions 20 à 40 et 60 à 80. (b) Un ADN palindromique de 100 nucléotides.

*18. (a) Avec la matrice de substitution du logarithme des cotes PAM-250 et l'algorithme Needleman-Wunsch, trouvez le meilleur alignement des peptides PQRSTV et PDLRSCPSV. (b) Quel est son indice d'alignement avec une pénalité pour les intervalles fixée à –8 lorsqu'on introduit un intervalle et à –2 pour chaque « résidu » introduit dans cet intervalle ? (c) Quel est son indice d'alignement normalisé (NAS) avec un indice de 10 pour chaque identité, de 20 pour chaque position Cys identique, et de –25 pour chaque intervalle ? (d) Cet NAS suggère-t-il une homologie ? Expliquez.

19. Vous devez identifier une protéine inconnue. Après digestion par la trypsine et dégradation d'Edman, un des fragments peptidiques vous donne la séquence GIIWGEDTLMEYLENPK. Avec BLAST, établissez l'identité (ou les identités) la plus probable pour la protéine en question. [Pour une recherche sur le serveur BLAST, visitez http://www.ncbi.nlm.nih.gov/ blast/ et sous « Protein BLAST » cliquez sur le lien « standard protein-protein BLAST [blastp] » (qui est BLAST pour comparer une séquence d'interrogation en acides aminés avec une séquence protéique des bases de données). Dans la fenêtre qui apparaît, introduisez la séquence ci-dessus (sans espacements ni ponctuation) dans l'encadré « séquence », sélectionnez « nr » dans le menu « Choose database » et cliquez sur le bouton « BLAST ! ».]

20. Un dodo déshydraté (oiseau disparu au dix-huitième siècle) dans un état de conservation raisonnable a été trouvé dans une grotte de l'île Maurice. On vous en a donné un échantillon de tissu afin de faire des analyses biochimiques et vous avez réussi à séquencer son cytochrome *c*. La matrice des différences en acides aminés pour un certain nombre d'oiseaux, y compris le dodo, est donnée ci-dessous :

Poule, dinde	0				
Pingouin	2	0			
Pigeon	4	4	0		
Canard de Pékin	3	3	3	0	
Dodo	4	4	2	3	0

(a) Dressez l'arbre phylogénétique de ces oiseaux par la méthode N-J. (b) Duquel des autres oiseaux le dodo semble-t-il le plus proche ? (c) Quelle information supplémentaire vous faudrait-il pour trouver la racine de cet arbre ? Sans calcul supplémentaire, donnez les possibilités les plus probables.

21. Lors d'un incident tragique, le dodo déshydraté (cf. problème 20) a été mangé par un chat. La séquence du cytochrome *c* du dodo que vous aviez déterminée vous laisse penser que ce cytochrome a certaines propriétés biochimiques uniques. Afin de vérifier cette hypothèse, vous êtes obligé de synthétiser le cytochrome *c* du dodo par voie chimique. Comme d'autres cytochromes *c* aviaires, celui du dodo comporte 104 résidus d'acides aminés. En projetant de faire cette synthèse en phase solide, vous pensez obtenir un rendement de 99,7 % pour chaque étape de couplage et de 99,3 % pour chaque étape de déblocage. La libération du polypeptide de la résine et les étapes de déblocage des chaînes latérales devraient donner 80 % de produit récupéré. (a) Si vous synthétisez en une fois le polypeptide complet, quel est le pourcentage de l'acide aminé C-terminal original lié à la résine qui formera un cytochrome *c* de dodo inchangé ? (b) Vous avez découvert que le cytochrome *c* du dodo possède un résidu Cys en position 50. Quel serait le rendement total si vous utilisez la réaction de ligation chimique native (supposez pour celle-ci un rendement de 75 %) pour synthétiser le cytochrome *c* du dodo ? Comparez le rendement avec celui de la stratégie proposée en *a* ci-dessus et discutez-en les implications pour la synthèse de longs polypeptides.

22. Vous avez fabriqué une puce à ADN présentant quatre rangées et dix colonnes dans laquelle la *M*ième colonne contient des ADN de séquence 5′-GACCTGACGT-3′ mais avec une base différente à la *M*ième position pour chacune des quatre rangées (de haut en bas, G, A, T, et C). Dessinez l'image de la puce après hybridation avec de l'ARN marqué par fluorescence et dont la séquence est (a) 5′-ACGUCAGGUC-3′ et (b) 5′-ACGUCUGGUC-3′.

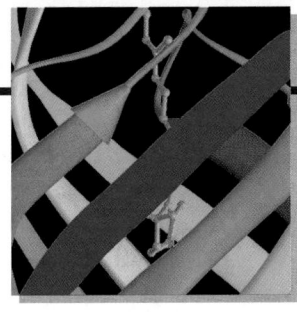

Structures tridimensionnelles des protéines

Les propriétés d'une protéine dépendent essentiellement de sa structure tridimensionnelle. On pourrait supposer naïvement que, les protéines étant constituées des mêmes vingt résidus d'acide aminé, elles ont pratiquement les mêmes propriétés. De fait, les protéines **dénaturées** (dépliées) ont des caractéristiques assez voisines, résultat d'une répartition « statistique » homogène de leurs chaînes latérales se projetant au hasard. Toutefois, la structure tridimensionnelle d'une protéine **native** (structure physiologique repliée) est déterminée par sa structure primaire si bien qu'elle présente un ensemble unique de propriétés.

Dans ce chapitre, nous étudierons les caractéristiques structurales des protéines, les forces qui maintiennent leur cohésion, et leur organisation hiérarchique qui aboutit à des structures complexes. Cette étude s'avère indispensable pour comprendre les relations structure-fonction qui permettent d'appréhender les rôles biochimiques des protéines. L'étude détaillée du comportement dynamique des protéines et de leur repliement pour acquérir leurs structures natives ne sera vue qu'au Chapitre 9.

1 ■ STRUCTURE SECONDAIRE

La **structure secondaire** d'un polymère correspond à la conformation locale de son squelette. Dans le cas des protéines, ceci conduit à définir les motifs issus du repliement régulier du squelette polypeptidique : hélices, feuillets plissés, et coudes. Toutefois, avant d'étudier ces motifs structuraux de base, considérons les propriétés géométriques du groupement peptidique car sa compréhension est indispensable à celle de toute structure qui le contient.

A. *Le groupement peptidique*

Dans les années 1930 et 1940, Linus Pauling et Robert Corey ont déterminé par rayons X les structures de plusieurs acides aminés et de dipeptides pour rechercher les contraintes structurales imposées aux conformations d'une chaîne polypeptidique. Ces études ont montré que *le groupement peptidique possède une structure plane rigide (Fig. 8-1) due, Pauling l'a montré, à des interactions en résonance qui confèrent à la liaison peptidique un caractère partiel – environ 40 % – de double liaison :*

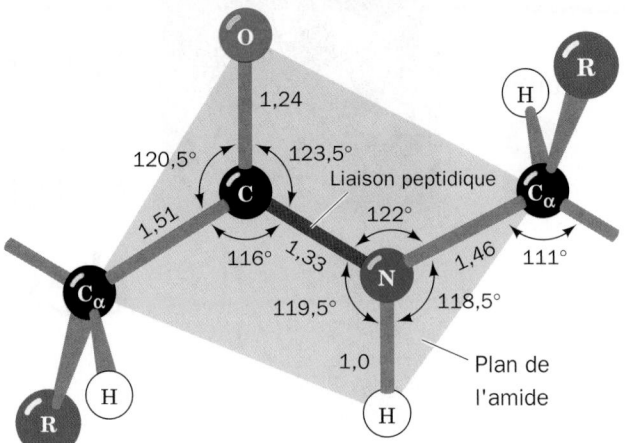

FIGURE 8-1 Le groupement peptidique trans. Les dimensions standard (en angströms, Å, et degrés,°) de ce groupement planaire ont été calculées en faisant les moyennes des résultats de déterminations de structure par rayons X d'acides aminés et de peptides. [D'après Marsh, R.E. et Donohue, J., *Adv. Protein Chem.* **22,** 249, (1967).]

Cette explication est confirmée par les observations suivantes : la liaison C—N d'une liaison peptidique est plus courte de 0,13 Å que sa liaison simple N—C_α et sa liaison C = O est plus longue de 0,02 Å que celle des aldéhydes et des cétones. L'énergie de résonance d'une liaison peptidique atteint sa valeur maximum, environ 85 kJ·mol^{-1}, quand le groupement peptidique est plan car le recouvrement de sa liaison π est maximum sous cette conformation. Ce recouvrement, et donc l'énergie de résonance, s'annulent si la liaison peptidique fait un angle de 90° par rapport au plan, ce qui explique la rigidité du groupe peptidique plan. (La charge positive de cette structure en résonance est purement formelle ; la mécanique quantique nous apprend que l'atome N du peptide possède en fait une charge négative partielle qui provient de la polarisation de la liaison C—N σ.)

Les groupements peptidiques, sauf quelques exceptions, présentent la conformation trans : les C_α qui se suivent sont de part et d'autre de la liaison peptidique qui les unit (Fig. 8-1). Ceci résulte en partie de l'interférence stérique qui rend la conformation cis (Fig. 8-2) moins stable – environ 8 kJ·mol^{-1} – que la conformation trans (cette différence est un peu moins grande dans les liaisons peptidiques suivies par un résidu Pro ; en fait, environ 10 % des résidus Pro d'une protéine suivent une liaison peptidique cis, alors qu'on ne trouve que très rarement des peptides cis.

a. Les conformations du squelette peptidique peuvent être décrites par leurs angles de torsion

Les considérations ci-dessus sont importantes car elles signifient que *le squelette d'une protéine est une succession de groupes peptidiques plans rigides liés entre eux (Fig. 8-3).* Par conséquent, la conformation du squelette d'un polypeptide est déterminée par les valeurs des **angles de torsion** (angles de rotation ou **angles dièdres**) autour de la liaison C_α—N (φ) et de la liaison C_α—C (ψ) de chacun de ses résidus d'acide aminé. Par convention, la valeur des angles φ et ψ est égale à 180° quand la chaîne polypeptidique

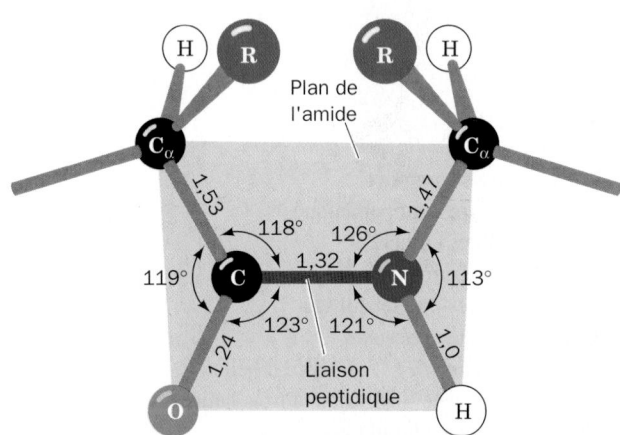

FIGURE 8-2 Le groupement peptidique cis.

est dans sa conformation plane en pleine extension (tout-trans) et augmente par rotation dans le sens de déplacement des aiguilles d'une montre observée depuis le C_α (Fig. 8-4).

Plusieurs contraintes stériques s'exercent sur les angles de torsion φ et ψ d'un squelette polypeptidique, ce qui restreint ses possibilités de conformation. La structure électronique d'une simple liaison (σ) telle qu'une liaison C—C est cylindrique et symétrique

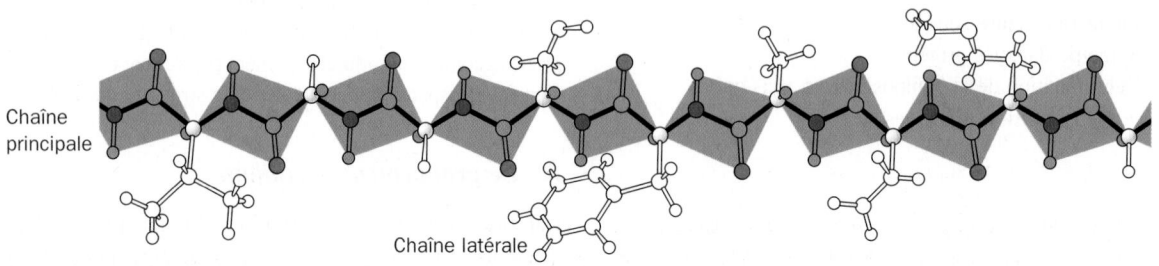

FIGURE 8-3 Une chaîne polypeptidique dans sa conformation en pleine extension montrant le caractère planaire de chacun de ses groupements peptidiques. [Copyright Irving Geis.]

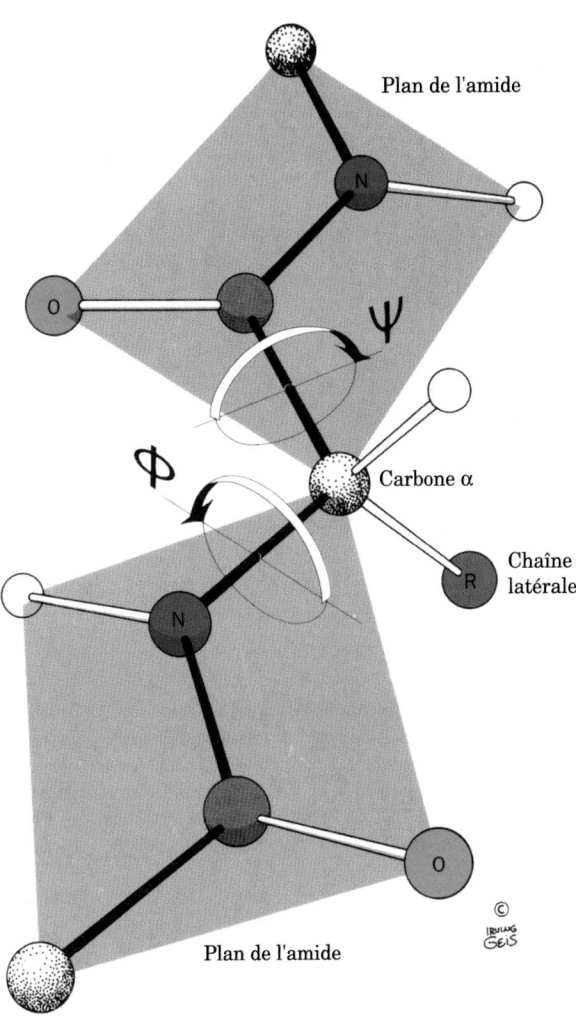

FIGURE 8-4 Degrés de liberté dans la torsion d'une unité pepti-dique. Les seules possibilités de mouvement permises sont les rotations autour de la liaison C_α—N (ϕ) et de la liaison C_α—C (ψ). Les angles de torsion sont tous les deux égaux à 180° dans la conformation représentée et augmentent, comme indiqué, dans le sens du déplacement des aiguilles d'une montre quand ils sont vus depuis le C_α. [Copyright Irving Geis.]

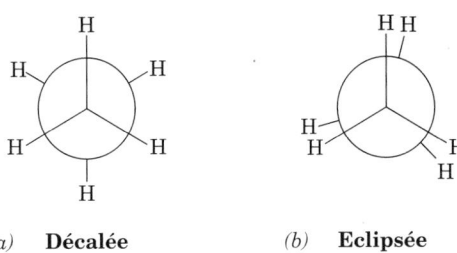

(a) **Décalée**   *(b)* **Eclipsée**

FIGURE 8-5 Conformations de l'éthane. Projections de Newman montrant *(a)* la conformation décalée et *(b)* la conformation éclipsée de l'éthane.

b. Les conformations de polypeptides permises sont données dans le diagramme de Ramachandran

On peut déterminer les valeurs de ϕ et ψ stériquement possibles en calculant les distances entre les atomes d'un tripeptide pour toutes les valeurs de ϕ et ψ de l'unité peptidique centrale. Les conformations stériquement interdites, comme celle représentée dans la Fig. 8-6, sont celles où la distance séparant deux atomes non liés est inférieure à sa distance de van der Waals correspondante. De tels renseignements sont résumés dans une **carte de conformation** ou **diagramme de Ramachandran** (Fig. 8-7), une invention de G. N. Ramachandran.

On voit sur la Fig. 8-7 que ~75 % des zones de ce diagramme (la plupart des combinaisons de ϕ et de ψ) sont inaccessibles, sur le plan conformationnel, à une chaîne polypeptidique. Les quelques régions qui correspondent à des conformations autorisées dépendent des valeurs des rayons de van der Waals choisies pour les calculer. Mais si l'on s'en tient aux valeurs les plus vraisemblables telles que celles données dans le Tableau 8-1, *seules trois petites régions de la carte de conformation sont physiquement accessibles à une chaîne polypeptidique.* Néanmoins, comme nous allons le voir, tous les types courants de structures secondaires régulières que l'on trouve dans les protéines se situent à l'intérieur des régions autorisées du diagramme de Ramachandran. De fait, les angles conformationnels observés pour la plupart des résidus

autour de son axe, ce qui devrait permettre une libre rotation autour d'une telle liaison. Si tel était le cas, on devrait trouver dans l'éthane, par exemple, tous les angles de torsion possibles autour de la liaison C—C. Cependant, certaines conformations de l'éthane sont favorisées à cause des effets quantiques dus à l'interaction des orbitales moléculaires. La **conformation décalée** (Fig. 8-5a ; angle de torsion de 180°) est la disposition de l'éthane la plus stable. À l'inverse, la **conformation éclipsée** (Fig. 8-5b ; angle de torsion de 0°) est moins stable. La différence d'énergie entre les conformations décalée et eclipsée de l'éthane est environ de 12 kJ·mol^{-1}, ce qui constitue une **barrière énergétique** qui s'oppose à la libre rotation autour d'une simple liaison C—C. Des substituants autres que l'hydrogène apportent des interférences stériques supérieures, d'où une augmentation de la hauteur de cette barrière énergétique en raison de leur plus grand encombrement. Avec des substituants de grande taille, certaines conformations se trouvent stériquement interdites.

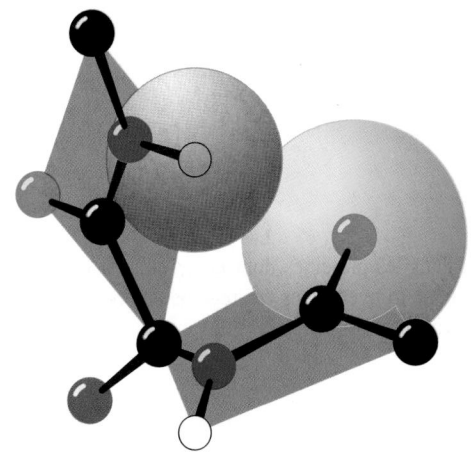

FIGURE 8-6 Interférence stérique entre résidus adjacents. La collision entre un oxygène du carbonyl et l'hydrogène de l'amide qui suit empêche la conformation $\phi = -60°$, $\psi = 30°$. [Copyright Irving Geis.]

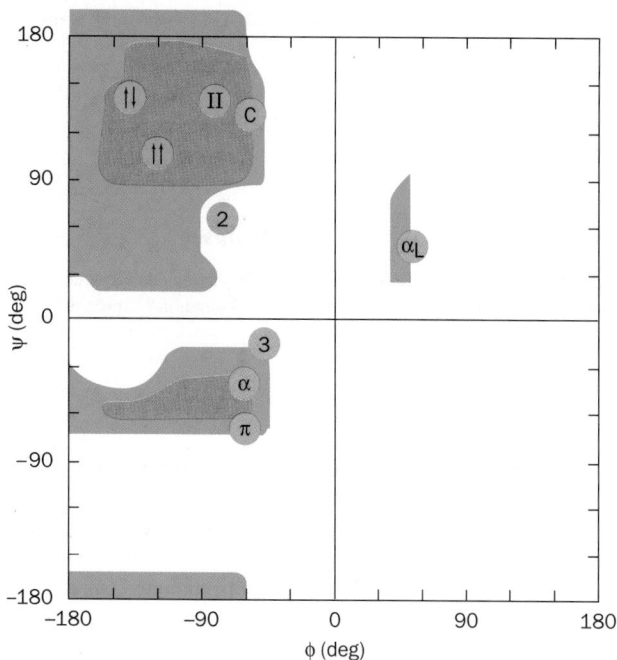

FIGURE 8-7 Le diagramme de Ramachandran. On y trouve les valeurs d'angles φ et ψ stériquement permises pour la poly-L-alanine. La représentation a été calculée d'après les distances de van der Waals du Tableau 8-1. Les régions où les angles φ et ψ sont « normalement autorisés » sont ombrées en bleu, tandis que les régions ombrées en vert correspondent à des conformations qui ont des distances de van der Waals « limites ». Les angles conformationnels, φ et ψ, de plusieurs structures secondaires sont indiqués ci-dessous :

Structure secondaire	φ (deg)	ψ (deg)
Hélice α de pas à droite (α)	−57	−47
Feuillet plissé β parallèle (↑↑)	−119	113
Feuillet plissé β antiparallèle (↑↓)	−139	135
Hélice 3$_{10}$ de pas à droite (3)	−49	−26
Hélice π de pas à droite (π)	−57	−70
Ruban 2,2$_7$ (2)	−78	59
Hélices de polyglycine de pas à gauche II et de poly-L-proline (II) (II)	−79	150
Collagène (C)	−51	153
Hélice α de pas à gauche (α$_L$)	57	47

[D'après Flory, P.J., *Statistical Mechanics of Chain Molecules*, p. 253, Interscience (1969) ; *et* IUPAC-IUB Commission on Biochemical Nomenclature, *Biochemistry* **9**, 3475 (1970).]

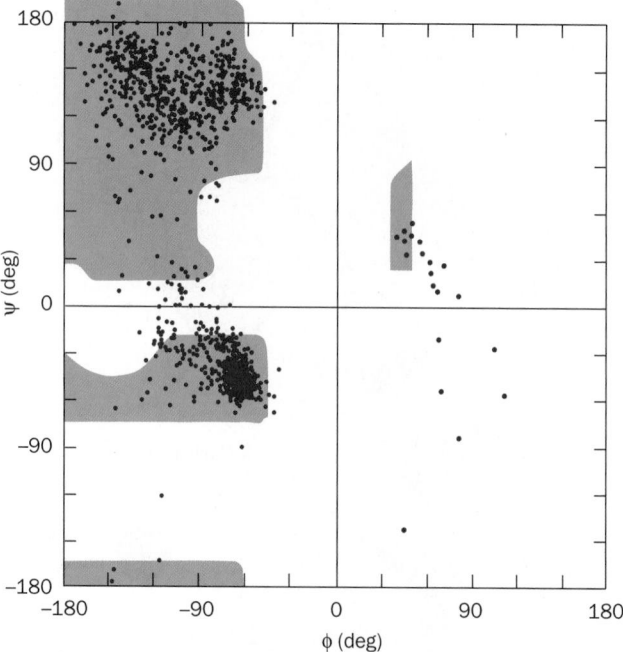

FIGURE 8-8 Angles conformationnels dans les protéines. Distribution des angles conformationnels de tous les résidus sauf Gly et Pro dans 12 structures précises déterminées par rayons X à haute résolution avec superposition de la représentation de Ramachandran. [D'après Richardson, J.S. et Richardson, D.C., *in* Fasman, G.D. (Éd.), *Prediction of Protein Structure and the Principles of Protein Conformation, p. 6*, Plenum Press (1989).]

Tableau 8-1 Distances de van der Waals pour les contacts interatomiques

Type de contact	Normalement permise (Å)	Limite extrême (Å)
H···H	2,0	1,9
H···O	2,4	2,2
H···N	2,4	2,2
H···C	2,4	2,2
O···O	2,7	2,6
O···N	2,7	2,6
O···C	2,8	2,7
N···N	2,7	2,6
N···C	2,9	2,8
C···C	3,0	2,9
C···CH$_2$	3,2	3,0
CH$_2$···CH$_2$	3,2	3,0

Source : Ramachandran, G.N. et Sasisekharan, V., *Adv. Protein Chem.* **23**, 326 (1968).

sauf Gly, dans les protéines dont la structure par rayons X a été déterminée, se trouvent dans ces régions autorisées (Fig. 8-8).

La plupart des points qui se trouvent dans les zones interdites de la Fig. 8-8 se situent entre les deux régions parfaitement autorisées proches de ψ = 0. Cependant, ces conformations « interdites », dues à la collision de groupes amide successifs, sont autorisées si des torsions de quelques degrés seulement autour de la liaison peptidique sont permises. Ce n'est pas inconcevable car la liaison peptidique supporte assez bien de petites déformations de son caractère plan.

Gly, le seul résidu sans atome C$_β$, est beaucoup moins encombré que les autres résidus d'acide aminé. Ceci devient évident lorsque l'on compare le diagramme de Ramachandran pour Gly dans une chaîne polypeptidique (Fig. 8-9) avec celui d'autres résidus (Fig. 8-7). En réalité, Gly occupe souvent des positions où le

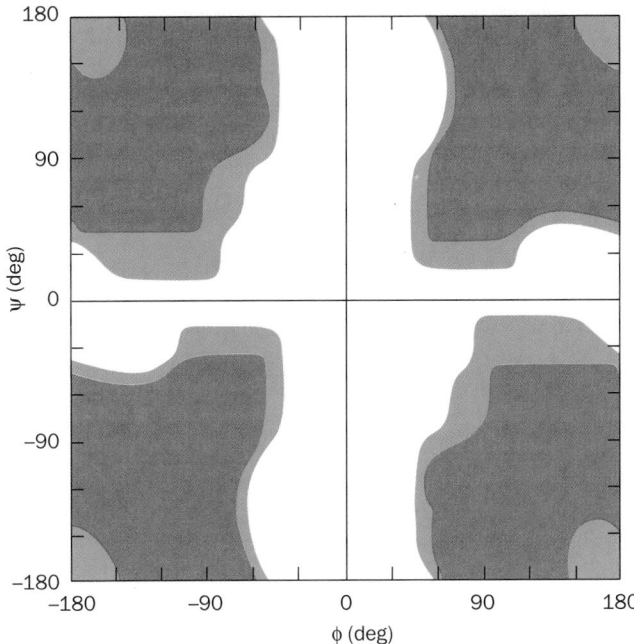

FIGURE 8-9 Représentation de Ramachandran pour les résidus Gly dans une chaîne polypeptidique. Les régions « normalement autorisées » sont ombrées en bleu, tandis que les régions ombrées en vert correspondent aux distances de van der Waals « limites ». Les résidus Gly ont une liberté conformationnelle beaucoup plus grande que les autres résidus d'acide aminé (plus volumineux) comme le montre la comparaison de cette figure avec la Fig. 8-7. [D'après Ramachandran, G.N. et Sasisekharan, V., *Adv. Protein Chem.* **23**, 332 (1968).]

squelette polypeptidique fait un coude aigu, ce qui, avec d'autres résidus, amènerait des interférences d'ordre stérique.

La Figure 8-7 a été établie pour trois résidus Ala consécutifs. Des diagrammes analogues sont obtenus à partir de résidus plus grands et dont le C_β n'est pas substitué, tels que Phe. Les diagrammes de Ramachandran établis à partir de résidus substitués sur le C_β, tels que Thr, présentent des régions autorisées plus petites que pour Ala. La chaîne latérale cyclique de Pro a des valeurs de ϕ limitées à la zone $-60° \pm 25°$, ce qui fait de Pro, et ce n'est pas une surprise, le résidu le plus limité sur le plan conformationnel. Les conformations des résidus dans des chaînes plus longues qu'un tripeptide sont encore plus restreintes que ne l'indique la représentation de Ramachandran car, par exemple, une chaîne polypeptidique ne peut prendre une conformation qui l'obligerait à se traverser. Nous verrons cependant, malgré les restrictions importantes imposées par le caractère plan de la liaison peptidique et par l'encombrement des chaînes latérales sur les conformations d'une chaîne polypeptidique, qu'à chaque structure primaire unique correspond une structure tridimensionnelle unique.

B. *Structures en hélice*

Les hélices sont les éléments les plus frappants de la structure secondaire des protéines. Si une chaîne polypeptidique tourne d'un même angle à chacun de ses atomes C_α, elle prend une conformation hélicoïdale. Plutôt que par la valeur de ses angles ϕ et ψ, une hélice peut être caractérisée par le nombre, n, d'unités peptidiques par tour d'hélice, et par son **pas**, p, c'est-à-dire la translation par tour. Plusieurs exemples d'hélices sont représentés dans la Fig. 8-10. Remarquez qu'une hélice est chirale,

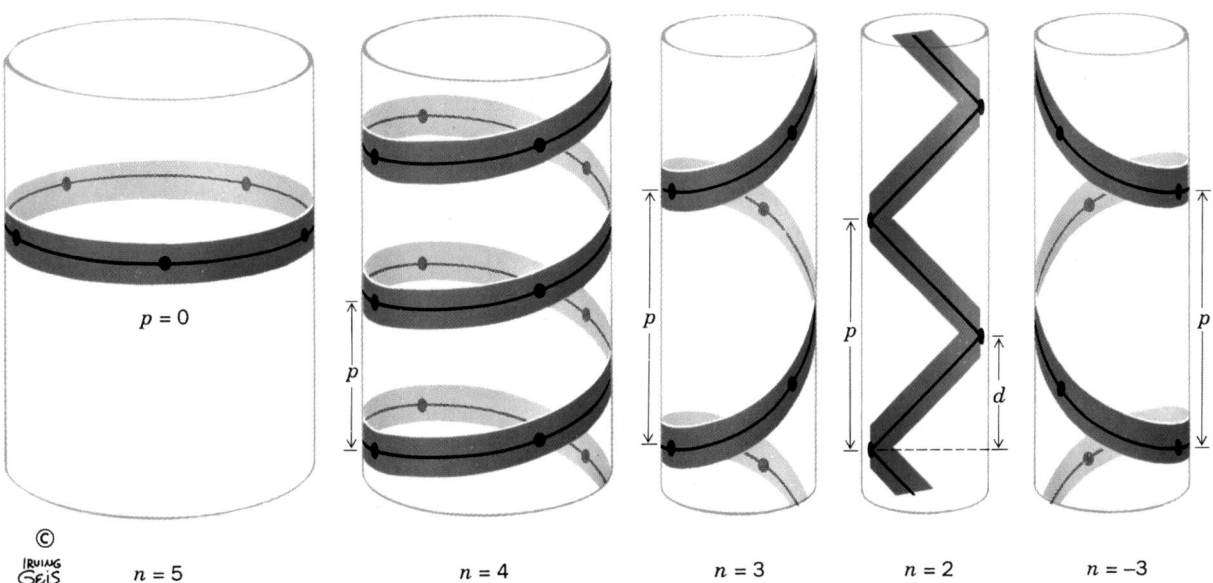

FIGURE 8-10 Exemples d'hélices. Illustrations du pas, p, de l'hélice, du nombre d'unités se répétant par tour, n, et de la translation de l'hélice par unité répétée, $d = p/n$. On définit les hélices de pas à droite et de pas à gauche comme ayant respectivement des valeurs de n positive et néga-

tive. Pour $n = 2$, l'hélice dégénère pour prendre la forme d'un ruban non chiral. Pour $p = 0$, l'hélice dégénère pour former un anneau fermé. [Copyright Irving Geis.]

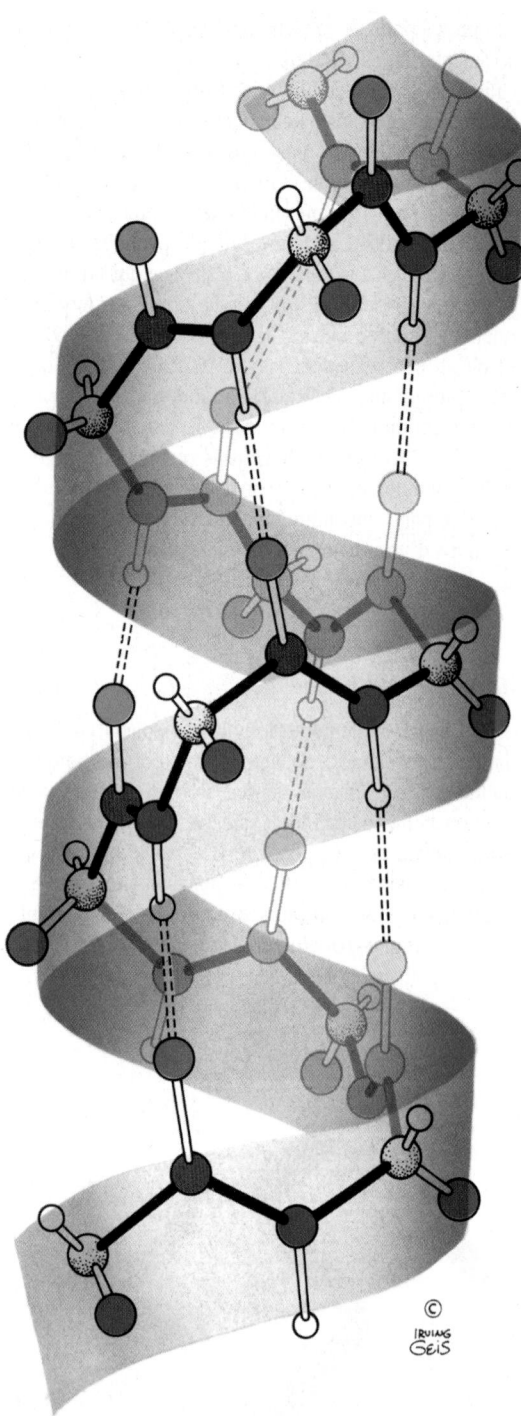

FIGURE 8-11 L'hélice α de pas à droite. Les liaisons hydrogène entre les groupements N—H et les groupements C═O qui se trouvent quatre résidus en arrière sur la chaîne polypeptidique sont indiquées par des lignes en pointillés. [Copyright Irving Geis.]

Une hélice polypeptidique doit, naturellement, avoir des angles de conformation situés dans les régions autorisées du diagramme de Ramachandran. Comme nous l'avons vu, cela limite fortement les possibilités. En outre, pour avoir une existence durable, une conformation particulière doit être plus qu'autorisée, elle doit être stabilisée. La « colle » qui stabilise les hélices ainsi que les autres structures secondaires est, en partie, constituée de liaisons hydrogène.

a. L'hélice α

*Une seule conformation polypeptidique hélicoïdale présente à la fois les angles de conformation autorisés et un ensemble de liaisons hydrogène favorable : l'**hélice α** (Fig. 8-11), un arrangement de la chaîne polypeptidique particulièrement rigide.* Sa découverte par Pauling en 1951 constitue un des jalons de la biochimie structurale.

Pour un polypeptide formé de résidus de L-α-aminoacides, l'hélice α est droite avec des angles de torsion $\phi = -57°$ et $\psi = -47°$, $n = 3,6$ résidus par tour et un pas de 5,4 Å. (Une hélice formée de D-α-aminoacides est l'image en miroir de celle formée de L-α-aminoacides : elle est gauche avec des angles de conformation $\phi = +57°$ et $\psi = +47°$, et $n = -3,6$, mais la valeur de p est identique.)

On voit sur la Fig. 8-11 que les liaisons hydrogène de l'hélice α sont disposées de sorte que la liaison peptidique N—H du $n^{ième}$ résidu est dirigée le long de l'hélice vers le groupement C = O du résidu $(n - 4)$. Il s'établit ainsi une liaison hydrogène forte qui a presque la distance optimum de 2,8 Å entre N et O. De plus, le cœur de l'hélice est très compact ; les atomes qui s'y trouvent établissent des interactions de van der Waals à travers l'hélice, d'où des énergies d'association maximales (Section 8-4A). Les groupements R, dont les positions, comme nous l'avons vu, ne sont pas entièrement en accord avec la représentation de Ramachandran, se projettent tous en arrière (vers le bas dans la Fig. 8-11) et à l'extérieur de l'hélice afin d'éviter les interférences stériques avec le squelette polypeptidique et entre eux. La Fig. 8-12 montre également une telle disposition. En fait, la principale raison pour laquelle l'hélice gauche n'a jamais été observée (ses paramètres sont à la limite de l'interdiction ; Fig. 8-7) est due aux contacts trop étroits qui s'établiraient entre ses chaînes latérales et son squelette polypeptidique. Notez cependant que 1 à 2 % des résidus individuels autres que Gly prennent cette conformation dans les protéines (Fig. 8-8).

L'hélice α est un élément de structure secondaire classique, aussi bien dans les protéines fibreuses que dans les protéines globulaires. Dans ces dernières, les hélices α comportent, en moyenne, environ 12 résidus, ce qui correspond à plus de trois tours d'hélice et à une longueur de 18 Å. Toutefois, on a observé des hélices a qui ont jusqu'à 53 résidus.

b. Autres hélices polypeptidiques

La Figure 8-13 montre comment des hélices polypeptidiques stabilisées par liaisons hydrogène peuvent être construites. Les deux premières, la forme **ruban 2,2$_7$** et l'**hélice 3$_{10}$** sont désignées par le symbole n_m où n, comme précédemment, indique le nombre de résidus par tour d'hélice, et m est le nombre d'atomes, y compris H, se trouvant dans la boucle fermée par une liaison hydrogène. D'après cette convention, l'hélice α est une hélice 3,6$_{13}$.

c'est-à-dire qu'elle peut être de pas à droite ou de pas à gauche (une hélice droite tourne dans le sens d'enroulement des doigts de la main droite lorsque le pouce pointe le long de l'axe de l'hélice dans la direction où l'hélice s'élève). De plus, dans les protéines, n n'est pas forcément, et est en fait rarement, un nombre entier.

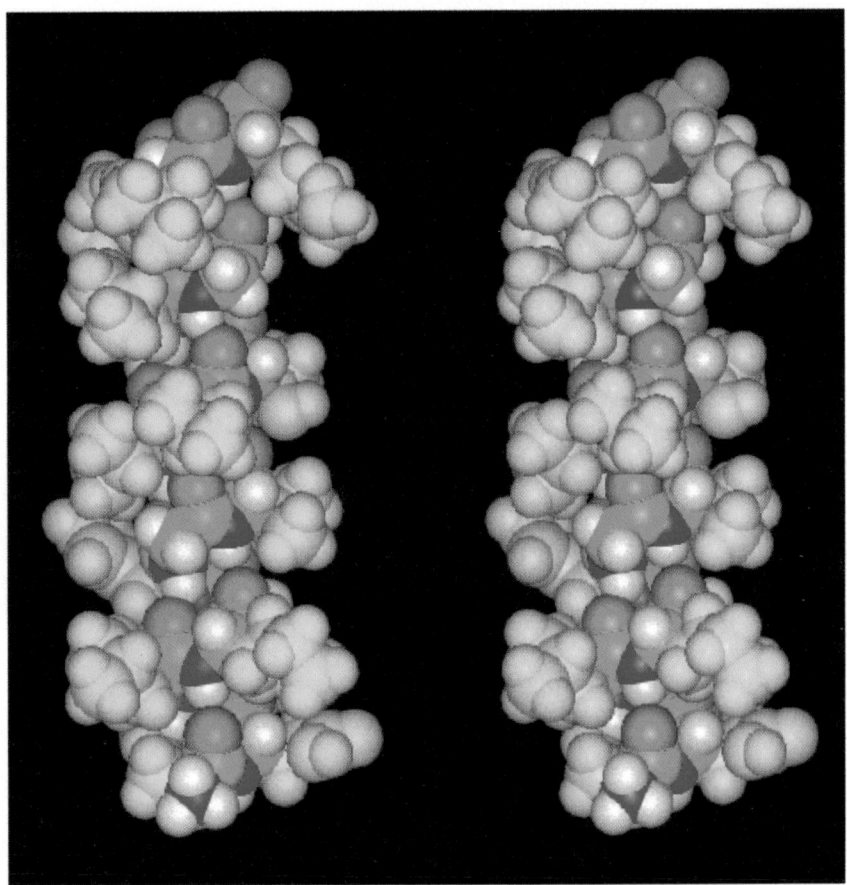

FIGURE 8-12 Représentation stéréo en modèle plein d'un segment en hélice α de myoglobine de cachalot (son hélice E) déterminée en analysant de la structure par rayons X. Dans la chaîne principale, les atomes de carbone sont en vert, les atomes d'azote en bleu, les atomes d'oxygène en rouge, et les atomes d'hydrogène en blanc. Les chaînes latérales sont en jaune. Des conseils pour visualiser des représentations stéréo sont donnés dans l'appendice de ce chapitre.

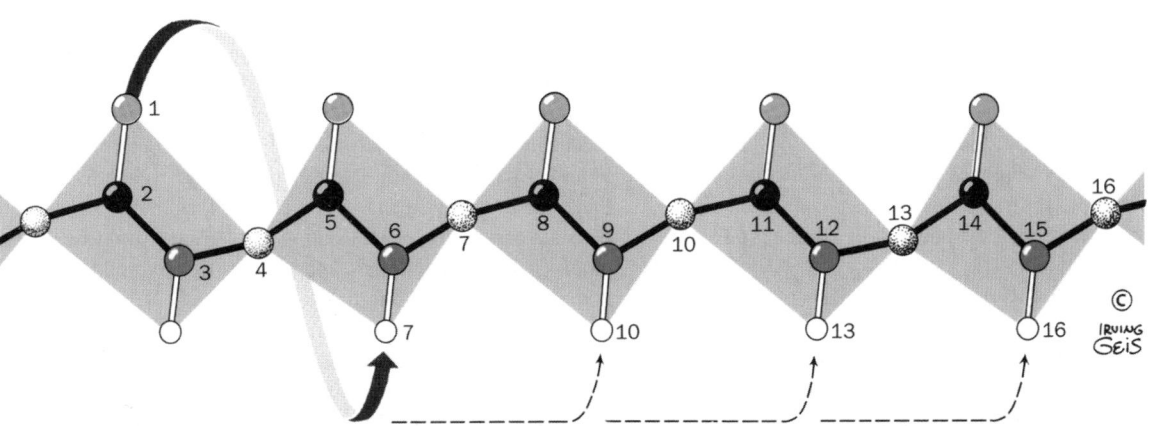

FIGURE 8-13 Schéma des liaisons hydrogène de plusieurs hélices polypeptidiques. Dans les exemples donnés, la chaîne polypeptidique forme une spire de sorte que le groupement N—H d'un résidu *n* forme une liaison hydrogène avec les groupements C=O des résidus *n – 2*, *n – 3*, *n – 4*, ou *n – 5*. [Copyright Irving Geis.]

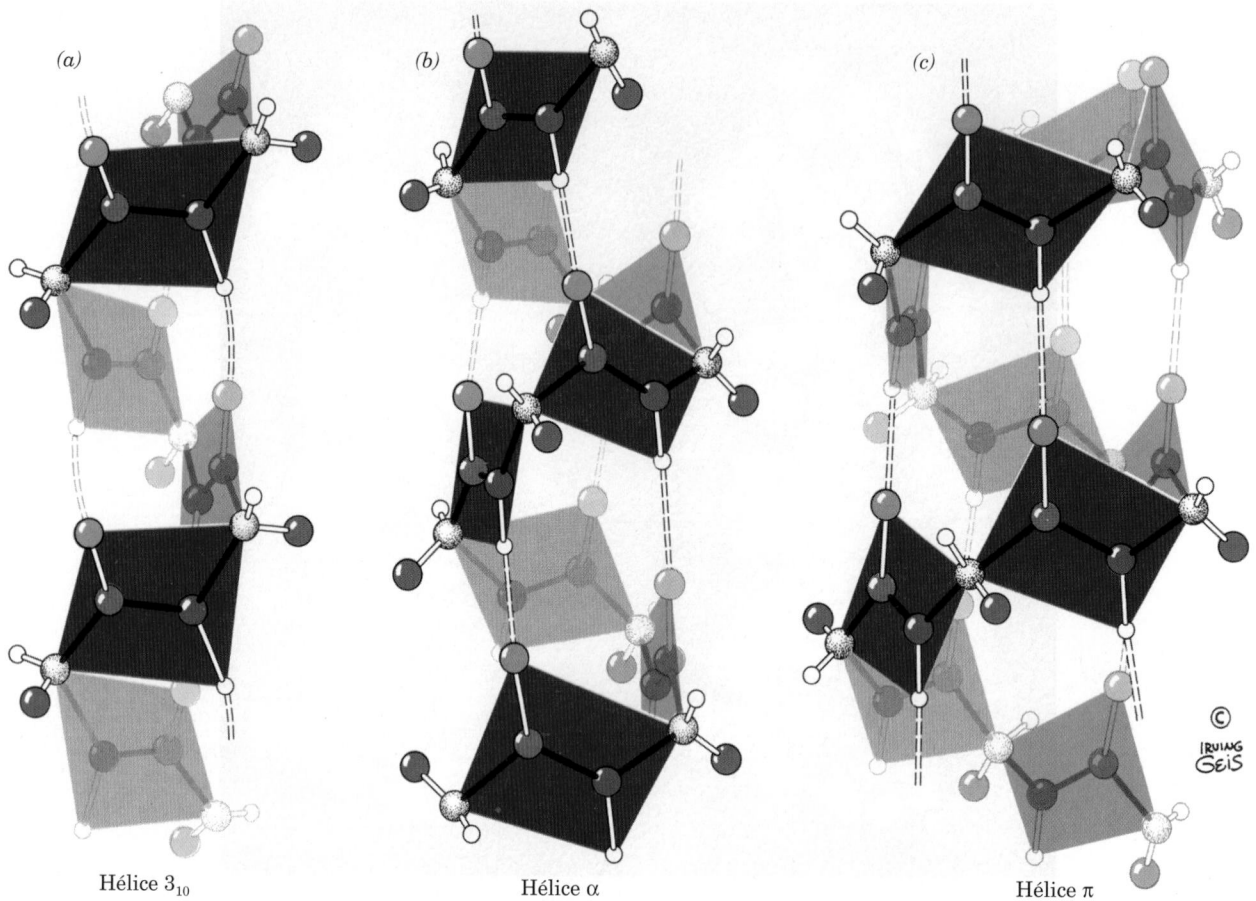

Hélice 3_{10} Hélice α Hélice π

**FIGURE 8-14 Deux hélices polypeptidiques qui se présentent occa-
sionnellement dans les protéines, comparées à l'hélice α que l'on
trouve fréquemment**. *(a)* L'hélice 3_{10} est caractérisée par 3,0 unités peptidiques par tour et un pas de 6,0 Å, ce qui la rend plus mince et plus
allongée que l'hélice α. *(b)* L'hélice α a 3,6 unités peptidiques par tour et
un pas de 5,4 Å (voir aussi lá Fig. 8-11). *(c)* L'hélice π, avec 4,4 unités
peptidiques par tour et un pas de 5,2 Å, est plus large et plus courte que
l'hélice α. Les plans peptidiques sont indiqués.[Copyright Irving Geis.]

L'hélice droite 3_{10} (Fig. 8-14*a*), dont le pas est de 6,0 Å, est
plus étroite et pentue que l'hélice α (Fig. 8-14*b*). Ses angles de torsion la placent dans une zone légèrement « interdite » du diagramme de Ramachandran, assez proche de celle de l'hélice α
(Fig. 8-7) et ses groupements R sont l'objet de quelques interférences stériques. Ceci explique pourquoi l'hélice 3_{10} ne se rencontre qu'occasionnellement dans les protéines, sous forme de
courts segments souvent déformés par rapport à la conformation
3_{10} idéale. L'hélice 3_{10} apparaît le plus souvent comme un simple
coude qui relie l'extrémité d'une hélice α et la région adjacente
d'une chaîne polypeptidique.

L'**hélice π** (hélice $4,4_{16}$), qui présente également une conformation légèrement « interdite » (Fig. 8-7), n'est que rarement
observée et uniquement comme segments d'hélices plus longues.
Ceci est dû, probablement, à ce que sa conformation relativement
large et plate (Fig. 8-14*c*) entraîne la présence d'un trou axial trop
petit pour admettre des molécules d'eau mais trop large pour que
s'établissent des interactions de van der Waals à travers l'axe de
l'hélice ; cela limite sérieusement sa stabilité par rapport à des

conformations plus compactes. Le ruban $2,2_7$, dont les angles de
conformation (cf. Fig. 8-7) sont fortement prohibitifs, n'a jamais
été observé.

Certains homopolypeptides synthétiques prennent des conformations qui sont des modèles pour des hélices de protéines prti-
culières. La **polyproline** est incapable de prendre une structure
secondaire classique en raison des contraintes conformationnelles
imposées par ses chaînes latérales pyrrolidine cycliques. De plus,
l'absence d'un substituant hydrogène sur l'azote de son squelette
rend impossible toute stabilisation par liaison hydrogène. Néanmoins, dans des conditions appropriées, la polyproline en solution précipite sous forme d'une hélice gauche de peptides tout-
trans qui a 3,0 résidus par tour d'hélice et un pas de 9,4 Å
(Fig. 8-15). Cette conformation plutôt en extension permet aux
chaînes latérales de Pro de s'éviter. Assez curieusement, la **polyglycine,** le polypeptide le moins contraint, précipite sous forme
d'une hélice dont les paramètres sont pratiquement identiques à
ceux de la polyproline, le polypeptide le plus contraint sur le
plan conformationnel (même si l'hélice de la polyglycine peut

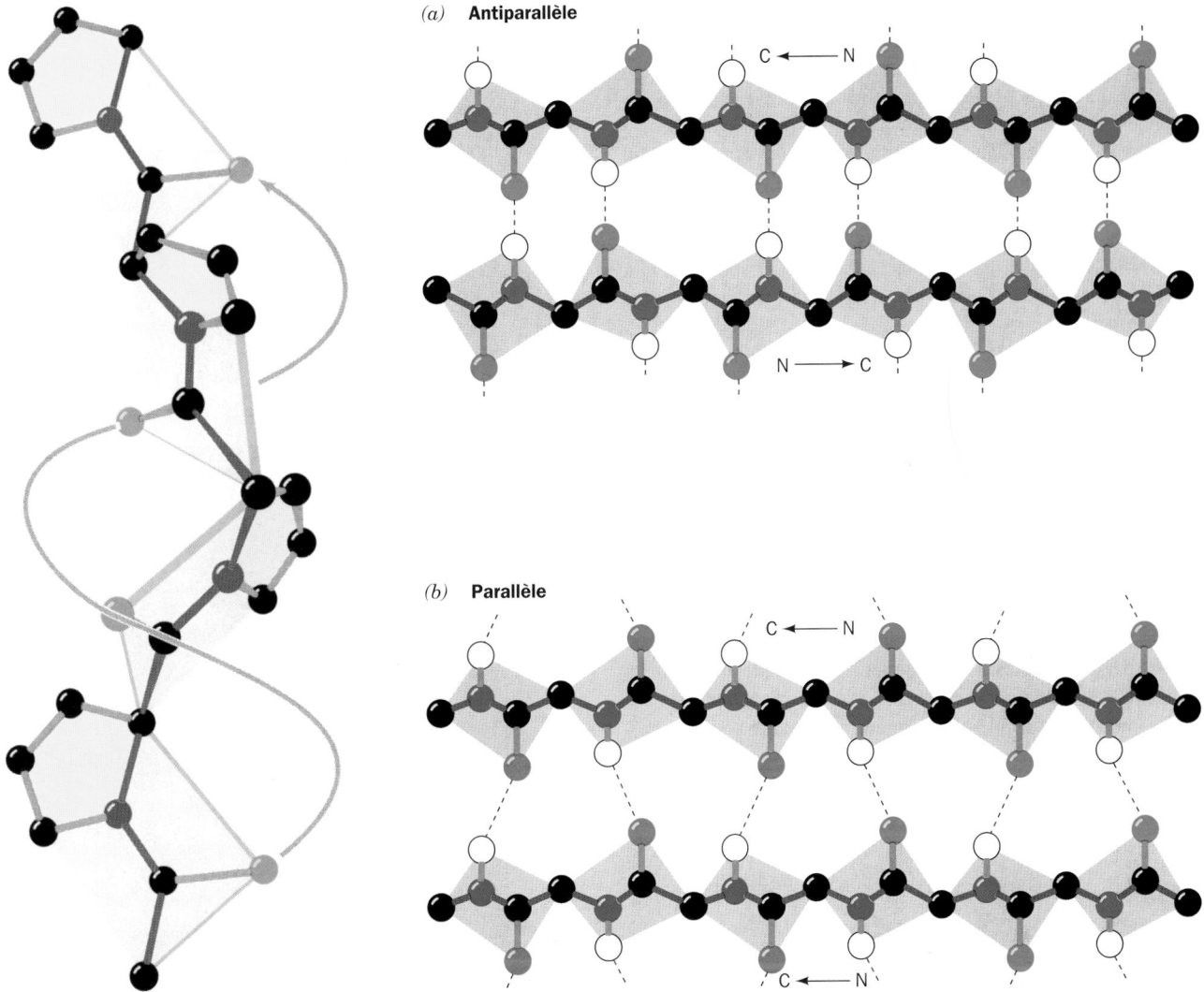

(a) **Antiparallèle**

C ← N

N ← C

(b) **Parallèle**

C ← N

C ← N

FIGURE 8-15 L'hélice de la polyproline II. La polyglycine forme une hélice pratiquement identique (**polyglycine II**). [Copyright Irving Geis].

FIGURE 8-16 Feuillets plissés β. Les liaisons hydrogène sont indiquées par des lignes en pointillés. Les chaînes latérales ne sont pas représentées pour plus de clarté. *(a)* Feuillet plissé β antiparallèle. *(b)* Feuillet plissé β parallèle. [Copyright Irving Geis.]

être droite ou gauche puisque Gly n'est pas chirale). Les structures des hélices de la polyglycine et de la polyproline ont une signification biologique car elles constituent le motif structural de base du collagène, protéine structurale qui contient de fortes proportions de Gly et de Pro (Section 8-2B).

C. *Les structures β*

En 1951, l'année où Pauling et Corey proposèrent l'hélice α, ils postulèrent également l'existence d'une structure secondaire polypeptidique différente, le **feuillet plissé β.** Comme pour l'hélice α, la conformation du feuillet β a des angles φ et ψ successifs qui se situent dans la région autorisée du diagramme de Ramachandran (Fig. 8-7) et elle utilise le maximum de liaisons hydrogène possibles du squelette polypeptidique. *Dans les feuillets plissés β, cependant, les liaisons hydrogène s'établissent entre chaînes polypeptidiques voisines* plutôt qu'à l'intérieur d'une chaîne comme dans les hélices α.

Les feuillets plissés β présentent deux variétés :

1. Le feuillet plissé β antiparallèle, dans lequel les chaînes polypeptidiques voisines unies par liaisons hydrogène sont dirigées en sens inverse l'une par rapport à l'autre (Fig. 8-16a).

2. Le feuillet plissé β parallèle, dans lequel les chaînes unies par liaisons hydrogène sont dirigées dans le même sens (Fig. 8-16b).

Les conformations qui permettent à ces structures β d'établir un nombre de liaisons hydrogène maximum diffèrent quelque peu de celles d'un polypeptide en pleine extension (φ = ψ = ±180°) comme l'indique la Fig. 8-7. Elles présentent donc en apparence des bords ondulés ou plissés (Fig. 8-17) d'où l'appellation

« feuillet plissé ». Dans cette conformation, les chaînes latérales successives d'un polypeptide se projettent de part et d'autre du feuillet plissé, la distance entre deux résidus étant de 7,0 Å.

Les feuillets β sont des motifs structuraux fréquents dans les protéines. Dans les protéines globulaires, ils représentent de 2 à 15 segments polypeptidiques, soit une largeur moyenne d'environ 25 Å, le nombre moyen étant de 6 segments. Les chaînes polypeptidiques dans un feuillet plissé peuvent avoir jusqu'à 15 résidus de long, la moyenne étant de 6 résidus, soit une longueur d'environ 21 Å. On trouve, par exemple, un feuillet β antiparallèle à 6 segments dans la concanavaline A (Fig. 8-18), protéine du haricot sabre.

Les feuillets β parallèles de moins de cinq segments sont rares. Ce constat suggère que les feuillets β parallèles sont moins stables que les feuillets β antiparallèles, probablement parce que les liaisons hydrogène des feuillets parallèles sont déformées comparées à celles des feuillets antiparallèles (Fig. 8-16). On trouve couramment des feuillets β où coexistent les dispositions parallèle et antiparallèle, bien que seulement ~20 % des segments des feuillets β présentent des liaisons parallèles d'un côté et antiparallèles de l'autre, plutôt que les 50 % que l'on attendrait si cette coexistence se faisait au hasard.

Les feuillets β des protéines globulaires font invariablement un tour de pas à droite accentué lorsqu'on les observe le long de leurs segments polypeptidiques (voir Fig. 8-19). De tels feuillets β tournants sont des éléments architecturaux importants pour les protéines globulaires car les feuillets β forment souvent leurs noyaux centraux (Fig. 8-19). Des calculs sur l'énergie de conformation

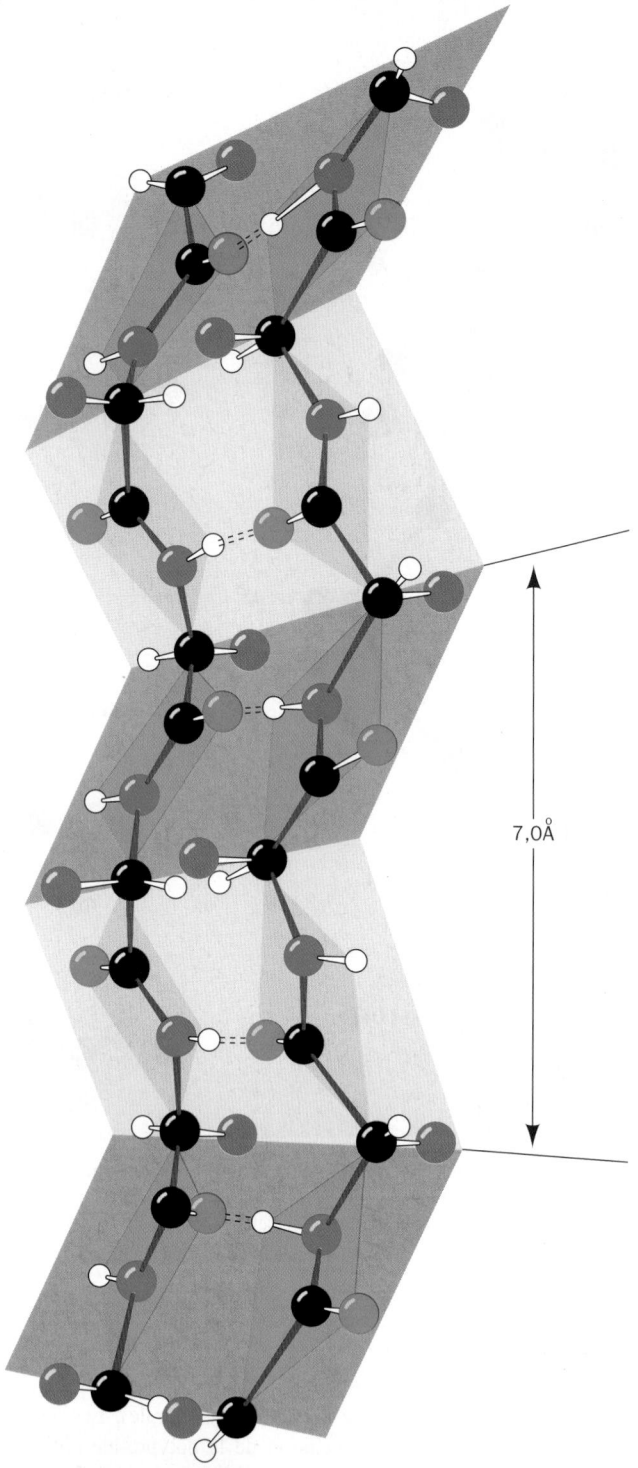

7,0 Å

FIGURE 8-17 Feuillet plissé β antiparallèle à deux segments représenté pour mettre en évidence son aspect plissé. Les lignes en pointillés indiquent les liaisons hydrogène. Noter que les groupements R (*boules en violet*) de chaque chaîne polypeptidique se projettent alternativement sur les côtés opposés du feuillet et qu'ils sont en phase sur les chaînes adjacentes. [Copyright Irving Geis.]

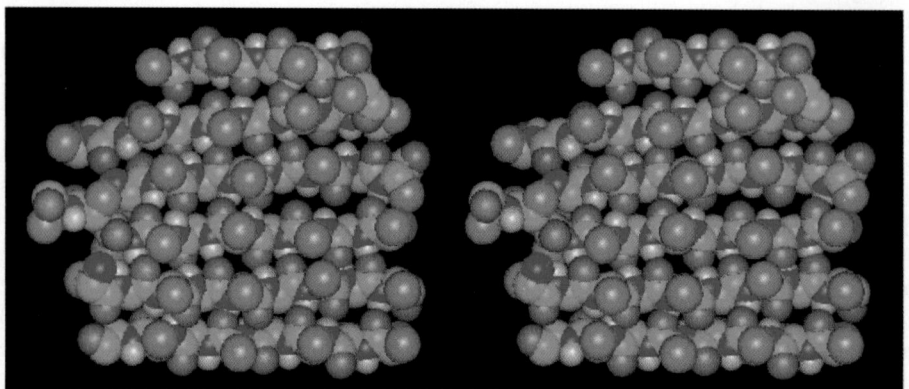

FIGURE 8-18 Représentation en modèle compact stéréo des six segments en feuillet plissé β antiparallèle de la concanavaline A du haricot sabre déterminée par analyse de la structure par rayons X. Dans la chaîne principale, les atomes de carbone sont en vert, les atomes d'azote en bleu, les atomes d'oxygène en rouge et les atomes d'hydrogène en blanc. Les groupements R sont représentés par des grosses boules en violet. Des conseils pour visualiser des représentations stéréo sont donnés dans l'appendice de ce chapitre.

(a)

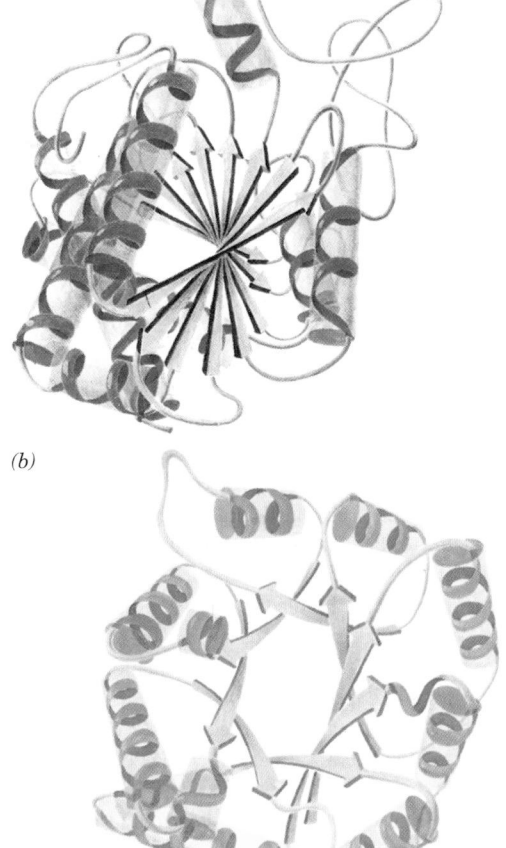

(b)

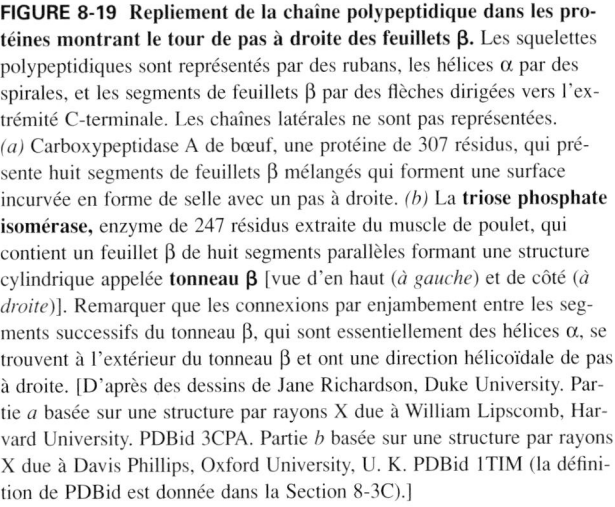

FIGURE 8-19 Repliement de la chaîne polypeptidique dans les protéines montrant le tour de pas à droite des feuillets β. Les squelettes polypeptidiques sont représentés par des rubans, les hélices α par des spirales, et les segments de feuillets β par des flèches dirigées vers l'extrémité C-terminale. Les chaînes latérales ne sont pas représentées. *(a)* Carboxypeptidase A de bœuf, une protéine de 307 résidus, qui présente huit segments de feuillets β mélangés qui forment une surface incurvée en forme de selle avec un pas à droite. *(b)* La **triose phosphate isomérase,** enzyme de 247 résidus extraite du muscle de poulet, qui contient un feuillet β de huit segments parallèles formant une structure cylindrique appelée **tonneau β** [vue d'en haut (*à gauche*) et de côté (*à droite*)]. Remarquer que les connexions par enjambement entre les segments successifs du tonneau β, qui sont essentiellement des hélices α, se trouvent à l'extérieur du tonneau β et ont une direction hélicoïdale de pas à droite. [D'après des dessins de Jane Richardson, Duke University. Partie *a* basée sur une structure par rayons X due à William Lipscomb, Harvard University. PDBid 3CPA. Partie *b* basée sur une structure par rayons X due à Davis Phillips, Oxford University, U. K. PDBid 1TIM (la définition de PDBid est donnée dans la Section 8-3C).]

(a)   *(b)*

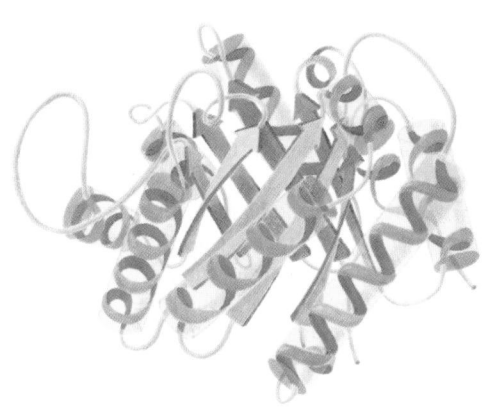

(c)

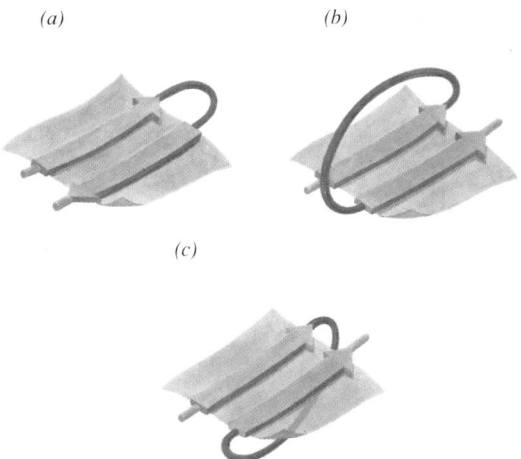

indiquent que le tour de pas à droite d'un feuillet β est la conséquence d'interactions sans liaison entre les résidus de L-aminoacides chiraux des chaînes polypeptidiques en extension du feuillet. Ces interactions tendent à donner aux chaînes polypeptidiques une légère torsion hélicoïdale de pas à droite (Fig. 8-19) qui déforme et donc affaiblit les liaisons hydrogène intercaténaires du feuillet β. La géométrie particulière d'un feuillet β est donc le résultat d'un compromis entre l'optimisation des énergies de conformation de ses chaînes polypeptidiques et le maintien de ses liaisons hydrogène.

La **topologie** (connectivité) des segments polypeptidiques d'un feuillet β peut être très complexe ; les liens de connexion de ces assemblages sont souvent constitués de longues portions de la chaîne polypeptidique qui contiennent fréquemment des hélices (voir Fig. 8-19). Le lien qui relie deux segments antiparallèles consécutifs équivaut topologiquement à un simple virage en épingle à cheveux (Fig. 8-20a). Toutefois, des segments parallèles en tandem doivent être réunis par un enjambement qui sort du plan du feuillet β. De telles connexions présentent presque toujours une structure hélicoïdale de pas à droite (Fig. 8-20b), dont on pense

FIGURE 8-20 Connexions entre segments polypeptidiques adjacents dans les feuillets plissés β. *(a)* La connexion en épingle à cheveux entre deux segments antiparallèles se trouve dans le plan du feuillet. *(b)* Connexion par enjambement de pas à droite entre deux segments successifs d'un feuillet β parallèle. Presque toutes les connexions de ce type ont cette chiralité (voir, par exemple, la Fig. 8-19b). *(c)* Connexion par enjambement de pas à gauche entre des segments de feuillet β parallèle. Des connexions ayant cette chiralité sont rares. [D'après Richardson, J.S., *Adv. Protein Chem.* **34,** 290, 295 (1981).]

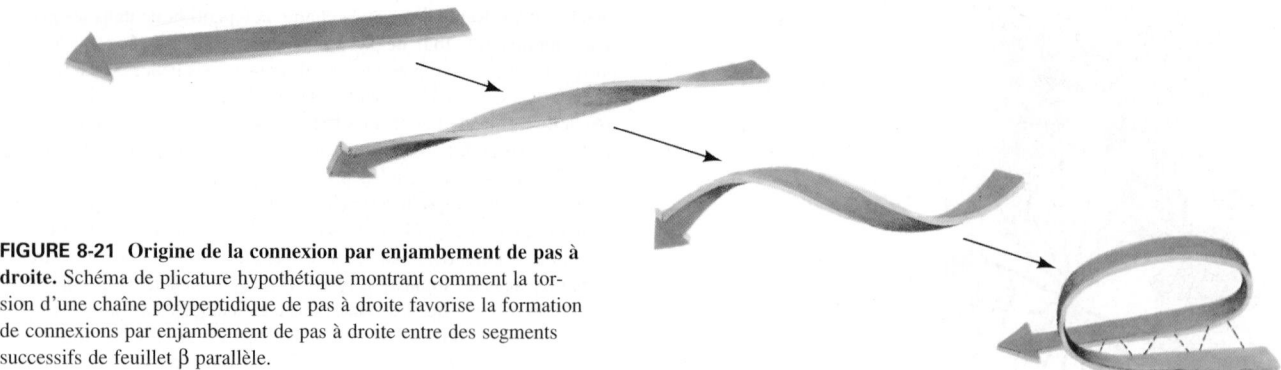

FIGURE 8-21 Origine de la connexion par enjambement de pas à droite. Schéma de plicature hypothétique montrant comment la torsion d'une chaîne polypeptidique de pas à droite favorise la formation de connexions par enjambement de pas à droite entre des segments successifs de feuillet β parallèle.

qu'elle est plus appropriée au tour de pas à droite inhérent au feuillet β (Fig. 8-21).

D. Structures non répétitives

Les structures secondaires régulières – hélices et feuillets β – correspondent, en moyenne, à la moitié d'une protéine globulaire. On dit que les segments polypeptidiques restants de la protéine ont une conformation en **solénoïde (coil)** ou **en boucle**. Cela ne veut pas dire pour autant que ces structures secondaires non répétitives sont moins ordonnées que ne le sont les hélices ou les feuillets β ; elles sont seulement irrégulières et donc plus difficiles à décrire. Il ne faut donc pas confondre le terme conformation en boucle avec le terme **enroulement au hasard (random coil)**, qui désigne l'ensemble des conformations totalement désordonnées et fluctuantes prises par les protéines dénaturées et d'autres polymères en solution.

Les protéines globulaires sont constituées en grande partie de séquences à peu près droites de structure secondaire reliées par des segments de polypeptide qui changent brusquement de direction.

De tels **retours en arrière** ou **coudes β** (appelés ainsi car ils relient souvent plusieurs segments successifs de feuillets β antiparallèles) se trouvent presque toujours à la surface des protéines ; de fait, ils délimitent en partie ces surfaces. La plupart des coudes β font intervenir quatre résidus successifs plus ou moins disposés selon l'une des deux possibilités, Type I et Type II, qui diffèrent par un retournement de 180° de l'unité peptidique qui relie les résidus 2 et 3 (Fig. 8-22). Les deux types de coude β sont stabilisés par une liaison hydrogène bien que des déformations de ces conformations idéales provoquent souvent la rupture de cette liaison. Les coudes β de type I peuvent être considérés comme des portions déformées de l'hélice 3_{10}. Dans les coudes β de type II, l'atome d'oxygène du résidu 2 se tasse sur l'atome C_β du résidu 3, qui est donc généralement Gly. Le résidu 2 de l'un ou l'autre des types de coude β est souvent Pro car il peut alors prendre facilement la conformation requise.

Presque toutes les protéines qui ont plus de 60 résidus contiennent une ou plusieurs boucles de 6 à 16 résidus qui ne font partie ni des hélices, ni des feuillets β, et dont les distances d'une extrémité à l'autre sont inférieures à 10 Å. De telles **boucles Ω** (ainsi

(a) **Coude β de Type I**   *(b)* **Coude β de Type II**

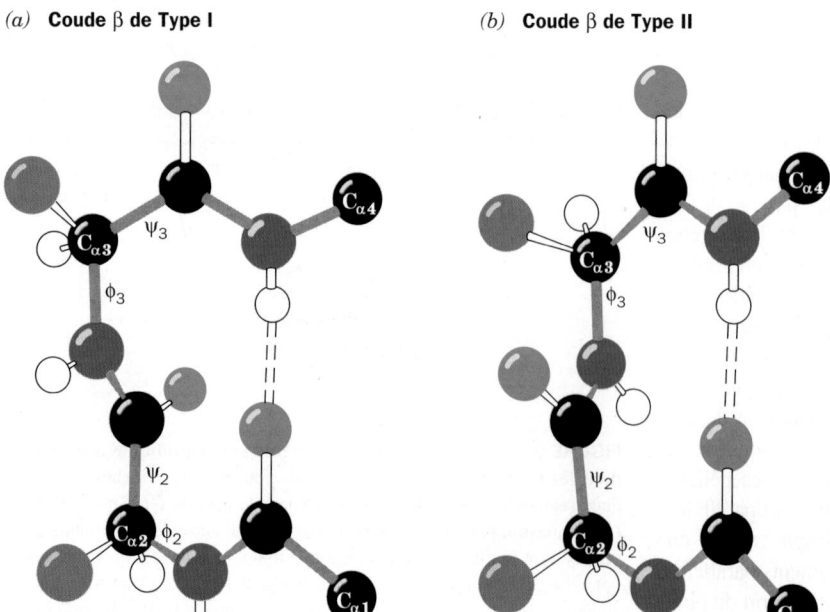

FIGURE 8-22 Changements de direction dans les chaînes polypeptidiques. *(a)* Coude β de Type I, dont les angles de torsion sont les suivants :

$$\phi_2 = -60°, \ \psi_2 = -30°,$$
$$\phi_3 = -90°, \ \psi_3 = 0°.$$

(b) Coude β de Type II dont les angles de torsion sont les suivants :

$$\phi_2 = -60°, \ \psi_2 = 120°,$$
$$\phi_3 = 90°, \ \ \psi_3 = 0°.$$

Des variations qui peuvent s'éloigner de 30° de ces valeurs idéales d'angles de conformation sont courantes. Les liaisons hydrogène sont figurées en pointillés. [Copyright Irving Geis.]

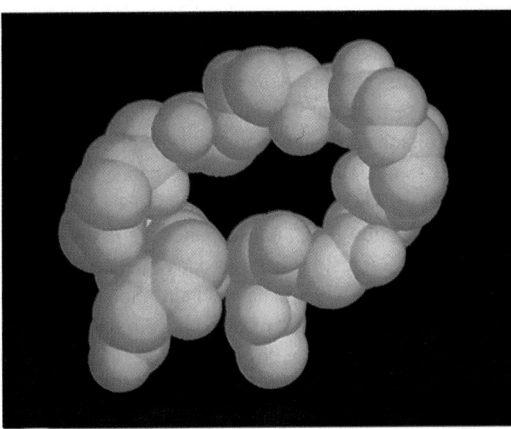

FIGURE 8-23 Représentation en modèle plein d'une boucle Ω qui va des résidus 40 à 54 du cytochrome *c*. Seuls les atomes du squelette sont représentés ; l'addition des chaînes latérales remplirait la boucle. [Avec la permission de George Rose, Washington University School of Medecine.]

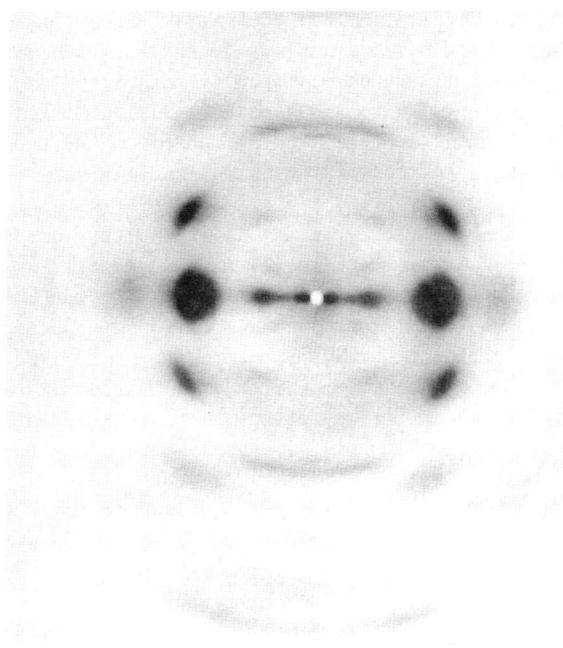

FIGURE 8-24 Photographie de diffraction des rayons X par une fibre de soie de *Bombyx mori*. Ce document a été obtenu en projetant un faisceau de rayons X monochromatiques à travers la fibre de soie et en enregistrant les rayons X diffractés sur un film photographique placé derrière la fibre. La photographie ne montre que quelques taches et n'apporte que peu de renseignements structuraux. [D'après March, R.E., Corey, R.B., et Pauling, L., *Biochim. Biophys. Acta* **16**, 5 (1955).]

appelées car elles ont la forme de la lettre grecque majuscule oméga ; Fig. 8-23), qui peuvent contenir plusieurs coudes β, sont des entités globulaires compactes car leurs chaînes latérales ont tendance à remplir leur cavité interne. Comme les boucles Ω sont presque toujours localisées à la surface de la protéine, il est possible qu'elles jouent un rôle important dans les processus de reconnaissance biologique.

Beaucoup de protéines présentent des régions véritablement désordonnées. Des groupements de surface étirés et chargés comme la chaîne latérale de Lys ou les extrémités N- et C-terminales des polypeptides en sont de bons exemples : ils oscillent en solution car peu de forces sont présentes pour les maintenir en place (Section 8-4). Il arrive que des segments entiers d'une chaîne polypeptidique soient désordonnés. De tels segments peuvent jouer un rôle fonctionnel, par exemple se lier à une molécule particulière, si bien qu'ils peuvent être désordonnés pour un état de la protéine (absence de la molécule) et ordonnés pour un autre état (liaison de la molécule). Ce mécanisme permet à une protéine d'entrer en contact de façon souple avec une autre molécule pour accomplir sa fonction biologique.

2 ■ LES PROTÉINES FIBREUSES

Les *protéines fibreuses* sont des molécules très allongées dont les structures secondaires sont les motifs structuraux dominants. Beaucoup de protéines fibreuses, comme celles de la peau, des tendons et des os, servent de matériel structural jouant un rôle de protection, de connexion ou de soutien chez les organismes. D'autres, les protéines musculaires et ciliaires par exemple, ont des fonctions motrices. Dans cette section, nous étudierons les relations structure-fonction de deux protéines fibreuses bien caractérisées : la kératine et le collagène (les protéines musculaires et ciliaires seront étudiées dans la Section 35-3). La simplicité structurale de ces protéines comparée aux structures des protéines globulaires (Section 8-3) les rend particulièrement propres à faire comprendre la bonne adaption de leur structure à leur rôle biologique.

Les molécules fibreuses cristallisent rarement et ne peuvent donc généralement pas être soumises à l'analyse par rayons X pour déterminer leur structure (Section 8-3A). Au lieu de cristalliser, elles s'associent en fibres dans lesquelles leurs longs axes moléculaires sont plus ou moins parallèles à l'axe de la fibre sans présenter toutefois d'orientation spécifiques dans d'autres directions. Le spectre de diffraction par rayons X d'une telle fibre, Fig. 8-24 par exemple, apporte peu d'informations, en tous cas beaucoup moins que n'en apporterait la protéine fibreuse si on pouvait la cristalliser. Par conséquent, les structures des protéines fibreuses ne sont pas connues de façon très détaillée. Cependant, les premières études de protéines par rayons X ont été effectuées au début des années 1930 par William Astbury sur des fibres de protéines très faciles à se procurer comme celles de laine et de tendon. Puisque la première structure par rayons X d'une protéine cristallisée ne fut pas élucidée avant la fin des années 1950, ces études sur les fibres ont constitué les étapes préliminaires pour élucider les principes structuraux qui s'appliquent aux protéines et elles ont été la base expérimentale principale qui a permis à Pauling de formuler les structures de l'hélice α et du feuillet β.

A. *La kératine α – une hélice d'hélices*

La **kératine** est une protéine mécaniquement résistante et chimiquement inerte que l'on trouve chez tous les vertébrés supérieurs. C'est le constituant principal de la couche cornée externe de l'épiderme, qui peut représenter jusqu'à 85 % des protéines cellulaires, et de ses appendices tels que les cheveux, les cornes, les ongles et les plumes. On distingue les **kératines α**, que l'on trouve chez les mammifères, et les **kératines β**, que l'on trouve chez les oiseaux et les reptiles. Les mammifères possèdent plus de 30 gènes codant la kératine, dont l'expression est histo-spécifique. Les kératines appartiennent à des familles de polypeptides relativement acides (Type I) ou relativement basiques (Type II). Les filaments de kératine, qui constituent les filaments intermédiaires des cellules de la peau (Section 1-2A), doivent contenir au moins un membre de chaque type.

Des études par microscopie électronique ont montré que le cheveu, constitué essentiellement de kératine α, est formé de structures hiérarchisées (Fig. 8-25 et 8-26). Un cheveu typique a un diamètre d'environ 20 μm et est formé de cellules mortes, chacune d'elles contenant des **macrofibrilles** groupées (environ 2000 Å de diamètre) qui sont orientées parallèlement à la fibre du cheveu (Fig. 8-25). Les macrofibrilles sont construites à partir de **microfibrilles** (environ 80 Å de large) qui sont collées ensemble par une matrice protéique amorphe à forte teneur en soufre.

A l'échelle moléculaire, le spectre de diffraction des rayons X de la kératine α correspond à celui d'une hélice α (d'où le nom kératine α). Cependant, la kératine α présente un espacement de 5,1 Å au lieu de 5,4 Å, longueur caractéristique du pas de l'hélice α. Compte tenu de cette observation et d'un certain nombre de preuves physiques et chimiques, il s'est avéré que les *kératines α sont constituées de paires étroitement associées d'hélices α, chaque paire étant formée d'une chaîne de kératine de Type I et d'une chaîne de Type II qui s'enroulent l'une autour de l'autre avec un pas à gauche (Fig. 8-26a).* La distance répétée de 5,4 Å caractéristique du pas de chaque hélice α se trouve ainsi diminuée par rapport à l'axe de cette association, d'où l'espacement de 5,1 Å observé. On dit que cette association a une structure de **spire enroulée** car chaque axe d'hélice α est lui-même hélicoïdal.

La conformation de la spire enroulée de la kératine α est une conséquence de sa structure primaire : le segment central d'environ 310 résidus de chaque chaîne polypeptidique présente une séquence répétitive à peu près constante de 7 résidus *a-b-c-d-e-f-g*, avec des résidus non polaires prédominants en *a* et en *d*. Puisqu'il y a 3,6 résidus par tour dans une hélice α, les résidus *a* et *d* de la kératine α se trouvent l'un en dessous de l'autre sur un côté de l'hélice, formant ainsi une bande hydrophobe qui permet une association sur toute sa longueur avec une bande identique d'une autre hélice α (Fig. 8-27 ; les résidus hydrophobes, comme nous le verrons dans la Section 8-4C, ont tendance à s'associer). C'est la légère différence – 3,6 résidus par tour dans l'hélice α, contre environ 3,5 résidus pour retrouver la bande hydrophobe de la kératine – qui est responsable de l'enroulement de la spire enroulée. L'angle de 18° que forment entre elles les deux hélices permet aux bords des chaînes latérales d'une hélice de s'encastrer dans les sillons formés par celles de l'autre hélice, augmentant ainsi fortement leurs interactions. Les spires enroulées, comme nous le verrons, se trouvent fréquemment dans les protéines globulaires ainsi que dans d'autres protéines fibreuses.

La structure des kératines α à un niveau supérieur n'est pas très bien comprise. Les domaines N- et C-terminaux de chaque polypeptide présentent une conformation assez souple qui facilite l'association des spires enroulées pour donner des protofilaments d'environ 30 Å de large. On pense que ceux-ci sont constitués de deux rangées antiparallèles de spires enroulées et décalées, alignées tête-bêche (Fig. 8-26b). Deux protofilaments constitueraient la protofibrille d'environ 50 Å de large, quatre protofibrilles formant, à leur tour, une microfibrille (Fig. 8-26c).

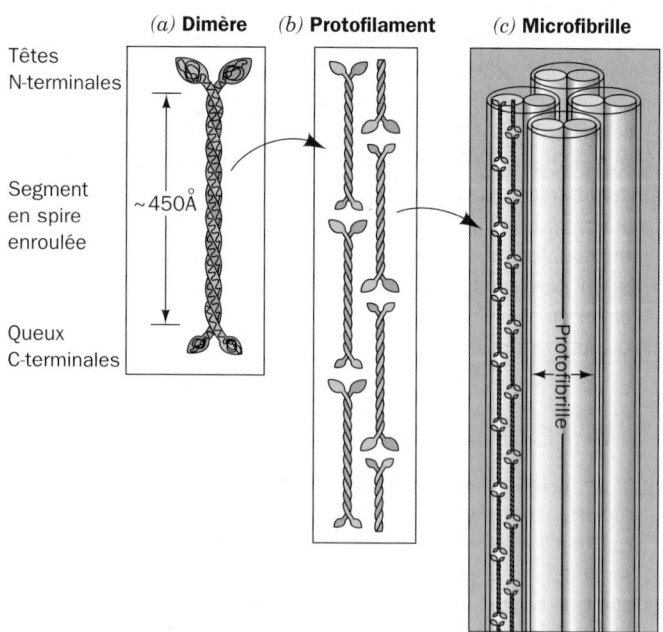

FIGURE 8-26 Structure de la kératine α. *(a)* Les 310 résidus (environ) centraux de chaque chaîne polypeptidique de kératine α de Type I et de Type II s'associent pour former une spire enroulée dimérique. Les conformations des domaines globulaires N- et C-terminaux des polypeptides ne sont pas connues. *(b)* Les protofilaments sont formés à partir de deux rangs décalés et antiparallèles de spires enroulées associées en tête à queue. *(c)* Les protofilaments se dimérisent pour former une protofibrille, quatre protofibrilles formant une microfibrille. Les structures de ces dernières associations sont mal connues ; elles pourraient former des réseaux en hélices.

FIGURE 8-25 L'organisation macroscopique d'un cheveu. [Copyright Irving Geis.]

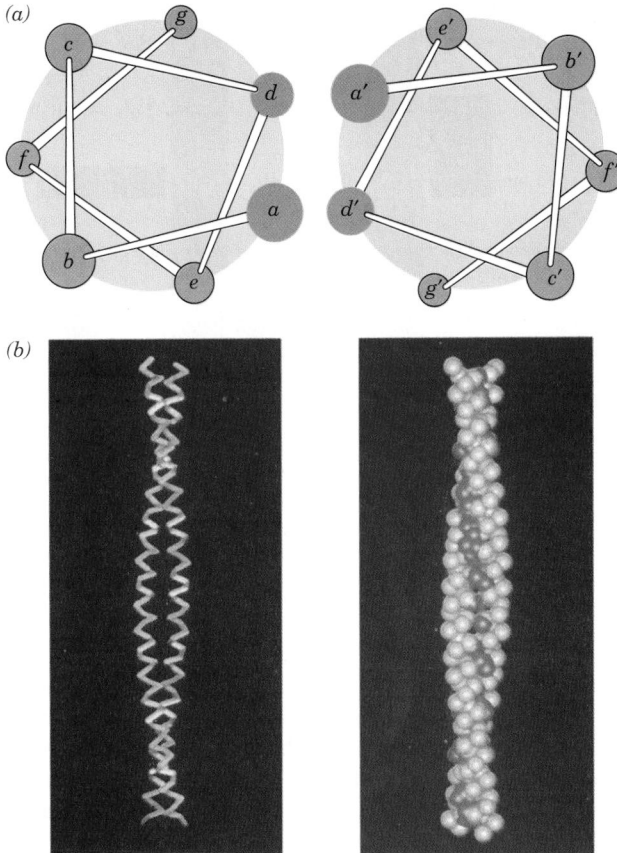

(a)

(b)

FIGURE 8-27 Spire enroulée à deux segments. *(a)* Vue vers le bas dans l'axe de la spire montrant les interactions entre les bords non polaires des hélices α. Les hélices α présentent une séquence heptamérique pseudo-répétitive *a-b-c-d-e-f-g* dans laquelle les résidus *a* et *d* sont essentiellement non polaires.[D'après McLachlan, A.D. et Stewart, M., *J. Mol. Biol.* **98**, 295 (1975).] *(b)* Vue latérale de l'ossature de la chaîne polypeptidique (*à gauche*) et de sa représentation en modèle plein (*à droite*). Noter l'emboîtement des chaînes latérales non polaires en contact (sphères en rouge) dans le modèle compact. [Avec la permission de Carolyn Cohen, Brandeis University.]

La kératine α est riche en résidus Cys qui forment des ponts disulfure reliant ainsi les chaînes polypeptidiques adjacentes. Ceci explique son insolubilité et sa résistance à l'étirement, deux des propriétés biologiques les plus importantes des kératines α. On distingue les kératines α « dures » et « molles » selon qu'elles ont une teneur élevée ou faible en soufre. Les kératines dures, telles que celles des cheveux, des cornes et des ongles, sont moins flexibles que les kératines molles, comme celles de la peau et des cals, car les ponts disulfure s'opposent à toute force qui pourrait les déformer. Les ponts disulfure peuvent être rompus par réduction sous l'action de mercaptans (Section 7-1B). Les cheveux ainsi traités peuvent être bouclés et arrangés en « ondulation permanente » sous l'action d'un agent oxydant qui rétablit des ponts disulfure dans la nouvelle conformation bouclée. Bien que l'insolubilité des kératines α rende leur digestion impossible par la plupart des animaux, les larves de mites, qui ont une concentration importante de mercaptans dans leur tractus digestif, peuvent les digérer, au grand dam des propriétaires de vêtements en laine.

L'élasticité des cheveux et des fibres de laine est due au déroulement des spires enroulées lorsqu'on les étire et au fait qu'elles retrouvent leur conformation originale sitôt que la force d'étirement ne s'exerce plus. Cependant, après rupture de quelques ponts disulfure, une fibre de kératine α peut être étirée jusqu'à plus de deux fois sa longueur initiale sous l'action d'une chaleur humide. Au cours de ce processus, comme le montre l'analyse par rayons X, la structure α s'allonge avec réarrangement concomitant de ses liaisons hydrogène pour aboutir à un feuillet plissé β. La kératine β, telle que celle des plumes, donne un cliché par rayons X identique lorsqu'elle est sous forme native (appelée donc feuillet β).

a. Des défauts dans la kératine altèrent l'intégrité de la peau

Les maladies hériditaires **épidermolyse bulleuse simplex (EBS)** et **hyperkératose épidermolytique (EHK)** sont caractérisées par des ampoules dues à la rupture, respectivement, des cellules basales (Fig. 1-14*d*) et suprabasales de l'épiderme à la suite de tensions mécaniques normalement sans danger. Les différents symptômes de cette maladie vont de l'incapacité grave, en particulier chez le jeune enfant, jusqu'à des formes à peine visibles. Chez les familles qui souffrent d'EBS, on peut trouver des anomalies de séquence dans la kératine 14 ou dans la kératine 5, qui sont les kératines principales de Types I et II des cellules basales de la peau. De même, dans le cas de l'EHK, on trouve des défauts dans les kératines 1 ou 10, les principales kératines de Types I et II des cellules suprabasales (issues par différenciation des cellules basales, processus où la synthèse des kératines 14 et 5 est arrêtée, tandis que celle des kératines 1 et 10 est mise en marche). Bien évidemment, ces défauts interfèrent avec la formation normale des filaments, prouvant ainsi la fonction du cytosquelette kératinique dans le maintien de l'intégrité mécanique de la peau.

B. *Le collagène – un câble à trois hélices*

On trouve du **collagène** (du grec *kolla*, colle) chez tous les animaux pluricellulaires et il constitue la protéine la plus abondante des vertébrés. C'est une protéine extracellulaire organisé en fibres insolubles très résistantes à la tension. Ceci explique que le collagène soit le principal constituant qui confère leur résistance aux **tissus conjonctifs** comme les os, les dents, les cartilages, les tendons, les ligaments et les matrices fibreuses de la peau et des vaisseaux sanguins. On trouve du collagène pratiquement dans tous les tissus.

Les mammifères possèdent au moins 33 chaînes polypeptidiques d'origine génique distincte qui forment au moins 20 types de collagène que l'on trouve dans les différents tissus d'un même individu. Les plus importants d'entre eux sont donnés dans le Tableau 8-2. Une seule molécule de collagène de Type I a une

TABLEAU 8-2 Les types de collagène les plus abondants

Type	Composition de la chaîne	Distribution
I	$[\alpha 1(I)]_2 \alpha 2(I)$	Peau, os, tendons, vaisseaux sanguins, cornée
II	$[\alpha 1(II)]_3$	Cartilage, disques intervertébraux
III	$[\alpha 1(III)]_3$	Vaisseaux sanguins, peau fœtale

Source : Eyre, D.R., *Science* **207**, 1316 (1980).

masse moléculaire de l'ordre de 285 kD, une largeur d'environ 14 Å, et une longueur de l'ordre de 3000 Å. Elle est constituée de trois chaînes polypeptidiques.

Le collagène a une composition en acides aminés particulière. Près d'un tiers des résidus sont des Gly ; en outre, entre 15 et 30 % des résidus sont Pro et **Hyp** *(4-hydroxyproline)* :

Résidu 4-hydroxyprolyl (Hyp)

Résidu 3-hydroxyprolyl

Résidu 5-hydroxylysyl (Hyl)

On trouve également la **3-hydroxyproline** et la **5-hydroxylysine (Hyl)** dans le collagène, quoiqu'en plus petites quantités. Des expériences de marquage radioactif ont montré que ces acides aminés hydroxylés non standard ne sont pas incorporés dans le collagène pendant la synthèse polypeptidique : si l'on administre à des rats de la ^{14}C-4-hydroxyproline, le collagène synthétisé n'est pas radioactif, alors que l'on trouve du collagène radioactif si les rats sont nourris avec de la ^{14}C-proline. Les résidus hydroxylés sont formés après synthèse des polypeptides du collagène, quand certains résidus Pro sont transformés en Hyp par une réaction catalysée par l'enzyme **prolyl hydroxylase.**

L'Hyp stabilise le collagène, probablement par l'intermédiaire de liaisons hydrogène intramoléculaires qui impliquent des pontages avec des molécules d'eau. Si, par exemple, le collagène est synthétisé dans des conditions qui inactivent la prolyl hydroxylase, il perd sa conformation native (il est dénaturé) à 24 °C, alors que le collagène normal est dénaturé à 39 °C (le collagène dénaturé est appelé **gélatine**). La prolyl hydroxylase nécessite de l'**acide ascorbique (vitamine C)**

Acide ascorbique (vitamine C)

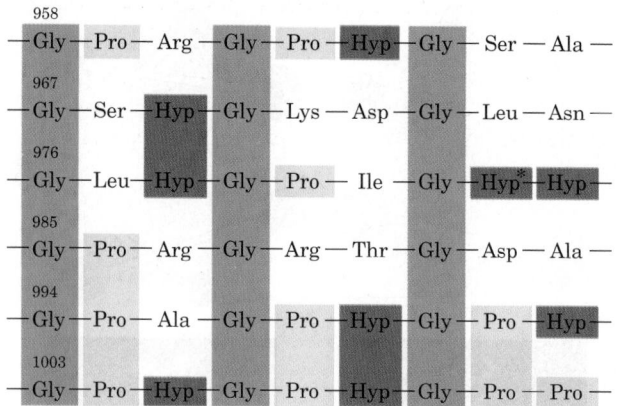

FIGURE 8-28 **Séquence en acides aminés de l'extrémité C-terminale de la région en triple hélice de la chaîne de collagène α1(I) de bœuf.** Remarquer les triplets répétitifs Gly-X-Y, où X est souvent Pro et Y est souvent Hyp. Gly est ombré en violet, Pro en beige, et Hyp et Hyp* (3-hydroxyPro) en brun. [D'après Bornstein, P. and Traub, W., *in* Neurath, H. et Hill, R.L., (Eds), *The Proteins* (3e éd.), Vol. 4, *p.* 483, Academic Press (1979).]

pour être enzymatiquement active. Dans le **scorbut,** maladie mortelle due à une déficience en vitamine C, le collagène synthétisé ne peut former des fibres correctement, ce qui entraîne des lésions de la peau, une fragilité des vaisseaux sanguins, et des cicatrisations laborieuses.

a. Le collagène a une structure en triple hélice

La séquence en acides aminés du collagène α1(I) de bœuf, qui est semblable à celle des autres collagènes, est une répétition monotone de triplets de séquence Gly-X-Y sur une longueur de 1011 résidus alors que le polypeptide a 1042 résidus (Fig. 8-28). X est souvent Pro et Y est souvent Hyp. Le fait que Hyp soit en position Y est dû à la spécificité de la prolyl hydroxylase. Hyl ne se trouve également qu'en position Y.

Les teneurs élevées en Gly, Pro, et Hyp du collagène suggèrent que la conformation du squelette polypeptidique est analogue à celles des hélices de polyglycine II et de polyproline II (Fig. 8-15). Des modèles moléculaires et des études par diffraction des rayons X réalisées par Alexander Rich et Francis Crick sur fibres de collagène en 1955, ont conduit ceux-ci à proposer que *les trois chaînes polypeptidiques du collagène, qui séparément ressemblent aux hélices de polyproline II, sont parallèles et s'enroulent les unes autour des autres avec une légère torsion de pas à droite comme dans un cordage, pour donner une structure en triple hélice (Fig. 8-29).* Il a fallu cependant attendre 1994 pour que Helen Berman et Barbara Brodsky confirment cette hypothèse sur base de la diffraction des rayons X par un cristal du polypeptide (Pro-Hyp-Gly)$_{10}$ dans lequel le cinquième Gly est remplacé par Ala (Fig. 8-30*a*). Dans une telle structure, chaque troisième résidu de chaque chaîne polypeptidique passe au centre de la triple hélice, qui se trouve si encombré que seule la chaîne latérale de Gly peut convenir (Fig. 8-30*b*). Cet encombrement explique la nécessité absolue qu'il y ait un Gly à chaque troisième position d'une chaîne polypeptidique du collagène (Fig. 8-28). Il faut également que les trois chaînes polypeptidiques soient décalées afin que les résidus Gly, X et Y des trois chaînes soient au même niveau (Fig. 8-30*c*).

FIGURE 8-29 La triple hélice du collagène. Cette illustration montre comment les hélices polypeptidiques de pas à gauche s'enroulent ensemble pour former une structure superhélicoïdale de pas à droite. Les cordes et les câbles sont construits aussi à partir de faisceaux de fibres hiérarchisés qui s'enroulent alternativement dans des directions opposées. Une hélice polypeptidique de collagène isolée a 3,3 résidus par tour et un pas de 10,0 Å (comparée à l'hélice de polyproline II qui a 3,0 résidus par tour et un pas de 9,4 Å ; Fig. 8-15). La triple hélice du collagène a 10 unités Gly-X-Y par tour et un pas de 86,1 Å. [Copyright Irving Geis.]

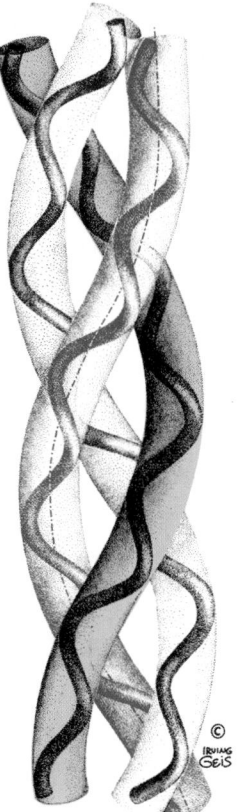

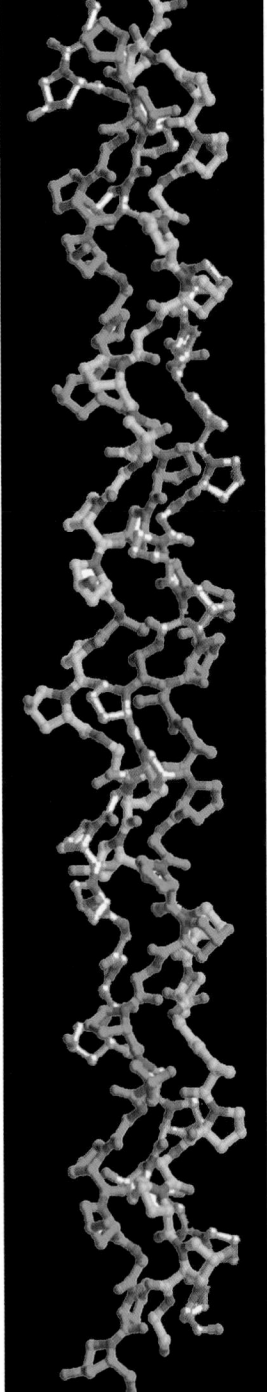

FIGURE 8-30 Structure par rayons X du peptide modèle de la triple hélice du collagène (Pro-Hyp-Gly)$_{10}$, dans lequel la cinquième Gly est remplacée par Ala. (*a*) Représentation en « boules et bâtonnets » de la triple hélice vue avec l'axe de l'hélice disposé verticalement et ses extrémités N-terminales au dessus. Les atomes C des trois chaînes polypeptidique différentes sont en or, magenta et blanc, sauf ceux de Ala qui sont en vert. Les atomes N et O de toutes les chaînes sont respectivement en bleu et en rouge. Comparer cette structure avec celle de la Fig. 8-29.
(*b*) Vue, à peu près dans l'axe de l'hélice, à partir de ses extrémités N-terminales montrant les associations intercaténaires par liaisons hydrogène dans une région riche en Gly de la triple hélice. Trois résidus consécutifs de chaque chaîne sont montrés en « boules et bâtonnets » avec C en vert, N en bleu, et O en rouge. Les liaisons hydrogène sont en lignes pointillées blanches reliant les atomes N de Gly aux atomes O de Pro de chaînes adjacentes. Les atomes du squelette du résidu central de chaque chaîne sont entourés des surfaces en pointillés correspondant à leurs rayons de van der Waals. Noter le fort compactage des atomes le long de l'axe de l'hélice. Le remplacement, par tout autre résidu, de l'atome C$_\alpha$ de Gly situé au centre (groupement CH$_2$) déformerait la triple hélice.
[Les Parties *a* et *b* sont basées sur une structure par rayons X obtenue par Helen Berman, Rutgers University, et Barbara Brodsky, UMDNJ-Robert Wood Johnson Medical School. PDBid 1CAG (voir Section 8-3C pour la définition de PDBid).]

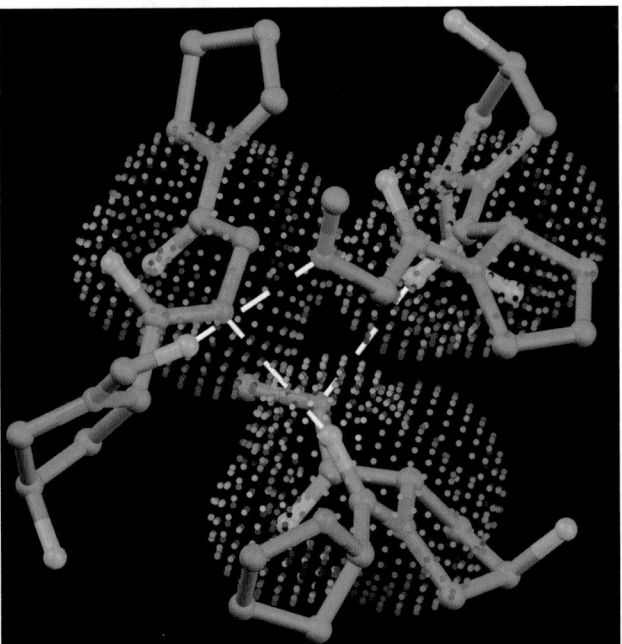

(a)   *(b)*

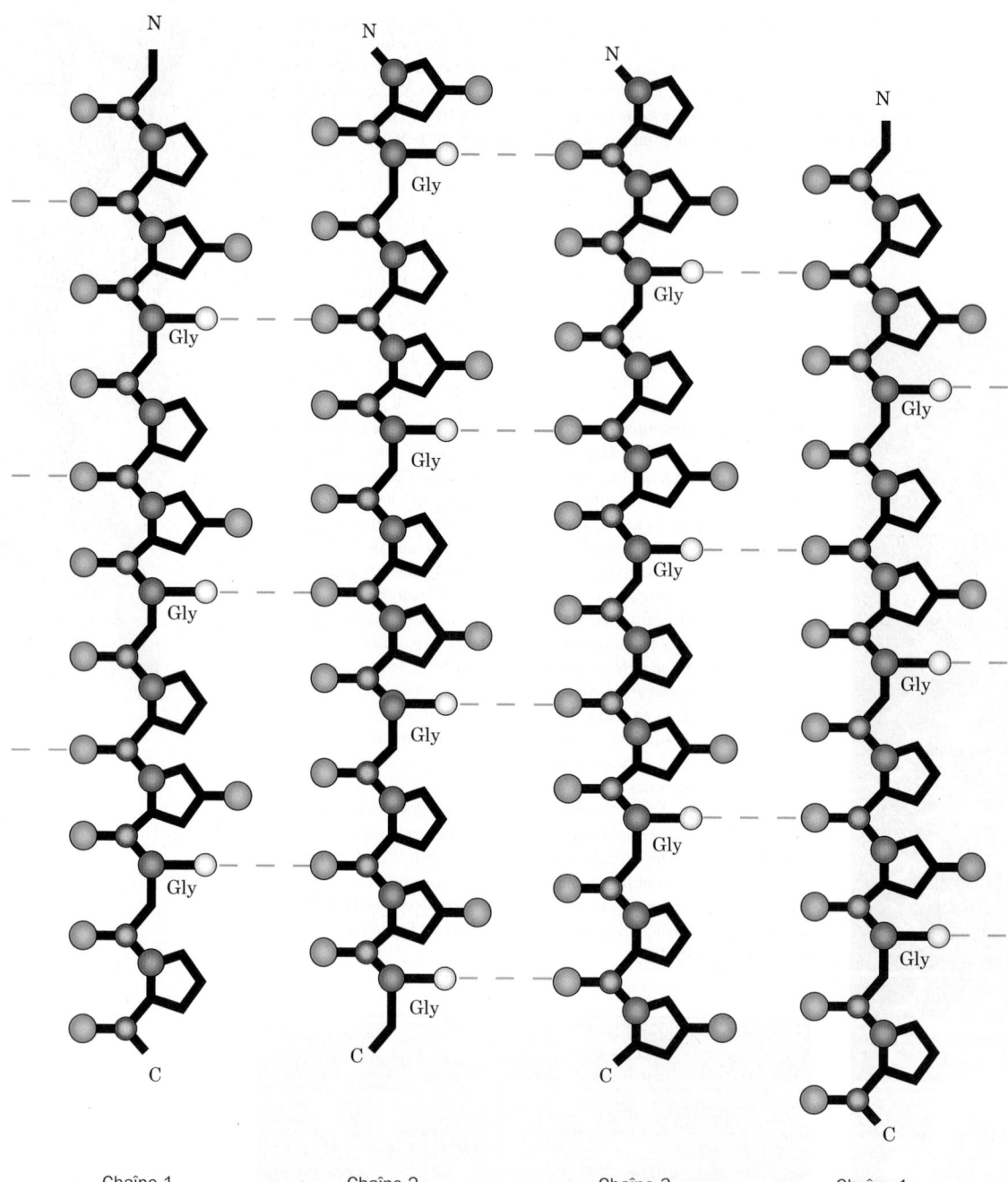

Chaîne 1   Chaîne 2   Chaîne 3   Chaîne 1

FIGURE 8-30 *(suite)* *(c)* Ce diagramme montre les liaisons hydrogène intercaténaires *(lignes pointillées)* dans les régions riches en Gly de la triple hélice. Il s'agit d'une projection cylindrique, la Chaîne 1 étant répétée à droite pour plus de clarté. Noter que les trois chaînes sont, cha-cune, décalées verticalement d'un résidu de sorte qu'une Gly, une Pro et une Hyp des trois chaînes différentes se retrouvent au même niveau. [Partie *c* d'après Bella, J., Eaton, M., Brodsky, B., et Berman, H.M., *Science* **266**, 78 (1994).]

Les groupements peptidiques décalés sont orientés de sorte que le N—H de chaque Gly établit une liaison hydrogène forte avec l'oxygène du carbonyl d'un résidu X (Pro) d'une chaîne voisine. L'encombrement et la rigidité relative des résidus Pro et Hyp confèrent sa rigidité à tout l'assemblage.

La structure en triple hélice rigide compacte du collagène est responsable de sa résistance caractéristique à la traction. Tout comme les fibres tressées d'une corde, les chaînes polypeptidiques en extension et enroulées du collagène convertissent une force de tension longitudinale en une force de compression latérale beaucoup plus facile à assumer sur presque toute la triple hélice incompressible. Ceci s'explique en raison des directions d'enroulement opposées des chaînes polypeptidiques et de la triple hélice du collagène (Fig. 8-29) qui s'opposent au déroulement des spires sous l'effet d'une tension (notez que les niveaux successifs des faisceaux de fibres dans les cordes et les câbles sont également enroulés en sens inverse). Les hiérarchies hélicoïdales successives d'autres protéines fibreuses présentent des alternances identiques de direction d'enroulement, par exemple la kératine (Section 8-2A) et certaines protéines musculaires (Section 35-3A).

b. Le collagène est organisé en fibrilles

Les collagènes de Type I, II, III, V, et XI présentent des fibrilles striées caractéristiques (Fig. 8-31) qui sont principalement, sinon entièrement, constituées de différents types de collagène. Ces fibrilles ont une périodicité de 680 Å et un diamètre de 100 à 2000 Å selon les types de collagène qu'elles contiennent et selon leur tissu d'origine (les autres types de collagène forment différentes sortes d'agrégats, comme des réseaux par exemple ; nous ne les étudierons pas davantage). La diffraction des rayons X par les fibres de collagène montre que les molécules des fibrilles de collagène de type I sont empilées dans un ordre hexagonal. L'étude de modèles assistée par ordinateur a permis d'établir que les molécules de collagène sont organisées parallèlement à l'axe de la fibre selon une disposition décalée précise (Fig. 8-32). Les régions plus sombres des structures striées correspondent aux « trous » de 400 Å à la surface de la fibrille entre les molécules de collagène alignées tête-bêche. Des considérations d'ordre structural et énergétique montrent que les conformations des molécules de collagène individuelles, tout comme celles des hélices α et des feuillets <u>b</u> isolés, sont à la limite de la stabilité. La « force motrice » qui pousse les molécules de collagène à s'assembler en fibrilles est vraisemblablement fournie par les interactions hydrophobes supplémentaires qui s'établissent à l'intérieur des fibrilles tout comme est assuré le compactage d'éléments de structure secondaire pour donner une protéine globulaire (Section 8-3B).

Le collagène contient des sucres liés de façon covalente, dont le pourcentage en poids va de 0,4 à 12 %, selon le tissu d'origine du collagène. Les sucres, qui sont essentiellement le glucose, le galactose, et leurs formes disaccharidiques, sont liés par des enzymes spécifiques au collagène sur ses résidus Hyl :

Galactose ... **Résidu hydroxylysine**

Glucose

Bien que la fonction des sucres du collagène soit inconnue, le fait qu'ils se trouvent dans les régions à « trous » de la fibrille du collagène signifie, peut-être, qu'ils sont impliqués dans le processus d'assemblage de la fibrille.

FIGURE 8-31 Micrographie électronique de fibrilles de collagène de peau. [Avec la permission de Jerome Gross, Massachusets General Hospital.]

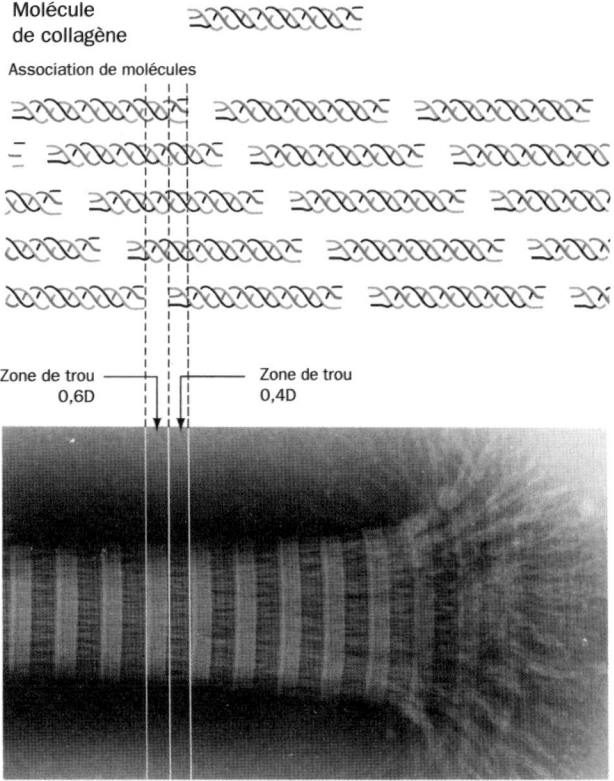

FIGURE 8-32 Aspect strié des fibrilles de collagène. Leur aspect strié en microscopie électronique provient de l'arrangement décalé des molécules de collagène représenté schématiquement (*en haut*) qui donne une surface régulièrement dentelée. *D*, la distance qui sépare les stries croisées, est d'environ 680 Å ; donc la longueur d'une molécule de collagène de 3.000 Å équivaut à 4,4*D*. [Avec la permission de Karl A. Piez, Collagen Corporation.]

c. Les fibrilles de collagène sont réticulées par liaisons covalentes

L'insolubilité du collagène dans des solvants qui détruisent les liaisons hydrogène et les interactions ioniques s'explique par l'existence de liaisons croisées covalentes intra- et intermoléculaires. Ces liaisons croisées ne peuvent être des ponts disulfure comme dans la kératine, car le collagène est presque dépourvu de résidus Cys. En réalité, ces liaisons se forment à partir des chaînes latérales de Lys et de His suite à des réactions comme celles de la Fig. 8-33. La **lysyl oxydase**, enzyme contenant du cuivre qui transforme les résidus Lys en résidus aldéhydes **allysine**, est la seule enzyme impliquée dans ce processus de réticulation. Il peut y avoir jusqu'à quatre chaînes latérales liées par covalence les unes avec les autres. Ces liaisons ne se font pas au hasard mais plutôt dans les régions proches des extrémités N- et C-terminales des molécules de collagène.

L'importance de la réticulation dans le fonctionnement normal du collagène est démontrée par le **lathyrisme**, maladie qui survient chez l'homme et chez certains animaux après ingestion régulière de graines du pois sucré *Lathyrus odoratus*. Les symptômes sont de graves anomalies des os, des articulations et des gros vaisseaux, dues à une fragilité accrue des fibres de collagène. L'agent responsable du lathyrisme est le **β-aminopropionitrile**,

$$N \equiv C-CH_2-CH_2-NH_3^+$$
β-aminopropionitrile

qui inactive la lysyl oxydase en se liant par covalence à son site actif. Il s'ensuit une diminution importante de réticulation du collagène chez les animaux atteints de cette maladie.

Le degré de réticulation du collagène d'un tissu donné augmente avec l'âge de l'animal. C'est pourquoi la viande d'animaux âgés est plus dure que celle d'animaux plus jeunes. De fait, on ne peut extraire des molécules individuelles de collagène (appelées **tropocollagène**) que des tissus de très jeunes animaux. Cependant, la réticulation du collagène n'est pas la cause principale du vieillissement, car on observe que les agents lathyrogènes ne ralentissent pas le processus du vieillissement.

Les fibrilles de collagène dans différents tissus se présentent selon une organisation en accord avec les fonctions des tissus (Tableau 8-3). Ainsi, les tendons (les « câbles » qui relient les muscles aux os), la peau (tissu externe résistant au déchirement), et le cartilage (qui a une fonction de support de charge) doivent résister à des tensions s'exerçant respectivement dans une, deux, et trois dimensions, et il se trouve que les fibrilles du collagène de ces tissus sont disposées conformément à ces impératifs. On ignore par quel mécanisme les fibrilles de collagène s'organisent de cette

TABLEAU 8-3 Arrangement des fibrilles de collagène dans différents tissus

Tissu	Arrangement
Tendons	Faisceaux parallèles
Peau	Feuillets de fibrilles disposées en couches d'orientations diverses
Cartilage	Pas d'arrangement particulier
Cornée	Feuillets plans entrecroisés afin de minimiser la diffusion de la lumière

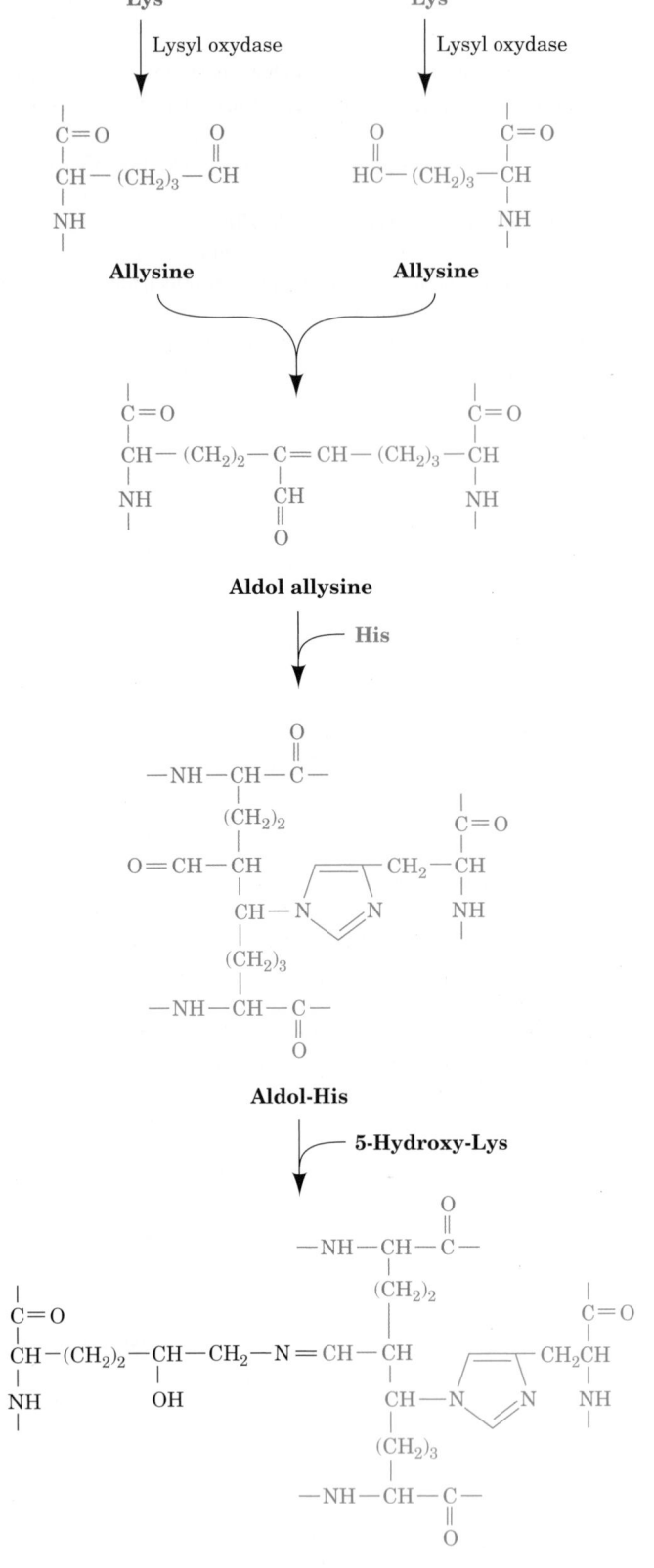

Histidino déhydrohydroxy mèrodesmosine

FIGURE 8-33 Voies biosynthétiques conduisant à la réticulation des chaînes latérales de Lys, Hyl et His dans le collagène. La première étape dans la réaction est la désamination oxydative de Lys catalysée par la lysyl oxydase qui donne l'aldéhyde allysine. Deux aldéhydes ainsi formées subissent une condensation aldolique pour donner l'**aldol allysine.** Ce produit peut réagir avec His pour donner l'**aldol histidine.** Celle-ci, à son tour, peut réagir avec la 5-hydroxylysine pour donner une base de Schiff (liaison imine), réunissant ainsi, par réactions croisées, quatre chaînes latérales.

manière. Cependant, certains des facteurs responsables de l'assemblage des molécules de collagène sont discutés dans les Sections 32-5A et 32-5B.

d. Des anomalies du collagène sont à l'origine de plusieurs maladies chez l'homme

On connaît plusieurs anomalies héréditaires rares du collagène. Des mutations du collagène de Type I, qui est la protéine structurale majeure de la plupart des tissus humains, conduisent généralement à l'**ostéogénèse imparfaite** (**osteogenesis imperfecta** ; maladie des os fragiles). La gravité de cette maladie dépend de la nature et de la position des mutations : même le changement d'un seul acide aminé peut être létal. Les mutations peuvent modifier la structure de la molécule de collagène ou le mécanisme de formation des fibrilles. Par exemple, le remplacement de la Gly centrale par Ala dans chacune des chaînes polypeptidiques de la molécule modèle montrée à la Fig. 8-30*a*, diminue sa température de dénaturation de 62 °C à 29 °C. Ceci entraîne une distorsion de la triple hélice de collagène. En effet, la présence des trois groupements méthyl supplémentaires au sein très compact de la triple hélice écarte les chaînes polypeptidiques dans la région des substitutions, au point de rompre les liaisons hydrogène qui devraient alors relier le groupement N—H de chaque Ala (normalement Gly) à l'oxygène du carbonyl de la Pro correspondante dans la chaîne voisine (Fig. 8-34). Ce sont des molécules d'eau, insinuées dans la région perturbée de l'hélice, qui établissent un pont entre ces liaisons hydrogène. Des perturbations similaires affectent très vraisemblablement les molécules de collagène ayant subi des mutations du type Gly → X dans les maladies telles que l'ostéogenèse imparfaite. Ces mutations sont souvent dominantes car elles affectent

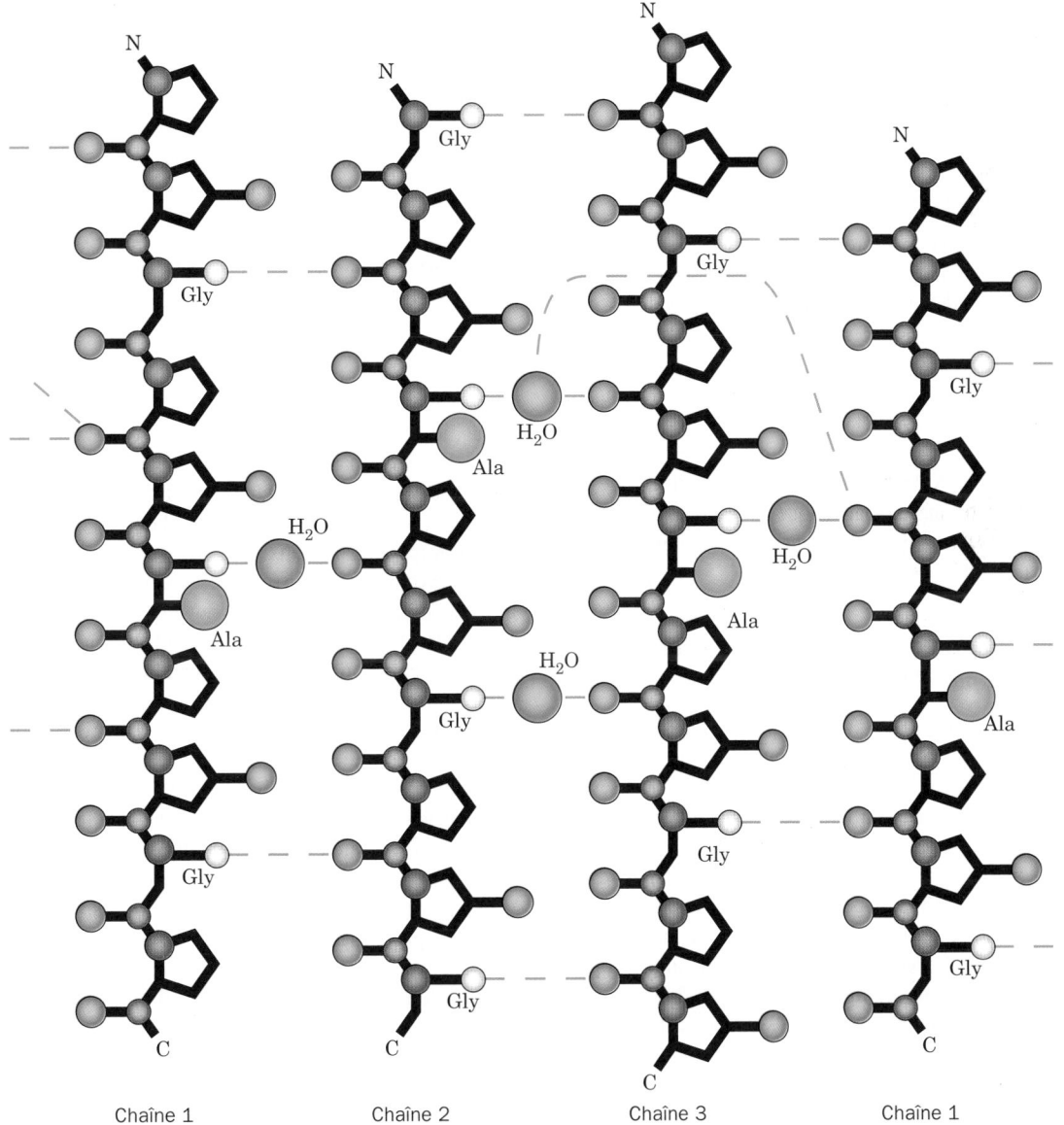

FIGURE 8-34 Structure déformée d'un collagène anormal. Ce schéma montre les interactions par liaisons hydrogène dans les régions riches en Ala de la structure par rayons X du polypeptide (Pro-Hyp-Gly)$_{10}$ dans lequel la cinquième Gly est remplacée par Ala. Cette projection cylindrique est semblable à celle de la Fig. 8-30*c*. Noter comment les chaînes latérales de Ala (*grosses boules en vert*) déforment la triple hélice de sorte que les liaisons hydrogènes attendues Gly NH···Pro O sont remplacées par des liaisons hydrogène faisant intervenir une molécule d'eau. [D'après Bella, J., Eaton, M., Brodsky, B., et Berman, H.M., *Science* **266**, 78 (1994).]

soit la formation de la triple hélice, soit celle de la fibrille, même si des chaînes normales sont également présentes. Tous les changements en acides aminés connus qui affectent la région en triple hélice du collagène de Type I se traduisent par des anomalies, ce qui prouve que l'intégrité structurale de cette région est primordiale pour que le collagène assure sa fonction correctement.

Beaucoup d'anomalies du collagène sont caractérisées par des diminutions de synthèse d'un type de collagène donné, ou par des activités anormales des enzymes impliquées dans la maturation du collagène comme la lysyl hydroxylase ou la lysyl oxydase. Un groupe d'au moins 10 maladies différentes dues à des anomalies du collagène, les **syndromes d'Ehlers-Danlos,** sont toutes caractérisées par une hyperextensibilité des articulations (en fait leurs ligaments) et de la peau. C'est parce que ces tissus contiennent également de grandes quantités d'**élastine**, une protéine qui a l'élasticité du caoutchouc. La présence de l'élastine, associée à la perte de rigidité du collagène, rend compte de l'hyperextensibilité du tissu affecté. Beaucoup de maladies dégénératives présentent des anomalies du collagène dans les tissus atteints. C'est par exemple le cas du cartilage dans l'**ostéoarthrite** et du tissu fibreux dans les **plaques athérosclérotiques** des artères chez l'homme.

3 ■ LES PROTÉINES GLOBULAIRES

Les **protéines globulaires** comprennent un groupe de substances extrêmement variées qui, dans leur état natif, se présentent comme des molécules sphéroïdes compactes. Les enzymes sont des protéines globulaires tout comme les protéines de transport ou les récepteurs. Dans cette section nous étudierons les structures tertiaires des protéines globulaires. Cependant, dans la mesure où nos connaissances sur la structure détaillée des protéines, et pour une large part, sur leurs fonctions, sont le résultat des déterminations de structure par rayons X des protéines globulaires cristallisées, et plus récemment par résonance magnétique nucléaire (RMN), nous commençons cette section par une examen des possibilités et des limites de ces techniques puissantes.

A. *Interprétation des structures des protéines par rayons X et par RMN*

La cristallographie par rayons X est une technique qui donne directement l'image des molécules. On doit utiliser les rayons X, car selon les principes de l'optique, l'incertitude pour localiser un objet est sensiblement égale à la longueur d'onde de la radiation utilisée pour l'observer (les longueurs d'onde des rayons X et les longueurs des liaisons covalentes sont toutes deux de l'ordre de 1,5 Å ; des molécules isolées ne peuvent être vues en microscopie photonique car la lumière dans le visible a une longueur d'onde minimum de 4000 Å). Cependant, il n'existe pas de microscope à rayons X car il n'y a pas de lentille pour rayons X. À la place, un cristal de la molécule étudiée est exposé à un faisceau dirigé de rayons X et le spectre de diffraction résultant est enregistré par un compteur de radiations ou bien, et c'est devenu plus rare, sur un film photographique (Fig. 8-35). Les rayons X de ce type sont produits en laboratoire par des générateurs ou, de plus en plus souvent, par des **synchrotrons**, accélérateurs de particules qui produisent des rayons X d'une bien plus grande intensité. Les intensités des maxima de diffraction (taches les plus sombres sur

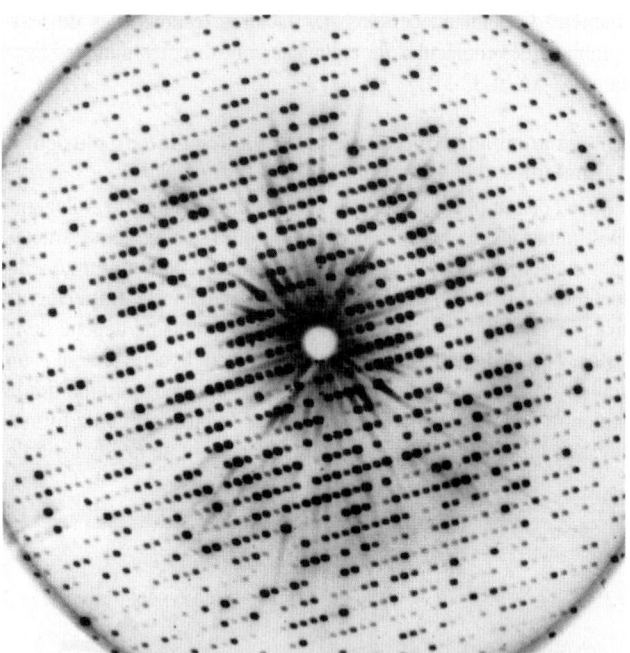

FIGURE 8-35 Photographie d'une diffraction de rayons X par un cristal de myoglobine de cachalot. L'intensité de chaque maximum de diffraction (la noirceur de chaque tache) est fonction de la densité électronique du cristal de myoglobine. La photographie ne représente qu'une petite partie de l'information totale obtenue par diffraction d'un cristal de myoglobine. [Avec la permission de John Kendrew, Cambridge University.]

la pellicule) sont alors utilisées pour reconstituer mathématiquement l'image tridimensionnelle de la structure du cristal par des méthodes qui dépassent l'objectif de ce livre. Dans ce qui suit, nous discuterons des problèmes spécifiques concernant l'interprétation des structures des protéines obtenues par diffraction des rayons X par leurs cristaux.

Les rayons X interagissent presqu'exclusivement avec les électrons de la matière, pas avec les noyaux. Une structure par rayons X est donc l'image de la **densité électronique** de l'objet étudié. De telles **cartes de densité électronique** peuvent se présenter comme une suite de sections parallèles à travers l'objet. Sur chaque section, la densité électronique est représentée par des courbes de densité (Fig. 8-36a) tout comme l'altitude est représentée par des courbes de niveau sur une carte topographique. Une série de telles sections, représentées sur des transparents, donne une carte de densité électronique à trois dimensions (Fig. 8-36b). Cependant, les analyses structurales modernes se font le plus souvent avec des ordinateurs graphiques, où les cartes de densité électronique apparaissent en trois dimensions (Fig. 8-36c).

a. La plupart des structures cristallographiques des protéines n'atteignent pas la résolution atomique

Les molécules dans des cristaux de protéine, tout comme dans d'autres substances cristallisées, sont disposées en réseaux à trois dimensions qui se répètent régulièrement. Cependant, les cristaux de protéines diffèrent de ceux de la plupart des molécules organiques et inorganiques car ils sont fortement hydratés ; on trouve généralement entre 40 à 60 % d'eau en volume. Le solvant aqueux de cristallisation est indispensable à l'intégrité structurale des cris-

(a)

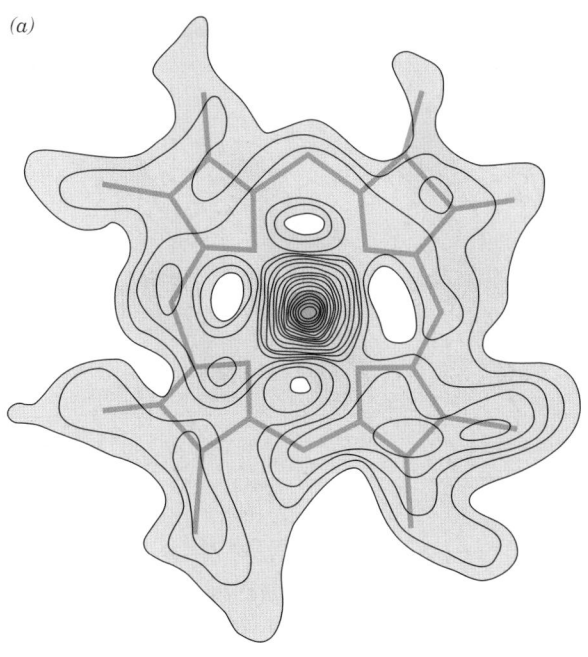

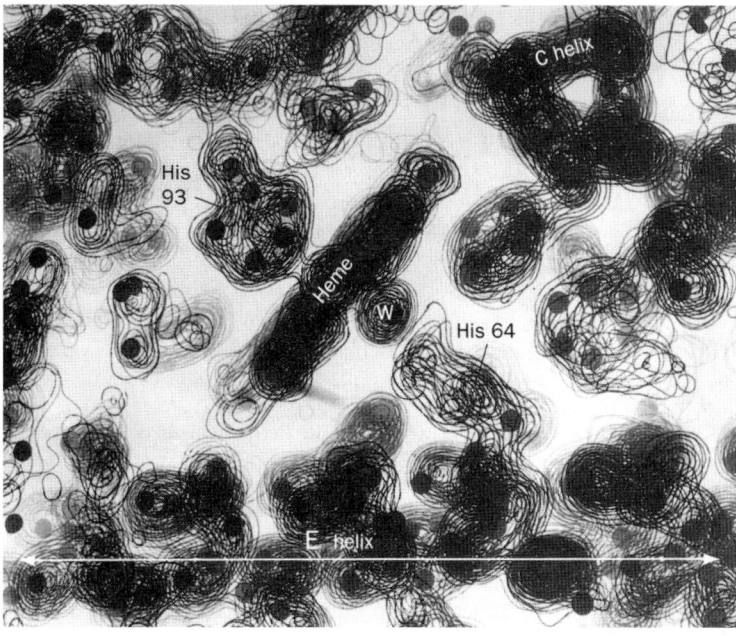

(b)

FIGURE 8-36 Cartes de densité électronique de protéines. *(a)* Une coupe à travers la carte de densité électronique de résolution de 2,0 Å de myoglobine de cachalot, qui contient le noyau hème (*en rouge*). Le pic au centre de la carte représente l'atome de Fe dense en électrons. [D'après Kendrew, J.C., Dickerson, R.E., Strandberg, B.E., Hart, R.G., Davies, D.R., Phillips, D.C., et Shore, V.C., *Nature* **185**, 434 (1960).] *(b)* Une partie de la carte de densité électronique de résolution de 2,4 Å de myoglobine construite par superposition de transparents où figurent les contours. Des points ont été placés après déduction, pour donner les positions des atomes autres que l'hydrogène. Le noyau hème est vu de profil avec ses deux résidus His associés et une molécule d'eau, W. Une hélice α, appelée hélice E (Fig. 8-12), parcourt le bas de la carte. Une autre hélice α, l'hélice C, s'étend dans le plan de la Figure en haut à droite. Remarquer le trou le long de son axe. [Avec la permission de John Kendrew, Cambridge University.] *(c)* Une coupe mince à travers la carte de densité électronique de résolution de 1,5 Å de la 6-hydroxyméthyl-7,8-dihydroptérine pyrophosphokinase de *E. coli* (qui catalyse la première réaction dans la synthèse de l'acide folique ; Section 26-3H) avec des contours en trois dimensions. Un seul niveau de contour est représenté (en *bleu-vert*), avec un modèle atomique des segments polypeptidiques correspondants (atomes C en jaune, O en rouge, et N en bleu, et une sphère rouge pour la molécule d'eau). [Avec la permission de Xinhua Ji, NCI-Frederick Cancer Research and Development Center, Frederick, Maryland.]

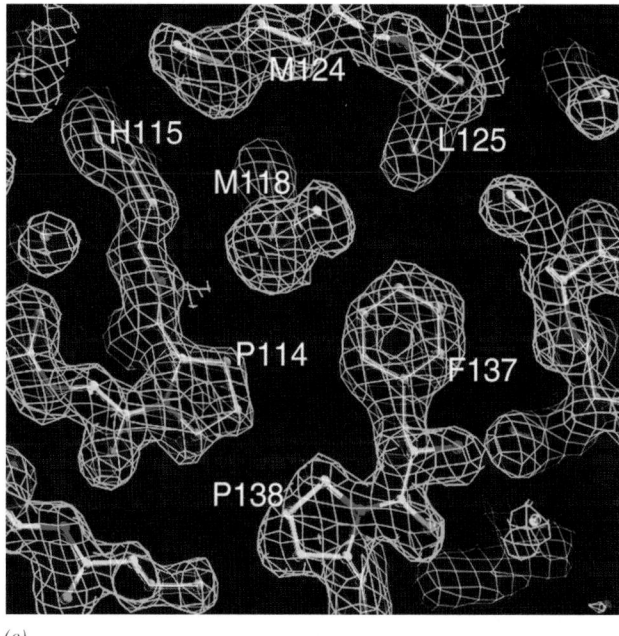

(c)

taux protéiques comme l'ont montré J.D. Bernal et Dorothy Crowfoot Hodgkin en 1934, lorsqu'ils ont réussi pour la première fois l'étude par rayons X de cristaux de protéines. Ceci est dû à ce que l'eau est indispensable pour maintenir l'intégrité structurale des protéines natives elles-mêmes (Section 8-4).

Le contenu important en solvant des cristaux de protéine leur donne une consistance molle, gélatineuse ; aussi leurs molécules n'ont-elles pas la structure rigide caractéristique des petites molécules comme le NaCl ou la glycine. Les molécules d'un cristal protéique se présentent dans un désordre de plus d'un angström ; de ce fait, les cartes de densité électronique correspondantes ne donnent pas de renseignements concernant des détails structuraux de

plus petite taille. On dit que le cristal a une limite de résolution de cette taille. Les cristaux protéiques ont des limites de résolution typiques comprises entre 1,5 et 3,0 Å, bien que certains soient mieux ordonnés (ils ont une plus haute résolution, c'est-à-dire une limite de résolution inférieure) et que d'autres soient moins ordonnés (ils ont une résolution plus basse).

Puisqu'une carte de densité électronique d'une protéine s'interprète en fonction des positions des atomes, la précision et même la faisabilité de l'analyse de la structure du cristal dépendent de sa limite de résolution. C'est donc la possibilité d'obtenir des cristaux de résolution suffisante qui est le facteur limitant dans la détermination de la structure cristallographique d'une

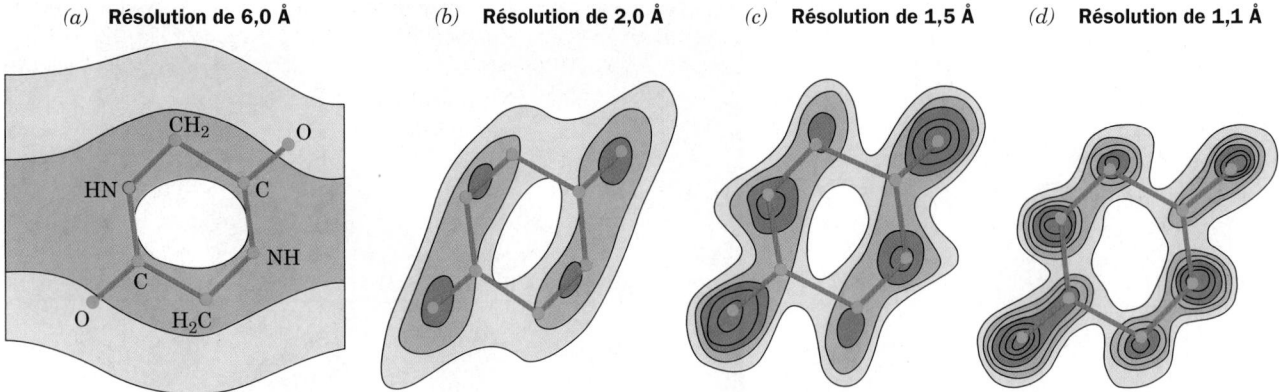

(a) **Résolution de 6,0 Å**   *(b)* **Résolution de 2,0 Å**   *(c)* **Résolution de 1,5 Å**   *(d)* **Résolution de 1,1 Å**

FIGURE 8-37   Coupes à travers la carte de densité électronique de la dicétopipérazine calculée aux niveaux de résolution indiqués. Les atomes d'hydrogène n'apparaissent pas sur cette carte en raison de leur faible densité électronique. [D'après Hodgkin, D.C., *Nature* **188**, 445 (1960).]

protéine ou d'une autre macromolécule. La Figure 8-37 montre comment la qualité (la netteté) d'une carte de densité électronique varie selon sa limite de résolution. Pour une résolution de 6 Å, la présence d'une molécule de la taille de la dicétopipérazine est à peine discernable. Pour une résolution de 2,0 Å, on ne peut pas encore distinguer ses atomes individuellement, mais la forme de la molécule devient perceptible. Pour une résolution de 1,5 Å, qui correspond à la longueur d'une liaison, les différents atomes sont en partie décelés. Pour une résolution de 1,1 Å, les atomes sont tout à fait visibles.

La plupart des cristaux protéiques ont une résolution insuffisante pour que leurs cartes de densité électronique permettent de localiser avec précision les différents atomes (Fig. 8-36). Toutefois, on peut tracer la forme du squelette polypeptidique, ce qui donne la position et l'orientation des chaînes latérales (Fig. 8-37*c*). Malgré cela, les chaînes latérales de forme et de taille voisines, telles que celles de Leu, Ile et Thr, ne peuvent être distinguées avec certitude (comme les atomes d'hydrogène ne portent qu'un électron, ils ne sont pas visibles dans les structures par rayons X des macromolécules lorsque la limite de résolution est inférieure à 1,2 Å environ) ; aussi la structure d'une protéine ne peut-elle être élucidée à partir de sa seule carte de densité électronique. Pour plus de précision, la structure primaire de la protéine doit être connue, ce qui permet de faire coïncider la séquence des résidus et sa carte de densité électronique. Par raffinement mathématique, on peut diminuer les erreurs de position dans la structure cristalline à environ 0,1 Å (pour les petites molécules, les erreurs dans les meilleures déterminations de structure par rayons X peuvent être aussi faibles que 0,001 Å).

b.   La plupart des protéines sous forme de cristal gardent leurs conformations natives

Quel rapport y a-t-il entre la structure d'une protéine en solution, état physiologique des protéines globulaires, et sa structure à l'état de cristal ? Plusieurs types de données indiquent que *les protéines à l'état de cristal présentent pratiquement les mêmes structures que celles qu'elles ont en solution :*

1. Une protéine à l'état de cristal se trouve essentiellement en solution car elle baigne dans le solvant de cristallisation sur toute sa surface excepté les quelques rares zones de contact avec les molécules de protéines voisines. En réalité, la teneur en eau de 40 à 60 % des cristaux de protéine typiques est identique à celle de beaucoup de cellules (cf. Fig. 1-13).

2. Une protéine peut cristalliser sous plusieurs formes ou « tenues », selon les conditions de cristallisation, qui diffèrent par l'arrangement dans l'espace des molécules les unes par rapport aux autres. Chaque fois que les différentes formes cristallines d'une même protéine ont été analysées séparément, les conformations des molécules se sont avérées pratiquement identiques. De même, lorsque la structure d'une protéine a été déterminée à l'état de cristal, par rayons X, et en solution, par RMN, les deux structures sont, aux erreurs d'expériences près, essentiellement les mêmes (cf. ci-dessous). De toute évidence, les forces qui stabilisent le cristal ne perturbent pas les structures des molécules protéiques.

3. La donnée la plus convaincante permettant d'affirmer que les protéines à l'état de cristaux ont des structures en accord avec leurs structures biologiques, est fournie par de nombreuses enzymes qui, une fois cristallisées, sont toujours catalytiquement actives. L'activité catalytique d'une enzyme est très dépendante des orientations relatives des groupements impliqués dans la liaison du substrat et dans la catalyse (Chapitre 15). Les enzymes cristallisées actives doivent par conséquent avoir des conformations très proches de celles qu'elles ont en solution.

c.   Détermination de la structure des protéines par RMN

La détermination des structures tridimensionnelles de petites protéines globulaires en solution aqueuse est possible depuis le milieu des années 1980, grâce à la technique de **spectroscopie par RMN à deux dimensions (2D)** mise au point, en grande partie, par Kurt Wüthrich (et plus récemment par des techniques à 3D et 4D). Ces techniques de RMN, dont la description dépasse les objectifs de cet ouvrage, fournissent les distances interatomiques de protons spécifiques distants de < 5 Å dans une protéine de séquence connue. Les distances entre protons peuvent être soit celles dans l'espace, obtenues en spectroscopie nucléaire par effet Overhauser (NOESY, Fig. 8-38*a*), soit celles de liaisons, déterminées par spectroscopie corrélée (COSY). Ces distances, en tenant compte de contraintes géométriques connues telles que les distances de liaisons et les angles covalentiels, le caractère planaire des groupements, la chiralité, et les rayons de van der Waals, sont utilisées pour déterminer par ordinateur la structure tridimensionnelle de la protéine. Cependant, les mesures des distances entre protons n'étant pas très précises, elles ne permettent pas d'en déduire une structure unique. En fait, elles sont compatibles avec un ensemble de structures étroitement liées. Par conséquent, la structure d'une protéine obtenue par RMN (ou de toute autre macromolécule de structure bien définie) est souvent donnée comme un ensemble de structures compatibles avec les contraintes géométriques (cf., Figure 8-38*b*). La « solidité » de l'ensemble de telles structures est révélatrice à la fois de la précision avec laquelle la structure est connue, qui, dans le meilleur des cas, est grossièrement comparable à celle de la structure d'un cristal obtenue par rayons X avec une résolution de 2 à 2,5 Å, et des fluctuations conformationnelles subies par la protéine (Section 9-4). Les

méthodes actuelles de RMN ne permettent pas de déterminer la structure de macromolécules dont la masse moléculaire dépasse 40 kD. Toutefois, des progrès récents semblent pouvoir repousser cette limite jusqu'à 1000 kD, voire plus.

Dans la majorité des cas où la structure d'une protéine donnée a été déterminée à la fois par RMN et par rayons X, les deux structures sont concordantes. Cependant, on trouve parfois des différences non négligeables entre les deux structures. En général, ces différences ont pour origine des résidus de surface qui, dans le cristal, participent aux contacts intermoléculaires et qui se trouvent ainsi éloignés de leurs conformations en solution. Les techniques par RMN, non seulement donnent la possibilité de faire des recoupements avec les techniques par rayons X, mais permettent également de déterminer les structures de protéines et d'autres macromolécules qui ne cristallisent pas. De plus, dans la mesure où la RMN peut suivre des mouvements dans une échelle de temps qui

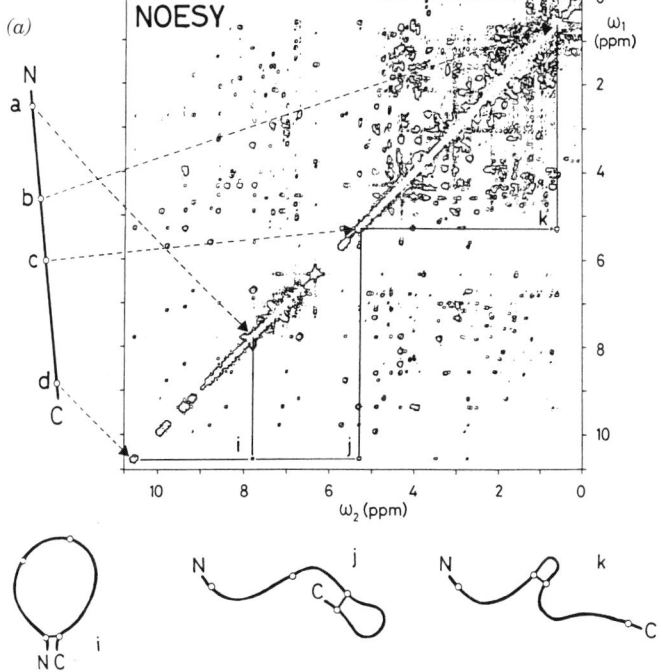

(a)

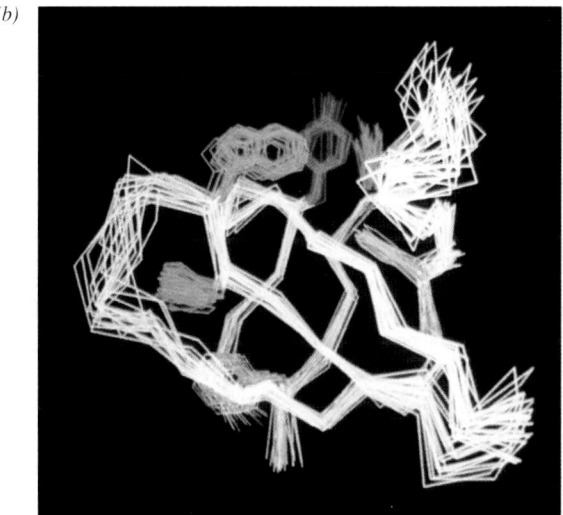

(b)

FIGURE 8-38 Structures 2D de protéines par RMN du proton. (*a*) Spectre NOESY d'une protéine donnant des courbes de niveau le long des deux axes de fréquence, ω_1 et ω_2. Le spectre RMN conventionnel de la protéine, qui apparaît le long de la diagonale du graphe ($\omega_1 = \omega_2$), est trop encombré pour pouvoir être interprété (même une petite protéine a des centaines de protons). Les pics hors de la diagonale, appelés pics de croisement, sont dus aux interactions entre deux protons distants de < 5 Å l'un de l'autre et dont les pics de RMN-1D sont situés à l'intersection entre les lignes horizontale et verticale qui passent par le pic de croisement, et la diagonale [l'**effet nucléaire Overhauser (NOE)**]. Par exemple, la ligne à gauche du spectre représente le polypeptide en extension, les lettres N et C indiquant ses extrémités N-et C-terminales, et les lettres a à d donnant la position de quatre protons représentés par des petits cercles. Les flèches en pointillés indiquent les pics correspondants sur la diagonale de RMN auxquels ces protons donnent lieu. Les pics de croisement, tels que i, j, et k, situés aux intersections des lignes horizontale et verticale à travers deux pics de la diagonale, indiquent qu'il y a un

NOE entre les deux protons correspondants, ce qui signifie qu'ils sont distants de < 5 Å l'un de l'autre. Ces relations de distance sont représentées schématiquement par les trois structures en boucle en bas du spectre. Noter que l'attribution d'une relation de distance entre deux protons d'un polypeptide implique que les pics de RMN auxquels ils donnent lieu et leurs positions dans le polypeptide soient connus, ce qui nécessite de connaître la structure primaire du polypeptide. [D'après Wüthrich, K., *Science* **243**, 45 (1989).] (*b*) Structure par RMN d'un polypeptide de 64 résidus qui contient le **domaine SH3 de la protéine Src** (Section 19-3C). Le dessin représente 20 structures superposées cohérentes avec les spectres de RMN 2D et 3D de la protéine (chacun calculé à partir d'une structure de départ différente et formée au hasard). Le squelette polypeptidique, représenté par ses C_α, est en blanc, et ses chaînes latérales Phe, Tyr et Trp sont respectivement en jaune, en rouge et en bleu. On peut voir que le squelette polypeptidique se replie en deux feuillets β antiparallèles à trois brins, formant un sandwich. [Avec la permission de Stuart Schreiber, Harvard University.]

couvre 10 ordres de grandeurs, elle peut être utilisée dans l'étude du repliement et de la dynamique des protéines (Chapitre 9).

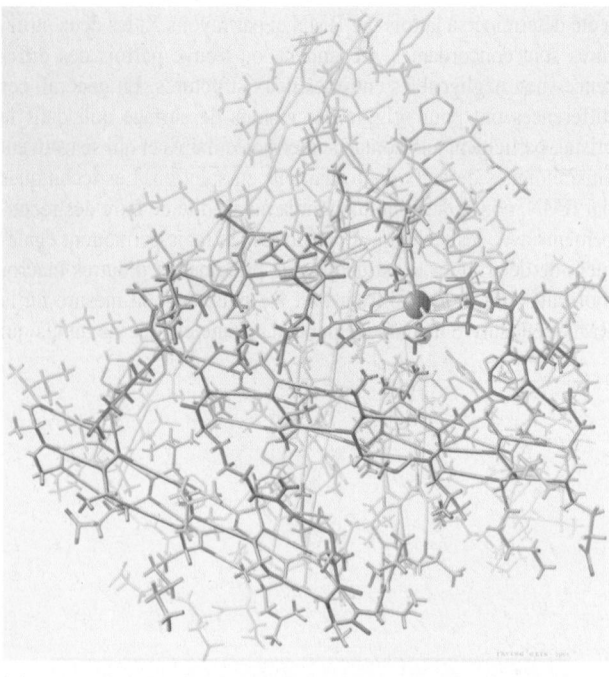

(a)

FIGURE 8-39 Représentations de la structure par rayons X de la myoglobine de cachalot. *(a)* La protéine et le groupement hème qui y est associé sont représentés par des bâtonnets, avec les atomes C de la protéine en vert et ceux du groupement hème en rouge, les atomes N en bleu et les atomes O en rouge. Le Fer et la molécule d'eau qui lui est liée sont les sphères en orange et en gris et les liaisons hydrogène sont en gris. Dans cette représentation originale de la première structure protéique connue, l'artiste a utilisé des « déformations créatrices » pour accentuer les caractéristiques structurales de la protéine, particulièrement ses hélices α. [Illustration par Irving Geiss. Droits acquis par le Howard Hughes Medical Institute – reproduction interdite sans permission.] *(b)* La protéine est ici représentée par son squelette des C_α obtenu par ordinateur, les atomes C_α (les sphères) étant numérotés consécutivement à partir de l'extrémité N-terminale. La chaîne polypeptidique de 153 résidus est repliée en 8 hélices α (rehaussées ici par des contours dessinés à la main) désignées de A à H et reliées par de courts segments polypeptidiques. Le groupement hème (en *violet* avec son atome Fe représenté par une sphère rouge) complexé à une molécule d'eau (*sphère orange*) est montré avec ses deux chaînes latérales His étroitement associées (*en bleu*). Une des chaînes latérales d'acide propionique du groupement hème a été déplacée pour plus de clarté. Les atomes d'hydrogène ne sont pas visibles dans la structure par rayons X. *(c)* Représentation dessinée par ordinateur dans une orientation semblable à celle de la Partie *b* pour mettre en évidence la structure secondaire de la protéine. Ici les hélices sont en vert et les régions spiralées intermédiaires sont en jaune. Le groupement hème complexé à une molécule d'O_2 et ses deux chaînes latérales His associées sont représentés en modèle « boules et bâtonnets » avec C en magenta, N en bleu, O en rouge et Fe en orange. [Les Parties *a* et *b* sont basées sur une structure par rayons X obtenue par John Kendrew, Cambridge University, U.K. ; Copyright Irving Geis. La Partie *c* est basée sur une structure par rayons X due à Simon Philipps, University of Leeds, U.K. PDBid 1MBO.]

d. Les structures moléculaires des protéines sont représentées d'autant plus fidèlement qu'elles sont simplifiées

Les quelques centaines d'atomes autres que l'hydrogène d'une protéine même petite rendent la compréhension de sa structure détaillée très difficile. Cette complexité rend si difficile la construction de modèles « boules et bâtonnets » que ceux-ci sont rarement disponibles. Qui plus est, dessiner une protéine avec tous ses atomes autres que l'hydrogène (Fig. 8-39a) est

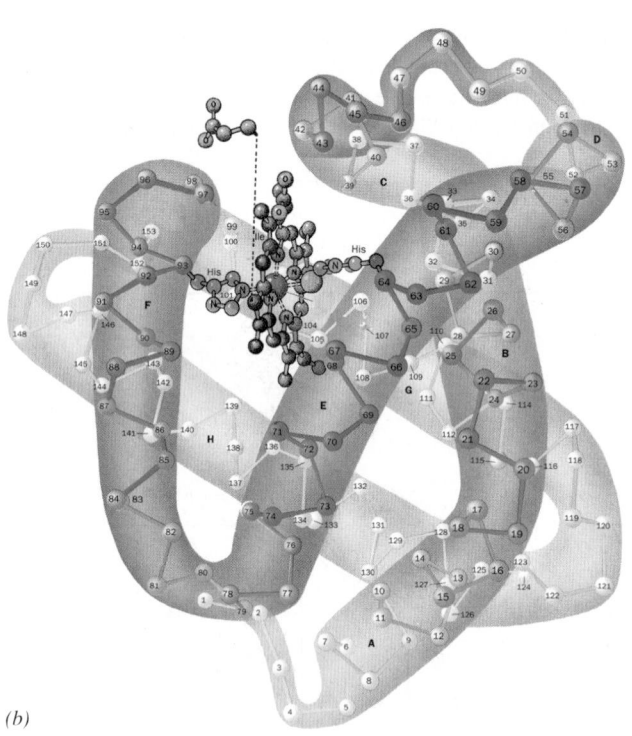

(b)

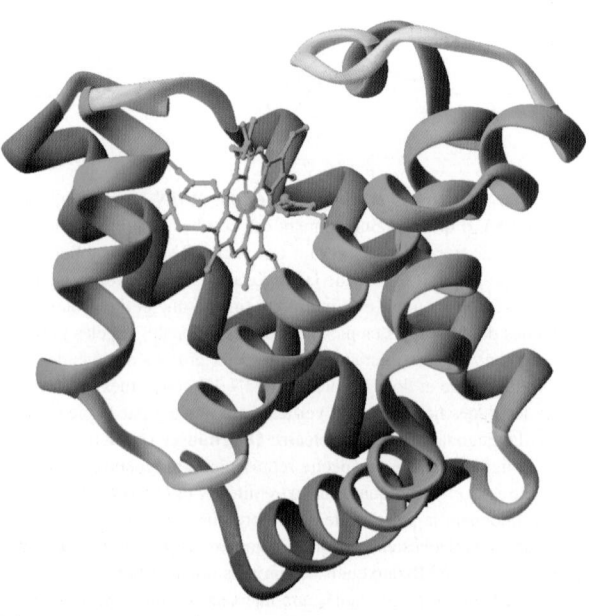

(c)

inutilement compliqué. Pour être compris, le dessin d'une protéine doit être simplifié sélectivement. Ainsi, une façon de représenter le squelette peptidique est de se limiter à ses atomes C_α (**squelette des C_α**) et de ne représenter que certaines chaînes latérales importantes (Fig. 8-39*b*). Une abstraction encore plus poussée représente la protéine sous forme caricaturale qui met l'accent sur sa structure secondaire (Fig. 8-39*c*; voir aussi la Fig. 8-19). Des représentations assistées par ordinateur de modèles pleins, tels que ceux présentés sur les Fig. 8-12 et 8-18, peuvent être aussi utilisées pour mettre en évidence certains aspects structuraux de la protéine. Cependant, la méthode la plus instructive pour l'étude de la structure d'une macromolécule est de recourir à des logiciels d'ordinateur graphiques interactifs (Section 8-3C).

B. *Structure tertiaire*

La **structure tertiaire** d'une protéine est son agencement tridimensionnel, c'est-à-dire le repliement de ses éléments à structure secondaire, ainsi que les dispositions spatiales de ses chaînes latérales. La première structure par rayons X d'une protéine, celle de

la **myoglobine** de cachalot, fut élucidée à la fin des années 1950 par John Kendrew et ses collaborateurs. Sa chaîne polypeptidique suit un chemin si tortueux (Fig. 8-39), que ces chercheurs furent très désappointés par ce manque de régularité. Depuis, plus de 18 000 structures de protéines ont été décrites. Chacune d'elles est une entité unique, très complexe. Néanmoins, leurs structures tertiaires ont plusieurs points remarquables en commun, comme nous allons le voir.

a. Les protéines globulaires peuvent présenter à la fois des hélices α et des feuillets β

Les principaux types de structures secondaires, les hélices α et les feuillets plissés β, se trouvent fréquemment dans les protéines globulaires mais en proportions et combinaisons variables. Certaines protéines, la myoglobine par exemple, ne sont constituées que d'hélices α séparées par de courts segments de liaison qui ont une conformation enroulée (Fig 8-39). D'autres, comme la concanavaline A, présentent une proportion importante de feuillets β mais aucune hélice α (Fig. 8-40). Cependant, la plupart des protéines ont des quantités significatives des deux types de structure secondaire (en moyenne, environ 31 % d'hélice α et 28 % de feuillet β, le contenu total en hélices, feuillets, tournants et boucles Ω comptant pour environ 90 % dans une protéine standard). L'**anhydrase carbonique** humaine (Fig. 8-41), tout comme la carboxypeptidase et la triose phosphate isomérase (Fig. 8-19), sont des protéines de ce type.

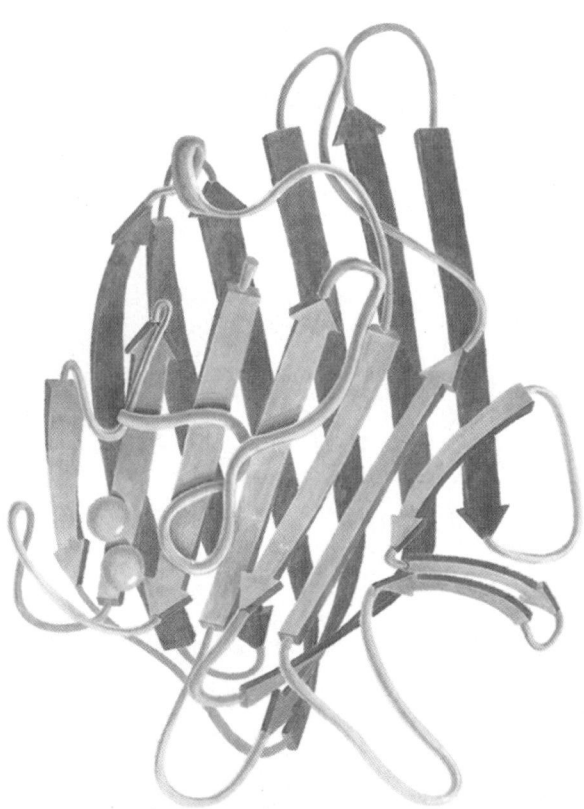

FIGURE 8-40 Structure par rayons X de la concanavaline A du haricot sabre. Cette protéine est constituée pour une large part de vastes régions en feuillet plissé β antiparallèle, représentées ici par des flèches dirigées vers l'extrémité C-terminale de la chaîne polypeptidique. Les sphères représentent des ions métalliques liés à la protéine. Le feuillet à l'arrière plan est représenté en modèle plein dans la Fig. 8-18. [D'après un dessin de Jane Richardson, Duke University, et une structure par rayons X due à George Reeke, Jr., Joseph Becker, et Gerald Edelman, The Rockefeller University. PDBid 2CNA.]

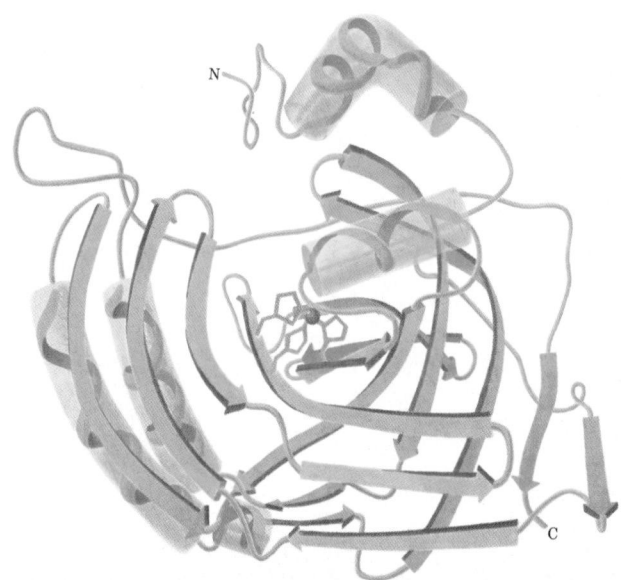

FIGURE 8-41 L'anhydrase carbonique humaine. Les hélices α sont représentées par des cylindres et chaque segment de feuillet β par une flèche dirigée vers l'extrémité C-terminale du polypeptide. La sphère grise au milieu représente un ion Zn^{2+} lié par coordination à trois chaînes latérales de His (*en bleu*). Noter que l'extrémité C-terminale se replie en traversant le plan d'une boucle de la chaîne polypeptidique, ce qui fait que l'anhydrase carbonique est une des rares protéines natives où l'on trouve un nœud. [D'après Kannan, K.K., et al., *Cold Spring Harbor Symp. Quant. Biol.* **36**, 221 (1971). PDBid 2CAB.]

b. La disposition des chaînes latérales varie avec leur polarité

Les structures primaires des protéines globulaires ne présentent généralement pas de séquences répétitives ou pseudo-répétitives comme celles qui sont responsables des conformations régulières des protéines fibreuses. Néanmoins, les chaînes latérales des protéines globulaires sont réparties dans l'espace selon leurs polarités :

1. *Les résidus non polaires Val, Leu, Ile, Met, et Phe se trouvent essentiellement à l'intérieur de la protéine, à l'abri du solvant aqueux.* Les interactions hydrophobes à l'origine de cette distribution, qui sont en grande partie responsables des structures tridimensionnelles des protéines natives, sont discutées plus loin, Section 8-4C.

2. *Les résidus polaires chargés Arg, His, Lys, Asp, et Glu sont situés essentiellement à la surface de la protéine au contact du solvant aqueux.* Ceci parce que l'immersion d'un ion dans le cœur pratiquement anhydre de la protéine se solderait par une perte non compensée d'une grande partie de son énergie d'hydratation. Lorsque ces groupements se trouvent à l'intérieur de la protéine, ils ont souvent une fonction chimique spécifique : assurer la catalyse ou participer à la liaison d'un ion métallique (par exemple, les résidus His qui lient l'ion métallique dans les Fig. 8-39 et 8-41).

3. Les groupements polaires non chargés Ser, Thr, Asn, Gln, Tyr, et Trp, sont habituellement à la surface de la protéine mais peuvent aussi se trouver à l'intérieur de la molécule. Dans ce dernier cas, ces résidus établissent presque toujours des liaisons hydrogène avec d'autres groupements de la protéine. En fait, *presque tous les donneurs de liaison hydrogène enfouis établissent des liaisons hydrogène avec des groupements accepteurs enfouis ;* d'une certaine manière, la formation d'une liaison hydrogène « neutralise » la polarité d'un groupement pouvant former une liaison hydrogène.

Cette répartition des chaînes latérales est bien visible sur la Fig. 8-42, qui montre la structure par rayons X du cytochrome *c*, sur la Fig. 8-43 où l'on voit l'exposition des chaînes latérales de l'hélice H de la myoglobine à la surface et à l'intérieur, et sur la Fig. 8-44, qui représente l'un des feuillets β antiparallèles de la concanavaline A.

c. Les cœurs des protéines globulaires sont agencés efficacement avec leurs chaînes latérales en conformation relâchée

Les protéines globulaires sont très compactes ; il y a très peu de place à l'intérieur si bien que l'eau s'en trouve presque complètement expulsée. L'arrangement « en micelle » des chaînes latérales (les groupements polaires à l'extérieur, les groupements non

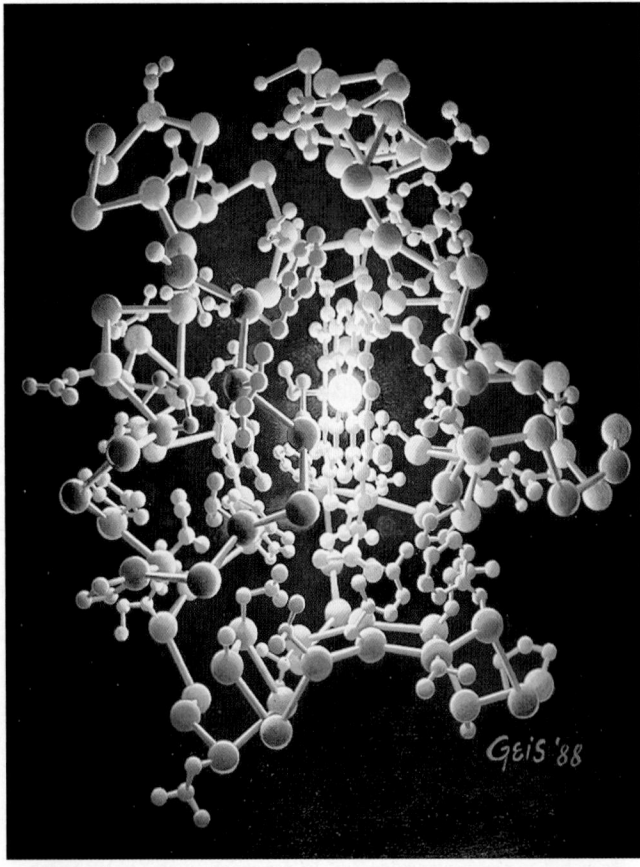

(a)

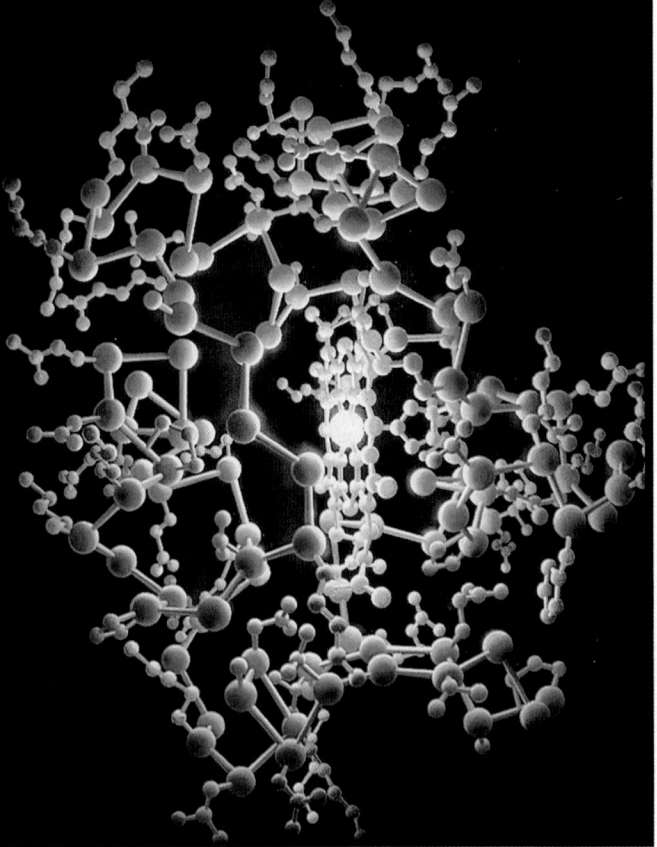

(b)

FIGURE 8-42 Structure par rayons X du cytochrome *c* de cœur de cheval. La protéine (*en bleu*) est illuminée par l'atome de Fe de son groupement hème (*en orange*). Dans la Partie *a*, les chaînes latérales hydrophobes sont en rouge et dans la Partie *b* les chaînes latérales hydrophiles sont en vert. [D'après une structure par rayons X due à Richard Dickerson, UCLA ; illustration par Irving Geiss. Droits acquis par le Howard Hughes Medical Institute -reproduction interdite sans permission.]

(a)

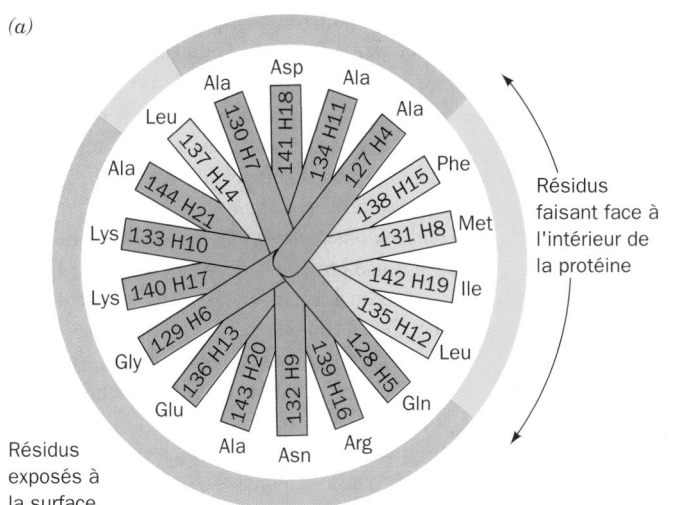

Résidus
faisant face à
l'intérieur de
la protéine

Résidus
exposés à
la surface

(b)

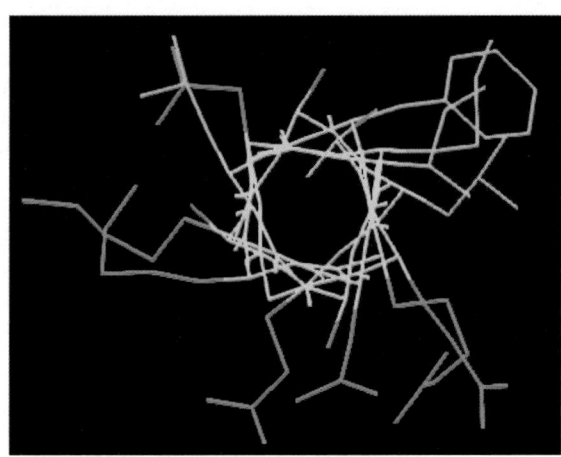

(c)

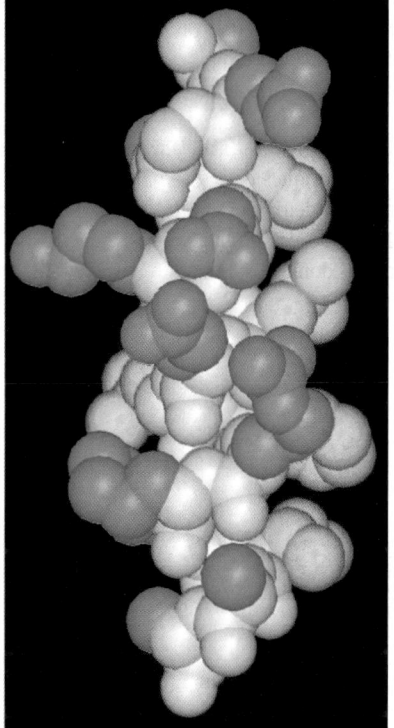

FIGURE 8-43 L'hélice H de la myoglobine de cachalot. *(a)* Représentation
en **roue hélicoïdale (projection en boucle)** dans laquelle les positions des
chaînes latérales autour de l'hélice α se projettent en descendant le long de
l'axe de l'hélice vers le plan du papier. Chaque résidu est identifié selon sa
position dans la séquence polypeptidique et celle qu'il a dans l'hélice H. Les
résidus qui bordent le côté de l'hélice faisant face aux régions internes de la
protéine sont tous non polaires (*en jaune*). Les autres résidus, sauf Leu 137, en
contact avec le segment qui relie les hélices E et F (Fig. 8-39*b*), sont exposés
au solvant et sont plus ou moins polaires (*en violet*). *(b)* Modèle en ossature,
vu comme dans la Partie *a*, où la chaîne principale est en blanc, les chaînes
latérales non polaires en jaune, et les chaînes latérales polaires en violet.
(c) Modèle compact, vu du bas de la page dans les Parties *a* et *b* et coloré
comme dans la Partie *b*.

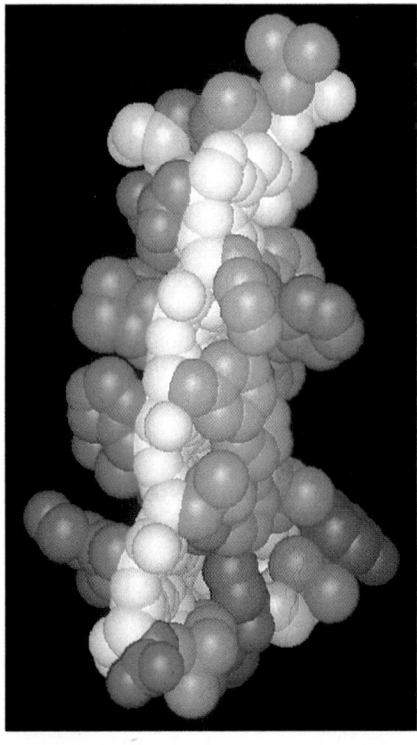

FIGURE 8-44 Modèle compact d'un feuillet β antiparallèle de la concanavaline A. Vue latérale
avec l'intérieur de la protéine (la surface d'un deuxième feuillet β antiparallèle ; voir Fig. 8-40) à
droite et l'extérieur à gauche. La chaîne principale est en blanc, les chaînes latérales non polaires
en brun, et les chaînes latérales polaires en violet.

polaires à l'intérieur) a conduit à les décrire comme « des gouttes d'huile à enveloppe polaire ». Cette généralisation, quoique pittoresque, n'est pas très précise. La **densité de compactage** (volume délimité par les surfaces de van der Waals des atomes dans une région, divisé par le volume total de la région) des régions internes des protéines globulaires est de l'ordre de 0,75, soit une valeur identique à celle de cristaux moléculaires de petites molécules organiques. Par comparaison, des sphères compactes de taille égale ont une densité de compactage de 0,74, tandis que des liquides organiques (gouttes d'huile) ont des densités de compactage comprises entre 0,60 et 0,70. *L'intérieur d'une protéine se rapproche donc davantage d'un cristal moléculaire que d'une goutte d'huile ; il est efficacement rempli.*

Les liaisons des chaînes latérales des protéines, y compris celles qui se trouvent au cœur de la protéine, ont presque toujours des angles de torsion décalés de faible énergie (Fig. 8-5*a*). De toute évidence, les chaînes latérales internes prennent des conformations relâchées, en dépit de la profusion de leurs interactions intramoléculaires (Section 8-4).

d. Les polypeptides de grande taille forment des domaines

Les chaînes polypeptidiques de plus de 200 résidus environ se replient généralement en deux blocs (ou plus) qu'on appelle des **domaines**, qui confèrent à ces protéines une forme bi- ou multilobée. La plupart des domaines ont entre 100 et 200 résidus d'acide aminé et un diamètre moyen d'environ 25 Å. Par exemple, chaque sous-unité de la **glycéraldéhyde-3-phosphate déshydrogénase** présente deux domaines distincts (Fig. 8-45). Une chaîne polypeptidique a un certain degré de liberté à l'intérieur d'un domaine mais des domaines voisins sont généralement réunis par un, éventuellement deux, segments polypeptidiques. *Les domaines sont donc des unités structuralement indépendantes qui ont chacune les caractéristiques d'une petite protéine globulaire.* En fait, la protéolyse ménagée d'une protéine à plusieurs domaines libère souvent ses domaines sans en affecter sérieusement la structure ou l'activité enzymatique. Cependant, la structure en domaines d'une protéine n'est pas toujours évidente, car ses domaines peuvent établir des contacts si intenses entre eux que la protéine peut sembler une seule entité globulaire.

L'examen des différentes structures de protéines représentées dans ce chapitre montre que les domaines sont constitués d'au moins deux couches d'éléments à structure secondaire. Il est facile de comprendre pourquoi ; il est indispensable qu'il y ait au moins deux couches de ce type pour isoler le cœur hydrophobe d'un domaine de l'environnement aqueux.

Les domaines ont parfois une fonction spécifique comme, par exemple, celle d'assurer la liaison d'une petite molécule. Ainsi, sur la Fig. 8-45, le **nicotinamide adénine dinucléotide (NAD⁺)** est lié

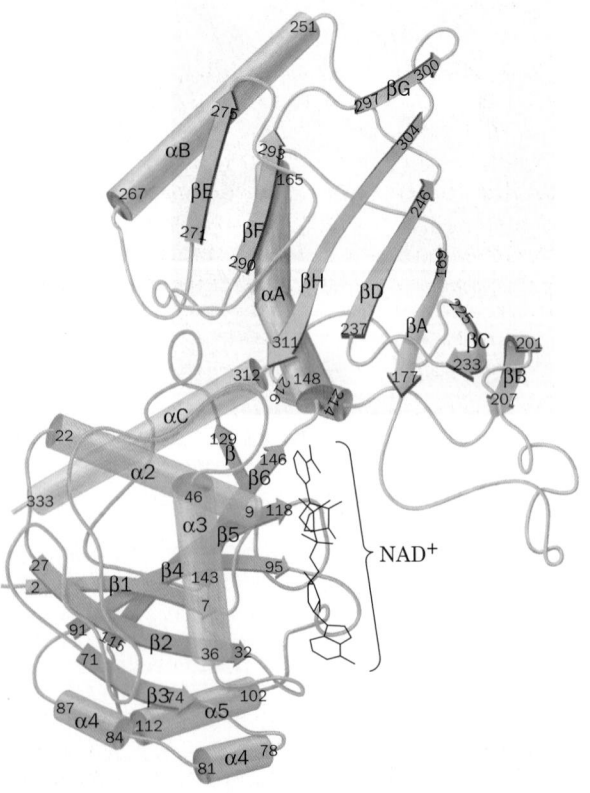

Nicotinamide adenine dinucleotide (NAD⁺)

au premier domaine de la glycéraldéhyde-3-phosphate déshydrogénase. Les sites de liaison pour de petites molécules dans des protéines à multidomaines se trouvent souvent dans des fentes entre les domaines, autrement dit, les petites molécules sont liées à des groupements de deux domaines. Cette disposition résulte, en partie, de la nécessité d'interactions souples entre la protéine et la petite molécule, que peuvent assurer les liaisons covalentes relativement flexibles entre les domaines.

e. Les protéines sont faites de structures supersecondaires

Certains regroupements d'éléments de structure secondaire, appelés **structures supersecondaires** ou **motifs**, se trouvent dans de nombreuses protéines globulaires non apparentées :

1. La forme la plus courante de structure supersecondaire est le **motif βαβ** (Fig. 8-46*a*), dans lequel l'enjambement de connexion de pas à droite qui relie habituellement deux segments en feuillet β parallèle est ici une hélice α.

FIGURE 8-45 Une sous-unité de la glycéraldéhyde-3-phosphate déshydrogénase de *Bacillus stearothermophilus*. Le polypeptide se replie en deux domaines distincts. Le premier domaine (*rouge*, résidus 1-146) lie le NAD⁺ (*noir*) près des extrémités C-terminales de ses segments β parallèles, et le deuxième domaine (*vert*) lie le glycéraldéhyde-3-phosphate (non montré). [D'après Biesecker, G., Harris, J.I., Thierry, J.C., Walker, J.R., et Wonacott, A., *Nature* **266**, 331 (1977).]

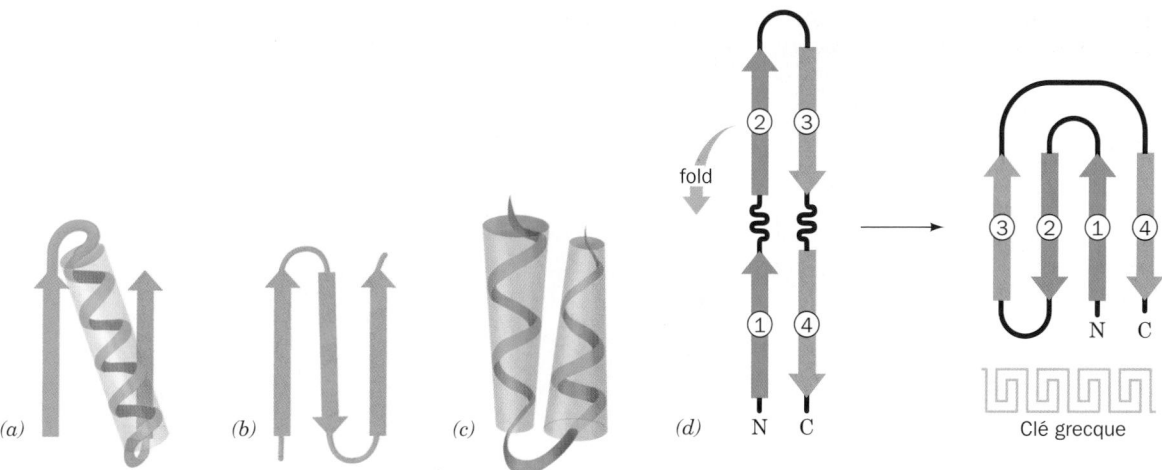

FIGURE 8-46 Représentations schématiques de structures supersecondaires. *(a)* un motif βαβ, *(b)* un motif en épingle à cheveux β, *(c)* un motif αα, et *(d)* un motif en clé grecque, et la façon dont il se forme à partir d'une épingle à cheveux β repliée sur elle-même.

2. Une autre structure supersecondaire courante, le **motif en épingle à cheveux β** (Fig. 8-46*b*), consiste en un feuillet β antiparallèle formé des segments successifs de la chaîne polypeptidique reliés par des coudes déterminant un retour en arrière.

3. Dans le **motif αα** (Fig. 8-46*c*), deux hélices α antiparallèles successives s'appliquent l'une contre l'autre, leurs axes étant inclinés afin de permettre à leurs chaînes latérales en contact d'établir des interactions énergétiquement favorables. De telles associations stabilisent la conformation en câble enroulé des kératines α (Section 8-2A).

4. Dans le **motif en clé grecque**, (Fig. 8-46*d*; qui doit son nom à un motif décoratif courant dans la Grèce antique), un motif en épingle à cheveux β est repli? sur lui-même pour former un feuillet β antiparallèle à quatre brins. Sur les dix possibilités de connexion de ceux-ci, les deux qui donnent une clé grecque sont de loin les plus courants dans les protéines.

En se combinant, éventuellement par superposition, des groupes de motifs peuvent former la structure tertiaire d'un domaine, qui prend alors le nom de **pli** (« **fold** »).

Le nombre de plis différents possibles pourrait sembler pratiquement infini. La comparaison du très grand nombre de structures protéiques connues montre qu'il n'en est rien. *Il n'existe qu'un petit nombre de plis typiques des protéines, la plupart de celles-ci contenant en effet des plis que l'on trouve dans des protéines non apparentées.* La fréquence de découverte de nouvelles structures protéiques par rapport à celle de nouveaux plis suggère que le nombre de ces derniers ne dépasse pas le millier, et on en a déjà identifié environ 600.

Il existe plusieurs classifications des domaines des protéines (voir Section 8-3C). La plus simple est de distinguer les **domaines α** (dont les éléments de structure secondaire ne contiennent que des hélices α), les **domaines β** (qui ne contiennent que des feuillets β) et les domaines **α/β** (contenant des hélices α et des feuillets β). Cette dernière catégorie peut être subdivisée en **tonneaux α/β** et en **feuillets β ouverts**. Les paragraphes qui suivent

donnent une description des plis les plus courants trouvés dans chacun de ces groupes.

f. Domaines α

Nous avons déjà rencontré un pli ne contenant que des hélices α, le **pli globine**, qui contient 8 hélices sur deux couches et que l'on trouve dans la myoglobine (Fig. 8-39) ainsi que dans les chaînes α et β de l'hémoglobine (Section 10-2B). Dans un autre pli courant « tout α », deux motifs αα se combinent pour former un **faisceau de 4 hélices**, comme dans le **cytochrome b_{562}** (Fig. 8-47*a*). Ici, les hélices sont inclinées de sorte que leurs chaînes latérales s'interpénètrent et perdent le contact avec l'environnement aqueux. Elles sont donc essentiellement hydrophobes. Le faisceau de 4 hélices existe dans un grand nombre de protéines. Cependant, elles ne présentent pas toutes la topologie haut-bas-haut-bas (la connectivité) du cytochrome b_{562}. L'**hormone de croissance** humaine, par exemple, est un faisceau de 4 hélices de topologie haut-haut-bas-bas (Fig. 8-47*b*). Dans ce type de pli, les hélices successives parallèles sont nécessairement reliées par des boucles plus longues que dans les hélices successives antiparallèles.

On trouve différents types de domaines α dans les **protéines transmembranaires**. Celles-ci seront étudiées dans la Section 12-3A.

g. Domaines β

Les domaines β contiennent des brins β principalement antiparallèles (de 4 à plus de 10) qui sont disposés en deux feuillets collés l'un à l'autre pour former un **sandwich β**. Ainsi, **le pli immunoglobuline** (Fig. 8-48), qui forme la structure du domaine de base de la plupart des protéines du système immunitaire (Section 35-2B), est constitué d'un feuillet β antiparallèle à 4 brins en contact, face à face, avec un feuillet β antiparallèle à 3 brins. Notez que les brins dans les deux feuillets ne sont pas parallèles, une caractéristique des feuillets β empilés. Les chaînes latérales entre ceux-ci ne sont pas en contact avec le milieu aqueux et forment

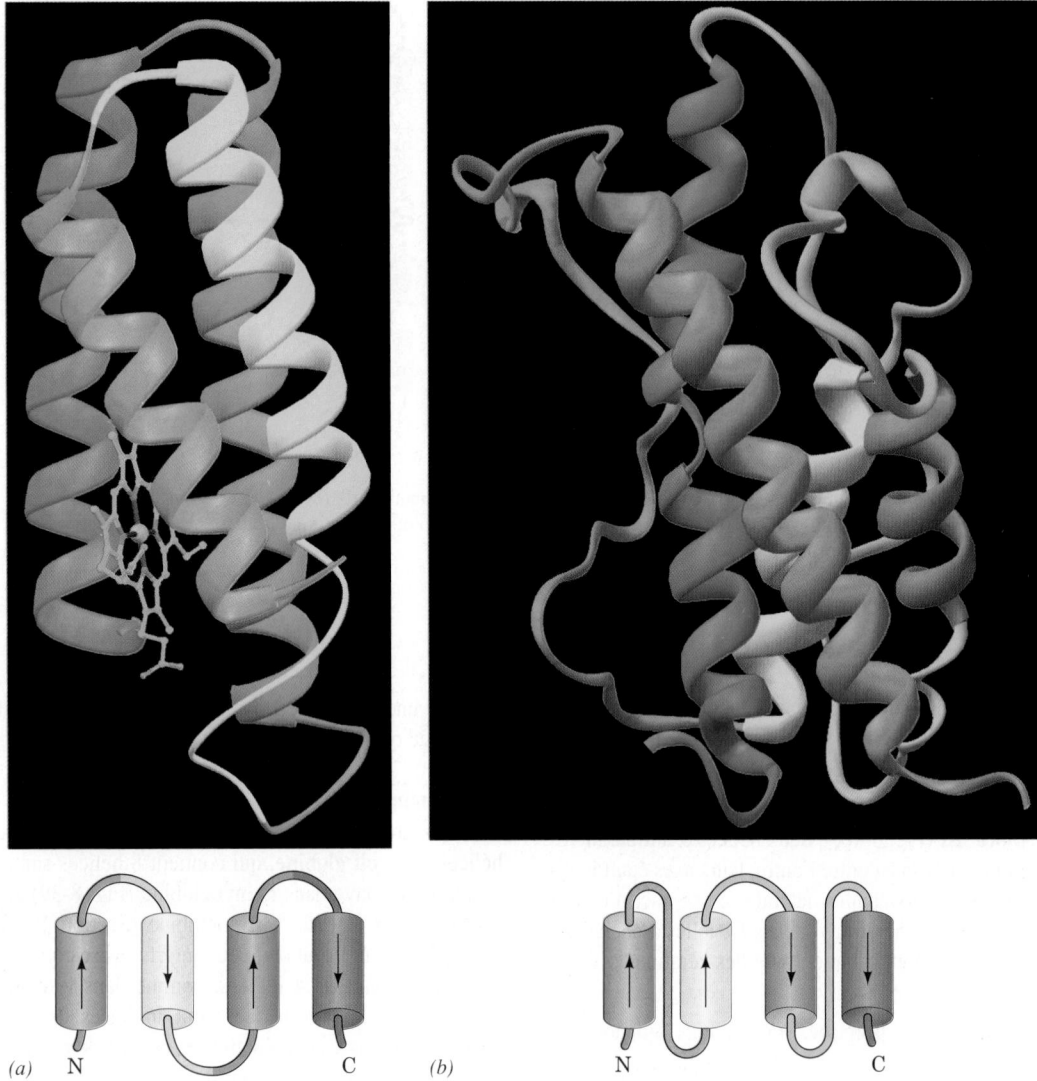

FIGURE 8-47 Structures par rayons X de protéines à faisceaux de 4 hélices. *(a)* Cytochrome b_{562} de *E. coli* et *(b)* hormone de croissance humaine. Les protéines sont représentées par leurs squelettes peptidiques, dessinés en rubans, dans lesquels les hélices et les segments qui les relient sont colorés du rouge au bleu, comme dans un arc-en-ciel. Le groupement hème du cytochrome b_{562} est en « boules et bâtonnets » avec C en magenta, N en bleu, O en rouge, et Fe en orange. Sous chaque représentation en ruban on trouve un diagramme topologique qui montre comment les hélices α sont reliées au sein de chaque faisceau de 4 hélices. Le cytochrome b_{562} (106 résidus) possède une topologie haut/bas/haut/bas, alors que celle de l'hormone de croissance (191 résidus) est du type haut/haut/bas/bas. Noter que les hélices N- et C-terminales de l'hormone de croissance sont plus longues que les deux autres, de sorte que ces dernières forment un motif αα. [D'après des structures par rayons X dues à *(a)* F. Scott Matthews, Washington University School of Medicine, et *(b)* Alexander Wlodawer, National Cancer Institute, Frederick, Maryland. PDBids *(a)* 256B *et* (b) 1HGU.]

donc le cœur hydrophobe du domaine. Les résidus successifs dans un brin β se projettent alternativement vers les côtés opposés du feuillet β (Fig. 8-17) : ces résidus sont donc alternativement hydrophobes et hydrophiles.

La courbure inhérente aux feuillets β (Section 8-1C) provoque souvent leur enroulement en **tonneaux β** lorsqu'ils contiennent plus de 6 brins. En fait, les sandwich β peuvent être considérés comme des tonneaux β aplatis. On a observé plusieurs topologies différentes pour les tonneaux β. Les plus courantes sont :

1. Le **tonneau β haut/bas**, fait de 8 brins β antiparallèles successifs arrangés comme les douves d'un tonneau. Un exemple de cette topologie est la **protéine de liaison du rétinol** (Fig. 8-49), dont la fonction est de transporter dans le sang le **rétinol** (ou **vitamine A**), précurseur non polaire du pigment visuel :

Rétinol

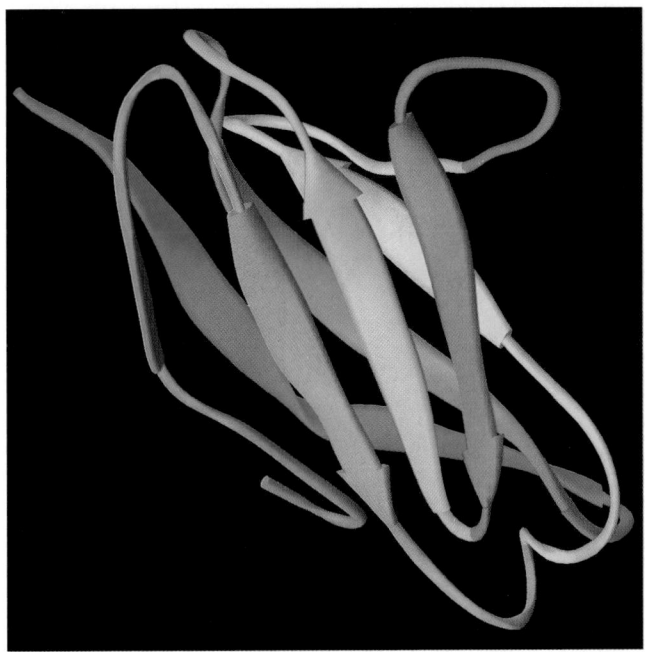

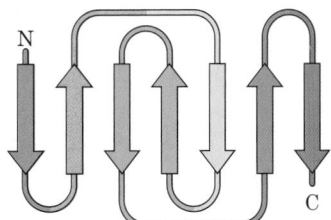

FIGURE 8-48 Le pli immunoglobuline. La structure par rayons X du domaine N-terminal du fragment **Fab New** de l'immunoglobuline humaine montre son pli immunoglobuline. Le squelette peptidique de ce domaine de 103 résidus est dessiné en ruban, ses feuillets β étant représentés par des flèches plates pointant vers l'extrémité C-terminale et colorées, de l'extrémité N-terminale vers l'extrémité C-terminale, du rouge au bleu comme dans l'arc-en-ciel. Le diagramme topologique du pli immunoglobuline, à droite, montre comment sont reliés les feuillets β antiparallèles à 4 brins et à 3 brins dans leur empilement au sein du domaine. [D'après une structure par rayons X due à Roberto Poljak, The Johns Hopkins School of Medicine. PDBid 7FAB.]

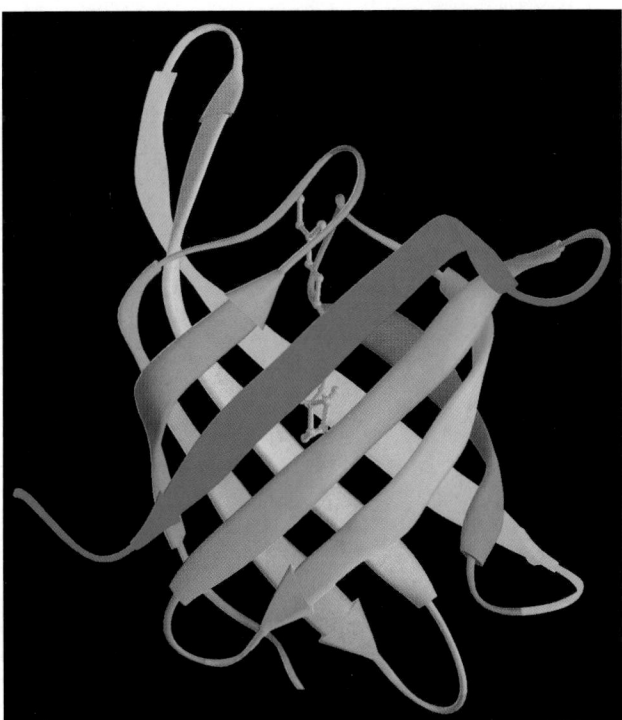

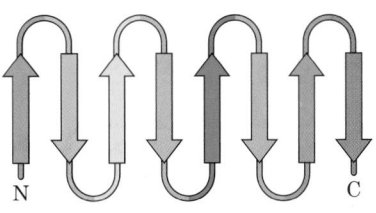

FIGURE 8-49 La protéine de liaison du rétinol. Sa structure par rayons X montre son tonneau β haut/bas (résidus 1-142 sur 182). Le squelette peptidique est dessiné en ruban, ses feuillets β étant colorés, de l'extrémité N-terminale vers l'extrémité C-terminale, du rouge au bleu, comme dans un arc-en-ciel. Noter que chaque feuillet β est relié par une courte boucle au feuillet adjacent dans le sens horaire, vu d'en haut. La molécule de rétinol liée à la protéine est représentée en blanc selon le modèle « boules et bâtonnets ». Le diagramme topologique de la protéine est donné à droite. [D'après une structure par rayons X due à T. Alwyn Jones, Biomedical Center, Uppsala, Suède.PDBid 1RBP.]

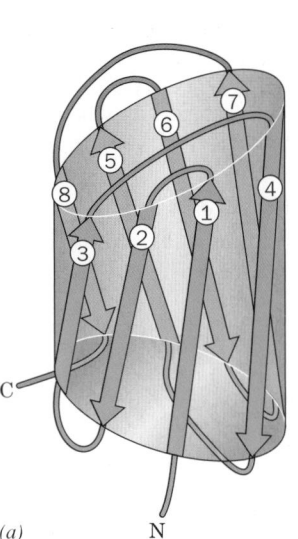

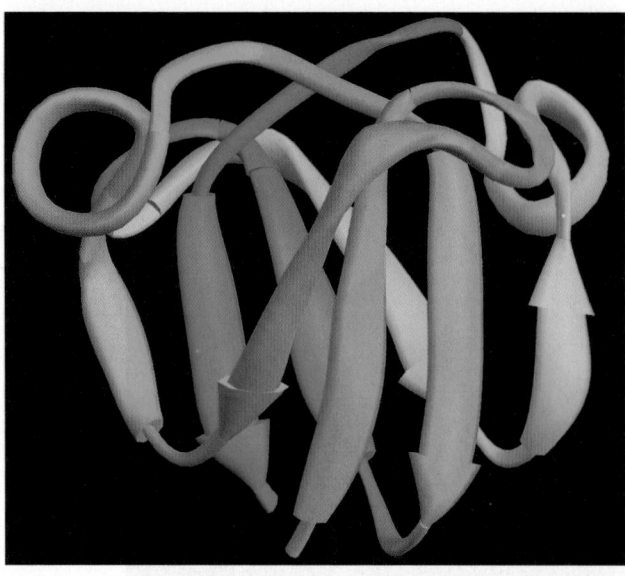

(a)   N   *(b)*

FIGURE 8-50 Structure par rayons X du domaine C-terminal de la γ-B cristalline bovine. *(a)* Diagramme topologique montrant comment ses deux motifs en clé grecque se disposent en tonneau β. Un de ces motifs *(en rouge)* est formé des feuillets β 1 à 4, l'autre *(en bleu)* des feuillets β 5 à 8. [D'après Branden, C. and Tooze, J., *Introduction to Protein Structure* (2nd ed.), p. 75, Garland (1999).] *(b)* Squelette du peptide (83 résidus) montré en ruban. Ici, les membres d'une paire de feuillets β

antiparallèles en clé grecque ont la même couleur, avec la clé grecque N-terminale en rouge (brins 1 & 4) et orange (2 & 3) et la clé grecque C-terminale en bleu (5 & 8) et en bleu-vert (6 & 7). Le domaine N-terminal de cette protéine à deux domaines est pratiquement superposable à son domaine C-terminal. [D'après une structure par rayons X due à Tom Blundell, Birbeck College, London, U. K. PDBid 4GCR.]

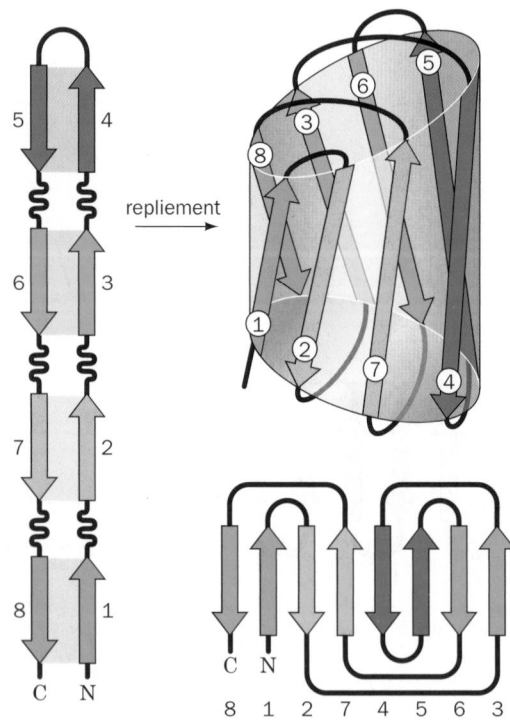

(a)

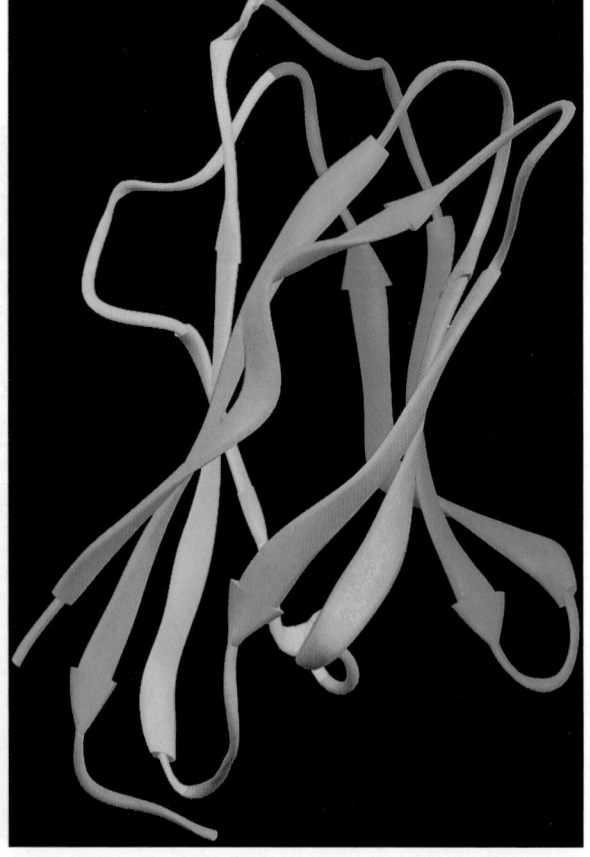

(b)

FIGURE 8-51 Structure par rayons X du peptide *N⁴-(N*-acétyl-β-D-glucosaminyl)asparagine amidase F, une enzyme de *Flavobacterium meningosepticum.* *(a)* Diagramme montrant la formation d'un tonneau β à 8 brins par enroulement d'une épingle à cheveux β à 4 segments. Un diagramme topologique du tonneau en brioche suisse est également montré. [D'après Branden, C. et Tooze, J., *Introduction to Protein Structure* (2nd ed.), pp. 77-78, Garland (1999).] *(b)* Diagramme en ruban du domaine formé des résidus 1 à 140 de cette enzyme de 314 résidus. Ici, les deux feuillets β de chaque segment de l'épingle à cheveux β ont la

même couleur, avec les brins 1 & 8 (brins N- et C-terminaux) en rouge, les brins 2 & 7 en orange, les brins 3 & 6 en bleu-vert et les brins 4 & 5 en bleu. [D'après une structure par rayons X due à Patrick Van Roey, New York State Department of Health, Albany, New York. PDBid 1PNG.]

2. Un pli constitué de deux motifs en clé grecque, qui permet une autre manière de réunir les brins d'un tonneau β antiparallèle à 8 brins. Dans la Fig. 8-50, on voit comment deux de ces motifs dans le domaine C-terminal de la **γ-B cristalline**, une protéine du cristallin, s'organisent pour former un tonneau β.

3. Le tonneau en **brioche à la marmelade** ou en **brioche suisse** (par analogie avec ces pâtisseries enroulées), dans lequel une épingle à cheveux β à 4 segments s'enroule en tonneau β antiparallèle à 8 brins d'une topologie encore différente, comme montré à la Fig. 8-51a. La structure par rayons X de l'enzyme **peptide-N^4-(N-acetyl-β-D-glucosaminyl)asparagine amidase F**, déterminée par Patrick Van Roey, contient un domaine de ce type (Fig. 8-51b).

h. Tonneaux α/β

Dans les domaines α/β, un feuillet β central parallèle ou mixte est flanqué d'hélices α. Le tonneau α/β, représenté à la Fig. 8-19b, est une structure d'une remarquable régularité fait de 8 unités βα en tandem (8 motifs βαβ superposés) torsadées en hélice de pas à droite pour former un tonneau β parallèle à 8 brins à l'intérieur d'un tonneau fait de 8 hélices α. Tous les brins β sont à peu près antiparallèles à l'hélice α suivante et ils sont tous inclinés d'un angle similaire par rapport à l'axe du tonneau. La Fig. 8-52 montre la structure par rayons X de la **triose phosphate isomérase (TIM)** de poulet, déterminée par David Phillips, qui est un tonneau α/β. Comme c'est la première structure connue d'un tonneau α/β, on l'appelle aussi **tonneau TIM**.

Les chaînes latérales issues des hélices α et dirigées vers l'intérieur se mêlent à celles dirigées vers l'extérieur à partir des brins β. Une forte proportion (~40%) de ces chaînes latérales appartiennent aux résidus aliphatiques ramifiés Ile, Leu et Val. Les chaînes latérales dirigées vers l'intérieur à partir des brins β ont tendance à être volumineuses et donc à remplir le centre du tonneau β (contrairement à l'impression donnée par les Fig. 8-19b et 8-52, les tonneaux α/β n'ont pas de centre creux, sauf dans un seul cas connu). Les chaînes latérales qui remplissent les extrémités du tonneau sont au contact du solvant et ont donc tendance à être polaires ; celles du centre n'établissent pas un tel contact et sont non polaires. Ainsi, les tonneaux α/β ont un squelette fait de quatre couches polypepdidiques où s'intercalent les régions hydrophobes des chaînes latérales. Au contraire, les domaines α et les domaines β sont faits de deux couches polypeptidiques qui prennent en sandwich un centte hydrophobe.

Environ 10% des enzymes de structure connue contiennent un tonneau α/β, ce qui en fait le pli le plus souvent rencontré dans les enzymes. De plus, pratiquement toutes les protéines en tonneau α/β sont des enzymes. Les site actifs des enzymes en tonneau α/β sont pratiquement toujours situés dans des poches en entonnoir formées par les boucles qui relient les extrémités C-terminales des brins β aux hélices α qui les suivent et entourent ainsi l'ouverture du tonneau β, une disposition étonnante dont l'assise structurale n'est pas évidente. Peu de protéines en tonneau α/β partagent une similitude de séquence. Malgré cette observation, on a proposé que toutes les protéines de ce type proviennent d'un ancêtre commun et sont donc apparentées (même de loin) par **évolution divergente**. D'après une autre opinion, la structure du tonneau α/β est si bien adaptée à la catalyse enzymatique qu'elle est apparue plusieurs fois, les enzymes α/β étant dans ce cas apparentés par **évolution convergente** (la nature ayant découvert le même pli à des époques

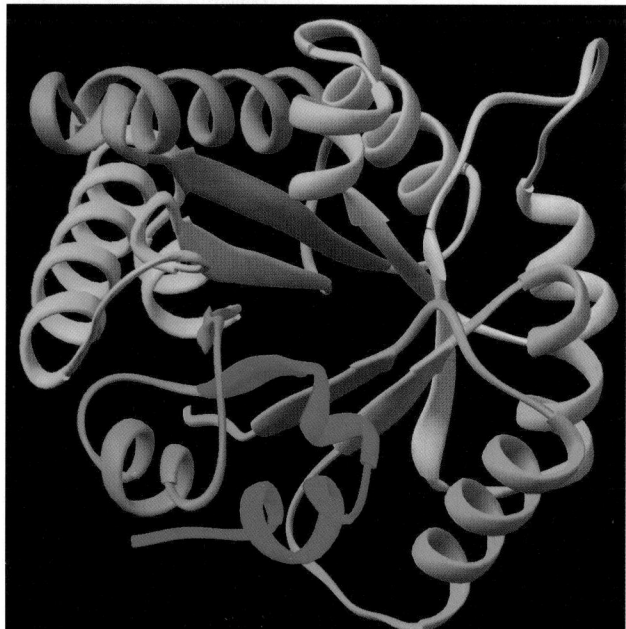

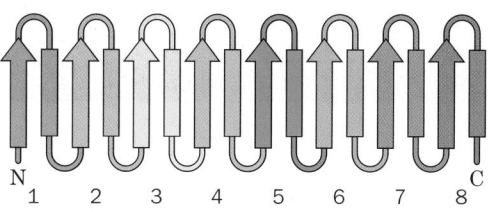

FIGURE 8-52 Structure par rayons X de la triose phosphate isomérase (TIM), une enzyme de muscle de poulet de 247 résidus. La protéine est observée à peu près dans l'axe de son tonneau α/β. Le squelette du peptide est schématisé en ruban, avec ses unités βα successives colorées, de l'extrémité N-terminale vers l'extrémité C-terminale, du rouge au bleu, comme dans un arc-en-ciel. Dans le diagramme topologique montré à côté, les hélices α sont représentés par des rectangles. [D'après une structure par rayons X due à David Phillips, Oxford University, U. K. PDBid 1TIM.]

différentes). La question reste ouverte, faute de données convaincantes en faveur de l'une ou l'autre de ces interprétations,

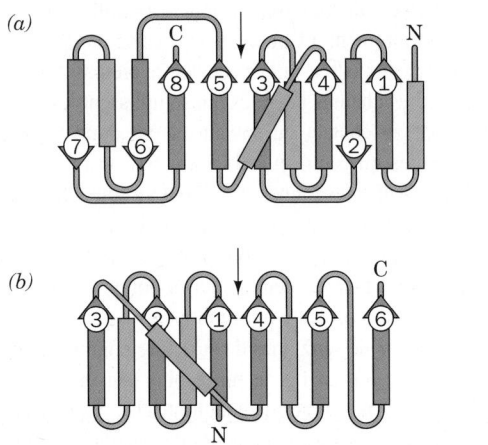

(a)

(b)

FIGURE 8-53 Diagrammes topologiques *(a)* **de la carboxypeptidase A
et** *(b)* **du domaine N-terminal de la glycéraldéhyde-3-phosphate
déshydrogénase.** Les structures par rayons X de ces protéines sont montrées dans les Figures 8-19*a* et 8-45. La fine flèche verticale noire indique
les points de changement topologique de la protéine.

i. Feuillets β ouverts

Nous avons rencontré ci-dessus des exemples de feuillets β
ouvert dans la carboxypeptidase A (Fig. 8-19*a*) et dans le domaine
N-terminal de la glyceraldéhyde-3-phosphate déshydrogénase
(Fig. 8-45). Les diagrammes topologiques correspondants sont
montrés à la Fig. 8-53. De tels diagrammes, ainsi que les structures
par rayons X, sont donnés à la Fig. 8-54 pour deux autres protéines
du même type, les enzymes **lactate déshydrogénase** (domaine
N-terminal) et **adénylate kinase**. Ces plis sont constitués d'un
feuillet β central, parallèle ou mixte, flanqué de part et d'autre
d'hélices α qui relient, par des enjambements de pas à droite, les
brins β parallèles successifs (Fig. 8-20*b*). Dans un tel feuillet β,
l'ordre des brins n'est pas le même que dans la séquence. En réalité, le feuillet β contient un long enjambement qui inverse la direction du segment suivant du feuillet et le retourne tête en bas, ce qui
amène les enjambements hélicoïdaux du côté du feuillet opposé à
celui des enjambements dans le segment précédent (Fig. 8-55).
C'est pourquoi ces assemblages sont appelés **feuillets doublement
enroulés** (par opposition aux tonneaux α/β, qui sont simplement
enroulés puisque leurs hélices sont toutes du même côté de leurs

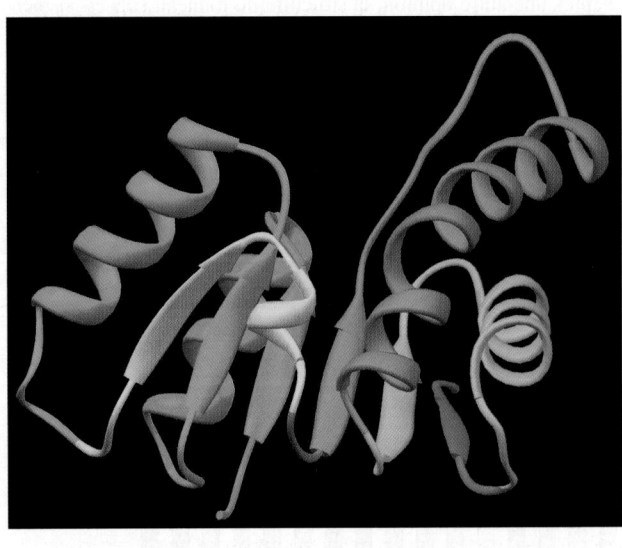

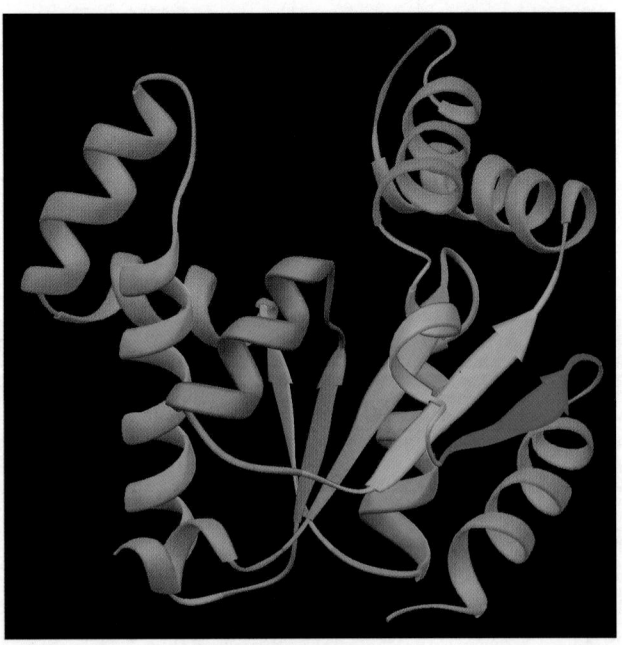

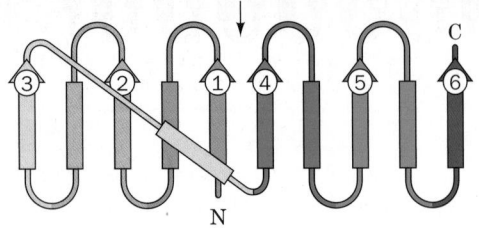

(a)

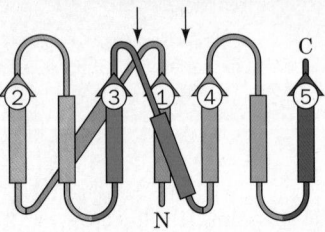

(b)

**FIGURE 8-54 Structure par rayons X d'enzymes contenant un
feuillet β ouvert.** *(a)* Domaine N-terminal (résidus 20 à 163) de lactate
déshydrogénase de roussette (330 résidus) et *(b)* adénylate kinase de porc
(195 résidus). Les squelettes peptidiques sont montrés en rubans avec les
unités βα successives colorées, de l'extrémité N-terminale vers l'extrémité C-terminale, du rouge au bleu, comme dans un arc-en-ciel. Dans la
Partie *b* les éléments de structure qui ne sont pas des composants du

feuillet β ouvert sont en gris. Dans les diagrammes topologiques de ces
protéines montrés à côté, les fines flèches verticales noires indiquent les
points de changement topologique. [D'après une structure par rayons X
due à *(a)* Michael Grossman, Purdue University, et *(b)* Georg Schulz,
Institut für Organische Chemie und Biochemie, Freiburg, Allemagne.
PDBids *(a)* 6LDH & *(b)* 3ADK.]

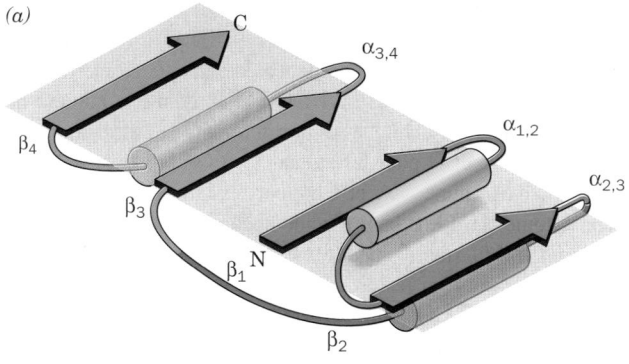

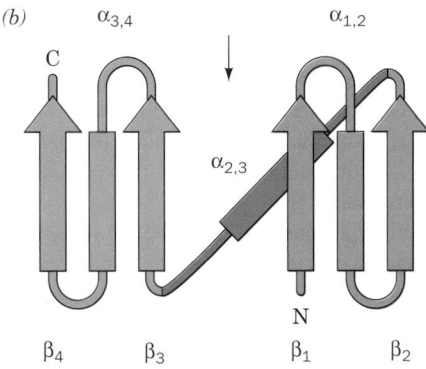

FIGURE 8-55 Feuillets doublement enroulés. *(a)* Schéma d'un feuillet doublement enroulé montrant comment le long enjambement *(en vert)* entre ses segments N- et C-terminaux *(en rouge et en bleu)* inverse la direction du segment C-terminal du feuillet et place du côté opposé les enjambements en hélices α. *(b)* Diagramme topologique correspondant où la fine flèche verticale noire indique les point de changement topologique. [D'après Branden, C. et Tooze, J., *Introduction to Protein Structure* (2ᵉ éd.), p. 49, Garland (1999).]

point de changement topologique (voir l'adénylate kinase ; Fig. 8-54*b*).

La structure de domaine la plus courante dans les protéines globulaires est le feuillet β ouvert. De plus, pratiquement toutes ces protéines sont des enzymes, dont la plupart lient des mono- ou des dinucléotides. Ainsi, le pli typique de la lactate déshydrogénase (**LDH** ; Fig. 8-54*a*) est appelé **pli de liaison à dinucléotide** ou **pli de Rossmann** (d'après Michael Rossmann, qui fut le premier à le décrire). C'est parce que les mononucléotides sont d'habitude liés par des unités βαβαβ, dont on trouve deux exemplaires dans la LDH, qui lie le dinucléotide NAD⁺. Dans certaines protéines, la deuxième hélice α dans l'unité βαβαβ est remplacée par un segment polypeptidique non hélicoïdal, par exemple entre les segments β5 et β6 de la glycéraldéhyde-3-phosphate déshydrogénase (Figs. 8-45 et 8-53*b*), laquelle lie également le NAD⁺.

Au point de changement topologique d'un feuillet β ouvert, les boucles qui émergent des extrémités C-terminales des brins β flanquants vont vers les côtés opposés du feuillet et forment ainsi entre elles une crevasse. Comme l'a montré Carl-Ivar Brändén, cette crevasse constitue au moins une partie du site actif de l'enzyme, et ceci a été confirmé pour plus de 100 structures d'enzymes contenant un feuillet β ouvert. Ainsi, tant dans les enzymes à tonneaux α/β que dans celles à feuillet β ouvert, les sites actifs sont formés de boucles émergeant des extrémités C-terminales des brins β. Ceci contraste avec les enzymes qui possèdent d'autres types de structures de domaines et dont les sites actifs occupent des positions quelconques.

C. *Bioinformatique Structurale*

Dans la Section 7-4, nous avons traité de l'application de la bioinformatique à l'étude des séquences des protéines et des acides nucléiques, à savoir comment aligner ces séquences et comment construire des arbres phylogénétiques. Un aspect tout aussi important de cette discipline en pleine évolution est de représenter et de comparer les structures des macromolécules.

a. La Banque de Données des Protéines

Les coordonnées atomiques de la plupart des structures déterminées pour les macromolécules sont reprises dans la **Banque de Données des Protéines** (« Protein Data Bank » : **PDB**). Leur dépôt y est exigé par la majorité des périodiques scientifiques qui publient des structures macromoléculaires. On trouve plus de 20 000 de celles-ci dans la PDB (protéines, acides nucléiques et hydrates de carbone dont les structures ont été déterminées par rayons X et autres techniques de diffraction, RMN, microscopie électronique ou modélisation théorique). Ce nombre augmente de façon exponentielle à raison d'environ 2500 structures par an. Le site *Web* de la PDB (URL) qui donne libre accès à ces coordonnées est repris au Tableau 8-4.

Dans la PDB, chaque structure déterminée indépendamment est identifiée par quatre caractères (sa **PDBid**), le premier devant être un chiffre (1-9), et sans distinction de majuscules ou de minuscules (par exemple, 1MBO est la PDBid de la structure de la myoglobine montrée à la Fig. 8-39*c* ; il n'y a pas nécessairement une relation entre la PDBid et le nom de la macromolécule). Un dossier de coordonnées donne d'abord l'identification de la molécule,

feuillets β). Les feuillets doublement enroulés sont constitués de trois couches d'un squelette polypeptidique séparées par des rÈgions de chaînes latérales hydrophobes (au contraire des quatre couches des tonneaux α/β et des deux couches des domaines α et des domaines β). Notons que les deux types de domaines contenant des feuillets β parallèles sont hydrophobes des deux côtés du feuillet, les feuillets antiparallèles n'étant hydrophobes que d'un côté. Cette stabilisation supplémentaire des feuillets β parallèles compense probablement la faiblesse de leurs liaisons hydrogène non linéaires par rapport à celles, linéaires, des feuillets β antiparallèles (Fig. 8-6).

Il y a peu de contraintes géométriques pour limiter le nombre de brins dans les feuillets β ouverts ; on y trouve de 4 à 10 (le plus souvent 6) brins β. Le **point de changement topologique**, c'est-à-dire l'endroit où change la direction d'enroulement de la chaîne, peut se situer dans n'importe laquelle des jonctions entre une héllice α et un feuillet β. Par conséquent, les feuillets doublement enroulés peuvent présenter un grand nombre de plis différents. De plus, certains brins β peuvent emprunter une direction antiparallèle pour donner des feuillets mixtes (voir la carboxypeptidase A ; Figs. 8-19*a* et 8-53*a*) et, dans plusieurs cas, il existe plus d'un

TABLEAU 8-4 **Sites *Web* (URL) de bioinformatique structurale**

Bases de données sur les structures

Protein Data Bank (PDB):
http://www.rcsb.org/pdb/

Nucleic Acid Databank: http://ndbserver.rutgers.edu/NDB/ndb.html

Molecular Modeling Database (MMDB):
http://www.ncbi.nlm.nih.gov/Structure/index.shtml

PQS Protein Quaternary Structure Query Form at the EBI:
http://pqs.ebi.ac.uk/

Programmes de graphisme moléculaire et leurs sites d'accès

Chime:
http://www.mdli.com/cgi/dynamic/welcome.html

Cn3D:
http://www.ncbi.nlm.nih.gov/Structure/CN3D/cn3d.shtml

MAGE:
http://kinemage.biochem.duke.edu/

Protein Explorer:
http://www.umass.edu/microbio/chime/explorer/index.htm

RasMol:
http://www.bernstein-plus-sons.com/software/rasmol/ *et*
    http://www.umass.edu/microbio/rasmol/index.html

Virtual Reality Modeling Language (VRML):
Exige un accès VRML disponible via
    http://www.web3d.org/vrml/vrml.htm

Algorithmes de classification structurale

CATH (class, architecture, topology and homologous superfamily):
http://www.biochem.ucl.ac.uk/bsm/cath_new/index.html

CE (combinatorial extension of optimal pathway):
http://cl.sdsc.edu/

FSSP (fold classification based on structure–structure alignment of proteins):
http://www2.ebi.ac.uk/dali/fssp

SCOP (structural classification of proteins):
http://scop.mrc-lmb.cam.ac.uk/scop/

VAST (vector alignment search tool):
http://www.ncbi.nlm.nih.gov/Structure/VAST/vast.shtml

la date de dépôt, la source de la structure (l'organisme dont elle a été tirée) et le (ou les) auteur(s) qui l'ont déterminée, ainsi que des références pertinentes de la littérature. Le dossier explique ensuite brièvement comment la structure a été déterminée et avec quel degré de précision, et donne toute information utile quant à son interprétation, telle que symétrie et résidus éventuellement non observés. On trouve ensuite la séquence des différentes chaînes de la structure avec la description et les formules de ses goupements HET (hétérogènes), à savoir les entités moléculaires distinctes des résidues « standard » d'acides aminés ou de nucléotides (molécules organiques comme le groupement hème, résidus non standard tels que Hyp, ions métalliques, molécules d'eau liées). Suivent les positions des éléments de structure secondaire et des ponts disul-fure.

L'essentiel du dossier PDB est une série de relevés (lignes) dits ATOM (pour les résidus standard) et HETATM (résidus hété-rogènes), qui donnent les coordonnées de chaque atome dans la structure. Le relevé ATOM ou HETATM en donne le numéro de série de l'atome (d'habitude sa position dans la liste), son nom (par exemple C et O pour les atomes C et O d'un carbonyl d'un résidu d'acide aminé, CA et CB pour les atomes C_α et C_β, N1 pour l'atome N1 d'une base d'acide nucléique, C4* pour l'atome C4′ d'un résidu ribose ou désoxyribose), le nom du résidu [p. ex. PHE, G (pour un résidu guanosine), HEM (pour un groupe-ment hème), MG (pour un ion Mg^{2+}) et HOH (pour une molé-cule d'eau)], le matricule de la chaîne (p. ex. A, B, C, etc. pour les structures qui contiennent plus d'une chaîne, que celles-ci soient chimiquement identiques ou non), et le numéro d'ordre du résidu dans la chaîne. Le relevé donne ensuite les coordonnées (X, Y, Z) cartésiennes (orthogonales) de l'atome, en angstroms à partir d'une origine arbitraire, l'espace relatif qu'il occupe (la fraction des sites qui contiennent en fait l'atome en question, à laquelle on attribue d'habitude la valeur 1,00 mais qui peut être un nombre positif inférieur à 1,00 pour des groupements à conformations multiples ou pour des molécules ou ions qui ne sont liés que partiellement à une protéine), son facteur de tem-pérature isotrope (valeur qui renseigne sur le mouvement ther-mique de l'atome et d'autant plus grande que ce mouvement est grand). Les relevés ATOM sont donnés dans l'ordre des résidus dans la chaîne. Pour les structures par RMN, le dossier PDB contient une série complète de relevés ATOM et HETATM pour chaque membre de l'ensemble des structures calculées lors de la résolution de la structure (Section 8-3A; le membre le plus représentatif d'une telle série de coordonnées peut être obtenu via http://msd.ebi.ac.uk/Services/NMRModel/nmrmodel.html). Les dossiers PDB se terminent habituellement par des données de connectivité (CONECT), qui donnent les connectivités non standard entre atomes, comme dans les ponts disulfure et les liai-sons hydrogène.

On peut retrouver un dossier PDB d'après sa PDBid ou bien, si on ne la connaît pas, par une recherche qui identifie les dossiers d'après des critères tels que le nom de la protéine, son ou ses auteurs, sa source, ou encore les techniques utilisées pour en éta-blir la structure. Une fois sélectionnée la macromolécule d'intérêt, on part de « Structure Explorer » qui commence par donner une page de résumé, laquelle permet ensuite de faire apparaître la structure en tant qu'image statique ou interactive (voir ci-dessous), avec ses coordonnées atomiques (téléchargeables sur l'ordinateur de l'utilisateur), et de classer la structure par rapport à d'autres et d'en analyser les propriétés géométriques ainsi que la séquence (voir ci-desous).

b. La Banque de Données des Acides Nucléiques

La Banque de Données des Acides Nucléiques (NDB) ren-ferme les coordonnées atomiques des structures contenant des acides nucléiques. Ses dossiers ont en gros le même format que ceux de la PDB, laquelle contient aussi cette information. Cepen-dant, l'organisation de la NDB et ses algorithmes de recherche sont adaptés aux acides nucléiques. Sans cette spécialisation, de nombreux acides nucléiques de structure connue pourraient échap-per à une recherche dans la PDB car ils ne sont identifiés que par leur séquence plutôt que par leur nom, contrairement aux protéines (p. ex. la myoglobine).

c. Représentation des structures moléculaires en trois dimensions

La manière la plus instructive d'examiner une structure macro-moléculaire est d'utiliser des programmes de graphisme moléculaire. Ceux-ci permettent à l'utilisateur de faire tourner sur l'écran une macromolécule et d'ainsi la voir en trois dimensions. Cette faculté peut être améliorée par l'examen simultané en vision stéréoscopique. Les données d'entrée de quasi tous les programmes de graphisme moléculaire sont des dossiers PDB. Les programmes décrits ci-dessous peuvent être téléchargés à partir des sites *Web* données au Tableau 8-4, dont certains fournissent également les instructions d'utilisation.

RasMol, un programme de graphisme moléculaire bien connu que l'on doit à Roger Sayle, est en libre accès pour utilisation sur différentes configurations d'ordinateurs (Windows, MacOS et UNIX). Sa contrepartie (« plug-in ») sur le *Web* est appelée **Chime**. Avec RasMol et Chime, l'utilisateur peut sélectionner et faire apparaître simultanément des parties de la macromolécule en différentes couleurs et types de représentation (ossature en « fil de fer », boules et bâtonnets, squelette, modèle plein, ou schémas). De plus, le PDB permet à l'utilisateur de sélectionner sur le *Web* des structures pour les examiner avec le programme, basé sur Chime, appelé **Protein Explorer** dû à Eric Martz ou bien avec **Virtual Reality Modeling Language (VRML).** Un autre programme de graphisme moléculaire, **MAGE**, écrit par David Richardson, fournit des illustrations appelées **Kinemages** et donne une plus grande liberté d'action à l'utilisateur que RasMol ou Chime.

d. Classification et comparaison des structures

La plupart des protéines partagent des relations structurales. En effet, comme nous le verrons à la Section 9-6, ce sont les structures des protéines plutôt que leurs séquences qui ont tendance à être conservées au cours de l'évolution. Le paragraphes qui suivent commentent plusieurs sites *Web* d'accès libre qui fournissent des outils permettant de classer et de comparer des structures protéiques par ordinateur. On peut y accéder directement par ces sites *Web* (Tableau 8-4) ou via un lien associé à une protéine sélectionnée dans la PDB par la fenêtre « Structural Neighbors » du Structure Explorer. L'étude des structures avec ces programmes donne des informations sur la fonction, révèle des relations évolutives lointaines que ne font pas apparaître les comparaisons de séquence (Section 7-4B), fournit des bibliothèques de plis (« folds ») particuliers permettant des prédictions quant aux structures et explique pourquoi certains types de structure l'emportent sur d'autres.

1. CATH (*C*lasse, *A*rchitecture, *T*opologie et Superfamille d'*H*omologie) classe les protéines, comme son nom l'indique, selon une hiérarchie structurale à quatre niveaux. (1) La « Classe », niveau le plus élevé, attribue à la protéine sélectionnée une des quatre catégories suivantes d'après la structure secondaire générale : Principalement α, Principalement β, α/β (contenant des hélices α et des feuillets β), et Peu de Structures Secondaires. (2) « Architecture » décrit la disposition générale de la structure secondaire indépendamment de la topologie. (3) « Topologie » ren-

seigne sur la forme générale de la protéine et les connexions de ses structures secondaires. (4) « Superfamille d'Homologie » s'applique aux protéines de structure connue qui sont homologues (partagent un ancêtre commun) à la protéine d'intérêt. On peut faire apparaître un dessin statique ou interactif (Chime/RasMol ou VRML) de chacune des protéines. Pour 1MBO (myoglobine de cachalot) la classification CATH est Classe (C) : Principalement α ; Architecture (A) : faisceau orthogonal ; Topologie (T) : de type Globine ; et Superfamille d'Homologie (H) : Globine. CATH permet à l'utilisateur de parcourir dans les deux sens les différents niveaux hiérarchiques et d'en comparer les structures.

2. CE (*C*ombinatorial *E*xtension ; extension combinatoire du chemin optimal) trouve dans la PDB toutes les protéines dont les structures peuvent être alignées avec la structure d'intérêt dans les limites de critères géométriques assignés par l'utilisateur. On peut aligner les acides aminés de ces protéines sur base de leur place dans la structure plutôt que de leur alignement dans la séquence proprement dite (Section 7-4B). Les protéines ainsi alignées peuvent être visualisées simultanément via RasMol, Protein Explorer, ou une application Java appelée « Compare 3D » qui montre à la fois les squelettes des C_α et les séquences alignées. CE peut de même montrer l'alignement optimal de deux séquences choisies par l'utilisateur.

3. FSSP (*F*old classification based on *S*tructure-*S*tructure alignment of *P*roteins ; classification des plis fondée sur un alignement des structures des protéines) reprend dans la PDB les protéines dont les structures ressemblent, du moins en partie, à la protéine d'intérêt, et ceci sur base de comparaisons, constamment mises à jour, de toutes les structures de la PDB. Ces comparaisons sont réalisées par le programme **Dali** qui tient compte des distances entre les différents atomes dans chaque domaine d'une protéine. Avec Chime, on peut alors visualiser une ou plusieurs protéines en alignant les structures de régions similaires. On peut aussi représenter, pour des protéines particulières ou pour toute une famille de protéines, leurs alignements de séquence basés sur la structure.

4. SCOP (*S*tructural *C*lassification *O*f *P*roteins ; classification structurale des protéines) classe les structures des protéines essentiellement sur base de considérations topologiques obtenues « manuellement » d'après une hiérarchie à six niveaux : Classe [Tout α, Tout β, α/β (contenant un mélange d'hélices α et de brins β), α + β (où les hélices α et les brins β sont dans des régions séparées), et Multi-domaines (contenant des domaines de classes différentes)], Pli (groupements dont la disposition des éléments de structure secondaire est similaire), Superfamille (renseigne sur les relations évolutives lointaines fondées sur des critères structuraux et fonctionnels), Famille (renseigne sur les relations évolutives proches fondées sur les séquences et les structures), Protéine, et Espèce. Pour 1MBO on obtient Classe : Tout α ; Pli : de type Globine ; Superfamille : de type Globine ; Famille : Globines ; Protéine : Myoglobine ; Espèce : Cachalot (*Physeter catodon*). Avec SCOP, l'utilisateur peut « naviguer » dans les branches de cette organisation hiérarchique et en tirer une liste de membres connus d'une branche particulière. Ainsi, pour 1MBO, SCOP donne la liste des 137 structures de la PDB qui contiennent la myoglobine de cachalot (une des protéines les plus étudiées au plan structural). Chime permet alors de visualiser une protéine d'intérêt ou un membre d'une branche particulière.

5. VAST (*Vector Alignment Search Tool*; outil de recherche d'alignement de vecteurs) est une composante du système Entrez du National Center for Biotechnology Information (NCBI). Il donne une liste précalculée de protéines de structure connue qui ressemblent à la protéine d'intérêt au plan structural (« voisines par la structure »). Le système VAST utilise la **Base de Données de Modélisation Moléculaire** (« Molecular Modeling Database » : **MMDB**), une banque de données rassemblées par le NCBI à partir des coordonnées de la PDB mais dans laquelle les molécules sont représentées par des graphiques de connexions plutôt que par des ensembles de coordonnées atomiques. Avec VAST on peut superposer la protéine d'intérêt dans son alignement structural à cinq autres protéines via **Cn3D** [un programmme de graphisme moléculaire qui permet de voir les dossiers MMDB et qui est d'accès libre pour différentes configurations d'ordinateurs (Tableau 8-4)] ou à une seule autre protéine via MAGE. VAST donne également une liste précalculée de protéines de séquence similaire à celle de la protéine d'intérêt (« voisines par la séquence ») et fournit, pour celle-ci, des liens informatiques avec plusieurs banques de données bibliographiques dont MedLine.

La fenêtre « Other Sources » de Structure Explorer donne accès à d'autres outils pour l'analyse, la classification et la comparaison d'après les structures. La fenêtre « Sequence Details » donne la séquence de chaque chaîne de la structure et, pour les polypeptides, donne la structure secondaire de chaque résidu.

4 ■ STABILITÉ DES PROTÉINES

Aussi incroyable que cela puisse paraître, des mesures thermodynamiques montrent que *les protéines natives sont des entités à la limite de la stabilité dans les conditions physiologiques*. L'énergie libre nécessaire pour les dénaturer est de l'ordre de 0,4 kJ·mol⁻¹ de résidus d'acide aminé, soit pour des protéines de 100 résidus une stabilité typique de l'ordre de 40 kJ·mol⁻¹ seulement, alors que l'énergie nécessaire pour rompre une liaison hydrogène typique est de l'ordre de 20 kJ·mol⁻¹. Les différentes interactions non covalentes auxquelles une protéine est soumise – interactions électrostatiques (aussi bien attractives que répulsives), liaisons hydrogène (aussi bien intramoléculaires qu'avec l'eau), et les forces hydrophobes – représentent un potentiel énergétique de plusieurs milliers de kilojoules par mole pour l'ensemble de la molécule protéique. Par conséquent, *la structure d'une protéine est le résultat d'un équilibre fragile entre des forces compensatoires puissantes*. Dans cette section nous discuterons de la nature de ces forces et nous terminerons par l'étude de la dénaturation des protéines, c'est-à-dire, de la façon dont ces forces peuvent être rompues.

A. *Forces électrostatiques*

Les molécules sont des assemblages de particules électriquement chargées. Leurs interactions sont donc déterminées, en première approximation, par les lois de l'électrostatique classique (des calculs plus précis nécessiteraient l'application de la mécanique quantique). L'énergie d'association, U, de deux charges électriques, q_1 et q_2, séparées par une distance r, est obtenue en intégrant l'expression de la loi de Coulomb, Éq. [2.1], qui correspond au travail nécessaire à la séparation de ces charges d'une distance infinie :

$$U = \frac{kq_1q_2}{Dr} \qquad [8.1]$$

Dans cette équation, $k = 9{,}0 \times 10^9$ J·m·C⁻² et D est la constante diélectrique du milieu dans lequel les charges sont plongées (rappelez-vous que $D = 1$ dans le vide et, d'une façon générale, qu'elle augmente avec la polarité du milieu ; Tableau 2-1). La constante diélectrique d'une région de dimension moléculaire est difficile à estimer. Pour l'intérieur d'une protéine, on prend habituellement une valeur entre 3 et 5, par analogie avec les constantes diélectriques mesurées pour des substances qui ont des polarités similaires comme le benzène et l'éther éthylique.

La loi de Coulomb n'est valide que pour des charges de symétrie ponctuelle ou sphérique immergées dans un milieu dont la D est constante. Cependant, les protéines ne sont pas sphériques et leurs valeurs internes de D varient avec la position. De plus, une protéine en solution est associée à des ions mobiles tels que Na⁺ et Cl⁻, lesquels modulent le potentiel électrostatique de la protéine. Le calcul du potentiel électrostatique d'une protéine exige donc des algorithmes sophistiqués au plan mathématique et gros consommateurs de temps d'ordinateur, qui ne peuvent être traités ici. En recourant à de telles méthodes, on peut calculer le potentiel électrostatique de surface des protéines avec le programme **GRASP** (*Graphical Representation and Analysis of Surface Properties* ; représentation graphique et analyse des propriétés de surface) inventé par Anthony Nicholls, Kim Sharp et Barry Honig. La Fig. 8-56 montre un diagramme GRASP pour l'hormone de crois-

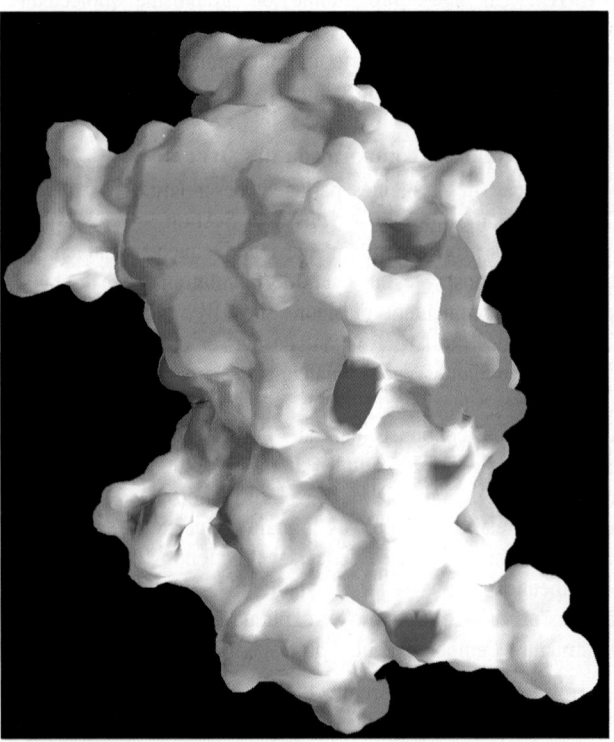

FIGURE 8-56   Diagramme GRASP pour l'hormone de croissance humaine. La surface de la protéine est colorée en fonction de son potentiel électrostatique, avec ses régions les plus négatives en rouge foncé, les plus positives en bleu foncé, et les neutres en blanc. L'orientation de la protéine est comme dans la Fig. 8-47*b*. [D'après une structure par rayons X due à Alexander Wlodawer, National Cancer Institute, Frederick, Maryland. PDBid 1HGU.]

sance humaine dans lequel la surface de la protéine est colorée d'après son potentiel électrostatique. De tels diagrammes sont utiles pour déterminer dans quelle mesure une protéine peut s'associer avec des molécules chargées (autres protéines, acides nucléiques, substrats). Des calculs similaires permettent de prédire les p*K* des groupements de surface des protéines, ce qui peut être d'un grand intérêt pour élucider le mécanisme d'action des enzymes (Section 15-1).

a. Les interactions ioniques sont fortes mais ne stabilisent pas fortement les protéines

L'association de deux groupements protéiques ioniques de charges opposées s'appelle **paire d'ions** ou **pont salin**. Selon l'Éq. [8.1], l'énergie d'une paire d'ions typique, comme le groupement carboxylate de Glu et le groupement ammonium de Lys, dont les centres de charge sont séparés de 4,0 Å dans un milieu de constante diélectrique 4, est égale à -86 kJ·mol^{-1} (une charge électronique = $1,60 \times 10^{-19}$ C). Cependant, les ions libres en milieu aqueux sont fortement solvatés et la formation d'un pont salin implique un coût entropique pour disposer les chaînes latérales chargées du pont salin. En conséquence, l'énergie libre de solvatation de deux ions séparés est pratiquement égale à l'énergie libre de formation de leur paire d'ions non solvatés. *Ainsi, les paires d'ions ne participent que modestement à la stabilisation de la structure d'une protéine native.* C'est pourquoi, bien qu'environ 75 % des résidus chargés se présentent sous forme de paires, très peu de paires d'ions sont enfouies (non solvatées) et les paires d'ions exposées au milieu aqueux ne sont que rarement conservées dans les protéines homologues.

b. Les interactions dipôle-dipôle sont faibles mais stabilisent significativement les structures des protéines

Les associations non covalentes entre molécules électriquement neutres, appelées collectivement **forces de van der Waals**, se forment à partir d'interactions électrostatiques entre dipôles permanents et/ou induits. Ces forces sont responsables d'interactions multiples d'intensités variables entre atomes voisins non liés. (La liaison hydrogène, un cas particulier d'interaction dipolaire, est étudiée dans la Section 8-4B).

Les interactions entre dipôles permanents jouent un rôle déterminant dans la structure des protéines car beaucoup de leurs groupements, les groupements carbonyl et amide du squelette peptidique par exemple, ont des moments dipolaires permanents. Ces interactions sont généralement beaucoup plus faibles que les interactions charge-charge des paires d'ions. Par exemple, deux groupements carbonyl avec chacun des dipôles de $4,2 \times 10^{-30}$ C·m (1,3 unités debye) orientés de façon optimale en tête-bêche (Fig. 8-57a) et distants de 5 Å dans un milieu de constante diélectrique 4, n'ont une énergie attractive calculée que de $-9,3$ kJ·mol^{-1}. De plus, ces énergies varient avec r^{-3} si bien qu'elles diminuent rapidement avec la distance. Cependant, dans les hélices α, les extrémités négatives des groupements dipolaires amide et carbonyl du squelette polypeptidique sont toutes orientées dans la même direction (Fig. 8-11) ce qui rend additifs leurs interactions et dipoles de liaison (bien sûr ces groupements forment aussi des liaisons hydrogène, mais nous nous intéressons ici à leurs champs électriques résiduels). Ainsi, l'hélice α possède un moment dipolaire significatif, positif vers l'extrémité N-terminale et négatif vers l'extrémité C-terminale. Par conséquent, *dans le*

cœur de la protéine, dont la constante diélectrique est faible, les interactions dipôle-dipôle influencent significativement le repliement de la protéine.

Un dipôle permanent induit également un moment dipolaire sur un groupement voisin, ce qui crée une interaction attractive (Fig. 8-57b). De telles interactions dipolaires induites par un dipôle sont généralement beaucoup plus faibles que les interactions dipôle-dipôle.

Bien que les molécules non polaires soient pratiquement électriquement neutres, à un instant donné elles ont un petit moment dipolaire dû au mouvement fluctuant rapide de leurs électrons. Ce moment dipolaire transitoire polarise les électrons d'un groupement voisin, créant ainsi un moment dipolaire (Fig. 8-57c) de sorte que, à proximité de leurs distances de contact de van der Waals, les groupements sont attirés les uns vers les autres (un résultat de la mécanique quantique que la physique classique ne peut expliquer).

(a) Interactions entre dipôles permanents

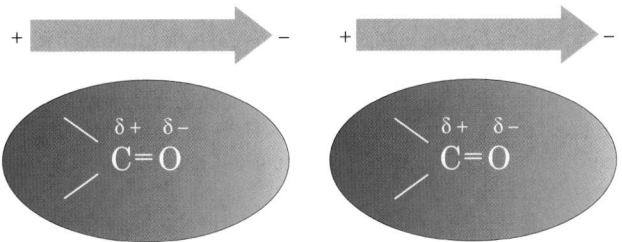

(b) Interactions entre dipôle induit et dipôle

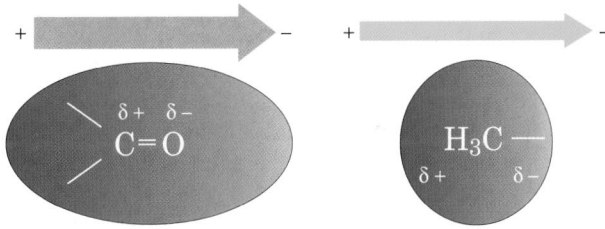

(c) Forces de dispersion de London

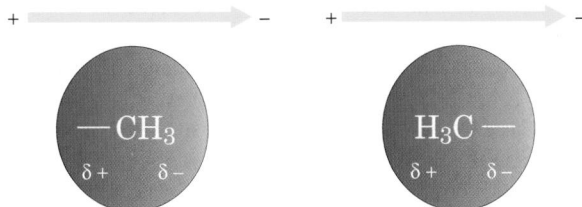

FIGURE 8-57 Interactions dipôle-dipôle. La force de chaque dipôle est représentée par l'épaisseur de la flèche qui l'accompagne. *(a)* Interactions entre dipôles permanents. Ces interactions, représentées ici par des groupements carbonyl alignés tête à queue, peuvent être attractives, comme dans ce cas, ou répulsives, selon l'orientation respective des dipôles. *(b)* Interactions entre dipôle induit et dipôle. Un dipôle permanent (un groupement carbonyl dans ce cas) induit un dipôle dans un groupement proche (ici un groupement méthyl) en déformant sa répartition en électrons (*ombrage*). Il s'ensuit toujours une interaction attractive. *(c)* Forces de dispersion de London. Le déséquilibre en charge instantané (*ombrage*) dû au mouvement des électrons dans une molécule (*à gauche*) induit un dipôle dans un groupement voisin (*à droite*) ; autrement dit, les mouvements des électrons dans un groupement voisin sont en corrélation. Il s'ensuit toujours une interaction attractive.

Ces **forces de dispersion de London** sont extrêmement faibles. Par exemple, la chaleur de vaporisation du CH_4, qui est de $8,2 \text{ kJ} \cdot \text{mol}^{-1}$, indique que l'interaction attractive d'un contact $H \cdots H$ (atomes non liés) entre deux molécules voisines de CH_4 est de l'ordre de $-0,3 \text{ kJ} \cdot \text{mol}^{-1}$ (sous forme liquide, une molécule de CH_4 entre au contact de ses 12 voisines les plus proches avec environ 2 contacts $H \cdots H$ chacune).

Les forces de London ne sont significatives que pour des groupements en contact car leur énergie d'association est proportionnelle à r^{-6}. Néanmoins, *le grand nombre de contacts interatomiques dans l'intérieur très encombré des protéines fait que les forces de London jouent un rôle important dans la détermination de leurs conformations.* Les forces de London fournissent aussi une part importante de l'énergie nécessaire à l'établissement d'interactions stériquement complémentaires entre les protéines et les molécules auxquelles elles se lient spécifiquement.

B. *Forces des liaisons hydrogène*

Comme nous l'avons vu dans la Section 2-1A, les liaisons hydrogène ($D—H \cdots A$) sont essentiellement des interactions électrostatiques (mais dont environ 10 % sont de nature covalente) entre un groupe donneur faiblement acide ($D—H$) et un accepteur (A) porteur d'une paire d'électrons non partagée. Dans les systèmes biologiques, D et A peuvent être l'un et l'autre les atomes très électronégatifs N et O et parfois les atomes S. De plus, un groupement $C—H$ relativement acide (p. ex. un groupement $C_\alpha—H$) peut servir de donneur faible dans une liaison hydrogène, et le système polarisable d'électrons p dans un cycle aromatique (p. ex. celui de Trp) peut servir d'accepteur faible.

Les liaisons hydrogène ont des énergies d'association comprises d'habitude entre -12 et $-40 \text{ kJ} \cdot \text{mol}^{-1}$ (mais seulement entre -8 et $-16 \text{ kJ} \cdot \text{mol}^{-1}$ pour les liaisons hydrogène $C—H \cdots A$ et $D—H \cdots \pi$ et entre -2 et $-4 \text{ kJ} \cdot \text{mol}^{-1}$ pour les liaisons hydrogène $C—H \cdots \pi$), valeurs comprises entre celles des liaisons covalentes et celles des forces de van der Waals. Les liaisons hydrogène (**liaisons H**) sont beaucoup plus directionnelles que les forces de van der Waals mais moins que les liaisons covalentes. La distance $D \cdots A$ est généralement comprise entre 2,7 et 3,1 Å. Toutefois, les atomes H n'étant visibles que dans les structures macromoléculaires par rayons X de très haute résolution, une interaction $D—H \cdots A$ (où D et A sont chacun N ou O) est réputée liaison H si la distance $D \cdots A$ est inférieure à 3,7 Å, somme de la longueur de la liaison $D—H$ (~1,0 Å) et de la distance de contact de van der Waals entre H et A (~2,7 Å). Rappelons-nous cependant qu'il n'y a pas de distance précise au delà de laquelle les liaisons H sont perdues, parce que l'énergie d'une liaison H, de nature essentiellement électrostatique, varie en raison inverse de la distance entre les centres positifs et négatifs (Éq. [8.1]).

Les liaisons H tendent à être linéaires, la liaison $D—H$ étant dirigée vers l'orbitale de la paire non partagée de l'accepteur (dans les liaisons H de type $D—H \cdots \pi$, elle est à peu près perpendiculaire au cycle aromatique et elle est dirigée vers son centre, la distance entre celui-ci et l'atome D étant de 3,2 à 3,8 Å). Cependant, il n'est pas rare de trouver des déviations importantes par rapport à cette géométrie idéale. Par exemple, dans les liaisons H des hélices α (Fig. 8-11) tout comme dans celles des feuillets β plissés antiparallèles (Fig. 8-16*a*), les liaisons N—H sont dirigées approximativement vers les liaisons C = O plutôt que vers l'orbitale de la paire non partagée d'un O, et dans les feuillets β plissés parallèles (Fig. 8-16*b*), les liaisons H sont loin d'être linéaires. En fait, beaucoup de liaisons H dans les protéines font partie de réseaux où chaque donneur est lié par liaison H à deux accepteurs (**liaison hydrogène bifide**) et où chaque accepteur est lié par liaison H à deux donneurs. Par exemple, bien que dans une hélice α idéale les liaisons H s'établissent entre les groupes N—H d'un résidu *n* et les groupes C = O du résidu *n* − 4 (liaisons H *n* → *n* − 4), dans les hélice α observées de nombreux groupes N—H s'associent, par le biais de liaisons H bifides, à deux groupes C = O adjacents pour former aussi bien des liaisons H *n* → *n* − 4 que des liaisons H *n* → *n* − 3),

a. Les liaisons hydrogène ne stabilisent que faiblement les protéines

Les groupements internes d'une protéine pouvant établir des liaisons H sont disposés de sorte que pratiquement toutes les liaisons H possibles puissent se former (Section 8-3B). De toute évidence, les liaisons H ont une influence déterminante sur les structures des protéines. Cependant, une protéine déroulée établit la majorité de ses liaisons H avec les molécules d'eau du milieu aqueux (rappelons que l'eau est un excellent donneur et accepteur de liaisons H). L'énergie libre de stabilisation que les liaisons H internes confèrent à la protéine native est donc égale à la différence entre l'énergie libre de formation de liaisons H de la protéine native et celle de la protéine déroulée. On pourrait donc d'attendre à ce que la formation de liaisons H ne stabilise pas significativement, et même déstabilise légèrement, la structure d'une protéine native comparée à son état déroulé. Cependant, les interactions par liaisons H sont essentiellement de nature électrostatique. Elles seront donc plus fortes à l'intérieur d'une protéine, qui est non polaire, que dans le milieu aqueux très polaire. De plus, on peut invoquer un gain d'entropie qui déstabilise les liaisons H entre l'eau et le polypeptide déroulé par rapport aux liaisons H internes à la protéine. En effet, les molécules d'eau unies par liaisons H à un polypeptide auront plus de chance d'être arrangées quant à la position et à l'orientation, que celles qui sont unies par liaisons H à d'autres molécules d'eau, et ceci favorisera la formation de liaisons H intraprotéiques. De fait, la soustraction, par mutagenèse, d'une liaison H à une protéine en réduit d'habitude la stabilité de -2 à $8 \text{ kJ} \cdot \text{mol}^{-1}$.

Malgré leur faible stabilité, *les liaisons hydrogène internes d'une protéine fournissent une base structurale pour expliquer sa structure native :* si une protéine se repliait de sorte que certaines de ses liaisons H internes ne puissent se former, leur énergie libre serait perdue et une telle conformation serait moins stable que celles où les liaisons H sont toutes formées. En réalité, la formation des hélices α et des feuillets β satisfait les besoins en liaisons H du squelette polypeptidique. Cet argument s'applique aussi aux forces de van der Waals vues dans la section précédente.

b. Dans les protéines la plupart des liaisons hydrogène sont locales

Comment une molécule aussi complexe qu'une protéine peut-elle se replier des sorte que pratiquement toutes ses liaisons H se forment ? La réponse a été donnée par l'examen des liaisons H dans des structures par rayons X à haute résolution, réalisé par Ken Dill et George Rose : *la plupart des liaisons H dans une protéine* sont locales, c'est-à-dire qu'elles impliquent des donneurs et des accepteurs qui sont proches dans la séquence et peuvent donc trouver facilement leur partenaire.

1. En moyenne, 68 % des liaisons H dans les protéines s'établissent entre des atomes du squelette. Parmi elles, ~1/3 forment des liaisons H $n \rightarrow n - 4$ (comme dans les hélices α idéales), ~1/3 forment des liaisons H $n \rightarrow n - 3$ (comme dans les coudes avec retour en arrière et les hélices 3_{10} idéales), et ~1/3 forment des liaisons H entre brins appariés dans des feuillets β. En fait, à peine ~5 % des liaisons H entre les atomes du squelette n'appartiennent pas entièrement à une hélice, un feuillet ou un tournant.

2. Les liaisons H entre chaînes latérales et squelette sont groupées aux **extrémités des hélices**. Dans une hélice α, le quatre premiers groupements N—H et les quatre derniers groupements C = O ne peuvent établir des liaisons H au sein de l'hélice (ce qui représente la moitié des liaisons H possibles entre atomes du squelette dans une hélice de 12 résidus, longueur moyenne des hélices α). Ces liaisons H potentielles s'établissent souvent avec des chaînes latérales voisines. Ainsi, ~1/2 des groupements N—H N-terminaux des hélices α forment des liaisons H avec des chaînes latérales polaires distantes de 1 à 3 résidus, et ~1/3 de leurs groupements C = O C-terminaux forment des liaisons H avec des chaînes latérales polaires distantes de 2 à 5 résidus.

3. Plus de la moitié des liaisons H entre chaînes latérales impliquent des résidus chargés (formant ainsi des ponts salins) et sont donc localisées à la surface de la protéine, entre des boucles ou à l'intérieur de celles-ci. Cependant, ~85 % des autres liaisons H entre chaînes latérales concernent des chaînes latérales distantes de 1 à 5 résidus. Ainsi, à l'exception de celles des ponts salins, les liaisons H entre chaînes latérales ont tendance à être locales.

C. *Forces hydrophobes*

*L'**effet hydrophobe** est le nom donné à l'ensemble des facteurs qui permettent aux substances non polaires de minimiser leurs contacts avec l'eau et les molécules amphipathiques, comme les savons et les détergents, pour former des micelles en solution aqueuse (Section 2-1B).* Puisque les protéines natives forment une sorte de micelle intramoléculaire dans laquelle les chaînes latérales non polaires sont fortement à l'abri du solvant aqueux, *les interactions hydrophobes doivent constituer un facteur déterminant des structures protéiques.*

L'effet hydrophobe est la conséquence des propriétés spéciales de l'eau en tant que solvant, en particulier de la valeur élevée de sa constante diélectrique. De fait, d'autres solvants polaires, comme le diméthylsulfoxyde (DMSO) et la N,N-diméthylformamide (DMF), ont tendance à dénaturer les protéines. Les données thermodynamiques du Tableau 8-5 expliquent avec beaucoup de pertinence l'origine de l'effet hydrophobe, car le transfert d'un hydrocarbure de l'eau vers un solvant non polaire ressemble au transfert d'une chaîne latérale non polaire de l'extérieur d'une protéine en solution aqueuse vers son espace interne. Les variations d'énergie libre de Gibbs en conditions isothermiques ($\Delta G = \Delta H - T\Delta S$) pour le transfert d'un hydrocarbure d'une solution aqueuse vers un solvant non polaire sont négatives quelles que soient les conditions, ce qui signifie, comme nous le savons, que de tels transferts sont des processus spontanés (l'huile et l'eau ne se mélangent pas). Ce qui peut-être est inattendu, c'est que ces processus de transfert sont endothermiques ($\Delta H > 0$) pour des composés aliphatiques et athermiques ($\Delta H = 0$) pour des composés aromatiques ; autrement dit, *si l'on ne s'en tient qu'à l'enthalpie, la dissolution de molécules non polaires est plus (ou aussi) favo-*

TABLEAU 8-5 **Variations thermodynamiques accompagnant le transfert d'hydrocarbures de l'eau vers des solvants non polaires à 25 °C** [a]

Transfert	ΔH (kJ · mol⁻¹)	$-T\Delta S_u$ (kJ · mol⁻¹)	ΔG_u (kJ · mol⁻¹)
CH₄ dans H₂O ⇌ CH₄ dans C₆H₆	11,7	−22,6	−10,9
CH₄ dans H₂O ⇌ CH₄ dans CCl₄	10,5	−22,6	−12,1
C₂H₆ dans H₂O ⇌ C₂H₆ dans le benzène	9,2	−25,1	−15,9
C₂H₄ dans H₂O ⇌ C₂H₄ dans le benzène	6,7	−18,8	−12,1
C₂H₂ dans H₂O ⇌ C₂H₂ dans le benzène	0,8	−8,8	−8,0
Benzène dans H₂O ⇌ benzène liquide [b]	0,0	−17,2	−17,2
Toluène dans H₂O ⇌ toluène liquide [b]	0,0	−20,0	−20,0

[a] ΔG_u **la variation d'énergie libre unitaire de Gibbs**, est la variation d'énergie libre de Gibbs, ΔG, corrigée pour sa dépendance vis-à-vis de la concentration et qui, de ce fait, reflète seulement les propriétés inhérentes de la substance en question et son interaction avec le solvant. Cette relation, selon l'équation [3.13], est

$$\Delta G_u = \Delta G + nRT \ln \frac{[A_f]}{[A_i]}$$

où $[A_i]$ et $[A_f]$ sont respectivement les concentrations initiales et finales de la substance considérée, et n le nombre de moles de cette substance. Puisque le second terme de cette équation est un terme purement entropique (concentrer une substance augmente son ordre), ΔS_u, **la variation d'entropie unitaire**, s'exprime

$$\Delta S_u = \Delta S + nR \ln \frac{[A_f]}{[A_i]}$$

[b] Valeurs mesurées à 18 °C.

Source : Kauzmann, W., *Adv. Protein Chem.* **14**, 39 (1959).

rable dans l'eau que dans un milieu non polaire. Au contraire, la composante entropie de la variation d'énergie libre unitaire, $-T\Delta S_u$ (voir la note *a* au bas du Tableau 8-5), est importante et négative dans tous les cas. Pour être clair, *le transfert d'un hydrocarbure depuis un milieu aqueux vers un milieu non polaire est assuré par l'entropie.* Il en est de même du transfert d'un groupement protéique non polaire depuis un environnement aqueux vers l'intérieur non polaire de la protéine.

Quel est le mécanisme physique qui explique que des entités non polaires sont exclues de solutions aqueuses ? Rappelez-vous que l'entropie est une mesure de l'ordre d'un système ; elle diminue lorsque l'ordre augmente (Section 3-2). Ainsi, la diminution de l'entropie quand une molécule non polaire ou une chaîne latérale est solvatée par l'eau (l'inverse du processus que nous venons de voir) doit être due à un processus de mise en ordre. Il s'agit d'une observation expérimentale, et non d'une conclusion théorique. Les valeurs des variations d'entropie sont trop importantes pour pouvoir être attribuées uniquement à des changements de conformation des hydrocarbures ; comme Henry Frank et Marjorie Evans l'ont fait remarquer en 1945, il est plus vraisemblable que *ces variations d'entropie sont liées à une organisation de la structure de l'eau.*

L'eau liquide a une structure très ordonnée et très riche en liaisons H (Section 2-1A). L'arrivée d'un groupement non polaire dans cette structure va la perturber : un groupement non polaire ne peut ni accepter ni former de liaison H, si bien que les molécules d'eau à la surface de la cavité occupée par le groupement non polaire ne peuvent former de liaisons H avec d'autres molécules selon leur mode habituel. Afin de retrouver l'énergie correspondant aux liaisons H perdues, ces molécules d'eau de surface doivent se réorienter afin de former un réseau de liaisons H qui entoure la cavité (Fig. 8-58). Cette orientation correspond à une réorganisation de la structure de l'eau car, pour les molécules d'eau, le nombre de possibilités de formation de liaisons H autour de la surface d'un groupement non polaire est inférieur au nombre de possibilités qu'elles ont pour former des liaisons H dans l'eau.

Malheureusement, la complexité de la structure de base de l'eau (Section 2-1A) n'a pas permis jusqu'ici d'avoir une description détaillée de ce processus de réorganisation. Selon un modèle proposé, l'eau forme par liaisons H autour des groupements non polaires des cages pseudo-cristallines qui rappellent celles des **clathrats** (Fig. 8-59). Cependant, les valeurs des variations d'entropie qui accompagnent la dissolution de substances non polaires dans l'eau indiquent que les structures de l'eau qui en résulteraient ne seraient qu'à peine plus ordonnées que celle de l'eau pure. Elles doivent être également très différentes de celles de la glace ordinaire, car par exemple, la solvatation de groupements non polaires par l'eau s'accompagne d'une diminution importante du volume d'eau (ainsi, le transfert d'un CH_4 de l'hexane à l'eau réduit le volume de la solution d'eau de 22,7 mL · mol^{-1} de CH_4), alors que la congélation de l'eau s'accompagne d'une augmentation de son volume de 1,6 mL · mol^{-1}.

La variation d'énergie libre défavorable qui accompagne l'hydratation d'une substance non polaire due à la mise en ordre des molécules d'eau avoisinantes explique que *la substance non polaire soit exclue de la phase aqueuse.* Ceci parce que l'aire de surface de la cavité qui contient un agrégat de molécules non polaires est inférieure à la somme des aires de surface des cavités que chacune de ces molécules occuperait individuellement. L'agré-

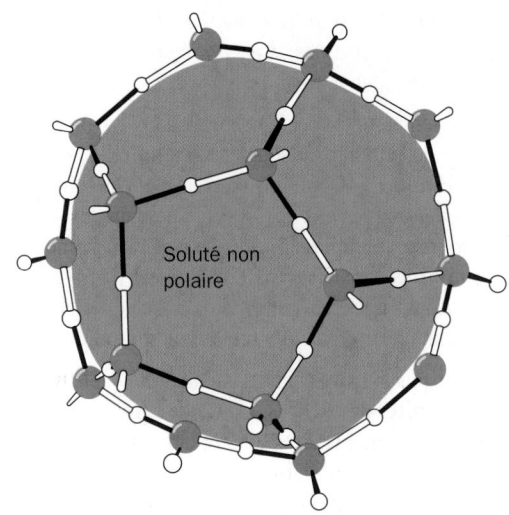

Soluté non polaire

FIGURE 8-58 Orientation préférentielle des molécules d'eau au voisinage d'un soluté non polaire. Afin d'optimiser l'énergie de leurs liaisons hydrogène, ces molécules d'eau ont tendance à recouvrir le soluté inerte de manière à ce que deux ou trois de leurs directions tétraédriques soient tangentes à sa surface. Ceci leur permet d'établir des liaisons hydrogène *(en noir)* avec les molécules d'eau voisines qui bordent la surface non polaire. Cette organisation des molécules d'eau intéresse plusieurs couches de molécules d'eau après la première enveloppe d'hydratation du soluté non polaire.

gation de groupes non polaires minimise donc l'aire de surface de la cavité et donc la perte d'entropie de l'ensemble du système. On peut dire que les groupements non polaires sont expulsés de la phase aqueuse par des interactions hydrophobes. On a calculé, par mesures thermodynamiques, que la variation d'énergie libre qui accompagne le départ d'un groupement —CH_2— d'une solution

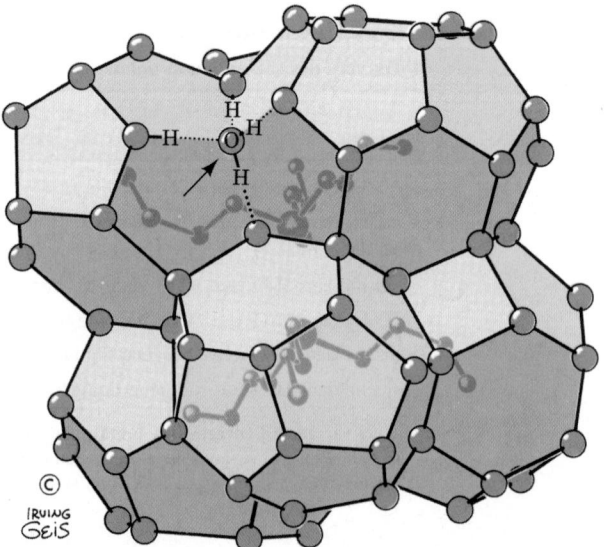

FIGURE 8-59 Structure du clathrat (n-C_4H_9)$_3$S$^+$F$^-$ · 23 H$_2$O. Les clathrats sont des complexes cristallins de composés non polaires avec l'eau (formés généralement à basses températures et à hautes pressions) dans lesquels les molécules non polaires sont enfermées, comme sur la figure, dans une cage polyédrique de molécules d'eau liées par liaisons hydrogène tétraédriques (représentées ici par leurs atomes d'oxygène). Les interactions par liaison hydrogène d'une seule molécule d'eau *(flèche)* sont montrées en détail. [Copyright Irving Geis.]

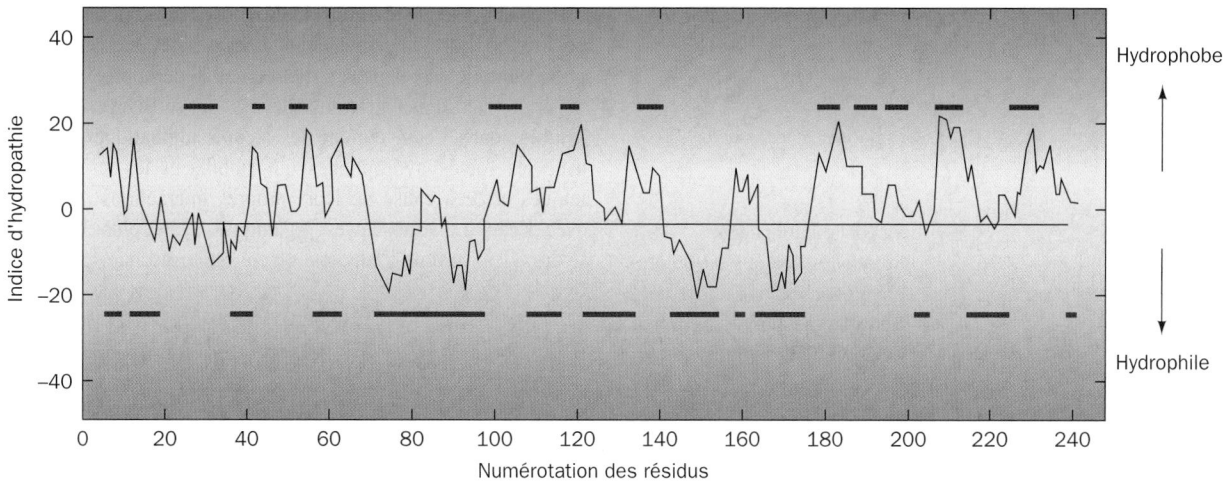

FIGURE 8-60 Variation de l'indice d'hydropathie du chymotrypsinogène bovin. La somme des hydropathies de neuf résidus consécutifs (voir Tableau 8-6) est portée en graphique en fonction de la position du résidu dans la séquence. Un indice d'hydropathie largement positif correspond à une région hydrophobe de la chaîne polypeptidique, tandis qu'une valeur largement négative correspond à une région hydrophile. Les barres au-dessus de la ligne centrale indiquent les régions internes de la protéine, selon les résultats de l'analyse par rayons X, et les barres en dessous de cette ligne indiquent les régions à la surface de la protéine. [D'après Kyte, J. et Doolittle, R.F., *J. Mol. Biol.* **157**, 111 (1982).]

aqueuse est de l'ordre de −3 kJ·mol⁻¹. Bien que cette quantité d'énergie libre soit relativement faible, *dans des assemblages moléculaires qui comportent un grand nombre de contacts non polaires, les interactions hydrophobes représentent une force efficace.*

Walter Kauzmann a montré en 1958 que *les forces hydrophobes sont un facteur déterminant pour provoquer le repliement des protéines qui leur donne leur conformation native.* La Figure 8-60 montre que les **hydropathies** (indices calculés en combinant les tendances hydrophobe et hydrophile; Tableau 8-6) des chaînes latérales des acides aminés sont en fait de bons indicateurs pour prédire quelles portions de la chaîne polypeptidique seront à l'intérieur de la protéine, hors de contact du solvant aqueux, et quelles portions seront à l'extérieur, au contact du solvant aqueux. Dans les protéines, les conséquences des forces hydrophobes sont souvent appelées **liaisons hydrophobes,** sans doute pour montrer la nature spécifique du repliement protéique sous l'influence de l'effet hydrophobe. Toutefois, rappelez-vous que les liaisons hydrophobes ne sont pas à l'origine des interactions spécifiques directionnelles généralement associées au terme « liaison ».

D. *Ponts disulfure*

Puisque les ponts disulfure se forment en même temps que la protéine se replie pour prendre sa conformation native (Section 9-1A), ils participent à la stabilisation de sa structure tridimensionnelle. Cependant, le caractère relativement réducteur du cytoplasme diminue fortement la stabilité des ponts disulfure intracellulaires. En réalité, presque toutes les protéines ayant des ponts disulfure sont sécrétées vers des destinations extracellulaires plus « oxydantes » où leurs ponts disulfure stabilisent efficacement les structures protéiques [les protéines sécrétées prennent leurs conformations natives – et donc établissent leurs ponts disulfure – dans le réticulum endoplasmique (voir Section 12-4B) qui, à la différence des autres compartiments cellulaires, a un environnement « oxydant »]. Il semble que le caractère relativement « hostile » des environnements extracellulaires vis-à-vis des protéines (par exemple, températures et pH non contrôlés) nécessite une stabilité structurale supplémentaire qui est apportée par les ponts disulfure.

E. *Dénaturation des protéines*

Les stabilités conformationnelles fragiles des protéines natives les rendent sensibles à la dénaturation par modification de l'équilibre des forces faibles non liantes qui maintiennent la conformation

TABLEAU 8-6 Échelle d'hydropathie des chaînes latérales d'acides aminés

Chaîne latérale	Hydropathie
Ile	4,5
Val	4,2
Leu	3,8
Phe	2,8
Cys	2,5
Met	1,9
Ala	1,8
Gly	−0,4
Thr	−0,7
Ser	−0,8
Trp	−0,9
Tyr	−1,3
Pro	−1,6
His	−3,2
Glu	−3,5
Gln	−3,5
Asp	−3,5
Asn	−3,5
Lys	−3,9
Arg	−4,5

Source : Kyle, J. et Doolitle, R.F., *J. Mol.Biol.* **157**, 110 (1982).

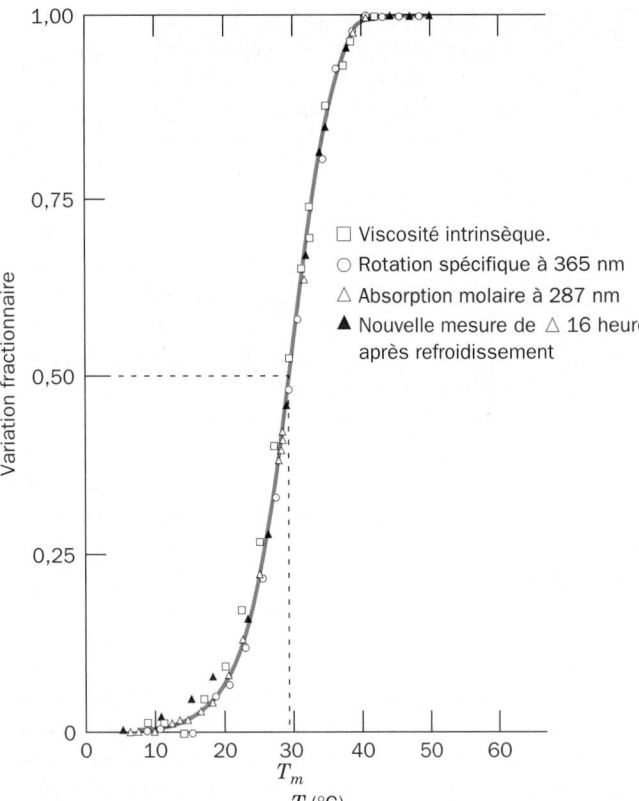

FIGURE 8-61 Dénaturation d'une protéine. La dénaturation thermique de la ribonucléase A (ARNase A) de pancréas de bœuf en solution dans un tampon de HCl-KCl à pH 2,1 et de force ionique 0,019 a été suivie par plusieurs techniques sensibles à des changements de conformation des protéines. La courbe a été tracée en suivant uniquement les point Δ. La température de fusion, T_m, est définie comme celle qui correspond au milieu de la transition. Comparer l'allure de cette courbe de fusion à celle de l'ADN duplex (Fig. 5-16). [D'après Ginsburg, A., et Carroll, W.R., *Biochemistry* **4**, 2169 (1965).]

native. Quand on chauffe une protéine en solution, ses propriétés qui dépendent de la conformation, comme le pouvoir rotatoire (Section 4-2A), la viscosité, et l'absorption en UV, changent brusquement dans une zone étroite de température (Fig. 8-61). *Un changement aussi brusque ne peut s'expliquer que si la protéine native se déplie de façon coopérative : tout dépliement local de la structure déstabilise la structure restante, qui prend immédiatement la forme dite « enroulement au hasard » (random coil ; Section 8-1D).* La température de demi-dénaturation est appelée **température de fusion**, T_m, de la protéine, par analogie avec la fusion d'un solide. La plupart des protéines ont des valeurs de T_m bien endessous de 100 °C. Rappelez-vous que les acides nucléiques, eux aussi, ont des T_m caractéristiques (Section 5-3C).

Outre les températures élevées, différentes conditions et diverses substances dénaturent les protéines :

1. Les variations de pH modifient les états d'ionisation des chaînes latérales d'acides aminés (Tableau 4-1), qui changent la répartition des charges et les besoins en liaisons H de la protéine.

2. Les détergents, dont certains perturbent sérieusement les structures protéiques à des concentrations aussi faibles que $10^{-6} M$,

s'associent par interactions hydrophobes avec les résidus non polaires de la protéine, interférant ainsi avec les interactions hydrophobes impliquées dans la structure native de la protéine.

3. Des concentrations élevées de substances organiques solubles dans l'eau, comme les alcools aliphatiques, interfèrent avec les forces hydrophobes qui stabilisent les structures protéiques et ce à cause de leurs propres interactions hydrophobes avec l'eau. Les substances organiques ayant plusieurs groupes hydroxyles, comme l'éthylène glycol ou le saccharose,

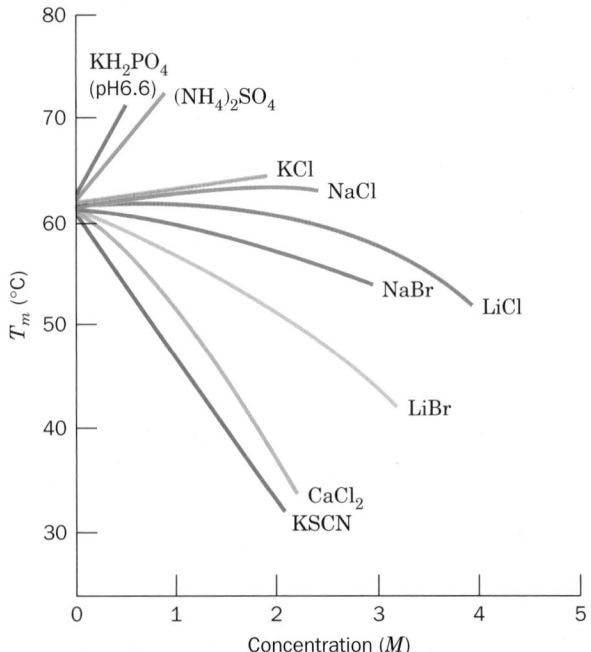

sont cependant de médiocres agents dénaturants car leur possibilité d'établir des liaisons H les rend moins aptes à déstabiliser la structure de l'eau.

L'influence des sels est plus aléatoire. La Figure 8-62 montre les effets de plusieurs sels sur la T_m de la **ribonucléase A (ARNase A)** de pancréas de bœuf. Certains sels, comme $(NH_4)_2SO_4$ et KH_2PO_4, stabilisent la structure de la protéine native (la T_m augmente) ; d'autres, comme KCl et NaCl, ont peu d'effet ; d'autres encore, comme KSCN et LiBr, la déstabilisent. L'ordre d'efficacité

FIGURE 8-62 Température de fusion de l'ARNase A en fonction des concentrations en différents sels. Toutes les solutions contiennent aussi du KCl 0,15*M* et un tampon de cacodylate de sodium 0,013*M*, pH 7. [D'après von Hippel, P.J. et Wong, K.Y., *J. Biol. Chem.* **10**, 3913 (1965).]

des différents ions pour stabiliser une protéine, qui est pratiquement indépendant de la protéine elle-même, correspond à leur capacité à précipiter (« salt out ») les protéines (Section 6-2A). Cet ordre est appelé **série d'Hofmeister** :

Anions : $$SO_4^{2-} > H_2PO_4^- > CH_3COO^- > Cl^- > Br^-$$
$$> I^- > ClO_4^- > SCN^-$$

Cations : $$NH_4^+, Cs^+, K^+, Na^+ > Li^+ > Mg^{2+} > Ca^{2+} > Ba^{2+}$$

Les ions qui, dans la série de Hofmeister, ont tendance à dénaturer les protéines, I^-, ClO_4^-, SCN^-, Li^+, Mg^{2+}, Ca^{2+}, et Ba^{2+}, sont dits **chaotropiques.** On peut ajouter à cette liste l'ion guanidium (Gu^+) et l'urée non ionique, qui, à des concentrations comprises entre 5 et 10 M, sont les agents dénaturants de protéines les plus utilisés. L'effet de différents ions sur les protéines est fortement cumulatif : GuSCN est un agent dénaturant beaucoup plus puissant que GuCl souvent utilisé, tandis que Gu_2SO_4 stabilise les structures protéiques.

Les agents chaotropiques augmentent la solubilité des substances non polaires dans l'eau. Par conséquent, leur efficacité comme agents dénaturants est due à leur capacité à rompre les interactions hydrophobes même si le mécanisme responsable n'est pas très bien compris. Réciproquement, les substances qui stabilisent les protéines renforcent les forces hydrophobes, favorisant ainsi la tendance de l'eau à repousser les protéines. Cela explique la corrélation entre la capacité d'un ion à stabiliser les protéines et à les précipiter.

F. *Explication de la stabilité des protéines thermostables*

Certaines espèces de bactéries dites **hyperthermophiles** vivent à des températures voisines de 100 °C (dans des sources d'eau chaude ou des cheminées hydrothermales sous-marines, le cas le plus extrême étant l'archébactérie *Pyrolobus fumarii*, qui peut pousser à 113 °C). Ces organismes possèdent plusieurs voies métaboliques identiques à celles des **mésophiles** (organismes qui vivent à température « normale »). Or, la plupart des protéines de ces derniers se dénaturent aux températures auxquelles prolifèrent les hyperthermophiles. Quelle est la base structurale de la thermostabilité des protéines hyperthermophiles ?

La différence de stabilité entre les protéines (hyper)thermophiles et les protéines mésophiles correspondantes ne dépasse pas ~100 kJ·mol^{-1}, ce qui équivaut à quelques interactions non covalentes. C'est sans doute pourquoi on n'a pas trouvé de différence significative entre les structures par rayons X des enzymes hyperthermophiles et celles de leurs homologues mésophiles. On observe bien quelques différences de structure secondaire, mais pas plus grandes qu'entre protéines homologues de mésophiles de parenté lointaine. Cependant, plusieurs de ces enzymes thermostables présentent à leur surface une surabondance de ponts salins, dont de nombreux sont arrangés en vastes réseaux. Un tel réseau dans la **glutamate déshydrogénase** de *Pyrococcus furiosis* comporte 18 chaînes latérales.

L'idée selon laquelle des ponts salins peuvent stabiliser une structure protéique semble en contradiction avec la conclusion de la Section 8-4A, à savoir la faible stabilité des paires ioniques. La clé de ce paradoxe apparent est que, dans les protéines thermostables, les ponts salins forment des réseaux. Ainsi, le gain d'éner-

gie libre entre charges lorsqu'un troisième groupement chargé s'associe à une paire d'ions est comparable à celui qui résulte de l'association des membres de cette paire d'ions, alors que l'énergie libre perdue pour désolvater et immobiliser la troisième chaîne latérale ne représente que la moitié de l'énergie perdue pour unir les deux premières. Il en est bien sûr de même lors de l'addition d'une quatrième, cinquième, etc. chaîne latérale à un réseau de ponts salins.

Toutes les protéines thermostables ne présentent pas une telle abondance de ponts salins. Des comparaisons de structure suggèrent que ces autres protéines sont stabilisées par une combinaison d'effets mineurs, qui contribuent à augmenter la taille du cœur hydrophobe de la protéine et celle de l'interface entre ses domaines et (ou) ses sous-unités, ainsi que le compactage de l'intérieur de la protéine comme le montre la diminution du rapport surface/volume.

Le fait que des protéines homologues peuvent être soit hyperthermophiles, soit mésophiles, et exercer les mêmes fonctions montre que les protéines mésophiles n'ont pas la stabilité maximale. Ceci suggère que *la faible stabilité de la plupart des protéines dans les conditions physiologiques (en moyenne ~0,4 kJ/mol de résidu d'acide aminé) est une propriété capitale qui a été sélectionnée au cours de l'évolution.* Cette propriété pourrait favoriser la flexibilité structurale nécessaire à l'action physiologique de nombreuses protéines (Section 9-4). Une faible stabilité pourrait aussi faciliter l'élimination de conformations plus stables, mais non natives (Section 9-2C), promouvoir le dépliement des protéines qui doivent s'insérer dans des membranes ou les traverser (Section 12-4E), ou (et) encore accélérer leur dégradation programmée (Section 32-6).

5 ■ STRUCTURE QUATERNAIRE

Compte tenu de leurs multiples groupements polaires et non polaires, les protéines s'attachent à presque tout, sauf à d'autres protéines. Ceci, parce que, sous la pression évolutive, les groupements de surface des protéines se sont disposés de manière à éviter l'association des protéines dans des conditions physiologiques. S'il n'en était pas ainsi, l'agrégation non spécifique résultante entre protéines leur ôterait toute utilité fonctionnelle (rappelez-vous, par exemple, les conséquences de l'anémie falciforme ; Section 7-3A). Cependant, lors de ses études de pionnier sur la structure des protéines par ultracentrifugation, The Svedberg découvrit que quelques protéines ont plus d'une chaîne polypeptidique. Des études postérieures ont montré que ceci s'applique à la plupart des protéines, en tout cas à presque toutes celles de masse moléculaire >100 kD. De plus, ces **sous-unités** polypeptidiques s'associent selon une géométrie bien particulière. L'arrangement spatial de ces sous-unités est ce qu'on appelle la **structure quaternaire** d'une protéine.

Plusieurs raisons expliquent pourquoi des protéines à plusieurs sous-unités sont si courantes. Dans les grands assemblages de protéines, comme les fibrilles de collagène, la construction par sous-unités, plutôt que la synthèse d'une énorme chaîne polypeptidique, présente des avantages comparables à ceux de l'utilisation d'éléments préfabriqués pour édifier un bâtiment. Des anomalies peuvent être réparées en ne remplaçant que la sous-unité défectueuse, le site où la sous-unité est construite peut être distinct du site d'assemblage du produit final, et la seule information génétique nécessaire pour spécifier l'ensemble de l'édifice est celle qui spécifie les quelques sous-unités différentes qui s'assemblent spontanément. Dans le cas des enzymes, l'augmentation de la taille d'une protéine tendra à préciser davantage les positions dans l'espace des groupements qui forment le site actif de l'enzyme. Augmenter la taille d'une enzyme par association de sous-unités identiques sera plus efficace, à cet égard, qu'augmenter la longueur de sa chaîne polypeptidique car chaque sous-unité possède un site actif. De plus, il existe des enzymes multimériques où le site actif est situé à l'interface entre sous-unités et est alors constitué par des groupements appartenant à deux sous-unités, voire davantage. Enfin, la construction par sous-unités de beaucoup d'enzymes fournit la base structurale de la régulation de leurs activités. Les mécanismes de cette fonction essentielle sont étudiés dans les Sections 10-4 et 13-4.

Dans cette section nous étudions comment les sous-unités s'associent, quels types de symétrie elles présentent, et comment leurs stœchiométries peuvent être déterminées.

A. *Interactions entre sous-unités*

Une protéine à plusieurs sous-unités peut être constituée de chaînes polypeptidiques identiques ou différentes. L'hémoglobine, nous l'avons vu, a une composition en sous-unités $\alpha_2\beta_2$. Nous appellerons des protéines ayant des sous-unités identiques des **oligomères** ou protéines oligomériques et ces sous-unités identiques des **protomères**. Un protomère peut donc être constitué d'une chaîne polypeptidique ou de plusieurs chaînes polypeptidiques différentes. Selon cette définition, l'hémoglobine est un **dimère** (oligomère de deux protomères) de protomères $\alpha\beta$ (Fig. 8-63).

L'association de deux sous-unités enfouit entre 1000 et 2000 Å^2 d'aire de surface qui serait autrement exposée au solvant. Les zones de contact ainsi ménagées ressemblent très fort à l'intérieur d'une protéine possédant une seule sous-unité. Elles contiennent des chaînes latérales non polaires regroupées, des liaisons H impliquant les squelettes polypeptidiques et leurs chaînes latérales, et, dans certains cas, des ponts disulfure intercaténaires. Cependant, le caractère hydrophobe des interfaces entre sous-unités est intermédiaire entre celui de l'intérieur et celui de l'extérieur des protéines. En particulier, ces interfaces sont moins hydrophobes pour les protéines qui se dissocient *in vivo* que pour les autres. De plus, les interfaces entre sous-unités contiennent souvent des ponts salins qui contribuent à la spécificité et à la stabilité des associations entre sous-unités.

B. *Symétrie dans les protéines*

Dans pratiquement toutes les protéines oligomériques, les protomères sont disposés symétriquement et donc occupent des positions géométriquement équivalentes dans l'oligomère. Ceci implique que chaque protomère a épuisé ses possibilités de liaison à d'autres protomères, sinon des oligomères plus importants se formeraient. A cause de cette limitation dans les possibilités de liaison, les protomères se réunissent autour d'un seul point pour former une enveloppe fermée, un phénomène appelé **symétrie ponctuelle**. Les protéines ne peuvent présenter de symétrie renversée ou en « miroir », car de telles opérations de symétrie transformeraient les résidus chiraux L en résidus D. Donc, *les protéines ne peuvent avoir que des symétries de rotation*.

Comme l'ont montré les structures par rayons X de cristaux de protéines, on trouve dans celles-ci plusieurs types de symétrie de rotation :

1. Symétrie cyclique

Dans le type de symétrie de rotation le plus simple, la **symétrie cyclique,** les sous-unités sont reliées (amenées à coïncider) par un seul axe de rotation (Fig. 8-64a). On dit que des objets qui ont des axes de rotation d'ordre 2, 3, . . ., ou *n* ont une symétrie C_2, C_3, . . ., ou C_n. Un oligomère qui a une symétrie C_n présente *n* protomères reliés par des rotations de $(360/n)°$. La symétrie C_2 est la symétrie la plus courante dans les protéines ; des symétries cycliques supérieures sont relativement rares.

Un mode d'association courant entre protomères reliés par un axe de rotation d'ordre deux est le prolongement d'un feuillet β à travers les frontières des sous-unités. Dans ce cas, l'axe d'ordre deux est perpendiculaire au feuillet β de sorte que deux brins β symétriquement équivalents établissent des liaisons hydrogène en disposition antiparallèle. Par exemple, le sandwich de deux feuillets β à quatre brins du protomère de la **transthyrétine** (aussi appelée **préalbumine**) se prolonge à travers l'axe d'ordre deux pour donner un sandwich de deux feuillets β à huit brins (Fig. 8-65). On trouve aussi une relation de symétrie C_2 entre les deux protomères $\alpha\beta$ de l'hémoglobine (Fig. 8-63).

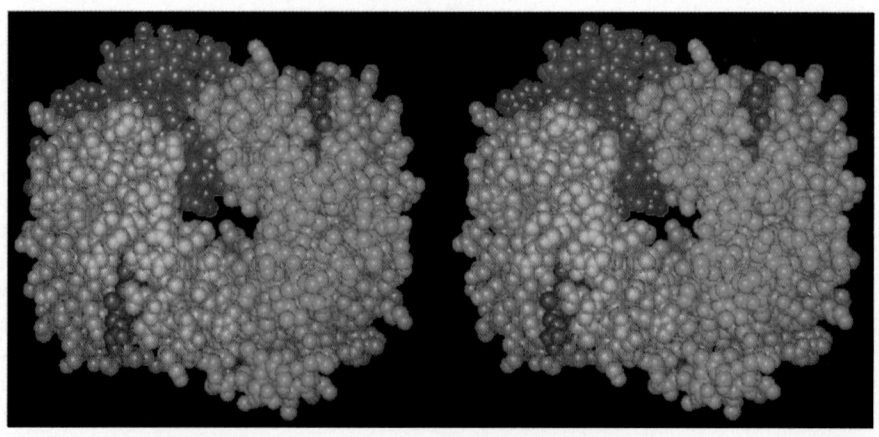

FIGURE 8-63 Structure quaternaire de l'hémoglobine. Dans ce modèle compact et en stéréo les sous-unités α_1, α_2, β_1, et β_2 sont colorées respectivement en jaune, vert, bleuvert, et violet. Les noyaux hèmes sont en rouge. La protéine est vue selon son axe de rotation moléculaire d'ordre deux qui relie le protomère $\alpha_1\beta_1$ au protomère $\alpha_2\beta_2$. Pour bien visualiser les dessins en stéréo, consulter l'appendice de ce chapitre. [D'après une structure par rayons X due à Max Perutz, MRC Laboratory of Molecular Biology, Cambridge, U. K. PDBid 2DHB.]

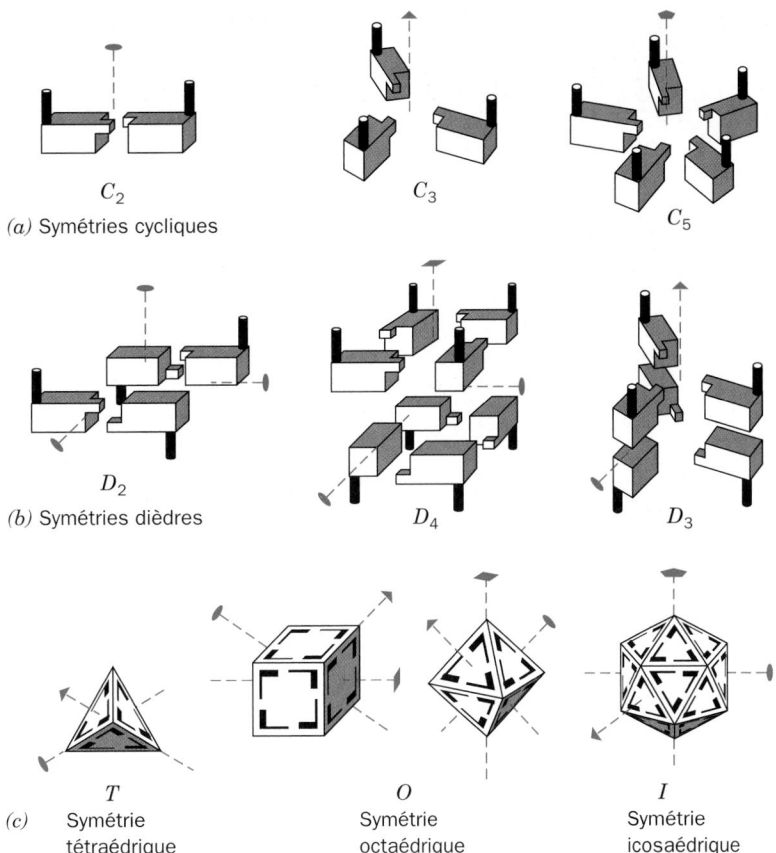

C_2

(a) Symétries cycliques

C_3

C_5

D_2

(b) Symétries dièdres

D_4

D_3

T

(c) Symétrie tétraédrique

O

Symétrie octaédrique

I

Symétrie icosaédrique

FIGURE 8-64 Exemples de symétries possibles de protéines ayant des protomères identiques. La forme lenticulaire, le triangle, le carré, et le pentagone aux extrémités des lignes en pointillés indiquent respectivement les axes de rotation uniques d'ordre deux, trois, quatre, et cinq des objets représentés. *(a)* Assemblages à symétries cycliques C_2, C_3, et C_5. *(b)* Assemblages à symétries dièdres D_2, D_4, et D_3. Pour ces objets, un axe d'ordre deux est perpendiculaire aux axes verticaux d'ordre deux, quatre, et trois. *(c)* Assemblages à symétrie T, O, et I. Noter que le tétraèdre possède certains éléments de symétrie du cube, mais pas tous, et que le cube et l'octaèdre ont la même symétrie. [Copyright Irving Geis.]

2. Symétrie dièdre

La **symétrie dièdre** (D_n), un type de symétrie de rotation plus compliqué, se présente lorsqu'un axe de rotation d'ordre *n* intercepte un axe de rotation d'ordre deux à angles droits (Fig. 8-64*b*). Un oligomère ayant une symétrie D_n comporte 2*n* protomères. La symétrie D_2 est, de loin, la symétrie dièdre la plus courante dans les protéines.

Les sous-unités α et β de l'hémoglobine ont des structures à ce point semblables que, dans le tétramère $\alpha_2\beta_2$, elles établissent une relation selon des axes de rotation de pseudo-ordre deux, qui sont perpendiculaires à l'axe d'ordre deux exact du tétramère (dans le

FIGURE 8-65 Dimère de transthyrétine vu dans la direction de son axe de symétrie d'ordre deux (*symbole lenticulaire rouge*). Chaque protomère est constitué d'un tonneau β (en fait un sandwich de feuillets β) contenant deux clés grecques (Fig. 8-50*a*). Noter la manière dont ces deux feuillets β se prolongent en disposition antiparallèle dans l'autre protomère de même symétrie pour former un sandwich de deux feuillets β à huit segments. Deux de ces dimères s'associent dos-à-dos dans la protéine native pout former un tétramère à symétrie D_2. Cette protéine était connue auparavant sous le nom de **préalbumine**. [D'après un dessin de Jane Richardson, Duke University et d'une structure par rayons X due à Colin Blake, Oxford University, U. K. PDBid 2PAB.]

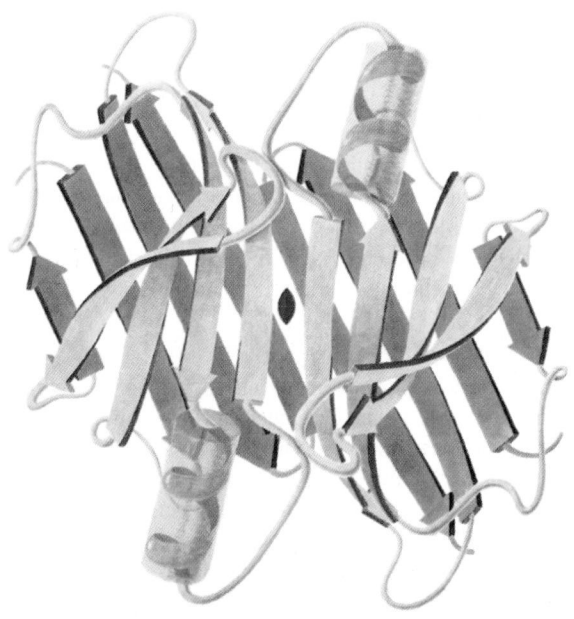

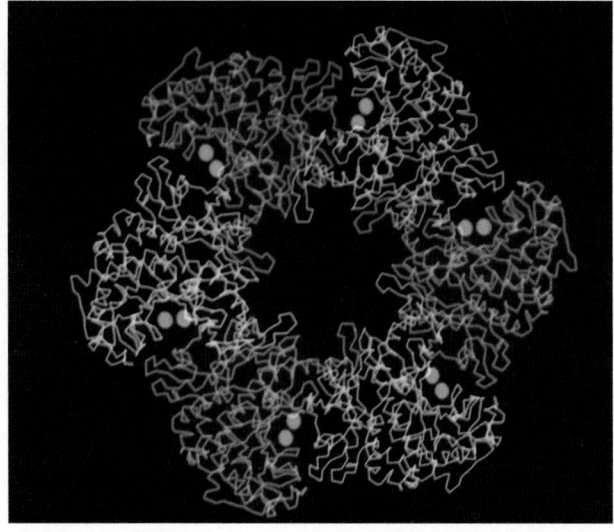

(a)

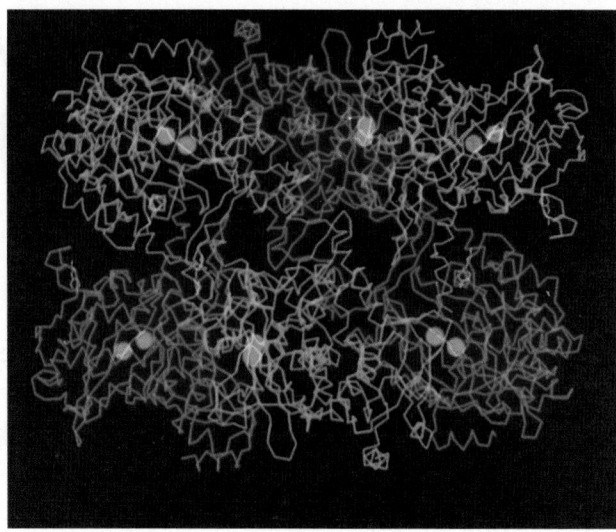

(b)

FIGURE 8-66 Structure par rayons X de la glutamine synthétase de *Salmonella typhimurium*. Cette enzyme comporte 12 unités identiques, représentées ici par leur squelette des C_α, disposées en symétrie D_6. (a) Vue dans la direction de l'axe de symétrie d'ordre six ne montrant que les six sous-unités de l'anneau supérieur, alternativement en bleu et en vert. Les sous-unités de l'anneau inférieur se trouvent pratiquement sous celles de l'anneau supérieur. Le diamètre de la protéine, chaînes latérales comprises *(non montrées)* est de 143 Å. Les six sites actifs illustrés sont repérables par les ions Mn^{2+} qui y sont liés *(sphères en rouge)*. (b) Vue latérale dans la direction de l'un des axes d'ordre deux de la protéine montrant les six sous-unités les plus proches. La molécule mesure 103 Å le long de cet axe d'ordre six, lequel est vertical dans cette représentation. [Avec la permission de David Eisenberg, UCLA, PDBid 2GLS.]

plan de la Fig. 8-63 ; voir Section 10-2B). On dit du tétramère qu'il est **pseudo-symétrique** et qu'il a une symétrie pseudo-D_2. La structure par rayons X de la **glutamine synthétase** montre que cette enzyme comporte 12 sous-unités identiques établissant des relations de symétrie D_6 (Fig. 8-66).

Dans les conditions adéquates, beaucoup d'oligomères ayant une symétrie D_n se dissocient en deux oligomères, chacun ayant une symétrie C_n (ils étaient reliés par les axes de rotation d'ordre deux dans l'oligomère D_n). Ceux-ci, à leur tour, se dissocient pour donner leurs protomères dans des conditions de dissociation plus rigoureuses.

3. Autres symétries de rotation

Les seuls autres types d'objets à symétrie de rotation sont ceux qui ont les symétries de rotation d'un tétraèdre (*T*), d'un cube ou d'un octaèdre (*O*), ou d'un icosaèdre (*I*), et qui ont respectivement 12, 24, ou 60 positions équivalentes (Fig. 8-64c). Certains complexes multienzymatiques ont une symétrie octaédrique (Section 21-2A), alors que les dispositions des sous-unités dans les enveloppes protéiques de ce qu'on appelle les virus sphériques sont basées sur une symétrie icosaédrique (Section 33-2A).

a. Symétrie hélicoïdale

Certains oligomères protéiques ont une **symétrie hélicoïdale** (Fig. 8-67). Les sous-unités chimiquement identiques dans une hélice ne sont pas strictement équivalentes car, par exemple, celles qui se trouvent à l'extrémité de l'hélice ont un environnement différent de celles situées au centre. Néanmoins, l'entourage de toutes les sous-unités d'une hélice longue, excepté pour celles proches des extrémités, est pratiquement identique et les sous-unités sont dites **quasi-équivalentes**. Les sous-unités de nombreuses pro-

téines de structure, par exemple celles de l'**actine** (Section 35-3A) et de la **tubuline** (Section 35-3F), s'assemblent en fibres avec une symétrie hélicoïdale.

b. Accès aux coordonnées atomiques de structures quaternaires à fonction biologique

Dans la PDB (« Protein Data Bank), tout enregistrement de structure cristalline par rayons X contient les coordonnées atomiques de l'unité asymétrique de sa cellule (au sens physique) de base (la **cellule de base** est la plus petite partie d'un réseau cristallin répétée par translation). On peut obtenir la structure de l'ensemble du cristal en appliquant sa **symétrie cristallographique** (la combinaison du point de symétrie de la cellule de base avec sa symétrie de translation). Ainsi, pour une protéine douée d'une structure quaternaire, son dossier PDB peut contenir les coordonnées d'un seul de ses nombreux protomères ou peut-être celles de deux protomères, ou plus, appartenant à différentes molécules à

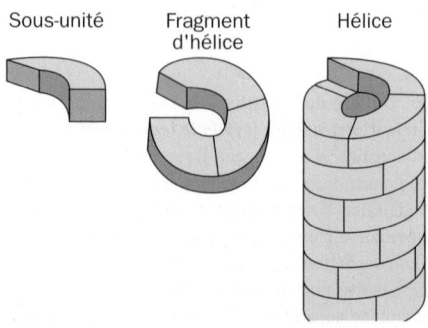

Sous-unité | Fragment d'hélice | Hélice

FIGURE 8-67 Structure hélicoïdale formée d'un seul type de sous-unité.

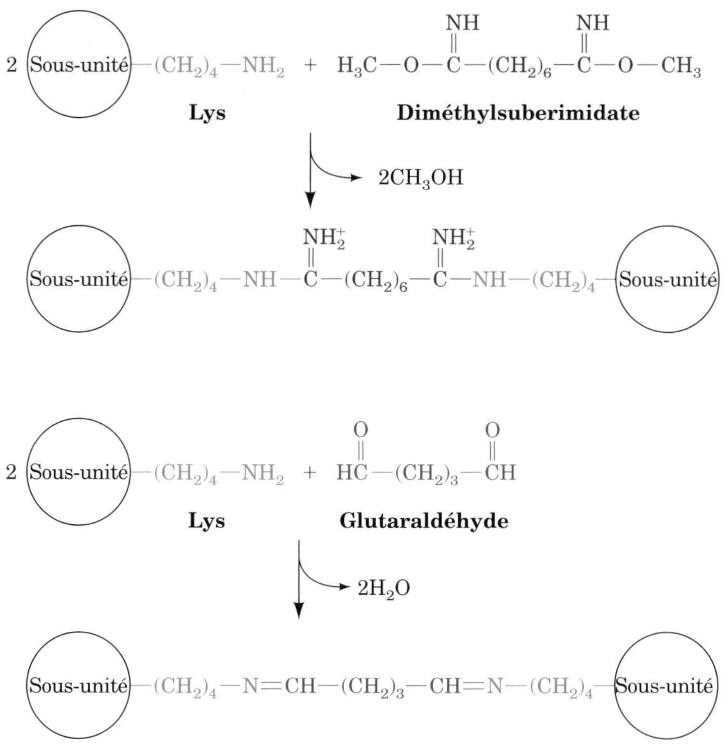

FIGURE 8-68 Agents de réticulation. Le diméthylsuberimidate et le glutaraldéhyde sont des réactifs bifonctionnels qui forment des liaisons covalentes croisées avec deux résidus Lys.

fonction biologique. De plus, l'application des transformations de symétrie qui sont souvent données dans l'en-tête du dossier PDB peut fournir les coordonnées de régions de différentes molécules. Pour minimiser ces difficultés, un procédé informatique permet d'obtenir les coordonnées de la molécule biologiquement active la plus probable, sur base de plusieurs critères, comme « maximiser » l'aire de surface accessible au solvant qui est perdue lors de la formation de l'oligomère. Un atlas en libre accès (http://pqs. ebi.ac.uk/) donne les structures quaternaires les plus probables des macromolécules dont les structures cristallographiques ont été déterminées par rayons X.

C. *Détermination de la composition en sous-unités*

Si l'on ne dispose pas de la structure par rayons X ou RMN, le nombre des différents types de sous-unités dans une protéine oligomérique peut être déterminé par l'analyse des groupements terminaux (Section 7-1A). En principe, la composition en sous-unités d'une protéine peut être déterminée en comparant sa masse moléculaire avec celles de ses sous-unités. En pratique cependant, des difficultés expérimentales, comme la dissociation partielle d'une protéine supposée intacte et des incertitudes dans les déterminations des masses moléculaires, donnent souvent des résultats erronés.

a. Les oligomères sont stabilisés par réactions de pontage

Une méthode pour analyser la structure quaternaire, particulièrement utile pour les protéines oligomériques qui se dissocient facilement, consiste à utiliser des **agents de réticulation** (dits aussi **réactifs de pontage**) comme le **diméthylsuberimidate** ou le **glutaraldéhyde** (Fig. 8-68). Si l'on opère à des concentrations en

protéine suffisamment basses afin d'éviter des réactions intermoléculaires, les réactions de pontage ne réuniront par covalence que les sous-unités d'une molécule qui ne sont pas à une plus grande distance que la longueur de la liaison croisée (en espérant, bien sûr, que les résidus d'acide aminé *ad hoc* soient présents). La masse moléculaire d'une protéine ainsi réticulée donne par conséquent le nombre minimum de ses sous-unités. De telles études peuvent également donner des indications sur la distance qui sépare les sous-unités, en particulier si on utilise une série d'agents de réticulation de différentes longueurs.

Appendice ■ APPENDICE : OBSERVATION D'IMAGES STÉRÉO

Bien que nous vivions dans un monde à trois dimensions, les images que nous voyons sont projetées sur le plan à deux dimensions de nos rétines. La perception de la profondeur nécessite donc la vision binoculaire : les images légèrement différentes perçues par chaque œil sont traitées par notre cerveau pour donner une impression tridimensionnelle.

Les images à deux dimensions d'objets complexes à trois dimensions sont difficiles à interpréter car la plus grande partie de l'information concernant la troisième dimension est supprimée. On peut restituer cette information en ne présentant à chaque œil que l'image qu'il verrait si l'objet à trois dimensions était réellement vu. Une **paire stéréo** est donc constituée de deux images, une pour chaque œil. Des points correspondants d'une paire stéréo sont généralement séparés par environ 6 cm, la distance moyenne entre nos yeux. Les dessins stéréo sont généralement obtenus par ordinateur compte tenu de la précision indispensable des rapports géométriques entre les éléments d'une paire stéréo.

FIGURE 8-69 Représentation stéréo d'un tétraèdre inscrit dans un cube. Observé correctement, l'apex du tétraèdre doit être dirigé vers l'observateur.

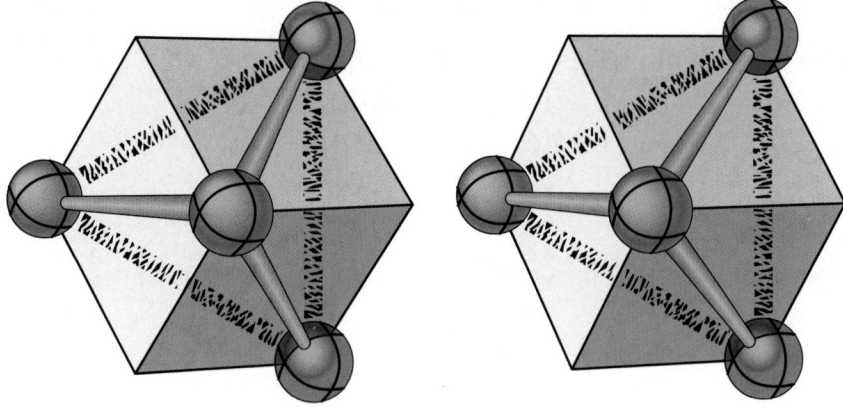

En regardant une image stéréo, on doit surmonter les habitudes visuelles normales car chaque œil doit voir indépendamment l'image qui lui correspond. Des lunettes stéréo sont disponibles pour y arriver. Cependant, avec de l'entraînement et de la pratique, des résultats équivalents peuvent être obtenus sans lunettes.

Pour vous entraîner à regarder des images en stéréo, vous devez avoir conscience que chaque œil voit une image séparée. Dressez votre doigt à environ 30 cm de vos yeux tout en fixant votre regard sur un objet situé derrière. Vous devez réaliser que vous voyez deux images de votre doigt. Si, après vous être concentré, vous ne voyez qu'une image, fermez alternativement chaque œil afin de savoir lequel de vos yeux voit l'image que vous percevez. Peut-être qu'en couvrant et découvrant cet œil dominant tout en regardant fixement au-delà de votre doigt, vous pourrez prendre conscience du travail indépendant de vos yeux.

L'observation d'une image stéréo consiste à fusionner visuellement les éléments de gauche de la paire stéréo vus par l'œil gauche avec les éléments de droite vus par l'œil droit. Pour cela, asseyez-vous confortablement, centrez vos yeux à environ 30 cm d'un dessin stéréo comme celui de la Fig. 8-69 et regardez fixement un point situé à environ 30 cm derrière le dessin. Essayez de fusionner visuellement les éléments centraux des quatre images floues que vous voyez. Quand vous aurez réussi, votre système visuel se « bloquera dessus » et cette image centrale fusionnée

apparaîtra à trois dimensions. Ignorez les images extérieures. Il se peut que vous deviez tourner légèrement votre livre, qui doit être parfaitement plat, ou votre tête, afin que les deux images soient au même niveau. Il peut être utile de placer le livre au bord du bureau, de centrer votre doigt environ 30 cm en-dessous du dessin, et de fixer votre doigt tout en vous concentrant sur la paire stéréo. Une autre astuce consiste à placer votre main tendue ou une fiche de papier perpendiculairement entre vos yeux, de sorte que l'œil gauche ne voie que la partie gauche de la paire stéréo et l'œil droit ne voie que la partie droite, puis à fusionner les deux images que vous voyez.

La dernière étape lorsqu'on regarde une image stéréo c'est de se concentrer sur l'image tout en maintenant la fusion des images. Ceci n'est pas toujours facile car nous avons tendance à nous concentrer sur le point vers lequel notre regard converge. Pour vous aider, rapprochez ou éloignez votre tête de l'image. Beaucoup de gens (y compris les auteurs) ont besoin de beaucoup d'entraînement pour bien maîtriser la vision des images stéréo sans lunettes. Cependant, les informations à trois dimensions fournies par les images stéréo, sans faire mention de leur attrait esthétique, justifient les efforts consentis. Quoi qu'il en soit, les quelques représentations stéréo utilisées dans ce livre ont été choisies en fonction de leur netteté visuelle sans lunettes ; la stéréo augmentera simplement l'impression de profondeur.

■ RÉSUMÉ DU CHAPITRE

1 ■ Structure secondaire Le groupement peptidique est contraint, par des effets de résonance, à une conformation plane et en trans. Des interactions stériques limitent encore plus les conformations du squelette polypeptidique en restreignant les valeurs des angles de torsion ϕ et ψ de chaque liaison peptidique à trois petites régions de la représentation de Ramachandran. L'hélice α, dont les angles de conformation sont inclus dans les régions autorisées de la représentation de Ramachandran, est stabilisée par des liaisons hydrogène. L'hélice 3_{10}, qui est plus étroitement enroulée que l'hélice α, se situe dans une zone plutôt interdite de la représentation de Ramachandran. On la trouve rarement, en général comme simple tournant terminal d'une hélice α. Dans les feuillets plissés β parallèles ou antiparallèles, deux

(ou plus) chaînes polypeptidiques, presque en complète extension, s'associent de sorte que des chaînes voisines sont maintenues par liaisons hydrogène. Ces feuillets β ont un enroulement de pas à droite quand on les observe le long de leurs chaînes polypeptidiques. La chaîne polypeptidique change souvent de direction via un coude β. D'autres arrangements de la chaîne polypeptidique, appelés collectivement conformations enroulées, sont plus difficiles à décrire mais ne sont pas moins ordonnés que les structures α ou β.

2 ■ Les protéines fibreuses Les propriétés mécaniques des protéines fibreuses sont souvent en accord avec leurs structures. La kératine, le principal constituant des cheveux, de la corne et des ongles, forme des protofibrilles composées de deux paires d'hélices α

dans lesquelles les membres de chaque paire sont enroulés ensemble avec un pas à gauche. La souplesse des kératines diminue en fonction du nombre de liaisons croisées par ponts disulfure entre protofibrilles. Le collagène est le constituant protéique principal des tissus conjonctifs. On y trouve une Gly tous les trois résidus et beaucoup d'autres sont Pro et Hyp. Cela permet au collagène de former une triple hélice en forme de corde qui a une très grande résistance à la traction. Les molécules de collagène s'assemblent selon une disposition décalée pour former des fibrilles reliées par réactions croisées covalentes via des groupementss des chaînes latérales de His et de Lys. Des mutations du collagène ou l'inactivation d'enzymes de sa biosynthèse conduisent fréquemment à une perte de l'intégrité structurale des tissus affectés.

3 ■ Les protéines globulaires   La précision des déterminations des structures de protéines par rayons X est limitée, en raison du désordre cristallin, à des résolutions de l'ordre de 1,5 à 3,0 Å. Il en résulte que la structure d'une protéine est obtenue en ajustant sa structure primaire à sa carte de densité électronique. Plusieurs arguments attestent que les structures de protéines en cristal sont pratiquement identiques à leurs structures en solution. Les structures de petites protéines peuvent aussi être déterminées en solution par les techniques de RMN-2D ou à plusieurs dimensions qui, en grande partie, donnent des résultats identiques à ceux obtenus par rayons X. La structure tertiaire d'une protéine globulaire est l'arrangement de ses différents éléments de structure secondaire compte tenu de la disposition spatiale de ses chaînes latérales. Ses résidus d'acide aminé ont tendance à se rassembler selon leur polarité. Les résidus non polaires se trouvent préférentiellement à l'intérieur de la protéine, à l'abri du solvant aqueux, alors que les résidus polaires chargés sont localisés à sa surface. Les résidus polaires non chargés peuvent se trouver aux deux endroits, mais, s'ils se trouvent à l'intérieur, ils forment des liaisons hydrogène avec d'autres groupements protéiques. L'intérieur d'une molécule de protéine ressemble à celui d'un cristal d'une molécule organique par son degré de compactage. Les protéines de grande taille se replient souvent en deux ou plusieurs domaines qui peuvent présenter des propriétés structurales et fonctionnelles indépendantes. Certains regroupements d'éléments de structure secondaire, appelés motifs ou structures supersecondaires, se présentent fréquemment comme constituants des protéines globulaires. Ces motifs se combinent de multiples façons pour former un pli, c'est-à-dire la structure tertiaire d'un domaine. Parmi les plis courants dans les protéines globulaires, on trouve le pli globine, les faisceaux à 4 hélices, divers tonneaux β (haut/bas, clé grecque, brioche), le tonneau α/β, et les différents feuillets β ouverts. On trouve dans la Banque de Données des Protéines (PDB) les coordonnées atomiques de plus de 20 000 protéines et acides nucléiques dont les structures ont été déterminées. On peut observer ces macromolécules à l'aide de programmes informatiques de graphisme moléculaire et les analyser avec des programmes permettant la comparaison et la classification de leurs structures.

4 ■ Stabilité des protéines   Les protéines ont des structures natives à la limite de la stabilité en raison d'un équilibre précaire entre les différentes forces non covalentes auxquelles elles sont soumises : interactions ioniques et dipolaires, liaisons hydrogène, et forces hydrophobes. Les interactions ioniques sont relativement faibles en solution aqueuse, en raison de leur solvatation par l'eau. Les différentes interactions parmi les dipôles permanents et induits, qui sont appelées collectivement forces de van der Waals, sont encore plus faibles et ne sont efficaces que dans un rayon très court. Toutefois, en raison de leur multitude, elles jouent ensemble un rôle important dans la structure des protéines. Les forces des liaisons hydrogène ont un caractère beaucoup plus directionnel que les autres liaisons non covalentes. Cependant, elles n'apportent pas beaucoup de stabilité à la structure d'une protéine, car les liaisons hydrogène qui se forment à l'intérieur d'une protéine native sont à peine plus fortes que celles que forme une protéine dénaturée avec l'eau. Néanmoins, puisque la plupart des liaisons hydrogène sont locales, une protéine ne peut acquérir une conformation stable que si pratiquement toutes les liaisons hydrogène internes possibles se forment : aussi les liaisons hydrogène sont-elles importantes dans la spécification de la structure native de la protéine. Les forces hydrophobes résultent d'un arrangement défavorable de la structure de l'eau dû à l'hydratation de groupements non polaires. En se repliant afin que ses groupements non polaires ne soient pas au contact du solvant aqueux, une protéine minimise ses interactions défavorables. Le fait que la plupart des agents dénaturants interfèrent avec l'effet hydrophobe démontre l'importance des forces hydrophobes dans la stabilisation des structures natives des protéines. Les ponts disulfure stabilisent souvent les structures natives des protéines extracellulaires. Les protéines des organismes (hyper)thermophiles ont souvent des T_m supérieurs aux protéines homologues des mésophiles. Plusieurs protéines hyperthermophiles sont stabilisées par de vastes réseaux de ponts salins à leur surface.

15 ■ Structure quaternaire   Beaucoup de protéines sont formées de l'assemblage non covalent de sous-unités qui peuvent être identiques ou différentes. La plupart des protéines oligomériques ont une symétrie de rotation. Les protomères de nombreuses protéines fibreuses sont en relation par symétrie hélicoïdale. Les structures quaternaires des protéines sont idéalement élucidées par rayons X ou par RMN. Faute de telles déterminations, des études par réactions de pontage peuvent renseigner sur la composition en sous-unités d'une protéine oligomérique.

■ RÉFÉRENCES

GÉNÉRALITÉS

Branden, C. et Tooze, J., *Introduction to Protein Structure* (2ᵉ éd.), Garland (1999).

Creighton, T.E., *Proteins* (2ᵉ éd.), Chapters 4–6, Freeman (1993).

Dickerson, R.E. et Geis, I., *The Structure and Action of Proteins*, Benjamin/Cummings (1969). [Un exposé classique et merveilleusement illustré des notions de base sur la structure des protéines.]

Finkelstein, A.V. et Ptitsyn, O.B., *Protein Physics. A Course of Lectures*, Academic Press (2002).

Kyte, J., *Structure in Protein Chemistry*, Garland (1995).

Lesk, A.M., *Introduction to Protein Architecture*, Oxford University Press (2001).

Perutz, M., *Protein Structure. New Approaches to Disease and Therapy*, Freeman (1992). [Une série d'articles brefs sur les structures d'une variété de protéines et leurs implications biomédicales.]

Shirley, B.A. (Éd.), *Protein Stability and Folding*, Humana Press (1995).

Tanford, C. et Reynolds, J., *Nature's Robots*. Oxford University Press (2001). [Un historique des protéines.]

STRUCTURE SECONDAIRE

Leszczynski, J.F. et Rose, G.D., Loops in globular proteins : A novel category of secondary structure, *Science* **234,** 849–855 (1986).

Milner-White, E.J., The partial charge of the nitrogen atom in peptide bonds, *Protein Science* **6**, 2477–2482 (1997). [On y discute l'origine de la charge négative partielle de l'atome N de la liaison peptidique.]

Toniolo, C. et Benedetti, E., The polypeptide 3₁₀-helix, *Trends Biochem. Sci.* **16**, 350–353 (1991).

PROTÉINES FIBREUSES

Baum, J. et Brodsky, B., Folding of peptide models of collagen and misfolding in disease, *Curr. Opin. Struct. Biol.* **9**, 122–128 (1999).

Bella, J., Eaton, M., Brodsky, B., et Berman, H.M., Crystal and molecular structure of a collagen-like peptide at 1.9-Å resolution, Science 266, 75–81 (1994) ; *et* Bella, J., Brodsky, B., et Berman, H.M., Hydration structure of a collagen peptide, Structure 3, 893–906 (1995).

Byers, P.H., Disorders of collagen synthesis and structure, *in* Scriver, C.R., Beaudet, A.L., Sly, W.S., et Valle, D. (Éds.), *The Metabolic and Molecular Bases of Inherited Disease* (8ᵉ éd.), *pp.* 5241–5286, McGraw-Hill (2001).

Engel, J. et Prokop, D.J., The zipper-like folding of collagen triple helices and the effects of mutations that disrupt the zipper, *Annu. Rev. Biophys. Biophys. Chem.* **20**, 137–152 (1991).

Fuchs, E. et Cleveland, D.W., A structural scaffolding of intermediate filaments in health and disease, *Science* **279**, 514–519 (1998) ; *et* Fuchs, E. et Weber, K., Intermediate filaments : Structure, dynamics, function, and disease, *Annu. Rev. Biochem.* **63**, 345–382 (1994).

Kadler, K.E., Holmes, D.F., Trotter, J.A., et Chapman, J.A., Collagen fibril formation, *Biochem. J.* **316**, 1–11 (1996).

Kramer, R.Z., Bella, J., Mayville, P., Brodsky, B., et Berman, H.M., Sequence dependent conformational variations of collagen triple-helical structure, *Nature Struct. Biol.* **6**, 454–457 (1999).

Orgel, J.P.R.O., Miller, A., Irving, T.C., Fischetti, R.F., Hammersley, A.P., et Wess, T.J., The in situ supermolecular structure of type I collagen, *Structure* **9**, 1061–1069 (2001).

Parry, D.A.D. et Steinert, P.M., Intermediate filaments : Molecular architecture, assembly, dynamics and polymorphism, *Quart. Rev. Biophys.* **32**, 99–187 (1999).

Prockop, D.J. et Kivirikko, K.I., Collagens : Molecular biology, diseases, and potentials for therapy, *Annu. Rev. Biochem.* **64**, 403–434 (1995).

van der Rest, M. et Bruckner, P., Collagens : Diversity at the molecular and supramolecular levels, *Curr. Opin. Struct. Biol.* **3**, 430–436 (1993).

DÉTERMINATION
DES STRUCTURES MACROMOLÉCULAIRES

Blow, D., *Outline of Crystallography for Biologists,* Oxford University Press (2002).

Brünger, A.T., X-Ray crystallography and NMR reveal complementary views of structure and dynamics, *Nature Struct. Biol.* **4**, 862–865 (1997).

Carey, P.R. (Éd.), *Protein Engineering and Design,* Part III : Characterization, Academic Press (1996). [On y trouve des chapitres sur la RMN 3-D et 4-D, sur la cristallographie des protéines, et sur des méthodes spectroscopiques et calorimétriques pour caractériser les protéines.]

Carter, C.W., Jr. et Sweet, R.M. (Éds.), *Macromolecular Crystallography,* Parts A and B, *Methods Enzymol.* **276** and **277** (1997).

Cavanaugh, J., Fairbrother, W.J., Palmer, A.G., III, et Skelton, N.J., *Protein NMR Spectroscopy. Principles and Practice,* Academic Press (1996).

Clore, G.M. et Gronenborn, A.M., NMR structures of proteins and protein complexes beyond 20,000 M_r, *Nature Struct. Biol.* **4**, 849–853 (1997) ; *et* Kay, L.E. et Gardiner, K.H., Solution NMR spectroscopy beyond 25 kDa, *Curr. Opin. Struct. Biol.* **7**, 722 – 731 (1997).

Drenth, J., *Principles of Protein X-Ray Crystallography* (2ᵉ éd.), Springer-Verlag (1999).

Ferentz, A.E. et Wagner, G., NMR spectroscopy : A multifaceted approach to macromolecular structure, *Quart. Rev. Biophys.* **33**, 29–65 (2000).

Glusker, J.P., Lewis, M., et Rossi, M., *Crystal Structure Analysis for Chemists and Biologists,* VCH Publishers (1994).

McPherson, A., *Macromolecular Crystallography,* Wiley (2002).

McRee, D.E., *Practical Protein Crystallography,* Academic Press (1993).

Mozzarelli, A. et Rossi, G.L., Protein function in the crystal, *Annu. Rev. Biophys. Biomol. Struct.* **25**, 343–365 (1996).

Reid, D.G. (Éd.), *Protein NMR Techniques,* Humana Press (1997).

Reik, R., Pervushkin, K., et Wüthrich, K., Trosy et CRINEPT : NMR with large molecular and supramolecular structures in solution, *Trends Biochem. Sci.* **25**, 462–468 (2000).

Rhodes, G., *Crystallography Made Crystal Clear : A Guide for Users of Macromolecular Models* (2ᵉ éd.), Academic Press (2000).

Wider, G. et Wüthrich, K., NMR spectroscopy of large molecules and multimolecular assemblies in solution, *Curr. Opin. Struct. Biol.* **9**, 594–601 (1999).

Wüthrich, K., NMR – This other method for protein and nucleic structure determination, *Acta Cryst.* **D51**, 249–270 (1995) ; *and* Protein structure determination in solution by nuclear magnetic resonance spectroscopy, *Science* **243**, 45–50 (1989).

PROTÉINES GLOBULAIRES

Bork, P., Gellerich, J., Groth, H., Hooft, R., et Martin, F., Divergent evolution of bya-barrel subclass : Detection of numerous phosphate-binding sites by motif search, *Protein Science*, **4**, 268–274 (1995).

Bourne, P. et Wessig, H. (Eds.), *Structural Bioinformatics,* Wiley-Interscience (2003).

Chothia, C. et Finkelstein, A.V., The classification and origins of protein folding patterns, *Annu. Rev. Biochem.* **59**, 1007–1039 (1990).

Cohen, C. et Parry, D.A.D., α-Helical coiled coils and bundles : How to design an α-helical protein, *Proteins* **7**, 1–15 (1990).

Farber, G.K., An α/β-barrel full of evolutionary trouble, *Curr. Opin. Struct. Biol.* **3**, 409–412 (1993) ; *et* Farber, G.K. et Petsko, G.A., The evolution of α/β barrel enzymes, *Trends Biochem. Sci.* **15**, 228 – 234 (1990).

Hadley, C. et Jones, J.T., A systematic comparison of protein structure classifications : SCOP, CATH, and FSSP, *Structure* **7**, 1099–1112 (1999).

Hogue, C.W.V. et Bryant, S.H., Structure data bases, *in* Baxevanis, A.D. and Ouellette, B.F.F. (Éds.), *Bioinformatics,* Chapter 3, Wiley-Interscience (1998).

Orengo, C.A., Todd, A.E., et Thornton, J.M., From protein structure to function, *Curr. Opin. Struct. Biol.* **9**, 374–382 (1999) ; *et* Swindells, M.B., Orengo, C.A., Jones, D.T., Hutchinson, E.G., et Thornton, J.M., Contemporary approaches to protein structure classification, *BioEssays* **20**, 884–891 (1998).

Richards, F.M., Areas, volumes, paking, and protein structure, *Annu. Rev. Biophys. Bioeng.* **6**, 151–176 (1977).

Richardson, J.S., The anatomy and taxonomy of protein structures, *Adv. Protein Chem.* **34**, 168–339 (1981). [Un exposé détaillé sur les principes qui gouvernent la structure des protéines globulaires ainsi qu'un grand nombre de leurs représentations schématiques.]

Richardson, J.S. et Richardson, D.C., Principles and patterns of protein conformation, *in* Fasman, G.D. (Éd.), *Prediction of Protein Structure and the Principles of Protein Conformation, pp. 1*–98, Plenum Press (1989). [Un relevé très complet des conformations des protéines fondées sur leurs structures par rayons X.]

STABILITÉ DES PROTÉINES

Alber, T., Stabilization energies of protein conformation, *in* Fasman, G.D. (Éd.), *Prediction of Protein Structure and the Principles of Protein Conformation, pp. 161*–192, Plenum Press (1989).

Burley, S.K. et Petsko, G.A., Weakly polar interactions in proteins, *Adv. Protein Chem.* **39,** 125–189 (1988).

Creighton, T.E., Stability of folded proteins, *Curr. Opin. Struct. Biol.* **1,** 5–16 (1991).

Derewenda, Z.S., Lee, L., et Derewenda, U., The occurrence of hydrogen bonds in proteins, *J. Mol. Biol.* **252,** 248–262 (1995).

Edsall, J.T. et McKenzie, H.A., Water and proteins, *Adv. Biophys.* **16,** 51–183 (1983).

Eigenbrot, C. et Kossiakoff, A.A., Structural consequences of mutation, *Curr. Opin. Biotech.* **3,** 333–337 (1992).

Fersht, A., *Structure and Mechanism in Protein Science,* Chapter 11, Freeman (1999).

Fersht, A.R. et Serrano, L., Principles of protein stability derived from protein engineering experiments, *Curr. Opin. Struct. Biol.* **3,** 75–83 (1993). [Comment le rôle de certaines chaînes latérales des protéines peut être déterminé quantitativement en les modifiant par mutagenèse dirigée et en mesurant par calorimétrie l'effet de celle-ci sur la stabilité des protéines.]

Goldman, A., How to make my blood boil, *Structure* **3,** 1277–1279 (1995). [On y discute de la stabilité des protéines hyperthermophiles.]

Hendsch, Z. et Tidor, B., Do salt bridges stabilize proteins ? A continuum electrostatic analysis, *Prot. Sci.* **3,** 211–226 (1994).

Honig, B. et Nichols, A., Classical electrostatics in biology and chemistry, *Science* **268,** 1144–1149 (1995).

Jaenicke, R. et Böhm, G., The stability of proteins in extreme environments, *Curr. Opin. Struct. Biol.* **8,** 738–748 (1998).

Jeffrey, G.A. et Saenger, W., *Hydrogen Bonding in Biological Structures,* Springer-Verlag (1991).

Jones, S. et Thornton, J.M., Principles of protein–protein interactions, *Proc. Natl. Acad. Sci.* **93,** 13–20 (1996).

Karshikoff, A. et Ladenstein, R., Ion pairs and the thermo-tolerance of proteins from hyperthermophiles: A 'traffic rule' for hot roads, *Trends Biochem. Sci.* **26,** 550–556 (2001).

Kauzmann, W., Some factors in the interpretation of protein denaturation, *Adv. Protein Chem.* **14,** 1–63 (1958). [Cette revue classique fut la première à mettre en évidence l'importance des liaisons hydrophobes dans la stabilité des protéines.]

Martin, T.W. et Derewenda, Z.S., The name is bond—H bond, *Nature Struct. Biol.* **6,** 403–406 (1999). [Un historique du concept de liaison hydrogène et une discussion des expériences de diffraction des rayons X démontrant le caractère partiellement (~10 %) covalent de cette liaison.]

Matthews, B.W., Studies on protein stability with T4 lysozyme, *Adv. Protein Chem.* **46,** 249–278 (1995). [Exposé des résultats d'études de stabilité sur un grand nombre de mutants du lysozyme du bactériophage T4, pour plusieurs desquels la structure par rayons X a été déterminée.]

Mattos, C., Protein–water interactions in a dynamic world, *Trends Biochem. Sci.* **27,** 203–208 (2002).

Ramachandran, G.N. et Sasisekharan, V., Conformation of polypeptides and proteins, *Adv. Protein Chem.* **23,** 283–437 (1968). [Un grand classique.]

Rees, D.C. et Adams, M.W.W., Hyperthermophiles: Taking the heat and loving it, *Structure* **3,** 251–254 (1995).

Richards, F.M., Folded and unfolded proteins: An introduction, *in* Creighton, T.E. (Éd.), *Protein Folding, pp.* 1–58, Freeman (1992).

Schellman, J.A., The thermodynamic stability of proteins, *Annu. Rev. Biophys. Biophys. Chem.* **16,** 115–137 (1987).

Steiner, T. et Koellner, G., Hydrogen bonds with p-acceptors in proteins: Frequencies and role in stabilizing local 3D structures, *J. Mol. Biol.* **305,** 535–557 (2001).

Stickle, D.F., Presta, L.G., Dill, K.A., et Rose, G.D., Hydrogen bonding in globular proteins, *J. Mol. Biol.* **226,** 1143–1159 (1992).

Tanford, C., How protein chemists learned about the hydrophobic factor, *Protein Science* **6,** 1358–1366 (1997). [Une histoire bien racontée.]

Teeter, M.M., Water – protein interactions: Theory and experiment, *Annu. Rev. Biophys. Biophys. Chem.* **20,** 577–600 (1991).

Weiss, M.S., Brandl, M., Sühnel, J., Pal, D., et Hilgenfeld, R., More hydrogen bonds for the (structural) biologist, *Trends Biochem. Sci.* **26,** 521–523 (2001). [Discute les liaisons hydrogène C—H⋯O et C—H⋯π].

Yang, A.-S. et Honig, B., Electrostatic effects on protein stability, *Curr. Opin. Struct. Biol.* **2,** 40–45 (1992).

STRUCTURE QUATERNAIRE

Eisenstein, E. et Schachman, H.K., Determining the roles of subunits in protein function, *in* Creighton, T.E. (Éd.), *Protein Function. A Practical Approach, pp.* 135–176, IRL Press (1989).

Goodsell, D.S. et Olson, J., Structural symmetry and protein function, *Annu. Rev. Biophys. Biomol. Struct.* **29,** 105–153 (2000).

Sheinerman, F.B., Norel, R., et Honig, B., Electrostatic aspects of protein–protein interactions, *Curr. Opin. Struct. Biol.* **10,** 153–159 (2000).

PROBLÈMES

1. Quelle est la longueur d'un segment en hélice α d'une chaîne polypeptidique de 20 résidus ? Quelle serait sa longueur en pleine extension (tout trans) ?

*2. L'examen des Fig. 8-7 et 8-8 montre que, dans la conformation des polypeptides, l'angle φ est plus contraint que l'angle ψ. En vous référant à la Fig. 8-4, ou mieux encore, en étudiant un modèle moléculaire, indiquez l'origine des interférences stériques qui limitent les valeurs autorisées de φ quand ψ = 180°.

3. Pour une chaîne polypeptidique formée de γ-aminoacides, donnez la nomenclature de l'hélice correspondant à l'hélice 3_{10} d'α-aminoacides. Supposez que l'hélice a un pas de 9,9 Å et qu'elle s'élève de 3,2 Å par résidu.

*4. Le Tableau 8-7 donne les angles de torsion, φ et ψ, du lysozyme du blanc d'œuf de poule pour les résidus 24-73 de la protéine, qui en compte 129. (a) Quelle est la structure secondaire des résidus 26-35 ? (b) Quelle est la structure secondaire des résidus 42-53 ? (c) Quelle est la nature probable du résidu 54 ? (d) Quelle est la structure secondaire des résidus 56-68 ? (e) Quelle est la structure secondaire des résidus 69-71 ? (f) Quelles informations supplémentaires, en plus de la valeur des angles de torsion φ et ψ, sur chaque résidu, seraient nécessaires pour déterminer la structure tridimensionnelle de la protéine ?

5. Les cheveux se fendent plus facilement le long de l'axe de la fibre, tandis que les ongles se cassent plutôt en travers que dans le sens du doigt. Quelles sont les directions des fibrilles de kératine dans les cheveux et dans les doigts ? Donnez vos raisons.

TABLEAU 8-7 **Torsion Angles (ϕ, ψ) ????????????????**

???? ??????	Acide aminé	ϕ (deg)	ψ (deg)	???? ????	Acide aminé	ϕ (deg)	ψ (deg)
24	Ser	−60	147	49	Gly	95	−75
25	Leu	−49	−32	50	Ser	−18	138
26	Gly	−67	−34	51	Thr	−131	157
27	Asn	−58	−49	52	Asp	−115	130
28	Trp	−66	−32	53	Tyr	−126	146
29	Val	−82	−36	54	xxx	67	−179
30	Cys	−69	−44	55	Ile	−42	−37
31	Ala	−61	−44	56	Leu	−107	14
32	Ala	−72	−29	57	Gln	35	54
33	Lys	−66	−65	58	Ile	−72	133
34	Phe	−67	−23	59	Asn	−76	153
35	Glu	−81	−51	60	Ser	−93	−3
36	Ser	−126	−8	61	Arg	−83	−19
37	Asn	68	27	62	Trp	−133	−37
38	Phe	79	6	63	Trp	−91	−32
39	Asn	−100	109	64	Cys	−151	143
40	Thr	−70	−18	65	Asn	−85	140
41	Glu	−84	−36	66	Asp	133	8
42	Ala	−30	142	67	Gly	73	−8
43	Thr	−142	150	68	Arg	−135	17
44	Asn	−154	121	69	Thr	−122	83
45	Arg	−91	136	70	Pro	−39	−43
46	Asn	−110	174	71	Gly	−61	−11
47	Thr	−66	−20	72	Ser	−45	122
48	Asp	−96	36	73	Arg	−124	146

Source: Imoto, T., Johnson, L.N., North, A.C.T., Phillips, D.C., et Rupley, J.A., *in* Boyer, P.D. (Éd.), *The Enzymes* (3ᵉ éd.), Vol. 7, *pp.* 693–695, Academic Press (1972).

6. Quelle est la vitesse de croissance, en tours par seconde, des hélices α d'un cheveu qui s'allonge de 15 cm par an ?

7. La polyproline peut-elle former une triple hélice de type collagène ? Expliquez.

8. En tant qu'ingénieur de Mère Nature, on vous a demandé de concevoir une hélice α à cinq tours dont la moitié de la circonférence doit être immergée à l'intérieur d'une protéine. Représentez la projection en boucle de votre hélice α prototype et sa séquence en acides aminés (voir Fig. 8-43).

9. Le β-Aminopropionitrile est efficace pour diminuer la formation de grosses cicatrices après une blessure (bien qu'il soit contre-indiqué à cause de ses effets secondaires). Quel est le mécanisme d'action de ce lathyrogène ?

*10. En naviguant sur Internet, visitez la Banque de Données des Protéines (PDB) à http://www.rcsb.org/pdb/. Pour explorer la structure de la g-B cristalline tapez 4GCR dans le champ « Enter a PDB id or keyword », vérifiez la boîte « query by PDB id only » et « cliquez » sur « Find a structure ». Dans la fenêtre « Structure Explorer », cliquez sur « Download/Display File » et dans la fenêtre qui apparaît alors, cliquez sur « HTML » à droite de « complete with coordinates ». Examinez le dossier qui apparaît. (a) Combien y-a-t-il de résidus dans cette protéine et combien de molécules d'eau associées à celle-ci a-t-on trouvé dans la structure du cristal ? (b) Dessinez les squelettes d'un résidu Arg, d'un Glu et d'une Tyr et numérotez leurs atomes selon la nomenclature du dossier PDB. (c) Quelles sont les coordonnées atomiques de l'atome S de Cys 32 ? Quelle est l'identité

de l'atome 1556 marqué « OTX » ? (d) Retournez au « Structure Explorer » et cliquez sur « View Structure » pour examiner la structure de la protéine dans la représentation (« viewer ») de votre choix (assurez-vous d'avoir préalablement téléchargé le programme nécessaire sur votre ordinateur). Pouvez-vous voir que la protéine est constituée de deux domaines bien séparés et apparemment semblables ? (e) Afin de classer cette protéine selon sa structure, retournez au « Structure Explorer » et cliquez sur « Structural Neighbors ». Mentionnez les différentes façons dont CATH et SCOP classent cette protéine. (f) Pour comparer la structure des deux domaines de la protéine, retournez à « Structural Neighbors », cliquez sur CE, et dans la fenêtre suivante, cliquez sur « Two chains » (dans la boîte au bas de l'écran). Dans la fenêtre qui apparaît, tapez 4GCR pour la chaîne 1 et la chaîne 2. Pour les deux, cliquez sur le bouton « PDB : » et vérifiez la boîte « Use Fragment From : ». Tapez « region 1-83 » pour la chaîne 1 et « 84-174 » pour la chaîne 2. Cliquez ensuite sur le bouton « Calculate Alignment » (en haut). La fenêtre qui apparaît montre l'alignement de séquence des deux peptides basé sur leur structure. Quel est le pourcentage d'identité des deux peptides ? Décrivez les intervalles dans l'alignement s'il y en a. Cliquez à présent sur le bouton « Press to Start Compare3D ». La fenêtre qui apparaît montre les squelettes des C_α des deux segments peptidiques superposés, en bleu et en magenta. Faites pivoter ce modèle moléculaire en cliquant dessus et en déplaçant la souris. Décrivez ce que vous voyez. Quelle est la « RMSD (A) » (racine carrée de la fluctuation en Å) des segments superposés du squelette ? Que signifie la courte portion de chaîne indiquée en blanc ? Que sont les deux segments en gris ?

*11. Avec un programme d'inspection de graphiques moléculaires, examinez les structures des protéines identifiées ci-dessous par leurs

PDBids. Dessinez les diagrammes topologiques correspondants et nommez le pli, s'il est standard, pour chaque domaine de la protéine. (a) 1RCP, (b) 1RCB, (c) 1TNF, (d) 2CMD, (e) 1RHD, (f) 2TAA). Note : Bien que toutes ces protéines ne comportent qu'un seul type de sous-unité, certains des dossiers PDB contiennent les coordonnées de plus d'une chaîne. Si vous utilisez le programme de graphisme moléculaire RasMol, tapez, par exemple, « restrict *a <return> » dans la fenêtre « Command Line » pour limiter la représentation à la chaîne A. Pour les protéines constituées de plus d'une chaîne, examinez chaque domaine individuellement par la même technique (par exemple, après avoir tapé « restrict *a <return> » on peut faire apparaître les résidus 1 à 20 de la chaîne A en tapant « restrict 1-20 <return> »). La manière la plus commode de suivre une chaîne polypeptidique est de la représenter selon « Backbone », « Ribbons » ou « Cartoons » et d'utiliser « Group colors » pour colorer la chaîne, de l'extrémité N-terminale (en bleu) à C-terminale (en rouge), selon les couleurs de l'arc-en-ciel.

12. On dit souvent que les protéines sont énormes par rapport aux molécules qu'elles lient. Toutefois, la taille d'une molécule est une question de point de vue. Calculez le rapport entre le volume d'une molécule d'hémoglobine (65 kD) et celui des quatre molécules d'O_2 qu'elle lie. Calculez également le rapport entre le volume d'un bureau ordinaire ($4 \times 4 \times 3$ m) et celui de son occupant (70 kg). Supposez que les volumes moléculaires de l'hémoglobine et de l'O_2 sont proportionnels à leurs masses moléculaires et que le bureaucrate a une densité de $1,0$ g·cm^{-3}. Comparez ces rapports. Est-ce le résultat que vous attendiez ?

13. Pourquoi les forces de dispersion de London sont-elles toujours attractives ?

14. Les protéines membranaires sont généralement fortement associées aux groupements non polaires des molécules lipidiques (Section 12-3A). Expliquez comment les détergents affectent l'intégrité structurale des protéines membranaires par comparaison à leurs effets sur des protéines globulaires normales.

15. La protéine de l'enveloppe du **virus du rabougrissement buissonneux de la tomate** est constituée de 180 sous-unités chimiquement identiques, chacune formée d'environ 386 résidus d'acide aminé. La probabilité pour qu'un résidu erroné d'acide aminé soit incorporé durant la biosynthèse dans la chaîne polypeptidique est de 1 pour 3000 résidus. Calculez le nombre moyen de sous-unités d'enveloppe protéique qui devraient être synthétisées afin d'obtenir une enveloppe virale parfaite. Quel serait ce nombre si l'enveloppe virale était une seule chaîne polypeptidique avec le même nombre de résidus qu'elle a réellement ?

16. Établissez la symétrie de rotation des objets suivants : (a) une étoile de mer, (b) une pyramide carrée, (c) une boîte rectangulaire, et (d) une bipyramide trigonale.

*17. À l'aide de votre programme préféré d'inspection de graphiques moléculaires, établissez les symétries de rotation des protéines dont les PDBids sont les suivantes : (a) 1TIM, (b) 1TNF, (c) 6PFK, (d) 1AIY. Note : Avec RasMol ou Chime, la meilleure façon de distinguer les chaînes poly-peptidiques individuelles est de représenter la protéine selon « Backbone », « Ribbons » ou « Cartoons » et d'utiliser « Chain colors » (qui attribue une couleur différente à chaque chaîne polypeptidique).

18. La myoglobine et les sous-unités de l'hémoglobine sont des polypeptides de taille et de structure analogues. Comparez le rapport attendu des résidus d'acide aminé non polaires sur acides aminés polaires de la myoglobine et de l'hémoglobine.

19. L'hémoglobine de l'anémie falciforme (HbS) diffère de l'hémoglobine normale de l'homme adulte (HbA) par un seul changement mutationnel, Glu β6 → Val, ce qui provoque l'agrégation des molécules de HbS dans certaines conditions (Section 7-3A). Il arrive que les filaments d'HbS qui se forment à la température du corps se désagrègent quand la température est abaissée à 0 °C. Expliquez.

20. Donnez des preuves expérimentales pour discréditer l'hypothèse selon laquelle l'urée et l'ion guanidium provoquent la dénaturation des protéines par compétition avec leurs liaisons hydrogène internes.

21. Les protéines en solution sont souvent dénaturées si la solution est secouée assez violemment pour la faire mousser. Expliquez le mécanisme de ce processus. (N.B. Les groupements non polaires de détergent se projettent dans l'air aux interfaces air-eau.)

22. Une protéine oligomérique en solution dans un tampon dilué de pH 7 se dissocie quand ses sous-unités se trouvent en présence des agents suivants. Parmi les résultats obtenus, lesquels contredisent l'affirmation que la structure quaternaire d'une protéine est stabilisée exclusivement par des interactions hydrophobes ? Expliquez. (a) Chlorure de guanidinium $6M$, (b) éthanol 20 %, (c) NaCl $2M$, (d) températures en-dessous de 0 °C, (e) 2-mercaptoéthanol, (f) pH 3, et (g) SDS $0,01M$.

*23. L'électrophorèse d'une protéine en gel de polyacrylamide-SDS donne deux bandes correspondant à des masses moléculaires de 10 et de 17 kD. Après réticulation de cette protéine avec le diméthylsuberimidate dans des conditions de dilution suffisante pour éviter des pontages intermoléculaires, l'électrophorèse du produit en gel de polyacrylamide-SDS donne 12 bandes de masses moléculaires 10, 17, 20, 27, 30, 37, 40, 47, 54, 57, 64, et 74 kD. En supposant que le diméthylsuberimidate ne peut ponter que des sous-unités en contact, représentez la structure quaternaire de la protéine.

*24. Les mammifères possèdent deux formes génétiquement distinctes, mais étroitement apparentées, de lactate déshydrogénase (LDH), le type M (qui prévaut dans le muscle squelettique), et le type H (qui prévaut dans le cœur). Avant l'élucidation de la structure de la LDH par rayons X, on a pu établir son caractère oligomérique en dissociant le type M et le type H en leurs sous-unités puis en reconstituant le mélange. On obtint ainsi cinq **isoenzymes** séparables par électrophorèse (les isoenzymes ou isozymes sont des enzymes génétiquement distinctes d'un même organisme, mais similaires quant à leurs propriétés catalytiques et leurs structures), M_4, M_3H, M_2H_2, MH_3, et H_4, ce qui démontrait que la LDH est un tétramère. Quelles sont les quantités relatives de chaque isoenzyme formée quand des quantités équimolaires de H_4 et de M_4 sont ainsi mélangées ?

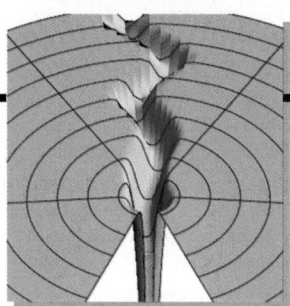

Chapitre

9

Repliement des protéines, dynamique et évolution structurale

Dans les chapitres précédents, nous avons vu comment les protéines se formaient à partir de leurs différents constituants. Nous sommes dans la situation d'un mécanicien qui a appris à démonter et remonter le moteur d'une voiture sans en connaître le fonctionnement. Pour comprendre celui-ci, nous devons savoir quelles sortes de mouvements internes la protéine peut et doit subir afin d'assurer sa fonction biologique et aussi comment elle parvient à sa structure native. En reprenant l'exemple de notre mécanicien, nous devons comprendre le fonctionnement des « engrenages » et des « manettes » qui permettent aux protéines de remplir leur rôle. Il s'agit d'un problème d'une grande complexité auquel nous ne pouvons apporter que des solutions approximatives. Par exemple, comme nous le verrons dans les chapitres suivants, bien que les mécanismes catalytiques de nombreuses enzymes de structure connue aient été étudiés en détail, on ne peut dire qu'on comprenne ces mécanismes avec précision. Ceci, parce que nous

n'avons qu'une connaissance incomplète des modes d'interaction des groupements qui constituent les protéines, et en sommes donc souvent réduits à des hypothèses.

Dans ce troisième des quatre chapitres consacrés à la structure des protéines, nous nous intéresserons au comportement des protéines en fonction du temps. Plus précisément, nous étudierons d'abord comment les polypeptides sous forme déroulée aléatoire se replient pour acquérir leur structure native et comment ce processus est facilité par d'autres protéines. Nous verrons les progrès récents dans la prédiction de la structure des protéines fondée sur leur séquence, et dans la compréhension de leurs propriétés dynamiques, c'est-à-dire la nature et la signification fonctionnelle de leurs mouvements internes. Nous discuterons ensuite comment des conformations anormales des protéines peuvent conduire à des maladies Nous terminerons en poursuivant l'examen, commencé dans la Section 7-3, de l'évolution des protéines mais en nous intéressant, cette fois, à leur structure tridimensionnelle.

1 ■ REPLIEMENT DES PROTÉINES : THÉORIE ET EXPÉRIMENTATION

Les premières théories sur le repliement des protéines envisageaient l'existence de « matrices » qui, d'une manière ou d'une autre, permettaient aux protéines d'adopter leur conformation native. Une telle explication ne faisait que reporter le problème, car il fallait alors expliquer comment la matrice elle-même asssurait sa propre conformation. En réalité, *les protéines se replient spontanément pour prendre leur conformation native dans des conditions physiologiques.* Ceci implique que *la structure primaire d'une protéine dicte sa structure tridimensionnelle.* En général, dans des conditions *ad hoc*, les structures biologiques sont douées d'**auto-assemblage**, ce qui signifie qu'elles n'ont pas besoin de matrices externes pour acquérir leur conformation.

A. *Renaturation des protéines*

Bien que, depuis les années 1930, il parût évident que les protéines puissent être dénaturées réversiblement, ce n'est qu'en 1957 que les expériences élégantes de Christian Anfinsen sur

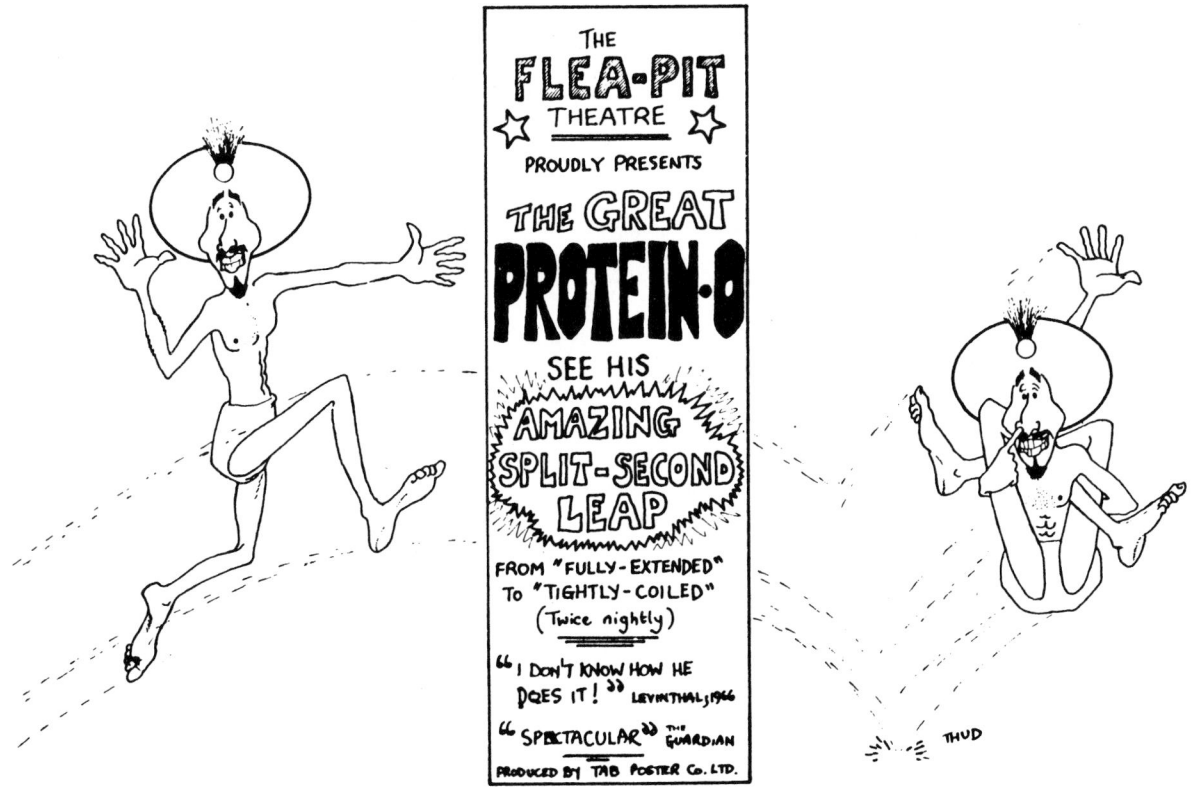

FIGURE 9-1 [Dessin par T.A. Bramley, *dans* Robson, B., *Trends Biochem. Sci.* **1**, 50 (1976). Copyright Elsevier Biochemical Press, 1976. Reproduction autorisée.]

l'**ARNase A** de pancréas bovin ont abordé l'étude de la **renaturation des protéines** sur une base quantitative. L'ARNase A, protéine à une seule chaîne de 124 résidus, se déroule entièrement et ses quatre ponts disulfure sont rompus par réduction dans une solution d'urée 8*M* contenant du 2-mercaptoéthanol (Fig. 9-2). Cependant, après élimination de l'urée par dialyse et

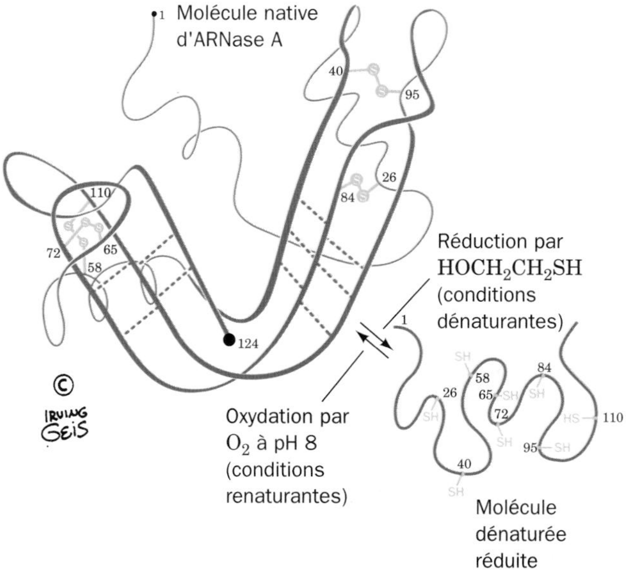

en mettant la solution obtenue en présence d'O$_2$ à pH 8, on obtient une protéine qui est pratiquement 100 % enzymatiquement active et physiquement indiscernable de l'ARNase A native. La protéine s'est donc renaturée spontanément. L'hypothèse d'une éventuelle dénaturation incomplète de l'ARNase A par de l'urée 8*M* est levée puisque l'on a synthétisé chimiquement l'ARNase A enzymatiquement active (Section 7-5).

La renaturation de l'ARNase A nécessite que ses quatre ponts disulfure se reforment. La probabilité pour qu'un des huit résidus Cys de l'ARNase A reforme un pont disulfure au hasard avec son vrai (natif) partenaire parmi les sept autres résidus Cys est de 1/7 ; celle d'un des six résidus restant de reformer au hasard son pont disulfure propre est de 1/5 ; etc. La probabilité totale pour que l'ARNase A reforme ses quatre ponts disulfure au hasard est

$$\frac{1}{7} \times \frac{1}{5} \times \frac{1}{3} \times \frac{1}{1} = \frac{1}{105}$$

Il est donc clair que les ponts disulfure de l'ARNase A ne se reforment pas au hasard dans des conditions de renaturation.

Si l'on réoxyde l'ARNase A en présence d'urée 8*M* de sorte que les ponts disulfure se reforment alors que la chaîne polypeptidique est déroulée, on trouve comme prévu, après élimination de l'urée, que l'ARNase A n'a qu'environ 1 % de son activité enzymatique. Cette ARNase A « brouillée » peut devenir totalement active si on ajoute des traces de 2-mercaptoéthanol qui, durant une période de 10 heures, catalysent des réactions de réarrangement des ponts disulfure jusqu'à ce que la structure native soit retrouvée (Fig. 9-3). L'état natif de l'ARNase A dans des conditions physio-

FIGURE 9-2 Dénaturation de l'ARNase A par réduction et sa renaturation par oxydation. [Copyright Irving Geis.]

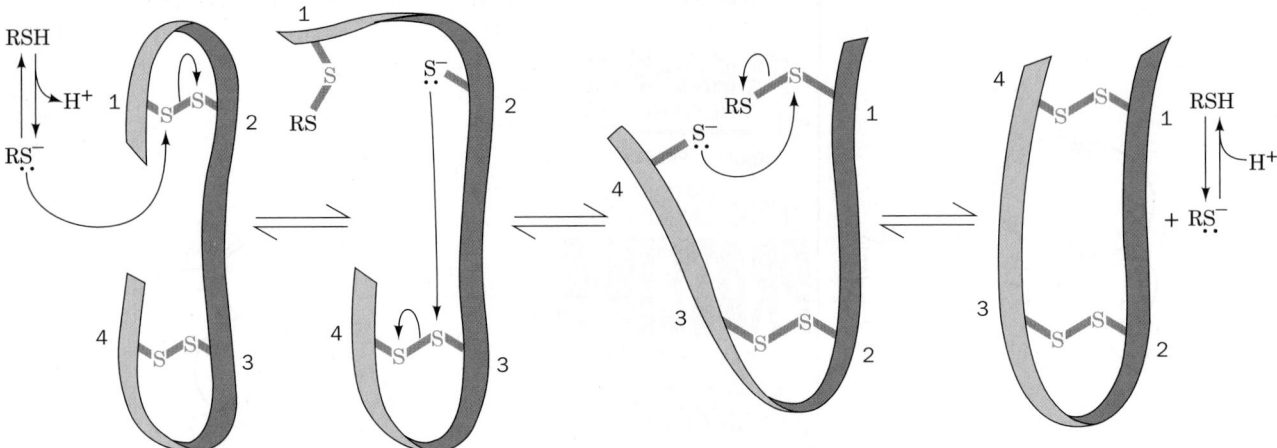

FIGURE 9-3 Mécanisme proposé pour la réaction d'échange entre disulfures catalysée dans une protéine par un groupement thiol ou par une enzyme. Le ruban violet représente le squelette polypeptidique de la protéine. Le groupement thiol réagissant doit se trouver sous sa forme ionisée thiolate.

logiques correspond donc vraisemblablement à sa conformation thermodynamiquement la plus stable. Si la protéine présente une conformation qui est plus stable que son état natif, le passage à cette conformation doit faire intervenir une barrière d'activation tellement importante qu'elle la rend cinétiquement inaccessible (les processus de vitesses de réaction seront étudiés dans la Section 14-1C).

Le temps nécessaire à la renaturation de l'ARNase A « brouillée » est réduit à environ 2 min par la **protéine disulfure isomérase (PDI),** enzyme qui catalyse les réactions de réarrangement des ponts disulfure. (En fait, c'est la supposition que le repliement *in vivo* vers l'état natif ne nécessite que quelques minutes qui a poussé à rechercher et à trouver cette enzyme.) Le site actif de la PDI contient deux résidus Cys, qui doivent être sous la forme —SH pour que l'isomérase soit active. Manifestement, l'enzyme catalyse au hasard la rupture et la reformation des ponts disulfure d'une protéine (Fig. 9-3), leur permettant ainsi de se réarranger tandis que la protéine atteint progressivement ses conformations thermodynamiquement les plus favorables. La PDI sera étudiée de manière plus approfondie dans la Section 9-2A.

a. Les protéines modifiées après leur biosynthèse peuvent ne pas se renaturer facilement

Beaucoup de protéines « brouillées » peuvent être renaturées par la PDI, alors que celle-ci ne les affecte pas dans leur état natif (leurs ponts disulfure rompus par la PDI se reforment rapidement car ces protéines natives se trouvent sous leurs conformations locales les plus stables). Cependant, dans le cas des protéines modifiées après leur traduction, les ponts disulfure peuvent servir à maintenir la protéine sous une conformation native qui, autrement, serait instable. Par exemple, l'**insuline**, hormone polypeptidique de 51 résidus formée de deux chaînes reliées par deux ponts disulfure (Fig. 7-2), est inactivée par la PDI. Cette observation a conduit à la découverte que l'insuline est issue de la **proinsuline**, polypeptide monocaténaire de 84 résidus (Fig. 9-4). Ce n'est qu'après la formation de ses ponts disulfure que la proinsuline est transformée en hormone active bicaténaire suite à l'excision protéolytique d'un segment interne de 33 résidus appelé chaîne C ou peptide C. Néanmoins, deux séries d'observations suggèrent que le

peptide C ne dirige pas le repliement des chaînes A et B, mais plutôt qu'il les maintient ensemble pendant qu'elles forment leurs ponts disulfure natifs : (1) dans des conditions de renaturation appropriées, l'insuline native n'est obtenue, à partir d'insuline brouillée, qu'avec un rendement de 25 à 30 %, alors que ce rende-

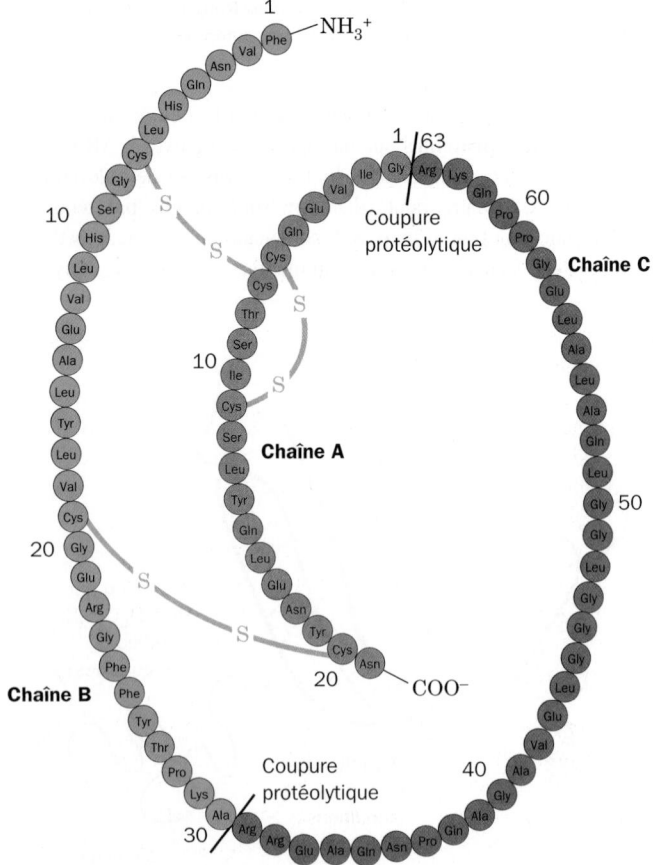

FIGURE 9-4 Structure primaire de la proinsuline de porc. Sa chaîne C (en *brun*) est excisée par protéolyse entre ses chaînes A et B pour donner l'hormone mature. [D'après Chance, R.E., Ellis, R.M., et Brommer, W.W., *Science* **161,** 165 (1968).]

ment passe à 75 % quand les chaînes A et B sont réunies chimiquement par liaisons croisées ; et (2), des comparaisons de séquences de proinsulines de plusieurs espèces montrent que les mutations dans le peptide C sont acceptées à une vitesse huit fois plus grande que dans les chaînes A et B.

B. *Déterminants du repliement des protéines*

Dans la Section 8-4, nous avons traité des différentes interactions qui stabilisent les protéines dans leur structure native. Nous compléterons ici ces notions en expliquant comment ces interactions s'établissent au sein des protéines natives. Il faut se rappeler qu'une très petite proportion seulement des innombrables séquences polypeptidiques possibles est susceptible d'adopter des conformations stables particulières. Bien sûr, ce sont ces séquences qui ont été sélectionnées pour leur intérêt biologique au cours de l'évolution.

a. Si les hélices et les feuillets prédominent dans les protéines, c'est sans doute simplement parce qu'ils occupent bien l'espace

Pourquoi les protéines ont-elles une si grande proportion (environ 60 % en moyenne) d'hélices α et de feuillets plissés β ? Les interactions hydrophobes, bien qu'en grande partie responsables de la nature compacte et non polaire du cœur des protéines, ne sont pas suffisamment spécifiques pour limiter les polypeptides à certaines conformations. De même, le fait que les segments polypeptidiques en conformation déroulée n'ont pas moins de liaisons hydrogène que les hélices et les feuillets ne plaide pas en faveur d'un rôle que pourrait jouer ces liaisons dans le choix restreint des conformations des polypeptides. Comme Ken Dill l'a montré, il semble plutôt que la formation des hélices et des feuillets soit la conséquence de contraintes stériques au sein des polymères compacts. Des études par simulation très poussées quant aux conformations que peuvent prendre de simples chaînes souples (comme des rangées de perles) ont montré que la proportion d'hélices et de feuillets augmente de façon considérable avec le degré de compactage de la chaîne (le nombre de contacts intracaténaires) ; autrement dit, les hélices et les feuillets sont essentiellement des entités compactes. Par conséquent, la plupart des mécanismes qui rendent une chaîne compacte impliquent la formation d'hélices et de feuillets. Dans les protéines natives, ces éléments de structure secondaire s'organisent très précisément pour former des hélices α et des feuillets β via des forces de faible intensité comme les liaisons hydrogène, les interactions ioniques et les forces de van der Waals. Ce sont probablement ces forces moins prépondérantes mais plus spécifiques qui « choisissent » la structure native unique d'une protéine parmi le nombre relativement restreint de conformations compactes issues d'interactions hydrophobes (rappelez-vous que la plupart des liaisons hydrogène dans les protéines s'établissent entre des résidus proches dans la séquence ; Section 8-4B).

b. Le repliement des protéines se fait essentiellement sous l'influence de résidus internes

De nombreuses études de modifications de protéines ont eu pour but de déterminer le rôle de différentes catégories de résidus d'acide aminé dans le repliement des protéines. Dans une étude particulièrement révélatrice, les groupements amines primaires libres de l'ARNase A (les résidus Lys et le groupement N-terminal) ont été dérivatisés avec des chaînes de 8 résidus de poly-DL-alanine. Assez curieusement, ces chaînes de poly-Ala longues et

hydrosolubles ont pu être couplées simultanément à 11 groupements aminés libres de l'ARNase A sans modifier significativement la conformation native de la protéine ni sa faculté à se replier. Ces groupements aminés libres étant tous situés à la surface de l'ARNase A, on suppose que *ce sont essentiellement les résidus internes d'une protéine qui déterminent son repliement pour adopter la conformation native.* On est arrivé à des conclusions identiques par des études de structures de protéines et de leur évolution (Section 9-6) : les mutations qui modifient les résidus de surface sont acceptées plus fréquemment et sont moins aptes à modifier la conformation de la protéine que les modifications de résidus internes. Il n'est donc pas surprenant que la perturbation du repliement des protéines par de faibles concentrations d'agents dénaturants signifie que *le repliement des protéines est sous la dépendance de forces hydrophobes.*

c. La structure des protéines s'établit selon une hiérarchie

Les grosses sous-unités des protéines sont constituées de domaines, qui sont des segments contigus et compacts, mais physiquement séparables, de la chaîne polypetidique. Comme l'a bien montré George Rose, ces domaines sont à leur tour composés des sous-domaines, lesquels comprennent des sous-sous-domaines et ainsi de suite. D'après cette notion, si l'on considère tout segment, de longueur quelconque, d'une protéine native comme une ficelle emmêlée, on peut toujours trouver un plan qui la divise en deux segments, plutôt qu'en un grand nombre de segments plus petits (comme ce serait le cas avec une pelote de laine). Pour le démontrer, il suffit de colorer en rouge les premiers $n/2$ résidus d'un domaine de n résidus et en bleu les autres $n/2$ résidus. En répétant

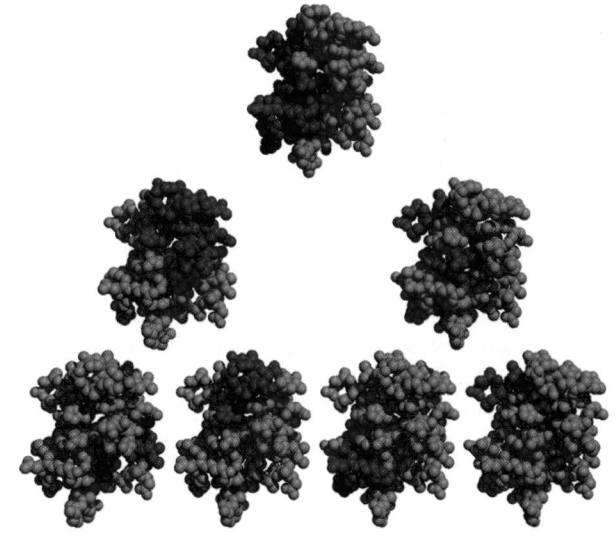

FIGURE 9-5 Hiérarchie dans l'organisation des protéines globulaires. La structure par rayons X de la protéine fer-soufre à haut potentiel (HiPIP) est ici représentée par ses atomes C_α (les sphères). Dans le dessin du haut, les premiers $n/2$ résidus de cette protéine de n résidus (où $n = 71$) sont en rouge et les autres $n/2$ résidus sont en bleu. À la deuxième rangée, le procédé est repris de sorte qu'à droite, par exemple, les première et deuxième moitiés de la seconde moitié de la protéine sont en rouge et en bleu, le restant étant en gris. Le procédé est répété en bas. Noter qu'à chaque étage de cette hiérarchie les régions en rouge et en bleu ne se mélangent pas. [Avec la permission de George Rose, The Johns Hopkins University School of Medicine, et de Robert Baldwin, Stanford University School of Medicine.]

ce procédé, comme montré à la Fig. 9-5 pour la protéine fer-soufre à haut potentiel (HiPIP), on constate qu'à chaque étape les régions rouges et bleues ne se mélangent pas. De toute évidence, *l'organisation de la structure des protéines est hiérarchique*, autrement dit les chaînes polypeptidiques forment localement des structures compactes, lesquelles s'associent avec des structures similaires qui sont leurs voisines dans la séquence, pour former des structures compactes plus vastes, etc. Bien sûr, cette organisation structurale est en accord avec l'observation que, dans les protéines, les interactions par liaisons hydrogène sont essentiellement locales (Section 8-4B). Ceci a également des implications importantes pour la manière dont les polypeptides se replient pour former des protéines dans leur structure native (Section 9-1C).

d. Les structures des protéines sont éminemment adaptables

Les protéines globulaires ont des densités de compactage comparables à celles de cristaux organiques (Section 8-3B) car les chaînes latérales à l'intérieur de la protéine s'assemblent avec une complémentarité parfaite. Afin de vérifier si ce phénomène est d'importance dans la structure des protéines, Eaton Lattman et George Rose ont analysé 67 protéines globulaires de structure connue pour tenter de trouver des interactions préférentielles entre les chaînes latérales. Ils n'en ont trouvé aucune, ce qui indique que, du moins pour les protéines globulaires, *le compactage dépend du repliement natif mais que le repliement natif ne dépend pas du compactage*. Ce point est corroboré par le fait que l'on trouve un grand nombre de familles de protéines dont les membres ont des repliements identiques même si leur éloignement évolutif est tel qu'ils n'ont pas de similitudes de séquences identifiables (voir par exemple les protéines en tonneau α/β ; Section 8-3B).

D'après ce qui précède, on peut dire qu'*il existe de nombreuses manières, pour les résidus internes d'une protéine, de se rassembler efficacement*. Cette notion a été remarquablement illustrée par les études de Brian Matthews sur le **lysozyme T4** (un produit du bactériophage T4), où il a comparé les structures par rayons X de plus de 300 mutants de cette enzyme monomérique de 164 résidus. Le remplacement d'un ou de quelques résidus dans le cœur hydrophobe n'entraînait que des déplacements locaux dans le squelette du lysozyme, plutôt que des changements de la structure globale. Dans de nombreux cas, le lysozyme T4 acceptait l'insertion de résidus supplémentaires (jusqu'à quatre), sans modification importante de la structure, ni même perte d'activité enzymatique. De plus, seulement 173 des 2015 mutants ponctuels (un seul résidu modifié) du lysozyme T4 voyaient leur activité enzymatique diminuée. Il est donc clair que les structures protéiques sont très résistantes aux changements.

e. Les structures secondaires des protéines peuvent dépendre du contexte

La structure d'une protéine native est déterminée par sa séquence en acides aminés, mais dans quelle mesure la conformation d'un segment polypeptidique donné est-elle influencée par le reste de la protéine ? La structure par RMN de la **protéine GB1** (domaine B1 de la **protéine G** de streptocoque qui permet à la bactérie d'échapper aux défenses immunitaires de l'hôte en se combinant aux anticorps appelés **immunoglobulines G**) montre que ce domaine de 56 résidus, qui ne possède pas de pont disulfure, est constitué d'une longue hélice α disposée au travers d'un feuillet β mixte à 4 segments (Fig. 9-6). Par mutagenèse dirigée, Peter Kim

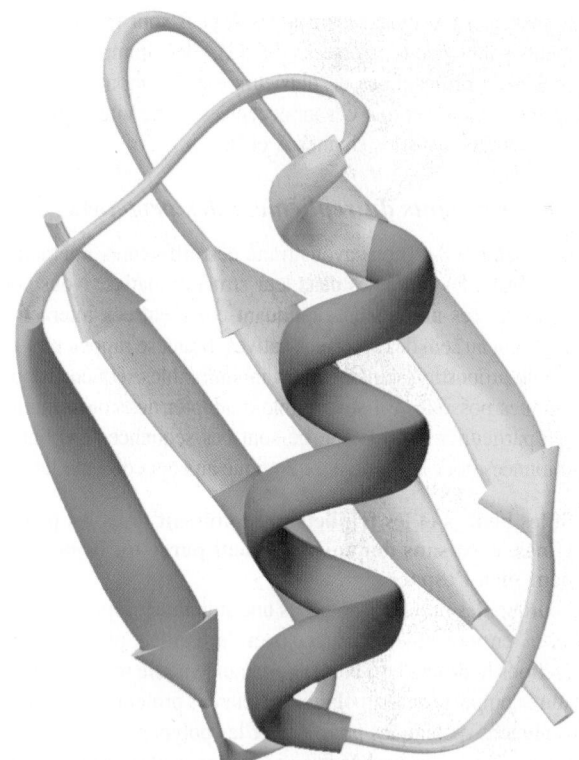

FIGURE 9-6 Structure par RMN de la protéine GB1. Les résidus 23 à 33 sont en vert et les résidus 42 à 53 en bleu-vert. La séquence caméléon de 11 résidus AWTVEKAFKTF peut occuper l'une ou l'autre de ces positions sans affecter significativement la conformation du squelette de la protéine native [Structure par RMN due à Angela Gronenborn et Marius Clore, National Institutes of Health, Bethesda, Maryland, PDBid 1GB1.]

introduisit la séquence « caméléon » de 11 résidus AWTVE-KAFKTF à la place des résidus 23 à 33 de l'hélice α de GB1 (AATAEKFVFQY ; 7 résidus changés) pour donner Chm-α, ou à la place des résidus 42 à 52 de son épingle à cheveux β C-terminale (EWTYDDATKTF dans GB1 ; 5 résidus changés) pour donner Chm-β. Aussi bien Chm-α que Chm-β se dépliaient réversiblement sous l'influence de la chaleur, ce qui est typique des protéines globulaires compactes à un seul domaine, et leur spectre RMN 2D montrait que leur structure était semblable à celle de la protéine GB1 native. Cependant, les mesures de RMN sur le peptide caméléon isolé (Ac-AWTVEKAFKTF-NH$_2$, où Ac est un acétyl) montraient qu'il est déplié en solution, ce qui indique que sa séquence ne manifeste pas de préférence particulière pour la conformation en hélice α ou pour celle en feuillet β. Qu'une structure secondaire soit une hélice α ou un feuillet β peut donc être déterminé par une information située à distance dans la protéine, autrement dit, le contexte peut avoir une influence importante sur le repliement des protéines (voir cependant Section 9-1C).

f. Changement du repliement d'une protéine

Des protéines qui n'ont qu'environ 20 % d'identité de séquence peuvent avoir une structure semblable. Dans quelle mesure faut-il modifier la séquence d'une protéine pour transformer son repliement en celui d'une autre protéine ? Une réponse à cette question a été donnée, du moins pour la protéine GB1, par le fait que changer 50 % de ses 56 résidus transforme son repliement en celui de la **protéine Rop** (un régulateur transcriptionnel appelé « *R*epressor

FIGURE 9-7 Structure par rayons X de la protéine Rop, un homodimère de motifs αα qui s'associent pour former un faisceau de 4 hélices. Moyennant modification de 50 % de ses résidus, la protéine GB1, dont la structure est montrée à la Fig. 9-6, adopte la structure de la protéine Rop. Une des sous-unités de la structure, montrée ici, est colorée selon la séquence du polypeptide dérivé de la GB1, avec en pourpre les résidus identiques dans les deux protéines natives, en magenta (bleu foncé) les résidus inchangés par rapport à GB1 native, en bleu-vert les résidus identiques à ceux de Rop native, et en vert les résidus différents par rapport aux séquences des deux protéines natives. L'extrémité N-terminale de cette sous-unité est en bas à droite. [Structure par rayons X due à Demetrius Tsernoglou, Università di Roma, Rome, Italie. PDBid 1ROP.]

of primer »). Rop est un homodimère dont chaque sous-unité de 63 résidus forme un motif αα (Fig. 8-46c) qui dimérise, son axe d'ordre deux étant perpendiculaire aux axes de l'hélice, pour former un faisceau de 4 hélices (Fig. 9-7). Le changement de 50 % des résidus de GB1 fut réalisé sur base d'un algorithme de prédiction de structure secondaire (Section 9-3), de calculs de minimisation d'énergie, et de modélisation visuelle, pour donner un nouveau polypeptide appelé Janus (d'après le dieu romain du renouveau à deux visages) dont l'identité de séquence avec GB1 est de 41 %. De ce fait, GB1 conservait ses résidus à haut pouvoir hélicoïdal, tandis que de nombreux résidus qui ont tendance à former un feuillet β étaient remplacés dans les régions devant former une hélice α (la tendance à former des hélices ou des feuillets est discutée dans la Section 9-3) ; des résidus hydrophobes furent

introduits aux positions adéquates *a* et *d* de la séquence heptamérique répétitive (Fig. 8-27) pour former le cœur du faisceau à 4 hélices de Rop ; enfin, des résidus furent substitués pour mimer la distribution des charges de surface de Rop. Des mesures par fluorescence et par RMN montrèrent que Janus adopte une conformation stable ressemblant à celle de Rop. On conclut de telles études que tous les résidus ne jouent pas un rôle d'égale importance pour déterminer un repliement particulier. En effet, la séquence de Janus est plus proche de celle de GB1 (50 % d'identité) que de celle de Rop (41 % d'identité), bien que la structure de Janus soit plus proche de celle de Rop que de celle de GB1.

C. *Mécanismes de repliement*

Comment une protéine se replie-t-elle pour prendre sa conformation native ? Un réponse à cette question doit bien sûr attendre que nous sachions pourquoi les structures natives des protéines sont stables. De plus, et on pouvait s'y attendre, le processus de repliement est lui même d'une très grande complexité. Néanmoins, comme discuté ci-dessous, on commence à comprendre dans les grandes lignes comment les protéines se replient pour adopter leur conformation native.

On pourrait imaginer, et ce serait le mécanisme le plus simple, que la protéine explore au hasard toutes les conformations possibles jusqu'à ce qu'elle « tombe » sur sa conformation native. Cependant, un simple calcul fait pour la première fois par Cyrus Levinthal a montré sans ambiguïté que cette hypothèse ne tenait pas : supposons que les $2n$ angles de torsion du squelette, ϕ et ψ, d'une protéine de n résidus aient chacun trois conformations stables. Cela nous donne 3^{2n} soit environ 10^n conformations possibles pour la protéine, ce qui est une sous-estimation grossière, car il n'a pas été tenu compte des chaînes latérales. Si une protéine explore de nouvelles conformations à la vitesse à laquelle se réorientent les simples liaisons, elle peut trouver environ 10^{13} conformations à la seconde, ce qui, sans aucun doute, est une surestimation. Nous pouvons maintenant calculer en secondes, le temps t nécessaire pour qu'une protéine explore toutes les conformations possibles :

$$t = \frac{10^n}{10^{13}\ \mathrm{s}^{-1}} \qquad [9.1]$$

Pour une petite protéine de $n = 100$ résidus, $t = 10^{87}$ s, soit un temps considérablement supérieur à l'âge de l'univers (environ 20 milliards d'années $= 6 \times 10^{17}$ s).

Même pour la plus petite protéine, il faudrait donc un temps beaucoup trop long pour qu'elle puisse se replier selon sa conformation native en explorant au hasard toutes les conformations possibles, une déduction connue sous le terme de **paradoxe de Levinthal**. En réalité, il faut moins de quelques secondes à beaucoup de protéines pour se replier dans leur conformation native. Comme l'a proposé Levinthal, *leur repliement doit donc faire intervenir une série de mécanismes séquentiels au cours desquels l'évolution vers l'état natif s'accompagne d'une augmentation très importante de la stabilité conformationnelle (diminution de l'énergie libre).*

a. Il faut des mesures rapides pour suivre le repliement d'une protéine

L'étude du repliement de plusieurs petites protéines à domaine unique, comme l'ARNase A, le cytochrome *c*, et l'**apomyoglobine**

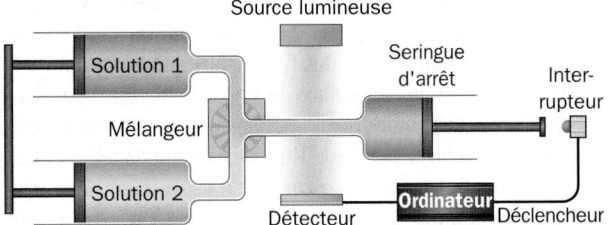

FIGURE 9-8 Appareil de stop-flow. La réaction démarre par l'injection simultanée et rapide du contenu des deux seringues dans le mélangeur. En heurtant l'interrupteur, la seringue d'arrêt déclenche l'enregistrement optique (dans l'UV ou le visible, par fluorescence, ou par spectre CD) de la réaction par l'ordinateur.

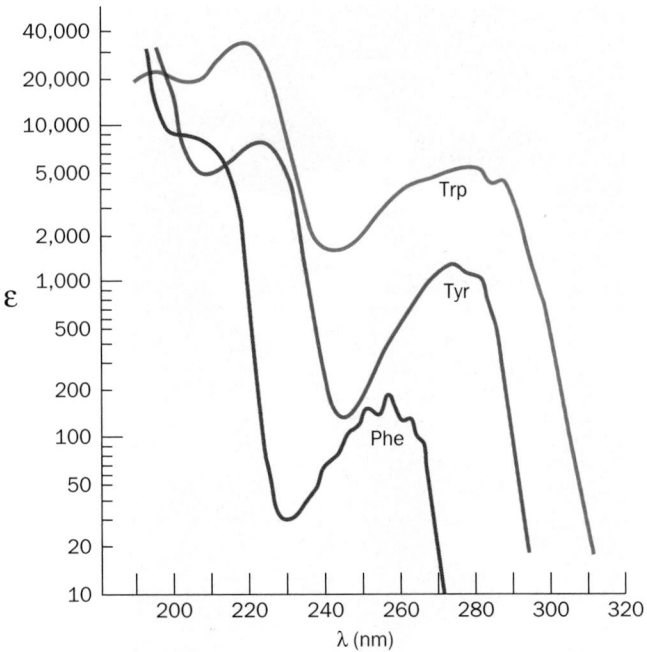

FIGURE 9-9 Spectres d'absorbance dans l'UV pour trois acides aminés aromatiques, la phénylalanine, le tryptophane et la tyrosine. Noter que le coefficient d'extinction molaire, ε, est donné en échelle logarithmique. [D'après Wetlaufer, D.B., *Adv. Prot. Chem.* **7**, 310, (1962).]

(la myoglobine sans son groupement hème), montre que ces protéines se replient dans la milliseconde, ou moins, qui suit leur transfert de conditions « dénaturantes » en conditions « natives ». Si l'on veut observer les premières phases du processus de repliement, on doit pouvoir opérer ce transfert en un temps nettement plus court. C'est ce qu'on réalise le plus souvent avec un mélangeur rapide appelé appareil à **flux interrompu** (« **stopped flow** ») (Fig. 9-8). Ici, une solution dans laquelle la protéine est dénaturée par le pH, le chlorure de guanidinium ou l'urée, est rapidement modifiée quant à son pH ou bien est diluée, pour déclencher le repliement de la protéine. Dans de tels instruments, le « temps mort » (intervalle qui sépare le début du mélange de celui des premières mesures) est >0,5 ms. Cependant, les mélangeurs ultrarapides les plus récents ont des temps morts de l'ordre de 40 μs.

Une autre technique consiste à replier des **protéines dénaturées par le froid** ([Les protéines pour le repliement desquelles ΔH et ΔS sont positifs, sont déstabilisées par une diminution de la température (Tableau 3-2). Puisque $\Delta G = \Delta H - T\Delta S$, ces protéines sont instables et donc se dénaturent lorsque $T < \Delta H/\Delta S$. Pour beaucoup de ces protéines, on peut trouver des conditions en solution pour que cette température soit >0 °C]). Le repliement d'une protéine ainsi dénaturée par le froid est amorcé par un **saut de température** (« **temperature-jump** ») qui consiste à augmenter de 10 °C, voire de 30 °C, avec une impulsion laser infrarouge, la température de la solution en <100 ns.

Quelle que soit la méthode, il faut pouvoir suivre le repliement de la protéine par une technique qui détecte des changements rapides dans la structure de la protéine. Les deux techniques les plus utilisées, expliquées ci-dessous, sont : (1) une technique optique comme la spectroscopie par **dichroïsme circulaire (CD)**, et (2) l'**échange H/D pulsé** suivi de spectroscopie par RMN-2D.

b. Le spectre de dichroïsme circulaire d'une protéine renseigne sur sa conformation

Une solution contenant un soluté qui absorbe la lumière absorbe celle-ci selon la **loi de Beer-Lambert**,

$$A = \log\left(\frac{I}{I_0}\right) = \varepsilon c l \qquad [9.2]$$

où *A* est l'**absorbance** du soluté (on dit aussi sa **densité optique**), I_0 l'intensité de la lumière incidente à une longueur d'onde donnée λ, *I* l'intensité de la lumière transmise à λ, ε le **coefficient d'ex-**

tinction molaire du soluté à λ, *c* sa concentration molaire, et *l* la longueur en cm du trajet optique. La valeur de ε varie avec λ ; un graphique de ε en fonction de λ pour le soluté est son **spectre d'absorbance**.

Les polypeptides absorbent fortement la lumière dans la région ultraviolette (UV) du spectre (λ = 100 à 400 nm) essentiellement parce que leurs chaînes latérales aromatiques (celles de Phe, Trp et Tyr) ont des coefficients d'extinction molaire particulièrement élevés (pouvant atteindre des dizaines de milliers ; Fig. 9-9) dans cette région du spectre. Cependant, les polypeptides sont incolores, car ils n'absorbent pas la lumière visible (λ = 400 à 800 nm).

Pour des molécules chirales comme les protéines, les valeurs de ε sont différentes pour la lumière polarisée en cercle vers la gauche (ε_L) ou vers la droite (ε_R). La variaton, avec λ, de la différence de ces valeurs, $\Delta\varepsilon = \varepsilon_L - \varepsilon_R$, donne le **spectre CD** du soluté étudié (pour les molécules non chirales, $\varepsilon_L = \varepsilon_R$; elles n'ont donc pas de spectre CD). Dans les protéines, les hélices α, les feuillets β, et les enroulements au hasard ont des spectres CD caractéristiques (Fig. 9-10). Le spectre CD d'un polypeptide donne donc une idée de sa structure secondaire.

c. L'échange H/D pulsé fournit des détails structuraux sur la manière dont une protéine se replie

L'échange H/D pulsé, méthode mise au point par Walter Englander et Robert Baldwin, est la seule technique connue permettant de suivre, en fonction du temps, des résidus particuliers dans une protéine en cours de repliement. Des protons faiblement acides (^{1}H), comme ceux des groupements amine et hydroxyl (X—H), s'échangent avec ceux de l'eau, un phénomène appelé **échange d'hydrogène**, comme on peut le vérifier en utilisant de l'eau deutérée [D_2O ; le deutérium (D ou ^{2}H) est un isotope stable de ^{1}H] :

$$\mathrm{X{-}H + D_2O \rightleftharpoons X{-}D + HOD}$$

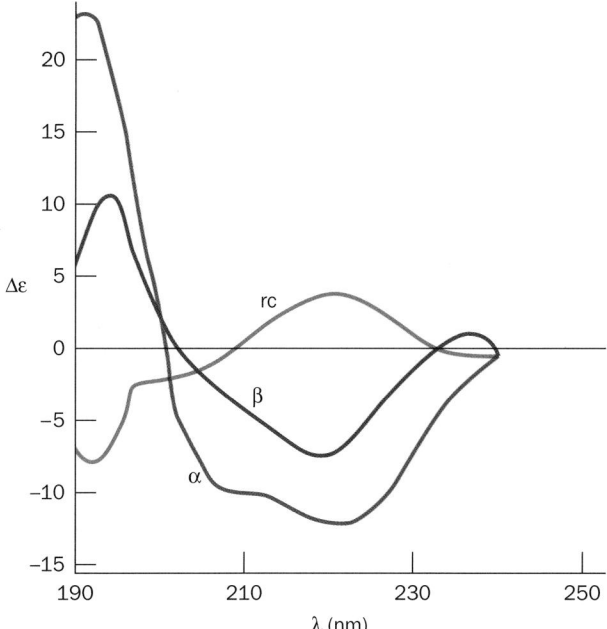

FIGURE 9-10 Spectres de dichroïsme circulaire (CD) pour des poly-peptides. Les polypeptides en conformation hélice α, feuillet β, ou enroulement au hasard (rc) ont été détectés à partir du spectre CD de protéines de structure par rayons X connue. En comparant ces spectres aux spectres d'absorption de la Fig. 9-9, on peut voir que $\Delta\varepsilon = \varepsilon_L - \varepsilon_R$ représente une petite différence entre deux grands nombres. [D'après Saxena, V.P. et Wetlaufer, D.B., *Proc. Natl. Acad. Sci.* **66**, 971 (1971).]

Puisque le spectre RMN de ^{1}H couvre un éventail de fréquences différent de celui de D, l'échange de ^{1}H pour D peut être facilement suivi par spectroscopie RMN. En conditions physiologiques, les petites molécules organiques, telles que les acides aminés et les dipeptides, échangent complètement leurs protons faiblement acides avec D en un temps qui va de la milliseconde à la seconde. Les protéines contiennent un grand nombre de protons échangeables, comme ceux des groupements amide de leur squelette. Cependant, les protons impliqués dans des liaisons hydrogène ne s'échangent pas avec le solvant et, de plus, les groupements situés à l'intérireur d'une protéine native ne sont pas en contact avec le solvant.

Avec la technique de RMN-2D (Section 8-3A), l'échange H/D pulsé permet de suivre le repliement des protéines au cours du temps. La protéine étudiée, dont les ponts disulfure sont en général intacts, est dénaturée par du chlorure de guanidinium ou de l'urée en solution dans D_2O afin que tous les atomes d'azote peptidique de la protéine soient deutérés (N—D). Le repliement est alors provoqué dans un dispositif de stop-flow en diluant la solution dénaturante avec ^1H_2O en même temps que le pH est abaissé afin d'arrêter les réactions d'échange d'hydrogène (à pH neutre, les réactions d'échange d'hydrogène sont catalysées par OH$^-$ et par conséquent leurs vitesses sont très dépendantes du pH). Après un temps de repliement préétabli, t_f, le pH est augmenté rapidement (en utilisant une troisième seringue déclenchée indépendamment, ce qu'on appelle le marquage pulsé) pour initier l'échange d'hydrogène. Les atomes d'azote peptidique dont les atomes D n'ont pas formé de liaisons hydrogène durant t_f s'échangent avec

^{1}H, tandis que ceux qui sont impliqués dans une liaison hydrogène à t_f, et donc indisponibles pour l'échange d'hydrogène, restent deutérés. Après un temps court (10 à 40 ms), le marquage pulsé est terminé en abaissant rapidement le pH (à l'aide d'une quatrième seringue). On laisse le repliement s'achever et le rapport H/D de chaque site où l'échange est possible est déterminé par RMN-2D (les pics du spectre RMN-2D du proton ayant été assignés préalablement). En répétant les mesures pour différentes valeurs de t_f, on peut déterminer la formation des liaisons hydrogène pour chaque résidu au cours du temps.

Les études par RMN-échange H/D pulsé n'indiquent pas directement les structures intermédiaires lors du repliement. Cependant, si l'on connaît la structure native de la protéine d'intérêt (et c'est presque toujours le cas pour les protéines dont on étudie le repliement) et en supposant que la protéine se replie sans former des structures secondaires absentes dans la protéine native, alors les spectres RMN-2D indiquent comment les éléments de la structure native se forment au cours du temps, ainsi que la vitesse à laquelle ils sont exclus du solvant.

d. Les étapes les plus précoces du repliement d'une protéine sont amorcées par un effondrement hydrophobe

Les mesures de CD–stopped-flow montrent que *pour la plupart des petites protéines à domaine unique, sinon pour toutes, la majorité des structures secondaires présentes dans la protéine native se forment dans les quelques millisecondes qui suivent le déclenchement du repliement.* On appelle cet événement la **phase rapide**, parce que les étapes suivantes du repliement prennent beaucoup plus de temps. Des mesures d'échange H/D pulsé sur ces petites protéines montrent qu'une protection relative contre l'échange d'hydrogène dans certains éléments de structure secondaire se manifeste dans les 5 ms environ qui suivent le début du repliement.

Puisque les protéines globulaires ont un cœur hydrophobe compact, il est probable que ce qui déclenche leur repliement soit un « **effondrement hydrophobe** », au cours duquel les groupements hydrophobes de la protéine se rassemblent pour expulser la majorité des molécules d'eau qui les entourent. Ceci réduit fortement le rayon de rotation du polypeptide (de ~30 à ~15 Å pour un polypeptide de 100 résidus), phénomène typique pour les polymères transférés d'un bon dans un mauvais solvant.

Ce mécanisme d'effondrement hydrophobe est en accord avec l'observation selon laquelle le colorant hydrophobe **8-anilino-1-naphtalène sulfonate (ANS)**

**8-Anilino-1-naphthalène
sulfonate (ANS)**

se lie aux protéines en train de se replier. La fluorescence de l'ANS augmente considérablement dans un environnement non polaire, et une telle augmentation est observée pendant la phase rapide lorsque l'ANS est présent dans la solution où la protéine se replie. Puisque l'ANS est censé se lier préférentiellement aux groupements hydrophobes, ceci montre que le cœur hydrophobe d'une protéine se forme rapidement dès l'amorce du processus de repliement.

L'état initial « affaissé » d'une protéine qui se replie est appelé **globule fondu**. Cette entité a un rayon de rotation qui n'est que 5 à 15 % supérieur à celui de la protéine native et possède à un certain degré la structure secondaire de celle-ci ainsi que son repliement général. Cependant, les chaînes latérales d'un globule fondu sont très désordonnées, sa structure est bien plus fluctuante que celle d'une protéine native, et sa stabilité thermodynamique est minime. Malgré cela, la chaîne polypeptidique peut poursuivre son repliement et atteindre l'état natif sans devoir subir de profonds réarrangements de sa partie centrale très encombrée.

e. Une structure tertiaire proche de celle de la protéine native apparaît au cours des étapes intermédiaires du repliement

Après la phase rapide, les petites protéines manifestent une augmentation de la liaison de l'ANS, des modifications supplémentaires de leur spectre CD, et une protection accrue contre l'échange H/D. Ces étapes intermédiaires dans le repliement durent 5 à 1000 ms. C'est à ce stade que la structure secondaire de la protéine se stabilise et que sa structure tertiaire commence à se former. On pense que ceci implique d'abord la formation de sous-domaines qui ne sont pas encore associées correctement les uns aux autres. Il est probable que les chaînes latérales soient encore mobiles, de sorte qu'à ce stade du repliement la protéine est en fait un ensemble de structures apparentées qui s'interconvertissent.

f. Les étapes finales du repliement exigent plusieurs secondes

L'étape finale du repliement est celle où la protéine atteint sa structure native. Ceci suppose que le polypeptide subisse un grand nombre de mouvements complexes qui lui permettent de réaliser le compactage relativement rigide du centre de la protéine et d'établir ses liaisons hydrogène, tout en expulsant du cœur hydrophobe les molécules d'eau qui y restaient. Pour les petites protéines à domaine unique, ceci peut prendre plusieurs secondes.

g. La théorie du paysage pour le repliement des protéines

Une notion classique est que le repliement des protéines passe par une série d'intermédiaires bien définis. Ainsi, on pensait que le repliement d'un polypeptide enroulé au hasard commence par la formation aléatoire de courts segments de structure secondaire, comme des hélices α et des tournants β, lesquels joueraient le rôle de **centres de nucléation** (comme dans un échafaudage) pour stabiliser des régions organisées supplémentaires de la protéine. De tels centres doués d'une structure adéquate pour la protéine native se développeraient alors par la diffusion, la collision aléatoire et l'adhérence de deux d'entre eux ou plus. Toujours selon cette vue, la stabilité de ces régions ordonnées augmentant avec leur taille, elle croissent spontanément de manière coopérative après avoir atteint par hasard une certaine masse critique, jusqu'à former un domaine de la protéine native. Pour finir, quelques ajustements

conformationnels relativement mineurs réarrangent ce domaine pour donner la structure tertiaire plus compacte de la protéine native.

L'arrivée de méthodes expérimentales permettant d'observer les étapes précoces du repliement des protéines a conduit à s'en faire une idée assez différente. D'après cette **théorie du paysage**, que l'on doit essentiellement à Peter Wolynes, Baldwin et Dill, le repliement se déroule sur une **surface énergétique** ou paysage, qui représente les états d'énergie conformationnelle auxquels le polypeptide a accès dans les conditions données. Les coordonnées horizontales d'un point de cette surface correspondent à une conformation particulière du polypeptide, à savoir les valeurs de f̲ et de y pour chaque résidu d'acide aminé et les angles de torsion pour chacune des chaînes latérales (mais projetés ici d'un espace à plusieurs dimensions sur un plan à deux dimensions). La coordonnée verticale d'un point sur la surface énergétique représente l'énergie libre interne du polypeptide dans cette conformation. D'après ces mesures, la surface énergétique d'un polypeptide en train de se replier a la forme d'un entonnoir, l'état natif correspondant au fond de cet entonnoir, c'est-à-dire au minimum global d'énergie libre (Fig. 9-11*a*). La largeur de l'entonnoir à une hauteur quelconque (l'énergie libre) au dessus de l'état natif renseigne sur le nombre d'états conformationnels possédant cette énergie libre, donc sur l'entropie du polypeptide.

Les polypeptides se replient via une suite d'ajustements conformationnels qui diminuent leur énergie libre et leur entropie jusqu'à ce qu'ils atteignent l'état natif. Compte tenu du grand nombre de conformations différentes du polypeptide déplié (qui occupent des positions différentes dans l'entonnoir), il est exclu qu'ils suivent le même chemin pour se replier vers l'état natif. Si, comme le pensait Levinthal, le polypeptide arrivait à l'état natif par une recherche conformationnelle aléatoire, sa surface énergétique ressemblerait à un disque plat percé d'un petit trou, comme un terrain de golf (Fig. 9-11*b*). Il faudrait alors un temps extrêmement long au polypeptide (la balle de golf) pour atteindre l'état natif (tomber dans le trou) en cherchant au hasard la bonne conformation (en roulant sans but sur la surface du terrain de golf).

Pour une protéine qui se replie selon la notion classique, la surface énergétique discoïdale devrait présenter une gorge radiale profonde qui descend vers le trou correspondant à l'état natif (Fig. 9-11*c*). La recherche conformationnelle aléatoire de cette gorge serait beaucoup moins longue que dans le modèle de Levinthal et le polypeptide se replierait facilement dans son état natif. Cependant, le temps requis pour trouver le chemin (la gorge) menant à cet état serait tel qu'il lui faudrait encore plusieurs secondes pour s'engager dans la descente vers le repliement final.

De nombreux polypeptides adoptent une structure proche de l'état natif en moins d'une milliseconde après le début du repliement. Cette observation montre que leur surface énergétique a, de fait, la forme d'un entonnoir, autrement dit qu'elle descend en tous points vers la conformation native. Ainsi, les différents chemins que suivent les polypeptides, déroulés au départ, pour atteindre leur repliement natif, sont semblables aux différentes pistes que pourraient emprunter des skieurs partant du sommet d'une vallée en cuvette pour arriver à son point le plus bas. Apparemment, *il n'existe pas de trajectoire particulière ou même de pistes semblables qu'un polypeptide devrait nécessairement emprunter pour se replier dans sa conformation native.*

Ce qui précède n'implique pas que la surface de l'entonnoir de repliement soit forcément lisse comme le montre la Fig. 9-11*a*. En réalité, la théorie du paysage suggère que cette surface énergétique présente une topographie relativement accidentée, c'est-à-dire de nombreux minima et maxima d'énergie locaux (Fig. 9-11*d*). En suivant une voie de repliement particulière, un polypeptide peut donc rester piégé dans un minimum local jusqu'à ce qu'il acquière par hasard suffisamment d'énergie thermique pour surmonter cette barrière cinétique et poursuive sa route vers l'état natif. Ainsi, dans la théorie du paysage, les maxima d'énergie locaux (états de transition ; Section 14-1C) qui gouvernent la vitesse de repliement d'une protéine ne correspondent pas à des structures particulières,

comme le prédit la théorie classique, mais bien à des ensembles de structures.

h. Le repliement des protéines suit une hiérarchie

Le fait que la structure des protéines réponde à une hiérarchie (Section 9-1B) suggère que leur repliement est lui aussi un processus hiérarchique. Ceci veut dire que le repliement commence par la formation de structures peu stables qui se suivent dans une région particulière, lesquelles interagissent localement pour donner des structures intermédiaires de complexité croissante, qui grandissent séquentiellement pour former la protéine native. Un repliement non hiérarchique, au contraire, suppose que la structure

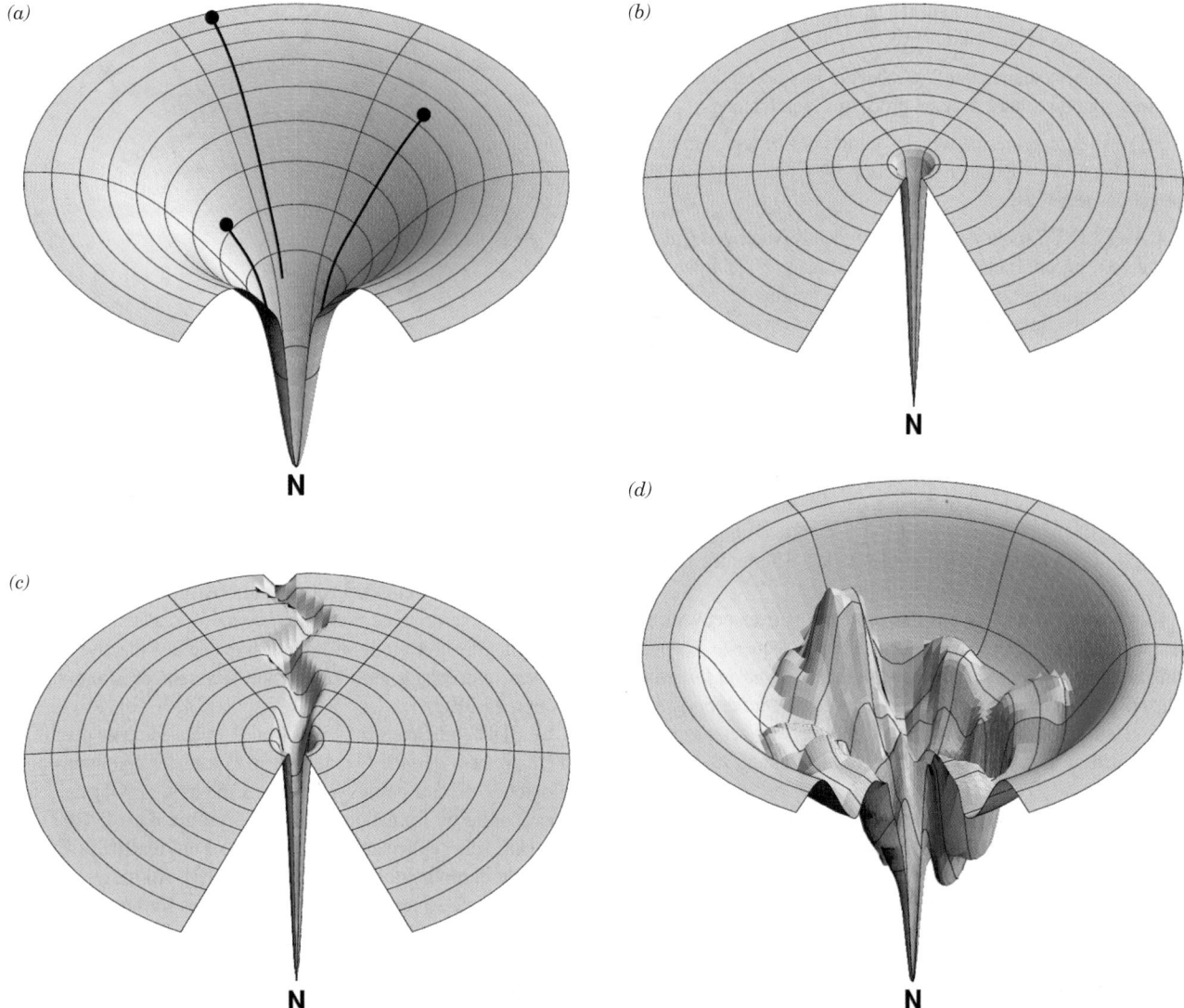

FIGURE 9-11 Entonnoirs de repliement. *(a)* Paysage en entonnoir idéalisé. À mesure que la chaîne polypeptidique établit un nombre croissant de contacts intracaténaires, son énergie libre interne (sa hauteur au dessus de l'état natif, N) décroît ainsi que sa liberté conformationnelle (la largeur de l'entonnoir). Des polypeptides de conformations différentes (*points noirs*) suivent différentes voies (*lignes noires*) pour atteindre l'état natif. *(b)* Le paysage de Levinthal en « terrain de golf » dans lequel la chaîne polypeptidique doit trouver son état natif (le trou) par recherche

aléatoire, c'est-à-dire sur une surface énergétique plane. *(c)* Le paysage de repliement classique où la chaîne de déplace au hasard sur une surface énergétique plane jusqu'à ce qu'elle rencontre une gorge qui conduit à l'état natif. *(d)* Surface énergétique accidentée présentant des minima locaux dans lesquels un polypeptide en cours de repliement peut être piégé momentanément. On pense que les entonnoirs de repliement des protéines naturelles ont cette topographie là. [Avec la permission de Ken Dill, University of California at San Francisco.]

tertiaire d'une protéine non seulement stabilise ses structures locales, mais aussi les détermine. Alors que la théorie du paysage est en accord avec le repliement hiérarchique, la théorie classique du repliement des protéines est plus compatible avec un repliement non hiérarchique. Par ailleurs, *in vivo* le repliement d'un polypeptide commence avec sa synthèse, dès sa sortie du ribosome. Dans ces conditions, il semble bien que le polypeptide atteindra plus facilement l'état natif si son repliement est hiérarchique

Un faisceau d'arguments plaide en faveur du repliement hiérarchique des protéines.

1. De nombreux fragments peptidiques des protéines forment, ou du moins tendent à former, des replis comme dans la protéine native en absence d'interactions à longue portée (tertiaires). De plus, lorsque des protéines telles que le cytochrome *c* ou l'apo-myoglobine sont mises à pH suffisamment bas pour déstabiliser leur structure native, leurs éléments de structure secondaire persistent comme dans la structure native.

2. Les intermédiaires que l'on observe lors du repliement des protéines sont en accord avec un processus hiérarchique.

3. Dans les protéines natives, les limites des hélices sont fixées par leurs séquences flanquantes (Section 9-3), plutôt que par leurs interactions tertiaires.

4. Avec LINUS (pour « *L*ocal *I*ndependently *N*ucleated *U*nits of *S*tructure »), un programme informatique imaginé par Rose pour simuler le repliement hiérarchique, on peut prédire de façon satisfaisante les structures secondaires de plusieurs protéines même si l'on ne tient compte d'aucune interaction à longue portée.

Dans la Section 9-1B, nous avons vu à propos de la protéine GB1 (Fig. 9-6) que la séquence « caméléon » de 11 résidus adoptait la structure soit en hélice α, soit en épingle à cheveux β, d'après sa position dans la protéine. Sa conformation semble donc déterminée par le contexte plutôt que par des interactions locales. Cependant, des simulations avec LINUS montrent que la conformation de la séquence caméléon est en fait déterminée par des interactions locales au delà de ses limites.

Nous avons vu que les plis des protéines natives peuvent très bien persister malgré des changements dans la séquence. De toute évidence, *l'information fournie par la séquence pour la formation d'un pli particulier se distribue dans toute la chaîne polypeptidique et est également « surdéterminée ».* Ce sont ces propriétés qui semblent responsables du repliement hiérarchique.

i. L'inhibiteur trypsique pancréatique bovin (BPTI) prend sa conformation native selon un mécanisme séquentiel

Nous avons exposé les principes généraux du repliement des protéines, mais n'avons pas décrit de cas particulier. Bien sûr, si la théorie du paysage est exacte, ceci ne peut se vérifier qu'en termes statistiques, du moins pour les étapes précoces du repliement. En fait, de nombreuses petites protéines semblent atteindre leur conformation native sans passer par des intermédiaires détectables (stables). On dit de ces protéines (le cytochrome *c*, par exemple) qu'elles se replient par un mécanisme en deux étapes (seuls leur état déplié et leur état natif sont stables). Cependant, le repliement de nombreuses autres protéines semble impliquer des intermédiaires bien définis, du moins dans les étapes finales du repliement. Ceci a sans doute été le mieux démontré par les études de renatu-

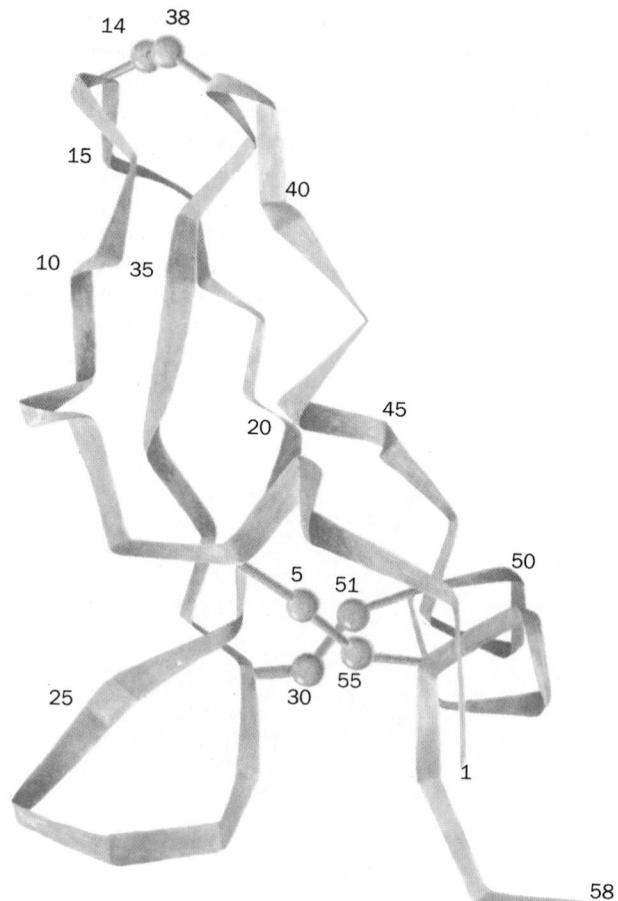

FIGURE 9-12 Squelette polypeptidique et ponts disulfure du BPTI natif. [D'après un dessin de Michael Levitt, *dans* Creighton, T.E., *J. Mol. Biol.* **95**, 168, (1975).]

ration de l'**inhibiteur trypsique pancréatique bovin** (**BPTI** ; Fig. 9-12), une protéine monomérique de 58 résidus qui possède trois ponts disulfure (elle se lie à la trypsine et l'inactive dans le pancréas, empêchant ainsi cet organe sécréteur de s'autodigérer (Section 15-3E).

Le BPTI complètement réduit (il n'y a plus de ponts disulfure) est entièrement déroulé (« random coil ») dans les conditions physiologiques. Ceci a permis à Thomas Creighton et Kim de déterminer l'ordre de formation des ponts disulfure dans le BPTI, en amorçant son repliement par addition d'un réactif sulfhydryl comme le dithiothréitol oxydé (Section 7-1B). Au fur et à mesure que la protéine se renature, les intermédiaires formés sont piégés (par exemple, en diminuant le pH, ce qui inhibe la formation de l'ion thiolate requis pour les réactions d'échange de ponts disulfure ; Fig. 9-3). Les intermédiaires formés à un moment précis sont ensuite séparés par chromatographie, la position de leurs ponts disulfure est déterminée (Section 7-1I), et plusieurs de leurs structures sont caractérisées par RMN. Chacune des espèces à pont disulfure identifiable correspond à un sous-ensemble des conformations que peut prendre le polypeptide BPTI, si bien qu'en suivant dans le temps l'apparition de ces différentes espèces, on a pu déduire le cheminement conformationnel approximatif pris par la protéine au cours de sa renaturation.

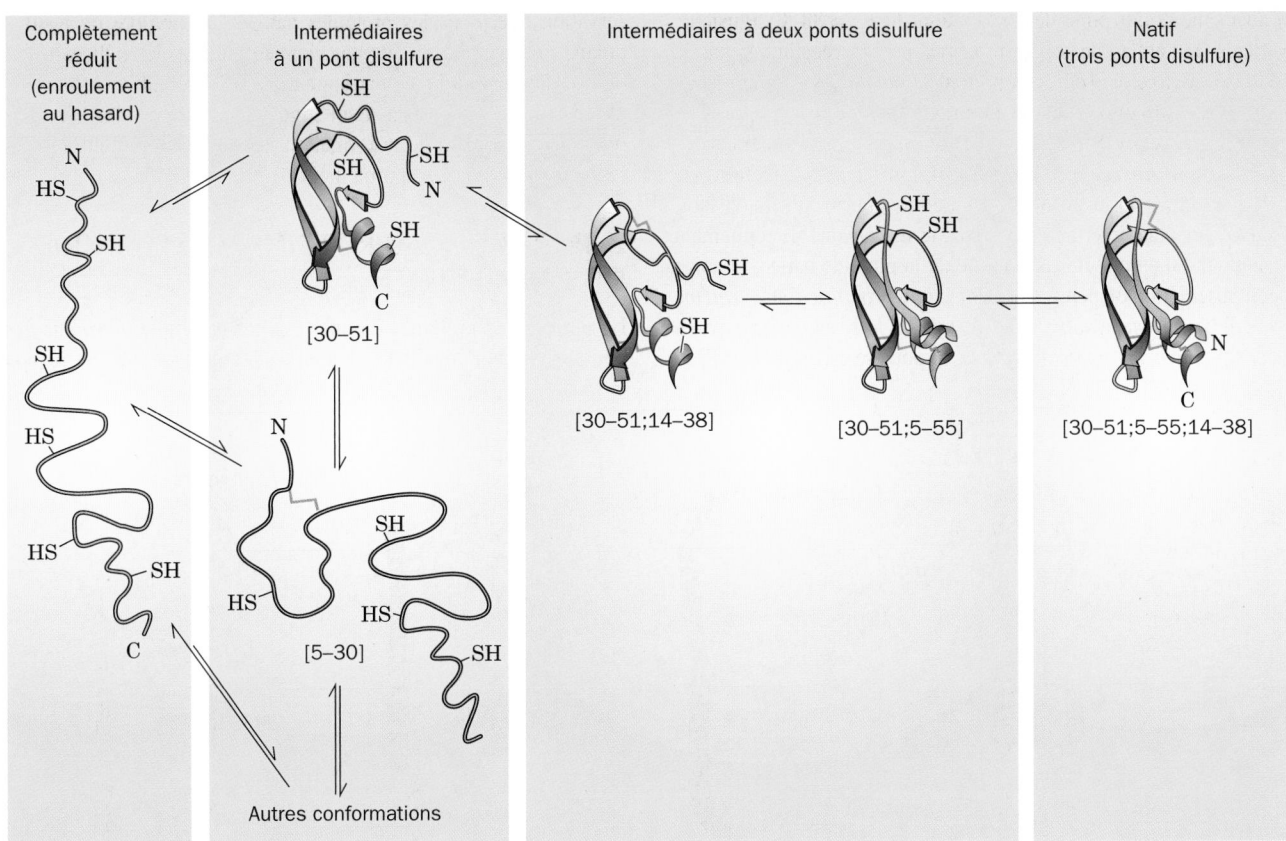

FIGURE 9-13 Renaturation du BPTI. Le mécanisme de renaturation du BPTI montre les conformations de son squelette polypeptidique déduites d'expériences de piégeage des groupements disulfure et de mesures par RMN (noter que ces représentations de la protéine diffèrent de celle de la Fig. 9-12 par une légère rotation autour de son axe vertical). Les posi- tions, dans la séquence, des résidus Cys impliqués dans chaque ponts disul- fure sont données entre crochets sous le schéma représentant chaque inter- médiaire de repliement. Les deux intermédiaires à un pont disulfure, [5-30] et [30-51], sont en équilibre rapide. [D'après Creighton, T.E., *Biochem. J.* **270,** 12 (1990).]

Ces expériences ont montré que *le repliement du BPTI passe par un nombre limité d'étapes pour retrouver sa structure native (Fig. 9-13)* :

1. Les six résidus Cys du BPTI entièrement réduit ont autant de chances de participer à la formation du premier pont disulfure. Cependant, lorsque la molécule a trouvé un équilibre après une série de réactions d'échanges internes rapides de ponts disulfure, seuls 2 des 15 intermédiaires à un pont disulfure possibles, [5-30] (les chiffres indiquent la position des résidus Cys qui forment un pont disulfure) et [30-51], se trouvent en quantités significatives. (L'abondance relative d'un intermédiaire à l'équilibre est une preuve de sa stabilité thermodynamique par rapport aux autres intermédiaires ; Section 3-4A.) De ces deux intermédiaires, seul [30-51] se retrouve dans la protéine native et seule cette espèce réagit en quantités significatives avec des réactifs de groupements sulfhydryles pour former un deuxième pont disulfure. Plusieurs études de conformation montrent que [30-51] est une molécule à conformation changeante qui, le plus souvent, forme le feuillet β et l'hélice α C-terminale de la protéine native, les deux éléments principaux de la structure secondaire du BPTI, qui représentent une grande partie de son cœur hydrophobe. Noter que le pont disulfure 30-51 relie ces deux éléments de structure secondaire.

2. Sur les 45 intermédiaires à deux ponts disulfure possibles, seul [30-51 ; 14-38] se forme en quantités significatives bien que les quatre groupements —SH libres de [30-51] soient également réactifs. Noter que cet intermédiaire contient un deuxième pont disulfure natif (14-38). Cependant, afin de se replier pour prendre la conformation native, [30-51 ; 14-38] doit d'abord se transformer en [30-51 ; 5-55] qui contient lui aussi un deuxième pont disulfure natif (5-55). Cette conversion est relativement lente, ce qui traduit un important réarrangement conformationnel. De toute évidence, la conformation requise pour former le pont disulfure 5-55 est dif- ficile à atteindre (requiert une importe énergie d'activation). Des mesures par RMN ont montré que [30-51 ; 5-55] possède une conformation de type natif, car il présente tous les éléments de structure secondaire de la protéine native.

3. Cette conclusion est confirmée par la très rapide formation du troisième pont disulfure du BPTI (14-38) pour donner [30-51 ; 5-55 ; 14-38], le BPTI natif.

j. Ce sont les structures primaires qui déterminent les étapes successives du repliement des protéines ainsi que leur structure

Ce qui précède suggère que *les structures primaires des pro- téines ont évolué afin de spécifier des étapes de repliement effi- caces en même temps que des conformations natives stables.* Des données en faveur de cette hypothèse ont été obtenues par Jona- than King, par l'étude de la renaturation de la **protéine des piques de la queue** du bactériophage P22. Cette protéine est un trimère d'un même polypeptide de 76 kD, dont le $T_m = 88\,°C$. Plusieurs variétés mutantes de cette protéine ne se renaturent pas à $39\,°C$. Toutefois, à $30\,°C$, ces protéines mutantes se replient pour prendre des structures dont les propriétés, y compris les valeurs de T_m, sont indiscernables de celles de la protéine non mutante. Les modifications en acides aminés à l'origine de ces mutations de repliement thermosensibles ont apparemment provoqué la déstabilisation des états intermédiaires dans le mécanisme de repliement sans pour autant affecter la stabilité de la protéine native. D'après cette observation on pense que *la structure primaire d'une protéine spécifie sa structure native en déterminant la série des étapes qui accompagnent son repliement*. Cette hypothèse est étayée par l'ob-

servation que, dans les protéines natives, un nombre de résidus polaires plus grand qu'attendu viennent coiffer des hélices (Section 8-4B) bien qu'ils ne participent pas à la formation de liaisons hydrogène à ces position. Ceci suggère que ces résidus prennent position au moment de la formation de l'hélice, facilitant ainsi le repliement correct de la protéine.

2 ■ RÔLE DES PROTÉINES AUXILIAIRES DU REPLIEMENT

La plupart des protéines déroulées se renaturent *in vitro* sur des périodes qui vont de quelques minutes à plusieurs jours et, le plus

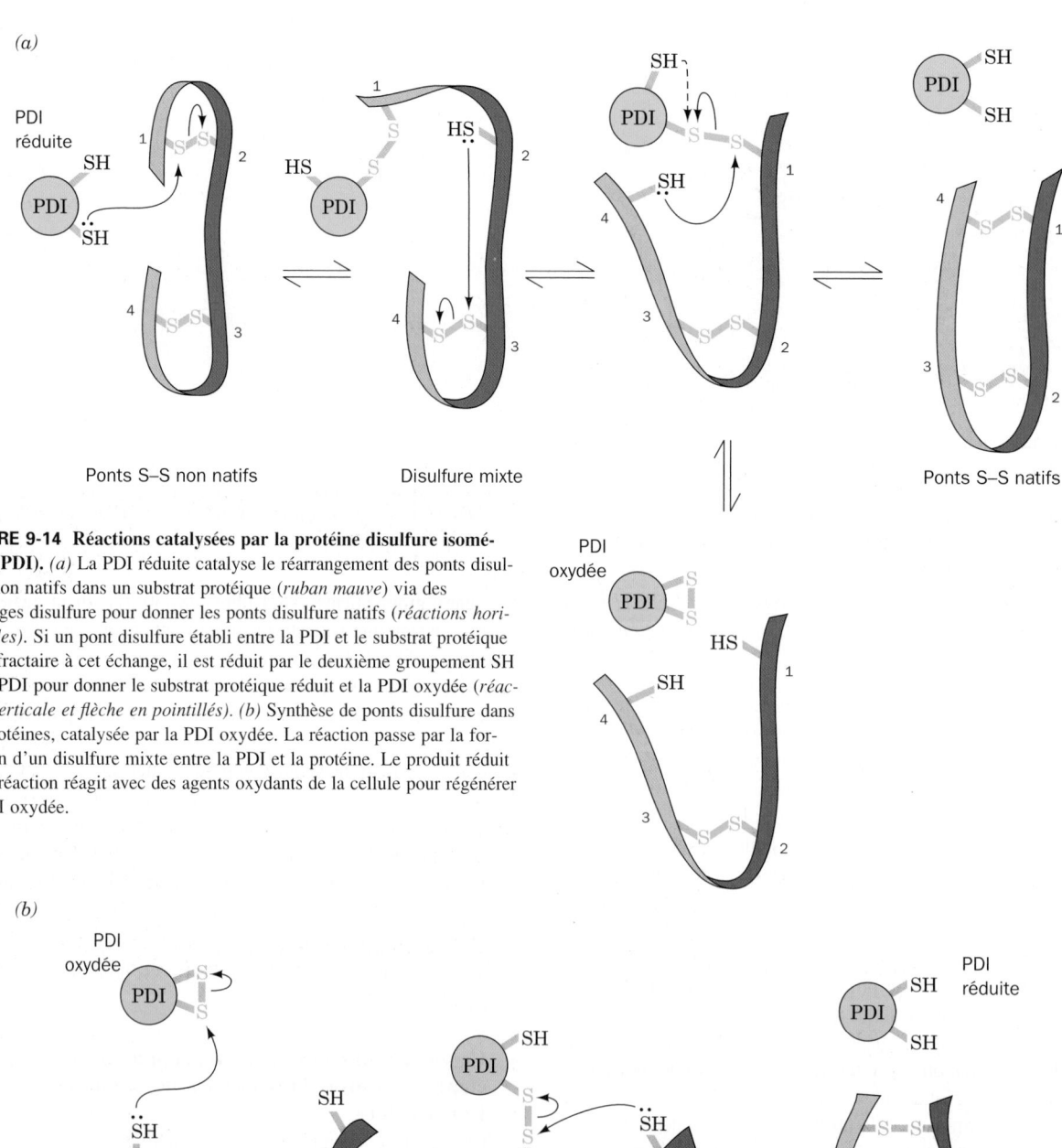

FIGURE 9-14 Réactions catalysées par la protéine disulfure isomérase (PDI). *(a)* La PDI réduite catalyse le réarrangement des ponts disulfure non natifs dans un substrat protéique *(ruban mauve)* via des échanges disulfure pour donner les ponts disulfure natifs *(réactions horizontales)*. Si un pont disulfure établi entre la PDI et le substrat protéique est réfractaire à cet échange, il est réduit par le deuxième groupement SH de la PDI pour donner le substrat protéique réduit et la PDI oxydée *(réaction verticale et flèche en pointillés)*. *(b)* Synthèse de ponts disulfure dans les protéines, catalysée par la PDI oxydée. La réaction passe par la formation d'un disulfure mixte entre la PDI et la protéine. Le produit réduit de la réaction réagit avec des agents oxydants de la cellule pour régénérer la PDI oxydée.

souvent, avec un faible rendement, ce qui signifie qu'une proportion importante des chaînes polypeptidiques prennent des conformations non natives quasi-stables et/ou forment des agrégats non spécifiques. *In vivo*, cependant, les polypeptides prennent leur conformation native de manière efficace au fur et à mesure de leur synthèse, processus qui ne demande normalement que quelques minutes ou moins. Ceci, parce que toutes les cellules contiennent trois types de protéines auxiliaires dont la fonction est d'aider les polypeptides à se replier pour prendre leur conformation native et d'assurer leur assemblage pour atteindre leur structure quaternaire : ce sont les protéines disulfure isomérases, les peptidyl prolyl cis-trans isomérases, et les chaperons moléculaires (ou protéines chaperons). Nous traiterons ci-dessous de ces protéines indispensables.

A. *Protéines disulfure isomérases*

La **protéine disulfure isomérase** (**PDI**), dont nous avons parlé dans la Section 9-1A, est une enzyme homodimérique d'eucaryote comportant 486 résidus par sous-unité (les procaryotes possèdent des protéines semblables). Sous sa forme réduite, la PDI catalyse les réactions d'échange entre liaisons disulfure, facilitant ainsi le brassage des ponts disulfure des protéines (Fig. 9-14*a, réactions horizontales*) jusqu'à ce qu'ils trouvent leur appariement définitif, caractéristique de la protéine native. De plus, la PDI doit intervenir pour faciliter le repliement correct des protéines qui se dénaturent en absence de leurs ponts disulfure natifs. Curieusement, la PDI est aussi la sous-unité β de la prolyl hydroxylase, hétérotétramère de type $\alpha_2\beta_2$, l'enzyme qui catalyse l'hydroxylation des résidus Pro du collagène (Section 8-2B). On ignore la signification de cette observation.

Des comparaisons de séquences révèlent que la sous-unité PDI est constituée de quatre domaines d'environ 100 résidus organisés, de l'extrémité N- à l'extrémité C-terminale, selon la suite *a-b-b′-a′*, avec une homologie entre les domaines *a* et *a′* d'une part, et *b* et *b′* d'autre part. Les domaines *a* et *a′* (PDI-*a* et PDI-*a′*) sont homologues à la **thiorédoxine**, protéine rédox ubiquitaire contenant un pont disulfure (Section 28-3A); ils appartiennent donc à la superfamille des thiorédoxines.

Le site actif de PDI-*a* et celui de PDI-*a′* contiennent le motif de séquence -Cys-Gly-His-Cys-, dans lequel le premier résidu Cys, sous sa forme —SH, participe à la réaction d'échange de ponts disulfure schématisée à la Fig. 9-14*a*. Si le deuxième résidu Cys est muté, l'activité isomérase de la PDI ne dépasse plus 1 % de celle de la protéine non mutée, et elle s'accumule en complexe ponté par liaisons disulfure avec ses substrats protéiques. Ceci suggère que la fonction du deuxième résidu Cys, sous sa forme —SH, est de libérer la PDI des ponts disulfure stables que le premier résidu Cys peut établir avec les substrats protéiques. On obtient ainsi d'une part des substrats réduits et, d'autre part, une PDI où les deux résidus Cys du site actif sont reliés par un pont disulfure (Fig. 9-14*a, réaction verticale*).

Bien que la structure par rayons X de la PDI ne soit pas connue, les structures par RMN de PDI-*a* et de PDI-*b* ont été déterminées par Creighton et Johan Kemmink. La PDI-*a* (120 résidus) forme un feuillet β ouvert (Fig. 9-15*a*) qui ressemble très fort à celui de la thiorédoxine, comme on pouvait s'y attendre. Les ponts disulfure sont d'habitude enfouis dans les protéines natives, où on

les trouve fréquemment dans un environnement hydrophobe. Toutefois, l'atome de S du résidu Cys 36 (le premier des deux résidus du site actif) de la PDI-*a* oxydée se trouve à la surface de la protéine au centre d'une zone hydrophobe (non chargée) (Fig. 9-15*b*).

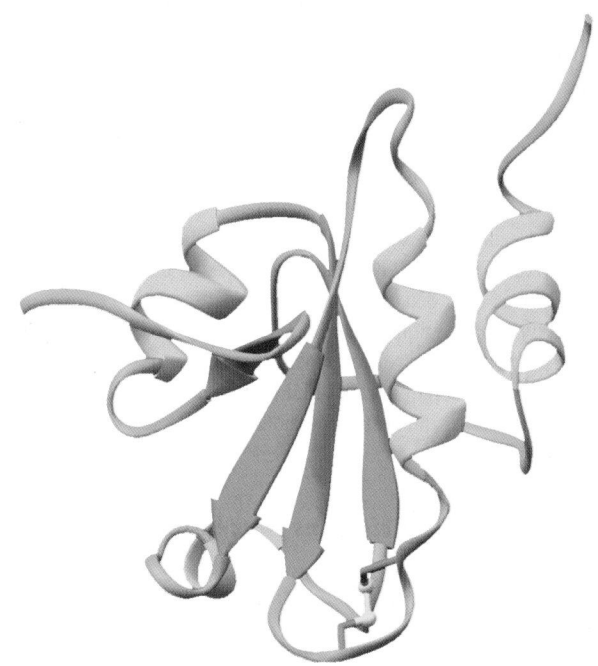

(a)

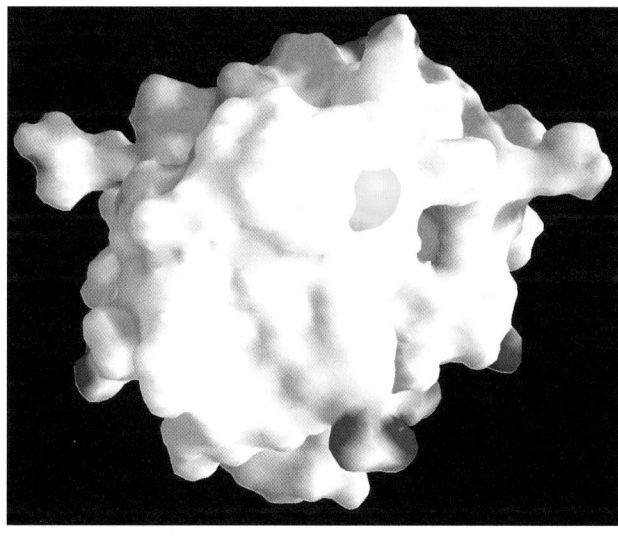

(b)

FIGURE 9-15 Structure par RMN du domaine a de la protéine disulfure isomérase humaine (PDI-*a*) sous sa forme oxydée. *(a)* Le squelette du polypeptide est en ruban avec ses hélices en bleu-vert et ses segments β en magenta. Les chaînes latérales des résidus Cys du site actif (Cys 36 et Cys 39), qui forment un pont disulfure, sont en modèle « boules et bâtonnets » avec C en vert et S en jaune. *(b)* La surface moléculaire est vue du bas de la Partie *a* et est colorée selon son potentiel électrostatique avec les régions les plus positives en bleu foncé, les plus négatives en rouge foncé, et les neutres en blanc. [D'après une structure par RMN due à Johan Kemmink et Thomas Creighton, European Molecular Biology Laboratory, Heidelberg, Allemagne. PDBid 1MEK.]

Le site actif de la PDI-*a* occupe donc une région qui semble capable de lier des segments polypeptidiques déroulés. De plus, bien que les ponts disulfure stabilisent presque toujours les protéines (Section 8-4D) et sont d'habitude non réactionnels, la PDI-*a* oxydée est moins stable que la PDI-*a* réduite et possède un pont disulfure hautement réactionnel, c'est-à-dire très oxydant. Ceci permet à la PDI-*a* oxydée d'introduire directement, par réaction d'échange, des ponts disulfure dans les polypeptides néo-synthétisés, et donc réduits (Fig. 9-14*b*). Pour asssurer cette fonction en continu, la PDI réduite doit être réoxydée (son pont disulfure rétabli) par les agents oxydants cellulaires.

La PDI-*b* (110 résidus) ne présente que 11 % d'identité avec la PDI-*a* et ne possède pas de résidus Cys. Il fut donc surprenant de découvrir, par RMN, que la structure de ce domaine dépourvu d'activité catalytique adopte, lui aussi, le repliement typique de la thiorédoxine. La PDI comprend donc quatre domaines de type thiorédoxine, dont deux catalytiquement actifs reliés à deux autres sans activité catalytique. Bien que les PDI-*a* et PDI-*a'* oxydées catalysent toutes deux efficacement la formation de ponts disulfure, ce processus requiert une PDI réduite complète. La structure de la PDI intacte, qui reste à élucider, devrait permettre d'expliquer ce phénomène.

B. *Peptidyl prolyl cis-trans isomérases*

Bien que les polypeptides soient probablement synthétisés avec presque toutes leurs liaisons peptidiques Xaa-Pro (Xaa désignant n'importe quel acide aminé) en conformation trans, environ 10 % de ces liaisons présentent la conformation cis dans les protéines globulaires car, comme nous l'avons vu dans la Section 8-1A, la différence d'énergie entre leurs conformations cis et trans est relativement faible. Les **peptidyl prolyl cis-trans isomérases** (**PPI** ; appelées aussi **rotamases**) catalysent l'interconversion, normalement lente, des liaisons peptidiques Xaa-Pro entre leurs conformations cis et trans, accélérant ainsi le repliement des polypeptides contenant des résidus Pro. On a caractérisé deux familles de PPI sans liens structuraux, appelées collectivement **immunophilines** : les **cyclophilines** (ainsi appelées car elles sont inhibées par le médicament immunosuppresseur **cyclosporine** A,

Cyclosporine A

un peptide cyclique de 11 résidus produit par un champignon) et la famille dont la **FK506 binding protein** (protéine de 12 kD appelée **FKBP12**) est le prototype (la **FK506**

FK506

est une lactone macrocyclique produite par un champignon qui est aussi un médicament immunosuppresseur ; les chimistes désignent souvent le très grand nombre de médicaments potentiels sur lesquels ils travaillent par des numéros de série plutôt que par des noms courants). La structure par rayons X du complexe entre la cyclophiline humaine et la succinyl-Ala-Ala-Pro-Phe-*p*-nitroalinide montre que ce substrat modèle se lie à l'enzyme avec sa liaison peptidique Ala-Pro en conformation cis et que cette liaison ne pourrait se former en conformation trans. On en conclut que l'enzyme catalyse de façon préférentielle l'isomérisation trans-cis des liaisons amide peptidyl-prolyl. De plus, la mutation de l'Arg 55 en Ala dans la cyclophiline en réduit l'activité enzymatique d'un facteur 100. En fait, la localisation de Arg 55 devrait lui permettre d'établir une liaison hydrogène avec l'atome N de la liaison peptidique Ala-Pro, ce qu'elle ne fait pas dans la structure cristalline. Ces deux observations suggèrent que la formation d'une liaison hydrogène entre Arg 55 et cet atome N facilite l'isomérisation cis-trans en déconjuguant et donc en affaiblissant la liaison amide peptidyl-prolyl.

La cyclosporine A et la FK506 sont deux médicamente très efficaces pour le traitement des maladies auto-immunes et pour empêcher le rejet d'organes transplantés. En fait, avant l'avènement de la cyclosporine au début des années 1980, la survie à long terme d'un organe transplanté (et de son receveur) était plutôt rare. La FK506 découverte plus récemment est un immunosuppresseur encore plus puissant. Les propriétés immunosuppressives de la cyclosporine A tout comme celles de la FK506 sont dues à ce que leurs complexes respectifs avec la cyclophilline et la FKBP12 empêchent l'expression des gènes impliqués dans l'activation des **lymphocytes *T*** (les cellules du système immunitaire responsables de l'**immunité cellulaire** ; la réponse immunitaire sera étudiée dans la Section 35-2) en interférant avec les mécanismes de signalisation intracellulaire de ces lymphocytes. Ce qui est un mystère, c'est qu'il n'y a pas de relation évidente entre les propriétés immunosuppressives des immunophilines et les activités rotamase : la cyclosporine et la FK506 ont des effets immunosuppresseurs à des concentrations très inférieures à celles de la cyclophilline et de la FKBP12 dans les cellules ; de plus, des modifications par mutation qui provoquent la perte de l'activité rotamase de la cyclophilline ne l'empêchent pas de se lier à la cyclosporine A et le complexe résultant interfère avec les mécanismes de signalisation des lymphocytes T. On reviendra sur cette énigme dans la Section 19-3F.

C. *Chaperons moléculaires : le système GroEL/ES*

Les protéines néo-synthétisées, et donc déroulées, présentent de nombreuses régions hydrophobes exposées au solvant. De plus, *in vivo*, les protéines se replient en présence de concentrations extrêmement élevées d'autres macromolécules (~300 g/L, ce qui occupe environ un quart du volume disponible). *In vivo,* les protéines déroulées ont donc tendance à former des agrégats intra- et intermoléculaires. Les **chaperons moléculaires** sont des protéines dont le rôle est d'empêcher ou d'éliminer de telles associations anormales, en particulier dans les protéines multidomaines et à plusieurs sous-unités. Pour cela, elles se lient aux surfaces hydrophobes exposées au solvant d'un polypeptide déroulé ou agrégé puis elles s'en détachent, ces deux opérations pouvant être répétées, de façon à faciliter leur repliement et/ou l'obtention de la structure quaternaire. Beaucoup de chaperons moléculaires sont des **ATPases** (enzymes qui catalysent l'hydrolyse de l'ATP), qui se lient aux polypeptides déroulés et utilisent l'énergie libre de l'hydrolyse de l'ATP pour se détacher du polypeptide de la meilleure façon. Il semble, comme l'a fait remarquer John Ellis, que les chaperons moléculaires fonctionnent comme leurs contreparties humaines : *elles empêchent les interactions inappropriées entre surfaces complémentaires potentielles et rompent les liaisons inconvenantes afin de faciliter des associations plus favorables.*

Les chaperons moléculaires comprennent plusieurs classes de protéines indépendantes, qui ont des fonctions assez différentes, parmi lesquelles :

1. Les **protéines de choc thermique 70 (Hsp70),** qui sont des protéines monomériques (~70 kD) très conservées aussi bien chez les procaryotes que chez les eucaryotes (ces derniers en possèdent différents types dans le cytosol, le réticulum endoplasmique, les mitochondries, et les chloroplastes). Elles sont ainsi appelées car leur vitesse de synthèse augmente fortement à température élevée (on a nommé **DnaK** la protéine Hsp70 de *E. coli* parce qu'on l'a découverte chez des mutants ne pouvant assurer la croissance du bactériophage λ et l'on croyait donc qu'elle joue un rôle dans la réplication de l'ADN). En tant que monomères, les Hsp70 utilisent l'énergie de l'ATP pour inverser la dénaturation et l'agrégation de protéines (processus accélérés à températures élevées), faciliter le repliement correct des polypeptides néo-synthétisés dès leur sortie du ribosome, déplier les protéines en vue de leur transport à travers les membranes (Section 12-E) et les replier ensuite. En association avec le **cochaperon** protéique **Hsp40** (**DnaJ** chez *E. coli*), Hsp70 lie et libère de petites régions hydrophobes dans les protéines mal repliées.

2. Les **chaperonines,** qui forment des complexes de grande taille en forme de cage, avec de nombreuses sous-unités, sont des composantes universelles des bactéries et des eucaryotes. Elles se lient aux surfaces hydrophobes accessibles des protéines globulaires mal repliées puis, dans un processus ATP-dépendant, provoquent le repliement de ces protéines tout en les enveloppant dans une cavité, ce qui empêche leur agrégation non spécifique avec d'autres protéines déroulées (voir ci-dessous).

3. Les **protéines Hsp90,** surtout impliquées dans le repliement de protéines qui jouent un rôle dans la transduction du signal, comme les **récepteurs des hormones stéroïdes** (Section 34-3B). Elles comptent parmi les protéines les plus abondantes chez les eucaryotes, où elles représentent ~1 % de leurs protéines solubles.

4. Les **nucléoplasmines,** protéines nucléaires acides, dont la présence est nécessaire pour l'assemblage correct *in vivo* des **nucléosomes** (particules autour desquelles l'ADN des eucaryote est enroulé) à partir de leurs constituants, l'ADN et les histones (Section 34-1B).

Certaines classes de protéines chaperons peuvent agir de concert. Par exemple, les chaperonines terminent souvent le travail commencé par les protéines Hsp70. Dans les paragraphes suivants, nous nous concentrerons sur la structure et la fonction des chaperonines, car elles représentent les chaperons moléculaires les mieux caractérisés. Cela servira également d'introduction aux fonctions dynamiques des protéines, considérées alors comme des machines moléculaires.

a. Le système GroEL/ES forme une vaste cavité dans laquelle se replie le substrat protéique

On connaît deux familles de chaperonines qui agissent de concert : (1) Les **protéines Hsp60** (**GroEL** chez *E. coli* et **Cpn60** dans les chloroplastes), qui sont constituées (une découverte faite par microscopie électronique) de 14 sous-unités identiques de ~60 kD disposées en deux anneaux accolés de 7 sous-unités chacun (Fig. 9-16) ; et (2) les **protéines Hsp10** (**GroES** chez *E. coli* et **Cpn10** dans les chloroplastes), qui forment de simples anneaux

FIGURE 9-16 Image 3D d'après une micrographie électronique de la chaperonine Hsp60 de la bactérie photosynthétique *Rhodobacter sphaeroides*. Hsp60 est constituée de 14 sous-unités identiques de 60 kD environ, disposées selon deux anneaux accolés de 7 sous-unités, chacun entourant une cavité centrale. L'image de Hsp60, représentée avec l'axe d'ordre 7 dirigé vers l'observateur, révèle que chaque sous-unité est constituée de deux domaines principaux, l'un en contact avec l'anneau heptamérique opposé, l'autre au bout de la molécule protéique cylindrique. On pense que la densité sphérique qui occupe la cavité centrale de la protéine correspond à un polypeptide lié. La cavité fournit probablement un microenvironnement protégé dans lequel un polypeptide peut se replier progressivement. [Avec la permission de Helen Saibil et Steve Wood, Birkbeck College, Londres, U. K.]

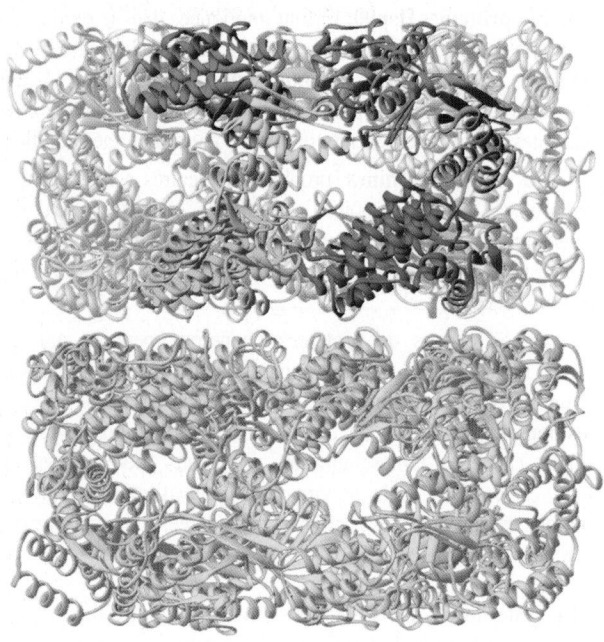

(a)

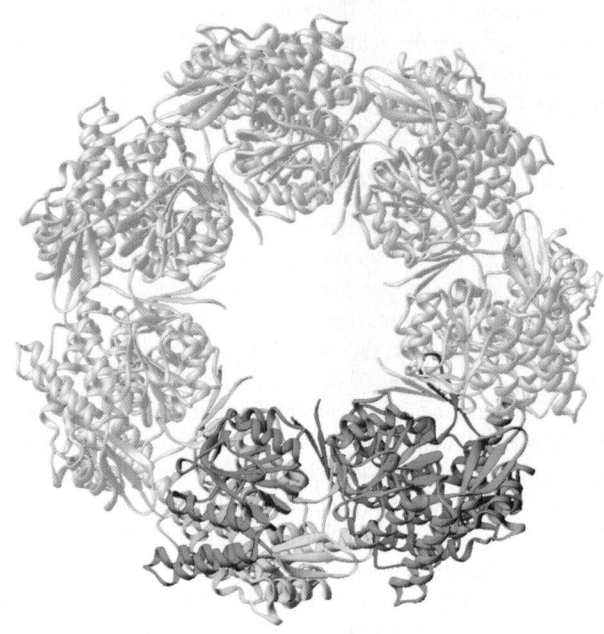

(b)

FIGURE 9-17 Structure par rayons X de GroEL. *(a)* Vue latérale perpendiculaire à l'axe d'ordre 7 dans laquelle les sept sous-unités identiques de l'anneau inférieur sont couleur or et celles de l'anneau supérieur argent, sauf les deux sous-unités les plus proches de l'observateur, dont les domaines équatorial, intermédiaire et apical sont respectivement en bleu, vert, et rouge pour la sous-unité de droite, et bleu-vert, jaune et magenta pour la sous-unité de gauche. Les deux anneaux du complexe sont réunis par des interactions de leurs chaînes latérales qui ne sont pas représentées. *(b)* Vue d'en haut dans l'axe d'ordre 7 qui ne montre que l'anneau supérieur, pour plus de clarté. Noter le vaste canal central qui semble parcourir toute la longueur de la protéine. [D'après une structure par rayons X due à Axel Brünger, Arthur Horwich, et Paul Sigler, Yale University. PDBid 1OEL.]

heptamériques de protéines identiques de ~10 kD. Ces protéines, qui sont requises pour la survie de *E. coli* dans toutes les conditions testées, facilitent le repliement, dans leur conformation native, des protéines mal enroulées.

La structure par rayons X de GroEL (Fig. 9-17), déterminée par Arthur Horwich et Paul Sigler, montre, comme on s'y attendait, que les 14 sous-unités identiques (547 résidus chacune) de GroEL s'associent pour former un cylindre creux, poreux, à parois épaisses. Ce cylindre est constitué de deux anneaux de symétrie d'ordre 7 faits de sous-unités empilées dos à dos avec une symétrie d'ordre 2 pour donner un complexe de symétrie D_7 (Section 8-5B). Chaque sous-unité GroEL comprend trois domaines : un vaste domaine équatorial (résidus 1-135 et 410-547) qui forme la « ceinture » de la protéine et maintient ensemble ses sous-unités par le biais d'interactions au sein des anneaux et entre ceux-ci, un domaine apical de structure lâche (résidus 191-376) qui forme les extrémités ouvertes du cylindre GroEL, et un petit domaine intermédiaire (résidus 136- 190 et 377-409) qui relie le domaine équatorial et le domaine apical. La structure par rayons X suggère que GroEL entoure un canal central de ~45 Å de diamètre qui traverse le complexe sur toute sa longueur. Comme nous le verrons, ce canal participe à la formation des chambres dans lesquelles les protéines partiellement repliées poursuivent ce processus pour atteindre leur état natif. Cependant, comme le montrent la microscopie électronique et la diffraction des neutrons, ce canal est fermé dans la région équatoriale, ce qui empêche le passage des protéines entre les deux anneaux GroEL. Il semble que cet obstacle soit dû à la présence des 5 résidus N-terminaux et des 22 résidus

C-terminaux de chaque sous-unité, lesquels ne sont pas visibles dans la structure par rayons X et sont donc sans doute désorganisés.

La structure par rayons X de GroEL où chaque sous-unité lie l'**ATPγS** (un analogue peu hydrolysable de l'ATP dans lequel S remplace un des atomes O substituants de Pγ)

$$^-O-\overset{\overset{\displaystyle S}{\|}}{\underset{\underset{\displaystyle O^-}{}}{P}}-O-\overset{\overset{\displaystyle O}{\|}}{\underset{\underset{\displaystyle O^-}{}}{P}}-O-\overset{\overset{\displaystyle O}{\|}}{\underset{\underset{\displaystyle O^-}{}}{P}}-O-CH_2$$

ATPγS

montre que l'ATP se lie dans le domaine équatorial à une poche qui donne dans le canal central. Les résidus formant cette poche sont très conservés chez les chaperonines. Les seules différences significatives entre les structures de GroEL et de GroEL-ATPγS sont de faibles mouvements des résidus dans le voisinage de la poche à ATP.

La structure par rayons X de GroES (Fig. 9-18), déterminée par Lila Gierasch et Johann Deisenhofer, montre que les 7 sous-unités identiques (97 résidus) de cette protéine forment une structure en dôme avec une symétrie C_7. Chaque sous-unité GroES constitue un tonneau β antiparallèle irrégulier duquel se projettent deux

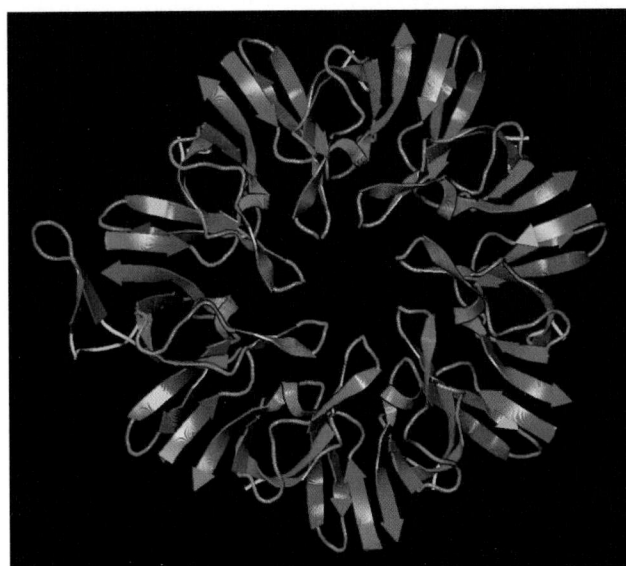

FIGURE 9-18 Structure par rayons X de GroES vue dans son axe d'ordre 7. On peut voir (*à gauche*) la boucle mobile de l'une des sept sous-unités identiques de la protéine. Les segments du polypeptide qui bordent la boucle mobile sont en jaune. [Avec la permission de Johann Diesenhofer, University of Texas Southwest Medical Center, Dallas.]

épingles à cheveux β. Une de celles-ci (résidus 47-55) s'étend du sommet du tonneau vers l'axe d'ordre 7 de la protéine où elle interagit avec les autres épingles à cheveux β du même type pour for-

mer la coupole du dôme. La deuxième épingle à cheveux (résidus 16-33), située au côté opposé du tonneau, s'écarte du bord extérieur du bas du dôme. On n'observe un telle boucle mobile que dans une seule des 7 sous-unités GroES ; cette boucle est apparemment désorganisée dans les autres sous-unités, et ceci est en accord avec les données de RMN sur GroES (non liée) en solution. La surface interne du dôme GroES est recouverte de résidus hydrophiles.

D'après les études par microscopie électronique et diffraction de neutrons, les protéines partiellement dépliées s'introduisent dans l'ouverture du tonneau GroEL un peu comme un bouchon dans une bouteille de champagne (Fig. 9-16). Les mutations qui empêchent la liaison des polypeptides à GroEL sont toutes situées dans un segment de structure mal définie (et donc sans doute flexible) au sommet du domaine apical. Dans la structure de GroEL non liée, ce segment fait face au canal central. Si l'on remplace par Glu ou Ser n'importe lequel des huit résidus hydrophobes très conservés dans cette région, GroEL ne peut plus lier de polypeptides. Il semble donc bien que ces résidus constituent le site de liaison des polypeptides non natifs. Ces mêmes mutations abolissent également la liaison de GroES.

La structure par rayons X du complexe GroEL–GroES–(ADP)$_7$ (Fig. 9-19), que l'on doit également à Horwich et Sigler, donne des informations importantes sur la manière dont cette chaperonine exerce sa fonction. Au sein de ce complexe, un heptamère GroES et les 7 ADP se lient au même anneau GroEL (appelé cis ; l'autre anneau GroEL du côté opposé est appelé trans), de sorte que GroES vient fermer l'anneau cis de GroEL comme un couvercle sur un pot, ce qui donne un complexe de symétrie C_7 en forme de balle de fusil. Les conformations des sous-unités de l'anneau trans

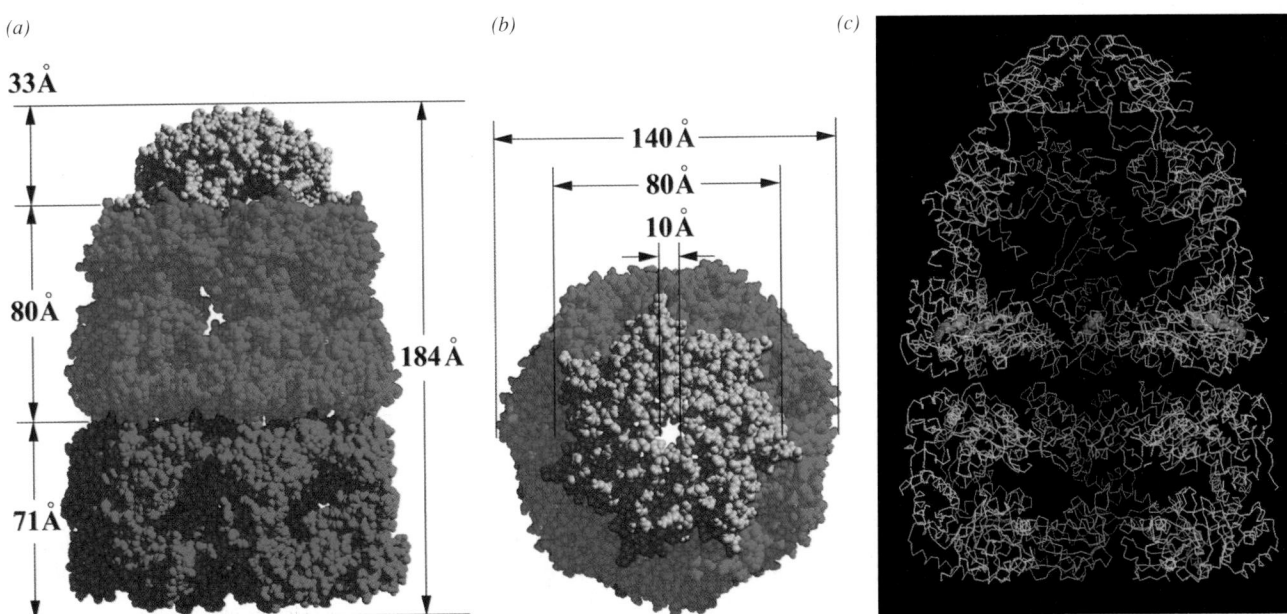

(a)   *(b)*   *(c)*

FIGURE 9-19 Structure par rayons X du complexe GroEL–GroES–(ADP)$_7$. *(a)* Représentation en modèle plein d'une vue perpendiculaire à l'axe d'ordre 7 du complexe, avec l'anneau GroES couleur or, l'anneau cis de GroEL en vert, et l'anneau trans de GroEL en rouge. Les dimensions du complexe sont indiquées. Noter les conformations différentes des deux anneaux de GroEL. *(b)* Comme dans la Partie *a* mais vue dans le sens de l'axe. *(c)* Squelette des C$_\alpha$ du complexe vu comme dans la Partie *a* mais coupé dans le plan contenant l'axe d'ordre 7 du complexe. Les ADP liés à l'anneau cis de GroEL sont montrés en modèle plein. Noter que la cavité formée par l'anneau cis et GroES est beaucoup plus grande que celle de l'anneau trans. [Avec la permission de Paul Sigler, Yale University. PDBid 1AON.]

(a)

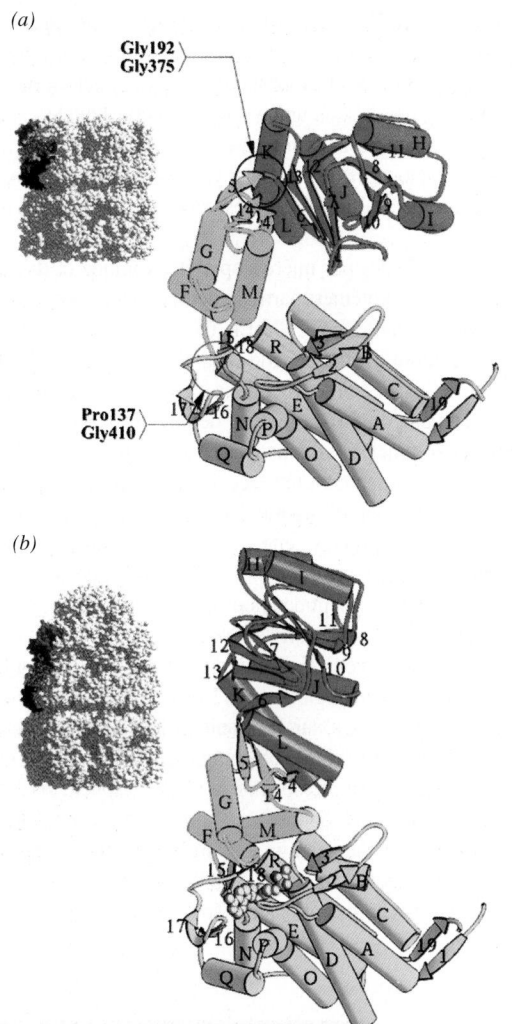

(b)

FIGURE 9-20 Déplacements des domaines dans GroEL. *(a)* Diagramme en ruban d'une sous-unité de GroEL au sein de la structure par
rayons X de GroEL isolée. Ses domaines équatorial, intermédiaire et apical sont respectivement en bleu, en vert, et en rouge. À gauche, représentation de GroEL en modèle plein avec la sous-unité dans une orientation
identique et colorée de même. Les domaines pivotent autour des points
indiqués par les cercles et les flèches. *(b)* Une sous-unité de GroEL au
sein de la structure par rayons X du complexe GroEL–GroES–(ADP)$_7$
représentée comme dans la Partie *a*. En jaune, on voit l'ADP, représenté
en modèle plein, lié dans une poche au sommet du domaine équatorial.
(c) Schéma des changements de conformation de GroEL lorsqu'elle lie
GroES. Ses domaines équatoriaux (E), intermédiaires (I) et apicaux (A)
sont colorés comme dans la Partie *a* et GroES est en jaune. Les flèches
indiquent l'amplitude des déplacements des domaines dans l'anneau cis
de GroEL. [Avec la permission de Arthur Horwich, Yale University, pour
les Parties *a* et *b*; Partie *c* d'après Richardson, A., Landry, S.J., et Geor-
gopoulos, C., *Trends Biochem. Sci.* **23,** 138 (1998).]

(c)

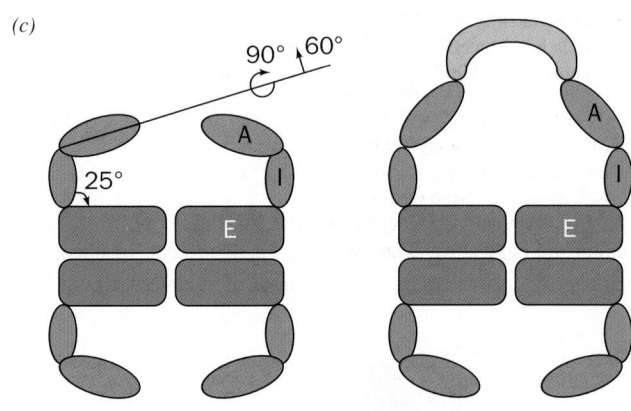

ressemblent fort à celles que l'on observe dans la structure de
GroEL seule. Au contraire, les domaines apicaux et intermédiaires
de l'anneau cis ont subi, au sein du complexe, d'importants déplacements en bloc par rapport à leur position dans la structure de
GroEL isolée (Fig. 9-20). Ceci élargit et allonge la cavité cis dont
le volume fait plus que doubler (de 85 000 à 175 000 Å^3; Fig. 9-
19*c*), lui permettant ainsi d'enfermer un substrat protéique partiellement replié d'au moins 70 kD. *Ces mouvements en bloc sont
concertés. En effet, ils surviennent simultanément dans les 7 sous-
unités d'un anneau GroEL, vraisemblablement parce que si une
sous-unité GroEL ne subissait pas ces déplacements conformationnels, elle empêcherait mécaniquement les sous-unités adjacentes de faire de même.*

Lorsque le complexe GroEL–GroES–(ADP)$_7$ se forme, l'ADP
est enfoui dans la protéine par l'effondrement du domaine intermédiaire sur le domaine équatorial (Fig. 9-20*b*). Ce mouvement
active la fonction ATPase de GroEL en déplaçant la chaîne latérale
de son Asp 398 (essentiel à la catalyse) qui se projette à partir de
l'hélice L du domaine équatorial, vers sa position de catalyse au
voisinage du groupement phosphate β de l'ADP. Les études de
Horwich et Helen Saibil par microscopie électronique à une résolution de 10 Å montrent que GroEL subit des mouvements similaires lorsqu'elle lie l'ATP.

On pense que les résidus hydrophobes qui recouvrent la surface
interne du domaine apical de l'anneau trans se lient aux groupements hydrophobes mal exposés du substrat protéique. En effet,
une structure par rayons X du domaine apical de GroEL associé à
un peptide de 12 résidus de haute affinité pour GroEL révèle que ce
peptide se lie à ces groupements hydrophobes (Fig. 9-21). Cependant, dans l'anneau cis du complexe GroEL–GroES–(ADP)$_7$, ces
groupements hydrophobes participent, soit à la liaison de GroES
par le biais de ses boucles flexibles, soit à la stabilisation de l'interface néo-formée entre les domaines apicaux après leur rotation et
leur élévation. *Par conséquent, ces groupements hydrophobes ne
sont plus exposés à la surface interne de la cavité cis (Fig. 9-22), ce
qui prive un substrat protéique de ses sites de liaison.*

b. GroEL/ES subit des modifications conformationnelles coordonnés qui sont réglées par la liaison et l'hydrolyse de l'ATP

*La liaison de l'ATP et de GroES à l'anneau cis de GroEL
inhibe fortement leur liaison à l'anneau trans.* D'après la structure
par rayons X du complexe GroEL–GroES–(ADP)$_7$, ceci résulte de
petits déplacements conformationnels concertés dans les domaines
équatoriaux de GroEL qui semblent empêcher l'anneau trans
d'adopter la conformation de l'anneau cis. Cependant, une fois que

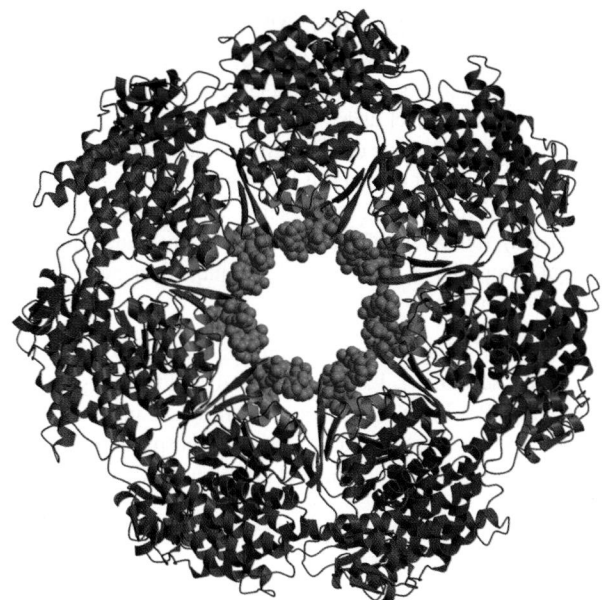

FIGURE 9-21 Domaine apical de GroEL liée à un polypeptide de haute affinité comprenant 12 résidus (SWMTTPWGFLHP). Pour obtenir ce dessin, les atomes C_α du domaine apical dans la structure par rayons X du complexe ont été superposés à ceux des domaines apicaux dans la structure par rayons X de GroEL isolée (Fig. 9-17). Chacune des sous-unités apicales est représentée par un ruban dans lequel les deux hélices impliquées dans la liaison du polypeptide (hélices H et I dans la Fig. 9-20*a*) sont en rouge et le reste de la sous-unité est en vert. Les polypeptides, en rouge, sont représentés en modèle plein, en rouge. [Avec la permission de Lingling Chen, Yale University. PDBid 1DKD.]

l'anneau cis a hydrolysé l'ATP qui lui est lié (ce qu'il doit faire dès que ses sites de liaison des nucléotides se referment et que se forment ses sites d'activité ATPase), l'anneau trans peut lier l'ATP, et les déplacements conformationnels qui en résultent libèrent GroES de l'anneau cis. Ceci explique pourquoi une forme mutante de GroEL qui n'a plus qu'un anneau peut encore lier un substrat protéique et GroES, mais ne peut les relarguer après avoir hydrolysé son ATP. *La fonction correcte de GroEL nécessite ses deux anneaux, même si leurs cavités centrales ne communiquent pas.*

Le mutant de GroEL D398A (où Asp 398 a été remplacé par Ala) lie l'ATP mais ne peut l'hydrolyser. En présence d'ATP, ce mutant lie bien GroES et le substrat protéique. Cependant, il ne libère ni GroES ni la protéine lorsque l'anneau trans est exposé à l'ATP, comme c'est le cas quand l'anneau cis peut hydrolyser l'ATP. De tout évidence, *le goupement phosphate γ de l'ATP fournit de puissants contacts qui stabilisent l'interaction GroEL–GroES. Lors de l'hydrolyse de l'ATP dans l'anneau cis, ce goupement phosphate est libéré et ces interactions sont rompues.*

c. L'hydrolyse de l'ATP dans l'anneau cis doit précéder la liaison du substrat protéique et de GroES à l'anneau trans

D'après l'exposé ci-dessus, *ce qui se passe dans les anneaux cis et trans au sein du complexe GroEL–GroES est coordonné par des changements conformationnels concertés dans un anneau qui influencent la conformation de l'anneau opposé.* Quelle est la suite des événements dans l'anneau trans par rapport à ceux dans l'anneau cis ? Autrement dit, à quel stade du cycle de repliement dans

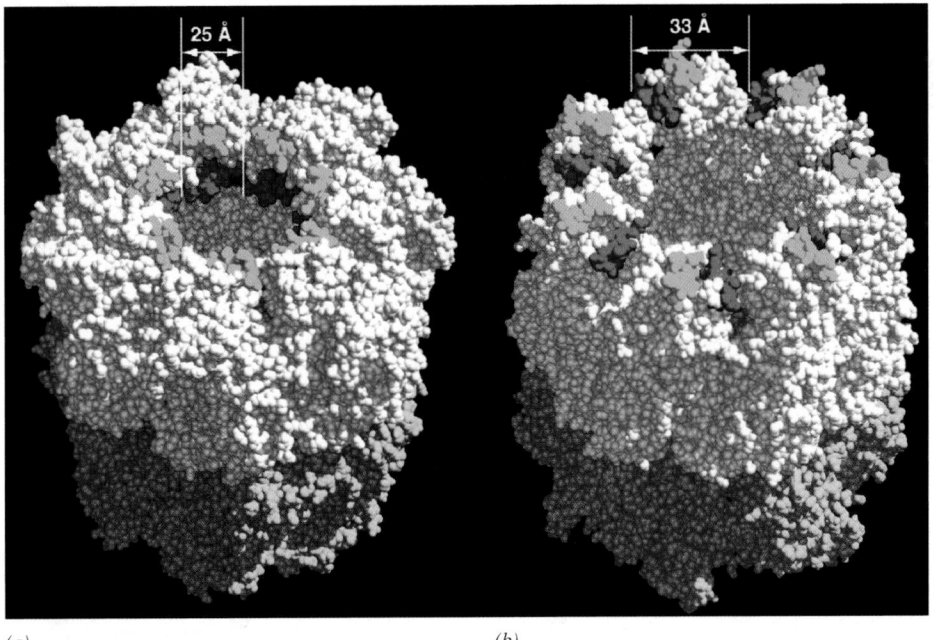

(a)   *(b)*

FIGURE 9-22 Déplacements des hélices de GroEL qui lient des polypeptides. *(a)* Dessin en modèle plein de GroEL selon la structure qu'elle adopte lorsqu'elle est isolée et *(b)* au sein du complexe GroEL–GroES–(ADP)₇. Les anneaux cis et trans de GroEL sont respectivement en blanc et en jaune et les hélices H et I de l'anneau cis (Fig. 9-20*a, b*), qui constituent les sites de liaison hydrophobes des pro-

téines mal repliées, sont respectivement en vert et en rouge. Dès l'addition de GroES et d'ATP, les sites de liaison voisins dans GroEL s'écartent de 8 Å et les sites non voisins peuvent s'écarter de 20 Å. Un substrat protéique qui était lié à deux de ces sites sera étiré de force et donc partiellement déroulé avant sa libération avec fermeture des sites de liaison. [Avec la permission de Walter Englander, University of Pennsylvania.]

l'anneau cis le substrat protéique et GroES se lient-ils à l'anneau trans ? Horwich a répondu à cette question en utilisant des techniques de marquage par fluorescence. Le mutant D398A de GroEL fut mis en présence d'ADP et de GroES pour former le complexe stable [D398A GroEL–GroES–(ADP)$_7$], puis mélangé à un substrat protéique dans lequel un groupement fluorescent avait été lié de façon covalente. Après chromatographie par filtration sur gel (Section 6-3B), le marqueur migrait avec GroEL, montrant ainsi que le substrat protéique s'était lié à l'anneau trans du complexe. Cependant, en formant le complexe initial avec de l'ATP (que D398A GroEL ne peut hydrolyser) le substrat protéique ne s'associait pas à GroEL. De même, GroES marqué par fluorescence s'associait bien en présence d'ATP à D398A GroEL–GroES–(ADP)$_7$ préformé, mais pas a D398A GroEL–GroES–(ATP)$_7$ préformé. *Il est clair que l'anneau cis du complexe GroEL–GroES doit hydrolyser l'ATP qui lui est lié avant que l'anneau trans ne puisse lier le substrat protéique ou GroES + ATP.*

d. Le système GroEL/ES fonctionne comme un moteur à deux temps

Toutes les observations qui précèdent indiquent comment fonctionne le système GroEL/GroES (Fig. 9-23) :

1. Un anneau GroEL qui lie 7 ATP et un substrat protéique mal replié via les régions hydrophobes de ses domaines apicaux (Fig. 9-23, *en haut à gauche*) se lie à GroES. Ceci induit un changement conformationnel dans l'anneau GroEL devenu cis, ce qui libère le substrat protéique dans la cavité agrandie et fermée qui en résulte, où ce substrat commence à se replier. La cavité, à présent tapissée uniquement de groupements hydrophiles, (dite **cage d'Anfinsen**), fournit au substrat protéique un microenvironnement isolé qui l'empêche de s'agréger non spécifiquement avec d'autres protéines déroulées.

2. Dans les 13 s environ (le temps qu'il faut au substrat protéique pour se replier), l'anneau cis catalyse l'hydrolyse de ses 7 ATP en ADP + P$_i$ (où P$_i$ symbolise le phosphate inorganique) et le P$_i$ est libéré. L'absence du groupement phosphate γ de l'ATP affaiblit les interactions qui unissent GroES à GroEL.

3. Une deuxième molécule de substrat protéique, puis 7 ATP, se lient à l'anneau trans.

4. La liaison du substrat protéique et de l'ATP à l'anneau trans provoque la libération de GroES liée à l'anneau cis, ainsi que des 7 ADP et du substrat protéique mieux replié. Seuls l'ATP et le substrat protéique restent ainsi liés à l'ancien anneau trans de GroEL, qui devient anneau cis en liant GroES lorsque le complexe parcourt à nouveau le cycle à partir de l'étape 1.

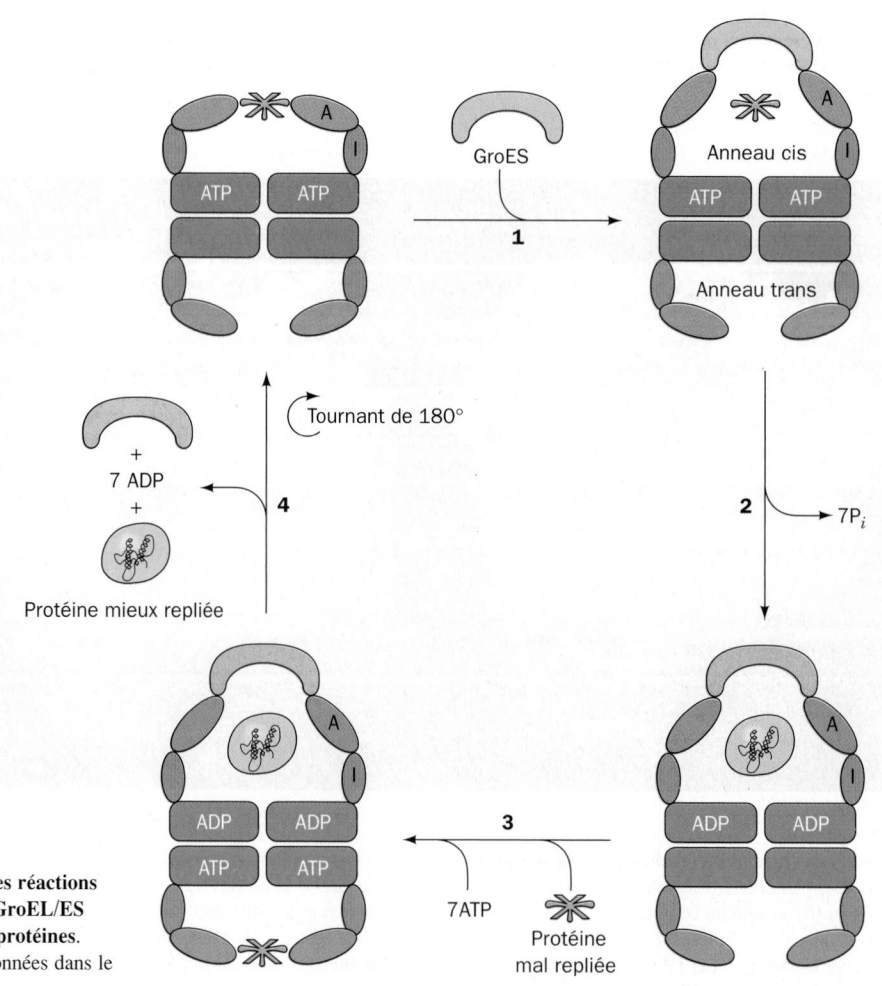

FIGURE 9-23 Cycle des réactions du système chaperon GroEL/ES dans le repliement de protéines. Les explications sont données dans le texte.

Ainsi, le système GroEL/ES consomme 7 ATP à chaque cycle de repliement. Si le substrat protéique libéré n'a pas encore adopté son état natif ou ne peut l'atteindre, il peut se lier à nouveau à GroEL (voir ci-dessous). Dans le substrat protéique qui a atteint son état natif, les groupements hydrophobes ne sont plus exposés à la surface ; il ne peut donc plus se lier à GroEL.

e. GroEL/ES déplie partiellement son substrat protéique et le libère après chaque cycle de renouvellement d'ATP

Comment le cycle qui vient d'être décrit peut-il promouvoir le repliement correct d'une protéine mal repliée ? Les deux modèles les plus populaires, et non mutuellement exclusifs, sont les suivants :

1. La cage d'Anfinsen, modèle dans lequel le complexe GroEL/ES fournit au substrat protéique un microenvironnement protecteur dans lequel il peut se replier pour atteindre sa conformation native sans agrégation non spécifique avec d'autres protéines mal enroulées.

2. Le modèle de **repliement itératif**. Ici, le déroulement, assuré par l'énergie de l'ATP, d'un substrat protéique mal replié et piégé dans cette conformation, suivi par sa libération, lui permet de reprendre son processus de repliement vers l'état natif. Dans le système GroEL/ES ceci semble impliquer la liaison de la protéine mal repliée aux régions hydrophobes de deux ou plus des sept domaines apicaux de GroEL, suivie par l'étirement et la libération finale de la protéine dès lors que la conformation de GroEL est modifiée par la liaison de l'ATP et de GroES [Noter que ces régions sont plus écartées dans le complexe GroEL–GroES–(ADP)$_7$ que dans GroEL isolée ; Fig. 9-22]. Selon la théorie du paysage (Section 9-1C), cet étirement expulse le substrat protéique (augmente son énergie libre) d'un minimum d'énergie local dans lequel il était piégé (Fig. 9-11*d*), ce qui lui permet de poursuivre (mais pas nécessairement de terminer) son voyage conformationnel vers le bas de l'entonnoir de repliement en direction de son minimum d'énergie globale, c'est-à-dire son état natif.

George Lorimer et Englander ont recouru à des études par échange d'hydrogène (Section 9-1C) pour trancher entre ces deux modèles. Ils ont étudié le repliement, induit par GroEL/ES, de l'enzyme **ribulose-1,5-bisphosphate carboxylase-oxygénase (RuBisCO** ; Sections 24-3A et 24-3C), où les protons échangeables avaient été remplacés par du tritium (^{3}H ; un isotope radioactif de ^{1}H). En absence du système GroEL/ES et dans des conditions telles que la RuBisCO déroulée s'agrège au lieu de se replier spontanément en son état natif, la RuBisCo échange rapidement (dans les 2 min) tous ses atomes de ^{3}H échangeables, sauf 12, avec des protons d'eau non marquée, comme le montrent les comptages de radioactivité (courbe en noir dans la Fig. 9-24). Les douze hydrogènes hautement protégés s'échangent avec des demi-vies de 30 min ou plus, ce qui indique qu'ils sont situés sur des groupements amide du squelette unis par liaisons hydrogène, et non sur des chaînes latérales (pour rappel, les atomes d'hydrogène échangeables impliqués dans des liaisons hydrogène ne s'échangent pas avec le solvant).

La vitesse d'échange des hydrogènes protégés est la même en présence de GroEL seule qu'en solution. Elle n'est pas non plus influencée par l'addition de GroEL + GroES, GroEL + ADP, ou GroEL + ATP. Cependant, l'incubation de la RuBisCO avec

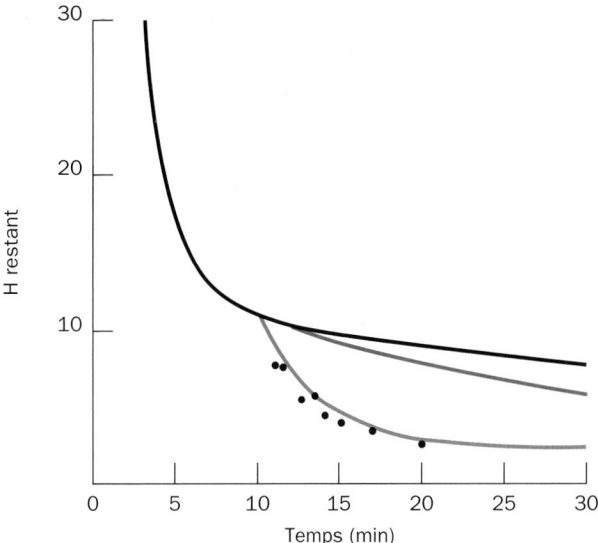

FIGURE 9-24 Vitesse de l'échange hydrogène-tritium dans la RuBisCO tritiée. Au temps 0 une solution de RuBisCO contenant une concentration dénaturante d'urée est diluée dans des conditions (pH 8, 22 °C) qui stabilisent l'état natif de la RuBisCO, mais qui l'empêchent de se replier sans l'aide d'un chaperon. La courbe en noir indique la vitesse mesurée de l'échange d'hydrogène en absence d'un ou de tous les composants du système GroEL/GroES/ATP. Après 10 min (lorsque tous les atomes de tritium, sauf 12, de chaque molécule de RuBisCO ont été échangés), on ajoute à la solution de la GroES, de l'ATP et une quantité limitante de GroEL (GroEL : GroES : RuBisCO = 0,05 : 1,2 : 1,0). La courbe en rouge donne la vitesse d'échange de l'hydrogène si la RuBisCO n'est libérée du complexe que lorsqu'elle atteint son état natif après une moyenne de 24 cycles du système GroEL/GroES (en comptant 13 s par cycle), même si elle perd tous ses atomes de tritium protégés, sauf 2,5, lors du premier cycle. La courbe en vert donne la vitesse d'échange si chaque molécule de RuBisCO perd tous ses atomes de tritium protégés, sauf 2,5, lors du premier cycle, puis est éjectée dans la solution avant son repliement complet, de sorte qu'elle doit entrer en compétition avec d'autres molécules de RuBisCO non repliées pour se lier de nouveau à GroEL. On voit que la courbe en vert correspond à la vitesse effectivement mesurée (*points noirs*). [D'après Shtilerman, M., Lorimer, G.H., et Englander, S.W., *Science* **284,** 824 (1999).]

GroEL + GroES + ATP provoque l'échange rapide de tous les hydrogènes protégés, sauf 2,5. De plus, si l'on remplace dans cette expérience l'ATP par son analogue non hydrolysable, l'**adénosine**

$$\text{ }^-\text{O}-\underset{\underset{\text{O}^-}{|}}{\overset{\overset{\text{O}}{\|}}{\text{P}}}-\text{NH}-\underset{\underset{\text{O}^-}{|}}{\overset{\overset{\text{O}}{\|}}{\text{P}}}-\text{O}-\underset{\underset{\text{O}^-}{|}}{\overset{\overset{\text{O}}{\|}}{\text{P}}}-\text{O}-\text{CH}_2$$

Adénosine-5'-(β, γ-imido)triphosphate (ADPNP)

on observe l'échange quasi instantané des hydrogènes protégés. Il est clair que *la formation du complexe GroEL–GroES–ATP déroule partiellement la RuBisCO (Fig. 9-25).*

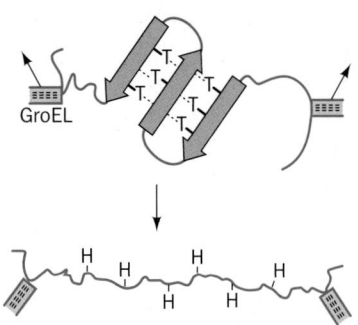

FIGURE 9-25 Schéma du mécanisme d'échange d'hydrogène induit par étirement dans le système GroEL/ES. Dans GroEL isolée (*en haut*), un substrat protéique partiellement replié est arrimé entre les sites de liaison de deux des domaines apicaux de GroEL. Les éléments de structure secondaire (ici un feuillet β) du substrat protéique, associés par liaisons hydrogène, empêchent les atomes d'hydrogène marqués (T) des groupements amide de s'échanger avec le solvant. Lors de la formation du complexe GroEL–GroES (*en bas*), les domaines apicaux de l'anneau cis de GroEL s'écartent, ce qui étire, et donc déplie, le substrat protéique. Les liaisons hydrogène formées par les hydrogènes des groupements amide sont rompues et ces atomes d'hydrogène s'échangent alors rapidement avec ceux (H) du solvant. [D'après Shtilerman, M., Lorimer, G.H., et Englander, S.W., *Science* **284**, 823 (1999).]

Afin de déterminer si RuBisCO est libérée de GroEL après chaque cycle, comme l'indique la Fig. 9-23, ou lui reste associée jusqu'à l'obtention de l'état natif (ce qui demande en moyenne 24 cycles), des expériences d'échange ont été réalisées avec une quantité limitante de GroEL (le rapport molaire de GroEL : GroES : RuBisCO était de 0,05:1,2:1,0). On constate que la perte de tritium déclenchée par l'addition d'ATP prend 10 min parce qu'il faut de nombreux cycles de chaque complexe GroEL/ES pour traiter l'excès de RuBisCO (13 s par cycle). Cependant, la vitesse de perte du tritium est en accord avec le modèle selon lequel GroEL libère la RuBisCO à la fin de chaque cycle (courbe en vert dans la Fig. 9-24), mais pas avec le modèle où la RuBisCO reste liée à GroEL jusqu'à l'obtention de l'état natif (courbe en rouge dans la Fig. 9-24). On obtient des résultats similaires avec des quantités limitantes de GroES plutôt que de GroEL (GroEL : GroES : RuBisCO = 1,2:0,04:1,0). Il semble donc que *GroEL/ES libère à la fin de chaque cycle le polypeptide qui lui est associé, que celui-ci ait atteint ou non son état natif.* On pourrait penser qu'hydrolyser 168 ATP (la moyenne des 24 cycles) pour replier correctement la RuBisCO est un gaspillage. C'est en fait peu, en regard des ~2000 ATP dépensés par les ribosomes pour synthétiser les ~500 résidus de la RuBisCO à partir des acides aminés qui la constituent (4 ATP par résidu ; Sections 32-2C et 3D), sans compter les nombreux ATP requis pour synthétiser ces acides aminés (Section 26-5).

f. Le repliement dans la cage GroEL/ES est nettement plus rapide qu'en solution

En dépit de ce qui précède, Ulrich Hartl et Manajit Hayer-Hartl ont montré que *les protéines se replient bien plus vite dans la cage GroEL/ES que lorsqu'elles sont libres en solution.* Pour ce faire, ils ont remplacé par mutagenèse dirigée les trois résidus Cys de GroEL par Ala, et Asn 229, qui est localisée à l'entrée du cylindre

GroEL, par Cys. Cette chaîne latérale Cys a ensuite été attachée par liaison covalente à la **biotine** (une substance qui participe normalement aux réactions enzymatiques de carboxylation ; Section 21-1A). La GroEL biotinylée était parfaitement capable d'assurer le repliement de la RuBisCO. La **streptavidine**, une protéine qui se lie rapidement et avec une très haute affinité à la biotine, fut ajoutée au système à des moments différents du cycle de repliement. Dans ce cas, comme le montre la microscopie électronique, la streptavidine obstrue complètement l'ouverture du cylindre GroEL et empêche donc la RuBisCO libérée du système GroEL/ES de s'y lier à nouveau. Dans des conditions qui empêchent le repliement spontané de la RuBisCO en son état natif, l'addition de streptavidine au système RuBisCO–GroEL/ES inhibe la poursuite du repliement de la RuBisCO, comme en témoigne le niveau d'activité enzymatique de la RuBisCO. De plus, lorsque l'on permet à la RuBisCO de se replier spontanément, mais moins vite qu'avec le système GroEL/ES, l'addition de streptavidine au système RuBisCO–GroEL/ES ramène immédiatement la vitesse de repliement de la RuBisCO à celle, plus lente, du repliement spontané. On conclut de ces résultats que le confinement d'au moins certaines protéines déroulées aux étroits espaces hydrophiles d'une cage GroEL/ES semble accélérer leur repliement, peut-être en aplanissant le relief énergétique de leur entonnoir de repliement (Section 9-1C).

g. *In vivo*, GroEL/ES interagit avec environ 300 protéines de *E. coli*

In vivo, le système GroEL/ES n'interagit qu'avec certaines protéines de *E. coli*. Quelles sont leurs caractéristiques ? Pour identifier ces protéines, Hartl a ajouté à une culture *E. coli* de la [35S]méthionine (35S est un isotope radioactif de S) pendant les 15 s qu'il faut aux ribosomes pour synthétiser un polypeptide d'une longueur moyenne, puis un excès de méthionine non marquée (expérience de « **pulse-chase** »). Après différents laps de temps, les cellules ont été lysées en présence d'EDTA, qui séquestre le Mg^{2+} nécessaire à l'activité ATPase de GroEL, empêchant ainsi GroEL/ES de relarguer son substrat protéique. Les complexes GroEL–GroES–substrat ont alors été immunoprécipitées avec des anticorps anti-GroEL et les protéines liées à GroEL séparées par électrophorèse sur gel 2D (Section 6-4D). L'autoradiographie (Section 6-4B) n'a montré que ~300 protéines associées à GroEL sur les ~2500 protéines cytoplasmiques détectables par cette électrophorèse. Ces protéines furent isolées et 52 d'entre elles identifiées par spectrométrie de masse des leurs fragments trypsiques (Section 7-1J).

Pratiquement tous les substrats protéiques de GroEL ainsi identifiés sont des enzymes qui assurent une panoplie de fonctions métaboliques ou sont impliquées dans la transcription ou la traduction. Pour la plupart, leurs masses moléculaires vont de 20 à 60 kD. Parmi celles-ci, l'analyse, par SCOP et CATH (Section 8-3C), des protéines de structure connue, ou dont des homologues ont une structure connue, montre qu'elles contiennent préférentiellement au moins deux domaines αβ qui consistent essentiellement en feuillets β ouverts (Section 8-3B). On s'attend à ce que des protéines de ce type ne se replient que lentement vers leur état natif, car la formation de leurs feuillets β hydrophobes requiert la mise en place d'un grand nombre d'interactions spécifiques à longue distance dans une orientation adéquate. De plus, de telles protéines peuvent facilement se replier mal ou être bloquées cinétiquement, en raison d'un compactage erroné des hélices et des feuillets à l'intérieur d'un domaine, ou plus vraisemblablement, entre des domaines. Quant aux autres protéines, elles se replieraient si vite dans leur état natif que leurs groupements hydrophobes sont enfouis avant de pouvoir se lier à GroEL.

Pour la plupart des protéines associées à GroEL, le marquage radioactif tombe à zéro 5 min environ après une chasse par la méthionine non marquée, ce qui montre qu'elles restent définitivement dissociées de GroEL après avoir atteint leur état natif. Cependant, ~100 de ces protéines restent partiellement associées à GroEL, même après un chasse de 2 hr. De toute évidence, ces protéines s'adressent de façon répétée à GroEL pour un entretien conformationnel, ce qui suggère qu'elles sont de structure labile et/ou susceptibles de s'agréger facilement.

h. Le concept d'auto-assemblage doit prendre en compte les protéines auxiliaires du repliement

Beaucoup de protéines peuvent se replier/s'assembler et prendre leurs conformations natives en l'absence de protéines auxiliaires, bien qu'avec un mauvais rendement. De plus, ces protéines auxiliaires ne sont pas des constituants des protéines natives dont elles facilitent le repliement/l'assemblage. Ainsi, les protéines auxiliaires doivent assurer le repliement/l'assemblage correct d'un polypeptide en une conformation/un complexe donné, uniquement sur base de la séquence en acides aminés du polypeptide. Néanmoins, l'idée selon laquelle les protéines sont des entités qui s'auto-assemblent doit être revue pour tenir compte de l'influence des protéines auxiliaires.

3 ■ PRÉDICTION ET CONCEPTION DE LA STRUCTURE DES PROTÉINES

Dans la mesure où la structure primaire d'une protéine spécifie sa structure tridimensionnelle, on devrait pouvoir, du moins en principe, prévoir la structure native d'une protéine en ne connaissant que sa structure primaire. On pourrait y parvenir soit en utilisant une approche théorique fondée sur des principes physicochimiques, soit par des méthodes empiriques qui utiliseraient des schémas prévisionnels obtenus après analyse de structures connues de protéines. Les méthodes théoriques, qui essaient généralement de déterminer la conformation de moindre énergie d'une protéine, sont mathématiquement très sophistiquées, et demandent des calculs très poussés. L'énorme difficulté rencontrée pour que ces calculs soient suffisamment précis et qu'ils puissent être traités par ordinateur a, jusqu'aujourd'hui, limité leur succès. Cependant, pour savoir comment et pourquoi les protéines se replient pour prendre leur structures natives il faudra en dernier ressort s'appuyer sur ces méthodes théoriques. Dans cette section, nous décrivons sommairement les différentes méthodes utilisées pour prédire les structures secondaires et tertiaires des protéines et terminons sur une technique apparentée dont le but est de concevoir une protéine de structure donnée.

A. *Prédiction des structures secondaires*

La manière la plus fiable de déterminer la structure secondaire prise par un polypeptide est de comparer sa séquence en acides aminés avec celle d'un homologue de structure connue. En l'absence d'une telle structure, il faudra recourir aux méthodes prédictives mentionnées plus haut. Nous exposerons ici les méthodes empiriques de prédiction des structures secondaires. Les méthodes théoriques de prédiction des structures tertiaires, traitées dans la section suivante, prédisent nécessairement aussi les structures secondaires.

a. La méthode Chou—Fasman

Les méthodes empiriques ont connu des succès remarquables dans la prévision des structures secondaires. Il est en effet assez facile de comprendre comment certaines séquences d'acides aminés limitent les conformations possibles d'une chaîne polypeptidique. Par exemple, un résidu Pro ne peut s'insérer à l'intérieur d'hélices α ou de feuillets β réguliers car son cycle pyrrolidine remplirait l'espace occupé par une partie d'un segment adjacent de la chaîne et parce que il ne présente pas le groupement N—H du squelette permettant d'établir une liaison hydrogène. Pareillement, des interactions d'ordre stérique entre plusieurs résidus d'acide aminé contigus ayant des chaînes latérales branchées sur le C_β (Ile et Thr par exemple) déstabiliseront l'hélice α. De plus, il y a des influences plus subtiles qui ne peuvent être décelées sans une analyse détaillée des structures connues de protéines. Dans ce qui suit, nous étudierons des schémas empiriques simples pour prédire la position des hélices α, des feuillets β, et des coudes β (tournants en sens inverse) dans des protéines de séquence connue.

Le schéma empirique de prévision de structure mis au point par Peter Chou et Gerald Fasman est très populaire car facile à appliquer et assez fiable. Sa mise en œuvre nécessite deux définitions. La fréquence, f_α, de l'apparition d'un résidu donné dans une hélice α pour une série de structures protéiques est définie par

$$f_\alpha = \frac{n_\alpha}{n} \qquad [9.3]$$

où n_α est le nombre de résidus de l'acide aminé donné que l'on trouve dans des hélices α et n le nombre total de résidus de ce même acide aminé dans la série. La propension d'un résidu particulier d'acide aminé à se trouver dans une hélice α est définie par :

$$P_\alpha = \frac{f_\alpha}{\langle f_\alpha \rangle} \qquad [9.4]$$

où $\langle f_\alpha \rangle$ est la valeur moyenne de f_α pour les 20 résidus différents. Par conséquent, une valeur de $P_\alpha > 1$ signifie qu'un résidu se trouve dans une hélice α avec une fréquence supérieure à la moyenne. La propension, P_β, d'un résidu à se trouver dans un feuillet β se définit de la même manière.

Le Tableau 9-1 donne la liste des propensions α et β fondées sur l'analyse de 29 structures par rayons X. Selon la valeur de sa propension, un résidu est classé comme très favorable (*H*), favorable (*h*), peu favorable (*I*), indifférent (*i*), défavorable (*b*), ou très défavorable (*B*) à cette structure secondaire. Partant de ces données, Chou et Fasman ont formulé les règles empiriques suivantes (la **méthode Chou-Fasman**) pour prédire les structures secondaires des protéines :

1. Un groupe de quatre résidus favorables à l'hélice α (H_α ou h_α, I_α comptant pour un demi h_α) sur six résidus contigus initiera une hélice. Le segment hélicoïdal se propagera dans les deux directions jusqu'à ce que la valeur moyenne de P_α d'un segment

TABLEAU 9-1 **Classification des résidus d'acide aminé selon leur propension pour les conformations en hélice α ou en feuillet β**

Résidue	P_a	Classification de l'hélice	P_b	Classification pour le feuillet
Ala	1,42	H_α	0,83	i_β
Arg	0,98	i_α	0,93	i_β
Asn	0,67	b_α	0,89	i_β
Asp	1,01	I_α	0,54	B_β
Cys	0,70	i_α	1,19	h_β
Gln	1,11	h_α	1,10	h_β
Glu	1,51	H_α	0,37	B_β
Gly	0,57	B_α	0,75	b_β
His	1,00	I_α	0,87	h_β
Ile	1,08	h_α	1,60	H_β
Leu	1,21	H_α	1,30	h_β
Lys	1,16	h_α	0,74	b_β
Met	1,45	H_α	1,05	h_β
Phe	1,13	h_α	1,38	h_β
Pro	0,57	B_α	0,55	B_β
Ser	0,77	i_α	0,75	b_β
Thr	0,83	i_α	1,19	h_β
Trp	1,08	h_α	1,37	h_β
Tyr	0,69	b_α	1,47	H_β
Val	1,06	h_α	1,70	H_β

Source : Chou, P.Y. and Fasman, G.D., *Annu. Rev. Biochem.* **47**, 258 (1978).

tetrapeptidique passe en dessous de 1,00. Cependant, un résidu Pro ne peut se trouver qu'à l'extrémité N-terminale d'une hélice α.

2. Un groupe de trois résidus favorables au feuillet β (H_β ou h_β) sur cinq résidus contigus initiera un feuillet. Le feuillet se propage dans les deux directions jusquà ce que la valeur moyenne de P_β pour un segment tétrapeptidique passe en dessous de 1,00.

3. Pour les régions qui contiennent des séquences favorables à des structures tant α que β, la zone de recouvrement sera hélicoïdale si sa valeur moyenne de P_α est supérieure à sa valeur moyenne de P_β; sinon, une conformation en feuillet se formera.

Ces règles empiriques assez simples permettent de prévoir les positions de segments en hélice α ou en feuillet β dans une protéine avec une fiabilité moyenne de l'ordre de 50 %, et de 80 % dans les cas les plus favorables (Fig. 9-26 ; puisqu'en moyenne, les protéines ont environ 31 % d'hélice α et 28 % de feuillet β, des prévisions au hasard de ces structures secondaires seraient environ 30 % correctes).

b. Les coudes β sont caractérisés par une hydrophobicité minimum de la chaîne polypeptidique

La méthode Chou-Fasman permet aussi de prévoir les positions des coudes β (tournants en sens inverse ou retours en arrière). Cependant, puisqu'un coude β est formé généralement de quatre résidus consécutifs, chacun ayant une conformation différente (Section 8-1D), leur algorithme de prévision est nécessairement plus complexe que ceux des hélices et des feuillets.

Rose a proposé une méthode empirique plus simple pour prévoir la position des coudes β. Ceux-ci se présentent presque toujours à la surface d'une protéine et définissent en partie cette surface. Le cœur d'une protéine contenant essentiellement des résidus hydrophobes et sa surface étant relativement hydrophile, les coudes β se présentent le long de la chaîne polypeptidique dans des positions où l'hydropathie est minimum (Tableau 8-6). En utilisant ces critères pour « découper » une chaîne polypeptidique, on peut déduire la position de la plupart de ses coudes β par simple examen (Fig. 9-26). Cette méthode prévoyant souvent la présence de coudes β dans les régions en hélice (les hélices forment des coudes sur toute leur longueur), elle ne doit être appliquée que pour des régions dont on prévoit qu'elles ne sont pas hélicoïdales.

c. Base physique de la propension des hélices α

Pourquoi les acides aminés sont-ils si différents dans leur propension à former des hélices ? Brian Matthews a, en partie, répondu à cette question en faisant des analyses structurales et thermodynamiques sur le lysozyme T4 (Section 9-1B) dans lequel Ser 44, un résidu exposé au solvant qui se trouve au milieu d'une hélice α de 12 résidus (3,3 tours), a été remplacé, successivement par mutation, par l'un des 19 autres acides aminés. Les structures par rayons X de 13 de ces protéines mutées ont montré que, sauf pour Pro, les substitutions ne provoquent pas de déformation significative du squelette de l'hélice α et, par conséquent, que les différences de propensions pour former une hélice α ne s'expliquent pas par des problèmes de tension. Toutefois, pour 17 acides aminés (tous sauf Pro, Gly et Ala), la stabilité de l'hélice α augmente avec la proportion de chaîne latérale hydrophobe qui est enfouie (mise à l'abri du solvant) quand le résidu 44 passe d'un état en pleine extension à une hélice α. La faible propension de Pro pour l'hélice α est due à la déformation de l'hélice α en sa présence, et celle de Gly vient du coût entropique qui accompagne l'incorporation, dans une conformation hélicoïdale, du résidu le plus souple dans sa conformation (comparer les Fig. 8-7 et 8-9) et de son absence de stabilisation hydrophobe. Cependant, la forte propension de Ala pour l'hélice α est due à l'absence d'un substituant en γ (que présentent tous les résidus sauf Gly et Ala) et donc à l'absence de coût entropique associé à la limitation conformationnelle d'un tel groupement dans une hélice α, ainsi qu'à son faible apport de stabilisation hydrophobe.

d. Algorithmes informatiques pour la prédiction des structures secondaires

Il existe un grand nombre d'algorithmes informatiques sophistiqués pour la prédiction des structures secondaires. Comme la méthode Chou-Fasman, la plupart utilisent un ensemble de paramètres dont les valeurs sont fondées sur l'analyse statistique d'une série de protéines non homologues de structure connue. En combinant en une seule méthode les prédictions fournies par quatre des plus fiables de ces algorithmes [tous classent les structures secondaires en trois catégories : hélice (H), feuillet (E) et spire (C)] et en appliquant la règle de la majorité simple, la précision de prédiction des structures secondaires a été améliorée pour atteindre ~76 %. Cet algorithme combinatoire, **Jpred**, est d'accès libre sur le Web à http://www.compbio.dundee.ac.uk/~www-jpred/. Il suffit d'entrer la séquence du polypeptide ou un alignement de séquences multiples. Une prédiction basée sur une simple

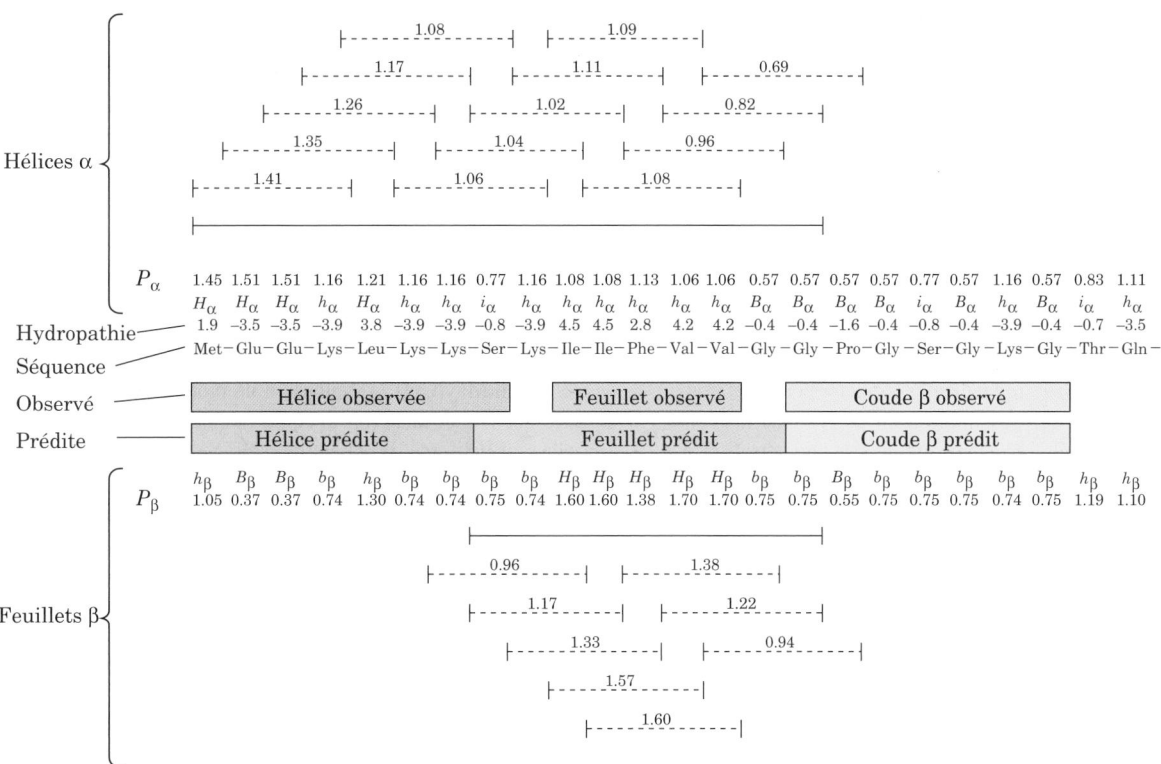

FIGURE 9-26   Prédiction des structures secondaires. Prédiction des hélices α et des feuillets β par la méthode de Chou-Fasman et prédiction des coudes β par la méthode de Rose pour les 24 résidus N-terminaux de l'adénylate kinase. Les propensions et classifications pour l'hélice et le feuillet sont celles du Tableau 9-1. Les traits pleins indiquent toutes les séquences hexapeptidiques qui peuvent former une hélice α (*en haut*) et toutes les séquences pentapeptidiques qui peuvent donner un feuillet β (*en bas*), comme cela est expliqué dans le texte. Les propensions moyennes pour l'hélice et le feuillet de chaque segment tetrapeptidique dans les régions de l'hélice et du feuillet sont données au-dessus des lignes en pointillés correspondantes. Sur quinze résidus, douze prennent la structure secondaire prévue (*au milieu*), ce qui, dans cet exemple, représente une précision de prévision de 80 %. Il est prédit que les coudes β se forment dans des séquences d'hydropathie minimum (Tableau 8-6) et non dans des régions prédites comme hélicoïdales. La région qui réunit ces critères présente de fait un coude β. [D'après Schultz, G.E. et Schirmer, R.H., *Principles of Protein Structure*, p. 121, Springer-Verlag (1979).]

séquence est moins fiable que celle fondée sur un alignement de séquences multiples. Si l'on donne à Jpred une seule séquence, ce programme commencera par extraire, avec PSI-BLAST, les séquences homologues d'une base de données de séquences non redondantes et les alignera avec CLUSTAL (Section 7-4B).

Nous avons vu qu'une structure secondaire est essentiellement déterminée par des séquences locales. Cependant, nous avons aussi vu que la structure tertiaire peut influencer la structure secondaire (Section 9-1B). Si les schémas sophistiqués de prédiction des structures secondaires ne peuvent dépasser 73 % de fiabilité moyenne, c'est donc en partie dû à leur incapacité à prendre en compte les interactions tertiaires.

B. *Prédiction des structures tertiaires*

Les bases de données sur les séquences (Section 7-4A) contiennent celles de ~300 000 polypeptides et ce nombre ne fait que croître en raison de la vitesse à laquelle des génomes entiers sont séquencés (Section 7-2). On ne connaît cependant les structures que d'environ 20 000 protéines (Section 8-3C). De plus, environ 40 % des **cadres ouverts de lecture** (**ORF** ; séquences d'acides nucléiques susceptibles de coder des protéines) dans les génomes séquencés codent des protéines dont la fonction est inconnue. D'où un besoin pressant de pouvoir prédire la structure 3D d'une protéine sur base de sa séquence en acides aminés. Dans les paragraphes suivants, nous verrons quels progrès ont été faits pour résoudre cette question difficile.

Il existe plusieurs stratégies générales pour prédire les structures tertiaires. La plus simple et la plus fiable est la **modélisation comparative** ou **modélisation par homologie.** On aligne la séquence d'intérêt avec celle d'une protéine (ou plusieurs) homologue (s) de structure connue, et l'on corrige pour les substitutions en acides aminés, les insertions et les délétions, par modélisation et calculs de minimisation d'énergie. Dans le cas de protéines qui n'ont que 30 % d'identité de séquence, on peut réduire à ~2,0 Å la racine carrée moyenne de la fluctuation (root mean square deviation ; rmsd) donnée par cette méthode, entre les positions prédites et observées des atomes C_{α} correspondants de la protéine de structure inconnue (une fois celle-ci déterminée). Cependant, pour des identités de séquences inférieures les rmsd diminuent rapidement et la précision de cette méthode s'effondre. Inversement, pour des polypeptides dont l'identité de séquence est >60 %, la modélisation par homologie peut donner des rmsd de ~1,0 Å (précision de la position des atomes dans une structure par rayons X à 2,5 Å de résolution).

Il existe de nombreux exemples de protéines dont les structures sont similaires malgré une telle divergence des séquences qu'elles sont apparemment très différentes. La technique de calcul dite de la **reconnaissance du repliement** ou du **glissement** tente de déterminer le repliement inconnu d'une protéine en recherchant si sa séquence est compatible avec un membre d'une bibliothèque de structures protéiques connues. Pour ce faire, elle dispose les résidus de la protéine inconnue le long du squelette d'une structure protéique connue, détermine la stabilité des chaînes latérales de la protéine inconnue dans cette disposition, puis fait glisser, d'un résidu à la fois, la séquence de la protéine inconnue le long de celle de la protéine connue, recommence le calcul, etc. Si le repliement « correct » peut être trouvé (sans garantie que celui-ci ressemble à un de ceux de la bibliothèque), on peut l'améliorer en recourant à la modélisation par homologie. Cette méthode a donné des résultats encourageants, bien qu'elle ne soit pas encore considérée comme fiable. Evidemment, avec l'amélioration de la capacité des algorithmes d'alignements de séquences (Section 7-4B) à reconnaître des homologues très éloignés, on pourra traiter directement par modélisation comparative des séquences qu'il aurait fallu étudier par la technique de reconnaissance du repliement.

La structure native d'une protéine ne dépend que de sa séquence en acides aminés. En principe, il devrait donc être possible de prédire la structure d'une protéine uniquement sur base de ses propriétés physicochimiques (comme l'hydrophobicité, la taille, la propension à former des liaisons hydrogène, la charge de chacun de ses résidus d'acide aminé, etc.). Le problème majeur de ces **méthodes** *ab initio* est que les chaînes polypeptidiques présentent un nombre astronomique de conformations non natives de faible énergie, de sorte qu'il est actuellement très difficile, même avec les ordinateurs les plus rapides, de déterminer la conformation de plus basse énergie d'un polypeptide. Ces algorithmes exigeants en heures de calcul ont rencontré un certain succès dans la prédiction de structures simples telle qu'une hélice α isolée. Néanmoins, ils ont été bien moins performants pour prédire les repliements de plus longs polypeptides dont les structures furent déterminées ultérieurement. (Il reste que de grands progrès ont été réalisés par rapport aux méthodes *ab initio* d'il y a quelques années, qui n'étaient pas plus fiables que des conjectures). Prédire la structure native d'un polypeptide uniquement à partir de sa séquence reste donc un des objectifs les plus importants à atteindre pour la biochimie.

C. *Conception de protéines*

Nous ne sommes pas encore en mesure de faire une prédiction fiable de la conformation native d'une protéine non apparentée à une protéine de structure connue. Cependant, des progrès considérables ont été accomplis dans la solution du problème inverse : proposer des séquences polypeptidiques qui adopteront des structures tertiaires données, à savoir la **conception de protéines**. C'est probablement parce qu'on peut « pousser » un polypeptide à adopter la conformation souhaitée. Ainsi, la conception de protéines a fourni des informations sur le repliement et la stabilité des protéines, et elle promet de donner des protéines utiles « faites sur mesure ». On commence par une structure cible, telle qu'un faisceau de 4 hélices, et on tente de trouver une séquence d'acides

aminés susceptible de former cette structure. Le polypeptide choisi est alors synthétisé, et sa structure déterminée.

Pour réussir, il faut non seulement que le pli désiré soit stable, mais aussi que les autres plis le soient nettement moins (de 15 à 40 kJ·mol^{-1} environ). Sinon, une séquence réputée la plus stable dans la conformation désirée peut très bien être plus stable dans d'autres conformations. Avant la mise en œuvre de ces notions de **conception négative**, toute protéine ainsi « fabriquée » représentait en fait un ensemble de structures proches de l'état de globule fondu plutôt qu'une structure douée des plis prévus.

Le premier succès dans la conception d'une protéine *de novo*, dû à Stephen Mayo, est la synthèse d'un motif ββα de 28 résidus dont le squelette devait avoir la conformation du motif en **doigt à zinc** de **Zif268**, une protéine de souris qui se lie à l'ADN (Fig. 9-27a), mais sans contenir d'ion métallique stabilisant (les doigts à zinc sont essentiellement stabilisés par leur liaison tétraédrique d'ions Zn^{2+}; Section 34-3B). Ce polypeptide fut conçu par ordinateur. L'algorithme de sélection des chaînes latérales évaluait quantitativement les interactions entre les chaînes latérales, et entre celles-ci et le squelette, ainsi que la solvatation de la protéine. Il criblait toutes les séquences possibles en acides aminés et, afin de tenir compte de la flexibilité des chaînes latérales, considérait toutes les séries énergétiquement permises des angles de torsion pour chaque chaîne latérale (dont chacun est appelé **rotamère**). En ne permettant que des résidus hydrophobes au cœur de la protéine et uniquement des résidus hydrophiles à sa surface, mais en autorisant des résidus des deux types entre cœur et surface, le nombre de séquences considérées était ramené à $1,9 \times 10^{27}$, ce qui donne $1,1 \times 10^{62}$ rotamères possibles. On comprend pourquoi cette recherche a exigé un algorithme particulièrement efficace et un puissant ordinateur.

Dans la séquence retenue, appelée **FSD-1**, seuls 6 résidus sur 28 (21 %) sont identiques à ceux de Zif268, et 5 résidus (18 %) sont similaires. Les 8 résidus du cœur de FSD-1 et de ses environs étaient censés former un ensemble très compact où les résidus Phe remplacent les deux résidus His de Zif268 impliqués dans la liaison du zinc, et remplissant le vide résultant de l'absence de l'ion Zn^{2+}. FSD-1 fut synthétisé chimiquement et on put montrer que sa structure par RMN (Fig. 9-27b) mime assez fidèlement la structure prédite, avec une conformation du squelette pratiquement superposable à celle de Zif268 (Fig. 9-27c) La petite taille de FSD-1 le rend à peine stable. Cependant, c'est le plus petit polypeptide connu capable d'adopter une structure unique sans l'aide de ponts disulfure, d'ions métaliques, ou d'autres sous-unités, ce qui démontre la puissance de l'algorithme de conception de protéines.

4 ■ DYNAMIQUE DES PROTÉINES

Le fait que les études par rayons X donnent des « instantanés » des protéines pourrait faire croire que les protéines ont des structures figées et rigides. En fait, comme cela devient de plus en plus évident, *les protéines sont des molécules souples qui oscillent en permanence et dont les mouvements structuraux ont une signification fonctionnelle*. Par exemple, les études par rayons X montrent que les noyaux hème de la myoglobine et de l'hémoglobine sont tellement enfermés dans la protéine qu'il n'y a pas de passage net pour

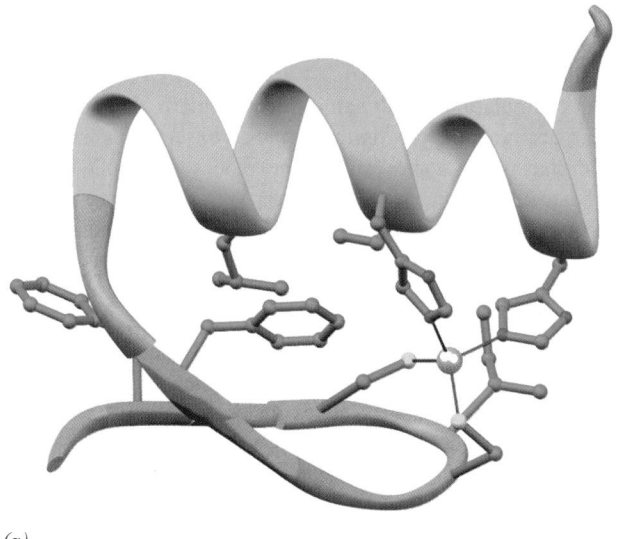

(a)

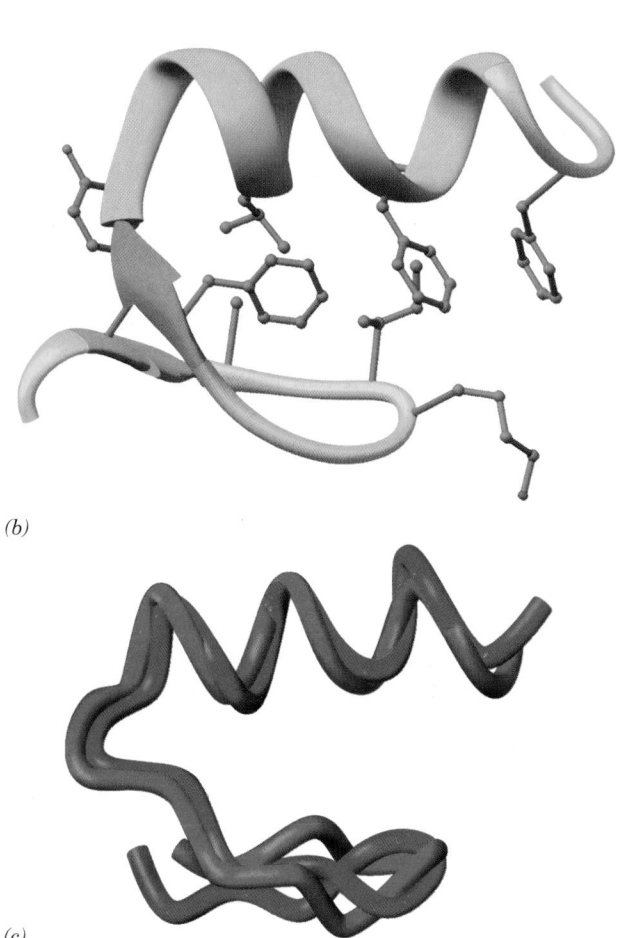

(b)

(c)

FIGURE 9-27 Comparaison des structures de FSD-1 et du second motif en doigt à zinc de Zif268. *(a)* Structure par rayons X de Zif268 montrant les 9 chaînes latérales constituant son cœur hydrophobe et son site de liaison du zinc dans lequel un ion Zn^{2+} (*sphère argent*) est en liaison tétrahédrique (*fin traits gris*) avec les chaînes latérales de deux résidus His et de deux résidus Cys. *(b)* Structure par RMN de FSD-1 montrant les 9 chaînes latérales de son cœur hydrophobe. *(c)* Meilleure superposition des squelettes polypeptidiques de Zif268 (*en rouge*) et de FSD-1 (*en bleu*). [Partie *a* fondée sur une structure par rayons X due à Carl Pabo, MIT. Partie *b* fondée sur une structure par RMN due à Stephen Mayo, California Institute of Technology et Partie *c* avec la permission de Stephen Mayo. PDBid *(a)* 1ZAA et *(b)* 1FSD.]

qu'O_2 puisse s'approcher ou se dissocier de son site de liaison. Cependant, nous savons que la myoglobine et l'hémoglobine lient et libèrent facilement O_2. Ces protéines doivent donc subir des

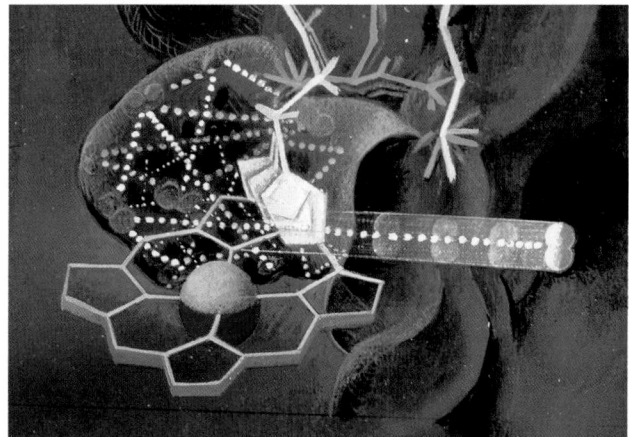

FIGURE 9-28 Changements de conformation de la myoglobine. Conception artistique des mouvements « respiratoires » de la myoglobine qui permettent le départ de sa molécule d'O_2 liée (*doubles sphères rouges*). Les lignes en pointillés indiquent la trajectoire qu'une molécule d'O_2 pourrait prendre en se faufilant à travers la protéine animée de mouvements rapides, avant de s'échapper. La liaison de l'O_2 se ferait sans doute par le même processus en sens inverse. [Copyright Irving Geis.]

changements conformationnels, des **mouvements respiratoires**, qui permettent à l'oxygène d'accéder relativement facilement à leurs noyaux hème (Fig. 9-28). Les structures tridimensionnelles de la myoglobine et de l'hémoglobine favorisent par leur souplesse la diffusion de O_2 vers sa poche de liaison.

Les mouvements intramoléculaires des protéines sont classés en trois grandes catégories selon leur cohérence :

1. Fluctuations d'ordre atomique, telles que les vibrations de liaisons individuelles, dont les périodes vont de 10^{-15} à 10^{-11} s et les déplacements de 0,01 à 1 Å.

2. Mouvements collectifs, où les groupes d'atomes liés par covalence, dont la taille est comprise entre celles de chaînes latérales d'acides aminés et celles de domaines entiers, se déplacent comme des entités avec des périodes qui vont de 10^{-12} à 10^{-3} s et des déplacements compris entre 0,01 et >5 Å. De tels mouvements se font plus ou moins fréquemment comparés à leurs périodes caractéristiques.

3. Changements conformationnels provoqués, où des groupes d'atomes, de tailles qui vont de la chaîne latérale à la sous-unité entière, se déplacent en réponse à des stimuli spécifiques tels que la liaison d'une petite molécule, par exemple la liaison de l'ATP à GroEL (Section 9-2C). Les changements de conformation provoqués se font durant des périodes qui vont de 10^{-9} et 10^3 s et s'accompagnent de déplacements atomiques compris entre 0,5 et >10 Å.

Dans cette section, nous étudierons les caractéristiques de ces différents mouvements et leurs significations structurales et fonctionnelles. Nous nous intéresserons surtout aux fluctuations d'ordre atomique et aux mouvements collectifs ; les changements de conformation provoqués seront vus dans des chapitres ultérieurs en rapport avec des protéines particulières.

a. Les protéines ont des structures fluctuantes

L'analyse cristallographique par rayons X est une technique performante pour analyser les mouvements dans les protéines ; elle révèle, non seulement les positions moyennes des atomes dans un cristal, mais aussi le carré moyen de leurs déplacements de ces positions. Par exemple, l'analyse par rayons X montre que la myoglobine a un cœur rigide qui entoure son noyau hème et que les régions vers la périphérie de la molécule ont un caractère plus mobile. De même, le domaine apical de GroEL et la boucle mobile de GroES sont tous deux très flexibles dans les protéines séparées, mais deviennent nettement plus rigides lorsqu'ils interagissent au sein du complexe GroEL–GroES–(ADP)$_7$ (Fig. 9-29 ; Section 9-2C). En effet, comme nous le verrons, des parties des sites de liaison de nombreuses protéines se rigidifient suite à l'interaction avec leurs molécules cibles. Il est clair que

cette flexibilité initiale facilite la formation d'un complexe spécifique entre une protéine et son partenaire de liaison (voir ci-dessous).

La **simulation de dynamique moléculaire,** une approche théorique introduite par Martin Karplus, a mis à jour la nature des mouvements des atomes dans les protéines. Pour appliquer cette technique, on commence par assigner aux atomes d'une protéine de structure connue et du solvant qui l'entoure, des mouvements aléatoires dont la vitesse est typique de la température choisie. Après une première étape d'environ 1 femtoseconde (1 fs = 10^{-5} s) on calcule, selon les équations de mouvement de Newton, les effets globaux des différentes forces interatomiques du système (dues aux écartements par rapport aux longueurs idéales des liaisons covalentes, des angles, et des angles de torsion, ainsi qu'aux intractions non covalentes) sur les vitesses de chacun de ses atomes. Après cette première étape, tous les atomes du système auront bougé (d'une distance très inférieure à la longueur d'une liaison) ; les forces interatomiques (leur champ de potentiel) exercées sur un atome quelconque auront également changé. On répète

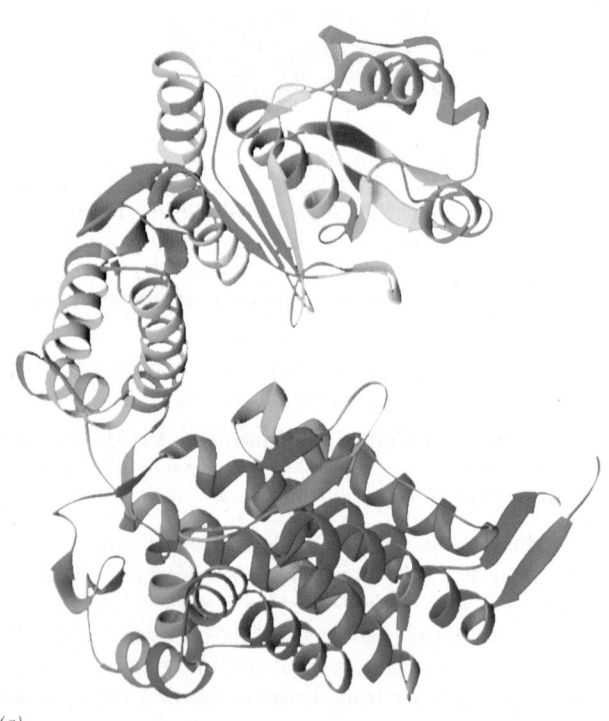

(a)

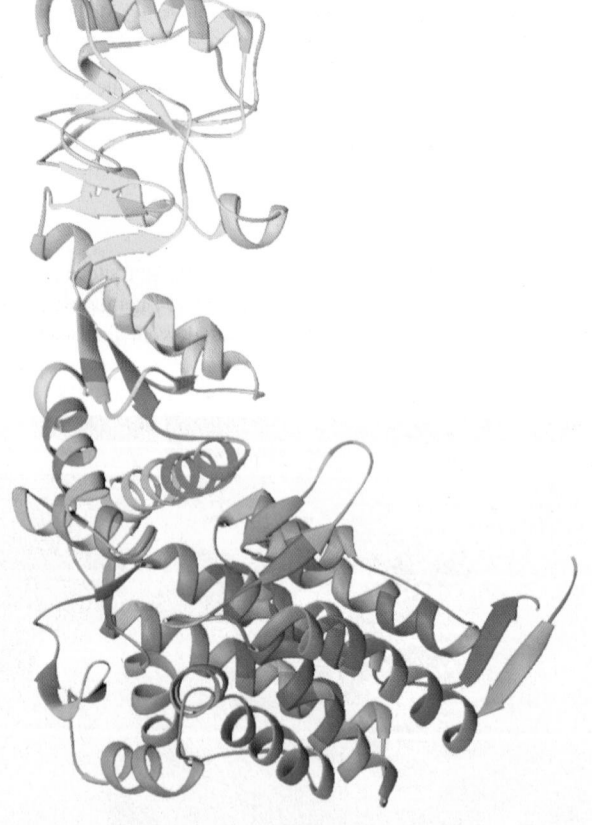

(b)

FIGURE 9-29 Mobilité de la sous-unité GroEL dans (*a*) la structure par rayons X de GroEL isolée et (*b*) celle du complexe GroEL–GroES–(ADP)$_7$. Le squelette polypeptidique est représenté selon les couleurs de l'arc-en-ciel d'après son degré de mouvements thermiques, les plus faibles en bleu (froid), les plus amples en rouge (chaud). Les sous-unités sont orientées comme dans la Fig. 9-20*a, b*. Noter que

l'extrémité extérieure du domaine apical, dont la fonction est de lier le substrat protéique et la boucle mobile de GroES (Section 9-2C), est plus mobile dans GroEL isolée (*rouge et rouge-orange*) que dans GroEL–GroES–(ADP)$_7$ (*orange et jaune*). [D'après des structures par rayons X dues à Axel Brünger, Arthur Horwich et Paul Sigler, Yale University. PDBid (*a*) 1OEL et (*b*) 1AON.]

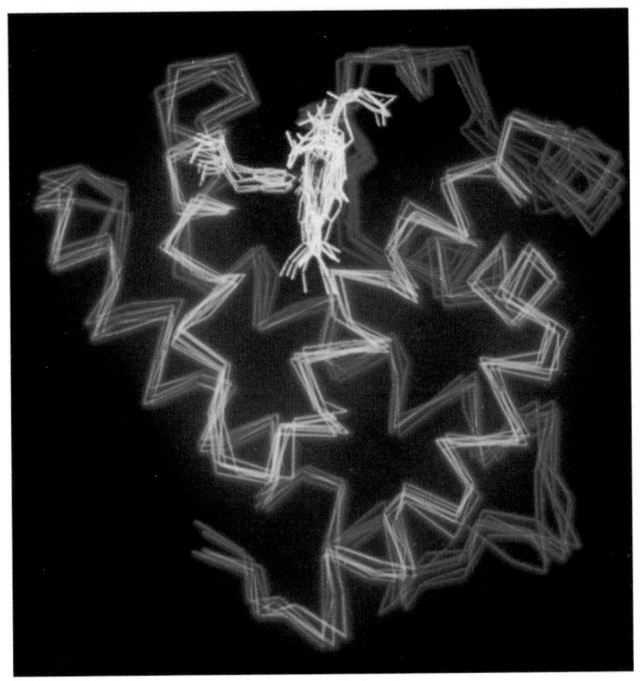

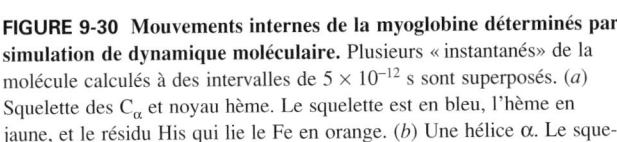

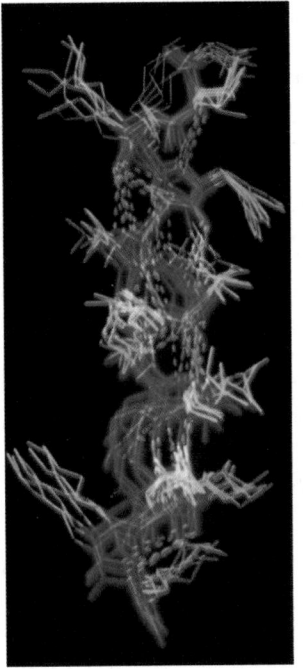

(a)

(b)

FIGURE 9-30 Mouvements internes de la myoglobine déterminés par simulation de dynamique moléculaire. Plusieurs « instantanés » de la molécule calculés à des intervalles de 5×10^{-12} s sont superposés. *(a)* Squelette des C_α et noyau hème. Le squelette est en bleu, l'hème en jaune, et le résidu His qui lie le Fe en orange. *(b)* Une hélice α. Le sque-

lette est en bleu, les chaînes latérales en vert, et les liaisons hydrogène de l'hélice en pointillés oranges. Noter que les hélices ont tendance à se mouvoir de manière cohérente afin de conserver leur forme. [Avec la permission de Martin Karplus, Harvard University.]

le calcul correspondant à une période de temps supplémentaire, sur base du nouveau champ de potentiel et des nouvelles positions et vitesses des atomes. Ce processus est poursuivi sur des périodes allant jusqu'à 100 ns pour des protéines d'environ 100 résidus (les nouveaux ordinateurs permettent de faire de mieux en mieux), ce qui donne un relevé des positions et des vitesses de tous les atomes du système sur la période considérée.

Les simulations de dynamique moléculaire on montré qu'en fait *la structure native d'une protéine consiste en une sériei de nombreux sous-états conformationnels qui ont des stabilités pratiquement identiques.* Ces sous-états, qui ont chacun des arrangements atomiques légèrement différents, s'intervertissent au hasard à des vitesses qui augmentent avec la température. En conséquence, l'intérieur d'une protéine présente généralement un caractère de type fluide permettant des déplacements structuraux qui peuvent atteindre 2 Å, soit un peu plus que la longueur d'une liaison.

Gregory Petsko et Dagmar Ringe ont démontré la signification fonctionnelle des mouvements internes dans les protéines. Des arguments à la fois expérimentaux et théoriques indiquent qu'en dessous de 220 K ($-53\,°C$) environ, les mouvements collectifs dans les protéines sont arrêtés, laissant les fluctuations d'ordre atomique comme mouvements intramoléculaires dominants. Par exemple, des études par rayons X ont montré qu'à 228 K, l'AR-Nase A à l'état de cristal lie facilement un analogue du substrat

non réactif (les cristaux de protéine ont généralement de grandes cavités remplies de solvant par où les petites molécules diffusent rapidement ; à basses températures, l'addition d'un antigel comme le méthanol empêche l'eau de geler). Cependant, lorsque la même expérience est faite à 212 K, l'analogue du substrat ne se lie pas à l'enzyme, même après six jours d'incubation. De même, à 228 K, un solvant sans substrat éliminé du cristal, en quelques minutes, l'analogue du substrat lié, mais si on abaisse auparavant la température à 212 K, l'analogue du substrat restera lié à l'enzyme cristallisée pendant au moins deux jours. Manifestement, en dessous de 220 K l'ARNase A adopte un état « vitrifié » qui rend l'enzyme trop rigide pour lier ou libérer le substrat.

b. La mobilité du cœur de la protéine est révélée par le basculement des cycles aromatiques

La vitesse à laquelle un cycle Phe ou Tyr interne subit des basculements de 180° autour de sa liaison C_β—C_γ est une indication de la rigidité du cœur de la protéine. Ceci, parce que ces groupements encombrants asymétriques, à l'intérieur compact et fermé d'une protéine, ne peuvent bouger que si les groupements voisins s'écartent transitoirement (noter cependant que ces cycles ont la forme d'une ellipsoïde aplatie plutôt que celle d'un disque mince).

La spectroscopie par RMN permet de déterminer les mobilités de groupements protéiques sur un large éventail de périodes de temps. La meilleure façon de déduire la vitesse à laquelle un cycle aromatique particulier bascule est donc d'analyser son spectre RMN (des mouvements peu fréquents comme le basculement de cycles aromatiques ne sont pas décelables par cristallographie par rayons X car cette technique ne révèle que la structure moyenne d'une protéine). Des mesures par RMN montrent que la vitesse de basculement du cycle varie de $> 10^6$ s^{-1} à l'immobilité (< 1 s^{-1}), d'après la protéine et la localisation du cycle aromatique dans la protéine. Ainsi, à 4 °C, quatre des huit cycles Phe et Tyr du BPTI basculent à des vitesses $> 5 \times 10^4$ s^{-1}, tandis que les quatre cycles restant basculent à des vitesses qui varient de 30 à < 1 s^{-1}. Comme prévu, ces vitesses de basculement augmentent rapidement avec la température.

c. Les mouvements peu fréquents peuvent être décelés par des mesures d'échange d'hydrogène

Les changements conformationnels qui nécessitent des temps de plusieurs secondes peuvent être suivis chimiquement par des études d'échange d'hydrogène (Sections 9-1C et 9-2C). Ces études ont montré que les protons échangeables des protéines natives s'échangent à des vitesses qui vont de quelques millisecondes à plusieurs années (Fig. 9-31). Cependant l'intérieur des protéines est, comme nous l'avons vu (Section 8-3B), très peu en contact avec le solvant aqueux environnant ; de plus, les protons ne peuvent s'échanger avec le solvant s'ils sont engagés dans une liaison hydrogène. Le fait que les protons internes s'échangent avec le solvant doit être la conséquence de dépliements locaux transitoires (la protéine « respire ») qui, physiquement et chimiquement, exposent au solvant ces protons échangeables. Ainsi, *la vitesse à laquelle un proton donné s'échange avec un hydrogène reflète la mobilité conformationnelle de son environnement.* Le fait que les vitesses d'échange d'hydrogène des protéines diminuent à mesure que leurs températures de dénaturation augmentent et que ces vitesse d'échange soient sensibles aux états conformationnels de la protéine (Fig. 9-31) confirme cette hypothèse.

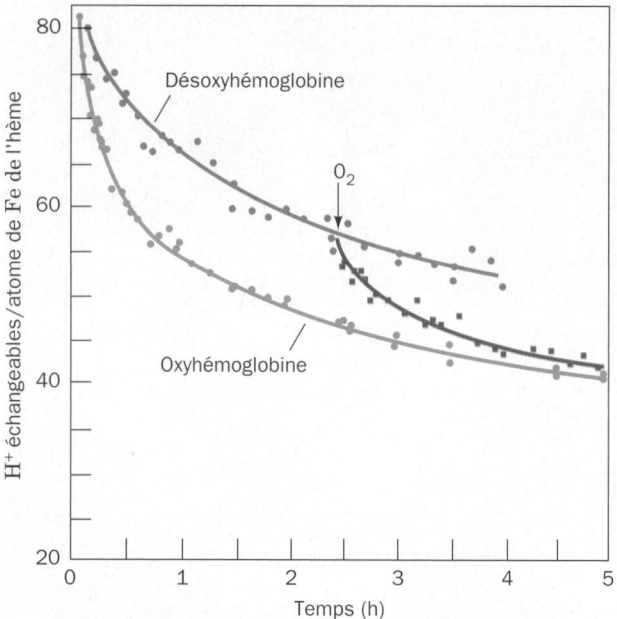

FIGURE 9-31 Courbe d'échange extramoléculaire hydrogène-tritium de l'hémoglobine préalablement équilibrée avec de l'eau tritiée. En ordonnées, est porté le rapport du nombre de protons échangeables par nombre d'atomes de fer du noyau hème. L'échange est initié en remplaçant l'eau tritiée, solvant de la protéine, par de l'eau non tritiée en utilisant la technique de filtration sur gel rapide (Section 6-3B). Au fur et à mesure que l'échange se réalise, des séparations supplémentaires par filtration sur gel sont effectuées et la quantité de tritium restant liée à la protéine est déterminée. À la flèche, O_2 est ajouté à la désoxyhémoglobine (hémoglobine sans O_2 lié) en cours d'échange. Les pentes changeantes de ces courbes indiquent que les vitesses d'échange d'hydrogène des 80 protons (environ) échangeables de chaque sous-unité d'hémoglobine varient de facteurs de plusieurs dizaines et que la liaison de O_2 augmente les vitesses d'échange pour environ 10 de ces protons (les variations de structure de l'hémoglobine induites par la fixation de l'oxygène seront étudiées dans la Section 10-2). [D'après Englander, S.W. and Mauel, C., *J. Biol. Chem.* 247, 2389 (1972).]

5 ■ MALADIES CONFORMATIONNELLES : AMYLOÏDES ET PRIONS

Dans l'organisme, la plupart des protéines gardent leur conformation native ou, en cas de dénaturation partielle, se renaturent avec l'aide des chaperons moléculaires (Section 9-2C) ou sont dégradées par protéolyse (Section 32-6). Cependant, il existe au moins 18 maladies humaines, souvent fatales, qui sont associées à des dépôts extracellulaires de protéines normalement solubles. Ces protéines s'accumulent dans certains tissus sous forme d'agrégats insolubles connus sous le nom d'**amyloïde** (car ces dépôts avaient été erronément pris pour de l'amidon). Ces maladies comprennent la **maladie d'Alzheimer**, une condition neurodégénérative qui frappe surtout les personnes âgées ; les **encéphalopathies spongiformes transmissibles** (**TSE**), une famille de maladies infectieuses neurodégénératives qui se transmettent de manière tout à fait inhabituelle ; et les **amyloïdoses**, qui regroupent des maladies causées par le dépôt d'une protéine souvent mutée dans des organes comme le cœur, le foie, ou les reins. Les dépôts d'amyloïde interfèrent avec les fonctions normales des cellules, ce qui peut causer leur mort et la défaillance de l'organe atteint.

Les différents types de protéines amyloïdogènes ne sont pas apparentés et leurs structures natives adoptent des repliements très différents. Cependant, les structures centrales de leurs formes amyloïdes présentent des similitudes remarquables : chacune est constituée d'un réseau de **fibrilles amyloïdes** d'environ 10 nm de diamètre (Fig. 9-32*a*) dans lesquelles, comme le révèlent les méthodes par diffraction des rayons infrarouges ou X, les protéines sont essentiellement constituées de feuillets β dont les segments β sont perpendiculaires à l'axe des fibrilles (Fig. 9-32*b, c*). Ainsi, *toutes ces protéines ont deux conformations stables radicalement différentes, leur forme native et leur forme amyloïde.*

Nous commençons cette section par discuter les amyloïdoses en prenant comme exemple certaines formes mutantes du lyso-

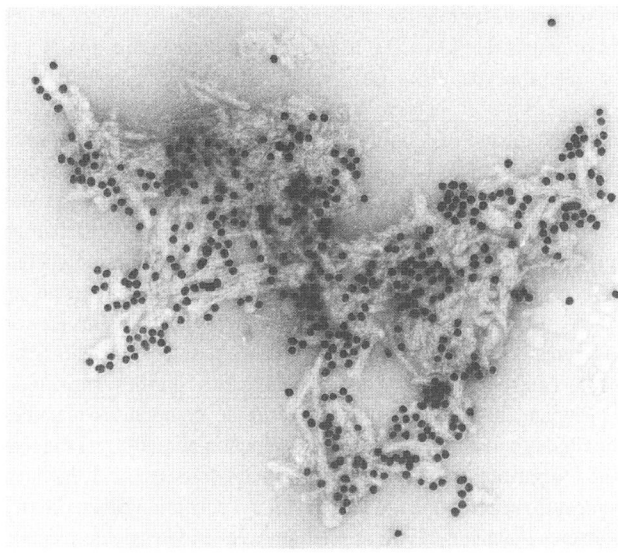

(a)

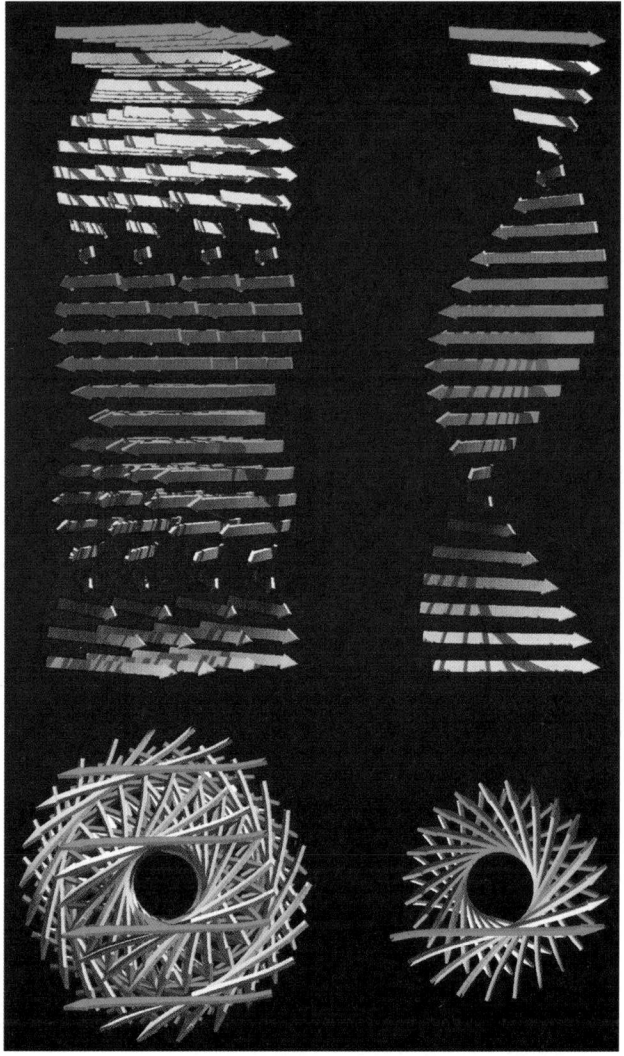

(b)   *(c)*

FIGURE 9-32 Fibrilles amyloïdes. (*a*) Micrographie électronique de fibrilles amyloïdes de la protéine PrP 27-30 (Section 9-5C). On ne peut ici les distinguer des fibrilles amyloïdes formées par d'autres protéines. Les points noirs correspondent à des grains d'or colloïdal couplés à des anticorps anti-PrP et qui adhèrent donc à la PrP 27-30. (*b*) Modèle, fondé sur des mesures de diffraction des rayons X par les fibres, d'un protofilament de fibrilles amyloïdes vu d'équerre avec l'axe du filament (*en haut*) et vu dans l'axe du filament (*en bas*). Les flèches indiquent les segments β mais pas nécessairement leur direction. Ces segments forment quatre feuillets β qui sont parallèles à l'axe du filament. Dans un feuillet donné, les segments β adjacents se suivent avec chaque fois une torsion d'environ 15° par rapport à cet axe, pour former une hélice continue en feuillet β. (*c*) Un feuillet β isolé pour plus de clarté. La structure des régions en boucle qui réunissent les segments β est inconnue. Deux protofilaments s'enroulent, l'un autour de l'autre, en hélice de pas à gauche pour former une fibrille amyloïde. [Partie *a* avec la permission de Stanley Prusiner, University of California at San Francisco Medical Center ; Parties *b* et *c* avec la permission de Colin Blake, Oxford University, U. K. et Louise Serpell, University of Cambridge, U.K.]

zyme. Nous étudierons ensuite la maladie d'Alzheimer, puis les TSE et leur mode étrange de propagation.

A. *Les maladies amyloïdes*

Beaucoup de protéines amyloïdogènes sont des formes mutantes de protéines présentes normalement. On compte parmi celles-ci le lysozyme (enzyme qui hydrolyse les parois cellulaires bactériennes ; Section 15-2) dans l'**amyloïdose viscérale familiale**, la **transthyrétine** [Fig. 8-65 ; protéine du plasma sanguin dont la fonction est de transporter la **thyroxine**, hormone thyroïdienne insoluble dans l'eau (Section 19-1D), ainsi que la protéine de liaison du rétinol (Section 8-3B)] dans la **polyneuropathie amyloïde familiale**, et le **fibrinogène** (précurseur de la **fibrine**, qui forme les caillots sanguins ; Section 35-1A) dans l'**amyloïdose rénale héréditaire**. La plupart de ces maladies ne deviennent

symptomatiques qu'entre la troisième et la septième décennie de la vie et progressent sur 5 à 15 ans jusqu'à entraîner le décès.

a. **Les variantes amyloïdogéniques du lysozyme ont des structures natives de conformation souple**

On connaît deux variantes amyloïdogéniques du lysozyme humain (une protéine de 130 résidus) : I56T et D67H. Elles forment des fibrilles amyloïdes qui se déposent dans les organes internes, la mort survenant d'habitude dans la cinquième décennie. Les fibrilles amyloïdes sont constituées exclusivement des variantes du lysozyme, ce qui explique pourquoi ces mutations sont dominantes. Des études de la structure de ces protéines mutées ont permis de comprendre comment elles forment des fibrilles amyloïdes.

Les structures par rayons X des deux lysozymes mutants ressemblent à celle de l'enzyme non mutée. Cependant, le remplace-

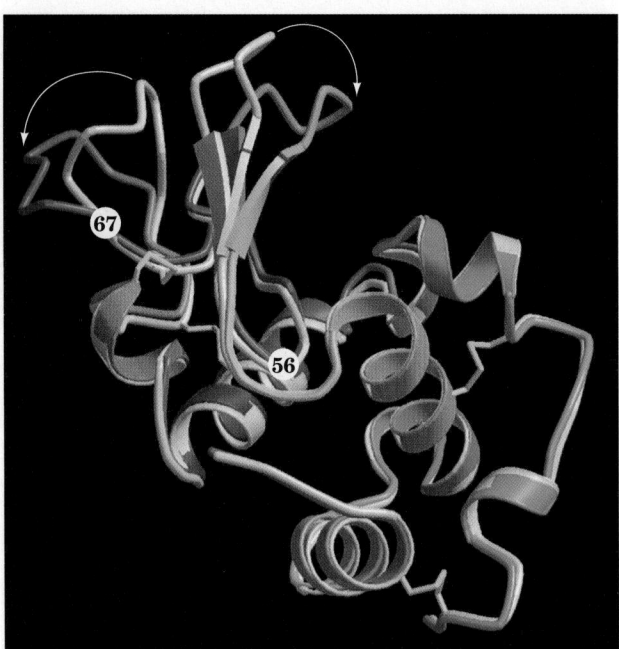

FIGURE 9-33 Superposition de l'isozyme humain normal et de son mutant D67H. Le lysozyme normal est en gris. Pour son mutant, les couleurs sont étagées, selon l'arc-en-ciel, du bleu à l'extrémité N-terminale au rouge, avec retour vers le bleu à l'extrémité C-terminale. Les flèches blanches indiquent les déplacements conformationnels des résidus 45 à 54 et 67 à 75 du mutant D67H par rapport à ceux de la protéine non mutée. Les quatre ponts disulfure présents dans celle-ci et dans la protéine mutée sont en jaune. Les positions des résidus 56 et 67 sont indiquées. [Avec la permission de Colin Blake, Oxford University, U. K. et Louise Serpell, University of Cambridge, U.K.]

ment de Asp 67 par His interrompt un réseau de liaisons hydrogène qui stabilise le domaine contenant le seul feuillet β de la structure (on l'appelle le domaine β). Ceci écarte, d'une distance qui peut atteindre 11 Å, le feuillet β et une boucle contiguë (Fig. 9-33). Quant au remplacement de Ile 56 par Thr, bien qu'il ne produise que des modifications subtiles dans la structure, il insinue un résidu hydrophile dans une interface hydrophobe critique qui relie les deux domaines de la protéine.

Les températures de fusion (T_m) des deux variantes sont au moins 10 °C inférieures à celle de l'enzyme non mutée, et les deux variantes finissent par perdre toute activité enzymatique à température et pH physiologiques (37 °C et pH 7,4), conditions dans lesquelles le lysozyme non muté reste parfaitement actif. De plus, ces variantes s'agrègent lorsqu'on les chauffe *in vitro*, et différentes mesures physiques indiquent qu'elles forment alors des fibrilles de type amyloïde. Dans des expériences d'échange d'hydrogène (Section 9-1C), le lysozyme non muté protège fortement 55 protons vis-à-vis de l'échange avec D_2O, alors que dans ces mêmes conditions (37 °C et pH 5) ces protons ne sont pas protégés au sein des variantes amyloïdogéniques. Ceci confirme que les deux mutations relâchent fortement la structure tertiaire de la protéine native. Il semble ainsi que les formes partiellement repliées et qui ont tendance à s'agréger, sont en équilibre dynamique avec la structure native, même dans des conditions où l'état natif est thermodyna-

miquement favorable [se rappeler que le rapport entre molécules de protéines déroulées (U) et natives (N) dans la réaction N ⇌ U est déterminé par l'Éq. [3.17] : $[U]/[N] = e^{-\Delta G^{0'}/RT}$, où $\Delta G^{0'}$ est l'énergie libre du déroulement, de sorte que la proportion de U augmente quand $\Delta G^{0'}$ diminue]. On a donc proposé que la formation des fibrilles de lysozyme est déclenchée par l'association des domaine β de deux molécules variantes partiellement déroulées pour former un feuillet β plus grand. Ceci fournirait une matrice ou centre de nucléation pour le recrutement de chaînes polypeptidiques supplémentaires jusqu'à donner une fibrille, processus au cours duquel des hélices α pourraient se transformer en segments β. Un tel processus de repliement autocatalytique serait un mécanisme général dans la genèse des fibrilles amyloïdes. Cependant, il faut plusieurs décades à de nombreuses maladies amyloïdes héréditaires pour devenir symptomatiques. Ceci suggère que l'apparition spontanée d'un noyau amyloïde est un événement rare, autrement dit que son énergie libre d'activation est élevée (les barrières d'activation et leur relation avec les vitesses de réaction sont discutées dans la Section 14-1C).

B. *La maladie d'Alzheimer*

La **maladie d'Alzheimer (MA)** est une affection neurodégénérative qui atteint principalement les personnes âgées (~10 % des sujets de plus de 65 ans ; ~50 % au-delà de 85 ans). Elle cause une détérioration mentale catastrophique et conduit à la mort. La MA se caractérise par la présence dans le tissu cérébral d'un grand nombre de dépôts amyloïdes (les **plaques séniles**) entourés de neurones mourants ou morts. En outre, beaucoup de corps cellulaires neuronaux contiennent des fibres anormales de 20 nm de diamètre connues sous le nom de **dégénérescences neurofibrillaires** [Celles-ci, sur lesquelles nous ne reviendrons pas, correspondent à une forme hyperphosphorylée de la protéine **tau**, qui est normalement associée aux microtubules (Section 1-2A)]. Les plaques séniles sont des dépôts de fibrilles amyloïdes constituées d'une protéine de 40 à 42 résidus, le **peptide amyloïde β (Aβ).**

La séquence du gène codant l'Aβ, qui fut établie par génétique inverse (Section 7-2C) sur base de la séquence de l'**Aβ**, montre que cet dernier est un fragment d'une protéine transmembranaire appelée **précurseur du peptide amyloïde** (APP ; les protéines transmembranaires sont vues à la Section 12-3A). La séquence de l'APP ressemble à celle d'un récepteur (Section 19-2B), mais sa fonction est inconnue. La production de l'Aβ à partir de l'APP se fait en plusieurs étapes par l'action de deux enzymes protéolytiques ancrées dans la membrane, les **β et γ-sécrétases**.

Un point vivement discuté était de savoir si l'Aβ est la cause de la MA ou n'est qu'un sous-produit du processus neurodégénératif. Cette question fut résolue par l'observation suivante. L'injection de 200 pg (à peu près la quantité présente dans une plaque sénile) d'Aβ fibrillaire, mais non d'Aβ soluble, dans le cortex cérébral de singes rhésus produit, dans un rayon de 1,5 mm autour du point d'injection, une perte neuronale importante ainsi que des modifications microscopiques typique de la MA. De plus, ces lésions se produisent chez les singes âgés, mais pas chez les jeunes. *De toute évidence, les agents neurotoxiques de la MA sont les fibres d'Aβ insoluble avant leur dépôt sous forme de plaque sénile.*

La relation entre âge et MA suggère que le dépôt **β-amyloïde** est un processus évolutif, du moins dans les dernières décennies de la vie. De fait, on connaît plusieurs variantes rares du gène *APP* dont les mutations touchent la région Aβ et dont les porteurs sont atteints de MA dès la quarantaine. Ces mutations affectent le découpage protéolytique de l'APP, de telle sorte que la production d'Aβ est accrue. Un phénomène semblable est observé dans le **syndrome de Down**, qui se caractérise par une arriération mentale et un physique particulier (**mongolisme**) causés par la trisomie (3 copies par cellule, au lieu de 2) du chromosome 21. Ces trisomiques sont tous victimes de la MA avant leur quarantième année. La raison en est que le gène *APP* est situé sur le chromosome 21 et que l'APP, et vraisemblablement l'Aβ, sont produits en plus grande quantité.

Un deuxième gène à être impliqué dans le déclenchement prématuré de la MA est celui qui code la protéine de transport du cholestérol l'**apolipoprotéine E** (**apoE** ; Section 12-5B). On trouve dans la population plusieurs variantes normales (allèles) du gène *apoE*, dont l'*apoE4* qui est un important facteur de risque aussi bien pour le développement de la MA que pour son déclenchement précoce. De plus, les victimes de la MA qui sont porteuses de l'*apoE4* ont plus de plaques séniles dans le cerveau que les celles qui sont porteuses d'autres variantes de l'*apoE*. Sur base de ces observations, la démonstration fut faite qu'*in vitro* l'ApoE4 stimule l'agrégation d'Aβ synthétique. Ceci suggère que l'ApoE4 agit de même *in vivo*. Une autre possibilité est que l'ApoE4 inhibe l'évacuation de l'Aβ hors des espaces extracellulaires.

Il n'existe actuellement aucun traitement susceptible d'arrêter la progression de la MA. Cependant, ce qui précède inspire plusieurs stratégies d'intervention thérapeutique. L'on pourrait diminuer la production d'Aβ en administrant des substances qui inhibent l'action de la β- ou γ-sécrétase. Une autre option serait de recourir à des agents qui empêchent la formation des fibrilles β-amyloïdes à partir d'Aβ soluble.

C. *Les maladies à prions*

Certaines maladies transmissibles affectant le système nerveux central des mammifères avaient été initialement considérées comme dues à des « virus lents », car elles prennent des mois, des années, et même plusieurs décennies pour se déclarer. Parmi elles, il y a la « **tremblante** », caractérisée par un dérèglement neurologique chez les ovins et les caprins, appelée « **scrapie** » en anglais, parce que les moutons infectés ont tendance à arracher leur laine [ils se frottent en fait aux clôtures pour rester debout malgré l'ataxie (perte de coodination musculaire)] ; l'**encéphalopathie spongiforme bovine** (**ESB** ou **maladie de la vache folle**), qui affecte de manière semblable les bovins ; et le **kuru**, une maladie dégénérative du cerveau, apparue chez les Fore, aborigènes de Papouasie-Nouvelle Guinée (où kuru signifie tremblant), et qui se transmettait à cause du cannibalisme rituel. Il y a aussi la maladie de **Creutzfeld-Jakob** (**CJD**), qui s'exprime sporadiquement chez l'homme avec les mêmes symptômes ; c'est un dérèglement du cervelet, rare, progressif, peut-être identique au kuru. Ces maladies, finissant toutes par être mortelles, ont des symptômes semblables, ce qui suggère qu'elles sont très apparentées. Elles sont toutes caractérisées par l'apparition, dans les neurones, de grandes vacuoles qui, en microscopie, donnent au tissu cérébral l'aspect d'une éponge, d'où le nom collectif d'**encéphalopathies fongiformes transmissibles** (**TSE**) Aucune d'entre elles ne manifeste

de signe d'inflammation ni de fièvre, montrant que le système immunitaire n'est ni activé ni impliqué dans ces maladies.

La technique classique pour isoler un agent pathogène infectieux comporte le fractionnement du tissu malade, suivi d'un essai d'inoculation. Le temps d'incubation très long de la tremblante, la maladie à « virus lent » la plus étudiée, a fortement ralenti la caractérisation de l'agent de cette maladie. En effet, au cours des premiers travaux sur la tremblante dans les années 1930, un troupeau entier et plusieurs années d'observations furent nécessaires pour évaluer les effets de l'expérience de fractionnement. Les tests de transmission de la tremblante ont été accélérés nettement dès la découverte que, moyennant injection intracérébrale de l'agent de la tremblante, le hamster exprime la maladie en un temps minimum de 60 jours, mais qui décroît si la dose inoculée est plus élevée. C'est un test sur hamster qui a permis à Stanley Prusiner de purifier suffisamment l'agent de la tremblante pour le caractériser.

a. La tremblante est due à une protéine prion

Il semble que l'agent de la tremblante ne soit qu'une protéine. Cette conclusion surprenante a été tirée de l'observation que l'agent de la tremblante est inactivé par des substances modifiant les protéines, comme les protéases, les détergents, le phénol, l'urée et les réactifs spécifiques des chaînes latérales des acides aminés, alors qu'il n'est aucunement affecté par des substances qui altèrent les acides nucléiques, telles que les nucléases, l'irradiation UV et les réactifs spécifiques des acides nucléiques. Ainsi, l'agent de la tremblante est inactivé par traitement avec le **diéthylpyrocarbonate**, qui carboxyéthyle les résidus His des protéines (Fig. 9-34*a*), mais il n'est pas altéré par l'**hydroxylamine**, réactif spécifique des cytosines (Fig. 9-34*b*). Cependant, l'infectivité de l'agent de la tremblante inactivé par le diéthylpyrocarbonate est restaurée par traitement avec l'hydroxylamine, sans doute en vertu du mécanisme illustré dans la Fig. 9-34*c*.

Ces propriétés de l'agent de la tremblante, nouvelles pour un agent pathogène, le distinguent des virus et des plasmides. On a donc appelé ce type d'agent un « **prion** » (pour « *pro*teinaceous *in*fectious particle » dépourvue d'acide nucléique). La protéine de la tremblante, qui comporte 208 résidus pour la plupart hydrophobes, est appelée **PrP** (pour « *Pr*ion *P*rotein »). Son hydrophobicité (cf. plus loin) fait que les PrP partiellement protéolysées s'agrègent en paquets de particules sous forme de bâtonnets. Il y a une ressemblance étroite entre ces agrégats et les fibrilles amyloïdes que l'on observe au microscope électronique sur du tissu cérébral infecté par le prion (Fig. 9-32*a*). De plus, le cerveau des victimes de la CJD contient une protéine résistante aux protéases, qui réagit avec des anticorps dirigés contre la PrP de la tremblante.

b. PrP est le produit d'un gène cellulaire normal largement exprimé qui n'a pas de fonction connue

Les propriétés étranges des prions soulèvent évidemment la question de savoir comment ils sont synthétisés. On a suggéré trois possibilités :

1. En dépit des observations en faveur du contraire, les prions contiendraient un acide nucléique génomique qu'on n'aurait pas réussi à détecter ; si c'était le cas, les prions seraient des virus classiques. La quantité croissante d'informations concernant la nature

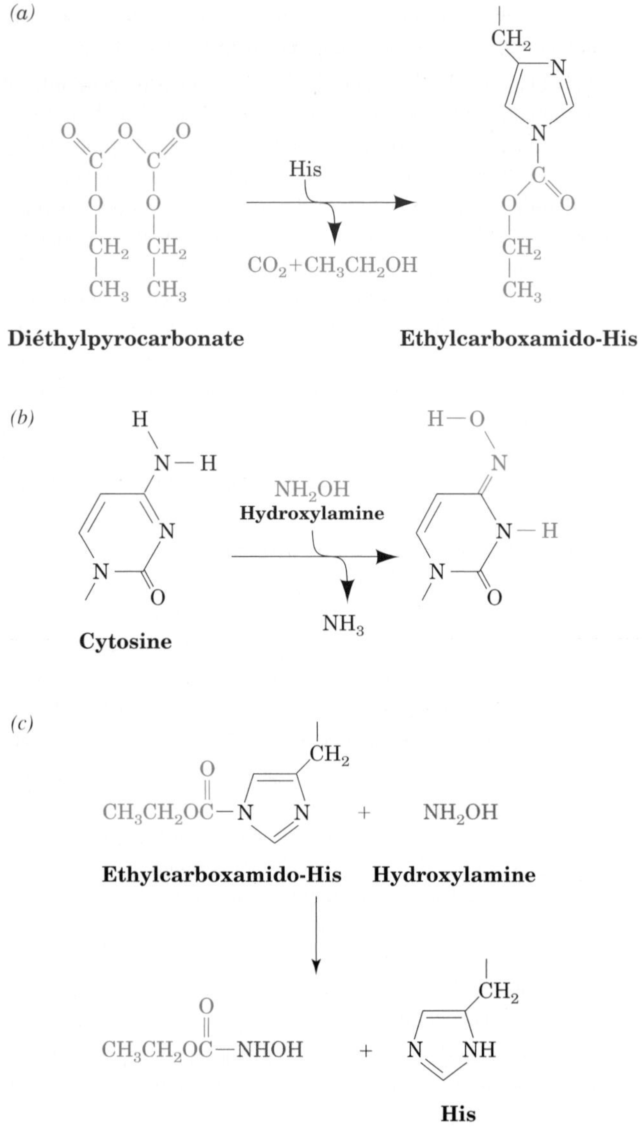

(a)

Diéthylpyrocarbonate   **Ethylcarboxamido-His**

(b)

Cytosine

(c)

Ethylcarboxamido-His   Hydroxylamine

His

FIGURE 9-34 Arguments pour dire que l'agent de la tremblante est une protéine. (*a*) L'agent de la tremblante est inactivé après traitement par le diéthylpyrocarbonate, qui réagit spécifiquement avec les chaînes latérales des histidines. (*b*) L'agent de la tremblante résiste au traitement par l'hydroxylamine, qui réagit avec les résidus cytosine. (*c*) Cependant, l'hydroxylamine restaure l'activité de l'agent de la tremblante traité par le diéthylpyrocarbonate, vraisemblablement en suivant la réaction indiquée.

des prions rend cependant cette hypothèse de moins en moins plausible.

2. Les prions pourraient spécifier leur propre séquence en acides aminés par « traduction inverse », produisant un acide nucléique qui serait traduit normalement par le système cellulaire. Un tel processus contredirait le « dogme central » de la biologie moléculaire (Section 5-4), selon lequel l'information génétique est transmise de manière unidirectionnelle des acides nucléiques aux protéines. Une autre solution serait d'imaginer que les prions catalysent directement leur propre synthèse. Une telle synthèse de pro-

téine spécifiée par la protéine elle-même est aussi inconnue (bien que de nombreux petits polypeptides bactériens soient synthétisés par voie enzymatique plutôt que ribosomiale).

3. Des cellules sensibles possèdent un gène codant la PrP correspondante. L'infection de ces cellules par les prions activerait ce gène et(ou) altérerait le produit protéique par un processus autocatalytique.

La dernière hypothèse apparaît comme la plus plausible pour expliquer le mécanisme de multiplication du prion. En effet, les sondes oligonucléotidiques complémentaires du gène de la PrP (appelé ***Prn-p***, pour « *prion* protein »), déduites de la séquence en acides aminés de l'extrémité N-terminale des PrP (Section 7-2C), permettent de démontrer que le cerveau des souris infectées par la tremblante, aussi bien que celui des souris normales, contiennent *Prn-p*. La découverte la plus surprenante est cependant que *Prn-p est transcrit avec un débit semblable dans les cerveaux normaux et dans les cerveaux infectés*. De plus, les mêmes sondes montrent que *les gènes Prn-p sont présents chez tous les vertébrés analysés jusqu'ici, y compris l'homme et même chez des invertébrés, comme la drosophile*. Ce degré de conservation évolutive suggère que PrP, protéine ancrée dans la membrane (par un groupement glycosylphosphatidylinositol ; Section 12-3B) et localisée principalement à la surface des neurones, exerce une fonction importante. Ce fut cependant une nouvelle surprise de constater que des souris transgéniques, dont les deux gènes *Prn-p* avaient été inactivés par « knockout », ont un phénotype apparemment normal, et que le croisement entre deux souris *Prn-p$^{0/0}$* (homozygotes) donne une descendance normale *Prn-p$^{0/0}$* (il semble cependant que les souris *Prn-p$^{0/0}$* finissent par présenter des anomalies neurologiques). Quoi qu'il en soit, il semble de plus en plus clair que PrP est un récepteur présent normalement à la surface cellulaire, bien que l'identité du signal correspondant et des conséquences de sa liaison restent énigmatiques.

c. La maladie de la tremblante nécessite l'expression de la protéine correspondante PrP^C

Les souris *Prn-p$^{0/0}$* ne présentent aucun symptôme de la tremblante après inoculation avec la dose de PrP de la tremblante venant de souris (**PrP^{Sc}** ; Sc pour « scrapie ») qui entraîne la mort de souris normales (*Prn-p$^{+/+}$*) dans les six mois après l'inoculation. Il est donc clair que *PrP^{Sc} induit la conversion de PrP normale (**PrP^C** ; C pour cellulaire) en PrP^{Sc}*. Cette conclusion peu orthodoxe (l'**hypothèse du prion**) est confortée par le fait que lorsque des souris normales sont inoculées avec des PrP^{Sc} obtenues après plusieurs passages chez le hamster, le temps d'incubation pour obtenir les symptômes est d'abord de 500 jours, mais à chaque nouveau passage chez la souris il tombe à 140 jours. Inversement, si l'on inocule à des hamsters des PrP^{Sc} obtenues après plusieurs passages chez la souris, le temps d'incubation est d'abord de 400 jours puis il se raccourcit à 75 jours. Ceci suggère que la conversion de la PrP^C de l'hôte (la séquence de la souris diffère de celle du hamster) en PrP^{Sc} par une PrP^{Sc} étrangère est un événement rare, mais une fois qu'il a eu lieu, la PrP^{Sc} nouvellement formée de l'hôte catalyse la conversion beaucoup plus efficacement. En effet, après une inoculation avec une PrP^{Sc} de hamster, les souris transgéniques exprimant une PrP de hamster ont des temps d'incubation réduits à 250 jours, voire à 48 jours, selon la lignée transgénique.

d. Des gènes *Prn-p* mutants donnent lieu à des maladies à prions

Trois dérèglements neurodégénératifs, hérités comme des caractères dominants chez l'homme, ont été reliés à des mutations dans le gène *Prn-p*. Ce sont la maladie de **CJD familiale**, le **syndrome de Gerstmann-Straussler-Scheinker (GSS)**, et l'**insomnie familiale fatale (FFI)**. Les cas sont extrêmement rares. Par exemple, la FFI n'a été diagnostiquée que dans cinq familles. Les PrP^{Sc} mutantes qui provoquent ces maladies sont néanmoins transmissibles.

e. PrP^{Sc} est une variante de conformation stable de PrP^{C}

Kurt Wüthrich a déterminé la structure par RMN des résidus 23 à 230 de la PrP^{C} humaine (280 résidus) (Fig. 9-35*a*). Elle montre une queue N-terminale souple et peu organisée (on ne peut donc l'observer) de 98 résidus et un domaine C-terminal globulaire de 110 résidus comportant trois hélices α et un court feuillet β antiparallèle à deux segments. Comme attendu, cette structure est très semblable à celles des PrP^{C} de souris et de hamster.

Quelle est la différence entre PrP^{Sc} et PrP^{C} ? Le séquençage direct de PrP^{Sc} donne un résultat identique à la séquence en acides aminés déduite de la séquence du gène *Prn-p*, ce qui élimine toute modification post-transcriptionnelle de cette séquence protéique comme pouvant expliquer les propriétés pathogènes de PrP^{Sc}. De plus, les études de spectrométrie de masse réalisées sur PrP^{Sc} pour détecter d'éventuelles modifications chimiques post-traductionnelles, montrent de fait que PrP^{Sc} et PrP^{C} sont chimiquement identiques. Bien qu'on n'ait pas éliminé la possibilité d'une modification chimique ne portant que sur une faible fraction de PrP^{Sc}, l'hypothèse la plus plausible est que PrP^{C} et PrP^{Sc} diffèrent quant à leur structure secondaire et(ou) tertiaire. Malheureusement, la structure de PrP^{Sc} (cf. ci-dessous) n'a pu être déterminée en raison de son insolubilité. Des mesures par CD montrent en fait de grandes différences dans les conformations de PrP^{C} et PrP^{Sc}. La conformation de PrP^{C} est plus de type hélices α (~40 %) que feuillets β (~3 %) (en accord avec la structure, par RMN, de son domaine globulaire). PrP^{Sc}, au contraire, est moins riche en hélices α (~30 %) mais beaucoup plus (~45 %) en feuillets β. Un modèle proposé pour PrP^{Sc} (Fig. 9-35*b*) est que la région N-terminale se replie pour former un feuillet β mixte à 4 segments ; seules les hélices 2 et 3, qui sont reliées par un pont disulfure, conservent leur conformation originale. Pour PrP^{Sc}, la richesse en feuillets β faciliterait son agrégation en fibrilles amyloïdes. Il est clair qu'*il s'agit d'un changement autocatalysé de conformation ; cela signifie que PrP^{Sc} induit la conversion de PrP^{C} en PrP^{Sc}*. On a montré de fait que dans un système acellulaire, PrP^{Sc} catalyse la conversion de PrP^{C}, provenant d'une source non infectée, en PrP^{Sc}. Des arguments s'accumulent cependant pour dire qu'*in vivo*, cette conversion est facilitée par un chaperon moléculaire non identifié qu'on a appelé **protéine X**.

Dans les cellules, PrP^{Sc} se dépose dans des vésicules du cytosol plutôt que de s'accrocher à la surface cellulaire comme PrP^{C}. Les deux formes sont sujettes à une dégradation protéolytique dans la cellule (Section 32-6). Cependant, alors que PrP^{C} est complètement dégradée, PrP^{Sc} ne perd que ses 67 résidus N-terminaux et forme un corpuscule de 27 à 30 kD résistant aux protéases, appelé **PrP 27-30**, qui possède encore un contenu élevé en feuillets β. *La PrP 27-30 s'agrège alors en plaques amyloïdes que l'on présume être directement responsables de la dégénérescence neuronale, caractéristique des maladies à prions.*

Selon l'hypothèse du prion, les maladies à prions sporadiques comme la CJD (qui annuellement n'affecte qu'une personne sur un million) résultent de la conversion spontanée, mais rare, de quantités suffisantes de PrP^{C} en PrP^{Sc}, pour amorcer la réaction d'isomérisation conformationnelle autocatalytique Ce modèle est conforté par le fait que des souris transgéniques dont le gène *Prn-p* normal est surexprimé, développent toujours la tremblante à la fin de leur vie. L'hypothèse du prion explique aussi les maladies héréditaires à prions, comme la FFI, parce que la conversion vers PrP^{Sc} commencerait à un seuil d'énergie libre plus bas pour la PrP^{C} mutante que pour la PrP^{C} normale.

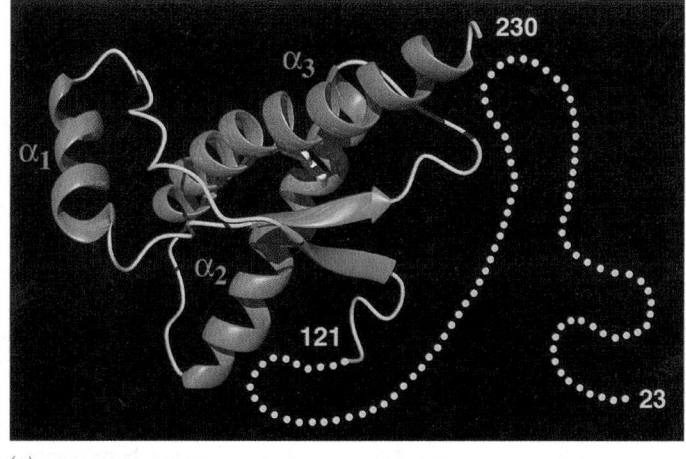
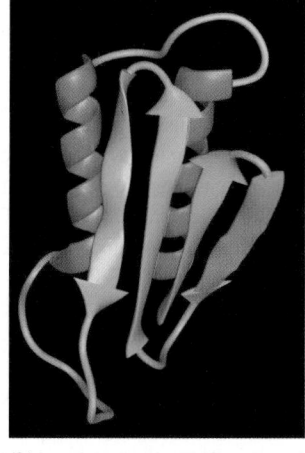

(a)   *(b)*

FIGURE 9-35 Conformations de la protéine prion. (*a*) Structure par RMN de la protéine prion humaine (PrP^{C}). Sa queue N-terminale souple et peu organisée (résidus 23 à 121) est représentée par les points jaunes (les 22 premiers résidus N-terminaux de la protéine ont été enlevés après sa traduction). (*b*) Modèle proposé pour la structure de PrP$^{Sc.}$ [Partie *a* avec la permission de Kurt Wüthrich, Eidgenössische Technische Hochschule, Zurich, Suisse ; Partie *b* avec la permission de Fred Cohen, University of California at San Francisco.]

f. Il existe différentes souches de prions

Des prions de sources différentes, préparés par passages chez la souris ou le hamster, ont chacun des temps d'incubation différents et provoquent des symptomes neurologiques et des neuropathologies qui leur sont propres. *De toute évidence, il existe différentes souches de prions, dont les PrP^Sc correspondantes doivent avoir des conformations stables différentes et forcent PrP^C à adopter cette conformation caractéristique de la souche.* Ce phénomène (on compte au moins 30 souches de tremblante du mouton et au moins 4 pour la CJD chez les humains) a été pris comme argument contre l'hypothèse du prion. On connaît cependant plusieurs exemples de protéines qui peuvent adopter plusieurs conformations stables. C'est le cas de la tubuline, protéine dont sont constitués les microtubules (Section 35-3F).

L'ESB ou maladie de la vache folle a été signalée pour la première fois au Royaume Uni fin 1985. Elle se répandit comme une épidémie, avec plus de 3 000 cas par mois à son pic en 1993, soit une incidence annuelle de 1 % pour la population des bovins de ce pays. On pense qu'il s'agit de la conséquence d'avoir donné aux troupeaux une nourriture dont une partie provenait de carcasses d'ovins infectés par la tremblante (voire de bovins touchés par l'ESB). L'ESB, dont la période d'incubation est environ 5 ans, était inconnue avant 1985, sans nul doute parce qu'à la fin des années 1970 on avait remplacé, pour préparer la nourriture en question, un procédé inactivant complètement les prions de la tremblante, par un autre qui n'assurait plus cette inactivation. En 1988, il fut interdit, au Royaume Uni, de donner aux ruminants des protéines de ruminants (à part du lait), de sorte que l'épidémie diminua rapidement (chute accélérée par l'abattage de nombreux troupeaux à risque). Cependant, les humains avaient consommé pendant plus d'une décennie de la viande de bétail contaminé par l'ESB : celle-ci leur avait-elle été transmise ? Il faut noter que des moutons infectés par la tremblante sont consommés depuis longtemps dans le monde entier sans pour autant que l'incidence de CJD soit plus élevée dans les pays gros consommateurs de viande comme le Royaume Uni (où les moutons abondent) que dans les pays plus végétariens comme l'Inde. En 1994, cependant, plusieurs cas de CJD furent signalés au Royaume-Uni chez des adolescents et des jeunes adultes, bien que jusqu'alors la CJD était extrêmement rare avant 40 ans (l'âge moyen du diagnostic étant 64 ans). Ces porteurs de la **nouvelle variante de CJD** (**vCJD** ou **nvCJD**), dont on a enregistré plus de 110 cas, quasi uniquement au Royaume Uni, ont des symptômes et des lésions neurologiques qui ne sont pas typiques de la CJD sporadique. De plus, après transmission à des souris exprimant la PrP^C bovine, la vCJD manifeste un temps d'incubation et provoque des symptômes et des lésions neurologiques identiques à ceux de l'ESB. Il est donc hautement probable que la vCJD est provoquée pour une souche de prions acquise en consommant de la viande, ou ses dérivés, de bétail infecté par l'ESB.

g. La levure contient des prions

La définition originale du prion est celle de l'agent pathogène des maladies transmissibles du genre tremblante du mouton. Il est clair à présent que cette définition doit être élargie à toute protéine dont une variante, de conformation stable, catalyse sa propre formation à partir de la protéine non variante. Par exemple, on peut trouver chez *Saccharomyces cerevisiae* (la levure de boulangerie) un élément génétique appelé [**URE3**] qui, lors de la reproduction sexuée avec des cellules dépourvues de cet élément, est transmis à toute la descendance plutôt qu'en vertu des lois de la génétique mendelienne (Section 1-4B). Or, [URE3] n'est ni un plasmide, ni un gène mitochondrial, ce qui aurait pu expliquer ce type de transmission non mendelienne, mais bien un gène chromosomique.

[URE3] est identique au gène chromosomique *URE2*, qui code la protéine **Ure2p**. En présence des sources d'azote préférées de la levure (l'ammoniac ou la glutamine), cette protéine réprime l'expression de celles qui sont nécessaires au métabolisme d'autres sources d'azote (la proline, par exemple). Cette régulation du métabolisme de l'azote (étudié au Chapitre 26) ne se fait pas chez les levures qui ont le phénotype [URE3]. On peut cependant « guérir » ces levures en les exposant à 5 mM de chlorure de guanidium : la régulation du métabolisme de l'azote est alors rétablie chez elles et leur descendance. Cependant, à peu près une cellule sur un million retrouve spontanément le phénotype [URE3]. De toute évidence, il existe deux conformations stables d'Ure2p, la forme normale qui contrôle le métabolisme de l'azote, et la forme [URE3] qui catalyse sa propre formation à partir de la forme normale, pour donner une protéine amyloïde incapable de réguler le métabolisme azoté. On en conclut que *Ure2p est un prion.*

L'élément génétique de levure [**PSI**] code une protéine, **Sup35p**, impliquée dans la terminaison de la transcription (Section 32-3E), et qui est également douée de propriétés rappelant celles des prions. En effet, l'introduction, via des liposomes, de Sup35p sous sa conformation [PSI] dans le cytoplasme de levures contenant Sup35p normale, induit le phénotype [PSI]. Il s'agit là de la première démonstration directe de l'hypothèse du prion.

6 ■ ÉVOLUTION STRUCTURALE

Comme nous l'avons vu dans la Section 7-3, les protéines ont évolué suite à des mutations ponctuelles et des duplications de gènes. Au cours des âges, par sélection et/ou dérive naturelle, des protéines homologues se sont ainsi différenciées et ont assumé de nouvelles fonctions. Ces nouvelles fonctions, liées à des modifications de la structure primaire, dépendent naturellement de la structure tridimensionnelle de la protéine. Dans cette section, nous étudierons l'influence des modifications évolutives sur les structures des protéines.

A. *Structures des cytochromes c*

Les cytochromes de type *c* sont de petites protéines globulaires qui contiennent un groupement hème (**fer-protoporphyrine IX** ; Fig. 9-36) lié par covalence. Les structures par rayons X des cytochromes *c* de cheval (Fig. 8-42), de thon, de bonite, de riz et de levure sont très semblables et permettent donc d'estimer l'impact de la séquence en acides aminés du cytochrome *c* sur sa structure (Section 7-3B). Les résidus internes du cytochrome *c*, en particulier ceux qui bordent la poche de l'hème, sont pour la plupart invariants ou issus de substitutions conservatoires, alors que les résidus de surface sont plus variables. Cette observation constitue, entre autres, une indication des besoins de compactage plus exigeants des régions internes d'une protéine comparés à ceux de sa surface (Section 8-3B).

Certains résidus invariants ou très conservés (Tableau 7-4) ont des rôles structuraux et/ou fonctionnels spécifiques dans le cytochrome *c* :

FIGURE 9-36 Formule moléculaire du complexe fer-protoporphyrine IX (hème). Dans les cytochromes de type *c*, l'hème est lié par covalence à la protéine (en *rouge*) par deux liaisons thioéthers reliant les deux groupements vinyl de l'hème à deux résidus Cys se trouvant dans la séquence Cys-X-Y-Cys-His (résidus 14 à 18 dans le Tableau 7-4), où X et Y symbolisent d'autres acides aminés. Un cinquième et un sixième ligands de l'atome de fer, tous les deux perpendiculaires au plan de l'hème, sont formés par un azote de la chaîne latérale de l'His 18 et par le soufre du résidu Met 80. L'atome de fer, qui a donc six ligands et se trouve ainsi au centre d'un octaèdre, est stable aussi bien pour les états d'oxydation Fe(II) que Fe(III). On trouve également l'hème dans la myoglobine et dans l'hémoglobine mais il n'y a pas de liaisons thioéthers ni de ligand Met.

1. Les résidus invariants Cys 14, Cys 17, His 18, et Met 80 établissent des liaisons covalentes avec le groupement hème (Fig. 9-36).

2. Les neuf résidus Gly invariants ou très conservés du cytochrome *c* occupent des positions très ajustées où des chaînes latérales plus grandes déstabiliseraient significativement la structure tridimensionnelle de la protéine.

3. Les résidus Lys très conservés 8, 13, 25, 27, 72, 73, 79, 86, et 87 sont répartis selon un anneau qui entoure le côté exposé du groupement hème, par ailleurs enfoui. On a des arguments pour dire que cette constellation inhabituelle de charges positives s'associe avec une série de charges négatives complémentaires sur les partenaires physiologiques de réaction du cytochrome *c*, la cytochrome *c* réductase et la cytochrome *c* oxydase (Section 22-2C).

a. Les cytochromes de type *c* de procaryotes ont des relations structurales avec le cytochrome *c*

Bien que le cytochrome *c* ne se trouve que chez les eucaryotes, des protéines semblables, appelées **cytochromes de type *c*** sont fréquentes chez les procaryotes, où elles assurent le transfert d'électrons dans des positions analogues pour de nombreuses chaînes de transfert d'électrons respiratoires et photosynthétiques. Cependant, contrairement aux protéines d'eucaryotes, les cytochromes de type *c* de procaryotes présentent une très grande variabilité de séquence selon les espèces. Par exemple, sur les cytochromes de type *c* bactériens dont les structures primaires sont connues (plus de 30), le nombre de résidus d'acide aminé est compris entre 82 et 134, alors que les cytochrome *c* d'eucaryotes sont dans une fourchette plus étroite, entre 103 et 112 résidus. Les structures primaires de plusieurs cytochromes de type *c* représentatifs

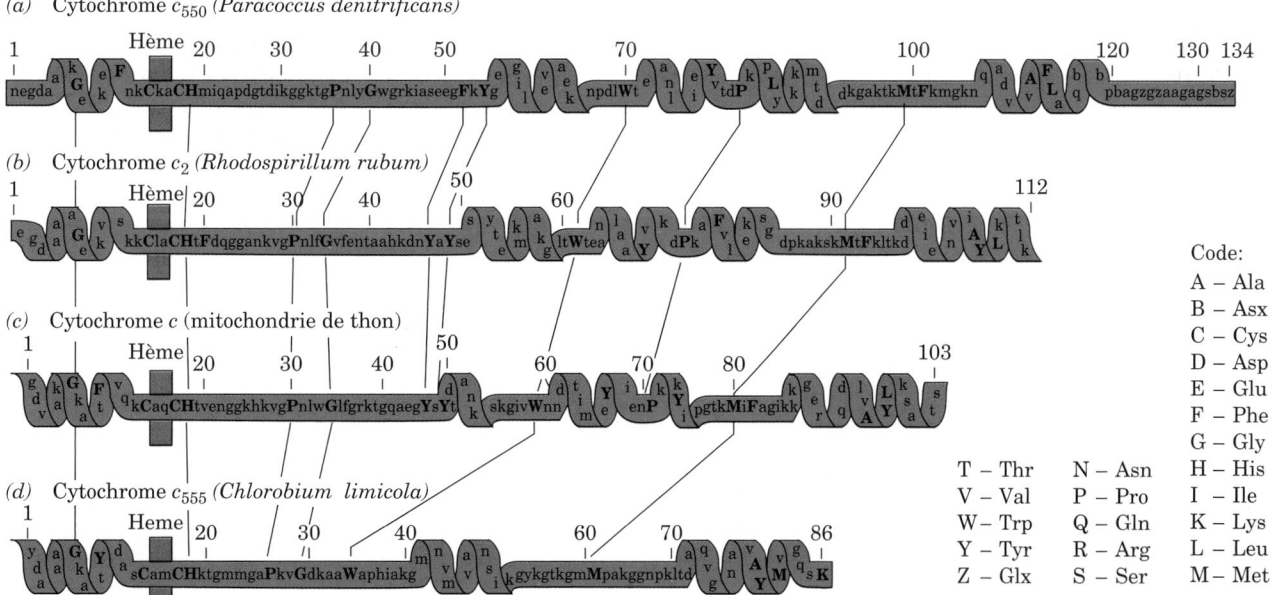

FIGURE 9-37 Structures primaires de quelques cytochromes de type *c* représentatifs. (*a*) Cytochrome c_{550} (l'indice donne la longueur d'onde du pic d'absorption de la protéine dans le visible en nanomètres, nm) de *Paracoccus denitrificans*, une bactérie qui respire et utilise le nitrate comme agent oxydant. (*b*) Cytochrome c_2 (l'indice n'a qu'un intérêt historique) de *Rhodospirillum rubrum*, une bactérie photosynthétique pourpre. (*c*) Cytochrome *c* de mitochondrie de thon. (*d*) Cytochrome c_{555} de *Chlorobium limicola,* une bactérie photosynthétique verte qui utilise H_2S comme source d'hydrogène. Les lignes en trait fin relient les résidus qui sont importants pour la structure et les résidus invariants (*lettres capitales*). Les régions hélicoïdales sont indiquées pour faciliter les comparaisons structurales avec la Fig. 9-38. [D'après Salemme, F.R., *Annu. Rev. Biochem.* **46,** 307 (1977).]

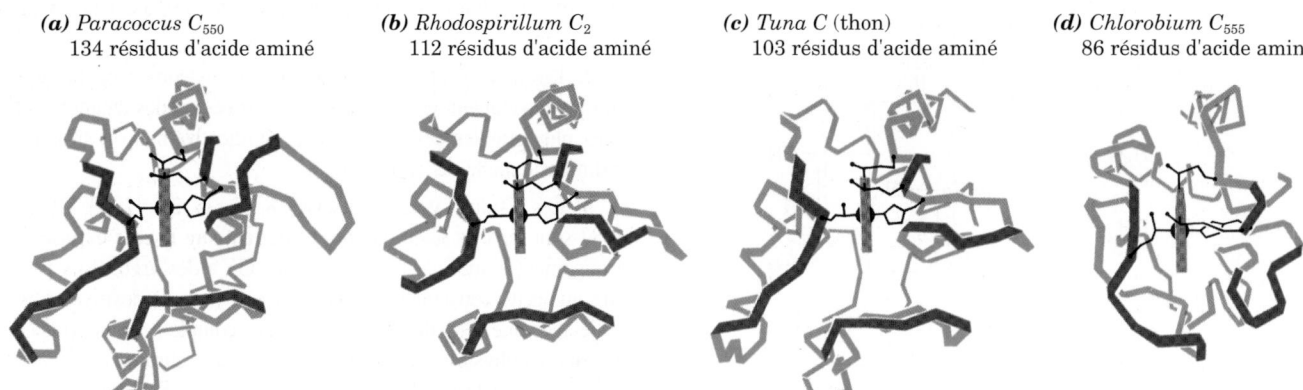

(a) *Paracoccus C$_{550}$*
134 résidus d'acide aminé

(b) *Rhodospirillum C$_2$*
112 résidus d'acide aminé

(c) *Tuna C* (thon)
103 résidus d'acide aminé

(d) *Chlorobium C$_{555}$*
86 résidus d'acide aminé

FIGURE 9-38 Structures tridimensionnelles des cytochromes de type *c* dont les structures primaires sont données dans la Fig. 9-37. Les squelettes polypeptidiques (*en bleu*) sont orientés de la même façon de sorte que leurs groupements hèmes (*en rouge*) sont vus de profil. Les chaînes latérales Cys, Met, et His qui relient par covalence l'hème à la protéine sont également montrées. (*a*) Cytochrome c_{550} de *P. denitrificans*. (*b*) Cytochrome c_2 de *Rs. rubrum*. (*c*) Cytochrome *c* de thon. (*d*) Cytochrome c_{555} de *C. limicola*. [Copyright Irving Geis.]

ont peu de similitudes évidentes (Fig. 9-37). Cependant, leurs structures par rayons X se ressemblent nettement, en particulier dans la conformation du squelette et le compactage des chaînes latérales des régions qui entourent le groupement hème (Fig. 9-38). De plus, la plupart d'entre eux ont des noyaux aromatiques dans des positions et des orientations analogues par rapport à leur groupement hème, ainsi que des répartitions identiques de résidus Lys chargés positivement à la périphérie des crevasses où se trouve le noyau hème. Les principales différences structurales entre ces différents cytochromes de type *c* proviennent de l'existence de plusieurs boucles de la chaîne polypeptidique localisées à leur surface.

Avant l'arrivée des algorithmes d'alignement de séquences comme BLAST et FASTA (Section 7-4B), les alignements corrects de résidus d'acide aminé de cytochromes de type *c* analogues (traits fins de la Fig. 9-37) n'ont pu être faits sur la seule base de leur structure primaire : ces protéines ont divergé depuis si longtemps que leurs structures tridimensionnelles ont été essentielles pour ce travail. Les structures tridimensionnelles sont évidemment plus révélatrices de similitudes que ne le sont les structures primaires pour des protéines aussi distantes. *Ce sont les éléments structuraux et fonctionnels essentiels des protéines qui sont conservés au cours de l'évolution, plutôt que leurs résidus d'acide aminé.*

B. *Duplication de gènes*

La duplication de gène peut promouvoir l'apparition de nouvelles fonctions par l'intermédiaire de l'évolution structurale (Section 7-3C). Pour plus de la moitié des protéines à multidomaines de structure connue, deux des domaines ont des structures très semblables. Voyons par exemple les deux domaines de la **rhodanèse** (Fig. 9-39), enzyme du foie de bœuf. Il semble inimaginable que ces deux domaines complexes mais de conformations semblables aient pu évoluer indépendamment pour acquérir leurs structures actuelles (un processus appelé **évolution convergente**).

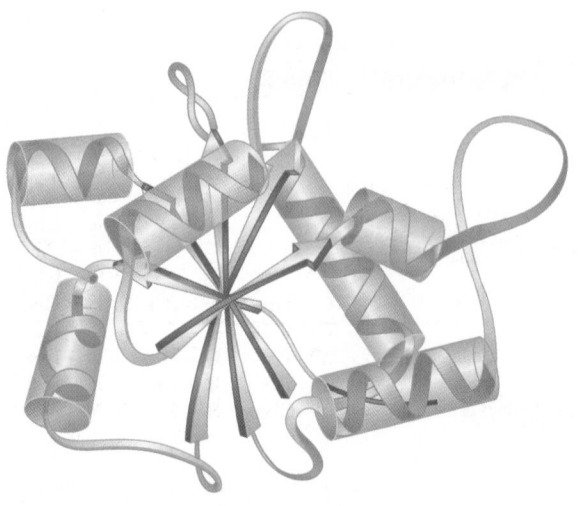

Domaine 1

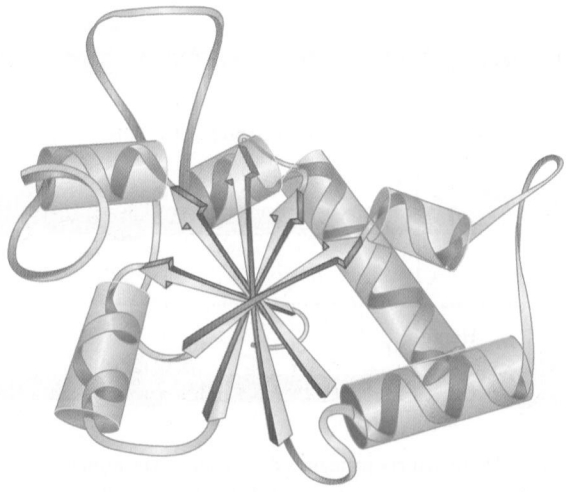

Domaine 2

FIGURE 9-39 Les deux domaines de structure semblable de la rhodanèse. Noter qu'ils sont tous deux des feuillets β ouverts (Section 8-3B) de topologies identiques. [D'après des dessins fournis par Jane Richardson, Duke University et sur base d'une structure par rayons X due à Wim Hol, University of Washington. PDBid 1RHD.]

Plus vraisemblablement, ils se sont formés par duplication du gène qui spécifiait un domaine ancestral, puis fusion des deux gènes résultant pour donner un seul gène qui spécifie un polypeptide se repliant pour donner deux domaines semblables. Les différences entre les deux domaines sont le résultat de leur **évolution divergente.** On trouve des domaines de structures identiques dans des protéines dont les autres domaines ne présentent aucune ressemblance entre eux. Les enzymes d'oxydoréduction appelées **déshydrogénases,** par exemple, sont formées chacune de deux domaines : un domaine où se lie un dinucléotide impliqué dans cette réaction, comme le NAD$^+$, et dont la structure est identique dans toutes les déshydrogénases, et un domaine de liaison du substrat, de structure différente, qui détermine la spécificité et le mode d'action de chaque enzyme. De fait, dans certaines déshydrogénases comme la glycéraldéhyde-3-phosphate déshydrogénase

(Fig. 8-45), le domaine de liaison du dinucléotide se trouve à l'extrémité N-terminale de la chaîne polypeptidique, alors que dans d'autres, il se trouve à l'extrémité C-terminale. Chacune de ces déshydrogénases a dû naître par la fusion du gène spécifiant un domaine de liaison ancestral du dinucléotide avec le gène codant un domaine de liaison d'un protosubstrat. Ceci a dû arriver très tôt dans l'histoire de l'évolution, peut-être à l'époque précellulaire (Section 1-5C), car il n'y a pas d'homologie de séquence significative dans ces domaines de liaison du dinucléotide. Bien sûr, *un domaine est tout aussi bien une unité d'évolution qu'une unité structurale. En combinant génétiquement ces modules structuraux de différentes manières, la nature peut faire naître de nouvelles fonctions beaucoup plus rapidement qu'elle ne pourrait le faire en élaborant des structures entièrement nouvelles par mutations ponctuelles.*

■ RÉSUMÉ DU CHAPITRE

1 ■ Repliement des protéines : théorie et expérimentation Dans des conditions de renaturation, beaucoup de protéines se replient pour prendre leurs structure native en quelques secondes. Si les hélices et les feuillets sont si communs (ils représentent ensemble ~60 % d'une protéine typique), c'est parce qu'ils remplissent l'espace efficacement. L'organisation des protéines est hiérarchique en ce sens qu'elles consistent en domaines, lesquels sont constitués de sous-domaines, etc. Elles supportent très bien des modifications de séquence en s'y adaptant par des changements de structure locaux plutôt que généraux. La rapidité de renaturation des protéines montre qu'elles se replient de manière ordonnée, et non par recherche aléatoire de toutes les conformations possibles. L'étude du repliement des protéines exige donc des techniques de mélange et d'observation très rapides, comme le stop-flow, le dichroïsme circulaire, et l'échange H/D pulsé suivi de RMN. Le repliement des petites protéines à domaine unique commence par un effondrement hydrophobe qui donne un globule fondu en ~5 ms. Il faut alors plusieurs secondes pour voir se stabiliser la structure secondaire, et se former la structure tertiaire, qui donneront la protéine native. On pense que le repliement se fait selon la théorie du paysage. Celle-ci postule qu'un polypeptide se replie en passant par un entonnoir de repliement et peut ainsi emprunter un grand nombre d'itinéraires pour atteindre son état natif. Ceci est en accord avec le repliement hiérarchique des protéines. Cependant, pour l'inhibiteur trypsique de pancréas bovin (BPTI), les étapes finales du repliement se font dans un orde déterminé, comme le montre l'ordre selon lequel se forment ses ponts disulfure. Il semble que la séquence d'une protéine spécifie aussi bien l'itinéraire de son repliement que sa structure native.

2 ■ Protéines auxiliaires du repliement Bien que la structure primaire d'une protéine impose sa structure tridimensionnelle, de nombreuses protéines ont besoin de l'aide de protéines auxiliaires, comme la protéine disulfure isomérase (PDI), les peptidyl prolyl cis-trans isomérases, et les chaperons moléculaires, pour se replier ou s'assembler en structure native. La PDI comporte quatre domaines de type thiorédoxine, dont deux contiennent des résidus Cys exposés qui forment des ponts disulfure internes ou avec une autre protéine dans une réaction d'échange de ponts disulfure. On a caractérisé deux familles de peptidyl prolyl cis-trans isomérases, les cyclophilines, qui lient la cyclosporine A, et la FK506 binding protein, qui lie la FK506. Les chaperonines, comme GroEL et GroES, stimulent le repliement

correct de protéines mal repliées, via une séquence cyclique de modifications conformationnelles concertées, qui est assurée par la liaison et l'hydrolyse de l'ATP. GroES est un heptamère en forme de dôme et GroEL est un 14-mère fait de deux anneaux heptamériques contigus qui forment deux tonneaux non communicants, creux d'un bout à l'autre. GroEL et GroES constituent ensemble un complexe en forme de balle de fusil qui délimite une cavité interne dans laquelle les protéines mal repliées peuvent se replier sans s'agréger à d'autres protéines mal repliées. De cette manière, GroEL/ES déplie partiellement une protéine (jusqu'à 70 kD) coincée dans une conformation inappropriée, puis la libère pour lui permettre de progresser, en descendant l'entonnoir de repliement, vers son état natif. Une telle protéine doit se lier et être relarguée environ 24 fois avant d'adopter son repliement final. Beaucoup des protéines dont le repliement est facilité par GroEL/ES contiennent des feuillets β ouverts, dont la complexité structurale est en grande partie responsable de leur repliement inapproprié. Nombre d'entre elles retournent fréquemment chez GroEL/ES pour un entretien conformationnel.

3 ■ Prédiction et conception de la structure des protéines Les méthodes empiriques, telles que celle de Chou-Fasman, ont assuré un certain succès à la prévision de structures secondaires à partir de la seule séquence en acides aminés. Cependant, des techniques informatiques sophistiquées permettent des prédictions un peu plus fiables. La modélisation comparative (par homologie) permet de prédire la structure tertiaire de polypeptides dont l'identité de séquence avec une protéine de structure connue est >30 %. Les méthodes de reconnaissance du repliement (par glissement) ne sont pas encore très efficaces pour déterminer la structure de protéines sans homologie apparente avec des protéines de structure connue. Quant aux méthodes *ab initio*, elles commencent seulement à fournir des modèles interprétables. Cependant, la conception par informatique de protéines de structure prévisible a récemment donné des résultats intéressants, notamment parce qu'on peut, en choisissant bien la séquence, « pousser » une protéine à adopter la structure souhaitée.

4 ■ Dynamique des protéines Les protéines sont des molécules souples et fluctuantes dont les groupements se meuvent avec des périodes caractéristiques qui vont de 10^{-15} à plus de 10^3 s. Les analyses par rayons X, qui révèlent les mobilités atomiques moyennes dans les protéines, montrent que celles-ci ont tendance à être plus mobiles à leur périphérie qu'à l'intérieur. Des études par simulation de dynamique moléculaire montrent que les structures natives des protéines sont formées chacune d'un grand nombre de sous-états très proches et qui s'intervertissent rapidement, avec des stabilités pratiquement identiques. Sans cette souplesse, les enzymes ne seraient pas fonctionnelles. Les vitesses de basculement des cycles aromatiques, déterminées par RMN, montrent que les mobilités des groupements à l'intérieur des protéines dépendent à la fois de la protéine et de leur position dans la protéine. L'échange de protons internes avec le solvant est dû probablement à des déroulements locaux transitoires de la protéine. Des mesures d'échange d'hydrogène révèlent que les protéines ont une grande variété de mouvements internes peu fréquents.

5 ■ Maladies conformationnelles : amyloïdes et prions Plusieurs maladies humaines souvent mortelles sont associées à des dépôts d'amyloïde dans le cerveau et d'autres organes. Bien que les différentes protéines amyloïdogéniques soient sans relation en termes de séquence ou de structure native, toutes forment des fibrilles amyloïdes similaires principalement constituées de segments β disposés perpendiculairement à l'axe de la fibrille. Les deux variantes connues du lysozyme humain douées de propriétés amyloïdogéniques ont une conformation beaucoup plus lâche que celle du lysozyme normal. Dans la maladie d'Alzheimer, une affection neurodégénérative qui touche surtout les personnes âgées, la protéolyse du précurseur du peptide amyloïde (APP) dans le tissu cérébral donne naissance au peptide amyloïde β (Aβ) de 40 à 42 résidus, lequel forme les fibrilles amyloïdes qui tuent les neurones. Les humains et d'autres mammifères sont sensibles à des maladies infectieuses neurodégénératives comme la tremblante, qui sont causées par des prions. Ceux-ci ne contiennent apparemment qu'un seul type d'une protéine appelée PrP. Il existe deux formes de Prp : la forme cellulaire normale, PrP^C, une protéine conservée ancrée dans la membrane à la surface cellulaire des neurones ; et PrP^{Sc}, qui, bien que chimiquement identique à PrP^C, possède une conformation différente. PrP^{Sc} convertit PrP^C en PrP^{Sc} par un processus autocatalytique, ce qui explique les propriétés infectieuses de PrP^{Sc} et le fait que les souris *Prn-p$^{0/0}$* sont résistantes à la tremblante. PrP^{Sc} est dégradée dans la cellule par protéolyse pour laisser un noyau résistant aux protéases, PrP 27-30, qui s'agrège en fibrilles amyloïdes neurotoxiques considérées comme responsables des symptômes des maladies à prions. La levure, elle aussi, contient des protéines du genre prion.

6 ■ Évolution structurale Les structures par rayons X des cytochromes *c* d'eucaryotes montrent que les résidus internes et ceux qui ont des rôles structuraux et fonctionnels tendent à être conservés au cours de l'évolution. Les cytochromes de type *c* de nombreux procaryotes se ressemblent entre eux ainsi qu'à ceux des eucaryotes, bien qu'il n'y ait que peu de similitudes dans leurs séquences en acides aminés. Cela montre que ce sont les structures tridimensionnelles des protéines qui sont conservées plutôt que les structures primaires, au cours de l'évolution. Les similitudes structurales entre les domaines de nombreuses protéines multidomaines signifient que ces protéines se sont formées par duplication d'un gène spécifiant un domaine ancestral, suivie de leur fusion. De même, la ressemblance structurale entre les domaines de liaison du dinucléotide des déshydrogénases suggère que ces protéines se sont formées par duplication d'un gène codant un domaine primordial de liaison du dinucléotide, suivi par sa fusion avec un gène spécifiant un domaine de liaison d'un protosubstrat. De la sorte, des protéines ayant de nouvelles fonctions peuvent évoluer beaucoup plus rapidement que par une série de mutations ponctuelles.

RÉFÉRENCES

REPLIEMENT DES PROTÉINES

Anfinsen, C.B., Principles that govern the folding of protein chains, *Science* **181**, 223–230 (1973). [Un lauréat du Prix Nobel explique comment il l'a obtenu.]

Aurora, R. et Rose, G.D., Helix capping, *Protein Sci.* **7**, 21–38 (1998). [Un résumé de arguments en faveur de la stabilisation des hélices par des interactions qui les coiffent.]

Baldwin, R.L., Pulsed H/D-exchange studies of folding intermediates, *Curr. Opin. Struct. Biol.* **3**, 84–91 (1993).

Baldwin, R.L., Protein folding from 1961 to 1982, *Nature Struct. Biol.* **6**, 814–817 (1999). [Un historique bien argumenté.]

Baldwin, R.L. et Rose, G.D., Is protein folding hierarchic ? I. Local structure and peptide folding; *et* II. Folding intermediates and transition states, *Trends Biochem. Sci.* **24**, 26–33; and 77–83 (1999).

Behe, M., Lattman, E.E., et Rose, G.D., The protein folding problem: The native fold determines the packing but does packing determine the native fold? *Proc. Natl. Acad. Sci.* **88**, 4195–4199 (1991).

Betts, S. et King, J., There's a right way and a wrong way: *in vivo* and *in vitro* folding, misfolding and subunit assembly of the P22 tailspike, *Structure* **7**, R131–R139 (1999).

Bukau, B. et Horwich, A.L., The Hsp70 and Hsp60 chaperone machines, *Cell* **92**, 351–366 (1998).

Creighton, T.E., Protein folding, *Biochem. J.* **270**, 1–16 (1990).

Creighton, T.E. (Éd.), *Protein Folding*, Freeman (1992). [Une série de revues qui font autorité.]

Creighton, T.E., *Proteins* (2ᵉ éd.), Chapter 7, Freeman (1993).

Dalal, S., Balasubramanian, S., et Regan, L., Protein alchemy : Changing β-sheet into α-helix, *Nature Struct. Biol.* **4**, 548–552 (1997). [Décrit les modifications de séquence de la protéine GB1 qui lui font adopter le repliement de la protéine Rop.]

Dill, K.A. et Chan, H.S., From Levinthal to pathways to funnels, *Nature Struct. Biol.* **4**, 10–19 (1997). [Une revue sur la théorie du paysage du repliement des protéines.]

Dinner, A.R., Sali, A., Smith, L.J., Dobson, C.M., et Karplus, M., Understanding protein folding via free-energy surfaces from theory and experiment, *Trends Biochem. Sci.* **25**, 331–339 (2000).

Dobson, C.M. et Karplus, M., The fundamentals of protein folding: Bringing together theory and experiment, *Curr. Opin. Struct. Biol.* **9**, 92–101 (1999).

Eaton, W.A., Thompson, P.A, Chan, C.K., Hagen, S.J., et Hofrichter, J., Fast events in protein folding, *Structure* **4**, 1133–1139 (1996).

Englander, S.W., Protein folding intermediates and pathways studied by hydrogen exchange, *Annu. Rev. Biophys. Biomol. Struct.* **29**, 213–238 (2000); *et* Englander, S.W., Sosnick, T.R., Englander, J.J., et Mayne, L., Mechanisms and uses of hydrogen exchange, *Curr. Opin. Struct. Biol.* **6**, 18–23 (1996).

Fersht, A., *Structure and Mechanism in Protein Science,* Chapters 17–19, Freeman (1999).

Fink, A.L., Compact intermediate states in protein folding, *Annu. Rev. Biophys. Biomol. Struct.* **24**, 495–522 (1995).

Frydman, J., Folding of newly translated proteins in vivo : The role of molecular chaperones, *Annu. Rev. Biochem.* **70**, 603–649 (2001).

Lattman, E.E. et Rose, G.D., Protein folding—what's the question ? *Proc. Natl. Acad. Sci.* **90**, 439–441 (1993).

Levitt, M., Gerstein M., Huang, E., Subbiah, S., et Tsai, J., Protein folding: The endgame, *Annu. Rev. Biochem.* **66,** 549–579 (1997).

Matthews, B.W., Studies on protein stability with T4 lysozyme, *Adv. Prot. Chem.* **46,** 249–278 (1995).

Matthews, C.R., Pathways of protein folding, *Annu. Rev. Biochem.* **62,** 653–684 (1993).

Minor, D.L., Jr. et Kim, P.S., Context-dependent secondary structure formation of a designed protein sequence, *Nature* **380,** 730–734 (1996). [Décrit la conformation, selon sa position, de la séquence caméléon dans la protéine GB1.]

Miranker, A.D. et Dobson, C.M., Collapse and cooperativity in protein folding, *Curr. Opin. Struct. Biol.* **6,** 31–42 (1996).

Pain, R.H. (Éd.), *Mechanisms of Protein Folding* (2e éd.), Oxford University Press (2000).

Raschke, T.M. et Marqusee, S., Hydrogen exchange studies of protein structure, *Curr. Opin. Biotech.* **9,** 80–86 (1998).

Roder, H. et Shastry, M.C.R., Methods for exploring early events in protein folding, *Curr. Opin. Struct. Biol.* **9,** 620–626 (1999).

Rose, G.D. et Wolfenden, R., Hydrogen bonding, hydrophobicity, packing, and protein folding, *Annu. Rev. Biophys. Biomol. Struct.* **22,** 381–415 (1993).

Srinivasan, R. et Rose, G.D., LINUS : A hierarchic procedure to predict the fold of a protein, *Proteins* **22,** 81–99 (1995); *and* Ab initio prediction of protein structures using LINUS, *Proteins* **47,** 489–495 (2002).

Wang, C.C. et Tsou, C.L., The insulin A and B chains contain sufficient structural information to form the native molecule, *Trends Biochem. Sci.* **16,** 279–281 (1991).

Weissman, J.S. et Kim, P.S., Reexamination of the folding of BPTI : Predominance of native intermediates, *Science* **253,** 1386–1393 (1991); *and* Kinetic role of nonnative species in the folding of bovine pancreatic trypsin inhibitor, *Proc. Natl. Acad. Sci.* **89,** 9900–9904 (1992).

Wolynes, P.G., Luthey-Schulten, Z., et Onuchic, J.N., Fast-folding experiments and the topography of protein folding energy landscapes, *Chem. Biol.* **3,** 425–432 (1996).

PROTÉINES AUXILIAIRES DU REPLIEMENT

Accessory Folding Proteins, Adv. Protein Chem. **44** (1993). [On y trouve des articles sur la protéine disulfure isomérase, la peptidyl prolyl cis–trans isomerase, et plusieurs types de chaperons moléculaires.]

Brinker, A., Pfeifer, G., Kerner, M.J., Naylor, D.J., Hartl, F.U., et Hayer-Hartl, M., Dual function of protein confinement in chaperonin-assisted protein folding, *Cell* **107,** 223–233 (2001).

Chen, L. et Sigler, P.B., The crystal structure of a GroEL/peptide complex: Plasticity as a basis for substrate diversity, *Cell* **99,** 757–768 (1999).

Ellis, R.J., Macromolecular crowding : Obvious but underappreciated. *Trends Biochem. Sci.* **26,** 597–604 (2001).

Ellis, R.J. et Hartl, F.U., Principles of protein folding in the cellular environment, *Curr. Opin. Struct. Biol.* **9,** 102–110 (1999).

Galat, A. et Metcalfe, S.M., Peptidylprolyl *cis/trans* isomerases, *Prog. Biophys. Mol. Biol.* **63,** 67–118 (1995). [Une revue détaillée.]

Gilbert, H.F., Protein disulfide isomerase and assisted protein folding, *J. Biol. Chem.* **272,** 29399–29402 (1997).

Hartl, F.U., et Hayer-Hartl, M., Molecular chaperones in the cytosol: From nascent chain to unfolded protein, *Science* **295,** 1852–1858 (2002).

Hartl, F.-U., Hlodan, R., et Langer, T., Molecular chaperones in protein folding: The art of avoiding sticky situations, *Trends Biochem. Sci.* **19,** 20–25 (1994).

Horwich, A.R. (Éd.), *Protein Folding in the Cell, Adv. Prot. Chem.* **59,** (2002). [Contient des articles bien documentés sur diverses protéines auxiliaires du repliement.]

Houry, W.A., Frishman, D., Ekerskorn, C., Lottspeich, F., et Hartl, F.U., The identification of *in vivo* substrates of the chaperonin GroEL, *Nature* **402,** 147–154 (1999).

Kemmink, J., Darby, N.J., Dijkstra, K., Nilges, M., et Creighton, T.E., Structure determination of the N-terminal thioredoxin-like domain of protein disulfide isomerase using multidimensional heteronuclear $^{13}C/^{15}N$ NMR spectroscopy, *Biochemistry* **35,** 7684–7691 (1996) ; *et* Kemmink, J., Dijkstra, K., Mariano, M., Scheek, R.M., Penka, E., Nilges, M., et Darby, N.J., The structure in solution of the *b* domain of protein disulfide isomerase, *J. Biomol. NMR* **13,** 357–368 (1999).

Lund, P. (Éd.), *Molecular Chaperones in the Cell,* Oxford University Press (2001).

Pearl, L.H. et Prodromou, C., Structure and *in vivo* function of Hsp90, *Curr. Opin. Struct. Biol.* **10,** 46–51 (2000).

Raina, S. et Missiakas, D., Making and breaking disulfide bonds, *Annu. Rev. Microbiol.* **51,** 179–202 (1997).

Ransom, N.A., Farr, G.W., Roseman, A.M., Gowen, B., Fenton, W.A., Horwich, A.L., et Saibil, H.R., ATP-bound states of GroEL captured by cryo-electron microscopy, *Cell* **107,** 869–879 (2001).

Rye, H.S., Roseman, A.M., Chen, S., Furtak, K., Fenton, W.A., Saibil, H.R., et Horwich, A.L., GroEL-GroES cycling : ATP and nonnative polypeptide direct alternation of folding-active rings, *Cell* **97,** 325–338 (1999).

Saibil, H., Molecular chaperones : Containers and surfaces for folding, stabilising or unfolding proteins, *Curr. Opin. Struct. Biol.* **10,** 251–258 (2000).

Schiene, C. et Fischer, G., Enzymes that catalyse the restructuring of proteins, *Curr. Opin. Struct. Biol.* **10,** 40–45 (2000). [Un exposé sur les protéines disulfure isomérases et les peptidyl prolyl cis–trans isomérases.]

Schreiber, S.L., Chemistry and biology of immunophilins and their immunosuppressive ligands, *Science* **251,** 238–287 (1991).

Shtilerman, M., Lorimer, G.H., et Englander, S.W., Chaperonin function: Folding by forced unfolding, *Science* **284,** 822–825 (1999).

Sigler, P.B., Xu, Z., Rye, H.S., Burston, S.G., Fenton, W.A., et Horwich, A.L., Structure and function in GroEL-mediated protein folding, *Annu. Rev. Biochem.* **67,** 581–608 (1998).

Thirumalai, D. et Lorimer, G.H., Chaperone-mediated protein folding, *Annu. Rev. Biophys. Biomol. Struct.* **30,** 245–269 (2001).

Walsh, C.T., Zydowsky, L.D., et McKeon, F.D., Cyclosporin A, the cyclophilin class of peptidylprolyl isomerases, and blockade of T cell signal transduction, *J. Biol. Chem.* **267,** 13115–13118 (1992).

Xu, Z., Horwich, A.L., et Sigler, P.B., The crystal structure of the asymmetric GroEL–GroES–(ADP)$_7$ chaperonin complex, *Nature* **388,** 741–750 (1997).

Zhao, Y. et Ke, H., Crystal structure implies that cyclophilin predominantly catalyzes the *trans* to *cis* isomerization, *Biochemistry* **35,** 7356–7361 (1996).

PRÉDICTION ET CONCEPTION DE LA STRUCTURE DES PROTÉINES

Blaber, M., Zhang, X., et Matthews, B.W., Structural basis of amino acid α helix propensity, *Science* **260,** 1637–1640 (1993).

Branden, C. et Tooze, J., *Introduction to Protein Structure* (2e éd.), Chapter 17, Garland (1999).

Chou, P.Y. et Fasman, G.D., Empirical predictions of protein structure, *Annu. Rev. Biochem.* **47,** 251–276 (1978); *et* Prediction of the secondary structure of proteins from their amino acid sequence, *Adv. Enzymol.* **47,** 45–148 (1978). [Exposés sur une méthode populaire et très simple pour la prédiction de la structure secondaire des protéines.]

Cuff, J.A. et Barton, G.J., Evaluation and improvement of multiple sequence methods for protein secondary structure prediction, *Proteins* **34,** 508–519 (1999).

Dahiyat, B.I. et Mayo, S.L., De novo protein design: Fully automated sequence selection, *Science* **278**, 82–87 (1997). [Décrit la conception de FSD-1.]

DeGrado W.F., Summa, S.M., Pavone, V., Nastri, F., et Lombardi, A., De novo design and structural characterization of proteins and metallo-proteins, *Annu. Rev. Biochem.* **68**, 779–819 (1999).

Klemba, M.W., Munson, M., et Regan, L., *De novo* design of protein structure and function, *in* Angeletti, R.H. (Éd.), *Proteins. Analysis and Design, pp.* 313–353, Academic Press (1998).

Mirny, L. et Shakhnovitch, E., Protein folding theory : From lattice to all-atom models, *Annu. Rev. Biophys. Biomol. Struct.* **30**, 361–396 (2001).

Rose, G.D., Prediction of chain turns in globular proteins on a hydrophobic basis, *Nature* **272**, 586–590 (1978).

Street, A.G. et Mayo, S.L., Computational protein design, *Structure* **7**, R105–R109 (1999).

Webster, D.M. (Éd.), *Protein Structure Prediction,* Humana Press (2000).

DYNAMIQUE DES PROTÉINES

Dagget, V., Long timescale simulations, *Curr. Opin. Struct. Biol.* **10**, 160–164 (2000).

Huber, R., Flexibility and rigidity of proteins and protein-pigment complexes, *Angew. Chem. Int. Ed. Engl.* **27**, 79–88 (1988).

Karplus, M. et McCammon, A., Molecular dynamics simulations of biomolecules, *Nature Struct. Biol.* **9**, 646–651 (2002).

Palmer, A.G., III, Probing molecular motion by NMR, *Curr. Opin. Struct. Biol.* **7**, 732–737 (1997).

Rasmussen, B.F., Stock, A.M., Ringe, D., et Petsko, G.A., Crystalline ribonuclease A loses function below the dynamical transition at 220 K, *Nature* **357**, 423–424 (1992).

Ringe, D. et Petsko, G.A., Mapping protein dynamics by X-ray diffraction, *Prog. Biophys. Mol. Biol.* **45**, 197–235 (1985).

Rogero, J.R., Englander, J.J., et Englander, S.W., Measurement and identification of breathing units in hemoglobin by hydrogen exchange, *in* Sarma R.H. (Éd.), *Biomolecular Stereo dynamics,* Vol. 2, *pp.* 287–298, Adenine Press (1981).

MALADIES CONFORMATIONNELLES

Aguzzi, A., Montrasio, F., et Kaeser, P.S., Prions: health scare and biological challenge, *Nature Rev. Mol. Cell Biol.* **2**, 118–126 (2001).

Blake, C. et Serpell, L., Synchrotron X-ray studies suggest that the core of the transthyretin amyloid fibril is a continuous β-sheet helix, *Structure* **4**, 989–998 (1996).

Booth, D.R., et al., Instability, unfolding and aggregation of human lysozyme variants underlying amyloid fibrillogenesis, *Nature* **385**, 787–793 (1997) ; *et* Funahashi, J., Takano, K., Ogasahara, K., Yamagata, Y., et Yutani, K., The structure, stability, and folding process of amyloidogenic mutant lysozyme, *J. Biochem.* **120**, 1216–1223 (1996).

Büeler, H., Aguzzi, A., Sailer, A., Greiner, R.A., Autenreid, P., Aguet, M., et Weissmann, C., Mice devoid of PrP are resistant to scrapie, *Cell* **73**, 1339–1347 (1993) ; *et* Büeler, H., Fischer, M., Lang, Y., Bluethmann, H., Lipp, H.-P., DeArmond, S.J., Prusiner, S.B., Aguet, M., et Weissmann, C., Normal development and behaviour of mice lacking the neuronal cell-surface PrP protein, *Nature* **356**, 577–582 (1992).

Buxbaum, J.N. et Tagoe, C.E., The genetics of amyloidoses, *Annu. Rev. Med.* **51**, 543–569 (2000).

Carrell, R.W. et Lomas, D.A., Conformational diseases, *Lancet* **350**, 134–138 (1997) ; *et* Carrell, R.W. et Gooptu, B., Conformational changes and disease—serpins, prions and Alzheimer's, *Curr. Opin. Struct. Biol.* **8**, 799–809 (1998).

Caughey, B., Interactions between prion protein isoforms : The kiss of death ? *Trends Biochem. Sci.* **26**, 235–242 (2001).

Daggett, V., Structure-function aspects of prion proteins, *Curr. Opin. Biotech.* **9**, 359–365 (1998).

Geula, C., Wu, C.-K., Saroff, D., Lorenzo, A., Yuan, M., et Yankner, B.A., Aging renders the brain vulnerable to amyloid β-protein neurotoxicity, *Nature Medicine* **4**, 827–831 (1998).

Hardy, J. et Selkoe, D.J., The amyloid hypothesis of Alzheimer's disease : Progress and problems on the road to therapeutics, *Science* **297**, 353–356 (2002).

Haywood, A.M., Transmissible spongiform encephalopathies, *New Engl. J. Med.* **337**, 1821–1828 (1997).

Horiuchi, M. et Caughey, B., Prion protein interconversions and the transmissible spongiform encephalopathies, *Structure* **7**, R231–R240 (1999).

Jackson, G.S. et Clarke, A.R., Mammalian prion proteins, *Curr. Opin. Struct. Biol.* **10**, 69–74 (2000).

Kaytor, M.D. et Warren, S.T., Aberrant protein deposition and neurological disease, *J. Biol. Chem.* **274**, 37507–37510 (1999).

Kelly, J.W., The alternative conformations of amyloidogenic proteins and their multi-step assembly pathways, *Curr. Opin. Struct. Biol.* **8**, 101–106 (1998).

Kiselevsky, R. et Fraser, P.E., Aβ amyloidogenesis : Unique, or variation on a systemic theme ? *Crit. Rev. Biochem. Molec. Biol.* **32**, 361–404 (1997).

Kocisko, D.A., Come, J.H., Priola, S.A., Chesebro, B., Raymond, G.J., Lansbury, P.T., et Caughey, B., Cell-free formation of protease-resistant prion protein, *Nature* **370**, 471–474 (1994).

Mouillet-Richard, S., Ermonval, M., Chebassier, C., Laplanche, J.L., Lehmann, S., Launay, J.M., et Kellermann, O., Signal transduction through prion protein, *Science* **289**, 1925–1928 (2000).

Pan, K.M., Baldwin, M., Nguyen, J., Gasset, M., Serban, A., Groth, D., Mehlhorn, I., Huang, Z., Fletterick, R.J., Cohen, F.E., et Prusiner, S.B., Conversion of α-helices into β-sheets features in the formation of the scrapie prion proteins, *Proc. Natl. Acad. Sci.* **90**, 10962–10966 (1993).

Prusiner, S.B., Prions, *Proc. Natl. Acad. Sci.* **95**, 13363–13383 (1998) ; *et* Prusiner, S.B., Scott, M.R., DeArmond, S.J., et Cohen, F.E., Prion protein biology, *Cell* **93**, 337–348 (1998).

Prusiner, S.B. (Éd.), *Prion Biology and Diseases,* Cold Spring Harbor Laboratory Press (1999).

Rochet, J.C. et Lansbury, P.T., Jr., Amyloid fibrillogenesis : Themes and variations, *Curr. Opin. Struct. Biol.* **10**, 60–68 (2000).

Selkoe, D.J. Amyloid β-protein and the genetics of Alzheimer's disease, *J. Biol. Chem.* **271**, 18295–18298 (1996).

Sparrer, H.E., Santoso, A., Szoka, F.C., Jr., and Weissman, J.S., Evidence for the prion hypothesis : Induction of the yeast [*PSI*⁺] factor by in vitro-converted Sup35 protein, *Science* **289**, 595–599 (2000).

Sunde, M. et Blake, C.C.F., From the globular to the fibrous state: Protein structure and structural conversion in amyloid formation, *Quart. Rev. Biophys.* **31**, 1–39 (1998).

Terry, R.D., Katzman, R., Bick, K.L., et Sisodia, S.S. (Éds.), *Alzheimer Disease,* Lippincott, Williams, & Wilkins (1999).

Tuite, M.F., Yeast prions and their prion-forming domain, *Cell* **100**, 289–292 (2000).

Weissmann, C., Molecular genetics of transmissible spongiform encephalopathies, *J. Biol. Chem.* **274**, 3–6 (1999).

Wickner, R.B., *Prion Diseases of Mammals and Yeast : Molecular Mechanisms and Genetic Features,* Chapman & Hall (1997).

Zahn, R., Liu, A., Lührs, T., Riek, R., von Schroetter, C., Garcia, F.L., Billeter, M., Calzolai, L., Wider, G., et Wüthrich, K., NMR solution structure of the human prion protein, *Proc. Natl. Acad. Sci.* **97**, 145–150 (2000) ; *et* Liu, H., Farr-Jones, S., Ulyanov, N.B., Llinas, M., Marqusee, S., Groth, D., Cohen, F.E., Prusiner, S.B., et James, T.L., Solution structure of Syrian hamster prion protein rPrP(90–231), *Biochemistry* **38**, 5362–5377 (1999).

ÉVOLUTION STRUCTURALE

Bajaj, M. et Blundell, T., Evolution and the tertiary structure of proteins, *Annu. Rev. Biophys. Bioeng.* **13**, 453–492 (1983).

Dickerson, R.E., The structure and history of an ancient protein, *Sci. Am.* **226**(4), 58–72 (1972) ; *et* Cytochrome *c* and the evolution of energy metabolism, *Sci. Am.* **242**(3), 137–149 (1980).

Dickerson, R.E., Timkovitch, R., et Almassy, R.J., The cytochrome fold and the evolution of bacterial energy metabolism, *J. Mol. Biol.* **100**, 473–491 (1976).

Eventhoff, W. et Rossmann, M., The structures of dehydrogenases, *Trends Biochem. Sci.* **1**, 227–230 (1976).

Lesk, A.M., NAD-binding domains of dehydrogenases, *Curr. Opin. Struct. Biol.* **5**, 775–783 (1995).

Salemme, R., Structure and function of cytochromes *c*, *Annu. Rev. Biochem.* **46**, 299–329 (1977).

Scott, R.A. et Mauk, A.G. (Éds.), *Cytochrome c. A Multidisciplinary Approach*, University Science Books (1996).

PROBLÈMES

1. Quel temps faudrait-il pour que le squelette polypeptidique d'un noyau de repliement de six résidus explore toutes ses conformations possibles ? Refaites le calcul pour des noyaux de repliement de 10, 15, et 20 résidus. Expliquez pourquoi, selon la théorie classique du repliement des protéines, on pense que les noyaux de repliement n'ont pas plus de 15 résidus.

*2. Soit une protéine ayant 10 résidus Cys. Après oxydation à l'air libre, quelle fraction de la protéine réduite et dénaturée reformera au hasard l'ensemble de ses ponts disulfure natifs si : (a) La protéine native a cinq ponts disulfure ? (b) La protéine native a trois ponts disulfure ?

3. Pourquoi les feuillets β se trouvent-ils plus souvent dans l'intérieur hydrophobe des protéines plutôt qu'à leur surface ?

4. Dans des conditions physiologiques, la polylysine prend une conformation enroulée au hasard. Dans quelles conditions pourrait-elle former une hélice α ?

5. Expliquez pourquoi la théorie du paysage est en accord avec le fait que de nombreuses petites protéines semblent se replier selon leur conformation native sans intermédiaires détectables, comme en vertu d'un mécanisme en deux temps.

6. Expliquez pourquoi des résidus Pro peuvent se trouver dans le tour N-terminal d'une hélice α.

7. Expliquez pourquoi les feuillets β sont moins susceptibles de se former que les hélices α lors des premiers stades du repliement des protéines.

8. On pense que les globules fondus sont stabilisés essentiellement par des forces hydrophobes. Pourquoi pas par des liaisons hydrogène ?

*9. Le cycle GroEL/ES schématisé à la Fig. 9-23 ne tourne que dans le sens horaire. Donnez la raison de cette irréversibilité sur base de la suite des modifications dans la structure et dans les propriétés de liaison du système GroEL/ES.

*10. Quelle serait la structure secondaire du peptide C de la proinsuline (Fig. 9-4) sur base de prédictions par les méthodes Chou-Fasman et Rose ? Est-il possible qu'il prenne une structure supersecondaire ?

11. En tant qu'ingénieur en chef de Mère Nature, spécialiste de construction d'hélices, on vous a demandé de reprendre le Problème 8-8 en stipulant que l'hélice α est réellement hélicoïdale. Utilisez le Tableau 9-1.

12. Indiquez quels seraient les effets probables des changements par mutation suivants sur la structure d'une protéine. Donnez vos raisons. (a) Remplacement d'une Leu par une Phe, (b) remplacement d'une Lys par un Glu, (c) remplacement d'une Val par une Thr, (d) remplacement d'une Gly par une Ala, et (e) remplacement d'une Met par une Pro.

13. Expliquez pourquoi les cycles Trp sont généralement complètement immobiles dans les protéines dont les cycles Phe et Tyr basculent rapidement.

14. Expliquez pourquoi les souris *Prn-p*[0/0] résistent à la tremblante. Quelle pourrait être la susceptibilité de souris hétérozygotes *Prn-p*[+/0] à cette maladie ?

*15. Discutez le bien-fondé de l'hypothèse selon laquelle les domaines de liaison du dinucléotide des déshydrogénases sont le résultat d'une évolution convergente.

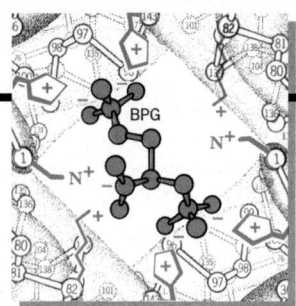

Chapitre

10

L'Hémoglobine : fonction d'une protéine dans un microcosme

caractérisée par ultracentrifugation, la première à être associée à une fonction physiologique spécifique (le transport de l'oxygène) et, avec l'anémie falciforme, la première qui permit de démontrer qu'une mutation ponctuelle provoque le changement d'un seul acide aminé (Section 7-3A). Les théories formulées pour rendre compte de la liaison coopérative de l'oxygène à l'hémoglobine (Section 10-4) ont été également précieuses pour expliquer le contrôle de l'activité enzymatique. Les premières déterminations de structure des protéines par rayons X furent celles de l'hémoglobine et de la myoglobine. Ce rôle central de l'hémoglobine dans la chimie des protéines, associé à ses propriétés de liaison à l'oxygène de type enzymatique, ont conduit à qualifier l'hémoglobine d'« enzyme honoraire ».

L'hémoglobine n'est pas seulement un simple réservoir à oxygène. C'est plutôt un système sophistiqué de distribution de l'oxygène qui en fournit la quantité requise aux tissus dans des conditions très variées. Dans ce chapitre, nous étudierons les propriétés de l'hémoglobine, sa structure, et son mécanisme d'action, à la fois pour comprendre les fonctions de cette molécule indispensable et pour illustrer les principes de la structure des protéines que nous avons exposés dans les chapitres précédents. Nous étudierons aussi les propriétés des hémoglobines anormales et leur implication dans des maladies chez l'homme. Enfin, nous examinerons les théories sur les interactions coopératives des protéines, d'une part, pour mieux comprendre les propriétés de l'hémoglobine et d'autre part, pour « préparer le terrain » de notre étude ultérieure sur la régulation de l'activité enzymatique.

1 ■ FONCTION DE L'HÉMOGLOBINE

L'hémoglobine (**Hb**), comme nous l'avons vu dans les Chapitres 7 et 8, est un hétérotétramère, $\alpha_2\beta_2$ (ou encore un dimère de protomères $\alpha\beta$). Les sous-unités α et β ont une parenté structurale et évolutive, aussi bien entre elles qu'avec la myoglobine (**Mb**), la protéine monomérique du muscle qui fixe l'oxygène (Section 7-3C).

L'hémoglobine transporte l'oxygène des poumons, des branchies ou de la peau d'un animal à ses capillaires pour être utilisé dans la respiration. De très petits organismes peuvent se dispenser d'une telle protéine car leurs besoins respiratoires sont assurés par la simple diffusion passive de l'oxygène à travers leur corps. Toute-

L'existence de l'hémoglobine, le pigment rouge du sang, est évidente pour tout enfant qui s'écorche un genou. Sa couleur, son abondance, et sa facilité d'isolement en ont fait un objet de recherche depuis les temps anciens. À vrai dire, l'histoire de la chimie des protéines commence avec l'étude de l'hémoglobine. L'observation de cristaux d'hémoglobine est rapportée pour la première fois en 1840 par Friedrich Hünefeld, et en 1909 un atlas photographique de cristaux d'hémoglobine de plusieurs centaines d'espèces est publié par Edward Reichert et Amos Brown. Par contre, il faut attendre 1926 pour la première publication des cristaux d'une enzyme, ceux de l'**uréase** du haricot sabre (jack bean). L'hémoglobine fut une des premières protéines dont la masse moléculaire a été déterminée avec précision, la première à être fois, puisque la vitesse de transport par diffusion d'une substance est inversement proportionnelle au carré de la distance de diffusion, la vitesse de diffusion de l'O_2 à travers un tissu de plus d'un mm d'épaisseur est trop lente pour assurer la vie. Le développement d'organismes aussi grands et complexes que les annélides (le ver de terre par exemple) a donc nécessité la mise au point de systèmes circulatoires qui transportent activement l'O_2 et les nutriments aux tissus. Le sang de tels organismes doit donc contenir un transporteur d'oxygène comme l'Hb car la solubilité de l'O_2 dans le **plasma sanguin** (la partie liquide du sang) est trop faible ($10^{-4}M$ environ dans les conditions physiologiques) pour pouvoir satisfaire les besoins métaboliques. Par contraste, le sang complet, qui contient environ 150 g d'Hb · L^{-1}, peut transporter l'O_2 à des concentrations aussi élevées que $0,01M$, soit pratiquement la même concentration que dans l'air. [Bien que beaucoup d'espèces d'invertébrés aient des systèmes de transport de l'oxygène fondés sur l'hémoglobine, d'autres produisent deux types de protéines qui lient l'oxygène : (1) l'**hémocyanine**, une protéine qui contient du cuivre et qui est bleue lorsqu'elle est complexée à l'oxygène et incolore autrement ; ou (2) l'**hémérythrine**, une protéine qui contient du fer non-hème de couleur bordeaux lorsqu'elle est complexée à l'oxygène et incolore autrement. Certains poissons qui vivent sous la glace dans l'antarctique, les seuls vertébrés adultes qui n'ont pas d'hémoglobine — leur sang est incolore — peuvent vivre en raison de leur besoin réduit en oxygène à basses températures et de la solubilité relativement élevée de l'oxygène dans l'eau à $-1,9$ °C, température de leur environnement (se rappeler que la solubilité des gaz augmente lorsque la température diminue).]

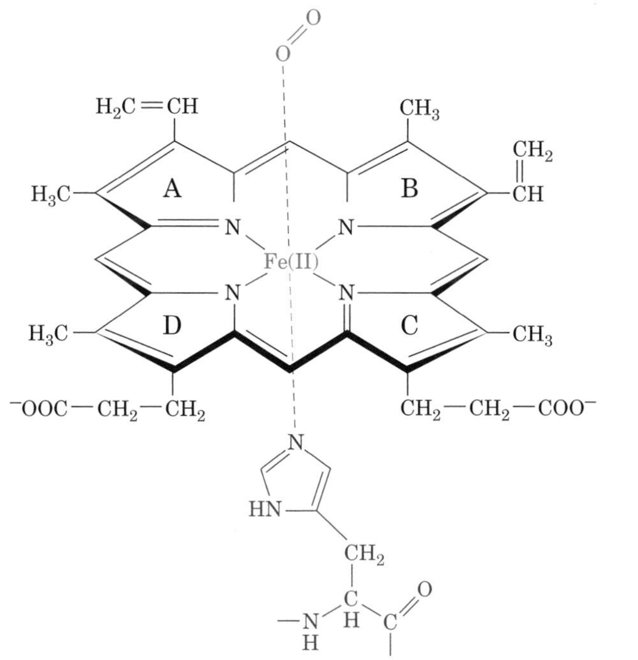

On pensait que le seul rôle de la myoglobine est d'assurer la mise en réserve de l'oxygène. Il est à présent bien établi que cette fonction n'a d'intérêt que pour les mammifères aquatiques, comme les phoques et les baleines, dont les muscles contiennent environ 10 fois plus de Mb que ceux des mammifères terrestres. Chez ces derniers, le rôle physiologique essentiel de la Mb est de faciliter le transport de l'oxygène dans le muscle qui respire intensément. La vitesse à laquelle l'oxygène peut diffuser des capillaires dans les tissus, et donc l'intensité de la respiration, est limitée par la faible solubilité de l'oxygène en solution aqueuse. La myoglobine augmente la solubilité de l'oxygène dans le muscle, le tissu qui respire le plus rapidement lorsqu'il est en intense activité. Ainsi, quand le muscle respire rapidement, la myoglobine pourrait assurer un travail à la chaîne pour faciliter la diffusion de l'oxygène. On a donc été surpris de découvrir que les souris knockout pour le gène codant la Mb ont un aspect normal (à part des muscles pâles), se reproduisent normalement, et peuvent fournir des efforts musculaires normaux, même lorsque la concentration en oxygène baisse. Une autre fonction physiologique de la Mb a été récemment mise à jour : la détoxification, par conversion en NO_3^-, du **monoxyde d'azote (NO),** une molécule biologique de signalisation très réactionnelle (voir ci-dessous).

Dans cette section, nous commencerons par l'étude des propriétés chimiques et physiques de l'hémoglobine et de leurs relations avec sa fonction physiologique. La structure de l'hémoglobine et les mécanismes mis en jeu pour assurer ses fonctions physiologiques seront étudiés dans la Section 10-2.

A. *L'hème*

*La myoglobine et chacune des quatre sous-unités de l'hémoglobine lient un seul groupement **hème** (Fig. 10-1) par des liaisons non covalentes.* C'est le même groupement que celui que l'on trouve dans les cytochromes (Section 9-6A) ainsi que dans certaines enzymes d'oxydoréduction comme la **catalase**. C'est l'hème qui donne au sang sa couleur rouge caractéristique et c'est le site sur lequel chaque monomère de **globine** lie une molécule d'oxygène (les globines sont les protéines sans hème de l'hémoglobine et de la myoglobine). La structure hétérocyclique de l'hème dérive d'une **porphyrine** ; ce dérivé est formé de quatre noyaux **pyrrole** (désignés par les lettres A à D dans la Fig. 10-1) reliés par des ponts méthène. La porphyrine de l'hème, avec son arrangement spécifique de quatre méthyles, deux propionates, et deux vinyls substitués, est appelée **protoporphyrine IX**. L'hème est donc la protoporphyrine IX avec un atome de fer lié au centre. *Dans le cas de l'hémoglobine et de la myoglobine, l'atome de fer reste normalement sous la forme d'oxydation Fe(II) (ferreux), que l'hème soit oxygéné (il fixe l'oxygène) ou non.*

L'atome de Fe dans l'Hb et la Mb désoxygénées établit cinq liaisons de coordinence avec des atomes d'azote disposés en pyramide carrée : quatre atomes de la porphyrine et un atome d'une chaîne latérale His de la protéine. Après oxygénation, l'oxygène se lie au Fe(II) du côté opposé à l'anneau porphyrique par rapport au ligand His, ce qui fait que le Fe(II) se trouve coordiné au centre d'un octaèdre, c'est-à-dire que les ligands occupent les six sommets d'un octaèdre dont le centre est occupé par l'atome de Fe (Fig. 10-1). *L'oxygénation modifie l'état électronique du complexe Fe(II)-hème comme l'indique le changement de couleur du sang qui passe d'une teinte violet foncé caractéristique du sang veineux*

FIGURE 10-1 Le groupement hème. Le complexe Fe(II)-hème (ferro-protoporphyrine IX) est montré sous sa forme liée à His et à l'O_2 tel qu'il est dans la myoglobine et l'hémoglobine oxygénées. Noter que l'hème est un système conjugué. Ainsi, bien que deux de ses liaisons Fe—N soient des liaisons de coordinence (liaisons dans lesquelles la paire d'électrons qui assure la liaison est fournie par un seul des deux atomes liés), toutes les liaisons Fe—N sont équivalentes. Les noyaux pyrrole sont désignés par des lettres.

à la couleur rouge écarlate du sang artériel et du sang après coupure d'un doigt (Fig. 10-2).

Quelques petites molécules, comme CO, NO, et H_2S, se lient par coordinence à la sixième position de liaison de Fe(II) dans l'Hb et la Mb avec une affinité très supérieure à celle de l'oxygène. Il en est de même avec les hèmes des cytochromes, ce qui explique les propriétés très toxiques de ces substances.

Le Fe(II) de l'Hb et de la Mb peut être oxydé en Fe(III) pour donner la **methémoglobine (metHb)** ou la **metmyoglobine (metMb)**. La metHb ne fixe pas l'oxygène; son Fe(III) est déjà coordiné au centre d'un octaèdre avec une molécule d'eau occupant la sixième position de liaison. La couleur brune du sang séché et de la viande rassise est celle de la metHb et de la metMb. Les érythrocytes (globules rouges) contiennent une enzyme, la **metHb réductase**, qui assure le retour à l'état Fe(II) de la petite quantité de metHb qui se forme spontanément.

Le monoxyde d'azote (NO), synthétisé dans plusieurs tissus, est une molécule de signalisation locale qui provoque notamment une vasodilatation (Section 19-1L). Une fois son message transmis, le NO doit être éliminé rapidement pour empêcher toute interférence avec la signalisation (ou son absence) par cette même molécule. De plus, le NO est très réactionnel et donc toxique. Dans le muscle, le NO est transformé en ion nitrate en réagissant avec la myoglobine oxygénée (**oxyMb**) qui devient de la metmyoglobine :

$$NO + MbO_2 \rightarrow NO_3^- + metMb$$

Étant donné que la metMb est ensuite reconvertie en Mb sous l'action de la **metmyoglobine réductase** intracellulaire, la myoglobine se comporte ici comme une enzyme. Le NO présent dans le sang est détoxifié de même à l'intervention de l'oxyhémoglobine (**oxyHb**).

B. *Liaison de l'oxygène*

La liaison de l'O_2 à la myoglobine se traduit par une simple réaction d'équilibre

$$Mb + O_2 \rightleftharpoons MbO_2$$

avec une constante de dissociation

$$K = \frac{[Mb][O_2]}{[MbO_2]} \tag{10.1}$$

(les biochimistes expriment généralement les équilibres en termes de constantes de dissociation, qui sont les inverses des constantes d'association plus traditionnelles). La dissociation de l'oxygène de Mb peut être caractérisée par sa **saturation partielle,** Y_{O_2}, définie comme la fraction des sites de liaison de l'oxygène occupés par O_2.

$$Y_{O_2} = \frac{[MbO_2]}{[Mb] + [MbO_2]} = \frac{[O_2]}{K + [O_2]} \tag{10.2}$$

L'oxygène étant un gaz, on exprime habituellement sa concentration par sa pression partielle, pO_2 (aussi appelée la **tension en oxygène**). L'équation [10.2] peut alors s'exprimer :

$$Y_{O_2} = \frac{pO_2}{K + pO_2} \tag{10.3}$$

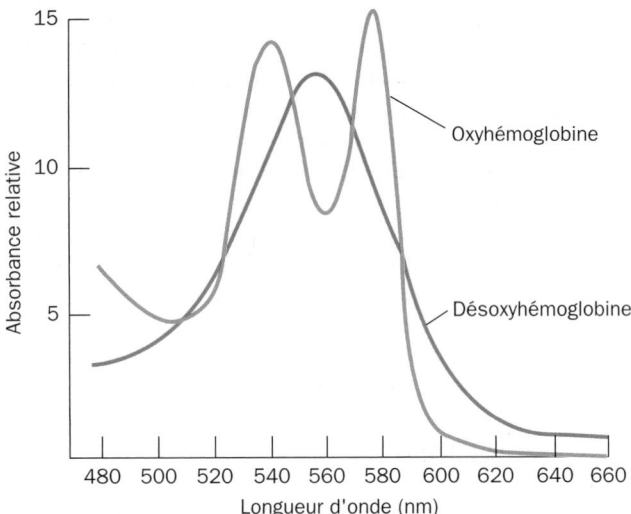

FIGURE 10-2 Spectre d'absorption dans le visible des formes oxygénée et désoxygénée de l'hémoglobine.

Soit p_{50} la valeur de pO_2 pour laquelle $Y_{O_2} = 0,50$, ce qui signifie que la moitié des sites de liaison de l'oxygène de la Mb sont occupés. En substituant cette valeur dans l'équation [10.3] on obtient par résolution, $K = p_{50}$. Ainsi, l'expression de la saturation partielle de Mb devient finalement :

$$Y_{O_2} = \frac{pO_2}{p_{50} + pO_2} \tag{10.4}$$

a. L'hémoglobine lie l'O2 de manière coopérative

La courbe de dissociation de l'oxymyoglobine (Fig. 10-3) suit de près la courbe hyperbolique que donne l'Eq. [10.4] ; sa p_{50} est égale à 2,8 torr (1 torr = 1 mm Hg à 0 °C = 0,133 kPa ; 760 torr = 1 atm). La Mb cède donc une petite quantité de son O_2 lié pour les valeurs physiologiques normales de pO_2 dans le sang (100 torr dans le sang artériel et 30 torr dans le sang veineux) ; par exemple, $Y_{O_2} = 0,97$ pour $pO_2 = 100$ torr et 0,91 pour $pO_2 = 30$ torr. Par contre, la courbe de dissociation de l'oxyhémoglobine (Fig. 10-3), qui est **sigmoïdale** (en forme de S) et ne correspond pas à l'Eq. [10.4], montre que la quantité d'O_2 lié à Hb change significativement en fonction des valeurs physiologiques normales de pO_2 dans le sang ; par exemple, $Y_{O_2} = 0,95$ à 100 torr et 0,55 à 30 torr dans le sang complet, soit une différence de Y_{O_2} de 0,40. Par conséquent, la Mb conserve l'O_2 dans des conditions où Hb le libère. Ainsi, les deux protéines constituent un système de transport de l'O_2 sophistiqué qui distribue l'O_2 des poumons aux muscles (où la pO_2 peut être < 20 torr). La courbe de dissociation sigmoïdale de l'oxyhémoglobine a une grande importance physiologique ; *elle permet au sang de fournir beaucoup plus d'O_2 aux tissus qu'il ne le pourrait si la courbe de dissociation de l'oxyhémoglobine était une hyperbole ayant la même p_{50} (26 torr ; ligne en pointillés de la Fig. 10-3).* Pour une telle courbe hyperbolique, $Y_{O_2} = 0,79$ à 100 torr et 0,54 à 30 torr soit une différence en Y_{O_2} de 0,25 seulement.

Une courbe de dissociation sigmoïdale est une indication d'**interaction coopérative** entre les sites de liaison d'une protéine pour une petite molécule ; autrement dit, la liaison d'une petite molécule modifie la liaison des autres. Dans le cas présent, la liaison de

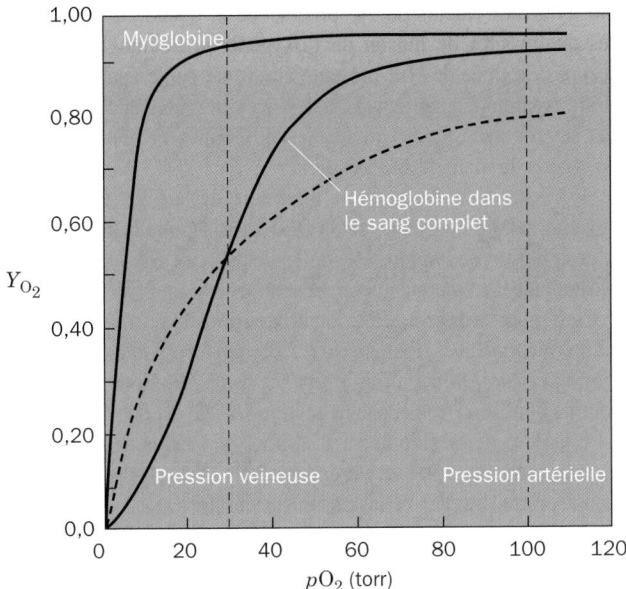

FIGURE 10-3 Courbes de dissociation de l'oxygène à partir de MbO₂ et de HbO₂ dans le sang complet. Les valeurs de pO_2 du sang artériel et veineux humain mesurées au niveau de la mer sont indiquées. La courbe en pointillés représente une courbe de dissociation hyperbolique ayant la même p_{50} que l'Hb (26 torr).

l'O_2 augmente l'affinité de l'Hb pour la liaison de molécules d'O_2 supplémentaires. Le mécanisme structural de la coopérativité de l'hémoglobine est décrit dans la Section 10-2C.

b. L'équation de Hill décrit empiriquement la courbe de liaison de l'oxygène à l'hémoglobine

Les premières tentatives d'analyse de la courbe sigmoïdale de dissociation de l'oxyhémoglobine ont été formulées par Archibald Hill en 1910. Nous suivons son analyse dans sa forme générale car elle est utile pour caractériser le comportement coopératif des enzymes oligomériques tout comme celui de l'hémoglobine.

Soit une protéine E formée de n sous-unités qui peuvent chacune lier une molécule S, que l'on appelle, par analogie avec les substituants de complexes d'ions métalliques, un **ligand.** Supposons que le ligand se lie avec une coopérativité infinie,

$$E + nS \rightleftharpoons ES_n$$

ce qui signifie que tous ou aucun des sites de liaison de la protéine sont occupés et qu'il n'y a donc pas d'intermédiaires ES_1, ES_2, etc... observables. La constante de dissociation de cette réaction est

$$K = \frac{[E][S]^n}{[ES_n]} \qquad [10.5]$$

et, comme précédemment, sa saturation partielle s'exprime par :

$$Y_S = \frac{n[ES_n]}{n([E] + [ES_n])} \qquad [10.6]$$

En combinant les Eq. [10.5] et [10.6] on obtient

$$Y_S = \frac{[E][S]^n/K}{[E](1 + [S]^n/K)}$$

qui, après réarrangement, devient l'**équation de Hill :**

$$Y_S = \frac{[S]^n}{K + [S]^n} \qquad [10.7]$$

laquelle, de manière analogue à l'équation [10.4], exprime le degré de saturation d'une protéine oligomérique en fonction de la concentration en ligand.

Une coopérativité de liaison de ligand infinie (n égal au nombre de sous-unités de la protéine) comme le prévoit la dérivée de cette équation, est une impossibilité physique. Néanmoins, n peut être pris comme un paramètre qui dépend du degré de coopérativité entre les sites de liaison du ligand en interaction plutôt que du nombre de sous-unités de la protéine. L'équation de Hill devient alors une relation empirique utile en accord avec la courbe plutôt qu'une indication concernant un modèle particulier de liaison du ligand. *La valeur n, la* **constante de Hill,** *augmente avec le degré de coopérativité d'une réaction ce qui fournit un moyen pratique, quoique simpliste, de caractériser une réaction de liaison d'un ligand.* Si $n = 1$, l'Eq. [10.7] est celle d'une hyperbole, comme le sont les Eq. [10.3] et [10.4] pour la Mb, et la réaction de liaison du ligand est dite **non coopérative.** Une réaction où $n > 1$ est à **coopérativité positive** : la liaison du ligand augmente l'affinité de E pour les liaisons du ligand ultérieures (la coopérativité est infinie si n est égal au nombre de sites de liaison pour le ligand dans E). Inversement, si $n < 1$, la réaction est dite à **coopérativité négative** : la liaison du ligand diminue l'affinité de E pour les liaisons ultérieures du ligand.

c. Les paramètres de l'équation de Hill peuvent être déterminés graphiquement

La constante de Hill, n, et la constante de dissociation, K, qui définissent le mieux une courbe de saturation peuvent être déterminées graphiquement en réarrangeant l'Eq. [10.7] comme suit :

$$\frac{Y_S}{1 - Y_S} = \frac{\dfrac{[S]^n}{K + [S]^n}}{1 - \dfrac{[S]^n}{K + [S]^n}} = \frac{[S]^n}{K}$$

et, en passant à l'expression logarithmique de cette équation, et après réarrangement, on obtient une relation linéaire :

$$\log\left(\frac{Y_S}{1 - Y_S}\right) = n \log[S] - \log K \qquad [10.8]$$

En portant graphiquement $\log[Y_S/(1-Y_S)]$ en fonction de $\log[S]$, — la **représentation de Hill** —, on obtient une droite de pente n et qui coupe l'axe des abscisses ($\log[S]$) pour la valeur $(\log K)/n$ (se rappeler que l'équation linéaire $y = mx + b$ est celle d'une droite de pente m qui coupe l'axe des abscisses pour la valeur $-b/m$).

Dans le cas de Hb, si nous substituons pO_2 à [S] comme cela a été fait avec Mb, l'équation de Hill devient :

$$Y_{O_2} = \frac{(pO_2)^n}{K + (pO_2)^n} \qquad [10.9]$$

Comme dans l'Eq. [10.4], appelons p_{50} la valeur de pO_2 pour laquelle $Y_{O_2} = 0{,}50$. En substituant cette valeur dans l'Eq. [10.9], on obtient,

$$0.50 = \frac{(p_{50})^n}{K + (p_{50})^n}$$

d'où

$$K = (p_{50})^n \qquad [10.10]$$

Et en remplaçant cette valeur dans l'Eq. [10.9], on obtient

$$Y_{O_2} = \frac{(pO_2)^n}{(p_{50})^n + (pO_2)^n} \qquad [10.11]$$

(*N.B.* L'Eq. [10.4] est un cas particulier de l'Eq. [10.11] avec $n = 1$). L'Eq. [10.8] devient alors

$$\log\left(\frac{Y_{O_2}}{1 - Y_{O_2}}\right) = n \log pO_2 - n \log p_{50} \qquad [10.12]$$

par conséquent *le tracé obtenu a une pente égale à n et coupe l'axe des abscisses à la valeur de log p_{50}*.

La Figure 10-4 donne les représentations de Hill pour Mb et Hb. Pour Mb, le tracé est linéaire avec une pente égale à 1, comme prévu. Bien que Hb ne fixe pas O_2 en une seule étape comme le présume l'équation de Hill dérivée, sa représentation de Hill est essentiellement linéaire pour des valeurs de Y_{O_2} comprises entre 0,1 et 0,9. Sa pente maximum, obtenue pour une valeur de $pO2$ voisine de p_{50} [$Y_{O_2} = 0,5$; $Y_{O_2}/(1 - Y_{O_2}) = 1$], est prise normalement pour la valeur de la constante de Hill. Pour l'Hb humaine normale, la constante de Hill est comprise entre 2,8 et 3,0 ; ce qui signifie que la liaison de l'oxygène à l'Hb est fortement, mais pas infiniment, coopérative. Beaucoup d'hémoglobines anormales ont des constantes de Hill inférieures (Section 10-3A), ce qui indique qu'elles ont un degré de coopérativité inférieur à la normale. Pour des valeurs de Y_{O_2} proches de 0, lorsqu'un petit nombre de molécules d'Hb n'ont fixé qu'une seule molécule d'O_2, le tracé de Hill de l'Hb présente une pente égale à 1 (Fig. 10-4, asymptote inférieure) car les sous-unités de l'Hb sont en compétition de manière indépendante pour l'oxygène comme le sont les molécules de la

Mb. Pour des valeurs de Y_{O_2} proches de 1, quand au moins trois des quatre sites de liaison de l'oxygène de l'hémoglobine sont occupés, le tracé de Hill présente aussi une pente égale à 1 (Fig. 10-4, asymptote supérieure) car les quelques sites encore inoccupés se trouvent sur des molécules différentes et donc ils fixent l'oxygène de manière indépendante.

En extrapolant l'asymptote inférieure de la Fig. 10-4 jusqu'à l'axe horizontal on trouve, selon l'Eq. [10.11], que la $p_{50} = 30$ torr pour la liaison de la première molécule d'O_2 à l'Hb. De même, en extrapolant l'asymptote supérieure, on trouve une valeur de $p_{50} = 0,3$ torr pour la liaison de la quatrième molécule d'O_2. Ainsi, *la quatrième molécule d'O_2 se lie à l'oxygène avec une affinité 100 fois supérieure à celle de la première molécule*. Cette différence, comme nous le verrons dans la Section 10-2C, est due uniquement à l'influence de la globine sur l'affinité de l'hème pour O_2. Cela correspond à une différence d'énergie libre de 11,4 kJ $\cdot$ mol^{-1} entre la liaison du premier et la liaison du dernier O_2 à l'Hb (Section 3-4A).

Des modèles mathématiques plus sophistiqués que l'équation de Hill ont été élaborés pour analyser la liaison coopérative de ligands aux protéines. Certains seront vus dans la Section 10-4.

d. La globine empêche l'oxyhème de s'auto-oxyder

Non seulement la globine modifie l'affinité de l'hème pour l'oxygène, elle rend possible la liaison réversible de l'oxygène. L'hème-Fe(II) seul est incapable de lier l'O_2 de façon réversible. Plus exactement, en présence d'O_2, il s'auto-oxyde irréversiblement pour donner la forme Fe(III) avec la formation intermédiaire d'un complexe où un O_2 établit un pont entre les atomes de fer de deux hèmes. Cette réaction peut être inhibée en dérivatisant l'hème avec des groupements encombrants qui s'opposent stériquement au rapprochement face à face de deux hèmes. De tels complexes porphyrine-Fe(II) dits « **complexes clôturés** » (Fig. 10-5), synthétisés pour la première fois par James Collman, lient réversiblement l'O_2. Le côté arrière de cette porphyrine est dégagé et complexé par un imidazole substitué de manière identique à celle de la Mb

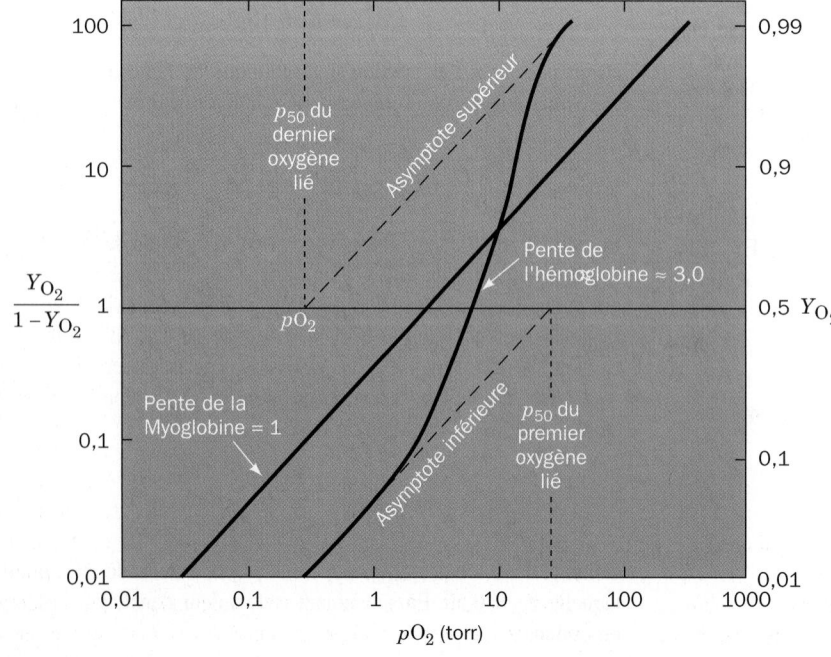

FIGURE 10-4 Représentations de Hill pour la Mb et l'Hb purifiées (« nues »). Noter qu'il s'agit d'un tracé log-log. Ainsi, la valeur sur l'axe des x, $\log[\,Y_{O_2}/(1 - Y_{O_2})] = 0$ lorsque $Y_{O_2} - Y_{O_2}) = 1$ (et $pO_2 = p_{50}$).

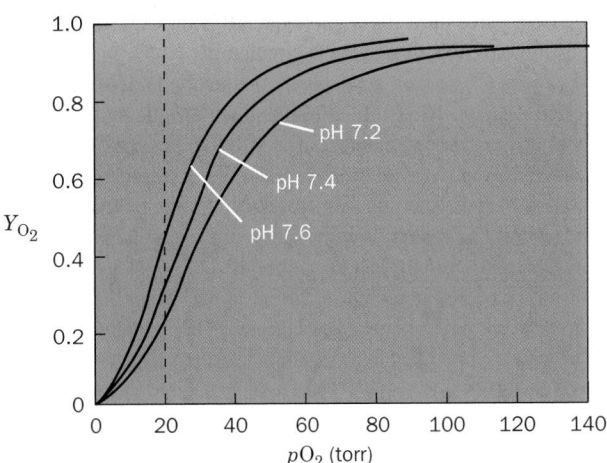

FIGURE 10-5 **Un complexe Fe(II)-porphyrine « clôturé » avec l'O$_2$ lié**. [D'après Collman, J.P, Brauman, J.I., Rose, E., and Suslick, K.S., *Proc. Natl. Acad. Sci.* **75**, 1053 (1978).]

FIGURE 10-6 **Influence du pH sur la courbe de dissociation de HbO$_2$: l'effet Bohr**. La ligne en pointillés verticale indique la pO_2 dans du muscle qui respire intensément. [D'après Benesch, R.E. and Benesch, R., *Adv. Protein Chem.* **28**, 212 (1974).]

et de l'Hb. En fait, l'affinité pour l'oxygène de ce complexe « clôturé » est identique à celle de la Mb. Par conséquent, les globines de Mb et de l'Hb empêchent l'auto-oxydation de l'oxyhème en l'entourant, un peu à la manière du petit pain qui entoure le hamburger, si bien que seules les chaînes latérales de propionate sont exposées au solvant aqueux (Section 10-2B).

C. *Transport du dioxyde de carbone et effet Bohr*

Tout en étant un transporteur d'O$_2$, *l'Hb joue un rôle important dans le transport du CO$_2$ par le sang*. Quand l'Hb (mais pas la Mb) fixe l'O$_2$ à des pH physiologiques, elle subit un changement de conformation (Section 10-2B) qui la rend légèrement plus acide. Elle libère donc des protons en fixant l'O$_2$:

$$Hb(O_2)_n H_x + O_2 \rightleftharpoons Hb(O_2)_{n+1} + xH^+$$

où n = 0, 1, 2, ou 3 et $x \approx 0{,}6$ dans des conditions physiologiques. Réciproquement, *si le pH augmente, c'est-à-dire s'il y a départ de protons, la fixation de O$_2$ à l'Hb est stimulée* (Fig. 10-6). Ce phénomène, dont le mécanisme moléculaire sera étudié dans la Section 10-2E, est connu sous le nom d'**effet Bohr** d'après Christian Bohr (père de Niels Bohr, pionnier de la physique atomique), qui le décrivit pour la première fois en 1904.

a. L'effet Bohr facilite le transport de l'O2

Les quelque 0,8 molécules de CO$_2$ formées par molécule d'O$_2$ consommé par respiration diffusent des tissus dans les capillaires essentiellement sous forme de CO$_2$ dissous en raison de la lenteur de la réaction qui donne du bicarbonate :

$$CO_2 + H_2O \rightleftharpoons H^+ + HCO_3^-$$

Cependant, cette réaction est catalysée dans les érythrocytes par l'anhydrase carbonique (Fig. 8-41). Ainsi, la plupart du CO$_2$ est transporté dans le sang sous forme de bicarbonate (en l'absence d'anhydrase carbonique, l'hydratation du CO$_2$ s'équilibrerait 100

fois plus lentement, d'où la formation de bulles de CO$_2$, peu soluble, dans le sang et les tissus).

Dans les capillaires, où la pO_2 est basse, les H$^+$ issus de la formation du bicarbonate sont captés par l'Hb, qui est donc amenée à céder son oxygène lié. De plus, ces protons captés facilitent le transport du CO$_2$ en stimulant la formation de bicarbonate. Réciproquement, dans les poumons, où la pO_2 est élevée, la liaison de l'oxygène par l'Hb libère les protons captés précédemment, ce qui provoque le départ du CO$_2$. Ces réactions sont étroitement associées, d'où de faibles variations du pH sanguin.

L'effet Bohr est à l'origine d'un mécanisme qui assure un apport d'O$_2$ supplémentaire à des muscles en activité intense. De tels muscles s'acidifient si rapidement (Section 17-3A) qu'ils abaissent le pH du sang qui les irrigue de 7,4 à 7,2. A pH 7,2 l'Hb libère environ 10 % d'O$_2$ de plus qu'à pH 7,4 pour une pO_2 < 20 torr, celle de ces muscles (Fig. 10-6).

b. Le CO$_2$ et les ions Cl$^-$ modulent l'affinité de l'hémoglobine pour l'O$_2$

Le CO$_2$ module la liaison de l'O$_2$ directement et en se combinant réversiblement aux groupements amino N-terminaux des protéines sanguines pour former des **carbamates** :

$$R{-}NH_2 + CO_2 \rightleftharpoons R{-}NH{-}COO^- + H^+$$

La conformation de la désoxyhémoglobine (**désoxyHb**), comme nous le verrons dans la Section 10-2B, est significativement différente de celle de l'oxyhémoglobine (**oxyHb**). En conséquence, la désoxyHb fixe davantage de CO$_2$ sous forme de carbamate que l'oxyHb. Le CO$_2$, comme les H$^+$, est donc un modulateur de l'affinité de l'hémoglobine pour l'O$_2$: une forte concentration en CO$_2$, comme c'est le cas dans les capillaires, stimule la libération de l'O$_2$ lié à l'Hb. Noter la complexité de cet équilibre Hb $-$ O$_2$ $-$ CO$_2$ $-$ H$^+$: les protons issus de la formation de carbamate sont en partie repris à cause de l'effet Bohr, augmentant ainsi la quantité d'O$_2$ que l'Hb aurait libérée autrement. Bien que la différence de CO$_2$ lié entre les états oxy et désoxy de l'hémoglobine ne représente que 5 % environ du CO$_2$ sanguin total, cette quantité représente néanmoins environ la moitié du CO$_2$ transporté par le sang. Ceci parce qu'il n'y a guère que 10 % du CO_2 sanguin total qui est renouvelé à chaque cycle circulatoire.

Les ions Cl^- se lient aussi plus fermement à la désoxyHb qu'à l'oxyHb (Section 10-2E). Il en résulte que l'affinité de l'hémoglobine pour l'O_2 varie également avec la [Cl^-]. Les ions HCO_3^- diffusent librement à travers la membrane des érythrocytes (Section 12-3D) si bien qu'une fois formés, ils s'équilibrent avec le plasma environnant. Cependant, la nécessité de maintenir la neutralité de charge de part et d'autre de la membrane oblige les ions Cl^-, qui diffusent eux aussi librement à travers la membrane, à remplacer les ions HCO_3^- qui sortent de l'érythrocyte (la membrane des érythrocytes est imperméable aux cations). En conséquence, la [Cl^-] dans l'érythrocyte est plus grande dans le sang veineux que dans le sang artériel. *Les ions Cl^- sont donc des modulateurs de l'affinité de l'hémoglobine pour l'O_2.*

D. *Influence du BPG sur la liaison de l'oxygène*

L'hémoglobine purifiée (nue) a une affinité beaucoup plus grande pour l'O_2 que n'en a à l'hémoglobine dans le sang complet (Fig. 10-7). Cette observation a conduit Joseph Barcroft, en 1921, à suggérer que le sang devait contenir une autre substance qui se complexe avec l'Hb afin d'en réduire l'affinité pour l'O_2. En 1967, Reinhold et Ruth Benesch démontrèrent que cette substance est le **D-2,3-bisphosphoglycérate (BPG)**

$$\begin{array}{c} \overset{O^-}{\underset{}{}}\;\overset{O}{\underset{}{}} \\ C \\ | \\ H-C-OPO_3^{2-} \\ | \\ H-C-OPO_3^{2-} \\ | \\ H \end{array}$$

D-2,3-Bisphosphoglycérate (BPG)

[appelé antérieurement **2,3-diphosphoglycérate (DPG)**]. Le BPG se lie fortement à la désoxyHb dans un rapport molaire de 1 : 1 ($K = 1,5 \times 10^{-5}M$) mais faiblement à l'oxyHb. La présence du BPG diminue donc l'affinité de l'hémoglobine pour l'oxygène en la maintenant dans la conformation désoxy; par exemple, la p_{50} de l'hémoglobine nue augmente de 12 à 22 torr en présence de BPG 4,7 mM, qui est sa concentration normale dans les érythrocytes (identique à celle de l'Hb). Des polyphosphates organiques, tels que l'**inositol hexaphosphate (IHP)**

Inositol hexaphosphate (IHP)

et l'ATP ont un effet semblable sur l'Hb. En fait, chez les oiseaux, l'IHP remplace fonctionnellement le BPG et l'ATP joue le même rôle chez les poissons et la plupart des amphibiens. L'ATP présent normalement dans les érythrocytes de mammifères (environ 2 mM) ne peut se lier à l'Hb car il forme un complexe avec Mg^{2+}.

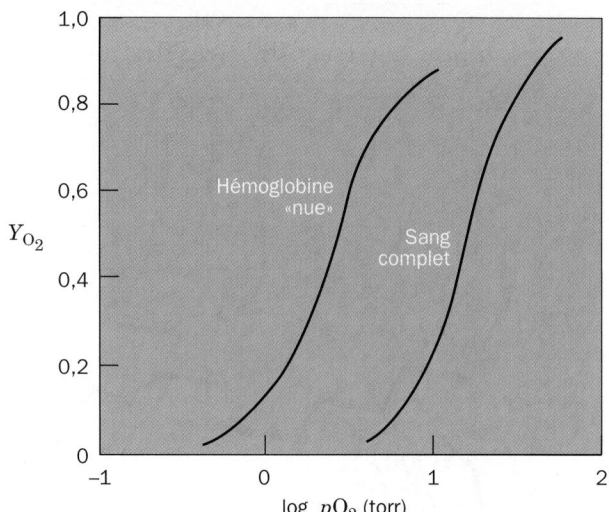

FIGURE 10-7 **Comparaison des courbes de dissociation de l'HbO$_2$ « nue » et dans le sang complet en solution dans NaCl 0,01M à pH 7,0.** [D'après Benesch, R.E. and Benesch, R., *Adv. Protein Chem.* **28**, 217 (1974).]

Le BPG remplit une fonction physiologique primordiale : dans le sang artériel, où la pO_2 est de 100 torr environ, l'Hb est saturée à 95 % en oxygène, mais dans le sang veineux, où la pO_2 est de l'ordre de 30 torr, elle n'est saturée qu'à environ 55 % (Fig. 10-3). Autrement dit, en passant par les capillaires, l'Hb libère a peu près 40 % de son O_2. *En absence de BPG, seule une faible quantité de cet oxygène est libérée car l'affinité de l'hémoglobine pour O_2 est augmentée, déplaçant ainsi significativement la courbe de dissociation de l'oxyHb vers des valeurs de pO_2 plus faibles (Fig. 10-8, à gauche).*

Le CO_2 et le BPG modulent de façon indépendante l'affinité de l'hémoglobine pour l'O_2. La Figure 10-8 montre que l'Hb nue peut avoir la même courbe de dissociation que l'Hb dans le sang complet si l'on ajoute du CO_2 et du BPG aux concentrations trouvées dans les érythrocytes (le pH et la [Cl^-] sont aussi les mêmes). Ainsi, *la présence de ces quatre substances dans le sang complet — BPG, CO_2, H^+, et Cl^- — explique les propriétés de liaison de l'oxygène par l'Hb.*

a. L'augmentation des teneurs en BPG est en partie responsable de l'adaptation en haute altitude

L'adaptation en haute altitude est un processus physiologique complexe qui implique une augmentation du nombre d'érythrocytes et de la teneur en hémoglobine par érythrocyte. Une adaptation parfaite peut demander plusieurs semaines. Cependant, comme le sait toute personne qui a grimpé en haute altitude, on constate une certaine adaptation, même après un séjour d'une journée. Ce résultat est dû à une augmentation rapide de la concentration en BPG érythrocytaire (Fig. 10-9; le BPG, qui ne peut pas traverser la membrane des érythrocytes, est synthétisé dans ceux-ci; Section 17-2H). La diminution de l'affinité de liaison pour l'O_2 qui en résulte, comme l'indique sa p_{50} élevée, augmente la quantité d'O_2 que l'hémoglobine libère dans les capillaires (Fig. 10-10). Des augmentations identiques de la concentration en BPG surviennent chez des individus atteints d'affections qui limitent l'oxygénation de leur sang (**hypoxie**), comme certaines anémies et l'insuffisance cardiopulmonaire.

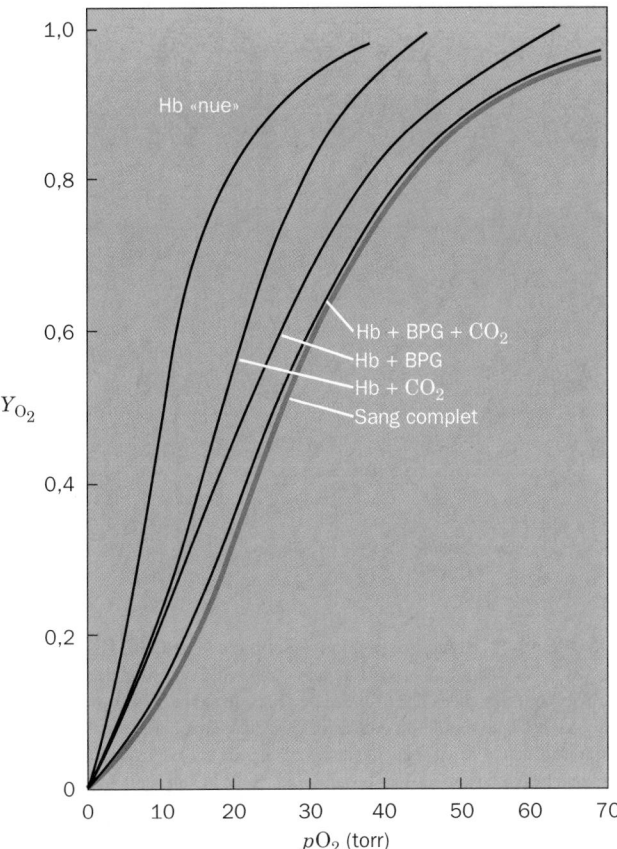

FIGURE 10-8 Influences du BPG et du CO₂, seuls ou ensemble, sur la courbe de dissociation de l'HbO₂ comparée à celle du sang complet (*courbe en rouge*). Dans les solutions d'Hb, avec KCl 0,1M et un pH de 7,22, la pCO_2 = 40 torr et la concentration en BPG est égale à 1,2 fois celle de l'Hb. Le sang a une pCO_2 = 40 torr et le pH du plasma est de 7,4, ce qui correspond à un pH de 7,22 à l'intérieur des érythrocytes. [D'après Kilmartin, J.V. and Rossi-Bernardi, L., *Physiol. Rev.* **53**, 884 (1973).]

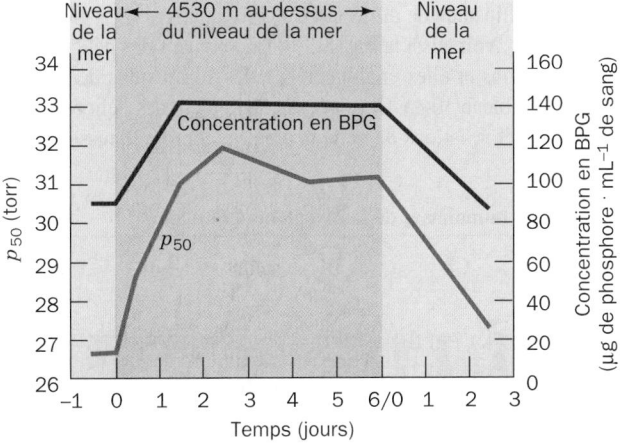

FIGURE 10-9 Influence d'un séjour en haute altitude sur la p_{50} et la concentration en BPG sanguines chez des personnes vivant normalement au bord de la mer. La partie à droite marquée « Niveau de la mer » montre les effets d'un séjour au bord de la mer pour des personnes habituées à la haute altitude. [D'après Lenfant, C., Torrance, J.D., English, E., Finch, C.A., Reynafarje, C., Ramos, J., and Faura. J., *J. Clin. Invest.* **47**, 2653 (1968).]

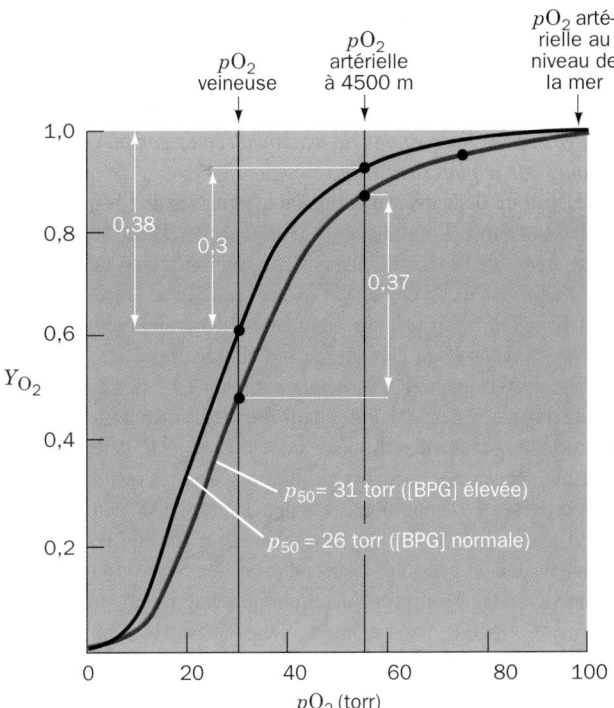

FIGURE 10-10 Courbes de dissociation du sang oxygéné de personnes vivant au bord de la mer (*courbe en noir*) et en haute altitude (*courbe en rouge*). Pour les personnes du bord de mer, entre les valeurs de pO_2 du sang artériel et veineux, respectivement égales à 100 et 30 torr, l'Hb libère 38 % de l'oxygène qu'elle peut transporter au maximum. Cependant, quand la pO_2 artérielle descend à 55 torr, ce qui est le cas à une altitude de 4500 m, cette différence est réduite à 30 % pour le sang non adapté. L'adaptation en haute altitude augmente la concentration en BPG érythrocytaire, ce qui déplace la courbe de dissociation de l'HbO₂ vers la droite. La quantité d'O₂ que l'Hb peut libérer dans les tissus est alors 37 % de sa charge maximum.

b. L'hémoglobine fœtale a une faible affinité pour le BPG

Les effets du BPG aident aussi à fournir de l'oxygène au fœtus. L'oxygène du fœtus est fourni par la circulation maternelle via le placenta. Ce processus est facilité car l'hémoglobine fœtale (HbF) a une affinité pour l'O₂ supérieure à l'hémoglobine maternelle (HbA ; se rappeler que l'HbF a la composition en sous-unités $\alpha_2\gamma_2$, dans laquelle la sous-unité γ est une variante de la sous-unité β de l'HbA ; Section 7-3C). Le BPG se trouve en concentrations pratiquement équivalentes dans les érythrocytes adultes et fœtaux mais se lie avec plus d'affinité à la désoxyHbA qu'à la désoxyHbF ; ceci explique la plus grande affinité de l'HbF pour l'O₂. Dans la section suivante, nous expliquerons, en termes de structure, les effets du BPG ainsi que les autres caractéristiques de la liaison de l'O₂.

2 ■ STRUCTURE ET MÉCANISME

La détermination des premières structures de protéines par rayons X, celles de la myoglobine de cachalot par John Kendrew en 1959, de la désoxyhémoglobine humaine et de la methémoglobine de cheval par Max Perutz peu de temps après, provoqua une révolution dans la manière de penser biochimique qui a rénové notre compréhension de la chimie de la vie. Avant l'avènement de la cristallographie des protéines, les structures macromoléculaires, pour peu qu'on s'y intéressât, étaient considérées comme des structures imprécises d'intérêt biologique incertain. Cependant, au fur et à mesure qu'on élucidait les structures macromoléculaires, et ce, de plus en plus rapidement, il devint évident que *la vie est fondée sur les interactions de macromolécules complexes et bien définies sur le plan structural.*

L'histoire de la détermination de la structure de l'hémoglobine doit beaucoup à l'optimisme et à la ténacité. Perutz commença cette étude en 1937 à l'Université de Cambridge en tant qu'étudiant de troisième cycle de J.D. Bernal (qui, avec Dorothy Crowfoot Hodgkin, avait pris les premières photographies par diffraction des rayons X de cristaux de protéine hydratée en 1934). En 1937, la détermination de structure par rayons X, même de la plus petite molécule, demandait des mois de calculs manuels et la structure la plus grande déterminée à cette époque était celle du colorant phthalocyanine, qui possède 40 atomes autres que des atomes d'hydrogène. L'hémoglobine ayant quelque 4 500 atomes autres que l'hydrogène, les collaborateurs de Perutz ont dû penser qu'il visait un but impossible. Cependant, le directeur du laboratoire, Lawrence Bragg (qui avait déterminé avec son père, en 1912, la première structure par rayons X, celle du NaCl), réalisa que la détermination de la structure d'une protéine aurait une portée biologique considérable et il soutint le projet.

Ce n'est qu'en 1953 que Perutz finit par trouver la méthode qui lui permit de déterminer la structure par rayons X de l'hémoglobine, celle du remplacement isomorphe. Kendrew, un collègue de Perutz, utilisa cette technique pour élucider la structure par rayons X de la myoglobine de cachalot, d'abord à faible résolution en 1957, puis à haute résolution en 1959. La plus grande complexité de l'hémoglobine repoussa la détermination de sa structure à faible résolution jusqu'en 1959, et ce n'est qu'en 1968, soit plus de 30 ans après avoir commencé ce travail, que Perutz et ses collaborateurs obtinrent la structure par rayons X à haute résolution de la methémoglobine de cheval. Peu de temps après, les structures des désoxyhémoglobines de cheval et d'homme furent déterminées. Depuis, les structures par rayons X d'hémoglobines de nombreuses espèces différentes, de mutants, et d'hémoglobines liées à différents ligands ont été élucidées. Ces travaux, et les nombreuses recherches réalisées en utilisant les techniques physicochimiques, ont fait de l'hémoglobine la protéine la plus étudiée et, sans doute, la mieux comprise de toutes.

Dans cette section, nous examinerons les structures moléculaires de la myoglobine et de l'hémoglobine et nous étudierons les

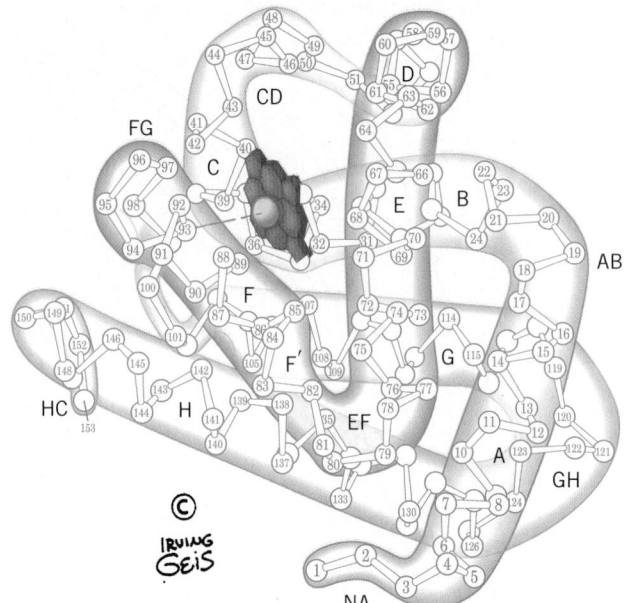

FIGURE 10-11 Structure de la myoglobine de cachalot. Les positions de ses 153 C_α sont numérotées depuis l'extrémité N-terminale et ses huit hélices sont désignées dans l'ordre de la séquence par les lettres A à H. La deuxième moitié du coude EF est considérée maintenant comme un tour d'hélice et est donc désignée par hélice F'. Le groupement hème est représenté en rouge. Voir aussi la Fig. 8-39. [Copyright Irving Geis. Figure basée sur une structure par rayons X due à John Kendrew, MRC Laboratory of Molecular Biology, Cambridge, U.K. PDBid 1MBN.]

bases structurales de la liaison coopérative de l'oxygène à l'hémoglobine, de l'effet Bohr et de la liaison du BPG.

A. Structure de la myoglobine

La myoglobine est formée de huit hélices (désignées de A à H) reliées par de courts segments polypeptidiques pour donner une molécule ellipsoïde de dimensions approximatives $44 \times 44 \times 25$ Å (Fig. 10-11 ; voir aussi la Fig. 8-39). La longueur des hélices va de 7 à 26 résidus et elles englobent 121 des 153 résidus de la myoglobine (Tableau 10-1). Ce sont essentiellement des hélices α avec quelques déformations de cette géométrie comme le resserrement

TABLEAU 10-1 Séquence en acides aminés des chaînes a et b de l'hémoglobine humaine et de la myoglobine humaine[a,b]

Frontières des hélices	A1		A16 / B1		B16 / C1	C7	D1	D7 / E1
Hb α	V-LSPADKTNVKAAWGKVGAHAGEYGAEALERMFLSFPTTKTYFPHF-DLSH-----GSAQVKGHGKKVADALT							
Hb β	VHLTPEEKSAVTALWGKV--NVDEVGGEALGRLLVVYPWTQRFFESFGDLSTPDAVMGNPKVKAHGKKVLGAFS							
Mb	GHLSDGEWQLVLNVWGKVEADIPGHGQEVLIRLFKGHPETLEKFDKFKHLKSEDEMKASEDLKKHGATVLTALG							

[a]Les résidus sont alignés dans les positions qui se correspondent dans la structure. Les boîtes en bleu ombrent les résidus qui sont identiques dans les deux chaînes de l'Hb, les boîtes en violet ombrent les résidus qui sont identiques dans les deux chaînes de l'Hb et dans la Mb, et les boîtes en violet foncé ombrent les résidus invariants chez tous les vertébrés dans les trois chaînes (Thr C4, Phe CD1, Leu F4, His F8, et Tyr HC2).

[b]Les premiers et derniers résidus des hélices A–H sont indiqués, tandis que les résidus entre les hélices constituent les "segments" intermédiaires. La structure affinée de l'Hb a révélé qu'une partie importante du segment désigné par EF est en fait hélicoïdale dans les deux chaînes : il englobe les résidus EF4–F2 et est appelé hélice F'.

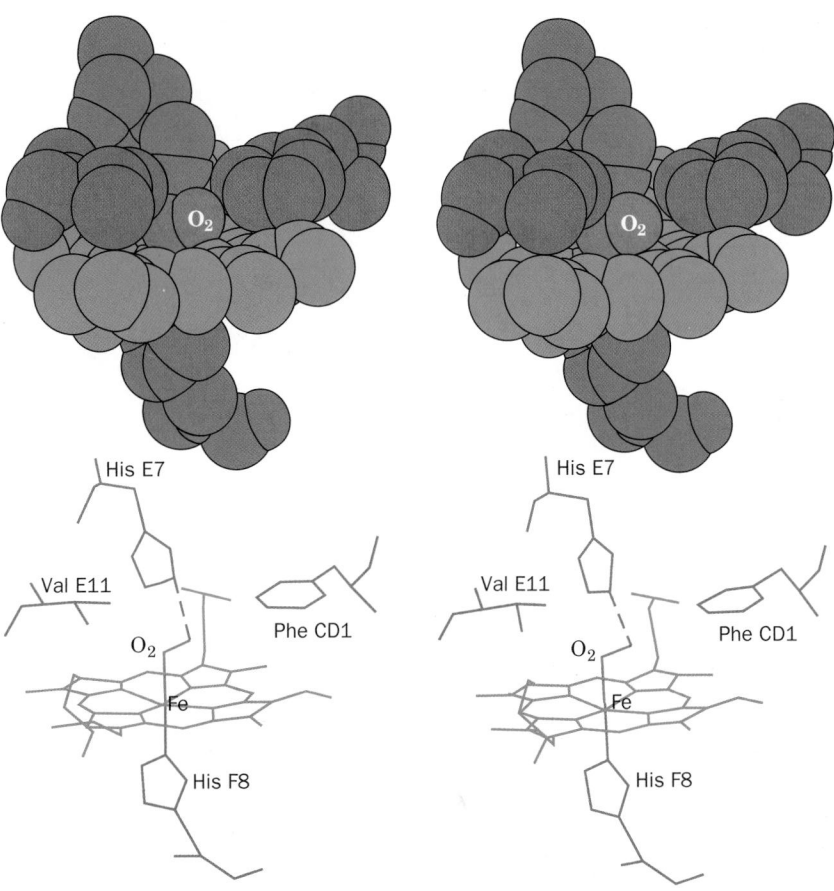

FIGURE 10-12 Représentation stéréo du complexe hème dans l'oxyMb. Dans le dessin du dessus, les atomes sont représentés sous forme de sphères des rayons de van der Waals. Le dessin du dessous montre le modèle correspondant en ossature, la ligne en pointillés figurant la liaison hydrogène entre l'His distale et l'O_2 lié. L'Appendice du Chap. 8 explique comment observer des représentations stéréo. [D'après Phillips, S.E.V., *J. Mol. Biol.* **142**, 544 (1980. PDBid 1MBO.]

des tours terminaux des hélices A, C, E, et G qui forment des segments d'hélice 3_{10}.

Selon une convention de numérotation des hélices propre à la Mb et à l'Hb, les résidus sont désignés d'après leur position dans une hélice ou un segment interhélicoïdal. Par exemple, le résidu B5 est le cinquième résidu depuis l'extrémité N-terminale de l'hélice B et le résidu FG3 est le troisième résidu depuis l'extrémité N-terminale du segment non hélicoïdal qui relie les hélices F et G. Les segments N- et C-terminaux non hélicoïdaux sont désignés respectivement par NA et HC. La convention classique de numérotation de tous les résidus d'acide aminé depuis l'extrémité N-terminale du polypeptide est aussi utilisée, et parfois les deux conven-

tions sont données simultanément. Par exemple, Glu EF6(83) de la Mb humaine est le 83ᵉ résidu depuis l'extrémité N-terminale et le 7ᵉ résidu du segment non hélicoïdal qui relie les hélices E et F.

L'hème se trouve enfoncé solidement dans une poche hydrophobe formée par les hélices E et F mais qui inclut également des contacts avec les hélices B, C, G, et H ainsi qu'avec les segments CD et FG. Le cinquième ligand de l'hème Fe(II) est l'His F8, **l'histidine proximale** (proche). Dans l'oxyMb, le Fe(II) est situé à 0,22 Å hors du plan de l'hème du côté de l'His proximale et est lié par coordinence à l'oxygène grâce à une disposition courbée comme le montre la Fig. 10-12. L'His E7, **l'histidine distale** (éloignée), est liée par liaison hydrogène à l'O_2. Dans la désoxyMb, la

TABLEAU 10-1   Séquence en acides aminés des chaînes a et b de l'hémoglobine humaine et de la myoglobine humaine[a,b]

Frontières des hélices	A1	A16 / B1	B16 / C1	C7	D1	D7 / E1
Hb α	V-LSPADKTNVKAAWGKV	GAHAGEYGAEALERMFLS	FPTTKTYFPHF	-DLSH	-----	GSAQVKGHGKKVADALT
Hb β	VHLTPEEKSAVTALWGKV	--NVDEVGGEALGRLLVVY	PWTQRFFESF	GDLS	TPDAVMGN	PKVKAHGKKVLGAFS
Mb	GHLSDGEWQLVLNVWGKV	EADIPGHGQEVLIRLFKG	HPETLEKF	DKFKHLKS	EDEMKAS	EDLKKHGATVLTALG

Source: Dickerson, R.E. and Geis, I., *Hemoglobin*, pp. 68–69, Benjamin/Cummings (1983).

(a)

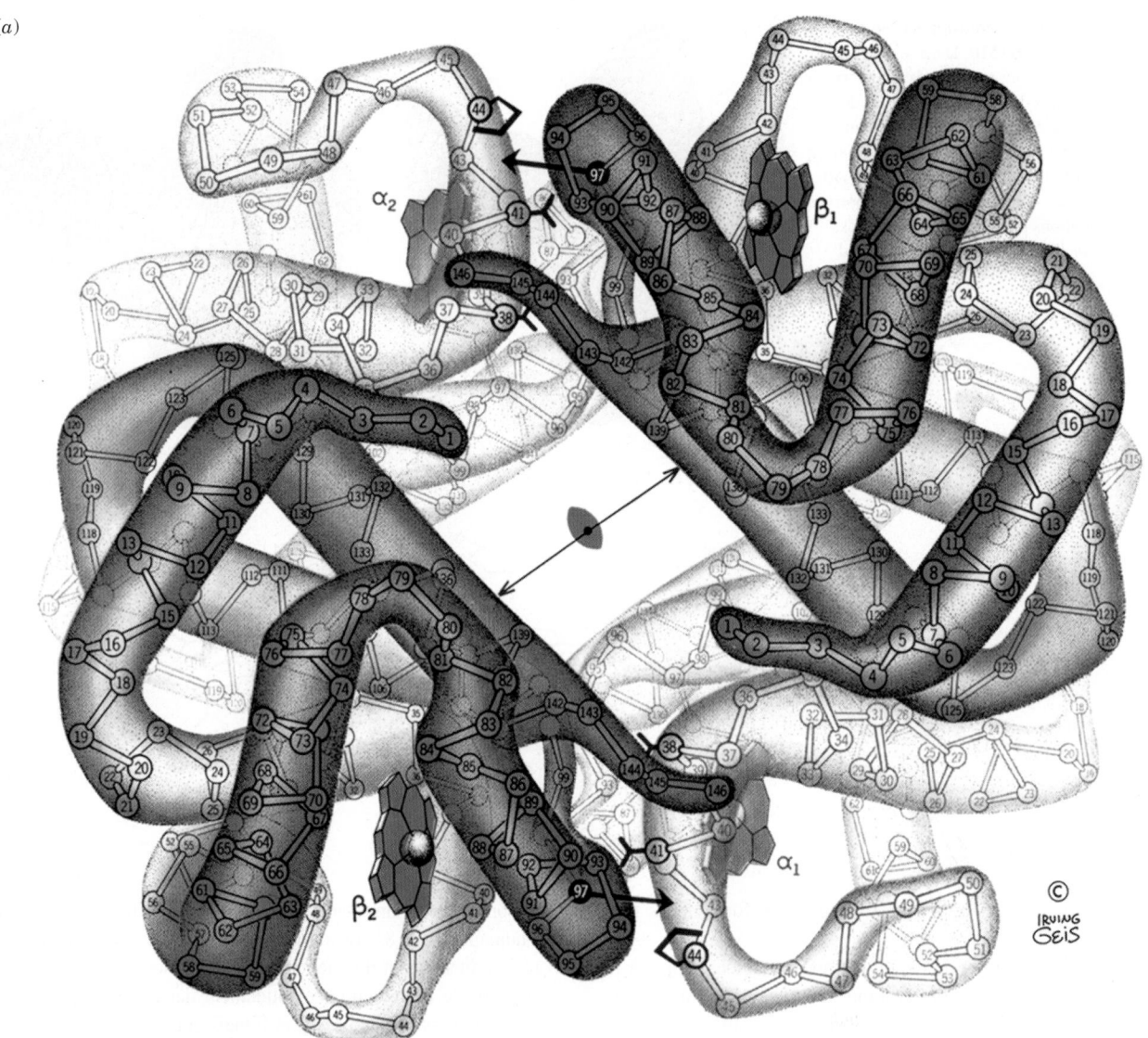

FIGURE 10-13 Structures de (*a*) la désoxyHb et (*b*) l'oxyHb, vues vers le bas le long de leur axe de symétrie réel d'ordre deux. Les atomes C$_\alpha$, numérotés depuis chaque extrémité N-terminale, et les groupements hème sont représentés. L'Hb tétramérique contient un chenal central rempli de solvant parallèle à l'axe d'ordre deux et les chaînes β adjacentes se rapprochent l'une de l'autre après oxygénation (comparer les longueurs des flèches à deux têtes). Dans l'état désoxy, l'His FG4(97)β (*petite flèche à une seule tête*) s'intercale entre la Thr C6(41)α et la Pro CD2(44)α (*en bas à droite et en haut à gauche*). Les mouvements relatifs des deux protomères αβ après oxygénation (*grosses flèches grises, Partie b*) déplacent l'His FG4(97)β qui se place alors entre la Thr C3(38)α et la Thr C6(41)α. Voir la Fig. 8-63 pour une représentation correspondante en modèle plein de la désoxyHb. [Copyright Irving Geis. Figure basée sur des structures par rayons X dues à Max Perutz, MRC Laboratory of Molecular Biology, Cambridge, U.K. PDBid *(a)* 2DHB et *(b)* 2MHB.]

sixième position de liaison du Fe(II) est vacante car l'His distale est trop loin du Fe(II) pour se lier par coordinence. De plus, le Fe(II) se trouve à 0,55 Å hors du plan de l'hème. D'autres modifications structurales de la Mb selon ses états d'oxygénation concernent de petits déplacements de plusieurs segments de la chaîne et de légers ajustements de conformations de chaînes latérales. *Cependant, grosso modo, les structures de l'oxy et de la désoxyMb sont pratiquement superposables.*

B. *Structure de l'hémoglobine*

Le tétramère hémoglobine est une molécule sphéroïde de dimensions $64 \times 55 \times 50$ Å. Ses deux protomères αβ sont reliés symétriquement par un axe d'ordre deux (Fig. 10-13 ; voir aussi la Fig. 8-63). *Les structures tertiaires des sous-unités α et β sont remarquablement similaires entre elles et semblables à celle de la Mb (Fig. 10-11 et 10-13)*, bien qu'il n'y ait que 18 % de résidus iden-

(b)

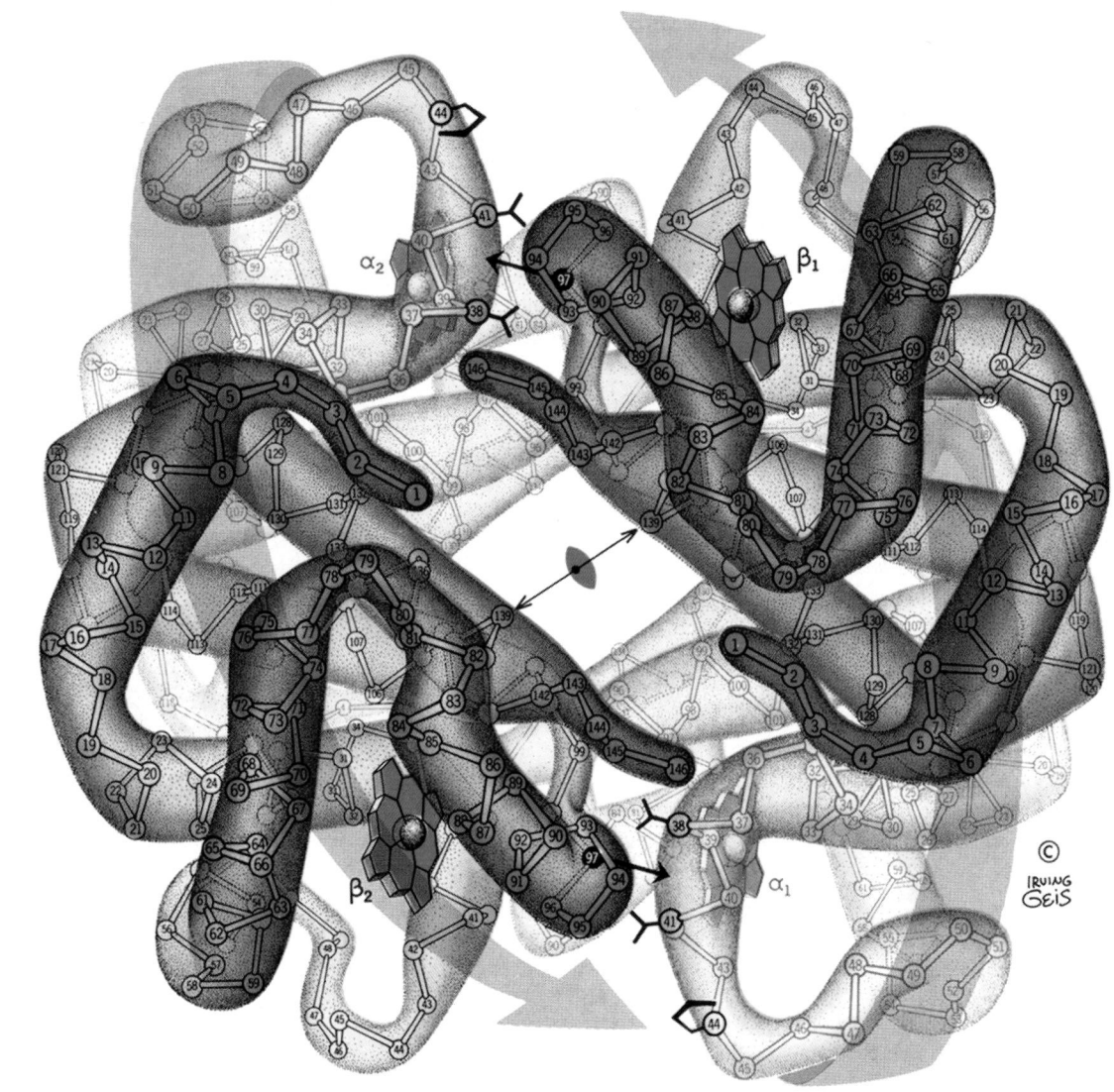

FIGURE 10-13 *(suite)*

tiques entre ces trois polypeptides (Tableau 10-1) et qu'il n'y ait pas d'hélice D dans la sous-unité α de l'hémoglobine. En effet, *dans le tétramère les sous-unités α et β s'emboîtent selon des rotations de pseudo-ordre deux, ce qui fait que les sous-unités occupent les sommets d'un tétraèdre (symétrie pseudo-D_2 ; Section 8-5B).*

Les chaînes polypeptidiques de l'Hb sont disposées de sorte qu'il s'établit des interactions importantes entre les sous-unités différentes. L'interface $\alpha_1 - \beta_1$ (et son équivalent symétrique $\alpha_2 - \beta_2$) concerne 35 résidus, tandis que l'interface $\alpha_1 - \beta_2$ (et $\alpha_2 - \beta_1$) concerne 19 résidus. Ces associations sont essentiellement de nature hydrophobe, bien que de nombreuses liaisons hydrogène et plusieurs liaisons ioniques soient aussi impliquées (Section 10-2C). Par contre, les contacts entre sous-unités identiques, $\alpha_1 - \alpha_2$ et $\beta_1 - \beta_2$, sont rares et de nature polaire. C'est pourquoi les sous-unités identiques se font face, séparées par un chenal d'un diamètre

de 20 Å environ rempli de solvant aqueux et parallèle au véritable axe d'ordre deux, qui fait 50 Å de long (Fig. 8-63 et 10-13).

a. Les oxy- et désoxyhémoglobines ont des structures quaternaires différentes

L'oxygénation provoque de si importantes modifications de la structure quaternaire de l'Hb que l'oxy- et la désoxyHb ont des formes cristallines différentes ; en effet, les cristaux de désoxyHb se brisent lorsqu'on les expose à l'oxygène. Les structures de cristaux d'oxy- et de désoxyHb ont donc été déterminées séparément. *La modification de structure quaternaire préserve la véritable symétrie d'ordre deux de l'hémoglobine et ne concerne que ses interfaces $\alpha_1 - \beta_2$ et $\alpha_2 - \beta_1$.* Le contact $\alpha_1 - \beta_1$ (et $\alpha_2 - \beta_2$) reste inchangé, sans doute en raison du caractère intime des associations impliquées. Ce contact fournit un cadre de référence commode qui permet de comparer les conformations oxy et désoxy. Vue sous cet angle, l'oxygénation fait pivoter le dimère $\alpha_1\beta_1$ de 15° environ par rapport au dimère $\alpha_2\beta_2$ (Fig. 10-14), ce qui provoque le déplacement de certains atomes de l'interface α_1–β_2 jusqu'à 6 Å les uns par rapport aux autres (comparer la Fig. 10-13*a* et *b*).

La conformation quaternaire de la désoxyHb est appelée l'**état T** (T pour « tendu »). Celle de l'oxyHb, qui est essentiellement indépendante du ligand utilisé pour l'induire (ex. les hémoglobines O_2, met, CO, CN^-, et NO ont toutes la même structure quaternaire), est appelée l'**état R** (R pour « relâché »). De même, les états conformationnels tertiaires des sous-unités désoxy ou liées à des ligands sont désignés respectivement par les **états t** et **r**. Les différences structurales entre ces conformations quaternaires et tertiaires sont décrites dans la section suivante en relation avec le mécanisme de liaison de l'oxygène par l'hémoglobine.

C. *Mécanisme coopératif de la liaison de l'oxygène*

La coopérativité positive de la liaison de l'oxygène à l'Hb est due à l'influence de l'état de liaison d'un hème pour un ligand sur l'affinité de liaison d'un autre hème pour un ligand. Cependant, les distances de 25 à 37 Å entre les hèmes d'une molécule d'Hb sont trop importantes pour que ces interactions hème-hème puissent être de nature électronique. En réalité, *elles sont transmises mécaniquement par la protéine.* La recherche du mécanisme responsable a motivé une grande partie des travaux sur la structure de l'Hb au cours des trois dernières décennies.

L'analyse de la structure cristalline par rayons X a fourni des « instantanés » des états R et T de l'Hb dans différents états de liaison aux ligands mais n'a pas expliqué comment la protéine passe d'un état à un autre. Il est difficile de déterminer la séquence des événements qui se produisent lors de ces transformations car, pour y parvenir, il faudrait comprendre les mécanismes internes des protéines ce qui, actuellement, n'est pas le cas. C'est comme si l'on vous demandait d'expliquer le fonctionnement d'une montre mécanique compliquée à partir de photographies floues, alors que vous n'avez que de vagues notions sur le fonctionnement des engrenages, des leviers et des ressorts. Cependant, essentiellement à partir des structures par rayons X de l'Hb, Perutz a formulé le mécanisme suivant de l'oxygénation de l'Hb, le **mécanisme de Perutz**.

a. Le déplacement du Fe(II) dans le plan de l'hème déclenche le changement de conformation T → R

Dans l'état t, le Fe(II) est situé à environ 0,6 Å hors du plan de l'hème du côté de l'His proximale en raison d'une disposition en dôme pyramidal du squelette porphyrique et de ce que les liaisons Fe—$N_{porphyrine}$ sont trop longues pour permettre au Fe de se placer dans le plan de la porphyrine (Fig. 10-15 et 10-16). Cependant, le changement provoqué par la liaison de l'O_2 sur l'état électronique de l'hème entraîne l'affaissement du dôme et un raccourcissement de la liaison Fe—$N_{porphyrine}$ de l'ordre de 0,1 Å. En conséquence, lors du passage de l'état t à l'état r, le Fe(II) se déplace au centre du plan de l'hème (Fig. 10-16) où l'O_2 peut se lier par coordinence sans interférence stérique avec la porphyrine. Le mouvement du Fe entraîne l'His proximale avec lui, ce qui fait légèrement basculer l'hélice F à laquelle elle appartient et la déplace d'environ 1 Å (Fig. 10-16). Ce déplacement latéral est nécessaire car, à l'état t, le noyau imidazole de l'His proximale est orienté de sorte que le déplacement direct de 0,6 Å vers le plan de l'hème le ferait entrer

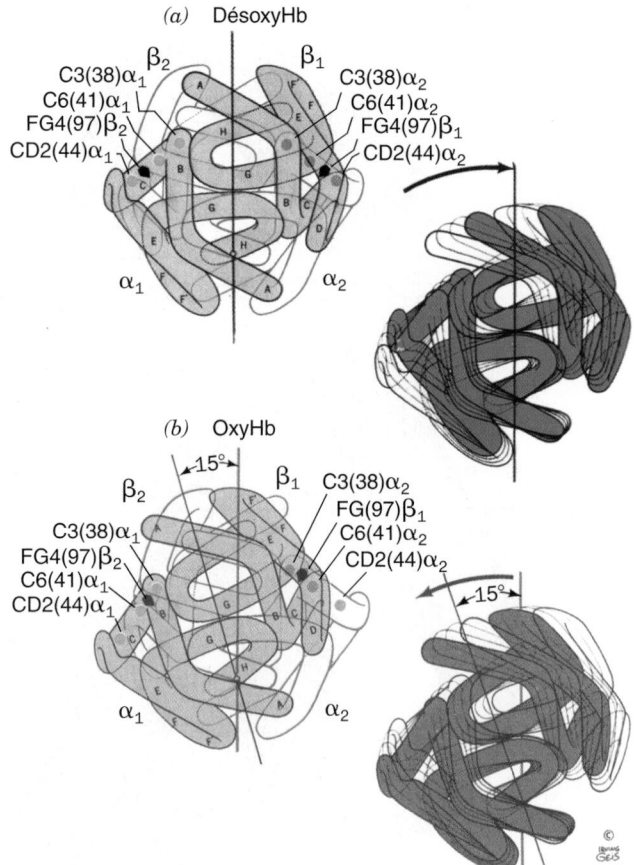

FIGURE 10-14 Principales différences structurales entre les conformations quaternaires de (*a*) la désoxyHb et (*b*) l'oxyHb. Après oxygénation, les dimères $\alpha_1\beta_1$ (*ombré*) et $\alpha_2\beta_2$ (*en trait plein*) se déplacent, comme indiqué sur la droite, comme des unités rigides de sorte qu'il y a une rotation hors du centre de l'ordre de 15° d'un protomère par rapport à l'autre qui préserve l'axe de symétrie réel d'ordre deux. Remarquer que la position des His FG4β (*pentagones*) change par rapport à celles de Thr C3α, ThrC6α et Pro CD2α (*points jaunes*) aux interfaces α_1–β_2 et α_2–β_1. Vue de la droite par rapport à la représentation de la Fig. 10-13. [Copyright Irving Geis.]

en collision avec l'hème (Fig. 10-15 et 10-16) ; cependant, le déplacement de l'hélice F réoriente le noyau imidazole, permettant ainsi au Fe(II) de se placer dans le plan de l'hème. De plus, lorsque les sous-unités β (mais pas les sous-unités α) sont à l'état t, la Val E11 cache en partie la poche de liaison de l'O_2, d'où la nécessité d'un déplacement latéral pour que l'O_2 puisse se lier.

b. Les contacts a1-b2 et a2-b1 ont deux positions stables

Comme nous l'avons vu ci-dessus, la différence entre les conformations R et T intéresse essentiellement l'interface α_1–β_2 (et celle reliée par symétrie α_2–β_1), qui comporte l'hélice C et le segment FG de α_1, en contact, respectivement, avec le segment FG et l'hélice C de β_2. Le changement de structure quaternaire se traduit par un déplacement relatif de 6 Å à l'interface α_1C-β_2FG (Fig. 10-14). Dans l'état T, His FG4(97)β est en contact avec Thr C6(41)α (Fig. 10-13*a* et 10-17*a*), tandis que dans l'état R elle est en contact avec Thr C3(38)α, un tour en arrière le long de l'hélice

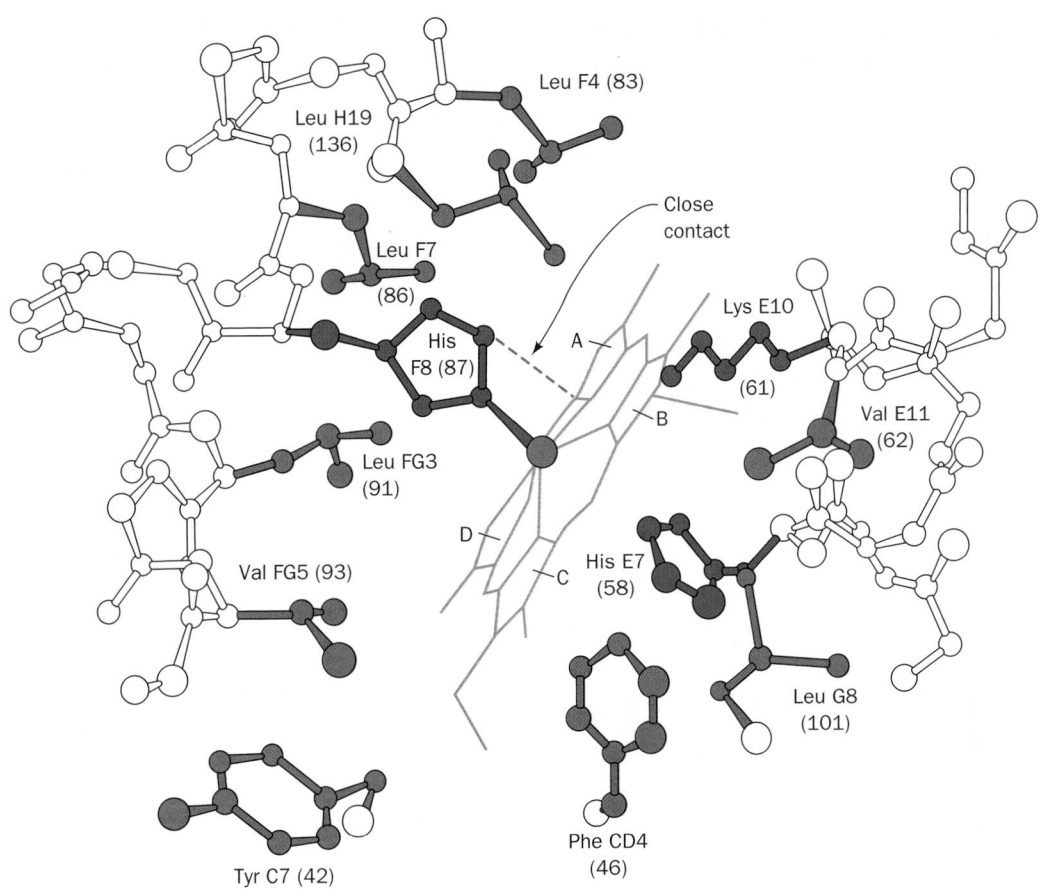

FIGURE 10-15 Le groupement hème et son environnement dans la chaîne α non liée de l'Hb humaine. Seules certaines chaînes sont montrées et le groupement D-propionate de l'hème est omis pour plus de clarté. L'hélice F est disposée le long du côté gauche du dessin. Le contact étroit entre l'His proximale et le groupement hème qui empêche l'oxydation des hèmes à l'état t est représenté par une ligne en pointillés. [D'après Gelin, B.R., Lee, A.W.N., and Karplus, M., *J. Mol. Biol.* **171**, 542 (1983). PDBid 2HHB.]

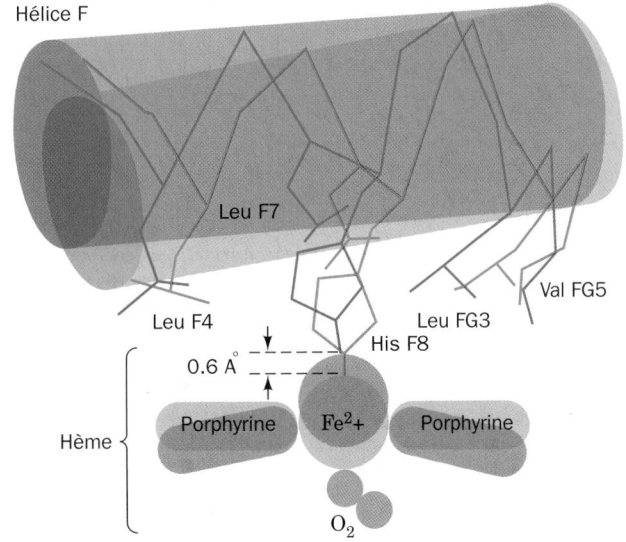

FIGURE 10-16 Mécanisme du déclenchement de la transition T → R de l'Hb. Dans la forme T (*en bleu*), le Fe est 0,6 Å environ au-dessus du plan de l'anneau porphyrine en forme de dôme. En passant sous la forme R (*en rouge*), le Fe se déplace pour se trouver dans le plan de la porphyrine qui a perdu sa forme en dôme, où il peut se lier facilement à l'O_2 et, ce faisant, il entraîne l'His proximale F8 et l'hélice F dont elle fait partie. La liaison Fe — O_2 se trouve ainsi renforcée en raison du relâchement de l'interférence stérique entre l'O_2 et l'hème.

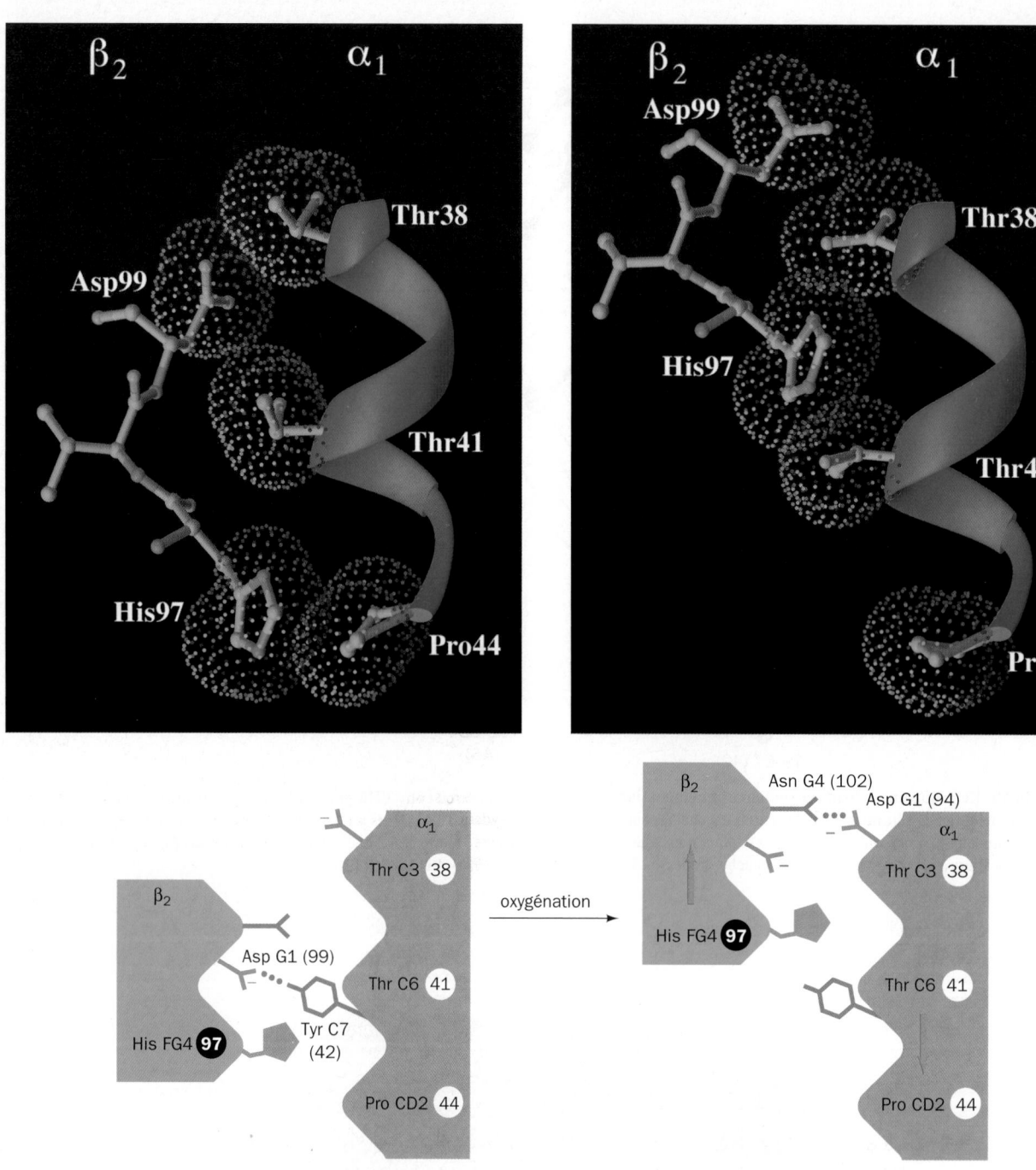

(a) **État T (désoxy)**   *(b)* **État R (oxy)**

FIGURE 10-17 **L'interface α_1C-β_2FG dans l'HB (*a*) à l'état T et (*b*) à l'état R.** Les dessins du haut montrent l'hélice C représentée en ruban (*en mauve*) et la partie de la région FG qui la contacte représentée en « boules et bâtonnets » de couleurs correspondant au type d'atome (C en vert, N en bleu et O en rouge). Les points délimitent les surfaces de van der Waals des zones de contact, en couleurs selon le type d'atome. Les dessins du bas donnent la représentation schématique correspondante du contact α_1C-β_2FG. Lors de la transition T → R, ce contact passe directement d'une position à l'autre sans intermédiaire stable (noter cependant

que, dans les deux conformations, les protubérances formées par les chaînes latérales de His 97β et Asp 99β s'encastrent entre les gorges de l'hélice C formées par les chaînes latérales de Thr 38α, Thr 41α et Pro 44α). Les sous-unités sont réunies par différents jeux de liaisons hydrogène pour chaque état quaternaire. Les Figures 10-13, 10-14, et 10-18 fournissent des illustrations structurales complémentaires sur ces interactions. [Figure basée sur des structures par rayons X dues à Giulio Fermi, Max Perutz et Boaz Shaanan, MRC Laboratory of Molecular Biology, Cambridge, U.K. PDBid *(a)* 2HHB et *(b)* 1HHO.]

C (Fig. 10-13*b* et 10-17*b*). Dans les deux conformations, les « protubérances » d'une sous-unité concordent parfaitement avec les « creux » de l'autre sous-unité (Fig. 10-17). Toutefois, une position

intermédiaire serait sévèrement contrainte car elle placerait His FG4(97)β et Thr C6(41)α trop près l'une de l'autre (protubérances contre protubérances). Ainsi *ces contacts, qui sont dus à un*

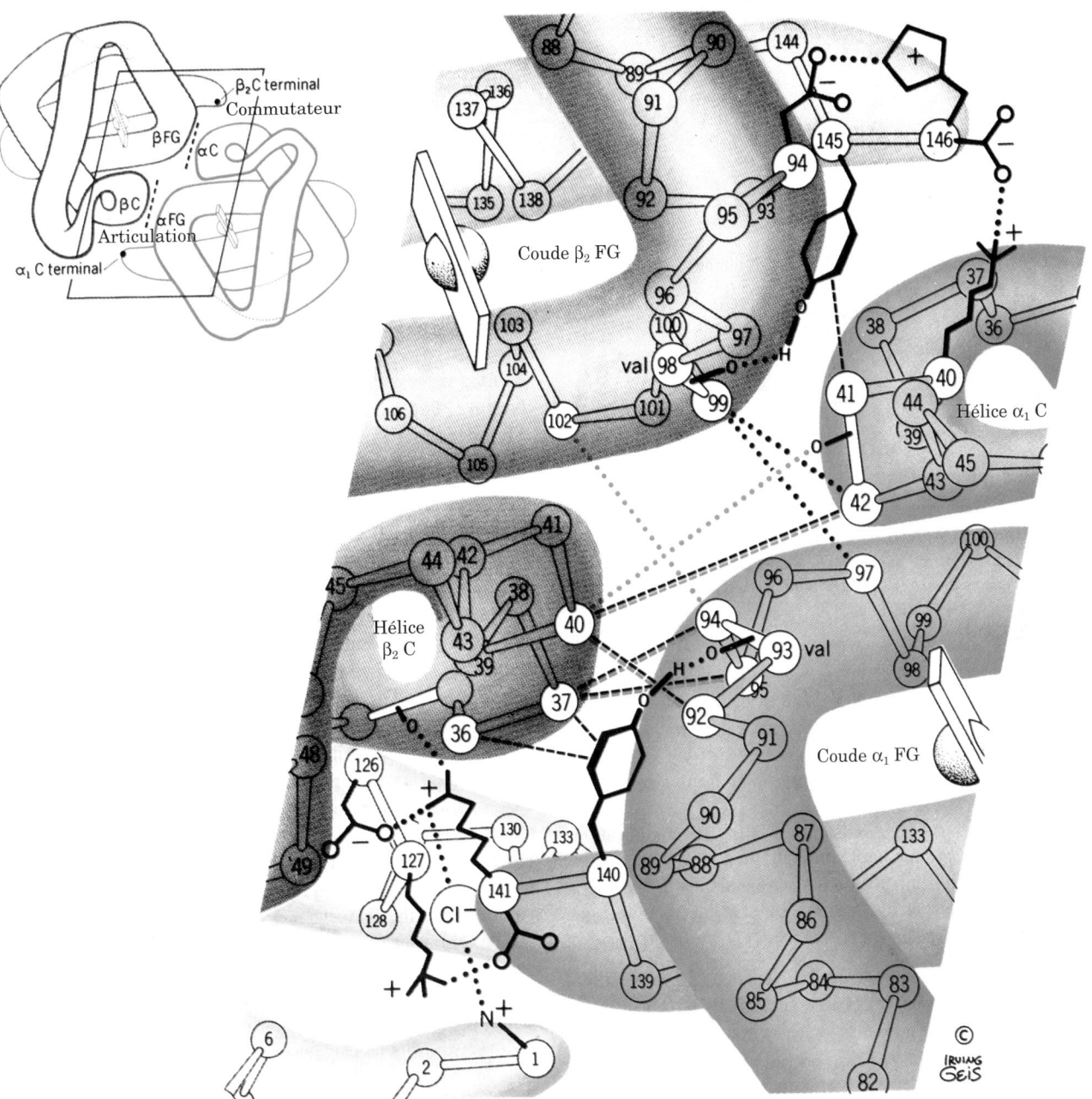

FIGURE 10-18 L'interface α₁β₂ de l'hémoglobine vue perpendiculairement par rapport à la représentation de la Fig. 10-13. La zone encadrée sur la gauche est représentée avec plus de détails sur la droite. Les liaisons hydrogène et les ponts salins sont représentés par des lignes en pointillés, noires pour la désoxyHb et bleues pour l'oxyHb, alors que les contacts de van der Waals sont indiqués par des tirets. Noter que l'interface α₁C–β₂FG (la région du « commutateur ») est l'objet d'un réajus-tement important lors de la transition T → R, tandis que l'interface α₁FG–β₂C reliée pseudosymétriquement (« l'articulation souple ») ne subit que de légères réorientations. Noter également que les ponts salins de l'état T faisant intervenir les résidus C-terminaux [l'Arg 141α (*en dessous*) et l'His 146β (*au-dessus*)] sont rompus lors de la transition T → R. [Copyright Irving Geis.]

ensemble de liaisons hydrogène différentes mais équivalentes dans les deux états (Fig. 10-17 et 10-18), agissent comme un interrupteur binaire qui ne permet que deux positions stables des sous-unités les unes par rapport aux autres. Par contre, le changement de structure quaternaire ne cause qu'un déplacement de 1 Å au niveau du contact α₁FG–β₂C, ce qui fait que ses chaînes latérales gardent les mêmes associations tout au long du changement (Fig. 10-18). *Ces chaînes latérales jouent par conséquent le rôle d'articulations souples ou de charnières autour desquelles les sous-unités α₁ et β₂ pivotent pendant le changement de structure quaternaire.*

c. L'état T est stabilisé par un réseau de ponts salins qui doivent être rompus pour passer à l'état R

L'état R est stabilisé par la liaison de ligands. Mais pourquoi, en absence de ligand, l'état T est-il plus stable que l'état R ? Sur les cartes de densité électronique de Hb à l'état R, les résidus C-terminaux de chaque sous-unité (Arg 141α et His 146β) apparaissent comme flous, ce qui suggère que ces résidus sont libres d'osciller dans la solution. Cependant, les cartes de la forme T montrent que ces résidus sont fermement maintenus en place par plusieurs ponts salins qui s'établissent entre sous-unités et à l'in-

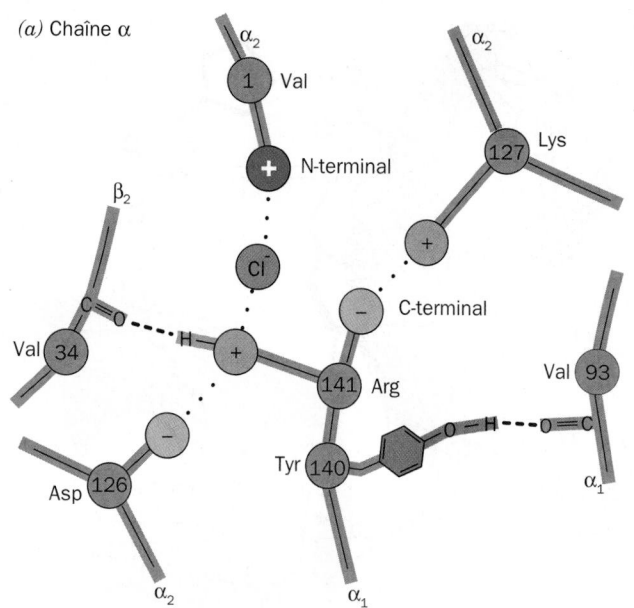

(a) Chaîne α

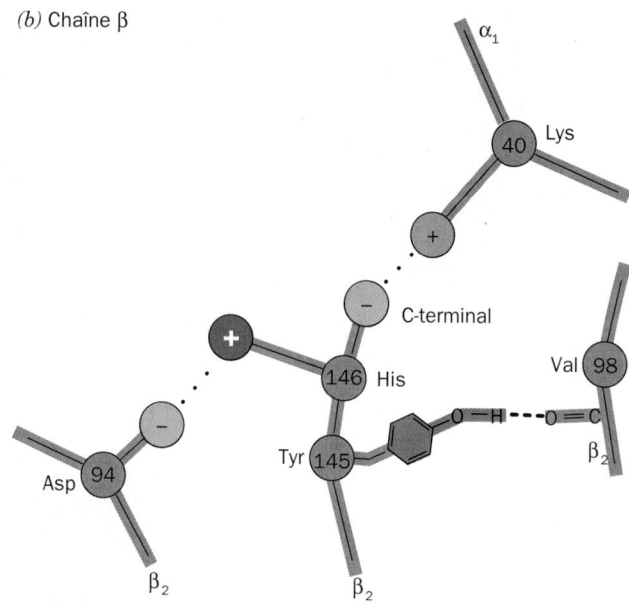

(b) Chaîne β

FIGURE 10-19 Réseaux de ponts salins et de liaisons hydrogène dans la désoxyHb. Toutes ces liaions, qui impliquent les deux derniers résidus de *(a)* les chaînes α et *(b)* les chaînes β de la désoxyHb, sont rompues lors de la transition T → R. Les deux groupements qui participent à l'effet Bohr en se déprotonant partiellement à l'état R sont indiqués par des signes « plus » en blanc. [Copyright Irving Geis.]

térieur des sous-unités et qui, de toute évidence, stabilisent l'état T (Fig. 10-18 et 10-19). *Les changements de structure qui accompagnent la transition T → R détruisent ces ponts salins par un processus qui utilise l'énergie de formation de la liaison Fe—O₂.*

d. La coopérativité de la liaison de l'O₂ à l'hémoglobine provient du changement conformationnel T → R

La molécule d'hémoglobine peut être assimilée à une mécanique de haute précision. La liaison de l'O₂ fait intervenir une série de mouvements parfaitement coordonnés :

1. Le Fe(II) de n'importe quelle sous-unité ne peut se déplacer dans le plan de son hème sans que son His proximale ne se réoriente afin d'éviter que ce résidu ne se heurte au cycle porphyrique.

2. L'His proximale se trouve si serrée par ses groupements voisins qu'elle ne peut se réorienter que si l'hélice F effectue préalablement le déplacement à travers le plan de l'hème dont nous avons parlé.

3. Le déplacement de l'hélice F n'est possible que s'il est accompagné du changement de structure quaternaire qui déplace le contact α₁C–β₂FG d'un tour le long de l'hélice α₁C.

4. La rigidité des interfaces α₁–β₁ et α₂–β₂ nécessite que ce déplacement ait lieu simultanément aux deux interfaces α₁–β₂ et α₂–β₁.

En conséquence, *aucune sous-unité ou aucun dimère ne peut modifier un tant soit peu sa conformation indépendamment des autres. À vrai dire, les deux positions stables du contact α₁C–β₂FG font que l'Hb n'a que deux conformations quaternaires, R et T.*

Nous pouvons maintenant expliquer de façon rationnelle la coopérativité de la liaison de l'O₂ à l'Hb. Toute sous-unité de désoxyHb qui se lie à l'O₂ doit rester dans l'état t à cause de la conformation T du tétramère. Cependant, *l'état t a une affinité réduite pour l'O₂, très probablement parce que sa liaison Fe—O₂ est étirée au delà de sa valeur normale, en raison des répulsions stériques entre l'hème et l'O₂, et, dans les sous-unités β, à cause de la nécessité de déplacer la Val E11 hors du site de liaison de l'O₂.* Au fur et à mesure que l'O₂ se fixe au tétramère d'Hb, cette contrainte, due à l'énergie de la liaison Fe—O₂, s'accumule dans les sous-unités qui ont lié le ligand, jusqu'à ce qu'elle soit assez forte pour faire basculer la molécule dans la conformation R. *Toutes les sous-unités passent alors sous l'état r qu'elles soient ou non associées au ligand. Les sous-unités non associées au ligand dans l'état r ont une affinité accrue pour l'O₂ car elles sont déjà dans la conformation de liaison à l'O₂.* Ceci explique la forte affinité de l'hémoglobine pour O₂ lorsqu'elle est proche de la saturation.

e. La courbe sigmoïdale de liaison de l'O2 à l'hémoglobine est la résultante de ses courbes hyperboliques à l'état R et à l'état T

Les stabilités relatives des états T et R, comme l'indiquent les valeurs de leurs énergies libres, varient avec la saturation partielle (Fig. 10-20*a*). En absence de ligand, l'état T est plus stable que l'état R, et vice versa lorsque tous les sites de liaison du ligand sont occupés. La formation des liaisons Fe — O₂ provoque la diminution de l'énergie libre des deux états T et R (ils deviennent plus stables) lors de l'oxygénation, même si la vitesse de cette diminution est plus faible pour l'état T en raison de la contrainte imposée par la liaison du ligand sur les sous-unités en état t. La transformation R ⇌ T étant un processus réversible, les molécules d'Hb qui ne sont que partiellement saturées (1, 2, ou 3 molécules d'O₂) passent continuellement d'un état à un autre.

La courbe de liaison de l'O₂ à l'Hb peut être assimilée à la résultante des courbes des états R et T (Fig. 10-20*b*). Pour des états

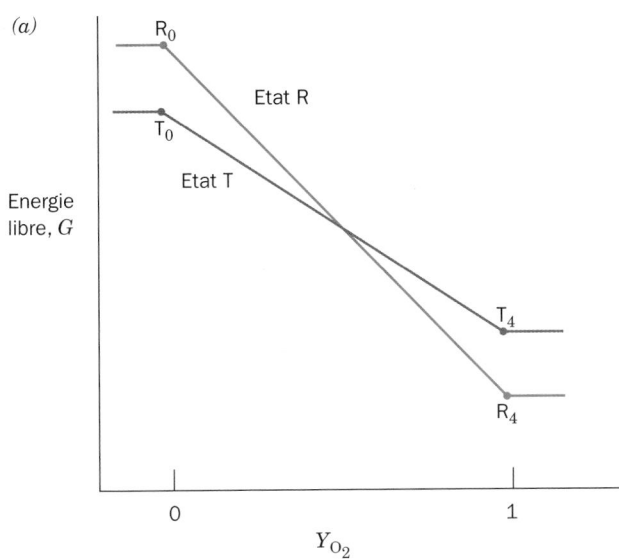

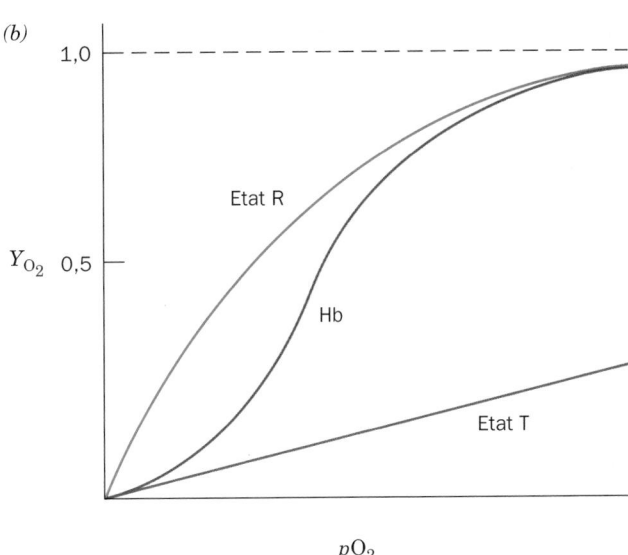

FIGURE 10-20 Variations d'énergie libre et courbes de saturation de l'hémoglobine par l'O$_2$. (*a*) Variations d'énergie libre des états T et R de l'hémoglobine en fonction de leur saturation partielle, Y_{O_2}. En l'absence d'O$_2$, l'état T est plus stable et, quand il y a saturation par l'O$_2$, l'état R est plus stable. L'énergie libre des deux états diminue avec l'oxygénation, en raison de la liaison de l'O$_2$. Cependant, la formation de la liaison Fe(II) — O$_2$ est plus exergonique à l'état R qu'à l'état T, et de ce fait, les stabilités relatives de ces deux états s'inversent pour des niveaux intermédiaires d'oxygénation. (*b*) La courbe sigmoïdale de liaison de l'O$_2$ à l'Hb (*en violet*) est la résultante de ses courbes de liaison hyperboliques à l'état R (*en rouge*) et à l'état T (*en bleu*) : elle est plus proche d'une courbe de type T pour les valeurs de pO_2 faibles et plus proche d'une courbe de type R pour les valeurs de pO_2 élevées.

purs, tels que R ou T, ces courbes sont des hyperboles car la liaison d'un ligand à un protomère n'est pas affectée par l'état des autres protomères en l'absence d'un changement de structure quaternaire. Pour de faibles valeurs de pO_2, l'Hb suit la courbe de faible affinité de l'état T et, pour des valeurs élevées de la pO_2, elle suit la courbe de forte affinité de l'état R. Pour des pO_2 intermédiaires, l'Hb présente une affinité pour l'O$_2$ qui varie entre celle de l'état T et celle de l'état R en même temps que la pO_2 augmente. La transition se traduit par la courbe sigmoïdale de la liaison de l'O$_2$ à l'hémoglobine.

D. *Vérification du mécanisme de Perutz*

Le mécanisme proposé par Perutz est une description du comportement dynamique de l'Hb fondée essentiellement sur les stuctures statiques de ses états finaux R et T. Par conséquent, en l'absence de démonstration directe que l'Hb suit véritablement le mécanisme proposé de changement d'états conformationnels, le mécanisme de Perutz doit être considéré, du moins en partie, comme conjectural. Malheureusement, les méthodes physiques qui permettent de suivre les changements dynamiques dans les protéines sont, encore de nos jours, incapables de fournir une description détaillée de ces changements. Néanmoins, certains aspects du mécanisme de Perutz sont étayés par des mesures statiques que nous étudierons ci-dessous et dans la Section 10-3.

a. Les ponts salins C-terminaux sont nécessaires au maintien de l'état T

Le rôle présumé des ponts salins C-terminaux dans la stabilisation de l'état T a été confirmé par modification chimique de l'Hb humaine. La suppression de l'Arg 141α C-terminale (en traitant les chaînes α isolées avec la carboxypeptidase B puis en reconstituant le tétramère) diminue fortement la coopérativité de la liaison de l'O$_2$ (la constante de Hill est de 1,7 alors que sa valeur normale est de 2,8). Il n'y a plus de coopérativité après suppression supplémentaire de l'autre résidu C-terminal, His 146β (la constante de Hill vaut alors environ 1,0). Apparemment, sans ses ponts salins C-terminaux, la forme T de l'Hb est instable. En fait, la désoxyHb humaine sans ses résidus C-terminaux cristallise sous une forme très proche de celle de l'oxyHb humaine normale.

b. La tension de la liaison Fe—O$_2$ a été démontrée par spectroscopie

Le déplacement du Fe dans le plan de l'hème après oxygénation est couplé mécaniquement par l'intermédiaire de l'His proximale lors de la transition T → R. Inversement, si l'on oblige l'oxyHb à passer sous la forme T, une tension doit s'exercer sur le Fe, par l'intermédiaire de l'His proximale, qui doit tendre à sortir le Fe du plan de l'hème. Perutz a démontré l'existence de cette tension de la manière suivante. Les six groupements phosphate de l'IHP lui permettent de se lier à la désoxyHb avec une affinité très supérieure à celle du BPG (la base structurale de la liaison du BPG sera vue dans la Section 10-2F) ; la présence d'IHP tend par conséquent à forcer l'Hb à prendre la conformation T. Réciproquement, le monoxyde d'azote (NO) se lie à l'Hb beaucoup plus fortement que l'O$_2$ et tend par conséquent à forcer l'Hb à prendre la conformation R. Des analyses spectroscopiques montrent les conséquences de la fixation simultanée du NO et de l'IHP à l'Hb :

1. Comme prévu, le NO fait entrer le Fe dans le plan de l'hème.

2. L'IHP force la molécule d'Hb à prendre l'état T grâce à l'intervention des « engrenages » et des « leviers » qui assurent les changements conformationnels quaternaires et tertiaires, entraînant ainsi l'His proximale dans la direction opposée, l'éloignant du Fe.

La liaison entre l'His proximale et le Fe n'est pas assez forte pour « survivre » à ces deux forces opposées « irrésistibles » ; elle se rompt tout simplement. L'observation spectroscopique de ce phénomène confirme donc l'existence de cette tension hème-protéine prévue dans le mécanisme de Perutz.

c. La coopérativité est quasi perdue si l'on détache l'His proximale de l'hélice F

Pour mieux étudier expérimentalement l'origine de la coopérativité de l'hémoglobine, Chien Ho remplaça par mutagenenèse l'His proximale par Gly dans les sous-unités α, les sous-unités β, ou les sous-unités α et β. Le noyau imidazole manquant (celui de l'His proximale) fut remplacé par un groupement imidazole, lequel lie le Fe de l'hème (plusieurs expériences le démontrent) tout comme le fait l'His proximale. Il en résulte une rupture du lien covalent qui, d'après le modèle de Perutz, relie le mouvement du Fe dans le plan de l'hème, induit par le ligand, et le mouvement concomitant de l'hélice F. Dans les trois cas, et en accord avec le modèle de Perutz, ce détachement proximal augmente considérablement l'affinité de l'hémoglobine pour le ligand, réduit sa coopérativité, et empêche la transition quaternaire T → R. Cependant, ces mutants de l'hémoglobine manifestent une faible coopérativité résiduelle. Ceci suggère que les groupements hèmes communiquent aussi autrement que par le biais d'un couplage covalent entre l'hélice F et l'His proximale. Ces autres mécanismes pourraient impliquer des mouvements de groupements de la protéine, qui contactent l'hème (voir Fig. 10-12 et 10-15), en réponse à l'affaissement du dôme de l'hème suite à la liaison du ligand, tout comme des mouvements des His distales des sous-unités α et β, et/ou de la Val E11 des sous-unités β, dont les chaînes latérales doivent s'écarter lorsque le ligand s'unit à l'Hb.

E. *Origine de l'effet Bohr*

L'effet Bohr — la libération d'ions H+ par l'hémoglobine lorsque l'O_2 s'y fixe — s'observe aussi quand l'Hb fixe d'autres ligands. *Il est dû à des changements de pK de plusieurs groupements, provoqués par des modifications dans leurs environnements locaux au cours de la transition T → R de l'Hb.* Les groupements impliqués sont les groupements amino N-terminaux des sous-unités α et l'His C-terminale des sous-unités β. Ils ont été identifiés par des études chimiques et structurales et leurs contributions quantitatives à l'effet Bohr ont été calculées.

En faisant réagir les sous-unités α de l'Hb avec du **cyanate** on provoque la **carbamylation** spécifique de ses groupements aminés N-terminaux (Fig. 10-21). Lorsqu'on mélange ces sous-unités α carbamylées avec des sous-unités β, l'hémoglobine reconstituée a perdu entre 20 à 30 % de l'effet Bohr normal. Cela s'explique si l'on compare les structures par rayons X de la désoxyHb et de la désoxyHb carbamylée. Avec la désoxyHb, un ion Cl⁻ se lie entre le groupement aminé N-terminal de Val 1α₂ et le groupement guanidino de Arg 141α₁ (le résidu C-terminal ; Fig. 10-19*a*). Cet ion Cl⁻ est absent de la désoxyHb carbamylée. Il est également absent de l'Hb normale à l'état R car ses résidus C-terminaux ne sont pas maintenus en place par des ponts salins (origine de la liaison préférentielle de l'ion Cl⁻ à la désoxyHb ; Section 10-1C). Les groupements aminés N-ter-

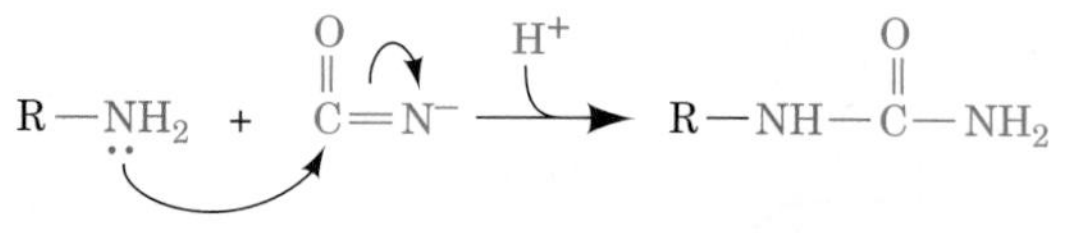

FIGURE 10-21 Réaction du cyanate avec les formes non protonées (nucléophiles) des groupements aminés primaires. Pour des pH physiologiques, les groupements aminés N-terminaux, dont le pK est proche de 8,0, réagissent facilement avec le cyanate. Cependant, les groupements ε-aminés de Lys (pK ≈ 10,8), sont protonés à 100 % et ne réagissent donc pas.

minaux des polypeptides ont normalement des pK proches de 8,0. Cependant, dans le cas des sous-unités α de la désoxyHb, le groupement aminé N-terminal subit l'influence électrostatique de son ion Cl⁻ étroitement associé, ce qui augmente sa charge positive en fixant des protons plus solidement et élève donc son pK. Puisqu'au pH du sang (7,4) les groupements aminés N-terminaux ne sont que partiellement chargés, ce changement de pK leur permet de fixer plus de protons à l'état T qu'à l'état R.

La chaîne β de l'Hb participe aussi à l'effet Bohr. L'enlèvement de son résidu C-terminal, l'His 146β, diminue l'effet Bohr de 40 %. Dans la désoxyHb normale, le noyau imidazole de l'His 146β s'associe au carboxylate de l'Asp 94β de la même sous-unité (Fig. 10-18 et 10-19*b*) pour former un pont salin absent à l'état R. Des mesures par RMN du proton montrent que la formation de ce pont salin augmente le pK du groupement imidazole, qui passe de 7,1 à 8,0. Cet effet rend indubitable la participation de l'His 146β à l'effet Bohr.

Environ 30 à 40 % de l'effet Bohr restent inexpliqués. Cela provient sans doute de faibles contributions des nombreux résidus His de surface dont les environnements sont modifiés lors de la transition T → R de l'hémoglobine [His étant le seul résidu dont le pK intrisèque (6,04) est proche des valeurs de pH physiologiques, de faibles modifications de ce pK modifieront considérablement le nombre de protons qui s'y lient]. De fait, les mesures par RMN de Ho montrent que la transition T → R entraîne de légers changements du pK de ces différents résidus His, bien que, curieusement, certains d'entre eux sont tels que l'effet Bohr devrait diminuer.

F. *Base structurale de la liaison du BPG*

Le BPG diminue l'affinité de l'Hb pour l'oxygène en se liant préférentiellement à son état désoxy (Section 10-1D). La liaison du BPG, qui porte quatre charges négatives dans des conditions physiologiques, à la désoxyHb est affaiblie par de fortes concentrations en sel, suggérant que cette association est de nature ionique. Cette explication est corroborée par la structure par rayons X du complexe BPG-désoxyHb qui montre que le BPG se fixe dans la cavité centrale de la désoxyHb sur son axe d'ordre deux (Fig. 10-22). Les groupements anioniques du BPG sont à

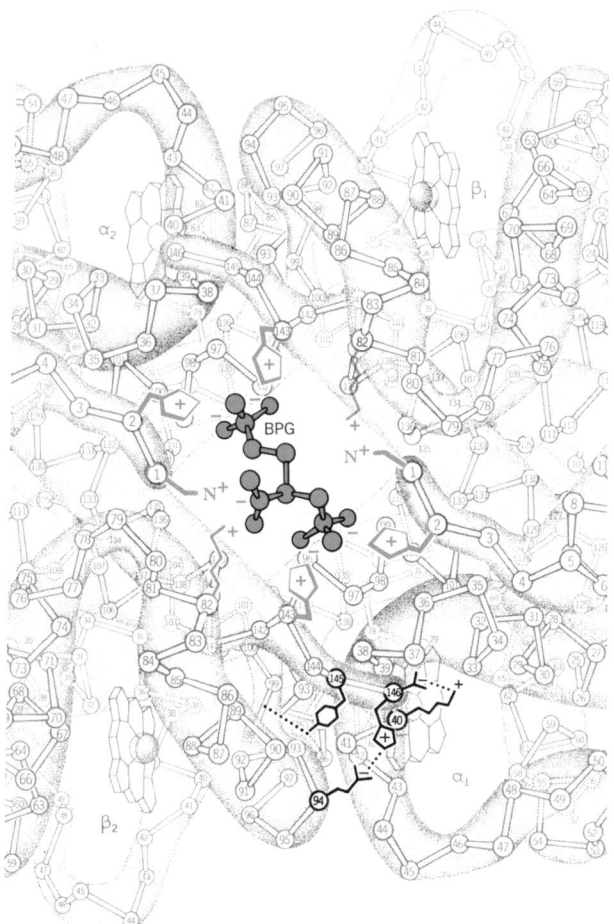

FIGURE 10-22 Liaison du BPG à la désoxyHb. Vue vers le bas dans l'axe de symétrie réel d'ordre deux de la molécule (même vue que dans la Fig. 10-13*a*). Le BPG (*en rouge*), avec ses cinq groupements anioniques, se lie dans la cavité centrale de la désoxyHb, où il est entouré par un anneau de huit chaînes latérales cationiques (*en bleu*) qui se projettent depuis les deux sous-unités β. À l'état R, la cavité centrale est trop étroite pour contenir le BPG (Fig. 10-13*b*). Les dispositions des ponts salins et des liaisons hydrogène entre les sous-unités α₁ et β₂ qui stabilisent en partie l'état T (Fig. 10-18 et 10-19*b*) sont indiquées en bas à droite. [Copyright Irving Geis.]

des distances qui permettent l'établissement de liaisons hydrogène et de ponts salins avec les formes cationiques de la Lys EF6(82), de l'His H21(143), de l'His NA2(2), et des groupements aminés N-terminaux des deux sous-unités β (Fig. 10-22). La transformation T → R rapproche les deux hélices H β, ce qui rétrécit la cavité centrale (comparer les Fig. 10-13*a* et *b*) et chasse le BPG. Elle augmente aussi la distance entre les groupements aminés N-terminaux de 16 à 20 Å, ce qui les empêche de former des liaisons hydrogène simultanément avec les groupements phosphates du BPG. Le BPG stabilise donc la conformation T de l'Hb en établissant des liaisons croisées avec les sous-unités β. Cela déplace l'équilibre T ⇌ R vers l'état T, ce qui diminue l'affinité de l'Hb pour l'O₂.

La structure du complexe BPG-désoxyHb indique également pourquoi l'hémoglobine fœtale (HbF) a moins d'affinité pour le BPG que l'HbA (Section 10-1D). L'His H21(143)β cationique de HbA est changée en un résidu Ser non chargé dans la sous-unité γ de HbF (sous-unité de type β), ce qui élimine une paire d'interactions ioniques stabilisant le complexe BPG-désoxyHb (Fig. 10-22).

L'excès de charges positives entourant la cavité centrale de l'Hb est aussi partiellement responsable de l'effet allostérique des ions Cl⁻ dans la stabilisation de l'état T par rapport à l'état R (le reste est dû à la participation des ions Cl⁻ au réseau de ponts salins dans l'état T ; Fig. 10-19*a*). La cavité centrale est plus grande à l'état T qu'à l'état R (Fig. 10-13), de sorte que plus d'ions Cl⁻ occupent ce canal à l'état T qu'à l'état R. L'excès d'ions Cl⁻ réduit par protection électrostatique les répulsions mutuelles des charges positives, ce qui stabilise l'état T.

G. *Rôle du résidu His distal*

Paradoxalement, la liaison de l'O₂ protège le Fe de l'hème de l'auto-oxydation : la vitesse d'oxydation de la Mb diminue lorsque la pression partielle de l'O₂ augmente. Cela vient de ce que l'oxydation du Fe de l'hème est catalysée par des protons qui sont réduits par le fer de l'hème et qui, à leur tour, réduisent l'O₂ du solvant en **ion superoxyde** (O₂⁻). L'O₂ lié protège évidemment le Fe de l'hème contre l'attaque par les protons.

Le remplacement, par génie génétique, de l'His distale de la Mb par un autre résidu diminue l'affinité de la Mb pour l'O₂ et augmente la vitesse de son auto-oxydation. L'Asp, comme source de protons, augmente à cette position la vitesse d'auto-oxydation de la Mb de 350 fois, la plus grande augmentation obtenue de tous les résidus, tandis que Phe, Met, et Arg n'accélèrent que d'un facteur 50, soit le plus faible observé. Cependant, le noyau imidazole de l'His distale, qui a un p*K* de 5,5 et qui est donc neutre à pH neutre et dont l'atome N_ε non protoné est en face de la poche de l'hème (Fig. 10-12), agit comme un piège à proton, protégeant ainsi le Fe des protons. Ainsi, pour citer Perutz, « Evolution is a brilliant chemist. »

3 ■ HÉMOGLOBINES ANORMALES

Les hémoglobines mutantes ont été particulièrement intéressantes pour étudier les relations structure-fonction des protéines car l'Hb est la seule protéine de structure élucidée et facile à purifier dont on connaît un grand nombre de variantes naturelles bien caractérisées. L'étude de malades et l'examen en routine d'échantillons de sang humain par électrophorèse a permis de découvrir plus de 860 hémoglobines variantes, dont >90 % sont dues à la substitution d'un seul acide aminé dans une chaîne polypeptidique de globine (pour une compilation des Hb variantes humaines, voir http://globin.cse.psu.edu). Dans cette section, nous étudierons la nature de ces **hémoglobinopathies**. Les maladies dues à un défaut dans la synthèse de globine, les **thalassémies**, sont étudiées dans la Section 34-2G. Il faut savoir que, chaque année, environ 300 000 individus naissent avec de graves problèmes dus à l'hémoglobine, et qu'environ 5 % de la population mondiale est porteuse d'une hémoglobine variante héréditaire.

A. *Pathologie moléculaire de l'hémoglobine*

La conséquence physiologique d'une substitution d'un acide aminé dans l'Hb peut, dans la plupart des cas, s'expliquer en fonction de sa localisation moléculaire:

1. Changements de résidus de surface

Les changements de résidus de surface sont généralement inoffensifs car la plupart de ces résidus n'ont pas de rôle fonctionnel particulier [bien que l'Hb de l'anémie falciforme (HbS) soit une exception frappante à cette généralisation; Section 10-3B]. Par exemple, l'**HbE** [Glu B8(26)β → Lys], l'Hb humaine mutante la plus courante après l'HbS (près de 10 % de la population dans certaines régions du Sud-Est asiatique), ne donne lieu à aucune manifestation clinique, ni chez les hétérozygotes, ni chez les homozygotes. Environ la moitié des mutations connues de l'Hb sont de ce type et n'ont été découvertes qu'accidentellement ou à la suite d'examens systématiques sur de vastes populations.

2. Changements de résidus internes

Des changements de résidus internes déstabilisent souvent la molécule d'Hb. Les produits de dégradation de ces hémoglobines, en particulier ceux provenant de l'hème, forment des précipités granuleux (appelés **corpuscules de Heinz**) qui s'adsorbent par interactions hydrophobes à la membrane des érythrocytes. Il s'ensuit une augmentation de la perméabilité de la membrane, ce qui entraîne une lyse cellulaire prématurée. Les porteurs de ces hémoglobines instables souffrent d'une **anémie hémolytique** plus ou moins grave.

La structure de l'Hb est en équilibre si précaire que de faibles changements structuraux peuvent la rendre non fonctionnelle. Cela peut être dû à l'affaiblissement de l'association hème-globine ou à d'autres changements conformationnels. Par exemple, le groupement hème peut être délogé de son étroite poche de liaison hydrophobe. C'est le cas de l'**Hb Hammersmith** (les Hb variantes sont souvent désignées d'après le nom de la localité où elles ont été découvertes) dans laquelle la Phe CD1(42) β, résidu invariant qui maintient l'hème dans sa poche (voir Fig. 10-12), est remplacée par une Ser. L'ouverture qui en résulte permet à l'eau d'entrer dans la poche de l'hème et d'en chasser celui-ci, car il est hydrophobe (la Phe CD1 et l'His F8 proximale sont les seuls résidus invariants de toutes les hémoglobines connues). De même, dans l'**Hb Bristol,** la substitution de l'Asp par une Val E11(67)β, qui ferme en partie la poche de liaison de l'O$_2$, place un groupement polaire au contact de l'hème. Cela affaiblit la liaison de l'hème à la protéine, sans doute en facilitant l'entrée de l'eau à l'intérieur de la sous-unité, normalement hydrophobe.

L'Hb peut aussi être déstabilisée à la suite de perturbations dans ses éléments de structures secondaire, tertiaire, et/ou quaternaire. L'instabilité de l'**Hb Bibba** est due au remplacement de la Leu H19(136)α par une Pro (« briseuse d'hélice »). De même, l'instabilité de l'**Hb Savannah** vient de la substitution, par une Val, de la Gly B6(24)β très conservée qui est située sur l'hélice B où elle croise l'hélice E dans un espace restreint ne pouvant accepter d'autres chaînes latérales qu'un atome d'H (Fig. 10-13). Le contact α$_1$-β$_1$, stable dans les conditions physiologiques, peut être perdu en cas de modification structurale. Ceci se produit

dans l'**Hb Philly** où la Tyr C1(35)β, qui participe au réseau de liaisons hydrogène à l'interface α$_1$-β$_1$, est remplacée par une Phe.

3. Changements qui stabilisent la methémoglobine

Des changements au niveau du site de liaison de l'O$_2$ qui stabilisent l'hème dans l'état d'oxydation Fe(III) ne permettent plus la liaison de l'O$_2$ aux sous-unités défectueuses. Ces methémoglobines sont appelées **HbM** et les personnes qui en sont porteuses souffrent de **methémoglobinémie**. Elles ont généralement une peau bleuâtre (la **cyanose**), due à la présence de désoxyHb dans le sang artériel.

Toutes les methémoglobines connues résultent de substitutions qui donnent à l'atome de Fe un atome d'oxygène anionique comme ligand. Dans l'**Hb Boston,** le remplacement, par une Tyr, de l'His E7(58)α (l'His distale, qui protège l'hème contre l'oxydation; Section 10-2G) permet la formation d'un complexe de coordinence-5 Fe(III) avec l'ion phénolate du mutant Tyr E7 déplaçant ainsi le noyau imidazole de l'His F8(87) comme ligand apical (Fig. 10-23*a*). Dans l'**Hb Milwaukee,** le groupement γ-carboxylate du Glu qui remplace la Val E11(167)β forme une paire d'ions avec un complexe de coordinence-5 Fe(III) (Fig. 10-23*b*). Les ions phénolate et glutamate de ces methémoglobines stabilisent fortement l'état d'oxydation Fe(III), si bien que la methémoglobine réductase ne peut les réduire sous forme Fe(II).

Les porteurs d'HbM sont cyanosés de manière inquiétante et leur sang est de couleur brun chocolat, même si leurs sous-unités normales sont oxygénées. Dans le nord du Japon, cet état est appelé « bouche noire » et est connu depuis des siècles; il est dû à la présence de l'**HbM Iwate** [His F8(87) α → Tyr]. Les methémoglobines ont des constantes de Hill de l'ordre de 1,2, ce qui indique une coopérativité diminuée par rapport à l'HbA même si l'HbM, qui ne peut lier que deux molécules d'oxygène, peut avoir une constante de Hill maximum de 2 (les chaînes α ou β non modifiées restent fonctionnelles). Étrangement, les hétérozygotes ayant de l'HbM, avec en moyenne une sous-unité α ou β non fonctionnelle par molécule d'Hb, n'ont pas de symptômes. De toute évidence, la quantité d'O$_2$ libéré dans leurs capillaires est dans les normes. Cependant, on ne connaît pas d'homozygotes HbM; cet état est certainement létal.

4. Changements à l'interface α$_1$-β$_2$

Des changements au niveau du contact α$_1$-β$_2$ interfèrent souvent avec les modifications de la structure quaternaire de l'hémoglobine. La plupart de ces hémoglobines ont une affinité accrue pour l'O$_2$ et de ce fait n'en libèrent que des quantités inférieures à la normale dans les tissus. Les personnes qui ont cette Hb compensent ce défaut en augmentant la concentration d'érythrocytes dans leur sang. Cet état, appelé **polycythémie**, donne souvent un teint rougeâtre. Certaines substitutions d'acides aminés à l'interface α$_1$-β$_2$ entraînent, au contraire, une diminution de l'affinité pour l'O$_2$. Les personnes ayant cette hémoglobine sont cyanosées.

Des substitutions d'acide aminé au contact α$_1$-β$_2$ peuvent modifier les stabilités relatives des formes R et T de l'hémoglobine, changeant ainsi son affinité pour l'O$_2$. Par exemple, le remplacement de l'Asp G1(99)β par une His dans l'**Hb Yakima** élimine la liaison hydrogène du contact α$_1$-β$_2$ qui sta-

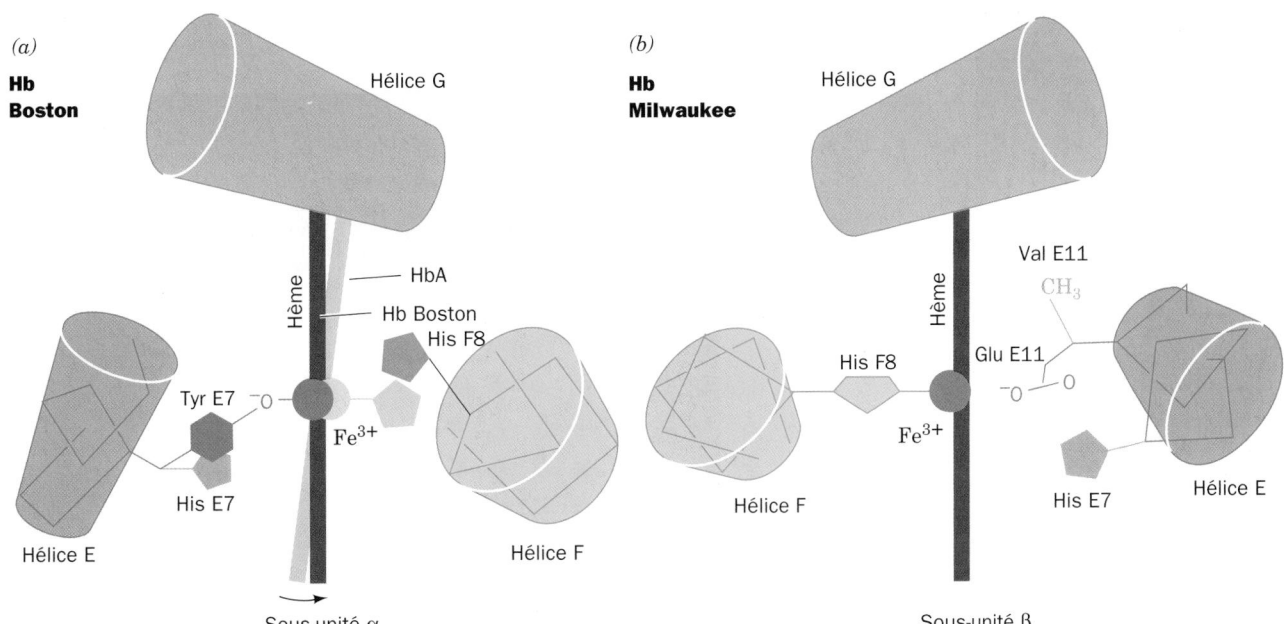

(a) **Hb Boston**

Hélice G

Hème

HbA

Hb Boston

His F8

Tyr E7

Fe^{3+}

His E7

Hélice E

Hélice F

Sous-unité α

(b) **Hb Milwaukee**

Hélice G

Hème

Val E11

CH_3

His F8

Glu E11

Fe^{3+}

His E7

Hélice F

Hélice E

Sous-unité β

FIGURE 10-23 Exemples de mutations qui stabilisent l'état d'oxydation Fe(III) de l'hème. *(a)* Modifications dans la poche de l'hème de la sous-unité α en passant de la désoxyHbA à l'Hb Boston [His E7(58)α → Tyr]. L'ion phénolate de la Tyr mutante devient le cinquième ligand de l'atome de Fe, déplaçant ainsi l'His proximale [F8(87)α]. [D'après Pulsinelli, P.D., Perutz, M.F., and Nagel, R.L., *Proc. Natl. Acad. Sci.* **70**, 3872 (1973).] *(b)* Structure de la poche de l'hème de la sous-unité β de l'Hb Milwaukee [Val E11(67)β → Glu]. Dans ce cas, le groupement carboxylate du résidu Glu mutant forme une paire d'ions avec l'atome de Fe de l'hème ce qui stabilise son état Fe(III). [D'après Perutz, M.F., Pulsinelli, P.D., and Ranney, H.M., *Nature* **237**, 260 (1972).]

bilise la forme T de l'Hb (Fig. 10-17*a*). Le noyau imidazole intrus joue également le rôle d'un coin qui écarte les sous-unités et leur fait prendre la conformation R. Cette modification déplace l'équilibre T → R en faveur de l'état R ce qui explique la forte affinité de l'Hb Yakima pour l'O_2 (p_{50} = 12 torr, contre 26 torr pour HbA dans des conditions physiologiques) et une absence totale de coopérativité (la constante de Hill = 1,0). Par contre, le remplacement de l'Asn G4(102)β par une Thr dans l'**Hb Kansas** annule la liaison hydrogène du contact α$_1$–β$_2$ qui stabilise l'état R (Fig. 10-17*b*) et ainsi cette Hb reste à l'état T en se liant à l'O_2. L'Hb Kansas a donc une faible affinité pour l'O_2 (p_{50} = 70 torr) et une faible coopérativité (constante de Hill = 1,3).

B. *Base moléculaire de l'anémie falciforme*

La plupart des variantes pathologiques de l'Hb ne concernent que quelques individus, et pour beaucoup la mutation s'est produite chez eux. Cependant, environ 10 % des noirs américains et près de 25 % des noirs africains sont des hétérozygotes pour l'**hémoglobine des cellules falciformes (HbS)**. Comme nous l'avons vu (Section 7-3A), l'HbS est due à la substitution du Glu A3(6)β, résidu hydrophile de surface, par une Val (résidu hydrophobe) (Fig. 10-13). La fréquence de l'HbS résulte de la protection qu'elle assure aux hétérozygotes contre la malaria. Cependant, les homozygotes pour HbS, qui sont quelque 50 000 aux États-Unis, sont sévèrement atteints par une anémie hémolytique associée à des troubles circulatoires douloureux, invalidants, et quelquefois fatals dus aux formes irrégulières et à la rigidité des érythrocytes qui caractérisent cette maladie (Fig. 7-18*b*).

a. Les fibres d'HbS sont stabilisées par des contacts intermoléculaires impliquant la Val β6 et d'autres résidus

La forme en faucille des érythrocytes qui contiennent de l'HbS résulte de l'agrégation (polymérisation) de la désoxyHbS en fibres rigides qui s'étendent sur toute la longueur de la cellule (Fig. 10-24). La microscopie électronique montre que ces fibres sont des tiges elliptiques de 220 Å de diamètre environ et de section hexagonale, comportant 14 chaînes constituées de molécules de

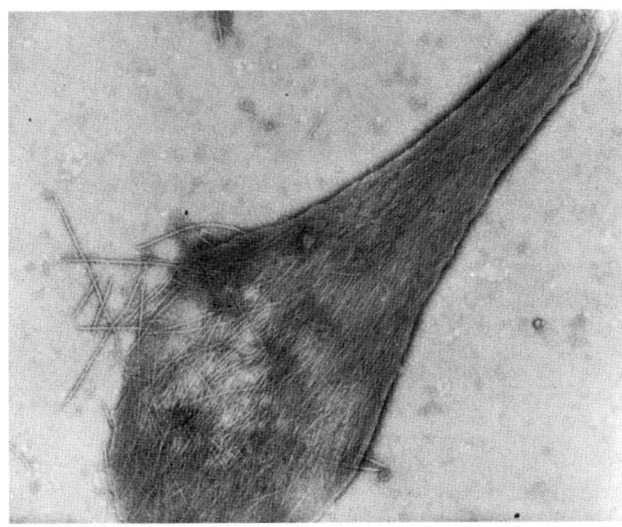

FIGURE 10-24 Micrographie électronique de fibres de désoxyHbS sortant d'un érythrocyte déchiré. [Avec la permission de Robert Josephs, University of Chicago.]

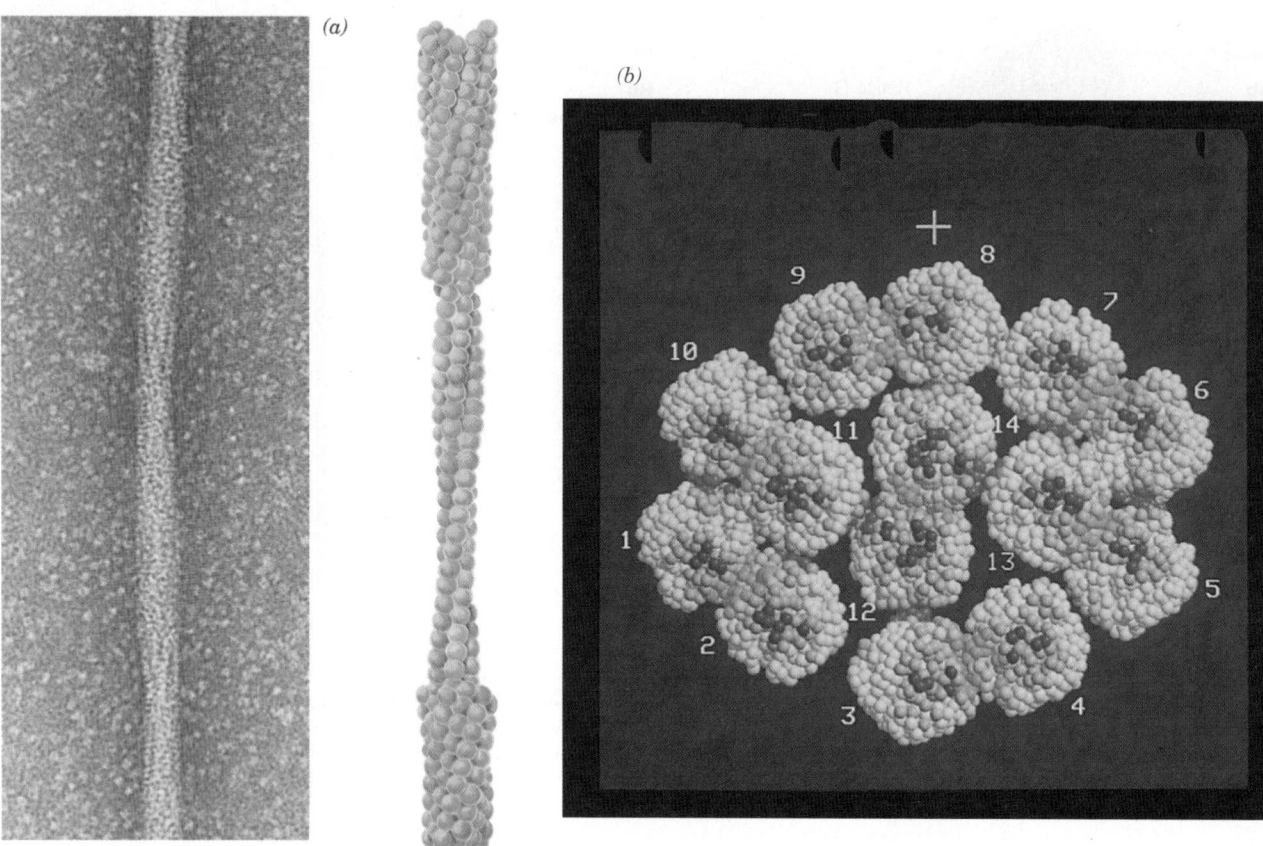

FIGURE 10-25 Fibres de désoxyHbS de 220 Å de diamètre.
(*a*) Micrographie électronique d'une fibre en « coloration négative ». Le dessin interprétatif en partie découpé qui l'accompagne montre la relation entre les brins internes et externes ; les sphères représentent les molécules d'HbS individuelles. La fibre a une disposition en couche répétitive de 64 Å et une torsion modérée de sorte qu'elle se répète tous les 350 Å le long de l'axe de la fibre. [Avec la permission de Stuart Edelstein, Université de Genève.] (*b*) Un modèle, vu en section transversale, de la fibre d'HbS d'après la structure cristalline de l'HbS et des reconstitutions à trois dimensions de micrographies électroniques de fibres d'HbS. Les résidus dans les 14 molécules d'HbS sont représentés par des sphères centrées sur les positions des C_α. Les résidus qui établissent des contacts inter-double brin, intra-double brin latéral et intra-double brin axial sont colorés respectivement en rouge, vert, et bleu, avec des teintes plus claires ou plus sombres pour les résidus qui établissent des contacts respectivement < 8 Å ou < 5 Å. Les résidus des chaînes α et β qui sont en dehors des zones de contact sont colorés en blanc. [Avec la permission de Stanley Watowich, Leon Gross, et Robert Josephs, University of Chicago.]

désoxyHbS enroulées en hélice qui s'associent en paires parallèles (Fig. 10-25 et 10-26*a*).

La relation structurale entre les molécules d'HbS et les paires de chaînes d'HbS parallèles a été établie par analyse de la structure par rayons X de cristaux de désoxyHbS. Quand cette structure cristalline a été déterminée pour la première fois, il n'était pas évident que les contacts intermoléculaires dans le cristal étaient semblables à ceux observés dans la fibre. Cependant, on s'est aperçu que les fibres d'HbS se transforment lentement pour donner ces cristaux sans changements notables dans leur spectre de diffraction par rayons X, ce qui signifie que les fibres, du point de vue de la structure, ressemblent aux cristaux. La structure d'un cristal de désoxyHbS est formée de doubles filaments de molécules de HbS dont plusieurs contacts intermoléculaires sont schématisés dans la Fig. 10-26*b*. Une seule des deux Val 6β par molécule de HbS établit un contact avec une molécule voisine. Dans ce contact, la chaîne latérale de la Val (résidu muté) remplit une poche hydrophobe à la surface d'une sous-unité β d'une molécule adjacente dont la Val 6β n'établit pas de contact intermoléculaire (Fig. 10-

26*c*). Cette poche est absente dans l'oxyHb. D'autres contacts impliquent des résidus que l'on trouve aussi dans l'HbA, dont Asp 73β et Glu 23α (Fig. 10-26*b*). Cependant, le fait que la désoxyHbA ne s'agrège pas en fibres, même à très fortes concentrations, indique que *le contact impliquant la Val 6β est indispensable à la formation de la fibre*. Cette conclusion est corroborée par l'observation qu'une Hb humaine modifiée par génie génétique dans laquelle le Glu 6β est remplacé par une Ile (qui ne diffère d'une Val que par un groupement CH_2 supplémentaire et qui est donc encore plus hydrophobe) est moitié moins soluble que l'HbS dans du phosphate 1,8*M*.

L'importance des autres contacts intermoléculaires pour l'intégrité structurale des fibres de HbS a été démontrée en étudiant les effets d'autres hémoglobines mutantes sur la gélification (polymérisation) de l'HbS. Par exemple, l'**Hb Harlem,** double mutante (Glu 6β → Val + Asp 73β → Asn), demande une plus forte concentration pour se gélifier que l'HbS (Glu 6β → Val) ; de même, des mélanges d'HbS et d'**Hb Korle-Bu** (Asp 73β → Asn) se gélifient moins facilement que des mélanges équivalents de HbS et de

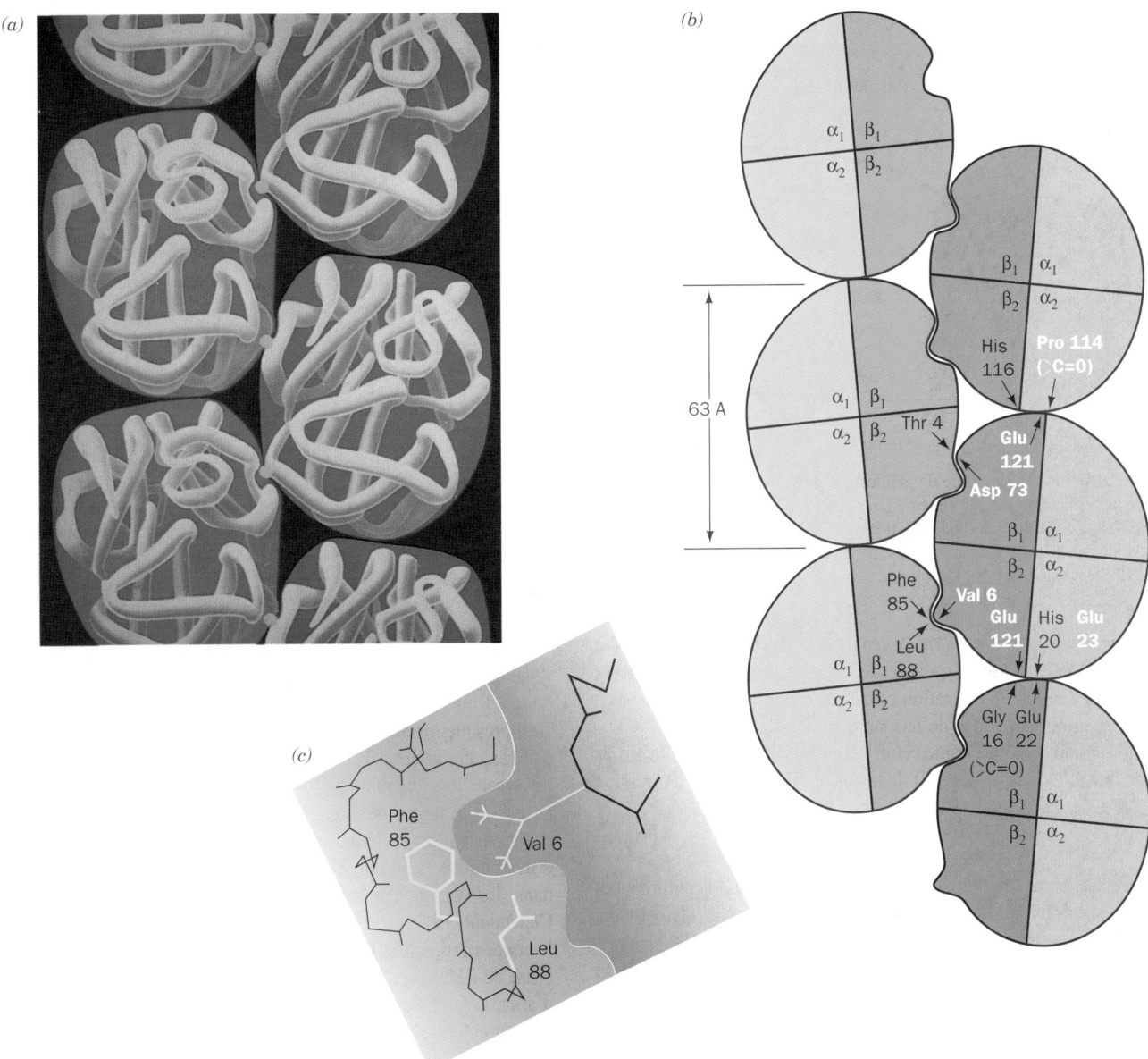

FIGURE 10-26 Structure de la fibre de désoxyHbS. (*a*) Disposition des molécules de désoxyHbS dans la fibre. [Copyright Irving Geis.] (*b*) Représentation schématique montrant les contacts intermoléculaires dans la structure cristalline de la désoxyHbS. Les résidus en lettres blanches participent à ces contacts. Remarquer que la seule association intermoléculaire à laquelle participe le résidu mutant Val 6β met en jeu la sous-unité β₂; la Val 6 de la sous-unité β₁ est libre. [D'après Wishner, B.C.,

Ward, K.B., Lattman, E.E., and Love, W.E., *J. Mol. Biol.* **98**, 192 (1975).] (*c*) Le mutant Val 6β₂ s'encastre parfaitement dans la poche hydrophobe formée essentiellement par la Phe 85 et la Leu 88 d'une sous-unité β₁ adjacente. Cette poche, localisée entre les hélices E et F à la périphérie de la poche de l'hème, est absente dans l'oxyHb et est trop hydrophobe pour contenir la chaîne latérale normale du Glu 6β. [Copyright Irving Geis.]

HbA. Ces observations suggèrent que l'Asp 73β occupe un site de contact intermoléculaire important dans les fibres de HbS (Fig. 10-26*b*). De même, le fait que des tétramères hybrides formés de sous-unités α de l'**Hb Memphis** (Glu 23α → Gln) et de sous-unités β de HbS se gélifient moins facilement que l'HbS, indique que le Glu 23α participe également à la polymérisation des fibres de HbS (Fig. 10-26*b*). Les autres résidus en lettres blanches dans la Fig. 10-26*b* ont des implications analogues dans les interactions liées à l'HbS.

b. Le début de la gélification de l'HbS est un processus complexe

La gélification de l'HbS, que ce soit en solution ou à l'intérieur des globules rouges, suit une cinétique inhabituelle. On peut provoquer la gélification d'une solution d'HbS en abaissant la pO_2, en augmentant la concentration de l'HbS, et/ou en élevant la température. *Selon les conditions qui permettent la gélification, il y a un temps de latence reproductible qui varie de quelques millisecondes*

(a)

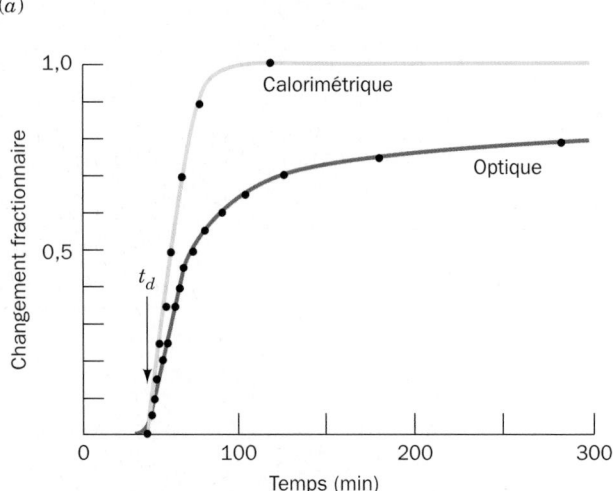

(b)

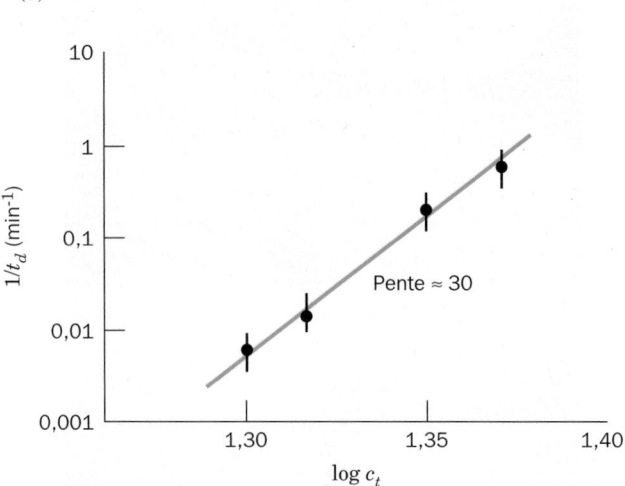

FIGURE 10-27 Cinétique de gélification de la désoxyHbS. (*a*) Mesure de la gélification par calorimétrie (*en jaune*) et par méthode optique (*en violet*). La gélification d'une solution de 0,233 g • mL^{-1} de désoxyHbS a été déclenchée par élévation rapide de la température depuis 0 °C, où l'HbS est soluble, à 20 °C ; t_d est le temps de latence. (*b*) Un tracé log-

log montrant que 1/t_d pour la gélification de la désoxyHbS à 30 °C dépend de la concentration. La pente de cette droite est de l'ordre de 30. [D'après Hofrichter, J., Ross, P.D., and Eaton, W.A., *Proc. Natl. Acad. Sci.* **71,** 4865, 4867 (1974).]

à plusieurs jours : pendant ce temps, aucune fibre d'HbS ne peut être détectée. Ce n'est qu'après le temps de latence que les fibres apparaissent et la gélification est achevée en un temps égal à environ la moitié du temps de latence (Fig. 10-27*a*).

William Eaton et James Hofrichter ont découvert que le temps de latence, t_d, est dépendant de la concentration selon l'expression

$$\frac{1}{t_d} = k\left(\frac{c_t}{c_s}\right)^n \qquad [10.13]$$

où c_t est la concentration totale en désoxyHbS avant la gélification, c_s la solubilité de la désoxyHbS mesurée après gélification totale, et k et n sont des constantes. L'analyse graphique des résultats indique que k est de l'ordre de 10^{-7} s^{-1} et que n est compris entre 30 et 50 (Fig. 10-27*b*). Cela constitue un résultat remarquable : *on ne connaît pas d'autre processus se déroulant en solution et dépendant de la concentration à la puissance 30.*

Un processus en deux étapes rend compte de l'Eq. [10.13] :

1. Tout d'abord, les molécules d'HbS s'agrègent de manière séquentielle pour former un **noyau** constitué de *m* molécules d'HbS (Fig. 10-28*a*) :

$$\text{HbS} \rightleftharpoons (\text{HbS})_2 \rightleftharpoons (\text{HbS})_3 \rightleftharpoons \cdots$$
$$\rightleftharpoons (\text{HbS})_m \rightarrow \text{Croissance}$$

Les agrégats prénucléaires sont instables et se décomposent facilement, mais une fois le noyau formé, il adopte une structure stable qui s'allonge rapidement pour former la fibre d'HbS.

2. Lorsqu'une fibre est formée, elle peut initier le développement d'autres fibres (Fig. 10-28*b*). Ces fibres nouvellement formées vont, à leur tour, initier le développement d'autres fibres, etc., ce dernier processus est donc autocatalytique.

Le processus initial de **nucléation en milieu homogène** (en solution) rend compte de sa très forte dépendance vis-à-vis de la concentration (Eq. [10.13]), tandis que la **nucléation hétérogène** qui suit (elle se déroule sur une surface, celle d'une fibre dans ce cas) est responsable du démarrage rapide de la gélification (Fig. 10-27*a*).

L'hypothèse cinétique exposée ci-dessus suggère pourquoi l'anémie falciforme est caractérisée par des crises épisodiques dues à l'interruption du flux sanguin. Les fibres d'HbS se dissolvent presque instantanément après oxygénation, d'où leur absence dans le sang artériel. Il faut entre 0,5 et 2 s aux érythrocytes pour traverser les capillaires, où la désoxygénation insolubilise l'HbS. Si le temps de latence, t_d, pour la formation des fibres est supérieur au temps de passage dans les capillaires, il n'y aura pas d'interruption de la circulation (bien que la formation des fibres dans les veines endommage la membrane des érythrocytes). Cependant, l'Eq. [10.13] montre que de faibles augmentations de la concentration d'HbS, c_t, et/ou de légères diminutions de la solubilité de l'HbS, c_s, dans des conditions qui déclenchent les crises d'anémie falciforme, comme la déshydratation, le manque d'oxygène et la fièvre, se traduisent par des diminutions significatives de t_d. Une fois qu'une obstruction s'est produite, le manque d'oxygène qui en résulte et le ralentissement de la circulation dans cette zone aggravent la situation.

L'hypothèse cinétique du processus a des implications cliniques importantes pour le traitement de l'anémie falciforme. Les hétérozygotes pour l'HbS, dont le sang contient généralement environ 60 % de HbA et 40 % de HbS, montrent rarement l'un des symptômes de la maladie. Le t_d de la gélification de leur Hb est environ 10^6 fois plus grand que celui des homozygotes. Par conséquent, un traitement de l'anémie falciforme qui augmenterait la valeur de t_d de cette quantité, correspondant à une diminution du rapport c_t/c_s d'un facteur d'environ 1,6, réduirait les symptômes de la maladie. Trois stratégies thérapeutiques différentes pour augmenter le t_d et donc inhiber la gélification d'HbS sont à l'étude :

1. La désorganisation des interactions intermoléculaires, augmentant ainsi c_s. La synthèse de molécules conçues sur base de la structure par rayons X de l'HbS pour se lier de manière stéréospécifique aux zones de contact intermoléculaire de l'HbS semble particulièrement intéressante. Il faudrait cependant administrer de grandes quantités d'une telle substance pour qu'elle se lie aux 400 g environ de l'hémoglobine du corps. De fait, on ne connaît

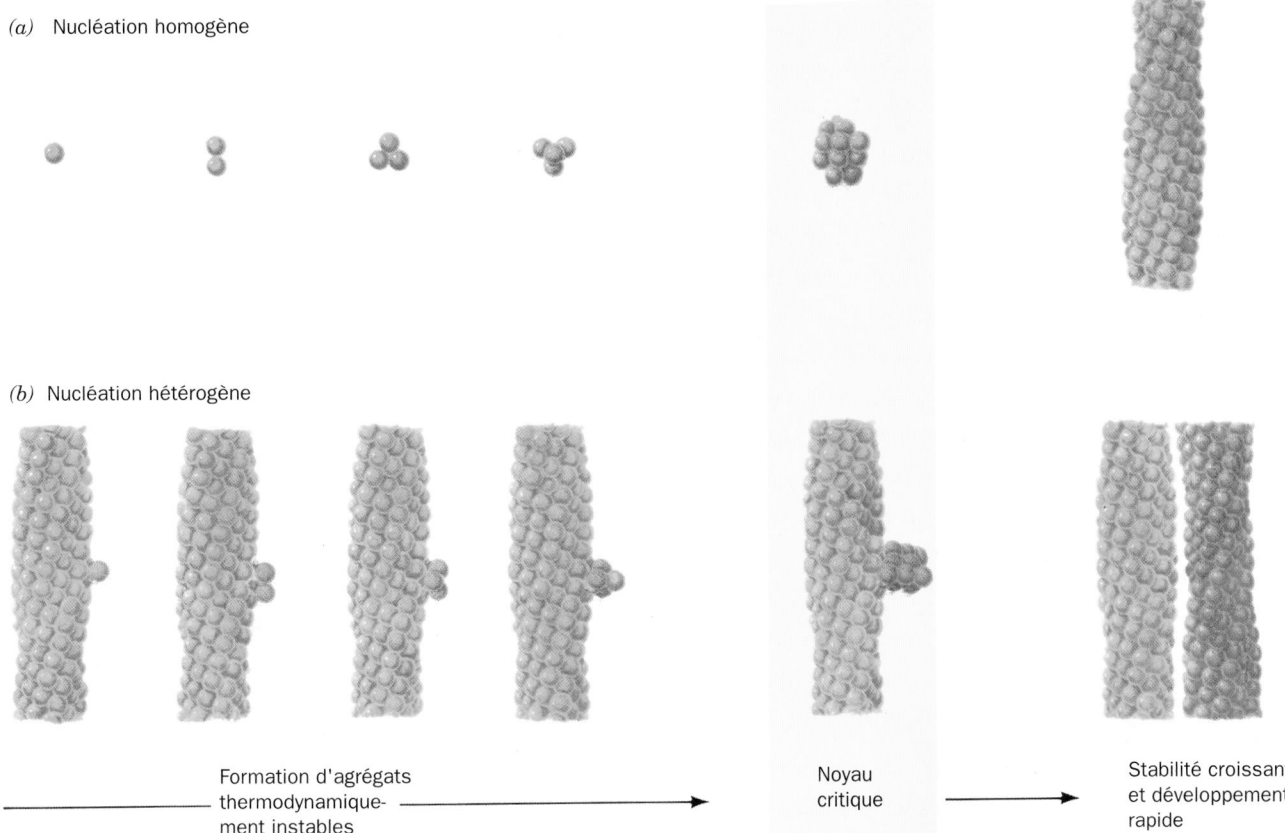

(a) Nucléation homogène

(b) Nucléation hétérogène

Formation d'agrégats thermodynamique- ment instables

Noyau critique

Stabilité croissant et développement rapide

FIGURE 10-28 Mécanisme de double nucléation lors de la gélification de la désoyHbS. *(a)* L'agrégation initiale des molécules d'HbS *(cercles)* se fait très lentement car ce processus est thermodynamiquement défavorable, d'où une tendance des intermédiaires à se décomposer au lieu de se développer. Cependant, sitôt qu'un agrégat atteint une certaine taille, le **noyau critique**, son développement ultérieur devient thermodynamiquement favorable, ce qui conduit à la formation rapide d'une fibre. *(b)* Chaque fibre, à son tour, peut induire la nucléation d'autres fibres, conduisant à la formation quasi-exponentielle du polymère. [D'après Ferrone, F.A., Hofrichter, J., and Eaton, W.A., *J. Mol. Biol.* **183**, 614 (1985).]

encore aucun médicament de ce type qui possède un rapport efficacité/toxicité assez élevé pour être utilisé en clinique.

2. L'utilisation d'agents qui augmentent l'affinité de l'hémoglobine pour l'O_2, diminuant ainsi la valeur de c_t. Par exemple, l'administration de cyanate entraîne la carbamylation des groupements aminés N-terminaux de l'Hb (Fig. 10-21). Ce traitement élimine quelques uns des ponts salins qui stabilisent l'état T (Section 10-2E) et donc augmente l'affinité de l'Hb pour l'O_2. Bien qu'*in vitro* le cyanate soit un agent efficace contre la formation de fibres, son usage clinique a été arrêté à cause d'effets toxiques secondaires, comme la cataracte et des lésions du système nerveux périphérique, dus probablement à la carbamylation d'autres protéines que l'Hb.

3. L'abaissement de la concentration d'HbS (c_t) dans les érythrocytes par augmentation du volume des érythrocytes. Des agents qui altèrent la perméabilité de la membrane des érythrocytes afin de favoriser l'influx d'eau sont intéressants à cet égard. Le premier, et jusqu'ici le seul, traitement efficace de l'anémie falciforme, qui s'inspire de la troisième de ces stratégies, est l'administration d'**hydroxyurée**.

$$\overset{\overset{\displaystyle O}{\|}}{H_2N-C-NH-OH}$$

Hydroxyurea

Les adultes souffrant d'anémie falciforme ont deux types de globules rouges : des cellules S, qui ne contiennent que de l'HbS ; et des cellules F, qui contiennent environ 20 % d'HbF, le reste étant de l'HbS. Environ 30 % des érythrocytes de ces patients sont des cellules F, alors que cette proportion monte à 50 % après traitement par l'hydroxyurée. Bien que le mécanisme de cette augmentation reste inconnu, on comprend pourquoi elle prévient la formation de fibres. En effet, les cellules F contiennent trois types d'hémoglobine : HbS ($\alpha_2\beta_2^S$), HbF ($\alpha_2\gamma_2$), et leurs hybrides ($\alpha_2\beta^S\gamma$), où les sous-unités β^S correspondent aux variantes falciformes des sous-unités β normales. Puisque ni l'HbF ni l'Hb hybride $\alpha_2\beta^S\gamma$ ne peut former de fibres, elles diluent l'HbS dans la cellule. Ceci augmente d'un facteur 1000 le temps qu'il faut aux cellules F pour en former, de sorte que les cellules F ne forment plus de fibres pendant le temps qu'il faut (10-20 s) pour passer des tissus aux poumons, où elles sont oxygénées. Ainsi, plus grande est la proportion de cellules F dans le sang, plus petite sera celle des cellules S qui peuvent former des fibres.

4 ■ RÉGULATION ALLOSTÉRIQUE

L'une des caractéristiques les plus étonnantes de la vie est le contrôle très élaboré qui s'exerce sur presque tous ses processus. Un grand nombre de mécanismes régulateurs, auxquels ce livre consacre une place importante, permet à un organisme de répondre à des variations dans son environnement, de maintenir des communications intra- et extracellulaires, et d'exécuter un programme de croissance et de développement ordonné. Les régulations s'exercent à tous les niveaux d'organisation des systèmes vivants, depuis le contrôle des vitesses des réactions à l'échelle moléculaire, en passant par le contrôle de l'expression génétique dans la cellule, jusqu'au contrôle du comportement de l'organisme. Il n'est donc pas surprenant que beaucoup, sinon la plupart, des maladies soient dues à des dérèglements des processus de contrôle biologiques.

Nous poursuivrons cet exposé sur la structure et la fonction de l'hémoglobine par une étude théorique sur la régulation de la liaison de ligands aux protéines par l'intermédiaire des **interactions allostériques** (du grec *allos*, autre et *stereos*, solide ou espace). Ces interactions coopératives se produisent lorsque la liaison d'un ligand à un site spécifique est influencée par la liaison d'un autre ligand, appelé **effecteur** ou **modulateur,** à un autre site (allostérique) de la protéine. Si les ligands sont identiques, on dit qu'il y a **interaction homotrope**, et s'ils sont différents, on dit qu'il y a **interaction hétérotrope**. Ces effets sont dits **positifs** ou **négatifs** selon que l'effecteur augmente ou diminue l'affinité de la protéine pour la liaison du ligand.

Nous avons vu que l'hémoglobine est l'objet d'interactions tant homotropes qu'hétérotropes. La liaison de l'O_2 à l'Hb est une interaction homotrope positive car elle augmente l'affinité de l'Hb pour l'O_2. Inversement, le BPG, le CO_2, les ions H^+ et Cl^- sont des effecteurs hétérotropes négatifs pour la liaison de l'O_2 à l'Hb puisqu'ils diminuent son affinité pour l'O_2 (donc négatifs) et qu'ils sont chimiquement différents de l'O_2 (donc hétérotropes). Nous avons vu aussi que l'affinité de l'Hb pour l'O_2 dépend de sa structure quaternaire. *D'une façon générale, les effets allostériques résultent d'interactions entre les sous-unités de protéines oligomériques.*

Même si l'hémoglobine ne catalyse pas de réaction chimique, elle lie des ligands comme le font les enzymes. Puisqu'une enzyme ne peut catalyser une réaction avant d'être liée à son **substrat** (la molécule qui subit la réaction), la vitesse de catalyse de l'enzyme est fonction de son affinité de liaison au substrat. Par conséquent, la liaison coopérative de l'O_2 à l'Hb est prise comme modèle de la régulation allostérique de l'activité enzymatique. Nous étudierons dans cette section plusieurs modèles de régulation allostérique qui ont été, pour l'essentiel, élaborés pour expliquer les propriétés de liaison de l'O_2 à l'Hb. Après quoi, nous comparerons ces modèles avec le comportement réel de l'Hb.

A. *L'équation d'Adair*

La dérivation de l'équation de Hill (Section 10-1B) est basée sur l'hypothèse de la liaison « tout ou rien » de l'O_2. Cependant, la mise en évidence de molécules d'Hb partiellement oxygénées a conduit Gilbert Adair à proposer en 1924 que la liaison de ligands aux protéines se fait de manière séquentielle avec des constantes de dissociation qui ne sont pas forcément égales. L'expression de la fonction de saturation selon ce modèle est obtenue directement.

Pour une protéine comme l'Hb qui possède quatre sites de liaison pour le ligand, la suite des réactions est :

$$
\begin{aligned}
E + S &\rightleftharpoons ES & k_1 &= 4K_1 \\
ES + S &\rightleftharpoons ES_2 & k_2 &= \tfrac{3}{2}K_2 \\
ES_2 + S &\rightleftharpoons ES_3 & k_3 &= \tfrac{2}{3}K_3 \\
ES_3 + S &\rightleftharpoons ES_4 & k_4 &= \tfrac{1}{4}K_4
\end{aligned}
$$

où les K_i sont les **constantes de dissociation macroscopiques** ou **apparentes** pour la liaison du $i$ème ligand à la protéine,

$$
K_i = \frac{[ES_{i-1}][S]}{[ES_i]} \tag{10.14}
$$

et les k_i sont les **constantes de dissociation microscopiques** ou **intrinsèques**, c'est-à-dire les constantes de dissociation individuelles pour les sites de liaison du ligand. Les constantes de dissociation intrinsèques sont égales aux constantes de dissociation apparentes multipliées par des **facteurs statistiques,** 4, $\tfrac{3}{2}$, $\tfrac{2}{3}$, et $\tfrac{1}{4}$, qui tiennent compte du nombre de sites de liaison du ligand sur la molécule protéique. Le facteur statistique 4 est dû à ce qu'une protéine tétramérique E porte quatre sites qui peuvent lier le ligand pour former ES (autrement dit, la concentration en sites de liaison du ligand est $4[E]$) mais il n'y a qu'un seul site à partir duquel ES peut se dissocier pour former E (la concentration de ligand lié est $1[E]$) ; le facteur statistique $\tfrac{3}{2}$ vient de ce qu'il y a trois sites restants sur ES qui peuvent lier le ligand pour donner ES_2 et deux sites à partir desquels ES_2 peut se dissocier pour former ES ; etc. En général, pour une protéine ayant n sites de liaison équivalents :

$$
k_i = \frac{(n-i+1)[ES_{i-1}][S]}{i[ES_i]} = \left(\frac{n-i+1}{i}\right)K_i \tag{10.15}
$$

puisque $(n-i+1)[ES_{i-1}]$ est la concentration des sites de liaison sans ligand dans ES_{i-1} et $i[ES_i]$ la concentration de ligand lié sur ES_i. Ainsi, par résolution séquentielle, on obtient la concentration de chacune des quatre espèces protéine-ligand d'une protéine tétramérique :

$$
\begin{aligned}
[ES] &= [E][S]/K &&= 4[E][S]/k_1 \\
[ES_2] &= [ES][S]/K_2 = \tfrac{3}{2}[ES][S]/k_2 &&= 6[E][S]^2/k_1k_2 \\
[ES_3] &= [ES_2][S]/K_3 = \tfrac{2}{3}[ES_2][S]/k_3 &&= 4[E][S]^3/k_1k_2k_3 \\
[ES_4] &= [ES_3][S]/K_4 = \tfrac{1}{4}[ES_3][S]/k_4 &&= [E][S]^4/k_1k_2k_3k_4
\end{aligned}
$$

La saturation partielle en ligand lié, c'est-à-dire la fraction des sites de liaison occupés par des ligands divisée par la concentration totale de sites de liaison du ligand, s'exprime par :

$$
Y_S = \frac{[ES] + 2[ES_2] + 3[ES_3] + 4[ES_4]}{4([E] + [ES] + [ES_2] + [ES_3] + [ES_4])} \tag{10.16}
$$

d'où, en substituant dans les relations ci-dessus et en éliminant les termes qui s'annulent, on obtient

$$
Y_S = \frac{\dfrac{[S]}{k_1} + \dfrac{3[S]^2}{k_1k_2} + \dfrac{3[S]^3}{k_1k_2k_3} + \dfrac{[S]^4}{k_1k_2k_3k_4}}{1 + \dfrac{4[S]}{k_1} + \dfrac{6[S]^2}{k_1k_2} + \dfrac{4[S]^3}{k_1k_2k_3} + \dfrac{[S]^4}{k_1k_2k_3k_4}} \tag{10.17}
$$

C'est l'**équation d'Adair** pour quatre sites de liaison du ligand. Les équations qui décrivent la liaison de ligands à des protéines ayant des nombres de sites de liaison du ligand différents s'obtiennent de manière identique.

TABLEAU 10-2 Les constantes d'Adair pour l'hémoglobine A à pH 7,40

Solution	k_1 (torr)	k_2 (torr)	k_3 (torr)	k_4 (torr)
« Nue »	8,8	6,1	0,85	0,25
NaCl 0,1M	41	13	12	0,14
BPG 2 mM	74	112	23	0,24
NaCl 0,1M + BPG 2mM	97	43	119	0,09

D'après Tyuma, I., Imai, K., and Shimizu, K., *Biochemistry* **12**, 1493, 1495 (1973).

Si les constantes de dissociation microscopiques de l'équation d'Adair ne sont pas égales, la courbe de saturation partielle décrira une liaison de ligand coopérative. La diminution ou l'augmentation de la valeur de ces constantes donne, respectivement, une coopérativité positive ou négative. Naturellement, les valeurs des constantes de dissociation microscopiques peuvent aussi alterner, comme par exemple, $k_1 < k_2 > k_3 < k_4$.

En analysant la courbe de dissociation de l'oxyHb (Section 10-1B), nous avons vu comment ses valeurs de k_1 et k_4 peuvent être obtenues en extrapolant les asymptotes inférieure et supérieure de la représentation de Hill sur l'axe log pO_2. Les autres constantes de dissociation microscopiques peuvent être évaluées en adaptant l'équation [10.17] au tracé de Hill. Les valeurs de ces **constantes d'Adair** pour l'Hb sont données dans le Tableau 10-2. Remarquer que k_4 est relativement insensible à la présence du BPG. Par conséquent, l'Hb lie et libère son dernier O_2 presqu'indépendamment de la concentration en BPG.

Bien que l'équation d'Adair soit la relation la plus générale pour décrire la liaison d'un ligand à une protéine et qu'elle soit très utilisée à cet effet, elle ne donne aucune explication physique qui permette de comprendre pourquoi les constantes de dissociation microscopiques sont différentes entre elles. Cependant, si la protéine est formée, comme beaucoup, de sous-unités identiques et associées symétriquement, il est souhaitable de comprendre comment la liaison d'un ligand à un site influence l'affinité de liaison pour le ligand d'un site qui semble identique. Ce besoin a conduit à l'élaboration de modèles de liaison de ligand qui expliquent comment les sites de liaison de protéines oligomériques peuvent présenter des affinités différentes. Deux de ces modèles sont décrits dans les sections suivantes.

B. *Le modèle symétrique*

Le **modèle symétrique** de l'allostérie, formulé en 1965 par Jacques Monod, Jeffries Wyman et Jean-Pierre Changeux, est probablement le modèle le plus élégant décrivant la liaison coopérative d'un ligand à une protéine. Ce modèle, appelé également **modèle MWC**, est défini selon les règles suivantes :

1. Une protéine allostérique est un oligomère de protomères associés symétriquement (dans le cas de l'hémoglobine, nous supposerons, par souci de simplicité algébrique, que les quatre sous-unités sont fonctionnellement identiques).

2. Chaque protomère peut exister (au moins) sous deux états conformationnels, désignés T et R ; ces états sont en équilibre, qu'il y ait ou qu'il n'y ait pas de ligand lié sur l'oligomère.

3. Le ligand peut se lier à un protomère quelle que soit sa conformation. *Seul le changement conformationnel modifie l'affinité du protomère pour le ligand.*

4. *La symétrie moléculaire de la protéine est conservée pendant le changement conformationnel.* Les protomères doivent donc changer de conformation de façon concertée, ce qui implique que la conformation de chaque protomère est contrainte par son association avec les autres protomères ; en d'autres termes, il n'y a pas d'oligomères qui présentent simultanément des protomères à l'état R et à l'état T.

Pour un ligand S d'une protéine allostérique formée de n protomères, ces règles impliquent les équilibres suivants pour rendre compte du changement conformationnel et des réactions de liaison du ligand (par souci de brièveté, $T_i \equiv TS_i$ et $R_i \equiv RS_i$).

$$
\begin{aligned}
T_0 &\rightleftharpoons R_0 \\
T_0 + S \rightleftharpoons T_1 \qquad & R_0 + S \rightleftharpoons R_1 \\
T_1 + S \rightleftharpoons T_2 \qquad & R_1 + S \rightleftharpoons R_2 \qquad [10.18]\\
\vdots \qquad\qquad & \qquad\qquad \vdots \\
T_{n-1} + S \rightleftharpoons T_n \qquad & R_{n-1} + S \rightleftharpoons R_n
\end{aligned}
$$

Ces réactions sont données à la Fig. 10-29 dans le cas d'un tétramère.

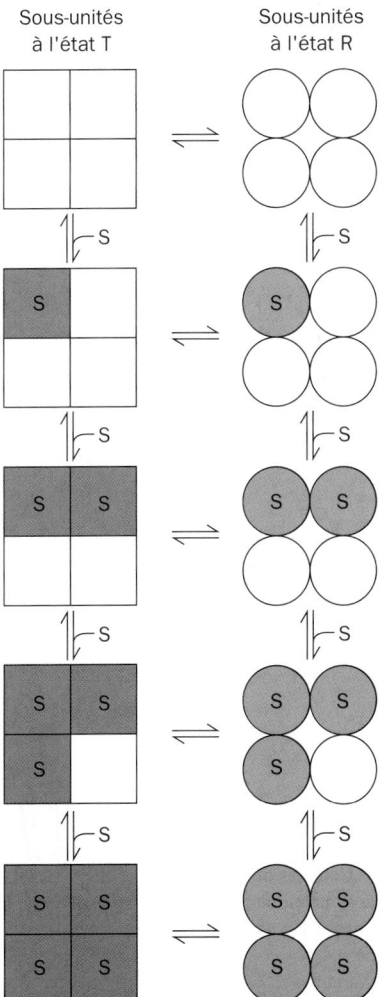

FIGURE 10-29 Espèces moléculaires et réactions permises dans le modèle symétrique de l'allostérie. Les carrés et les cercles représentent respectivement les protomères à l'état T et à l'état R.

La constante d'équilibre L de l'interconversion conformation-nelle de la protéine oligomérique en l'absence de ligand est :

$$L = \frac{[T_0]}{[R_0]} \qquad [10.19]$$

La constante de dissociation microscopique pour l'état R, k_R, qui, d'après la Règle 3 est indépendante du nombre de ligands liés à R, s'exprime d'après l'Eq. [10.15] :

$$k_R = \left(\frac{n - i + 1}{i}\right)\frac{[R_{i-1}][S]}{[R_i]} \qquad (i = 1, 2, 3, \ldots, n) \quad [10.20]$$

La constante de dissociation microscopique pour la liaison du ligand à l'état T, k_T s'exprime de la même manière. La saturation partielle, Y_S, pour la liaison du ligand est :

$$Y_S = \\ \frac{([R_1] + 2[R_2] + \cdots + n[R_n]) + ([T_1] + 2[T_2] + \cdots + n[T_n])}{n\{([R_0] + [R_1] + \cdots + [R_n]) + ([T_0] + [T_1] + \cdots [T_n])\}} \\ [10.21]$$

Définissons deux paramètres :

$$\alpha = [S]/k_R \qquad c = k_R/k_T$$

où α peut être assimilé à une concentration normalisée de ligand. c est égal au rapport des constantes de dissociation de liaison du ligand ; c augmente en fonction de l'affinité de l'état T pour le ligand par rapport à celle de l'état R. En combinant les relations précédentes, comme cela est indiqué dans la Section A de l'Appendice de ce chapitre, nous obtenons l'équation qui décrit le modèle symétrique de l'allostérie pour des interactions homotropes :

$$Y_S = \frac{\alpha(1 + \alpha)^{n-1} + Lc\alpha(1 + c\alpha)^{n-1}}{(1 + \alpha)^n + L(1 + c\alpha)^n} \qquad [10.22]$$

Remarquer que cette équation dépend de trois paramètres, α, c, et L, qui sont respectivement la concentration normalisée du ligand, les affinités relatives des états T et R pour le ligand, et les stabilités relatives des états T et R. Par contre, l'équation de Hill (Sec-tion 10-1B) n'a que deux paramètres, K et n, tandis que dans l'équation d'Adair, le nombre de paramètres est égal au nombre de sites de liaison du ligand sur la protéine.

a. Interactions homotropes

Examinons la nature du modèle symétrique en représentant graphiquement l'Eq. [10.22] pour un tétramère ($n = 4$) en fonction de α pour différentes valeurs des paramètres L et c (Fig. 10-30). L'examen de ces courbes fait ressortir trois points essentiels :

1. Le degré de courbure ascendante présenté par ces courbes sigmoïdales à leur début est une indication du niveau de coopéra-tivité.

2. Quand seul l'état R lie le ligand, (c = 0), la coopérativité de liaison du ligand augmente en même temps qu'augmente la préférence conformationnelle de l'oligomère pour l'état T non lié au ligand (L augmente ; Fig. 10-30a). Pour des valeurs de L éle-vées, si un seul ligand doit se lier, il doit « forcer » la protéine à prendre son état R le moins « préféré ». L'obligation pour tous les protomères de changer d'état conformationnel de façon concertée fait que les trois derniers sites de liaison du ligand deviennent disponibles. Par conséquent, la liaison du premier ligand favorise la liaison des ligands suivants, ce qui est l'es-sence même d'une interaction homotrope positive. Noter que coopérativité et affinité de liaison du ligand sont deux valeurs différentes ; en réalité, pour c = 0, les courbes qui indiquent une forte affinité de liaison pour le ligand (celles pour lesquelles L a une faible valeur) montrent une faible coopérativité et vice versa.

3. Quand l'état T est très favorisé (L est élevé), la coopérati-vité de liaison du ligand augmente avec l'affinité de liaison du ligand pour l'état R par rapport à celle de l'état T (c diminue ; Fig. 10-30b). Pour de faibles concentrations en ligand (a faible) la quantité de ligand lié (YS) augmente avec l'affinité de liaison du ligand pour l'état T (c augmente) car la protéine est essentielle-ment dans l'état T. Cependant, au fur et à mesure qu'a augmente, la quantité de ligand lié à l'état R intrinsèquement moins stable

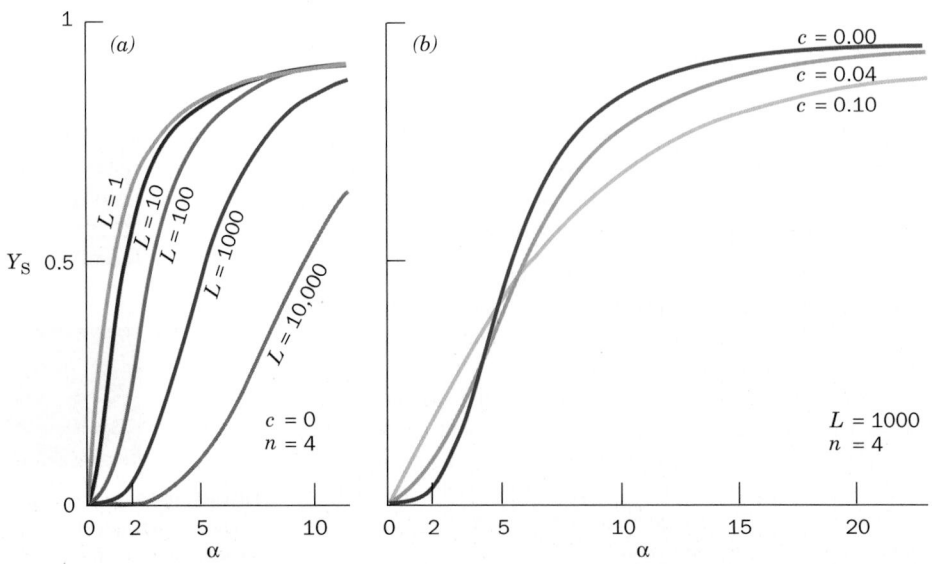

FIGURE 10-30 Courbes de satura-tion du modèle symétrique pour des tétramères d'après l'Eq. [10.22]. Ici $L = [T_0]/[R_0]$, $c = k_R/k_T$, et $\alpha = [S]/k_R$. (*a*) Variation en fonction de L pour $c = 0$. (*b*) Variation en fonc-tion de c pour $L = 1000$. [D'après Monod, J., Wyman, J., and Changeux, J.P., *J. Mol. Biol.* **12**, 92 (1965).]

finit par dépasser celle liée à l'état T, ce qui se traduit par un effet coopératif. Ceci parce que l'énergie libre de liaison du ligand stabilise l'état R par rapport à l'état T.

b. Interactions hétérotropes

Le modèle symétrique peut aussi expliquer les interactions hétérotropes. C'est le cas si l'on suppose que chaque protomère possède des sites spécifiques et indépendants pour les trois types de ligands : un substrat, S, dont nous supposerons, pour simplifier, qu'il ne se lie qu'à l'état R ($c = 0$) ; un **activateur**, A, qui ne se lie aussi qu'à l'état R ; et un **inhibiteur**, I, qui ne se lie qu'à l'état T (Fig. 10-31). Ainsi, en utilisant l'équation dérivée qui figure dans la Section B de l'Appendice de ce chapitre, nous obtenons une équation plus générale du modèle symétrique qui s'applique aussi bien aux interactions hétérotropes qu'aux interactions homotropes :

$$Y_S = \frac{\alpha(1 + \alpha)^{n-1}}{(1 + \alpha)^n + \dfrac{L(1 + \beta)^n}{(1 + \gamma)^n}} \qquad [10.23]$$

où $\alpha = [S]/k_R$, comme précédemment, et par analogie, $\beta = [I]/k_I$ et $\gamma = [A]/k_A$.

Noter que cette équation ne diffère de l'équation [10.22] que pour $c = 0$ du fait que le second terme du dénominateur est modulé en fonction des quantités d'activateur et d'inhibiteur liées à l'oligomère.

La Figure 10-32 montre les conséquences de la liaison d'effecteurs à un tétramère qui répond à ce modèle :

1. La liaison de l'activateur ($\gamma > 0$) augmente la concentration de l'état R liant le substrat (le second terme du dénominateur de l'Eq. [10.23] diminue) car c'est le seul état qui peut lier l'activateur. *Par conséquent, la présence de l'activateur augmente l'affinité de liaison de la protéine pour le substrat* (effet hétérotrope positif), bien qu'elle diminue le degré de coopérativité de la protéine pour la liaison du substrat (comparer les courbes 1 et 2 de la Fig. 10-32). (*N.B.* Rien, dans la dérivation de l'Eq. [10.23] ne différencie les rôles du substrat et de l'activateur ; par conséquent, le substrat et l'activateur se lient chacun à la protéine avec un effet homotrope positif tout en étant des effecteurs hétérotropes positifs l'un de l'autre.)

2. *La présence de l'inhibiteur ($\beta > 0$), qui ne se lie qu'à l'état T, diminue l'affinité de liaison pour le substrat* (effet hétérotrope négatif) en augmentant la concentration de l'état T (le second terme du dénominateur de l'Eq. [10.23] augmente). Par conséquent, puisque le substrat doit « travailler plus dur » pour faire passer l'oligomère à l'état R qui lie le substrat, l'inhibiteur augmente la coopérativité de liaison du substrat (comparer les courbes 2 et 3 de la Fig. 10-32), ainsi que celle de la liaison de l'activateur.

Le modèle que nous venons de décrire est assez simple. Dans un modèle symétrique plus réaliste mais beaucoup plus compliqué sur le plan algébrique, tous les types de ligands se lieraient aux deux états conformationnels de l'oligomère. Néanmoins, ce modèle montre que *les interactions homotropes et hétérotropes peuvent s'expliquer à la seule condition que la symétrie moléculaire de l'oligomère soit conservée sans faire intervenir d'interactions directes entre les ligands.* Dans la Section 10-4D, nous compare-

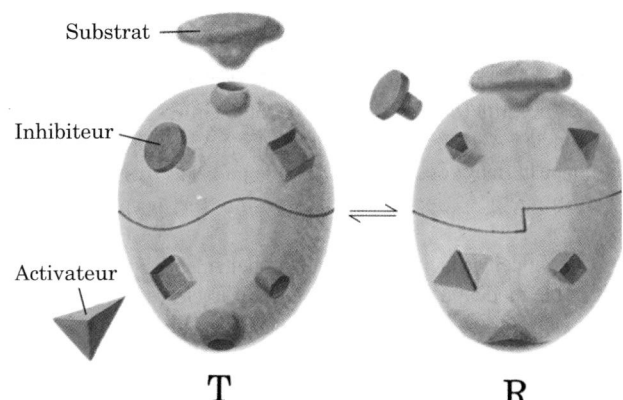

FIGURE 10-31 Interactions hétérotropes dans le modèle symétrique de l'allostérie. Les effets hétérotropes se manifestent quand substrats et activateurs se lient exclusivement (ou du moins préférentiellement) à l'état R (*à droite*), et inhibiteurs exclusivement (ou du moins préférentiellement) à l'état T (*à gauche*). La liaison du substrat et/ou de l'activateur à l'oligomère facilite alors les liaisons ultérieures du substrat et de l'activateur. Réciproquement, la liaison de l'inhibiteur rend impossible (ou du moins inhibe) la liaison du substrat ou de l'activateur à l'oligomère.

rons les pronostics théoriques du modèle symétrique avec le modèle de base expérimental de la liaison de l'oxygène à l'hémoglobine.

C. *Le modèle séquentiel*

Le modèle symétrique fournit une explication rationnelle des propriétés de liaison du ligand pour beaucoup de protéines. Cependant, il existe plusieurs objections valables à son propos. En particulier, il est difficile de croire que la symétrie oligomérique est

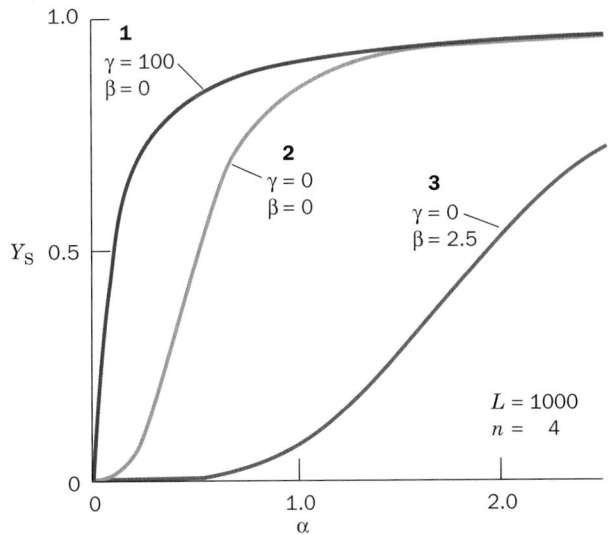

FIGURE 10-32 Influences d'un activateur allostérique ($\gamma = [A]/k_A$) et d'un inhibiteur allostérique ($\beta = [I]/k_I$) sur la forme de la courbe de saturation partielle pour le substrat ($\alpha = [S]/k_R$) selon l'Eq.[10.23] pour des tétramères. [D'après Monod, J., Wyman, J., and Changeux, J-P., *J. Mol. Biol.* **12**, 94 (1965).]

invariablement préservée dans toutes les protéines, de sorte qu'il n'y ait jamais de conformations hybrides telles que $R_{n-2}T_2$. De plus, on connaît des exemples bien caractérisés d'effets homotropes négatifs (dans le complexe GroEL-GroES, par exemple, la liaison de l'ATP à l'anneau cis de GroEL empêche l'ATP de se lier à l'anneau trans ; Section 9-2C) que le modèle symétrique, qui ne permet que des effets homotropes positifs, est incapable d'expliquer.

Le modèle symétrique assume implicitement pour la liaison du ligand le modèle d'Emil Fischer, dit de « la clef et de la serrure », selon lequel les sites de liaison du ligand de la protéine sont rigides et complémentaires à leur ligand (Fig. 10-33, *à gauche*). Un développement plus sophistiqué du modèle de « la clef et de la serrure », appelé **hypothèse de l'ajustement induit**, prévoit qu'*une interaction souple entre le ligand et la protéine induit un changement conformationnel dans la protéine, ce qui entraîne une augmentation de l'affinité de liaison pour le ligand* (Fig. 10-33, *à droite*). L'observation, par analyse de la structure par rayons X, que de tels changements conformationnels se produisent dans de nombreuses protéines a validé l'hypothèse de l'ajustement induit.

Daniel Koshland, George Némethy et David Filmer ont adapté l'hypothèse de l'ajustement induit pour expliquer les effets allostériques. *Dans ce* **modèle séquentiel** *(aussi appelé* **modèle de l'ajustement induit ou modèle KNF***), la liaison du ligand induit un changement conformationnel dans une sous-unité ; des interactions coopératives apparaissent suite à l'influence de ces changements conformationnels sur les sous-unités voisines* (Fig. 10-34). Si, par exemple, elles augmentent l'affinité de liaison du ligand de la sous-unité voisine, c'est que la liaison du ligand est à coopérativité positive. *Les intensités de ces interactions dépendent du degré de couplage mécanique entre les sous-unités.* En cas de couplage très fort, les changements conformationnels deviennent concertés et l'oligomère conserve sa symétrie (le modèle symétrique). Cependant, avec des couplages plus souples, les changements conformationnels se font de manière séquentielle au fur et à mesure que plus de molécules du ligand se lient (Fig. 10-35). Ainsi, *le fondement du modèle séquentiel tient à ce que l'affinité de liaison d'une protéine pour un ligand varie avec le nombre de molécules de ligand liées, tandis que dans le modèle symétrique cette affinité ne dépend que de l'état quaternaire de la protéine.*

Le degré de couplage entre les sous-unités d'un oligomère dépend de la façon dont sont disposées ces sous-unités, c'est-à-dire, de la symétrie de la protéine. Dans le modèle séquentiel, la saturation partielle s'exprime donc sous une forme algébrique différente pour chaque symétrie de l'oligomère. La forme de l'équation d'Adair (Eq. [10.17] pour un tétramère) dépend également du nombre de sous-unités de la protéine. À vrai dire, le modèle séquentiel de l'allostérie peut être considéré comme une extension du modèle d'Adair qui apporte une rationalisation physique quant aux valeurs de ses constantes de dissociation microscopiques, k_i.

D. *Coopérativité de l'hémoglobine*

La courbe de saturation partielle de l'hémoglobine se rapproche étroitement aussi bien du modèle symétrique que du modèle séquentiel (Fig. 10-36). Il est clair que de telles courbes ne permettent pas, à elles seules, de savoir lequel des deux modèles est correct. Cependant, il est intéressant de comparer ces modèles avec celui que nous avons exposé dans la Section 10-2C.

L'Hb, bien sûr, n'est pas formée de sous-unités identiques comme l'exige le modèle symétrique. Cependant, en première approximation tout au moins, on peut ignorer les différences fonctionnelles des sous-unités α et β (très voisines l'une de l'autre) de l'hémoglobine (bien que les différences structurales soient essentielles au mécanisme moléculaire de la coopérativité de l'Hb). *Moyennant cette approximation, l'Hb suit largement le modèle symétrique, bien qu'elle présente aussi certaines caractéristiques du modèle séquentiel.* Le changement de conformation quaternaire $T \rightarrow R$ est concerté comme l'exige le modèle symétrique. Toutefois, la liaison du ligand à l'état T provoque de petits changements de la structure tertiaire comme le prévoit le modèle de l'ajustement

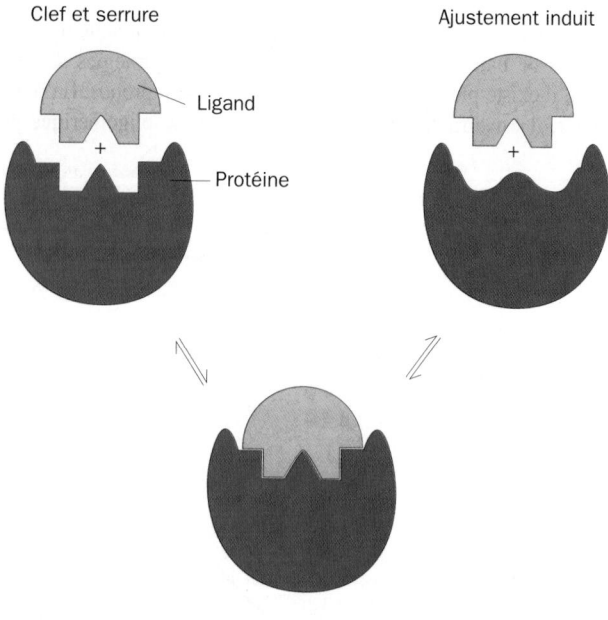

Complexe protéine-ligand

FIGURE 10-33 Modèles pour la liaison d'un ligand. Selon le mécanisme de « la clef et de la serrure » de liaison d'un ligand (*à gauche*), les protéines sont supposées avoir des sites de liaison pour le ligand « préformés », complémentaires à la forme du ligand. D'après le mécanisme de l'ajustement induit, une protéine ne présente pas de tels sites de liaison complémentaires en l'absence de ligand (*à droite*). Ici, le ligand induit un changement conformationnel du site de liaison, qui se traduit par des interactions complémentaires.

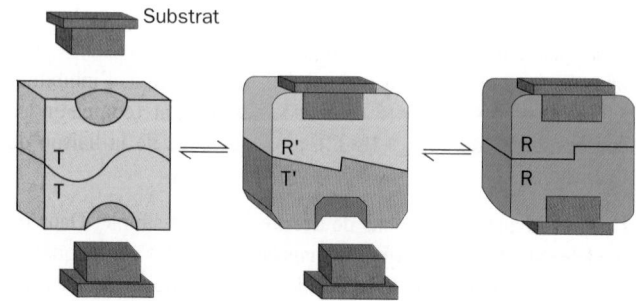

FIGURE 10-34 Modèle séquentiel de l'allostérie. La liaison du substrat à la protéine dans l'état T de faible affinité induit des changements conformationnels dans les sous-unités non liées, qui leur confèrent des affinités de liaison au ligand intermédiaires entre celles de faible affinité de l'état T et de haute affinité de l'état R.

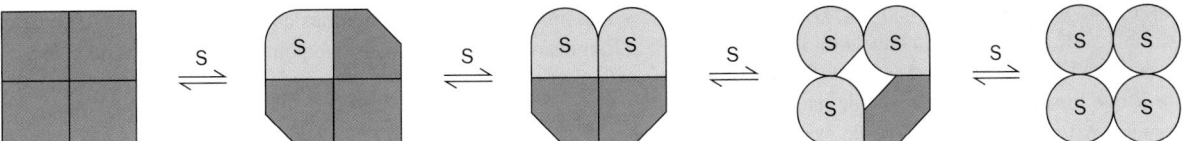

FIGURE 10-35 Liaison séquentielle du ligand dans le modèle séquentiel de l'allostérie. La liaison du ligand induit progressivement des changements conformationnels dans les sous-unités, les changements les plus importants

se produisant pour les sous-unités qui ont lié le ligand. Le couplage entre les sous-unités n'est pas nécessairement assez fort pour préserver la symétrie de l'oligomère comme c'est le cas dans le modèle symétrique.

induit. Ce phénomène est évident lorsqu'on observe la structure par rayons X de l'hémoglobine humaine dont les sous-unités α sont oxygénées à 100 % alors que les sous-unités β sont sous la forme désoxy. Cette hémoglobine partiellement liée reste dans l'état T mais les atomes de Fe de ses sous-unités α sont plus proches de 0,15 Å de leurs porphyrines, toujours en forme de dôme, qu'ils ne le sont dans la désoxyHb (25 % du déplacement total lors de la transition T →R). *De tels changements de structure tertiaire sont sans aucun doute responsables de l'établissement de la contrainte qui déclenche finalement la transition T → R.*

Une question révélatrice, mais plus difficile, est la suivante. Pour l'Hb, la coopérativité de liaison du ligand vient-elle uniquement de la transition T → R, en accord avec le modèle symétrique, ou bien les états T et R eux-mêmes manifestent-ils au moins un certain degré de coopérativité, en accord avec le modèle séquentiel ? Autrement dit, l'affinité des sous-unités de l'Hb pour le ligand ne dépend-elle que de l'état quaternaire de l'Hb (modèle symétrique) ou cette affinité varie-t-elle avec le nombre de ligands associés à l'Hb (modèle séquentiel) ? Malgré des expériences et des débats animés depuis plus de trois décennies, ce problème n'est pas entièrement résolu. Ainsi, Andrea Mozarelli et Eaton ont établi la relation de Hill pour les cristaux homogènes d'Hb à l'état T, décrits ci-dessus, par des techniques sophistiquées de spectro-

scopie optique. Les résultats montraient que la liaison du ligand est non coopérative, en accord avec le modèle symétrique. De même, des mesures spectroscopiques résolues en temps sur des périodes allant de la picoseconde à la microseconde après le début de la liaison montrent que les modifications conformationnelles subies par l'Hb suite à cette liaison sont compatibles avec le modèle symétrique. Par ailleurs, Gary Ackers a réalisé une analyse thermody-

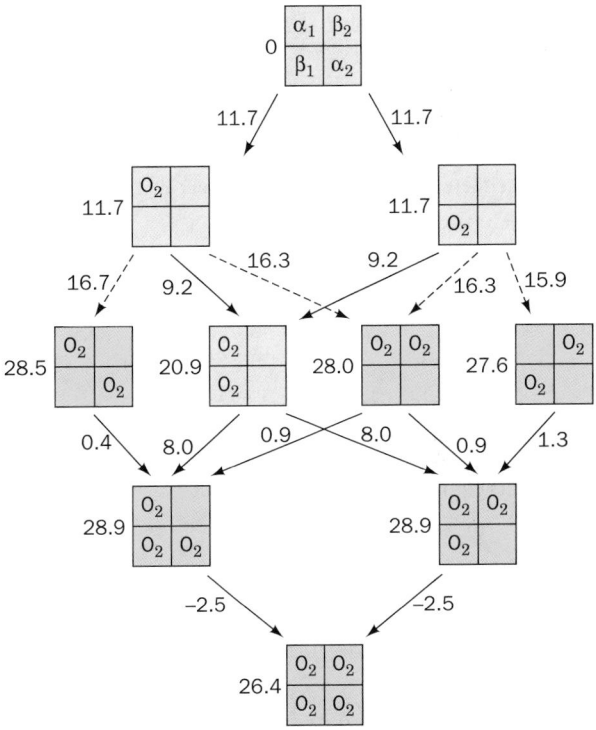

FIGURE 10-37 Pénalités en termes d'énergie libre lors de la liaison de l'O$_2$ à différents états de liaison de tétramères d'Hb, comparées à la liaison de l'O$_2$ à des dimères αβ non coopératifs d'Hb. Seuls les dix états singuliers de liaison sont représentés (six autres sont en relation de symétrie d'ordre 2 avec ceux-ci). Pour chacune des étapes de liaison, les pénalités sont données (en kJ • mol^{-1}) le long des flèches. Ces pénalités cumulées sont indiquées à la gauche de chaque état du tétramère d'Hb. Les états de liaison qui adoptent l'état T de façon prédominante sont en bleu, ceux qui adoptent l'état R de façon prédominante sont en rouge. Les itinéraires préférentiels, pour lesquels la pénalité de liaison diminue progressivement avec chaque association d'un ligand supplémentaire (flèches pleines), passent par l'état T dans lequel l'O$_2$ est lié aux deux sites d'un dimère αβ avant sa transition vers l'état R. Noter que la transition T → R survient préférentiellement pour des itinéraires où au moins une sous-unité de chaque protomère αβ est liée. [Basé sur des données de Ackers, G.K., *Adv. Prot. Chem.* **51**, 193, (1998).]

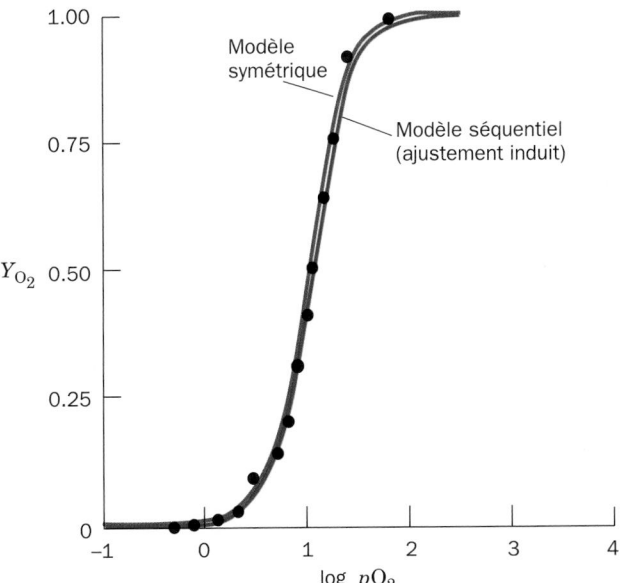

FIGURE 10-36 Les modèles séquentiel et symétrique de l'allostérie peuvent l'un et l'autre rendre compte de la courbe de dissociation de l'oxyHb. [D'après Koshland, D.E., Jr., Némethy, G., and Filmer, D., *Biochemistry* **5**, 382 (1966).]

namique détaillée des interactions que suppose la formation des 10 microétats différents de l'Hb lors de la liaison du ligand (Fig. 10-37). On constate que l'Hb tétramérique ne subit de transition quaternaire T → R que lorsqu'au moins un site de liaison sur chacun de ses protomères αβ est occupé. Ce type de symétrie méconnu jusqu'alors est incompatible avec le modèle symétrique. De toute évidence, la coopérativité est due à la fois à la transition quaternaire concertée (comme le demande le modèle symétrique) et à la modulation séquentielle de la liaison du ligand pour chaque état quaternaire, résultat d'altérations de la structure tertiaire induites par le ligand (en accord avec le modèle séquentiel).

Appendix: ■ DERIVATION DES EQUATIONS DU MODELE SYMETRIQUE

A. *Interactions homotropes — Equation [10.22]*

La saturation partielle Y_S pour la liaison d'un ligand s'exprime :

$$Y_S = \frac{([R_1] + 2[R_2] + \cdots + n[R_n]) + ([T_1] + 2[T_2] + \cdots + n[T_n])}{n\{([R_0] + [R_1] + \cdots + [R_n]) + ([T_0] + [T_1] + \cdots + [T_n])\}} \qquad [10.21]$$

En définissant $\alpha = [S]/k_R$ et $c = k_R/k_T$, et en utilisant l'Eq. [10-20] pour substituer $[R_{n-1}]$ par $[R_n]$, $[R_{n-2}]$ par $[R_{n-1}]$, etc., les termes entre les premières parenthèses du numérateur de l'Eq. [10.21] se réduisent à

$$[R_0]\left\{n\alpha + \frac{2n(n-1)\alpha^2}{2} + \cdots + \frac{n\,n!\alpha^n}{n!}\right\}$$
$$= [R_0]\alpha n\left\{1 + \frac{2(n-1)\alpha}{2} + \cdots + \frac{n(n-1)!\alpha^{n-1}}{n(n-1)!}\right\}$$
$$= [R_0]\alpha n(1 + \alpha)^{n-1}$$

et de la même manière, les termes entre les premières parenthèses du dénominateur de l'Eq. [10.21] deviennent

$$[R_0]\left\{1 + n\alpha + \cdots + \frac{n!\alpha^n}{n!}\right\} = [R_0](1 + \alpha)^n$$

De même, les termes entre les secondes parenthèses du numérateur et du dénominateur de l'Eq. [10.21] prennent les formes respectives suivantes :

$$[T_0]([S]/k_T)n(1 + [S]/k_T)^{n-1} = L[R_0]c\alpha n(1 + c\alpha)^{n-1}$$

et

$$[T_0](1 + [S]/k_T)^n = L[R](1 + c\alpha)^n$$

Par conséquent,

$$Y_S = \frac{[R_0]\alpha n(1 + \alpha)^{n-1} + L[R_0]c\alpha n(1 + c\alpha)^{n-1}}{n\{[R_0](1 + \alpha)^n + L[R_0](1 + c\alpha)^n\}}$$

qui, après élimination des termes qui s'annulent, donne l'équation qui décrit le modèle symétrique pour les interactions homotropes :

$$Y_S = \frac{\alpha(1 + \alpha)^{n-1} + Lc\alpha(1 + c\alpha)^{n-1}}{(1 + \alpha)^n + L(1 + c\alpha)^n} \qquad [10.22]$$

B. **Interactions hétérotropes — Equation [10.23]**

Pour un oligomère qui ne lie l'activateur A et le substrat S que lorsqu'il est dans son état R, et l'inhibiteur I que lorsqu'il se trouve dans son état T, la saturation partielle pour le substrat, Y_S, soit la fraction des sites de liaison du substrat occupés par le substrat, s'exprime par :

$$Y_S = \frac{\displaystyle\sum_{i=1}^{n}\sum_{j=0}^{n} i[R_{i,j}]}{n\left(\displaystyle\sum_{i=0}^{n}\sum_{j=0}^{n}[R_{i,j}] + \sum_{k=0}^{n}[T_k]\right)}$$

Dans cette expression, les indices i, j, et k indiquent les nombres respectifs de molécules de S, A, et I qui sont liées à un oligomère ; c'est-à-dire, $R_{i,j} \equiv RS_iA_j$ et $T_k \equiv TI_k$. Si l'on définit $\alpha = [S]/k_R$ et en prenant la dérivation précédente de l'Eq. [10.22] :

$$Y_S = \frac{\left(\displaystyle\sum_{j=0}^{n}[R_{0,j}]\right)\alpha n(1 + \alpha)^{n-1}}{n\left\{\left(\displaystyle\sum_{j=0}^{n}[R_{0,j}]\right)(1 + \alpha)^n + \sum_{k=0}^{n}[T_k]\right\}} = \frac{\alpha(1 + \alpha)^{n-1}}{(1 + \alpha)^n + L'}$$

où

$$L' = \sum_{k=0}^{n}[T_k]\bigg/\sum_{j=0}^{n}[R_{0,j}]$$

Par analogie avec la définition de α, nous définissons $\beta = [I]/k_I$ et $\gamma = [A]/k_A$, et en suivant à nouveau la dérivation de l'Eq. [10.22] on obtient :

$$\sum_{k=0}^{n}[T_k] = [T_0](1 + \beta)^n$$

et

$$\sum_{j=0}^{n}[R_{0,j}] = [R_{0,0}](1 + \gamma)^n$$

si bien que

$$L' = \frac{L(1 + \beta)^n}{(1 + \gamma)^n}$$

L'équation du modèle symétrique qui permet d'y inclure les effets hétérotropes devient alors :

$$Y_S = \frac{\alpha(1 + \alpha)^{n-1}}{(1 + \alpha)^n + \dfrac{L(1 + \beta)^n}{(1 + \gamma)^n}} \qquad [10.23]$$

■ RÉSUMÉ DU CHAPITRE

1 ■ **Fonction de l'hémoglobine**   Le groupe hèmement de la myoglobine et de chaque sous-unité de l'hémoglobine lie l'O_2 de façon réversible. Dans la désoxyHb, le Fe(II) forme un complexe de coordination 5 avec les quatre atomes d'azote des noyaux pyrrole de la protoporphyrine IX et avec l'His proximale de la protéine. Après oxygénation, l'O_2 devient le 6e ligand du Fe(II). La courbe de saturation partielle de la Mb est hyperbolique (la constante de Hill, $n = 1$). Cependant, celle de l'Hb est sigmoïdale ($n = 2,8$), résultat de la liaison coopérative de l'O_2; l'Hb lie le quatrième O_2 avec 100 fois plus d'affinité que le premier. La variation de l'affinité de l'O_2 avec le pH, l'effet Bohr, provoque la libération de l'O_2 par l'Hb dans les tissus en réponse à la liaison de protons libérés suite à l'hydratation de CO_2 en HCO_3^-. L'Hb facilite le transport du CO_2, aussi bien directement, en liant le CO_2 sous forme de carbamate N-terminal, qu'indirectement, en augmentant la concentration de HCO_3^- grâce à l'effet Bohr. De plus, la présence dans les érythrocytes de BPG, qui ne se lie qu'à la désoxyHb, module l'affinité de l'Hb pour le CO_2. L'adaptation à court terme en haute altitude est due à une augmentation de la concentration en BPG dans les érythrocytes, ce qui augmente la quantité d'O_2 libéré dans les tissus en diminuant l'affinité de l'Hb pour l'O_2.

2 ■ Structure et mécanisme Les sous-unités α et β de l'Hb sont formées de sept ou huit hélices consécutives disposées pour former une poche hydrophobe qui entoure presque complètement l'hème. La liaison de l'O_2 déplace le Fe(II) depuis une position située à 0,6 Å environ hors du plan de l'hème du côté de l'His proximale, vers le centre de l'hème, éliminant ainsi les interférences stériques qui se produiraient autrement entre l'O_2 lié et la porphyrine. Le Fe(II) entraîne avec lui l'His proximale à laquelle il est lié, suite à un déplacement qui n'est possible que si le noyau imidazole se réoriente pour éviter d'entrer en collision avec l'hème. Lors de la transition conformationnelle T → R, les contacts symétriquement équivalents $α_1$C–$β_2$FG et $α_2$C–$β_1$FG se déplacent simultanément entre deux positions stables. Les positions intermédiaires sont stériquement impossibles si bien que ces contacts jouent le rôle de commutateurs à deux positions. Selon le mécanisme de liaison de l'O_2 proposé par Perutz, la faible affinité de l'état T pour l'O_2 est due à la contrainte qui empêche le Fe(II) de se placer dans le plan de l'hème pour établir une liaison Fe—O_2 solide. Cette contrainte est levée suite à la transition concertée de l'état quaternaire de la molécule d'Hb vers l'état R à haute affinité pour l'O_2. Cette transition quaternaire est contrée dans l'état T par un réseau de ponts salins qui mettent en jeu les groupements carboxyle C-terminaux et qui sont rompus dans l'état R. La stabilité de l'état R par rapport à l'état T augmente avec le pourcentage d'oxygénation à cause de la contrainte de liaison de l'O_2 dans l'état T. L'existence de cette contrainte a été démontrée en provoquant la rupture de la liaison Fe(II)—His proximale après liaison simultanée par l'Hb de l'IHP, analogue du BPG qui se lie fortement et qui force l'Hb à adopter l'état T, et de NO, un ligand de haute affinité qui force l'Hb à adopter l'état R. Inversement, si l'on enlève l'His proximale de l'Hb par mutagenèse, sa coopérativité est pratiquement perdue. L'effet Bohr résulte de l'augmentation des pK des groupementss α amino N-terminaux et de l'His 146β suite à la formation des ponts salins de l'état T. Des résidus His de surface participent aussi à l'effet Bohr. La liaison du BPG se fait dans la cavité centrale de l'Hb à l'état T par le biais de plusieurs ponts salins. Le résidu His distal empêche la désoxyHb de s'auto-oxyder, en captant les protons qui, sans cela, catalyseraient l'oxydation du Fe de l'hème.

3 ■ Hémoglobines anormales Plus de 860 variétés mutantes d'Hb sont connues. Environ la moitié d'entre elles sont inoffensives car elles sont dues à des modifications de résidus de surface. Cependant, des changements de résidus internes entraînent souvent la désorganisation de la structure de l'Hb, ce qui provoque des anémies hémolytiques. Des changements au niveau du site de liaison de l'O_2 qui stabilisent l'état Fe(III) empêchent la liaison de l'O_2 sur ces sous-unités, ce qui provoque une cyanose. Des mutations qui affectent les interfaces entre sous-unités peuvent stabiliser l'état R ou l'état T, d'où, respectivement, augmentation ou diminution de l'affinité de l'Hb pour l'O_2. L'anémie falciforme est due à une mutation homozygote Glu 6β → Val. Ceci entraîne la gélification de la désoxyHbS résultante, laquelle donne naissance à des fibres rigides de 14 chaînes qui déforment les érythrocytes. Dans des conditions propices à la gélification, le développement des fibres se produit en deux étapes, avec un temps de latence qui varie en fonction de la concentration initiale en HbS à la puissance 30 à 50. Des agents qui augmentent ce temps de latence à une valeur supérieure au temps de passage des érythrocytes dans les capillaires pourraient empêcher la formation des fibres et donc atténuer les symptômes de l'anémie falciforme.

4 ■ Régulation allostérique L'équation d'Adair donne une explication rationnelle de la coopérativité de liaison de l'O_2 à l'hémoglobine en attribuant une constante de dissociation distincte à chaque O_2 lié. Il en résulte une coopérativité positive si ces constantes diminuent de façon séquentielle. Toutefois, l'équation d'Adair ne donne aucune explication physique du phénomène. D'après le modèle symétrique, des oligomères symétriques existent selon un des deux états conformationnels possibles, R ou T, qui ont une affinité différente pour le ligand. La liaison du ligand à l'état de forte affinité oblige l'oligomère à prendre cette conformation, facilitant ainsi la liaison des ligands suivants. Ce modèle homotrope s'étend aux interactions hétérotropes sous réserve que l'activateur et le substrat ne peuvent se lier qu'à l'état R et que l'inhibiteur ne peut se lier qu'à l'état T. La liaison de l'activateur oblige l'oligomère à prendre l'état R, ce qui facilite la liaison du substrat et de molécules d'activateur supplémentaires. Inversement, la liaison de l'inhibiteur obligerait l'oligomère à prendre l'état T, empêchant ainsi le substrat et l'activateur de se lier. Le modèle séquentiel propose qu'un ajustement induit entre ligand et substrat entraîne des contraintes conformationnelles sur la protéine qui modifient son affinité pour la liaison d'autres ligands sans que l'oligomère soit obligé de conserver sa symétrie. Le mécanisme de liaison de l'O_2 à l'Hb proposé par Perutz est compatible avec le modèle symétrique mais présente quelques éléments en commun avec le modèle séquentiel. Cependant, la coopérativité de liaison du ligand à l'Hb est en plein accord avec le modèle symétrique.

■ RÉFÉRENCES

GENERALITÉS

Bunn, F.H. and Forget, B.G., Hemoglobin: Molecular, Genetic and Clinical Aspects, Saunders (1986). [Compilation intéressante sur les hémoglobines normales et les hémoglobines anormales.]

Dickerson, R.E. and Geis, I., Hemoglobin, Benjamin/Cummings (1983). [Traité remarquablement bien écrit et illustré sur la structure, la fonction et l'évolution de l'hémoglobine.]

Everse, J., Vandegriff, K.K., and Winslow, R.M., *Hemoglobins*, Parts B and C, *Methods Enzymol.* **231 and 232** (1994).

Judson, H.F., *The Eighth Day of Creation* (expanded edition), Chapters 9 and 10, Cold Spring Harbor Laboratory Press (1996). [On y trouve un récit fascinant de l'origine de nos connaissances sur la structure, la fonction et l'évolution de l'hémoglobine.]

STRUCTURES DE LA MYOGLOBINE, DE L'HÉMOGLOBINE ET DE COMPOSÉS MODÈLES

Brunori, M., Nitric oxide moves myoglobin to center stage, *Trends Biochem. Sci.* **26,** 209–210 (2001).

Fermi, G., Perutz, M.F., Shaanan, B., and Fourme, R., The crystal structure of human deoxyhaemoglobin at 1.74 Å, *J. Mol. Biol.* **175**, 159–174 (1984).

Garry, D.J., Ordway, A.G., Lorenz, J.N., Radford, N., Chin, E.R., Grange, R.W., Bassel-Duby, R., and Williams, R.S., Mice without myoglobin, *Nature* **395**, 905–908 (1998).

Jameson, G.B., Molinaro, F.S., Ibers, J.A., Collman, J.P., Brauman, J.I., Rose, E., and Suslick, K.S., Models for the active site of oxygen-binding hemoproteins. Dioxygen binding properties and the structures of (2-methylimidazole)-*meso*-tetra(α,α,α,α,-*o*-pivalamidophenyl)porphinato iron(II)- ethanol and its dioxygen adduct, *J. Am. Chem. Soc.* **102**, 3224–3237 (1980). [Le complexe clôturé.]

Liddington, R., Derewenda, Z., Dodson, G., and Harris, D., Structure of the liganded T state of haemoglobin identifies the origin of cooperative oxygen binding, *Nature* **331**, 725–728 (1988).

Phillips, S.E.V., Structure and refinement of oxymyoglobin at 1.6 Å resolution, *J. Mol. Biol.* **142**, 531–554 (1980).

Shaanan, B., Structure of human oxyhaemoglobin at 2.1 Å resolution, *J. Mol. Biol.* **171**, 31–59 (1983).

Takano, T., Structure of myoglobin refined at 2.0 Å resolution, *J. Mol. Biol.* **110**, 537–568, 569–584 (1977).

MÉCANISME DE LIAISON DE L'OXYGÈNE À L'HÉMOGLOBINE

Baldwin, J. and Chothia, C., Haemoglobin: The structural changes related to ligand binding and its allosteric mechanism, *J. Mol. Biol.* **129**, 175–220 (1979). [Explication d'un mécanisme détaillé pour la liaison de l'O_2 à l'Hb, fondé sur les structures de l'oxyHb et de la désoxyHb.]

Barrick, D., Ho, N.T., Simplaceanu, V., Dahlquist, F.W., and Ho, C., A test of the role of the proximal histidines in the Perutz model for cooperativity in haemoglobin, *Nature Struct. Biol.* **4**, 78–83 (1997). [Description des expériences dans lesquelles l'His proximale est détachée de l'hélice F.]

Gelin, B.R., Lee, A.W.-N., and Karplus, M., Haemoglobin tertiary structural change on ligand binding, *J. Mol. Biol.* **171**, 489–559 (1983). [Étude théorique de la dynamique de liaison de l'O_2 à l'Hb.]

Perutz, M.F., Stereochemistry of cooperative effects in haemoglobin, *Nature* **228**, 726–734 (1970). [L'article original où Perutz propose son mécanisme. Malgré des modifications de détail, le modèle de base est toujours valable.]

Perutz, M.F., Regulation of oxygen affinity of hemoglobin, *Annu. Rev. Biochem.* **48**, 327–386 (1979). [Une étude du mécanisme de Perutz à la lumière de données structurales et spectroscopiques.]

Perutz, M.F., Mechanisms of cooperativity and allosteric regulation in proteins, *Quart. Rev. Biophys.* **22**, 139–236 (1989). [On y trouve une description structurale détaillée de l'allostérie de l'Hb.]

Perutz, M.F., Wilkinson, A.J., Paoli, M., and Dodson, G.G., The stereochemical mechanism of the cooperative effects in hemoglobin revisited, *Annu. Rev. Biophys. Biomol. Struct.* **27**, 1–34 (1998).

EFFET BOHR ET LIAISON DU BPG

Arnone, A., X-Ray studies of the interaction of CO_2 with human deoxyhaemoglobin, *Nature* **247**, 143–145 (1974).

Benesch, R.E. and Benesch, R., The mechanism of interaction of red cell organic phosphates with hemoglobin, *Adv. Protein Chem.* **28**, 211–237 (1974).

Kilmartin, J.V. and Rossi-Bernardi, L., Interactions of hemoglobin with hydrogen ion, carbon dioxide and organic phosphates, *Physiol. Rev.* **53**, 836–890 (1973).

Lenfant, C., Torrance, J., English, E., Finch, C.A., Reynafarje, C., Ramos, J., and Faura, J., Effect of altitude on oxygen binding by hemoglobin and on organic phosphate levels, *J. Clin. Invest.* **47**, 2652–2656 (1968).

Perutz, M.F., Kilmartin, J.V., Nishikura, K., Fogg, J.H., and Butler, P.J.G.,

Identification of residues contributing to the Bohr effect of human haemoglobin, *J. Mol. Biol.* **138**, 649–670 (1980).

Richard, V., Dodson, G.G., and Mauguen, Y., Human deoxyhaemoglobin-2,3-diphosphoglycerate complex low-salt structure at 2.5 Å resolution, *J. Mol. Biol.* **233**, 270–274 (1993).

Sun, D.P., Zou, M., Ho, N.T., and Ho, C., Contribution of surface histidyl residues in the α-chain of the Bohr effect of human normal adult hemoglobin: Roles of global electrostatic effects, *Biochemistry* **36**, 6663–6673 (1997).

HÉMOGLOBINES ANORMALES

Allison, A.C., The discovery of resistance to malaria of sickle-cell heterozygotes, *Biochem. Molec. Biol. Educ.* **30**, 279–287 (2002).

Baudin-Chich, V., Pagnier, J., Marden, M., Bohn, B., Lacaze, N., Kister, J., Schaad, O., Edelstein, S.J., and Poyart, C., Enhanced polymerization of recombinant human deoxyhemoglobin β6 Glu→Ile, *Proc. Natl. Acad. Sci.* **87**, 1845–1849 (1990).

Bunn, F.H., Pathogenesis and treatment of sickle cell disease, *New Engl. J. Med.* **337**, 762–769 (1997).

Bunn, F.H., Human hemoglobins: sickle hemoglobin and other mutants, *in* Stamatoyannopoulos, G., Majerus, P.W., Perlmutter, R.M., and Varmus, H. (Eds.), *The Molecular Basis of Blood Diseases* (3rd ed.), Chapters 7, Elsevier (2001).

Eaton, W.A. and Hofrichter, J., Sickle cell hemoglobin polymerization, *Adv. Prot. Chem.* **40**, 63–279 (1990). [Revue pertinente et exhaustive sur la polymérisation de l'Hb.]

Eaton, W.A. and Hofrichter, J., The biophysics of sickle cell hydroxyurea therapy, *Science* **268**, 1142–1143 (1995).

Harrington, D.J., Adachi, K., and Royer, W.E., Jr., The high resolution crystal structure of deoxyhemoglobin S, *J. Mol. Biol.* **272**, 398–407 (1997).

Nagel, R.L., Haemoglobinopathies due to structural mutations, *in* Provan, D. and Gribben, J. (Eds.), *Molecular Haematology, pp.* 121–133, Blackwell Science (2000).

Perutz, M., *Protein Structure. New Approaches to Disease and Therapy,* Chapter 6, Freeman (1992).

Perutz, M.F. and Lehmann, H., Molecular pathology of human haemoglobin, *Nature* **219**, 902–909 (1968). [Étude de pionnier qui établit une corrélation entre symptômes cliniques et modifications structurales possibles de nombreuses hémoglobines mutantes.]

Steinberg, M.H., Management of sickle cell disease, *New Engl. J. Med.* **340**, 1021–1030 (1999).

Strasser, B.J., Sickle-cell anemia, a molecular disease, *Science* **286**, 1488–1490 (1999). [Bref compte-rendu de la caractérisation de l'anémie falciforme par Pauling.]

Watowich, S.J., Gross, L.J., and Josephs, R., Intermolecular contacts within sickle hemoglobin fibers, *J. Mol. Biol.* **209**, 821–828 (1989).

Weatherall, D.J., Clegg, J.B., Higgs, D.R., and Wood, W.G., The hemoglobinopathies, *in* Scriver, C.R., Beaudet, A.L., Sly, W.S., and Valle, D. (Eds.), *The Metabolic & Molecular Bases of Inherited Disease* (8th ed.), *pp.* 4571–4436, McGraw-Hill (2001). [Revue détaillée sur les hémoglobines anormales.]

RÉGULATION ALLOSTÉRIQUE

Ackers, G.A., Deciphering the molecular code of hemoglobin allostery, *Adv. Protein Chem.* **51**, 185–253 (1998). [Donne les arguments thermodynamiques selon lesquels les deux dimères αβ de l'Hb doivent s'associer au ligand pour que la transition quaternaire ait lieu.]

Eaton, W.A., Henry, E.R., Hofrichter, J., and Mozzarelli, A., Is cooperative oxygen binding by hemoglobin really understood? *Nature Struct. Biol.* **6**, 351–359 (1999). [Une revue pénétrante.]

Fersht, A., *Structure and Mechanism in Protein Science,* Chapter 10, Freeman (1999).

Koshland, D.E., Jr., Némethy, G., and Filmer, D., Comparison of experimental binding data and theoretical models in proteins containing subunits, *Biochemistry* **5**, 365–385 (1966). [Exposé du modèle séquentiel de régulation allostérique.]

Monod, J., Wyman, J., and Changeux, J.P., On the nature of allosteric transitions: A plausible model, *J. Mol. Biol.* **12**, 88–118 (1965). [Exposé du modèle symétrique de régulation allostérique]

■ PROBLÈMES

1. L'envie irrésistible de respirer chez l'homme est due à une teneur élevée en CO_2 dans le sang ; celui-ci ne contient pas de détecteurs physiologiques directement sensibles à la pO_2. Les plongeurs en apnée pratiquent l'**hyperventilation** (respiration rapide et profonde pendant plusieurs minutes) juste avant une plongée prolongée, pensant qu'ils vont ainsi augmenter leur réserve en O_2 dans le sang. En fait, l'hyperventilation diminue l'envie de respirer en éliminant des quantités importantes de CO_2 du sang. D'après ce que vous savez des propriétés de l'hémoglobine, pensez-vous que l'hyperventilation soit une méthode utile ? Est-elle sans risque ? Expliquez.

2. Expliquez pourquoi la constante de Hill, n, ne peut jamais être supérieure au nombre de sites de liaison du ligand de la protéine.

*3. Dans l'effet Bohr, la protonation des groupements aminés N-terminaux des chaînes α de l'hémoglobine est responsable d'environ 30 % des 0,6 mol de H^+ qui se combinent à l'Hb après libération de 1 mol d'O_2 à pH 7,4. Supposant que ce groupement a un $pK = 7,0$ dans l'oxyHb, quel est son pK dans la désoxyHb ?

4. Étant l'un des favoris du marathon de La Paz (Bolivie), vous vous êtes entraîné durant plusieurs semaines pour vous adapter à l'altitude de 3700 m. Un fabricant d'équipement de course qui assure le parrainage d'un de vos adversaires vous a invité pour la fin de semaine à une réunion préparatoire à la course près de Lima, au bord de la mer, en vous assurant que vous retournerez par avion à La Paz au moins un jour avant la course. Pensez-vous qu'il s'agisse d'un témoignage d'estime à votre égard ou une tentative en sous-main de vous handicaper pour la course ? Expliquez (cf. Fig. 10-9).

5. Dans les muscles en activité, la pO_2 peut être de 10 torr à la surface de la cellule et de 1 torr dans les mitochondries (les organites où a lieu le métabolisme oxydatif). Comment la myoglobine ($p_{50} = 2,8$ torr) peut-elle faciliter la diffusion de l'O_2 à travers ces cellules ? Les muscles en activité consomment l'O_2 beaucoup plus rapidement que les autres tissus. La myoglobine serait-elle une protéine transporteur d'O_2 aussi efficace dans d'autres tissus ? Expliquez.

6. Les érythrocytes qui ont été conservés pendant une semaine dans un milieu standard acide-citrate-dextrose se trouvent dépourvus de BPG. Comparez les avantages d'utiliser du sang frais au lieu de sang d'une semaine pour des transfusions.

7. Les valeurs de saturation partielle suivantes ont été mesurées pour un échantillon de sang donné :

pO_2	Y_{O_2}	pO_2	Y_{O_2}
20	0,14	60	0,59
30	0,26	70	0,66
40	0,39	80	0,72
50	0,50	90	0,76

Quelles sont les valeurs de la constante de Hill et de la p_{50} de cet échantillon de sang ? Sont-elles normales ?

8. Une personne anémique, dont le sang n'a que la moitié de la teneur normale en Hb, peut sembler en bonne santé. Cependant, une personne normale est intoxiquée après avoir été exposée à une quantité de monoxyde de carbone suffisante pour qu'il occupe la moitié de ses sites hème (pCO de 1 torr pendant une heure environ ; le CO se lie à l'Hb avec 200 fois plus d'affinité que l'O_2). Expliquez.

*9. La structure par rayons X de l'Hb Rainier (Tyr $145\beta \rightarrow$ Cys) montre que le résidu Cys 145 forme un pont disulfure avec la Cys 93β de la même sous-unité. Il s'ensuit que le résidu C-terminal de la sous-unité β prend une orientation tout à fait différente de celle qu'il a dans l'HbA. Qu'en est-il des paramètres suivants de l'Hb Rainier comparés à ceux de l'HbA ? Expliquez. (a) Affinité pour l'O_2, (b) effet Bohr, (c) constante de Hill, et (d) affinité pour le BPG.

10. Le crocodile, qui peut rester sous l'eau sans respirer pendant 1 h, noie sa proie qui a besoin d'air puis dîne tout à loisir. Si le crocodile peut s'adapter à cette situation, c'est qu'il peut utiliser pratiquement 100 % de l'O_2 de son sang, alors que les hommes n'en utilisent qu'environ 65 %. L'Hb du crocodile ne lie pas le BPG. Cependant, la désoxyHb du crocodile lie préférentiellement HCO_3^-. Comment cela peut-il aider le crocodile à rester en apnée ?

11. Le temps de gélification d'un mélange équimolaire de HbA et de HbS est inférieur à celui d'une solution de HbS seule à la même concentration que celle qu'elle a dans le mélange. Qu'est-ce que cette observation implique quant à la participation de l'HbA à la gélification de l'HbS ?

12. L'anémie très sérieuse des homozygotes HbS se traduit par une teneur en BPG élevée dans leurs érythrocytes. S'agit-il d'un effet bénéfique ou le contraire ?

13. En tant qu'organisateur d'une expédition qui prévoit de gravir plusieurs hauts sommets, il vous incombe de choisir les participants pour une place restante. Chaque candidat pour cette place est hétérozygote pour l'une des hémoglobines anormales suivantes : (1) HbS, (2) **Hb Hyde Park** [His F8(92)$\beta \rightarrow$ Tyr], (3) **Hb Riverdale-Bronx** [Gly B6(24)$\beta \rightarrow$ Arg], (4) **Hb Memphis** [Glu B4(23)$\alpha \rightarrow$ Gln], et (5) **Hb Cowtown** [His HC3(146)$\beta \rightarrow$ Leu]. En supposant que tous ces candidats ont des capacités identiques à basse altitude, lequel choisiriez-vous ? Expliquez votre décision.

14. Montrez que l'équation d'Adair pour un tétramère se réduit à l'équation de Hill quand $k_1 \approx k_2 \approx k_3 >> k_4$ et à l'équation d'une hyperbole quand $k_1 = k_2 = k_3 = k_4$.

15. Dérivez la constante d'équilibre de la réaction $R_2 \rightleftharpoons T_2$ pour un modèle symétrique à n mères en fonction des paramètres L, c, et α.

*16. Dérivez l'équation de la fraction de molécules de protéine dans l'état R, $\overline{R}$, pour le modèle symétrique homotrope en fonction des paramètres n, L, c et α. Portez graphiquement cette fraction en fonction de α pour $n = 4$, $L = 1000$, et $c = 0$ puis discutez sa signification physique.

17. Dans le modèle symétrique de l'allostérie, pourquoi un inhibiteur (qui provoque un effet hétérotrope négatif avec le substrat) doit-il subir un effet homotrope positif ?

18. À basse concentration, le tétramère d'hémoglobine se dissocie réversiblement en deux dimères $\alpha_1\beta_1$. Quelle est la constante de Hill pour la liaison de l'O_2 à ces dimères ? Expliquez.

19. Décrivez les modifications allostériques (homotrope ou hétérotrope, positive ou négative) par lesquelles passe le système GroEL/ES à chacun des stades de son cycle catalytique (Fig. 9-23).

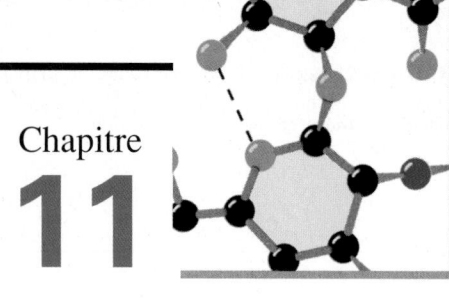

Chapitre 11

Sucres et polysaccharides

Les **glucides** ou **saccharides** (du grec *sakcharon,* sucre) sont des composés essentiels pour tous les organismes vivants et sont, en fait, les molécules biologiques les plus abondantes. Le terme hydrate de carbone, maintenant obsolète (mais encore utilisé par les anglo-saxons : carbohydrate) s'explique par leur formule brute générale $(C \cdot H_2O)_n$, où $n \geq 3$. Les unités de base des glucides sont ce qu'on appelle des **monosaccharides.** Beaucoup de ces composés sont synthétisés à partir de molécules plus simples par une voie métabolique appelée **gluconéogenèse** (Section 23-1). D'autres (et finalement presque toutes les molécules biologiques) sont les produits de la **photosynthèse** (Section 24-3), combinaison de CO_2 et de H_2O, dans un processus tirant son énergie de la lumière, qui permet aux plantes et à certaines bactéries de former des glucides. La dégradation métabolique des monosaccharides (Chapitres 17 et 21) fournit la plus grande partie de l'énergie nécessaire aux processus biologiques. Les monosasaccharides sont aussi des constituants essentiels des acides nucléiques (Section 5-1A), ainsi que des éléments importants des lipides complexes (Section 12-1D).

Les **oligosaccharides** sont formés de quelques unités monosaccharidiques liées par covalence. Ils sont souvent associés à des protéines (**glycoprotéines**) et à des lipides (**glycolipides**) et ont, dans ce cas, des fonctions à la fois structurales et régulatrices (on regroupe parfois les glycoprotéines et les glycolipides sous le nom de **glycoconjugués**). Les **polysaccharides** sont formés d'un grand nombre d'unités monosaccharidiques liées par covalence et ont des masses moléculaires qui peuvent atteindre des millions de daltons. Ils ont des fonctions structurales chez tous les organismes mais plus spécialement chez les plantes car la **cellulose,** leur principale

molécule structurale, peut représenter jusqu'à 80 % de leur poids sec. Les polysaccharides comme l'**amidon** chez les plantes et le **glycogène** chez les animaux constituent d'importants réservoirs nutritionnels.

L'élucidation des structures et des fonctions des glucides est restée loin derrière celle des protéines et des acides nucléiques, ceci pour plusieurs raisons. Les composés glucidiques sont souvent hétérogènes, aussi bien en taille qu'en composition, ce qui complique sérieusement leur caractérisation physique et chimique. On ne peut les soumettre aux types d'analyses génétiques qui ont été inestimables pour l'étude des protéines et des acides nucléiques car les séquences saccharidiques ne sont pas déterminées génétiquement, mais sont élaborées par interventions successives d'enzymes spécifiques (Section 23-3B). De plus, il n'a pas été facile de mettre au point des méthodes pour tester les activités biologiques des polysaccharides car ils ont des rôles essentiellement passifs. Néanmoins, il est tout à fait clair que les glucides sont des éléments indispensables à beaucoup, sinon à la plupart, des processus biologiques.

Dans ce chapitre, nous étudierons les structures, la chimie, et, dans une certaine mesure, les fonctions des glucides, seuls et en association avec des protéines. Les structures des glycolipides seront étudiées dans la Section 12-1D. La biosynthèse des glucides sera vue dans la Section 23-3.

1 ■ LES MONOSACCHARIDES

Les monosaccharides ou **sucres simples** sont des dérivés aldéhyde ou cétone de chaînes linéaires polyalcools qui contiennent au moins trois atomes de carbone. De telles substances, le D-glucose et le D-ribulose par exemple, ne peuvent être hydrolysées pour donner des sucres plus simples.

$$
\begin{array}{c}
\overset{O}{\underset{|}{\overset{\diagdown}{\underset{1}{C}}\diagup}}\overset{H}{} \\
H\overset{2}{\underset{|}{-C}}-OH \\
HO\overset{3}{\underset{|}{-C}}-H \\
H\overset{4}{\underset{|}{-C}}-OH \\
H\overset{5}{\underset{|}{-C}}-OH \\
\overset{6}{C}H_2OH
\end{array}
\qquad
\begin{array}{c}
\overset{1}{C}H_2OH \\
\overset{2}{\underset{|}{C}}=O \\
H\overset{3}{\underset{|}{-C}}-OH \\
H\overset{4}{\underset{|}{-C}}-OH \\
\overset{5}{C}H_2OH
\end{array}
$$

D-Glucose **D-Ribulose**

Dans cette section, nous étudierons les structures des monosaccharides et celles de quelques-uns de leurs dérivés biologiquement importants.

A. *Classification*

Les monosaccharides sont classés selon la nature chimique de leur groupement carbonyle et leur nombre d'atomes de carbone. Si le groupement carbonyle est un aldéhyde, comme dans le glucose, le sucre est un **aldose**. Si le groupement carbonyle est une cétone, comme dans le ribulose, le sucre est un **cétose**. Les monosaccharides les plus petits, ceux qui ont trois atomes de carbone, sont des **trioses**. Ceux avec quatre, cinq, six, sept, etc., atomes de carbone sont respectivement, des **tétroses**, des **pentoses**, des **hexoses**, des

heptoses, etc. Ces termes peuvent être associés, et, par exemple, le glucose est un **aldohexose** alors que le ribulose est un **cétopentose**.

L'examen de la formule moléculaire du D-glucose montre que tous ses atomes de carbone sauf deux — C1 et C6 — sont des centres chiraux ce qui fait que le D-glucose est l'un des $2^4 = 16$ stéréoisomères des aldohexoses possibles. En général, des aldoses à n atomes de carbone ont 2^{n-2} stéréoisomères. La stéréochimie et les noms des D-aldoses sont représentés dans la Fig. 11-1. Emil Fischer a élucidé ces conformations pour les aldohexoses en 1896. Selon la convention d'Emil Fischer (Section 4-2B), *les sucres de la série D ont la même configuration absolue au centre asymétrique qui est le plus éloigné de leur groupement carbonyle que celle de la D-glycéraldéhyde. Les sucres de la série L, en accord avec cette convention, sont les images en miroir de leurs homo-*

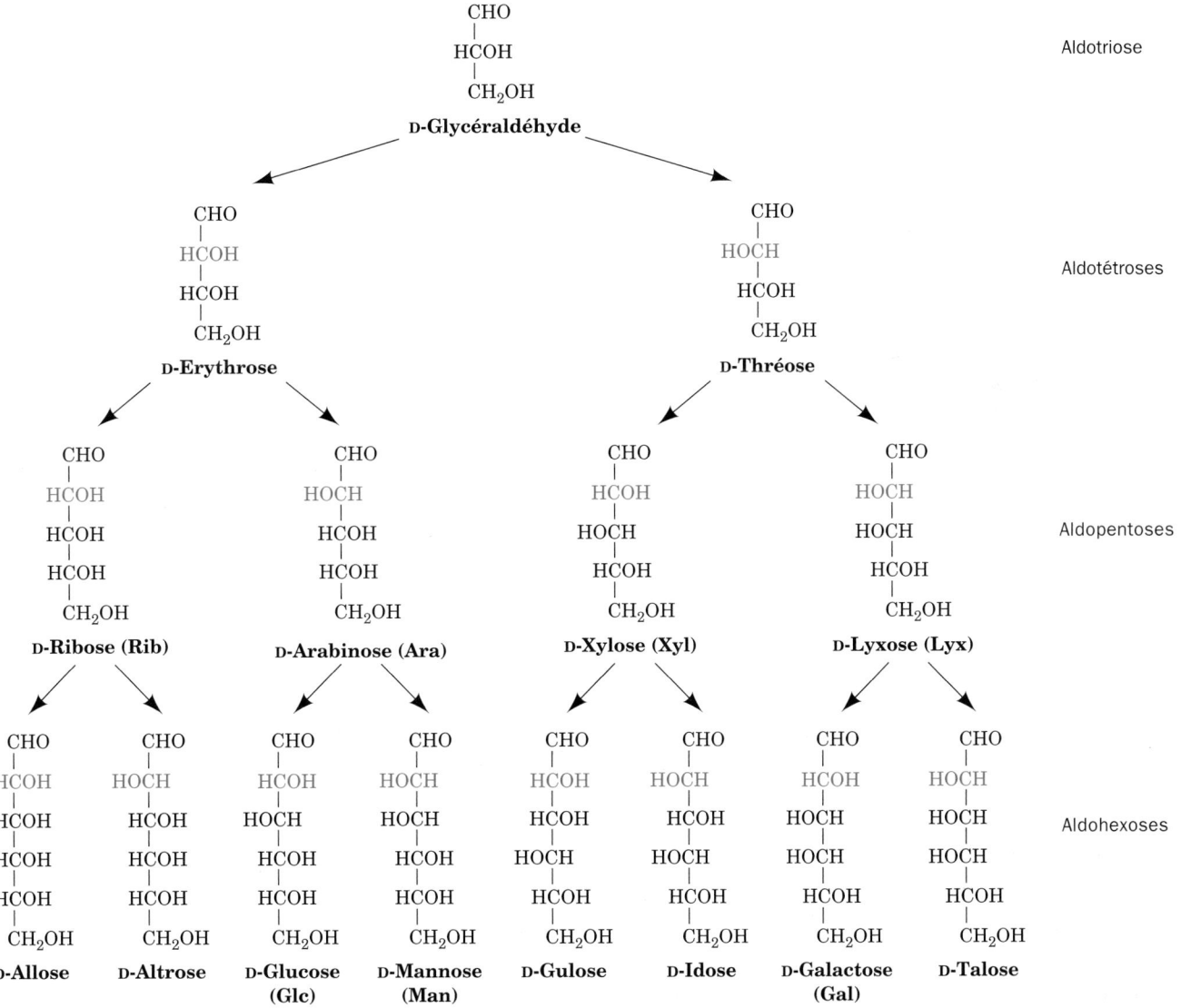

FIGURE 11-1 Relations stéréochimiques des D-aldoses de trois à six atomes de carbone en projection de Fischer. La configuration du C2 (*en rouge*) différencie les membres de chaque paire.

logues de la série D comme on peut le voir, ci-dessous, avec la projection de Fischer du glucose.

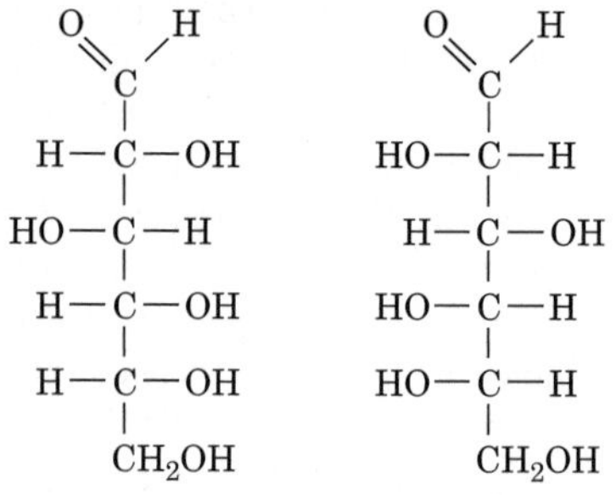

D-Glucose   **L-Glucose**

Les sucres qui ne diffèrent que par la configuration d'un seul carbone sont les **épimères** l'un de l'autre. Ainsi, le D-glucose et le **D-mannose** sont des épimères en ce qui concerne leur C2, tandis que le D-glucose et le **D-galactose** sont des épimères en ce qui concerne leur C4 (Fig. 11-1). Cependant, le D-mannose et le D-galactose ne sont pas des épimères l'un de l'autre car ils diffèrent dans la configuration de deux atomes de carbone.

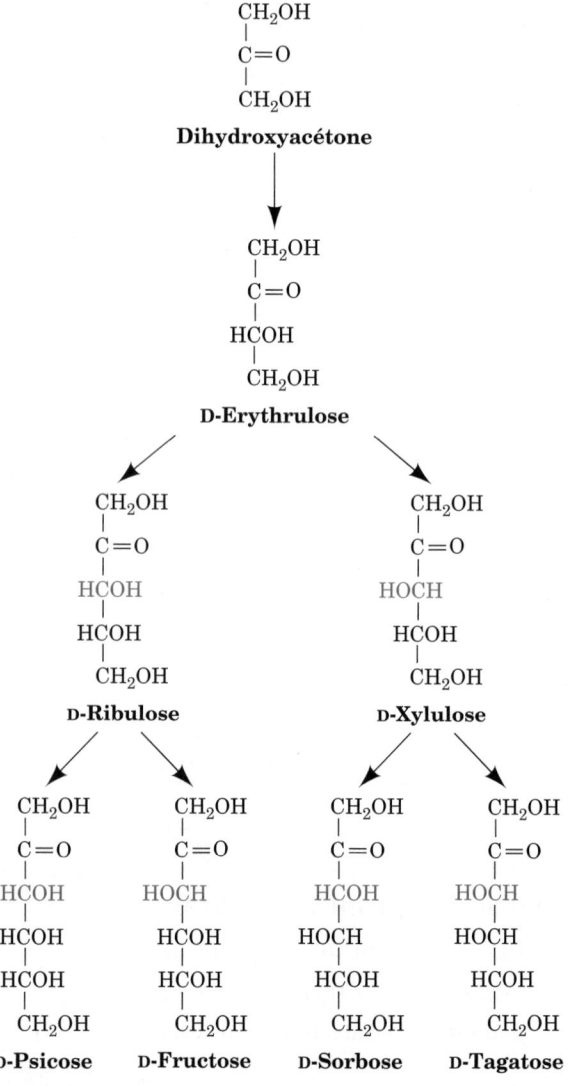

FIGURE 11-2 **Relations stéréochimiques des D-cétoses de trois à six atomes de carbone.** La configuration du C3 (*en rouge*) différencie les membres de chaque paire.

Le D-glucose est le seul aldose trouvé communément dans la nature comme monosaccharide. Cependant, lui et plusieurs autres monosaccharides, dont la D-glycéraldéhyde, le D-ribose, le D-mannose, et le D-galactose, sont des constituants importants de molécules biologiques de plus grande taille. Les sucres de la série L sont beaucoup moins abondants que les sucres de la série D.

La position du groupement carbonyle des cétoses fait qu'ils ont un centre asymétrique de moins que leurs aldoses isomères (p. ex. comparer le D-fructose et le D-glucose). Les cétoses à n atomes de carbone ont donc 2^{n-3} stéréoisomères. Ceux dont la fonction cétone est portée par le C2 sont les plus courants (Fig. 11-2). Noter que le nom de certains cétoses s'obtient en insérant *-ul-* avant le suffixe *ose* dans le nom de l'aldose correspondant ; ainsi le D-xylulose est le cétose correspondant à l'aldose D-xylose. La dihydroxyacétone, le D-fructose, le D-ribulose et le D-xylulose sont les cétoses les plus importants sur le plan biologique.

B. *Configurations et conformations*

Les alcools réagissent avec les groupements carbonyl des aldéhydes et des cétones pour former respectivement des **hémiacétals** et des **hémicétals** (Fig. 11-3). Un groupement hydroxyle d'un monosaccharide peut, de la même façon, réagir avec soit sa fonction aldéhyde, soit sa fonction cétone pour former des hémiacétals ou des hémicétals intramoléculaires (Fig. 11-4). Les configurations des substituants sur chaque atome de carbone de ces sucres cycliques sont clairement représentées par **leurs formules en projection de Haworth**.

Un sucre ayant un cycle à six sommets est appelé un **pyranose** par analogie avec le **pyranne**, le composé le plus simple avec un tel cycle. De même, les sucres ayant un cycle à cinq sommets sont appelés **furanoses** par analogie avec le **furanne.**

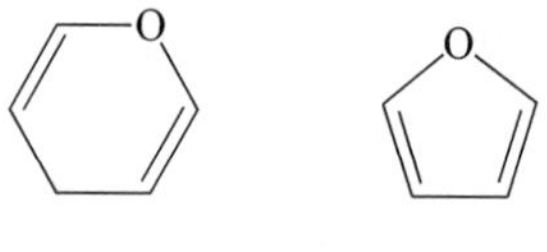

Pyranne   **Furanne**

Les formes cycliques du glucose et du fructose avec des cycles à six et à cinq sommets sont donc appelées respectivement **glucopyranose** et **fructofuranose.**

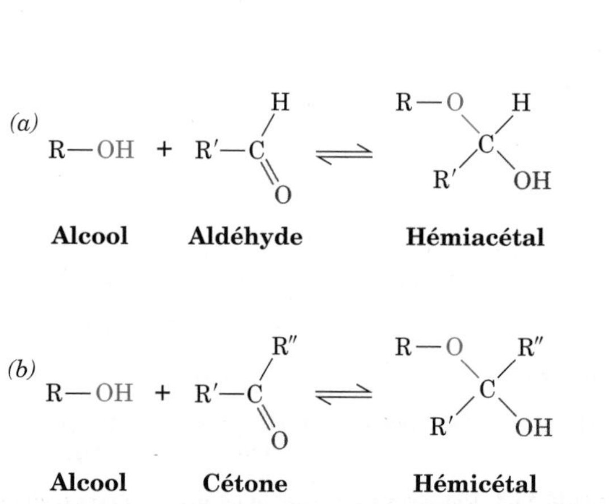

(a)

Alcool   **Aldéhyde**   **Hémiacétal**

(b)

Alcool   **Cétone**   **Hémicétal**

FIGURE 11-3 **Réactions entre alcools et (***a***) aldéhydes pour donner des hémiacétals et (***b***) cétones pour donner des hémicétals.**

(a)

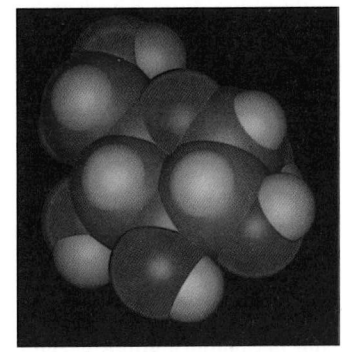

D-Glucose
(forme linéaire)

α-D-Glucopyranose
(Projection de Haworth)

(b)

D-Fructose
(forme linéaire)

α-D-Fructofuranose
(Projection de Haworth)

FIGURE 11-4 **Réactions de cyclisation des hexoses.** (*a*) Du D-glucose sous sa forme linéaire réagit pour donner l'hémiacétal cyclique α-D-glucopyranose, et (*b*) du D-fructose sous sa forme linéaire réagit pour donner l'hémicétal cyclique α-D-fructofuranose. Les formes cycliques des sucres sont montrées selon les projections de Haworth et en modèles pleins. [Avec la permission de Robert Stodola, Fox Chase Cancer Center pour les modèles pleins.]

a. Les sucres cycliques ont deux formes anomères

Expliquons la signification des lettres grecques qui précèdent les noms des sucres de la Fig. 11-4. La cyclisation d'un monosaccharide a rendu asymétrique le carbone du groupement carbonyle. Les deux diastéréoisomères qui en résultent sont appelés des **anomères** et le carbone hémiacétal ou hémicétal est désigné par carbone **anomère**. Dans le cas de l'anomère α, le groupement OH substitué sur le carbone anomère se projette du côté opposé, par rapport au cycle du sucre, à celui du groupement CH$_2$OH du centre chiral qui détermine la configuration D ou L (le C5 pour les hexoses). L'autre anomère est désigné par β (Fig. 11-5).

Les deux anomères du D-glucose, comme toute paire de diastéréoisomères, ont des propriétés physiques et chimiques différentes. Par exemple, les valeurs de pouvoir rotatoire spécifique, $[\alpha]^{20}_{D}$, sont respectivement +112,2° pour l'α-D-glucose et +18°7 pour le β-D-glucose. Cependant, lorsque l'une ou l'autre de ces substances pures est dissoute dans l'eau, le pouvoir rotatoire de la solution varie lentement jusqu'à ce qu'elle atteigne une valeur à

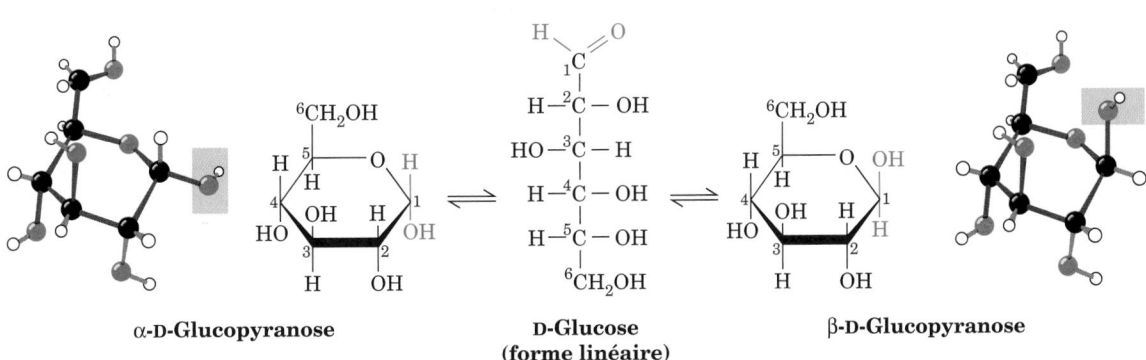

α-D-Glucopyranose

D-Glucose
(forme linéaire)

β-D-Glucopyranose

FIGURE 11-5 **Les formes anomériques des monosaccharides α-D-glucopyranose et β-D-glucopyranose, représentées en projections de Haworth et en modèles « boules et bâtonnets ».** Ces sucres pyranosiques s'interconvertissent en passant par la forme linéaire du D-glucose et ne diffèrent que par les configurations de leurs atomes de carbone anomériques, C1.

l'équilibre de $[\alpha]_D^{20} = +52{,}7°$. Ce phénomène s'appelle **mutarotation** ; pour le glucose, elle résulte de la formation d'un mélange à l'équilibre de 63,6 % de l'anomère β et 36,4 % de l'anomère α (les pouvoirs rotatoires de molécules en solution sont indépendants les uns des autres et donc le pouvoir rotatoire d'une solution est égal à la moyenne pondérée des pouvoirs rotatoires de ses constituants). L'interconversion entre les anomères se fait par l'intermédiaire de la forme linéaire du glucose (Fig. 11-5). Cependant, les formes linéaires des monosaccharides ne représentent qu'une infime proportion, ces glucides sont correctement décrits comme des hémicétals ou des hémicétals polyhydroxylés.

b. Les sucres ont des conformations variables

Les hexoses et les pentoses peuvent chacun prendre les formes pyranose et furanose. La composition à l'équilibre pour un monosaccharide donné dépend quelque peu des conditions mais essentiellement de la nature du monosaccharide. Par exemple, des mesures par RMN montrent qu'en solution aqueuse, le glucose se trouve essentiellement sous forme pyranose, le fructose est à 67 % sous forme pyranose et à 33 % sous forme furanose, et le ribose est à 75 % sous forme pyranose et à 25 % sous forme furanose (bien que dans les polysaccharides, les résidus de glucose, fructose, et ribose soient respectivement, et exclusivement, sous leurs formes pyranose, furanose, et furanose). Quoiqu'en principe les hexoses et des monosaccharides de plus grande taille puissent former des cycles à sept atomes ou plus, de tels cycles s'observent rarement en raison de la plus grande stabilité des cycles à 5 et 6 atomes que ces sucres forment également. La tension interne des cycles de sucres à 3 et 4 atomes les rend instables comparativement aux structures linéaires.

L'utilisation des représentations de Haworth peut donner l'impression inexacte que les cycles furanose et pyranose sont plans. Ce n'est pas le cas, car tous les atomes de carbone sont tétraédriques (hybridation sp^3). Le cycle pyranose, comme celui du cyclohexane, peut prendre la conformation **bateau** ou **chaise** (Fig. 11-6). Les stabilités relatives de ces différentes conformations dépendent des interactions stéréochimiques entre les substituants du cycle. Le conformère bateau entasse les substituants à sa « proue » et à sa « poupe » et éclipse ceux qui sont sur les côtés, ce qui explique que dans le cas du cyclohexane il soit moins stable d'environ 25 kJ • mol^{-1} que le conformère chaise. Les substituants du conformère chaise (Fig. 11-6b) sont rangés en deux catégories géométriques : les groupements **axiaux**, assez bien ajustés et qui se projettent parallèlement à l'axe de rotation d'ordre trois du cycle, et les groupements **équatoriaux**, décalés et donc peu encombrés. Puisque les conformations des groupements axiaux et équatoriaux du cyclohexane peuvent s'intervertir, un cycle donné a deux formes chaise possibles (Fig. 11-7) ; celle qui prédomine est généralement celle qui présente le moins d'encombrement sur ses substituants axiaux. La position conformationnelle d'un groupement affecte directement sa réactivité chimique. Par exemple, les groupements OH équatoriaux sur les pyranoses s'estérifient plus rapidement que les groupements OH axiaux. Noter que le β-D-glucose est le seul D-aldohexose dont les cinq substituants autres que l'hydrogène peuvent se trouver simultanément en position équatoriale (côté gauche de la Fig. 11-7). C'est peut-être la raison pour laquelle le glucose est le monosaccharide le plus abondant dans la nature. Les propriétés conformationnelles des cycles furanose seront étudiées dans la Section 29-2B, en rapport avec leurs influences sur la conformation des acides nucléiques.

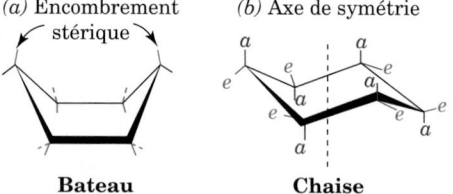

FIGURE 11-6 Conformations du cyclohexane. (*a*) Dans la conformation bateau, les substituants à la « proue » et à la « poupe » (*en rouge*) sont « entassés » tandis que ceux le long des côtés (*en vert*) sont éclipsés. (*b*) Dans la conformation chaise, les substituants qui sont orientés parallèlement à l'axe de rotation d'ordre trois du cycle sont appelés axiaux [*a*] et ceux qui sont orientés en dehors de cet axe de symétrie sont appelés équatoriaux [*e*]. Les substituants équatoriaux autour du cycle sont décalés, si bien qu'ils se projettent alternativement au-dessus et en dessous du plan moyen du cycle.

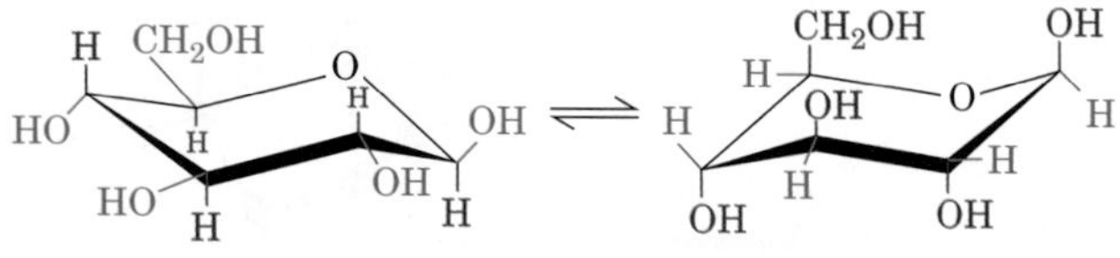

C. *Dérivés de sucres*

a. Les polysaccharides sont constitués de monosaccharides maintenus ensemble par des liaisons glycosidiques

La chimie des monosaccharides est essentiellement celle de leurs groupements hydroxyle et carbonyle. Par exemple, au cours d'une réaction catalysée par un acide, le groupement hydroxyle anomérique d'un sucre se condense avec des alcools pour former des α- et des β-**glycosides** (du grec *glykys,* sucré) (Fig. 11-8). La liaison qui relie le carbone anomérique à l'oxygène du groupement acétal est appelée **liaison glycosidique**. *Ce sont des liaisons glycosidiques qui réunissent les unités monosaccharidiques voisines dans les polysaccharides.* La liaison glycosidique est donc pour les glucides l'équivalent de la liaison peptidique des protéines. Dans un nucléoside, la liaison qui unit le résidu ribose à la base est également une liaison glycosidique (Section 5-1A).

L'hydrolyse d'une liaison glycosidique est catalysée par des enzymes appelées **glycosidases** dont la spécificité est fonction de la nature et de la configuration anomérique du glycoside mais qui sont souvent indifférentes à la nature du résidu alcool. En milieu basique ou neutre et en l'absence de glycosidases, la liaison glycosidique est stable, ce qui explique que les glycosides ne présentent pas le phénomène de mutarotation comme les monosaccha-

FIGURE 11-7 Les deux conformations chaise possibles pour le β–D-glucopyranose. Dans la conformation de gauche, qui prédomine, les substituants relativement encombrants OH et CH$_2$OH occupent tous des positions équatoriales, alors que dans celle de droite (représentée en modèle « boules et bâtonnets » dans la Fig. 11-5, *à droite*) ils occupent les positions axiales plus encombrées.

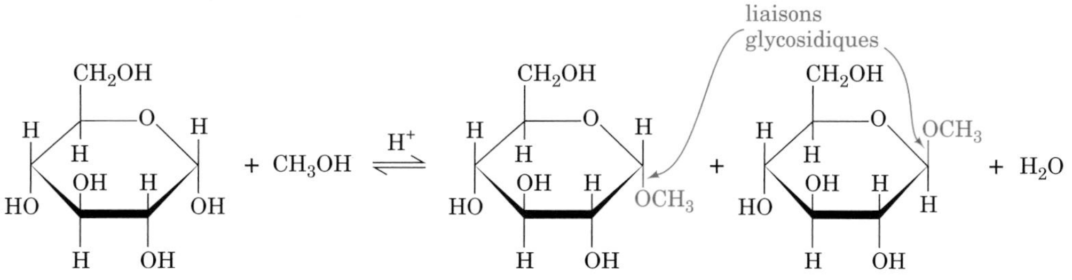

α-D-Glucose **Méthyl-α-D-Glucoside** **Méthyl-β-D-Glucoside**

FIGURE 11-8 Condensation, catalysée en milieu acide, de l'α-D-glucose avec le méthanol pour donner une paire anomérique de méthyl-D-glucosides.

rides. La méthylation des groupements OH non anomériques des monosaccharides demande des conditions plus drastiques que celles requises pour l'obtention de méthylglycosides, le traitement par du diméthylsulfate par exemple.

b. Réactions d'oxydoréduction

Étant donné la facilité d'interconversion des formes cycliques et linéaires des aldoses et des cétoses, ces sucres réagissent comme des aldéhydes ou des cétones typiques. L'oxydation douce d'un aldose par voie chimique ou enzymatique conduit à la transformation du groupement aldéhyde en fonction acide carboxylique, ce qui donne un **acide aldonique** comme l'**acide gluconique**. Le nom des acides aldoniques est obtenu en ajoutant le suffixe *-onique* à la racine de l'aldose correspondant.

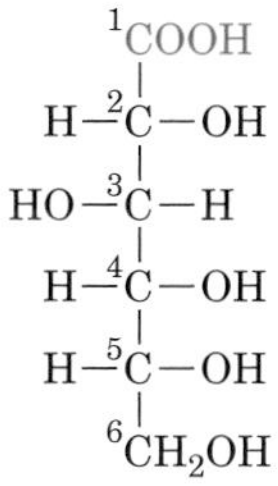

Acide D-gluconique

Les saccharides dont les carbones anomériques ne sont pas impliqués dans la formation de glycosides, sont appelés **sucres réducteurs** en raison de la facilité avec laquelle le groupement aldéhyde réduit des agents oxydants doux. Un test standard qui permet de détecter la présence d'un sucre réducteur consiste à réduire des ions Ag^+ en solution ammoniacale (**réactif de Tollens**) qui forme un miroir d'argent métallique sur les parois du récipient où s'est faite la réaction.

L'oxydation spécifique de la fonction alcool primaire d'un aldose donne un **acide uronique** dont le nom est obtenu en ajoutant le suffixe *-uronique* à la racine du nom de l'aldose correspondant. Les **acides D-glucuronique, D-galacturonique,** et **D-mannuronique** sont des constituants importants de nombreux polysaccharides.

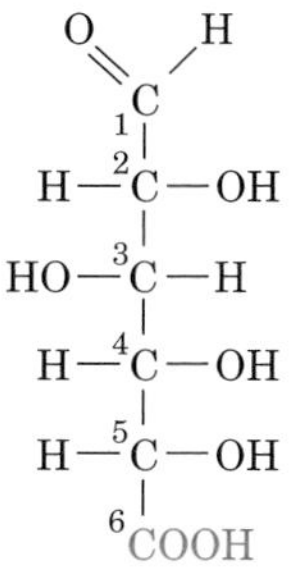

Acide D-glucuronique

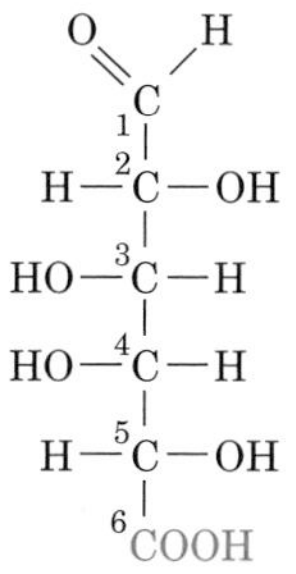

Acide D-galacturonique

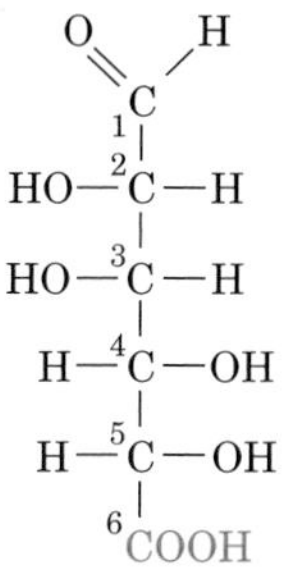

Acide D-mannuronique

Les acides uroniques peuvent prendre les formes pyranose, furanose et linéaire.

Les acides aldoniques et uroniques ont, tous deux, une forte propension à former des esters intramoléculaires, ce qui donne des lactones à cinq ou six sommets (Fig. 11-9). L'**acide ascorbique (vitamine C,** Fig. 11-10) est une γ-lactone synthétisée par les

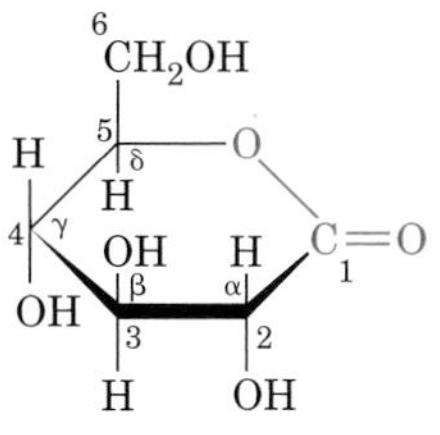

D-Glucono-δ-lactone

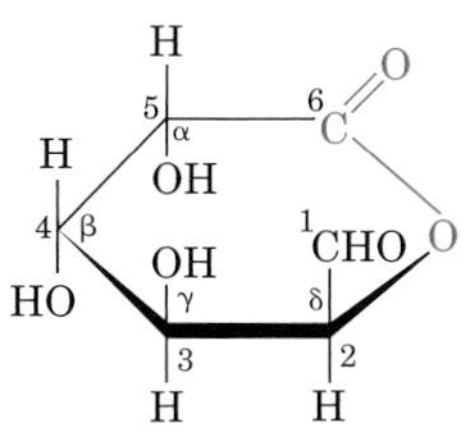

D-Glucurono-δ-lactone

FIGURE 11-9 La D-glucono-δ-lactone et la D-glucurono-δ-lactone sont respectivement les lactones de l'acide D-gluconique et de l'acide D-glucuronique. Le « δ » indique que l'atome d'O qui ferme le cycle lactone est aussi un substituant du $C_δ$.

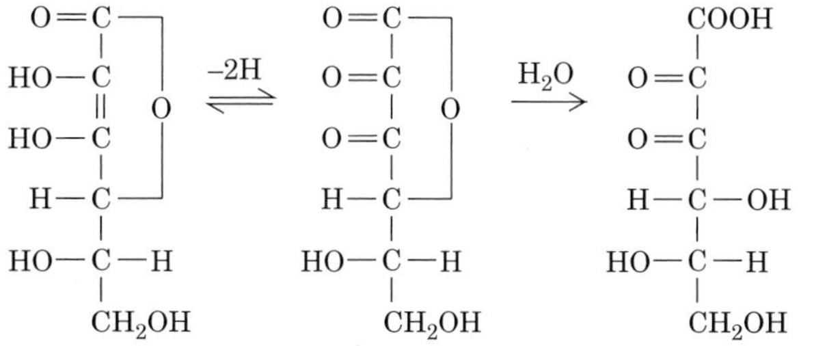

Acide L-ascorbique **Acide L-déhydroascorbique** **Acide L-dicétogulonique**

FIGURE 11-10 Oxydation réversible de l'acide L-ascorbique en acide L-déhydroascorbique. Elle est suivie par l'hydrolyse physiologique irréversible de son cycle lactone pour donner l'acide L-dicétogulonique.

plantes et la plupart des animaux, exceptés les primates et les cochons d'Inde. Une carence prolongée en vitamine C dans le régime de l'homme conduit au **scorbut,** qui est dû à une déficience dans la synthèse du collagène (Section 8-2B). Le scorbut résulte en général de l'absence de nourriture fraîche. Dans des conditions physiologiques, l'acide ascorbique s'oxyde réversiblement en **acide déhydroascorbique** qui, à son tour, est irréversiblement hydrolysé en **acide dicétogulonique** (Fig. 11-10) inactif en tant que vitamine.

Les aldoses et les cétoses peuvent être réduits dans des conditions douces, par exemple par le NaBH$_4$, ce qui donne des polyalcools acycliques appelés **alditols**, le nom étant obtenu en ajoutant le suffixe *-itol* à la racine du nom de l'aldose correspondant. Le **ribitol** est un constituant des coenzymes flaviniques (Section 16-2C), et le **glycérol** et l'alcool polycyclique *myo*-**inositol** sont des constituants importants de certains lipides (Section 12-1). Le **xylitol** est un édulcorant utilisé dans les chewing-gums et les bonbons « sans sucre ».

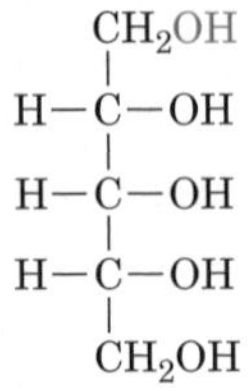

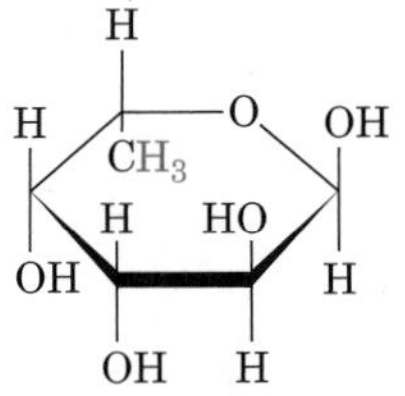

α-L-Fucose
(6-désoxy-L-galactose)

Dans les **sucres aminés,** un ou plusieurs groupements OH sont remplacés par un groupement amine souvent acétylé. La **D-glucosamine** et la **D-galactosamine** sont des constituants de nombreux polysaccharides biologiquement importants.

Ribitol

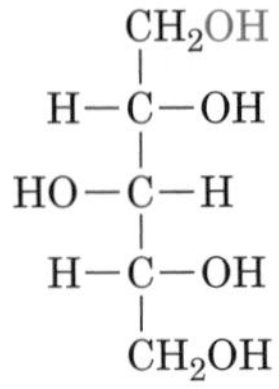

Xylitol

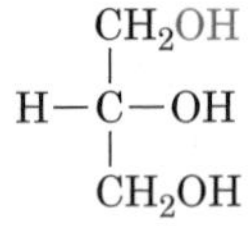

Glycérol

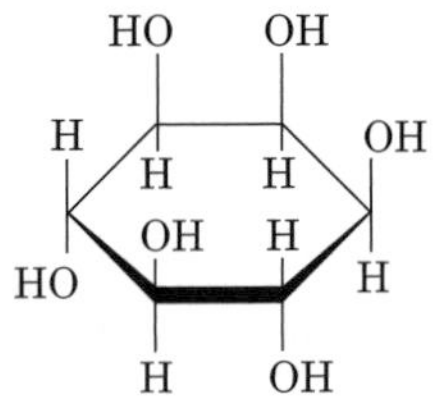

myo-**Inositol**

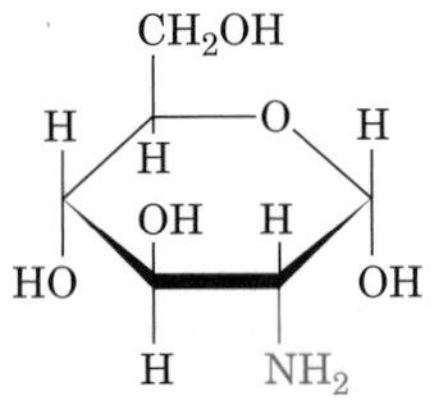

α-D-Glucosamine
(2-amino-2-désoxy-
α-D-glucopyranose)

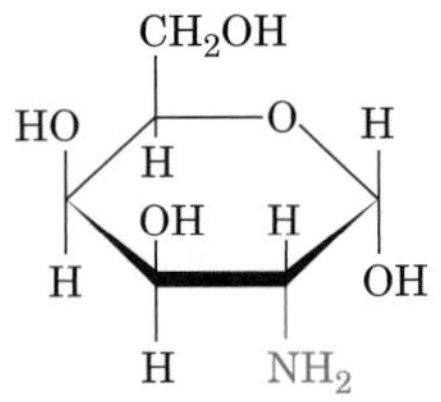

α-D-Galactosamine
(2-amino-2-désoxy-
α-D-galactopyranose)

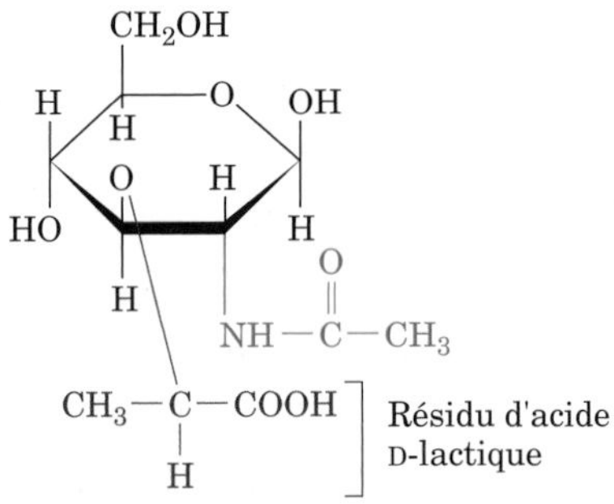

Résidu d'acide D-lactique

Acide N-acétylmuramique (NAM)

c. Autres dérivés de sucres biologiquement importants

Les unités monosaccharidiques dans lesquelles un groupement OH est remplacé par un H sont des **sucres désoxy**. Le plus important d'entre eux est le **β–D-2-désoxyribose**, le sucre du squelette sucre-phosphate de l'ADN. Le **L-rhamnose** et le **L-fucose** sont des constituants fréquents des polysaccharides.

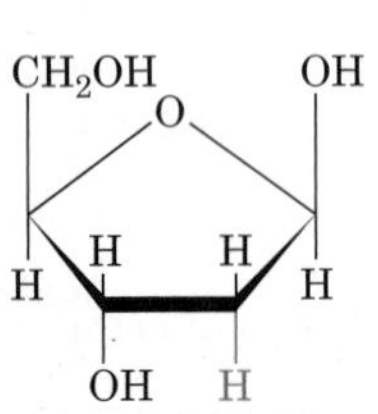

L'**acide N-acétylmuramique,** dérivé de sucre aminé qui résulte d'une liaison éther entre la **N-acétyl-D-glucosamine** et l'**acide D-lactique,** est un constituant essentiel des parois des cellules bactériennes (Section 11-3B). L'acide N-acétylneuraminique, qui dérive de la N-acétylmannosamine et de l'acide pyruvique (Fig. 11-11), est un constituant important des glycoprotéines (Section 11-3C) et des glycolipides (Section 12-1D). L'acide N-acétylneuraminique et ses dérivés sont souvent dénommés **acides sialiques.**

2 ■ LES POLYSACCHARIDES

Les polysaccharides, appelés également **glycanes**, sont constitués de monosaccharides liés entre eux par des liaisons glycosidiques. On distingue les **homopolysaccharides** et les **hétéropolysaccharides** selon qu'ils présentent un ou plusieurs types de monosaccharides. Les homopolysaccharides peuvent être classés en fonc-

β-D-2-Désoxyribose

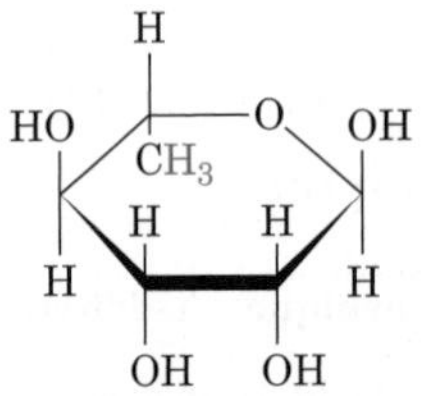

α-L-Rhamnose
(6-désoxy-L-mannose)

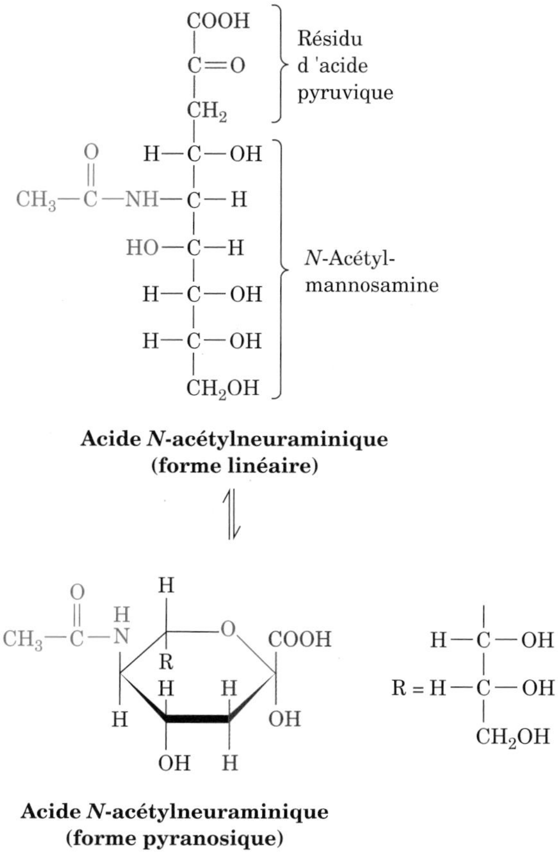

FIGURE 11-11 L'acide *N*-acétylneuraminique sous ses formes **linéaire et pyranosique**. Noter que le cycle pyranosique englobe le résidu d'acide pyruvique (*en bleu*) et une partie du mannose.

tion de la nature de leur unité monosaccharide. Par exemple, les **glucanes** sont des polymères de glucose et les **galactanes** sont des polymères de galactose. Bien que les séquences monosaccharidiques des hétéropolysaccharides puissent, en principe, être aussi variées que celles des protéines, elles ne sont généralement formées que de quelques types de monosaccharides qui alternent selon une séquence répétitive.

Les polysaccharides, à l'inverse des protéines et des acides nucléiques, peuvent avoir une structure branchée aussi bien que linéaire. Cela vient de ce que les liaisons glycosidiques peuvent s'établir avec n'importe lequel des groupements hydroxyle d'un monosaccharide. Heureusement pour les biochimistes structuraux, la plupart des polysaccharides sont linéaires et ceux qui sont branchés ne font intervenir que quelques types de branchement bien précis.

Dans cette section, nous étudierons les structures des polysaccharides les plus simples, les disaccharides, puis nous verrons les structures et les propriétés des polysaccharides les plus abondants. Nous commencerons par voir comment sont élucidées les structures des polysaccharides.

A. *Analyse des glucides*

La purification des glucides peut, grosso modo, faire appel aux mêmes techniques chromatographiques et électrophorétiques

que celles utilisées pour la purification des protéines (Sections 6-3 et 6-4). Une technique particulièrement performante est la chromatographie d'affinité (Section 6-3C) qui utilise des protéines immobilisées appelées **lectines**. Les lectines sont des protéines généralement d'origine végétale qui se lient aux sucres mais que l'on trouve également chez les animaux et les bactéries. Parmi les lectines les plus connues, citons la **concanavaline A** (Fig. 8-40) extraite du haricot sabre, qui lie spécifiquement les résidus α-D-glucose et α-D-mannose, et l'**agglutinine** de germe de blé (ainsi appelée car elle provoque l'agglutination ou le regroupement des cellules), qui lie spécifiquement les acides β-N-acétylmuramique et α-*N*-acétylneuraminique.

Caractériser un oligosaccharide consiste à déterminer la nature, la configuration anomérique, les liaisons et l'ordre des constituants monosaccharidiques. Les liaisons entre monosaccharides peuvent être déterminées par **analyse par méthylation**, technique mise au point par Norman Haworth dans les années 1930: *les esters méthyliques, sauf ceux qui se forment sur le carbone anomérique, résistent à une hydrolyse acide tandis que les liaisons glycosidiques sont hydrolysées. Par conséquent, si un oligosaccharide est entièrement méthylé puis hydrolysé, les groupements OH libres des monosaccharides méthylés résultants indiquent les positions initiales des liaisons glycosidiques.* On identifie souvent les monosaccharides par **chromatographie gaz-liquide (GLC)** couplée à la spectrométrie de masse (GLC/MS). Dans la GLC la phase stationnaire est un solide inerte, comme la terre de diatomées, imprégné d'un liquide peu volatil, tel que l'huile de silicone, et la phase mobile est un gaz inerte, l'He par exemple, dans lequel l'échantillon a été évaporé rapidement. D'autres techniques de spectrométrie de masse pour l'analyse de molécules non volatiles ont été vues dans la Section 7-1J (noter cependant que, p. ex., tous les aldoses et les cétoses des Fig. 11-1 et 11-2 sont des isomères et ont donc des masses moléculaires identiques). Les techniques d'HPLC sont également utilisées.

Les séquences et les configurations anomériques des monosaccharides d'un oligosaccharide peuvent être déterminées en utilisant des **exoglycosidases** spécifiques. Ces enzymes hydrolysent spécifiquement leurs monosaccharides correspondants depuis les extrémités non réductrices des oligosaccharides (les extrémités où il n'y a pas d'atome de carbone anomérique) à la manière des exopeptidases avec les protéines (Section 7-1A). Par exemple, la **β-galactosidase** détache les anomères β du galactose en position terminale, alors que les **α-mannosidases** font de même avec les anomères α du mannose. Certaines de ces exoglycosidases sont spécifiques de l'**aglycone,** les chaînes glucidiques auxquelles est lié le monosaccharide qui doit être détaché (le **glycon**). En spectrométrie de masse, on peut déduire la séquence d'un polysaccharide à partir des diminutions de masse produites par des exoglycosidases. L'utilisation d'**endoglycosidases** (hydrolases qui scindent des liaisons glycosidiques entre des résidus de sucres non terminaux) de spécificités différentes peut également contribuer à la détermination de la séquence. L'étude des oligosaccharides par RMN du proton et du ^{13}C est également utile à leur séquençage si l'on dispose d'une quantité suffisante. Les techniques de RMN à deux dimensions peuvent fournir des renseignements sur les conformations des oligosaccharides (Section 8-3A).

B. *Les disaccharides*

Nous commencerons l'étude des polysaccharides par les disaccharides (Fig. 11-12). Le **saccharose**, le disaccharide le plus abondant, se trouve dans le règne végétal et nous le connaissons comme sucre de table. Sa structure (Fig. 11-12) a été établie par la technique de méthylation que nous avons vue et a été confirmée plus tard par rayons X. Pour nommer de façon systématique un poly-

saccharide, on doit spécifier la nature des monosaccharides qui le constituent, leurs formes cycliques, leurs configurations anomériques, et le type de liaison. Le saccharose est donc l'*O*-α-D-glucopyranosyl-(1 → 2)-β-D-fructofuranoside, où le symbole (1 → 2) indique que la liaison glycosidique unit le C1 du résidu glucose au C2 du résidu fructose. Remarquer que ces deux positions étant celles des carbones anomériques de leurs monosaccharides respectifs, le saccharose n'est pas un sucre réducteur (comme l'implique le suffixe *-ide*).

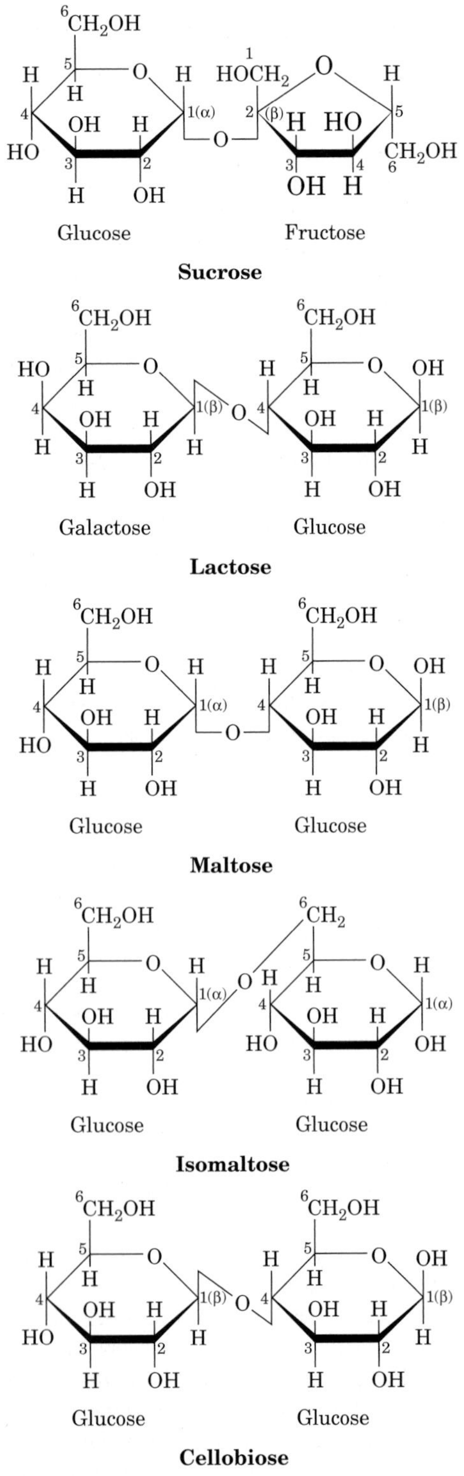

L'hydrolyse du saccharose en D-glucose et D-fructose s'accompagne d'un changement du sens de rotation optique qui passe de *dextro* à *levo*. C'est pourquoi le saccharose est parfois appelé **sucre inverti** et l'enzyme qui catalyse cette hydrolyse, l'**α-D-glucosidase**, est appelée de façon archaïque l'**invertase.**

Le **lactose** [*O*-β-D-galactopyranosyl-(1 → 4)-D-glucopyranose] ou sucre du lait se trouve naturellement et uniquement dans le lait, où sa concentration va de 0 à 7 % selon les espèces. Le carbone anomérique libre de son résidu glucose explique que le lactose est un sucre réducteur.

Normalement, les enfants possèdent l'enzyme intestinale **β-D-galactosidase** ou **lactase** qui hydrolyse le lactose en ses deux constituants monosaccharidiques afin qu'ils passent dans la circulation sanguine. Cependant, beaucoup d'adultes, dont la plupart des populations noires et presque tous les Orientaux, ont une faible teneur de cette enzyme (comme la plupart des mammifères adultes). Par conséquent, la plus grande partie du lactose contenu dans le lait qu'ils boivent reste dans leur tube digestif jusqu'au côlon, où sa fermentation bactérienne conduit à la formation de grandes quantités de CO_2, H_2, et d'acides organiques irritants. Il s'ensuit des troubles digestifs parfois douloureux appelés **intolérance au lactose**. C'est peut-être pour cela que la cuisine orientale, caractérisée par la grande variété d'aliments qu'elle utilise, n'emploie pas de produits lactés. Récemment, la technologie nutritionnelle moderne est venue à l'aide des amateurs de lait intolérants au lactose : des produits lactés dans lesquels le lactose a été hydrolysé par voie enzymatique sont maintenant disponibles dans le commerce.

Il existe plusieurs disaccharides glucosyl-glucose courants. En font partie le **maltose** [*O*-α-D-glucopyranosyl-(1 → 4)-D-glucopyranose], produit de l'hydrolyse enzymatique de l'amidon ; l'**isomaltose**, qui est son isomère α(1 → 6) ; et la **cellobiose**, qui est son isomère β(1 → 4), le disaccharide répétitif de la cellulose.

On ne trouve dans la nature que quelques oligosaccharides à trois unités monosaccharides ou plus. On les trouve tous dans les plantes, ce qui n'est pas une surprise.

C. *Polysaccharides de structure : la cellulose et la chitine*

Les plantes ont des parois cellulaires rigides (Fig. 1-9). Afin de conserver leur morphologie, ces parois doivent pouvoir résister aux différences de pression osmotiques entre les espaces extra- et intracellulaires qui peuvent atteindre 20 atm. Pour les plantes de grande taille, comme les arbres, les parois cellulaires assurent aussi la fonction de support de charge. La cellulose, le principal constituant structural des parois cellulaires végétales (Fig. 11-13), représente plus de la moitié du carbone dans la biosphère : 10^{15} kg de cellulose (environ) sont synthétisés et dégradés chaque année. Bien que la cellulose soit essentiellement d'origine végétale, on en trouve dans la tunique externe rigide d'invertébrés marins appelés **tuniciers** (urocordés ; Fig. 1-11).

FIGURE 11-12 Quelques disaccharides courants.

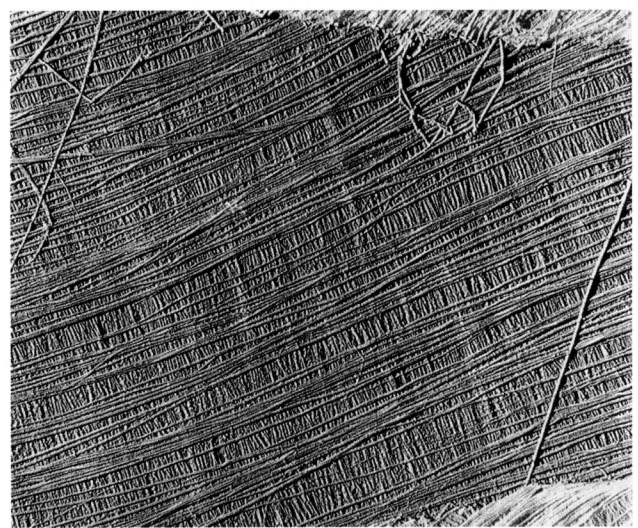

FIGURE 11-13 Micrographie électronique de fibres de cellulose de la paroi cellulaire de l'algue *Chaetomorpha melagonium*. Noter que la paroi cellulaire est formée de couches de fibres parallèles. [Biophoto Associates/Photo Researchers.]

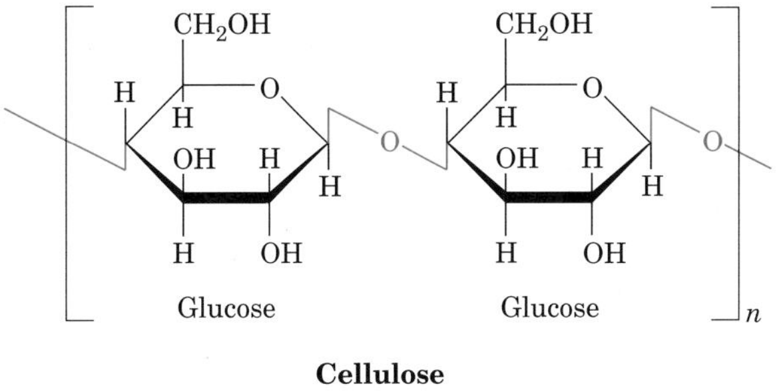

FIGURE 11-14 Structure primaire de la cellulose. Ici *n* peut valoir plusieurs milliers.

La structure primaire de la cellulose a été déterminée par la technique d'analyse par méthylation. La cellulose est un polymère linéaire qui contient jusqu'à 15 000 résidus de D-glucose (un glucane) reliés par des liaisons glycosidiques $\beta(1 \rightarrow 4)$ (Fig. 11-14).

Comme les longs polysaccharides, elle n'a pas de taille précise car, à la différence des protéines et des acides nucléiques, il n'existe pas de matrice déterminée génétiquement qui dirige sa synthèse.

Des études de fibres de cellulose par rayons X ont conduit Anatole Sarko à proposer la structure représentée dans la Fig. 11-15. Cette structure très cohésive et riche en liaisons hydrogène donne aux fibres de cellulose une résistance exceptionnelle et les rend insolubles dans l'eau malgré leur caractère hydrophile.

Dans les parois des cellules végétales, les fibres de cellulose sont enrobées d'une matrice et établissent des liaisons croisées avec celle-ci. Cette matrice est formée de plusieurs polysaccharides composés de glucose ainsi que d'autres monosaccharides. Dans le bois, ce ciment matriciel contient aussi une forte proportion de **lignine,** un polymère phénolique analogue à un plastique.

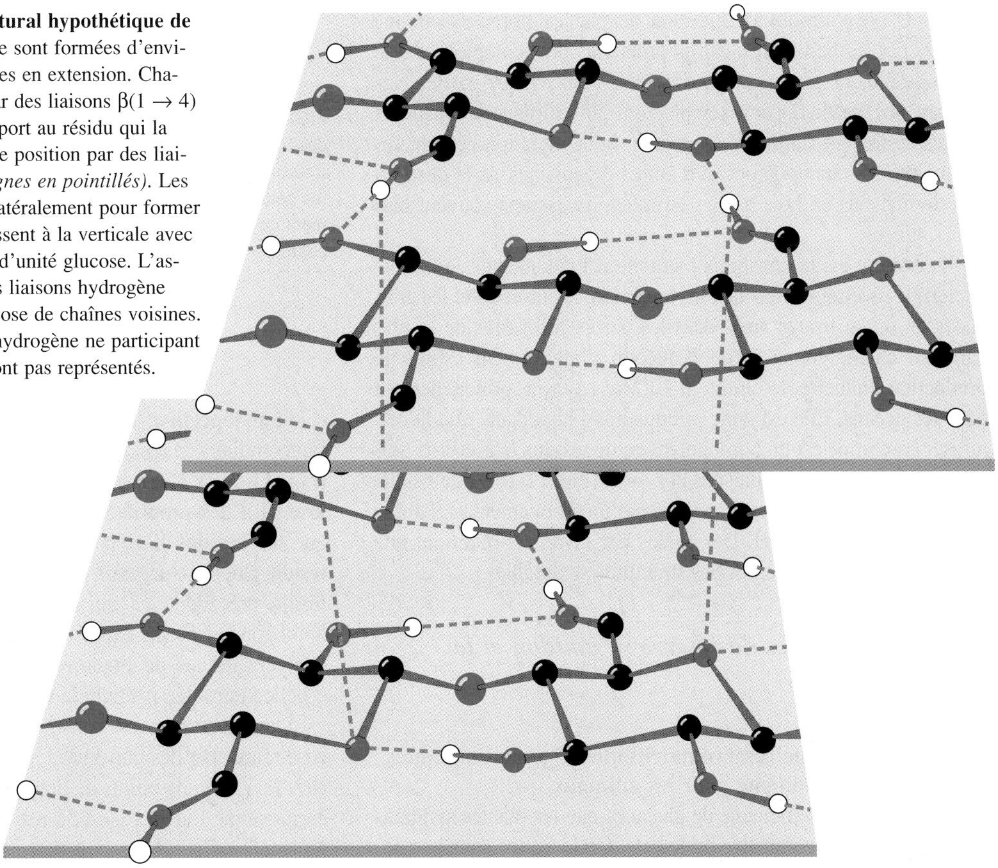

FIGURE 11-15 Un modèle structural hypothétique de la cellulose. Les fibres de cellulose sont formées d'environ 40 chaînes de glucane parallèles en extension. Chacune des unités glucose réunies par des liaisons $\beta(1 \rightarrow 4)$ d'une chaîne est retournée par rapport au résidu qui la précède et est maintenue dans cette position par des liaisons hydrogène intracaténaires *(lignes en pointillés).* Les chaînes de glucane sont alignées latéralement pour former des feuillets et ces feuillets s'entassent à la verticale avec un décalage d'une demi-longueur d'unité glucose. L'assemblage total est stabilisé par des liaisons hydrogène intermoléculaires entre unités glucose de chaînes voisines. Pour plus de clarté, les atomes d'hydrogène ne participant pas à des liaisons hydrogène ne sont pas représentés.

Chitine

FIGURE 11-16 Structure de la chitine. La chitine est un homopolymère d'unités de *N*-acétyl-D-glucosamine réunies par des liaisons β
$(1 \rightarrow 4)$.

Il suffit d'observer un grand arbre dans une bourrasque pour
constater la résistance considérable des parois cellulaires végétales. On peut les comparer aux « matériaux composites » utilisés
dans le bâtiment, comme le béton armé. Les matériaux composites
peuvent résister à de très grandes tensions car la matrice répartit
uniformément celles-ci parmi les éléments qui servent d'armature.

Bien que les vertébrés ne synthétisent pas eux-mêmes d'en-
zyme capable d'hydrolyser les liaison $\beta(1 \rightarrow 4)$ de la cellulose, le
tractus digestif des herbivores contient des micro-organismes sym-
biotiques qui sécrètent un ensemble d'enzymes, appelées collectivement **cellulase,** qui assurent cette hydrolyse. Cependant, la
dégradation de la cellulose est un processus lent en raison de ses
chaînes glucanes très compactes et riches en liaisons hydrogène,
qui rendent difficile l'accès de la cellulase et qui ne se séparent pas
facilement, même après rupture de plusieurs liaisons glycosidiques. C'est pourquoi la digestion de plantes fibreuses comme
l'herbe, par les herbivores, est un processus plus complexe et qui
demande plus de temps que la digestion de la viande par les car-
nivores (les bovins, par exemple, ont un estomac à plusieurs
poches et doivent ruminer). De même, la dégradation des plantes
mortes par les champignons et d'autres organismes, et la destruction de maisons en bois par les termites, nécessitent souvent plusieurs années.

La **chitine** est le constituant structural fondamental de l'exos-
quelette d'invertébrés tels que les crustacés, les insectes et les arai-
gnées, et on en trouve aussi dans les parois cellulaires de la plupart des champignons et de beaucoup d'algues. On estime la
production annuelle de chitine à 10^{14} kg environ, principalement
dans les océans. Elle est donc presque aussi abondante que la cellulose. La chitine est un homopolymère de résidus *N*-acétyl-D-glu-
cosamine réunis par des liaisons $\beta(1 \rightarrow 4)$ (Fig. 11-16). Elle ne diffère de la cellulose que par la présence d'un groupement acétamide
porté par chaque C2-OH. Des études par rayons X montrent que
la chitine et la cellulose ont des structures semblables.

D. *Polysaccharides de réserve : l'amidon et le glycogène*

a. L'amidon est une réserve nutritionnelle pour les plantes et un aliment majeur pour les animaux

L'amidon est un mélange de glucanes que les plantes synthétisent comme réserve nutritive principale. On le trouve dans le cytoplasme sous forme de granules insolubles constitués d'**α-amylose**

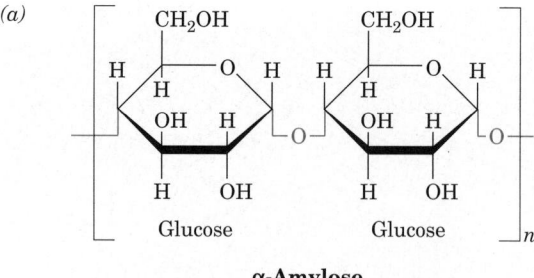

(a)

α-Amylose

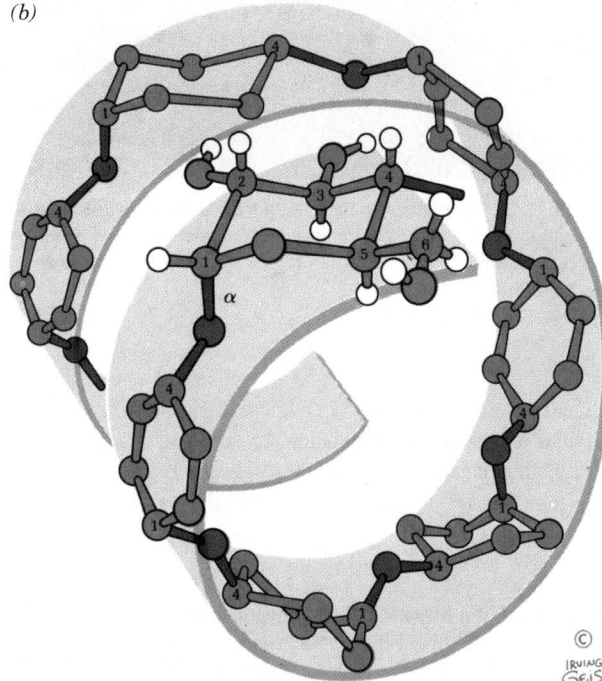

(b)

FIGURE 11-17 L'α-amylose. (*a*) Ses résidus D-glucose sont réunis par
des liaisons $\alpha(1 \rightarrow 4)$ (*en rouge*). Ici, *n* est égal à plusieurs milliers. (*b*)
Ce polymère répétitif régulier forme une hélice de pas à gauche. Noter
les grandes différences de structure et de propriétés dues au remplace-
ment des liaisons $\alpha(1 \rightarrow 4)$ de l'amylose par les liaisons $\beta(1 \rightarrow 4)$ de la
cellulose (Fig. 11-15). [Copyright Irving Geis.]

et d'**amylopectine**. L'α-amylose est un polymère linéaire de plusieurs milliers de résidus de glucose réunis par des liaisons $\alpha(1 \rightarrow 4)$
(Fig. 11-17*a*). Bien que l'α-amylose soit un isomère de la cellu-
lose, il a des propriétés structurales très différentes. Ceci, parce
que les liaisons β-glycosidiques de la cellulose obligent chaque
résidu glucose successif à faire un angle de 180° par rapport au
résidu précédent, ce qui donne au polymère une conformation
homogène en pleine extension (Fig. 11-15). Par contre, les liaisons
α-glycosidiques de l'α-amylose lui confèrent une conformation
d'hélice enroulée irrégulière (Fig. 11-17*b*).

L'amylopectine est constituée essentiellement de résidus glu-
cose réunis par des liaison $\alpha(1 \rightarrow 4)$ mais c'est une molécule branchée en raison de points de branchement $\alpha(1 \rightarrow 6)$ que l'on trouve
en moyenne tous les 24 à 36 résidus de glucose (Fig. 11-18). Les
molécules d'amylopectine peuvent contenir jusqu'à 10^6 résidus
glucose et sont parmi les plus grandes dans la nature. La mise en

(a)

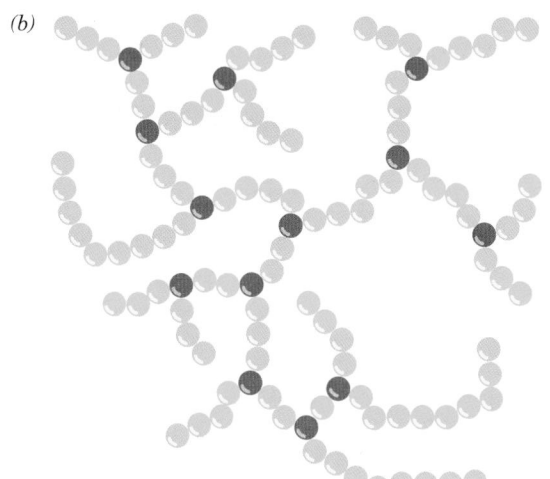

Chaîne
branchée

Chaîne
principale

point de branchement α(1 → 6)

Amylopectine

(b)

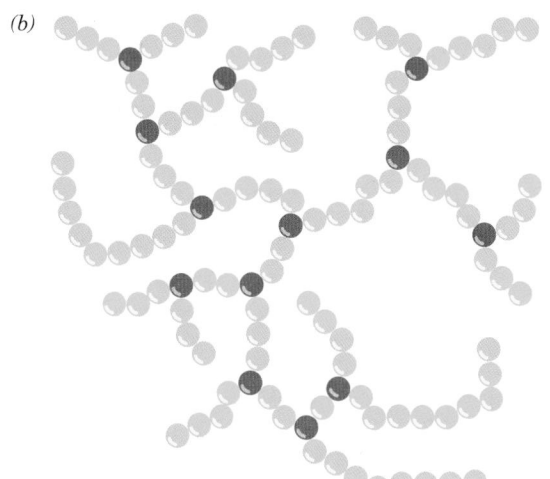

FIGURE 11-18 L'amylopectine. *(a)* Sa structure primaire près d'un de ses points de branchement α(1 → 6) *(en rouge)*. *(b)* Sa structure buissonneuse avec les résidus glucose aux points de branchement indiqués en rouge. La distance réelle qui sépare les points de branchement correspond à 24 à 30 résidus glucose. Le glycogène a une structure semblable mais les points de branchement se situent tous les 8 à 14 résidus.

réserve de glucose sous forme d'amidon diminue fortement la valeur des pressions osmotiques intracellulaires qui seraient atteintes si le glucose était stocké sous forme monomérique, car la pression osmotique est proportionnelle au nombre de molécules d'un soluté dans un volume donné.

b. La digestion de l'amidon se fait par étapes

La digestion de l'amidon, principale source de glucides pour l'homme, commence dans la bouche. La salive contient de l'α–amylase, qui hydrolyse au hasard toutes les liaisons glycosidiques α(1 → 4) sauf les plus extrêmes et celles proches de points de branchement. Quand la nourriture mâchée complètement parvient à l'estomac, où l'acidité inactive l'α-amylase, la longueur moyenne des chaînes d'amidon est passée de plusieurs milliers à moins de huit unités glucose. La digestion de l'amidon continue dans l'intestin grêle sous l'influence de l'α-amylase pancréatique, qui est semblable à l'α–amylase salivaire. Cette enzyme dégrade l'amidon en un mélange du disaccharide maltose, du trisaccharide **maltotriose**, formé de trois résidus glucose réunis par des liaisons α(1 → 4), et d'oligosaccharides appelés **dextrines** qui présentent des branchements α(1 → 6). Ces oligosaccharides sont hydrolysés en monosaccharides par des enzymes spécifiques contenues dans les membranes de la bordure en brosse de la muqueuse intestinale : une α-**glucosidase**, qui détache un par un les résidus glucose des oligosaccharides, et une α-**dextrinase** ou **enzyme débranchante**, qui hydrolyse les liaisons α(1 → 6) et α(1 → 4), une s**accharase**, et, du moins chez les enfants, une lactase. Les monosaccharides résultants sont absorbés par l'intestin et transportés vers la circulation sanguine (Section 20-4A).

c. Le glycogène est « l'amidon animal »

Le glycogène, le polysaccharide de réserve des animaux, se trouve dans toutes les cellules mais est surtout abondant dans les muscles squelettiques et dans le foie, où il se trouve sous forme de granules cytoplasmiques (Fig. 11-19). La structure primaire du glycogène est voisine de celle de l'amylopectine mais il est plus

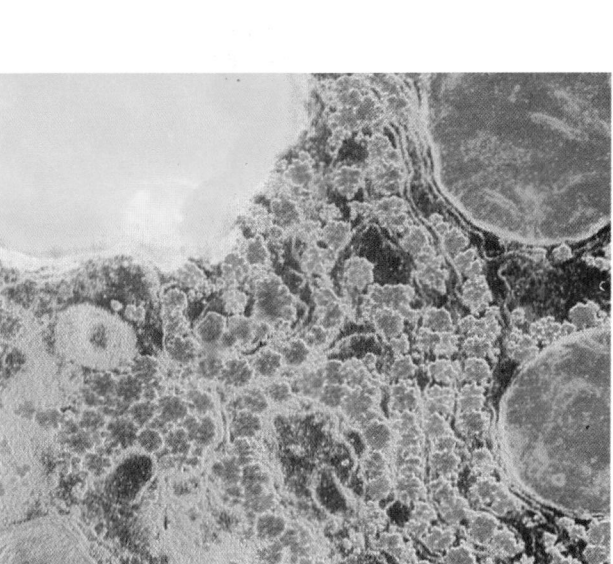

FIGURE 11-19 Photomicrographie montrant les granules de glycogène (*en rose*) dans le cytoplasme d'une cellule hépatique. Les organites verdâtres sont des mitochondries et l'objet jaune est un globule lipidique. Remarquer que les granules de glycogène ont tendance à s'agréger. La quantité de glycogène dans le foie peut atteindre 10 % de son poids net. [CNRI.]

branché, les points de branchement se trouvant tous les 8 à 14 résidus glucose. Le degré de polymérisation du glycogène est néanmoins semblable à celui de l'amylopectine. Dans la cellule, le glycogène est dégradé par la **glycogène phosphorylase** pour être
utilisé dans le métabolisme. Cette enzyme phosphorolyse les liaisons $\alpha(1 \rightarrow 4)$ de façon séquentielle et vers l'intérieur depuis les
extrémités non réductrices pour donner du **glucose-1-phosphate**.
La structure très branchée du glycogène, qui possède de nombreuses extrémités non réductrices, permet la mobilisation rapide
de glucose en fonction des besoins métaboliques. Les liaisons
$\alpha(1 \rightarrow 6)$ du glycogène sont hydrolysées par une enzyme débranchante. Ces enzymes jouent un rôle important dans le métabolisme
du glucose comme nous le verrons dans la Section 18-1.

E. *Glycosaminoglycanes*

Les espaces extracellulaires, en particulier ceux des tissus conjonctifs comme le cartilage, les tendons, la peau, et les parois des vaisseaux sanguins, contiennent des fibres de collagène et d'élastine
(Section 8-2B) enrobées dans une matrice gélatineuse appelée
substance fondamentale. Celle-ci est formée essentiellement de
glycosaminoglycanes (appelés aussi **mucopolysaccharides**), qui
sont des polysaccharides non branchés où alternent des résidus
d'acide uronique et d'hexosamine. Les solutions de glycosaminoglycanes ont une consistance sirupeuse due à leur viscosité et leur

élasticité. Dans les paragraphes suivants, nous étudierons l'origine
structurale de ces propriétés mécaniques importantes.

a. L'acide hyaluronique

L'**acide hyaluronique** (ou **hyaluronane**) est un glycosaminoglycane important de la substance fondamentale, du liquide syno-
vial (le fluide qui lubrifie les articulations), et de l'humeur vitrée
des yeux. On le trouve également dans les capsules qui entourent
certaines bactéries, généralement pathogènes. Les molécules
d'acide hyaluronique résultent de l'association de 250 à 25 000
unités disaccharidiques reliées par des liaisons $\beta(1 \rightarrow 4)$ constituées d'acide D-glucuronique et de *N*-acétyl-D-glucosamine unis
par une liaison $\beta(1 \rightarrow 3)$ (Fig. 11-20). Le caractère anionique de
ses résidus d'acide glucuronique permet à l'acide hyaluronique de
lier fortement des cations tels que K^+, Na^+, et Ca^{2+}. L'analyse de
fibres par rayons X montre que l'hyaluronate de Ca^{2+} forme une
hélice lâche à un seul brin, de pas à gauche, avec trois unités disaccharidiques par tour (Fig. 11-21).

Les caractéristiques structurales de l'hyaluronate correspondent à ses fonctions biologiques. Sa masse moléculaire élevée et
les nombreux groupements anioniques qui se repoussent mutuellement font de l'hyaluronate une molécule rigide très hydratée qui,
en solution, peut occuper un volume près de 1000 fois supérieur
au volume occupé à l'état sec. Les solutions d'hyaluronate ont
donc une viscosité qui dépend du glissement (des forces égales et

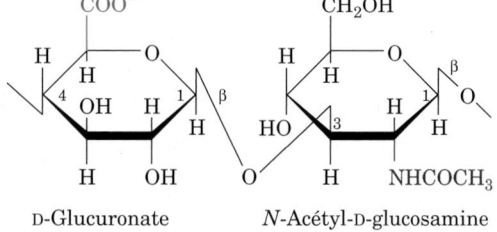

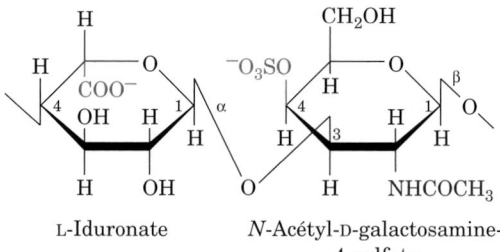

FIGURE 11-20 Les unités disaccharidiques répétitives des glycosaminoglycanes courants. Les groupements anioniques sont en rouge et les groupements *N*-acétylamide sont en bleu.

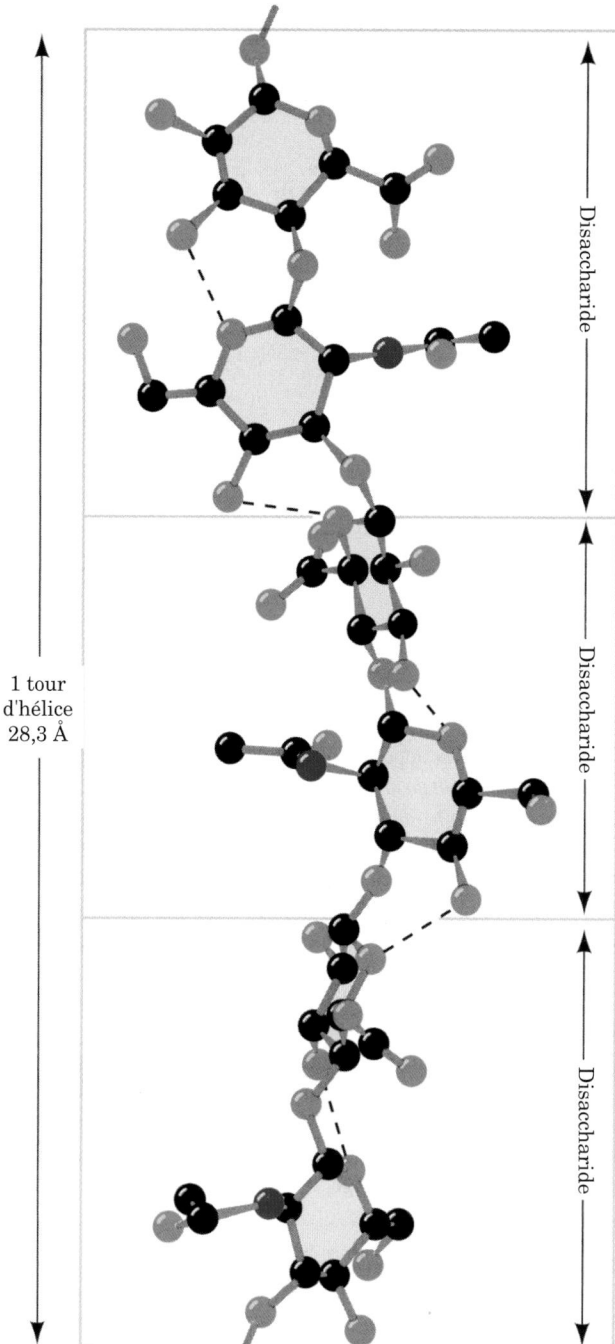

L'acide hyaluronique et d'autres glycosaminoglycanes (cf. ci-dessous) sont dégradés par l'**hyaluronidase,** qui hydrolyse leurs liaisons β(1 → 4). On trouve des hyaluronidases dans de nombreux tissus animaux, dans les bactéries (ce qui faciliterait leur pénétration dans les tissus animaux), et dans les toxines de serpent et d'insecte.

b. Autres glycosaminoglycanes

Parmi les autres glycosaminoglycanes constituants de la substance fondamentale on trouve des molécules formées de 50 à 1000 unités disaccharidiques sulfatées dont les proportions varient selon le tissu et l'espèce. Les plus répandues de ces substances sont données ci-dessous (Fig. 11-20) :

1. La **chondroïtine-4-sulfate** (du grec *chondros*, cartilage), un constituant majeur du cartilage et d'autres tissus conjonctifs, où des résidus *N*-acétyl-D-galactosamine-4-sulfate remplacent les résidus *N*-acétyl-D-glucosamine de l'hyaluronate.

2. La **chondroïtine-6-sulfate** qui est sulfatée au niveau du C6 de ses résidus *N*-acétyl-D-galactosamine. Les deux chondroïtines sulfate se trouvent séparément ou en mélange selon les tissus.

3. Le **dermatane sulfate,** ainsi appelé car il est très répandu dans la peau, diffère de la chondroïtine-4-sulfate par l'inversion de configuration du C5 des résidus de β-D-glucuronate ce qui donne l'α-L-iduronate. Ceci résulte de l'épimérisation enzymatique de ces résidus après la formation de la chondroïtine. L'épimérisation est généralement incomplète, d'où la présence de résidus glucuronate dans le dermatane sulfate.

4. Le **kératane sulfate** (à ne pas confondre avec la protéine kératine) contient des résidus alternants de D-galactose et de *N*-acétyl-D-glucosamine-6-sulfate reliés par des liaisons β(1 → 4). C'est le plus hétérogène des principaux glycosaminoglycanes du fait que sa teneur en sulfate est variable et qu'il contient de petites quantités de fucose, de mannose, de *N*-acétylglucosamine, et d'acide sialique.

5. L'**héparine** est un glycosaminoglycane dont le degré de sulfatation varie, constitué principalement de résidus alternants de D-iduronate-2-sulfate et de *N*-sulfo-D-glucosamine-6-sulfate reliés par des liaisons α(1 → 4) . On trouve en moyenne 2,5 groupements sulfates par unité disaccharidique, ce qui en fait le polyélectrolyte le plus chargé négativement des tissus de mammifère. L'héparine, contrairement aux autres glycosaminoglycanes, n'est pas un constituant des tissus conjonctifs, mais se trouve presque exclusivement dans les granules intracellulaires des **mastocytes** qui bordent les parois artérielles, notamment dans le foie, les poumons et la peau. Elle inhibe la coagulation du sang, et l'on pense que sa libération consécutive à une blessure évite la formation et l'introduction de caillots dans la circulation (Section 35-1E). L'héparine est très utilisée en tant qu'inhibiteur de la coagulation du sang, en particulier chez des malades qui viennent d'être opérés. L'**héparane sulfate,** un constituant ubiquitaire que l'on trouve aussi bien à la surface cellulaire que dans l'espace extracellulaire des parois des vaisseaux sanguins et du cerveau, ressemble à l'héparine mais sa composition est beaucoup plus variable avec moins de groupements *N*- et *O*-sulfates et plus de groupements *N*-acétyles.

3 ■ LES GLYCOPROTÉINES

Jusqu'aux années 1960, les glucides étaient considérés comme des substances sans grand intérêt, qui jouaient le rôle de bouche-trou. Les chimistes des protéines les considéraient alors comme une

FIGURE 11-21 Structure d'une fibre d'hyaluronate de Ca²⁺ déterminée par rayons X. Le polyanion hyaluronate forme une simple hélice de pas à gauche en extension avec trois unités disaccharidiques par tour, stabilisée par des liaisons hydrogène intramoléculaires (*lignes en pointillés*). Les atomes d'H et les ions Ca²⁺ ne sont pas représentés. [D'après Winter, W.T. and Arnott, S., *J. Mol. Biol.* **117**, 777 (1977) PDBid 4HYA.]

contraires s'exercent sur les côtés opposés d'un objet soumis à un glissement). Pour de faibles vitesses de glissement, les molécules d'hyaluronate forment des masses confuses qui gênent fortement l'écoulement ; autrement dit, la solution est très visqueuse. Au fur et à mesure que le glissement s'accélère, les molécules d'hyaluronate rigides ont tendance à s'aligner dans le sens du flux, lui offrant ainsi moins de résistance. Ce comportement visco-élastique fait des solutions d'hyaluronate d'excellents amortisseurs et lubrifiants biologiques.

À gauche de la figure : *1 tour d'hélice 28,3 Å*. À droite : *Disaccharide*, *Disaccharide*, *Disaccharide*.

TABLEAU 11-1   Propriétés de quelques protéoglycanes

Protéoglycane	Masse moléculaire approximative de la protéine centrale (kD)	Type de glycosamino-glycane (Nombre)[a]
Protéoglycanes interagissant avec l'acide hyaluronique		
Aggrecan	220	CS (~100), KS (~30)
Versican	265–370	CS/DS (10–30)
Neurocan	136	CS (3–7)
Protéoglycanes des lames basales		
Perlecan	400–467	Héparane sulfate/CS (3)
Agrine	250	Héparane sulfate (3)
Bamacan	138	CS (3)
Petits protéoglycanes riches en leucine		
Décorine	40	DS/CS (1)
Fibromoduline	42	KS (2–3)
Ostéoglycine	35	KS (2–3)

[a]Abréviations: CS, chondroïtine sulfate; DS, dermatane sulfate; KS, kératane sulfate.

Source: Iozzo, R.V., *Annu. Rev. Biochem.* **67,** 611, 626, 624 (1998).

gêne qui compliquait la « purification » des protéines. Cependant, la plupart des protéines sont, en fait, des **glycoprotéines**; ce qui veut dire qu'elles sont associées par covalence avec des glucides. Les glycoprotéines ont des pourcentages très variables en glucides, entre < 1 % et > 90 % en poids. On en trouve dans toutes les formes de vie et elles ont des fonctions qui couvrent la totalité du spectre des activités des protéines : enzymes, transporteurs, récepteurs, hormones et protéines structurales. Leurs copules glucidiques, comme nous le verrons, peuvent jouer des rôles biologiques importants, mais dans de nombreux cas, leurs fonctions restent un mystère.

Les chaînes polypeptidiques des glycoprotéines, comme celles des protéines, sont synthétisées sous contrôle génétique. Par contre, leurs chaînes glucidiques sont synthétisées par voie enzymatique et sont liées par covalence au polypeptide sans l'aide contraignante de matrices d'acide nucléique. Les enzymes nécessaires à la formation des chaînes glucidiques ne se trouvent pas, en général, en quantités suffisantes pour assurer la synthèse de produits uniformes. C'est pourquoi les glycoprotéines ont des compositions glucidiques variables, on parle de **microhétérogénéité,** ce qui complique leur purification et leur caractérisation.

Dans cette section, nous étudierons les structures et les propriétés des glycoprotéines. Nous étudierons plus particulièrement les glycoprotéines des tissus conjonctifs, celles des parois des cellules bactériennes, et plusieurs glycoprotéines solubles. Nous terminerons en dégageant les principes généraux relatifs à la structure et à la fonction des glycoprotéines.

A. *Protéoglycanes*

Les protéines et les glycosaminoglycanes de la substance fondamentale, des **membranes basales** [la fine couche de matrice extracellulaire qui sépare les **cellules épithéliales** (celles qui délimitent les cavités du corps et les surfaces libres) des cellules sous-jacentes], et des membranes des surfaces cellulaires se rassemblent, par liaison covalente ou non, pour constituer un groupe particulier de macromolécules appelées **protéoglycanes**. *Les protéoglycanes sont constitués d'un cœur protéique ou **protéine centrale** à laquelle au moins une chaîne de glycosylaminoglycane, le plus souvent du kératane sulfate et/ou de la chondroïtine sulfate, est liée par covalence.* De nombreux types de protéines centrales ont été caractérisées (Tableau 11-1). Les protéoglycanes exercent de nombreuses fonctions, celle d'organiser la morphologie des tissus en interagissant avec des molécules telles que le collagène, celle de filtres sélectifs qui contrôlent le trafic des molécules selon leur taille et/ou leur charge, celle enfin de réguler l'activité d'autres protéines comme celles impliquées dans la signalisation (voir ci-dessous).

Les micrographies électroniques (Fig. 11-22*a*) associées à des expériences de reconstitution montrent que les protéoglycanes forment d'énormes complexes. Par exemple, l'**agrécant**, le protéoglycane principal du cartilage, a une architecture moléculaire en

FIGURE 11-22 Les protéoglycanes. (*a*) Micrographie électronique montrant la chaîne centrale d'acide hyaluronique, qui va de haut en bas de la photo. Cette chaîne porte de nombreuses projections, chacune étant formée d'une protéine centrale d'où partent des protubérances buissonneuses de polysaccharides. [D'après Caplan, A.I., *Sci. Am.* **251**(4) : 87 (1984). Copyright 1984 Scientific American, Inc. Avec autorisation.] (*b*) Le modèle en « goupillon » du protéoglycane. Les protéines centrales (l'une d'elles est montrée s'étendant vers le bas au centre du schéma) se projettent depuis la chaîne centrale d'acide hyaluronique représentée ici par la ligne horizontale en haut. La protéine centrale est ancrée à l'acide hyaluronique de façon non covalente, par l'intermédiaire de son extrémité globulaire N-terminale associée à la protéine de liaison et stabilisée par celle-ci. La protéine centrale présente trois régions de liaison pour les oligosaccharides : (1) la région interne qui lie essentiellement des oligosaccharides par l'intermédiaire d'atomes N des chaînes latérales de résidus Asn ; (2) la région centrale qui lie des oligosaccharides, dont beaucoup portent des chaînes de kératane sulfate, par l'intermédiaire d'atomes O de résidus Ser et Thr ; et (3) la région externe qui lie principalement des chaînes de chondroïtine sulfate unies à la protéine centrale par un trisaccharide galactose-galactose-xylose lié aux atomes O de résidus Ser dans la séquence Ser-Gly. L'extrémité C-terminale de la protéine centrale est une séquence de type lectine.

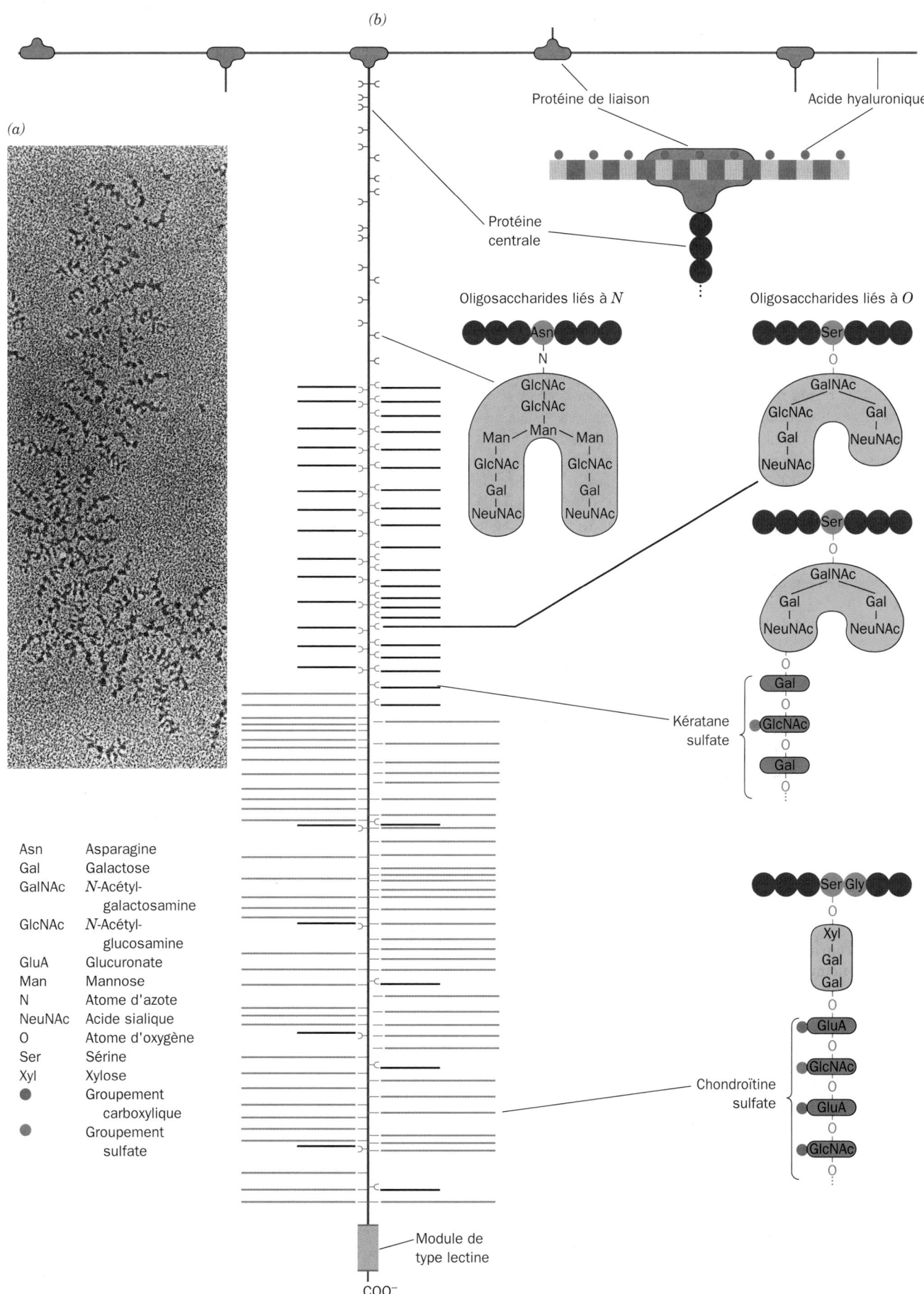

(a)

(b)

Protéine de liaison

Acide hyaluronique

Protéine
centrale

Oligosaccharides liés à *N*

Oligosaccharides liés à *O*

Asn
N
GlcNAc
GlcNAc
Man   Man   Man
GlcNAc   GlcNAc
Gal   Gal
NeuNAc   NeuNAc

Ser
O
GalNAc
GlcNAc   Gal
Gal   NeuNAc
NeuNAc

Ser
O
GalNAc
Gal   Gal
NeuNAc   NeuNAc

Gal
O
GlcNAc
O
Gal
O

Kératane
sulfate

Ser Gly
O
Xyl
Gal
Gal
O
GluA
O
GlcNAc
O
GluA
O
GlcNAc
O

Chondroïtine
sulfate

Asn	Asparagine
Gal	Galactose
GalNAc	*N*-Acétyl- galactosamine
GlcNAc	*N*-Acétyl- glucosamine
GluA	Glucuronate
Man	Mannose
N	Atome d'azote
NeuNAc	Acide sialique
O	Atome d'oxygène
Ser	Sérine
Xyl	Xylose
●	Groupement carboxylique
●	Groupement sulfate

Module de
type lectine

COO⁻

forme de goupillon (Fig. 11-22*b*) où les **sous-unités protéoglycane**, les « poils », sont attachées tous les 200 à 300 Å par liaison non covalente à un « squelette » d'acide hyaluronique filamenteux. L'agrécant possède trois domaines. Son domaine N-terminal constitue une région globulaire de 60 à 70 kD unie de manière non covalente à l'acide hyaluronique. Cette association est stabilisée par la **protéine de liaison** (40 à 60 kD), dont la séquence ressemble au domaine N-terminal de l'agrécant. Le long domaine central de celui-ci établit des liaisons covalentes avec une suite de polysaccharides, qui rendent compte de près de 90 % de la masse de cette glycoprotéine. Ils divisent le domaine central en trois régions :

1. Un segment N-terminal, qui comprend la région globulaire qui lie l'acide hyaluronique, est lié à un nombre relativement restreint de chaînes glucidiques. Ce sont le plus souvent des oligosaccharides liés par covalence à l'azote du groupement amide de résidus Asn spécifiques de la protéine centrale (Section 11-3C).

2. Une région riche en oligosaccharides, dont beaucoup servent de points d'ancrage pour des chaînes de kératane sulfate. Les oligosaccharides sont liés par covalence aux atomes d'O des chaînes latérales de résidus Ser et Thr de la protéine centrale.

3. Une région C-terminale riche en chaînes de chondroïtine sulfate, qui sont liées par covalence à l'atome d'O de résidus Ser de dipeptides Ser-Gly dans la protéine centrale, par l'intermédiaire de trisaccharides galactose-galactose-xylose.

Le domaine C-terminal de l'agrécant contient un module du genre lectine qui lie certaines unités monosaccharidiques. Ainsi, une fonction probable de l'agrécant est de relier des constituants de la surface cellulaire à la matrice extracellulaire (voir ci-dessous).

Dans l'ensemble, un brin central d'acide hyaluronique, dont la taille varie de 4000 à 40 000 Å, peut être associé de manière non covalente à une centaine de chaînes d'agrécant, chacune étant liée à environ 30 chaînes de kératane sulfate qui peuvent porter chacune jusqu'à 250 unités disaccharidiques, et à environ 100 chaînes de chondroïtine sulfate pouvant comporter chacune jusqu'à 1000 unités disaccharidiques. Cela explique les masses moléculaires énormes de beaucoup de protéoglycanes, qui atteignent 200 000 kD, et le fait que leurs masses moléculaires soient très variables (polydispersées). Il faut savoir, cependant, que de nombreux protéoglycanes ne lient pas l'acide hyaluronique (Tableau 11-1) et donc fonctionnent en tant que monomères.

a. Les propriétés mécaniques du cartilage s'expliquent par sa structure moléculaire

Le cartilage est constitué essentiellement d'un réseau de fibrilles de collagène rempli de protéoglycanes dont les constituants, la chondroïtine sulfate et la protéine centrale, interagissent spécifiquement avec le collagène. La résistance élastique du cartilage et d'autres tissus conjonctifs est, comme nous l'avons vu (Section 8-2B), une conséquence de leur teneur en collagène. Cependant, la résistance particulière du cartilage est due à sa teneur élevée en protéoglycanes. La longue structure en forme de goupillon des protéoglycanes, associée au caractère polyanionique du kératane sulfate et de la chondroïtine sulfate, entraîne une très forte hydratation de ce complexe. Lorsqu'une pression s'exerce sur le cartilage, l'eau est expulsée de ces régions chargées, jusqu'à ce que des forces de répulsion entre charges s'opposent à une compression plus grande. Quand il n'y a plus de pression, l'eau revient.

En fait, le cartilage des articulations, qui n'ont pas de vaisseaux sanguins, est nourri par ce flux de liquide provoqué par les mouvements du corps. Cela explique pourquoi de longues périodes d'inactivité amincissent le cartilage et le fragilisent.

b. Les protéoglycanes modulent les effets des facteurs de croissance protéiques

Les protéoglycanes sont impliqués dans plusieurs processus cellulaires. Par exemple, le **facteur de croissance des fibroblastes** (**FGF** ; les facteurs de croissance sont des protéines dont la fonction est de provoquer la multiplication et/ou la différentiation de leurs cellules cibles spécifiques ; Section 19-3A) se lie à l'héparine ou aux chaînes d'héparane sulfate de protéoglycanes et il ne se lie à son récepteur de surface cellulaire que sous forme de complexe avec ces glycosaminoglycanes. Puisque la liaison du FGF à l'héparine ou l'héparane sulfate empêche le FGF d'être dégradé, la libération de ce facteur de croissance de la matrice extracellulaire, suite à la protéolyse des protéines centrales des protéoglycanes ou à la dégradation partielle de l'héparane sulfate, fournit probablement une source importante de complexes actifs de FGF-glycosaminoglycane. Plusieurs autres facteurs de croissance interagissent de façon semblable avec des protéoglycanes. Il semble que la distribution abondante et ubiquitaire des protéoglycanes limite l'action de ces facteurs de croissance aux cellules cibles proches des cellules qui sécrètent les facteurs de croissance, un phénomène qui, sans doute, a une grande influence sur la formation et le maintien de l'architecture des tissus.

B. *Parois des cellules bactériennes*

Les bactéries sont entourées de parois cellulaires rigides (Fig. 1-13) qui leur donnent leurs formes caractéristiques (Fig. 1-1) et leur permet de vivre dans des environnements hypotoniques (dont la concentration en sels est inférieure à leurs concentrations salines intracellulaires), sans quoi elles subiraient un gonflement osmotique jusqu'à ce que leurs membranes cellulaires éclatent. Les parois des cellules bactériennes ont un intérêt médical considérable car elles sont responsables de la **virulence** bactérienne (le pouvoir pathogène). En fait, on peut provoquer chez l'animal les symptômes de beaucoup de maladies bactériennes par simple injection de parois de cellules bactériennes. De plus, les **antigènes** caractéristiques (marqueurs immunologiques ; Section 35-2) des bactéries sont des constituants de leurs parois cellulaires si bien que l'injection de préparations de parois cellulaires de bactéries à un animal lui confère souvent l'immunité contre ces bactéries.

On distingue les bactéries **Gram positif et Gram négatif**, selon qu'elles absorbent ou qu'elles n'absorbent pas le colorant de Gram (Section 1-1B). Les bactéries Gram positif (Fig. 11-23*a*) ont une paroi cellulaire épaisse (environ 250 Å) qui entoure leur membrane plasmique, tandis que les bactéries Gram négatif (Fig. 11-23*b*) ont une paroi cellulaire mince (environ 30 Å) entourée d'une membrane externe complexe.

a. Les parois cellulaires des bactéries contiennent un réseau de peptidoglycanes

Les parois cellulaires des bactéries Gram positif et Gram négatif sont constituées de polysaccharides et de chaînes polypeptidiques liés par covalence et qui forment une molécule en forme de sac enfermant complètement la cellule. Ce réseau, dont la structure

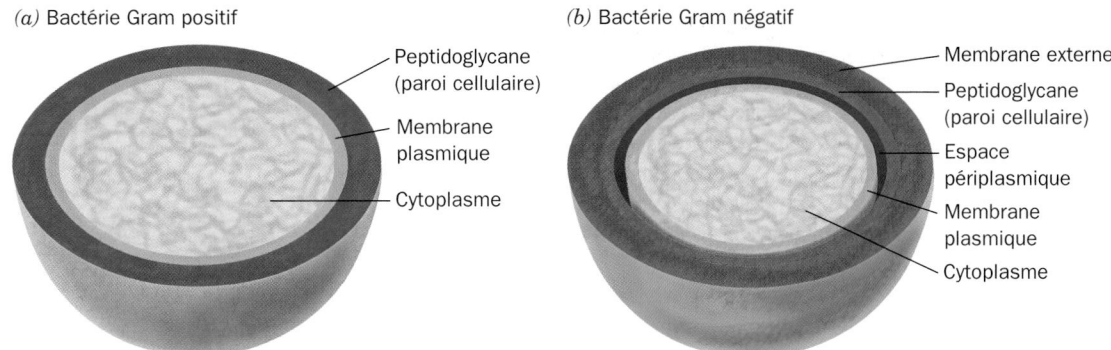

FIGURE 11-23 Représentation schématique comparant les enveloppes cellulaires de (*a*) une bactérie Gram positif et (*b*) une bactérie Gram négatif.

a été élucidée en grande partie par Jack Strominger, est appelé un **peptidoglycane** ou une **muréine** (du latin *murus*, mur). Son constituant polysaccharidique est formé de chaînes linéaires où alternent la *N*-acétylglucosamine (**NAG**) et l'acide *N*-acétylmuramique (**NAM**) réunis par des liaisons β(1 → 4). Le résidu acide

lactique du NAM forme une liaison amide avec un tétrapeptide qui contient un D-aminoacide, ce qui donne l'unité répétitive du peptidoglycane (Fig. 11-24). Des chaînes de peptidoglycanes voisines et parallèles établissent des liaisons croisées covalentes par l'intermédiaire des chaînes latérales du tétrapeptide. Dans la bactérie

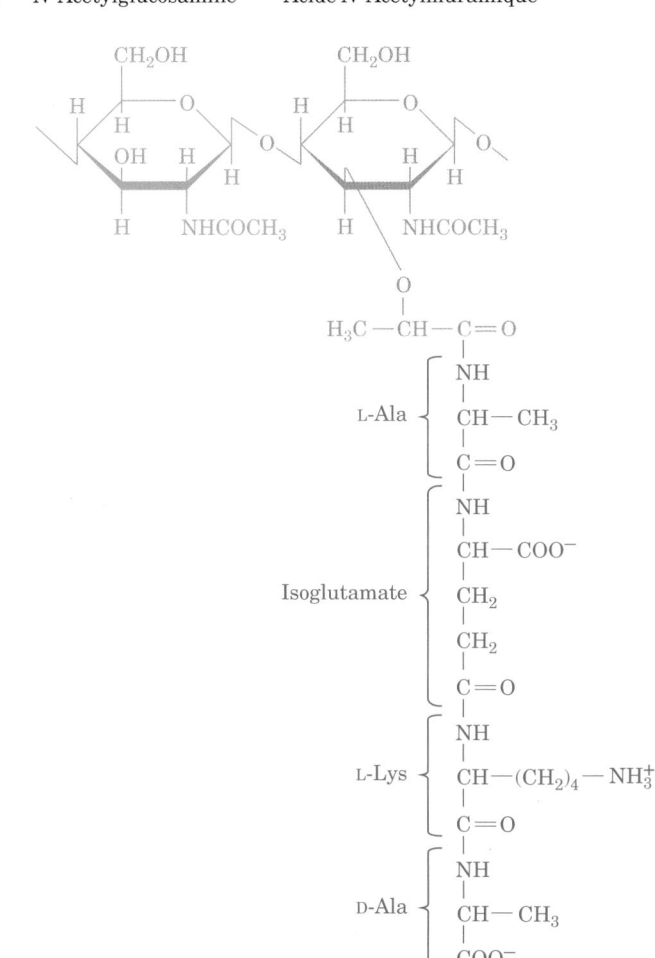

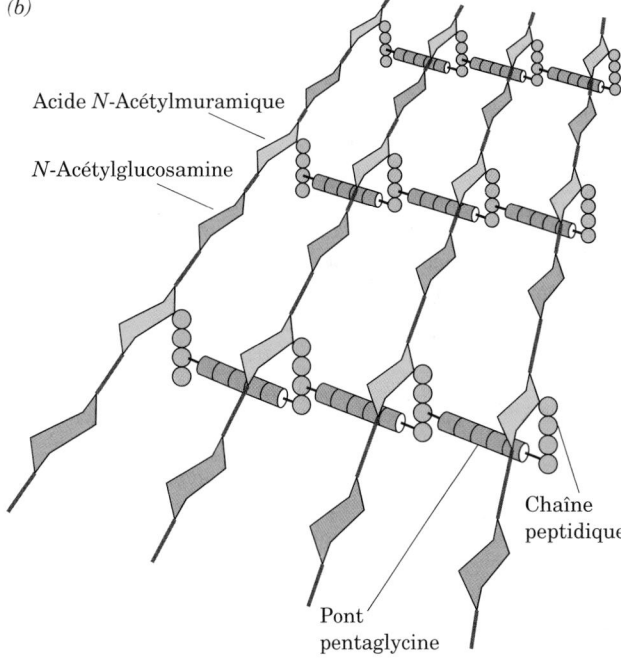

FIGURE 11-24 Structure chimique d'un peptidoglycane. (*a*) L'unité répétitive du peptidoglycane est un disaccharide NAG-NAM dont la chaîne latérale lactyl forme une liaison amide avec un tétrapeptide. Le tétrapeptide de *S. aureus* est représenté. Le terme isoglutamate signifie qu'il se forme une liaison peptidique avec le groupement γ–carboxylique de Glu. Dans certaines espèces, son groupement α-carboxylique est remplacé par un groupement amide, ce qui donne la D-isoglutamine, et le résidu L-Lys peut, ou non, avoir un groupement carboxylique substitué sur son C_ε pour donner l'**acide diaminopimélique**. (*b*) Le peptidoglycane de la paroi cellulaire de *S. aureus*. Chez d'autres bactéries Gram positif, les ponts de connexion pentaGly représentés ici peuvent contenir différents acides aminés tels que Ala ou Ser. Chez les bactéries Gram négatif, les chaînes peptidiques sont liées directement par des liaisons peptidiques.

Gram positif *Staphylococcus aureus,* dont la séquence du tétra-peptide est L-Ala-D-isoglutamyl-L-Lys-D-Ala, cette liaison croisée est assurée par une chaîne de pentaglycine qui va du groupement C-terminal d'un tétrapeptide jusqu'au groupement ε–amino du résidu Lys d'un tétrapeptide voisin. La paroi cellulaire bactérienne est formée de plusieurs couches concentriques de peptidoglycanes qui forment probablement des liaisons croisées dans la troisième dimension ; les bactéries Gram positif peuvent avoir jusqu'à 20 couches de ce genre.

La présence de D-aminoacides rend les peptidoglycanes résistants aux protéases. Cependant, le **lysozyme**, une enzyme que l'on trouve dans les larmes, le mucus, et d'autres sécrétions corporelles ainsi que dans le blanc d'œuf, catalyse l'hydrolyse de la liaison glycosidique $\beta(1 \rightarrow 4)$ entre le NAM et le NAG. Par conséquent, le traitement de bactéries Gram positif avec le lysozyme détruit leurs parois cellulaires, ce qui entraîne la lyse de la cellule (les bactéries Gram négatif sont résistantes au lysozyme). Le lysozyme fut découvert par le bactériologiste anglais Alexander Fleming en 1922 après qu'il se soit aperçu qu'une colonie bactérienne n'avait pas survécu à la projection de mucus nasal due à un éternuement. Fleming espérait alors que le lysozyme serait un antibiotique universel mais, malheureusement, il s'avéra d'usage clinique inefficace contre les bactéries pathogènes. La structure et le mécanisme d'action du lysozyme seront étudiés en détail dans la Section 15-2.

b. La pénicilline tue les bactéries en inhibant la biosynthèse de leur paroi cellulaire

En 1928, Fleming remarqua que la contamination accidentelle d'une culture bactérienne par la moisissure *Penicillium notatum* avait lysé les bactéries touchées (une illustration de la maxime de Pasteur : la chance favorise un esprit averti). Cela était dû à la **pénicilline** (Fig. 11-25), un antibiotique sécrété par la moisissure. Cependant, en raison des difficultés d'isolement et de caractérisation de la pénicilline dues à son instabilité, il fallut attendre plus de 15 ans avant que la pénicilline ne soit utilisée couramment en médecine clinique. La pénicilline inactive, en s'y liant, les enzymes qui permettent la formation de liaisons croisées entre les chaînes de peptidoglycanes des parois cellulaires. Puisque le développement des parois cellulaires nécessite aussi l'intervention d'enzymes qui dégradent les parois cellulaires, *des bactéries en croissance sont lysées par la pénicilline ;* autrement dit, la pénicilline détruit l'équilibre normal entre biosynthèse et dégradation des parois cellulaires. De plus, puisqu'aucune enzyme humaine ne lie la pénicilline, elle n'est que très peu toxique pour l'homme, un gros avantage en thérapeutique.

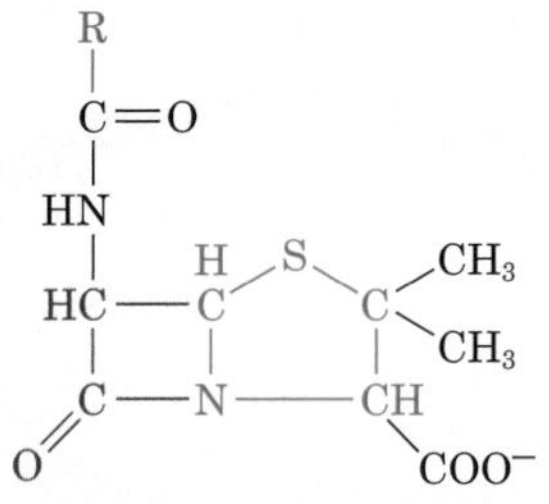

Pénicilline

FIGURE 11-25 Structure de la pénicilline. La pénicilline contient un noyau thiazolidine (*en rouge*) accolé à un noyau β-lactame (*en bleu*). Un groupement R variable est lié au noyau β-lactame par une liaison peptidique. Dans la benzyl pénicilline (pénicilline G), un des dérivés naturels cliniquement efficaces, R est le groupement benzyle (—CH₂φ). Dans l'**ampicilline,** un dérivé hémisynthétique, R est le groupe aminobenzyle [—CH(NH₂)φ].

Des bactéries traitées par de la pénicilline et maintenues dans un milieu hypertonique restent intactes, bien qu'elles n'aient plus de parois cellulaires. De telles bactéries, appelées **protoplastes** ou **sphéroplastes**, sont sphériques et très fragiles car elles ne sont limitées que par leurs membranes plasmiques. Les protoplastes sont immédiatement lysés si on les transfère dans un milieu normal.

La plupart des bactéries résistantes à la pénicilline sécrètent la **pénicillinase**, qui inactive la pénicilline en hydrolysant la liaison amide de son noyau β-lactame (Fig. 11-26). Cependant, le fait que l'activité de la pénicillinase varie avec la nature du groupement R de la pénicilline a conduit à l'hémisynthèse de pénicillines, comme l'**ampicilline** (Fig. 11-25), qui sont cliniquement efficaces sur des souches de bactéries résistantes à la pénicilline.

c. Les parois bactériennes sont garnies de groupements antigéniques

La surface des bactéries Gram positif est couverte d'**acides teichoïques** (du grec *teichos,* murs de la cité), qui représentent jusqu'à 50 % du poids sec des parois cellulaires. Les acides teichoïques sont des polymères de glycérol ou de ribitol liés par des ponts phosphodiester (Fig. 11-27). Les groupements hydroxyles de ces chaînes sucre-phosphate sont substitués par des résidus D-Ala et des saccharides comme le glucose ou la NAG. Les acides teichoïques sont ancrés aux peptidoglycanes par des liaisons phosphodiester aux groupements C6 OH de leurs résidus NAG. Ils se

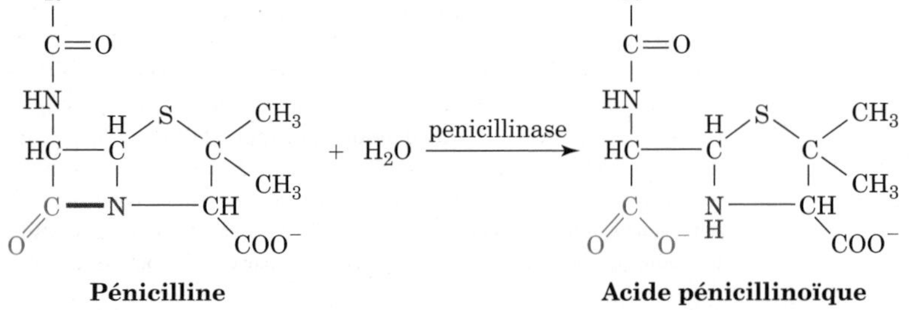

Pénicilline   **Acide pénicillinoïque**

FIGURE 11-26 Inactivation enzymatique de la pénicilline. La pénicillinase inactive la pénicilline en catalysant l'hydrolyse du noyau β-lactame pour donner l'**acide pénicillinoïque.**

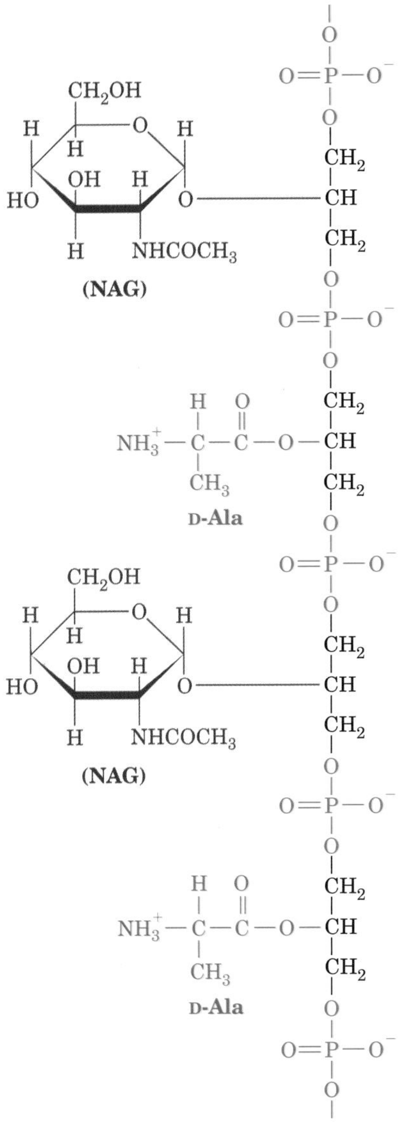

FIGURE 11-27 Structure de l'acide teichoïque. Un fragment d'acide teichoïque avec le squelette glycérol-phosphate qui porte en alternance des résidus D-Ala et NAG.

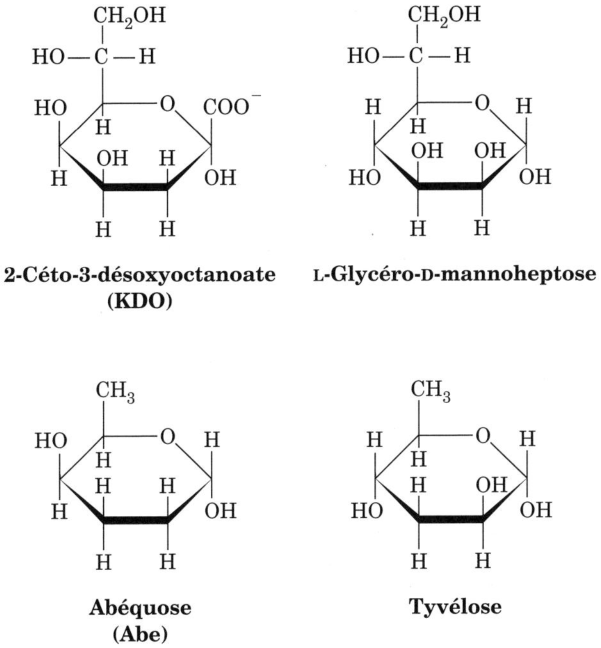

FIGURE 11-28 Quelques monosaccharides rares que l'on trouve dans les antigènes O des bactéries Gram négatif. On trouve rarement ces sucres chez d'autres organismes.

terminent souvent par des **lipopolysaccharides** (lipides qui contiennent des polysaccharides ; Section 12-1).

Les membranes externes des bactéries Gram négatif (Fig. 11-23*b*) sont formées de lipopolysaccharides complexes, de protéines, et de phospholipides disposés de façon compliquée. L'**espace périplasmique,** compartiment aqueux situé entre la membrane plasmique et la paroi cellulaire de peptidoglycane, contient des protéines qui transportent des sucres et d'autres nutriments. La membrane externe joue un rôle de barrière qui exclut des substances nuisibles (comme le colorant de Gram). Ceci explique pourquoi ces bactéries sont moins affectées que les bactéries Gram positif par le lysozyme, la pénicilline, et d'autres antibiotiques.

Les surfaces externes des bactéries Gram négatif sont recouvertes de polysaccharides rares appelés **antigènes O** qui sont spécifiques de chaque souche bactérienne (Fig. 11-28). Le fait que des souches mutantes de bactéries pathogènes dépourvues d'antigènes O ne sont pas pathogènes, suggère que les antigènes O sont impliqués dans la reconnaissance des cellules hôtes. Les antigènes O, comme leur nom l'indique, permettent aussi au système de défense immunitaire de l'hôte de reconnaître comme étrangères des bactéries infectieuses (Section 35-2A). En ce qui concerne la guerre biologique incessante entre le pathogène et l'hôte, les antigènes O sont sujets à des modifications fréquentes par mutations, ce qui conduit à de nouvelles souches de bactéries que l'hôte ne reconnaît pas dans un premier temps (les mutations portent sur les gènes qui spécifient les enzymes de synthèse des antigènes O).

C. *Structure et fonctions des glycoprotéines*

a. **Les chaînes glucidiques des glycoprotéines sont très variées**

Presque toutes les protéines sécrétées ou associées aux membranes des cellules eucaryotes sont glycosylées. En réalité, la glycosylation des protéines est la plus fréquente de toutes les modifications post-traductionnelles réunies. Les oligosaccharides ont deux possibilités de se lier directement à ces protéines, par **liaison à N** ou par **liaison à O.** Les analyses de séquences des glycoprotéines ont conduit aux généralisations suivantes concernant ces liaisons.

1. *Pour les liaisons N-glycosidiques (liaisons à N), une NAG est toujours unie par une liaison β à l'azote de l'amide d'une Asn qui se trouve dans les séquences Asn-X-Ser ou Asn-X-Thr, où X est*

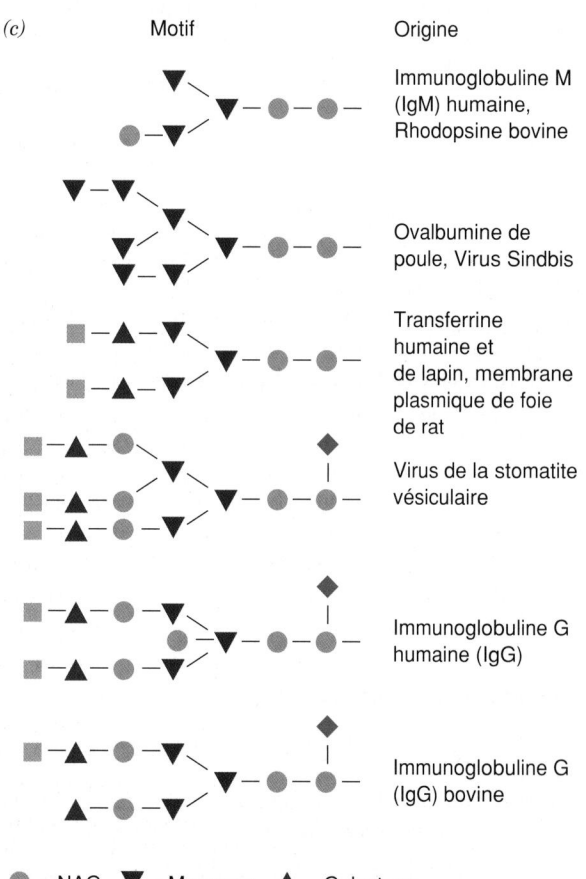

(a)

(NAG)

(b)

$Man\alpha\ (1 \longrightarrow 6)$
$Man\alpha\ (1 \longrightarrow 3)$ $\Bigg\rangle$ $Man\ \beta\ (1 \longrightarrow 4)\ NAG\ \beta\ (1 \longrightarrow 4)\ NAG-$

(c)

Motif	Origine
	Immunoglobuline M (IgM) humaine, Rhodopsine bovine
	Ovalbumine de poule, Virus Sindbis
	Transferrine humaine et de lapin, membrane plasmique de foie de rat
	Virus de la stomatite vésiculaire
	Immunoglobuline G humaine (IgG)
	Immunoglobuline G (IgG) bovine

● = NAG, ▼ = Mannose, ▲ = Galactose,
■ = Acide *N*-Acétylneuraminique, ◆ = Fucose

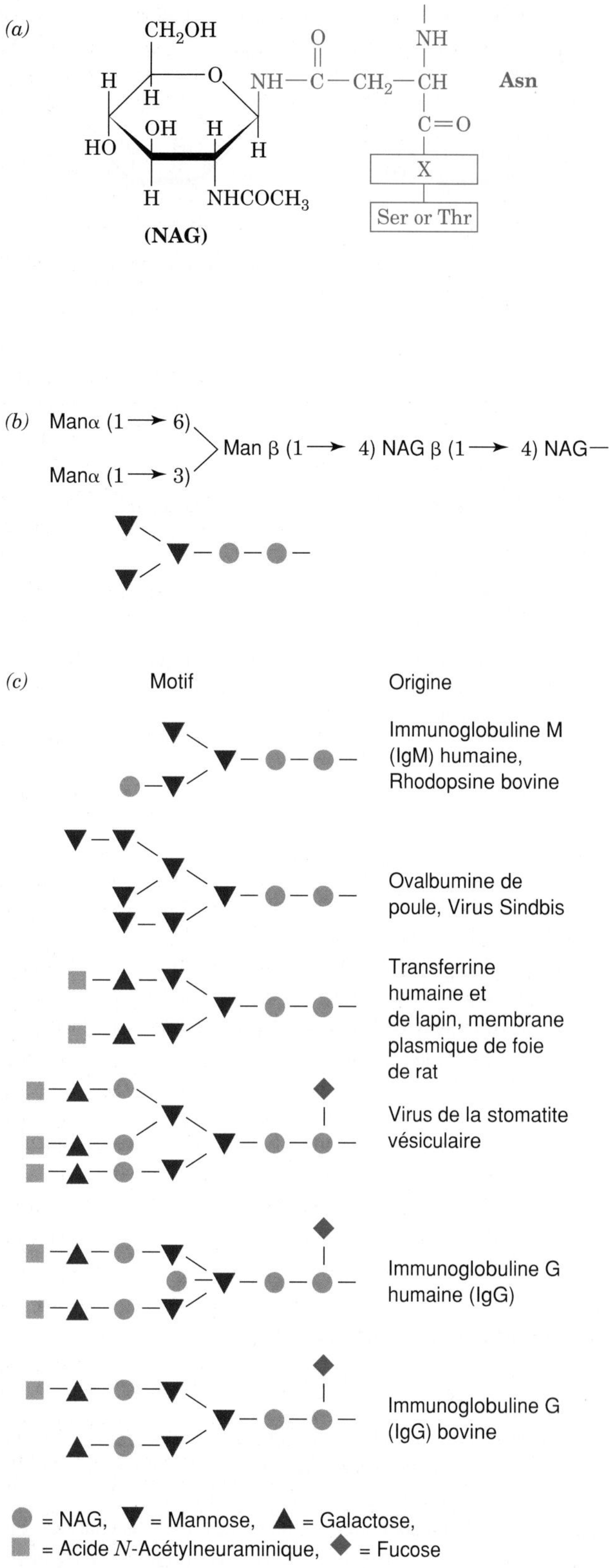

FIGURE 11-29 **Oligosaccharides liés à *N*.** (*a*) Toutes les liaisons *N*-glycosidiques aux glycoprotéines se font par une liaison β-*N*-acétylglucosamino-Asn où Asn se trouve dans la séquence Asn-X-Ser/Thr (*en rouge*), X étant n'importe quel acide aminé. (*b*) Les oligosaccharides liés à *N* ont généralement le cœur branché représenté : (mannose)₃(NAG)₂. (*c*) Quelques exemples d'oligosaccharides liés à *N*. [D'après Sharon, N. and Lis, H., *Chem. Eng. News* **59**(13) : 28 (1981).]

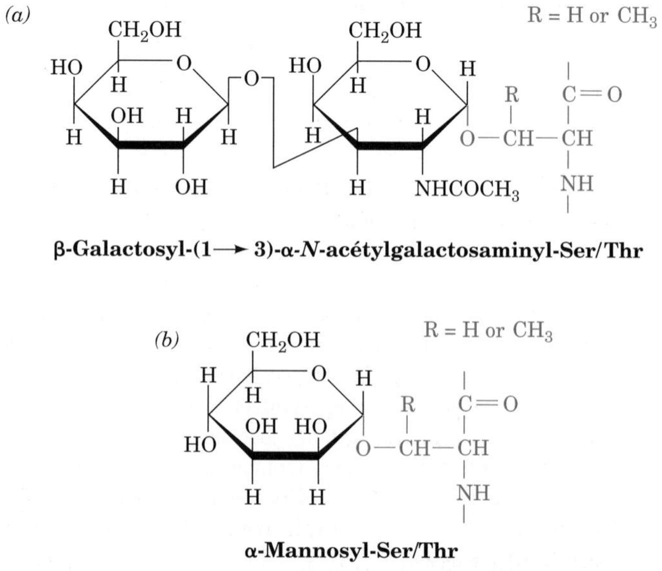

n'importe quel résidu d'acide aminé sauf *Pro* et rarement *Asp, Glu, Leu* ou *Trp (Fig. 11-29a)*. Généralement, les oligosaccharides de ces liaisons ont un **cœur** caractéristique (la séquence la plus interne ; Fig. 11-29*b*) dont les résidus mannose périphériques sont liés à des résidus mannose ou NAG. Ces derniers résidus peuvent, à leur tour, être liés à d'autres résidus de sucres d'où une grande variété de *N*-oligosaccharides. Quelques exemples sont donnés dans la Fig. 11-29*c*.

2. *La liaison O-glycosidique (liaison à O) la plus fréquente fait intervenir le cœur disaccharidique β-galactosyl-(1→ 3)-α-N-acétylgalactosamine lié en position α au groupement OH de Ser ou de Thr (Fig. 11-30a).* Moins fréquemment, on trouve le galactose, le mannose ou le xylose qui forment des α-O-glycosides avec Ser ou Thr (Fig. 11-30*b*). Le galactose forme aussi des liaisons *O*-glycosidiques avec les résidus 5-hydroxylysyl du collagène (Section 8-2B). Cependant, il semble qu'il y ait peu, sinon pas du tout, d'autres généralisations possibles concernant les oligosaccharides liés à *O*. Ils varient en taille, depuis un seul résidu de galactose dans le collagène jusqu'à des chaînes qui peuvent atteindre 1000 unités disaccharidiques avec les protéoglycanes.

Les oligosaccharides se lient essentiellement aux protéines au niveau de coudes β. Compte tenu de leur caractère hydrophile, cette observation suggère que *les oligosaccharides se projettent à la surface des protéines plutôt qu'ils ne participent à leurs structures internes.* Cette hypothèse est compatible avec les quelques rares structures de glycoprotéines obtenues par rayons X, par exemple celles d'une **immunoglobuline G** (Section 35-2B) et de l'**hémagglutinine** du virus de l'influenza (Section 33-4B). Elle concorde avec l'observation que les structures protéiques des glycoprotéines ne sont pas modifiées si on enlève leurs oligosaccharides associés.

Des études aussi bien théoriques qu'expérimentales montrent que les oligosaccharides ont des conformations mobiles et qui

(a)

R = H or CH₃

β-Galactosyl-(1→ 3)-α-N-acétylgalactosaminyl-Ser/Thr

(b)

R = H or CH₃

α-Mannosyl-Ser/Thr

FIGURE 11-30 Quelques liaisons *O*-glycosidiques courantes d'oligosaccharides aux glycoprotéines (*en rouge*).

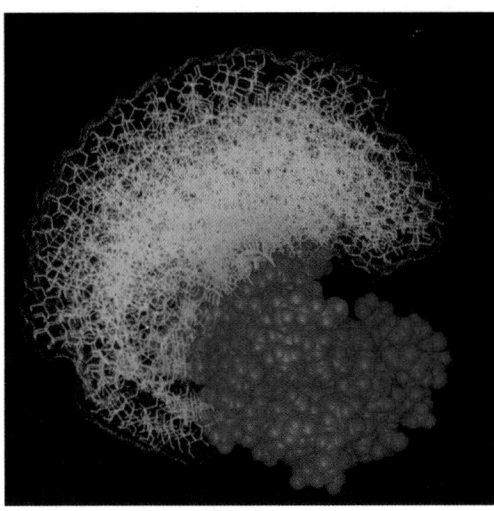

FIGURE 11-31 Dynamique moléculaire de l'oligosaccharide de la ribonucléase B pancréatique bovine (ARNase B). Les conformations permises de l'oligosaccharide (mannose)₅(NAG)₂ (*en jaune*) lié à un site unique de la protéine (*en violet*) sont représentées à partir d'instantanés superposés. [Avec la permission de Raymond Dwek, Oxford University.]

changent rapidement (Fig. 11-31). Par conséquent, des représentations où l'on voit les oligosaccharides avec des structures tridimensionnelles fixes n'en donnent qu'une vision imparfaite.

b. Les glycoprotéines *N*-glycosylées présentent de nombreuses glycoformes

*Les cellules ont tendance à synthétiser une grande variété d'une même glycoprotéine N-glycosylée où chaque espèce différente (**glycoforme**) diffère quelque peu dans les séquences, les sites de liaison et le nombre de ses oligosaccharides liés par covalence.* Par exemple, l'une des glycoprotéines les plus simples, la **ribonucléase B (ARNase B)** de pancréas bovin, diffère de l'enzyme ARNase A (Section 9-1A) bien caractérisée et dépourvue d'oligosaccharide, par la présence d'une seule chaîne oligosaccharidique liée à *N*. L'oligosaccharide possède la structure centrale représentée dans la Fig. 11-32 avec une microhétérogénéité considérable dans la position d'un sixième résidu de mannose. Néanmoins, l'oligosaccharide ne semble pas affecter la conformation, la spécificité vis-à-vis du substrat, ou les propriétés catalytiques de l'ARNase B. Par contre, le **facteur stimulant les colonies de macrophages et de granulocytes (GM-CSF)**,

un facteur de croissance protéique de 127 résidus d'acide aminé qui permet le développement, l'activation et la survie de globules blancs du sang appelés **granulocytes** et **macrophages**, est glycosylé de façon variable au niveau de deux sites de liaison à *N* et de cinq sites de liaison à *O*. L'étude de variétés mutantes de GM-CSF auxquelles il manque l'un ou les deux sites de *N*-glycosylation, a montré que la durée de vie du GM-CSF dans la circulation augmente avec son degré de glycosylation. Cependant, le GM-CSF produit par *E. coli*, qui n'est donc pas glycosylé (les bactéries ne glycosylent pas les protéines qu'elles synthétisent), a une activité biologique spécifique 20 fois supérieure au GM-CSF glycosylé naturel.

Comme le suggèrent les exemples précédents, aucune généralisation quant aux effets de la glycosylation sur les propriétés des protéines ne peut être faite ; il faut déterminer par l'expérience et au cas par cas ces effets éventuels. Cependant, il devient de plus en plus évident que la glycosylation peut affecter les propriétés des protéines de plusieurs façons : repliement, oligomérisation, stabilité physique, activité biologique spécifique, vitesse de clairance du courant sanguin et résistance aux protéases. Ainsi, *la distribution spécifique des glycoformes — selon les espèces et selon les tissus — que chaque cellule synthétise lui confère un spectre de propriétés biologiques caractéristiques.*

c. Les glycoprotéines *O*-glycosylées assurent souvent des fonctions de protection

Les polysaccharides en liaison à *O* ne sont pas répartis uniformément le long des chaînes polypeptidiques. On les trouve plutôt regroupés dans des segments fortement glycosylés (65 à 85 % de glucides en poids) où les résidus Ser et Thr glycosylés représentent 25 à 40 % de la séquence. Les interactions hydrophiles et stériques des glucides obligent ces régions très glycosylées, également riches en résidus Pro et autres résidus défavorables à la structure en hélice, à prendre une conformation en extension. Par exemple, les **mucines**, les constituants protéiques du **mucus**, sont des *O*-glycoprotéines de très grande taille (jusqu'à 10⁷ D) dont les chaînes oligosaccharidiques sont souvent sulfatées et se repoussent donc mutuellement. Les mucines, qui peuvent être liées aux membranes ou sécrétées, sont donc formées de chaînes rigides dépourvues de structure secondaire, qui occupent en moyenne des volumes proches de ceux de petites bactéries. Par conséquent, les mucines en concentrations physiologiques forment des réseaux enchevêtrés composés de gels visqueux et élastiques qui protègent et lubrifient les membranes muqueuses qui les produisent.

Les cellules eucaryotes, comme nous le verrons dans la Section 12-3D, présentent à leur surface une couche épaisse assez mal définie de glycoprotéines et de **glycolipides** appelée le **glycocalyx** qui empêche l'approche de macromolécules et d'autres cellules. Comment les cellules peuvent-elles donc interagir entre elles ? Beaucoup de protéines de surface, les récepteurs de nombreuses macromolécules par exemple, présentent des régions *O*-glycosylées de taille relativement petite et, sans doute, rigides qui réunissent les domaines membranaires des glycoprotéines à leurs domaines fonctionnels. On pense que cette disposition prolonge les domaines fonctionnels au-dessus du glycocalyx compact et dense de la cellule, permettant ainsi au domaine fonctionnel d'interagir avec les macromolécules extracellulaires qui ne peuvent pénétrer dans le glycocalyx.

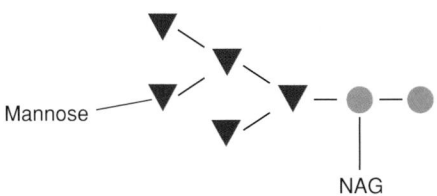

Mannose

NAG

FIGURE 11-32 L'oligosaccharide microhétérogène lié à *N* de l'ARNase B possède le cœur (mannose)₅(NAG)₂ représenté ici. Un sixième résidu mannose s'y ajoute en position variable.

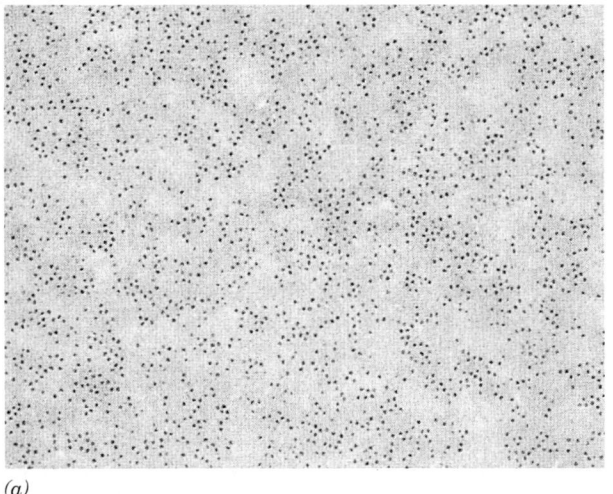

(a)

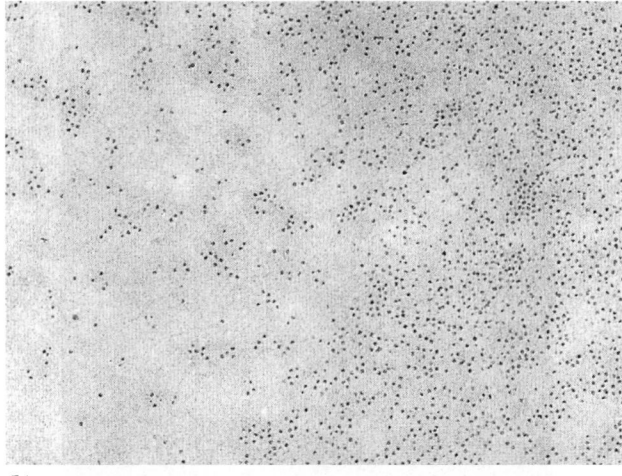

(b)

FIGURE 11-33 Les surfaces de (*a*) une cellule normale de souris, et (*b*) une cellule cancéreuse, vues en microscopie électronique. Les deux cellules ont été incubées avec la lectine concanavaline A conjuguée à de la ferritine. La lectine est répartie de façon homogène sur la cellule nor-

male mais est agrégée en amas sur la cellule cancéreuse. [Avec la permission de Garth Nicholson, The Institute for Molecular Medicine, Huntington Beach, California.]

d. Les marqueurs oligosaccharidiques interviennent dans de nombreuses interactions intercellulaires

Les glycoprotéines sont des constituants importants des membranes plasmiques (Section 12-3). On peut localiser leurs motifs glucidiques par microscopie électronique. Pour ce faire, on marque les glycoprotéines par des lectines conjuguées (liaisons croisées covalentes) à la **ferritine**, protéine de transport du fer bien visible en microscopie électronique à cause de son cœur à forte densité électronique qui contient du fer hydraté. De telles expériences, faites avec des lectines de spécificités différentes et sur des cellules de différentes origines, ont montré que *les motifs oligosaccharidiques des glycoprotéines membranaires sont, en majorité, localisés sur le côté externe de la membrane cellulaire*. Ainsi, la viabilité des cellules en culture d'organismes pluricellulaires ayant subi une mutation de glycosylation (on a étudié un très grand nombre de ces mutations), comparée à la faible viabilité des organismes porteurs de la même mutation, indique que les oligosaccharides jouent un rôle important dans les communications intercellulaires mais n'interviennent pas dans les fonctions « d'entretien » intracellulaires.

Que la composition en oligosaccharides d'une glycoprotéine décide de son destin métabolique confirme que les oligosaccharides servent de marqueurs biologiques. Par exemple, l'excision par la **sialidase** de résidus d'acide sialique de certaines glycoprotéines du plasma sanguin marquées radioactivement, augmente fortement la vitesse à laquelle ces glycoprotéines sont retirées de la circulation. En effet, les glycoprotéines sont captées et dégradées par le foie en vertu d'un mécanisme qui fait intervenir des récepteurs des cellules hépatiques reconnaissant des résidus glucidiques comme le galactose et le mannose, lesquels se trouvent exposés après l'excision de l'acide sialique. Il existe une série de récepteurs, chacun spécifique d'un résidu de sucre particulier, qui permettent de retirer de la circulation une glycoprotéine donnée. L'existence de plusieurs glycoformes d'une glycoprotéine donnée confère à celle-ci une durée de vie variable dans le sang. *Des système « d'étiquettage » de ce type sont probablement à l'origine de la compartimentation et de la dégradation des glycoprotéines dans les cellules.*

La découverte que les cellules cancéreuses sont plus facilement agglutinées par les lectines que les cellules normales a permis d'établir que *des différences importantes existent quant à la répartition des oligosaccharides à la surface cellulaire des cellules cancéreuses et des cellules normales* (Fig. 11-33). Les cellules normales cessent de se multiplier sitôt qu'elles se touchent,

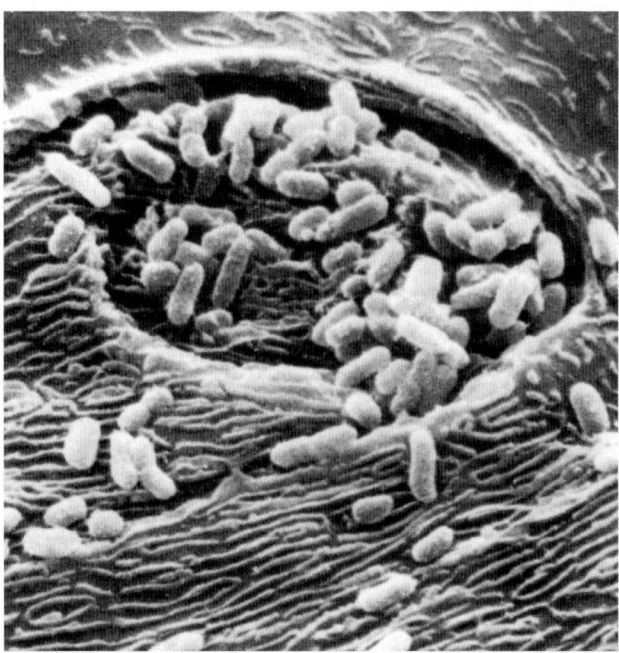

FIGURE 11-34 Micrographie électronique à balayage de muqueuse de joue humaine. Les objets cylindriques blancs sont des *E. coli.* Les bactéries adhèrent à des résidus mannose incorporés à la membrane plasmique des cellules de la muqueuse. C'est le premier stade d'une infection bactérienne. [Avec la permission de Fredric Silverblatt et de Craig Kuehn, Veterans Administration Hospital, Sepulveda, California.]

phénomène appelé **inhibition de contact.** Les cellules cancéreuses, par contre, ne sont pas soumises à ce contrôle, d'où la formation de **tumeurs malignes.**

Les glucides sont des médiateurs importants pour les reconnaissances entre cellules et sont impliqués dans des processus apparentés tels que la fécondation, la différenciation cellulaire, le rassemblement de cellules pour former des organes, et l'infection des cellules par des bactéries et des virus. Par exemple, les bactéries amorcent l'infection en s'attachant aux cellules hôtes (Fig. 11-34) grâce à des protéines bactériennes appelées **adhésines**, chacune se liant spécifiquement à des molécules de la cellule hôte (les récepteurs de l'adhésine). Chez les bactéries Gram négatif comme *E. coli*, les adhésines sont souvent des constituants mineurs des organites en forme de bâtonnets hétéropolymérisés appelés pili (Fig. 1-3b). Les pili appelés pili P qui assurent l'adhérence d'*E. coli,* provoquant l'infection des voies urinaires chez l'homme, se lient par l'intermédiaire d'une adhésine appelée protéine **PapG.** Cette protéine se lie spécifiquement aux groupements α-D-galactopyranosyl-(1 → 4)-β-D-galactopyranose, présents à la surface des cellules épithéliales des voies urinaires. Des études par microscopie électronique ont montré que l'adhésine PapG est localisée à l'extrémité du bout flexible des pili P, assurant ainsi à cette adhésine un degré de liberté considérable pour se lier à son récepteur digalactoside.

RÉSUMÉ DU CHAPITRE

Les glucides sont des aldéhydes ou des cétones polyhydroxylés de formule brute approximative $(C \cdot H_2O)_n$ et ils représentent des constituants importants des systèmes biologiques.

1 ■ Monosaccharides Les monosaccharides, tels le ribose, le fructose, le glucose, et le mannose diffèrent selon leur nombre d'atomes de carbone, les positions de leur groupement carbonyle, et leurs configurations diastéréoisomériques. Ces sucres se trouvent essentiellement sous forme d'hémiacétals ou hémicétals cycliques qui, pour les cycles à 5 et 6 atomes, sont appelés respectivement furanoses et pyranoses. Les deux formes anomériques de ces sucres cycliques peuvent s'interconvertir par mutarotation. Les sucres pyranosiques ont des cycles non plan qui peuvent prendre les conformations chaise ou bateau, identiques à celles de cyclohexanes substitués. Les polysaccharides sont formés d'unités monosaccharidiques reliées entre elles par des liaisons glycosidiques. Les liaisons glycosidiques ne subissent pas de mutarotation. Les monosaccharides peuvent être oxydés en acides aldoniques ou glycuroniques, ou réduits en alditols. Dans les sucres désoxy, un groupement OH est remplacé par un H, et dans les sucres aminés un OH est remplacé par un groupement amine.

2 ■ Polysaccharides Les glucides peuvent être purifiés par les techniques de chromatographie et d'électrophorèse. La chromatographie d'affinité qui utilise des lectines est particulièrement utile à cet égard. Les séquences et les modes de liaison peuvent être déterminés par analyse de méthylation et par l'utilisation d'exoglycosidases spécifiques. On peut obtenir des renseignements identiques par spectroscopie RMN et/ou spectrométrie de masse. La cellulose, le polysaccharide structural des parois cellulaires des plantes, est un polymère linéaire de résidus de D-glucose réunis par des liaisons β(1 → 4). Elle forme une structure fibreuse riche en liaisons hydrogène d'une résistance exceptionnelle qui, dans les cellules végétales, est enrobée d'une matrice amorphe. L'amidon, le polysaccharide nutritionnel de réserve des plantes, est constitué d'un mélange du glucane α-amylose, formé d'unités glucose liées par des liaisons α(1 → 4), et d'amylopectine, où, en plus des liaisons α(1 → 4), on trouve des points de branchement α(1 → 6) entre résidus glucose. Le glycogène, le polysaccharide de réserve animal, ressemble à l'amylopectine mais est plus branché. La digestion de l'amidon et du glycogène est amorcée par des α-amylases et est complétée par des enzymes membranaires spécifiques de l'intestin.

3 ■ Glycoprotéines Les protéoglycanes de la substance fondamentale sont des agrégats de masse moléculaire très élevée, dont beaucoup ont la forme d'un goupillon. Leurs sous-unités protéoglycanes sont formées d'un cœur protéique (ou protéine centrale) auquel sont liés par covalence des glycosaminoglycanes, généralement la chondroïtine sulfate et le kératane sulfate. La charpente rigide de la paroi d'une cellule bactérienne est formée de chaînes où alternent de la NAG et du NAM réunis par des liaisons β(1 → 4) qui établissent des liaisons croisées avec de petits peptides pour former une molécule de peptidoglycane en forme de sac qui enferme la bactérie. Le lysozyme scinde les liaisons glycosidiques entre le NAM et la NAG du peptidoglycane. La pénicilline inactive spécifiquement les enzymes qui forment les liaisons croisées des peptidoglycanes. Ces deux substances provoquent la lyse des bactéries non résistantes. Les bactéries Gram positif possèdent des acides teichoïques qui sont liés par covalence à leurs peptidoglycanes. Les bactéries Gram négatif ont des membranes externes qui portent des polysaccharides complexes et rares appelés antigènes O. Ceux-ci participent à la reconnaissance des cellules hôtes et sont importants dans la reconnaissance immunologique des bactéries par l'hôte. Il n'existe qu'un petit nombre de types de liaison des oligosaccharides aux protéines eucaryotes. Pour les liaisons *N*-glycosidiques, une NAG est liée invariablement à l'azote du groupement amide d'une Asn dans une séquence Asn-X-Ser(Thr). Les liaisons *O*-glycosidiques se font avec Ser ou Thr dans la plupart des protéines et avec l'hydroxylysine dans le collagène.

Les oligosaccharides sont localisés à la surface des glycoprotéines. Les glycoprotéines ont des fonctions qui couvrent l'ensemble des activités des protéines, mais on commence tout juste à comprendre les rôles des parties oligosaccharidiques. Par exemple, l'ARNase B diffère de l'ARNase A par la présence dans la première d'un motif oligosaccharidique de séquence variable, alors que ces deux ARNases sont fonctionnellement identiques ; par contre, les propriétés biologiques du facteur stimulant les colonies de macrophages et de granulocytes sont affectées par ses multiples chaînes oligosaccharidiques. Les propriétés viscoélastiques et donc protectrices du mucus sont dues essentiellement aux très nombreuses charges négatives des groupements oligosaccharidiques portés par les mucines. Les parties glucidiques des glycoprotéines des membranes plasmiques sont invariablement localisées sur le côté externe des membranes. La partie glucidique d'une glycoprotéine peut diriger sa destinée métabolique en provoquant son retrait de la circulation par certaines cellules ou certains compartiments cellulaires. Les glycoprotéines sont également impliquées dans les reconnaissances entre cellules et, dans de nombreux cas, elles constituent des récepteurs qui permettent l'adhérence des bactéries, par l'intermédiaire des adhésines, aux stades précoces de l'infection.

◼ RÉFÉRENCES

GÉNÉRALITÉS

Allen, H.J. and Kisailus, E.C. (Eds.), *Glycoconjugates. Composition, Structure, and Function,* Marcel Dekker (1992).

Aspinall, G.O. (Ed.), *The Polysaccharides,*Vols. 1–3, Academic Press (1982, 1983, and 1985).

Gabius, H.-J. and Gabius, S. (Eds.), *Glycosciences. Status and Perspectives,* Chapman & Hall (1997).

Solomons, T.W.G. and Fryhle, C., *Organic Chemistry* (7th ed.), Chapter 22, Wiley (2000). [Exposé général sur la nomenclature et la chimie des glucides. On peut trouver ces mêmes notions dans d'autres traités de chimie organique.]

Varki, A., Cummings, R., Esko, J., Freeze, H., Hart, G., and Marth, J. (Eds.), *Essentials of Glycobiology,* Cold Spring Harbor Laboratory Press (1999).

OLIGOSACCHARIDES ET POLYSACCHARIDES

Bayer, E.A., Chanzy, H., Lamed, R., and Shoham, Y., Cellulose, cellulases, and cellulosomes, *Curr. Opin. Struct. Biol.* **8,** 548 (1998).

Carver, J.P., Experimental structure determination of oligosaccharides, *Curr. Opin. Struct. Biol.* **1,** 716–720 (1991).

Kretchmer, M., Lactose and lactase, *Sci. Am.* **227**(4), 74–78 (1972).

Weis, W.I. and Drickamer, K., Structural basis of lectin–carbohydrate recognition, *Annu. Rev. Biochem.* **65,** 441–473 (1996).

GLYCOPROTÉINES

Bernfield, M., Götte, M., Park, P.W., Reizes, O., Fitxgerald, M.L., Linecum, J., and Zako, M., Functions of cell surface heparan sulfate proteoglycans, *Annu. Rev. Biochem.* **68,** 729–777 (1999).

Bush, C.A., Martin-Pastor, M., and Imberty, A., Structure and conformation of complex carbohydrates of glycoproteins, glycolipids, and bacterial polysaccharides, *Annu. Rev. Biophys. Biomol. Struct.* **28,** 269–293 (1999).

Caplan, A.I., Cartilage, *Sci. Am.* **251**(4), 84–94 (1984).

Chain, E., Fleming's contribution to the discovery of penicillin, *Trends Biochem. Sci.* **4,** 143–146 (1979). [Un historique par un des biochimistes qui caractérisa la pénicilline.]

Devine, P.L. and McKenzie, F.C., Mucins: Structure, function, and associations with malignancy, *BioEssays* **14,** 619–624 (1992).

Drickamer, K., Clearing up glycoprotein hormones, *Cell* **67,** 1029–1032 (1991).

Drickamer, K. and Taylor, M.E., Evolving views of protein glycosylation, *Trends Biochem. Sci.* **23,** 321–324 (1998).

Hardingham, T.E. and Fosang, A.J., Proteoglycans: Many forms and many functions, *FASEB J.* **6,** 861–870 (1992).

Hart, G.W., Glycosylation, *Curr. Opin. Cell Biol.* **4,** 1017–1023 (1992).

Iozzo, R.V., Matrix proteoglycans: From molecular design to cellular function, *Annu. Rev. Biochem.* **67,** 609–652 (1998); *and* The biology of the small leucine-rich proteoglycans, *J. Biol. Chem.* **274,** 18843–18846 (1999).

Jentoft, N., Why are proteins O-glycosylated? *Trends Biochem. Sci.* **15,** 291–294 (1990).

Jollés, P. (Ed.), *Proteoglycans,* Birkhäuser (1994).

Kjellén, L. and Lindahl, U., Proteoglycans: Structure and interactions, *Annu. Rev. Biochem.* **60,** 443–475 (1991). [Donne une idée de l'hétérogénéité structurale et fonctionnelle des protéoglycanes.]

Kuehn, M.J., Heuser, J., Normark, S., and Hultgren, S.J., P pili in uropathic *E. coli* are composite fibres with distinct fibrillar adhesive tips, *Nature* **356,** 252–255 (1992).

Parekh, R.B., Effects of glycosylation on protein function, *Curr. Opin. Struct. Biol.* **1,** 750–754 (1991).

Perez-Vilar, J. and Hill, R.L., The structure and assembly of secreted mucins, *J. Biol. Chem.* **274,** 31751–31754 (1999).

Rademacher, T.W., Parekh, R.B., and Dwek, R.A., Glycobiology, *Annu. Rev. Biochem.* **57,** 787–838 (1988). [Rôle des oligosaccharides à liaison *N* dans l'activité biologique des protéines.]

Rasmussen, J.R., Effect of glycosylation on protein function, *Curr. Opin. Struct. Biol.* **2,** 682–686 (1992).

Rudd, P.M. and Dwek, R.A., Rapid, sensitive sequencing of oligosaccharides from glycoproteins, *Curr. Opin. Biotech.* **8,** 488–497 (1997); *and* Dwek, R.A., Edge, C.J., Harvey, D.J., and Parekh, R.B., Analysis of glycoprotein-associated oligosaccharides, *Annu. Rev. Biochem.* **62,** 65–100 (1993).

Ruoslahti, E. and Yamaguchi, Y., Proteoglycans as modulators of growth factor activities, *Cell* **64,** 867–869 (1991).

Schauer, R., Sialic acids and their role as biological masks, *Trends Biochem. Sci.* **10,** 357–360 (1985).

Sharon, N. and Lis, H., Carbohydrates in cell recognition, *Sci. Am.* **268**(1), 82–89 (1993).

Wormald, M.R. and Dwek, R.A., Glycoproteins: Glycan presen-tation and protein-fold stability, *Structure* **7,** R155–R160 (1999).

◼ PROBLÈMES

Raffinose

1. Le trisaccharide ci-dessous est le **raffinose**. Quel est son nom systématique ? Est-ce un sucre réducteur ?

2. Le nom systématique du **mélèzitose** est *O*-α-D-glucopyranosyl-(1 → 3)-*O*-β-D-fructofuranosyl-(2 → 1)-α-D-glucopyranoside. Représentez sa formule moléculaire. Est-ce un sucre réducteur ?

3. Donnez le nom du D-glucose sous sa forme linéaire en utilisant le système de nomenclature de chiralité (*RS*). [Voir Section 4-2C. *N.B.* La liaison vers C1 a priorité sur la liaison vers C6.]

*4. Représentez la forme α-furanosique du D-talose et la forme β-pyranosique du L-sorbose.

5. La réduction du D-glucose par $NaBH_4$ donne un produit qui peut s'appeler L-sorbitol ou D-glucitol. Expliquez.

6. Combien y a-t-il de disaccharides différents possibles à partir de D-glucopyranose ? Combien y a-t-il de trisaccharides ?

7. Une molécule d'amylopectine est formée de 1000 résidus glucose et est branchée tous les 25 résidus. Combien y a-t-il d'extrémités réductrices ?

8. La plupart des papiers sont faits en éliminant la lignine de la pulpe de bois puis en transformant la pâte restante, constituée de fibres de cellulose sans orientation précise, en une feuille. Le papier non traité perd la plus grande partie de sa résistance lorsqu'il est imprégné d'eau mais garde sa résistance lorsqu'il est imprégné d'huile. Expliquez.

*9. Ecrivez un mécanisme réactionnel de la mutarotation du glucose catalysée par un acide.

10. Les valeurs de rotation spécifique, $[\alpha]_D^{20}$, des anomères α et β du D-galactose sont respectivement de 150,7° et 52,8°. Quel est le pouvoir rotatoire spécifique initial d'un mélange dans l'eau à 20 °C constitué de 20 % d'α-D-galactose et de 80 % de β-D-galactose ? Après plusieurs heures, le pouvoir rotatoire spécifique du mélange a atteint une valeur à l'équilibre de 80,2°. Quelle est sa composition anomérique ?

11. Donner le nom des épimères du D-gulose.

12. La méthylation exhaustive d'un trisaccharide suivie d'hydrolyse acide a donné des quantités équimolaires de 2,3,4,6-tétra-*O*-méthyl-D-galactose, de 2,3,4-tri-*O*-méthyl-D-mannose, et de 2,4,6-tri-*O*-méthyl-D-glucose. Le traitement du trisaccharide avec la β-galactosidase donne du D-galactose et un disaccharide. Le traitement de ce disaccharide avec l'α–mannosidase donne du D-mannose et du D-glucose. Représentez la structure du trisaccharide et donnez son nom systématique.

13. La β-amylase détache des unités maltose successives depuis l'extrémité non réductrice des glucanes $\alpha(1 \rightarrow 4)$. Elle est sans action sur des résidus glucose unis par une liaison $\alpha(1 \rightarrow 6)$. Après digestion exhaustive de l'amylopectine par la β-amylase, on obtient des produits finaux appelés **dextrines limites**. Représentez schématiquement une molécule d'amylopectine en indiquant quelle(s) partie(s) de la molécule vont constituer les dextrines limites.

14. Une preuve du bien-fondé de la maxime de P.T. Barnum selon laquelle il naît un « pigeon » chaque minute, c'est que de nouveaux coupe-faim font leur apparition régulièrement sur le marché. Un récent remède de charlatan vendu, avec la publicité « mangez tout ce que vous voulez », comme « bloqueur d'amidon » [que la Food and Drug Administration (FDA) a finalement interdit] contient une protéine extraite de haricots et inhibitrice de l'α-amylase. Si cette substance agissait comme indiqué, ce qui n'est pas le cas, quels seraient les effets secondaires désagréables qui résulteraient de son ingestion avec un repas contenant de l'amidon ? Expliquez pourquoi cette substance, qui inhibe l'α-amylase *in vitro*, n'aura aucun effet dans l'intestin après ingestion orale ?

*15. Un échantillon de 6,0 g de glycogène est traité par le réactif de Tollens puis soumis à une méthylation exhaustive et hydrolysé ; on trouve 3,1 mmol de 2,3-di-*O*-méthylglucose et 0,0031 mmol d'acide 1,2,3-tri-*O*-méthylgluconique ainsi que d'autres produits. (a) Quelle proportion de résidus glucose se trouvent à des points de branchement $(1 \rightarrow 6)$ et quel est le nombre moyen de résidus glucose par chaîne branchée ? (b) Quels sont les autres produits obtenus après les traitements de méthylation et d'hydrolyse et en quelles quantités sont-ils formés ? (c) Quelle est la masse moléculaire moyenne du glycogène ?

16. La lyse d'une culture d'*E. Coli* donne une solution visqueuse comme du mucus. Cette viscosité diminue fortement après addition d'AD-Nase. Quelle est l'explication physique de cette viscosité ?

12

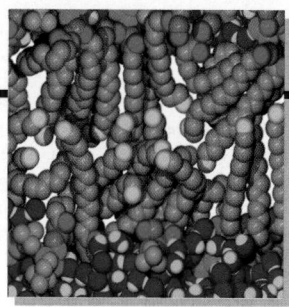

Lipides et membranes

Les **membranes** participent à l'organisation des processus biologiques en les compartimentant. De fait, l'unité de base de la vie qu'est la cellule se définit essentiellement par la membrane plasmique qui l'entoure. Par ailleurs, chez les eucaryotes, de nombreux organites intracellulaires comme les noyaux, les mitochondries, les chloroplastes, le réticulum endoplasmique et l'appareil de Golgi (Fig. 1-5), sont aussi entourés de membranes.

Les membranes biologiques sont des assemblages organisés de lipides et de protéines avec de petites quantités de glucides. Elles ne sont pas, pour cela, des barrières imperméables au passage de substances. Au contraire, elles régulent la composition du milieu intracellulaire en contrôlant l'entrée et la sortie des nutriments, des déchets, des ions, etc. Elles assurent cette fonction grâce à des « pompes » et des « portes » membranaires qui transportent des substances spécifiques contre un gradient électrochimique ou permettent leur passage dans le sens du gradient (Chapitre 20).

De nombreux processus biochimiques fondamentaux se déroulent sur, ou à l'intérieur, d'une structure membranaire. Par exemple, le transfert d'électrons et les phosphorylations oxydatives (Chapitre 22), processus au cours desquels l'oxydation de nutriments s'accompagne de la production d'ATP, sont assurés par l'intermédiaire d'une batterie d'enzymes localisées dans la membrane interne des mitochondries. De même, la photosynthèse, dans laquelle la lumière fournit l'énergie nécessaire à la combinaison de H_2O et de CO_2 pour former des glucides (Chapitre 24), se déroule dans les membranes internes des chloroplastes. Les mécanismes de transfert d'information, tels que les stimuli sensoriels ou les communications intercellulaires, sont généralement des processus liés à des structures membranaires. Ainsi, la transmission de l'influx nerveux est sous la dépendance des membranes des cellules nerveuses (Section 20-5) et la présence de certaines substances comme des hormones et des nutriments est décelée par des récepteurs membranaires spécifiques (Chapitre 19).

Dans ce chapitre, nous étudierons la composition, la structure et la formation des membranes biologiques, et des substances qui s'y rapportent. Les processus biochimiques spécifiques liés aux membranes, tels ceux que nous venons de mentionner, seront étudiés dans d'autres chapitres.

1 ■ CLASSIFICATION DES LIPIDES

*Les **lipides** (du grec lipos, graisse) sont des substances d'origine biologique solubles dans les solvants organiques comme le chloroforme et le méthanol mais très peu solubles, voire pas du tout, dans l'eau.* On les extrait facilement des autres substances biologiques par des solvants organiques et on peut les séparer ensuite par les techniques de chromatographie d'adsorption, chromatographie sur couche mince et chromatographie en phase inverse (Section 6-3D). Les graisses, les huiles, certaines vitamines et hormones, et la plupart des constituants non protéiques des membranes sont des lipides. Dans cette section, nous étudierons les structures et les propriétés physiques des principaux lipides.

A. *Acides gras*

*Les **acides gras** sont des acides carboxyliques avec de longues chaînes hydrocarbonées (Fig. 12-1).* Ils sont rarement à l'état libre dans la nature, et se trouvent essentiellement sous forme estérifiée comme constituants majeurs des différents lipides décrits dans ce chapitre. Les acides gras biologiques les plus courants sont donnés dans le Tableau 12-1. Chez les plantes et les animaux supérieurs, les acides gras les plus abondants sont ceux de la série C_{16} et C_{18}, les acides **palmitique**, **oléique**, **linoléique**, et **stéarique**. Les acides gras ayant <14 ou >20 atomes de carbone sont rares. *La plupart des acides gras ont un nombre pair d'atomes de carbone car ils sont* généralement synthétisés par enchaînement d'unités en C_2 (Section 25-4C). Plus de la moitié des résidus d'acide gras des plantes et des animaux sont insaturés (ils contiennent des doubles liaisons) et ils sont souvent polyinsaturés (ils contiennent plusieurs doubles liaisons). Les acides gras bactériens sont rarement polyinsaturés mais ils sont souvent ramifiés, hydroxylés, ou ils contiennent des noyaux de cyclopropane. On trouve aussi des acides gras inhabituels comme constituants des huiles et des **cires** (esters d'acides gras et d'alcools à longue chaîne) produites par certaines plantes.

a. Les propriétés physiques des acides gras varient selon leur degré d'insaturation

Le Tableau 12-1 montre que la première double liaison d'un acide gras insaturé se trouve généralement entre les atomes C9 et C10 (double liaison Δ^9 ou 9), C1 étant le carbone du groupement carboxylique. Dans les acides gras polyinsaturés, les doubles liaisons se situent en général à chaque troisième carbone en direction du groupement méthyle terminal de la molécule (par exemple — CH = CH — CH$_2$ — CH = CH —). Les doubles liaisons des acides gras polyinsaturés ne sont presque jamais conjuguées (telles que — CH = CH — CH = CH —). Les triples liaisons sont très rares dans les acides gras ou dans n'importe quelle molécule biologique. Deux classes importantes d'acides gras polyinsaturés sont les acides gras n–3 (ou ω–3) et n–6 (ou ω–6). Cette nomenclature désigne le dernier atome de carbone impliqué dans une double liaison en comptant à partir du dernier groupement méthyle (ω) de la chaîne.

Les acides gras saturés sont des molécules très souples qui peuvent prendre des conformations variées en raison de la libre rotation relative autour de leurs liaisons C—C. Néanmoins, leur conformation en pleine extension correspond à un état de moindre énergie car cette conformation correspond à un minimum d'interférence stérique entre les groupements méthylène voisins. Les points de fusion (mp) des acides gras saturés augmentent avec la masse moléculaire (Tableau 12-1), comme c'est le cas de la plupart des substances.

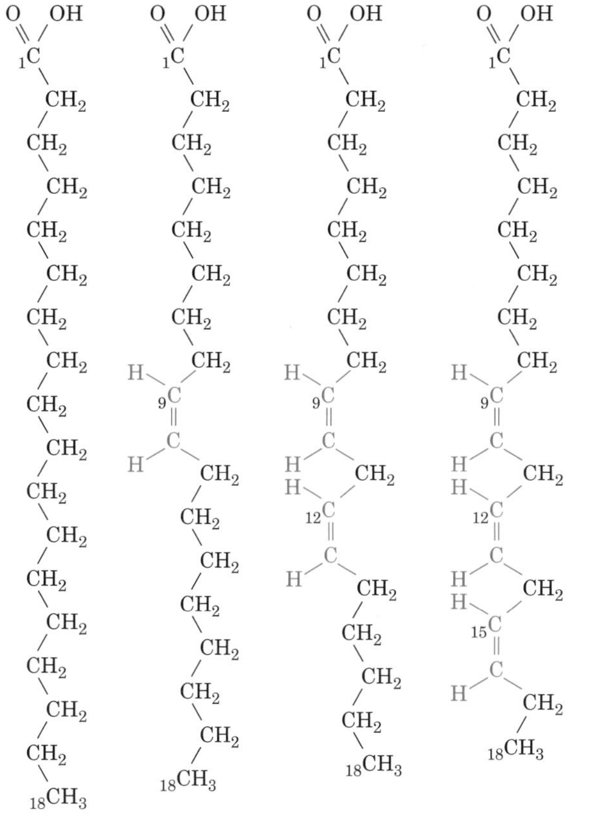

FIGURE 12-1 Formules développées de quelques acides gras en C_{18}. Les doubles liaisons ont toutes la configuration cis.

TABLEAU 12-1 Les acides gras biologiques usuels

Symbole[a]	Nom courant	Nom systématique	Structure	mp (°C)
Acides gras saturés				
12:0	Acide laurique	Acide dodécanoïque	$CH_3(CH_2)_{10}COOH$	44,2
14:0	Acide myristique	Acide tétradécanoïque	$CH_3(CH_2)_{12}COOH$	52
16:0	Acide palmitique	Acide hexadécanoïque	$CH_3(CH_2)_{14}COOH$	63,1
18:0	Acide stéarique	Acide octadécanoïque	$CH_3(CH_2)_{16}COOH$	69,6
20:0	Acide arachidique	Acide eicosanoïque	$CH_3(CH_2)_{18}COOH$	75,4
22:0	Acide béhénique	Acide docosanoïque	$CH_3(CH_2)_{20}COOH$	81
24:0	Acide lignocérique	Acide tetracosanoïque	$CH_3(CH_2)_{22}COOH$	84,2
Acides gras insaturés (toutes les doubles liaisons sont cis)				
16:1n−7	Acide palmitoléique	Acide 9-hexadécènoïque	$CH_3(CH_2)_5CH = CH(CH_2)_7COOH$	−0,5
18:1n−9	Acide oléique	Acide 9-octadécènoïque	$CH_3(CH_2)_7CH = CH(CH_2)_7COOH$	13,4
18:2n−6	Acide linolénique	Acide 9,12-octadécadiénoïque	$CH_3(CH_2)_4(CH = CHCH_2)_2(CH_2)_6COOH$	−9
18:3n−3	Acide α-linolénique	Acide 9,12,15-octadécatriénoïque	$CH_3CH_2(CH = CHCH_2)_3(CH_2)_6COOH$	−17
18:3n−6	Acide γ-linolénique	Acide 6,9,12-octadécatriénoïque	$CH_3(CH_2)_4(CH = CHCH_2)_3(CH_2)_3COOH$	
20:4n−4	Acide arachidonique	Acide 5,8,11,14-eicosatétraénoïque	$CH_3(CH_2)_4(CH = CHCH_2)_4(CH_2)_2COOH$	−49,5
20:5n−3	EPA	Acide 5,8,11,14,17-eicosapentaénoïque	$CH_3CH_2(CH = CHCH_2)_5(CH_2)_2COOH$	−54
22:6n−3	DHA	Acide 4,7,10,13,16,19-docosahexénoïque	$CH_3CH_2(CH = CHCH_2)_6CH_2COOH$	
24:1n−9	Acide nervonique	Acide 15-tétracosénoïque	$CH_3(CH_2)_7CH = CH(CH_2)_{13}COOH$	39

[a]Nombre d'atomes de carbone : Nombre de doubles liaisons. Pour les acides gras insaturés, n est le nombre de doubles liaisons, et x dans n-x désigne la position du dernier atome de carbone porteur d'une double liaison en comptant à partir du groupement métyle terminal (ω) de la chaîne. mp : point de fusion.

Source: Dawson, R.M.C., Elliott, D.C., Elliott, W.H., and Jones, K.M., *Data for Biochemical Research* (3rd ed.), Chapter 8, Clarendon Press (1986).

Les doubles liaisons d'acides gras ont presque toujours la configuration cis (Fig. 12-1). Cela entraîne une courbure rigide de 30° de la chaîne hydrocarbonée des acides gras insaturés, qui interfère avec leur compactage dans l'espace. Il en résulte une diminution des interactions de van der Waals qui se traduit par une baisse du point de fusion en fonction du degré d'insaturation (Tableau 12-1). Pour la même raison, le caractère fluide des lipides augmente avec le degré d'insaturation de leurs résidus d'acides gras. Ceci a des conséquences importantes pour les propriétés des membranes, comme nous le verrons dans la Section 12-3B.

B. *Triacylglycérols*

Les graisses et les huiles que l'on trouve dans les plantes et les animaux sont essentiellement des mélanges de **triacylglycérols** (appelés également **triglycérides** ou **lipides neutres**). *Ces substances non polaires, insolubles dans l'eau, sont des triesters d'acides gras et de* **glycérol** :

$$^1CH_2-OH \qquad\qquad ^1CH_2-O-\overset{\overset{O}{\|}}{C}-R_1$$
$$^2CH-OH \qquad\qquad ^2CH-O-\overset{\overset{O}{\|}}{C}-R_2$$
$$^3CH_2-OH \qquad\qquad ^3CH_2-O-\overset{\overset{O}{\|}}{C}-R_3$$

Glycérol   **Triacylglycérol**

Les triacylglycérols jouent le rôle de réserves énergétiques chez les animaux et constituent la catégorie de lipides la plus abondante, même s'ils ne sont pas des constituants des membranes biologiques.

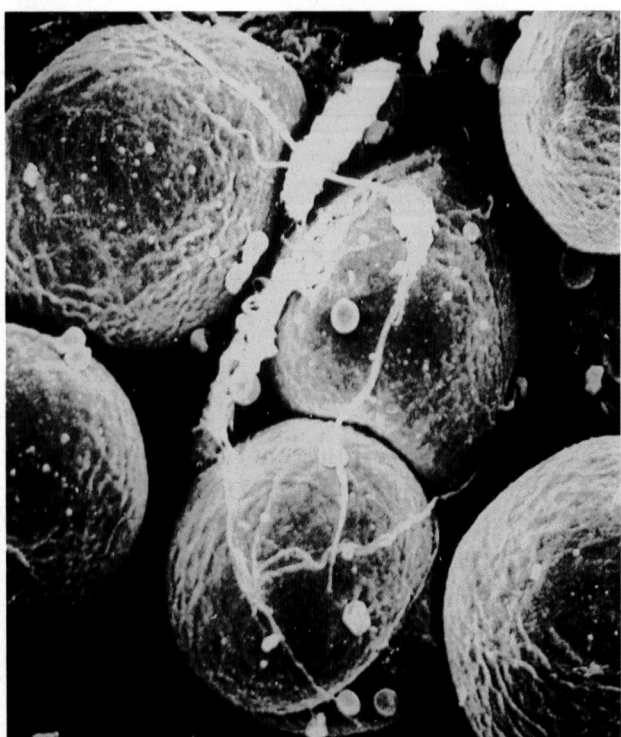

FIGURE 12-2 Micrographie d'adipocytes par balayage électronique. Chaque adipocyte contient un globule lipidique qui occupe presque entièrement la cellule. [Fred E. Hossler/Visuals Unlimited.]

Les triacylglycérols diffèrent selon la nature et la position de leurs trois résidus d'acide gras. Les **triacylglycérols simples** ne contiennent qu'un seul type d'acide gras, d'où les noms correspondants. Par exemple, le **tristéarylglycérol**, ou **tristéarine**, contient trois résidus d'acide stéarique, alors que le **trioléylglycérol**, ou **trioléine**, a trois résidus d'acide oléique. Les **triacylglycérols mixtes**, plus courants, contiennent deux ou trois résidus d'acide gras différents et sont nommés en fonction de la position de ces derniers sur le résidu glycérol.

$$^1CH_2-{}^2CH-{}^3CH_2$$

(structure développée du 1-Palmitoléyl-2-linoléyl-3-stéaryl-glycérol)

**1-Palmitoléyl-2-linoléyl-
3-stéaryl-glycérol**

Les graisses et les huiles (les graisses sont solides et les huiles sont liquides à la température de la pièce) sont des mélanges complexes de triacylglycérols simples et mixtes dont la composition en acides gras varie avec l'organisme qui les synthétise. Les huiles végétales sont généralement plus riches en résidus d'acides gras insaturés que les graisses animales, ce qui explique que le point de fusion des huiles soit inférieur.

a. Les triacylglycérols sont des réserves énergétiques

Les lipides sont des molécules très efficaces pour mettre en réserve l'énergie métabolique. Ceci parce que les lipides sont beaucoup moins oxydés que les glucides ou les protéines, et libèrent donc beaucoup plus d'énergie lorsqu'ils sont dégradés par oxydation. De plus, les lipides étant non polaires, ils sont stockés sous forme anhydre, alors que le glycogène, par exemple, lie environ deux fois son poids d'eau dans des conditions physiologiques. Il en résulte que les lipides fournissent six fois plus d'énergie métabolique, à poids égal, que le glycogène hydraté.

Chez les animaux, les **adipocytes** (cellules lipidiques ; Fig. 12-2) sont spécialisées dans la synthèse et le stockage des triacylglycérols. Alors que les autres types de cellules ne contiennent que de rares gouttelettes de lipides dispersées dans leur cytosol, les adipocytes peuvent être entièrement remplis de globules lipidiques. Le **tissu adipeux** est très abondant dans la couche sous-cutanée et dans la cavité abdominale. Le contenu en lipides chez les individus normaux (21 % pour l'homme, 26 % pour la femme) leur permet de survivre sans manger pendant 2 à 3 mois. Par contre, la réserve du corps en glycogène, qui n'est qu'une réserve énergétique à court terme, ne peut pourvoir à ses besoins énergétiques que pour une période inférieure à un jour. La couche de graisse sous-cutanée assure également l'isolation thermique, particulièrement importante pour les animaux aquatiques à sang chaud, comme les baleines, les phoques, les oies, et les pingouins, qui sont couramment exposés à de basses températures.

C. *Glycérophospholipides*

*Les **glycérophospholipides** (ou **phosphoglycérides**) sont les composants lipidiques principaux des membranes biologiques.* Ils sont formés de ***sn*-glycérol-3-phosphate** (Fig. 12-3*a*) estérifié sur ses positions C1 et C2 par des acides gras et sur son groupement phosphoryle par un groupement, X, ce qui donne la catégorie de substances représentées dans la Fig. 12-3*b*. *Les glycérophospholipides sont donc des molécules amphiphiles avec des « queues » non polaires aliphatiques et une « tête » phosphoryle-X polaire.* Les glycérophospholipides les plus simples, pour lesquels X = H, sont des **acides phosphatidiques** ; ils se trouvent en faibles quantités

(a)

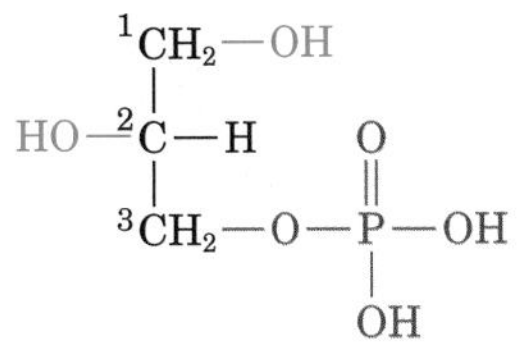

sn-Glycérol-3-phosphate

(b)

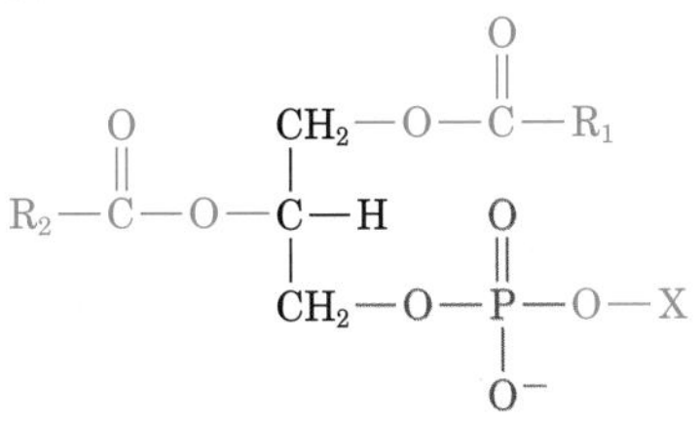

Glycérophospholipide

FIGURE 12-3 Formules moléculaires de glycérophospholipides. *(a)* Le composé représenté en projection de Fischer (Section 4-2B) peut aussi être désigné par L-glycérol-3-phosphate ou D-glycérol-1-phosphate. Cependant, en utilisant la **numérotation stéréospécifique** (*sn*), qui attribue la position 1 au groupement occupant la position *pro-S* d'un centre prochiral (cf. Section 4-2C pour la définition de la prochiralité), le composé se nomme sans ambiguïté *sn*-glycérol-3-phosphate. *(b)* Formule générale des glycérophospholipides. R_1 et R_2 désignent de longues chaînes hydrocarbonées d'acides gras et X est un dérivé d'un alcool polaire (cf. Tableau 12-2).

TABLEAU 12-2   Les catégories courantes de glycérophospholipides

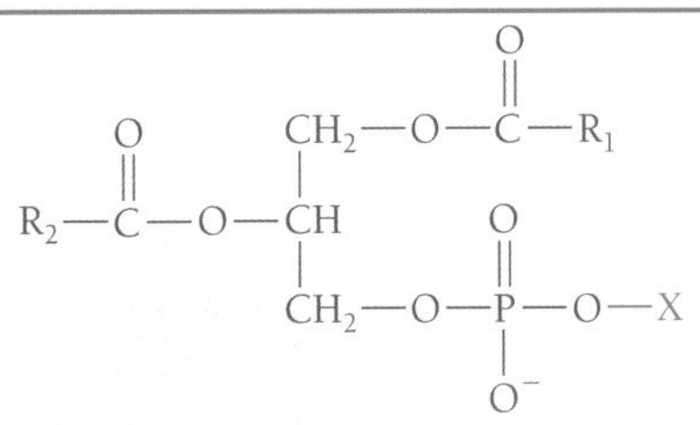

Nom de X—OH	Formule de—X	Nom du phospholipide
Eau	—H	Acide phosphatidique
Ethanolamine	—$CH_2CH_2NH_3^+$	Phosphatidyléthanolamine
Choline	—$CH_2CH_2N(CH_3)_3^+$	Phosphatidylcholine (lécithine)
Sérine	—$CH_2CH(NH_3^+)COO^-$	Phosphatidylsérine
*my*o-Inositol	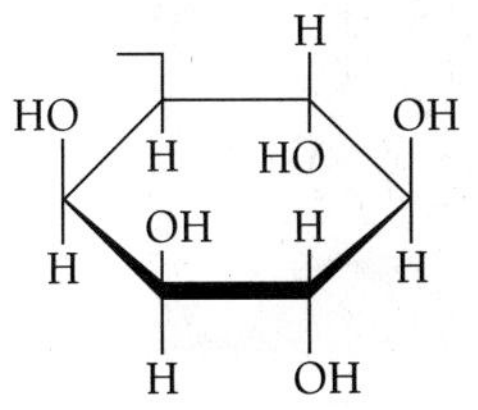	Phosphatidylinositol
Glycérol	—$CH_2CH(OH)CH_2OH$	Phosphatidylglycérol
Phosphatidylglycérol	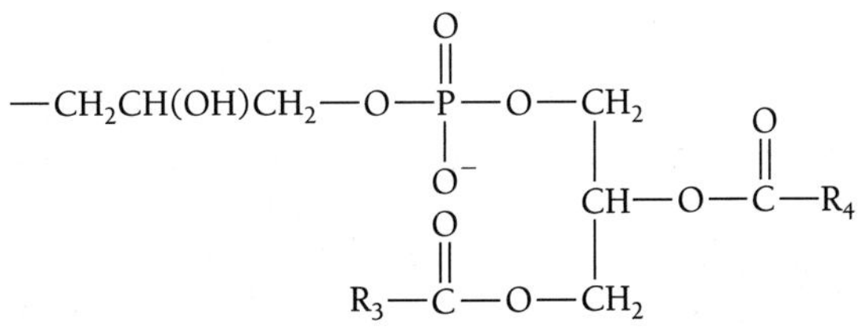 —$CH_2CH(OH)CH_2$—O—...	Diphosphatidylglycérol (cardiolipine)

dans les membranes biologiques. *Dans les glycérophospholipides trouvés couramment dans les membranes biologiques, les groupements de la « tête » sont des dérivés d'alcools polaires (Tableau 12-2).* Des acides gras saturés en C_{16} et C_{18} occupent généralement la position C1 des glycérophospholipides et la position C2 est souvent occupée par un acide gras insaturé de C_{16} à C_{20}. Les glycérophospholipides sont, bien entendu, nommés selon la nature de ces résidus d'acide gras (Fig. 12-4). Certains glycérophospholipides ont des noms usuels. Par exemple, les phosphatidylcholines sont aussi appelés **lécithines** ; les diphosphatidylglycérols (les glycérophospholipides « doubles ») sont appelés **cardiolipines** (car ils ont été isolés pour la première fois du muscle cardiaque).

Les **plasmalogènes**

$$
\begin{array}{c}
X \\
| \\
O \\
| \\
O{=}P{-}O^- \\
| \\
O \\
| \\
CH_2{-}CH{-}CH_2 \\
\quad | \qquad | \\
\quad O \qquad O \\
\quad | \qquad | \\
\quad CH \quad\; C{=}O \\
\quad \| \qquad | \\
\quad CH \quad\; R_2 \\
\quad | \\
\quad R_1
\end{array}
$$

Un plasmalogène

sont des glycérophospholipides dans lesquels le substituant sur le C1 du résidu glycérol est lié à celui-ci par une liaison éther α,β-

insaturée de configuration cis, au lieu d'une liaison ester. L'**éthanolamine**, la **choline**, et la sérine sont les groupements X les plus fréquents des plasmalogènes.

D. *Sphingolipides*

Les **sphingolipides**, qui sont aussi des constituants importants des membranes biologiques, sont des dérivés des amino-alcools en C_{18} comme la la **sphingosine**, la **dihydrosphingosine** (Fig. 12-5), et leurs homologues en C_{16}, C_{17}, C_{19}, et C_{20}. Leurs dérivés N-acylés (acide gras) sont des **céramides,**

$$
\begin{array}{c}
OH \;\; H \qquad OH \\
| \qquad | \qquad\quad | \\
H_2C{-}C{-\!\!-\!\!-}C{-}H \\
\qquad | \qquad\quad | \\
\qquad NH \qquad CH \\
\qquad | \qquad\quad \| \\
O{=}C \quad\; HC \\
\qquad | \qquad (CH_2)_{12} \\
\qquad R \\
\qquad\qquad\qquad CH_3
\end{array}
$$

Résidu d'acide gras

Un céramide

qui se trouvent en petites quantités dans les tissus végétaux et animaux mais sont à l'origine de composés sphingolipidiques plus fréquents :

1. Les **sphingomyélines**, les sphingolipides les plus courants, sont des céramides qui portent soit un groupement phosphocholine (Fig. 12-6), soit un groupement phosphoéthanolamine, d'où leur

(a)

$$
\begin{array}{c}
CH_3 \\
| \\
H_3C{-}N^+{-}CH_3 \\
| \\
CH_2 \\
| \\
CH_2 \\
| \\
O \\
| \\
{}^-O{-}P{=}O \\
| \\
O \qquad\quad H \\
| \qquad\qquad | \\
{}^3CH_2{-}{}^2C{-\!\!-\!\!-\!\!-}{}^1CH_2 \\
\quad | \qquad\qquad\quad | \\
\quad O \qquad\qquad\quad O \\
\quad | \qquad\qquad\quad | \\
\quad C{=}O \qquad\quad C{=}O \\
\quad | \qquad\qquad\quad | \\
\quad (CH_2)_7 \qquad (CH_2)_{16} \\
\quad | \qquad\qquad\quad | \\
\quad C{-}H \qquad\; CH_3 \\
\quad \| \\
\quad C{-}H \\
\quad | \\
\quad (CH_2)_7 \\
\quad | \\
\quad CH_3
\end{array}
$$

1-Stéaryl-2-oléyl-3-phosphatidylcholine

(b)

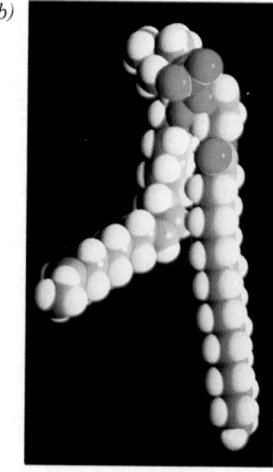

FIGURE 12-4 Le glycérophospholipide 1-stéaryl-2-oléyl-3-phosphatidylcholine. (*a*) Formule développée en projection de Fischer et (*b*) modèle plein avec H en blanc, C en gris, O en rouge, et P en vert. [Avec la permission de Richard Pastor, FDA, Bethesda, Maryland.]

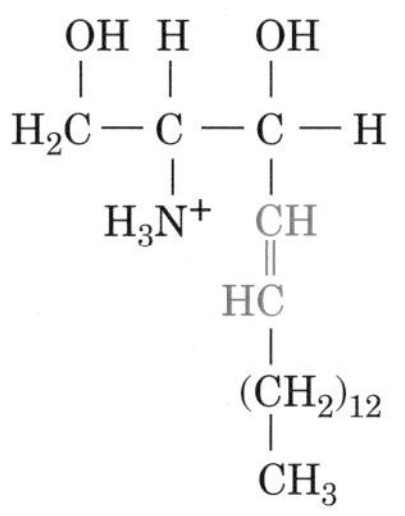

$$OH \quad H \quad OH$$
$$H_2C - C - C - H$$
$$H_3N^+ \quad CH$$
$$\parallel$$
$$HC$$
$$(CH_2)_{12}$$
$$CH_3$$

Sphingosine

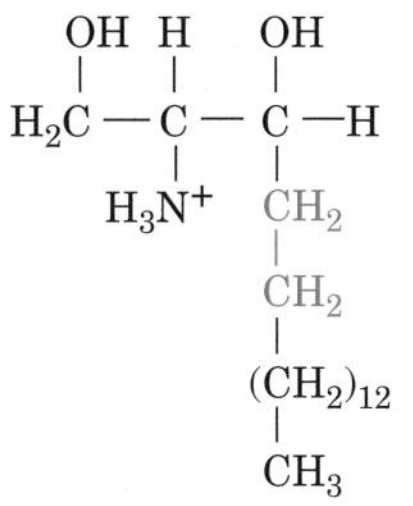

$$OH \quad H \quad OH$$
$$H_2C - C - C - H$$
$$H_3N^+ \quad CH_2$$
$$CH_2$$
$$(CH_2)_{12}$$
$$CH_3$$

Dihydrosphingosine

FIGURE 12-5 **Formules moléculaires de la sphingosine et de la dihydrosphingosine.** Les centres chiraux des C2 et C3 de la sphingosine et de la dihydrosphingosine ont les configurations représentées en projection de Fischer. La double liaison de la sphingosine a la configuration trans.

autre nom : **sphingophospholipides.** *Bien que les sphingomyélines soient chimiquement différentes des phosphatidylcholine et phosphatidyléthanolamine, leurs conformations et leurs distributions de charge sont très semblables.* La gaine de myéline membraneuse qui entoure de nombreux axones de cellules nerveuses et les isole électriquement (Section 20-5B) est particulièrement riche en sphingomyéline.

2. Les **cérébrosides,** les plus simples des **sphingoglycolipides** (appelés également **glycosphingolipides**), sont des céramides dont

la « tête » est un résidu de sucre simple. Les **galactocérébrosides,** qui sont abondants dans les membranes des neurones du cerveau, ont un résidu β-D-galactose comme groupement de « tête ».

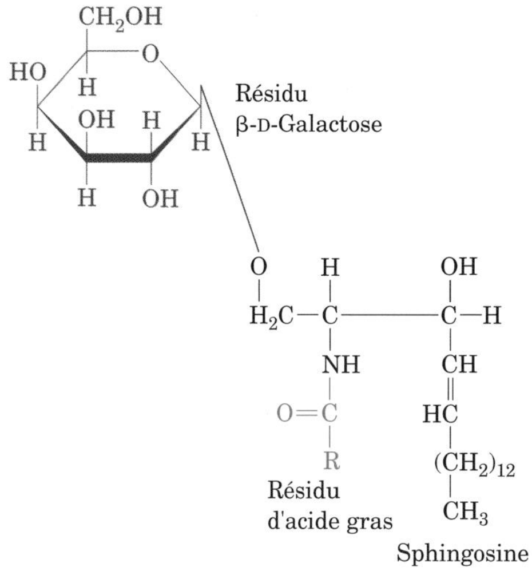

$$CH_2OH$$

Résidu
β-D-Galactose

$$O \quad H \quad OH$$
$$H_2C - C \quad C - H$$
$$NH \quad CH$$
$$O = C \quad HC$$
$$R \quad (CH_2)_{12}$$

Résidu
d'acide gras $$CH_3$$

Sphingosine

Un galactocérébroside

Les **glucocérébrosides,** qui ont un résidu β-D-glucose à la place du résidu β-D-galactose, se trouvent dans les membranes d'autres tissus. *À l'inverse des phospholipides, les cérébrosides n'ont pas de groupements phosphate et sont, le plus souvent, des composés non ioniques.* Cependant, les résidus galactose de certains galactocérébrosides sont sulfatés sur leur C3, ce qui donne des composés ioniques appelés **sulfatides.** On trouve des sphingolipides plus complexes dont les groupements de « tête » sont des oligosaccharides linéaires ayant jusqu'à quatre résidus de sucre.

3. Les **gangliosides** constituent le groupe de sphingolipides le plus complexe. Ce sont des céramides oligosaccharidiques qui comportent parmi leurs résidus de sucre, au moins un résidu

(a)

$$CH_3$$
$$CH_3 - N^+ - CH_3$$
$$CH_2$$
$$CH_2$$
$$O$$
$$O = P - O^-$$
$$O \quad H \quad OH$$
$$CH_2 - C \quad C - H$$
$$NH \quad CH$$
$$O = C \quad HC$$
$$(CH_2)_{14} \quad (CH_2)_{12}$$
$$CH_3 \quad CH_3$$

Groupement
de tête
phosphocholine

Résidu
palmitate

Une sphingomyéline

(b)

FIGURE 12-6 **Une sphingomyéline.** (*a*) Formule développée en projection de Fischer et (*b*) modèle plein avec H en blanc, C en gris, N en bleu, et O en rouge. Noter la ressemblance de conformation avec les glycérophospholipides (Fig. 12-4). [Avec la permission de Richard Pastor, FDA, Bethesda, Maryland.]

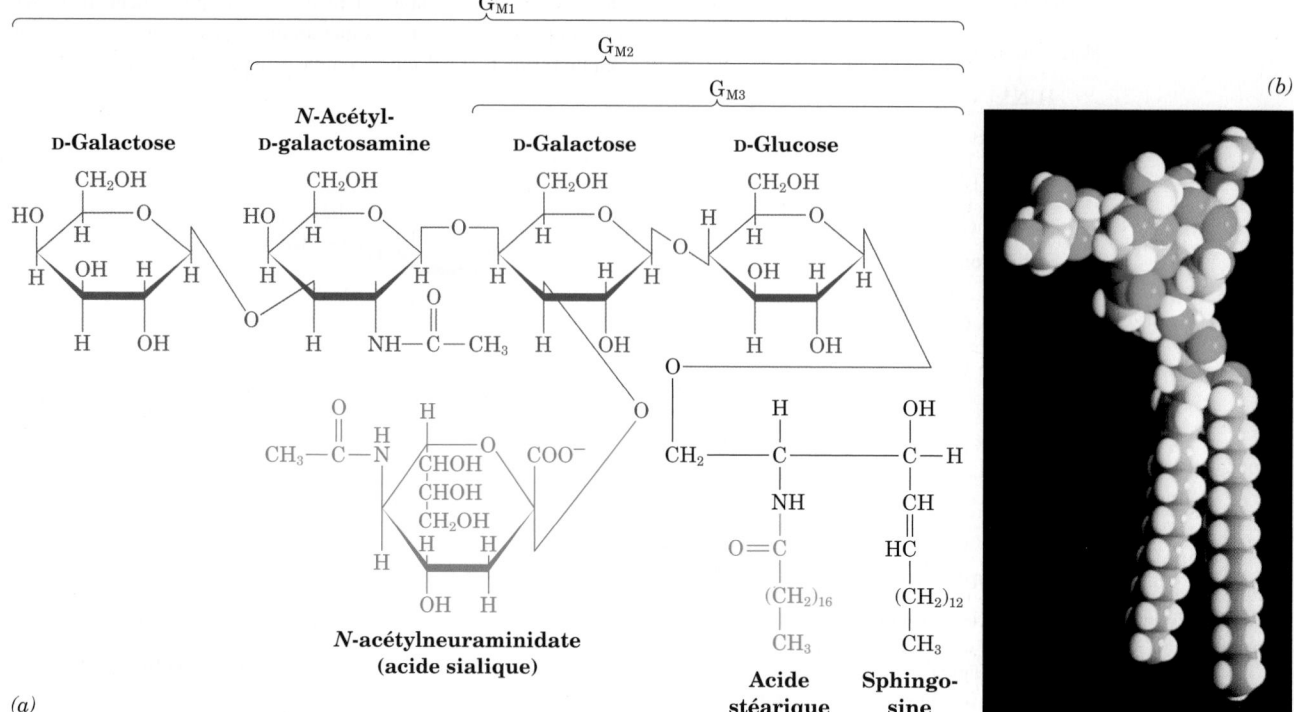

FIGURE 12-7 Le ganglioside G_{M1}. (*a*) Formule développée avec le résidu sphingosine en projection de Fischer et (*b*) modèle plein avec H en blanc, C en gris, N en bleu, et O en rouge. Les gangliosides G_{M2} et G_{M3} ne diffèrent de G_{M1} que par l'absence, dans l'ordre, des résidus termi-naux D-galactose et N-acétyl-D-galactosamine. Les autres gangliosides ont des groupements de tête oligosaccharidiques différents. [Avec la permission de Richard Venable, FDA, Bethesda, Maryland.]

d'acide sialique (l'acide N-acétylneuraminique et ses dérivés ; Section 11-1C). Les structures des gangliosides G_{M1}, G_{M2}, et G_{M3}, trois parmi les soixante connus (environ), sont données dans la Fig. 12-7. Les gangliosides sont principalement des constituants des membranes de la surface cellulaire et représentent une fraction significative (6 %) des lipides cérébraux. On trouve des gangliosides dans d'autres tissus mais en quantités moindres.

Les gangliosides ont un intérêt physiologique et médical considérable. Leurs groupements de tête glucidiques complexes, qui s'étendent au-delà des surfaces des membranes cellulaires, jouent le rôle de récepteurs spécifiques pour certaines hormones glycoprotéiques hypophysaires qui régulent plusieurs fonctions physiologiques importantes (Section 19-1). Les gangliosides sont aussi

les récepteurs de certaines toxines bactériennes comme la toxine du choléra (Section 19-2C). On a des preuves que les gangliosides sont des déterminants spécifiques dans la reconnaissance entre cellules et ils jouent probablement un rôle essentiel dans la croissance et la différenciation des tissus ainsi que dans la cancérogénèse. Des dérèglements dans la dégradation des gangliosides sont à l'origine de plusieurs maladies héréditaires, appelées **maladies de stockage des sphingolipides,** comme la maladie de **Tay-Sachs,** caractérisée par une dégradation neurologique toujours fatale (Section 25-8C).

E. *Le cholestérol*

*Les **stéroïdes**, que l'on trouve essentiellement chez les eucaryotes, sont des dérivés du **cyclopentanoperhydrophénanthrène** (Fig. 12-8).* Le **cholestérol** (Fig. 12-9), stéroïde le plus abondant chez l'animal et connu pour ses effets pernicieux, est aussi un **stérol**, en raison de son groupement C3-OH et de sa chaîne aliphatique ramifiée de 8 à 10 atomes de carbone qui part du C17.

Le cholestérol est un constituant majeur des membranes plasmiques animales et se trouve en moindre quantité dans les membranes des organites subcellulaires. Son groupement OH polaire lui confère un léger caractère amphiphile, tandis que sa structure cyclique fusionnée lui confère une rigidité supérieure à celle des autres lipides membranaires. Le cholestérol a donc une incidence importante sur les propriétés des membranes. Il est également abondant dans les lipoprotéines du plasma sanguin (Section 12-5),

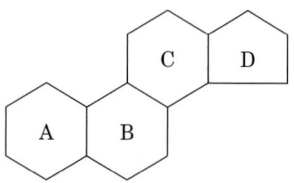

Cyclopentaneperhydrophénanthrène

FIGURE 12-8 Le cyclopentaneperhydrophénanthrène, noyau de base des stéroïdes. Il est formé de quatre cycles saturés accolés. Le système de désignation standard des cycles est indiqué.

(a)

Cholestérol

(b)

FIGURE 12-9 Le cholestérol. (*a*) Formule développée avec le système de numérotation standard et (*b*) modèle plein avec H en blanc, C en gris, et O en rouge. L'ensemble rigide des cycles du cholestérol le rend moins souple que les autres lipides membranaires : ses cycles de cyclohexane peuvent présenter la configuration bateau ou chaise (Fig. 11-6), mais la conformation chaise est de loin la plus fréquente. [Avec la permission de Richard Pastor, FDA, Bethesda, Maryland.]

où il est estérifié à raison de 70 % environ par des acides gras à longue chaîne pour donner des **esters de cholestérol.**

Stéarate de cholestérol

Le cholestérol est le précurseur métabolique des **hormones stéroïdes**, substances qui régulent de nombreuses fonctions physiologiques, notamment le développement sexuel et le métabolisme des glucides (Section 19-1G). Le rôle très discuté du cholestérol dans les maladies cardiaques sera étudié dans la Section 12-5C. Le métabolisme du cholestérol et la biosynthèse des hormones stéroïdes seront vus dans la Section 25-6.

Les plantes ont peu de cholestérol. Les stérols les plus courants comme constituants de leurs membranes sont le

stigmastérol et le **β-sitostérol**

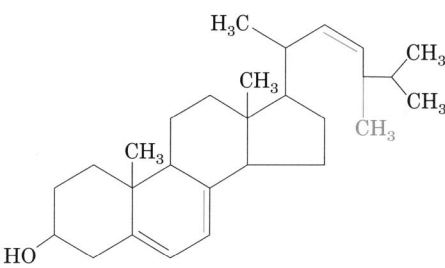

Stigmastérol

β-Sitostérol

Ergostérol

qui ne diffèrent du cholestérol que par leurs chaînes latérales aliphatiques. Les levures et les champignons possèdent d'autres stérols membranaires comme l'**ergostérol,** qui a une double liaison entre les atomes C7 et C8. Les procaryotes, à l'exception des mycoplasmes (Section 1-1B), contiennent peu, et peut-être pas, de stérols.

2 ■ PROPRIÉTÉS DES AGRÉGATS LIPIDIQUES

Les premières expériences sur les propriétés physiques des lipides ont été publiées en 1774 par l'homme d'état et scientifique américain Benjamin Franklin. En étudiant l'action bien connue (tout au moins des marins) de l'huile pour apaiser les vagues, Franklin écrivit :

Comme j'étais à Clapham [dans Londres] où il y a, sur le commun, une grande mare, je remarquai que c'était une journée de grand vent. Je sortis un pichet d'huile [probablement de l'huile d'olive] et j'en versai un peu dans l'eau. Je m'aperçus qu'elle s'étalait avec une rapidité surprenante à la surface... Je me dirigeai alors vers le côté exposé au vent, où [les vagues] commençaient à se former ; et là, l'huile, bien qu'il n'y en eût pas plus d'une cuillerée, provoqua sur plusieurs yards carrés un calme instantané qui se propagea de façon étonnante pour atteindre progressivement le côté sous-le-vent, faisant de cette partie de la mare, peut-être un demi-acre, une surface lisse comme un miroir.

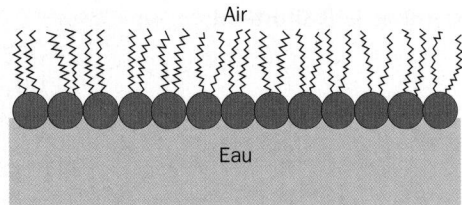

FIGURE 12-10 Monocouche d'huile à l'interface air-eau. Les queues hydrophobes du lipide évitent de s'associer avec l'eau en se projetant dans l'air.

Nous avons assez de renseignements pour calculer l'épaisseur de la couche d'huile (bien que nous ne sachions pas si Franklin a fait ce calcul ; voir le Problème 4). Nous savons maintenant que l'huile forme une couche monomoléculaire à la surface de l'eau, les têtes polaires de ces molécules amphiphiles étant immergées dans l'eau et les chaînes hydrocarbonées se projetant dans l'air (Fig. 12-10).

L'effet calmant de l'huile sur l'eau agitée est dû à une importante diminution de la tension superficielle de l'eau. Une pellicule huileuse en surface présente la faible cohésion intermoléculaire caractéristique des hydrocarbures au lieu des fortes attractions intermoléculaires de l'eau, responsables de sa tension superficielle normalement élevée. Néanmoins, l'huile ne calme que les plus petites vagues ; elle n'affecte pas, comme Franklin l'a observé plus tard, les grosses vagues.

Dans cette section, nous verrons comment les lipides se rassemblent pour former des micelles et des bicouches. Nous étudierons également les propriétés physiques des lipides dans les bicouches car ces agrégats constituent la base structurale des membranes biologiques.

A. *Micelles et bicouches*

En solution aqueuse, les molécules amphiphiles, par exemple les savons et les détergents, forment des micelles (agrégats globulaires dont les chaînes hydrocarbonées sont à l'abri de l'eau ; Section 2-1B). Cette disposition moléculaire élimine les contacts défavorables entre l'eau et les queues hydrophobes des amphiphiles tout en permettant la solvatation des groupements polaires de tête. La formation de micelles est un processus coopératif : une assemblée de quelques amphiphiles ne peut pas protéger ses queues du contact avec l'eau. Par conséquent, des solutions aqueuses diluées d'amphiphiles ne forment pas de micelles tant que leur concentration ne dépasse pas ce qu'on appelle la **concentration micellaire critique** (**cmc**). Au-dessus de la cmc, presque tous les amphiphiles ajoutés s'agrègent pour former des micelles. La valeur de la cmc dépend de la nature de l'amphiphile et des caractéristiques de la solution. Pour les amphiphiles ayant une seule queue de petite taille, comme l'ion dodécyl sulfate, $CH_3(CH_2)_{11}OSO_3^{2-}$, la cmc est de l'ordre de 1 mM. Celles des lipides biologiques, dont la plupart ont deux longues queues hydrophobes, sont généralement < 10^{-6} M.

a. Les lipides à une seule queue tendent à former des micelles

La taille et la forme approximatives d'une micelle peuvent être calculées à partir de considérations géométriques. Les amphiphiles à une seule queue, comme les savons anioniques, forment des micelles sphéroïdales ou ellipsoïdales en raison de leur forme fuselée (leurs groupements de tête hydratés sont plus larges que leurs queues ; Fig. 12-11*a* et *b*). Le nombre de molécules dans de telles micelles dépend de l'amphiphile, mais pour beaucoup de substances il est de l'ordre de plusieurs centaines. Pour un amphiphile donné, ce nombre est compris dans une fourchette étroite : un nombre inférieur exposerait le cœur de la micelle à l'eau, et un nombre supérieur provoquerait un centre creux énergétiquement défavorable (Fig. 12-11*c*). Naturellement, une grande micelle pourrait s'aplatir pour éliminer ce centre creux mais la diminution de courbure au niveau des surfaces aplaties provoquerait également la formation d'espaces vides (Fig. 12-11*d*).

b. Les glycérophospholipides et les sphingolipides tendent à former des bicouches

Les deux chaînes hydrocarbonées des glycérophospholipides et des sphingolipides donnent à ces amphiphiles une forme plus ou moins cylindrique (Fig. 12-12*a*). Les contraintes stériques du compactage de ces molécules conduit à la formation de micelles en forme de disque (Fig. 12-12*b*) qui sont véritablement des

(a)   *(b)*   *(c)*   *(d)*

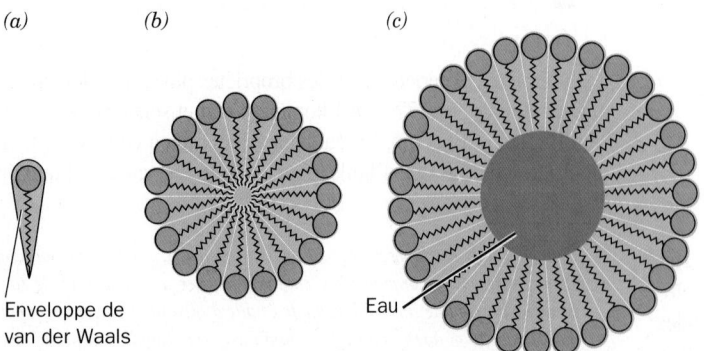

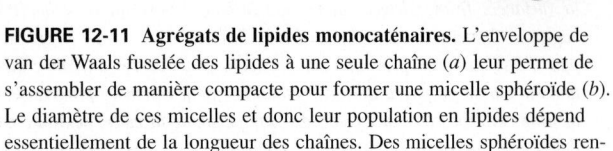

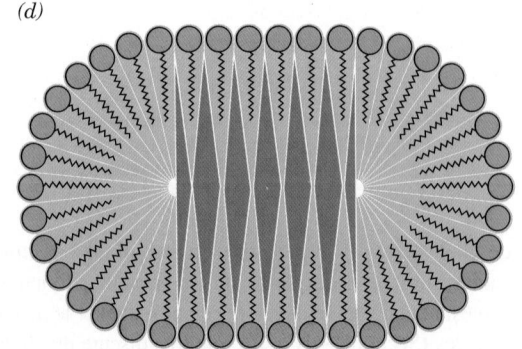

FIGURE 12-11 Agrégats de lipides monocaténaires. L'enveloppe de van der Waals fuselée des lipides à une seule chaîne (*a*) leur permet de s'assembler de manière compacte pour former une micelle sphéroïde (*b*). Le diamètre de ces micelles et donc leur population en lipides dépend essentiellement de la longueur des chaînes. Des micelles sphéroïdes ren- fermant un nombre de molécules lipidiques plus important que le nombre optimal auraient un intérieur rempli d'eau (*en bleu*) défavorable (*c*). De telles micelles pourraient s'aplatir pour éliminer l'intérieur creux, mais leurs formes ellipsoïdales allongées créeraient aussi des espaces remplis d'eau (*d*).

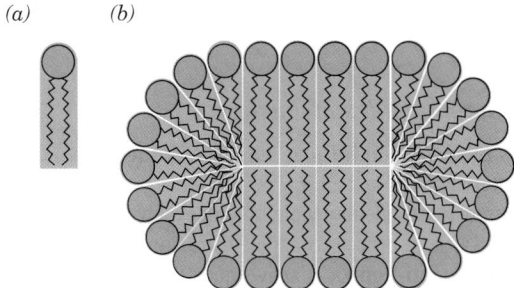

(a)   *(b)*

FIGURE 12-12 Formation de bicouches par des phospholipides. L'enveloppe de van der Waals cylindrique des phospholipides (*a*) leur permet de former des micelles en forme de disques allongés (*b*) qu'il est préférable d'appeler des bicouches lipidiques.

feuillets bimoléculaires en extension. L'existence de telles **bicouches lipidiques** fut proposée pour la première fois en 1925 par E. Gorter et F. Grendel, après qu'ils aient observé que les lipides extraits d'érythrocytes puis étalés en monocouche à l'interface air-eau (Fig. 12-10) recouvraient une surface double de celle qu'ils occupent dans la membrane plasmique de l'érythrocyte (la seule membrane de l'érythrocyte). Les bicouches lipidiques ont une épaisseur de 60 Å environ, d'après des mesures par microscopie électronique et par diffraction des rayons X. Puisque chacune des deux couches de groupements de tête a une épaisseur d'environ 15 Å, les queues hydrocarbonées, dont la longueur est d'environ 15 Å, sont quasiment en pleine extension. Nous verrons ci-dessous que *les bicouches lipidiques constituent la base structurale des membranes biologiques.*

B. *Liposomes*

Une suspension de phospholipides dans l'eau forme des vésicules multilamellaires de bicouches lipidiques disposées comme dans un oignon (Fig. 12-13*a*). Après **sonication** (agitation par des ultrasons), ces structures se réarrangent pour former des **liposomes**— vésicules fermées (elles se referment spontanément) remplies de solvant, limitées par une seule bicouche (Fig. 12-13*b*). Elles ont en général un diamètre de plusieurs centaines d'Å et, pour une préparation donnée, ont des tailles assez homogènes. On peut préparer des liposomes ayant un diamètre de l'ordre de 1000 Å en injectant une solution alcoolique (éthanol) de phospholipides dans l'eau ou en dissolvant des phospholipides dans une solution de détergent puis en éliminant le détergent par dialyse. Une fois formés, les liposomes sont très stables et, en fait, ils peuvent être séparés de la solution où ils se trouvent, par dialyse, chromatographie par filtration sur gel, ou centrifugation. Des liposomes ayant des milieux interne et externe différents peuvent ainsi être préparés facilement. *Les membranes biologiques sont formées de bicouches lipidiques auxquelles sont associées des protéines (Section 12-3A).* Des liposomes formés à partir de lipides synthétiques et/ou de lipides d'origine biologique (ex. lécithine du jaune d'œuf) ont été étudiés de manière intensive en tant que modèles de membranes biologiques.

a. Les bicouches lipidiques sont imperméables à la plupart des substances polaires

Puisque les membranes biologiques constituent les frontières de la cellule et des organites, il est important de déterminer leur capacité à séparer deux compartiments aqueux. On peut déter-

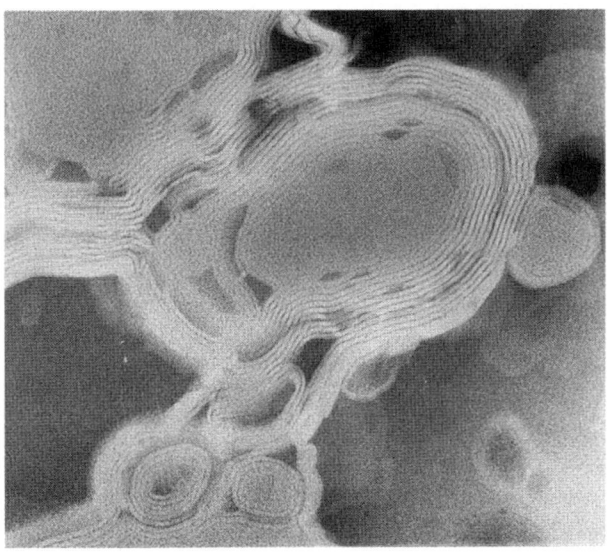

(a)

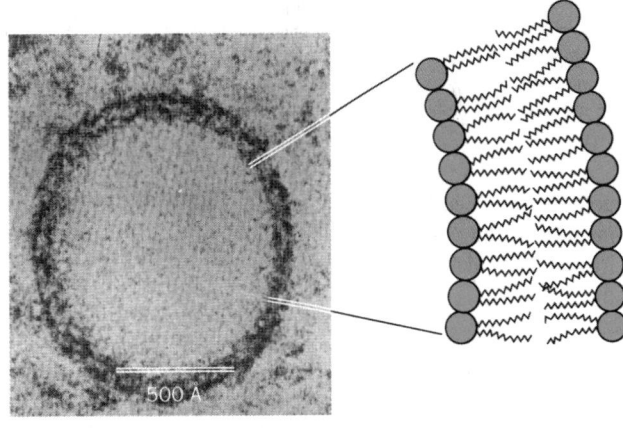

(b)

FIGURE 12-13 Bicouches lipidiques. (*a*) Micrographie électronique d'une vésicule phospholipidique multilamellaire dans laquelle chaque lamelle est une bicouche lipidique. [Avec la permission d'Alec D. Bangham, Institute of Animal Physiology, Cambridge, U.K.] (*b*) Micrographie électronique d'un liposome. Comme le montre le schéma annexé, sa paroi est constituée d'une bicouche lipidique. [Avec la permission de Walter Stoeckenius, University of California at San Francisco.]

ner la perméabilité d'une bicouche lipidique pour une substance donnée, en formant des liposomes dans une solution qui contient la substance, puis en changeant la solution aqueuse externe, et en mesurant la vitesse à laquelle la substance apparaît dans la nouvelle solution externe. On a ainsi trouvé que *les bicouches lipidiques sont extraordinairement imperméables aux substances ioniques et polaires et que la perméabilité de ces substances augmente avec leur solubilité dans des solvants non polaires.* Cela semble indiquer que pour pénétrer dans une bicouche lipidique, une molécule de soluté doit perdre son enveloppe d'hydratation pour être solvatée par le cœur hydrocarboné de la bicouche. Un tel processus est tout à fait défavorable pour des molécules polaires si bien que même l'épaisseur de l'ordre de 30 Å du cœur hydrocarboné d'une bicouche lipidique constitue une véritable barrière pour les substances polaires. Cependant, des mesures avec de l'eau tritiée ont montré que les bicouches lipidiques sont relativement

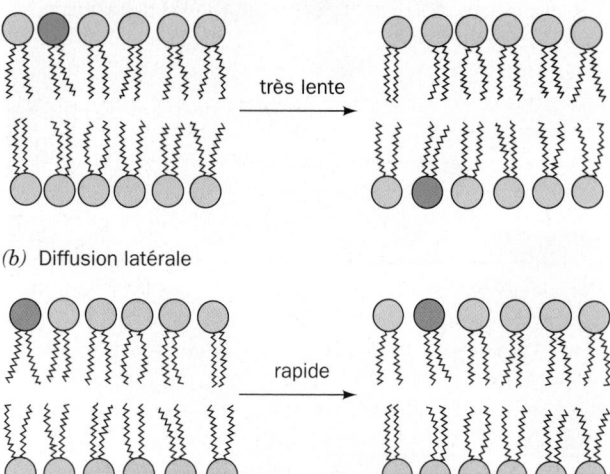

(a) Diffusion transversale (basculement)

très lente

(b) Diffusion latérale

rapide

FIGURE 12-14 Diffusion de phospholipides dans une bicouche lipidique. (*a*) La diffusion transversale (flip-flop ou basculement) correspond au transfert d'une molécule de phospholipide d'un feuillet de la bicouche à l'autre. (*b*) La diffusion latérale est un échange, à l'intérieur d'une paire, entre deux molécules de phospholipide voisines appartenant au même feuillet de la bicouche.

perméables à l'eau. Malgré la polarité de l'eau, sa petite taille moléculaire lui confère une solubilité appréciable dans le cœur hydrocarboné des bicouches lipidiques, ce qui lui permet de les traverser.

> La stabilité des liposomes et leur imperméabilité à beaucoup de substances en font des véhicules prometteurs pour transporter vers certains tissus des agents thérapeutiques, comme des médicaments, des enzymes, et des gènes (en vue de la thérapie génique). Les liposomes sont absorbés par beaucoup de cellules en fusionnant avec leur membrane plasmique. Si l'on arrive à mettre au point des méthodes pour diriger les liposomes vers une population spécifique de cellules, on pourra alors diriger les médicaments vers des tissus particuliers après leur encapsulation dans les liposomes.

Ainsi, plusieurs agents anticancéreux ou antibiotiques sont déjà disponibles sous forme de liposomes ;

C. *Dynamique des bicouches*

a. Les bicouches lipidiques sont des fluides à deux dimensions

Le transfert d'une molécule lipidique au travers d'une bicouche (Fig. 12-14*a*), un processus appelé **diffusion transversale** ou **basculement** (« **flip-flop** »), n'arrive que très rarement. Ceci, parce qu'au cours du basculement, la tête polaire du lipide doit traverser le cœur hydrophobe de la bicouche. Les vitesses de basculement des phospholipides, mesurées par différentes techniques, sont caractérisées par des demi-temps de plusieurs jours au minimum.

Par contre, *les lipides sont très mobiles dans le plan de la bicouche* (**diffusion latérale,** Fig. 12-14*b*). Les clichés de diffraction des rayons X de bicouches à températures physiologiques montrent une bande diffuse, au centre d'un espacement de 4,6 Å, dont la largeur est une mesure de la distribution des espacements latéraux entre les chaînes hydrocarbonées dans le plan de la bicouche. Cette bande, qui ressemble à l'une des bandes observées dans les clichés de diffraction des rayons X par des paraffines liquides, indique que *la bicouche est un fluide à deux dimensions dans lequel les chaînes hydrocarbonées sont l'objet de mouvements fluctuants rapides qui impliquent des rotations autour de leurs liaisons C—C.*

La vitesse de diffusion latérale des molécules de lipides peut être déterminée quantitativement d'après la vitesse de **rétablissement de la fluorescence après photo-blanchiment** (Fig. 12-15). Un groupement fluorescent (**fluorophore**) est spécifiquement lié à un composant de la bicouche et une impulsion intense de rayonnement laser est centré sur une très petite surface (de l'ordre de 3 μm²), ce qui détruit (blanchit) le fluorophore à cet endroit précis. La vitesse à laquelle la région blanchie recouvre sa fluorescence, suivie par microscopie à fluorescence, indique la vitesse à laquelle les molécules marquées par fluorescence, blanchies ou non blanchies, diffusent latéralement, les unes vers la zone blanchie, les autres en dehors. De tels examens ainsi que des mesures par RMN

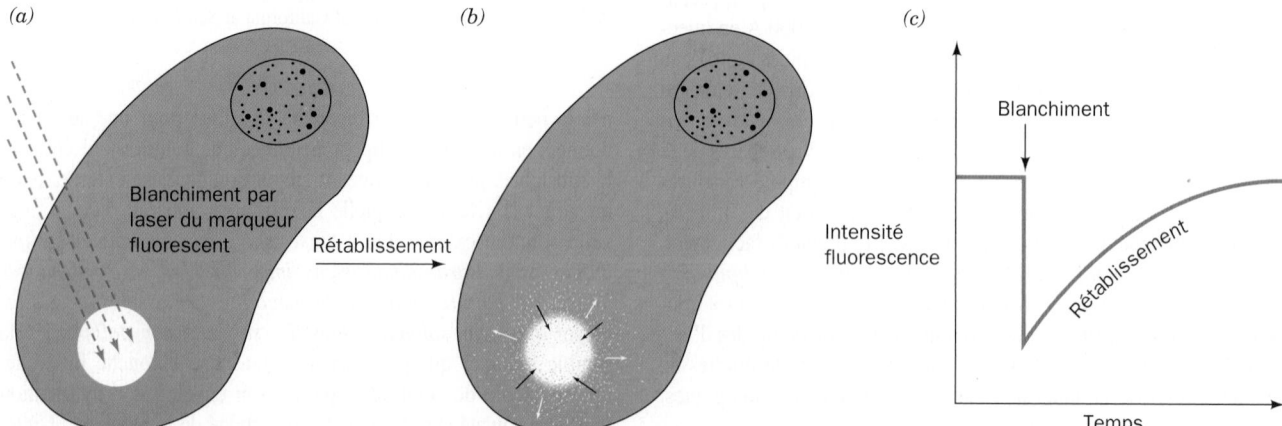

(a)   *(b)*   *(c)*

Blanchiment par laser du marqueur fluorescent

Rétablissement

Blanchiment

Intensité fluorescence

Rétablissement

Temps

FIGURE 12-15 Technique de rétablissement de la fluorescence après photo-blanchiment. (*a*) Une impulsion de lumière laser intense blanchit les marqueurs fluorescents (*en vert*) d'une petite surface d'une cellule immobilisée dont un des constituants membranaires est marqué par fluorescence. (*b*) La fluorescence de la région blanchie, suivie par microsco-

pie à fluorescence, réapparaît suite au remplacement des molécules blanchies, qui s'en éloignent par diffusion latérale, par des molécules fluorescentes intactes qui diffusent en sens inverse. (*c*) La vitesse de rétablissement de la fluorescence dépend de la vitesse de diffusion des molécules marquées.

FIGURE 12-16 Instantané, en simulation de dynamique moléculaire, d'une bicouche lipidique de dipalmitoyl phosphatidylcholine entourée d'eau. Le code couleur des atomes est le suivant : C des chaînes en gris (sauf le C du méthyle terminal, qui est en jaune), C du glycérol en brun, O des liaisons ester en rouge, P et O des phosphates en vert, C et N de la choline en violet pâle, O de l'eau en bleu foncé, et H de l'eau en bleu vert. Les atomes H des lipides ne sont pas représentés, pour plus de clarté. [Avec la permission de Richard Pastor et de Richard Venable, FDA, Bethesda, Maryland.]

ont permis d'établir que les lipides dans les bicouches ont des mobilités latérales identiques à celles de molécules dans des huiles minérales légères. Les lipides en bicouches peuvent donc diffuser sur une longueur de 1 μm en 1 seconde environ (taille d'une bactérie).

Des simulations de dynamique moléculaire (Section 9-4) des bicouches lipidiques (Fig. 12-16) montrent que la conformation de leurs queues lipidiques est très flexible en raison d'une rotation autour des liaisons C—C. Cependant, la viscosité de ces queues augmente brusquement au voisinage des groupements lipidiques de tête car ces derniers, plus rigides, interagissent avec les queues

et réduisent leur mobilité latérale. Noter que les extrémités méthylées des queues des feuillets opposés de la bicouche forment souvent des interdigitations, plutôt que des couches entièrement séparées comme pourrait le suggérer la Fig. 12-14. Ceci se vérifie particulièrement pour les membranes biologiques car leurs diverses molécules lipidiques ont des queues de longueurs différentes et/ou sont coudées par des doubles liaisons. Les simulations de dynamique moléculaire indiquent également que la bicouche lipidique est flanquée de plusieurs couches de molécules d'eau ordonnées. De plus, comme le montre la Fig. 12-16, des molécules d'eau s'engagent fréquemment bien au-dessous du niveau des groupements de tête et des résidus de glycérol. Ainsi, *on trouve dans une bicouche lipidique typique un cœur hydrocarboné d'environ 30 Å d'épaisseur limité des deux côtés par une interface d'environ 15 Å d'épaisseur contenant des agglomérats, qui fluctuent rapidement, de groupements de tête, d'eau, de glycérol, et de groupements carbonyle et méthylène.*

b. La fluidité de la bicouche varie avec la température

*Lorsqu'une bicouche est refroidie en dessous d'une **température de transition** caractéristique, elle subit une sorte de changement de phase, appelé **transition ordre-désordre**, au cours de laquelle elle prend une consistance solide de type gel (Fig. 12-17) ;* autrement dit, elle perd son caractère fluide. En dessous de la température de transition, la bande de 4,6 Å détectée par diffraction des rayons X, caractéristique de l'espacement entre les chaînes d'hydrocarbures dans une bicouche de cristal liquide, est remplacée par une bande étroite de 4,2 Å identique à celle trouvée avec les paraffines cristallisées. Cela indique que les chaînes hydrocarbonées d'une bicouche sont en pleine extension et compactées selon un arrangement hexagonal comme dans les paraffines cristallisées.

La température de transition d'une bicouche augmente avec la longueur de la chaîne et avec le degré de saturation des résidus d'acides gras qui la composent pour les mêmes raisons qui font que les températures de fusion des acides gras augmentent avec ces facteurs. Les températures de transition de la plupart des mem-

(a) Au-dessus de la température de transition   *(b)* En-dessous de la température de transition

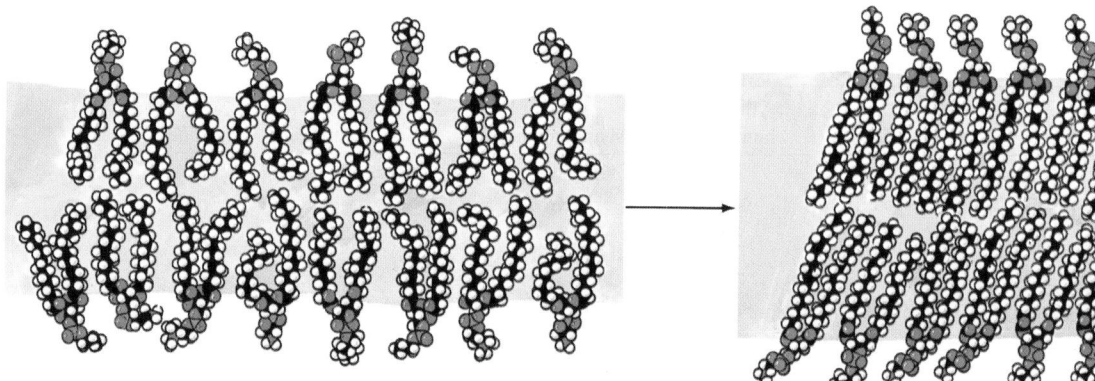

FIGURE 12-17 Structure d'une bicouche lipidique composée de phosphatidylcholine et de phosphatidyléthanolamine lorsque la température est abaissée en dessous de la température de transition de la bicouche. (*a*) Au-dessus de la température de transition, les molécules lipidiques dans leur ensemble, ainsi que leurs queues non polaires, sont très mobiles dans le plan de la bicouche. Un tel état de la matière,

ordonné dans certaines directions mais non dans d'autres, est appelé cristal liquide. (*b*) En dessous de la température de transition, les molécules lipidiques sont beaucoup mieux ordonnées pour donner un solide de type gel. [D'après Robertson, R.N., *The Lively Membranes*, pp. 69-70, Cambridge University Press (1983).]

branes biologiques se situent entre 10 et 40 °C. *Le cholestérol, qui, à lui seul, ne forme pas de bicouche, diminue la fluidité de la membrane près de la surface de celle-ci, car son noyau stéroïde rigide interfère avec les mouvements des queues d'acides gras.* Cependant, puisque le cholestérol ne pénètre pas dans la membrane aussi loin que la plupart des lipides, il se comporte également comme un écarteur qui accroît la mobilité de l'extrémité méthylée des queues d'acides gras. Le cholestérol augmente aussi la zone de température de la transition ordre-désordre et, à fortes concentrations, il l'annule complètement. Ceci parce que le cholestérol inhibe la cristallisation des chaînes d'acides gras (leur agrégation coopérative en arrangements ordonnés) en s'intercalant entre elles. Le cholestérol joue ainsi le rôle d'un agent plastifiant des membranes.

La fluidité des membranes biologiques est l'une de leurs propriétés physiologiques importantes car elle permet aux protéines qui s'y trouvent insérées d'interagir (Section 12-3B). Les températures de transition des membranes de mammifères sont bien en dessous de la température du corps et, par conséquent, ces membranes ont toutes un caractère fluide. Les bactéries et les animaux poïkilothermes (à sang froid) comme les poissons modifient (par l'intermédiaire de la biosynthèse et de la dégradation des lipides) la composition en acides gras de leurs lipides membranaires en fonction de la température ambiante afin de maintenir la fluidité membranaire. Par exemple, la viscosité de la membrane d'*E. coli* reste constante si la température de croissance varie de 15 à 43 °C.

Les anesthésiques gazeux, comme l'éther diéthylique, le cyclopropane, l'**halothane** (2-bromo-2-chloro-1,1,1-trifluoroéthane), et le gaz inerte X[e], exercent leur action en interférant avec la transmission de l'influx nerveux du système nerveux central. Dans la mesure où ces substances sont éliminées sans avoir été modifiées, une action par voie chimique est à exclure. Plusieurs arguments expérimentaux, par exemple la corrélation linéaire entre leur efficacité en tant qu'anesthésiques et leur liposolubilité, suggèrent plutôt que ces substances non polaires altèrent les structures des membranes en se dissolvant dans leurs cœurs hydrocarbonés. La transmission des influx nerveux, phénomène membranaire (Section 20-5), est perturbée par ces modifications structurales auxquelles les membranes neuronales semblent particulièrement sensibles.

3 ■ MEMBRANES BIOLOGIQUES

Les membranes biologiques sont composées de protéines associées à une matrice lipidique en bicouche. Leurs fractions lipidiques sont formées de mélanges complexes qui varient avec l'origine de la membrane (Tableau 12-3) et, dans une certaine mesure, avec le régime alimentaire et l'environnement de l'organisme qui produit la membrane. *Les protéines membranaires assurent les processus dynamiques liés aux membranes et on ne trouve donc de protéines spécifiques que dans des membranes spéciales.* Les rapports protéine/lipide des membranes varient considérablement selon la fonction membranaire comme le montre le Tableau 12-4, bien que la plupart des membranes contiennent au moins 50 % de protéines. La membrane de myéline, qui assure un rôle d'isolant passif pour certaines fibres nerveuses (Section 20-5B), est une exception flagrante car elle ne contient que 18 % de protéines.

Dans cette section, nous étudierons les propriétés des protéines membranaires et leur comportement dans les membranes biologiques. Après quoi, nous nous intéresserons à des aspects spécifiques des membranes biologiques, à savoir le cytosquelette des érythrocytes, la nature des groupes sanguins, les jonctions communicantes et les protéines qui forment des canaux. Les mécanismes d'assemblage des membranes et d'adressage de leurs protéines seront étudiés dans la Section 12-4.

A. *Protéines membranaires*

Les protéines membranaires sont classées selon leur degré d'association aux membranes :

1. *Les protéines intégrales ou protéines intrinsèques sont fortement liées aux membranes par des forces hydrophobes (Fig. 12-18)* et on ne peut les extraire que par traitement des membranes avec des agents qui déstabilisent celles-ci. Ces agents comprennent les solvants organiques, les détergents (ceux de la Fig. 12-19, par exemple) et des substances chaotropiques (ions qui désorganisent la structure de l'eau ; Section 8-4E). Les protéines intrinsèques ont tendance à s'agréger et à précipiter en solutions

TABLEAU 12-3 Composition lipidique de quelques membranes biologiques[a]

Lipide	Erythrocyte humaien	Myéline humaine	Mitochondrie de cœur de bœuf	*E. coli*
Acide phosphatidique	1,5	0,5	0	0
Phosphatidylcholine	19	10	39	0
Phosphatidyléthanolamine	18	20	27	65
Phosphatidylglycérol	0	0	0	18
Phosphatidylinositol	1	1	7	0
Phosphatidylsérine	8,5	8,5	0,5	0
Cardiolipine	0	0	22,5	12
Sphingomyéline	17,5	8,5	0	0
Glycolipides	10	26	0	0
Cholestérol	25	26	3	0

[a]Les valeurs sont données en pourcentage de poids de lipides totaux.

Source: Tanford, C., *The Hydrophobic Effect*, p. 109, Wiley (1980).

TABLEAU 12-4   Composition de quelques membranes biologiques

Membrane	Protéine (%)	Lipide (%)	Glucide (%)	Rapport Protéine sur Lipide
Membranes plasmiques:				
Cellules de foie de souris	46	54	2–4	0,85
Erythrocyte humain	49	43	8	1,1
Amibe	52	42	4	1,3
Membrane nucléaire de foie de rat	59	35	2,0	1,6
Membrane mitochondriale externe	52	48	$(2-4)^a$	1,1
Membrane mitochondriale interne	76	24	$(1-2)^a$	3,2
Myéline	18	79	3	0,23
Bactérie Gram positif	75	25	$(10)^a$	3,0
Membrane pourpre de *Halobactérium*	75	25		3,0

^{a}Deduit des analyses.

Source: Guidotti, G., *Annu. Rev. Biochem.* **41,** 732 (1972).

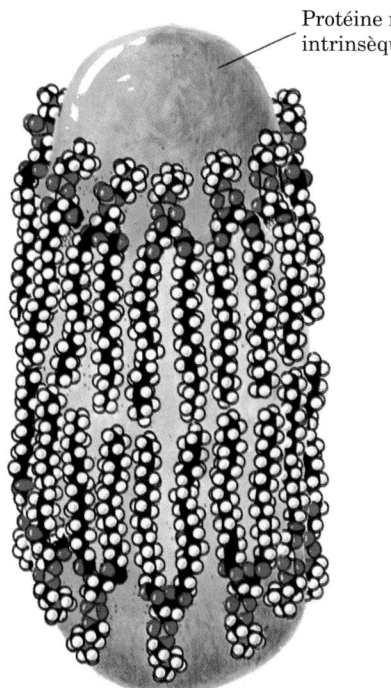

Protéine membranaire intrinsèque

FIGURE 12-18 Modèle d'une protéine membranaire intrinsèque. Les protéines intrinsèques dans une bicouche lipidique sont « solvatées » par les lipides grâce à des interactions hydrophobes entre la protéine et les queues non polaires des lipides. Les groupements polaires de tête peuvent également s'associer à la protéine par liaisons hydrogène et ponts salins. [D'après Robertson, R.N., *The Lively Membranes, p. 56,* Cambridge University Press (1983).]

$$CH_3-(CH_2)_{11}-OSO_3^- \quad Na^+$$

Sodium dodécyl sulfate (SDS)

X = H,   Y = COO$^-$ Na$^+$ **Désoxycholate de sodium**
X = OH, Y = COO$^-$ Na$^+$ **Cholate de sodium**
X = OH, Y = CO—NH—$(CH_2)_3$—N$^+$$(CH_3)_2$—SO$_3^-$ **CHAPS**

$$CH_3-(CH_2)_n-CH_2-\overset{\overset{\displaystyle CH_3}{|}}{\underset{\underset{\displaystyle CH_3}{|}}{N^+}}-CH_3 \quad Br^-$$

n =10 **Bromure de dodécyltriéthylammonium (DTAB)**
n =15 **Bromure de cétyltriméthylammonium (CTAB)**

$$CH_3-(CH_2)_{11}-(O-CH_2-CH)_n-OH$$

Ether de polyoxyéthylènelauryl

n = 4 **Brij 30**
n = 25 **Brij 35**

Ether de polyoxyéthylène-*p*-isooctylphényl

n = 5 **Triton X-20**
n = 10 **Triton X-100**

FIGURE 12-19 Une sélection de détergents utilisés en biochimie. Noter qu'ils peuvent être anioniques, cationiques, « zwitterioniques », ou non chargés. Les détergents ioniques sont très amphiphiles et ont donc tendance à dénaturer les protéines, ce qui n'est pas le cas des détergents neutres.

aqueuses à moins qu'on ne les solubilise avec des détergents ou des solvants organiques miscibles à l'eau, comme le butanol ou le glycérol. Certaines protéines intrinsèques sont si fortement liées aux lipides qu'il est nécessaire de se placer en conditions dénaturantes pour les en débarrasser. Les protéines intrinsèques solubilisées sont purifiées par plusieurs des méthodes de fractionnement vues dans le Chapitre 6.

2. *Les **protéines périphériques** ou protéines **extrinsèques** sont dissociées des membranes par des techniques relativement douces qui laissent la membrane intacte,* telles que le traitement par des solutions de sels de force ionique élevée (ex. NaCl 1*M*), par des agents chélateurs des métaux, ou des changements de pH. Les protéines périphériques, le cytochrome *c* par exemple, sont stables en solutions aqueuses et ne se lient pas aux lipides. Elles s'associent à la membrane en se liant à sa surface, avec les groupements de tête de ses lipides ou avec des protéines intrinsèques, par interactions électrostatiques et liaisons hydrogène. Les protéines périphériques débarrassées de membrane se comportent comme des protéines globulaires hydrosolubles et peuvent être purifiées en tant que telles (Chapitre 6).

Dans la sous-section qui suit, nous nous intéresserons aux protéines intrinsèques.

a. Les protéines intrinsèques sont des amphiphiles orientés asymétriquement

Toutes les membranes biologiques contiennent des protéines intrinsèques, lesquelles représentent environ 25 % des protéines codées par le génome. Leur localisation dans une membrane peut être déterminée par **marquage de surface**, une technique qui utilise des agents réagissant avec les protéines mais ne pouvant entrer dans les membranes. Par exemple, une protéine intrinsèque sur le

côté externe d'une membrane cellulaire intacte se lie à un anticorps dirigé contre elle, alors qu'une protéine sur le côté interne de cette membrane ne pourra se lier à l'anticorps que si la membrane est rompue. Des réactifs spécifiques de protéines, qui ne traversent pas les membranes et sont fluorescents ou radioactifs, peuvent être utilisés de la même façon. L'utilisation de tels marqueurs de surface a montré que *certaines protéines intrinsèques sont exposées d'un seul côté de la membrane, alors que d'autres, appelées **protéines transmembranaires**, traversent la membrane.* Cependant, on ne connaît pas de protéines complètement enfouies dans la membrane ; autrement dit, elles sont toutes exposées à l'environnement aqueux. Ces études ont également permis de montrer que *les membranes biologiques sont asymétriques, dans la mesure où une protéine membranaire donnée est invariablement localisée sur un seul des côtés de la membrane ou bien, dans le cas d'une protéine transmembranaire, orientée dans une seule direction par rapport à la membrane (Fig. 12-20).*

Les protéines intrinsèques sont amphiphiles ; les segments de la protéine immergés dans l'espace interne non polaire d'une membrane ont essentiellement des résidus de surface hydrophobes, alors que les segments qui se projettent dans l'environnement aqueux présentent essentiellement des résidus polaires. Par exemple, des études par protéolyse suivie de modifications chimiques, ont permis de montrer que la **glycophorine A**, protéine transmembranaire de l'érythrocyte (Fig. 12-21), présente trois domaines : (1) un domaine N-terminal de 72 résidus qui se projette à l'extérieur et qui porte 16 motifs oligosaccharidiques ; (2) une séquence de 19 résidus essentiellement hydrophobes, qui traverse la membrane cellulaire de l'érythrocyte ; et (3), un domaine cytoplasmique C-terminal de 40 résidus avec une forte proportion de résidus polaires et de résidus chargés. Le domaine transmembra-

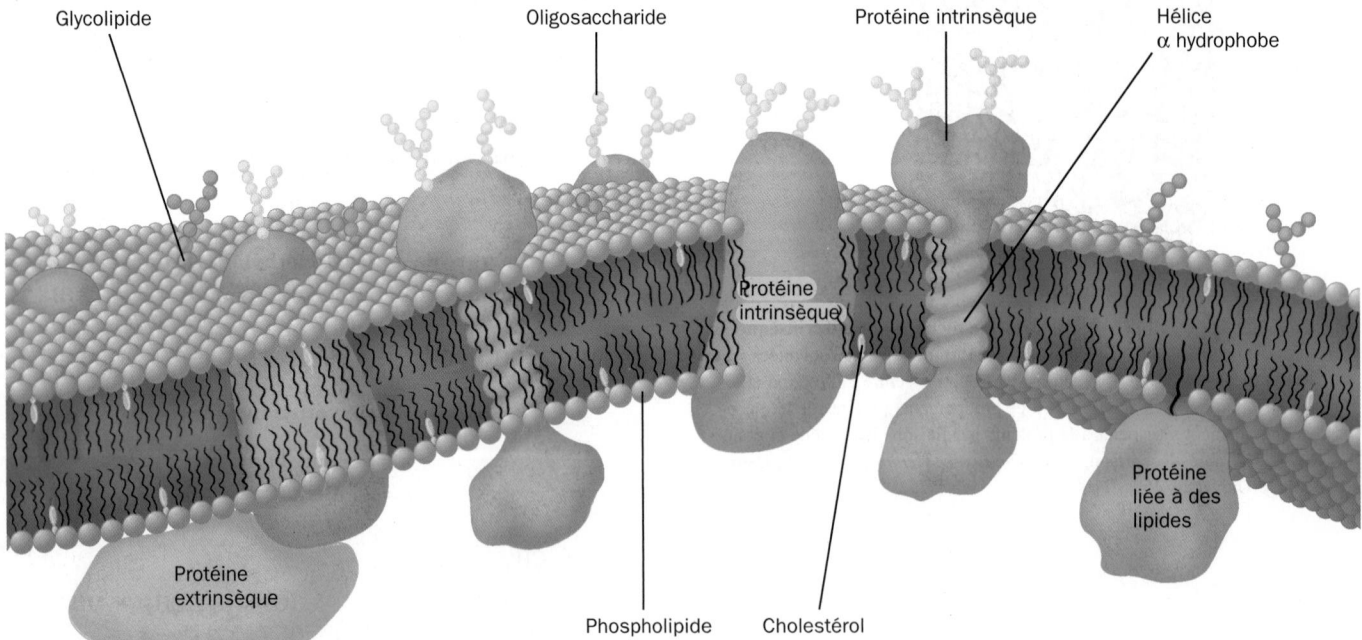

FIGURE 12-20 Représentation schématique d'une membrane plasmique. Les protéines intrinsèques (*orange*) sont enfouies dans une bicouche composée de phospholipides (*sphères bleues avec deux appendices tortillés* ; ils sont représentés en proportion beaucoup plus grande

qu'en réalité, pour plus de clarté) et de cholestérol (*jaune*). Les constituants glucidiques des glycoprotéines (*chaînes de perles jaunes*) et les glycolipides (*chaînes de perles vertes*) ne se trouvent que sur la face externe de la membrane.

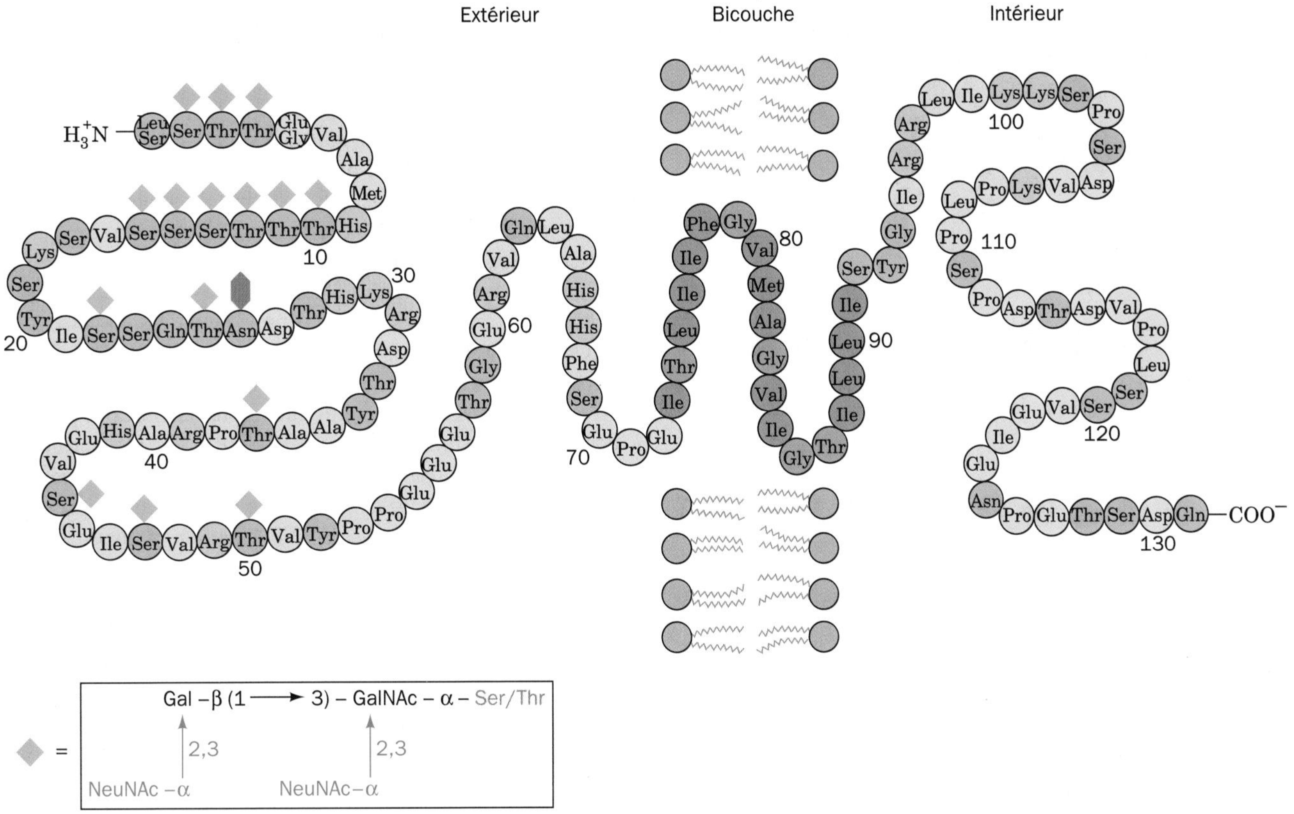

Extérieur   Bicouche   Intérieur

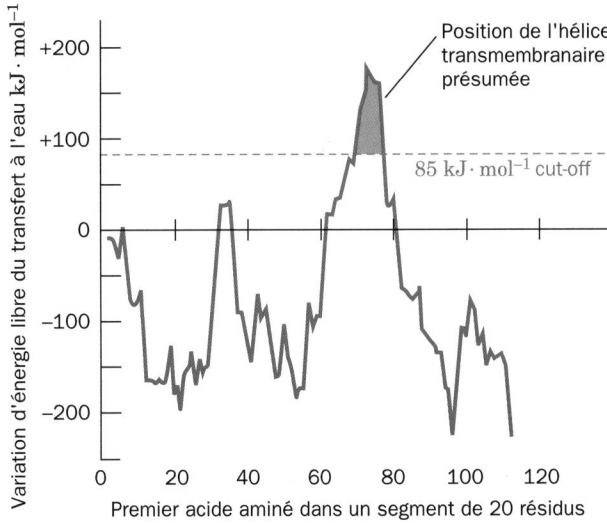

FIGURE 12-21 Séquence en acides aminés et localisation membranaire de la glycophorine A de l'érythrocyte humain. La protéine, qui a 60 % en poids de glucides, porte 15 oligosaccharides liés à *O* (*losanges verts*) et un oligosaccharide lié à *N* (*hexagone vert foncé*). La séquence prédominante des oligosaccharides liés à *O* est donnée en dessous. Le segment transmembranaire de la protéine (*brun et violet*) est formé de 19 résidus essentiellement hydrophobes. L'extrémité C-terminale, localisée

sur la face cytoplasmique de la membrane, est riche en résidus anioniques (*rose*) et cationiques (*bleu*). Il existe deux variantes génétiques courantes de la glycophorine A : la glycophorine A^M où l'on trouve Ser et Gly respectivement en positions 1 et 5, alors que l'on trouve Leu et Glu dans la glycophorine A^N. [(Abréviations : Gal = galactose, GalNAc = *N*-acétylgalactosamine, NeuNac = acide *N*-acétylneuraminique (acide sialique)]. [D'après Marchesi, V.T., *Semin. Hematol.* **16**, 8 (1979).]

naire, comme pour beaucoup de protéines membranaires intrinsèques, forme à peu près certainement une hélice α, assurant ainsi l'établissement de liaisons hydrogène nécessaires à son squelette polypeptidique. De fait, l'existence de l'hélice transmembranaire unique de la glycophorine *A* a été décelée par le calcul de la variation d'énergie libre accompagnant le transfert de segments polypeptidiques disposés en hélice α, de l'espace interne non polaire d'une membrane, dans de l'eau (Fig. 12-22). Des calculs identiques avec d'autres protéines intrinsèques ont permis également d'identifier leurs hélices transmembranaires.

Dans beaucoup de protéines intrinsèques, le(s) segment(s) hydrophobe(s) ancre(nt) la région active de la protéine à la membrane. Par exemple, la trypsine scinde le **cytochrome b₅**, enzyme

FIGURE 12-22 Représentation graphique, pour la glycophorine A, de la variation d'énergie libre calculée, pour le transfert de segments en hélice a de 20 résidus, depuis l'intérieur de la membrane à l'eau, en fonction de la position du premier résidu du segment. Des pics au-dessus de +85 kJ • mol^{-1} indiquent une hélice transmembranaire. [D'après Engleman, D.M., Steitz, T.A., and Goldman, A., *Annu. Rev. Biophys. Biophys. Chem.* **15**, 343 (1986).]

membranaire, en un fragment polaire enzymatiquement actif d'environ 85 résidus qui correspond à l'extrémité N-terminale, et un fragment C-terminal d'environ 50 résidus qui reste inséré dans la

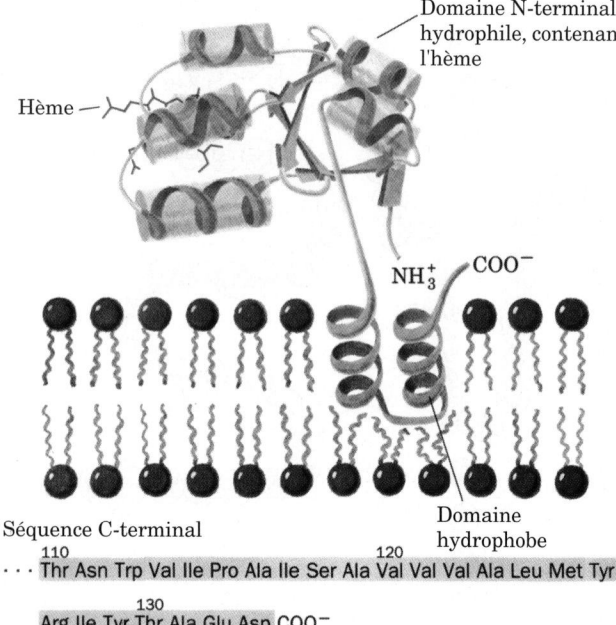

Séquence C-terminal
110   120
··· Thr Asn Trp Val Ile Pro Ala Ile Ser Ala Val Val Val Ala Leu Met Tyr
130
Arg Ile Tyr Thr Ala Glu Asp COO⁻

FIGURE 12-23 Le cytochrome b_5 de foie associé à une membrane. Le domaine N-terminal enzymatiquement actif de la protéine (*violet*), dont la structure par rayons X a été déterminée, est ancré à la membrane par un segment C-terminal hydrophobe probablement en hélice a (*brun*) qui débute et se termine par des segments hydrophiles (*violet*). La séquence en acides aminés de l'enzyme de cheval montre que cet ancre hydrophobe est formée d'un segment de 13 résidus qui se termine 9 résidus avant le résidu C-terminal du polypeptide (*en dessous*). [Représentation en ruban du domaine N-terminal d'après un dessin de Jane Richardson, Duke University. Séquence en acides aminés d'après Ozols, J. and Gerard, C., *J. Biol. Chem.* **253**, 8549 (1977).]

membrane (Fig. 12-23). *L'orientation asymétrique des protéines intrinsèques dans la membrane est maintenue par le fait que leurs vitesses de basculement sont infinitésimales (encore plus lentes que celles des lipides), en raison de la taille beaucoup plus grande des « groupements de tête » des protéines membranaires comparée à celle des lipides.* L'origine de cette asymétrie est discutée dans la Section 12-4.

Peu de protéines intrinsèques membranaires ont été cristallisées — et encore, en présence de détergents, qui ne sont que de piètres substituants des bicouches lipidiques. Ainsi, en dépit de leur abondance dans les systèmes biologiques, seuls 0,7 % environ des protéines de structure connue sont des protéines intrinsèques. Dans le reste de cette sous-section, nous étudierons les structures

de quatre protéines intrinsèques, la bactériorhodopsine, le centre de réaction photosynthétique bactérien, les porines et la cyclooxygénase.

b. La bactériorhodopsine contient un faisceau de sept segments hélicoïdaux hydrophobes

La **bactériorhodopsine** (**BR**) est l'une des protéines membranaires intrinsèques les mieux caractérisées ; elle se trouve dans la bactérie halophile (« qui aime le sel ») *Halobacterium salinarium,* occupant des sites très salés comme la Mer Morte (sa croissance optimale se fait dans NaCl 4,3*M* et elle ne vit pas en dessous de NaCl 2,0*M* ; l'eau de mer a une concentration en NaCl de 0,6*M*). Lorsque la concentration en O_2 est faible, sa membrane cellulaire présente des plages de 0,5 µm environ de **membrane pourpre** dont le seul constituant protéique est la BR. Cette protéine de 247 résidus est une pompe à protons « actionnée » par la lumière ; elle provoque la formation d'un gradient de protons à travers la membrane qui permet la synthèse d'ATP (selon un mécanisme décrit dans la Section 22-3B). Le composant de la BR qui absorbe la lumière, le **rétinal**, est lié par covalence au résidu Lys 216 (Fig. 12-24). Ce **chromophore** (groupement absorbant la lumière), qui donne sa couleur pourpre à la membrane, est aussi l'élément sensible à la lumière de notre système visuel.

La membrane pourpre, qui contient 75 % de protéines et 25 % de lipides, a une structure originale comparée à la plupart des autres membranes (Section 12-3B) : ses molécules de BR sont disposées selon un arrangement très précis à deux dimensions (cristal à deux dimensions). Ceci a permis à Richard Henderson et Nigel Unwin de déterminer par **cristallographie électronique** (technique inventée par eux, qui ressemble à la cristallographie par rayons X, dans laquelle le faisceau d'électrons d'un microscope électronique est utilisé pour provoquer la diffraction depuis des cristaux à deux dimensions), la structure de la BR avec une précision proche de la résolution atomique (3,0 Å). La structure déterminée ainsi ressemble fort à celle obtenue plus récemment par rayons X avec une résolution de 1,9 Å sur des cristaux individuels de BR dissoute dans des phases lipidiques cubiques (mélanges de lipides et d'eau qui forment une bicouche continue, mais très tourmentée, où s'enfoncent des canaux aqueux).

La BR est un homotrimère. Chaque sous-unité est formée essentiellement d'un faisceau de sept segments en hélice α de 25 résidus qui traversent, chacun, la bicouche lipidique presque perpendiculairement à son plan (Fig. 12-25). On dit de la BR qu'elle est **polytopique** (qui traverse plusieurs fois la membrane ; du grec *topos,* endroit). Les espaces de l'ordre de 20 Å qui séparent les molécules de la protéine dans la membrane pourpre sont remplis par cette bicouche (Fig. 12-25*b*). Les hélices α adjacentes, parti-

FIGURE 12-24 Formule moléculaire du rétinal. Le rétinal, groupement prosthétique de la bactériorhodopsine, forme une base de Schiff avec la Lys 216 de la protéine. Une liaison analogue se forme dans la **rhodopsine**, la protéine photoréceptrice de l'œil.

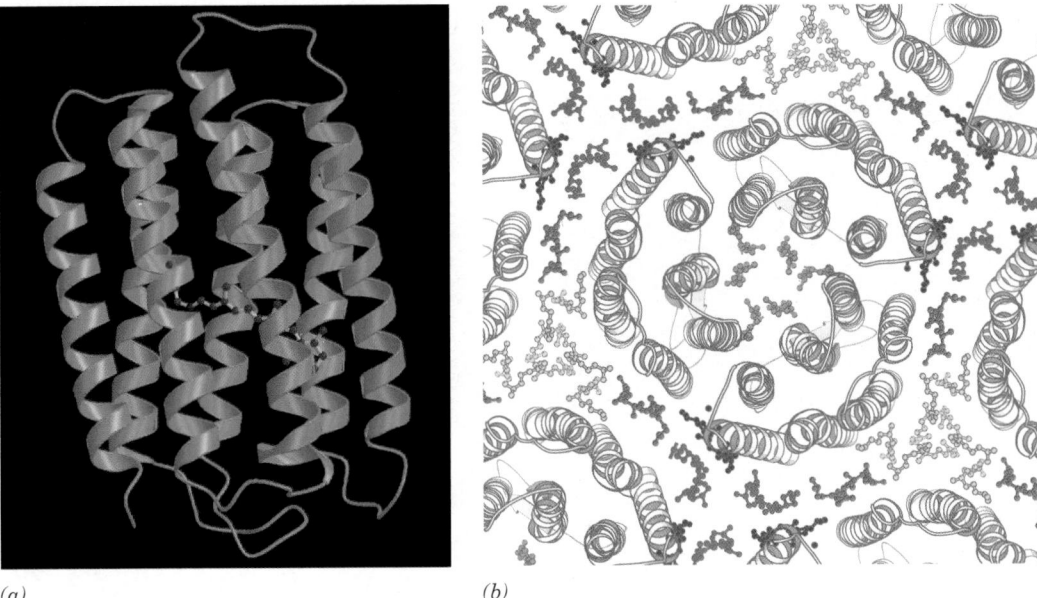

(a)   *(b)*

FIGURE 12-25 Structure de la bactériorhodopsine. *(a)* Structure, obtenue par cristallographie électronique, de la BR face extracellulaire vers le bas et vue de l'intérieur de la membrane pourpre. Le squelette polypeptidique est en bleu-vert, et le rétinal, qui lui est associé par covalence, est en représentation « boules et bâtonnets » en jaune et gris. L'extrémité N-terminale est en bas à gauche. [Avec la permission de Nikolaus Grigorieff et Richard Henderson, MRC Laboratory of Molecular Biology, Cambridge, U.K.] *(b)* Structure par rayons X du trimère de BR, vu à partir du côté extracellulaire de la membrane et entouré de parties d'autres trimères. Les molécules de protéine sont représentées en ruban *(en gris)* et les queues lipidiques qui leur sont associées représentées en « boules et bâtonnets » de couleurs différentes, une même couleur désignant les queues lipidiques symétriques (les groupements lipidiques de tête sont invisibles, car désordonnés). On ne voit que les lipides de la couche extracellulaire ; la distribution de ceux de la couche cytoplasmique est la même. Noter comment les 7 hélices a antiparallèles de chaque monomère de BR sont disposées en cercle sur deux couches, une interne de 3 hélices et une externe de 4 hélices, les hélices qui se suivent dans la séquence se suivant également dans l'espace (la direction N vers C est ici dans le sens horaire). [Avec la permission de Eva Pebay-Peyroula, Université Joseph Fourié, Grenoble, France, PDBid 1AP9.]

culièrement hydrophobes, sont réunies tête à queue par de petites boucles peptidiques. Selon cette disposition, les résidus chargés de la protéine sont proches des surfaces de la membrane au contact du solvant aqueux. Les résidus chargés internes bordent le centre du faisceau d'hélices pour former un canal hydrophile qui facilite le transfert des protons. D'autres pompes et canaux membranaires (Chapitre 20) ont probablement des structures analogues.

c. Le centre de réaction photosynthétique contient onze hélices transmembranaires

Le processus photochimique primaire de la photosynthèse chez les bactéries pourpres photosynthétiques est sous la dépendance de ce qu'on appelle le **centre de réaction photosynthétique** (**PRC** ; Section 24-2B), une protéine transmembranaire (**TM**) constituée d'au moins trois sous-unités différentes de 300 résidus environ qui lient ensemble quatre molécules de **chlorophylle**, quatre autres chromophores, et un atome de Fe non-hème. Le centre de réaction photosynthétique de 1187 résidus de *Rhodopseudomonas (Rps.) viridis,* dont la structure par rayons X fut déterminée en 1984 par Hartmut Michel, Johann Deisenhofer, et Robert Huber, a été la première protéine TM à être décrite à l'échelle atomique (Fig. 12-26). La partie TM de la protéine polytopique est formée de 11 hélices α qui constituent un cylindre aplati de 45 Å de long dont la surface hydrophobe correspond aux prédictions.

d. Les porines sont des protéines formant des canaux et qui contiennent des tonneaux β transmembranaires

Les membranes externes des bactéries Gram négatif (Section 11-3B) les protègent contre l'environnement mais doivent néanmoins être perméables à de petits solutés polaires comme les nutriments et les déchets. Pour cette raison, ces membranes externes contiennent des protéines qui y sont insérées et forment des canaux. Ces protéines, appelées **porines,** sont en général des trimères de sous-unités identiques de 30 à 50 kD qui permettent le passage de solutés de masses moléculaires inférieures à 600 D environ. On trouve aussi des porines chez les eucaryotes, dans les membranes externes des mitochondries et des chloroplastes (d'où une preuve supplémentaire que ces organites descendent des bactéries ; Section 1-2A).

Les structures par rayons X de plusieurs porines ont été élucidées récemment : une porine de *Rhodobacter (Rb.) capsulatus,* déterminée par Georg Schulz, et les porines d' *E. coli* **OmpF** et **PhoE,** déterminées par Johan Jansonius. Les 340 et 330 résidus des porines OmpF et PhoE partagent 63 % d'identité de séquence,

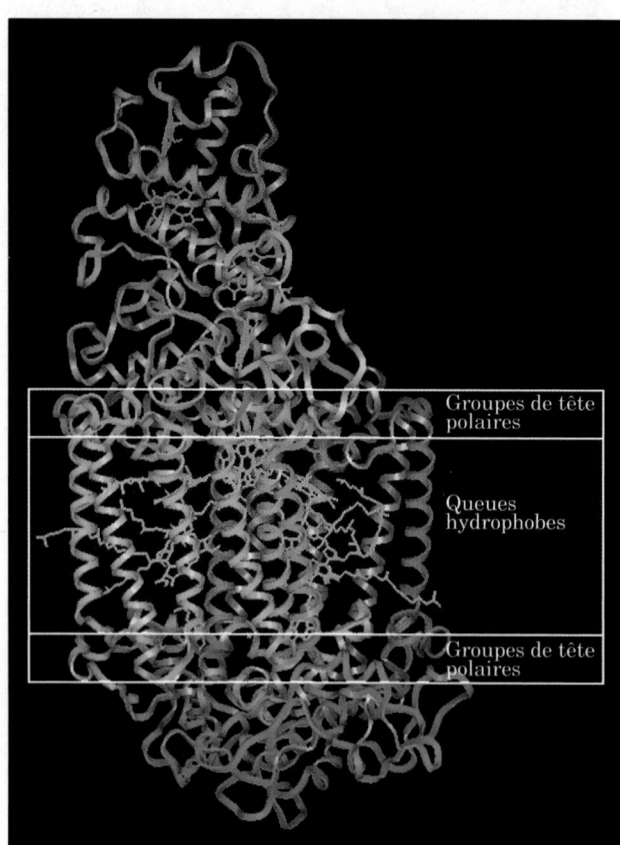

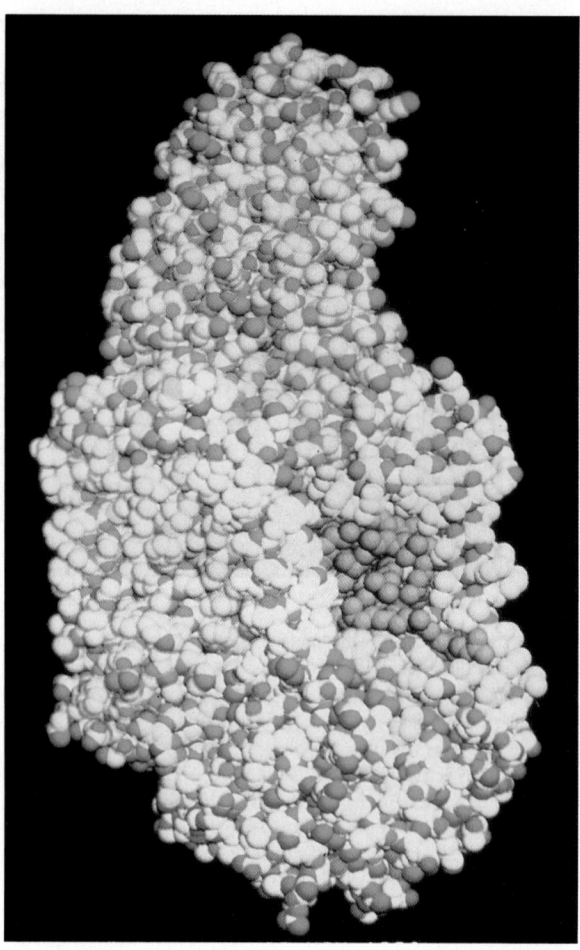

(b)

FIGURE 12-26 Structure par rayons X du centre de réaction photo-synthétique de *Rps. viridis*. (*a*) Représentation en ruban dans laquelle seuls le squelette des C$_a$ et les groupements prosthétiques (*en jaune*) sont montrés. Les sous-unités H, M, et L (respectivement *en rose, bleu, et orange*) ont ensemble 11 hélices transmembranaires. Le cytochrome de type *c* (*vert*) à 4 hèmes, que l'on ne trouve pas dans tous les types de bactéries photosynthétiques, est lié sur la face externe du complexe. La position que la protéine transmembranaire occupe vraisemblablement dans la bicouche lipidique est indiquée schématiquement. [D'après une structure par rayons X obtenue par Johann Deisenhofer, Robert Huber et

Harmut Michel, Max-Planck-Institut für Biochemie, Martinsried, Alle-magne.] (*b*) Modèle plein avec N en bleu, O en rouge, S en jaune, et les atomes de C des sous-unités H, M, L, et du cytochrome, respectivement en rose, bleu, orange, et vert. Les régions exposées des groupements prosthétiques sont en brun. Remarquer comme il y a peu de groupements polaires (azotes et oxygènes) exposés à l'extérieur dans cette partie de la protéine qui se trouve immergée dans la région non polaire de la bicouche lipidique. [D'après Deisenhofer, J. and Michel, H., *Les Prix Nobel* (1989). PDBid 1PRC.]

mais très peu de similitude de séquence avec celle de la porine de *Rb. capsulatus*, qui compte 301 résidus. Cependant, les trois porines ont des structures très voisines. Chaque monomère de ces protéines trimériques est constitué essentiellement d'un tonneau β antiparallèle à 16 segments formant un pore accessible au solvant le long de l'axe du tonneau, pore d'une longueur de 55 Å environ et d'un diamètre minimum de 7 Å environ (Fig. 12-27 ; on connaît cependant aussi des protéines de membrane à tonneau β qui com-portent 8, 12, 18 ou 22 segments). Dans le cas des porines OmpF et PhoE, les extrémités N- et C-terminales du 16e segment β sont réunies par un pont salin, formant ainsi une structure pseudo-cyclique (Fig. 12-27*a*). Noter qu'un tonneau β satisfait complète-ment le potentiel en liaisons hydrogène du squelette polypepti-dique, tout comme l'hélice α. Comme prévu, les chaînes latérales de la surface de la protéine exposée à la membrane sont non polaires, formant ainsi une bande hydrophobe d'environ 27 Å de haut qui encercle le trimère (Fig. 12-27*c*). Par contre, les chaînes

latérales de la surface de la protéine exposée au solvant, y compris celles qui bordent les parois du canal aqueux, sont polaires. Des mécanismes qui pourraient expliquer la sélectivité de ces porines pour les solutés sont exposés dans la Section 20-2D.

e. La cyclooxygénase ne se lie qu'à un des feuillets de la bicouche

Les protéines intrinsèques ne sont pas toutes des protéines TM. Par exemple, la **cyclooxygénase** (**COX** ; aussi appelée **pros-taglandine H$_2$ synthase**), enzyme qui participe à la synthèse des substances hormonales que son les **prostaglandines** (Section 25-7B), est une protéine intrinsèque qui se lie au feuillet luminal du réticulum endoplasmique. On dit donc qu'elle est **monotopique**, comme le cytochrome *b$_5$* (Fig. 12-33). La structure par rayons X de la COX, déterminée par Michael Garavito, montre que chaque sous-unité (576 résidus) de cet homodimère comporte trois domaines (Fig. 12-28) : un module N-terminal de 48 résidus qui

(a)

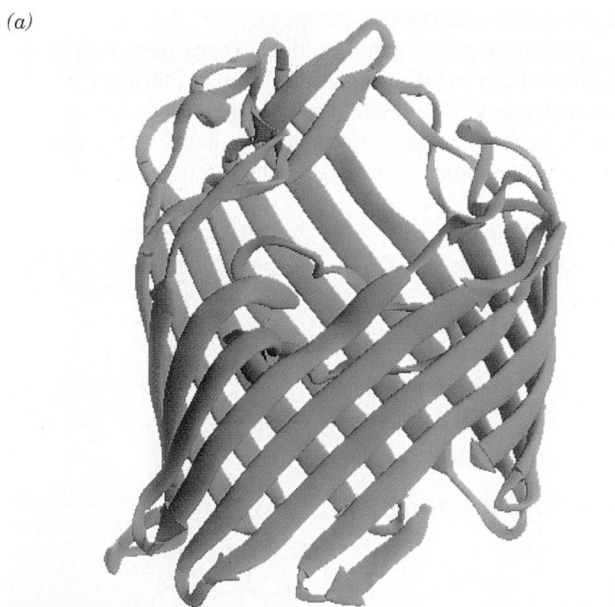

(b)

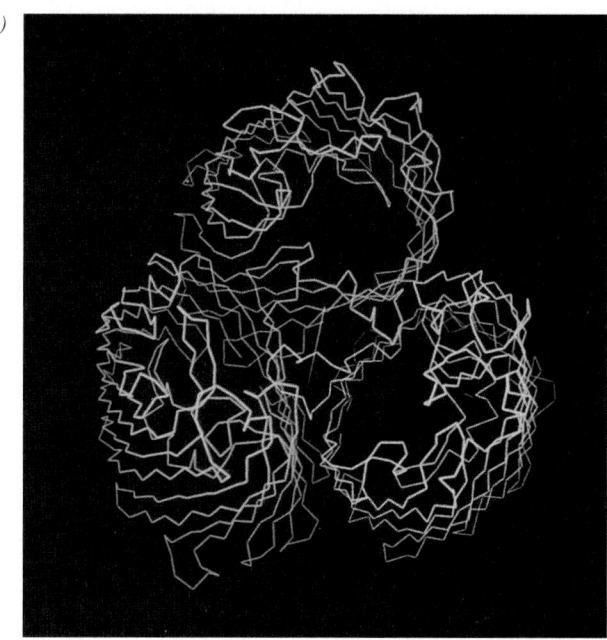

FIGURE 12-27 Structure par rayons X de la porine OmpF d'*E. coli*. (*a*) Représentation en ruban du monomère. Chaque segment de ce tonneau b antiparallèle à 16 segments est incliné de 45° environ sur l'axe du tonneau. Le segment C-terminal se poursuit par son segment N-terminal (*en bas à droite*), formant ainsi une structure pseudocontinue. Toutes les porines de structure connue ont les mêmes propriétés structurales. [D'après une structure aux rayons X obtenue par Johan Jansonius. PDBid 1OPF.] (*b*) Le squelette des C_a du trimère vu sous un angle de 30° environ depuis son axe de symétrie d'ordre trois montrant le pore à travers chaque sous-unité. Les sous-unités sont de couleurs différentes. On peut voir à l'interface des sous-unités bleue et verte que les segments des feuillets b adjacents sont essentiellement perpendiculaires entre eux. (*c*) Un modèle plein du trimère vu perpendiculairement à son axe d'ordre trois (*ligne verticale verte*). Avec N en bleu, O en rouge, et C en jaune, sauf ceux des chaînes latérales des résidus aromatiques, qui sont en blanc. Les groupements aromatiques semblent délimiter une bande hydrophobe d'environ 25 Å de hauteur (*cf. l'échelle à droite*) qui est immergée dans la région non polaire de la membrane externe de la bactérie (l'extérieur de la cellule étant en haut des représentations *a* et *c*). Comparer cette bande hydrophobe et celle de la Fig. 12-26*b*. [Avec la permission de Tilman Schirmer et Johan Jansonius, Université de Bâle, Suisse, pour les représentations *b* et *c*. PDBid 1OPF.]

(c)

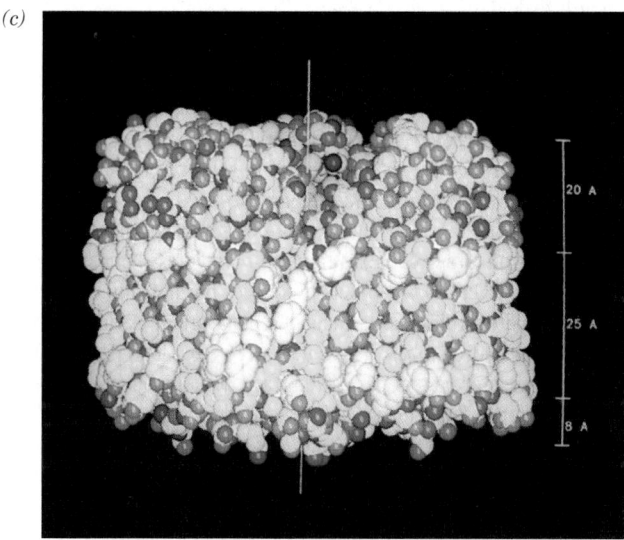

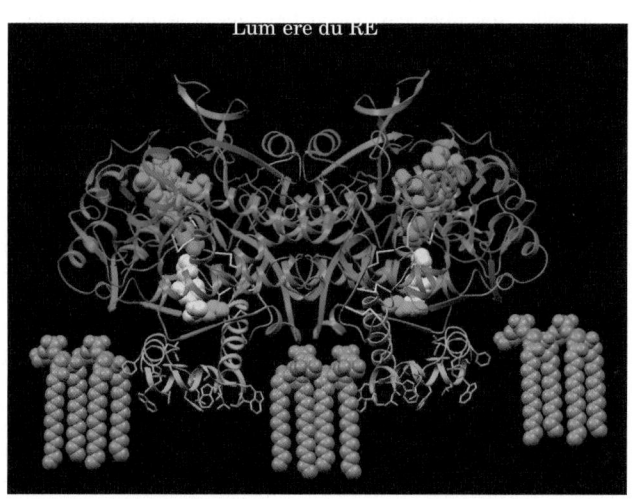

FIGURE 12-28 Structure par rayons X de la cyclooxygénase de mouton montrant sa disposition supposée dans la membrane du réticulum endoplasmique. L'enzyme homodimérique est vue suivant le plan de la membrane (*en gris*), son axe de symétrie d'ordre deux étant vertical. Le motif de type EGF dans chaque sous-unité est en vert, le motif de liaison à la membrane ainsi que plusieurs de ses chaînes latérales hydrophobes sont en orange, le domaine enzymatique est en bleu, et les ponts disulfure en jaune. Plusieurs groupements sont représentés en modèle plein : le groupement hème du site actif en rouge, les résidus Arg 120 et Tyr 385 impliqués dans le mécanisme (Section 25-7B) en vert et en magenta, et un inhibiteur lié à l'enzyme, le **flurbiprofène**, en jaune. [Avec la permission de Michael Garavito, Michigan State University. PDBid 1CQE.]

ressemble par sa structure au **facteur épidermique de croissance** (**EGF** ; polypeptide hormonal qui stimule la prolifération cellulaire ; Section 19-3) ; un motif central de liaison à la membrane de 44 résidus ; et un domaine enzymatique C-terminal de 484 résidus contenant un groupement hème. Le motif de liaison à la membrane est constitué de quatre hélices α amphiphatiques formant une spirale de pas à droite, dont les surfaces hydrophobes sont à l'extérieur du corps de la protéine. Ces résidus non polaires, dont beaucoup sont aromatiques, sont flanqués de résidus basiques dont on pense qu'ils interagissent électrostatiquement avec les groupements de tête des phospholipides de la membrane.

f. Les protéines intrinsèques partagent des caractéristiques structurales

Comme nous l'avons vu dans la Section 8-4, les forces hydrophobes constituent les interactions dominantes qui stabilisent la structure tridimensionnelle des protéines globulaires solubles dans l'eau. Cependant, les régions des protéines intrinsèques qui sont exposées à la membrane sont immergées dans un environnement non polaire : dans ce cas, qu'est-ce-qui stabilise leur structure ? D'après notre analyse des protéines intrinsèques discutées ci-dessus, leurs régions exposées à la membrane ont une organisation hydrophobe, au contraire de celle des protéines hydrosolubles. Leurs résidus exposés à la membrane sont en moyenne plus hydrophobes que leurs résidus internes, même si ces derniers ont des hydrophobicités et des densités de compactage comparables à celles des protéines hydrosolubles. Il est clair que *les structures des protéines intrinsèques et des protéines hydrosolubles sont toutes deux stabilisées par l'exclusion de leurs résidus internes du solvant qui les entoure, bien que celui-ci soit la bicouche lipidique dans le cas des protéines intrinsèques.*

Dans les protéines TM étudiées ci-dessus, les segments des éléments de structure secondaire transmembranaires (hélices pour la BR, le PRC et la COX, feuillets β pour les porines) qui contactent le cœur hydrocarboné de la bicouche comportent essentiellement les résidus hydrophobes Ile, Leu, Val et Phe. Les résidus flanquants, qui se projettent dans l'interface de la bicouche, sont surtout Phe, Trp et Tyr. Ainsi, *les bandes hydrophobes transmembranaires des protéines TM sont bordées de cycles aromatiques de chaînes latérales (p. ex. Fig. 12-27c) qui délimitent l'interface eau-bicouche.*

Dans chacune des protéines TM que nous avons vues, les éléments de structure secondaire qui sont adjacents dans la séquence le sont aussi dans la structure et ont donc tendance à être antiparallèles. Cette topologie « haut-bas » relativement simple peut résulter des contraintes liées à l'insertion, dans la bicouche lipidique, d'une chaîne polypeptidique en repliement (voir Section 12-4B).

B. *Protéines liées aux lipides*

*Les lipides et les protéines peuvent s'associer par covalence pour former des **protéines liées aux lipides**, dont les parties lipidiques ancrent aux membranes la protéine associée et assurent des interactions protéine-protéine.* Les protéines se lient par covalence à trois classes de lipides : (1) des groupements isoprénoïde tels que les résidus farnésyl et géranylgéranyl, (2) des groupements acyl d'acides gras tels que des résidus myristoyl ou palmitoyl, et (3) des phospholipides à glycoinositol (GPI). Dans cette sous-section, nous étudierons les propriétés de ces protéines liées aux lipides.

a. Protéines prénylées

Plusieurs protéines sont liées par covalence à des **groupements isoprénoïde**, principalement les résidus en C_{15} **farnésyl** et en C_{20} **géranylgéranyl** (l'**isoprène**, hydrocarbure en C_5, est l'unité de base à partir de laquelle de nombreux lipides, dont le cholestérol et les stéroïdes, sont synthétisés ; Section 25-6A).

Isoprène

Résidu farnèsyl

Résidu géranylgéranyl

Le site d'isoprénylation (ou simplement **prénylation**) le plus fréquent dans les protéines est le tétrapeptide C-terminal CaaX, où C est une Cys, « a » est souvent un résidu aliphatique, et « X » est n'importe quel acide aminé. Cependant, la nature du résidu X est un déterminant majeur d'isoprénylation : les protéines sont farnésylées quand X est Gln, Met, ou Ser, et sont géranylgéranylées quand X est Leu. Dans les deux cas, le groupement isoprénoïde est lié par voie enzymatique à l'atome de soufre du résidu Cys par une liaison thioéther. Le tripeptide aaX est ensuite excisé par protéolyse, et le nouveau groupement carboxylique terminal est estérifié par un groupement méthyle (Fig. 12-29).

Deux autres sites de prénylation ont été caractérisés : (1) la séquence C-terminale CXC, dans laquelle les deux résidus Cys sont géranylgéranylés et le groupement carboxylique terminal est estérifié par un groupement méthyle ; et (2) la séquence C-terminale CC dans laquelle l'un ou les deux résidus Cys sont géranylgéranylés sans qu'il y ait méthylation du groupement carboxyle. Les protéines ainsi prénylées appartiennent presque exclusivement à la famille **Rab** des petites protéines de liaison du GTP qui interviennent dans le trafic membranaire intracellulaire (Section 12-4D).

Quelles fonctions ces prénylations de protéines remplissent-elles ? Beaucoup de protéines prénylées sont associées à des membranes intracellulaires et si l'on bloque par mutation leurs sites de Cys-prénylation, on empêche leur localisation membranaire. Manifestement *le groupement isoprénoïde hydrophobe peut ancrer à une membrane la protéine à laquelle il est lié.* Toutefois, l'histoire ne s'arrête pas là, car des protéines ayant les mêmes groupements isoprénoïde peuvent se trouver sur des membranes intracellulaires différentes. De plus, si l'on fusionne le motif CaaX d'une protéine normalement prénylée à l'extrémité C-terminale d'une protéine qui ne l'est pas normalement, on obtient une protéine hybride correctement prénylée et méthylée sur son groupement carboxylique terminal, mais qui reste cytosolique. Ces observations suggèrent que les protéines prénylées peuvent être reconnues par des protéines membranaires jouant le rôle de récepteur et donc que *la prénylation interviendrait aussi dans les interactions pro-*

(a)

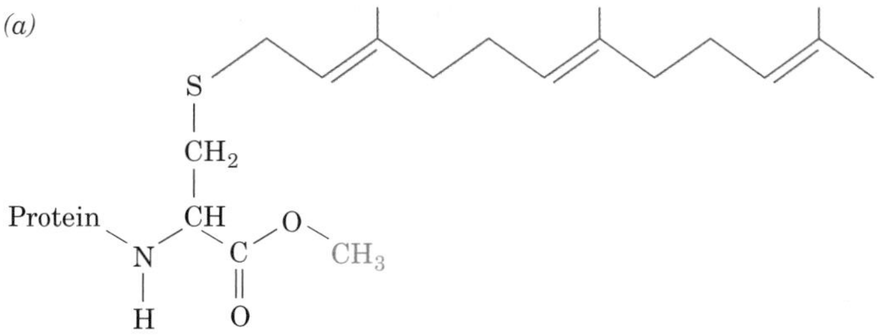

Ester méthylique de *S*–farnésyl cystéine

(b)

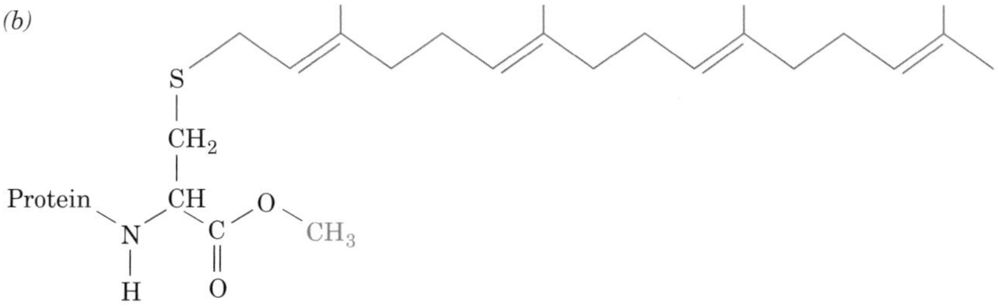

Ester méthylique de *S*–géranylgéranyl cystéine

FIGURE 12-29 Protéines prénylées. (*a*) Une protéine farnésylée, et (*b*) une protéine géranylgéranylée. Dans les deux cas, la protéine est synthétisée avec la séquence C-terminale CaaX, où « C » est Cys, « a » est souvent un acide aminé aliphatique, et « X » est n'importe quel acide aminé. Une fois le groupe prényle fixé à la protéine par une liaison thioéther avec le résidu Cys, le tripeptide aaX est éliminé par hydrolyse et le nouveau groupement carboxylique terminal est estérifié par un groupement méthyle. Quand X est Ala, Met, ou Ser, la protéine est farnésylée et quand X est Leu, elle est géranylgéranylée.

téine-protéine. Cette hypothèse est corroborée par le fait que, pour certaines protéines impliquées dans la transmission des signaux intracellulaires [par exemple, **Ras** (Section 19-3C) et les **protéines G** (Section 19-2)], la prénylation et la carboxyméthylation augmentent le degré d'association entre sous-unités impliquées dans la transmission du signal.

b. Protéines acylées par des acides gras

On connaît deux acides gras qui peuvent être liés par covalence à des protéines d'eucaryotes :

1. L'acide myristique, un acide gras saturé en C_{14} relativement rare (Tableau 12-1), qui est lié à une protéine par une liaison amide au groupement α-aminé d'un résidu Gly N-terminal. La myristoylation a lieu presque toujours pendant la traduction de la protéine (elle est cotraductionnelle) et cette liaison est stable, c'est-à-dire que la demi-vie du groupement myristoyl est identique à celle de la protéine à laquelle il est attaché.

2. L'acide palmitique, acide gras courant saturé en C_{16}, qui est lié à une protéine par une liaison thioester avec un résidu Cys spécifique. Dans certains cas, la protéine ainsi palmitoylée est aussi prénylée. Par exemple, Ras doit être farnésylée et carboxyméthylée comme nous l'avons vu précédemment avant de lier un groupement palmitoyl sur un résidu Cys situé plusieurs résidus avant l'extrémité C-terminale de la protéine. La fixation du groupement palmitoyl est post-traductionnelle, elle se fait dans le cytosol et elle est réversible.

On pense que les groupements d'acides gras sont des points d'ancrage membranaires pour les protéines, comme le sont les groupements isoprénoïde. Cependant, le fait que beaucoup de pro-

téines aient besoin de résidus d'acides gras spécifiques, suggère que ces groupements participent aussi à l'adressage, vers des localisations cellulaires particulières, des protéines auxquelles ils sont liés. De fait, les protéines porteuses de groupements palmitoyl se trouvent presque exclusivement sur le côté cytoplasmique de la membrane plasmique, tandis que les protéines myristoylées se trouvent dans plusieurs compartiments subcellulaires comme le cytosol, le réticulum endoplasmique, l'appareil de Golgi, la membrane plasmique, et le noyau. Beaucoup de protéines acylées participent à la transmission de signaux intracellulaires par l'intermédiaire d'interactions protéine-protéine, de façon analogue aux protéines prénylées. Puisque les affinités membranaires et les activités biologiques de nombreuses protéines sont augmentées par fixation de groupements palmitoyl, la réversibilité de cette fixation peut être impliquée dans le contrôle des mécanismes de signalisation intracellulaire.

c. Les protéines liées au GPI

*Les groupements **glycosylphosphatidylinositol (GPI)** assurent l'arrimage d'une grande variété de protéines au côté externe de la membrane plasmique des eucaryotes.* Il n'y a pas de relation évidente entre les nombreuses protéines ancrées par l'intermédiaire du GPI, où l'on trouve des enzymes, des récepteurs, des protéines du système immunitaire, et des antigènes de reconnaissance. *Il semble que les groupements GPI remplacent simplement les segments transmembranaires des polypeptides pour lier les protéines à la membrane plasmique.*

La partie centrale des GPI est formée de phosphatidylinositol (Tableau 12-2) lié par une liaison glycosidique à un tétrasaccharide linéaire composé de trois résidus mannose et d'un résidu glucosa-

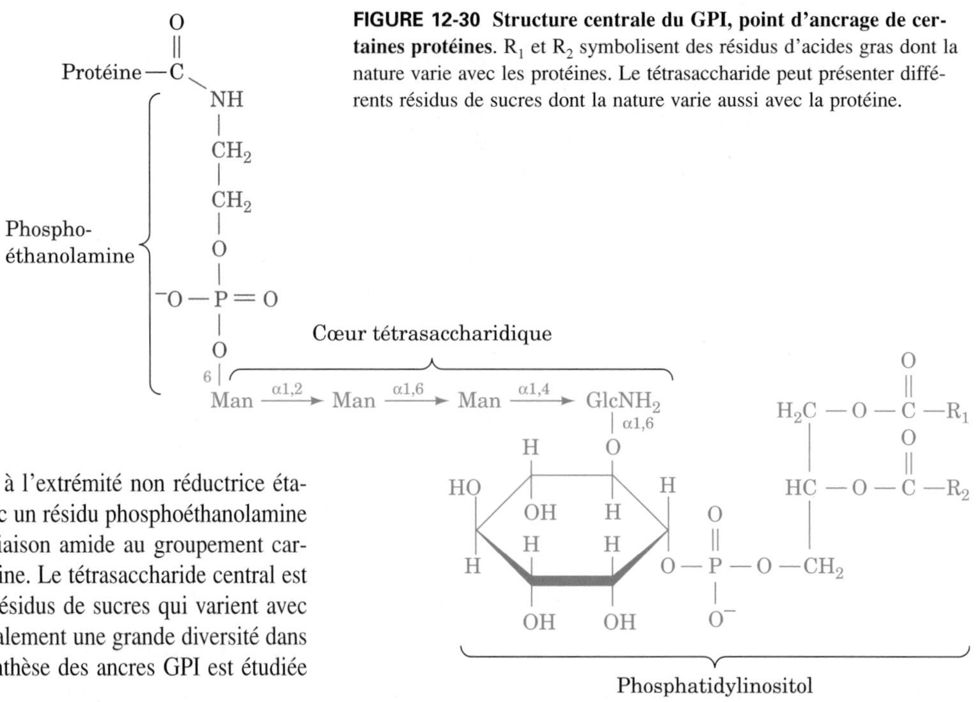

Protéine—C
‖
O

NH
|
CH$_2$
|
CH$_2$
|
O
|
$^-$O—P=O
|
O
|
Man $\xrightarrow{\alpha1,2}$ Man $\xrightarrow{\alpha1,6}$ Man $\xrightarrow{\alpha1,4}$ GlcNH$_2$

Phospho-éthanolamine

Cœur tétrasaccharidique

Phosphatidylinositol

H$_2$C—O—C—R$_1$
‖
O

HC—O—C—R$_2$
‖
O

—CH$_2$

O—P—O
‖
O
|
O$^-$

FIGURE 12-30 Structure centrale du GPI, point d'ancrage de certaines protéines. R$_1$ et R$_2$ symbolisent des résidus d'acides gras dont la nature varie avec les protéines. Le tétrasaccharide peut présenter différents résidus de sucres dont la nature varie aussi avec la protéine.

minyl (Fig. 12-30). Le mannose à l'extrémité non réductrice établit une liaison phosphoester avec un résidu phosphoéthanolamine qui, à son tour, est lié par une liaison amide au groupement carboxylique C-terminal de la protéine. Le tétrasaccharide central est généralement substitué par des résidus de sucres qui varient avec la nature de la protéine. Il y a également une grande diversité dans la nature des acides gras. La synthèse des ancres GPI est étudiée dans la Section 23-3B.

Les protéines ancrées par le GPI se trouvent à la face externe de la membrane plasmique, tout comme les motifs oligosaccharidiques des glycoprotéines et pour la même raison (exposée dans la Section 12-4C). Les protéines destinées à être ancrées à une membrane par un groupement GPI sont synthétisées avec des séquences C-terminales de 20 à 30 résidus hydrophobes qui traversent la membrane (comme décrit dans la Section 12-4B) et qui sont enlevées au moment de l'addition du groupement GPI. En effet, si l'on traite la membrane plasmique par des **phospholipases** (Section 19-4B) spécifiques des phosphatidylinositols, on constate que les protéines liées à un groupement GPI se détachent de la membrane plasmique, ce qui démontre que les polypeptides matures ne sont pas insérés dans la bicouche lipidique.

C. Modèle en mosaïque fluide de la structure des membranes

La démonstration de la fluidité des bicouches lipidiques artificielles a conduit à penser que les membranes biologiques pouvaient avoir des propriétés semblables. Cette hypothèse fut émise en 1972 par S. Jonathan Singer et Garth Nicholson dans leur théorie unificatrice de la structure des membranes connue sous le nom de **modèle en mosaïque fluide**. Selon cette théorie, les protéines intrinsèques ressemblent à des « icebergs » flottants dans une « mer » de lipides à deux dimensions (Fig. 12-20) et ces protéines diffusent latéralement et librement dans la matrice lipidique, à moins que leurs déplacements ne soient gênés par des associations avec d'autres constituants cellulaires.

a. Le modèle en mosaïque fluide a été vérifié expérimentalement

La validité du modèle en mosaïque fluide a été établie de différentes manières. La plus pertinente, peut-être, est une expérience faite par Michael Edidin (Fig. 12-31). Des cellules en culture de souris ont été fusionnées avec des cellules humaines suite à un traitement par le **virus de Sendai** pour donner une cellule hybride

appelée **hétérocaryon**. Les cellules de souris étaient marquées par des anticorps spécifiques des protéines de souris auxquels une sonde fluorescente verte avait été liée par covalence (**immunofluorescence**). Les protéines des cellules humaines étaient marquées de même avec une sonde fluorescente rouge. Aussitôt après fusion des cellules, les protéines murines et humaines observées par microscopie en fluorescence, sont confinées chacune dans une des deux moitiés de l'hétérocaryon. Cependant, après 40 min à 37 °C, ces protéines se sont complètement mélangées. Le processus n'est pas ralenti par l'addition de substances inhibitrices du métabolisme ou de la biosynthèse protéique, mais il l'est si on abaisse la température en dessous de 15 °C. Ces observations montrent que le processus de mélange est indépendant, à la fois de l'énergie métabolique et de l'insertion dans la membrane de protéines nouvellement synthétisées. C'est plutôt le résultat de la diffusion de protéines existantes à travers la membrane fluide, processus ralenti par abaissement de la température.

En utilisant la technique de photo-blanchiment déjà décrite (Fig. 12-15), on a montré que les protéines membranaires diffusent latéralement à des vitesses variables. Entre 30 à 90 % de ces protéines se déplacent librement ; elles diffusent à des vitesses tout juste inférieures d'un ordre de grandeur à celles des lipides (beaucoup plus petits) si bien qu'il leur faut entre 10 et 60 min pour parcourir par diffusion la longueur d'une cellule eucaryote, soit 20 μm. D'autres protéines diffusent plus lentement, et quelque-unes, en raison de liaisons sous-jacentes, sont pratiquement immobiles.

La répartition des protéines dans les membranes peut être visualisée par microscopie électronique associée aux techniques de **cryo-fracture** et de **cryo-décapage**. Dans la technique de cryo-fracture, mise au point par Daniel Branton, un échantillon de membrane est rapidement congelé à une température proche de celle de l'azote liquide (–196 °C). Ainsi, l'échantillon est immobilisé et les perturbations occasionnées par les manipulations subséquentes sont minimisées. Le spécimen est alors « fracturé » par la lame refroidie d'un microtome, ce qui souvent provoque la séparation de

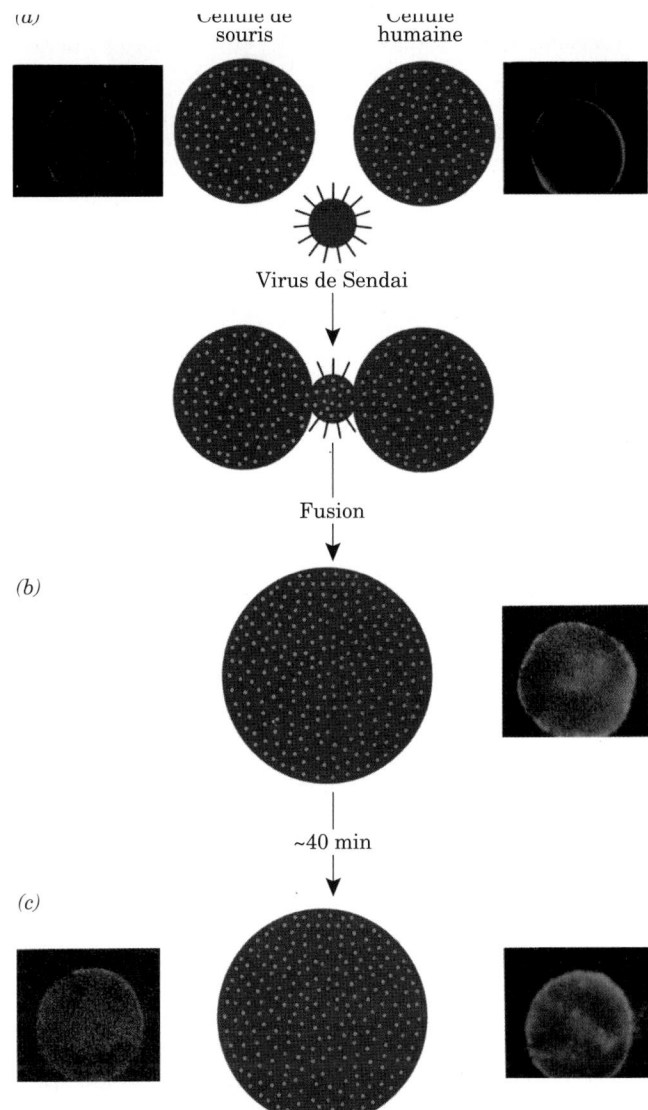

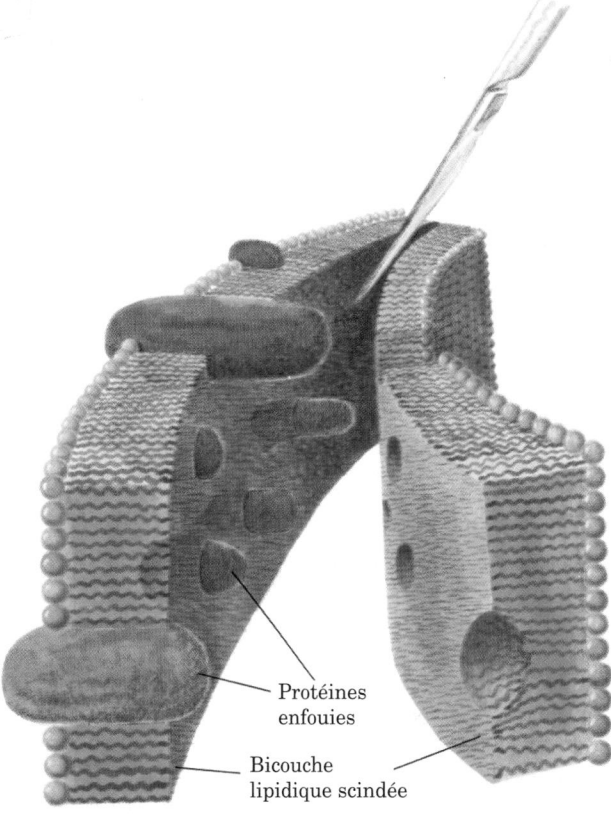

FIGURE 12-32 La technique de cryo-fracture. Représentation schématique de la coupure d'une membrane par cryo-fracture, montrant l'intérieur de la bicouche lipidique et les protéines qui y sont enchâssées.

FIGURE 12-31 Fusion d'une cellule de souris et d'une cellule humaine induite par le virus de Sendai, puis mélange subséquent de leurs composés de surface visualisé par immunofluorescence. Les antigènes humains et murins sont marqués par des sondes fluorescentes respectivement rouge et verte. (*a*) Le virus de Sendai encapsulé dans une membrane se lie aux récepteurs de surface des deux types de cellules puis fusionne avec leurs membranes cellulaires. (*b*) Il s'ensuit la formation d'un pont cytoplasmique entre les deux cellules, qui s'allonge jusqu'à former un hétérocaryon. (*c*) Après 40 min, les sondes rouge et verte sont complètement mélangées. Les microphotographies ont été prises avec des filtres qui ne permettent qu'aux lumières rouge ou verte d'impressionner la pellicule ; celle de la Partie *b* est à double exposition et celles de la Partie *c* concernent la même cellule. [Avec la permission de Michael Edidin, The Johns Hopkins University, pour les microphotographies en immunofluorescence.]

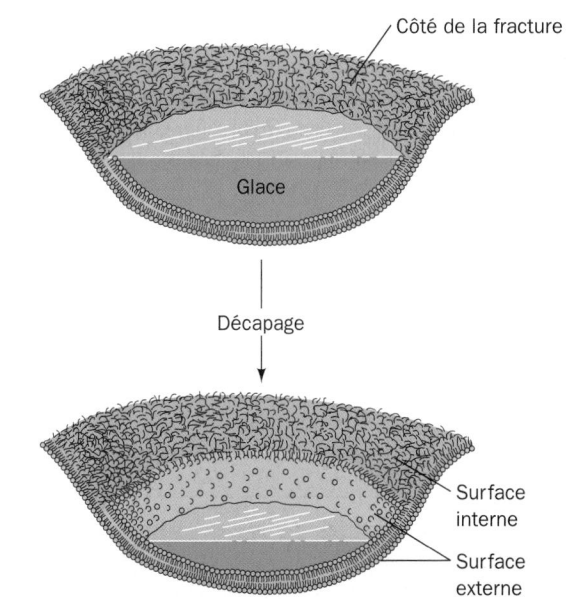

FIGURE 12-33 La technique de cryo-décapage. La glace qui recouvre une membrane après cryo-fracture (*en haut*) est enlevée partiellement par sublimation afin d'exposer la surface externe de la membrane (*en bas*) pour la microscopie électronique.

la bicouche en deux monocouches (Fig. 12-32). Puisque la membrane exposée serait elle-même détruite par un faisceau d'électrons, on forme sa réplique métallique en recouvrant la membrane d'un film très fin de carbone, puis en l'ombrant par du platine (dépôt par évaporation sous vide très poussé), et en enlevant la matière organique par traitement à l'acide. De telles répliques métalliques peuvent être observées par microscopie électronique. Dans la technique de cryo-décapage, la surface externe de la mem-

brane contiguë à l'aire de clivage mise à nu par la cryo-fracture peut être également visualisée en éliminant, par sublimation à −100 °C, une partie de la glace qui s'est déposée (Fig. 12-33).

Des micrographies électroniques, après cryo-décapage, de la plupart des membranes biologiques montrent que le côté interne de la fracture est garni de particules globulaires insérées, d'un diamètre compris entre 50 et 85 Å (Fig. 12-34), qui semblent réparties au hasard. Ces particules correspondent aux protéines membranaires, car un traitement par des protéases avant la cryo-fracture les fait disparaître. L'examen par ces techniques de la membrane de myéline (pauvre en protéines) et de liposomes (sans protéines) montre que les côtés internes de la fracture sont ici lisses, ce qui confirme la nature protéique des particules observées précédemment. Les surfaces externes des membranes ont aussi un aspect relativement lisse (Fig. 12-34) car les protéines intrinsèques n'en dépassent que très peu. La répartition de protéines individuelles externes peut être visualisée par des techniques de coloration, en utilisant des anticorps marqués à la ferritine par exemple, ce qui donne des micrographies électroniques comparables à celle de la Fig. 11-34.

b. Les lipides et protéines membranaires sont répartis asymétriquement

La répartition des lipides dans les membranes biologiques a été établie en utilisant des **phospholipases**, enzymes qui hydrolysent les phospholipides. Les phospholipases ne peuvent pas traverser les membranes ; par conséquent, seuls les phospholipides à la surface de cellules intactes seront hydrolysés. Ces études ont montré que, *dans les membranes biologiques, la répartition des lipides entre les feuillets de la bicouche est asymétrique, comme celle des protéines,* (ex. Fig. 12-35). Rappelons que les glucides (Section 11-3C) ne se trouvent pratiquement que sur le côté externe des membranes plasmiques.

Dans les membranes plasmiques, les lipides et les protéines peuvent aussi s'organiser dans le sens latéral. Ainsi, dans la plupart des cellules, on distingue au sein de ces membranes deux domaines ou plus, doués de fonctions différentes. Par exemple, les membranes plasmiques des **cellules épithéliales** (cellules qui délimitent les cavités et surfaces libres du corps) possèdent un **domaine apical**, qui fait face à la lumière de la cavité et exerce souvent une fonction spécialisée (p. ex. l'absorption des nutriments pour les cellules de la bordure en brosse de l'intestin), et un **domaine baso-latéral**, qui recouvre le reste de la cellule. Ces deux domaines, qui ne se mêlent pas, diffèrent quant à leur composition lipidique et protéique.

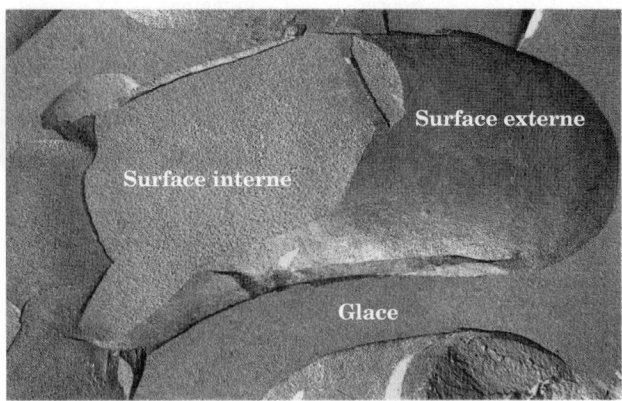

FIGURE 12-34 Micrographie électronique après cryo-décapage d'une membrane plasmique d'érythrocyte humain. Le côté interne de la membrane est constellé de particules globulaires qui sont des protéines intrinsèques (voir Fig. 12-32). Le côté externe de la membrane apparaît plus lisse que le côté interne car les protéines ne se projettent pas tellement au-delà de la surface de la membrane externe. [Avec la permission de Vincent Marchesi, Yale University.]

D'après une série de mesures, les centaines de variétés de lipides et de protéines que l'on trouve dans un domaine membranaire ne sont pas mélangées uniformément, mais au contraire sont souvent séparées pour former des **microdomaines** ne contenant que certains types de lipides et de protéines, et ceci pour plusieurs raisons :

1. Certaines protéines intrinsèques s'associent pour former des agrégats ou des plages dans la membrane (p. ex. la BR), qui à leur tour se lient préférentiellement à certains lipides. Par ailleurs, des protéines intrinsèques doivent leur localisation au fait de leur la liaison à des éléments du cytosquelette (lequel sous-tend la membrane plasmique ; Section 1-2A) ou sont piégées dans les espaces délimités par les « clôtures » qui en résultent.

2. Les protéines intrinsèques peuvent interagir spécifiquement avec certains lipides. Par exemple, lorsque la longueur de la bande TM hydrophobe d'une protéine intrinsèque ne correspond pas à l'épaisseur moyenne d'une bicouche lipidique, on peut voir s'accumuler sélectivement autour de la protéine un anneau de 10 à 20 couches de phospholipides particuliers.

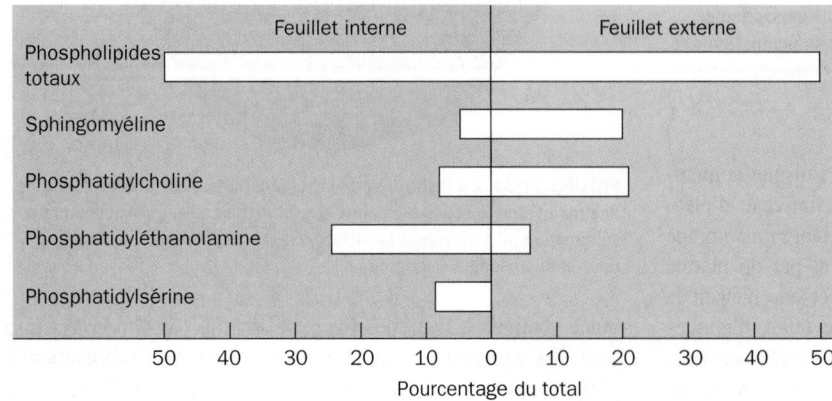

FIGURE 12-35 La distribution asymétrique des phospholipides dans la membrane de l'érythrocyte humain. Le contenu en phospholipides est exprimé en mol %. [D'après Rothman, J.E. and Lenard, J., *Science* **194**, 1744 (1977).]

3. Des ions métalliques divalents, surtout le Ca^{2+}, se lient sélectivement à des groupements de tête chargés négativement, comme ceux de la phosphatidylsérine, ce qui provoque l'agrégation de ces phospholipides dans la membrane. On sait que de telles séparations de phase induites par ions métalliques contrôlent l'activité de certaines enzymes liées aux membranes.

4. Les glycosphingolipides (qu'on ne trouve que dans le feuillet externe de la membrane plasmique) et le cholestérol s'associent étroitement pour former des **radeaux** mobiles et des indentations en forme de bouteille d'environ 75 nm de diamètre appelées **caveolae** (*en latin,* petites cavernes), qui retiennent préférentiellement des protéines spécifiques. En tant que tels, les glycosphingolipides ne forment pas de bicouches car leurs volumineux groupements de tête empêchent l'empaquetage serré de leurs queues hydrophobes largement saturées. À l'inverse, si le cholestérol ne forme pas non plus de bicouche, c'est en raison de la trop petite taille de son groupement de tête. Il semble donc que, dans ces microdomaines, les glycosphingolipides s'associent latéralement par interactions faibles entre leurs groupements de tête glucidiques, les vides entre leurs queues étant occupés par du cholestérol. Les radeaux et caveolae sphingolipides-cholestérol ne sont pas solubilisables à 4 °C par des détergents non chargés comme le Triton X-100 (Fig. 12-19). Un tel traitement donne des **complexes insolubles dans les détergents et enrichis en glycolipides (DIG)**. La faible densité de ces complexes permet leur isolement par ultracentrifugation en gradient de densité de saccharose (Section 6-5B), et ainsi l'identification des protéines qui leur sont associées. Beaucoup de protéines qui participent à la signalisation transmembranaire (Chap. 19), y compris les protéines liées au GPI, se trouvent préférentiellement dans les DIG. Les caveolae, genre de radeaux auxquels sont associées une ou plusieurs protéines homologues appelées **cavéolines**, sont de même enrichies en protéines impliquées dans la signalisation.

Il convient de noter que tous ces agrégats sont des structures très dynamiques qui échangent rapidement leurs protéines et leurs lipides avec la membrane environnante, en raison du caractère faible et transitoire des interactions entre les constituants de la membrane.

D. *Membrane de l'érythrocyte*

La simplicité de la membrane de l'érythrocyte, sa disponibilité, et son isolement facile, expliquent que ce soit la membrane biologique la plus étudiée et la mieux comprise. Elle constitue donc un modèle pour les membranes plus complexes d'autres cellules. Un érythrocyte de mammifère mature est dépourvu d'organites et n'assure que quelques voies métaboliques ; c'est essentiellement un sac membraneux rempli d'hémoglobine. Les membranes d'érythrocytes peuvent donc être obtenues par lyse osmotique, ce qui provoque la sortie du contenu de la cellule. Les particules membranaires résultantes sont appelées des **fantômes** (ghosts) d'érythrocytes, car si on les replace dans des conditions physiologiques, elles se ressoudent pour former des particules incolores qui reprennent leur forme originale. De fait, si l'on transfère des « fantômes » ainsi rescellés dans un autre milieu, leur contenu pourra être différent de la solution externe.

a. Les membranes des érythrocytes contiennent plusieurs protéines

La membrane de l'érythrocyte a la composition plus ou moins typique d'une membrane plasmique, avec environ 50 % de protéines, un peu moins de lipides, le reste étant des glucides (Tableau 12-4). Ses protéines peuvent être séparées par électrophorèse en gel de polyacrylamide-SDS (Section 6-4C) après solubilisation préalable de la membrane dans une solution de SDS 1 %. L'électrophorégramme obtenu pour la membrane de l'érythrocyte humain montre plusieurs bandes majeures et mineures après coloration au bleu de Coomassie brillant (Fig. 12-36). Si, au lieu de traiter l'électrophorégramme par le bleu de Coomassie, on le traite par l'**acide périodique-réactif de Schiff (PAS)** qui colore les glucides, quatre bandes, appelées « bandes PAS », sont mises en évidence. Les polypeptides correspondant aux bandes 1, 2, 4,1, 4,2, 5, et 6 sont facilement extraits de la membrane en modifiant le pH ou la force ionique et sont par conséquent des protéines extrinsèques. Ces protéines sont localisées sur la face interne de la membrane car elles ne sont pas modifiées après incubation d'érythrocytes ou de « fantômes » scellés avec des enzymes protéolytiques ou des réactifs de protéines qui ne traversent pas la membrane. Toutefois, ces protéines sont altérées si des fantômes « poreux » sont soumis à ces traitements.

Par contre, les bandes 3, 7, et les quatre bandes PAS sont des protéines intrinsèques qui ne peuvent être détachées de la membrane qu'après extraction par des détergents ou des solvants organiques. Parmi elles, la bande 3 et les bandes PAS 1 et 2 correspondent à des protéines TM, comme le montrent leurs différences de marquage quand on traite des cellules intactes avec des réactifs marqueurs de protéine ne traversant pas les membranes et quand ces mêmes réactifs sont introduits dans le milieu intérieur de « fan-

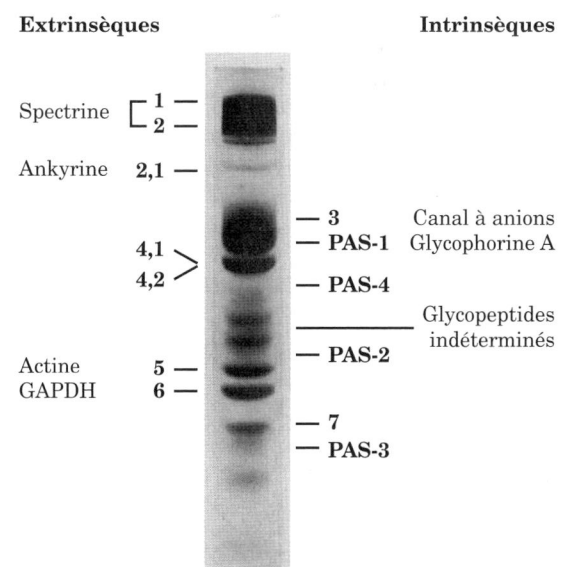

FIGURE 12-36 Electrophorégramme en gel de polyacrylamide-SDS des protéines de la membrane d'érythrocytes humains, colorées au bleu de Coomassie brillant. Les bandes désignées par 4,1 et 4,2 ne se séparent pas à la concentration en SDS (1 %) utilisée. Les bandes mineures ne sont pas indiquées pour plus de clarté. Les positions des quatre sialoglycoprotéines comme on les révélerait par coloration au PAS sont indiquées. [Avec la permission de Vincent Marchesi, Yale University.]

tômes » scellés. La bande PAS 1 correspond à un dimère de gly-cophorine A, résultant de l'association (qui résiste au SDS) des hélices TM des chaînes polypeptidiques (Fig. 12-21) ; ce dimère est la forme native de la protéine. La bande PAS 2 correspond à son monomère.

Le transport du CO_2 par le sang (Section 10-1C) implique que la membrane de l'érythrocyte soit perméable à HCO_3^- et à Cl^- (pour que l'électroneutralité soit maintenue, chaque entrée d'un HCO_3^- doit être compensée par la sortie d'un Cl^- ou d'un autre anion ; Section 10-1C). Le transport rapide de ces anions, et d'autres, à travers la membrane de l'érythrocyte est sous la dépendance d'un **canal à anions** spécifique dont il y a environ 1 million par cellule (soit > 30 % des protéines membranaires). La protéine de la bande 3 (929 résidus et 5 à 8 % de glucides) réagit spécifiquement avec des réactifs marqueurs de protéines anioniques, ce qui bloque le canal à anions, indiquant ainsi que ce canal est formé par la protéine de la bande 3. De plus, des études par réactions croisées avec des réactifs bifonctionnels (Section 8-5C) ont montré que le canal à anions est au moins un dimère. L'hémoglobine et les enzymes glycolytiques (qui métabolisent le glucose) **aldolase, phosphofructokinase (PFK)**, et la protéine de la bande 6 **glycéraldéhyde-3-phosphate déshy-drogénase (GAPDH ;** Section 17-2F) se lient toutes spécifique-ment et réversiblement à la protéine de la bande 3 sur la face cytoplasmique de la membrane. La signification fonctionnelle de cette observation est inconnue.

b. Le cytosquelette de l'érythrocyte est responsable de sa forme et de sa souplesse

La forme en disque biconcave de l'érythrocyte normal (Fig. 7-18*a*) assure une diffusion rapide de l'O_2 vers les molécules d'hé-moglobine car celles-ci se trouvent à moins d'un µm de la surface cellulaire. Cependant, les régions au bord et dans la concavité de l'érythrocyte n'occupent pas de positions fixes à la surface de la membrane cellulaire. Par exemple, si l'on fixe un érythrocyte à une lame de microscope par une toute petite partie de sa surface et que l'on fait se déplacer la cellule latéralement avec un faible courant de tampon isotonique, on constate qu'un point qui se trouvait, au départ, au bord de l'érythrocyte, traverse la concavité pour se retrouver du côté opposé à son point de départ. Manifestement, la membrane roule autour de la cellule tout en maintenant sa forme, un peu à la manière de la chenille d'un tracteur. Cette propriété mécanique remarquable de la membrane de l'érythrocyte est due à la présence d'un réseau sous-jacent de protéines qui fonctionne comme un « squelette » de membrane, ce qu'on appelle le cyto-squelette. Cette propriété est en partie reproduite par un modèle mécanique : une sphère géodésique (une cage sphéroïde) qui s'ar-ticule librement aux intersections de ses traverses, mais qui ne peut s'affaisser complètement. Lorsqu'on place cette cage dans un sac en plastique dans lequel on a fait le vide, la cage prend aussi une forme en disque biconcave.

La fluidité et la souplesse conférées à l'érythrocyte par son cytosquelette ont d'importantes conséquences physiologiques. Un amas de particules solides de taille et de concentration égales à celles des globules rouges du sang a des caractéristiques de flux proches de celles du sable. Par conséquent, afin que le sang puisse couler, non seulement ses érythrocytes doivent se glisser en pas-sant dans les capillaires d'un diamètre inférieur au leur, mais les

membranes érythrocytaires, avec leur cytosquelette, doivent être souples et facilement déformables.

La protéine **spectrine**, appelée ainsi car elle a été découverte dans les fantômes d'érythrocytes, représente environ 75 % du cytosquelette de l'érythrocyte. Elle est formée de deux chaînes polypeptidiques semblables, la bande 1 (sous-unité α ; 2418 rési-dus) et la bande 2 (sous-unité β ; 2137 résidus), et l'analyse des séquences a montré que chaque chaîne est formée de segments répétitifs de 106 résidus qui doivent se replier en hélice α triple à axe spiralé (Fig. 12-37*a* et *b*). Par microscopie électronique, on a pu établir que ces longs polypeptides s'entrelacent lâchement pour former un dimère αβ en forme de ver long d'environ 1000 Å (Fig. 12-37*c*). Ces deux hétérodimères s'associent ensuite tête à tête pour donner un hétérotétramère $(αβ)_2$. Ces tétramères, environ 100 000 par cellule, forment des liaisons croisées aux deux extré-mités par attachement aux protéines des bandes 4,1 et 5, ce qui constitue un réseau protéique dense et irrégulier qui sous-tend la membrane plasmique de l'érythrocyte (Fig. 12-37*c* et *d*). La bande 5, une protéine globulaire qui forme des oligomères filamenteux, a été identifiée à de l'**actine**, un élément du cytosquelette courant dans d'autres cellules (Section 1-2A) et un constituant majeur du muscle (Section 35-3A). La spectrine s'associe aussi à la protéine

FIGURE 12-37 (*Page opposée*). **Le cytosquelette de l'érythrocyte humain.** (*a*) Structure du dimère ab de la spectrine. Ces deux polypep-tides antiparallèles contiennent de multiples unités répétitives de 106 rési-dus, qui forment sans doute des faisceaux de triple hélice reliés par des segments non hélicoïdaux. Deux de ces hétérodimères s'unissent, tête à tête, pour former un hétérotétramère (ab)₂. [D'après Speicher, D.W. and Marchesi, V., *Nature* **311**, 177 (1984).] (*b*) Structure par rayons X de deux unités répétitives consécutives de spectrine a de cerveau de poulet. Chacune ces unités répétitives de 106 résidus est constituée d'un faisceau bas-haut-bas en triple hélice dans lequel l'hélice C-terminale de la pre-mière unité (R16, *en rouge*) est en continuité, par l'intermédiaire d'un bras hélicoïdal de 5 résidus (*en vert*), avec l'hélice N-terminale de la deuxième unité répétitive (R17, *en bleu*). Dans chaque faisceau en triple hélice, les hélices s'enroulent l'une autour de l'autre en superhélice de pas à gauche, stabilisée de manière hydrophobe par la présence de rési-dus non polaires occupant les positions *a* et *d* des répétitions heptamé-riques dans les trois hélices a (Fig. 8-27). Malgré la rigidité qu'on atten-drait de la part d'hélices a, la spectrine semble se comporter comme une molécule vermiculée flexible. [Avec la permission d'Alfonso Mondragon, Northwestern University. PDBid 1CUN.] (*c*) Micrographie électronique du cytosquelette érythrocytaire étiré pour couvrir une surface 9 à 10 fois supérieure à celle de la membrane native. Par ce procédé d'extension, on peut obtenir des images claires du cytosquelette alors qu'à l'état natif, il est tellement compacté et irrégulier qu'il est difficile de reconnaître des molécules individuelles et de s'assurer de la manière dont elles sont reliées. Noter le réseau hexagonal prédominant constitué de tétramères de spectrine reliés par des jonctions contenant de l'actine et la protéine de la bande 4,1. [Avec la permission de Daniel Branton, Harvard University.] (*d*) Un modèle du cytosquelette de l'érythrocyte. Le complexe de jonc-tion, agrandi dans ce dessin, contient de l'actine, la **tropomyosine** (qui, dans le muscle, s'associe aussi à l'actine ; Section 35-3A), et la pro-téine de la bande 4,1, ainsi que l'**adducine**, la **dématine**, et la **tropomo-duline** (non montrées). [D'après Goodman, S.R., Krebs, K.E., Whitfield, C.F., Riederer, B.M., and Zagen, I.S., *CRC Crit. Rev. Biochem.* **23**, 196 (1988).]

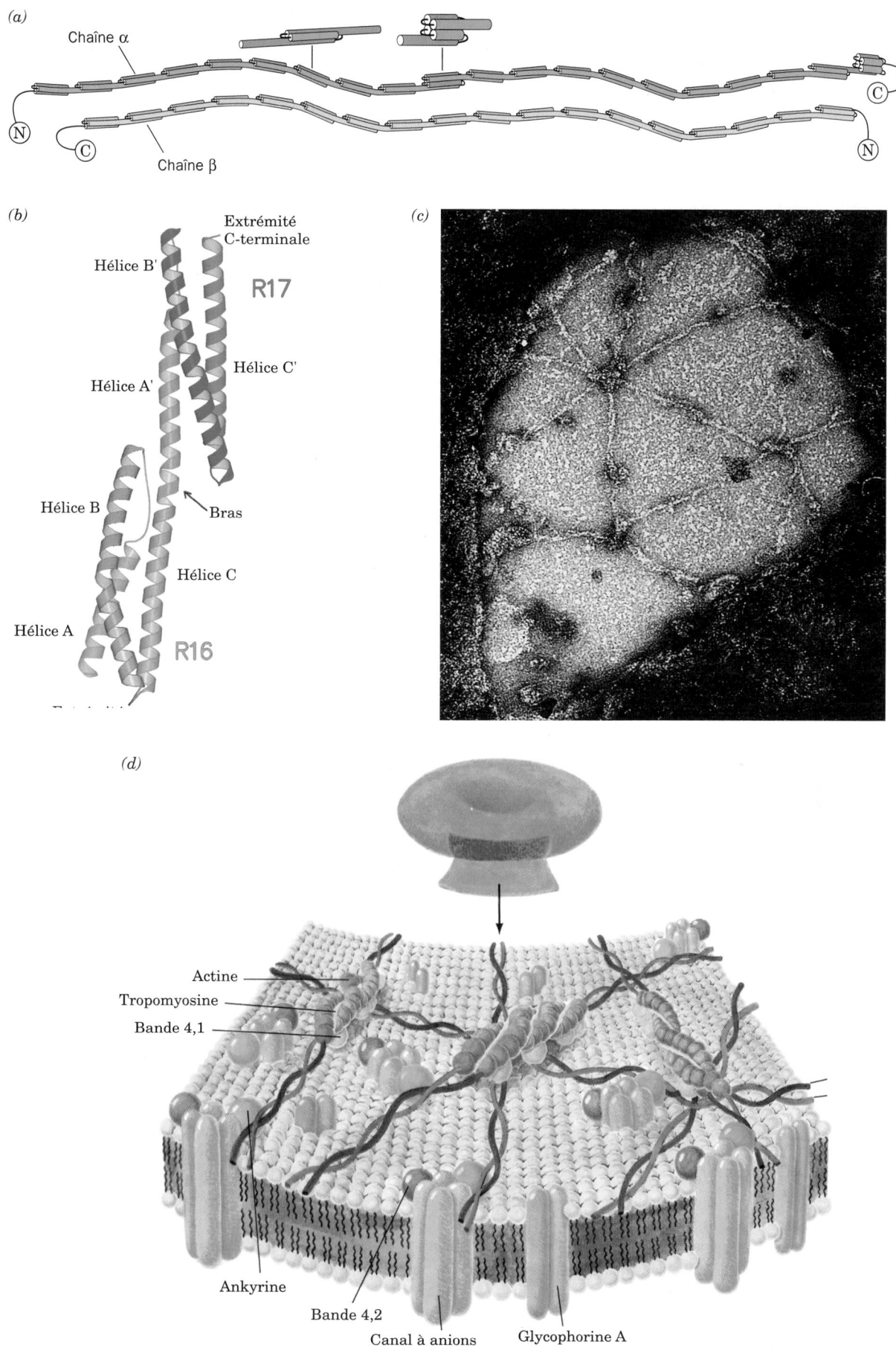

(a)

Chaîne α

N

C

Chaîne β

(b)

Extrémité
C-terminale

Hélice B'

R17

Hélice A'

Hélice C'

Hélice B

Bras

Hélice C

Hélice A

R16

(c)

(d)

Actine

Tropomyosine

Bande 4,1

Ankyrine

Bande 4,2

Canal à anions

Glycophorine A

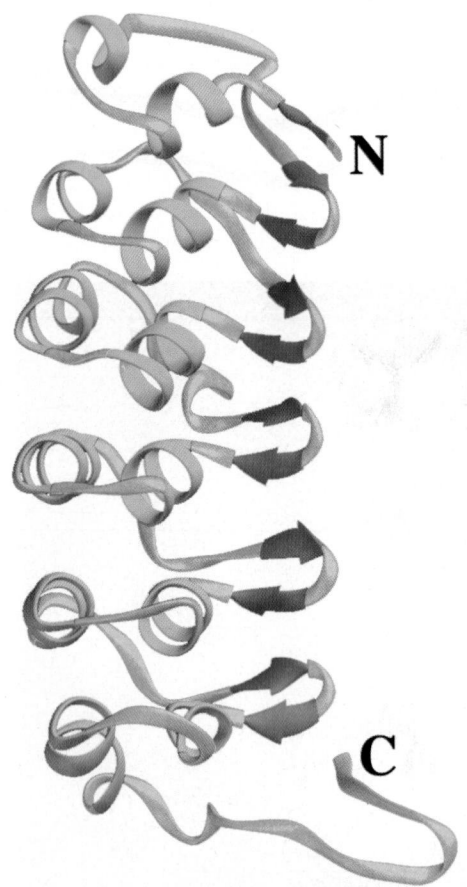

N

C

FIGURE 12-38 Structure par rayons X du régulateur transcriptionnel IkBa. Cette protéine de 236 résidus est constituée presqu'entièrement de six unités ankyrine successives d'environ 33 résidus, dont chacune contient un segment b, suivi de deux hélices a, et enfin d'un segment b, pour former une superhélice à un tour, de pas à droite. Les unités ankyrine sont reliées par un coude en épingle à cheveux qui unit le segment b C-terminal d'une unité au segment b N-terminal de l'unité suivante. On pense que la structure du segment N-terminal de l'ankyrine, qui comporte 24 unités ankyrine successives, ressemble à une version quatre fois plus grande d'IkBa. [Structure par rayons X due à Gourisankar Ghosh, University of California at San Diego. PDBid 1IKN.]

de la bande 2,1, un monomère de 1880 résidus appelé **ankyrine,** qui, à son tour, se lie à la protéine de la bande 3, la protéine du canal à anions. Cette association arrime le cytosquelette à la membrane. De fait, après solubilisation de la spectrine et de l'actine avec des solutions de faible force ionique, les fantômes d'érythrocyte perdent leur forme biconcave et leurs protéines intrinsèques, qui occupent normalement des positions stables dans le plan de la membrane, peuvent diffuser latéralement.

Le segment N-terminal de l'ankyrine est formé presque entièrement de 24 unités répétitives en tandem de 33 résidus environ, les **répétitions ankyrine**, que l'on retrouve dans plusieurs autres protéines (Fig. 12-38). Chaque répétition ankyrine est constituée d'un segment β, de deux hélices α, et d'un deuxième segment β, tous séparés par de courtes boucles, ce qui forme un tour d'une superhélice de pas à droite. Les segments β de cet assemblage sont disposés en un feuillet β antiparallèle étendu et quasi plat qui, avec la plate-forme voisine des hélices α parallèles, constitue une surface concave allongée que l'on considère comme offrant des sites de liaison pour diverses protéines intrinsèques. Par des techniques

immunochimiques, on a identifié des protéines voisines de la spectrine, de l'ankyrine et de la bande 4,1 dans le cytosquelette de plusieurs tissus.

c. La sphérocytose et l'elliptocytose héréditaires sont dues à des anomalies du cytosquelette des érythrocytes

Les individus atteints de **sphérocytose héréditaire** ont des érythrocytes sphéroïdes relativement fragiles et rigides. Ces individus souffrent d'anémie hémolytique car leur rate, un organe labyrinthique dont les passages étroits retiennent normalement les érythrocytes âgés (qui ont perdu leur souplesse à la fin de leur vie, de l'ordre de 120 jours), enlève prématurément les érythrocytes sphérocytaires. On peut diminuer cette anémie hémolytique par une splénectomie. Cependant, les anomalies principales à l'origine des cellules sphérocytaires sont une synthèse diminuée de spectrine, ou la production d'une spectrine anormale d'affinité réduite pour la protéine de la bande 4,1, ou encore l'absence de la protéine de la bande 4,1.

L'**elliptocytose héréditaire** (les globules rouges sont allongés ou en forme d'ellipse ; on parle aussi d'**ovalcytose héréditaire**), maladie courante dans certaines régions du Sud-Est asiatique et en Mélanésie, confère la résistance à la malaria aux hétérozygotes (mais est apparemment létale chez les homozygotes). Cette maladie provient d'anomalies dans le canal à anions des érythrocytes. Une anomalie courante est la délétion de 9 résidus qui se traduit par l'inactivation de cette protéine TM. La diminution de la capacité d'importer des ions sulfate et phosphate qui s'ensuit pourrait inhiber la croissance intraérythrocytaire des parasites qui causent la malaria.

Le chameau, le célèbre « vaisseau du désert », offre un exemple frappant d'adaptation qui implique la membrane de l'érythrocyte. Cet animal remarquable est encore actif après avoir perdu 30 % de son poids en eau et, quand il est ainsi déshydraté, il peut boire suffisamment d'eau en quelques minutes pour se réhydrater complètement. L'absorption rapide d'une telle quantité d'eau par le sang, qui doit le transporter aux tissus, lyserait les érythrocytes de la plupart des animaux. Cependant, les érythrocytes de chameau, qui sont en forme d'ellipsoïdes aplatis plutôt que de disques biconcaves, sont résistants à la lyse osmotique. La spectrine de chameau est liée à la membrane de l'érythrocyte avec une très forte affinité, mais si l'on enlève la spectrine, ce qui nécessite un agent dénaturant puissant comme le chlorure de guanidinium, les érythrocytes de chameau prennent une forme sphérique.

E. *Groupes sanguins*

Les surfaces externes des érythrocytes et d'autres cellules d'eucaryotes sont tapissées de glucides complexes qui sont des constituants des glycoprotéines et des glycolipides de la membrane plasmique. Ils forment un revêtement cellulaire épais assez mal défini, la **glycocalyx** (Fig. 12-39), contenant de nombreux marqueurs d'identité qui jouent un rôle dans divers processus de reconnaissance. L'érythrocyte humain possède quelque 100 **déterminants de groupes sanguins** connus qui englobent 15 systèmes de groupes sanguins distincts génétiquement. Deux de ceux-ci seulement — le **système des groupes sanguins ABO** (découvert en 1900 par Karl Landsteiner) et le **système des groupes sanguins rhesus (Rh)** — ont une importance clinique majeure. Les différents groupes sanguins sont identifiés au moyen d'anticorps appropriés ou par des lectines de plante spécifiques.

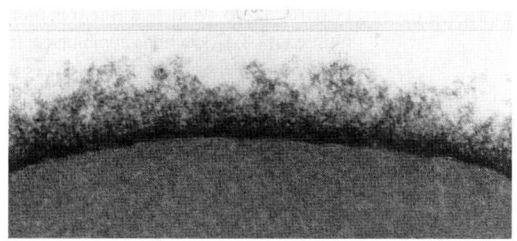

FIGURE 12-39 La glycocalyx de l'érythrocyte vue en microscopie électronique après coloration spéciale. Son épaisseur peut atteindre 1400 Å et elle est composée de filaments oligosaccharidiques de 12 à 25 Å de diamètre associés étroitement entre eux ainsi qu'à des protéines et lipides membranaires. [Avec la permission de Harrison Latta, UCLA.]

a. Les antigènes des groupes sanguins ABO sont des glucides

*Le système ABO comprend trois antigènes de groupe sanguin, les **antigènes A**, **B**, et **H**, qui sont des constituants de sphingoglycolipides de surface des érythrocytes.* [Les antigènes sont des constellations de groupements chimiques caractéristiques qui provoquent la production d'anticorps spécifiques quand on les injecte à un animal (Section 35-2A). Chaque molécule d'anticorps peut se lier spécifiquement à au moins deux molécules de ses antigènes correspondants, formant ainsi une liaison croisée.] Les individus qui ont des cellules de type A ont des antigènes A à la surface de leurs cellules et leur sérum transporte des anticorps anti-B ; ceux qui ont des cellules de type B, qui portent des antigènes B, ont des anticorps anti-A ; ceux qui ont des cellules de type AB, qui portent à la fois les antigènes A et B, ne possèdent ni les anticorps anti-A ni les anticorps anti-B ; et les individus de type O, dont les cellules ne portent aucun antigène, ont les anticorps anti-A et anti-B. Par conséquent, la transfusion d'un sang de type A à un individu de type B, par exemple, provoquera une réaction entre anticorps anti-A et antigènes A, ce qui va agglutiner les érythrocytes transfusés, et causer un blocage souvent fatal des vaisseaux sanguins. L'antigène H sera étudié ci-dessous.

Les antigènes des groupes ABO ne sont pas confinés aux érythrocytes car on les trouve aussi sur les membranes plasmiques de nombreux tissus sous forme de glycolipides d'une grande diversité. En réalité, chez 80 % des individus (ces sujets sont dits « sécréteurs »), ces antigènes sont sécrétés sous forme de composés liés par liaison *O*-glycosidique à des glycoprotéines dans différents liquides corporels dont la salive, le lait, le liquide séminal, le suc gastrique, et l'urine. Ces molécules variées, qui ont 85 % en poids de glucides et des masses moléculaires de l'ordre de milliers de kD, sont des oligosaccharides multiples liés à une chaîne polypeptidique.

Les antigènes A, B, et H ne diffèrent que par les résidus de sucre à leurs extrémités non réductrices (Tableau 12-5). On trouve l'antigène H chez les personnes de type O ; c'est aussi l'oligosaccharide précurseur des antigènes A et B. Les personnes de type A ont une glycosyltransférase de 303 résidus qui ajoute spécifiquement un résidu *N*-acétylgalactosamine à l'extrémité de l'antigène H, tandis que chez les personnes de type B, cette enzyme, qui diffère par quatre résidus d'acide aminé de l'enzyme des personnes de type A, ajoute à la place un résidu galactose. Chez les personnes de type O, cette enzyme est inactive car sa synthèse s'arrête après son résidu nᵒ 115.

Les différents groupes sanguins confèrent-ils quelque avantage ou désavantage biologique ? D'après des études épidémiologiques, les sujets de type A et de type B sont moins susceptibles de contracter le choléra que les sujets de type O, les sujets de type AB — et ils sont plus rares — sont très résistants à cette maladie mortelle. Il semble que les oligosaccharides de type A et B bloquent un récepteur pour la bactérie responsable, *Vibrio cholera* (Section 19-2C). De plus, on note chez les individus de type O, en particulier les « non-sécréteurs », une incidence élevée d'ulcères peptiques (ulcères d'estomac). Cependant, les individus de type A montrent une incidence plus élevée de cancer gastrique, de maladies cardiaques, et d'anémie pernicieuse (Section 25-2E).

F. *Jonctions communicantes (gap junctions)*

La plupart des cellules eucaryotes se trouvent en contact avec des cellules voisines, tant métaboliquement que physiquement. Ce contact est assuré par des particules tubulaires appelées **jonctions communicantes**, qui réunissent des zones bien délimitées de membranes plasmiques voisines un peu à la manière de rivets creux (Fig. 12-40). En fait, ces canaux intercellulaires sont si répandus que de nombreux organes forment ainsi un continuum. Ces jonctions sont donc des canaux de communication intercellulaire importants. Par exemple, la contraction synchronisée du muscle cardiaque est provoquée par des flux d'ions qui passent par des jonctions communicantes (le muscle cardiaque n'est pas innervé comme les muscles squelettiques). Pareillement, les jonctions communicantes servent de conduits pour quelques-unes des substances qui régulent le développement embryonnaire ; si l'on bloque ces jonctions par des anticorps dirigés contre elles, il s'ensuit des anomalies dans le développement d'espèces aussi différentes que l'hydre, la grenouille, et la souris. Les jonctions communicantes apportent également des nutriments à des cellules éloignées du courant sanguin, comme celles des os et du cristallin. Il n'est donc pas surprenant que, chez les humains, des anomalies des jonctions communicantes sont associées à plusieurs maladies neurodégénératives et à des troubles du développement du système cardiovasculaire.

Les jonctions communicantes sont constituées d'un seul type de sous-unité protéique, la **connexine**. Une jonction communicante est formée de deux cylindres hexagonaux contigus de connexines, les **connexons**, chacun appartenant à l'une des deux

TABLEAU 12-5 Structure des déterminants antigéniques A, B, et H dans les érythrocytes

Type	Antigène
H	Galβ(1→4)GlcNAc ⋯ ↑1,2 L-Fucα
A	GalNAcα(1→3)Galβ(1→4)GlcNAc ⋯ ↑1,2 L-Fucα
B	Galα(1→3)Galβ(1→4)GlcNAc ⋯ ↑1,2 L-Fucα

Abréviations : Gal = galactose, GalNAc = *N*-acétylgalactosamine, GlcNAc = *N*-acétylglucosamine, L-Fuc = L-fucose.

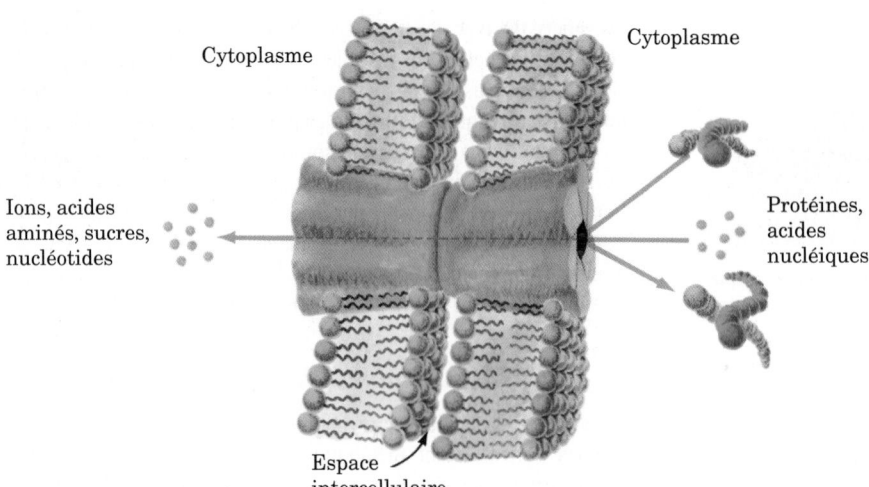

Cytoplasme

Cytoplasme

Ions, acides
aminés, sucres,
nucléotides

Protéines,
acides
nucléiques

Espace
intercellulaire

FIGURE 12-40 Modèle d'une jonction communicante. Les jonctions communicantes entre cellules adjacentes sont formées de deux cylindres hexagonaux insérés dans les membranes plasmiques des deux cellules, formant ainsi un canal intercellulaire. Les petites molécules et les ions, mais pas les macromolécules, peuvent ainsi passer entre les cellules par l'intermédiaire du canal central de ces jonctions.

membranes plasmiques adjacentes (Fig. 12-40). Chez une espèce animale donnée, on trouve de nombreuses connexines génétiquement distinctes, par exemple 13 connexines différentes chez la souris avec des masses moléculaires allant de 25 à 50 kD. De nombreux types cellulaires expriment chacun simultanément plusieurs connexines différentes, et dans ce cas on a démontré que certains connexons comportent deux espèces de connexines, au moins. De plus, une jonction communicante donnée peut être constituée de deux types de connexons différents. Toutes ces différences influencent sans doute la sélectivité des jonctions pour les substances auxquelles elles livrent passage.

Les canaux des jonctions communicantes de mammifères ont un diamètre compris entre 16 et 20 Å, ce qu'a démontré Werner Loewenstein en micro-injectant dans des cellules individuelles des molécules fluorescentes de différentes tailles, puis en suivant, en microscopie à fluorescence, le passage éventuel de la sonde fluorescente dans les cellules voisines. Les molécules et les ions qui passent librement entre cellules voisines n'ont pas une masse moléculaire supérieure à 1000 D environ ; les macromolécules telles que les protéines et les acides nucléiques ne peuvent sortir d'une cellule par cette voie.

Le diamètre du canal d'une jonction communicante varie avec la concentration en Ca^{2+} : les canaux sont ouverts au maximum quand la concentration en Ca^{2+} est $<10^{-7}M$ et ils rétrécissent quand la concentration en Ca^{2+} augmente, pour se fermer si cette concentration est $> 5 \times 10^{-5}M$. On pense que ce système de fermeture permet de protéger l'ensemble des cellules interconnectées contre les détériorations catastrophiques provoquées par la mort de ne fût-ce que d'une d'entre elles. En général, les cellules maintiennent des concentrations en Ca^{2+} très basses dans le cytosol ($< 10^{-7}M$) en pompant activement le Ca^{2+} hors de la cellule et en le séquestrant dans leurs mitochondries et leur réticulum endoplasmique (Section 20-3B ; le Ca^{2+} est un messager intracellulaire important dont la concentration intracytosolique est régulée avec précision). Les ions Ca^{2+} rentrent dans des cellules qui « fuient » ou dont le métabolisme est affaibli, ce qui provoque la fermeture de leurs jonctions communicantes et les isole de leurs voisines.

a. Les connexines contiennent des faisceaux transmembranaires de 4 hélices

Les jonctions communicantes s'associent spontanément *in vivo* pour former des plaques membraneuses de particules ordonnées qui sont essentiellement des cristaux à deux dimensions. Ceci a

permis à Mark Yeager de déterminer la structure d'une jonction communicante cardiaque recombinante par cristallographie électronique comme cela avait été fait pour la bactériorhodopsine (Section 12-3A). Cette structure (Fig. 12-41), dont la résolution est de 7,5 Å dans le plan de la membrane et de 21 Å perpendiculairement à celle-ci, montre une particule de symétrie D_6, un diamètre de ~70 Å et une longueur de ~150 Å qui délimite un canal central dont le diamètre varie de ~40 Å à l'entrée à ~15 Å à l'intérieur. Les portions TM de la jonction communicante présentent chacune 24 tiges

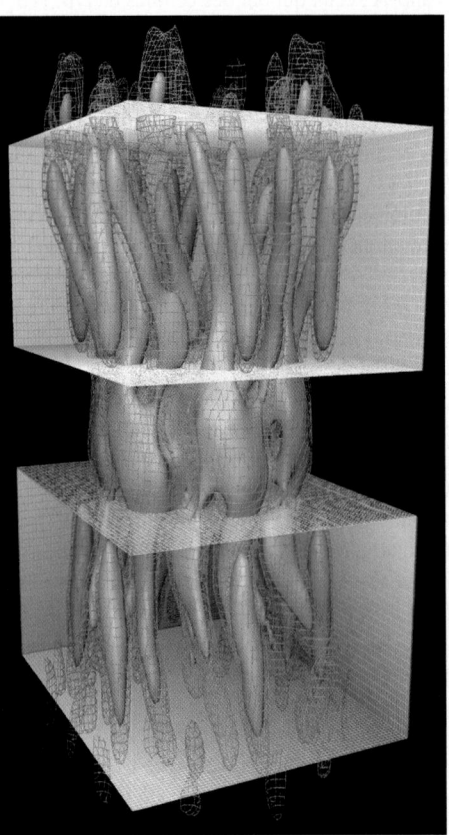

FIGURE 12-41 Structure par cristallographie électronique d'une jonction communicante cardiaque. La densité électronique, à deux niveaux différents, est représentée par les contours pleins ou en treillis (*couleur or*). Les boîtes en blanc indiquent la position dans les membranes cellulaires. [Avec la permission de Mark Yeager, The Scripps Research Institute, La Jolla, California.]

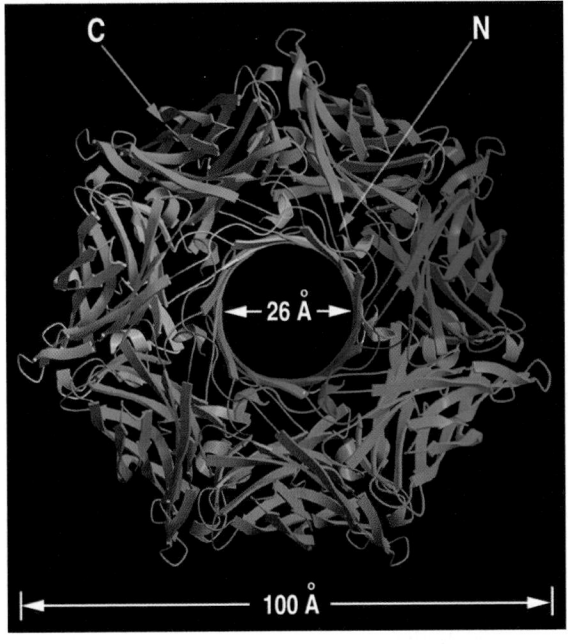

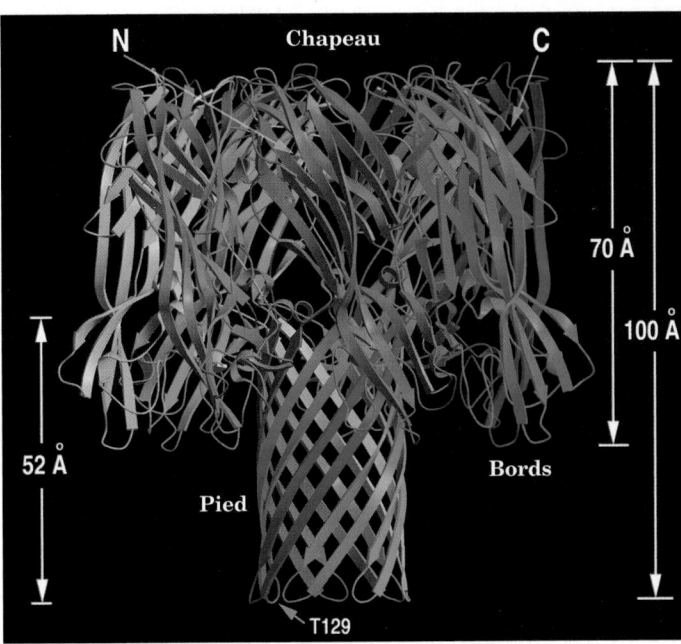

(a)   *(b)*

FIGURE 12-42 Structure par rayons X de l'α-hémolysine. Vues (*a*) dans l'axe d'ordre 7 du pore transmembranaire heptamérique et (*b*) perpendiculaire à cet axe. Chaque sous-unité a une couleur différente. (*c*) Le monomère avec ses trois domaines en couleurs différentes. [Avec la permission d'Eric Gouaux, Columbia University. PDBid 7AHL.]

opaques aux électrons, de symétrie hexagonale, et qui se projettent perpendiculairement au plan de la membrane. Ceci est conforme aux conclusions tirées de graphes d'hydropathie comme celui de la Fig. 12-22, selon lesquelles chaque connexine contient quatre hélices TM conservées. Puisque les extrémités N- et C-terminales des connexines sont toutes deux situées du côté cytoplasmique de la membrane plasmique, il est clair que la portion TM d'une connexine correspond à un faisceau de quatre hélices « haut-bas-haut-bas ».

G. *Protéines formant des canaux*

De nombreuses toxines bactériennes, appelées **toxines formant des canaux (CFT)**, sont synthétisées en tant que monomères hydrosolubles qui, en interagissant avec leur membrane cible par le biais d'un récepteur protéique spécifique, s'insèrent spontanément dans la membrane sous forme d'un pore TM. Suite à ce processus, qui souvent requiert l'oligomérisation de la toxine, la cellule cible perd des petits ions et molécules et meurt par déséquilibre osmotique. La formation d'un seul de ces pores de type CFT peut suffire à tuer une cellule.

Une des CFT les mieux caractérisées est l'**α-hémolysine** de *Staphylococcus aureus*, agent pathogène pour l'homme. Cette toxine, sécrétée en tant que monomère hydrosoluble de 293 résidus, s'insère spontanément sous forme de pores heptamériques dans les membranes des érythrocytes et de plusieurs autres types de cellules. Bien que le monomère d'α-hémolysine soit soluble dans l'eau et ne contienne apparemment pas de segments hydrophobes, l'heptamère se comporte comme une protéine TM typique

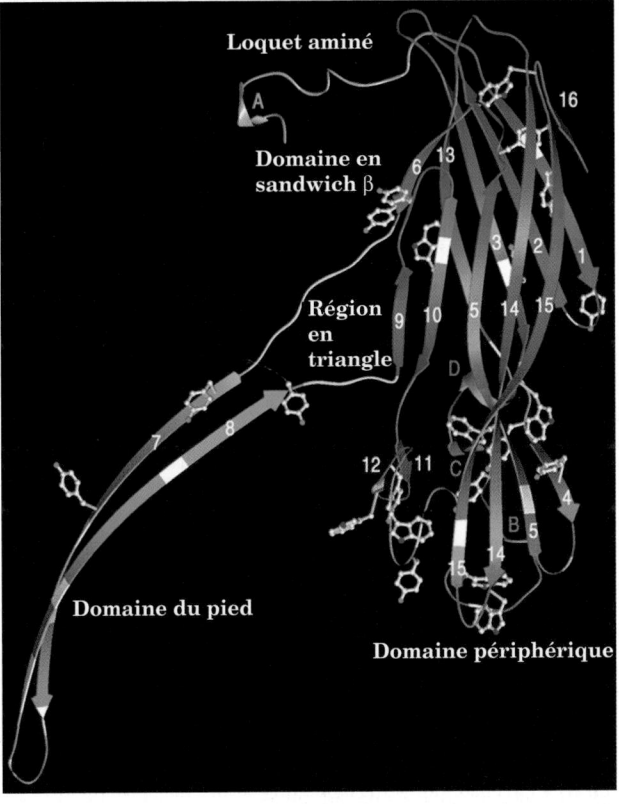

(c)

dans la mesure où sa libération de la membrane résiste au traitement par de fortes concentrations en sels, pH acide, ou agents chaotropiques, et requiert l'usage de détergents.

La structure par rayons X de l'α-hémolysine déterminée par Eric Gouaux après solubilisation aux détergents montre un complexe heptamérique en forme de champignon de 100 Å de haut et 100 Å de diamètre (Fig. 12-42*a* et *b*). Le pore TM est formé d'un canal rempli de solvant de 14 à 46 Å de diamètre qui parcourt l'axe d'ordre 7 de la protéine. Le pied du champignon, qui est la portion

TM de la protéine, est un tonneau β antiparallèle de type porine à 14 segments, de 52 Å de haut et 26 Å de diamètre, formé de sept feuillets β antiparallèles à 2 segments, un provenant de chaque sous-unité (Fig. 12-42*b*). Le reste de chaque sous-unité comporte un domaine en sandwich β et un domaine périphérique qui, ensemble, forment un ellipsoïde de 70 Å de long (Fig. 12-42*c*). Sept de ces ellipsoïdes sont organisés en un anneau qui correspond au chapeau du champignon et à ses bords. Le domaine périphérique se projette vers les groupements de tête phospholipidiques de la membrane et interagit sans doute avec eux via les résidus basiques et aromatiques qui pendent dans la crevasse entre la tige et les bords du chapeau.

D'après de nombreuses données, la formation spontanée de ce pore TM heptamérique implique plusieurs étape bien séparées : (1) la liaison du monomère hydrosoluble à la surface de la membrane, probablement suite à l'interaction des boucles polypeptidiques de la protéine avec les groupements de surface de la bicouche lipidique ; (2) la formation de l'heptamère à la surface de la membrane ; et (3) l'insertion du tonneau β à 14 segments à travers la membrane pour former le pore TM. Bien que l'on ne connaisse pas encore les détails structuraux de ces phénomènes, la structure secondaire des monomères apparaît comme inchangée lorsqu'ils s'assemblent pour former le pore TM heptamérique. La raison pour laquelle les monomères ne forment pas d'heptamères en solution aqueuse tient probablement aux différences dans les intensités d'interactions au sein des sous-unités en solution et entre les sous-unités en heptamère dans la membrane.

Toutes les CFT ne forment pas leur pore via un tonneau β. On en connaît plusieurs, notamment les **colicines** (celles-ci désignent plusieurs types de protéines de *E. coli*), dont le pore est délimité par des hélices α. La plupart de ces pores sont monomériques.

4 ■ ASSEMBLAGE DES MEMBRANES ET ADRESSAGE DES PROTEINES

Au fur et à mesure que les cellules croissent et se divisent, elles synthétisent de nouvelles membranes. Comment de telles membranes asymétriques sont-elles formées ? Une possibilité serait l'autoassemblage. De fait, quand on élimine le détergent qui a permis de désorganiser une membrane biologique, il se forme des liposomes dans lesquels des protéines intrinsèques fonctionnelles sont insérées. Cependant, dans la plupart des cas, ces membranes modèles sont symétriques, aussi bien dans la répartition de leurs lipides entre les deux feuillets qui constituent la bicouche, que dans les orientations de leurs protéines. Une autre hypothèse pour expliquer l'assemblage des membranes serait qu'*il s'effectue sur « l'échafaudage » de membranes préexistantes, les membranes nouvelles étant formées par l'extension des plus anciennes plutôt que par création de membranes nouvelles.* Nous verrons dans cette section qu'il en est bien ainsi. Nous étudierons comment des protéines s'insèrent dans les membranes ou les traversent, et comment des portions d'une membrane s'en détachent par épincement sous forme de vésicules pour fusionner avec une autre, assurant ainsi le transport de protéines et de lipides entre ces membranes. La grande complexité de ces processus illustre celle des phénomènes biologiques en général.

A. *Distribution des lipides dans les membranes*

Les enzymes impliquées dans la biosynthèse des lipides membranaires sont essentiellement des protéines intrinsèques (Section 25-8). Leurs substrats et produits sont eux-mêmes des constituants de la membrane et donc les lipides membranaires sont synthétisés sur place. Eugene Kennedy et James Rothman l'ont démontré chez des bactéries en utilisant la méthode de marquage sélectif. Ils ont donné à des bactéries en croissance du $^{32}PO_4^{3-}$ durant 1 min (un « pulse » en anglais) afin de ne marquer radioactivement que les groupements phosphoryle des phospholipides néo-synthétisés. Immédiatement après, ils ont ajouté à la suspension cellulaire, de l'**acide trinitrobenzènesulfonique** (**TNBS**), réactif ne traversant pas la membrane, qui se combine à la phosphatidyléthanolamine (**PE** ; Fig. 12-43). L'analyse de la membrane ainsi doublement marquée montra qu'aucune des PE marquées par le TNBS n'était marquée radioactivement. Ces résultats signifient que *la PE nouvellement formée est synthétisée du côté cytosolique de la membrane (Fig. 12-44, en haut à droite).*

a. Des protéines membranaires catalysent le basculement des phospholipides

Si l'on attend 3 min seulement entre le pulse de $^{32}PO_4^{3-}$ et l'addition de TNBS, on trouve qu'environ la moitié de la PE est doublement marquée (Fig. 12-44, *en bas*), ce qui indique que le basculement de la PE dans la membrane bactérienne est environ

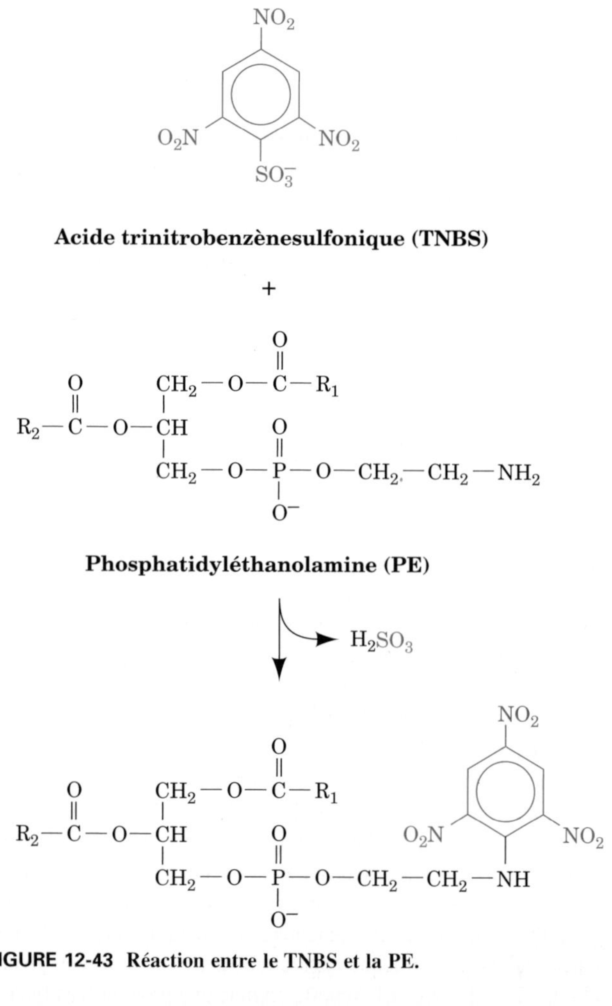

Acide trinitrobenzènesulfonique (TNBS)

+

Phosphatidyléthanolamine (PE)

FIGURE 12-43 Réaction entre le TNBS et la PE.

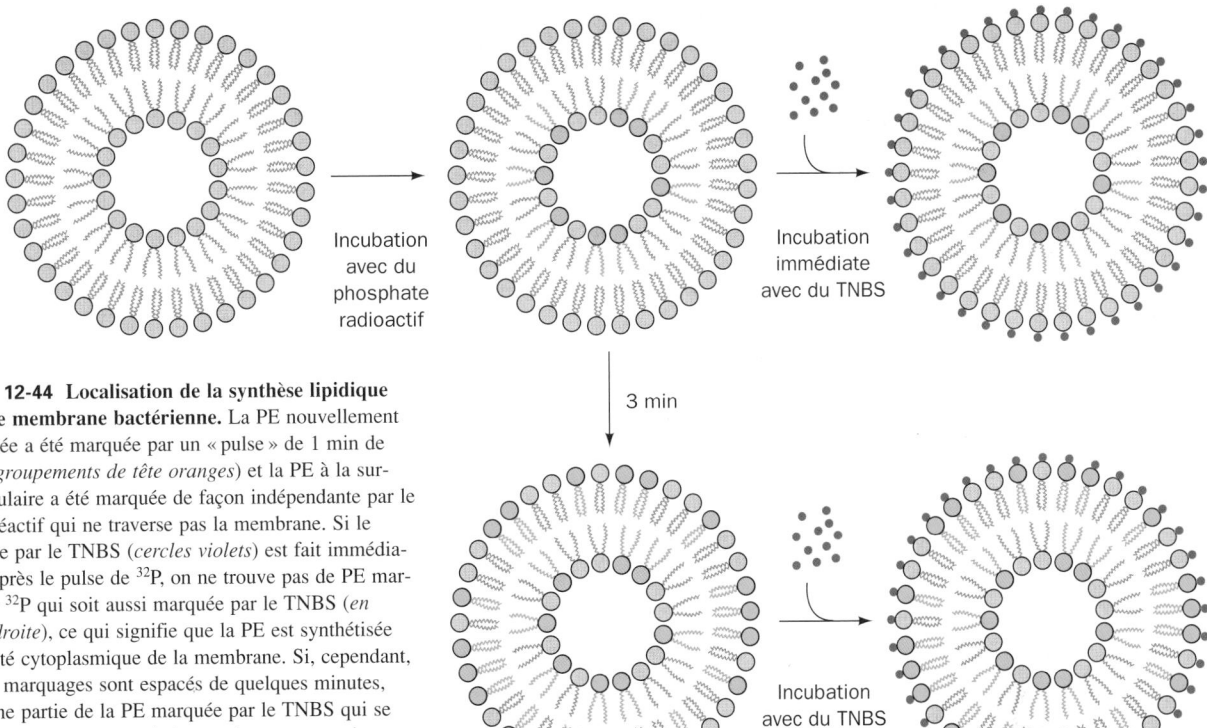

FIGURE 12-44 Localisation de la synthèse lipidique dans une membrane bactérienne. La PE nouvellement synthétisée a été marquée par un « pulse » de 1 min de $^{32}PO_4^{3-}$ (*groupements de tête oranges*) et la PE à la surface cellulaire a été marquée de façon indépendante par le TNBS, réactif qui ne traverse pas la membrane. Si le marquage par le TNBS (*cercles violets*) est fait immédiatement après le pulse de ^{32}P, on ne trouve pas de PE marquée par ^{32}P qui soit aussi marquée par le TNBS (*en haut, à droite*), ce qui signifie que la PE est synthétisée sur le côté cytoplasmique de la membrane. Si, cependant, les deux marquages sont espacés de quelques minutes, une bonne partie de la PE marquée par le TNBS qui se trouve sur le côté externe de la membrane est aussi marquée par ^{32}P (*en bas*).

100 000 fois plus rapide que dans des bicouches formées exclusivement de phospholipides (rappelons que, dans ce cas, les vitesses de basculement ont des demi-temps de plusieurs jours).

Comment les phospholipides synthétisés d'un côté de la membrane peuvent-ils atteindre l'autre côté si rapidement ? Le basculement des phospholipides semble facilité de deux manières :

1. Les membranes contiennent des protéines appelées **flipases** (de flip-flop, basculement en anglais) qui catalysent le basculement de phospholipides spécifiques. Ces protéines ont tendance à équilibrer la distribution de leurs phospholipides correspondants dans la bicouche, en transportant un phospholipide du côté où il est plus concentré vers le côté où il l'est moins. Comme nous le verrons dans la Section 20-2, un tel mécanisme est une forme de **diffusion facilitée.**

2. Les membranes contiennent des protéines appelées **translocases de phospholipides** qui transportent des phospholipides spécifiques à travers la bicouche par un mécanisme exigeant l'hydrolyse de l'ATP. Ces protéines peuvent transporter certains phospholipides depuis le côté de la bicouche où ils sont moins concentrés, vers l'autre côté, établissant ainsi une répartition asymétrique de ce phospholipide ; un tel mécanisme est une forme de **transport actif** (cf. Section 20-2).

La répartition des phospholipides dans les membranes (ex. Fig. 12-35) semble résulter des orientations membranaires des enzymes qui synthétisent les phospholipides, combinées aux effets compensatoires des translocases de phospholipides ATP-dépendantes qui assurent une répartition asymétrique des phospholipides, et à ceux des flipases qui uniformisent ces distributions.

b. La composition lipidique caractéristique d'une membrane peut être assurée de plusieurs façons

Dans les cellules eucaryotes, les lipides sont synthétisés du côté cytoplasmique du réticulum endoplasmique (**RE**), pour être transportés vers d'autres membranes. Le mécanisme de transport de lipides le plus important est sans doute le bourgeonnement de vésicules membranaires du RE suivi de la fusion avec d'autres membranes (Sections 12-4C et 12-4D). Cependant, ce mécanisme n'explique pas que les compositions en lipides soient différentes selon les membranes de la cellule. Les lipides sont aussi transportés entre membranes par les **protéines d'échanges de phospholipides** que l'on trouve dans beaucoup de cellules. Ces protéines transfèrent spontanément des phospholipides spécifiques, une molécule à la fois, entre deux membranes séparées par un milieu aqueux. La composition lipidique propre à une membrane peut provenir aussi de modifications et/ou de dégradations sélectives de ses constituants lipidiques qui se déroulent sur place suite à l'intervention d'enzymes spécifiques (Section 25-8A).

B. *Mécanisme de sécrétion des protéines ou voie sécrétoire*

Les protéines membranaires, comme toutes les protéines, sont synthétisées au niveau des ribosomes, sous la direction de matrices d'ARN messager. Le polypeptide est formé à partir de son extrémité N-terminale par l'addition successive de résidus d'acide aminé (Section 5-4B). Les cytologistes ont remarqué depuis longtemps qu'il existe deux sortes de ribosomes eucaryotes, ceux qui sont libres dans le cytosol, et ceux qui sont liés au RE pour former le **réticulum endoplasmique rugueux** (**RER** ; appelé ainsi à cause de l'aspect granuleux donné par les ribosomes qui lui sont liés ; Fig. 1-5). Néanmoins, les deux sortes de ribosomes ont la même structure ; ils ne diffèrent que par la nature des polypeptides qu'ils synthétisent. *Les ribosomes libres synthétisent essentiellement les protéines solubles et les protéines mitochondriales, tandis que les ribosomes liés aux membranes synthétisent les protéines TM et celles destinées à être sécrétées, opération qui se déroule dans le RE, ou à s'incorporer dans les* **lysosomes** (organites membranaires pourvus d'une collection d'hydrolases qui assurent la dégradation et le recyclage de composés cellulaires ; Section 1-2A). Ces dernières protéines apparaissent d'abord dans le RER.

a. La voie sécrétoire rend compte du ciblage de nombreuses protéines sécrétées ou membranaires

Comment les protéines synthétisées au niveau du RER se distinguent-elles des autres protéines ? Et comment ces molécules de grande taille et relativement polaires traversent-elles la membrane du RER ? Ces processus impliquent **la voie sécrétoire,** décrite par Günter Blobel, Cesar Milstein, et David Sabatini vers 1975. Parmi les différentes espèces de protéines synthétisées par tous les types cellulaires, environ 25 % sont des protéines intrinsèques et beaucoup d'autres sont sécrétées. Ainsi, *environ 40 % des diverses protéines synthétisées par une cellule doivent passer par la voie sécrétoire ou une autre voie de ciblage des protéines* (p. ex. celle qui dirige les protéines vers la mitochondrie ; Section 12-4E). Nous commencerons cette sous-section par une vue d'ensemble de la voie sécrétoire, puis en étudierons en détail certains aspects. La voie sécrétoire est schématisée à la Fig. 12-45 :

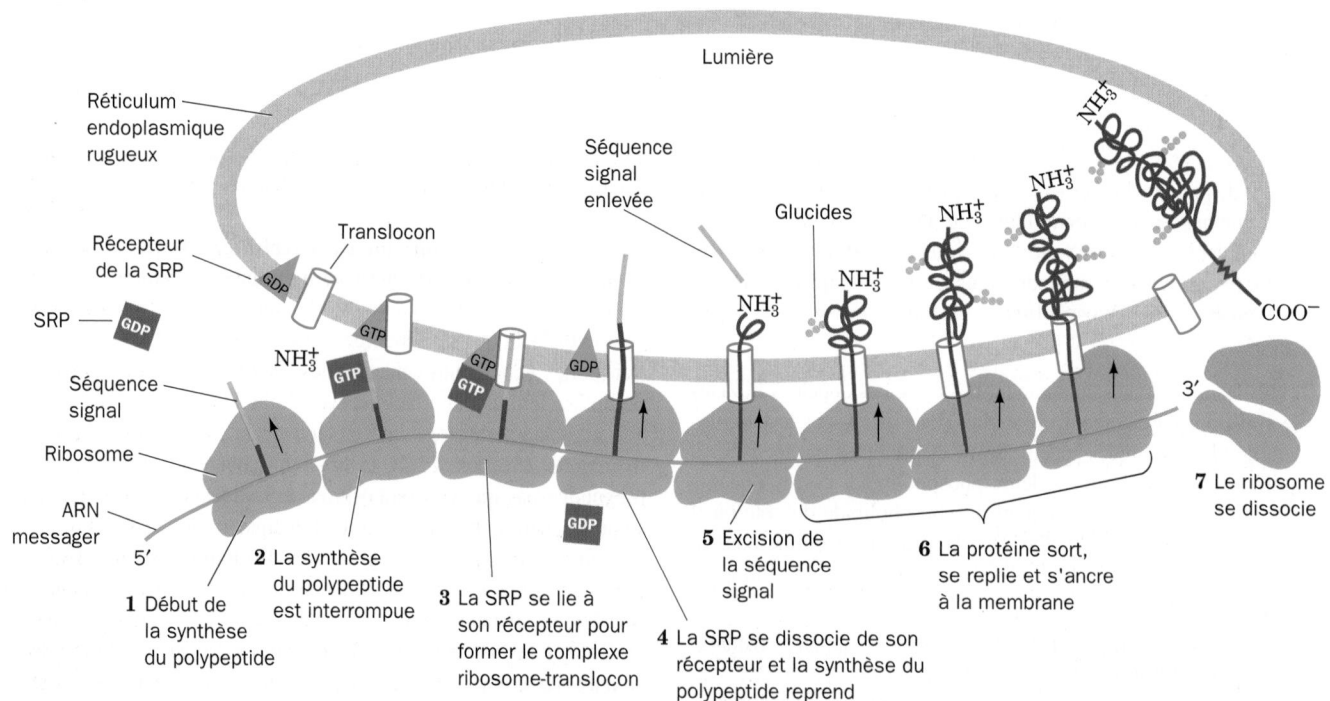

FIGURE 12-45 Synthèse ribosomiale, insertion membranaire, et début de la glycosylation d'une protéine membranaire intrinsèque, par la voie sécrétoire. (**1**) La synthèse protéique commence à l'extrémité N-terminale du polypeptide, par l'élaboration d'une séquence signal de 13 à 36 résidus. (**2**) Une particule de reconnaissance du signal (SRP) se lie au ribosome et à la séquence signal qui en émerge, ce qui provoque l'arrêt momentané de la synthèse du polypeptide. (**3**) La SRP se lie au récepteur transmembranaire de la SRP (SR) associé au translocon, ce qui réunit le ribosome et le translocon. (**4**) La SRP et le SR hydrolysent le GTP qui leur est lié, ce qui entraîne leur dissociation du complexe ribosome-translocon. Le ribosome reprend alors la synthèse du polypeptide, qui passe à travers le translocon dans la lumière du RE. (**5**) Peu après l'entrée de la séquence signal dans la lumière du RE, elle est excisée par protéolyse. (**6**) Tout en pénétrant dans la lumière du RE, la chaîne polypeptidique commence à se replier pour prendre sa conformation native, processus facilité par son interaction avec le chaperon Hsp70 (non montré). Simultanément, des enzymes débutent la glycosylation spécifique du polypeptide. Une fois la protéine repliée, elle ne peut pas sortir de la membrane. En des endroits déterminés par sa séquence, la protéine se « colle » à la membrane (les protéines destinées à être sécrétées passent entièrement dans la lumière du RE). (**7**) Une fois la synthèse du polypeptide achevée, le ribosome se dissocie en ses deux sous-unités.

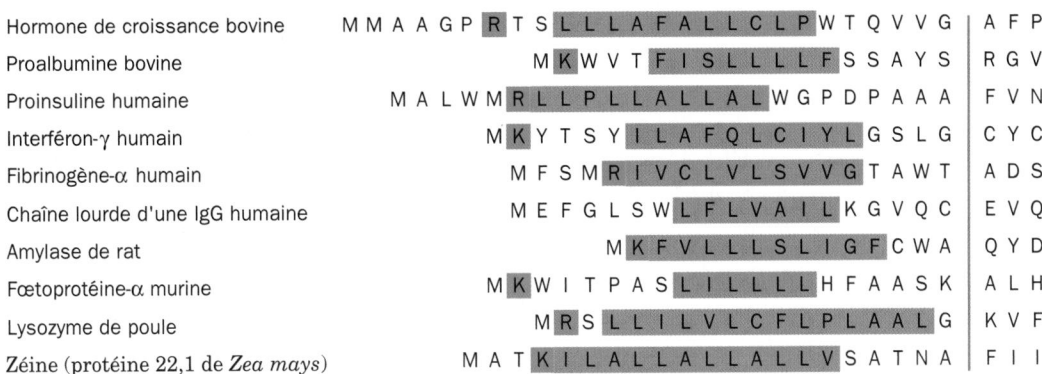

FIGURE 12-46 **Séquences N-terminales de quelques préprotéines eucaryotes sécrétées.** Les cœurs hydrophobes *(en brun)* de la plupart des peptides signal sont précédés de résidus basiques *(en bleu)*. [D'après Watson, M.E.E., *Nucleic Acids Res.* **12**, 5147-5156 (1984).]

1. *Toutes les protéines sécrétées, celles du RE, et les protéines lysosomiales, ainsi que de nombreuses protéines TM, sont synthétisées avec une séquence N-terminale de 13 à 36 résidus, appelée **peptide signal.*** Le peptide signal comporte 6 à 15 résidus hydrophobes flanqués de plusieurs résidus relativement hydrophiles, dont généralement un ou plusieurs résidus basiques près de l'extrémité N-terminale (Fig. 12-46). Ceci dit, il y a peu de similitude de séquence dans les peptides signal de différentes protéines. Cependant, de nombreuses données indiquent que ces peptides forment des hélices α dans un environnement non polaire.

2. Dès que le peptide signal émerge de la surface du ribosome (le polypeptide fait alors au moins ~40 résidus), la **particule de reconnaissance du signal (SRP** pour « Signal Recognition Particle »), un complexe de 325 kD avec six polypeptides différents et une molécule d'ARN de 300 nucléotides, se lie à la fois au peptide signal et au ribosome et le GDP lié à la SRP est remplacé par du GTP. Le changement de conformation qui en résulte pour la SRP empêche le ribosome de poursuivre la synthèse du polypeptide, évitant ainsi que la protéine qui doit passer dans le RER soit libérée dans le cytosol.

3. Le complexe SRP-ribosome diffuse vers la surface du RER, où il se lie au **récepteur de la SRP (SR,** aussi appelé **protéine d'arrimage ou « docking protein »)** associé au **translocon,** pore protéique de la membrane du RE à travers lequel sortira la chaîne polypeptidique en croissance. Lors de la formation du complexe SR-translocon, le GDP lié au SR est remplacé par du GTP.

4. La SRP et le SR se stimulent mutuellement à hydrolyser en GDP le GTP qui leur est lié (ce qui équivaut à l'hydrolyse de l'ATP au plan énergétique). Ceci entraîne des modifications conformationnelles qui provoque leur séparation et leur dissociation du complexe ribosome-translocon. Le ribosome lié au RE peut ainsi reprendre la synthèse du polypeptide de sorte que l'extrémité N-terminale de sa chaîne en croissance passe par le translocon dans la lumière du RE. Comme nous le verrons dans la Section 32-3, la plupart des activités des ribosomes dépendent de l'hydrolyse du GTP.

5. Peu après que le peptide signal soit entré dans la lumière du RE, il est excisé spécifiquement de la chaîne polypeptidique en croissance par une **peptidase du signal** liée à la membrane (les chaînes polypeptidiques qui ont encore leur peptide signal sont appelées **préprotéines ;** les peptides signal sont aussi appelés **préséquences**).

6. Le polypeptide naissant (en formation) commence à se replier pour prendre sa conformation native, processus facilité par son interaction avec une protéine chaperon Hsp70 résidant dans le RE (Section 9-2C). Des enzymes dans la lumière du RE commencent alors la **modification post-traductionnelle** du polypeptide, comme la liaison spécifique de glucides centraux pour les futures glycoprotéines (Section 23-3B), la formation de ponts disulfure facilitée par la protéine disulfure isomérase (Section 9-2A), une protéine localisée dans le RE, ou encore l'accrochage d'ancres GPI (Section 23-3B).

7. Quand la synthèse polypeptidique est achevée, la protéine est libérée du ribosome et du translocon, et le ribosome se détache du RER. Les protéines sécrétées, celles du RE, et les protéines lysosomiales traversent complètement la membrane du RER pour se retrouver dans sa lumière. Par contre, les protéines TM présentent une (ou plus) séquence « d'ancrage de membrane » hydrophobe de 20 résidus environ qui maintient la protéine dans la membrane.

La voie sécrétoire (aussi appelée hypothèse du signal) joue également chez les procaryotes pour l'insertion de certaines protéines dans la membrane cellulaire (dont l'extérieur équivaut à la lumière du RE). En fait, toutes les formes de vie étudiées jusqu'ici possèdent des homologues de la SRP et du SR.

b. La structure par rayons X du cœur de la SRP montre comment elle lie le peptide signal

Les SRP de mammifères sont constituées de six polypeptides appelés **SRP9, SRP14, SRP19, SRP54, SRP68,** et **SRP72** (où les nombres correspondent à leur masses moléculaires en kD) et d'un ARN 7S [on classe souvent les ARN selon leur vitesse de sédimentation en unités Svedberg (S), qui augmente avec leur masse moléculaire (Section 6-6D) ; l'ARN 7S humain comporte

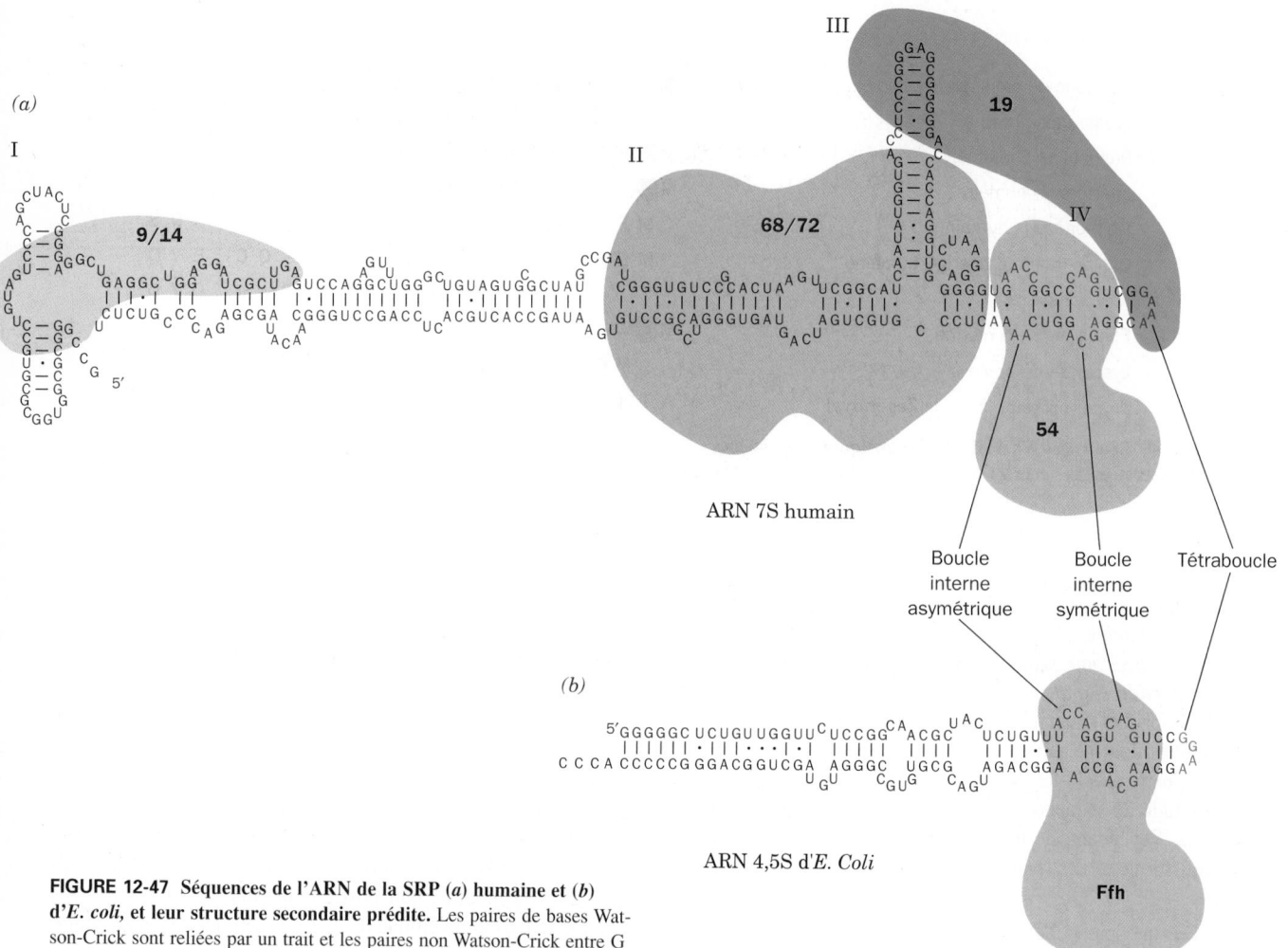

FIGURE 12-47 **Séquences de l'ARN de la SRP** (*a*) **humaine et** (*b*) **d'***E. coli,* **et leur structure secondaire prédite.** Les paires de bases Watson-Crick sont reliées par un trait et les paires non Watson-Crick entre G et U et entre G et A sont désignées par un point. Les trois caractéristiques principales du domaine IV conservées dans les deux séquences, à savoir la tétraboucle, la boucle interne asymétrique, et la boucle interne symétrique sont indiquées en rouge. Noter les similitudes de séquence et de position de ces éléments conservés. Chez les mammifères, SRP9 et SRP14 forment un hétérodimère appelé **SRP9/14** impliqué dans l'interaction avec le ribosome, tandis que SRP68 et SRP72 forment un hétérodi-

mère appelé **SRP68/72** requis pour la translocation des protéines. Les régions de l'ARN protégées, par les protéines associées, de la digestion par des nucléases ou de la modification chimique, sont ombrées en couleur. Chez *E. coli,* Ffh (homologue de SRP54) se lie à la région de l'ARN qui ressemble au domaine IV. [D'après Walter, P. and Johnson, A.E., *Annu. Rev. Cell Biol.* **10**, 94 (1994).]

299 nucléotides (**nt**)]. Les micrographies électroniques montrent que l'ARN de la SRP a la forme d'une tige allongée de 240 Å sur 60 Å. Ceci est en accord avec la prédiction de structure secondaire (Fig. 12-47*a*) d'après laquelle l'ARN de la SRP comprend quatre domaines, dont seul le IV (~50 nt) est très conservé. De nombreuses SRP de procaryotes sont beaucoup plus simples. Celle de *E. coli* est faite d'un polypeptide unique appelé **Ffh**, homologue de SRP54 (Ffh pour « *F*ifty-*f*our *h*omolog »), et d'un ARN 4,5S (114 nt ; Fig. 12-47*b*) qui, selon les prédictions de structure secondaire, ressemble en partie au domaine IV. Si l'on remplace SRP54 par Ffh ou vice-versa on obtient des SRP fonctionnelles, du moins *in vitro*, ce qui suggère que le complexe Ffh-4,5S ARN est un modèle réduit, quant à la structure, de la SRP des eucaryotes.

La protéine SRP-Ffh comprend trois domaines ; le domaine N (N-terminal), de fonction inconnue ; le domaine G (central), qui possède la fonction GTPase de la SRP et est responsable de son interaction avec le SR ; et le domaine M (C-terminal), riche en Met (14 résidus sur 102 chez *E. coli* et 11 chez les humains, bien que 4 seulement de ces positions Met soient partagées), qui lie à la fois l'ARN de la SRP et le peptide signal. La structure par rayons X du Ffh de *Thermus aquaticus* (Fig. 12-48), déterminée par Robert Stroud et Peter Walter, montre que son domaine N forme un faisceau de quatre hélices α antiparallèles et que son domaine G est un feuillet β ouvert (Section 8-3B) comme dans les autres GTPases. La structure du domaine M est discutée ci-dessous.

Jennifer Doudna a déterminé la structure par rayons X du cœur conservé de la SRP de *E. coli*, c'est-à-dire celle d'un complexe entre le domaine M du Ffh et l'ARN « domaine IV ». Dans cette structure (Fig. 12-49*a*), l'ARN (49 nt) forme une tige en double hélice de 70 Å de long (et ceci est en accord avec la prédiction de structure secondaire ; Fig. 12-47*b*) où la chaîne d'ARN se replie sur elle-même via une boucle de 4 nt non appariés (une **tétraboucle** ; tout comme l'ADN, l'ARN peut former une double hélice par appariement des bases, bien que sa conformation soit nettement différente de celle de l'ADN-B ; Section 29-1B). On trouve dans cet ARN une boucle interne dite symétrique où les bases s'associent, de façon inattendue, par appariement non Watson-Crick, ce qui permet la continuité de la conformation en double hélice du squelette sucre-phosphate ainsi que l'empilement des paires de bases successives. On trouve aussi une boucle interne dite asymétrique où, par contre, un segment de 4 nt non appariés s'écarte de la double hélice, ce qui ménage au centre de cette dernière une vaste cavité remplie d'un agrégat de deux ions Mg^{2+} hydratés et de 28 molécules d'eau ordonnées. Les interactions entre cet ARN et la protéine impliquent un réseau dense de liaisons hydrogène, essentiellement entre les boucles internes, symétrique et asymétrique, de l'ARN et les hélices 2, 2b et 3 du domaine M (Fig. 12-49*a*).

Au sein du domaine M (102 résidus) du complexe, un segment de 33 résidus est désorganisé, et donc non visible dans la structure par rayons X. Cependant, les autres régions de la protéine sont bien superposables à celles du domaine M dans la structure par rayons X du Ffh de *T. aquaticus*, où l'entièreté du domaine est visible (Fig. 12-49*a*). Le segment désorganisé du Ffh de *E. coli*, appelé boucle en doigt, et les régions adjacentes du domaine M forment ensemble, dans le Ffh de *T. aquaticus*, un sillon profond

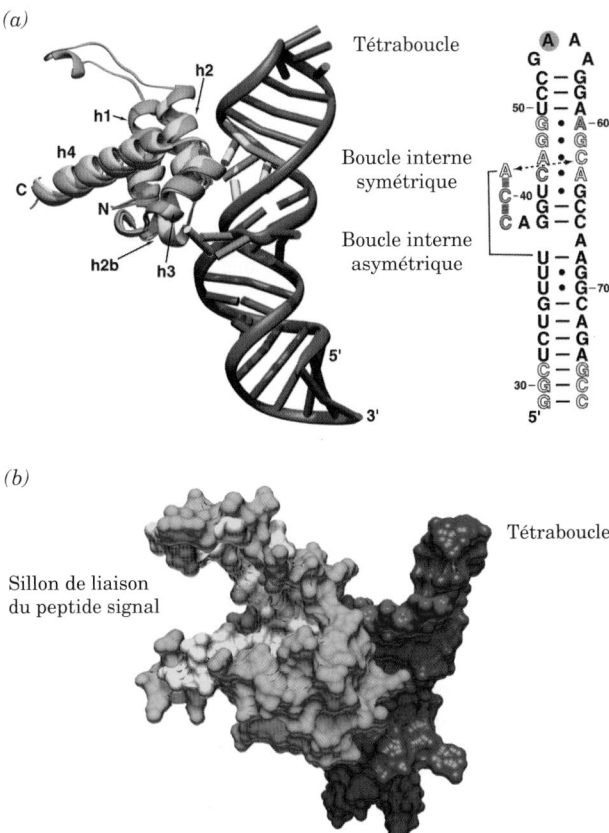

(*a*)

(*b*)

FIGURE 12-49 Structure par rayons X du cœur de la SRP d'*E. coli*.
(*a*) L'ARN est représenté comme une échelle, en violet, avec ses bases invariables en jaune et ses bases hautement conservées en vert. Le domaine M correspond au ruban en bleu-vert auquel on a superposé, en rose, la structure du domaine M non lié de *T. aquaticus*. Les hélices a successives sont désignées par h1, h2, etc. La structure secondaire de l'ARN, à droite, est dessinée de façon à montrer sa structure tridimensionnelle. Les bases de ses boucles internes symétrique et asymétrique et les bases aux extrémités 3′ et 5′ de l'ARN qui ne font pas partie de l'ARN 4,5S natif de *E. coli*, sont en lettres non pleines. (*b*) Surface moléculaire du complexe orientée de manière à montrer le sillon censé lier le peptide signal. L'ARN est en bleu foncé, la protéine en rose, les résidus hydrophobes bordant le sillon de liaison du peptide signal en jaune, et les groupements phosphate voisins de l'ARN en rouge. [Avec la permission de Robert Batey et Jennifer Doudna, Yale University. PDBid 1DUL.]

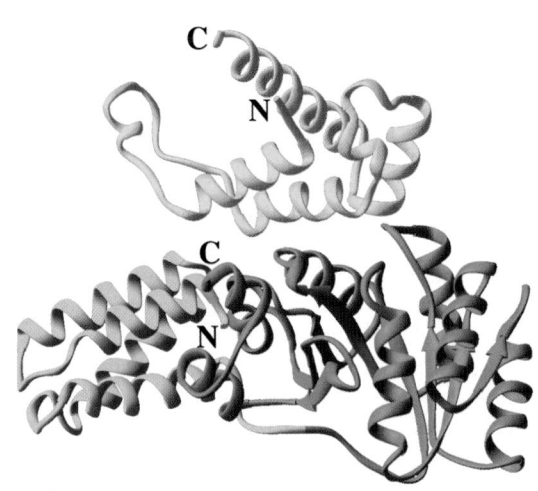

FIGURE 12-48 Structure par rayons X du Ffh de *T. Aquaticus*.
Représentation en ruban de la protéine avec son domaine N en bleu-vert, son domaine G en vert, et son domaine M en doré. Le segment de 11 résidus qui relie les domaines G et M est désorganisé dans la structure par rayons X. Étant donné que ce segment peut atteindre 40 Å et que Ffh cristallise en tant que trimère cyclique, il n'est pas possible de déterminer lequel des trois domaines M du trimère est relié à un domaine G donné. Le domaine M dessiné ici a donc été choisi arbitrairement parmi ceux du trimère. [D'après une structure par rayons X déterminée par Peter Walter et Robert Stroud, University of California at San Francisco. PDBid 2FFH.]

qui est bordé presqu'entièrement de résidus hydrophobes. Chez *E. coli*, ces résidus comprennent 11 des 14 Met (Fig. 12-49*b* ; les propriétés de la chaîne latérale de Met sont semblables à celles d'un groupement *n*-butyle). Ce sillon, de 15 Å de large sur 25 Å de long, constitue apparemment le site de liaison de l'hélice hydrophobe du peptide signal. Les « soies » formées par les chaînes latérales non ramifiées des Met et la boucle en doigt conféreraient au sillon la plasticité requise pour accueillir nombre de séquences signal différentes, pour autant qu'elles soient hydrophobes et en hélice α. De fait, dans la structure par rayons X du domaine M de la SRP54 humaine, l'hélice N-terminale, qui est plus longue que celle du domaine M du Ffh de *E. coli,* se projette hors du cœur de la protéine pour se lier dans le sillon hydrophobe d'une molécule voisine.

Quelle est la fonction de l'ARN de la SRP ? La structure du complexe par rayons X montre que cet ARN prolonge sans interruption le sillon hydrophobe de la protéine jusqu'au rebord formé par le squelette sucre-phosphate de l'ARN au dessus de la boucle interne symétrique (Fig. 12-49*b*). Ceci suggère que le peptide signal en hélice se lie au complexe de manière à faire interagir ses résidus basiques N-terminaux (Fig. 12-46) avec les groupements phosphate anioniques du rebord.

c. L'entrée dans la voie sécrétoire est assurée par l'énergie d'hydrolyse du GTP

Chez les eucaryotes, le récepteur de la SRP est un hétérodimère de sous-unités appelées **SRα** et **SRβ**. SRβ est une protéine intrinsèque de 271 résidus qui possède un segment TM N-terminal, alors que SRα est une protéine extrinsèque de 638 résidus liée à la membrane apparemment via l'association de son segment N-terminal à SRβ. SRα et SRβ sont toutes deux des GTPases.

Chez *E. coli,* le SR ne comporte qu'une sous-unité de 497 résidus appelée **FtsY** et dont la partie C-terminale est homologue à celle de SRα, alors que les parties N-terminales ne présentent pas de similitude de séquence. La structure par rayons X de la partie C-terminale de FtsY ressemble étrangement à celle des domaines N et G de SRP54 (Fig. 12-48), avec lesquels elle partage une identité de séquence de ~34 %.

Le ciblage du complexe SRP-ribosome vers la membrane du RE est assuré par l'activité GTPase de SRP54, de SRα et de SRβ> Dans de nombreux systèmes biologiques, principalement ceux qui effectuent la traduction (Section 32-3), le transport des vésicules (Sections 12-4C et 12-4D), et la transduction du signal (Section 19-2), *les GTPases fonctionnent comme des commutateurs moléculaires qui confèrent au système unidirectionalité et spécificité.* Ces **protéines G** possèdent au moins deux conformations stables : liée au GDP et liée au GTP. L'interconversion de ces deux états suppose un cycle unidirectionnel en raison du caractère irréversible de l'hydrolyse du GTP. Dans la plupart des cas, la protéine G doit interagir avec d'autres protéines pour changer d'état conformationnel. Ainsi, l'hydrolyse du GTP requiert souvent une stimulation par une **protéine activatrice de GTPase (GAP)** spécifique, et le remplacement du GDP lié, par du GTP, peut exiger l'action d'un **facteur d'échange des nucléotides guanyliques (GEF ;** Section 19-2C) spécifique. Ces facteurs particuliers confèrent au système sa spécificité.

Le GEF pour la SRP est constitué du complexe entre le peptide signal qui vient d'y émerger et le domaine M de SRP54, qui induit le domaine G adjacent à échanger son GDP pour du GTP (Fig. 12-45, Étape 2). La formation du complexe SRP • GTP résultant produit un changement conformationnel qui fixe la SRP au ribosome, ce qui arrête la traduction. Il semble que le GEF pour le SR soit un translocon vide qui s'associe au complexe SR • GTP résultant, auquel le complexe SRP • GTP-ribosome vient alors s'ajouter (Fig. 12-45, Étape 3). De toute évidence, la SRP et le SR, tous deux sous leur forme GTP, agissent comme « entremetteurs moléculaires » pour rapprocher un translocon vide et un ribosome en train de synthétiser un polypeptide porteur d'une séquence signal. La SRP et le SR stimulent alors réciproquement leur fonction GTPase (agissant comme GAP

mutuelles, car ni l'une ni l'autre de ces protéines n'a d'activité GTPase significative), puis se dissocient, pour donner les complexes libres SRP • GDP et SR • GDP prêts à participer à un nouveau cycle de la voie sécrétoire (Fig. 12-45, Etape 4). La libération de la SRP et du SR permet au ribosome à présent associé au translocon de reprendre la traduction, ce qui fait passer le polypeptide en cours de synthèse à l'intérieur de la membrane du RE ou à travers elle, comme décrit ci-dessous.

d. Le translocon est un pore transmembranaire multifonctionnel

Comment les préprotéines sont-elles insérées dans la membrane du RER ou transportées à travers elle ? En 1975, Blobel a postulé que ces processus sont effectués par un canal TM aqueux. Cependant, ce n'est qu'en 1991 qu'il a pu démontrer son existence par des mesures électrophysiologiques indiquant que la membrane du RER contient des canaux conducteurs d'ions. Leur nombre augmente quant la face du RER liant les ribosomes est traitée par de la **puromycine** (antibiotique qui provoque la libération prématurée de la chaîne polypeptique naissante du ribosome ; Section 32-3D), ce qui suggère que les canaux sont obturés par la présence des polypeptides. En liant à un polypeptide naissant des sondes dont la fluorescence est sensible à la polarité du milieu environnant, Arthur Johnson a démontré que ces canaux, à présent appelés translocons, délimitent des pores aqueux qui traversent complètement la membrane du RE.

Les différentes protéines TM du RE qui constituent le translocon ont été identifiées en attachant des groupements photoactivables à la séquence signal ou aux régions matures des préprotéines. Après exposition à une lumière de longueur d'onde appropriée, les groupements photoactivables réagissent avec les protéines voisines pour former des liaisons croisées covalentes, ce qui permet d'identifier ces protéines. Le constituant principal du translocon de mammifère, baptisé **Sec61** (**SecYEG** chez les procaryotes), est une protéine hétérotrimérique dont les sous-unités sont appelées **Sec61α, Sec61β,** et **Sec61γ**. D'après les prédictions de structure, Sec61α (476 résidus) possède 10 hélices TM et ses extrémités N- et C-terminales sont dans le cytosol, tandis que Sec61β (96 résidus) et Sec61γ (68 résidus) ont une seule hélice TM et l'extrémité N-terminale de chacune est dans le cytosol.

Andrej Sali, Joachim Frank et Blobel ont examiné le complexe Sec61-ribosome par microscopie électronique d'échantillons congelés (Fig. 12-50). On voit que Sec61 forme un tore en entonnoir avec quatre points d'ancrage au ribosome et dont le canal central est dans le prolongement du tunnel par où le polypeptide naissant quitte le ribosome (Section 32-3D). Le complexe Sec61 a une épaisseur de 48 Å, un diamètre externe de 85 à 95 Å, et un diamètre interne moyen de 15 Å. Le volume du pore indique qu'il est fait de trois hétérotrimères Sec61.

Un constituant supplémentaire du translocon de mammifère est la **protéine membranaire associée à la chaîne en translocation** (**TRAM** pour « translocating chain-associated membrane protein » ; 374 résidus et 8 hélices TM d'après les prédictions de structure, avec les extrémités N- et C-terminales dans le cytosol). En utilisant des liposomes contenant de la Sec61 et pourvus ou non de TRAM, Tom Rapoport a démontré que TRAM était requise pour l'entrée dans le liposome, et l'intégration dans sa membrane, de la plupart des préprotéines testées, mais pas toutes. Que la transloca-

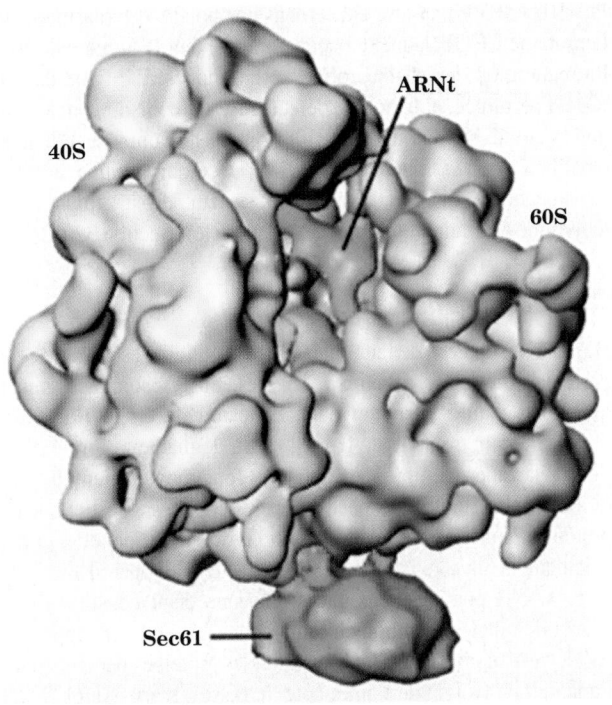

(a)

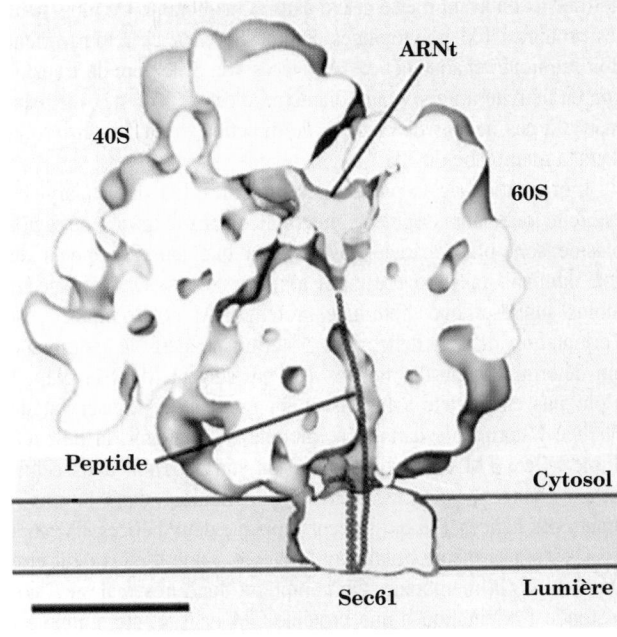

(b)

FIGURE 12-50 Structure du complexe Sec61-ribosome de levure déterminée avec une résolution de 15 Å par microscopie électronique après congélation. (*a*) Vue avec l'oligomère Sec61 en rouge, la petite (40S) sous-unité ribosomiale en jaune, la grosse sous-unité (60S) en bleu et, en vert, un ARNt lié au site P du ribosome (Fig. 5-28). (*b*) Vue comme dans la Partie *a*, mais selon un plan de coupe passant par le pore de Sec61 et par le tunnel d'où sort la chaîne polypeptidique en croissance lorsqu'elle quitte la grosse sous-unité du ribosome (*ligne en noir*). L'échelle correspond à 100 Å. [Avec la permission de Joachim Frank, State University of New York at Albany.]

tion d'une préprotéine donnée exige TRAM dépend de sa séquence signal, bien qu'on n'ait pu déterminer dans celle-ci de caractéristique critique pour cette exigence.

Quelle est la largeur du pore du translocon lorsqu'il livre passage à un polypeptide ? Au minimum elle devrait être de ~7 Å (diamètre d'un polypeptide anhydre en extension), et d'au moins ~12 Å si une séquence TM prenait sa conformation en hélice α avant de quitter le pore. Pour répondre à cette question, Johnson a marqué des chaînes en voie de translocation en incorporant des colorants fluorescents à des endroits précis le long du polypeptide naissant, puis a déterminé leur accessibilité à des **extincteurs de fluorescence** de tailles différentes (en entrant en collision avec un fluorophore excité, ces agents abolissent son énergie d'état excité). Ces expériences montrent que le diamètre du pore d'un translocon en activité a la largeur surprenante de 40 à 60 Å. Cependant, des mesures du même type attribuent au translocon inactif (non associé à un ribosome) un diamètre de pore de seulement 9 à 15 Å. Il est possible que le pore de Sec61 montré à la Fig. 12-50 ait adopté cette dernière conformation malgré la présence du ribosome.

En dépit de l'énorme pore des translocons en activité, la barrière de perméabilité de la membrane du RE est préservée car le ribosome forme avec le translocon un joint d'étanchéité (au contraire de l'association assez lâche suggérée par la Fig. 12-50). De plus, une fois le ribosome dissocié du translocon, le joint est maintenu par l'arrivée d'une protéine intrinsèque du RE, homologue des Hsp70 (Section 9-2C), appelée **BiP** qui se lie à la surface luminale du translocon. En fait, après liaison du ribosome au translocon et initiation de la translocation, BiP ne se dissocie que lorsque la longueur du polypeptide naissant a atteint ~70 résidus. Ce processus, probablement dû à une interaction entre le peptide signal et le translocon, fournirait un mécanisme de sécurité maintenant la barrière de perméabilité de la membrane du RE jusqu'à ce que le ribosome forme un joint étanche du côté cytosolique du translocon.

e. Le translocon insère des hélices transmembranaires dans la membrane du RE

Le translocon n'est pas qu'une porte d'entrée dans le RE pour les protéines solubles, *il doit également insérer dans la membrane du RE les segments TM des protéines intrinsèques.* De concert avec le ribosome, le translocon reconnaît ces segments et les fait passer latéralement dans la bicouche lipidique, par un mécanisme très mal connu. Le mode de reconnaissance impliqué ici ne peut se limiter à leurs ~20 résidus non polaires car les prédictions fondées exclusivement sur l'hydrophobicité des séquences ne permettent pas toujours d'identifier les segments TM d'un polypeptide.

Les séquences signal de nombreuses protéines TM ne sont pas clivées par la peptidase du signal, mais sont insérées dans la membrane du RE. De telles **séquences signal d'ancrage** *s'orientent avec leur extrémité N-terminale soit dans le cytosol (p. ex. Sec61α), soit dans la lumière du RE (p. ex. la glycophorine A).* Dans le premier cas, le polypeptide doit s'être retourné à l'intérieur du translocon avant d'être inséré dans la membrane. De plus, pour les protéines TM polytopiques comme Sec61α, ce retournement doit impliquer chaque hélice TM successive. Si le pore du translocon en activité a un si grand diamètre, c'est sans doute pour permettre à ces hélices de changer de direction avant leur insertion dans la membrane du RE.

L'orientation de la plupart des protéines TM des eucaryotes est telle que leurs segments interhélicoïdaux exposés au cytoplasme sont plus chargés positivement que leurs segments du côté luminal, mais ce n'est pas toujours le cas. On peut néanmoins supposer que, pour une protéine TM polytopique, c'est l'orientation de son hélice TM N-terminale dans la membrane qui détermine celle des hélices TM qui suivent (dont la plupart n'ont pas encore été synthétisées au moment de l'insertion de l'hélice N-terminale dans la membrane). Cependant, la délétion d'une hélice TM d'un polypeptide, ou son insertion dans celui-ci, ne change pas nécessairement l'orientation, dans la membrane, des hélices TM qui suivent. Lorsque deux hélices TM successives ont la même orientation préférée, l'une d'elles peut être expulsée de la membrane. On comprend donc très mal sur quoi se fonde l'orientation d'une protéine TM dans la membrane du RE et le mécanisme par lequel le translocon réalise cette orientation, bien que des études par photopontage suggèrent l'implication de TRAM.

f. Le repliement des protéines dans le RE est facilité par des chaperons moléculaires

Le RE, tout comme le cytosol, contient un arsenal de chaperons moléculaires qui aident au repliement des protéines et jouent le rôle d'agents de contrôle de qualité. Le chaperon le mieux caractérisé est BiP, un homologue de Hsp70 (Section 9-2C). BiP s'associe à de nombreuses protéines sécrétées ou membranaires bien que, si leur repliement se passe normalement, cette association soit faible et de courte durée. Cependant, les protéines mal repliées, mal glycosylées, ou mal assemblées forment avec BiP des complexes stables qui souvent sont exportés vers le cytosol, par un processus mal défini impliquant le translocon et appelé **rétrotranslocation,** pour y être dégradées par protéolyse (Section 32-6). Deux autres chaperons intrinsèques du RE sont les protéines homologues appelées **calréticuline** et **calnexine**, qui facilitent et contrôlent le repliement et l'assemblage des glycoprotéines (Section 23-3B). Le RE contient aussi des protéine disulfure isomérases (PDI ; Section 9-2A) et des peptidyl prolyl cis-trans isomérases (Section 9-2B).

Des anomalies du repliement et de l'assemblage des protéines sont de plus en plus impliquées dans l'étiologie de certaines maladies (p. ex. Section 9-5). Ainsi, la **mucoviscidose** (ou **fibrose cystique**) est la maladie grave génétique récessive la plus fréquente (un sur ~2000 individus) dans la population caucasienne (Européens et leurs descendants émigrés). Elle frappe les sujets homozygotes pour une déficience de la **protéine régulatrice transmembranaire de la fibrose cystique (CFTR)**, glycoprotéine de 1480 résidus à 12 hélices TM qui fonctionne comme transporteur de Cl⁻ dans la membrane plasmique des cellules épithéliales. Ces malades produisent un mucus très visqueux qui obstrue les bronchioles, d'où des infections pulmonaires chroniques avec insuffisance respiratoire qui peut entraîner le décès dans la trentaine. Bien que la mucoviscidose soit causée par un grand nombre de mutations différentes du gène CFTR, on trouve dans 70 % des cas une délétion de

Phe 508 (ΔF508), qui est située dans une boucle cytoplasmique de la protéine CFTR (laquelle occupe initialement la lumière du RE). La maturation des chaînes oligosaccharidiques de ΔF508 dans le RE est perturbée, et la boucle défectueuse se replie donc mal. Bien que l'activité biologique de ΔF508 soit quasi maintenue, elle n'est pas libérée par la calnexine dans le RE, ce qui entraîne sa rétrotranslocation et sa dégradation par un système de surveillance protéolytique (qui fait ici preuve d'excès de zèle) (Section 32-6B).

C. *Formation des vésicules*

Dès que la synthèse de leur chaîne polypeptidique est terminée, les protéines transmembranaires, sécrétées, ou lysosomiales, imparfaitement matures, arrivent dans l'appareil de Golgi (Fig. 1-5). Celui-ci est un organite de 0,5 à 1,0 μm de diamètre formé d'une pile de saccules membraneux aplatis et fonctionnellement distincts (3 à 6 ou plus selon les espèces) appelés **citernes**. C'est là que ces protéines poursuivent leur maturation post-traductionnelle, principalement la glycosylation (Section 23-3B). L'appareil de Golgi (Fig. 12-51) possède deux faces, chacune étant constituée d'un réseau de tubules membraneux interconnectés : du côté opposé au RE, le **réseau cis-Golgi (CGN)** par où les protéines pénètrent dans l'appareil de Golgi ; de l'autre côté, le **réseau trans-Golgi (TGN)** par où sortent les protéines matures, en direction de leur destination finale. Les saccules de Golgi intermédiaires sont d'au moins trois types, les **citernes cis**, **médianes** et **trans**, chacune contenant des enzymes différentes de maturation des glycoprotéines.

Au cours de leur passage d'une extrémité à l'autre de l'appareil de Golgi, les protéines sont modifiées étape par étape, par un processus séquentiel décrit dans la Section 23-3B. Ce passage implique deux mécanismes de transport :

1. Les protéines sont véhiculées d'un compartiment du Golgi à l'autre, dans la direction cis-trans, suite à leur prise en charge par des vésicules membraneuses qui bourgeonnent à partir d'un compartiment et fusionnent avec le suivant, c'est le **transport antérograde**.

2. Les protéines restent dans leur compartiment, mais celui-ci traverse l'appareil de Golgi, les citernes cis devenant des citernes trans. Ce processus, appelé **progression cisternale** ou **maturation**, implique le **transport rétrograde**, d'un compartiment au précédent, de protéines propres au Golgi lui-même, et ce via des vésicules membraneuses.

À leur arrivée dans le réseau trans-Golgi, les protéines matures sont triées et expédiées vers leur destination cellulaire finale.

a. Les protéines membranaires, sécrétées, ou lysosomiales sont transportées par des vésicules tapissées

Les vésicules dans lesquelles les protéines vont du RER à l'appareil de Golgi, puis d'un compartiment à l'autre de celui-ci, et de là vers leur destination définitive, sont appelées **vésicules tapissées** (« **coated vesicles** ») (Fig. 12-52). Ces saccules membraneux de 60 à 150 nm de diamètre doivent leur nom au fait que leur face externe (cytoplasmique) est tapissée de protéines particulières qui servent d'armature souple lors de la formation des vésicules. C'est ainsi qu'une vésicule bourgeonne à partir de sa membrane d'origine pour fusionner ensuite avec sa membrane cible. *Ce processus maintient la protéine transmem-*

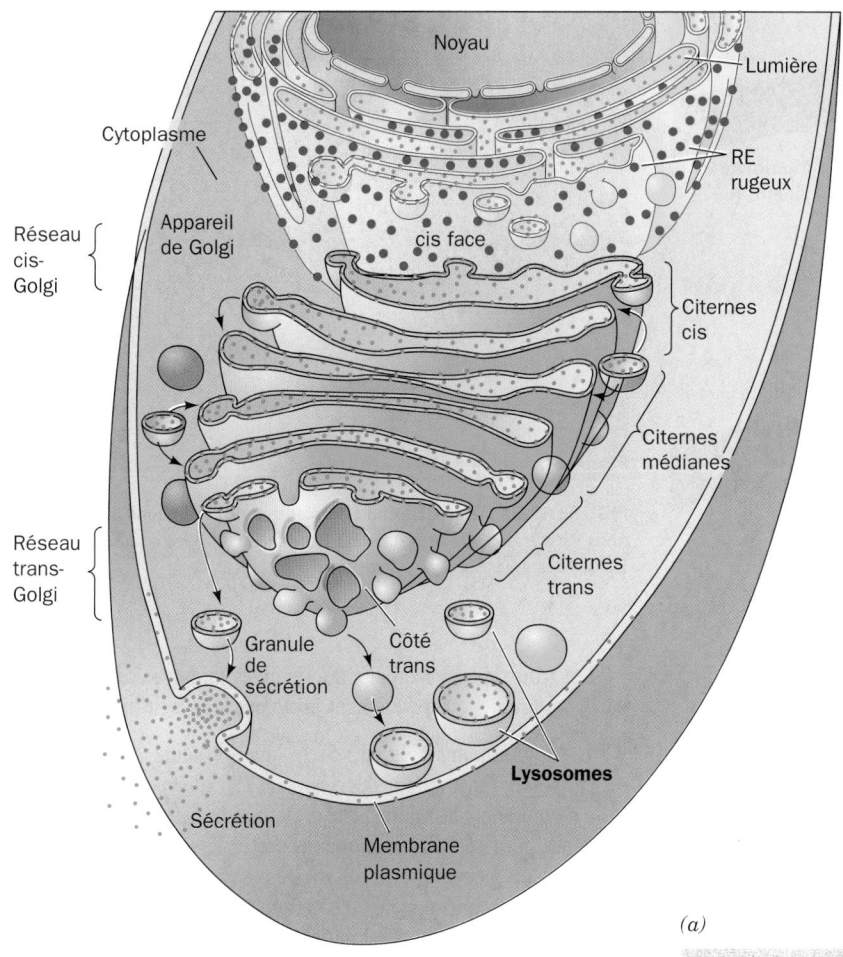

(a)

FIGURE 12-51 Maturation post-traductionnelle des protéines. Les protéines en voie de sécrétion, d'insertion dans la membrane plasmique, ou de transport vers les lysosomes sont synthétisées par des ribosomes associés au RER (*points bleus en haut*). Au cours de leur synthèse, les protéines (*points rouges*) sont, soit injectées dans la lumière du RE, soit insérées dans sa membrane. Après un début de maturation dans le RE, les protéines sont enfermées dans des vésicules qui bourgeonnent à partir de la membrane du RE pour fusionner ensuite avec le réseau cis-Golgi. La maturation des protéines se poursuit dans les citernes cis, médianes et trans du Golgi. Enfin, dans le réseau trans-Golgi (*en bas*), les glycoprotéines achevées sont triées avant livraison, par d'autres vésicules, vers leurs destinations finales, à savoir la membrane plasmique, les **vésicules de sécrétion**, ou les lysosomes.

FIGURE 12-52 Micrographies électroniques de vésicules tapissées. (*a*) Vésicules tapissées de clathrine. Noter leur forme polyédrique. [Avec la permission de Barbara Pearse, Medical Research Council, Cambridge, U.K.] (*b*) Vésicules tapissées de COPI. (*c*) Vésicules tapissées de COPII. Les cartouches dans les Parties *b* et *c* montrent ces vésicules à plus fort grossissement. [Avec la permission de Lelio Orci, Université de Genève, Suisse.]

(b)

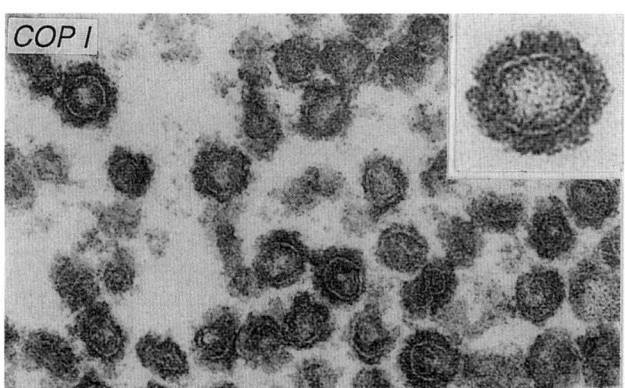

(c)

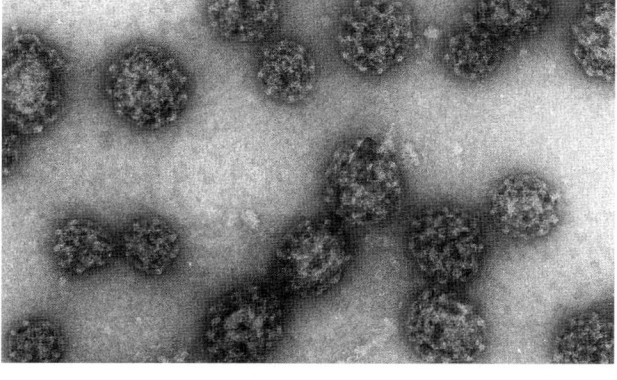

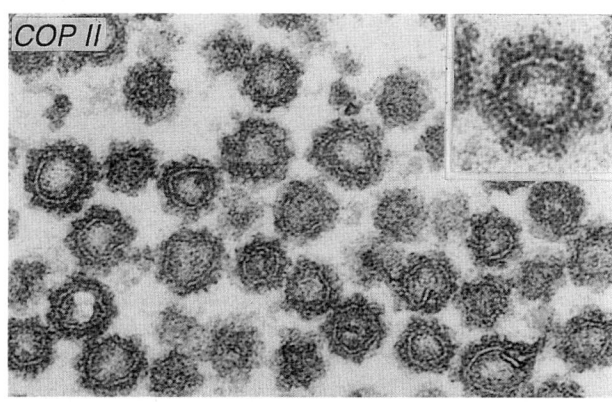

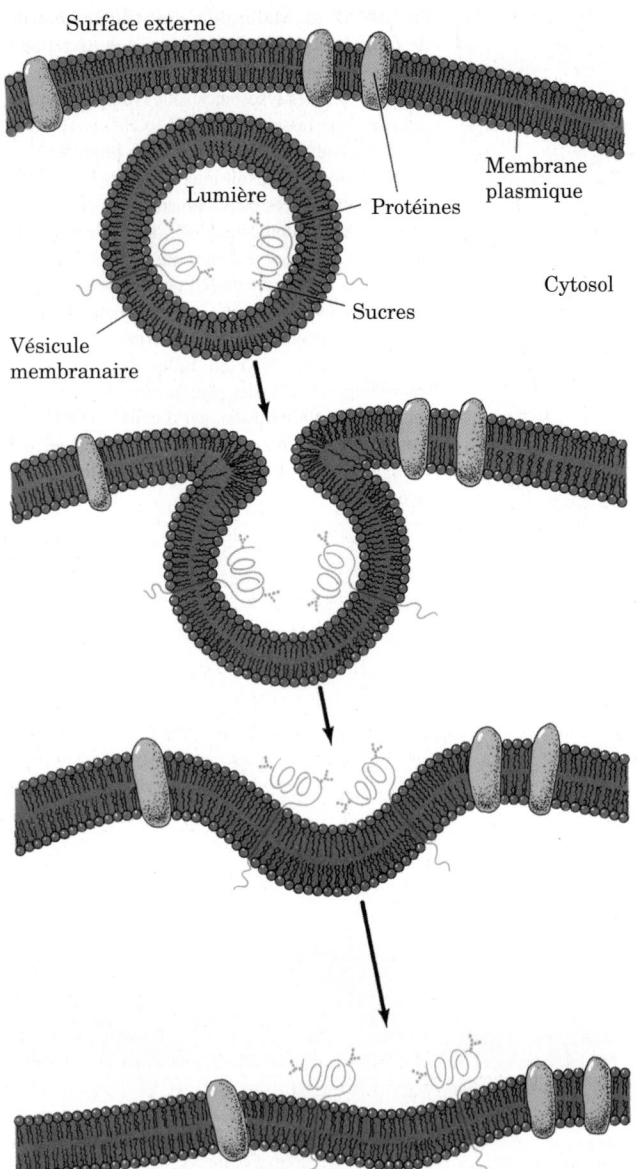

Surface externe

Membrane plasmique

Lumière

Protéines

Cytosol

Sucres

Vésicule membranaire

FIGURE 12-53 La fusion d'une vésicule avec la membrane plasmique préserve l'orientation des protéines intrinsèques insérées dans la bicouche de la vésicule. L'intérieur de la vésicule et l'extérieur de la cellule sont topologiquement équivalents car c'est le même côté de la protéine qui est toujours immergé dans le cytosol. Noter que toute protéine soluble contenue dans la vésicule serait sécrétée. De fait, les protéines destinées à être sécrétées sont enfermées dans des vésicules de sécrétion membraneuses qui fusionnent ensuite avec la membrane plasmique comme schématisé ici.

branaire dans son orientation (Fig. 12-53), de sorte que les lumières du RE et des citernes du Golgi sont topologiquement équivalentes à l'extérieur de la cellule. Voilà pourquoi les substituants oligosaccharidiques des glycoprotéines membranaires intrinsèques et les ancres GPI des protéines liées au GPI ne se trouvent qu'à la surface externe de la membrane plasmique.

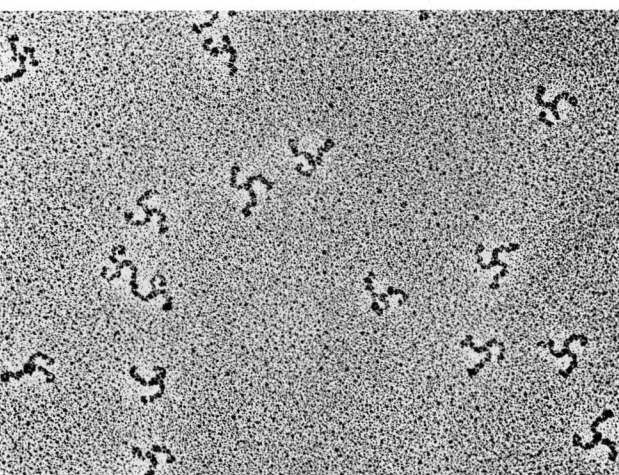

FIGURE 12-54 Micrographie électronique de triskélions. Les orientations variées de leurs bras reflètent leur souplesse. [Avec la permission de Daniel Branton, Harvard University.]

Les trois types principaux de vésicules tapissées se distinguent par la nature de leur revêtement protéique. Il s'agit de :

1. La **clathrine** (Fig. 12-52*a*), une protéine qui forme un réseau polyédrique autour des vésicules qui transportent, du Golgi à la membrane plasmique, les protéines transmembranaires, les protéines liées au GPI, ainsi que les protéines sécrétées. Les cages de clathrine peuvent être dissociées en complexes protéiques flexibles à trois bras appelés **triskélions** (Fig. 12-54). Ceux-ci sont constitués de trois chaînes lourdes (**HC**, 190 kD), chacune d'elle se liant au hasard à l'une des deux chaînes légères homologues, **LCa** ou **LCb** (24-27 kD).

2. La protéine **COPI** (Fig. 12-52*b* ; COP pour « *c*oat *p*rotein »), qui forme un revêtement, non pas polyédrique, mais peu structuré autour de vésicules qui effectuent le transport aussi bien antérograde que rétrograde de protéines entre les compartiments successifs du Golgi. De plus, les vésicules tapissées de COPI ramènent au RE les protéines intrinsèques à celui-ci et qui s'en étaient échappées vers le Golgi (voir ci-dessous). La COPI comporte 7 sous-unités différentes (α, 160 kD ; β, 110 kD ; β', 102 kD ; γ, 98 kD ; δ, 61 kD ; ε, 31 kD ; et ζ, 20 kD). Le complexe soluble correspondant au protomère de la COPI est appelé **coatomère**.

3. La protéine **COPII** (Fig. 12-52*c*), qui transporte les protéines du RE vers le Golgi. Les composantes des vésicules tapissées de COPII sont ensuite recyclées par des vésicules tapissées de COPI, pour les faire participer à un nouveau cycle de formation de vésicules (on pense que les composantes des vésicules tapissées de COPI qui atteignent le RE sont recyclées par des vésicules tapissées de COPII). La couche de COPII est constituée de deux hétérodimères de protéines conservées qui, chez la levure, sont appelées **Sec23/24p** et **Sec13/31p**.

Toutes les vésicules tapissées décrites ci-dessus transportent également des récepteurs, qui lient les protéines transportées, ainsi que des **protéines de fusion**, qui assurent la fusion de ces vésicules avec leur membrane cible. Ces processus sont discutés ci-dessous ainsi que dans la Section 12-4D.

b. Les cages de clathrine sont formées de chaînes lourdes superposées

Les vésicules tapissées de clathrine (**CCV**) sont mieux caractérisées au plan structural que celles tapissées de COPI ou de COPII. Comme Barbara Pearse l'a montré, la clathrine forme des cages polyédriques dont chaque vertex est le moyeu d'un triskélion et les bords, d'environ 150 Å de long, correspondent aux bras superposés de quatre triskélions (Fig. 12-55*a*). Ces polyèdres, qui ont 12 faces pentagonales et un nombre variable de faces hexagonales (pour des raisons de géométrie expliquées dans la Section 33-2A), constituent les cages polyédriques les plus compactes susceptibles d'enfermer un objet sphéroïde. Le volume de ces objets augmente évidemment avec le nombre de faces hexagonales.

Les bras du triskélion, qui ont ~450 Å de long, sont chacun formés d'une HC (1675 résidus) ; les HC trimérisent via leurs domaines C-terminaux (Fig. 12-55*b*). Bien que la structure d'une HC complète n'ait pas été déterminée, on a élucidé celle de sa partie N-terminale et d'une partie de son bras proximal :

1. Le segment N-terminal (résidus 1-494 ; Fig. 12-56*a,b*), dont la structure fut déterminée par Stephen Harrison et Tomas Kirchhausen, comprend deux domaines : (i) un **propulseur β** N-terminal à 7 pales de même structure, chacune constituée d'un feuillet β antiparallèle à 4 segments (Fig. 12-56*b*) ; et (ii) un connecteur C-terminal comportant 10 hélices α de longueurs différentes (2 à 4 tours) reliées par de courtes boucles et disposées en hélice irrégulière de pas à droite (une hélice d'hélices, c'est-à-dire une **superhélice**) appelée **zigzag α**.

2. Le segment correspondant au bras proximal (résidus 1210-1516 ; Fig. 12-56*c*), dont la structure fut déterminée par Peter Hwang et Robert Fletterick, comporte 24 hélices α successives disposées comme dans le zigzag α décrit ci-dessus, mais plus régulièrement, qui forment une superhélice de pas à droite en forme de tige. La rigidité de ce motif est attribuée à son noyau hydrophobe continu et à l'interdigitation serrée de ses chaînes latérales là où se touchent les hélices α antiparallèles qui le traversent (Section 8-3B).

Les positions de ces segments dans la HC de clathrine sont indiquées dans la Fig. 12-56*d*.

D'après les alignements de séquence et de structure, les résidus 537 à 1566 de la HC forment sept **répétitions dans la chaîne lourde de clathrine (CHCR)** de ~145 résidus disposés en tandem et qui contiennent chacune 10 hélices (le segment du bras proximal décrit ci-dessus comporte l'entièreté de CHCR6 plus les parties C- et N-terminales de CHCR5 et de CHCR7 ; Fig. 12-56*c*). Il semble donc que le bras complet de HC consiste en une superhélice en extension d'hélices α reliées entre elles. Cependant, les bras du triskélion manifestent une souplesse considérable (Fig. 12-54), nécessaire à la formation de vésicules de tailles différentes et au bourgeonnement d'une vésicule à partir d'une surface membranaire, lequel s'accompagne d'un important changement dans sa courbure. La flexion de la HC semble impliquer essentiellement un segment du coude situé entre entre les bras proximal et distal et qui n'entre pas en contact avec d'autres molécules de la cage de clathrine.

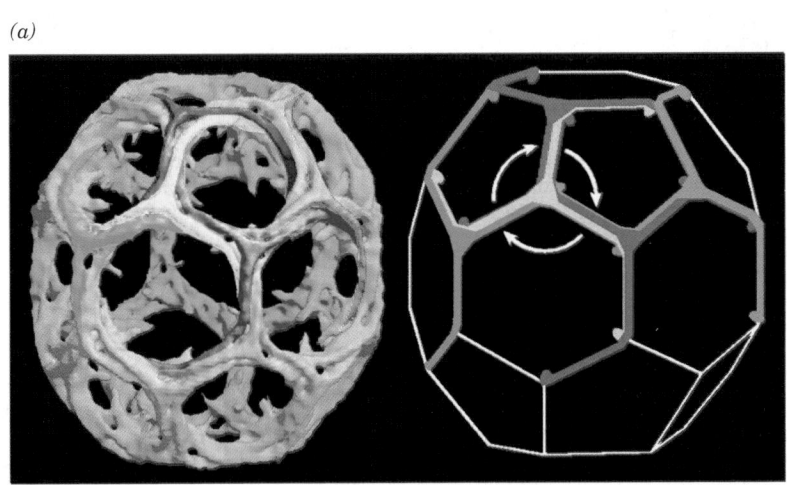

(a)

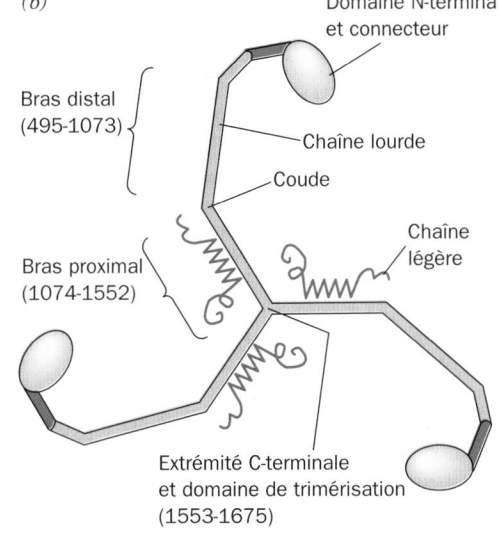

(b)

FIGURE 12-55 Anatomie d'une vésicule tapissée de clathrine. (*a*) Image d'une cage de clathrine à une résolution de 21 Å fondée sur la microscopie électronique après congélation, avec ses triskélions en couleurs différentes. Pour plus de clarté, le cœur contenant les protéines adaptatrices n'est pas montré. Comme l'indique le diagramme de droite, un triskélion est centré sur chacun des 36 sommets de cette cage polyédrique dont les bords sont formés par les bras antiparallèles de triskelions adjacents, les domaines de connexion et N-terminaux se projetant vers l'intérieur. De telles cages peuvent présenter des dimensions très différentes (selon le nombre d'hexagones) : celle montrée ici n'a que 600 Å de diamètre environ, alors que les vésicules membraneuses tapissées de clathrine ont 1200 Å de diamètre ou plus. [Micrographie électronique due à Barbara Pearse et avec la permission de H.T. McMahon, MRC Laboratory of Molecular Biology, Cambridge, U.K.] (*b*) Diagramme d'un triskélion indiquant ses composantes structurales.

(a)

Haut

1

α1

α2

Bas

α3

α4

α6

α5

α8

α7

α10

α9

(b)

4

3

5

a

b

c

2

6

a

b

330

c

1

d

1

d

7

(c)

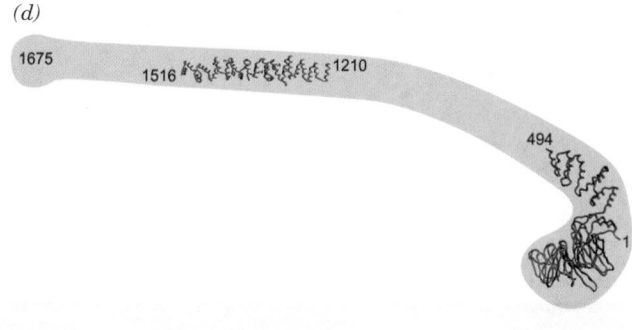

CHCR5   CHCR6   CHCR7

(d)

1675   1516 ~~~~ 1210

494

1

FIGURE 12-56 Structure de la chaîne lourde de clathrine. (*a*) Structure par rayons X du domaine N-terminal et d'une partie du segment de connexion de la HC de rat. Le domaine N-terminal forme un propulseur b à 7 pales (*en jaune*) vu ici de côté, et le segment de connexion (*en rouge*) est un zigzag a. (*b*) Le propulseur vu du dessus selon son axe de pseudo-ordre sept. [Parties *a* et *b* avec la permission de Tomas Kirchhausen, Harvard Medical School. PDBid 1BPO.] (*c*) Structure par rayons X des résidus 1210 à 1516 de la HC de clathrine bovine avec la partie N-terminale à gauche. Les hélices sont alternativement en jaune et en vert, sauf pour les trois hélices N-terminales qui sont en gris pour indiquer que leur résolution laisse à désirer. Les régions CHCR5, CHCR6 et CHCR7 sont respectivement soulignées en rouge, en vert et en violet. [Avec la permission de Peter Hwang, University of California at San Francisco, PDBid 1B89.] (*d*) Schéma d'une chaîne lourde de clathrine montrant la position de son propulseur b N-terminal (*en magenta*), du segment de connexion en zigzag a qui suit (*en bleu*), et du segment correspondant au bras proximal (*en bleu-vert*). [Avec la permission de Barbara Pearse, MRC Laboratory of Molecular Biology, Cambridge, U.K.]

Le segment proximal présente de vastes zones de surface hydrophobe qui suivent les cannelures entre hélices adjacentes. Ceci suggère que l'association, sur toute leur longueur, de deux bras proximaux dans une cage de clathrine (Fig. 12-55*a*) est stabilisée par l'enfouissement de ces zones hydrophobes suite à l'empilement complémentaire des hélices d'un bras proximal dans les cannelures d'un autre.

Les chaînes légères (LC) ne sont pas requises pour l'assemblage d'une cage de clathrine. En fait, les LC inhibent la polymérisation *in vitro* des HC, ce qui suggère qu'elles jouent un rôle régulateur en empêchant l'assemblage inapproprié de cages de clathrine dans le cytosol. La structure par rayons X de la HC du bras proximal, qui recouvre le site de liaison de la LC, montre une imposante gorge basique dans laquelle se lieraient les LC qui sont très acides. En effet, un homologue musculaire de HC de clathrine, identique à 84 % quant à la séquence mais où trois résidus de cette gorge ne sont plus basiques, ne peut lier les LC. On conclut que la liaison des LC prévient la formation, entre les HC, des ponts salins qui stabilisent la formation de la cage. Les séquences de LCa et de LCb sont identiques à 60 %. Leurs segments qui diffèrent correspondent à des régions ne participant pas à la liaison des HC, et contiennent donc sans doute des sites de liaison pour des facteurs cytosoliques de régulation du détapissage des vésicules (voir ci-dessous).

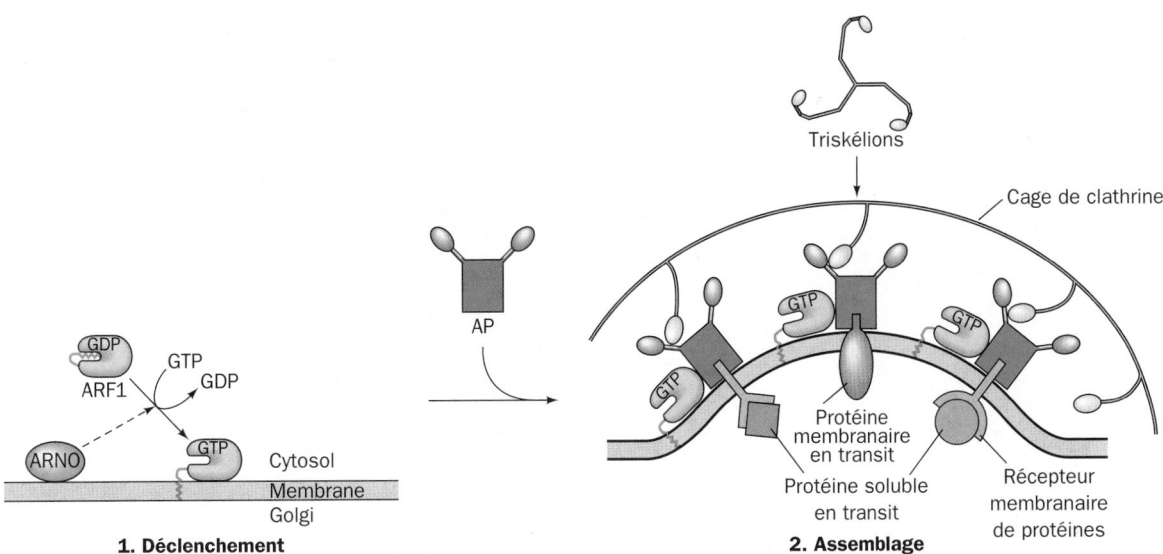

1. Déclenchement

2. Assemblage

FIGURE 12-57 Formation des vésicules tapissées de clathrine. (1) L'échange, stimulé par ARNO, du GDP lié à ARF1 pour du GTP libère le groupement myristoyl N-terminal qui était enfoui dans la protéine au sein du complexe ARF1 • GDP, et permet l'insertion de ce groupement dans la membrane. **(2)** Une fois associé à la membrane, ARF1 • GTP lie des protéines adaptatrices (AP). Celles-ci, à leur tour, lient les chaînes lourdes de clathrine, ce qui conduit à la formation du manteau de clathrine et entraîne le bourgeonnement de la vésicule à partir de la membrane. De plus, les AP lient les récepteurs transmembranaires de protéines à transporter ainsi que des protéines transmembranaires en transit. **(3)** La vésicule est libérée de la membrane sous l'action de la dynamine, une GTPase. **(4)** Peu de temps après, le manteau de clathrine et les AP se dissocient de la vésicule.

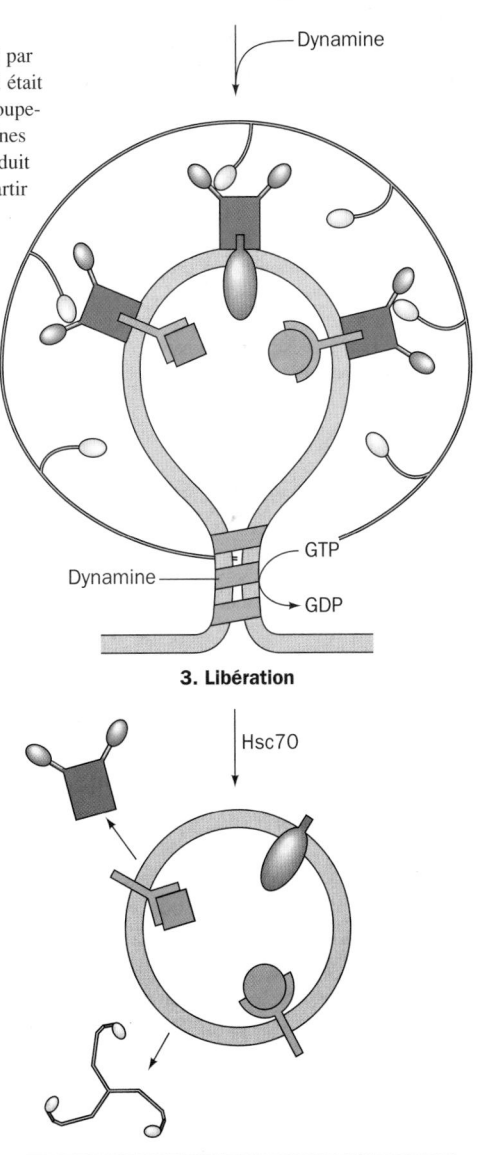

3. Libération

4. Détapissage

c. Les vésicules tapissées de clathrine participent également à l'endocytose

Les CCV, comme nous l'avons vu, transportent les protéines TM ou sécrétées du réseau trans-Golgi (TGN) à la membrane plasmique (Fig. 12-51). Les CCV participent également à l'**endocytose** (étudiée dans la Section 12-5B). Dans ce cas, elles gobent, par invagination d'une partie de la membrane plasmique, des protéines spécifiques dans le milieu extracellulaire et les transportent vers leur destination intracellulaire particulière.

d. La formation des CCV est un processus complexe

La formation des CCV comporte quatre étapes (Fig. 12-57) illustrées ci-dessous : (1) déclenchement, (2) assemblage, (3) libération, et (4) détapissage.

1. Déclenchement : l'activation de ARF1. La formation des vésicules commence par la liaison, à la membrane, de la petite (181 résidus) GTPase myristoylée appelée **ARF1 (facteur de ribosylation de l'ADP** car décrite pour la première fois comme cofacteur d'ADP-ribosylation, catalysée par la toxine du choléra, de GTPases appelées protéines G hétérotrimériques ; Section 19-2). Les ARF sont des membres de la superfamille **Ras** (Ras est une petite GTPase qui participe à la signalisation intracellulaire ; Section 19-3C). Lorsqu'elles lient le GDP, les ARF sont hydrosolubles

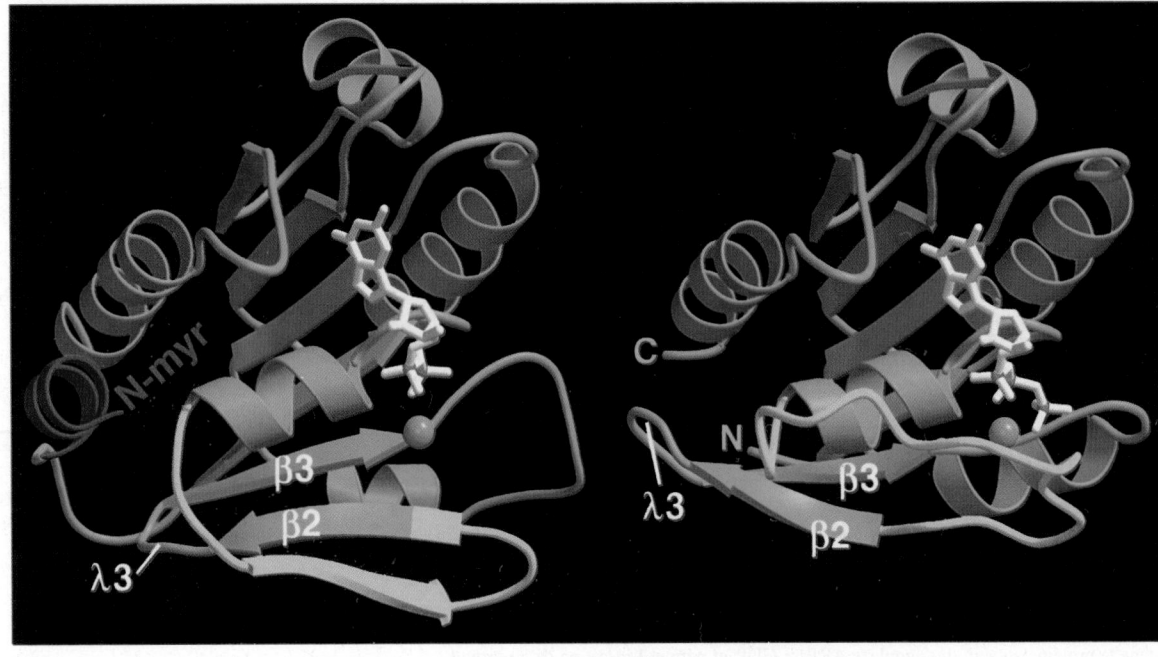

(a)   *(b)*

FIGURE 12-58 Structure par rayons X de (*a*) ARF1 • GDP et de (*b*) ARF1 • GDPNP. (Le GDPNP est un analogue non hydrolysable du GTP où l'atome O qui relie les atomes de phosphore b et g du GTP est remplacé par un groupement NH). Les nucléotides liés sont en bâtonnets (*en blanc*) avec les atomes de phosphore en magenta et leurs ions Mg^{2+} représentés par des sphères couleur lavande. Dans ARF1 • GDP, l'hélice N-terminale de la protéine (*en rouge*) ainsi que le groupement myristoyl qui lui est attaché (absent des structures par rayons X) se lient à la surface de la protéine dans un sillon hydrophobe peu profond formé en partie des résidus de la boucle l3. Cependant, le remplacement du GDP par du GDPNP induit (et c'est sans doute le cas avec le GTP) une modification conformationnelle dans les résidus 37 à 53 (*en jaune*) qui déplace de deux résidus le segment b2 le long du segment b3, un décalage de 7 Å. Le mouvement de la boucle l3 qui en résulte élimine le site de liaison pour l'extrémité N-terminale, ce qui rend le groupement myristoyl disponible pour son insertion dans la membrane (les résidus 1-17 du complexe avec le GDPNP sont désorganisés). [Avec la permission de Jonathan Goldberg, Memorial Sloan-Kettering Cancer Center, New York. Structure par rayons X de ARF1 • GDP déterminée par Dagmar Ringe, Brandeis University. PDBid 1HUR.]

et situées dans le cytosol, mais associées au GTP elles se lient aux membranes par insertion de leur groupement myristoylé N-terminal dans la bicouche lipidique (Section 12-3B). La comparaison des structures par rayons X de ARF1 • GDP et de ARF1 • GTP, déterminées par Dagmar Ringe et Jonathan Goldberg, explique ce phénomène : l'hélice N-terminale de ARF1 • GDP, ainsi que le groupement myristoyl qui y est attaché, se replient dans un sillon étroit de la protéine (Fig. 12-58*a*), sillon absent chez ARF1 • GTP (Fig. 12-58*b*).

Le facteur d'échange des nucléotides guanyliques (GEF) de ARF1 est appelé chez l'homme **ouvre-site de liaison des nucléotides pour ARF** (« ARF nucleotide-binding site opener » ou **ARNO**, 399 résidus). Il contient un domaine d'environ 200 résidus semblable à la protéine très conservée appelée **Sec7** chez la levure. Si l'on incube ARNO ou son domaine Sec7 isolé avec de l'ARF1 • GDP myristoylé, il ne catalyse l'échange des nucléotides que si des micelles lipidiques sont également présentes, ce qui suggère qu'ARNO doit se trouver sur une surface membranaire pour être actif. De fait, ARNO contient un **domaine d'homologie avec la pleckstrine (domaine PH)**, module d'environ 100 résidus trouvé dans de nombreuses protéines (Section 19-3C) et qui lie le phospholipide membranaire

OR₁ OR₂

$CH_2-CH-CH_2$

Phosphatidylinositol-4,5-bisphosphate (PIP₂)

rare appelé **phosphatidylinositol-4,5-bisphosphate (PIP₂)**, lequel est aussi un précurseur de molécules participant à la signalisation intracellulaire (Section 19-4A).

2. Assemblage : des protéines adaptatrices arriment au manteau de clathrine les protéines à transporter. Une fois lié à la membrane, ARF1 • GTP assure le recrutement de **protéines adaptatrices (AP)** à la surface de la membrane. Ces AP lient les

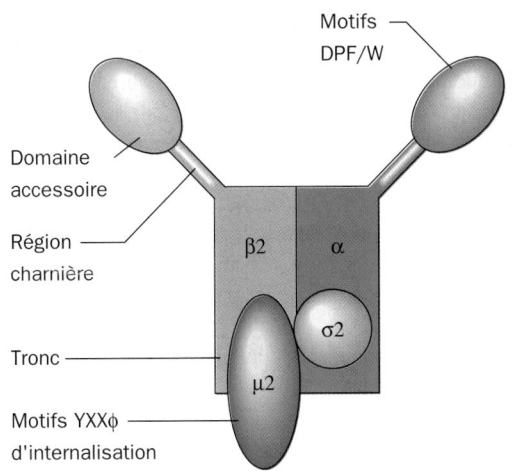

FIGURE 12-59 Schéma de l'hétérotétramère AP2. AP1 a une structure semblable. [D'après Pearse, B.M., Smith, C.J., and Owen, D.J., *Curr. Opin. Struct. Biol.* **10**, 223 (2000).]

HC de clathrine ainsi que, soit des protéines à transporter de type TM, soit des récepteurs qui eux-mêmes lient sélectivement à l'intérieur de la vésicule des protéines à transporter de type soluble. Les AP occupent le noyau de la CCV et forment en fait l'armature sur laquelle s'édifie la cage de clathrine. Les AP se lient à la clathrine via son domaine propulseur β N-terminal (Fig. 12-56*a*), domaine qui forme les protubérances se projetant à l'intérieur des cages de clathrine (Fig. 12-55*a*). Les sillons situés entre les pales du propulseur à la face supérieure de celui-ci (Fig. 12-56*b*) constituent probablement le site de liaison des AP.

AP1 est l'AP principale des vésicules tapissées provenant du TGN, alors que son homologue **AP2** prédomine dans les vésicules d'endocytose (ne pas confondre AP1, AP2 et AP4 avec les facteurs de transcription du même nom). Ces deux AP sont des hétérotétramères : AP1 est constitué des sous-unités γ, β1 (~110 kD chacune), μ1 (~50 kD), et σ1 (~17 kD), alors que les sous-unités correspondantes d'AP2, mieux caractérisée, sont α, β2, μ2 , et σ2 (Fig. 12-59). Des études par microscopie électronique et rayons X montrent que les grosses sous-unités comportent chacune un tronc et un domaine accessoire reliés par une région charnière souple et sensibles aux enzymes protéolytiques (Fig. 12-59). Dans AP2, la région charnière de β2 se lie au propulseur β de la clathrine, alors que les domaines cytoplasmiques des protéines cibles se lient le plus fréquemment à μ2 via des séquences de type YXXφ (où φ représente un volumineux résidu hydrophobe), mais parfois au tronc de β2 via des séquences de type D/EXXXLL. C'est pourquoi l'excision protéolytique du domaine accessoire d'AP2 empêche l'assemblage des manteaux de clathrine, alors que le tronc restant d'AP2 peut encore se lier à des membranes qui contiennent des protéines porteuses d'un signal d'internalisation YXXφ. On a identifié d'autres AP, comme **AP3**, **AP4** et **AP180**, mais elles sont mal caractérisées.

3. Libération : le détachement de la vésicule est assuré par la dynamine.

Le bourgeonnement d'une CCV de sa membrane d'origine semble provoqué mécaniquement par la formation de la cage de clathrine. Cependant, la séparation proprement dite du bourgeon tapissé, de cette membrane, pour former une vésicule tapissée requiert l'intervention d'une GTPase de ~870 résidus, la **dynamine**. La dynamine contient un domaine PH de liaison de PIP_2 qui recrute la dynamine à la membrane. Lorsqu'elle lie le GTP, la dynamine forme un oligomère hélicoïdal qui s'enroule autour de la base de la vésicule bourgeonnante et force ainsi cette région à s'engager dans un tube mince (Fig. 12-60). Cette oligomérisation, ainsi que la présence de PIP_2, stimule l'hydrolyse, par la dynamine (laquelle contient un domaine GAP), du GTP qui lui est associé, provoquant ainsi l'allongement du pas de l'hélice de l'oligomère. Cependant, on comprend mal comment ceci libère la vésicule de la membrane.

4. Détapissage : le recyclage de la clathrine et des protéines adaptatrices. Peu de temps après la formation d'une CCV, la clathrine est libérée sous forme de triskélions, qui sont recyclés pour contribuer à la formation de nouvelles vésicules tapissées. [Noter qu' un faible mouvement horaire d'un triskélon le détachera de sa cage de clathrine (voir les flèches autour du triskélion en jaune dans la Fig. 12-55*a*)]. Ce processus fait intervenir l'ATPase **Hsc70**, un homologue du chaperon Hsp70 (Section 9-2C) présent chez tous les eucaryotes. Suite à l'hydrolyse de l'ATP, Hsc70 forme avec les triskélions un complexe qui pourrait faciliter l'assemblage de nouvelles CCV. La libération de la clathrine des vésicules néo-formées est suivie de celle des AP, mais on ne connaît pas les facteurs impliqués (s'il y en a). On peut penser, mais ceci reste à prouver, que ce détapissage des vésicules est déclenché par l'hydrolyse en GDP du GTP lié à ARF1, libérant ainsi ARF1 de la membrane et l'empêchant de lier une AP. Quoi qu'il en soit, le tapissage des vésicules par la clathrine et leur détapissage doivent être étroitement contrôlés, car ces deux processus sont simultanés.

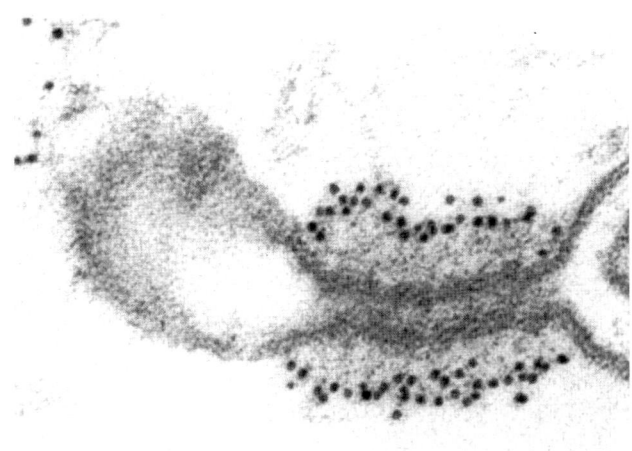

FIGURE 12-60 Micrographie électronique d'une vésicule tapissée en train de bourgeonner. La préparation a été incubée avec du **GTPgS**, un analogue non hydrolysable du GTP (où un atome O terminal sur l'atome du phosphore g du GTP est remplacé par S), et exposée à des anticorps anti-dynamine marqués à l'or (*points noirs*). Noter que la dynamine entoure un long tube étroit à la base de la vésicule en bourgeonnement qui ne s'est pas encore détachée de la membrane. [Avec la permission de Pietro De Camilli, Yale University School of Medicine.]

Plusieurs protéines régulatrices ou accessoires, dont on ignore la fonction précise, ont été impliquées dans la formation des CCV. De plus, nombre de protéines décrites ci-dessus existent sous plusieurs isoformes. Cette formation est donc loin d'être parfaitement comprise.

e. L'assemblage des vésicules tapissées de COPI ou de COPII ressemble à celui des vésicules tapissées de clathrine

L'assemblage des vésicules tapissées de COPI ou de COPII, élucidé en grande partie par Randy Schekman, ressemble à celui des CCV :

1. Déclenchement : celui des vésicules tapissées de COPI est identique à celui des CCV : recrutement de ARF1 à la membrane suite à l'échange, assuré par ARNO, du GDP associé à ARF1, par du GTP (Fig. 12-57, Étape 1). Le déclenchement de l'assemblage des vésicules tapissées de COPII est un processus semblable, mais qui implique d'autres protéines : le petite GTPase est ici **Sar1p**, et l'échange de son GDP pour du GTP est assuré par le GEF transmembranaire **Sec12p.**

2. Assemblage : ARF1 • GTP recrute, en quantités stoechiométriques, des coatomères intacts pour former des vésicules tapissées de COPI. La plupart des 7 sous-unités du coatomère COPI ont des homologues dans le système clathrine et fonctionnent de même : les COP β, γ, δ, et ζ correspondent respectivement aux sous-unités β, α, μ, et σ d'AP2 (Fig. 12-59), et les COP α et ε correspondent aux chaînes lourdes et légères de clathrine. Pour former le revêtement de COPII, Sar1p • GTP recrute Sec23/24p, qui recrute à son tour Sec13/31p.

3. Libération : les vésicules tapissées de COPI ou de COPII se détachent spontanément par bourgeonnement de leur membrane d'origine. Contrairement à la libération des CCV, ceci ne semble pas nécessiter d'analogue de la dynamine.

4. Détapissage : comme pour les CCV, les vésicules tapissées de COPI ou de COPII perdent leur revêtement peu de temps après leur relargage de la membrane d'origine. Ceci serait déclenché par l'hydrolyse du GTP lié à ARF1 et à Sar1p, ce qui affaiblit la liaison de CPOI et de COPII à leurs vésicules respectives. La GAP pour les vésicules COPI, une protéine de 415 résidus appelée **ARF GAP**, semble être un constituant du manteau de COPI. Pour les vésicules COPII, SEC23p est la GAP de Sar1p.

f. Les protéines sont envoyées vers les lysosomes par des marqueurs de reconnaissance glucidiques

Une fois dans le RE, comment les protéines sont-elles triées en vue de leur transport dans l'appareil de Golgi, et de là vers leurs destinations membranaires respectives ? C'est une déficience humaine héréditaire qui a permis d'en élucider le mécanisme. Il s'agit de la **mucolipidose de type II** ou **I-cell disease** (I pour inclusion, cf. ci-dessous). Chez les homozygotes, cette maladie, mortelle avant la dixième année, est caractérisée par un retard psychomoteur progressif sévère et des déformations du squelette. Les lysosomes des tissus conjonctifs de ces malades contiennent de vastes inclusions de glycosaminoglycanes et de glycolipides, dues à l'absence de plusieurs hydrolases lysosomiales. Ces enzymes sont synthétisées sur le RER avec une séquence en acides aminés correcte, mais au lieu d'être dirigées vers les lysosomes, elles sont sécrétées dans l'espace extracellulaire. Cette erreur d'aiguillage vient de l'absence du marqueur de reconnaissance mannose-6-phosphate qui se trouve normalement sur le (ou les) motif(s) oligosaccharidique(s) de ces hydrolases, absence due au dysfonctionnement d'une enzyme indispensable pour la phosphorylation du mannose. Normalement, les résidus mannose-6-phosphate sont reconnus et liés par un récepteur qui se trouve dans les vésicules tapissées qui transportent les hydrolases lysosomiales de l'appareil de Golgi aux lysosomes (Section 23-3B). Il est probable que d'autres glycoprotéines soient dirigées vers leurs sites intracellulaires par des marqueurs glucidiques semblables.

g. Les protéines propres au RE ont une séquence C-terminale KDEL

Chez les mammifères, la plupart des protéines solubles propres au RE présentent la séquence C-terminale KDEL (HDEL chez la levure), KKXX ou KXKXXX (où X représente un résidu quelconque), dont la modification entraîne la sécrétion de la protéine résultante. Par quels moyens ces protéines sont-elles retenues dans le RE ? Puisque la plupart des protéines propres au RE diffusent librement à l'intérieur de celui-ci, il semble improbable qu'elles soient immobilisées par un récepteur membranaire dans le RE. On a montré, en fait, que ces protéines, tout comme les protéines sécrétées et les protéines lysosomiales, quittent facilement le RE dans des vésicules COPII, mais qu'elles sont ensuite retirées du Golgi et renvoyées au RE dans des vésicules COPI. De fait, le coatomère se lie aux résidus Lys du motif C-terminal KKXX des protéines transmembranaires, ce qui lui permet vraisemblablement de rassembler ces protéines dans des vésicules COPI. De plus, si on fixe par génie génétique la séquence KDEL à la protéase lysosomiale **cathepsine D**, celle-ci s'accumule dans le RE, ce qui ne l'empêche pas d'acquérir un groupement *N*-acétylglucosaminyl-1-phosphate, une modification qui intervient dans le cis-Golgi. Il est probable qu'un récepteur membranaire d'un compartiment post-RE se lie au signal KDEL, puis que le complexe résultant retourne au RE dans une vésicule COPI. Des **récepteurs KDEL** ont d'ailleurs été identifiés dans la levure et chez l'homme. Cependant, le fait que des protéines KDEL auxquelles on a retiré leur séquence KDEL par délétion, sont sécrétées relativement lentement, suggère qu'il existe des mécanismes de rétention de ces protéines dans le RE, qui les soustraient activement à la masse des protéines qui empruntent la voie sécrétoire.

D. *Fusion des vésicules*

Les vésicules qui se déplacent sur de courtes distances ($<$1 μm) entre leur membrane d'origine et leur membrane cible (p. ex. entre des citernes voisines du Golgi), le font par simple diffusion, ce qui prend une à plusieurs minutes. Cependant, les vésicules qui ont de plus longues distances à parcourir (p. ex du TGN à la membrane plasmique) sont transportées activement le long des microtubules du cytosquelette (Section 1-2A) par des motrices protéiques, la **dynéine** et la **kinésine**, qui parcourent (dans un seul sens) les « rails » des microtubules, un processus assuré par l'hydrolyse de l'ATP (Section 35-3F).

a. La fusion des vésicules est la plus facile à étudier chez la levure et dans les synapses

En arrivant à sa membrane cible, la vésicule fusionne avec elle et décharge ainsi son contenu de l'autre côté de la membrane (Fig. 12-53). Comment les vésicules fusionnent-elles, et pourquoi ne fusionnent-elles qu'avec leur membrane cible et non avec d'autres membranes ? Deux stratégies expérimentales ont permis d'aborder ces questions, la dissection génétique de ce processus chez la levure, et son analyse biochimique dans les **synapses**, jonctions entre neurones (cellles nerveuses) et entre neurones et muscles (Fig. 12-61).

Lorsqu'un influx nerveux dans la cellule présynaptique atteint la synapse, il déclenche la fusion des **vésicules synaptiques** contenant le **neurotransmetteur** avec la **membrane présynaptique** (région spécialisée de la membrane plasmique du neurone). Ceci libère le neurotransmetteur (une petite molécule) dans la **fente synaptique**, large d'environ 200 Å (le processus par lequel les vésicules membraneuses fusionnent avec la membrane plasmique pour décharger leur contenu à l'extérieur de la cellule est appelé **exocytose**). Le neurotransmetteur diffuse rapidement à travers la fente synaptique vers la membrane postsynaptique où il se lie à des récepteurs spécifiques qui assurent ainsi la reprise de l'influx nerveux dans la cellule postsynaptique (Section 20-5C). Lorsqu'on homogénéise du tissu nerveux, ses terminaisons présynaptiques se détachent par épincement et forment spontanément des vésicules fermées appelées **synaptosomes**, que l'on peut facilement isoler par ultracentrifugation en gradient de densité en vue de leur étude ultérieure.

b. La fusion des vésicules requiert les actions coordonnées de plusieurs protéines

Les membranes biologiques ne fusionnent pas spontanément. Comme elles sont chargées négativement, elles se repoussent fortement dès qu'elles se rapprochent. Leur fusion exige donc l'annulation de ces forces de répulsion. Comme nous allons le voir, on commence à comprendre ce processus complexe.

C'est Rothman qui a ouvert la voie aux études de la fusion des vésicules en montrant qu'elle est bloquée par de faibles concentrations de *N*-éthylmaléimide (NEM),

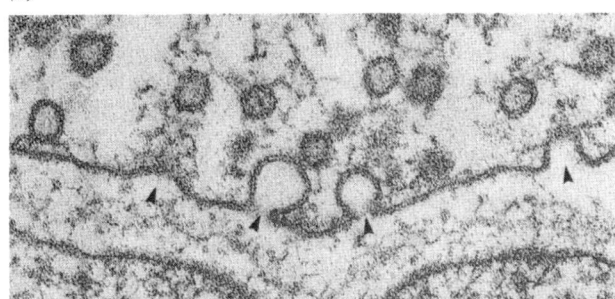

(a)

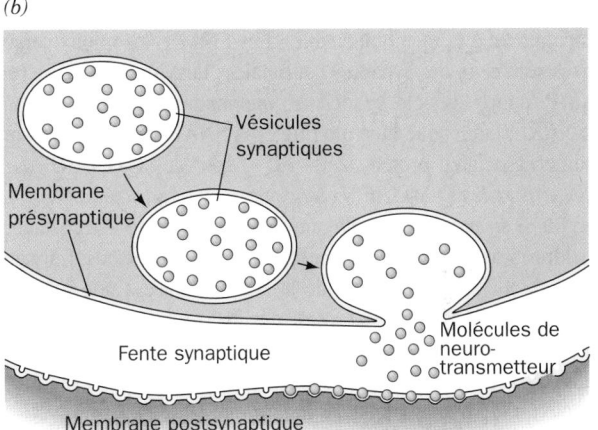

(b)

FIGURE 12-61 Transmission des influx nerveux à travers une fente synaptique. (*a*) Micrographie électronique de la jonction neuromusculaire de grenouille, dans laquelle les vésicules synaptiques subissent une exocytose (*flèches*) au niveau de la membrane présynaptique (*en haut*). [Avec la permisson de John Heuser, Washington University School of Medicine, St. Louis, Missouri]. (*b*) Le neurotransmetteur, libéré ainsi dans la fente synaptique, diffuse rapidement (<0,1 ms) vers la membrane postsynaptique où il se fixe sur des récepteurs transmembranaires, ce qui déclenche un nouvel influx nerveux.

un agent alkylant des cystéines. Ceci révélait l'existence d'une **protéine de la fusion, sensible à la NEM (NSF).** La NSF est une ATPase cytosolique qui ne se lie à la membrane que moyennant la présence d'une **protéine soluble d'accrochage de la NSF (SNAP).** Les SNAP se lient aux membranes en absence de NSF, ce qui montre qu'elles se lient avant la NSF. Les SNAP se lient aux membranes même soumises à l'extraction alcaline : les **récepteurs des SNAP (SNARE)** sont donc des protéines intrinsèques ou des protéines liées à des lipides.

Il semble bien que trois classes de protéines participent à toutes les réactions de fusion des vésicules :

1. Les protéines **Rab**, petites GTPases de la famille Ras qui, suite à leur liaison du GTP, viennent s'ancrer dans la membrane de la vésicule par l'intermédiaire de deux groupements géranylgéranyl (Section 12-3B). *La fonction de Rab • GTP est de reconnaître la membrane cible de la vésicule et de former avec elle une association relativement lâche,* une « tenue en laisse » (« tethering ») dont le mécanisme est mal compris. On trouve dans les cellules de nombreuses isoformes de Rab. 11 chez la levure et 63 chez les humains, chacune étant confinée dans un compartiment membranaire particulier. Lors de la fusion vésiculaire, Rab hydrolyse le GTP lié, le complexe Rab • GDP qui en résulte quitte la membrane pour être transféré sur une nouvelle vésicule où le GDP est remplacé par du GTP, et le cycle recommence. D'après certaines données, les protéines Rab assurent également les interactions des vésicules avec le cytosquelette pour le transport de celles-ci vers leurs destinations respectives.

2. Les SNARE, qui forment des combinaisons spécifiques de protéines associées aux membranes appelées **R-SNARE** et **Q-SNARE**, parce que leur domaine cytoplasmique contient des résidus conservés Arg et Gln (on les appelait auparavant **v-SNARE** et **t-SNARE** car associés respectivement à la membrane vésiculaire et à la membrane cible). Les SNARE les mieux caractérisés sont ceux des synapses neuronales : la **synaptobrévine** (ou **VAMP** pour « *v*esicle *a*ssociated *m*embrane *p*rotein ») est un R-SNARE, tandis que la **syntaxine** et la **SNAP-25** (pour « *s*ynaptosome *a*ssociated *p*rotein of 25 kD ») sont des Q-SNARE. *Les R-SNARE et les Q-SNARE s'associent pour ancrer solidement la vésicule à sa membrane cible,* un processus appelé « accostage » (docking). Ces complexes d'accostage, décrits ci-dessous, finissent par se dissocier sous l'action de la NSF associée à une protéine SNAP. (Noter que SNAP-25 n'est pas une protéine SNAP ; c'est par coïncidence que le même acronyme fut attribué à ces deux protéines caractérisées indépendamment, avant qu'on ne se rende compte qu'elles fonctionnaient malgré tout en association).

3. Les **protéines SM** (car appelées **Sec1** chez la levure et **Munc18** chez les mammifères) qui, dans les synapses se lient à la syntaxine pour empêcher celle-ci de lier la synaptobrévine et SNAP-25. Des études par mutation montrent que ces protéines hydrophiles de 65 à 70 kD sont essentielles pour la fusion vésiculaire.

c. Les SNARE forment un faisceau stable de quatre hélices

La synaptobrévine, un R-SNARE, et les Q-SNARE que sont la syntaxine et SNAP-25 forment un complexe si stable qu'il faut le porter à ébullition dans le SDS pour le dissocier. La synaptobrévine et la syntaxine ont toutes deux une hélice TM C-terminale et SNAP-25 est ancrée dans la membrane via des groupements palmitoyl portés par des résidus Cys de sa région centrale. La structure par rayons X des parties associées au sein de ce complexe a été déterminée par Reinhard Jahn et Axel Brünger (Fig. 12-62*a*). Il s'agit d'un faisceau de quatre hélices α parallèles de ~65 résidus, dont deux sont formées par les segments N- et C-terminaux de SNAP-25. Le fait que la synaptobrévine est ancrée dans la membrane de la vésicule et que la syntaxine et SNAP-25 le sont dans la membrane cible, explique comment ce complexe « central » unit fermement les deux membranes (Fig. 12-62*b*).

Les quatre hélices du complexe central s'enroulent l'une autour de l'autre avec une légère torsion de pas à gauche. Comme attendu, la séquence de chaque hélice présente pour l'essentiel la répétition de 7 résidus $(a-b-c-d-e-f-g)_n$ où les résidus *a* et *d* sont hydrophobes (noter que cette propriété est caractéristique des faisceaux à 4 ou à 3 hélices ainsi que des spires enroulées). Cependant la couche centrale de chaînes latérales tout au long du faisceau de 4 hélices est constituée d'un résidu Arg de la synaptobrévine uni par liaisons hydrogène à trois chaînes latérales de Gln, une de la syntaxine et une de chacune des hélices de SNAP-25. Ces résidus polaires hau-

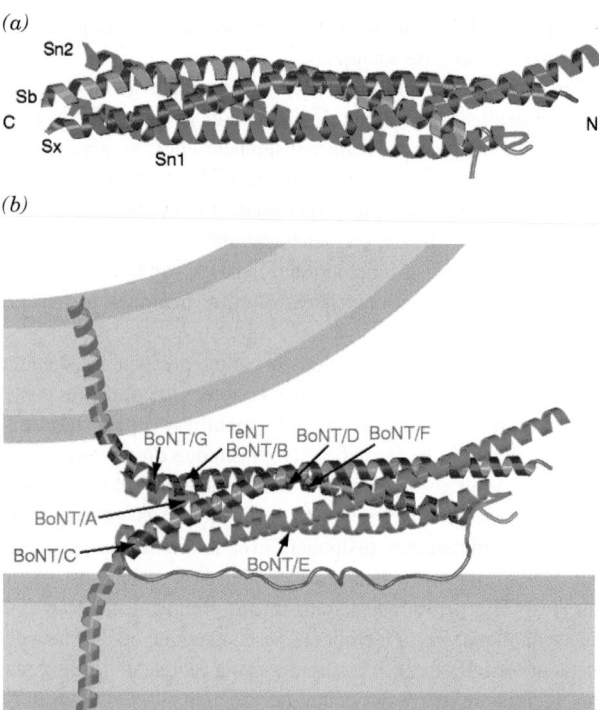

FIGURE 12-62 Structure par rayons X du complexe central syntaxine-synaptobrévine-SNAP-25. (*a*) Diagramme en ruban montrant l'hélice de la syntaxine (Sx) en rouge, l'hélice de la synaptobrévine (Sb) en bleu, et les hélices N- et C-terminales de SNAP-25 (Sn1 et Sn2) en vert. (*b*) Modèle du complexe de fusion synaptique unissant deux membranes (*en gris*). Les hélices du complexe central sont colorées comme dans la Partie *a*. Les extensions C-terminales transmembranaires de la syntaxine et de la synaptobrévine sont modélisées comme des hélices (*jaune-vert*). La boucle (*en brun*) qui relie les hélices N-et C-terminales de SNAP-25 est représentée sans structure précise, faute d'information. Se rappeler que cette boucle est ancrée dans la membrane par des groupements palmitoyl portés par des Cys. Les flèches indiquent les sites de clivage par les neurotoxines de *Clostridia*. [Avec la permission d'Axel Brünger, Yale University. PDBid 1SFC.]

tement conservés sont isolés de l'environnement aqueux de sorte que leurs interactions sont renforcées par la faible constante diélectrique de leur propre environnement. Il semble donc bien que ces interactions aient pour effet d'amener en phase les quatre hélices du faisceau.

Puisque les cellules de mammifères contiennent 30 SNARE différents, on peut penser que leurs interactions sont, en partie du moins, responsables de la spécificité de fusion des vésicules avec leur membrane cible respective. Rothman a montré que c'est bien le cas en déterminant *in vitro* la vitesse de fusion de liposomes porteurs de différents SNARE. Il a ainsi testé tous les R-SNARE prédits par le génome de levure en les associant séparément aux Q-SNARE connus pour leur localisation dans le Golgi, la vacuole ou la membrane plasmique de la levure. La fusion des liposomes ne se produit alors qu'avec les combinaisons de R-SNARE et de Q-SNARE correspondant à celles qui assurent le flux membranaire *in vivo*. Cependant, des mécanismes supplémentaires semblent intervenir *in vivo* pour augmenter la spécificité de la fusion vésiculaire, tels que la localisation de R-SNARE et de Q-SNARE cor-

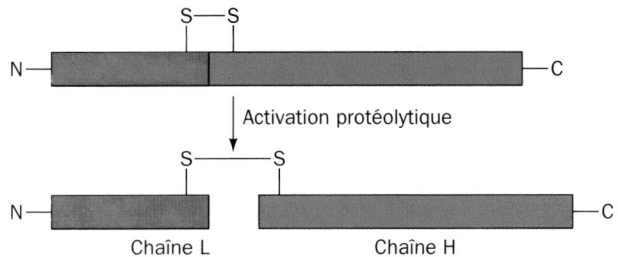

FIGURE 12-63 Structure générale des neurotoxines de *Clostridia* et leur activation par des protéases de l'hôte. Le pont disulfure qui relie les segments L et H est scindé après captage de la neurotoxine par le neurone cible.

respondants dans certaines régions de la cellule ainsi que l'action de protéines régulatrices, dont les protéines Rab (voir ci-dessus), comme nous le discutons plus loin.

d. Les toxines tétanique et botulique scindent spécifiquement les SNARE

Les maladies infectieuses souvent mortelles que sont le **tétanos** (suite à la contamination d'une plaie) et le **botulisme** (une intoxication alimentaire) sont provoquées par des bactéries anaérobies du genre *Clostridium*. Ces bactéries produisent des neurotoxines extrêmement puissantes qui inhibent la libération de neurotransmetteurs dans les synapses. Les toxines botuliques sont d'ailleurs les plus puissantes toxines connues : 10 millions de fois plus toxiques que le cyanure (10^{-10} g • kg^{-1} tue une souris).

Il existe 7 types sérologiques de neurotoxines botuliques appelés **BoNT/A** à **BoNT/G**, et un type de neurotoxine tétanique, **TeTx**. Chacune de ces protéines homologues est synthétisée en une chaîne polypeptidique de ~150 kD, laquelle est scindée par des protéases de l'hôte pour donner une chaîne L de ~50 kD et une chaîne H de ~100 kD qui restent unies par un pont disulfure (Fig. 12-63). Les chaînes H sont spécifiques de certains types de neurones (auxquels elles se lient via des récepteurs de nature gangliosidique ou protéique) où elles facilitent le captage de la chaîne L par endocytose. *Les chaînes L sont des protéases, chacune clivant son SNARE cible à un site spécifique* (Fig. 12-62*b*). Ceci prévient

la formation du complexe central et arrête ainsi l'exocytose des vésicules synaptiques. La chaîne H de TeTx se lie spécifiquement à des neurones inhibiteurs (dont la fonction est de diminuer les influx nerveux excitateurs), ce qui explique la paralysie spastique typique du tétanos. Au contraire, les chaînes H des BoNT se lient à des neurones moteurs (innervant les muscles) et provoquent ainsi la paralysie flasque caractéristique du botulisme.

Une indication médicale de la toxine botulique (commercialisée sous le nom de Botox) est d'en administrer des quantités soigneusement contrôlées pour lever certains types de spasmes musculaires chroniques. Cette toxine a également un intérêt cosmétique : son injection cutanée relâche les petits muscles qui causent les rides, et celles-ci peuvent alors disparaître pour ~3 mois.

e. La fusion des bicouches lipidiques peut être catalysée par des protéines spécifiques

L'association des Q-SNARE d'une vésicule à un R-SNARE de sa membrane cible rapproche étroitement les bicouches, pour former un **complexe trans-SNARE**. Mais par quoi la fusion de ces bicouches est-elle provoquée ? Une possibilité est que les contraintes mécaniques résultant de la formation d'un anneau de plusieurs complexes trans-SNARE expulsent de leur bicouche des molécules lipidiques situées à l'intérieur de l'anneau, lipides qui formeraient une structure transitoire avec des lipides de la bicouche opposée de façon à réaliser la fusion des bicouches. De fait, nous avons vu que des liposomes contenant des Q- et R-SNARE correspondants, fusionnent. Cependant, ce phénomène prend de 30 à 40 minutes *in vitro*, alors qu'*in vivo* la fusion d'une vésicule synaptique avec la membrane présynaptique prend <0,3 ms (Section 20-5C). Ceci suggère que d'autres protéines catalysent la fusion des bicouches. De fait, il semble bien que la fusion des vacuoles de levure, qui est précédée de la formation de complexes trans-SNARE, soit catalysée par une protéine TM multimérique capable de former un pore appelée **V0**. Apparemment, la formation de complexes trans-SNARE rapproche les molécules de V0 des deux membranes pour former un pore aqueux entre les deux vésicules (Fig. 12-64*a*) un peu comme pour les jonctions communicantes entre cellules adjacentes (Fig. 12-40). On pense que l'élargissement radial du pore suite à

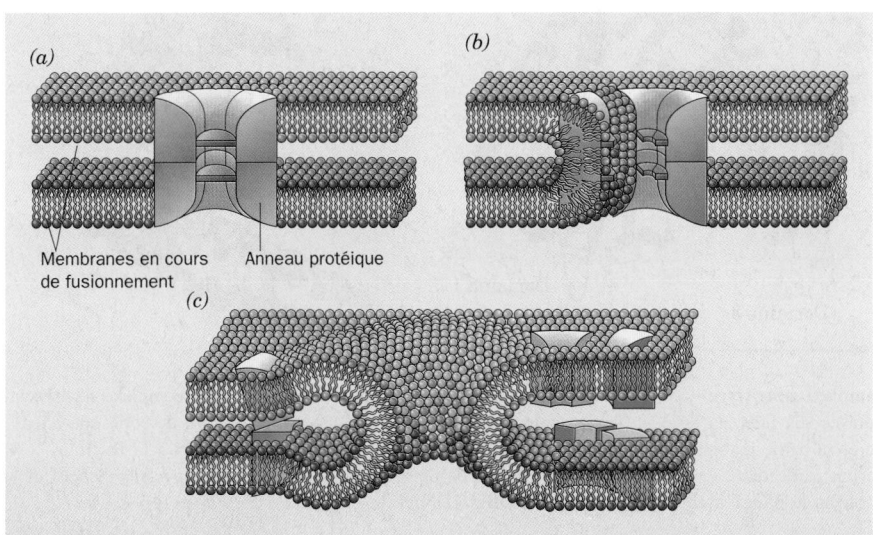

Membranes en cours de fusionnement — Anneau protéique

FIGURE 12-64 Modèle de la fusion de vacuoles de levure. (*a*) La formation de complexes trans-SNARE (non représentés) induit la dimérisation de deux molécules de V0, protéines cylindriques (vues ici en coupe avec leur surface hydrophobe en vert et leur surface hydrophile en jaune) enchâssées dans des bicouches opposées. (*b*) Les sous-unités du dimère de V0 se séparent dans le plan horizontal, ce qui permet aux lipides d'envahir le pore aqueux, dit pore de fusion. (*c*) Le pore de fusion s'élargit, ce qui conduit les sous-unités de V0 à se séparer également dans le plan vertical. [D'après Almers, W., *Nature* **409**, 568 (2001). Avec autorisation.]

l'écartement latéral de ses sous-unités permet aux lipides de s'insinuer entre celles-ci de sorte que les deux bicouches fusionnent (Fig. 12-64*b,c*).

f. La structure du complexe nSec1-syntaxine suggère une fonction pour la protéine Rab

La protéine neuronale SM, appelée **nSec1**, se lie fortement à la syntaxine pour former un complexe qui exclut la formation du complexe syntaxine-synaptobrévine-SNAP-25. La structure par rayons X de nSec1 associée au domaine cytoplasmique de la syntaxine (Fig. 12-65), déterminée par William Weis, montre que cette partie de la syntaxine (une protéine de 288 résidus) forme un faisceau N-terminal de quatre hélices haut-bas-haut-bas. L'hélice C-terminale de la syntaxine (mais sans sa portion TM) adopte une conformation coudée et assez irrégulière, qui diffère de celle (montrée à la Fig. 12-62) qu'elle a dans le complexe central. Au contraire, le faisceau restant N-terminal de trois hélices est quasi superposable à la structure par RMN de ce segment isolé. La protéine nSec1 (594 résidus) est une molécule en forme d'arche qui lie la syntaxine, et en particulier son hélice C-terminale, dans le passage ménagé sous cette arche (Fig. 12-65*c*).

Pour que le complexe syntaxine-synaptobrévine-SNAP-25 qui assure la fusion vésiculaire puisse se constituer, il faut que le complexe nSec1-syntaxine se dissocie et que le faisceau N-terminal de trois hélices de la syntaxine libère l'hélice C-terminale. Des études par mutation plaident pour l'intervention de la protéine Rab et/ou de ses effecteurs. On a donc proposé que la liaison de Rab et/ou de ses effecteurs au complexe nSec1-syntaxine induit un changement conformationnel de nSec1, lequel conduit le faisceau N-terminal de trois hélices de la syntaxine à libérer l'hélice C-terminale, ce qui permet la formation du complexe SNARE.

g. NSF assure la dissociation du complexe central

Le complexe SNARE au sein des membranes fusionnées, qu'on appelle **complexe cis-SNARE**, doit finalement se dissocier afin que les protéines qui le constituent puissent participer à un nouveau cycle de fusion vésiculaire. Ce processus fait intervenir NSF, une protéine cytosolique dont la fonction exige de l'ATP et qui se lie aux SNARE (récepteurs de SNAP, rappelons-le) par l'intermédiaire des protéines adaptatrices que sont les SNAP. On a d'abord pensé que c'est la dissociation du complexe cis-SNARE sous l'influence de NSF qui provoque la fusion des membranes. Il est à présent évident que le rôle de NSF est de recycler les SNARE après leur participation à la fusion des membranes, autrement dit *NSF est un chaperon moléculaire ATP-dépendant.*

NSF est un hexamère de sous-unités identiques de 752 résidus. L'examen de la séquence et leur protéolyse ménagée montrent que chaque sous-unité comporte trois domaines :

1. Un domaine N (car N-terminal) correspondant aux résidus 1-205, qui assure les interactions de NSF avec les SNAP et les SNARE.

2. Un domaine D1 (206-487) qui lie l'ATP et catalyse son hydrolyse, processus qui fournit l'énergie pour la dissociation du complexe cis-SNARE.

3. Un domaine D2, C-terminal (488-752), homologue à D1. D2 lie l'ATP avec une affinité très supérieure à D1, mais ne l'hydrolyse que très lentement, voire pas du tout. D2 • ATP assure l'hexamérisation de NSF, laquelle est nécessaire à son activité.

La structure par rayons X du domaine D2 de NSF a été déterminée indépendamment par Weis et par Jahn et Brünger. Ses sous-unités en forme de coin s'associent pour former un hexamère en forme de disque (116 Å de diamètre et 40 Å de haut) qui présente

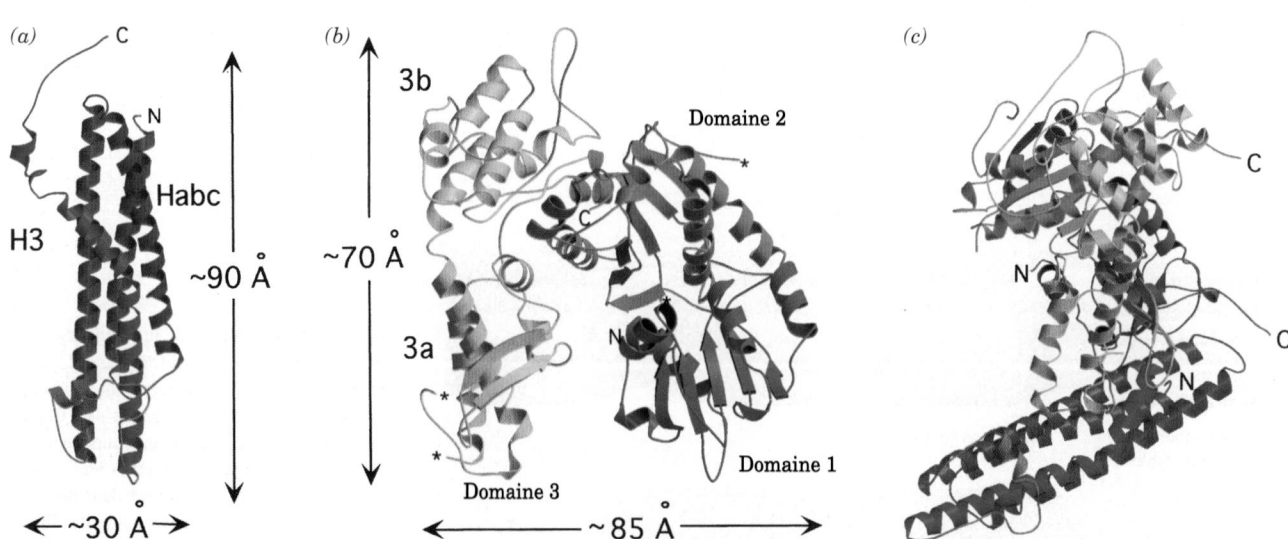

FIGURE 12-65 Structure par rayons X du complexe nSec1-syntaxine. (*a*) Diagramme en ruban de la syntaxine avec son faisceau N-terminal (Habc) de trois hélices en rouge-orange et sa partie cytoplasmique, l'hélice C-terminale (H3 ; le segment qui fait partie du complexe central), en violet. (*b*) Diagramme en ruban de nSec1 avec ses trois domaines en différentes couleurs. (*c*) Le complexe nSec1-syntaxine coloré comme dans les Parties *a* et *b* et vu de sorte que nSec1 a pivoté de 90° autour de l'axe vertical par rapport à la Partie *b*. [Avec la permission de William Weis, Stanford University School of Medicine. PDBid 1DN1.]

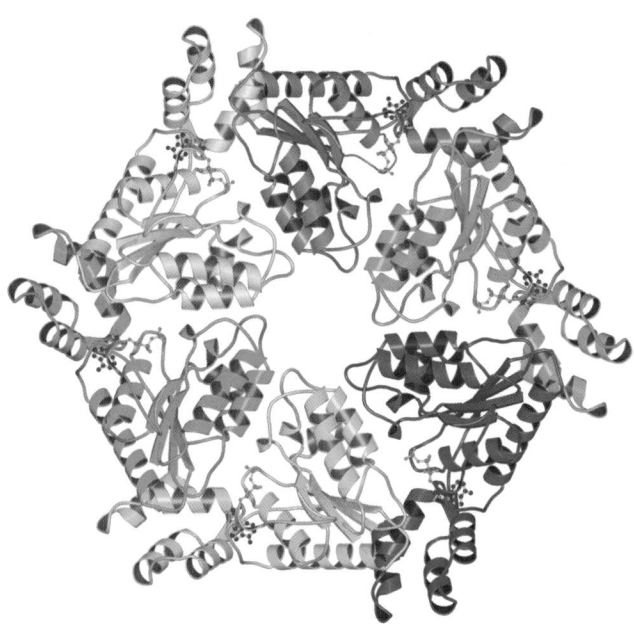

FIGURE 12-66 Structure par rayons X de l'hexamère formé par les domaines D2 de NSF, vu de l'extrémité N-terminale dans son axe d'ordre six. Chaque sous-unité a une couleur propre. Les ATP liés sont en modèle « boules et bâtonnets ». [Avec la permission d'Axel Brünger, Yale University. PDBid 1NSF.]

FIGURE 12-67 Micrographies électroniques d'hexamères de NSF après cryo-décapage. Vues du dessus (*a*) et de côté (*b*) en présence d'ATP. (*c*) Vue du dessus en présence d'ATPgS. [Avec la permission de John Heuser, Washington University School of Medicine, St. Louis, Missouri.]

un pore central de ~18 Å de diamètre (Fig. 12-66). L'ATP se lie près de l'interface entre les sous-unités, où il contribue sans doute à stabiliser leur association.

Des micrographies électroniques de NSF intact en présence d'ATP, prises par Jahn et John Euser, montrent, vues d'en haut, un anneau hexagonal de ~120 Å de diamètre avec une ouverture centrale de 30 à 50 Å (Fig. 12-67*a*), et, vues de côté, un rectangle de 120 sur 150 Å (Fig. 12-67*b*). La longueur de ce rectangle est à peu près deux fois la hauteur du disque D2. Ceci suggère que D1 forme un disque hexagonal semblable à D2 et empilé sur celui-ci. Comme l'aspect de NSF est le même en présence d'ADP, on pense que D1 hydrolyse rapidement en ADP, l'ATP qui lui est lié. Cependant, en présence d'**ATPγS** (où un S remplace un atome O terminal sur le phosphore γ de l'ATP), un analogue non hydrolysable de l'ATP, NSF montre 6 pieds globulaires serrés autour de l'anneau hexagonal, ici un peu plus petit (Fig. 12-67*c*). Puisque ces anneaux, mais pas les globules, sont observés dans les images des complexes D1-D2 prises en présence d'ATPγS, les globules doivent correspondre aux domaines N. De toute évidence, lorsque D1 lie l'ADP, les domaines N se maintiennent fermement autour du disque central des hexamères D1 et D2 empilés, mais ils sont libérés lorsque D1 lie l'ATP.

On connaît très mal le mécanisme par lequel NSF dissocie le complexe cis-SNARE. Le complexe central SNARE (Fig. 12-67*a*), qui a la forme d'un bâtonnet de 20 à 25 Å de diamètre, est trop large pour se loger dans le pore central de l'hexamère D2, qui n'a que 18 Å de diamètre (et ceci vaut sans doute pour l'hexamère semblable D1), sans une modification importante de structure. Il est donc peu probable que le complexe central se lie dans la cavité

centrale de NSF comme le fait le système chaperon GroEL-GroES pour ses substrats protéiques (Section 9-2C). De plus, des micrographies électroniques montrent que le complexe formé par SNAP et les trois protéines SNARE se lie à une extrémité de NSF en présence d'ATPγS (mais ne se lie pas en présence d'ADP). Puisque des oligomères de NSF contenant des mélanges de domaines D1 actifs et inactifs ne peuvent dissocier des complexes SNARE, on conclut que les sous-unités de NSF agissent de manière coopérative.

E. *Adressage des protéines aux mitochondries*

Bien que les mitochondries contiennent des gènes fonctionnels et l'appareillage moléculaire pour la synthèse de protéines, leur génome ne code que quelques protéines de la membrane interne (13 chez les humains, 8 chez la levure). La grande majorité des protéines mitochondriales (>98 %), qui représentent 10 à 20 % des protéines intracellulaires, sont codées par des gènes nucléaires et sont synthétisées par des ribosomes dans le cytosol. Elles doivent donc traverser une membrane mitochondriale, ou les deux, pour atteindre leur destination finale (Section 1-2A). Nous expliquerons ici comment les protéines sont importées dans les mitochondries et sont dirigées vers leur localisation correcte [la membrane externe, la membrane interne, l'espace intermembranaire, ou la **matrice** (l'espace délimité par la membrane interne)]. Les progrès récents de nos connaissances dans ce domaine reposent en grande partie sur des recherches effectuées chez la levure et sur la moisissure rose du pain *Neurospora crassa* par Walter Neupert, Nikolaus Pfanner et Gottfried Schatz. Cependant tout plaide en faveur de la conservation de ce processus chez tous les eucaryotes. Noter que les systèmes de transport décrits ici et dans la Section 12-4B ressemblent à ceux qui assurent l'importation des protéines dans les chloroplastes (où les protéines doivent traverser jusqu'à trois membranes) et les peroxysomes (Section 1-2A).

a. Les protéines doivent se déplier pour entrer dans la mitochondrie

La synthèse des protéines mitochondriales codées par des gènes nucléaires se fait sur les ribosomes du cytosol et elle y est complète, avant leur entrée dans les mitochondries. Elles y sont

donc importées après la traduction, et non pendant celle-ci comme c'est le cas des protéines de la voie sécrétoire (Section 12-4B). On pourrait donc s'attendre à ce que les protéines mitochondriales, dont beaucoup sont des protéines intrinsèques, se replient au moins partiellement et /ou s'agrègent non spécifiquement dans le cytosol avant de rencontrer le système d'importation mitochondriale. Or, d'après de nombreuses données *seules des protéines dépliées peuvent traverser les membranes mitochondriales.* Par exemple, la **dihydrofolate réductase (DHFR),** enzyme cytosolique, est importée dans les mitochondries de levure si elle est précédée par la séquence d'adressage que porte une protéine mitochondriale

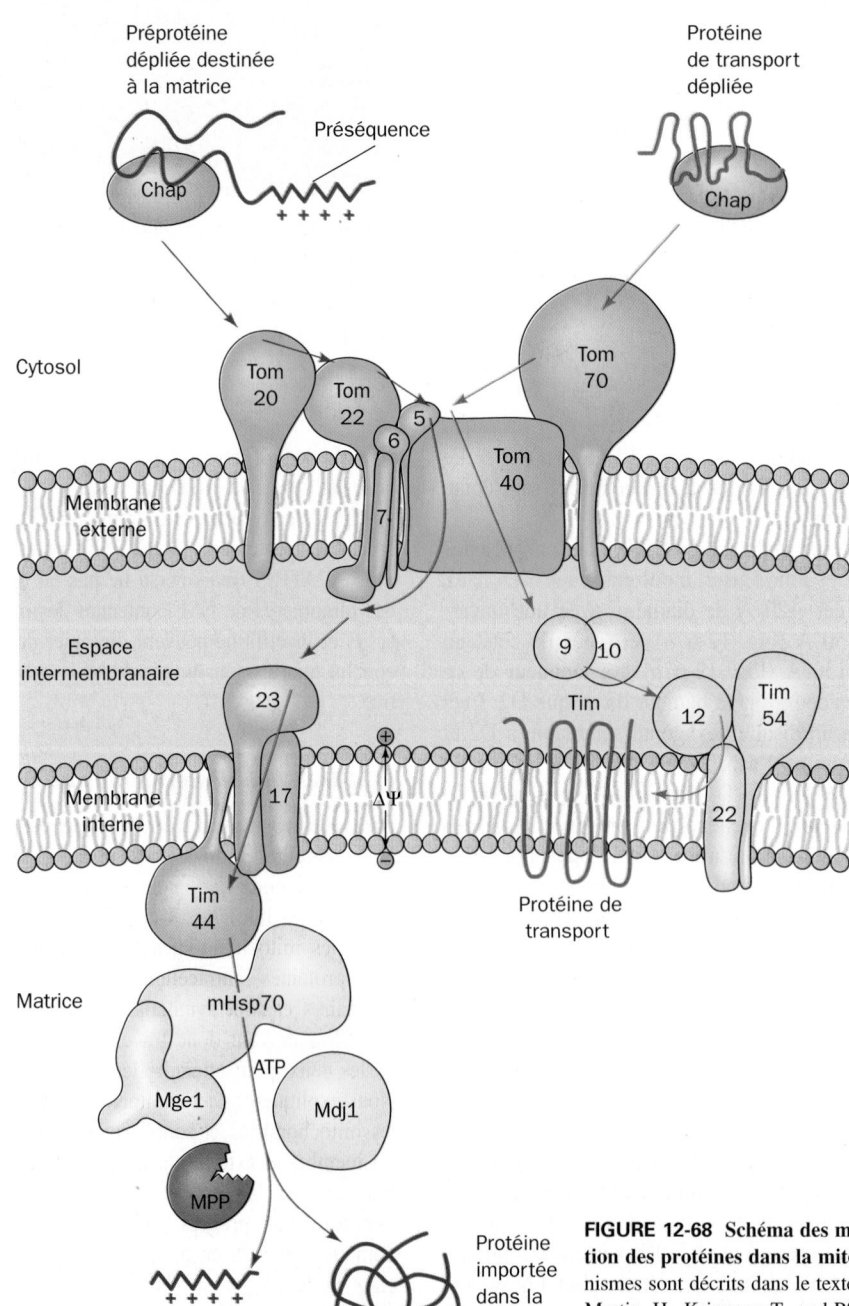

FIGURE 12-68 Schéma des mécanismes d'importation des protéines dans la mitochondrie. Ces mécanismes sont décrits dans le texte. [D'après Voos, W., Martin, H., Krimmer, T., and Pfanner, N., *Biochim. Biophys. Acta* **1422,** 237 (1999).]

synthétisée dans le cytosol (cf. ci-dessous). Cependant, l'importation de cette protéine chimérique est bloquée en présence de **méthotrexate,** un analogue du substrat normal de la DHFR, le **dihydrofolate** (Section 28-4B). Le méthotrexate se lie avec une telle affinité à la DHFR, qu'il stabilise la protéine sous sa conformation native.

La garantie pour une protéine d'être importée dans la mitochondrie est assurée, dans le cytosol, par plusieurs chaperons moléculaires ATP-dépendants. Ceux-ci comprennent des membres de la famille Hsp70 (Section 9-2C) et, chez les mammifères, une protéine appelée **facteur stimulant l'importation mitochondriale (MSF)**. Si chez la levure on arrête par génie génétique la production d'Hsp70, on voit ainsi s'accumuler dans le cytosol des protéines censées être importées dans les mitochondries. De plus, la dénaturation d'une protéine par l'urée augmente la vitesse de son entrée subséquente dans la mitochondrie à l'aide de Hsp70. Manifestement, Hsp70 est ici une « protéine déroulase » ATP-dépendante.

b. Transport des protéines à travers la membrane externe de la mitochondrie

Les protéines de la matrice synthétisées dans le cytosol présentent des séquences d'adressage N-terminales de 20 à 60 résidus riches en chaînes latérales basiques et hydroxylées mais qui ont peu, voire pas du tout, de chaînes latérales acides. Ces préséquences, qui n'interagissent pas avec la SRP, forment des hélices α amphipathiques en solution.

Les sous-unités protéiques qui participent à l'importation des protéines à travers la membrane mitochondriale externe sont les **protéines TOM** (pour « *t*ranslocase of the *o*uter *m*embrane »), appelées Tomxx, où xx désigne la masse moléculaire de la sous-unité en kilodaltons. De même, celles qui sont impliquées dans la translocation des protéines à travers la membrane mitochondriale interne sont les **protéines TIM** (pour « *t*ranslocase of the *i*nner *m*embrane »), appelées Timxx.

Le mécanisme d'importation des protéines à travers la membrane mitochondriale externe est le suivant (Fig.12-68, *en haut à gauche*) :

1. La séquence signal d'une préprotéine dépliée se lie au domaine cytoplasmique de récepteurs protéiques mitochondriaux : les protéines associées à Hsp70 interagissent principalement avec **Tom20** complexée à **Tom22**, tandis que MSF libère ses préprotéines en faveur de **Tom70**. Toshiya Endo et Daisuke Kohda ont déterminé la structure par RMN du domaine cytosolique de Tom20 associé à un segment de 11 résidus d'une préséquence (Fig. 12-69). Le domaine Tom20 est constitué essentiellement de 5 hélices, les deux hélices N-terminales formant une gorge à surface non polaire dans laquelle la préséquence hélicoïdale se lie principalement par des interactions hydrophobes plutôt qu'ioniques. Il est clair que Tom20 reconnaît l'hélice amphipathique de la préséquence, mais non ses charges positives. Ses dernières, qui sont requises pour l'importation mitochondriale, doivent donc interagir avec d'autres éléments de la machinerie d'importation tels que Tom22 ou **Tom5** (voir ci-dessous).

2. Tom20 et Tom70 confient ensuite les préprotéines au **pore d'importation générale (GIP)**, formé par **Tom40**. Cette dernière est une protéine TM polytopique constituée essentiellement,

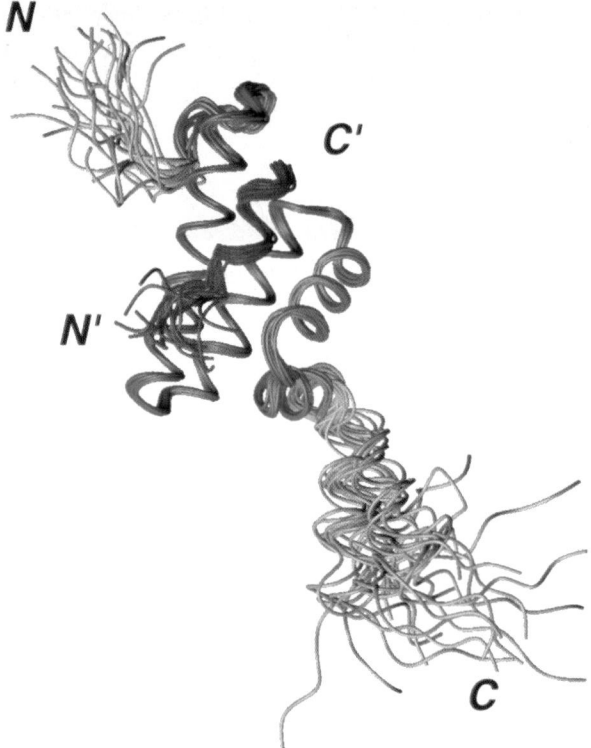

FIGURE 12-69 Structure par RMN du domaine cytoplasmique de Tom20 de rat associée au segment C-terminal de 11 résidus (GPRLSRLLSYA) de la préséquence (22 résidus) de l'aldéhyde déshydrogénase de rat, une enzyme mitochondriale. Diagramme obtenu en superposant les 20 dernières structures fournies par l'analyse des spectres RMN (Section 8-3A) avec les résidus superposés en bleu (Tom20) et en rouge (préséquence), et les autres résidus en gris (Tom20) et en orange (préséquence). [Avec la permission de Toshiya Endo, Nagoya University, Nagoya, Japon, et Daisuke Kohda, Biomolecular Engineering Research Institute, Osaka, Japon. PDBid 1OM2.]

d'après des mesures par CD, de feuillets β (tout comme les porines mitochondriales, qui sont aussi des protéines de la membrane externe ; Fig. 12-27). On a montré par électrophysiologie que Tom40 contient un canal hydrophile, sélectif pour les cations, à travers lequel passent vraisemblablement les préprotéines. Dans les mitochondries, Tom40 est étroitement associé à Tom22 ainsi qu'à trois petites sous-unités, Tom5, **Tom6** et **Tom7**, pour former le **complexe central TOM**. Tom5, dont l'absence ralentit fortement le transfert des protéines au GIP, lie les préséquences et assure probablement le passage, vers le canal Tom40, des préprotéines amenées par Tom20/Tom22. Tom6 provoque l'association de Tom22 et de Tom40, ce qui facilite le transfert des préprotéines au canal. Au contraire, Tom7 déstabilise le complexe TOM. Il est donc probable que Tom7 participe à l'insertion latérale de protéines de la membrane externe comme les porines, processus qui se ferait sous l'influence de séquences hydrophobes internes « d'arrêt de transfert ». Des micrographies électroniques du complexe central TOM de *Neurospora* (Fig. 12-

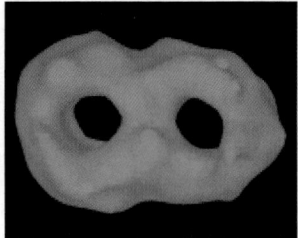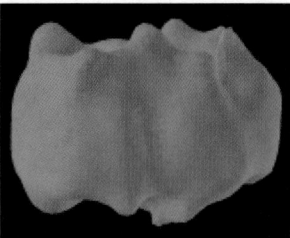

FIGURE 12-70   Image, fondée sur la microscopie électronique, de particules du complexe central TOM de *Neurospora*. Les particules, vues d'en haut (*à gauche*) et de côté (*à droite*), montrent deux ouvertures censées représenter le canal à protéines de la membrane mitochondriale externe. [Avec la permission de Stephan Nussberger et Walter Neupert, Universität München, Allemagne.]

70) montrent une particule de ~70 Å de haut (~20 Å de plus que l'épaisseur de la bicouche lipidique) et de ~120 Å de large contenant deux pores de ~21 Å de diamètre qui représentent vraisemblablement les canaux de passage des protéines. Ceci est conforme à des expériences de perméabilité avec des cations de tailles différentes, qui donnent pour le pore Tom40 un diamètre de ~22 Å.

3. On ignore quasi tout des forces qui permettent la translocation des polypeptides à travers la membrane externe des mitochondries. D'après l'**hypothèse de la chaîne acide** (au sens de « faire la chaîne »), la préséquence chargée positivement est transférée successivement d'une zone acide (chargée négativement) à une autre zone acide, son affinité pour la zone acide augmentant à chaque étape de cette chaîne. On a en effet montré de telles zones sur les surfaces cytoplasmiques de Tom20, Tom22 et Tom5, ainsi que sur les surfaces intermembranaires de Tom40 et de Tom22.

c. Transport des protéines à travers la membrane interne de la mitochondrie

À ce stade, la voie d'importation des protéines dans la mitochondrie bifurque (Fig. 12-68, *partie centrale*) : les protéines en route vers la matrice sont prises en charge par un complexe TIM différent de celui qui transporte les protéines qui seront insérées dans la membrane interne. Ces deux voies sont expliquées ci-dessous dans l'ordre de leur découverte.

Les protéines destinées à la matrice sont sont acheminées à travers la membrane interne via un canal formé par les protéines TM **Tim23** et **Tim27** (Fig. 12-68, *en bas à gauche*). En présence de méthotrexate, la protéine chimérique DHFR mentionnée plus haut reste coincée dans la membrane, le bras qui relie l'enzyme à sa préséquence N-terminale couvrant simultanément les complexes TOM et TIM. Comme le montre la microscopie électronique, de tels intermédiaires bloqués durablement en cours de translocation s'accumulent là où les membranes interne et externe de la mitochondrie se rapprochent plus étroitement qu'ailleurs, vraisemblablement aux points de contact des complexes TOM et TIM. Si, dans ces intermédiaires, le bras est trop court pour enjamber les deux membranes (moins de 40 résidus environ), leur translocation n'est pas bloquée. Il semble donc que

les préséquences s'insinuent entre les complexes TOM et TIM sans l'aide de chaperons.

La translocation d'une protéine à travers la membrane mitochondriale interne exige de l'énergie sous forme d'ATP et d'un potentiel électrostatique à travers cette membrane. Ce **potentiel de membrane** (Section 20-1), $\Delta\Psi$, produit par le métabolisme (Section 22-3B), sert problablement à transporter par « électrophorèse » la séquence signal N-terminale chargée positivement dans la matrice (laquelle est négative par rapport au cytosol). L'ATP est utilisé par l'Hsp70 mitochondriale (**mHsp70**), qui se lie à **Tim44** à la face interne de la membrane interne, où elle tirerait comme une crémaillère la protéine à travers le pore Tim17/23. mHsp70 agit en partenariat avec le cochaperon protéique **Mdj1**, un homologue de Hsp40 (Section 9-2C), et avec **Mge1**, qui facilite l'échange ADP-ATP sur mHsp70.

Une fois la préprotéine arrivée dans la matrice, sa séquence signal N-terminale est enlevée par une **peptidase matricielle de maturation (MPP)**, une protéine essentielle. La protéine importée se replie alors (et au besoin s'assemble) pour prendre sa conformation native grâce à des processus ATP-dépendants faisant intervenir un ensemble de chaperons protéiques, parmi lesquels on trouve mHsp70 (dont seulement 10 % des molécules s'associent à Tim44) et Hsp60/Hsp10 (homologues du système GroEL/GroES ; Section 9-2C).

d. Insertion de protéines de transport dans la membrane mitochondriale interne

La membrane mitochondriale interne étant imperméable à pratiquement toutes les substances polaires, elle contient de nombreuses **protéines de transport des métabolites** qui permettent l'entrée de réactifs et la sortie de produits. Parmi les membres de cette famille de protéines TM polytopiques, on trouve le **transporteur ATP/ADP** (aussi appelé **translocase ATP-ADP**, qui échange l'ATP synthétisé dans la matrice contre l'ADP produit par l'hydrolyse de l'ATP dans le cytosol ; Section 20-4C) et le **transporteur de phosphate** (qui ramène dans la matrice le phosphate produit dans le cytosol par l'hydrolyse de l'ATP ; Section 22-1B).

Les membres de la famille des transporteurs de métabolites n'ont pas les préséquences N-terminales des protéines destinées à la matrice, mais contiennent des séquences internes d'adressage mal caractérisées. Néanmoins, elles sont transportées à travers la membrane mitochondriale externe par le complexe TOM (Fig. 12-68, *en haut à droite*), bien qu'elles se lient au récepteur Tom70, lequel interagit préférentiellement avec des protéines porteuses de signaux internes d'adressage, plutôt qu'avec le récepteur Tom20/Tom22, qui lie essentiellement des protéines destinées à la matrice.

Lors de leur passage à travers le complexe TOM, les membres de la famille des transporteurs de métabolites sont escortés dans l'espace intermembranaire par un complexe des protéines homologues **Tim9** et **Tim10**, probablement $(Tim9)_3(Tim10)_3$. Dans les mitochondries privées de Tim9 et Tim10, les protéines de transport ne sont pas insérées dans le GIP, comme le montre leur incapacité à résister aux protéases. Ceci suggère que c'est leur liaison au complexe Tim9-Tim10 qui assure leur translocation à travers la membrane externe. Le complexe Tim9-Tim10 transmet le transporteur à la protéine extrinsèque **Tim12** (un homologue de Tim9 et Tim10), qui est associée aux protéines intrinsèques **TIM22** (elle-même homologue des constituants formant le pore dans Tim17 et Tim23 au sein du complexe TIM décrit plus haut) et **Tim54**, pour former un complexe TIM différent (Fig. 12-68, *en bas à droite*). *Tim22, sans doute de concert avec Tim54, assure alors l'insertion de la protéine de transport dans la membrane mitochondriale interne, où celle-ci forme des homodimères.* Le mécanisme en est inconnu, mais il dépend du potentiel de membrane.

e. Les protéines mitochondriales non matricielles peuvent être adressées par différents mécanismes d'importation

Certaines protéines synthétisées dans le cytosol et destinées à l'insertion dans la membrane interne ou à l'espace intermembranaire sont tout d'abord importées dans la matrice par le mécanisme déjà décrit, puis exportées pour se rendre à leurs sites définitifs. Ces protéines sont en général synthétisées avec une séquence d'adressage N-terminale en deux parties; la séquence la plus interne (du côté C-terminal), une fois exposée après l'excision (décrite plus haut) de la préséquence N-terminale, dirige les protéines vers leurs compartiments respectifs. Ce cheminement indirect peut être le reflet de l'origine procaryotique des mitochondries (Section 1-2A): la mitochondrie ancestrale, étant une bactérie Gram négatif, synthétisait toutes ses protéines dans le cytoplasme (la matrice ancestrale), si bien que les protéines membranaires ou de l'espace intermembranaire devaient être exportées vers ces destinations.

Certaines protéines de la membrane interne et de l'espace intermembranaire ont des mécanismes d'adressage tout-à-fait différents. Par exemple, le cytochrome *c*, une protéine extrinsèque associée au côté externe de la membrane interne, traverse facilement la membrane mitochondriale externe sous forme d'**apocytochrome *c*** (le cytochrome *c* sans le noyau hème lié par covalence; Figure 9-36), probablement en passant par une protéine du genre porine appelée **P70**. La « force motrice » qui permet ce processus est fournie par la **cytochrome *c* hème lyase (CCHL)**, l'enzyme qui va catalyser l'attachement covalent de l'hème à l'apocytochrome *c* dans l'espace intermembranaire. Cette liaison de l'hème est indispensable pour que le cytochrome *c* reste dans l'espace

intermembranaire. Noter que l'apocytochrome *c* ne présente pas de séquence d'adressage hydrolysable; ce sont certains des résidus de la protéine mature qui permettent l'identification de cette protéine par le système d'importation. La CCHL est également synthétisée directement sous forme de protéine mature mais, à l'inverse de l'apocytochrome *c*, elle est importée dans l'espace intermembranaire par le complexe TOM.

5 ■ LIPOPROTÉINES

*Les lipides s'associent aux protéines par interactions non covalentes pour former des **lipoprotéines**, qui assurent le transport de triacylglycérols et de cholestérol dans le plasma sanguin.* Dans cette section, nous étudierons les structures, fonctions et dysfonctionnements des lipoprotéines ainsi que les mécanismes qui permettent aux cellules eucaryotes de prélever dans le milieu extracellulaire les lipoprotéines et d'autres protéines spécifiques grâce à l'endocytose par récepteur interposé.

A. *Structure des lipoprotéines*

Des lipides comme les phospholipides, les triacylglycérols, et le cholestérol ne sont que très peu solubles en solutions aqueuses. *Aussi, sont-ils transportés dans la circulation comme constituants de lipoprotéines, particules globulaires de type micelles, constituées d'un cœur non polaire de triacylglycérols et d'esters de cholestérol, entouré d'un revêtement amphiphile de protéines, de phospholipides et de cholestérol.* Les lipoprotéines sont classées en cinq grandes catégories en fonction de leurs rôles et de leurs propriétés physiques (Tableau 12-6):

1. Les **chylomicrons**, qui transportent des triacylglycérols et du cholestérol exogènes (fournis par le régime alimentaire) de l'intestin aux tissus.

2-4. Des **lipoprotéines à très faible densité (VLDL)**, des **lipoprotéines à densité intermédiaire (IDL)**, et des **lipoprotéines à faible densité (LDL)**, un groupe de particules apparentées, qui transportent les triacylglycérols et le cholestérol endo-

TABLE 12-6 **Caractéristiques des principales classes de lipoprotéines du plasma humain**

	Chylomicrons	VLDL	IDL	LDL	HDL
Densité (g · cm^{-3})	<0,95	<1,006	1,006–1,019	1,019–1,063	1,063–1,210
Diamètre de la particule (Å)	750–12 000	300–800	250–350	180–250	50–120
Masse de la particule (kD)	400 000	10 000–80 000	5000–10 000	2300	175–360
Protéine % [a]	1,5–2,5	5–10	15–20	20–25	40–55
Phospholipides % [a]	7–9	15–20	22	15–20	20–35
Cholestérol libre % [a]	1–3	5–10	8	7–10	3–4
Triacylglycérols % [b]	84–89	50–65	22	7–10	3–5
Esters de cholestérol % [b]	3–5	10–15	30	35–40	12
Apolipoprotéines majeures	A-I, A-II, B-48, C-I, C-II, C-III, E	B-100, C-I, C-II, C-III, E	B-100, C-I, C-II, C-III, E	B-100	A-I, A-II, C-I, C-II, C-III, D, E

[a] Constituants de surface.
[b] Lipides centraux.

gènes (produits par l'organisme) du foie aux tissus (le foie synthétise des triacylglycérols à partir de glucides en excès; Section 25-4).

5. Des **lipoprotéines de haute densité (HDL),** qui transportent le cholestérol endogène des tissus au foie.

Les particules lipoprotéiques sont en remaniement métabolique constant, d'où des propriétés et des compositions quelque peu variables (Tableau 12-6). Chacune contient juste assez de protéines, de phospholipides et de cholestérol pour former une monocouche de 20 Å d'épaisseur environ à la surface de la particule (Fig. 12-71). La densité des lipoprotéines augmente lorsque le diamètre de la particule diminue, car la densité du revêtement extérieur est supérieure à celle du cœur central.

a. Les apolipoprotéines ont des hélices amphipathiques qui recouvrent les surfaces lipoprotéiques

Les constituants protéiques des lipoprotéines sont appelés **apolipoprotéines** ou encore **apoprotéines**. Il y a au moins neuf apolipoprotéines réparties en quantités significatives dans les différentes lipoprotéines humaines (Tableaux 12-6 et 12-7). La plupart d'entre elles sont hydrosolubles et sont faiblement associées aux lipoprotéines. En conséquence, elles font facilement la navette entre les particules lipoprotéiques en passant par la phase aqueuse. Des mesures de dichroïsme circulaire (CD) ont montré que les *apolipoprotéines ont un fort pourcentage d'hélices, qui augmente lorsqu'elles sont intégrées dans des lipoprotéines.* Il semble que les hélices soient stabilisées dans un environnement lipidique, sans doute parce que les hélices assurent le maximum de liaisons hydrogène permises par le squelette polypeptidique dans le milieu anhydre d'une membrane.

b. La structure par rayons X de l'apoA-I mime celle adoptée dans les HDL

L'**apolipoprotéine A-I (apoA-I)** est l'apolipoprotéine principale des HDL. L'examen de sa séquence montre que l'apoA-I consiste essentiellement en une répétition d'hélices α amphipathiques de 11 ou 22 résidus qui confèrent à la protéine sa capacité à lier des lipides. *Ces hélices α présumées, ainsi que d'autres*

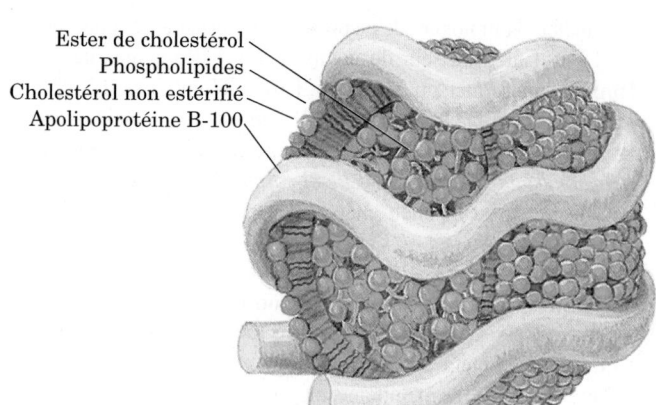

FIGURE 12-71   La LDL, transporteur principal du cholestérol dans la circulation sanguine. Cette particule sphéroïdale est formée de 1500 molécules d'esters de cholestérol entourées d'un revêtement amphiphile de 800 molécules de phospholipides, 500 molécules de cholestérol, et d'une seule molécule d'apolipoprotéine B-100 (4536 résidus).

hélices que l'on trouve dans la plupart des autres apolipoprotéines, ont leurs résidus hydrophobes et hydrophiles répartis sur les côtés opposés des cylindres hélicoïdaux (Fig. 12-72). De plus, la face polaire de l'hélice a un caractère « zwitterionique », dans la mesure où les résidus chargés négativement se projettent depuis le centre de cette face, tandis que les résidus chargés positivement sont localisées au bord de cette face. Ainsi, E. Thomas Kaiser a synthétisé chimiquement un polypeptide de 22 résidus ayant une forte propension à former une hélice et avec une distribution en résidus chargés identique, mais sans autre similitude avec les segments répétitifs de l'apoA-I. Il a constaté que ce polypeptide synthétique avait le même comportement que l'apoA-I en se liant à des liposomes de lécithine d'œuf. De toute évidence, le rôle structural de l'apoA-I, et sans doute celui des autres apolipoprotéines, est dévolu à ces segments hélicoïdaux plutôt qu'à une structure tertiaire organisée. Ceci suggère que les *hélices α des lipoprotéines*

TABLE 12-7   Propriétés des espèces majeures d'apolipoprotéines humaines

Apolipoprotéine	Nombre de résidus	Masse moléculaire[a] (kD)	Fonction
A-I	243	29	Active la LCAT[b]
A-II	77	17	Inhibe la LCAT, active la lipase hépatique
B-48	2152	241	Clairance du cholestérol
B-100	4536	513	Clairance du cholestérol
C-I	56	6,6	Active la LCAT?
C-II	79	8,9	Active la LPL[c]
C-III	79	8,8	Inhibe la LPL, active la LCAT?
D	169	19	Inconnue
E	299	34	Clairance du cholestérol

[a]Toutes les apolipoprotéines sont des monomères sauf l'apoA-II qui est un dimère aux sous-unités reliées par pont disulfure.
[b]LCAT : Lécithine–cholestérol acyltransférase.
[c]LPL : Lipoprotéine lipase.

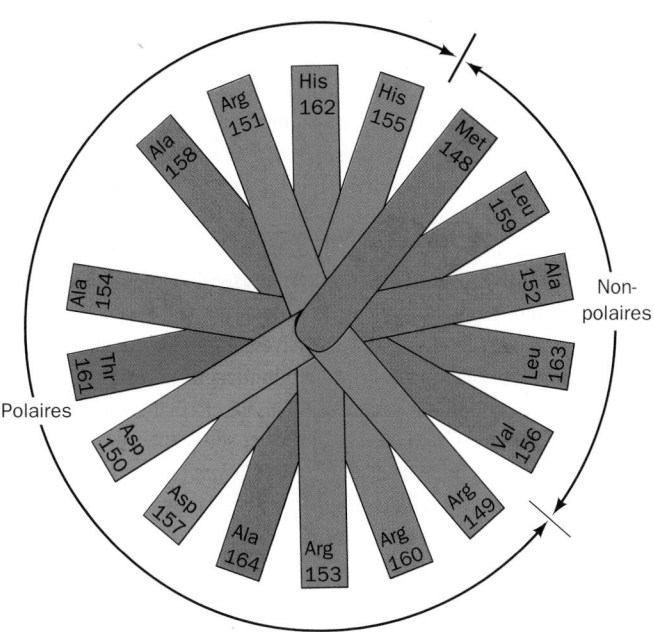

FIGURE 12-72 Projection en roue hélicoïdale de l'hélice a amphipathique qui englobe les résidus 148 à 164 de l'apoprotéine A-I. (Dans une représentation en roue hélicoïdale, les positions des chaînes latérales se projettent vers le bas de l'axe de l'hélice sur un plan). Noter la ségrégation des résidus non polaires, acides et basiques sur des côtés différents de l'hélice. D'autres hélices d'apolipoprotéines ont des répartitions de polarité similaires.[D'après Kaiser, E.T., *in* Oxender, D.L. and Fox, C.F. (Eds), *Protein Engineering, p. 1*94, Liss (1987).]

flottent sur les surfaces phospholipidiques comme des bûches à la surface de l'eau. Les phospholipides sont sans doute disposés de sorte que leurs groupements chargés se lient aux résidus de charges opposées sur la face polaire de l'hélice et que les tous premiers groupements méthylène de leurs résidus d'acides gras s'associent à la face non polaire de l'hélice par interactions hydrophobes.

D'après de nombreux critères, l'apoA-I subit d'importantes modifications de structure secondaire lorsqu'elle lie des lipides. Cependant, si l'on enlève par mutation à l'apoA-I humaine (243 résidus) les résidus 1 à 43 pour obtenir l'apo Δ(1–43)A-I, la conformation de ce mutant est très semblable à celle de l'apoA-I liée aux lipides, que ces derniers soient présents ou non. L'apo Δ(1-43)A-I sans lipides devrait donc être un bon modèle pour étudier la structure de l'apoA-I liée à des lipides.

La structure par rayons X de l'apo Δ(1–43)A-I (Fig. 12-73) a été déterminée par David Borhani et Christine Brouillette. Elle montre que, sur quasi toute sa longueur, chaque chaîne polypeptidique forme une hélice α amphipathique pseudocontinue interrompue par des coudes au niveau de résidus Pro à des intervalles de 22 résidus, ce qui donne 10 segments hélicoïdaux disposés en fer à cheval tordu. Deux monomères de ce type (en vert et en bleu-vert dans la Fig. 12-73) s'associent de manière antiparallèle sur pratiquement toute leur longueur pour former un dimère en anneau elliptique tordu. Deux de ces dimères s'unissent, via leurs faces hydrophobes, pour donner un tétramère elliptique de symétrie D_2 dont les dimensions extérieures sont 135 × 90 Å avec une cavité centrale de 95 × 50 Å. La surface de cet anneau tétramérique, constitué sur environ trois quarts de sa circonférence de faisceaux de 4 hélices haut-bas-haut-bas, est hydrophile avec un potentiel électrostatique uniforme, alors que l'intérieur de chacun de ces faisceaux contient principalement des chaînes latérales Val et Leu. Dans cette conformation, ces résidus hydrophobes sont inaccessibles aux lipides. On postule donc que, dans le cristal dépourvu de lipides, ces résidus s'associent pour isoler de tout contact avec l'eau (qui remplit les vides dans le cristal), la surface liant les lipides dans les dimères d'apo Δ(1-43)A-I.

La taille et la forme du dimère et du tétramère d'apo Δ(1-43)A-I semblent idéales pour entourer les particules de HDL, dont le diamètre va de 50 à 120 Å. Ces particules contiennent souvent deux ou quatre monomères d'apoA-I. On pense donc que, quand des paires de monomères d'apoA-I se lient aux HDL, elles le font en tant que dimères antiparallèles comme décrits ci-dessus. Leurs

(a)

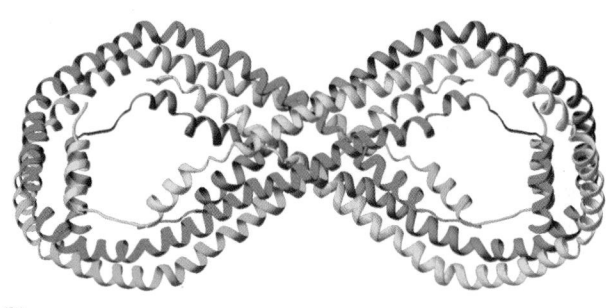

(b)

FIGURE 12-73 Structure par rayons X de l'apo D(1-43)A-I humaine. Les quatre monomères du tétramère de symétrie D_2 qu'ils forment sont représentés en couleurs différentes. (*a*) Vue dans l'axe d'ordre deux concernant les sous-unités en vert et en magenta, et les sous-unités en bleu-vert et en jaune. (*b*) Vue du dessus de la Partie *a*, dans l'axe d'ordre deux concernant les sous-unités en bleu-vert et en vert, et les sous-unités en jaune et en magenta. Ces derniers dimères, qui interagissent sur

presque toute leur longueur, conservent probablement leur identité au sein des particules de HDL, tandis que les autres paires, dont les interactions sont moins étroites, ne le font sans doute pas. [Fondé sur une structure par rayons X due à David Borhani, Southern Research Institute, Birmingham, Alabama, et Christine Brouillette, University of Alabama Medical Center, Birmingham, PDBid 1AV1.]

chaînes non polaires accessibles pourraient alors établir des inter-actions hydrophobes avec les groupements non polaires enfouis de la particule de HDL. Deux dimères de ce type pourraient alors s'associer à la surface d'une particule de HDL pour former un tétramère, mais très probablement d'une manière différente de celle qui prévaut dans la structure de l'apo Δ(1-43)A-I.

B. *Fonctions des lipoprotéines*

Comme nous allons le voir, les différentes lipoprotéines assurent diverses fonctions physiologiques.

a. Les chylomicrons libèrent leurs lipides dans les capillaires des tissus périphériques

Les chylomicrons, qui se forment dans la muqueuse intestinale, maintiennent en suspension, en solution aqueuse, les triacylglycé-rols et le cholestérol exogènes. Ces lipoprotéines sont libérées dans la lymphe intestinale (appelée aussi **chyle**), qui est transportée par des vaisseaux lymphatiques avant de se déverser dans les grandes veines du corps par le canal thoracique. Après un repas riche en lipides, le chyle, normalement limpide, prend un aspect laiteux.

Les chylomicrons adhèrent à des sites de liaison sur la face interne (l'endothélium) des capillaires dans le muscle squelettique et le tissu adipeux. Puis, quelques minutes après leur entrée dans le courant sanguin, les triacylglycérols des chylomicrons sont hydrolysés par une **lipoprotéine lipas**e (**LPL**), une enzyme extra-cellulaire activée par l'**apoC-II**. Les tissus récupèrent alors les produits d'hydrolyse : les monoacylglycérols et les acides gras. Les chylomicrons diminuent de volume au fur et à mesure que leurs triacylglycérols sont progressivement hydrolysés pour deve-nir des **restes** («remnants») **de chylomicrons** enrichis en choles-térol. Ceux-ci entrent à nouveau dans la circulation en se disso-ciant de l'endothélium des capillaires et sont captés ensuite par le foie comme expliqué ci-dessous. *Les chylomicrons assurent donc la distribution des triacylglycérols alimentaires au muscle et au tissu adipeux, et du cholestérol alimentaire au foie (Fig. 12-74, à gauche).*

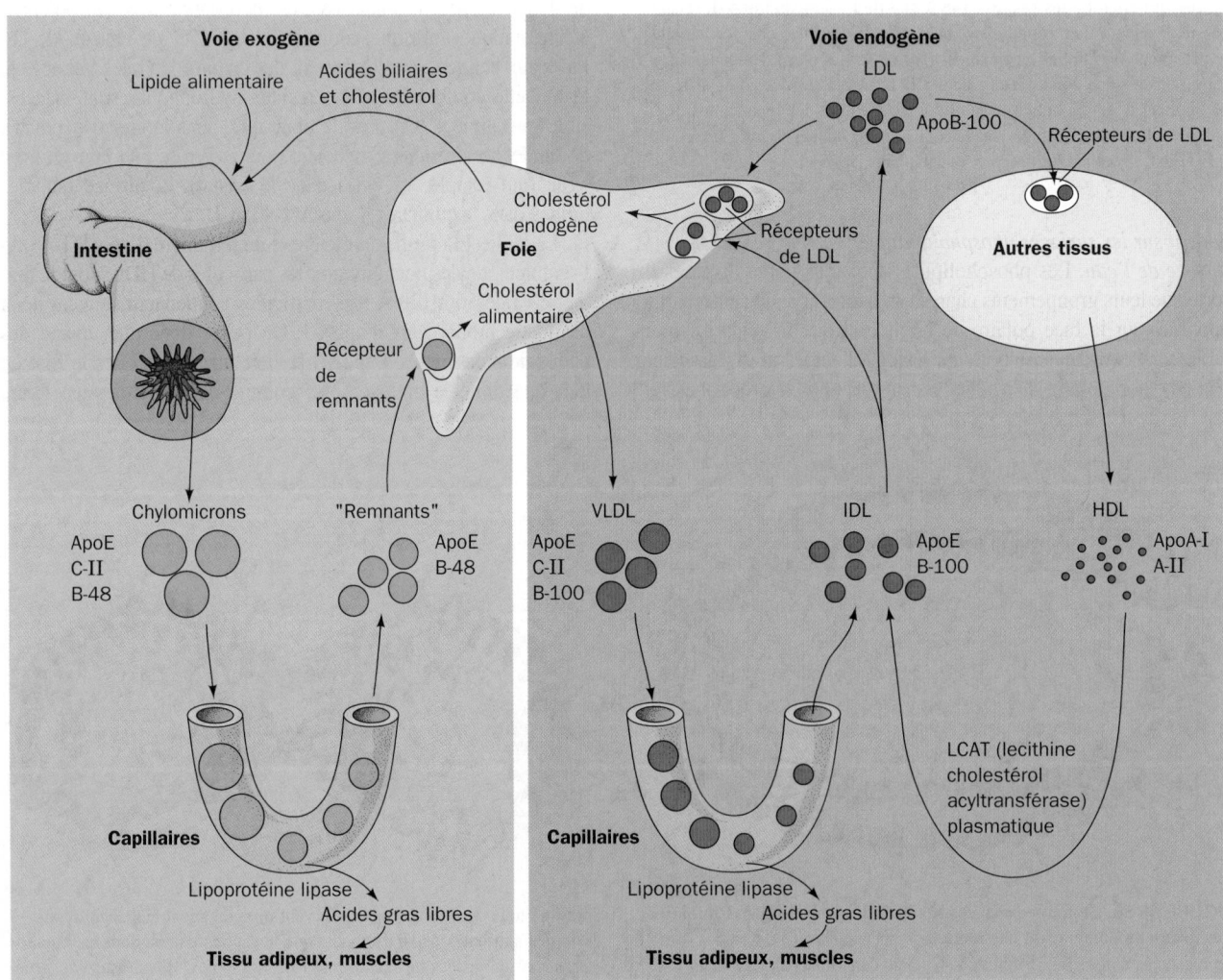

FIGURE 12-74 Un modèle pour le transport des triacylglycérols et du cholestérol chez l'homme. [D'après Brown, M.S. and Goldstein, J.L., *in* Brunwald, E., Isselbacher, K.J., Petersdorf, R.G., Wilson, J.D., Martin, J.B., and Fauci, A.S. (Eds) *Harrison's Principles of Internal Medicine* (11th ed.), *p. 1*652, McGraw-Hill (1987).]

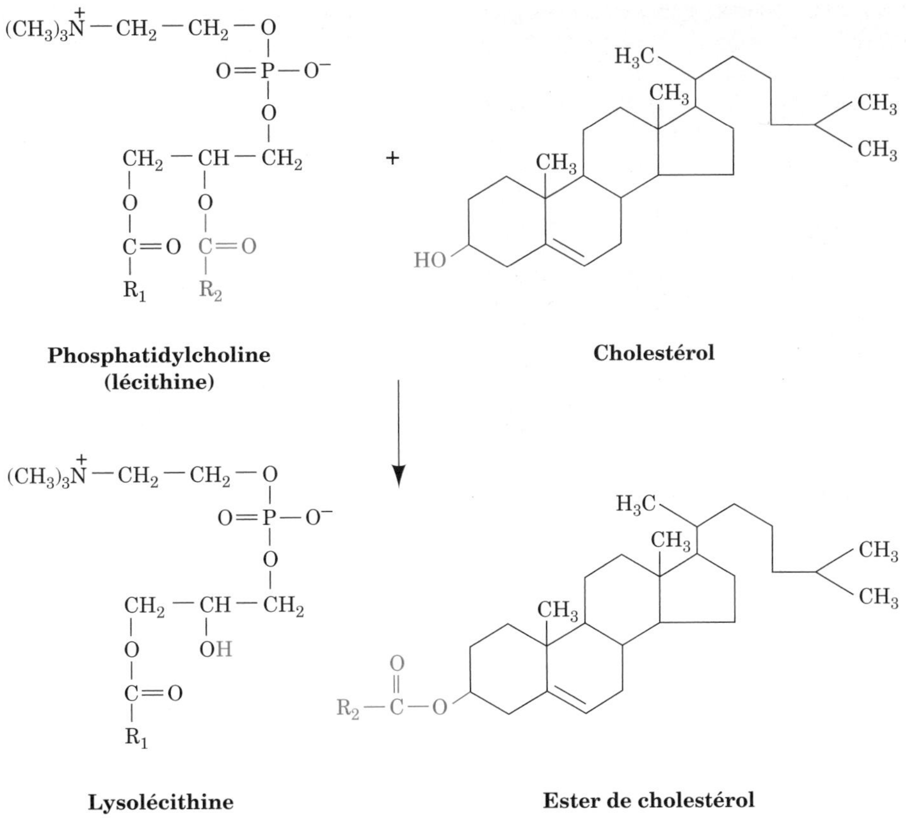

$(CH_3)_3\overset{+}{N}-CH_2-CH_2-O$
$O=P-O^-$

H_3C CH_3 CH_3 CH_3
CH_3
CH_3
$CH_2-CH-CH_2$ $+$ HO
$C=O$ $C=O$
R_1 R_2

Phosphatidylcholine (lécithine)   **Cholestérol**

$(CH_3)_3\overset{+}{N}-CH_2-CH_2-O$
$O=P-O^-$
O
$CH_2-CH-CH_2$
O OH
$C=O$
R_1

H_3C CH_3 CH_3 CH_3
CH_3
CH_3
O
R_2-C-O

Lysolécithine   **Ester de cholestérol**

FIGURE 12-75 **La réaction catalysée par la lécithine-cholestérol acyltransférase (LCAT).** Le groupement acyl transféré le plus souvent est un résidu d'acide linoléique.

b. Les VLDL sont dégradées de la même manière que les chylomicrons

Les VLDL, synthétisées dans le foie comme véhicules de transport de lipides, sont aussi dégradées par la lipoprotéine lipase (Fig. 12-74, *à droite*). Les restes de VLDL passent dans la circulation d'abord comme IDL, puis comme LDL. Au cours de la transformation de VLDL en LDL, toutes les protéines sauf l'**apoB-100** sont éliminées et la plus grande partie de leur cholestérol est estérifiée par l'enzyme associée aux HDL, la **lécithine-cholestérol acyltransférase (LCAT)** comme nous allons le voir ci-dessous. Cette enzyme transfère un résidu d'acide gras du C2 d'une lécithine au cholestérol avec la formation concomitante d'une **lysolécithine** (Fig. 12-75).

L'apoB-100, une glycoprotéine monomérique de 4536 résidus (et donc l'une des protéines monomériques les plus longues connues), possède une hydrophobicité proche de celle des protéines membranaires intrinsèques et contient relativement peu d'hélices amphipathiques. À l'inverse des autres apolipoprotéines moins hydrophobes du plasma, l'apoB-100 n'est ni hydrosoluble, ni échangée entre particules lipoprotéiques. Chaque LDL ne contient qu'une molécule d'apoB-100, qui prend une conformation en extension recouvrant au moins la moitié de la surface de la particule (Fig. 12-71), comme cela a été montré par microscopie immunoélectronique. Quant aux chylomicrons, ils contiennent l'**apoB-48,** une protéine de 2152 résidus dont la séquence est identique à la moitié (48 %) N-terminale de l'apoB-100. De fait, les

deux protéines sont codées par le même gène. Le mécanisme remarquable qui permet à ce gène d'exprimer des protéines de longueurs différentes dans le foie et dans l'intestin est expliqué dans la Section 31-4A.

c. Les cellules captent le cholestérol par endocytose de LDL par récepteur interposé

Comme nous l'avons vu, le cholestérol est un constituant essentiel des membranes animales. Il peut être fourni par le régime alimentaire ou, s'il n'y en a pas assez, être synthétisé par l'organisme (Section 25-6A). Michael Brown et Joseph Goldstein ont montré que *les cellules capturent le cholestérol exogène essentiellement par l'endocytose (gobage) des particules de LDL selon le mécanisme suivant :* la LDL est séquestrée par un **récepteur des LDL (LDLR)**, une glycoprotéine transmembranaire à la surface de la cellule, qui se lie spécifiquement à l'apoB-100 et à l'**apoE**. Le LDLR, une glycoprotéine de 839 résidus, possède une région N-terminale exoplasmique (hors de la membrane plasmique) de 767 résidus, un segment TM de 22 résidus censé former une hélice α, et un domaine C-terminal de 50 résidus. Son domaine N-terminal de 322 résidus, constitué de 7 modules d'environ 40 résidus riches en Cys et répétés en tandem, assure la liaison des lipoprotéines.

La structure par rayons X du cinquième (LR5) de ces modules du LDLR, déterminée par Peter Kim et James Berger, montre un squelette polypeptidique dépourvu de structure secondaire régu-

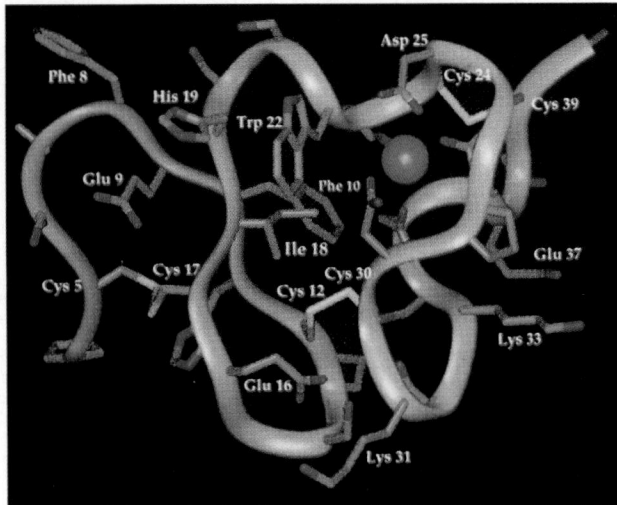

FIGURE 12-76 Structure par rayons X du cinquième module (LR5) du domaine de liaison des ligands dans le récepteur humain des LDL. Le squelette polypeptidique de ce segment de 37 résidus est représenté par un ruban argenté et ses chaînes latérales par des bâtonnets avec C en vert, N en bleu, O en rouge, et S en jaune. L'ion Ca^{2+} lié est symbolisé par une sphère en bleu-vert. [Avec la permission de Peter Kim et James Berger, MIT. PDBid 1AJJ.]

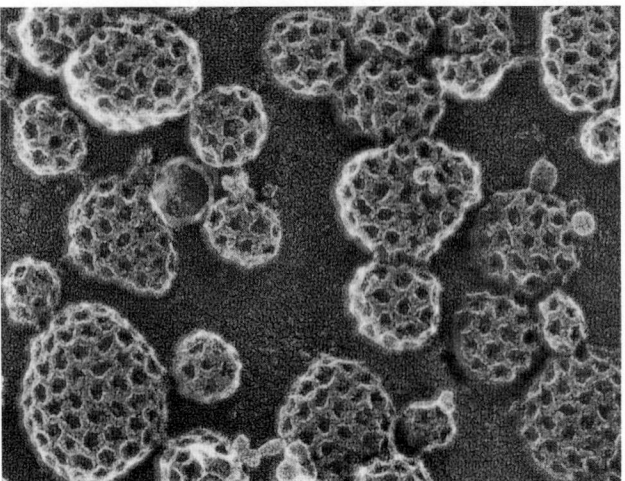

FIGURE 12-77 Micrographie électronique, après cryo-décapage, de puits tapissés sur la face interne de la membrane plasmique de fibroblastes en culture. Comparer cette figure à celle de vésicules tapissées de clathrine (Fig. 12-52a). [Avec la permission de John Heuser, Washington University School of Medicine, St. Louis, Missouri.]

lière mais qui s'enroule pour former une hélice à deux tours de pas à droite (Fig. 12-76). La structure du LR5 s'organise en grande partie autour d'un ion Ca^{2+} qui établit des liaisons octaédriques essentiellement avec des chaînes latérales acides conservées à l'extrémité C-terminale du LR5. La topologie générale du LR5 ressemble à celles, déterminées par RMN, de ses homologues LR1 et LR2, bien que rien n'indique que ces derniers lient le Ca^{2+}.

Les LDLR s'agglomèrent dans des **puits tapissés** qui servent précisément à rassembler les récepteurs de surface de la cellule destinés à l'endocytose, excluant ainsi les autres protéines de surface. Les puits tapissés, revêtus de clathrine (Fig. 12-77), s'invaginent à l'intérieur de la membrane plasmique pour former des vésicules tapissées de clathrine (Section 12-4C) qui vont ensuite fusionner avec les lysosomes (Fig. 12-78). *Un telle **endocytose par récepteur interposé** (Fig. 12-79) constitue un mécanisme général qui permet aux cellules de capter de grosses molécules, chacune grâce à un récepteur spécifique.* C'est ainsi que le foie capte les restes de chylomicrons par l'intermédiaire d'un récepteur spécifique appelé « **remnant receptor** » qui se lie spécifiquement à l'apoE.

On a montré par des études de marquage radioactif que, dans les lysosomes, l'apoB-100 des LDL est rapidement dégradée en

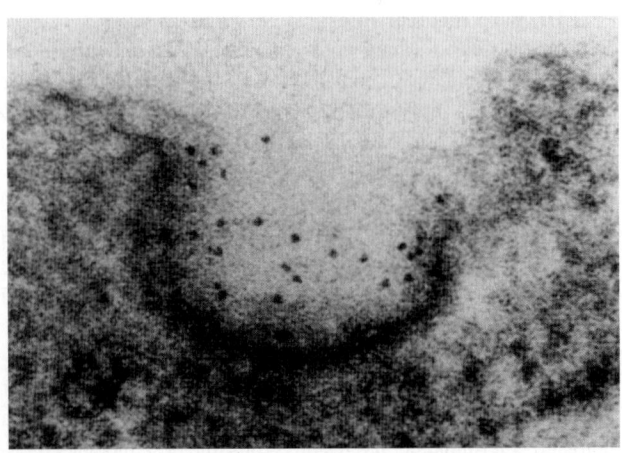

(a)

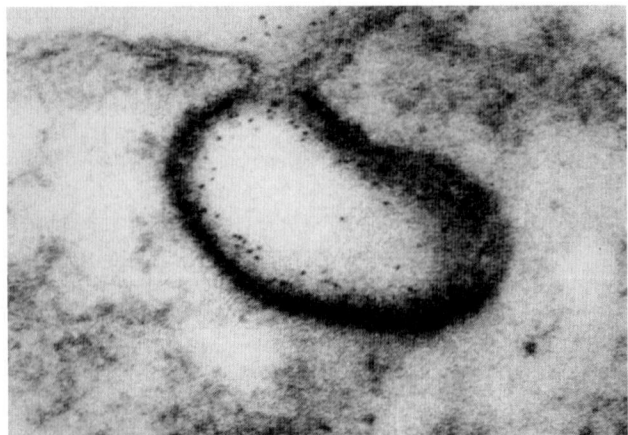

(b)

FIGURE 12-78 Micrographies électroniques montrant l'endocytose de LDL par des fibroblastes humains en culture. Les LDL ont été couplées à de la ferritine, si bien qu'elles apparaissent sous forme de points noirs. (a) LDL liées à un puits tapissé à la surface de la cellule.

(b) Le puits tapissé s'invagine et commence à se détacher de la membrane cellulaire pour former une vésicule tapissée renfermant les LDL liées. [D'après Anderson, R.G.W., Brown, M.S., and Goldstein, J.L., *Cell* **10,** 356 (1977). Copyright par Cell Press.]

acides aminés (Fig. 12-79). Les esters de cholestérol sont hydro-lysés par une lipase lysosomiale avec libération du cholestérol qui s'incorpore ensuite dans les membranes cellulaires. Tout cholesté-rol intracellulaire en excès est réestérifié pour être mis en réserve dans la cellule par l'action de l'**acyl-CoA : cholestérol acyltrans-férase (ACAT)**.

L'accumulation en excès d'esters de cholestérol est empêchée par deux mécanismes de rétrocontrôle (feed-back) :

1. Des taux intracellulaires en cholestérol élevés suppri-ment la synthèse de LDLR, ce qui diminue la vitesse d'accumula-tion de LDL par endocytose (bien que les cycles d'entrée et de sor-tie des LDLR se fassent toutes les 10 à 20 minutes, le LDLR est

dégradé lentement dans la cellule, son temps de demi-vie étant de l'ordre de 20 h).

2. Le cholestérol intracellulaire en excès inhibe la biosyn-thèse du cholestérol (Section 25-6B).

d. Le domaine de liaison du récepteur de l'apoE contient un faisceau de quatre hélices

L'apoE est une protéine monomérique de 299 résidus qui pré-sente deux domaines repliés indépendants : un domaine N-termi-nal qui se lie fortement au LDLR mais faiblement aux lipides, et un domaine C-terminal qui se lie à la surface de la lipoprotéine mais qui n'a pas d'affinité pour le LDLR. Par protéolyse de l'apoE, on obtient le domaine N-terminal (résidus 1-191) et le

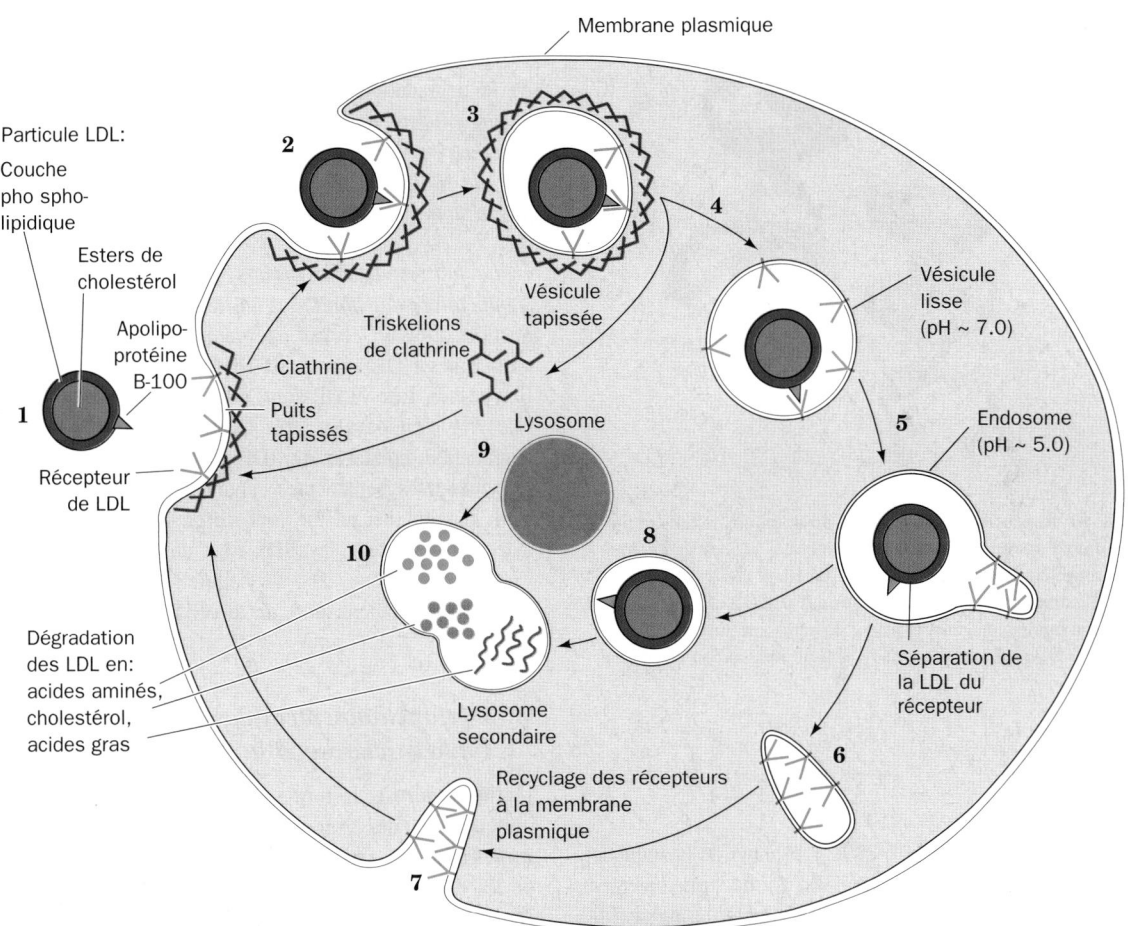

FIGURE 12-79 Les différentes phases de l'endocytose de LDL par récepteur interposé. La LDL se lie spécifiquement aux récepteurs de LDL sur les puits tapissés de clathrine (**1**). Ceux-ci bourgeonnent dans la cellule (**2**) pour former des vésicules tapissées (**3**) dont le revêtement de clathrine se dépolymérise en triskélions, donnant des vésicules à surface lisse (**4**). Ces vésicules fusionnent avec d'autres vésicules appelées **endo-somes** (**5**), qui ont un pH interne de l'ordre de 5,0. L'acidité entraîne la dissociation de la LDL de son récepteur. Les LDL s'accumulent dans la

partie vésiculaire de l'endosome, tandis que les récepteurs de LDL se rassemblent dans la membrane d'une structure tubulaire annexe, qui se sépare ensuite de l'endosome (**6**) et recycle les récepteurs de LDL à la membrane plasmique (**7**). La partie vésiculaire de l'endosome (**8**) fusionne avec un lysosome (**9**), pour donner un **lysosome secondaire** (**10**) à l'intérieur duquel l'apoB-100 de la LDL est dégradée en acides aminés et les esters de cholestérol sont hydrolysés pour donner des acides gras et du cholestérol.

FIGURE 12-80 Représentation en ruban du domaine de liaison au récepteur dans l'apolipoprotéine E humaine. Les hélices sont colorées, du bleu au rouge comme dans l'arc-en-ciel, en allant de l'extrémité N-terminale à l'extrémité C-terminale. Les résidus 61, 112 et 158 sont respectivement en orange, magenta et blanc. [D'après une structure par rayons X due à David Agard, University of California at San Francisco. PDBid 1LPE.]

domaine C-terminal (résidus 216-299). L'examen de la séquence du domaine C-terminal suggère qu'il est formé principalement d'hélices. La structure par rayons X du domaine N-terminal (Fig. 12-80), déterminée par David Agard, montre qu'il est constitué, pour l'essentiel, de cinq hélices α dont quatre forment un faisceau allongé (65 Å) d'hélices haut-bas-haut-bas. Comme prévu les quatre hélices du faisceau sont très amphipathiques, leurs résidus hydrophobes étant tournés vers l'intérieur de la protéine, hors de contact avec le solvant aqueux, tandis que leurs résidus hydrophiles sont exposés au solvant. En outre, la structure est stabilisée par de nombreux ponts salins à la surface de la protéine, très riche en charges.

L'hélice C-terminale du fragment N-terminal de l'apoE contient neuf résidus basiques très proches les uns des autres et qui ne forment pas de ponts salins, ce qui constitue une plage assez grande chargée positivement à la surface de la protéine. Des variantes de l'apoE où l'un des résidus basiques est remplacé par un résidu neutre ou acide présentent toutes une affinité réduite pour le LDLR, indiquant que cette plage constitue le site de liaison de l'apoE pour le LDLR. Ainsi, cette hélice C-terminale a été appelée hélice de liaison au récepteur de l'apoE.

Le LDLR se lie à l'apoB-100 et à l'apoE avec des affinités comparables. L'apoB-100 (mais pas l'apoB-48) présente un segment conservé identique à l'hélice de liaison au récepteur de l'apoE, bien que les deux protéines n'aient pas d'autres séquences similaires. Dans les VLDL, le domaine de liaison au récepteur de l'apoB-100 n'est pas disponible pour se lier au récepteur, mais il le devient après transformation des VLDL en LDL.

e. Les HDL transportent le cholestérol des tissus au foie

Les HDL assurent la fonction inverse de celle des LDL, *elles retirent le cholestérol des tissus*. Les HDL sont assemblées dans le plasma à partir de constituants qui proviennent essentiellement de la dégradation d'autres lipoprotéines. *Les HDL circulantes acquièrent leur cholestérol en l'extrayant des membranes cellulaires et en le transformant en esters de cholestérol sous l'action de la LCAT, une enzyme activée par l'apoA-I. Les HDL jouent donc un rôle épurateur (« scavenger ») pour le cholestérol.*

Le foie est le seul organe qui peut éliminer des quantités significatives de cholestérol (en le convertissant en sels biliaires ; Section 25-6C). Ceci fait intervenir le LDLR et un récepteur spécifique des HDL appelé **SR-BI** (pour « scavenger receptor class B type-I »). Les VLDL sont, pour moitié environ, captées par le foie via l'endocytose par LDLR interposé, moyennant leur dégradation préalable en IDL et LDL (Fig. 12-74, *à droite*). Cependant les hépatocytes captent les esters de cholestérol des HDL par un mécanisme tout différent. Plutôt que d'être endocytées et dégradées, les HDL liées au SR-BI font passer sélectivement ces esters dans la cellule. Les HDL dépourvues de lipides se dissocient alors de la cellule et retournent en circulation.

C. *Dysfonctionnement des lipoprotéines dans l'athérosclérose et la maladie d'Alzheimer*

L'**athérosclérose**, la forme la plus courante de l'**artériosclérose** (durcissement des artères), est caractérisée par la présence d'**athéromes** (du grec *athera*, purée), épaississements des artères qui, si on les ouvre, laissent exsuder un dépôt pâteux jaune d'esters de cholestérol pratiquement purs.

L'athérosclérose est une maladie évolutive qui commence par des dépôts lipidiques intracellulaires dans les cellules du muscle lisse de la paroi interne des artères. Ces lésions peuvent devenir fibreuses et former des plaques calcifiées qui rétrécissent et même bouchent les artères. La rugosité des parois artérielles qui en résulte provoque la formation de caillots sanguins, qui peuvent aussi obturer l'artère. Un arrêt de la circulation sanguine, appelé un **infarctus**, entraîne la mort des tissus ainsi privés de sang. Bien que les athéromes puissent se former dans de nombreuses artères, on les trouve le plus souvent dans les artères coronaires, qui irriguent le cœur. Cela provoque des **infarctus du myocarde** ou « attaques cardiaques », cause de décès la plus fréquente dans les pays industrialisés occidentaux.

a. Une déficience en récepteurs des LDL peut provoquer l'athérosclérose

L'apparition de l'athérosclérose et sa progression sont en relation étroite avec le taux de cholestérol dans le plasma. Ceci est particulièrement évident chez les personnes atteintes d'**hypercholestérolémie familiale (FH).** Les homozygotes pour cette maladie héréditaire ont des niveaux tellement élevés de LDL riches en cholestérol dans leur plasma que leur taux de cholestérol y est trois à cinq fois plus élevé que le taux normal, qui est d'environ 175 mg • 100 mL^{-1}. Il s'ensuit des dépôts de cholestérol dans la peau et dans les tendons sous la forme de nodules jaunes appelés **xanthomes**. Cependant, des dégats beaucoup plus importants sont causés par la formation rapide d'athéromes qui, chez les homozygotes, provoquent la mort par infarctus du myocarde dès l'âge de cinq ans. Les hétérozygotes (une personne sur 500 environ) sont moins sévèrement atteints ; ils développent des symptômes de maladie coronarienne après 30 ans.

Si l'on prélève des cellules d'homozygotes FH, on constate qu'elles sont complètement dépourvues de LDLR fonctionnels, alors que les cellules d'hétérozygotes en ont à peu près la moitié du nombre moyen. Les homozygotes et, à un moindre degré, les hétérozygotes, sont par conséquent incapables d'utiliser le cholestérol des LDL. Plus précisément, leurs cellules doivent synthétiser elles mêmes quasi tout le cholestérol dont elles ont besoin. Le taux plasmatique important de LDL chez ces personnes est dû à deux causes liées entre elles :

1. La diminution de la vitesse de leur dégradation par manque de LDLR.

2. L'augmentation de la vitesse de leur synthèse à partir des IDL, due à ce que les LDLR ne captent pas les IDL.

Nombre de mutations ponctuelles du LDLR qui provoquent la FH affectent des résidus du LR5 (Fig. 12-76). Certaines d'entre elles éliminent ou déplacent des résidus qui lient le Ca^{2+}, alors que d'autres font disparaître des liaisons hydrogène ou des ponts disulfure qui stabilisent le squelette du LR5. Puisque les apoprotéines doivent être associées à des lipides pour lier le LDLR avec une haute affinité, la structure du LR5 suggère que les LDL se lient à la surface concave hydrophobe située au sommet du LR5, comme montré dans la Fig. 12-76.

b. Des récepteurs polyvalents captent les LDL oxydées

Les plaques athérosclérotiques des personnes atteintes de FH contiennent des **macrophages** (une variété de globules blancs qui ingèrent et, si possible, détruisent un grand nombre de substances étrangères ou endogènes) qui contiennent tellement de cholestérol qu'ils sont appelés **cellules spumeuses**. Comment ces macrophages captent-ils le cholestérol ? Les macrophages de personnes normales ou atteintes de FH ont peu de LDLR et ne captent donc qu'un petit nombre de LDL natives. Cependant, ils captent avec avidité, par endocytose, les LDL qui ont subi une modification chimique, à savoir l'acétylation de leurs résidus Lys (ce qui élimine les charges positives de leur chaîne latérale, augmentant ainsi la charge négative des LDL). Le récepteur à la surface du macrophage qui lie ainsi des LDL acétylées est appelé récepteur d'épuration (scavenger receptor) ou récepteur polyvalent, car il lie aussi d'autres molécules polyanioniques.

Le récepteur polyvalent capte les LDL oxydées avec une haute affinité. Les acides gras insaturés des LDL sont très facilement oxydables, mais dans le sang, ils sont protégés par des anti-oxydants. Cependant, on pense que ces anti-oxydants s'épuisent quand les LDL se trouvent piégées durant un temps prolongé dans les parois artérielles (où l'on pense qu'elles accèdent suite à une lésion de l'endothélium artériel, ce qui permettrait au plasma d'y pénètrer). Dans ce cas, des radicaux libres de l'oxygène convertissent les acides gras insaturés des LDL en aldéhydes et oxydes qui réagissent avec leurs résidus Lys, mimant ainsi l'acétylation. Les LDL captées sont alors dégradées comme décrit précédemment et leur cholestérol transformé en esters de cholestérol qui s'accumulent en dépôtss insolubles.

L'importance physiologique de ce scénario a été démontrée par plusieurs observations : des anticorps dirigés contre des résidus Lys conjugués à des aldéhydes réagissent avec les plaques athérosclérotiques ; des LDL de plaques athérosclérotiques se lient aux récepteurs polyvalents et donnent des cellules spumeuses *in vitro* ; des anti-oxydants inhibent l'athérosclérose chez des lapins qui ont l'équivalent de la FH. Il faut savoir que la fumée de cigarette oxyde les LDL, ce qui peut expliquer que fumer augmente le risque d'athérosclérose. Des taux élevés de LDL dans le plasma augmentent aussi, naturellement, le captage des LDL.

Si ce modèle de formation d'athérome est correct, *le niveau optimal de LDL dans le plasma correspond alors à la concentration minimum qui peut fournir la quantité de cholestérol suffisante aux cellules.* On pense que cette quantité est de l'ordre de 25 mg de cholestérol • 100 mL^{-1} et on la trouve chez plusieurs espèces de mammifères qui ne sont pas, normalement, prédisposées à l'athérosclérose, y compris le nouveau-né de l'espèce humaine. Cependant, le taux de LDL dans le plasma des hommes adultes occidentaux est en moyenne 7 fois supérieur à ce taux optimal supposé. On ne connaît pas très bien les raisons de ce taux en cholestérol élevé (mais voir ci-dessous), bien qu'il soit affecté par le régime alimentaire et par le stress ambiant. Des stratégies thérapeutiques tendant à diminuer le taux de cholestérol dans le plasma seront examinées dans la Section 25-6B.

c. L'athérosclérose est une maladie multifactorielle

Des études épidémiologiques ont montré qu'il existe une forte corrélation entre des taux élevés en HDL dans le plasma et une faible propension aux maladies cardiovasculaires. Les femmes ont des taux en HDL plus élevés que les hommes et ont aussi moins de maladies cardiaques. Beaucoup de facteurs qui diminuent la probabilité de maladies cardiaques ont tendance à augmenter les taux de HDL. Parmi ces facteurs, citons l'exercice physique intense, la perte de poids, certaines drogues comme l'alcool, et les hormones sexuelles femelles, les **oestrogènes** (Section 19-1G). La fumée de cigarette a l'effet inverse sur la concentration en HDL. Assez curieusement, dans les communautés où les risques de maladie coronariennes sont très faibles, les concentrations moyennes en LDL et HDL sont basses. Les raisons de ces différents effets sont inconnues.

Il y a également chez l'homme une relation inverse importante entre le risque d'athérosclérose et le taux d'apoA-I dans le plasma, la protéine majeure des HDL, indispensable à leur assemblage.

Afin de savoir si l'apoA-I a une action anti-athérogène directe, des souris d'une souche développant des **stries lipidiques** dans leurs gros vaisseaux sanguins sous l'influence du régime alimentaire, ont été modifiées par génie génétique afin qu'elles expriment des taux élevés d'apoA-I humaine dans leur plasma (ces stries lipidiques sont les précurseurs des plaques d'athérome, mais la durée de vie de ces souris est trop courte pour que ces dernières se développent). Ces souris transgéniques se trouvent significativement protégées contre le développement de ces stries lipidiques. Cependant, d'autres souris transgéniques qui surexpriment l'**apoA-II** de souris, autre protéine majeure des HDL, forment des stries lipidiques plus nombreuses et plus grandes que des témoins non transgéniques. Puisque les taux plasmatiques de HDL contenant du cholestérol de ces dernières souris transgéniques sont significativement élevés, il semble qu'aussi bien la composition que la concentration des HDL du plasma soient des facteurs athérosclérotiques importants. De même, des souris transgéniques qui expriment des taux élevés de l'apoE humaine ou du LDLR humain gardent des niveaux normaux de LDL dans le plasma, même sous un régime riche en cholestérol censé élever ces niveaux ; par ailleurs, des souris dont on a inactivé, par génie génétique, le gène qui code l'apoE, développent rapidement des lésions athérosclérotiques.

La protéine de transfert des esters de cholestérol (CETP) est une protéine du plasma qui assure l'échange des lipides neutres (ex. esters de cholestérol et triacylglycérols) entre les lipoprotéines, et fonctionne donc comme les protéines d'échange des phospholipides (Section 12-4A). Puisque les VLDL et les LDL sont riches en triacylglycérols tandis que les HDL sont riches en esters de cholestérol (Tableau 12-6), la CETP assure le transport net des esters de cholestérol depuis les HDL vers les VLDL et les LDL (et le transport des triacylglycérols en sens inverse). Par conséquent, des animaux qui expriment la CETP ont des taux de cholestérol plus élevés dans leurs VLDL et leurs LDL et plus faibles dans leurs HDL que des animaux qui n'expriment pas la CETP. Des souris d'une souche qui normalement n'ont qu'une faible (voire aucune) activité CETP, ont été rendues transgéniques pour la CETP et soumises à un régime athérogène (riche en graisses et en cholestérol). Ces souris présentent des lésions athérosclérotiques beaucoup plus rapidement que des témoins non transgéniques ayant reçu le même régime alimentaire. Puisque ces deux types de souris ont des taux de cholestérol totaux identiques dans le plasma, ces résultats suggèrent que *le développement des lésions athérosclérotiques dépend davantage de la façon dont le cholestérol est réparti entre les lipoprotéines que de sa concentration totale dans le plasma.*

Un risque accru d'athérosclérose chez l'homme est également associé à des niveaux élevés de la lipoprotéine **Lp(a),** une variante de LDL dans laquelle l'apoB-100 est fortement associée à la protéine du plasma de 4259 résidus, l'**apo(a).** Les rongeurs et la plupart des mammifères autres que les primates n'ont pas le gène qui code l'apo(a). Cependant, des souris transgéniques ayant l'apo(a) humaine développent rapidement des lésions à stries lipidiques quand elles reçoivent un régime riche en lipides (pratiquement le régime alimentaire des humains dans les pays industrialisés occidentaux). L'apo(a) consiste essentiellement en segments répétés qui sont homologues au **plasminogène,** une protéine du plasma qui, une fois activée, désintègre les caillots sanguins par protéolyse (Section 35-1F). La fonction de l'apo(a) chez l'homme n'est pas connue, mais on suppose qu'elle participe à la cicatrisation des lésions de vaisseaux sanguins.

d. L'apoE4 est impliquée dans la maladie cardiovasculaire et dans la maladie d'Alzheimer

Il existe chez l'homme trois variantes alléliques courantes de l'apoE : l'**apoE2** (15 % de la population), qui possède des Cys en positions 112 et 158 ; l'**apoE3** (78 %), où ces résidus sont respectivement Cys et Arg (la Fig. 12-80 montre sa structure avec le résidu 112 en magenta et le résidu 158 en blanc) ; et l'**apoE4** (7 %) où ces résidus sont tous deux Arg. Ces différences ont une importance médicale : l'apoE3 se lie de préférence aux HDL, et l'apoE4 aux VLDL, ce qui peut expliquer pourquoi l'apoE4 est associée à de hautes concentrations plasmatiques de LDL et donc à un rique accru de maladie cardiovasculaire. Manifestement, des modifications du domaine N-terminal des apoE peut influencer la fonction de leur domaine C-terminal, impliqué dans la liaison des lipoprotéines.

Comme nous l'avons vu dans la Section 9-5B, l'apoE4 est également associée à une forte (16 fois) augmentation de l'incidence de la maladie d'Alzheimer (MA). Ceci n'est pas surprenant si l'on considère que l'apoE est exprimée par certains neurones et est présente dans le liquide céphalo-rachidien, où elle assure le transport de cholestérol comme elle le fait dans le plasma (le cholestérol abonde dans les membranes plasmiques des neurones où il intervient dans la transmission de l'influx nerveux ; Section 20-5C).

On trouve dans le cerveau des victimes de la MA de nombreux dépôts amyloïdes extracellulaires (les plaques séniles) faits de fibrilles du peptide amyloïde β (Aβ) qui résulte de la dégradation protéolytique du précurseur du peptide amyloïde, une protéine normalement produite (Section 9-5B). Il semble que les plaques séniles soient l'agent pathogène de la MA. On a montré par immunohistochimie que l'apoE est associée aux plaques séniles. *In vitro,* l'apoE3 et l'apoE4 forment avec le peptide Aβ des complexes qui résistent au SDS et qui finissent par s'agréger et précipiter en une matrice de fibrilles très semblables à celles des plaques séniles. L'apoE4 est plus susceptible que l'apoE3 de former de tels complexes, qui sont alors plus denses et plus abondants.

Une comparaison des structures par rayons X de l'apoE3 et de l'apoE4 ne montre que de petites différences dans les conformations du squelette, lesquelles se limitent au voisinage immédiat du résidu 112 modifié (Cys dans l'apoE3, Arg dans l'apoE4). Les deux seules chaînes latérales de l'apoE4 dont la conformation diffère de celles dans l'apoE3 sont Glu 109, qui dans l'apoE4 se détourne pour former un pont salin avec Arg 112, et Arg 61 (en orange dans la Fig. 12-80), qui entre en contact avec Cys 112 dans l'apoE3 mais s'écarte en faveur du nouveau pont salin dans l'apoE4. Ainsi Glu 109 et Arg 61 sont tous deux susceptibles de rendre compte des différences fonctionnelles entre l'apoE3 et l'apoE4. Cependant, après remplacement (par mutagenèse) de Glu 109 par Ala dans l'apoE3, cette dernière préfère toujours se lier aux HDL plutôt qu'aux VLDL. Au contraire, le remplacement de l'Arg 61 par Thr dans l'apoE4 lui donne la même préférence que l'apoE3. L'Arg 61 est donc cruciale pour conférer aux apoE leur sélectivité de liaison HDL/VLDL. Cette hypothèse est confortée par le fait que le résidu 61 est une Thr conservée dans 10 apoE d'autres espèces. Aucune de ces dernières ne manifeste les lésions typiques de la MA, bien qu'il faille encore démontrer que l'Arg 61 est bien responsable de la différence d'affinité de l'apoE3 et de l'apoE4 pour le peptide Aβ.

d. L'apoE2 a une faible affinité pour le récepteur des LDL

L'apoE2 n'a que 0,1 % de l'affinité de l'apoE3 ou de l'apoE4 pour le LDLR. Ainsi, l'apoE2 cause l'**hyperlipoprotéinémie familiale de type III**, caractérisée par des taux plasmatiques élevés de cholestérol et de triglycérides et donc une atteinte précoce des artères coronaires.

La déficience de liaison de l'apoE2 pour le LDLR est due au remplacement de Arg 158 par Cys, résidu (en blanc dans la Fig. 12-80) localisé en dehors du domaine de liaison au récepteur, à savoir les résidus 136 à 150 (moitié inférieure de l'hélice C-terminale dans la Fig. 12-80). Dans l'apoE3, Asp 154 forme un pont salin avec Arg 158 (située un tour plus loin dans l'hélice α). Dans l'apoE2, ce pont salin ne peut se former puisque Arg 158 est remplacée par une Cys. En fait, comme le montre la structure par rayons X de l'apoE2, Asp 154 forme un pont salin avec Arg 150 (située un tour d'hélice moins loin), ce qui modifie la conformation de la chaîne latérale de ce résidu du site de liaison au LDLR. De fait, si l'on empêche la formation de ce pont salin anormal en remplaçant, par mutagenèse de l'apoE2, Asp 154 par Ala, on retrouve une affinité quasi normale pour le LDLR.

On peut traiter les sujets atteints d'hyperlipoprotéinémie de type III en leur imposant une alimentation pauvre en graisses et en calories, et une réduction de poids. Il semble donc que la modification de la composition lipidique des lipoprotéines produite par ce régime confère à suffisamment de molécules d'apoE2 une conformation leur permettant de se lier au récepteur, pour normaliser, ou à peu près, la vitesse de retrait des lipoprotéines de la circulation.

■ RÉSUMÉ DU CHAPITRE

1 ■ Classification des lipides Les acides gras sont des acides carboxyliques à longue chaîne qui peuvent avoir une ou plusieurs doubles liaisons, généralement cis. Leurs anions sont des molécules amphiphiles qui forment des micelles dans l'eau. Dans la nature, on trouve les acides gras comme constituants de lipides, plutôt qu'à l'état libre. La classe la plus abondante de lipides, les triacylglycérols ou graisses neutres, sont des molécules non polaires qui constituent la réserve nutritionnelle principale des animaux. Les lipides que l'on trouve dans les membranes sont les phospholipides, les sphingolipides et, chez les eucaryotes, le cholestérol ou d'autres stérols. Les sphingolipides, comme les cérébrosides et les gangliosides, portent des têtes glucidiques complexes qui jouent le rôle de marqueurs de reconnaissance dans de nombreux processus biologiques.

2 ■ Propriétés des agrégats lipidiques Les formes moléculaires des lipides membranaires les incitent à s'agréger en solutions aqueuses pour former des bicouches. Celles-ci donnent des vésicules fermées appelées des liposomes, utilisés comme modèles de membrane et systèmes de transport de médicaments dans l'organisme. Les bicouches sont essentiellement imperméables aux molécules polaires, l'eau exceptée. De même, le basculement d'un lipide dans une bicouche se produit très rarement. Par contre, les bicouches qui se trouvent au-dessus de leur température de transition se comportent comme des fluides à deux dimensions dans lesquels les molécules lipidiques individuelles diffusent librement dans le plan de la bicouche. Le cholestérol diminue la fluidité de la membrane et augmente la température de sa transition ordre-désordre en interférant avec le compactage cohésif des chaînes latérales d'acides gras des lipides.

3 ■ Membranes biologiques Les membranes biologiques ont une forte teneur en protéines. Les protéines intrinsèques, par exemple la bactériorhodopsine, le centre de réaction photosynthétique, les porines et la cyclooxygénase, possèdent des régions non polaires de surface qui s'associent par interactions hydrophobes avec le cœur de la bicouche. Les protéines extrinsèques, comme le cytochrome *c*, se lient par interactions polaires à des protéines intrinsèques à la surface membranaire ou à des groupements de tête des phospholipides. Les protéines intrinsèques spécifiques sont toujours associées à un côté particulier de la membrane ou, si ce sont des protéines transmembranaires, elles n'ont qu'une orientation possible. Les protéines liées aux lipides sont reliées par covalence à des groupements isoprénoïde, d'acide gras, et/ou glycosylphosphatidylinositol (GPI) qui ancrent ces protéines aux membranes et assurent des interactions avec d'autres protéines. Selon le modèle de mosaïque fluide de la structure des membranes, les protéines intrinsèques ressemblent à des icebergs qui flottent sur une mer de lipides à deux dimensions. On voit par cryo-fracture et cryo-décapage, que ces protéines sont réparties au hasard dans la membrane. Certains lipides et/ou protéines peuvent former des agrégats spécifiques sur un feuillet d'une membrane.

Le cytosquelette de l'érythrocyte est responsable de la forme, de la souplesse et de la fluidité de cette cellule. La spectrine, le constituant protéique majeur du cytosquelette, est un hétérotétramère $(\alpha\beta)_2$ en forme de ver, qui établit des liaisons croisées avec des oligomères d'actine et avec la protéine de la bande 4,1. Le réseau protéique qui en résulte est ancré à la membrane par l'association de la spectrine avec l'ankyrine qui, à son tour, se lie à la protéine de la bande 3, une protéine transmembranaire qui forme un canal à anions.

La surface des érythrocytes porte plusieurs antigènes des groupes sanguins. Les antigènes du système ABO diffèrent selon la nature des sucres à l'extrémité non réductrice. Les antigènes du groupe ABO se trouvent sur les membranes plasmiques de nombreuses cellules et dans les liquides de sécrétion.

Les jonctions communicantes sont des tubes protéiques transmembranaires hexagonaux qui relient des cellules adjacentes. Le canal central des jonctions communicantes, qui se ferme pour des concentrations intracellulaires en Ca^{2+} élevées, permet à de petites molécules et ions, mais pas aux macromolécules, de passer entre les cellules. Chaque sous-unité de connexine des deux connexons hexamériques qui se font face dans la jonction communicante contient quatre hélices transmembranaires.

Les toxines bactériennes constituant des canaux, comme l'α-hémolysine, forment des oligomères sur la face externe de la membrane plasmique de la cellule cible. Ils s'insèrent dans la membrane pour y former des pores par où s'échappent de petites molécules et des ions, ce qui entraîne la mort cellulaire.

4 ■ Assemblage des membranes et adressage des protéines Les nouvelles membranes se forment par extension de membranes préexistantes. Les lipides sont synthétisés par des enzymes membranaires et sont déposés sur l'un des côtés de la membrane. Ils passent de l'autre côté par basculements (flip-flop) catalysés par des flipases membranaires et des translocases de phospholipides. Chez les eucaryotes, les lipides sont transportés entre les différentes membranes par des vésicules lipidiques ou par des protéines d'échange de phospholipides.

Dans la voie sécrétoire, les protéines transmembranaires et les protéines de sécrétion sont synthétisées sur les ribosomes avec une séquence signal N-terminale. Le peptide signal se lie à une particule de reconnaissance du signal contenant de l'ARN (la SRP), qui arrête alors la synthèse du polypeptide. Le complexe SRP-ribosome se lie ensuite au récepteur de la SRP (SR) associé au translocon sur la membrane du réticulum endoplasmique (RE). Moyennant hydrolyse du GTP par la SRP et le SR, le complexe reprend la synthèse du polypeptide. Lors de son passage par le translocon vers la lumière du RE, la protéine en voie de sécrétion est débarrassée de son peptide signal par une peptidase du signal liée à la membrane du RE, son repliement est facilité par des interactions avec des chaperons protéiques du RE tels que BiP, et sa maturation post-traductionnelle, principalement par glycosylation, commence. Les protéines intrinsèques, dont les segments transmembranaires (TM) portent chacun des séquences signal d'ancrage, entrent également dans le translocon, qui insère latéralement ces segments TM dans la membrane du RE.

Les protéines passent du RE au Golgi (où leur maturation se poursuit) et de là vers leur destination finale, via des vésicules membraneuses tapissées de clathrine, de COPI ou de COPII. Les vésicules tapissées de clathrine interviennent également dans l'endocytose. Les cages de clathrine sont des polyèdres formés de triskélions, eux-mêmes trimères de chaînes lourdes qui lient chacune une chaîne légère. La formation des vésicules tapissées de clathrine est déclenchée par ARNO, un facteur d'échange des nucléotides guanyliques (GEF) qui force la petite GTPase ARF1 à échanger, pour du GTP, le GDP qui lui est lié et à insérer dans la membrane son groupement myristoyl. ARF1 • GTP recrute alors des adaptateurs protéiques comme AP1 et AP2 qui lient simultanément les chaînes lourdes de clathrine et les protéines TM en voie de sécrétion ou qui servent de récepteurs à ces dernières dans les vésicules. La formation de la cage de clathrine provoque le bourgeonnement de la vésicule, mais sa libération proprement dite de sa membrane d'origine exige l'action d'une GTPase, la dynamine. Peu après sa libération, la vésicule est détapissée avec l'aide de la protéine chaperon Hsc70. Il en est de même pour les vésicules tapissées de COPI ou de COPII, sauf que leur épincement de leur membrane d'origine ne nécessite pas de protéine du genre dynamine. Dans les vésicules tapissées, les récepteurs des protéines en transit y reconnaissent des signaux spécifiques, comme le groupement mannose-6-phosphate qui dirige la protéine vers les lysosomes, ou la séquence C-terminale KDEL qui renvoie, du Golgi au RE, les protéines localisées normalement dans le RE.

La fusion de la vésicule avec sa membrane cible se produit lorsque la protéine Rab, une petite GTPase, associe lâchement (tethering) les deux membranes. La vésicule est alors ancrée solidement (docking) à la membrane par interactions de reconnaissance mutuelle entre un R-SNARE de la vésicule et un Q-SNARE correspondant de la membrane cible. Dans les neurones, les vésicules synaptiques s'ancrent à la membrane présynaptique par interaction de la synaptobrévine (VAMP), un R-SNARE, avec la syntaxine et SNAP-25, des Q-SNARE, pour former un faisceau de 4 hélices. Ces SNARE neuronaux sont scindés spécifiquement par les neurotoxines tétanique et botulique. Les étapes finales de la fusion des membranes peut être catalysée par d'autres protéines, comme V0 chez la levure. La protéine neuronale SM appelée nSec1 se lie fortement à la syntaxine pour empêcher la formation du complexe SNARE. Celui-ci peut s'établir lorsque la protéine Rab et/ou ses effecteurs amène nSec1 à libérer la syntaxine. Après fusion des vésicules, le complexe SNARE doit se dissocier afin d'être recyclé. Ceci fait intervenir la protéine

NSF, chaperon moléculaire ATP-dépendant. qui se lie au complexe SNARE via une protéine SNAP.

Les protéines mitochondriales codées par des gènes nucléaires sont synthétisées par des ribosomes du cytosol et n'entrent dans la mitochondrie qu'après leur traduction. Une protéine ne peut traverser une membrane que dépliée et doit donc l'être au préalable par un chaperon moléculaire ATP-dépendant comme Hsp70 ou MSF. Les protéines destinées à la matrice traversent la membrane mitochondriale externe via le complexe TOM, qui reconnaît la séquence signal N-terminale chargée positivement de la protéine. Cette préséquence traverse l'espace intermembranaire pour rencontrer un complexe TIM qui la fait passer, à travers la membrane interne, dans la matrice. Cet dernier processus est actionné à la fois par le potentiel de membrane mitochondrial, qui attire électrophorétiquement dans la matrice la préséquence chargée positivement, et par le chaperon ATP-dépendant mHsp70, qui se lie à Tim44 et entraîne dans la matrice la protéine dépliée, comme le ferait une crémaillère. La MMP sépare alors la préséquence de la protéine, qui est ensuite repliée dans sa conformation native par un ensemble de chaperons locaux dont mHsp70 et Hsp60/Hsp10. Les protéines transporteuses de métabolites, qui n'ont pas de préséquence N-terminale mais bien des séquences internes d'adressage, pénètrent également dans l'espace intermembranaire via le complexe TOM. Cependant, elles sont escortées à travers cet espace par un complexe de Tim9 et de Tim10 qui les conduit à un complexe TIM différent, lequel les insère latéralement dans la membrane mitochondriale interne. Beaucoup de protéines devant être insérées dans la membrane interne ou rester dans l'espace intermembranaire passent d'abord par la matrice. Après que leur préséquence N-terminale ait été séparée de leur séquence signal en deux parties, elles atteignent leur destination finale selon un processus conforme à l'origine procaryotique de la mitochondrie. L'apocytochrome *c* passe traverse librement la membrane mitochondriale externe via P70, une protéine du type porine, vers l'espace intermembranaire, où il est piégé suit à l'accrochage de son groupement hème catalysé par la CCHL.

5 ■ Lipoprotéines Les lipides sont transportés dans la circulation par des lipoprotéines du plasma. Ce sont essentiellement des gouttelettes de triacylglycérols et d'esters de cholestérol recouvertes d'une monocouche de phospholipides, de cholestérol, et d'apolipoprotéines. Les hélices amphiphiles des apolipoprotéines flottent à la surface lipoprotéique en contact hydrophobe avec l'intérieur lipidique. Les chylomicrons et les VLDL assurent respectivement le transport des triacylglycérols et du cholestérol à partir de l'intestin et du foie, vers les tissus. Les HDL transportent essentiellement le cholestérol des tissus vers le foie, le seul organe capable d'éliminer des quantités significatives de cholestérol. Les triacylglycérols des chylomicrons et des VLDL sont dégradés par la lipoprotéine lipase qui borde les capillaires. Les LDL, produits, riches en cholestérol, de la dégradation des VLDL, se lient aux récepteurs des LDL (LDLR) à la surface cellulaire et sont captées par la cellule via l'endocytose par récepteur interposé. La présence d'un excès de cholestérol intracellulaire inhibe la synthèse des LDLR et du cholestérol. Une cause majeure d'athérosclérose est un excès de LDL dans le plasma, phénomène particulièrement net chez les personnes atteintes d'hypercholestérolémie familiale, qui sont dépourvues de LDLR fonctionnels. Les LDL en excès sont oxydées et captées, via leurs récepteurs polyvalents, par les macrophages qui se trouvent dans les plaques athérosclérotiques. Il existe également une corrélation entre l'athérosclérose, maladie multifactorielle, et une faible concentration en HDL, qui récupèrent aussi le cholestérol. L'apoE2 et l'apoE4, des variantes de l'apoE, sont impliquées dans les maladies cardiovasculaires, et l'apoE4 l'est également dans la maladie d'Alzheimer.

■ RÉFÉRENCES

GÉNÉRALITÉS

Finean, J.B., Coleman, R., and Michell, R.H., *Membranes and Their Cellular Functions* (3rd ed.), Blackwell (1984).

Jain, M.K., *Introduction to Biological Membranes* (2nd ed.), Wiley (1988).

Mellman, I. and Warren, G., The road taken : Past and future foundations of membrane traffic, *Cell* **100**, 99–112 (2000). [Un historique du trafic membranaire et une revue de la question.]

Robertson, R.N., *The Lively Membranes*, Cambridge University Press (1983).

Tanford, C., *The Hydrophobic Effect : Formation of Micelles and Biological Membranes* (2nd ed.), Wiley–Interscience (1980). [Exposé sur les propriétés thermodynamiques des micelles et des membranes.]

LIPIDES ET BICOUCHES

Cullis, R.R. and Hope, M.J., Physical properties and functional roles of lipids in membranes, in Vance, D.E. and Vance, J. (Eds.), *Biochemistry of Lipids, Lipoproteins and Membranes*, Elsevier (1991).

Giles, C.H., Franklin's teaspoon of oil, *Chem. Ind.*, 1616–1624 (1969). [Un historique des recherches de Benjamin Franklin concernant l'effet de l'huile sur les vagues.]

Gurr, M.I. and Harwood, J.L., *Lipid Biochemistry : An Introduction* (4th ed.), Chapman and Hall (1991).

Hakomori, S., Glycosphingolipids, *Sci. Am.* **254**(5), 44–53 (1986).

Harwood, J.L., Understanding liposomal properties to aid their clinical usage, *Trends Biochem.* Sci. **17**, 203–204 (1992).

Lasic, D.D., Novel applications of liposomes, *Trends Biotech.* **16**, 307–321 (1998). [Une revue bien documentée sur l'utilisation des liposomes comme véhicules des médicaments, vaccins, agents de thérapie génique et produits cosmétiques.]

Lasic, D.D. and Papahadjopoulos, D. (Eds.), *Medical Applications of Liposomes*, Elsevier (1998).

Scott, L.H., Modeling the lipid component of membranes, *Curr. Opin. Struct. Biol.* **12**, 495–502 (2002).

Storch, J. and Kleinfeld, A.M., The lipid structure of biological membranes, *Trends Biochem.* Sci. **10**, 418–421 (1985).

PROTÉINES MEMBRANAIRES

Cowan, S.W., Bacterial porins : Lessons from three high-resolution structures, *Curr. Opin Struct. Biol.* **3**, 501–507 (1993).

Cowan, S.W., Schirmer, T., Rummel, G., Steiert, M., Ghosh, R., Pauptit, R.A., Jansonius, J.N., and Rosenbusch, J.P., Crystal structures explain functional properties of two *E. coli* porins, *Nature* **358**, 727–733 (1992).

Deisenhofer, J. and Michel, H., High-resolution structures of photosynthetic reaction centers, *Annu. Rev. Biophys. Biophys. Chem.* **20**, 247–266 (1991) ; and Deisenhofer, J., Epp, O., Miki, K., Huber, R., and Michel, H., Structure of the protein subunits in the photosynthetic reaction centre of *Rhodopseudomonas viridis* at 3 Å resolution, *Nature* **318**, 618–624 (1985).

Grigorieff, N., Ceska, T.A., Downing, K.H., Baldwin, J.M., and Henderson, R., Electron-crystallographic refinement of the structure of bacteriorhodopsin, *J. Mol. Biol.* **259**, 393–421 (1996) ; and Belrhali, H., Nollert, P., Royant, A., Menzel, C., Rosenbusch, J.P., Landau, E.M., and Pebay-Peyroula, E., Protein, lipid and water organization in bacteriorhodopsin crystal : A molecular view of the purple membrane at 1.9 Å resolution, *Structure* **7**, 909–917 (1999).

Haupts, U., Tittor, J., and Oesterhelt, D., Closing in on bacteriorhodopsin : Progress in understanding the molecule, *Annu. Rev. Biophys. Biomol. Struct.* **28**, 67–99 (1999).

Killian, J.A. and von Heijne, G., How proteins adapt to a membrane–water interface, *Trends Biochem. Sci.* **25**, 429–434 (2000).

Lemmon, M.A. and Engelman, D.M., Helix–helix interactions inside lipid bilayers, *Curr. Opin. Struct. Biol.* **2**, 511–518 (1992).

Pebay-Peyroula, E., Rummel, G., Rosenbusch, J.P., and Landau, E.M., X-Ray structure of bacteriorhodopsin at 2.5 angstroms from microcrystals grown in lipidic cubic phases, *Science* **277**, 1676–1681 (1997) ; and Gouaux, E., It's not just a phase : Crystallization and X-ray structure of bacteriorhodopsin in lipidic cubic phases, *Structure* **6**, 5–10 (1998).

Picot, D., Loll, P.J., and Garavito, R.M., The X-ray crystal structure of the membrane protein prostaglandin synthase H2-1, *Nature* **367**, 243–249 (1994).

Popot, J.-L. and Engelman, D.M., Helical membrane protein folding, stability, and evolution, *Annu. Rev. Biochem.* **69**, 881–922 (2000).

Rees, D.C., De Antonio, L., and Eisenberg, D., Hydrophobic organization of membrane proteins, *Science* **245**, 510–512 (1989).

Schulz, G.E., b-Barrel membrane proteins, *Curr. Opin. Struct. Biol.* **10**, 443–447 (2000).

Stowell, M.H.B. and Rees, D.C., Structure and stability of membrane proteins, *Adv. Prot. Chem.* **46**, 279–311 (1995).

Subramanian, S., The structure of bacteriorhodopsin : An emerging consensus, *Curr. Opin. Struct. Biol.* **9**, 462–468 (1999). [On y compare les six structures de la bacteriorhodopsine déterminées indépendamment en cristallographie par électrons ou rayons X, pour conclure à leur remarquable similitude.]

Weiss, M.S. and Schulz, G.E., Structure of porin refined at 1.8 Å resolution, *J. Mol. Biol.* **227**, 493–509 (1992) ; and Weiss, M.S., Wacker, T., Weckesser, J., Welte, W., and Schulz, G.E., The three-dimensional structure of porin from *Rhodobacter capsulatus* at 3 Å resolution, *FEBS Lett.* **267**, 268–272 (1990).

White, S.H. and Wimley, W.C., Membrane protein folding and stability : Physical principles, *Annu. Rev. Biophys. Biomol. Struct.* **28**, 319–365 (1999).

PROTÉINES LIÉES AUX LIPIDES

Clarke, S., Protein isoprenylation and methylation at carboxyl-terminal cysteine residues, *Annu. Rev. Biochem.* **61**, 355–386 (1992).

Cross, G.A.M., Glycolipid anchoring of plasma membrane proteins, *Annu. Rev. Cell Biol.* **6**, 1–39 (1990).

Englund, P.T., The structure and biosynthesis of glycosyl phosphatidylinositol protein anchors, *Annu. Rev. Biochem.* **62**, 65–100 (1993).

Marshall, C.J., Protein prenylation : A mediator of protein–protein interactions, *Science* **259**, 1865–1866 (1993).

Schafer, W.R. and Rine, J., Protein prenylation : Genes, enzymes, targets, and functions, *Annu. Rev. Genet.* **30**, 209–237 (1992).

Schlesinger, M.J. (Ed.), *Lipid Modification of Proteins*, CRC Press (1993).

Tartakoff, A.M. and Singh, N., How to make a glycoinositol phospholipid anchor, *Trends Biochem. Sci.* **17**, 470–473 (1992).

Zhang, F.L. and Casey, P.J., Protein prenylation : Molecular mechanisms and functional consequences, *Annu. Rev. Biochem.* **65**, 241–269 (1996).

STRUCTURE DES MEMBRANES

Brown, D.A. and London, E., Structure and function of sphingolipid- and cholesterol-rich membrane rafts, *J. Biol. Chem.* **275,** 17221–17224 (2000); *and* Function of lipid rafts in biological membranes, *Annu. Rev. Cell Dev. Biol.* **14,** 111–136 (1998).

Dawidowicz, E.A., Dynamics of membrane lipid metabolism and turnover, *Annu. Rev. Biochem.* **56,** 43–61 (1987).

Edidin, M., Lipid microdomains in cell surface membranes, *Curr. Opin. Struct. Biol.* **7,** 528–532 (1997).

Frye, C.D. and Edidin, M., The rapid intermixing of cell surface antigens after formation of mouse–human heterokaryons, *J. Cell Sci.* **7,** 319–335 (1970).

Galbiati, F., Razani, B., and Lisanti, M.P., Emerging themes in rafts and caveolae, *Cell* **106,** 403–411 (2001).

Simons, K. and Ikonen, E., Functional rafts in cell membranes, *Nature* **387,** 569–572 (1997).

Singer, S.J. and Nicolson, G.L., The fluid mosaic model of the structure of cell membranes, *Science* **175,** 720–731 (1972). [Un article sur la structure des membranes qui a fait date.]

Webb, W.W., Luminescence measurements of macromolecular mobility, *Ann. N.Y. Acad. Sci.* **366,** 300–314 (1981). [On y explique la technique de rétablissement de la fluorescence après photo-blanchiment.]

LA MEMBRANE DU GLOBULE ROUGE

Agre, P. and Parker, J.C. (Eds.), *Red Blood Cell Membranes,* Marcel Dekker (1989). [On y trouve des articles intéressants sur la composition et l'architecture de la membrane de l'érythrocyte.]

Bennett, V., Ankyrins, *J. Biol. Chem.* **267,** 8703–8706 (1992).

Bretscher, A., Microfilament structure and function in the cortical cytoskeleton, *Annu. Rev. Cell Biol.* **7,** 337–374 (1991).

Davies, K.E. and Lux, S.E., Hereditary disorders of the red cell membrane, *Trends Genet.* **5,** 222–227 (1989).

Elgsaeter, A., Stokke, B.T., Mikkelsen, A., and Branton, D., The molecular basis of erythrocyte shape, *Science* **234,** 1217–1223 (1986).

Gallagher, P.G. and Benz, E.J., Jr., The erythrocyte membrane and cytoskeleton: Structure, function, and disorders, *in* Stamatoyannopoulos, G., Majerus, P.W., Perlmutter, R.M., and Varmus, H. (Eds.), *The Molecular Basis of Blood Diseases* (3rd ed.), Chapter 8, Elsevier (2001).

Gilligan, D.M. and Bennett, V., The junctional complex of the membrane skeleton, *Sem. Hematol.* **30,** 74–83 (1993).

Grum, V.L., Li, D., MacDonald, R.I., and Mondragón, A., Structures of two repeats of spectrin suggest models of flexibility, *Cell* **98,** 523–535 (1999).

Jennings, M.L., Structure and function of the red blood cell anion transport protein, *Annu. Rev. Biophys. Biophys. Chem.* **18,** 397–430 (1989).

Liu, S.-C. and Derick, L.H., Molecular anatomy of the red blood cell membrane skeleton: Structure–function relationships, *Sem. Hematol.* **29,** 231–243 (1992).

Luna, E.J. and Hitt, A.L., Cytoskeleton–plasma membrane interactions, *Science* **258,** 955–964 (1992).

Reithmeier, R.A.F., The erythrocyte anion transporter (band 3), *Curr. Opin. Struct. Biol.* **3,** 513–515 (1993).

Sedgwick, S.G. and Smerdon, S.J., The ankyrin repeat: a diversity of interactions on a common framework, *Trends Biochem. Sci.* **24,** 311–319 (1999).

Schofield, A.E., Reardon, R.M., and Tanner, M.J.A., Defective anion transport activity of the abnormal band 3 in hereditary ovalocytotic red blood cells, *Nature* **355,** 836–838 (1992).

Viel, A. and Branton, D., Spectrin: On the path from structure to function, *Curr. Opin. Cell Biol.* **8,** 49–55 (1996).

GROUPES SANGUINS

Vitala, J. and Järnefelt, J., The red cell surface revisited, *Trends Biochem. Sci.* **10,** 392–395 (1985).

Watkins, H.M., Biochemistry and genetics of the ABO, Lewis and P group systems, *Adv. Human Genet.* **10,** 1–136 (1980).

Yamamoto, F., Clausen, H., White, T., Marken, J., and Hakomori, S., Molecular genetic basis of the histo-blood group ABO system, *Nature* **345,** 229–233 (1990).

JONCTIONS COMMUNICANTES

Bruzzone, R., White, T.W., and Paul, D.L., Connections with connexins: The molecular basis of direct intracellular signaling, *Eur. J. Biochem.* **238,** 1–27 (1996).

Goodenough, D.A., Goliger, J.A., and Paul, D.L., Connexins, connexons, and intercellular communication, *Annu. Rev. Biochem.* **65,** 475–502 (1996).

Unger, V.M., Kumar, N.M., Gilula, N.B., and Yeager, M., Three-dimensional structure of a recombinant gap junction membrane channel, *Science* **283,** 1176–1180 (1999).

Yeager, M., Unger, V.M., and Falk, M.M., Synthesis, assembly and structure of gap junction intercellular channels, *Curr. Opin. Struct. Biol.* **8,** 517–524 *and* 810–811 (1998).

PROTÉINES FORMANT DES CANAUX

Gouaux, J.E., Channel-forming toxins: Tales of transformation, *Curr. Opin. Struct. Biol.* **7,** 566–573 (1997).

Song, L., Hobaugh, M.R., Shustak, C., Chesley, S., Bayley, H., and Gouaux, J.E., Structure of staphylococcal α-hemolysin, a heptameric transmembrane pore, *Science* **274,** 1859–1866 (1996).

ASYMÉTRIE DES LIPIDES DANS LES MEMBRANES

Devaux, P.E., Protein involvement in transmembrane lipid asymmetry, *Annu. Rev. Biophys. Biomol. Struct.* **21,** 417–439 (1992).

Op den Kamp, J.A.F., Lipid asymmetry in membranes, *Annu. Rev. Biochem.* **48,** 47–71 (1979).

Wirtz, K.W.A., Phospholipid transfer proteins, *Annu. Rev. Biochem.* **60,** 73–99 (1991).

LA VOIE SÉCRÉTOIRE

Alberts, B., Johnson, A., Lewis, J., Raff, M. Roberts, K., and Walter, P., *The Molecular Biology of the Cell* (4th ed.), Chap. 12, Garland Science (2002).

Batey, R.T., Rambo, R.P., Lucast, L., Rha, B., and Doudna, J.A., Crystal structure of the ribonuclear core protein of the signal recognition particle, *Science* **287,** 1232–1239 (2000).

Beckmann, R., Spahn, C.M.T., Eswar, N., Helmers, J., Penczek, P.A., Sali, A., Frank, J., and Blobel, G., Architecture of the protein-conducting channel associated with the translating 80S ribosome, *Cell* **107,** 361–372 (2001).

Chevet, E., Cameron, P.H., Pelletier, M.F., Thomas, D.Y., and Bergeron, J.J.M., The endoplasmic reticulum: Integration of protein folding, quality control, signaling and degradation, *Curr. Opin. Struct. Biol.* **11,** 120–124 (2001).

Fewell, S.W., Travers, K.J., Weissman, J.S., and Brodsky, J.L., The action of molecular chaperones in the early secretory pathway, *Annu. Rev. Genet.* **35,** 149–191 (2001).

Johnson, A.E. and van Waes, M.A., The translocon: A dynamic gateway at the ER membrane, *Annu. Rev. Cell Dev. Biol.* **15,** 799–842 (1999).

Keenan, R.J., Freymann, D.M., Stroud, R.M., and Walter, P., The signal recognition particle, *Annu. Rev. Biochem.* **70,** 755–775 (2001).

Keenan, R.J., Freymann, D.M., Walter, P., and Stroud, R.M., Crystal structure of the signal sequence binding subunit of the signal recognition particle, *Cell* **94,** 181–191 (1998).

Kornfield, S. and Sly, W.S., I-cell disease and pseudo-Hurler polydystrophy disorders of liposomal enzyme phosphorylation and localization, *in* Scriver, C.R., Beaudet, A.L., Sly, W.S., and Valle, D. (Eds.), *The Metabolic & Molecular Bases of Inherited Disease* (8th ed.), *pp.* 3469–3482, McGraw-Hill (2001).

Lippincott-Schwartz, J., Roberts, R.H., and Hirschberg, K., Secretory protein trafficking and organelle dynamics in living cells, *Annu. Rev. Cell Dev. Biol.* **16,** 557–589 (2000).

Lodish, H., Berk, A., Zipursky, S.L., Matsudaira, P., Baltimore, D., and Darnell, J., *Molecular Cell Biology* (4th ed.), Chapter 17, Freeman (2000).

Matlack, K.E.S., Mothes, W., and Rapoport, T., Protein translocation: Tunnel vision, *Cell* **92,** 381–390 (1998).

Montoya, G., Svensson, C., Luirink, J., and Sinning, I., Crystal structure of the NG domain from the signal-recognition particle receptor FtsY, *Nature* **385,** 365–368 (1997).

Nakai, K., Protein sorting signals and prediction of subcellular localization, *Adv. Prot. Chem.* **54,** 277–344 (2000).

Phoenix, D.A. (Ed.), *Protein Targeting and Translocation,* Portland Press (1998).

Rapoport, T.A., Jungnickel, B., and Kutay, U., Protein transport across the eukaryotic endoplasmic reticulum and bacterial inner membranes, *Annu. Rev. Biochem.* **65,** 271–303 (1996).

Rothman, J.E. and Orci, L., Molecular dissection of the secretory pathway, *Nature* **355,** 409–415 (1992).

Stroud, R.M. and Walter, P., Signal recognition and protein targeting, *Curr. Opin. Struct. Biol.* **9,** 754–759 (1999).

Walter, P. and Johnson, A.E., Signal sequence recognition and protein targeting to the endoplasmic reticulum membrane, *Annu. Rev. Cell Biol.* **10,** 87–119 (1994).

Wild, K., Weichenrieder, O., Strub, K., Sinning, I., and Cusack, S., Towards the structure of the mammalian signal recognition particle, *Curr. Opin. Struct. Biol.* **12,** 72–81 (2002).

Zheng, N. and Gierasch, L., Signal sequences: The same yet different, *Cell* **86,** 849–852 (1996).

VÉSICULES TAPISSÉES

Bottomley, M.J., Surdo, P.L., and Driscoll, P.C., How dynamin sets vesicles Phree! *Curr. Biol.* **9,** R301–R304 (1999).

Brodsky, F.M., Chen, C.-Y., Knuehl, C., Towler, M.C., and Wakeham, D.E., Biological basket weaving: Formation and function of clathrin-coated vesicles, *Annu. Rev. Cell Dev. Biol.* **17,** 515–568 (2001).

Collins, B.M., McCoy, A.J., Kent, H.M., Evans, P.R., and Owen, D.J., Molecular architecture and functional model of the endocytotic AP2 complex, *Cell* **109,** 523–535 (2002).

Donaldson, J.G. and Lippincott-Schwartz, J., Sorting and signaling at the Golgi complex, *Cell* **101,** 693–696 (2000).

Evans, P.R. and Owen, D.J., Endocytosis and vesicle trafficking, *Curr. Opin. Struct. Biol.* **12,** 814–821 (2002).

Hinshaw, J.E., Dynamin and its role in membrane fusion, *Annu. Rev. Cell Dev. Biol.* **16,** 483–519 (2000).

Hirst, J. and Robinson, M.S., Clathrin and adaptors, *Biochim. Biophys. Acta* **1404,** 173–193 (1998).

Kirchhausen, T., Adaptors for clathrin-mediated traffic, *Annu. Rev. Cell Dev. Biol.* **15,** 705–732 (1999).

Kirchhausen, T., Clathrin, *Annu. Rev. Biochem.* **69,** 699–727 (2000).

Kreis, T.E., Lowe, M., and Pepperkok, R., COPs regulating membrane traffic, *Annu. Rev. Cell Dev. Biol.* **11,** 677–706 (1995).

Marsh, M. (Ed.), *Endocytosis,* Oxford (2001). [Contient des chapitres sur différents aspects de l'endocytose, qu'elle dépende ou non de la clathrine, sur les mécanismes de fusion membranaire et sur le recyclage des vésicules.]

Marsh, M. and McMahon, H.T., The structural era of endocytosis, *Science* **285,** 215–220 (1999). [Revue sur la structure et les fonctions des vésicules tapissées de clathrine.]

McNiven, M.A., Cao, H., Pitts, K.R., and Yoon, Y., The dynamin family of mechanoenzymes: Pinching in new places, *Trends Biochem. Sci.* **25,** 115–120 (2000).

Neufield, E.F., Lysosomal storage diseases, *Annu. Rev. Biochem.* **60,** 257–280 (1991).

Pishavee, B. and Payne, G.S., Clathrin coats—threads laid bare, *Cell* **95,** 443–446 (1998).

Pearse, B.M.F., Smith, C.J., and Owen, D.J., Clathrin coat construction in endocytosis, *Curr. Opin. Struct. Biol.* **10,** 220–228 (2000); *and* Smith, C.J. and Pearse, B.M.F., Clathrin: Anatomy of a coat protein, *Trends Cell Biol.* **9,** 335–338 (1999). [Articles de revue qui font autorité.]

Pelham, H.R.B. and Rothman, J.E., The debate about transport in the Golgi —two sides of the same coin, *Cell* **102,** 713–719 (2000).

Roth, M.G., Snapshots of ARF1: Implications for mechanisms of activation and inactivation, *Cell* **97,** 149–152 (1999).

Schekman, R. and Orci, L., Coat proteins and vesicle budding, *Science* **271,** 1526–1533 (1996).

Schmid, S.L., Clathrin-coated vesicle formation and protein sorting: An integrated process, *Annu. Rev. Biochem.* **66,** 511–548 (1997).

Smith, C.J., Grigorieff, N., and Pearse, B.M.F., Clathrin coats at 21 Å resolution: A cellular assembly designed to recycle multiple membrane receptors, *EMBO J.* **17,** 4943–4953 (1998).

Springer, S., Spang, A., and Schekman, R., A primer on vesicle budding, *Cell* **97,** 145–148 (1999).

ter Haar, E., Musacchio, A., Harrison, S.C., and Kirchhausen, T., Atomic structure of clathrin: A β propeller terminal domain joins an α zigzag linker, *Cell* **95,** 563–573 (1998).

Ybe, J.A., Brodsky, F.M., Hofmann, K., Lin, K., Liu, S.-H., Chen, L., Earnest, T.N., Fletterick, R.J., and Hwang, P.K., Clathrin self-assembly is mediated by a tandemly repeated superhelix, *Nature* **399,** 371–375 (1999). [La structure par rayons X du segment proximal de la chaîne lourde des clathrine.]

FUSION DES VÉSICULES

Alberts, B., Johnson, A., Lewis, J., Raff, M., Roberts, K., and Walter, P., *The Molecular Biology of the Cell* (4th ed.), Chap. 13, Garland Science (2002).

Brünger, A.T., Structure of proteins involved in synaptic vesicle fusion in neurons, *Annu. Rev. Biophys. Biomol. Struct.* **30,** 151–171 (2001).

Chan, Y.A. and Scheller, R.H., SNARE-mediated membrane fusion, *Nature Rev. Mol. Cell. Biol.,* **2,** 98–106 (2001).

Gonzalez, L., Jr. and Scheller, R.H., Regulation of membrane trafficking: Structural insights from a Rab effector complex, *Cell* **96,** 755–758 (1999).

Hanson, P.I., Roth, R., Morisaki, H., Jahn, R., and Heuser, J.E., Structure and conformational changes in NSF and its membrane receptor complexes visualized by quick freeze/deep etch electron microscopy, *Cell* **90,** 523–535 (1997).

Jahn, S. and Südhof, T.C., Membrane fusion and exocytosis, *Annu. Rev. Biochem.* **68,** 863–911 (1999).

May, A.P., Whiteheart, S.W., and Weis, W.I., Unraveling the mechanism of the vesicle transport ATPase NSF, the *N*-ethylmalemide-sensitive factor, *J. Biol. Chem.* **276**, 21991–21994 (2001).

Mayer, A., Membrane fusion in eukaryotic cells, *Annu. Rev. Cell Dev. Biol.,* **18**, 289–314 (2002).

McNew, J.A., Parlati, F., Fukuda, R., Johnston, R.J., Paz, K., Paumet, F., Söllner, T.H., and Rothman, J.E., Compartmental specificity of cellular membrane fusion encoded in SNARE proteins, *Nature* **407**, 153–159 (2000).

Misura, K.M.S., May, A.P., and Weis, W.I., Protein–protein interactions in intercellular membrane fusion, *Curr. Opin. Struct. Biol.* **10**, 662–671 (2000).

Misura, K.M.S., Scheller, R.H., and Weis, W.I., Three-dimensional structure of the neuronal-Sec1–syntaxin 1a complex, *Nature* **404**, 355–362 (2000).

Nichols, B.J. and Pelham, H.R.B., SNAREs and membrane fusion in the Golgi apparatus, *Biochim. Biophys. Acta* **1404**, 9–31 (1998).

Niemann, H., Blasi, J., and Jahn, R., Clostridial neurotoxins: New tools for dissecting exocytosis, *Trends Cell Biol.* **4**, 179–185 (1994).

Peters, C., Bayer, M.J., Bühler, S., Andersen, J.S., Mann, M., and Mayer, A., *Trans*-complex formation by proteolipid channels in the terminal phase of membrane fusion, *Nature* **409**, 581–588 (2001); *and* Mayer, A., What drives membrane fusion in eukaryotes, *Trends Biochem. Sci.* **26**, 717–723 (2001).

Sutton, R.B., Fasshauer, D., Jahn, R., and Brünger, A.T., Crystal structure of a SNARE complex involved in synaptic exocytosis at 2.4 Å resolution, *Nature* **395**, 347–353 (1998).

Yu, R.C., Hanson, P.I., Jahn, R., and Brünger, A.T., Structure of the ATP-dependent oligomerization domain of *N*-ethylmaleimide sensitive factor complexed with ATP, *Nature Struct. Biol.* **5**, 803–810 (1998); *and* Lenzen, C.U., Steinmann, D., Whiteheart, S.W., and Weis, W.I., Crystal structure of the hexamerization domain of *N*-ethylmaleimide-sensitive fusion protein, *Cell* **94**, 525–536 (1998).

Zerial, M. and McBride, H., Rab proteins as membrane organizers, *Nature Rev. Mol. Cell Biol.* **2**, 107–119 (2001).

ADRESSAGE DES PROTÉINES MITOCHONDRIALES ET DES PROTÉINES NUCLÉAIRES

Abe, Y., Shodai, T., Muto, T., Mihara, K., Torii, H., Nishikawa, S., Endo, T., and Kohda, D., Structural basis of presequence recognition by the mitochondrial protein import receptor Tom20, *Cell* **100**, 551–560 (2000). [Une structure par RMN.]

Ahting, U., Thun, C., Hegerl, R., Typke, D., Nargang, F.E., Neupert, W., and Nussberger, S., The TOM core complex: The general protein import pore of the outer membrane of mitochondria, *J. Cell Biol.* **147**, 959–968 (1999). [Une étude du complexe central TOM au microscope électronique.]

Dalbey, R.E. and Kuhn, A., Evolutionarily related insertion pathways of bacterial, mitochondrial, and thylakoid membrane proteins, *Annu. Rev. Cell Dev. Biol.* **16**, 51–87 (2000).

Gabriel, K., Buchanan, S.K., and Lithgow, T., The alpha and the beta: Protein translocation across mitochondrial and plastid outer membranes, *Trends Biochem. Sci.* **26**, 36–40 (2001).

Koehler, C.M., Merchant, S., and Schatz, G., How membrane proteins travel across the mitochondrial intermembrane space, *Trends Biochem. Sci.* **24**, 428–432 (1999).

Neupert, W., Protein import into mitochondria, *Annu. Rev. Biochem.* **66**, 863–917 (1997).

Ryan, M.T., Wagner, R., and Pfanner, N., The transport machinery for the import of preproteins across the outer mitochondrial membrane, *Int. J. Biochem. Cell Biol.* **32**, 13–21 (2000).

Schatz, G. and Dobberstein, B., Common principles of protein translocation across membranes, *Science* **271**, 1519–1526 (1996).

Voos, W., Martin, H., Krimmer, T., and Pfanner, N., Mechanisms of protein translocation in mitochondria, *Biochim. Biophys. Acta* **1422**, 235–254 (1999); *and* Truscott, K.N. and Pfanner, N., Import of carrier proteins into mitochondria, *Biol. Chem.* **380**, 1151–1156 (1999).

LIPOPROTÉINES

Borhani, D.W., Rogers, D.P., Engler, J.A., and Brouillette, C.G., Crystal structure of truncated human apolipoprotein A-I suggests a lipid-bound conformation, *Proc. Natl. Acad. Sci.* **94**, 12291–12296 (1997).

Brown, M.S. and Goldstein, J.L., A receptor-mediated pathway for cholesterol homeostasis, *Science* **232**, 34–47 (1986). [Discours de réception du Prix Nobel.]

Brown, M.S. and Goldstein, J.L., Koch's postulates for cholesterol, *Cell* **71**, 187–188 (1992).

Chan, L., Apolipoprotein B, the major protein component of triglyceride-rich and low density lipoproteins, *J. Biol. Chem.* **267**, 25621–25624 (1992).

Fass, D., Blacklow, S., Kim, P.S., and Berger, J.M., Molecular basis of familial hypercholesterolaemia from structure of LDL receptor module, *Nature* **388**, 691–693 (1997).

Hajjar, K.A., and Nachman, R.L., The role of lipoprotein(a) in atherogenesis and thrombosis, *Annu. Rev. Med.* **47**, 423–442 (1996).

Krieger, M., Charting the fate of the "good cholesterol": Identification and characterization of the high-density lipoprotein receptor SR-BI, *Annu. Rev. Biochem.* **68**, 523–558 (1999).

Lawn, R.M., Wade, D.P., Hammer, R.E., Chiesa, G., Verstuyft, J.G., and Rubin, E.M., Atherogenesis in transgenic mice expressing human apolipoprotein(*a*), *Nature* **360**, 670–672 (1992).

Lodish, H., Berk, A., Zipursky, S.L., Matsudaira, P., Baltimore, D., and Darnell, J., *Molecular Cell Biology* (4th ed.), *pp.* 727–733, Freeman (2000). [Discussion of receptor-mediated endocytosis.]

Marotti, K.R., Castle, C.K., Boyle, T.P., Lin, A.H., Murray, R.W., and Melchior, G.W., Severe atherosclerosis in transgenic mice expressing simian cholesteryl ester transfer protein, *Nature* **364**, 73–75 (1993).

Parthasarathy, S., Steinberg, D., and Witzum, J.L., The role of oxidized low-density lipoproteins in the pathogenesis of atherosclerosis, *Annu. Rev. Med.* **43**, 219–225 (1992).

Rosseneu, M. (Ed.), *Structure and Function of Apolipoproteins,* CRC Press (1992).

Rubin, E.M., Krauss, R.M., Spangler, E.A., Verstuyft, J.G., and Clift, S.M., Inhibition of early atherogenesis in transgenic mice by human apolipoprotein AI, *Nature* **353**, 265–266 (1991); *and* Warden, C.H., Hedrick, C.C., Qiao, J.-H., Castellani, L.W., and Lusis, A.J., Atherosclerosis in transgenic mice overexpressing apolipoprotein A-II, *Science* **261**, 469–472 (1993).

Schmid, S.L., The mechanism of receptor mediated endocytosis: More questions than answers, *BioEssays* **14**, 589–596 (1992).

Schumaker, V.N. (Ed.), *Adv. Prot. Chem.* **45** (1994). [Contains authoritative chapters on apoB and LDL structure (*pp.* 205–248), apoE (*pp.* 249–302), amphipathic α helices (*pp.* 303–369), and lipophorin (*pp.* 371–415).]

Scriver, C.R., Beaudet, A.L., Sly, W.S., and Valle, D. (Eds.), *The Metabolic & Molecular Bases of Inherited Disease* (8th ed.), Chapters 114–123, McGraw-Hill (2001). [Exposés d'experts sur des maladies du métabolisme lipidique.] Smythe, E. and Warren, G., The mechanism of receptor-mediated endocytosis, *Eur. J. Biochem.* **202**, 689–699 (1992).

Steinberg, D., Low density lipoprotein oxidation and its pathobiological significance, *J. Biol. Chem.* **272**, 20963–20966 (1997).

Weisgraber, K.H. and Mahley, R.W., Human apolipoprotein E: The Alzheimer's disease connection, *FASEB J.* **10,** 1485–1493 (1996).

Wilson, C., Wardell, M.R., Weisgraber, K.H., Mahley, R.W., and Agard, D.A., Three-dimensional structure of the LDL receptor-binding domain of human apolipoprotein E, *Science* **252,** 1817–1822 (1991).

PROBLÈMES

1. Expliquez la différence des points de fusion entre l'acide *trans*-oléique (44,5 °C) et l'acide *cis*-oléique (13,4 °C).

2. Pourquoi les animaux qui vivent dans les pays froids ont-ils généralement plus de résidus d'acides gras polyinsaturés dans leur graisse que les animaux qui vivent dans les pays chauds ?

*3. Combien peut-on former d'isomères différents de phosphatidylsérine, de triacylglycérols, et de cardiolipine, à partir de quatre types d'acides gras ?

4. Calculez l'épaisseur de la couche formée par la cuillerée d'huile de Benjamin Franklin à la surface de la mare de Clapham (1 cuillerée = 5 ml et 1 acre = 4047 m^2).

5. L'eau « dure » a une concentration élevée en Ca^{2+}. Expliquez pourquoi le savon n'est pas efficace pour laver dans l'eau dure.

6. Expliquez pourquoi les hydrocarbures purs ne forment pas de monocouches sur l'eau.

7. Les bulles de savon sont des bicouches inversées ; autrement dit, les têtes polaires des groupements amphiphiles, avec un peu d'eau, sont en opposition, alors que les queues hydrophobes se projettent dans l'air. Expliquez la base physique de ce phénomène.

8. Décrivez comment les détergents agissent pour extraire les protéines membranaires intrinsèques. Comment empêchent-ils les protéines de précipiter ? Pourquoi des détergents doux, comme le Triton X-100, ne se lient-ils qu'aux protéines qui forment des complexes lipidiques ?

*9. La portion transmembranaire de la glycophorine A (Fig. 12-21) est-elle une hélice α ? (utilisez les règles de Chou et Fasman ; Section 9-3A).

10. Les symétries des protéines membranaires intrinsèques oligomériques sont contraintes car leurs sous-unités doivent toutes avoir la même orientation par rapport au plan de la membrane. Quelles symétries ces protéines peuvent-elles avoir ? Expliquez. (La symétrie des protéines est étudiée dans la Section 8-5B.)

11. (a) Combien de résidus une hélice α doit-elle avoir pour traverser le cœur hydrocarboné (30 Å d'épaisseur) d'une bicouche lipidique ? (b) Combien de résidus un feuillet β incliné de 30 °sur la perpendiculaire au plan de la membrane devrait-il avoir pour traverser ce cœur ? Pourquoi la plupart des hélices α et des feuillets β possèdent-ils plus de résidus que ces valeurs minimum ?

12. Expliquez pourquoi des anticorps dirigés contre des antigènes du groupe sanguin A sont inhibés par la *N*-acétylgalactosamine, alors que des anticorps anti-B sont inhibés par le galactose.

13. Des personnes ayant l'un des groupes sanguins ABO sont dites « donneurs universels » alors que d'autres sont dites « receveurs universels ». Quels sont ces groupes sanguins ? Expliquez.

14. Des anticorps anti-H ne se trouvent pas normalement dans le sang humain. On peut, cependant, provoquer leur apparition chez des animaux en leur en injectant du sang humain. Comment de tels anticorps réagiraient-ils avec les tissus de personnes appartenant aux groupes sanguins de type A, B, ou O ?

15. *Thermus aquaticus* est une bactérie thermophile qui pousse entre 50 et 80 °C. Bien que le sillon du domaine M de sa Ffh, qui lie le peptide signal, soit bordé de groupements hydrophobes, seuls trois d'entre eux sont des chaînes latérales de Met. Au contraire, chez les organismes mésophiles (qui vivent à température normale), ce même sillon est bordé de nombreuses Met (11 chez *E. coli*). De plus, la boucle en doigt qui forme une paroi du sillon est désordonnée dans la structure par rayons X du domaine M de *E. coli*, mais elle est ordonnée dans celle de *T. aquaticus* (Fig. 12-48 ; les deux protéines furent cristallisées à température de la pièce). Proposez une explication de ces phénomènes d'adaptation chez *T. aquaticus.*

*16. Dans une hypercholestérolémie familiale héréditaire particulière, les LDL se lient à la surface cellulaire mais ne sont pas internalisées par endocytose. L'examen par microscopie électronique montre que chaque cellule du malade présente un équipement en puits tapissés normal, mais que les LDL conjuguées à la ferritine ne s'y lient pas. Plus exactement, on voit des LDL liées de façon uniforme dans les régions de la surface cellulaire non tapissées. Apparemment, les récepteurs de LDL mutants ont des propriétés de liaison normales mais ils ne sont pas au bon endroit. D'après ces données, que peut-on dire sur la manière dont les récepteurs de LDL sont assemblés dans les puits tapissés ?

17. Selon le Tableau 12-6, les densités des lipoprotéines augmentent lorsque le diamètre des particules diminue. Expliquez.

18. Certains types de virus animaux se développent par bourgeonnement à partir de la surface cellulaire, de la même manière que les puits tapissés bourgeonnent à l'intérieur du cytoplasme pour former des vésicules tapissées après endocytose. Dans les deux cas, les vésicules membranaires se construisent sur une armature protéique polyédrique. Schématisez le bourgeonnement d'un virus animal en indiquant la localisation de sa membrane par rapport à son enveloppe protéique.

19. Pourquoi les chylomicrons ne sont-ils pas captés par les récepteurs de LDL ?

20. La **maladie de Wolman** — maladie fatale pour les homozygotes — est due à une déficience importante de la **cholestéryl ester hydrolase,** l'enzyme qui catalyse l'hydrolyse des esters de cholestérol intracellulaires. Décrivez l'aspect microscopique des cellules des victimes de la maladie de Wolman.

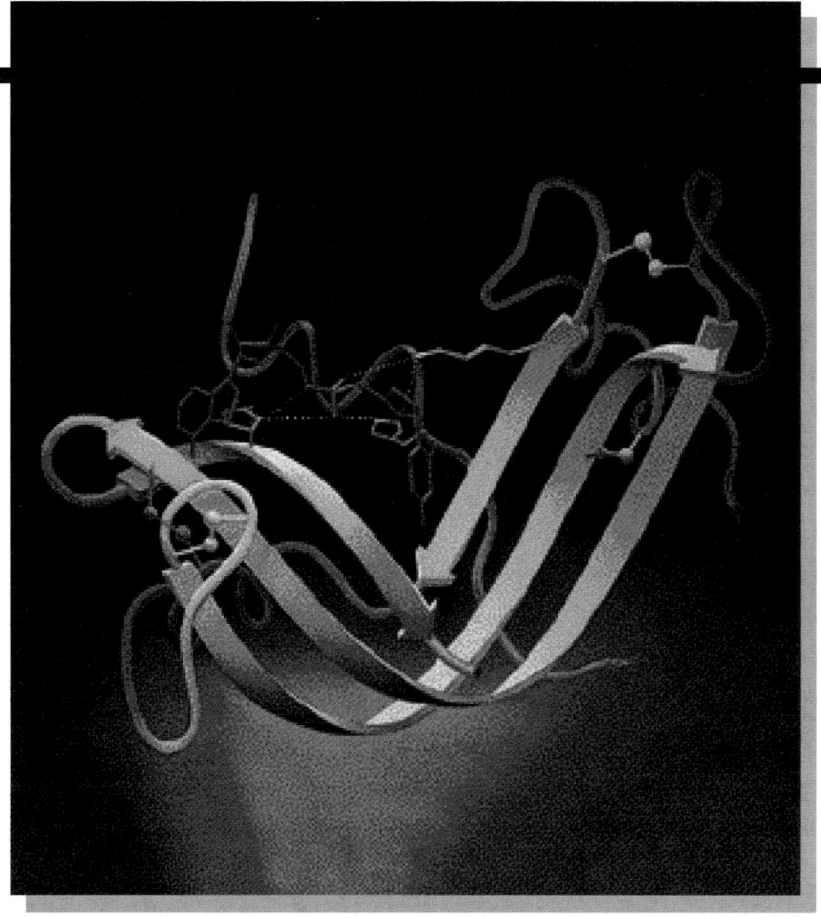

Complexe de ribonucléase pancréatique bovine S
avec un substrat nonhydrolysable analogue,
le dinucléotide phosphonate UpcA.

PARTIE

LES MÉCHANISMES
DE L'ACTION
ENZYMATIQUE

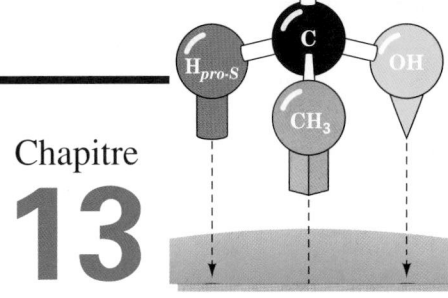

Chapitre

13

Introduction aux enzymes

Les innombrables réactions biochimiques différentes dont la matière vivante est le siège sont presque toutes sous la dépendance de catalyseurs biologiques remarquables appelés enzymes. Bien que soumises aux mêmes lois de la nature que les autres substances, les enzymes diffèrent des catalyseurs chimiques classiques sur plusieurs points importants :

1. Vitesses de réaction plus grandes : Les vitesses des réactions catalysées par des enzymes sont multipliées par des facteurs compris entre 10^6 et 10^{12} par rapport aux réactions correspondantes sans catalyseurs, et sont au moins de plusieurs ordres de grandeur supérieures aux réactions correspondantes catalysées par un catalyseur chimique.

2. Conditions de réaction plus douces : Les réactions catalysées par des enzymes ont lieu dans des conditions relativement douces : températures en-dessous de 100 °C, pression atmosphérique, et pH proche de la neutralité, alors que les réactions sous la dépendance d'un catalyseur chimique nécessitent souvent des températures et des pressions élevées ainsi que des pH extrêmes.

3. Spécificité de réaction plus grande : Les enzymes ont des spécificités beaucoup plus grandes vis-à-vis de leurs **substrats** (les réactifs) et de leurs produits que les catalyseurs chimiques ; ainsi, les réactions enzymatiques ne donnent que rarement des produits secondaires. Par exemple, dans la synthèse enzymatique des protéines sur les ribosomes (Section 32-3), des polypeptides formés de plus de 1000 résidus d'acide aminé sont synthétisés sans la moindre erreur. Lors de la synthèse chimique de polypeptides, des réactions annexes et des réactions incomplètes limitent à environ 100 résidus (Section 7-B) la longueur des polypeptides qui peuvent être produits avec précision et un rendement satisfaisant.

4. Possibilités de régulation : Les activités catalytiques de nombreuses enzymes varient en réponse aux concentrations de substances autres que leurs substrats et produits. Ces processus de régulation incluent le contrôle allostérique, la modification covalente des enzymes, et la variation des quantités d'enzymes synthétisées.

Compte tenu des propriétés catalytiques remarquables des enzymes, on arrive à l'une des questions centrales de la biochimie : *Comment fonctionnent les enzymes ?* Nous répondrons à cette question dans cette partie du livre.

Après un rappel historique, nous commencerons l'étude des enzymes en prenant deux exemples simples : l'un qui montrera comment se manifeste la spécificité enzymatique, l'autre comment la régulation de l'activité enzymatique est assurée. Ces exemples ne constituent aucunement une étude exhaustive ; ils ont pour but de mettre en évidence ces aspects importants, s'il en est, des mécanismes enzymatiques que nous rencontrerons souvent dans l'étude du métabolisme (Chapitres 16-28). Avec ces deux exemples, nous serons amenés à parler du rôle des cofacteurs des enzymes. Le chapitre se termine par un bref aperçu sur la nomenclature des enzymes. Dans le chapitre 14, nous aborderons la cinétique enzymatique, car l'étude de la vitesse des réactions enzymatiques fournit des renseignements indispensables sur le mécanisme réactionnel. Enfin, le chapitre 15 est un exposé général sur les mécanismes catalytiques utilisés par les enzymes, suivi d'une étude des mécanismes de plusieurs enzymes spécifiques.

1 ■ PERSPECTIVE HISTORIQUE

L'histoire de l'**enzymologie**, l'étude des enzymes, débute avec celle de la biochimie elle-même ; ces disciplines se sont développées ensemble depuis les recherches sur la fermentation et la digestion au dix-neuvième siècle. On considère que les recherches sur la fermentation ont commencé en 1810 lorsque Joseph Gay-Lussac a montré que l'éthanol et le CO_2 sont les produits principaux de la dégradation du sucre par les levures. En 1835, Jacob Berzélius, dans la première étude théorique générale sur la catalyse chimique, remarqua qu'un extrait de malt appelé **diastase** (on sait maintenant qu'il contient l'enzyme **α-amylase** ; Section 11-2D) catalyse l'hydrolyse de l'amidon avec plus d'efficacité que l'acide sulfurique. Cependant, bien que les acides minéraux aient la même action que la diastase, c'est leur incapacité à reproduire la plupart des autres réactions biochimiques au laboratoire qui conduisit Louis Pasteur, au milieu du dix-neuvième siècle, à proposer que les processus de fermentation étaient liés à la matière vivante. Ainsi, selon une idée répandue à cette époque, Pasteur supposa que les êtres vivants étaient dotés d'une « force vitale » qui leur permettait d'échapper aux lois de la nature qui régissent la matière inanimée. D'autres cependant, en particulier Justus von Liebig, estimèrent que les processus biologiques sont sous la dépendance de substances chimiques appelées « ferments ». En réalité, le terme « enzyme » (du grec *en,* dans, et *zyme,* levure) a été introduit en 1878 par Frederich Wilhelm Kühne afin de souligner qu'il existe quelque chose *dans* les levures, par opposition à la levure elle-même, qui catalyse les réactions de la fermentation. Toutefois, ce n'est qu'en 1897 que Eduard Buchner obtint un extrait acellulaire de levures capable d'assurer la synthèse de l'éthanol à partir de glucose (la **fermentation alcoolique** ; Section 17-3B).

Emil Fischer découvrit, en 1894, que les enzymes de la glycolyse peuvent distinguer des sucres stéréoisomères, ce qui le conduisit à formuler l'**hypothèse de la clef et de la serrure** : *la spécificité d'une enzyme (la serrure) pour son substrat (la clef) est due à leurs formes géométriques complémentaires.* Cependant, la composition chimique des enzymes ne fut établie avec certitude que dans la première moitié du vingtième siècle. En 1926, James Sumner cristallisa la première enzyme, l'**uréase** du haricot sabre (jack bean), qui catalyse l'hydrolyse de l'urée en NH_3 et CO_2, et démontra que ces cristaux étaient de nature protéique. Toutefois, comme les préparations de Sumner n'étaient pas près pures, la nature protéique des enzymes ne fut acceptée par tout le monde qu'au milieu des années 1930, lorsque John Northrop et Moses Kunitz mirent en évidence une corrélation directe entre les activités enzymatiques de pepsine, trypsine et chymotrypsine cristallisées, et les quantités de protéine présentes. Depuis, de nombreuses expériences ont démontré que les enzymes sont des protéines (mais on a montré récemment que certains ARN ont des propriétés catalytiques ; Section 31-4B).

Bien que l'enzymologie ait une longue histoire, notre compréhension de la nature et des fonctions des enzymes est, en grande partie, le résultat de travaux des cinquante dernières années. Ce n'est que grâce à la mise au point de techniques modernes de séparation et d'analyse (Chapitre 6) que l'isolement et la caractérisation d'une enzyme ont cessé d'être un travail gigantesque. Il a fallu attendre 1963 pour que la première séquence en acides aminés, celle de la **ribonucléase A de pancréas bovin** (Section 15-1A), soit publiée dans son intégralité, et 1965 pour qu'on élucide la première structure d'une enzyme par rayons X, celle du **lysozyme** du blanc d'œuf de poule (Section 15-2A). Dans les années qui ont suivi, plusieurs milliers d'enzymes ont été purifiées et caractérisées, au moins jusqu'à un certain point, et la vitesse de ces investigations ne fait que s'accélérer.

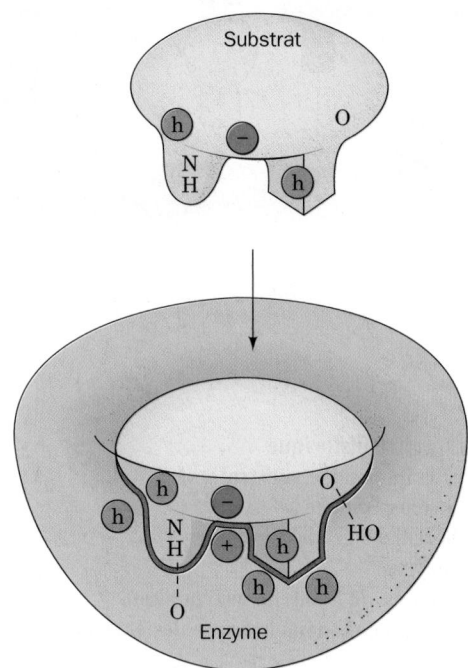

FIGURE 13-1 Un complexe enzyme-substrat montrant à la fois les complémentarités géométrique et physique entre enzyme et substrat. Les groupements hydrophobes sont symbolisés par un h dans un cercle brun et les lignes en pointillés figurent les liaisons hydrogène.

2 ■ SPÉCIFICITÉ POUR LE SUBSTRAT

Les forces non covalentes qui permettent aux substrats et à d'autres molécules de se lier aux enzymes sont de même nature que celles qui imposent leurs conformations aux protéines elles-mêmes (Section 8-4) : forces de van der Waals, interactions électrostatiques, liaisons hydrogène, et interactions hydrophobes. Généralement, le site de liaison d'un substrat correspond à une poche ou une crevasse à la surface de la molécule d'enzyme dont la forme est complémentaire à celle du substrat (complémentarité géométrique). De plus, les résidus d'acide aminé qui constituent le site de liaison sont disposés afin d'interagir spécifiquement avec le substrat pour l'attirer (complémentarité électronique ; Fig. 13-1). Les molécules qui diffèrent du substrat

par la forme ou la distribution de leurs groupements fonctionnels ne peuvent se lier à l'enzyme efficacement ; autrement dit, elles ne peuvent former de complexes enzyme-substrat qui conduisent à la formation de produits. Le site de liaison du substrat peut, en accord avec l'hypothèse de la clef et de la serrure, exister en l'absence de substrat lié, ou il peut se former en même temps que le substrat se fixe à l'enzyme, comme le suggère l'hypothèse de l'ajustement induit (Section 10-4C). *Des études par rayons X montrent que les sites de liaison du substrat de la plupart des enzymes sont déjà préformés mais que la plupart d'entre eux sont le siège d'un ajustement induit plus ou moins important lors de la liaison du substrat.*

A. *Stéréospécificité*

Les enzymes sont très spécifiques, aussi bien pour se lier à des substrats chiraux que pour catalyser leurs réactions. Cette **stéréospécificité** vient de ce que les enzymes, en raison de leur chiralité inhérente (les protéines ne sont formées que de L-aminoacides), forment des sites actifs asymétriques. Par exemple, la trypsine hydrolyse facilement des polypeptides formés de L-aminoacides, mais est sans action sur des polypeptides formés de D-aminoacides. De même, les enzymes du métabolisme du glucose (Section 17-2) sont spécifiques des résidus D-glucose.

Les enzymes ont une stéréospécificité absolue dans les réactions qu'ils catalysent. Ceci a été montré de façon frappante dans le cas de l'**alcool déshydrogénase de levure (YADH)** par Frank

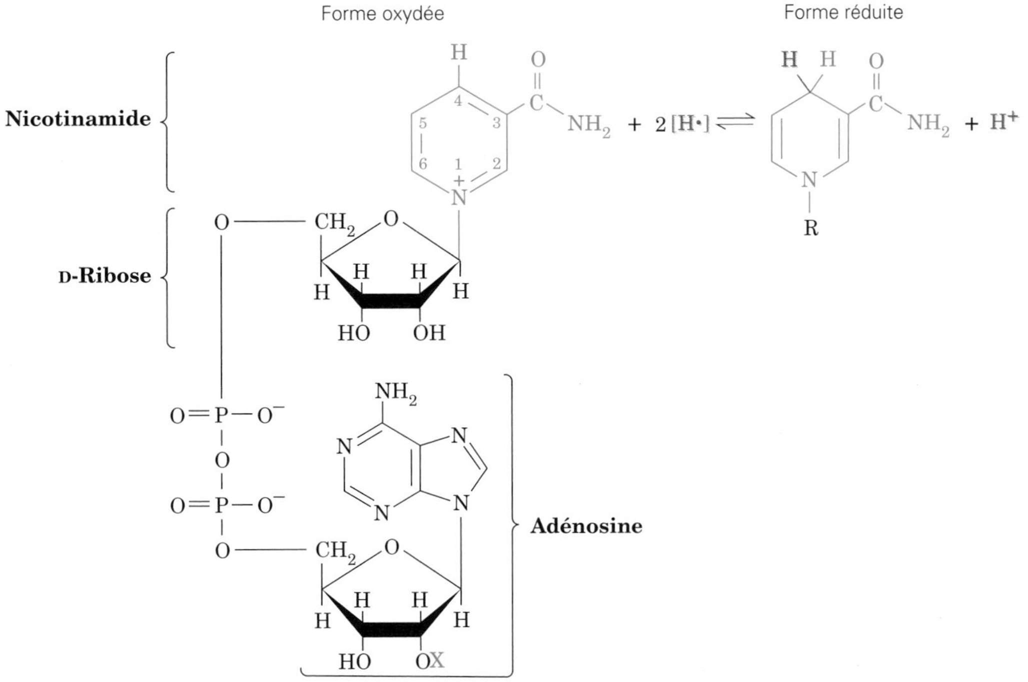

Forme oxydée

Forme réduite

Nicotinamide

D-Ribose

Adénosine

$$H + 2[H\cdot] \rightleftharpoons H \quad H + H^+$$

NH$_2$ NH$_2$

X = H **Nicotinamide adénine dinucleotide (NAD$^+$)**
X = PO$_3^{2-}$ **Nicotinamide adénine dinucleotide phosphate (NADP$^+$)**

FIGURE 13-2 **Les structures et les réactions du nicotinamide adénine dinucléotide (NAD$^+$) et du nicotinamide adénine dinucléotide phosphate (NADP$^+$). Leurs formes réduites sont NADH et NADPH.** Ces molécules, que l'on désigne collectivement par **coenzymes à nicotinamide** ou **nucléotides pyridiniques** (le noyau nicotinamide est un dérivé de la pyridine) sont des transporteurs intracellulaires d'équivalents réducteurs (électrons), comme nous le verrons dans des chapitres ultérieurs. Noter que seul le noyau nicotinamide est modifié au cours de la réaction. La réduction implique formellement le transfert de deux atomes d'hydrogène (H·), même si la réduction peut se faire par un autre mécanisme.

Westheimer et Birgit Vennesland. L'alcool déshydrogénase catalyse l'interconversion de l'éthanol et de l'acétaldéhyde selon la réaction :

$$CH_3CH_2OH + NAD^+ \underset{}{\overset{YADH}{\rightleftharpoons}} \overset{\overset{O}{\parallel}}{CH_3CH} + NADH + H^+$$

Éthanol **Acétaldéhyde**

Les structures du **NAD$^+$** et du **NADH** sont données dans la Fig. 13-2. Rappelons que l'éthanol est une molécule prochirale (cf. Section 4-2C pour l'explication de la prochiralité) :

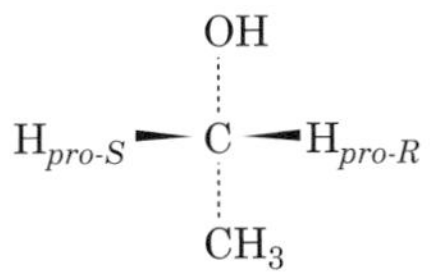

$$H_{pro\text{-}S} \blacktriangleleft \ C \ \blacktriangleright H_{pro\text{-}R}$$

OH

CH$_3$

On peut distinguer les deux atomes d'hydrogène du groupement méthylène de l'éthanol si *la molécule est maintenue selon une disposition asymétrique (Fig. 13-3). Les sites de liaison du substrat des enzymes ont naturellement des dispositions correspondantes, de sorte qu'ils immobilisent les groupements réactifs du substrat à la surface de l'enzyme.*

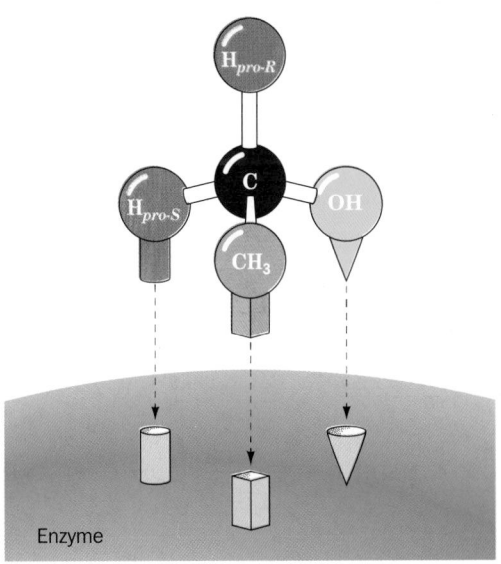

FIGURE 13-3 **Distinction prochirale.** L'attachement spécifique d'un centre prochiral à un site de liaison enzymatique permet à l'enzyme de distinguer les groupes prochiraux. Note : si elle était possible, la liaison de l'image en miroir de la molécule prochirale aux mêmes trois sites par en dessous de l'enzyme aurait toujours pour résultat que H$_{pro\text{-}R}$ est pointé vers une position différente.

Westheimer et Vennesland ont élucidé la nature stéréospécifique de la réaction de la YADH par les expériences suivantes :

1. Si la réaction de la YADH est réalisée avec de l'éthanol deutéré, le NADH produit est deutéré :

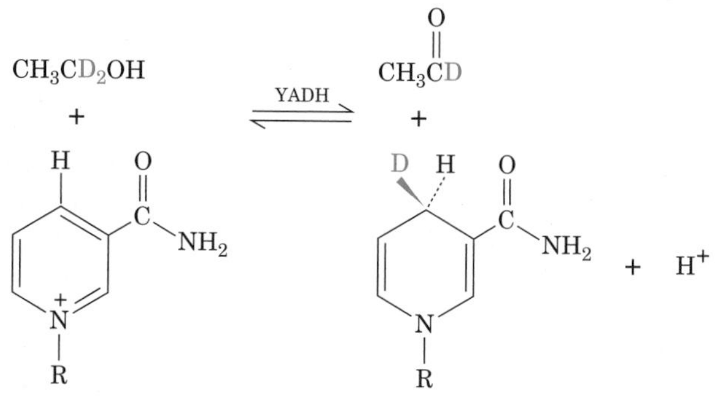

CH_3CD_2OH

NAD⁺   **NADD**

Noter que le noyau nicotinamide du NAD⁺ est aussi prochiral.

2. Après avoir isolé ce NADD afin de l'utiliser dans la réaction inverse pour réduire l'acétaldéhyde normal, le deutérium est transféré quantitativement du NADD à l'acétaldéhyde pour former de l'éthanol deutéré :

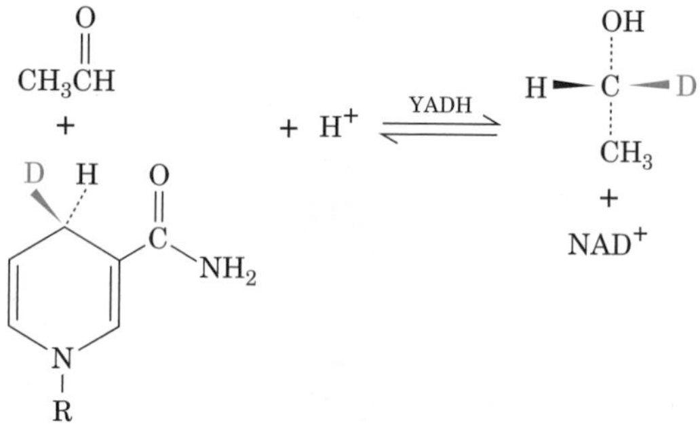

3. Si l'énantiomère du CH_3CHDOH précédent est synthétisé comme suit :

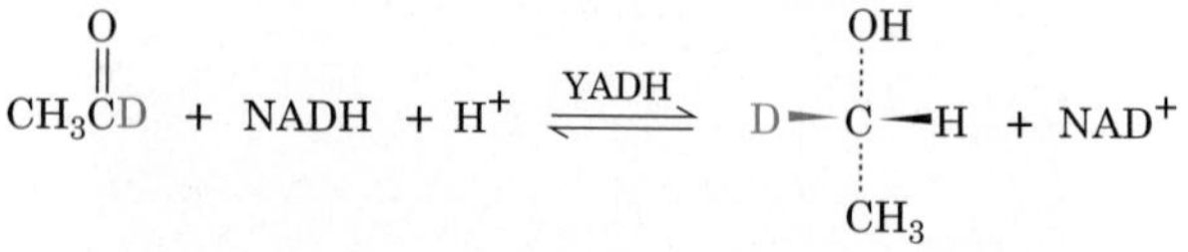

il n'y a pas de deutérium transféré du produit éthanol au NAD⁺ dans la réaction inverse.

4. Si, cependant, cet éthanol est transformé en son dérivé tosylé puis inversé par hydrolyse S_N2 pour donner l'éthanol énantiomère,

**Chlorure de
p-toluènesulfonyl
(chlorure de tosyl)**

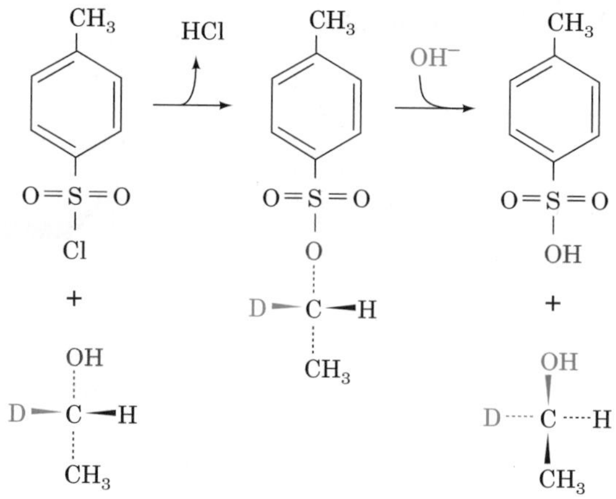

le deutérium est à nouveau transféré quantitativement au NAD⁺ dans la réaction de la YADH.

Les résultats ci-dessus montrent non seulement qu'il y a transfert direct d'hydrogène dans la réaction de la YADH (Expériences 1 et 2), mais que l'enzyme fait la distinction entre les hydrogènes *pro-S* et *pro-R* de l'éthanol, ainsi qu'entre les côtés *si* et *re* du noyau nicotinamide du NAD⁺ (Expériences 2-4). Il a été démontré ultérieurement, par synthèses stéréospécifiques, que la YADH transfère l'hydrogène *pro-R* de l'éthanol au côté *re* du noyau nicotinamide du NAD⁺ comme représenté dans le schéma précédent.

La stéréospécificité de la YADH n'a rien d'exceptionnel. En étudiant les réactions biochimiques, nous allons voir que presque toutes les enzymes qui participent à des réactions chirales ont une stéréospécificité absolue.

a. La stéréospécificité des déshydrogénases à NADH peut avoir une signification fonctionnelle

Lorsque nous étudierons le métabolisme, nous rencontrerons de nombreuses déshydrogénases à NADH qui assurent la réduction (ou l'oxydation) d'une grande variété de substrats. Ces différentes déshydrogénases sont plus ou moins également réparties en deux catégories, selon qu'elles transfèrent les hydrogènes *pro-R* (côté *re*) ou *pro-S* (côté *si*) au C4 du NADH (on parle également de transferts côté A et côté B).

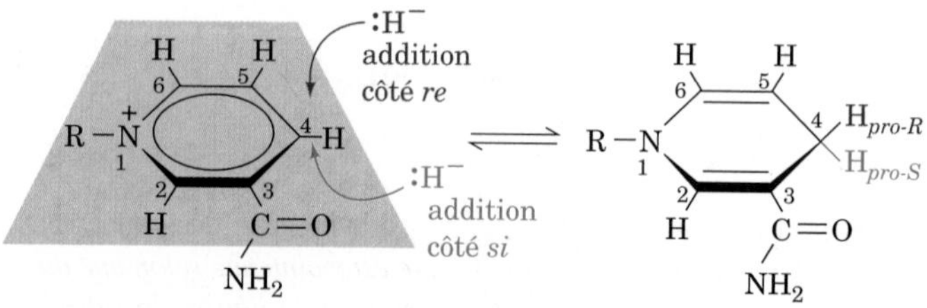

Cependant, bien que les transferts d'hydrogène depuis les côtés *si* et *re* vers ou depuis le noyau nicotinamide conduisent à des produits chimiquement identiques, une spécificité particulière de transfert est maintenue de manière stricte à l'intérieur de catégories de déshydrogénases qui catalysent des réactions identiques chez des organismes différents. En fait, les déshydrogénases qui catalysent des réactions dont les constantes d'équilibre avec leurs substrats naturels dans le sens de la réduction sont $< 10^{-12}M$, transfèrent presque toujours l'hydrogène *pro-R* du noyau nicotinamide, alors que celles dont les constantes d'équilibre sont $> 10^{-10}M$ transfèrent généralement l'hydrogène *pro-S*. Pourquoi l'évolution a-t-elle conservé si assidûment cette stéréospécificité ? Est-ce simplement le résultat d'un accident historique ou a-t-elle une signification physiologique ?

L'hydrogène transféré depuis le NADH lors d'une réaction enzymatique donnée est presque certainement celui qui se trouve sur le côté du noyau nicotinamide face au substrat. On suppose donc que la stéréospécificité d'une certaine catégorie de déshydrogénases résulte simplement d'un choix au hasard au tout début de l'évolution. Ce choix fait, il serait irréversible, car le basculement du noyau nicotinamide autour de sa liaison glycosidique dans le NADH aboutirait, c'est du moins ce que l'on a pensé, à un masquage, par le groupement carboxamide, de résidus de l'enzyme indispensables à son activité catalytique.

Afin d'éclaircir ce point, Steven Benner obtint par mutation, en se basant sur la structure par rayons X de l'enzyme presque identique l'**alcool déshydrogénase de foie de cheval (LADH)**, une YADH qui permet au côté *si* du noyau nicotinamide de se lier à l'enzyme sans interférer avec la catalyse. L'enzyme mutée obtenue (Leu 182 → Ala) commet une « erreur » stéréochimique pour chaque 850 000 « turnovers » (cycles de réaction) alors que l'enzyme sauvage (non mutée) en fait une tous les 7 milliards de turnovers. Cette diminution de stéréospécificité d'un facteur de 8000 signifie que certaines des chaînes latérales responsables de la stéréospécificité de la YADH ne sont pas indispensables à l'activité catalytique et renforce donc l'hypothèse d'une signification fonctionnelle de la stéréospécificité.

B. *Spécificité géométrique*

La stéréospécificité des enzymes n'est pas particulièrement surprenante compte tenu de la complémentarité entre le site de liaison enzymatique et son substrat. Un substrat qui n'a pas la chiralité correcte ne pourra pas se fixer à un site de liaison enzymatique pour pratiquement la même raison que votre main droite ne peut se glisser correctement dans votre gant gauche. Cependant, *en plus de leur caractère stéréospécifique, la plupart des enzymes sont très sélectives quant à la nature des groupements chimiques de leurs substrats*. En fait, cette **spécificité géométrique** est beaucoup plus contraignante que la stéréospécificité. Après tout, votre gant gauche acceptera plus ou moins bien des mains gauches de taille et de forme différentes de la vôtre.

Les enzymes ont des degrés de spécificité géométrique extrêmement variables. Quelques enzymes ont des spécificités absolues pour un seul substrat. Cependant, la plupart des enzymes catalysent des réactions avec un petit nombre de molécules de structures proches. Par exemple, la YADH catalyse l'oxydation de petits alcools primaires et secondaires en aldéhydes ou cétones correspondants, mais avec moins d'efficacité que celle de l'éthanol. Même le méthanol et l'isopropanol, qui ne diffè-

rent de l'éthanol que par un groupement CH_2 en moins ou en plus, sont oxydés par la YADH à des vitesses respectives 25 fois et 2,5 fois plus lentes que ne l'est l'éthanol. De même, le $NADP^+$, qui ne diffère du NAD^+ que par la présence d'un groupement phosphate en position 2' sur le ribose de l'adénosine (Fig. 13-2), ne se lie pas à la YADH. Par ailleurs, beaucoup d'enzymes se lient à $NADP^+$ et non à NAD^+.

Certaines enzymes, en particulier les enzymes de la digestion, sont tellement tolérantes vis-à-vis de leurs substrats, qu'il est préférable de parler de préférences plutôt que de spécificités géométriques. Par exemple, la carboxypeptidase A catalyse l'hydrolyse des liaisons peptidiques C-terminales de tous les résidus, exceptés Arg, Lys, et Pro si le résidu précédent n'est pas Pro (Tableau 7-1). Toutefois, la vitesse de cette réaction enzymatique varie avec la nature des résidus au voisinage de l'extrémité C-terminale du polypeptide (cf. Fig. 7-5). Quelques enzymes ne sont même pas très spécifiques quant au type de réaction qu'elles catalysent. Ainsi, la chymotrypsine, qui catalyse l'hydrolyse de la liaison peptidique, catalyse aussi l'hydrolyse de liaisons ester.

De plus, l'accepteur du groupement acyl dans la réaction de la chymotrypsine n'est pas obligatoirement de l'eau ; des acides aminés, des alcools, ou de l'ammoniac peuvent jouer ce rôle. Il faut préciser, cependant, que de telles tolérances sont exceptionnelles. De fait, la grande majorité des enzymes intracellulaires, *in vivo*, catalysent une réaction donnée avec un substrat spécifique.

3 ■ COENZYMES

Les enzymes catalysent des réactions chimiques très variées. Leurs groupements fonctionnels peuvent facilement participer à des réactions acide-base, établir certaines formes de liaisons covalentes transitoires ainsi que des interactions entre charges (Section 15-1). Cependant, elles sont moins enclines à catalyser des réactions d'oxydo-réduction ainsi que des réactions de transfert de groupes. Bien que des enzymes catalysent de telles réactions, elles ne le font qu'en association avec des **cofacteurs**, petites molécules qui sont essentiellement les « dents chimiques » des enzymes.

Les cofacteurs peuvent être des ions métalliques, tels que Zn^{2+}, qui est indispensable à l'activité catalytique de la carboxypeptidase A, ou des molécules organiques appelées **coenzymes** telles que le NAD^+ pour la YADH (Section 13-2A). Certains cofacteurs, le

TABLEAU 13-1 **Coenzymes courants**

Coenzyme	Réaction impliquée	Section concernée
Biotine	Carboxylation	23-1A
Coenzymes à cobalamine (B_{12})	Alkylation	25-2E
Coenzyme A	Transfert de groupement acyl	21-2A
Coenzymes flaviniques	Oxido–réduction	16-5C
Acide lipoïque	Transfert de groupement acyl	21-2A
Coenzymes nicotinamide	Oxido–réduction	13-2A
Phosphate de pyridoxal	Transfert de groupement amino	26-1A
Tétrahydrofolate	Transfert de groupement à un carbone	26-4D
Pyrophosphate de thiamine	Transfert de groupement aldéhyde	17-3B

NAD^+ par exemple, ne s'associent que transitoirement à une molécule d'enzyme donnée, si bien qu'ils ont, en fait, un rôle de cosubstrat. D'autres cofacteurs, appelés **groupements prosthétiques,** sont associés en permanence à la partie protéique de l'enzyme, souvent par liaisons covalentes. Ainsi, le groupement prosthétique de l'hémoglobine, le noyau hème, est lié étroitement à la protéine par d'importantes interactions hydrophobes et ponts hydrogène, en plus d'une liaison covalente entre l'ion Fe^{2+} de l'hème et His F8 (Sections 10-1A et 10-2B).

Au cours de la réaction à laquelle ils participent, les coenzymes sont modifiés chimiquement. Par conséquent, afin que le cycle catalytique soit assuré, le coenzyme doit revenir à son état initial. Dans le cas des groupements prosthétiques, ce retour ne peut être assuré que par une réaction distincte de la réaction enzymatique elle-même. Cependant, pour les coenzymes qui peuvent se disso-

TABLEAU 13-2 **Vitamines précurseurs de coenzymes**

Vitamine	Coenzyme	Maladie causée par carence (chez l'homme)
Biotine	Biocytine	*a*
Cobalamine (B_{12})	Coenzymes à cobalamine (B_{12})	Anémie pernicieuse
Acide folique	Tétrahydrofolate	Anémie mégaloblastique
Nicotinamide	Coenzymes à nicotinamide	Pellagre
Pantothénate	Coenzyme A	*a*
Pyridoxine (B_6)	Phosphate de pyridoxal	*a*
Riboflavine (B_2)	Coenzymes flaviniques	*a*
Thiamine (B_1)	Pyrophosphate de thiamine	Béribéri

*a*Il n'y a pas de nom spécifique ; la déficience chez l'homme est rare ou elle n'est pas observée.

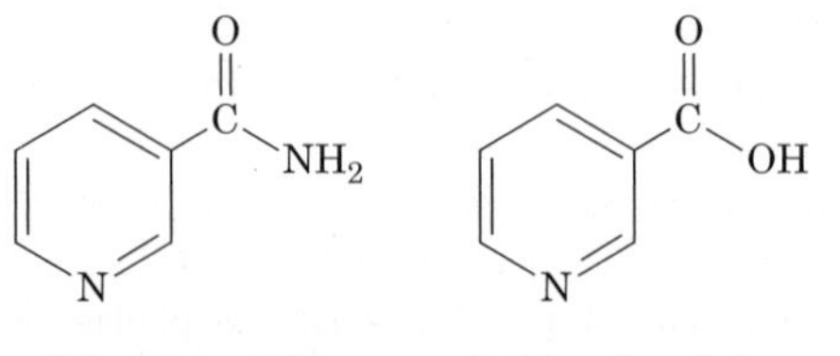

cier de l'apoenzyme, le NAD^+ par exemple, la réaction de régénération peut être catalysée par une autre enzyme.

Le complexe enzyme-cofacteur catalytiquement actif est appelé un **holoenzyme.** La partie protéique de l'holoenzyme, enzymatiquement inactive est l'**apoenzyme** ; ainsi :

Apoenzyme (*inactif*) + cofacteur $\rightleftharpoons$ holoenzyme (*actif*)

La liste des coenzymes courants, ainsi que le type de réactions auxquelles ils participent, est donnée dans le Tableau 13-1. Nous décrirons les structures de ces molécules et leurs mécanismes réactionnels dans les sections appropriées de ce traité.

a. Beaucoup de vitamines sont des précurseurs de coenzymes

De nombreux organismes sont incapables de synthétiser certaines parties des cofacteurs indispensables et, par conséquent, ces molécules doivent être fournies dans leur régime alimentaire, par ce qu'on appelle des **vitamines**. En fait, beaucoup de coenzymes ont été découverts en tant que facteurs de croissance pour des micro-organismes ou comme substances guérissant des maladies dues à des déficiences nutritionnelles chez l'homme et les animaux. Par exemple, le constituant **nicotinamide** (également appelé **niacinamide**) du NAD^+ ou son analogue acide carboxylique l'**acide nicotinique** (ou **niacine** ; Fig. 13-4), guérit la **pellagre**, maladie due à une déficience alimentaire. La pellagre, caractérisée par des diarrhées, une dermatite, et une démence, était une maladie endémique dans les zones rurales du sud des États-Unis au début du vingtième siècle. La plupart des animaux, y compris l'homme, peuvent synthétiser le nicotinamide à partir de tryptophane (Section 28-6A). Or, l'alimentation à base de maïs qui prévalait dans les zones rurales du Sud ne contenait que peu de nicotinamide utilisable et de tryptophane. [Le maïs contient en fait des quantités significatives de nicotinamide mais il se trouve sous une forme qui nécessite un traitement par une base afin que l'intestin puisse l'absorber. Les Indiens du Mexique, dont on pense qu'ils ont domestiqué la plante, ont l'habitude de faire tremper la farine de maïs dans une eau calcaire — une solution de $Ca(OH)_2$ diluée — avant de la cuire au four, pour en faire des tortillas.]

Les vitamines du régime alimentaire de l'homme qui sont des précurseurs de coenzymes, sont toutes des **vitamines hydrosolubles** (Tableau 13-2). Par contre, les **vitamines liposolubles,** les **vitamines A** et **D** par exemple, ne sont pas des constituants de coenzymes, même si elles doivent se trouver à l'état de traces dans les régimes alimentaires de beaucoup d'animaux supérieurs. Il est probable que nos lointains ancêtres avaient la possibilité de syn-

Nicotinamide   **Acide nicotinique**
(niacinamide)   **(niacine)**

FIGURE 13-4 **Structures du nicotinamide et de l'acide nicotinique.** Ces vitamines forment les constituants réactionnels rédox des coenzymes NAD^+ et $NADP^+$ (comparer avec la Fig. 13-2).

thétiser les différentes vitamines, comme le font les plantes supérieures et les micro-organismes. Puisque les vitamines se trouvent normalement dans les régimes alimentaires des animaux supérieurs, qui mangent tous d'autres organismes, ou qu'elles sont synthétisées par les bactéries de la flore intestinale de leur tube digestif, il est possible que la machinerie cellulaire superflue responsable de leur synthèse se soit perdue au cours de l'évolution.

4 ■ RÉGULATION DE L'ACTIVITÉ ENZYMATIQUE

Un organisme doit pouvoir réguler les activités catalytiques de ses enzymes afin de coordonner ses nombreuses voies métaboliques, de répondre à des changements de son environnement, croître et se différencier, le tout de manière ordonnée. Cette régulation peut être réalisée de deux manières :

1. *Contrôle de la disponibilité en enzyme :* *La quantité d'une enzyme donnée dans une cellule dépend à la fois de la vitesse de sa synthèse et de celle de sa dégradation.* Chacune de ces vitesses est contrôlée par la cellule. Par exemple, si on cultive *E. coli* dans un milieu qui ne contient pas de lactose (Fig. 11-12) la bactérie ne possède pas les enzymes qui métabolisent ce disaccharide. Cependant, dans les quelques minutes qui suivent l'addition de lactose au milieu de culture, la bactérie commence à synthétiser les enzymes nécessaires à l'utilisation de ce nutriment (Section 31-1A). De même, les différents tissus d'un organisme supérieur contiennent chacun un équipement enzymatique différent, bien que la plupart de ses cellules possèdent une information génétique identique. L'étude des mécanismes qui permettent aux cellules de contrôler la synthèse de leurs enzymes sera le sujet principal de la Cinquième Partie de cet ouvrage. La dégradation des protéines est étudiée dans la Section 32-6.

2. *Contrôle de l'activité enzymatique :* *L'activité catalytique d'une enzyme peut être régulée directement par des modifications conformationnelles ou structurales.* La vitesse d'une réaction enzymatique est directement proportionnelle à la concentration de son complexe enzyme-substrat qui, à son tour, dépend de la concentration en enzyme et en substrat et de l'affinité de liaison du substrat à l'enzyme (Section 14-2A). L'activité catalytique d'une enzyme peut donc être contrôlée par la modification de son affinité de liaison au substrat. Se rappeler que dans les Sections 10-1 et 10-4, nous avons vu en détail comment l'affinité de l'hémoglobine pour l'oxygène est régulée allostériquement par la liaison de ligands tels que O_2, CO_2, H^+, et le BPG. Ces effets homotropes et hétérotropes (la liaison du ligand qui, respectivement, modifie l'affinité de liaison de ligands identiques ou différents) se traduisent par des courbes de liaison de l'oxygène coopératives (sigmoïdales) comme celles des Fig. 10-6 et 10-8. *L'affinité de liaison du substrat à l'enzyme peut de la même manière être modulée par la liaison de petites molécules effectrices, modifiant ainsi l'activité catalytique de l'enzyme.* Dans cette section, nous étudierons le contrôle allostérique de l'activité enzymatique à partir d'un exemple précis : l'**aspartate transcarbamylase (ATCase)** d'*E. coli.* (Les activités de nombreuses enzymes sont régulées de manière identique par des modifications covalentes réversibles, généralement par phosphorylation d'un résidu Ser. Nous étudierons cette forme de régulation enzymatique dans la Section 18-3.)

a. La rétroinhibition de l'ATCase régule la biosynthèse des pyrimidines

L'**aspartate transcarbamylase** catalyse la formation du ***N*-carbamylaspartate** à partir de **carbamyl phosphate** et d'aspartate :

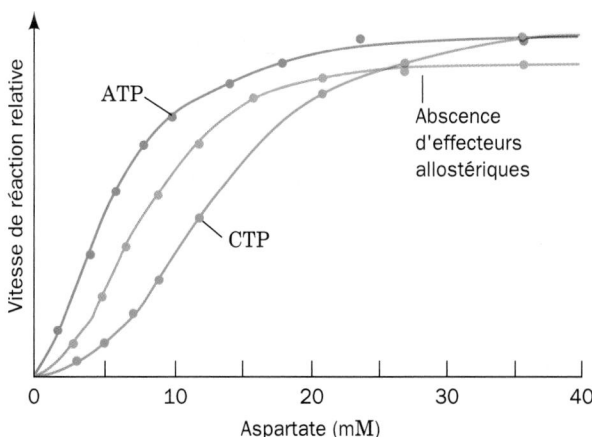

Carbamyl phosphate + **Aspartate**

N-**Carbamyl aspartate** + $H_2PO_4^-$

Arthur Pardee a montré que cette réaction est la première étape propre à la synthèse des pyrimidines (Section 28-2A), constituants majeurs des acides nucléiques.

Le comportement allostérique de l'ATCase d'*E. coli* a été étudié par John Gerhart et Howard Schachman, qui ont montré que cette enzyme est l'objet d'interactions coopératives homotropes positives pour la liaison de ses deux substrats, l'aspartate et le carbamyl phosphate. De plus, l'ATCase est inhibée de façon hétérotrope par la **cytidine triphosphate (CTP),** un des nucléotides pyrimidiques, et est activée de façon hétérotrope par l'**adénosine triphosphate (ATP),** un des nucléotides puriques. Le CTP diminue donc la vitesse de catalyse de l'enzyme, tandis que l'ATP l'augmente (Fig. 13-5).

FIGURE 13-5 Variation de la vitesse de la réaction catalysée par l'ATCase en fonction de la concentration en aspartate. Les vitesses sont mesurées en l'absence d'effecteurs allostériques, en présence de CTP 0,4 m*M* (inhibition), et en présence d'ATP 2,0 m*M* (activation). [D'après Kantrowitz, E.R., Pastra-Landis, S.C., and Lipscomb, W.N., *Trends Biochem. Sci.* **5**, 125 (1980).]

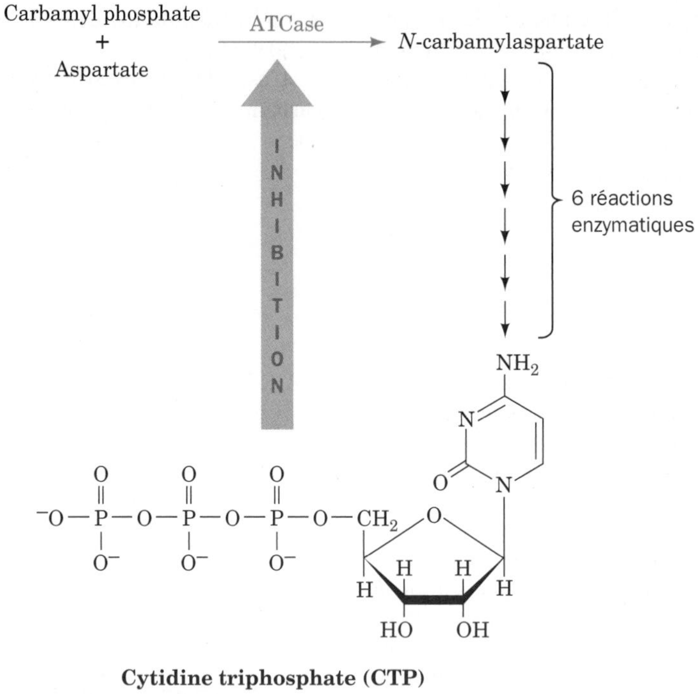

Cytidine triphosphate (CTP)

FIGURE 13-6 Représentation schématique de la voie de biosynthèse des pyrimidines. Le CTP, produit final de la voie, inhibe l'ATCase, qui catalyse la première réaction de la voie.

Le CTP, un des produits de la voie de biosynthèse des pyrimidines (Fig. 13-6), est un précurseur des acides nucléiques (Section 5-4). Par conséquent, suite à une biosynthèse rapide d'acide nucléique, le pool de CTP intracellulaire est abaissé, ce qui provoque la dissociation de cet effecteur de l'ATCase en raison de la loi d'action des masses, lève l'inhibition de l'enzyme, et augmente la vitesse de synthèse du CTP. Inversement, si la vitesse de synthèse du CTP dépasse sa vitesse d'utilisation, l'excès de CTP qui en résulte inhibe l'ATCase qui, à son tour, réduit la vitesse de synthèse du CTP. *Ceci est un exemple de **rétroinhibition** (appelée aussi **feed-back** ou encore **rétrocontrôle**), un moyen commode de régulation métabolique dans laquelle la concentration d'un produit d'une voie de biosynthèse contrôle l'activité d'un des premiers enzymes de cette voie.*

La signification métabolique de l'activation de l'ATCase par l'ATP est qu'elle tend à coordonner les vitesses de synthèse des nucléotides puriques et pyrimidiques pour la biosynthèse des acides nucléiques. Par exemple, si les concentrations en ATP et en CTP sont déséquilibrées en faveur de l'ATP, l'ATCase est activée pour synthétiser des pyrimidines jusqu'à ce que l'équilibre soit rétabli. (Note : La concentration en ATP dans la cellule est normalement supérieure à celle du CTP en raison du plus grand besoin en ATP. La concentration en ATP requise pour activer l'ATCase est donc plus élevée que la concentration en CTP requise pour l'inhiber à un même degré). Inversement, si la concentration en CTP est supérieure à celle de l'ATP, l'inhibition de l'ATCase par le CTP permet à la biosynthèse des purines de rétablir les concentrations en ATP et en CTP.

b. Les changements allostériques modifient les sites de liaison des substrats de l'ATCase

L'ATCase d'*E. coli* (300 kD) a la composition en sous-unités c_6r_6, où c et r symbolisent les sous-unités catalytiques et régulatrices. La structure par rayons X de l'ATCase (Fig. 13-7), déterminée par William Lipscomb, révèle que les sous-unités catalytiques sont arrangées en deux séries de trimères (c_3) associées à trois séries de dimères régulateurs (r_2) pour former une molécule ayant la symétrie de rotation d'un prisme trigonal (Symétrie D_3; Section 8-5B). Chaque dimère régulateur réunit deux sous-unités catalytiques de deux trimères c_3 différents.

Des trimères catalytiques dissociés conservent leur activité catalytique, présentent une courbe de saturation par le substrat non coopérative (hyperbolique), ont une vitesse maximum supérieure à celle de l'enzyme intacte, et ne sont pas sensibles à la présence de l'ATP et du CTP. Les dimères régulateurs isolés se lient à leurs effecteurs allostériques mais sont dépourvus d'activité enzymatique. De toute évidence, *les sous-unités régulatrices diminuent l'activité des sous-unités catalytiques de l'enzyme intacte, par interactions allostériques.*

Comme le prévoit la théorie allostérique (Section 10-4), l'ATP activateur se lie préférentiellement à la forme active de l'ATCase (forme R ou de haute affinité pour le substrat), tandis que le CTP inhibiteur se lie préférentiellement à la forme inactive de l'enzyme (forme T ou de faible affinité pour le substrat). De même, l'analogue non réactif « bisubstrat » **N-(phosphonacétyl)-L-aspartate (PALA)**

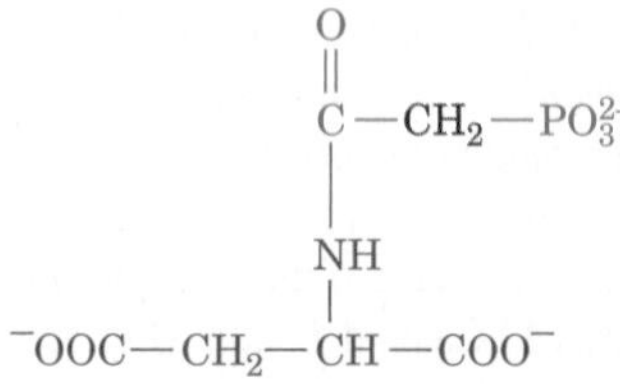

N-(Phosphonacétyl)-L-aspartate (PALA)

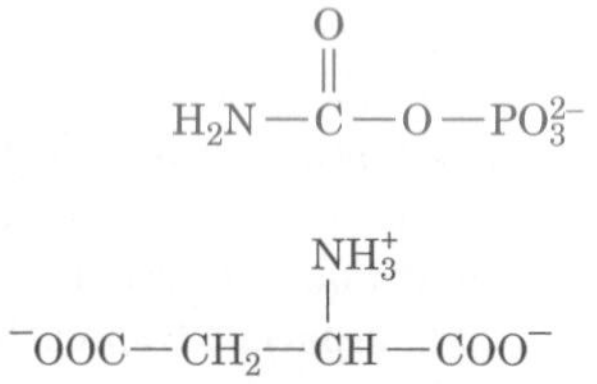

Carbamyl phosphate + Aspartate

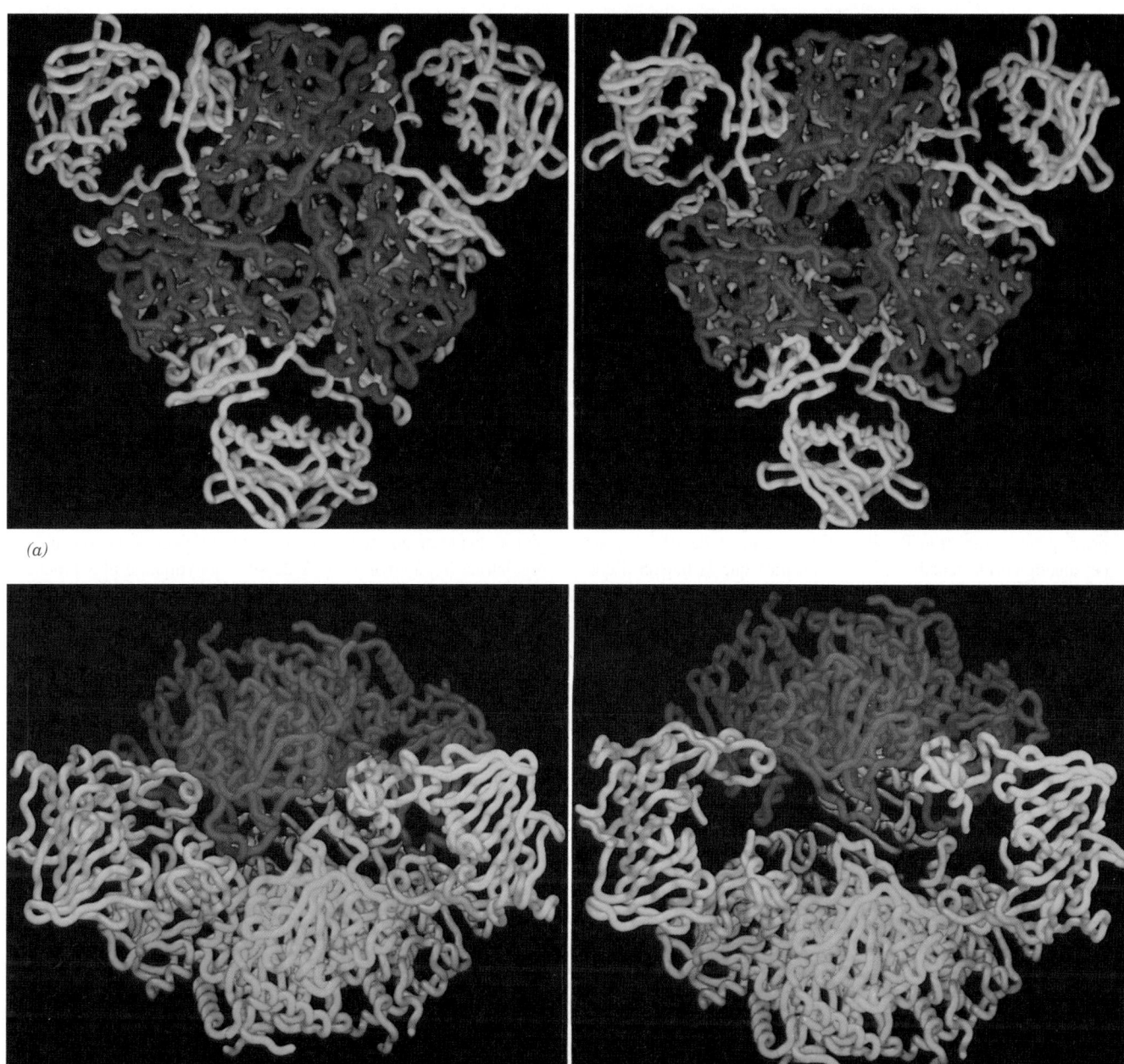

(a)

(b)

FIGURE 13-7 Structure par rayons X de l'ATCase. Les squelettes polypeptidiques de l'ATCase à l'état T (*à gauche*) et à l'état R (*à droite*) vus (*a*) le long de l'axe de symétrie d'ordre trois de la protéine et (*b*) le long d'un axe de symétrie d'ordre deux. Les dimères régulateurs (*en jaune*) unissent le trimère catalytique qui est au-dessus (*en rouge*) au tri-mère catalytique qui se trouve en bas (*en bleu*). [Avec la permission de Michael Pique, The Scripps Research Institue, La Jolla, California. Structures par rayons X dues à William Lipscomb, Harvard University. PDBids 4AT1 et 8ATC.]

se lie fortement à l'état R mais non à l'état T de l'ATCase (l'utili-sation d'analogues de substrats non réactifs est un procédé com-mode pour étudier les mécanismes enzymatiques car ils forment des complexes stables utilisables pour des études structurales, à l'inverse des complexes enzyme-substrat qui ont une durée de vie très courte).

Les structures par rayons X des complexes ATCase (état T)-CTP et ATCase (état R)-PALA ont montré que lors de la transi-tion T → R, la symétrie D_3 de la protéine est conservée. La com-paraison de ces deux structures (Fig. 13-7) montre que lors de cette transition, les trimères catalytiques de l'enzyme s'éloignent de 11 Å environ, le long de l'axe de symétrie d'ordre trois de la molécule et se réorientent autour de cet axe les uns par rap-port aux autres, d'un angle de 12° ; de la sorte, ces trimères pren-nent une configuration plus éclipsée. De plus, les dimères régu-lateurs tournent dans le sens des aiguilles d'une montre de 15° autour de leurs axes d'ordre deux et s'éloignent de 4 Å environ le long de l'axe d'ordre trois. De tels changements de structure quaternaire sont comparables à ceux dont l'hémoglobine est le siège (Section 10-2B).

Les substrats de l'ATCase, le carbamyl phosphate et l'aspartate, se lient chacun à des domaines séparés de la sous-unité catalytique (Fig. 13-8). La liaison du PALA à l'enzyme, qui simule vraisemblablement la liaison des deux substrats, entraîne la fermeture du site actif, de sorte que les deux substrats se rapprocheraient, favorisant ainsi la réaction entre eux. Les déplacements d'atomes qui en résultent, jusqu'à 8 Å pour certains résidus (Fig. 13-8), déclenchent la transition quaternaire T → R de l'ATCase. En fait, *les changements conformationnels des structures tertiaire et quaternaire sont tellement solidaires en raison de contacts importants entre sous-unités (cf. ci-dessous) qu'ils ne peuvent avoir lieu indépendamment (Fig. 13-9).* La liaison du substrat à l'une des sous-unités catalytiques augmente par conséquent l'affinité de liaison du substrat et l'activité catalytique des autres sous-unités catalytiques, ce qui rend compte de la liaison coopérative positive du substrat à l'enzyme — de manière identique à ce que nous avons vu pour l'hémoglobine (Section 10-2C). Ainsi, de faibles concentrations en PALA activent en réalité l'ATCase en provoquant la transition T→ R ; l'ATCase a une telle affinité pour cet analogue non réactif des deux substrats que la liaison d'une molécule de PALA fait passer les six sous-unités catalytiques à l'état R. Il est évident que *l'ATCase suit de près le modèle symétrique de l'allostérie (Section 10-4B).*

c. Base structurale de l'allostérie de l'ATCase

Quelles sont les interactions qui stabilisent les états T et R de l'ATCase, et pourquoi leurs interconversions doivent-elles être concertées ? La région de la protéine qui subit le réarrangement conformationnel le plus important au cours de la transition T → R est la boucle souple qui va des résidus 230 à 250 de la sous-unité catalytique (*c*), appelée boucle des 240 [les boucles symétriques

rouges et bleues au centre de la Fig. 13-7*b* qui sont côte à côte dans l'état T (*à gauche*) mais qui sont accolées verticalement dans l'état R (*à droite*)]. Dans l'état T, chaque boucle 240 établit deux liaisons hydrogène entre sous-unités avec la sous-unité *c* opposée à la verticale (Fig. 13-7*b*, *à gauche*), ainsi qu'une liaison hydrogène à l'intérieur des sous-unités. La fermeture du domaine provoquée par la liaison du substrat (Fig. 13-8 et 13-9) entraîne la rupture de ces liaisons hydrogène et leur remplacement dans l'état R par d'autres liaisons hydrogène intracaténaires. On pense que la réorientation subséquente de la boucle 240 serait en grande partie responsable de la transition quaternaire vers l'état R (cf. ci-dessous). Puisque le groupement carboxylate du Glu 239 est l'accepteur de toutes les liaisons hydrogène intercaténaires dans l'état T et intracaténaires dans l'état R, cette hypothèse est corroborée par l'observation suivante : si l'on transforme par mutation le Glu 239 en Gln, on obtient une ATCase qui ne présente plus d'effets homotropes et hétérotropes et dont la structure quaternaire est intermédiaire entre les états R et T.

La base structurale des effets hétérotropes de l'ATCase se dévoile peu à peu. Aussi bien le CTP inhibiteur que l'ATP activateur se lient sur un même site au bord extérieur de la sous-unité régulatrice (*r*), à environ 60 Å du site catalytique le plus proche. Le CTP se lie préférentiellement à l'état T, augmentant ainsi sa stabilité, alors que l'ATP se lie préférentiellement à l'état R, augmentant ainsi sa stabilité. La liaison de ces effecteurs à leurs états moins favorables a aussi des conséquences structurales. Quand le CTP se lie à l'ATCase à l'état R, plusieurs résidus du site de liaison du nucléotide se réorientent, ce qui provoque une diminution de la longueur du dimère régulateur (*r*₂). Cette distorsion, due à des interactions de résidus situés à l'interface *r-c*, entraîne le rapprochement des trimères catalytiques (*c*₃) de 0,5 Å (ils sont davantage sous la forme T, et donc moins actifs, ce qui, sans doute, déstabilise l'état R). Suite à cela, des résidus clefs des sites actifs

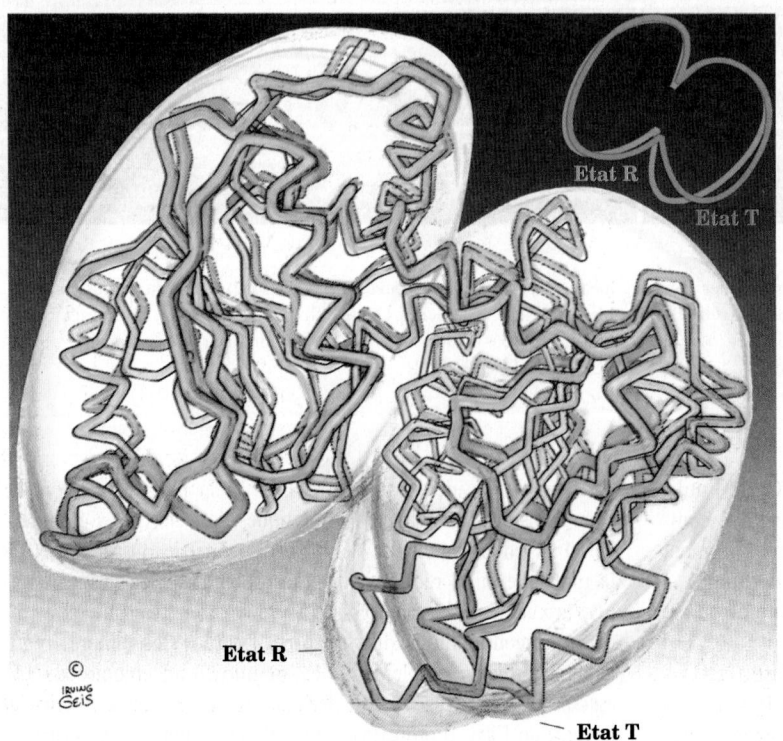

FIGURE 13-8 Comparaison des squelettes polypeptidiques de la sous-unité catalytique de l'ATCase à l'état T (*en orange*) et à l'état R (*en bleu*). La sous-unité est formée de deux domaines, le domaine de gauche où se trouve le site de liaison du carbamyl phosphate, et le domaine de droite, où se trouve le site de liaison de l'aspartate. La transition T → R rapproche les deux domaines de sorte que les deux substrats liés peuvent réagir entre eux pour former les produits.[Représentation avec copyright de Irving Geis/Geis Archives Trust 1987. Howard Hughes Medical Institute. Structure par rayons X déterminée par William Lipscomb, Harvard University.]

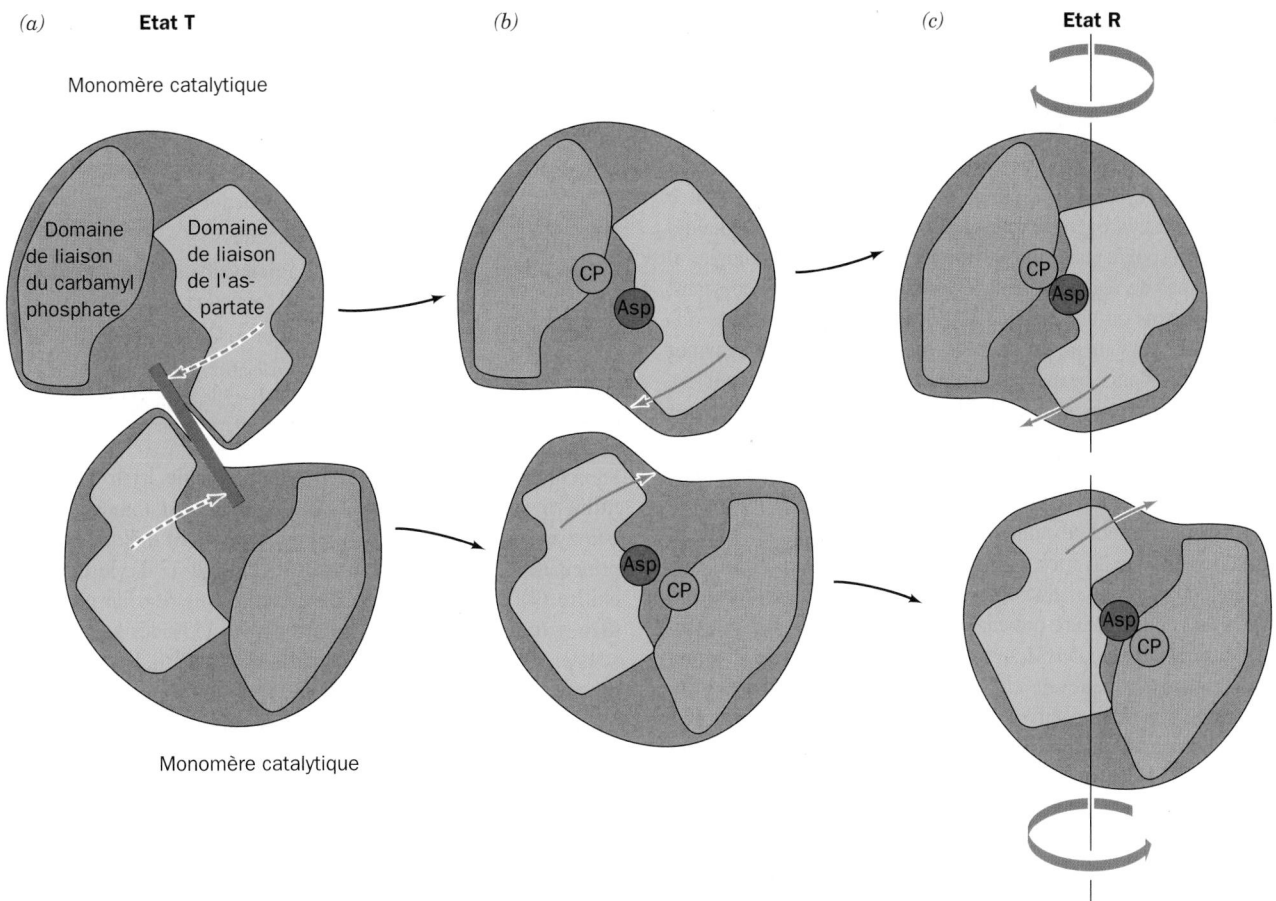

FIGURE 13-9 Représentation schématique montrant les changements conformationnels tertiaire et quaternaire de deux sous-unités catalytiques de l'ATCase interagissant verticalement. (*a*) En l'absence de substrat lié, la protéine reste à l'état T, car les déplacements qui rapprocheraient les deux domaines de chaque sous-unité (*flèches en pointillés*) sont contrés par des interférences stériques (*barre violette*) entre les domaines de liaison de l'aspartate en contact. (*b*) La liaison du carbamyl phosphate (CP) suivie de celle de l'aspartate (Asp) à leurs sites de liaison respectifs, entraînent un déplacement et une rotation des sous-unités l'une par rapport à l'autre ce qui rend possible la transition T → R. (*c*) A l'état R, les deux domaines de chaque sous-unité se réunissent, rendant possible la réaction des deux substrats pour former les produits. [Illustration par Irving Geis avec Copyright.]

de l'enzyme se réorientent, ce qui diminue l'activité catalytique de l'enzyme. L'ATP a essentiellement l'effet inverse lorsqu'il se lie à l'enzyme à l'état T : il entraîne une séparation des trimères catalytiques de 0,4 Å (ils sont davantage sous forme R, donc plus actifs, ce qui sans doute, déstabilise l'état T), d'où la réorientation de résidus clefs du site actif de l'enzyme qui se traduit par une augmentation de son activité catalytique. La liaison du CTP à l'ATCase en état T ne comprime pas davantage les trimères catalytiques mais, néanmoins, perturbe les résidus du site actif, ce qui entraîne une plus grande stabilisation de l'état T. Bien que la structure par rayons X de l'ATCase à l'état R complexée à l'ATP n'ait pas encore été publiée, on peut penser que la liaison de l'ATP doit perturber l'état R de manière analogue mais inverse à la liaison du CTP à l'ATCase en état T.

d. Les transitions allostériques d'autres enzymes ressemblent à celles de l'hémoglobine et de l'ATCase

Les enzymes allostériques sont largement répandues dans la nature et elles tendent à occuper des positions clefs dans la régulation des voies métaboliques. On connaît la structure par rayons X de trois autres enzymes allostériques, en plus de l'hémoglobine

et de l'ATCase aussi bien en état R qu'en état T, ce sont : la **phosphofructokinase** (Sections 17-2C et 17-4F), la **fructose-1,6-bis-phosphatase** (Section 17-4F), et la **glycogène phosphorylase** (Section 18-1A). Pour ces cinq protéines, des modifications de structure quaternaire, grâce auxquelles les résultats de liaison et d'activité catalytique sont transmis aux centres actifs, sont concertées et préservent la symétrie de la protéine. Ceci parce que chacune de ces protéines présente deux possibilités de contacts alternatifs stabilisés essentiellement par des liaisons hydrogène impliquant le plus souvent des chaînes latérales de charge opposée. Pour les cinq protéines, les transitions de structure quaternaire sont avant tout des rotations des sous-unités les unes par rapport aux autres accompagnées seulement de faibles mouvements de translation. Les structures secondaires sont bien préservées lors des transitions T→ R, ce qui est probablement important pour que soit assurée la transmission mécanique des effets hétérotropes sur les dizaines d'Å nécessaires dans ces protéines. Le caractère ubiquitaire de ces aspects structuraux à propos des protéines allostériques de structures connues, suggère que les mécanismes de régulation d'autres enzymes allostériques suivront, grosso modo, ce modèle.

5 ■ UNE AMORCE DE NOMENCLATURE DES ENZYMES

Comme nous l'avons vu jusqu'ici dans ce livre, les enzymes sont nommées communément en ajoutant le suffixe *-ase* au nom du substrat de l'enzyme ou à une expression qui décrit l'action catalytique de l'enzyme. Ainsi, l'uréase catalyse l'hydrolyse de l'urée et l'alcool déshydrogénase catalyse l'oxydation d'alcools en aldéhydes correspondants. Puisque, au début de l'enzymologie, il n'existait pas de règles systématiques pour nommer les enzymes, il arrive parfois qu'une enzyme soit désignée par deux noms différents ou, inversement, qu'un même nom désigne deux enzymes différentes. De plus, beaucoup d'enzymes, par exemple la catalase, qui catalyse la décomposition de H_2O_2 en H_2O et O_2 ont des noms sans aucun rapport avec leur fonction ; des termes comme « le vieux ferment jaune » ont même été utilisés à une certaine époque. Afin d'éliminer cette confusion et de trouver des règles pour nommer rationnellement le nombre sans cesse croissant d'enzymes nouvellement découvertes, l'Union of Biochemistry and Molecular Biology (IUMB) a adopté une règle de classification fonctionnelle et de nomenclature des enzymes.

Les enzymes sont classées et nommées en fonction de la nature des réactions chimiques qu'elles catalysent. Il y a six classes principales de réactions catalysées par les enzymes (Tableau 13-3), ainsi qu'un certain nombre de sous-classes et de sous-sous-classes à l'intérieur de chaque classe. Chaque enzyme se voit assignée deux noms et une classification à quatre chiffres. Son **nom recommandé** est commode pour l'usage quotidien et c'est souvent le nom usuel utilisé précédemment. Son **nom systématique** est utilisé pour éliminer toute ambiguïté ; c'est le nom de son (ses) substrat(s) suivi d'un mot se terminant par *-ase* spécifiant le type de réaction catalysée par l'enzyme qui correspond à la classe principale à laquelle elle appartient. Par exemple, la version la plus récente de la *Base de données sur la Nomenclature Enzymatique* (accessible via http://expasy.org/enzyme et http://www.chem. qmw.ac.uk/iubmb/enzyme, où l'on trouvait une liste toujours croissante de 4000 items début 2003) indique que l'enzyme dont le nom recommandé est carboxypeptidase A (Section 7-1A) porte

TABLE 13-3 **Classification des enzymes selon la réaction catalysée**

Classification	Type de réaction catalysée
1. Oxidoréductases	Oxido–réduction
2. Transférases	Transfert de groupements fonctionnels
3. Hydrolases	Hydrolyse
4. Lyases	Elimination de groupements et formation de doubles liaisons
5. Isomérases	Isomérisation
6. Ligases	Formation de liaison couplée à l'hydrolyse de l'ATP

le nom systématique **peptidyl-L-amino acide hydrolase** et le **numéro de classification** EC 3.4.17.1. EC est l'abréviation de « Enzyme Commission », le premier chiffre (3) indique la classe principale de l'enzyme (hydrolases ; Tableau 13-3), le deuxième chiffre (4) précise sa sous-classe [action sur des liaisons peptidiques (peptidases)], le troisième chiffre (17) désigne sa sous-sous-classe (métallocarboxypeptidases ; la carboxypeptidase A possède un ion Zn^{2+} indispensable à son activité catalytique), et le quatrième chiffre (1) est le numéro de série de l'enzyme désigné arbitrairement à l'intérieur de sa sous-sous-classe. Autre exemple : l'enzyme dont le nom recommandé est alcool déshydrogénase (Section 13-2A) porte le nom systématique **alcool :NAD+ oxydoréductase** et le numéro de classification EC 1.1.1.1. Dans ce livre, tout comme dans la terminologie biochimique générale, nous utiliserons le plus souvent les noms recommandés des enzymes, mais nous nous référerons au nom systématique d'une enzyme en cas d'ambiguïté. Noter que les données d'entrée dans les sites *Web* ci-dessus contiennent des liens avec des bases de données qui décrivent les propriétés des enzymes correspondantes. Le site BRENDA (http://www.brenda.uni-koeln.de/) fournit non seulement la nomenclature, mais aussi une abondance de renseignements sur les propriétés physiques et fonctionnelles de chaque enzyme.

RÉSUMÉ DU CHAPITRE

2 ■ Specificité pour le substrat Les enzymes lient spécifiquement leurs substrats grâce à des interactions géométriques et physiques complémentaires. Cela permet aux enzymes d'avoir une stéréospécificité absolue, aussi bien pour lier des substrats que pour catalyser des réactions. La spécificité géométrique, plus contraignante, varie selon les enzymes. Certaines sont très spécifiques quant à la nature de leurs substrats, alors que d'autres peuvent se lier à plusieurs substrats et catalyser plusieurs types de réactions voisines.

3 ■ Les coenzymes Les réactions enzymatiques qui impliquent des réactions d'oxydo-réduction et plusieurs types de mécanismes de transfert de groupes font intervenir des coenzymes. Beaucoup de vitamines sont des précurseurs de coenzymes.

4 ■ Régulation de l'activité enzymatique L'activité enzymatique peut être régulée par des modifications allostériques de l'affinité de liaison du substrat. Par exemple, la vitesse de la réaction catalysée par l'ATCase d'*E. coli* est soumise à un contrôle homotrope positif par les substrats, à une inhibition hétérotrope par le CTP, et à une activation hétérotrope par l'ATP. L'ATCase a la composition en sous-unités c_6r_6. Ses trimères catalytiques isolés sont catalytiquement actifs mais ne sont plus sensibles au contrôle allostérique. Les dimères régulateurs lient l'ATP et le CTP. La liaison du substrat induit un changement conformationnel de la structure tertiaire des sous-unités catalytiques, qui augmente l'affinité de liaison du substrat aux sous-unités ainsi que l'efficacité catalytique. Ce changement conformationnel tertiaire est fortement lié au changement conformationnel quaternaire important T → R de l'ATCase, ce qui rend compte des propriétés allostériques de l'enzyme. D'autres enzymes allostériques semblent se comporter de façon analogue.

5 ■ Une amorce de nomenclature des enzymes Les enzymes sont classése de façon systématique en fonction de leur nom recommandé, de leur nom systématique, et de leur numéro de classification qui indique le type de réaction catalysée par l'enzyme.

■ RÉFÉRENCES

GENERAL

Dixon, M. and Webb, E.C., *Enzymes* (3rd ed.), Academic Press (1979). [Un traité sur les enzymes.]

HISTORY

Friedmann, H.C. (Ed.), *Enzymes,* Hutchinson Ross (1981). [Un ensemble d'articles classiques d'enzymologie publiés entre 1761 et 1974, avec des commentaires.]

Fruton, J.S., *Molecules and Life, pp.* 22–86, Wiley (1972).

Schlenk, F., Early research on fermentation—a story of missed opportunities, *Trends Biochem. Sci.* **10,** 252–254 (1985).

SUBSTRATE SPECIFICITY

Creighton, D.J. and Murthy, N.S.R.K., Stereochemistry of enzyme-catalyzed reactions at carbon, *in* Sigman, D.S. and Boyer, P.D. (Eds.), *The Enzymes* (3rd ed.), Vol. 19, *pp.* 323–421, Academic Press (1990). [La Section II est consacrée à la stéréochimie des réactions catalysées par les déshydrogénases dépendant du nicotinamide.]

Fersht, A., *Structure and Mechanism in Protein Science,* Freeman (1999).

Lamzin, V.S., Sauter, Z., and Wilson, K.S., How nature deals with stereoisomers, *Curr. Opin. Struct. Biol.* **5,** 830–836 (1995).

Mesecar, A.D. and Koshland, D.E. Jr., A new model for protein stereospecificity, *Nature* **403,** 614–615 (2000).

Ringe, D., What makes a binding site a binding site? *Curr. Opin. Struct. Biol.* **5,** 825–829 (1995).

Weinhold, E.G., Glasfeld, A., Ellington, A.D., and Benner, S.A., Structural determinants of stereospecificity in yeast alcohol dehydrogenase, *Proc. Natl. Acad. Sci.* **88,** 8420–8424 (1991).

REGULATION OF ENZYME ACTIVITY

Allewell, N.M., *Escherichia coli* aspartate transcarbamoylase: Structure, energetics, and catalytic and regulatory mechanisms, *Annu. Rev. Biophys. Biophys. Chem.* **18,** 71–92 (1989).

Evans, P.R., Structural aspects of allostery, *Curr. Opin. Struct. Biol.* **1,** 773–779 (1991).

Gouaux, J.E., Stevens, R.C., Ke, H., and Lipscomb, W.N., Crystal structure of the Glu-289 → Gln mutant of aspartate carbamoyl-transferase at 3.1-Å resolution: An intermediate quaternary structure, *Proc. Natl. Acad. Sci.* **86,** 8212–8216 (1989).

Jin, L., Stec, B., Lipscomb, W.N., and Kantrowitz, E.R., Insights into the mechanisms of catalysis and heterotropic regulation of *Escherichia coli* aspartate transcarbamoylase based upon a structure of the enzyme complexed with the bisubstrate analogue *N*-phosphonacetyl-L-aspartate at 2.1 Å, *Proteins* **37,** 729–742 (1999).

Kantrowitz, E.R. and Lipscomb, W.N., *Escherichia coli* aspartate transcarbamylase: The molecular basis for a concerted allosteric transition, *Trends Biochem. Sci.* **15,** 53–59 (1990).

Koshland, D.E., Jr., The key–lock theory and the induced fit theory, *Angew. Chem. Int. Ed. Engl.* **33,** 2375–2378 (1994).

Lipscomb, W.N., Structure and function of allosteric enzymes, *Chemtracts—Biochem. Mol. Biol.* **2,** 1–15 (1991).

Macol, C.P., Tsuruta, H., Stec, B., and Kantrowitz, E.R., Direct structural evidence for a concerted allosteric transition in *Escherichia coli* aspartate transcarbamoylase, *Nature Struct. Biol.* **8,** 423–426 (2001).

Schachman, H.K., Can a simple model account for the allosteric transition of aspartate transcarbamoylase? *J. Biol. Chem.* **263,** 18583–18586 (1988).

Stevens, R.C. and Lipscomb, W.N., A molecular mechanism for pyrimidine and purine nucleotide control of aspartate trans-carbamoylase, *Proc. Natl. Acad. Sci.* **89,** 5281–5285 (1992).

Zhang, Y. and Kantrowitz, E.R., Probing the regulatory site of *Escherichia coli* aspartate transcarbamoylase by site specific mutagenesis, *Biochemistry* **31,** 792–798 (1992).

ENZYME NOMENCLATURE

Enzyme Nomenclature, Academic Press (1992). [Recommandations du « Nomenclature Committee of the IUBMB » sur la nomenclature et la classification des enzymes.]

Tipton, K.F., The naming of parts, *Trends Biochem. Sci.* **18,** 113–115 (1993). [Une discussion sur les avantages d'une nomenclature des enzymes et sur la difficulté d'en établir une.]

■ PROBLÈMES

1. Indiquez les produits de la réaction de la YADH avec de l'acétaldéhyde et du NADH normaux dans une solution de D₂O.

2. Indiquez le(s) produit(s) de l'oxydation, catalysée par la YADH, du (*R*)-TDHCOH, un dérivé chiral du méthanol.

3. La **fumarase** catalyse la réaction d'hydratation de la double liaison du **fumarate :**

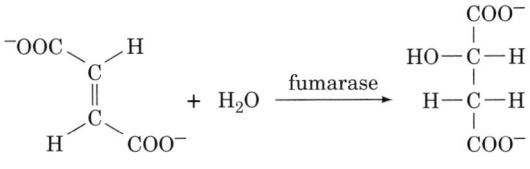

Fumarate → **L-Malate**

Quelle serait l'action de la fumarase sur le **maléate**, l'isomère cis du fumarate ? Expliquez.

4. Ecrivez une équation équilibrée de la réaction catalysée par la chymotrypsine entre un ester et un acide aminé.

5. Une friandise du sud des États-Unis, à base de maïs concassé et bouilli, est fabriquée à partir de maïs trempé dans une lessive diluée de NaOH. Quel est l'intérêt de ce traitement inhabituel ?

6. Quelle est la courbe parmi celles de la Fig. 13-5, qui montre la coopérativité la plus grande ? Expliquez.

7. Quels avantages voyez-vous à ce que le produit final d'une voie métabolique multienzymatique inhibe l'enzyme qui catalyse la première réaction ?

8. En utilisant le *Web* ou les références, trouvez les noms systématiques et les numéros de classification des enzymes dont les noms recommandés sont la catalase, l'aspartate transcarbamylase, et la trypsine.

Chapitre 14

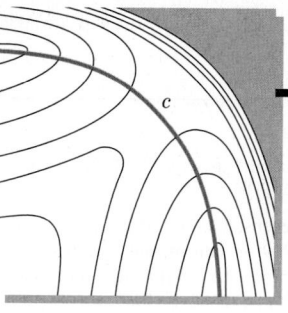

Vitesses des réactions enzymatiques

La cinétique est l'étude des vitesses des réactions chimiques. Son principal intérêt est qu'elle permet d'expliquer un mécanisme réactionnel, c'est-à-dire de décrire en détail les différentes étapes d'un processus réactionnel et l'ordre dans lequel elles se déroulent. Dans le Chapitre 3, nous avons vu que la thermodynamique nous renseigne sur le caractère spontané d'une réaction, mais elle ne nous fournit que peu d'indications quant à la nature et même à l'existence des étapes intermédiaires. À l'inverse, *la vitesse d'une réaction et ses variations en fonction de différentes conditions sont* *directement liées à la voie suivie par la réaction, et nous renseignent donc sur son mécanisme réactionnel.*

Dans ce chapitre, nous étudierons la **cinétique enzymatique,** un domaine d'importance capitale en biochimie pour les raisons suivantes :

1. C'est par des études de cinétique que l'on peut déterminer les affinités de liaison à l'enzyme des substrats et des inhibiteurs et calculer la vitesse catalytique maximum d'une enzyme.

2. En étudiant la variation de la vitesse d'une réaction enzymatique en fonction des conditions expérimentales et en associant ces données à celles obtenues par études chimiques et structurales, on peut élucider le mécanisme catalytique de l'enzyme.

3. La plupart des enzymes, comme nous le verrons dans les chapitres suivants, font partie d'une voie métabolique multienzymatique. L'étude de la cinétique d'une réaction enzymatique permet de comprendre le rôle de l'enzyme au sein d'un processus métabolique dans son ensemble.

4. Dans des conditions appropriées, la vitesse d'une réaction enzymatique est proportionnelle à la quantité d'enzyme présente et par conséquent, la plupart des dosages d'enzymes (mesures de la quantité d'enzyme présente) sont fondés sur les études cinétiques de l'enzyme. Les mesures des vitesses des réactions enzymatiques sont donc parmi les techniques les plus utilisées en analyses biochimiques et cliniques.

Nous commencerons notre étude de la cinétique enzymatique par un rappel de la cinétique chimique car la cinétique enzymatique obéit aux mêmes principes. Après quoi, nous établirons les équations de base de la cinétique enzymatique, nous étudierons les effets des inhibiteurs sur les enzymes et nous nous intéresserons à l'influence des variations de pH sur les vitesses des réactions enzymatiques. Nous terminerons en indiquant les cinétiques de réactions enzymatiques complexes.

La cinétique est, grosso modo, un sujet mathématique. Bien que les dérivations des équations de cinétique soient occasionnellement assez détaillées, le niveau de connaissances mathématiques nécessaire ne doit pas poser de problème à toute personne possèdant des notions de calcul élémentaire. Cependant, afin de ne pas obscurcir par trop de détails mathématiques les principes enzymatiques sous-jacents, les dérivations des équations de cinétique, sauf les plus importantes, ont été rassemblées dans l'appendice de ce chapitre. Ceux qui veulent approfondir la compréhension des mécanismes enzymatiques sont invités à le consulter.

1 ■ CINÉTIQUE CHIMIQUE

La cinétique enzymatique est une branche de la cinétique chimique et, par conséquent, elle obéit aux mêmes lois. Dans cette section, nous allons donc revoir les principes de cinétique chimique afin de les appliquer ensuite aux réactions enzymatiques.

A. *Réactions élémentaires*

Une réaction de stœchiométrie globale

$$A \rightarrow P$$

peut, en fait, faire intervenir une succession de **réactions élémentaires** (processus moléculaires simples) telles que

$$A \rightarrow I_1 \rightarrow I_2 \rightarrow P$$

où A désigne les substrats, P les produits, et I_1 et I_2 symbolisent les **intermédiaires** de la réaction. *La caractérisation des réactions élémentaires qui constituent le processus global d'une réaction revient à en décrire le mécanisme réactionnel.*

a. Équations de vitesse

A température constante, les vitesses des réactions élémentaires varient en fonction de la concentration des substrats de façon simple. Soit la réaction élémentaire générale :

$$aA + bB + \cdots + zZ \rightarrow P$$

La vitesse de cette réaction est proportionnelle à la fréquence à laquelle les molécules réagissantes se rencontrent simultanément, c'est-à-dire, aux produits des concentrations des substrats. Ceci s'exprime par l'**équation de vitesse** suivante

$$\text{Rate} = k[A]^a[B]^b \cdots [Z]^z \qquad [14.1]$$

où k est une constante de proportionnalité appelée **constante de vitesse**. L'**ordre** d'une réaction est défini par $(a + b + \ldots + z)$, la somme des exposants dans l'équation de vitesse. *Pour une réaction élémentaire, l'ordre de la réaction correspond à sa **molécularité**, c'est-à-dire au nombre de molécules qui doivent entrer en collision simultanément dans la réaction élémentaire.* Ainsi, la réaction A → P est un exemple de réaction d'**ordre un** ou de **réaction monomoléculaire**, alors que les réactions élémentaires 2A → P et A + B → P sont des exemples de réactions d'**ordre deux** ou **bimoléculaires**. Les réactions monomoléculaires et bimoléculaires sont courantes. Les réactions **trimoléculaires** sont rares et les réactions d'ordre supérieur sont inconnues. Ceci parce que la collision simultanée de trois molécules est un phénomène rare ; celle de quatre molécules ou plus, ne peut pratiquement jamais se produire.

B. *Vitesses des réactions*

On peut déterminer expérimentalement l'ordre d'une réaction en mesurant [A] ou [P] en fonction du temps ; soit,

$$v = -\frac{d[A]}{dt} = \frac{d[P]}{dt} \qquad [14.2]$$

où v est la vitesse instantanée ou **vélocité** de la réaction. Pour la réaction d'ordre un A → P :

$$v = -\frac{d[A]}{dt} = k[A] \qquad [14.3a]$$

Pour des réactions d'ordre deux telles que 2A → P :

$$v = -\frac{d[A]}{dt} = k[A]^2 \qquad [14.3b]$$

tandis que pour A + B → P, une réaction d'ordre deux qui est d'ordre un pour [A] et pour [B],

$$v = -\frac{d[A]}{dt} = -\frac{d[B]}{dt} = k[A][B] \qquad [14.3c]$$

Les constantes de vitesse des réactions d'ordre un et d'ordre deux s'expriment en unités différentes. En termes d'unités, v dans l'Eq. [14.3a] s'exprime en $M \cdot s^{-1} = kM$. Par conséquent, k doit s'exprimer en unités inverses de secondes (s^{-1}) afin que l'Eq. [14.3a] soit équilibrée. De même, pour des réactions d'ordre deux, $M \cdot s^{-1} = kM^2$, si bien que k s'exprime en unités $M^{-1} s^{-1}$.

L'ordre d'une réaction spécifique peut être déterminé en mesurant les concentrations de substrats ou de produits en fonction du temps, et en comparant la correspondance de ces données aux équations relatives à des réactions d'ordres différents. Pour cela, nous devons d'abord dériver ces équations.

a. Équation d'ordre un

L'équation de [A] en fonction du temps pour une réaction d'ordre un, A → P, s'obtient en réarrangeant l'Eq. [14.3a]

$$\frac{d[A]}{[A]} \equiv d\ln[A] = -k\,dt$$

et en intégrant cette équation de $[A]_0$, concentration initiale de A, à [A], la concentration de A au temps t :

$$\int_{[A]_0}^{[A]} d\ln[A] = -k \int_0^t dt$$

Ce qui donne

$$\ln[A] = \ln[A]_0 - kt \qquad [14.4a]$$

soit, en prenant les antilogs de chaque côté

$$[A] = [A]_0\, e^{-kt} \qquad [14.4b]$$

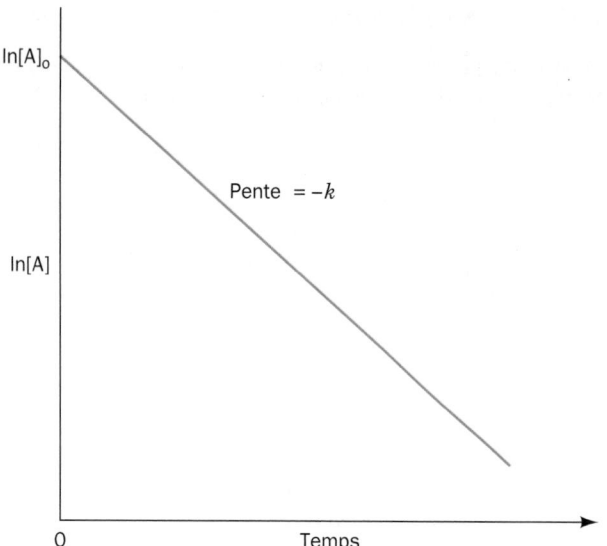

FIGURE 14-1 **Tracé de ln [A] en fonction du temps pour une réaction d'ordre un.** Ceci permet de déterminer graphiquement la constante de vitesse *k* d'après l'Eq. [14.4a].

L'équation [14.4a] est une équation linéaire en fonction des variables ln [A] et *t*, comme représenté sur la Fig. 14-1. Par conséquent, pour une réaction d'ordre un, si l'on porte ln [A] en fonction de *t*, on obtient une droite dont la pente est égale à −*k*, la valeur négative de la constante de vitesse d'ordre un, et qui coupe l'axe des ordonnées pour ln[A] = ln[A]$_0$.

Des substances instables par nature, comme les noyaux radioactifs, se décomposent selon des réactions d'ordre un (les processus d'ordre un ne sont pas réservés aux réactions chimiques). L'une des caractéristiques des réactions d'ordre un c'est que *le temps nécessaire pour que la moitié du substrat initialement présent se décompose (ou soit transformé), ce qu'on désigne par sa* **demi-vie,** *t$_{1/2}$, est une constante et donc indépendant de la concentration initiale du substrat.* On le démontre facilement en substituant la relation [A] = [A]$_0$/2 quand *t* = *t$_{1/2}$* dans l'Eq. [14.4a] et après réarrangement :

$$\ln\left(\frac{[A]_o/2}{[A]_o}\right) = -kt_{1/2}$$

Ainsi

$$t_{1/2} = \frac{\ln 2}{k} = \frac{0{,}693}{k} \qquad [14.5]$$

Afin de suivre le déroulement d'une réaction d'ordre un, prenons l'exemple de la décomposition de ^{32}P, un isotope radioactif très utilisé en recherche biochimique. Son temps de demi-vie est de 14 jours. Ainsi, après deux semaines, la moitié du ^{32}P initialement présent dans un échantillon donné se sera décomposé ; après deux autres semaines, la moitié de ce qui restait, soit les trois-quarts de la quantité initiale, se sera décomposée, *etc.* Le stockage à long terme de ^{32}P ne pose donc pas de gros problèmes, car après un an (soit 26 demi-vies), il ne restera qu'une part sur $2^{26} = 67$ millions de l'échantillon original. Combien dans deux ans ? Inversement, le ^{14}C, autre radioisotope utilisé comme traceur, a une demi-vie de 5715 années : seule une petite fraction d'une quantité donnée se décomposera durant une vie humaine.

b. Equation de vitesse d'ordre deux pour une réaction à un seul substrat

Pour une réaction d'ordre deux à un seul substrat, 2A → P, la variation de [A] en fonction du temps est tout à fait différente de celle d'une réaction d'ordre un. En réarrangeant l'Eq. [14.3b] et en l'intégrant dans les mêmes limites que précédemment on obtient :

$$\int_{[A]_o}^{[A]} -\frac{d[A]}{[A]^2} = k \int_0^t dt$$

d'où

$$\frac{1}{[A]} = \frac{1}{[A]_o} + kt \qquad [14.6]$$

L'équation [14.6] est une relation linéaire en fonction des variables 1/[A] et *t*. Par conséquent, les Eq. [14.4a] et [14.6] peuvent être utilisées pour faire la distinction entre une réaction d'ordre un et une réaction d'ordre deux en portant ln [A] en fonction de *t* et 1/[A] en fonction de *t* et en regardant laquelle, éventuellement, de ces représentations graphiques est une ligne droite.

La Fig. 14-2 compare les différentes formes des courbes de disparition de A dans des réactions d'ordre un et deux qui ont les mêmes demi-vies. Noter qu'avant *t* = *t$_{1/2}$*, la courbe de déroulement de la réaction d'ordre deux a une pente plus forte que la courbe de la réaction d'ordre un, mais qu'après ce temps, c'est la courbe de la réaction d'ordre un qui a la pente la plus forte. La période de demi-vie pour une réaction d'ordre deux s'exprime par *t*1/2 = 1/*k*[A]$_0$ et donc, à l'inverse à la réaction d'ordre un, elle dépend de la concentration initiale en substrat.

C. *Théorie de l'état de transition*

Le but de la théorie cinétique est de décrire les vitesses de réaction en fonction des propriétés physiques des molécules réagissantes. Une approche théorique qui tient compte explicitement des structures des molécules réagissantes et de leur manière d'entrer en collision, a été développée dans les années 1930 par Henry Eyring. Cette approche des processus réactionnels, connue sous le nom de **théorie de l'état de transition** ou **théorie de la vitesse absolue**, constitue la base d'une grande partie de la cinétique moderne et a

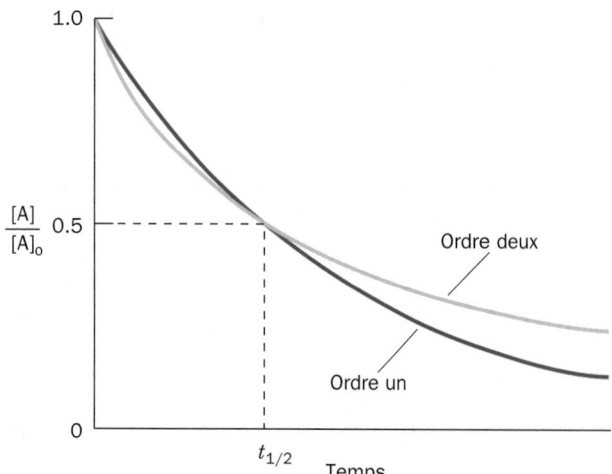

FIGURE 14-2 **Comparaison des courbes de déroulement de réactions d'ordre un et d'ordre deux qui ont la même valeur de *t$_{1/2}$*.** [D'après Tinoco, I., Jr., Sauer, K., and Wang, J.C., *Physical Chemistry. Principles and Applications in Biological Sciences* (2nd ed.), p. 291, Prentice-Hall (1985).]

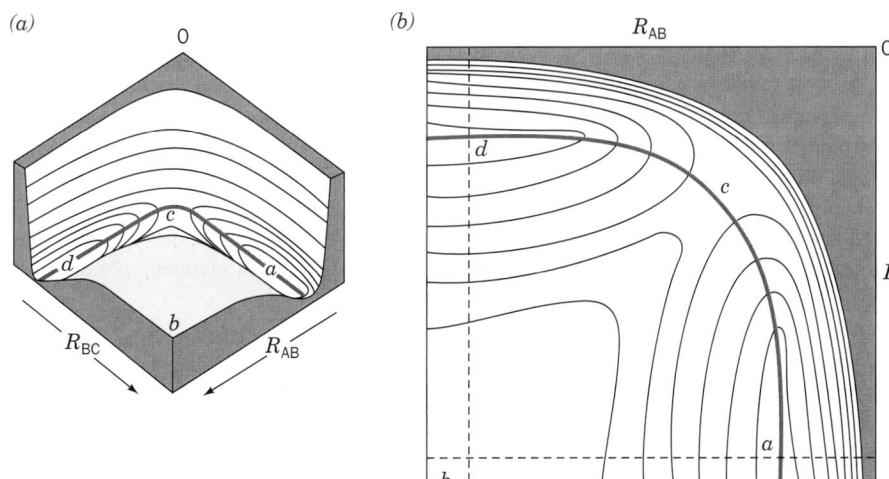

FIGURE 14-3 **Energie potentielle du système colinéaire H + H$_2$ en fonction de ses distances internucléaires, R_{AB} et R_{BC}.** La réaction est représentée selon : (*a*) une vue en perspective, (*b*) un schéma des courbes de niveau correspondantes. Les points *a* et *d* sont proches d'une énergie potentielle minimum, *b* est proche d'un maximum, et *c* est en position intermédiaire. [D'après Frost, A.A. and Pearson, R.G., *Kinetics and Mechanism* (2nd ed.), *p.* 80, Wiley (1961).]

fourni une plate-forme extrêmement féconde pour comprendre comment les enzymes catalysent les réactions.

a. L'état de transition

Considérons une réaction élémentaire bimoléculaire qui fait intervenir trois atomes A, B, et C :

$$A—B + C \rightarrow A + B—C$$

Il est clair que l'atome C doit s'approcher de la molécule diatomique A — B de sorte que, à un certain stade de la réaction, un complexe à potentiel énergétique élevé (instable) représenté par A . . . B . . . C se forme, dans lequel la liaison covalente A — B est sur le point d'être rompue alors que la liaison covalente B — C est sur le point de se former.

Prenons l'exemple le plus simple d'une telle réaction : celle d'un atome d'hydrogène avec de l'hydrogène diatomique (H$_2$) pour donner une nouvelle molécule d'hydrogène et un autre atome d'hydrogène :

$$H_A—H_B + H_C \rightarrow H_A + H_B—H_C$$

On porte en graphique l'énergie potentielle de ce système triatomique en fonction des positions relatives des atomes qui le constituent (Fig. 14-3). Le diagramme obtenu a la forme de deux vallées longues et étroites, parallèles aux axes des coordonnées, avec des parois abruptes qui s'élèvent vers les axes et des parois moins raides qui se dirigent vers un plateau où les valeurs des deux coordonnées sont élevées (la région du point *b*). Les deux vallées sont réunies par un « col » proche de l'origine du diagramme (point *c*). La configuration qui correspond à un minimum d'énergie est celle où il y a une molécule d'H$_2$ et un atome isolé, c'est-à-dire, où l'une des coordonnées est grande et l'autre égale à la longueur de la liaison covalente de H$_2$ [près des points *a* (les substrats) et *d* (les produits)]. Lors d'une collision, les substrats s'approchent généralement l'un de l'autre sans trop s'écarter du niveau minimum d'énergie de la réaction (ligne *a — c — d*) car d'autres trajectoires nécessiteraient beaucoup plus d'énergie. L'atome et la molécule se rapprochant, ils se repoussent de plus en plus (leur énergie potentielle augmente) et donc s'écartent généralement l'un de l'autre. *Si, cependant, le système a suffisamment d'énergie cinétique pour poursuivre sa progression, cela entraînera l'affaiblissement de la liaison covalente de la molécule d'H$_2$ et finalement, si le système parvient au col (point c), il y aura une probabilité de chances égales pour que la réaction ait lieu, ou pour que le système se décompose pour redonner ses substrats.* Par conséquent, en haut du col, on dit que le système est à son **état de transition** et qu'il forme un **complexe activé.** De plus, compte tenu de la faible concentration du complexe activé, *on présume que la décomposition du complexe activé est le facteur limitant de cette réaction.*

L'itinéraire d'une réaction au cours duquel intervient un minimum d'énergie libre est ce qu'on appelle son **trajet réac-**

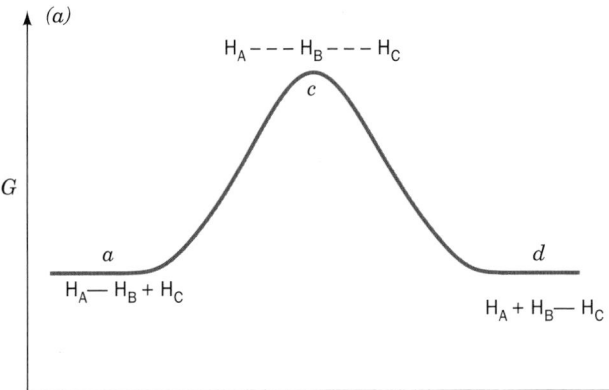

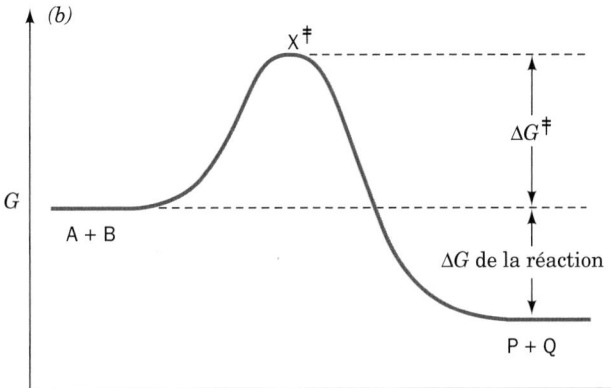

FIGURE 14-4 **Diagrammes d'états de transition.** (*a*) Pour la réaction H + H$_2$. Ce diagramme correspond à une section prise le long de la ligne *a— c—d* de la Fig. 14-3*b*. (*b*) Pour une réaction spontanée, c'est-à-dire une réaction qui s'accompagne d'une diminution d'énergie libre.

tionnel. La Figure 14-4*a*, appelée **diagramme d'état de transition** ou **diagramme de trajet réactionnel,** montre la variation de l'énergie libre du système H + H$_2$ au cours du trajet réactionnel (ligne *a — c — d* dans la Fig. 14-3). On peut voir sur le diagramme, que l'état de transition correspond au niveau d'énergie maximum du trajet réactionnel. Si les atomes du système triatomique sont de nature différente, comme dans la représentation de la Fig. 14-4*b*, le diagramme d'état de transition n'est plus symétrique car il y a une différence d'énergie entre substrats et produits.

b. Thermodynamique de l'état de transition

Étant donné qu'une réaction ne peut se dérouler que si l'état de transition est atteint, on peut formuler une explication détaillée des mécanismes réactionnels. Ainsi, prenons le cas d'une réaction bimoléculaire qui se déroule selon le schéma suivant :

$$A + B \underset{}{\overset{K^{\ddagger}}{\rightleftharpoons}} X^{\ddagger} \xrightarrow{k'} P + Q$$

où X‡ symbolise le complexe activé. D'après ce que nous venons de voir,

$$\frac{d[P]}{dt} = k[A][B] = k'[X^{\ddagger}] \qquad [14.7]$$

où *k* est la constante de vitesse normale de la réaction élémentaire et *k'* la constante de vitesse de la réaction de décomposition de X‡ en produits.

À l'inverse des molécules stables comme A et P, qui se trouvent dans un état énergétique minimum, le complexe activé est dans un état énergétique maximum et donc métastable (comme une balle en équilibre au bout d'une baguette). La théorie de l'état de transition prévoit néanmoins que X‡ est en équilibre rapide avec les substrats, c'est-à-dire,

$$K^{\ddagger} = \frac{X^{\ddagger}}{[A][B]} \qquad [14.8]$$

où *K*‡ est une constante d'équilibre. *Ce postulat central de la théorie de l'état de transition permet d'appliquer les lois de la thermodynamique à la théorie des vitesses de réaction.*

Si *K*‡ est une constante d'équilibre, on peut l'exprimer selon :

$$-RT \ln K^{\ddagger} = \Delta G^{\ddagger} \qquad [14.9]$$

où $\Delta G^{\ddagger}$ est la différence d'énergie libre de Gibbs entre le complexe activé et les substrats (Fig. 14-4*b*), *T* est la température absolue, et *R* (= 8,3145 J • K^{-1} • mol^{-1}) est la constante des gaz parfaits (cette relation entre les constantes d'équilibre et les variations d'énergie libre est dérivée dans la Section 3-4A). Puis, en combinant les Eq. [14.7] à [14.9] on obtient

$$\frac{d[P]}{dt} = k'e^{-\Delta G^{\ddagger}/RT}[A][B] \qquad [14.10]$$

Cette équation indique que la vitesse d'une réaction dépend non seulement de la concentration de ses substrats mais qu'elle diminue de façon exponentielle avec $\Delta G^{\ddagger}$. *Ainsi, plus la différence entre l'énergie libre de l'état de transition et celle des substrats est grande, moins l'état de transition est stable, et plus lente sera la réaction.*

Afin de poursuivre cette étude, nous devons maintenant calculer *k'*, la constante de vitesse de la décomposition du complexe activé, c'est-à-dire du passage au delà du maximum dans le diagramme d'état de transition (souvent appelé la **barrière d'activation** ou la **barrière cinétique** de la réaction). Ce modèle d'état de transition nous le permet (même si la dérivation qui suit n'est pas vraiment rigoureuse). Le complexe activé est maintenu par une liaison dont on suppose qu'elle est si faible qu'elle « volera en éclats » dès sa première vibration. On exprime donc *k'* par

$$k' = \kappa \nu \qquad [14.11]$$

où ν est la fréquence de vibration de la liaison qui est rompue lorsque le complexe activé se décompose pour donner les produits, et κ, le **coefficient de transmission,** est la probabilité pour que la décomposition du complexe activé, X‡, se fasse bien dans le sens de la formation des produits plutôt que d'un retour aux substrats. Pour la plupart des réactions spontanées qui se font en solution, κ est compris entre 0,5 et 1,0 ; pour la réaction colinéaire H + H$_2$ cette valeur est égale à 0,5.

Il nous reste à déterminer la valeur de ν. D'après la loi de Planck,

$$\nu = \varepsilon/h \qquad [14.12]$$

où, dans ce cas, ε est la valeur moyenne de l'énergie de vibration qui conduit à la décomposition de X‡, et *h* (= 6,6261 × 10^{34} J • s) est la constante de Planck. La mécanique statistique nous dit qu'à la température *T,* l'énergie normale d'un système oscillant est

$$\varepsilon = k_B T \qquad [14.13]$$

où k_B (= 1,3807 × 10^{-23} J • K^{-1}) est **la constante de Boltzmann** et $k_B T$ représente essentiellement l'énergie thermique disponible. En combinant les Eq. [14.11] à [14.13]

$$k' = \frac{\kappa k_B T}{h} \qquad [14.14]$$

Si l'on suppose, comme pour la plupart des réactions, que $\kappa = 1$ (κ peut rarement être calculé avec certitude), la combinaison des Eq. [14.7] et [14.10] avec l'Eq. [14.14] nous donne l'expression de la constante de vitesse *k* pour notre réaction élémentaire :

$$k = \frac{k_B T}{h} e^{-\Delta G^{\ddagger}/RT} \qquad [14.15]$$

Cette équation indique que *la vitesse de la réaction diminue quand l'énergie libre d'activation* $\Delta G^{\ddagger}$ *augmente.* Inversement, lorsque la température s'élève, ce qui augmente l'énergie thermique disponible pour amener le complexe réactionnel à un niveau énergétique supérieur à celui de la barrière d'activation, la réaction s'accélère. (Bien sûr, les enzymes étant des protéines, elles sont dénaturées par la chaleur, ce qui explique que la vitesse d'une réaction enzymatique chute brutalement si l'on dépasse la température de dénaturation.) Se rappeler, cependant, que la théorie de l'état de transition est un modèle idéal ; les systèmes réels ont un comportement plus compliqué, bien que qualitativement similaire.

c. Les réactions à plusieurs étapes comportent des étapes à vitesse limitante

Puisque les réactions chimiques comportent en général plusieurs étapes réactionnelles élémentaires, voyons comment la théorie de l'état de transition s'applique à ces réactions. Pour une réaction à plusieurs étapes telle que

$$A \xrightarrow{k_1} I \xrightarrow{k_2} P$$

où I est un intermédiaire de la réaction, il se forme un complexe activé pour chaque étape réactionnelle élémentaire ; la forme du diagramme de l'état de transition pour une telle réaction reflète les vitesses relatives des réactions élémentaires impliquées. Pour cette réaction, si la première étape réactionnelle est plus lente que la deuxième ($k_1 < k_2$), la barrière d'activation de la première étape doit être supérieure à celle de la deuxième étape et réciproquement si c'est la deuxième étape qui est la plus lente (Fig. 14-5). Puisque la vitesse de formation du produit P ne peut être plus rapide que la réaction élémentaire la plus lente, *si une étape réactionnelle d'une réaction globale est beaucoup plus lente que les autres, l'étape lente agit comme un « goulot d'étranglement » et constitue ce qu'on appelle l'**étape à vitesse limitante** (ou l'**étape limitante**) de la réaction.*

d. Un catalyseur diminue la valeur de $\Delta G^{\ddagger}$

La biochimie est, naturellement, directement concernée par les réactions enzymatiques. *La présence d'un catalyseur abaisse la barrière d'activation de la réaction qu'il catalyse (Fig. 14-6).* Si un catalyseur abaisse la barrière d'activation d'une valeur $\Delta\Delta G^{\ddagger}_{cat}$, selon l'Eq. [14.15], la vitesse de la réaction est augmentée d'un facteur $e^{\Delta\Delta G^{\ddagger}_{cat}/RT}$. Ainsi, une augmentation de la vitesse d'un facteur 10 demande que $\Delta\Delta G^{\ddagger}_{cat} = 5,71$ kJ • mol^{-1}, soit moitié moins d'énergie qu'une liaison hydrogène classique ; une accélération d'un facteur 10^6 nécessite que $\Delta\Delta G^{\ddagger}_{cat} = 34,25$ kJ • mol^{-1}, soit une petite fraction de l'énergie de la plupart des liaisons covalentes. L'accélération de la vitesse est donc une fonction sensible à la valeur de $\Delta\Delta G^{\ddagger}_{cat}$.

Remarquer que la barrière cinétique est abaissée de la même valeur pour les deux réactions : la réaction dans le sens de la formation du produit, et la réaction inverse (Fig. 14-6). Par conséquent, un catalyseur accélère d'un même facteur les deux réactions, d'où une constante d'équilibre inchangée. Les mécanismes chimiques qui expliquent comment une enzyme abaisse l'énergie d'activation seront étudiés dans la Section 15-1. Nous verrons, dans cette étude, que les mécanismes les plus performants impliquent souvent la liaison de l'enzyme à l'état de transition de la réaction catalysée plutôt qu'au substrat.

2 ■ CINÉTIQUE ENZYMATIQUE

Les réactions chimiques de la vie sont sous la dépendance des enzymes. Comme nous l'avons vu dans le Chapitre 13, ces catalyseurs remarquables sont tous très spécifiques pour des réactions données. Dans l'ensemble cependant, les enzymes sont très versatiles, dans la mesure où les quelques milliers d'enzymes actuellement connues catalysent des réactions aussi diverses que : hydrolyse, polymérisation, transfert de groupements fonctionnels, oxydo-réduction, déshydratation, et isomérisation, pour ne citer que les types de réactions les plus courantes catalysées par les

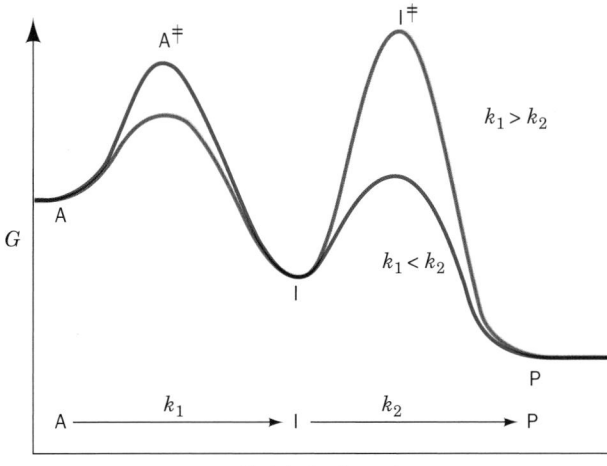

FIGURE 14-5 Représentation des états de transition d'une réaction en deux étapes A → I → P. Si $k_1 < k_2$, (*courbe en vert*), la première étape est limitante, tandis que si $k_1 > k_2$ (*courbe en rouge*), la deuxième étape est limitante.

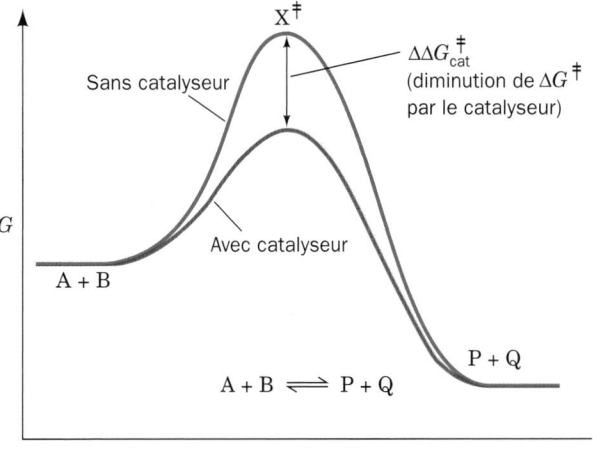

FIGURE 14-6 Représentation schématique montrant l'influence d'un catalyseur sur l'état de transition d'une réaction. Ici, $\Delta\Delta G^{\ddagger} = \Delta G^{\ddagger}_{non\ cat} - \Delta G^{\ddagger}_{cat}$.

enzymes. Les enzymes ne sont pas des surfaces passives sur lesquelles se déroulent les réactions, mais plutôt des machines moléculaires qui mettent en œuvre des mécanismes très variés. Par exemple, certaines enzymes n'agissent que sur des réactions à un seul substrat, d'autres catalysent des réactions à deux substrats différents dont l'ordre de liaison peut être imposé ou indifférent. Certaines enzymes forment des liaisons covalentes avec des complexes intermédiaires de leurs substrats alors que d'autres n'en font pas.

Les mesures de cinétique des réactions enzymatiques sont parmi les moyens d'approche les plus performants pour élucider les mécanismes catalytiques des enzymes. Le reste de ce chapitre est donc essentiellement consacré à l'exposé de la cinétique en tant qu'outil pour étudier les mécanismes enzymatiques. Nous commencerons par exposer la théorie de base de la cinétique enzymatique.

A. *L'équation de Michaelis-Menten*

L'étude de la cinétique enzymatique a commencé en 1902, lorsque Adrian Brown publia ses travaux sur la vitesse d'hydrolyse du saccharose catalysée par l'enzyme de la levure, l'**invertase** (appelée maintenant β-**fructofuranosidase**) :

$$\text{Saccharose} + H_2O \rightarrow \text{glucose} + \text{fructose}$$

Brown montra que lorsque la concentration en saccharose est très supérieure à celle de l'enzyme, la vitesse de la réaction devient indépendante de la concentration en saccharose ; autrement dit, la réaction est d'**ordre zéro** par rapport au saccharose. Il conjectura alors que la réaction globale comporte deux réactions élémentaires, d'abord la formation d'un complexe entre le substrat et l'enzyme, qui ensuite se décompose pour donner les produits et l'enzyme :

$$E + S \underset{k_{-1}}{\overset{k_1}{\rightleftharpoons}} ES \overset{k_2}{\longrightarrow} P + E$$

où E, S, ES, et P symbolisent respectivement l'enzyme, le substrat, le **complexe enzyme-substrat**, et les produits (pour les enzymes comportant plusieurs sous-unités identiques, E symbolise les sites actifs plutôt que les molécules d'enzyme). D'après ce modèle, *quand la concentration en substrat est suffisamment grande pour que toute l'enzyme se trouve sous forme ES, la deuxième étape de la réaction devient limitante et la vitesse de la réaction globale est insensible à des augmentations supplémentaires de la concentration en substrat.*

L'expression générale de la **vitesse** de la réaction est

$$v = \frac{d[P]}{dt} = k_2[ES] \qquad [14.16]$$

La vitesse globale de la formation de ES est égale à la différence entre les vitesses des réactions élémentaires qui conduisent à sa formation et à sa disparition :

$$\frac{d[ES]}{dt} = k_1[E][S] - k_{-1}[ES] - k_2[ES] \qquad [14.17]$$

Cependant, cette équation ne peut pas être explicitement intégrée sans faire, au préalable, quelques hypothèses simplificatrices. On peut envisager deux possibilités :

1. Hypothèse de l'équilibre : En 1913, Lenor Michaelis et Maude Menten, reprenant un travail de Victor Henri, firent l'hypothèse que $k_{-1} \gg k_2$, ce qui fait que la première étape de la réaction parvient à l'équilibre.

$$K_S = \frac{k_{-1}}{k_1} = \frac{[E][S]}{[ES]} \qquad [14.18]$$

K_S est la constante de dissociation de la première étape de la réaction enzymatique (ou du complexe ES ; N.d.T). Dans cette hypothèse, l'Eq. [14.17] peut être intégrée. Bien que cette hypothèse ne se vérifie pas souvent, par reconnaissance pour ce travail de pionnier, le complexe enzyme-substrat non covalent ES est appelé **complexe de Michaelis**.

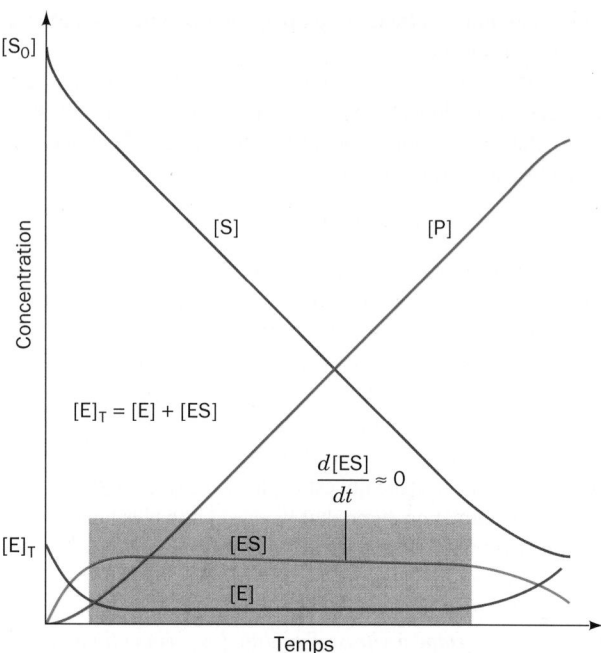

FIGURE 14-7 Courbes d'évolution des composés lors d'une réaction de Michaelis-Menten simple. Noter qu'à l'exception de la phase transitoire de la réaction, qui précède le rectangle ombré, les pentes des courbes d'évolution de [E] et [ES] sont pratiquement égales à zéro tant que [S]>>[E]$_T$ (à l'intérieur du rectangle ombré). [D'après Segel, I.H., *Enzyme Kinetics*, p. 27, Wiley (1975).]

2. Hypothèse de l'état stationnaire : Dans la Fig. 14-7, sont représentées les courbes d'évolution des différents participants du modèle précédent dans les conditions physiologiques habituelles où la concentration en substrat est en grand excès par rapport à la concentration en enzyme. À l'exception de la phase initiale de la réaction, appelée phase préstationnaire ou **phase transitoire**, qui ne dure généralement que quelques millisecondes après l'addition du substrat à l'enzyme, [ES] reste pratiquement constant jusqu'à ce que le substrat soit presque épuisé. Par conséquent, la vitesse de synthèse de ES doit être égale à la vitesse de sa consommation durant la plus grande partie du déroulement de la réaction ; autrement dit, [ES] reste à l'**état stationnaire**. On peut donc supposer que [ES] est constante, soit

$$\frac{d[ES]}{dt} = 0 \qquad [14.19]$$

G.E. Briggs et John B.S. Haldane furent les premiers à proposer cette **hypothèse de l'état stationnaire** en 1925.

Pour être utilisables, les expressions cinétiques des réactions globales doivent être exprimées en quantités mesurables par l'expérience. Les quantités [ES] et [E] ne sont pratiquement pas mesurables directement, mais la concentration totale en enzyme

$$[E]_T = [E] + [ES] \qquad [14.20]$$

se détermine généralement facilement. L'équation de vitesse de la réaction enzymatique est obtenue comme suit. En combinant l'Eq.

[14.17] avec l'hypothèse de l'état stationnaire, Eq. [14.19], et l'équation de conservation, Eq. [14.20], nous obtenons :

$$k_1([E]_T - [ES])[S] = (k_{-1} + k_2)[ES]$$

qui, après réarrangement nous donne

$$[ES](k_{-1} + k_2 + k_1[S]) = k_1[E]_T[S]$$

En divisant de part et d'autre par k_1 on obtient la valeur de [ES],

$$[ES] = \frac{[E]_T[S]}{K_M + [S]}$$

où K_M, appelée **constante de Michaelis,** est égale à

$$K_M = \frac{k_{-1} + k_2}{k_1} \qquad [14.21]$$

La signification de cette constante importante est donnée ci-dessous.

La **vitesse initiale** de la réaction d'après l'Eq. [14.16] peut alors être exprimée en fonction des quantités mesurables $[E]_T$ et $[S]$:

$$v_o = \left(\frac{d[P]}{dt}\right)_{t=t_s} = k_2[ES] = \frac{k_2[E]_T[S]}{K_M + [S]} \qquad [14.22]$$

où t_s est le temps où l'état stationnaire est atteint (normalement quelques millisecondes après $t = 0$). Il est préférable d'utiliser dans ces équations la vitesse initiale (vitesse mesurée avant que plus de 10 % du substrat n'ait été transformé en produit) plutôt que la vitesse moyenne afin de minimiser l'influence de facteurs parasites tels que les effets de la réaction inverse, l'inhibition de la réaction par les produits, et l'inactivation progressive de l'enzyme.

La **vitesse maximum** d'une réaction, V_{max}, est obtenue pour de fortes concentrations en substrat, lorsque l'enzyme est **saturée,** c'est-à-dire, quand elle se trouve entièrement sous la forme ES :

$$V_{max} = k_2[E]_T \qquad [14.23]$$

Ainsi, en combinant les Eq. [14.22] et [14.23], on obtient

$$v_o = \frac{V_{max}[S]}{K_M + [S]} \qquad [14.24]$$

*Cette expression, l'**équation de Michaelis-Menten,** est l'équation de base de la cinétique enzymatique.* Elle décrit une hyperbole rectangulaire comme celle représentée à la Fig. 14-18 (bien que cette courbe ait subi une rotation de 45° et une translation vers l'origine, par rapport aux hyperboles représentées dans la plupart des traités élémentaires d'algèbre). La fonction de saturation de la myoglobine par l'O_2, Eq. [10.4], a une allure identique.

a. Signification de la constante de Michaelis

La constante de Michaelis, K_M, se définit simplement. Pour la concentration en substrat $[S] = K_M$, l'Eq. [14.24] nous donne $v_o = V_{max}/2$ donc K_M *est la concentration en substrat pour laquelle la vitesse de la réaction est égale à la moitié de la vitesse maximum.* Ainsi, si une enzyme a une valeur de K_M faible, elle aura une efficacité catalytique maximum pour de faibles concentrations en substrat.

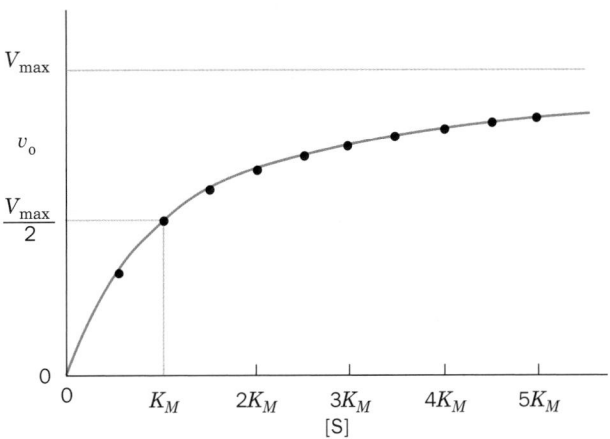

FIGURE 14-8 Variation de la vitesse initiale v_o en fonction de la concentration en substrat [S] pour une réaction de Michaelis-Menten simple. Les points sont disposés à des intervalles de 0,5 K_M pour des concentrations en substrat comprises entre 0,5 K_M et 5 K_M.

La valeur de K_M est très variable, car elle dépend de la nature de l'enzyme et de celle du substrat (Tableau 14-1). Elle est aussi fonction de la température et du pH (cf. Section 14-4). La constante de Michaelis (Eq. [14.21]) peut s'exprimer également comme suit :

$$K_M = \frac{k_{-1}}{k_1} + \frac{k_2}{k_1} = K_S + \frac{k_2}{k_1} \qquad [14.25]$$

Puisque K_S est la constante de dissociation du complexe de Michaelis, quand K_S diminue, l'affinité de l'enzyme pour le substrat augmente. K_M permet donc également de mesurer l'affinité de l'enzyme pour son substrat , à condition que k_2 / k_1 soit petit par rapport à K_S, c'est-à-dire, que $k_2 < k_{-1}$.

B. *Interprétation des données cinétiques*

Il existe plusieurs moyens de déterminer les paramètres de l'équation de Michaelis-Menten. Pour des concentrations en substrat [S] très élevées, la vitesse initiale v_o approche de manière asymptotique V_{max}. Cependant, il est pratiquement très difficile de mesurer V_{max} avec précision d'après des tracés directs de v_o en fonction de [S] comme celui de la Fig. 14-8. Même pour $[S] = 10\ K_M$, l'Eq. [14.24] montre que v_o n'est égale qu'à 91 % de V_{max} ce qui fait que la valeur obtenue par extrapolation sera presque certainement sous-estimée.

Une méthode plus précise pour déterminer les valeurs de V_{max} et de K_M, qui a été formulée par Hans Lineweaver et Dean Burk, utilise les inverses de l'Eq. [14.24] :

$$\frac{1}{v_o} = \left(\frac{K_M}{V_{max}}\right)\frac{1}{[S]} + \frac{1}{V_{max}} \qquad [14.26]$$

Il s'agit d'une relation linéaire entre $1/v_o$ et $1/[S]$. Si l'on porte graphiquement ces valeurs, on obtient la **représentation de Lineweaver-Burk** appelée aussi **représentation en double inverse,** où la pente de la droite obtenue est égale à K_M/V_{max}, l'interception de la droite avec l'axe des ordonnées est égale à $1/V_{max}$, et l'extrapolation de la droite coupe l'axe des abscisses à $-1/K_M$ (Fig. 14-9). L'inconvénient de cette méthode est que la plupart des mesures expérimentales se font pour des [S] relativement élevées qui se trouvent très rapprochées sur la gauche du graphique. De plus, pour de faibles valeurs de [S], de petites erreurs dans la détermination de v_o entraînent des erreurs importantes pour la valeur de $1/v_o$ et donc des erreurs importantes sur les valeurs de K_M et de V_{max}.

D'autres représentations graphiques, chacune avec leurs avantages et leurs inconvénients, ont été élaborées pour déterminer V_{max} et K_M à partir de données cinétiques. Cependant, avec l'avènement d'ordinateurs d'utilisation facile, les données cinétiques sont analysées par des traitements mathématiques statistiques sophistiqués. Néanmoins, les représentations de Lineweaver-Burk sont utiles pour obtenir une image des données cinétiques ainsi que pour l'analyse des données cinétiques d'enzymes qui catalysent des réactions à plusieurs substrats (Section 14-5C).

a. k_{cat} / K_M est une mesure de l'efficacité catalytique

Les paramètres cinétiques d'une enzyme permettent de mesurer son efficacité catalytique. Nous pouvons définir la **constante catalytique** d'une enzyme :

$$k_{cat} = \frac{V_{max}}{[E]_T} \qquad [14.27]$$

Cette valeur est également appelée le « **turnover number** » (nombre de cycles) d'une enzyme car elle est égale au nombre de molécules de substrat converties en produit par unité de temps par un seul site actif de l'enzyme à saturation. Les constantes catalytiques de quelques enzymes sont données dans le Tableau 14-1. Noter que ces valeurs varient d'un ordre de grandeur qui va jusqu'à huit selon l'enzyme et la nature des substrats. L'Eq. [14.23] indique que dans le modèle de Michaelis-Menten, $k_{cat} = k_2$. Pour des enzymes à mécanismes plus complexes, k_{cat} peut être une fonction de plusieurs constantes de vitesse.

Quand $[S] \ll K_M$, très peu de ES est formé. Par conséquent, $[E] \approx [E]_T$, ce qui fait que l'Eq. [14.22] devient une réaction d'ordre deux :

$$v_o \approx \left(\frac{k_2}{K_M} \right)[E]_T[S] \approx \left(\frac{k_{cat}}{K_M} \right)[E][S] \qquad [14.28]$$

où k_{cat} / K_M est la constante de vitesse apparente d'ordre deux de la réaction enzymatique ; la vitesse de la réaction varie selon la fré-

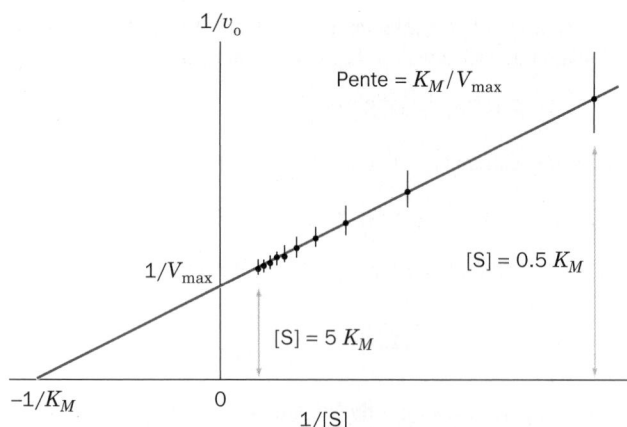

FIGURE 14-9 Représentation en double inverse (Lineweaver-Burk). Les points sont obtenus à partir des données de la Fig. 14-8. Noter l'effet important de petites erreurs pour [S] faibles (1/[S] élevées) et la concentration des points pour [S] élevées. Barres d'erreur de ±0,05 V_{max}.

quence des rencontres entre l'enzyme et le substrat. *L'expression k_{cat} / K_M permet donc de mesurer l'efficacité catalytique de l'enzyme.*

b. Certaines enzymes ont atteint la perfection catalytique

Y-a-t-il une limite supérieure à l'efficacité catalytique enzymatique ? Partant de l'Eq. [14.21] on obtient

$$\frac{k_{cat}}{K_M} = \frac{k_2}{K_M} = \frac{k_1 k_2}{k_{-1} + k_2} \qquad [14.29]$$

Ce rapport est maximum lorsque $k_2 \gg k_{-1}$, c'est-à-dire, lorsque la formation de produit à partir du complexe de Michaelis, ES, est rapide comparée à sa décomposition pour redonner le substrat et l'enzyme. Dans ce cas, $k_{cat}/K_M = k_1$, la constante de vitesse d'ordre deux pour la formation de ES. La valeur de k_1 ne peut naturellement pas être supérieure à la fréquence à laquelle les molécules d'enzyme et de substrat se rencontrent en solution. Cette **limite contrôlée par diffusion** est de l'ordre de 10^8 à $10^9 M^{-1} \cdot s^{-1}$. Donc, des enzymes dont les valeurs du rapport k_{cat} / K_M sont de cet ordre, catalysent une réaction pratiquement chaque fois qu'ils rencontrent une molécule de substrat. Le Tableau 14-1 montre que plu-

TABLEAU 14-1   Valeurs de K_M, k_{cat}, et k_{cat}/K_M pour quelques enzymes et substrats

Enzyme	Substrat	K_M (M)	k_{cat} (s^{-1})	k_{cat}/K_M $(M^{-1} \cdot s^{-1})$
Acétylcholinestérase	Acétylcholine	$9,5 \times 10^{-5}$	$1,4 \times 10^4$	$1,5 \times 10^8$
Anhydrase carbonique	CO_2	$1,2 \times 10^{-2}$	$1,0 \times 10^6$	$8,3 \times 10^7$
	HCO_3^-	$2,6 \times 10^{-2}$	$4,0 \times 10^5$	$1,5 \times 10^7$
Catalase	H_2O_2	$2,5 \times 10^{-2}$	$1,0 \times 10^7$	$4,0 \times 10^8$
Chymotrypsine	Ester éthylique N-acétylglycine	$4,4 \times 10^{-1}$	$5,1 \times 10^{-2}$	$1,2 \times 10^{-1}$
	Ester éthylique N-acétylvaline	$8,8 \times 10^{-2}$	$1,7 \times 10^{-1}$	$1,9$
	Ester éthylique N-acétyltyrosine	$6,6 \times 10^{-4}$	$1,9 \times 10^2$	$2,9 \times 10^5$
Fumarase	Fumarate	$5,0 \times 10^{-6}$	$8,0 \times 10^2$	$1,6 \times 10^8$
	Malate	$2,5 \times 10^{-5}$	$9,0 \times 10^2$	$3,6 \times 10^7$
Superoxyde dismutase	Ion superoxyde ($O_2^{\cdot -}$)	$3,6 \times 10^{-4}$	$1,0 \times 10^6$	$2,8 \times 10^9$
Uréase	Urée	$2,5 \times 10^{-2}$	$1,0 \times 10^4$	$4,0 \times 10^5$

nous allons donc négliger cette restriction de Michaelis-Menten, absence de réactions en sens inverse, et ce faisant, nous allons découvrir certains principes cinétiques intéressants et importants.

a. Le modèle à un intermédiaire

L'existence d'une réaction en sens inverse nous amène à modifier le modèle de Michaelis-Menten, ce qui donne le schéma réactionnel suivant :

$$E + S \underset{k_{-1}}{\overset{k_1}{\rightleftharpoons}} ES \underset{k_{-2}}{\overset{k_2}{\rightleftharpoons}} P + E$$

(Dans ce schéma, ES pourrait aussi bien être appelé EP, car la nature du complexe intermédiaire n'est pas précisée.) L'équation qui décrit le comportement cinétique de ce modèle, qui est dérivée dans l'Appendice A de ce chapitre, est la suivante

$$v = \frac{\dfrac{V_{max}^f[S]}{K_M^S} - \dfrac{V_{max}^r[P]}{K_M^P}}{1 + \dfrac{[S]}{K_M^S} + \dfrac{[P]}{K_M^P}} \qquad [14.30]$$

où

$$V_{max}^f = k_2[E]_T \qquad V_{max}^r = k_{-1}[E]_T$$

$$K_M^S = \frac{k_{-1} + k_2}{k_1} \qquad K_M^P = \frac{k_{-1} + k_2}{k_{-2}}$$

et

$$[E]_T = [E] + [ES]$$

Nous obtenons finalement une équation de Michaelis-Menten qui s'applique dans les deux sens. Effectivement, pour [P] = 0, soit quand $v = v_o$, on retrouve l'équation de Michaelis-Menten.

b. La relation de Haldane

A l'équilibre (lorsque la réaction a eu lieu), $v = 0$ et l'Eq. [14.30], qui s'applique aussi bien à l'équilibre qu'à l'état stationnaire, nous permet d'écrire

$$K_{eq} = \frac{[P]_{eq}}{[S]_{eq}} = \frac{V_{max}^f K_M^P}{V_{max}^r K_M^S} \qquad [14.31]$$

où $[P]_{eq}$ et $[S]_{eq}$ sont les concentrations de P et S à l'équilibre. D'après cette relation, connue sous le nom de **relation de Haldane,** on constate que *les paramètres cinétiques d'une réaction enzymatique réversible ne sont pas indépendants les uns des autres. Plus exactement, ils sont reliés entre eux par la constante d'équilibre de la réaction globale qui, naturellement, est indépendante de la présence de l'enzyme.*

c. Les données cinétiques ne permettent pas d'établir un mécanisme réactionnel avec certitude

Une enzyme qui forme un complexe réversible avec son substrat doit, de la même manière, en former un avec son produit ; d'où la séquence réactionnelle :

$$E + S \underset{k_{-1}}{\overset{k_1}{\rightleftharpoons}} ES \underset{k_{-2}}{\overset{k_2}{\rightleftharpoons}} EP \underset{k_{-3}}{\overset{k_3}{\rightleftharpoons}} P + E$$

L'équation qui décrit le comportement cinétique de ce modèle à deux intermédiaires, dont la dérivation est analogue à celle décrite dans l'Appendice A pour le modèle à un intermédiaire, a une

FIGURE 14-10 Coupe au travers du site actif de la superoxyde dismutase humaine (SOD). L'enzyme lie un ion Cu²⁺ et un ion Zn²⁺ (*sphères en orange et en bleu-vert*). La surface moléculaire de la SOD est représentée par des pointillés dont la couleur correspond à la charge électrostatique, la plus négative en rouge, négative en jaune, neutre en vert, positive en bleu-vert, et la plus positive en bleu. Les vecteurs de champ électrostatique sont représentés par des flèches colorées de même. Noter comment ce champ électrostatique dirigerait l'ion superoxyde chargé négativement vers son site de liaison, situé entre l'ion Cu²⁺ et l'Arg 143. [Avec la permission d'Elisabeth Getzoff, The Scripps Research Institute, La Jolla, California.]

sieurs enzymes, à savoir, la catalase, la superoxyde dismutase, la fumarase, l'acétylcholinestérase, et peut-être l'anhydrase carbonique, remplissent cette condition et ont donc pratiquement atteint la perfection catalytique.

Sachant que le site actif d'une enzyme n'occupe généralement qu'une petite fraction de sa surface totale, comment une enzyme peut-elle catalyser une réaction chaque fois qu'elle rencontre une molécule de substrat ? Dans le cas de la **superoxyde dismutase (SOD)**, il semble que la disposition de groupements chargés à la surface de l'enzyme guident, par un mécanisme électrostatique, le substrat chargé vers le site actif de l'enzyme (Fig. 14-10). [La SOD, enzyme présente dans pratiquement toutes les cellules, a pour fonction d'inactiver le **radical superoxyde** ($O_2^{\cdot -}$), une molécule très réactionnelle et donc destructrice, en catalysant la réaction $2O_2^{\cdot -} + 2H^+ \rightarrow H_2O_2 + O_2$]. Un même type de mécanisme, consistant à diriger des substrats polaires vers leur site actif, se rencontre pour d'autres enzymes, comme **l'acétylcholinestérase** (Section 20-5C).

C. *Réactions réversibles*

Le modèle de Michaelis-Menten suppose implicitement que les réactions enzymatiques inverses peuvent être négligées. Cependant, de nombreuses réactions enzymatiques sont tout à fait réversibles (elles s'accompagnent d'une faible variation d'énergie libre) et par conséquent leurs produits réagissent entre eux pour redonner les substrats à des vitesses significatives. Dans cette section, forme identique à celle de l'Eq. [14.30]. Cependant, ses paramètres V_{max}^f, V_{max}^r, K_M^S, et K_M^P se définissent en fonction des six constantes cinétiques du modèle à deux intermédiaires au lieu des quatre constantes du modèle à un intermédiaire. En réalité, les équations de vitesse à l'état stationnaire pour des réactions réversibles à trois intermédiaires ou plus ont également cette forme mais cependant avec des définitions différentes des quatre paramètres.

Les valeurs de V_{max}^f, V_{max}^r, K_M^S, et K_M^P de l'Eq. [14.30] peuvent être calculées en choisissant judicieusement les concentrations initiales en substrat et en produit et en se plaçant dans les conditions de l'état stationnaire. Cependant, on n'obtiendra pas ainsi les valeurs des constantes de vitesse du modèle à deux intermédiaires car il y a six constantes de vitesse et seulement quatre équations qui décrivent leurs relations. De plus, les mesures de cinétique à l'état stationnaire ne permettent pas de distinguer le nombre d'intermédiaires d'une réaction enzymatique réversible car la forme de l'Eq. [14.30] ne change pas avec ce nombre d'intermédiaires.

Les identités fonctionnelles des équations qui décrivent ces schémas réactionnels peuvent être comprises en faisant un parallèle entre notre modèle de réaction réversible à n intermédiaires et une « boîte noire » contenant un système de tuyaux, avec une entrée et une sortie :

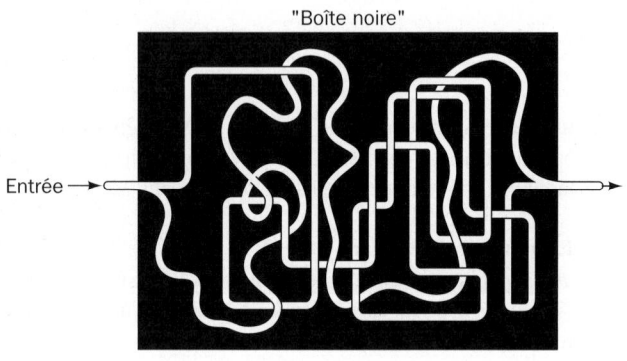

"Boîte noire"

Entrée →

A l'état stationnaire, c'est-à-dire, lorsque les tuyaux sont remplis d'eau, on peut déterminer la relation entre la pression à l'entrée et le débit à la sortie. Toutefois, de telles déterminations ne donnent aucun renseignement sur la construction de la tuyauterie qui relie l'entrée à la sortie. Pour cela, il faudrait d'autres renseignements qui nécessiteraient, par exemple, l'ouverture de la boîte noire afin de suivre le tracé des tuyaux. *Pareillement, les mesures de cinétique à l'état stationnaire peuvent donner une description phénoménologique du comportement de l'enzyme, mais la nature des intermédiaires reste indéterminée. Pour ce faire, il faut recourir à d'autres techniques telles que l'analyse spectroscopique.*

Ce qui précède illustre un principe fondamental de l'analyse cinétique : *l'analyse cinétique d'une réaction à l'état stationnaire ne peut permettre, de façon certaine, l'établissement de son mécanisme.* En effet, quelles que soient la simplicité, l'élégance ou la logique d'un mécanisme supposé en parfait accord avec les données cinétiques, il existe un choix infini d'autres mécanismes, peut-être compliqués, étranges voire illogiques en apparence, mais qui peuvent tout aussi bien être en accord avec les données cinétiques. Généralement, c'est le mécanisme le plus simple et le plus

élégant qui s'avère être le bon, mais ce n'est pas toujours le cas. *Si, cependant, les données cinétiques sont incompatibles avec un mécanisme donné, celui-ci doit être abandonné.* Par conséquent, bien que la cinétique ne permette pas d'établir un mécanisme avec certitude sans d'autres preuves, telles que la démonstration physique de l'existence d'un intermédiaire, l'analyse cinétique à l'état stationnaire d'une réaction est d'une grande importance car elle permet d'éliminer des mécanismes inexacts.

3 ■ INHIBITION

De nombreuses substances modifient l'activité d'une enzyme en s'y combinant, ce qui altère la liaison du substrat et/ou sa constante catalytique. Les substances qui diminuent ainsi l'activité d'une enzyme sont appelées des **inhibiteurs.**

Beaucoup d'inhibiteurs sont des molécules de structure voisine du substrat de leur enzyme, mais qui, soit ne réagissent pas, soit réagissent beaucoup plus lentement que le substrat. De telles substances sont fréquemment utilisées pour élucider la nature chimique ou conformationnelle d'un site de liaison du substrat, afin de déterminer le mécanisme catalytique de l'enzyme. De plus, beaucoup d'inhibiteurs d'enzymes sont des agents chimiothérapeutiques efficaces car un analogue de substrat « non naturel » peut bloquer l'action d'une enzyme. Par exemple, le **méthotrexate** (appelé aussi **améthoptérine**) ressemble chimiquement au **dihydrofolate.** Le méthotrexate se lie fortement à la **dihydrofolate réductase,** ce qui l'empêche d'assurer sa fonction physiologique, la réduction du dihydrofolate en **tétrahydrofolate,** un cofacteur indispensable pour la synthèse du dTMP, un précurseur de l'ADN (Section 28-3B).

Dihydrofolate

dihydrofolate réductase

Tétrahydrofolate

Méthotrexate

↓ dihydrofolate réductase

PAS DE REACTION

Des cellules qui se divisent rapidement et donc synthétisent activement de l'ADN, comme les cellules cancéreuses, sont beaucoup plus sensibles au méthotrexate que les cellules qui se divisent lentement, comme les cellules de la plupart des tissus normaux de mammifères. Ainsi, quand on administre des quantités appropriées de méthotrexate, on tue les cellules cancéreuses sans que l'hôte subisse de dommages importants.

Les inhibiteurs d'enzyme peuvent agir par différents mécanismes. Dans cette section, nous étudierons plusieurs de ces mécanismes parmi les plus simples, et leurs influences sur le comportement cinétique des enzymes qui suivent le modèle de Michaelis-Menten.

A. *Inhibition compétitive*

Une substance qui entre en compétition directement avec un substrat pour un site de liaison enzymatique est appelée **inhibiteur compétitif.** Généralement, un inhibiteur compétitif ressemble au substrat à un point tel qu'il se lie au site actif mais sans donner de réaction. Ainsi, le méthotrexate est un inhibiteur compétitif de la dihydrofolate réductase. De même, la **succinate déshydrogénase**, une enzyme du cycle de l'acide citrique, qui catalyse la transformation de **succinate** en **fumarate** (Section 21-3F), est inhibée compétitivement par le **malonate**, dont la structure ressemble à celle du succinate mais qui ne peut pas être déshydrogéné.

Succinate → succinate déshydrogénase → **Fumarate**

Malonate → succinate déshydrogénase → PAS DE REACTION

L'efficacité du malonate en tant qu'inhibiteur compétitif de la succinate déshydrogénase suggère fortement que la configuration du

site de liaison du substrat de l'enzyme est telle que deux groupements carboxylate du substrat peuvent s'y lier, sans doute par l'intermédiaire de deux résidus chargés positivement, disposés correctement.

Le schéma réactionnel suivant donne le modèle général d'une inhibition compétitive :

$$E + S \underset{k_{-1}}{\overset{k_1}{\rightleftharpoons}} ES \overset{k_2}{\longrightarrow} P + E$$
$$+$$
$$I$$
$$K_I \Updownarrow$$
$$EI + S \longrightarrow \text{PAS DE REACTION}$$

Dans ce modèle, l'inhibiteur I est supposé se lier de manière réversible à l'enzyme et se trouve rapidement à l'équilibre avec lui de sorte que

$$K_I = \frac{[E][I]}{[EI]} \qquad [14.32]$$

où EI, le complexe enzyme-inhibiteur, est catalytiquement inactif. *Par conséquent, un inhibiteur compétitif entraîne la diminution de la concentration en enzyme libre disponible pour se lier au substrat.*

Comme précédemment, notre but est d'exprimer v_o en fonction de quantités mesurables soit, dans ce cas, $[E]_T$, $[S]$, et $[I]$. Exprimons d'abord, comme dans la dérivation de l'équation de Michaelis-Menten, l'équation de conservation, qui doit prendre en compte l'existence de EI.

$$[E]_T = [E] + [EI] + [ES] \qquad [14.33]$$

On peut exprimer la concentration en enzyme en fonction de [ES] en réarrangeant l'Eq. [14.18] dans les conditions d'état stationnaire ;

$$[E] = \frac{K_M[ES]}{[S]} \qquad [14.34]$$

La concentration du complexe enzyme-inhibiteur est exprimée en substituant l'Eq. [14.34] dans l'Eq. [14.32] réarrangée :

$$[EI] = \frac{[E][I]}{K_I} = \frac{K_M[ES][I]}{[S]K_I} \qquad [14.35]$$

En substituant ces deux dernières valeurs dans l'Eq. [14.33] nous obtenons

$$[E]_T = [ES]\left\{ \frac{K_M}{[S]}\left(1 + \frac{[I]}{K_I} \right) + 1 \right\}$$

d'où l'on peut tirer l'expression de [ES]

$$[ES] = \frac{[E]_T[S]}{K_M\left(1 + \dfrac{[I]}{K_I} \right) + [S]}$$

d'où, d'après l'Eq. [14.22], l'expression de la vitesse initiale est :

$$v_o = k_2[ES] = \frac{k_2[E]_T[S]}{K_M\left(1 + \dfrac{[I]}{K_I} \right) + [S]} \qquad [14.36]$$

Soit en appelant

$$\alpha = \left(1 + \frac{[\text{I}]}{K_\text{I}}\right) \qquad [14.37]$$

et $V_\text{max} = k_2[\text{E}]_\text{T}$ comme dans l'Eq. [14.23],

$$v_\text{o} = \frac{V_\text{max}[\text{S}]}{\alpha K_M + [\text{S}]} \qquad [14.38]$$

Nous obtenons ainsi l'équation de Michaelis-Menten avec K_M modulé par α, une fonction de la concentration en inhibiteur (qui, d'après l'Eq. [14.37], est toujours ≥ 1). La valeur de [S] qui donne $v_o = V_\text{max}/2$ est donc αK_M.

La Figure 14-11 montre les courbes hyperboliques obtenues d'après l'Eq. [14.38] pour différentes valeurs de α. Remarquez que quand [S] $\to \infty$, $v_o \to V_\text{max}$ quelle que soit la valeur de α. Cependant, plus la valeur de α est grande, plus [S] doit être importante pour approcher $V_\text{max.}$ Ainsi, l'inhibiteur ne modifie pas la constante catalytique de l'enzyme. La présence de I rend [S] plus faible qu'elle ne l'est en réalité ou, ce qui revient au même, augmente artificiellement la valeur de $K_{M.}$ Inversement, l'augmentation de [S] déplace l'équilibre de liaison du substrat vers la formation de ES. Il y a donc une véritable compétition entre I et S pour le site de liaison du substrat de l'enzyme ; leur liaison est mutuellement exclusive.

Etablissons la forme en double inverse de l'équation [14.38]

$$\frac{1}{v_\text{o}} = \left(\frac{\alpha K_M}{V_\text{max}}\right)\frac{1}{[\text{S}]} + \frac{1}{V_\text{max}} \qquad [14.39]$$

Si l'on porte $1/v_o$ en fonction de $1/[\text{S}]$, on obtient une droite dont la pente est égale à $\alpha K_M / V_\text{max}$, l'interception avec $1/[\text{S}] = -1/\alpha K_M$, et l'ordonnée à l'origine égale à $1/V_\text{max}$ (Fig. 14-12). *Les représentations en double inverse pour un inhibiteur compétitif à différentes concentrations de I donnent des droites qui se coupent sur l'axe $1/v_o$ à $1/V_{max}$; c'est un diagnostic d'inhibition compétitive, comparée à d'autres types d'inhibition (Section 14-3B et 14-3C).*

En déterminant les valeurs de α pour différentes concentrations en I, on peut calculer la valeur de K_I à partir de l'Eq. [14.37]. De cette manière, les inhibiteurs compétitifs peuvent être utilisés pour élucider la structure d'un site actif. Par exemple, afin de s'assurer de l'importance des différentes parties d'une molécule d'ATP

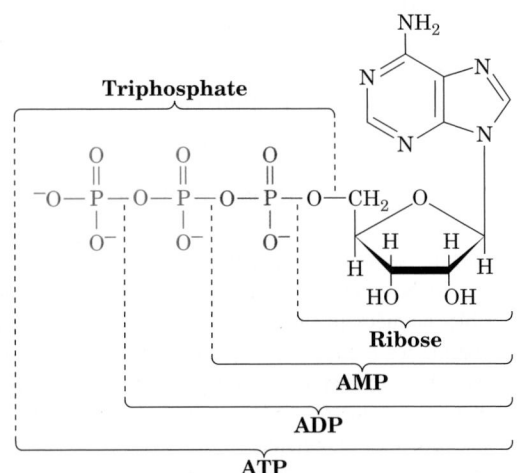

pour sa liaison au site actif d'une enzyme qui a besoin d'ATP, on peut déterminer les valeurs de K_I de l'ADP, de l'AMP (adénosine monophosphate), du ribose, des ions triphosphate, *etc.* Puisque beaucoup de ces composants de l'ATP sont inactifs sur le plan réactionnel, des études d'inhibition sont les moyens les plus commodes de suivre leur liaison à l'enzyme.

Si l'inhibiteur se lie de façon irréversible à l'enzyme, l'inhibiteur est classé comme **inactivateur** au même titre que tout agent qui inactive l'enzyme. L'inactivateur diminue véritablement la concentration réelle $[\text{E}]_\text{T}$ de l'enzyme quelles que soient les valeurs de [S]. Les réactifs qui modifient des résidus d'acide aminé spécifiques peuvent agir de cette façon.

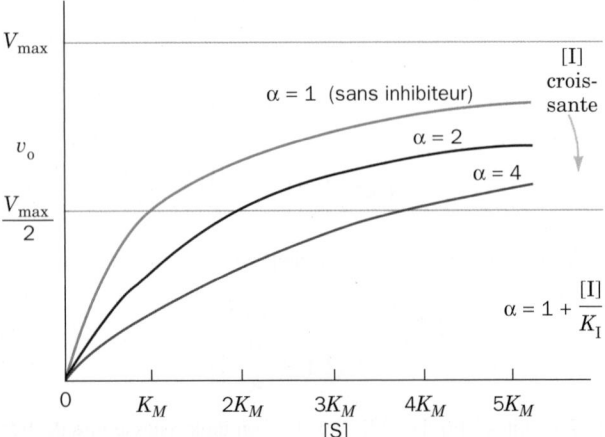

FIGURE 14-11 Inhibition compétitive. Variation de la vitesse initiale v_0 en fonction de la concentration en substrat [S] pour une réaction de Michaelis-Menten simple en présence de différentes concentrations d'un inhibiteur compétitif.

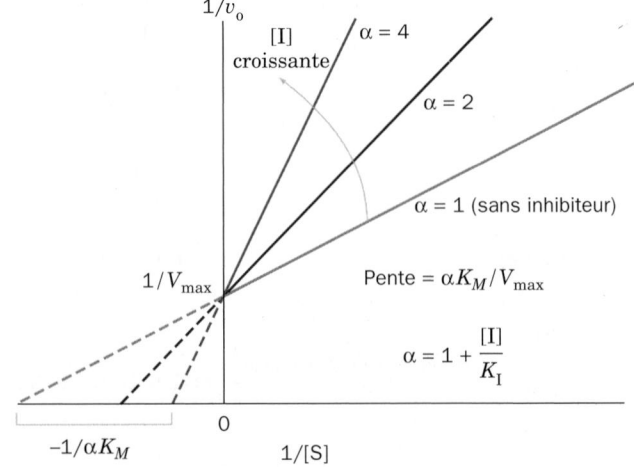

FIGURE 14-12 Représentation de Lineweaver-Burk de l'enzyme michaelienne simple décrite à la Fig. 14-11, en présence d'un inhibiteur compétitif. Noter que toutes les droites se coupent sur l'axe $1/v_o$. pour une valeur de $1/V_{max}$.

B. *Inhibition incompétitive*

Dans l'**inhibition incompétitive**, l'inhibiteur se lie directement au complexe enzyme-substrat, sans pouvoir se fixer à l'enzyme libre :

$$E + S \underset{k_{-1}}{\overset{k_1}{\rightleftharpoons}} ES \overset{k_2}{\longrightarrow} P + E$$
$$+$$
$$I$$
$$K'_I \Big\Updownarrow$$
$$ESI \longrightarrow PAS\ DE\ REACTION$$

La réaction de liaison de l'inhibiteur, dont la constante de dissociation est :

$$K'_I = \frac{[ES][I]}{[ESI]} \qquad [14.40]$$

est supposée à l'équilibre. On imagine que la liaison de l'inhibiteur incompétitif, qui ne ressemble pas nécessairement au substrat, provoque une déformation du site actif, rendant ainsi l'enzyme catalytiquement inactive. (Si l'inhibiteur se lie à l'enzyme libre, il n'affecte pas l'affinité pour le substrat.)

L'équation de Michaelis-Menten pour une inhibition incompétitive, dont la dérivation est donnée dans l'appendice B de ce chapitre est :

$$v_o = \frac{V_{max}[S]}{K_M + \alpha'[S]} \qquad [14.41]$$

où

$$\alpha' = 1 + \frac{[I]}{K'_I} \qquad [14.42]$$

D'après cette équation, on voit que *pour de hautes concentrations en substrat [S], v_o tend asymptotiquement vers V_{max} / α' ce qui signifie qu'à l'inverse de l'inhibition compétitive, l'influence de l'inhibiteur sur V_{max} n'est pas atténuée par l'augmentation de [S].* Cependant, pour de faibles concentrations en substrat, c'est-à-dire, quand $[S] \ll K_M$, l'influence d'un inhibiteur incompétitif devient négligeable, ce qui n'est pas le cas avec un inhibiteur compétitif.

L'équation en double inverse de l'Eq. [14.41] donne

$$\frac{1}{v_o} = \left(\frac{K_M}{V_{max}} \right) \frac{1}{[S]} + \frac{\alpha'}{V_{max}} \qquad [14.43]$$

La représentation de Lineweaver-Burk pour une inhibition incompétitive est celle d'une droite de pente K_M / V_{max}, comme celle d'une réaction non inhibée, et les interceptions avec $1/v_o$ et $1/[S]$ donnent respectivement les valeurs des rapports α'/V_{max} et $-\alpha'/K_M$. *Une série de représentations en double inverse avec différentes concentrations en inhibiteur incompétitif, donnent une famille de droites parallèles (Fig. 14-13). C'est un diagnostic de l'inhibition incompétitive.*

Dans le cas de l'inhibition incompétitive, l'inhibiteur modifie l'activité catalytique de l'enzyme sans affecter l'affinité de liaison au substrat. Pour des réactions à un substrat, il est difficile de concevoir un mécanisme possible, sauf dans le cas de petits inhi-

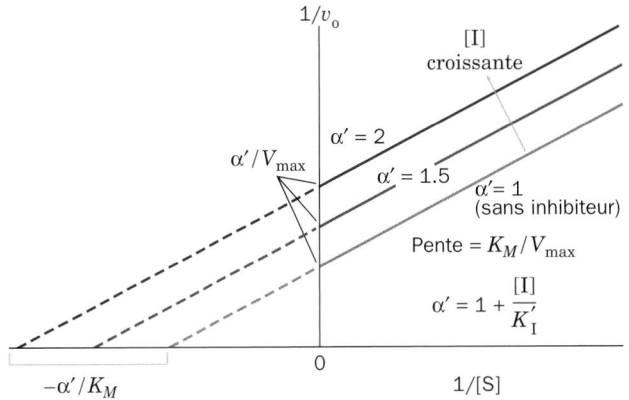

FIGURE 14-13 Représentation de Lineweaver-Burk d'une enzyme michaelienne simple en présence d'un inhibiteur incompétitif. Noter que les droites ont des pentes identiques égales à K_M / V_{max}.

biteurs comme les protons (cf. Section 14-4) ou des ions métalliques. Cependant, comme nous le verrons dans la Section 14-5C, l'inhibition incompétitive est importante dans le cas des enzymes à plusieurs substrats.

C. *Inhibition non competitive ou mixte*

Si l'enzyme et le complexe enzyme-substrat fixent tous les deux l'inhibiteur, on obtient le modèle suivant :

$$E + S \underset{k_{-1}}{\overset{k_1}{\rightleftharpoons}} ES \overset{k_2}{\longrightarrow} P + E$$
$$+ \qquad\qquad +$$
$$I \qquad\qquad I$$
$$K_I \Big\Updownarrow \qquad\qquad K'_I \Big\Updownarrow$$
$$EI \qquad\qquad ESI \longrightarrow PAS\ DE\ REACTION$$

On présume que les deux étapes de liaison de l'inhibiteur sont à l'équilibre mais avec des constantes de dissociation différentes :

$$K_I = \frac{[E][I]}{[EI]} \qquad et \qquad K'_I = \frac{[ES][I]}{[ESI]} \qquad [14.44]$$

Ce cas de figure est appelé **inhibition mixte** ou **inhibition non compétitive**. Un inhibiteur mixte se lie probablement à des sites enzymatiques qui participent à la fois à la liaison du substrat et à la catalyse.

L'équation de Michaelis-Menten pour une inhibition de type mixte (cf. Appendice C pour la dérivation de cette équation) est :

$$v_o = \frac{V_{max}[S]}{\alpha K_M + \alpha'[S]} \qquad [14.45]$$

où α et α' sont définis respectivement dans les Eq. [14.37] et [14.42]. D'après l'Eq. [14.45], on voit qu'au dénominateur, K_M est multiplié par le facteur α, comme dans le cas de l'inhibition compétitive (Eq. [14.38]), et que [S] est multiplié par le facteur α' comme dans l'inhibition incompétitive (Eq. [14.41]), d'où le nom

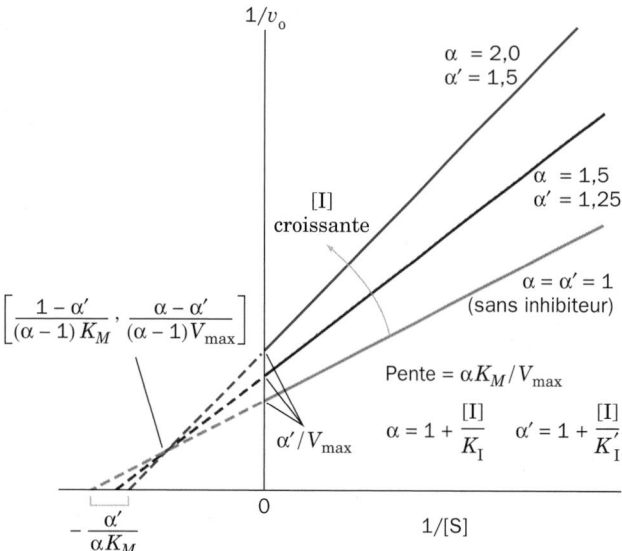

FIGURE 14-14 Représentation de Lineweaver-Burk d'une enzyme michaelienne simple en présence d'un inhibiteur mixte. Noter que toutes les droites se coupent en un point situé à gauche de l'axe $1/v_o$. Les coordonnées du point d'intersection sont données entre crochets. Noter que quand $K_I = K'_I$, $\alpha = \alpha'$, et les droites se coupent sur l'axe $1/[S]$ à $-1/K_M$.

d'inhibition mixte. Par conséquent, les inhibiteurs mixtes sont efficaces aussi bien à fortes qu'à faibles concentrations de substrat.

L'équation de Lineweaver-Burk pour une inhibition mixte est :

$$\frac{1}{v_o} = \left(\frac{\alpha K_M}{V_{max}}\right)\frac{1}{[S]} + \frac{\alpha'}{V_{max}} \qquad [14.46]$$

La représentation graphique de cette équation donne une série de droites de pente $\alpha K_M / V_{max}$ dont les interceptions avec les axes $1/v_o$ et $1/[S]$ donnent respectivement les valeurs des rapports α'/V_{max} et $-\alpha'/\alpha K_M$ (Fig. 14-14). Le développement algébrique de l'Eq. [14.46] pour différentes valeurs de [I] et les représentations graphiques correspondantes en double inverse, donnent une série de droites qui se coupent à la gauche de l'axe $1/v_o$ (Fig. 14-14). Dans le cas particulier où $K_I = K'_I$, ($\alpha = \alpha'$) l'intersection se fait sur l'axe $1/[S]$, ce qui, en raison de l'ambiguïté de la nomenclature, est parfois décrit comme une inhibition non compétitive.

Le Tableau 14-2 résume les résultats précédents concernant les différents types d'inhibition pour des enzymes qui obéissent à l'équation de Michaelis-Menten (ce qu'on appelle des enzymes michaeliennes ; N.d.T.). Les valeurs K_M^{app} et V_{max}^{app} sont les valeurs « apparentes » de K_M et de V_{max} qui seraient réellement observées en présence d'un inhibiteur pour l'équation de Michaelis-Menten décrivant les enzymes inhibées.

4 ■ INFLUENCE DU PH

Étant des protéines, les enzymes ont des propriétés sensibles au pH. La plupart des protéines ne sont actives, en fait, que pour une zone de pH étroite, généralement comprise entre 5 et 9. Ceci, parce que le pH agit sur plusieurs facteurs : (1) la liaison du substrat à l'enzyme, (2) l'activité catalytique de l'enzyme, (3) l'ionisation du substrat, et (4) les variations de la structure des protéines (qui ne sont généralement importantes qu'aux pH extrêmes).

a. Dépendance du pH pour des enzymes michaeliennes

Les vitesses initiales de nombreuses réactions enzymatiques donnent des courbes en cloche en fonction du pH (p. ex. Fig. 14-15). Ces courbes sont le reflet de l'état d'ionisation de certains résidus d'acide aminé qui doivent se trouver dans un état d'ionisation spécifique pour l'activité de l'enzyme. Le modèle suivant peut expliquer les effets du pH.

$$
\begin{array}{ccc}
E^- & & ES^- \\
K_{E2}\left\|H^+ \right. & K_{ES2}\left\|H^+\right. & \\
EH + S \underset{k_{-1}}{\overset{k_1}{\rightleftharpoons}} ESH \overset{k_2}{\longrightarrow} P + EH \\
K_{E1}\left\|H^+\right. & K_{ES1}\left\|H^+\right. & \\
EH_2^+ & & ESH_2^+
\end{array}
$$

Dans ce mécanisme de réaction simple irréversible à un seul substrat, on suppose que seules les formes EH et ESH sont catalytiquement actives.

L'équation de Michaelis-Menten de ce modèle, qui est dérivée dans l'Appendice D, est

$$v_o = \frac{V'_{max}[S]}{K'_M + [S]} \qquad [14.47]$$

TABLEAU 14-2   Effets d'inhibiteurs sur les paramètres de l'équation de Michaelis-Menten[a]

Type d'inhibition	V_{max}^{app}	K_M^{app}
Aucune	V_{max}	K_M
Compétitive	V_{max}	αK_M
Incompétitive	V_{max}/α'	K_M/α'
Mixte	V_{max}/α'	$\alpha K_M/\alpha'$

[a] $\alpha = 1 + \dfrac{[I]}{K_I}$ and $\alpha' = 1 + \dfrac{[I]}{K'_I}$.

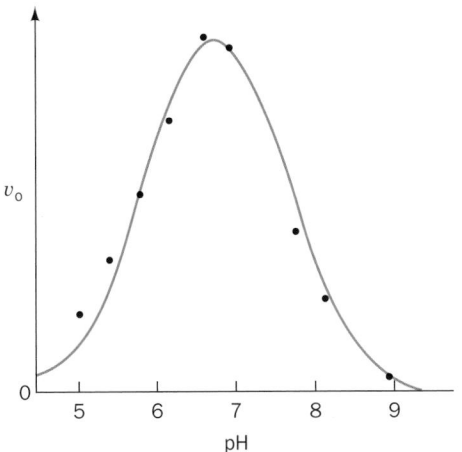

FIGURE 14-15 Influence du pH sur la vitesse initiale de la réaction catalysée par la fumarase. [D'après Tanford, C., *Physical Chemistry of Macromolecules, p.* 647, Wiley (1961).]

FIGURE 14-16 Variation de (*a*) **log** V'_{max} **et** (*b*) **log** (V'_{max}/K'_M) **en fonction du pH.** Ceci montre comment les valeurs des constantes d'ionisation moléculaires peuvent être déterminées par extrapolation.

avec les paramètres de Michaelis-Menten suivants

$$V'_{max} = V_{max}/f_2 \qquad \text{and} \qquad K'_M = K_M(f_1/f_2)$$

où

$$f_1 = \frac{[\text{H}^+]}{K_{E1}} + 1 + \frac{K_{E2}}{[\text{H}^+]}$$

$$f_2 = \frac{[\text{H}^+]}{K_{ES1}} + 1 + \frac{K_{ES2}}{[\text{H}^+]}$$

et V_{max} et K_M sont les paramètres des formes actives de l'enzyme, EH et ESH. Remarquer que pour n'importe quelle valeur de pH, l'Eq. [14.47] se comporte comme une simple équation de Michaelis-Menten, mais comme f_1 et f_2 dépendent du pH, v_o varie avec le pH en donnant une courbe en cloche (cf. Fig. 14-15).

b. Détermination des constantes d'ionisation

Les constantes d'ionisation des enzymes qui obéissent à l'Eq. [14.47] peuvent être déterminées par analyse des courbes obtenues en traçant log V'_{max} en fonction du pH, d'où l'on tire les valeurs de K_{ES1} et de K_{ES2} (Fig. 14-16*a*), et celles obtenues en traçant log(V'_{max} / K'_M) en fonction du pH, ce qui donne les valeurs de K_{E1} et de K_{E2} (Fig. 14-16*b*). Ceci implique, naturellement, que soient déterminées les valeurs des paramètres de Michaelis-Menten de l'enzyme pour chaque série de pH différents.

La détermination des valeurs de pK apporte souvent des indications intéressantes quant à la nature des résidus d'acide aminé indispensables à l'activité enzymatique. Par exemple, un pK voisin de 4 suggère qu'un Asp ou un Glu est indispensable à l'enzyme. De même, des pK de l'ordre de 6 ou de 10 suggèrent, respectivement, la participation d'une His ou d'une Lys. Toutefois, la valeur de pK d'un groupement acide-base donné peut varier de plusieurs unités de pH par rapport à sa valeur escomptée, en raison de l'influence électrostatique de groupements chargés situés à proximité, ou de régions de faible polarité dans l'environnement immédiat.

Par exemple, le groupement carboxylate d'un Glu qui forme un pont salin avec une Lys, se trouve stabilisé par la charge positive voisine, ce qui diminue la valeur du pK qu'il aurait autrement; ainsi, il lui est plus difficile de se protoner. Inversement, un groupement carboxylate qui se trouve dans une région faiblement polaire est moins acide que normalement car il retient plus fortement des protons que s'il se trouvait dans une zone beaucoup plus polaire. L'identification par la valeur d'un pK, d'un acide aminé donné doit donc être vérifiée en faisant appel à d'autres types de mesure telles que l'utilisation de réactifs spécifiques de chaînes latérales d'acide aminé qui inactiveront un résidu présumé essentiel.

5 ◼ RÉACTIONS À DEUX SUBSTRATS

Jusqu'à ici, nous ne nous sommes intéressés qu'à des réactions faisant intervenir un seul substrat. Toutefois, les réactions enzymatiques qui impliquent deux substrats et qui conduisent à la formation de deux produits

$$\text{A} + \text{B} \xrightleftharpoons{\text{E}} \text{P} + \text{Q}$$

représentent environ 60 % des réactions enzymatiques connues. Presque toutes ces réactions, appelées **réactions à deux substrats,** sont soit des réactions catalysées par des **transférases,** dans lesquelles l'enzyme catalyse le transfert d'un groupement fonctionnel spécifique, X, de l'un des substrats à l'autre :

$$\text{P}-\text{X} + \text{B} \xrightleftharpoons{\text{E}} \text{P} + \text{B}-\text{X}$$

soit des réactions d'oxydoréduction, dans lesquelles des équivalents réducteurs sont transférés d'un substrat à l'autre. Par exemple, lors de l'hydrolyse d'une liaison peptidique par la trypsine (Section 7-1E) le groupement carbonyle du peptide est trans-

(a)

$$R_1 - \overset{\overset{\displaystyle O}{\|}}{C} - NH - R_2 \ + \ H_2O \ \xrightarrow{\text{trypsine}} \ R_1 - \overset{\overset{\displaystyle O}{\|}}{C} - O^- \ + \ H_3\overset{+}{N} - R_2$$

Polypeptide

(b)

$$CH_3 - \overset{\overset{\displaystyle H}{|}}{\underset{\underset{\displaystyle H}{|}}{C}} - OH \ + \ NAD^+ \ \xrightarrow[\overset{\displaystyle \downarrow}{H^+}]{\text{alcool}\atop \text{déshydrogénase}} \ CH_3 - \overset{\overset{\displaystyle O}{\|}}{C}H \ + \ NADH$$

FIGURE 14-17 Exemples de réactions à deux substrats. (*a*) Dans la réaction d'hydrolyse d'une liaison peptidique catalysée par la trypsine, le groupement carbonyle de la liaison peptidique hydrolysée, avec la chaîne polypeptidique qui lui reste associée, est transféré de l'atome d'azote du peptide, à une molécule d'eau. (*b*) Dans la réaction de l'alcool déshydrogénase, un ion hydrure est transféré de l'éthanol au NAD⁺.

féré de l'atome d'azote peptidique à l'eau (Fig. 14-17*a*). De même, au cours de la réaction de l'alcool déshydrogénase (Section 13-2A), un ion hydrure est transféré de l'éthanol au NAD⁺ (Fig. 14-17*b*). Bien qu'en principe, de telles réactions à deux substrats puissent faire intervenir de très nombreux mécanismes, on n'en connaît qu'un petit nombre.

A. *Terminologie*

Nous suivrons la nomenclature introduite par W.W. Cleland pour représenter les réactions enzymatiques :

1. Les substrats sont désignés par les lettres A, B, C, et D *dans l'ordre de leur liaison à l'enzyme.*

2. Les produits sont désignés par P, Q, R, et S *dans l'ordre de leur séparation de l'enzyme.*

3. Les formes stables des enzymes sont désignées par E, F, et G, l'enzyme libre étant représentée par E, si de telles distinctions doivent être faites. Une forme stable d'enzyme est une forme qui ne peut, par elle-même, se transformer en une autre forme stable de l'enzyme (cf. ci-dessous).

4. Le nombre de substrats et de produits dans une réaction donnée est spécifié, dans l'ordre, par les termes **Uni** (un), **Bi** (deux), **Ter** (trois), et **Quad** (quatre). Une réaction qui utilise un substrat et conduit à la formation de trois produits est une réaction Uni Ter. Dans cette section, nous nous intéresserons aux réactions qui utilisent deux substrats et qui forment deux produits, c'est-à-dire, des réactions Bi Bi. Rappelez-vous, cependant, qu'il existe de nombreux exemples de réactions encore plus compliquées.

a. Modèles de réactions Bi Bi

On peut ranger les réactions enzymatiques de transfert de groupe en deux grandes catégories selon leur mécanisme :

1. Réactions séquentielles : *Les réactions dans lesquelles tous les substrats doivent se combiner à l'enzyme avant qu'une réaction puisse avoir lieu et que les produits puissent être libérés sont des réactions séquentielles.* Dans de telles réactions, le groupe transféré, X, passe directement de A (= P — X) à B, pour donner P et Q (= B — X). Ces réactions sont donc appelées des **réactions de simple déplacement**.

On distingue, parmi les réactions séquentielles, celles pour lesquelles l'ordre de liaison à l'enzyme est imposé, qui font donc intervenir un **mécanisme ordonné,** et celles où l'ordre de liaison des substrats est indifférent, qui font donc intervenir un **mécanisme aléatoire.** Dans le mécanisme ordonné, la liaison du premier substrat semble nécessaire pour que l'enzyme établisse le site de liaison du deuxième substrat, tandis que dans un mécanisme aléatoire, les deux sites de liaison sont présents sur l'enzyme libre.

Décrivons des réactions enzymatiques en utilisant la notation symbolique de Cleland. L'enzyme est représentée par une ligne horizontale et les additions successives de substrat et les départs de produits sont figurés par des flèches verticales. Les formes de l'enzyme sont indiquées sous la ligne horizontale et les constantes de vitesse, si besoin est, sont à la gauche de la flèche ou au-dessus de la ligne pour les réactions qui vont dans le sens de la formation du produit. Une réaction **Bi Bi ordonnée** est représentée par :

$$
\begin{array}{ccccccc}
\overset{\displaystyle A}{\downarrow} & & \overset{\displaystyle B}{\downarrow} & & \overset{\displaystyle P}{\uparrow} & & \overset{\displaystyle Q}{\uparrow} \\
k_1 \mid k_{-1} & & k_2 \mid k_{-2} & k_3 & k_4 \mid k_{-4} & & k_5 \mid k_{-5} \\
\hline
E & EA & EAB & k_{-3} \ EPQ & EQ & & E
\end{array}
$$

où A et B sont respectivement le **premier** et le **deuxième** substrats. Dans ce schéma, peu de détails sont donnés quant aux interconversions des formes intermédiaires de l'enzyme car, comme nous l'avons vu pour les réactions enzymatiques réversibles à un seul substrat, les mesures de cinétique à l'état stationnaire ne donnent aucune information sur le nombre d'intermédiaires d'une étape réactionnelle donnée. De nombreuses déshydrogénases à NAD⁺ et NADP⁺ suivent un mécanisme Bi Bi ordonné dans lequel le coenzyme se fixe en premier.

Un mécanisme **Bi Bi aléatoire** est représenté par :

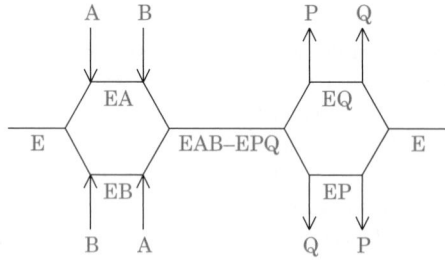

Certaines déshydrogénases et kinases suivent ce mécanisme.

2. Réactions Ping-Pong : *Des mécanismes où un produit ou plusieurs sont libérés avant que tous les substrats aient été ajoutés sont appelés des* **réactions Ping-Pong.** On schématise une réaction **Bi Bi Ping-Pong** comme suit :

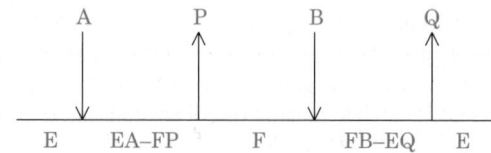

Dans ce cas, un groupement fonctionnel X du premier substrat A (= P — X) est enlevé du substrat par l'enzyme E pour donner le premier produit P et une forme stable de l'enzyme F (= E — X) dans laquelle X est fortement lié (souvent par covalence) à l'enzyme (Ping). Dans la deuxième partie de la réaction, X est déplacé de l'enzyme par le deuxième substrat B pour donner le deuxième produit Q (= B — X), régénérant ainsi l'enzyme sous sa forme initiale, E (Pong). De telles réactions sont appelées des **réactions de double déplacement.** *Noter que dans les réactions Bi Bi Ping-Pong, les substrats A et B ne se rencontrent pas à la surface de l'enzyme.* Beaucoup d'enzymes, dont la chymotrypsine (Section 15-3), les transaminases (Section 26-1A), et quelques enzymes flaviniques réagissent selon des mécanismes Ping-Pong.

B. *Equations de vitesse*

Des mesures de cinétique à l'état stationnaire permettent de déterminer le type de réaction à deux substrats parmi celles que nous venons de voir. Pour ce faire, on doit d'abord dériver leurs équations de vitesse. La méthode est la même que celle utilisée pour les enzymes à un substrat, c'est-à-dire l'établissement d'une série d'équations linéaires simultanées, une pour chaque complexe enzymatique différent dans les conditions de l'état stationnaire, et une équation qui exprime la conservation de l'enzyme. Naturellement, le problème est plus complexe que pour les réactions à un substrat.

Les équations de vitesse pour les mécanismes de réaction à deux substrats décrits ci-dessus, en l'absence de produits, sont données ci-dessous sous la forme double inverse.

a. Bi Bi ordonnée

$$\frac{1}{v_{\mathrm{o}}} = \frac{1}{V_{\max}} + \frac{K_M^A}{V_{\max}[A]} + \frac{K_M^B}{V_{\max}[B]} + \frac{K_S^A K_M^B}{V_{\max}[A][B]} \quad [14.48]$$

b. Bi Bi aléatoire en équilibre rapide

L'équation de vitesse pour une réaction Bi Bi aléatoire est très compliquée. Cependant, dans le cas particulier où les deux substrats sont en équilibre rapide et indépendant avec l'enzyme, où l'interconversion EAB-EPQ est la réaction limitante, l'équation de la vitesse initiale se réduit à la forme relativement simple suivante.

On parle alors de mécanisme Bi Bi aléatoire en équilibre rapide :

$$\frac{1}{v_{\mathrm{o}}} = \frac{1}{V_{\max}} + \frac{K_S^A K_M^B}{V_{\max} K_S^B[A]} + \frac{K_M^B}{V_{\max}[B]} + \frac{K_S^A K_M^B}{V_{\max}[A][B]} \quad [14.49]$$

c. Bi Bi Ping-Pong

$$\frac{1}{v_{\mathrm{o}}} = \frac{K_M^A}{V_{\max}[A]} + \frac{K_M^B}{V_{\max}[B]} + \frac{1}{V_{\max}} \quad [14.50]$$

d. Signification physique des paramètres cinétiques des réactions à deux substrats

Les paramètres cinétiques des équations qui décrivent les réactions à deux substrats ont les mêmes significations que ceux des réactions à un substrat. $V_{\max}$ est la vitesse maximum de la réaction enzymatique lorsque les deux substrats sont en concentrations saturantes, K_M^A et K_M^B sont les concentrations respectives de A et B nécessaires pour obtenir $V_{\max}/2$ en présence de concentration saturante de l'autre substrat, et K_S^A et K_S^B sont les constantes de dissociation respectives de A et B de l'enzyme E.

C. *Distinction entre les mécanismes des réactions à deux substrats*

On peut faire la distinction entre les mécanismes Ping-Pong et séquentiels d'après l'allure différente de leurs représentations linéaires ou de la représentation en double inverse.

a. Représentation graphique des réactions Bi Bi Ping-Pong

En portant $1/v_{\mathrm{o}}$ en fonction de $1/[A]$ et en maintenant [B] constante, d'après l'Eq. [14.50], on obtient une droite de pente égale à $K_M^A/V_{\max}$ qui coupe l'axe $1/v_{\mathrm{o}}$ en des points égaux aux deux derniers termes de l'Eq. [14.50]. Puisque la pente est indépendante de [B], de tels tracés pour différentes valeurs de [B] donnent une famille de droites parallèles (Fig. 14-18). Des tracés de $1/v_{\mathrm{o}}$ en fonction de $1/[B]$ pour différentes valeurs de [A] donneront, de la même manière, une famille de droites parallèles. *Ces droites parallèles caractérisent un mécanisme Ping-Pong.*

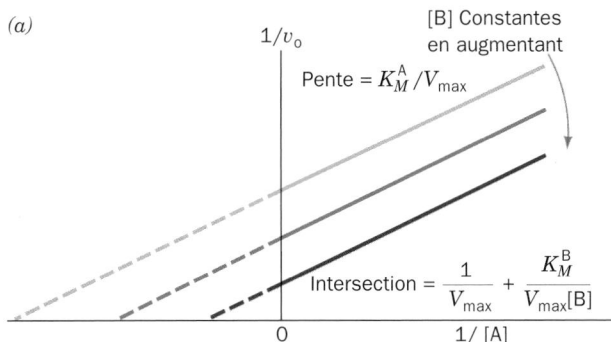
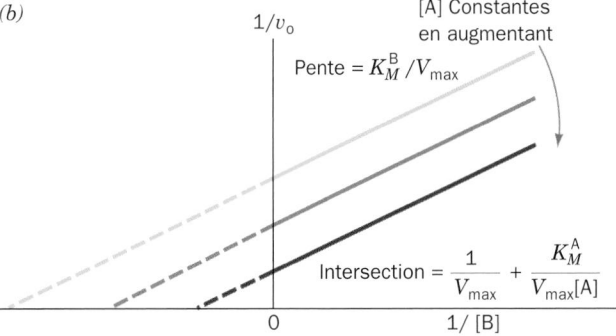

FIGURE 14-18 Représentations en double inverse d'une réaction enzymatique Bi Bi Ping-Pong. (*a*) Tracés de $1/v_o$ en fonction de $1/[A]$ pour différentes concentrations de B constantes. (*b*) Tracés de $1/v_o$ en fonction de $1/[B]$ pour différentes concentrations de A constantes.

(a)

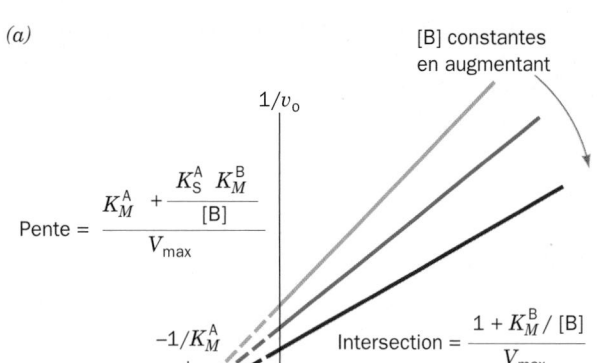

(b)

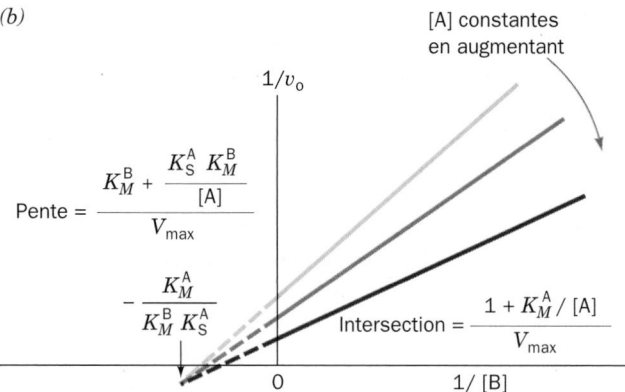

FIGURE 14-19 Représentations en double inverse d'une réaction enzymatique Bi Bi séquentielle. *(a)* Tracés de $1/v_0$ en fonction de $1/[A]$ pour différentes concentrations de B constantes. *(b)* Tracés de $1/v_0$ en fonction de $1/[B]$ pour différentes concentrations de A constantes. Les tracés correspondants pour les réactions Bi Bi aléatoires en équilibre rapide ont des allures identiques ; leurs droites se coupent en un point situé à gauche de l'axe $1/v_0$.

b. Représentation graphique des réactions Bi Bi séquentielles

Les équations qui représentent le mécanisme Bi Bi ordonné (Eq. [14.48]) et le mécanisme Bi Bi aléatoire en équilibre rapide (Eq. [14.49]) sont l'une et l'autre dépendantes de [A] et de [B].

L'équation [14.48] peut être réarrangée pour donner :

$$\frac{1}{v_0} = \frac{K_M^A}{V_{max}}\left(1 + \frac{K_S^A K_M^B}{K_M^A[B]}\right)\frac{1}{[A]} + \frac{1}{V_{max}}\left(1 + \frac{K_M^B}{[B]}\right) \quad [14.51]$$

Puis, en portant $1/v_o$ en fonction de $1/[A]$ pour [B] constante, on obtient une droite dont la pente est égale au coefficient de $1/[A]$ et qui coupe l'axe $1/v_o$ à une valeur égale au deuxième terme de l'Eq. [14.51] (Fig. 14-19a). On peut également réarranger l'Eq. [14.48] de la sorte

$$\frac{1}{v_0} = \frac{K_M^B}{V_{max}}\left(1 + \frac{K_S^A}{[A]}\right)\frac{1}{[B]} + \frac{1}{V_{max}}\left(1 + \frac{K_M^A}{[A]}\right) \quad [14.52]$$

qui donne une droite si l'on porte $1/v_o$ en fonction de $1/[B]$ tout en maintenant [A] constante, droite dont la pente est égale au coefficient de $1/[B]$ et qui coupe l'axe $1/v_o$ à une valeur égale au deuxième terme de l'Eq. [14.52] (Fig. 14-19b). *La caractéristique de ces tracés, qui indique un mécanisme séquentiel, c'est que les droites obtenues se coupent derrière l'axe $1/v_o$.*

c. Distinction entre mécanismes séquentiels aléatoire et ordonné

Pour savoir si un mécanisme est Bi Bi ordonné ou Bi Bi aléatoire, on peut faire des **études d'inhibition par le produit**. Si l'on n'ajoute qu'un produit, P ou Q, au mélange réactionnel, la réaction en sens inverse ne peut pas être assurée. Néanmoins, en se liant à l'enzyme, ce produit inhibera la réaction dans le sens de la formation des produits. Pour une réaction Bi Bi ordonnée, Q (= B — X, le deuxième produit qui sera libéré) est en compétition directe avec A (= P — X, le premier substrat à se lier) pour se lier à l'enzyme et se comporte donc comme un inhibiteur compétitif de A quand [B] est constante (la présence de X dans Q = B — X interfère avec la liaison de A = P — X). Toutefois, comme B se combine avec EA, et non avec E, Q est un inhibiteur mixte de B quand [A] est constante (Q interfère à la fois avec la liaison de B à l'enzyme et avec la catalyse de la réaction). De même, P, qui ne se combine qu'avec EQ, est un inhibiteur mixte de A quand [B] est maintenue constante, et de B quand [A] est maintenue constante. Par contre, pour une réaction Bi Bi en équilibre rapide, puisque les deux produits et les deux substrats peuvent se combiner directement avec E, alors P et Q sont tous les deux des inhibiteurs compétitifs de A quand [B] est constante, et de B quand [A] est constante. Le Tableau 14-3 rassemble les différents types d'inhibition possibles par le(s) produit(s) selon le mécanisme de la réaction.

D. Echange isotopique

Les déterminations de mécanismes de réactions enzymatiques basées uniquement sur des données cinétiques sont grevées d'incertitudes, notamment en raison de données expérimentales peu précises. Il est donc indispensable de recourir à d'autres approches expérimentales si l'on veut une confirmation.

TABLEAU 14-3 Types d'inhibition par les produits des mécanismes séquentiels à deux substrats

Mécanisme	Produit inhibiteur	[A] variable	[B] variable
Bi Bi ordonné	P	Mixte	Mixte
	Q	Compétitive	Mixte
Bi Bi aléatoire en équilibre rapide	P	Compétitive	Compétitive
	Q	Compétitive	Compétitive

On peut faire la distinction entre les mécanismes à deux substrats séquentiels (simple déplacement) et Ping-Pong (double déplacement) par des études d'**échange isotopique.** Dans le cas de réactions à double déplacement, l'échange en retour d'un isotope du premier produit P au premier substrat A en l'absence du deuxième substrat est possible. Considérons une réaction Ping-Pong dans son ensemble, catalysée par une enzyme E à deux substrats

$$\text{P}-\text{X} + \text{B} \underset{\text{E}}{\overset{\text{E}}{\rightleftharpoons}} \text{P} + \text{B}-\text{X}$$

dans laquelle, comme d'habitude, A = P — X, Q = B — X, et X est le groupement transféré d'un substrat à l'autre au cours de la réaction. En l'absence de B, seule la première étape de la réaction peut se dérouler. Si une faible quantité de P marqué par un isotope, symbolisé par P*, est ajoutée au mélange réactionnel, P* — X se formera au cours de la réaction inverse :

Réaction dans le sens direct $\quad$ E + P — X → E — X + P
Réaction inverse $\quad$ E — X + P* → E + P* — X

autrement dit, il y a échange isotopique.

Par contre, dans le cas de la première étape d'une réaction séquentielle, il se forme un complexe enzyme-substrat non covalent :

$$\text{E} + \text{P}-\text{X} \rightleftharpoons \text{E} \cdot \text{P}-\text{X}$$

L'addition de P* ne peut donner lieu à un échange isotopique car il n'y a pas rupture de liaisons covalentes lors de la formation de E · P—X, c'est-à-dire qu'il n'y a pas de P libéré de l'enzyme qui puisse s'échanger avec P*. La démonstration qu'il y a échange isotopique dans une réaction enzymatique à deux substrats est donc un argument convaincant en faveur d'un mécanisme Ping-Pong.

a. Echange isotopique avec la saccharose phosphorylase et la maltose phosphorylase

Les enzymes **saccharose phosphorylase** et **maltose phosphorylase** fournissent deux exemples précis de réactions d'échange isotopique catalysées par des enzymes, qui permettent de distinguer des mécanismes cinétiques. La saccharose phosphorylase catalyse la réaction globale

Glucose — fructose + phosphate
Saccharose
$\|$ E
Glucose-1-phosphate + fructose

Si l'enzyme est incubée avec du saccharose et avec du fructose marqué en l'absence de phosphate, on constate que le marqueur se retrouve dans le saccharose :

Glucose — fructose + fructose*
Saccharose
$\|$ E
Glucose—fructose* + fructose

Pour la réaction inverse, si l'enzyme est incubée avec du glucose-1-phosphate et du phosphate marqué au ^{32}P, ce marqueur s'échange avec le glucose-1-phosphate :

Glucose-1-phosphate + phosphate*
$\|$ E
Glucose-1-phosphate* + phosphate

Ces résultats indiquent qu'il se forme un complexe glucosyl-enzyme très solide accompagné de la libération de fructose, ce qui signifie que la réaction catalysée par la saccharose phosphorylase fait intervenir un mécanisme Ping-Pong. Ce résultat a été définitivement corroboré par l'isolement et la caractérisation de ce complexe glucosyl-enzyme.

La **maltose phosphorylase** catalyse une réaction globale similaire :

Glucose — glucose + phosphate
Maltose
$\|$ E
Glucose-1-phosphate + glucose

Contrairement à la réaction catalysée par la saccharose phosphorylase, il n'y a pas d'échange isotopique entre le glucose-1-phosphate et le [^{32}P]phosphate ou entre le maltose et le [^{14}C]glucose. De même, on n'a pas réussi à détecter de complexe glucosyl-enzyme. Ces résultats indiquent que la maltose phosphorylase fonctionne selon un mécanisme séquentiel.

Appendice : ■ DÉRIVATION DES DIFFÉRENTES ÉQUATIONS DE MICHAELIS-MENTEN

A. *Equation de Michaelis-Menten pour les réactions réversibles — Equation [14.30]*

L'équation de conservation pour une réaction réversible à un substrat (Section 14-2C) est

$$[\text{E}]_\text{T} = [\text{E}] + [\text{ES}] \qquad [14.\text{A}1]$$

La condition d'état stationnaire (ainsi que la condition d'équilibre) s'exprime par :

$$\frac{d[\text{ES}]}{dt} = k_1[\text{E}][\text{S}] + k_{-2}[\text{E}][\text{P}] - (k_{-1} + k_2)[\text{ES}] = 0$$

$$[14.\text{A}2]$$

d'où

$$[\text{E}] = \left(\frac{k_{-1} + k_2}{k_1[\text{S}] + k_{-2}[\text{P}]}\right)[\text{ES}] \qquad [14.\text{A}3]$$

En substituant cette valeur dans l'Eq. [14.A1], on obtient

$$[\text{E}]_\text{T} = \left(\frac{k_{-1} + k_2}{k_1[\text{S}] + k_{-2}[\text{P}]} + 1\right)[\text{ES}] \qquad [14.\text{A}4]$$

La vitesse de la réaction est égale à

$$v = -\frac{d[S]}{dt} = k_1[E][S] - k_{-1}[ES] \qquad [14.A5]$$

ce qui, en combinant avec l'Eq. [14.A3] nous donne

$$v = \left(\frac{k_1[S](k_{-1} + k_2)}{k_1[S] + k_{-2}[P]} - k_{-1}\right)[ES] \qquad [14.A6]$$

qui, après combinaison avec l'Eq. [14.A4] donne

$$v = \left(\frac{k_1k_2[S] - k_{-1}k_{-2}[P]}{k_{-1} + k_2 + k_1[S] + k_{-2}[P]}\right)[E]_T \qquad [14.A7]$$

En divisant le numérateur et le dénominateur de cette équation par $(k_{-1} + k_2)$, on a

$$v = \left(\frac{k_2\left(\dfrac{k_1}{k_{-1} + k_2}\right)[S] - k_{-1}\left(\dfrac{k_{-2}}{k_{-1} + k_2}\right)[P]}{1 + \left(\dfrac{k_1}{k_{-1} + k_2}\right)[S] + \left(\dfrac{k_{-2}}{k_{-1} + k_2}\right)[P]}\right)[E]_T$$

$$[14.A8]$$

Puis, en définissant les paramètres suivants par analogie avec les constantes de l'équation de Michaelis-Menten (Eq. [14.23] et [14.21]),

$$V_{\max}^f = k_2[E]_T \qquad V_{\max}^r = k_{-1}[E]_T$$

$$K_M^S = \frac{k_{-1} + k_2}{k_1} \qquad K_M^P = \frac{k_{-1} + k_2}{k_{-2}}$$

nous obtenons l'équation de Michaelis-Menten pour une réaction réversible à un substrat :

$$v = \frac{\dfrac{V_{\max}^f[S]}{K_M^S} - \dfrac{V_{\max}^r[P]}{K_M^P}}{1 + \dfrac{[S]}{K_M^S} + \dfrac{[P]}{K_M^P}} \qquad [14.30]$$

B. *Equation de Michaelis-Menten pour l'inhibition incompétitive—Equation [14.41]*

Dans le cas d'une inhibition incompétitive (Section 14-3B), l'inhibiteur se lie au complexe de Michaelis avec une constante de dissociation

$$K_I' = \frac{[ES][I]}{[ESI]} \qquad [14.A9]$$

L'équation de conservation est

$$[E]_T = [E] + [ES] + [ESI] \qquad [14.A10]$$

D'où, en substituant dans les Eq. [14.34] et [14.A9], nous obtenons

$$[E]_T = [ES]\left(\frac{K_M}{[S]} + 1 + \frac{[I]}{K_I'}\right) \qquad [14.A11]$$

En définissant α' de la même manière que dans l'Eq. [14.37]

$$\alpha' = 1 + \frac{[I]}{K_I'} \qquad [14.A12]$$

et v_o et $V_{\max}$ comme dans les Eq. [14.22] et [14.23]

$$v_o = k_2[ES] = \frac{V_{\max}}{\dfrac{K_M}{[S]} + \alpha'} \qquad [14.A13]$$

nous obtenons, après réarrangement, l'équation de Michaelis-Menten pour une inhibition incompétitive :

$$v_o = \frac{V_{\max}[S]}{K_M + \alpha'[S]} \qquad [14.41]$$

C. *Equation de Michaelis-Menten pour l'inhibition de type mixte—Equation [14.45]*

Dans une inhibition mixte (Section 14-3C) les réactions de liaison de l'inhibiteur ont des constantes de dissociation différentes :

$$K_I = \frac{[E][I]}{[EI]} \qquad \text{and} \qquad K_I' = \frac{[ES][I]}{[ESI]} \qquad [14.A14]$$

(Dans ce cas, par souci de clarté mathématique, nous faisons l'hypothèse, thermodynamiquement insoutenable, que le complexe EI ne réagit pas avec S pour donner la forme ESI. Si l'on intègre cette réaction dans l'établissement de l'équation, on aboutit à une dérivation plus compliquée que celle que nous donnons ici, mais qui donne des résultats pratiquement identiques.) L'équation de conservation pour ce schéma réactionnel s'écrit

$$[E]_T = [E] + [EI] + [ES] + [ESI] \qquad [14.A15]$$

soit, en substituant dans les Eq. [14.A14]

$$[E]_T = [E]\left(1 + \frac{[I]}{K_I}\right) + [ES]\left(1 + \frac{[I]}{K_I'}\right) \qquad [14.A16]$$

En définissant α et α' comme dans les Eq. [14.37] et [14.A12], l'Eq. [14.A16] devient

$$[E]_T = [E]\alpha + [ES]\alpha' \qquad [14.A17]$$

D'où, en substituant dans l'Eq. [14.34]

$$[E]_T = [ES]\left(\frac{\alpha K_M}{[S]} + \alpha'\right) \qquad [14.A18]$$

En définissant v_o et $V_{\max}$ comme dans les Eq. [14.22] et [14.23] nous obtenons l'équation de Michaelis-Menten pour une inhibition mixte :

$$v_o = \frac{V_{\max}[S]}{\alpha K_M + \alpha'[S]} \qquad [14.45]$$

D. *Equation de Michaelis-Menten pour des enzymes ionisables—Equation [14.47]*

Dans le modèle de réaction présenté dans la Section 14-4 pour tenir compte de l'influence du pH sur les enzymes, les constantes de dissociation pour les ionisations sont

$$K_{E2} = \frac{[H^+][E^-]}{[EH]} \qquad K_{ES2} = \frac{[H^+][ES^-]}{[ESH]}$$

$$K_{E1} = \frac{[H^+][EH]}{[EH_2^+]} \qquad K_{ES1} = \frac{[H^+][ESH]}{[ESH_2^+]} \qquad [14.A19]$$

La protonation et la déprotonation sont parmi les réactions les plus rapides connues, si bien que, à l'exception de quelques enzymes qui ont des constantes catalytiques extrêmement élevées, on peut faire l'hypothèse raisonnable que les réactions acide-base sont à l'équilibre. L'équation de conservation s'exprime par

$$[\text{E}]_\text{T} = [\text{EH}]_\text{T} + [\text{ESH}]_\text{T} \qquad [14.\text{A}20]$$

où $[\text{E}]_\text{T}$ représente l'enzyme totale présente sous toutes ses formes,

$$
\begin{aligned}
[\text{EH}]_\text{T} &= [\text{EH}_2^+] + [\text{EH}] + [\text{E}^-] \\
&= [\text{EH}]\left(\frac{[\text{H}^+]}{K_{\text{E}1}} + 1 + \frac{K_{\text{E}2}}{[\text{H}^+]}\right) \\
&= [\text{EH}]f_1 \qquad\qquad\qquad\qquad [14.\text{A}21]
\end{aligned}
$$

et

$$
\begin{aligned}
[\text{ESH}]_\text{T} &= [\text{ESH}_2^+] + [\text{ESH}] + [\text{ES}^-] \\
&= [\text{ESH}]\left(\frac{[\text{H}^+]}{K_{\text{ES}1}} + 1 + \frac{K_{\text{ES}2}}{[\text{H}^+]}\right) \\
&= [\text{ESH}]f_2 \qquad\qquad\qquad\qquad [14.\text{A}22]
\end{aligned}
$$

Soit, dans l'hypothèse de l'état stationnaire

$$\frac{d[\text{ESH}]}{dt} = k_1[\text{EH}][\text{S}] - (k_{-1} + k_2)[\text{ESH}] = 0 \quad [14.\text{A}23]$$

ce qui nous donne la valeur de $[\text{EH}]$

$$[\text{EH}] = \frac{(k_{-1} + k_2)[\text{ESH}]}{k_1[\text{S}]} = \frac{K_M[\text{ESH}]}{[\text{S}]} \qquad [14.\text{A}24]$$

Donc, d'après l'Eq. [14.A21],

$$[\text{EH}]_\text{T} = \frac{K_M[\text{ESH}]f_1}{[\text{S}]} \qquad [14.\text{A}25]$$

ce qui, avec les Eq. [14.A20] et [14.A22] nous donne

$$[\text{E}]_\text{T} = [\text{ESH}]\left(\frac{K_M f_1}{[\text{S}]} + f_2\right) \qquad [14.\text{A}26]$$

Comme pour la dérivation de l'équation de Michaelis-Menten simple, la vitesse initiale est

$$v_\text{o} = k_2[\text{ESH}] = \frac{k_2[\text{E}]_\text{T}}{\left(\dfrac{K_M f_1}{[\text{S}]}\right) + f_2} = \frac{(k_2/f_2)[\text{E}]_\text{T}[\text{S}]}{K_M(f_1/f_2) + [\text{S}]}$$

$$[14.\text{A}27]$$

Soit, en définissant les valeurs « apparentes » de K_M et de $V_\text{max} = k_2[\text{E}]_\text{T}$ pour un pH donné :

$$K'_M = K_M(f_1/f_2) \qquad [14.\text{A}28]$$

et

$$V'_\text{max} = V_\text{max}/f_2 \qquad [14.\text{A}29]$$

l'équation de Michaelis-Menten modifiée pour tenir compte de l'influence du pH est :

$$v_\text{o} = \frac{V'_\text{max}[\text{S}]}{K'_M + [\text{S}]} \qquad [14.47]$$

■ RÉSUMÉ DU CHAPITRE

1 ■ Cinétique chimique Le déroulement de réactions complexes fait intervenir une succession de réactions élémentaires dont la molécularité est égale au nombre de molécules qui entrent en collision simultanément pour former les produits. L'ordre d'une réaction peut être déterminé d'après la forme caractéristique de la courbe de déroulement de la réaction. La théorie de l'état de transition stipule que la vitesse d'une réaction dépend de l'énergie libre de formation de son complexe activé. Ce complexe, qui correspond à la valeur maximum d'énergie libre du trajet réactionnel, se trouve en équilibre entre les substrats et les produits, ce qui explique qu'il soit aussi appelé état de transition. Selon la théorie de l'état de transition, la catalyse est due à la diminution de la différence d'énergie libre entre les substrats et l'état de transition.

2 ■ Cinétique enzymatique Pour le mécanisme enzymatique le plus simple, l'enzyme et le substrat se combinent réversiblement pour former un complexe enzyme-substrat appelé complexe de Michaelis, qui peut se décomposer irréversiblement pour donner le produit et régénérer l'enzyme. La vitesse de formation du produit est exprimée par l'équation de Michaelis-Menten, obtenue sous réserve que la concentration du complexe de Michaelis soit constante, c'est-à-dire, en état stationnaire. L'équation de Michaelis-Menten, qui est celle d'une hyperbole rectangulaire, a deux paramètres : V_max, la vitesse maximum de la réaction, qui est atteinte lorsque la concentration en substrat est saturante, et K_M, la constante de Michaelis, qui est égale à la concentration en substrat pour laquelle la vitesse de la réaction est égale à $V_\text{max}/2$. Ces paramètres peuvent être déter-

minés graphiquement par la représentation de Lineweaver-Burk. Des modèles de mécanismes de réactions enzymatiques plus réalistes que le modèle de Michaelis-Menten tiennent compte de la réversibilité de la réaction enzymatique et de la formation d'un ou plusieurs intermédiaires. La forme fonctionnelle des équations qui décrivent les vitesses de réactions de ces modèles est indépendante du nombre d'intermédiaires, d'où l'impossibilité de distinguer ces modèles à partir seulement des mesures de cinétique à l'état stationnaire.

3 ■ Inhibition Les enzymes peuvent être inhibées par des inhibiteurs compétitifs, qui entrent en compétition avec le substrat pour le site de liaison enzymatique. L'effet d'un inhibiteur compétitif peut être levé par des concentrations croissantes en substrat. Un inhibiteur incompétitif inactive le complexe de Michaelis en se liant à celui-ci. La vitesse maximum d'une enzyme inhibée incompétitivement est fonction de la concentration en inhibiteur et l'inhibition ne peut donc pas être levée par des concentrations croissantes en substrat. Pour des inhibitions mixtes (non compétitives), l'inhibiteur se fixe à la fois à l'enzyme libre et au complexe enzyme-substrat pour donner un complexe catalytiquement inactif. L'équation de vitesse correspondante présente à la fois les caractéristiques des inhibitions compétitives et incompétitives.

4 ■ Influence du pH La vitesse d'une réaction enzymatique est fonction de la concentration en ions hydrogène. Pour un pH quelconque, la vitesse d'une réaction enzymatique simple est décrite par l'équation de Michaelis-Menten. Cependant, ses paramètres V_max et K_M varient avec le pH. En suivant les courbes de cinétique en fonction du pH, on peut déterminer les pK de groupements enzymatiques ionisables impliqués dans la liaison ou la catalyse, ce qui peut contribuer à identifier ces groupements.

5 ■ Réactions à deux substrats La majorité des réactions enzymatiques sont des réactions à deux substrats au cours desquelles les deux substrats réagissent pour donner deux produits. Ces réactions peuvent impliquer des mécanismes séquentiels ordonnés ou aléatoires, ainsi que des mécanismes Bi Bi Ping-Pong, parmi d'autres. Les équa-

tions de vitesse initiale pour l'un ou l'autre de ces mécanismes impliquent cinq paramètres, qui sont analogues soit aux paramètres de l'équation de Michaelis-Menten, soit à des constantes d'équilibre. On peut faire la distinction entre ces différents mécanismes de réactions à deux substrats d'après la forme des tracés en double inverse et selon la nature des inhibitions obtenues par leurs produits. Les réactions d'échange isotopique sont une autre possibilité, non cinétique, de faire la distinction entre les mécanismes de ces réactions à deux substrats.

RÉFÉRENCES

CINÉTIQUE CHIMIQUE

Atkins, P.W. and de Paula, J., *Physical Chemistry* (7th ed.), Chapters 25–27, Freeman (2002). [La plupart des traités de chimie physique donnent la même information.]

Hammes, G.G., *Principles of Chemical Kinetics*, Academic Press (1978).

Laidler, K.J., *Chemical Kinetics* (3rd ed.), Harper & Row (1987).

CINÉTIQUE ENZYMATIQUE

Biswanger, H., *Enzyme Kinetics : Principles and Methods*, Wiley – VCH (2002).

Cleland, W.W., Steady state kinetics, *in* Boyer, P.D. (Ed.), *The Enzymes* (3rd ed.), Vol. 2, *pp.* 1–65, Academic Press (1970); *and* Steady-state kinetics, *in* Sigman, D.S. and Boyer, P.D. (Eds.), *The Enzymes* (3rd ed.), Vol. 19, *pp.* 99–158, Academic Press (1990).

Cleland, W.W., Determining the mechanism of enzyme-catalyzed reactions by kinetic studies, *Adv. Enzymol.* **45**, 273 (1977).

Cornish-Bowden, A., *Fundamentals of Enzyme Kinetics* (Revised ed.), Portland Press (1995). [Une description claire et détaillée de la cinétique enzymatique.]

Cornish-Bowden, A. and Wharton, C.W., *Enzyme Kinetics*, IRL Press (1988).

Copeland, R.A., Enzymes, VCH (1996).

Dixon, M. and Webb, E.C., *Enzymes* (3rd ed.), Chapter IV, Academic Press (1979). [Un exposé extrêmement complet sur la cinétique enzymatique.]

Fersht, A., *Structure and Mechanism in Protein Science*, Chapters 3–7, Freeman (1999).

Gutfreund, H., *Kinetics for the Life Sciences : Receptors, Transmitters, and Catalysts*, Cambridge University Press (1995).

Hammes, G.G., *Enzyme Catalysis and Regulation*, Chapter 3, Academic Press (1982).

Knowles, J.R., The intrinsic pK_a-values of functional groups in enzymes : Improper deductions from the pH-dependence of steady state parameters, *CRC Crit. Rev. Biochem.* **4**, 165 (1976).

Kuby, S.A., *A Study of Enzymes*, Vol. I, CRC Press (1991). [On y trouve plusieurs chapitres sur la cinétique enzymatique.]

Marangoni, A.G., *Enzyme Kinetics. A Modern Approach*, Wiley (2002).

Piszkiewicz, D., *Kinetics of Chemical and Enzyme Catalyzed Reactions*, Oxford University Press (1977). [La cinétique enzymatique à portée de tous.]

Purich, D.L. (Ed.), *Contemporary Enzyme Kinetics and Mechanism* (2nd ed.), Academic Press (1996) [Un ensemble d'articles sur des sujets de pointe.]

Schulz, A.R., *Enzyme Kinetics*, Cambridge (1994).

Segel, I.H., *Enzyme Kinetics*, Wiley – Interscience (1993). [Facile à lire, cet ouvrage explique en détail plusieurs aspects de la cinétique enzymatique.]

Tinoco, I., Jr., Sauer, K., Wang, J.C., and Puglisi, J.D., *Physical Chemistry. Principles and Applications for Biological Sciences* (4th ed.), Chapters 7 and 8, Prentice-Hall (2002).

Wood, W.B., Wilson, J.H., Benbow, R.M., and Hood, L.E., *Biochemistry. A Problems Approach* (2nd ed.), Chapter 8, Benjamin/Cummings (1981). [On y trouve, avec les réponses circonstanciées, des problèmes de cinétique enzymatique.]

PROBLÈMES

1. L'hydrolyse du saccharose :

$$Saccharose + H_2O \rightarrow glucose + fructose$$

suit la cinétique suivante

Temps (min)	[Saccharose] (M)
0	0,5011
30	0,4511
60	0,4038
90	0,3626
130	0,3148
180	0,2674

Déterminez la constante d'ordre un et la demi-vie de la réaction. Pourquoi cette réaction bimoléculaire suit-elle une cinétique d'ordre un ? Combien de temps faudra-t-il pour que 99 % du saccharose présent initialement soit hydrolysé ? Combien de temps faudra-t-il si la quantité de saccharose initialement présent est double de celle indiquée dans le tableau ?

2. De quel facteur une réaction à 25 °C sera-t-elle accélérée si un catalyseur diminue la valeur d'énergie libre de son complexe activé de 1 kJ • mol^{-1} ; de 10 kJ • mol^{-1} ?

3. Pour une réaction de Michaelis-Menten, $k_1 = 5 \times 10^7 M^{-1} \cdot s^{-1}$, $k_{-1} = 2 \times 10^4 s^{-1}$, et $k_2 = 4 \times 10^2 s^{-1}$. Calculez K_S et K_M de la réaction. La liaison du substrat parvient-elle à l'équilibre ou à l'état stationnaire ?

*4. Le tableau suivant donne les vitesses auxquelles un substrat réagit en présence d'une enzyme michaelienne : (1) en l'absence d'inhibiteur ; (2)

et (3) en présence respectivement de 10 mM de l'un ou de l'autre des deux inhibiteurs. Supposez que [E]$_T$ soit identique pour toutes les réactions.

[S] (mM)	(1)v_o ($\mu M \cdot s^{-1}$)	(2)v_o ($\mu M \cdot s^{-1}$)	(3)v_o ($\mu M \cdot s^{-1}$)
1	2,5	1,17	0,77
2	4,0	2,10	1,25
5	6,3	4,00	2,00
10	7,6	5,7	2,50
20	9,0	7,2	2,86

(a) Déterminez les valeurs de K_M et de V_{max} de l'enzyme. Déterminez le type d'inhibition pour chaque inhibiteur et les valeurs de K_I et/ou K'_I. Quel renseignement complémentaire faudrait-il pour déterminer la constante catalytique de l'enzyme ? (b) Pour [S] = 5 mM, quelle est la proportion de molécules d'enzyme liées au substrat en l'absence d'inhibiteur, en présence d'inhibiteur 10 mM de type (2), et en présence d'inhibiteur 10 mM de type (3) ?

*5. Dans l'organisme, l'éthanol est oxydé en acétaldéhyde (CH$_3$CHO) par l'alcool déshydrogénase du foie (LADH). D'autres alcools sont aussi oxydés par la LADH. Par exemple, le méthanol, qui rend légèrement saoul, est oxydé en formaldéhyde (CH$_2$O), très toxique, par la LADH . Les effets toxiques de l'ingestion de méthanol (que l'on trouve dans beaucoup de solvants commerciaux) peuvent être atténués par administration d'éthanol. L'éthanol agit comme inhibiteur compétitif du méthanol en le déplaçant de la LADH. Ceci permet au méthanol d'être éliminé sans danger par les reins. Si une personne a ingéré 100 mL de méthanol (une dose létale), combien de whisky pur (50 % d'éthanol en volume) doit-elle boire afin de réduire à 5 % de sa valeur initiale l'activité de sa LADH envers le méthanol ? Le corps humain adulte contient environ 40 L de liquides aqueux dans lesquels les alcools ingérés vont se répartir uniformément et rapidement. Les densités de l'éthanol et du méthanol sont toutes les deux égales à 0,79 g $\cdot$ cm^{-3}. Supposez que les valeurs de K_M de la LADH pour l'éthanol et le méthanol sont respectivement de $1,0 \times 10^{-3}M$ et de $1,0 \times 10^{-2}M$, et que $K_I = K_M$ pour l'éthanol.

6. Le K_M d'une enzyme michaelienne pour un substrat est de $1,0 \times 10^{-4}M$. Pour une concentration en substrat de $0,2M$, $v_o = 43$ $\mu M \cdot min^{-1}$ pour une certaine concentration en enzyme. Cependant, pour une concentration en substrat de $0,02M$, v_o a la même valeur. (a) Montrez, par calculs, que ce résultat est exact. (b) Quelle serait la meilleure fourchette de [S] pour mesurer K_M ?

7. Pourquoi considère-t-on généralement que les inhibiteurs incompétitifs et mixtes sont plus efficaces *in vivo* que les inhibiteurs compétitifs ?

8. Expliquez pourquoi une bonne corrélation entre les paramètres expérimentaux qui décrivent une réaction et un modèle cinétique ne permet pas de prouver que la réaction suit le modèle.

9. Une enzyme qui suit le modèle de l'influence du pH proposé dans la Section 14-4 a un pK_{ES1} = 4 et un pK_{ES2} = 8. Pour quel pH la V'_{max} de cette enzyme sera-t-elle maximum ? Quelle fraction de V_{max} la V'_{max} atteindra-t-elle à ce pH ?

10. Dérivez l'équation de vitesse initiale pour une réaction Bi Bi aléatoire en équilibre rapide. Supposez que les constantes d'équilibre K_S^A et K_S^B pour les liaisons de A et de B à l'enzyme sont indépendantes du fait que l'autre substrat soit ou non fixé (une hypothèse qui oblige $K_M^B = K_S^B$ dans l'Eq. [14.49]).

*11. Soit la variante suivante d'un mécanisme Bi Bi Ping-Pong

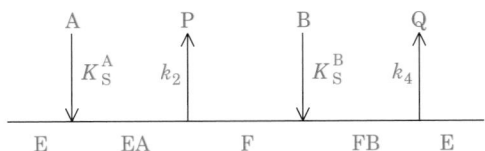

Supposez que les réactions de liaison des substrats soient en équilibre rapide,

$$K_S^A = \frac{[E][A]}{[EA]} \quad \text{and} \quad K_S^B = \frac{[F][B]}{[FB]}$$

que [A] et [B] soient toutes les deux >> [E]$_T$, qu'aucune des réactions de libération des produits ne soit réversible, et que l'approximation de l'état stationnaire soit valable. (a) Dérivez une expression de v_o en fonction de K_S^A, K_S^B, k_2, et k_4. (b) Indiquez l'allure des tracés en double inverse de $1/v_o$ en fonction de $1/[A]$ pour différentes valeurs de [B]. (c) Indiquez l'allure des tracés en double inverse de $1/v_o$ en fonction de $1/[B]$ pour différentes valeurs de [A].

12. La créatine kinase catalyse la réaction

$$MgADP^- + \text{phosphocréatine} \rightleftharpoons MgATP^{2-} + \text{créatine}$$

qui assure la régénération de l'ATP dans le muscle. La créatine kinase de muscle de lapin présente les caractéristiques cinétiques suivantes. En l'absence des deux produits, des tracés de $1/v_o$ en fonction de $1/[MgADP^-]$ pour différentes concentrations fixes de phosphocréatine donnent des droites qui se coupent à gauche de l'axe $1/v_o$. De même, des tracés de $1/v_o$ en fonction de $1/[\text{phosphocréatine}]$ en l'absence de produits et à différentes concentrations fixes de MgADP$^-$ donnent des droites qui se coupent à gauche de l'axe $1/v_o$. En l'absence de l'un des deux produits de la réaction, MgATP^{2-} ou créatine, des tracés de $1/v_o$ en fonction de $1/[MgADP^-]$ à différentes concentrations de l'autre produit donnent des droites qui se coupent sur l'axe $1/v_o$. On obtient la même chose avec des tracés de $1/v_o$ en fonction de $1/[\text{phosphocréatine}]$. Proposez un mécanisme cinétique compatible avec ces résultats.

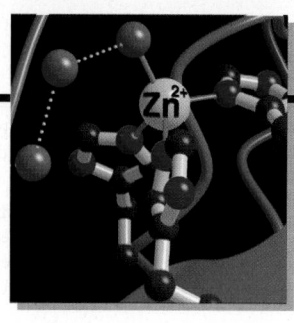

Chapitre

15

Catalyse enzymatique

1 ■ Mécanismes catalytiques
    A. Catalyse acido-basique
    B. Catalyse covalente
    C. Catalyse par ion métallique
    D. Catalyse électrostatique
    E. Catalyse par effets de proximité et d'orientation
    F. Catalyse par liaison préférentielle à l'état de transition

2 ■ Le lysozyme
    A. Structure de l'enzyme
    B. Mécanisme catalytique
    C. Vérification du mécanisme de Phillips

3 ■ Les protéases à sérine
    A. Cinétique et groupements catalytiques
    B. Structures par rayons X
    C. Mécanisme catalytique
    D. Vérification du mécanisme catalytique
    E. Les zymogènes

4 ■ La conception de médicaments
    A. Méthodologie en recherche pharmaceutique
    B. Introduction à la pharmacologie
    C. La protéase du HIV et ses inhibiteurs

Nous avons vu que les enzymes augmentent les vitesses de réaction, qui atteignent ainsi des ordres de grandeur très supérieurs à celles obtenues par les meilleurs catalyseurs chimiques. Cependant, les enzymes fonctionnent dans des conditions douces et sont très spécifiques quant à la nature de leurs substrats et de leurs produits. Ces propriétés catalytiques sont si remarquables que de nombreux scientifiques du dix-neuvième siècle en concluaient que les enzymes ont des caractéristiques que l'on ne retrouve pas dans les substances non biologiques. À ce jour, on ne connaît bien le mécanisme d'accélérations aussi considérables que pour très peu d'enzymes. Cependant, il est maintenant parfaitement clair que les mécanismes catalytiques utilisés par les enzymes et par les catalyseurs chimiques sont les mêmes ; les enzymes sont simplement mieux conçues.

Nous étudierons dans ce chapitre la nature de la catalyse enzymatique. Nous commencerons par l'examen des principes fondamentaux de la catalyse chimique tels qu'ils ont été élucidés par l'étude des mécanismes de réactions organiques. Nous nous lancerons ensuite dans l'étude détaillée des mécanismes catalytiques de plusieurs enzymes parmi les mieux connues : le **lysozyme** et les **protéases à sérine**. Cette étude nous permettra d'apprécier la complexité de ces catalyseurs remarquablement efficaces ainsi que

les méthodes expérimentales utilisées pour élucider leurs propriétés. Nous terminerons par un exposé sur les stratégies de découverte et d'évaluation des médicaments, une démarche qui se fonde en grande partie sur l'enzymologie puisque de nombreuses cibles de médicaments sont des enzymes. Nous montrerons à cette occasion comment furent découverts des inhibiteurs efficaces de la **protéase du HIV-1**.

1 ■ MÉCANISMES CATALYTIQUES

La catalyse est un processus qui augmente la vitesse à laquelle une réaction parvient à l'équilibre. Puisque la vitesse d'une réaction est fonction de son énergie libre d'activation ($\Delta G^{\ddagger}$) (cf. Section 14-1C), un catalyseur provoque la diminution de cette barrière énergétique ; autrement dit, à la différence de la réaction non catalysée, un catalyseur stabilise l'état de transition. Dans la plupart des cas, ceci n'est pas l'apanage des mécanismes enzymatiques comparés aux mécanismes non enzymatiques. *Deux propriétés intimement liées rendent les enymes si performantes : leur spécificité de liaison au substrat associée à l'arrangement optimal de leurs groupements catalytiques.* La disposition des groupements de liaison et des groupements catalytiques est, bien sûr, le résultat de siècles d'évolution : la nature a eu tout son temps pour affiner les performances de la plupart des enzymes.

On classe les différents types de mécanismes catalytiques utilisés par les enzymes en six catégories :

1. Catalyse acido-basique.
2. Catalyse covalente.
3. Catalyse par ion métallique.
4. Catalyse électrostatique.
5. Catalyse par effets de proximité et d'orientation
6. Catalyse par liaison préférentielle au complexe de l'état de transition.

Dans cette section, nous étudierons ces différents mécanismes. Ce faisant, nous nous référerons souvent aux composés organiques modèles qui ont permis d'élucider ces mécanismes catalytiques.

A. Catalyse acido-basique

*La **catalyse générale acide** est le processus par lequel le transfert partiel de proton depuis un acide de Brønsted (un donneur de protons ; Section 2-2A) abaisse l'énergie libre de l'état de transition d'une réaction.* Par exemple, la réaction de tautomérisation non catalysée céto-énol se fait très lentement en raison du niveau éner-

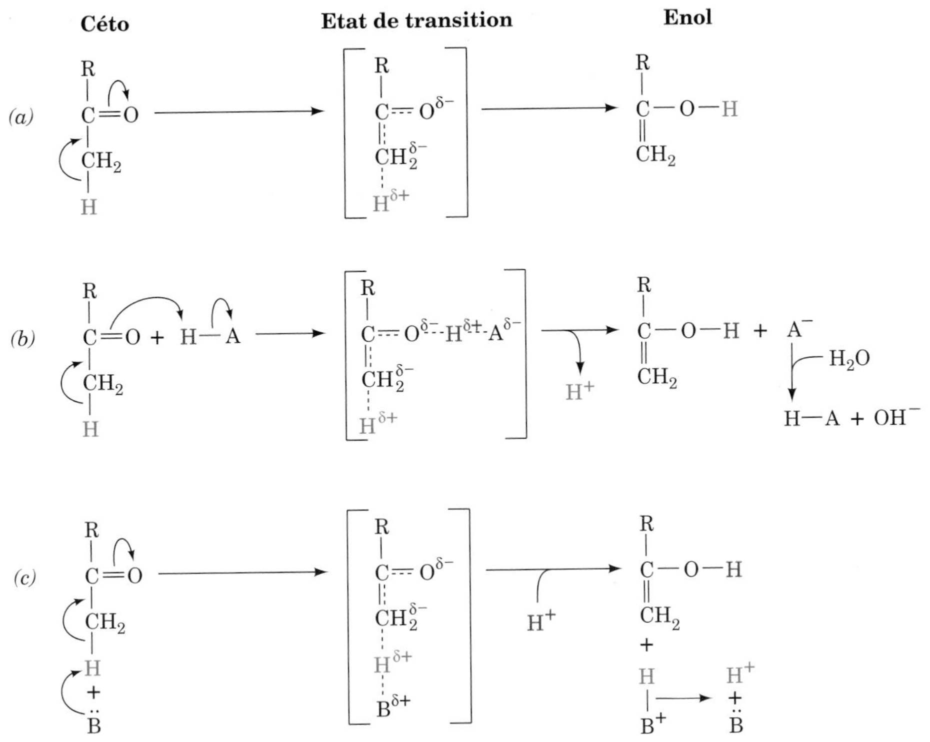

Céto	État de transition	Enol

FIGURE 15-1 Mécanismes de la tautomérisation céto-énol. (*a*) Non catalysée, (*b*) par catalyse générale acide, (*c*) par catalyse générale basique.

gétique élevé de son état de transition de type carbanion (Fig. 15-1*a*). Cependant, l'apport d'un proton à l'atome d'oxygène (Fig. 15-1*b*) diminue le caractère carbanion de l'état de transition, ce qui catalyse la réaction. *Une réaction peut également être stimulée par* **catalyse générale basique** *si sa vitesse est accélérée suite à la capture partielle d'un proton par une base de Brønsted (un accepteur de protons ; Fig. 15-1c). Certaines réactions peuvent être simultanément catalysées par les deux mécanismes : une* **réaction par catalyse générale acido-basique concertée.**

a. La mutarotation est catalysée par des acides et des bases

La mutarotation du glucose est un bon exemple de catalyse acido-basique. Pour rappel, une molécule de glucose peut prendre deux formes cycliques anomériques en passant par sa forme linéaire (Section 11-1B) :

En milieu aqueux, la vitesse initiale de mutarotation de l'α-D-glucose, que l'on peut suivre par polarimétrie (Section 4-2A), obéit à la relation suivante :

$$v = -\frac{d[\alpha\text{-D-glucose}]}{dt} = k_{obs}[\alpha\text{-D-glucose}] \quad [15.1]$$

où k_{obs} est la constante de vitesse apparente d'ordre un de la réaction. La vitesse de mutarotation augmente avec les concentrations d'acides et de bases classiques ; on pense qu'ils catalysent la mutarotation selon le mécanisme :

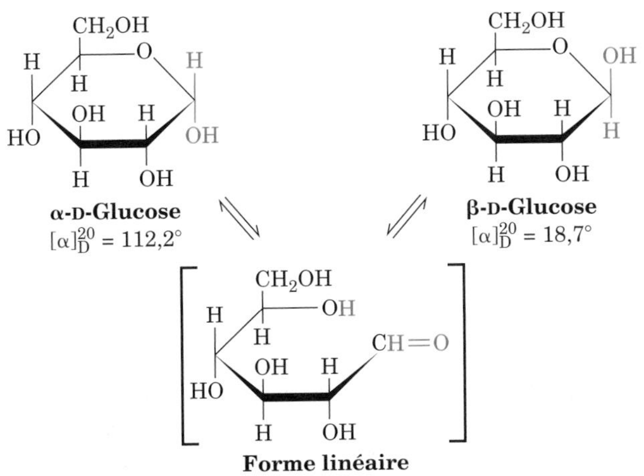

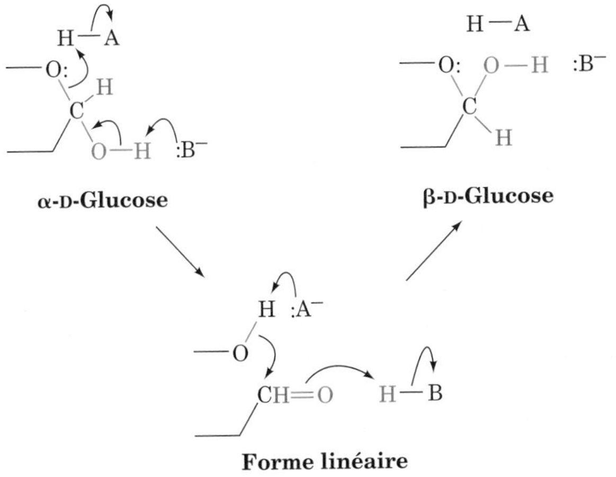

Ce modèle concorde avec l'observation que, dans un solvant sans protons comme le benzène, le **2,3,4,6-*O*-tétraméthyl-α-D-glucose** (un analogue moins polaire, soluble dans le benzène)

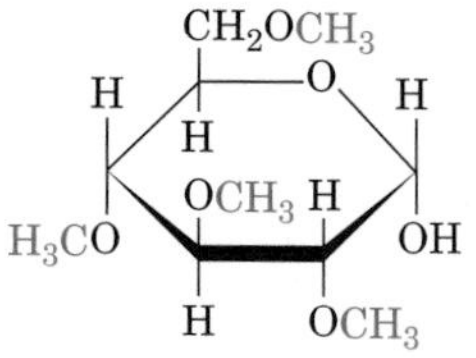

2,3,4,6-*O*-Tétraméthyl-α-D-glucose

ne subit pas de mutarotation. Cependant, la réaction est catalysée par addition de phénol, acide faible soluble dans le benzène, ou de pyridine, base faible soluble dans le benzène, selon l'équation de vitesse :

$$v = k[\text{phénol}][\text{pyridine}][\text{tétraméthyl-α-D-glucose}] \quad [15.2]$$

De plus, en présence d'**α-pyridone**, dont les groupements acide et basique s'interconvertissent rapidement entre deux formes tautomères et sont disposés de sorte qu'ils peuvent catalyser simultanément la mutarotation,

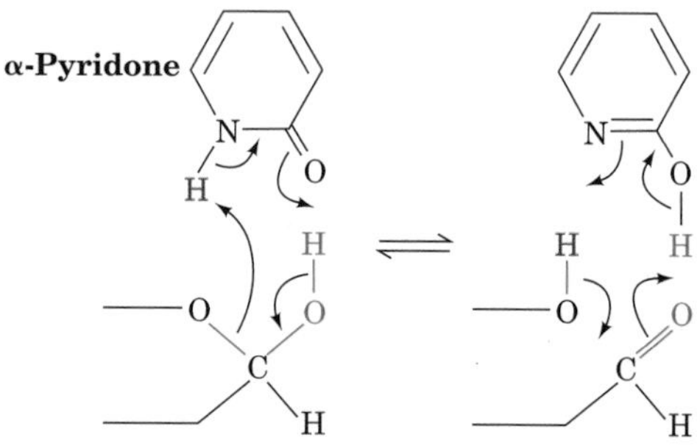

α-Pyridone

Glucose

l'équation de vitesse de la réaction est :

$$v = k'[\text{α-pyridone}][\text{tétraméthyl-α-D-glucose}] \quad [15.3]$$

où $k' = 7000M \times k$. Cette augmentation de la constante de vitesse signifie, en réalité, que l'α-pyridone catalyse la mutarotation selon un processus concerté car une solution d'α-pyridone $1M$ a le même pouvoir catalytique que des concentrations très élevées, et donc impossibles à atteindre, de phénol et de pyridine (ex. phénol $70M$ et pyridine $100M$).

De nombreuses réactions biochimiques importantes font l'objet de catalyse acide et/ou basique. Parmi elles, citons l'hydrolyse de peptides et d'esters, les réactions avec les groupements phosphate, les réactions de tautomérisation, les réactions d'addition sur des groupements carbonyle. Les chaînes latérales de Asp, Glu, His, Cys, Tyr, et Lys dont des valeurs de pK sont égales ou proches de celles des pH physiologiques (Tableau 4-1), jouent, comme nous le verrons, le rôle de catalyseur général acide et/ou basique à la manière des mécanismes connus en chimie organique. La possibilité de disposer plusieurs groupements catalytiques à proximité de leurs substrats permet aux enzymes d'assurer une catalyse générale acido-basique concertée, qui est donc un mécanisme enzymatique courant.

b. La réaction de l'ARNase A fait intervenir une catalyse générale acido-basique

La **ribonucléase A de pancréas de bœuf (ARNase A)** fournit un exemple très démonstratif d'une catalyse générale acidobasique enzymatique. Cette enzyme de la digestion assure l'hydrolyse de l'ARN en nucléotides, ses constituants. L'isolement de **nucléotides 2′,3′-cycliques** de l'hydrolysat d'ARN par l'ARNase A indique que la séquence réactionnelle sous la dépendance de l'enzyme est la suivante :

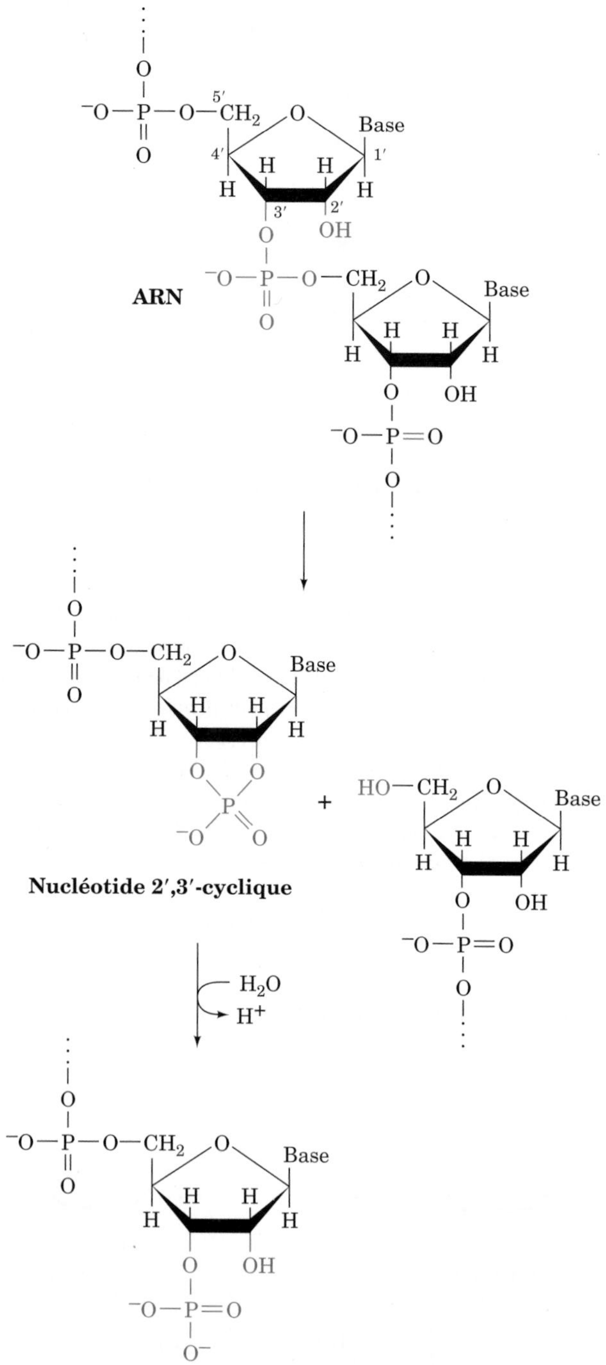

ARN

Nucléotide 2′,3′-cyclique

La vitesse de réaction de l'ARNase A mesurée en fonction du pH (Fig. 15-2) donne un pic à un pH voisin de 6. L'analyse de cette courbe (Section 14-4), et des études de dérivatisation chimique et par rayons X, ont montré que l'ARNase A présente deux résidus

FIGURE 15-2 **Variation en fonction du pH du rapport V'_{max}/K'_M de l'hydrolyse de la cytidine-2′,3′-phosphate cyclique catalysée par l'ARNase A.** V'_{max}/K'_M est donné en unités de $M^{-1} \cdot s^{-1}$. L'analyse de cette courbe (Section 14-4) suggère la participation catalytique de groupements avec des pK de 5,4 et 6,4. [D'après del Rosario, E.J. and Hammes, G.G., *Biochemistry* **8,** 1887 (1969).]

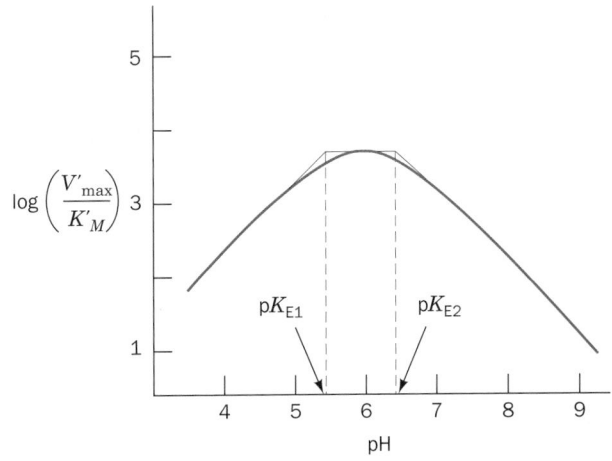

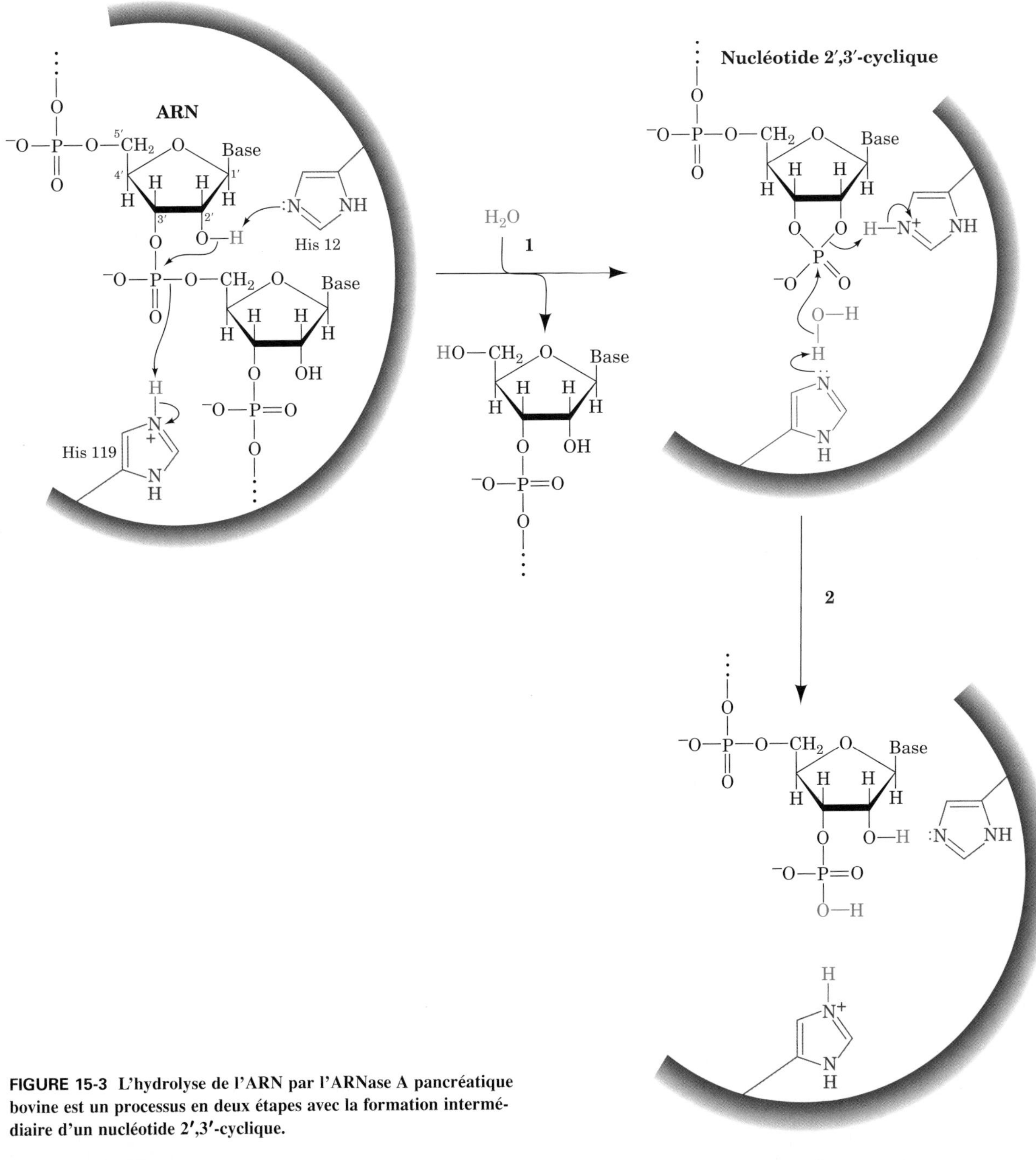

FIGURE 15-3 **L'hydrolyse de l'ARN par l'ARNase A pancréatique bovine est un processus en deux étapes avec la formation intermédiaire d'un nucléotide 2′,3′-cyclique.**

His essentiels, His 12 et His 119, qui agissent de manière concertée comme des catalyseurs acido-basiques (la structure de l'ARNase A est schématisée dans la Fig. 9-2). De toute évidence, la réaction de l'ARNase A est un processus en deux étapes (Fig. 15-3) :

1. L'His 12, jouant le rôle de catalyseur général basique, capte un proton d'un groupement 2′-OH de l'ARN, facilitant ainsi son attaque nucléophile de l'atome de phosphore voisin, tandis que l'His 119, jouant le rôle de catalyseur général acide, facilite la rupture de la liaison en protonant le groupement partant.

2. Le nucléotide 2′,3′-cyclique intermédiaire est hydrolysé en vertu d'un mécanisme sensiblement inverse du précédent, où l'eau prend la place du groupement partant. Ainsi, l'His 12 joue le rôle d'un catalyseur général acide et l'His 119 celui d'un catalyseur général basique, pour donner l'ARN hydrolysé et régénérer l'enzyme sous sa forme initiale.

B. *Catalyse covalente*

Dans la catalyse covalente, *l'accélération de la vitesse implique la formation transitoire d'une liaison covalente entre l'enzyme et le substrat.* La décarboxylation de l'**acétoacétate** catalysée par des amines primaires est un exemple de ce type de catalyse (Fig. 15-4). Dans la première partie de la réaction, le groupement carbonyle de l'acétoacétate subit une attaque nucléophile par l'amine, d'où la formation d'une **base de Schiff** (liaison imine).

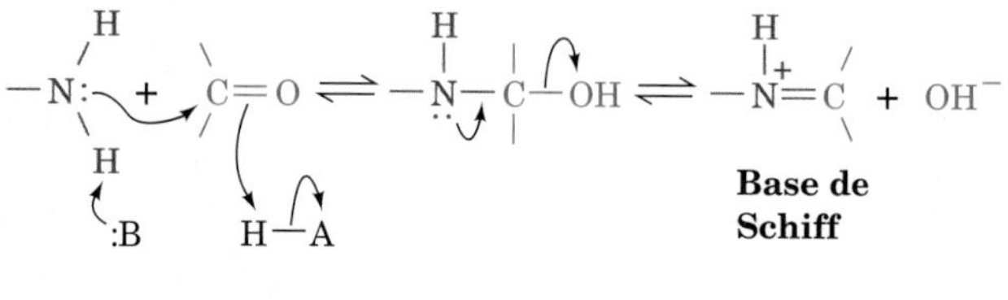

L'atome d'azote protoné de l'intermédiaire covalent va jouer le rôle de puits d'électrons (Fig. 15-4 en bas), ce qui va diminuer le potentiel énergétique, normalement élevé, de l'énolate de l'état de transition. La formation et la décomposition de la base de Schiff se font très rapidement et ne constituent donc pas la réaction limitante de cette séquence réactionnelle.

a. La catalyse covalente comporte à la fois des phases nucléophiles et électrophiles

Comme l'exemple précédent l'a montré, on peut distinguer trois phases dans la catalyse covalente :

1. La réaction nucléophile entre le catalyseur et le substrat pour former une liaison covalente.

2. Le retrait des électrons du centre réactionnel par le catalyseur, maintenant électrophile.

3. L'élimination du catalyseur, une réaction qui est essentiellement la réaction inverse de la première phase.

Les mécanismes réactionnels sont classés de manière quelque peu arbitraire selon qu'ils sont l'objet d'une **catalyse nucléophile** ou d'une **catalyse électrophile,** cette distinction dépendant de la nature du mécanisme qui accélère la réaction limitante. Il est clair, par exemple, que la décarboxylation de l'acétoacétate catalysée par les amines primaires est une réaction à catalyse électrophile puisque la phase nucléophile, la formation de la base de Schiff, n'est pas la réaction limitante. Cependant, pour d'autres réactions catalysées par covalence, c'est la phase nucléophile qui peut être limitante.

Le caractère nucléophile d'une substance est en étroite relation avec son caractère basique. En fait, le mécanisme de catalyse nucléophile ressemble à celui d'une catalyse générale basique si ce n'est qu'au lieu de capter un proton du substrat, le catalyseur, par attaque nucléophile, permet la formation d'une liaison covalente. Par conséquent, si la formation de la liaison covalente est la réaction limitante, la vitesse de la réaction tend à augmenter avec le caractère basique du catalyseur par covalence (pK).

Un point important de la catalyse covalente, c'est que plus la liaison covalente formée sera stable, plus elle sera difficile à rompre lors des dernières étapes de la réaction. Un bon catalyseur par covalence doit donc présenter des propriétés apparemment contradictoires, à savoir un caractère nucléophile marqué, et la possibilité de catalyser la réaction inverse de la formation de la liaison, afin que le groupement partant soit libéré facilement. Les groupements fortement polaires (qui présentent des électrons très mobiles), comme les fonctions imidazole et thiol, ont ces caractéristiques et sont donc de bons catalyseurs par covalence.

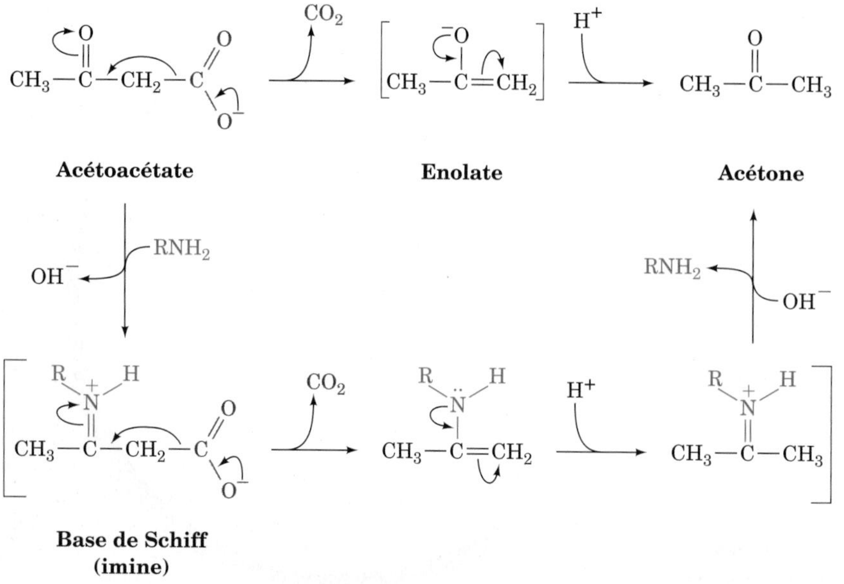

FIGURE 15-4 Décarboxylation de l'acétoacétate. (*en haut*) Selon un mécanisme non catalysé ; (*en bas*) selon un mécanisme catalysé par des amines primaires.

b. Certaines chaînes latérales d'acide aminé et certains coenzymes peuvent servir de catalyseurs par covalence

Les enzymes utilisent fréquemment les mécanismes de catalyse par covalence, comme le prouve le grand nombre d'intermédiaires de réaction enzyme-substrat liés par covalence qu'on a pu isoler. Par exemple, la décarboxylation enzymatique de l'acétoacétate se fait, comme nous l'avons vu précédemment, via la formation d'une base de Schiff avec le groupement ε–aminé d'un résidu Lys de l'enzyme. Dans ce cas, l'intermédiaire covalent a été isolé après réduction de sa liaison imine en liaison amine par du $NaBH_4$, ce qui provoque l'inhibition irréversible de l'enzyme. Parmi les autres groupements fonctionnels qui participent à la catalyse par covalence, citons le noyau imidazole de His, le groupement thiol de Cys, la fonction β-carboxylique de Asp, et le groupement hydroxyle de Ser. Par ailleurs, plusieurs coenzymes, plus particulièrement le **pyrophosphate de thiamine** (Section 17-3B) et le **phosphate de pyridoxal** (Section 26-1A), fonctionnent principalement, en association avec leurs apoenzymes, comme catalyseurs par covalence.

C. Catalyse par ion métallique

Environ un tiers des enzymes connues nécessitent la présence d'ions métalliques pour leur activité catalytique. On distingue deux catégories d'enzymes nécessitant des ions métalliques, selon la force des interactions ion-protéine :

1. *Les **métalloenzymes** où les ions métalliques sont fortement liés*, le plus souvent des ions de métaux de transition tels que Fe^{2+}, Fe^{3+}, Cu^{2+}, Zn^{2+}, Mn^{2+}, ou Co^{3+}.

2. *Des **enzymes activés par des métaux** qui se lient faiblement à des ions métalliques en solution*, généralement des ions de métaux alcalins ou alcalino-terreux tels que Na^+, K^+, Mg^{2+}, ou Ca^{2+}.

Les ions métalliques participent au processus catalytique selon trois modalités principales :

1. En se liant aux substrats de sorte à les orienter correctement pour la réaction.

2. En participant à des réactions d'oxydo-réduction par des changements réversibles de l'état d'oxydation de l'ion métallique.

3. En stabilisant électrostatiquement ou en masquant des charges négatives.

Dans cette section nous nous intéresserons essentiellement au troisième aspect de la catalyse par ions métalliques. Les deux autres aspects seront étudiés dans d'autres chapitres en même temps que des mécanismes d'enzymes spécifiques.

a. Des ions métalliques participent à la catalyse en assurant la stabilisation de charge

Pour beaucoup de réactions catalysées par des ions métalliques, l'ion métallique joue sensiblement le même rôle qu'un proton en neutralisant une charge négative, c'est-à-dire qu'il se comporte comme un acide de Lewis. Cependant, *les ions métalliques sont souvent des catalyseurs beaucoup plus efficaces que les protons car ils peuvent se trouver en concentration élevée à pH neutre et ont souvent des charges > +1.* Pour cette raison, les ions métalliques sont surnommés « superacides ».

La décarboxylation du **diméthyloxaloacétate**, catalysée par des ions métalliques tels que Cu^{2+} et Ni^{2+}, est un exemple de catalyse non enzymatique par un ion métallique :

Diméthyloxaloacétate

Dans cet exemple, l'ion métallique (M^{n+}) chélaté par le diméthyloxaloacétate stabilise électrostatiquement l'ion énolate de l'état de transition en formation. Le fait que l'acétoacétate, qui ne peut former de chélate, ne puisse être décarboxylé par catalyse en présence d'ion métallique, conforte le mécanisme proposé ci-dessus. La plupart des enzymes qui catalysent la décarboxylation de l'oxaloacétate ont besoin d'un ion métallique pour être actives.

b. Des ions métalliques permettent la catalyse nucléophile en assurant l'ionisation de l'eau

Une charge d'ion métallique rend plus acides que l'eau libre les molécules d'eau qui lui sont liées, formant ainsi des ions OH^- même à des pH en-dessous de la neutralité. Par exemple, la molécule d'eau de $(NH_3)_5Co^{3+}(H_2O)$ s'ionise selon la réaction :

$$(NH_3)_5Co^{3+}(H_2O) \rightleftharpoons (NH_3)_5Co^{3+}(OH^-) + H^+$$

avec un pK de 6,6, soit environ 9 unités de pH en-dessous du pK de l'eau libre. *Le groupement hydroxyle lié à l'ion métallique résultant est un nucléophile puissant.*

Le mécanisme catalytique de l'**anhydrase carbonique** (Section 10-1C) nous en donne un très bon exemple ; cette enzyme, très largement répandue, catalyse la réaction :

$$CO_2 + H_2O \rightleftharpoons HCO_3^- + H^+$$

L'anhydrase carbonique contient un ion Zn^{2+} indispensable localisé dans le site actif au fond d'une crevasse de 15 Å environ de profondeur (Fig. 8-41), où il forme un complexe de coordination quatre avec trois chaînes latérales de His conservées au cours de l'évolution et un atome O d'un ion HCO_3^- (Fig. 15-5*a*) ou d'une molécule d'eau (Fig. 15-5*b*). Le mécanisme catalytique de l'enzyme est le suivant :

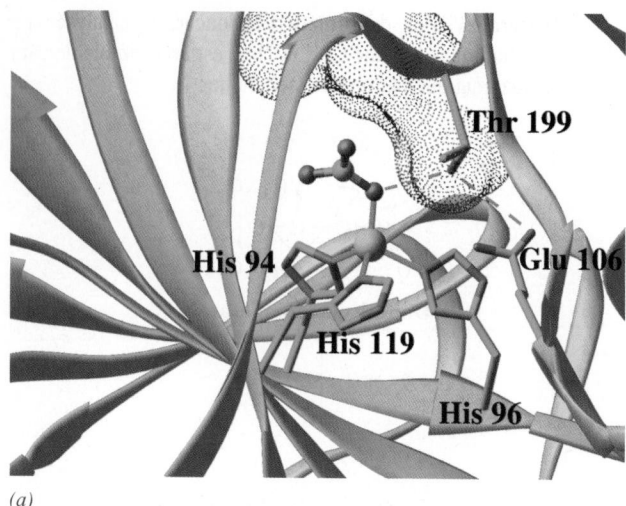

(a)

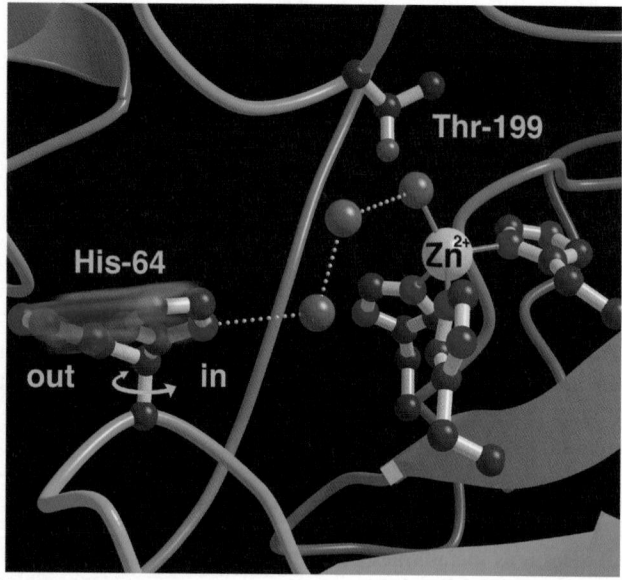

(b)

FIGURE 15-5 Structure par rayons X de l'anhydrase carbonique humaine. (*a*) Site actif de l'enzyme en complexe avec un ion bicarbonate. Le polypeptide est représenté en ruban (*or*) avec ses chaînes latérales en bâtonnets colorés selon le type d'atome (C en vert, N en bleu et O en rouge). L'ion Zn^{2+} lié à la protéine (*sphère bleu-vert*) est retenu (*liaisons en gris*) en coordinence quatre par les chaînes latérales de trois His conservées et par l'ion bicarbonate, représenté en modèle « boules et bâtonnets ». L'ion bicarbonate interagit également avec la protéine par contacts de van der Waals (*surface en pointillés de couleurs correspondant au type d'atome*) et par un réseau de liaisons hydrogène impliquant Thr 199 et Glu 106. [D'après une structure par rayons X due à K. K. Kannan, Bhabha Atomic Research Center, Bombay, Inde. PDBid 1HCB.] (*b*) Le site actif montrant la navette à protons en vertu de laquelle His 64, en tant que base classique, enlève un proton à H_2O liée au Zn^{2+} pour former un ion OH^-. Le squelette polypeptidique est représenté en ruban (*bleu-vert*) et ses chaînes latérales ainsi que plusieurs molécules de solvant liées sont en « boules et bâtonnets » avec C en noir, N en bleu et O en rouge. La navette à protons est constituée de deux molécules d'eau formant un réseau de liaisons hydrogène (*lignes pointillées blanches*) qui relie l'ion OH^- lié au Zn^{2+} et His 64 dans sa conformation « in ». Lors de sa déprotonation, His 64 bascule dans sa conformation « out ». [Avec la permission de David Christianson, University of Pennsylvania.]

1. Dans la situation de départ, une molécule d'eau est liée à la protéine en quatrième position de liaison du Zn^{2+} (Fig. 15-5*b*). Cette molécule d'eau polarisée par Zn^{2+} s'ionise selon un processus facilité par catalyse générale basique, grâce à His 64 dans sa conformation « in ». Bien que His 64 soit trop éloigné de l'eau liée à Zn^{2+} pour pouvoir capter directement son proton, ces entités sont reliées par l'intermédiaire de deux autres molécules d'eau pour former un réseau de liaisons hydrogène qui joue sans doute le rôle de navette à proton.

Im = imidazole

2. L'attaque nucléophile du CO_2 voisin lié à l'enzyme par l'ion OH^- lié à Zn^{2+} résultant, aboutit à la formation de HCO_3^-.

Im = imidazole

Ce faisant, le groupement OH^- lié à Zn^{2+} donne une liaison hydrogène à Thr 199, qui à son tour en donne une à Glu 106 (Fig. 15-5*a*). Ces interactions orientent le groupement OH^- de sorte à lui conférer la géométrie optimale (voir ci-dessous) pour l'attaque nucléophile du substrat, le CO_2.

3. Le site catalytique est régénéré suite à l'échange, pour de l'eau, du produit de la réaction, le HCO_3^- lié à Zn^{2+}, échange accompagné de la déprotonation de His 64. Ici, His 64 prend sa conformation « out » (Fig. 15-5*b*), ce qui peut faciliter le transfert de proton au solvant.

c. Des ions métalliques participent aux réactions par masquage de charges

Les ions métalliques jouent un autre rôle enzymatique important : le **masquage de charges**. Par exemple, les véritables substrats des **kinases** (enzymes qui catalysent le transfert de groupements phosphoryles à partir de l'ATP) sont les complexes Mg^{2+}–ATP tels que

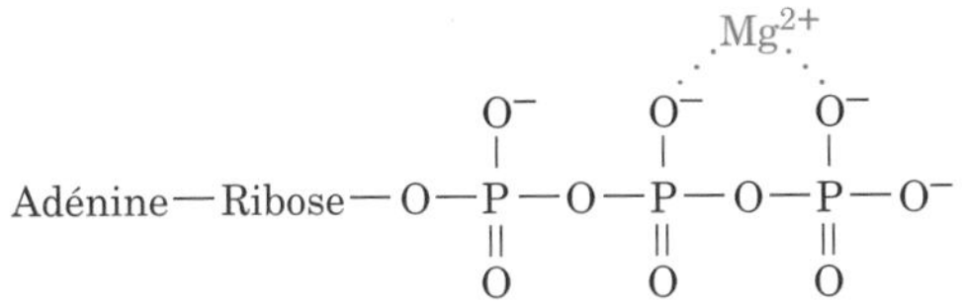

et non l'ATP seul. Dans ce cas, en plus de sa fonction d'orientation, l'ion Mg^{2+} masque électrostatiquement les charges négatives des groupements phosphate. S'il n'en était pas ainsi, ces charges auraient tendance à repousser les paires d'électrons des groupements nucléophiles, en particulier ceux à caractère anionique.

D. *Catalyse électrostatique*

La liaison du substrat s'accompagne généralement du départ de l'eau du site actif de l'enzyme. La constante diélectrique locale du centre actif devient alors semblable à celle d'un solvant organique, où les interactions électrostatiques sont beaucoup plus fortes qu'en solutions aqueuses (Section 8-4A). La distribution des charges dans un milieu de faible constante diélectrique peut fortement influencer la réactivité chimique. Par exemple, comme nous l'avons déjà vu, les pK des chaînes latérales d'acide aminé dans les protéines peuvent varier de plusieurs unités par rapport à leurs valeurs nominales (Tableau 4-1) en raison de la proximité de groupements chargés.

Bien que preuves expérimentales et analyses théoriques sur ce sujet soient plutôt rares, *il y a de plus en plus d'indices qui montrent que les distributions de charges autour des centres actifs des enzymes sont réparties afin de stabiliser les états de transition des réactions catalysées.* Cette possibilité d'augmenter la vitesse d'une réaction, qui n'est pas sans rappeler la catalyse par ion métallique que nous venons d'étudier, est appelée **catalyse électrostatique**. De plus, pour beaucoup d'enzymes, *ces distributions de charges servent apparemment à guider les substrats polaires vers leurs sites de liaison, ce qui fait que les vitesses de ces réactions enzymatiques sont supérieures à leurs limites de diffusion contrôlée apparentes (Section 14-2B).*

E. *Catalyse par effets de proximité et d'orientation*

Bien que les enzymes utilisent des mécanismes catalytiques identiques à ceux des réactions organiques, elles ont une efficacité catalytique de très loin supérieure. Une telle efficacité doit résulter des conditions physiques spécifiques des sites catalytiques des enzymes qui permettent aux réactions de se réaliser. Les effets les plus évidents sont la **proximité** et l'**orientation** : *pour qu'une réaction puisse avoir lieu, les substrats doivent se rencontrer selon une disposition spatiale adéquate.* Par exemple, dans la réaction bimoléculaire entre l'imidazole et le *p*-nitrophénylacétate,

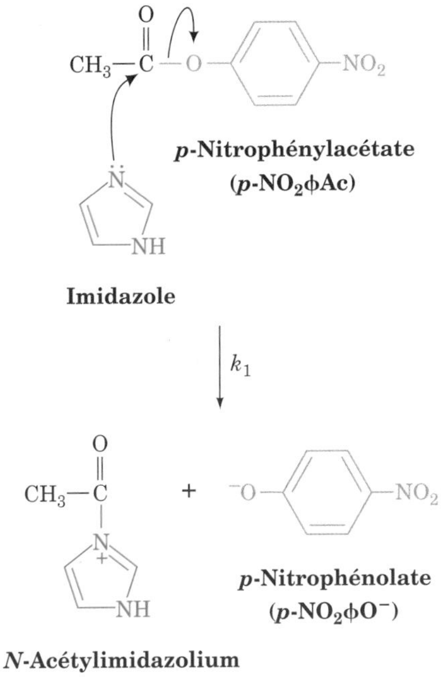

on peut suivre le déroulement de la réaction en suivant l'apparition de la couleur jaune intense de l'**ion *p*-nitrophénolate** :

$$\frac{d[p\text{-}NO_2\phi O^-]}{dt} = k_1[\text{imidazole}][p\text{-}NO_2\phi Ac] \quad [15.4]$$
$$= k_1'[p\text{-}NO_2\phi Ac]$$

Dans cette équation, k_1', la constante de vitesse de pseudo-ordre un est égale à 0,0018 s^{-1} si [imidazole] = 1M (ϕ = phényl). Cependant, pour la réaction intramoléculaire

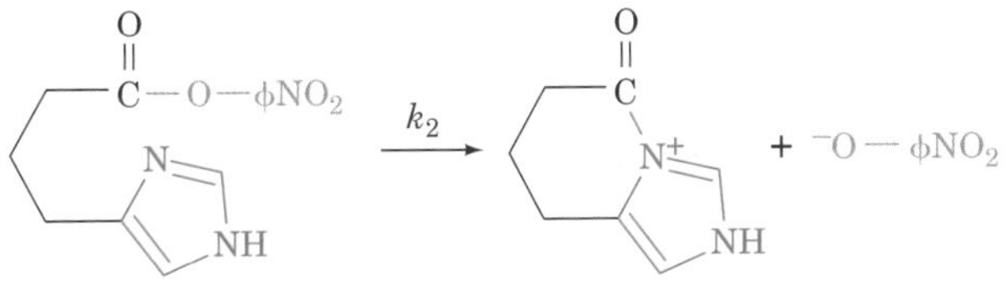

la constante de vitesse d'ordre un k_2 = 0,043 s^{-1}, soit k_2 = 24 k_1'. Ainsi, quand le catalyseur imidazole 1M est lié par covalence au substrat, il est 24 fois plus efficace que lorsqu'il se trouve libre en solution, ce qui signifie que *le groupement imidazole dans la réaction intramoléculaire se comporte comme si sa concentration était de 24M*. Cette accélération s'explique par des effets de proximité et d'orientation.

a. Le facteur proximité seul ne contribue que faiblement à la catalyse

Faisons un calcul approximatif pour savoir de combien la vitesse de réaction est modifiée en ne tenant compte que de la proximité de ses groupements réactionnels. En nous servant du traitement de Daniel Koshland, faisons plusieurs hypothèses plausibles :

1. Les espèces réactionnelles, c'est-à-dire les groupements fonctionnels, ont à peu près la taille de molécules d'eau.

2. Chaque espèce réactionnelle en solution est entourée de 12 molécules proches, comme le sont des sphères de taille identique.

3. Les réactions chimiques n'ont lieu qu'entre molécules de substrat en contact.

4. La concentration de substrat en solution est suffisamment basse pour que l'on puisse négliger la probabilité de contact simultané avec plus d'une molécule de toute espèce réactionnelle.

Dans ces conditions, la réaction :

$$A + B \xrightarrow{k1} A\text{—}B$$

obéit à l'équation d'ordre deux

$$v = \frac{d[A\text{—}B]}{dt} = k_1[A][B] = k_2[A,B]_{paires} \qquad [15.5]$$

où $[A,B]_{paires}$ est la concentration de molécules de A et de B en contact. Cette concentration est égale à :

$$[A,B]_{paires} = \frac{12[A][B]}{55,5M} \qquad [15.6]$$

puisqu'il y a 12 possibilités pour que A soit en contact avec B, et que $[A]/55,5M$ est la fraction des sites occupée par A en solution aqueuse ($[H_2O] = 55,5M$ en solution aqueuse diluée) ; on a ainsi la probabilité pour qu'une molécule de A soit en contact avec une molécule de B. En combinant les Éq. [15.5] et [15.6] nous obtenons

$$v = k_1 \left(\frac{55,5}{12}\right) [A,B]_{paires} = 4,6k_1[A,B]_{paires} \qquad [15.7]$$

Ainsi, en l'absence d'autres influences, ce modèle prévoit que pour la réaction intramoléculaire,

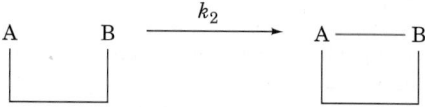

$k_2 = 4,6k_1$, soit une accélération plutôt faible. D'autres facteurs que le seul facteur de proximité doivent être pris en compte afin que cette valeur soit augmentée.

b. Le blocage des mouvements relatifs des substrats et leur orientation correcte peuvent aboutir à des accélérations de vitesse catalytique importantes

La théorie précédente est, bien sûr, plutôt simple. Par exemple, elle ne tient pas compte des orientations relatives des molécules réactionnelles. Or, les molécules n'ont pas toutes la même réactivité dans toutes les directions comme le prévoit la théorie simple de Koshland. Plus exactement, *elles ne réagissent très facilement que si elles ont une orientation relative adéquate.* Ainsi, dans une réaction S_N2 (substitution nucléophile bimoléculaire), le groupement nucléophile participant attaque sa cible de façon optimale dans la direction opposée à celle de la liaison du groupement partant (Fig. 15-6). Les approches des atomes réactionnels le long d'une trajectoire qui ne diffère que de 10° de la trajectoire idéale, se traduisent par une diminution de vitesse de réaction qui peut être de 100 fois. Dans une situation analogue, une molécule peut n'atteindre une réactivité maximum que lorsqu'elle prend une conformation où ses différentes orbitales seront alignées de sorte à minimiser l'énergie électronique de son état de transition, un effet appelé **assistance stéréo-électronique.**

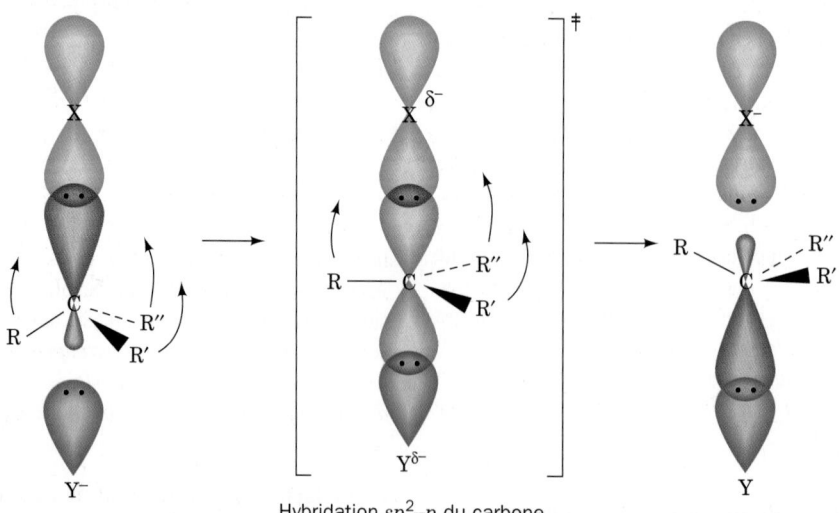

Hybridation sp^2–p du carbone

FIGURE 15-6 Géométrie d'une réaction S_N2. L'agent nucléophile, Y^-, doit attaquer l'atome de C, qui est en coordination tétraédrique et donc en hybridation sp^3, dans la direction opposée à celle de la liaison de C avec le groupement partant, X, une manœuvre appelée **attaque par derrière.** Dans l'état de transition de la réaction, l'atome de C adopte une coordination trigonale bipyramidale et donc une hybridation sp^2–p, l'orbitale p (*en bleu*) formant des liaisons partielles avec X et Y. Les trois orbitales sp^2 établissent des liaisons avec les trois autres substituants (R, R' et R'') de l'atome de C, qui se sont déplacés vers le plan perpendiculaire à l'axe X—C—Y (*flèches courbes*). Tout écart par rapport à cette géomérie optimale augmenterait l'énergie libre de l'état de transition, $\Delta G'$, et diminuerait ainsi la vitesse de réaction (Eq. [14.15]). L'état de transition se décompose alors en produits dans lesquels les positions de R, R' et R'' sont inversées sur l'atome de C, qui adopte à nouveau l'hybridation sp^3, avec libération de X^-.

Un autre effet que nous avons négligé en traitant de la proximité est le mouvement relatif des groupements réactionnels les uns par rapport aux autres. Toutefois, lorsqu'ils se trouvent dans le complexe de l'état de transition, les groupements réactionnels sont relativement peu mobiles. En fait, comme Thomas Bruice l'a montré, les vitesses des réactions intramoléculaires sont fortement accélérées si les mouvements internes d'une molécule sont bloqués de manière à augmenter la fraction molaire des groupements réactionnels dont la conformation permet d'atteindre l'état de transition (Tableau 15-1). Ainsi, comme l'a remarqué William Jencks, quand une enzyme réunit deux molécules de substrat lors d'une réaction bimoléculaire, non seulement elle augmente leur proximité, mais elle gèle leurs mouvements de translation et de rotation respectifs (elle diminue leur entropie), augmentant ainsi leur réactivité. D'après les études théoriques de Bruice, cette augmentation de la vitesse de réaction doit beaucoup à la liaison enzymatique des substrats dans une conformation telle qu'ils atteignent facilement l'état de transition.

Comme nous le verrons dans les Sections 16-2 et 16-3, les enzymes lient leurs substrats de sorte qu'ils sont l'un et l'autre immobilisés et alignés afin d'optimiser leurs réactivités. L'énergie libre nécessaire provient de l'énergie de liaison spécifique du substrat à l'enzyme.

F. Catalyse par liaison préférentielle à l'état de transition

Les augmentations de vitesse assurées par les enzymes sont souvent plus importantes que ne peuvent en rendre compte les mécanismes catalytiques étudiés jusqu'ici. Cependant, nous n'avons pas encore envisagé l'un des plus importants mécanismes de catalyse enzymatique : *la liaison de l'état de transition à l'enzyme avec une affinité supérieure à celle des substrats et produits correspondants.* Comparée aux autres mécanismes catalytiques déjà décrits, la liaison préférentielle à l'état de transition explique de façon rationnelle les vitesses de réactions enzymatiques observées.

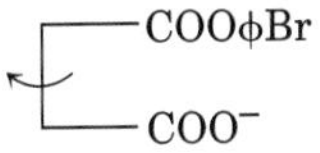

Selon le concept original de la liaison préférentielle à l'état de transition, les enzymes obligent mécaniquement leurs substrats à prendre des formes géométriques correspondant à l'état de transition en se fixant sur des sites de liaison qui ne s'adaptent pas correctement aux substrats non déformés. Ce **mécanisme du chevalet** (ainsi appelé par analogie avec l'instrument de torture moyenâgeux qui porte ce nom) repose sur un grand nombre d'observations selon lesquelles de nombreuses réactions organiques sont déclenchées à la suite de contraintes. Par exemple, la vitesse de la réaction :

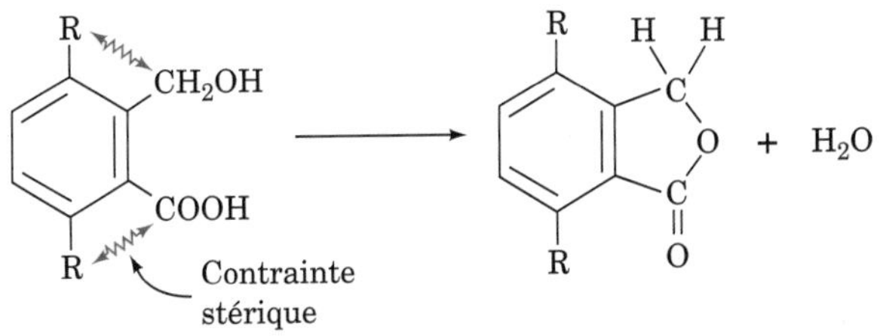

est 315 fois plus élevée lorsque R est un CH$_3$ au lieu de H, en raison de la plus grande répulsion d'ordre stérique entre les groupements CH$_3$ et les groupements réactionnels. De même, des réac-

TABLEAU 15-1 **Vitesses relatives de la formation d'anhydrides à partir d'esters ayant différents degrés de liberté de mouvement dans la réaction:**

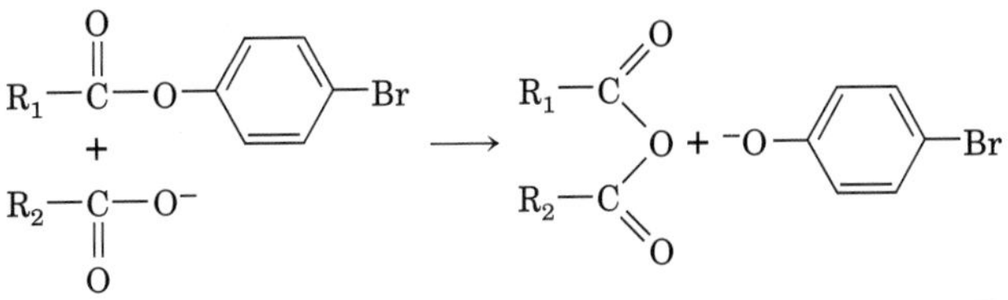

Substrats[a]	Constante de vitesse relative
CH$_3$COOϕBr + CH$_3$COO$^-$	1,0
(COOϕBr / COO$^-$)	~1 × 10^3
(COOϕBr / COO$^-$)	~2,3 × 10^5
(COOϕBr / COO$^-$)	~8 × 10^7

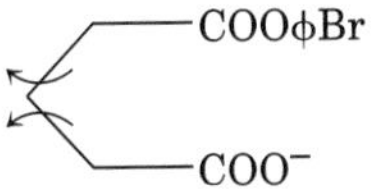

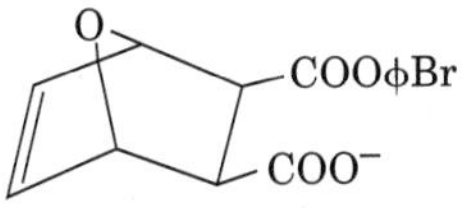

[a] Les flèches courbées indiquent les degrés de liberté de rotation.

Source: Bruice, T.C. et Lightstone, F.C., *Acc. Chem. Res.* **32**, 127 (1999).

tions qui aboutissent à l'ouverture de cycles sont beaucoup plus faciles pour des cycles contraints tels que le cyclopropane que pour des cycles non contraints tels que celui du cyclohexane. Dans les deux cas, *les réactifs contraints ont une configuration plus proche de celle de l'état de transition que celle des substrats non contraints.* Ainsi, comme suggéré pour la première fois par Linus Pauling, puis repris par Richard Wolfenden et Gustav Lienhard, *les interactions qui se lient préférentiellement à l'état de transition augmentent sa concentration et donc accélèrent proportionnellement la vitesse de la réaction.*

Traduisons quantitativement cet énoncé en tenant compte des conséquences cinétiques de la liaison préférentielle à l'état de transition d'une réaction enzymatique à un seul substrat. Le substrat S peut réagir pour être transformé en produit P soit spontanément, soit par catalyse enzymatique :

$$S \xrightarrow{k_N} P$$

$$ES \xrightarrow{k_E} EP$$

où k_E et k_N sont respectivement les constantes de vitesse d'ordre un des réactions catalysée et non catalysée. Les relations entre les différents états de ces deux voies réactionnelles sont schématisées comme suit :

$$E + S \xrightleftharpoons{K_N^{\ddagger}} S^{\ddagger} + E \longrightarrow P + E$$

$$\Updownarrow K_R \qquad \Updownarrow K_T \qquad \Updownarrow$$

$$ES \xrightleftharpoons{K_E^{\ddagger}} ES^{\ddagger} \longrightarrow EP$$

où

$$K_R = \frac{[ES]}{[E][S]} \qquad\qquad K_T = \frac{[ES^{\ddagger}]}{[E][S^{\ddagger}]}$$

$$K_N^{\ddagger} = \frac{[E][S^{\ddagger}]}{[E][S]} \qquad et \qquad K_E^{\ddagger} = \frac{[ES^{\ddagger}]}{[ES]}$$

sont toutes des constantes d'association. Par conséquent,

$$\frac{K_T}{K_R} = \frac{[S][ES^{\ddagger}]}{[S^{\ddagger}][ES]} = \frac{K_E^{\ddagger}}{K_N^{\ddagger}} \qquad [15.8]$$

D'après la théorie de l'état de transition (Éq. [14.7] et [14.14]), on peut exprimer la vitesse de la réaction non catalysée par :

$$v_N = k_N[S] = \left(\frac{\kappa k_B T}{h}\right)[S^{\ddagger}] = \left(\frac{\kappa k_B T}{h}\right)K_N^{\ddagger}[S] \quad [15.9]$$

De même, la vitesse de la réaction enzymatique est égale à :

$$v_E = k_E[ES] = \left(\frac{\kappa k_B T}{h}\right)[ES^{\ddagger}] = \left(\frac{\kappa k_B T}{h}\right)K_E^{\ddagger}[ES] \quad [15.10]$$

Puis, en combinant les Éq. [15.8] et [15.10]

$$\frac{k_E}{k_N} = \frac{K_E^{\ddagger}}{K_N^{\ddagger}} = \frac{K_T}{K_R} \qquad\qquad [15.11]$$

Cette équation montre que *plus une enzyme se lie fortement à l'état de transition de sa réaction (K_T) par rapport à son substrat (K_R), plus la vitesse de la réaction catalysée (k_E) sera grande comparée à la réaction non catalysée (k_N) ; autrement dit, la catalyse est due à la liaison préférentielle de l'enzyme à l'état de transition (S ▽) et donc à sa stabilisation, plutôt qu'au substrat (S)* (Fig. 15-7).

D'après l'Éq. [14.15], le rapport des vitesses de la réaction catalysée sur celle de la réaction non catalysée est :

$$\frac{k_E}{k_N} = \exp[(\Delta G_N^{\ddagger} - \Delta G_E^{\ddagger})/RT] \qquad [15.12]$$

Une augmentation de la vitesse d'un facteur 10^6 nécessite qu'une enzyme se lie à son complexe de l'état de transition avec une affinité 10^6 fois supérieure qu'à son substrat, ce qui correspond à une stabilisation de 34,2 kJ·mol⁻¹ à 25° C, soit l'équivalent de l'énergie libre de deux liaisons hydrogène environ. Par conséquent, *la liaison enzymatique à l'état de transition ($ES^{\ddagger}$) de deux liaisons hydrogène qui ne peuvent se former dans le complexe de Michaelis (ES), doit provoquer une augmentation de la vitesse de l'ordre de 10^6 par ce seul effet.*

On constate fréquemment que la spécificité d'une enzyme se manifeste davantage par sa constante catalytique (k_{cat}) que par sa propre affinité de liaison au substrat. En d'autres termes, une enzyme peut se lier aussi bien, voire mieux, à des substrats « médiocres », qui ont des réactions à vitesse lente, qu'à de « bons » substrats, qui ont des vitesses de réaction élevées. Ces enzymes utilisent vraisemblablement l'énergie de liaison intrinsèque d'un bon substrat pour stabiliser l'état de transition correspondant ; autrement dit, *un bon substrat ne se lie pas forcément à son enzyme avec une forte affinité, mais il le fait suite à l'activation vers son état de transition.*

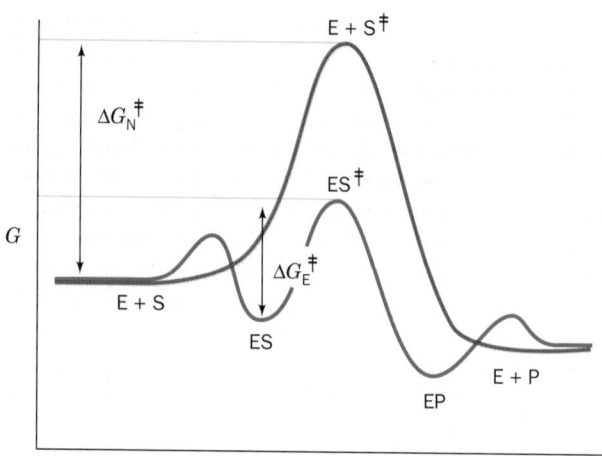

FIGURE 15-7 **Représentation des trajets réactionnels d'une réaction enzymatique hypothétique à un substrat** (*bleu*)**, et la même réaction non catalysée** (*rouge*)**.**

a. Les analogues de l'état de transition sont des inhibiteurs compétitifs

*Si une enzyme se lie préférentiellement à son état de transition, on peut prévoir que des **analogues de l'état de transition**, molécules stables qui ressemblent à $S^{\ddagger}$ ou à l'un de ses constituants, se comportent comme des inhibiteurs compétitifs de l'enzyme.* Par exemple, on pense que la réaction catalysée par la **proline racémase** de *Clostridium sticklandii* passe par un état de transition plan :

L-Proline   **D-Proline**

Etat de transition plan

La proline racémase est inhibée compétitivement par des analogues plans de la proline, le **pyrrole-2-carboxylate** et le **Δ-1-pyrroline-2-carboxylate,**

Pyrrole-2-carboxylate   **Δ-1-Pyrroline-2-carboxylate**

qui se lient tous les deux à l'enzyme avec une affinité 160 fois supérieure à celle de la proline. On pense donc que ces composés sont des analogues de l'état de transition de la réaction catalysée

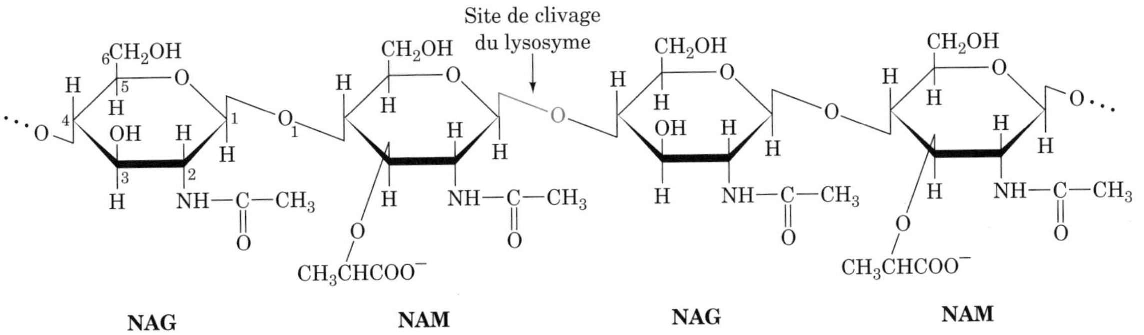

FIGURE 15-8 Structure du polysaccharide avec alternances NAG-NAM, constituant de la paroi de la cellule bactérienne. Le site de clivage par le lysozyme est indiqué.

par la proline racémase. Par contre, le **tétrahydrofurane-2-carboxylate,**

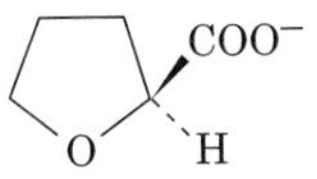

Tétrahydrofurane-2-carboxylate

dont la structure est plus proche de la structure tétraédrique de la proline, n'est pas un aussi bon inhibiteur que ces deux composés. D'après l'Eq. [15.12], une affinité de liaison multipliée par 160 correspond à une augmentation de l'énergie libre de liaison de 12,6 $kJ \cdot mol^{-1}$. Cette valeur correspond vraisemblablement à l'affinité de liaison supplémentaire de la proline racémase pour son état de transition plan par rapport à la molécule non déformée.

Des centaines d'analogues de l'état de transition de différentes réactions enzymatiques ont été publiés. Quelques-uns sont des antibiotiques naturels. D'autres ont été conçus pour élucider les mécanismes d'enzymes spécifiques et/ou servir d'inhibiteurs enzymatiques spécifiques à des fins thérapeutiques ou agronomiques. Ainsi, comme nous le discuterons dans la Section 15-4C, *le fait que les enzymes se lient avec beaucoup plus d'affinité aux états de transition qu'aux substrats, permet une approche rationnelle de la conception de médicaments fondée sur la compréhension des mécanismes de réactions enzymatiques spécifiques.*

2 ■ LE LYSOZYME

Les deux sections suivantes seront consacrées à l'étude des mécanismes catalytiques de quelques enzymes bien caractérisées. Ce faisant, nous verrons comment les enzymes respectent les mécanismes catalytiques décrits dans la Section 15-1. *On notera que ces enzymes sont très efficaces parce qu'elles utilisent simultanément plusieurs de ces mécanismes catalytiques.*

Le **lysozyme** est une enzyme qui désorganise les parois des cellules bactériennes. Comme nous l'avons vu dans la Section 11-3B, il hydrolyse les liaisons glycosidiques β(1→4) entre l'**acide *N*-acétylmuramique (NAM)** et la ***N*-acétylglucosamine (NAG)** du polysaccharide où alternent le NAM et la NAG, constituant les peptidoglycanes de la paroi cellulaire bactérienne (Fig. 15-8). Le lysozyme hydrolyse également les liaisons β(1→4) de la poly (NAG) (la chitine), un constituant de la paroi cellulaire de la plupart des champignons. Le lysozyme est fréquent dans les cellules et les sécrétions des vertébrés, où il peut agir comme agent bactéri-

ricide. Toutefois, on a remarqué que peu de bactéries pathogènes sont sensibles au lysozyme seul, d'où la suggestion que cette enzyme s'attaque principalement aux bactéries une fois tuées par d'autres agents.

Le lysozyme du blanc d'œuf de poule (HEW : abréviation de Hen Egg White) est le lysozyme le plus étudié et l'une des enzymes dont on connaît le mieux le mécanisme réactionnel. C'est une protéine plutôt petite (14,7 kD) dont la seule chaîne polypeptidique de 129 résidus d'acide aminé présente quatre ponts disulfure (Fig. 15-9). Le lysozyme de HEW catalyse l'hydrolyse de son

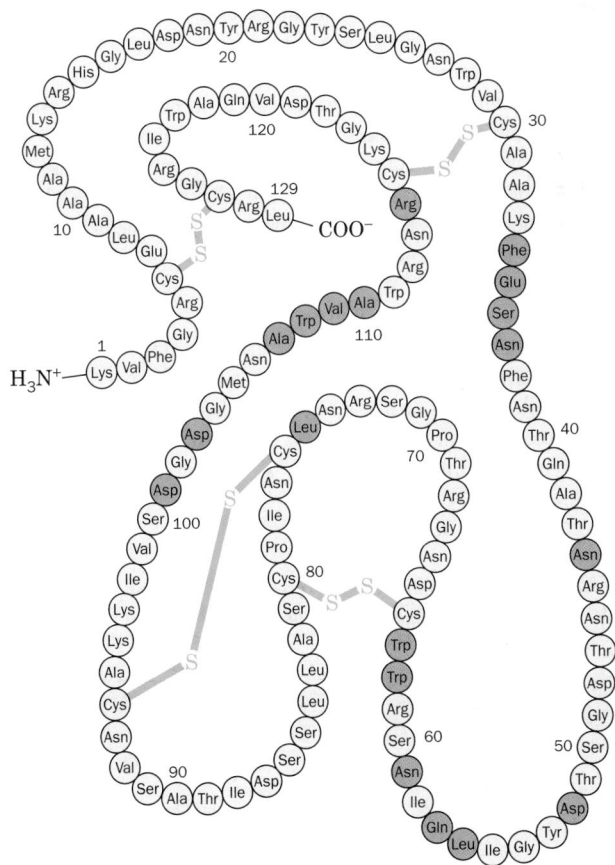

FIGURE 15-9 Structure primaire du lysozyme de HEW. Les résidus d'acide aminé qui bordent la poche de liaison du substrat sont représentés en violet foncé.

substrat à une vitesse 10^8 fois supérieure environ à celle de la réaction non catalysée.

A. *Structure de l'enzyme*

L'élucidation du mécanisme d'action d'une enzyme nécessite de connaître la structure de son complexe enzyme-substrat. En effet, même si les résidus du site actif ont été identifiés par des techniques chimiques et physiques, on doit connaître leur disposition tridimensionnelle par rapport au substrat et entre eux, pour comprendre comment fonctionne l'enzyme. Cependant, une enzyme ne se lie à ses bons substrats que de façon transitoire avant de catalyser la réaction et de libérer les produits. Par conséquent, *l'essentiel de ce que nous savons sur les complexes enzyme-substrat résulte d'études par rayons X des enzymes complexées à des inhibiteurs ou des pseudo-substrats* qui restent liés de façon stable durant plusieurs heures, temps nécessaire pour mesurer les intensités de diffraction des rayons X par un cristal de protéine (bien que des techniques récentes permettent de faire ces mesures en moins d'une seconde). Les grandes cavités remplies de solvant qui occupent une bonne partie du volume des cristaux de protéines (Section 8-3A) permettent souvent la formation de complexes enzyme-inhibiteur par diffusion des molécules d'inhibiteur dans les cristaux de la protéine native.

La structure par rayons X du lysozyme de HEW, élucidée en 1965 par David Phillips, a été la deuxième structure de protéine et la première structure d'une enzyme déterminée à haute résolution. La molécule de lysozyme a une forme grossièrement ellipsoïdale de dimensions $30 \times 30 \times 45$ Å (Fig. 15-10). *Ce qu'il y a de plus remarquable dans sa structure, c'est une vaste poche, le site de liaison du substrat, qui traverse un côté de la molécule.* La chaîne polypeptidique forme cinq segments en hélice ainsi que trois segments en feuillets β antiparallèles qui constituent la majeure partie de la fente de liaison (Fig. 15-10b). Comme prévu, la plupart des chaînes latérales non polaires sont à l'intérieur de la molécule, hors de contact du solvant aqueux.

a. Structure du site de liaison

Des oligosaccharides de NAG de moins de cinq résidus ne sont que très lentement hydrolysés par le lysozyme de HEW (Tableau 15-2), bien que ces analogues de substrat se lient au site actif de l'enzyme et soient par conséquent des inhibiteurs compétitifs du lysozyme. La structure par rayons X du complexe $(NAG)_3$-lyso-

TABLEAU 15-2 **Vitesse d'hydrolyse, catalysée par le lysozyme de HEW, de quelques oligosaccharides analogues du substrat**

Composé	k_{cat} (s^{-1})
$(NAG)_2$	$2{,}5 \times 10^{-8}$
$(NAG)_3$	$8{,}3 \times 10^{-6}$
$(NAG)_4$	$6{,}6 \times 10^{-5}$
$(NAG)_5$	$0{,}033$
$(NAG)_6$	$0{,}25$
$(NAG–NAM)_3$	$0{,}5$

Source: Imoto, T., Johnson, L.N., North, A.C.T., Phillips, D.C., et Rupley, J.A., dans Boyer, P.D. (Éd.), *The Enzymes* (3e éd.), Vol. 7, p. 842, Academic Press (1972).

zyme montre que le $(NAG)_3$ se lie sur le côté droit de la poche de liaison enzymatique comme représenté dans la Fig. 15-10a pour les résidus du substrat A, B, et C. Cet inhibiteur s'associe à l'enzyme par de fortes liaisons hydrogène, dont certaines impliquent les groupements acétamide des résidus A et C, ainsi que par des contacts hydrophobes étroitement imbriqués. La liaison de $(NAG)_3$ entraîne une légère fermeture (de l'ordre de 1 Å) de la fente de liaison du lysozyme, ce qui constitue un exemple d'ajustement induit par liaison d'un ligand (Section 10-4C).

b. Le site catalytique du lysozyme a été identifié par la construction de modèles

Il faut plusieurs semaines pour que le $(NAG)_3$ soit hydrolysé par le lysozyme. On peut donc penser que le complexe révélé par analyse aux rayons X n'est pas fonctionnel, ce qui signifie que le site catalytique de l'enzyme ne se trouve pas au niveau des liaisons A—B et B—C. [Il est probable que les rares fois où $(NAG)_3$ est hydrolysé correspondent à sa liaison efficace au site catalytique.]

Afin de localiser le site catalytique du lysozyme, Phillips eut recours à la construction de modèles, pour rechercher comment un substrat de plus grande taille pouvait se lier à l'enzyme. La poche du site actif du lysozyme est suffisamment grande pour accueillir le $(NAG)_6$, qui est rapidement hydrolysé par l'enzyme (Tableau 15-2). Cependant, le quatrième résidu NAG (le résidu D dans la Fig. 15-10a) semble incapable de se lier à l'enzyme en raison de la trop grande proximité de ses atomes C6 et O6 avec Glu 35, Trp 108, et du groupement acétamide du résidu C de la NAG. Cette interférence stérique peut être diminuée en faisant passer le cycle du glucose de sa conformation chaise normale à une conformation demi-chaise (Fig. 15-11). *Cette déformation rend*

FIGURE 15-10 (*p. opposée*) **Structure par rayons X du lysozyme de HEW.** (a) La chaîne polypeptidique est représentée avec un substrat $(NAG)_6$ lié (*vert*). La chaîne des C$_\alpha$ du squelette, les chaînes latétales qui bordent la poche de liaison du substrat, et les ponts disulfure sont représentés. Les cycles de sucre du substrat vont de A, à l'extrémité non réductrice (*à droite*), à F, l'extrémité réductrice (*à gauche*). Le lysozyme catalyse l'hydrolyse de la liaison glycosidique entre les résidus D et E. Les cycles A, B, et C sont représentés comme dans la structure par rayons X du complexe $(NAG)_3$-lysozyme ; les positions des cycles D, E, et F ont été déduites d'études de construction de modèles. [Copyright Irving Geis.] (b) Représentation en ruban du lysozyme mettant en évidence la structure secondaire de la protéine et montrant les positions de ses chaînes latérales importantes pour la catalyse, Glu 35 et Asp 52 (*rouge*). (c) Modèle obtenu par ordinateur montrant l'enveloppe moléculaire de la protéine (*violet*) et le squelette des C$_\alpha$ (*bleu*). Les chaînes latérales des résidus catalytiques, Asp 52 (*au-dessus*) et Glu 35 (*en dessous*), sont en jaune. Noter la profonde crevasse de liaison du substrat. [Avec la permission d'Arthur Olson, The Scripps Research Institute, La Jolla, California.] Les représentations a, b, et c ont à peu près la même orientation.

(a)

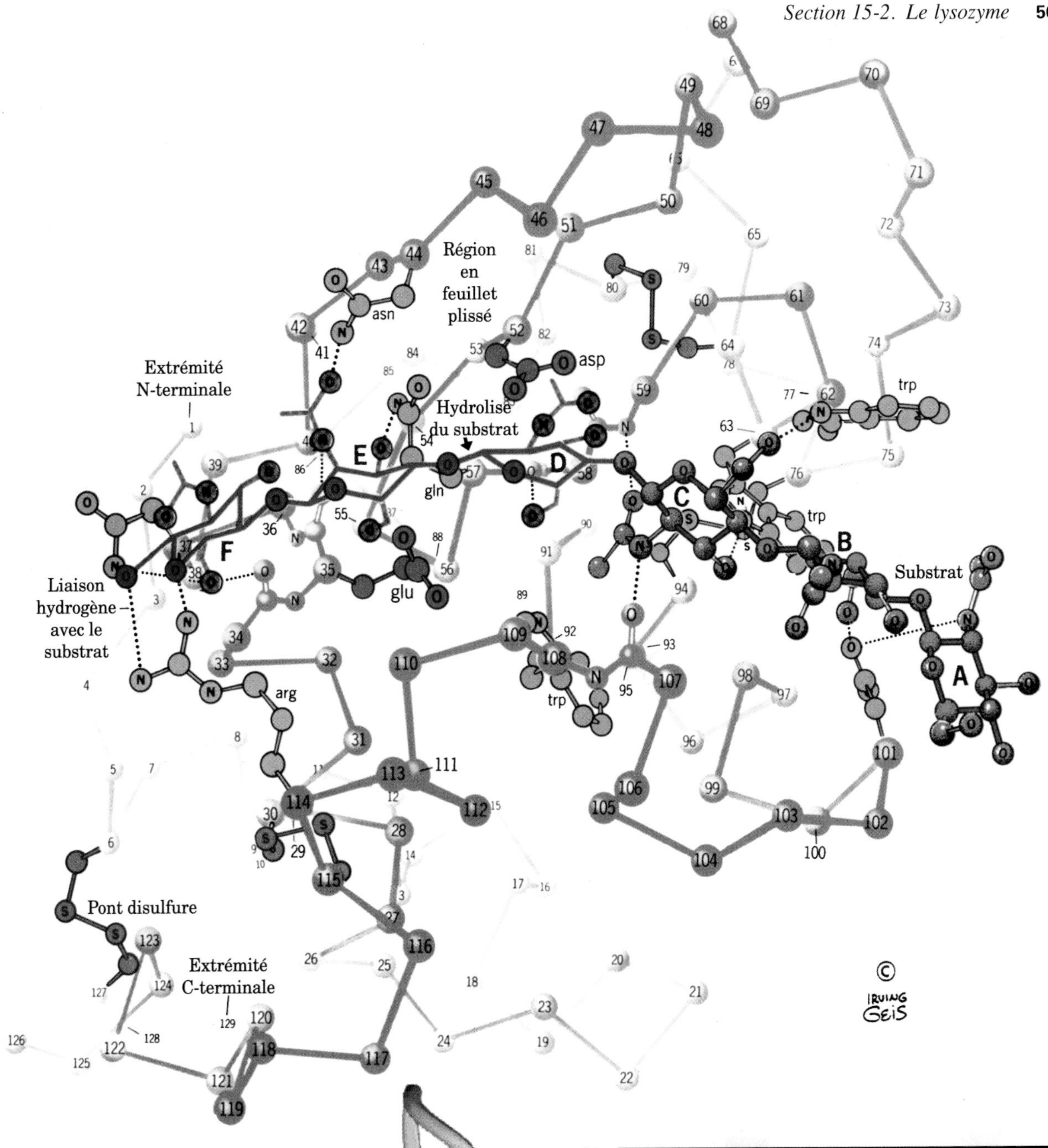

Région en feuillet plissé

Extrémité N-terminale

Hydrolise du substrat

Liaison hydrogène avec le substrat

Pont disulfure

Extrémité C-terminale

asn

asp

gln

glu

arg

trp

trp

trp

Substrat

E

D

C

B

F

A

(b)

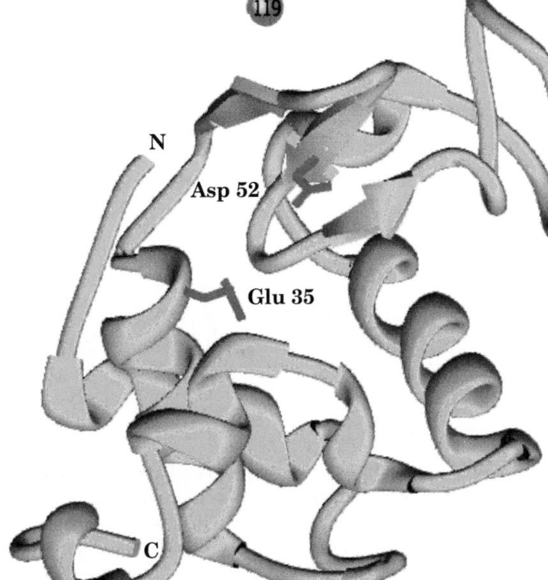

N

Asp 52

Glu 35

C

(c)

IRVING GEIS

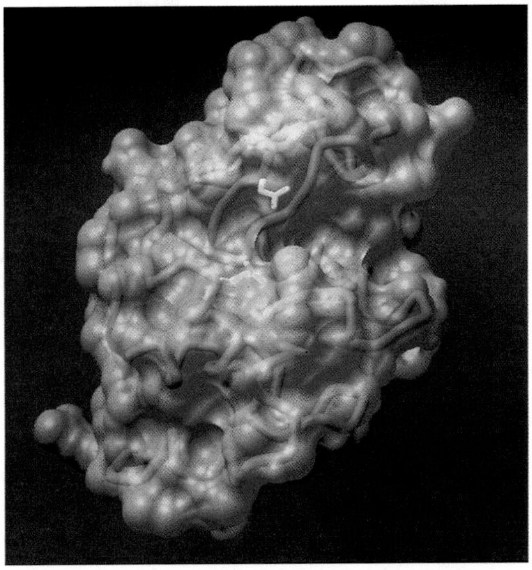

coplanaires les atomes C1, C2, C5, et O5 du résidu D, et déplace le groupement —C6H₂OH de sa position équatoriale normale vers une position axiale où il ne forme pas de contacts étroits et où il peut établir des liaisons hydrogène avec le groupement carbonyle (du squelette) de Gln 57 et avec le groupement amide de Val 109 (*Fig. 15-12*). Poursuivant la construction du modèle, Phillips montra que les résidus E et F se lient à l'enzyme sans se déformer et grâce à plusieurs liaisons hydrogène et contacts de van der Waals favorables.

Nous sommes presque en mesure d'identifier le site catalytique du lysozyme. Dans le substrat normal de l'enzyme, chaque deuxième résidu est un NAM. Cependant, la construction du modèle indique qu'une chaîne latérale lactyl ne peut s'intégrer dans les sous-sites de liaison des résidus C ou E. Il s'ensuit que les résidus du NAM doivent se lier à l'enzyme aux sous-sites B, D, et

$$\cdots\text{—NAG—NAM—NAG—NAM—NAG—NAM—}\cdots \longrightarrow \left(\begin{array}{c}\text{extrémité}\\\text{réductrice}\end{array}\right)$$
$$\quad\ \text{A}\qquad\text{B}\qquad\text{C}\qquad\text{D}\qquad\text{E}\qquad\text{F}$$

F. Le fait que le lysozyme hydrolyse les liaisons β(1→4) entre le NAM et la NAG implique que la liaison est hydrolysée soit entre les résidus B et C, soit entre les résidus D et E. Puisque le (NAG)₃ se lie de façon stable sans être hydrolysé par l'enzyme alors qu'il recouvre les sous-sites B et C, le site de coupure probable se trouve entre les résidus D et E. Cette conclusion a été confirmée par John Rupley qui montra que le lysozyme hydrolyse presque quantitativement le (NAG)₆ entre les deuxième et troisième résidus depuis l'extrémité réductrice (l'extrémité ayant un C1—OH libre) —

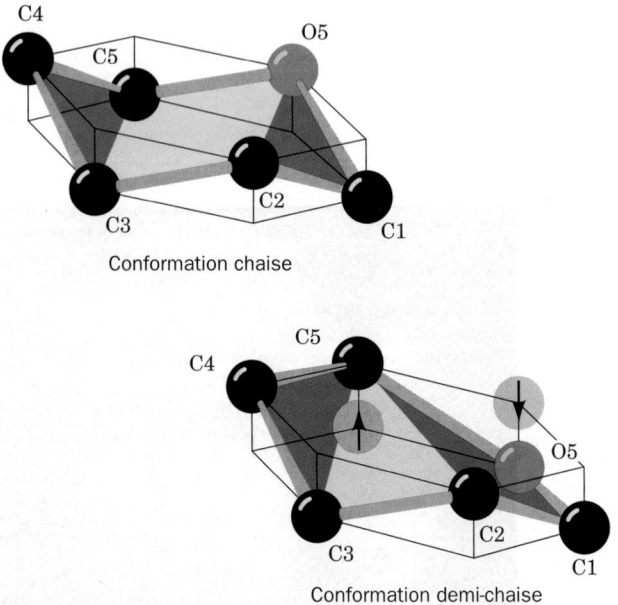

Conformation chaise

Conformation demi-chaise

FIGURE 15-11 Conformations en chaise et en demi-chaise. Les cycles des hexoses prennent normalement la conformation chaise. On suppose, cependant, que la liaison au lysozyme déforme le cycle D qui prend la conformation demi-chaise de sorte que les atomes C1, C2, C5, et O5 sont coplanaires.

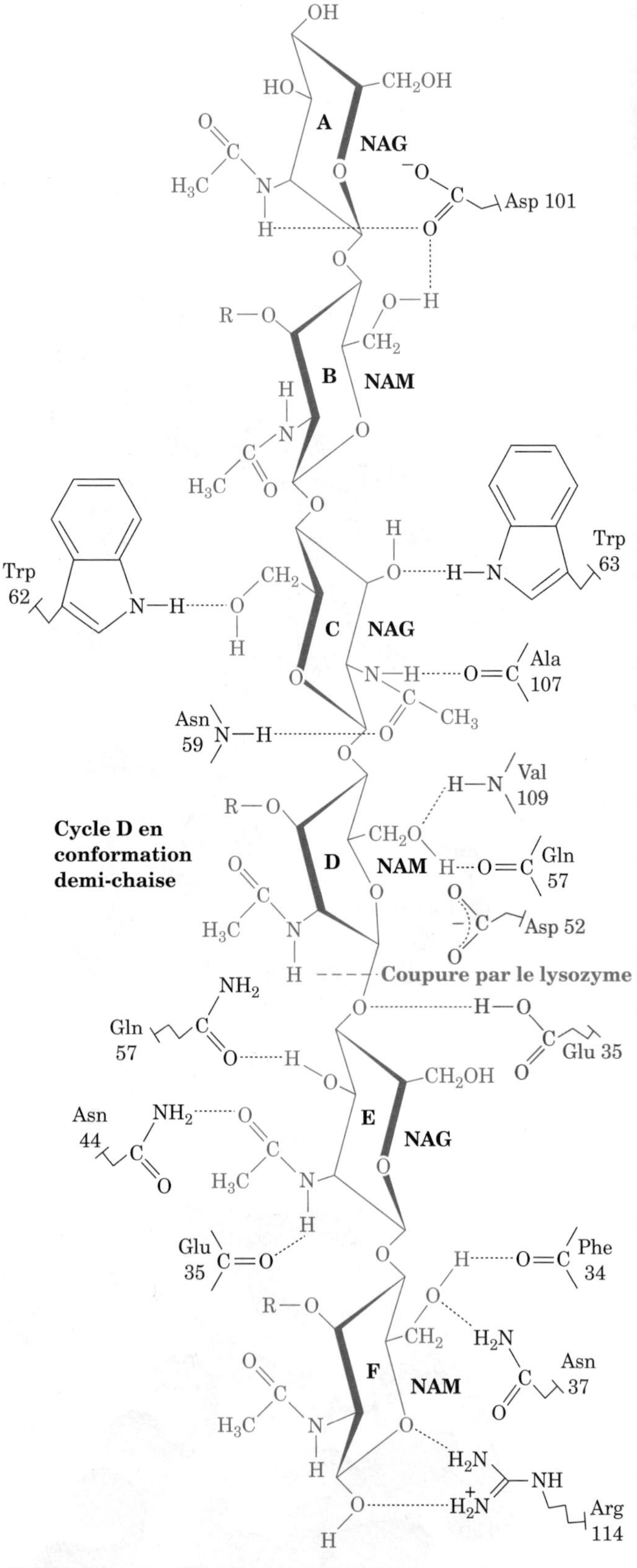

FIGURE 15-12 Les interactions du lysozyme avec son substrat. Le substrat est représenté à l'intérieur de la poche de liaison, les côtés en trait gras des cycles étant dirigés vers l'extérieur de l'enzyme et les côtés en trait fin se trouvant contre le fond de la poche. [Copyright Irving Geis, sur base d'une structure par rayons X due à David Phillips, Oxford University, U.K. PDBid 4LYZ]

exactement ce que l'on peut espérer si l'enzyme a six sous-sites de liaison pour le saccharide et s'il hydrolyse son substrat lié entre les sous-sites D et E.

On a identifié la liaison hydrolysée par le lysozyme en réalisant l'hydrolyse de $(NAG)_3$ catalysée par le lysozyme dans $H_2^{18}O$. Le produit formé a de l'^{18}O lié sur l'atome C1 de sa nouvelle extrémité réductrice, démontrant ainsi que la rupture de la liaison se fait entre le C1 et le pont oxygène O1 :

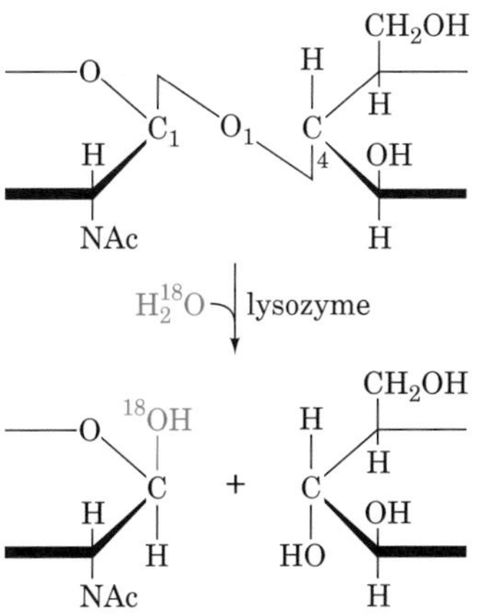

Donc, le lysozyme catalyse l'hydrolyse de la liaison C1—O1 du résidu D d'un substrat lié. De plus, *cette réaction se fait avec conservation de la configuration de sorte que le produit du cycle D reste l'anomère β.*

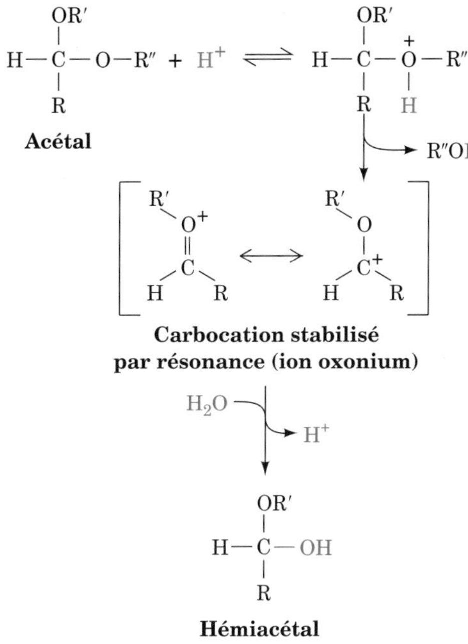

B. *Mécanisme catalytique*

Restent à identifier les groupements catalytiques du lysozyme. La réaction catalysée par le lysozyme, l'hydrolyse d'un glycoside, correspond à la conversion d'un acétal en un hémiacétal. L'hydrolyse non enzymatique d'un acétal est une réaction de catalyse acide qui fait intervenir la protonation d'un atome d'oxygène du substrat suivie par la rupture de sa liaison C—O (Fig. 15-13). Il s'ensuit la formation d'un carbocation stabilisé par résonance, appelé **ion oxonium**. Afin d'atteindre un recouvrement d'orbitale maximum, et ainsi la stabilisation par résonance, les groupements R et R′ de l'ion oxonium doivent être coplanaires avec ses atomes C, O, et H (assistance stéréo-électronique). L'ion oxonium est ensuite hydraté pour donner l'hémiacétal et régénérer le proton catalyseur. Les groupements catalytiques d'une enzyme qui catalyse l'hydrolyse d'un acétal devraient donc comprendre un catalyseur acide potentiel et probablement un groupement qui, en plus, stabilise un intermédiaire ion oxonium.

a. Glu 35 et Asp 52 sont les résidus catalytiques du lysozyme

Les seuls groupements fonctionnels doués des propriétés catalytiques requises et qui se trouvent dans l'environnement immédiat du centre réactionnel du lysozyme sont les chaînes latérales de Glu 35 et Asp 52, résidus invariants dans la famille des lysozymes dont le lysozyme de HEW est le prototype. Ces chaînes latérales,

FIGURE 15-13 Mécanisme de l'hydrolyse non enzymatique d'un acétal en un hémiacétal, catalysée par un acide. La réaction implique la protonation de l'un des atomes d'oxygène de l'acétal suivie de l'hydrolyse de sa liaison C—O pour former un alcool (R″OH) et un carbocation stabilisé par résonance (ion oxonium). L'addition d'eau à l'ion oxonium donne l'hémiacétal et régénère le proton catalyseur. Noter que les atomes C, O, H, R, et R′ de l'ion oxonium sont tous dans un même plan.

qui sont disposées de part et d'autre de la liaison glycosidique β(1→4) scissile (Fig. 15-10), ont des environnements tout à fait différents. Asp 52 est entouré de plusieurs résidus polaires conservés avec lesquels il forme un réseau complexe de liaisons hydrogène. Asp 52 a donc un pK normal et se trouve sous forme déprotonée, et donc porteur d'une charge négative, dans la zone de pH comprise entre 3 et 8 où le lysozyme est actif. Par contre, *le groupement carboxylique de Glu 35 se trouve niché dans une poche essentiellement non polaire où, comme nous l'avons vu dans la Section 15-1D, il est susceptible de rester sous forme protonée pour des valeurs de pH anormalement élevées pour des groupements carboxyliques.* Effectivement, des études par diffraction de neutrons, qui donnent des renseignements similaires aux études faites par diffraction des rayons X mais qui révèlent en plus la position des atomes d'hydrogène, ont montré que Glu 35 reste protoné à des pH physiologiques. Dans les structures par rayons X, les distances les plus courtes entre les atomes d'oxygène des groupements carboxyliques de Asp 52 et Glu 35 et la liaison C1—OH du résidu D de la NAG sont chacune de l'ordre de 3 Å, ce qui fait de ces deux groupements les candidats numéros un comme catalyseurs respectivement électrostatique et acide.

b. Le mécanisme de Phillips

Connaissant la plupart des données expérimentales précédentes, Phillips proposa pour le lysozyme le mécanisme enzymatique suivant (Fig. 15-14) :

1. Le lysozyme s'attache à la paroi de la cellule bactérienne en se liant à une unité hexasaccharidique. Lors de cette fixation, *le résidu D est déformé pour prendre la conformation demi-chaise,* afin d'éviter les contacts défavorables qui s'établiraient sans cela entre son groupement —C6H₂OH et la protéine.

2. *Le Glu 35 transfère son proton à l'O1 du cycle D, le seul groupement polaire dans son entourage (catalyse générale acide). La liaison C1—O1 est ainsi rompue, formant un ion oxonium stabilisé par résonance sur le C1.*

3. Le groupement carboxyle ionisé de Asp 52 permet *la stabilisation de l'ion oxonium en formation, grâce à des interactions entre charges (catalyse électrostatique).* Il semble que ce groupement carboxylate ne peut former de liaison covalente avec le substrat en raison de la trop grande distance (de l'ordre de 3 Å) entre le C1 et l'atome O du groupement carboxylate de Asp 52 (la distance d'une liaison covalente C—O est de l'ordre de 1,4 Å) ; [ainsi, la réaction ferait intervenir un mécanisme S_N1 (substitution nucléophile unimoléculaire) pour donner un ion oxonium, et non un mécanisme S_N2 qui implique la formation transitoire d'une liaison C—O avec l'enzyme ; voir cependant la Section 15-2C]. La rupture de la liaison est facilitée par la contrainte exercée sur le cycle D pour lui faire prendre la conformation plane demi-chaise. Ceci parce que l'ion oxonium doit être plan ; autrement dit, *la conformation de liaison initiale du cycle D ressemble à celle de l'état de transition de la réaction (catalyse par liaison à l'état de transition ; Fig. 15-15).*

4. À ce stade, l'enzyme libère le cycle E hydrolysé lié à son polysaccharide (le groupement partant), ce qui donne un **intermédiaire glycosyl-enzyme** cationique non covalent. Une molécule d'eau du milieu s'additionne à l'ion oxonium en vertu d'une réaction inverse de la précédente pour donner le produit et reprotoner le Glu 35. *Le maintien de configuration au cours de la réaction résulte du masquage de l'un des côtés de l'ion oxonium par la poche enzymatique.* L'enzyme libère alors le produit D lié à son polysaccharide, achevant ainsi le cycle catalytique.

C. *Vérification du mécanisme de Phillips*

Le mécanisme proposé par Phillips est conçu essentiellement à partir de données structurales sur le lysozyme et de la connaissance du mécanisme d'hydrolyse non enzymatique d'un acétal. Depuis, de nombreuses résultats expérimentaux concernant ce mécanisme se sont accumulés. Non en discuterons ici quelques-uns afin d'illustrer comment évoluent les modèles scientifiques.

a. Identification des résidus catalytiques

Les groupements catalytiques importants du lysozyme ont été identifiés expérimentalement par mutagenèse dirigée (Section 5-5G) et en utilisant des réactifs spécifiques de groupes :

Glu 35. Le remplacement, par mutagenèse, de Glu 35 par Gln abolit pratiquement l'activité catalytique (<0,1 % de celle de l'enzyme sauvage) de la protéine, bien que l'affinité de liaison pour le substrat ne soit diminuée que d'un facteur de l'ordre de 1,5. *Glu 35*

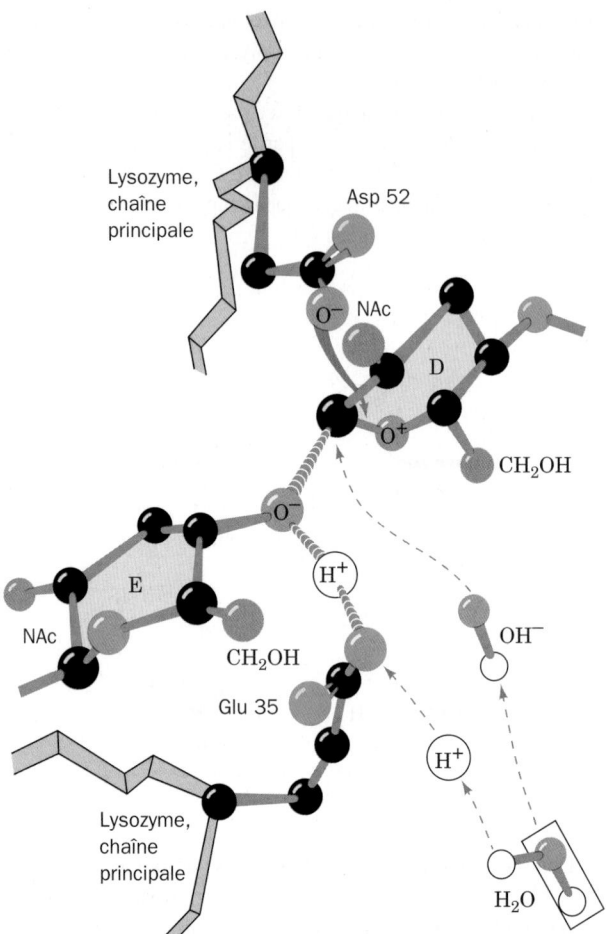

FIGURE 15-14 Le mécanisme de Phillips pour la réaction du lysozyme. L'hydrolyse de la liaison glycosidique entre les cycles D et E du substrat se fait après protonation de l'atome d'oxygène du pont par Glu 35. L'ion oxonium du cycle D résultant est stabilisé par la proximité du groupement carboxylate de l'Asp 52 et par la déformation du cycle D induite par l'enzyme. Une fois que le cycle E est libéré, l'eau du milieu fournit à la fois un ion OH⁻ qui se combine avec l'ion oxonium et un ion H⁺ qui assure la reprotonation de Glu 35. NAc symbolise le substituant *N*-acétylamino au C2 de chaque glucose.

FIGURE 15-15 L'intermédiaire ion oxonium du cycle D dans le mécanisme de Phillips est stabilisé par résonance. Cela implique que les atomes C1, C2, C5, et O5 soient coplanaires (*ombré*) et que le cycle hexose prenne la conformation demi-chaise.

doit donc être indispensable pour l'activité catalytique du lysozyme.

Asp 52. Le remplacement par mutagénèse de Asp 52 par Asn, de polarité comparable à celle de Asp mais qui n'a pas sa charge négative, conduit à une enzyme qui n'a pas plus de 5 % de l'activité catalytique de l'enzyme sauvage bien que cette mutation augmente l'affinité de liaison pour le substrat de deux fois environ. *Asp 52 semble donc important pour l'activité enzymatique.*

Absence de participation d'autres résidus d'acide aminé. Des groupements carboxyliques autres que ceux de Glu 35 et Asp 52 ne participent pas au processus catalytique ; ceci a été démontré en faisant réagir le lysozyme avec des réactifs spécifiques de groupements carboxyliques en présence de substrat. L'enzyme obtenue après ce traitement, dont tous les groupements carboxyliques, exceptés ceux de Glu 35 et de Asp 52, sont dérivatisés, est pratiquement active à 100 %. D'autres réactifs spécifiques de groupe qui modifient, par exemple, les résidus His, Lys, Met, ou Tyr sans provoquer de dommages majeurs à la structure de la protéine, ne changent pratiquement pas l'activité catalytique du lysozyme.

b. Rôle de la contrainte

De nombreuses recherches sur le mécanisme enzymatique du lysozyme avaient pour but de déterminer le rôle catalytique de la contrainte. Toutes ces études, comme nous allons le voir, n'étaient pas en accord avec le mécanisme de Phillips, d'où une recrudescence de travaux qui n'ont que récemment abouti.

Des mesures d'équilibre de liaison de différents oligosaccharides au lysozyme ont montré que tous les résidus saccharidiques, excepté celui qui se lie au sous-site D, sont énergétiquement favorables à la liaison du substrat au lysozyme ; la liaison du NAM au sous-site D nécessite un apport d'énergie libre de 12 kJ • mol⁻¹ (Tableau 15-3). *D'après le mécanisme de Phillips, cette observation correspond au coût énergétique de la contrainte qui va permettre au cycle D de passer de sa conformation chaise préférée à la conformation en demi-chaise.*

Comme nous l'avons vu dans la Section 15-1F, une enzyme qui catalyse une réaction par liaison préférentielle à son état de transition a une affinité de liaison plus grande pour un inhibiteur qui présente une géométrie semblable à celle de l'état de transition (analogue de l'état de transition) que pour son substrat. L'analogue δ-lactone de (NAG)₄ (Fig. 15-16) est un analogue de l'état de transition du lysozyme, car *le cycle lactone présente une conformation*

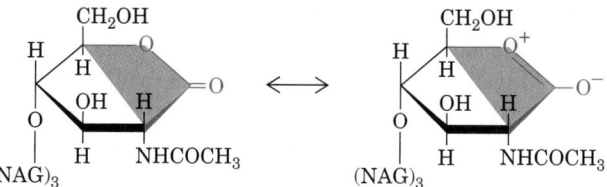

FIGURE 15-16 L'analogue δ-lactone du (NAG)₄. Ses atomes C1, O1, C2, C5, et O5 sont coplanaires (*ombré*), en raison de la résonance, comme le cycle D dans l'intermédiaire de la réaction selon le mécanisme de Phillips (comparer avec la Fig. 15-15).

demi-chaise dont la géométrie est voisine de celle de l'état de transition proposé du cycle D du substrat, l'ion oxonium. Des études par rayons X montrent, en accord avec cette prévision, que cet inhibiteur se lie aux sous-sites A—B—C—D du lysozyme de sorte que le cycle lactone occupe le sous-site D avec une conformation de type demi-chaise.

Malgré ce que nous venons de voir, *le rôle de la déformation du substrat dans la catalyse du lysozyme est resté un point d'interrogation.* D'après les études théoriques de Michael Levitt et d'Arieh Warshel sur la liaison du substrat au lysozyme, la protéine serait trop souple pour pouvoir déformer mécaniquement le cycle D d'un substrat lié. La stabilisation de l'état de transition impliquerait le déplacement par le substrat de plusieurs molécules d'eau fermement liées, depuis le sous-site D. Le groupement carboxylate de Asp ainsi désolvaté pourrait stabiliser significativement l'ion oxonium de l'état de transition par interactions électrostatiques. Cette étude est donc plus en faveur d'une « contrainte électrostatique » que d'une contrainte stérique, comme facteur déterminant de stabilisation de l'état de transition du lysozyme.

Pour obtenir des renseignements complémentaires quant au mécanisme de contrainte proposé par Phillips, Nathan Sharon et David Chipman ont déterminé les affinités de liaison au sous-site D de plusieurs saccharides en comparant les affinités de liaison du lysozyme pour différents analogues du substrat. La lactone de la NAG inhibitrice se lie au sous-site D avec une affinité supérieure de 9,2 kJ·mol⁻¹ à celle de la NAG. Cette valeur ne correspond, d'après l'Éq. [14.15], qu'à une accélération de la réaction de l'ordre de 40 fois, en raison de la contrainte (se rappeler que la différence d'énergie de liaison entre un analogue de l'état de transition et un substrat est révélatrice de l'augmentation de la vitesse de la réaction enzymatique due à la liaison préférentielle au complexe de l'état de transition). Une telle augmentation ne représente qu'une faible part de l'augmentation de la vitesse par le lysozyme, qui est de l'ordre de 10⁸ (ce qui représente 20 % seulement de la valeur du $\Delta\Delta G^{\ddagger}_{\text{cat}}$ de la réaction ; Section 14-1C). De plus, un résidu ***N*-acétylxylosamine (XylNAc)**,

TABLEAU 15-3 Energies libres de liaison aux sous-sites du lysozyme de HEW

Site	Saccharide lié	Energie libre de liaison (kJ · mol⁻¹)
A	NAG	−7,5
B	NAM	−12,3
C	NAG	−23,8
D	**NAM**	**+12,1**
E	NAG	−7,1
F	NAM	−7,1

Source : Chipman, D.M. et Sharon, N., *Science* **165,** 459 (1969).

Résidu *N*-Acétylxylosamine

dépourvu du groupement —C6H₂OH du NAM et de la NAG, a une affinité de liaison au sous-site D à peine supérieure (−3,8 kJ • mol⁻¹) à celle de la NAG (−2,5 kJ • mol⁻¹). Se rappeler, cependant, que d'après le mécanisme de Phillips, ce sont les contacts défavorables de son groupement —C6H₂OH qui induisent la déformation du cycle D. Néanmoins, le lysozyme n'hydrolyse pas les saccharides ayant un XylNAc au sous-site D.

Les incohérences apparentes des observations précédentes ont été largement expliquées de façon rationnelle par Michael James suite à ses déterminations par rayons X particulièrement précises (résolution de 1,5 Å) des structures de cristaux de lysozyme complexé à NAM-NAG-NAM. Ce trisaccharide se lie, comme prévu, aux sous-sites B, C, et D du lysozyme. *Le NAM au sous-site D est, comme le prévoit le modèle de Phillips, déformé pour prendre la conformation demi-chaise, son groupement —C6H₂OH étant en position presque axiale en raison de conflits d'ordre stérique qui se produiraient, s'il n'en était pas ainsi, avec le groupement acétamide du sous-site C de la NAG* [bien que, contrairement au mécanisme original de Phillips, Glu 35 et Trp 108 soient trop éloignés du groupement —C6H₂OH pour pouvoir contribuer à cette déformation]. Cette conformation contrainte est stabilisée par une forte liaison hydrogène entre O6 du cycle D et le NH (du squelette) de Val 109 (stabilisation de l'état de transition). Effectivement, la mutation de Val 109 en Pro, qui ne peut pas former cette liaison hydrogène, donne une enzyme inactive. L'absence d'activité hydrolytique du lysozyme quand XylNAc occupe son sous-site D s'explique également par l'absence de cette liaison hydrogène et la diminution de stabilité de l'état de transition du cycle en demi-chaise du XylNAc qui en résulte.

Les faibles différences d'énergie libre inattendues des liaisons de la NAG, de la lactone de la NAG, et du XylNAc au sous-site D, s'expliquent par l'observation que la NAG et le XylNAc non déformés peuvent s'intégrer dans le sous-site D comme c'est le cas dans la structure par rayons X du complexe lysozyme • NAM-NAG-NAM. La chaîne lactyl encombrante du NAM l'empêche de se lier au sous-site D de cette façon.

c. L'action du lysozyme fait intervenir un intermédiaire covalent

Des mécanismes autres que celui de Phillips postulent que soit (1) le groupement carboxyle de Asp 52 déplace le groupement partant pour former une liaison covalente avec C1, ce qui donne un intermédiaire covalent ester glycosyl-enzyme, qui est déplacé ensuite par de l'eau pour arriver au produit de la réaction (mécanisme de double déplacement) ; ou (2) l'eau déplace directement le groupement partant (mécanisme de simple déplacement). Ce dernier entraînerait une inversion de configuration entre substrat et produit, et doit donc être écarté. Un mécanisme de double déplacement rendrait compte du fait que la configuration est maintenue lors de la catalyse par le lysozyme (comme dans le mécanisme de Phillips). Cependant, il n'est pas en accord avec l'observation selon laquelle la distance entre C1 (dans un saccharide lié au sous-site D) et un O carboxylique de Asp 52 (lequel participe à un réseau de liaisons hydrogène qui semblent maintenir en place cette chaîne latérale) est trop grande pour la formation d'une liaison covalente. En effet, cette distance doit être d'au moins 2,3 Å dans le complexe NAM-NAG-NAM si l'on veut préserver la structure

de la protéine, alors qu'elle est d'environ 1,4 Å dans une simple liaison C—O. De fait, aucune liaison covalente de ce type n'a jamais été observée dans les nombreuses structures par rayons X contenant le lysozyme de HEW.

En dépit de ce qui précède, on a montré que toutes les autres β–glycosidases de structure connue qui scindent des liaisons glycosidiques en conservant la configuration du carbone anomérique (comme avec le lysozyme de HEW), le font par le biais d'un intermédiaire covalent glycosyl-enzyme. La structure des sites actifs de ces **β-glycosidases conservatrices**, comme on les appelle, ressemble à celle du lysozyme de HEW. De plus, il n'y a aucune preuve expérimentale de l'existence d'un ion oxonium à longue durée de vie dans le site actif des β–glycosidases conservatrices, le lysozyme de HEW inclus (la durée de vie d'un ion oxonium glucosyl dans l'eau est d'environ 10⁻¹² s, à peine plus que le temps de vibration d'une liaison covalente). On pense donc que la réaction de catalyse par le lysozyme de HEW passe par un intermédiaire covalent entre le carbone anomérique (C1) du cycle D et le groupement carboxyle de la chaîne latérale de Asp 52 pour former une liaison ester :

Cet intermédiaire réagirait avec l'eau, dans le sens inverse de la réaction qui conduit à sa formation, pour donner le second produit de la réaction (mécanisme de double déplacement). Ici, l'ion oxonium ne serait pas l'intermédiaire lui-même, mais correspondrait à l'état de transition vers l'intermédiaire covalent.

Si ce mécanisme s'applique bien au lysozyme de HEW, la raison pour laquelle son intermédiaire covalent n'a jamais été observé est que sa vitesse de dégradation doit dépasser de loin celle de sa formation. Si l'on veut observer cet intermédiaire expérimentalement, il faut augmenter considérablement sa vitesse de formation par rapport à celle de sa dégradation. Pour y arriver, Stephen Withers a tiré parti de trois phénomènes. Primo, si comme prévu, la réaction passe par un état de transition d'ion oxonium, toutes les étapes conduisant à sa formation devraient être ralenties suite au remplacement d'un H par un atome de F (l'élément le plus électro-négatif et donc un abstracteur d'électrons) sur le C2 du cycle D. Deuxièmement, la mutagenèse de Glu 35 en Gln (E35Q) empêche la catalyse générale acido-basique, ralentissant encore plus les étapes impliquant l'état de transition d'ion oxonium. Trois, ajouter encore un F, cette fois sur l'atome C1 du cycle D, accélère la formation de l'intermédiaire car ce F est un bon groupement partant. L'ensemble de ces trois modifications devraient accélérer la formation de l'intermédiaire covalent postulé, par rapport à sa vitesse de dégradation, et donc conduire à son accumulation. Withers a donc incubé du lysozyme E35Q de HEW avec du fluorure de NAG-β(1→4)-2-désoxy-2-fluoro-β-D-glucopyranosyl (**NAG2FGlcF**) :

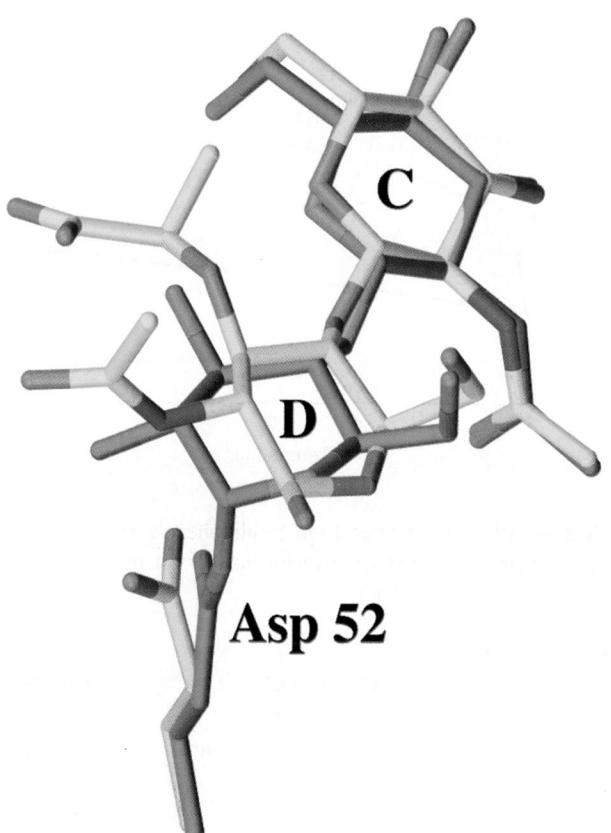

NAG2FGlcF

La spectrométrie de masse couplée à l'ionisation par electrospray (ESI-MS ; Section 7-1J) du mélange a montré un pic étroit à 14 683 D, en accord avec la formation de l'intermédiaire covalent proposé, mais aucun pic aux alentours de 14 314 D, masse de l'enzyme mutante.

Dans la structure par rayons X de ce complexe covalent on voit clairement la liaison covalente d'environ 1,4 Å entre le C1 du cycle D de la NAG et un O carboxylique de la chaîne latérale de Asp 52 (Fig. 15-17). La conformation du cycle D est de type

FIGURE 15-17 L'intermédiaire covalent du lysozyme de HEW. Les cycles C et D du substrat et Asp 52 sont représentés dans une superposition des structures par rayons X du complexe covalent formé en faisant réagir le lysozyme E35Q avec NAG2FGlcF (C en vert, N en bleu, O en rouge et F en magenta), et du complexe non covalent entre le lysozyme naturel et NAM-NAG-NAM (C en jaune, N en bleu et O en rouge). Noter que la liaison covalente entre Asp 52 et le C1 du cycle D se forme lorsque le cycle D dans le complexe non covalent se relâche en abandonnant sa conformation déformée en demi-chaise pour adopter la conformation chaise normale, et que la chaîne latérale de Asp 52 subit une rotation d'environ 45° autour de sa liaison C_α—C_β. [Fondé sur des structures par rayons X dues à David Vocadlo et Stephen Withers, University of British Columbia, Vancouver, Canada ; et à Michael James, University of Alberta, Edmonton, Canada. PDBid 1H6M et 9LYZ.]

chaise déformée, indiquant qu'il s'agit d'un intermédiaire de la réaction plutôt qu'une approximation de l'état de transition. Si l'on superpose ce complexe covalent au complexe (décrit ci-dessus) entre NAM-NAG-NAM et et le lysozyme de HEW non muté, on voit comment se forme ce lien covalent (Fig. 15-17). Si la distance de 3,2 Å entre le C1 du cycle D de la NAG et l'O d'Asp 52 dans le complexe NAM-NAG-NAM passe à environ 1,4 Å dans le complexe covalent, c'est quasi entièrement dû au relâchement du cycle D, qui passe de la conformation demi-chaise à la conformation chaise, ainsi qu'à une rotation d'environ 45° de la chaîne latérale de Asp 52 autour de sa liaison C_α—C_β ; les positions des atomes O4 et O6 du cycle D ne changent pratiquement pas. Ainsi, plus de 35 ans après que Phillips ait proposé son mécanisme, on constate qu'il faut *le modifier pour tenir compte de la formation transitoire de cet intermédiaire covalent, un ester glycosyl-enzyme (catalyse covalente).* Se rappeler, cependant, que pour former cette liaison covalente, le cycle D doit passer par un état de transition de type oxonium, ce pourquoi il doit adopter transitoirement la conformation en demi-chaise.

3 ■ LES PROTÉASES À SÉRINE

Le deuxième exemple de mécanisme enzymatique que nous allons étudier concerne un groupe de protéases appelées **protéases à sérine** (Tableau 15-4). Elles doivent leur nom au fait que leur mécanisme catalytique commun implique l'intervention d'un résidu Ser particulièrement réactionnel et indispensable à l'activité enzymatique. Les protéases à sérine sont les enzymes les mieux comprises, car elles ont fait l'objet de travaux intenses pendant plus de 50 ans par des techniques cinétiques, chimiques, physiques et génétiques. Dans cette section, nous nous consacrerons à l'étude des protéases à sérine les mieux caractérisées, la **chymotrypsine**, la **trypsine**, et l'**élastase**. Nous étudierons aussi comment ces trois enzymes, synthétisées sous forme inactive, sont activées physiologiquement.

A. *Cinétique et groupements catalytiques*

La chymotrypsine, la trypsine et l'élastase sont des enzymes de la digestion synthétisées par les cellules des acini pancréatiques (Fig. 1-10*c*) et sécrétées, en passant par le canal pancréatique, dans le duodénum (la partie supérieure du petit intestin). Toutes ces enzymes catalysent l'hydrolyse d'une liaison peptidique (amide) selon des spécificités différentes en raison de la nature différente des chaînes latérales qui entourent la liaison peptidique qui sera hydrolysée (se rappeler que la chymotrypsine est spécifique d'un résidu hydrophobe encombrant précédant la liaison peptidique scissile, que la trypsine est spécifique d'un résidu chargé positivement, et que l'élastase est spécifique de résidus neutres de petite taille ; Tableau 7-2). A elles trois, ces enzymes forment une équipe protéolytique performante lors de la digestion.

a. L'hydrolyse de liaisons ester en tant que modèle cinétique

Il n'est pas surprenant que la chymotrypsine fonctionne aussi bien comme protéase que comme estérase, car les mécanismes chimiques d'hydrolyse de liaisons ester et amide sont pratiquement identiques. L'étude de l'activité estérase de la chymotrypsine

TABLEAU 15-4   Exemples de protéases à sérine

Enzyme	Origine	Fonction
Trypsine	Pancréas	Digestion des protéines
Chymotrypsine	Pancréas	Digestion des protéines
Elastase	Pancréas	Digestion des protéines
Thrombine	Sérum de vertébrés	Coagulation du sang
Plasmine	Sérum de vertébrés	Dissolution des caillots sanguins
Kallikréine	Sang et tissus	Contrôle du flux sanguin
Complément C1	Sérum	Lyse cellulaire dans la réponse immunitaire
Protéase de l'acrosome	Acrosome du spermatozoïde	Pénétration dans l'ovule
Protéase de lysosomiale	Cellules animales	Turnover des protéines cellulaires
Cocoonase	Larves de papillon	Dissolution du cocon après la métamorphose
Protéase α-lytique	*Bacillus sorangium*	Digestion ?
Protéases A et B	*Streptomyces griseus*	Digestion ?
Subtilisine	*Bacillus subtilis*	Digestion ?

Source : Stroud, R.M., *Sci. Am.* **231**(1), 86 (1974).

FIGURE 15-18 Cinétique de l'hydrolyse du *p*-nitrophénylacétate catalysée par la chymotrypsine à deux concentrations différentes. L'enzyme se lie rapidement au substrat et libère le premier produit, l'ion *p*-nitrophénolate, mais le deuxième produit, l'ion acétate, est libéré plus lentement. Par conséquent, la vitesse de formation du *p*-nitrophénolate est d'abord rapide (phase rapide) mais se ralentit tandis que le complexe acyl-enzyme s'accumule jusqu'à ce que la vitesse de formation du *p*-nitrophénolate approche celle de la libération de l'ion acétate (état stationnaire). L'extrapolation au temps zéro des courbes de l'état stationnaire (*lignes en pointillés*) donne la concentration initiale d'enzyme active. [D'après Hartley, B.S. et Kilby, B.A., *Biochem. J.* **56**, 294 (1954).]

a permis d'importantes avancées dans la compréhension du mécanisme catalytique de l'enzyme. Des mesures de cinétique de l'hydrolyse du *p*-nitrophénylacétate par la chymotrypsine réalisées par

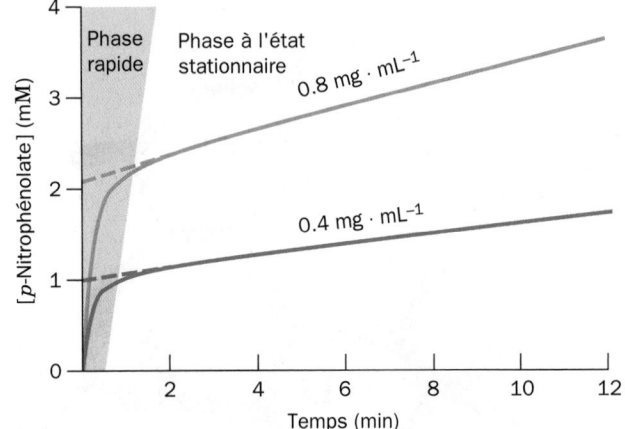

p-Nitrophénylacétate

phénylacétate pour libérer l'ion *p*-nitrophénolate et former un intermédiaire acyl-enzyme covalent qui (2) est hydrolysé lentement pour libérer l'acétate :

Brian Hartley ont montré que la réaction se fait en deux phases (Fig. 15-18) :

1. La phase rapide, où l'ion fortement coloré *p*-nitrophénolate se forme rapidement en quantités stœchiométriques en fonction de la quantité d'enzyme active présente.

2. La phase dite « état stationnaire », durant laquelle le *p*-nitrophénolate se forme à vitesse réduite mais constante, indépendante de la concentration en substrat.

Ces résultats ont conduit à proposer une séquence réactionnelle en deux étapes où l'enzyme (1) réagit très rapidement avec le *p*-nitro-

La chymotrypsine suit manifestement un mécanisme Bi Bi Ping-Pong (Section 14-5A). On a montré que l'hydrolyse de la liaison amide catalysée par la chymotrypsine se fait par un mécanisme analogue à celui de l'hydrolyse de l'ester, mais la réaction limitante serait la première phase de la réaction, l'acylation de l'enzyme, et non la phase de désacylation.

b. Identification des résidus catalytiques

Les groupements catalytiquement importants de la chymotrypsine ont été identifiés par des études de marquages chimiques, décrites ci-dessous.

Ser 195. La réaction d'une protéase à sérine avec le **diisopropylphosphofluoridate (DIPF)** qui inactive l'enzyme de manière irréversible est un test diagnostique pour mettre en évidence la **Ser active** :

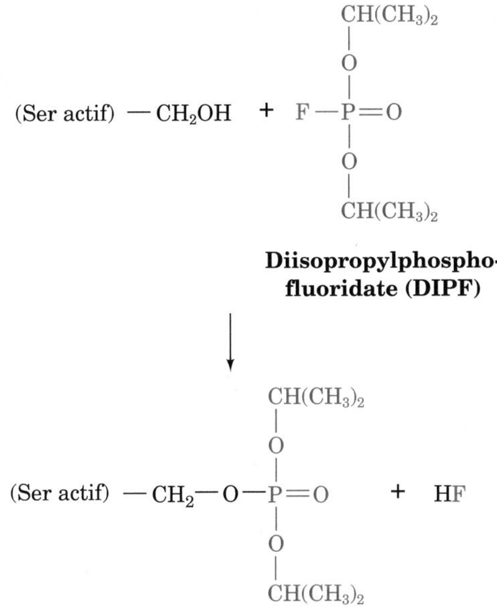

$$\text{(Ser actif)} - CH_2OH \;+\; F-P=O$$

Diisopropylphosphofluoridate (DIPF)

$$\text{(Ser actif)} - CH_2-O-P=O \;+\; HF$$

DIP–Enzyme

D'autres résidus Ser, y compris ceux se trouvant sur la même protéine, ne réagissent pas avec le DIPF. *Le DIPF ne réagit qu'avec la Ser 195 de la chymotrypsine, prouvant ainsi que ce résidu est la Ser active de l'enzyme.*

C'est la découverte que des composés organophosphorés, comme le DIPF, étaient des poisons puissants du système nerveux qui a conduit à utiliser ce réactif comme agent inactivateur d'enzyme. La neurotoxicité du DIPF est due à ce qu'il inactive l'**acétylcholinestérase,** une estérase à sérine qui catalyse l'hydrolyse de l'**acétylcholine** :

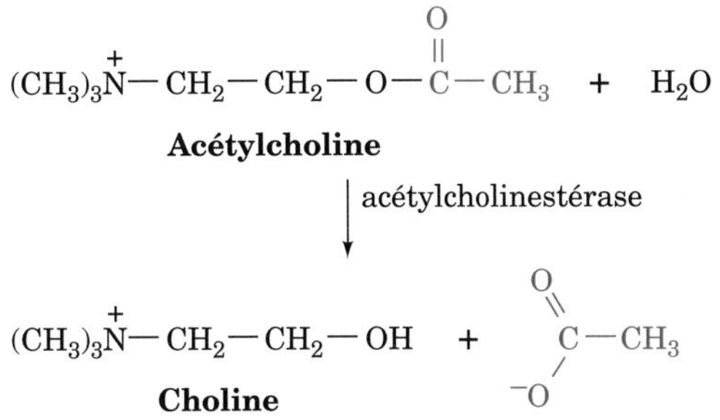

$$(CH_3)_3\overset{+}{N} - CH_2-CH_2-O-\overset{O}{\overset{\|}{C}}-CH_3 \;+\; H_2O$$

Acétylcholine

↓ acétylcholinestérase

$$(CH_3)_3\overset{+}{N} - CH_2-CH_2-OH \;+\; \overset{O}{\overset{\|}{C}}-CH_3$$

Choline

L'acétylcholine est un **neurotransmetteur** : elle transmet l'influx nerveux à travers les **synapses** (jonctions) entre certains types de

cellules nerveuses (Sections 12-4D et 20-5C). L'inactivation de l'acétylcholinestérase empêche l'hydrolyse, normalement rapide, de l'acétylcholine libérée par l'influx nerveux, et interfère par conséquent avec la transmission normale de cet influx. Le DIPF est tellement toxique pour l'homme qu'il a été utilisé à des fins militaires comme gaz neurotoxique. Des composés voisins, comme le **parathion** et le **malathion,**

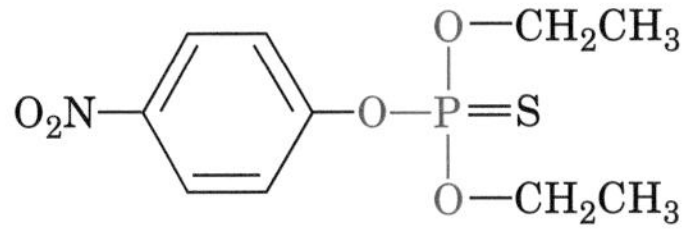

Parathion

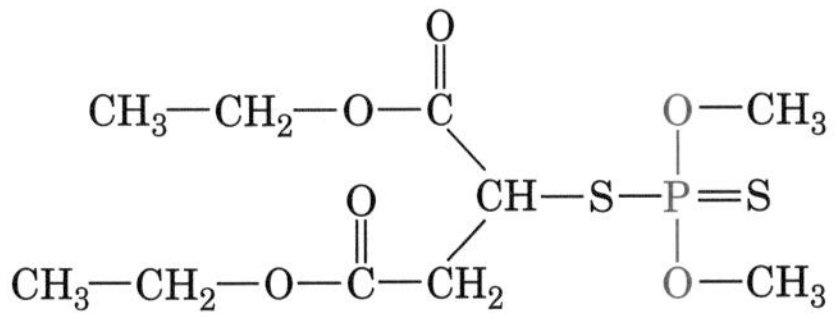

Malathion

sont utilisés comme insecticides car ils sont beaucoup plus toxiques pour les insectes que pour les mammifères.

His 57. Un deuxième résidu catalytique important a été découvert par **marquage d'affinité.** Selon cette technique, un analogue du substrat porteur d'un groupement réactionnel se lie spécifiquement au site actif de l'enzyme, où il réagit en formant une liaison covalente avec un groupement proche sensible à cet analogue (ces analogues de substrat réactifs sont appelés les « chevaux de Troie de la biochimie »). Les groupements marqués par affinité peuvent ensuite être identifiés par la technique des « empreintes digitales » (Section 7-1K). La chymotrypsine lie spécifiquement la **tosyl-L-phénylalanine chlorométhylcétone (TPCK),**

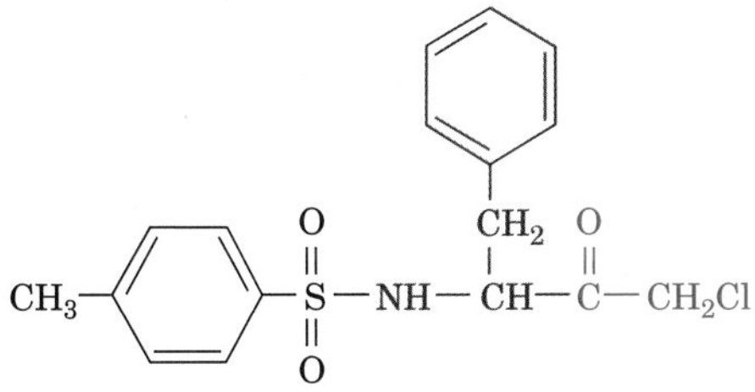

en raison de sa ressemblance avec un résidu Phe (l'un des résidus préférés de la chymotrypsine ; Tableau 7-2). Le groupement chlorométhyl cétone de la TPCK lié au site actif est un réactif alkylant puissant ; il réagit avec His 57 (Fig. 15-9), inactivant ainsi l'en-

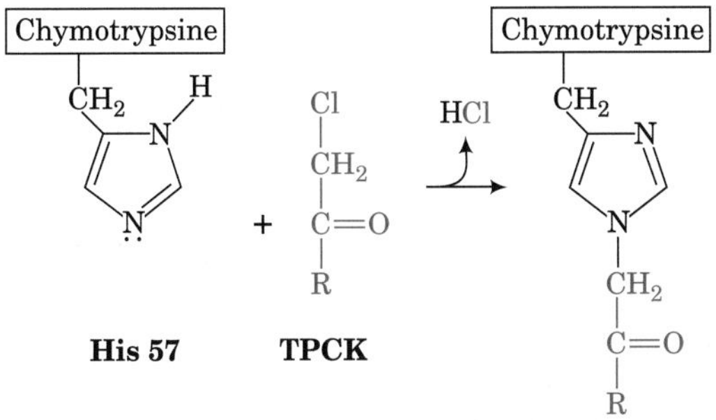

FIGURE 15-19 Réaction d'alkylation de l'His 57 de la chymotrypsine par la TPCK

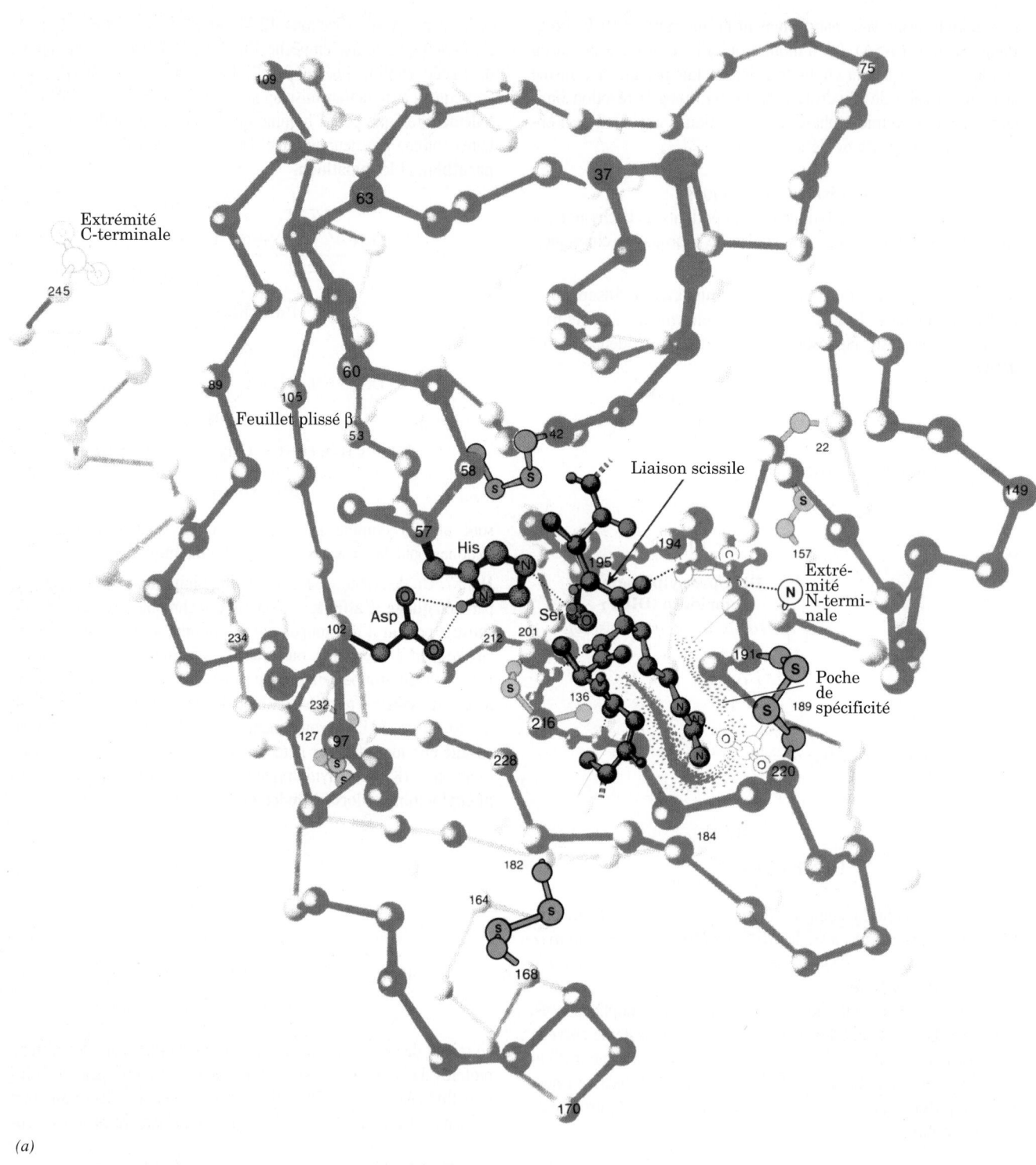

(a)

FIGURE 15-20 Structure par rayons X de la trypsine bovine. *(a)* Dessin de l'enzyme complexée avec un substrat polypeptidique (*vert*) dont la chaîne latérale de Arg occupe la poche de spécificité de l'enzyme (*pointillés bleus*). La chaîne des C_α, les ponts disulfure et les chaînes latérales de la triade catalytique, Ser 195, His 57, et Asp 102 sont représentés. Les sites actifs de la chymotrypsine et de l'élastase présentent des triades catalytiques disposées pratiquement de la même manière. [Copy-right Irving Geis.] *(b)* Représentation en ruban de la trypsine mettant l'accent sur sa structure secondaire et montrant la disposition de sa triade catalytique. *(c)* Dessin montrant la surface de la trypsine (*bleu*) en surimpression de son squelette polypeptidique (*violet*). Les chaînes latérales de la triade catalytique sont en vert. [Avec la permission d'Arthur Olson, The Scripps Research Institute, La Jolla, California.] Les représentations *a*, *b* et *c* ont à peu près la même orientation.

zyme. La réaction avec la TPCK est inhibée par le **β-phénylpro-pionate,**

$$CH_2—CH_2—COO^-$$

β-Phénylpropionate

un inhibiteur compétitif de la chymotrypsine qui entre vraisemblablement en compétition avec la TPCK au site de liaison enzymatique. De plus, la réaction avec la TPCK n'a pas lieu en présence d'urée 8*M*, un agent dénaturant, ou avec le complexe DIP-chymotrypsine, dont le site actif est bloqué. Ces observations démontrent que *His 57 est un résidu essentiel du site actif de la chymotrypsine.*

B. *Structures par rayons X*

La chymotrypsine et la trypsine bovines et l'élastase de porc sont étonnamment similaires : les structures primaires de ces enzymes monomériques de 240 résidus environ ont une identité de séquence de l'ordre de 40 % et leurs séquences internes sont encore plus proches (par comparaison, les chaînes α et β de l'hémoglobine ont 44 % d'identité de séquence). Par ailleurs, *ces trois enzymes ont une Ser active et une His essentielle à la catalyse ainsi que des mécanismes cinétiques identiques.* Ce ne fut donc pas une surprise de constater que leurs structures par rayons X étaient étroitement voisines.

Afin de comparer les structures de ces trois enzymes de la manière la plus commode, on leur a attribué un système de numérotation des résidus identique. La chymotrypsine bovine est synthétisée sous forme d'un précurseur inactif de 245 résidus, le **chymotrypsinogène,** lequel est transformé, par protéolyse, en chymotrypsine (Section 15-3E). Dans ce qui suit, la numérotation des résidus d'acide aminé des trois enzymes est celle des résidus correspondants du chymotrypsinogène bovin.

La structure par rayons X de la chymotrypsine bovine a été élucidée par David Blow en 1967. La détermination des structures de la trypsine bovine (Fig. 15-20) par Robert Stroud et Richard Dickerson et de l'élastase de porc par David Shotton et Herman Watson vinrent ensuite. Chacune de ces protéines possède deux domaines, chacun présentant des régions importantes de feuillets β antiparallèles arrangés en tonneau, mais très peu de structure hélicoïdale. *Les résidus essentiels à la catalyse His 57 et Ser 195 se trouvent au site de liaison du substrat associés au résidu Asp 102 invariant (dans toutes les protéases à sérine), enfoui dans une poche inaccessible au solvant. Ces trois résidus forment une constellation reliée par des liaisons hydrogène : la* **triade catalytique** (Fig. 15-20 et 15-21).

a. La base structurale des spécificités de substrat est très complexe

Les structures par rayons X des trois enzymes permettent de suggérer l'origine de leurs spécificités différentes de substrats (Tableau 7-2) :

1. Dans le cas de la chymotrypsine, la chaîne latérale aromatique volumineuse des résidus préférés Phe, Trp, ou Tyr qui don-

(b)

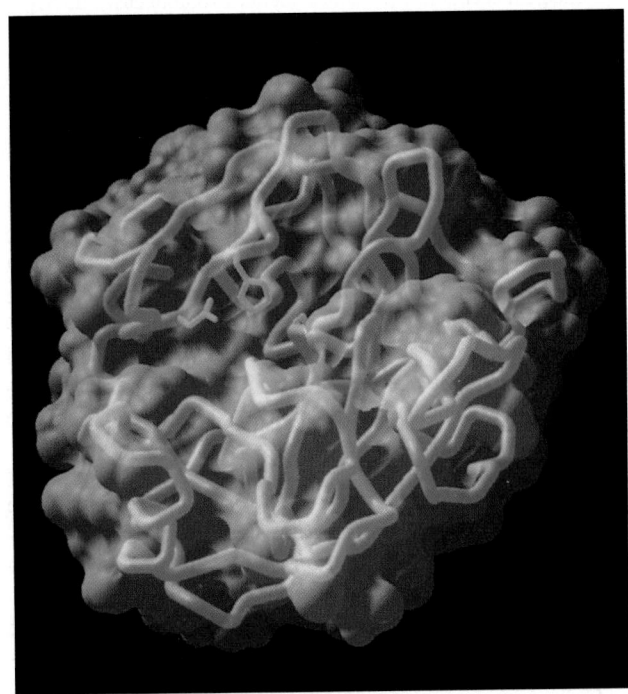

(c)

FIGURE 15-20 *(suite)*

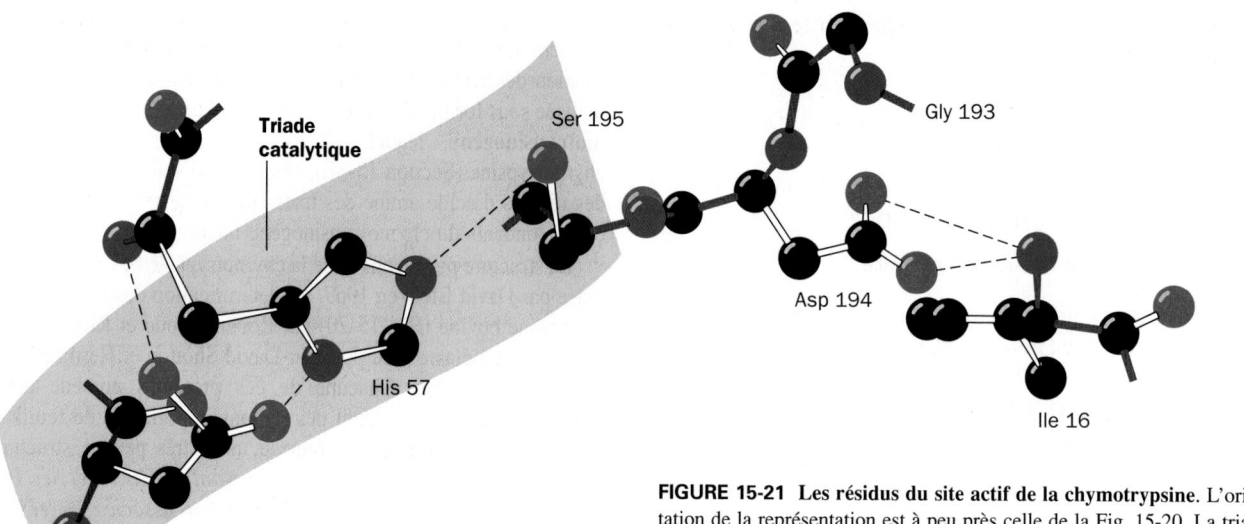

FIGURE 15-21 Les résidus du site actif de la chymotrypsine. L'orientation de la représentation est à peu près celle de la Fig. 15-20. La triade catalytique est constituée de Ser 195, His 57 et Asp 102. [D'après Blow, D.M. et Steitz, T.A., *Annu. Rev. Biochem.* **39**, 86 (1970).]

nent le groupement carbonyle du peptide scissile s'ajuste confortablement à l'intérieur d'une poche hydrophobe en forme de fente, dite poche de spécificité, voisine des groupements catalytiques (Fig. 15-20*a*).

2. Dans le cas de la trypsine, le résidu qui correspond à la Ser 189 de la chymotrypsine, en arrière de la poche de spécificité, est le résidu anionique Asp. Les chaînes latérales cationiques des résidus préférés de la trypsine, Arg ou Lys, peuvent ainsi former des paires ioniques avec ce résidu Asp. Le reste de la poche de spécificité de la chymotrypsine est conservé dans la trypsine de sorte qu'elle peut accueillir les chaînes latérales volumineuses de Arg et Lys.

3. L'élastase est ainsi appelée car elle hydrolyse rapidement l'**élastine**, protéine du tissu conjonctif élastique comme du caoutchouc, riche en Ala, Gly, et Val, et pratiquement non hydrolysable autrement. La poche de spécificité de l'élastase est fortement obstruée par les chaînes latérales d'un résidu Val et d'un résidu Thr qui remplacent les deux Gly qui bordent la poche de spécificité de la chymotrypsine et de la trypsine. Par conséquent, l'élastase, dont la poche de spécificité s'apparente plutôt à une dépression, clive les liaisons peptidiques après de petits résidus neutres, en particulier Ala. À l'inverse, la chymotrypsine et la trypsine n'hydrolysent de telles liaisons que très lentement car ces petits substrats ne peuvent pas être immobilisés suffisamment à la surface de l'enzyme pour permettre une catalyse efficace (Section 15-1E).

Ainsi, la trypsine catalyse l'hydrolyse de substrats peptidyl amide où un résidu Arg ou Lys précède la liaison scissile avec une efficacité, mesurée par k_{cat}/K_M (Section 14-2B), 10^6 fois supérieure à celle des substrats correspondants contenant un résidu Phe. Inversement, la chymotrypsine catalyse l'hydrolyse de substrats qu'elle coupe après un résidu Phe, Trp ou Tyr avec une efficacité 10^4 fois supérieure à celle des substrats correspondants contenant un résidu Lys.

Malgré ce qui précède, le remplacement dans la trypsine de Asp 189 par Ser (D189S) obtenu par mutagénèse par William Rutter, ne confère pas à la trypsine mutée la spécificité de la chymotrypsine, mais donne une protéase de faible activité non spécifique. De plus, même le remplacement des trois autres résidus de la poche de spécificité de la trypsine par ceux de la chymotrypsine ne donne pas une enzyme plus efficace. Cependant, la trypsine donne une enzyme raisonnablement active de type chymotrypsine si, en plus des modifications précédentes (désignées par S1), ses deux boucles de surface qui relient les côtés de la poche de spécificité, L1 (résidus 185-188) et L2 (221-225) sont remplacées par celles de la chymotrypsine (mutant appelé Tr→Ch[S1 + L1 + L2]). Bien que cette enzyme mutée possède toujours une faible affinité pour ses substrats, K_S, la mutation supplémentaire Y172W dans une troisième boucle de surface donne une enzyme (Tr→Ch[S1 + L1 + L2 + Y172W]) qui a 15 % de l'activité catalytique de la chymotrypsine. Curieusement, ces boucles, dont les séquences sont bien conservées dans chaque enzyme, ne sont des constituants structuraux ni de la poche de spécificité ni des sites de liaison du substrat de la chymotrypsine ou de la trypsine (Figure 15-20*a*).

Charles Craik et Robert Fletterick ont soigneusement comparé les structures par rayons X de la chymotrypsine et de la trypsine avec celles des enzymes mutées Tr→Ch[S1 + L1 + L2] et Tr→Ch[S1 + L1 + L2 + Y172W] associées à un inhibiteur chlorométhyl cétone contenant une Phe. Cette étude a révélé la base structurale de la spécificité de substrat de la chymotrypsine et de la trypsine. Une catalyse efficace par les protéases à sérine exige l'intégrité structurale du site actif de l'enzyme et une position adéquate de la liaison scissile du substrat par rapport à la triade catalytique et aux autres constituants du site actif (voir ci-dessous). Les mutations décrites ci-dessus n'affectent ni la structure de la triade catalytique ni celle des régions du site actif qui lient le groupement partant du substrat (le peptide du côté C-terminal de la liaison scissile). Cependant, la conformation principale de la chaîne latérale de la Gly 216 conservée (qui établit deux liaisons hydrogène avec le squelette du troisième résidu précédant la liaison scissile du substrat dans une disposition rappelant un feuillet β plissé antiparallèle) diffère dans la chymotrypsine et la trypsine et adopte une structure du type chymotrypsine dans les deux protéines hybrides. Il est clair que si Gly 216 adoptait une conformation du type trypsine, la liaison scissile dans les substrats contenant une Phe serait mal orientée pour une catalyse efficace. Ainsi, bien que Gly 216 soit conservée dans la trypsine et la chymotrypsine, la structure différente de la boucle L2 dans les deux enzymes maintient cette Gly dans des conformations distinctes.

La boucle L1, qui interagit avec L2 dans la trypsine et la chymotrypsine, est très désorganisée dans la structure par rayons X de Tr→Ch[S1 + L1 + L2]. Si l'on impose par modélisation une L1 de type trypsine dans Tr→Ch[S1 + L1 + L2] on constate un conflit stérique important avec la L2 de type chymotrypsine. Si donc une catalyse efficace par Tr→Ch[S1 + L1 + L2] exige une L1 de type chymotrypsine, c'est semble-t-il parce que L2 doit pouvoir adopter une conformation de type chymotrypsine.

Le résidu 172 est situé à la base de la poche de spécificité. L'augmentation de l'affinité, pour le substrat, de Tr→Ch[S1 + L1 + L2 + Y172W] par rapport à Tr→Ch[S1 + L1 + L2] découle de réarrangements structuraux de cette région de l'enzyme causés par le fait que Trp est plus volumineux que Tyr et établit des liaisons hydrogène différentes. Ces modifications semblent améliorer à la fois la stabilité structurale de résidus constituant la poche de spécificité et leur spécificité pour des substrats du type reconnu par la chymotrypsine. Ces résultats constituent donc une sérieuse mise en garde pour les spécialistes de l'ingénierie génétique : *les enzymes sont tellement bien assorties à leurs fonctions que leur modification par génie génétique a souvent des conséquences imprévues.*

b. Relations évolutives parmi les protéase à sérine

Nous savons que des homologies de séquence et de structure entre protéines sont révélatrices de relations évolutives (Sections 7-3 et 9-6). *Les grandes similitudes entre la chymotrypsine, la trypsine et l'élastase, indiquent que ces protéines ont évolué par duplications de gènes depuis une protéase à sérine ancestrale suivies par l'évolution divergente des enzymes qui en sont issues (Section 7-3C).*

Plusieurs protéases à sérine de sources variées ont fourni d'autres renseignements sur les relations évolutives des protéases à sérine. La **protéase A** de *Streptomyces griseus* (SGPA) est une protéase à sérine bactérienne qui a la spécificité de la chymotrypsine et qui présente beaucoup de similitudes structurales, malgré 20 % d'identité de séquence seulement, avec les protéases à sérine pancréatiques. Manifestement, le gène primordial de la trypsine est apparu avant la divergence entre procaryotes et eucaryotes.

On connaît trois protéases à sérine dont les structures primaire et tertiaire ne présentent pas de relation entre elles ou avec la chymotrypsine mais qui néanmoins, contiennent des triades catalytiques à leur site actif dont la structure est très proche de celle du site actif de la chymotrypsine :

1. La **subtilisine,** une endopeptidase isolée pour la première fois de *Bacillus subtilis.*

2. La **sérine carboxypeptidase II** de germe de blé, exopeptidase dont la structure est étonnamment identique à celle de la car-

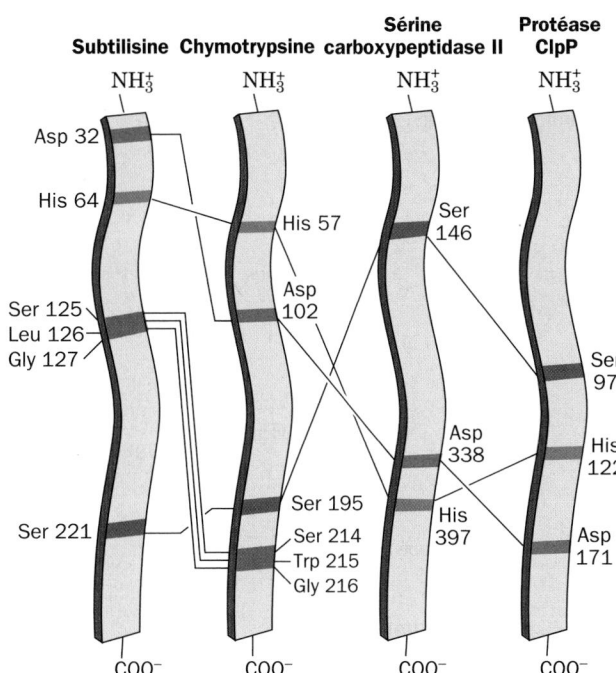

FIGURE 15-22 Représentation schématique montrant les positions relatives des résidus du site actif dans les structures primaires de la subtilisine, de la chymotrypsine, de la sérine carboxypeptidase II et de la protéase ClpP. Les squelettes peptidiques de Ser 214, Trp 215, et Gly 216 de la chymotrypsine, et leurs contreparties dans la subtilisine, participent à des interactions de liaison du substrat. [D'après Robertus, J.D., Alden, R.A., Birktoft, J.J., Kraut, J., Powers, J.C., et Wilcox, P.E., *Biochemistry* **11,** 2449 (1972).]

boxypeptidase A (Figure 8-19*a*) même si cette dernière protéase a un mécanisme catalytique complètement différent de celui des protéases à sérine (voir Problème 3).

3. La **ClpP** d'*E. Coli,* dont la fonction est de dégrader des protéines cellulaires (Section 32-6B).

Puisque l'ordre des résidus correspondants des sites actifs dans les quatre types de protéases à sérine est totalement différent au sein des séquences polypeptidiques (Fig. 15-22), *il semble tout à fait improbable qu'elles soient issues d'une protéase à sérine ancestrale commune. Ces protéines sont un exemple remarquable d'évolution convergente : la nature semble avoir découvert de façon indépendante le même mécanisme catalytique au moins quatre fois.* (De plus, la **protéase du cytomégalovirus humain,** une protéine requise pour la réplication du virus et qui ne ressemble en rien aux protéases décrites ci-dessus, possède dans son site actif un résidu Ser et un résidu His dont les positions relatives sont semblables à celles dans les autres protéases à sérine, mais pas de résidu Asp ; il s'agirait donc ici d'une dyade, et non pas d'une triade, catalytique.)

C. *Mécanisme catalytique*

Les homologies très importantes du site actif des diffférentes protéases à sérine signifient qu'elles ont toutes le même mécanisme catalytique. Sur la base de quantité de données chimiques et structurales provenant de nombreux laboratoires, le mécanisme catalytique suivant, donné ici pour la chymotrypsine, a été formulé pour les protéases à sérine (Fig. 15-23) :

1. Une fois que la chymotrypsine s'est liée au substrat pour former le complexe de Michaelis, *Ser 195 nucléophile attaque le groupement carbonyle de la liaison peptidique scissile pour former un complexe appelé intermédiaire tétraédrique (catalyse*

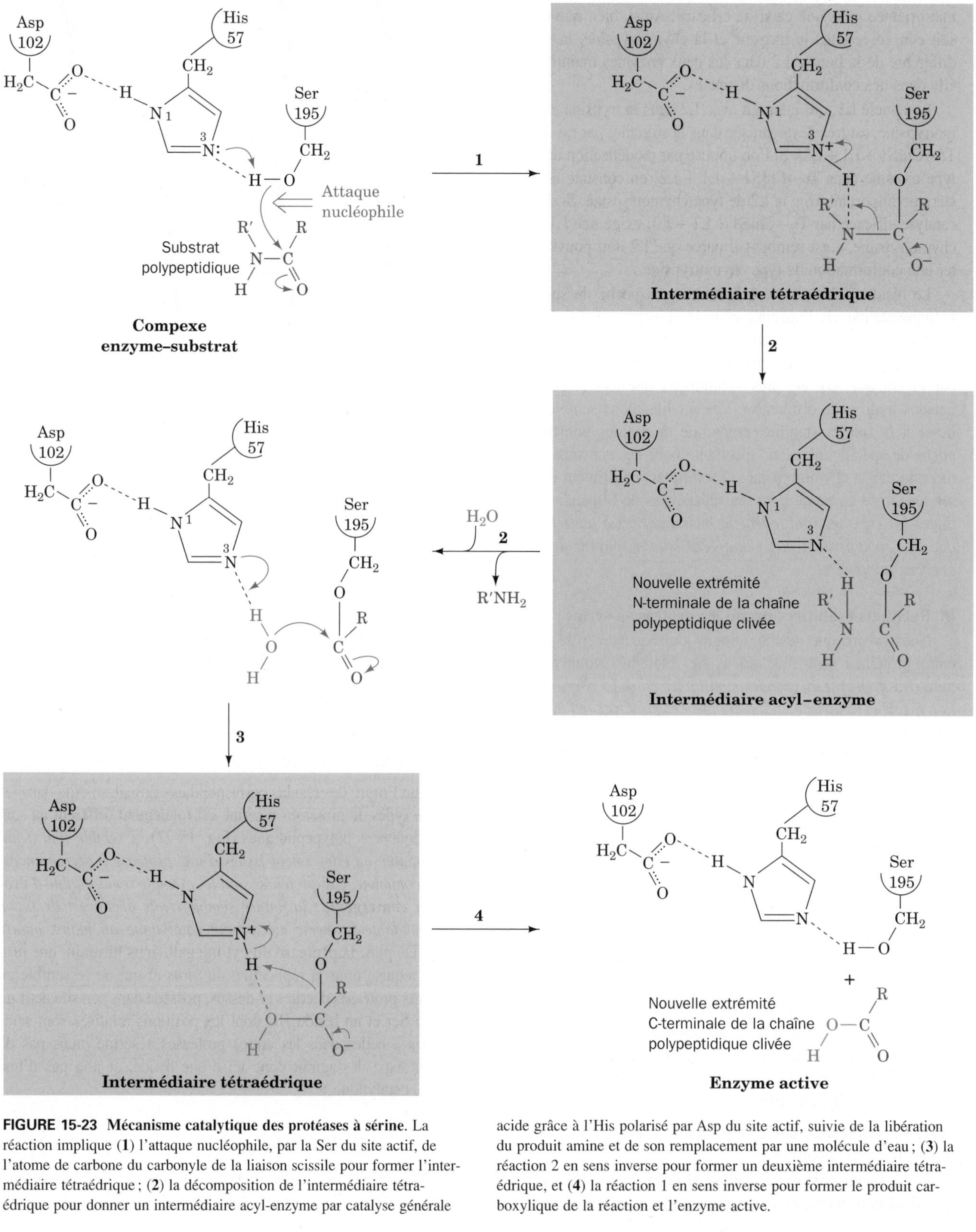

FIGURE 15-23 Mécanisme catalytique des protéases à sérine. La réaction implique (**1**) l'attaque nucléophile, par la Ser du site actif, de l'atome de carbone du carbonyle de la liaison scissile pour former l'intermédiaire tétraédrique ; (**2**) la décomposition de l'intermédiaire tétraédrique pour donner un intermédiaire acyl-enzyme par catalyse générale

acide grâce à l'His polarisé par Asp du site actif, suivie de la libération du produit amine et de son remplacement par une molécule d'eau ; (**3**) la réaction 2 en sens inverse pour former un deuxième intermédiaire tétraédrique, et (**4**) la réaction 1 en sens inverse pour former le produit carboxylique de la réaction et l'enzyme active.

covalente) ; *cette étape est la réaction limitante du processus.* Des études par rayons X ont montré que Ser 195 se trouve en position idéale pour réaliser cette attaque nucléophile (effets de proximité et d'orientation). Le noyau imidazole de His 57 capte le proton libéré, formant ainsi un ion imidazolium (catalyse générale basique). Cette étape est facilitée par l'effet de polarisation de l'ion carboxylate non solvaté de Asp 102, lié par liaison hydrogène à His 57 (catalyse électrostatique ; voir Section 15-3D). Le remplacement par mutagénèse de Asp 102 de la trypsine par Asn ne change pas significativement le K_M de l'enzyme à pH neutre, mais la valeur de son k_{cat} tombe à <0,05 % de celle de l'enzyme sauvage. Des études par diffraction de neutrons ont montré que *Asp 102 reste sous forme d'ion carboxylate plutôt que de récupérer un proton de l'ion imidazolium pour donner un groupement carboxylique non chargé.* L'intermédiaire tétraédrique est bien caractérisé, même si sa durée de vie n'est que transitoire. Nous allons voir que *l'essentiel du pouvoir catalytique de la chymotrypsine est dû à sa liaison préférentielle à l'état de transition (catalyse par liaison à l'état de transition).*

2. L'intermédiaire tétraédrique se décompose pour donner un **intermédiaire acyl-enzyme** grâce à l'énergie fournie par le départ d'un proton du N3 de His 57 (catalyse générale acide). Le groupement amine partant (R'NH$_2$, la nouvelle partie N-terminale de la chaîne polypeptidique clivée) est libéré de l'enzyme et remplacé par une molécule d'eau du milieu.

3 & 4. L'intermédiaire acyl-enzyme (qui serait très stable en absence d'enzyme) est rapidement désacylé par un processus qui fait intervenir essentiellement les mêmes réactions que précédemment en sens inverse, puis le produit carboxylate résultant est libéré (la nouvelle partie C-terminale de la chaîne polypeptidique clivée), régénérant ainsi l'enzyme sous sa forme active. Dans ce processus, l'eau est l'agent nucléophile et Ser 195 le groupe partant.

D. *Vérification du mécanisme catalytique*

La formulation du modèle précédent pour la catalyse des protéases à sérine a suscité de nombreux travaux de vérification. Dans cette section nous présenterons plusieurs de ces études parmi les plus convaincantes.

a. L'intermédiaire tétraédrique est imité dans un complexe entre la trypsine et l'inhibiteur de la trypsine

L'une des preuves structurales les plus convaincantes de l'existence de l'intermédiaire tétraédrique a été donné par Robert Huber dans l'étude par rayons X du complexe entre l'**inhibiteur pancréatique bovin de la trypsine (BPTI)** et la trypsine. Le **BPTI**, protéine de 58 résidus dont nous avons étudié le mécanisme de repliement dans la Section 9-1C, se lie à la trypsine et l'inactive ; cette inactivation empêche toute trypsine prématurément activée dans le pancréas de digérer l'organe (voir Section 15-3E). Le BPTI se lie à la région du site actif de la trypsine sur une interface fortement compactée qui établit des liaisons croisées via un réseau complexe de liaisons hydrogène. La constante d'association du complexe ($K_A = 10^{13}$ M^{-1}) est l'une des plus élevées connues, ce qui démontre l'importance physiologique du BPTI.

La région du BPTI en contact avec le site actif de la trypsine ressemble au substrat lié. La chaîne latérale Lys 15I (« I » symbo-

lise les résidus du BPTI, ce qui les différencie de ceux de la trypsine) du BPTI occupe la poche de spécificité de la trypsine (Fig. 15-24*a*) et la liaison peptidique entre Lys 15I et Ala 16I vient se placer comme si c'était la liaison peptidique scissile (Fig. 14-24*b*). Le plus remarquable dans cette structure, *c'est la conformation prise par son complexe au niveau du site actif, qui aboutit à l'intermédiaire tétraédrique : l'oxygène de la chaîne latérale de Ser 195 de la trypsine, la Ser active, est en contact à une distance inférieure au contact de van der Waals, soit 2,6 Å, avec le carbone du carbonyle déformé en forme de pyramide de la liaison peptidique « scissile » du BPTI.* Malgré ce contact étroit, la réaction protéolytique ne peut aller au-delà de ce stade en raison de la rigidité du complexe au niveau du site actif et de son caractère tellement hermétique que le groupement « partant » ne peut partir et que l'eau ne peut y accéder.

Les inhibiteurs de protéases sont fréquents dans la nature, où ils assurent des fonctions de protection et de régulation. Par

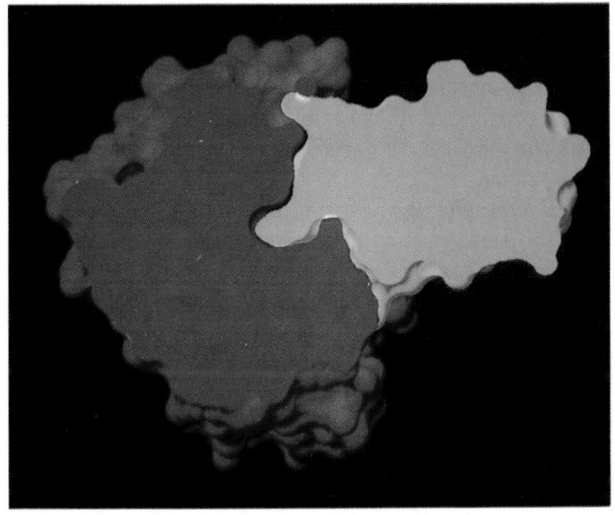

(a)

(b)

FIGURE 15-24 Le complexe trypsine-BPTI. (*a*) Structure par rayons X sous forme d'un dessin en coupe obtenu par ordinateur montrant comment la trypsine (*rouge*) se lie au BPTI (*vert*). La protusion verte qui pénètre dans la cavité rouge près du centre de la figure représente la chaîne latérale de Lys 151 occupant la poche de spécificité de la trypsine. Noter comment ces deux protéines s'ajustent bien. [Avec la permission de Michael Connolly, New York University.] (*b*) La Ser 195 de la trypsine, la Ser active, est en contact à une distance inférieure à celle d'un contact de van der Waals avec le carbone du carbonyle de la liaison scissile du BPTI, qui se trouve déformé en pyramide vers la Ser 195. La réaction protéolytique normale semble bloquée quelque part le long du trajet réactionnel entre le complexe de Michaelis et l'intermédiaire tétraédrique.

exemple, certaines plantes libèrent des inhibiteurs de protéases en réponse à des morsures d'insectes, obligeant ainsi l'insecte agresseur à jeûner en inactivant ses enzymes de digestion. Sur les 200 protéines contenues dans le sérum sanguin, près de 10 % sont des inhibiteurs de protéases. Par exemple, l'**inhibiteur de l'α₁-protéinase,** sécrété par le foie, inhibe l'**élastase leucocytaire** (les leucocytes font partie des globules blancs ; on pense que l'élastase leucocytaire est impliquée dans les processus inflammatoires). Des variantes pathologiques de l'inhibiteur de l'α₁-protéinase dont l'activité est réduite, sont à l'origine de l'**emphysème pulmonaire,** maladie dégénérative des poumons due à l'hydrolyse de ses fibres élastiques. Les fumeurs souffrent aussi d'une activité réduite de leur inhibiteur de l'α₁-protéinase en raison de l'oxydation du résidu Met de son site actif. Le retour à 100 % de l'activité de l'inhibiteur n'a lieu que plusieurs heures après qu'ils aient fumé.

b. Les protéases à sérine se lient préférentiellement à l'état de transition

Des comparaisons détaillées de structures par rayons X de plusieurs complexes inhibiteur-protéase à sérine ont révélé un autre élément structural de base pour la catalyse par ces enzymes (Fig. 15-25) :

1. La déformation conformationnelle provoquée par la formation de l'intermédiaire tétraédrique entraîne l'oxygène du carbonyle du peptide scissile plus profondément à l'intérieur du site actif, pour s'installer dans un site jusqu'alors inoccupé – le **trou de l'oxyanion.**

2. *Il forme alors avec l'enzyme deux liaisons hydrogène qu'il ne pouvait pas former tant que le groupement carbonyle était dans sa conformation trigonale normale.* Joseph Kraut a été le premier

à remarquer que ces deux donneurs de liaisons hydrogène enzymatiques occupent des positions équivalentes dans la chymotrypsine et dans la subtilisine. Il a suggéré l'existence de ce trou de l'oxyanion en supposant qu'une évolution convergente aboutisse à des sites actifs équivalents au plan fonctionnel, dans ces deux enzymes sans relation génique.

3. De plus, la déformation tétraédrique permet la formation, autrement impossible, d'une liaison hydrogène entre l'enzyme et le groupement NH du squelette du résidu qui précède la liaison scissile. Par conséquent, *l'enzyme se lie à l'intermédiaire tétraédrique de préférence au complexe de Michaelis ou à l'intermédiaire acyl-enzyme.*

C'est ce phénomène qui est en grande partie responsable de l'efficacité catalytique des protéases à sérine (voir ci-dessous). Si le DIPF est un inhibiteur si puissant des protéases à sérine, c'est parce que son groupement phosphate tétraédrique fait de ce composé un analogue de l'état de transition de l'enzyme.

c. On a observé directement l'intermédiaire tétraédrique et l'attaque de l'intermédiaire acyl-enzyme par la molécule d'eau

La plupart des réactions enzymatiques se déroulent beaucoup trop rapidement pour que leurs états intermédiaires puissent être étudiés par rayons X ou RMN. Il s'en suit que l'essentiel des nos connaissances sur la structure de ces états intermédiaires provient de l'étude de complexes enzyme-inhibiteur ou substrats-enzymes inactivées. Cependant, la pertinence structurale de tels complexes est mise en doute, précisément parce qu'ils sont catalytiquement inactifs.

En vue de résoudre ce problème pour les protéases à sérine, Janos Hadju et Christopher Schofield ont recherché des complexes

(a)

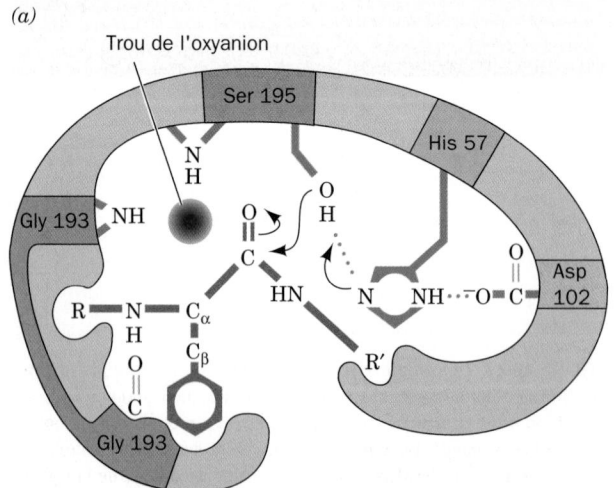

(b)

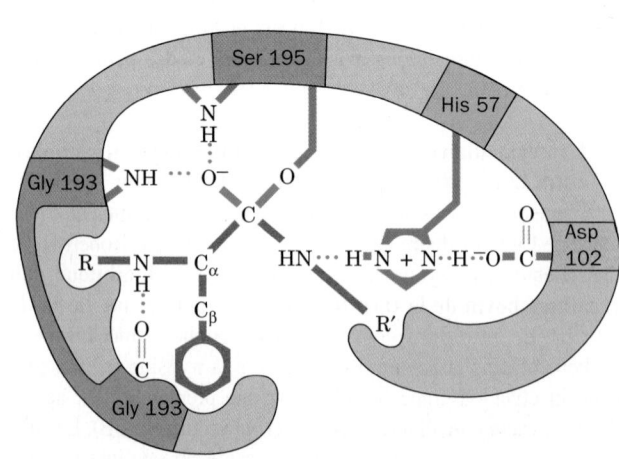

FIGURE 15-25 Stabilisation de l'état de transition des protéases à sérine. (*a*) Dans le complexe de Michaelis, le carbone trigonal du groupement carbonyle de la liaison peptidique scissile subit une contrainte conformationnelle qui l'empêche de se lier au trou de l'oxyanion (*en haut, à gauche*). (*b*) Dans l'intermédiaire tétraédrique, l'oxygène du carbonyle de la liaison scissile (l'oxyanion) a pénétré dans le trou de l'oxyanion, établissant une liaison hydrogène avec les groupements NH du squelette de Gly 193 et de Ser 195. La déformation conformationnelle résultante permet au groupement NH de la liaison peptidique qui précède la liaison scissile de former une liaison hydrogène, qui n'aurait pu se former autrement, avec Gly 193. Les protéases à sérine se lient donc préférentiellement à l'intermédiaire tétraédrique. [D'après Robertus, J.D., Kraut, J., Alden, R.A., et Birktoft, J.J., *Biochemistry* **11,** 4302 (1972).]

peptide-protéase qui seraient stables à des pH auxquels la protéase est inactive, mais qui pourraient être activés en modifiant le pH. À cette fin, ils ont criblé par ESI-MS (Section 7-1J) des bibliothèques de peptides pour leur faculté de se lier à l'élastase pancréatique porcine à pH 3,5 (auquel His 57 est protonée et donc incapable d'agir en tant que base générale). Ils ont ainsi découvert que YPF-VEPI, un heptapeptide appelé **BCM7** car dérivé de la **β-caséine** (une protéine du lait humain), forme avec l'élastase un complexe dont la masse est compatible avec la formation d'une liaison ester entre BCM7 et l'enzyme. En présence de $^{18}OH_2$ à pH 7,5 (auquel l'élastase est active), le marqueur ^{18}O est incorporé aussi bien dans BCM7 que dans le complexe élastase-BCM7, démontrant la réversibilité de la réaction de BCM7 avec l'élastase à ce pH. Des études de fragmentation par bombardement par atomes accélérés-spectrométrie de masse en tandem (FAB-MS/MS ; Section 7-1J) ont de plus montré qu'après incubation de BCM7 avec l'élastase en présence de $^{18}OH_2$ à pH 7,5, le marqueur ^{18}O n'est incorporé que dans le résidu Ile C-terminal de BCM7.

La structure par rayons X du complexe élastase-BCM7 à pH 7,5 (Fig. 15-26*a*) montre que le groupement carboxylique C-terminal de BCM7 forme de fait une liaison ester avec le groupement hydroxyle de la chaîne latérale de Ser 195 de l'élastase, pour donner l'intermédiaire acyl-enzyme attendu. De plus, cette structure par rayons X montre qu'une molécule d'eau est parfaitement disposée pour une attaque nucléophile sur la liaison

ester (la distance entre cette molécule d'eau et l'atome de carbone C-terminal de BCM7 est de 3,1 Å, selon un axe quasi perpendiculaire au plan du groupement acyle). La position de His 57, uni par liaison hydrogène à cette molécule d'eau, est adéquate pour lui enlever un proton, et ainsi l'activer pour l'attaque nucléophile (catalyse générale basique). L'atome O du carbonyle du groupement acyle occupe le trou de l'oxyanion de l'enzyme de sorte qu'il établit des liaisons hydrogène avec les atomes N des chaînes principales de Ser 195 et de Gly 193. Ceci est en accord avec des mesures spectroscopiques montrant que le groupement carbonyle de l'intermédiaire acyl-enzyme est en fait uni au trou de l'oxyanion par liaisons hydrogène. On a d'abord pensé que le trou de l'oxyanion ne fait que stabiliser l'état de transition d'oxyanion tétraédrique situé près de l'intermédiaire tétraédrique sur le trajet réactionnel de la catalyse. Il semble cependant que le trou de l'oxyanion a également pour fonction de polariser le groupement carbonyle de l'intermédiaire acyl-enzyme vers un oxyanion (catalyse électronique).

La réaction catalytique peut être déclenchée dans des cristaux du complexe élastase-BCM7 en les mettant dans un tampon à pH 9. Après 1 min, les cristaux sont rapidement congelés dans le N_2 liquide (−196 °C), ce qui arrête la réaction enzymatique (se rappeler que les mouvements des protéines, essentiels à la catalyse, cessent à cette basse température ; Section 9-4). La structure par rayons X d'un cristal ainsi congelé (Fig. 15-26*b*) montre que l'in-

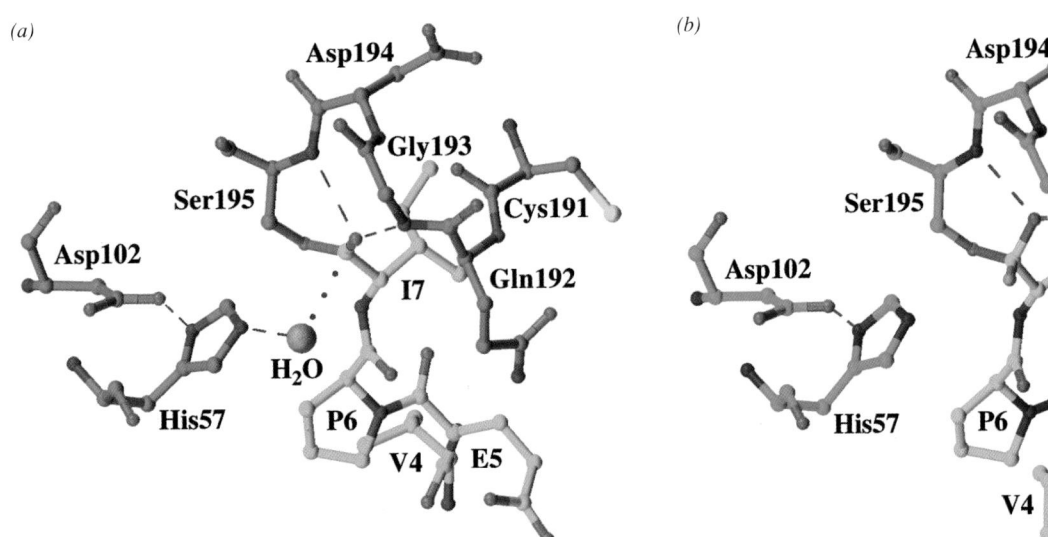

(a) *(b)*

FIGURE 15-26 Structures par rayons X de l'élastase pancréatique porcine en complexe avec l'heptapeptide BCM7 (YPFVEPI). Les résidus de l'élastase sont indiqués selon le code à trois lettres et ceux de BCM7 selon le code à une lettre. (*a*) Le complexe à pH 5. Les résidus du site actif de l'enzyme et l'heptapeptide (dont les trois résidus N-terminaux sont désorganisés) sont représentés en « boules et bâtonnets » avec C de l'élastase en vert, C de BCM7 en bleu-vert, N en bleu, O en rouge, S en jaune et et la liaison entre l'atome O de la Ser 195 et l'atome de carbone C-terminal de BCM7 en magenta. La molécule d'eau liée à l'enzyme, qui semble prête pour l'attaque nucléophile de l'atome C du carbonyle de l'acyl-enzyme, est représentée par une sphère orange. Les

lignes en traits gris interrompus représentent les liaisons hydrogène importantes pour la catalyse et la ligne en pointillés gris la trajectoire probable de la molécule d'eau liée lors de son attaque nucléophile de l'atome C du carbonyle du groupement acyle. (*b*) Le complexe après passage à pH 9 pendant 1 min suivi de congélation rapide dans l'azote liquide. Les différents groupements sont représentés comme en (*a*). Noter que la molécule d'eau de la Partie *a* est devenue un substituant hydroxyle (*en orange*) de l'atome C du carbonyle, donnant ainsi l'intermédiaire tétraédrique. [D'après des structures par rayons X dues à Christopher Schofield et Janos Hadju, University of Oxford, U.K. PDBid (*a*) 1HAX et (*b*) 1HAZ.]

termédiaire acyl-enzyme s'est converti en intermédiaire tétra-édrique, dont l'oxyanion est resté, comme attendu, uni par liaisons hydrogène aux atomes N de Ser 195 et Gly 193. La comparaison de cette structure avec celle de l'intermédiaire acyl-enzyme montre que les résidus du site actif de l'enzyme ne changent pratiquement pas de place lors de la conversion de l'intermédiaire acyl-enzyme en intermédiaire tétraédrique. Cependant, le substrat peptidique, lui, doit modifier sa position pour des raisons stériques lorsque le groupement acyl trigonal plan se transforme en oxyanion tétra-édrique (comparer les Fig. 15-26a et 15-26b). En conséquence, plusieurs résidus de l'enzyme qui sont en contact avec le peptide mais éloignés du site actif changent également de position (non illustré dans la Fig. 15-26).

d. Rôle de la triade catalytique : former des liaisons hydrogène à faible barrière énergétique

Il a d'abord été postulé que la chaîne latérale de His 57 polari-sée par Asp 102 captait directement un proton de Ser 195, trans-formant ainsi son groupement —CH$_2$OH faiblement nucléophile, en un ion alcoxyde —CH$_2$O$^-$ très nucléophile :

"Réseau de relais de charge"

Au cours de ce processus, la charge anionique de Asp 102 serait transférée, grâce à une tautomérisation de His 57, au Ser 195. La triade catalytique a donc été appelée à l'origine, **réseau de relais de charges.** Cependant, on a maintenant réalisé que ce mécanisme est impossible car un ion alcoxyde (p$K \geq 15$) a une affinité pour un proton très supérieure à celle de His 57 (p$K \approx 7$, d'après des mesures par RMN). Comment Asp 102 peut-il donc rendre Ser 195 actif par action nucléophile ?

W.W. Cleland et Maurice Kreevoy d'une part, et John Gerlt et Paul Gassman d'autre part, ont trouvé une solution plausible à cette énigme. Les transferts de protons entre groupementss liés par liaison hydrogène (D—H$\cdots$A) ne peuvent avoir lieu à des vitesses physiologiques raisonnables que si le pK du donneur de protons n'est pas supérieur de 2 ou 3 unités de pH à celui de la forme pro-tonée de l'accepteur de protons (la valeur de la barrière cinétique, $\Delta G^{\ddagger}$, pour la protonation d'un accepteur par un donneur plus

basique augmente avec la différence entre les pK du donneur et de l'accepteur). Toutefois, quand les pK des groupements du donneur (D) et de l'accepteur (A) pour l'établissement d'une liaison hydro-gène sont presque égaux, la distinction entre eux n'a plus lieu d'être : *l'atome d'hydrogène se trouve plus ou moins partagé entre eux* (D$\cdots$H$\cdots$A). De telles **liaisons hydrogène à faible barrière énergétique (LBHB)** sont anormalement courtes et fortes (d'où leur autre nom : **liaisons hydrogène courtes et fortes**) ; elles ont, comme cela a été montré en étudiant des composés modèles en phase gazeuse, des énergies libres d'association qui peuvent atteindre -40 à -80 kJ·mol^{-1} contre -12 à -30 kJ·mol^{-1} pour des liaisons hydrogène normales (l'énergie de la liaison covalente D—H est comprise dans celle de la liaison hydrogène à faible barrière énergétique) et une longueur D$\cdots$A $<2,55$ Å pour O—H$\cdots$O et $<2,65$ Å pour N—H$\cdots$O au lieu de 2,8 à 3,1 Å pour les liaisons hydrogènes normales.

Il est improbable que les LBHB existent en solution aqueuse diluée car les molécules d'eau, qui sont d'excellents donneurs et accepteurs de liaisons hydrogène, entrent efficacement en compé-tition avec D—H et A pour de telles liaisons. Cependant, les LBHB peuvent exister en solution non aqueuse et dans le site actif des enzymes qui excluent le solvant, c'est-à-dire l'eau. Ainsi, une « stratégie » enzymatique efficace consisterait à convertir une liai-son hydrogène faible du complexe de Michaelis en une forte liai-son hydrogène de l'état de transition, facilitant ainsi le transfert de protons tout en utilisant la différence d'énergie libre entre les liai-sons hydrogène normales et celles de faible barrière énergétique pour se lier préférentiellement à l'état de transition. En accord avec cette stratégie, Perry Frey a montré que le spectre de RMN de la liaison du proton de His 57 à Asp 102 dans la chymotrypsine (dont le décalage chimique vers les champs bas traduit un démasquage) est cohérent avec la formation d'une LBHB dans l'état de transi-tion (voir Fig. 15-25b ; les pK des formes protonées de His 57 et de Asp 102 sont pratiquement égaux dans l'environnement anhydre du complexe du site actif). Ceci assure, sans doute, le transfert d'un proton de Ser 195 à His 57 comme dans le méca-nisme du réseau de relais de charges. De plus, une structure par rayons X à très haute résolution (0,78 Å) de la subtilisine de *Bacillus lentus* par Richard Bott montre que la liaison hydrogène entre His 64 et Asp 32 de la triade catalytique a une longueur, anormalement courte, de 2,62 $\pm$ 0,01 Å pour la distance N$\cdots$O et que son atome H est pratiquement à mi-distance entre les atomes N et O (noter que cette structure par rayons X extrêmement précise pour une protéine est une des rares où l'on puisse observer les atomes H et mesurer les courtes distances D$\cdots$A).

Plusieurs études comme celle-ci ont révélé l'existence de liai-sons hydrogène anormalement courtes dans des sites actifs d'en-zymes. Il est cependant beaucoup plus difficile de démontrer expé-rimentalement qu'elles sont anormalement fortes, comme on le postule pour les LBHB. De fait, plusieurs travaux sur des liaisons hydrogène anormalement courtes dans des composés organiques en solutions non aqueuses suggèrent que de telles liaisons ne sont pas particulièrement fortes, d'où d'âpres discussions sur le rôle des LBHB dans la catalyse. Si les enzymes ne forment pas de LBHB, reste à expliquer comment, dans les nombreux mécanismes enzy-matiques bien démontrés dont nous reparlerons, la base conjuguée d'un groupement acide peut enlever un proton à un groupement bien plus basique.

e. L'activité catalytique d'une protéase à sérine découle principalement de la liaison préférentielle à l'état de transition

Malgré ce qui précède, si on bloque l'action de la triade catalytique en méthylant spécifiquement His 57 en traitant la chymotrypsine par du **méthyl-*p*-nitrobenzène sulfonate,**

Méthyl-*p*-nitrobenzène sulfonate

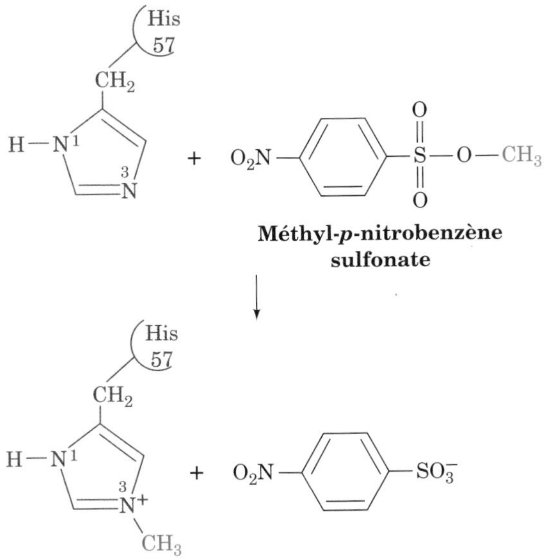

on obtient une enzyme qui est un catalyseur relativement bon : il augmente la vitesse de la réaction d'un facteur de 2×10^6 par rapport à la réaction non catalysée, alors qu'avec l'enzyme native, ce facteur est de l'ordre de 10^{10}. De même, les remplacements par mutation de Ser 195, His 57, ou même des trois résidus de la triade catalytique, donnent une enzyme qui multiplie la vitesse de la protéolyse d'un facteur de 5×10^4 par rapport à celle de la réaction non catalysée. Manifestement, la triade catalytique procure un nucléophile et est une source alternative et un puits de protons (catalyse générale acido-basique). Cependant, *la majeure partie de l'augmentation de la vitesse par la chymotrypsine doit être attribuée à sa liaison préférentielle à l'état de transition de la réaction catalysée.*

E. *Les zymogènes*

La plupart des enzymes protéolytiques sont habituellement synthétisées sous forme de précurseurs inactifs plus longs appelés **zymogènes** (les précurseurs d'enzymes, au sens large, sont appelés **proenzymes**). En ce qui concerne les enzymes de la digestion, il est facile d'en comprendre la raison. Si ces enzymes étaient synthétisées sous leur forme active, ils digéreraient les tissus où ils sont synthétisés. La **pancréatite aiguë**, maladie douloureuse et quelquefois fatale qui peut être provoquée à la suite de traumatisme du pancréas, est caractérisée par une activation prématurée des enzymes de la digestion synthétisées dans cette glande.

a. Les protéases à sérine sont activées par auto-catalyse

La trypsine, la chymotrypsine, et l'élastase sont activées selon les mécanismes suivants :

Trypsine. L'activation du **trypsinogène,** le zymogène de la trypsine, se fait par un processus en deux étapes quand le trypsinogène entre dans le duodénum, en provenance du pancréas. L'**entéro-**

peptidase (appelée anciennement **entérokinase** ; N.d.T), protéase à sérine à un seul domaine transmembranaire située dans la muqueuse du duodénum, hydrolyse spécifiquement la liaison peptidique du trypsinogène Lys 15—Ile 16, excisant ainsi son hexapeptide N-terminal (Fig. 15-27) pour donner l'enzyme active avec Ile 16 en position N-terminale. Puisque ce clivage activateur concerne une liaison sensible à la trypsine (se rappeler que la trypsine clive après Arg ou Lys), la petite quantité de trypsine produite sous l'action de l'entéropeptidase va aussi catalyser l'activation, formant ainsi plus de trypsine etc. ; l'activation du trypsinogène est donc autocatalytique.

Chymotrypsine. Le chymotrypsinogène est activé par clivage trypsique de sa liaison peptidique Arg 15—Ile 16, ce qui donne la **chymotrypsine π** active (Fig. 15-28), laquelle subit ensuite une auto-lyse (ou auto-digestion) pour exciser spécifiquement deux dipeptides, Ser 14-Arg 15 et Thr 147-Asn 148, formant ainsi l'enzyme également active nommée **chymotrypsine α** (appelée jusqu'à maintenant et ci-après la chymotrypsine). La signification biochimique de ce dernier processus reste énigmatique.

Élastase. La **proélastase,** le zymogène de l'élastase, est activé comme le trypsinogène par un simple clivage trypsique qui excise un petit polypeptide N-terminal.

b. « Stratégies » biochimiques qui empêchent l'activation prématurée des zymogènes

La trypsine active les **procarboxypeptidases A** et **B** et la **prophospholipase A$_2$** pancréatiques (l'action de la phospholipase A$_2$ est décrite dans la Section 25-1), ainsi que les protéases à sérine pancréatiques. Une activation prématurée de la trypsine peut par conséquent déclencher une série d'événements qui conduiraient à l'auto-digestion du pancréas. La nature a donc mis au point un système de défense élaboré contre cette activation inopportune de la trypsine. Nous avons déjà vu (Section 15-3D) que l'inhibiteur pancréatique de la trypsine se lie de façon pratiquement irréversible à toute trypsine formée dans le pancréas afin de l'inactiver. De plus, l'activation du trypsinogène catalysée par la trypsine (Fig. 15-27) se fait très lentement, probablement parce que son hexapeptide très conservé et porteur de plusieurs charges négatives repousse l'Asp en arrière de la poche de spécificité de la trypsine. Enfin, les zymogènes pancréatiques sont stockés dans des vésicules intracellu-

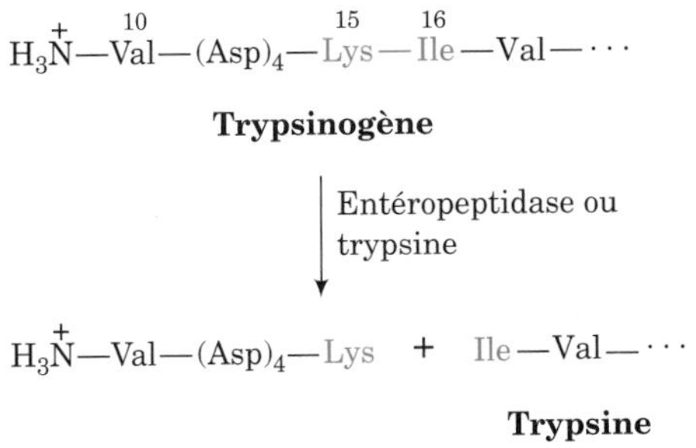

FIGURE 15-27 L'activation du trypsinogène en trypsine. L'excision protéolytique de l'hexapeptide N-terminal est catalysée par l'entéropeptidase ou par la trypsine. La numérotation des résidus est celle du chymotrypsinogène : Val 10 est en fait l'acide aminé N-terminal du trypsinogène et Ile 16 est l'acide aminé N-terminal de la trypsine.

**FIGURE 15-28 Activation du chymotrypsino-
gène par clivages protéolytiques.** Les chymo-
trypsines π et α sont toutes deux enzymatiquement actives.

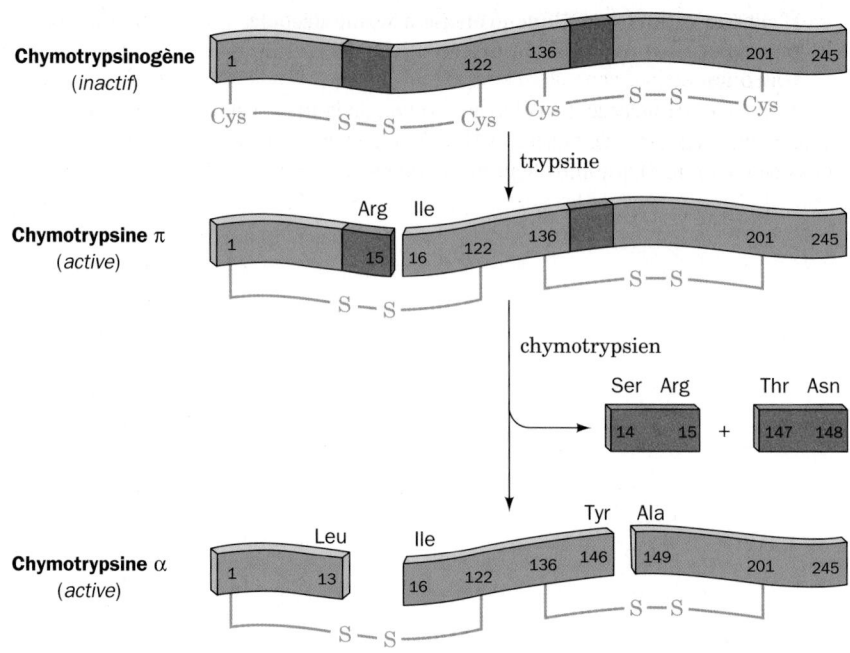

c. Les zymogènes ont des sites actifs déformés

Puisque les zymogènes de la chymotrypsine, de la trypsine et
de l'élastase possèdent tous leurs résidus catalytiques, pourquoi ne
sont-ils pas enzymatiquement actifs ? En comparant les structures
par rayons X du trypsinogène avec la trypsine, et du chymotrypsinogène avec la chymotrypsine, on constate qu'après activation, le
nouveau Ile 16 qui se trouve à l'extrémité N-terminale se déplace
de la surface de la protéine vers l'intérieur, où son groupement
aminé cationique libre forme une paire ionique avec l'Asp 194
anionique conservé (Fig. 15-21). Mis à part ce changement, les
structures des zymogènes ressemblent étroitement à leurs enzymes
actives correspondantes. Cette ressemblance concerne également
la triade catalytique, ce qui explique que ces zymogènes sont enzymatiquement actifs, quoique très faiblement. Des comparaisons
poussées entre zymogènes et enzymes correspondantes ont permis
de comprendre cette faible activité des zymogènes : *les poches de
spécificité et les trous de l'oxanion des zymogènes ne sont pas
formés correctement ; par exemple, le NH amide de la Gly 193 de
la chymotrypsine pointe dans la mauvaise direction pour pouvoir
former une liaison hydrogène avec l'intermédiaire tétraédrique
(voir Fig. 15-25).* Ainsi, la très faible activité enzymatique des
zymogènes vient de leur capacité limitée à se lier au substrat et à
stabiliser l'intermédiaire tétraédrique. Ces résultats apportent des
preuves supplémentaires en faveur du rôle de liaison à l'état de
transition des protéases à sérine dans le mécanisme catalytique.

4 ■ LA CONCEPTION DE MÉDICAMENTS

Les progrès de la médecine au cours du siècle passé doivent
être attribués, dans une large mesure, à la mise au point d'une très
grande variété de médicaments qui ont fait disparaître ou reculer
de nombreuses maladies. Ces médicaments comprennent les antibiotiques (qui ont eu un impact spectaculaire sur les maladies

infectieuses), les agents anti-inflammatoires (qui diminuent les
symptômes d'affections telles que l'arthrite), les analgésiques et
les anesthésiques (qui ont rendu possible la chirurgie moderne), les
agents qui réduisent l'incidence et la sévérité des attaques vasculaires cardiaques et cérébrales, les antidépresseurs, les antipsycho-
tiques, les inhibiteurs de la sécrétion acide de l'estomac (qui pré-
viennent les ulcères gastro-duodénaux), les antiallergiques et les
antiasthmatiques, les immunosuppresseurs (indispensables pour la
transplantation), les médicaments utilisés en chimiothérapie du
cancer, etc.

On sait que, chez les peuples primitifs, de nombreuses plantes
indigènes et produits animaux furent identifiés soit pour leurs ver-
tus, soit pour leurs effets toxiques. Malheureusement, lorsqu'elles
étaient utilisées comme « remèdes », la plupart de ces substances
étaient inefficaces ou même dangereuses. Il y eut bien, au cours
des 2500 ans qui précèdent l'époque moderne, des tentatives sporadiques de démarches rationnelles pour la découverte de médicaments. Cependant, elles échouèrent parce qu'elles étaient fondées
plutôt sur des théories fumeuses ou la superstition que sur l'observation et l'expérimentation. Ainsi, d'après la doctrine des signatures, une plante qui ressemble à une partie du corps doit nécessairement influencer cette même partie du corps. En conséquence,
au début du vingtième siècle, à part les remèdes populaires, seuls
trois médicaments étaient reconnus comme efficaces pour le traitement de maladies bien précises : (1) La **digitaline** (ou digitoxine ; N.d.T.), un cardiotonique extrait de la feuille de digitale
(Section 20-3A), était utilisée dans différentes affections cardiaques ; (2) la **quinine** (Section 26-4A), obtenue à partir de
l'écorce et des racines de l'arbre *Cinchona*, était utilisée pour traiter la malaria ; et (3) le mercure était utilisé pour traiter la syphilis
(entraînant des effets secondaires souvent plus graves que les
symptômes de la maladie). Il fallut encore plusieurs décennies
pour que le développement de la méthode scientifique, combiné
avec l'accumulation des connaissances en physiologie, en chimie
et en biochimie, débouche sur des techniques efficaces pour la
mise au point de nouveaux médicaments. À vrai dire, la très

grande majorité des médicaments actuels furent découverts et mis au point au cours des trois dernières décennies.

Dans cette section, nous présentons la méthodologie visant à mettre au point de nouveaux médicaments, ainsi que des notions de **pharmacologie** (la science des médicaments, y compris leur composition, leurs indications et leurs effets). La section se termine sur l'histoire de l'un des plus grands succès de la recherche pharmaceutique moderne, la découverte des inhibiteurs de la protéase du virus du SIDA.

A. *Méthodologie en recherche pharmaceutique*

La plupart des médicaments agissent en modifiant la fonction d'un **récepteur** particulier dans l'organisme ou dans un pathogène ayant envahi celui-ci. Dans la plupart des cas, le récepteur est une protéine à laquelle le médicament se lie spécifiquement. Il peut s'agir d'une enzyme, d'un canal transmembranaire qui transporte une substance donnée dans la cellule ou hors de celle-ci (Chapitre 20) et/ou d'une protéine qui participe à une voie de signalisation inter- ou intracellulaire (Chapitre 19). Dans tous ces cas, une substance qui module la fonction d'un récepteur en s'y liant est appelée **agoniste**, tandis qu'une substance qui se lie à un récepteur sans influencer sa fonction, mais bloque la liaison des agonistes est appelée **antagoniste**. La **pharmacodynamie** est la discipline qui traite des effets biochimiques et physiologiques des médicament et de leur mécanisme d'action.

a. La recherche pharmaceutique est un processus complexe

Comment découvre-t-on de nouveaux médicaments ? Pratiquement tous ceux qui sont arrivés sur le marché au cours des dix dernières années furent découverts en criblant, pour l'effet recherché, un très grand nombre de molécules synthétiques et de produits naturels. Lorsqu'on trouve un composé prometteur parmi ces derniers, c'est d'habitude grâce au fractionnement de l'organisme qui le contient. Il s'agit souvent de plantes utilisées comme remèdes populaires pour soigner la maladie en question. Lors de ce premier criblage, il est exclu d'utiliser comme « cobayes » des patients atteints de cette affection là. Même le recours à des animaux de laboratoire, tels que cobayes, souris ou chiens (dans la mesure où ils pourraient servir de modèle pour la maladie à traiter), est trop coûteux pour tester les milliers de substances nécessaires. Pour ces raisons, l'on pratique d'abord des **criblages** *in vitro*, où l'on évalue l'affinité de la substance étudiée pour une enzyme impliquée dans l'affection d'intérêt, sa toxicité pour une bactérie lorsqu'on recherche un nouvel antibiotique, ou encore ses effets sur une lignée, en culture, de cellules de mammifère. Cependant, dès que l'on peut se focaliser sur un nombre plus restreint de molécules candidates, l'on utilise des criblages plus sensibles tels que des tests sur animaux.

Un médicament potentiel qui manifeste l'effet désiré est dit **structure guide** (« lead compound »). Une bonne structure guide se lie à sa molécule cible avec une constante d'équilibre (écrite pour la dissociation), $K_D < 1$ μM. Une telle affinité est requise pour minimiser la liaison non spécifique du médicament à d'autres macromolécules dans l'organisme et pour faire en sorte qu'il ne faille en administrer que de faibles doses. Pour les inhibiteurs d'enzymes, la constante de dissociation est leur K_I ou K'_I (Section 14-3). D'autres paramètres communément utilisés pour mesu-

rer l'effet d'un médicament sont la **CI₅₀**, qui est la *c*oncentration d'*i*nhibiteur à laquelle l'enzyme n'a plus que 50 % de son activité ; la **DE₅₀**, *d*ose d'un médicament requise pour produire l'*e*ffet thérapeutique dans 50 % des cas ; la **DT₅₀**, *d*ose moyenne requise pour produire un effet *t*oxique particulier chez l'animal ; et la **DL₅₀**, dose moyenne requise pour tuer (*d*ose *l*éthale) 50 % des individus de l'échantillon.

Pour un inhibiteur d'enzyme qui se conforme à la cinétique de Michaelis-Menten, l'on détermine la CI₅₀ en mesurant le rapport v_I/v_0 pour plusieurs valeurs de [I], [S] restant constant, où v_I est la vitesse initiale de l'enzyme pour une concentration [I] d'inhibiteur. En divisant l'équation [14.24] par l'équation [14.38], α étant défini selon l'équation [14.37], on obtient

$$\frac{v_I}{v_0} = \frac{K_M + [S]}{K_M\alpha + [S]} = \frac{K_M + [S]}{K_M\left(1 + \dfrac{[I]}{K_I}\right) + [S]} \quad [15.13]$$

Lorsque $v_I/v_0 = 0{,}5$ (50 % d'inhibition),

$$[I] = [IC_{50}] = K_I\left(1 + \frac{[S]}{K_M}\right) \quad [15.14]$$

En conséquence, si l'on mesure v_I/v_o lorsque S << K_M, l'on peut dire que [CI₅₀] = K_I.

L'index thérapeutique d'un médicament est défini par DT₅₀ /DE₅₀, à savoir le rapport de la dose toxique du médicament à celle qui produit l'effet désiré. Il est bien sûr préférable qu'un médicament possède un index thérapeutique élevé, mais ceci n'est pas toujours possible.

b. La cathepsine K est une cible pour des médicaments contre l'ostéoporose

La mise au point des techniques de séquençage du génome (Section 7-2B), a permis de caractériser des dizaines de milliers de gènes inconnus et obtenir ainsi un nombre extraordinaire de cibles pharmaceutiques potentielles. Un bon exemple est celui de l'**ostéoporose**, une affection des femmes ménopausées et des hommes âgés qui se caractérise par la perte progressive de la masse osseuse, ce qui accroît la fréquence des fractures, en particulier celles du col du fémur, des vertèbres et du poignet. Le tissu osseux est composé d'une matrice protéique constituée à >90 % de collagène de type I (Section 8-2B), dans laquelle s'enchâssent des cristaux fusiformes ou aplatis d'**hydroxyapatite**, $Ca_5(PO_4)_3OH$. Les os ne sont pas le moins du monde des structures statiques. Ils sont le siège d'un remodelage permanent en vertu des actions opposée de deux types de cellules osseuses : les **ostéoblastes**, qui synthétisent la matrice organique de l'os dans laquelle se dépose la partie minérale ; et les **ostéoclastes,** qui solubilisent la matrice minérale en sécrétant des enzymes protéolytiques dans un « puits » extracellulaire de résorption maintenu à pH 4,5. Cette solution acide dissout la partie minérale de l'os, exposant ainsi sa matrice protéique à la dégradation protéolytique. L'ostéoporose survient lorsque la résorption osseuse l'emporte sur la formation osseuse.

En vue de rechercher des cibles pour le traitement de l'ostéoporose, une bibliothèque d'ADNc (Sections 5-5E et 5-5F) fut préparée à partir d'un **ostéoclastome** (cancer dérivé d'ostéoclastes, qui sont des cellules très peu abondantes). Environ 4 % de ces ADNc codaient une protéase inconnue, qui fut appelée **cathepsine K** (les cathepsines sont des protéases contenues dans les lysosomes). Des études plus poussées, tant sur ADNc que sur protéines, révélèrent que la cathepsine K n'est exprimée à un degré élevé que dans les ostéoclastes. L'examen microscopique d'ostéoclastes marqués par des anticorps dirigés contre la cathepsine K montra que cette enzyme est localisée au point de contact entre les ostéoclastes et les puits de résorption. On montra ultérieurement que des mutations du gène codant la cathepsine K causent la **pycnodysostose**, une maladie héréditaire rare caractérisée par des os plus durs, mais fragiles, une petite taille, des déformations crâniennes, et des ostéoclastes qui déminéralisent bien l'os, mais sont incapables d'en dégrader la matrice protéique. Manifestement, la fonction de la cathepsine K est de dégrader la matrice protéique de l'os. Cette enzyme est donc une cible potentielle attrayante pour la mise au point d'un médicament contre l'ostéoporose.

c. Utilité des SAR et des QSAR pour la découverte de médicaments

Une structure guide est un point de départ pour la mise au point de molécules plus efficaces. L'expérience a montré que même des modifications minimes d'un médicament candidat peuvent entraîner d'importants changements de ses propriétés pharmacologiques. On peut ainsi ajouter sur différents atomes de la structure guide des groupements tels que méthyle, chloro, hydroxyle ou benzyle en vue d'améliorer sa pharmacodynamie. La

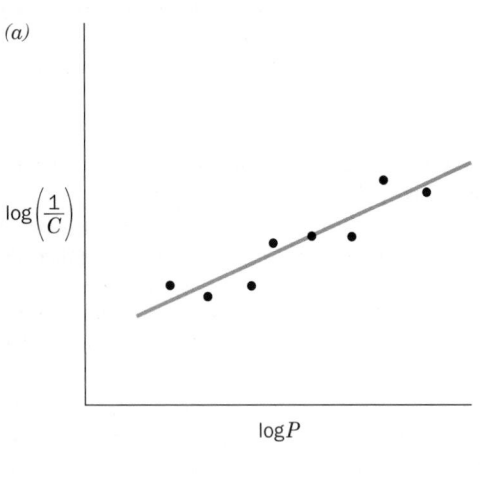

(a)

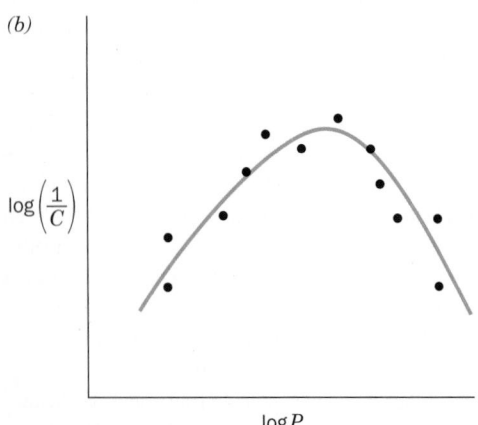

(b)

FIGURE 15-29 Graphiques QSAR hypothétiques de log(1/C) en fonction de log P pour une série de composés apparentés. (*a*) Graphique conforme à une équation linéaire. (*b*) Graphique conforme à une équation quadratique.

plupart des médicaments actuellement sur le marché sont issus chacun de la synthèse préalable de 5000 à 10 000 composés. Ceux-ci ne furent pas produits au hasard, mais bien sur base de tests d'efficacité de dérivés successifs de la structure guide. Cette démarche a été systématisée sous le nom de **relations structure-activité (SAR)**: il s'agit de déterminer, par synthèse puis criblage, quels sont les groupements d'une structure guide qui sont importants pour son action médicamenteuse, et quels sont ceux qui ne le sont pas. Par exemple, si un groupement phényle d'une structure guide établit des interactions hydrophobes avec une région plane de sa molécule réceptrice, l'hydrogénation de ce groupement pour en faire un cyclohexane non plan donnera un composé de moindre affinité pour ce récepteur.

Une extension logique de ce concept est de le quantifier, pour déterminer une **relation structure activité quantitative (QSAR)**. Cette idée est fondée sur l'hypothèse qu'il existe une relation mathématique simple entre l'activité biologique d'un médicament et ses propriétés physicochimiques. Par exemple, si l'hydrophobicité d'un médicament est importante pour son activité biologique, modifier ses substituants pour modifier son hydrophobicité changera son activité. Une mesure de l'hydrophobicité d'une substance est son **coefficient de partition**, P, entre deux solvant non miscibles, l'octanol et l'eau, à l'équilibre :

$$P = \frac{\text{concentration du médicament dans l'octanol}}{\text{concentration du médicament dans l'eau}} \qquad [15.15]$$

On peut désigner par $1/C$ l'activité biologique, où C est la concentration de médicament requise pour atteindre un niveau donné d'activité biologique (p. ex. CI_{50}). Un graphique de $\log 1/C$ en fonction de $\log P$ (le recours aux logarithmes permet de regrouper les points sur une échelle raisonnable) pour un ensemble de dérivés de la structure guide ayant des valeurs de $\log P$ assez rapprochées donne souvent alors une relation linéaire (Fig. 15-29*a*) que l'on peut exprimer par :

$$\log\left(\frac{1}{C}\right) = k_1 \log P + k_2 \qquad [15.16]$$

Ici, k_1 et k_2 sont des constantes, dont les valeurs optimales dans cette QSAR peuvent être déterminées par des logiciels d'ajustement graphique. Pour des substances dont l'éventail des valeurs de $\log P$ est plus large, il est probable que la relation de $\log 1/C$ en fonction de $\log P$ passe par un maximum (Fig. 15-29*b*). Elle sera alors mieux décrite par l'équation quadratique :

$$\log\left(\frac{1}{C}\right) = k_1 (\log P)^2 + k_2 \log P + k_3 \qquad [15.17]$$

Il n'y a bien sûr pas beaucoup de substances dont l'activité biologique ne dépend que de l'hydrophobicité. Une QSAR peut donc tenir compte simultanément de plusieurs propriétés physicochimiques des substituants, telles que valeurs de pK, rayons de van der Waals, énergie des liaisons hydrogène et conformation. La valeur des constantes de chacun des termes dans une QSAR informe sur la contribution du terme à l'activité du médicament. Le recours aux QSAR pour optimiser l'activité biologique d'une structure guide s'est montré très précieux pour la découverte de médicaments.

d. Conception de médicaments fondée sur la structure

Les progrès spectaculaires réalisés, depuis les années 1980, en vitesse et en précision pour déterminer la structure d'une macromolécule par cristallographie par rayons X et par RMN (Section 8-3A) ont permis la **conception de médicaments fondée sur la structure**, une stratégie qui réduit considérablement le nombre de composés à synthétiser dans un programme de découverte pharmaceutique. Comme son nom l'indique, la conception de médicaments fondée sur la structure (également appelée **conception de médicaments rationnelle**) se base sur la structure du complexe entre un médicament candidat et son récepteur pour orienter la mise au point de molécules plus efficaces. Une telle structure révèlera, par exemple, la position des donneurs et des accepteurs de liaisons hydrogène dans un site de liaison du récepteur ainsi que les cavités de ce site dans lesquelles peuvent venir se loger des substituants à ajouter sur le médicament candidat afin d'augmenter son affinité pour le récepteur. À ces techniques de visualisation on associe souvent des outils de modélisation moléculaire tels que le calcul de la conformation d'énergie minimum d'un dérivé proposé, des calculs de mécanique quantique en vue de déterminer la distribution de ses charges et donc son interaction électrostatique avec le récepteur, et des simulations d'accostage d'un candidat inhibiteur « modélisé » dans le site de liaison du récepteur afin d'évaluer ses interactions possibles. Il s'agit d'une démarche itérative : on détermine la structure du complexe récepteur-molécule améliorée en vue de proposer une molécule modifiée dont les propriétés seront encore meilleures.

e. Chimie combinatoire et criblage à haut débit

Le développement des méthodes fondées sur les structures a fait penser qu'elles s'imposeraient dans le domaine. Cependant, l'apparition des techniques de **chimie combinatoire** permettant de synthétiser rapidement et à peu de frais un grand nombre de composés apparentés, combinées à la mise au point de méthodes robotisées de **criblage à haut débit**, a provoqué un retour de balancier vers la stratégie « fabriquer de nombreuses molécules et voir ce qu'elles font ». Un exemple bien connu est la synthèse en parallèle d'un grand nombre d'oligonucléotides différents sur une puce à ADN (Section 7-6B). De même, si une structure guide peut être synthétisée par étapes à partir de modules plus petits, on peut faire varier en parallèle les substituants de chacun de ces modules pour obtenir une bibliothèque de composés apparentés (p. ex. Fig. 15-30).

Il existe plusieurs techniques pour la synthèse combinatoire, par un même procédé, de milliers de molécules apparentées. Alors que l'étude de l'importance d'un groupement hydrophobe à telle position d'une structure guide a pu conduire antérieurement à la synthèse individuelle de ses seuls dérivés éthyle, propyle et ben-zyle, la synthèse combinatoire permet l'obtention de peut-être 100 groupements différents à cette position. C'est évidemment une manière plus efficace de couvrir la palette des substituants possibles et d'identifier un analogue intéressant inattendu. On en arrive même à associer les QSAR et les techniques de calcul en une « chimie combinatoire virtuelle » où des bibliothèques de composés sont « synthétisées » et « testées » par ordinateur, ce qui réduit encore le nombre de molécules à synthétiser réellement avant d'arriver à un médicament efficace.

B. *Introduction à la pharmacologie*

La mise au point *in vitro* d'un médicament candidat efficace n'est qu'une première étape. *Pour être utile, un médicament doit non seulement provoquer l'effet désiré sur son récepteur cible isolé, il doit aussi atteindre ce récepteur où il se trouve dans l'organisme et à concentration suffisante sans provoquer d'effets secondaires inacceptables.*

a. Les différents aspects de la pharmacocinétique

La voie d'administration d'un médicament la plus commode est par la bouche. Dans ce cas, le médicament doit franchir plusieurs obstacles redoutables avant d'atteindre sa cible : (1) il doit être chimiquement stable dans le milieu très acide (pH 1) de l'estomac et ne peut être dégradé par les enzymes de la digestion dans le tractus gastro-intestinal ; (2) il doit passer, de ce dernier, dans le courant sanguin et doit donc traverser plusieurs membranes cellulaires ; (3) il ne peut s'associer trop étroitement à d'autres substances de l'organisme (p. ex. les médicaments lipophiles ont tendance à s'adsorber sur certaines protéines plasmatiques et à se fixer dans le tissu adipeux ; les anions peuvent être captés par des protéines du plasma, principalement l'**albumine**, et les cations par les acides nucléiques) ; (4) il doit résister à la modification chimique par la batterie d'enzymes, essentiellement hépatiques, dont la fonction est de détoxifier les **xénobiotiques** (substances étrangères), comme exposé ci-dessous (noter que le sang qui draine l'intestin passe directement dans le foie par la veine porte, de sorte que le foie traite toutes les substances ingérées avant qu'elles n'atteignent le reste de l'organisme) ; (5) il doit éviter une excrétion rénale trop rapide ; (6) il doit traverser les capillaires dans son tissu cible ; (7) si celui-ci est le cerveau, le médicament doit franchir la **barrière hémato-encéphalique**, qui interdit le passage de la plupart des sustances polaires ; et (8) s'il est dirigé vers un récepteur intracellulaire, il doit traverser la membrane plasmique et, éventuellement, d'autres membranes intracellulaires. La façon dont un médicament interagit avec ces différentes barrières est la **pharmacocinétique**. Ainsi, la **biodisponibilité** d'un médicament (la mesure dans laquelle il atteint son site d'action, considéré d'habi-

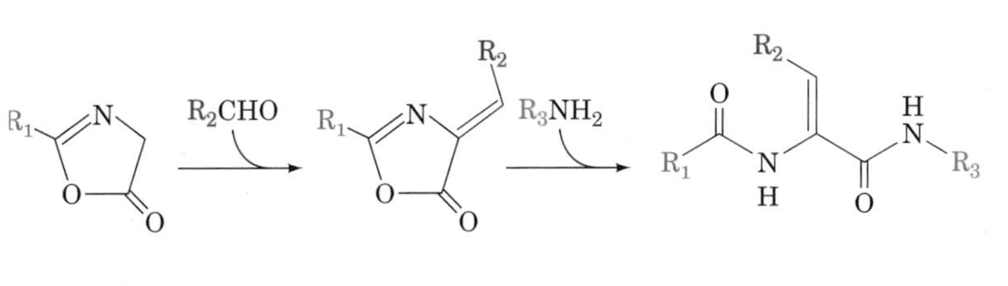

FIGURE 15-30 Synthèse combinatoire d'arylidènes diamides. L'utilisation, pour la synthèse, de 10 variantes de chaque groupement R donnera 1000 dérivés différents.

tude comme la circulation générale) dépend à la foie de la dose administrée et de sa pharmacocinétique. On peut bien sûr court-circuiter les barrières (1) et (2) en injectant le médicament [p. ex. certaines formes de pénicilline (Fig. 11-25) doivent être injectées car leur cycle β-lactame, essentiel à l'activité, est très sensible à l'hydrolyse acide], mais cette voie d'administration est indésirable à long terme.

La pharmacocinétique et la pharmacodynamie étant également importantes pour l'efficacité d'un médicament candidat, ces propriétés doivent toutes deux être optimisées pour aboutir à un médicament d'intérêt médical. D'après les principes empiriques suivantes, énoncés par Christopher Lipinski et regroupés sous le nom de « **règle des cinq de Lipinski** », une substance sera peu absorbée ou pénètrera difficilement si :

1. Sa masse moléculaire est supérieure à 500 D.

2. Elle possède plus de 5 donneurs de liaisons hydrogène (somme des groupements OH et NH).

3. Elle possède plus de 10 accepteurs de liaisons hydrogène (somme des atomes N et O).

4. Sa valeur de log *P* est supérieure à 5.

Les médicaments candidats auxquels s'applique la proposition 1 seront vraisemblablement peu solubles et ne traverseront que difficilement les membranes cellulaires ; ceux conformes aux règles 2 et/ou 3 seront sans doute trop polaires pour franchir les membranes cellulaires ; et ceux qui répondent à la règle 4 seront peu solubles en solution aqueuse et donc incapables d'atteindre la surface des membranes. *Les médicaments les plus efficaces sont donc d'habitude le fruit d'un compromis : ils ne sont ni trop lipophiles, ni trop hydrophiles.* De plus, la valeur de leur p*K* est le plus souvent comprise entre 6 et 8, de sorte qu'aux pH physiologiques ils peuvent facilement adopter leurs formes non ionisée, pour traverser les membranes cellulaires, et ionisée, pour se lier à leur récepteur. Cependant, puisque la concentration d'un médicament au niveau de son récepteur dépend, comme nous l'avons vu, de différents facteurs, la pharmacocinétique d'un médicament candidat peut-être fortement influencée par des modifications chimiques, fussent-elles minimes. Des QSAR et autres méthodes de calcul ont été mises au point pour en prédire les effets, mais sans grand succès jusqu'à présent.

b. La plupart des médicaments candidats sont rejetés en raison de leur toxicité ou effets secondaires indésirables

Les derniers critères à satisfaire pour un médicament candidat sont la sécurité et l'efficacité chez l'homme. Ces propriétés sont d'abord évaluées chez l'animal, mais puisque animaux et humains peuvent réagir différemment vis-à-vis d'une molécule particulière, le médicament doit finir par faire l'objet **d'essais cliniques** chez l'homme. Aux États-Unis, ces tests sont contrôlés par la « Food and Drug Administration » (FDA) et comprennent trois phases de plus en plus complexes (et coûteuses) :

Phase I. Son but premier est de tester l'innocuité du médicament candidat, mais elle sert aussi à déterminer la dose, ainsi que le meilleur mode d'administration (p. ex. par la bouche ou par injection) et sa fréquence. Elle porte d'habitude sur un petit nombre (20-100) de volontaires sains, ou porteurs de la maladie si

la molécule à tester est toxique (p. ex. en chimiothérapie du cancer).

Phase II. On évalue ici l'efficacité du médicament chez 100 à 500 malades volontaires et l'on précise la fourchette des doses tout en recherchant les effets secondaires. On recourt habituellement à des **tests en simple aveugle**, où le patient ignore s'il a reçu le médicament ou une substance contrôle. Celle-ci est le plus souvent un **placebo** (composé inerte dont l'aspect, le goût, etc., sont les mêmes que ceux du médicament candidat), mais, si la maladie risque d'être fatale, l'éthique exige que la substance contrôle soit le meilleur médicament connu jusque là.

Phase III. Elle consiste à relever les effets indésirables découlant d'une administration prolongée tout en confirmant l'efficacité sur 1000 à 5000 patients. Il s'agit de comparer le médicament candidat avec des substances contrôles sur base de l'analyse statistique de **tests en double aveugle** où ni le patient ni les cliniciens évaluateurs ne savent si tel patient a reçu le médicament testé ou la substance contrôle, ceci afin de minimiser le biais d'une éventuelle subjectivité de la part des évaluateurs.

Actuellement, sur 5000 médicaments candidats faisant l'objet de tests précliniques, 5 seulement entrent en essais cliniques. En moyenne, un seul parmi ces cinq finit par être approuvé pour usage thérapeutique, 40 % environ dépassant la Phase I et la moitié de ceux-ci réussissant la phase II (la plupart des molécules qui entrent en phase III la réussissent). Ces dernières années, la partie préclinique de la mise au point d'un médicament prenait environ 3 ans, la réussite des essais cliniques demandant 7 à 10 ans supplémentaires. Le coût de ce processus ne cesse d'augmenter, si bien qu'il faut compter à peu près 300 millions de dollars pour mettre un nouveau médicament sur le marché.

L'aspect le plus exigeant en temps et en moyens financiers de ce programme est le dépistage des rares réactions défavorables éventuelles. Il arrive malgré tout qu'un médicament doive être retiré du marché quelques années voire quelques mois seulement après y être arrivé, suite à la découverte d'effets secondaires graves inattendus chez 1 individu sur 10 000, par exemple (on parle d'essais cliniques de Phase IV lorsqu'il s'agit de rechercher et de contrôler de nouvelles applications pour un médicament déjà approuvé et mis sur le marché). Ainsi, en 1997 la FDA a retiré son agrément pour la **fenfluramine (fen)**,

Fenfluramine   **Phentermine**

un médicament qu'elle avait approuvé en 1973 comme inhibiteur de l'appétit lors de courtes cures (quelques semaines) de perte de poids. On en arriva cependant à prescrire la fenfluramine à grande échelle et pour de longues périodes, et en association avec un autre anorexigène, la **phentermine** (**phen** ; approuvée en 1959). Cette combinaison, dite **fen-phen**, n'avait pas reçu l'agrément de la

FDA, mais une fois un médicament approuvé pour une indication, un médecin peut le prescrire pour toute autre indication. La fenfluramine fut retirée suite à la déclaration de plus de 100 cas d'atteinte valvulaire cardiaque chez des sujets (principalement des femmes) qui avaient pris du fen-phen pendant une moyenne de 12 mois (la phentermine ne fut pas retirée car c'était la fenfluramine qui était en cause). Si cet effet secondaire n'avait pas été observé lors des essais cliniques sur la fenfluramine, c'est notamment parce qu'il s'agit d'une réaction extrêmement rare, qui n'avait donc pas été recherchée.

c. Les cytochromes P450 métabolisent la plupart des médicaments

Pourquoi un médicament bien toléré par la majorité des patients peut-il être si dangereux pour d'autres ? *Ceci est dû à des différences individuelles de terrain génétique, stade de la maladie, prise éventuelle d'autres médicaments, âge, sexe et facteurs de l'environnement.* Un exemple frappant est donné par les **cytochromes P450**, dont le rôle principal est la détoxification des xénobiotiques et l'élimination métabolique de la plupart des médicaments.

Les cytochromes P450 consituent une superfamille d'enzymes à noyau hème que l'on trouve chez pratiquement tous les organismes, des bactéries aux mammifères [leur nom provient du pic caractéristique à 450 nm de leur spectre d'absorption lorsqu'on les fait réagir avec le CO dans leur état Fe(II)]. Les humains en possèdent environ 100 **isozymes** ou **isoformes** (enzymes d'un même organisme similaires aux plans catalytique et structural, mais génétiquement distinctes), exprimées essentiellement dans le foie, mais aussi dans d'autres tissus (ces isozymes P450 sont désignées par les lettres « CYP » suivies par un nombre indiquant la famille, par une lettre majuscule indiquant la sous-famille, et souvent par un autre nombre ; p. ex. CYP2D6). Ces **monooxygénases** (Fig. 15-31) qui, chez les animaux, sont enchâssées dans la membrane du réticulum endoplasmique, catalysent des réactions du type

$$RH + O_2 + 2H^+ + 2e^- \rightleftharpoons ROH + H_2O$$

Les électrons (e^-) sont fournis par le NADPH, qui les transfère au noyau hème du cytochrome P450 par l'intermédiaire de l'enzyme **cytochrome P450 réductase**. Ici, RH représente un grand nombre de substances en général lipophiles pour lesquelles les différents cytochromes sont spécifiques. Elles comprennent les hydrocarbures aromatiques polycycliques (PAH, composés souvent cancérigènes présents dans la fumée de cigarette, les viandes grillées, et autres produits de la pyrolyse), les biphényls polycycliques (PCB, qui étaient utilisés couramment dans les isolateurs électriques et comme plastifiants, également cancérigènes), les stéroïdes (à la synthèse desquels les cytochrome P450 participent ; Sections 25-6A et 25-6C), et de nombreux médicaments. Les xénobiotiques sont ainsi convertis en dérivés plus hydrosolubles, ce qui favorise leur excrétion par les reins. De plus, les groupements hydroxyle néo-formés sont souvent conjugués (par liaison covalente) enzymatiquement à des substances polaires comme l'acide glucuronique (Section 11-1C), la glycine, le sulfate, l'acétate, ce qui augmente encore leur solubilité en milieu aqueux. Les nombreux types de cytochromes P450 rencontrés chez les animaux, qui diffèrent en termes de spécificité

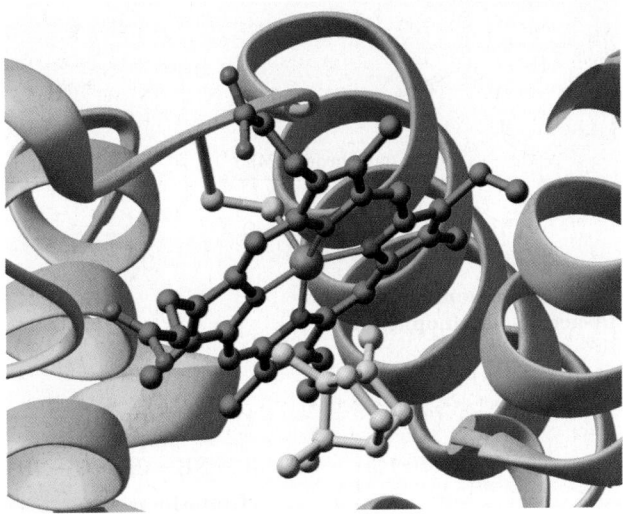

FIGURE 15-31 Structure par rayons X du cytochrome P450$_{CAM}$ de *Pseudomonas putida* **montrant la région de son site actif.** Le groupement hème, la chaîne latérale de la Cys qui lie dans l'axe son atome de Fe et le **thiocamphor**, substrat lipophile de l'enzyme, sont en représentation « boules et bâtonnets » avec N en bleu, O en rouge, S en jaune, Fe en orange, les atomes C du groupement hème en vert, la chaîne latérale de la Cys qui le lie en bleu-vert, et le thiocamphor en vert pâle. Les liaisons impliquant le Fe sont en gris. [Fondé sur une structure par rayons X due à Thomas Poulos, University of California at Irvine. PDBid 8CPP.]

pour le substrat (spécificités en fait assez larges et qui donc se superposent souvent), seraient apparus en réponse aux toxines produites par les plantes, vraisemblablement pour décourager les animaux à les consommer.

*Les **interactions médicamenteuses** sont souvent dues aux cytochromes P450.* Par exemple, si le médicament A est métabolisé par (ou inhibe) une isozyme de cytochrome P450 qui métabolise le médicament B, l'administration concomitante de A et de B augmentera la biodisponibilité de B au dessus de la valeur atteinte si B avait été donné seul, inconvénient majeur si l'index thérapeutique de B est faible. Inversement, et c'est souvent le cas, si le médicament A augmente l'expression de l'isozyme de cytochrome P450 qui métabolise les médicaments A et B, l'administration concomitante de A et de B diminuera la biodisponibilité de B. Ce phénomène fut découvert lorsqu'on constata que certains antibiotiques diminuent l'efficacité des contraceptifs oraux. De plus, si le métabolisme de B donne un produit toxique, sa transformation plus rapide peut donner lieu à des réactions défavorables. On sait par ailleurs que des polluants de l'environnement comme les PAH et les PCB induisent l'expression d'isozymes de cytochromes P450 spécifiques et modifient ainsi la vitesse de métabolisme de certains médicaments. Enfin, des effets similaires peuvent survenir en cas de pathologie hépatique, et dépendent également de différences individuelles et de l'influence de l'âge et du sexe en ce qui concerne la fonction hépatique.

Bien que les cytochromes P450 semblent être apparus pour détoxifier et/ou éliminer des substances dangereuses, on connaît

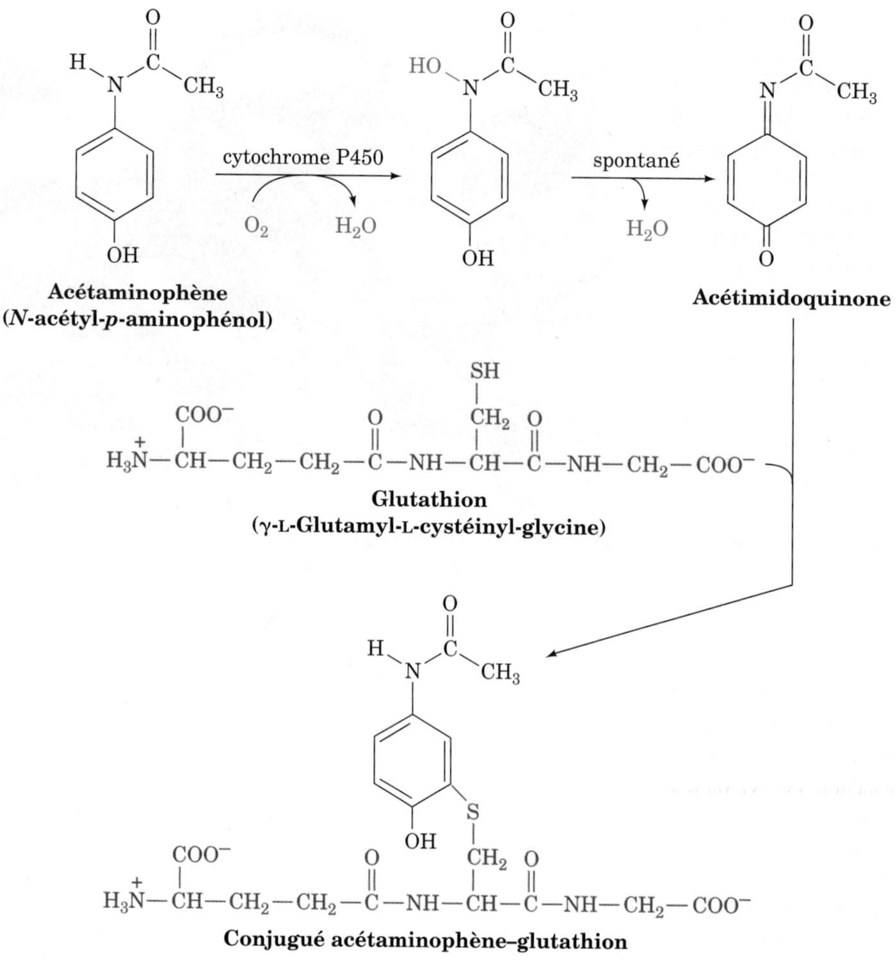

FIGURE 15-32 Réactions métaboliques qui convertissent l'acétaminophène en sa forme conjuguée avec le glutathion.

Acétaminophène
(*N*-acétyl-*p*-aminophénol)

cytochrome P450

O_2 H_2O

spontané

H_2O

Acétimidoquinone

Glutathion
(γ-L-Glutamyl-L-cystéinyl-glycine)

Conjugué acétaminophène–glutathion

plusieurs cas où ils transforment en agents toxiques des composés relativement inoffensifs. Ainsi, l'**acétaminophène** (Fig. 15-32), analgésique et antipyrétique courant, est très sûr à dose thérapeutique (1,2 g/j chez l'adulte), mais très toxique à forte dose (>10 g). A dose thérapeutique, 95 % de l'acétaminophène est en effet glucurono- ou sulfo-conjugué sur son groupement —OH et donc facilement excrété. Les 5 % restants sont convertis par un cytochrome P450 (CYP2E1) en **acétimidoquinone** (Fig. 15-32), laquelle est ensuite conjuguée au **glutathion**, un tripeptide (porteur de la liaison rare γ-amide) qui participe à de nombreux processus métaboliques (Section 26-4C). Cependant, à fortes doses d'acétaminophène, les voies de glucurono- et sulfo-conjuguaison sont saturées et cèdent la place à celle du cytochrome P450. Si le glutathion hépatique s'épuise plus vite qu'il n'est remplacé, l'acétimidoquinone, très réactionnelle, se conjugue alors plutôt aux groupements SH des protéines cellulaires, une hépato-toxicité souvent fatale.

Chez les humains, de nombreux cytochromes P450 sont étonnamment **polymorphes**, car codés chacun par des variantes alléliques qui donnent des enzymes dont l'activité métabolique vis-à-vis de médicaments peut-être diminuée, augmentée ou modifiée qualitativement. La distribution de ces allèles diffère considérable-

ment d'un groupe ethnique à l'autre, conséquence évolutive probable de la présence de toxines différentes dans l'alimentation.

Le polymorphisme des cytochromes P450 entraîne des différences individuelles dans la vitesse de métabolisme de certains médicaments. Par exemple, si une variante de cytochrome P450 est moins active, voire inactive, une dose en principe adéquates d'un médicament métabolisé normalement par ce cytochrome peut devenir toxique. Inversement, si l'activité d'un cytochrome P450 est augmentée (d'habitude suite à la duplication simple ou multiple du gène), l'effet thérapeutique ne sera obtenu qu'avec des doses anormalement hautes, avec le risque de réaction inopportune si le médicament est métabolisé en un produit toxique. Plusieurs variantes de cytochrome P450 ont des spécificité de substrat modifiées et donnent donc des produits inattendus, qui peuvent également provoquer des effets secondaires indésirables.

L'expérience a clairement démontré que *le médicament totalement dépourvu d'effets secondaires indésirables n'existe pas.* Cependant, la caractérisation des enzymes, et de leurs variantes, qui métabolisent les médicaments ainsi que l'apparition de méthodes de génotypage rapides et bon marché, devraient permettre d'adapter un traitement médicamenteux au profil génétique d'un patient plutôt qu'à la population en général.

C. *La protéase du HIV et ses inhibiteurs*

Le syndrome d'immunodéficience acquise (SIDA), la seule épidémie importante apparue au cours du vingtième siècle (elle fut décrite pour la première fois en 1981) et due à un agent pathogène inconnu auparavant, est causée par le **virus de type I de l'immunodéficience humaine** ou **virus du SIDA** (**HIV-1** ; le **HIV-2**, virus très semblable qui provoque aussi le SIDA ne sera pas discuté ici). Le HIV-1, découvert en 1983, est un membre de la famille des **rétrovirus**, caractérisée indépendamment par David Baltimore et Howard Temin en 1970. Le génome des rétrovirus est un ARN simple brin qui se reproduit dans la cellule hôte par transcription de l'ARN en ADN double brin catalysée par la **transcriptase réverse** (Section 30-4C), une enzyme du virus. Cet ADN est ensuite inséré dans l'ADN chromosomique de la cellule hôte par l'**intégrase**, également une enzyme virale, et est répliqué en même temps que l'ADN cellulaire. Cependant, dans certaines conditions (pour le HIV-1, souvent une infection par un autre agent pathogène), l'ADN rétroviral est transcrit, les protéines qu'il code sont exprimées et insérées ou ancrées dans la membrane plasmique de la cellule hôte, et de nouveaux **virions** (particules virales) sont produits par bourgeonnement d'un fragment de membrane plasmique, couvert de protéines virales, qui englobe l'ARN du virus (Fig. 15-33).

Le HIV-1 a un tropisme pour les **cellules *T* auxiliaires**, constituants essentiels du système immunitaire (Section 35-2A), où il se réplique spécifiquement. Contrairement à la plupart des rétrovirus, le HIV-1 finit par tuer les cellules qui le produisent. Les cellules *T* auxiliaires dans lesquelles le HIV-1 se réplique activement sont souvent détruites par le système immunitaire. Cependant, celles où il est latent (son ADN n'y est pas transcrit) ne sont pas détectées par le système immunitaire et constituent donc un réservoir de HIV-1 (d'autres types de cellules contiennent aussi ce virus). Par conséquent, au cours des années qui suivent l'infection (pendant lesquelles on peut n'observer aucun symptôme), le système immunitaire de l'hôte s'épuise jusqu'à une détérioration telle que celui-ci est régulièrement victime d'agents pathogènes opportunistes qui finissent par le tuer, alors que des sujets au système immunitaire

normal y résistent parfaitement. C'est ce dernier stade de l'infection par le HIV qu'on appelle SIDA. Sans traitement efficace, le SIDA est presque toujours fatal. On estime qu'en 2002 le SIDA a fait 30 millions de morts et qu'il y avait 42 millions de séropositifs (nombre qui augmente à raison de 5 millions par an), essentiellement en Afrique sub-saharienne. En raison de cette catastrophe mondiale, la caractérisation du HIV et la mise au point de mesures de lutte efficaces ont été plus rapides que pour tout autre pathogène au cours de l'histoire.

a. Les inhibiteurs de la transcriptase réverse ne sont pas totalement efficaces

Le premier médicament contre le SIDA à être approuvé par la FDA (en 1987) fut la **3′-azido-3′-désoxythymidine (AZT ; zidovudine)**,

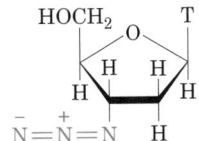

**3′-Azido-3′-deoxythymidine
(AZT; zidovudine)**

qui avait été synthétisée en 1964 comme anticancéreux (indication pour laquelle elle était efficace). L'AZT est un analogue de nucléoside qui, après conversion enzymatique en triphosphate dans la cellule (la membrane plasmique est imperméable aux nucléosides triphosphate), inhibe la transcriptase réverse comme le font d'autres médicaments (Section 30-4C) approuvés par la FDA pour traiter le SIDA avant 1996. Malheureusement, ces agents ne font que retarder la progression de l'infection par le HIV et ne l'arrêtent pas. Une raison en est qu'ils sont toxiques, essentiellement pour les précurseurs des cellules sanguines dans la moelle osseuse, et ne peuvent donc être pris à forte dose. Plus grave, la transcriptase réverse ne peut, contrairement à la plupart des autres ADN poly-

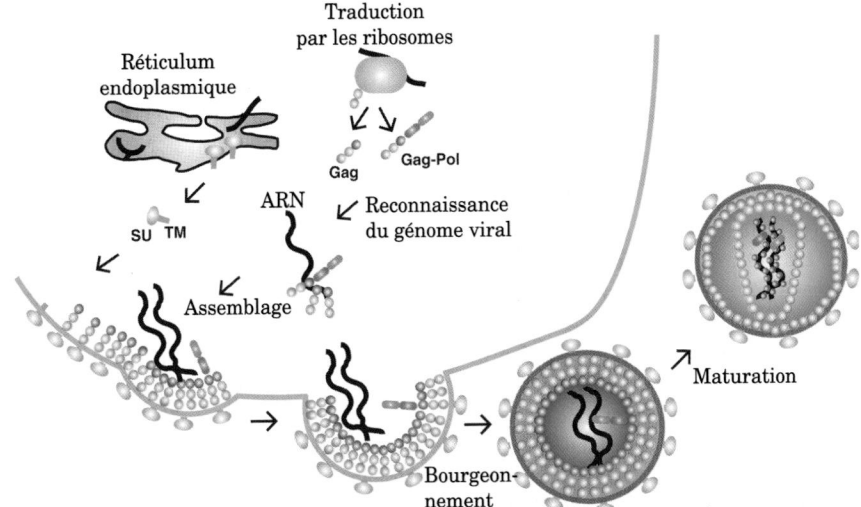

FIGURE 15-33 Assemblage, bourgeonnement et maturation du HIV-1. SU désigne la glycoprotéine de surface **gp120** et TM la protéine transmembranaire **gp41**. [D'après Turner, B.G. and Summers, M.F., *J. Mol. Biol.* **285**, 4 (1999).]

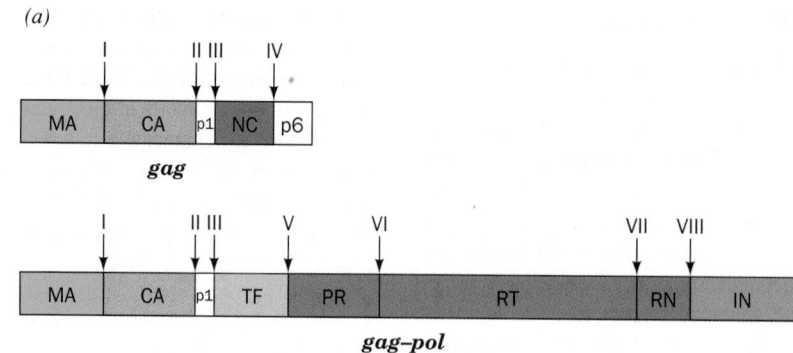

Cleavage site	Séquence
I	··· Ser - Gln - Asn - Tyr — Pro - Ile - Val - Gln ···
II	··· Ala - Arg - Val - Leu — Ala - Glu - Ala - Met ···
III	··· Ala - Thr - Ile - Met — Met - Gln - Arg - Gly ···
IV	··· Pro - Gly - Asn - Phe — Leu - Gln - Ser - Arg ···
V	··· Ser - Phe - Asn - Phe — Pro - Gln - Ile - Thr ···
VI	··· Thr - Leu - Asn - Phe — Pro - Ile - Ser - Pro ···
VII	··· Ala - Glu - Thr - Phe — Tyr - Val - Asp - Gly ···
VIII	··· Arg - Lys - Ile - Leu — Phe - Leu - Asp - Gly ···

FIGURE 15-34 Les polyprotéines du HIV-1. (*a*) Organisation des polyprotéines gag et gag-pol du HIV-1. Les symboles sont MA : protéine de la matrice ; CA : protéine de la capside ; NC : protéine de la nucléocapside ; TF : protéine transmembranaire ; PR : protéase ; RT : transcriptase inverse ; RN : ribonucléase ; IN : intégrase. (*b*) Séquences flanquant les sites de clivage par la protéase du HIV-1 (*liaisons en rouge*) indiqués dans la Partie (*a*).

mérases (Section 30-2A), corriger ses erreurs et elle provoque ainsi fréquemment des mutations (environ une pour 10^4 pb, soit une par génome viral puisque celui-ci compte environ 10^4 pb). Par conséquent, *sous la pression sélective d'un médicament anti-SIDA tel que l'AZT, le récepteur cible du médicament évolue rapidement vers une forme résistante.*

b. Les polyprotéines du HIV-1 sont scindées par la protéase du HIV-1

Comme les autres rétrovirus, le HIV-1 synthétise ses protéines sous la forme de **polyprotéines**, constituées chacune de plusieurs protéines en tandem (Fig. 15-34). Le HIV-1 code deux polyprotéines, **gag** (55 kD) et **gag-pol** (160 kD), qui sont toutes deux ancrées à la membrane plasmique par myristoylation N-terminale (Section 12-3B). Ces polyprotéines sont ensuite séparées en leurs constituants protéiques sous l'action de la **protéase du HIV-1**, mais seulement après que cette enzyme se soit elle-même scindée de gag-pol. Ce phénomène ne survient qu'après le bourgeonnement du virion et sa séparation de la cellule hôte, et produit une profonde réorganisation structurale du virion (Fig. 15-33). Celle-ci transforme le virion de sa forme non infectieuse en forme pathogène mature. Si la protéase du HIV-1 est inactivée, par mutagenèse ou par un inhibiteur, le virion reste non infectieux. La protéase du HIV-1 est donc une bonne cible pour un médicament.

c. Les protéases aspartiques et leur mécanisme catalytique

La protéase du HIV-1 est un membre de la famille des **protéases aspartiques** (aussi appelées **protéases acides**). Ces enzymes doivent leur nom au fait qu'elles possèdent toutes un Asp essentiel à la catalyse au sein d'une séquence type (dite séquence

signature) Asp-Thr/Ser-Gly. Parmi les protéases aspartiques humaines on compte la **pepsine**, enzyme de la digestion sécrétée par l'estomac (sa spécificité est donnée au Tableau 7-2) et active à pH 1 (découverte par T. Schwann en 1825, elle fut la première enzyme identifiée) ; la **chymosine** (anciennement **rennine**), enzyme sécrétée par l'estomac surtout chez le nourrisson, qui scinde spécifiquement une liaison peptidique Phe-Met de la **κ-caséine**, une protéine du lait, ce qui fait cailler celui-ci et facilite sa digestion (la chymosine de l'estomac de veau est utilisée depuis des millénaires pour faire du fromage) ; les **cathepsine D** et E, protéines lysosomiales qui dégradent les protéines cellulaires ; la **rénine**, qui participe à la régulation de la pression sanguine et de l'homéostasie électrolytique (Fig. 15-35) ; et la **β-sécrétase** (aussi appelée **mémapsine 2**), protéine transmembranaire abondante dans le cerveau qui participe au clivage du précurseur amyloïde Aβ pour donner le peptide amyloïde β (Aβ), impliqué dans la maladie d'Alzheimer (Section 9-5B). De plus, de nombreux champignons secrètent des protéases aspartiques, ce qui pourrait favoriser l'invasion des tissus qu'ils colonisent.

Les protéases aspartiques des eucaryotes sont des protéines monomériques d'environ 330 résidus. La structure par rayons X de la pepsine (Fig. 15-36*a*), très semblable à celles des autres protéases aspartiques, montre que cette protéine en forme de croissant contient deux domaines homologues en relation par une symétrie d'ordre deux environ (bien que cette symétrie ne concerne qu'à peu près 25 résidus des feuillets β centraux de chaque domaine). Chaque domaine contient, à la même position, l'Asp essentiel à la catalyse. D'après les structures par rayons X de complexes enzyme-inhibiteur de plusieurs protéases aspartiques, le substrat se lie dans une fente située entre les deux domaines et assez large pour héberger un segment polypeptidique d'environ 8 résidus en

[1]Asp-Arg-Val-Tyr-Ile-His-Pro-Phe-His-Leu-Val-Ile-His[13]

Angiotensinogène

H_2O ⟍ rénine

[1]Asp-Arg-Val-Tyr-Ile-His-Pro-Phe-His-Leu[10] + Val-Ile-His

Angiotensine I

H_2O ⟍ enzyme de conversion de l'angiotensine(

[1]Asp-Arg-Val-Tyr-Ile-His-Pro-Phe[8] + His-Leu

Angiotensine II

FIGURE 15-35 Rôle de la rénine dans le contrôle de la pression sanguine. La rénine catalyse le clivage protéolytique de l'**angiotensinogène**, polypeptide de 13 résidus, en **angiotensine I**, polypeptide de 10 résidus. Cette dernière est ensuite clivée par l'**enzyme de conversion de l'angiotensine (ACE)** en **angiotensine II**, polypeptide de 8 résidus qui, après liaison à ses récepteurs, provoque une vasoconstriction et (par le biais de l'aldostérone, N.d.T) une rétention rénale de Na^+ et d'eau, ce qui augmente la pression artérielle. Des efforts considérables ont donc été faits pour mettre au point des inhibiteurs de l'ACE ou de la liaison de l'angiotensine à ses récepteurs vasculaires (N.d.T), lesquels sont à présent tous deux sur le marché pour traiter l'**hypertension artérielle**.

feuillet β en extension. Les résidus Asp du site actif se trouvent à la base de cette fente (Fig. 15-36*a*).

Quel est le mécanisme catalytique des protéases aspartiques des eucaryotes ? En général, les enzymes protéolytiques ont trois constituants catalytiques essentiels :

1. Un nucléophile qui attaquera l'atome C du carbonyle de la liaison peptidique scissile pour former un intermédiaire tétraédrique (c'est Ser 195 qui exerce cette fonction dans la trypsine ; Fig. 15-23).

2. Un électrophile qui stabilisera la charge négative qui apparaît sur l'atome O du carbonyle de l'intermédiaire tétraédrique (ce que font, dans la trypsine, les donneurs de liaison hydrogène qui bordent le trou de l'oxyanion, Gly 193 et Ser 195 ; Fig. 15-25).

3. Un donneur de proton qui fera de l'atome N amide de la liaison peptidique scissile, un bon groupement partant (dans la trypsine, le groupement imidazolium de His 57 ; Fig. 15-23).

La vitesse de réaction de la pepsine en fonction du pH (Section 14-4), suggère qu'elle possède deux groupements ionisables nécessaires à la catalyse, l'un de p$K \approx 1,1$ et l'autre de p$K \approx 4,7$, qui correspondent presque certainement aux carboxyles de ses résidus Asp essentiels. Au pH de l'estomac, le résidu Asp de p$K \approx 4,7$ est protoné et celui de p$K \approx 1,1$ est partiellement ionisé, ce qui suggère que ce dernier agit comme nucléophile pour former l'intermédiaire tétraédrique postulé. Cependant, on n'a jamais détecté d'intermédiare covalent entre une protéase aspartique et son substrat.

Dans les protéases aspartiques des eucaryotes, les deux résidus Asp du site actif sont très proches et ils semblent former des liaisons hydrogène avec une molécule d'eau qui les réunit et que l'on trouve dans plusieurs structures par rayons X de ces protéases (Fig. 15-36*b*). Cette observation, ainsi qu'un ensemble de données enzymatiques et cinétiques, ont conduit Thomas Meek à proposer

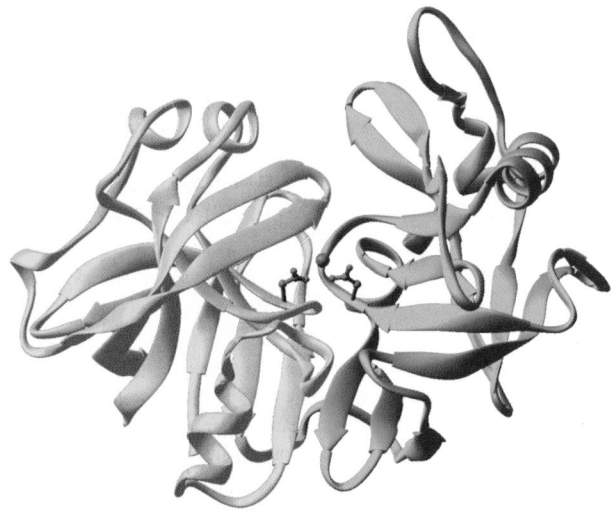

(*a*)

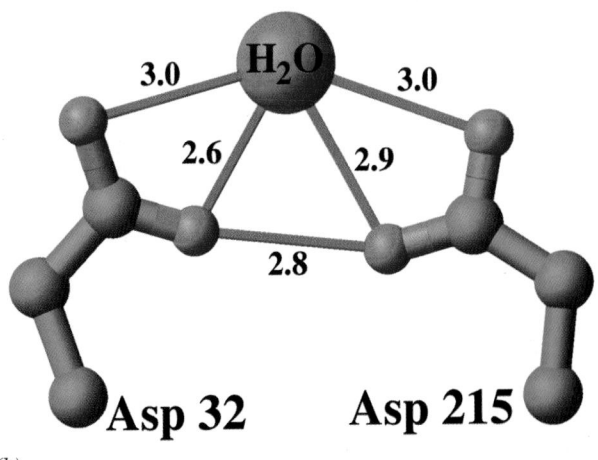

(*b*)

FIGURE 15-36 Structure par rayons X de la pepsine. (*a*) Diagramme en ruban avec le domaine N-terminal (résidus 1-172) en couleur or, le domaine C-terminal (résidus 173-326) en bleu-vert, les chaînes latérales des résidus Asp du site actif en modèle « boules et bâtonnets » (C en vert et O en rouge), et la molécule d'eau liée à ces chaînes latérales des Asp représentée par une sphère. La protéine est vue avec ses deux parties centrales, disposées selon un axe de pseudo-ordre deux, inclinées de la verti-

cale vers l'observateur. (*b*) Vue agrandie des résidus Asp du site actif avec la molécule d'eau qui leur est liée, et la longueur (en Å) des liaisons hydrogène probables (*fines lignes grises*). Les structures par rayons X d'autres protéases aspartiques montrent des distances interatomiques similaires. [Fondé sur une structure par rayons X due à Anita Sielecki et Michael James, University of Alberta, Edmonton, Canada. PDBid 4PEP.]

le mécanisme catalytique suivant pour les protéases aspartiques (Fig. 15-37) :

1. Un groupement carboxylate d'un Asp du site actif, agissant comme base classique, active cette molécule d'eau, appelée « eau lytique », pour l'attaque nucléophile, sous forme d'un ion OH⁻, du C du carbonyle de la liaison peptidique scissile. Le don d'un proton (catalyse générale acide) par le deuxième Asp, qui n'était pas chargé, du site actif, stabilise l'oxyanion qui se se formerait sans cela dans l'intermédiaire tétraédrique résultant.

2. L'atome N de la liaison peptidique scissile est protoné par le premier Asp (catalyse générale acide), ce qui provoque, suite à un réarrangement de charges et transfert de proton au second Asp (catalyse générale basique), la coupure de la liaison amide.

Les protéases acides sont inhibées par des composés possédant un atome de carbone tétraédrique à une position mimant une liaison peptidique scissile (voir ci-dessous). Il y a donc de fortes présomptions que ces enzymes lient préférentiellement leur état de transition (stabilisation de l'état de transition), ce qui stimule la catalyse.

d. Les inhibiteurs de la protéase du HIV-1 sont des agents anti-SIDA efficaces

La protéase du HIV-1 est un homodimère de sous-unités de 99 résidus, ce qui la différencie des protéases aspartiques des eucaryotes. Cependant, sa structure par rayons X déterminée indépendamment en 1989 par Alexander Wlodawer, par Manual Navia et Paula Fitzgerald, et par Tom Blundell, est très semblable à celle des protéases aspartiques des eucaryotes. Ainsi, la protéase du HIV-1 présente la propriété enzymatique inusitée où deux sous-unités identiques disposées symétriquement forment un site actif unique. Il est très possible que la protéase du HIV-1 ressemble à la

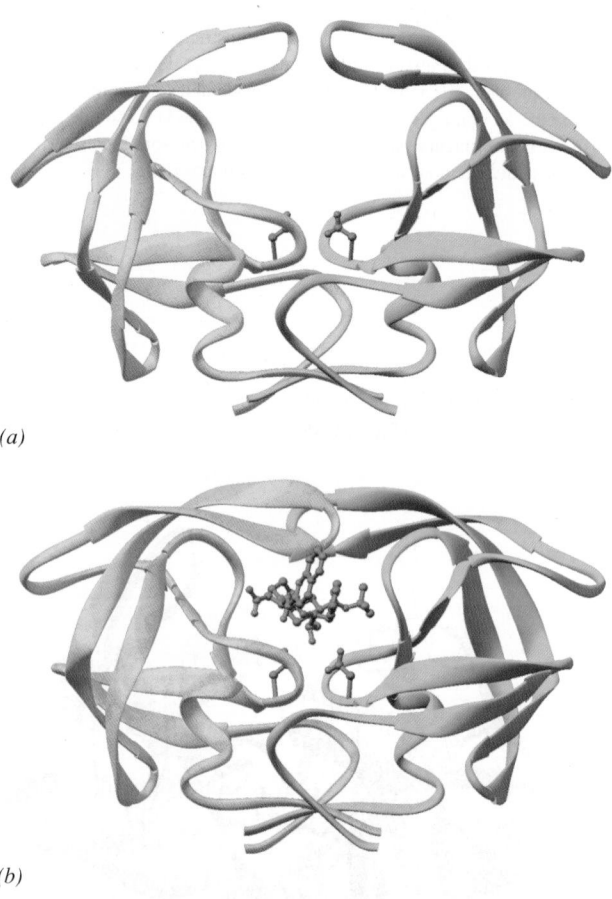

(a)

(b)

FIGURE 15-38   Structure par rayons X de la protéase du HIV-1.
(a) Isolée et *(b)* en complexe avec son inhibiteur, le saquinavir (voir Fig. 15-41 pour sa formule de structure). Dans chaque structure, la protéine homodimérique est vue avec son axe de symétrie d'ordre deux disposé verticalement et est représentée en ruban, une unité couleur or, l'autre en bleu-vert. Les chaînes latérales des résidus Asp du site actif, Asp 25 et Asp 25', ainsi que le saquinavir dans la Partie *b*, sont en « boules et bâtonnets » avec C en vert, N en bleu et O en rouge. Noter comment les « volets » formés par les épingles à cheveux β au sommet de l'enzyme non complexée se referment sur l'inhibiteur au sein du complexe avec le saquinavir. Comparer ces structures avec celle de la pepsine vue selon le même angle dans la Fig. 15-36a. [Partie *a* basée sur une structure par rayons X due à Tom Blundell, Birkbeck College, London, U.K., et partie *b* basée sur une structure par rayons X due à Robert Crowther, Hoffmann-LaRoche Ltd., Nutley, New Jersey. PDBid *(a)* 3PHV et *(b)* 1HXB.]

Complexe de Michaelis   **Intermédiaire tétraédrique**

Produits

FIGURE 15-37   Mécanisme catalytique des protéases aspartiques.
(1) Attaque nucléophile de l'atome de carbone du groupement carbonyle de la liaison peptidique scissile (*vert*) par la molécule d'eau (*rouge*) activée par l'enzyme, pour former l'intermédaire tétraédrique. Cette étape de la réaction dépend de la catalyse générale basique par l'Asp de droite et de la catalyse générale acide par l'Asp de gauche (*bleu*).
(2) Décomposition de l'intermédiaire tétraédrique pour donner les produits de la réaction suite à la catalyse générale acide par l'Asp de droite et à la catalyse générale basique par l'Asp de gauche.

protéase aspartique ancestrale qui aurait évolué pour former, par duplication de gène, les enzymes des eucaryotes (bien que la protéase du HIV-1 convienne bien à la quantité limitée d'information génétique qu'un virus peut contenir).

Une fois disponible la structure de la protéase du HIV-1, de nombreux laboratoires ont mis les grands moyens pour en trouver des inhibiteurs efficaces en thérapeutique. C'est ainsi qu'environ 200 structures par rayons X et plusieurs par RMN ont été publiées pour la protéase du HIV-1 et ses mutants, et pour les protéases d'autres rétrovirus, concernant aussi bien ces enzymes isolées que leurs complexes avec un grand nombre d'inhibiteurs. La protéase du HIV-1 est sans doute la protéine la mieux étudiée au plan structural.

Les structures par rayons X de la protéase du HIV-1 isolée (Fig. 15-38*a*) ou en complexe avec des inhibiteurs analogues de peptides (p. ex. Fig. 15-38*b*) ont été comparées. On constate que, lors de la liaison de l'inhibiteur, les « volets » en épingle à cheveux β qui ferment le « dessus » de la fente de liaison du substrat descendent d'au moins 7 Å pour englober l'inhibiteur. Un tel inhibiteur se lie à l'enzyme (dont la symétrie est d'ordre deux) dans une

conformation en extension de pseudosymétrie d'ordre deux, de sorte qu'il interagit avec l'enzyme un peu comme un segment dans un feuillet β (Fig. 15-39). Sur le « plancher » de la fente de liaison, chaque séquence signature (Asp 25-Thr 26-Gly 27) est située dans une boucle stabilisée par un réseau de liaisons hydrogène semblable à celui des protéases aspartiques des eucaryotes. L'inhibiteur interagit avec l'enzyme via une liaison hydrogène avec le résidu Asp 25 du site actif. Cependant, contrairement aux protéases aspartiques des eucaryotes (Fig. 15-36*b*), aucune structure par rayons X de la protéase du HIV-1 ne contient une molécule d'eau à une distance de Asp 25 ou Asp 25′ compatible avec une liaison hydrogène. Du côté « volets » de la fente de liaison, l'inhibiteur interagit avec Gly 48 et Gly 48′ et avec une molécule d'eau qui n'est pas le nucléophile réagissant, mais qui assure les contacts entre les volets et le squelette de l'inhibiteur.

Bien que la protéase du HIV-1 scinde spécifiquement les polyprotéines gag et gag-pol en 8 endroits au total (Fig. 15-34*b*), ces sites n'ont d'autre caractéristique en commun que des résidus flanquants non polaires et pour la plupart volumineux. En fait, des études de liaison indiquent que la spécificité de la protéase du

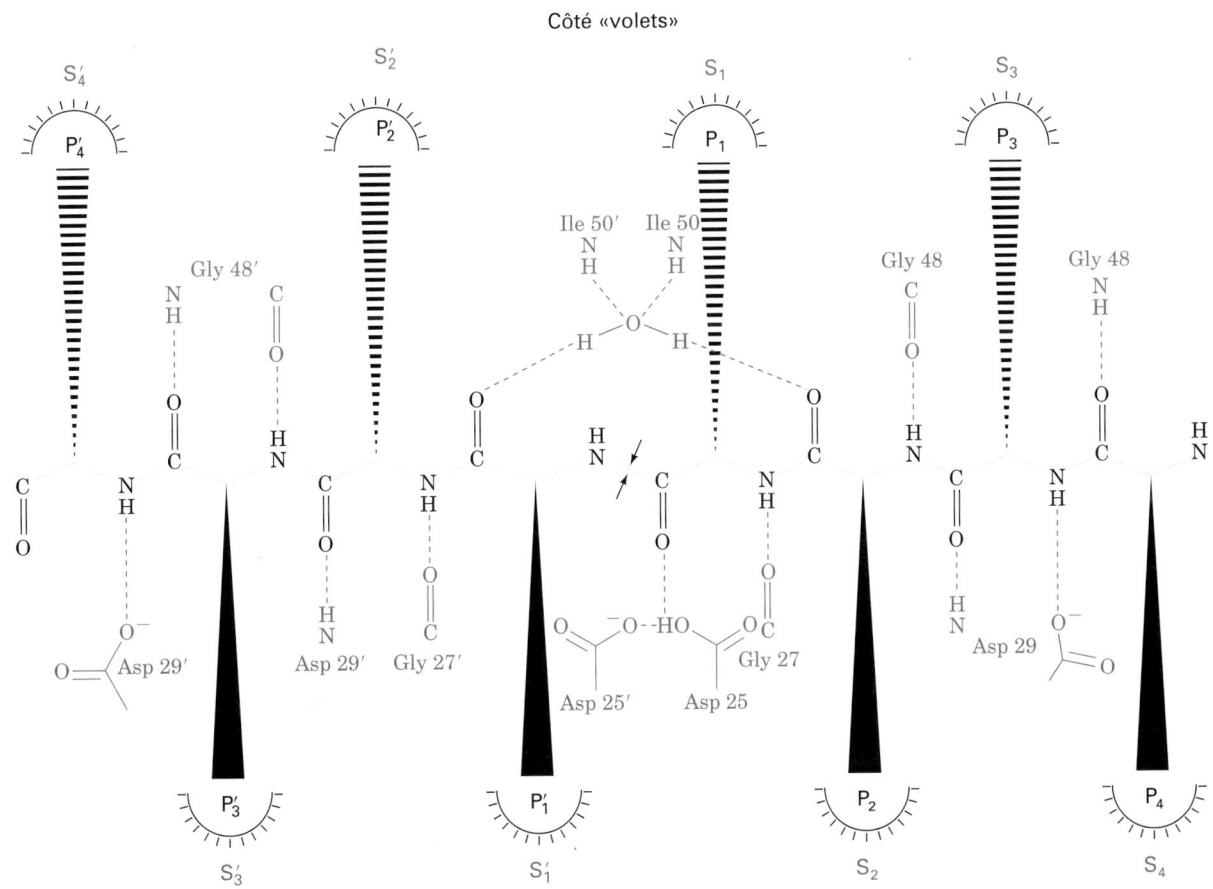

FIGURE 15-39 Disposition des liaisons hydrogène entre la protéase du HIV-1 et un substrat modèle. Dans la nomenclature utilisée ici, les résidus du polypeptide d'une sous-unité sont désignés par des nombres accentués pour les distinguer des résidus de l'autre sous-unité ; les résidus du substrat du côté N-terminal de la liaison peptidique scissile sont désignés par P_1, P_2, P_3, ..., en comptant vers l'extrémité N-terminale ; les résidus du substrat du côté C-terminal sont désignés par P_1', P_2', P_3', ..., en comptant vers l'extrémité C-terminale ; et les symboles S_1, S_2, S_3, ..., et S_1', S_2', S_3', ..., désignent les sous-sites de liaison de résidus correspondants de l'enzyme. La liaison peptidique scissile est indiquée par une flèche. [D'après Wlodawer, A. et Vondrasek, J., *Annu. Rev. Biophys. Biomol. Struct.* **27**, 257 (1998).]

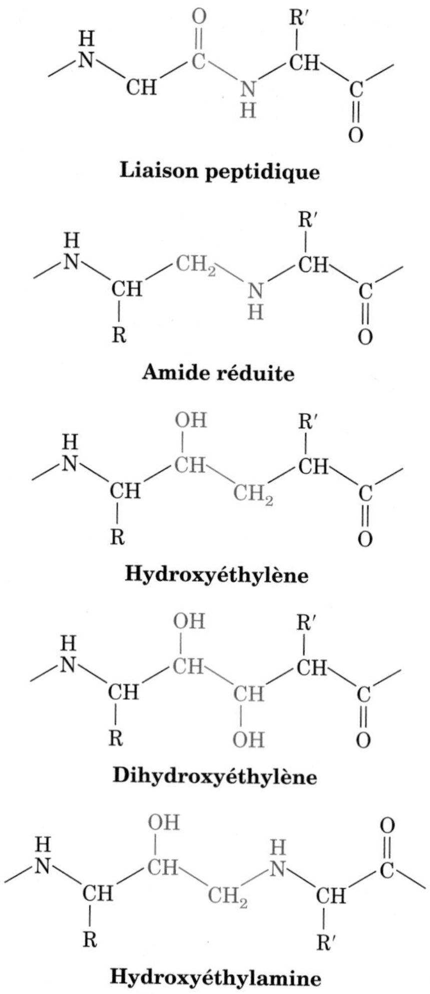

Liaison peptidique

Amide réduite

Hydroxyéthylène

Dihydroxyéthylène

Hydroxyéthylamine

FIGURE 15-40 Comparaison d'une liaison peptidique normale avec un choix de groupements (*en rouge*) d'isostères (analogues stéréochimiques) de l'intermédiaire tétraédrique de réactions catalysées par des protéases aspartiques.

Indinavir (Crixivan™)

Nelfinavir (Viracept™)

Ritonavir (Norvir™)

Saquinavir (Invirase™)

Amprenavir (Agenerase™)

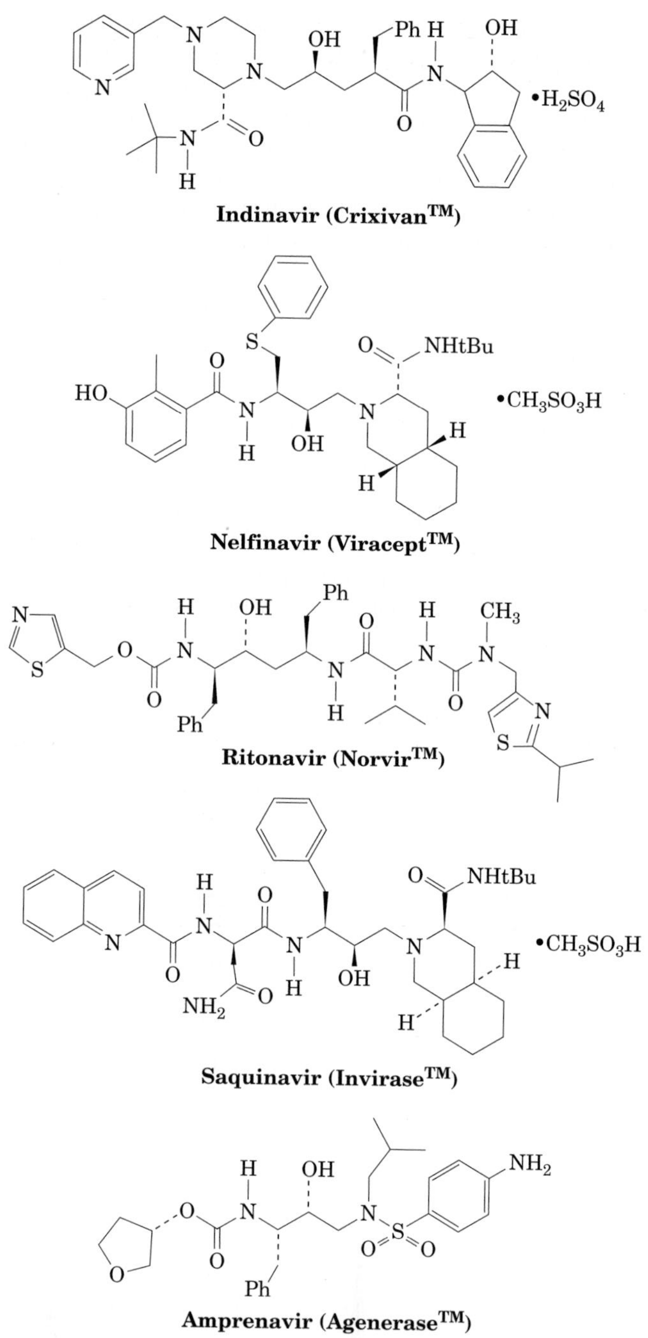

FIGURE 15-41 Quelques inhibiteurs de la protéase du HIV-1 utilisés en clinique. Noter qu'en plus de son nom générique (chimique), chaque médicament possède un nom de marque de fabrique (ici entre parenthèses) sous lequel il est mis sur le marché.

HIV-1 résulte des effets cumulatifs des interactions entre l'enzyme et les acides aminés aux positions P_4 et P'_4. Cependant, trois des peptides clivés par la protéase du HIV-1 possèdent la séquence Phe-Pro ou Tyr-Pro, lesquelles ne sont pas clivées par les protéases aspartiques humaines. Il est donc improbable que ces dernières soient inhibées par des inhibiteurs de la protéase du HIV-1 contenant des groupements qui ressemblent à un de ces dipeptides.

Un inhibiteur efficace de la protéase du HIV-1 devrait ressembler à un substrat dont la liaison peptidique scissile est remplacée par un groupement que l'enzyme ne peut cliver. Un tel groupement devrait, si possible, augmenter l'affinité de l'enzyme pour l'inhibiteur. Des molécules qui miment l'intermédiaire tétraédrique (Fig. 15-37), c'est-à-dire des analogues de l'état de transition, devraient convenir. C'est pourquoi quantité de tels groupements (Fig. 15-40) ont été étudiés en vue de la synthèse d'inhibiteurs de la protéase du HIV-1 efficaces au plan thérapeutique.

Bien que la protéase du HIV-1 ait une forte affinité *in vitro* pour des inhibiteurs de type polypeptide, ces molécules ont une biodisponibilité médiocre (elles ont dégradées par des protéases de la

digestion) et une pharmacocinétique peu favorable (elles ne traversent pas facilement les membranes cellulaires). Pour obtenir des inhibiteurs de la protéase du HIV-1 d'intérêt thérapeutique on s'est donc tourné vers des **peptidomimétiques**, qui miment les peptides quant à leurs propriétés stériques, voir physiques, mais pas chimiques. De plus, on peut imposer à de telles substances des contraintes conformationnelles impossibles à obtenir avec le polypeptide correspondant.

Début 2003, la FDA avait déjà approuvé six inhibiteurs de la protéase du HIV-1 (Fig. 15-41), dont le premier, le **saquinavir**, l'était depuis fin 1995. Ces peptidomimétiques ont des CI_{50} contre le HIV en culture de 2 à 60 nM, mais peu ou pas d'activité ($K_I > 10$ μM) contre les protéases aspartiques humaines. Ce sont les premiers médicaments qui prolongent la survie des victimes du SIDA. La mise au point de chacun d'eux fut un processus itératif complexe exigeant la conception, la synthèse et l'évaluation d'un grand nombre de molécules apparentées. Dans plusieurs cas, ces recherches ont tiré parti de l'expérience acquise lors de la mise au point d'inhibiteurs peptidomimétiques de la rénine, une autre protéase aspartique, et ont puisé dans les réserves de composés synthétisés à cette occasion.

Tous les inhibiteurs de la protéase du HIV-1 approuvés par la FDA commencent par provoquer une chute rapide et prononcée de la charge en HIV dans le plasma du patient, souvent accompagnée d'un rétablissement du système immunitaire. Cependant, comme avec les inhibiteurs de la transcriptase réverse, on voit apparaître, d'habitude dans les 4 à 12 semaines, des formes mutantes de la protéase qui résistent à l'inhibiteur administré. De plus, elles résistent souvent aussi aux autres inhibiteurs de cette protéase, car tous ces inhibiteurs sont dirigés contre le même site de liaison de la protéase du HIV-1. Ceci a conduit à proposer une polythérapie, où un inhibiteur de la protéase du HIV-1 est administré avec un, ou plus souvent deux, inhibiteur(s) de la transcriptase réverse. Ainsi, tout virus devenu résistant à un de ces médicaments sera éliminé par les autres. De plus, le **ritonavir**, un inhibiteur de la protéase du HIV-1, inhibe puissamment des isoformes du cytochrome P450 (CYP3A4, 5, 7) qui métabolisent d'autres inhibiteurs de cette protéase. On le prescrit donc à faible dose en association à un autre inhibiteur de la protéase pour améliorer la pharmacocinétique de ce dernier.

Chez de nombreux patients sous polythérapie, le virus devient rapidement indétectable dans le plasma et le reste pendant plusieurs années. Néanmoins, il ne s'agit pas de guérison. Si le traitement est interrompu, le virus réapparaît dans le plasma parce que certains tissus de l'organisme abritent des virus latents insensibles aux médicaments ou auxquels ceux-ci n'ont pas accès. Les médicaments anti-HIV disponibles doivent donc être pris à vie.

La thérapie anti-HIV actuelle n'est évidemment pas idéale. Afin d'optimiser leur biodisponibilité, certains de ces médicaments doivent être pris bien avant les repas, d'autres pendant, d'autres après. Il faut respecter strictement cet horaire pour maintenir la biodisponibilité de chaque médicament au dessus d'un certain seuil, sous peine de voir apparaître des formes résistantes du virus. De plus, ces médicaments ont des effets secondaires importants, tels que fatigue, nausée, diarrhée, fourmillements et perte de sensibilité avec le ritonavir, et calculs urinaires avec l'**indinavir**. De nombreux malades du SIDA ne respectent donc pas leurs prescriptions, ce qui augmente fortement la probabilité qu'ils deviennent résistants aux médicaments et contaminent d'autres personnes avec des virus résistants. Enfin, les inhibiteurs de la protéase du HIV-1 sont des molécules complexes difficiles à synthétiser et donc assez coûteuses. Dans les pays du Tiers-Monde, où le SIDA fait le plus de ravages, les gouvernements et la plupart des patients n'ont pas les moyens de les acheter, même au prix coûtant. Il est donc important de mettre au point de nouveaux médicaments anti-HIV, bon marché et faciles à prendre et, idéalement, susceptibles d'éradiquer une infection par ce virus.

■ RÉSUMÉ DU CHAPITRE

1 ■ **Mécanismes catalytiques** La plupart des mécanismes de catalyse enzymatique ont leur équivalent dans les réactions catalytiques organiques. Les réactions par catalyse acide ou basique se font respectivement par protonation ou déprotonation d'un substrat afin de stabiliser le complexe de l'état de transition de la réaction. Les enzymes utilisent souvent des chaînes latérales d'acides aminés ionisables comme catalyseurs généraux acido-basiques. La catalyse covalente implique une attaque nucléophile du catalyseur sur le substrat pour former une liaison covalente transitoire suivie de la stabilisation électrophile d'une charge négative naissante de l'état de transition de la réaction. Plusieurs chaînes latérales protéiques ainsi que certains coenzymes peuvent jouer le rôle de catalyseur par covalence. Les ions métalliques, constituants courants des enzymes, catalysent des réactions en stabilisant les charges négatives qui apparaissent selon un mécanisme apparenté à la catalyse générale acide. Les molécules d'eau liées à des ions métalliques sont de bonnes sources d'ions OH^- à pH neutre. Les ions métalliques facilitent aussi les réactions enzymatiques en masquant les charges des substrats liés. La disposition des groupements chargés autour d'un site actif à faible constante diélectrique, qui assurent la stabilisation du complexe de l'état de transition, permet la catalyse électrostatique de la réaction enzymatique. Les enzymes catalysent les réactions en rapprochant leurs substrats selon des orientations propres à la réaction.

La liaison des substrats à l'enzyme dans une réaction bimoléculaire gèle leurs mouvements relatifs, ce qui accélère la vitesse de la réaction. La liaison préférentielle de l'enzyme à l'état de transition plutôt qu'au substrat est un mécanisme important d'accélération de la vitesse deréaction. Des analogues de l'état de transition sont des inhibiteurs compétitifs puissants car ils se lient plus fortement à l'enzyme que le substrat correspondant.

2 ■ **Le lysozyme** Le lysozyme catalyse l'hydrolyse de liaisons β(1→4) du poly(NAG-NAM), le polysaccharide de la paroi de la cellule bactérienne, ainsi que celles du poly(NAG). D'après le mécanisme de Phillips, le lysozyme lie un hexasaccharide en entraînant la déformation de son cycle D vers une conformation demichaise de l'ion oxonium plan de l'état de transition. Il s'ensuit le clivage de la liaison C1—O1 entre les cycles D et E grâce à l'arrivée d'un proton provenant de Glu 35. Finalement, l'état de transition ion oxonium formé est stabilisé électrostatiquement par le groupement carboxylique de Asp 52 voisin, ce qui permet le remplacement du cycle E par OH^- et la formation du produit hydrolysé. Les rôles de Glu 35 et de Asp 52 dans la catalyse par le lysozyme ont été vérifiés par mutagenèse. De même, des études structurales et de liaison ont montré que la contrainte structurale joue un rôle catalytique majeur dans le cas du lysozyme. Cependant, la spectrométrie de masse et les structures par rayons X indiquent que la réaction catalysée par le lysozyme passe par un intermédiaire covalent glycosyl-enzyme impliquant Asp 52, plutôt que par l'intermédiaire non covalent ion oxonium postulé dans le mécanisme de Phillips.

3 ■ Les protéases à sérine Les protéases à sérine constituent une classe très répandue d'enzymes protéolytiques caractérisées par la présence d'un résidu Ser réactionnel. Les enzymes de la digestion d'origine pancréatique que sont la trypsine, la chymotrypsine et l'élastase présentent des analogies de séquence et de structure mais ont des spécificités de chaîne latérale différentes pour leur substrat. Elles ont toutes la même triade catalytique dans leurs sites actifs : Asp 102, His 57 et Ser 195. La différence de spécificité entre trypsine et chymotrypsine dépend, d'une manière complexe, de la structure des boucles qui relient les bords de la poche de spécificité ainsi que des charges des chaînes latérales à la base de cette poche. La subtilisine, la sérine carboxypeptidase II et ClpP sont des protéases à sérine non apparentées qui ont un site actif essentiellement de même géométrie que les enzymes pancréatiques. La catalyse des protéases à sérine débute par l'attaque nucléophile de la Ser active sur l'atome de carbone du carbonyle de la liaison scissile pour former l'intermédiaire tétraédrique, processus facilité par la formation d'une liaison hydrogène de faible barrière énergétique entre Asp 102 et His 57. L'intermédiaire tétraédrique, stabilisé par sa liaison préférentielle au site actif de l'enzyme, se décompose pour donner un intermédiaire acyl-enzyme grâce à l'arrivée d'un proton fourni par His 57 polarisée par Asp 102. Après le remplacement du groupement partant par une molécule d'eau du solvant, le processus catalytique s'inverse pour donner le deuxième produit et régénérer l'enzyme sous sa forme initiale. Le couple Asp 102-His 57 joue ainsi le rôle d'une navette à protons. La Ser active n'est pas particulièrement réactionnelle mais est en position idéale pour une attaque nucléophile sur la liaison peptidique scissile activée. La structure par rayons X du complexe BPTI-trypsine montre l'existence de l'intermédiaire tétraédrique, tandis que celles du complexe élastase-heptapeptide BCM7 montrent l'intermédiaire acyl-enzyme et l'intermédiaire tétraédrique.

Les protéases à sérine pancréatiques sont synthétisées sous forme de zymogènes afin d'éviter l'auto-digestion du pancréas. Le trypsinogène est activé par un seul clivage protéolytique catalysé par l'entéropeptidase. La trypsine ainsi formée active de la même manière le trypsinogène ainsi que le chymotrypsinogène, la proélastase et d'autres enzymes de digestion pancréatiques. La triade catalytique du trypsinogène est structuralement intacte. La très faible activité catalytique de ce zymogène est due à la déformation de sa poche de spécificité et de son trou de l'oxyanion, ce qui le rend incapable de se lier efficacement au substrat ou préférentiellement à l'état de transition.

4 ■ La conception de médicaments Les médicaments agissent en se liant à des molécules réceptrices dont ils modifient ainsi la fonction. De nombreux composés susceptibles d'être des médicaments, appelés structures guides, ont été découverts en criblant un grand nombre de substances pour leur efficacité thérapeutique dans des tests appropriés à la maladie que l'on veut traiter. Les structures guides sont ensuite modifiées chimiquement pour améliorer leur efficacité, notamment en déterminant les relations structure-activité (SAR) et les SAR quantitatives (QSAR). La conception de médicaments basée sur la structure se fonde sur les structures par rayons X ou RMN de médicaments candidats en complexe avec leurs protéines cibles. On y associe des études par modélisation moléculaire pour orienter la recherche de meilleures molécules. Cependant, les nouvelles techniques de chimie combinatoire et de criblage à haut débit ont étendu à la recherche pharmacologique la stratégie « fabriquez un très grand nombre de substances et testez-les ». Pour atteindre leurs molécules cibles, les médicaments doivent avoir une bonne pharmacocinétique, c'est-à-dire traverser facilement les nombreuses barrières physiques dans l'organisme, éviter la transformation chimique par les enzymes, et ne pas être excrétés trop rapidement. La plupart des médicaments qui remplissent ces exigences ne sont ni trop lipophiles ni trop hydrophiles, de sorte qu'ils accèdent aux membranes, mais aussi peuvent les traverser. Il faut de nombreux essais cliniques soigneusement planifiés pour déterminer la toxicité, la dose et l'efficacité des médicaments et pour dépister leurs effets indésirables éventuels, y compris les plus rares. L'inactivation métabolique de la plupart des médicaments implique leur hydroxylation oxydative par un, parmi unes centaine, des isozymes du cytochrome P450. Le médicament hydroxylé peut alors être conjugué à des groupements polaires comme l'acide glucuronique ou la glycine, ce qui favorise son excrétion rénale. Les interactions médicamenteuses sont souvent dues aux cytochromes P450. Le polymorphisme de ces derniers est fréquemment responsable des différences individuelles dans la réponse à un médicament donné, y compris ses effets secondaires.

La mise au point d'inhibiteurs de la protéase du HIV-1 est une des plus grandes victoires des méthodes modernes de la conception de médicaments. Les HIV sont des rétrovirus qui s'attaquent spécifiquement aux cellules du système imunitaire et invalident celui-ci au point, qu'après plusieurs années, il ne peut plus empêcher les infections opportunistes. Le rôle de la protéase du HIV-1 est de scinder les polyprotéines des virions immatures qui ont bourgeonné d'une cellule hôte, pour produire leur forme infectieuse mature. La protéase du HIV-1 est une protéase aspartique qui, comme les protéases aspartiques des eucaryotes telles que la pepsine, utilise les deux résidus Asp de son site actif pour faire de la molécule d'eau lytique qui lui est associée un nucléophile, lequel peut alors attaquer et scinder des liaisons peptidiques spécifiques du substrat, la polyprotéine. Tous les inhibiteurs peptidomimétiques de la protéase du HIV-1 approuvés par la FDA entraînent une diminution rapide et importante de la charge virale du plasma, sans toutefois éradiquer le virus. On les combine à des inhibiteurs de la transcriptase réverse pour minimiser la capacité du HIV, qui mute rapidement, à évoluer vers des formes résistantes aux médicaments.

RÉFÉRENCES

GÉNÉRALITÉS

Bender, M.L., Bergeron, R.J., et Komiyama, M., *The Bioorganic Chemistry of Enzymatic Catalysis*, Wiley (1984).

Fersht, A., *Structure and Mechanism in Protein Science*, Freeman (1999).

Jencks, W.P., *Catalysis in Chemistry and Enzymology*, Dover (1987). [Ouvrage classique et, à bien des égards, toujours d'actualité.]

Walsh, C., *Enzymatic Reaction Mechanisms*, Freeman (1979). [Un compendium de réactions enzymatiques.]

MÉCANISMES CATALYTIQUES

Atkins, W.M. et Sligar, S.G., Protein engineering for studying enzyme catalytic mechanism, *Curr. Opin. Struct. Biol.* **1**, 611–616 (1991).

Bruice, T.C., Some pertinent aspects of mechanism as determined with small molecules, *Annu. Rev. Biochem.* **45**, 331–373 (1976).

Bruice, T.C. et Benkovic, S.J., Chemical basis for enzyme catalysis, *Biochemistry* **39**, 6267–6274 (2000); et Bruice, T.C. et Lightstone, F.C., Ground state and transition state contributions to the rates of intramolecular and enzymatic reactions, *Acc. Chem. Res.* **32**, 127–136 (1999).

Christianson, D.W. et Cox, J.D., Catalysis by metal-activated hydroxide in zinc and manganese metalloenzymes, *Annu. Rev. Biochem.* **68**, 33–57 (1999). [Traite du mécanisme enzymatique de l'anhydrase carbonique.]

Glusker, J.P., Structural aspects of metal liganding to functional groups in proteins, *Adv. Protein Chem.* **42**, 1–76 (1991).

Hackney, D.D., Binding energy and catalysis, in Sigman, D.S. et Boyer, P.D. (Éds.), *The Enzymes* (3ᵉ éd.), Vol. 19, pp. 1–36, Academic Press (1990).

Jencks, W.P., Binding energy, specificity, and enzymatic catalysis: The Circe effect, *Adv. Enzymol.* **43**, 219–410 (1975).

Kraut, J., How do enzymes work? *Science* **242**, 533–540 (1988).

Lolis, E. et Petsko, G.A., Transition-state analogues in protein crystallography: Probes of the structural source of enzyme catalysis, *Annu. Rev. Biochem.* **59**, 597–630 (1990).

Page, M.I., Entropy, binding energy, and enzyme catalysis, *Angew. Chem. Int. Ed. Engl.* **16**, 449–459 (1977).

Schramm, V.L., Enzymatic transition states and transition state analog design, *Annu. Rev. Biochem.* **67**, 693–720 (1998).

Villafranca, J.J. et Nowak, T., Metal ions at enzyme active sites, in Sigman, D.S. (Éd.), *The Enzymes* (3ᵉ éd.), Vol. 20, pp. 63–94, Academic Press (1992).

Warshel, A., Computer simulations of enzymatic reactions, *Curr. Opin. Struct. Biol.* **2**, 230–236 (1992).

Williams, R.J.P., Are enzymes mechanical devices? *Trends Biochem. Sci.* **18**, 115–117 (1993). [Plaide pour une meilleure étude des aspects mécaniques des réactions enzymatiques.]

Wolfenden, R., Analogue approaches to the structure of the transition state in enzyme reactions, *Acc. Chem. Res.* **5**, 10–18 (1972).

LE LYSOZYME

Blake, C.C.F., Johnson, L.N., Mair, G.A., North, A.C.T., Phillips, D.C., et Sarma, V.R., Crystallographic studies of the activity of hen egg-white lysozyme, *Proc. R. Soc. London Ser. B* **167**, 378–388 (1967).

Chipman, D.M. et Sharon, N., Mechanism of lysozyme action, *Science* **165**, 454–465 (1969).

Ford, L.O., Johnson, L.N., Machin, P.A., Phillips, D.C., et Tijan, R., Crystal structure of a lysozyme – tetrasaccharide lactone complex, *J. Mol. Biol.* **88**, 349–371 (1974).

Imoto, T., Johnson, L.N., North, A.C.T., Phillips, D.C., et Rupley, J.A., Vertebrate lysozymes, in Boyer, P.D. (Ed.), *The Enzymes* (3ᵉ éd.), Vol. 7, pp. 665–868, Academic Press (1972). [Une revue très complète.]

Johnson, L.N., Cheetham, J., McLaughlin, P.J., Acharya, K.R., Barford, D., et Phillips, D.C., Protein–oligosaccharide interactions: Lysozyme, phosphorylase, amylases, *Curr. Top. Microbiol. Immunol.* **139**, 81–134 (1988).

Jollès, P. (Éd.), Lysozymes: *Model Enzymes in Biochemistry and Biology*, Birkhäuser Verlag (1996).

Kirby, A.J., Turning lysozyme upside down, *Nature Struct. Biol.* **2**, 923–925 (1995); et Illuminating an ancient retainer, *Nature Struct. Biol.* **3**, 107–108 (1996). [Défend l'idée d'un mécanisme de double déplacement pour la réaction catalysée par le lysozyme de HEW, sur base de principes mécanistiques de chimie organique, ainsi que des structures et de la chimie de certaines glycosidases.]

McKenzie, H.A. et White, F.H., Jr., Lysozyme and α-lactalbumin: Structure, function and interrelationships, *Adv. Protein Chem.* **41**, 173–315 (1991).

Mooser, G., Glycosidases and glycosyltransferases, in Sigman, D.S. (Éd.), *The Enzymes* (3ᵉ éd.), Vol. 20, pp. 187–233, Academic Press (1992). [La Section II traite du lysozyme.]

Phillips, D.C., The three-dimensional structure of an enzyme molecule, *Sci. Am.* **215**(5), 75–80 (1966). [Un article superbement illustré sur la structure du lysozyme et son mécanisme d'action.]

Schindler, M., Assaf, Y., Sharon, N., et Chipman, D.M., Mechanism of lysozyme catalysis: Role of ground-state strain in subsite D in hen egg-white and human lysozymes, *Biochemistry* **16**, 423–431 (1977).

Secemski, I.I., Lehrer, S.S., et Lienhard, G.E., A transition state analogue for lysozyme, *J. Biol. Chem.* **247**, 4740–4748 (1972). [Études de liaison sur le dérivé lactone de (NAG)₄.]

Strynadka, N.C.J. et James, M.N.G., Lysozyme revisited: Crystallographic evidence for distortion of an N-acetylmur-amic acid residue bound in site D, *J. Mol. Biol.* **220**, 401–424 (1991).

Vocadlo, D.J., Davies, G.J., Laine, R., et Withers, S.G., Catalysis by hen egg-white lysozyme proceeds via covalent intermediate, *Nature* **412**, 835–838 (2001).

Warshel, A. et Levitt, M., Theoretical studies of enzymatic reactions; dielectric, electrostatic and steric stabilization of the carbonium ion in the reaction of lysozyme, *J. Mol. Biol.* **103**, 227–249 (1976). [Arguments théoriques en faveur d'une catalyse par contrainte électrostatique, plutôt que stérique, pour le lysozyme.]

White, A. et Rose, D.R., Mechanism of catalysis by retaining β-glycosyl hydrolases, *Curr. Opin. Struct. Biol.* **7**, 645–651 (1997).

PROTÉASES À SÉRINE

Blow, D.M., The tortuous story of Asp...His...Ser: Structural analysis of chymotrypsin, *Trends Biochem. Sci.* **22**, 405–408 (1998). [Compte-rendu personnel de la détermination de la structure de l'α-chymotrypsine, de 1967 à 1969.]

Cleland, W.W., Frey, P.A., et Gerlt, J.A., The low barrier hydrogen bond in enzymatic catalysis, *J. Biol. Chem.* **273**, 25529–25532 (1998).

Corey, D.R. et Craik, C.S., An investigation into the minimum requirements for peptide hydrolysis by mutation of the catalytic triad of trypsin, *J. Am. Chem. Soc.* **114**, 1784–1790 (1992).

Ding, X., Rasmussen, B.F., Petsko, G.A., et Ringe, D., Direct structural observation of an acyl-enzyme intermediate in the hydrolysis of an ester substrate by elastase, *Biochemistry* **33**, 9285–9293 (1994).

Dodson, G. et Wlodawer, A., Catalytic triads and their relatives, *Trends Biochem. Sci.* **23**, 347–352 (1998).

Frey, P.A., Whitt, S.A., et Tobin, J.B., A low-barrier hydrogen bond in the catalytic triad of serine proteases, *Science* **264**, 1927–1930 (1994).

James, M.N.G., Sielecki, A.R., Brayer, G.D., Delbaere, L.T.J., et Bauer, C.A., Structure of product and inhibitor complexes of Streptomyces griseus protease A at 1.8 Å resolution, *J. Mol. Biol.* **144**, 45–88 (1980).

Kuhn, P., Knapp, M., Soltis, S.M., Ganshaw, G., Thoene, M., et Bott, R., The 0.78 Å structure of a serine protease: Bacillus lentus subtilisin, *Biochemistry* **37**, 13446–13452 (1998).

Liao, D.-I. et Remington, S.J., Structure of wheat serine carboxypeptidase II at 3.5-Å resolution, *J. Biol. Chem.* **265**, 6528–6531 (1990).

Neurath, H., Evolution of proteolytic enzymes, *Science* **224**, 350–357 (1984).

Perona, J.J. et Craik, C.S., Evolutionary divergence of substrate specificity within the chymotrypsin-like serine protease fold, *J. Biol. Chem.* 272,

29987–29990 (1997) ; et Structural basis of substrate specificity in the serine proteases, *Protein. Sci.* **4**, 337–360 (1995).

Perrin, C.L. et Nielson, J.B., « Strong » hydrogen bonds in chemistry and biology, Annu. *Rev. Phys. Chem.* **48**, 511–544 (1997). [Revue détaillée qui met en doute l'importance des LBHB dans les réactions enzymatiques.]

Phillips, M.A. et Fletterick, R.J., Proteases, *Curr. Opin. Struct. Biol.* **2**, 713–720(1992).

Roberts, R.M., Mathialagan, N., Duffy, J.Y., et Smith, G.W., Regulation and regulatory role of proteinase inhibitors, *Crit. Rev. Euk. Gene Express.* **5**, 385–435 (1995).

Shan, S., Loh, S., et Herschlag, D., The energetics of hydrogen bonds in model systems : Implications for enzymatic catalysis, *Science* **272**, 97–101 (1996).

Stroud, R.M., Kossiakoff, A.A., et Chambers, J.L., Mechanism of zymogen activation, Annu. *Rev. Biophys. Bioeng.* **6**, 177– 193 (1977).

Wang, J., Hartling, J.A., et Flanagan, J.M., The structure of ClpP at 2.3 Å resolution suggests a model for ATP-dependent proteolysis, *Cell* **91**, 447–456 (1997).

Wilmouth, R.C., Edman, K., Neutze, R., Wright, P.A., Clifton, I.J., Schneider, T.R., Schofield, C.J., et Hadju, J., X-Ray snapshots of serine protease catalysis reveals a tetrahedral intermediate, *Nature Struct. Biol.* **8**, 689–694 (2001) ; et Wilmouth, R.C., Clifton, I.J., Robinson, C.V., Roach, P.L., Aplin, R.T., Westwood, N.J., Hadju, J., et Schofield, C.J., Structure of a specific acyl-enzyme complex formed between b-casomorphin-7 and porcine pancreatic elastase, *Nature Struct. Biol.* **4**, 456–461 (1997).

LA CONCEPTION DE MÉDICAMENTS

Debouck, C. et Metcalf, B., The impact of genomics on drug discovery, *Annu. Rev. Pharmacol. Toxicol.* **40**, 193–208 (2000).

Gordon, E.M. et Kerwin, J.F., Jr. (Éds.), *Combinatorial Chemistry and Molecular Diversity in Drug Discovery*, Wiley-Liss (1998).

Gringauz, A., *Introduction to Medicinal Chemistry*, Wiley-VCH (1997).

Harman, J.G., Limbird, L.E., Molinoff, P.B., Ruddon, R.W., et Gilman, A.G. (Éds.), *Goodman & Gilman's The Pharmacologic Basis of Therapeutics* (9e éd.), McGraw-Hill (2000).

Ingelman-Sundberg, M., Oscarson, M., et McLellan, R.A., Polymorphic human cytochrome P450 enzymes : An opportunity for individualized drug treatment, *Trends Pharmacol. Sci.* **20**, 342–349 (1999).

Katzung, B.G. (Éd.), *Basic & Clinical Pharmacology* (7e éd.), Appleton & Lange (1998).

Marrone, T.J., Briggs, J.M., et McCammon, J.A., Structure-based drug design : Computational advances, *Annu. Rev. Pharmacol. Toxicol.* **37**, 71–90 (1997).

Mycek, M.J., Harvey, R.A., et Champe, P.C., *Lippincotts Illustrated Reviews : Pharmacology* (2e éd.), Lippincott–Raven Publishers (1997).

Navia, M.A. et Murcko, M.A., Use of structural information in drug design, *Curr. Opin. Struct. Biol.* **2**, 202–210 (1992).

Ohlstein, E.H., Ruffolo, R.R., Jr., et Elliott, J.D., Drug discovery in the next millennium, *Annu. Rev. Pharmacol. Toxicol.* **40**, 177–191 (2000).

Patrick, G.L, *An Introduction to Medicinal Chemistry*, Oxford University Press (1995).

Smith, D.A. et van der Waterbeemd, H., Pharmacokinetics and metabolism in early drug design, *Curr. Opin. Chem. Biol.* **3**, 373–378 (1999).

Terrett, N.O., *Combinatorial Chemistry*, Oxford University Press (1998).

Walsh, G., *Biopharmaceuticals : Biochemistry and Biotechnology*, Wiley (1998).

White, R.E., High-throughput screening in drug metabolism and pharmacokinetic support of drug discovery, *Annu. Rev. Pharmacol. Toxicol.* **40**, 133–157 (2000).

Wong, L.-L., Cytochrome P450 monooxygenases, *Curr. Opin. Chem. Biol.* **2**, 263–268 (1998).

PROTÉASE DU HIV-1 ET AUTRES PROTÉASES ASPARTIQUES

Davies, D.R., The structure and function of the aspartic proteases, *Annu. Rev. Biophys. Biophys. Chem.* **19**, 189–215 (1990).

Erickson, J.W. et Burt, S.K., Structural mechanisms of HIV drug resistance, *Annu. Rev. Pharmacol. Toxicol.* **36**, 545–571 (1996).

Flexner, C., Dual protease inhibitor therapy in HIV-infected patients : Pharmacological rationale and clinical benefits, *Annu. Rev. Pharmacol. Toxicol.* **40**, 649–674 (2000).

Kling, J., Blocking HIV's « scissors, » *Modern Drug Discovery* **3**(2), 37–45 (2000).

Meeks, T.D., Catalytic mechanisms of the aspartic proteases, in Sinnott, M. (Éd.), *Comprehensive Biological Catalysis*, Vol. 1, pp. 327–344, Academic Press (1998).

Richman, D.D., HIV chemotherapy, *Nature* **410**, 995–1001 (2001).

Tomesselli, A.G., Thaisrivongs, S., et Heinrikson, R. L., Discovery and design of HIV protease inhibitors as drugs for treatment of AIDS, *Adv. Antiviral Drug Design* **2**, 173–228 (1996).

Turner, B.G. et Summers, M.F., Structural biology of HIV, *J. Mol. Biol.* **285**, 1–32 (1999). [Une revue.]

Wilk, T. et Fuller, S.D., Towards the structure of human immunodeficiency virus : Divide and conquer ? *Curr. Opin. Struct. Biol.* **9**, 231–243 (1999).

Wlodawer, A. Rational approach to AIDs drug design through structural biology, *Annu. Rev. Med.* **53**, 595–614 (2001) ; et Wlodawer, A. et Vondrasek, J., Inhibitors of HIV-1 protease : A major success of structure-assisted drug design, *Annu. Rev. Biophys. Biomol. Struct.* **27**, 249–284 (1998).

PROBLÈMES

1. Expliquez pourquoi la γ-pyridone n'est pas un catalyseur aussi efficace que l'α-pyridone de la mutarotation du glucose. Qu'en est-il de la β-pyridone ?

2. L'ARN est rapidement hydrolysé en milieu alcalin pour donner un mélange de nucléotides dont les groupements phosphate sont liés en 2′ ou 3′ des résidus ribose. L'ADN, qui n'a pas de groupement OH en 2′ comme l'ARN, est résistant à la dégradation en milieu alcalin. Expliquez pourquoi.

3. La carboxypeptidase A, une enzyme à Zn^{2+}, hydrolyse les liaisons peptidiques C-terminales de polypeptides (Section 7-1A). Dans le complexe enzyme-substrat, l'ion Zn^{2+} établit des liaisons de coordinence avec trois chaînes latérales de l'enzyme, l'oxygène du carbonyle de la liaison scissile, et une molécule d'eau. Un modèle plausible du mécanisme de la réaction enzymatique cohérent avec les données cristallographiques et enzymologiques est schématisé à la Fig. 15-42. Quels sont les rôles de l'ion Zn $^{2+}$ et du Glu 270 dans ce mécanisme ?

4. Dans la réaction de lactonisation suivante,

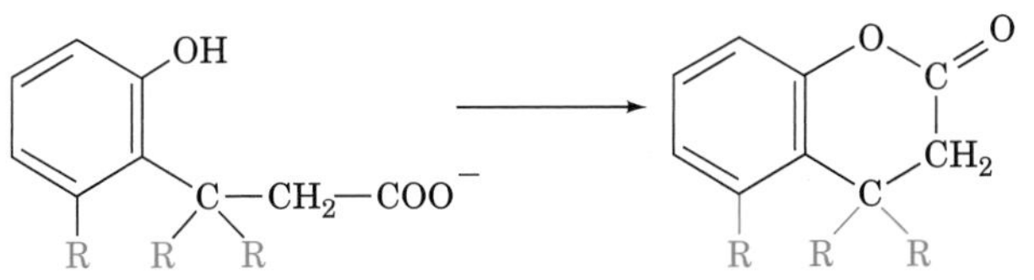

la vitesse relative de la réaction quand R = CH$_3$ est $3,4 \times 10^{11}$ fois celle de la réaction quand R = H. Expliquez.

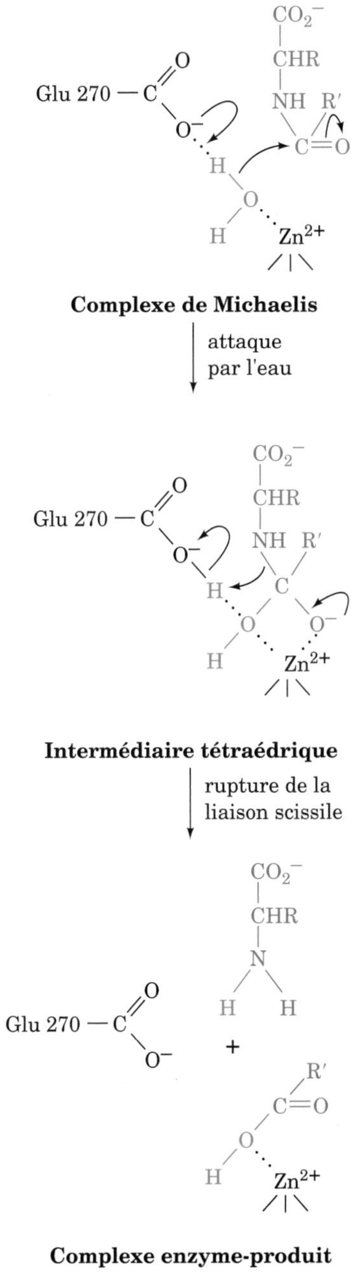

Complexe de Michaelis

attaque
par l'eau

Intermédiaire tétraédrique

rupture de la
liaison scissile

Complexe enzyme-produit

FIGURE 15-42 Mécanisme de la catalyse par la carboxypeptidase A.

*5. Dérivez l'analogue de l'Éq. [15.11] pour une enzyme qui catalyse la réaction :

$$A + B \rightarrow P$$

Supposez que l'enzyme doive se lier à A avant de se lier à B :

$$E + A + B \rightleftharpoons EA + B \rightleftharpoons EAB \rightarrow EP$$

6. Expliquez, d'après la thermodynamique, pourquoi une « enzyme » qui stabilise autant son complexe de Michaelis que son état de transition ne catalyse pas une réaction.

7. Suggérez un analogue de l'état de transition pour la proline racémase différent de ceux présentés dans ce livre. Justifiez votre suggestion.

8. Wolfenden pense que la distinction entre « sites de liaison » et « sites catalytiques » des enzymes n'a pas de sens. Expliquez.

9. Expliquez pourquoi l'oxalate ($^-$OOCCOO$^-$) est un inhibiteur de l'oxaloacétate décarboxylase.

10. En fonction des renseignements donnés dans ce chapitre, dites pourquoi les enzymes sont des molécules aussi grandes. Pourquoi les sites actifs sont-ils presque toujours situés dans des crevasses ou des dépressions de l'enzyme plutôt que sur des protubérances ?

11. Quelles seraient les conséquences sur la catalyse du lysozyme si l'on remplaçait Phe 34, Ser 36 et Trp 108 par Arg, en supposant que ces changements ne modifieraient pas significativement la structure de la protéine ?

*12. L'incubation de (NAG)$_4$ avec le lysozyme conduit à la formation lente de (NAG)$_6$ et de (NAG)$_2$. Proposez un mécanisme pour cette réaction. Quel aspect du mécanisme de Phillips est vérifié par cette réaction ?

13. Quelle serait la différence d'affinité, pour le lysozyme, du tétrasaccharide à liaisons β(1→4)

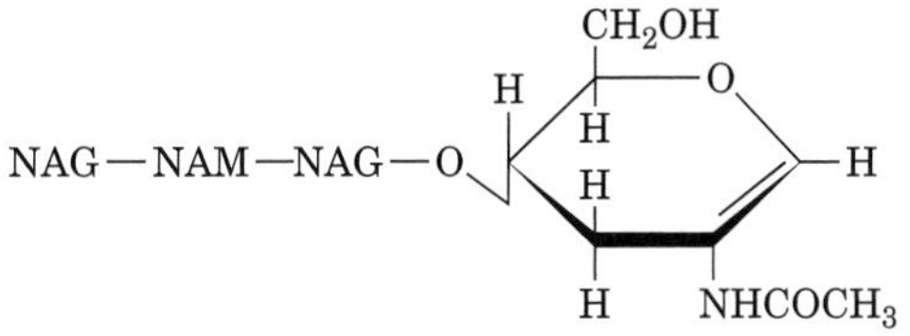

et de NAG-NAM-NAG-NAM ? Expliquez.

14. Une difficulté majeure dans l'étude des propriétés des protéases à sérine pancréatiques vient de ce que ces enzymes, étant aussi des protéines, s'auto-digèrent. Cependant, ce problème est moins important pour des solutions de chymotrypsine que pour des solutions de trypsine ou d'élastase. Expliquez.

15. La comparaison de la géométrie des sites actifs de la chymotrypsine et de la subtilisine, sous réserve que ces ressemblances aient une signification catalytique, a permis de mieux comprendre le mécanisme de ces deux enzymes. Discutez le bien-fondé de cette stratégie.

16. La **benzamidine** ($K_I = 1,8 \times 10^{-5}M$) et la **leupeptine** ($K_I = 1,8 \times 10^{-7}M$)

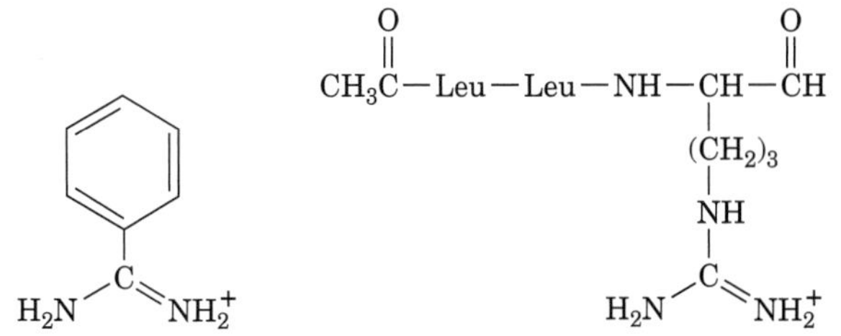

Benzamidine

Leupeptine

sont toutes deux des inhibiteurs compétitifs de la trypsine. Expliquez leurs mécanismes d'inhibition. Imaginez des analogues de la leupeptine qui inhiberaient la chymotrypsine et l'élastase.

17. Des dérivés trigonaux de l'acide boronique ont une forte tendance à former des adduits tétraédriques. L'**acide 2-phényléthyl boronique**

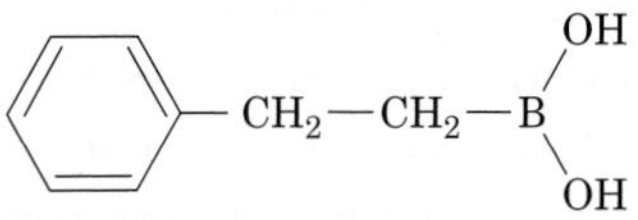

Acide 2–phényléthyl boronique

est un inhibiteur de la subtilisine et de la chymotrypsine. Indiquez la structure de ces complexes enzyme-inhibiteur.

18. Le tofu (pâte de soja), produit très riche en protéines d'utilisation courante en Extrême-Orient, est préparé de sorte à éliminer l'inhibiteur de la trypsine présent dans les graines de soja. Expliquez la (les) raison(s) de ce traitement.

19. Expliquez pourquoi le changement par mutation des trois résidus de la triade catalytique de la trypsine n'a pas plus d'effet sur l'activité catalytique de l'enzyme que le seul remplacement de Ser 195.

20. Expliquez pourquoi la chymotrypsine n'est pas auto-activatrice comme la trypsine.

21. La « règle des cinq » de Lipinski prédit-elle qu'un hexapeptide peut être un médicament efficace ? Expliquez.

22. L'antidote préféré d'un surdosage d'acétaminophène est la *N*-acétylcystéine. Expliquez pourquoi l'administration de cette dernière, qui doit se faire dans les 8 à 16 h, est un traitement efficace.

23. Expliquez pourquoi l'activation de la protéase du HIV-1 avant que le virus bourgeonne de sa cellule hôte présenterait un désavantage pour le virus.

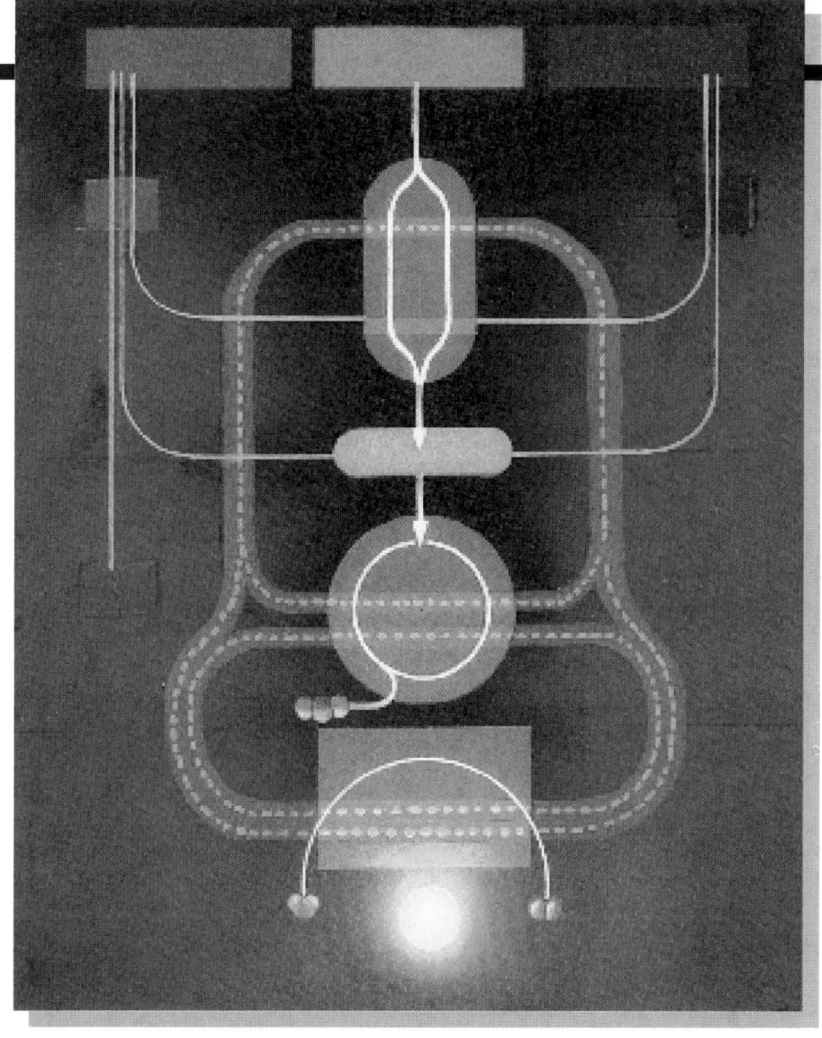

*Représentation schématique des principales voies
du métabolisme énergétique.*

PARTIE

IV

LE MÉTABOLISME

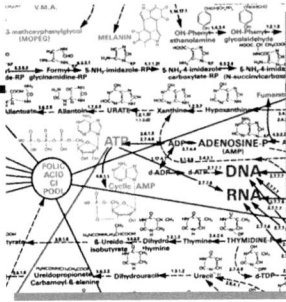
Introduction
au métabolisme

Les organismes vivants ne sont pas à l'équilibre. Ils nécessitent plutôt un apport d'énergie libre constant pour maintenir un ordre dans un univers qui tend vers un désordre maximum. Le **métabolisme** est le processus global qui assure aux organismes vivants l'apport et l'utilisation de l'énergie libre dont ils ont besoin pour assurer leurs différentes fonctions. *Pour ce faire, ils couplent les réactions exergoniques issues de l'oxydation des nutriments aux processus endergoniques nécessaires au maintien en vie,* tels que l'accomplissement de travail mécanique, le transport actif de molécules contre des gradients de concentration, et la biosynthèse de molécules complexes. Comment les organismes vivants acquiè-

rent-ils cette énergie libre nécessaire et quelle est la nature de ce processus de couplage énergétique ? Les êtres **phototrophes** (les plantes et certaines bactéries ; Section 1-1A) tirent leur énergie libre du soleil grâce à la **photosynthèse**, processus dans lequel l'énergie lumineuse rend possible la réaction endergonique du CO_2 avec H_2O pour former des glucides et O_2 (Chapitre 24). Les êtres **chimiotrophes** obtiennent leur énergie libre en oxydant des composés organiques (glucides, lipides, protéines) provenant d'autres organismes, eux-mêmes dépendant des phototrophes. *Cette énergie libre est le plus souvent couplée à des réactions endergoniques par la synthèse intermédiaire de composés phosphorylés « riches en énergie » tels que l'**adénosine triphosphate (ATP)** ; Section 16-4). Non seulement les nutriments peuvent être complètement oxydés, ils sont aussi dégradés par une série de réactions enzymatiques pour donner des intermédiaires communs, précurseurs de synthèse d'autres biomolécules.*

Une des propriétés remarquables des systèmes vivants c'est que, malgré la complexité des processus dont ils sont le siège, ils se maintiennent en état stationnaire. Ainsi, sur une période de 40 ans un homme adulte normal consomme des tonnes de nutriments et plus de 20 000 litres d'eau sans, pour autant, changer de poids. Cet état stationnaire est assuré par une série de contrôles métaboliques sophistiqués. Dans cette introduction au métabolisme, nous indiquerons les caractéristiques générales des voies métaboliques, nous étudierons les principaux types de réactions impliquées dans ces voies, et nous examinerons les techniques expérimentales qui ont permis leur élucidation. Nous parlerons ensuite des variations d'énergie libre liées aux réactions mettant en jeu les composés phosphorylés, et aux réactions d'oxydo-réduction. Enfin, nous envisagerons l'aspect thermodynamique des processus biologiques, c'est-à-dire, la nature des caractères de la vie responsables de leur autonomie.

1 ■ VOIES MÉTABOLIQUES

Les voies métaboliques sont des séries de réactions enzymatiques successives qui forment des produits spécifiques. Leurs substrats, intermédiaires et produits, sont appelés **métabolites**. Puisque un organisme utilise de nombreux métabolites, il est le siège de nombreuses voies métaboliques. La Figure 16-1 est une carte métabo-

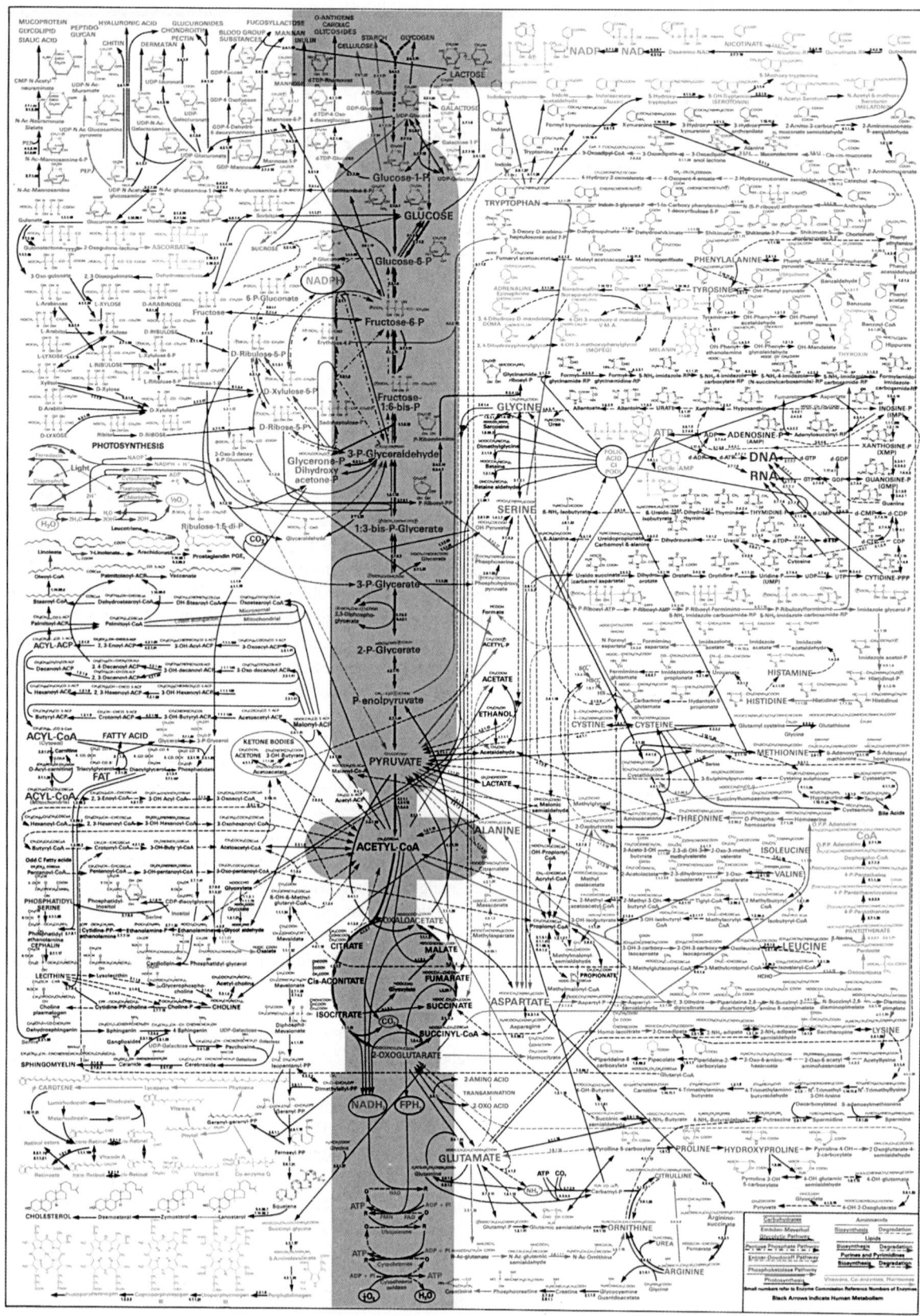

FIGURE 16-1 Carte représentant les principales voies métaboliques d'une cellule typique. Les voies principales du métabolisme du glucose sont ombrées. [Conçue par Donald Nicholson. Publiée par BDH Ltd., Poole 2, Dorset, Angleterre.]

lique pour une cellule type, avec de nombreuses voies interconnectées. Chacune des réactions sur la carte est catalysée par une enzyme propre, dont environ 4000 sont connues. À première vue, ce réseau semble d'une complexité désespérante. Toutefois, en nous concentrant sur les domaines principaux dans les prochains chapitres, par exemple les voies principales de l'oxydation du glucose (les zones ombrées de la Fig. 16-1), nous nous familiariserons avec ses principales artères et leurs relations internes. On peut trouver des cartes métaboliques plus lisibles en consultant http://www.expasy.org/cgi-bin/search-biochem-index, http://www.tcd.ie/Biochemistry/IUBMB-Nicholson, et http://www.genome.ad.jp/kegg/metabolism.html.

On distingue deux grandes catégories de voies dans le métabolisme :

1. Le **catabolisme,** qui assure la dégradation exergonique des nutriments et des constituants cellulaires pour récupérer leurs unités de base et/ou produire de l'énergie libre.

2. L'**anabolisme,** qui assure la synthèse de biomolécules à partir de constituants plus simples.

L'énergie libre libérée au cours du catabolisme est conservée en synthétisant de l'ATP à partir d'ADP et de phosphate ou en réduisant du coenzyme $NADP^+$ en NADPH (Fig. 13-2). L'ATP et le NADPH sont les sources principales d'énergie libre pour les voies anaboliques (Fig. 16-2).

Une des caractéristiques frappantes du catabolisme est qu'il *transforme un grand nombre de substances différentes (glucides, lipides et protéines) en intermédiaires communs.* Ces intermédiaires sont ensuite métabolisés par une voie oxydative centrale qui donne finalement quelques produits terminaux. La Fig. 16-3 schématise la dégradation de plusieurs nutriments, qui donne d'abord leurs sous-unités monomériques puis l'intermédiaire commun, l'**acétyl-coenzyme A (acétyl-CoA)** (Fig. 21-2).

Les réactions de biosynthèse font intervenir le processus inverse. *Un nombre restreint de métabolites, essentiellement le pyruvate, l'acétyl-CoA, et les intermédiaires du cycle de l'acide citrique, sont utilisés comme précurseurs pour la synthèse d'une multitude de produits de synthèse différents.* Dans les chapitres suivants, nous étudierons en détail de nombreuses voies de dégra-

dation et de biosynthèse. Voyons pour l'instant les caractéristiques générales de ces processus.

Cinq caractéristiques principales des voies métaboliques sont dues à ce qu'elles assurent la formation de produits utilisés par la cellule :

1. Les voies métaboliques sont irréversibles. Une réaction très exergonique (qui s'accompagne d'une variation d'énergie libre très négative) est irréversible, c'est-à-dire qu'elle se fait complètement. Si cette réaction fait partie d'une voie à plusieurs étapes, elle impose le sens de déroulement de la voie et rend donc celle-ci entièrement irréversible.

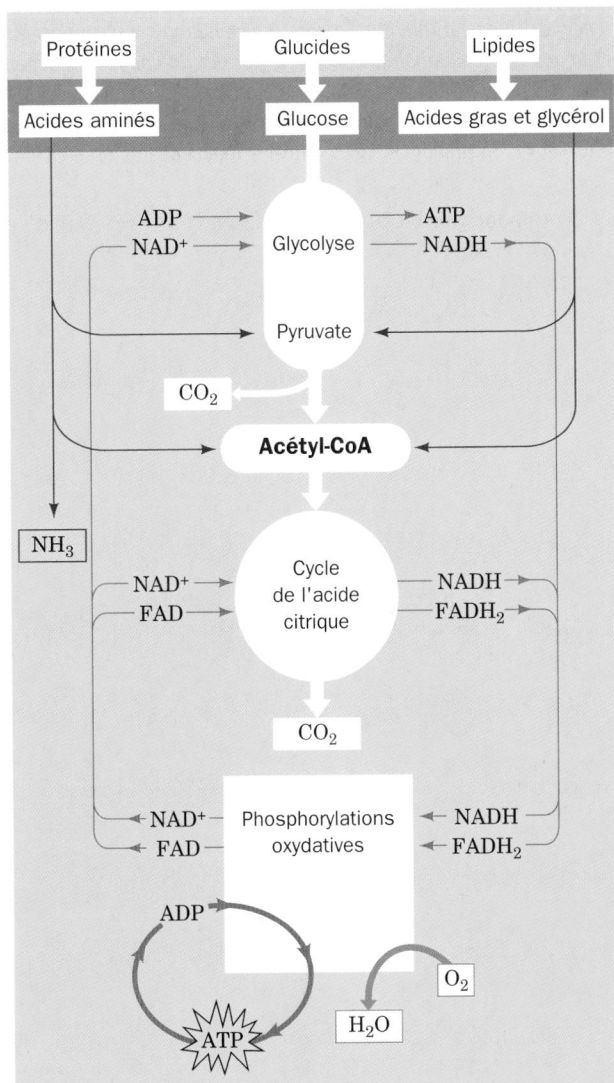

FIGURE 16-3 Schéma général du catabolisme. Les métabolites complexes comme les glucides, les protéines et les lipides sont d'abord dégradés en monomères correspondants, principalement en glucose, acides aminés, acides gras et glycérol, et ensuite en acétyl coenzyme A (acétyl-CoA), l'intermédiaire commun. Le groupement acétyle est ensuite oxydé en CO_2 par l'intermédiaire du cycle de l'acide citrique avec réduction concomitante de NAD^+ et de FAD. La réoxydation de ces coenzymes par l'oxygène via la chaîne respiratoire et les phosphorylations oxydatives donne de l'eau et de l'ATP.

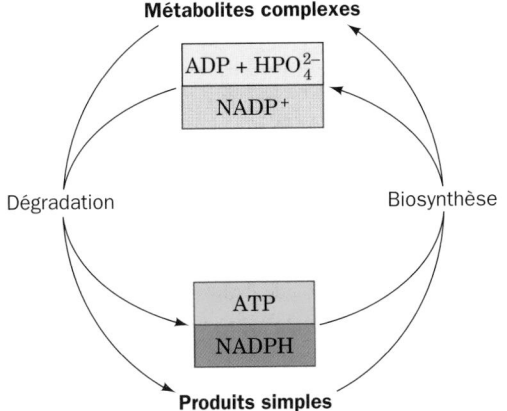

FIGURE 16-2 L'ATP et le NADPH fournissent l'énergie libre nécessaire aux réactions de biosynthèse. Ils sont formés au cours de la dégradation de métabolites complexes.

2. L'anabolisme et le catabolisme doivent emprunter des voies différentes. *Si deux métabolites sont métaboliquement interconvertibles, la voie qui va du premier au second doit être différente de la voie qui va du second au premier :*

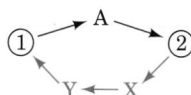

La raison de cette différence est que si la conversion du métabolite 1 en métabolite 2 est exergonique, la conversion du métabolite 2 en métabolite 1 exige de l'énergie libre pour permettre à ce processus, qui sans cela serait endergonique, de « remonter la pente ». Cela nécessite une voie métabolique différente, ne serait-ce que pour une étape de la voie. *Comme nous le verrons, l'existence de voies d'interconversion indépendantes est importante pour les voies métaboliques car elle permet un contrôle indépendant des deux processus.* Si la cellule a besoin du métabolite 2, la voie de 2 à 1 doit être « arrêtée » tandis que la voie de 1 à 2 doit être « mise en marche ». Ces contrôles indépendants ne sont possibles que s'il existe des voies différentes.

3. Chaque voie métabolique comprend une « réaction d'engagement ». Bien que les voies métaboliques soient irréversibles, la plupart des réactions sont proches de l'équilibre. Cependant, au début de la voie, il y a généralement une réaction irréversible (exergonique) qui engage l'intermédiaire produit à poursuivre la voie.

4. Toutes les voies métaboliques sont régulées. Les voies métaboliques répondent aux lois de l'offre et de la demande. Afin que le flux des métabolites d'une voie soit contrôlé, il est nécessaire que sa réaction limitante soit régulée. La première étape d'engagement étant irréversible, elle se déroule trop lentement pour que ses substrats et produits soient à l'équilibre (si c'était le cas, elle ne serait pas irréversible). Les autres réactions de la voie étant proches de l'équilibre, la première étape d'engagement est souvent son étape limitante. La plupart des voies métaboliques sont donc contrôlées par la régulation des enzymes qui catalysent leurs premières étapes d'engagement. C'est le moyen le plus efficace de contrôle car il évite la synthèse inutile de métabolites ultérieurs quand ceux-ci ne sont pas nécessaires. Des exemples précis de tels contrôles sont présentés dans la Section 17-4B.

5. Chez les eucaryotes, les voies métaboliques se déroulent dans des sites intracellulaires spécifiques. La compartimentation de la cellule eucaryote permet à différentes voies métaboliques de se dérouler en des endroits différents, comme indiqué dans le Tableau 16-1 (ces organites sont décrits dans la Section 1-2A). Par exemple, l'ATP est synthétisé principalement dans la mitochondrie, mais il est utilisé pour l'essentiel dans le cytoplasme. La synthèse de métabolites se faisant dans des compartiments intracellulaires limités par une membrane, leur transport entre ces compartiments est un élément vital pour le métabolisme des eucaryotes. Les membranes biologiques ont une perméabilité sélective aux métabolites en raison de la présence de protéines de transport membranaires spécifiques. La protéine de transport qui facilite le passage de l'ATP à travers la membrane interne mitochondriale (la membrane externe étant perméable à l'ATP – N.d.T.) sera étudiée dans la Section 20-4C, avec les caractéristiques des processus de transport membranaire en général. La synthèse et l'utilisation de l'acétyl-CoA se font également dans des compartiments séparés : ce métabolite est utilisé dans la synthèse cytosolique des acides gras, sa synthèse se faisant dans les mitochondries. Pourtant, la membrane mitochondriale ne contient pas de protéine de transport pour l'acétyl-CoA. Nous verrons dans la Section 25-4D comment la cellule a résolu ce problème fondamental. Dans les organismes multicellulaires, la compartimentation métabolique existe aussi au niveau des tissus et des organes. Chez les mammifères, par exemple, le foie est largement responsable de la synthèse de glucose à partir de précurseurs non glucidiques (la **gluconéogenèse** ; Section 23-1) et l'envoie en circulation pour y maintenir la glycémie constante, alors que le tissu adipeux est spécialisé dans le stockage et la mobilisation des triglycérides. L'interdépendance métabolique des différents organes est traitée dans le Chapitre 27.

2 ■ MÉCANISMES DES RÉACTIONS ORGANIQUES

Presque toutes les réactions des voies métaboliques sont des réactions organiques enzymatiques. Dans la Section 15-1, les différents mécanismes utilisés par les enzymes pour catalyser les réactions ont été décrits en détail : catalyse acido-basique, catalyse covalente, catalyse par ion métallique, catalyse électrostatique, catalyse par effets de proximité et d'orientation et catalyse par liaison pré-

TABLEAU 16-1 Fonctions métaboliques d'organites d'eucaryotes

Organite	Fonction
Mitochondrie	Cycle de l'acide citrique, transport d'électrons et phosphorylations oxydatives, oxydation des acides gras, dégradation des acides aminés
Cytosol	Glycolyse, voie des pentoses phosphate, biosynthèse des acides gras, plusieurs réactions de la gluconéogenèse
Lysosomes	Digestion enzymatique de constituants et de substances ingérées
Noyau	Réplication et transcription de l'ADN, maturation de l'ARN
Appareil de Golgi	Maturation post-traductionnelle de protéines membranaires ou sécrétées ; formation de la membrane plasmique et des vésicules de sécrétion
Réticulum endoplasmique rugueux	Synthèse de protéines liées aux membranes ou sécrétées
Réticulum endoplasmique lisse	Biosynthèse des lipides et des stéroïdes
Peroxysomes (glyoxysomes chez les plantes)	Réactions oxydatives catalysées par les aminoacide oxydases et la catalase ; chez les plantes, réactions du cycle du glyoxylate

férentielle à l'état de transition. Toutefois, rares sont les enzymes qui modifient les mécanismes chimiques des réactions. Par conséquent, *l'étude de réactions modèles non enzymatiques nous donne beaucoup de renseignements sur les mécanismes enzymatiques.* Nous commencerons donc l'étude des réactions métaboliques en passant en revue les types de réactions que nous rencontrerons et les mécanismes mis en jeu dans des systèmes non enzymatiques.

Christopher Walsh classe les réactions biochimiques en quatre catégories : (1) **réactions de transfert de groupes** ; (2) **oxydo-réductions** ; (3) **éliminations, isomérisations et réarrangements** ; (4) **réactions de formation et de rupture de liaisons carbone-carbone**. On en sait beaucoup sur les mécanismes de ces réactions et sur les enzymes qui les catalysent. Dans les chapitres suivants, nous porterons notre attention sur ces mécanismes tels qu'ils s'appliquent à des interconversions métaboliques spécifiques. Dans cette section, nous étudierons les quatre catégories de réactions en indiquant comment l'étude de réactions organiques modèles a permis de comprendre leurs mécanismes réactionnels. Commençons par revoir la logique chimique utilisée dans l'analyse de ces réactions.

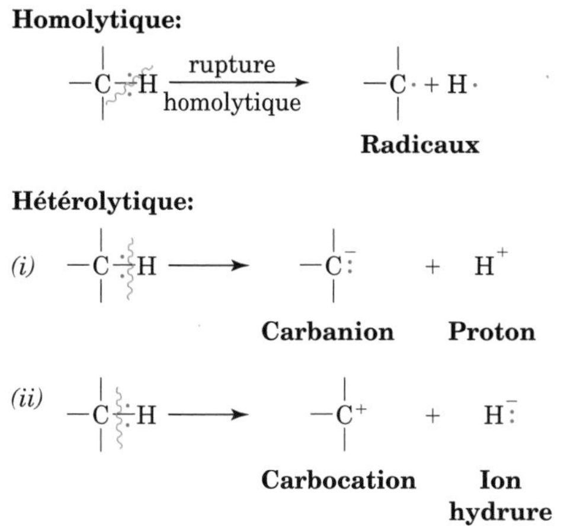

A. *Logique chimique*

Une liaison covalente résulte du partage d'une paire d'électrons entre deux atomes. Si cette liaison est rompue, la paire d'électrons peut soit être conservée par l'un des deux atomes (**rupture hétérolytique**), soit se partager de sorte qu'un électron se trouve sur chaque atome (**rupture homolytique**) (Fig. 16-4). La rupture homolytique, qui donne généralement des radicaux instables, est fréquente surtout dans les réactions d'oxydo-réduction. La rupture hétérolytique d'une liaison C—H implique la formation d'un carbanion et d'un proton (H^+) ou celle d'un carbocation (ion carbonium) et d'un ion hydrure (H^-). Les ions hydrure étant des espèces très réactionnelles et les atomes de carbone étant légèrement plus électronégatifs que les atomes d'hydrogène, la rupture de la liaison où la paire d'électrons reste sur l'atome de carbone est la forme prédominante de rupture de la liaison C—H dans les sys-

FIGURE 16-4 Exemples de rupture de liaisons C—H. La rupture homolytique donne des radicaux, tandis que la rupture hétérolytique donne soit (*i*) un carbanion et un proton, soit (*ii*) un carbocation et un ion hydrure.

tèmes biologiques. Le départ d'un ion hydrure n'a lieu que s'il est transféré directement sur un accepteur tel que NAD^+ ou $NADP^+$.

Les composés qui participent à des réactions avec rupture hétérolytique et formation de liaisons sont rangés en deux grandes catégories selon qu'ils sont riches ou déficients en électrons. Les composés riches en électrons, appelés **nucléophiles** (qui aiment le noyau), sont chargés négativement ou ont des paires d'électrons non partagées qui forment facilement des liaisons covalentes avec des centres déficients en électrons. Les groupements nucléophiles importants en biochimie sont les fonctions amine, hydroxyle, imidazole et sulfhydryle (Fig. 16-5*a*). Les formes nucléophiles de ces groupements sont aussi leurs formes basiques. De fait, les caractères nucléophile et basique sont étroitement liés (Section 15-1B) : un composé se comporte comme une base quand il forme une liaison covalente avec H^+, alors qu'il se comporte comme un nucléophile quand il forme une liaison covalente avec un centre déficient

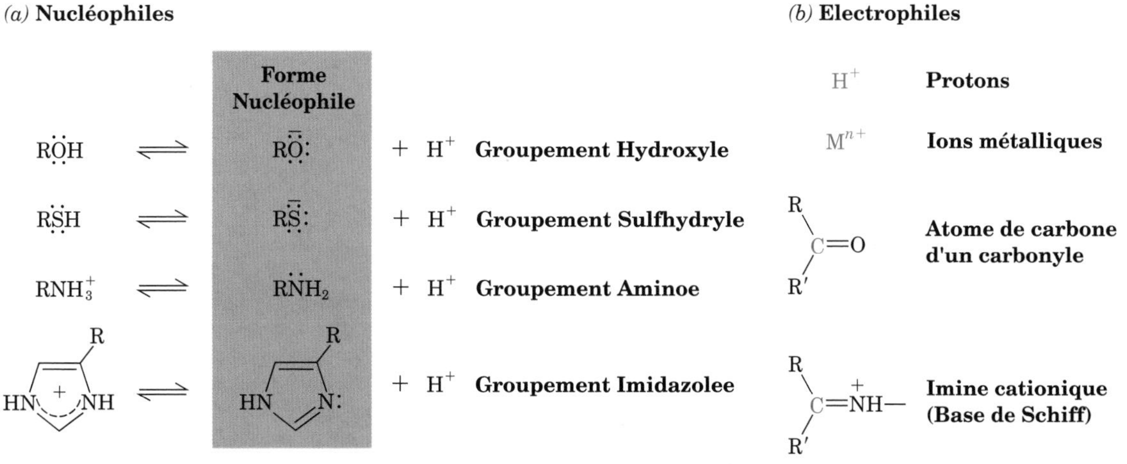

FIGURE 16-5 Groupements nucléophiles et électrophiles importants en biologie. (*a*) Les nucléophiles sont les bases conjuguées d'acides faibles, comme les groupements hydroxyle, sulfhydryle, amino et imida-zole. (*b*) Les électrophiles présentent un atome déficient en électrons (*rouge*).

en électrons autre que H^+, généralement un atome de carbone déficient en électrons :

Réaction d'une amine en tant que base

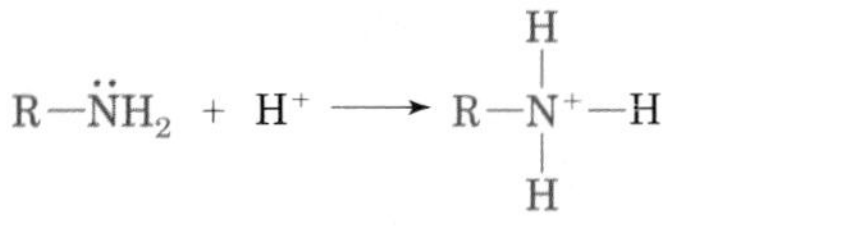

$$R-\overset{..}{N}H_2 \ + \ H^+ \longrightarrow R-\overset{\overset{\displaystyle H}{|}}{\underset{\underset{\displaystyle H}{|}}{N^+}}-H$$

Réaction nucléophile d'une amine

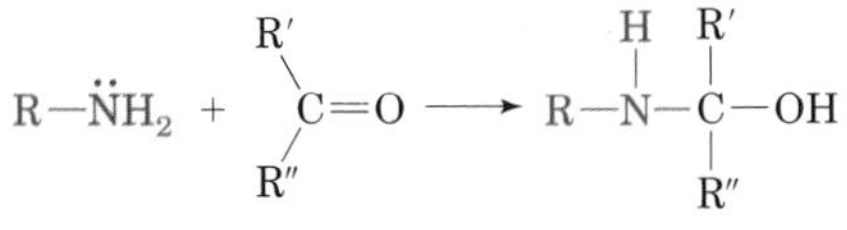

$$R-\overset{..}{N}H_2 \ + \ \overset{R'}{\underset{R''}{C}}=O \longrightarrow R-\overset{H}{\underset{R''}{N}}-\overset{R'}{\underset{R''}{C}}-OH$$

Les composés déficients en électrons sont appelés **électrophiles** (qui aiment les électrons). Ils peuvent être chargés positivement, avoir une couche électronique externe avec une valence libre, ou contenir un atome électronégatif. Les électrophiles les plus fréquents dans les systèmes biochimiques sont les protons, les ions métalliques, les atomes de carbone des groupements carbonyle et les imines cationiques (Fig. 16-5b).

On comprend d'autant mieux les réactions si l'on peut suivre le trajet de la paire d'électrons depuis les substrats jusqu'aux produits. Pour visualiser ces trajets, nous utiliserons la **convention des flèches courbes** où le déplacement de la paire d'électrons est symbolisé par une flèche courbe qui part de la paire d'électrons et qui pointe vers le centre déficient en électrons attirant la paire d'électrons. Par exemple, la formation d'une imine, réaction bio-

chimique importante entre une amine et une aldéhyde ou une cétone, est représentée ainsi :

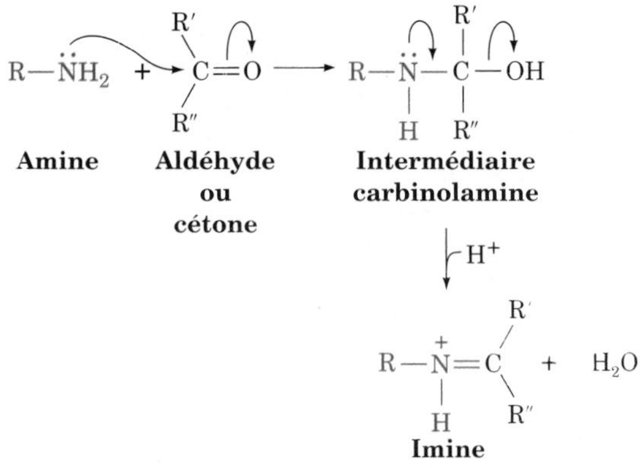

Amine   **Aldéhyde ou cétone**   **Intermédiaire carbinolamine**

$$\downarrow H^+$$

Imine

Lors de la première étape de la réaction, la paire d'électrons non partagée de l'amine s'additionne à l'atome de carbone déficient en électrons du carbonyle, tandis qu'une paire d'électrons de sa double liaison C=O est transférée sur l'oxygène. Lors de la deuxième étape, la paire d'électrons non partagée de l'atome d'azote s'ajoute sur l'atome de carbone déficient en électrons avec élimination d'eau. *Dans tous les cas, les règles de la logique chimique s'appliquent au système :* par exemple, on ne trouve jamais d'atome de carbone pentavalent ou d'atome d'hydrogène divalent.

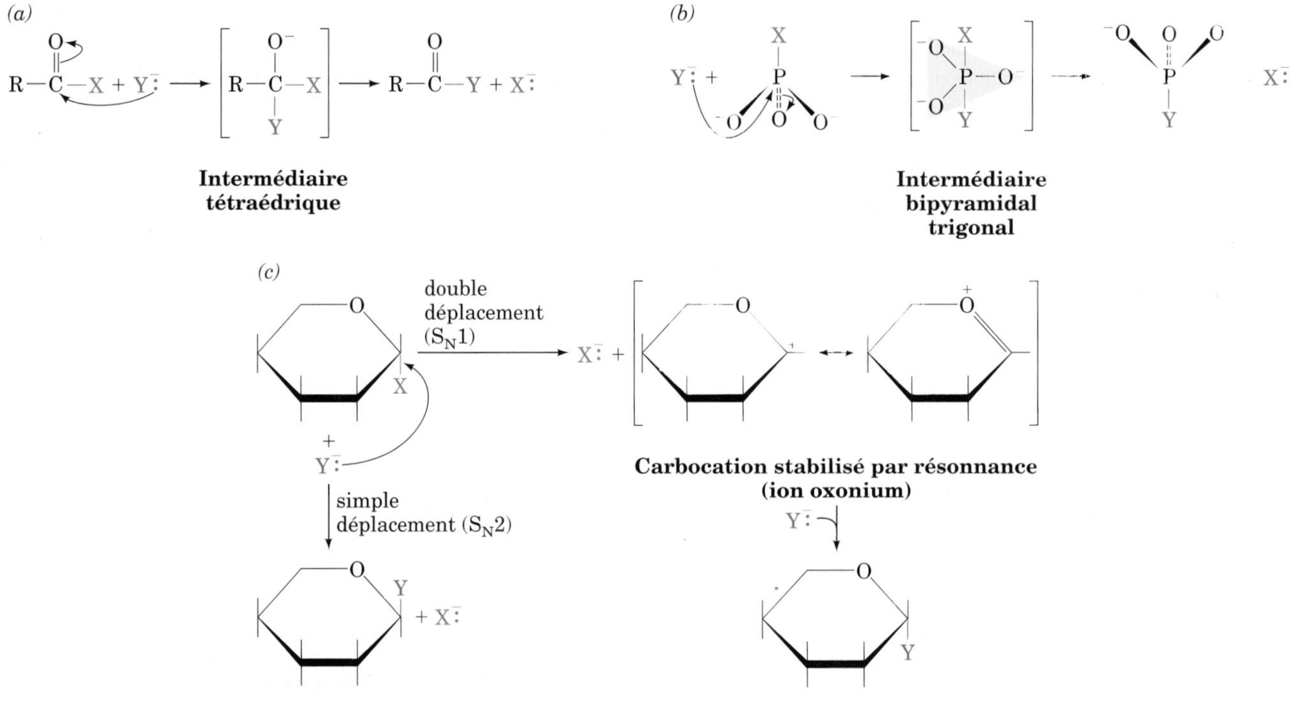

(a)

Intermédiaire tétraédrique

(b)

Intermédiaire bipyramidal trigonal

(c)

Carbocation stabilisé par résonnance (ion oxonium)

FIGURE 16-6 Exemples de réactions de transfert de groupes. (*a*) Le transfert d'un groupement acyle implique l'addition d'un nucléophile (Y) au carbone électrophile d'un composé acyle pour donner un intermédiaire tétraédrique. Le porteur initial de groupement acyle (X) est alors éliminé pour donner un nouveau composé acyle. (*b*) Le transfert de groupement phosphoryle implique l'addition (dans l'axe du groupement partant) d'un nucléophile (Y) à l'atome de phosphore électrophile d'un groupement phosphoryle tétraédrique. Il se forme un intermédiaire bipyramidal trigonal dont les positions apicales sont occupées par le groupement partant (X) et le groupement attaquant (Y). L'élimination du groupement partant

(X) qui achève la réaction de transfert aboutit à l'inversion de configuration du groupement phosphoryle. (*c*) Le transfert d'un groupement glycosyle implique la substitution d'un groupement nucléophile par un autre sur le C1 d'un cycle d'ose. Cette réaction fait généralement intervenir un mécanisme de double déplacement où l'élimination du porteur du groupement glycosyle initial (X) s'accompagne de la formation transitoire d'un carbocation stabilisé par résonance (ion oxonium) suivie de l'addition du nucléophile (Y). La réaction peut aussi se faire par un mécanisme à un seul déplacement dans lequel Y déplace directement X avec inversion de la configuration.

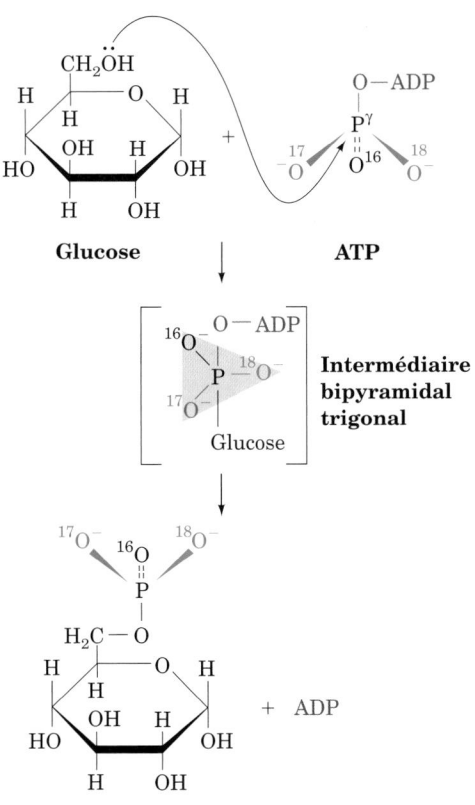

FIGURE 16-7 **Réaction de transfert de groupement phosphoryle catalysée par l'hexokinase.** Lors de son transfert sur le 6-OH du glucose, le groupement phosphoryle-γ de l'ATP, rendu chiral par substitution isotopique, subit une inversion de configuration via un intermédiaire trigonal bipyramidal.

B. *Réactions de transfert de groupes*

Les transferts de groupes dans les systèmes biochimiques impliquent le transfert d'un groupe électrophile d'un nucléophile à un autre.

$$Y: \quad + \quad A{-}X \quad \longrightarrow \quad Y{-}A + X:$$

| **Nucléophile** | **Electrophile–nucléophile** | |

On peut également les appeler réactions de substitution nucléophile. Les groupes les plus fréquemment transférés dans les réactions biochimiques sont les groupements acyle, phosphoryle et glycosyle (Fig. 16-6) :

1. Le **transfert de groupement acyle** d'un nucléophile à un autre se fait presque toujours par l'addition d'un nucléophile à l'atome de carbone d'un carbonyle d'un groupement acyle pour donner un intermédiaire tétraédrique (Fig. 16-6*a*). L'hydrolyse de la liaison peptidique catalysée par la chymotrypsine (Section 15-3C) est un exemple classique d'une telle réaction.

2. Le **transfert de groupement phosphoryle** se fait par l'addition d'un nucléophile à l'atome de phosphore d'un groupement phosphoryle pour donner un intermédiaire bipyramidal trigonal dont les sommets sont occupés par les groupements arrivant et partant (Fig. 16-6*b*). La réaction globale aboutit à l'inversion de configuration du groupement phosphoryle tétraédrique. Effectivement,

on a montré que des composés phosphorylés subissent précisément cette inversion. Par exemple, Jeremy Knowles a synthétisé de l'ATP rendu chiral sur son groupement γ-phosphoryle par substitution isotopique et il a démontré que ce groupement est inversé lorsqu'il est transféré au glucose dans la réaction catalysée par l'**hexokinase** (Fig. 16-7).

3. Le **transfert de groupement glycosyle** se fait par substitution d'un groupement nucléophile par un autre au C1 d'un cycle de sucre (Fig. 16-6*c*), carbone central d'un acétal. Les modèles chimiques des réactions d'un acétal procèdent généralement par rupture de la première liaison catalysée par un acide, pour former un carbocation au C1 stabilisé par résonance (ion oxonium). L'hydrolyse du polysaccharide de la paroi des cellules bactériennes catalysée par le lysozyme (Section 15-2B) est une réaction de ce type.

C. *Réactions d'oxydo-réduction*

Les réactions d'oxydo-réduction (redox) se traduisent par la perte ou le gain d'électrons. L'aspect thermodynamique de ces réactions sera envisagé dans la Section 16-5. Beaucoup de réactions d'oxydo-réduction des voies métaboliques se traduisent par la rupture d'une liaison C—H avec la perte en dernier ressort de deux électrons de liaison par l'atome de carbone. Ces électrons sont transférés à un accepteur d'électrons comme le NAD^+ (Fig. 13-2). Il n'est pas toujours certain que ces réactions impliquent une rupture homolytique ou hétérolytique. Dans la plupart des cas, on présume qu'il y a rupture hétérolytique quand on n'observe pas d'espèces radicalaires. Il est cependant utile de représenter la rupture de la liaison C—H lors de réactions d'oxydo-réduction comme des transferts d'ion hydrure, ce qui est représenté ci-dessous pour l'oxydation d'un alcool par le NAD^+ :

Base générale — **Alcool** — **NAD⁺**

Acide général — **Cétone** — **NADH**

Pour les organismes aérobies, l'accepteur terminal des paires d'électrons provenant des métabolites oxydés est l'oxygène moléculaire (O_2). Se rappeler que cette molécule à l'état fondamental présente deux électrons célibataires à spins parallèles. Les règles d'appariement d'électrons (principe d'exclusion de Pauli) exigent par conséquent que O_2 n'accepte que des électrons célibataires ; autrement dit, les électrons ne peuvent être transférés que l'un

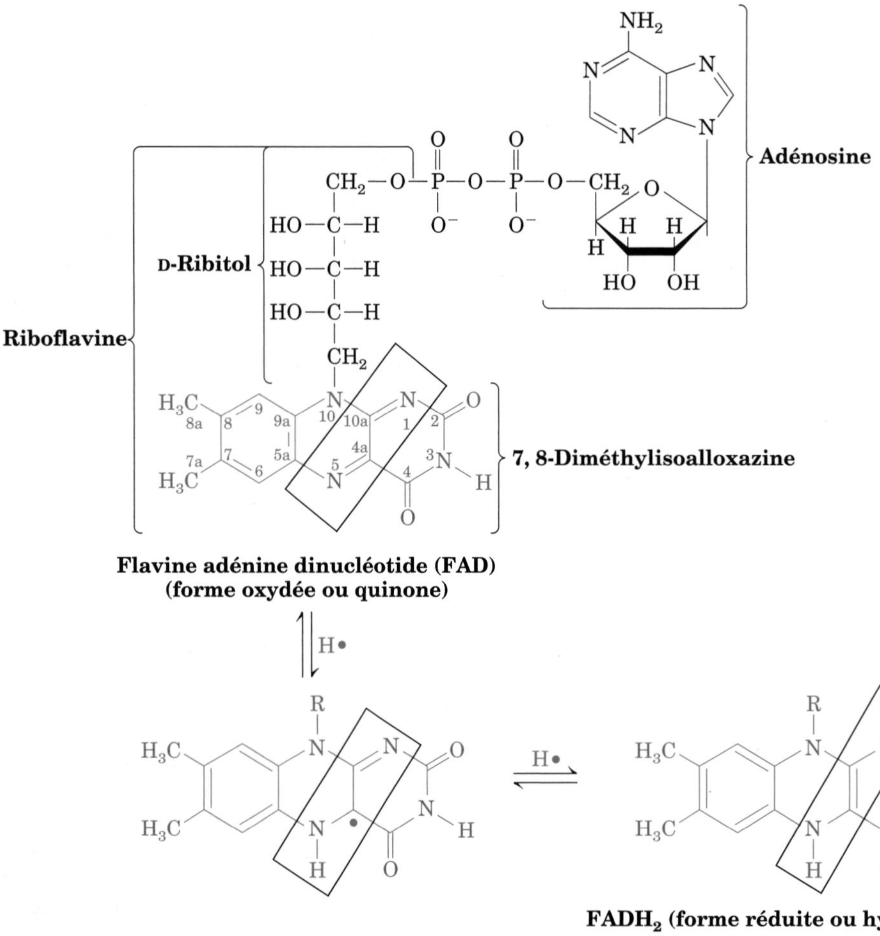

FIGURE 16-8 Formule moléculaire et réactions du coenzyme flavine adénine dinucléotide (FAD). Le terme « flavine » est synonyme de noyau isoalloxazine. Le résidu D-ribitol est l'alcool dérivé du D-ribose. Le FAD peut être à moitié réduit sous la forme stable radicalaire FADH˙ ou complètement réduit sous la forme FADH$_2$ (*encadrés*). Ainsi, les enzymes à FAD peuvent passer sous les différents états d'oxydation du FAD. Le FAD est généralement fortement lié à ses apoenzymes, ce qui fait que ce coenzyme est plutôt un groupement prosthétique qu'un cosub-

strat, comme c'est le cas du NAD$^+$ par exemple. Par conséquent, bien que les êtres humains et les animaux supérieurs ne peuvent synthétiser le noyau isoalloxazine des flavines et doivent donc le trouver dans leur alimentation (par exemple sous forme de **riboflavine**, la **vitamine B$_2$**), la carence en riboflavine est rare chez l'Homme. Les symptômes de cette carence, associée à la malnutrition ou à des régimes fantaisistes, comprennent la glossite (inflammation de la langue), la perlèche (lésions des commissures buccales) et une dermatite.

après l'autre (à l'inverse des réactions d'oxydo-réduction où les électrons sont transférés par paires). Les électrons qui proviennent de métabolites sous forme de paires doivent donc être transférés à l'O$_2$ l'un après l'autre par l'intermédiaire de la chaîne de transfert d'électrons, ceci à l'intervention de coenzymes conjugués dont les états d'oxydation stables radicalaires peuvent intervenir dans des réaction d'oxydo-réduction avec 1e^- ou 2e^-. Le **flavine adénine dinucléotide** (**FAD** ; Fig. 16-8) est l'un de ces coenzymes. Les **flavines** (substances contenant le cycle isoalloxazine) peuvent subir deux transferts successifs d'un électron ou un transfert simultané de deux électrons qui court-circuite l'état semiquinone.

D. *Éliminations, isomérisations et réarrangements*

a. Les réactions d'élimination conduisent à la formation de doubles liaisons carbone-carbone

Les **réactions d'élimination** aboutissent à la formation d'une double liaison entre deux centres saturés liés initialement par

simple liaison. Les substances éliminées peuvent être H$_2$O, NH$_3$, un alcool (ROH) ou une amine primaire (RNH$_2$). La déshydratation d'un alcool, par exemple, est une réaction d'élimination :

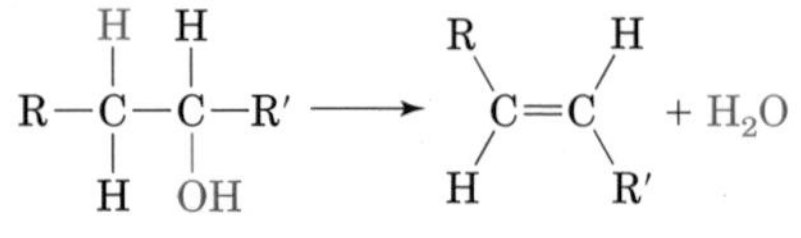

La rupture et la formation de liaison dans cette réaction peuvent se faire selon trois mécanismes (Fig. 16-9*a*) : (1) par concertation ; (2) par étapes, avec en premier rupture de la liaison C—O et formation d'un carbocation ; ou (3) par étapes, avec en premier rupture de la liaison C—H et formation d'un carbanion.

Les enzymes catalysent les réactions de déshydratation par l'un des deux mécanismes simples : (1) protonation du groupement OH par un groupement acide (catalyse acide), ou (2) enlèvement du proton par un groupement basique (catalyse basique). De plus, dans une réaction par étapes, l'intermédiaire chargé peut être stabilisé par un groupement du site actif de charge opposée (catalyse électrostatique). L'**énolase**, enzyme de la glycolyse (Section 16-2I) et la **fumarase**, enzyme du cycle de l'acide citrique (Section 21-3G) catalysent des réactions de déshydratation de ce type.

Les réactions d'élimination peuvent se faire selon deux voies stéréochimiques possibles (Fig. 16-9b) : (1) par trans (anti) élimination, mécanisme le plus fréquent en biochimie, et par cis (syn) élimination, plus rare en biochimie.

b. Les isomérisations biochimiques font intervenir des déplacements intramoléculaires d'atomes d'hydrogène

Les **réactions d'isomérisation** biochimiques impliquent le déplacement intramoléculaire d'un atome d'hydrogène afin de déplacer la position d'une double liaison. Pour ce faire, un proton est enlevé d'un atome de carbone et ajouté à un autre. La réaction d'isomérisation la plus importante dans le métabolisme est l'**interconversion aldose-cétose**, une réaction à catalyse acido-basique au cours de laquelle se forment des intermédiaires **anion ènediolate** (Fig. 16-10). La **phosphoglucose isomérase**, enzyme de la glycolyse, catalyse une telle réaction (Section 17-2B).

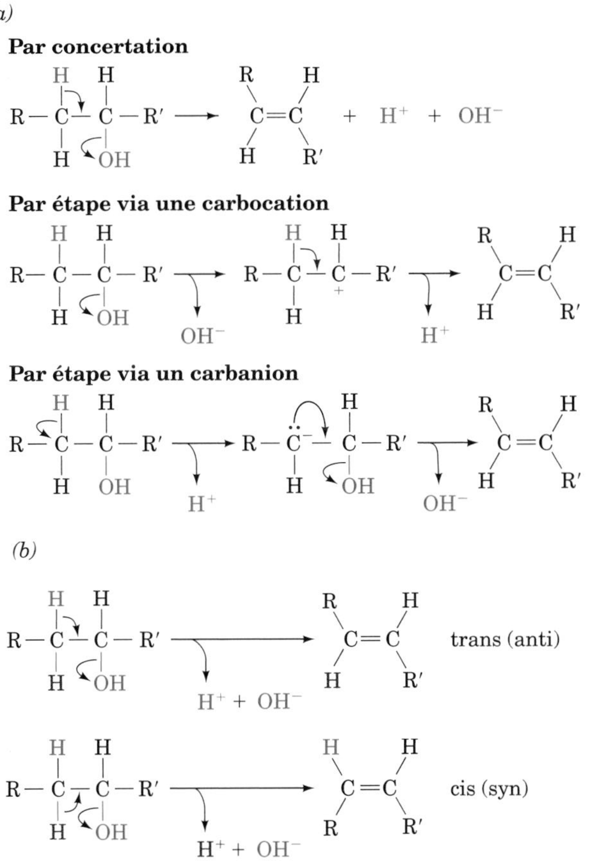

(a)

Par concertation

Par étape via une carbocation

Par étape via un carbanion

(b)

FIGURE 16-9 Mécanismes hypothétiques d'une réaction d'élimination, en prenant une réaction de déshydratation comme exemple. Les réactions peuvent se faire *(a)* en concertation, par étapes via un carbocation intermédiaire, ou par étapes via un carbanion intermédiaire ; elles peuvent faire aussi intervenir *(b)* une stéréochimie trans (anti) ou cis (syn).

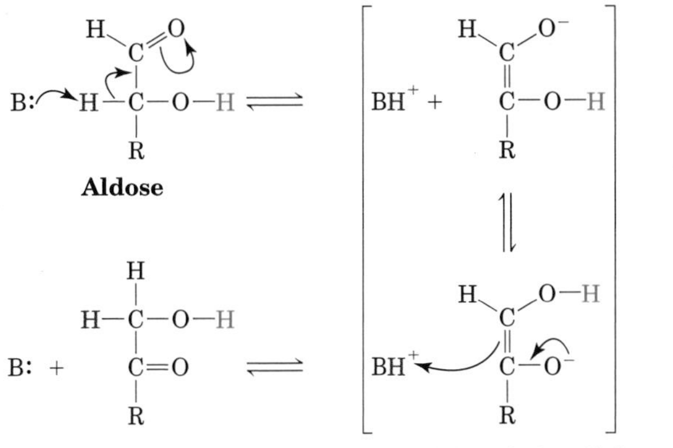

FIGURE 16-10 Mécanisme d'isomérisation aldose-cétose. La réaction procède d'une catalyse acido-basique et fait intervenir des intermédiaires *cis*-ènediolate.

La **racémisation** est une réaction d'isomérisation dans laquelle un atome d'hydrogène d'un centre chiral modifie sa localisation stéréochimique ce qui inverse la configuration du centre chiral (p. ex. la racémisation de la proline par la racémase ; Section 15-1F). Si la molécule comporte plusieurs centres chiraux, cette isomérisation est appelée **épimérisation.**

c. Les réarrangements modifient les squelettes carbonés

Les **réactions de réarrangement** rompent et reforment des liaisons C—C, d'où réarrangement du squelette carboné de la molécule. Il existe peu de réactions métaboliques de ce genre. Citons la conversion du **L-méthylmalonyl-CoA** en **succinyl-CoA** par la **méthylmalonyl-CoA mutase**, une enzyme dont le groupement prosthétique est un dérivé de la **vitamine B$_{12}$** :

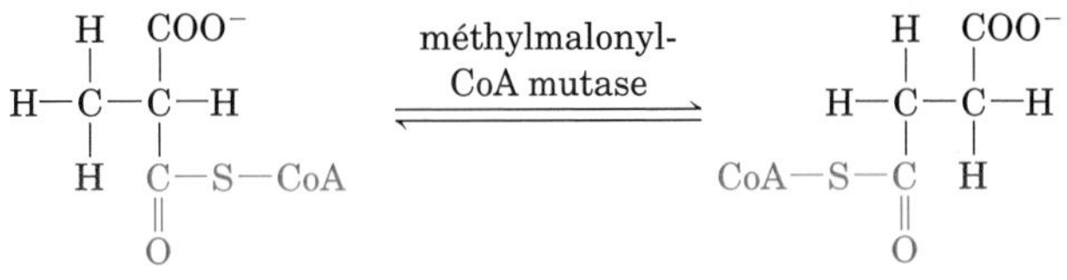

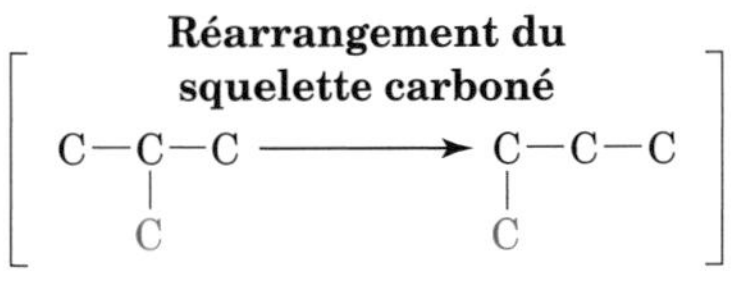

Cette réaction est impliquée dans l'oxydation des acides gras à nombre impair d'atomes de carbone (Section 25-2E) et de plusieurs acides aminés (Section 26-3E).

E. Réactions de formation et de rupture de liaisons carbone-carbone

Les réactions de formation et de rupture de liaisons carbone-carbone constituent la base du métabolisme de dégradation et de biosynthèse. La dégradation du glucose en CO_2 implique la rupture de cinq liaisons carbone-carbone, tandis que sa synthèse passe par le processus inverse. De telles réactions, envisagées dans le sens de la synthèse, impliquent l'addition d'un carbanion nucléophile sur un atome de carbone électrophile. Les atomes de carbone électrophiles les plus fréquents pour de telles réactions sont ceux des groupements carbonyle d'hybridation sp^2 des aldéhydes, cétones, esters et CO_2 :

Pour pouvoir s'additionner à ces centres électrophiles, des carbanions stabilisés doivent être formés. Donnons trois exemples : la **condensation aldolique** (catalysée par l'**aldolase**, par exemple : Section 17-2D), la **condensation d'ester de Claisen** (la **citrate synthétase** ; Section 21-3A), et la décarboxylation d'un acide β-cétonique (l'**isocitrate déshydrogénase**, Section 21-3C ; et l'**acide gras synthétase**, Section 25-4C). Dans des systèmes non enzymatiques, la condensation aldolique et la condensation d'ester de Claisen nécessitent toutes les deux la formation en α d'un carbanion sur un groupement carbonyle catalysée par une base

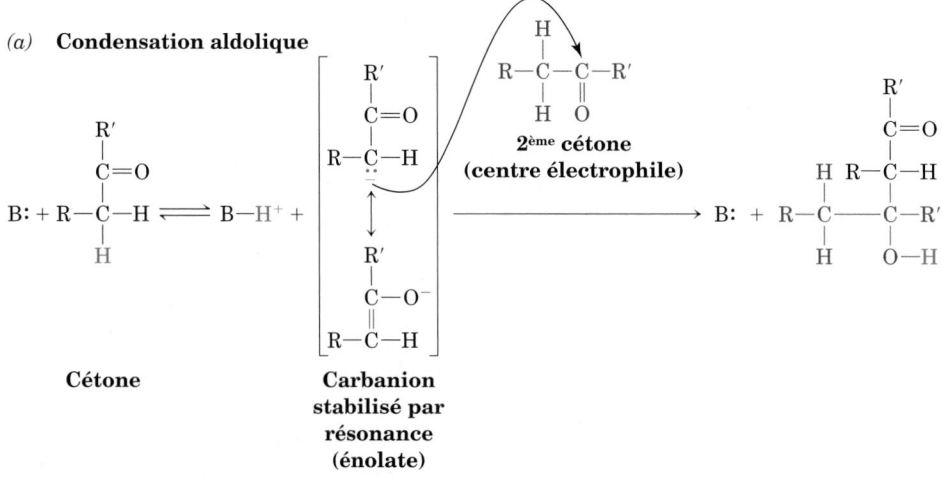

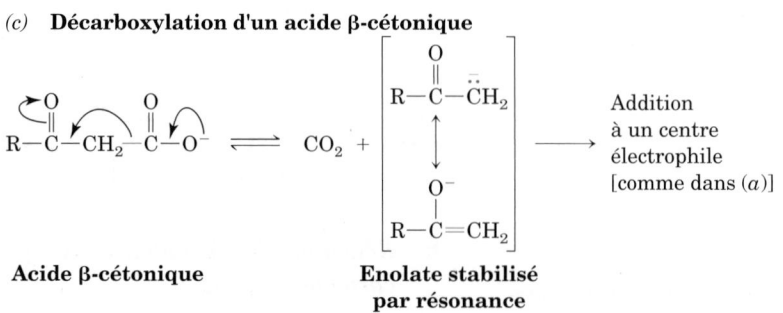

FIGURE 16-11 Exemples de formation et de rupture de liaison C—C. (*a*) Condensation aldolique, (*b*) condensation d'ester de Claisen, et (*c*) décarboxylation d'un acide β-cétonique. Dans ces trois types de réaction, il y a formation d'un carbanion stabilisé par résonance suivie de l'addition de ce carbanion à un centre électrophile.

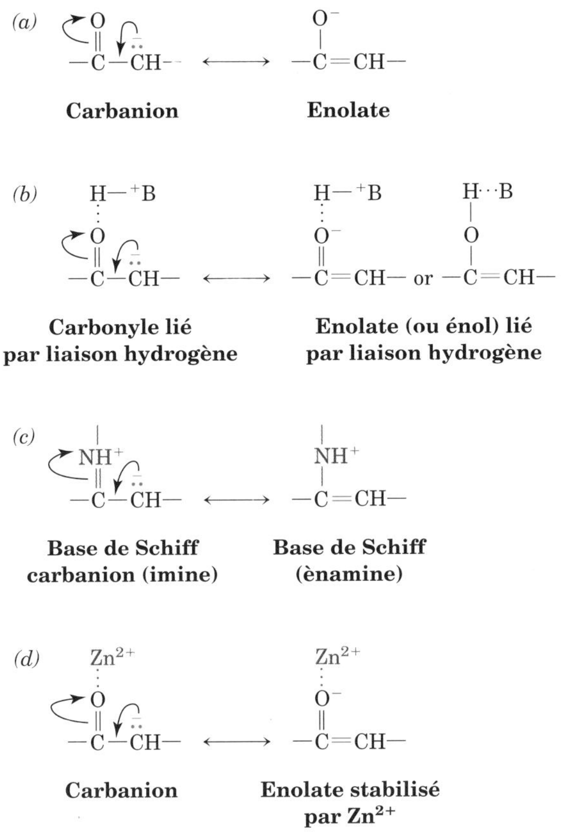

(a)

Carbanion   **Enolate**

(b)

H—$^+$B   H—$^+$B   H··B

Carbonyle lié   **Enolate (ou énol) lié**
par liaison hydrogène   **par liaison hydrogène**

(c)

Base de Schiff   **Base de Schiff**
carbanion (imine)   **(ènamine)**

(d)

Zn^{2+} Zn^{2+}

Carbanion   **Enolate stabilisé**
                        par Zn^{2+}

FIGURE 16-12 Stabilisation de carbanions. (*a*) Des carbanions adjacents à des groupements carbonyle sont stabilisés par la formation d'énolates. (*b*) Des carbanions adjacents à des groupements carbonyle liés par liaisons hydrogène à des acides sont stabilisés électrostatiquement ou par neutralisation de charge. (*c*) Des carbanions adjacents à des imines protonées (bases de Schiff) sont stabilisés par la formation d'ènamines. (*d*) Les ions métalliques stabilisent les carbanions adjacents à des groupements carbonyle par stabilisation électrostatique de l'énolate.

(Fig. 16-11*a* et *b*). Le groupement carbonyle attire les électrons et apporte ainsi la stabilisation par résonance en formant un ion énolate (Fig. 16-12*a*). La stabilisation de l'énolate peut être renforcée par neutralisation de sa charge négative. Les enzymes y parviennent par formation de liaison hydrogène ou protonation (Fig. 16-12*b*), conversion du groupement carbonyle en base de Schiff protonée (catalyse covalente ; Fig. 16-12*c*), ou par liaison de coordinence à un ion métallique (catalyse par ion métallique ; Fig. 16-12*d*). La décarboxylation d'un acide β-cétonique ne nécessite pas de catalyse basique pour la formation du carbanion stabilisé par résonance ; la réaction de décarboxylation très exergonique fournit l'énergie suffisante (Fig. 16-11*c*).

3 ■ APPROCHES EXPÉRIMENTALES DE L'ÉTUDE DU MÉTABOLISME

Une voie métabolique peut être étudiée à différents niveaux :

1. Celui de la suite des réactions qui permettent la transformation d'un nutriment spécifique en produits finaux, avec l'étude énergétique de ces réactions.

2. Celui des mécanismes par lesquels chaque intermédiaire est transformé en intermédiaire suivant. Cette analyse nécessite que l'enzyme qui catalyse chaque réaction soit isolée et caractérisée.

3. Celui des mécanismes de contrôle qui régulent le flux des métabolites de la voie. Un réseau complexe et sophistiqué de mécanismes de régulation rend les voies métaboliques très sensibles aux besoins de l'organisme ; le débit d'une voie métabolique n'est généralement pas plus grand que nécessaire.

Comme on peut l'imaginer, l'élucidation d'une voie métaboliques à tous ces niveaux est un problème compliqué, nécessitant la contribution de plusieurs disciplines. La plupart des techniques mises en jeu pour résoudre ce problème consistent à perturber d'une manière ou d'une autre le système étudié et à observer les effets de la perturbation sur la concentration ou la production des métabolites intermédiaires. Parmi ces techniques, citons l'utilisation d'inhibiteurs métaboliques qui bloquent les voies métaboliques au niveau de réactions enzymatiques spécifiques. Une autre possibilité consiste à étudier les anomalies génétiques qui bloquent des voies métaboliques particulières. Des méthodes ont également été mises au point pour « disséquer » les organismes en organes, tissus, cellules et organites intracellulaires, et purifier et identifier les métabolites et les enzymes qui catalysent leurs interconversions. L'utilisation de traceurs isotopiques pour suivre le cheminement d'atomes et de molécules dans le labyrinthe métabolique est devenue une routine. De nouvelles techniques utilisant la technologie de la RMN permettent de suivre *in vivo* la formation des métabolites. Cette section passe en revue l'utilisation de ces différentes approches expérimentales.

A. *Inhibiteurs métaboliques, études de croissance et génétique biochimique*

a. **Les intermédiaires d'une voie s'accumulent en présence d'inhibiteurs métaboliques**

La première voie métabolique élucidée entièrement a été la **glycolyse**, qui assure la transformation de glucose en éthanol dans les levures (Section 17-1A). Au cours de ces études, on a trouvé que certaines substances, appelées **inhibiteurs métaboliques**, bloquaient la glycolyse en des points spécifiques, provoquant ainsi l'accumulation des intermédiaires précédant les points de blocage. Par exemple, des extraits de levure en présence d'iodoacétate accumulent du fructose-1,6-bisphosphate, alors qu'en présence de fluorure, deux esters phosphate, le 3-phosphoglycérate et le 2-phosphoglycérate s'accumulent. L'isolement et la caractérisation de ces intermédiaires étaient indispensables pour l'élucidation de la glycolyse. L'intuition chimique associée à ces renseignements a permis de déterminer les différentes étapes de la voie métabolique. De plus, chacune des réactions proposées a pu être reproduite *in vitro* en présence d'une enzyme purifiée.

b. **Des anomalies génétiques provoquent aussi l'accumulation d'intermédiaires métaboliques**

La découverte au début des années 1900 par Archibald Garrod que des maladies génétiques humaines sont dues à des déficiences d'enzymes spécifiques (Section 1-4C) contribua aussi à l'élucidation de voies métaboliques. Par exemple, après ingestion de phénylalanine ou de tyrosine, des personnes souffrant d'**alcaptonurie**, maladie héréditaire sans danger, excrètent de l'**acide homogentisique** dans leurs urines (Section 26-3H), contrairement aux personnes normales. Ceci est dû à ce que le foie des alcaptonuriques n'a pas l'enzyme qui catalyse la dégradation de l'acide homogentisique. Une autre maladie génétique, la **phénylcétonurie** (Section 26-3H), se traduit par l'accumulation de **phénylpyruvate** dans les urines (si la maladie n'est pas traitée, on observe un retard mental important chez l'enfant). Après ingestion de phénylalanine et de phénylpyruvate, on trouve du phénylpyruvate dans les urines de ces malades, alors que la tyrosine est métabolisée normalement. Les effets de ces deux anomalies ont conduit à proposer la voie du métabolisme de la phénylalanine représentée dans la Fig. 16-13. Cependant, l'hypothèse selon laquelle le phénylpyruvate, à l'inverse de la tyrosine, est un intermédiaire normal du métabolisme de la phénylalanine parce que le phénylpyruvate s'accumule dans les urines des malades atteints de phénylcétonurie s'est révélée inexacte. Ceci montre qu'une voie métabolique ne peut être élucidée en se basant uniquement sur les conséquences du blocage de la voie et l'analyse des produits accumulés. On a compris plus tard que la formation de phénylpyruvate était due à une voie métabolique normalement mineure qui ne devient significative que si la concentration en phénylalanine est anormalement élevée, ce qui a lieu lorsqu'il y a phénylcétonurie.

c. Des blocages métaboliques peuvent être obtenus par manipulations génétiques

Les premières études du métabolisme ont conduit à une découverte étonnante : *les voies métaboliques de base sont essentiellement les mêmes chez la plupart des organismes.* Cette uniformité métabolique a grandement facilité l'étude des réactions métaboliques. Ainsi, une mutation inactivant ou supprimant une enzyme d'une voie métabolique peut être facilement obtenue chez des micro-organismes qui se reproduisent rapidement en utilisant des **mutagènes** (réactifs chimiques qui induisent des modifications dans le génome ; Section 32-1A) ou des rayons X, ou encore par les techniques de génie génétique (Section 5-5). Les mutants souhaités sont identifiés par leur besoin en produit terminal d'une voie métabolique pour leur croissance. Par exemple, George Beadle et Edward Tatum ont proposé une voie de biosynthèse de l'arginine chez la moisissure *Neurospora crassa* après analyse de trois **mutants auxotrophes** pour l'arginine (mutants qui ont besoin d'un nutriment spécifique pour leur croissance), obtenus après irradiation par rayons X (Fig. 16-14). Ce travail décisif démontra aussi définitivement que les enzymes sont spécifiées par les gènes (Section 1-4C).

d. Des manipulations génétiques chez des organismes supérieurs renseignent sur le métabolisme

Les **organismes transgéniques** (Section 5-5H) ont un grand intérêt pour l'étude du métabolisme. *On les utilise non seulement pour créer des blocages métaboliques, mais aussi pour faire s'exprimer des gènes dans des tissus où ils ne sont pas présents à l'origine.* Par exemple, on a introduit un gène codant la **créatine kinase** (Section 16-4C) dans le foie de souris. Cette enzyme, que l'on trouve normalement dans beaucoup de tissus, dont le cerveau et les muscles, mais qui est absent dans le foie, catalyse la formation de **phosphocréatine** (Section 16-4C), substance qui assure la régénération rapide de l'ATP quand il se trouve en faibles quantités. L'expression de la créatine kinase dans le foie permet à celui-ci de synthétiser la phosphocréatine quand l'animal est nourri de créatine, comme cela a été montré par des techniques de RMN *in vivo* (Figure 16-15 ; la RMN est discutée ci-dessous). La présence de phosphocréatine dans le foie de souris transgéniques évite aux

Phénylalanine

Inconnue initialement ; déficiente en cas de phénylcétonurie

voie secondaire

Tyrosine

p-Hydroxyphénylpyruvate

n'existe pas : on a pensé initialement qu'elle existait et qu'elle était déficiente en cas de phénylcétonurie

Phénylpyruvate

Homogentisate

Déficiente en cas d'alcaptonurie

$H_2O + CO_2$

FIGURE 16-13 Voie de dégradation de la phénylalanine. On pensa d'abord que le phénylpyruvate était un intermédiaire de la voie, étant donné que des personnes atteintes de phénylcétonurie excrètent la phénylalanine et le phénylpyruvate ingérés sous forme de phénylpyruvate. Cependant, on démontra que le phénylpyruvate n'est pas un précurseur de l'homogentisate ; en fait, la formation de phénylpyruvate n'est significative que lorsque la concentration en phénylalanine est anormalement élevée. C'est la tyrosine qui est le produit normal de dégradation de la phénylalanine.

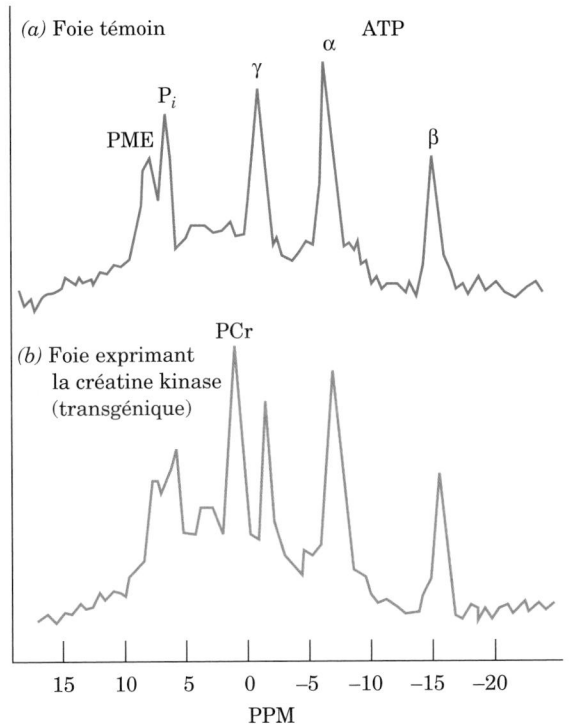

Ornithine　　　　**Citrulline**　　　　**Arginine**

FIGURE 16-14 Voie de biosynthèse de l'arginine où sont indiqués les points de blocage génétique obtenus par mutation. Tous ces mutants croissent en présence d'arginine, mais le mutant 1 croît aussi en présence des acides aminés-α non protéiques, la **citrulline** ou l'**ornithine,** et le mutant 2 croît en présence de citrulline. Ceci parce que chez le mutant 1, une enzyme conduisant à la formation d'ornithine est absente alors que les enzymes qui interviennent ensuite sont présentes. Chez le mutant 2, l'enzyme qui catalyse la formation de citrulline est déficiente, alors que chez le mutant 3 une enzyme qui assure la conversion de citrulline en arginine fait défaut.

animaux de connaître des chutes brutales de la concentration en ATP provoquées habituellement par une surcharge de fructose (Section 17-5A). Grâce à ces techniques de manipulation génétique, on peut étudier les mécanismes de contrôle métabolique *in vivo.*

(a) Foie témoin

(b) Foie exprimant la créatine kinase (transgénique)

FIGURE 16-15 Expression de la créatine kinase dans le foie de souris transgénique révélée par RMN du ^{31}P *in vivo*. *(a)* Spectre d'un foie de souris normale nourrie avec un régime additionné de 2 % de créatine. Les pics du phosphate inorganique (P_i) des groupements phosphoryle α, β et γ de l'ATP et des esters monophosphate (PME) sont marqués. *(b)* Spectre du foie d'une souris transgénique pour la créatine kinase nourrie comme la souris normale. PCr indique le pic de la phosphocréatine. [D'après Koretsky, A.P., Brosnan, M.J., Chen, L., Chen, J., and Van Dyke, T.A., *Proc. Natl. Acad. Sci.,* **87**, 3114 (1990)].

Les voies métaboliques sont régulées par le contrôle de l'activité des enzymes régulatrices (Sections 17-4 et 18-3) et de la concentration de ces enzymes par modification de l'expression génique (Sections 31-3, 32-4 et 34-3). L'étude de ce deuxième type de contrôle par les hormones et le régime alimentaire est maintenant abordée par le recours aux animaux transgéniques. Des **gènes indicateurs** (gènes « rapporteurs » dont les produits sont facilement décelables ; Section 5-5G) sont mis sous le contrôle de **promoteurs** (éléments régulateurs de l'initiation de la transcription ; Section 5-5A) qui contrôlent l'expression d'enzymes régulatrices spécifiques, et le gène combiné résultant est exprimé dans les animaux transgéniques. Ceux-ci peuvent alors être traités par des hormones et/ou être soumis à un régime alimentaire spécial puis on mesure la formation du produit du gène indicateur. Par exemple, on a couplé le promoteur du gène codant l'enzyme **phosphoénolpyruvate carboxykinase** (**PEPCK**) au gène de structure qui code l'**hormone de croissance** (**GH**). La PEPCK, enzyme de régulation important de la **gluconéogenèse** (mécanisme de synthèse de glucose à partir de précurseurs non glucidiques ; Section 23-1), se trouve normalement dans le foie et les reins mais est absente du sang. La GH quant à elle, est sécrétée dans le sang et elle peut être facilement mesurée par ELISA (Section 6-1D). Des souris transgéniques pour PEPCK/GH ont été nourries soit avec un régime riche en glucides et pauvre en protéines (l'activité PEPCK est diminuée), soit avec un régime riche en protéines et pauvre en glucides (l'activité PEPCK est augmentée). La GH en concentration élevée n'a été détecté que dans le sérum des souris transgéniques nourries avec le régime riche en protéines, ce qui signifie que la GH a été synthétisée sous le même contrôle diététique que celui de la PEPCK exprimée par le gène normal. Ainsi peut-on suivre en continu, quoiqu'indirectement, l'activité PEPCK de souris PEPCK/GH en dosant la GH dans le sérum (la mesure directe de la PEPCK dans le foie ou le rein de souris oblige à sacrifier l'animal et ne peut donc être faite qu'une fois). L'utilisation de gènes indicateurs est donc très intéressante pour l'étude du contrôle génétique du métabolisme *in vivo.*

On peut aussi introduire chez un animal supérieur comme la souris une mutation qui inactive ou élimine une enzyme ou une protéine de contrôle d'une voie métabolique. De telles souris knockout (Section 5-5H) ont été très utiles pour l'étude des mécanismes de contrôle du métabolisme. Ainsi, on a cru que l'activité PEPCK n'était régulée que par sa concentration. Nous avons vu que le régime influence sa production. Cependant, ce type de contrôle vient se superposer à une régulation au cours du développement. L'enzyme est absente chez l'embryon et n'apparaît qu'à la naissance lorsque la gluconéogenèse doit fournir le glucose qui, jusqu'alors, était disponible *in utero*. Une des protéines tenues pour responsables de la régulation développementale de la production de PEPCK est **C/EBPα (CAAT/enhancer-binding protein α)**, un **facteur de transcription** (Section 5-4A ; la régulation transcriptionnelle chez les eucaryotes est traitée dans la Section 34-3B). Les souriceaux nouveau-nés avec délétion homozygote du gène *c/ebpα* (knockout *c/ebpα*) ne produisent pas de C/EBPα, ni donc non plus de PEPCK. Par conséquent, leur foie ne peut synthétiser le glucose nécessaire au maintien de leur glycémie une fois privés de la circulation maternelle. De fait, ces souris meurent d'hypoglycémie dans les 8 h qui suivent leur naissance. Il est évident que C/EBPα joue un rôle important dans la régulation de la PEPCK au cours du développement.

B. *Les isotopes en biochimie*

Le marquage spécifique de métabolites en vue de suivre leurs interconversions est une technique indispensable pour élucider les voies métaboliques. C'est en 1904 que Franz Knoop a inauguré cette technique pour étudier l'oxydation des acides gras. Il nourrit des chiens avec des acides gras chimiquement marqués par des groupements phényles puis il isola de leurs urines les produits phénylés formés. De la nature différente de ces produits, selon que les acides gras de départ avaient un nombre impair ou pair d'atomes de carbone, il déduisit que les acides gras étaient dégradés en unités à deux atomes de carbone (Section 25-2).

a. Les molécules marquées par des isotopes ont des propriétés chimiques inchangées

Le marquage chimique présente l'inconvénient de modifier les propriétés chimiques des métabolites marqués. On élimine ce problème en marquant les molécules d'intérêt avec des **isotopes** (atomes qui ont le même nombre de protons mais un nombre différent de neutrons dans leurs noyaux). Se rappeler que les propriétés chimiques d'un élément dépendent de sa configuration électronique qui, à son tour, est déterminée par son nombre atomique, et non par sa masse atomique. Le destin métabolique d'un atome spécifique dans un métabolite peut être ainsi élucidé en marquant cet atome par un isotope et en suivant son devenir dans la voie métabolique d'intérêt. L'avènement des techniques de marquage par isotopes dans les années 1940 a par conséquent révolutionné l'étude du métabolisme. (Les **effets isotopiques**, qui correspondent à des modifications des vitesses de réaction dues aux différences de masses entre isotopes sont négligeables dans la plupart des cas. Quand ils sont significatifs, en particulier avec les isotopes de l'hydrogène, le deutérium et le tritium, on les met à profit pour approfondir les mécanismes des réactions enzymatiques.)

b. La RMN peut être utilisée pour étudier le métabolisme dans l'animal entier

La résonance magnétique nucléaire (RMN) permet de détecter des isotopes spécifiques en raison de leurs spins nucléaires caractéristiques. Par exemple, ^1H, ^{13}C et ^{31}P sont des isotopes détectés par RMN. Comme le spectre RMN d'un noyau particulier varie avec son environnement immédiat, il est possible d'identifier les pics correspondant à des atomes spécifiques même dans des mélanges relativement complexes.

La construction d'électro-aimants suffisamment grands adaptés aux animaux et aux êtres humains et permettant de réaliser des spectres au niveau d'organes spécifiques, a rendu possible l'étude des voies métaboliques par les techniques de RMN sans recourir à des interventions chirurgicales. Ainsi, la RMN du ^{31}P est utilisée pour étudier le métabolisme énergétique dans le muscle en mesurant en continu les concentrations d'ATP, d'ADP, de phosphate inorganique et de phosphocréatine (Fig. 16-15). Un dispositif expérimental de RMN du ^{31}P a été breveté pour mesurer l'efficacité du métabolisme musculaire et la puissance maximum des chevaux de courses pendant qu'ils marchent ou qu'ils courent sur un tapis roulant mécanique, afin de repérer les animaux prometteurs et d'évaluer l'efficacité de leur entraînement et de leur régime alimentaire.

Le marquage par ^{13}C (qui ne représente que $1,10\%$ du carbone naturel) d'atomes spécifiques de métabolites permet de suivre le devenir métabolique de ces atomes par RMN du ^{13}C. La Fig. 16-16 montre le spectre de RMN du ^{13}C obtenu *in vivo* d'un foie de rat avant et après une injection de D-[1-^{13}C]glucose. On peut suivre l'entrée du ^{13}C dans le foie et sa transformation en glycogène (forme de stockage du glucose ; Chapitre 18). Les techniques de RMN du ^1H sont utilisées actuellement pour déterminer les niveaux *in vivo* d'une série de métabolites dans des tissus comme le cerveau ou le muscle.

c. Détection des isotopes radioactifs

Tous les éléments ont des isotopes. Par exemple, la masse atomique du Cl naturel est de 35,45 D parce que, du moins sur la Terre, c'est un mélange de 55% de ^{35}Cl et de 45% de ^{36}Cl (d'autres isotopes de Cl sont également présents mais à l'état de traces). Les isotopes stables sont généralement identifiés et dosés par spectrométrie de masse ou par RMN. Cependant, beaucoup d'isotopes sont instables ; ils sont l'objet d'une **désintégration radioactive**, processus qui se traduit par l'émission de particules subatomiques du noyau radioactif comme des noyaux d'hélium (**particules α**), des électrons (**particules β**) et/ou des photons (**radiations γ**). Les noyaux radioactifs émettent des radiations qui ont des énergies caractéristiques. Par exemple, ^3H, ^{14}C et ^{32}P émettent tous des particules β mais avec des énergies respectives de 0,018, 0,155, et 1,71 MeV. Les radiations du ^{32}P sont donc très pénétrantes alors que celles du ^3H et du ^{14}C ne le sont pas. (Néanmoins, ^3H et ^{14}C, comme tous les isotopes radioactifs, doivent être manipulés avec le plus grand soin car ils peuvent causer des lésions génétiques après ingestion.)

Les radiations peuvent être détectées par plusieurs techniques. Le **comptage proportionnel** (dont la forme la plus simple est le **compteur Geiger**), le **comptage en liquide scintillant**, et l'**autoradiographie** sont les techniques les plus utilisées en biochimie. Les compteurs proportionnels détectent électroniquement l'ionisation d'un gaz provoquée par le passage de radiations. De plus, ils

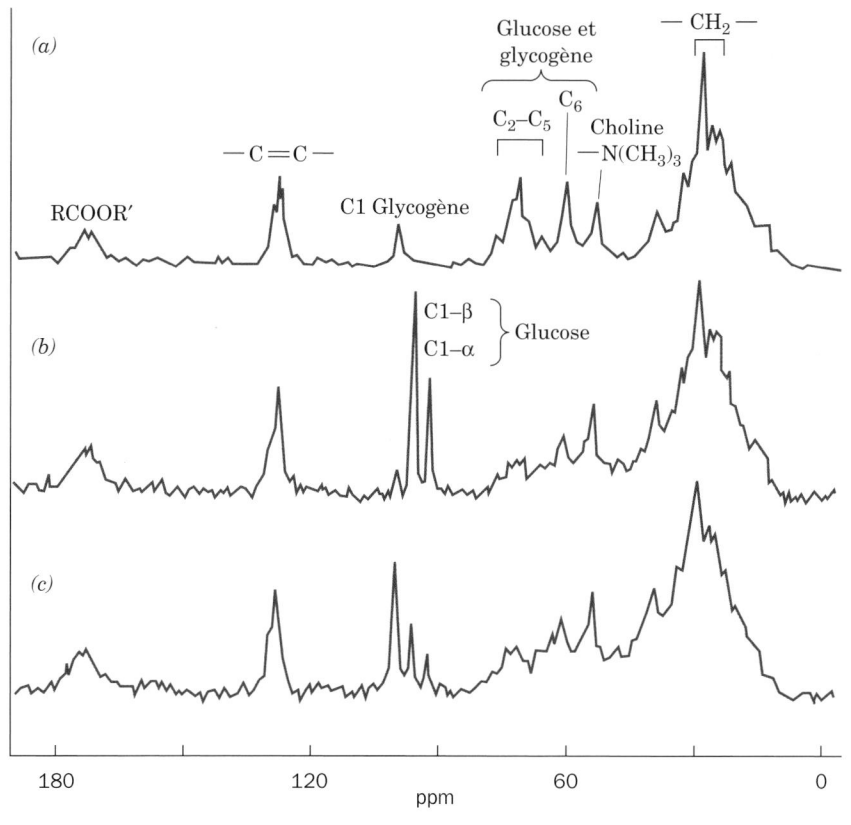

FIGURE 16-16 Conversion du [1-^{13}C]-glucose en glycogène mise en évidence par RMN localisée du ^{13}C *in vivo*. (*a*) Spectre RMN du ^{13}C montrant la quantité normale de cet isotope dans un foie de rat vivant. Noter la résonance correspondant au C1 du glycogène. (*b*) Spectre RMN du foie du même rat environ 5 minutes après injection intraveineuse de 100 mg de [1-^{13}C]-glucose (enrichi à 90 %). Les résonances de l'atome C1 des anomères α et β du glucose se distinguent aisément l'une de l'autre et de celle de l'atome C1 du glycogène. (*c*) Spectre RMN du ^{13}C du foie du même rat environ 30 minutes après l'injection de [1-^{13}C]-glucose. Les résonances des anomères α et β du glucose sont toutes deux très réduites tandis que la résonance du C1 du glycogène a augmenté. [D'après Reo, N.V., Sigefried, B.A., and Acherman, J.J.H., *J. Biol. Chem.* **259**, 13665 (1984)].

peuvent distinguer des particules d'énergie différente et permettent ainsi de déterminer simultanément les quantités respectives de deux isotopes différents, ou plus.

Bien que les compteurs proportionnels soient d'utilisation très simple, les radiations de deux des isotopes les plus utilisés en biochimie, ^{3}H et ^{14}C, n'ont pas assez d'énergie pour entrer avec une efficacité suffisante dans la chambre de détection de ces compteurs. Cet écueil est contourné grâce au comptage en liquide scin-

TABLEAU 16-2   Quelques isotopes utilisés en biochimie

Isotopes stables

Noyau	Pourcentage naturel (%)
^{2}H	0.015
^{13}C	1.07
^{15}N	0.37
^{18}O	0.20

Isotopes radioactifs

Noyau	Radiation	Demi-vie
^{3}H	β	12,33 années
^{14}C	β	5715 années
^{22}Na	β^{+}, γ	2,60 années
^{32}P	β	14,28 jours
^{35}S	β	87,2 jours
^{45}Ca	β	162,7 jours
^{60}Co	β, γ	5,271 années
^{125}I	γ	59,4 jours
^{131}I	β, γ	8,04 jours

Source : Holden, N.E., *in* Lide, D.R. (Éd.), *Handbook of Chemistry and Physics* (82e éd.), pp. 11–51 à 197, CRC Press (2001).

tillant. Dans cette technique, un échantillon radioactif est dissous ou mis en suspension dans une solution de substances fluorescentes qui émettent de la lumière (des photons) sous l'effet d'une radiation. La lumière émise est détectée électroniquement de sorte que le nombre de photons peut être compté. Le noyau émetteur peut aussi être identifié car l'intensité du photon est proportionnelle à l'énergie de la radiation (le nombre de molécules fluorescentes excitées par une particule radioactive est proportionnel à l'énergie de la particule).

Dans le cas de l'autoradiographie, la radiation est révélée par le noircissement d'une pellicule photographique. L'échantillon radioactif est déposé sur (quelquefois mélangé à) l'émulsion photographique et, après un temps d'exposition variable (de quelques minutes à plusieurs mois), la pellicule est développée. L'autoradiographie est très utilisée pour localiser des substances radioactives dans des gels de polyacrylamide (cf. Fig. 6-27). On utilise de même des compteurs de radiations permettant de détecter leur position (films électroniques).

d. Les isotopes radioactifs ont des demi-vies caractéristiques

La désintégration radioactive est un processus qui se fait au hasard, dont la vitesse pour un isotope donné ne dépend que du nombre d'atomes radioactifs présents. C'est donc un processus d'ordre un dont la demi-vie, $t_{1/2}$, ne dépend que de la constante de vitesse, k, du processus de désintégration (Section 14-1B) :

$$t_{1/2} = \frac{\ln 2}{k} = \frac{0,693}{k} \qquad [14.5]$$

La valeur de k étant différente pour chaque isotope radioactif, chacun a une demi-vie caractéristique. Les propriétés de quelques iso-

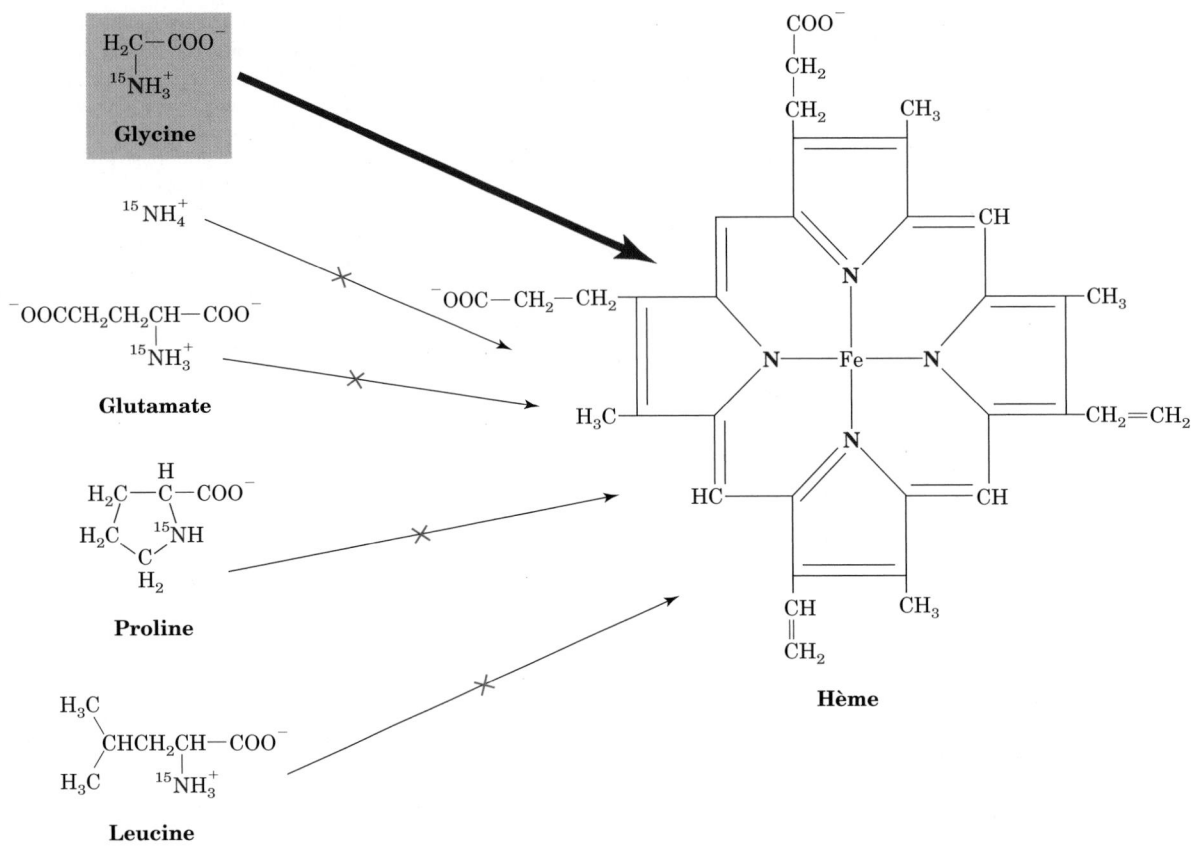

FIGURE 16-17 Origine métabolique des atomes d'azote du noyau hème. Seule la [^{15}N]glycine, parmi de nombreux métabolites marqués par ^{15}N, est un précurseur du ^{15}N-hème.

topes utilisés couramment en biochimie sont données dans le Tableau 16-2.

e. Les isotopes sont indispensables pour élucider les origines métaboliques de métabolites complexes et les relations entre précurseurs et produits

Les origines métaboliques de molécules complexes comme l'hème, le cholestérol et les phospholipides peuvent être déterminées en administrant à des animaux des substances de départ isotopiquement marquées puis en isolant les produits formés. L'une des premières avancées dans la compréhension d'une voie métabolique obtenue par cette technique a été la démonstration par David Shemin et David Rittenberg en 1945, que les atomes d'azote de l'hème proviennent de la glycine et non de l'ammoniac, de l'acide glutamique, de la proline ou de la leucine (Section 26-4A). Pour ce faire, ils ont nourri des rats avec des aliments marqués par ^{15}N, puis ils ont isolé l'hème de leur sang et analysé sa teneur en ^{15}N. Seuls les rats nourris avec de la [^{15}N]glycine avaient un noyau [^{15}]N-hème (Fig. 16-17). Cette technique a permis également de montrer que tous les atomes de carbone du cholestérol proviennent de l'acétyl-CoA (Section 25-6A).

L'utilisation de traceurs isotopiques permet aussi de déterminer l'ordre d'apparition des métabolites intermédiaires, ce qu'on appelle les **relations précurseur-produit.** Prenons l'exemple de la biosynthèse des lipides complexes comme les **plasmalogènes** et les **alkylacylglycérophospholipides** (Section 25-8A). Les alkyla-

cylglycérophospholipides sont des éthers, tandis que les plasmalogènes, très voisins, sont des éthers vinyliques. Leurs structures très semblables conduisent à se demander quel est le précurseur et quel est le produit. Deux voies de synthèse sont possibles (Fig. 16-18) :

I. Le substrat de départ est transformé en éther vinylique (plasmalogène), qui est ensuite réduit pour donner l'éther (alkylacylglycérophospholipide). Dans ce cas, l'éther vinylique serait le précurseur et l'éther le produit.

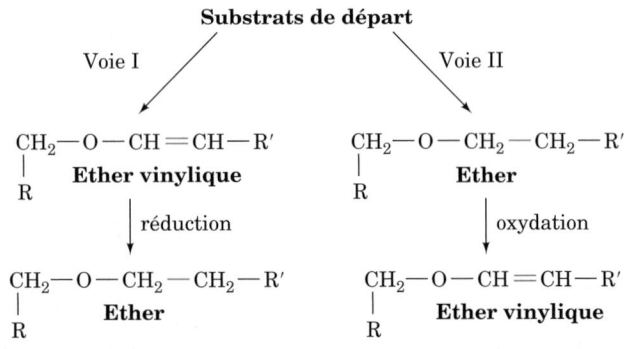

FIGURE 16-18 Deux voies possibles pour la synthèse de phospholipides contenant un éther ou un éther vinylique. (**I**) L'éther vinylique est le précurseur et l'éther est le produit. (**II**) L'éther est le précurseur et l'éther vinylique est le produit.

II. L'éther est formé en premier puis oxydé pour donner l'éther vinylique. L'éther serait alors le précurseur et l'éther vinylique le produit.

Les relations précurseur-produit peuvent être très facilement élucidées en utilisant des traceurs radioactifs. Un « pulse » de produit de départ marqué (radioactif) est administré à un organisme et les radioactivités spécifiques des métabolites formés sont mesurées en fonction du temps (Fig. 16-19) :

$$\text{Substrat de départ*} \to A^* \to B^* \to \text{produits formés*}$$

(* représente le marqueur radioactif). Comme nous le verrons dans la Section 16-6B, les voies métaboliques sont normalement à l'état stationnaire, ce qui signifie que pour chaque réaction, le débit de métabolites est constant. De plus, les vitesses de la plupart des réactions métaboliques sont d'ordre un pour un substrat donné. Dans ces conditions, la vitesse de changement de radioactivité de B, [B*], est égale à la vitesse de transfert du marqueur de A* à B* moins la vitesse de transfert du marqueur de B* au produit suivant de la voie :

$$\frac{d[B^*]}{dt} = k[A^*] - k[B^*] = k([A^*] - [B^*]) \quad [16.1]$$

où k est la constante de vitesse de pseudo-ordre un pour la conversion de A en B et de B en son produit, et t est le temps. L'examen de cette équation permet de savoir quels sont les critères auxquels on doit satisfaire pour prouver que A est le précurseur de B (Fig. 16-19) :

1. Avant que la radioactivité du produit B* ne soit maximale, $d[B^*]/dt > 0$, soit $[A^*] > [B^*]$; autrement dit, *tant que la radioactivité d'un produit augmente, elle doit rester inférieure à celle de son précurseur.*

2. Quand [B*] est maximum, $d[B^*]/dt = 0$, d'où $[A^*] = [B^*]$; c'est-à-dire, *quand la radioactivité d'un produit atteint son maximum, elle doit être égale à celle de son précurseur.* Ceci implique également que *la radioactivité d'un produit atteint son maximum après que son précurseur l'ait atteint.*

3. Quand [B*] diminue, $d[B^*]/dt < 0$, d'où $[A^*] < [B^*]$, ce qui signifie qu'*après que la radioactivité d'un produit a atteint son maximum, elle doit rester supérieure à celle de son précurseur.*

Par cette détermination de la relation précurseur-produit entre alkylacylglycérophospholipide et plasmalogène, avec des produits de départ marqués par ^{14}C, on a établi que l'éther est le précurseur et l'éther vinylique le produit (Fig. 16-18, Schéma II).

C. *Organes, cellules et organites subcellulaires isolés*

On doit non seulement comprendre la chimie et les mécanismes catalytiques qui accompagnent chacune des réactions d'une voie métabolique, mais encore savoir où se déroule cette voie dans l'organisme. Le métabolisme a d'abord été étudié sur l'animal entier. Par exemple, le rôle du pancréas dans le diabète a été démontré par Frederick Banting et Charles Best en 1921 en pratiquant l'ablation de cet organe sur des chiens et en constatant que ces animaux étaient devenus diabétiques.

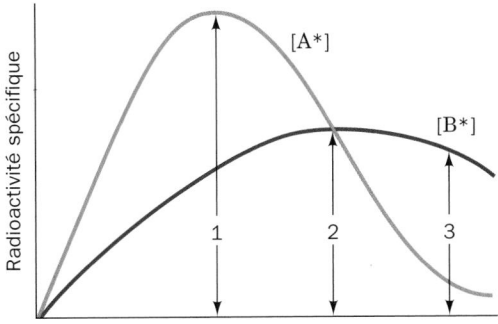

FIGURE 16-19 Transfert d'un pulse de radioactivité depuis un pré-curseur vers un produit. Au point 1, la radioactivité du produit (B*, *violet*) est croissante et inférieure à celle de son précurseur (A*, *orange*) ; au point 2, la radioactivité du produit est maximum et égale à celle de son précurseur ; et au point 3, la radioactivité du produit diminue et reste supérieure à celle de son précurseur.

Les produits du métabolisme d'un organe donné peuvent être étudiés par **perfusion de l'organe** ou en utilisant des **tranches de tissu.** Dans la perfusion d'organe, celui-ci est enlevé par dissection et ses artères et ses veines sont reliées à un système circulatoire artificiel. La composition du milieu qui entre dans l'organe peut donc être définie et l'on peut suivre les produits de son métabolisme. On peut également étudier les processus métaboliques en utilisant des tranches de tissu suffisamment minces pour être nourries par simple diffusion dans une solution nutritive appropriée. Otto Warburg a été le pionnier de cette technique au début du vingtième siècle, grâce à des méthodes manométriques qui lui ont permis de mesurer la consommation d'O_2 de tranches de tissu, et ainsi d'étudier la respiration.

Un organe ou un tissu donné contient généralement différents types de cellules. Des **trieurs de cellules** permettent de séparer celles-ci selon leurs caractéristiques après traitement par la trypsine et la collagénase pour détruire la matrice extracellulaire qui les réunit dans les tissus. Cette technique permet une localisation plus précise d'une fonction métabolique. Un type cellulaire donné peut être **mis en culture** pour être étudié. Bien que les cellules en culture perdent souvent leurs fonctions spécifiques, on a mis des techniques au point pour cultiver plusieurs types cellulaires qui conservent leurs caractéristiques originales.

Chez les eucaryotes, les voies métaboliques se déroulent dans différents compartiments cellulaires en raison de la présence des organites intracellulaires (voir Section 16-1), comme l'indique le Tableau 16-1. Par exemple, les phosphorylations oxydatives ont lieu dans les mitochondries, tandis que la glycolyse et la biosynthèse des acides gras se font dans le cytosol. Ces observations ont été faites en détruisant les cellules et en fractionnant leurs constituants par centrifugation différentielle (Section 6-1B), éventuellement suivie d'une ultracentrifugation sur gradient de densité de saccharose ou sur gradient de densité à l'équilibre de CsCl, qui sépare les particules respectivement selon leur taille et leur densité (Section 6-5B). Les fractions cellulaires sont ensuite analysées pour déterminer leurs fonctions biochimiques.

4 ■ THERMODYNAMIQUE DES COMPOSÉS PHOSPHORYLÉS

Les processus endergoniques qui assurent le maintien en vie des organismes sont rendus possibles par les réactions exergoniques de l'oxydation des nutriments. Ce couplage dépend le plus souvent de la synthèse de quelques intermédiaires « riches en énergie » dont l'hydrolyse exergonique permet les processus endergoniques. Ces intermédiaires forment ainsi une sorte de « monnaie » universelle d'énergie libre versée par les réactions exergoniques et utilisée par les processus endergoniques biologiques.

L'**adénosine triphosphate** (**ATP**; Fig. 16-20), que l'on trouve dans tout être vivant, est le composé riche en énergie qui constitue la « monnaie » énergétique cellulaire la plus courante. Fritz Lipmann et Herman Kalckar furent les premiers à montrer son rôle central dans le métabolisme énergétique en 1941. L'ATP est formé d'**adénosine** à laquelle trois **groupements phosphoryle** ($-PO_3^{2-}$) sont liés à la suite, par l'intermédiaire d'une liaison **ester phosphate** et de deux liaisons **pyrophosphate** (appelées aussi **anhydride phosphate** N.d.T.). L'**adénosine diphosphate** (**ADP**) et le **5′-adénosine monophosphate** (**AMP**) sont formés de la même manière mais avec respectivement deux et un groupements phosphoryle.

Dans cette section nous étudierons la nature des réactions de transfert de groupements phosphoryle, verrons pourquoi certaines de ces réactions sont si exergoniques, et examinerons succinctement comment la cellule utilise et régénère l'ATP.

A. *Réactions de transfert de groupements phosphoryle*

Les réactions de transfert de groupements phosphoryle,

$$R_1-O-PO_3^{2-} + R_2-OH \rightleftharpoons R_1-OH + R_2-O-PO_3^{2-}$$

ont une importance métabolique considérable. Certaines de ces réactions parmi les plus importantes impliquent la synthèse et l'hydrolyse de l'ATP :

$$ATP + H_2O \rightleftharpoons ADP + P_i$$
$$ATP + H_2O \rightleftharpoons AMP + PP_i$$

où P_i et PP_i symbolisent respectivement le **phosphate inorganique** (PO_4^{3-}) et le **pyrophosphate** ($P_2O_7^{4-}$) dans l'un de leurs états d'ionisation possibles. *Ces réactions très exergoniques sont couplées à de nombreux processus biochimiques endergoniques ce qui assure leur déroulement complet. Réciproquement, la régénération de l'ATP est assurée par couplage avec un processus métabolique encore plus exergonique que son hydrolyse* (la thermodynamique des réactions couplées a été exposée dans la Section 3-4C).

Afin d'illustrer ces notions, prenons deux exemples de réactions de transfert de groupements phosphoryle. La première réaction du métabolisme du glucose est sa conversion en glucose-6-phosphate (Section 17-2A). Or, la réaction directe du glucose avec P_i est thermodynamiquement défavorable (Fig. 16-21*a*). Cependant, dans les systèmes biologiques, cette réaction est couplée à l'hydrolyse exergonique de l'ATP, ce qui rend la réaction globale thermodynamiquement favorable. La régénération de l'ATP est assurée de manière analogue, en couplant sa synthèse à partir

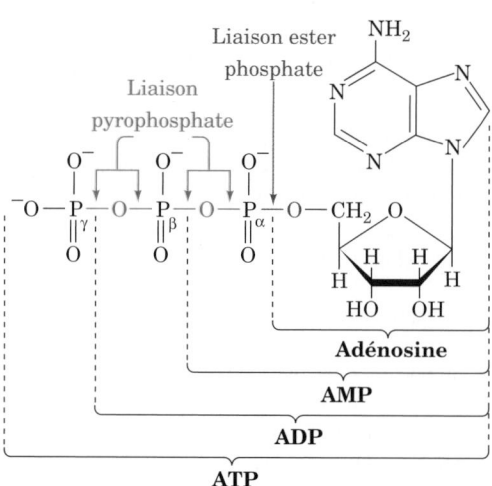

FIGURE 16-20 Structure de l'ATP montrant sa relation à l'ADP, l'AMP et l'adénosine. Les groupements phosphoryle, en partant de celui de l'AMP, sont désignés par phosphates α, β, et γ. Noter les différences entre les liaisons ester phosphate et pyrophosphate.

d'ADP et de P_i à la réaction encore plus exergonique de l'hydrolyse du **phosphoénolpyruvate** (Fig. 16-21*b*; Section 17-2J).

L'intérêt bioénergétique des réactions de transfert de groupements phosphoryle vient de leur stabilité cinétique à l'hydrolyse, associée à leur pouvoir de transmettre des quantités relativement importantes d'énergie libre. Les valeurs de ΔG°′ qui accompagnent l'hydrolyse de plusieurs composés phosphorylés biochimiquement importants sont données dans le Tableau 16-3. Ces mêmes valeurs, mais de signe opposé, sont souvent appelées **potentiels de transfert de groupement phosphate**; elles expriment la tendance des composés phosphorylés de transférer à l'eau leurs groupements phosphoryle. Noter que l'ATP a un potentiel de transfert de groupement phosphate intermédiaire. Dans des conditions standard, les composés situés au-dessus de l'ATP dans le Tableau 16-3 peuvent spontanément transférer un groupement

TABLEAU 16-3 Variation d'énergie libre standard lors de l'hydrolyse de quelques composés phosphorylés importants en biochimie

Composé	$\Delta G^{\circ\prime}(kJ \cdot mol^{-1})$
Phosphoénolpyruvate	−61,9
1,3-Bisphosphoglycérate	−49,4
Acétyl phosphate	−43,1
Phosphocréatine	−43,1
PP_i	−33,5
ATP (→ AMP + PP$_i$)	**−32,2**
ATP (→ ADP + P$_i$)	**−30,5**
Glucose-1-phosphate	−20,9
Fructose-6-phosphate	−13,8
Glucose-6-phosphate	−13,8
Glycérol-3-phosphate	−9,2

Source : Jencks, W.P., *in* Fasman, G.D. (Éd.), *Handbook of Biochemistry and Molecular Biology* (3ᵉ éd.), *Physical and Chemical Data*, Vol. I, pp. 296–304, CRC Press (1976).

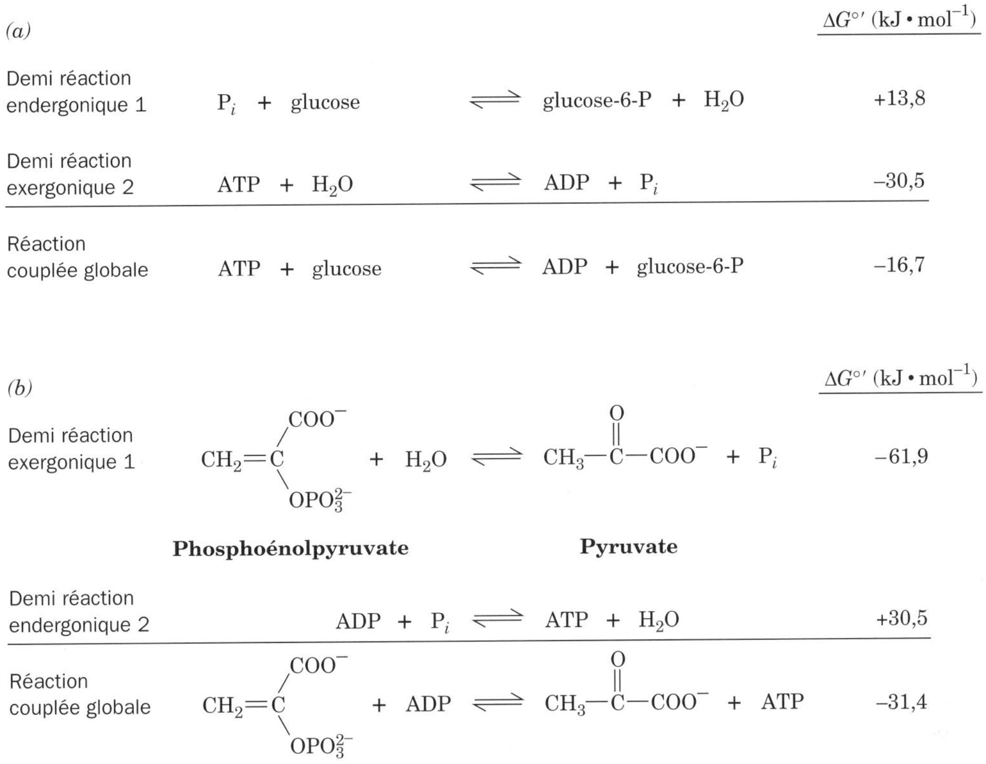

(a)

				$\Delta G^{\circ\prime}$ (kJ·mol^{-1})
Demi réaction endergonique 1	P_i + glucose	$\rightleftharpoons$	glucose-6-P + H_2O	+13,8
Demi réaction exergonique 2	ATP + H_2O	$\rightleftharpoons$	ADP + P_i	−30,5
Réaction couplée globale	ATP + glucose	$\rightleftharpoons$	ADP + glucose-6-P	−16,7

(b)

			$\Delta G^{\circ\prime}$ (kJ·mol^{-1})
Demi réaction exergonique 1	Phosphoénolpyruvate + H_2O $\rightleftharpoons$	Pyruvate + P_i	−61,9
Demi réaction endergonique 2	ADP + P_i $\rightleftharpoons$ ATP + H_2O		+30,5
Réaction couplée globale	Phosphoénolpyruvate + ADP $\rightleftharpoons$	Pyruvate + ATP	−31,4

FIGURE 16-21 Exemples de réactions de couplage mettant en jeu l'ATP. (*a*) Phosphorylation du glucose pour donner du glucose-6-phosphate et de l'ADP. (*b*) Phosphorylation de l'ADP par le phosphoénolpyruvate pour former de l'ATP et du pyruvate. Chaque réaction est décomposée en deux demi-réactions : phosphorylation directe (demi-réaction 1) et hydrolyse de l'ATP (demi-réaction 2). Dans les deux exemples, les demi-réactions se font dans le sens qui correspond à une variation d'énergie libre globale négative (réaction exergonique).

phosphoryle à l'ADP pour donner de l'ATP qui, à son tour, peut transférer un groupement phosphoryle aux produits d'hydrolyse (forme ROH) des composés situés en dessous de lui.

a. Le ΔG de l'hydrolyse de l'ATP varie avec le pH, la concentration en ions métalliques divalents, et la force ionique

Le ΔG d'une réaction varie en fonction des concentrations totales de ses substrats et de ses produits et donc avec leurs états d'ionisation (Éq. [3.15]). Les ΔG de l'hydrolyse des composés phosphorylés sont donc très dépendants du pH, de la concentration en ions métalliques divalents (les ions métalliques divalents comme Mg^{2+} ont une forte affinité de liaison au phosphate), et de la force ionique. Compte tenu des estimations des valeurs intracellulaires de ces différents facteurs et des concentrations respectives en ATP, ADP, et P_i (généralement de l'ordre du millimolaire), l'hydrolyse de l'ATP dans des conditions physiologiques s'accompagne d'un $\Delta G \approx -50$ kJ·mol^{-1} au lieu de la valeur de −30,5 kJ·mol^{-1} de son $\Delta G^{\circ\prime}$. Cependant, par souci de cohérence lors de comparaisons avec d'autres réactions, nous utiliserons généralement cette dernière valeur.

Ce que nous venons de voir avec l'ATP n'a rien d'exceptionnel. Il faut garder présent à l'esprit que *dans une cellule donnée, les concentrations de la plupart des molécules varient en fonction du lieu et du temps. De fait, les concentrations de nombreux ions, de coenzymes et de métabolites, varient de plusieurs ordres de grandeur de part et d'autre des frontières membranaires des orga-*

nites. Malheureusement, il est généralement très difficile de mesurer avec précision la concentration d'une espèce chimique donnée au sein d'un compartiment cellulaire spécifique. Les valeurs de ΔG de la plupart des réactions *in vivo* ne sont que des estimations.

B. *Explication rationnelle de l'« énergie » des composés « riches en énergie »*

Les liaisons dont l'hydrolyse s'accompagne d'un $\Delta G^{\circ\prime}$ très négatif (< -25 kJ·mol^{-1}) sont appelées **liaisons à « haut potentiel énergétique »** ou **liaisons « riches en énergie »** et sont habituellement symbolisées par le signe ~. On peut ainsi représenter l'ATP par AR—P~P~P où A symbolise l'adényle, R le ribosyle et P les groupements phosphoryle. Cependant, la liaison ester phosphate qui réunit le groupement adénosyle de l'ATP à son groupement α-phosphoryle ne semble pas très différente, de par sa structure électronique, des liaisons « riches en énergie » qui réunissent les groupements phosphoryle α à β et β à γ. De fait, puisqu'aucune de ces liaisons ne présente de propriétés anormales, le terme liaison « riche en énergie » n'est pas approprié. (De toutes façons, il ne doit pas être confondu avec le terme « énergie de liaison », qui correspond à l'énergie nécessaire pour rompre, et non hydrolyser, une liaison covalente). Pourquoi donc, les réactions de transfert de groupement phosphoryle de l'ATP sont-elles si exergoniques ? La comparaison des stabilités respectives des substrats et des produits de ces réactions nous fournit l'explication.

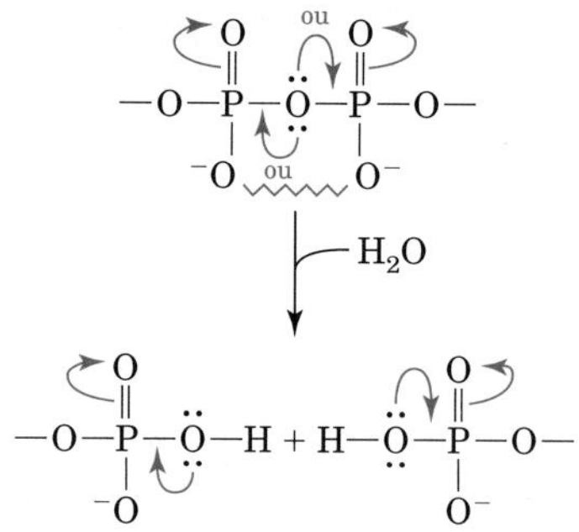

FIGURE 16-22 Stabilisation électrostatique et par résonance du pyrophosphate et de ses produits d'hydrolyse. Les résonances en compétition (*flèches courbes* depuis l'atome d'oxygène central) et les répulsions entre charges (*ligne en zigzag*) entre les groupements phosphoryle d'une liaison pyrophosphate, diminuent sa stabilité comparée à celle de ses produits d'hydrolyse.

Plusieurs facteurs sont responsables du caractère « riche en énergie » des liaisons pyrophosphate comme celles de l'ATP (Fig. 16-22) :

1. La stabilisation par résonance d'une liaison pyrophosphate est inférieure à celle de ses produits d'hydrolyse. Ceci est dû à ce que les deux groupements phosphoryle très électronégatifs d'un pyrophosphate sont en compétition avec les électrons π de son pont oxygène alors que cette compétition n'existe pas avec les produits d'hydrolyse. Autrement dit, les besoins électroniques des groupements phosphoryle sont moins satisfaits dans le pyrophosphate que dans ses produits d'hydrolyse.

2. L'effet déstabilisateur des forces de répulsion électrostatiques des groupements chargés d'un pyrophosphate comparé à celui de ses produits d'hydrolyse est sans doute un facteur plus important. Dans la zone de pH physiologique, l'ATP a entre trois et quatre charges négatives dont les forces de répulsion électrostatiques mutuelles sont partiellement éliminées après hydrolyse de l'ATP.

3. Une autre influence déstabilisatrice, difficile à évaluer, est la plus faible énergie de solvatation d'un pyrophosphate comparée à celle de ses produits d'hydrolyse. D'après certains calculs, il se pourrait que ce facteur fournisse la force thermodynamique principale qui provoque l'hydrolyse des pyrophosphates.

Une autre propriété de l'ATP qui lui permet de jouer son rôle d'intermédiaire énergétique vient de ce que les liaisons pyrophosphate s'hydrolysent difficilement alors que la plupart des anhydrides s'hydrolysent rapidement en solutions aqueuses. Les liaisons pyrophosphate se caractérisent par une valeur d'énergie d'activation anormalement élevée ce qui explique que l'ATP soit plutôt stable dans des conditions physiologiques mais qu'il s'hydrolyse facilement lors de réactions enzymatiques.

a. Autres composés « riches en énergie »

Les composés figurant dans le Tableau 16-3 ayant des potentiels de transfert de groupement phosphate supérieurs à celui de l'ATP sont soumis à des influences déstabilisatrices supplémentaires :

1. Les acyles phosphate. L'hydrolyse des **acyles phosphate** (anhydrides mixtes entre acide carboxylique et acide phosphorique), comme les **acétyles phosphate** et le **1,3-bisphosphoglycérate**,

est provoquée par les mêmes différences de compétition de résonance et d'énergie de solvatation entre substrats et produits que

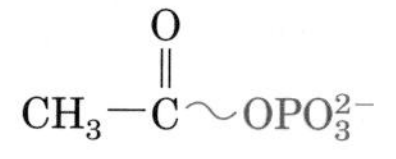

Acétyl phosphate

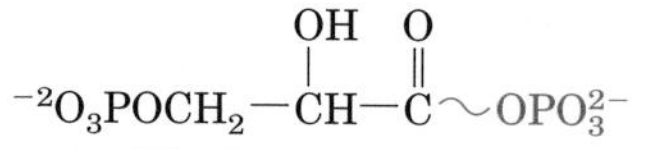

1,3-Bisphosphoglycérate

celles que nous avons vues avec les pyrophosphates. Ces effets seraient plus prononcés dans le cas des acyles phosphate.

2. Enols phosphate. Le haut potentiel de transfert de groupement phosphate des **énols phosphate** comme le phosphoénolpyruvate (Fig. 16-21*b*), vient de ce que le produit d'hydrolyse **énol** est beaucoup moins stable que sa forme tautomère **céto**. Lors de la réaction d'hydrolyse d'un énol phosphate qui se fait en deux temps (Fig. 16-23), l'étape d'hydrolyse est sous la dépendance des mêmes influences que celles que nous avons déjà décrites. *C'est donc la conversion très exergonique énol-céto qui fournit au phosphoénolpyruvate un apport thermodynamique supplémentaire qui lui permet de phosphoryler l'ADP en ATP.*

3. Les phosphoguanidines. Le haut potentiel de transfert de groupement phosphate des **phosphoguanidines**, comme la **phosphocréatine** et la **phosphoarginine**, est dû essentiellement à la compétition des formes en résonance de leur groupement **guanidine**, encore plus prononcée que celle des liaisons pyrophosphate (Fig. 16-24). En conséquence, la phosphocréatine peut phosphoryler l'ADP en ATP (cf. Section 16-4C).

Les composés comme le **glucose-6-phosphate** ou le **glycérol-3-phosphate,**

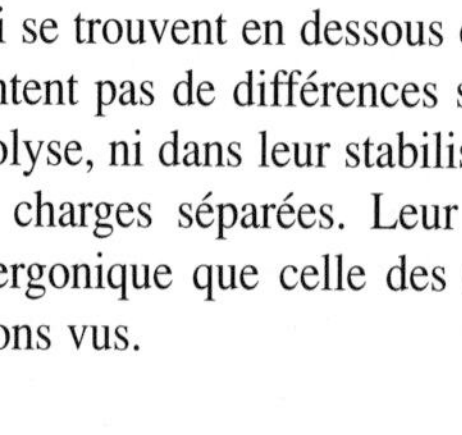

α-D-Glucose-6-phosphate 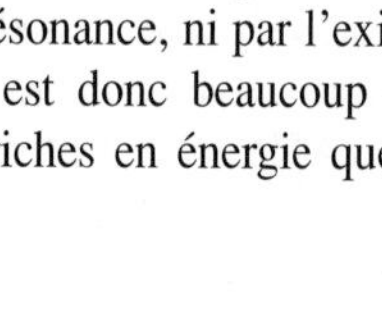   **L-Glycérol-3-phosphate**

qui se trouvent en dessous de l'ATP dans le Tableau 16-3, ne présentent pas de différences significatives avec leurs produits d'hydrolyse, ni dans leur stabilisation par résonance, ni par l'existence de charges séparées. Leur hydrolyse est donc beaucoup moins exergonique que celle des composés riches en énergie que nous avons vus.

C. *Rôle de l'ATP*

Comme le montre le Tableau 16-3, *l'ATP occupe une position intermédiaire dans la hiérarchie thermodynamique des agents de transfert de groupements phosphoryle.* Cela permet à l'ATP de servir de « canal » énergétique entre les donneurs de groupement phosphate « riches en énergie » et les accepteurs de groupement phosphate « faibles en énergie » (Fig. 16-25). Voyons le fonctionnement général de ces transferts.

Hydrolyse

$$\text{Phosphoénolpyruvate} + H_2O \rightleftharpoons \text{pyruvate (énol)} + HPO_4^{2-} \qquad \Delta G^{\circ\prime} = -16 \text{ kJ} \cdot \text{mol}^{-1}$$

**Phosphoénol-
pyruvate**

Tautomérisation

$$\text{Pyruvate (forme énol)} \rightleftharpoons \text{Pyruvate (forme céto)} \qquad \Delta G^{\circ\prime} = -46 \text{ kJ} \cdot \text{mol}^{-1}$$

**Pyruvate
(forme énol)** **Pyruvate
(forme céto)**

Réaction globale

$$\text{Phosphoénolpyruvate} + H_2O \rightleftharpoons \text{pyruvate} + HPO_4^{2-} \qquad \Delta G^{\circ\prime} = -61,9 \text{ kJ} \cdot \text{mol}^{-1}$$

FIGURE 16-23 Hydrolyse du phosphoénolpyruvate. La réaction est décomposée en deux étapes, hydrolyse et tautomérisation.

Phosphocréatine

$R = CH_2 - CO_2^- \; ; \; X = CH_3$

Phosphoarginine

$R = CH_2 - CH_2 - CH_2 - CH - CO_2^- \; ; \; X = H$ (with NH_3^+ substituent)

FIGURE 16-24 Résonances en compétition des phosphoguanidines.

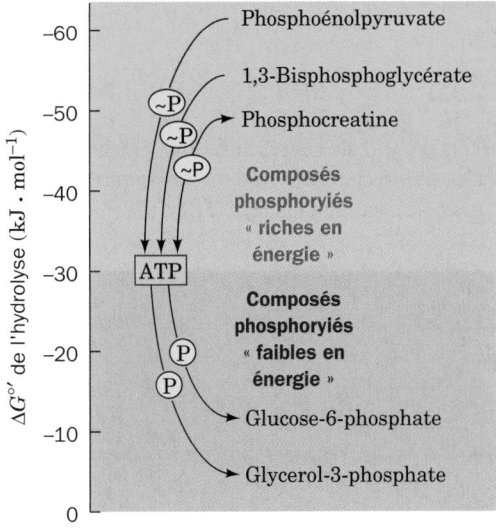

FIGURE 16-25 Le transfert des groupements phosphoryle depuis des donneurs de groupement phosphate « riches en énergie », via le système ATP-ADP, vers des accepteurs de phosphate « faibles en énergie ».

En général, les réactions de transfert de groupement phosphoryle très exergoniques sont couplées à la formation d'ATP à partir d'ADP et de P_i, à l'intervention de plusieurs enzymes appelées **kinases** ; ces enzymes catalysent le transfert de groupements phosphoryle entre l'ATP et d'autres molécules. Prenons l'exemple des deux réactions représentées dans la Fig. 16-21*b*. Si ces deux réactions se faisaient séparément, elles ne pourraient s'influencer. Cependant, dans la cellule les deux réactions sont couplées par l'enzyme **pyruvate kinase**, qui catalyse le transfert direct du groupement phosphoryle du phosphoénolpyruvate sur l'ADP, d'où un bilan exergonique.

a. Utilisation de l'ATP

En tant que « monnaie » énergétique universelle des êtres vivants, l'ATP peut être utilisé de plusieurs façons :

1. Étapes préliminaires de dégradation de substrats. L'hydrolyse exergonique de l'ATP en ADP peut être couplée par une

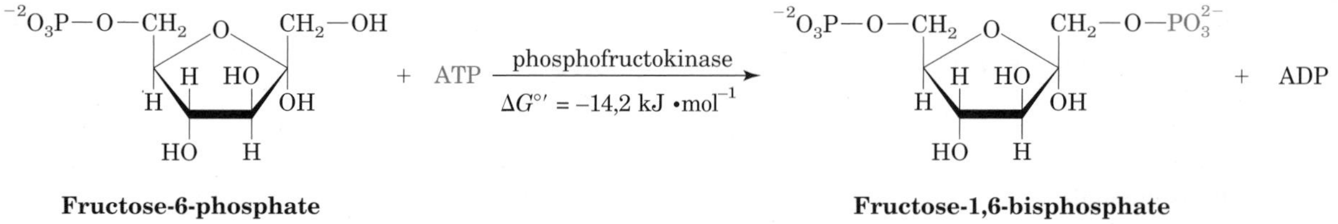

$$^{-2}O_3P-O-CH_2 \quad O \quad CH_2-OH \qquad + \quad ATP \quad \xrightarrow[\Delta G^{\circ\prime} = -14{,}2 \text{ kJ} \cdot \text{mol}^{-1}]{\text{phosphofructokinase}} \qquad ^{-2}O_3P-O-CH_2 \quad O \quad CH_2-O-PO_3^{2-} \qquad + \quad ADP$$

Fructose-6-phosphate   **Fructose-1,6-bisphosphate**

FIGURE 16-26 Phosphorylation du fructose-6-phosphate par l'ATP pour donner du fructose-1,6-bisphosphate et de l'ADP.

enzyme à une réaction de phosphorylation endergonique pour donner des composés phosphorylés de « faible énergie ». Nous avons déjà vu l'exemple de la réaction catalysée par l'hexokinase qui donne du glucose-6-phosphate (Fig. 16-21a). La réaction catalysée par la **phosphofructokinase** qui permet la phosphorylation du **fructose-6-phosphate** en **fructose-1,6-bisphosphate** (Fig. 16-26) en est un autre. Ces deux réactions ont lieu au début de la glycolyse (Section 17-2).

2. Interconversion de nucléosides triphosphate. De nombreux mécanismes de biosynthèse, synthèse des protéines et des acides nucléiques par exemple, nécessitent d'autres nucléosides triphosphate en plus de l'ATP. La biosynthèse des ARN (Section 31-2), nécessite les ribonucléosides triphosphate CTP, GTP, et UTP (Section 1-3C), en plus de l'ATP, tandis que la biosynthèse de l'ADN requiert les désoxyribonucléosides triphosphate dATP, dCTP, dGTP, et dTTP (Section 5-4C). Tous ces **nucléosides triphosphate (NTP)** sont synthétisés à partir de leur **nucléoside diphosphate (NDP)** correspondant et d'ATP dans des réactions catalysées par l'enzyme non spécifique **nucléoside diphosphate kinase :**

$$ATP + NDP \rightleftharpoons ADP + NTP$$

Les valeurs de $\Delta G^{\circ\prime}$ de ces réactions sont proches de zéro, vu les similitudes de structure des NTP. Ces réactions sont provoquées par la baisse de concentration des NTP en raison de leur hydrolyse

exergonique couplée aux réactions de biosynthèse auxquelles ils participent (Section 3-4C).

3. Processus physiologiques. L'hydrolyse de l'ATP en ADP et P_i fournit l'énergie nécessaire à de nombreux processus physiologiques endergoniques comme le repliement des protéines sous l'égide de chaperons moléculaires (Section 9-2C), la contraction musculaire et le transport de molécules et d'ions contre un gradient de concentration. Généralement, ces processus s'accompagnent de changements conformationnels de protéines ou d'enzymes en réponse à leur liaison à l'ATP. Il s'ensuit l'hydrolyse exergonique de l'ATP et la formation d'ADP et de P_i, ce qui rend ces processus irréversibles.

4. Hydrolyse de liaison pyrophosphate supplémentaire couplée à des réactions très endergoniques. Bien que beaucoup de réactions utilisant l'ATP donnent de l'ADP et du P_i (**départ d'un phosphate inorganique**), d'autres donnent de l'AMP et du PP_i (**départ d'un pyrophosphate inorganique**). Dans ce cas, le PP_i est rapidement hydrolysé en 2 P_i par une **pyrophosphatase inorganique** ($\Delta G^{\circ\prime} = -33{,}5$ kJ · mol^{-1}) ce qui finalement *se traduit par l'hydrolyse des deux liaisons pyrophosphate de l'ATP riches en énergie.* Un exemple est celui de liaison des acides aminés aux molécules d'ARNt lors de la synthèse protéique (Fig. 16-27 et Sections 5-4B et 32-2C). Les deux étapes de la réaction impliquant l'acide aminé sont facilement réversibles car les énergies libres d'hydrolyse des liaisons formées sont comparables à celle de l'hydrolyse de l'ATP. La réaction est rendue irréversible par l'apport

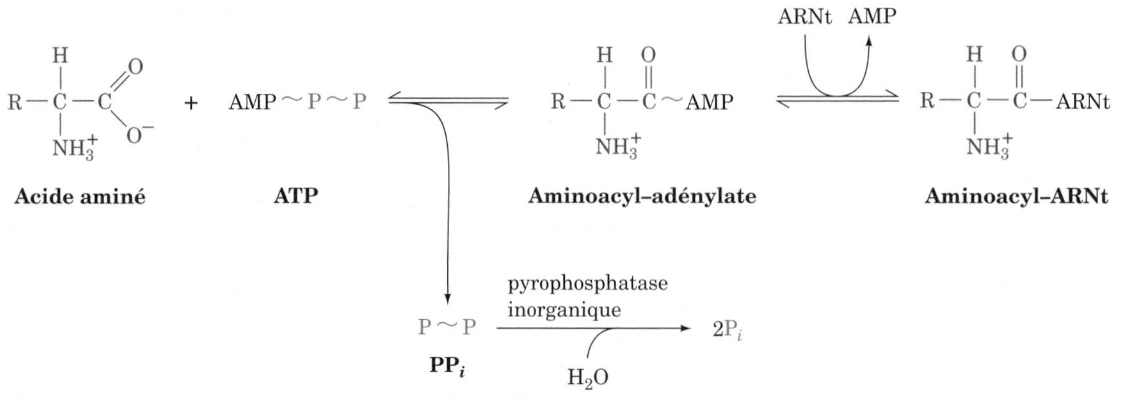

FIGURE 16-27 Scission du pyrophosphate lors de la synthèse d'un aminoacyl-ARNt. Le signe (~) représente une liaison « riche en énergie ». Dans une première étape, l'acide aminé est **adénylylé** par l'ATP. Lors de la seconde étape, une molécule d'ARNt déplace le motif

AMP pour former un aminoacyl-ARNt. Le déroulement de la réaction est assuré par l'hydrolyse très exergonique ($\Delta G^{\circ\prime} = -33{,}5$ kJ · mol^{-1}) du pyrophosphate.

thermodynamique supplémentaire lié à l'hydrolyse du PP$_i$. Lors de la biosynthèse des acides nucléiques à partir des NTP appropriés (Sections 30-2A et 31-2), il y a également formation de PP$_i$. Les variations d'énergie libre de ces réactions vitales sont proches de zéro, et par conséquent l'hydrolyse subséquente du PP$_i$ est indispensable pour que la biosynthèse des acides nucléiques soit assurée.

b. Formation de l'ATP

Afin d'assurer ses fonctions métaboliques, l'ATP doit être régénéré. Trois types de processus assurent ce renouvellement :

1. Phosphorylation liée au substrat. L'ATP peut se former, ainsi que le montre la Fig. 16-21b, par transfert direct d'un groupement phosphoryle d'un composé « riche en énergie » comme le phosphoénolpyruvate sur l'ADP. Ce type de réaction, appelée **phosphorylation liée au substrat**, intervient essentiellement au cours des premières étapes du métabolisme glucidique (Section 17-2).

2. Phosphorylations oxydatives et photophosphorylations. Le métabolisme oxydatif et la photosynthèse provoquent la formation d'un gradient de concentration de protons de part et d'autre d'une membrane (Sections 22-3 et 24-2D). La dissipation de ce gradient est couplée enzymatiquement à la formation d'ATP à partir d'ADP et de P$_i$ (l'inverse de l'hydrolyse de l'ATP). Dans le métabolisme oxydatif, ce mécanisme est appelé **phosphorylation oxydative**, tandis que dans la photosynthèse, on l'appelle **photophosphorylation**. La plus grande partie de l'ATP des organismes qui respirent ou qui photosynthétisent est produite par ces mécanismes.

3. Réaction de l'adénylate kinase. L'AMP issu de l'hydrolyse de l'ATP par hydrolyse de pyrophosphate est transformé en ADP lors d'une réaction catalysée par l'**adénylate kinase** (Section 17-4F) :

$$AMP + ATP \rightleftharpoons 2ADP$$

L'ADP est ensuite phosphorylé en ATP par phosphorylation liée au substrat, phosphorylation oxydative ou photophosphorylation.

c. Vitesse de turnover de l'ATP

L'ATP assure la transmission d'énergie libre et n'est donc pas un réservoir d'énergie. Normalement, la quantité d'ATP intracellulaire est tout juste suffisante pour satisfaire les besoins en énergie libre de la cellule pour une minute ou deux. L'ATP est donc sans cesse hydrolysé et régénéré. Des études avec du ^{32}P ont montré que la demi-vie métabolique d'une molécule d'ATP va de quelques secondes à quelques minutes selon le type de cellule et son activité métabolique. Par exemple, les cellules du cerveau n'ont une réserve en ATP que pour quelques secondes (ce qui explique, en partie, que le tissu cérébral s'abîme très rapidement si l'apport en oxygène est insuffisant). *Une personne moyenne consomme et régénère de l'ATP à une vitesse de l'ordre de 3 mol (1,5 kg)·h^{-1} et cette vitesse est augmentée d'un ordre de grandeur en cas d'activité intense.*

d. La phosphocréatine constitue une réserve d'énergie à haut potentiel pour former de l'ATP

Les cellules musculaires et nerveuses, dont le turnover de l'ATP est très élevé (un muscle en pleine action épuise son ATP en une fraction de seconde), ont une réserve d'énergie libre qui assure la régénération rapide de l'ATP. Chez les vertébrés, c'est la phosphocréatine qui joue ce rôle (Fig. 16-24). Sa régénération est assurée par la phosphorylation réversible de la créatine catalysée par la **créatine kinase :**

ATP + créatine $\rightleftharpoons$ phosphocréatine + ADP
$$\Delta G^{\circ\prime} = +12,6 \text{ kJ} \cdot \text{mol}^{-1}$$

Noter que cette réaction est endergonique dans les conditions standard ; toutefois, les concentrations intracellulaires de ses substrats et produits sont telles (ATP 4 mM et ADP 0,013 mM) qu'elle est proche de l'équilibre ($\Delta G \approx 0$). Par conséquent, quand la cellule est au repos, la [ATP] étant élevée, la réaction fonctionne dans le sens de la synthèse de la phosphocréatine, tandis que lorsque l'activité métabolique est intense, la [ATP] étant faible, l'équilibre de la réaction est déplacé pour la synthèse nette d'ATP. *La phosphocréatine joue ainsi le rôle d'un « tampon » d'ATP dans les cellules qui possèdent la créatine kinase.* Un muscle squelettique de vertébré au repos a normalement assez de phosphocréatine pour assurer ses besoins en énergie libre pendant plusieurs minutes (mais pendant quelques secondes seulement en cas d'activité maximum). Dans les muscles de certains invertébrés comme le homard, on trouve de la phosphoarginine qui joue le même rôle. On appelle ces phosphoguanidines des **phosphagènes.**

5 ■ RÉACTIONS D'OXYDO-RÉDUCTION

*Les **réactions d'oxydo-réduction**, qui se traduisent par des transferts d'électrons, ont une importance biochimique considérable ; la plus grande partie de l'énergie libre des organismes vivants est fournie par ces réactions.* Dans la photosynthèse (Chapitre 24), le CO$_2$ est **réduit** (gain d'électrons) et l'eau est **oxydée** (perte d'électrons) pour donner des glucides et O$_2$ grâce à un processus normalement endergonique mais qui est rendu possible par l'apport de l'énergie lumineuse. Dans le métabolisme aérobie, que l'on trouve chez tous les eucaryotes et de nombreux procaryotes, la réaction globale de la photosynthèse se fait essentiellement en sens inverse afin de mettre en réserve l'énergie libre issue de l'oxydation des glucides et d'autres composés organiques sous forme d'ATP (Chapitre 22). Le métabolisme anaérobie forme aussi de l'ATP, quoique en plus faibles quantités, grâce à des réactions d'oxydo-réduction intramoléculaires de différentes molécules organiques ; c'est le cas de la glycolyse (Chapitre 17), ou de certaines bactéries anaérobies qui utilisent des agents oxydants autres que O$_2$, les sulfates et nitrates par exemple. Dans cette section, nous étudierons la thermodynamique des réactions d'oxydo-réduction afin de comprendre les aspects quantitatifs de ces processus biologiques primordiaux.

A. *L'équation de Nernst*

Les **réactions d'oxydo-réduction** (ou **systèmes redox**) ressemblent à des réactions de transfert de groupes. Par exemple, lors d'une réaction d'hydrolyse, il y a transfert d'un groupement fonctionnel à l'eau. Dans les réactions d'oxydo-réduction, les « groupes » transférés sont des électrons, qui vont d'un **donneur d'électrons** (**agent réducteur**) vers un **accepteur d'électrons** (**agent oxydant**). Par exemple, dans la réaction

$$Fe^{3+} + Cu^+ \rightleftharpoons Fe^{2+} + Cu^{2+}$$

Cu^+, l'agent réducteur, est oxydé en Cu^{2+} tandis que Fe^{3+}, l'agent oxydant, est réduit en Fe^{2+}.

Les réactions d'oxydo-réduction peuvent être décomposées en deux **demi-réactions** ou **couples redox :**

$$Fe^{3+} + e^- \rightleftharpoons Fe^{2+} \text{ (réduction)}$$
$$Cu^+ \rightleftharpoons Cu^{2+} + e^- \text{ (oxydation)}$$

dont la somme donne la réaction ci-dessus. Ces demi-réactions ont lieu au cours du métabolisme oxydatif lors du transfert vital d'électrons qui se déroule dans les mitochondries, sous la dépendance de la **cytochrome c oxydase** (Section 22-2C). Noter que le transfert d'électrons nécessite que les deux demi-réactions se fassent simultanément. De fait, les électrons sont les intermédiaires communs aux deux demi-réactions.

a. Piles électrochimiques

Dans une demi-réaction, on trouve un donneur d'électrons et sa forme conjuguée accepteur d'électrons ; dans la demi-réaction d'oxydation ci-dessus, Cu^+ est le donneur d'électrons et Cu^{2+} est sa forme conjuguée accepteur d'électrons. Ensemble, ils constituent un **couple redox conjugué** analogue à une paire acide-base conjuguée (HA et A^-) d'un acide de Brønsted (Section 2-2A). Cependant, il y a une différence importante entre un couple redox et une paire acide-base, car *les deux demi-réactions d'une réaction d'oxydo-réduction, qui forment chacune un couple redox conjugué, peuvent se dérouler dans deux compartiments séparés pour constituer une **pile électrochimique*** (Fig. 16-28). Dans ce dispositif, chaque demi-réaction se déroule dans sa **demi-pile** séparée, et les électrons circulent entre les demi-piles sous forme de courant électrique grâce au fil conducteur qui relie les deux électrodes. Un pont salin ferme le circuit électrique permettant aux ions de migrer et de maintenir l'électroneutralité.

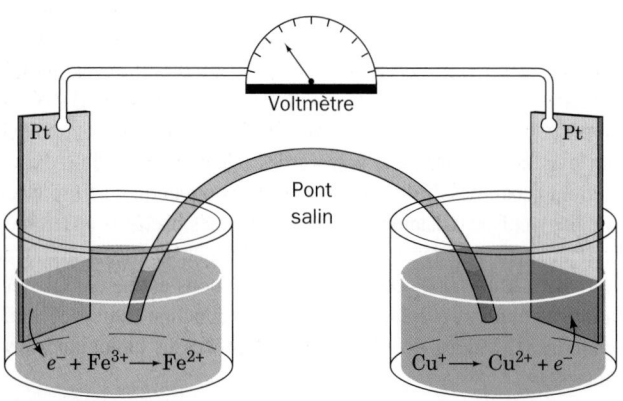

FIGURE 16-28 Exemple de pile électrochimique. Depuis la demi-cellule où a lieu l'oxydation ($Cu^+ \rightarrow Cu^{2+} + e^-$), les électrons libérés passent par un fil conducteur dans la demi-pile où se fait la réaction de réduction ($e^- + Fe^{3+} \rightarrow Fe^{2+}$). L'électroneutralité entre les deux cellules est maintenue par le transfert d'ions via un pont salin contenant un électrolyte.

Il est très facile de mesurer la variation d'énergie libre d'une réaction d'oxydo-réduction en mesurant la force électromotrice entre les deux électrodes de la pile (différence de voltage entre les deux demi-piles). Soit la réaction d'oxydo-réduction générale suivante :

$$A_{ox}^{n+} + B_{red} \rightleftharpoons A_{red} + B_{ox}^{n+}$$

dans laquelle n électrons par mole de substrat sont transférés du réducteur (B_{red}) à l'oxydant (A_{ox}^{n+}). La variation d'énergie libre de cette réaction s'exprime, d'après l'Éq. [3.15] par :

$$\Delta G = \Delta G^\circ + RT \ln\left(\frac{[A_{red}][B_{ox}^{n+}]}{[A_{ox}^{n+}][B_{red}]}\right) \qquad [16.2]$$

D'après l'équation [3.12], dans des conditions réversibles, on a :

$$\Delta G = -w' = -w_{el} \qquad [16.3]$$

où w', le travail à pression et volume constants est, dans ce cas, w_{el}, le travail électrique nécessaire au transfert de n moles d'électrons dans le circuit dont la différence de potentiel est $\Delta \mathcal{E}$. Selon les lois de l'électrostatique, on a :

$$w_{el} = n\mathcal{F}\Delta\mathcal{E} \qquad [16.4]$$

où F , le **faraday,** est la charge électrique portée par 1 mol d'électrons (1 F = 96,494 C·mol^{-1} = 96,494 J·V^{-1}mol^{-1}). En substituant l'Éq. [16.4] dans l'équation [16.3], on a :

$$\Delta G = -n\mathcal{F}\Delta\mathcal{E} \qquad [16.5]$$

Puis en combinant les Éq. [16.2] et [16.5] et en faisant une substitution analogue pour ΔG°, on obtient l'**équation de Nernst :**

$$\Delta\mathcal{E} = \Delta\mathcal{E}^\circ - \frac{RT}{n\mathcal{F}} \ln\left(\frac{[A_{red}][B_{ox}^{n+}]}{[A_{ox}^{n+}][B_{red}]}\right) \qquad [16.6]$$

formulée en 1881 par Walther Nernst. Dans cette équation, ΔE, **potentiel d'oxydo-réduction (potentiel redox)** ou **force électromotrice (fem),** peut être assimilé à la « pression en électrons » exercée par la pile électrochimique. $\Delta\mathcal{E}^\circ$, valeur du potentiel d'oxydo-réduction lorsque tous les composés sont à l'état standard est appelé le **potentiel d'oxydo-réduction standard.** Si ces états standard se réfèrent aux états standard biochimiques (Section 3-4B), $\Delta\mathcal{E}^\circ$ est remplacé par $\Delta\mathcal{E}^{\circ\prime}$. Noter que si $\Delta\mathcal{E}$ est positif, d'après l'équation [16.5] ΔG est négatif ; autrement dit, *si $\Delta\mathcal{E}$ est positif, la réaction est spontanée et elle peut donc accomplir du travail.*

B. Mesure des potentiels redox

La variation d'énergie libre d'une réaction d'oxydo-réduction peut être calculée, comme l'indique l'Éq. [16.5], par simple mesure de son potentiel d'oxydo-réduction avec un voltmètre (Fig. 16-28). Par conséquent, les mesures de différence de potentiel sont fréquemment utilisées pour déterminer la séquence des réactions d'une voie métabolique de transfert d'électrons (comme par exemple, dans les oxydations cellulaires ; Chapitre 22).

Toute réaction d'oxydo-réduction peut se décomposer en deux demi-réactions :

$$A_{ox}^{n+} + ne^- \rightleftharpoons A_{red}$$
$$B_{ox}^{n+} + ne^- \rightleftharpoons B_{red}$$

TABLEAU 16-4 **Potentiels de réduction standard de quelques demi-réactions importantes en biochimie**

Demi-réaction	$\mathscr{E}^{\circ\prime}$ (V)
$\frac{1}{2}O_2 + 2H^+ + 2e^- \rightleftharpoons H_2O$	0,815
$SO_4^{2-} + 2H^+ + 2e^- \rightleftharpoons SO_3^{2-} + H_2O$	0,48
$NO_3^- + 2H^+ + 2e^- \rightleftharpoons NO_2^- + H_2O$	0,42
Cytochrome a_3 (Fe^{3+}) $+ e^- \rightleftharpoons$ cytochrome a_3 (Fe^{2+})	0,385
$O_2(g) + 2H^+ + 2e^- \rightleftharpoons H_2O_2$	0,295
Cytochrome a (Fe^{3+}) $+ e^- \rightleftharpoons$ cytochrome a (Fe^{2+})	0,29
Cytochrome c (Fe^{3+}) $+ e^- \rightleftharpoons$ cytochrome c (Fe^{2+})	0,235
Cytochrome c_1 (Fe^{3+}) $+ e^- \rightleftharpoons$ cytochrome c_1 (Fe^{2+})	0,22
Cytochrome b (Fe^{3+}) $+ e^- \rightleftharpoons$ cytochrome b (Fe^{2+}) *(mitochondrial)*	0,077
Ubiquinone $+ 2H^+ + 2e^- \rightleftharpoons$ ubiquinol	0,045
Fumarate$^- + 2H^+ + 2e^- \rightleftharpoons$ succinate$^-$	0,031
FAD $+ 2H^+ + 2e^- \rightleftharpoons$ FADH$_2$ *(dans les flavoprotéines)*	$-0,040$
Oxaloacétate$^- + 2H^+ + 2e^- \rightleftharpoons$ malate$^-$	$-0,166$
Pyruvate$^- + 2H^+ + 2e^- \rightleftharpoons$ lactate$^-$	$-0,185$
Acétaldéhyde $+ 2H^+ + 2e^- \rightleftharpoons$ éthanol	$-0,197$
FAD $+ 2H^+ + 2e^- \rightleftharpoons$ FADH$_2$ *(coenzyme libre)*	$-0,219$
S $+ 2H^+ + 2e^- \rightleftharpoons H_2S$	$-0,23$
Acide lipoïque $+ 2H^+ + 2e^- \rightleftharpoons$ acide dihydrolipoïque	$-0,29$
$NAD^+ + H^+ + 2e^- \rightleftharpoons$ NADH	$-0,315$
$NADP^+ + H^+ + 2e^- \rightleftharpoons$ NADPH	$-0,320$
Cystine $+ 2H^+ + 2e^- \rightleftharpoons$ cystéines	$-0,340$
Acétoacétate$^- + 2H^+ + 2e^- \rightleftharpoons \beta$-hydroxybutyrate$^-$	$-0,346$
$H^+ + e^- \rightleftharpoons \frac{1}{2}H_2$	$-0,421$
Acétate $+ 3H^+ + 2e^- \rightleftharpoons$ acétaldéhyde $+ H_2O$	$-0,581$

Source : Principalement de Loach, P.A., *in* Fasman, G.D. (Éd.), *Handbook of Biochemistry and Molecular Biology* (3e éd.), *Physical and Chemical Data,* Vol. I, pp. 123–130, CRC Press (1976).

où, par convention, les deux demi-réactions sont écrites dans le sens de la réduction. On peut attribuer à ces deux demi-réactions des **potentiels de réduction**, en accord avec l'équation de Nernst :

$$\mathscr{E}_A = \mathscr{E}_A^\circ - \frac{RT}{n\mathscr{F}}\ln\left(\frac{[A_{red}]}{[A_{ox}^{n+}]}\right) \qquad [16.7a]$$

$$\mathscr{E}_B = \mathscr{E}_B^\circ - \frac{RT}{n\mathscr{F}}\ln\left(\frac{[B_{red}]}{[B_{ox}^{n+}]}\right) \qquad [16.7b]$$

Pour la réaction d'oxydo-réduction de l'une ou l'autre de ces deux demi-réactions :

$$\Delta\mathscr{E}^\circ = \mathscr{E}_{(e^- \text{ acceptor})}^\circ - \mathscr{E}_{(e^- \text{ donor})}^\circ \qquad [16.8]$$

Ainsi, quand dans la réaction A est l'accepteur d'électrons et B le donneur d'électrons, $\Delta\mathscr{E}^\circ = \mathscr{E}_A^\circ - \mathscr{E}_B^\circ$; on obtient $\Delta\mathscr{E}$ de la même façon.

Les potentiels de réduction, comme les énergies libres, doivent être définis par rapport à un système de référence standard arbitraire. Par convention, les potentiels de réduction standard sont définis par rapport à la demi-réaction de réduction de l'hydrogène dans des conditions standard :

$$2H^+ + 2e^- \rightleftharpoons H_2(g)$$

où $[H^+] = 1M$ (pH = 0), est en équilibre avec H_2 gazeux (g) à une pression de 1 atm, à 25 °C, l'ensemble en contact avec une électrode de Pt. Par convention, cette demi-pile a un potentiel de réduction $\mathscr{E}^\circ = 0$ V (1 V = 1 J·C^{-1}). Selon les conventions biochimiques, pour la demi-réaction standard de l'hydrogène (pH = 0), $\mathscr{E}' = 0$, ce qui donne pour la demi-pile de l'hydrogène à l'état biochimique standard (pH = 7) une valeur de $\mathscr{E}^{\circ\prime} = -0,421$ V (Tableau 16-4). Quand $\Delta\mathscr{E}$ est positif, ΔG est négatif (Éq. [16.5]), ce qui indique que la réaction est spontanée. En combinant les deux demi-réactions dans les conditions standard, on constate que la spontanéité d'une réaction implique la réduction du couple redox ayant le potentiel de réduction standard le plus positif. Autrement dit, *plus le potentiel de réduction standard est positif, plus la forme oxydée du couple redox a tendance à accepter les électrons et à passer sous forme réduite.*

a. Les demi-réactions biochimiques sont physiologiquement importantes

Les potentiels de réduction standard biochimiques ($\mathscr{E}^{\circ\prime}$) de quelques demi-réactions biochimiques importantes sont donnés dans le Tableau 16-4. La forme oxydée d'un couple redox ayant un potentiel de réduction standard fortement positif possède une forte affinité pour les électrons, ce qui en fait un agent oxydant, alors que sa forme réduite conjuguée est un faible donneur d'électrons (agent réducteur). Par exemple, O_2 est l'agent oxydant le plus fort du Tableau 16-4, tandis que H_2O, qui retient fortement ses électrons, est l'agent réducteur le plus faible du tableau. L'inverse est vrai pour les demi-réactions ayant des potentiels réduction standard fortement négatifs. Puisque les électrons vont spontanément depuis les bas vers les hauts potentiels de réduction, ils sont transférés, dans les conditions standard, depuis les produits réduits de n'importe quelle demi-réaction du Tableau 16-4 aux substrats oxydés de toute demi-réaction située au dessus d'elle (bien que la présence d'une enzyme soit le plus souvent indispensable pour que ce transfert d'électrons soit mesurable). Ainsi, dans les systèmes biologiques, la limite inférieure approximative d'un potentiel de réduction standard est −0,421 V car les agents réducteurs dont la valeur de $\mathscr{E}°'$ est plus basse réduiraient les protons en H_2. Cependant, les centres réducteurs des protéines qui ne sont pas en contact avec l'eau peuvent avoir des potentiels plus bas. Noter que les ions Fe^{3+} des différents cytochromes figurant dans le Tableau 16-4 ont des potentiels d'oxydo-réduction significativement différents. Ceci montre que *la nature protéique des enzymes d'oxydo-réduction joue un rôle actif dans les réactions de transfert d'électrons en modulant la valeur des potentiels d'oxydo-réduction de leurs centres oxydo-réducteurs actifs liés.*

Les réactions de transfert d'électrons ont une grande importance biologique. Par exemple, dans la chaîne de transfert d'électrons mitochondriale (Section 22-2), source numéro un d'ATP chez les eucaryotes, les électrons sont transférés depuis le NADH (Fig. 13-2) en passant par toute une série d'accepteurs d'électrons de potentiels de réduction croissants (dont beaucoup figurent dans le Tableau 16-4), jusqu'à l'oxygène. L'ATP est formé à partir d'ADP et de P_i, sa synthèse endergonique étant couplée à cette cascade très exergonique. *Le NADH fonctionne donc comme un coenzyme de transfert d'électrons riche en énergie.* De fait, l'oxydation d'un NADH en NAD^+ fournit suffisamment d'énergie libre pour permettre la formation de trois ATP. Le couple redox $NAD^+/NADH$ sert d'accepteur d'électrons pour de nombreuses réactions d'oxydation métabolique exergoniques. En servant de donneur d'électrons pour la synthèse d'ATP ce couple remplit un rôle cyclique de fournisseur d'énergie libre comparable à celui de l'ATP. Les rôles métaboliques des coenzymes d'oxydo-réduction seront étudiés dans les prochains chapitres.

C. *Piles de concentration*

Un gradient de concentration a une entropie inférieure (un ordre supérieur) à la solution homogène correspondante et nécessite donc un apport d'énergie pour être formé. Par conséquent, la dissipation d'un gradient de concentration est un processus exergonique qui peut être utilisé pour assurer une réaction endergonique. Par exemple, la dissipation du gradient de protons (formé lors du fonctionnement de la chaîne respiratoire mitochondriale) à travers la membrane interne mitochondriale fournit l'énergie nécessaire à la synthèse enzymatique de l'ATP à partir d'ADP et de P_i (Section 22-3). De même, les signaux nerveux, qui nécessitent de l'énergie électrique, sont dus à la dissipation des gradients de concentration de $[Na^+]$ et de $[K^+]$ formés par les cellules nerveuses à travers leurs membranes cellulaires (Section 20-5B). Les mesures des variations d'énergie libre liées à la dissipation de ces gradients peuvent être faites en s'inspirant des notions à la base des piles électrochimiques.

Le potentiel de réduction et l'énergie libre d'une demi-pile varient avec les concentrations de ses substrats. Une pile électrochimique peut donc être construite avec deux demi-piles contenant les mêmes espèces chimiques mais en concentrations différentes. La réaction globale pour cette pile électrochimique peut s'écrire

$$A_{ox}^{n+} \text{(demi-pile 1)} + A_{red}\text{(demi-pile 2)} \rightleftharpoons$$
$$A_{ox}^{n+} \text{(demi-pile 2)} + A_{red}\text{(demi-pile 1)} \qquad [16.9]$$

et, selon l'équation de Nernst, sachant que $\Delta\mathscr{E}°$ s'annule quand la même réaction a lieu dans les deux demi-piles,

$$\Delta\mathscr{E} = \frac{RT}{n\mathscr{F}} \ln \left(\frac{[A_{ox}^{n+}\text{(demi-pile 2)}][A_{red}\text{(demi-pile 1)}]}{[A_{ox}^{n+}\text{(demi-pile 1)}][A_{red}\text{(demi-pile 2)}]} \right)$$

Ces **piles de concentration** sont capables de fournir un travail électrique jusqu'à ce qu'elles parviennent à l'équilibre, ce qui se produit quand les concentrations dans les demi-piles s'égalisent ($K_{eq} = 1$). En effet, la réaction correspond à un mélange des deux demi-piles; la variation d'énergie libre résultante reflète la variation d'entropie de ce mélange. La thermodynamique des gradients de concentration telle qu'elle s'applique aux transports membranaires sera étudiée dans la Section 20-1.

6 ■ RÉACTIONS THERMODYNAMIQUES DE LA VIE

L'un des derniers refuges du **vitalisme**, doctrine selon laquelle les processus biologiques ne sont pas liés aux lois de la physique qui gouvernent les objets inanimés, était que les êtres vivants pouvaient, d'une manière ou d'une autre, échapper aux lois de la thermodynamique. Cette croyance dut être partiellement abandonnée à la suite de mesures calorimétriques précises, réalisées sur des animaux vivants, qui montrèrent sans ambiguïté que la conservation de l'énergie stipulée par la première loi de la thermodynamique était bel et bien respectée. Cependant, la vérification expérimentale du deuxième principe de la thermodynamique sur les êtres vivants est beaucoup plus difficile. En effet, il n'est pas possible de mesurer l'entropie de la matière vivante car q_p, la chaleur d'une réaction à T et P constantes n'est égale à $T\Delta S$ que si la réaction est réversible (Éq. [3.8]). Il va de soi que le démantèlement d'un organisme vivant en molécules conduirait à sa mort. Par conséquent, tout ce que l'on peut dire c'est que l'entropie d'un organisme vivant est inférieure aux produits de sa décomposition.

Dans cette section, nous nous intéresserons à la thermodynamique appliquée aux êtres vivants. Cette connaissance, bien qu'incomplète, a permis de mieux comprendre comment les voies métaboliques étaient régulées, comment les cellules répondent à des stimuli, et comment les organismes se développent et changent durant leur vie.

A. *Les êtres vivants ne peuvent être à l'équilibre*

La **thermodynamique classique** ou à l'**équilibre** (Chapitre 3) s'applique essentiellement à des processus réversibles en systèmes clos. L'évolution d'un système clos, comme nous l'avons vu dans la Section 3-4A, l'oblige à atteindre l'équilibre. Par exemple, si ses substrats sont en excès, la réaction de formation des produits se fera plus vite que la réaction en sens inverse jusqu'à ce que l'équilibre soit atteint ($\Delta G = 0$). Par contre, les systèmes ouverts peuvent rester en état de non équilibre tant qu'ils sont capables de récupérer de l'énergie libre de leur milieu environnant sous forme de substrats, chaleur ou travail. Alors que la thermodynamique classique fournit des renseignements très précieux quant aux systèmes ouverts en indiquant si un processus donné peut se faire spontanément, une analyse thermodynamique plus poussée des systèmes ouverts doit faire appel aux principes de la **thermodynamique de non équilibre** ou **irréversible** élaborés plus récemment. Contrairement à la thermodynamique classique, cette théorie prend en compte de façon explicite le facteur temps.

Les systèmes vivants sont des systèmes ouverts et ne peuvent donc jamais atteindre l'équilibre. Comme nous l'avons déjà signalé, ils absorbent continuellement des nutriments de forte enthalpie et de faible entropie pour les transformer en produits à éliminer de faible enthalpie et de forte entropie. L'énergie libre issue de cette transformation est utilisée pour accomplir du travail et pour parvenir au degré d'organisation très élaboré caractéristique des êtres vivants. Si ce processus est interrompu, l'organisme finit par atteindre l'équilibre, synonyme de mort pour les êtres vivants. Par exemple, selon l'une des théories sur le vieillissement, la sénescence serait le résultat de l'accumulation aléatoire mais inexorable d'anomalies génétiques qui interfèrent pour finalement désorganiser le fonctionnement normal des processus biologiques. [Cependant, cette théorie n'explique pas comment les organismes unicellulaires ou les cellules germinales des organismes pluricellulaires (ovules et spermatozoïdes), qui sont en fait immortels, peuvent échapper à cette **catastrophe due à l'erreur**.]

Les systèmes vivants doivent se maintenir en état de non équilibre pour plusieurs raisons :

1. Un travail utile ne peut être accompli que par un système en non équilibre.

2. L'intrication des systèmes de régulation qui caractérisent les organismes vivants implique un état de non équilibre car un processus à l'équilibre ne peut être régulé (de la même façon qu'un bateau qui se trouve en calme plat restera insensible aux mouvements de son gouvernail).

3. Les systèmes cellulaires et moléculaires qui assurent les processus biologiques ne peuvent être qu'en état de non équilibre. Les systèmes vivants sont, par nature, instables car ils sont dégradés par les réactions biochimiques auxquelles ils donnent naissance. Leur renouvellement, qui doit se faire presque en même temps que leur dégradation, nécessite un apport continuel d'énergie libre. Par exemple, la régénération de l'ATP lié à la glycolyse (Section 17-2), comme déjà dit, débute par une consommation d'ATP lors des réactions qui conduisent à la formation de glucose-6-phosphate à partir de glucose et de fructose-1,6-bisphosphate à partir de fructose-6-phosphate. Par conséquent, si le métabolisme s'arrêtait assez longtemps pour que les réserves en ATP soient épuisées, le métabolisme du glucose ne pourrait reprendre. Ainsi, la vie diffère fondamentalement d'une machine aussi complexe qu'un ordinateur. Dans les deux cas, de l'énergie libre doit être consommée pour qu'il y ait activité. Cependant, le fonctionnement de la machine est fondé sur une structure statique si bien qu'elle peut, à volonté, être mise en marche ou arrêtée. Par contre, la vie est fondée sur un processus à la fois autodestructeur et autorégénérant qui, une fois arrêté, ne peut être remis en marche.

B. *Thermodynamique de non équilibre et état stationnaire*

Dans un processus en non équilibre, quelque chose (comme la matière, la charge électrique, ou la chaleur) doit circuler, c'est-à-dire, modifier sa distribution spatiale. En mécanique classique, l'accélération de la masse est le résultat de l'application d'une force. *De même, le flux dans les systèmes thermodynamiques est le résultat d'une force thermodynamique (la **force motrice** ou « driving force »), qui résulte de l'état de non équilibre.* Par exemple, le flux de matière lors de la diffusion est provoqué par la force thermodynamique due au gradient de concentration ; le déplacement de charges électriques (le courant électrique) est dû au gradient d'un champ électrique (différence de potentiel) ; le transport de chaleur résulte de l'existence d'un gradient de température ; enfin, une réaction chimique provient d'une différence de potentiel chimique. De tels flux sont dits **conjugués** à leur force thermodynamique.

Une force thermodynamique peut aussi permettre un **flux non conjugué** dans des conditions appropriées. Par exemple, un gradient de concentration peut donner lieu à un courant électrique (pile de concentration), à de la chaleur (ce qui arrive lorsqu'on mélange de l'eau avec HCl par exemple), ou à une réaction chimique (production d'ATP dans les mitochondries liée à la dissipation d'un gradient de protons). De même, un gradient de potentiel électrique peut provoquer le déplacement de molécules (électrophorèse), la production de chaleur (effet Joule), ou une réaction chimique (chargement d'une batterie). Quand une force thermodynamique stimule un flux non conjugué, on parle de processus de **transduction d'énergie**.

a. **Les organismes vivants maintiennent l'état stationnaire**

*Une des caractéristiques des êtres vivants c'est d'être en **état stationnaire**.* En d'autres termes, tous les flux dans l'organisme sont constants et donc le système ne change pas dans le temps. Quelques exemples de processus à l'état stationnaire dans la nature sont donnés dans la Fig. 16-29. Ilya Prigogine, un pionnier de la thermodynamique irréversible et de son développement, a montré qu'un système à l'état stationnaire fournit la quantité de travail utile maximum pour une dépense d'énergie donnée dans les conditions du moment. *L'état stationnaire d'un système ouvert correspond donc à son état d'efficacité thermodynamique maximum.* De plus, en accord avec le principe de Le Châtelier, de faibles écarts depuis l'état stationnaire donnent lieu à des modificatons de flux qui vont à l'encontre de ces perturbations et rétablissent l'état stationnaire. *L'état stationnaire d'un système ouvert correspond à l'état d'équilibre d'un système clos ; les deux sont des états stables.*

Dans les chapitres suivants, nous verrons que de nombreux mécanismes de régulation ont pour rôle de maintenir un état stationnaire. Par exemple, le flux d'intermédiaires d'une voie métabolique est souvent inhibé par un excès de produit final et stimulé par un excès de produit de départ par l'intermédiaire de la régulation allostérique de ses enzymes clés (Section 13-4). Les organismes vivants semblent avoir évolué afin de tirer un avantage thermodynamique maximum de leur environnement.

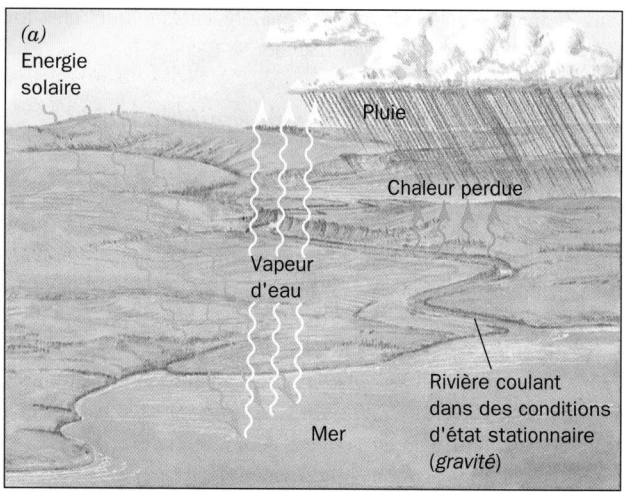

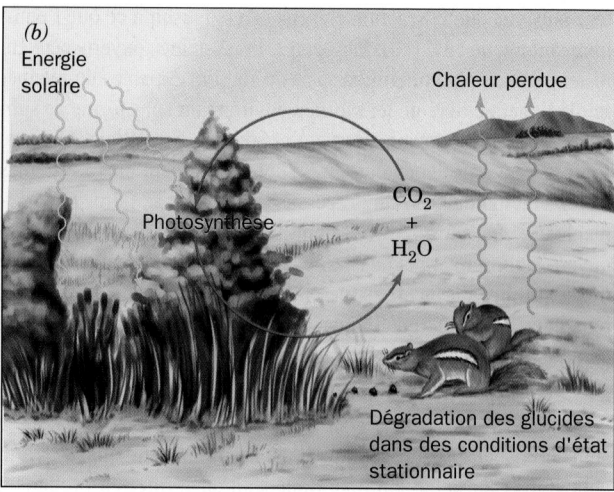

FIGURE 16-29 Deux exemples de systèmes ouverts en état stationnaire. (*a*) Sous l'influence de la gravité, il se produit un écoulement d'eau constant dans la rivière. Le niveau d'eau dans la réserve est maintenu grâce à la pluie, qui provient essentiellement de l'évaporation de l'eau de mer. Par conséquent, le cycle entier est sous la dépendance de l'énergie solaire. (*b*) L'état stationnaire de la biosphère est également assuré par l'énergie solaire. Les plantes captent cette énergie pour synthétiser des glucides à partir de CO_2 et H_2O. Le métabolisme des glucides par les plantes ou les animaux qui les mangent se traduit finalement par la libération de l'énergie libre qu'ils contenaient et le retour de CO_2 et H_2O dans l'environnement, ce qui complète le cycle.

C. *Thermodynamique du contrôle du métabolisme*

a. Les enzymes catalysent sélectivement les réactions requises

Les réactions biologiques sont très spécifiques ; seules les réactions impliquées dans des voies métaboliques se font à vitesse significative bien que beaucoup d'autres réactions thermodynamiquement favorables soient aussi possibles. Illustrons ceci en prenant l'exemple des réactions de l'ATP, du glucose et de l'eau. L'ATP peut subir deux réactions thermodynamiquement favorables, le transfert d'un groupement phosphoryle pour donner de l'ADP et du glucose-6-phosphate et l'hydrolyse pour former ADP et P_i (Fig. 16-21*a*). Les variations d'énergie libre de ces réactions sont représentées dans la Fig. 16-30. L'hydrolyse de l'ATP est thermodynamiquement plus favorable que le transfert du groupement phosphoryle au glucose. Cependant, leurs vitesses relatives sont déterminées par les énergies libres de l'activation de leurs

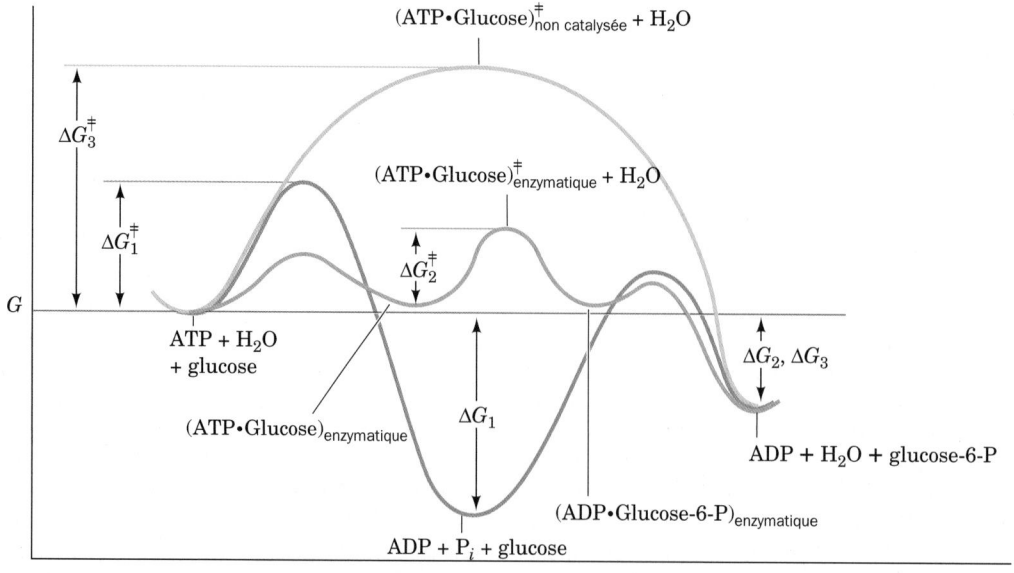

FIGURE 16-30 Représentation des trajets réactionnels pour (1) la réaction de l'ATP avec l'eau (*courbe violette*), et la réaction de l'ATP avec le glucose (2) en présence (*courbe orange*) et en l'absence (*courbe jaune*) d'une enzyme appropriée. Bien que l'hydrolyse de l'ATP soit une réaction plus exergonique que la phosphorylation du glucose (ΔG_1 est plus négatif que ΔG_2), la dernière réaction est prédominante en présence d'une enzyme appropriée qui la rend plus favorable sur le plan cinétique ($\Delta G_2^{\ddagger} < \Delta G_1^{\ddagger}$).

états de transition (valeurs des $\Delta G^{\ddagger}$; Section 14-1C) et par les concentrations relatives en glucose et en eau. Plus la valeur de $\Delta G^{\ddagger}$ est élevée, plus la réaction est lente. En l'absence d'enzymes, le $\Delta G^{\ddagger}$ de la réaction de transfert du groupement phosphoryle est supérieur à celui de la réaction d'hydrolyse, d'où une vitesse d'hydrolyse supérieure (même si ces deux réactions se font à des vitesses négligeables, biologiquement parlant).

Les barrières énergétiques des deux réactions non enzymatiques sont très supérieures à celle de la réaction enzymatique du transfert du groupement phosphoryle au glucose. C'est pourquoi la formation enzymatique du glucose-6-phosphate se fait à vitesse très supérieure à l'hydrolyse non enzymatique de l'ATP. *Le rôle d'une enzyme, l'hexokinase dans l'exemple choisi, consiste donc à réduire sélectivement l'énergie libre d'activation d'une réaction couplée chimiquement, de sorte qu'elle parvient à l'équilibre plus rapidement que la réaction thermodynamiquement plus favorable mais non couplée.*

b. Beaucoup de réactions enzymatiques sont proches de l'équilibre

Bien que le métabolisme dans son ensemble soit un processus de non équilibre, bon nombre de ses réactions sont proches de l'équilibre. C'est le cas de la réaction de l'ATP avec la créatine pour former de la phosphocréatine (Section 16-4C). Le rapport [créatine]/[phosphocréatine] dépend de [ATP] car la créatine kinase, l'enzyme qui catalyse la réaction, a une activité suffisante pour que la réaction atteigne rapidement l'équilibre. La vitesse nette d'une telle réaction à l'équilibre dépend essentiellement de la variation des concentrations de ses substrats et/ou de ses produits.

c. Le débit d'une voie métabolique est sous le contrôle de réactions enzymatiques loin de l'équilibre

D'autres réactions enzymatiques sont loin de l'équilibre. Par exemple, la réaction de la phosphofructokinase (Fig. 16-26) a une constante d'équilibre $K'_{eq} = 300$, mais dans les conditions physiologiques dans le muscle cardiaque de rat le rapport d'action des masses [fructose-1,6-bisphosphate][ADP]/[fructose-6-phosphate][ATP] = 0,03, ce qui correspond à un $\Delta G = -25{,}7$ kJ·mol^{-1} (Éq. [3.15]). Cette situation est due à une accumulation des substrats de la réaction en raison d'une activité insuffisante de la phosphofructokinase qui ne peut assurer l'équilibre de la réaction. Des variations de concentration en substrats n'ont donc que peu d'effet sur la vitesse de la réaction de la phosphofructokinase; l'enzyme est essentiellement saturée. Seules des modifications de l'activité de l'enzyme, par l'intermédiaire d'effecteurs allostériques par exemple, modifieront significativement sa vitesse. Une enzyme comme la phosphofructokinase joue un rôle identique à celui d'un barrage sur un fleuve. Il contrôle le **flux** de substrat (la vitesse d'utilisation) par modification de son activité (par régulation allostérique ou d'autres moyens), tout comme un barrage contrôle le débit aval d'une rivière selon qu'on ouvre plus ou moins ses vannes (lorsque le niveau de l'eau diffère de part et d'autre du barrage, c'est-à-dire lorsqu'on n'est pas à l'équilibre).

Pour comprendre comment est contrôlé le flux de substrat d'une voie métabolique, il faut savoir quelles sont les réactions proches de l'équilibre et quelles sont celles qui en sont éloignées. La plupart des réactions enzymatiques d'une voie métabolique sont proches de l'équilibre et leurs vitesses réelles varient selon la concentration de leurs substrats. Cependant, comme nous le verrons dans les chapitres suivants (en particulier dans la Section 17-4), *certaines enzymes allostériques, intervenant à des endroits stratégiques de la voie métabolique, catalysent des réactions très éloignées de l'équilibre. Ces enzymes, objets d'une régulation métabolique par interactions allostériques ou autres mécanismes, permettent l'établissement d'un flux stable de métabolites à l'état stationnaire tout au long de la voie.* Comme nous l'avons vu, ces conditions optimisent l'efficacité thermodynamique de la voie métabolique en question.

RÉSUMÉ DU CHAPITRE

1 ■ Voies métaboliques Les voies métaboliques sont des successions de réactions enzymatiques qui produisent des produits spécifiques utilisés par un organisme. L'énergie libre résultant des réactions de dégradation (catabolisme) permet, par l'intermédiaire de l'ATP et du NADPH, d'assurer les processus endergoniques de biosynthèse (anabolisme). Les glucides, lipides et protéines sont transformés en acétyl-CoA, intermédiaire commun, dont le groupement acétyle est ensuite oxydé en CO_2 et H_2O par le cycle de l'acide citrique et les phosphorylations oxydatives. Un nombre relativement restreint de métabolites sont utilisés pour la biosynthèse de très nombreux produits. Les voies métaboliques ont cinq caractéristiques essentielles : (1) elles sont irréversibles, ce qui fait que (2) si deux métabolites sont interconvertibles, la voie de synthèse du premier au deuxième doit être différente de celle du deuxième au premier; (3) au début de chaque voie métabolique, il existe une réaction très exergonique qui « engage » l'intermédiaire formé dans la voie spécifique; (4) toutes les voies métaboliques sont régulées, généralement au niveau de la première réaction d'engagement; et (5), chez les eucaryotes, les voies métaboliques ont lieu dans des compartiments subcellulaires spécifiques.

2 ■ Mécanismes des réactions organiques Presque toutes les réactions du métabolisme se rangent dans l'une des quatre catégories suivantes : (1) réactions de transfert de groupe; (2) réactions d'oxydo-réduction; (3) réactions d'élimination, d'isomérisation et de réarrangement et (4) réactions de formation ou de rupture de liaisons carbone-carbone. La plupart de ces réactions impliquent la rupture ou la formation hétérolytique de liaisons par addition de nucléophiles à des atomes de carbone électrophiles. Les réactions de transfert de groupes impliquent donc le transfert d'un groupe électrophile d'un nucléophile à un autre. Les principaux groupes électrophiles transférés sont les groupements acyle, phosphoryle et glycosyle. Les nucléophiles les plus courants sont les groupements amino, hydroxyle, imidazole et sulfhydryle. Les électrophiles des réactions métaboliques sont les protons, les ions métalliques, les atomes de carbone des groupements carbonyle, et les imines cationiques. Les réactions d'oxydo-réduction font intervenir des pertes ou des gains d'électrons. L'oxydation d'un carbone implique généralement la rupture d'une liaison C—H suivie de la perte par le carbone des deux électrons de la liaison rompue qui sont transférés à un accepteur d'électrons comme le NAD$^+$. Chez les êtres aérobies, l'accepteur final d'électrons est l'oxygène. Les réactions d'élimination s'accompagnent de la formation d'une liaison C=C à partir de deux carbones saturés, avec perte de H_2O, NH_3, ROH, ou RNH_2. Les réactions de déshydratation sont les réactions d'élimination les plus courantes. Les isomérisations impliquent des déplacements de double liaisons intramoléculaires. Les réarrangements sont des réactions peu fréquentes dans lesquelles des liaisons C—C intramoléculaires sont rompues et reformées pour donner des squelettes carbonés différents. Les réactions avec formation et rupture de liaisons C—C sont à la base du métabolisme de dégradation et de biosynthèse. Dans le sens de la synthèse, ces réactions impliquent l'addition d'un carbanion nucléophile à un atome de carbone électrophile. L'atome de carbone électrophile le plus courant est celui du groupement carbonyle, tandis que les carbanions se forment généralement après le départ d'un proton d'un atome de carbone adjacent à un groupement carbonyle ou après décarboxylation d'un acide β-cétonique.

3 ■ Approches expérimentales de l'étude du métabolisme L'élucidation expérimentale des voies métaboliques fait appel à l'utilisation d'inhibiteurs métaboliques, à des études de croissance et à la génétique biochimique. Les inhibiteurs bloquent les voies métaboliques au niveau de réactions enzymatiques spécifiques. L'identification des intermédiaires accumulés permet d'élucider la voie métabolique. Les mutations, qui se produisent naturellement en cas de maladies génétiques, ou qui peuvent être induites par action de mutagènes, de rayons X, ou par génie génétique, peuvent conduire à l'absence d'une enzyme ou à son inactivité totale. Les techniques de génétique modernes permettent d'exprimer des gènes étrangers dans des organismes supérieurs (animaux transgéniques) ou inactiver (« knockout ») un gène pour étudier le rôle de ces gènes dans le métabolisme. Quand des métabolites sont marqués par des isotopes radioactifs, on peut suivre leur cheminement dans une voie métabolique d'après la distribution du marqueur dans les intermédiaires. La RMN permet l'étude du métabolisme *in vivo* sur l'animal entier. Des études du métabolisme sur des organes perfusés, des tranches de tissu, des cellules ou des organites subcellulaires ont fortement contribué à localiser les voies métaboliques à l'intérieur de la cellule.

4 ■ Thermodynamique des composés phosphorylés L'énergie libre est fournie aux processus métaboliques endergoniques par l'ATP formé au cours de processus métaboliques exergoniques. Le $\Delta G^{\circ\prime}$ de l'hydrolyse de l'ATP ($-30{,}5 \; \text{kJ} \cdot \text{mol}^{-1}$) est intermédiaire entre ceux des métabolites dits « riches en énergie » comme le phosphoénolpyruvate et ceux des métabolites dits « faibles en énergie » comme le glucose-6-phosphate. Les groupements phosphoryle riches en éner-

gie sont transférés enzymatiquement à l'ADP, et l'ATP ainsi formé assure, par une autre réaction, la phosphorylation de composés faibles en énergie. L'ATP peut aussi être hydrolysé enzymatiquement en pyrophosphate (PP_i), dont l'hydrolyse subséquente fournit un apport thermodynamique supplémentaire à la réaction. L'ATP ne se trouve pas en quantité suffisante pour servir de réserve d'énergie. Dans les cellules nerveuses et musculaires des vertébrés, cette fonction est assurée par la phosphocréatine qui, lorsque le niveau en ATP est faible, transfère facilement son groupement phosphoryle à l'ADP pour donner de l'ATP.

5 ■ Réactions d'oxydo-réduction Les demi-réactions des réactions d'oxydo-réduction peuvent se dérouler dans deux compartiments séparés pour constituer une pile électrochimique. Le potentiel d'oxydo-réduction de la réaction de réduction de A par B,

$$A_{ox}^{n+} + B_{red} \rightleftharpoons A_{red} + B_{ox}^{n+}$$

dans laquelle *n* électrons sont transférés, est donné par l'équation de Nernst

$$\Delta \mathscr{E} = \Delta \mathscr{E}^{\circ} - \frac{RT}{n\mathscr{F}} \ln \left(\frac{[A_{red}][B_{ox}^{n+}]}{[A_{ox}^{n+}][B_{red}]} \right)$$

Le potentiel redox d'une telle réaction est fonction des potentiels de réduction de ses deux demi-réactions, $\mathscr{E}_A$ et $\mathscr{E}_B$:

$$\Delta \mathscr{E} = \mathscr{E}_A - \mathscr{E}_B$$

Si $\mathscr{E}_A > \mathscr{E}_B$, A_{ox}^{n+} a une affinité plus grande pour les électrons que B_{ox}^{n+}. L'échelle des potentiels de réduction est définie en fixant arbitrairement à zéro le potentiel de réduction de l'électrode à hydrogène, système de référence. Les réactions d'oxydo-réduction ont une très grande importance métabolique. Par exemple, l'oxydation du NADH permet la formation de trois ATP par l'intermédiaire de la chaîne de transfert d'électrons mitochondriale.

6 ■ Thermodynamique de la vie Les organismes vivants sont des systèmes ouverts et ne peuvent donc être à l'équilibre. Ils doivent continuellement dissiper l'énergie libre afin de remplir leurs différentes fonctions et préserver leurs structures très élaborées. L'étude de la thermodynamique de non équilibre a montré que l'état stationnaire maintenu par les processus biologiques correspond à l'état d'efficacité maximum compte tenu des contraintes qui s'appliquent aux systèmes ouverts. Les mécanismes de contrôle qui régulent les processus biologiques préservent l'état stationnaire en régulant l'activité des enzymes qui occupent des positions stratégiques dans les voies métaboliques.

■ RÉFÉRENCES

ÉTUDE DU MÉTABOLISME

Beadle, G.W., Biochemical genetics, *Chem. Rev.* **37**, 15–96 (1945). [Revue classique sur l'hypothèse « un gène-une enzyme.]

Cerdan, S. et Seelig, J., NMR studies of metabolism, *Annu. Rev. Biophys. Biophys. Chem.* **19**, 43–67 (1990).

Cooper, T.G., *The Tools of Biochemistry*, Chapter 3, Wiley-Interscience (1977). [Description de techniques radiochimiques.]

Freifelder, D., *Biophysical Chemistry* (2e éd.), Chapters 5 and 6, Freeman (1982). [Exposé des principes de comptage de la radioactivité et de l'autoradiographie.]

Fruton, J.S. et Simmons, S., *General Biochemistry*, Chapter 16, Wiley (1958). [Résumé des méthodes classiques d'étude du métabolisme intermédiaire.]

Goodridge, A.G., The new metabolism : Molecular genetics in the analysis of metabolic regulation, *FASEB J.* **4**, 3099–3110 (1990).

Hevesy, G., Historical sketch of the biological application of tracer elements, *Cold Spring Harbor Symp. Quant. Biol.* **13**, 129–150 (1948).

Jeffrey, F.M.H., Rajagopal, A., Malloy, C.R., et Sherry, A.D., 13C-NMR : A simple yet comprehensive method for analysis of intermediary metabolism, *Trends Biochem. Sci.* **16**, 5–10 (1991).

Koretsky, A.P., Investigation of cell physiology in the animal using transgenic technology, *Am. J. Physiol.* **262**, C261–C275 (1992).

Koretsky, A.P. et Williams, D.S., Application of localized in vivo NMR to whole organ physiology in the animal, *Annu. Rev. Physiol.* **54**, 799–826 (1992).

McGrane, M.M., Yun, J.S., Patel, Y.M., et Hanson, R.W., Metabolic control of gene expression : *In vivo* studies with transgenic mice, *Trends Biochem. Sci.* **17**, 40–44 (1992).

Michal, G. (Éd.), *Biochemical Pathways. An Atlas of Biochemistry and Molecular Biology*, Wiley (1999). [Compendium des voies métaboliques.]

Shemin, D. et Rittenberg, D., The biological utilization of glycine for the synthesis of the protoporphyrin of hemoglobin, *J. Biol Chem.* **166**, 621–625 (1946).

Shulman, R.G. et Rothman, D.L., 13C NMR of intermediary metabolism : Implications for systematic physiology, *Annu. Rev. Physiol.* **63**, 15–48 (2001).

Suckling, K.E. et Suckling, C.J., *Biological Chemistry*, Cambridge University Press (1980). [Chimie organique des réactions biochimiques.]

Walsh, C., *Enzymatic Reaction Mechanisms*, Chapter 1, Freeman (1979). [Exposé des différents types de réactions biochimiques.]

Wang, N.-D., Finegold, M.J., Bradley, A., Ou, C.N., Abdelsayed, S.V., Wilde, M.D., Taylor, L.R., Wilson, D.R., et Darlington, G.J., Impaired energy homeostasis in C/EBPa knockout mice, *Science* **269**, 1108–1112 (1995).

Westheimer, F.H., Why nature chose phosphates, *Science* **235**, 1173–1178 (1987).

BIOÉNERGÉTIQUE

Alberty, R.A., Standard Gibbs free energy, enthalpy and entropy changes as a function of pH and pMg for reactions involving adenosine phosphates, *J. Biol. Chem.* **244**, 3290–3302 (1969).

Alberty, R.A., Calculating apparent equilibrium constants of enzyme-catalyzed reactions at pH 7, *Biochem. Ed.* **28**, 12–17 (2000).

Caplan, S.R., Nonequilibrium thermodynamics and its application to bioenergetics, *Curr. Top. Bioenerg.* **4**, 1–79 (1971).

Crabtree, B. et Taylor, D.J., Thermodynamics and metabolism, in Jones, M.N. (Éd.), *Biochemical Thermodynamics*, pp. 333–378, Elsevier (1979).

Dickerson, R.E., *Molecular Thermodynamics*, Chapter 7, Benjamin (1969). [Chapitre intéressant sur la thermodynamique de la vie.]

Henley, H.J.M., An introduction to nonequilibrium thermodynamics, *J. Chem. Ed.* **41**, 647–655 (1964).

Katchelsky, A. et Curran, P.F., *Nonequilibrium Thermodynamics in Biophysics,* Harvard University Press (1965).

Morowitz, H.J., *Foundations of Bioenergetics*, Academic Press (1978).

■ PROBLÈMES

1. Le bilan stœchiométrique de la glycolyse (dégradation du glucose) est le suivant :

Glucose + 2ADP + 2P$_i$ + 2NAD$^+$ →

$$2\text{pyruvate} + 2\text{ATP} + 2\text{NADH} + 2\text{H}^+ + 2\text{H}_2\text{O}$$

alors que celui de la gluconéogenèse (synthèse de glucose) est :

2Pyruvate + 4ATP + 2NADH + 2H$^+$ + 4H$_2$O →

$$\text{glucose} + 4\text{ADP} + 4\text{P}_i + 2\text{NAD}^+$$

Quelle est la stœchiométrie globale de la dégradation d'une mol de glucose suivie de sa synthèse par la gluconéogenèse ? Expliquez pourquoi il faut que les voies de ces deux processus soient contrôlées de façon indépendante et pourquoi elles doivent différer d'au moins une réaction.

2. On a émis l'hypothèse qu'un intermédiaire du phosphore pentavalent bipyramidal trigonal peut être l'objet d'une déformation par vibration, appelée **pseudorotation,** dans laquelle ses ligands apicaux s'échangent avec deux de ses ligands équatoriaux après formation transitoire d'un état de transition pyramidal tétragonal :

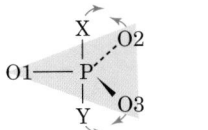

Bipyramide [X et Y en position apicale]

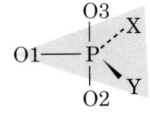

Bipyramid [O2 et O3 en position apicale]

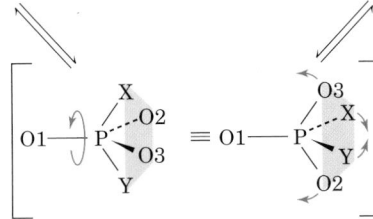

État de transition pyramidal

Lors d'une réaction de substitution nucléophile, deux cycles de pseudorotation qui placeraient le groupement partant (X) en position apicale et le groupement attaquant (Y) en position équatoriale conduiraient-ils au maintien ou à une inversion de configuration après départ du groupement partant ?

3. Une **Curie** (Ci) de radioactivité correspond à $3{,}70 \times 10^{10}$ désintégrations à la seconde, le nombre de désintégrations donné par 1 g de ^{226}Ra pur. Un échantillon de ^{14}CO$_2$ a une radioactivité spécifique de 5 μCi · μmol^{-1}. Quel pourcentage de ses atomes de C sont du ^{14}C ?

4. Au cours de l'hydrolyse de l'ATP en ADP et P$_i$, la concentration en ATP à l'équilibre est trop faible pour être mesurée avec précision. Il est plus facile de déterminer K'_{eq} et donc le $\Delta G^{\circ\prime}$ de cette réaction en la décomposant en deux réactions dont les valeurs de $\Delta G^{\circ\prime}$ peuvent être déterminées avec précision. C'est ce qui a été fait en utilisant les deux réactions suivantes (la première étant catalysée par la **glutamine synthétase**) :

(1) ATP + glutamate + NH$^+_3$ ⇌

$$\text{ADP} + \text{P}_i + \text{glutamine} + \text{H}^+ \quad \Delta G^{\circ\prime}_1 = -16{,}3 \text{ kJ} \cdot \text{mol}^{-1}$$

(2) Glutamate + NH$^+_3$ ⇌ glutamine + H$_2$O + H$^+$

$$\Delta G^{\circ\prime}_2 = 14{,}2 \text{ kJ} \cdot \text{mol}^{-1}$$

Quel est le $\Delta G^{\circ\prime}$ de l'hydrolyse de l'ATP d'après ces données ?

*5. Soit la réaction catalysée par l'hexokinase :

$$\text{ATP} + \text{glucose} \rightleftharpoons \text{ADP} + \text{glucose-6-phosphate}$$

Un mélange contenant de l'ATP 40 mM et du glucose 20 mM est incubé avec l'hexokinase à pH 7 et 25 °C. Calculez les concentrations à l'équilibre des substrats et des produits (cf. Tableau 16-3).

6. En aérobiose, le glucose est complètement oxydé selon la réaction

$$\text{Glucose} + 6 \text{ O}_2 \rightleftharpoons 6\text{CO}_2 + 6\text{H}_2\text{O}$$

ce qui assure la formation couplée de 38 molécules d'ATP à partir de 38 ADP + 38 P$_i$. En supposant que le ΔG de l'hydrolyse de l'ATP dans les conditions intracellulaires est de −50 kJ · mol^{-1} et que celui de la combustion du glucose est de −2823,2 kJ · mol^{-1}, quelle est l'efficacité de la réaction d'oxydation du glucose d'après l'énergie libre mise en réserve sous forme d'ATP ?

7. Les concentrations intracellulaires normales en ATP, ADP et P_i sont respectivement de 5,0, 0,5, et 1,0 mM. À 25 °C et pH 7 : (a) Quelle est l'énergie libre d'hydrolyse de l'ATP à ces concentrations ? (b) Calculez le rapport [phosphocréatine]/[créatine] à l'équilibre dans la réaction catalysée par la créatine kinase :

$$\text{Créatine + ATP} \rightleftharpoons \text{phosphocréatine + ADP}$$

les concentrations en ATP et ADP étant celles indiquées ci-dessus. (c) Quelle devrait-être la valeur du rapport [ATP]/[ADP] dans les conditions précédentes pour qu'à l'équilibre, le rapport [phosphocréatine]/[créatine] = 1 ? En supposant que la concentration en P_i reste égale à 1,0 mM, quelle serait l'énergie libre de l'hydrolyse de l'ATP dans ces dernières conditions ?

*8. En supposant que les concentrations intracellulaires en ATP, ADP et P_i soient celles données dans le problème 7 : (a) Calculez la concentration en AMP à pH 7 et 25 °C dans les conditions où la réaction catalysée par l'adénylate kinase

$$2\text{ADP} \rightleftharpoons \text{ATP + AMP}$$

est à l'équilibre. (b) Calculez la concentration en AMP à l'équilibre si l'énergie libre d'hydrolyse de l'ATP en ADP et P_i est égale à −55 kJ · mol^{-1}. Supposez que [P_i] et ([ATP] + [ADP]) restent constantes.

9. En vous servant des données du Tableau 16-4, rangez les substances suivantes par ordre décroissant de pouvoir oxydant : (a) fumarate$^-$, (b) cystine, (c) O_2, (d) NADP$^+$, (e) cytochrome c (Fe^{3+}), et (f) acide lipoïque.

10. Calculez les concentrations à l'équilibre des substrats et des produits des réactions :

$$\text{Acétoacétate}^- + \text{NADH} + \text{H}^+ \rightleftharpoons \text{β-hydroxybutyrate}^- + \text{NAD}^+$$

les concentrations initiales en acétoacétate$^-$ et en NADH étant respectivement de 0,01 et 0,005M, et celles du β-hydroxybutyrate$^-$ et du NAD$^+$

égales à 0 au temps zéro. Supposez que la réaction se fasse à 25 °C et à pH 7.

11. Pour les bactéries anaérobies, l'accepteur final d'électrons est une molécule autre que l'oxygène. Toute paire d'oxydo-réduction utilisée comme source d'énergie libre métabolique doit fournir suffisamment d'énergie libre pour former de l'ATP à partir d'ADP et de P_i. Indiquez, parmi les paires d'oxydo-réduction suivantes, celles qui sont suffisamment exergoniques pour permettre à des bactéries bien équipées, de les utiliser comme source majeure d'énergie. Supposez que les réactions d'oxydo-réduction qui forment de l'ATP mettent en jeu deux électrons et que ΔE = ΔE°′.

(a) Ethanol + NO$_3^-$ (c) H_2 + S
(b) Fumarate^{2-} + SO$_3^{2-}$ (d) Acétaldéhyde + acétaldéhyde

12. Calculez le $\Delta G^{o\prime}$ pour les paires de demi-réactions suivantes à pH 7 et 25 °C. Etablissez une réaction globale équilibrée et indiquez dans quel sens elle se fait spontanément dans les conditions standard.

(a) (H$^+$/1/2 H$_2$) et (1/2O$_2$ + 2H$^+$/H$_2$O)
(b) (Pyruvate$^-$ + 2H$^+$/lactate$^-$) et (NAD$^+$ + H$^+$/ NADH)

*13. L'hypothèse chimiosmotique (Section 22-3A) stipule que l'ATP est formé par la réaction à deux électrons suivante :

$$\text{ADP} + P_i + 2\text{H}^+ \text{ (bas pH)} \rightleftharpoons \text{ATP} + \text{H}_2\text{O} + 2\text{H}^+ \text{ (pH élevé)}$$

sous l'action d'un gradient de pH formé par le métabolisme mitochondrial. Quelle doit être la valeur du gradient de pH pour qu'il y ait synthèse nette d'ATP à 25 °C et à pH 7, si les concentrations à l'état stationnaire en ATP, ADP et P_i sont respectivement 0,01, 10, et 10mM ?

14. Le suc gastrique contient du HCl 0,15M. Le plasma sanguin, qui fournit ces ions H$^+$ et Cl$^-$, a une concentration en Cl$^-$ = 0,10M et un pH de 7,4. Calculez l'énergie libre nécessaire pour produire l'HCl contenu dans 0,1 L de suc gastrique à 37 °C.

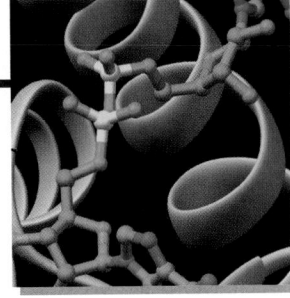

Chapter

17 La glycolyse

Nous abordons maintenant l'étude des voies métaboliques spécifiques par la **glycolyse** (du grec *glykos,* doux et *lyse*, dissolution), voie par laquelle le **glucose** est converti via le **fructose-1,6-bis-phosphate** en **pyruvate** avec production de 2 moles d'ATP/mole de glucose. Cette succession de dix réactions enzymatiques – probablement la voie biochimique la mieux comprise – joue un rôle clef dans le métabolisme énergétique en fournissant une quantité non négligeable de l'énergie utilisée par la plupart des organismes et en préparant le glucose, ainsi que d'autres glucides, à la dégradation par oxydation.

Dans notre étude de la glycolyse, et en fait de tout le métabolisme, nous nous efforcerons d'appréhender la voie métabolique à quatre niveaux :

1. Les étapes d'interconversions chimiques, c'est-à-dire la suite des réactions qui transforment le glucose pour aboutir aux produits finaux de la voie métabolique.

2. Le mécanisme de transformation enzymatique de chaque intermédiaire en produit suivant.

3. L'aspect énergétique des conversions.

4. Les mécanismes qui contrôlent le **flux** (vitesse de formation) des métabolites tout au long de la voie concernée.

Le flux des intermédiaires d'une voie métabolique est remarquablement sensible aux besoins de l'organisme pour les produits de cette voie. Grâce à un réseau de mécanismes de contrôle complexe et sophistiqué, le flux d'une voie métabolique est ajusté en fonction des besoins.

1 ■ LA VOIE GLYCOLYTIQUE

Une vue d'ensemble du métabolisme du glucose est schématisée Fig.17-1. *En aérobiose, le pyruvate issu de la glycolyse poursuivra son oxydation via le cycle de l'acide citrique (Chapitre 21) et les phosphorylations oxydatives (Chapitre 22) pour donner du CO_2 et de l'eau. En anaérobiose, cependant, le pyruvate est transformé en un produit final réduit, soit le **lactate** dans le muscle (**fermentation homolactique** ; une fermentation est un processus de réaction biologique anaérobie), soit l'éthanol et le CO_2 dans la levure (**fermentation alcoolique**).*

A. *Historique*

La fermentation du glucose en éthanol et CO_2 par la levure (Fig. 17-2) est un procédé utilisé depuis la préhistoire. Les fabrications du vin et du pain l'utilisent toutes les deux. Cependant, l'étude scientifique de la glycolyse ne commença qu'à la fin de la deuxième moitié du dix-neuvième siècle.

Au cours des années 1854 à 1864, Louis Pasteur démontra que la fermentation est causée par des micro-organismes. Cependant, ce n'est qu'en 1897 qu'Edouard Buchner démontra que des extraits acellulaires de levure peuvent tout aussi bien assurer ce mécanisme. Cette découverte mit un terme à l'idée, largement répandue à l'époque, selon laquelle la fermentation, comme tout autre processus biologique, était sous la dépendance d'une « force vitale » inhérente à la matière vivante, et fit entrer la glycolyse dans le domaine de la chimie. Ce fut une étape cruciale pour le développement de la biochimie en tant que science. Bien qu'en principe l'utilisation d'extraits acellulaires dût permettre une « dissection » systématique des réactions impliquées dans la voie métabolique, l'élucidation complète de la voie glycolytique fut une tâche de longue haleine car les techniques analytiques permettant d'isoler et d'identifier les intermédiaires et les enzymes devaient être mises au point simultanément.

De 1905 à 1910, Arthur Harden et William Young firent deux découvertes importantes :

1. Le phosphate inorganique est nécessaire à la fermentation et est incorporé dans le fructose-1,6- bisphosphate, intermédiaire de la glycolyse.

2. À partir d'un extrait acellulaire, on peut obtenir après dialyse deux fractions qui sont toutes deux indispensables à la fermentation : une fraction thermolabile non dialysable qu'ils appelèrent **zymase**, et une fraction thermostable dialysable appelée **cozymase**. Ultérieurement, d'autres chercheurs montrèrent que la zymase est un mélange d'enzymes tandis que la cozymase est un mélange de cofacteurs : des coenzymes tels que le NAD^+, l'ATP et l'ADP, ainsi que des ions métalliques.

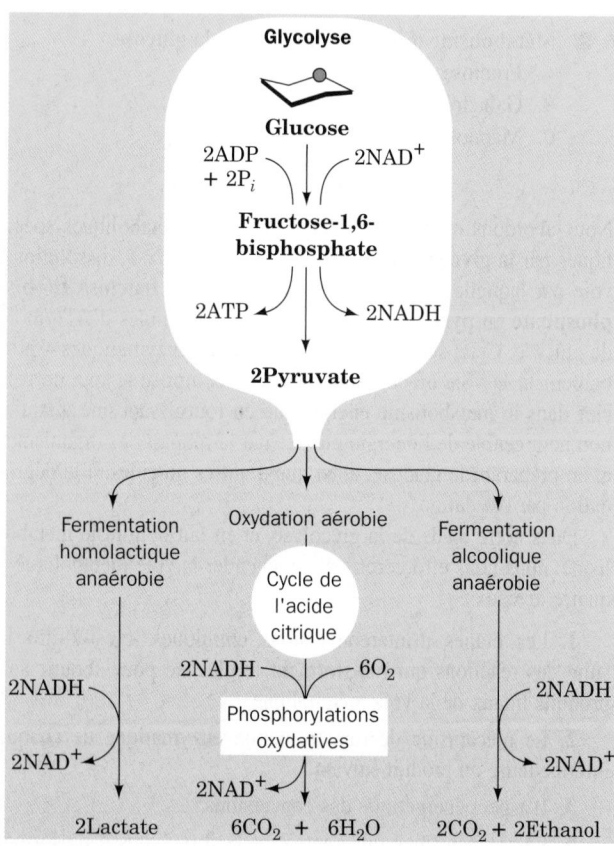

FIGURE 17-1 LA GLYCOLYSE. La glycolyse transforme le glucose en pyruvate tout en produisant deux ATP. Dans des conditions anaérobies, la fermentation alcoolique du pyruvate a lieu dans la levure, tandis que la fermentation homolactique se fait dans le muscle. Dans des conditions aérobies, le pyruvate est oxydé en H_2O et CO_2 par l'intermédiaire du cycle de l'acide citrique (Chapitre 21) et des phosphorylations oxydatives (Chapitre 22).

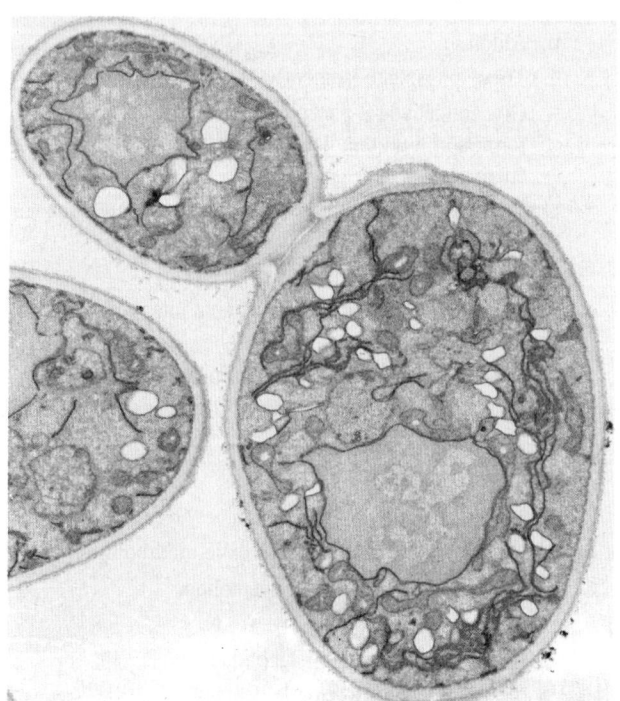

FIGURE 17-2 Micrographie électronique de cellules de levure. [Biophoto Associates.]

Dans leurs efforts pour identifier les intermédiaires de la glycolyse, les premiers chercheurs mirent au point une technique générale d'investigation métabolique encore très utilisée de nos jours, à savoir *l'utilisation de molécules bloquant la formation des produits de la voie métabolique ; ces molécules entraînent une accumulation de métabolites qui peuvent alors être identifiés comme intermédiaires de la voie.* Durant les années de recherche consacrées à l'identification des intermédiaires de la glycolyse, plusieurs molécules inhibant la formation d'éthanol à partir de glucose en présence d'extraits de levure ont été trouvées. L'utilisation de différents inhibiteurs conduit en effet à l'accumulation d'intermédiaires différents. Par exemple, l'addition d'iodoacétate à des extraits de levure en fermentation provoque l'accumulation de fructose-1,6-bisphosphate, tandis que l'addition de fluorure entraîne l'accumulation de **3-phosphoglycérate** et de **2-phosphoglycérate**.

3-Phosphoglycérate   **2-Phosphoglycérate**

Les mécanismes d'action de ces inhibiteurs sont expliqués respectivement dans les sections 17-2D et 17-2I.

Ces travaux aboutirent à une remarquable découverte : les mêmes intermédiaires et les mêmes activités enzymatiques peuvent être isolés non seulement de levures, mais aussi d'une grande variété d'autres organismes. À quelques exceptions près (cf. Problème 17-10), *les organismes vivants métabolisent tous le glucose par une voie identique. Malgré leur très grande diversité, ils partagent une biochimie commune.*

Vers 1940, les efforts de nombreux chercheurs aboutirent à l'élucidation de la voie glycolytique dans sa totalité. La valeur du travail de trois de ces chercheurs, Gustav Embden, Otto Meyerhof, et Jacob Parnas, a été reconnue car la glycolyse est également appelée **voie d'Embden-Meyerhof-Parnas**. Carl et Gerti Cori, Carl Neuberg, Robert Robison et Otto Warburg ont également fortement contribué à l'élucidation de cette voie métabolique.

B. *Vue d'ensemble de la glycolyse*

Avant d'entamer l'étude détaillée des enzymes de la glycolyse, prenons le temps de survoler la voie glycolytique dans son ensemble telle qu'elle s'intègre dans le métabolisme animal. Le glucose arrive généralement dans le sang suite à l'hydrolyse de polysaccharides de haut poids moléculaire (Sections 11-2B, 11-2D et 18-1), ou après sa synthèse à partir de composés non glucidiques (**gluconéogenèse** ; Section 23-1). Le devenir d'hexoses autres que le glucose est décrit dans la Section 17-5. Le glucose entre dans la plupart des cellules à l'aide d'un transporteur spécifique qui le fait

passer de l'extérieur de la cellule dans le cytosol (Section 20-2E). *Les enzymes de la glycolyse sont localisées dans le cytosol où elles ne sont que faiblement associées, voire pas du tout, aux structures cellulaires telles que les membranes.* Cependant, des données indirectes plaident pour une association lâche d'enzymes qui se suivent dans la glycolyse, ce qui faciliterait le transfert des intermédiaires métaboliques d'une enzyme à l'autre. De telles associations d'enzymes impliquées dans une même voie ont été appelées **métabolons**. De tels complexes n'ont toujours pas été isolés en ce qui concerne la glycolyse.

La glycolyse transforme le glucose en deux unités en C_3 (le pyruvate) d'énergie libre inférieure, au cours d'un processus qui récupère l'énergie disponible pour synthétiser de l'ATP à partir d'ADP et de P_i. Ce processus nécessite une suite de réactions de transfert de groupements phosphoryle chimiquement couplées (Sections 16-4 et 16-6). La stratégie chimique de la glycolyse est donc la suivante :

1. Addition de groupements phosphoryle au glucose.

2. Conversion chimique des intermédiaires phosphorylés en composés phosphorylés à haut potentiel énergétique.

3. Couplage chimique entre l'hydrolyse subséquente de ces composés à haut potentiel énergétique et la synthèse de l'ATP.

Les 10 réactions de la glycolyse sont représentées dans la Fig. 17-3. Remarquer que de l'ATP est utilisé au début de la glycolyse pour permettre la formation de composés phosphorylés (Réactions 1 et 3) mais qu'il est régénéré ultérieurement (Réactions 7 et 10). On peut donc décomposer la glycolyse en deux phases :

Phase I (Réactions 1 à 5) : phase préparatoire au cours de laquelle le glucose (hexose) est phosphorylé puis scindé pour donner deux molécules du triose **glycéraldéhyde-3-phosphate**. L'ensemble de ces réactions utilise deux ATP comme apport énergétique.

Phase II (Réactions 6 à 10) : les deux molécules de glycéraldéhyde-3-phosphate sont transformées en pyruvate, en même temps qu'il y a formation de quatre ATP. La glycolyse se solde par conséquent par un gain de deux ATP par glucose : lors de la première phase, 2 ATP sont utilisés ; lors de la deuxième phase, 4 ATP sont formés.

La réaction globale est :

$$\text{Glucose} + 2\text{NAD}^+ + 2\text{ADP} + 2\text{P}_i \rightarrow$$
$$2\text{NADH} + 2\text{pyruvate} + 2\text{ATP} + 2\text{H}_2\text{O} + 4\text{H}^+$$

Le pouvoir oxydant du NAD⁺ doit être recyclé

Le NAD⁺ est l'agent oxydant principal de la glycolyse. Le NADH produit au cours de celle-ci (Fig. 17-3, Réaction 6) doit être continuellement réoxydé afin d'assurer la fourniture en NAD⁺ nécessaire à la glycolyse. Trois voies usuelles remplissent ce rôle (Fig. 17-1, *en bas*) :

1. En conditions anaérobies dans le muscle, le NAD⁺ est régénéré grâce à la réduction du pyruvate en lactate par le NADH (fermentation homolactique ; Section 17-3A).

2. En conditions anaérobies dans la levure, le pyruvate est décarboxylé pour donner du CO_2 et de l'acétaldéhyde ; celui-ci est

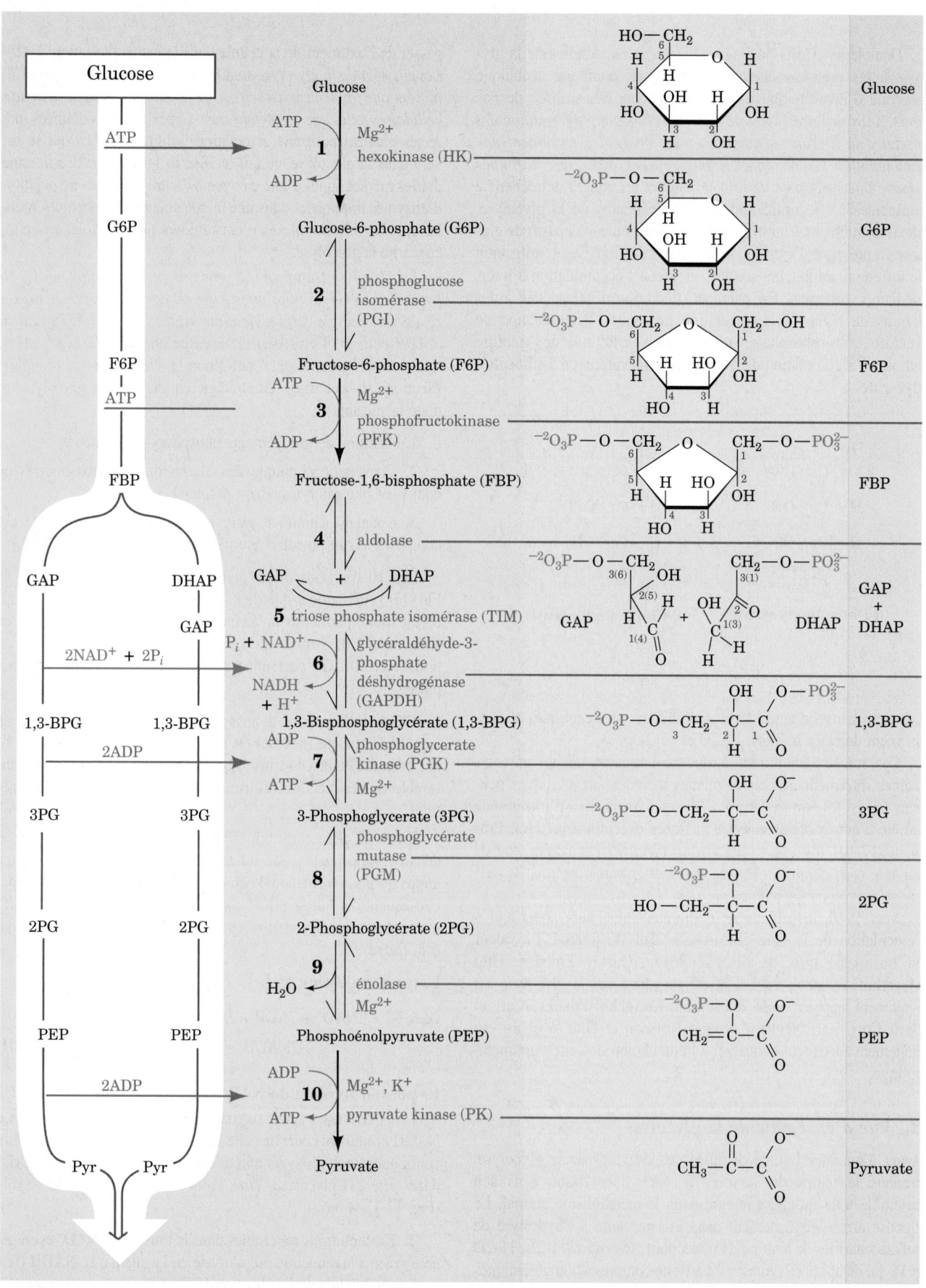

FIGURE 17-3 Dégradation du glucose par la voie glycolytique. On peut distinguer deux phases dans la glycolyse. Phase I (Réactions 1-5) : le glucose est phosphorylé et scindé pour former deux molécules du triose glycéraldéhyde-3-phosphate. Cela nécessite la dépense de deux ATP comme apport énergétique (Réactions 1 et 3). Phase II (Réactions 6-10) : les deux molécules de glycéraldéhyde-3-phosphate sont transformées en pyruvate en même temps qu'il y a régénération de 4 ATP (Réactions 7 et 10).

alors réduit en éthanol par le NADH qui est ainsi réoxydé en NAD⁺ (fermentation alcoolique ; Section 17-3B).

3. En conditions aérobies, l'oxydation de chaque NADH en NAD⁺ dans les mitochondries permet la régénération de 3 ATP (Section 22-2A).

Par conséquent, dans le cas de la glycolyse aérobie, le NADH peut être assimilé à un composé « riche en énergie » tandis que dans le cas de la glycolyse anaérobie, l'énergie libre issue de son oxydation est dissipée sous forme de chaleur.

2 ■ RÉACTIONS DE LA GLYCOLYSE

Dans cette partie, nous étudierons plus en détail les réactions de la glycolyse en décrivant les propriétés de chacune des enzymes et leurs mécanismes d'intervention. Dans la Section 17-3 nous étudierons le devenir du pyruvate en anaérobiose. Enfin, dans la Section 17-4 nous envisagerons l'aspect thermodynamique du processus global et aborderons le problème du contrôle du flux des métabolites de la glycolyse. En étudiant chaque enzyme de la glycolyse, nous serons confrontés à de nombreux mécanismes réactionnels de chimie organique (Section 16-2). En fait, l'étude des mécanismes réactionnels de chimie organique a rendu des services inestimables pour comprendre les mécanismes mis en jeu lors de la catalyse enzymatique.

Noter que les structures par rayons X de chacune des 10 enzymes de la glycolyse ont été publiées. Toutes ces enzymes sont des homodimères ou des homotétramères de symétrie D_2 (Section 8-5B), dont les sous-unités sont constituées essentiellement de domaines α/β (Section 8-3B).

A. *Hexokinase : Première utilisation de l'ATP*

La Réaction 1 de la glycolyse est un transfert de groupement phosphoryle de l'ATP sur le glucose pour donner du **glucose-6-phosphate** (**G6P**), réaction catalysée par l'**hexokinase** (**HK**) :

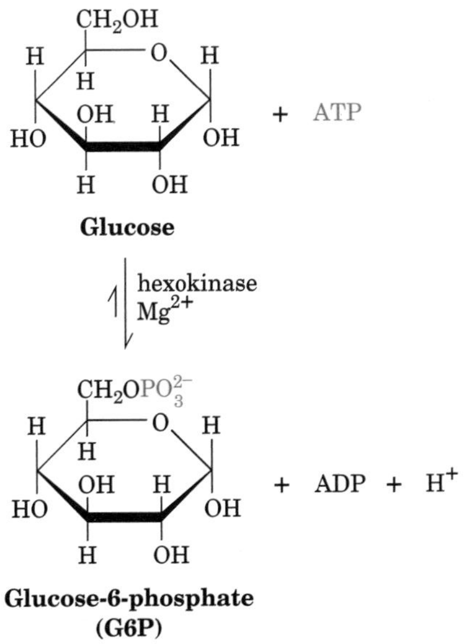

Glucose

hexokinase
Mg^{2+}

**Glucose-6-phosphate
(G6P)**

Une **kinase** est une enzyme qui transfère des groupements phosphoryle entre l'ATP et un métabolite (Section 16-4C). Le métabo-

lite qui joue le rôle d'accepteur de groupement phosphoryle pour une kinase spécifique figure comme préfixe dans le nom de la kinase. L'HK est une enzyme relativement peu spécifique que l'on trouve dans toutes les cellules et qui catalyse la phosphorylation d'hexoses comme le D-glucose, le D-mannose et le D-fructose. Les cellules hépatiques contiennent également la **glucokinase**, qui catalyse la même réaction mais qui est avant tout impliquée dans le contrôle de la glycémie (Section 18-3F). Le deuxième substrat de l'HK, ainsi que d'autres kinases, est un complexe Mg^{2+}–ATP. En fait, l'ATP non complexé est un puissant inhibiteur compétitif de l'HK. Dans la suite nous ne mentionnerons que rarement ce besoin en Mg^{2+} mais il faut se souvenir que cet ion est indispensable à l'activité enzymatique d'une kinase (d'autres ions métalliques divalents tels Mn^{2+} peuvent souvent satisfaire les besoins en ions métalliques des kinases, mais Mg^{2+} est l'ion physiologique par excellence).

Cinétique et mécanisme de la réaction catalysée par l'hexokinase

L'hexokinase présente un mécanisme Bi Bi aléatoire au cours duquel l'enzyme forme un complexe ternaire avec le glucose et Mg^{2+}-ATP avant que ne débute la réaction. Il semble que Mg^{2+}, en se complexant avec les atomes d'oxygène du phosphate, masque leurs charges négatives, rendant ainsi l'atome de phosphore plus accessible à l'attaque nucléophile par le groupement -OH porté par le C6 du glucose (Fig.17-4).

Une importante question de mécanisme se pose : pourquoi l'HK catalyse-t-elle le transfert d'un groupement phosphoryle de l'ATP au glucose pour donner du G6P, et non à l'eau pour donner de l'ADP + P_i (hydrolyse de l'ATP) ? La molécule d'eau est certainement bien assez petite pour pouvoir s'insérer dans le site enzymatique impliqué dans la liaison du groupement phosphoryle. De plus, le transfert du groupement phosphoryle de l'ATP à l'eau est plus exergonique que le même transfert au glucose (Tableau 16-3), d'autant plus qu'*in vivo* [H_2O] = 55,5M et [glucose] = 5 à 10 mM. Malgré cela, l'HK catalyse le transfert du groupement phosphoryle sur le glucose à une vitesse 40 000 fois supérieure à celle du transfert du groupement phosphoryle sur l'eau.

La réponse a été obtenue grâce aux études par rayons X de la structure de l'HK de levure réalisées par Thomas Steitz. La comparaison, par rayons X, des structures de l'HK et du complexe glucose-HK, a révélé que le *glucose induit un changement conforma-*

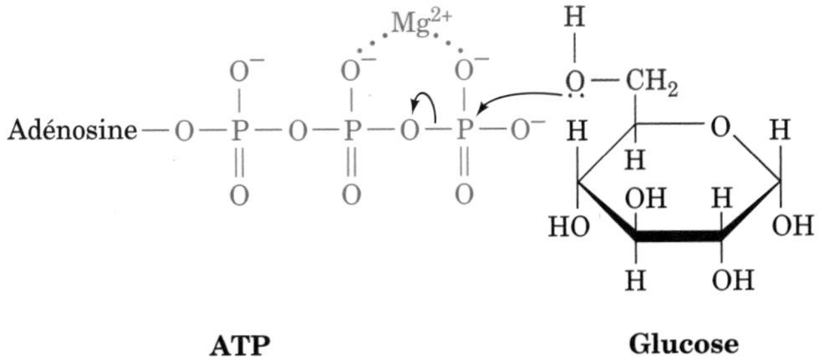

ATP   **Glucose**

FIGURE 17-4 Attaque nucléophile du phosphate en position γ du complexe Mg^{2+}-ATP, par le groupement —OH porté par le C6 du glucose La position de l'ion Mg^{2+} est donnée à titre indicatif ; sa (ses) position(s) exacte(s) n'est (ne sont) pas connue(s) avec certitude. Quoi qu'il en soit, Mg^{2+} masque les charges négatives des groupements phosphate de l'ATP, facilitant ainsi l'attaque nucléophile.

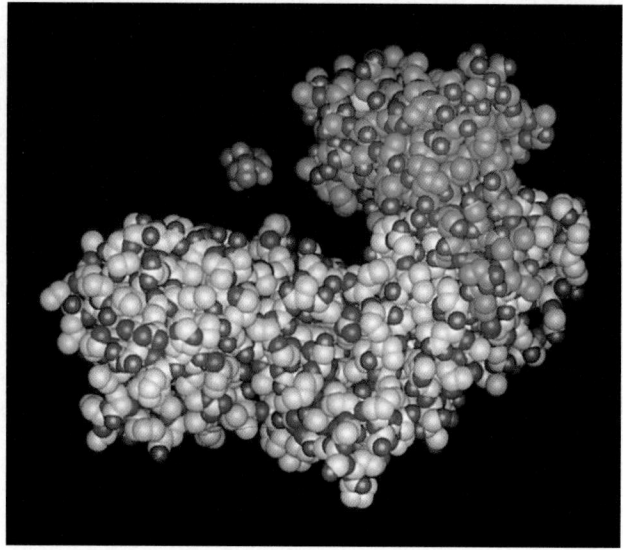

(a)

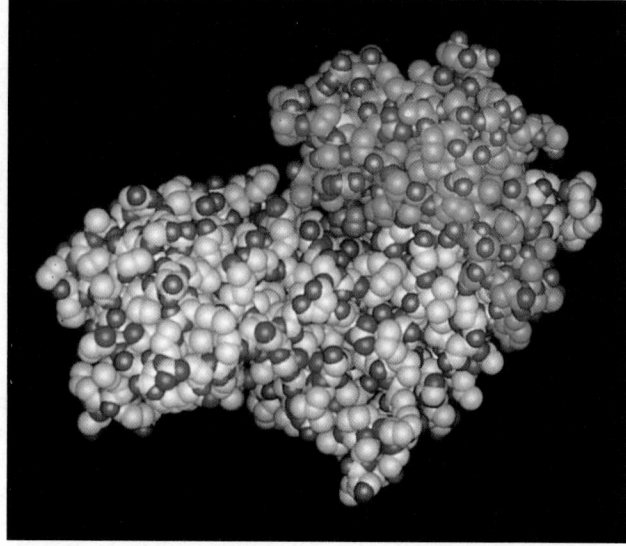

(b)

FIGURE 17-5 Modifications conformationnelles dans l'hexokinase de levure lors de la liaison du glucose. Modèle compact d'une sous-unité *(a)* de l'hexokinase libre et *(b)* de son complexe avec le glucose *(violet)*. Remarquer l'aspect bilobé caractéristique de l'enzyme libre (les atomes de C du petit lobe sont en vert, alors que ceux du grand lobe sont légère-ment grisés ; les atomes de N et de O sont bleus et rouges). Dans le com-plexe enzyme-substrat, ces lobes ont pivoté ensemble afin d'engloutir le substrat. [D'après des structures par rayons X dues à Thomas Steitz, Yale University. PDBids *(a)* 2YHX et *(b)* 1HKG.]

tionnel important de l'HK (Fig. 17-5). Les deux lobes entre les-quels le site actif forme une sorte de poche pivotent l'un vers l'autre jusqu'à une distance de 8 Å, engloutissant ainsi le glucose d'une manière qui rappelle la fermeture de mâchoires. *Ce mouve-ment amène l'ATP tout près du groupement —C6H2OH du glucose tout en chassant l'eau du site actif (catalyse par effets de proxi-mité ; Section 15-1E).* Si les groupements catalytiques et réactifs se trouvaient en bonne position pour qu'il y ait réaction alors que l'enzyme est en configuration ouverte (Figure 17-5*a*), l'hydrolyse de l'ATP serait certainement la réaction prédominante. Cette conclusion est confirmée par l'observation suivante : le **xylose**, qui ne diffère du glucose que par l'absence du groupement —C6H2OH,

α-**D-Xylose**

augmente fortement la vitesse d'hydrolyse de l'ATP par l'HK (il est probable que le xylose induit le changement de conformation activateur, l'eau occupant le site de liaison du groupement hydroxyméthyle absent). Il est clair que *ce changement conforma-tionnel de l'HK induit par le substrat est responsable de la spéci-ficité de l'enzyme.* De plus, la polarité du site actif est diminuée après départ de l'eau, ce qui accélère le processus de la réaction nucléophile. D'autres kinases présentent le même type de structure avec fente catalytique que l'HK (Section 17-2G) et subissent des changements de conformation après liaison avec leurs substrats.

Ceci laisse penser que toutes les kinases utilisent des mécanismes identiques pour assurer leur spécificité.

B. *Phosphoglucose isomérase*

La Réaction 2 de la glycolyse est la conversion du G6P en **fruc-tose-6-phosphate** (**F6P**) par la **phosphoglucose isomérase** (**PGI** ; appelée également **glucose-6-phosphate isomérase**). Cette réac-tion est une isomérisation d'un aldose en un cétose :

Glucose-6-phosphate (G6P)

phosphoglucose isomérase (PGI)

Fructose-6-phosphate (F6P)

Puisque le G6P et le F6P se présentent essentiellement sous forme cyclique (la Fig. 11-4 donne ces structures pour les sucres non

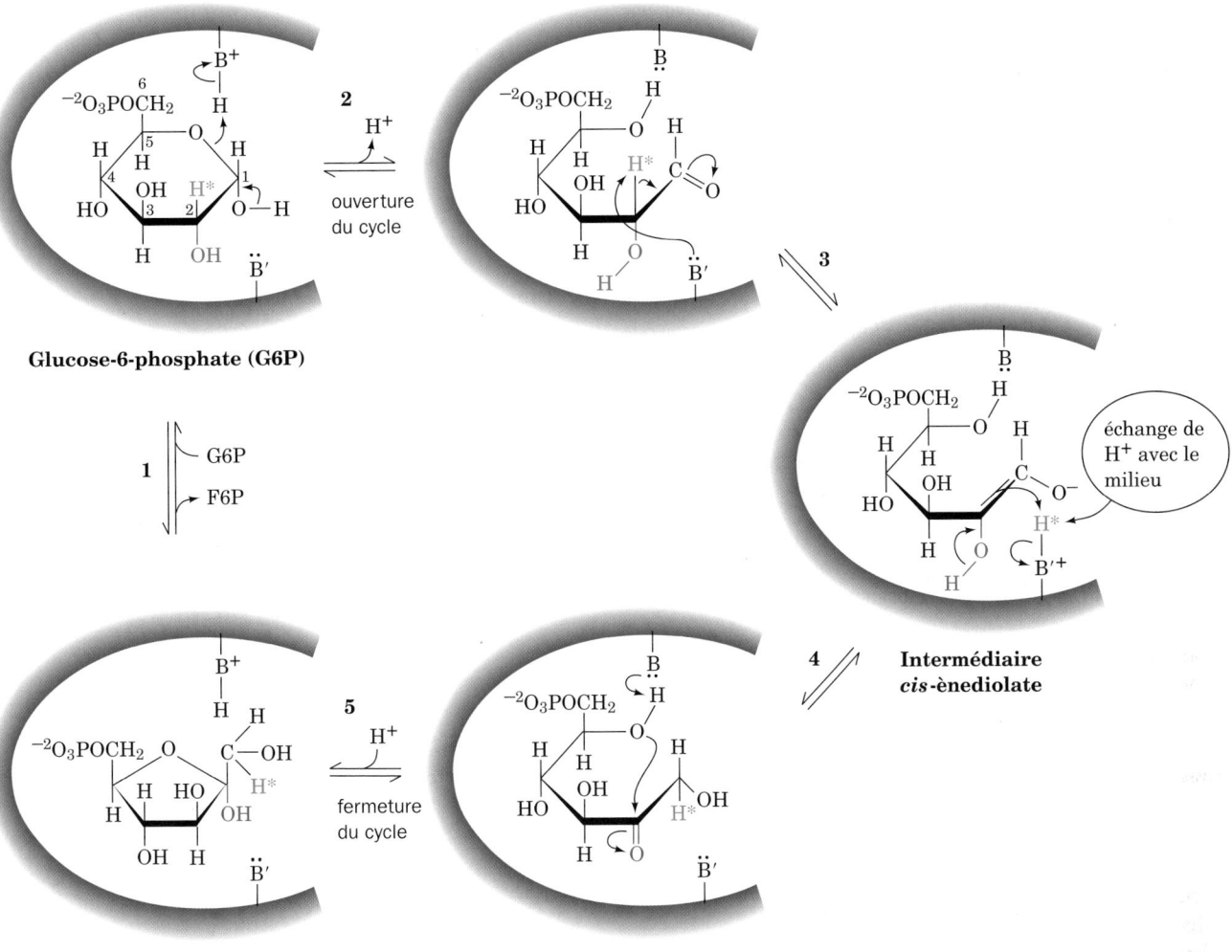

Glucose-6-phosphate (G6P)

Fructose-6-phosphate (F6P)

Intermédiaire *cis*-ènediolate

FIGURE 17-6 Mécanisme réactionnel de la phosphoglucose isomérase. Les résidus catalytiques (BH⁺ et B′) du centre catalytique seraient respectivement Lys et une dyade His-Glu.

phosphorylés), la réaction nécessite l'ouverture du cycle, suivie de l'isomérisation, puis du retour à la forme cyclique. L'étude de la dépendance de l'enzyme vis-à-vis du pH a permis d'envisager l'hypothèse d'une participation possible de certaines chaînes latérales d'acides aminés dans le processus catalytique. La mesure de la vitesse de catalyse en fonction du pH donne une courbe en cloche avec des pK caractéristiques de 6,7 et 9,3, ce qui suggère la participation à la fois d'une His et d'une Lys dans la catalyse (Section 14-4). De fait, la comparaison des séquences en acides aminés de PGI différentes montre que His et Lys sont toutes les deux conservées au cours de l'évolution. Cependant, un résidu Glu est aussi conservé, et, comme déjà vu avec le lysozyme (Section 15-2C), Glu peut présenter un pK anormalement élevé dans certaines conditions. La structure de la PGI déterminée par rayons X montre en effet que Glu 216 et His 388 forment, par liaisons hydrogène, une dyade catalytique (un peu comme l'interaction des résidus Asp et His dans la triade catalytique des protéases à sérine ; Fig. 15-9), ce qui facilite l'action de His 388 en tant que catalyseur acidobasique.

Un mécanisme pour la réaction catalysée par PGI est proposé dans la Fig. 17-6 ; il met en jeu une catalyse générale acidobasique par l'enzyme :

1re étape Liaison du substrat.

2e étape Un groupement acide, probablement le groupement ε-NH₂ de Lys, catalyse l'ouverture du cycle.

3e étape Un groupement basique, probablement le groupement imidazole de la dyade His-Glu, capte le proton acide du C2 pour donner un intermédiaire *cis*-ènediolate (ce proton est acide car il est en position α du groupement carbonyle).

4e étape Le proton se replace sur le C1 au cours d'un transfert global de protons. Les protons captés par des bases sont labiles et s'échangent rapidement avec les protons du milieu. Cependant, Irwin Rose a vérifié cette possibilité en montrant que le 2-[³H] G6P est parfois converti en 1-[³H] F6P lors d'un transfert de proton intramoléculaire qui a lieu avant que ³H n'ait pu s'échanger avec le milieu.

5e étape Fermeture du cycle et formation du produit, qui est finalement libéré pour redonner l'enzyme libre, complétant ainsi le cycle catalytique.

La PGI, comme la plupart des enzymes, catalyse sa réaction avec une stéréospécificité pratiquement absolue. Afin de bien saisir cette particularité, comparons le mécanisme de la réaction enzymatique proposé avec celui de l'isomérisation non enzymatique du glucose, du fructose et du mannose catalysée par une base (Figure 17-7). Le glucose et le mannose sont deux épimères qui ne diffèrent l'un de l'autre que par la configuration d'un seul centre chiral, C2 (Section 11-1A). Dans l'intermédiaire ènediolate ainsi que dans le fructose sous sa forme linéaire, le C2 ne présente pas de chiralité. Par conséquent, dans des systèmes non enzymatiques, l'isomérisation du glucose catalysée par une base aboutit également à la racémisation du C2 et donc à la production de mannose. Cependant, en présence de PGI, des mesures par RMN du proton montrent que la vitesse de la réaction d'isomérisation est supérieure de plusieurs ordres de grandeur à la vitesse d'épimérisation. De toute évidence, la PGI masque le côté de l'ènediolate où H$^+$ doit s'additionner pour donner du mannose-6-phosphate.

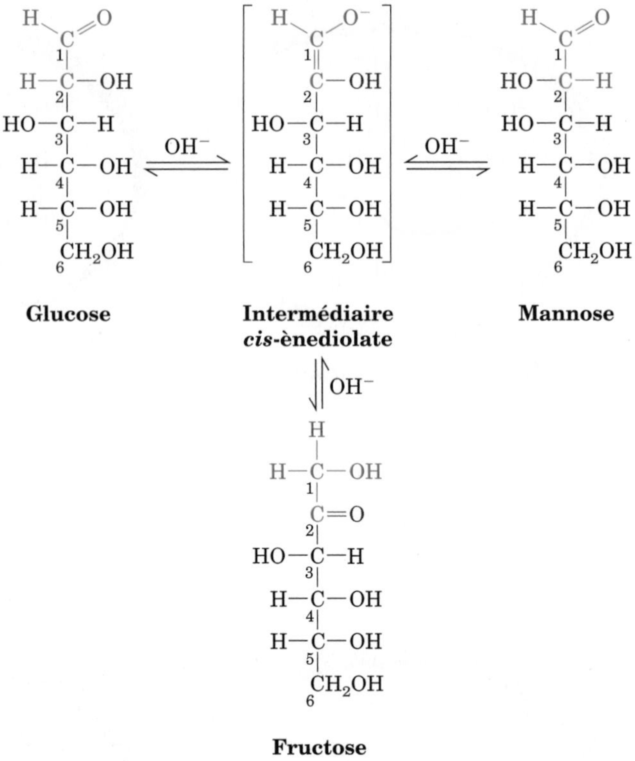

C. *Phosphofructokinase : deuxième utilisation de l'ATP*

Au cours de la Réaction 3 de la glycolyse, la **phosphofructokinase** (**PFK**) phosphoryle F6P pour donner du **fructose-1,6-bisphosphate** [**FBP** ou **F1,6P**, autrefois appelé **fructose-1,6-diphosphate (FDP)**] :

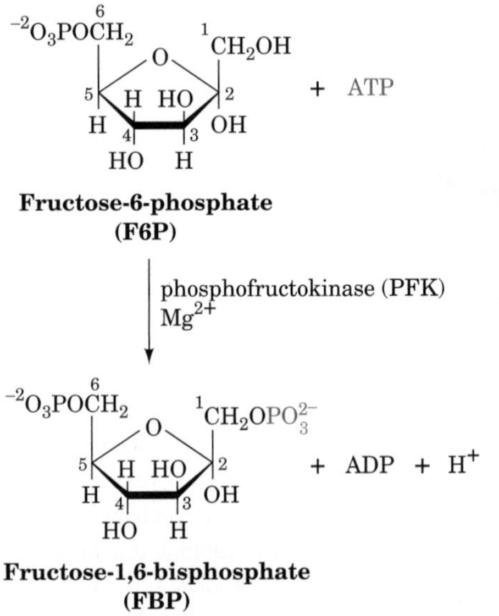

Fructose-6-phosphate
(F6P)

phosphofructokinase (PFK)
Mg^{2+}

Fructose-1,6-bisphosphate
(FBP)

Cette réaction est semblable à celle catalysée par l'hexokinase (Réaction 1, Fig. 17-3 ; Section 17-2A). La PFK catalyse l'attaque nucléophile, par le groupement C1—OH du F6P, de l'atome de phosphore électrophile en position γ du complexe Mg^{2+}-ATP.

La PFK joue un rôle déterminant dans la régulation de la glycolyse car elle catalyse l'une de ses réactions à vitesse limitante. Chez beaucoup d'organismes, l'activité de la PFK est augmentée de manière allostérique par plusieurs molécules, dont l'AMP, et est inhibée allostériquement par d'autres molécules, dont l'ATP et le citrate. Les propriétés régulatrices de la PFK sont d'une grande complexité ; le mécanisme par lequel elle assure le contrôle de la glycolyse sera décrit dans la section 17-4F.

Glucose   **Intermédiaire** *cis*-**ènediolate**   **Mannose**

Fructose

FIGURE 17-7 Isomérisation, catalysée par une base, du glucose, du mannose, et du fructose. En l'absence d'enzyme, la réaction n'est pas stéréospécifique.

D. *Aldolase*

L'**aldolase** catalyse la Réaction 4 de la glycolyse, le clivage de FBP pour donner deux trioses : le **glycéraldéhyde-3-phosphate (GAP)** et la **dihydroxyacétone phosphate (DHAP)** :

Dihydroxyacétone phosphate (DHAP)

aldolase

Fructose-1,6-bisphosphate (FBP)

Glycéraldéhyde-3-phosphate (GAP)

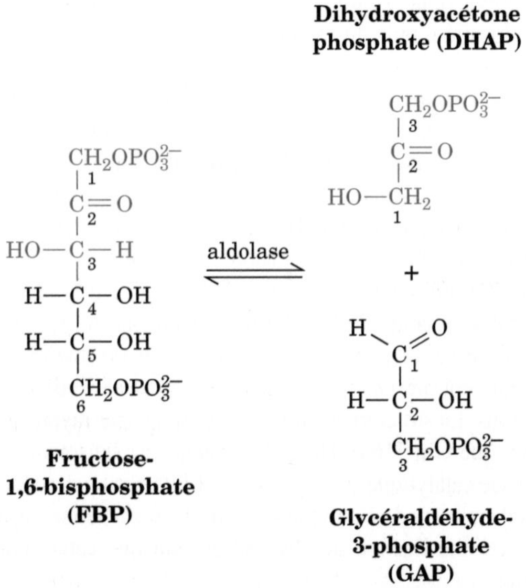

La réaction est un **clivage aldolique (condensation rétro aldol)** dont le mécanisme non enzymatique catalysé par une base est

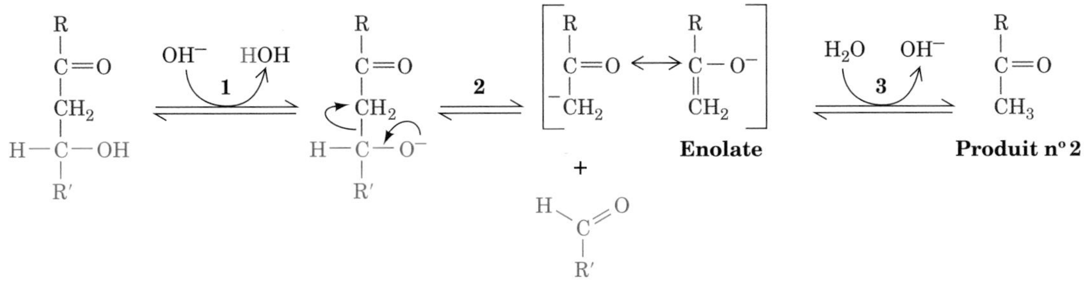

FIGURE 17-8 Mécanisme de scission d'un aldol catalysée par une base. La condensation aldolique se fait par la réaction inverse.

donné dans la Fig. 17-8. Noter que le clivage de l'aldol entre le C3 et le C4 de FBP nécessite un carbonyle en C2 et un hydroxyle sur le C4. Ainsi, la « logique » de la Réaction 2 de la glycolyse, l'isomérisation du G6P en F6P apparaît clairement. Le clivage aldolique de G6P aurait conduit à la formation de produits à nombre de carbones différents, alors que le clivage de FBP produit deux composés en C3 interconvertibles qui peuvent ainsi entrer dans une voie catabolique commune. L'intermédiaire énolate de la réaction de clivage aldolique est stabilisé par résonance, par l'effet d'attraction d'électrons de l'atome d'oxygène du carbonyle.

Noter qu'à ce stade de la glycolyse, le système de numérotation des atomes est changé. Les atomes 1, 2 et 3 du glucose correspondent aux atomes 3, 2 et 1 de la DHAP, et les atomes 4, 5 et 6 correspondent aux atomes 1, 2 et 3 du GAP (Fig. 17-3).

a. Il existe deux classes d'aldolases qui se distinguent par leur mécanisme

Le clivage aldolique est catalysé suite à la stabilisation de l'intermédiaire énolate grâce à une délocalisation accrue des électrons. Il existe deux types d'aldolases qui sont classées en fonction du mécanisme chimique utilisé pour stabiliser l'énolate. Dans les aldolases de Classe I, que l'on trouve chez les animaux et chez les plantes, la réaction se fait comme suit (Fig. 17-9) :

1re étape Liaison du substrat.

2e étape Réaction entre le groupement carbonyle du FBP et le groupement ε-aminé de la Lys 226 du centre actif qui donne un cation iminium, c'est-à-dire une base de Schiff protonée.

3e étape Rupture de la liaison entre les carbones C3 et C4, avec formation d'une ènamine et de GAP. L'ion iminium, comme déjà vu dans la Section 16-2E, a un meilleur pouvoir attractif d'électrons que l'atome d'oxygène du groupement carbonyle précurseur. Ainsi, la catalyse a lieu parce que l'intermédiaire ènamine (Fig. 17-9, 3e étape) est plus stable que l'intermédiaire énolate correspondant formé lors de la réaction de clivage aldolique catalysée par une base (Figure 17-8, 2e étape).

4e étape Protonation de l'ènamine en cation iminium.

5e étape Hydrolyse de ce cation iminium avec formation de DHAP et régénération de l'enzyme libre.

La preuve de la formation de la base de Schiff a été fournie après avoir « piégé » sur l'enzyme de la DHAP marquée au ^{14}C, en la faisant réagir avec NaBH$_4$, qui réduit les imines en amines :

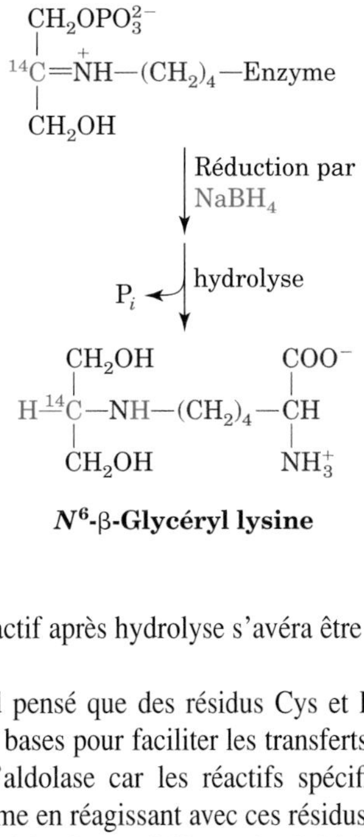

N^6-β-**Glycéryl lysine**

Le produit radioactif après hydrolyse s'avéra être de la N^6–β–**glycéryl lysine**.

On a d'abord pensé que des résidus Cys et His intervenaient comme acides et bases pour faciliter les transferts de protons dans la réaction de l'aldolase car les réactifs spécifiques appropriés inactivent l'enzyme en réagissant avec ces résidus. Par exemple, la réaction d'un résidu Cys spécifique de l'aldolase avec l'acide iodoacétique inactive l'enzyme et provoque l'accumulation de FBP comme observé dès les premières études de l'inhibition de la glycolyse (Section 17-1A). Cependant, le remplacement, par mutagénèse dirigée, du Cys par Ala n'amène aucune perte de la fonction catalytique. On pense maintenant que la modification de ce résidu Cys empêcherait les changements conformationnels nécessaires à la fixation du substrat.

Les premières structures par rayons X de l'aldolase suggéraient qu'une chaîne latérale de Tyr était disposée pour agir comme catalyseur acido-basique dans le site actif et que His intervenait en fait

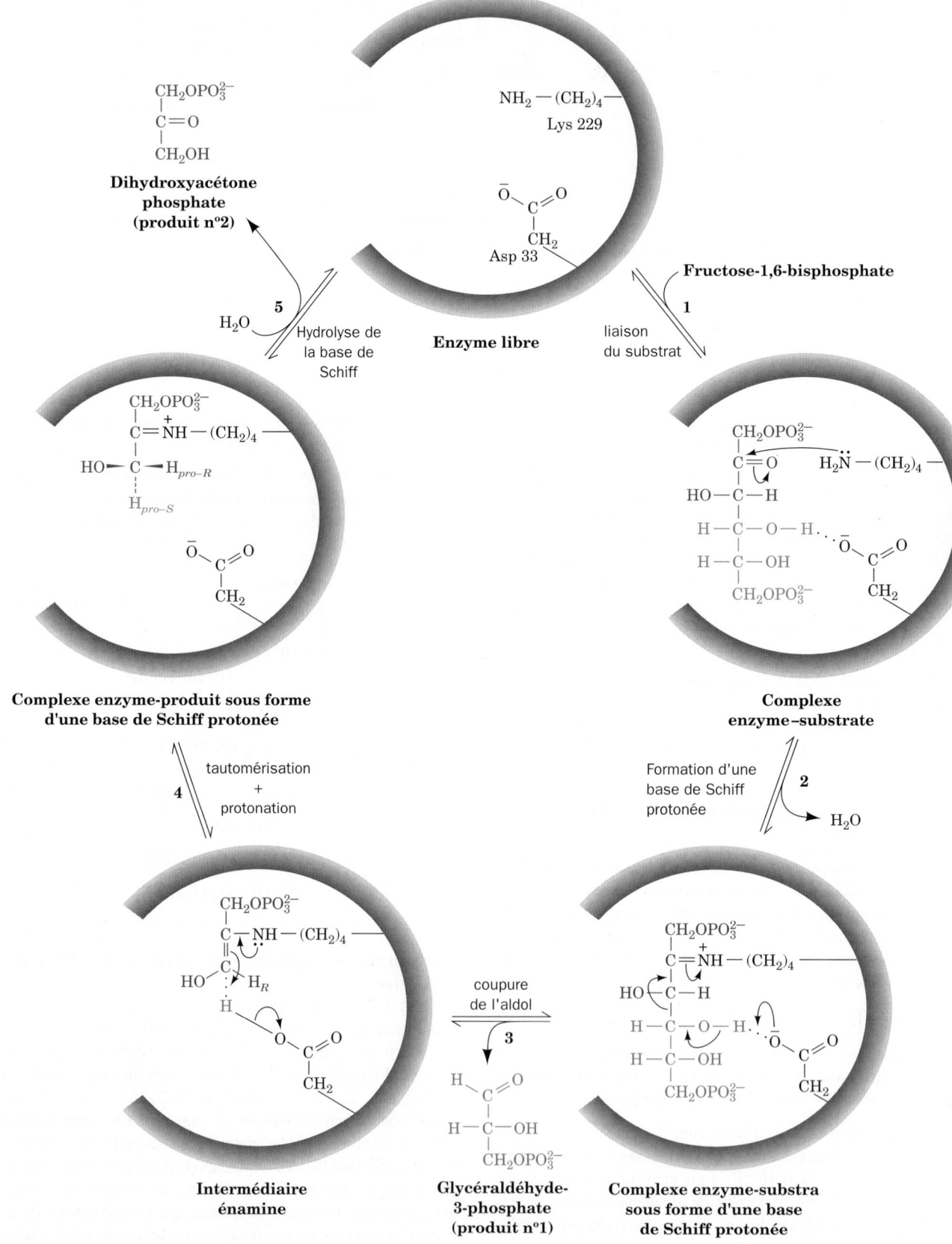

FIGURE 17-9 Mécanisme enzymatique des aldolases de Classe I. Le mécanisme implique (**1**) liaison du substrat ; (**2**) formation d'une base de Schiff entre le résidu Lys du site actif de l'enzyme et FBP ; (**3**) scission de l'aldol pour donner un intermédiaire ènamine de l'enzyme avec la DHAP et libération du GAP (représenté avec son côté *re* au dessus) ; (**4**) tautomérisation et protonation de la forme iminium de la base de Schiff ; et (**5**) hydrolyse de la base de Schiff avec libération de la DHAP.

pour assurer l'orientation catalytiquement active de Tyr. Un réexamen de ces données conduit à proposer un mécanisme différent. Cette Tyr est en fait trop éloignée du site actif, si bien que le rôle de catalyseurs acido-basiques est à présent attribué à Asp 33 et Lys 146. Il s'agit de résidus conservés et dont la mutation inactive l'enzyme. Voilà un excellent exemple des précautions que l'on doit prendre pour interpréter les données obtenues par modification chimique et qui montre l'importance des analyses par rayons X et de la mutagénèse dirigée pour l'étude des mécanismes enzymatiques (voir cependant la Section 15-3B).

Les aldolases de Classe II, que l'on trouve chez les champignons, les algues, et quelques bactéries, ne forment pas de base de Schiff avec le substrat. En fait, un cation divalent, en général Zn^{2+} ou Fe^{2+}, polarise l'oxygène du carbonyle du substrat afin de stabiliser l'intermédiaire énolate de la réaction (Fig. 16-2*d*) :

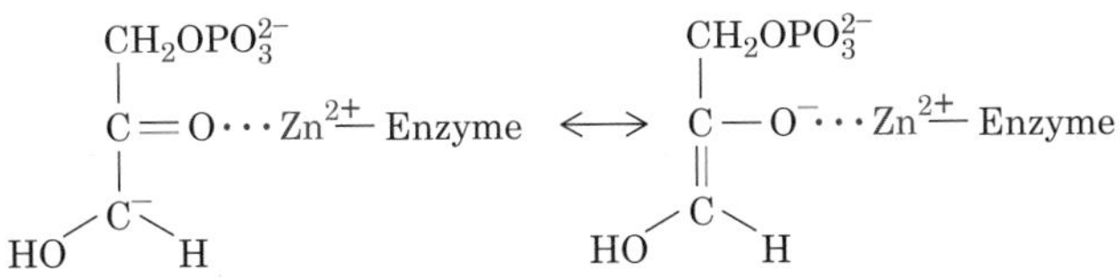

Les deux classes d'aldolases sont-elles apparentées ? Bien qu'elles présentent une cinétique Uni Bi implicite dans leur mécanisme, elles n'ont qu'environ 15 % d'identité de séquence, à la limite inférieure de la zone d'ombre d'une homologie possible (Section 7-4B). Cependant, leurs structures par rayons X montrent un même repliement, un tonneau α/β. L'évolution de ce type de repliement, assez courant, est discutée dans la Section 8-3B.

b. Pourquoi y a-t-il deux classes d'aldolases ?

Dans la mesure où la glycolyse est apparue très tôt dans l'histoire de l'évolution, l'existence de deux classes d'aldolases est surprenante. On a d'abord pensé que, les aldolases de Classe I se trouvant dans les organismes supérieurs, les aldolases de Classe II constituaient la forme la plus primitive de l'enzyme et étaient donc moins performantes que les enzymes de Classe I. Cependant, la découverte de l'expression simultanée des deux classes d'aldolases chez certains organismes laisse penser que les deux classes d'enzymes sont anciennes sur le plan de l'évolution et toutes aussi aptes à assurer leurs fonctions métaboliques. Il semble donc que l'expression des deux classes d'aldolase chez certains organismes s'explique par une redondance métabolique ancestrale que l'évolution a éliminée chez les organismes apparus plus récemment. Quoi qu'il en soit, le fait que les aldolases de Classe II n'existent pas chez les mammifères les rend intéressantes comme cibles potentielles de médicaments antibactériens.

c. L'aldolase est stéréospécifique

La réaction de l'aldolase fournit un autre exemple de l'extraordinaire stéréospécificité des enzymes. Dans la condensation aldolique non enzymatique qui donne un hexose-1,6-bisphosphate à partir de DHAP et de GAP, il y a quatre produits possibles selon que l'hydrogène enlevé du C3 est le *pro-R* ou le *pro-S* et selon que le carbanion résultant attaque le GAP sur son côté *re* ou *si* :

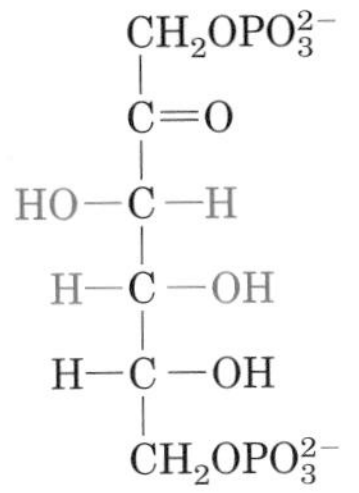

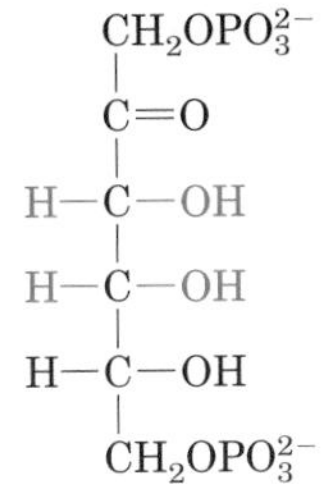

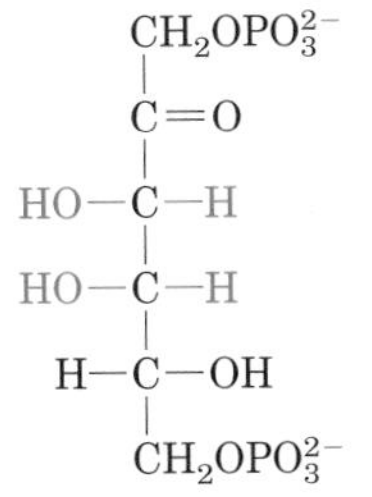

Dans le cas de la condensation aldolique enzymatique (Fig. 17-9 en sens inverse), la formation du carbanion à partir de l'ion iminium de l'intermédiaire DHAP-enzyme (Fig. 17-9, 4e étape en sens inverse) se fait après départ du seul hydrogène *pro-S*. L'attaque de ce carbanion ne peut avoir lieu que sur le côté *si* du groupement carbonyle du GAP lié à l'enzyme, d'où formation uniquement de FBP (Fig. 17-9, 3e étape en sens inverse).

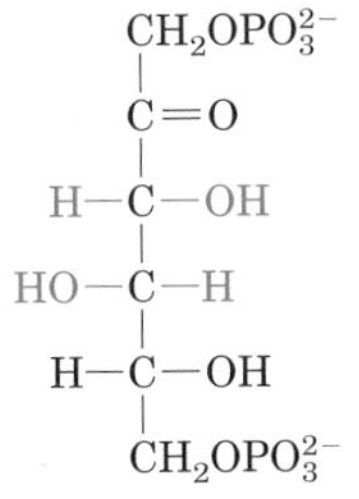

E. *Triose phosphate isomérase*

Seul l'un des deux produits de la réaction de clivage aldolique, le GAP, sera utilisé dans la voie glycolytique (Fig. 17-3). Cependant, la DHAP et le GAP sont des isomères cétose-aldose, tout comme F6P et G6P. L'interconversion de GAP et DHAP se fait donc probablement via un intermédiaire énediol ou énediolate, tout comme dans la réaction catalysée par la phosphoglucose isomérase (Fig. 17-6). La **triose phosphate isomérase** (**TIM** ou **TPI** ; Fig. 8-19*b* et 8-52) catalyse cette interconversion lors de la Réaction 5 de la glycolyse, dernière étape de la Phase I :

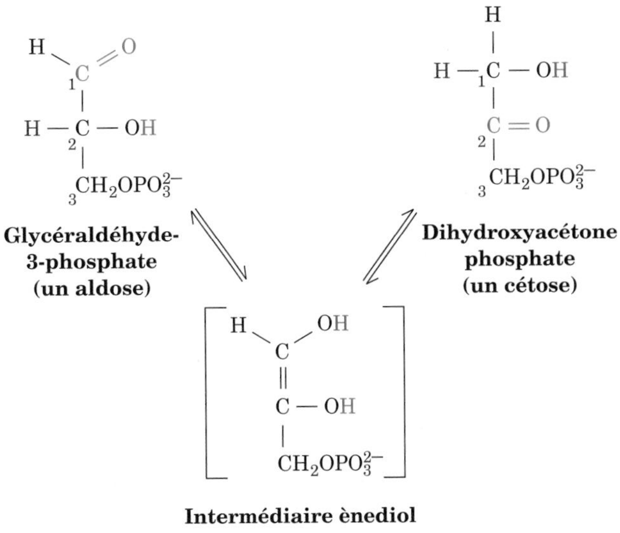

Ce schéma réactionnel a été proposé suite à l'utilisation d'analogues de l'état de transition, le **phosphoglycohydroxamate** et le **2-phosphoglycolate**, composés stables dont les structures géométriques rappellent celles de l'intermédiaire ènediol ou ènediolate proposé :

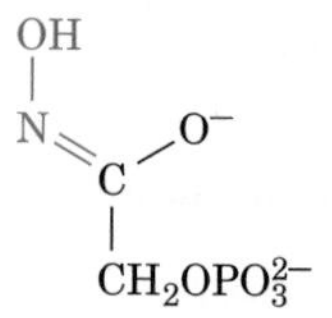

Phosphoglyco-hydroxamate

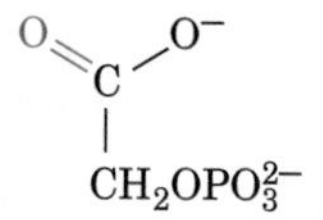

2-Phosphoglycolate

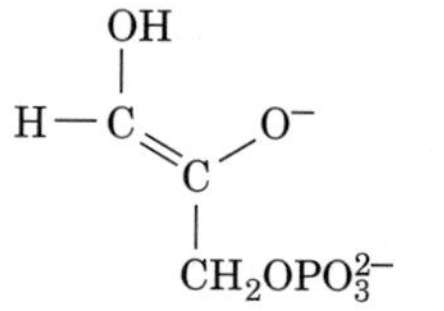

Intermédiaire ènediolate proposé

Puisque les enzymes catalysent les réactions en se fixant plus fortement au complexe de l'état de transition qu'au substrat (Section 15-1F), le phosphoglycohydroxamate et le 2-phosphoglycolate devraient se fixer plus fortement à la TIM que le substrat. En fait, le phosphoglycohydroxamate et le 2-phosphoglycolate se fixent 155 et 100 fois mieux à la TIM que ne le font le GAP ou la DHAP.

a. Glu 165 fonctionne comme une base générale

La dépendance de la réaction de la TIM vis-à-vis du pH se traduit par une courbe en cloche avec des pK de 6,5 et 9,5. Les valeurs de ces pK semblables à celles de la réaction catalysée par la phosphoglucose isomérase suggèrent la participation à la fois d'un acide et d'une base dans la réaction catalysée par la TIM. Cependant, les seules études de l'influence du pH, comme nous l'avons déjà vu, sont difficiles à interpréter en termes de résidus d'acides aminés spécifiques, car l'environnement du site actif peut modifier le pK d'un groupement acide ou basique.

Afin d'identifier la base du site actif de la TIM, des réactifs marqueurs d'affinité ont été utilisés. Aussi bien la **bromohydroxyacétone phosphate** que le **glycidol phosphate**

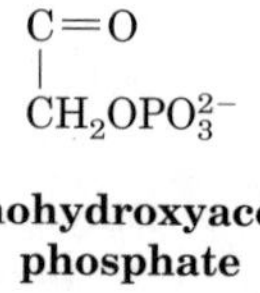

Bromohydroxyacétone phosphate

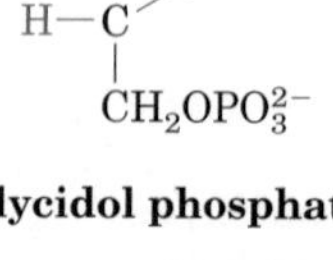

Glycidol phosphate

inactivent la TIM en formant des esters avec Glu 165, dont le groupement carboxylate, comme le montrent les études par rayons X, occupe une place idéale pour capter le proton du C2 du substrat (catalyse générale basique). En fait, le remplacement par mutagenèse de Glu 165 par Asp, qui, d'après les études par rayons X n'éloigne le groupement carboxylate que d'environ 1 Å du substrat par rapport à sa position dans l'enzyme de type sauvage, diminue

le pouvoir catalytique de la TIM d'environ 1000 fois. Noter que la valeur du pK de Glu 165 est considérablement modifiée puisqu'elle passe de 4,1, pour l'acide aminé libre, à 6,5, valeur observée : autre exemple surprenant de l'effet de l'environnement sur les propriétés des chaînes latérales des acides aminés.

b. La réaction de la TIM se fait probablement via une catalyse générale acido-basique concertée mettant en jeu des liaisons hydrogène à faible barrière énergétique

La structure par rayons X de la TIM de levure complexée au phosphoglycohydroxamate a montré que His 95 forme une liaison hydrogène, ce qui le place correctement pour protoner l'atome d'oxygène du carbonyle du GAP (catalyse générale acide) :

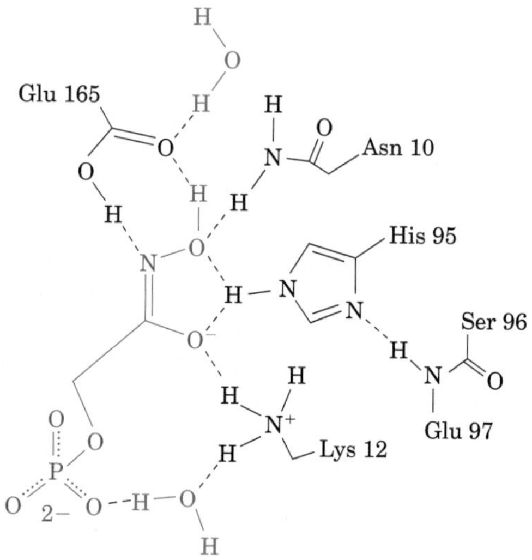

Cependant, des études par RMN ont montré que His 95 est sous forme imidazole neutre plutôt que sous forme imidazolium protonée. Comment l'hydrogène porté par le N3 du noyau imidazole, caractérisé par un pK basique d'environ 14, peut-il protoner l'atome d'oxygène d'un carbonyle qui, lorsqu'il est protoné, a un pK très acide, < 0 ? De même, comment le groupement carboxylate de Glu 165 (pK 6,5) peut-il capter le proton porté par le C2 (pK ~ 17) du GAP ? Une explication probable est que ces mouvements de protons sont facilités par la formation de liaisons hydrogène à faible barrière énergétique (LBHB). Ces associations anormalement fortes (−40 à −80 kJ·mol^{-1} au lieu de −12 à −30 kJ·mol^{-1} pour des liaisons hydrogène normales), comme déjà vu avec la triade des protéases à sérine (Section 15-3D), s'établissent quand les pK des groupements donneur et accepteur de liaisons hydrogène sont pratiquement égaux. Elles peuvent contribuer de façon importante à l'augmentation de la vitesse de la réaction si elles ne participent qu'à l'état de transition d'une réaction enzymatique.

En transformant (Fig. 17-10 *à gauche*), le GAP en intermédiaire ènediol (ou ènediolate), le pK de la forme protonée de l'oxygène de son carbonyle, qui devient un groupement hydroxyle, augmente pour atteindre une valeur ~ 14, valeur tout à fait comparable à celle du pK de l'His 95 neutre. La LBHB qui s'établit ainsi entre

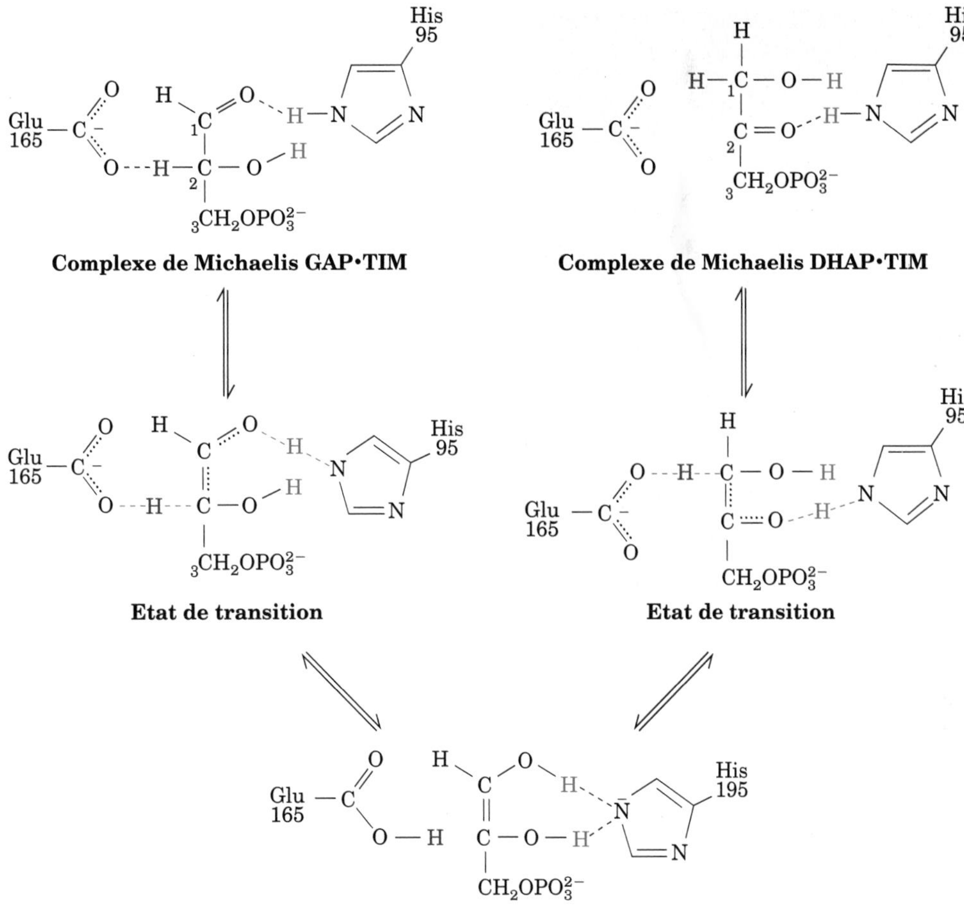

Complexe de Michaelis GAP·TIM

Complexe de Michaelis DHAP·TIM

État de transition

État de transition

Intermédiaire ènediol (ou ènediolate)

FIGURE 17-10 Mécanisme enzymatique proposé pour la réaction catalysée par la TIM. La réaction commence par le transfert concerté du proton du C2—H du GAP sur le groupement carboxylate de Glu 165, et la protonation de l'atome d'oxygène du carbonyle du GAP par le groupement imidazole de His 95. Les pK des groupements donneur et accepteur correspondants qui participent à chaque transfert de proton deviennent sensiblement égaux à l'état de transition, d'où formation de liaisons hydrogène à faible barrière énergétique (*lignes rouges en pointillés*) qui stabilisent donc l'état de transition. L'intermédiaire ènediol résultant (ou éventuellement l'ènediolate stabilisé par interactions électrostatiques) réagit alors de manière identique avec le groupement carboxyle de Glu 165 qui donne un proton au C1, tandis que l'atome N3 déprotoné de His 95 capte le proton du groupement hydroxyle porté par C2 pour donner la DHAP.

ce groupement hydroxyle et His 95 permet à la chaîne latérale de l'imidazole neutre de protoner l'atome d'oxygène. De même, lorsque l'oxygène du carbonyle est protoné, le pK du proton porté par le C2 du GAP diminue pour atteindre une valeur ~ 7, valeur proche du pK du carboxylate de Glu 165. Il apparaît donc que la réaction fait intervenir simultanément une déprotonation par Glu 165 et une protonation par His 95 (catalyse générale acido-basique concertée). On pense que la formation de LBHB dans l'état de transition, mais non dans le complexe de Michaelis, entre Glu 165 et C2—H et entre His 95 et l'atome d'oxygène du carbonyle, contribue à stabiliser l'état de transition nécessaire pour que la réaction soit catalysée. La chaîne latérale positivement chargée de Lys 12, qui est probablement responsable du pK de 9,5 observé lorsqu'on suit la vitesse de la réaction catalysée par la TIM en fonction du pH, stabiliserait par interactions électrostatiques l'état de transition chargé négativement. La conversion de l'intermédiaire ènediol(ate) en DHAP est, de la même façon, facilitée par

l'établissement de LBHB dans l'état de transition (Fig. 17-10, *droite*).

c. Une boucle souple se lie préférentiellement à l'intermédiaire ènediol tout en le protégeant

La comparaison de la structure par rayons X du complexe TIM · phosphoglycohydroxamate avec celle de la TIM non complexée montre que lorsque le substrat se lie à la TIM, une boucle de dix acides aminés se referme sur le site actif comme une charnière pivotante dans un mouvement qui met en jeu des déplacements de la chaîne principale de plus de 7 Å (Fig. 17-11). Un segment de 4 résidus de cette boucle établit une liaison hydrogène avec le groupement phosphate du substrat. L'excision, par mutagenèse, de ces quatre résidus ne déforme pas significativement la protéine, et donc la liaison du substrat n'est pas fortement affectée. Cependant, le pouvoir catalytique de l'enzyme mutée est diminué d'un facteur 10^5 et l'enzyme ne se lie que faiblement au phosphoglycohy-

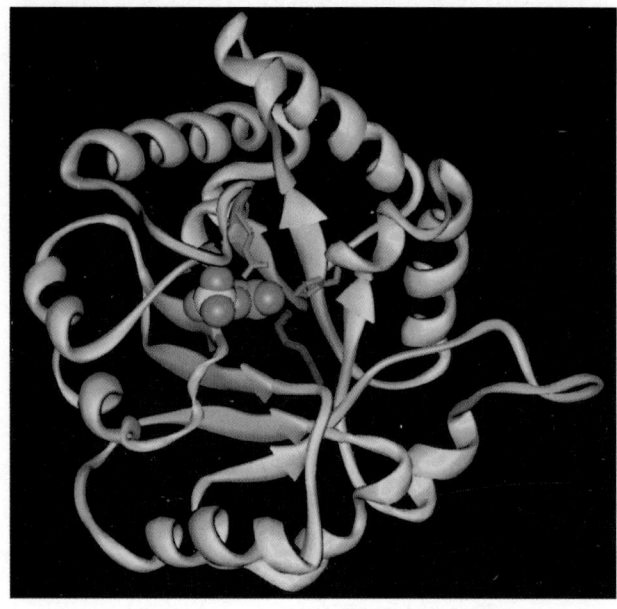

FIGURE 17-11 Représentation en ruban de la TIM de levure complexée à l'analogue de l'état de transition, le 2-phosphoglycolate. Une seule sous-unité (qui comporte 248 résidus) de cette enzyme homodimérique est vue le long de l'axe de son tonneau α/β. La boucle souple de l'enzyme qui va des résidus 168 à 177 est en bleu-vert et les chaînes latérales de Lys 12, His 95, et Glu 165 sont respectivement en bleu foncé, magenta, et rouge. Le 2-phosphoglycolate est représenté selon un modèle compact, avec C en vert, O en rouge, P en jaune. [D'après une structure par rayons-X réalisée par Gregory Petsko, Brandeis University. PDBid 2YPI.]

droxamate. De toute évidence, la fermeture de la boucle stabilise préférentiellement l'état de transition type «ènediol» enzymatique.

La fermeture de la boucle dans la réaction catalysée par la TIM donne également un exemple frappant du contrôle stéréo-électronique que les enzymes peuvent exercer sur une réaction (Sec-

tion 15-1E). En solution, l'intermédiaire ènediol se décompose immédiatement avec élimination du phosphate porté par le C3 et donne un composé toxique, le **méthylglyoxal** (Fig. 17-12*a*). A la surface de l'enzyme, cependant, cette réaction n'a pas lieu car le groupement phosphate est maintenu, grâce à la boucle souple, dans le plan de l'ènediol, position défavorable à l'élimination du phos-

(a)

Intermédiaire ènediol — la liaison C–O au phosphate est perpendiculaire au plan de la molécule → Enol — les orbitales *p* parallèles se recouvrent au maximum pour former une liaison π → Méthyl glyoxal

(b)

la liaison C—O au phosphate est dans le plan de la molécule ✕ les orbitales *p* perpendiculaires ne se recouvrent pas; une liaison π ne peut être formée

FIGURE 17-12 Décomposition spontanée de l'intermédiaire ènediol dans la réaction de la TIM pour donner du méthylglyoxal après élimination d'un groupement phosphate. (*a*) Cette réaction ne peut avoir lieu que si la liaison C—O au groupement phosphate se trouve dans un plan presque perpendiculaire à celui de l'ènediol afin de permettre la formation d'une double liaison dans le produit énol intermédiaire. (*b*) Quand la liaison C—O au groupement phosphate se trouve dans un

plan sensiblement parallèle à celui de l'ènediol, les orbitales *p* du produit intermédiaire formé seraient perpendiculaires entre elles et il n'y aurait donc pas le recouvrement nécessaire pour former une liaison π, c'est-à-dire, une double liaison. Il en résulte une possibilité de liaison insatisfaite qui augmente fortement le niveau d'énergie de l'intermédiaire de la réaction, ce qui en fait une réaction très défavorable.

phate. Pour que cette élimination ait lieu, la liaison C—O au groupement phosphate doit se trouver, comme le montre la Fig. 17-2a, dans un plan perpendiculaire à celui de l'ènediol. Ceci parce que, si le groupement phosphate devait être éliminé alors que la liaison C—O se trouve dans le plan de l'ènediol comme schématisé Fig. 17-12b, le groupement CH₂ du produit énol résultant se trouverait projeté de 90° hors du plan du reste de la molécule. Une telle conformation est énergétiquement prohibitive, car elle empêcherait la formation de la double liaison de l'énol en rendant impossible le recouvrement des orbitales p du composé. Avec l'enzyme mutée dépourvue de boucle souple, l'ènediol est capable de se libérer : ∼ 85 % de l'intermédiaire ènediol se retrouve en solution, où il est rapidement décomposé en méthylglyoxal et P_i. Ainsi, la fermeture par la boucle souple assure également que le substrat est transformé efficacement en produit.

Sur base des structures par rayons X discutées ci-dessus, l'opinion générale était que la liaison du substrat à la TIM induit le recouvrement du substrat par la boucle (on parle de **liaison sensible au ligand** ou « **ligand-gated binding** »). S'il en est bien ainsi, vu le caractère réversible de la réaction et la ressemblance chimique entre substrat et produit (GAP et DHAP), on ne voit pas comment le produit peut être libéré. Cependant, des mesures de RMN par John Williams et Ann McDermott montrent qu'en fait des mouvements de la boucle se produisent toujours lorsque la TIM lie le glycérol-3-phosphate (analogue du substrat) ou le 2-phosphoglycolate (analogue de l'état de transition) et sont suffisamment rapides (en 100 μs environ) pour rendre compte de la vitesse de réaction catalytique (temps de renouvellement de 230 μs). Ceci illustre bien le caractère complémentaire de données obtenues par les rayons X et par la RMN pour la compréhension de mécanismes enzymatiques non élucidés par ces techniques prises séparément.

d. La TIM est une enzyme parfaite

La TIM, comme Jeremy Knowles l'a montré, a atteint la perfection catalytique dans la mesure où la vitesse de la réaction bimoléculaire entre l'enzyme et le substrat est contrôlée par la diffusion : ceci veut dire que le produit se forme aussi rapidement que l'enzyme et le substrat peuvent entrer en collision dans le milieu, si bien que toute augmentation de l'efficacité catalytique de TIM n'augmenterait pas la vitesse de la réaction (Section 14-2B). Grâce à l'interconversion extrêmement efficace de GAP et DHAP, ces deux métabolites sont maintenus en équilibre : K = [GAP]/[DHAP] = $4,73 \times 10^{-2}$; autrement dit, à l'équilibre [DHAP] >> [GAP]. Toutefois, *puisque GAP est utilisé dans la réaction suivante de la glycolyse, davantage de DHAP est converti en GAP afin que le rapport à l'équilibre de ces composés soit maintenu.* Il n'y a donc qu'une voie métabolique commune pour assurer le métabolisme des deux produits de la réaction catalysée par l'aldolase.

Faisons maintenant le point dans notre parcours de la glycolyse. À ce stade, le glucose, qui a été transformé en deux GAP, a achevé la phase préparatoire de la glycolyse. Ceci a nécessité la dépense de 2 ATP. Toutefois, cet investissement s'est soldé par la conversion d'un glucose en deux unités en C3, chacune d'elles possédant un groupement phosphate qui, grâce à une petite astuce chimique, peut être converti en composé « riche en énergie » (Section 16-4B) dont l'énergie libre d'hydrolyse peut être couplée à la synthèse d'ATP. *Cet investissement en énergie sera doublement restitué dans la phase terminale de la glycolyse, où les deux unités en C3 phosphorylées sont transformées en deux pyruvate en même temps qu'il y a synthèse couplée de quatre ATP par glucose.*

F. *Glycéraldéhyde-3-phosphate déshydrogénase : formation d'un premier intermédiaire « riche en énergie ».*

La Réaction 6 de la glycolyse implique l'oxydation et la phosphorylation de GAP par NAD⁺ et P_i catalysées par la **glycéraldéhyde-3-phosphate déshydrogénase** (**GAPDH** ; Fig. 8-45 et 8-53b) :

Glycéraldéhyde-3-phosphate (GAP)

glycéraldéhyde-3-phosphate déshydrogénase (GAPDH)

1,3-Bisphosphoglycérate (1,3-BPG)

Voici le premier exemple de l'astuce chimique à laquelle nous faisions allusion ci-dessus. *Dans cette réaction, l'oxydation de l'aldéhyde, réaction exergonique, amène la synthèse de l'acyl phosphate* **1,3-bisphosphoglycérate (1,3-BPG** ; *autrefois appelé* **1,3-diphosphoglycérate**). Se rappeler que les acyls phosphate sont des composés à fort potentiel de transfert de groupement phosphate (Section 16-4B).

Étude du mécanisme réactionnel

Plusieurs expériences clefs d'enzymologie ont permis d'élucider le mécanisme de la réaction catalysée par la GAPDH (Fig. 17-13) :

1. La GAPDH est inactivée après alkylation par des quantités stœchiométriques d'iodoacétate. La présence de **carboxyméthylcystéine** dans l'hydrolysat de l'enzyme ainsi alkylée (Fig. 17-13a) suggère que la GAPDH présente un groupement sulfhydryle Cys dans son site actif.

2. La GAPDH transfère quantitativement ³H du C1 de GAP au NAD⁺ (Fig. 17-13b), montrant ainsi que la réaction se fait par transfert direct d'ion hydrure.

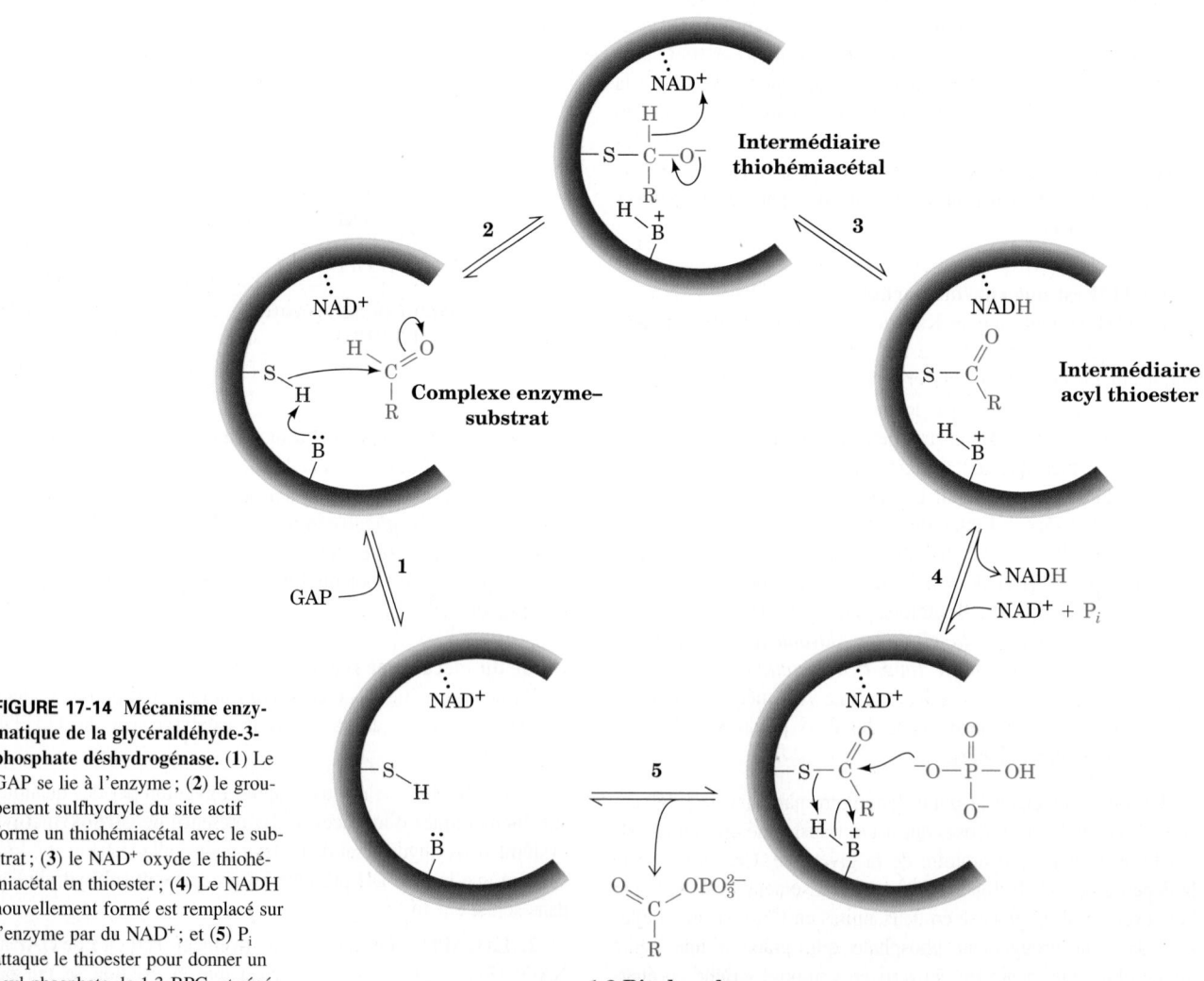

(a)

Enzyme—CH₂—SH + ICH₂COO⁻ →(↑HI) Enzyme—CH₂—S—CH₂COO⁻ —(protéolyse)→ CH—CH₂—S—CH₂COO⁻ + Autres acides aminés

with NH₃⁺ above CH and COO⁻ below.

GAPDH   Cys du site actif   Iodoacétate   **Carboxy-méthylcystéine**

(b)

$$[1-{}^{3}\text{H}]\text{GAP} + \text{NAD}^+ + \text{P}_i \xrightarrow{\text{GAPDH}} 1,3\text{-Bisphosphoglycérate} (1,3\text{-BPG}) + \text{NAD}^{3}\text{H}$$

[1-³H]GAP   **1,3-Bisphosphoglycérate (1,3-BPG)**

(c)

Acétyl phosphate + ³²P... → ... ³²P...

Acétyl phosphate

FIGURE 17-13 Exemples de réactions utilisées pour élucider le mécanisme enzymatique de la GAPDH. *(a)* Réaction de l'iodoacétate avec un résidu Cys du centre actif. *(b)* Transfert quantitatif de tritium du substrat au NAD⁺. *(c)* Echange de ³²P catalysé par l'enzyme entre le phosphate et l'acétyl-phosphate.

Intermédiaire thiohémiacétal

Complexe enzyme–substrat

Intermédiaire acyl thioester

1,3-Bisphospho-glycérate (1,3-BPG)

FIGURE 17-14 Mécanisme enzymatique de la glycéraldéhyde-3-phosphate déshydrogénase. (1) Le GAP se lie à l'enzyme ; **(2)** le groupement sulfhydryle du site actif forme un thiohémiacétal avec le substrat ; **(3)** le NAD⁺ oxyde le thiohémiacétal en thioester ; **(4)** Le NADH nouvellement formé est remplacé sur l'enzyme par du NAD⁺ ; et **(5)** P_i attaque le thioester pour donner un acyl-phosphate, le 1,3-BPG, et régénérer l'enzyme active.

3. La GAPDH catalyse l'échange de ^{32}P entre $[^{32}P]P_i$ et l'analogue du produit **acétyl phosphate** (Fig. 17-13c). De telles réactions d'échange isotopique montrent qu'il se forme un intermédiaire acyl-enzyme (Section 14-5D).

David Trentham a proposé un mécanisme pour la réaction de la GAPDH fondé sur cette information et sur des résultats de cinétique enzymatique (Fig. 17-14) :

1ʳᵉ étape Le GAP se lie à l'enzyme.

2ᵉ étape Le groupement sulfhydryle essentiel, agissant comme nucléophile, attaque l'aldéhyde pour donner un **thiohémiacétal**.

3ᵉ étape Le thiohémiacétal subit une oxydation pour donner un **acylthioester** par transfert direct de l'hydrure sur NAD^+. Cet intermédiaire, qui a été isolé, a un potentiel de transfert de groupe élevé. *L'énergie liée à l'oxydation de l'aldéhyde n'a pas été dissipée mais est conservée grâce à la synthèse du thioester et à la réduction du NAD^+ en NADH.*

4ᵉ étape Une autre molécule de NAD^+ remplace le NADH.

5ᵉ étape L'intermédiaire thioester subit une attaque nucléophile par P_i ce qui régénère l'enzyme libre et donne le 1,3-BPG. Cet anhydride mixte « riche en énergie » permettra la formation d'ATP à partir d'ADP dans la réaction suivante de la glycolyse.

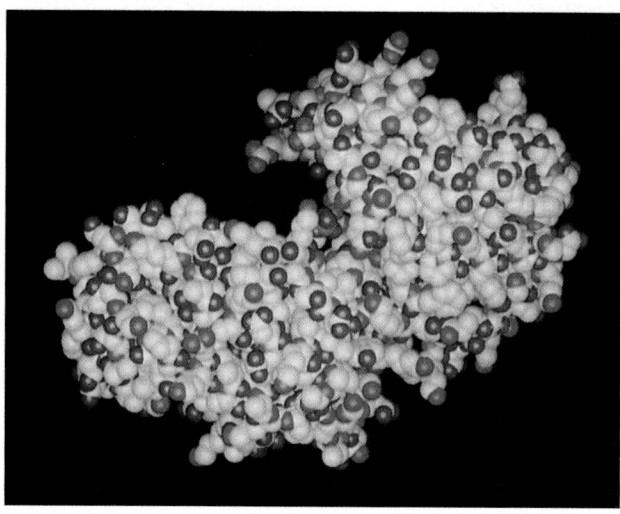

FIGURE 17-15 Modèle compact de la phosphoglycérate kinase de levure montrant sa structure bilobée à crevasse profonde. Le site de liaison du substrat est au fond de la crevasse comme l'indique l'atome de P (*violet*) du 3PG. Comparer cette structure avec celle de l'hexokinase (Fig. 17-5a). [D'après une structure par rayons-X de Herman Watson, University of Bristol, U.K. PDBid 3PGK.]

G. *Phosphoglycérate kinase : première régénération d'ATP*

La Réaction 7 de la glycolyse conduit à la première formation d'ATP et à celle de **3-phosphoglycérate** (**3PG**), réaction catalysée par la **phosphoglycétate kinase** (**PGK**) :

1,3-Bisphosphoglycérate (1,3-BPG)

3-Phosphoglycérate (3PG)

(*Remarque* : une « kinase » est une enzyme qui transfère un groupement phosphoryle depuis l'ATP sur un métabolite. Rien n'est implicite quant au sens exergonique du transfert).

La PGK (Fig. 17-15) présente une structure clairement bilobée. Le site de liaison du complexe Mg^{2+}-ADP est situé dans un domaine, à environ 10 Å du site de liaison du 1,3-BPG, lequel se trouve dans l'autre domaine. Les structures par rayons X suggèrent

qu'après liaison du substrat, les deux domaines de la PGK basculent ensemble afin de permettre aux substrats de réagir dans un milieu anhydre comme dans le cas de l'hexokinase (Section 17-2A). De fait, l'aspect de la PGK est remarquablement similaire à celui de l'hexokinase (Fig. 17-5a), même si les structures de ces protéines n'ont pas de relation.

La Fig. 17-16 donne un mécanisme réactionnel pour la PGK en accord avec les cinétiques séquentielles observées : attaque nucléophile par l'oxygène du groupement phosphoryle terminal de l'ADP, de l'atome de phosphore porté par le C1 du 1,3-BPG, pour donner le produit de la réaction.

1,3-Bisphosphoglycérate Mg^{2+}–ADP

3-Phosphoglycérate Mg^{2+}–ATP

FIGURE 17-16 Mécanisme réactionnel de la PGK. Les positions des ions Mg^{2+} sont données comme exemples possibles ; leurs sites de liaison réels ne sont pas connus.

Le bilan énergétique global des deux réactions catalysées par la GAPDH et la PGK est :

GAP + P$_i$ + NAD$^+$ → 1,3-BPG + NADH

$$\Delta G°' = +6,7 \text{ kJ} \cdot \text{mol}^{-1}$$

1,3-BPG + ADP → 3PG + ATP

$$\Delta G°' = -18,8 \text{ kJ} \cdot \text{mol}^{-1}$$

GAP + P$_i$ + NAD$^+$ + ADP → 3PG + NADH + ATP

$$\Delta G°' = -12,1 \text{ kJ} \cdot \text{mol}^{-1}$$

Bien que la réaction de la GAPDH soit endergonique, le caractère fortement exergonique du transfert d'un groupement phosphoryle du 1,3-BPG à l'ADP rend favorable la synthèse globale de NADH et d'ATP à partir de GAP, P$_i$, NAD$^+$ et ADP.

H. *Phosphoglycérate mutase*

Au cours de la Réaction 8 de la glycolyse, le 3PG est converti en **2-phosphoglycérate** (**2PG**) par la **phosphoglycérate mutase** (**PGM**) :

3-Phosphoglycérate (3PG)   **2-Phosphoglycérate (2PG)**

Une **mutase** catalyse le transfert d'un groupement fonctionnel d'une position à une autre à l'intérieur d'une molécule. Cette réaction est une préparation indispensable pour la réaction suivante, qui amènera la formation d'un composé phosphorylé « riche en énergie » utilisé ensuite pour synthétiser de l'ATP.

a. Mécanisme réactionnel de la PGM

À première vue, la réaction catalysée par la PGM apparaît comme un simple transfert intramoléculaire d'un groupement phosphoryle. Ce n'est toutefois pas le cas. *L'enzyme active présente un groupement phosphate dans son site actif, qui est transféré au substrat pour donner un intermédiaire bisphosphorylé. Cet intermédiaire va alors rephosphoryler l'enzyme pour donner le produit et régénérer la phosphoenzyme active.* Les résultats expérimentaux suivants ont permis d'élucider le mécanisme enzymatique de la PGM :

1. Des quantités catalytiques de **2,3-bisphosphoglycérate** (**2,3-BPG** ; autrefois appelé **2,3-diphosphoglycérate**)

2,3-Bisphosphoglycérate (2,3-BPG)

sont indispensables à l'activité enzymatique ; autrement dit, le 2,3-BPG amorce la réaction.

2. L'incubation de l'enzyme avec des quantités catalytiques de 2,3-BPG marqué par ^{32}P donne une enzyme marquée par ^{32}P. Zelda Rose a montré que ce marquage résulte de la phosphorylation d'un résidu His :

Enzyme—CH$_2$

Résidu His phosphorylé

3. La structure par rayons X de l'enzyme montre qu'il y a une His dans le site actif (Fig. 17-17). Lorsque l'enzyme est active, His 8 est phosphorylée.

Ces résultats sont en accord avec un mécanisme dans lequel l'enzyme active présente un résidu phospho-His au site actif (Fig. 17-18) :

1re étape Le 3PG se lie à la phosphoenzyme dans laquelle His 8 est phosphorylée.

2e étape Ce groupement phosphoryle est transféré au substrat, d'où la formation d'un complexe intermédiaire 2,3-BPG · enzyme.

3e et 4e étapes Le complexe se dissocie pour donner le 2PG et régénérer la phosphoenzyme.
Le groupement phosphoryle du 3PG se retrouve donc finalement sur le C2 du prochain 3PG qui subira la réaction.

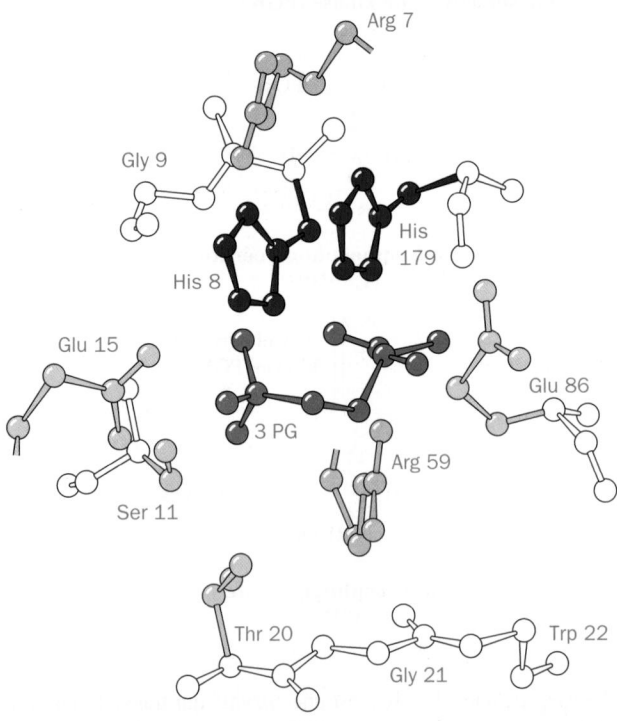

FIGURE 17-17 Région du site actif de la phosphoglycérate mutase de levure (forme déphosphorylée) montrant le substrat, 3-phosphoglycérate, et quelques chaînes latérales à proximité. His 8 est phosphorylée lorsque l'enzyme est active. [D'après Winn, S.I., Watson, H.I., Harkins, R.N., et Fothergill, L.A., *Phil. Trans. R. Soc. London Ser. B* **293**, 126, (1981). PDBid 3PGM.]

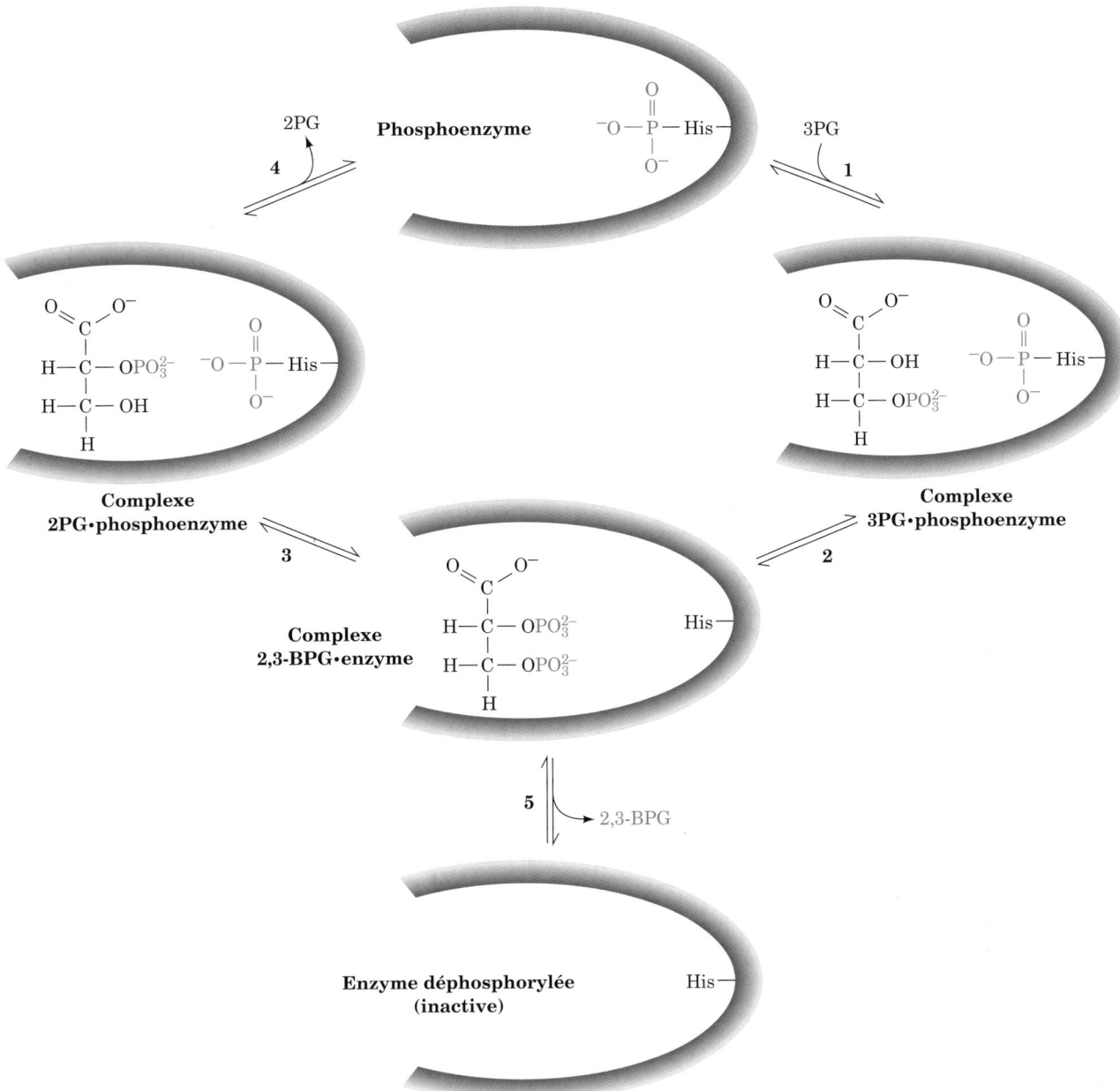

FIGURE 17-18 Mécanisme réactionnel proposé pour la phosphoro-glycérate mutase. La forme active de l'enzyme contient un résidu phospho-His au site actif. (**1**) Formation du complexe enzyme-substrat ; (**2**) transfert au substrat du groupement phosphoryle lié à l'enzyme ; (**3**) rephosphorylation de l'enzyme par l'autre groupement phosphoryle du substrat ; et (**4**) libération du produit régénérant la phosphoenzyme active. (**5**) Occasionnellement, le 2,3-BPG se dissocie de l'enzyme, la laissant sous une forme inactive déphosphorylée qui doit être rephospho-rylée par la réaction inverse.

Il arrive parfois que le 2,3-BPG se dissocie de l'enzyme (Fig. 17-18 ; 5e étape), laissant celle-ci sous forme inactive. Des quantités infimes de 2,3-BPG doivent donc toujours être disponibles afin de régénérer la phosphoenzyme active dans la réaction inverse.

b. Influence de la glycolyse sur le transport de l'oxygène

Le 2,3-BPG se fixe spécifiquement à la désoxyhémoglobine, ce qui modifie l'affinité de l'hémoglobine pour l'oxygène (Section 10-1D). La concentration en 2,3-BPG dans les érythrocytes est beaucoup plus élevée (~5 mM) que les quantités infimes nécessaires à son rôle d'amorce de la PGM. Les érythrocytes synthétisent et dégradent le 2,3-BPG par une voie annexe de la glycolyse représentée dans la Fig. 17-19. La **bisphosphoglycérate mutase** catalyse le transfert d'un groupement phosphoryle du C1 au C2 du 1,3-BPG. Le 2,3-BPG ainsi formé est hydrolysé en 3PG par la **2,3-bisphosphoglycérate phosphatase**. La vitesse de la glycolyse modifie l'affinité de l'hémoglobine pour l'oxygène par l'intermédiaire du 2,3-BPG. Par conséquent, des déficiences héréditaires en enzymes de la glycolyse dans les érythrocytes modifient la capa-

FIGURE 17-19 Les voies de synthèse et de dégradation du 2,3-BPG dans les érythrocytes sont une déviation de la voie glycolytique.

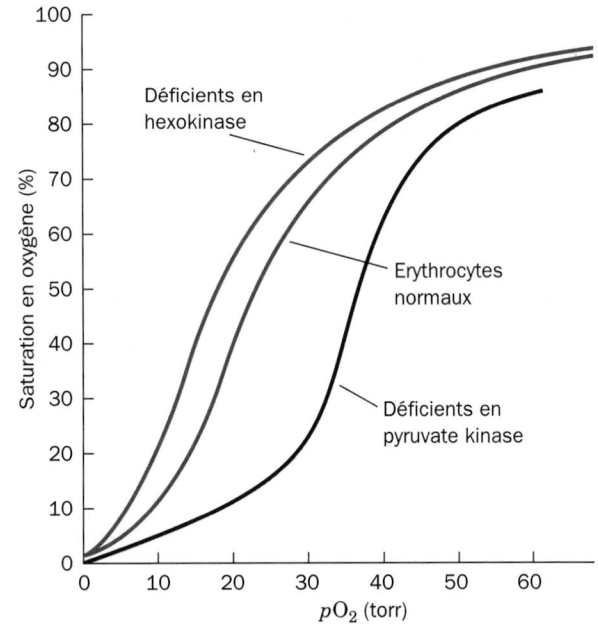

cité du sang à transporter l'oxygène (Fig. 17-20). Par exemple, la concentration d'intermédiaires de la glycolyse dans des érythrocytes déficients en hexokinase est inférieure à la normale puisque l'hexokinase catalyse la première réaction de la glycolyse. Il s'ensuit une diminution de la concentration en 2,3-BPG et donc une augmentation de l'affinité de l'hémoglobine pour l'oxygène. Inversement, une déficience en pyruvate kinase diminue l'affinité de l'hémoglobine pour l'oxygène suite à l'augmentation de la concentration en 2,3-BPG due au blocage de la dernière réaction de la glycolyse. Ainsi, bien que le métabolisme des érythrocytes, qui n'ont ni noyau ni organites, soit réduit au minimum, ce métabolisme résiduel a un impact physiologique.

I. *Enolase : formation d'un deuxième intermédiaire « riche en énergie »*

Dans la Réaction 9 de la glycolyse, le 2PG est déshydraté en **phosphoénolpyruvate** (**PEP**), réaction catalysée par l'**énolase** :

2-Phosphoglycérate (2PG)   **Phosphoénolpyruvate (PEP)**

L'enzyme forme un complexe avec un cation divalent, comme Mg^{2+}, avant que ne se fixe le substrat. Un second ion métallique divalent se lie alors à l'enzyme. Comme nous l'avons vu dans la Section 17-1A, l'ion fluorure inhibe la glycolyse avec accumulation de 2PG et de 3PG. Ceci est dû à une très forte inhibition de l'énolase en présence de P_i. F^- et P_i forment un complexe extrêmement solide avec le Mg^{2+} fixé au site actif de l'enzyme, s'opposant ainsi à la fixation du substrat et donc inactivant l'enzyme. Il s'ensuit une accumulation du substrat de l'énolase, le 2PG, qui va s'équilibrer avec le 3PG grâce à la PGM.

Mécanisme catalytique de l'énolase

La déshydratation (élimination d'H_2O) catalysée par l'énolase pourrait se faire par l'une des trois voies suivantes (Fig. 16-9a) : (1) l'OH porté par C3 part en premier, laissant un carbocation sur

FIGURE 17-20 Courbes de saturation de l'hémoglobine par l'oxygène dans des érythrocytes normaux (*courbe rouge*) et dans des érythrocytes de malades ayant une déficience en hexokinase (*courbe verte*) ou en pyruvate kinase (*courbe violette*). [D'après Delivoria-Papadopoulos, M., Oski, F.A., et Gottlieb, A.J., *Science* **165**, 601, (1969)].

le C3 ; (2) le proton porté par le C2 part en premier, laissant un carbanion sur le C2 ; ou (3) la réaction peut être concertée. Par des études d'échanges isotopiques, Paul Boyer a montré que le proton du C2 du 2PG s'échange avec le milieu à une vitesse 12 fois plus rapide que celle de la formation de PEP. Cependant, l'oxygène du C3 s'échange avec le solvant à une vitesse sensiblement égale à la vitesse de la réaction globale. Ceci suggère le mécanisme suivant (Fig. 17-21) :

1re étape Formation rapide d'un carbanion sur le C2 facilitée par une base générale de l'enzyme. Le proton enlevé peut rapidement s'échanger avec le solvant, ce qui explique la grande vitesse d'échange observée.

2e étape Élimination, à vitesse limitante, de l'hydroxyle porté par le C3. Ceci est en accord avec la faible vitesse d'échange entre ce groupement hydroxyle et le milieu.

2-Phosphoglycérate (2 PG)

1 rapide

Carbanion intermédiaire délocalisé

H_2O HOH

échange
rapide

2 lent

Phosphoénolpyruvate (PEP)

FIGURE 17-21 Mécanisme réactionnel proposé pour l'énolase.
(**1**) Formation rapide d'un carbanion suite au retrait d'un proton du C2
par Lys 345 agissant comme base classique ; ce proton peut s'échanger
rapidement avec le milieu. (**2**) Elimination lente de H_2O pour donner le
phosphoénolpyruvate, par catalyse acide générale due à Glu 211 ; l'oxygène porté par le C3 du substrat peut s'échanger avec le milieu à une
vitesse qui dépend de celle de cette étape.

J. *Pyruvate kinase : deuxième régénération d'ATP*

Dans la Réaction 10 de la glycolyse, la dernière réaction, la **pyruvate kinase** (**PK**) assure le couplage entre l'énergie libre libérée
par l'hydrolyse du PEP et la synthèse d'ATP, pour donner du pyruvate.

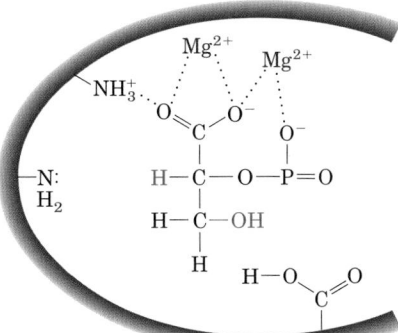

**Phosphoénolpyruvate
(PEP)**

pyruvate
kinase (PK)

Pyruvate

La réaction de l'énolase (Fig. 17-21) est intéressante sur le plan
du mécanisme car elle implique le départ d'un proton relativement
peu acide (pK > 30) du C2, suivi de l'élimination d'un ion OH^-,
groupement qui peut difficilement s'en aller. La structure par
rayons X de l'énolase de levure complexée à deux Mg^{2+} et à un
mélange de 2PG et de PEP en équilibre (substrat et produit de
l'énolase), déterminée par George Reed et Ivan Rayment, montre
que l'énolase lie le 2PG au sein d'un complexe impliquant les deux
ions Mg^{2+}. Des études enzymologiques et par mutagenèse montrent que la réaction fait intervenir la chaîne latérale de Lys 345 en
tant que base classique et celle de Glu 211 en tant qu'acide classique. On pense que Lys 396 et les deux ions Mg^{2+} stabilisent la
charge négative accrue de l'ion carboxylate dans l'intermédiaire
carbanion délocalisé.

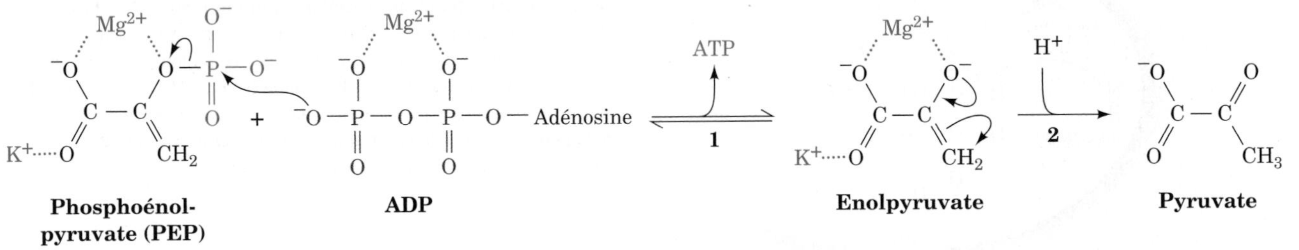

$$\Delta G^{\circ\prime} = +14.4 \text{ kJ·mol}^{-1} \qquad \Delta G^{\circ\prime} = -46 \text{ kJ·mol}^{-1}$$

$$\Delta G^{\circ\prime} \text{ globale} = -31.4 \text{ kJ·mol}^{-1}$$

FIGURE 17-22 Mécanisme de la réaction catalysée par la pyruvate kinase. (**1**) Attaque nucléophile de l'atome de phosphore du PEP par un atome d'oxygène du groupement β–phosphoryle de l'ADP pour former de l'ATP et de l'énolpyruvate ; et (**2**) tautomérisation de l'énolpyruvate en pyruvate.

Mécanisme catalytique de la PK

La réaction de la PK, qui nécessite à la fois des cations monovalents (K^+) et divalents (Mg^{2+}), se fait comme suit (Fig. 17-22) :

1re étape Attaque nucléophile, par un oxygène du phosphoryle en β de l'ADP, de l'atome de phosphore du PEP, déplaçant ainsi l'énol pyruvate et formant de l'ATP. Cette réaction récupère l'énergie libre résultant de l'hydrolyse du PEP.

2e étape L'énol pyruvate est transformé en pyruvate. Cette tautomérisation énol-céto est suffisamment exergonique pour assurer la synthèse endergonique couplée de l'ATP (Section 16-4C).

Nous pouvons maintenant voir la « logique » de la réaction de l'énolase. L'énergie libre standard de l'hydrolyse du 2PG n'est que $\Delta G^{\circ\prime} = -17,6 \text{ kJ·mol}^{-1}$, ce qui est insuffisant pour permettre la synthèse d'ATP ($\Delta G^{\circ\prime} = 30,5 \text{ kJ·mol}^{-1}$ pour la synthèse d'ATP à partir d'ADP + P_i). La déshydratation du 2PG amène la formation d'un intermédiaire « riche en énergie » capable d'assurer une telle synthèse [l'énergie libre standard de l'hydrolyse du PEP est égale à $-61,9 \text{ kJ·mol}^{-1}$ (Fig. 16-23)]. Autrement dit, le PEP est un composé « riche énergie », le 2PG ne l'est pas.

3 ■ LA FERMENTATION : SORT DU PYRUVATE EN ANAÉROBIOSE

Pour que la glycolyse continue, le NAD^+, qui se trouve en quantités limitées dans les cellules, doit être recyclé après sa réduction en NADH par la GAPDH (Fig. 17-3, Réaction 6). En présence d'oxygène, les équivalents réducteurs du NADH sont transportés dans les mitochondries pour y être réoxydés (Chapitre 22). Cependant, en anaérobiose, le NAD^+ est renouvelé grâce à la réduction du pyruvate qui constitue un prolongement de la glycolyse. Il existe deux processus qui assurent le renouvellement du NAD^+ en anaérobiose, la fermentation homolactique dans le muscle, et la fermentation alcoolique dans la levure.

A. Fermentation homolactique

Dans le muscle, notamment en cas d'activité intense où la demande en ATP est importante et où l'oxygène se fait rare, la **lactate déshydrogénase** (**LDH**) catalyse l'oxydation du NADH par le pyruvate pour donner du NAD^+ et du **lactate**. Cette réaction est souvent classée Réaction 11 de la glycolyse :

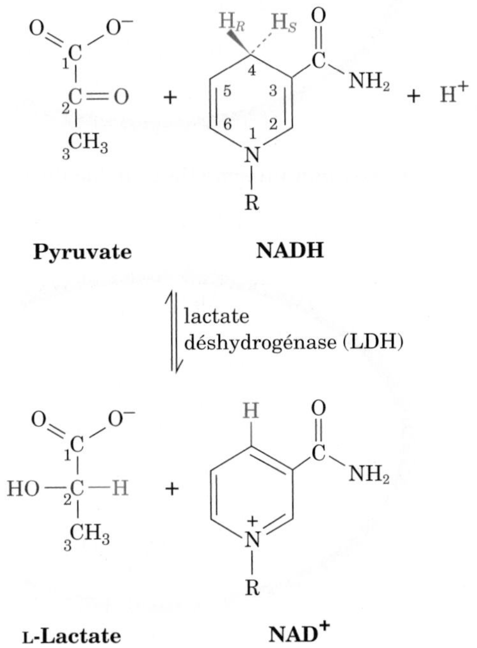

La LDH, comme d'autres enzymes à NAD^+, catalyse sa réaction avec une stéréospécificité absolue : l'hydrogène *pro-R* (côté A) du C4 du NADH est transféré de manière stéréospécifique sur le côté *re* du C2 du pyruvate pour donner du L-(ou S-) lactate. Cette réaction redonne du NAD^+ qui sera utilisé dans la réaction avec la GAPDH. Le transfert de l'hydrure au pyruvate se fait du même côté du noyau nicotinamide que dans le cas de l'acétaldéhyde lors de la réaction catalysée par l'alcool déshydrogénase (Section 13-2A), mais du côté opposé (*si*) du noyau nicotinamide au GAP dans la réaction catalysée par la GAPDH (Section 17-2F).

Les mammifères ont deux types différents de sous-unités LDH, le type M et le type H qui, associés, donnent cinq isozymes tétramériques : M_4, M_3H, M_2H_2, MH_3 et H_4. Bien que l'on trouve ces formes hybrides dans la plupart des tissus, la sous-unité de type H prédomine dans les tissus aérobies tels que le muscle cardiaque, tandis que la sous-unité de type M prédomine dans les tissus qui

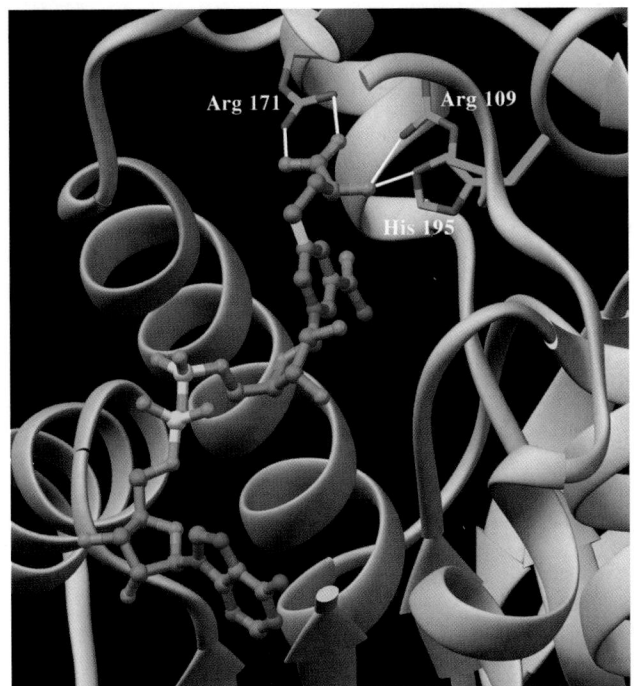

FIGURE 17-23 Région du site actif de la LDH H₄ porcine complexée au S-lac-NAD⁺, adduit covalent de lactate et de NAD⁺. L'adduit est représenté en boules et bâtonnets colorés selon le type d'atome (C en vert, N en bleu, O en rouge, P en jaune), excepté pour la liaison covalente entre l'atome C3 du lactate et l'atome C4 du nicotinamide, qui est en vert clair. Les trois chaînes latérales de la LDH qui établissent des liaisons hydrogène (*lignes blanches*) avec le pyruvate sont en bâtonnets, colorées de même selon le type d'atome, mais avec C en magenta. [D'après une structure par rayons X de Michael Rossmann, Purdue University, PDBid 5LDH.]

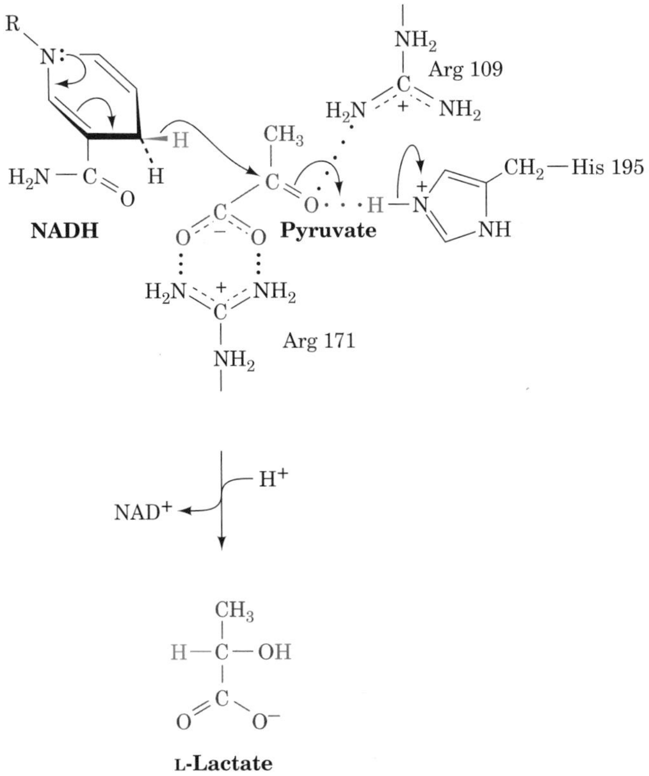

FIGURE 17-24 Mécanisme réactionnel de la lactate déshydrogénase. La réaction implique le transfert direct de l'ion hydrure du NADH à l'atome de carbone du carbonyle du pyruvate, et d'un proton du groupement imidazolium de His 195 à l'atome d'oxgène du carbonyle du pyruvate. Ce transfert de proton est facilité par la charge positive de la chaîne latérale voisine de l'Arg 109.

peuvent se trouver dans des conditions anaérobies, tels que les muscles squelettiques et le foie. La LDH H₄ présente un faible K_M pour le pyruvate et est inhibée allostériquement par des concentrations élevées de ce métabolite, tandis que l'isozyme M₄ a un K_M plus élevé pour le pyruvate et n'est pas inhibé par lui. Les autres isozymes ont des propriétés intermédiaires qui varient en fonction des proportions de leurs deux types de sous-unités. Il a donc été suggéré, non sans controverse, que la LDH de type H est mieux adaptée pour assurer l'oxydation du lactate en pyruvate, tandis que la LDH de type M est plus appropriée pour catalyser la réaction inverse.

La structure par rayons X de la LDH H₄ de porc complexée à **S-lac-NAD⁺** (analogue bisubstrat où l'atome C3 du lactate est en liaison covalente avec l'atome C4 du noyau nicotinamide du NAD⁺) a été obtenue par Michael Rossmann (Fig. 17-23 ; il a aussi déterminé la structure par rayons X de la LDH M₄ de roussette montrée à la Fig. 8-54). L'atome O2 du lactate, celui de son groupement hydroxyle, est en liaison hydrogène avec les chaînes latérales de Arg 109 et de His 195, alors que son groupement carboxylique en C1 établit une double liaison hydrogène avec la chaîne latérale de Arg 171. Sur base de cette structure et de nombreuses données enzymologiques, Rossmann a proposé le mécanisme suivant pour la réduction du pyruvate par la LDH (Fig. 17-

24) : l'*hydrure pro-R est transféré du C4 du noyau nicotinamide du NADH au C2 du pyruvate avec transfert concomitant d'un proton de l'imidazolium de His 195 à O2 du pyruvate, produisant ainsi du NAD⁺ et du lactate.* Le transfert de proton est facilité par les interactions de répulsion avec la chaîne latérale voisine, chargée positivement, de Arg 109. Ces interactions contribuent aussi à orienter le pyruvate tout comme le fait la liaison saline que le groupement carboxyle du pyruvate établit avec la chaîne latérale de Arg 171.

Le bilan global de la glycolyse anaérobie dans le muscle peut s'écrire :

$$\text{Glucose} + 2\text{ADP} + 2\text{P}_i \rightarrow 2\text{lactate} + 2\text{ATP} + 2\text{H}_2\text{O} + 2\text{H}^+$$

La plus grande partie du lactate, produit final de la glycolyse anaérobie, est exportée de la cellule musculaire et transportée par le sang jusqu'au foie, où il est reconverti en glucose (Section 23-1C).

Contrairement à une idée largement répandue, ce n'est pas l'accumulation du lactate dans le muscle, en soi, qui est la cause de fatigue et de douleurs musculaires, mais l'accumulation d'acide(s) résultant de la glycolyse (les muscles peuvent maintenir leur potentiel de travail en présence de concentrations élevées de lactate si le pH est maintenu constant). En fait, les chasseurs savent bien que la viande d'un animal qui a couru jusqu'à épuisement

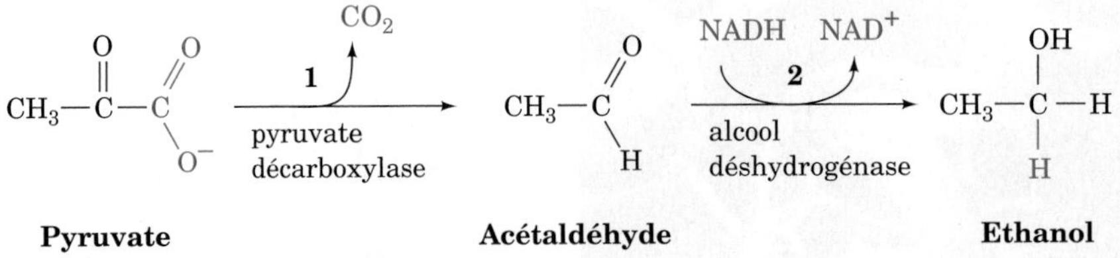

FIGURE 17-25 Les deux réactions de la fermentation alcoolique. (**1**) Décarboxylation du pyruvate pour donner de l'acétaldéhyde, suivie de (**2**) réduction de l'acétaldéhyde en éthanol par le NADH.

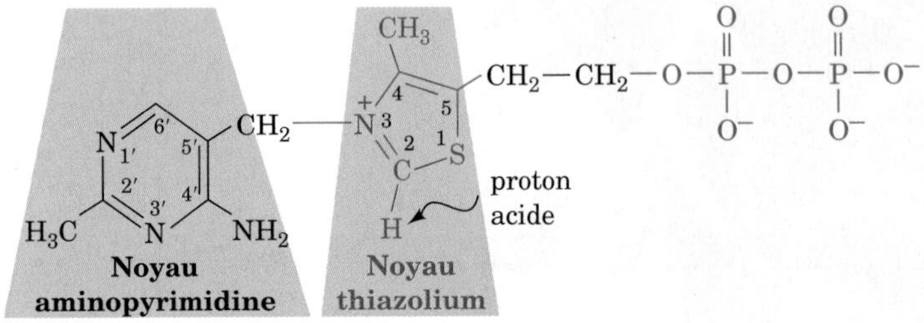

FIGURE 17-26 La thiamine pyrophosphate. Le noyau thiazolium constitue le groupement fonctionnel catalytiquement actif.

avant d'être tué a un goût acide. Ceci est dû à l'accumulation d'acide lactique dans les muscles.

B. *Fermentation alcoolique*

Dans la levure en anaérobiose, le NAD^+ est recyclé par un processus utilisé par l'homme depuis des milliers d'années : la transformation du pyruvate en éthanol et CO_2. L'éthanol est, bien sûr, le composant déterminant des vins et alcools ; le CO_2 formé fait lever le pain. Cependant, la fermentation alcoolique offre à la levure un avantage sur la fermentation homolactique : l'éthanol est pour elle une sorte d'antibiotique qui élimine les organismes compétiteurs éventuels. En effet, la levure peut se développer à des concentrations en éthanol > 12 % (2,5M), alors que peu d'organismes survivent dans >5 % d'éthanol (celui-ci est d'ailleurs un antiseptique d'usage courant).

a. La TPP est un cofacteur indispensable à la pyruvate décarboxylase

La levure produit de l'éthanol et du CO_2 en deux réactions successives (Fig. 17-25). La première réaction est une décarboxylation du pyruvate pour donner de l'acétaldéhyde et du CO_2, catalysée par la **pyruvate décarboxylase** (**PDC**, une enzyme que l'on ne trouve pas dans le règne animal). La PDC contient le coenzyme **thiamine pyrophosphate** [**TPP** ; Fig. 17-26, appelé aussi **thiamine diphosphate** (**ThDP**)] auquel elle est liée fortement mais sans faire intervenir de liaison covalente. Le coenzyme est utilisé car la décarboxylation d'un acide α-cétonique tel que le pyruvate nécessite la formation d'une charge négative sur l'atome de carbone du carbonyle durant l'état de transition, une situation instable :

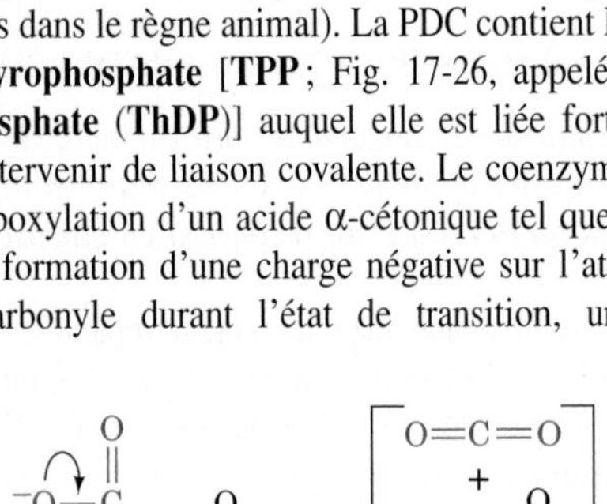

Cet état de transition peut être stabilisé suite à la délocalisation de la charge négative naissante dans un « puits d'électron » *ad hoc*. Les résidus d'acides aminés des protéines ne jouent ce rôle que faiblement alors que la TPP l'assure facilement.

*La partie réactive de la TPP est le **noyau thiazolium*** (Fig. 17-26). L'hydrogène porté par son C2 est relativement acide en raison de la proximité de l'atome d'azote quaternaire chargé positivement, qui stabilise par interaction électrostatique le carbanion formé après dissociation du proton. Ce carbanion dipolaire (ou **ylure**) est la forme active du coenzyme. Le mécanisme catalytique de la PDC est le suivant (Fig. 17-27).

1re étape Attaque nucléophile, par la forme ylure de la TPP, du carbone du carbonyle du pyruvate pour former un adduit covalent.

2e étape Départ du CO_2 pour former un adduit du carbanion stabilisé par résonance, dans lequel le noyau thiazolium du coenzyme sert de puits d'électron.

3e étape Protonation du carbanion.

4e étape Départ de la TPP, forme ylure, pour donner l'acétaldéhyde et régénérer l'enzyme active.

Ce mécanisme a été confirmé par l'isolement de l'intermédiaire **hydroxyéthylthiamine pyrophosphate** (Fig. 17-27).

La structure par rayons X du complexe PDC-TPP (Fig. 17-28) obtenue par William Furey et Martin Sax permet de proposer un rôle au noyau aminopyridine de la TPP pour la formation de l'ylure actif. La formation de l'ylure nécessite une base pour enlever le proton du C2. Toutefois, la PDC ne présente pas de chaîne latérale basique en bonne position pour assurer ce rôle. Le groupement amine du noyau aminopyridine de la TPP liée à l'enzyme est en bonne position pour accepter ce proton mais son pK est trop bas pour qu'il le fasse avec efficacité et un de ses protons entrerait en collision stérique avec le proton du C2. On pense donc que l'aminopyridine passe sous sa forme imino tautomère à la surface de l'enzyme lors d'une réaction impliquant le don d'un proton par Glu 51 (Fig. 17-29). L'imine, à son tour,

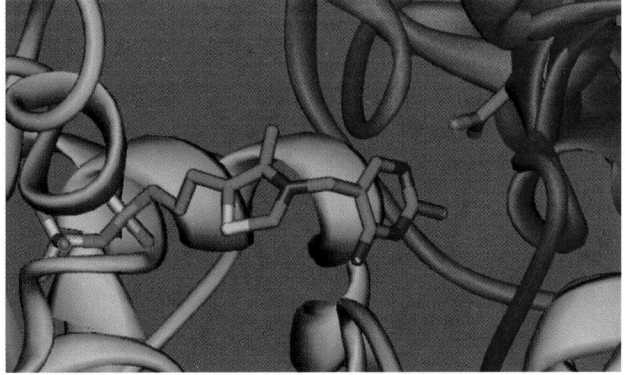

FIGURE 17-27 Mécanisme réactionnel de la pyruvate décarboxylase. (**1**) Attaque nucléophile par la forme ylure de la TPP sur le carbone du carbonyle du pyruvate ; (**2**) départ de CO_2 pour donner un carbanion sta- bilisé par résonance ; (**3**) protonation du carbanion ; et (**4**) élimination de la TPP ylure et libération du produit.

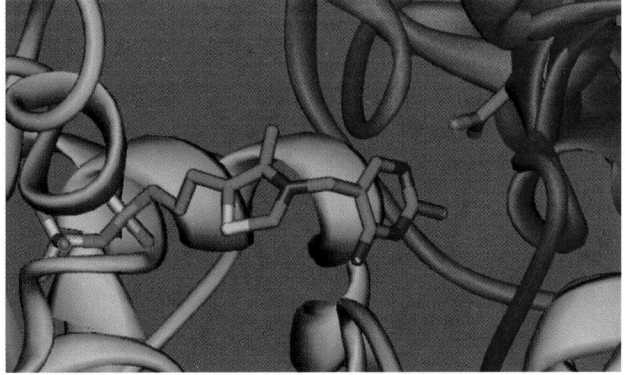

FIGURE 17-28 Une partie de la structure par rayons-X de la pyru- vate décarboxylase de *Saccharomyces uvarum* (levure de boulangerie) complexée à son cofacteur, la TPP. Les sous-unités identiques (563 rési- dus) de l'enzyme forment un dimère très uni, deux dimères s'associant faiblement pour former un tétramère. La TPP et la chaîne latérale de Glu 51 sont figurées en bâtonnets avec C en vert, N en bleu, O en rouge, S en jaune, et P en orange. La TPP se lie dans une cavité située entre les deux sous-unités du dimère (*bleu-vert et magenta*) où elle forme des liaisons hydrogène avec Glu 51. [D'après une structure par rayons X due à William Furey et Martin Sax, Veterans Administration Medical Center and Pittsburg University, Pittsburg, Pennsylvania. PDBid 1PYD.]

accepte un proton du C2, d'où formation de l'ylure, suivie de la tautomérisation en sens inverse pour redonner la forme amino. Les implications de l'atome N1' et du groupement aminé en 4' de l'aminopyridine s'appuient sur des expériences qui montrent que des analogues de la TPP dépourvus de l'une ou l'autre de ces fonctions sont catalytiquement inactifs. Des expériences d'échange H/D suivies d'analyse par RMN du proton des pro- duits échangés montrent que, lorsque la TPP est liée à la PDC complexée à l'analogue du substrat la **pyruvamide** (CH_3—CO— CO—NH_2), sa vitesse d'échange pour former l'ylure actif est de loin supérieure (>6×10^2 s^{-1}) à la vitesse catalytique de l'en- zyme ($k_{cat} = 10$ s^{-1}). De plus, la mutation en Gln de Glu 51 de la PDC réduit à 1,7 s^{-1} la vitesse d'échange H/D, ce qui plaide en faveur du rôle de Glu 51 comme donneur de proton au N1' du noyau aminopyridine de la TPP.

b. Le béribéri est une maladie due à une déficience en thiamine

La faculté du noyau thiazolium de la TPP de s'additionner à des groupements carbonyle et de jouer le rôle de « puits d'élec- tron » en fait le coenzyme le plus utilisé dans les décarboxylations d'acides α-cétoniques. La TPP est également impliquée dans des réactions de décarboxylation que nous rencontrerons dans l'étude

FIGURE 17-29 Formation de la forme ylure active de la TPP dans la réaction de la pyruvate décarboxylase. Cette réaction requiert la participation du noyau aminopyrimidine de la TPP et la catalyse générale acide par Glu 51. La forme prédominante du cofacteur de l'enzyme est l'imine, mais la vitesse de formation de l'ylure actif est grande comparée à celle de la catalyse par l'enzyme.

Imine   **Forme prédominante**

Ylure

d'autres voies métaboliques. Par conséquent la thiamine (**vitamine B₁**), qui n'est ni synthétisée ni stockée en quantités significatives dans les tissus de la plupart des vertébrés, doit être fournie par leurs régimes alimentaires. Sa carence chez l'homme débouche sur un état fatal à terme, connu sous le nom de **béribéri**, caractérisé par des troubles neurologiques qui provoquent des douleurs, la paralysie et l'atrophie (amaigrissement) des membres et/ou une insuffisance cardiaque qui amène de l'œdème (accumulation de liquide dans les tissus et les cavités du corps). Le béribéri était particulièrement répandu chez les populations des régions consommatrices de riz en Orient à cause de la coutume de polir cette

céréale de base afin d'enlever son enveloppe rugueuse mais qui contient la thiamine. Le béribéri apparaît fréquemment chez les alcooliques chroniques qui ont tendance à boire plutôt qu'à manger.

c. Réduction de l'acétaldéhyde et régénération du NAD⁺

L'acétaldéhyde formé par décarboxylation du pyruvate est réduit en éthanol par le NADH dans une réaction catalysée par l'**alcool déshydrogénase** (**ADH**). Chaque sous-unité de l'ADH tétramérique de levure (YADH ; Y comme yeast, levure en anglais) fixe un ion Zn^{2+}. Cet ion assure la polarisation du groupement carbonyle de l'acétaldéhyde (Fig. 17-30) afin de stabiliser la charge négative qui se forme dans l'état de transition de la réaction (le rôle des ions métalliques dans les réactions enzymatiques est étudié dans la Section 15-1C). Ceci facilite le transfert de l'hydrogène *pro-R* du NADH (le même atome que celui transféré par la LDH) au côté *re* de l'acétaldéhyde, formant l'éthanol avec l'hydrogène transféré en position *pro-R* (Section 13-2A).

Les fermentations homolactique et alcoolique jouent le même rôle : régénération en anaérobiose du NAD⁺ pour que la glycolyse continue. Leur différence principale réside dans la nature des produits métaboliques.

L'ADH du foie de mammifère (**LADH** ; L comme liver)) assure le métabolisme des alcools produits en anaérobiose par la flore intestinale ainsi que de ceux apportés par l'alimentation (le sens de la réaction catalysée par l'ADH varie en fonction des concentrations respectives en éthanol et en acétaldéhyde). Chaque sous-unité de cette enzyme dimérique fixe un NAD⁺ et deux ions Zn^{2+}, bien qu'un seul de ces ions participe directement à la catalyse. Il y a une similitude de séquence significative entre la YADH et la LADH, et il est donc couramment admis que les deux enzymes ont un mécanisme général commun.

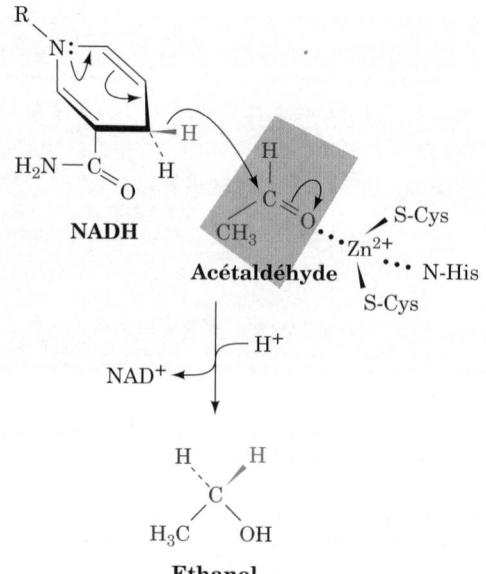

FIGURE 17-30 Le mécanisme réactionnel de l'alcool déshydrogénase implique le transfert direct de l'ion hydrure de l'hydrogène *pro-R* du NADH sur le côté *re* de l'acétaldéhyde.

C. *Energétique de la fermentation*

La thermodynamique nous permet d'appréhender le mécanisme de la fermentation selon les produits formés et de justifier les variations d'énergie libre qui en résultent. Nous pouvons ainsi calculer l'efficacité avec laquelle l'énergie libre qui résulte de la dégradation du glucose est utilisée dans la synthèse de l'ATP. La réaction globale de la fermentation homolactique est :

Glucose → 2lactate + 2H⁺

$$\Delta G^{\circ\prime} = -196 \text{ kJ} \cdot \text{mol}^{-1} \text{ de glucose}$$

($\Delta G^{\circ\prime}$ est calculée d'après les valeurs du Tableau 3-4, en utilisant les équations [3.19] et [3.21] et compte tenu de la formation de 2H⁺). La réaction globale de la fermentation alcoolique est :

Glucose → 2CO₂ + 2éthanol

$$\Delta G^{\circ\prime} = -235 \text{ kJ} \cdot \text{mol}^{-1} \text{ de glucose}$$

Chacune de ces réactions est couplée à la formation nette de 2 ATP, ce qui nécessite un $\Delta G^{\circ\prime} = +61 \text{ kJ} \cdot \text{mol}^{-1}$ (Tableau 16-3). En divisant la valeur de $\Delta G^{\circ\prime}$ qui accompagne la formation d'ATP par le $\Delta G^{\circ\prime}$ de la formation de lactate, on constate que la fermentation homolactique a un rendement de 31 % ; autrement dit, 31 % de l'énergie libre libérée par ce mécanisme dans des conditions biochimiques standard est récupérée sous forme d'ATP. Le reste est dissipé sous forme de chaleur, rendant ainsi le processus irréversible. De même, la fermentation alcoolique a un rendement de 26 % dans des conditions biochimiques standard. En fait, *dans des conditions physiologiques, où les concentrations des molécules réagissantes et des produits diffèrent des conditions standard, ces réactions ont un rendement > 50 %.*

La glycolyse permet la production rapide d'ATP

La fermentation anaérobie utilise le glucose de façon prodigue comparé aux phosphorylations oxydatives : la fermentation aboutit à la synthèse de 2 ATP par glucose tandis que les phosphorylations oxydatives fournissent 38 ATP par glucose (Chapitre 22). Ceci explique l'observation de Pasteur, selon laquelle les levures en anaérobiose consomment beaucoup plus de sucre qu'en aérobiose (**effet Pasteur** ; Section 22-4C). Toutefois, *la vitesse de production de l'ATP par la glycolyse en anaérobiose peut être 100 fois supérieure à ce qu'elle est avec les phosphorylations oxydatives. Par conséquent, quand des tissus comme le muscle consomment de l'ATP rapidement, ils le régénèrent presque entièrement via la glycolyse anaérobie.* (La fermentation homolactique ne « gaspille » pas vraiment le glucose puisque le lactate produit est reconverti en glucose par le foie dans des conditions aérobies ; Section 23-1C).

Les muscles squelettiques sont formés de deux types de fibres : **fibres à vitesse de contraction lente** ou **fibres lentes** (Type I) et **fibres à vitesse de contraction rapide** ou **fibres rapides** (Type II). Les fibres rapides, appelées ainsi car elles prédominent dans les muscles pouvant produire rapidement une activité intense, sont pratiquement dépourvues de mitochondries, si bien qu'elles doivent former presque tout leur ATP via la glycolyse anaérobie, voie prépondérante dans ces fibres. Au contraire, les muscles conçus pour se contracter lentement et régulièrement sont particulièrement denses en fibres lentes riches en mitochondries et qui fabriquent la plupart de leur ATP via les phosphorylations oxydatives. (Les fibres rapides et les fibres lentes étaient connues autrefois res-

pectivement sous le nom de fibres blanches et fibres rouges car le tissu musculaire, normalement de couleur pâle, prend une couleur rouge lorsqu'il est riche en mitochondries, couleur caractéristique des cytochromes qui contiennent le noyau hème. Toutefois, il s'est avéré que la couleur de la fibre est un critère insuffisant pour préciser la physiologie du muscle.)

Prenons un exemple familier, celui des muscles des ailes d'oiseaux migrateurs tels que les canards et les oies, qui ont un besoin d'énergie continu ; ces muscles sont riches en fibres lentes et par conséquent la couleur de la chair de poitrine de ces oiseaux est foncée. À l'inverse, les muscles alaires d'oiseaux moins ambitieux comme les poules et les dindes, qui ne sont utilisés que durant de courts instants (souvent pour échapper à un danger), présentent essentiellement des fibres à contraction rapide, d'où la blancheur de leur chair. Chez l'homme, les muscles des sprinters sont relativement riches en fibres rapides, tandis que les coureurs de fond ont une proportion plus importante de fibres lentes (bien que leurs muscles aient la même couleur). Les coureurs de fond de classe mondiale ont une aptitude tout à fait remarquable pour régénérer l'ATP en aérobie. Ceci a été démontré en suivant, par RMN du ³¹P, les teneurs en ATP, P_i et phosphocréatine, et la variation du pH des muscles des avants-bras en activité, quoique non entraînés. Ces observations laissent penser que les muscles de ces athlètes sont mieux dotés, génétiquement parlant, pour réaliser des efforts d'endurance que ne le sont les muscles d'individus « normaux ».

4 ■ RÉGULATION MÉTABOLIQUE ET CONTRÔLE MÉTABOLIQUE

Les organismes vivants, comme déjà vu dans la Section 16-6, sont des systèmes ouverts thermodynamiquement parlant, qui ont tendance à rester en état stationnaire plutôt que d'atteindre un équilibre (la mort pour les organismes vivants). Ainsi, le *flux (vitesse d'écoulement) des métabolites dans une voie métabolique est constant ; autrement dit, les vitesses de synthèse et de dégradation de chaque intermédiaire de la voie le maintiennent à concentration constante.* Un tel état, rappelons-le, correspond à une efficacité thermodynamique maximum (Section 16-6B). *La régulation de l'état stationnaire (l'homéostasie) doit être maintenue malgré les changements de flux dans la voie métabolique qui surviennent en réponse aux modifications de la demande.*

Les termes contrôle métabolique et régulation métabolique sont souvent considérés comme équivalents. Cependant, nous leur donnerons ici des définitions différentes. La **régulation métabolique** est le processus qui maintient un flux stationnaire de métabolites dans la voie métabolique ; le **contrôle métabolique** est celui qui s'exerce sur les enzymes de la voie en réponse aux signaux extérieurs en vue de modifier ce flux.

A. *Homéostasie et contrôle métabolique*

Il y a deux raisons pour lesquelles le flux métabolique doit être contrôlé :

I. Fournir les produits à la vitesse nécessaire, à savoir équilibrer l'offre et la demande.

II. Maintenir dans des limites étroites, au sein de la voie métabolique, les concentrations des métabolites à l'état stationnaire (homéostasie).

Les organismes maintiennent leur homéostasie pour plusieurs raisons :

1. Dans un système ouvert, comme le métabolisme, l'état stationnaire est celui d'efficacité thermodynamique maximum (Section 16-5B).

2. De nombreux métabolites participent à plus d'une voie, et donc toute modification de leur concentration peut perturber un équilibre délicat.

3. La vitesse de réponse d'une voie métabolique à un signal de contrôle sera plus lente si des changements importants dans la concentration des métabolites sont impliqués.

4. D'importantes variations dans la concentration des métabolites peut affecter gravement les propriétés osmotiques des cellules.

Les concentrations en intermédiaires et le niveau du flux métabolique auquel chaque voie est maintenue varient selon les besoins de l'organisme grâce à des systèmes de contrôle extrêmement sensibles et précis. De telles voies sont comparables à des rivières sur lesquelles on a construit des barrages afin de fournir de l'électricité. Bien que l'eau coule continuellement dans le lac et hors du lac formé par le barrage, le niveau d'eau est maintenu relativement constant. La vitesse d'écoulement de l'eau hors du lac est contrôlée de façon précise au niveau du barrage et est modulée en fonction des besoins en puissance électrique. Dans cette section, nous examinerons les mécanismes par lesquels les voies métaboliques en général et la glycolyse en particulier, sont contrôlées en fonction des besoins en énergie biologique.

B. *Le flux métabolique*

Puisqu'une voie métabolique est une suite de réactions enzymatiques, il est plus facile de décrire le flux des métabolites dans une voie en envisageant chacune des réactions individuelles. Le flux des métabolites, J, de chaque étape réactionnelle est égal à la valeur de la vitesse de la réaction dans le sens direct de la voie, v_f, moins la valeur de la vitesse de la réaction en sens inverse, v_r :

$$J = v_f - v_r \qquad [17.1]$$

À l'équilibre, par définition, il n'y a pas de flux ($J = 0$) même si v_f et v_r peuvent être très importants. À l'inverse, lorsque des réactions sont très éloignées de l'équilibre, $v_f \gg v_r$, si bien que le flux est pratiquement égal à la vitesse de la réaction dans le sens de la voie, $J \approx v_f$. *Le flux d'un bout à l'autre d'une voie métabolique en état stationnaire est constant et déterminé (établi) par la (les) étape(s) à vitesse limitante de la voie. En conséquence, le contrôle du flux tout au long d'une voie métabolique nécessite : (1) que le flux de cette **étape qui détermine le flux** varie selon les besoins métaboliques de l'organisme, et (2) que cette variation soit transmise à l'ensemble de la voie pour maintenir l'état stationnaire.*

Dans la description classique du contrôle métabolique et de la régulation métabolique, chaque voie métabolique a une étape limitante et est régulée par le contrôle de la vitesse de l'enzyme-clé correspondante. Ces enzymes, dites régulatrices, sont pratiquement toujours des enzymes allostériques soumises à un rétrocontrôle négatif (Section 13-4) et souvent contrôlées par modification covalente (voir Section 18-3).

Plusieurs questions se posent. Ces enzymes régulatrices sont-elles réellement limitantes pour la voie ? N'y-a-t-il vraiment qu'une étape limitante ou plusieurs enzymes ne pourraient-elles pas contribuer à réguler la voie ? Le contrôle de ces enzymes contrôle-t-il bien le flux des métabolites ou est-ce au rétrocontrôle inhibiteur de maintenir l'état stationnaire ? Les réponses à ces questions compliquées sont elles-mêmes complexes.

C. *Analyse du contrôle métabolique*

Alors qu'il était courant d'admettre que chaque voie métabolique contient une étape limitante, des données expérimentales suggèrent que la situation se complique lorsque ces voies se combinent dans un organisme vivant. D'où l'importance de mettre au point des méthodes d'analyse quantitative des systèmes métaboliques afin d'en élucider les mécanismes de contrôle et de régulation. Un cadre de référence pour aborder ces problèmes est l'**analyse du contrôle métabolique**, élaborée par Henrik Kacser et Jim Burns, et, indépendamment par Reinhart Heinrich et Tom Rapoport. Il s'agit d'une description quantitative du comportement des systèmes métaboliques en réponse à différentes perturbations.

a. **Le coefficient de contrôle de flux est une mesure de la sensibilité du flux aux changements de concentration en enzyme**

L'analyse du contrôle métabolique ne postule pas *a priori* qu'il n'y a qu'une étape limitante. Elle définit un **coefficient de contrôle de flux**, C^J (où J est un index, pas un exposant), qui donne une mesure de la sensibilité du flux aux changements de concentration en enzyme. C^J est défini comme la variation fractionnaire du flux, J, en fonction de la variation fractionnaire de la concentration en enzyme, [E] :

$$C^J = \frac{\partial J/J}{\partial [E]/[E]} = \frac{\partial \ln J}{\partial \ln [E]} \approx \frac{\Delta J/J}{\Delta [E]/[E]} \qquad [17.2]$$

(se rappeler que $\delta\, x/x = \delta \ln x$).

Le coefficient de contrôle de flux est analogue à l'ordre cinétique d'une réaction. Si la réaction est d'ordre un par rapport à la concentration en substrat, [S], doubler [S] doublera la vitesse de la réaction, alors que si la réaction est d'ordre zéro par rapport à [S] (p. ex. dans une réaction enzymatique saturée), la vitesse de réaction sera insensible à la valeur de [S]. De même, si le coefficient de contrôle de flux d'une enzyme est 1, doubler la concentration en enzyme, [E], doublera le flux dans la voie, alors que s'il est zéro le flux sera insensible à la valeur de [E]. Bien sûr, la valeur du coefficient de contrôle de flux peut être comprise entre 0 et 1. Par exemple, si une augmentation de 10 % de la concentration en enzyme n'augmente le flux que de 7,5 %, le coefficient de contrôle de flux sera 0,075/0,10 = 0,75.

Le flux dans une voie métabolique peut évidemment être contrôlé par plus d'une enzyme. Dans ce cas, le coefficient de contrôle de flux pour chaque enzyme impliquée est la fraction du contrôle global exercée par cette enzyme. Ainsi, *la somme de tous les coefficients de contrôle de flux impliqués dans le contrôle d'une voie métabolique doit être égale à 1*. On parle du **théorème d'additivité du contrôle métabolique.**

b. La technologie de l'ADN recombinant a été utilisée pour mesurer les coefficients de contrôle de flux

Le coefficient de contrôle de flux est une variable qui a été déterminée expérimentalement *in vivo* pour plusieurs enzymes dont on pensait qu'elles catalysent des réactions à vitesse limitante dans leur voie métabolique. Par exemple, la **citrate synthase** (Sections 21-1A et 21-3A), une enzyme du cycle de l'acide citrique, catalyse une réaction irréversible ($\Delta G^{\circ\prime}$ = -31.5 kJ·mol^{-1}) et a donc été longtemps prise pour une des enzymes qui contrôlent le flux dans le cycle de l'acide citrique (Section 21-4). Daniel Koshland put déterminer comment l'activité de la citrate synthase influence le flux dans le cycle de l'acide citrique en recourant à des techniques de génie génétique qui lui permettaient de contrôler la concentration de cette enzyme *in vivo*. Il construisit un plasmide (Fig. 17-31) contenant trois gènes : celui de la citrate synthase sous le contrôle (directement en aval) d'un **promoteur *lac*** modifié, le gène ***lacI***, qui code le **répresseur *lac*** (en l'absence d'inducteur, le répresseur *lac* se lie au promoteur *lac* et empêche ainsi l'ARN polymérase de transcrire les gènes contrôlés par ce promoteur ; Section 5-4A), et le gène ***amp^R***, qui confère la résistance à l'**ampicilline**, un antibiotique. Ce plasmide fut introduit dans un mutant d'*E. coli* dépourvu du gène de la citrate synthase et sensible à l'ampicilline. Ces bactéries furent cultivées en présence d'ampicilline (de façon à tuer les cellules n'ayant pas capté le plasmide)

et de différentes concentrations d'**isopropylthiogalactoside (IPTG)**, un inducteur non métabolisable de l'opéron *lac* (Section 5-5C).

Dans ce système, la concentration de citrate synthase fut mesurée en fonction de l'[IPTG] et la vitesse de croissance d'*E. coli* fut mesurée en fonction de l'[IPTG] avec le glucose et/ou l'acétate comme seules sources de carbone. En présence d'acétate, les bactéries tiraient du cycle de l'acide citrique la plus grande part de leur énergie métabolique et leur croissance était proportionnelle à la concentration de citrate synthase. Dans ce cas, le coefficient de contrôle de flux de l'enzyme tendait vers sa valeur maximale de 1 ; autrement dit, le flux dans le cycle de l'acide citrique était quasi entièrement contrôlé par l'activité de la citrate synthase. Par contre, lorsque le glucose était également disponible, les *E. coli* croissaient rapidement, même pour de faibles concentrations de citrate synthase, l'activité de cette dernière étant en fait sans influence sur la croissance. Ici, le coefficient de contrôle de flux tendait vers zéro, montrant que le flux dans le cycle de l'acide citrique était réduit au point que même de basses concentrations de citrate synthase étaient en excès catalytique (de toute évidence, en présence de glucose, le cycle de l'acide citrique ne joue qu'un rôle secondaire dans la production d'énergie et dans la biosynthèse chez *E. coli*).

c. Les vitesses des réactions enzymatiques répondent aux variations de flux

Voyons comment un flux constant est maintenu tout au long d'une voie métabolique, en étudiant la réponse d'une réaction enzymatique à un changement du flux de la réaction qui la précède. Dans la voie en état stationnaire suivante :

$$S \xrightarrow[\text{étape(s) limitante(s)}]{J} A \underset{v_r}{\overset{v_f}{\rightleftharpoons}} B \xrightarrow{J} P$$

le flux, J, lors de la réaction A $\rightleftharpoons$ B, qui doit être identique au flux de la (ou des) réaction(s) à vitesse limitante, est exprimé dans l'Eq. [17.1] ($J = v_f - v_r$). Si le flux de la réaction limitante augmente d'une valeur ΔJ, cette augmentation doit être transmise à la réaction suivante par une augmentation de v_f (Δv_f) afin de rétablir l'état stationnaire. D'un point de vue qualitatif, cette condition est remplie car une augmentation de J entraîne une augmentation de [A], ce qui entraîne une augmentation de v_f. La valeur de l'augmentation de [A] ($\Delta[A]$) qui entraîne une augmentation de v_f d'une valeur appropriée (Δv_f) est décrite comme suit :

$$\Delta J = \Delta v_f \qquad [17.3]$$

En divisant l'Éq. [17.3] par J, en multipliant l'expression de droite par v_f/v_f et après substitution dans l'Eq. [17.1], on obtient :

$$\frac{\Delta J}{J} = \frac{\Delta v_f}{v_f} \frac{v_f}{J} = \frac{\Delta v_f}{v_f} \frac{v_f}{(v_f - v_r)} \qquad [17.4]$$

qui établit une relation entre $\Delta J/J$, changement fractionnaire du flux lors de la (des) réaction(s) à vitesse limitante, et $\Delta v_f / v_f$, le changement fractionnaire de v_f, vitesse dans le sens direct de la réaction suivante.

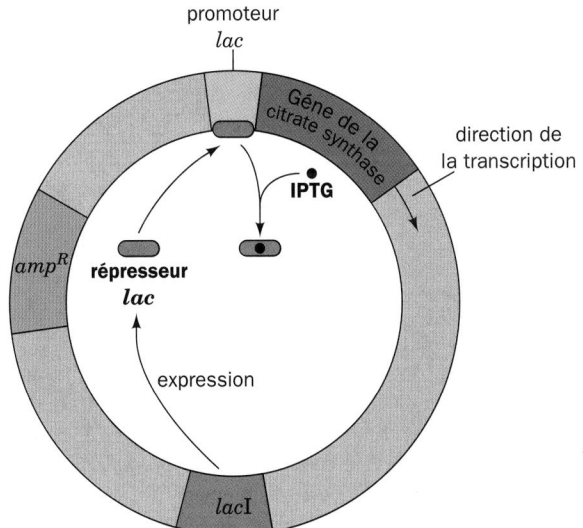

FIGURE 17-31 Schéma du plasmide construit pour contrôler la quantité de citrate synthase produite par *E. coli*. Le gène *lacI* code le répresseur *lac*, qui se lie au promoteur *lac*. Ceci empêche la transcription du gène juste en aval, qui code la citrate synthase. Moyennant liaison de l'IPTG, le répresseur *lac* quitte le promoteur *lac*, ce qui permet l'expression de la citrate synthase. C'est ainsi que la concentration en IPTG, inducteur non métabolisable, contrôle le niveau d'expression de la citrate synthase. Le gène *amp^R* code une protéine conférant la résistance à l'ampicilline, un antibiotique qui tue les *E. coli* normaux. Ainsi, en présence d'ampicilline, seuls les *E. coli* qui ont capté le plasmide survivront.

Dans la section 14-2A, nous avons étudié la relation entre la concentration en substrat et les vitesses d'une réaction enzymatique exprimée par l'équation de Michaelis-Menten :

$$v_f = \frac{V_{max}^f [A]}{K_M + [A]} \qquad [14.24]$$

Dans les conditions les plus simples et les plus courantes sur le plan physiologique, $[A] \ll K_M$ si bien que

$$v_f = \frac{V_{max}^f [A]}{K_M} \qquad [17.5]$$

et

$$\Delta v_f = \frac{V_{max}^f \Delta[A]}{K_M} \qquad [17.6]$$

d'où

$$\frac{\Delta v_f}{v_f} = \frac{\Delta[A]}{[A]} \qquad [17.7]$$

autrement dit, le changement fractionnaire de la vitesse de la réaction est égal au changement fractionnaire de la concentration en substrat. Ainsi, en substituant l'Eq. [17.7] dans l'Éq. [17.4], nous trouvons que :

$$\frac{\Delta J}{J} = \frac{\Delta[A]}{[A]} \frac{v_f}{(v_f - v_r)} \qquad [17.8]$$

Cette équation établit une relation entre le changement fractionnaire du flux de la réaction à vitesse limitante d'une voie métabolique et le changement fractionnaire de la concentration en substrat nécessaire pour transmettre ce changement aux réactions suivantes. *La valeur de $v_f/(v_f - v_r)$ est une mesure de la sensibilité du changement fractionnaire du flux d'une réaction à sa variation fractionnaire en concentration de substrat.* Cette valeur donne aussi une indication sur la réversibilité de la réaction, à savoir, si elle est plus ou moins proche de l'équilibre :

1. Pour une réaction irréversible, v_r est proche de 0 (par rapport à v_f) et donc $v_f / (v_f - v_r)$ est proche de 1. Dans ce cas, une augmentation fractionnaire de la concentration en substrat de la réaction se traduit par une augmentation relative du flux pratiquement égale.

2. Lorsqu'une réaction est proche de l'équilibre, v_r est proche de v_f et $v_f/(v_f - v_r)$ est proche de l'infini. La réponse de la réaction à une augmentation fractionnaire du flux demande par conséquent une augmentation fractionnaire de sa concentration en substrat beaucoup plus faible.

En conséquence, *la possibilité qu'a une réaction de transmettre un changement de flux augmente lorsque la réaction est proche de l'équilibre.* Une série de réactions séquentielles qui sont toutes proches de l'équilibre ont par conséquent le même flux et maintiennent à l'état stationnaire les concentrations en métabolites (homéostasie).

d. Le coefficient d'élasticité donne une mesure de la sensibilité d'une réaction enzymatique au changement de concentration en substrat

Le rapport $v_f / (v_f - v_r)$, qui mesure de la sensibilité d'une réaction enzymatique au changement de concentration en substrat, est appelé, en analyse du contrôle métabolique, le **coefficient d'élasticité**, ε. C'est la variation fractionnaire de la vitesse nette d'une réaction enzymatique, v, par rapport à la variation fractionnaire de la concentration en substrat, $[A]$:

$$\varepsilon = \frac{\partial v / v}{\partial [A]/[A]} = \frac{\partial \ln v}{\partial \ln [A]} \approx \frac{v_f}{v_f - v_r} \qquad [17.9]$$

(Lorsqu'on étudie une réaction enzymatique individuelle, de sorte que la variation fractionnaire de la vitesse nette de la réaction, $\Delta v/v$, correspond à la variation fractionnaire du flux, $\Delta J/J$, et que $[A] \ll K_M$, cette équation revient à l'Éq. [17.8].) La valeur du coefficient d'élasticité dépend des caractéristiques cinétiques de l'enzyme et de la proximité de l'équilibre pour le fonctionnement de l'enzyme. Comme mentionné plus haut, si une enzyme fonctionne loin de l'équilibre ($v_f \gg v_r$), une variation de la concentration en substrat aura peu d'effet sur la vitesse nette de la réaction enzymatique (ε sera proche de 1). Par contre, si l'enzyme fonctionne quasi à l'équilibre, de sorte que les vitesse de réaction dans le sens direct et le sens inverse sont beaucoup plus grandes que la vitesse nette globale, ε sera proche de l'infini et une très petite modification de la concentration en substrat suffit pour s'ajuster à un nouveau flux. De hautes valeurs du coefficient d'élasticité sont donc propices au maintien de l'homéostasie.

D. *Analyse de l'offre et de la demande*

Les premières études sur le contrôle des voies métaboliques se concentraient sur des voies particulières, sans tenir compte de leur intégration dans les fonctions physiologiques. On pensait que le contrôle résidait dans la voie elle-même. Cependant, après surexpression dans des organismes vivants, par génie génétique, d'enzymes réputées limitantes dans une voie métabolique, on a dû constater qu'en augmentant jusqu'à 10 fois la concentration de l'enzyme on n'influençait pas le flux le long de la voie en question. Les coefficients de contrôle de flux des enzymes surexprimées étaient proches de zéro *in vivo* ; ces enzymes étaient déjà en excès métabolique. Il fallait admettre un contrôle du flux exercé de l'extérieur. En effet, on se rend compte qu'il est impossible de séparer une voie métabolique du processus qui utilise le(s) produits(s) de cette voie (autrement dit, les organismes vivants doivent avoir réduit l'activité de ces enzymes à la mesure de leurs besoins métaboliques de manière à préserver leur homéostasie).

Les voies de dégradation sont étroitement associées aux voies de biosynthèse qui utilisent leurs produits (Fig. 16-2). Ce processus répond aux lois de l'**offre et de la demande** et l'offre aussi bien que la demande sont impliquées dans les deux défis du contrôle métabolique : le contrôle du flux et l'homéostasie. Jan-Hendrik Hofmeyr et Athel Cornish-Bowden ont eu recours à l'analyse du contrôle métabolique pour étudier un tel système, groupant en un ensemble toutes les voies de la demande et en un autre toutes les voies de l'offre.

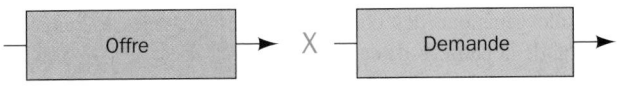

Ici, X est le métabolite produit par le bloc « offre » en vue de son utilisation par le bloc « demande ». En ce qui concerne le bloc de l'offre, X est un produit et un rétro-inhibiteur, de sorte que la vitesse du flux dans le bloc de l'offre diminue lorsque la concentration de X augmente. Pour le bloc de la demande, X est un substrat, de sorte que, quand sa concentration augmente, la vitesse du flux dans le bloc de la demande augmente jusqu'à sa saturation. Quand le flux dans le bloc de l'offre est égal à celui dans le bloc de la demande, la concentration de X atteint l'état stationnaire, sa vitesse de production étant égale à celle de son utilisation. Cette vitesse définit le flux réel tout au long du système offre-demande et la concentration de X à l'état stationnaire.

a. La concentration des intermédiaires métaboliques à l'état stationnaire répond aux variations de l'offre et/ou de la demande

La manière dont la concentration du métabolite X à l'état stationnaire varie en réponse à tout changement de vitesse dans le bloc de l'offre ou celui de la demande, dépend uniquement des coefficients d'élasticité des deux blocs à l'état stationnaire. Soit une augmentation d'activité du bloc de la demande. Ceci conduira à une diminution de [X] et à une augmentation concomitante du flux à travers le bloc de l'offre puisque la rétro-inhibition diminue. Ce décalage se poursuivra jusqu'à égalisation des vitesses dans les deux blocs, le système atteignant un nouvel état stationnaire, avec une plus basse concentration de X et un flux global plus intense. Si l'activité du bloc de l'offre augmente, faisant augmenter [X], le bloc de la demande réagira en augmentant sa vitesse pour rétablir un nouvel état stationnaire à cette [X] plus élevée. *La variation de concentration en X nécessaire au rétablissement de l'état stationnaire sera d'autant plus faible que le coefficient d'élasticité du bloc réagissant est élevé.*

Reste la question de savoir si le contrôle est situé dans le bloc de l'offre ou celui de la demande. Il se trouve en fait dans le bloc dont le coefficient d'élasticité est le plus bas. Puisque c'est la variation de [X] qui produit le réajustement de l'état stationnaire et la modification du flux, le bloc qui donne la plus grande variation de [X] en réponse à une modification donnée de la vitesse est le bloc qui exerce le contrôle. La variation de flux pour une variation donnée de la vitesse dans un bloc est son coefficient de contrôle de flux , de sorte que le *contrôle est exercé par le bloc qui a le coefficient de contrôle de flux le plus élevé et le coefficient d'élasticité le plus bas.* Par exemple, si le bloc de l'offre a un coefficient d'élasticité très élevé et le bloc de la demande un coefficient d'élasticité très bas, il suffit d'une diminution de [X] minime, suite à une augmentation de la demande, pour modifier la vitesse de l'offre vers le nouvel état stationnaire. Cependant, en raison de la faible élasticité du bloc

de la demande, il faudra une beaucoup plus forte augmentation de [X], suite à l'augmentation de l'offre, pour produire dans le bloc de la demande l'augmentation de vitesse nécessaire pour atteindre le nouvel état stationnaire. Par conséquent, augmenter l'activité du bloc de la demande aura un effet beaucoup plus marqué sur le flux qu'augmenter l'activité du bloc de l'offre. Ainsi, dans ce cas, le flux est beaucoup plus sensible à des variations de la demande que de l'offre, autrement dit le coefficient de contrôle de flux du bloc de la demande est beaucoup plus grand que celui du bloc de l'offre.

Il existe une relation réciproque entre le coefficient de contrôle de flux et le coefficient d'élasticité. Plus l'un des deux est élevé, plus l'autre est bas. Le rapport des coefficients d'élasticité des blocs de l'offre et de la demande détermine la distribution du contrôle du flux entre offre et demande. *Quand le rapport du coefficient d'élasticité de l'offre sur celui de la demande est plus grand que 1, comme dans l'exemple choisi, le contrôle du flux est exercé par la « partie demande » de la voie métabolique, et vice-versa.*

b. Le coefficient d'élasticité décrit la régulation des concentrations des métabolites à l'état stationnaire

En plus de contrôler le flux dans le système offre-demande, les concentrations des intermédiaires à l'état stationnaire sont elles-mêmes l'objet d'une régulation. Comme nous l'avons vu, plus le coefficient d'élasticité d'un bloc est élevé, moins grande doit être la variation de [X] nécessaire au rétablissement de l'état stationnaire et à la modification du flux. Il est très important que [X] varie aussi peu que possible tout en modifiant le flux et en maintenant l'état stationnaire. *La régulation de l'homéostasie sera d'autant plus sensible que le coefficient d'élasticité est élevé.*

Le contrôle du flux exige un coefficient de contrôle de flux élevé, ce qui exige un coefficient d'élasticité bas. La régulation de l'homéostasie exige un coefficient d'élasticité élevé, ce qui exige un coefficient de contrôle de flux bas. Une grande différence dans les coefficients d'élasticité des blocs de l'offre et de la demande conduit donc au contrôle exclusif du flux par l'un ou l'autre des blocs. *Les fonctions de contrôle du flux et de contrôle des concentrations s'excluent mutuellement. Si le bloc de la demande contrôle le flux, la fonction du bloc de l'offre est de réguler l'homéostasie.*

c. La rétro-inhibition est requise pour l'homéostasie, mais pas pour le contrôle du flux

Lorsque c'est le bloc de la demande qui contrôle le flux, une demande accrue conduit à une diminution de la concentration de X, ce qui lève la rétro-inhibition que X exerce sur le bloc de l'offre. On pourrait en conclure que la rétro-inhibition fait partie intégrante du processus de contrôle. Il n'en est rien ; elle participe en fait au processus d'homéostasie. La rétro-inhibition détermine la fourchette de concentrations de X compatibles avec l'état stationnaire. Sans rétro-inhibition, le bloc de l'offre est insensible à [X] dans cette fourchette, mais devient sensible lorsque [X] se rapproche de l'équilibre, où le bloc de la demande pourrait alors contrôler le flux. Cependant, ceci exigerait que l'offre fournisse des concentrations si élevées de X et d'autres métabolites que l'équilibre osmotique serait dangereusement compromis. La rétro-inhibition maintient l'homéostasie à des concentrations physiologiques en métabolites.

E. *Mécanismes de contrôle du flux*

a. Le flux le long d'une voie métabolique est contrôlé au niveau de sa (ses) réaction(s) à vitesse limitante

Le flux métabolique tout au long de la voie est défini par sa (ses) réaction(s) à vitesse limitante qui, par définition, est (sont) beaucoup plus lente(s) que la (les) réaction(s) suivante(s). Le(s) produit(s) de la réaction limitante est (sont) enlevé(s) avant d'être à l'équilibre avec le substrat, si bien que la réaction à vitesse limitante est toujours très loin de l'équilibre, et présente une variation d'énergie libre importante et négative. Par analogie, la vitesse du courant d'une rivière ne peut être contrôlée qu'au niveau d'un barrage, qui provoque une différence des niveaux de l'eau entre le côté amont et le côté aval ; il y a aussi une forte variation d'énergie libre négative, qui, dans ce cas, provient de la pression hydrostatique. Cependant, comme nous venons de le voir, le coefficient d'élasticité, ε, d'une réaction qui n'est pas à l'équilibre ($v_f \gg v_r$) est proche de 1 ; autrement dit, sa concentration en substrat doit être doublée (en absence de tout autre moyen de contrôle) pour que le flux de la réaction soit doublé (Eq. [17.8]). Toutefois, certains flux de voies métaboliques varient de facteurs beaucoup plus grands, inexplicables par des changements de concentration en substrat. Par exemple, on sait que les flux de la glycolyse peuvent varier d'un facteur 100 et plus, alors que des variations de concentration en substrat d'une telle ampleur sont inconnues. Par conséquent, bien que des changements de concentration en substrat puissent produire un changement du flux de la réaction à vitesse limitante qui se transmet aux autres réactions de la voie (proche de l'équilibre ; $v_f \approx v_r$), il doit y avoir d'autres mécanismes qui contrôlent le flux de la réaction à vitesse limitante.

Le flux au niveau de la réaction à vitesse limitante peut être modifié par plusieurs mécanismes :

1. Contrôle allostérique : Beaucoup d'enzymes sont régulées de manière allostérique (Section 13-4) par des effecteurs qui sont souvent substrats, produits ou cofacteurs dans la voie mais pas forcément de l'enzyme en question (rétrocontrôle). La PFK, qui joue un rôle important dans le contrôle de la glycolyse, est une enzyme de ce type (Section 17-4F).

2. Modification covalente (interconversion enzymatique) : Beaucoup d'enzymes qui contrôlent les flux de voies métaboliques présentent des sites spécifiques qui peuvent être phosphorylés et déphosphorylés par des enzymes sur des résidus Ser, Thr et/ou Tyr, ou qui peuvent être modifiés par covalence d'une autre manière. De tels systèmes de modification enzymatique, eux-mêmes soumis à contrôle, font varier de façon très importante les activités des enzymes modifiées. Ce mécanisme de contrôle du flux sera étudié dans la Section 18-3.

3. Cycles de substrats : Si v_f et v_r dans l'Eq. [17.8] représentent les vitesses de deux réactions opposées en non-équilibre et catalysées par des enzymes différentes, v_f et v_r peuvent être modifiées de façon indépendante. Le flux d'un tel cycle de substrat, comme nous le verrons dans la section suivante, est plus sensible aux concentrations d'effecteurs allostériques que ne l'est le flux d'une simple réaction en non-équilibre.

4. Contrôle génétique : Les concentrations en enzymes, et donc les activités enzymatiques, peuvent être modifiées au niveau de la synthèse protéique en réponse aux besoins métaboliques. Le contrôle génétique des concentrations en enzymes est un point capital de la partie V de ce traité.

Les mécanismes 1 à 3 peuvent répondre rapidement (en quelques secondes ou minutes) à des stimuli externes et sont donc des mécanismes de contrôle à « court terme ». Le mécanisme 4 répond beaucoup plus lentement suite à des changements de conditions (de l'ordre de quelques heures à quelques jours chez les organismes supérieurs) et est par conséquent un mécanisme de contrôle à « long terme ».

F. *Régulation de la glycolyse dans le muscle*

L'élucidation des mécanismes qui contrôlent le flux d'une voie métabolique donnée nécessite que soient connues les enzymes régulatrices de la voie qui contrôlent les réactions à vitesse limitante, ainsi que les effecteurs (ou régulateurs) de ces enzymes et leur(s) mécanisme(s) de contrôle. On peut alors formuler une hypothèse vérifiable *in vivo*. Une méthode classique pour déterminer les mécanismes de régulation fait intervenir trois étapes.

1. Identification de la (des) réaction(s) à vitesse limitante de la voie. Un des moyens pour ce faire est de mesurer les ΔG *in vivo* de toutes les réactions de la voie afin de déterminer leur proximité vis-à-vis de l'équilibre. Celles qui sont loin de l'équilibre sont des points de contrôle potentiels ; les enzymes qui les catalysent peuvent être régulées par un (ou plusieurs) des mécanismes énumérés ci-dessus. Un autre moyen pour déterminer les réactions à vitesse limitante d'une voie, consiste à mesurer l'effet d'un inhibiteur connu sur une étape réactionnelle spécifique et sur le flux de la voie entière. Le rapport du changement fractionnaire de l'activité de l'enzyme inhibée sur le changement fractionnaire du flux total (coefficient de contrôle de flux) variera d'une valeur comprise entre 0 et 1. Plus ce rapport est proche de 1, plus l'enzyme spécifique contrôle le flux total de la voie.

2. Identification *in vitro* d'effecteurs allostériques d'enzymes catalysant les réactions à vitesse limitante. Les mécanismes mis en jeu par ces composés sont déduits de leurs effets sur la cinétique enzymatique. De cette information, on peut formuler un modèle des mécanismes de contrôle allostérique de la voie.

3. Mesure des concentrations *in vivo* des régulateurs présumés dans différentes conditions, afin de vérifier si ces changements de concentrations sont compatibles avec le mécanisme de contrôle proposé.

a. Variations d'énergie libre dans les réactions de la glycolyse

Examinons la thermodynamique de la glycolyse afin de comprendre les mécanismes de sa régulation. Cet examen doit être fait indépendamment pour chaque type de tissu car des tissus différents contrôlent la glycolyse différemment. Nous nous limiterons au

TABLEAU 17-1   **Variations d'énergie libre standard ($\Delta G^{\circ\prime}$) et variations d'énergie libre physio-logique (ΔG) des réactions de la glycolyse dans le muscle cardiaque**[a]

Réaction	Enzyme	$\Delta G^{\circ\prime}$ (kJ·mol^{-1})	ΔG (kJ·mol^{-1})
1	HK	−20,9	−27,2
2	PGI	+2,2	−1,4
3	PFK	−17,2	−25,9
4	Aldolase	+22,8	−5,9
5	TIM	+7,9	Negative
6 + 7	GAPDH + PGK	−16,7	−1,1
8	PGM	+4,7	−0,6
9	Enolase	−3,2	−2,4
10	PK	−23,0	−13,9

[a]Calculées d'après des données dans Newsholme, E.A. et Start, C., *Regulation in Metabolism*, p. 97, Wiley (1973).

tissu musculaire. En premier lieu, nous déterminerons les points de regulation possibles par l'identification des réactions en non-équilibre (irréversibles) de la glycolyse. Le Tableau 17-1 donne les variations d'énergie libre standard ($\Delta G^{\circ\prime}$) et les véritables variations d'énergie libre dans des conditions physiologiques (ΔG) de chacune des réactions de la glycolyse. Il est important de remarquer que les variations d'énergie libre qui accompagnent les réactions dans des conditions standard sont parfois très différentes de celles mesurées dans des conditions physiologiques. Par exemple, le $\Delta G^{\circ\prime}$ de l'aldolase est de +22,8 kJ·mol^{-1}, alors que dans des conditions physiologiques dans le muscle cardiaque, il est proche de zéro, ce qui signifie que l'activité de l'aldolase *in vivo* est suffisante pour que s'établisse l'équilibre entre substrats et produits de la réaction. On peut faire la même remarque à propos de la suite des réactions catalysées par la GAPDH + la PGK. Néanmoins, dans une voie à l'état stationnaire, toutes les réactions doivent avoir un $\Delta G < 0$, car si $\Delta G > 0$ pour une des réactions, son flux s'inverserait.

Dans la voie glycolytique, seules trois réactions, celles catalysées par l'hexokinase (HK), la phosphofructokinase (PFK) et la pyruvate kinase(PK), s'accompagnent de variations d'énergie libre négatives importantes dans le muscle cardiaque dans des conditions physiologiques (Tableau 17-1). Ces réactions irréversibles de la glycolyse sont des points de contrôle potentiels du flux. Les autres réactions de la glycolyse sont proches de l'équilibre :

TABLEAU 17-2   **Quelques effecteurs des enzymes en non-équilibre de la glycose**

Enzyme	Inhibiteurs	Activateurs[a]
HK	G6P	−
PFK	ATP, citrate, PEP	ADP, AMP, AMPc, FBP, F2,6P, F6P, NH$_4^+$, P$_i$
PK (muscle)	ATP	AMP, PEP, FBP

[a]Les activateurs de la PFK sont plutôt des antagonistes de l'ATP car ils inversent l'effet des concentrations inhibitrices de l'ATP.

leurs vitesses en sens direct et en sens inverse sont beaucoup plus rapides que le flux réel de la voie (bien que leurs vitesses en sens direct doivent être ne fût-ce que légèrement plus grandes qu'en sens inverse). Par conséquent, ces réactions proches de l'équilibre sont très sensibles aux changements de concentration des intermédiaires de la voie et transmettent rapidement au reste de la voie tout changement de flux intervenu au niveau de la (des) réaction(s) à vitesse limitante, ce qui assure le maintien de l'état stationnaire.

b. La phosphofructokinase est la principale enzyme qui régule le flux glycolytique dans le muscle

Des études *in vitro* des cinétiques de l'HK, de la PFK et de la PK montrent que chacune de ces enzymes est contrôlée par plusieurs composés, dont certains sont énumérés dans le Tableau 17-2. Toutefois, lorsque l'origine du G6P pour la glycolyse est le glycogène plutôt que le glucose, ce qui est souvent le cas dans le muscle squelettique (Section 18-1), la réaction catalysée par l'hexokinase n'intervient pas. *La PFK, enzyme à régulation complexe qui catalyse une réaction loin de l'équilibre, est de toute évidence le point de contrôle principal de la glycolyse du muscle dans la plupart des conditions.*

La PFK (Fig. 17-32a) est une enzyme tétramérique à deux états conformationnels, R et T, en équilibre. L'ATP est à la fois substrat et effecteur allostérique négatif de la PFK. Chaque sous-unité présente deux sites de liaison pour l'ATP : un site pour le substrat et un site régulateur (inhibiteur). Le site du substrat fixe l'ATP quelle que soit la conformation, tandis que le site régulateur ne fixe l'ATP que si l'enzyme se trouve en état T. L'autre substrat de la PFK, le F6P, se lie préférentiellement à l'état R. Par conséquent, à fortes concentrations, l'ATP se comporte comme un effecteur allostérique négatif hétérotrope de la PFK en se fixant à l'état T, déplaçant ainsi l'équilibre T $\rightleftharpoons$ R vers l'état T, ce qui diminue l'affinité de la PFK pour le F6P (tout comme le 2,3-BPG diminue l'affinité de l'hémoglobine pour l'oxygène ; Section 10-2F). En représentation graphique, pour de fortes concentrations en ATP, la courbe hyperbolique (absence d'effet coopératif) obtenue en portant l'activité de PFK en fonction de [F6P] est remplacée par une

(a)

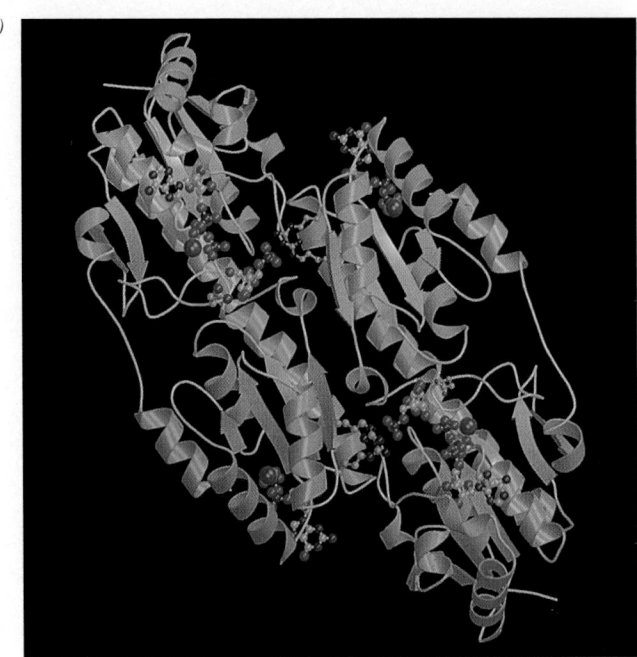

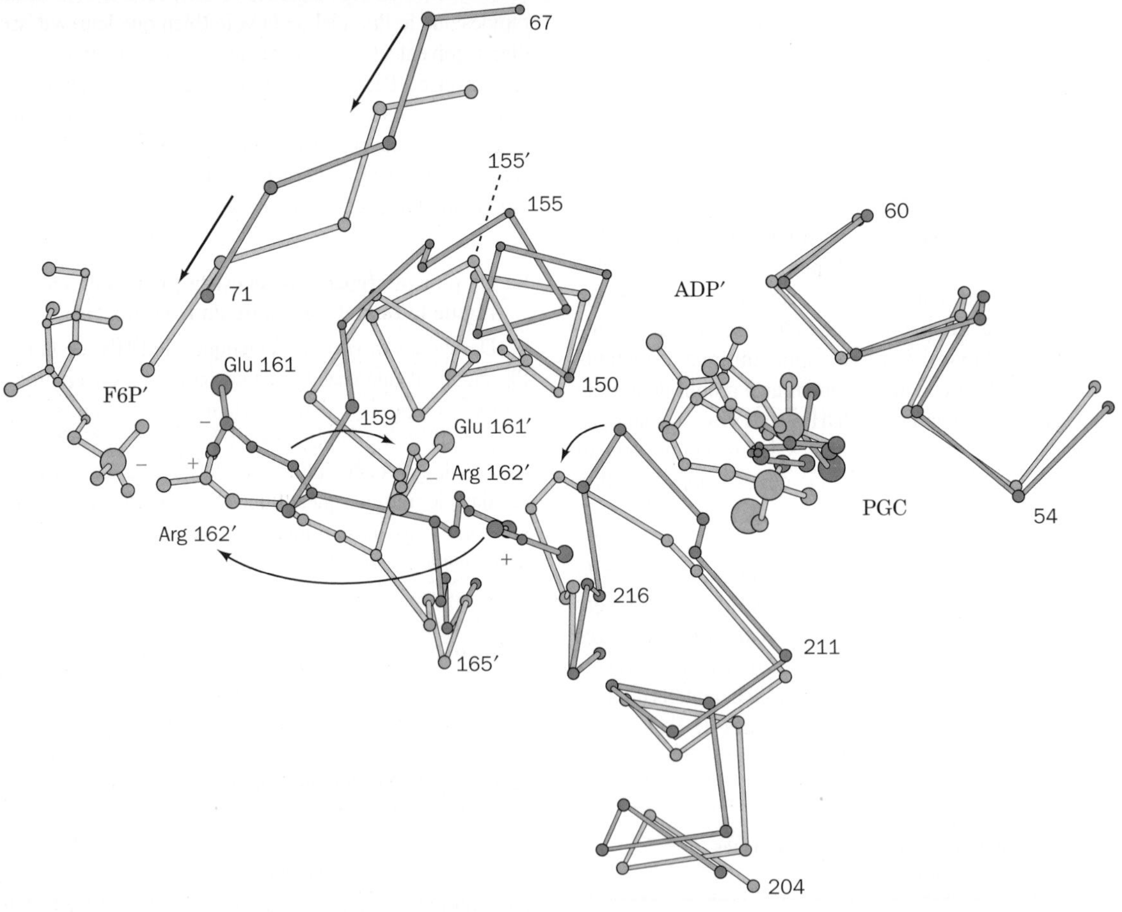

FIGURE 17-32 Structure par rayons X de la PFK. (*a*) Représentation en ruban montrant deux sous-unités de la protéine tétramérique d'*E. coli* (reliées par un axe d'ordre deux perpendiculaire au plan de la figure et passant en son centre) avec les hélices en rose, les segments β en gris, et les autres segments en blanc. Chacune des sous-unités de la protéine est associée à ses substrats, le F6P (*près du centre de chaque sous-unité*) et l'ATP·Mg^{2+} (*en bas à droite et en haut à gauche* ; les boules vertes représentent Mg^{2+}), ainsi qu'à l'activateur ADP·Mg^{2+} (*en haut à droite et en bas à gauche, à l'arrière-plan*). [Avec la permission de Phillip Evans, Cambridge University, U.K. PDBid 1PFK.] (*b*) Superposition des segments de l'enzyme à l'état T (*bleu*) et à l'état R (*rouge*) qui subissent un réarrangement conformationnel important lors de la transition allostérique T→R (indiquée par des flèches). Les résidus de la structure de l'enzyme à l'état R sont indiqués par le symbole ′. Les ligands liés sont également montrés : le 2-phosphoglycolate, inhibiteur non physiologique (**PGC,** analogue du PEP*)* pour l'état T, ainsi que le substrat coopératif F6P et l'activateur ADP pour l'état R. [D'après Schirmer, T. et Evans, P.R., *Nature*, **343**, 142 (1990). PDBid 4PFK et 6PFK.]

(b)

courbe sigmoïde (effet coopératif) caractéristique des enzymes allostériques (Fig. 17-33 ; les effets coopératifs et non coopératifs sont étudiés dans la Section 10-1B). Par exemple, si [F6P] = 0,5 m*M* (ligne en pointillés, Fig. 17-33), l'enzyme présente une activité maximum, mais en présence d'ATP 1m*M*, l'activité tombe à 15 % de l'activité initiale (soit une diminution d'environ 7 fois). [En fait, l'effecteur allostérique le plus puissant de la PFK est le **fructose-2,6-bisphosphate (F2,6P)**. Nous parlerons du rôle du

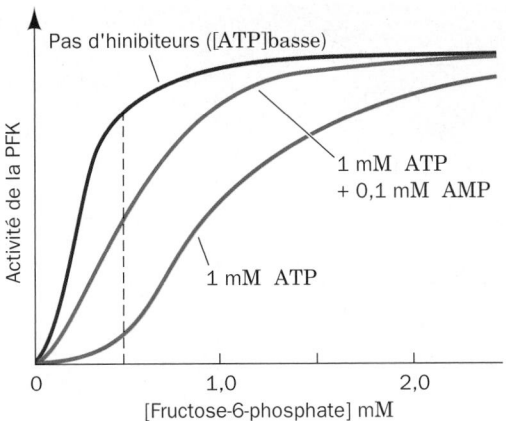

FIGURE 17-33 Activité de la PFK en fonction de la concentration en F6P. Les différentes conditions sont : bleu, pas d'inhibiteur ([ATP] est faible, non inhibitrice) ; vert, [ATP] 1 mM (inhibitrice) ; et rouge, [ATP] 1 mM + [AMP] 0,1 mM. [D'après des résultats de Mansour, T.E. et Ahlfors, C.E., *J.Biol. Chem.* **243**, 2523-2533, (1968).]

F2,6P dans la régulation de l'activité de la PFK quand nous étudierons le mécanisme responsable du maintien de la glycémie par le foie (Section 18-3F).]

c. Base structurale du changement d'affinité de la PFK pour le F6P après transition allostérique

Les structures par rayons X de la PFK de plusieurs organismes ont été obtenues, aussi bien en état R qu'en état T, par Phillip Evans. L'état R est stabilisé de façon homotrope par la liaison de son substrat, le fructose-6-phosphate (F6P). Lorsque la PFK de *Bacillus stearothermophilus* est dans l'état R, la chaîne latérale d'Arg 162 forme un pont salin avec le groupement phosphoryle d'un F6P lié au site actif d'une autre sous-unité (Fig. 17-32*b*). Cependant, l'Arg 162 se trouve à l'extrémité d'une spire hélicoïdale qui se déroule lors de la transition vers l'état T. La chaîne latérale positivement chargée de Arg 162 va alors s'éloigner pour être remplacée par la chaîne latérale chargée négativement de Glu 161. En conséquence, le groupement phosphoryle du F6P porteur de deux charges négatives présente une affinité fortement diminuée pour l'enzyme en état T. Le déroulement de cette spire, obligatoire pour la transition R → T, n'est pas possible lorsque l'ADP activateur est lié à son site effecteur sur la PFK en état R, et est facilité par la liaison de l'ATP à ce site effecteur sur la PFK en état T. Bien entendu, le même changement conformationnel est tout aussi responsable des effets allostériques homotropes qu'hétérotropes de la PFK.

d. L'AMP s'oppose à l'inhibition de la PFK par l'ATP

Le contrôle allostérique direct de la PFK par l'ATP peut sembler, à première vue, le moyen de régulation du flux glycolytique. En effet, quand [ATP] est élevée, suite à une faible demande métabolique, la PFK est inhibée et le flux de la glycolyse est faible ; inversement, quand [ATP] est basse, le flux de la glycolyse est élevé et l'ATP est synthétisé pour réapprovisionner le stock. L'étude de la variation physiologique de la concentration en ATP indique néanmoins que la situation est plus complexe. Le flux

métabolique de la glycolyse peut varier d'un facteur 100 ou plus, selon la demande métabolique en ATP. Cependant, des mesures de [ATP] *in vivo* à des degrés variés d'activité métabolique montrent que [ATP] varie de moins de 10 % entre le repos et l'activité intense. Or, *on ne connaît pas de mécanisme allostérique pouvant rendre compte d'un changement de 100 fois du flux d'une réaction en non-équilibre alors que la concentration de l'effecteur ne varie que de 10 %*. Ainsi, d'autre(s) mécanisme(s) doit(vent) être impliqué(s) dans le contrôle du flux de la glycolyse.

L'inhibition de la PFK par l'ATP est levée par l'AMP. Ceci parce que l'AMP se lie préférentiellement à la PFK à l'état R. Si à une solution de PFK contenant de l'ATP 1mM et du F6P 0,5 mM on ajoute de l'AMP 0,1mM, l'activité de la PFK passe de 10 % à 50 % de son activité maximum, soit une augmentation d'un facteur cinq (Fig. 17-33).

La concentration en ATP ne diminue que de 10 % lorsqu'on passe d'un état de repos à un état de forte activité car de l'ATP est régénéré sous l'action de deux enzymes : la créatine kinase (Section 16-4C) et, d'importance toute particulière dans ce cas, l'**adénylate kinase** (**AK** ; connue également sous le nom de **myokinase**). L'adénylate kinase catalyse la réaction :

$$2ADP \rightleftharpoons ATP + AMP \qquad K=\frac{[ATP][AMP]}{[ADP]^2}=0,44$$

qui assure l'équilibre entre l'ADP formé à partir de l'ATP hydrolysé dans le muscle, et l'ATP et l'AMP.

Dans le muscle, [ATP] est égale à ~50 fois [AMP] et ~10 fois [ADP] si bien que, *grâce à la réaction catalysée par l'adénylate kinase, une baisse de 10 % de [ATP] multipliera par un facteur > 4 la [AMP]* (voir Problème 11 dans ce Chapitre). Par conséquent, un signal métabolique consistant en une diminution de [ATP] insuffisante pour lever l'inhibition de la PFK est amplifié significativement par la réaction de l'adénylate kinase, qui augmente la [AMP] d'une quantité suffisante pour permettre une augmentation beaucoup plus importante de l'activité de la PFK.

e. Les mouvements internes de l'adénylate kinase jouent le rôle de contrepoids énergétique à la liaison du substrat

Comme les autres kinases, l'adénylate kinase doit être spécifique pour éviter les réactions indésirables de transfert de groupements phosphoryle telles que l'hydrolyse. Cependant, une fois la réaction terminée, les produits fermement liés doivent être libérés rapidement pour maintenir l'efficacité catalytique de l'enzyme. Pour des kinases comme l'hexokinase et la phosphoglycérate kinase, ceci implique la fermeture de « mâchoires » sur le substrat lié, qui s'ouvrent quand le produit est formé (Fig. 17-5 et 17-15), processus vraisemblablement facilité par la variation exergonique d'énergie libre de la réaction catalysée par l'enzyme. Cependant, la spécificité de l'AK met en jeu un mécanisme différent, puisque la réaction qu'elle catalyse est neutre au plan énergétique (remplacement d'une liaison phosphodiester par une autre). Georg Schulz a déterminé les structures par rayons X de l'AK non liée et de l'AK complexée à l'analogue bisubstrat inhibiteur **Ap₅A** (deux ADP reliés par un cinquième phosphate). La comparaison de ces structures montre que deux domaines de l'AK d'environ 30 résidus se referment sur l'**Ap₅A**, qui est ainsi lié fermement et exclu

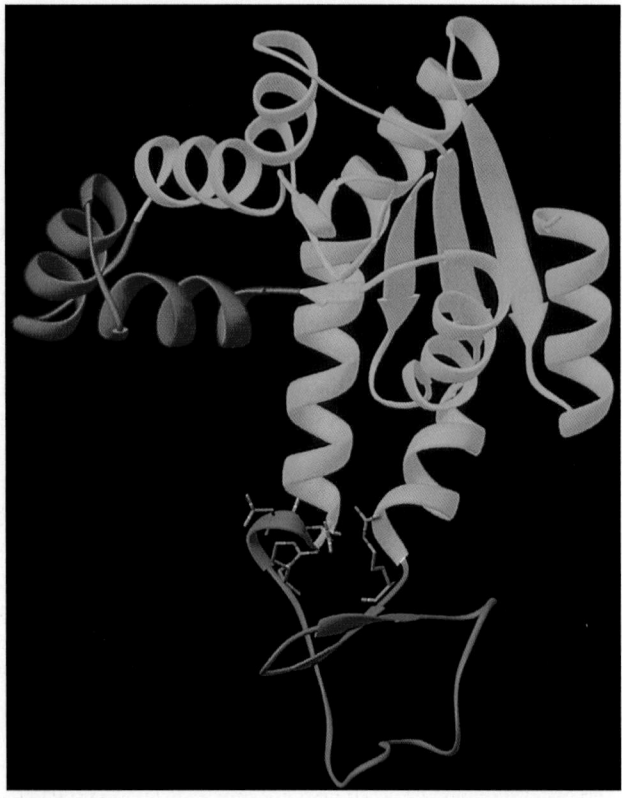

(a)

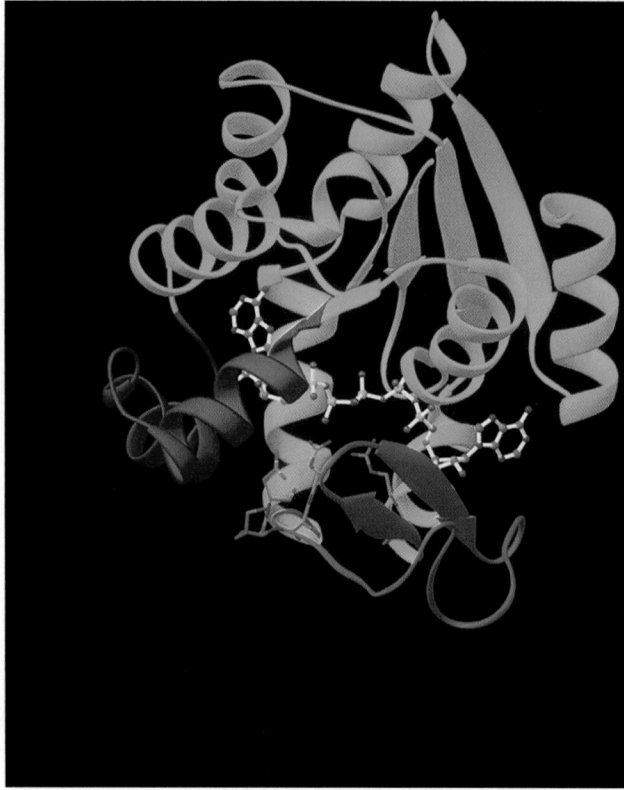

(b)

FIGURE 17-34 Modifications conformationnelles dans l'adénylate kinase (AK) d'*E. coli* lors de la liaison du substrat. (*a*) L'enzyme non liée. (*b*) L'enzyme liée à l'Ap$_5$A, un analogue du substrat. L'Ap$_5$A est représenté en boules et bâtonnets, avec les atomes colorés selon le type (C en vert, N en bleu, O en rouge, et P en jaune) et ses liaisons en blanc. Plusieurs des chaînes latérales de l'AK connues pour leur implication dans la liaison du substrat sont en bâtonnets colorés selon le type d'atome. Les domaines de la protéine en magenta et en bleu-vert subis-sent des modifications conformationnelles importantes lors de la liaison du ligand, alors que la conformation du reste de la protéine (*couleur or*), dont l'orientation est la même en *a* et en *b*, est essentiellement inchan-gée. Comparer ces structures à celle de l'AK de porc (Fig. 8-54*b*). [D'après des structures par rayons X dues à Georg Schulz, Institut für Organische Chemie und Biochemie, Freiburg, Allemagne. PDBid (*a*) 4AKE et (*b*) 1AKE.]

du solvant aqueux (Fig. 17-34). Cette comparaison suggère aussi comment l'AK ne tombe pas dans le puits d'énergie de substrats et produits de haute affinité. Lors de la liaison du substrat, une par-tie de la protéine éloignée du site actif devient plus mobile et « absorbe » ainsi de l'énergie libre due à la liaison du substrat (se rappeler qu'une structure par rayons X renseigne sur la mobilité et la position des atomes ; Section 9-4). Cette région de la protéine se « rigidifie » à nouveau lors de la libération du produit. D'après Schulz, ce mécanisme est un « contrepoids énergétique » qui faci-lite la libération du produit et maintient ainsi une vitesse de réac-tion élevée.

f. Le recyclage de substrat peut augmenter la sensibilité du flux

Même s'il existe un mécanisme qui permet d'amplifier l'effet d'une faible variation de la [ATP] par une plus grande variation de la [AMP], une multiplication par quatre de la [AMP] n'augmente-rait allostériquement l'activité de la PFK que de ~10 fois, quantité insuffisante pour expliquer la multiplication par 100 observée du flux glycolytique. De faibles variations de concentration en effec-teur (et donc de v_f) ne peuvent provoquer des changements relati-vement importants dans le flux d'une réaction ($v_f - v_r$), que si la réaction fonctionne dans des conditions proches de l'équilibre. L'explication de cette grande sensibilité vient de ce que, pour de telles réactions, le terme $v_f/(v_f - v_r)$ de l'Éq. [17.8] (le coefficient d'élasticité) est grand, autrement dit, la réaction inverse participe de façon significative à la valeur du flux net. Ce n'est pas le cas de la réaction de la PFK.

De telles conditions proches de l'équilibre peuvent être impo-sées à une réaction en non-équilibre si une deuxième enzyme cata-lyse la régénération du substrat à partir du produit de façon ther-modynamiquement favorable. Ainsi, v_r n'est plus négligeable par rapport à v_f. Cette situation nécessite que le processus dans le sens direct (formation de FBP à partir de F6P) et le processus inverse (hydrolyse de FBP en F6P) soient assurés par deux réactions dif-férentes, sinon les lois de la thermodynamique seraient violées. Dans les paragraphes suivants, nous étudierons la nature de tels **cycles de substrat**.

Dans des conditions physiologiques, la réaction catalysée par la PFK :

Fructose-6-phosphate + ATP → fructose-1,6-bisphosphate + ADP

est fortement exergonique ($\Delta G = -25,9 \text{ kJ} \cdot \text{mol}^{-1}$, Tableau 17-1). En conséquence, la réaction en sens inverse a une vitesse négligeable comparée à celle de la réaction en sens direct. Cependant, **la fructose-1,6-bisphosphatase (FBPase)**, qui se trouve dans beaucoup de tissus chez les mammifères (et qui est une enzyme indispensable pour la gluconéogenèse ; Section 23-1), catalyse l'hydrolyse exergonique du FBP ($\Delta G = -8,6 \text{ kJ} \cdot \text{mol}^{-1}$) :

Fructose-1,6-bisphosphate + H_2O → fructose-6-phosphate + P_i

Remarquer que la combinaison des réactions catalysées par la PFK et la FBPase conduit à l'hydrolyse de l'ATP :

$$ATP + H_2O \rightleftharpoons ADP + P_i$$

Une telle association de réactions opposées est appelée un cycle de substrat car il assure la transformation du substrat en produit puis la transformation de celui-ci en substrat. Lorsqu'on découvrit cet ensemble de réactions, on l'appela **cycle futile** puisqu'il semblait se solder par la consommation inutile de l'ATP. En fait, lorsqu'on s'aperçut que les activateurs de la PFK, l'AMP et le F2,6P étaient des inhibiteurs allostériques de la FBPase, on pensa que seule l'une des deux enzymes ne pouvait être fonctionnelle dans la cellule dans des conditions données. Cependant, on a trouvé depuis que les deux enzymes peuvent fonctionner simultanément à des vitesses significatives.

g. Le recyclage de substrat peut rendre compte de la variation du flux glycolytique

Eric Newsholme a proposé que les cycles de substrat ne sont pas du tout « futiles », mais qu'ils jouent plutôt un rôle régulateur. Les activités des enzymes et les concentrations de métabolites *in vivo* sont très difficiles à mesurer et leurs valeurs ne peuvent donc être connues avec précision. Cependant, faisons l'hypothèse physiologiquement raisonnable que la multiplication par quatre de la [AMP] assurée par l'adénylate kinase augmente l'activité de la PFK (v_f) de 10 à 90 % de l'activité maximum, tandis que l'activité de la FBPase (v_r) diminue de 90 à 10 % de sa valeur maximum. On sait, suite à des études *in vitro*, que l'activité de la PFK du muscle est environ 10 fois supérieure à l'activité de la FBPase du muscle. Ainsi, si nous attribuons à la PFK en pleine activité la valeur de 100 unités arbitraires, l'activité maximum de la FBPase est de 10 unités arbitraires. Le flux de la réaction de la PFK dans la glycolyse dans des conditions où [AMP] est faible est :

$$J_{faible} = v_f\ (faible) - v_r\ (faible) = 10 - 9 = 1$$

où v_f est catalysé par la PFK et v_r par la FBPase. Le flux dans des conditions où [AMP] est élevée est :

$$J_{élevée} = v_f\ (élevée) - v_r\ (élevée) = 90 - 1 = 89$$

Le cycle de substrat pourrait donc amplifier l'effet des variations de la [AMP] sur la vitesse nette de phosphorylation du F6P. Sans le cycle de substrat, une multiplication par 4 de [AMP] n'aug-

mente le flux net que d'environ 9 fois, tandis qu'avec le cycle la même augmentation de [AMP] donne un $J_{élevée}/J_{faible} = 89/1$ soit une multiplication par $\approx$ 90 du flux net. Par conséquent, dans l'hypothèse ci-dessus, *un changement de 10 % de [ATP] activerait d'un facteur 90 le flux de la glycolyse suite à l'action concertée de la réaction de l'adénylate kinase et des cycles de substrat.*

h. Impact physiologique du recyclage de substrat

Le recyclage de substrat, s'il a une fonction régulatrice, n'augmente pas le flux maximum d'une voie. Par contre, il provoque la diminution de son flux minimum. Dans un sens, le substrat est impliqué dans un « circuit d'attente ». Dans l'exemple décrit ci-dessus, *le recyclage du substrat est le « coût » énergétique qu'un muscle doit payer afin de pouvoir passer rapidement d'un état de repos, dans lequel le recyclage de substrat est maximum, à un état d'activité intense et soutenue.* Toutefois, la vitesse de recyclage du substrat peut elle même être sous contrôle hormonal ou nerveux, afin d'augmenter la sensibilité du système métabolique dans des conditions où une activité métabolique intense (en cas de combat ou de fuite) doit être anticipée (nous verrons le rôle des hormones dans la régulation du métabolisme dans les Sections 18-3E et 18-3F).

Dans certains tissus, les cycles de substrat fonctionnent pour produire de la chaleur. Par exemple, pour beaucoup d'insectes, la température thoracique doit atteindre 30 °C pour qu'ils puissent voler. Cependant, les bourdons sont capables de voler à des températures ambiantes aussi basses que 10 °C. La FBPase des muscles alaires des bourdons a une activité maximum identique à celle de la PFK (10 fois supérieure à celle du muscle de mammifère, l'exemple que nous avons pris) ; de plus, à la différence des autres FBPases de muscle connues, elle n'est pas inhibée par l'AMP. Ceci permet à la FBPase et à la PFK des muscles alaires de bourdon, d'être simultanément très actives, ce qui a pour effet de produire de la chaleur. Sachant que la vitesse maximum de recyclage possible du FBP dans les muscles alaires de bourdon ne produit que 10 à 15 % de la chaleur nécessaire, d'autres mécanismes de thermogénèse doivent néanmoins être opérationnels. Cependant, le recyclage du FBP est probablement significatif car, à l'inverse des bourdons, les abeilles, qui n'ont pas d'activité FBPase dans leurs muscles alaires, ne peuvent voler quand la température est basse.

i. Recyclage de substrat, thermogénèse et obésité

On pense que beaucoup d'animaux, y compris l'homme adulte, produisent une grande partie de la chaleur du corps, en particulier quand il fait froid, grâce au recyclage de substrat dans les muscles et le foie, mécanisme appelé **thermogénèse sans frisson** (les contractions musculaires liées au frissonnement ou à tout autre mouvement produisent également de la chaleur ; un autre mécanisme de thermogénèse sans frisson est décrit dans la Section 22-3D). Le recyclage de substrat est stimulé par les hormones thyroïdiennes (elles stimulent le métabolisme dans la plupart des tissus ; Section 19-1D) comme le prouve, par exemple, le fait que des rats dépourvus de glande thyroïde fonctionnelle ne survivent pas à 5 °C. Des individus à obésité chronique ont tendance à avoir des activités métaboliques inférieures à la normale, tendance due probablement, en partie, au fait que leur thermogénèse sans frisson fonctionne au ralenti. Il s'ensuit que de tels individus sont frileux. En réalité, alors que les sujets normaux augmentent la vitesse d'activation de l'hormone thyroïdienne après une exposition au froid, des animaux génétiquement obèses et des individus obèses n'ont pas cette possibilité.

j. La surexpression de la PFK n'augmente pas la vitesse de la glycolyse

La PFK a été longtemps considérée comme l'enzyme de contrôle de la glycolyse. On s'attendait donc à ce qu'une augmentation de son expression par génie génétique chez la levure augmente la vitesse de la glycolyse indépendamment de la demande en produits glycolytiques. Ce n'est pas le cas. Bien que la PFK soit l'enzyme régulatrice principale de la glycolyse, son activité catalytique *in vivo* est contrôlée par les concentrations en effecteurs qui reflètent les besoins du bloc de la demande utilisant ses produits.

L'analyse du contrôle métabolique nous aide à découvrir non seulement que le contrôle d'une voie peut être partagé par plusieurs enzymes, mais aussi qu'il existe une différence entre contrôle et régulation. *Bien que la PFK joue un rôle capital dans la régulation du flux glycolytique, elle est contrôlée in vivo par des facteurs extérieurs à la voie.* Si l'augmentation de la concentration de la PFK *in vivo* n'augmente pas le flux le long de la voie, c'est parce que ces facteurs extérieurs modifient l'activité catalytique de la PFK pour rencontrer les besoins de la cellule.

5 ■ MÉTABOLISME D'HEXOSES AUTRES QUE LE GLUCOSE

Alors que le glucose est le produit final de dégradation de l'amidon et du glycogène (Sections 11-2C et 11-2D), trois autres hexoses sont des produits importants de la digestion : le **fructose**, obtenu à partir de fruits et de l'hydrolyse du saccharose (sucre de table) ; le **galactose**, produit par l'hydrolyse du lactose (le sucre du lait) ; et le **mannose**, obtenu par digestion de polysaccharides et de glycoprotéines. Après digestion, ces monosaccharides passent dans la circulation sanguine, pour être transportés dans différents tissus. *Le métabolisme du fructose, du galactose et du mannose est assuré par leur transformation en intermédiaires de la glycolyse qui seront dégradés ensuite de la même manière que le glucose.*

A. *Fructose*

Le fructose est un des principaux carburants dans les régimes qui contiennent de grandes quantités de saccharose (un disaccharide constitué de fructose et de glucose). Deux voies assurent le métabolisme du fructose ; l'une a lieu dans le muscle, l'autre dans le foie. Cette dichotomie est due à la présence d'enzymes différentes dans ces deux tissus.

Dans le muscle, le métabolisme du fructose est assez peu différent de celui du glucose. L'hexokinase (Section 17-2A), qui transforme le glucose en G6P dans les cellules musculaires, phosphoryle également le fructose en F6P (Fig. 17-35, *gauche*). L'entrée du fructose dans la voie glycolytique ne nécessite donc qu'une seule réaction.

Le foie ne contient pas beaucoup d'hexokinase ; on y trouve, par contre, de la glucokinase, qui ne phosphoryle que le glucose (Section 17-2A). C'est pourquoi le métabolisme du fructose est différent dans le foie et le muscle. En fait, le foie va transformer le fructose en intermédiaires de la glycolyse suite à l'intervention de six enzymes (Fig. 17-35, *à droite*) :

1. La **fructokinase** catalyse la phosphorylation du fructose par l'ATP sur le C1 pour donner du **fructose-1-phosphate**. *Ni l'hexokinase, ni la phosphofructokinase ne peuvent phosphoryler le fructose-1-phosphate sur le C6 pour donner l'intermédiaire de la glycolyse, le fructose-1,6-bisphosphate.*

2. L'aldolase de Classe I (Section 17-2D) existe sous forme de plusieurs isoenzymes. Le muscle contient l'aldolase de Type À qui est spécifique du fructose-1,6-bisphosphate. Le foie, cependant, contient l'aldolase de Type B, qui utilise aussi le fructose-1-phosphate comme substrat (l'aldolase de Type B est parfois appelée **fructose-1-phosphate aldolase**). Par conséquent, dans le foie, le fructose-1-phosphate subit un clivage aldolique (Section 17-2D) :

Fructose-1-phosphate $\rightleftharpoons$

   dihydroxyacétone phosphate + glycéraldéhyde

3. La phosphorylation directe du glycéraldéhyde par l'ATP suite à l'action de la **glycéraldéhyde kinase** donne l'intermédiaire de la glycolyse, le glycéraldéhyde-3-phosphate.

4-7. Autre possibilité : le glycéraldéhyde est transformé en dihydroxyacétone phosphate, intermédiaire glycolytique, par réduction en glycérol par le NADH catalysée par l'alcool déshydrogénase (Réaction 4), suivie de phosphorylation par l'ATP grâce à la **glycérol kinase** qui conduit au glycérol-3-phosphate (Réaction 5), et réoxydation par le NAD$^+$ en dihydroxyacétone phosphate grâce à la glycérol phosphate déshydrogénase (Réaction 6). La DHAP est ensuite convertie en GAP par la triose phosphate isomérase (Réaction 7).

Comme le suggère cette succession complexe de réactions, le foie a un répertoire considérable d'enzymes. Ceci parce que le foie assure la dégradation d'une grande variété de métabolites. L'efficacité d'un processus métabolique implique que beaucoup de ces molécules soient converties en intermédiaires de la glycolyse et, de fait, le foie contient beaucoup d'enzymes qui le lui permettent.

Un excès de fructose entraîne une pénurie en P$_i$ hépatique

À une certaine époque, on préférait le fructose au glucose pour faire des perfusions intraveineuses. Cependant, le foie présente parfois des problèmes métaboliques quand la concentration en fructose dans le sang est trop élevée (supérieure à celle atteinte lorsque l'on mange des aliments qui contiennent du fructose). Quand la concentration en fructose est élevée, la production de fructose-1-phosphate peut être plus rapide que sa dégradation par l'aldolase de Type B. Des perfusions intraveineuses de grandes quantités de fructose peuvent, par conséquent, se traduire par une accumulation importante de fructose-1-phosphate, ce qui diminue fortement les réserves en P$_i$ du foie. Dans ces conditions, la [ATP] chute, activant ainsi la glycolyse et la production de lactate. La

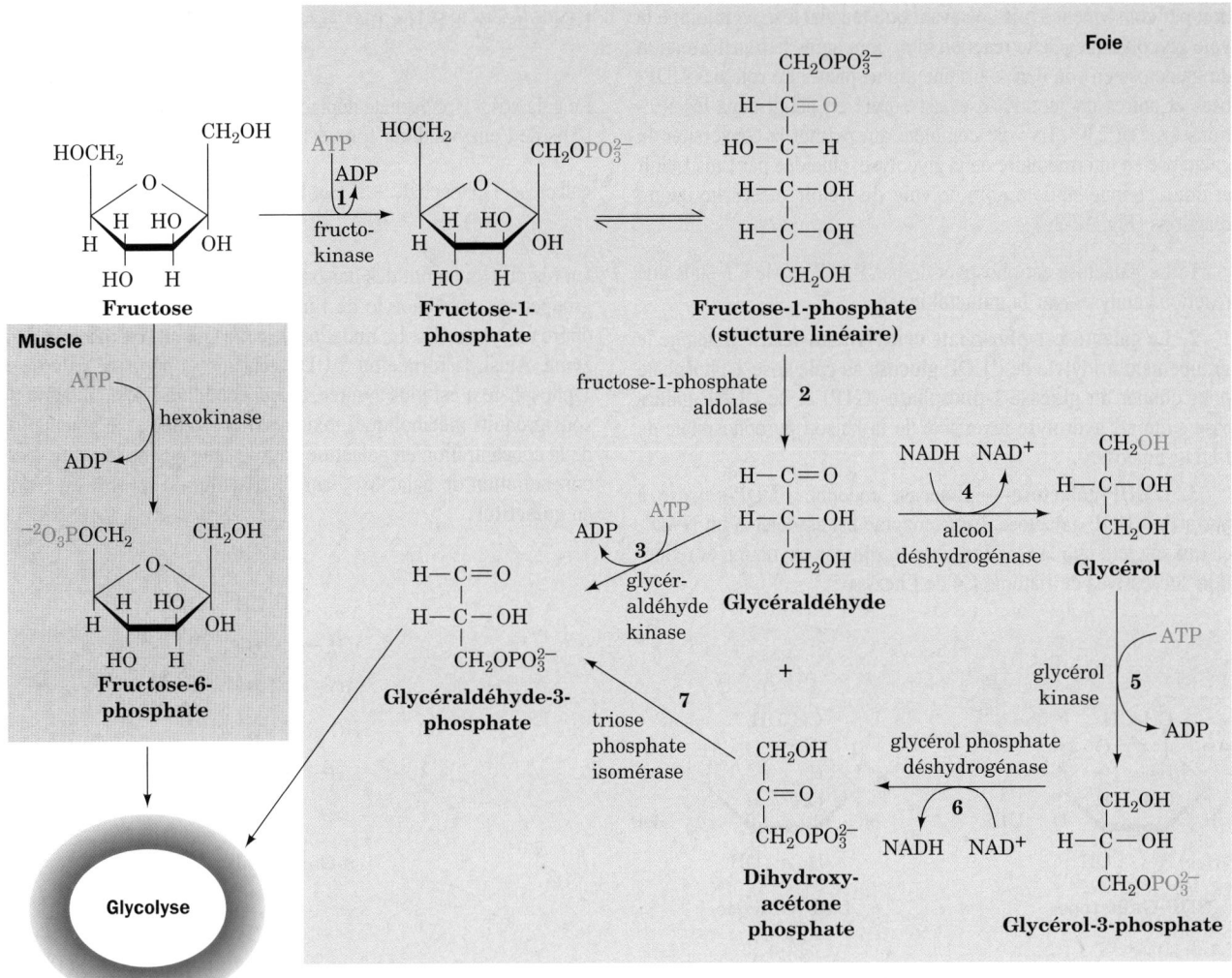

FIGURE 17-35 Métabolisme du fructose. Dans le muscle (*à gauche*) la transformation du fructose en F6P, intermédiaire de la glycolyse, ne nécessite qu'une seule enzyme, l'hexokinase. Dans le foie (*à droite*), sept enzymes permettent la transformation du fructose en intermédiaires de la glycolyse : (**1**) la fructokinase, (**2**) la fructose-1-phosphate aldolase, (**3**) la glycéraldéhyde kinase, (**4**) l'alcool déshydrogénase, (**5**) la glycérol kinase, (**6**) la glycérol phosphate déshydrogénase, et (**7**) la triose phosphate isomérase.

concentration en lactate dans le sang et la chute de pH qui en résulte peuvent alors atteindre des valeurs qui mettent la vie en péril.

L'**intolérance au fructose**, maladie génétique où l'ingestion de fructose provoque la même accumulation de fructose-1-phosphate que la perfusion intraveineuse, est due à une déficience en aldolase de Type B. Cet état semble entraîner une auto-limitation : les individus intolérants au fructose ont un profond dégoût pour tout ce qui est sucré.

B. *Galactose*

Le galactose représente la moitié du lactose, sucre du lait, et constitue par conséquent un carburant essentiel des produits lai-

tiers. Le galactose et le glucose sont des épimères qui ne diffèrent que par leur configuration du C4 :

α-D-**Glucose**   α-D-**Galactose**

Les enzymes de la glycolyse étant spécifiques, ils ne reconnaissent pas la configuration du galactose. Une réaction d'épimérisation doit par conséquent avoir lieu avant que le galactose ne rejoigne la voie glycolytique. Cette réaction intervient après la transformation du galactose en son dérivé uridine diphosphate. Le rôle des UDP-oses et autres nucléotidyl-oses est étudié en détail dans les Sections 18-2 et 23-3. La voie complète qui permet la conversion du galactose en intermédiaire de la glycolyse, élucidée par Luis Leloir et donc connue sous le nom de **voie de Leloir**, nécessite quatre réactions (Fig. 17-36) :

1. Le galactose est phosphorylé par l'ATP sur le C1 dans une réaction catalysée par la **galactokinase.**

2. La **galactose-1-phosphate uridylyltransférase** transfère le groupement uridylyle de l'**UDP-glucose** au galactose-1-phosphate pour donner du **glucose-1-phosphate (G1P)** et de l'**UDP-galactose** suite à l'hydrolyse réversible de la liaison pyrophosphate de l'UDP-glucose.

3. L'**UDP-galactose-4-épimérase** redonne l'UDP-glucose à partir de l'UDP-galactose. Cette enzyme est associée à un NAD+, ce qui suggère que la réaction s'accomplit par oxydation et réduction successives de l'atome C4 de l'hexose :

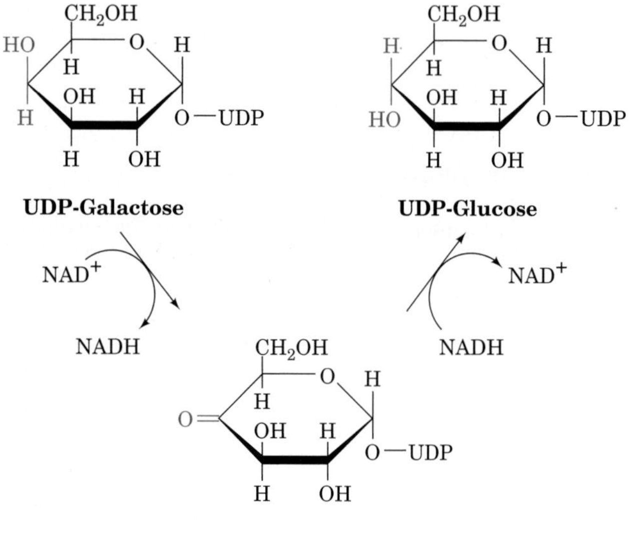

UDP-Galactose   **UDP-Glucose**

4. Le G1P est transformé en G6P, intermédiaire de la glycolyse, par la **phosphoglucomutase** (Section 18-1B).

La galactosémie

La **galactosémie** est une maladie génétique caractérisée par l'impossibilité de convertir le galactose en glucose. Parmi ses symptômes, citons le manque de croissance, le retard mental et, dans quelques cas, la mort consécutive à des lésions du foie. Le plus souvent, la galactosémie est due à une mutation de l'enzyme qui catalyse la Réaction 2 de l'interconversion, la galactose-1-phosphate uridylyltransférase. Il s'agit d'une réaction de double déplacement dans laquelle la chaîne latérale d'une His de l'enzyme mène d'abord une attaque nucléophile sur le groupement α-phosphoryle de l'UDP-glucose, ce qui déplace le G1P pour former un intermédiaire uridylyl-His :

UDP-glucose + E-His 166 $\rightleftharpoons$

glucose-1-phosphate + E-His-UMP

Le galactose-1-phosphate déplace alors le groupement uridylyle de l'His de l'enzyme pour former l'UDP-galactose :

galactose-1-phosphate + E-His-UMP $\rightleftharpoons$

UDP-galactose+ E-His

Un résidu Gln établit des liaisons hydrogène avec les oxygènes du groupement phosphoryle de l'uridylyle pour stabiliser l'intermédiaire uridylyle-His. La mutation de cette Gln en Arg inactive l'enzyme. Ainsi, la formation d'UDP-galactose à partir de galactose-1-phosphate n'est plus assurée, ce qui conduit à l'accumulation de sous-produits métaboliques toxiques. Par exemple, l'augmentation de la concentration en galactose dans le sang amène une plus forte concentration de galactose dans le cristallin où cet ose est réduit en **galactitol** :

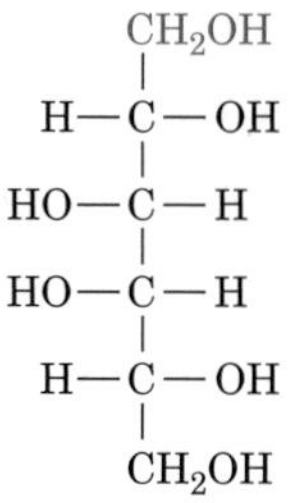

D-Galactitol

La présence de cet alcool-sucre dans le cristallin peut finalement provoquer la cataracte (opacification du cristallin).

La galactosémie se traite par un régime alimentaire sans galactose. Excepté le retard mental, cette mesure aboutit à la disparition de tous les symptômes de la maladie. Les unités galactosyle indispensables pour la synthèse des glycoprotéines (Section 11-3C) et des glycolipides (Section 12-1D) peuvent être synthétisées à partir de glucose grâce à la réaction inverse de l'épimérase. Par conséquent, ces synthèses ne nécessitent pas de galactose dans le régime alimentaire.

C. *Mannose*

Le mannose, substance que l'on trouve fréquemment dans les glycoprotéines (Section 11-3C), et le glucose sont des épimères au niveau du C2 :

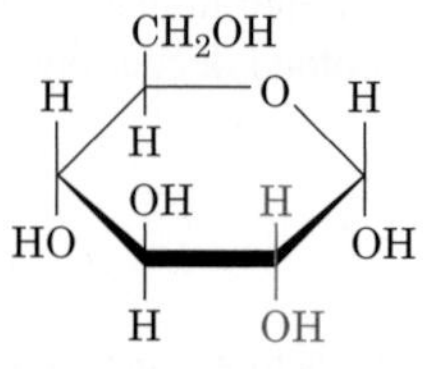

α-D-**Glucose** 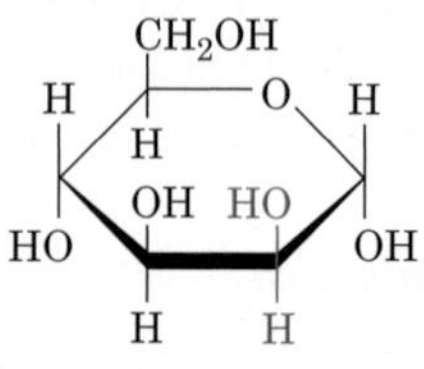   α-D-**Mannose**

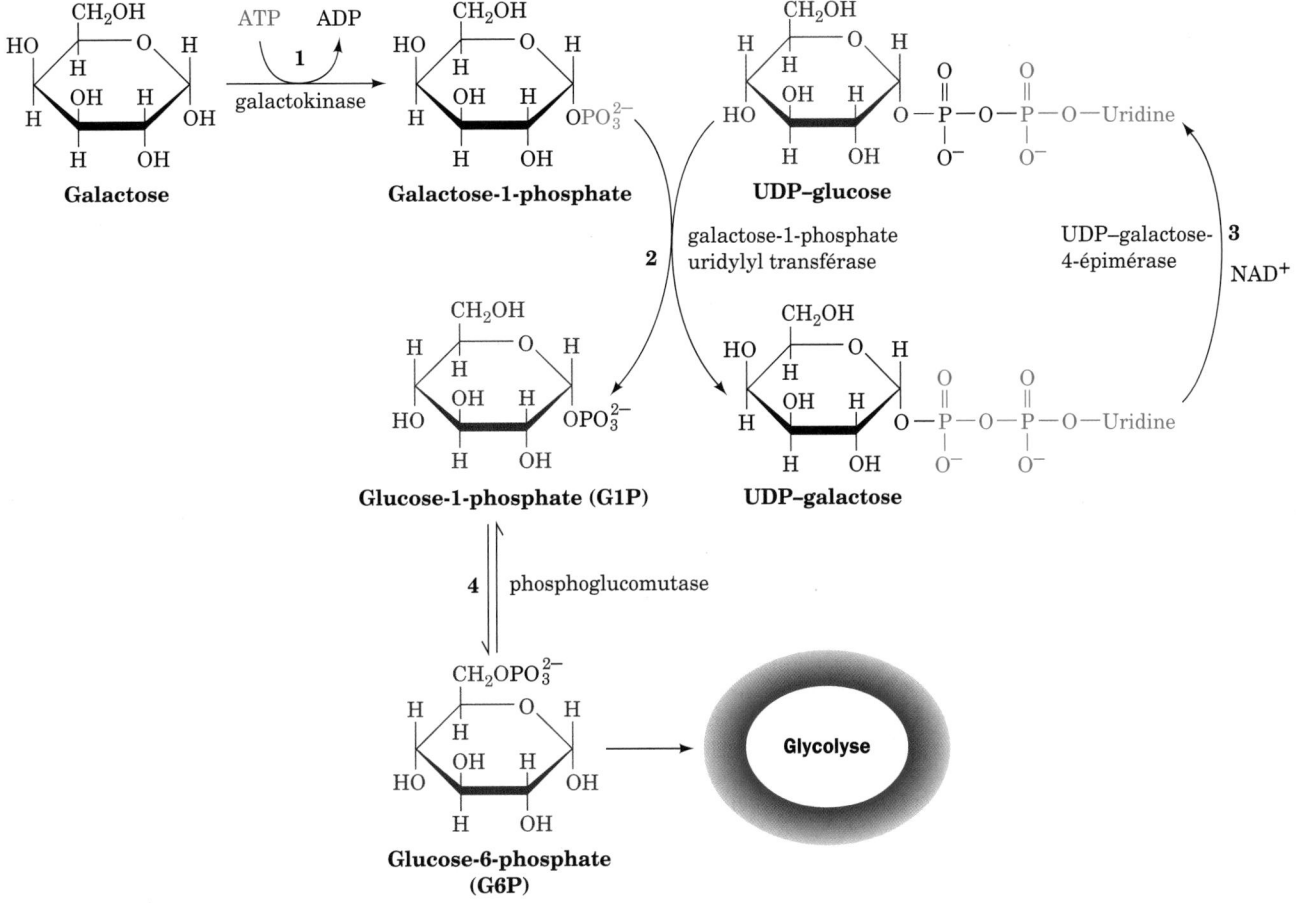

FIGURE 17-36 Métabolisme du galactose. Quatre enzymes permettent la conversion du galactose en G6P, intermédiaire de la glycolyse : (**1**) la galactokinase, (**2**) la galactose-1-phosphate uridylyltransférase, (**3**) l'UDP-galactose-4-épimérase, et (**4**) la phosphoglucomutase.

Le mannose entre dans la voie glycolytique après sa conversion en F6P via deux réactions (Fig. 17-37) :

1. L'hexokinase (Section 17-2A) transforme le mannose en mannose-6-phosphate.

2. La **phosphomannose isomérase** transforme alors cet aldose en cétose, le F6P. Le mécanisme de la réaction de la phosphomannose isomérase est analogue à celui de la phosphoglucose isomérase (Section 17-2B) ; il fait intervenir un intermédiaire ènediolate.

FIGURE 17-37 Métabolisme du mannose. Deux enzymes sont nécessaires pour transformer le mannose en F6P : (**1**) l'hexokinase, et (**2**) la phosphomannose isomérase.

RÉSUMÉ DU CHAPITRE

1 ■ La voie glycolytique La glycolyse est la voie métabolique par laquelle la plupart des organismes vivants dégradent le glucose en deux molécules de pyruvate avec la formation concomitante de deux ATP. La réaction globale :

Glucose + 2NAD$^+$ + 2ADP + 2P$_i$

$\rightarrow$ 2NADH + 2pyruvate + 2ATP + 2H$_2$O + 4H$^+$

résulte de 10 réactions enzymatiques.

2 ■ Réactions de la glycolyse Au cours de la phase préparatoire de la glycolyse, assurée par les cinq premières réactions, le glucose réagit avec 2 ATP, ce qui correspond à un « investissement énergétique » pour donner du fructose-1,6-bisphosphate qui est ensuite converti en deux molécules de glycéraldéhyde-3-phosphate. Au cours de la deuxième phase de la glycolyse, la phase de « remboursement », assurée par les cinq dernières réactions, le glycéraldéhyde-3-phosphate réagit avec NAD$^+$ et P$_i$ pour donner un composé « riche en énergie », le 1,3-bisphosphoglycérate. Au cours des quatre dernières réactions de la glycolyse, ce composé réagit avec deux ADP pour donner du pyruvate et deux ATP/molécule. Les mécanismes de la plupart des 10 enzymes de la glycolyse ont été élucidés par des études chimiques et cinétiques couplées à des études de structures par rayons X. Les enzymes de la glycolyse catalysent les réactions avec stéréospécificité. Dans le cas d'au moins deux kinases, le transfert du groupement phosphoryle de l'ATP à l'eau est empêché suite aux changements conformationnels induits par le substrat, qui entraînent la formation du site actif et provoquent l'exclusion de l'eau du site.

3 ■ La fermentation : sort du pyruvate en anaérobiose Le NAD$^+$ qui est utilisé lors de la formation du 1,3-BPG doit être régénéré pour que la glycolyse continue. En présence d'oxygène, le NAD$^+$ est régénéré par les phosphorylations oxydatives dans les mitochondries. Dans le muscle en condition anaérobie, le pyruvate est réduit par le NADH, pour donner du lactate et du NAD$^+$ dans une réaction catalysée par la lactate déshydrogénase. Dans beaucoup de muscles, en particulier lorsqu'ils sont en activité intense, le mécanisme de fermentation homolactique est une source principale d'énergie libre. Dans les levures en anaérobiose, le NAD$^+$ est régénéré au cours de la fermentation alcoolique via deux réactions. D'abord, le pyruvate est décarboxylé en acétaldéhyde par la pyruvate décarboxylase, enzyme qui nécessite de la thiamine pyrophosphate comme cofacteur. Puis l'acétaldéhyde est réduit par le NADH pour donner de l'éthanol et du NAD$^+$ dans une réaction catalysée par l'alcool déshydrogénase.

4 ■ Régulation métabolique et contrôle métabolique La régulation métabolique est le processus qui maintient constant le flux des métabolites le long de de la voie qu'il emprunte. Le contrôle métabolique est celui qui est exercé sur les enzymes de la voie en réponse à un signal extérieur visant à augmenter ou diminuer ce flux, tout en maintenant au mieux l'état stationnaire. L'homéostasie est la régulation de l'état stationnaire. Le flux métabolique doit être contrôlé afin d'équilibrer l'offre et la demande et de maintenir l'homéostasie. Il se peut que plus d'une enzyme soit limitante dans une voie métabolique. L'analyse du contrôle métabolique permet l'étude de systèmes métaboliques *in vivo* qui se partagent le contrôle de plus d'une enzyme, et elle décrit en termes quantitatifs le contrôle du flux et l'homéostasie. Le coefficient de contrôle de flux donne une mesure de la sensibilité du flux à une variation de la concentration en enzyme. Le coefficient d'élasticité donne une mesure de la sensibilité de la vitesse d'une réaction enzymatique à une variation de la concentration en substrat. L'offre et la demande sont toutes deux impliquées dans le contrôle du flux et l'homéostasie. La modification de la concentration des intermédiaires métaboliques à l'état stationnaire, en réponse à des changements des « blocs » de l'offre ou de la demande, dépend uniquement des coefficients d'élasticité de ces deux blocs à l'état stationnaire. Quand le coefficient d'élasticité de l'offre est supérieur à celui de la demande, le contrôle du flux réside dans le bloc de la demande, et vice-versa. Le contrôle de l'homéostasie dépend de coefficients d'élasticité élevés, tandis que le contrôle du flux exige un coefficient d'élasticité bas et un coefficient de contrôle de flux élevé. Si le bloc de la demande contrôle le flux, le rôle du bloc de l'offre est de contrôler l'homéostasie. La rétro-inhibition détermine la fourchette de concentrations en intermédiaires compatible avec l'état stationnaire. Elle maintient l'homéostasie dans des concentrations physiologiques en intermédiaires, parfois loin de leurs valeurs à l'équilibre.

Le flux d'une réaction proche de l'équilibre est très sensible aux changements de concentration en substrat. Autrement dit, le flux d'une voie métabolique en état stationnaire ne peut être contrôlé que par une réaction loin de l'équilibre. De telles réactions peuvent être régulées par différents mécanismes : interactions allostériques, cycles de substrat, modifications covalentes et contrôle (à long terme) génétique. Dans la glycolyse musculaire, la phosphofructokinase (PFK) catalyse une des réactions qui déterminent le flux. Bien que la PFK soit inhibée par de fortes concentrations en ATP, un de ses substrats, la variation de 10 % de [ATP] (selon l'activité métabolique) n'a pas d'influence suffisante sur l'activité de la PFK pour rendre compte de la multiplication par 100 du flux glycolytique observé. La [AMP] est multipliée par quatre, suite à une diminution de 10 % de [ATP], sous l'action de l'adénylate kinase. Bien que l'AMP lève l'effet inhibiteur de l'ATP sur la PFK, cette augmentation de concentration ne permet pas non plus d'expliquer les variations du flux glycolytique observées. Cependant, le produit de la réaction catalysée par la PFK, le fructose-1,6-bisphosphate, est hydrolysé en F6P par la FBPase, qui est inhibée par l'AMP. Le recyclage de substrat catalysé par ces deux enzymes confère, du moins en principe, la sensibilité nécessaire aux variations de la [AMP] du flux glycolytique. Le recyclage de substrat est à l'origine de la thermogénèse sans frisson.

5 ■ Métabolisme d'hexoses autres que le glucose La digestion de polysaccharides conduit à la production de glucose comme produit de base. Il existe d'autres produits importants tels que le fructose, le galactose et le mannose. Ces monosaccharides sont métabolisés après avoir été transformés en intermédiaires de la glycolyse.

RÉFÉRENCES

GÉNÉRALITÉS

Cornish-Bowden, A. (Éd.), *New Beer in an Old Bottle : Eduard Buchner and the Growth of Biochemical Knowledge*, Universitat de València (1997). [L'article publié en 1897 par Eduard Buchner sur la découverte de la fermentation acellulaire (version originale en allemand et traductions en anglais et en espagnol), accompagné de considérations sur le contexte historique de cette découverte et l'étude actuelle de systèmes multi-enzymatiques.]

Fersht, A., *Structure and Mechanism in Protein Science*, Freeman (1999).

Fruton, J.S., *Molecules and Life : Historical Essays on the Interplay of Chemistry and Biology*, Wiley–Interscience (1974). [On y trouve un compte-rendu de la découverte de la fermentation.]

Saier, M.H., Jr., *Enzymes in Metabolic Pathways*, Chapter 5, Harper & Row (1987).

Walsh, C., *Enzymatic Reaction Mechanisms*, Freeman (1979).

ENZYMES DE LA GLYCOLYSE

The Enzymes of Glycolysis : Structure, Activity and Evolution, *Phil. Trans. R. Soc. London Ser. B* **293**, 1–214 (1981). [Ensemble d'exposés sur les enzymes de la glycolyse.]

Allen, S.C. et Muirhead, H., Refined three-dimensional structure of cat-muscle (M1) pyruvate kinase at a resolution of 2.6 Å, *Acta Cryst.* D**52**, 499–504 (1996).

Bennett, W.S., Jr. et Steitz, T.A., Glucose-induced conformational change in yeast hexokinase, *Proc. Natl. Acad. Sci.* **75**, 4848–4852 (1978).

Berstein, B.E., Michels, P.A.M., et Hol, W.G.J., Synergistic effects of substrate-induced conformational changes in phosphoglycerate activation, *Nature* **385**, 275–278 (1997).

Biesecker, G., Harris, J.I., Thierry, J.C., Walker, J.E., et Wonacott, A.J., Sequence and structure of d-glyceraldehyde-3-phosphate dehydrogenase from Bacillus stearothermophilus, *Nature* **266**, 328–333 (1977).

Boyer, P.D. (Éd.), The Enzymes (3ᵉ éd.), Vols. 5–9 et 13, Academic Press (1972 – 1976). [Contient des revues détaillées de l'époque sur les différentes enzymes glycolytiques.]

Cleland, W.W. et Kreevoy, M.M., Low-barrier hydrogen bonds and enzymic catalysis, *Science* **264**, 1887–1890 (1994) ; et Gerlt, J.A. and Gassman, P.G., Understanding the rates of certain enzyme-catalyzed reactions : Proton abstraction from carbon acids, acyl-transfer reactions, and displacement of phosphodiesters, *Biochemistry* **32**, 11943–11952 (1993).

Dalby, A., Dauter, Z., et Littlechild, J.A., Crystal structure of human muscle aldolase complexed with fructose 1,6-bisphosphate : Mechanistic implications, *Protein Sci.* **8**, 291–297 (1999).

Davenport, R.C., Bash, P.A., Seaton, B.A., Karplus, M., Petsko, G.A., et Ringe, D., Structure of the triosephosphate isomerase–phosphoglycohydroxamate complex : An analogue of the intermediate on the reaction pathway, *Biochemistry* **30**, 5821–5826 (1991) ; et Lolis, E. et Petsko, G.A., Crystallographic analysis of the complex between triosephosphate isomerase and 2-phosphoglycolate at 2.5 Å resolution : Implications for catalysis, *Biochemistry* **29**, 6619–6625 (1990).

Evans, P.R. et Hudson, P.J., Structure and control of phosphofructokinase from Bacillus stearothermophilus, *Nature* **279**, 500–504 (1979).

Gefflaut, T., Blonski, C., Perie, J., et Willson, M., Class I aldolases : Substrate specificity, mechanism, inhibitors and structural aspects, *Prog. Biophys. Mol. Biol.* **63**, 301–340 (1995).

Hall, D.R., Leonard, G.A., Reed, C.D., Watt, C.I., Berry, A., et Hunter, W.N., The crystal structure of Escherichia coli class II fructose-1,6-bisphosphate aldolase in complex with phosphoglycohydroxamate

reveals details of mechanism and specificity, *J. Mol. Biol.* **287**, 383–394 (1999).

Harlos, K., Vas, M., et Blake, C.C.F., Crystal structure of the binary complex of pig muscle phosphoglycerate kinase and its substrate 3-phospho-d-glycerate, *Proteins* **12**, 133–144 (1992).

Jedrzejas, M.J., Structure, function, and evolution of phosphoglycerate mutase : Comparison with fructose-2,6-bisphosphatase, acid phosphatase, and alkaline phosphatase, *Prog. Biophys. Mol. Biol.* **73**, 263–287 (2000).

Jeffrey, C.J., Bahnson, B.J., Chien, W., Ringe, D., et Petsko, G.A., Crystal structure of rabbit phosphoglucose isomerase, a glycolytic enzyme that moonlights as neuroleukin, autocrine motility factor, and differentiation mediator, *Biochemistry* **39**, 955–964 (2000).

Joseph, D., Petsko, G.A., et Karplus, M., Anatomy of a conformational change : Hinged « lid » motion of the triosephosphate isomerase loop, *Science* **249**, 1425–1428 (1990).

Knowles, J.R., Enzyme catalysis : Not different, just better, *Nature* **350**, 121–124 (1991). [Discussion éclairée du mécanisme catalytique de la TIM.]

Kuby, S.A. (Éd.), *A Study of Enzymes*, Vol. II, CRC Press (1991). [Les chapitres 17, 18, 19 et 20 concernent respectivement les mécanismes réactionnels de l'adénylate kinase, la PFK, la PGI, la TIM et l'aldolase. Le chapitre 4 est consacré aux mécanimes des réactions qui dépendent de la thiamine.]

Marsh, J.J. et Lebherz, H.G., Fructose-bisphosphate aldolases : An evolutionary history, *Trends Biochem. Sci.* **17**, 110–113 (1992).

Maurer, P.J. et Nowak, T., Fluoride inhibition of yeast enolase. 1. Formation of ligand complexes, *Biochemistry* **20**, 6894–6900 (1981) ; et Nowak, T. et Maurer, P.J., Fluoride inhibition of yeast enolase. 2. Structural and kinetic properties of ligand complexes determined by nuclear relaxation rate studies, *Biochemistry* **20**, 6901–6911 (1981).

Morris, A.J. et Tolan, D.R., Lysine-146 of rabbit muscle aldolase is essential for cleavage and condensation of the C3-C4 bond of fructose 1,6-bis(phosphate), *Biochemistry* **33**, 12291–12297 (1994) ; et Site-directed mutagenesis identifies aspartate 33 as a previously unidentified critical residue in the catalytic mechanism of rabbit aldolase A, *J. Biol. Chem.* **268**, 1095–1100 (1993).

Muirhead, H. et Watson, H. Glycolytic enzymes : From hexose to pyruvate, *Curr. Opin. Struct. Biol.* **2**, 870–876 (1992).

Seeholzer, S.H., Phosphoglucose isomerase : A ketol isomerase with aldol C2-epimerase activity, *Proc. Natl. Acad. Sci.* **90**, 1237–1241 (1993).

Reed, G.H., Poyner, R.R., Larsen, T.M., Wedekind, J.E., et Rayment, I., Structural and mechanistic studies on enolase, *Curr. Opin. Struct. Biol.* **6**, 736–743 (1996).

Williams, J.C. et McDermott, A.E., Dynamics of the flexible loop of triosephosphate isomerase : The loop motion is not ligand-gated, *Biochemistry* **34**, 8309–8319 (1995).

ENZYMES DE LA FERMENTATION ANAÉROBIE

Boyer, P.D. (Éd.), *The Enzymes* (3ᵉ éd.), Vol. 11, Academic Press (1975). [On y trouve des revues pertinentes sur l'alcool déshydrogénase et la lactate déshydrogénase, et sur les relations évolutives et structurales des déshydrogénases.]

Dyda, F., Furey, W., Swaminathan, S., Sax, M., Farrenkopf, B., et Jordan, F., Catalytic centers in the thiamin diphosphate dependent enzyme pyruvate decarboxylase at 2.4-Å resolution, *Biochemistry* **32**, 6165–6170 (1993).

Golbik, R., Neef, H., Hubner, G., Konig, S., Seliger, B., Meshalkina, L., Kochetov, G.A., et Schellenberger, A., Function of the aminopyridine part in thiamine pyrophosphate enzymes, *Bioinorg. Chem.* **19**, 10–17 (1991).

Park, J.H., Brown, R.L., Park, C.R., Cohn, M., et Chance, B., Energy metabolism in the untrained muscle of elite runners as observed by 31P magnetic resonance spectroscopy : Evidence suggesting a genetic endowment for endurance exercise. *Proc. Natl. Acad. Sci.* **85**, 8780–8785 (1988).

CONTRÔLE DU FLUX MÉTABOLIQUE

Crabtree, B. et Newsholme, E.A., A systematic approach to describing and analyzing metabolic control systems, *Trends Biochem. Sci.* **12**, 4–12 (1987).

Fell, D.A., Metabolic control analysis : A survey of its theoretical and experimental development, *Biochem. J.* **286**, 313–330 (1992).

Fell, D., Understanding the Control of Metabolism, Portland Press (1997).

Hofmeyr, J.-H. S. et Cornish-Bowden, A., Regulating the cellular economy of supply and demand, *FEBS Lett.* **476**, 47–51 (2000).

Kacser, H. et Burns, J.A. (with additional comments by Kacser, H. et Fell, D.A.), The control of flux, *Biochem. Soc. Trans.* **23**, 341–366 (1995).

Kacser, H. et Porteous, J.W., Control of metabolism : What do we have to measure ? *Trends Biochem. Sci.* **12**, 5–14 (1987).

Lardy, H. et Schrago, E., Biochemical aspects of obesity, *Annu. Rev. Biochem.* **59**, 689–710 (1990).

Newsholme, E.A., Challiss, R.A.J., et Crabtree, B., Substrate cycles : their role in improving sensitivity in metabolic control, *Trends Biochem. Sci.* **9**, 277–280 (1984).

Perutz, M.F., Mechanism of cooperativity and allosteric regulation in proteins, *Q. Rev. Biophys.* **22**, 139–236 (1989). [La section 6 traite de la PFK.]

Schaaf, I., Heinisch, J., et Zimmermann, K., Overproduction of glycolytic enzymes in yeast, *Yeast* **5**, 285–290 (1989).

Schirmer, T. and Evans, P.R., Structural basis of the allosteric behaviour of phosphofructokinase, Nature 343, 140–145 (1990).

Walsh, K. et Koshland, D.E., Jr., Characterization of rate-controlling steps in vivo by use of an adjustable expression vector, *Proc. Natl. Acad. Sci.* **82**, 3577–3581 (1985).

MÉTABOLISME D'HEXOSES AUTRES QUE LE GLUCOSE

Frey, P.A., The Leloir pathway : A mechanistic imperative for three enzymes to change the stereochemical configuration of a single carbon in galactose, *FASEB J.* **10**, 461–470 (1996).

Scriver, C.R., Beaudet, A.L., Sly, W.S., et Valle, D. (Éds.), *The Metabolic & Molecular Bases of Inherited Disease* (8e éd.), McGraw-Hill (2001). [Les chapitres 70 et 72 traitent du métabolisme du fructose et du galactose et de leurs maladies génétiques.]

PROBLÈMES

1. Écrivez les réactions de la glycolyse du glucose jusqu'au lactate en utilisant les formules développées de tous les intermédiaires. Apprendre le nom de ces intermédiaires et des enzymes qui catalysent les réactions.

2. Le $\Delta G^{\circ\prime}$ de la réaction de l'aldolase est de + 22,8 kJ · mol⁻¹. Dans la cellule à 37 °C, le rapport d'action des masses [DHAP]/[GAP] = 5,5. Calculez le rapport à l'équilibre de [FBP]/[GAP] si [GAP] est (a) $2 \times 10^{-5}M$ et, (b) $10^{-3}M$.

3. La variation de la vitesse de la réaction catalysée par la triose phosphate isomérase (TIM) en fonction du pH présente deux pK caractéristiques, 6,5 et 9,5. His 95, un résidu indispensable à la catalyse, présente, dans ce cas, un pK de 4,5. Pourquoi la courbe obtenue en fonction du pH ne fait-elle pas apparaître ce pK ?

4. L'arséniate, un analogue structural du phosphate, peut se comporter comme substrat pour toute réaction dans laquelle le phosphate est substrat. Les esters d'arséniate, à l'inverse des esters de phosphate, sont thermodynamiquement instables et s'hydrolysent presque instantanément. Écrivez le bilan réactionnel équilibré de la conversion du glucose en pyruvate en présence d'ATP, d'ADP, de NAD⁺ et soit (a) de phosphate, soit (b) d'arséniate. (c) Pourquoi l'arséniate est-il un poison ?

5. Quand le glucose est dégradé anaérobiquement par la glycolyse, il n'y a ni oxydation ni réduction globales du substrat. On dit alors que la fermentation est « équilibrée ». L'énergie libre nécessaire à la formation de l'ATP est néanmoins fournie par des réactions de transfert d'électrons favorables. Quels sont les intermédiaires métaboliques donneurs et accepteurs d'électrons quand le glucose est dégradé par fermentation glycolytique équilibrée : (a) dans le muscle et (b) dans la levure ?

6. Sur quels atomes de carbone du pyruvate la radioactivité serait-elle retrouvée si le glucose, métabolisé par la glycolyse, était marqué par du ¹⁴C sur (a) le C1 et (b) le C4 ? (N.B. : on admettra que la triose phosphate isomérase assure l'équilibre entre la dihydroxyacétone phosphate et le 3-phosphoglycéraldéhyde).

* 7. La réaction suivante est catalysée par une enzyme très voisine des aldolases de Classe 1 :

Fructose-6-phospate   **Erythrose-4-phospate**

transaldolase

Glycéraldéhyde-3-phosphate   **Sédoheptulose-7-phosphate**

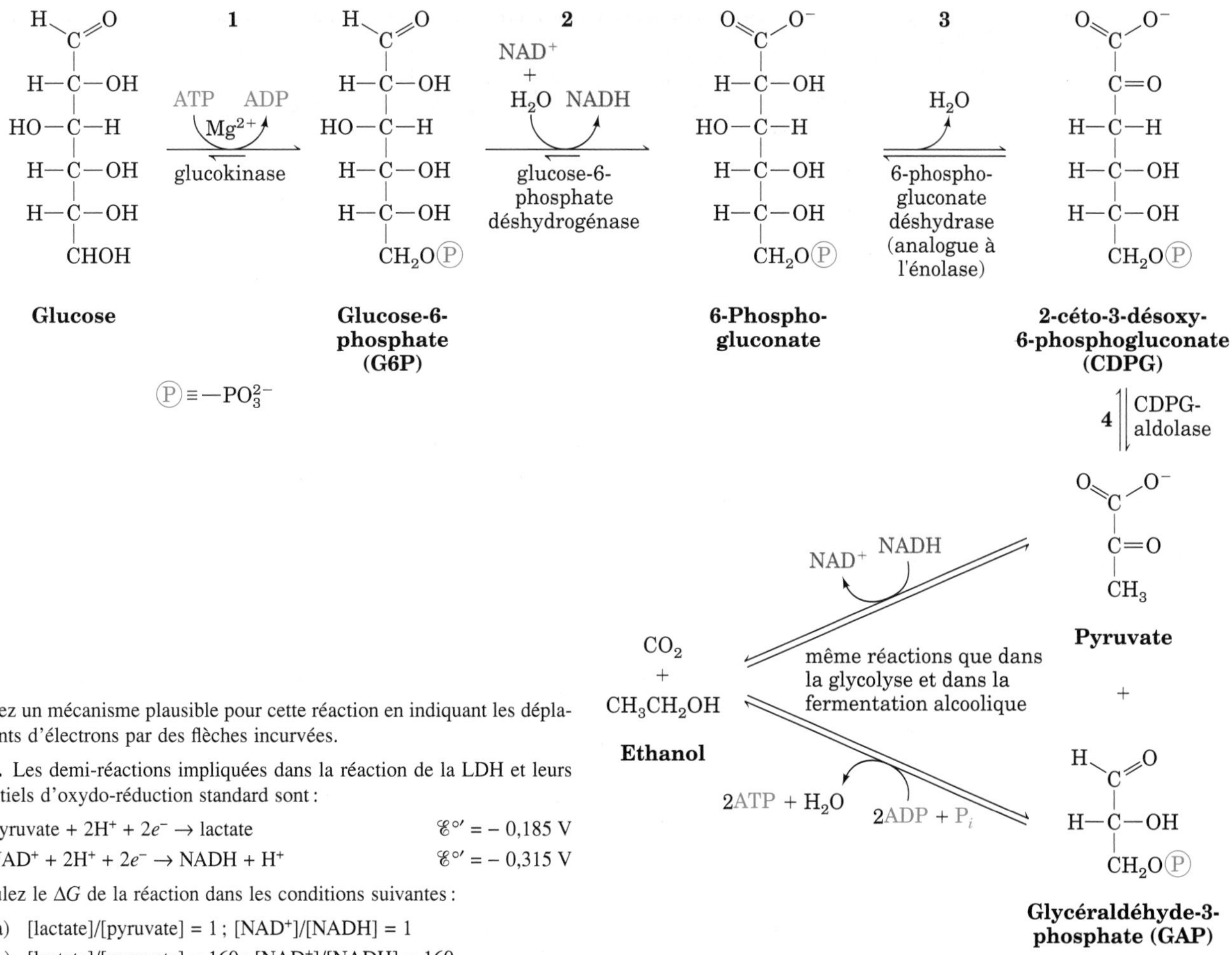

Glucose → (1) ATP ADP, Mg²⁺, glucokinase → Glucose-6-phosphate (G6P) → (2) NAD⁺ + H₂O → NADH, glucose-6-phosphate déshydrogénase → 6-Phospho-gluconate → (3) H₂O, 6-phosphogluconate déshydrase (analogue à l'énolase) → 2-céto-3-désoxy-6-phosphogluconate (CDPG)

$(P) \equiv -PO_3^{2-}$

CDPG → (4) CDPG-aldolase → Pyruvate + Glycéraldéhyde-3-phosphate (GAP)

même réactions que dans la glycolyse et dans la fermentation alcoolique

NAD⁺ → NADH ; CO₂ + CH₃CH₂OH (Ethanol) ; 2ATP + H₂O ← 2ADP + P$_i$

FIGURE 17-38 Voie d'Entner-Doudouroff pour la dégradation du glucose.

Écrivez un mécanisme plausible pour cette réaction en indiquant les déplacements d'électrons par des flèches incurvées.

8. Les demi-réactions impliquées dans la réaction de la LDH et leurs potentiels d'oxydo-réduction standard sont :

Pyruvate + 2H⁺ + 2e⁻ → lactate $\mathscr{E}°' = -0,185$ V
NAD⁺ + 2H⁺ + 2e⁻ → NADH + H⁺ $\mathscr{E}°' = -0,315$ V

Calculez le ΔG de la réaction dans les conditions suivantes :

(a) [lactate]/[pyruvate] = 1 ; [NAD⁺]/[NADH] = 1
(b) [lactate]/[pyruvate] = 160 ; [NAD⁺]/[NADH] = 160
(c) [lactate]/[pyruvate] = 1000 ; [NAD⁺]/[NADH] = 1000
(d) Dans quelles conditions la réaction favorisera-t-elle spontanément l'oxydation du NADH ?
(e) Pour que la variation d'énergie libre de la réaction catalysée par la 3-phosphoglycéraldéhyde déshydrogénase favorise la glycolyse, le rapport [NAD⁺]/[NADH] doit rester proche de 10³. Dans des conditions anaérobies dans le muscle de mammifère, la lactate déshydrogénase remplit cette condition. Quelle valeur le rapport [lactate]/[pyruvate] peut-il atteindre dans les cellules musculaires, avant que la réaction catalysée par la lactate déshydrogénase cesse d'être favorable à la production de NAD⁺ tout en maintenant la valeur du rapport [NAD⁺]/[NADH] au niveau ci-dessus ?

*9. En vous basant sur le mode d'intervention de la thiamine pyrophosphate (TPP) dans la réaction de la pyruvate décarboxylase, indiquez lesquelles des réactions suivantes, s'il y en a, seraient susceptibles d'utiliser la TPP comme cofacteur ?

(a) ⁻O-CO-CH₂-CO-CO-O⁻ → CO₂ + H₃C-CO-CO-O⁻

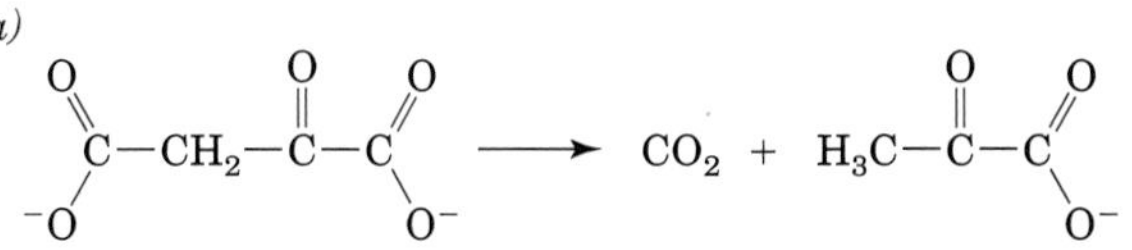

(b) 2 CH₃-CO-COO⁻ → CO₂ + CH₃-C(OH)(COO⁻)-CO-CH₃

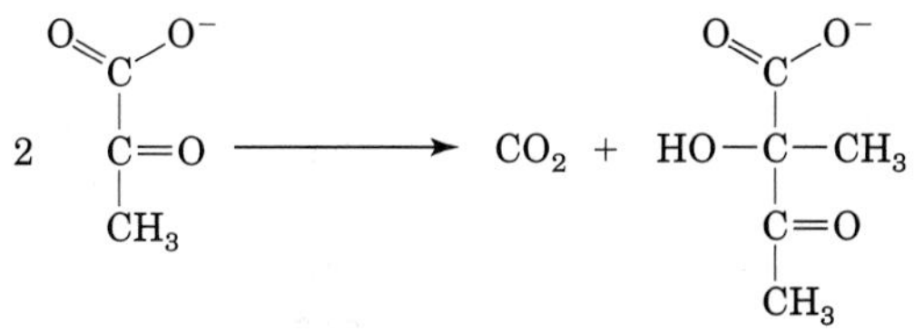

Donnez les mécanismes hypothétiques de chaque réaction en indiquant où la TPP intervient ou pourquoi elle est inutile.

10. La voie glycolytique de dégradation du glucose est pratiquement universelle. Cependant, quelques bactéries utilisent une voie alternative appelée la **voie d'Entner-Doudoroff** (Fig. 17-38). Comme dans la voie glycolytique de la levure, le produit final est l'éthanol. (a) Écrivez les réactions équilibrées pour la conversion du glucose en éthanol et CO₂ via la voie d'Entner-Doudoroff et la fermentation alcoolique de la levure. (b) Déduisez de vos stœchiométries pourquoi la glycolyse plutôt que la voie d'Entner-Doudoroff est la voie pratiquement universelle.

*11. L'hydrolyse de l'ATP en ADP dans la cellule entraîne un changement de [AMP] dû à l'adénylate kinase. (a) En supposant que [ATP] >> [AMP] et que la concentration totale en nucléotides adényliques dans la cellule, A_T = [AMP] + [ADP] + [ATP] est constante, dérivez une expression de [AMP] en fonction de [ATP] et de A_T. (b) En supposant qu'au départ [ATP]/[ADP] = 10 et A_T = 5 mM, calculez le rapport de la valeur finale/valeur initiale de [AMP] après une diminution de 10 % de [ATP].

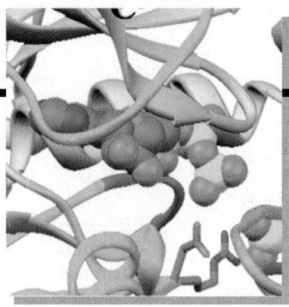

Chapitre

18

Métabolisme du glycogène

1 ■ **Dégradation du glycogène**
    A. La glycogène phosphorylase
    B. La phosphoglucomutase
    C. L'enzyme débranchante
    D. Thermodynamique du métabolisme du glycogène : nécessité de voies de synthèse et de dégradation séparées
2 ■ **Synthèse du glycogène**
    A. L'UDP-glucose pyrophosphorylase
    B. La glycogène synthase
    C. L'enzyme branchante
3 ■ **Contrôle du métabolisme du glycogène**
    A. Contrôle allostérique direct de la glycogène phosphorylase et de la glycogène synthase
    B. Modifications covalentes des enzymes par cascades cycliques : amplification du « signal » effecteur
    C. Cascade bicyclique de la glycogène phosphorylase
    D. Cascade bicyclique de la glycogène synthase
    E. Intégration des mécanismes de contrôle du métabolisme du glycogène
    F. Contrôle de la glycémie
    G. Réponse au stress
4 ■ **Maladies du stockage de glycogène**

Everything should be made as simple as possible but not simpler.
Albert Einstein

Le glucose, une des principales sources énergétiques métaboliques, est dégradé via la glycolyse pour donner de l'ATP (Chapitre 17). Les organismes supérieurs évitent de se trouver à court d'énergie en polymérisant le glucose en excès sous forme de glucanes (polysaccharides de glucose) de masse moléculaire élevée qui peuvent être rapidement mobilisés en cas de besoin métabolique. Chez les plantes, le glucose est mis en réserve sous forme d'amidon, mélange d'α-amylose (Fig. 11-17), polymère d'unités glucose réunies par des liaisons α(1 → 4), et d'amylopectine, qui diffère de l'α–amylose par la présence de points de branchement α(1 → 6) tous les 24 à 30 résidus (Fig. 11-18). Chez les animaux, le glucane de réserve est le **glycogène** (Fig. 18-1), qui ne diffère de l'amylopectine que par la présence de points de branchement tous les 8 à 14 résidus. Le glycogène se trouve sous forme de granules cytoplasmiques de 100 à 400 Å de diamètre (Fig. 11-19 et 18-1*c*), contenant jusqu'à 120 000 unités de glucose. Ils sont particulièrement abondants dans les cellules qui ont le plus besoin de glycogène, les cellules musculaires (au maximum 1-2 % de glycogène en poids) et hépatiques (au maximum 10 % de glycogène en poids, soit une réserve énergétique d'environ 12 heures pour l'or-

ganisme). Les granules de glycogène contiennent aussi les enzymes qui catalysent sa synthèse et sa dégradation ainsi que certaines des enzymes qui régulent ces processus.

Comme nous le verrons plus loin dans ce chapitre, les unités glucose du glycogène sont mobilisées par hydrolyse séquentielle depuis les extrémités non réductrices (absence de groupement C1—OH) des chaînes de glucane. *La structure très ramifiée du glycogène a donc une signification physiologique : elle permet la dégradation rapide du glycogène grâce au départ simultané d'unités glucose depuis l'extrémité de chaque ramification.*

Pourquoi l'organisme réalise-t-il un tel effort métabolique pour se servir du glycogène comme réserve énergétique alors que les lipides, beaucoup plus abondants, jouent apparemment un rôle identique ? Il y a trois réponses à cette question :

1. Les muscles ne peuvent pas mobiliser les lipides aussi rapidement que le glycogène.

2. Les résidus d'acides gras des graisses ne peuvent pas être métabolisés en anaérobiose (Section 25-2).

3. Les animaux ne peuvent pas convertir les acides gras en glucose (Section 23-1), si bien que le seul métabolisme des lipides ne peut assurer correctement le maintien du taux de glucose sanguin (Section 18-3F).

Comme tous les processus métaboliques, le métabolisme du glycogène peut être compris à plusieurs niveaux. Nous étudierons ce processus afin d'en comprendre l'aspect thermodynamique et les mécanismes réactionnels de ses différentes réactions, mais en insistant sur les mécanismes qui contrôlent la synthèse et la dégradation du glycogène. Nous avons commencé l'étude des mécanismes de contrôle du métabolisme dans la Section 17-4, à propos du rôle des interactions allostériques et des cycles de substrat dans la régulation de la glycolyse. Les systèmes plus complexes de contrôle du métabolisme du glycogène nous donnent des exemples de mécanismes de contrôle supplémentaires : modification covalente des enzymes et cascades enzymatiques. De plus, nous nous servirons du métabolisme du glycogène comme modèle du rôle des hormones dans le processus de régulation global. Nous terminerons ce chapitre par l'étude des conséquences d'anomalies génétiques qui affectent plusieurs enzymes du métabolisme du glycogène.

1 ■ DÉGRADATION DU GLYCOGÈNE

Le foie et les muscles sont les deux principaux organes de mise en réserve du glycogène. Dans les muscles, le besoin en ATP provoque la transformation du glycogène en glucose-6-phosphate

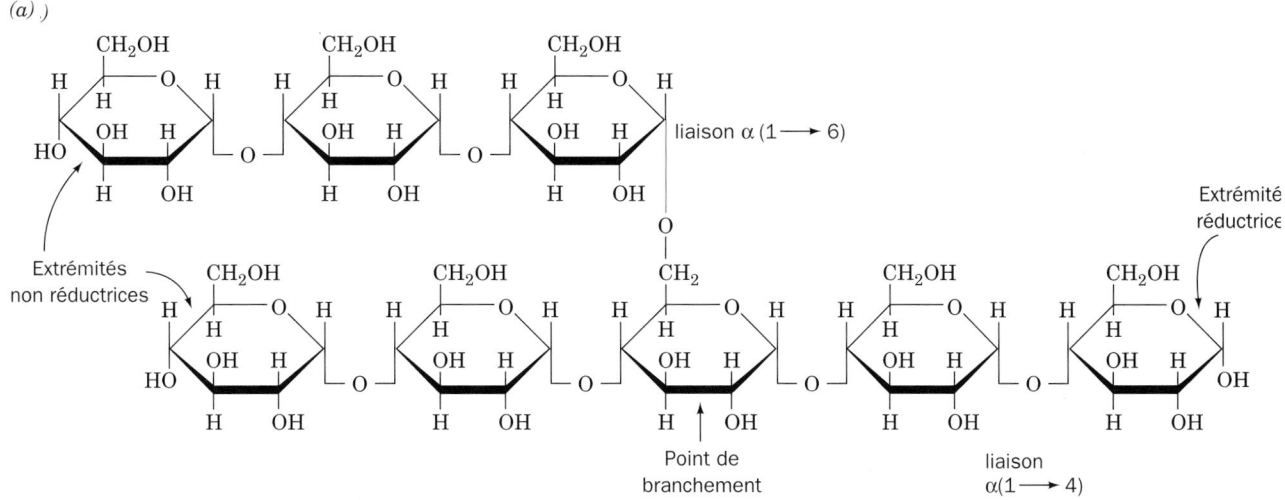

(a)

liaison α(1 ⟶ 6)

Extrémité réductrice

Extrémités non réductrices

Point de branchement

liaison α(1 ⟶ 4)

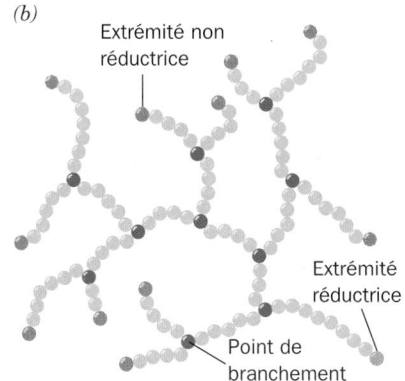

(b)

Extrémité non réductrice

Extrémité réductrice

Point de branchement

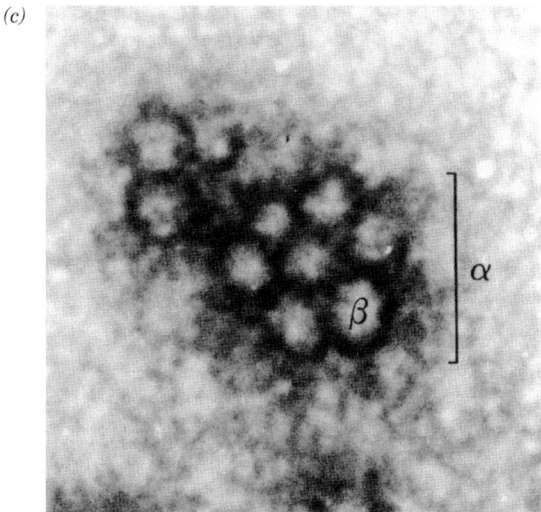

(c)

α

β

FIGURE 18-1 Structure du glycogène. (*a*) Formule développée. En réalité, les chaînes sont beaucoup plus longues que figurées. (*b*) Représentation schématique montrant la structure branchée. Les points de branchement de la molécule réelle sont espacés de 8 à 14 unités glucosyle. Noter que la molécule, quelle que soit sa taille, n'a qu'une seule extrémité réductrice. (*c*) Micrographie électronique d'un granule de glycogène de muscle squelettique de rat. Chaque granule (α) contient plusieurs molécules sphériques de glycogène (β) et protéines associées. [D'après Calder, P.C., *Int. J. Biochem.* **23**, 1339 (1991). Copyright Elsevier Science. Reproduction autorisée.]

(G6P), début de la glycolyse. Dans le foie, en cas d'hypoglycémie, le glycogène est dégradé en G6P, lequel est hydrolysé en glucose et libéré dans la circulation sanguine pour relever le taux de glucose à sa valeur normale.

La dégradation du glycogène fait intervenir trois enzymes :

1. La **glycogène phosphorylase** (ou plus simplement la **phosphorylase**), qui catalyse la **phosphorolyse** du glycogène (rupture d'une liaison par substitution d'un groupement phosphate) pour donner du **glucose-1-phosphate (G1P).**

$$\text{Glycogène} + P_i \rightleftharpoons \text{glycogène} + \text{G1P}$$
$$(n \text{ résidus}) \qquad (n - 1 \text{ résidus})$$

Cette enzyme ne libèrera une unité glucose que si celle-ci se trouve éloignée au moins à cinq unités d'un point de branchement.

2. L'**enzyme débranchante**, qui enlève les ramifications du glycogène, permettant ainsi que l'action de la glycogène phosphorylase soit complète. Cette enzyme hydrolyse aussi les unités glucosyle liées en α(1 → 6) pour donner du glucose. Par conséquent, environ 92 % des résidus de glucose du glycogène sont transformés en G1P. Les 8 % restants, ceux qui sont aux points de branchement, sont transformés en glucose.

3. La **phosphoglucomutase**, qui assure la conversion du G1P en G6P, lequel, comme nous l'avons vu (Section 17-2A), se forme également dans la première réaction de la glycolyse sous l'action de l'hexokinase ou de la glucokinase. Le G6P peut être métabolisé via la glycolyse (comme dans le muscle) ou être hydrolysé en glucose (comme dans le foie).

Dans cette section, nous étudierons la structure et les mécanismes réactionnels de ces trois enzymes.

A. *La glycogène phosphorylase*

La glycogène phosphorylase est un dimère de sous-unités identiques de 842 résidus (97 kD) qui catalyse la réaction contrôlant la glycogénolyse. L'enzyme est régulée à la fois par interactions allostériques et par modifications covalentes. *Le processus enzymatique qui assure ces modifications conduit à deux formes de* *phosphorylase : **la phosphorylase a**, où un groupement phosphate estérifie la Ser 14 de chaque sous-unité, et la **phosphorylase b**, qui n'est pas phosphorylée. Les inhibiteurs allostériques de la phosphorylase, l'ATP, le G6P et le glucose, et son activateur allostérique, l'AMP (pour ne citer que les effecteurs importants), ont des effets différents selon que la phosphorylase est phosphorylée ou déphosphorylée, d'où un mécanisme de régulation extrêmement sensible que nous étudierons dans la Section 18-3C.*

a. Domaines structuraux et sites de liaison

Les structures par rayons X à haute résolution de la phosphorylase *a* et de la phosphorylase *b* ont été déterminées respectivement par Robert Fletterick et Louise Johnson. La struc-

ture de la phosphorylase *b*, malgré l'absence de phosphate lié à Ser 14, est très proche de celle de la phosphorylase *a* (Fig. 18-2). Les deux structures présentent deux domaines, un domaine N-terminal (résidus 1-484 ; un des domaines les plus grands connus), et un domaine C-terminal (résidus 485-842). Le domaine N-terminal comprend un sous-domaine d'interface (résidus 1-315), qui inclut le site de modification covalente (Ser 14), le site pour les effecteurs allostériques, et toutes les zones de contact entre sous-unités du dimère ; et un sous-domaine de liaison du glycogène (résidus 316-484) qui contient le « site d'attente du glycogène » (cf. ci-dessous). Le site catalytique est situé au centre de la sous-unité où ces deux sous-domaines convergent avec le domaine C-terminal. Nous étudierons, dans la Section 18-3, le comportement allostérique de la glycogène

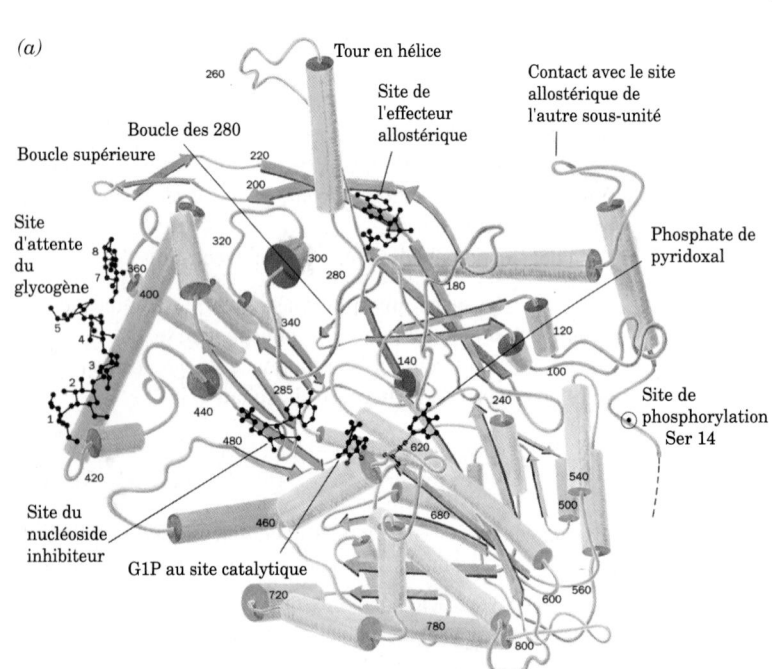

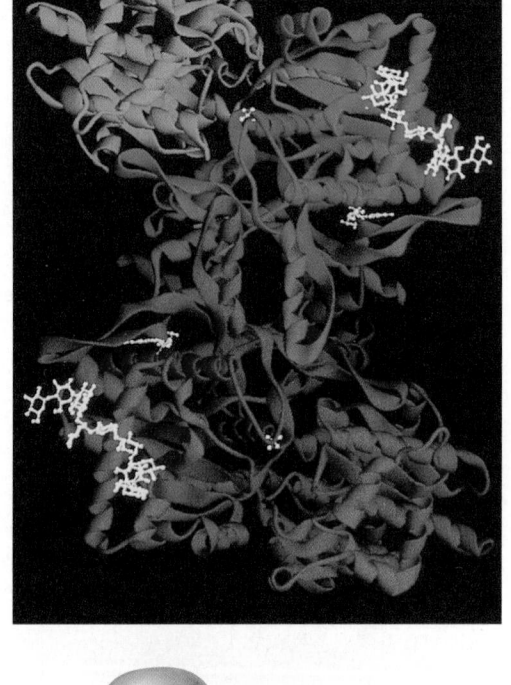

FIGURE 18-2 Structure par rayons X de la glycogène phosphorylase de muscle de lapin. (*a*) Représentation en ruban d'une sous-unité de la phosphorylase *b*. Elle est formée de deux domaines, un domaine N-terminal, divisé en deux sous-domaines : un sous-domaine d'interface (résidus 1-315) et un sous-domaine de liaison au glycogène (résidus 316-484), et un domaine C-terminal (résidus 485-842). L'AMP est lié à la fois au site effecteur allostérique et au site du nucléoside inhibiteur. Le G1P est lié au site catalytique. Le phosphate de pyridoxal, en partie caché, est lié à la Lys 678 dans le domaine C-terminal. Le **maltoheptaose**, un heptamère de glucose à liaisons α(1 → 4), est lié au site d'attente du glycogène. Les résidus 1-11, qui n'apparaissent pas sur la carte de densité électronique, sont représentés en pointillés. Ser 14 est le site de phosphorylation enzymatique. [D'après McLaughlin, P.J., Stuart, D.I., Klein, H.W., Oikonomakos, N.G., and Johnson, L.N., *Biochemistry* **23**, 5865 (1984).] (*b*) Représentation en ruban du dimère de la glycogène phosphorylase *a* vu le long de son axe de symétrie moléculaire d'ordre deux (cette vue correspond à celle de la Partie *a* moyennant une rotation d'environ 45° autour de l'axe vertical ; les différences structurales entre les deux formes de l'enzyme sont relativement faibles). La sous-unité inférieure est colorée en orange, alors que les domaines N- et C-terminaux de la sous-unité supérieure sont colorés respectivement en bleu et en vert. Les différents ligands liés sont en blanc : le groupement phosphate au centre de chaque sous-unité indique les sites catalytiques de l'enzyme (les groupements phosphate

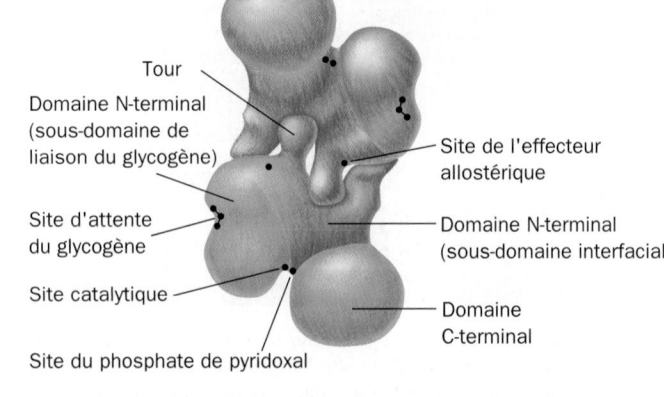

liés à Ser 14 des deux sous-unités sont cachés dans cette représentation), les deux chaînes de maltoheptaose sont liées à chaque site d'attente du glycogène, et les AMP à l'arrière de la protéine indiquent les sites de l'effecteur allostérique. [Avec la permission de Stephen Sprang, University of Texas Southwest Medical Center.] (*c*) Un dessin d'interprétation à « faible résolution » de la Partie *b* montrant les différents sites de liaison des ligands de l'enzyme.

phosphorylase et les différences de conformation entre les phosphorylases *a* et *b*.

Le glycogène forme une hélice de pas à gauche avec 6,5 résidus glucose par tour comme dans l'α-amylose (Fig. 11-17*b*). Une crevasse de 30 Å de long environ à la surface du monomère de la phosphorylase ayant un rayon de courbure identique à celui du glycogène réunit le site d'attente du glycogène, qui lie le glycogène, au site actif, qui le phosphorolyse. *Cette crevasse pouvant accueillir entre quatre et cinq résidus glucose en disposition linéaire mais étant trop étroite pour admettre des oligosaccharides ramifiés, il est facile de comprendre pourquoi la phosphorylase ne peut hydrolyser des résidus glucose situés à moins de cinq unités d'un point de branchement.* Il est probable que le site d'attente du glycogène augmente l'efficacité catalytique de la phosphorylase en lui permettant de phosphorolyser de nombreux résidus glucose de la même particule de glycogène sans qu'elle ait à se dissocier et se réassocier complètement entre les cycles catalytiques.

b. Le phosphate de pyridoxal est un cofacteur indispensable de la phosphorylase

La phosphorylase contient du **pyridoxal-5-phosphate** (**PLP**)

Phosphate de pyridoxal (PLP)

PLP lié par covalence à la phosphorylase par une base de Schiff avec Lys 679

indispensable à son activité. Ce dérivé de la vitamine B_6 est lié par covalence à la phosphorylase par l'intermédiaire d'une base de Schiff avec Lys 679. Le PLP est lié de façon semblable à de nombreuses enzymes impliquées dans le métabolisme des acides aminés, par exemple dans les réactions de transamination (Section 26-1A). Le mécanisme de participation du PLP dans la réaction de la phosphorylase doit différer de celui de ces enzymes car, par exemple, la réduction de la base de Schiff par $NaBH_4$

($-HC=N- \rightarrow -H_2C-NH-$) est sans effet sur l'activité de la phosphorylase, alors qu'elle inactive les enzymes à PLP du métabolisme des acides aminés ; exemple curieux de l'opportunisme de la nature qui utilise un même cofacteur pour accomplir des réactions différentes.

Des études approfondies sur la phosphorylase en présence d'analogues du PLP dans lesquels différentes parties de la molécule sont enlevées ou modifiées, ont montré que seul son groupement phosphate participe au processus catalytique. Effectivement, les structures par rayons X de la phosphorylase montrent que seul le groupement phosphate du PLP est proche du site actif de l'enzyme. Il est probable que ce groupement phosphoryle fonctionne comme un catalyseur acido-basique.

c. Cinétique et mécanisme réactionnel

La réaction catalysée par la phosphorylase aboutit à la rupture de la liaison C1—O1 d'une unité glucosyle de glycogène située à l'extrémité non réductrice, ce qui donne du G1P. La configuration est conservée lors de la réaction, ce qui implique que la phosphorolyse fait intervenir un double déplacement (deux substitutions nucléophiles séquentielles, chacune provoquant une inversion de configuration ; Fig. 16-6*c*) avec formation d'un intermédiaire covalent glucosyl-enzyme. Cependant, la cinétique de la réaction est de type Bi Bi aléatoire en équilibre rapide (Section 14-5), alors qu'on s'attendrait à une cinétique Ping-Pong compte tenu du mécanisme de double déplacement. De plus il n'a pas été possible de mettre en évidence l'intermédiaire covalent présumé.

Un autre mécanisme (Fig. 18-3), compatible avec les données cinétiques, chimiques et structurales disponibles, débute par la formation d'un complexe ternaire enzyme · P_i · glycogène, suivie de la formation d'un ion oxonium intermédiaire « abrité » identique à celui formé lors de la réaction du lysozyme (qui provoque également la rupture d'une liaison d'un polysaccharide ; Section 15-2B). *La rupture de la liaison, avec pour conséquence la formation de l'ion oxonium, est facilitée par la protonation de l'oxygène glycosidique par le substrat P_i (catalyse acide).* L'absence, dans la phosphorylase, de groupements nucléophile ou carboxylate protéiques à proximité de la liaison glycosidique scissile rendrait impossible la formation d'un intermédiaire covalent comme pour le lysozyme. Cependant, la présence du groupement phosphoryle du PLP à une distance compatible avec l'établissement d'une liaison hydrogène avec le P_i, indique que la rupture de la liaison serait facilitée par la protonation simultanée du P_i substrat par le groupement phosphoryle du PLP avec relais de proton. L'ion oxonium résultant (Fig. 18-3) est stabilisé par formation d'une paire ionique avec le P_i anionique (catalyse électrostatique), qui disparaît ensuite pour permettre la formation du produit, le G1P, dans une réaction facilitée par la capture d'un proton du P_i par le groupement phosphoryle du PLP (catalyse basique).

Ce mécanisme avec formation de l'ion oxonium est confirmé par le fait que la **1,5-gluconolactone**

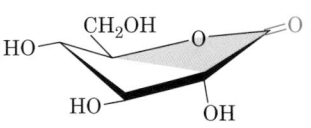

1,5-Gluconolactone

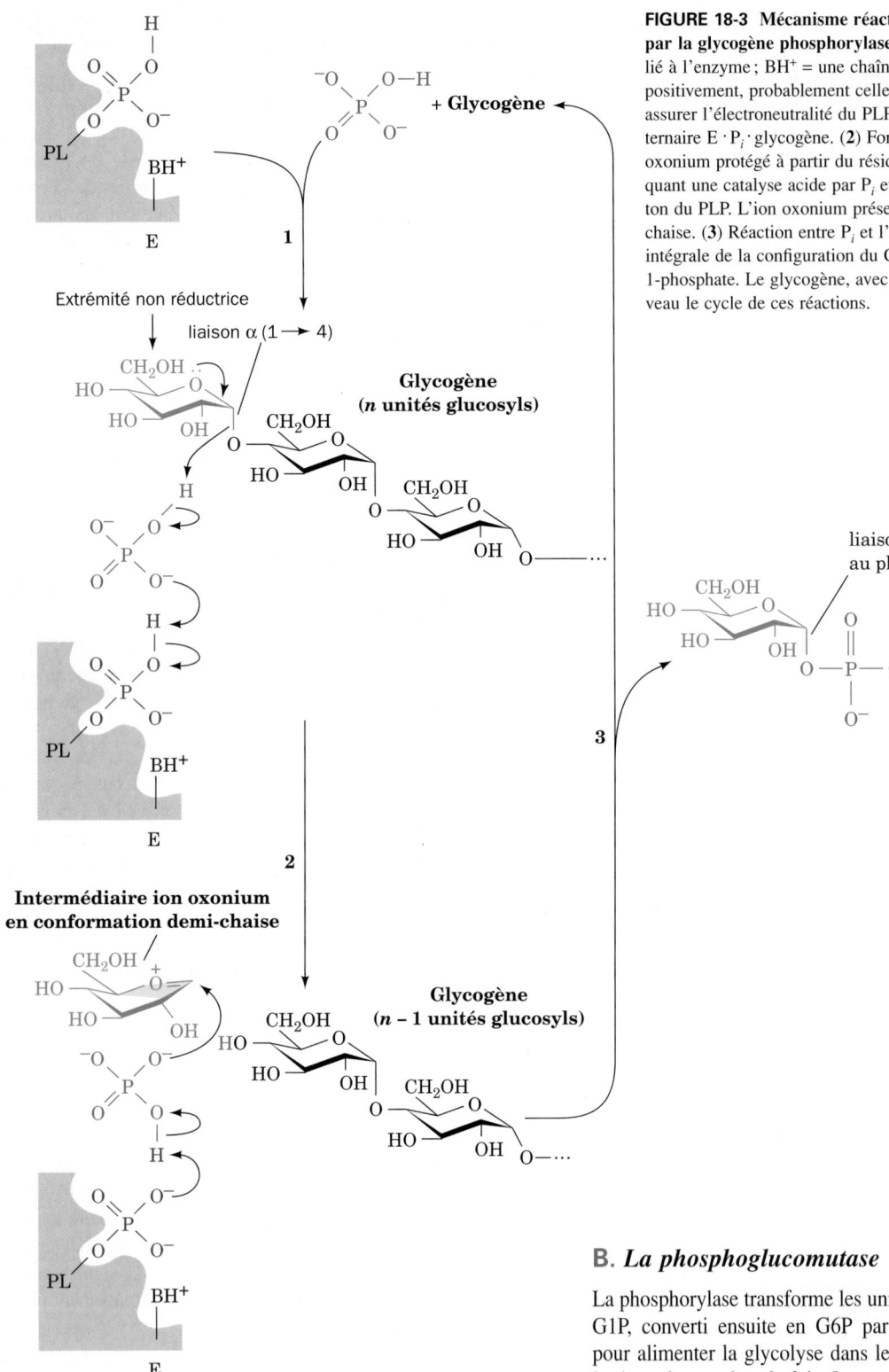

Extrémité non réductrice

liaison α (1 ⟶ 4)

Glycogène
(*n* unités glucosyls)

**Intermédiaire ion oxonium
en conformation demi-chaise**

Glycogène
(*n* – 1 unités glucosyls)

+ **Glycogène**

liaison α
au phosphate

FIGURE 18-3 Mécanisme réactionnel de la réaction catalysée par la glycogène phosphorylase. Ici PL = groupement pyridoxal lié à l'enzyme ; BH^+ = une chaîne latérale d'acide aminé chargée positivement, probablement celle de Lys 568, nécessaire pour assurer l'électroneutralité du PLP. (**1**) Formation d'un complexe ternaire $E \cdot P_i \cdot$ glycogène. (**2**) Formation d'un intermédiaire ion oxonium protégé à partir du résidu glucosyle α–terminal impliquant une catalyse acide par P_i et facilitée par le transfert de proton du PLP. L'ion oxonium présente la conformation en demi-chaise. (**3**) Réaction entre P_i et l'ion oxonium avec conservation intégrale de la configuration du C1 pour donner de l'α-D-glucose-1-phosphate. Le glycogène, avec un résidu en moins, subit à nouveau le cycle de ces réactions.

B. *La phosphoglucomutase*

La phosphorylase transforme les unités glucosyle du glycogène en G1P, converti ensuite en G6P par la phosphoglucomutase, soit pour alimenter la glycolyse dans le muscle, soit pour être hydrolysé en glucose dans le foie. La structure par rayons X de la phosphoglucomutase de muscle de lapin montre que le site actif de cette enzyme monomérique de 561 résidus est en grande partie enfoui au fond d'une crevasse particulièrement profonde de l'enzyme. La réaction de la phosphoglucomutase est en tous points comparable à celle catalysée par la phosphoglycérate mutase (Section 17-2H). Un groupement phosphoryle est transféré de la phosphoenzyme active au G1P, formant ainsi le **glucose-1,6-bisphosphate** (**G1,6P**), qui rephosphoryle ensuite l'enzyme pour donner

est un inhibiteur puissant de la phosphorylase. La 1,5-gluconolactone a la même conformation en demi-chaise que l'ion oxonium proposé, ce qui suggère qu'elle serait un analogue de l'état de transition qui prendrait la place de l'ion oxonium dans le site actif de l'enzyme (Section 15-1F).

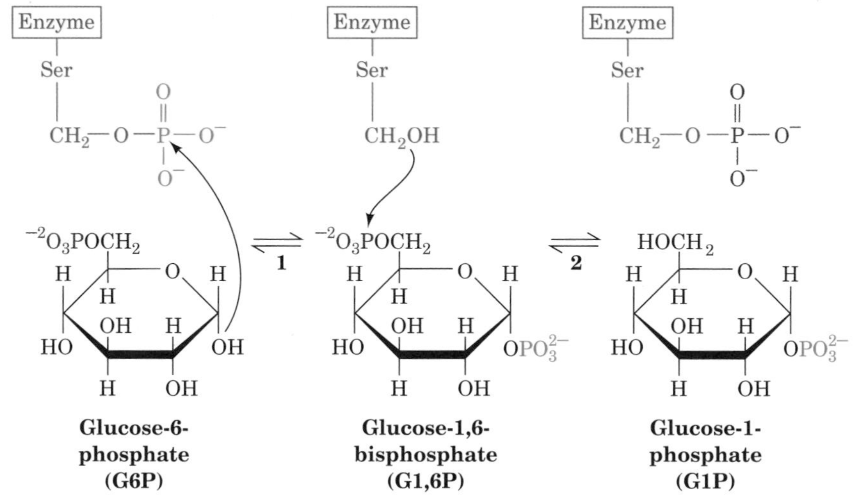

FIGURE 18-4 Mécanisme d'action de la phosphoglucomutase. (**1**) Le groupement OH du C1 du G6P attaque la phosphoenzyme pour former un intermédiaire déphosphoenzyme-G1,6P. (**2**) Le groupement Ser—OH de la déphosphoenzyme attaque le groupement phosphoryle du C6 pour régénérer la phosphoenzyme et former le G1P.

le G6P (Fig. 18-4). Une différence importante entre cette enzyme et la phosphoglycérate mutase vient de ce que le groupement phosphoryle de la phosphoglucomutase est lié par covalence à un groupement hydroxyle d'une Ser et non à l'azote d'un imidazole d'une His.

Il arrive que le G1,6P se dissocie de la phosphoglucomutase, ce qui entraîne l'inactivation de l'enzyme. La présence de faibles quantités de G1,6P est donc nécessaire pour maintenir l'enzyme active à 100 %. Ce produit est fourni par la **phosphoglucokinase,** qui catalyse la phosphorylation du groupement C6—OH du G1P par l'ATP.

C. *L'enzyme débranchante*

L'enzyme de débranchement du glycogène, ou enzyme débranchante, agit comme une $\alpha(1 \rightarrow 4)$ transglycosylase (ou glycosyl transférase) en transférant une unité trisaccharidique à liaisons $\alpha(1 \rightarrow 4)$ d'une « branche limite » de glycogène à l'extrémité non réductrice d'une autre branche (Fig. 18-5). Il s'ensuit la création d'une nouvelle liaison $\alpha(1 \rightarrow 4)$ avec trois unités supplémentaires disponibles pour la phosphorolyse catalysée par la phosphorylase. La liaison $\alpha(1 \rightarrow 6)$ qui unit le résidu glucosyle restant à la

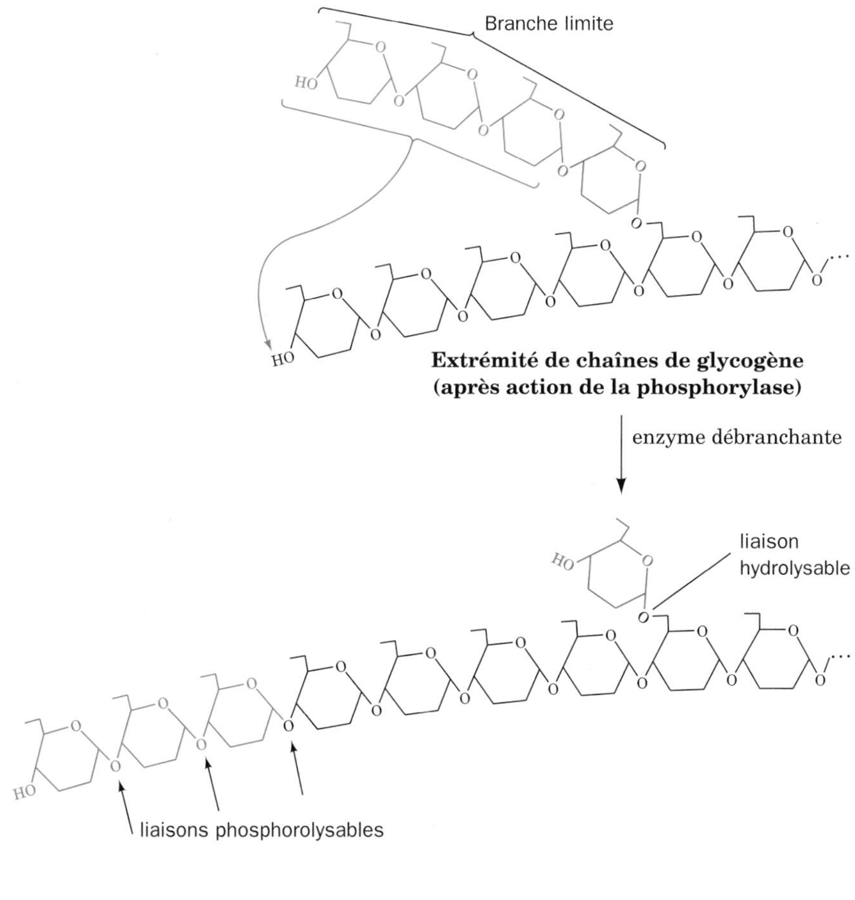

FIGURE 18-5 Réaction catalysée par l'enzyme débranchante. L'enzyme transfère trois résidus glucose liés par des liaisons $\alpha(1 \rightarrow 4)$ depuis une « branche limite » du glycogène sur l'extrémité non réductrice d'une autre branche. La liaison $\alpha(1 \rightarrow 6)$ du résidu subsistant au point de branchement est hydrolysée par l'enzyme débranchante pour donner du glucose libre. La nouvelle branche allongée va être dégradée par la glycogène phosphorylase.

branche centrale est hydrolysée (et non phosphorolysée) par la même enzyme débranchante pour donner du glucose et du glycogène sans branchement. Donc, l'enzyme débranchante a des sites actifs différents, pour la réaction de la transférase et pour la réaction de l'$\alpha(1 \rightarrow 6)$ glucosidase. Le fait que les deux activités catalytiques sont portées par la même enzyme augmente sans aucun doute l'efficacité du processus de débranchement.

La vitesse maximum de la réaction de la glycogène phosphorylase est très supérieure à celle de la réaction de l'enzyme débranchante. Par conséquent, les branches les plus périphériques du glycogène, qui représentent environ la moitié de ses résidus, sont dégradées en quelques secondes dans le muscle en cas de besoins métaboliques intenses. La dégradation plus avant du glycogène implique l'intervention de l'enzyme débranchante et se fait donc plus lentement. Cela explique en partie qu'un muscle ne peut soutenir un effort maximum que pendant quelques secondes.

D. *Thermodynamique du métabolisme du glycogène : nécessité de voies de synthèse et de dégradation séparées*

Le $\Delta G^{o'}$ (ΔG dans les conditions biochimiques standard) de la réaction de la phosphorylase est de $+ 3,1$ kJ $\cdot$ mol^{-1}, ce qui signifie (cf. Eq. [3.15]) que cette réaction est à l'équilibre ($\Delta G = 0$) à 25 °C quand [P$_i$]/[G1P] = 3,5. Cependant, dans la cellule, ce rapport de concentration varie entre 30 et 100, d'où une valeur de ΔG comprise entre -5 et -8 kJ $\cdot$ mol^{-1} ; autrement dit, *dans des conditions physiologiques, la dégradation du glycogène est exergonique*. La synthèse de glycogène à partir de G1P dans des conditions physiologiques est donc thermodynamiquement défavorable sans un apport d'énergie libre. Par conséquent, *la glycogénèse et la glycogénolyse doivent se faire par des voies séparées. Nous rencontrons ainsi une stratégie métabolique classique : les voies de biosynthèse et de dégradation sont presque toujours différentes (Section 16-1).* Cela pour deux raisons essentielles. Premièrement, comme déjà vu, il se peut que les deux voies doivent fonctionner avec des concentrations en métabolites *in vivo* identiques. Cette situation est thermodynamiquement impossible si une des voies n'est que l'autre voie en sens inverse. Deuxième raison, aussi importante, les réactions catalysées par des enzymes différentes peuvent être régulées indépendamment, ce qui permet un ajustement très précis du flux métabolique. Nous avons déjà vu un exemple de ce genre dans la glycolyse : la formation de fructose-1,6-bisphosphate (F1,6P) à partir de fructose-6-phosphate (F6P) est catalysée par la phosphofructokinase (PFK ; Section 17-4B), tandis que le processus inverse (hydrolyse du F1,6P) est assuré par la fructose bisphosphatase (FBPase). Un contrôle indépendant de ces deux enzymes permet une régulation précise du flux glycolytique.

Le métabolisme du glycogène, comme la glycolyse, est parfaitement régulé par le contrôle indépendant des voies de synthèse et de dégradation. Dans la section suivante, nous étudions le mécanisme de la glycogenèse puis, dans la Section 18-3, celui du contrôle du métabolisme du glycogène.

2 ■ SYNTHÈSE DU GLYCOGÈNE

Bien que les arguments thermodynamiques développés dans la Section 18-1D démontrent que la synthèse et la dégradation du glycogène doivent se faire par des voies séparées, ce ne sont pas ces arguments qui ont conduit à accepter cette idée. C'est plutôt l'élucidation de la cause de la **maladie de McArdle**, maladie héréditaire rare qui affecte la mise en réserve de glycogène et provoque des crampes musculaires douloureuses après un effort intense (Section 18-4). Le tissu musculaire des personnes atteintes de cette maladie n'a pas d'activité glycogène phosphorylase et ne peut donc pas dégrader le glycogène. Toutefois, leurs muscles contiennent des quantités relativement importantes de glycogène normal. Il semble donc évident que les voies de synthèse et de dégradation du glycogène sont différentes.

La conversion directe de G1P en glycogène et P$_i$ étant thermodynamiquement défavorable ($\Delta G > 0$) quelles que soient les concentrations physiologiques en P$_i$, la glycogénèse nécessite une étape exergonique supplémentaire. Comme l'a montré Luis Leloir en 1957, celle-ci résulte de la réaction entre le G1P et l'uridine triphosphate (UTP) pour former de l'**uridine diphosphate glucose** (**UDP-glucose** ou **UDPG**) :

Uridine diphosphate glucose (UDPG)

Le caractère « riche » en énergie de l'UDPG lui permet de fournir « spontanément » des unités glucosyle à la chaîne de glycogène croissante.

Les enzymes catalysant les trois réactions de la glycogenèse sont l'**UDP-glucose pyrophosphorylase,** la **glycogène synthase,** et l'**enzyme branchante.** Dans cette section, nous étudions les réactions catalysées par ces trois enzymes. Le mécanisme du contrôle de ces enzymes fera l'objet de la Section 18-3.

A. *L'UDP-glucose pyrophosphorylase*

L'UDP-glucose pyrophosphorylase catalyse la réaction entre le G1P et l'UTP (Fig. 18-6). Dans cette réaction, l'oxygène du groupement phosphoryle du G1P attaque le phosphore en α de l'UTP pour donner de l'UDPG et du PP$_i$. Le $\Delta G^{o'}$ de cet échange de pyrophosphate est, comme prévu, proche de zéro. Cependant, le PP$_i$ formé est hydrolysé dans une réaction très exergonique catalysée par la pyrophosphatase inorganique omniprésente. La réaction globale de la formation de l'UDPG est donc très exergonique :

	$\Delta G^{o'}$ (kJ $\cdot$ mol^{-1})
G1P + UTP $\rightleftharpoons$ UDPG + PP$_i$	~0
H$_2$O + PP$_i$ $\rightleftharpoons$ 2P$_i$	$-33,5$
Overall: G1P + UTP $\rightleftharpoons$ UDPG + 2P$_i$	$-33,5$

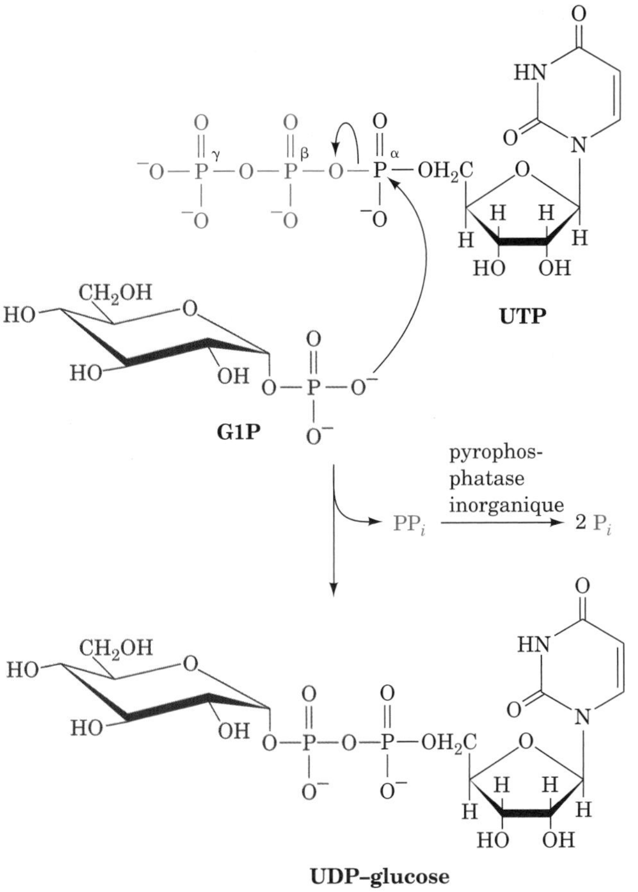

FIGURE 18-6 Réaction catalysée par l'UDP-glucose pyrophosphory-lase. Il s'agit d'un échange de pyrophosphate où un oxygène du groupement phosphoryle du G1P attaque l'atome de phosphore en α de l'UTP pour former de l'UDPG et du PP_i qui sera rapidement hydrolysé par la pyrophosphatase inorganique.

L'hydrolyse d'un nucléoside triphosphate avec formation de PP_i est une stratégie courante dans les réactions de biosynthèse. L'énergie libre libérée lors de l'hydrolyse du PP_i est utilisée en même temps que celle issue de l'hydrolyse du nucléoside triphosphate ce qui permet à une réaction qui serait endergonique de se faire complètement (Section 16-4C).

B. *La glycogène synthase*

Dans l'étape suivante de la glycogenèse, catalysée par la glycogène synthase, l'unité glucosyle de l'UDPG est transférée au groupement C4—OH d'une des extrémités non réductrices du glycogène pour établir une liaison glycosidique α(1 → 4) (Fig. 18-7). La réaction de la glycogène synthase, comme celles de la glycogène phosphorylase et du lysozyme, ferait intervenir un état de transition (ou un intermédiaire) ion oxonium glucosyle car la réaction est également inhibée par la 1,5-gluconolactone, un analogue dont la conformation simule la géométrie en demi-chaise de l'ion oxonium.

Le $\Delta G°'$ de la réaction catalysée par la glycogène synthase est de $-13,4 \text{ kJ} \cdot \text{mol}^{-1}$, rendant la réaction globale spontanée dans les mêmes conditions que celles qui permettent à la réaction de dégradation du glycogène par la phosphorylase d'être également spontanée. Les vitesses des deux réactions peuvent donc être contrôlées indépendamment, moyennant cependant un coût énergétique. En effet, *pour chaque molécule de G1P incorporée dans le glycogène puis régénérée, une molécule d'UTP est hydrolysée en UDP et P_i. La synthèse et la dégradation cyclique du glycogène n'est donc pas une « machine » à mouvement perpétuel mais plutôt un « moteur » actionné par l'hydrolyse de l'UTP.* La régénération de l'UTP est assurée par une réaction de transfert de groupement phosphate catalysée par la **nucléoside diphosphate kinase** (Section 28-1B):

$$UDP + ATP \rightleftharpoons UTP + ADP$$

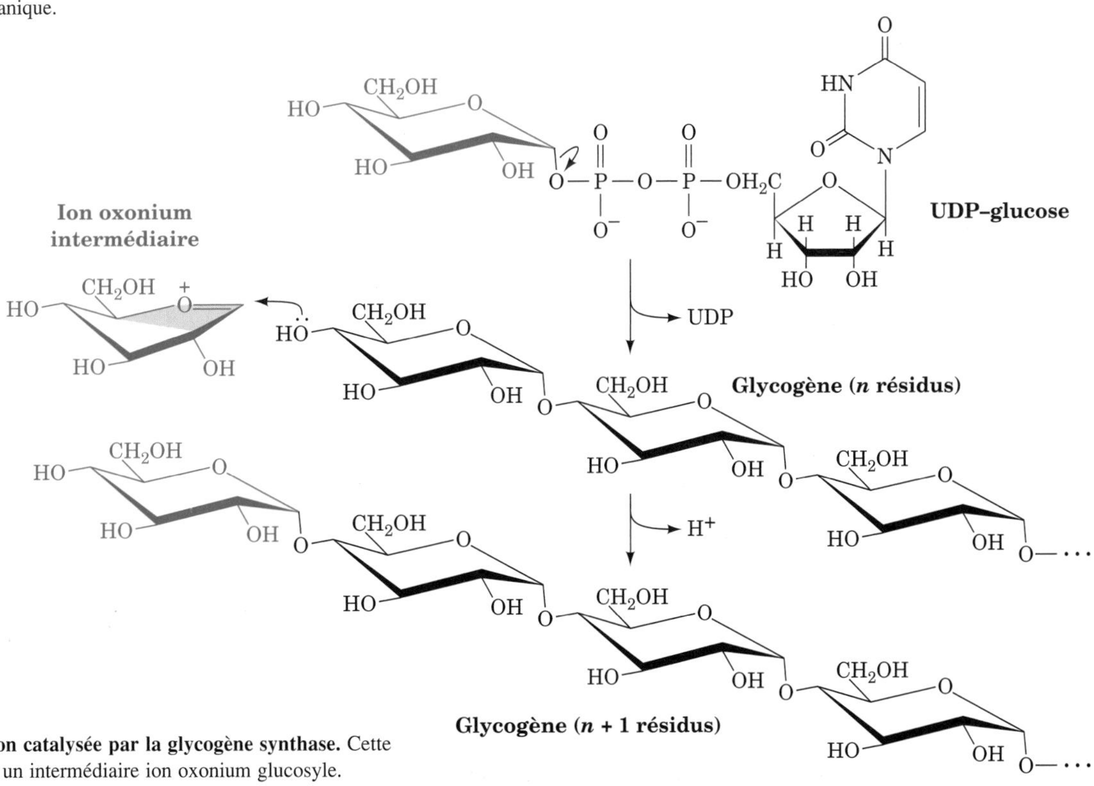

FIGURE 18-7 Réaction catalysée par la glycogène synthase. Cette réaction fait intervenir un intermédiaire ion oxonium glucosyle.

ce qui fait que l'hydrolyse de l'UTP est équivalente, énergétiquement parlant, à l'hydrolyse de l'ATP. Cette réaction implique un mécanisme Ping-Pong dans lequel un résidu His du site actif est phosphorylé transitoirement sur sa position N_δ comme dans la réaction de la phosphoglycérate mutase lors de la glycolyse (Section 17-2H).

La glycogène synthase ne peut catalyser la formation d'une liaison entre deux résidus glucose ; elle ne peut qu'allonger une chaîne de glucane à liaisons $\alpha(1 \rightarrow 4)$ déjà existante. Comment est donc initiée la synthèse de glycogène ? De fait, la première étape de la glycogenèse est la liaison auto-catalysée d'un résidu glucose au groupement OH de Tyr 194 d'une protéine appelée **glycogénine**. La glycogénine, découverte par William Whelan, ajoute ensuite à la chaîne de glucane jusqu'à sept résidus glucose supplémentaires fournis sous forme d'UDPG, formant ainsi une « amorce » d'initiation de la glycogenèse. Ce n'est qu'à ce stade qu'intervient la glycogène synthase, qui va allonger progressivement l'« amorce » tout en étant fortement complexée à la glycogénine. Cependant, ces deux protéines se dissocient lorsque le granule en formation atteint une taille minimum. L'analyse de granules de glycogène a montré que la glycogène synthase et la glycogénine se trouvaient dans un rapport de 1 : 1. Cela implique que chaque molécule de glycogène n'est associée qu'à une molécule de glycogène synthase et une molécule de glycogénine.

C. *L'enzyme branchante*

La glycogène synthase ne catalyse que la formation de liaisons $\alpha(1 \rightarrow 4)$, ce qui donne de l'α-amylose. La structure branchée du glycogène est obtenue par une autre enzyme, l'**amylo-(1,4 1,6)-transglycosylase** (**enzyme branchante**), qui est différente de l'enzyme débranchante. Les branches sont formées par le transfert de segments de chaîne terminaux contenant environ 7 résidus glucosyle sur les groupements C6—OH de résidus glucose de la même chaîne ou d'une autre chaîne de glycogène (Fig. 18-8). Chaque segment transféré doit provenir d'une chaîne d'au moins 11 résidus, et le nouveau point de branchement doit se trouver à plus de quatre résidus d'autres points de branchement.

Le débranchement (Section 18-1C) implique la rupture et la reconstitution de liaisons glycosidiques $\alpha(1 \rightarrow 4)$ et l'hydrolyse de liaisons glycosidiques $\alpha(1 \rightarrow 6)$; le branchement, de son côté, implique la rupture de liaisons $\alpha(1 \rightarrow 4)$ et la formation de liaisons $\alpha(1 \rightarrow 6)$. Le besoin d'hydrolyser des liaisons glycosidiques $\alpha(1 \rightarrow 6)$ plutôt que les convertir en liaisons $\alpha(1 \rightarrow 4)$, s'explique par la thermodynamique du système. La variation d'énergie libre de l'hydrolyse d'une liaison glycosidique $\alpha(1 \rightarrow 4)$ est égale à $-15,5$ kJ $\cdot$ mol^{-1}, tandis que celle d'une liaison glycosidique $\alpha(1 \rightarrow 6)$ n'est que de $-7,1$ kJ $\cdot$ mol^{-1}. Par conséquent, l'hydrolyse d'une liaison $\alpha(1 \rightarrow 4)$ entraîne la synthèse d'une liaison glycosidique $\alpha(1 \rightarrow 6)$, alors que la réaction inverse est endergonique.

a. Les particules de glycogène facilitent la mobilisation du glucose

Le rôle biologique du glycogène est de stocker la plus grande densité possible d'unités glucose tout en permettant leur mobilisation rapide en cas de besoin métabolique. À cette fin, trois paramètres doivent être optimisés : le nombre d'étages de bran-

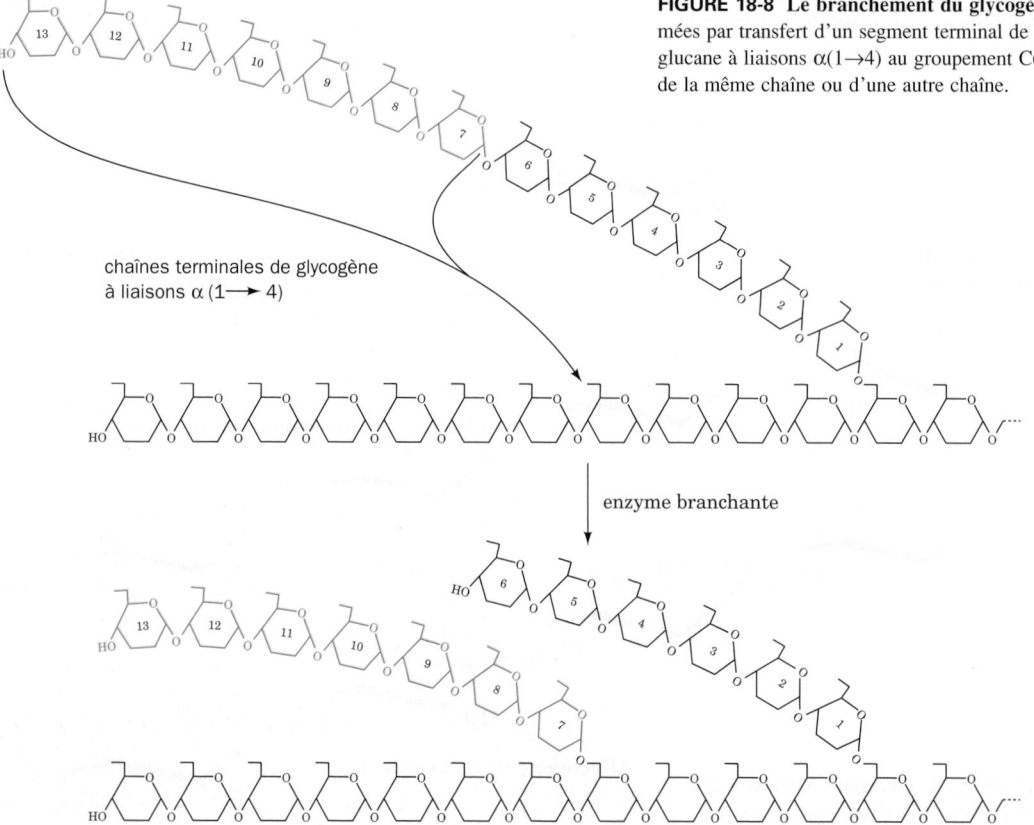

FIGURE 18-8 Le branchement du glycogène. Les branches sont formées par transfert d'un segment terminal de sept résidus d'une chaîne de glucane à liaisons $\alpha(1 \rightarrow 4)$ au groupement C6—OH d'un résidu glucose de la même chaîne ou d'une autre chaîne.

chaînes terminales de glycogène à liaisons $\alpha(1 \longrightarrow 4)$

enzyme branchante

chement de la molécule de glycogène, le nombre de branches par étage, et la longueur moyenne de chaîne par branche. Pour une molécule de glycogène avec un nombre donné de résidus, le nombre de branches extérieures desquelles le glucose peut être libéré avant débranchement, diminue lorsque la longueur moyenne de la chaîne augmente (se rappeler que le débranchement est plus lent que la phosphorolyse). Cependant, les molécules à chaîne plus longue possèdent un plus grand nombre de résidus glucose pouvant être libérés par phosphorolyse entre les points de branchement. Puisque la densité des branches les plus extérieures est limitée pour des raisons stériques, la taille maximum d'une molécule de glycogène diminue lorsque le nombre moyen de branches par étage augmente. Les particules matures de glycogène de nombre d'animaux ont ~12 étages de branches, ~2 branches par étage, et ~13 résidus par branche. Des considérations mathématiques suggèrent que ces valeurs sont quasi optimales pour mobiliser la plus grande quantité de glucose en un minimum de temps.

3 ■ CONTRÔLE DU MÉTABOLISME DU GLYCOGÈNE

Nous venons juste de constater que la glycogenèse et la glycogénolyse sont toutes deux exergoniques dans les mêmes conditions physiologiques. Cependant, si les deux voies fonctionnaient simultanément, il s'ensuivrait une hydrolyse d'UTP en pure perte. On retouve donc une situation analogue à celle déja vue avec le cycle des substrats de la phosphofructokinase et de la fructose bisphosphatase (Section 17-4F). La glycogène synthase et la glycogène phosphorylase doivent donc être contrôlées rigoureusement afin que le glycogène soit synthétisé ou dégradé selon les besoins cellulaires. C'est donc ce mécanisme de contrôle assez surprenant que nous allons étudier ici. Il implique non seulement des contrôles allostériques et des cycles de substrat mais aussi des modifications

covalentes enzymatiques aussi bien de la glycogène synthase que de la glycogène phosphorylase. Les réactions de modifications covalentes sont elles-mêmes sous contrôle hormonal par le biais d'une cascade enzymatique.

A. Contrôle allostérique direct de la glycogène phosphorylase et de la glycogène synthase

Nous avons vu dans la Section 17-4B que le flux net de substrats, J, d'une réaction d'une voie métabolique est égal à la différence des vitesses des réactions en sens direct et en sens inverse, v_f et v_r. La variation du flux de n'importe quelle réaction suite à une variation de la concentration de substrat(s) est maximum quand la réaction est proche de l'équilibre ($v_f \approx v_r$; Eq. [17.4]). Il s'ensuit que le flux d'une réaction proche de l'équilibre ne peut être contrôlé. Cependant, comme nous l'avons vu dans le cas de la PFK et de la FBPase, *le contrôle précis du flux d'une voie métabolique est possible quand, à une enzyme de la voie fonctionnant loin de l'équilibre, est opposée l'enzyme de la réaction inverse contrôlée séparément. Dans ce cas, v_f et v_r varient indépendamment l'une de l'autre. De fait, dans ces conditions, même le sens du flux est contrôlé si v_r peut être supérieure à v_f.* On retrouve exactement cette situation dans le métabolisme du glycogène où s'opposent les réactions catalysées par la glycogène phosphorylase et la glycogène synthase. Les vitesses de ces deux réactions sont contrôlées par différents effecteurs allostériques dont l'ATP, le G6P et l'AMP. Dans le muscle, la glycogène phosphorylase est stimulée par l'AMP et inhibée par l'ATP et le G6P (Fig. 18-9, *à gauche*). De son côté, la glycogène synthase est stimulée par le G6P. Si la demande en ATP est importante ([ATP] et [G6P] faibles, [AMP] élevée), la glycogène phosphorylase est stimulée et la glycogène synthase inhibée, d'où stimulation de la glycogénolyse. Quand [ATP] et [G6P] sont élevées, l'inverse se produit et la glycogenèse est favorisée.

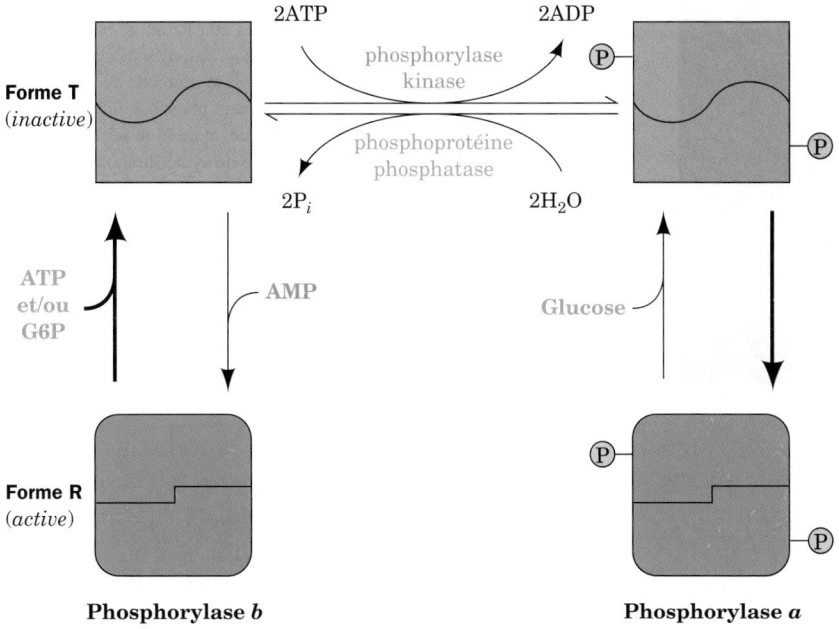

Forme T
(*inactive*)

2ATP   2ADP

phosphorylase kinase

phosphoprotéine phosphatase

2P$_i$ 2H$_2$O

ATP et/ou G6P   AMP

Forme R
(*active*)

Glucose

Phosphorylase *b*   **Phosphorylase *a***

FIGURE 18-9 Contrôle de l'activité de la glycogène phosphorylase. L'enzyme peut prendre la conformation T enzymatiquement inactive (*en haut*) ou la forme R catalytiquement active (*en bas*). La conformation de la phosphorylase *b* est sous le contrôle d'effecteurs allostériques comme l'AMP, l'ATP et le G6P et se trouve essentiellement dans l'état T dans les conditions physiologiques. Par contre, la forme modifiée de l'enzyme, la phosphorylase *a*, est pratiquement insensible à ces effecteurs et se trouve essentiellement dans l'état R à moins que la [glucose] ne soit élevée. Dans les conditions physiologiques habituelles, l'activité enzymatique de la glycogène phosphorylase dépend principalement des vitesses de sa phosphorylation et de sa déphosphorylation. Noter que seule la forme T de l'enzyme peut être phosphorylée et déphosphorylée, si bien que la liaison d'effecteur(s) affecte les vitesses de ces réactions de modification.

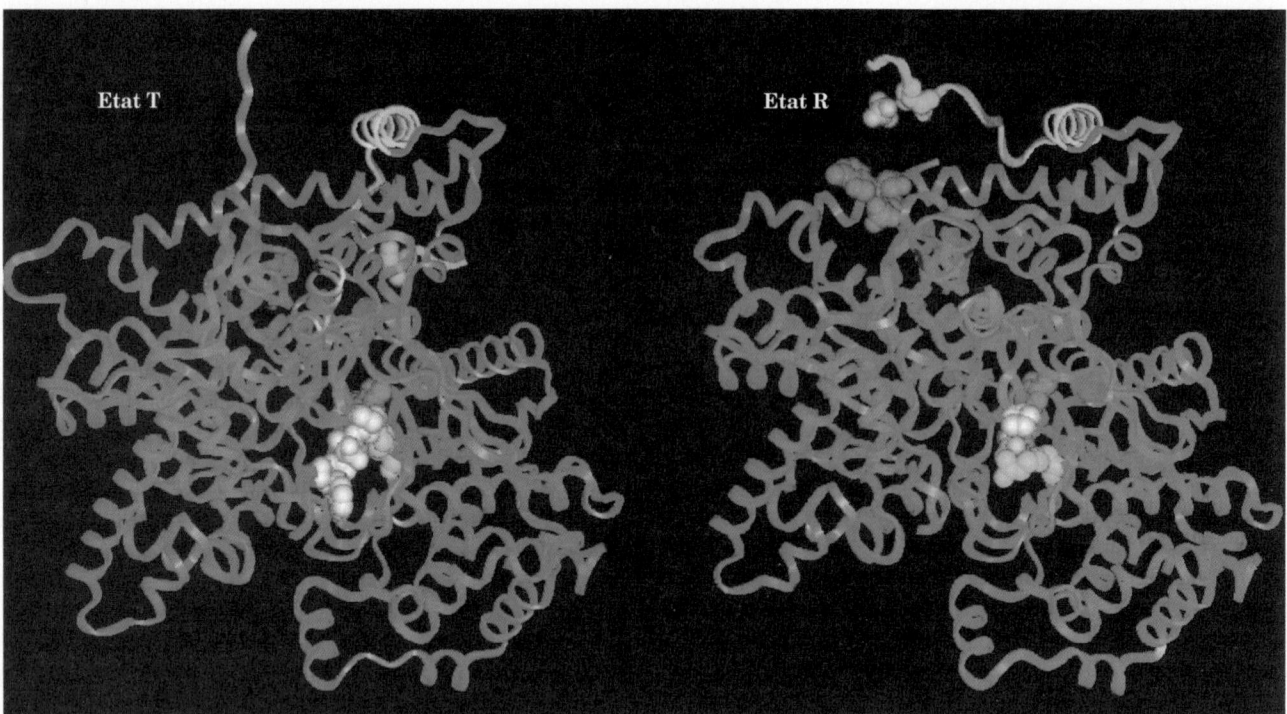

(a)

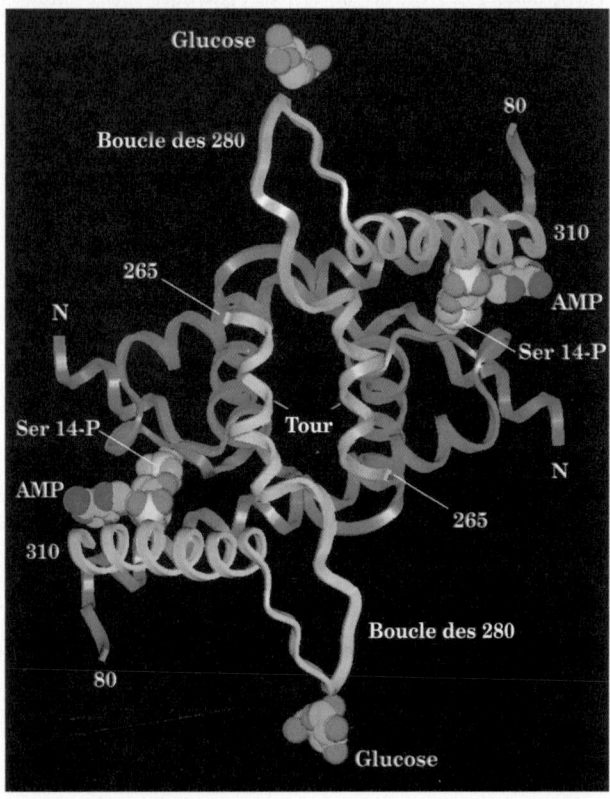

(b)

FIGURE 18-10 Modifications conformationnelles de la glycogène phosphorylase. (*a*) Représentation en ruban d'une sous-unité de la glycogène phosphorylase *b* dimérique montrée (*à gauche*) dans l'état T en l'absence d'effecteurs allostériques et (*à droite*) dans l'état R avec de l'AMP lié. La représentation correspond à la sous-unité inférieure (*orange*) de la Fig. 18-2*b* « observée » du haut de la page. La tour en hélice est en bleu, l'hélice N-terminale en bleu-vert, et les résidus N-terminaux qui changent de conformation après fixation de l'AMP en vert. Parmi les groupements représentés en modèle compact, Ser 14, le site de phosphorylation, est vert pâle ; l'AMP est orange ; le PLP du site actif est rouge ; la chaîne latérale de Arg 569, qui se réoriente lors de la transition T → R afin d'interagir avec le phosphate substrat, est bleu-vert ; les résidus 282 à 284 de la « boucle des 280 », plutôt désorganisés et donc invisibles dans l'état R, sont blancs ; et les phosphates, celui du site actif et celui du site de phosphorylation Ser 14 dans l'état R (qui n'est montré ici que pour indiquer sa position dans la phosphorylase *a*) sont jaunes. (*b*) Région du dimère de la glycogène phosphorylase *a* proche de l'interface du dimère montrant les positions du groupement phosphate lié à Ser 14, de l'AMP lié au site de l'effecteur allostérique, et de la molécule de glucose liée au site actif. Vue le long de son axe de symétrie moléculaire d'ordre deux et donc semblable à celle de la Fig. 18-2*b*. Les résidus 6 à 80 et 265 à 310 sont respectivement bleu-vert et bleu pour une sous-unité, et rose et magenta pour l'autre sous-unité. L'AMP et le glucose sont représentés en modèle compact avec C en vert, N en bleu foncé, O en rouge, et P en jaune. Le groupement phosphate de Ser 14 est également représenté en modèle compact avec O en orange et P en blanc. [Avec la permission de Stephen Sprang, University of Texas Southwestern Medical Center, pour les coordonnées de la structure par rayons X.]

Les différences structurales entre les conformations active (R) et inactive (T) de la glycogène phosphorylase (Fig. 18-10*a*) sont maintenant bien comprises dans le cadre du modèle symétrique de l'allostérie (Section 10-4B). Le site actif de

l'enzyme à l'état T est enfoui, d'où une faible affinité pour ses substrats, alors que l'enzyme à l'état R a un site catalytique accessible et un site de liaison à forte affinité pour le phosphate.

L'AMP induit le changement conformationnel de la phosphorylase T (*inactif*) → R (*actif*) en se liant au site allostérique de l'enzyme à l'état R (Fig. 18-9, *à gauche*). Ce faisant, les groupements adénine, ribose et phosphate de l'AMP se lient à des segments distincts de la chaîne polypeptidique, réunissant ainsi le site actif, l'interface entre les sous-unités et la région N-terminale (Fig. 18-10*b*), celle-ci ayant subi un déplacement conformationnel important (36 Å pour Ser 14) par rapport à sa position dans l'enzyme à l'état T (Fig. 18-10*a*). La liaison de l'AMP provoque également l'inclinaison et la séparation des tours en hélice de la glycogène phosphorylase (Fig. 18-2 et 18-10), ce qui permet un compactage plus favorable. Ces déplacements de structure tertiaire provoquent une transition concertée T → R, qui se traduit essentiellement par une rotation relative de l'ordre de 10° des deux sous-unités autour d'un axe à l'interface des sous-unités perpendiculaire à l'axe de symétrie d'ordre deux du dimère. La symétrie d'ordre deux de l'enzyme est ainsi conservée, en accord avec le modèle symétrique de l'allostérie. Le mouvement des tours en hélice déplace et perturbe une boucle (la boucle des 280, résidus 282-286), qui recouvre le site actif à l'état T empêchant ainsi l'accès du substrat. Il oblige également la chaîne latérale de Arg 569, située dans le site actif à proximité du groupement phosphoryle du PLP et du site de liaison du P_i, à se déplacer, ce qui augmente l'affinité de liaison de l'enzyme pour son substrat anionique P_i (Fig. 18-10*a*).

Curieusement, l'ATP se lie aussi au site allostérique, mais à l'état T, d'où une inhibition plutôt qu'une stimulation du changement conformationnel T → R. L'analyse structurale a montré que les groupements phosphate β et γ de l'ATP se lient à l'enzyme afin de déplacer ses groupements ribose et phosphate α par rapport à ceux de l'AMP, ce qui déstabilise l'état R. On comprend donc l'effet inhibiteur de l'ATP sur la phosphorylase : il est en compétition avec l'AMP pour se lier à la phosphorylase, empêchant ainsi les déplacements relatifs des trois segments polypeptidiques indispensables à l'activation de la phosphorylase.

À ces interactions allostériques s'ajoutent un système de contrôle encore plus sophistiqué où interviennent des modifications covalentes (phosphorylation/déphosphorylation) de la glycogène phosphorylase et de la glycogène synthase. Ces modifications altèrent la structure de ces enzymes, d'où des réponses différentes aux régulateurs allostériques. Nous allons donc étudier le concept général des modifications covalentes et voir comment elles augmentent la sensibilité d'une voie métabolique à des variations de concentration en effecteur. Nous verrons ensuite les conséquences de ces modifications sur le métabolisme du glycogène. Nous pourrons alors étudier en détail le contrôle allostérique du métabolisme du glycogène.

B. *Modifications covalentes des enzymes par cascades cycliques : amplification du « signal » effecteur*

La glycogène synthase et la glycogène phosphorylase peuvent chacune se trouver sous deux formes ayant des propriétés cinétiques et allostériques différentes, suite à une série complexe de réactions appelée **cascade cyclique**. *L'interconversion entre ces différentes formes d'enzyme fait intervenir des* **modifications covalentes enzymatiques** *distinctes et (indirectement) réversibles.*

Comparés à d'autres enzymes régulatrices, les systèmes d'enzymes enzymatiquement interconvertibles :

1. Peuvent répondre à un plus grand nombre de stimuli allostériques.

2. Présentent une plus grande souplesse dans leurs systèmes de contrôle.

3. Ont un potentiel amplificateur considérable en réponse aux variations des concentrations en effecteur.

Ceci s'explique parce que *les enzymes impliquées dans les modifications covalentes (indirectement) réversibles des enzymes cibles sont elles-mêmes sous contrôle allostérique. Ainsi, une faible variation dans la concentration d'un effecteur allostérique d'une enzyme qui catalyse une modification pourra se traduire par une variation importante de concentration en enzyme cible active modifiée.* La Fig. 18-11 représente une cascade cyclique de ce type.

a. Description d'une cascade cyclique typique

La Fig. 18-11*a* donne un schéma général d'une cascade cyclique où, par convention, la forme de l'enzyme cible la plus active est symbolisée par l'indice *a* et la forme la moins active par l'indice *b*. Dans cet exemple, la modification, en l'occurence la phosphorylation, active l'enzyme. Noter que les enzymes modificatrices, F et R, ne sont actives que lorsqu'elles sont liées à leurs

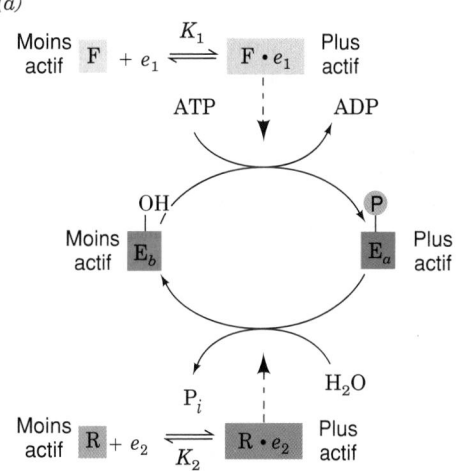

(a)

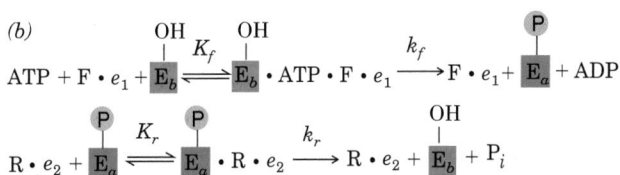

(b)

FIGURE 18-11 Une cascade enzymatique monocyclique. (*a*) Schéma général où F et R sont respectivement les enzymes qui phosphorylent et déphosphorylent l'enzyme cible E. Elles passent de leur conformation inactive à leur conformation active après liaison à leurs effecteurs allostériques respectifs, e_1 et e_2. L'enzyme cible E est plus active sous la forme phosphorylée (E_a) que sous la forme déphosphorylée (E_b). Les flèches en pointillés symbolisent la catalyse des réactions indiquées. (*b*) Equations chimiques de l'interconversion des formes phosphorylée (E_a) et déphosphorylée (E_b) de l'enzyme cible.

effecteurs allostériques respectifs e_1 et e_2. Les mécanismes cinétiques qui permettent les interconversions entre formes non modifiée et modifiée de l'enzyme cible, E_b et E_a sont donnés dans la Fig. 18-11b.

A l'état stationnaire, la fraction de E sous forme active, $[E_a]/[E]_T$ (où $[E]_T = [E_a] + [E_b]$ est la concentration totale d'enzyme) détermine la vitesse de la réaction catalysée par E. Cette fraction dépend des concentrations totales des enzymes modificatrices, $[F]_T$ et $[R]_T$, des concentrations de leurs effecteurs allostériques, e_1 et e_2, des constantes de dissociation de ces effecteurs, K_1 et K_2, des constantes de dissociation du substrat, K_f et K_r, des enzymes cibles, ainsi que des constantes de vitesse, k_f et k_r, pour les interconversions elles-mêmes (Fig. 18-11). L'ensemble de ces relations est, sans aucun doute, très complexe. Néanmoins, on peut montrer que, dans une cascade cyclique, une faible variation de la concentration de e_1, l'effecteur allostérique de l'enzyme modificatrice F, peut provoquer une variation beaucoup plus importante de $[E_a]/[E]_T$, la fraction de E sous forme active. Autrement dit, *le rôle de la cascade est d'amplifier la réponse du système à un effecteur allostérique.*

Jusqu'à maintenant, nous n'avons envisagé la modification covalente que d'une seule enzyme, une **cascade monocyclique.** Imaginons une **cascade bicyclique** où la modification covalente affecterait l'une des enzymes modificatrices (F), et en plus, l'enzyme cible (E) (Fig. 18-12). Comme on peut s'y attendre, le potentiel d'amplification d'un « signal, » e_1, ainsi que la souplesse du contrôle d'un tel système, sont considérables.

Les activités de la glycogène phosphorylase et de la glycogène synthase sont toutes les deux contrôlées par des cascades bicycliques. Examinons maintenant les interconversions enzymatiques impliquées dans ces cascades bicycliques. Nous nous intéresserons plus particulièrement aux modifications covalentes de la glycogène phosphorylase et de la glycogène synthase, aux conséquences structurales de ces modifications covalentes, et à l'influence de ces changements de structure sur les interactions de leurs effecteurs allostériques. Ensuite, nous considèrerons les cascades cycliques comme un tout, en étudiant les différentes enzymes modificatrices impliquées et leurs « derniers » effecteurs allostériques. Enfin, nous verrons comment les différentes cascades cycliques du métabolisme du glycogène fonctionnent dans différentes situations physiologiques.

C. *Cascade bicyclique de la glycogène phosphorylase*

En 1938, Carl et Gerti Cori découvrirent que la glycogène phosphorylase existe sous deux formes, la forme b qui a besoin d'AMP pour être active, et la forme a active sans AMP. Cependant, ce n'est qu'en 1959, grâce au développement des techniques de chimie des protéines, que Edwin Krebs et Edmund Fischer montrèrent que les phosphorylases a et b correspondent respectivement à des formes de la protéine dont la Ser 14 est respectivement phosphorylée ou déphosphorylée enzymatiquement.

a. La glycogène phosphorylase : l'enzyme cible de la cascade

L'activité de la glycogène phosphorylase est, comme nous l'avons vu, contrôlée allostériquement par l'AMP qui la stimule et l'ATP, le G6P et le glucose qui l'inhibent (Section 18-3A). À ce

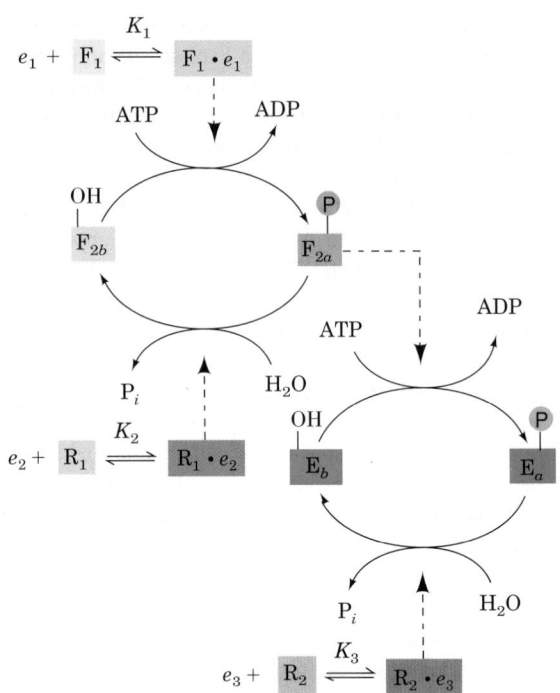

FIGURE 18-12 Une cascade enzymatique bicyclique. Voir la légende de la Fig. 18-11 pour la définition des symboles. Dans une cascade bicyclique, l'une des enzymes modificatrices (F_2) est également l'objet d'une modification covalente. Elle est actifve dans l'état modifié (F_{2a}) et inactive dans l'état non modifié (F_{2b}).

contrôle allostérique, s'ajoute un autre contrôle par interconversion enzymatique grâce à une cascade bicyclique sous la dépendance de trois enzymes (Fig. 18-12 et 18-13, *à gauche*) :

1. La **phosphorylase kinase,** qui phosphoryle spécifiquement la Ser 14 de la glycogène phosphorylase b (Fig. 18-12, enzyme F_2).

2. La **protéine kinase A (PKA** ou **protéine kinase AMPc-dépendante),** qui phosphoryle et, ce faisant, active la phosphorylase kinase (Fig. 18-12, enzyme F_1).

3. La **phosphoprotéine phosphatase-1,** qui déphosphoryle et ainsi inactive la glycogène phosphorylase a et la phosphorylase kinase (Fig. 18-12, enzymes R_1 et R_2).

Dans un système d'enzymes interconvertibles, la forme « modifiée » de l'enzyme porte le préfixe m et la forme « originale » (non modifiée) porte le préfixe o, tandis que les formes de l'enzyme plus active et moins active sont affublées respectivement des suffixes a et b. Dans cet exemple, l'o-phosphorylase b (non modifiée, moins active) est la forme sous contrôle allostérique de l'AMP, de l'ATP et du G6P (Fig. 18-9, *à gauche*). La phosphorylation qui donne la m-phosphorylase a (modifiée, plus active) ne fait qu'annuler l'influence de ces effecteurs allostériques. Selon le modèle symétrique de l'allostérie (Section 10-4B), *la phosphorylation de Ser 14 déplace l'équilibre de l'enzyme T (inactive) $\rightleftharpoons$ R (active) en faveur de l'état R (Fig. 18-9, à droite). En fait, le groupement*

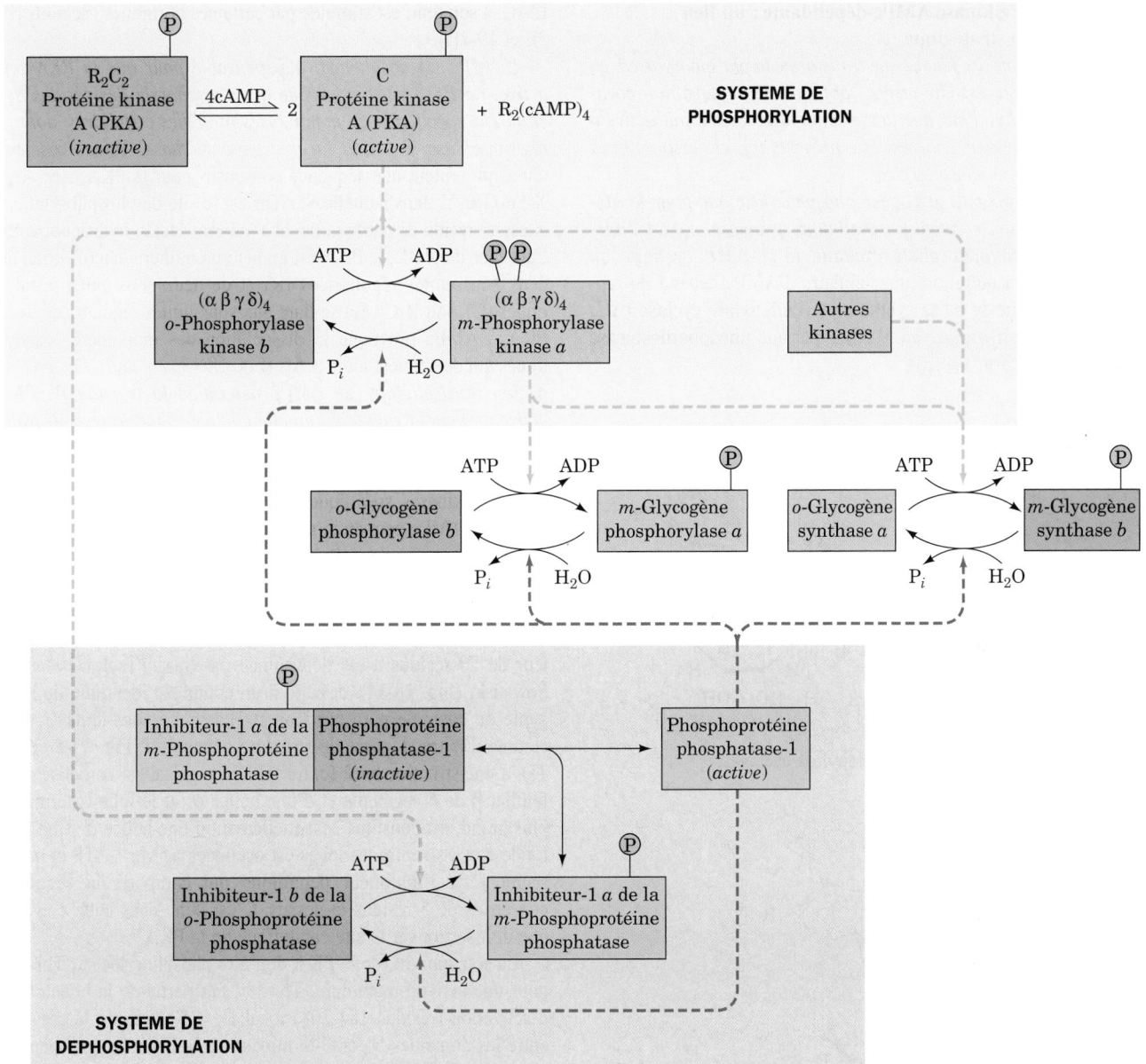

FIGURE 18-13 Représentation schématique des principaux systèmes de modification impliqués dans le contrôle du métabolisme du glycogène dans le muscle. Les systèmes de modification (phosphorylation) sont ombrés en jaune, les systèmes de démodification (déphosphorylation) sont ombrés en violet, et les enzymes/inhibiteurs actifs sont ombrés en vert et les enzymes/inhibiteurs inactifs sont ombrés en orange. Les flèches pointillées en jaune et en pourpre indiquent les catalyses des réactions de modification et de démodification. Noter que l'activité de la glycogène phosphorylase est contrôlée par une cascade bicyclique (*à gauche*) et que l'activité de la glycogène synthase est contrôlée à la fois par une cascade bicyclique et une cascade monocyclique (*à droite*). Par convention, la forme modifiée d'une enzyme porte le préfixe *m* et la forme non modifiée (originale) porte le préfixe *o*. Les formes plus active et moins active portent respectivement les suffixes *a* et *b*. Le contrôle par modification covalente de la phosphoprotéine phosphatase-1 est schématisé dans la Fig. 18-21.

phosphoryle de Ser 14 de la phosphorylase a se comporte comme un activateur allostérique : il forme deux paires d'ions avec les chaînes latérales de deux Arg de la sous-unité opposée, rassemblant ainsi les sous-unités de la même manière que l'AMP quand il se lie fortement à un site entre les sous-unités (Fig. 18-10*b*).

Dans la cellule au repos, les concentrations en ATP et en G6P sont suffisament élevées pour inhiber la phosphorylase *b*. Le *niveau d'activité phosphorylase dépend essentiellement de la fraction d'enzyme sous la forme phosphorylase a*. La fraction d'enzyme phosphorylée (E_a) à l'état stationnaire dépend des activités relatives de la phosphorylase kinase (F_2), de la protéine kinase A (F_1), et de la phosphoprotéine phosphatase-1 (R_1 et R_2). Cette interdépendance est particulièrement bien élaborée pour la glycogène phosphorylase. Voyons comment fonctionnent ces enzymes.

b. La protéine kinase AMPc-dépendante : un lien régulateur stratégique

La phosphorylase kinase, qui transforme la phosphorylase b en phosphorylase a, est elle-même l'objet d'une modification covalente (Fig. 18-13). Pour que la phosphorylase kinase soit active à 100 %, des ions Ca^{2+} doivent être présents (cf. ci-dessous) et la protéine doit être phosphorylée.

Aussi bien pour la glycogène phosphorylase que pour la glycogène synthase, le signal intracellulaire primaire, e_1, est l'__adénosine-3',5'-monophosphate cyclique (3',5'-AMP cyclique__ ou __AMPc__). La concentration intracellulaire d'AMPc dépend du rapport entre la vitesse de sa synthèse par l'**adénylate cyclase (AC)** et celle de son hydrolyse en 5'-AMP par une **phosphodiestérase** spécifique (Section 19-2E) :

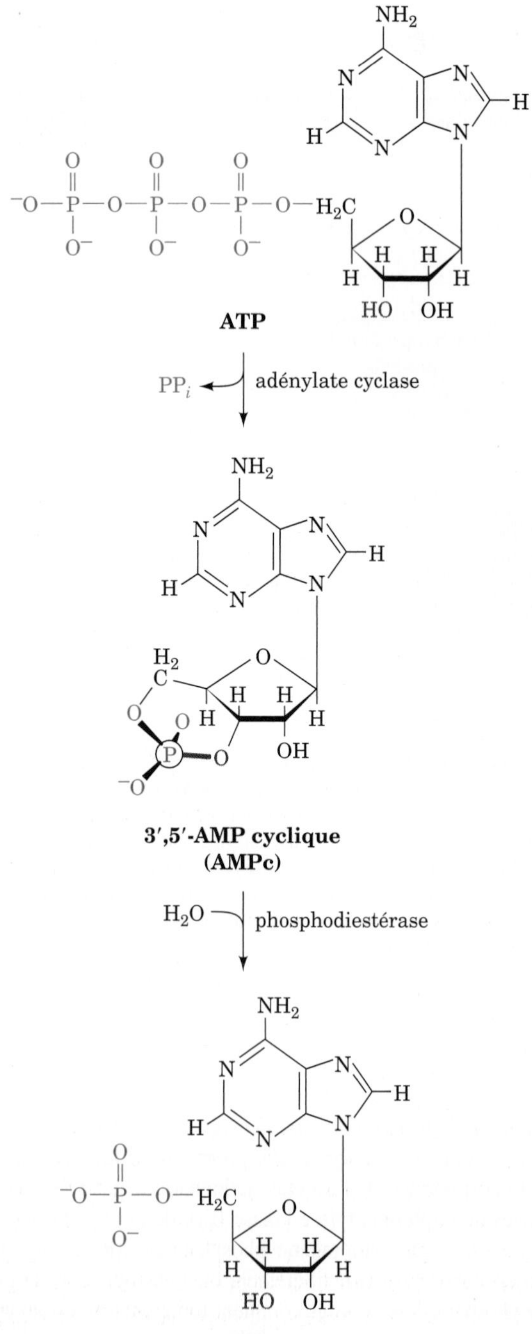

ATP

PP$_i$ ← adénylate cyclase

3',5'-AMP cyclique (AMPc)

H_2O → phosphodiestérase

AMP

L'AC, à son tour, est stimulée par certaines hormones (Section 18-3E et 19-2D).

L'AMPc est absolument indispensable pour que la PKA soit active. La PKA est une enzyme qui phosphoryle des résidus Ser et/ou Thr spécifiques de nombreuses protéines cellulaires, dont la phosphorylase kinase et la glycogène synthase. Toutes ces protéines présentent une séquence consensus pour la PKA, Arg-Arg-X-Ser/Thr-Y, dans laquelle Ser/Thr est le site de phosphorylation, X est un résidu de petite taille, et Y un gros résidu hydrophobe. En l'absence d'AMPc, la PKA est un hétérotétramère inactif formé de deux sous-unités régulatrices (R) et de deux sous-unités catalytiques (C), soit R_2C_2. En se liant aux sous-unités régulatrices de la PKA, l'AMPc provoque la dissociation des monomères catalytiques qui deviennent alors actifs (Fig. 18-13 ; *en haut*). *La concentration intracellulaire en AMPc détermine la fraction de PKA active et donc la vitesse à laquelle elle phosphoryle ses substrats.* En fait dans tous les exemples connus chez les eucaryotes, les effets physiologiques de l'AMPc s'exercent via la stimulation de protéines kinases spécifiques. (N.d.T : on sait cependant depuis peu que l'AMPc peut aussi agir en stimulant un facteur d'échange du GTP (voir Section 19-2C) appelé **Epac** (« Exchange protein activated by cAMP »).

La structure par rayons X de la sous-unité C de 350 résidus de la PKA de souris complexée au Mg^{2+}-ATP et à un peptide inhibiteur de 20 résidus a été déterminée par Susan Taylor et Janusz Sowadski (Fig. 18-14), et celle d'un complexe identique de l'enzyme de cœur de porc par Robert Huber. La sous-unité C, tout comme d'autres kinases de structure connue (cf. Fig. 17-5 et 17-15), a une structure bilobée. Le lobe N-terminal est composé d'un feuillet β de 5 segments et d'une hélice α, et le lobe C-terminal, plus grand, est constitué essentiellement d'une hélice α. Une profonde crevasse entre les lobes est occupée par Mg^{2+}-ATP et par le segment de l'inhibiteur peptidique qui comporte la séquence consensus de 5 résidus ci-dessus. C'est donc dans cette crevasse que doit se trouver le site catalytique de la PKA.

La sous-unité C de la PKA doit être phosphorylée sur Thr 197 pour une activité maximum. Thr 197 fait partie de la boucle dite d'activation (résidus 184-208) localisée à l'entrée de la crevasse entre les domaines N- et C-terminaux de la PKA. Le groupement phosphate de Thr 197 interagit avec Arg 165, résidu conservé voisin de Asp 166, la base catalytique qui active, en vue de sa phosphorylation, le groupement OH de Ser/Thr du substrat protéique. C'est ainsi que le groupement phosphate de Thr 197 de la PKA permet l'orientation des résidus du site actif.

Les protéines kinases sont impliquées dans la transmission des signaux qui permettent aux hormones, aux facteurs de croissance, aux neurotransmetteurs et à certaines toxines de modifier les fonctions de leurs cellules cibles (Chapitre 19) et de contrôler les voies métaboliques. Environ 30 % des protéines des cellules de mammifères sont phosphorylées et, de fait, le séquençage du génome humain prédit 581 protéines kinases, représentant environ 1,7 % des gènes. Le millier de protéines kinases qui ont été séquencées partagent toutes un cœur catalytique conservé correspondant aux résidus 40-280 de la sous-unité C de la PKA. Beaucoup de protéines kinases, en plus de phosphoryler des cibles protéiques, sont elles-mêmes des phosphoprotéines dont l'activité est contrôlée par phosphorylation, souvent sur leur boucle d'activation. Cependant, puisque la PKA est normalement phosphorylée sur Thr 197, il n'est pas clair que son activité soit régulée *in vivo* par phosphorylation/déphosphorylation.

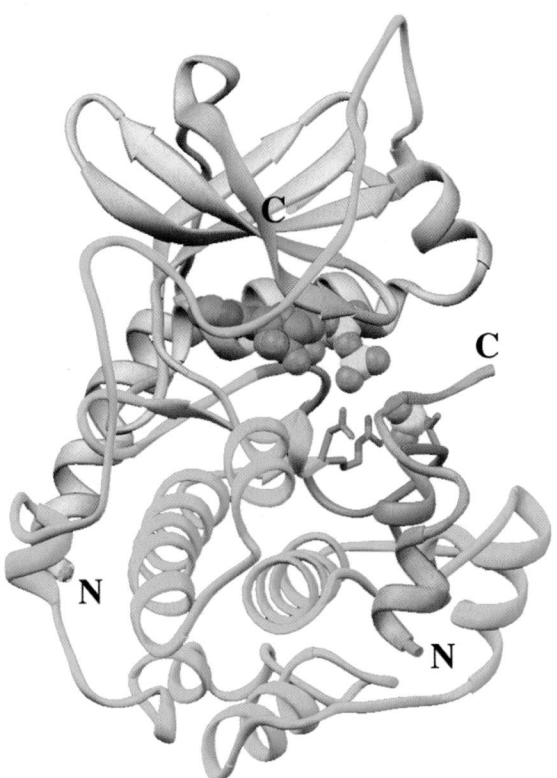

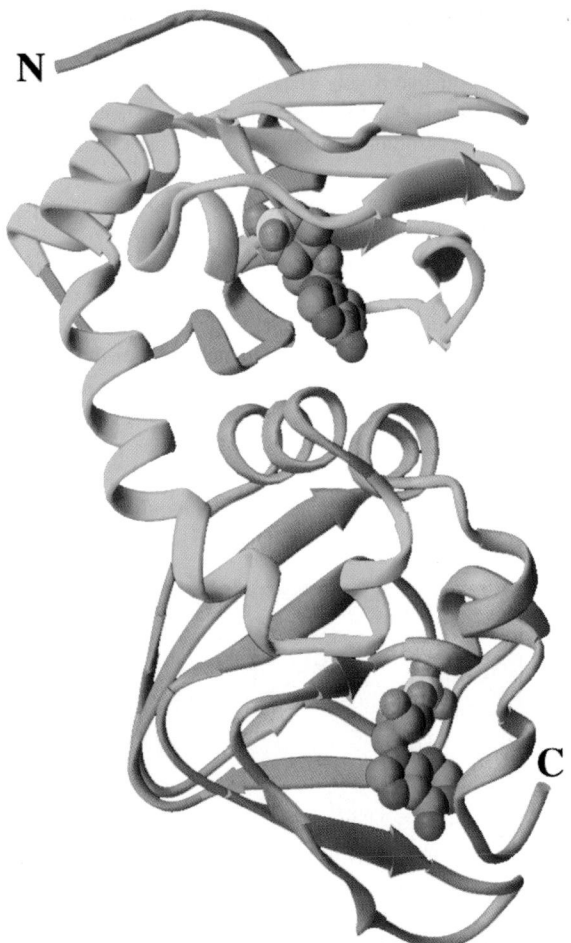

FIGURE 18-14 Structure par rayons X de la sous-unité catalytique (C) de la protéine kinase AMPc-dépendante (PKA) de souris. La protéine est complexée à l'ATP et à un segment peptidique de 20 résidus d'un inhibiteur naturel de la PKA. Le domaine N-terminal est en rose et le domaine C-terminal est en bleu-vert avec sa boucle d'activation en bleu clair. L'inhibiteur polypeptidique est en orange et sa séquence pseudo-cible, Arg-Arg-Asn-Ala-Ile, est en magenta, l'Ala remplaçant la Ser phosphorylable étant en gris (noter que la véritable séquence cible de l'enzyme est Arg-Arg-X-Ser/Thr-Y, où X est un résidu de petite taille, Y un résidu hydrophobe de grande taille, et Ser/Thr, qui est remplacée par Ala dans l'inhibiteur polypeptidique, est le résidu phosphorylé par l'enzyme). L'ATP et le groupement phosphoryle de phosphoThr 197 sont représentés en modèle compact et les chaînes latérales des résidus essentiels à la catalyse, Arg 165, Asp 166 et Thr 197, sont en bâtonnets avec C en vert, N en bleu, O en rouge, et P en jaune. Noter que la séquence pseudo-cible de l'inhibiteur est très proche du groupement phosphate en γ de l'ATP, le groupement transféré par l'enzyme. [Sur base d'une structure par rayons X déterminée par Susan Taylor et Janusz Sowadski, University of California at San Diego. PDBid 1ATP.]

FIGURE 18-15 Structure par rayons X de la sous-unité régulatrice (R) de la protéine kinase A (PKA) bovine. La protéine a été amputée des ses 91 résidus N-terminaux (où l'on trouve le domaine de dimérisation) et est complexée à l'AMPc. La région N-terminale, qui comprend son segment auto-inhibiteur, est en magenta, le domaine A est en bleu-vert, et le domaine B en orange. Les molécules d'AMPc sont en modèle plein avec C en vert, N en bleu, O en rouge et P en jaune. [Sur base d'une structure par rayons X déterminée par Susan Taylor, University of California at San Diego. PDBid 1RGS.]

c. La sous-unité R de la PKA est un inhibiteur compétitif de sa sous-unité C

La sous-unité R de la PKA est constituée de domaines bien distincts, comme d'abord montré par protéolyse ménagée. Elle comprend, en allant des extrémités N- à C-terminales, un domaine de dimérisation, un segment auto-inhibiteur, et deux domaines homologues en tandem, A et B, pour la liaison de l'AMPc. Dans le complexe R₂C₂, le segment auto-inhibiteur, qui ressemble au substrat peptidique de la sous-unité C, se lie dans le site actif de celle-ci (comme le fait le peptide inhibiteur dans la Fig. 18-14) de sorte à bloquer la liaison du substrat. La sous-unité R est donc un inhibiteur compétitif des substrats protéiques de la PKA.

Chaque sous-unité R lie deux AMPc de façon coopérative. Quand le domaine B est dépourvu d'AMPc, il masque le domaine A, qui ne peut donc lier l'AMPc. Cependant, la liaison de l'AMPc au domaine B déclenche un changement de conformation qui permet au domaine A de lier l'AMPc, ce qui libère les sous-unités C du complexe.

Taylor a déterminé la structure par rayons X de la sous-unité R dépourvue de ses 91 résidus N-terminaux et en complexe avec deux AMPc (Fig. 18-15). Bien que cette protéine tronquée ne puisse dimériser, elle forme en absence d'AMPc un complexe inactif avec la sous-unité C et, moyennant la liaison de l'AMPc, elle libère des sous-unités C actives comme le fait le dimère R₂ intact. Comme prédit par des alignements de séquence, les domaines A et B se ressemblent au plan structural, ainsi qu'au régulateur transcriptionnel procaryote liant l'AMPc, appelé **protéine activatrice de gènes du catabolisme** (CAP; Section 31-3C). On suppose que de nombreuses interactions entre les domaines A et B assurent le changement conformationnel qui « ouvre » le domaine A pour sa liaison de l'AMPc après liaison de celui-ci au domaine B. Les 21 premiers résidus du segment auto-inhibiteur, lequel est très sensible à la protéolyse dans la sous-unité R isolée, sont désordonnés dans la structure par rayons X.

d. La phosphorylase kinase : coordination de l'activation de l'enzyme par [Ca²⁺]

*La phosphorylase kinase (**PhK**) est autant stimulée par des concentrations en Ca²⁺ aussi faibles que $10^{-7}M$ que lorsqu'elle est activée par modification covalente.* Cette enzyme de 1300 kD est formée de quatre sous-unités différentes qui constituent l'oligomère actif $(\alpha\beta\gamma\delta)_4$. La sous-unité γ isolée est active à 100 % (elle catalyse la transformation de la phosphorylase *b* en phosphorylase *a*), alors que les sous-unités α, β et δ sont des inhibiteurs de la réaction catalytique.

La sous-unité δ, qui est en fait de la **calmoduline (CaM)**, rend le complexe sensible aux ions Ca²⁺. Quand des ions Ca²⁺ se lient aux quatre sites de liaison au Ca²⁺ de la CaM, cette protéine régulatrice ubiquitaire d'eucaryote subit un changement conformationnel important (cf. ci-dessous) qui stimule la phosphorylase kinase. La glycogène phosphorylase est alors phosphorylée et la glycogénolyse s'accélère. La signification physiologique de cette activation par les ions Ca²⁺ est que l'influx nerveux déclenche la contraction musculaire par le biais d'une libération de Ca²⁺ provenant de réserves intracellulaires (Section 35-3C). *Cette augmentation transitoire de la concentration cytosolique en ions Ca²⁺ provoque à la fois la contraction musculaire et une augmentation de la glycogénolyse qui fournit le substrat de la glycolyse, laquelle, à son tour, permet la formation de l'ATP indispensable à la contraction musculaire.*

e. La calmoduline : un « commutateur » activé par les ions Ca²⁺

La calmoduline, protéine d'eucaryote ubiquitaire qui lie les ions Ca²⁺, participe à de nombreux processus de régulation cellulaire. Dans certains de ces processus, la CaM agit en tant que monomère ; dans d'autres, elle est une sous-unité de plus grosses protéines (p. ex. la PhK). La structure par rayons X de cette protéine très conservée de 148 résidus, déterminée par Charles Bugg, présente une forme curieuse en haltère où les deux domaines globulaires de la CaM sont reliés par une hélice α de sept tours (Fig. 18-16). La CaM a deux sites de liaison de haute affinité pour Ca²⁺ sur chacun de ses domaines globulaires, formés tous les deux par des motifs pratiquement superposables hélice-boucle-hélice appelés **mains EF** (Fig. 18-17) et trouvés également dans d'autres protéines à Ca²⁺ de structure connue. L'ion Ca²⁺ dans chacun de ces sites forme un complexe de coordinence octaédrique avec des

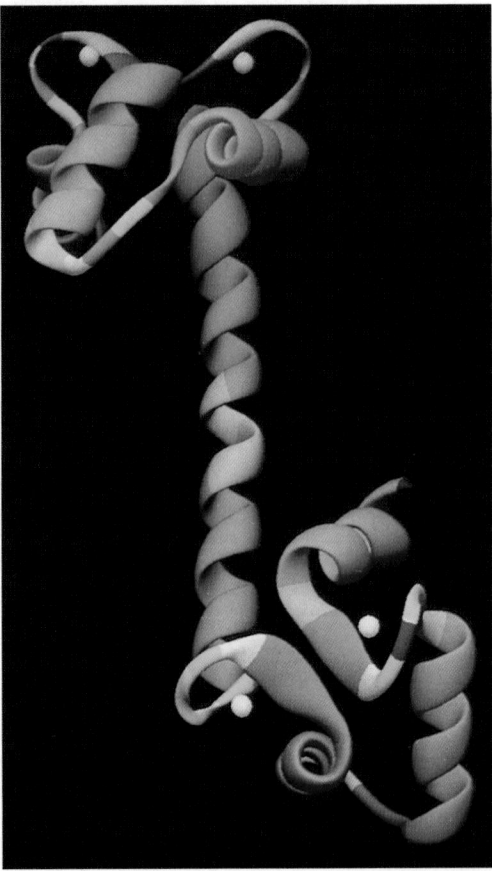

FIGURE 18-16 Structure par rayons X de la calmoduline de testicule de rat. Cette protéine monomérique de 148 résidus présente deux domaines globulaires remarquablement similaires séparés par une hélice α à sept tours. Les résidus sont colorés selon la valeur des angles de conformation du squelette (φ et ψ ; Fig. 8-7) : bleu-vert, angles compatibles pour hélice α ; vert, angles compatibles pour feuillet β ; jaune, angles intermédiaires entre hélice et feuillet ; et violet, angles compatibles pour hélice de pas à gauche. Les résidus Gly sont en blanc et l'extrémité N-terminale est en bleu. Les deux sites de liaison des ions Ca²⁺ dans chaque domaine sont représentés par des sphères blanches. [Avec la permission de Mike Carson, University of Alabama at Birmingham. La structure par rayons X a été déterminée par Charles Bugg, University of Alabama at Birmingham. PDBid 3CLN.]

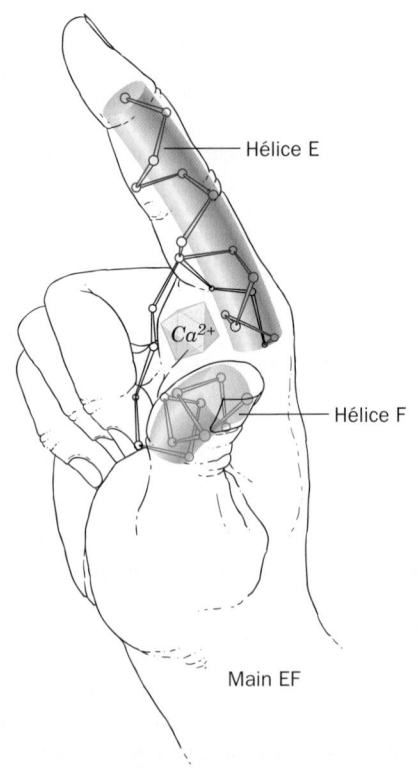

FIGURE 18-17 Main EF. Les sites de liaison des ions Ca²⁺ de nombreuses protéines sensibles à ces ions sont formés par des motifs hélice-boucle-hélice appelés mains EF. [D'après Kretsinger, R.H., *Annu. Rev. Biochem.* **45**, 24 (1976).]

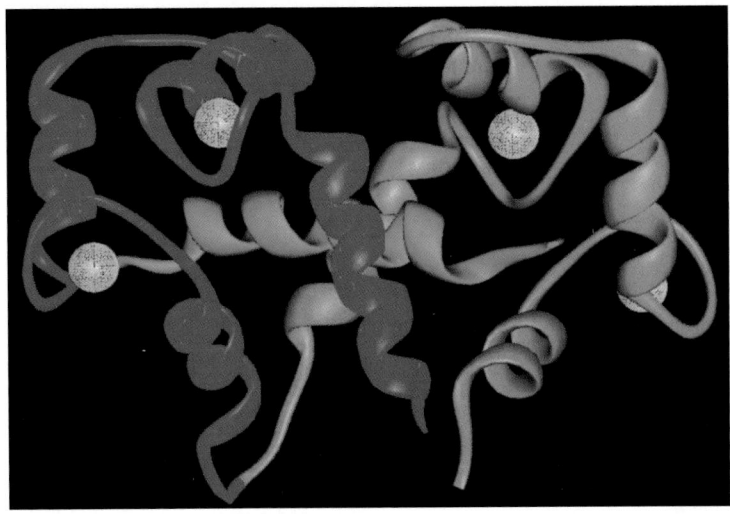

(a)

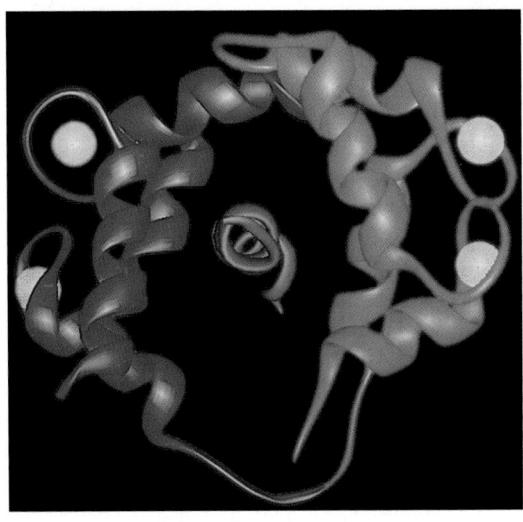

(b)

FIGURE 18-18 Structure obtenue par RMN de la $(Ca^{2+})_4$-CaM de *Drosophila melanogaster* **complexée avec son polypeptide cible de 26 résidus dans la kinase de la chaîne légère de myosine (MLCK) de muscle squelettique de lapin.** Le domaine N-terminal de la CaM est bleu, son domaine C-terminal est rouge, le polypeptide cible est vert, et les ions Ca^{2+} sont représentés par des sphères bleu-vert. (*a*) Vue du complexe où l'extrémité N-terminale du polypeptide cible est à droite, et (*b*) vue perpendiculaire observée depuis la droite de la Partie *a*. Dans les deux représentations, l'axe de pseudo-ordre deux qui relie les domaines N- et C-terminaux de la CaM est à peu près vertical. Noter que la partie médiane de la longue hélice centrale de la CaM non complexée (Fig. 18-

16) est déroulée et courbée (boucle inférieure dans *b*) de sorte que la CaM prend la forme d'une protéine globulaire qui enferme complètement le polypeptide cible hélicoïdal à l'intérieur d'un tunnel hydrophobe, à la manière de deux mains tenant une corde (le polypeptide cible prend une conformation enroulée au hasard en solution). Cependant, les conformations des deux domaines globulaires de la CaM ne sont pratiquement pas modifiées après formation du complexe. Manifestement, les ions Ca^{2+} liés à la CaM permettent d'organiser et de stabiliser les conformations de liaison de la cible et ses domaines globulaires. [D'après une structure par RMN réalisée par Marius Clore, Angela Gronenborn, et Ad Bax, National Institutes of Health. PDBid 2BBM.]

atomes d'oxygène du squelette, des chaînes latérales de la boucle et une molécule d'eau associée à la protéine.

La liaison des ions Ca^{2+} à l'un ou l'autre des domaines de la CaM induit un changement de conformation qui dévoile une plage hydrophobe riche en Met jusqu'alors enfouie. Cette plage, à son tour, forme une liaison de forte affinité avec le domaine de liaison à la CaM de la sous-unité γ de la phosphorylase kinase, ainsi qu'avec des domaines de liaison à la CaM de beaucoup d'autres protéines régulées par les ions Ca^{2+} (plusieurs de ces protéines peuvent interagir avec la CaM libre en solution), modulant ainsi les activités de ces protéines. Ces domaines de liaison à la CaM présentent peu d'homologie de séquence mais sont tous des hélices α amphiphiles basiques. De fait, des segments d'environ 20 résidus de ces hélices, ainsi que des hélices amphiphiles synthétiques formées uniquement de résidus Leu, Lys et Trp, fixent le complexe Ca^{2+}–CaM aussi fortement que les protéines cibles elles-mêmes.

Malgré la forme en extension de la CaM non complexée observée par rayons X (Fig. 18-16), de nombreuses études ont montré que ses deux domaines globulaires peuvent se lier simultanément à une seule hélice cible. De toute évidence, l'hélice α centrale de la CaM sert de joint souple et non d'espaceur rigide, propriété qui, sans doute, augmente le nombre de séquences cibles auxquelles la CaM peut avoir accès. Ce point de vue s'appuie sur la structure par RMN (Fig. 18-18), obtenue par Marius Clore, Angela Gronenborn et Ad Bax, du complexe entre $(Ca^{2+})_4$–CaM et son polypeptide cible de 26 résidus de la **kinase de la chaîne légère de myosine**

(**MLCK** ; homologue de la sous-unité C de la PKA, qui phosphoryle et ainsi active les chaînes légères de la **myosine**, protéine musculaire ; Section 35-3D). En fait, la conformation en extension de l'hélice centrale de CaM de la Fig. 18-16 peut correspondre à un artefact provoqué par les forces de compactage du cristal, dans la mesure où deux tours au centre de l'hélice ne sont pas en contact avec d'autres parties de la protéine et sont donc exposés au maximum au solvant (presque toutes les autres hélices α connues sont, au moins en partie, enfouies dans la protéine). De plus, un polypeptide dont la séquence est celle de cette hélice prend, en solution aqueuse, une conformation enroulée au hasard. Cependant, le bras flexible est essentiel à la fonction de la CaM : en présence de Ca^{2+}, les domaines individuels de la CaM (obtenus par clivage trypsique) peuvent, à haute concentration, se lier à leurs protéines cibles, mais sont incapables de les stimuler, à moins d'être en excès de plusieurs centaines de fois.

Comment le complexe Ca^{2+}–CaM active-t-il ses protéines kinases cibles ? La MLCK présente un segment C-terminal dont la séquence ressemble à celle du polypeptide cible de la MLCK sur la chaîne légère de la myosine, mais qui n'a pas de site de phosphorylation. Un modèle de la MLCK, obtenu d'après la structure par rayons X de la sous-unité C de la PKA (30 % identique), suggère fortement que ce peptide auto-inhibiteur inactive la MLCK en se liant à son site actif. De fait, l'excision par protéolyse ménagée du peptide auto-inhibiteur de la MLCK se traduit par une activation permanente de cette enzyme. Le polypeptide cible lié à la CaM dans la MLCK recouvre ce peptide auto-inhibiteur. Par conséquent, *la liaison du complexe Ca²⁺⁻CaM à son polypeptide cible déplace le peptide auto-inhibiteur de son site actif, ce qui active l'enzyme (Fig. 18-19).*

Il semble que d'autres protéines cibles du complexe Ca²⁺⁻CaM, y compris la sous-unité γ de la phosphorylase kinase, soient activées de cette façon. Cette notion de **mécanisme intrastérique** s'appuie sur les structures par rayons X de deux protéines kinases homologues, la **protéine kinase I calmoduline-dépendante (CaMKI)** et la « **twitchin » kinase**. La liaison de la séquence auto-inhibitrice à chacune d'elles ne diffère que par des détails, et les modalités générales de l'auto-inhibition et de la stimulation par le complexe Ca²⁺⁻CaM sont les mêmes.

La sous-unité R de la PKA présente, comme nous l'avons vu, une séquence auto-inhibitrice analogue, adjacente à ses deux domaines de liaison à l'AMPc. Cependant il semble, dans ce cas, que le peptide auto-inhibiteur soit déplacé allostériquement du site actif de la sous-unité C après fixation de l'AMPc à la sous-unité R (qui ne présente pas de site de liaison pour le complexe Ca²⁺⁻CaM).

f. La sous-unité γ de la phosphorylase kinase est contrôlée par plusieurs auto-inhibiteurs

La sous-unité γ de la phosphorylase kinase (386 résidus) comprend un domaine kinase N-terminal, dont la séquence présente 36 % d'identité avec celle de la sous-unité C de la PKA, et un domaine régulateur C-terminal qui contient un peptide de liaison de la CaM auquel se superpose un segment auto-inhibiteur. Cette inhibition est levée par le complexe Ca²⁺⁻CaM, comme schématisé dans la Fig. 18-19. Ceci explique pourquoi l'activité catalytique du segment N-terminal de 298 résidus de la sous-unité γ de la PhK appelé **PhKγ$_t$** (t pour tronqué) est comparable à celle de la PhK active à 100 %, mais est insensible au Ca²⁺ ou à des signaux de phosphorylation.

La structure par rayons X de la PhKγ$_t$ complexée à l'ATP et à un heptapeptide ressemblant au substrat naturel a été déterminée par Johnson (Fig. 18-20). Elle montre, comme on s'y attendait, sa ressemblance avec la PKA (Fig. 18-14) ainsi qu'avec d'autres protéines kinases de structure connue, y compris la CaMKI et la « twitchin » kinase. La comparaison de ces différentes structures permet de comprendre comment l'activité catalytique de la PhK est régulée. De nombreuses protéines kinases, la PKA incluse, sont activées par phosphorylation de résidus Ser, Thr et/ou Tyr de leur boucle d'activation. Comme montré à la Fig. 18-14, le résidu phosphorylé interagit avec un résidu Arg conservé qui assure ainsi une position adéquate au résidu Asp voisin, important pour la catalyse. Cependant, la sous-unité γ de la PhK n'est pas phosphorylée. En fait, c'est le résidu Glu 182 de sa boucle d'activation, dont la charge négative mime un groupement phosphate, qui localise correctement Asp 149 en interagissant avec Arg 148 (Fig. 18-20). Ainsi, le site catalytique de la PhK garde une conformation active, mais, en absence de Ca²⁺, il est inactivé par la liaison de son segment C-terminal auto-inhibiteur.

La PKA phosphoryle des sites des sous-unités α et β de la PhK (Fig 18-13). Ceci active la PhK à des concentrations en Ca²⁺ beaucoup plus basses qu'autrement, et l'activité maximum en présence de Ca²⁺ n'est atteinte que lorsque ces deux sous-unités sont phosphorylées. La sous-unité β possède en fait une séquence auto-inhibitrice, ce qui suggère que la phosphorylation modifie sa confor-

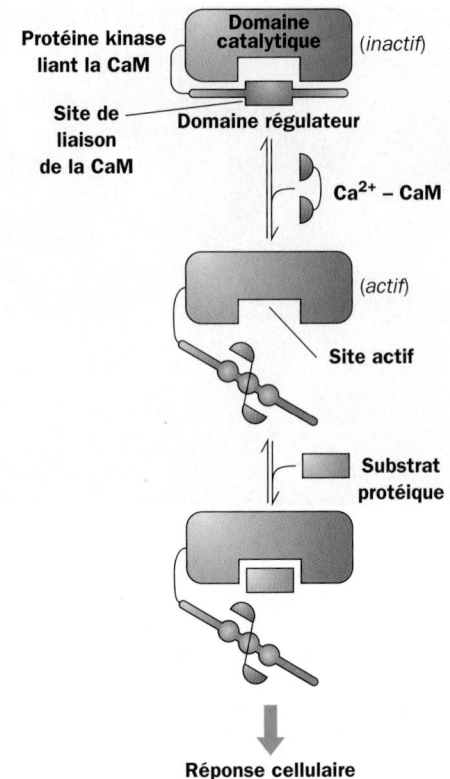

FIGURE 18-19 Schéma d'activation des protéines kinases Ca²⁺⁻CaM-dépendantes. Les kinases auto-inhibées possèdent une séquence « pseudo-substrat » N- ou C-terminale (*rouge*) qui se lie au site actif de l'enzyme (*brun*) ou à proximité, et inhibe ainsi sa fonction. Ce segment auto-inhibiteur est très proche de la séquence de liaison pour la Ca²⁺⁻CaM ou s'y superpose. En conséquence, la Ca²⁺-CaM (*vert*) se lie à cette séquence pour l'éloigner du site actif, ce qui stimule l'enzyme à phosphoryler ses substrats protéiques (*magenta*). [D'après Crivici, A. and Ikura, M., *Annu. Rev. Biophys. Biomol. Struct.* **24**, 88 (1995).]

mation de sorte qu'elle ne puisse inhiber le site actif de la sous-unité γ. Ceci expliquerait l'effet synergique de la phosphorylation et du Ca²⁺ sur l'activité de la PhK : le complexe Ca²⁺⁻CaM séquestre le segment auto-inhibiteur de la sous-unité γ, tandis que la phosphorylation de la sous-unité β écarte un second auto-inhibiteur. On ignore cependant comment la phopshorylation de la sous-unité α module l'activité de la PhK.

g. La phosphoprotéine phosphatase-1

Les degrés de phosphorylation à l'état stationnaire de la plupart des enzymes impliquées dans les cascades cycliques sont le résultat des activités antagonistes de phosphorylation catalysées par les kinases et de déphosphorylation catalysées par des phosphoprotéines phosphatases. La phosphatase impliquée dans les cascades cycliques qui contrôlent la métabolisme du glycogène est la phosphoprotéine phosphatase-1. Cette enzyme catalyse l'hydrolyse des groupements phosphoryle de la *m*-glycogène phosphorylase *a*, des deux sous-unités α et β de la phosphorylase kinase et, comme nous allons le voir ci-dessous, de deux autres protéines impliquées dans le métabolisme du glycogène.

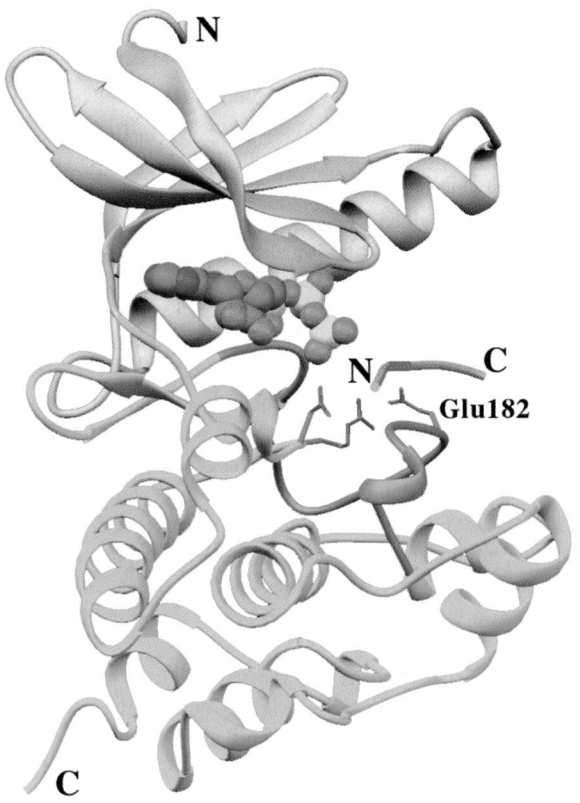

FIGURE 18-20 Structure par rayons X de la PhKγₜ de muscle de lapin complexée à l'ATP et à un heptapeptide (RQMSFRL). La séquence de cet heptapeptide ressemble à celle du substrat naturel de l'enzyme (KQISVRG). La protéine est représentée selon l'orientation « standard » pour les protéines kinases, avec son domaine N-terminal en rose, son domaine C-terminal en bleu-vert, et sa boucle d'activation en bleu clair. L'heptapeptide est en orange, avec son résidu phosphorylable (Ser) en gris. L'ATP est en modèle plein et les chaînes latérales des résidus essentiels à la catalyse, Arg 148, Asp 149 et Glu 182, sont en bâtonnets avec C en vert, N en bleu, O en rouge et P en jaune. Noter les similitudes et les différences de structure entre cette protéine et son homologue, la sous-unité C de la PKA (Fig. 18-14). [D'après une structure par rayons X réalisée par Louise Johnson, Oxford University, Oxford, U.K. PDBid 2PHK.]

La sous-unité catalytique de la phosphoprotéine phosphatase-1 (**PP1**), appelée **PP1c**, hydrolyse en une étape des groupements phosphoryle de résidus Ser/Thr. La structure par rayons X de la

PP1c montre qu'elle contient un centre binucléé par deux ions métalliques (Mn^{2+} dans l'enzyme recombinante) qui activerait une molécule d'eau (en l'ionisant en OH^- ; Section 15-1C) à mener une attaque nucléophile sur le groupement phosphoryle.

Dans le muscle et le foie, la PP1c se lie au glycogène via une protéine régulatrice. Dans le muscle, la PP1c n'est active que si elle est liée au glycogène par sa **sous-unité G_M** de liaison au glycogène. L'activité de la PP1c et son affinité pour la sous-unité G_M sont régulées par phosphorylation de la sous-unité G_M sur deux sites différents (Fig. 18-21). La phosphorylation du site 1 par une **protéine kinase stimulée par l'insuline** active la phosphoprotéine phosphatase-1, tandis que la phosphorylation du site 2 par la PKA (qui peut également phosphoryler le site 1) entraîne le passage de l'enzyme dans le cytoplasme où elle ne peut déphosphoryler les enzymes (liées au glycogène) du métabolisme du glycogène.

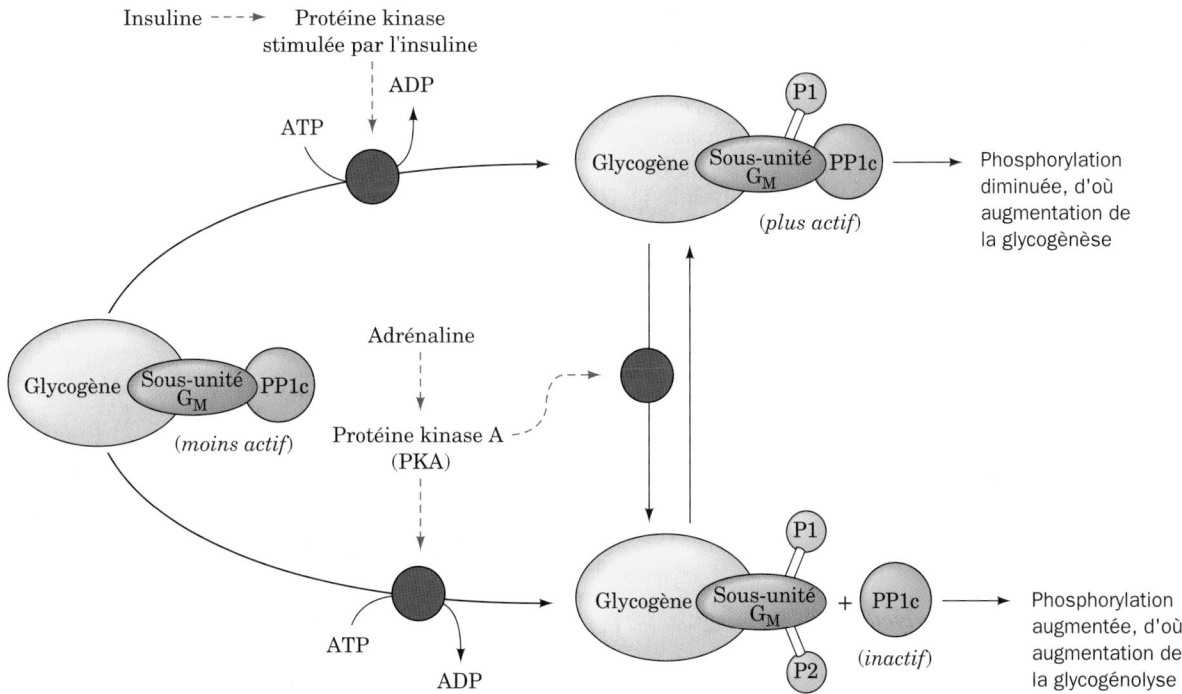

FIGURE 18-21 Effets antagonistes de l'insuline et de l'adrénaline sur le métabolisme du glycogène dans le muscle. Ceci est dû à leurs effets sur la sous-unité catalytique de la phosphoprotéine phosphatase-1, PP1c, via sa sous-unité G_M liée au glycogène. Les points et flèches en pointillés verts sont synonymes d'activation.

Dans le cytosol, la PP1c est aussi inhibée en se liant à l'**inhibiteur 1 de la phosphoprotéine phosphatase (inhibiteur-1)**. Cette dernière protéine est un autre exemple de contrôle par interconversion enzymatique : elle aussi est phosphorylée par la PKA et déphosphorylée par la PP1c (Fig. 18-13, *en bas*), bien que dans ce cas, se soit une Thr, et non une Ser, qui soit phosphorylée et déphosphorylée. La protéine n'est inhibitrice que lorsqu'elle est phosphorylée. *C'est donc de la concentration en AMPc que dépend le degré de phosphorylation d'une enzyme, non seulement parce qu'il accélère sa vitesse de phosphorylation, mais aussi parce qu'il ralentit sa vitesse de déphosphorylation. Dans le cas de la glycogène phosphorylase, une augmentation de la [AMPc] provoque non seulement une accélération de l'activation de l'enzyme mais aussi un ralentissement de la vitesse de sa désactivation.*

L'activité de la phosphoprotéine phosphatase-1 du foie est contrôlée également par sa liaison au glycogène par l'intermédiaire d'une sous-unité de liaison au glycogène, la G_L. Associée à la G_L, PP1c est peut déphosphoryler les enzymes du métabolisme du glycogène liées au glycogène. Cependant, la G_L n'est pas contrôlée par phopshorylation commme l'est la G_M du muscle. C'est la liaison de la *m*-phosphorylase *a* à la G_L qui inhibe fortement l'activité de PP1c par effet allostérique.

Parmi les principaux changements conformationnels subis par la phosphorylase en passant de l'état T à l'état R, il y a le déplacement du groupement phosphoryle de Ser 14 qui se trouve à la surface de l'enzyme inactive (état T) et qui s'enfonce de quelques angströms en dessous de la surface de l'enzyme active (état R) à l'interface du dimère (Fig. 18-10). Les formes R et T de la phosphorylase *a* se lient toutes deux fortement au complexe $G_L \cdot$ PP1c, mais ce n'est que lorsque l'enzyme est à l'état T que le groupement phosphoryle de Ser 14 est accessible à l'hydrolyse par la PP1c. Par conséquent, dans les conditions qui font passer la phosphorylase *a* à l'état T (Section 18-3G), la PP1c hydrolyse le groupement phosphoryle de Ser 14 qui se trouve accessible, transformant ainsi la *m*-phosphorylase *a* en *o*-phosphorylase *b* qui n'a qu'une faible affinité pour le complexe $G_L \cdot$ PP1c et donc n'inhibe pas PP1c. Ainsi, une des conséquences de la déphosphorylation de la phosphorylase *a* est de lever l'inhibition de la PP1c, lui permettant ainsi d'hydrolyser les groupements phosphoryle d'autres phosphoprotéines vulnérables. La phosphorylase *a* ayant une haute affinité pour le complexe $G_L \cdot$ PP1c, et étant en concentration 10 fois supérieure, *la levée de cette inhibition n'est possible que quand plus de 90 % de la glycogène phosphorylase se trouve sous la forme o-phosphorylase b.* La glycogène synthase est une des protéines déphosphorylées par le complexe $G_L \cdot$ PP1c lorsqu'il n'est plus inhibé par la phosphorylase. Contrairement à la phosphorylase, la déphosphorylation active la glycogène synthase. Cette enzyme est impliquée dans sa propre cascade bicyclique dont nous allons maintenant étudier les propriétés.

D. *Cascade bicyclique de la glycogène synthase*

Tout comme la glycogène phosphorylase, la glycogène synthase existe sous deux formes enzymatiquement interconvertibles :

1. La forme modifiée (*m* ; phosphorylée) inactive dans les conditions physiologiques (forme *b*).

2. La forme originale (*o* ; déphosphorylée) active (forme *a*).

La *m*-glycogène synthase *b* est sous contrôle allostérique ; elle est fortement inhibée par des concentrations physiologiques d'ATP, d'ADP et de P_i, et donc pratiquement inactive *in vivo*. L'activité de l'enzyme non modifiée étant insensible à ces effecteurs, l'activité glycogène synthase cellulaire dépend de la proportion d'enzyme non modifiée.

Le mécanisme détaillé de l'interconversion entre formes modifiée et non modifiée de la glycogène synthase est complexe et moins bien compris que celui de la glycogène phosphorylase. Il est clair que la proportion de glycogène synthase non modifiée est, du moins en partie, sous le contrôle d'une cascade bicyclique où interviennent la phosphorylase kinase (PhK) et la phosphoprotéine phosphatase-1, enzymes également impliquées dans la cascade bicyclique de la glycogène phosphorylase (Fig. 18-13, *à droite*). Le processus de déphosphorylation est facilité par le G6P, dont la liaison à la *m*-glycogène synthase *b* lui fait subir une modification conformationnelle qui expose ses groupement phosphoryle à la surface de la protéine et les rend ainsi accessibles à la déphosphorylation par la phosphoprotéine phosphatase-1.

La glycogène synthase est phosphorylée sur plusieurs sites. On connaît plusieurs protéines kinases qui inactivent, du moins en partie, la glycogène synthase musculaire humaine par phosphorylation de 1 ou plusieurs des 9 résidus Ser présents dans les segments N- et C-terminaux de cet homotétramère de 737 résidus par sous-unité. Parmi ces enzymes, on trouve : la PhK, la PKA, (ce qui permet de dire que la désactivation de la glycogène synthase fait intervenir une cascade monocyclique), la CaMKI (activée par les ions Ca^{2+}) ; la **protéine kinase C (PKC**, (sensible à la présence extracellulaire de certaines hormones via un mécanisme décrit dans les Sections 18-3G et 19-4C), la **protéine kinase AMP-dépendante (AMPK** ; qui répond à la disponibilité en ATP et agit donc en tant que jauge de carburant ; Sections 25-5 et 27-1) et la **glycogène synthase kinase-3 [GSK3** ; qui est inhibée par l'**insuline** (Sections 18-3E et F), dont la présence conduit donc à la déphosphorylation et ainsi à l'activation de la glycogène synthase]. On ne sait pas très bien pourquoi la régulation de la désactivation de la glycogène synthase est aussi élaborée comparée à son activation ou au cycle activation /désactivation de la glycogène phosphorylase ; on peut remarquer cependant que cette régulation est tout à fait en phase avec l'état métabolique de l'organisme.

E. *Intégration des mécanismes de contrôle du métabolisme du glycogène*

La synthèse et la dégradation du glycogène et la vitesse de ces processus dépendent des proportions relatives des formes actives de glycogène synthase et de glycogène phosphorylase. Celles-ci dépendent à leur tour des vitesses des réactions de phosphorylation et de déphosphorylation des deux cascades bicycliques. Ces cascades, l'une contrôlant la glycogénolyse, l'autre la glycogénèse, sont intimement liées. Elles le sont par la PKA et la phosphorylase kinase qui, par phosphorylation, activent la phosphorylase et inactivent la glycogène synthase (Fig. 18-13). Les cascades sont aussi liées par la phosphoprotéine phosphatase-1 qui, dans le foie, est inhibée par la phosphorylase *a* et est ainsi incapable d'activer (de déphosphoryler) la glycogène synthase, à moins qu'elle inactive d'abord (également par déphosphorylation) la phosphorylase *a*.

a. Des hormones interviennent dans la régulation du métabolisme du glycogène

Le métabolisme du glycogène est régulé de façon importante par l'**insuline**, une hormone peptidique (Fig. 7-2) qui s'oppose ici à l'action d'une autre hormone peptidique, le **glucagon**,

$$^{+}H_3N \text{ - His - Ser - Glu - Gly - Thr - Phe - Thr - Ser - Asp - Tyr - } \quad 10$$
$$\text{Ser - Lys - Tyr - Leu - Asp - Ser - Arg - Arg - Ala - Gln - } \quad 20$$
$$\text{Asp - Phe - Val - Gln - Trp - Leu - Met - Asn - Thr - COO}^{-} \quad 29$$

Glucagon

et par les hormones surrénaliennes l'**adrénaline (épinéphrine)** et la **noradrénaline (norépinéphrine)** :

X = CH_3 **Adrénaline**
X = H **Noradrénaline**

*La stimulation hormonale des cellules s'exerce au niveau de leur membrane plasmique par le biais de protéines transmembranaires appelées **récepteurs**. Comme des cellules de types différents ont un équipement en récepteurs qui leur est propre, elles sont sensibles et répondent à des assortiments d'hormones différents.* Par exemple, les cellules musculaires et hépatiques possèdent des récepteurs insuliniques et des **récepteurs adrénergiques** (sensibles à l'adrénaline et à la noradrénaline), alors que les récepteurs au glucagon sont beaucoup plus abondants dans le foie que dans le muscle squelettique.

b. Des seconds messagers interviennent dans la stimulation de la glycogénolyse par le glucagon ou l'adrénaline

*La réponse au glucagon et à l'adrénaline implique la libération, à l'intérieur de la cellule, de molécules appelées **seconds messagers** car ce sont les médiateurs intracellulaires du message hormonal perçu à la surface de la cellule.* Des récepteurs différents libèrent des seconds messagers différents. C'est Earl Sutherland qui a identifié pour la première fois un second messager, l'AMPc, lorsqu'il montra que le glucagon et l'adrénaline stimulent, par une action à la surface cellulaire, l'adénylate cyclase (AC), ce qui augmente la [AMPc] [le mécanisme de l'activation de l'AC, et l'étude d'autres seconds messagers dont les ions Ca^{2+}, l'**inositol-1,4,5-trisphosphate (IP$_3$)** et le **diacylglycérol (DAG)**, seront abordés dans les Sections 19-2D et 19-4A]. Après cette découverte, on s'aperçut que l'AMPc, que l'on trouve dans toutes les formes de vie, est un élément de contrôle essentiel de nombreux processus biologiques.

Lorsque la stimulation par le glucagon ou l'adrénaline provoque l'augmentation de la [AMPc] intracellulaire, l'activité de la PKA augmente, ce qui augmente les vitesses de phosphorylation de nombreuses protéines tout en diminuant leurs vitesses de déphosphorylation. Comme déjà vu, une diminution des vitesses de déphosphorylation augmente le degré de phosphorylation de l'inhibiteur-1 de la phosphoprotéine phosphatase, qui, à son tour, inhibe la phosphoprotéine phosphatase-1. De même, une augmentation de la concentration en phosphorylase *a* renforce l'inhibition de la phosphoprotéine phosphatase-1.

En raison du caractère amplificateur des cascades cycliques, une faible variation en [AMPc] se traduit par des variations importantes des proportions d'enzymes sous forme phosphorylée. Lorsqu'une partie importante des enzymes du métabolisme du glycogène se trouve sous forme phosphorylée, le flux métabolique se fait essentiellement dans le sens de la glycogénolyse, puisque la glycogène phosphorylase est active et que la glycogène synthase est inactive. Quand la [AMPc] diminue, les vitesses de phosphorylation diminuent alors que celles de déphosphorylation augmentent, d'où une augmentation des proportions d'enzymes sous forme déphosphorylée. Il s'ensuit l'activation de la glycogène synthase et l'inactivation de la glycogène phosphorylase, d'où un flux orienté dans le sens de la glycogenèse.

F. *Contrôle de la glycémie*

Une des fonctions importantes du foie est de maintenir à 5 m*M* environ la concentration du glucose dans le sang (la glycémie), le glucose étant la source énergétique numéro 1 du cerveau. Quand la glycémie est inférieure à cette valeur, ce qui arrive après un exercice physique ou longtemps après la digestion des repas, le foie libère du glucose dans la circulation par le processus suivant, sous l'influence du glucagon :

1. Le glucose empêche les cellules α des îlots de Langerhans du pancréas de sécréter du glucagon dans le sang. Quand il y a hypoglycémie, cette inhibition est levée et les cellules α sécrètent du glucagon.

2. Les récepteurs du glucagon à la surface des cellules hépatiques ayant fixé le glucagon, ils stimulent l'adénylate cyclase, d'où une augmentation de la [AMPc] intracellulaire.

3. L'augmentation de la [AMPc] entraîne, comme vu ci-dessus, une accélération de la glycogénolyse, d'où une augmentation de la [G6P] intracellulaire.

4. Contrairement au glucose, le G6P ne peut traverser la membrane plasmique. Cependant, le foie, qui n'utilise pas le glucose comme source principale d'énergie, contient l'enzyme **glucose-6-phosphatase (G6Pase)** qui hydrolyse le G6P :

$$\text{G6P} + H_2O \rightarrow \text{glucose} + P_i$$

Le glucose formé passe dans le courant sanguin, augmentant ainsi la glycémie. Toutefois, les muscles et le cerveau n'ont pas de G6Pase, ce qui explique qu'ils gardent leur G6P.

L'hydrolyse du G6P requiert un transport intracellulaire de G6P. En effet, le G6P est produit dans le cytosol, alors que la G6Pase se trouve dans la membrane du réticulum endoplasmique (RE). Le G6P doit donc être transporté dans le RE par une **translocase du G6P** avant d'y être hydrolysé. Le glucose et le P_i produits sont ensuite ramenés dans le cytosol par des protéines de transport spécifiques (Section 18-3G). La déficience de toute composante de ce système d'hydrolyse du G6P conduit à la **maladie du stockage de glycogène de type I** (Section 18-4).

Comment réagit ce système si bien équilibré en cas d'hyperglycémie ? Immédiatement après la digestion des repas, la glycémie est normalement élevée, et le taux de glucagon diminue tandis que l'insuline est sécrétée par les cellules β des îlots de Langerhans du pancréas. *La vitesse de transport du glucose à travers de nombreuses membranes cellulaires augmente en réponse à l'insuline (qui mobilise le transporteur de glucose insulino-dépendant* **GLUT4** ; *Section 20-2E)), la [AMPc] diminue, et le métabolisme du glycogène passe de la glycogénolyse à la glycogenèse.* Le mécanisme d'action de l'insuline est très complexe et on commence tout juste à le comprendre (Sections 19-3 et 19-4F) ; l'une de ses enzymes cibles semble être la phosphoprotéine phosphatase-1.

Dans le muscle, l'insuline et l'adrénaline ont des effets antagonistes sur le métabolisme du glycogène. L'adrénaline stimule la glycogénolyse et inhibe la glycogenèse en activant la cascade de phosphorylations AMPc-dépendantes. L'insuline, comme nous l'avons vu dans la Section 18-3C, active la protéine kinase stimulée par l'insuline qui phosphoryle le site 1 de la sous-unité G_M de liaison au glycogène de la phosphoprotéine phosphatase-1, d'où activation de cette enzyme et déphosphorylation des enzymes du métabolisme du glycogène (Fig. 18-21). La mise en réserve de glucose sous forme de glycogène est ainsi stimulée par inhibition de la glycogénolyse et stimulation de la glycogenèse.

On pense que, dans le foie, le glucose et le G6P seraient les messagers qui assurent le contrôle du métabolisme du glycogène. *Le glucose inhibe la phosphorylase a en ne se liant au site actif de l'enzyme qu'à l'état T inactif, mais d'une manière différente à celle du substrat.* La présence de glucose déplace ainsi l'équilibre T $\rightleftharpoons$ R de la phosphorylase *a* en faveur de l'état T (Fig. 18-9, *à droite*). Ce changement de conformation, comme déjà vu dans la Section 18-3C, expose le groupement phosphoryle de Ser 14 à la phosphoprotéine phosphatase-1, ce qui permet la déphosphorylation de la phosphorylase *a*. Par conséquent, une augmentation de la concentration en glucose entraîne l'inactivation de la glycogène phosphorylase *a* qui est convertie en glycogène phosphorylase *b* (Fig. 18-22 ; autrement dit, la phosphorylase *a* se comporte comme un récepteur de glucose). De plus, la levée concomitante de l'inhibition de la phosphoprotéine phosphatase-1 (se rappeler qu'elle se lie spécifiquement à la phosphorylase *a* et est inactivée par cette dernière), entraîne l'activation (par déphosphorylation) de la *m*-glycogène synthase *b*. De plus, le glucose est converti en G6P par la **glucokinase** (voir ci-dessous), ce qui facilite la déphosphorylation et l'activation de la *m*-glycogène synthase *b* en *o*-glycogène synthase *a*. Lorsque la concentration en glucose dépasse 7 mM, ce processus inverse le flux du métabolisme du glycogène, de la dégradation vers la synthèse. Le foie peut ainsi mettre en réserve le glucose en excès sous forme de glycogène.

a. La glucokinase forme du G6P à une vitesse proportionnelle à la concentration en glucose

La fonction stabilisatrice du foie sur la glycémie est due au fait que cet organe contient une variante de l'hexokinase (première enzyme de la glycolyse ; Section 17-2A) appelée glucokinase (**GK** ; appelée aussi **hexokinase D** ou **hexokinase IV**). Dans la plupart des cellules, l'hexokinase se comporte comme une enzyme

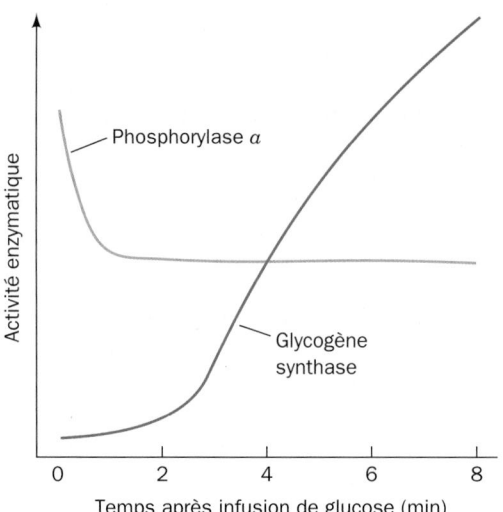

FIGURE 18-22 **Evolution des activités enzymatiques de la phosphorylase *a* et de la glycogène synthase dans le foie de souris après infusion de glucose.** La phosphorylase *a* est rapidement inactivée et un peu plus tard, la glycogène synthase est activée. [D'après Stalmans, W., De Wulf, H., Hue, L., and Hers, H-G., *Eur. J. Biochem.* **41**, 129 (1974).]

michaelienne ayant une forte affinité pour le glucose ($K_M < 0,1$ mM ; valeur de la [glucose] pour laquelle la vitesse de la réaction est égale à $V_{max}/2$; Section 14-2A), et est inhibée par le G6P, produit de la réaction. Par contre, la GK a beaucoup moins d'affinité pour le glucose ($V_{max}/2$ n'est obtenue que pour une concentration en glucose de l'ordre de 5 mM) et présente une courbe sigmoïdale avec un coefficient de Hill (Section 10-1B) de 1,5, ce qui signifie que *son activité augmente rapidement pour des glycémies supérieures aux valeurs physiologiques normales (Fig. 18-23 ; voir le Problème 5 de ce chapitre). De plus, la GK n'est pas inhibée par des concentrations physiologiques en G6P.* Par conséquent, plus la glycémie est élevée, plus le foie transforme le glucose en G6P rapidement [les cellules hépatiques, contrairement à la plupart des autres cellules, possèdent en abondance le transporteur de glucose insulino-indépendant **GLUT2** (Section 20-2E) et sont donc librement perméables au glucose ; la vitesse de transport de glucose dans ces cellules est insensible à l'insuline]. Ainsi, quand la glycémie est basse, le foie n'entre pas en compétition avec d'autres tissus pour le glucose disponible, alors que si la glycémie est élevée et que les besoins en glucose des autres tissus sont satisfaits, le foie transforme l'excédent de glucose en G6P. L'excès de glucose dans le foie induit l'inactivation de la glycogène phosphorylase et la libération de la phosphoprotéine phosphatase-1, tandis que le G6P ainsi formé facilite, par effet allostérique, l'activation de la glycogène synthase résultant de sa déphosphorylation. Le bilan est que le foie convertit l'excès de glucose en glycogène. (Noter que la GK étant une enzyme monomérique, l'allure sigmoïdale de la courbe de la vitesse de la réaction en fonction de la [glucose] est plutôt étrange, car d'après les différents modèles allostériques, une enzyme monomérique ne peut être le siège d'interactions coopératives. La GK n'ayant pas une cinétique michaelienne, la concentration en glucose qui permet d'atteindre la vitesse de $V_{max}/2$ est désignée par son $K_{0,5}$, par analogie avec la définition expérimentale de K_M.)

Cependant, la GK est soumise à des contrôles métaboliques. Emile Van Schaftingen a isolé du foie de rat une **protéine régula-**

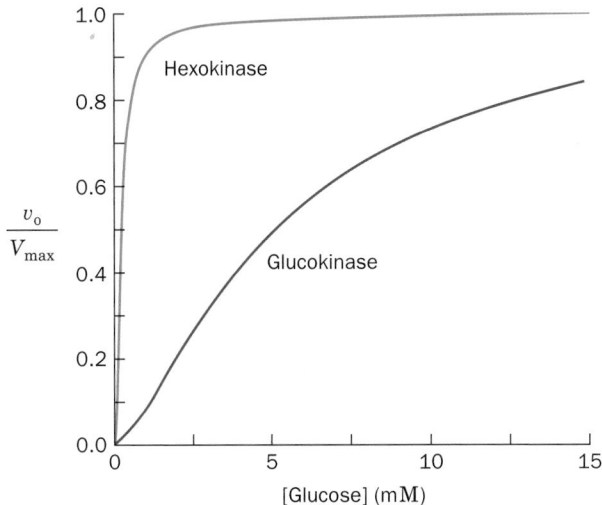

FIGURE 18-23 Comparaison des activités enzymatiques respectives de l'hexokinase et de la glucokinase en présence de glucose en concentrations physiologiques. L'affinité de la glucokinase pour le glucose ($K_{0,5} = 5$ mM) est très inférieure à celle de l'hexokinase ($K_M = 0,1$ mM) et donne une courbe sigmoïdale plutôt qu'une hyperbole en fonction de la concentration en glucose. [La courbe de la glucokinase a été obtenue en utilisant l'équation de Hill (Eq. [10.7] avec $K = 10$ mM et $n = 1,5$ d'après Cardenas, M.L., Rabajille, E., and Niemeyer, H., *Eur. J. Biochem.* **145**, 163-171 (1984).]

trice de la glucokinase (**GKRP** ; un momomère de 625 résidus) qui, en présence de fructose-6-phosphate (F6P), intermédiaire de la glycolyse, est un inhibiteur compétitif de la GK. Le fructose-1-phosphate (F1P), intermédiaire du métabolisme du fructose dans le foie (Section 17-5A), s'oppose à cette inhibition. Le fructose n'étant normalement que d'origine alimentaire (p. ex. à partir du saccharose), il pourrait ainsi jouer le rôle de signal qui déclenche l'assimilation du glucose alimentaire par le foie.

b. La glucokinase régule l'homéostasie glucidique par un mécanisme de localisation intracellulaire

La localisation intracellulaire joue un rôle important dans l'inhibition de la GK par la GKRP. Le GK se déplace librement du cytoplasme au noyau. Cependant, la GKRP ne réside que dans le noyau. A basse concentration en glucose, la GK reste associée à la GKRP dans le noyau, où elle ne peut phosphoryler le glucose.

Lorsque la concentration en glucose et/ou en F1P augmente, la GK se dissocie de la GKRP et passe dans le cytoplasme où elle phosphoryle le glucose en G6P, le lançant ainsi dans la voie de la glycogénèse. L'antagonisme entre GK et GKRP est un mécanisme important du contrôle de la phosphorylation du glucose et du métabolisme du glycogène dans le foie. Leurs coefficients de contrôle de flux (Section 17-4C) dans les cellules hépatiques sont proches de + 1 pour la GK et de −1 pour la GKRP (un coefficient de contrôle de flux négatif traduit une inhibition). Cette relation compensatoire procure un mécanisme sensible pour le maintien de l'homéostasie glucidique.

La phosphoglucomutase, qui est suffisamment active pour assurer l'interconversion G6P /G1P, fonctionne dans les deux directions et peut donc transformer le G6P en G1P qui est ensuite converti en glycogène. Une partie du G6P est retransformée en glucose par la glucose-6-phosphatase, ce qui correspond à un cycle « futile ». C'est apparemment le coût énergétique qui permet de maintenir efficacement une glycémie constante.

c. Le fructose-2,6-bisphosphate stimule la glycolyse

Le **β-D-fructose-2,6-bisphosphate (F2,6P)**

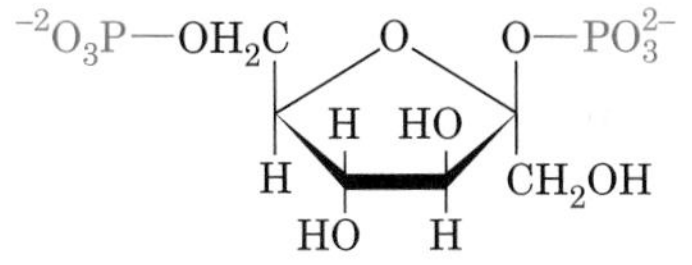

$$^{-2}O_3P-OH_2C \qquad O \qquad O-PO_3^{2-}$$

β-D-Fructose-2,6-bisphosphate
(F2,6P)

joue également un rôle important dans le contrôle de la glycémie par le foie. *Le F2,6P, qui n'est pas un intermédiaire de la glycolyse, est un activateur allostérique extrêmement puissant de la phosphofructokinase (PFK) animale et un inhibiteur de la fructose bisphosphatase (FBPase).* Le F2,6P, découvert indépendamment en 1980 par Van Schaftingen, Louis Hue et Henri-Géry Hers, puis par Simon Pilkis et par Kosaku Uyeda, stimule par conséquent le flux de la glycolyse (le cycle de substrats F6P-FBP est étudié dans la Section 17-4F).

*La concentration intracellulaire de F2,6P dépend de l'équilibre entre ses vitesses de synthèse et de dégradation assurées respectivement par la **phosphofructokinase-2** (**PFK-2** ; appelée aussi la **6PF-2-K**) et la **fructose bisphosphatase-2** (**FBPase-2** ; appelée aussi la **F-2,6-Pase**) (Fig. 18-24). Ces activités enzymatiques sont*

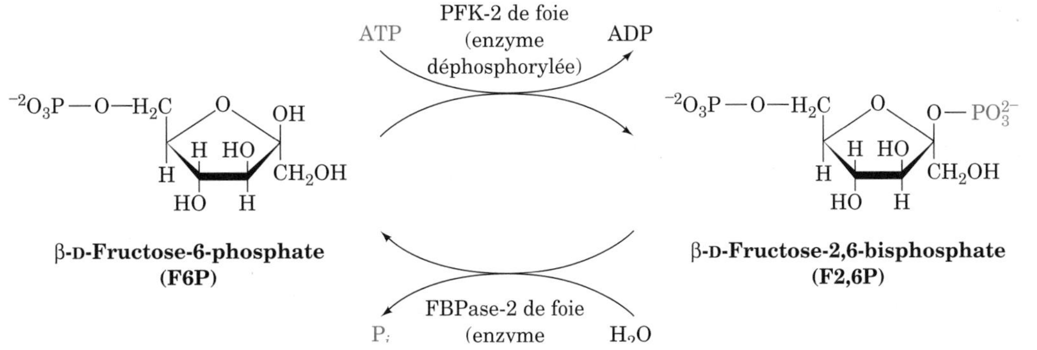

FIGURE 18-24 Formation et hydrolyse du β-D-fructose-2,6-bisphosphate catalysées par la PFK-2 et la FBPase-2. Ces deux activités enzymatiques sont portées par différents domaines de la même sous-unité protéique. La déphosphorylation de la protéine du foie active la PFK-2 mais inactive la FBPase-2.

localisées sur des domaines différents d'une même protéine homo-dimérique de 100 kD environ appelée **PKF-2/FBPase-2**. La structure par rayons X du mutant H256A de la PKF-2/FBPase-2 de testicule de rat complexée au F6P, au P$_i$, au succinate et à l'analogue non hydrolysable de l'ATP **adénosine-5'-(β,γ-imido)triphosphate (ADPNP** ou **AMP-PNP)**

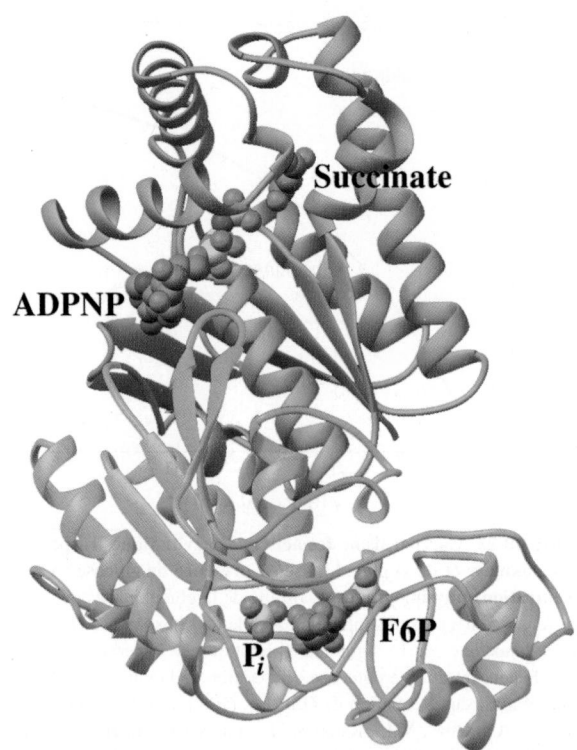

Adenosine-5'-(β, γ-imido)triphosphate (ADPNP)

fut déterminée par Uyeda et Charles Hasemann (Fig. 18-25). Elle montre, en accord avec de nombreuses études, que l'activité PFK-2 est portée par le domaine N-terminal (246 résidus) de chaque sous-unité, alors que l'activité FBPase-2 réside dans le domaine C-terminal (213 résidus) de chaque sous-unité. Le succinate, qui se lie dans le voisinage du phosphate γ de l'ADPNP, occupe vraisemblablement la poche de liaison du F6P dans le site actif de la PFK-2, tandis que le FP6 et le P$_i$ indiquent le site de liaison du F2,6P dans le site actif de la FBPase-2. La structure du domaine FBPase-2 est apparentée à celle de la phosphoglycérate mutase (PGM ; Section 17-2H), une enzyme de la glycolyse avec laquelle la FBPase-2 partage un même mécanisme catalytique impliquant un intermédiaire covalent phosphoHis (His 256 dans la FBPase-2). La structure du domaine PFK-2 est apparentée à celle de l'adénylate kinase (Section 17-4F) et non, comme on l'avait soupçonné, à celle de la PFK (aussi appelée **PFK-1** pour la distinguer de la PFK-2).

Les activités enzymatiques de la PFK-2FBPase-2 sont soumises à des régulations allostériques par de nombreux intermédiaires métaboliques ainsi qu'à un processus de phosphorylation/déphosphorylation assuré par la PKA et une phosphoprotéine phosphatase. La phosphorylation de la Ser 32 de l'enzyme de foie entraîne l'inhibition de l'activité PFK-2 et la stimulation de l'activité FBPase-2. Ainsi, la sécrétion de glucagon par le pancréas en réponse à une hypoglycémie aboutit, par l'intermédiaire de l'augmentation de la [AMPc] dans le foie, à une diminution de la [F2,6P]. Il s'ensuit une baisse de l'activité de la PFK-1, et donc une inhibition de la glycolyse. Ainsi, le G6P formé par suite de la stimulation simultanée de la glycogénolyse est transformé en glucose et passe dans la circulation sanguine comme nous venons de le voir, au lieu d'être métabolisé. Simultanément, la levée de l'inhibition de la FBPase (aussi appelée **FBPase-1** pour la distinguer de la FBPase-2) due à la diminution de la [F2,6P] stimule la **gluconéogenèse,** voie de formation de glucose à partir de précurseurs non glucidiques tels que certains acides aminés, et qui correspond à l'« inverse » de la glycolyse (et où la FBPase-1 joue un rôle régulateur clé ; Section 23-1). Ce processus constitue un autre moyen de former du glucose. Réciproquement, en cas d'hyperglycémie, la [AMPc] diminue, la PFK-2/FBPase-2 du foie est déphosphorylée par la phosphoprotéine phosphatase-1, ce qui active la PFK-2 qui, à son tour, va augmenter la [F2,6P]. La PFK-1 est ainsi stimulée,

FIGURE 18-25 Structure par rayons X du mutant H256A de la PFK-2/FBPase-2 de testicule de rat. Le domaine PFK-2, N-terminal, est en bleu clair et le domaine FBPase-2, C-terminal, en orange. Les ligands ADPNP, succinate, F6P et P$_i$ sont en modèle plein, avec C en vert, N en bleu, O en rouge, et P en jaune. Le P$_i$, qui occupe le site de liaison du groupement phosphate du F2,6P, est du côté opposé au site qui serait occupé par la chaîne latérale de His 256 (*magenta*) de l'enzyme sauvage et à laquelle il serait transféré au cours de la catalyse. Le succinate occupe la poche de liaison supposée pour le F6P dans le domaine PFK-2. [D'après une structure par rayons X due à Kosaku Uyeda et Charles Hasemann, University of Texas Southwestern Medical Center. PDBid 2BIF.]

la FBPase-1 inhibée, et il en résulte la stimulation de la glycolyse et l'inhibition de la gluconéogenèse.

Les mécanismes de contrôle par le F2,6P dans les muscles squelettiques et dans le muscle cardiaque sont tout à fait différents de ceux du foie en raison de la présence dans ces tissus de différentes isoenzymes de la PFK-2/FBPase-2. Dans les muscles cardiaque et squelettiques, une augmentation de la glycogénolyse s'accompagne d'une augmentation de la glycolyse plutôt que d'une formation accélérée de glucose. Ceci est dû à ce que la phosphorylation de l'isoenzyme PFK-2/FBPase-2 du muscle cardiaque se fait sur des sites différents (Ser 466 et Thr 475 de la protéine de 530 résidus) comparés avec l'isoenzyme de foie (Ser 32 de la protéine de 470 résidus), ce qui active, au lieu de diminuer, l'activité PFK-2. Par conséquent, les hormones qui stimulent la glycogénolyse augmentent aussi la [F2,6P] dans le muscle cardiaque, stimulant également la glycolyse. Les isoenzymes de muscle squelettique et de testicule n'ont pas de sites de phosphorylation, et ne sont donc pas soumises à régulation par phosphorylation dépendante de la PKA.

G. *Réponse au stress*

L'adrénaline et la noradrénaline, souvent appelées « hormones de lutte ou de fuite », sont libérées dans le courant sanguin par les médullosurrénales en cas de stress. Les récepteurs de l'adrénaline (appelés **récepteurs β-adrénergiques**; Section 19-1F) situés à la surface des cellules de foie et de muscle, répondent à ces hormones tout comme les récepteurs au glucagon répondent à la présence de glucagon; ils stimulent l'adénylate cyclase, augmentant ainsi la [AMPc] intracellulaire. L'adrénaline stimule également les cellules α du pancréas qui libèrent alors du glucagon, ce qui augmente encore la [AMPc] hépatique. Le G6P produit par la glycogénolyse musculaire activée de cette manière est pris en charge par la glycolyse, formant ainsi de l'ATP et aidant les muscles à faire face au stress déclenché par la libération d'adrénaline.

La réponse du foie en cas de stress, en plus de sa réponse au glucagon libéré suite à la stimulation des cellules α du pancréas par l'adrénaline, fait intervenir deux types de récepteurs, les récepteurs β-adrénergiques dont nous avons déjà parlé, et les **récepteurs α-adrénergiques**. Ces derniers vont stimuler la **phospholipase C** qui, à son tour, libère d'autres seconds messagers, à savoir l'inositol-1,4,5-trisphosphate (IP_3), le diacylglycérol (DAG), et les ions Ca^{2+} (Fig. 18-26a), qui vont accentuer la réponse des cellules à l'AMPc. Nous avons déjà vu dans la Section 18-3C que la phosphorylase kinase, qui simultanément active la phosphorylase et inactive la glycogène synthase, n'est pleinement active que si elle est phosphorylée et est en présence d'ions Ca^{2+}. De plus, la glycogène synthase est inactivée après phosphorylation par plusieurs protéine kinases Ca^{2+}-dépendantes, dont la protéine kinase C (Section 18-3D). La protéine kinase C nécessite à la fois des ions Ca^{2+} et du DAG pour être active (Section 19-4C). Cette double stimulation des récepteurs en réponse à l'adrénaline entraîne la production, par le foie, de G6P, qui est hydrolysé par la G6Pase en glucose, lequel est libéré dans la circulation et alimente ainsi davantage les cellules musculaires (Fig. 18-26b).

4 ■ MALADIES DU STOCKAGE DE GLYCOGÈNE

Le métabolisme du glycogène étant contrôlé de façon si sophistiquée, il n'est pas surprenant que des déficiences enzymatiques d'origine génétique entraînent des pathologies. L'étude de ces pathologies et des déficiences enzymatiques responsables a permis de mieux comprendre comment est assuré l'équilibre du système. De ce point de vue, les maladies génétiques sont des instruments de recherche inestimables. Réciproquement, la caractérisation biochimique des réactions affectées par une maladie génétique débouche souvent, comme nous le verrons, sur des stratégies thérapeutiques très utiles. De nombreuses maladies dues à des déficiences héréditaires de l'une ou de l'autre des enzymes du métabolisme du glycogène ont été caractérisées. Ces anomalies sont résumées dans le Tableau 18-1 et étudiées dans cette section.

Type I : Déficience en glucose-6-phosphatase (maladie de von Gierke)

La G6Pase catalyse la dernière réaction conduisant à la libération de glucose dans la circulation par le foie. Si cette enzyme est déficiente, on constate une augmentation de la [G6P] intracellulaire, qui provoque une accumulation importante de glycogène (**glycogénose**) de structure normale dans le foie et dans les reins (se rappeler que le G6P inhibe la glycogène phosphorylase et active la glycogène synthase) et l'impossibilité d'augmenter la glycémie en réponse au glucagon ou à l'adrénaline. Des symptômes identiques se manifestent en cas d'anomalie de la protéine de transport du glucose qui assure son passage à travers la membrane plasmique des cellules de foie (Section 20-2E) ou de l'une ou l'autre des protéines qui transportent le glucose, le G6P ou le P_i à travers la membrane du réticulum endoplasmique (Section 18-3F; Fig. 18-26b). Les symptômes de cette maladie du stockage de glycogène de type I sont une hypertrophie du foie, une **hypoglycémie** sévère quelques heures après avoir mangé, et un retard de croissance. Les traitements de cette maladie consistent à inhiber, au moyen de médicaments, l'assimilation du glucose par le foie afin

TABLEAU 18-1 **Maladies héréditaires du stockage de glycogène (glycogénoses)**

Type	Enzyme déficiente	Tissu	Nom usuel	Structure du glycogène
I	Glucose-6-phosphatase	Foie	Maladie de von Gierke	Normale
II	α-1,4-Glucosidase	Tous les lysosomes	Maladie de Pompe	Normale
III	Amylo-1,6-glucosidase (enzyme débranchante)	Tous les organes	Maladie de Cori	Chaînes externes manquantes ou très courtes
IV	Amylo-(1,4→1,6)-transglycosylase (enzyme branchante)	Foie, probablement tous les organes	Maladie de Andersen	Chaînes très longues non branchéess
V	Glycogène phosphorylase	Muscle	Maladie de McArdle	Normale
VI	Glycogène phosphorylase	Foie	Maladie de Hers	Normale
VII	Phosphofructokinase	Muscle	Maladie de Tarui	Normale
VIII	Phosphorylase kinase	Foie	Déficience en phosphorylase kinase liée à X	Normale
IX	Phosphorylase kinase	Tous les tissus		Normale
0	Glycogène synthase	Foie		Normal, qualité médiocre

(a)

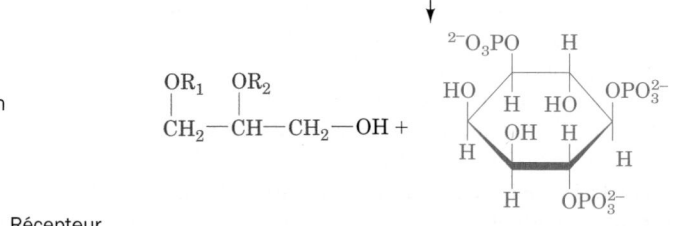

(b)

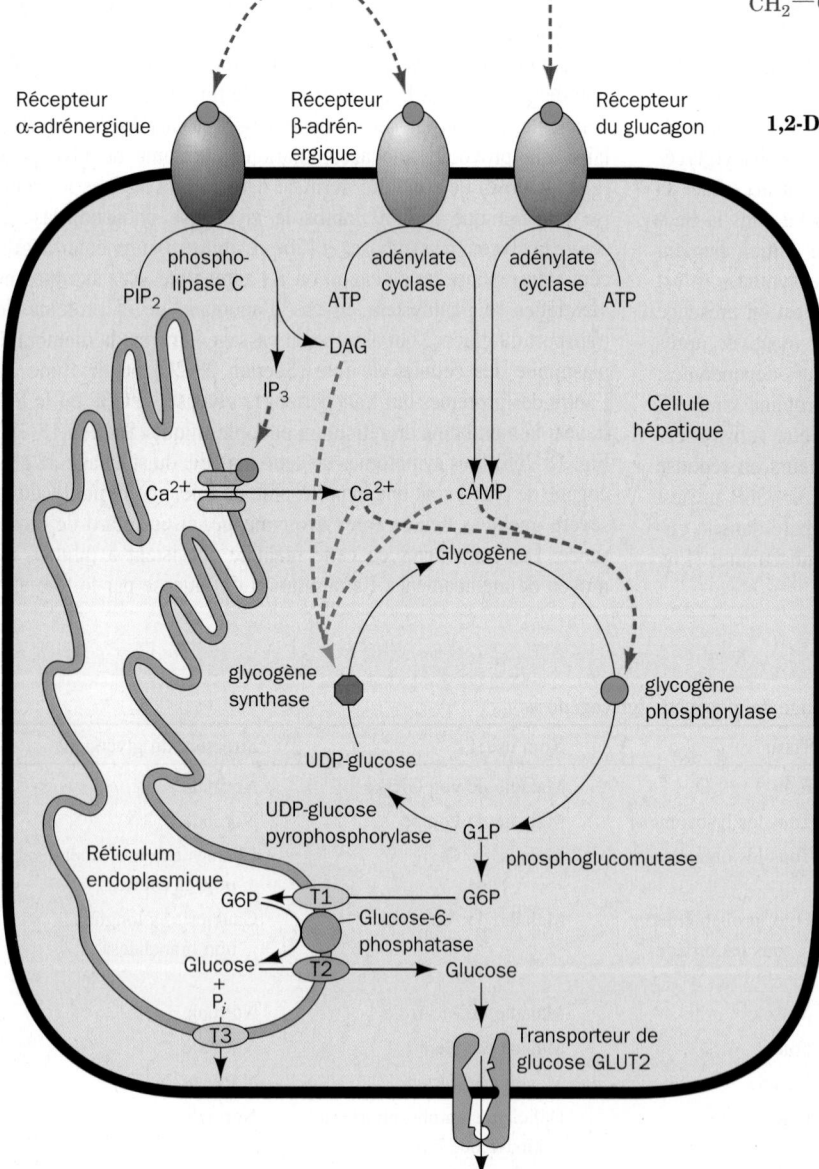

FIGURE 18-26 Réponse du foie au stress. *(a)* La stimulation des récepteurs α-adrénergiques par l'adrénaline active la phospholipase C qui hydrolyse le phosphatidylinositol-4,5-bisphosphate (PIP$_2$) pour donner de l'inositol-1,4,5-trisphosphate (IP$_3$) et du diacylglycérol (DAG). *(b)* La réponse du foie au stress implique la participation de deux systèmes à seconds messagers : la stimulation de la glycogénolyse et l'inhibition de la glycogenèse déclenchées par le glucagon et l'activation des récepteurs β-adrénergiques ; et la stimulation de la glycogénolyse et l'inhibition de la glycogenèse déclenchées par IP$_3$, DAG et la libération d'ions Ca^{2+} après activation des récepteurs α-adrénergiques. L'IP$_3$ stimule la sortie d'ions Ca^{2+} du réticulum endoplasmique, tandis que le DAG, en association avec les ions Ca^{2+}, active la protéine kinase C qui phosphoryle et donc inactive la glycogène synthase. La G6Pase se trouve dans le réticulum endoplasmique. Le G6P produit dans le cytosol doit donc être transporté dans le réticulum endoplasmique par la **translocase T1 du G6P**, où il est hydrolysé en glucose et P$_i$. Ces derniers sont ramenés au cytosol, respectivement par les **transporteurs T2 et T3**, et le glucose est exporté de la cellule par le transporteur de glucose GLUT2.

d'augmenter la glycémie, à nourrir le patient pendant toute la nuit par voie intrastomacale, également pour augmenter la glycémie, à donner par la bouche de l'amidon cru de maïs (qui n'est dégradé que lentement en glucose) et à déplacer, par intervention chirurgicale, la veine porte qui normalement relie directement l'intestin au foie, afin que ce sang riche en glucose atteigne les tissus périphériques avant qu'il n'atteigne le foie. Ce dernier traitement présente un double avantage : il permet aux tissus de recevoir plus de glucose, et il diminue le stockage de ce glucose sous forme de glycogène dans le foie. La transplantation du foie s'est avérée bénéfique pour les quelques patients qui ont pu la subir.

Un protocole de thérapie génique (Section 5-5H) est actuellement mis au point pour traiter la maladie du stockage de glycogène de Type I. Des souris knockout pour la G6Pase (Section 5-5H) ont reçu un vecteur viral contenant le gène de la G6Pase de souris. Ce traitement, qui restitue la G6Pase au foie de ces souris, augmente nettement leur survie et corrige les anomalies métaboliques associées à cette maladie du stockage de glycogène.

Type II : Déficience en α-1,4-glucosidase (maladie de Pompe)

C'est la maladie du stockage de glycogène la plus grave. Elle se traduit par une importante accumulation de glycogène de structure normale dans les lysosomes de toutes les cellules et elle entraîne la mort par insuffisance cardiorespiratoire, en général avant 1 an. Nous n'avons pas parlé de l'α-1,4-glucosidase dans l'étude de la glycogenèse et de la glycogénolyse car cette enzyme n'intervient pas dans ces voies métaboliques. On la trouve dans les lysosomes, où elle assure l'hydrolyse du maltose (Section 11-2B) et d'autres oligosaccharides linéaires, ainsi que celle des ramifications externes du glycogène, formant ainsi du glucose. Cette deuxième voie du métabolisme du glycogène n'est cependant pas significativement importante. La raison pour laquelle les lysosomes captent et dégradent normalement les granules de glycogène n'est pas connue.

Type III : Déficience en amylo-1,6-glucosidase (enzyme débranchante) (maladie de Cori)

Cette maladie se caractérise par l'accumulation de glycogène de structure anormale ayant des chaînes externes très courtes aussi bien dans le foie que dans le muscle, puisqu'en l'absence de l'enzyme débranchante, la dégradation du glycogène ne peut se faire complètement. Comme dans la maladie de von Gierke (Type I), il y a hypoglycémie, quoique moins sévère. Celle-ci est due à une glycogénolyse très imparfaite ; les patients doivent fréquemment absorber un régime alimentaire riche en protéines [quand il y a hypoglycémie, le foie synthétise, via la gluconéogenèse (Section 23-1), du glucose à partir de certains acides aminés]. Pour des raisons inconnues, les symptômes de la maladie de Cori disparaissent souvent à la puberté.

Type IV : Déficience en amylo-(1,4 → 1,6)-transglycosylase (enzyme branchante) (maladie d'Andersen)

C'est une des maladies du stockage de glycogène les plus graves ; ses victimes dépassent rarement l'âge de 5 ans en raison d'un dysfonctionnement du foie. La concentration en glycogène hépatique n'est pas augmentée mais sa structure est anormale, avec de très longues chaînes non branchées dues à l'absence de l'enzyme branchante. Ce taux de branchement anormalement bas

diminue fortement la solubilité du glycogène. On a suggéré que le dysfonctionnement du foie résulterait d'une réponse immune contre ce glycogène anormal, véritable « corps étranger ».

Type V : Déficience en phosphorylase musculaire (maladie de McArdle)

Nous avons mentionné cette maladie car c'est en l'étudiant qu'on a réalisé que la glycogenèse et la glycogénolyse devaient emprunter des voies différentes (Section 18-2). Son principal symptôme, qui se fait sentir sérieusement au début de l'âge adulte, sont des crampes musculaires douloureuses qui surviennent lors d'un exercice. Cela vient de ce que la glycogénolyse est incapable de fournir du G6P afin de satisfaire la demande métabolique en ATP. Des études par RMN du ^{31}P sur le muscle de l'avant-bras humain ont corroboré cette conclusion sans devoir recourir à des prélèvements, en montrant qu'un exercice physique chez des personnes souffrant de la maladie de McArdle conduit à des taux élevés d'ADP comparés à ceux d'individus normaux (Fig. 18-27). Curieusement, si ces malades prolongent l'exercice, les crampes s'amenuisent. On attribue ce « second souffle » à la vasodilatation, qui rend les muscles plus accessibles au glucose et aux acides gras du sang qu'ils utilisent à la place du glycogène comme combustible énergétique. La glycogène phosphorylase du foie est normale chez ces patients, ce qui implique l'existence de différentes isoenzymes de glycogène phosphorylase dans le muscle et dans le foie.

Type VI : Déficience en phosphorylase hépatique (maladie de Hers)

La déficience en phosphorylase hépatique donne des symptômes identiques aux formes atténuées de la maladie de type I. Dans ce cas, l'hypoglycémie est due à ce que la glycogène phosphorylase ne répond pas à la demande de production de glucose par le foie.

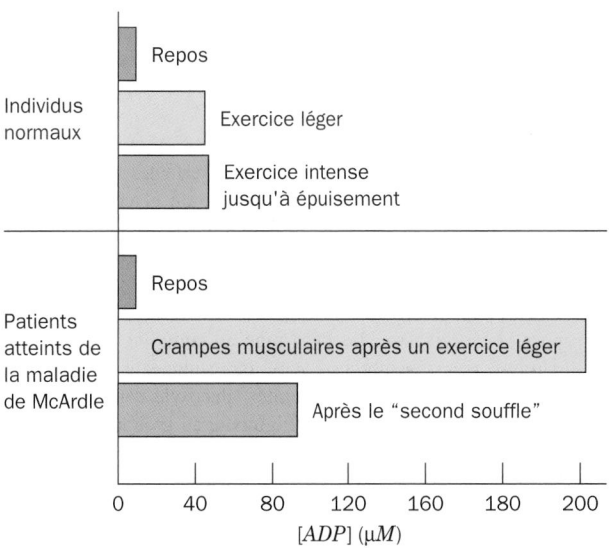

FIGURE 18-27 Concentrations en ADP dans les muscles de l'avant-bras humain au repos et après un exercice chez une personne normale et une personne atteinte de la maladie de McArdle. La concentration en ADP a été déterminée par des mesures de RMN du ^{31}P sur l'avant-bras intact. [D'après Radda, G.K., *Biochem. Soc. Trans.* **14**, 522 (1986).]

Type VII : **Déficience en phosphofructokinase musculaire (maladie de Tarui)**

La déficience en PFK-1, enzyme de la glycolyse, dans le muscle entraîne une accumulation des métabolites G6P et F6P. De fortes concentrations en G6P augmentent les activités de la glycogène synthase (le G6P active la glycogène synthase et inactive la glycogène phosphorylase) et de l'UDP-glucose pyrophosphorylase (le G6P est en équilibre avec le G1P, substrat de cette enzyme), d'où une accumulation de glycogène dans le muscle. Les autres symptômes sont identiques à la maladie de type V, due à une déficience en phosphorylase musculaire, car la déficience en PFK ne permet pas à la glycolyse de satisfaire les besoins en ATP pour la contraction musculaire.

Type VIII : **Déficience en phosphorylase kinase hépatique (Déficience en phosphorylase kinase liée à X)**

Certaines personnes présentent les symptômes de la maladie de type VI ont une glycogène phosphorylase hépatique normale. En fait, c'est leur phosphorylase kinase qui est déficiente, d'où l'impossibilité de convertir la phosphorylase *b* en phosphorylase *a*. Le gène codant la sous-unité α de la phosphorylase kinase étant situé sur le chromosome X, la maladie de Type VIII est liée à X plutôt que d'être autosomique comme les autres maladies du stockage de glycogène.

Type IX : **Déficience en phosphorylase kinase**

La déficience en phosphorylase kinase, lorsqu'elle est autosomique récessive, résulte d'une mutation dans l'un des gènes codant une sous-unité (β, γ ou δ) de la phosphorylase kinase. Puisque différents organes contiennent différentes isozymes de la phosphorylase kinase, les symptômes et la sévérité de la maladie de Type IX varient avec les organes atteints.

Type 0 : **déficience en glycogène synthase hépatique**

C'est la seule maladie du métabolisme du glycogène qui se traduit par un manque, et non un excès, de glycogène. L'activité de la glycogène synthase étant extrêmement faible chez les individus atteints de cette maladie, ils présentent une hyperglycémie après les repas et une hypoglycémie à d'autres moments. Il se peut que l'origine de la maladie ne soit pas due à la glycogène synthase mais à un déséquilibre de la cascade cyclique de la glycogène synthase dû à d'autres déficiences métaboliques. La cause première de cette maladie de Type 0 est toujours l'objet de recherches.

Plusieurs des maladies du stockage de glycogène donnent lieu aux mêmes symptômes cliniques. Leur diagnostic se fait donc actuellement par test génétique.

RÉSUMÉ DU CHAPITRE

1 ■ Dégradation du glycogène Chez les animaux, quand le glucose n'est pas utilisé comme source énergétique, il est mis en réserve sous forme de glycogène, un glucane avec des liaisons α(1→4) présentant des ramifications α(1→6) tous les 8 à 14 résidus, principalement dans les cellules du foie et des muscles. La dégradation du glycogène en glucose-6-phosphate (G6P) se fait en deux étapes. La glycogène phosphorylase catalyse la phosphorolyse de la liaison glycosidique d'un résidu glucosyle terminal pour donner du glucose-1-phosphate (G1P). La phosphoglucomutase transforme le G1P en G6P. L'enzyme débranchante permet la dégradation complète du glycogène en catalysant le transfert de chaînes à trois résidus sur les extrémités non réductrices d'autres chaînes, et l'hydrolyse en glucose de l'unité glucosyl α(1→6) restante.

2 ■ Synthèse du glycogène La synthèse du glycogène à partir de G6P est assurée par une voie différente de celle de sa dégradation. Le G6P est transformé en G1P sous l'influence de la phosphoglucomutase. L'UDP-glucose pyrophosphorylase utilise l'UTP pour transformer le G1P en UDP-glucose, la forme active de glucose pour la glycogenèse. Le PP$_i$ formé au cours de cette réaction est hydrolysé par la pyrophosphatase inorganique, ce qui rend la réaction globale irréversible. Les unités glucosyle sont transférées, par la glycogène synthase, de l'UDP-glucose au groupement C4-OH d'un résidu terminal d'une chaîne de glycogène en croissance. Le branchement est assuré par l'enzyme branchante, qui catalyse le transfert de segments de 7 résidus environ depuis les chaînes α(1→4) au groupement C6-OH d'un résidu glucosyle de la même chaîne ou d'une autre chaîne de glycogène.

3 ■ Contrôle du métabolisme du glycogène Les vitesses de synthèse du glycogène par la glycogène synthase et de sa dégradation par la glycogène phosphorylase sont contrôlées par les teneurs de leurs effecteurs allostériques tels que l'ATP, l'AMP, le G6P et le glucose. À ce contrôle allostérique se superpose un

contrôle par phosphorylation/déphosphorylation de ces enzymes. Les kinases et phosphatases qui catalysent ces modifications font partie de cascades amplificatrices qui sont, en dernier ressort, sous le contrôle des hormones glucagon, insuline et adrénaline, et des ions Ca^{2+}. Le glucagon et l'adrénaline stimulent la glycogénolyse en stimulant l'adénylate cyclase, ce qui augmente la [AMPc] intracellulaire. L'AMPc est un « second messager » qui active la protéine kinase A (PKA), laquelle, en activant la phosphorylase kinase, assure la phosphorylation de la glycogène phosphorylase et de la glycogène synthase. Cette phosphorylation active la glycogène phosphorylase mais inactive la glycogène synthase. De plus, l'adrénaline entraîne l'augmentation des concentrations d'autres seconds messagers, à savoir l'inositol-1,4,5-trisphosphate (IP$_3$), le diacylglycérol (DAG) et la [Ca^{2+}], qui accentuent les réponses AMPc-dépendantes. Les ions Ca^{2+}, libérés également dans le cytosol des cellules musculaires sous l'impulsion de l'influx nerveux, se lient à la calmoduline. Ceci stimule cette protéine à activer des protéines kinases par un mécanisme intrastérique en vertu duquel le complexe Ca^{2+}-CaM éloigne des séquences auto-inhibitrices des sites actifs de ces kinases. Une diminution en [AMPc] et/ou la présence d'insuline provoque l'activation de la phosphoprotéine phosphatase-1 qui déphosphoryle la glycogène phosphorylase et la glycogène synthase. Les phosphoprotéines qui participent au métabolisme du glycogène sont déphosphorylées sous l'action de la phosphoprotéine phosphatase-1, qui n'est active qu'associée à une particule de glycogène par l'intermédiaire de sous-unités G$_M$ ou G$_L$ de liaison au glycogène. Quand la [glucose] est élevée, le foie synthétise du G6P (et finalement du glycogène) à partir de glucose sous l'action de la glucokinase (GK), dont les propriétés cinétiques diffèrent de celles des autres hexokinases. Quand la [glucose] est basse, la GK est inhibée par la protéine régulatrice de la GK (GKRP), et la G6Pase hydrolyse le G6P produit par la glycogénolyse (favorisée à [glucose] basse) pour exporter vers d'autres tissus le glucose ainsi obtenu. La concentration en F2,6P hépatique, activateur de la PFK-1 et inhibiteur de la FBPase-1, dépend également des vitesses de phosphorylation /déphosphorylation-AMPc dépendantes. La synthèse et la dégradation du F2,6P sont toutes deux catalysées par la même enzyme bifonctionnelle, la PFK-2/FBPase-2, dont les activités enzymatiques sont contrôlées en sens inverse par régulation allostérique et par phosphorylation/déphosphorylation.

4 ■ Maladies du stockage de glycogène Les maladies du stockage de glycogène sont dues à des déficiences génétiques de l'une ou l'autre des enzymes du métabolisme du glycogène. Chez l'homme, on connaît dix maladies plus ou moins graves dues à de telles déficiences.

RÉFÉRENCES

GÉNÉRALITÉS

Boyer, P.D. and Krebs, E.G. (Eds.), *The Enzymes* (3rd ed.), Vol. 17, Academic Press (1986). [Contient des articles détaillés sur les enzymes du métabolisme du glycogène et leur contrôle.]

Walsh, C., *Enzymatic Reaction Mechanisms,* Freeman (1979).

MÉTABOLISME DU GLYCOGÈNE

Browner, M.F. and Fletterick, R.J., Phosphorylase: A biological transducer, *Trends Biochem. Sci.* **17,** 66–71 (1992).

Dai, J.-B., Liu, Y., Ray, W.J., Jr., and Konno, M., The crystal structure of muscle phosphoglucomutase refined at 2.7-angstrom resolution, *J. Biol. Chem.* **267,** 6322–6337 (1992).

Johnson, L.N., Glycogen phosphorylase: Control by phosphorylation and allosteric effectors, *FASEB J.* **6,** 2274–2282 (1992); *and* Rabbit muscle glycogen phosphorylase b. The structural basis of activation and catalysis, *in* Harding, J.J. and Crabbe, M.J.C. (Eds.), *Post-Translational Modifications of Proteins,* pp. 81–151, CRC Press (1993).

Johnson, L.N. and Barford, D., Glycogen phosphorylase, *J. Biol. Chem.* **265,** 2409–2412 (1990).

Madsen, N.B., Glycogen phosphorylase and glycogen synthetase, *in* Kuby, S.A. (Ed.), *A Study of Enzymes,* Vol. II, *pp.* 139–158, CRC Press (1991).

Meléndez-Hevia, E., Waddell, T.G., and Shelton, E.D., Optimization of molecular design in the evolution of metabolism: The glycogen molecule, *Biochem. J.* **295,** 477–483 (1993).

Palm, D., Klein, H.W., Schinzel, R.S., Bucher, M., and Helmreich, E.J.M., The role of pyridoxal 5′-phosphate in glycogen phosphorylase catalysis, *Biochemistry* **29,** 1099–1107 (1990).

Roach, P.J. and Skurat, A.V., Self-glucosylating initiator proteins and their role in glycogen biosynthesis, *Prog. Nucl. Acid Res. Mol. Biol.* **57,** 289–316 (1997). [On y traite de la glycogénine.]

Smythe, C. and Cohen, P., The discovery of glycogenin and the priming mechanism for glycogen biosynthesis, *Eur. J. Biochem.* **200,** 625–631 (1991).

Sprang, S.R., Acharya, K.R., Goldsmith, E.J., Stuart, D.I., Varvill, K., Fletterick, R.J., Madsen, N.B., and Johnson, L.N., Structural changes in glycogen phosphorylase induced by phosphorylation, *Nature* **336,** 215–221 (1988).

Sprang, S.R., Withers, S.G., Goldsmith, E.J., Fletterick, R.J., and Madsen, N.B., Structural basis for the activation of glycogen phosphorylase b by adenosine monophosphate. *Science* **254,** 1367–1371 (1991).

LA CALMODULINE ET LE CONTRÔLE QU'ELLE EXERCE SUR LE MÉTABOLISME DU GLYCOGÈNE

Babu, Y.S., Sack, J.S., Greenough, T.J., Bugg, C.E., Means, A.R., and Cook, W.J., Three-dimensional structure of calmodulin, *Nature* **315,** 37–40 (1985).

Crivici, A. and Ikura, M., Molecular and structural basis of target recognition by calmodulin, *Annu. Rev. Biophys. Biomol. Struct.* **25,** 85–116 (1995).

Ikura, M., Clore, G.M., Gronenborn, A.M., Zhu, G., and Bax, A., Solution structure of a calmodulin-target peptide complex by multidimensional NMR, *Science* **256,** 632–638 (1992); *and* Meador, W.E., Means, A.R., and Quiocho, F.A., Target enzyme recognition by calmodulin: 2.4 Å structure of a calmodulin-peptide complex, *Science* **257,** 1251–1255 (1992).

James, P., Vorherr, T., and Carafoli, E., Calmodulin-binding domains: Just two faced or multifaceted? *Trends Biochem. Sci.* **20,** 38–42 (1995).

Nakayama, S. and Kretsinger, R.H., Evolution of the EF-hand family of proteins, *Annu. Rev. Biophys. Biomol. Struct.* **23,** 473–507 (1994).

PROTÉINES KINASES AND PROTÉINES PHOSPHATASES

Bollen, M., Keppens, S., and Stalmans, W., Specific features of glycogen metabolism in the liver, *Biochem. J.* **336,** 19–31 (1998).

Bossemeyer, D., Engh, R.A., Kinzel, V., Ponstingl, H., and Huber, R., Phosphotransferase and substrate binding mechanism of the cAMP-dependent protein kinase catalytic subunit from porcine heart as deduced from the 2.0 Å structure of the complex with Mn^{2+} adenyl imidodiphosphate and inhibitor peptide PKI (5-24), *EMBO J.* **12,** 849–859 (1993).

Egloff, M.P., Johnson, D.F., Moorhead, G., Cohen, P.T.W., Cohen, P., and Barford, D., Structural basis for the recognition of regulatory subunits by the catalytic subunit of protein phosphatase 1, *EMBO J.* **16,** 1876–1887 (1997).

Goldberg, J., Huang, H., Kwon, Y., Greengard, P., Nairn, A.C., and Kuriyan, J., Three-dimensional structure of the catalytic subunit of protein serine/threonine phosphatase-1, *Nature* **376,** 745–753 (1995).

Johnson, L.N., Lowe, E.D., Noble, M.E.M., and Owen, D.J., The structural basis for substrate recognition and control by protein kinases, *FEBS Lett.* **430,** 1–11 (1998).

Kobe, B. and Kemp, B.E., Active site-directed protein regulation, *Nature* **402,** 373–376 (1999). [Traite de la régulation intrastérique.]

Lowe, E.D., Noble, M.E.M., Skamnaki, V.T., Oikonomakos, N.G., Owen, D.J., and Johnson, L.N., The crystal structure of a phosphorylase kinase peptide substrate complex: Kinase substrate recognition, *EMBO J.* **16,** 6646–6658 (1997).

Manning, G., Whyte, D.B., Martinez, R., Hunter, T., and Sundarsanum, S., The protein kinase complement of the human genome, *Science* **298,** 1912–1934 (2002).

Nordlie, R.C., Foster, J.D., and Lange, A.J., Regulation of glucose production by the liver, *Annu. Rev. Nutr.* **19,** 379–406 (1999).

Smith, C.M., Radzio-Andzelm, E., Akamine, M.P., Madhusudan, and Taylor, S.S., The catalytic subunit of cAMP-dependent protein kinase: Prototype for an extended network of communication, *Prog. Biophys. Mol. Biol.* **71,** 313–341 (1999).

Su, Y., Dostmann, W.R.G., Herberg, F.W., Durick, K., Xuong, N., Ten Eyck, L., Taylor, S.S., and Varughese, K.I., Regulatory subunit of protein kinase A: Structure of deletion mutant with cAMP binding domains, *Science* **269,** 807–813 (1995).

Taylor, S.S., Knighton, D.R., Zheng, J., Sowadski, J.M., Gibbs, C.S., and Zoller, M.J., A template for the protein kinase family, *Trends Biochem. Sci.* **18,** 84–89 (1993); *and* Taylor, S.S., Knighton, D.R., Zheng, J., Ten Eyck, L.F., and Sowadski, J.M., Structural framework for the protein kinase family, *Annu. Rev. Cell Biol.* **8,** 429–462 (1992).

Villafranca, J.E., Kissinger, C.R., and Parge, H.E., Protein serine/threonine phosphatases, *Curr. Opin. Biotech.* **7,** 397–402 (1996).

GLUCOKINASE ET PFK-2/FBPASE-2

Cornish-Bowden, A. and Cárdenas, M.L., Hexokinase and "glucokinase" in liver metabolism, *Trends Biochem. Sci.* **16,** 281–282 (1991).

de la Iglesia, N., Mukhtar, M., Seoane, J., Guinovart, J.J., and Agius, L., The role of the regulatory protein of glucokinase in the glucose sensory mechanism of the hepatocyte, *J. Biol. Chem.* **275,** 10597–10603 (2000).

Iynedjian, P.B., Mammalian glucokinase and its gene, *Biochem. J.* **293,** 1–13, (1993). [Revue sur la fonction et le contrôle de la glucokinase.]

Okar, D.A., Manzano, À., Navarro-Sabatè, A., Riera, L., Bartrons, R., and Lange, A.J., PFK-2/FBPase-2: maker and breaker of the essential biofactor fructose-2,6-bisphosphate, *Trends Biochem. Sci.* **26,** 30–35 (2001).

Pilkis, S.J., 6-Phosphofructo-2-kinase/fructose-2,6-bisphosphatase: a metabolic signaling enzyme, *Annu. Rev. Biochem.* **64,** 799–835 (1995).

Rousseau, G.G. and Hue, L., Mammalian 6-phosphofructo-2-kinase/fructose-2,6-bisphosphatase: A bifunctional enzyme that controls glycolysis, *Prog. Nucleic Acid Res. Mol. Biol.* **45,** 99–127 (1993).

Van Schaftingen, E., Vandercammen, A., Detheux, M., and Davies, D.R., The regulatory protein of liver glucokinase, *Adv. Enzyme Reg.* **32,** 133–148 (1992).

Villar-Palasi, C. and Guinovart, J. J., The role of glucose 6-phosphate in the control of glycogen synthase, *FASEB J.* **11,** 544–558 (1997).

Yuan, M.H., Mizuguchi, H., Lee, Y.-H., Cook, P.F., Uyeda, K., and Hasemann, C.A., Crystal structure of the H256A mutant of rat testis fructose-6-phosphate,2-kinase/fructose-2,6-bisphosphatase, *J. Biol. Chem.* **274,** 2176–2184 (1999); *and* Haseman, C.A., Istvan, E.S., Uyeda, K., and Deisenhofer, J., The crystal structure of the bifunctional enzyme 6-phosphofructo-2-kinase/fructose-2,6-bisphosphatase reveals distinct homologies, *Structure* **4,** 1017–1029 (1996).

MALADIES DU STOCKAGE DE GLYCOGÈNE

Bartram, C., Edwards, R.H.T., and Beynon, R.J., McArdle's disease-muscle glycogen phosphorylase deficiency, *Biochim. Biophys. Acta* **1272,** 1–13 (1995). [Une revue.]

Chen, Y.-T., Glycogen storage diseases, *in* Scriver, C.R., Beaudet, A.L. Sly, W.S., and Valle, D. (Eds.), *The Metabolic & Molecular Bases of Inherited Disease* (8th ed.), *pp.* 1521–1552, McGraw-Hill, New York (2001). [Commence par une revue du métabolisme du glycogène.]

Radda, G.K., Control of bioenergetics: From cells to man by phosphorus nuclear-magnetic-resonance spectroscopy, *Biochem. Soc. Trans.* **14,** 517–525 (1986). [Explique le diagnostic non invasif de la maladie de McArdle par RMN du ^{31}P.]

Zingone, A., Hiraiwa, H., Pan, C.-J., Lin, B., Chen, H., Ward, J.M., and Chou, J.Y., Correction of glycogen storage disease type 1a in a mouse model by gene therapy, *J. Biol. Chem.* **275,** 828–832 (2000).

■ PROBLÈMES

1. Une molécule de glycogène formée de 100 000 résidus de glucose présente un branchement, en moyenne, tous les 10 résidus. (a) Combien y a-t-il d'extrémités réductrices ? (b) Combien y a-t-il de points de branchement en moyenne ?

2. Une particule de glycogène mature typique a 12 étages de branches avec 2 branches par étage et 13 résidus par branche. Combien de résidus glucose une telle particule contient-elle ?

3. L'oxydation complète d'une molécule de glucose en CO_2 et H_2O permet la formation de 38 molécules d'ATP (Chapitre 22). Evaluez le coût énergétique fractionnaire correspondant au stockage du glucose sous forme de glycogène suivi de la dégradation du glycogène, par rapport à la dégradation directe du glucose. (Se rappeler que la structure branchée du glycogène conduit à la formation, par dégradation, de 92 % de G1P et 8 % de glucose.)

4. Quels sont les effets des situations suivantes sur les vitesses de la glycogénèse et de la glycogénolyse : (a) augmentation de la concentration en Ca^{2+}, (b) augmentation de la [ATP], (c) inhibition de l'adénylate cyclase, (d) augmentation de la concentration en adrénaline, et (e) augmentation de la [AMP] ?

5. Montrez que l'activité de l'hexokinase, à l'inverse de celle de la glucokinase, est insensible à la glycémie pour des valeurs physiologiques. Calculez le rapport d'activité de la glucokinase sur celle de l'hexokinase quand la [glucose] est de 2 mM (hypoglycémique), 5 mM (normale), et 25 mM (diabétique). Supposez que $K_M = 0,1$ mM pour l'hexokinase et que les deux enzymes ont la même V_{max}.

6. Comparez les propriétés d'une cascade bicyclique avec celles d'une cascade monocyclique.

7. La V_{max} de la glycogène phosphorylase de muscle est beaucoup plus grande que celle du foie. Discutez la signification fonctionnelle de cette observation.

8. Comment l'adrénaline agit-elle sur les muscles pour les préparer à « lutter ou à fuir » ?

*9. Le métabolisme du glycogène est encore plus compliqué que nous l'avons vu, dans la mesure où de nombreuses protéines kinases, dont la phosphorylase kinase, s'autophosphorylent, c'est-à-dire, qu'elles peuvent se phosphoryler spécifiquement et donc s'activer elles-mêmes. Indiquez quelles peuvent être les conséquences de ce phénomène sur le métabolisme du glycogène, prenant en considération le fait que l'autophosphorylation catalysée par la phosphorylase kinase peut être un processus intramoléculaire ou intermoléculaire.

10. Expliquez les symptômes de la maladie de von Gierke.

11. Un échantillon de glycogène d'un patient atteint d'une maladie du foie est incubé avec du P_i, de la glycogène phosphorylase normale et de l'enzyme débranchante normale. Le rapport glucose-1-phosphate sur glucose formés dans ce mélange réactionnel est de 100. De quelle déficience enzymatique la plus probable souffre le patient ? Quelle est la structure probable du glycogène du patient ?

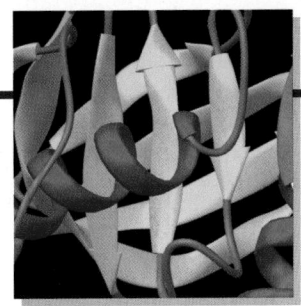

Chapitre

19

Transduction du signal

Les êtres vivants coordonnent leurs activités à chaque niveau de leur organisation grâce à des systèmes complexes de signalisation chimique. Les signaux intercellulaires se transmettent par l'intermédiaire de messagers chimiques connus sous le nom d'**hormones** et, chez les animaux supérieurs, *via* des impulsions électrochimiques transmises par les neurones. Les communications intracellulaires sont assurées par la synthèse ou l'altération d'une grande variété de substances différentes qui sont souvent des constituants

à part entière des processus qu'ils contrôlent. Par exemple, les voies métaboliques sont régulées par rétrocontrôle d'enzymes allostériques, soit par des métabolites de ces mêmes voies, soit par modification covalente de ces enzymes. Dans cette section, nous étudierons la signalisation par voie chimique et la manière dont ces signaux sont transmis. Nous commencerons par exposer les fonctions des systèmes hormonaux principaux chez l'homme. Nous verrons ensuite les trois voies principales de transduction des signaux intercellulaires en signaux intracellulaires, par (1) les protéines G hétérotrimériques, (2) les récepteurs à activité tyrosine-kinase et (3) la cascade des phospho-inositides. La neurotransmission est étudiée dans la Section 20-5.

1 ■ LES HORMONES

Les hormones sont classées selon la distance à laquelle elles agissent (Fig. 19-1) :

1. Les **hormones endocrines** agissent sur des cellules éloignées de leur site de libération. Les hormones endocrines comme, par exemple, l'insuline et l'adrénaline sont synthétisées puis libérées dans le flux sanguin par des **glandes endocrines** spécialisées, dépourvues de canaux excréteurs.

2. Les **hormones paracrines** (encore appelées **médiateurs locaux**) agissent uniquement sur les cellules voisines de celle qui les libère. Ainsi, un élément essentiel du déclenchement de la réponse immunitaire est la rencontre entre un globule blanc appelé **macrophage** et un antigène particulier. Le macrophage se lie alors à une *cellule T* spécifique de cet antigène et libère un **facteur protéique de croissance** appelé **interleukine-1**, laquelle stimule la prolifération et la différenciation de la cellule *T* liée (Section 35-2A).

3. Les **hormones autocrines** agissent sur la cellule qui les libère. Par exemple, la réponse d'une cellule *T* à l'interleukine-1 est augmentée suite à la libération d'**interleukine-2**, un facteur de croissance, par cette même cellule *T* qui ainsi s'autostimule.

Nous sommes déjà familiarisés avec de nombreux aspects du contrôle hormonal. Par exemple, nous avons vu comment l'adrénaline, l'insuline et le glucagon régulent le métabolisme énergétique par l'intermédiaire de l'AMPc (Sections 18-3E et 18-3G). Dans cette section, nous étendrons et systématiserons cette information. Avant de le faire, on doit signaler que les communications biochimiques ne se limitent pas aux signaux intra- et intercellulaires. De nombreux organismes libèrent des substances appelées **phéromones** qui modifient le comportement d'autres organismes de la

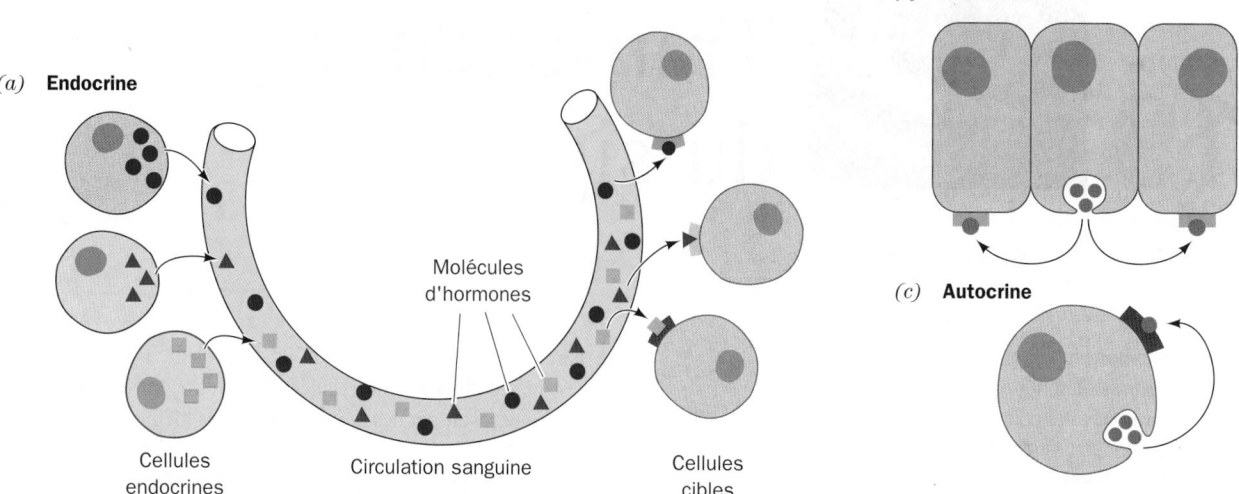

(a) **Endocrine**

Molécules
d'hormones

Cellules
endocrines

Circulation sanguine

Cellules
cibles

(b) **Paracrine**

(c) **Autocrine**

FIGURE 19-1 Classification des hormones. Les communications hormonales sont classées en fonction de la distance à laquelle agissent les signaux : *(a)* les signaux endocrines sont dirigés vers les cellules éloignées par l'intermédiaire de la circulation sanguine, *(b)* les signaux paracrines vers les cellules environnantes, et *(c)* les signaux autocrines vers la cellule qui les produit.

même espèce, un peu comme le font les hormones. Les phéromones sont le plus souvent des molécules d'attirance sexuelle mais, pour certaines espèces, elles ont d'autres fonctions, comme par exemple chez les fourmis qui ont des relations sociales complexes.

Le système endocrine humain (Fig. 19-2) libère une grande variété d'hormones (Tableau 19-1) qui permettent à l'organisme de :

1. Maintenir l'homéostasie (par exemple, l'insuline et le glucagon maintiennent le niveau de glucose sanguin dans des limites strictes aussi bien durant les périodes d'alimentation que durant le jeûne).

2. Répondre à une grande variété de stimuli extérieurs (comme ceux préparant « au combat ou à la fuite » relayés par l'adrénaline et la noradrénaline).

3. Exécuter des programmes de développement et des programmes cycliques (comme, par exemple, la différenciation sexuelle, la maturation, le cycle menstruel et la grossesse, autant de processus dépendant des hormones sexuelles ; Sections 19-1G et 19-1I).

La plupart des hormones sont des polypeptides ou des dérivés d'acides aminés, ou encore des stéroïdes, bien qu'il existe des exceptions importantes à cette généralisation. Quoi qu'il en soit, *seules les cellules qui possèdent un récepteur spécifique correspondant à une hormone donnée peuvent réagir à sa présence, même si presque toutes les cellules de l'organisme sont exposées à l'hormone.* Les messages hormonaux sont ainsi ciblés de manière quasi-spécifique.

Dans cette section, nous esquisserons les fonctions hormonales des différentes glandes endocrines. Tout le long de l'exposé, il faut garder en tête que ces glandes ne sont pas seulement un ensemble d'organes sécrétoires indépendants, mais aussi un système de contrôle complexe et fortement interdépendant. En effet, comme nous le verrons, la sécrétion de nombreuses hormones est elle-même contrôlée en retour par la sécrétion d'autres hormones auxquelles répond la glande initiale. Une grande partie de notre

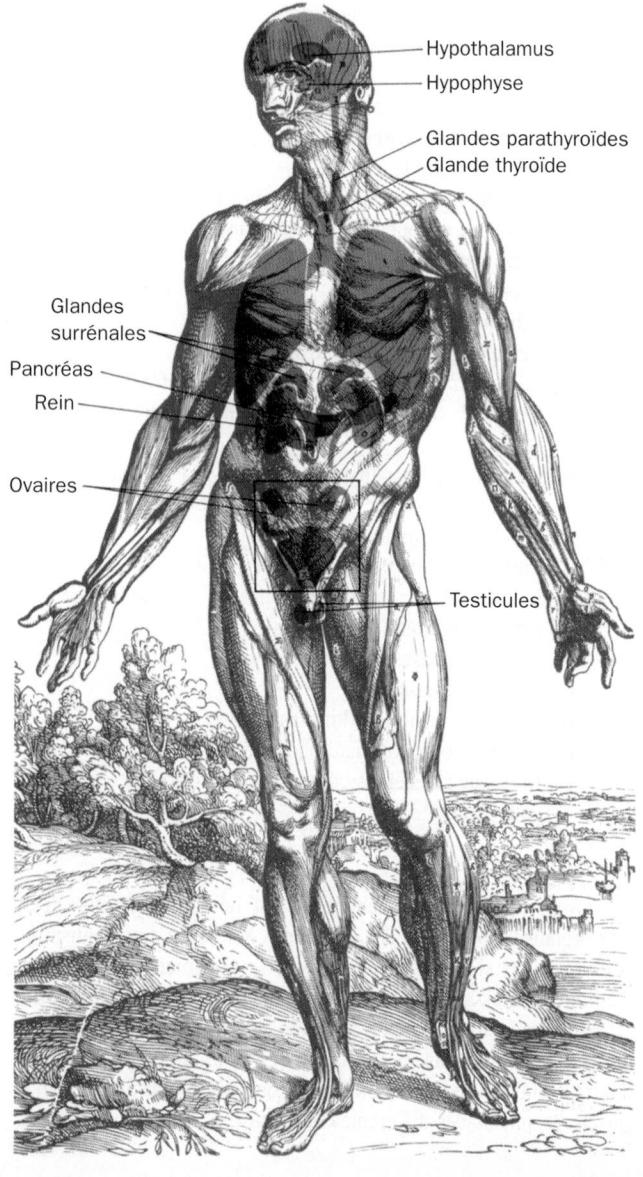

Hypothalamus
Hypophyse
Glandes parathyroïdes
Glande thyroïde
Glandes surrénales
Pancréas
Rein
Ovaires
Testicules

FIGURE 19-2 Les principales glandes endocrines humaines. D'autres tissus, comme par exemple l'intestin, sécrètent également des hormones endocrines.

TABLEAU 19-1   Exemples d'hormones humaines

Hormone	Origine	Effets principaux
Polypeptides		
Corticolibérine (CRF)	Hypothalamus	Stimule la libération d'ACTH
Gonadolibérine (GnRF)	Hypothalamus	Stimule la libération de FSH et de LH
Thyrolibérine (TRF)	Hypothalamus	Stimule la libération de TSH
Somatocrinine (GRF)	Hypothalamus	Stimule la libération de GH
Somatostatine	Hypothalamus	Inhibe la libération de GH
Corticotrophine (ACTH)	Adénohypophyse	Stimule la libération des glucocorticoïdes
Hormone folliculinisante (FSH)	Adénohypophyse	Dans les ovaires, stimule le développement folliculaire, l'ovulation et la synthèse d'œstrogènes ; dans les testicules, stimule la spermatogénèse
Hormone lutéinisante (LH)	Adénohypophyse	Dans les ovaires, stimule la maturation des ovocytes et la synthèse folliculaire d'œstrogènes et de progestérone ; dans les testicules, stimule la synthèse des androgènes
Gonadotrophine chorionique (CG)	Placenta	Stimule la libération de progestérone par le corps jaune
Thyrotrophine (TSH)	Adénohypophyse	Stimule la libération de T_3 et T_4
Somatotrophine (GH)	Adénohypophyse	Stimule la croissance et la synthèse des somatomédines
Met-enképhaline	Adénohypophyse	Effets opioïdes sur le système nerveux central
Leu-enképhaline	Adénohypophyse	Effets opioïdes sur le système nerveux central
β-endorphine	Adénohypophyse	Effets opioïdes sur le système nerveux central
Vasopressine	Neurohypophyse	Stimule la réabsorption d'eau par les reins et augmente la pression sanguine
Ocytocine	Neurohypophyse	Stimule les contractions utérines
Glucagon	Pancréas	Augmente la glycémie via la glycogénolyse et la gluconéogenèse, et stimule la lipolyse
Insuline	Pancréas	Diminue la glycémie via le captage de glucose, et stimule la glycogenèse, la synthèse protéique et la lipogenèse
Gastrine	Estomac	Stimule la sécrétion acide et la sécrétion de pepsinogène
Sécrétine	Intestin	Stimule la sécrétion pancréatique de bicarbonate (HCO_3^-)
Cholécystokinine (CCK)	Intestin	Stimule la contraction de la vésicule biliaire et la sécrétion, par le pancréas, d'enzymes digestives et de bicarbonate (HCO_3^-)
Peptide inhibiteur gastrique (GIP)	Intestin	Inhibe la sécrétion acide et la contraction gastriques ; stimule la libération pancréatique d'insuline
Parathormone	Parathyroïdes	Augmente la calcémie par action sur l'os, le rein et l'intestin
Calcitonine	Thyroïde	Diminue la calcémie par action sur l'os et le rein
Somatomédines	Foie	Stimulent la croissance des cartilages ; ont une activité analogue à celle de l'insuline
Stéroïdes		
Glucocorticoïdes	Corticosurrénale	Modifient le métabolisme de différentes manières, diminuent l'inflammation, augmentent la résistance au stress
Minéralocorticoïdes	Corticosurrénale	Maintiennent l'équilibre hydro-salin
Oestrogènes	Gonades	Maturation et fonctionnement des organes sexuels secondaires, principalement chez la femme
Androgènes	Gonades	Maturation et fonctionnement des organes sexuels secondaires, principalement chez l'homme, différenciation sexuelle chez l'homme
Progestines	Ovaires et placenta	Régulation du cycle menstruel et maintien de la grossesse
Vitamine D	Alimentation et lumière solaire	Stimule l'absorption de Ca^{2+} au niveau de l'intestin, du rein et de l'os
Dérivés d'acides aminés		
Adrénaline	Médullosurrénale	Stimule la contraction de certains muscles lisses et en relâche d'autres, augmente la fréquence cardiaque et la pression sanguine, stimule la glycogénolyse dans le foie et le muscle, stimule la lipolyse dans le tissu adipeux
Noradrénaline	Médullosurrénale	Stimule la contraction des artérioles, diminue la circulation périphérique, stimule la lipolyse dans le tissu adipeux
Triiodothyronine (T_3)	Thyroïde	Stimulation du métabolisme de base
Thyroxine (T_4)	Thyroïde	Stimulation du métabolisme de base

connaissance de la fonction hormonale provient de mesures précises des concentrations hormonales et de l'effet de leurs changements sur les fonctions physiologiques, ainsi que de la mesure de l'affinité des hormones pour leurs récepteurs. Nous commencerons donc par nous intéresser à la mesure des concentrations physiologiques des hormones et à la quantification des interactions récepteur-ligand.

A. *Mesures quantitatives*

a. Radioimmunodosages

Les concentrations sériques des hormones sont extrêmement faibles, généralement comprises entre 10^{-12} et 10^{-7} *M*, de sorte qu'elles doivent habituellement être mesurées par des méthodes indirectes. Les dosages biologiques ont été traditionnellement employés dans ce but, mais ils sont généralement longs, peu commodes et imprécis. Ils ont donc été largement remplacés par des **radioimmunodosages**. Dans cette technique, imaginée par Rosalyn Yalow, la concentration inconnue d'une hormone H est déterminée en mesurant combien une quantité connue de la même hormone radiomarquée H*, se fixe à une quantité donnée d'anticorps anti-H, et ceci en présence de H. Cette réaction de compétition peut être facilement étalonnée en construisant une courbe standard portant la quantité de H* fixée sur l'anticorps, en fonction de [H]. La forte affinité du ligand et la spécificité des anticorps procurent aux radioimmunodosages les avantages d'être très sensibles et très spécifiques.

b. Liaison à un récepteur

Les récepteurs, comme les autres protéines, fixent leurs propres ligands en suivant la loi d'action des masses :

$$R + L \rightleftharpoons R \cdot L$$

Ici, R et L représentent respectivement le récepteur et le ligand. La constante de dissociation à l'équilibre peut s'écrire :

$$K_L = \frac{[R][L]}{[R \cdot L]} = \frac{([R]_T - [R \cdot L])[L]}{[R \cdot L]} \qquad [19.1]$$

où $[R]_T$, la concentration totale de récepteur, est égale à $[R] + [R \cdot L]$. On peut réarranger l'équation [19.1] en la mettant sous une forme analogue à celle de l'équation de Michaelis-Menten de la cinétique enzymatique (Section 14-2A) :

$$Y = \frac{[R \cdot L]}{[R]_T} = \frac{[L]}{K_L + [L]} \qquad [19.2]$$

Dans cette expression, Y représente le taux d'occupation fractionnaire des sites de liaison sur le récepteur. La représentation de l'équation [19.2] conduit à une courbe hyperbolique (Fig. 19-3a) dans laquelle la constante K_L peut être définie comme étant égale à la concentration de ligand pour laquelle l'occupation des sites de liaison sur le récepteur est égale à 50 % de la valeur maximum.

Bien qu'il soit possible, en principe, de déterminer K_L et $[R]_T$ à partir de l'analyse de la courbe hyperbolique de la Figure 19-3a, la transformation de l'équation en une forme linéaire est un procédé plus précis. L'équation [19.1] peut être réarrangée en :

$$\frac{[R \cdot L]}{[L]} = \frac{([R]_T - [R \cdot L])}{K_L} \qquad [19.3]$$

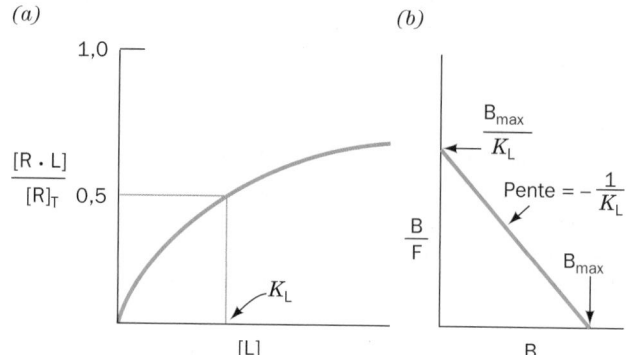

FIGURE 19-3 Fixation d'un ligand sur un récepteur : (*a*) Représentation hyperbolique. (*b*) Représentation de Scatchard, avec B ≡ [R • L], F ≡ [L] et B$_{max}$ ≡ [R]$_T$.

Si l'on conserve la nomenclature propre à l'étude des interactions ligand-récepteur, [R • L] devient B (pour « bound ligand »), [L] devient F (pour « free ligand ») et $[R]_T$ est représenté par B$_{max}$. L'équation [19.3] s'écrit donc :

$$\frac{B}{F} = \frac{(B_{max} - B)}{K_L} = -\frac{1}{K_L} \cdot B + \frac{B_{max}}{K_L} \qquad [19.4]$$

Si l'on porte B/F en fonction de B, représentation connue sous le nom de **diagramme de Scatchard** (du nom de George Scatchard, qui en est à l'origine), on obtient une droite de pente – $1/K_L$ et d'abscisse à l'origine égale à B$_{max}$ (Fig. 19-3b). B et F peuvent être déterminées en effectuant des dosages après filtration. En effet, la plupart des récepteurs sont des protéines liées aux membranes et insolubles, ce qui permet de les séparer du ligand libre par filtration (les récepteurs qui sont solubilisés peuvent être séparés du ligand libre par passage sur filtre de nitrocellulose, laquelle fixe les protéines de manière non spécifique). Ainsi, en utilisant un ligand marqué, il est possible de déterminer les valeurs de B et de F (soit [R • L] et [L]) en mesurant la radioactivité sur le filtre et celle restant en solution. La vitesse de dissociation de R • L est généralement suffisamment faible (demi-vie allant de quelques minutes à plusieurs heures) pour n'entraîner que des erreurs non significatives lorsqu'on lave le filtre pour enlever le ligand libre résiduel.

c. Études de liaison compétitive

Une fois que les paramètres de fixation d'un ligand sur un récepteur ont été déterminés, les constantes de dissociation d'autres ligands pour le même site peuvent être déterminées par des études de liaison compétitive. Le modèle est analogue à celui de l'inhibition compétitive dans le cas d'une enzyme michaelienne (Section 14-3A) :

$$R + L \overset{K_L}{\rightleftharpoons} R \cdot L$$
$$+$$
$$I$$
$$K_I \Big\updownarrow$$
$$R \cdot I + L \longrightarrow \text{Pas de réaction}$$

où I est le ligand en compétition et dont la constante de dissociation du récepteur peut s'exprimer par :

$$K_I = \frac{[R][I]}{[R \cdot I]} \qquad [19.5]$$

Par analogie directe avec l'équation qui décrit l'inhibition compétitive, on obtient :

$$[R \cdot L] = \frac{[R]_T[L]}{K_L\left(1 + \dfrac{[I]}{K_I}\right) + [L]} \qquad [19.6]$$

Les affinités relatives d'un ligand et d'un inhibiteur peuvent donc être déterminées en effectuant le rapport de l'équation [19.6] en présence d'un inhibiteur, et de celle en absence d'inhibiteur :

$$\frac{[R \cdot L]_I}{[R \cdot L]_0} = \frac{K_L + [L]}{K_L\left(1 + \dfrac{[I]}{K_I}\right) + [L]} \qquad [19.7]$$

On appelle $[I_{50}]$ la concentration de la molécule en compétition, lorsque ce rapport vaut 0,5 (50 % d'inhibition), par analogie avec la $[CI_{50}]$ des médicaments qui inhibent des enzymes (Section 15-4A). On peut ainsi en déduire l'expression de K_I à partir de l'équation [19.7], dans le cas où l'on a 50 % d'inhibition :

$$K_I = \frac{[I_{50}]}{1 + \dfrac{[L]}{K_L}} \qquad [19.8]$$

B. *Hormones pancréatiques*

Le pancréas est une glande de grande taille, dont la plus grande partie est une **glande exocrine** chargée de produire des enzymes digestives comme la trypsine, l'ARNase A, l'α-amylase et la phospholipase A_2 qu'il sécrète, via le canal pancréatique, dans l'intestin grêle. Cependant, environ 1 à 2 % du tissu pancréatique est constitué d'amas dispersés de cellules connus sous le nom **d'îlots de Langerhans**, qui forment une glande endocrine dont la fonction est de maintenir l'homéostasie énergétique. Les îlots pancréatiques contiennent trois types de cellules, dont chacun sécrète une hormone polypeptidique caractéristique :

1. Les cellules α sécrètent le glucagon (29 résidus ; Section 18-3E).

2. Les cellules β sécrètent l'insuline (51 résidus ; Fig. 9-4).

3. Les cellules δ sécrètent la **somatostatine** (14 résidus).

L'insuline, qui est sécrétée en réponse à une élévation de la concentration en glucose sanguin, fonctionne en premier lieu pour stimuler le stockage du glucose par les cellules du muscle, du foie et du tissu adipeux en vue d'une utilisation ultérieure, en synthétisant du glycogène, des protéines et des lipides (Section 27-2). Le glucagon, qui est sécrété en réponse à des niveaux bas de glucose sanguin, a essentiellement des effets opposés : il stimule la libération, par la glycogénolyse (Section 18-3E), et la gluconéogenèse (Section 23-1), du glucose hépatique (Section 18-3E), et il stimule la libération, par la lipolyse, des acides gras du tissu adipeux. La somatostatine, qui est également sécrétée par l'hypothalamus (Section 19-1H), inhibe la libération d'insuline et de glucagon par les îlots et on pense qu'elle a une fonction paracrine dans le pancréas.

Les hormones polypeptidiques, comme d'autres protéines destinées à la sécrétion, sont synthétisées sous forme de préprohormones, pour être transformées en hormones matures dans le réticulum endoplasmique rugueux et l'appareil de Golgi. Elles sont ensuite stockées dans des granules sécrétoires où elles attendent le signal de leur libération par exocytose (Sections 12-4B, 12-4C et 12-4D). Les stimuli physiologiques les plus puissants pour la libération d'insuline et de glucagon sont, respectivement, une glycémie élevée et une glycémie basse, de sorte que les cellules des îlots sont les détecteurs primordiaux de glucose dans l'organisme. Cependant, la libération de ces hormones est également influencée par le système nerveux autonome (involontaire) et par des hormones sécrétées dans le tractus gastro-intestinal (Section 19-1C).

C. *Hormones gastro-intestinales*

La digestion et l'absorption des aliments est un processus complexe qui est régulé par le système nerveux autonome en association avec un plusieurs hormones polypeptidiques. En effet, les hormones gastro-intestinales sont sécrétées dans le flux sanguin par un système de cellules spécialisées qui bordent le tractus gastro-intestinal et dont la masse est plus grande que celle du reste du système endocrine. Les quatre hormones gastro-intestinales les mieux caractérisées sont :

1. La **gastrine** (17 résidus), qui est produite par la muqueuse gastrique, stimule la sécrétion d'HCl et de **pepsinogène** (le zymogène de la pepsine, protéase digestive). La libération de gastrine est stimulée par des aminoacides et des protéines partiellement hydrolysées, de même que par le nerf vague (qui innerve l'estomac) en réponse à une distension de l'estomac. La libération de gastrine est inhibée par l'HCl et par d'autres hormones gastro-intestinales.

2. La **sécrétine** (27 résidus), qui est produite par la muqueuse du duodénum (intestin grêle supérieur) en réponse à l'acidification par l'HCl gastrique, stimule la sécrétion pancréatique de HCO_3^- pour la neutralisation de cet acide.

3. La **cholécystokinine** (**CCK** ; 8 résidus), qui est produite par le duodénum, stimule la contraction de la vésicule biliaire et la sécrétion pancréatique d'enzymes digestives et de HCO_3^-, augmentant ainsi l'effet de la sécrétine. Elle inhibe également la vidange gastrique. La CCK est libérée en réponse à des produits de digestion lipidique et protéique, c'est-à-dire les acides gras, les monoacylglycérols, les acides aminés et les peptides.

4. Le **peptide inhibiteur gastrique** (**GIP** ; également appelé **polypeptide insulinotrope glucose-dépendant** ; 42 résidus), qui est produit par des cellules spécialisées bordant l'intestin grêle, est un inhibiteur puissant de la sécrétion acide, de la motilité et de la contraction gastriques. Cependant, la fonction physiologique majeure du GIP est de stimuler la libération d'insuline pancréatique. En effet, la libération de GIP est stimulée par la présence de glucose dans l'intestin, ce qui explique l'observation selon laquelle, après un repas, le niveau d'insuline sanguin augmente avant celui de glucose.

Ces hormones gastro-intestinales constituent des familles de polypeptides apparentés : les pentapeptides C-terminaux de la gastrine et de la CCK sont identiques ; les séquences de la sécrétine, du GIP et du glucagon se ressemblent.

Plusieurs autres polypeptides affectant la fonction gastro-intestinale ont été isolés de l'intestin. Cependant leur rôle physiologique n'est pas clair (voir cependant Section 27-3C). En effet, le caractère diffus de la distribution des cellules gastro-intestinales qui libèrent ces substances empêche leur isolement, procédé habituellement employé pour les études contrôlées des effets des hormones endocrines.

D. *Hormones thyroïdiennes*

*La glande thyroïde produit deux hormones de structures voisines, la **triiodothyronine** (T_3) et la **thyroxine** (T_4),*

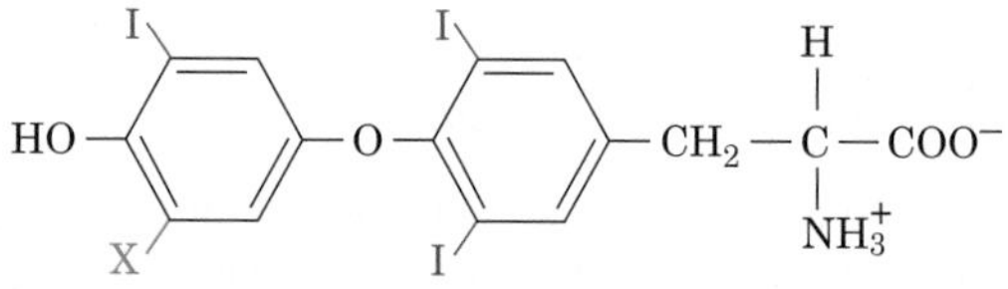

X = H   **Triiodothyronine (T_3)**
X = I   **Thyroxine (T_4)**

qui stimulent le métabolisme dans la plupart des tissus (le cerveau adulte constituant une exception notable). La production de ces acides aminés iodés non usuels commence par la synthèse de la **thyroglobuline**, une protéine de 2748 résidus. Cette protéine subit des modifications post-traductionnelles très particulières (Fig. 19-4) :

1. Environ 20 % des 140 résidus Tyr de la thyroglobuline sont iodées par l'intermédiaire d'une réaction catalysée par une **thyroperoxydase (TPO)**, qui forme des résidus de **2,5-diiodotyrosine**.

2. Deux de ces résidus sont ensuite couplés pour former des résidus T_3 et T_4.

3. La thyroglobuline mature ne possède pas elle-même d'activité hormonale. Cependant, cinq ou six molécules d'hormones actives, T_3 et T_4, sont produites par protéolyse lysosomiale de la thyroglobuline, après stimulation hormonale de la thyroïde (Section 19-1H).

Comment les hormones thyroïdiennes fonctionnent-elles ? T_3 et T_4, qui sont des molécules non polaires, sont transportées par le

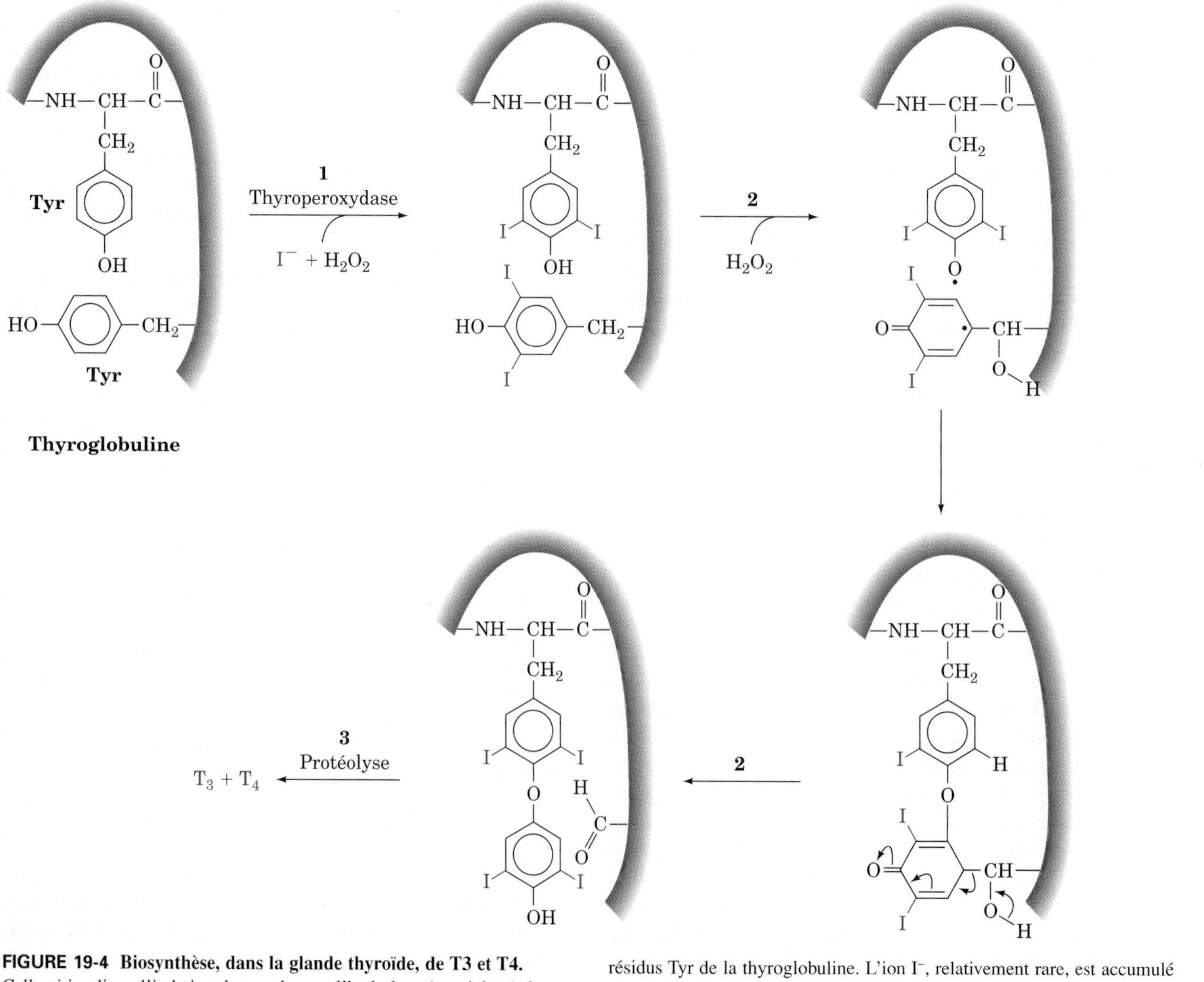

FIGURE 19-4 Biosynthèse, dans la glande thyroïde, de T3 et T4.
Celle-ci implique l'iodation, le couplage et l'hydrolyse (protéolyse) de

résidus Tyr de la thyroglobuline. L'ion I⁻, relativement rare, est accumulé activement par la glande thyroïde.

sang sous forme de complexes avec des transporteurs protéiques plasmatiques, en premier lieu la **TBG** (« **Thyroxin-binding globulin** »), mais aussi la **préalbumine** (également appelée **trans-thyrétine**) et l'**albumine**. Les hormones passent ensuite à travers les membranes cellulaires de leur cellules cibles jusque dans le cytosol où elles se fixent à une protéine spécifique. Puisque le complexe protéine-hormone résultant n'entre pas dans le noyau, on pense qu'il agit pour maintenir un réservoir intracellulaire d'hormones thyroïdiennes. Le vrai **récepteur d'hormone thyroïdienne** est une protéine associée aux chromosomes, qui ne quitte donc pas le noyau. *La fixation de T_3 et, à un degré moindre, de T_4, active ce récepteur comme facteur de transcription (Section 5-4A), ce qui conduit à augmenter la vitesse de synthèse de nombreuses enzymes du métabolisme.* Des sites de fixation d'hormones thyroïdiennes, possédant une forte affinité, se trouvent également sur la membrane interne des mitochondries (siège du transport des électrons et des phosphorylations oxydatives ; Section 22-1), ce qui suggère que ces récepteurs peuvent directement réguler la consommation d'O_2 et la production d'ATP.

Des niveaux anormaux d'hormones thyroïdiennes se rencontrent couramment chez l'homme. L'**hypothyroïdie** est caractérisée par une léthargie, une obésité et une peau froide et sèche, tandis que l'**hyperthyroïdie** a des effets opposés. Les habitants des zones dans lesquelles le sol contient un trop faible taux d'iode développent souvent une hypothyroïdie accompagnée d'une augmentation de la taille de la glande thyroïde, ce qu'on appelle un **goitre**. La petite quantité de NaI que l'on ajoute souvent au sel de table vendu dans le commerce (sel « iodé ») évite facilement cette maladie due à un déficit en iode. Un jeune mammifère a besoin d'hormones thyroïdiennes pour une croissance et un développement normaux : l'hypothyroïdie durant la période fœtale ou immédiatement après la naissance conduit à un retard physique et mental irréversible, connu sous le nom de **crétinisme**.

E. *Contrôle du métabolisme calcique*

L'ion calcium, Ca^{2+}, forme de l'**hydroxyapatite**, $Ca_5(PO_4)_3OH$, principal constituant minéral de l'os. C'est de plus un élément essentiel dans de nombreux processus biologiques parmi lesquels la médiation de signaux hormonaux en tant que second messager, le déclenchement de la contraction musculaire, la transmission des influx nerveux et la coagulation sanguine. La concentration extracellulaire de Ca^{2+} doit donc être étroitement régulée de façon à conserver sa valeur normale d'environ 1,2 mM. Trois hormones sont impliquées dans l'homéostasie de l'ion Ca^{2+} (Fig. 19-5) :

1. La **parathormone** (**PTH**), polypeptide de 84 résidus sécrété par la glande parathyroïde, augmente la concentration de Ca^{2+} sérique en stimulant sa résorption à partir de l'os et sa réabsorption par les reins, et en augmentant l'absorption alimentaire du Ca^{2+} par l'intestin.

2. La **vitamine D**, groupe de molécules de structure semblable à celle des stéroïdes, agit en synergie avec la PTH pour augmenter la concentration de Ca^{2+} sérique.

3. La **calcitonine**, polypeptide de 33 résidus synthétisé par des cellules spécialisées de la glande thyroïde, diminue la concentration de Ca^{2+} sérique en inhibant la résorption du Ca^{2+} osseux et sa réabsorption par les reins.

Les fonctions de ces hormones sont brièvement décrites ci-dessous.

a. Parathormone

Les os, qui constituent le réservoir principal de Ca^{2+} dans le corps humain, ne sont en aucune façon inertes d'un point de vue métabolique. Ils sont continuellement en renouvellement sous l'action de deux types de cellules osseuses : les **ostéoblastes**, qui synthétisent les fibrilles de collagène formant la majeure partie de la matrice organique osseuse, sur laquelle est déposée la phase minérale constituée de $Ca_5(PO_4)_3OH$, et les **ostéoclastes** qui participent à la résorption osseuse (Section 15-4A). *La PTH inhibe la synthèse du collagène par les ostéoblastes et stimule la résorption osseuse par les ostéoclastes. Cependant, l'effet principal de la PTH est d'augmenter la vitesse d'excrétion rénale du phosphate, qui est le contre-ion du Ca^{2+} dans l'os.* La diminution de la concentration de phosphate sérique qui en découle entraîne, par la loi d'action des masses, une fuite de $Ca_5(PO_4)_3OH$ de l'os, ce qui augmente la concentration de Ca^{2+} sérique. Enfin, la PTH stimule la production de la forme active de la vitamine D dans le rein, ce qui augmente le transfert du Ca^{2+} de l'intestin vers le sang (voir ci-après).

b. Vitamine D

Le terme de vitamine D regroupe des substances d'origine alimentaire qui empêchent le **rachitisme**, maladie infantile caractérisée par un retard de croissance et une déformation des os provenant d'une minéralisation osseuse insuffisante (chez les adultes, le déficit en vitamine D est connu sous le nom d'**ostéomalacie**, caractérisée par une fragilisation et une déminéralisation des os). Bien que le rachitisme ait été décrit pour la première fois en 1645, ce n'est qu'au début du vingtième siècle que l'on a découvert que les graisses animales, et en particulier les huiles de foie de poisson, sont efficaces pour la prévention de la maladie. De plus on peut l'éviter en exposant les enfants à la lumière du soleil ou à la lumière UV entre 230 et 313 nm, quelle que soit l'alimentation. Les vitamines D, dont nous verrons qu'elles sont en fait des hormones, sont des dérivés des stérols dans lesquels le cycle B (Fig. 12-9) est rompu au niveau de la liaison 9, 10. La forme naturelle de la vitamine, la **vitamine D$_3$** (**cholécalciférol**), est formée dans

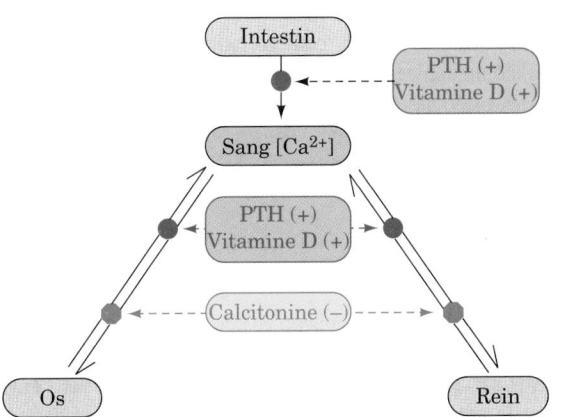

FIGURE 19-5 Rôles de la PTH, de la vitamine D et de la calcitonine dans le contrôle du métabolisme de l'ion Ca²⁺.

la peau des animaux par l'action photolytique de la lumière UV sur le **7-déhydrocholestérol**, sans intervention d'enzymes :

La **vitamine D$_2$ (ergocalciférol)**, qui ne diffère de la vitamine D$_3$ que par une double liaison et un groupement méthyle sur la chaîne latérale, est formée par l'irradiation UV de l'**ergostérol**, stérol présent chez les plantes. Puisque les vitamines D$_2$ et D$_3$ ont des propriétés biologiques presqu'identiques, on utilise couramment la vitamine D$_2$ comme complément vitaminique, en particulier dans le lait.

Les vitamines D$_2$ et D$_3$ n'ont pas d'action hormonale en tant que telles ; elles n'acquièrent leur activité biologique que par un processus métabolique ultérieur, d'abord dans le foie, puis dans le rein (Fig. 19-6) :

1. Dans le foie, la vitamine D$_3$ est hydroxylée pour former le **25-hydroxycholécalciférol**, en présence d'O$_2$ et de **cholécalciférol-25-hydroxylase**.

2. Le 25-hydroxycholécalciférol est transporté vers le rein, où il est à nouveau hydroxylé par une oxygénase mitochondriale, la **25-hydroxycholécalciférol-1-α-hydroxy-lase**, ce qui conduit au **1α, 25-dihydroxycholécalciférol [1,25(OH)$_2$D]**, qui est la forme hormonale active. *L'activité de la 25-hydroxycholécalciférol-1α-hydroxylase est régulée par la PTH, de sorte que cette réaction joue un rôle important dans le contrôle de l'homéostasie du Ca^{2+}.*

La 1,25(OH)$_2$D provoque l'augmentation du Ca^{2+} sérique en favorisant l'absorption intestinale du Ca^{2+} alimentaire et en stimulant la libération du Ca^{2+} osseux. L'absorption intestinale du Ca^{2+} est stimulée par l'augmentation de la synthèse d'une **protéine de liaison du Ca^{2+}**, qui transporte l'ion Ca^{2+} à travers la muqueuse intestinale. Le 1,25(OH)$_2$D se fixe sur les récepteurs cytoplasmiques des cellules épithéliales intestinales qui, après transport au noyau, fonctionnent comme facteurs de transcription de la protéine de liaison du Ca^{2+}. Le maintien de l'électroneutralité nécessite que le transport de Ca^{2+} s'accompagne de celui de contre-ions, particulièrement de phosphate inorganique, P$_i$, de sorte que le 1,25(OH)$_2$D stimule également l'absorption intestinale de P$_i$. L'observation selon laquelle le 1,25 (OH)$_2$D, comme la PTH, stimule la libération de Ca^{2+} et de P$_i$ provenant des os, semble paradoxale si l'on considère que de faibles teneurs en 1,25(OH)$_2$D entraînent une minéralisation osseuse inférieure à la normale. Il est probable que l'augmentation de la concentration de Ca^{2+} sérique, qui résulte de l'absorption intestinale de Ca^{2+} stimulée par 1,25(OH)$_2$ D, permet à l'os de capter plus de Ca^{2+} qu'il n'en perd par stimulation hormonale directe.

La vitamine D, à la différence des vitamines hydrosolubles, est retenue dans l'organisme, de sorte qu'une consommation excessive de vitamine D pendant de longues périodes entraîne une **intoxication à la vitamine D.** Le niveau élevé de Ca^{2+} sérique qui en résulte entraîne alors une calcification anormale de tissus divers mous. Les reins sont particulièrement sujets à la calcification, processus qui peut conduire à la formation de calculs rénaux et, à terme, à une insuffisance rénale. De plus, une intoxication due à la vitamine D conduit à une déminéralisation osseuse au point que les os peuvent facilement se fracturer. L'observation selon laquelle le niveau de pigmentation des populations indigènes tend à augmenter au voisinage de l'équateur s'expliquerait par le fait que la pigmentation de la peau empêche l'intoxication due à la vitamine D, en filtrant les radiations solaires excessives.

c. Calcitonine

La calcitonine a essentiellement un effet opposé à celui de la PTH ; elle abaisse la concentration de Ca^{2+} sérique. Elle le fait principalement en inhibant la résorption osseuse par les ostéoclastes. Puisque la PTH et la calcitonine stimulent toutes deux la synthèse d'AMPc dans leurs cellules cibles (Section 19-2A), on voit mal comment ces hormones peuvent affecter de manière opposée les ostéoclastes. La calcitonine inhibe aussi la réabsorption du Ca^{2+} par les reins mais, dans ce cas, les cellules rénales sensibles à la calcitonine diffèrent de celles que stimule la PTH pour réabsorber le Ca^{2+}.

F. *Adrénaline et noradrénaline*

Les glandes surrénales sont constituées de deux types distincts de tissus : la **médullaire** (corps central), qui est en réalité l'extension du système nerveux sympathique (partie du système nerveux autonome), et le **cortex** (zone externe). Nous considérons ci-dessous les hormones de la médullosurrénale ; celles du cortex seront étudiées dans la sous-section suivante.

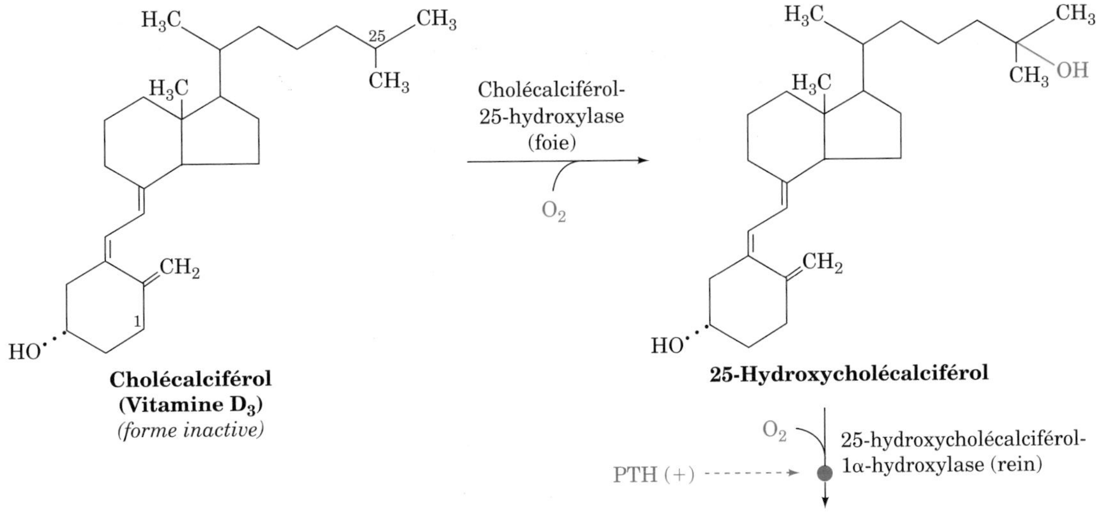

**Cholécalciférol
(Vitamine D₃)**
(forme inactive)

Cholécalciférol-
25-hydroxylase
(foie)

O_2

25-Hydroxycholécalciférol

O_2

25-hydroxycholécalciférol-
1α-hydroxylase (rein)

PTH (+)

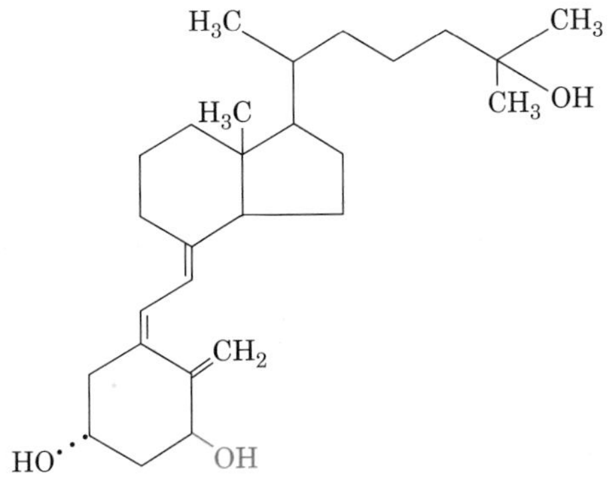

**1α,25-Dihydroxycholécalciférol
[1,25(OH)₂D]**
(forme active)

FIGURE 19-6 Activation, sous forme d'hormone, de la vitamine D₃ dans le foie puis dans le rein. La vitamine D₂ (ergocalciférol) est activée de la même manière.

*La médullosurrénale synthétise deux **catécholamines** (dérivés aminés du **catéchol**, ou 1,2-dihydroxybenzène) ayant une action hormonale : la **noradrénaline** et son dérivé méthylé, l'**adrénaline** :*

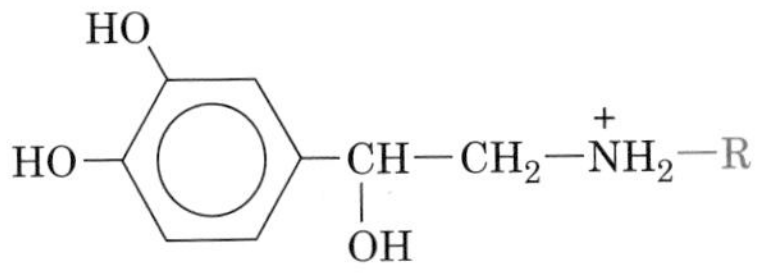

R = H   **Noradrénaline**
R = CH₃   **Adrénaline**

Ces hormones sont synthétisées à partir de la tyrosine, comme décrit dans la Section 26-4B, et elles sont ensuite stockées dans des granules, en attendant leur libération par exocytose qui s'effectue sous contrôle du système nerveux sympathique.

Les effets biologiques des catécholamines s'exercent par l'intermédiaire de deux classes de récepteurs transmembranaires de la membrane plasmique, les **récepteurs α- et β-adrénergiques**. Ces glycoprotéines ont été, à l'origine, identifiées par leurs réponses différentes à certains **agonistes** (substances qui se fixent sur un récepteur de manière à produire une réponse hormonale) et à certains **antagonistes** (substances qui se fixent sur un récepteur hormonal sans produire de réponse, bloquant ainsi l'action des agonistes). Par exemple, les récepteurs β-adrénergiques, mais pas les α, sont stimulés par l'**isoprotérénol** mais bloqués par le **propranolol**,

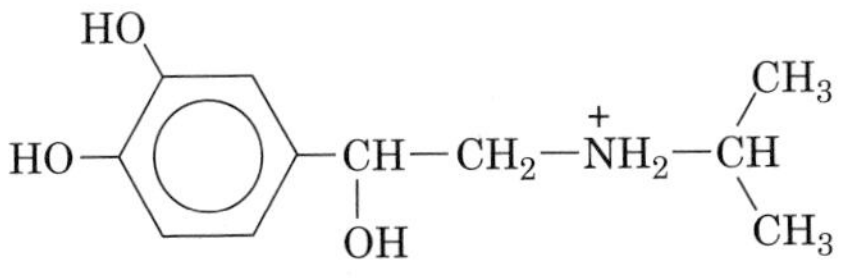

Isoprotérénol

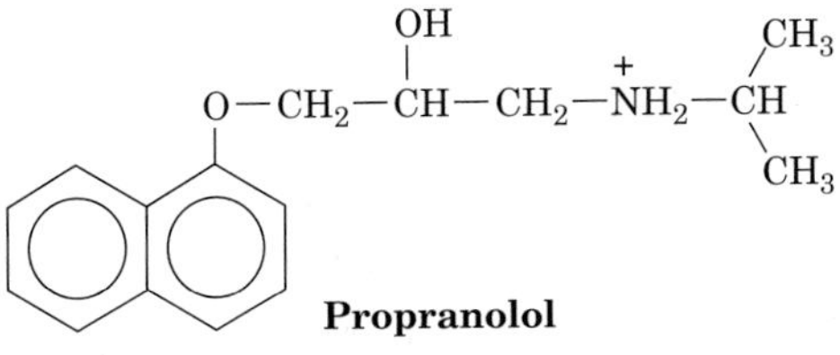

Propranolol

alors que les α, mais non les β, sont bloqués par la **phentolamine** :

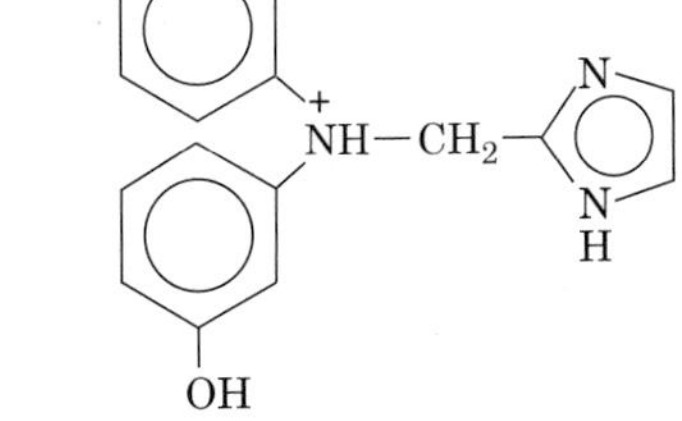

Phentolamine

Les récepteurs α- et β-adrénergiques, que l'on trouve dans des tissus différents chez les mammifères, répondent généralement de manière différente et souvent opposées aux catécholamines. Par exemple, les récepteurs β-adrénergiques, qui activent l'adénylate cyclase, stimulent la glycogénolyse et la gluconéogenèse dans le foie (Sections 18-3E et 18-3G), la glycogénolyse et la glycolyse dans le muscle squelettique, la lipolyse dans le tissu adipeux, le relâchement du muscle lisse (involontaire) dans les bronches et les vaisseaux sanguins qui irriguent les muscles squelettiques (volontaires) et ils augmentent l'activité cardiaque. A l'opposé, les récepteurs α-adrénergiques, dont les effets intracellulaires interviennent soit par l'inhibition de l'adénylate cyclase (**récepteurs α_2** ; Section 19-2C) ou par la cascade des phospho-inositides (**récepteurs α_1** ; Section 19-4A), stimulent la contraction des muscles lisses dans les vaisseaux sanguins qui irriguent des organes périphériques comme la peau et le rein, le relâchement du muscle lisse dans le poumon et le tractus gastro-intestinal et l'agrégation plaquettaire. *La plupart de ces divers effets ont une finalité commune : la mobilisation des ressources énergétiques et leur orientation là où elles sont le plus nécessaires à une action immédiate de la part de l'organisme.*

Les réponses et les distributions tissulaires distinctes des récepteurs α- et β-adrénergiques et de leurs sous-types vis-à-vis de différents agonistes et antagonistes ont d'importantes conséquences thérapeutiques. Par exemple, le propranolol est largement utilisé pour le traitement de l'hypertension artérielle et protège les victimes d'attaques cardiaques contre des accidents ultérieurs, alors que les effets bronchodilatateurs de l'adrénaline la rendent utile dans le traitement de l'**asthme**, maladie respiratoire due à une contraction inappropriée des muscles lisses des bronchioles.

G. *Hormones stéroïdes*

a. Les corticostéroïdes contrôlent de nombreuses fonctions métaboliques

Le cortex surrénalien produit au moins 50 corticostéroïdes différents (dont la synthèse est décrite dans la Section 25-6C). Ils ont été classés selon les réponses physiologiques qu'ils induisent :

1. Les **glucocorticoïdes** modifient le métabolisme des glucides, des protéines et des lipides de manière quasi-opposée à celle de l'insuline et ils influencent une grande variété d'autres fonctions vitales, y compris les réactions inflammatoires et la capacité d'affronter des situations de stress.

2. Les **minéralocorticoïdes** interviennent essentiellement pour réguler l'excrétion des sels et de l'eau par le rein.

3. Les **androgènes** et les **œstrogènes** modifient la fonction et le développement sexuels. Ils sont produits en plus grandes quantités par les gonades. Les glucocorticoïdes, dont les plus courants sont le **cortisol** (encore appelé **hydrocortisone**)

Cortisol (hydrocortisone)

et la **corticostérone**, et les minéralocorticoïdes, dont le plus connu est l'**aldostérone**, sont tous des composés comportant 21 atomes de carbone :

Corticostérone

Aldostérone

Les stéroïdes, qui sont insolubles dans l'eau, sont transportés dans le sang complexés à la **transcortine**, une glycoprotéine, et à un degré moindre, à l'albumine. Les stéroïdes (y compris la vitamine D) entrent spontanément dans leurs cellules cibles en traversant leur membrane et ils se fixent sur leurs récepteurs cytoplasmiques. Les complexes stéroïde-récepteur migrent ensuite vers le noyau où ils fonctionnent comme facteurs de transcription pour induire, ou parfois réprimer, la transcription de gènes spécifiques (voir Section 34-3B). De cette manière, les glucocorticoïdes et les minéralocorticoïdes influencent l'expression de nombreuses enzymes qui jouent un rôle dans le métabolisme de leurs tissus cibles respectifs. Les hormones thyroïdiennes, elles aussi non polaires, agissent de même. Cependant, comme nous le verrons ci-dessous, toutes les autres hormones agissent de manière plus indirecte, car elles se lient à leurs récepteurs propres à la surface cellulaire et déclenchent ainsi des cascades intracellulaires complexes qui influencent la transcription et d'autres processus cellulaires.

Un fonctionnement défectueux des corticosurrénales, soit à cause d'une maladie ou à la suite d'un traumatisme, aboutit à une situation pathologique appelée **maladie d'Addison**, qui est caractérisée par une hypoglycémie, une faiblesse musculaire, une fuite de Na^+, une rétention de K^+, une fonction cardiaque affaiblie, une perte d'appétit et une sensibilité fortement augmentée vis-à-vis du stress. La victime, à moins d'être traitée par administration de glucocorticoïdes et de minéralocorticoïdes, dépérit lentement et meurt sans douleur particulière. Le cas opposé, c'est-à-dire un hyperfonctionnement des corticosurrénales, qui est habituellement causé par une tumeur des corticosurrénales ou de l'hypophyse (Section 19-1H), conduit au **syndrome de Cushing,** qui comprend de la fatigue, une hyperglycémie, un œdème (rétention d'eau), et une redistribution typique des graisses donnant un « visage lunaire » caractéristique. Le traitement de certaines maladies par des corticoïdes synthétiques pendant une longue durée conduit à des symptômes analogues.

b. Les stéroïdes des gonades contrôlent la fonction et le développement sexuels

Les gonades (testicules chez le mâle, ovaires chez la femelle), en plus de produire des spermatozoïdes ou des ovules, sécrètent des hormones stéroïdes (androgènes et œstrogènes) qui régulent la différenciation sexuelle, l'apparition et le maintien des caractères sexuels secondaires et le comportement sexuel. Bien que les testicules et les ovaires synthétisent tous deux des androgènes et des œstrogènes, les testicules sécrètent principalement des androgènes, dès lors connus sous le nom d'**hormones sexuelles mâles**, alors que les ovaires produisent en premier lieu des œstrogènes, appelées **hormones sexuelles femelles**.

Dans la structure des androgènes, dont la **testostérone** est le prototype,

Testostérone

β-Œstradiol

Progestérone

il manque en position C17 le substituant à deux atomes de carbone qui est présent dans les glucocorticoïdes. Ce sont donc des composés en C_{19}. Les œstrogènes, comme par exemple le **β-œstradiol**, ressemblent aux androgènes mais il leur manque un groupement méthyle en position C10, parce qu'ils possèdent un cycle A aromatique. Ce sont donc des composés en C_{18}. Il est intéressant de noter que la testostérone est un intermédiaire dans la biosynthèse des œstrogènes (Fig. 25-6C). Une seconde classe de stéroïdes ovariens, des composés en C_{21} appelés **progestines**, interviennent dans le cycle menstruel et la grossesse (Section 19-1I). La **progestérone**, qui est la progestine la plus abondante, est en fait un précurseur des glucocorticoïdes, des minéralocorticoïdes et de la testostérone (Section 25-6C).

c. La différenciation sexuelle est contrôlée par des hormones et des facteurs génétiques

Quels sont les facteurs qui contrôlent la différenciation sexuelle ? Si on enlève, par intervention chirurgicale, les gonades d'un embryon mâle de mammifère, cet individu aura le phénotype femelle. De toute évidence, *les mammifères sont programmés pour se développer comme femelles à moins d'être soumis à l'influence d'hormones testiculaires lors du développement embryonnaire.* En effet, les individus qui sont génétiquement mâles et chez lesquels les récepteurs cytosoliques d'androgènes sont absents ou non fonctionnels, sont phénotypiquement femelles, situation appelée **féminisation testiculaire**. Curieusement, les œstrogènes ne semblent pas jouer de rôle dans le développement sexuel des embryons femelles, alors qu'ils sont essentiels pour leur maturation et leur fonction sexuelles.

Normalement les individus possèdent le génotype soit XY (mâle) soit XX (femelle) (Section 1-4C). Cependant, ceux qui possèdent les génotypes anormaux XXY (**syndrome de Klinefelter**) ou X0 (un seul chromosome sexuel ; **syndrome de Turner**) ont, respectivement, des phénotypes mâle et femelle, bien que les deux types soient stériles. Apparemment, *un chromosome Y normal confère le phénotype mâle, alors que son absence confère un phénotype femelle.* Il y a cependant des rares cas (1 sur 20 000) de mâles XX et de femelles XY. Des études d'hybridation d'ADN ont révélé que ces mâles XX (qui sont stériles et ont d'ailleurs été identifiés pour cette raison) ont un court segment du chromosome normal Y qui a subi une translocation sur un des chromosomes X, tandis que les femelles XY ne possèdent pas ce segment.

Les embryons mâles et femelles - jusqu'à leur sixième semaine de développement chez l'homme - ont des organes sexuels identiques et indifférenciés. A l'évidence, le chromosome Y contient un gène, le **facteur de détermination des testicules (TDF)**, qui induit la différenciation des testicules, dont les sécrétions hormonales favorisent à leur tour le développement des caractères masculins. Les segments de chromosome qui sont mal placés chez les femelles XY et les mâles XX ont en commun une séquence de 140 kb. Celui-ci contient un gène de structure appelé *SRY* (pour *sex-determining region of Y*) qui code un motif (80 résidus) de fixation à l'ADN. De nombreuses femmes XY ont, dans la région de leur gène *SRY* codant ce domaine de liaison à l'ADN, une mutation (absente de leur gène paternel) qui élimine cette liaison. *SRY* est exprimé dans les cellules gonadiques embryonnaires qui ont été reconnues responsables de la détermination testiculaire. De plus, parmi onze souris XX qui ont été rendues transgéniques pour *Sry* (équivalent murin de *SRY*), trois se sont révélées être des mâles. Ainsi *TDF/SRY* est le premier exemple clair d'un gène de mammifère qui contrôle entièrement le développement complet d'un organe (le développement est étudié dans la Section 34-4B).

H. *Contrôle des fonctions endocrines : hypothalamus et hypophyse*

Le lobe antérieur de l'**hypophyse** (l'**adénohypophyse**) et l'**hypothalamus**, une zone du cerveau voisine, constituent une unité fonctionnelle qui contrôle, via des hormones, une grande partie du système endocrine. *Les neurones de l'hypothalamus synthétisent une série d'hormones polypeptidiques connues sous le nom de facteurs de libération et facteurs d'inhibition qui, en passant directement dans l'adénohypophyse par voie sanguine (leurs demi-vies sont de quelques minutes), stimulent ou inhibent la libération, dans le flux sanguin, des hormones trophiques adénohypophysaires correspondantes.* Ces dernières, par définition, stimulent leurs tissus endocrines cibles de façon à ce qu'ils sécrètent leurs propres hormones. Les facteurs de libération et d'inhibition, les hormones trophiques et les hormones endocrines sont sécrétées respectivement en quantités journalières de l'ordre du nanogramme, du microgramme et du milligramme et ont, dans cet ordre, des durées de vie de plus en plus longues ; on peut donc dire que ces systèmes hormonaux forment des cascades d'amplification. Quatre de ces systèmes prédominent chez l'homme (Fig. 19-7 ; *à gauche*) :

1. La **corticolibérine** (**CRF** ou **CRH** ; 41 résidus) entraîne la libération, par l'adénohypophyse, de la **corticotrophine** (**ACTH** ; 39 résidus) qui stimule la libération des stéroïdes corticosurrénaliens. *Le système tout entier est sous rétrocontrôle : l'ACTH inhibe la libération de CRF et les stéroïdes corticosurrénaliens inhibent à la fois la libération de CRF et d'ACTH. De plus, l'hypothalamus, qui fait partie du cerveau, est aussi sujet à un contrôle neuronal, de sorte qu'il se situe à l'interface entre le système nerveux et le système endocrine.*

2. La **thyrolibérine** (**TRF** ou **TRH**), tripeptide contenant à l'extrémité N-terminale un résidu d'**acide pyroglutamique** (**pyro-Glu**) (un dérivé Glu dans lequel le -COOH de la chaîne latérale forme une liaison amide avec le groupement α-aminé),

$$\text{CH}-\overset{\overset{\displaystyle O}{\|}}{\text{C}}-\text{His}-\overset{3}{\text{Pro}}-\text{NH}_2$$

pyroGlu

Thyrolibérine (TRF)

stimule la libération par l'adénohypophyse de la **thyrotrophine** (ou **hormone thyréotrope** ; **TSH**) qui, à son tour, stimule la synthèse et la libération de T_3 et T_4 par la thyroïde. Le TRF, comme d'autres facteurs de libération, n'est présent dans l'hypothalamus qu'en quantités infinitésimales. Il a été caractérisé indépendamment en 1969 par Roger Guillemin et par Andrew Schally à partir d'extraits d'hypothalamus provenant de plus de deux millions de moutons et d'un million de porcs.

3. La **gonadolibérine** (**GnRF** ou **GnRH** ; 10 résidus)

$$\overset{1}{\text{pyroGlu}}\text{-His-Trp-Ser-Tyr-Gly-Leu-Arg-Pro-}\overset{10}{\text{Gly}}\text{-NH}_2$$

Gonadolibérine (GnRF)

stimule la libération par l'adénohypophyse de l'**hormone lutéinisante** (**LH**) et de l'**hormone folliculinisante** (**FSH**), connues sous le nom global de **gonadotrophines**. Chez le mâle, la LH stimule la libération d'androgènes par les testicules alors que la FSH favorise la spermatogenèse. Chez la femelle, la FSH stimule le développement des follicules ovariens (qui contiennent les ovules immatures) tandis que la LH déclenche l'ovulation.

4. La **somatocrinine** (**GRF** ou **GHRH** ; 44 résidus) stimule, et la **somatostatine** [14 résidus ; également connue sous le nom de **facteur d'inhibition de la libération de l'hormone de croissance** (**GRIF**)] inhibe, la libération de l'**hormone de croissance** (**GH**) par l'antéhypophyse. La GH (aussi appelée **somatotrophine**) stimule à son tour la croissance en général (voir Fig. 5-5 pour un

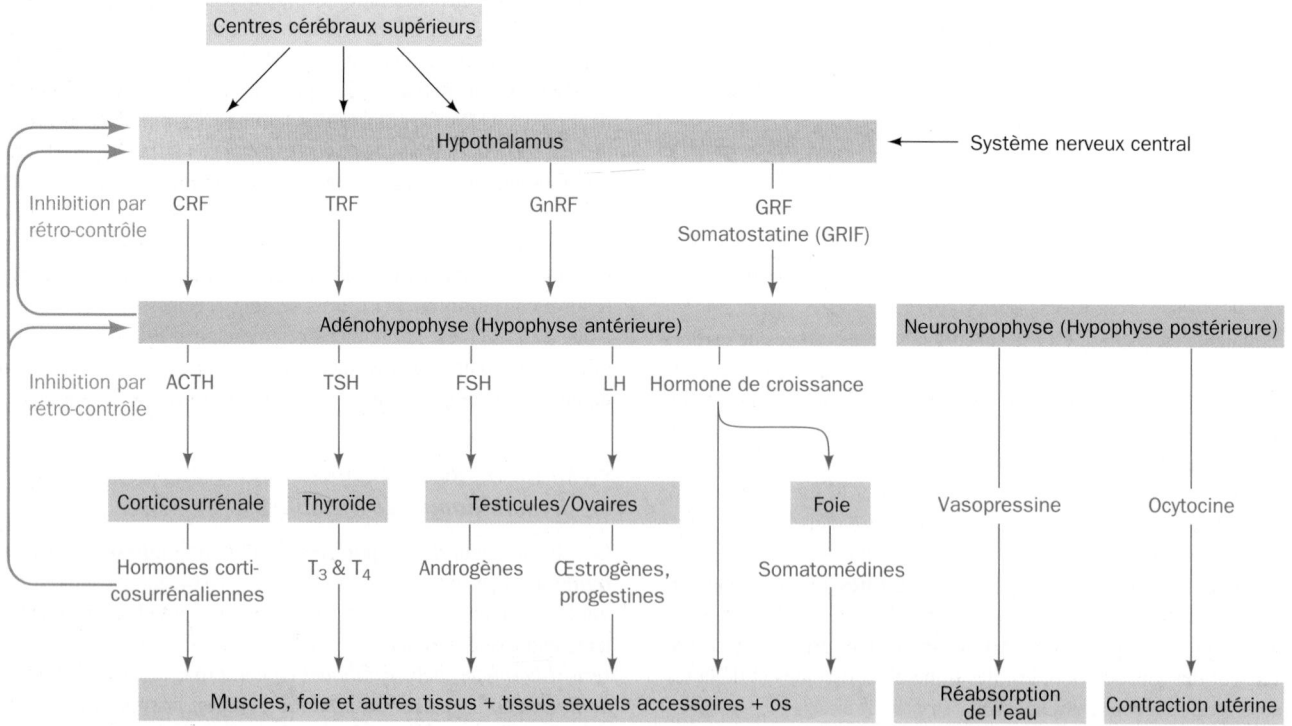

FIGURE 19-7 Hiérarchie du contrôle hormonal, faisant apparaître les relations entre l'hypothalamus, l'hypophyse et les tissus cibles. Ce sont les facteurs de libération et les facteurs inhibant la libération sécrétés par l'hypothalamus qui donnent à l'hypophyse antérieure le signal de sécréter ou de ne plus sécréter les hormones trophiques correspondantes, lesquelles, pour la plupart, stimulent les glandes endocrines correspondantes pour qu'elles sécrètent leurs hormones endocrines respectives. En plus de contrôler la croissance, la différenciation et le métabolisme de leurs tissus cibles, les hormones endocrines influencent, par rétroinhibition, la sécrétion des facteurs de libération et des hormones trophiques. Ces dernières influencent à leur tour le niveau des facteurs de libération correspondants.

exemple frappant de son effet). La GH accélère directement la croissance d'un grand nombre de tissus (à la différence de TSH, LH et FSH, qui n'agissent qu'indirectement en activant des glandes endocrines) et elle induit la synthèse par le foie d'une série de facteurs de croissance polypeptidiques nommés **somatomédines**, qui stimulent la croissance des cartilages et ont une activité de type insulinique.

La TSH, la LH et la FSH sont toutes les trois des glycoprotéines hétérodimériques qui, pour une espèce donnée, ont la même sous-unité α (92 résidus) et une sous-unité homologue β (respectivement, chez l'homme, de 114, 114 et 118 résidus). La GH humaine est formée d'une seule chaîne polypeptidique de 191 résidus, qui n'a pas de relation structurale avec TSH, LH ou FSH.

a. La neurohypophyse sécrète l'ocytocine et la vasopressine

Le lobe postérieur de l'hypophyse, la **neurohypophyse**, qui est distinct de l'hypophyse antérieure d'un point de vue anatomique, sécrète deux hormones peptidiques homologues de neuf résidus (Fig. 19-7, *à droite*) : la **vasopressine** [également connue sous le nom d'**hormone antidiurétique (ADH)**], qui augmente la pression sanguine et stimule la rétention d'eau par le rein ; et l'**ocytocine**, qui déclenche la contraction du muscle lisse utérin et par conséquent l'accouchement.

$$\overset{1}{\text{Cys-Tyr-Phe-Gln-Asn-Cys-Pro-Arg-Gly-NH}_2}$$
$$\underset{\text{S}-\text{S}}{\rule{3cm}{0pt}}$$

Vasopressine humaine

$$\overset{1}{\text{Cys-Tyr- Ile -Gln-Asn-Cys-Pro-Leu-Gly-NH}_2}$$
$$\underset{\text{S}-\text{S}}{\rule{3cm}{0pt}}$$

Ocytocine humaine

La vitesse de libération de la vasopressine est en grande partie contrôlée par des osmorécepteurs, qui mesurent la pression osmotique sanguine.

I. *Contrôle du cycle menstruel*

Le cycle menstruel et la grossesse sont des illustrations frappantes des interactions qui existent entre systèmes hormonaux. Le cycle menstruel humain, d'environ 28 jours (Fig. 19-8), commence, pendant les menstruations, par une légère augmentation du niveau de FSH qui initie le développement d'un nouveau follicule ovarien. Au fur et mesure de sa maturation le follicule sécrète des œstrogènes qui sensibilisent l'antéhypophyse vis-à-vis du GnRF. Ce processus culmine par une montée de LH et de FSH, ce qui déclenche l'ovulation. Le follicule ovarien rompu, appelé **corps jaune**, sécrète de la progestérone et des œstrogènes qui inhibent la sécrétion ultérieure, par l'antéhypophyse, de gonadotrophines et agissent sur l'endomètre (muqueuse utérine) pour le préparer à l'implantation de l'ovule fécondé. Si la fécondation n'a pas lieu, le corps jaune dégénère, les niveaux de progestérone et d'œstrogènes chutent et la menstruation (décapage de l'endomètre) survient. La réduction du niveau en stéroïdes permet aussi une légère augmentation du taux de FSH, ce qui initie un nouveau cycle.

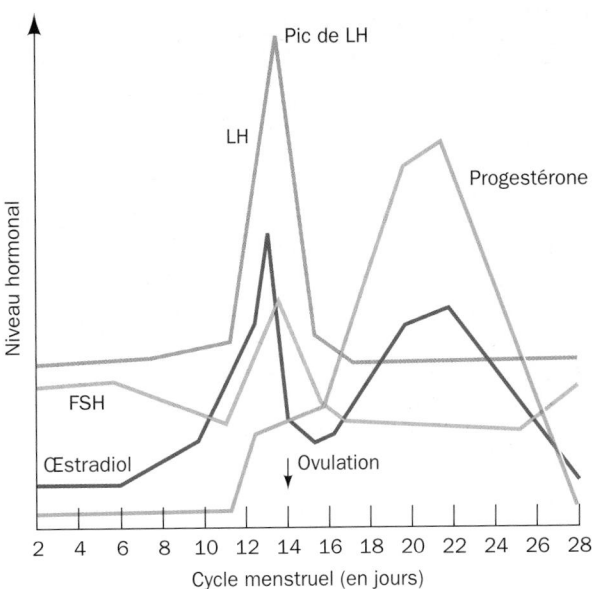

FIGURE 19-8 **Sécrétions hormonales pendant le cycle menstruel chez la femme.**

Un ovule fécondé qui s'est implanté dans la paroi utérine préparée sous l'action d'hormones commence aussitôt à synthétiser de la **gonadotrophine chorionique (CG)**. Cette hormone, qui est une glycoprotéine hétérodimérique, contient une sous-unité β de 145 résidus possédant un fort degré d'identité de séquence avec la LH (85 %), la FSH (45 %) et la TSH (36 %), en ce qui concerne les 114 premiers résidus ; elle a de plus la même sous-unité α que ces trois hormones. La CG stimule le corps jaune à continuer de produire de la progestérone au lieu de régresser, ce qui empêche la menstruation. Les tests immédiats de grossesse utilisent des immunodosages qui peuvent détecter la CG dans le sang ou l'urine dans les quelques jours qui suivent l'implantation de l'embryon. La majorité des contraceptifs oraux féminins (pilules de contrôle des naissances) contiennent des dérivés de la progestérone, dont l'ingestion induit un état de pseudo-grossesse en inhibant le pic de FSH et de LH en milieu de cycle, ce qui empêche ainsi l'ovulation.

J. *L'hormone de croissance et son récepteur*

La fixation de l'hormone de croissance active son récepteur, ce qui stimule la croissance et le métabolisme du muscle, de l'os et des cellules du cartilage. Ce récepteur de 620 résidus est un des membres d'une grande famille de récepteurs de facteurs de croissance protéiques dont les structures sont apparentées, et qui inclut les récepteurs de diverses interleukines. Tous ces récepteurs comprennent un domaine N-terminal extracellulaire qui fixe le ligand, un segment transmembranaire unique très probablement en hélice, et un domaine cytoplasmique C-terminal qui n'a pas d'homologue à l'intérieur de la superfamille mais qui, dans de nombreux cas, possède une activité tyrosine-kinase (Section 19-3A).

La structure, déterminée par rayons X, du complexe entre l'hormone de croissance humaine (**hGH** ; 191 résidus) et le domaine extracellulaire de 238 résidus de sa protéine de liaison (**hGHbp**), déterminée par Abraham de Vos et Anthony Kossiakoff, montre que le complexe est constitué de deux molécules de hGHbp fixées à une molécule de hGH (Fig. 19-9). L'hormone de crois-

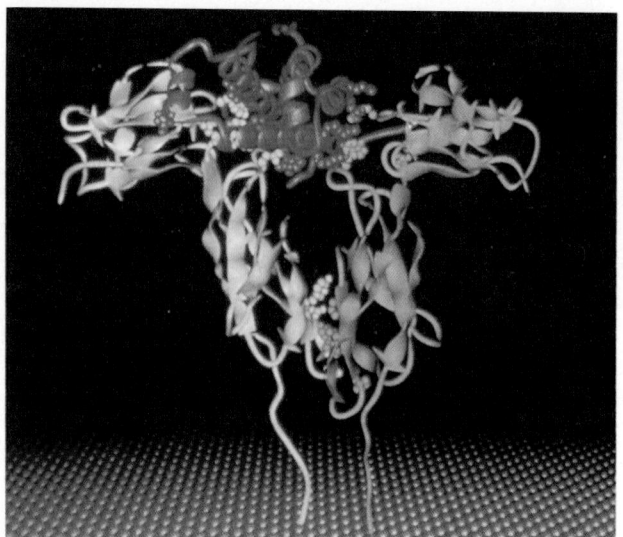

FIGURE 19-9 Structure, déterminée par rayons X, de l'hormone de croissance humaine (hGH), complexée avec deux molécules du domaine extracellulaire de son récepteur (hGHbp). Sur cette représentation en ruban, les deux molécules d'hGHbp, qui fixent chacune une molécule de hGH, sont en vert et bleu, alors que l'hGH est en rouge. Les chaînes latérales mises en jeu dans l'interaction entre sous-unités sont représentées en structure compacte. La surface en jaune représente la membrane cellulaire, à travers laquelle les extrémités C-terminales des molécules d'hGHbp pénètrent comme elles le font dans le récepteur entier d'hGH. [Avec la permission d'Abraham de Vos et Anthony Kossiakoff, Genentech Inc., South San Francisco, California. PDBid 3HHR.]

FIGURE 19-10 L'acromégalie. Traits caractéristiques du visage d'Akhenaton, le pharaon qui régna sur l'Égypte pendant la période 1379-1362 avant J. C. Cet aspect suggère qu'il souffrait d'acromégalie. [Agytisches Museum, Staadtliche Museen Preussicher Kulturbesitz, Berlin, Allemagne. Photo prise par Margarete Busing.]

sance humaine est principalement constituée d'un faisceau de quatre hélices dont la structure est très voisine de la GH porcine isolée, déterminée antérieurement par rayons X. Les différences entre les deux peuvent être attribuées à la fixation de la hGH sur son récepteur. Un certain nombre d'autres facteurs de croissance protéiques de structure connue, y compris plusieurs interleukines, contiennent de tels faisceaux à quatre hélices. Chaque molécule d'hGHbp est constituée de deux domaines de structure homologue, chacun étant formé d'un feuillet β à trois brins et d'un feuillet β à quatre brins antiparallèles et disposés en sandwich, ressemblant ainsi au repliement de l'immunoglobuline (Section 35-2B).

Les deux molécules d'hGHbp s'associent à la GH selon une symétrie d'ordre 2 autour d'un axe qui est en gros perpendiculaire aux axes des hélices du faisceau à quatre hélices et, vraisemblablement, au plan de la membrane cellulaire dans laquelle le récepteur intact de l'hGH est ancré (Fig. 19-9). Les domaines C-terminaux des deux molécules d'hGHbp sont presque parallèles et en contact l'un avec l'autre. Ce qui est surprenant, c'est que les deux molécules d'hGHbp utilisent essentiellement les mêmes résidus pour se fixer sur des sites qui sont de part et d'autre du faisceau à quatre hélices de l'hGH et qui n'ont pas de similitude structurale. La structure par rayons X est largement en accord avec des résultats obtenus par des expériences de mutagénèse, réalisées pour identifier les résidus de hGH et de hGHbp qui sont importants pour la liaison.

La dimérisation de l'hGHbp, induite par son ligand, a d'importantes conséquences pour le mécanisme de transduction du signal. La dimérisation, qui ne se produit pas en absence d'hGH, relie apparemment entre eux les domaines intracellulaires des récepteurs de manière à activer une protéine effectrice comme, par exemple, une tyrosine-kinase (Section 19-3A). En effet, des molé-cules d'hGH portant des mutations qui empêchent la dimérisation du récepteur sont biologiquement inactives. De nombreux autres facteurs de croissance protéiques induisent aussi la dimérisation de leurs récepteurs.

a. Une production anormale de GH perturbe la croissance

Une surproduction de GH, qui est habituellement causée par une tumeur hypophysaire, entraîne une croissance excessive. Si cet état commence pendant la formation du squelette, c'est-à-dire avant que les cartilages de conjugaison ne soient ossifiés, cette croissance excessive intéresse alors tout le corps, entraînant le **gigantisme**. De plus, puisqu'un excès de GH inhibe la production de la testostérone nécessaire à l'ossification, de tels « géants » continuent de grandir tout au long de leur vie, qui est par ailleurs anormalement courte. Cependant, si le squelette est arrivé à maturité lorsque commence la maladie, la GH ne stimule que la croissance des tissus mous, entraînant un agrandissement des mains et des pieds et l'épaississement des traits du visage, état connu sous le nom d'**acromégalie** (Fig. 19-10). La situation opposée, une carence en GH, entraîne un déficit de croissance (le **nanisme**). Celui-ci peut être traité, avant que le squelette n'arrive à maturité, par des injections régulières de hGH (l'hormone animale est inactive chez l'homme). Au début, l'hormone n'était que très peu disponible car elle ne provenait que d'hypophyses humaines prélevées après décès. Actuellement, les techniques d'ADN recombinant permettent la synthèse de l'hormone en quantité virtuellement illimitée. Il est à craindre que la GH puisse être prise de manière non contrôlée, notamment par des individus voulant augmenter leurs performances athlétiques (il serait en effet difficile de prouver une consommation d'hGH exogène car l'hormone est présente dans le corps humain, même chez l'adulte, et de plus, elle est rapidement hydrolysée).

K. *Peptides opioïdes*

L'hypophyse antérieure sécrète des polypeptides qui figurent parmi les hormones les plus étonnantes, car elles ont sur le système nerveux central des effets analogues à ceux des opiacés. Ils comprennent la β-**endorphine**, peptide de 31 résidus, son pentapeptide N-terminal appelé **méthionine-enképhaline,** et la **leucine-enképhaline** de structure très voisine (bien que les deux enképhalines soient exprimées de manière indépendante).

$$\underset{1}{Tyr}-Gly-Gly-Phe-\underset{5}{Met}-Thr-Ser-Glu-Lys-\underset{10}{Ser}$$
$$\underset{11}{Gln}-Thr-Pro-Leu-\underset{15}{Val}-Thr-Leu-Phe-Lys-\underset{20}{Asn}$$
$$\underset{21}{Ala}-Ile-Val-Lys-\underset{25}{Asn}-Ala-His-Lys-Lys-\underset{30}{Gly}$$
$$\underset{31}{Gln}-$$

β-Endorphine

$$Tyr-Gly-Gly-Phe-Met$$

Méthionine-enképhaline (Met-enképhaline)

$$Tyr-Gly-Gly-Phe-Leu$$

Leucine-enképhaline (Leu-enképhaline)

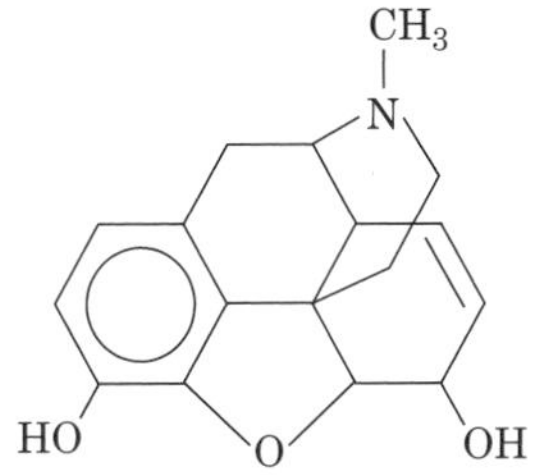

Morphine (un opiacé)

Ces substances se fixent dans le cerveau sur des **récepteurs d'opiacés**, dont elles sont des agonistes physiologiques. Le rôle de ces **peptides opioïdes** reste encore à établir mais il apparaît qu'ils sont importants dans le contrôle de la douleur et de certains états émotionnels. Le soulagement de la douleur par l'acuponcture ou

les placebos, et l'état d'euphorie des coureurs de fond pourraient survenir par l'intermédiaire des peptides opioïdes.

L. *Fonction hormonale du monoxyde d'azote*

Le **monoxyde d'azote** (**NO**) est un radical libre gazeux réactionnel et toxique. D'où la surprise de découvrir que *cette molécule est un signal intercellulaire régulant la dilatation des vaisseaux sanguins et qu'elle peut servir de neurotransmetteur. Elle joue aussi un rôle dans la réponse immunitaire.* La fonction du NO dans la vasodilatation a été découverte en observant que des substances telles que l'acétylcholine (Section 20-5C) et la bradykinine (Section 7-5B) qui, par l'intermédiaire de la cascade des phospho-inositides (Section 19-4), augmentent le flux dans les vaisseaux sanguins en induisant le relâchement du muscle lisse, n'agissent que si un **endothélium** intact recouvre le muscle lisse vasculaire (l'endothélium est une couche de cellules qui délimite l'intérieur de certaines cavités de l'organisme, telles que les vaisseaux sanguins). Les cellules endothéliales répondent à la présence de ces agents vasodilatateurs en libérant une substance diffusible et très labile (demi-vie d'environ 5 s) qui induit le relâchement des cellules du muscle lisse. Cette substance fut identifiée comme étant le NO. Ceci fut confirmé par des études menées en parallèle qui identifiaient également le NO comme le métabolite actif qui médie les effets vasodilatateurs bien connus de nitrates organiques tels que la **nitroglycérine**,

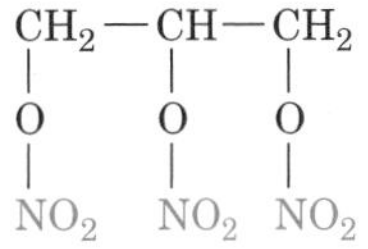

$$CH_2-CH-CH_2$$
$$|\quad\quad|\quad\quad|$$
$$O\quad\quad O\quad\quad O$$
$$|\quad\quad|\quad\quad|$$
$$NO_2\quad NO_2\quad NO_2$$

Nitroglycérine

employée pour traiter l'**angine de poitrine** (maladie causée par une insuffisance de flux sanguin cardiaque, ce qui entraîne de fortes douleurs thoraciques).

a. **La NO synthase exige cinq cofacteurs rédox**

Le NO est synthétisé par la **NO synthase** (**NOS**), qui catalyse l'oxydation (portant sur 5 électrons) par O_2 de la L-arginine selon une réaction qui nécessite du NADPH et qui conduit à la formation de NO et de citrulline, un acide aminé, via l'intermédiaire N^ω-**hydroxy-L-arginine** (Fig. 19-11)). On a identifié chez les mam-

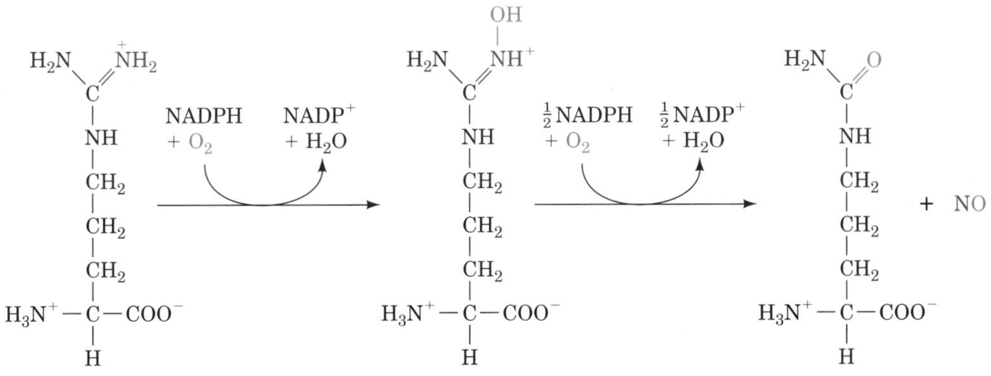

FIGURE 19-11 Réaction catalysée par la NO synthase (NOS). La N^ω-hydroxy-L-arginine, intermédiaire de la réaction, est fortement liée à l'enzyme.

mifères trois isozymes de la NOS, la **NOS neuronale (nNOS)**, la **NOS inductible (iNOS)** et la **NOS endothéliale (eNOS)**, aussi appelées respectivement **NOS-1, -2** et **-3**. Ces isozymes, qui partagent plus de 50 % d'identité de séquence, sont deshomodimères dont les sous-unités, de 125 à 160 kD, comportent deux domaines :

1. Un domaine oxygénase N-terminal d'environ 500 résidus qui catalyse les deux étapes réactionnelles de la Fig. 19-11 et contient l'interface du dimère. Ce domaine lie les substrats O_2 et L-arginine et deux groupements prosthétiques rédox, de l'hème contenant du Fe(III) et de la **5,6,7,8-tétrahydrobioptérine (H_4B)**,

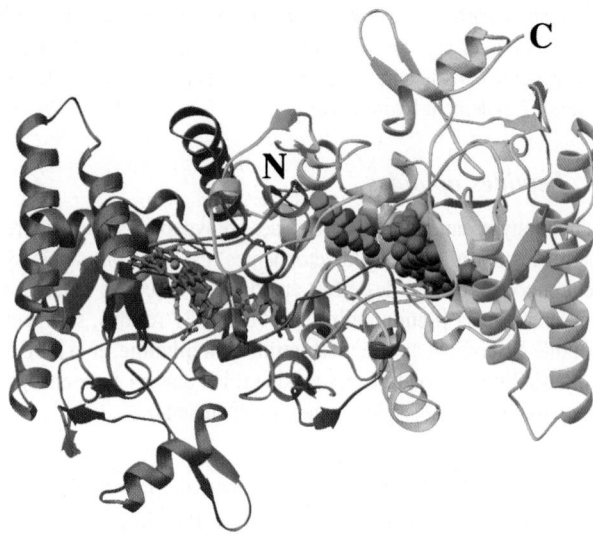

FIGURE 19-12 Structure par rayons X du domaine oxygénase de la iNOS. La protéine homodimérique est vue selon son axe de symétrie d'ordre 2, avec une sous-unité en doré, l'autre en gris. Les groupements prosthétiques hème et H_4B ainsi que le substrat L-arginine sont montrés en modèle boules et bâtonnets dans la sous-unité en gris, et en modèle compact dans la sous-unité en doré, tous deux colorés selon le type d'atome avec C du hème, de H_4B ainsi que de L-arginine respectivement en bleu-vert, magenta et vert, et N en bleu, O en rouge et Fe en orange. La chaîne latérale de Cys 194, le résidu qui fixe axialement le Fe du hème, est montré, dans les deux sous-unités, en modèle boules et bâtonnets avec C en magenta et S en jaune. Les 15 résidus C-terminaux de la sous-unité en gris ont été enlevés pour mieux révéler les groupements hème et L-arginine sous-jacents. [D'après une structure par rayons X due à Thomas Poulos, University of California at Irvine. PDBid 1NOD.]

5,6,7,8-Tétrahydrobioptérine

une molécule qui intervient également dans l'hydroxylation de la phénylalanine en tyrosine (Section 26-3H). Les structures par rayons X des domaines oxygénase de la iNOS (Fig. 19-12), déterminée par John Tainer, et de la eNOS, déterminée indépendamment par Thomas Poulos et Patricia Weber, sont très semblables.

2. Un domaine réductase C-terminal d'environ 600 résidus qui fournit les électrons pour la réaction NOS. Il lie le NADPH et deux groupements prosthétiques rédox, une molécule de FAD (Fig. 16-8) et une **flavine mononucléotide (FMN ;** du FAD sans son résidu AMP ; Fig. 22-17*a*) par le biais de trois modules de fixation des nucléotides. Ce domaine est homologue de la **cytochrome P_{450} réductase**, une enzyme qui intervient dans les processus de détoxification.

Le NADPH lié au domaine réductase d'une sous-unité transmet ses électrons, via le FAD puis le FMN, au groupement hème du domaine oxydase de la sous-unité opposée. Ceci fut démontré par Dennis Stuehr qui « fabriqua » un hétérodimère NOS comprenant une sous-unité normale associée à un domaine oxygénase isolé. L'activité enzymatique de cette protéine chimérique était conservée suite à la mutation du site de liaison de la L-arginine dans la sous-unité normale, mais abolie par cette même mutation dans la sous-unité tronquée.

L'atome de Fe du noyau hème est en liaison de coordinence 5 avec l'atome S d'une Cys spécifique comme ligand axial (Fig. 19-12). Le substrat L-arginine se fixe du côté de l'hème opposé à celui qui lie cette Cys, l'atome N à hydroxyler se trouvant à environ 4 Å de l'atome de Fe, trop loin pour la formation d'une liaison covalente. Sachant que O_2 réagit avec l'atome de Fe du noyau hème, il se fixe sans doute entre cet atome et l'atome de N.

Pour produire du NO, la NOS doit être fixée à H_4B. Sans ce groupement prosthétique, NOS catalyse bien l'oxydation du NADPH par O_2 pour donner H_2O_2. Cependant, H_4B ne subit pas l'oxydation nette dans la réaction NOS (alors qu'elle est oxydée dans la réaction d'hydroxylation de la phénylalanine en tyrosine ; Section 26-3H) ; de plus, elle se lie trop loin de l'hème et du côté opposé de celui de la L-arginine, pour participer directement à la réaction d'hydroxylation (Fig. 19-12). En outre, les cytochromes P450 (Section 15-4B), qui catalysent des réactions d'hydroxyla-

tion semblables à celle de la NOS, n'ont pas de H_4B. La fonction de cette dernière dans la NOS reste donc inexpliquée.

Le NO diffuse rapidement à travers les membranes cellulaires, bien que sa forte réactivité l'empêche de s'éloigner de plus d'1 mm de son site de synthèse (en particulier, il réagit de manière efficace avec l'oxy- et la désoxyhémoglobine : $NO + HbO_2 \rightarrow NO_3^- + Hb$; et $NO + Hb \rightarrow HbNO$; Section 10-1A). *La cible physiologique du NO dans les cellules du muscle lisse est la* **guanylate cyclase (GC)**, qui catalyse la formation, à partir de GTP, du **3′,5′-GMP cyclique (GMPc)**,

3′,5′-GMP cyclique (GMPc)

second messager intracellulaire qui ressemble au 3′,5′-AMP cyclique (AMPc ; la GC est un homologue de l'adénylate cyclase ; Section 18-3C). Le GMPc entraîne la relaxation du muscle lisse par stimulation de la phosphorylation de protéines sous l'action d'une **protéine-kinase GMPc-dépendante**. NO réagit avec le groupement prosthétique hème de la GC pour conduire au **nitrosohème**, dont la présence augmente 200 fois l'activité enzymatique de la GC, probablement par un changement de conformation comparable à celui de l'hémoglobine lors de la fixation de O_2 (Section 10-2B ; bien que la GC ne fixe que très faiblement l'O_2).

b. eNOS et nNOS, mais pas iNOS, sont régulées par le [Ca^{2+}]

Le complexe calmoduline-Ca^{2+} active eNOS et nNOS en se liant aux segments N-terminaux (environ 30 résidus) de leur domaine réductase. Par exemple, l'action stimulatrice des vasodilatateurs sur le système de signalisation par les phospho-inositides (Section 19-4A) dans les cellules endothéliales, qui entraîne un influx de Ca^{2+}, se traduit par une synthèse de NO. Ainsi, *NO agit pour traduire des augmentations de [Ca^{2+}] intracellulaire induites par des hormones dans les cellules endothéliales, en augmentations de vitesse de production de GMPc dans des cellules musculaires lisses voisines.*

Le NO produit par nNOS est aussi un intermédiaire dans la vasodilatation du muscle lisse par la stimulation neuronale, indépendante de l'endothélium. Dans cette voie de transduction du signal, qui est responsable de la dilatation des artères cérébrales ou autres, ainsi que de l'érection du pénis (voir Section 19-2E), les influx nerveux entraînent une augmentation de [Ca^{2+}] dans les terminaisons nerveuses, stimulant ainsi la nNOS. Le NO qui en résulte diffuse vers les cellules musculaires lisses voisines, où il se fixe sur la guanylate cyclase et l'active pour la synthèse de GMPc comme décrit ci-dessus.

La NOS inductible (iNOS) est insensible au Ca^{2+} malgré son association étroite avec deux sous-unités calmoduline. Cependant, elle est induite par transcription dans les macrophages et les **neutrophiles** (cellules des globules blancs qui captent et détruisent les bactéries), ainsi que dans les cellules endothéliales et les cellules du muscle lisse (eNOS et nNOS sont au contraire exprimées **constitutivement**, c'est-à-dire à taux constant). Plusieurs heures après exposition à des **cytokines** (facteurs de croissance protéiques qui régulent la différenciation, la prolifération et les activités de différents types de cellules sanguines ; les interleukines sont des cytokines) et/ou à des **endotoxines** (lipopolysaccharides de la paroi bactérienne qui entraînent des réponses inflammatoires ; Section 35-2F), ces cellules commencent à produire de grandes quantités de NO et continuent à le faire pendant plusieurs heures. Les macrophages activés et les neutrophiles produisent aussi des radicaux superoxyde ($O_2^{\cdot-}$), qui se combinent chimiquement avec NO pour former l'ion **peroxynitrite**, encore plus toxique (**OONO⁻**, qui par réaction avec H_2O se décompose rapidement en un **radical hydroxyde** très réactif, OH·, et NO_2), qu'ils utilisent pour tuer les bactéries ingérées. En effet, les inhibiteurs de NOS bloquent les actions cytotoxiques des macrophages.

Les cytokines et les endotoxines induisent une vasodilatation importante et durable et une faible réponse à des vasoconstricteurs comme l'adrénaline. La libération soutenue de NO a été impliquée dans le **choc septique** (une réaction du système immunitaire à une infection bactérienne, souvent fatale par hypotension), dans les lésions tissulaires associées à l'inflammation comme dans des maladies auto-immunes telles que l'arthrite rhumatoïde, et dans les dommages causés aux neurones à proximité d'un site d'accident vasculaire cérébral (dommages qui font souvent plus de dégâts que l'accident vasculaire lui-même). Beaucoup de ces pathologies pourraient bénéficier de médicaments inhibant sélectivement iNOS et/ou nNOS, tout en laissant eNOS exercer sa fonction essentielle du maintien du tonus vasculaire. De plus, l'administration du NO lui-même a un intérêt thérapeutique. Par exemple, son inhalation à faible dose permet de réduire l'hypertension pulmonaire (pression sanguine trop élevée dans les poumons suite à une vasoconstriction artérielle pulmonaire, situation souvent mortelle) chez le nouveau-né.

2 ■ PROTEINES G HETEROTRIMERIQUES

Comme nous l'avons vu (Section 18-3), des hormones telles que le glucagon et l'adrénaline régulent le métabolisme du glycogène en stimulant l'adénylate cyclase (AC) à synthétiser, à partir d'ATP, le second messager qu'est l'AMPc. L'AMPc se lie ensuite à la protéine-kinase A (PKA) et l'active de sorte à déclencher des cascades de phosphorylation/déphosphorylations qui aboutissent au contrôle de l'activité de la glycogène phosphorylase et de la glycogène synthase. De nombreuses autres molécules de signalisation extracellulaire (on parle de ligands ou d'agonistes) conduisent également à la synthèse intracellulaire d'AMPc et induisent ainsi une réponse cellulaire. Par quel mécanisme la fixation d'un ligand sur un récepteur extracellulaire peut-elle stimuler la synthèse d'AMPc cytosolique par l'AC ? En répondant à cette question, nous découvrirons la surprenante complexité des systèmes qui relient ces récepteurs extracellulaires à l'AC et à d'autres **effecteurs**, complexité qui les dote d'une très grande capacité d'amplification du signal et de souplesse régulatrice.

A. *Vue d'ensemble*

L'adénylate cyclase, qui est située du côté cytoplasmique de la membrane plasmique, et les récepteurs qui l'activent, qui sont exposés à l'extérieur de la cellule, sont des protéines séparées qui n'interagissent pas physiquement. En réalité, *elles sont couplées sur le plan fonctionnel par des **protéines G hétérotrimériques** (Fig. 19-13)*, ainsi nommées parce qu'elles lient spécifiquement les nucléotides guanyliques GTP et GDP. L'AC est activée par une protéine G hétérotrimérique (souvent appelée simplement protéine G), mais à condition que celle-ci soit fixée au GTP. Cependant, la protéine G hydrolyse lentement le GTP en GDP + P_i (à la faible vitesse de 2 à 3 min⁻¹) et ainsi se désactive elle-même (si les protéines G étaient des GTPases efficaces, elles ne pourraient activer l'AC). Les protéines G sont réactivées par une réaction d'échange GDP-GTP catalysée par le complexe ligand-récepteur, mais pas par le récepteur libre. *Ainsi, une protéine G hétérotrimérique assure la transduction d'un signal extracellulaire (un ligand) vers un signal intracellulaire (l'AMPc). De plus, le système récepteur–protéine G–AC amplifie le signal extracellulaire car chaque complexe ligand-récepteur active plusieurs protéines G avant d'être inactivé par la dis-*

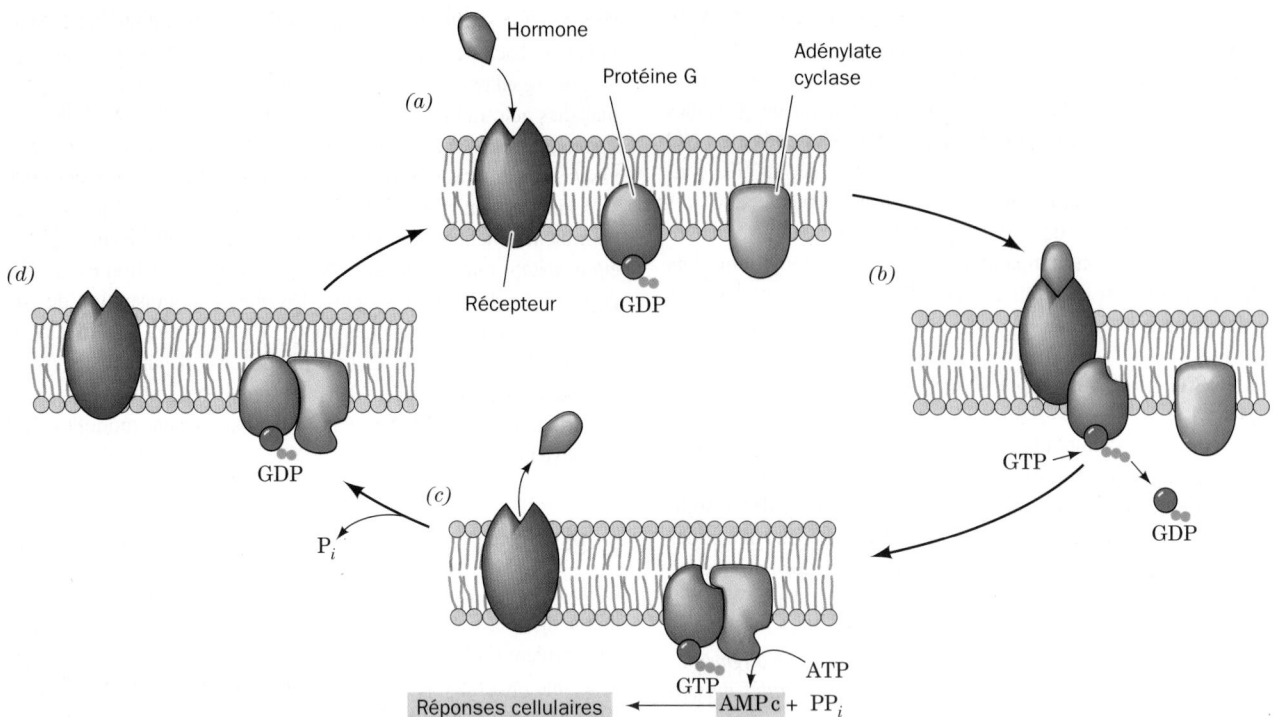

FIGURE 19-13 Cycle d'activation/désactivation de l'adénylate cyclase (AC) stimulée par une hormone. (*a*) En l'absence d'hormone, une protéine G hétérotrimérique fixe le GDP et l'AC est catalytiquement inactive. (*b*) Le complexe hormone-récepteur entraîne l'échange du GDP par du GTP sur la protéine G. (*c*) Le complexe protéine G • GTP se lie alors à l'AC et l'active à produire l'AMPc. (*d*) L'hydrolyse ultérieure, catalysée par la protéine G, du GTP qui lui est fixé, en GDP, entraîne la dissociation de la protéine G de l'AC qui est ainsi désactivée.

sociation spontanée du ligand, et parce que, pendant sa durée de vie, chaque complexe protéine G · GTP–AC catalyse la synthèse d'un grand nombre de molécules d'AMPc. C'est ce processus que nous étudierons ici.

Les protéines G hétérotrimériques sont des membres de la superfamille des GTPases régulatrices regroupées sous le nom de **protéines G** (qu'il s'agisse d'une protéine G hétérotrimérique ou d'une autre protéine G, distinction déterminée par le contexte). Les protéines G non hétérotrimériques exercent un grand nombre de fonctions importantes, telles que la transduction du signal (p. ex. **Ras**; Section 19-3C), le trafic vésiculaire (p. ex. Arf, la dynamine et Rab; Sections 12-4C et 12-4D), la régulation du cytosquelette d'actine (par **Rho**; Section 35-3E), la traduction (en tant que facteurs accessoires des ribosomes; Section 32-3), et le ciblage (comme constituant de la particule de reconnaissance du signal; Section 12-4B). Les nombreuses protéines G partagent des motifs structuraux communs qui lient les nucléotides guanyliques (GTP et GDP) et catalysent l'hydrolyse du GTP en GDP + P_i (voir ci-dessous).

B. Récepteurs couplés aux protéines G

Les récepteurs impliqués dans l'activation de l'AC et autres cibles des protéines G hétérotrimériques sont tous des protéines intrinsèques possédant 7 hélices transmembranaires (Fig. 19-14). Ces **récepteurs couplés aux protéines G** (**GPCR**; aussi appelés **heptahélicoïdaux**, **7TM**, ou encore **récepteurs serpentins**) constituent une des plus grandes familles de protéines (>1000 membres

chez les mammifères, soit > 3 % des ~30 000 gènes du génome humain). Ils comprennent les récepteurs des nucléosides, des nucléotides, du Ca^{2+}, des catécholamines [adrénaline et noradrénaline ainsi que la **dopamine** (Section 26-4B)] et autres amines biogéniques (p. ex. l'**histamine** et la **sérotonine**; Section 26-4B), les **eicosanoïdes** (**prostaglandines**, **prostacyclines**, **thromboxanes**, **leucotriènes**, et **lipoxines**, tous dérivés de l'acide arachidonique, acide gras en C_{20}, et qui sont de puissants médiateurs locaux de nombreux processus physiologiques importants; Section 25-7); et de la plupart des hormones peptidiques et protéiques étudiées dans la Section 19-1. De plus, les GPCR assurent d'importantes fonctions sensorielles. Ainsi, cette famille inclut les récepteurs olfactifs et gustatifs (dont on estime le nombre de types différents à environ 500 chez les mammifères) ainsi que les **rhodopsines**, protéines de détection de la lumière dans la rétine. Les

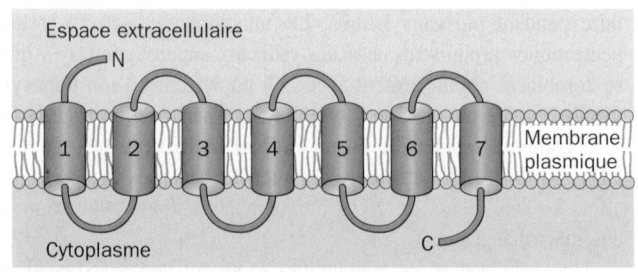

FIGURE 19-14 Structure générale d'un récepteur couplé à une protéine G (GPCR).

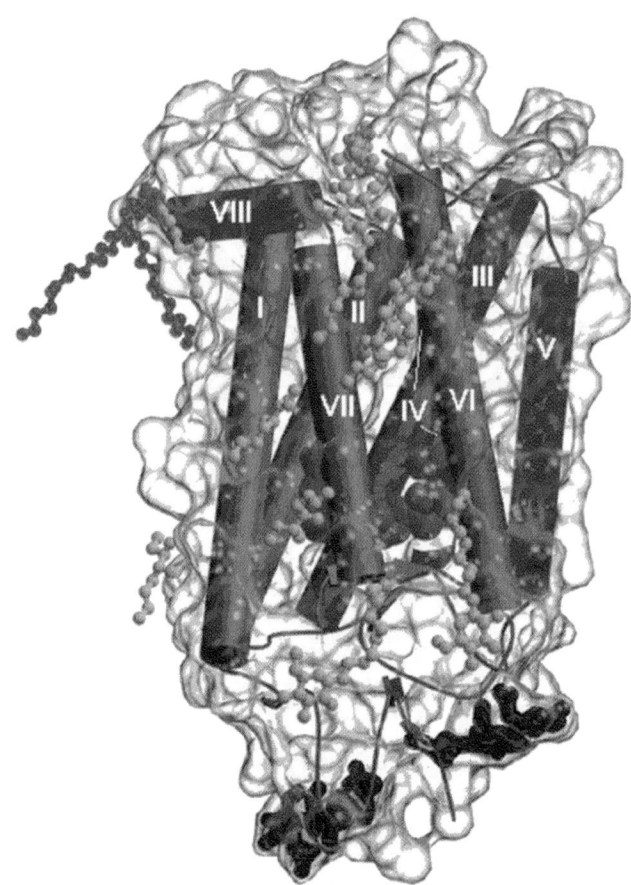

FIGURE 19-15 Structure par rayons X de la rhodopsine bovine. La structure est vue parallèlement au plan de la membrane, avec le cytoplasme du côté du lecteur. La face transparente représente la surface de la protéine accessible au solvant. Le squelette polypeptidique est en représentation tubes et flèches (*bleu*). Noter le faisceau de 7 hélices transmembranaires quasi parallèles. Le groupement prosthétique rétinal de la protéine est en modèle compact (*rouge*), ses deux oligosaccharides liés à N (*bleu foncé*) et ses deux groupements palmitoyl liés par covalence (*vert*) étant représentés en modèle bâtonnets. Les molécules de détergent, qui facilitent la cristallisation de cette protéine intrinsèque et qui sont associées à sa face hydrophobe transmembranaire, sont montrées en modèle boules et bâtonnets (*jaune*). [Avec la permission de Ronald Stenkamp, University of Washington. PDBid 1HZX.]

GPCR constituent également la plus importante classe de cibles de médicaments de l'arsenal thérapeutique (Section 15-4) : ~60 % de ceux qui sont sur le marché agissent en se fixant sélectivement sur un GPCR particulier.

Le seul GPCR dont on connaisse la structure par rayons X est la rhodopsine bovine (Fig. 19-15). Celle-ci fut déterminée par Krzysztof Palczewski, Ronald Stenkamp et Masashi Miyano. La rhodopsine est composée de l'**opsine**, protéine de 348 résidus, et du **rétinal** (Fig 12-25), un chromophore qui lui est associé par covalence à la Lys 296 via une base de Schiff, comme dans son homologue la bactériorhodopsine (Section 12-3A), une pompe à proton heptahélicoïdale actionnée par la lumière (Section 22-3B). L'absorption d'un photon provoque l'isomérisation du rétinal fixé à la rhodopsine, lequel passe de son état de base 11-cis à sa forme tout-trans. Cette isomérisation entraîne une modification conformationnelle transitoire de l'opsine jusqu'à l'hydrolyse du tout-*trans*-rétinal et sa dissociation de l'opsine (qui est ensuite régénérée par addition de 11-*cis*-rétinal fourni par des cellules épithéliales rétiniennes voisines). C'est cette modification conformationnelle, intervenant essentiellement du côté cytoplasmique, qui active la protéine G correspondante. Noter que les hélices transmembranaires des GPCR ont généralement la même taille (20-27 résidus), alors que la longueur de leurs segments N- et C-terminaux et des boucles reliant ces hélices (qui ensemble constituent les sites de liaison du ligand et de la protéine G) est très variable selon l'identité du GPCR (7 à 795 résidus pour les segments N- et C-terminaux et 5 à 230 résidus pour les boucles).

a. Les récepteurs sont sujets à la désensibilisation

Une des caractéristiques des systèmes de signalisation biologique est qu'ils s'adaptent à des stimuli de longue durée en réduisant leur temps de réponse, phénomène connu sous le nom de **désensibilisation**. *Ainsi, ces systèmes de signalisation répondent plus à des variations du niveau de stimulation qu'à leurs valeurs absolues.* Quel est le mécanisme de désensibilisation ? Dans le cas des récepteurs β-adrénergiques, une exposition continue à l'adrénaline conduit à la phosphorylation d'au moins un résidu Ser du récepteur. Cette phosphorylation, catalysée par une kinase spécifique qui agit sur le complexe hormone-récepteur mais non sur le récepteur seul, diminue l'influence de l'hormone sur la protéine G hétérotrimérique, du moins en partie en réduisant l'affinité de l'adrénaline pour son récepteur. De plus, les récepteurs phosphorylés sont captés par endocytose dans des vésicules spécialisées dépourvues de protéines G hétérotrimérique et d'AC, atténuant encore ainsi la réponse cellulaire à l'adrénaline. Si le niveau de cette dernière diminue, le récepteur est lentement déphosphorylé par une phosphatase et retourne à la surface cellulaire, restaurant la sensibilité de la cellule vis-à-vis de l'adrénaline.

C. Structure et fonction des protéines G hétérotrimériques

Les protéines G hétérotrimériques, découvertes par Alfred Gilman et Martin Rodbell, sont plus complexes que ne le suggère la Fig. 19-13. Elles sont formées, comme leur nom l'indique, de

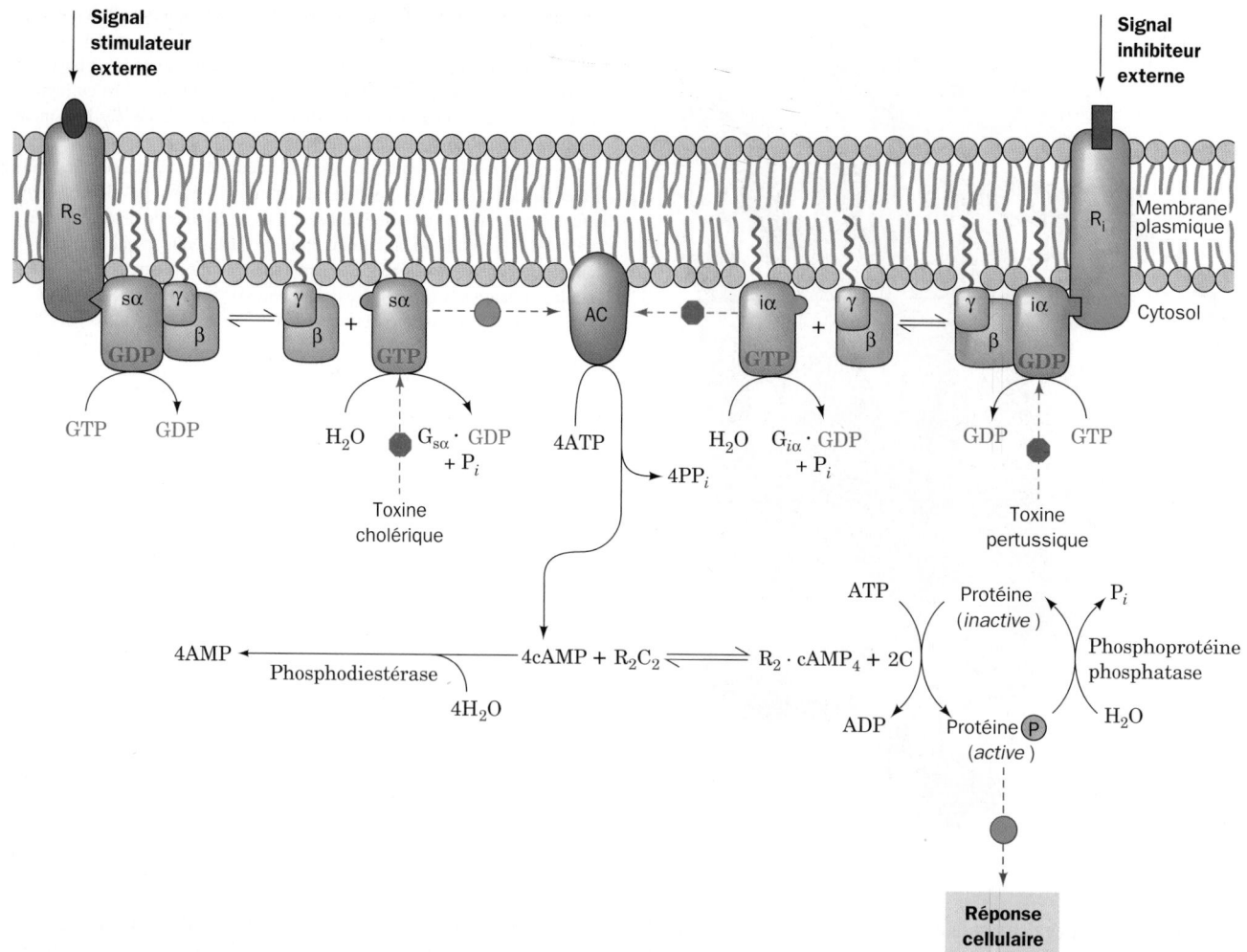

FIGURE 19-16 Mécanisme de l'activation et/ou de l'inhibition de l'AC par l'intermédiaire de récepteurs. La fixation d'une hormone sur un récepteur de stimulation, R_s (*à gauche*), le conduit à se lier à une protéine G_s qui, à son tour, stimule la sous-unité $G_{s\alpha}$ de l'hétérotrimère $G_{s\alpha}G_{\beta\gamma}$ à remplacer le GDP lié par du GTP. Le complexe $G_{s\alpha} \bullet$ GTP se dissocie alors de $G_{\beta\gamma}$ et stimule la transformation d'ATP en AMPc par l'adénylate cyclase, jusqu'à ce que le GTP soit hydrolysé en GDP. La fixation d'une hormone sur un récepteur d'inhibition, R_i, (*à droite*) déclenche une cascade d'événements pratiquement identiques, mis à part le fait que la présence du complexe $G_{i\alpha} \bullet$ GTP inhibe la synthèse d'AMPc par l'AC. R_2C_2 représente la protéine kinase A, dont la sous-unité catalytique, C, active de nombreuses protéines cellulaires en catalysant leur phosphorylation. C est activée par dissociation de R_2C_2 et formation de $R_2 \bullet$ AMPc$_4$ (Section 18-3C). Les sites d'action des toxines cholérique et pertussique sont précisés.

trois sous-unités différentes, α, β et γ (respectivement 45, 37 et 9 kDa). C'est G_α qui fixe le GDP et le GTP (Fig. 19-16) et elle appartient donc à la superfamille des protéines G. La fixation de $G_\alpha \bullet$ GDP–$G_\beta G_\gamma$ sur le complexe ligand–GPCR correspondant entraîne le remplacement, sur G_α, du GDP lié, par le GTP, ce qui conduit à la dissociation de $G_\beta G_\gamma$. Au contraire, l'association $G_\beta G_\gamma$ est d'une affinité telle que ces protéines ne se dissocient qu'en conditions dénaturantes. Ce complexe est dès lors désigné par $G_{\beta\gamma}$.

G_α et $G_{\beta\gamma}$ sont des protéines ancrées dans la membrane : G_α par une chaîne de myristate ou de palmitate ou les deux, dans la région N-terminale, et $G_{\beta\gamma}$ par prénylation de G_γ sur son extrémité C-terminale (Section 12-3B). Ces modifications lipidiques stabilisent les interactions de G_α avec $G_{\beta\gamma}$ en localisant ces protéines sur la face interne de la membrane plasmique.

La fixation du GTP décroît l'affinité de G_α pour le complexe ligand–GPCR correspondant alors qu'elle augmente celle pour son effecteur, l'AC. Ainsi, *c'est la fixation de G_α: GTP qui active l'AC (Fig. 19-16, à gauche).*

$G_{\beta\gamma}$ peut aussi participer directement à la transduction du signal : elle active de nombreuses protéines de signalisation telles que plusieurs isoformes de l'AC (voir ci-dessous), certains canaux ioniques à Na^+, K^+, ou Ca^{2+}, différentes protéines à activité tyrosine-kinase (littéralement : kinases de protéines sur tyrosine) ou **tyrosine-kinases** (Section 19-3A), et la **phospholipase C-β (PLC-β** ; constituant du système de signalisation par phospho-inosides ; Section 19-4B). Ainsi, $G_{\beta\gamma}$ assure un « dialogue » entre différents systèmes de signalisation.

Suite à l'hydrolyse du GTP, catalysée par G_α, le complexe $G_\alpha \cdot$ GDP qui en résulte se dissocie de l'AC et se réassocie avec $G_{\beta\gamma}$ pour reformer la protéine G inactive. *Puisque G_α hydrolyse à une vitesse donnée le GTP qui lui est fixé, elle fonctionne comme une horloge moléculaire qui limite la durée d'interaction de $G_\alpha \cdot$ GTP et de $G_{\beta\gamma}$ avec leurs effecteurs.*

Plusieurs types de complexes ligand–GPCR peuvent activer la même protéine G. C'est le cas, par exemple dans les hépatocytes, des récepteurs du glucagon et des récepteurs β-adrénergiques lors de la fixation de leurs hormones respectives. La quantité d'AMPc produite est alors la somme de celles induites séparément par chaque hormone. Les protéines G peuvent également agir autrement qu'en activant l'AC : elles peuvent par exemple stimuler l'ouverture des canaux potassiques dans les cellules cardiaques et participer au système de signalisation par phospho-inosides (Section 19-4A).

Certains complexes ligand–GPCR inhibent l'AC au lieu de la stimuler (Fig. 19-16, à droite). C'est le cas des récepteurs α_2-adrénergiques et des récepteurs de la somatostatine et des opioïdes. Cet effet est obtenu par la protéine G « inhibitrice », **G_i**, qui a probablement les mêmes sous-unités β et γ que la protéines G « stimulante », **G_s**, mais une sous-unité α différente, **$G_{i\alpha}$** (41 kD). G_i agit de manière analogue à G_s : par suite de sa fixation sur le complexe correspondant ligand–GPCR, sa sous-unité $G_{i\alpha}$ remplace, par du GTP, le GDP lié et se dissocie de $G_{\beta\gamma}$. Cependant $G_{i\alpha}$ inhibe l'AC au lieu de la stimuler, par interaction directe mais aussi peut être parce que $G_{\beta\gamma}$ peut fixer et piéger **$G_{s\alpha}$**. Ce dernier mécanisme est conforté par l'observation selon laquelle les membranes des hépatocytes contiennent beaucoup plus de G_i que de G_s. Dans de telles cellules, l'activation de G_i libérerait suffisamment de $G_{\beta\gamma}$ pour fixer le $G_{s\alpha}$ disponible.

Les protéines $G_{s\alpha}$ et $G_{i\alpha}$ sont membres d'une famille de protéines apparentées, dont beaucoup ont des effecteurs autres que l'AC. Cette famille comprend également :

1. La protéine **$G_{q\alpha}$**, qui intervient dans le système de signalisation par les phospho-inosides (Section 19-4B).

2. La transducine ($G_{t\alpha}$), une variante de $G_{i\alpha}$, qui assure la transduction de stimuli visuels en couplant le changement conformationnel de la rhodopsine, induit par la lumière, à l'activation d'une phosphodiestérase spécifique qui hydrolyse le GMPc en GMP. Cette **phosphodiestérase du GMPc (cGMP-DE)** est un hétérotétramère ($\alpha\beta\gamma_2$) qui est activé par le dépla-

cement de ses sous-unités inhibitrices γ (**PDEγ**) par le complexe $G_{t\alpha} \cdot$ GTP qui les lie avec une plus haute affinité.

3. La protéine **G_{olf}**, une variante de $G_{s\alpha}$, qui n'est exprimée que dans les neurones sensoriels olfactifs et est impliquée dans la transduction du signal olfactif.

4. **$G_{12\alpha}$** et **$G_{13\alpha}$**, qui participent à la régulation du cytosquelette.

Cette hétérogénéité dans les protéines G existe aussi bien pour les sous-unités β et γ que pour les sous-unités α. En effet, 20 sous-unités α différentes, 6 sous-unités β différentes et 12 sous-unités γ différentes ont été identifiées chez les mammifères, dont certaines sont ubiquitaires et d'autres exprimées uniquement dans cetains types cellulaires. Ainsi, une cellule peut contenir plusieurs protéines G d'un type donné, très voisines les unes des autres, et qui interagissent avec des spécificités variables vis-à-vis des récepteurs et des effecteurs. Ce système de signalisation complexe permet vraisemblablement aux cellules de répondre de manière graduelle à une variété de stimuli.

a. L'action des protéines G requiert souvent des protéines accessoires

L'action physiologique d'une protéine G exige souvent la participation de plusieurs autres types de protéines :

1. Une protéine activatrice de GTPase (GAP), qui, comme son nom l'indique, stimule d'un facteur qui peut dépasser 2000 l'hydrolyse par la protéine G correspondante du GTP est associé à cette dernière. La GMPc-PDE et la PLC-β (Section 19-4B), effecteurs situés en aval respectivement de $G_{t\alpha}$ et $G_{q\alpha}$ exercent une activité GAP vis-à-vis de ces dernières (qui, sans cela n'hydrolyseraient le GTP qu'à vitesse insignifiante), alors que l'AC n'a pas d'activité GAP envers $G_{s\alpha}$ ou $G_{i\alpha}$. Cependant, il existe une famille de >20 protéines RGS (pour « *regulators of G protein signaling* ») qui sont des GAP pour les sous-unités $G_{s\alpha}$ mais dont le rôle physiologique est encore mal compris.

2. Un **facteur d'échange des nucléotides guanyliques [(GEF)** ; aussi appelé **facteur de libération des nucléotides guanyliques (GRF)]**, qui produit la libération du GDP lié à la protéine G correspondante. Celle-ci fixe ensuite un autre nucléotide guanylique (le GTP ou le GDP, que la plupart des protéines G lient avec des affinités similaires). Comme la concentration intracellulaire du GTP est environ 10 fois celle du GDP, ceci revient en fait, pour la protéine G, à échanger du GDP pour du GTP. Dans le cas des protéines G hétérotrimériques, ce sont les complexes ligand–GPCR qui jouent le rôle de GEF.

3. Un **inhibiteur de la dissociation des nucléotides guanyliques (GDI)**. On peut considérer une $G_{\beta\gamma}$ comme le GDI de la G_a qui lui est associée, car le GDP se dissocie lentement des sous-unités G_a isolées alors qu'il se lie de manière quasi irréversible aux hétérotrimères.

b. Les structures par rayons X des protéines Ga permettent d'expliquer leur fonction

C'est Heidi Hamm et Paul Sigler qui, par diffraction des rayons X, ont déterminé les structures de la partie C-terminale (325 résidus sur 350) de la transducine-α bovine ($G_{t\alpha}$) com-

(a)

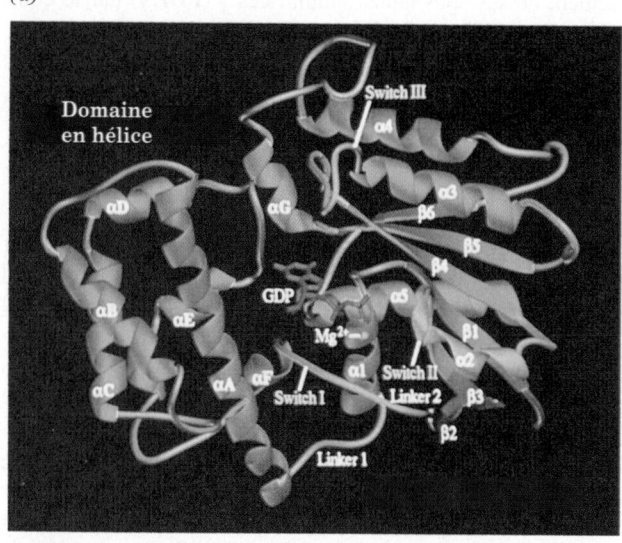

(b)

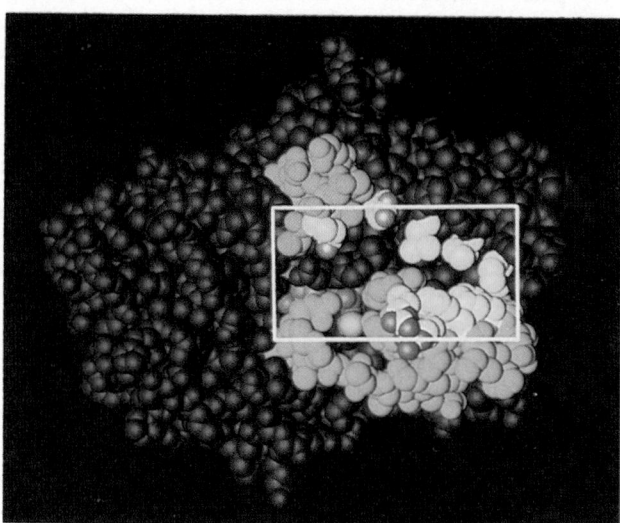

(c)

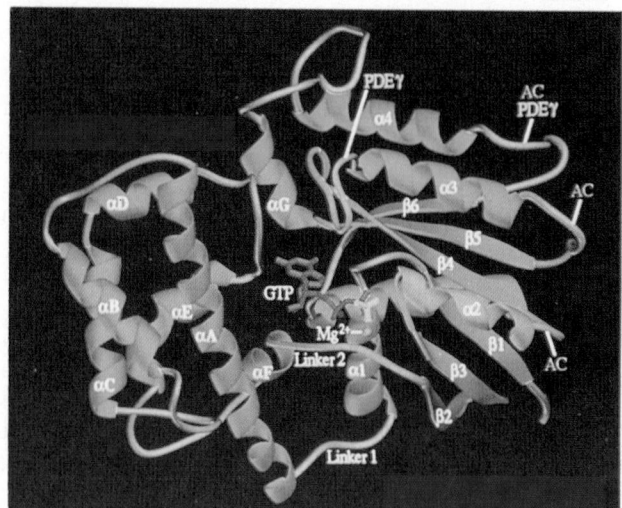

(d)

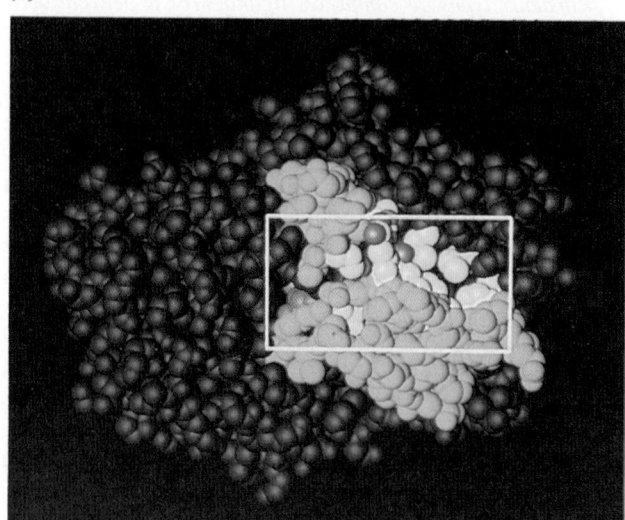

FIGURE 19-17 Différences de structure entre les formes inactive et active de $G_{t\alpha}$ (transducine). Le changement de structure est révélé par comparaison des structures par rayons X des complexes $G_{t\alpha} \cdot GDP$ (*a*) en ruban et (*b*) en structure compacte, d'une part, et $G_{t\alpha} \cdot GTP\gamma S$ (*c*) en ruban et (*d*) en structure compacte, d'autre part, toutes vues dans la même direction. Dans les structures en ruban, les hélices et les feuillets sont en vert et les segments qui les relient en doré ; les nucléotides guanyliques sont en magenta, à l'exception du phosphate en γ du GTPγS, qui est en jaune ; l'ion Mg^{2+} lié est représenté par une boule bleue. Les trois domaines commutateurs (I, II et III) sont surlignées en bleu-vert. Dans la Partie *c*, les deux régions en boucle de la protéine qui sont impliquées

dans son interaction avec la sous-unité de la phosphodiestérase du GMPc (PDEγ) sont indiquées en jaune, tandis que les trois régions en boucle, impliquées dans l'interaction de $G_{s\alpha}$ et de l'adénylate cyclase (AC) sont en rose. Dans les structures compactes, les couleurs sont les mêmes que dans les structures en ruban, à l'exception des résidus en jaune qui représentent ceux qui transmettent ou stabilisent les transitions structurales causées par la fixation du groupement phosphate en γ. Dans les modèles compacts, le rectangle met l'accent sur la cavité qui existe dans $G_{t\alpha} \cdot GDP$, qui se ferme si l'on remplace GDP par GTPγS et qui est impliquée dans la modulation de l'affinité de $G_{t\alpha}$ pour $G_{\beta\gamma}$ et pour le récepteur. [Avec la permission de Paul Sigler, Yale University. PDBid 1TAG et 1TND.]

plexée au GDP (Fig. 19-17*a* et *b*) et à un analogue non hydrolysable du GTP, le **GTPγS**

$$
\begin{array}{ccc}
& \text{S} & \quad \text{O} \quad\quad \text{O} \\
& \| & \quad \| \quad\quad \| \\
{}^-\text{O}-\text{P}-\text{O}-\text{P}-\text{O}-\text{P}-\text{O}-\text{CH}_2 \\
& | & \quad | \quad\quad | \\
& \text{O}^- & \quad \text{O}^- \quad \text{O}^-
\end{array}
$$

GTPγS

(Fig. 19-17*c* et *d*). $G_{t\alpha}$ se compose de deux domaines nettement délimités et unis par deux polypeptides de liaison : (1) un domaine de type GTPase, fortement conservé et structurellement analogue à ceux des autres protéines G de structure connue (et donc souvent appelé domaine de type Ras), et (2) un domaine en hélice que l'on ne trouve que dans les protéines G hétérotrimériques. Les nucléotides guanyliques se fixent sur $G_{t\alpha}$ dans une crevasse profonde qui est délimitée par ces deux domaines. La structure par rayons X du complexe $G_{t\alpha} \cdot GTP\gamma S$ est très voisine de celles des complexes

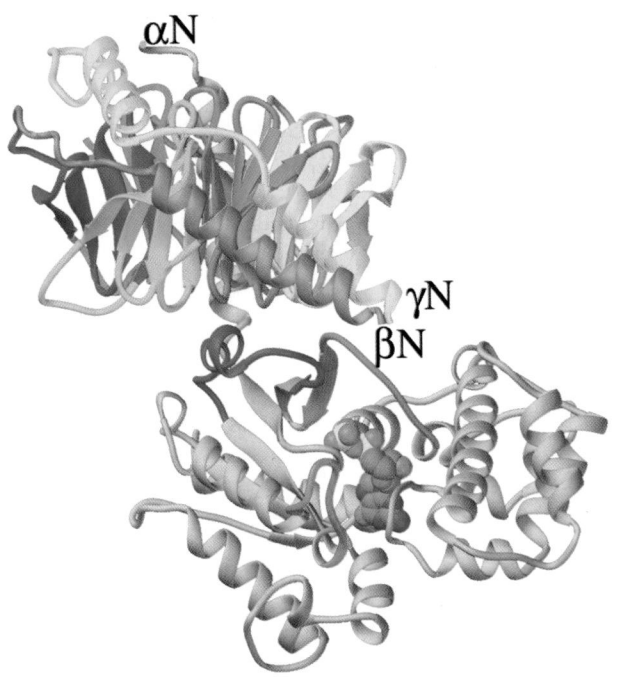

(a)

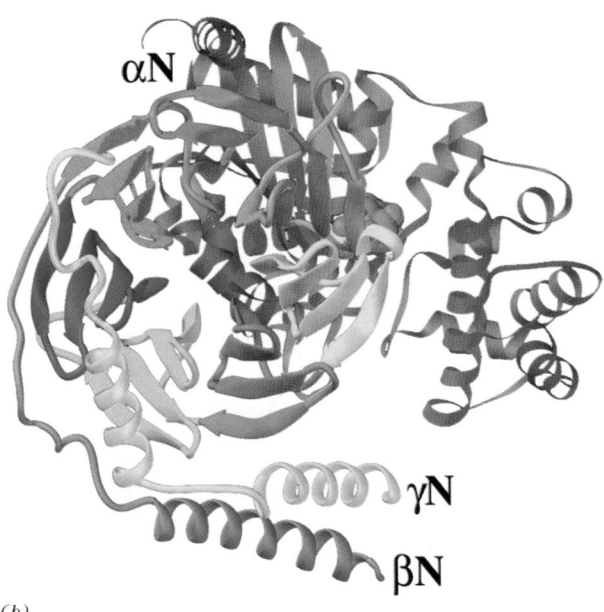

(b)

FIGURE 19-18 Structure par rayons X de la protéine G hétérotrimérique G_i. *(a)* La sous-unité G_α est en violet avec ses segments commutateurs I, II et III respectivement en vert, bleu et rouge, et son GDP lié représenté en modèle compact avec C en vert, N en bleu, O en rouge et P en jaune. Le segment N-terminal de la sous-unité G_β est en bleu clair et chaque pale de son propulseur β est d'une couleur différente. La sous-unité G_γ est en doré. La vue est perpendiculaire à l'axe du propulseur β de la sous-unité G_β. La membrane plasmique serait au sommet du dessin, comme le suggèrent les positions de l'extrémité N-terminale de G_α et de l'extrémité C-terminale voisine de G_γ, qui, *in vivo*, sont fixées à la membrane par des lipides. Cependant, l'orientation de la protéine par rapport à la membrane plasmique est inconnue. *(b)* Vue après rotation de 90° autour de son axe horizontal, par rapport à la Partie *a*, et donc en regardant à partir de la membrane plasmique. La protéine est colorée comme dans la Partie *a* sauf que la sous-unité G_α est principalement en gris. [D'après une structure par rayons X due à Alfred Gilman et Stephen Sprang, University of Texas Southwerstern Medical Center. PDBid 1GP2.]

$G_{i\alpha}$ · GTPγS et $G_{s\alpha}$ · GTPγS déterminées par Gilman et Stephen Sprang.

La comparaison des structures des complexes $G_{t\alpha}$ · GDP et $G_{t\alpha}$ · GTPγS montre que le groupement phosphate en γ du GTP est responsable de changements conformationnels significatifs seulement dans trois domaines dits « commutateurs », tous localisés du côté de $G_{t\alpha}$ que l'on peut voir sur la Figure 19-17. Les liaisons hydrogène entre le groupement phosphate en γ et les chaînes latérales des domaines I et II déplacent ces segments polypeptidiques en mettant en contact le domaine II et le domaine III, déplaçant ainsi ce dernier vers la droite (Fig. 19-17). Ces modifications conformationnelles concertées entraînent l'occupation par GTPγS d'une cavité présente au niveau du site de fixation du GDP.

Les domaines commutateurs I et II ont leurs équivalents dans les autres protéines G de structure connue. Certaines parties de ces segments polypeptidiques ont été impliquées dans les interactions entre $G_{t\alpha}$ et la GMPc-PDE, ainsi que dans les interactions entre $G_{s\alpha}$ qui est une protéine voisine, et sa cible, l'AC (Section 19-2D). Reste à expliquer comment un récepteur associé à son ligand induit l'échange du GDP pour le GTP sur la sous-unité G_α.

c. Structures par rayons X des protéines G hétérotrimériques

Les structures par rayons X des protéines G hétérotrimériques furent déterminées par Gilman et Sprang (G_i · GTP; Fig. 19-18) et par Hamm et Sigler (G_t · GDP). On constate que la sous-unité G_β (Fig. 19-18*b*) est constituée d'un domaine en hélice N-terminal suivi d'un domaine C-terminal comprenant sept feuillets β antiparallèles à 4 segments disposés comme les pales d'une hélice -dit **propulseur β**- qui entoure un canal central rempli d'eau. Chaque feuillet β de l'hélice β est formé d'un motif **WD40**, ainsi appelé parce que sa séquence comporte environ 40 résidus contenant souvent le dipeptide conservé WD. On trouve le motif WD40 dans des protéines (de fonctions différentes) à propulseur β constitué de 4 à 8 pales, dont le domaine N-terminal à 7 pales de la chaîne lourde de clathrine (Section 12-4C). La sous-unité G_γ est constituée principalement de deux segments hélicoïdaux reliés par un polypeptide (Fig. 19-18*b*). Elle établit une association étroite avec G_β sur toute sa longueur, essentiellement par interactions hydrophobes et ne présente donc pas de structure tertiaire. La structure par rayons X de $G_{\beta\gamma}$ isolée est pratiquement identique à celle qu'elle a dans le complexe G_α · GDP–$G_{\beta\gamma}$, ce qui indique que la structure de $G_{\beta\gamma}$ ne change pas lorsqu'elle s'associe avec G_α · GDP.

L'association de G_α et $G_{\beta\gamma}$ implique essentiellement des contacts très conservés entre d'une part les domaines commutateurs I et II de G_α et d'autre part les boucles et les tournants au bas de propulseur β de $G_{\beta\gamma}$ (Fig. 19-18). De plus, il existe une interaction, plus limitée, entre l'hélice N-terminale de G_α (qui est désorganisée dans G_a isolÈe) et la première pale du propulseur G_β (à l'arrière dans la Fig. 19-18*a*). La comparaison des

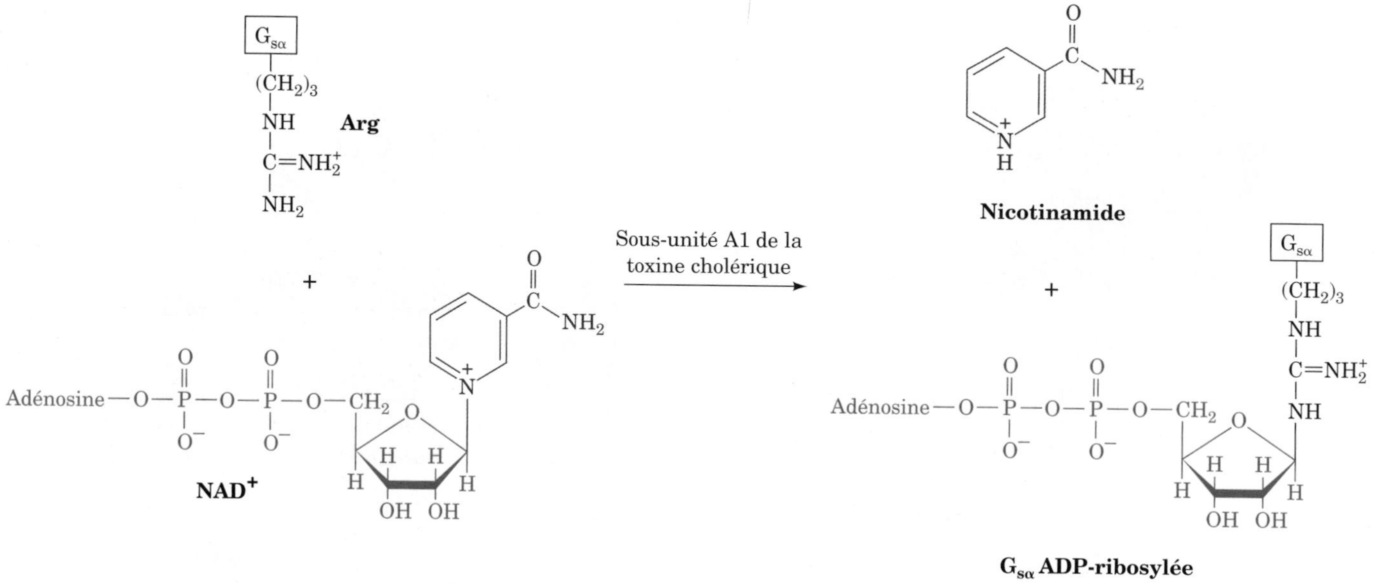

FIGURE 19-19 Mécanisme d'action de la toxine cholérique. Le fragment A1 de la toxine cholérique catalyse l'ADP-ribosylation, par NAD$^+$, d'un résidu Arg de la sous-unité G$_{s\alpha}$, empêchant ainsi cette sous-unité d'hydrolyser le GTP.

structures de G$_\alpha \cdot$ GDP – G$_{\beta\gamma}$ et de G$_\alpha \cdot$ GTPγS explique pourquoi G$_\alpha$ ne peut fixer simultanément le GTP et G$_{\beta\gamma}$: *dans G$_\alpha \cdot$ GDP – G$_{\beta\gamma}$ le domaine commutateur II de G$_\alpha$ contacte G$_\beta$ d'une manière qui empêche le domaine commutateur II d'adopter la conformation requise pour qu'il fixe le groupement phosphat en γ du GTP.* De plus, les modifications conformationnelles du domaine commutateur II sont coordonnés avec celles du domaine I de sorte que, ensemble, ils se referment par dessus le GDP lié à G$_\alpha$ – G$_{\beta\gamma}$, ce qui rend compte de sa forte liaison par rapport à celle dans G$_\alpha \cdot$ GDP.

d. La toxine cholérique stimule l'adénylate cyclase en activant G$_{s\alpha}$ en continu

Le symptôme principal du **choléra**, maladie intestinale causée par la bactérie *Vibrio cholerae*, est une forte diarrhée qui, si elle n'est pas traitée, peut être souvent mortelle en raison de la déshydratation qui en résulte. Cette maladie redoutée n'est pas une infection au sens habituel du terme puisque le vibrion n'envahit ni n'endommage les tissus, mais plutôt colonise l'intestin, un peu comme le fait *E. coli*. La perte énorme de liquide causée par le choléra (plus de 6 litres par heure !) se produit en réponse à une toxine bactérienne. En effet, le remplacement de l'eau et des sels minéraux perdus par les malades leur permet de survivre pendant les quelques jours nécessaires à l'élimination de la bactérie.

La **toxine cholérique** (CT ; aussi appelée **choléragène**) est une protéine de 87 kD constituée de deux sous-unités A et B dans un rapport AB$_5$, les sous-unités B (103 résidus chacune) formant un anneau pentagonal auquel est associée la sous-unité A (240 résidus). Avant la sécrétion de la CT, sa sous-unité A est scindée à un endroit unique par une protéase de la bactérie pour donner deux fragments : A1 (N-terminal d'environ 195 résidus) et A2 (C-terminal d'environ 45 résidus), qui restent associés par un pont disulfure. Après fixation sur son récepteur cellulaire de surface, qui est le ganglioside G$_{M1}$ (Sections 12-1D et 25-8C), la sous-unité A clivée (mais pas les sous-unités B), est captée par la cellule, par endo-

cytose via le récepteur, et atteint l'appareil de Gogi par migration rétrograde à travers la voie sécrétoire (Section 12-4B). De là, elle est acheminée vers le réticulum endoplasmique (RE) par liaison de la séquence KDEL C-terminale de A2 à un récepteur KDEL (dont la fonction normale est de ramener au RE les protéines résidentes qui s'en seraient échappées ; Section 12-4C). Le fragment A1 est alors libéré de A2 et passe dans le cytoplasme à travers le translocon (qui normalement conduit vers le RE les polypeptides en croissance mais pas encore repliés ; Section 12-4B) en vertu d'un processus impliquant le dépliement de A1 sous l'action de la protéine disulfure isomérase (PDI ; Section 9-2A) agissant ici comme chaperon.

Une fois à l'intérieur de la cellule, A$_1$ catalyse le transfert irréversible de l'unité ADP-ribose du NAD$^+$ sur la chaîne latérale d'une arginine particulière de G$_{s\alpha}$ (Fig. 19-19). *La protéine G$_{s\alpha}$ ADP-ribosylée, complexée au GTP, peut activer l'AC mais est incapable d'hydrolyser le GTP lié.* En conséquence, l'AC reste bloquée sous sa forme active. Normalement, les cellules épithéliales de l'intestin grêle sécrètent un liquide digestif (solution saline riche en HCO$_3^-$) en réponse à des petites augmentations de concentration d'AMPc qui activent des pompes à sodium intestinales suite à leur phosphorylation par la PKA (les pompes à ions sont étudiées dans les Sections 20-4 et 20-5). L'augmentation de la concentration d'AMPc (environ 100 fois) induite par la toxine est responsable des symptômes du choléra, car les cellules épithéliales libèrent alors d'énormes quantités de liquide digestif. La toxine cholérique affecte également d'autres tissus *in vitro* mais pas *in vivo* car la toxine ne peut passer du tube digestif dans la circulation.

La structure par rayons X de la CT (Fig. 19-20a), déterminée par Graham Shipley et Edwin Westbrook, est remarquable par le fait que son segment A2 forme une hélice étendue singulière dont l'extrémité C-terminale s'insère dans le pore central rempli de solvant du pentamère B$_5$, où elle est ancrée de manière non covalente. Le segment N-terminal de A2 s'étend au-delà du pentamère B$_5$ de

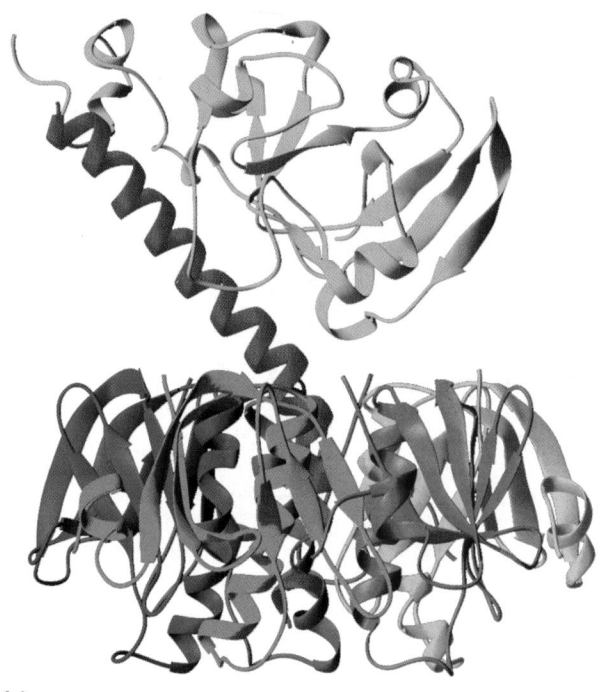

(a)

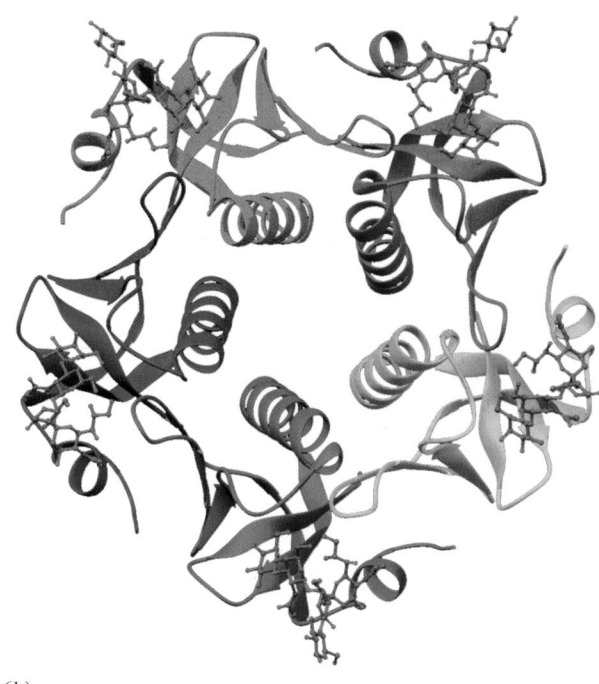

(b)

FIGURE 19-20 Structure par rayons X de la toxine cholérique. (*a*) Le complexe AB₅ dans son ensemble est vu parallèlement à la direction présumée du plan de la membrane plasmique à laquelle il se lie, l'extérieur vers le haut. Le segment A1 est en bleu-vert, le segment A2 est en gris, et chaque sous-unité est d'une couleur différente. Bien que, dans cette structure, les segments A1 et A2 forment une chaîne polypeptidique continue, les résidus 193 à 195, qui précèdent immédiatement le lien peptidique clivé suite à l'activation de la toxine, sont désordonnés et ne sont donc pas visibles ici (*en haut à gauche*). L'extrémité C-terminale de l'hélice A2 se fixe dans le pore central du pentamère. [D'après une struc-ture par rayons X due à Graham Shipley, Boston University School of Medicine, et Edwin Westbrook, Northwerstern University. PDBid 1XTC.] (*b*) Structure du pentamère B₅ seul, dans lequel chaque sous-unité se lie à un récepteur pentasaccharidique G_{M1} de la CT. La structure est vue comme à partir du bas de la Partie *a*. Les sous-unités du pentamère B₅ sont colorées comme dans la Partie *a* et les pentasaccharides sont en modèle boules et bâtonnets avec C en vert, N en bleu et O en rouge. Noter le vaste pore central du pentamère. [D'après une structure par rayons X due à Wim Hol, University of Washington. PDBid 2CHB.]

sorte qu'il y relie le segment A1 (qui a une forme en coin), un peu comme la ficelle d'un ballon. La structure par rayons X de B₅ en complexe avec son récepteur G_{M1} pentasaccharidique (Fig. 19-20*b*), déterminée par Wim Hol, montre que ce pentasaccharide se lie, via un vaste réseau de liaisons hydrogène, à chaque sous-unité B du côté de B5 opposé à celui qui fixe A. La liaison de la sous-unité A, ou du récepteur pentasaccharidique, à B₅ n'entraîne que de petites modifications structurales de leurs sites de liaison respectifs, sans modifier les interfaces des sous-unités dans B₅. On trouve dans A1, au voisinage du résidu Glu 112 impliqué dans la catalyse, un sillon allongé qui formerait son site actif.

Certaines souches d'*E. coli* sont responsables d'une maladie diarrhéique similaire (la diarrhée du voyageur), mais moins grave que le choléra, par production d'une **entérotoxine thermolabile** (**LT**), protéine très semblable à CT (leurs sous-unités A et B sont identiques à plus de 80 % et elles forment des toxines AB₅ dont les structures par rayons X sont très semblables) et possédant le même mode d'action. On ignore les raisons de la différence de sévérité entre ces deux affections (le choléra peut tuer en quelques heures, alors que les souches entérotoxiques d'*E. coli* n'affectent les adultes que temporairement). Cette différence pourrait être due à de petites différences de structure entre les toxines, ou dans les quantités sécrétées, ou/et encore dans l'écologie de ces microbes.

Les résultats ci-dessus fournissent une base structurale pour la conception de ligands qui interfèrent avec la fixation de la CT ou de la LT sur leurs récepteurs. Puisque ces derniers se trouvent à la surface de l'épithélium intestinal, ces ligands compétiteurs n'ont pas de membrane à franchir. On peut donc dépasser la limite de taille habituelle (environ 500 D) pour un médicament candidat efficace (Section 15-4B). Un ligand de grande taille aura également moins de chances de passer dans la circulation et de provoquer des effets indésirables. De fait, la synthèse de ligands multivalents qui se fixent simultanément aux 5 sites récepteurs d'une molécule AB₅ a déjà fourni des structures guides prometteuses ciblées sur CT et LT.

e. La toxine pertussique catalyse l'ADP-ribosylation de G_{iα}

Bordetella pertussis, la bactérie responsable de la **coqueluche** (maladie encore responsable de la mort d'environ 300 000 enfants par an dans le monde), produit une protéine du type AB₅, la **toxine pertussique** (**PT**), qui catalyse l'ADP-ribosylation d'un résisu Cys particulier de G_{iα}. Cette réaction empêche G_{iα} d'échanger son GDP lié pour du GTP et ainsi de pouvoir inhiber l'AC. La structure par rayons X de cette toxine, déterminée par Randy Read, montre que ses sous-unités A et B sont homologues d'un point de vue structural à celles de CT et de LT, bien que la sous-unité A de

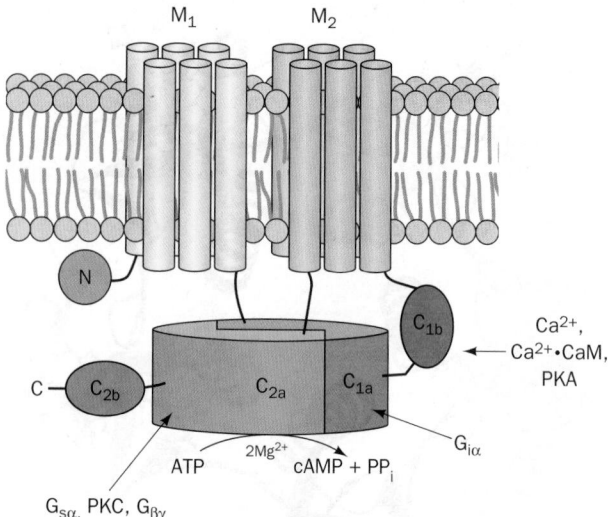

FIGURE 19-21 Schéma d'une AC typique de mammifère. Les domaines M_1 et M_2 sont censés contenir chacun 6 hélices transmembranaires. C_{1a} et C_{2a} forment le cœur catalytique pseudosymétrique de l'enzyme. Les domaines avec lesquels diverses protéines régulatrices interagissent sont indiqués. [D'après Tesner, J.J.G. and Sprang, S.R., *Curr. Opin. Struct. Biol.* **8**, 713 (1998).]

PT se trouve projetée du côté opposé à son pentamère B, si l'on compare avec ce qui se passe pour la CT. De plus, le pentamère B de la PT comporte 4 sous-unités différentes (une en deux exemplaires), dont chacune n'a qu'environ 15 % d'identité de séquence avec les sous-unités de CT et de LT.

D. *Adénylate cyclases*

Les protéines G hétérotrimériques G_s et G_i ont pour rôle de contrôler les activités de l'adénylate cyclase (AC). On connaît chez les mammifères 10 isoformes de l'AC, AC1 à AC10 (ou AC-I à AC-X), qui sont histo-spécifiques et diffèrent par leurs propriétés régulatrices. Chacune de ces glycoprotéines transmembraires de ~120 kD comporte un petit domaine N-terminal (N), suivi de deux exemplaires d'un module constitué d'un domaine transmembranaire (M) derrière lequel on trouve deux domaines cytoplasmiques consécutifs (C), pour donner la séquence $NM_1C_{1a}C_{1b}M_2C_{2a}C_{2b}$ (Fig. 19-21). Les domaines C_{1a} et C_{2a} (~40 % identiques) s'associent pour former le noyau catalytique de l'AC, tandis que C_{1b}, C_{1a} et C_{2a} fixent des molécules régulatrices. Ainsi, $G_{i\alpha}$ inhibe AC1, AC5 et AC6 en se liant à C_{1a} ; $G_{s\alpha}$ active toutes les isoformes de l'AC excepté AC9 en se liant à C_{2a} ; $G_{\beta\gamma}$ inhibe AC1 mais active AC2, AC4 et AC7 en se liant à C_{2a} ; et le complexe Ca^{2+}–calmoduline (Ca^{2+}–CaM ; Section 18-3C) active AC1, AC3 et AC8 en se liant à C_{1b}. De plus, les C_{2a} de AC2, AC5 et AC7 sont activés par phosphorylation de sites de contrôle Ser/Thr spécifiques, par exemple par la **protéine-kinase C** (**PKC** ; Section 19-4C), alors que le C_{1b} de AC5 et AC6 est inhibé par la PKA. Ainsi, les cellules peuvent répondre à un grand nombre de stimuli différents par des modifications de leurs niveaux en AMPc.

On ne connaît pas encore de structure par rayons X d'une isoforme d'AC intacte. Cependant, Sprang a déterminé la structure par rayons X d'un noyau catalytique hybride constitué du domaine

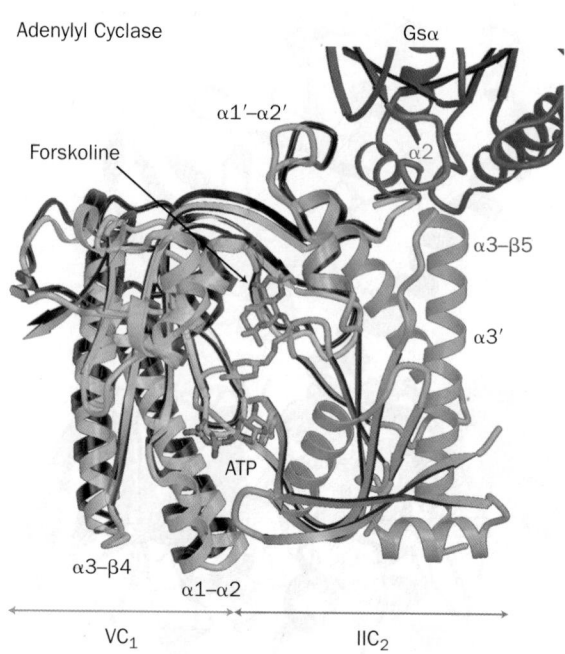

FIGURE 19-22 Structure par rayons X du cœur catalytique d'une AC. Ce cœur est constitué du domaine VC_1 de l'AC de chien et du domaine IIC_2 de l'AC de rat, en complexe avec $G_{s\alpha} \cdot GTP\gamma S$ bovine, la forskoline et un analogue de l'ATP. VC_1 est en beige, IIC_2 en violet, et $G_{s\alpha}$, dont on ne voit qu'une partie, en gris, avec ses segments contactant IIC_2, le domaine commutateur II et la boucle $\alpha3$-$\beta5$, en rouge et en bleu. La forskoline et l'ATP sont représentés en bâtonnets avec C en gris, N en bleu-vert, O en rouge et P en vert. Le ruban transparent en marron montre les parties non superposées de l'homodimère IIC_2 de rat, catalytiquement inactif, dans lequel une des sous-unités est superposée à IIC_2 au sein du complexe VC_1–IIC_2. [Avec la permission de Heidi Hamm, Northwestern University Medical School. Les structures par rayons X du complexe VC_1–IIC_2–$G_{s\alpha}$ et de l'homodimère IIC_2 furent déterminées par John Tesmer et Stephen Sprang, University of Texas Southwerstern Medical Center, et par James Hurley, NIH. PDBid 1AZS et 1AB8.]

C_{1a} de AC5 (VC_1) et du domaine C_{2a} de AC2 (IIC_2) en association avec $G_{s\alpha} \cdot GTP\gamma S$, **ATP$\alpha$S** (un isomère de l'ATP$\gamma$S avec un atome S sur le phosphate en α), et la **forskoline**

Forskoline

(produit par la plante *Coleus forskohlii* qui active toutes les AC excepté AC9 et abaisse la tension artérielle). Le noyau catalytique $VC_1 \cdot IIC_2$ est enzymatiquement actif et est sensible à $G_{s\alpha} \cdot GTP$ et à la forskoline. Sa structure par rayons X (Fig. 19-22) montre que VC_1 et IIC_2 forment un hétérodimère pseudo-symétrique qui fixe l'ATPγS et la forskoline par des sites en relation pseudo-symétrique de leur interface. $G_{s\alpha} \cdot GTP\gamma S$ interagit avec IIC_2 principalement via l'hélice de son domaine commutateur II, qui se fixe dans une fente de IIC_2.

La structure par rayons X de l'homodimère, catalytiquement inactif, C_{2a} en complexe avec deux molécules de forskoline disposées symétriquement, déterminée par James Hurley, procure un modèle approximatif de l'hétérodimère non activé. La comparaison de ces structures (Fig. 19-22) suggère que la liaison de $G_{s\alpha} \cdot$ GTP au noyau catalytique $C_{1a} \cdot C_{2a}$ ouvre la fente de liaison du domaine commutateur II de C_{2a} de manière à forcer mécaniquement C_{1a} à tourner d'environ 10° par rapport à C_{2a}. Ceci est censé réorienter les résidus du site actif du complexe de sorte qu'ils puissent catalyser efficacement la conversion d'ATP en AMPc. Le changement de conformation subi par $G_{s\alpha}$ lorsqu'il hydrolyse en GDP le GTP qui lui est lié (Fig. 19-17) réoriente apparemment son domaine commutateur II au point qu'il ne peut plus fixer C_{2a}, ce qui ramène l'AC à sa conformation inactive.

On trouve dans VC_1 une fente qui correspond à celle qui lie $G_{s\alpha}$ dans IIC_2. Ceci suggère que cette fente de VC_1 sert de site de liaison pour $G_{i\alpha}$, hypothèse confort?e par des expÈriences de mutagenÈse de VC_1. Cependant, la fente de VC_1 est trop étroite pour fixer une hélice de domaine commutateur II, d'où l'idée que la liaison de $G_{i\alpha} \cdot$ GTP à C_{1a} ouvre cette fente et réoriente les résidus catalytiques du complexe de sorte à réduire l'activité catalytique de ce dernier.

E. *Phosphodiestérases*

Dans tout système de signalisation par messager chimique, ce messager doit finalement être éliminé pour contrôler l'amplitude et la durée du signal, et prévenir toute interférence avec la réception de signaux ultérieurs. Dans le cas de l'AMPc, celui-ci est hydrolysé en AMP par des enzymes appelées **phosphodiestérases de l'AMPc (AMPc-PDE)**.

La superfamille des PDE, qui comprend les AMPc-PDE et les GMPc-PDE, est codée, chez les mammifères, par au moins 20 gènes différents regroupés en 11 familles (PDE1 à PDE11). De plus, beaucoup des ARNm transcrits à partir de ces gènes possèdent plusieurs sites d'initiation et d'épissage différentiel (Sections 5-4A et 34-3C), ce qui fait que les mammifères expriment environ 50 isoformes de PDE. Elles se distinguent au plan fonctionnel par leur spécificité de substrat (l'AMPc, le GMPc ou les deux) et leurs propriétés cinétiques, leur réponse ou leur insensibilité à des activateurs ou inhibiteurs (voir ci-dessous), et leur distribution tissulaire, cellulaire et subcellulaire. Les PDE ont une architecture moléculaire caractéristique comprenant un domaine catalytique conservé d'environ 270 résidus du côté C-terminal et des domaines ou motifs régulateurs très variés, d'habitude du côté N-terminal. Certaines PDE sont ancrées dans la membrane, d'autres sont cytosoliques.

Comme on pouvait s'y attendre, l'activité PDE est l'objet d'un contrôle sophistiqué. En fonction de l'isoforme, une PDE peut être activée par un ou plusieurs agents, dont le complexe Ca^{2+}–CaM ; par phosphorylation par la PKA, par la protéine-kinase stimulée par l'insuline (Section 20-3C) et par la **protéine-kinase calmoduline-dépendante II** ; et par la liaison du GMPc à un site non catalytique. Cependant, le GMPc inhibe certaines PDE. Les PDE phosphorylées sont déphosphorylées par diverses protéine-phosphatases, dont la phosphatase Ca^{2+}–CaM-dépendante et la

protéine-phosphatase-2A. Ainsi, les PDE permettent un « dialogue » entre les systèmes de signalisation fondés sur l'AMPc et ceux qui utilisent d'autres types de signaux.

Les PDE sont inhibées par divers agents médicamenteux utilisés pour traiter des maladies très différentes telles que l'asthme, la décompensation cardiaque, la dépression, la dysfonction érectile, l'inflammation et la dégénérescence rétinienne. Le **sildénafil** (nom commercial : **Viagra**),

Sildénafil (Viagra™)

médicament de la dysfonction érectile, inhibe spécifiquement la PDE5, qui n'hydrolyse que le GMPc. La stimulation sexuelle chez l'homme provoque la libération de NO par les nerfs péniens, ce qui active la production de GMPc par la guanylate cyclase. Ceci induit un relâchement des muscles lisses vasculaires dans le pénis, d'où afflux sanguin et érection. Ce GMPc finit par être hydrolysé par la PDE5. Le sildénafil est dès lors efficace chez les hommes qui produisent trop peu de NO, et donc de GMPc pour une érection satisfaisante.

3 ■ SIGNALISATION PAR TYROSINE-KINASES

Nous avons vu que la synthèse et la dégradation du glycogène sont régulées par phosphorylation/déphosphorylation des enzymes qui catalysent ces voies métaboliques ainsi que nombre des enzymes qui catalysent ces modifications covalentes (Section 18-3). Beaucoup d'autres processus sont régulés de même chez les eucaryotes. En fait, près d'un tiers des protéines de ces derniers sont phosphorylées et on estime à environ 2000 le nombre de protéine-kinases codées par le génome humain (pour un compendium d'accès public, voir « the Protein Kinase Resource » http://pkr.sdsc.edu/html/index.shtml). La grande majorité des résidus d'acide aminé phosphorylés sont Ser ou Thr ; 1 sur 2000 seulement est une Tyr. Cependant, comme nous allons le voir, la phosphorylation sur Tyr est d'importance capitale dans la régulation d'un grand nombre de processus cellulaires essentiels.

A. *Récepteurs à activité tyrosine-kinase*

De nombreux facteurs de croissance protéiques contrôlent d'une manière ou d'une autre la différenciation, la prolifération, la migration, l'état métabolique et la survie de leurs cellules cibles en se fixant sur leurs **récepteurs à activité tyrosine-kinase** (**RTK**). Les RTK forment une famille diversifiée comprenant plus de 50 glycoprotéines transmembranaires (Fig. 19-23) qui ont toutes un domaine C-terminal cytoplasmique ayant l'activité **de protéine tyrosine-kinase** (**PTK**) et qui ne traversent qu'une seule fois la membrane, vraisemblablement par l'intermédiaire d'une hélice α. Comme leur nom l'indique, les PTK catalysent la phosphorylation ATP-dépendante de leurs protéines cibles sur des résidus Tyr spécifiques :

$$\text{Protéine}-CH_2-\langle\text{cycle}\rangle-OH \xrightarrow[\text{ADP}]{\text{ATP}} \text{Protéine}-CH_2-\langle\text{cycle}\rangle-O-\overset{\overset{\displaystyle O}{|}}{\underset{\underset{\displaystyle O^-}{|}}{P}}-O^-$$

Les domaines PTK des RTK sont homologues des protéine-kinases Ser/Thr-spécifiques, bien plus nombreuses, telles que la PKA (Fig. 18-14), et elles leur ressemblent au plan structural comme nous allons le voir.

Les RTK sont activés par la liaison du facteur de croissance protéique correspondant à un (ou plus) de leurs domaines extracellulaires. Il semble improbable que la simple hélice transmembranaire d'un RTK monomérique tel que le **récepteur du facteur épidermique de croissance** (**EGFR** ; Fig. 19-23) possède la complexité structurale nécessaire pour transmettre à son domaine tyrosine-kinase cytoplasmique l'information due à la fixation du ligand sur le(s) domaine(s) extracellulaire(s). En fait, ainsi que nous l'avons vu à propos du récepteur de l'hormone de croissance humaine (qui n'est pas un RTK), la fixation du ligand induit la dimérisation du récepteur (Fig. 19-9). Celle-ci active l'activité PTK du RTK, comme décrit ci-dessous. Pour les RTK qui sont des dimères permanents, tels que le **récepteur insulinique** (**InsR** ; Fig. 19-23), on pense que la PTK est activée suite à une modification structurale induite par le ligand (sans doute une rotation en sens inverse des deux protomères, qui préserve l'axe de symétrie d'ordre 2 du dimère) et transmise à travers la membrane.

a. Le FGF et le sulfate d'héparine sont requis pour activer le récepteur FGF

Les **facteurs de croissance des fibroblastes** (**FGF**) des mammifères constituent une famille d'au moins 21 protéines apparentées par la structure (FGF1-21). Ils régulent un grand nombre de

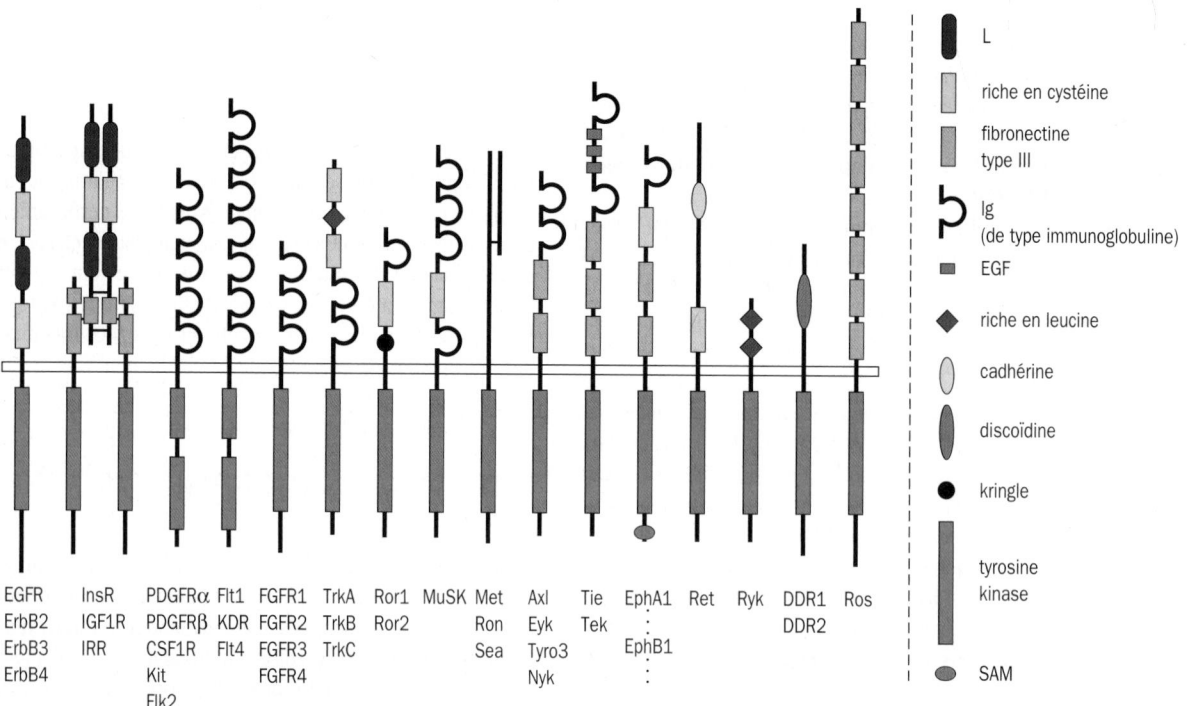

FIGURE 19-23 Disposition des domaines dans diverse sous-familles de récepteurs à activité tyrosine-kinase (RTK). Chaque sous-famille est représentées par un à cinq membres. Le rectangle étroit qui traverse le diagramme horizontalement représente la membrane plasmique, avec l'espace extracellulaire au dessus et le cytoplasme en-dessous. Les polypeptides ne sont pas tout-à-fait à l'échelle, avec leur extrémité N-terminale vers le haut. **EGFR, InsR, PDGFR** et **FGFR** signifient respectivement **récepteur du facteur epidermique de croissance, récepteur insulinique, récepteur du facteur de croissance dérivé des plaquettes** et **récepteur du facteur de croissance des fibroblastes.** Les parties extracellulaires des RTK sont assemblées en modules à partir d'une panoplie de domaines, souvent répétés, qui sont repris à la droite du schéma. Noter que le domaine à activité tyrosine-kinase des sous-familles PDGFR et **Flt1** est interrompu par une **séquence d'insertion kinase** d'environ 100 résidus et que les membres de la sous-famille InsR sont des hétérotétramères de type $\alpha_2\beta_2$, dont les sous-unités sont unies par liaison disulfure (courtes lignes horizontales). [Avec la permission de Stevan Hubbard, New York University School of Medicine.]

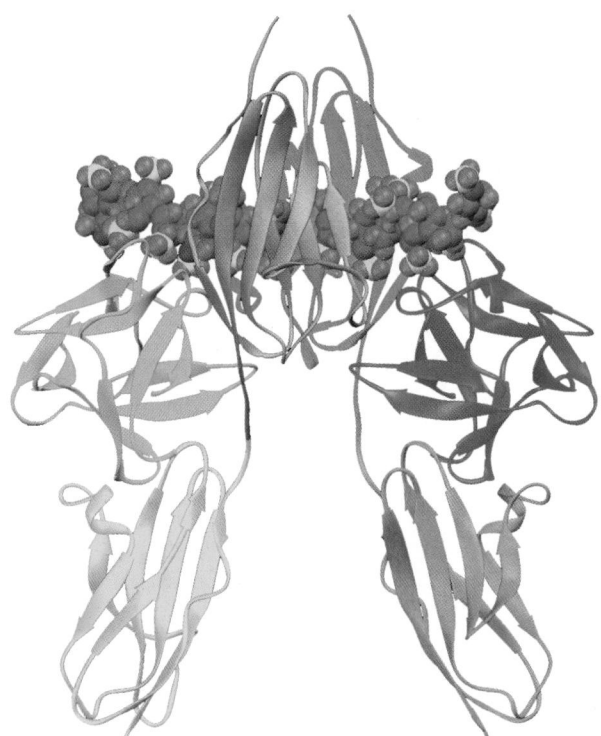

FIGURE 19-24 Structure par rayons X du complexe 2 : 2 : 2 formé de FGF2, de la partie D2–D3 du FGFR1 et d'un décasaccharide d'héparine, vu perpendiculairement à l'axe de symétrie d'ordre 2 du complexe dimérique, avec la membrane plasmique en bas. Les polypeptides sont représentés en ruban, avec les molécules de FGF en bleu-vert et en bleu clair, les domaines D2 et D3 d'un monomère de FGFR en lavande et en doré, et ceux des autres en magenta et en orange. Les deux décasaccharides d'héparine sont en modèle compact avec C en vert, N en bleu, O en rouge et S en jaune. Les domaines D2 et D3 de FGFR ont chacun la structure caractéristique d'un **domaine immunoglobuline (Ig)** : un sandwich β constitué d'un feuillet β antiparallèle à trois segments et d'un à quatre segments (Section 25-2B). [D'après une structure par rayons X due à Moosa Mohammadi, New York University School of Medicine. PDBid 1FQ9.]

processus biologiques importants tels que la prolifération, la différenciation et la migration des cellules et sont exprimés selon un patron spatio-temporel particulier chez l'embryon et chez l'adulte. Les FGF agissent par l'intermédiaire de 4 récepteurs du FGF (FGFR1-4), dont chacun fixe un sous-groupe spécifique de FGF, ce qui rend compte de la diversité et de la régulation étroite des processus qu'ils contrôlent. La dimérisation des FGFR en solution requiert non seulement du FGF, mais aussi des protéoglycanes à héparane sulfate (Section 11-3A).

Les FGFR comprennent tous, de l'extrémité N- à C-terminale (Fig. 19-23), trois domaines (D1 à D3) extracellulaires de type imunoglobuline, une hélice transmembranaire unique, et un domaine cytoplasmique à activité PTK. Seuls les domaines D2 et D3 sont impliqués dans la fixation du FGF (en général, seuls quelques uns des domaines extracellulaires des RTK participent à cette liaison). Moosa Mohammadi a déterminé la structure par rayons X d'un complexe 2 : 2 : 2 de FGF2, du segment D2-D3 de FGFR1 et d'un décasaccharide d'héparine (Fig. 11-20). On voit

(Fig. 19-24) que chaque monomère de FGF se lie aux domaines D2 et D3 d'une sous-unité de FGFR et, plus faiblement, au domaine D2 de l'autre sous-unité, tandis que l'héparine relie chaque monomère de FGF aux deux domaines D2 (dont les contacts, en absence de FGF et d'héparine, sont insuffisants pour assurer une dimérisation efficace du FGFR).

b. Les dimères de RTK sont activés par autophosphorylation

La dimérisation d'un RTK (ou sa modification conformationnelle dans le cas de la sous-famille des récepteurs insuliniques) provoque l'apposition de ses domaines PTK situés du côté cytoplasmique, de sorte qu'ils se phosphorylent l'un l'autre sur des résidus Tyr spécifiques de leurs boucles d'activation (Fig. 19-25a). Cette **autophosphorylation** active la PTK de la même manière que la phosphorylation de la boucle d'activation de la PKA conduit celle-ci à phosphoryler ses protéines cibles (Section 18-3C). Dans de nombreux cas, la PTK activée phosphoryle également la sous-unité PTK opposée sur des résidus Tyr spécifiques en dehors du domaine PTK (Fig. 19-25). Comme nous le verrons dans la Section 19-3C, ceci procure des sites de liaison pour des protéines cytoplasmiques particulières. La PTK activée peut aussi phosphoryler des résidus Tyr spécifiques de nombreuses protéines cytoplasmiques. Dans les deux cas (voir Section 19-3D), ceci active les protéines chargées d'exécuter les instructions transmises par la présence, à l'extérieur de la cellule, du facteur de croissance protéique.

c. La PTK du récepteur insulinique subit d'importants changements conformationnels suite à l'autophosphorylation

Comment l'autophosphorylation peut-elle activer une PTK ? La réponse à cette question doit beaucoup à la comparaison des structures par rayons X du domaine PTK du récepteur insulinique sous sa forme inactive non phosphorylée et active triphosphorylée. Le récepteur insulinique est exprimé sous forme d'un précurseur monocaténaire de 1382 résidus qui subit un clivage protéolytique pour donner les deux sous-unité α et β (731 et 619 résidus), reliées par ponts disulfure, du récepteur mature (Fig. 19-23). Stevan Hubbard a déterminé la structure par rayons X d'une partie (306 résidus) de la sous-unité β contenant la PTK et phosphorylée sur ses trois sites d'autophosphorylation, les résidus Tyr 1158, 1162 et 1163 (selon le système de numérotation du précurseur), en complexe avec l'ADPNP (analogue non hydrolysable de l'ATP) et un substrat peptidique de 18 résidus. On constate (Fig. 19-26a) que la structure de cette PTK ressemble à celles d'autres PTK de structure connue ainsi qu'à celles de protéine-kinases spécifiques de Ser/Thr comme la PKA (Fig. 18-14) et de la sous-unité γ de la phosphorylase kinase (Fig. 18-20).

La comparaison de cette structure avec celle de la protéine libre non phosphorylée, déterminée par Hubbard et Wayne Hendrickson, montre que, suite à la phosphorylation et à la liaison du substrat, le lobe N-terminal de la PTK subit une rotation quasi rigide de 21° par rapport au lobe C-terminal, autour du grand axe de la protéine (Fig. 19-26b). Cette importante modification conformationnelle referme la fente du site actif sur l'ADPNP, ce qui orienterait favorablement des résidus impliqués dans la fixation du substrat et dans la catalyse. Les trois résidus Tyr phosphorylés se trouvent tous sur la boucle d'activation de la PTK (résidus 1149-

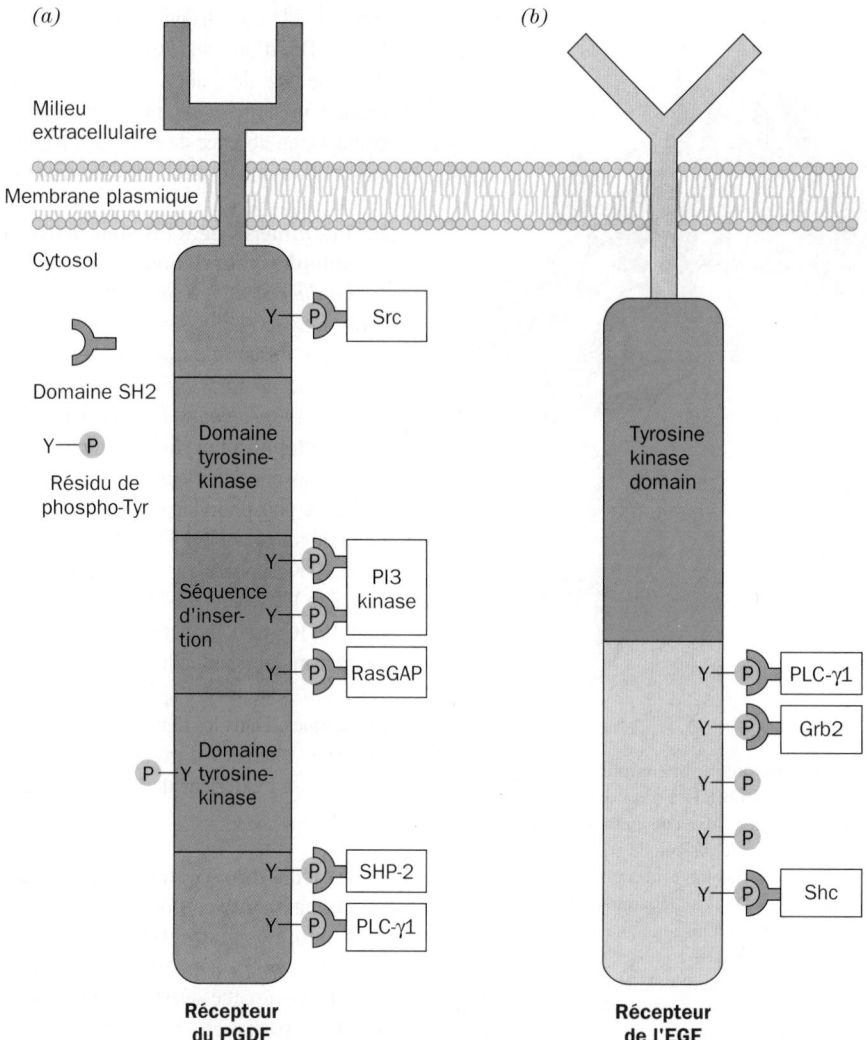

FIGURE 19-25 Représentations schématiques de RTK. (*a*) Récepteur du PGDF et (*b*) récepteur de l'EGF. Leurs sites d'autophosphorylation et les protéines qui sont activées en se fixant sur ces sites via leurs domaines SH2 (la plupart d'entre elles sont étudiées dans ce chapitre) sont indiqués. Noter que presque toutes les Tyr autophosphorylées qui fixent d'autres protéines se situent à l'extérieur des domaines à activité tyrosine-kinase. [D'après Pawson, T. and Schlessinger, J., *Curr. Biol.* **3**, 435 (1993).]

1170 ; se rappeler que de nombreuses Ser/Thr-kinases sont également phosphorylées sur leur boucle d'activation ; Section 18-3C). La boucle d'activation non phosphorylée passe à travers le site actif de la PTK de manière à empêcher la liaison de l'ATP et des substrats protéiques. Cependant, suite à la phosphorylation, leur boucle d'activation adopte une conformation qui ne ferme plus le site atif (Fig. 19-26*b*) mais participe au contraire à la formation du site de reconnaissance du substrat. Le groupement phosphate sur Tyr 1163 réalise un pontage de la boucle d'activation par liaison hydrogène avec la chaîne latérale de l'Arg conservée 1155 d'un côté de la boucle et avec le N de la chaîne principale de Gly 1166 de l'autre côté. Le groupement phosphate sur Tyr 1162 établit deux liaisons hydrogène avec la chaîne latérale de l'Arg conservée 1164. Cependant, le groupement phosphate sur Tyr 1168 ne réalise point de contacts protéiques, ce qui suggère qu'il constitue un site d'accostage pour des protéines situées en aval dans la cascade de signalisation (voir plus loin). Ces observations sont en accord avec

des expériences montrant que l'activité tyrosine-kinase du récepteur insulinique augmente avec le degré de phosphorylation de ses trois Tyr autophosphorylables et que l'activité maximum n'est atteinte que si Tyr 1163 est phosphorylée. En fait, pratiquement tous les RTK possèdent, dans leur boucle d'activation, de un à trois résidus Tyr autophosphorylables (avec l'exception notable des membres de la sous-famille des EGFR ; Fig. 19-25*b*) et, parmi toutes les protéine-kinases phosphorylées, ils ont en commun une conformation similaire.

Seuls les 6 résidus centraux, GDYMNM, du substrat peptidique de 18 résidus sont visibles dans la structure discutée ci-dessus. Ils comprennent la séquence YMXM présente dans tous les bons substrats du récepteur insulinique. Elle s'associe à la kinase comme un segment dans un feuillet β. Ses chaînes latérales Met s'insèrent dans des poches hydrophobes voisines de la protéine, alors que sa chaîne latérale Tyr phosphorylable s'étend vers le groupement γ-phosphate de l'ADPNP (Fig. 19-26*a*). On explique

(a)

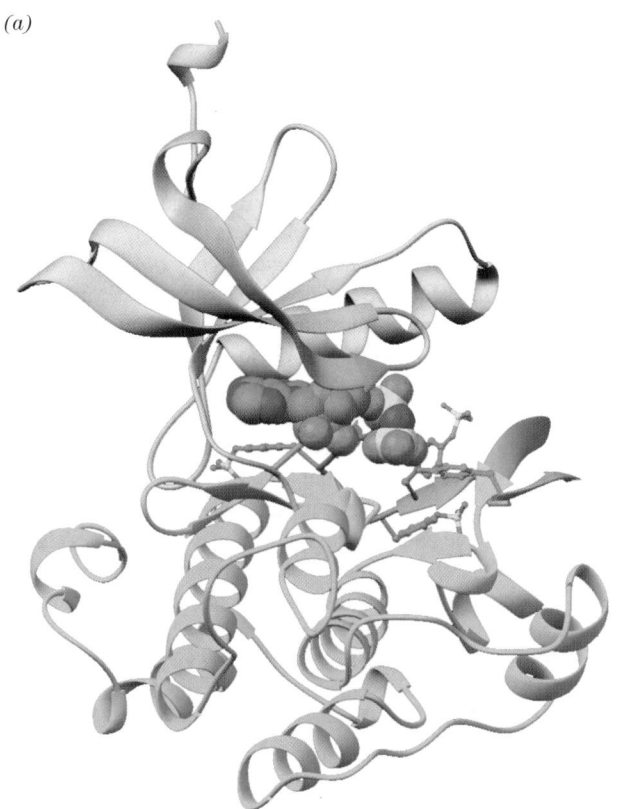

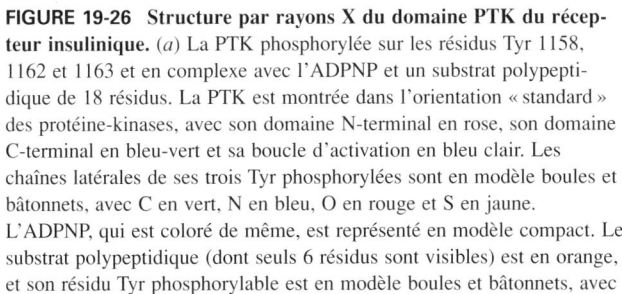

(b)

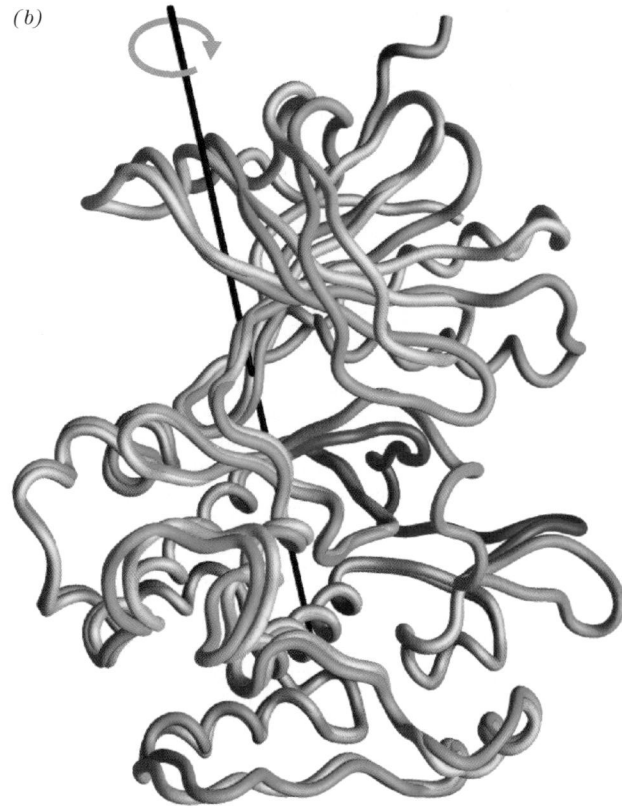

FIGURE 19-26 Structure par rayons X du domaine PTK du récepteur insulinique. (*a*) La PTK phosphorylée sur les résidus Tyr 1158, 1162 et 1163 et en complexe avec l'ADPNP et un substrat polypeptidique de 18 résidus. La PTK est montrée dans l'orientation « standard » des protéine-kinases, avec son domaine N-terminal en rose, son domaine C-terminal en bleu-vert et sa boucle d'activation en bleu clair. Les chaînes latérales de ses trois Tyr phosphorylées sont en modèle boules et bâtonnets, avec C en vert, N en bleu, O en rouge et S en jaune. L'ADPNP, qui est coloré de même, est représenté en modèle compact. Le substrat polypeptidique (dont seuls 6 résidus sont visibles) est en orange, et son résidu Tyr phosphorylable est en modèle boules et bâtonnets, avec

C en magenta et O en rouge. (*b*) Les squelettes polypeptidiques des formes phosphorylée et non phosphorylée du domaine PTK du récepteur insulinique sont superposés à leurs lobes C-terminaux. La protéine phosphorylée est en vert avec sa boucle d'activation en bleu, et la protéine non phosphorylée est en jaune avec sa boucle d'activation en rouge. L'axe (*noir*) et la flèche (*bleu*) indiquent la rotation requise pour aligner le domaine N-terminal de la protéine non phosphorylée et celui de la protéine phosphorylée. [Partie *a* fondée sur une structure par rayons X due à Stevan Hubbard, New York University Medical School et Partie *b* avec la permission de Stevan Hubbard. PDBid 1IR3 pour la protéine phosphorylée et 1IRK pour la protéine non phosphorylée.]

la spécificité de la protéine pour phosphoryler Tyr, plutôt que Ser ou Thr, par le fait que la chaîne latérale de Tyr est assez longue pour atteindre le site actif, alors que celle de Ser ou de Thr ne l'est pas.

B. *Le cancer : perte du contrôle de la prolifération*

Avant de poursuivre notre étude des voies de signalisation, arrêtons-nous sur le cancer, groupe de maladies caractérisées par des anomalies de la transduction du signal qui conduisent à une prolifération cellulaire incontrôlée. En fait, l'étude du cancer a fait progresser considérablement notre compréhension de la transduction du signal, et vice versa.

Les cellules d'un organisme sont soumises à un contrôle strict du développement. Pendant l'embryogenèse, les cellules vont se différencier, proliférer, migrer et même parfois mourir, selon une

organisation spatiale et une séquence temporelle particulières, pour conduire à un organisme fonctionnant correctement. Chez l'adulte, les cellules de certains tissus, tels que l'épithélium intestinal et les tissus hématopoïétiques de la moelle osseuse, et celles des follicules pileux, continuent à proliférer. La plupart des cellules du corps restent cependant quiescentes.

Il arrive que les cellules échappent au contrôle de leur développement et s'engagent dans une prolifération excessive. Les tumeurs qui en résultent peuvent être de deux types :

1. Les tumeurs bénignes, telles que les verrues et les grains de beauté, se développent par simple expansion et restent souvent encapsulées dans une couche de tissu conjonctif. Les tumeurs bénignes mettent rarement la vie en danger, sauf si elles se trouvent dans un espace clos, tel que le cerveau, ou si elles sécrètent de grandes quantités de certaines hormones ; elles peuvent alors entraîner la mort.

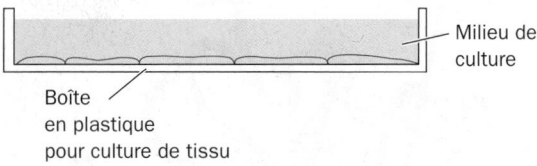

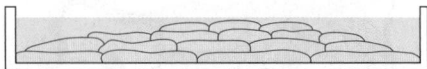

FIGURE 19-27 Profil de croissance de cellules de vertébrés en culture (*a*) Les cellules normales s'arrêtent de proliférer, par inhibition de contact, une fois qu'elles ont formé une monocouche confluente. (*b*) À l'inverse, les cellules transformées perdent l'inhibition de contact; elles s'empilent pour former plusieurs couches.

2. Les tumeurs malignes, ou **cancers**, se développent d'une manière invasive et dispersent des cellules qui, par un processus appelé **métastase**, colonisent de nouvelles régions du corps. Les tumeurs malignes sont presque toujours mortelles; elles sont responsables de 20 % des décès aux États Unis.

La propriété des cellules cancéreuses la plus évidente et la plus significative médicalement parlant est leur prolifération incontrôlée. Par exemple, des cellules normales en croissance dans une boîte de culture forment une couche monocellulaire au fond de la boîte, puis cessent de se diviser par un processus appelé **inhibition de contact** (Fig. 19-27*a*). À l'inverse, la croissance des cellules malignes n'est pas empêchée par les contacts intercellulaires; en culture, ces cellules forment des couches multicellulaires (Fig. 19-27*b*). De plus, même en l'absence d'inhibition de contact, les cellules normales sont beaucoup plus limitées dans leur capacité à se reproduire que les cellules cancéreuses. Selon l'espèce et l'âge des animaux dont elles proviennent, les cellules normales en culture ne se divisent que 20 à 60 fois avant d'atteindre la **sénescence** (stade auquel elles cessent de se diviser; Section 30-4D) et la mort (un phénomène qui est, sans aucun doute, au cœur du processus du vieillissement). *Les cellules cancéreuses, au contraire, sont immortelles; il n'y a aucune limite au nombre de leurs divisions cellulaires.* En fait, certaines lignées de cellules cancéreuses ont été maintenues en culture pendant des milliers de divisions au cours de cinq décennies. Cependant, les cellules immortelles ne sont pas nécessairement malignes. *La marque d'un cancer est l'immortalité associée à la croissance incontrôlée.*

a. Le cancer est causé par des agents cancérigènes, des radiations et certains virus

La plupart des cancers sont causés par des agents qui altèrent l'ADN ou qui interfèrent avec sa réplication ou sa réparation. Ces agents comprennent une grande variété de substances produites par l'homme ou d'origine naturelle appelées substances **cancérigènes chimiques** (Section 30-5F), ainsi que les radiations, qu'elles soient électromagnétiques ou particulaires, ayant une énergie suffisante pour rompre les liaisons chimiques. De plus, *certains virus induisent la formation de tumeurs malignes chez leur hôte (voir plus loin).*

Presque toutes les tumeurs malignes sont le résultat de la **transformation** d'une seule cellule [passage à l'état cancéreux;

ce terme ne doit pas être confondu avec l'acquisition d'une information génétique à partir d'ADN exogène (Section 5-2A)] qui, libérée des contraintes normales de développement, va proliférer. Néanmoins, étant donné que le corps humain est constitué de 10^{14} cellules environ, la transformation doit être un événement très rare. L'une des raisons majeures, comme l'indique la répartition des décès par cancer en fonction de l'âge (Fig. 19-28), est qu'*une transformation nécessite qu'une cellule (ou ses ancêtres) ait subi plusieurs modifications cancérigènes indépendantes de faible probabilité.* En conséquence, l'exposition à un agent cancérigène peut induire la transformation de nombreuses cellules, mais une tumeur maligne ne se formera peut-être que des décennies plus tard quand l'une de ces cellules aura subi un processus final de transformation.

L'induction virale d'un cancer a été observée pour la première fois en 1911 par Peyton Rous, qui a démontré que des filtrats acellulaires de certains **sarcomes** (tumeurs malignes provenant de tissus conjonctifs) de poulet induisent de nouveaux sarcomes chez le poulet (Fig. 19-29). Bien que des décennies soient passées avant que l'importance de ce travail ne soit reconnue (Rous ayant reçu le prix Nobel en 1966 à l'âge de 85 ans), beaucoup d'autres **virus tumorigènes** ont été caractérisés depuis. Le **virus du sarcome de Rous (RSV)**, comme tous les autres virus tumorigènes à ARN connus, est un rétrovirus (un virus à ARN qui réplique son chromosome sous forme d'ADN par une réaction catalysée par la transcriptase réverse codée par le génome viral, en insérant cet ADN dans le génome de la cellule hôte, et en transcrivant ensuite cet ADN). Il contient un gène, **v-*src*** (« v » pour viral, « *src* » pour *sarcome*), codant une protéine appelée **v-Src** qui assure la transformation de la cellule hôte. v-*src* a donc été appelé **oncogène** (du grec *onkos*, masse ou tumeur).

Quelle est l'origine de v-*src* et quelle est sa fonction virale ? Des études d'hybridation (Section 5-3C) par Michael Bishop et

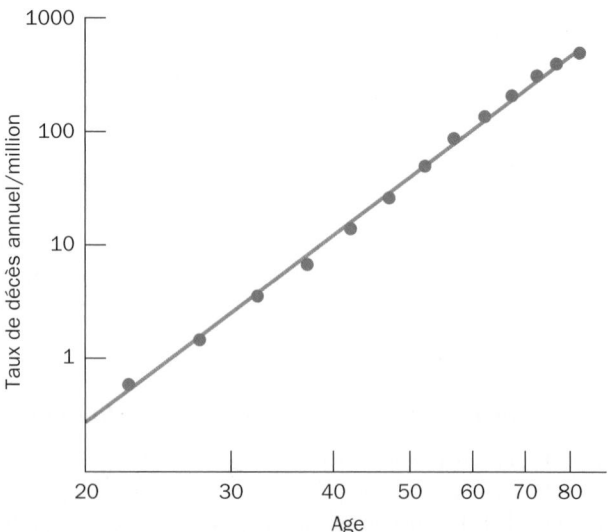

FIGURE 19-28 Proportion des décès par cancer chez l'être humain en fonction de l'âge. La linéarité de cette représentation log-log peut s'expliquer par la nécessité de l'apparition de plusieurs mutations au hasard pour provoquer une tumeur. La pente de la droite suggère qu'en moyenne, cinq mutations sont nécessaires pour obtenir une transformation cancéreuse.

(a)

(b)

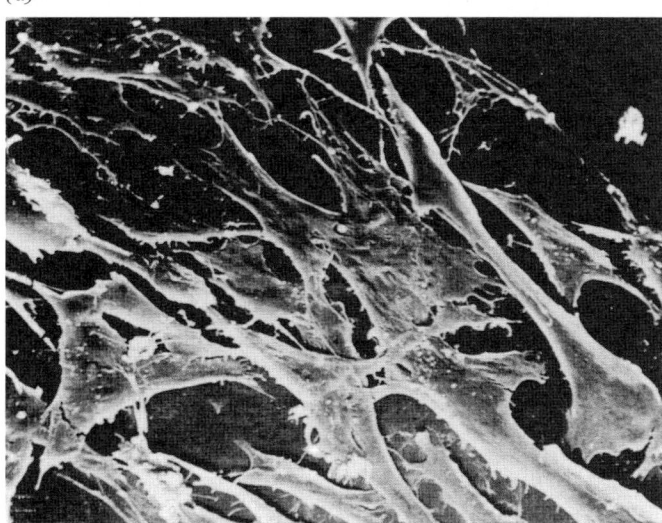
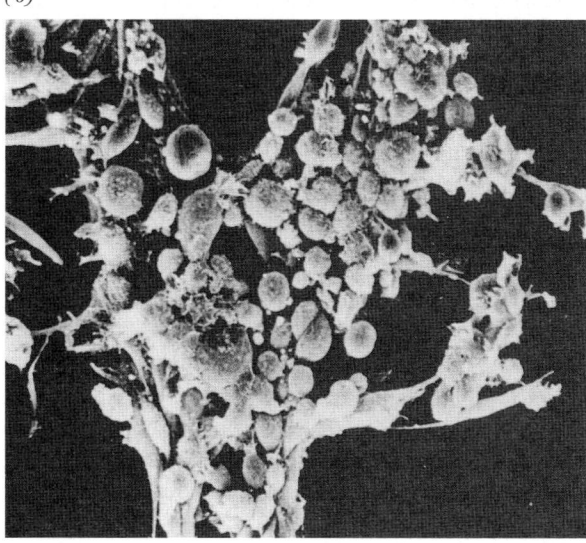

FIGURE 19-29 Transformation de fibroblastes de poulet en culture par le virus du sarcome de Rous. (*a*) Les cellules normales adhèrent à la surface des boîtes de culture où elles adoptent une conformation éta-lée. (*b*) Après infection par le RSV, ces cellules s'arrondissent et forment des agrégats empilés. [Avec la permission de G. Steven Martin, University of California at Berkeley.]

Harold Varmus en 1976 ont conduit à cette remarquable découverte : *des cellules de poulet non infectées contiennent un gène,* **c-src** *(« c » pour cellulaire) qui est homologue de* v-*src*. De plus, c-*src* est hautement conservé chez une grande variété d'eucaryotes allant, dans l'échelle de l'évolution, de *Drosophila* à l'homme. Cette observation suggère fortement que c-*src*, dont les anticorps dirigés contre v-Src indiquent qu'il est exprimé dans les cellules normales, est un gène essentiel pour la cellule. En fait, *v-Src et son analogue cellulaire normal,* **c-Src**, *agissent en stimulant la prolifération cellulaire* (Section 19-3C). Apparemment, v-*src* aurait été acquis à partir d'une source cellulaire par un ancêtre de RSV non transformant. En maintenant la cellule hôte dans un état de prolifération (en général, les cellules ne meurent pas de l'infection par le RSV), v-Src augmente probablement la vitesse de réplication virale.

b. Les produits d'oncogènes viraux miment les effets de facteurs de croissance protéiques et d'hormones

Les protéines codées par de nombreux oncogènes viraux sont analogues à une variété de composantes des systèmes impliquant des facteurs de croissance et des hormones. Par exemple :

1. L'oncogène **v-sis** du **virus du sarcome simien** code une protéine secrétée par les cellules infectées qui est presque identique à l'une des deux sous-unités du PDGF. De ce fait, la croissance non contrôlée des cellules infectées par le virus du sarcome simien est apparemment la conséquence de la présence continue et inappropriée de cet homologue du PDGF.

2. Près de la moitié de la vingtaine d'oncogènes de rétrovirus connus, dont v-*src*, codent des PTK. Par exemple, l'oncogène **v-erb B** code une version tronquée du récepteur de l'EGF (Fig. 19-25*b*), qui a perdu le domaine de liaison à l'EGF, mais conservé son segment transmembranaire et son domaine protéine-kinase. *Manifestement, les PTK codées par des oncogènes phosphorylent d'une*

manière inappropriée les protéines cibles normalement reconnues par les RTK, entraînant ainsi les cellules touchées dans un état de prolifération débridée.

3. L'oncogène **v-ras** code une protéine, **v-Ras**, dont la fonction ressemble à celle de la protéine G monomérique **c-Ras** (Section 19-3C), car elle est localisée sur la face interne de la membrane plasmique des cellules de mammifères où, lorsqu'elle est liée au GTP, elle active différents processus cellulaires par stimulation de la phosphorylation de nombreuses protéines sur des résidus spécifiques Ser et Thr. Bien que v-Ras hydrolyse le GTP en GDP, elle le fait beaucoup plus lentement que c-Ras. La limitation de la phosphorylation des protéines que l'hydrolyse du GTP imposerait normalement à c-Ras est donc fortement réduite dans v-Ras, ce qui entraîne la transformation cellulaire.

4. Plusieurs oncogènes rétroviraux, dont **v-jun** et **v-fos**, codent des protéines nucléaires dont les analogues cellulaires normaux sont synthétisés en réponse à des facteurs de croissance tels que EGF et PDGF, lesquels sont des signaux mitogènes. Beaucoup de ces protéines, dont les produits des gènes v-*jun* et v-*fos*, se lient à l'ADN, ce qui suggère fortement qu'ils influencent sa transcription et/ou sa réplication. De fait, **v-jun** est homologue à 80 % du **proto-oncogène** (analogue cellulaire normal d'un oncogène) **c-jun**, qui code le facteur de transcription **Jun** (celui-ci forme avec Fos un hétérodimère appelé **AP-1** ; Section 19-3D). Fos est le produit du proto-oncogène **c-fos** et son association étroite avec Jun facilite beaucoup la capacité de AP1 à stimuler la transcription des gènes sous le contrôle de Jun.

Les produits d'oncogènes semblent donc être des composantes altérées, par modifications fonctionnelles ou expression inappropriée, du réseau de contrôle élaboré qui régule la croissance et la différenciation cellulaires. La complexité de ces réseaux (les cellules répondent généralement à un éventail de facteurs de croissance, d'hormones et de facteurs de transcription empruntant des voies qui se chevauchent partiellement) explique probablement pourquoi la transformation maligne nécessite plusieurs événements cancérigènes indépendants. Noter cependant que peu de cancers humains sont induits par des virus ; pratiquement tous résultent de modifications génétiques impliquant des proto-oncogènes. Celles-ci seront étudiées dans la Section 34-3C.

C. *Relais du signal : modules de liaison, adaptateurs, GEF et GAP*

De nombreux RTK autophosphorylés peuvent phosphoryler directement leurs protéines cibles. Curieusement, ils ne le font cependant pas tous. Dans ce cas, comment activent-ils leurs protéines cibles ? Comme nous le verrons, ils le font par le biais d'un réseau compliqué de voies de signalisation interconnectées qui impliquent des cascades de protéines associées.

a. Les systèmes de double hybride permettent d'identifier des protéines qui interagissent in vivo

Avant de parler des protéines qui, par leurs interactions, participent à la transduction de signal par RTK, il convient d'expliquer une des méthodes les plus populaires pour détecter leurs association *in vivo*, le **système de double hybride.** Cette ingénieuse technique expérimentale, due à Stanley Fields, est fondée sur le caractère bipartite de nombreux facteurs de transcription (protéines qui se lient aux promoteurs et autres régions du contrôle des gènes d'eucaryotes, de manière à modifier la vitesse à laquelle l'ARN polymérase déclenche la transcription de ces gènes ; Section 5-4A). Ces facteurs de transcription, comme nous l'étudierons dans la Section 34-3B, possèdent un domaine de liaison à l'ADN (DBD) qui dirige le facteur de transcription sur une séquence particulière d'ADN, et un domaine d'activation (AD) qui amène l'ARN polymérase à déclencher la transcription à partir d'un site d'initiation voisin. Ces deux domaines fonctionnent indépendamment. Ainsi, une proéine hybride faite, par génie génétique, du DBD d'un facteur de transcription et de l'AD d'un autre, stimulera la transcription du gène cible du DBD. De plus, que le DBD soit du côté N-terminal ou C-terminal de l'AD importe peu, et ce indépendamment de leur disposition dans la protéine dont ils sont issus. De toute évidence, il suffit que le DBD et l'AD soient associés pour qu'ils agissent comme facteur de transcription du (des) gène(s) cible(s) du DBD.

Le système de double hybride utilise deux plasmides différents chez la levure (Fig. 19-30). Un plasmide code une protéine hybride constituée d'un DBD fusionné à une protéine appelée « appât » ou sonde ; l'autre code une protéine hybride constituée d'un AD fusionné à une protéine appelée « proie » ou cible. La cible du DBD est un gène indicateur (« rapporteur » en franglais), introduit dans le chromosome de levure, tel que le gène *lacZ* de *E. coli*, qui code l'enzyme β-galactosidase. Dans des boîtes de culture contenant X-gal (substance incolore qui devient bleue lorsque hydrolysée par la β-galactosidase ; Section 5-5C), les colonies de levure exprimant la β-galactosidase deviennent bleues, indiquant que les protéines qui codent l'appât et la proie s'associent. Cette technique permet de cribler des cellules pour des protéines « proies » qui interagissent spécifiquement avec une protéine « appât » déterminée, moyennant insertion des ADNc (Section 5-5F) dérivés des cellules dans le plasmide contenant l'AD. On peut alors identifier la protéine « proie » en séquençant son ADNc.

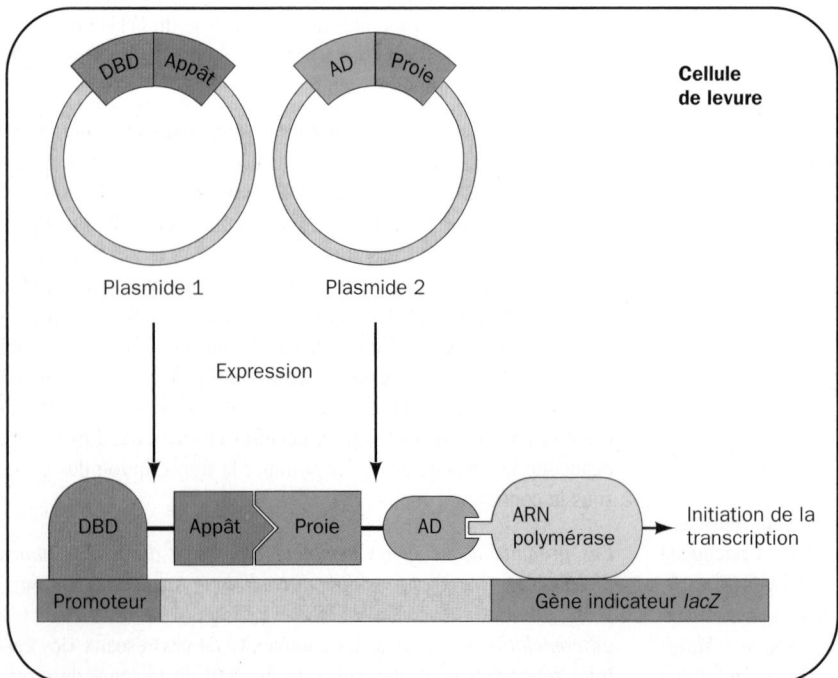

FIGURE 19-30 Le système de double hybride. On utilise deux plasmides exprimés chez la levure : l'un code une protéine hybride constituée du domaine de liaison à l'ADN (DBD) d'un facteur de transcription fusionné à une protéine « appât », l'autre code le domaine d'activation (AD) d'un facteur de transcription fusionné à une protéine « proie ». Le DBD se lie spécifiquement au promoteur d'un gène indicateur, ici *lacZ*. Si la protéine « proie » s'associe à la protéine « appât », l'AD provoque l'initiation de la transcription du gène indicateur par l'ARN polymérase. La β-galactosidase codée par le gène *lacZ* est facilement détectée avec X-gal, qui devient bleu après hydrolyse par la β-galactosidase. Les colonies de levure qui expriment des protéines « proie » et « appât » ne pouvant interagir restent incolores, de même que celles qui n'expriment pas les deux plasmides.

b. Les domaines SH2 sont des intermédiaires de la transduction du signal

Revenons à présent à notre étude de la signalisation par RTK. Beaucoup (>100) des diverses protéines cytoplasmiques qui se fixent sur les récepteurs autophosphorylés, par exemple la PTK cytoplasmique **c-Src** (simplement appelée dorénavant Src), certaines protéines d'activation des GTPases (GAP), et la **phospholipase C$_\gamma$** (Section 19-4B), contiennent un ou deux modules conservés, d'environ 100 résidus, connus sous le nom de **domaine 2 homologue de Src** (**SH2** pour « Src homology 2 », ainsi nommés car ils ont été mis en évidence pour la première fois dans des tyrosine-kinases apparentées à Src ; **SH1** désigne leur domaine catalytique). *Les domaines SH2 se fixent de manière spécifique et avec une affinité élevée sur des résidus de tyrosine phosphorylés dans leurs peptides cibles* ; ils ne se fixent que faiblement ou pas du tout sur leurs leurs peptides cibles non phosphorylés. La plupart des résidus de tyrosine phosphorylés auxquels se fixe SH2 sont situés dans l'insert kinase juxtamembranaire (juste après l'hélice transmembranaire) et dans la région C-terminale des RTK ; ceux qui sont situés dans la boucle d'activation ont pour fonction principale de stimuler l'activité PTK. De fait, l'autophosphorylation des RTK se fait en deux phases : phosphorylation de la boucle d'activation du RTK, puis phosphorylation, par la PTK ainsi activée, des autres sites de la sous-unité opposée du RTK.

Les structures, par rayons X et par RMN, des domaines SH2 de plusieurs protéines, isolées ou en complexe avec des polypeptides contenant des tyrosines phosphorylées (pY), ont pu être déterminées. SH2 a une structure hémisphérique, qui contient dans son centre un feuillet β antiparallèle à cinq segments et qui est pris en sandwich entre deux hélices α quasi parallèles voisines. Les résidus N- et C-terminaux du SH2 sont proches et localisés du côté opposé au site de fixation du peptide, suggérant que ce domaine peut s'insérer entre deux résidus quelconques à la surface d'une protéine, sans perturber son repliement ni sa fonction. De fait, ce domaine n'est pas situé dans une séquence particulière de la protéine, à en juger par la comparaison des séquences de plusieurs protéines à domaine SH2.

John Kuriyan a déterminé, par rayons X, la structure du domaine SH2 de Src en complexe avec un polypeptide de onze résidus contenant la séquence pYEEI, tétrapeptide qui se fixe sur ce domaine SH2 avec une affinité élevée. Le peptide de onze résidus se fixe sur la domaine SH2 selon une conformation en extension, les contacts intéressant principalement le tétrapeptide pYEEI (Fig. 19-31*a*). La chaîne latérale de la phosphotyrosine s'insère dans une petite crevasse formée en partie par trois résidus hautement conservés, chargés positivement, où l'on trouve une Arg conservée dont la chaîne latérale contacte le groupement phosphate. La chaîne latérale de Ile est de même insérée dans une poche hydrophobe voisine et le tétrapeptide entier interagit très fortement avec SH2, bien que les chaînes latérales des deux Glu centraux ne se projettent pas en direction du SH2. Ainsi, le peptide ressemble à une prise électrique mâle à deux broches qui est insérée sur le SH2 dans une prise femelle à deux trous (Fig. 19-31*b*). La comparaison de cette structure avec celle du domaine SH2 de Src non complexé montre que, lors de la fixation du peptide, SH2 ne subit que de légers changements conformationnels localisés au niveau du site de fixation du peptide. Ces structures expliquent de façon simple pourquoi SH2 ne fixe pas les peptides contenant des

(a)

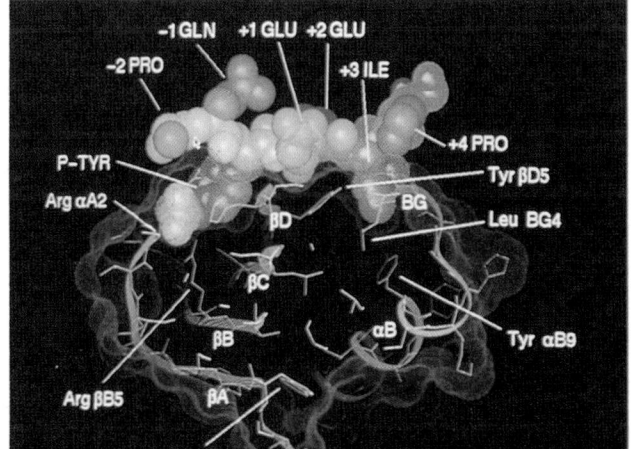

(b)

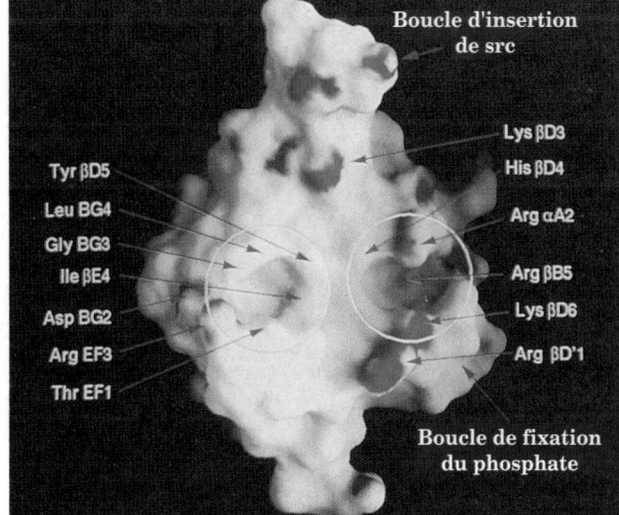

FIGURE 19-31 Structure par rayons X du domaine SH2 (104 résidus) de la protéine Src complexé à un peptide de 11 résidus (EPQpYEEIPYL), qui contient le tétrapeptide cible pYEEI de la protéine. (*a*) Vue en coupe du complexe, dans lequel la surface accessible au solvant est représentée en pointillés rouges. La protéine (*en rose*) est en structure en ruban avec les chaînes latérales en bâtonnets et l'octapeptide N-terminal du polypeptide lié représenté en structure compacte avec son squelette en jaune, ses chaînes latérales en vert et son groupement phosphate en blanc [la chaîne latérale de la proline N-terminale (*à gauche*) est fortement masquée sous cet angle et les trois résidus C-terminaux sont en désordre]. (*b*) Surface moléculaire de la protéine seule, vue du côté du site de fixation du peptide et colorée selon son potentiel électrostatique local, les régions les plus positives étant en bleu foncé et les plus négatives en rouge foncé. Les poches de fixation des chaînes latérales de phosphoTyr (*à droite*) et d'Ile (*à gauche*) sont cerclées de jaune et les résidus importants sont indiqués par des flèches rouges. [Avec la permission de John Kuriyan, The Rockefeller University.]

Ser et des Thr phosphorylées et qui sont bien plus nombreux : les chaînes latérales de ces deux acides aminés sont beaucoup trop courtes pour que leur groupement phosphate puisse interagir avec la chaîne latérale de l'Arg conservée au fond de la poche de fixation de la phosphotyrosine.

c. Les domaines PTB fixent également des peptides contenant une phosphotyrosine

Un second type de motif fixe spécifiquement des peptides contenant une phosphotyrosine. Il s'agit du **domaine de liaison des phosphotyrosines (PTB)**. Les domaines PTB se fixent spécifiquement sur la séquence consensus NPXpY (où X est un résidu quelconque) et reconnaissent donc la séquence du côté N-terminal de pY plutôt que de son côté C-terminal comme le font les domaines SH2.

La structure par RMN du domaine PTB de **Shc**, protéine adaptatrice (voir ci-dessous) de 195 résidus, en complexe avec un peptide cible de 12 résidus contenant la séquence centrale NPQpY, a été déterminée par Stephen Fesik. La structure est constituée d'un sandwich β comprenant deux feuillets β antiparallèles quasi perpendiculaires flanqués de trois hélices α (Fig. 19-32). Le segment N-terminal du phosphopeptide cible adopte une conformation en extension qui forme un segment β antiparallèle supplémentaire dans l'un des feuillets β. Le segment NPQpY forme un tournant β dans lequel le groupement phosphate contacte une chaîne latérale d'Arg que des études de mutagenèse révèlent comme essentielle à la fixation du peptide cible.

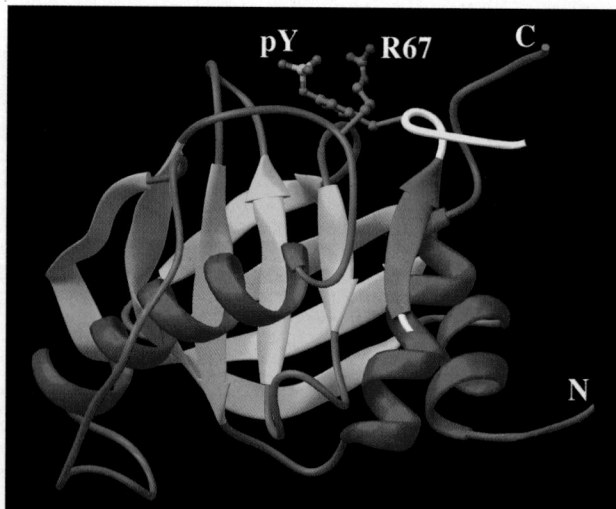

FIGURE 19-32 Structure par RMN du domaine PTB de Shc complexé à un polypeptide de 12 résidus (HIIENPQpYFSDA) issu du site de fixation de Shc présent dans le récepteur du facteur de croissance des nerfs (NGF). Le domaine PTB est coloré selon sa structure secondaire (hélices en rouge, segments β en doré, spire en bleu clair), comme l'est aussi le peptide cible (segments β en magenta, spire en blanc). La chaîne latérale de la phosphoTyr (pY) du peptide cible et celle d'Arg 67, avec laquelle elle interagit étroitement, sont représentées en boules et bâtonnets avec C en vert, N en bleu, O en rouge et P en jaune. Noter que la chaîne latérale de pY se projette à partir d'un tournant β du ligand peptidique. [D'après une structure par RMN due à Stephen Fesik, Abbott Laboratories, Abbott Park, Illinois. PDBid 1SHC.]

d. Les domaines SH3 fixent des peptides riches en proline

Beaucoup de RTK à domaine SH2 possèdent également un ou plusieurs **domaines SH3**, de 50 à 75 résidus. De plus, on trouve des SH3 dans plusieurs protéines associées aux membranes et qui ne possèdent pas de SH2. Le domaine SH3, qui n'est pas apparenté à SH2, interagit avec des séquences de neuf à dix résidus contenant le motif Pro-X-X-Pro, les résidus voisins de ce motif ciblant ces séquences sur le domaine SH3. La fonction physiologique de SH3 est moins évidente que celle de SH2, car SH3 se trouve dans une grande variété de protéines, y compris des tyrosine-kinases (récepteurs ou non), des protéines adaptatrices telles que **Grb2** (voir ci-dessous) et des protéines structurales comme la spectrine et la myosine. Cependant l'observation selon laquelle la délétion des séquences codant le domaine SH3 transforme les proto-oncogènes *Src* et **A*bl*** (qui tous les deux codent des PTK) en oncogènes, suggère que SH3, tout comme SH2 et PTB, a pour fonction de servir d'intermédiaire pour des interactions entre kinases et protéines régulatrices. Ainsi SH2, PTB et SH3 ont-ils été appelés « velcro moléculaire ».

Les structures des domaines SH3 de plusieurs protéines, déterminées par rayons X et par RMN, indiquent que le domaine central est formé de deux feuillets β antiparallèles, à trois segments, plaqués l'un sur l'autre, leurs segments étant presque perpendiculaires. Comme pour SH2, la proximité des extrémités N- et C-terminales de SH3 suggère que ce domaine peut s'insérer entre deux résidus à la surface d'une autre protéine sans perturber fortement sa structure. Andréa Musacchio et Matti Sareste ont déterminé la structure rayons X des domaines SH3 des tyrosine-kinases Abl et **Fyn** en complexe avec deux décapeptides différents riches en proline et ayant une forte affinité. Les deux décapeptides ont des conformations quasi identiques, leurs sept résidus C-terminaux formant une hélice de type polyproline II (Section 8-2B). Les peptides se fixent sur SH3 sur toute leur longueur dans trois cavités géométriquement complémentaires (Fig. 19-33), principalement occupées par les chaînes latérales des prolines.

e. Autres modules de liaison

Plusieurs autres modules de liaison sont impliqués dans la transduction du signal. Ils comprennent :

1. Le **domaine WW** (ainsi appelé car il contient deux résidus Trp très conservés), module d'environ 40 résidus qui se fixe sur des séquences riches en proline dans ses protéines cibles.

2. Le **domaine homologue de la pleckstrine (PH)** (d'abord identifié dans la **pleckstrine** [pour «*p*latelet and *l*eukocyte *C* *kin*ase sub*str*ate prote*in*]), module d'environ 120 résidus présent dans >100 protéines. Sa structure ressemble à celle du domaine PTB (Fig. 19-32), mais il se fixe sur les groupements de tête des phospho-inositides (Section 19-4). Il accroche ainsi à la face interne de la membrane plasmique les protéines auxquelles il se lie. Outre son rôle dans la signalisation intracellulaire, le domaine PH participe à l'organisation du cytosquelette, à la régulation du transport membranaire intracellulaire et aux modifications de lipides membranaires. Sa structure est étudiée dans la Section 19-4B.

3. Le **domaine PDZ** (nommé d'après les trois protéines où il a été d'abord identifié : *P*SD-95, *D*lg et *Z*O-1), module d'environ

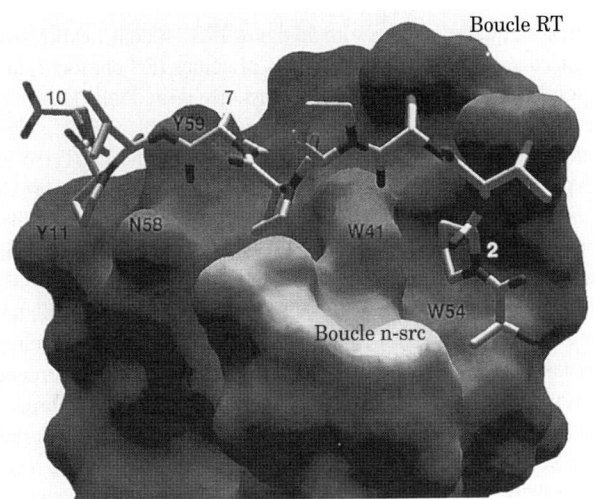

Boucle RT

Boucle n-src

FIGURE 19-33 Structure par rayons X du domaine SH3 de la protéine Abl complexé à son décapeptide cible riche en proline (APTMPPPLPP). La protéine est représentée par son diagramme de surface et le peptide est représenté en structure éclatée (bâtonnets) avec C en blanc, N en bleu, O en rouge et S en vert. Les résidus en contact avec le polypeptide sont indiqués en utilisant leur code à une lettre. [Avec la permission d'Andréa Musacchio, European Molecular Biology Laboratory, Heidelberg, Allemagne.]

100 résidus qui se fixe principalement au tripeptide C-terminal Ser/Thr-X-Val de ses protéines cibles.

Beaucoup des protéines qui participent à la transduction du signal sont constituées de plusieurs unités modulaires que l'on trouve également dans plusieurs autres de ces protéines. Ces modules peuvent avoir une activité enzymatique (PTK, p. ex.) ou se lier à des motifs moléculaires particuliers, comme un résidu phosphoTyr au sein d'une séquence spécifique (comme c'est le cas des domaines SH2), ou à un autre module protéique (comme c'est le cas des domaines SH3). Il semble que *l'évolution des protéines de signalisation s'est faite par redistribution de ces modules de sorte à aboutir à différentes combinaisons d'interactions et d'activités.* De fait, nous verrons que la complexité du comportement de ces protéines de signalisation est une conséquence des interactions entre ces différents modules.

f. Ras est activée par des RTK phosphorylés via un complexe Grb2-Sos

c-Ras *(ou simplement* Ras), *produit d'un proto-oncogène, est une protéine G monomérique ancrée dans la membrane (par prénylation), qui se situe au centre d'un système de signalisation intracellulaire. Ras régule des fonctions cellulaires essentielles telles que la prolifération et la différenciation via la phosphorylation et donc l'activation de tout un spectre de protéines.* Selon le schéma de signalisation décrit dans la Section 19-3D, la fixation d'un ligand sur les RTK active un facteur d'échange des nucléotides guanyliques (GEF ; Section 19-2C) afin d'échanger, pour un GTP, un GDP lié à Ras. Seul le complexe Ras · GTP est capable de relayer ensuite le signal. Cependant, comme le font les sous-

unités α, homologues et de structure similaire, des protéines G hétérotrimériques, Ras finit par hydrolyser en GDP le GTP lié, stoppant ainsi toute transduction ultérieure et limitant l'amplitude du signal créé par la fixation du ligand sur le récepteur. De fait, la structure de Ras ressemble fort à celle des domaines GTPase des sous-unités G_α des protéines G hétérotrimériques, y compris leurs domaines commutateurs I et II (Fig. 19-17). Les cellules de mammifère expriment quatre Ras homologues : H-Ras, N-Ras, K-Ras 4A et K-Ras 4B.

Des analyses de la signalisation chez une variété d'organismes éloignés les uns des autres (en particulier l'homme, la souris, *Xenopus*, *Drosophila* et le ver nématode *Caenorhabditis elegans*) ont mis en évidence, en utilisant la génétique moléculaire, une voie remarquablement conservée dans laquelle *les RTK canalisent le signal correspondant à la fixation du ligand jusqu'à Ras, lequel, à son tour, relaie le signal jusqu'à l'appareil de transcription du noyau via une cascade dites des MAP kinases (Section 19-3D).* Néanmoins, la manière par laquelle les messages passent des RTK à Ras est demeurée énigmatique jusqu'à des recherches effectuées dans de nombreux laboratoires, qui ont permis de mettre en évidence les détails les plus importants. En particulier, ces études ont démontré que *deux protéines qui avaient été précédemment caractérisées,* **Grb2** *et* **Sos,** *forment un complexe qui assure la liaison entre les RTK et Ras de sorte que le GDP lié à Ras soit remplacé par du GTP, ce qui conduit à une activation (elles agissent ainsi comme un GEF).*

La protéine de mammifère Grb2, un homologue de 217 résidus de **drk** chez *Drosophila* et de **Sem-5** chez *C. elegans* est consituée presqu'entièrement d'un domaine SH2 flanqué de deux domaines SH3. La protéine Sos (produit de 1596 résidus du gène *Son of Sevenless,* ainsi appelée car Sos interagit avec le produit du gène *Sevenless,* un RTK qui régule le développement de la cellule photoréceptrice R7 dans l'œil de la drosophile), nécessaire à la signalisation transmise par Ras, contient un domaine central homologue des protéines de type Ras-GEF connues et une séquence C-terminale riche en proline, semblable à celle des motifs de fixation sur SH3. De plus, il a été montré que les homologues de Sos chez les mammifères (**mSos**) stimulent de manière spécifique l'échange des nucléotides guanyliques sur les protéines Ras de mammifère. Des techniques de western blotting (Section 6-4B) utilisant des anticorps anti-Grb2 et anti-mSos indiquent que Grb2 se fixe sur le segment C-terminal de mSos, sauf si une des prolines du domaine de fixation sur SH3 est remplacée par une leucine ou en présence de polypeptides de synthèse qui possèdent des séquences riches en proline. Des études analogues indiquent qu'en présence du facteur de croissance épidermique (EGF), le récepteur correspondant (un RTK ; Fig. 19-23 et 19-25*b*) se lie spécifiquement au complexe Grb2–mSos, interaction qui est bloquée en présence d'un phosphopeptide dont la séquence contient une des phosphotyrosines du récepteur de l'EGF, sous sa forme activée. De toute évidence, le domaine SH2 de Grb2 se fixe sur une séquence peptidique d'un récepteur RTK activé, contenant une phosphotyrosine, tandis que ses deux domaines SH3 se fixent à des séquences de Sos riches en proline. La fonction GEF de Sos est ainsi stimulée pour activer Ras.

g. Grb2, Shc, et IRS sont des adaptateurs qui recrutent Sos pour l'amener dans le voisinage de Ras

La structure de Grb2 par rayons X, due à Arnaud Ducruix, montre qu'aucun de ses deux domaines SH3 ne contacte son

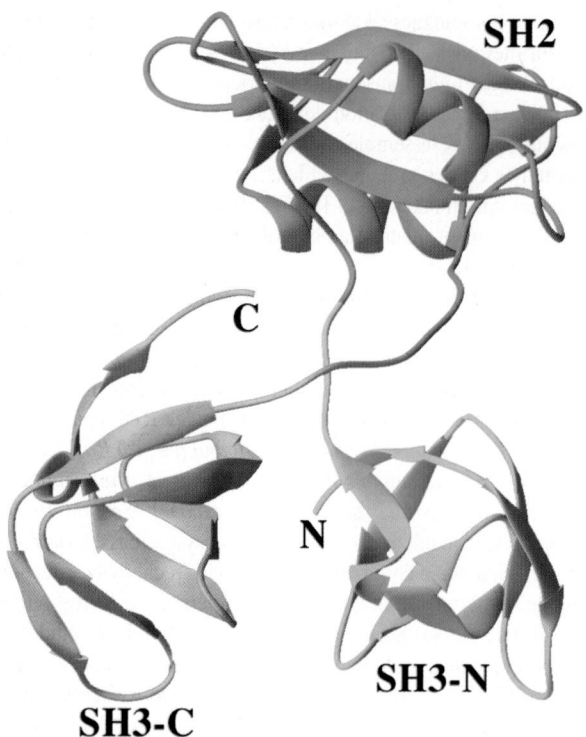

FIGURE 19-34 Structure par rayons X de Grb2. Son domaine SH2 (*vert*) est uni à ses domaines SH3 voisins (*bleu-vert et orange*) par des bras apparemment non structurés et donc flexibles de 4 résidus. [D'après une structure par rayons X due à Arnaud Ducruix, Université de Paris-Sud, Gif sur Yvette Cedex, France. PDBid 1GRI.]

domaine SH2 (Fig. 19-34). Bien que ses deux domaines SH3 se touchent, leur surface d'interaction est relativement petite et est sans doute un artefact de cristallisation plutôt qu'une caractéristique structurale de Grb2 en solution. Il semble donc que les deux domaines SH3 de Grb2 soient reliés de manière lâche à son domaine SH2. Comment la liaison d'un tel adaptateur (un « bras » dépourvu d'activité enzymatique) aussi flexible à un RTK phosphorylé peut-elle stimuler Sos à agir comme GEF de Ras ? Grb2 et Sos sont fixés si étroitement l'un à l'autre qu'on peut les considérer comme étant associés de façon permanente dans la cellule. Dès lors, quand Grb2 fixe son RTK cible phosphorylé, il recrute Sos vers la face interne de la membrane plasmique où, en raison de l'augmentation de sa concentration locale, Sos peut se lier plus facilement à Ras ancrée dans la membrane.

Les protéines Shc sont également des adaptateurs qui relient à Ras des RTK activés. Les protéines Shc sont constituées d'un domaine PTB N-terminal (Fig. 19-32), d'une région effectrice centrale (CH1), et d'un domaine SH2 C-terminal qui se lie à certains RTK activés. Les protéines Shc sont également des cibles importantes de plusieurs RTK qui les phosphorylent dans leur domaine CH1 sur des séquences constituant ainsi des sites de liaison pour le domaine SH2 de Grb2. Des RTK activés peuvent donc se fixer sur Grb2 directement, ou indirectement via Shc. De plus, dans certains cas, un complexe Shc—Grb2—Sos non associé à un RTK peut activer Ras.

Le récepteur insulinique activé (autophosphorylé) n'interagit pas directement avec des protéines à domaine SH2. En fait, il phosphoryle principalement une protéine d'environ 1300 résidus appelée substrat du récepteur insulinique (IRS ; ceci désigne une

famille de quatre protéines homologues IRS1-4 dont l'expression de chacune est histo-spécifique). Les protéines IRS ont toutes une région N-terminale de « ciblage » constituée d'un domaine PH qui localise l'IRS du côté interne de la membrane plasmique, suivie d'un domaine PTB qui fixe l'IRS à un résidu phosphoTyr d'un récepteur insulinique activé (Fig. 19-35). Celui-ci phosphoryle alors l'IRS sur un ou plus de ses 6 à 8 résidus Tyr, ce qui les convertit en sites de liaison pour SH2, lesquels assurent le couplage du système à des protéines à domaine SH2 (Section 19-4F). Les adaptateurs possédant plusieurs sites de liaison pour SH2, tels que les protéines IRS et Shc, sont également appelées protéines d'accostage, car elles fonctionnent comme des quais où abordent, en réponse à l'activation des RTK correspondants, nombre de molécules de signalisation différentes situées en aval. Ainsi, une protéine d'accostage augmente la complexité et la versatilité régulatrice de sa voie de signalisation déclenchée par le RTK, tout en amplifiant le signal.

h. Sos agit en ouvrant le site de liaison des nucléotides de Ras

La structure par rayons X de Ras en complexe avec un segment (506 résidus) de Sos contenant son activité GEF, déterminée par Kuriyan, montre comment Sos conduit Ras à échanger pour du GTP le GDP qui lui est fortement fixé. Ce segment de Sos est constitué de deux domaines en hélice α, dont un seul, dit catalytique et situé du côté C-terminal, contacte Ras. Celle-ci épouse la partie centrale du domaine catalytique, dont la forme est celle d'un bol allongé (Fig. 19-36). Les parties de Ras qui interagissent avec le domaine catalytique comprennent ses deux domaines commutateurs I et II ainsi que la boucle, dite boucle P, qui fixe les groupements phosphate α et β du GDP et du GTP (comme l'affinité du GMP pour Ras est 10^6 fois plus faible que celle du GDP, c'est le phosphate β du GDP qui est principalement responsable de sa liaison étroite à Ras). Cette interaction déplace le domaine commutateur I par rapport à sa position dans la structure par rayons X de Ras en complexe avec le GDPNP, analogue non hydrolysable du GTP :

$$\text{structure chimique}$$

Guanosine-5′-(β,γ-imido)triphosphate (GDPNP)

Le site de liaison des nucléotides à Ras est ainsi partiellement ouvert, une chaîne latérale d'une Leu de Sos s'introduisant dans le site de fixation du Mg^{+2} sur Ras, et une chaîne latérale d'un Glu de Sos s'introduisant dans le site de fixation du groupement phos-

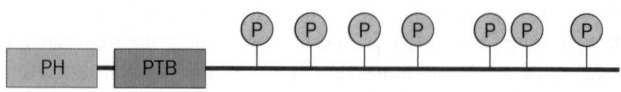

FIGURE 19-35 Structure d'un substrat protéique du récepteur insulinique. Un IRS contient un domaine PH et un domaine PTB à son extrémité N-terminale suivis de mutliples sites de liaison, contenant des phosphoTyr, pour des domaines SH2 de protéines de signalisation situées en aval.

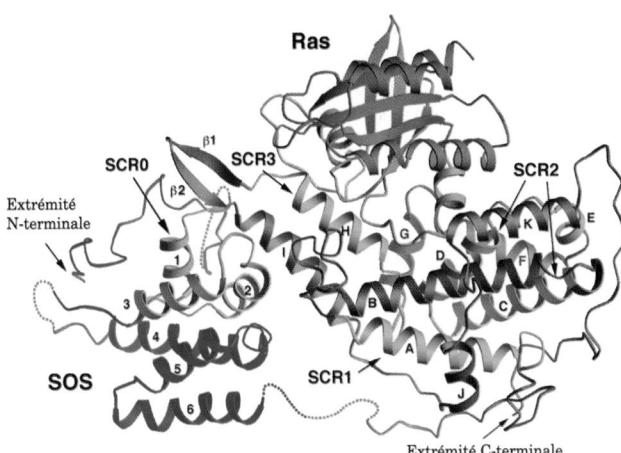

FIGURE 19-36 Structure par rayons X du complexe entre Ras et la région de Sos contenant l'activité GEF. Le domaine N-terminal de la région de Sos est en bleu, son domaine catalytique en vert, et Ras principalement en gris, avec ses domaines commutateurs I et II en orange et sa boucle P en rouge. Les régions conservées (les SCR) entre les GEF de la famille Ras sont en bleu-vert. [Avec la permission de John Kuriyan, The Rockefeller University.]

phate en α du GTP/GDP. Cependant, cette interaction ne masque pratiquement pas les sites de liaison de la guanine et du ribose. Ceci explique comment l'interaction Sos−Ras est assez forte pour déplacer le GDP étroitement associé à Ras, mais trop faible pour empêcher le GTP (ou le GDP, dix fois moins abondant) de déplacer ensuite Sos de Ras.

Les différentes familles de petites protéines G interagissent avec différentes classes de GEF, dont les domaines catalytiques ne partagent aucune similitude de séquence et dont les structures ne sont pas apparentées [p. ex. la rhodopsine (Fig. 19-15) est un GEF

de $G_{t\alpha}$]. Néanmoins, plusieurs de ces GEF partagent un même mécanisme général d'échange GDP—GTP, ce qui suggère que ce mécanisme est apparu plusieurs fois par évolution convergente.

i. La fonction des GAP est d'éteindre les signaux dépendant de Ras

Ras hydrolyse le GTP qui lui est associé, avec une constante de vitesse de 0,02 min^{-1} (alors qu'elle est de 2-3 min^{-1} pour les sous-unités G_α), ce qui est trop lent pour une transduction efficace du signal. Ceci a conduit ‡ la dÈcouveete d'une protÈine activatrice de GTPase de 120 kD, RasGAP, qui en se liant à Ras • GTP accélère d'un facteur 10^5 la vitesse d'hydrolyse du GTP. L'importance physiologique de RasGAP comme régulateur de la transmission du signal par l'intermédiaire de Ras est démontrée par l'observation suivante. Les activités biologiques relatives de mutants de Ras sont en meilleure corrélation avec leur résistance à la régulation par RasGAP qu'avec leur activité GTPase intrinsèque.

Le mécanisme par lequel RasGAP stimule l'activité GTPase de Ras a été élucidé grâce à la structure par rayons X, due à Alfred Wittinghofer, du domaine activateur de GTPase (334 résidus) de RasGAP (GAP334) lié à Ras en complexe avec le GDP et AlF$_3$ (Fig. 19-37a). GAP334, qui est constitué de deux domaines hélicoïdaux, interagit avec Ras sur une vaste surface qui comprend ses

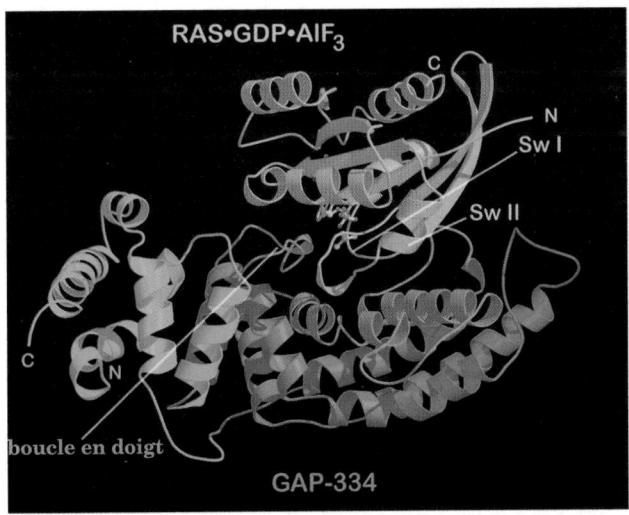

(a)

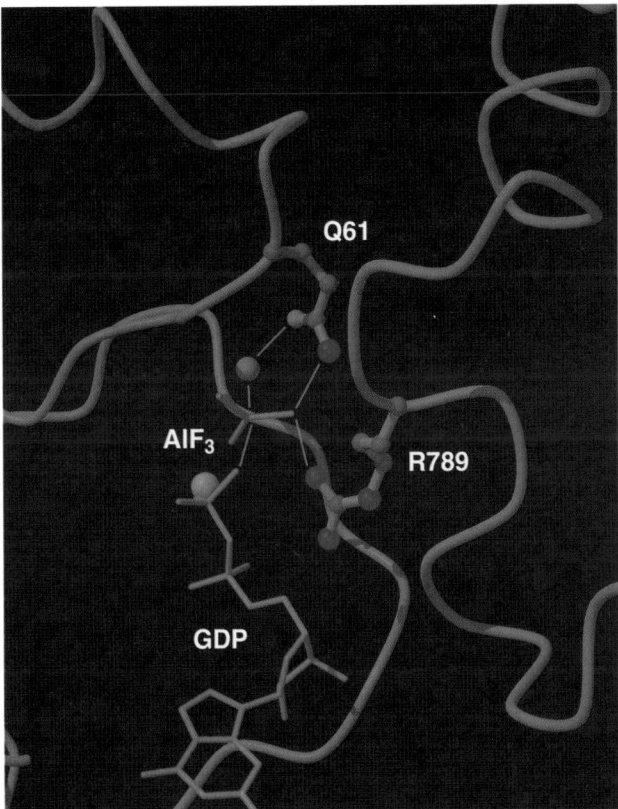

(b)

FIGURE 19-37 Structure par rayons X du complexe GAP334 • Ras • GDP • AlF$_3$. (a) Diagramme en ruban dans lequel le domaine « supplémentaire » de GAP334 (qui n'entre pas en contact avec Ras) est en vert, son domaine catalytique est en rouge, les parties contactant Ras étant en brun clair, Ras est en jaune, et le GDP et l'AlF$_3$ qui lui sont fixés sont en modèle boules et bâtonnets. Sw I et Sw II indiquent les domaines commutateurs (« switch ») de Ras. (b) Région du site actif du complexe dans laquelle Ras est en orange, GAP334 est en

rouge, et leurs chaînes importantes pour la catalyse, Arg 789 de GAP334 et Gln 61 de Ras, sont en modèle boules et bâtonnets avec C en gris, N en bleu et O en rouge. Le GDP et l'AlF$_3$ sont en bâtonnets en vert, la molécule d'eau nucléophile est représentée par une sphère rouge, un ion Mg^{2+} lié est représenté par une sphère argentée, et les liaisons hydrogène sont représentées par de fines lignes grises. [Avec la permission d'Alfred Wittinghofer, Max-Planck-Institut für Molekulare Physiologie, Dortmund, Allemagne.]

domaines commutateurs I et II. L'AlF$_3$, qui a une symétrie plane trigonale, se fixe à Ras aux positions attendues pour le phosphate en γ du GTP, l'atome Al étant du côté opposé à une molécule d'eau liée qui est censée être l'agent nucléophile dans la réaction GTPase. Puisque les liaisons Al—F et P—O ont des longueurs semblables et que les réactions de transfert de groupement phosphoryle impliquent un état de transition trigonal bipyramidal (Fig. 16-6*b*), l'édifice GDP—AlF$_3$—H$_2$O ressemblerait à l'état de tran-

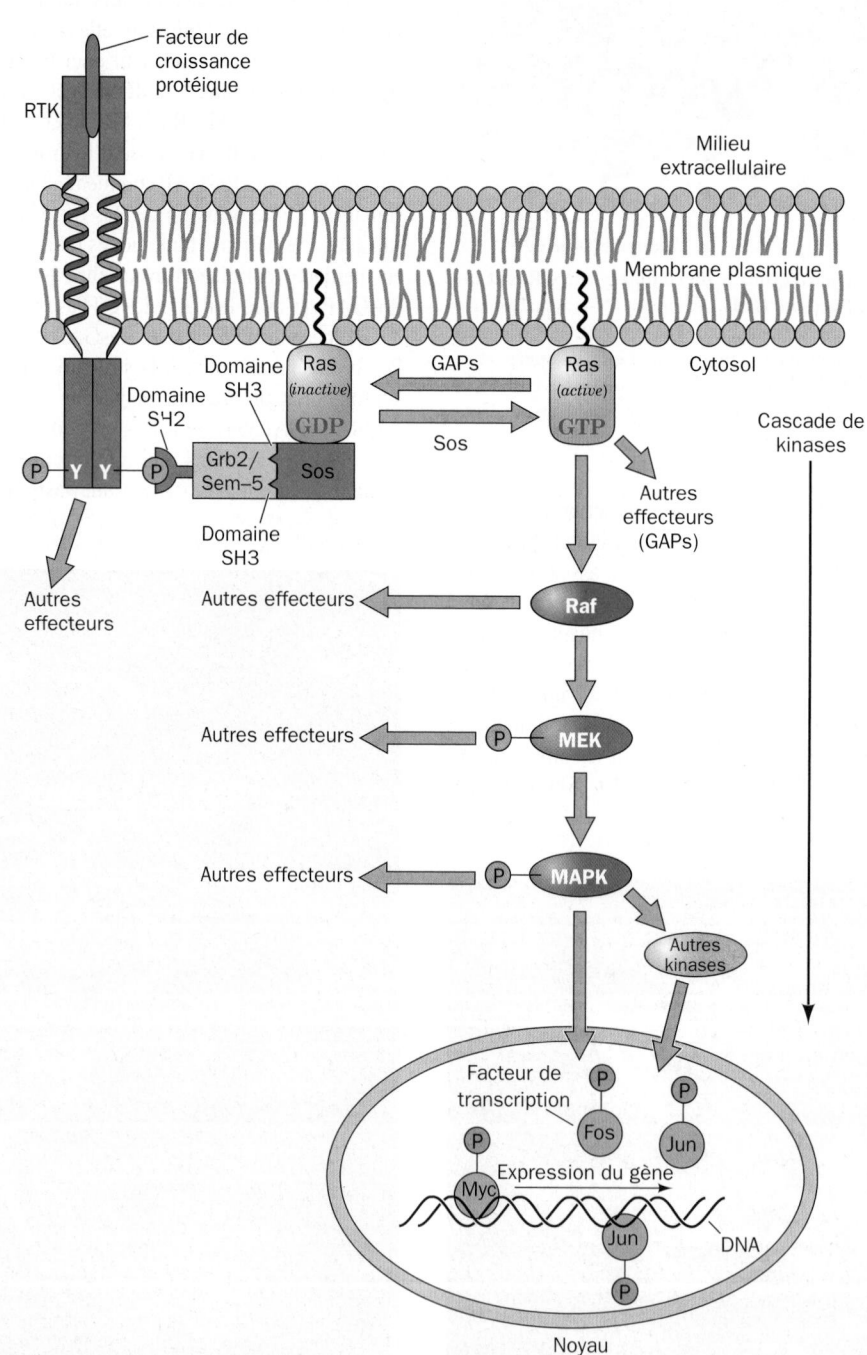

FIGURE 19-38 La cascade des MAP kinases activée par Ras. Cette cascade de signalisation commence par la fixation d'un facteur de croissance donné sur son RTK, ce qui entraîne l'autophosphorylation du domaine cytosolique de ce RTK. Par l'intermédiaire de son domaine SH2, Grb2/Sem-5 se fixe sur le segment peptidique ainsi phosphorylé sur Tyr et, en même temps, se fixe aux segments riches en Pro de Sos, par l'intermédiaire de ses deux domaines SH3. Sos se trouve activé en facteur de libération des nucléotides guanyliques (GRF), entraînant l'échange du GDP fixé à Ras pour du GTP, qui active Ras à se lier à Raf. Ensuite Raf, une kinase à Ser/Thr, phosphoryle MEK, qui, à son tour, phosphoryle MAPK laquelle migre alors dans le noyau où elle phosphoryle des facteurs de transcription tels que Fos, Jun et Myc, ce qui module l'expression de gènes. Cette cascade des MAP kinases retourne finalement à son état de départ sous l'action de phosphoprotéine-phosphatases (Section 19-3F), après qu'une protéine d'activation de GTPase (GAP) ait désactivé Ras en stimulant l'hydrolyse du GTP lié, en GDP. [D'après Egan, S.E. and Weinberg, R.A., *Nature* **365**, 782 (1993).]

sition de la réaction GTPase, AlF$_3$ mimant le groupement plan PO$_3$. Noter que Ras • GDP par elle-même ne fixe pas AlF$_3$.

Lorsque GAP334 se lie à Ras, la boucle « en doigt » exposée de GAP334 s'insère dans le site actif de Ras de sorte que la chaîne latérale de l'Arg 789 du doigt interagit avec le phosphate en β du GDP lié à Ras et avec l'AlF$_3$ (Fig. 19-37b). Dans Ras · GTP, cette chaîne latérale de l'Arg serait parfaitement disposée pour stabiliser la charge négative apparaissant au cours de l'état de transition de la réaction GTPase. De fait, les sous-unités G$_\alpha$, beaucoup plus efficaces au plan catalytique, contiennent un résidu Arg (Arg 178 dans G$_{i\alpha}$) dont le groupement guanidium occupe une position quasi identique (dans G$_{s\alpha}$, c'est la chaîne latérale de l'Arg qui est ADP-ribosylée par la toxine du choléra ; Section 19-2C). L'O du carbonyle de la chaîne principale d'Arg 789 établit une liaison hydrogène avec le N de la chaîne latérale de Gln 61 de Ras, résidu important pour la catalyse. L'O de cette chaîne latérale est dès lors en position pour réaliser une liaison hydrogène avec la molécule d'eau nucléophile, tandis que son groupement NH$_2$ interagit avec un atome F de AlF$_3$ (Fig. 19-37b), une disposition qui vraisemblablement stabilise l'état de transition de la réaction GTPase.

j. Les mutants oncogéniques de Ras sont insensibles à GAP

Les mutations de Gly 12 et Gln 61 de Ras sont ses plus fréquentes mutations oncogéniques (on trouve une forme oncogénique de Ras dans environ 30 % des cancers humains). Ces mutations empêchent RasGAP de stimuler Ras à hydrolyser le GTP qui lui est lié, ce qui bloque Ras dans sa conformation active. La structure par rayons X ci-dessus révèle pourquoi ces mutants sont insensibles à GAP. Gly 12 est si proche de la boucle en doigt que même le plus petit changement de résidu possible (en Ala) constituerait une interférence stérique avec la géométrie de l'état de transition, par collisions avec la chaîne principale d'Arg 789 (de RasGAP) et avec le NH$_2$ de la chaîne latérale de Gln 61. Les mutants en Gly 12 de Ras fixent le GTP avec une affinité quasi normale. Ceci suggère que des résidus à plus grosse chaîne latérale que Gly pourraient être tolérés en position 12 de Ras dans le complexe michaelien Ras–RasGAP, mais pas dans l'état de transition. L'implication apparente de Gln 61 dans la stabilisation de cet état confirme que ce résidu joue un rôle essentiel dans la catalyse.

D. *Cascades de signalisation par les MAP kinases*

La voie de signalisation en aval de Ras est constituée d'une cascade linéaire de Ser/Thr-kinases, la **cascade des MAP kinases** *(Fig. 19-38). Plusieurs des protéines qui participent à de telles cascades sont les produits de proto-oncogènes :*

1. Raf, Ser/Thr-kinase, est activée par interaction directe avec Ras • GTP (bien que d'autres voies de signalisation puissent activer Raf en la phosphorylant sur de nombreux résidus Ser et Thr ; voir ci-dessous). La structure par rayons X de l'homologue de Ras **Rap1A** complexé au GDPNP et au domaine de Raf qui se lie à Ras (RafRBD), déterminée par Wittinghofer, montre que les deux protéines s'associent principalement par extension mutuelle de leurs feuillets β antiparallèles à travers une interface essentiellement polaire (Fig. 19-39). Bien que Ras·GTP

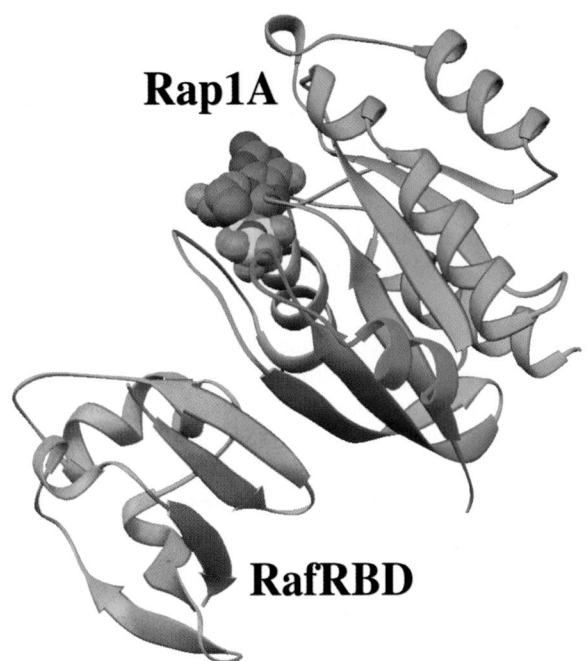

FIGURE 19-39 Structure par rayons X du complexe entre le domaine de Raf qui fixe Ras (RafRBD ; *orange*) et Rap1A • GDPNP (*bleu clair*). Les domaines commutateurs I et II de Rap1A sont en magenta et vert clair, et le GDPNP qui lui est fixé est en modèle compact avec C en vert, N en bleu, O en rouge et P en jaune. Les structures de Rap1A • GDPNP et Ras • GDPNP sont quasi identiques. [Basé sur une structure par rayons X due à Alfred Wittinghofer, Max-Planck-Institut für Molekulare Physiologie, Dortmund, Allemagne. PDBid 1GUA.]

ait une affinité pour Raf 1300 fois plus grande que Ras • GDP, cette structure ne montre pas comment l'hydrolyse du GTP par Ras affecte l'interface Ras–Raf. Il est très possible que la modification conformationnelle du domaine commutateur I de Ras perturbe cette interface au point de provoquer la dissociation des deux protéines.

2. La protéine Raf activée phosphoryle une protéine connue sous le nom de **MEK** ou **MAP kinase kinase (MKK)** sur des résidus Ser et Thr spécifiques, l'activant en Ser/Thr-kinase [Raf est ainsi une **MAP kinase kinase kinase (MKKK)**].

3. La protéine MEK activée phosphoryle une famille de protéines nommées « **mitogen-activated protein** » (**MAP**) **kinases** (**MAP kinases** ou **MAPK**) ou « **extracellular-signal-regulated kinases** » (**ERK**). L'activation plus que marginale d'une MAPK nécessite sa phosphorylation à la fois sur la thréonine et la tyrosine d'une séquence Thr-X-Tyr. La MEK (pour « *M*AP kinase/*E*RK-activating *k*inase ») catalyse les deux phosphorylations et a ainsi une spécificité double pour Ser/Thr et pour Tyr. La structure par rayons X de la MAP kinase ERK2 non phosphorylée, déterminée par Elizabeth Goldsmith, révèle qu'elle ressemble à d'autres protéine-kinases de structure connue et que son résidu Tyr phosphorylable bloque, sous sa forme non phosphorylée, le site de fixation des peptides.

4. Les MAPK activées phosphorylent un grand nombre de protéines cytoplasmiques ou associées à des membranes, y compris Sos et l'EGFR, sur des motifs Ser/Thr-Pro. De plus, les MAPK migrent du cytosol vers le noyau où elles phosphorylent une variété de facteurs de transcription tels que Jun/AP-1, Fos, et **Myc**. Une fois activés, ceux-ci induisent la transcription de leurs gènes cibles (Section 34-4C)-pour produire les effets attendus suite à la présence extracellulaire du facteur de croissance protéique qui a déclenché la cascade de signalisation.

Les cascades de MAP kinases peuvent être activées autrement que par l'intermédiaire de RTK auxquels sont fixés leurs ligands. Par exemple, Raf peut aussi être activée par phosphorylation de ses Ser et Thr par la **protéine kinase C**, elle-même activée par le système des phospho-inosites décrit dans la Section 19-4. Sinon, Ras peut être activée par les sous-unités de certaines protéines G hétérotrimériques. Ainsi, la cascade des MAP kinases sert à intégrer différents signaux extracellulaires.

a. La disposition et la localisation des protéine-kinases dépend de protéines d'assemblage et de protéines d'ancrage

Les cellules d'eucaryotes possèdent de nombreuses cascades de signalisation différentes par MAPK, chacune constituée d'un jeu particulier de kinases qui, chez les mammifères, comprennent au moins 14 MKKK, 7 MKK et 12 MAPK (Fig. 19-40). Bien que chaque MAPK soit activée par une MKK spécifique, une MKK donnée peut être activée par plus d'une MKKK. De plus, un type de récepteur donné peut activer plusieurs voies de signalisation. Dès lors, comment une cellule peut-elle empêcher un « dialogue » inapproprié entre ces voies ? Un mécanisme est le recours à des **protéines d'assemblage**, qui fixent une ou plusieurs protéine-kinase(s) d'une cascade donnée de sorte que les protéine-kinases d'une voie déterminée n'interagissent qu'entre elles. Par ailleurs, une protéine d'assemblage peut contrôler la localisation subcellulaire des kinases qu'elle solidarise.

La première protéine d'assemblage fut découverte par l'analyse génétique d'une cascade MAP kinase chez la levure. Cette protéine, **Ste5p**, fixe les constituants MKKK, MKK et MAPK de la voie et, *in vivo*, celle-ci est inactive en absence de la protéine d'assemblage. Il est clair que les interactions entre les kinases successives de cette cascade MAP kinase sont à elles seules insuffisantes pour la transmission du signal.

La protéine d'assemblage sans doute la mieux caractérisée chez les mammifères est **JIP-1** (pour « *J*NK *I*nteracting *P*rotein-1 »). JIP-1 (Fig. 19-41*a*) fixe simultanément **HPK1** (pour « *H*ematopoietic *P*rogenitor *K*inase-1 »), un analogue de Ras et donc une

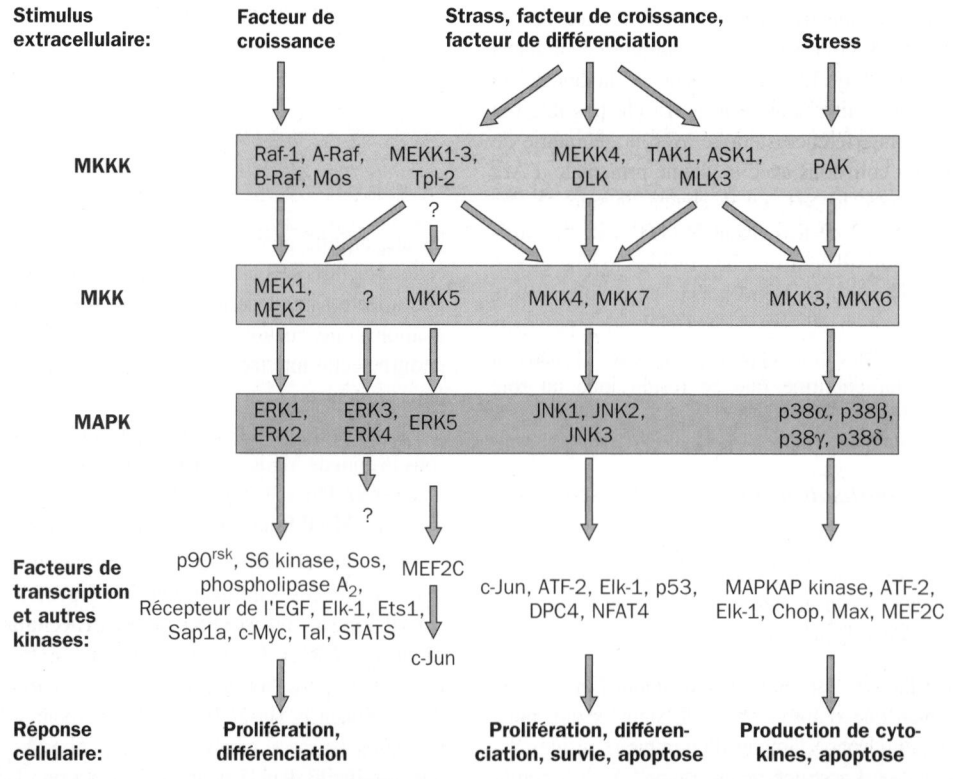

FIGURE 19-40 Cascades des MAP kinases dans les cellules de mammifère. Chacune de ces cascades comporte une MKKK, une MKK et une MAPK. Divers stimuli extérieurs peuvent chacun activer une ou plusieurs MKKK, lesquelles peuvent activer ensuite une ou plusieurs MKK. Cependant, les MKK sont asez spécifiques de leur MAPK cible. Les MAPK activées phosphorylent des facteurs de transcription spéci-

fiques (p. ex. **Elk-1, Ets1, p53, NFAT4, Max**) ainsi que des kinases spécifiques (p. ex. **p90^rsk, S6 kinase, MAPKAP kinase).** Les facteurs de transcription et kinases ainsi activés induisent alors des réponses cellulaires comme la prolifération, la différenciation et l'**apoptose** (mort cellulaire programmée ; Section 34-4C). [D'après Garrington, T.P. and Johnson, G.L., *Curr. Opin. Cell Biol.* **11,** 212, 1999).]

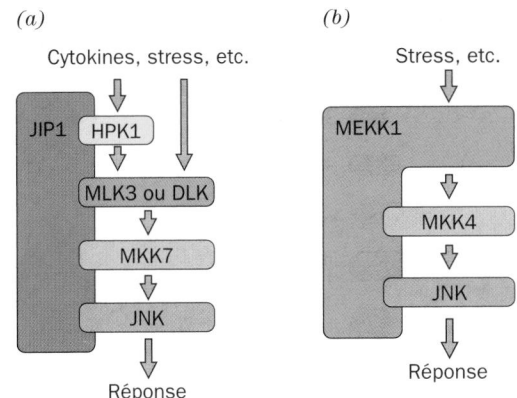

FIGURE 19-41 Exemples de protéines d'assemblage qui modulent des cascades de MAP kinases de mammifère. (*a*) JIP-1 sert de support à toutes les protéines qui constituent la cascade de MAP kinases dans laquelle HPK1 phosphoryle MKL3 ou DLK (des MKKK), qui à leur tour phosphoryle MKK7, laquelle phosphoryle JNK (une MAPK). (*b*) MEKK1 (une MKKK) est la kinase de MKK4 et se lie aussi à JNK, la MAPK cible de MKK4. [D'après Garrington, T.P. and Johnson, G.L., *Curr. Opin. Cell Biol.* **11**, 213, (1999).]

MKKK kinase (**MKKKK**) ; les MKKK **MLK3** et **DL3** ; **MKK7** ; et la MAPK **JNK** (pour « *J*un *N*-terminal *K*inase »). **MEKK1** est un type un peu différent de protéine d'assemblage (Fig. 19-41*b*) ; cette MKKK fonctionnelle fixe son substrat **MKK4** ainsi que le substrat de cette dernière, JNK.

Les protéine-kinases à Ser/Thr peuvent de même être accrochées à leur site d'action par des **protéines d'ancrage**. Par exemple, la PKA, qui participe à de nombreuses voies de signalisation parallèles, y compris celle qui régule le métabolisme du glycogène (Section 18-3), s'associe à plusieurs **protéines d'ancrage de la PKA** (**AKAP**) non apparentées. Les différentes AKAP, qui toutes se lient aux sous-unités régulatrices (R) de la PKA, adressent celle-ci vers différentes localisations subcellulaires (p. ex. vers des membranes vésiculaires ou plasmique ou vers des récepteurs particuliers). Les AKAP peuvent également se lier à d'autres protéines de signalisation (p. ex. PP1, la protéine-phosphatase qui enlève les groupements phosphate ajoutés par la PKA ; Section 18-3C).

b. Le facteur létal de l'anthrax scinde spécifiquement des MAPKK

L'**anthrax**, maladie infectieuse causée par la bactérie *Bacillus anthracis*, atteint principalement les herbivores tels que bovins, ovins et caprins. Cependant, il se transmet parfois à l'homme (mais pas entre personnes), auquel cas il est souvent mortel par choc septique (Section 19-1L) s'il n'est pas traité. Les spores de l'anthrax sont des armes de guerre biologique efficaces car leur inhalation provoque l'anthrax pulmonaire, forme quasi toujours fatale. En effet, lors de l'apparition des symptômes, les bactéries ont alors déjà libéré tellement de toxine que le traitement antibio-

tique, même s'il élimine la bactérie, ne peut plus empêcher l'évolution de la maladie.

La **toxine de l'anthrax** est constituée de trois protéines qui agissent de concert : l'**antigène protecteur** (**PA**), le **facteur létal** (**LF**) et le **facteur oedémateux** (**EF**). PA, qui doit son nom à son usage comme vaccin, est une protéine de 735 résidus à 4 domaines qui se lie à son récepteur de surface de la cellule hôte (protéine qui ne traverse qu'une fois la membrane) via son domaine C-terminal. Quasi tout le domaine N-terminal de PA est alors scindé et éliminé par une protéase de la surface cellulaire, après quoi les parties restantes de PA liées à la membrane forment des heptamères cycliques qui rappellent les pentamères cycliques formés par la toxine du choléra (Fig. 19-20). Le PA heptamérique fixe alors LF et/ou EF par leurs domaines homologues N-terminaux et assure leur captage dans la cellule par endocytose. De fait, l'administration intraveineuse des seuls PA et LF tue rapidement l'animal. EF est une adénylate cyclase activée par la calmoduline dont l'action perturbe l'homéostasie hydrique et qui est donc sans doute responsable de l'**oedème** (accumulation anormale de liquides intercellulaires) massif observé lors des infections cutanées par l'anthrax.

LF est une protéase monomérique de 776 résidus dont on ne connaît qu'une cible cellulaire : *elle scinde les membres de la famille des protéines MAPKK près de leur extrémité N-terminale de sorte à éliminer leurs séquences d'accostage pour les MAPK correspondantes situées en aval.* Ainsi, LF désorganise les voies de transduction du signal auxquelles ces protéines participent. Cependant, l'infection par l'anthrax atteint principalement les macrophages, une sorte de globules blancs (les souris dont les macrophages ont été éliminés du sang résistent à l'anthrax). De faibles concentrations de LF, comme on rencontre aux stades précoces de l'infection, scindent MAPKK3, ce qui empêche les macrophages de libérer, mais pas de synthétiser, les médiateurs inflammatoires que sont le NO (Section 19-1L) et le **facteur de nécrose des tumeurs**-α (**TNF**-α ; une cytokine dont les effets sont opposés de ceux de la plupart des facteurs de croissance protéiques et qui est le principal responsable de la cachexie observée lors des infections chroniques). Ceci a pour effet de réduire et/ou de retarder la réponse immunitaire. Au contraire, de hautes concentrations de LF, comme on rencontre aux stades tardifs de l'infection, déclenchent la lyse des macrophages, avec libération brusque de NO et de TNF-α, ce qui explique sans doute le choc septique massif qui entraîne la mort.

E. *Récepteurs associés à une tyrosine-kinase*

Un grand nombre de récepteurs de surface ne sont pas membres des familles de récepteurs que nous venons de voir et ne répondent pas à la fixation d'agonistes par une autophosphorylation. Ils comprennent les récepteurs de l'hormone de croissance (Fig. 19-9), des cytokines, des **interférons** (qui assurent la défense contre les infections virales ; Section 32-4A), et les **récepteurs des cellules T** [qui contrôlent la prolifération de cellules du système immunitaire appelées lymphocytes T (cellules T) ; Section 35-2D]. *La fixation du ligand à ces récepteurs associés à une tyrosine-kinase induit leur dimérisation (et dans certains cas, leur trimérisation), avec des types de sous-unités souvent différents et d'une manière qui active une tyrosine-kinase non-récepteur associée (NRTK).* L'organisation des domaines des

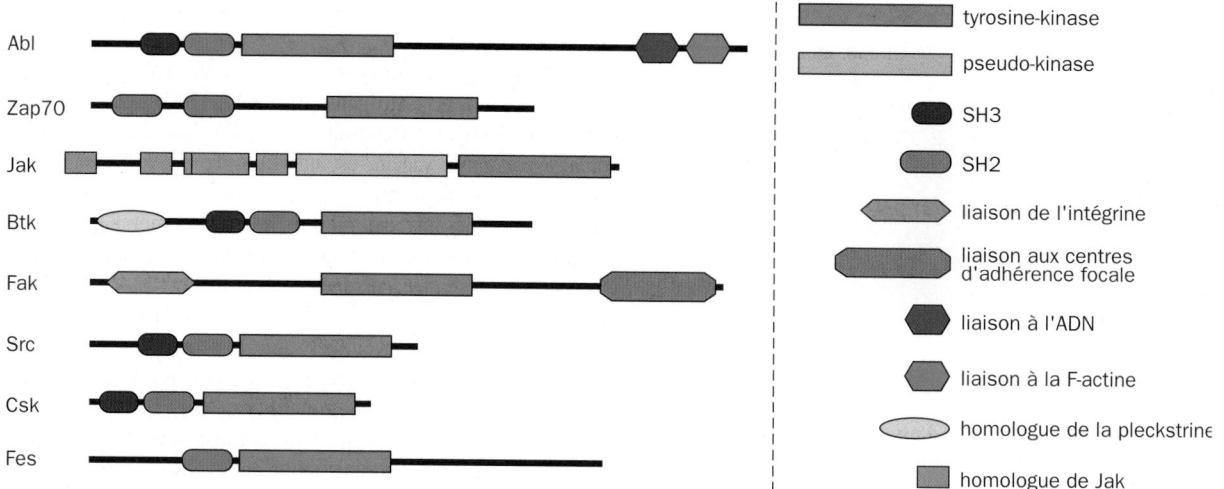

FIGURE 19-42 Disposition des domaines des principales sous-familles de NRTK. Les extrémités N-terminales de ces polypeptides, représentés approximativement à l'échelle, sont à gauche et l'identité des domaines est donnée à la droite du schéma. [Avec la permission de Stevan Hubbard, New York University School of Medicine.]

principales sous-familles des NRTK est schématisée dans la Fig. 19-42.

a. La structure de Src révèle son mécanisme auto-inhibiteur

Beaucoup de ces NRTK qui sont activées par des récepteurs associés à des tyrosine-kinases sont membres de la **famille des Src**, qui comprennent au moins neuf membres dont Src, Fyn et Lck. La plupart de ces protéines d'environ 500 résidus et qui sont ancrées dans la membrane (par myristoylation) contiennent des domaines SH2 et SH3 ainsi qu'un domaine PTK. Ainsi, une kinase de la famille des Src peut aussi être activée par association avec un RTK autophosphorylé. Bien que les kinases apparentées à Src soient chacune associées à des récepteurs différents, elles phosphorylent des assortiments en partie superposables de protéines cibles. Ce réseau complexe d'interactions explique pourquoi des ligands différents activent souvent les mêmes voies de signalisation.

Comme le montre la Fig. 19-42, Src est constituée, de l'extrémité N- à l'extrémité C-terminale, d'un domaine myristoylé N-terminal particulier différent pour chaque membre de la famille, d'un domaine SH3, d'un domaine SH2, d'un domaine PTK et d'une courte queue C-terminale. La phosphorylation de Tyr 416 dans la boucle d'activation de la PTK active Src, alors que la phosphorylation de Tyr 527 dans sa queue C-terminale la désactive. *In vivo*, Src est phosphorylée soit sur Tyr 416, soit sur Tyr 527, pas les deux à la fois. La déphosphorylation de Tyr 527 ou la liaison de ligands externes au domaine SH2 ou au domaine SH3 active Src, un état qui est ensuite maintenu par autophosphorylation de Tyr 416. Lorsque Tyr 527 est phosphorylée et en absence de phosphopeptide activateur, les domaines SH2 et SH3 de Src désactivent son domaine PTK, autrement dit Src s'auto-inhibe.

La structure par rayons X de Src · ADPNP sans son domaine N-terminal et avec sa Tyr 527 phosphorylée, déterminée par Stephen Harrison et Michael Eck, révèle la base structurale de l'auto-inhibition de Src (Fig. 19-43). Comme l'avaient montré des études biochimiques, le domaine SH2 se lie à phos-

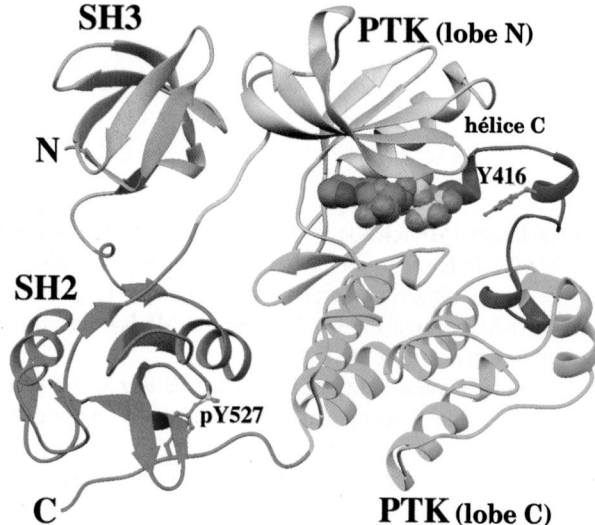

FIGURE 19-43 Structure par rayons X de Src · ADPNP sans son domaine N-terminal et où Tyr 527 est phosphorylée. Le domaine SH3 est en orange et le domaine SH2 en magenta. Le bras qui relie le domaine SH2 au domaine PTK est en vert, avec son hélice polyproline II de 5 résidus en doré. Le lobe N-terminal du domaine PTK est en rose, le lobe C-terminal est en bleu-vert avec sa boucle d'activation en bleu clair, et la queue C-terminale est en rouge. L'ADPNP est représenté en modèle compact, et Y 416 et pY 527 sont en boules et bâtonnets, avec C en vert, N en bleu, O en rouge et P en jaune. [Basé sur une structure par rayons X due à Stephen Harrison et Michael Eck, Harvard Medical School. PDBid 2SRC.]

phoTyr 527, qui se trouve au sein de la séquence pYNPG plutôt que de la séquence pYEEI typique des peptides cibles de haute affinité pour le SH2 de Src. Bien que le segment pYNP se fixe au SH2 comme le fait le segment pYEE dans la Fig. 19-31*b*, les résidus qui suivent sont désorganisés dans la structure par rayons X et, de plus, la poche SH2 dans laquelle se lie la chaîne latérale de l'Ile de pYEEI est inoccupée. Apparemment, le segment peptidique contenant la phosphoTyr 527 se lie au domaine SH2 de Src avec une affinité réduite par rapport à ses peptides cibles.

Le domaine SH3 se fixe au bras qui relie ce domaine au lobe N-terminal du domaine PTK. Les résidus 249 à 253 de ce bras forment une hélice II polyproline qui se lie au domaine SH3 comme le font les petides cibles, riches en proline, des SH3 (Fig. 19-33). Cependant, la seule Pro de ce segment est le résidu 250. La chaîne latérale polaire de Gln 253, qui occupe la position de la seconde Pro dans la séquence cible normale des SH3, Pro-X-X-Pro, n'entre pas dans la poche de liaison hydrophobe qui serait occupée par cette seconde Pro (Fig. 19-33), d'où une déviation du peptide par rapport aux peptides cibles riches en proline. Apparemment, cette interaction est également plus faible que celle des peptides cibles avec le SH3 de Src.

Les domaines SH2 et SH3 de Src se lient du côté opposé à celui du site actif du domaine PTK. Dans ce cas, comment la conformation montrée à la Fig. 19-43 peut-elle inhiber l'activité PTK ? Les deux lobes du domaine PTK de Src sont en grande partie superposables à ceux du domaine PTK de Lck (un membre de la famille Src) phosphorylée et donc activée, et à la sous-unité C de la PKA activée (Fig. 18-14). Cependant, l'hélice C de Src (la seule hélice du lobe N-terminal de la PTK) est déplacée de l'interface entre les lobes N- et C-terminaux par rapport aux hélices correspondantes dans Lck et PKA. L'hélice C contient le résidu conservé Glu 310 (dans la numérotation de Src) qui, dans Lck et PKA activées, se projette dans la fente catalytique où il forme un pont salin avec Lys 295, ligand important des groupements phos-

phate en α et en β du substrat, l'ATP. Cependant, dans Src inactive, Glu 310 forme un autre pont salin, ici avec Arg 385, tandis que Lys 295 interagit avec Asp 404. Dans Lck activée, Arg 385 établit un pont salin avec PhosphoTyr 416.

Les observations structurales qui précèdent suggèrent que Src s'active selon le scénario suivant (Fig. 19-44) :

1. La déphosphorylation de Tyr 527 et/ou la liaison des domaines SH2 et/ou SH3 à leurs peptides cibles (pour lesquels SH2 et SH3 ont une affinité plus élevée que pour leurs sites internes dans Src) libère ces domaines de leur liaison à la PTK montrée à la Fig. 19-43, ce qui relâche les contraintes conformationnelles imposées au domaine PTK. Ceci permet l'ouverture de la fente du site actif de la PTK, ce qui désorganise la structure de la boucle d'activation partiellement hélicoïdale (laquelle occupe une position bloquante dans la fente du site actif ; Fig. 19-43) de manière à exposer Tyr 416 à l'autophosphorylation.

2. La phosphoTyr 416 résultante forme un pont salin avec Arg 385, ce qui exige, pour des raisons stériques, la réorganisation structurale de la boucle d'activation dans sa conformation active, non bloquante. Il s'en suit une rupture du pont salin Glu 310—Arg 385, permettant ainsi à l'hélice C d'adopter son orientation active qui, à son tour, permet à Glu 310 de former son pont salin, important pour la catalyse, avec Lys 295, ce qui active l'activité PTK de Src.

Le mécanisme ci-dessus dépend, de manière peut-être inattendue, de la rigidité du bras de 8 résidus qui unit les domaines SH2 et SH3. Ainsi, si l'on remplace trois de ces résidus par Gly (dont

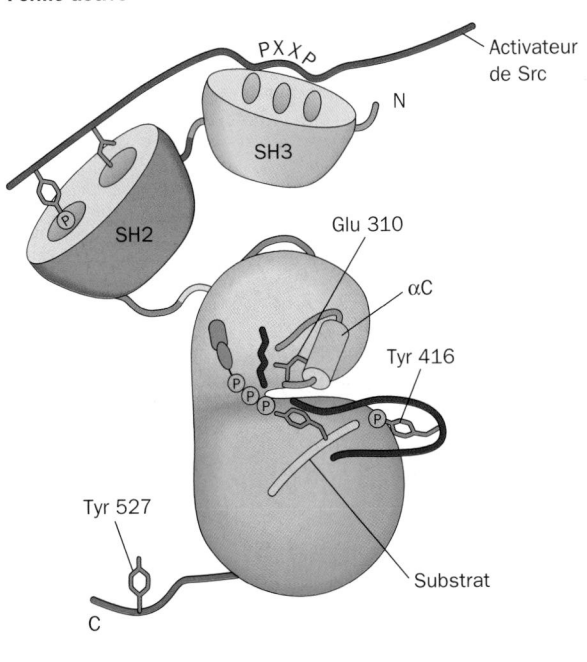

Forme auto-inhibée

Forme active

FIGURE 19-44 Modèle schématique de l'activation de Src. Les explications sont données dans le texte. Le code couleurs et le point de vue sont comme dans la Fig. 43. [D'après Young, M.A., Gonfloni, F., Superti-Furga, G., Roux, B., and Kuriyan, J., *Cell* **105,** 115 (2001).]

l'absence d'atome C_β en fait le résidu le plus libre au plan conformationnel), Src n'est plus désactivée par la phosphorylation de Tyr 527. Ceci est corroboré par des simulations de dynamique moléculaire (Section 9-4) montrant que les mouvements thermiques des domaines SH2 et SH3 sont en étroite corrélation (ils se déplacent comme un seul bloc) lorsque Tyr 527 est phosphorylée mais que cette corrélation est perdue quand Tyr 527 est déphosphorylée ou quand Gly remplace les trois résidus du bras.

b. La voie JAK-STAT relaie les signaux des cytokines

Comme l'a montré James Darnell, le signal émis par la liaison de certaines cytokines au récepteur correspondant est transmis à l'intérieur de la cellule par la **voie JAK-STAT.** Les récepteurs des cytokines forment des complexes avec des protéines d'une famille de NRTK, celle des **Janus kinases (JAK)**, ainsi appelée car chacun de ses quatre membres (1150 résidus environ) (**JAK1, JAK2, JAK3 et Tyk2**) possède deux domaines PTK (Janus est le dieu romain à deux visages des portes et des passages), bien que seul le domaine C-terminal soit fonctionnel

(Fig. 19-42). Les **STAT** (pour « *S*ignal *T*ransducers and *A*ctivators of *T*ranscription ») comprennent une famille de sept protéines d'environ 800 résidus et sont les seuls facteurs de transcription connus dont les activités sont régulées par phosphorylation sur Tyr et qui possèdent un domaine SH2.

La voie JAK-STAT fonctionne comme schématisé à la Fig. 19-45 :

1. La fixation du ligand provoque la dimérisation (parfois la trimérisation, voire la tétramérisation) du récepteur de cytokine.

2. Ceci rapproche les deux JAK associées au récepteur, moyennant quoi elles se phosphorylent l'une l'autre et phosphorylent les molécules de récepteur associées, ce qui rappelle l'autophosphorylation des RTK dimérisés (Section 19-3A). Noter que, contrairement à la plupart des NRTK, les JAK n'ont ni domaine SH2 ni domaine SH3.

3. Les STAT se lient, via leur domaine SH2, au groupement phosphoTyr du récepteur activé correspondant et sont alors phosphorylés, sur un résidu Tyr conservé, par la JAK qui leur est associée.

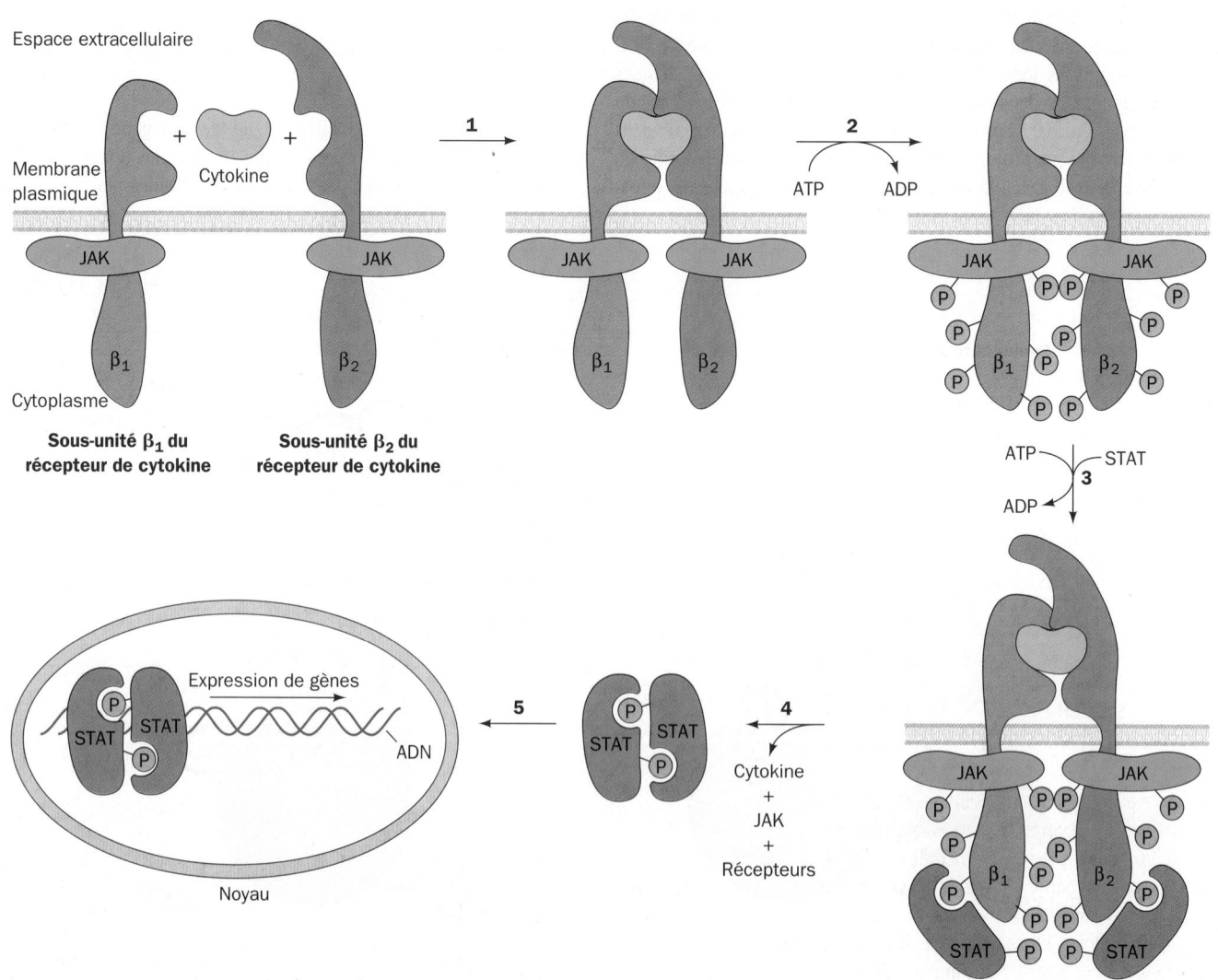

FIGURE 19-45 La voie JAK-STAT du relais intracellulaire de la signalisation par les cytokines. Voir le texte pour les détails. [D'après

Carpenter, L.R., Yancopoulos, G.D., and Stahl, N., *Adv. Protein Chem.* **52,** 109, (1999).]

4. Après leur dissociation du récepteur, les STAT phosphorylés homo- ou hétérodimérisent par association de leur résidu phosphoTyr au domaine SH2 de la sous-unité opposée.

5. Les dimères STAT passent alors dans le noyau où, en tant que facteurs de transcription à présent fonctionnels, ils induisent l'expression de leurs gènes cibles, comme le font les facteurs de transcription phosphorylés par les MAPK (Fig. 19-38).

c. Les PTK sont des cibles de médicaments anticancéreux

La caractéristique de la **leucémie myéloïde chronique (CML)** est une translocation chromosomique spécifique (Section 34-4C) qui forme ce qu'on appelle le **chromosome de Philadelphie** où le gène *Abl* (qui code la NRTK Abl) est fusionné avec le gène *Bcr* (qui code la Ser/Thr protéine-kinase **Bcr**). La partie Abl de la protéine de fusion Bcr-Abl est activée constitutivement (en continu, sans régulation), probablement suite à l'oligomérisation de la partie Bcr. Les cellules souches hématopoïétiques (dont descendent toutes les cellles sanguines) porteuses du chromosome de Philadelphie sont donc susceptibles de donner lieu à une CML (la transformation cancéreuse suppose plusieurs modifications génétiques indépendantes ; Section 19-3B). À moins d'une transplantation de moelle osseuse (opération risquée qu'on ne peut proposer qu'à peu de patients faute de donneurs compatibles), la CML est toujours fatale dans les 6 ans environ.

On s'attendrait à ce qu'un inhibiteur d'Abl prévienne la prolifération des cellules CML, ou même les tue. Cependant, un agent anti-CML efficace ne peut inhiber d'autres protéine-kinases, en raison des graves effets secondaires possibles. Des dérivés de la 2-phénylaminopyrimidine se lient à Abl avec une affinité et une spécificité exceptionnelles. Un de ces dérivés, le **gleevec** (ou **glivec** ou **STI-571**),

Gleevec (STI-571)

mis au point par Brian Drucker et Nicholas Lyndon, entraîne la rémission des symptômes, pratiquement sans effets indésirables, chez 96 % des patients souffrant de CML. Ce succès sans précédent est en partie dû au fait que le gleevec est quasi inactif vis-à-vis d'autres PTK (sauf le récepteur du PDGF) et des Ser/Thr protéine-kinases. Il s'agit là du premier inhibiteur de protéine-kinase approuvé comme médicament par la FDA (l'approbation n'ayant pris que 3 ans, on ignore cependant si le gleevec prolonge en fait la vie de ces patients).

Abl ressemble à Src (Fig. 19-42), mais ne possède pas le site de phosphorylation régulateur C-terminal de Src (Fig. 19-43 et 19-44). La structure par rayons X du domaine PTK d'Abl complexé à une forme tronquée de gleevec,

déterminée par John Kuriyan (Fig. 19-46), montre, comme attendu, que la forme tronquée de gleevec se fixe au site de liaison de l'ATP sur Abl [le groupement pipérazinyl enlevé ici au gleevec

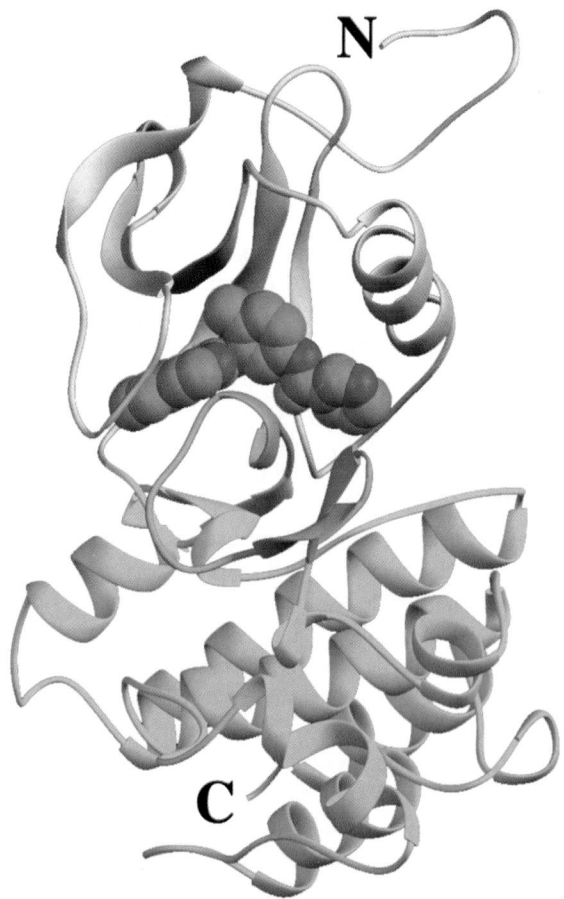

FIGURE 19-46 Structure par rayons X du complexe entre le domaine PTK d'Abl et un dérivé tronqué du gleevec. La protéine est observée de la droite de la vue « standard » des protéine-kinases (p. ex. Fig. 19-26*a* et 19-43), avec son lobe N-terminal en rose, son lobe C-terminal en bleu-vert, et sa boucle d'activation en bleu clair. Le gleevec tronqué, qui occupe le site de fixation de l'ATP sur la PTK, est représenté en modèle compact, avec C en vert, N en bleu, et O en rouge. [Basé sur une structure par rayons X due à John Kuriyan, The Rockefeller University. PDBid 1FPU.]

n'influence pas sa spécificité pour sa cible, mais augmente sa solubilité et sa biodisponibilité (Section 15-4B) ; il se lie probablement dans un sillon accessible au solvant à l'arrière d'Abl]. Abl adopte ainsi une conformation inactive dans laquelle sa boucle d'activation, qui n'est pas phosphorylée, mimerait la manière dont les substrats peptidiques se lient aux PTK (telles que le récepteur insulinique ; Fig. 19-26a) ; autrement dit, la boucle d'activation adopte une conformation auto-inhibitrice. Par conséquent, l'extrémité N-terminale de la boucle d'activation, où l'on trouve la séquence très conservée Asp-Phe-Gly (dont la chaîne latérale de Asp, dans la PTK active, fixe un ion Mg^{2+} essentiel à la catalyse) prend une conformation très différente de celle observée dans la structure par rayons X de la forme inactive d'Abl ou Src (Fig. 19-43) car cette dernière empêcherait la liaison du gleevec. Ceci suggère que d'autres inhibiteurs efficaces en clinique peuvent être mis au point en exploitant de subtiles différences de conformation entre les protéine-kinases.

F. *Protéine-phosphatases*

Comme nous l'avons déjà discuté (Section 19-2E), pour qu'un système de signalisation intracellulaire ne reste pas bloqué en position « ouverte », ses signaux doivent être rapidement éliminés une fois le message transmis. Pour les protéines porteuses de résidus phosphoTyr ou phosphoSer/Thr, cette tâche est dévolue à des protéine-phosphatases dont environ 500 sont codées par le génome humain (contre environ 2000 protéine-kinases).

a. Des protéines tyrosine-phosphatases interviennent également dans la transduction du signal

Les enzymes qui déphosphorylent les résidus Tyr, les protéines **tyrosine-phosphatases** (PTP) (littéralement : phosphatases de protéines sur tyrosine), ne sont pas de simples enzymes « domestiques », mais bien des transducteurs de signaux. Découvertes par Nicholas Tonks, elles forment une grande famille de protéines différentes qui sont présentes chez tous les eucaryotes. Chaque PTP contient au moins un domaine phosphatase conservé, d'environ 240 résidus, et qui comporte une séquence de onze acides aminés (I/V)HCXAGXGR(S/T)G, dite motif CX_5R qui comprend les résidus Arg et Cys impliqués dans la catalyse. Celle-ci implique l'attaque nucléophile menée par le groupement thiolate de Cys sur l'atome P de phosphoTyr pour donner Tyr et une intermédiaire cystéinyl phosphate qui est ensuite hydrolysé.

Les PTP ont été classées en trois groupes : (1) les PTP servant de récepteurs, (2) les PTP intracellulaires et (3) les PTP à double spécificité qui peuvent aussi déphosphoryler les résidus phospho-Ser/Thr. La composition des PTP servant de récepteurs ressemble à celle des RTK (Fig. 19-23) ; en allant de l'extrémité N- à C-terminale, on trouve un domaine extracellulaire constitué de modules répétés souvent multiples, également présents dans d'autres protéines, une unique hélice transmembranaire, et un domaine cytoplasmique comportant un domaine PTP catalytiquement actif suivi, dans la plupart des cas, d'un second domaine PTP n'ayant que peu ou pas d'activité catalytique. Ces domaines PTP inactifs sont cependant hautement conservés, ce qui suggère une fonction importante, mais toujours inconnue. Peut-être servent-ils de sites auxiliaires de fixation du substrat. D'après des études biochimiques et structurales, la dimérisation des PTP servant de récepteurs, induite par le ligand, réduit leur activité catalytique, sans doute par blocage du site actif. Les PTP intracellulaires ne possèdent qu'un seul domaine PTP, flanqué de régions contenant des motifs, comme des domaines SH2, qui participent à des interactions protéine-protéine. Des études structurales montrent que les sites actifs des PTP servant de récepteurs et des PTP intracellulaires sont trop profonds pour fixer les chaînes latérales phospho-Ser/Thr (nous avons vu que c'est aussi le cas des PTK et des domaines SH2 ; Sections 19-3A et 19-3C). Cependant, les poches des sites actifs des PTP à double spécificité sont suffisamment peu profonds pour fixer aussi bien les résidus phosphoTyr que phosphoSer/Thr.

b. SHP-2 est inactivée par fixation de son propre domaine SH2 N-terminal inoccupé

La PTP cytoplasmique **SHP-2** (aussi appelée **SH-PTP2**), présente dans toutes les cellules de mammifères, se lie aux PTK qui sont activées par une variété de ligands, comme les cytokines, les facteurs de croissance et les hormones. Cette protéine de 591 résidus est constituée de deux domaines SH2 en tandem, suivis d'un domaine PTP et d'une queue C-terminale de 66 résidus qui contient des sites de phosphorylation sur Tyr et un segment riche en proline pouvant fixer des protéines à domaine SH3 ou WW. L'activité PTP de SHP-2 augmente d'environ 10 fois lors de la liaison de peptides comportant un seul résidu phosphoTyr, et d'environ 100 fois s'ils comportent deux phosphoTyr et ce à concentration beaucoup plus basse en peptide. SHP-2 se lie via son domaine SH2 à des récepteurs pour des facteurs de croissance ou des cytokines et, lorsque sa queue C-terminale est phosphorylée, elle peut servir d'adaptateur pour recruter Grb2 de manière à activer la voie des MAP kinases.

La structure par rayons X de SHP-2 dépourvue de sa queue C-terminale (Fig. 19-47), déterminée par Eck et Steven Shoelson, montre que le domaine SH2 N-terminal (N-SH2) interagit largement avec le domaine PTP. Le N-SH2 inhibe l'activité PTP en insérant sa boucle D'E loin à l'intérieur de la crevasse catalytique (9 Å de profondeur) de la PTP, où cette boucle interagit avec les résidus catalytiques Arg et Cys de la PTP et empêche la fermeture du site actif telle qu'on l'observe dans la structure par rayons X de la PTP complexée à un phosphopeptide. Au contraire, le domaine SH2 du côté C-terminal (C-SH2) n'a d'interface ni avec le N-SH2 ni avec le domaine PTP.

Les sites de liaison des phosphopeptides sur les deux domaines SH2 se trouvent loin du domaine PTP et sont donc complètement exposés à la surface de la protéine. Cependant, si l'on compare la structure du N-SH2 complexé à un phosphopeptide avec celle qu'il adopte au sein de la forme auto-inhibée de SHP-2 ci-dessus, on constate que, dans cette dernière, N-SH2 prend une conformation incompatible avec la fixation d'une phosphoTyr. De tout évidence, les conformations de la surface de liaison pour PTP dans N-SH2 et du site de liaison des phosphopeptides établissent une relation allostérique telle que les liaisons de PTP et d'un phosphopeptide sont mutuellement exclusives. Le domaine C-SH2 ne participe pas à l'activation de la

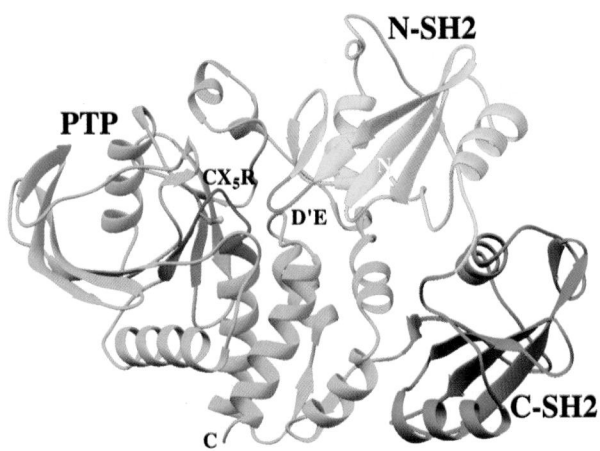

FIGURE 19-47 Structure par rayons X de la protéine tyrosine-phos-phatase SHP-2. Dans cette structure, son domaine N-SH2 est en doré avec sa boucle D'E en rouge, son domaine C-SH2 est en vert, et son domaine PTB est en bleu-vert, avec sa séquence signature de 11 résidus (le motif CX_5R) en bleu, et la chaîne latérale de son résidu Cys essentiel à la catalyse représenté en boules et bâtonnets avec C en vert et S en jaune. [Basé sur une structure par rayons X due à Michael Eck et Stephen Shoelson, Harvard Medical School. PDBid 2SHP.]

PTP, bien qu'il contribue presque certainement à l'énergie et à la spécificité de liaison des phosphopeptides.

c. La virulence de la peste bubonique requiert une PTP

Les bactéries ne possèdent point de PTK et ne synthétisent donc pas de résidus phosphoTyr. Cependant, on trouve des PTP chez les bactéries du genre *Yersinia*, notamment *Yersinia pestis*, l'agent pathogène de la **peste bubonique** (la « Mort Noire », transmise par les puces, dont on estime le nombre de victimes à 200 millions depuis le sixième siècle, y compris environ un tiers de la population européenne entre 1347 et 1350). La PTP de *Y. Pestis*, **YopH**, qui est nécessaire au caractère virulent de la bactérie, est de loin plus active que les autres PTP connues. Ainsi, lorsque *Yersinia* injecte YopH dans une cellule, les protéines de celle-ci contenant des phophoTyr sont déphosphorylées de manière catastrophique. Bien que YopH ne présente qu'environ 15 % d'identité de séquence avec les PTP de mammifère, elle possède tous leurs résidus conservés et a une structure par rayons X très semblable à celles-ci. Ceci suggère l'acquisition, par une *Yersinia* ancestrale, d'un gène PTP d'eucaryote. Cependant, la découverte d'une protéine-phosphatase à double spécificité chez une cyanobactérie indépendante de tout organisme évoque la possibilité que les PTP soient apparues avant la séparation des eucaryotes et des procaryotes.

d. Les cellules contiennent plusieurs types de Ser/Thr-phosphatases

Les protéines Ser/Thr-phosphatases (littéralement : phosphatases de protéines sur Ser/Thr) furent caractérisées par Earl Sutherland (qui découvrit le rôle de second messager de l'AMPc ; Section 18-3E) et par Edmond Fischer et Edwin Krebs (qui

découvrirent le rôle de la phosphorylation des protéines dans le contrôle du métabolisme du glycogène ; Section 18-3C). La majorité de ces enzymes appartiennent à deux familles de protéines : la **famille des PPP**, qui comprend **PP1**, **PP2A** et **PP2B** (PP pour *phophoprotein phosphatase*) et la **famille PPM**, représentée par **PP2C**. Ces familles ne sont apparentées ni l'une à l'autre ni aux PTP. Nous avons déjà traité de PP1 en parlant du rôle de sa sous-unité catalytique PP1c qui déphosphoryle les protéines de régulation du métabolisme du glycogène, et des rôles de ses sous-unités d'adressage G_M et G_L qui fixent PP1c au glycogène dans la muscle et dans le foie (Section 18-3C). En fait, toutes les PP1c sont associées à une ou deux sous-unités régulatrices (R) qui modulent l'activité de la PP1c liée, la dirigent vers des substrats localisés dans des endroits particuliers de la cellule ou modifient leur spécificité de substrat. C'est la grande diversité de sous-unités R qui permet au petit nombre (1-8) de PP1c génétiquement distinctes mais très semblables (environ 90 % d'identité de séquence) des cellules eucaryotes d'exercer leurs multiples fonctions.

Les structures par rayons X ont montré que les centres catalytiques des PPP contiennent chacun un ion Fe^{2+} (ou peut-être Fe^{3+}) et un ion Zn^{2+} (ou peut-être Mn^{2+}), alors que les centres catalytiques des PPM contiennent chacun deux ions Mn^{2+}. Ces centres binucléés à ions métalliques activent, par attaque nucléophile, des molécules d'eau à déphosphoryler le substrat en une seule étape réactionnelle.

e. PP2A varie quant à sa structure et ses fonctions

PP2A participe à un grand nombre de processus régulateurs différents, dont certains gouvernent le métabolisme, la réplication de l'ADN, la transcription, et le développement. Elle comporte trois sous-unités différentes :

1. Une sous-unité catalytique (C), dont le domaine catalytique, N-terminal, contient le cœur catalytique commun (environ 280 résidus) à touts les membres de la famille PPP. Son domaine régulateur C-terminal contient un site activateur qui fixe le complexe Ca^{2+}–calmoduline, un site de phosphorylation sur Tyr inactivateur qui est la cible de diverses PTK dont les récepteurs de l'EGF et de l'insuline, et une queue C-terminale auto-inhibitrice.

2. Une sous-unité d'assemblage (A ; aussi appelée PR65), à laquelle la sous-unité C est étroitement associée dans la cellule.

3. Une sous-unité régulatrice parmi quatre possibles (B, B', B'', B'''), qui se lie aux sous-unités A et C.

Toutes les sous-unités de PP2À présentent de multiples isoformes et des variantes d'épissage qui sont exprimées différemment en fonction du tissu et du stade de développement, ce qui donne une panoplie d'enzymes ayant pour cible différentes phosphoprotéines dans des sites subcellulaires distincts. Cette complexité explique le caractère limité de notre compréhension de la manière dont PP2A exerce ses fonctions cellulaires, même si elle représente entre 0,3 et 1 % des protéines cellulaires.

Les structures par rayons X des sous-unités B ou C de la PP2A n'ont pas encore été publiées (bien qu'on s'attende à ce que le cœur catalytique de la sous-unité C ressemble à ceux des autres protéines PPP dont les structures sont connues). Cependant, la structure par rayons X de sa sous-unité A (Fig. 19-48), déterminée par David Barford, montre un étonnant solénoïde constitué de 15 répétitions en tandem presque parfaites d'une

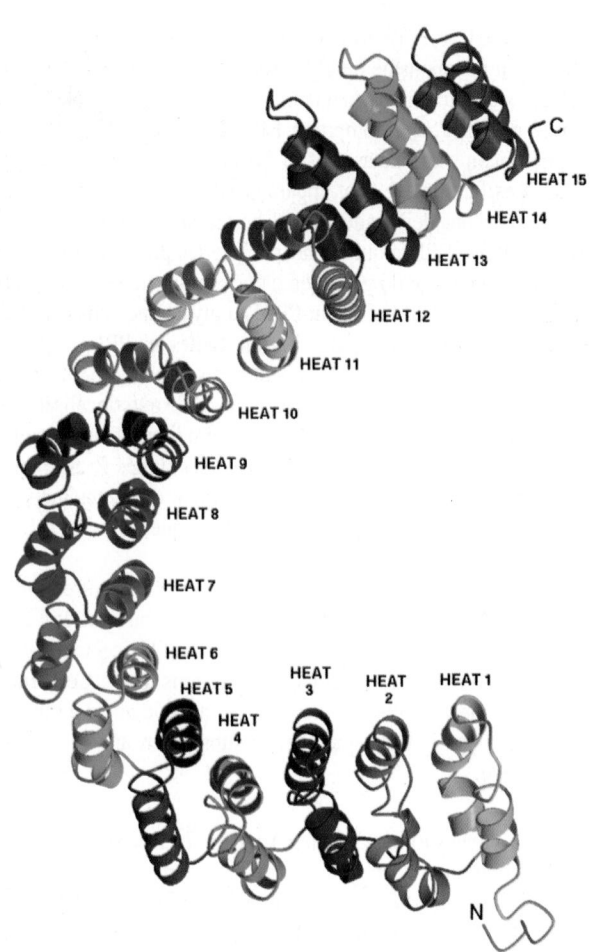

FIGURE 19-48 Structure par rayons X de la sous-unité A de PP2A. Chacune de ses répétitions HEAT est de couleur différente. Comparer cette structure à celle de IκBα (Fig. 12-38), qui forme un solénoïde de pas à droite constitué de répétitions ankyrine. [Avec la permission de Bostjan Kobe, St. Vincent's Institute of Medical Research, Fitzroy, Victoria, Australia. Structure par rayons X due à David Barford, University of Oxford, U.K. PDBid 1B3U.]

séquence de 39 résidus appelée HEAT (car on la trouve dans les protéines *H*untingtin, *E*F3, la sous-unité *A* de PP2A et *T*OR1). Les éléments HEAT successifs, qui comportent chacun deux hélices antiparallèles unies par un bras court, s'empilent l'un sur l'autre avec leurs hélices correspondantes quasi parallèles, pour donner une superhélice (hélice d'hélices) de pas à droite d'environ 100 Å de long en forme de crochet. Des études de mutagenèse consistant à éliminer des éléments HEAT particuliers ont montré que les éléments 11 à 15 sont nécessaires et suffisants pour fixer la sous-unité C de PP2A, tandis que les sous-unités B se lient aux éléments 1 à 10. On pense que ces sous-unités se fixent à une crête de chaînes latérales hydrophobes conservées sur la face concave de la sous-unité A.

f. PP2B est la cible de médicaments immunosuppresseurs

PP2B, aussi connue sous le nom de **calcineurine (CaN)**, est un cas unique parmi les Ser/Thr-phosphatases dans la mesure où elle est activée par le Ca^{2+}. CaN est un hétérodimère comportant une sous-unité catalytique A (CaNA) et une sous-unité régulatrice B (CaNB). CaNA contient un domaine catalytique N-terminal suivi d'un domaine de liaison de CaNB, d'un domaine de liaison de la calmoduline (CaM), et d'un segment auto-inhibiteur C-terminal. CaNB, qui présente 35 % d'identité de séquence avec la CaM, fixe 4 ions Ca^{2+} via ses 4 mains EF (Section 18-3C). CaN est activée par la liaison du Ca^{2+} à CaNB et du complexe Ca^{2+}–CaM à CaNA.

La calcineurine joue un rôle essentiel dans la prolifération de cellules *T* induite par les antigènes. Comme nous le verrons dans la Section 35-2D, la liaison d'un peptide antigénique à un **récepteur des cellules *T***, récepteur associé à une tyrosine-kinase, déclenche une suite complexe d'étapes de signalisation impliquant Lck et Fyn (deux PTK de type Src), une cascade MAP kinase, et la cascade des phospho-inositides (Section 19-4C), qui aboutit notamment à la libération de Ca^{2+} dans le cytosol. Le Ca^{2+} à son tour stimule CaN à déphosphoryler le facteur de transcription **NFAT$_p$** (pour *n*uclear *f*actor of *a*ctivated *T* cells). NFAT$_p$ en complexe avec CaN passe alors dans le noyau où, en collaboration avec d'autres facteurs de transcription, il induit certaines des étapes précoces de la prolifération des cellules *T*.

Comme vu dans la Section 9-2B, les substances fongiques **cyclosporine A (CsA)** et **FK506** sont des immunosuppresseurs très efficaces utilisés en clinique pour empêcher le rejet de greffe et pour traiter des maladies auto-immunes (phénomènes qui font intervenir les cellules *T*). CsA et FK506 se lient respectivement aux peptidyl-prolyl cis-trans isomérases (rotamases) **cyclophiline** et **protéine de liaison de FK506 (FKBP12),** qui sont dès lors regroupées sous le vocable d'**immunophilines.** Cependant, CsA et FK506 sont des immunosuppresseurs efficaces à concentration bien inférieure à celle des immunophilines. Ceci suggère que ce sont les complexes cyclophiline • CsA et FKBP12 • FK506 eux-mêmes, plutôt que l'inhibition de leur activité rotamase, qui interfère avec la prolifération des cellules *T*. C'est en fait la fixation de l'un ou l'autre de ces complexes à CaN qui l'empêche de déphosphoryler NFAT$_p$ et supprime ainsi la prolifération des cellules *T*.

Les structures par rayons X du complexe des protéines bovines FKBP12 • FK506 , due à Manuel Navia, et du complexe humain correspondant, due à Ernest Villafranca, révèlent comment le complexe FKBP12 • FK506 se lie à CaN (Fig. 19-49*a*). Le domaine catalytique de CaNA, avec son centre binucléé Fe^{2+}–Zn^{2+} dans le site actif, ressemble à ceux des autres protéines Ser/Thr-phosphatases de structure connue. Une hélice α de 22 résidus à l'extrémité C-terminale de ce domaine phosphatase, qui se projette jusqu'à 40 Å en dehors de ce domaine phosphatase, constitue la majeure partie du site de liaison pour CaNB. Au delà de cette hélice, la partie C-terminale de CaNA, qui contient le site de liaison de la CaM et le segment auto-inhibiteur, n'est pas visible en raison du désordre. Cependant, dans la structure par rayons X de CaN isolée (Fig. 19-49*b*), on voit le segment auto-inhibiteur se lier dans le site actif de CaNA, bloquant ainsi l'accès aux substrats phosphoprotéiques. La structure de CaNB, à laquelle sont liés 4 ions Ca^{2+}, ressemble à celle de Ca^{2+}–CaM complexée à un peptide cible hélicoïdal (Fig. 18-18), sauf que les deux domaines globulaires de CaNB sont du même côté du peptide lié plutôt que du côté opposé comme dans Ca^{2+}–CaM. Ainsi, CaNB forme un sillon continu dans lequel se lie l'hélice CaNA.

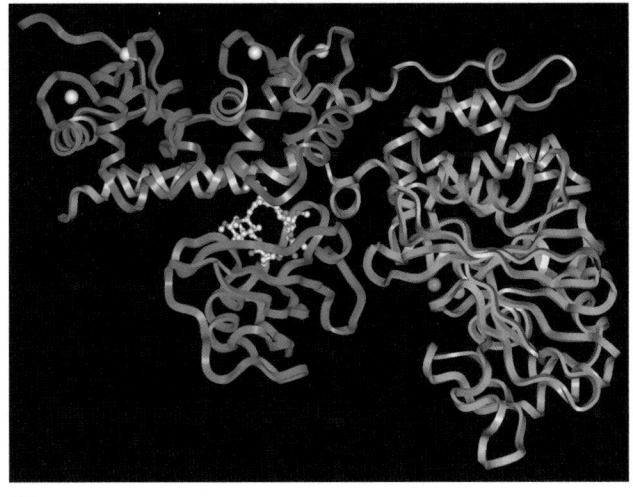

(a)

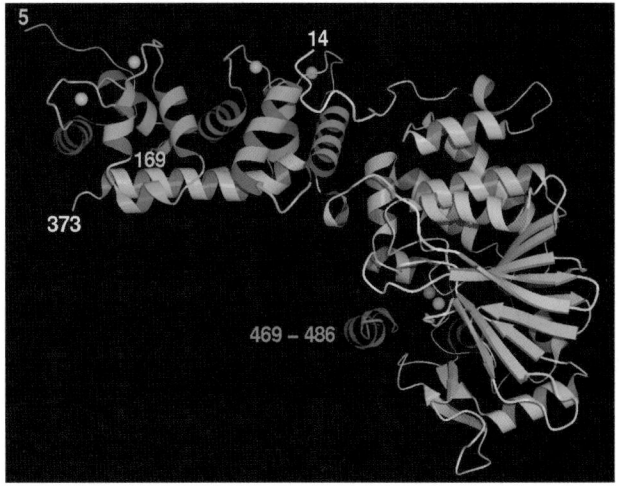

(b)

FIGURE 19-49 La calcineurine. (*a*) Structure par rayons X du complexe FKBP12 • FK506–CaN humain. La sous-unité CaNA est en orange, la sous-unité CaNB est en bleu et la FKBP12 en violet. Le FK506 est représenté en boules et bâtonnets avec C en blanc, N en bleu et O en rouge ; les ions Fe^{2+} et Zn^{2+} dans le site actif de CaNA sont représentés respectivement par des sphères rouges et vertes, et les ions Ca^{2+} liés à CaNB, par des sphères blanches. (*b*) Structure par rayons X de la CaN humaine, avec CaNA en jaune, son segment auto-inhibiteur en rouge, et CaNB en bleu-vert. Les ions Fe^{2+}, Zn^{2+} et Ca^{2+} sont respectivement en rouge, vert et blanc. [Avec la permission de J. Ernest Villafranca, Blanchette Rockefeller Neurosciences Institute, Morgantown, West Virginia.]

FKBP12 · FK506 se lie à CaN de manière à contacter aussi bien CaNA que CaNB, la partie de FK506 qui se projette en dehors de son site de liaison sur FKBP12 constituant une partie importante de cette interface. Les structures de FKBP12 et de CaN au sein de ce complexe sont fort semblables à celles des protéines isolées. FK506 procure donc une composante cruciale de ce contact. Cependant, aucune partie du complexe FKBP12 • FK506 n'approche le site phosphatase de CaN à moins de 10 Å (bien que le segment auto-inhibiteur de CaN ait été déplacé). Ceci rend compte de l'observation que FKBP12 • FK506 empêche fortement CaN de déphosphoryler un phosphopeptide de 20 résidus, tout en augmentant d'un facteur 3 la vitesse à laquelle CaN déphosphoryle le *p*-nitrophénylphosphate, une molécule beaucoup plus petite.

La plupart des résidus de CaN impliqués, par mutagenèse dirigée, dans la liaison de la CsA sont les mêmes que ceux qui contactent FKBP12 • FK506 (Fig. 19-49*a*). De toute évidence, les complexes cyclosporine • CsA et FKBP12 • FK506 se fixent dans la même zone de CaN et ont donc des mécanismes d'inhibition semblables. Cependant on ignore toujours ce qui est propre aux rotamases pour leur conférer un rôle inhibiteur de la CaN .

4 ■ CASCADE DES PHOSPHO-INOSITIDES

Les signaux extracellulaires entraînent souvent une augmentation transitoire de la concentration de Ca^{2+} cytosolique qui, à son tour, active une grande variété d'enzymes par l'intermédiaire de la calmoduline et de ses homologues. Ainsi, une augmentation de $[Ca^{2+}]$ cytosolique déclenche des processus cellulaires aussi divers que la glycogénolyse (Section 18-3C) et la contraction musculaire (Section 35-3C). Quelle est la source de ce Ca^{2+} et comment entre-t-il dans le cytosol ? Dans certaines types de cellules, les neurones par exemple (Fig. 1-10*d*), le Ca^{2+} provient du liquide extracellulaire. Cependant, l'observation selon laquelle l'absence de Ca^{2+} extra-cellulaire n'inhibe pas certains processus contrôlés par le Ca^{2+}, a conduit à montrer que, dans ces cas, le Ca^{2+} cytosolique est obtenu à partir de réservoirs intracellulaires, principalement le réticulum endoplasmique (le réticulum sarcoplasmique pour le muscle). Des stimuli extracellulaires qui conduisent à une libération de Ca^{2+} doivent toutefois être transmis par une signalisation intracellulaire.

Le premier indice concernant la nature de ce signal est venu d'observations selon lesquelles la mobilisation intracellulaire de Ca^{2+} et le turnover du **phosphatidylinositol-4,5-bisphosphate** (**PIP_2 ou PtdIns-4,5-P_2** ; Fig. 19-50), qui constitue <0,05 % des lipides cellulaires, sont en étroite corrélation. Cette information a

FIGURE 19-50 Formule moléculaire des phosphatidyl-inosites. Le groupement de tête de ces glycérophospholipides est le *myo*-inositol qui peut être phosphorylé sur ses positions 3, 4 et/ou 5. R_1 est le plus souvent la queue hydrocarbonée de l'acide stéarique (un acide gras 18:0 ; Tableau 12-1) et R_2 le plus souvent la queue hydrocarbonée de l'acide arachidonique (un acide gras 20:4).

conduit Robert Michell à proposer en 1975 que l'hydrolyse de PIP_2 est en quelque sorte associée à la libération de Ca^{2+}.

A. Le Ca^{2+}, l'inositol trisphosphate et le diacylglycérol sont des seconds messagers

Des recherches, menées principalement par Mabel et Lowell Hokin, Michael Berridge, et Michell, ont révélé que le *PIP_2 fait partie d'un important système de seconds messagers, la **cascade des phospho-inositides**, qui sont des intermédiaires dans la trans-*mission de nombreux signaux hormonaux*, y compris ceux de la vasopressine, du CRF, du TRF (Section 19-1H), de l'acétylcholine (un neurotransmetteur ; Section 20-5C), de l'adrénaline (via les récepteurs α_1-adrénergiques), de l'EGF et du PDGF. De manière remarquable, ce système donne jusqu'à à trois types distincts de seconds messagers, liés par la séquence suivante d'événements (Fig. 19-51) :

1-3. Les interactions entre ligands et récepteurs décrites ci-dessous conduisent à l'activation de la **phospholipase C (PLC)**, spécifique des phospho-inositides, qui hydrolyse le PIP_2 en **inosi-

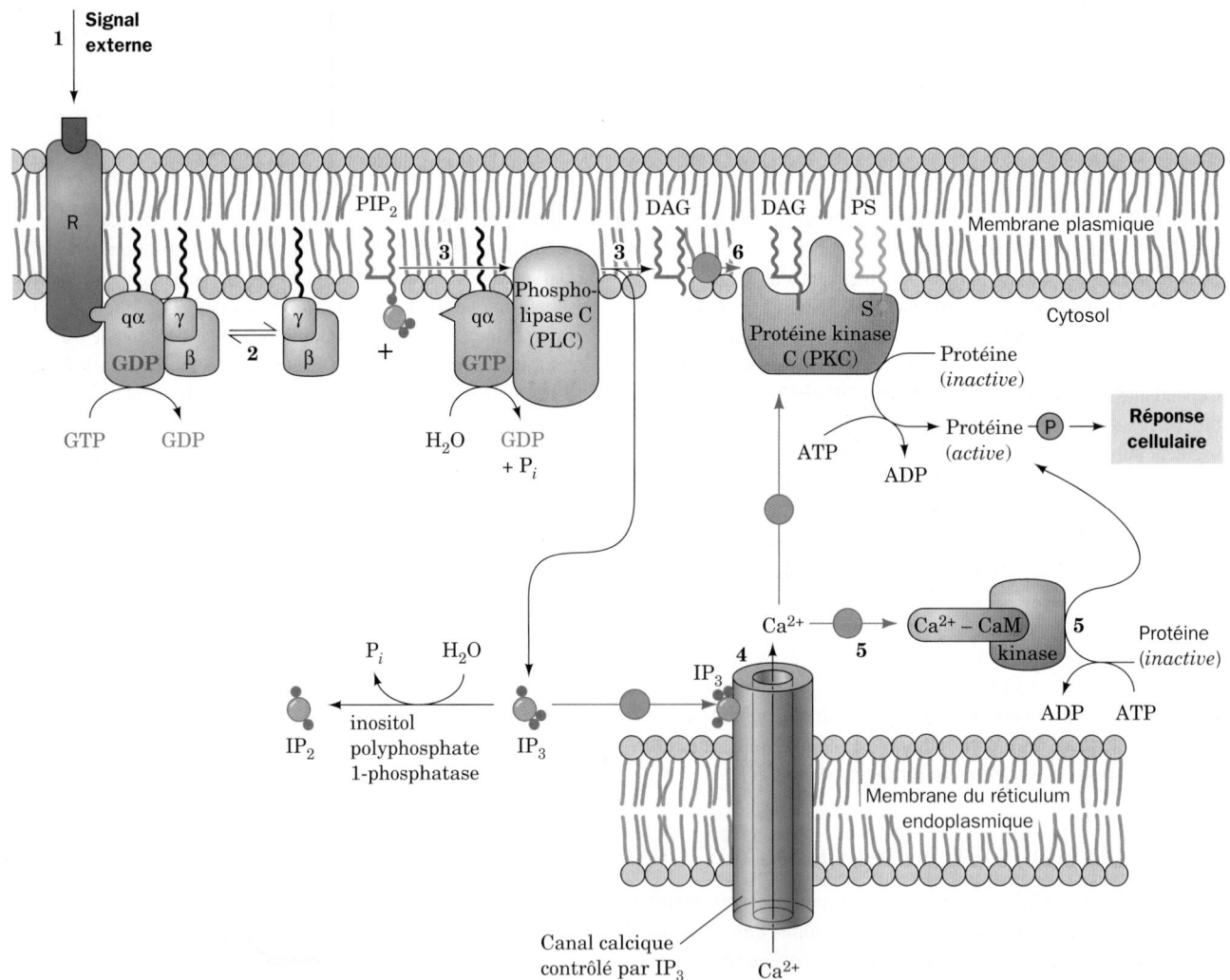

FIGURE 19-51 Rôle de PIP2 dans la signalisation intracellulaire.
(1) La fixation d'un ligand sur un récepteur de surface, R, active une phospholipase C spécifique des phospho-inositides par l'intermédiaire, dans notre cas, **(2)** d'une protéine G (Gq ; Figure 19-16) mais, dans de nombreux cas, d'un RTK ou d'une NRTK, ou encore du Ca^{2+}. La phospholipase C catalyse l'hydrolyse de PIP_2 en IP_3 et en DAG **(3)**. IP_3, qui est hydrosoluble, stimule la libération du Ca^{2+} séquestré dans le réticu-lum endoplasmique **(4)** qui, à son tour, active de nombreux processus cellulaires par l'intermédiaire de la calmoduline et de ses homologues **(5)**. Le DAG, qui est non polaire, reste associé au feuillet interne de la membrane où il active la protéine kinase C afin qu'elle phosphoryle un certain nombre de protéines cellulaires et ainsi module leur activité **(6)**. Ce processus d'activation nécessite aussi la présence de phosphatidylsérine (PS), un lipide membranaire, et de Ca^{2+}.

tol-1,4,5-trisphosphate (IP₃ ou Ins-1,4,5-P₃) et *sn*-1,2-diacylglycérol (DAG ou DG)

[le système de numérotation stéréospécifique (*sn*) est décrit dans la légende de la Fig. 12-3]. Les PLC catalysent l'hydrolyse de la liaison qui unit un glycérophospholipide à son groupement phosphoryle comme indiqué dans la Fig. 19-52 (qui illustre également l'action d'autres types de phospholipases). Noter que cette réaction se passe à l'interface entre la phase aqueuse et la membrane de sorte que le PIP₂ et son produit amphipathique d'hydrolyse, le DAG, restent associés à la membrane durant la réaction catalytique.

4. L'IP₃ hydrosoluble, agissant comme second messager, diffuse à travers le cytoplasme vers le réticulum endoplasmique dont il stimule la libération de Ca²⁺ dans le cytoplasme en se fixant sur un canal de transport d'ions transmembranaire fixé au RE, spécifique du Ca²⁺, et en l'ouvrant ; ce canal est connu sous le nom de **récepteur d'IP₃** (les canaux ioniques sont vus au Chapitre 20).

5. L'ion Ca²⁺, à son tour, stimule un grand nombre de processus cellulaires par l'intermédiaire de la calmoduline et de ses homologues.

6. Le 1,2-diacylglycérol (DAG) étant amphipathique, il est contraint de rester dans le feuillet interne de la membrane plasmique où il agit néanmoins comme un second messager en activant une **protéine-kinase C** (**PKC**) en présence de Ca²⁺ et de phosphatidylsérine (PS ; celle-ci est localisée exclusivement du côté cytoplasmique de la membrane plasmique). Cette enzyme membranaire (en fait une grande famille d'enzymes ; Section 19-4C) phosphoryle à son tour, et par suite module, les activités de différentes protéines parmi lesquelles la glycogène synthase (Sec-

FIGURE 19-52 Nomenclature des phospholipases d'après la liaison qu'elles scindent dans un glycérophospholipide. Dans ce contexte, X est un groupement phospho-inosityle.

tion 18-3D). Le DAG, qui porte le plus souvent un groupement stéaroyl en position 1 et un arachidonoyl en position 2, est ensuite dégradé dans certaines cellules par une **phospholipase A2 cytosolique (cPLA₂)** pour former de l'arachidonate, substrat principal pour la biosynthèse des prostaglandines, des prostacyclines, des thromboxanes et des leucotriènes. Ces hormones paracrines, comme nous le verrons dans la Section 25-7, sont soit des intermédiaires soit des modulateurs d'un grand nombre de fonctions physiologiques.

B. *Phospholipases C*

On trouve chez les mammifères quatre classes de PLC spécifiques des phospho-inositides, comprenant 11 isozymes différentes, β1-4, γ1-2, δ1-4 et ε (Fig. 19-53 ; l'isozyme appelée d'abord PLC-α est en fait un fragment protéolytique de PLC-δ1), dont certaines présentent des variantes d'épissage supplémentaires. L'activité enzymatique de toutes ces PLC exige du Ca²⁺. Les isozymes PLC-δ (~760 résidus), les plus petites de ces PLC, comportent, de l'extrémité N- à C-terminale, un domaine homologue de la pleckstrine (PH) (Section 19-3C) de ~120 résidus ; un domaine de ~130 résidus contenant 4 motifs en mains EF (Fig. 18-17) ; deux régions conservées appelées X et Y qui, ensemble, constituent le domaine catalytique de la PLC (~250 résidus) et sont séparées par un bras de ~60 résidus ; et un **domaine C2** de ~130 résidus qui dans de nombreux cas fixe le Ca²⁺ et que l'on trouve dans > 400 protéines qui participent principalement à la transduction du signal et aux interactions membranaires. Les isozymes PLC-β (~1200 résidus) possèdent une queue C-terrminale supplémentaire de ~420 résidus qui a été impliquée dans l'association à des membranes et dans la régulation par les protéines G (voir ci-dessous). Au contraire, les isozymes PLC-γ (~1270 résidus) contiennent un insert de ~420 résidus entre X et Y constitué d'un domaine PH additionnel, lequel est interrompu par deux domaines SH2 qui peuvent se lier à des PTK activées (voir ci-dessous), ainsi que d'un domaine SH3. La PLC-ε (~2300 résidus) diffère des autres PLC par l'absence de domaine PH ainsi que par la présence d'un domaine RasGEF N-terminal et de deux domaines C-terminaux de liaison de Ras (**domaines RA**). Le fait que les PLC de plantes et d'eucaryotes inférieurs, comme la levure, sont du type δ suggère que les PLC-β, γ et ε des mammifères ont évolué à partir d'une PLC-δ primitive.

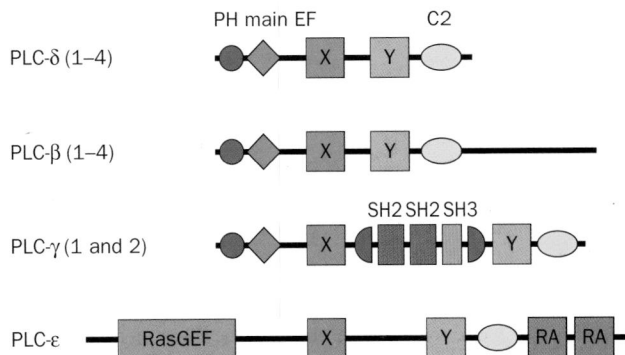

FIGURE 19-53 Disposition des domaines dans les quatre classes de PLC spécifiques des phospho-inosotides. [D'après Rhee, S. G., *Annu. Rev. Biochem.* **70**, 284 (2001).]

a. La structure de PLC-δ1 explique sa fonction

La structure par rayons X de PLC-δ1 sans son domaine PH N-terminal (mais catalytiquement active *in vitro*) et en complexe avec l'IP$_3$ et le Ca^{2+} a été déterminée par Roger Williams. Elle montre (Fig. 19-54) que les trois domaines restants de l'enzyme sont réunis par des segments polypeptidiques en extension qui établissent des interactions étroites avec ces domaines. Les motifs en main EF 1 et 2 forment un lobe très superposable aux lobes N- et C-terminaux de la calmoduline (Fig. 18-16 et 18-18 ; l'hélice N-terminale de la main EF 1 est désorganisée), tout comme le font les mains EF 3 et 4. Bien que les mains EF soient d'habitude associées à des ions Ca^{2+}, on n'observe de liaison de Ca^{2+} à aucune des mains EF de la PLC-δ1. En fait, les mains EF 3 et 4 sont dépourvues de ligands Ca^{2+} typiques. Ainsi, bien que des mutations de ce domaine affectent en général l'activité catalytique de l'enzyme, sa fonction n'est pas claire.

Les régions X et Y du domaine catalytique de la PLC-δ1 forment un tonneau α/β (Section 8-3B) dont la Fig. 19-54 montre une vue latérale. La région X contribue à la moitié du tonneau par un motif βαβαβαβα typique. Cependant, la région Y, qui forme la deuxième moitié du tonneau, montre une boucle flexible à la place de la première hélice α de ce motif. Le peptide de 43 résidus qui relie X et Y est désordonné et n'est donc pas visible dans la structure par rayons X ; son élimination n'a que peu d'effet sur l'activité enzymatique. L'IP$_3$ est lié à l'enzyme de manière stéréospécifique dans une vaste dépression sur la face C-terminale du tonneau β parallèle à 8 segments via un réseau dense de liaisons hydrogène et d'interactions entre charges. Un ion Ca^{2+} de coordinence 6 est fixé au fond de ce site actif, un de ses ligands étant le groupement 2-hydroxyle de l'IP$_3$, les autres étant formés par les chaînes latérales des résidus conservés Asp, Glu et Asn. On pense que la réaction catalytique fait intervenir un mécanisme analogue à celui de l'hydrolyse de l'ARN catalysée par l'ARNase A (Fig. 15-3) dans lequel le groupement 2-hydroxyle de PIP$_2$ mène une attaque nucléophile sur le groupe-

ment 1-phosphate voisin pour former le DAG et un intermédiaire phosphodiester cyclique qui est ensuite hydrolysé pour donner l'IP$_3$. Le Ca^{2+} (plutôt qu'une chaîne latérale de His comme dans l'ARNase A) est en bonne position pour promouvoir la déprotonation du groupement 2-hydroxyle de sorte à augmenter son caractère nucléophile et ensuite contribuer à stabiliser la charge négative apparue sur le phosphore pentavalent dans l'état de transition de la réaction catalytique (Fig. 16-6*b*). Ceci explique pourquoi le **2-désoxy-PIP$_2$** n'est pas hydrolysé par les PLP de mammifère spécifiques des phospho-inositides.

Le domaine C2, qui est constitué d'un sandwich de deux feuillets β antiparallèles à 4 segments, fixe lui aussi un ion Ca^{2+}. Cependant, la structure par rayons X de PLC-δ1 complexée au lanthane, un analogue du calcium, a montré deux sites de liaison supplémentaires pour des ions métalliques (Ca^{2+}) au proche voisinage de ce site de liaison du Ca^{2+}. Tous ces ions métalliques se trouvent dans une crevasse à une des extrémités du sandwich β, où ils sont exposés à la surface de l'enzyme. Il est donc vraisemblable qu'*in vivo* ils s'associent à des groupements de tête anioniques comme celui de la phosphatidylsérine à la surface d'une membrane. Puisque l'interface considérable entre le domaine C2 et le domaine catalytique semble rigide, il est probable que cette interaction favorise la liaison du domaine catalytique à la membrane de sorte qu'il puisse interagir avec les molécules de PIP$_2$. Cette association serait renforcée par les interactions d'une crête hydrophobe faite de trois boucles, à partir de l'ouverture d'un côté du site actif dont on postule la pénétration dans la région non polaire de la membrane lors de la catalyse. Ceci expliquerait comment l'enzyme peut catalyser l'hydrolyse de PIP$_2$ en DAG et IP$_3$ alors que les deux premières de ces substances restent associées à la membrane.

b. Le domaine homologue de la pleckstrine arrime PLC-δ1 à la membrane

La structure par rayons X du domaine PH N-terminal (absent dans la Fig. 19-54) de PLC-δ1 complexée à l'IP$_3$, déterminée par Joseph Schlessinger et Sigler, montre que l'IP$_3$ se fixe sur une face chargée positivement de la protéine (Fig. 19-55). Ceci est en accord avec le rôle d'ancre membranaire proposé pour le domaine PH, tout comme l'observation que ce domaine fixe PIP$_2$ avec une affinité beaucoup plus haute (K_D = 1,7 μ*M*) que ne le fait le domaine catalytique de PLC-δ1 (K_D > 0,1 m*M*). Puisque le segment peptidique qui unit le domaine PH au reste de la protéine est sans doute flexible, la fonction du domaine PH serait d'arrimer l'enzyme à la membrane. Ceci rend compte des mesures cinétiques qui indiquent que l'enzyme catalyse de multiples cycles d'hydrolyse de PIP$_2$ sans quitter la membrane.

c. Les isozymes PLC-β sont activées par des protéines G hétérotrimériques

Les PLC-β sont régulées par des hormones qui se lient à certains récepteurs couplés à des protéines G (p. ex. ceux de l'histamine, de la vasopressine, de la TSH, du thromboxane A$_2$ et de l'angiotensine II) via les protéines G hétérotrimériques qui leur sont associées, comme montré à la Fig. 19-51. Plus précisément, elles sont activées suite à leur interaction avec les sous-unités α de la sous-famille G$_q$ (Section 19-2C) complexées au GTP. G$_{q\alpha}$ · GTPγS active les isoformes de la PLC-β dans l'ordre de puissance β1 > β3 > β2, la position de β4 dans cette hiérarchie étant

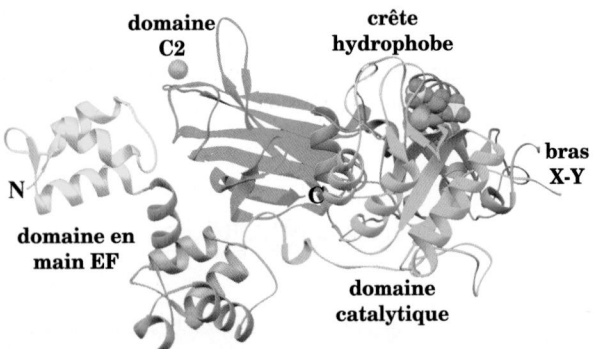

FIGURE 19-54 Structure par rayons X de la phospholipase C-δ1 sans son domaine PH N-terminal, en complexe avec PIP$_3$ et des ions Ca^{2+}. Ses deux premiers motifs en mains EF sont en doré, les deux suivants sont en orange, la région X du domaine catalytique est en bleu-vert, sa région Y est en bleu clair, les boucles formant la crête hydrophobe du domaine catalytique sont en beige, et le domaine C2 est en magenta. Le PIP$_3$ est représenté en modèle compact, avec C en vert, O en rouge et P en jaune, et les ions Ca^{2+} sont représentés par des sphères argentées. [Basé sur une structure par rayons X due à Roger Williams, MRC Laboratory of Molecular Biology, Cambridge, U.K. PDBid 1DJX.]

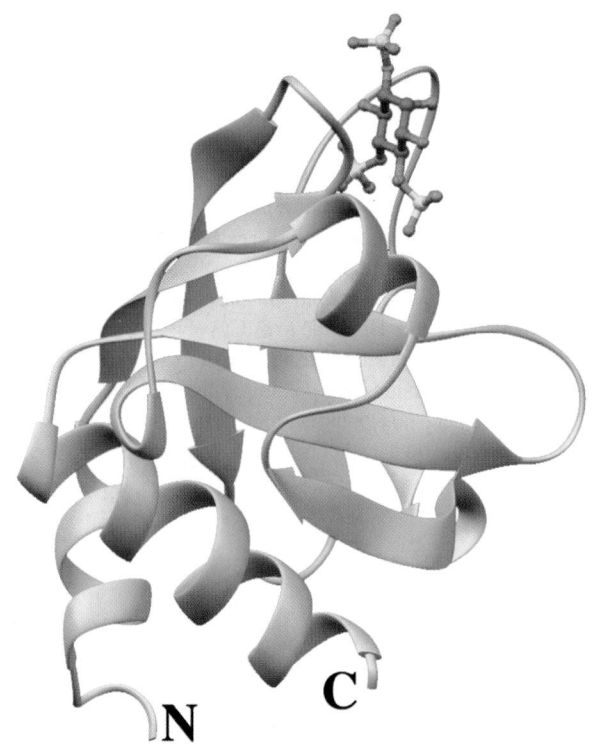

FIGURE 19-55 Structure par rayons X du domaine homologue de la pleckstrine dans PLC-δ1 en complexe avec PIP₃. Le PIP₃ est représenté en modèle boules et bâtonnets avec C en vert, O en rouge et P en jaune. Le domaine PH est essentiellement constitué d'un sandwich/tonneau β de 7 segments antiparallèles et d'une hélice α C-terminale commune aux nombreux domaines PH de structure connue. [Basé sur une structure par rayons X due à Joseph Schlessinger, New York University Medical Center, et Paul Sigler, Yale University. PDBid 1MAI.]

inconnue car elle est inhibée par le GTPγS. La queue C-terminale, qui est propre aux isoformes de la PLC-β (Fig. 19-53) a été impliquée, suite à l'étude d'enzymes tronquées, dans la liaison à $G_{q\alpha} \cdot$ GTP. Ce segment d'environ 420 résidus, auquel des prédictions de structure secondaire (Section 9-3A) assignent une organisation en hélice α, contient une forte proportion de résidus basiques agrégés. Ces regroupements basiques, dont la mutation diminue la réponse à $G_{q\alpha} \cdot$ GTP, interagissent sans doute avec des phospholipides acides. Ces interactions sont critiques pour la localisation membranaire des isoformes de la PLC-β car leur domaine PH ne fixe pas PIP₂. Ainsi, la localisation membranaire des isoformes de la PLC-β pourrait résulter de leur liaison à des groupements de tête de phospholipides et/ou leur interaction avec $G_{q\alpha} \cdot$ GTP fixé dans la membrane. Un aspect important de la régulation des isoformes de la PLC-β par $G_{q\alpha}$ ·GTP est que les PLC-β jouent le rôle de GAP et augmentent ainsi >50 fois l'activité GTPase de $G_{q\alpha}$, ce qui limite la fonction activatrice de $G_{q\alpha}$.

Les isoformes de la PLC-β sont activées indépendamment part les complexes $G_{\beta\gamma}$, qui peuvent résulter de la dissociation de protéines G hétérotrimériques autres que $G_{q\alpha}G_{\beta\gamma}$. De plus, leur ordre d'efficacité avec $G_{\beta\gamma}$ diffère de celui observé avec $G_{q\alpha} \cdot$ GTP : β3 > β2 > β1, β4 étant insensible à la présence de $G_{\beta\gamma}$. Bien que la

concentration de $G_{\beta\gamma}$ requise pour l'activation maximum des PLC-β soit très supérieure à celle de $G_{q\alpha} \cdot$ GTP, l'activation maximum est la même dans les deux cas. Les sites de PLC-β2 qui interagissent avec $G_{\beta\gamma}$ sont son domaine PH et un segment de 10 résidus près de l'extrémité N-terminale de sa région Y. Ceci explique pourquoi la PLC-β2 privée de sa partie C-terminale est activée par $G_{\beta\gamma}$ mais pas par $G_{q\alpha} \cdot$ GTP. La région de $G_{\beta\gamma}$ qui interagit avec les PLC-β se superpose à la région par laquelle elle fixe les sous-unités G_α, ce qui explique pourquoi $G_{\beta\gamma}$ ne peut fixer en même temps une PLC-β et une $G_\alpha \cdot$ GDP.

d. Les isozymes PLC-γ sont activées par des protéines tyrosine-kinases

Les isozymes PLC-γ sont activées dans de nombreux types cellulaires par certains facteurs de croissance protéiques comme l'EGF, le PDGF, le FGF et le NGF. Ces facteurs conduisent leurs récepteurs, qui sont des RTK (Section 19-3A), à s'autophosphoryler sur des résidus Tyr particuliers. Certains de ces sites phospho-Tyr sont liés spécifiquement, comme le montrent des études de mutagenèse, par le domaine SH2 le plus N-terminal (N-SH2) de la PLC-γ1 (Fig. 19-53 et 19-25*a*), mais pas par son domaine C-SH2. Le domaine N-SH2 lie des peptides contenant un résidu phopho-Tyr suivi par au moins 5 résidus principalement hydrophobes, contrairement au domaine SH2 de Src, qui lie préférentiellement des peptides contenant pYEEI (Section 19-3C).

Les récepteurs activés des quatre facteurs de croissance mentionnés ci-dessus phosphorylent la PLC-γ1 sur les mêmes trois résidus Tyr 771, 783 (situé entre les domaines C-SH2 et SH3) et 1254 (situé dans la queue C-terminale). En fait, la mutation de Tyr 783 en Phe bloque l'activation de la PLC-γ1 par le PDGF, bien que ce mutant de la PLC-γ1 s'associe toujours au récepteur du PDGF. Inversement, la mutation de certains sites d'autophosphorylation des RTK (p. ex. Tyr 1021 du récepteur du PDGF) les empêche de lier la PLC-γ1 et donc de l'activer, même si ces récepteurs mutés catalysent encore de façon détectable la phosphorylation sur Tyr de la PLC-γ1 en réponse à des facteurs de croissance. De toute évidence, l'activation de la PLC-γ1 par des facteurs de croissance requiert la phosphorylation activatrice de la PLC-γ1 et son association avec le récepteur de facteur de croissance, cette dernière amenant sans doute la PLC-γ1 en contact avec son substrat, le PIP₂, dans le feuillet interne de la membrane plasmique. Les isozymes PLC-γ peuvent également être activées par des NRTK, comme des membres des familles Src et JAK (qui sont tous associée à la membrane), moyennant leur activation par des récepteurs associés à des tyrosine-kinases (Section 19-3E). La fonction du domaine SH3 de la PLC-γ n'est pas claire.

e. Les activités des isozymes PLC-δ peuvent être régulées par le [Ca²⁺]

Bien que la seule PLC spécifique des phospho-inositides dont la structure est connue soit la PLC-δ1, on connaît mal le mode de régulation des isozymes PLC-δ. Leur plus grande sensibilité au Ca²⁺ comparée à celle des autres PLC suggère que les isozymes PLC-δ sont régulées par des modifications de [Ca²⁺] intracellulaire. Ainsi, les isozymes de la PLC-δ peuvent être activées secondairement en réponse à l'activation récepteur-dépendante d'autres isozymes de la PLC qui induisent l'ouverture de canaux à Ca²⁺ (Fig. 19-51).

f. PLC-ε est activée par Ras · GTP

La présence sur PLC-ε d'un domaine RasGEF et d'un domaine de liaison pour Ras (domaine RA) suggère que PLC-ε est activée par Ras · GTP. C'est bien le cas, comme le montre l'observation que PLC-ε fixe Ras·GTP avec une forte affinité, mais ne lie pas Ras · GDP. Ras étant ancrée dans la membrane, cette interaction amène PLC-ε à la membrane, où est situé son substrat PIP₂. Bien que l'activation de Ras induite par le facteur de croissance se termine suite à l'hydrolyse de son GTP lié en GDP, le complexe Ras · GDP qui en résulte peut être rapidement converti en Ras · GTP par le domaine RasGEF de la PLC-ε, ce qui prolonge l'activation, récepteur-dépendante, de PLC-ε. Celle-ci peut être activée également par $G_{12\alpha}$.

C. *Protéine-kinases C*

La protéine-kinase C (PKC) est une Ser/Thr protéine-kinase assurant la transduction de nombreux signaux qui conduisent à la libération de DAG (Fig. 19-51). Chez les mammifères, elle est représentée par une famille de onze isozymes monomériques d'environ 700 résidus classées en trois sous-familles : les PKC « conventionnelles » (α, β1, β2 et γ, où β1 et β2 sont des variantes d'épissage d'un même gène), les « nouvelles » PKC (δ, ε, η, θ et μ), et les PKC «atypiques (ζ et λ). Les PKC conventionnelles, activées par le DAG et le Ca^{2+}, comportent toutes un pseudo-substrat auto-inhibiteur N-terminal suivi de quatre domaines conservés, C1 à C4 (C pour homologie PKC). **Le domaine C1**, qui fixe le DAG, se trouve également dans d'autres protéines, comme Raf (où il ne fixe pas le DAG). Ce domaine est constitué de deux motifs en tandem riches en Cys d'environ 50 résidus, C1A et C1B. Il semble que seul C1B fixe le DAG. C2, qui souvent fixe le Ca^{2+}, est également présent dans la PLC (Fig ; 19-54) ainsi que dans plusieurs autres protéines de signalisation. C3 et C4 forment les lobes N- et C-terminaux de la protéine-kinase, dont la séquence ressemble à celle de la PKA. La protéine-kinase est maintenue dans son état inactif par sa liaison au pseudo-substrat (comme pour la MLCK ; Section 18-3C). Les nouvelles PKC, qui sont activées par le DAG mais pas par le Ca^{2+}, ressemblent aux PKC conventionnelles sauf que leur domaine C2 ne fixe pas le Ca^{2+}. Les PKC atypiques, qui sont insensibles au DAG et au Ca^{2+}, n'ont qu'un motif riche en Cys dans leur domaine C1 et semblent dépourvues de domaine C2.

a. Les domaines C1 et C2 ancrent la PKC dans la membrane plasmique

Les **esters de phorbol,** comme le **12-*O*-myristoylphorbol-13-acétate**

12-*O*-Myristoylphorbol-13-acétate

(que l'on trouve dans l'huile de graine de croton) sont de puissants activateurs de la protéine-kinase C ; ils ressemblent par leur structure au DAG mais se lient à la PKC avec une affinité ~250 plus élevée. En conséquence, les esters de phorbol sont les **promoteurs de tumeurs** (substances qui ne sont pas cancérigènes par elles-mêmes, mais augmentent la puissance des agents cancérigènes) les plus efficaces connus. La structure par rayons X du motif CB1 de la PKC δ complexée au phorbol-13-acétate, déterminée par Hurley, montre que ce motif de 50 résidus est maintenu en place par deux ions Zn^{2+}, qui sont chacun en liaison tétraédrique avec les chaînes latérales d'une His et de trois Cys (Fig. 19-56). L'ester de phorbol se fixe dans un sillon étroit entre deux boucles constituées essentiellement de résidus non polaires. Puisque les esters de phorbol sont également non polaires, tout le tiers supérieur du complexe, comme illustré dans la Fig. 19-56, est hydrophobe. Très peu

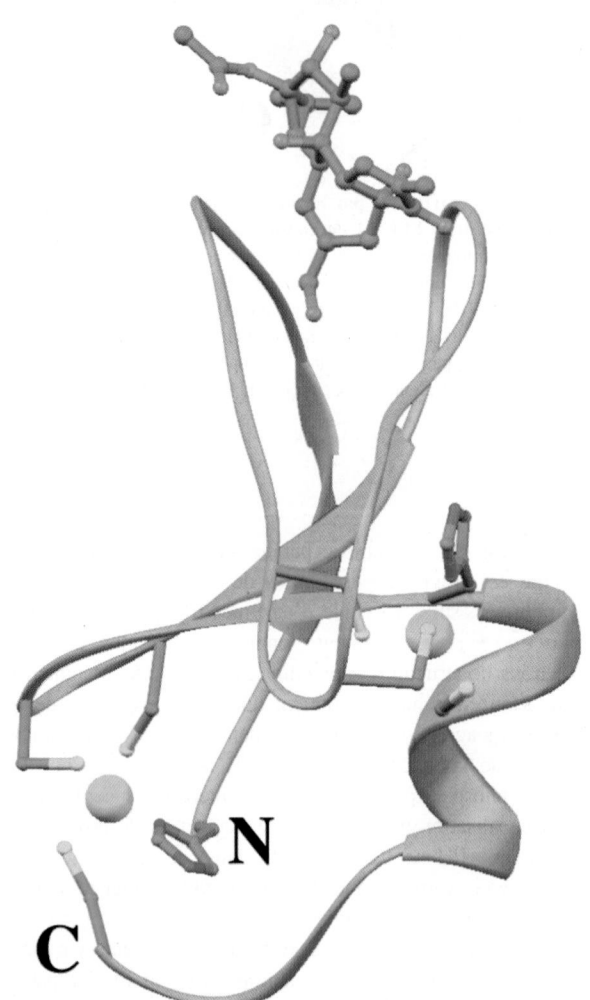

FIGURE 19-56 Structure par rayons X du motif C1B de la PKC complexé au phorbol-13-acétate. La protéine fixe, par coordinence tétraédrique, deux ions Zn^{2+}, chacun via une chaîne latérale His et trois chaînes latérales Cys. Ces chaînes latérales sont représentées en modèle boules et bâtonnets, comme l'est le phorbol-13-acétate qui lui est fixé (C en vert, N en bleu, O en rouge et S en jaune). Les ions Zn^{2+} sont représentés par des sphères bleu-vert. [D'après une structure par rayons X due à James Hurley, NIH. PDBid 1PTR.]

de protéines solubles ont une si grande fraction de leur surface constituée d'une région non polaire continue. De plus, le tiers moyen de la surface de la protéine, situé sous la région non polaire, forme autour de la protéine une ceinture chargée positivement. Ceci suggère qu'*in vivo* la partie hydrophobe du complexe s'insère dans la région non polaire de la membrane qui lui est associée, de sorte que la ceinture chargée positivement du motif interagit avec les groupements de tête chargés négativement de la membrane. Cette hypothèse s'appuie sur des mesures par RMN montrant que des résidus de la région de CB1 qui fixe le ligand interagissent avec des lipides. On pense que le groupement d'acide gras qui estérifie la position 12 du phorbol dans les promoteurs de tumeurs efficaces s'enfonce dans la membrane de façon à assurer l'ancrage, dans celle-ci, du domaine C1.

La comparaison de cette structure avec celle de CB1 isolé montre que CB1 ne subit pas de modification significative de structure lors de la liaison d'un ester de phrbol. De toute évidence, les esters de phorbol, et sans doute le DAG, activent la PKC en l'ancrant dans la membrane plutôt que par un mécanisme allostérique. Le domaine C2, comme nous l'avons vu pour la PLC (Section 19-4B), agit de même via sa liaison Ca^{2+}-dépendante à des groupements de tête phosphatidylsérine de la membrane. Ces interactions sont synergiques, dans la mesure où plus la concentration de Ca^{2+} est élevée, moins il faut d'ester de phorbol ou de DAG pour activer la PKC, et vice versa. Néanmoins, les domaines C1 et C2 doivent tous deux être ancrés dans la membrane pour l'activation de la protéine-kinase. En effet, la conformation que ceci exige fait sortir le pseudo-substrat N-terminal du site actif de la protéine-kinase.

b. La PKC est « sensibilisée » par phosphorylation

L'activation de toutes les PKC de mammifère, sauf la PKC μ, s'accompagne de leur phosphorylation sur trois résidus Ser ou Thr conservés. Un de ses résidus (Thr 500 dans la PKC β2) se trouve dans la boucle d'ativation de la protéine-kinase, les deux autres étant dans son segment C-terminal (Thr 641 et Ser 660 dans la PKC β2 qui fait 673 résidus). La séquence des événements qui activent la PKC, élucidée essentiellement par Alexandra Newton, est la suivante (Fig. 19-57) :

1. La PKC néo-synthétisée se lie à la membrane (ou peut-être au cytosquelette sous-jacent) où la **protéine-kinase-1 phospho-inositide-dépendante (PDK1)** phosphoryle sa boucle d'activation. Il est proposé que la charge négative ainsi apparue sur la boucle d'activation aligne correctement les résidus du site actif de la PKC pour la catalyse, comme nous l'avons vu pour la PKA (section 18-3C ; la boucle d'activation de la PKA est, elle aussi, phosphorylée par la PDK1). De fait, le remplacement, par mutagenèse, de la Thr dans la boucle d'activation de la PKC α par un résidu neutre non phosphorylable donne une enzyme inactivable, alors que son remplacement par Glu donne une enzyme qui n'exige que le DAG et le Ca^{2+} pour être activée. Une étude de modélisation fondée sur la structure de la PKA suggère que, dans la PKC, le pseudo-substrat lié au site actif masquerait le site de phosphorylation de la boucle d'activation, la phosphorylation ne pouvant se faire que moyennant l'éloignement du pseudo-substrat hors du site actif.

2. La PKC, à présent prête à la catalyse, autophosphoryle rapidement ses deux autres sites de phosphorylation. L'auto-

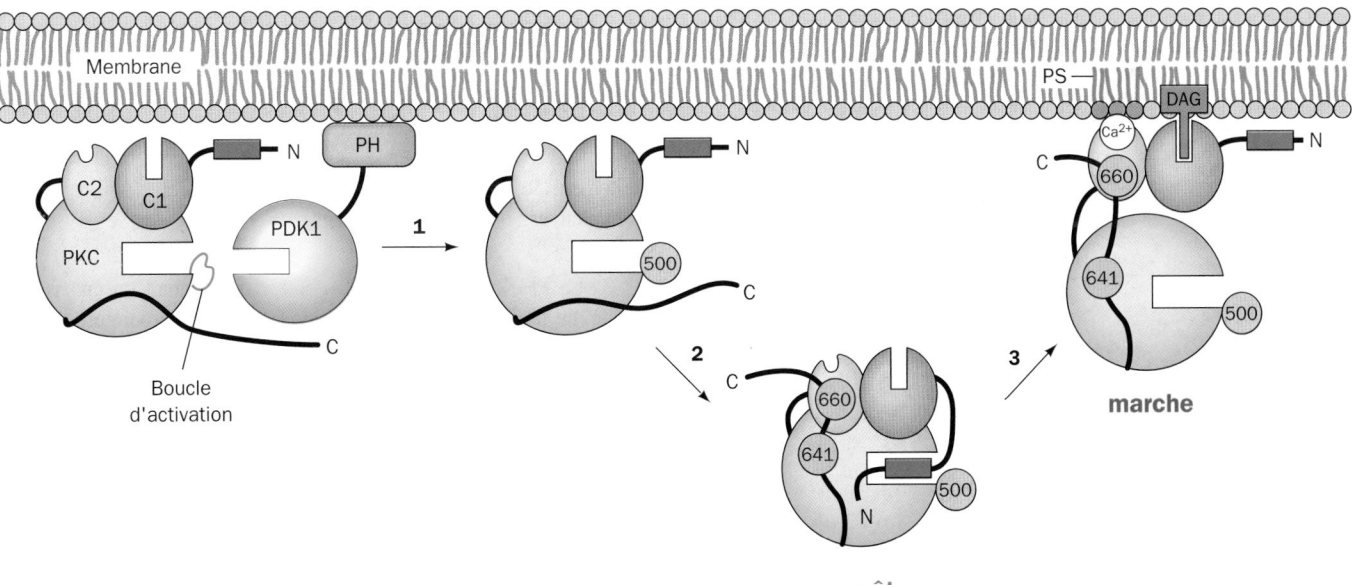

FIGURE 19-57 Activation de la PKC. (1) La PKC néo-synthétisée est phosphorylée sur sa boucle d'activation (site représenté ici par Thr 500 de PKC β2 ; *boule jaune*) par la protéin-kinase-1 phospho-inositide-dépendante (PDK1), qui est amarrée à la membrane par son domaine homologue de la pleckstrine (PH) C-terminal. **(2)** La PKC, devenue ainsi catalytique active, autophosphoryle deux sites de son segment C-terminal (représentés ici par Thr 641 et Ser 660 de PKC β2). Cependant, le segment pseudosubstrat N-terminal se lie à présent au site actif de la PKC, ce qui rend l'enzyme inactive. **(3)** Moyennant la liaison du domaine C1 de la PKC au DAG (produit de signaux extracellulaires induisant l'hydrolyse de phospho-inositides) fixé dans la membrane, et la liaison, par l'intermédiaire du Ca^{2+}, du domaine C2 à la phosphatidylsérine (PS) de la membrane, le pseudosubstrat est éjecté du site actif de la PKC, ce qui donne une enzyme active. [D'après un dessin de Toker, A. and Newton, A.C., J., *Cell* **103,** 187 (2000).]

phosphorylation de Thr 641 semble bloquer la PKC dans sa conformation active. En effet, dans la PKC β2 phosphorylée uniquement sur Thr 500 et Thr 641, la déphosphorylation sélective de Thr 500 donne une enzyme active. L'autophosphorylation du troisième site de phosphorylation est en corrélation avec la libération de la PKC dans le cytosol, où la PKC est maintenue dans son état inactif par la liaison de son pseudo-substrat à son site actif.

3. Cette auto-inhibition est levée, comme décrit ci-dessus, lorsque la PKC se lie de nouveau à la membrane via la liaison de son domaine C1 au DAG et celle de son domaine C2, Ca²⁺-dépendente, à la phosphatidylsérine (PS).

D. *Phospho-inositide 3-kinases*

Le groupement de tête inositol du phosphatidylinositol possède 5 groupements hydroxyle libres phosphorylables (Fig. 19-50). Cependant, seules ses positions 3, 4 et 5 sont connues pour l'être *in vivo* et *celles-ci impliquent toutes les combinaisons possibles (Fig. 19-58), dont chacune participe à la signalisation.*

Les phosphorylations de ces divers phospho-inositides sont catalysées par des enzymes ATP-dépendantes appelées **phospho-inositide 3-kinases (PI3K), phospho-inositide 4-kinases (PIP4K)** et **phospho-inositide 5-kinases (PIP5K)**. Leurs différents produits agissent comme seconds messagers en recrutant des protéines qui s'y fixent à la face cytoplasmique de la membrane plasmique (voir ci-dessous). La colocalisation d'enzymes

et de substrats qui en résulte entraîne une activité de signalisation supplémentaire pour le contrôle des fonctions vitales que sont la survie cellulaire, la prolifération, le réarrangement du cytosquelette et le trafic vésiculaire. De plus, l'activité de ces enzymes est requise pour le trafic des vésicules dans les voies sécrétoire et endocytaire (Sections 12-4C et 12-4D).

Les PI3K sont actuellement les phospho-inositide kinases les mieux comprises. Dans cette sous-section, nous étudierons donc les PI3K et leurs produits comme paradigmes de toutes les phospho-inositide kinases, ainsi que les signaux qu'elles produisent.

a. Il existe trois classes de PI3K

Les PI3K de mammifère sont divisées en trois classes selon leur structure (Fig. 19-59), leur spécificité de substrat et leur mode de régulation :

1. Les PI3K de la classe I sont des enzymes hétérodimériques régulées par récepteur qui phosphorylent préférentiellement le **phosphatidylinositol-4,5-bisphosphate (PtdIns-4,5-P₂).** Leur sous-unité catalytique (~1070 résidus) interagit avec Ras·GTP via un domaine de liaison de Ras (RBD) près de leur extrémité N-terminale. Leur sous-unité régulatrice est une protéine adaptatrice qui relie la sous-unité catalytique à des événements de signalisation situés en amont. Elles constituent ainsi deux sous-classes selon le type d'effecteur amont avec lequel elles interagissent :

(a) Les PI3K de la classe IA (PI3Kα, β et δ) sont activées par des RTK, via la sous-unité adaptatrice **p85** de la PI3K (dont on connaît 7 isoformes), qui contient un domaine SH2 et un domaine SH3 et peut être phosphorylée sur des Tyr spécifiques.

(b) La PI3K de la classe IB, dont le seul membre est PI3Kγ, est activée par les dimères G_{βγ} des protéines G hétérotrimériques, sa sous-unité adaptatrice **p101** la rendant beaucoup plus sensible à G_{βγ}.

2. Les PI3K de la classe II (PI3K-C2α, β et γ) sont des monomères de ~1650 résidus caractérisés par un domaine C2 C-terminal qui ne semble pas fixer le Ca²⁺. Elles phosphorylent préférentiellement le PtdIns et le **PtdIns-4P.** Puisqu'elles n'ont pas d'adaptateur, on ignore comment ces PI3K de classe II sont contrôlées.

3. La PI3K de la classe III, dont on ne connaît qu'une isoforme, ne phosphoryle que le PtdIns. C'est un hétérodimère avec une sous-unité catalytique de 887 résidus et une sous-unité adaptatrice appelée **p150**. Cette PI3K est constitutivement active (non

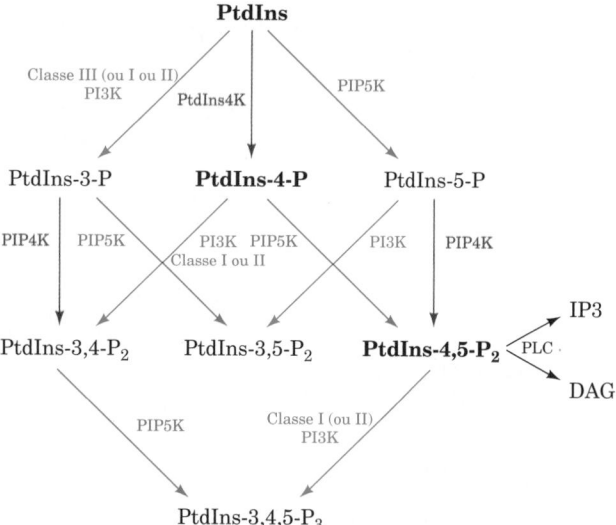

FIGURE 19-58 Réactions impliquées dans la synthèse des phospho-inositides dans les cellules de mammifère. PtdIns, PtdIns-4-P, et (PIP2) sont écrits en gras pour indiquer leur abondance : ils représentent ensemble environ 90 % des phospho-inositides totaux de la cellule. **PtdIns-3-P** et **PtdIns-5-P** comptent chacun pour 2-5 % du total, tandis que les concentrations de **PtdIns-3,4-P₂** et **PtdIns-3,4,5-P₃** (PIP3) sont à peine détectables dans des cellules au repos, mais atteignent 2 à 3 % du total dans des cellules stimulées. Le **PtdIns-3,5-P₂** comprend environ 2 % des phospho-inositides des fibroblastes. [D'après Fruman, D. A., Meyers, R.E., and Cantley L.C., *Annu. Rev. Biochem.* **67**, 501 (1998).]

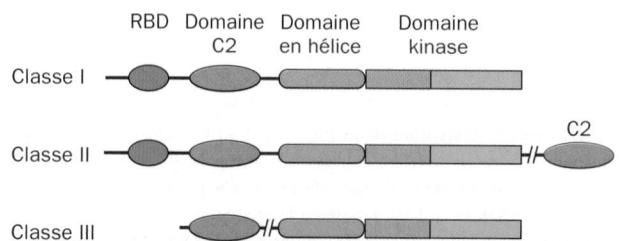

FIGURE 19-59 Disposition des domaines dans les trois classes de PI3K [D'après Walker, E.H., Persic, O., Ried, C., Stephens, L., and Williams, R.L., *Nature* **402**, 314 (1999).]

régulée) et est donc considérée comme principal fournisseur de **PtdIns-3P**, dont la concentration reste inchangée suite à la stimulation de la cellule. On considère la PI3K de classe III comme le prédécesseur évolutif des autres classes car c'est la seule classe de PI3K présente chez la levure.

Outre leur activité lipide-kinase, toutes les PI3K possèdent une activité Ser/Thr-kinase, mais la signification physiologique de cette double spécificité n'est pas claire.

b. La PI3Kγ est une protéine à plusieurs domaines

La structure par rayons X de la PI3Kγ • ATP, dans laquelle PI3Kγ est dépourvue de ses 143 résidus N-terminaux (qui sont importants pour l'interaction avec l'adaptateur p101 ; la partie correspondante dans PI3Kα interagit avec son adaptateur p85), fut déterminée par Williams. Elle montre que ses domaines RBD, C2 et hélicoïdal forment une couche relativement compacte qui vient s'adosser à l'arrière du domaine kinase (Fig. 19-60). Comme attendu, le domaine kinase ressemble globalement à celui des protéine-kinases dans le sens qu'il est bilobé, son lobe N étant constitué essentiellement d'un feuillet β à 5 segments et son lobe C étant surtout hélicoïdal. Cependant, il existe des différences importantes entre ces domaines kinase, comme le montre une comparaison des domaines catalytiques de la Fig. 19-60 et de la Fig. 19-26*a*, par exemple.

Le domaine RBD de la PI3Kγ présente le même repliement que celui de RafRBD (Fig. 19-39). De fait, dans la structure par rayons X de PI3Kγ–Ras • GDPNP (Fig. 19-61), également déterminée par Williams, le RBD de la PI3K interagit avec Ras comme nous avons

vu que RafRBD interagit avec l'homologue de Ras, Rap1A (Fig. 19-39), dans la mesure où ils mettent leurs feuillets β centraux dans le même prolongement. Cependant, Ras liée à la PI3Kγ est décalée de 35° par rapport à Rap1A liée à RafRBD. Des contacts entre le domaine commutateur I de Ras et PI3Kγ stabilisent cette interaction et assurent sa dépendance de Ras•GTP. Ce complexe montre également des contacts intermoléculaires impliquant le domaine commutateur II de Ras. Une telle interaction n'avait été observée auparavant qu'entre Ras et ses effecteurs amont. La comparaison de la structure du complexe PI3Kγ–Ras avec celle de PI3Kγ • ATP montre que la liaison de Ras amène le lobe C du domaine catalytique de la PI3Kγ à pivoter par rapport à son lobe N, ce qui modifie considérablement la poche de liaison postulée pour le groupement de tête phospho-inositide. Ceci rendrait compte du fait que la PI3Kγ s'active environ 15 fois lorsqu'elle se lie à Ras • GTP.

Le domaine C2 de la PI3Kγ forme le même sandwich de deux feuillets β antiparallèles à 4 segments que celui observé dans le domaine C2 de la PLC-δ1 (Fig. 19-54). Cependant, contrairement au domaine C2 de la PLC-δ1 (Section 19-4B), celui de la PI3Kγ ne fixe pas les ions Ca²⁺. Néanmoins, le domaine C2 de la PI3Kγ participe apparemment à l'association de membranes, puisque ce domaine C2 isolé se lie à des vésicules de phospholipides avec une affinité semblable à celle de l'enzyme intacte. Cette interaction ferait intervenir des plages de résidus basiques à la surface du domaine C2.

Le domaine hélicoïdal de la PI3Kγ est constitué de 5 paires répétées d'hélices antiparallèles qui forment une superhélice, laquelle ressemble fort à celle formée par les répétitions HEAT

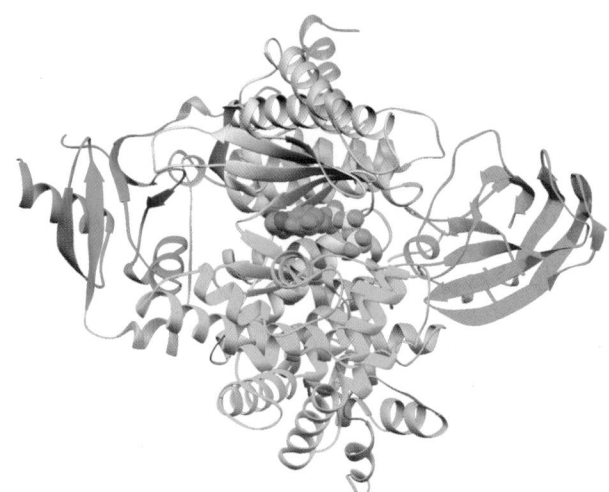

FIGURE 19-60 Structure par rayons X de PI3Kγ • ATP. La protéine est représentée en ruban, avec son domaine de liaison de Ras (RBD) catalytique en vert, son domaine C2 en magenta, son domaine hélicoïdal en orange, les lobes N et C de son domaine kinase en rose et bleu-vert, et les segments interdomaines en gris. L'ATP est représenté en modèle compact, avec C en vert, N en bleu, O en rouge et P en jaune. La protéine est orientée de sorte que son domaine kinase est observé selon la vue « standard ». La protéine semble fragmentée parce que plusieurs des ses segments sont désorganisés, y compris la plus grande partie de la boucle d'activation de la kinase. [Basé sur une structure par rayons X due à Roger Williams, MRC Laboratory of Molecular Biology, Cambridge, U.K. PDBid 1E8X.]

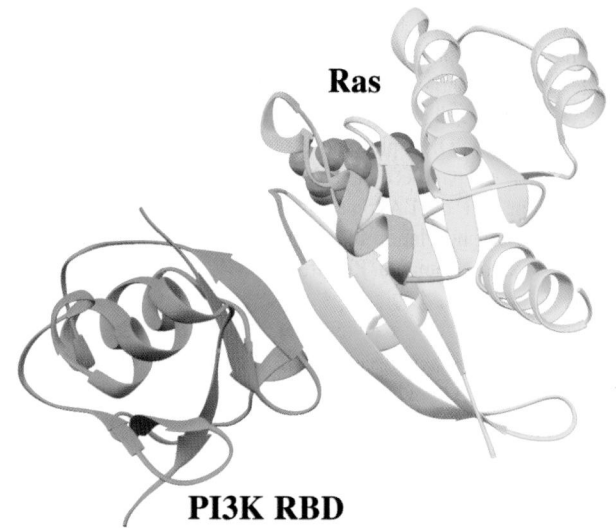

FIGURE 19-61 Structure par rayons X de PI3Kγ–Ras • GDPNP. Seuls le RBD de la PI3Kγ (*vert*) et Ras • GDPNP (*doré*) sont dessinés, avec les domaines commutateurs I et II de Ras en magenta et en bleu-vert, et le GDPNP fixé représenté en modèle compact (C en vert, N en bleu, O en rouge et P en jaune). La vue, semblable à celle dans la Fig. 19-39, peut être ramenée à celle dans la Fig. 19-60 en la faisant pivoter d'environ 40° dans le sens horaire autour de son axe vertical puis en la faisant tourner de 180° autour de l'axe perpendiculaire à la page. [Basé sur une structure par rayons X due à Roger Williams, MRC Laboratory of Molecular Biology, Cambridge, U.K. PDBid 1HE8.]

dans la sous-unité A de la protéine-phosphatase 2A (PP2A ; Fig. 19-48), même si la PI3Kγ ne contient pas de séquence du motif HEAT. Par analogie avec la fonction de la sous-unité A de PP2A, qui est de se lier à d'autres protéines (Section 19-4E), on a proposé que le rôle du domaine hélicoïdal de la PI3Kγ, qui est largement exposé au solvant, est d'interagir avec les protéines qui se lient à la PI3Kγ, comme son adaptateur p101 et $G_{\beta\gamma}$.

c. L'activation de Akt requiert sa liaison aux 3-phospho-inositides via son domaine PH

Les produits des PI3K que sont lePtdIns-3,4-P_2 et le PtdIns-3,4,5-P_3 (Fig. 19-58) se fixent à leurs effecteurs aval principalement via certains domaines d'homologie avec la pleckstrine (domaines PH) qui se lient préférentiellement aux groupements de tête de ces 3-phospho-inositides plutôt qu'à celui de PIP_2, (comme le fait le domaine PH de PLC-δ; Fig. 19-55). Un exemple d'un tel effecteur contenant un domaine PH est la protéine-kinase-1 phospho-inositide-dépendante (PDK1), protéine de 556 résidus qui, comme nous l'avons vu, phosphoryle les boucles d'activation de la PKA (Section 19-4C) et de la PKC. Un autre exemple est la protéine Ser/Thr-kinase **Akt** [aussi appelée **protéine-kinase B (PKB)**], produit d'un proto-oncogène impliqué dans la régulation de nombreux processus biologiques, parmi lesquels l'expression des gènes, l'apoptose et la prolifération cellulaire, et qui est donc censée phosphoryler de nombreuses protéines cibles. Akt, une protéine d'environ 480 résidus, comporte un domaine PH N-terminal et un domaine kinase C-terminal homologue à ceux de la PKA et de la PKC. Les organismes multicellulaires expriment trois isoformes de l'Akt, mais la levure n'en contient pas. Ceci suggère que l'Akt a évolué à partir de la famille PKA/PKC en même temps que les organismes multicellulaires.

Akt n'est pas activée par la liaison de ses lipides cibles à son domaine PH. En fait, l'activation requiert la phosphorylation de sa Thr 308, qui est située dans la boucle d'activation de l'Akt. Cette phosphorylation est catalysée par la PDK1, kinase constitutivement active dont le domaine PH fixe également les 3-phospho-inositides (PDK1 phosphoryle aussi la Ser 473 de l'Akt, mais ceci n'est pas nécessaire à l'activation). Muter les résidus du domaine PH de l'Akt nécessaires à la fixation des lipides bloque sa phosphorylation *in vitro* par la PDK1. Cependant, l'élimination de ce domaine PH affranchit l'Akt du besoin de 3-phospho-inositides. Ceci suggère que la liaison de l'Akt à ces lipides ancrés dans la membrane induit un changement de conformation qui permet à la PDK1 de phosphoryler et donc d'activer l'Akt. On admet donc que c'est la colocalisaiton de l'Akt et de la PDK1, assurée par les 3-phospho-inositides, qui conduit à l'activation de l'Akt, et que c'est donc l'action de la PI3K qui est fonctionnellement responsable de ce processus. Au contraire, la phosphorylation de la PKA, qui est dépourvue de domaine PH, catalysée par la PDK1 survient en absence de 3-phospho-inositides et est donc constitutive.

d. Le domaine FYVE fixe le groupement de tête du PtdIns-3-P

Le PtdIns-3-P, qui ne porte qu'un seul groupement phosphate, se fixe rarement sur un domaine PH. Ses effets directs dépendent au contraire de **domaines FYVE** [nommés d'après les 4 protéines où ils furent découverts : *F*ab1p, *Y*OTB, *V*ac1p et **E**arly endosome antigen 1 (**EEA1**)], qu'on a identifiés dans une soixantaine de protéines. Par exemple, la protéine d'eucaryote EEA1 (1410 résidus), qui contient un domaine FYVE C-terminal de 65 résidus, déclenche la fusion des endosomes dans les cellules eucaryotes (Fig. 12-79) en recrutant la petite GTPase **Rab5** ancrée dans la membrane et la **syntaxine**, une protéine transmembranaire (Section 12-4D).

La structure par RMN du domaine FYVE de EEA1, due à Michael Overduin, montre qu'il adopte des conformations semblables, qu'il soit à l'état libre, ou lorsqu'il est lié au dibutanoyl-PtdIns-3-P (Fig. 19-62) ou à des micelles de dodécylphosphocholine (DPC) enrichies en ce PtdIns-3-P. La structure de la protéine est maintenue essentiellement par deux ions Zn^{2+} fixés chacun par une liaison tétraédrique aux chaînes latérales de 4 Cys conservées. Le groupement de tête du PtdIns-3-P est maintenu dans sa poche de liaison par un réseau d'interactions électrostatiques, de liaisons hydrogène et d'interactions hydrophobes impliquant un motif (R/K)(R/K)HHCR hautement conservé (RRHHCR dans EEA1).

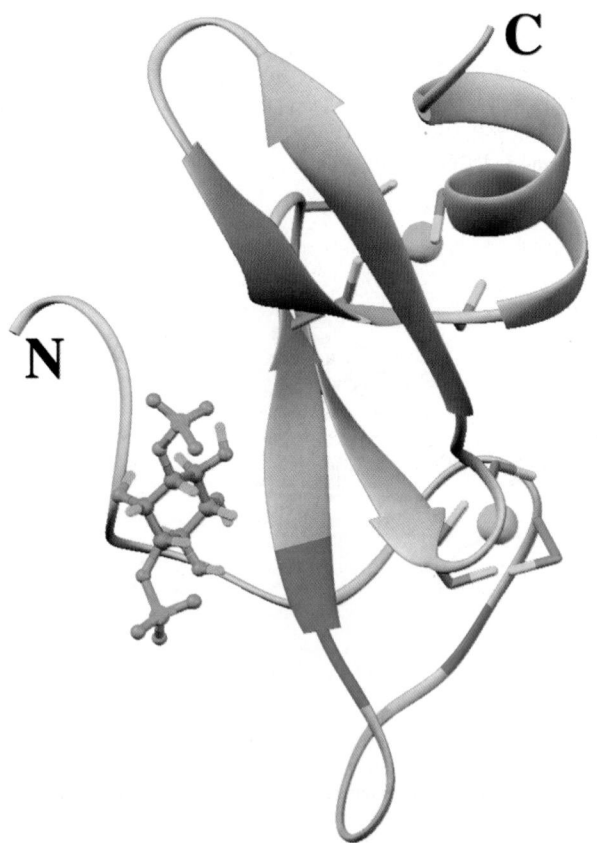

FIGURE 19-62 Structure par RMN du domaine FYVE de EEA1 en complexe avec le PtdIns-3-P. Le groupement de tête du PtdIns-3-P est dessiné en boules et bâtonnets (C en vert, O en rouge, P en magenta, H en gris). La protéine fixe deux ions Zn^{2+} (*sphères bleu-vert*) qui sont chacun en liaison tretraédrique avec quatre chaînes latérales de Cys dessinées en bâtonnets (C en vert et S en jaune). La boucle de 5 résidus qui s'insère dans les micelles DPC est en orange et les résidus basiques qui la bordent sont en bleu. [Basé sur une structure par RMN due à Michael Overduin, University of Colorado Health Sciences Center. PDBid 1HYI.]

Des données de RMN indiquent que, lors de l'addition de micelles DPC, le complexe entre le domaine FYVE et le PtdIns-3-P insère dans la couche lipidique une boucle hydrophobe de 5 résidus (FSVTV ; en orange dans la Fig. 19-62) flanquée de résidus basiques (en bleu dans la Fig. 19-62). Ceci se passe également, mais à un bien moindre degré, en absence de PtdIns-3-P. Inversement, l'insertion dans la membrane augmente 20 fois (de 1 μM à 50 nM) l'affinité de liaison du domaine FYVE pour PtdIns-3-P. Ceci résulterait du fait que le segment de 10 résidus qui précède la boucle d'insertion dans la membrane, région la plus désorganisée de la protéine libre, devient mieux ordonnée et se déplace vers la poche de liaison lors de la fixation du PtdIns-3-P. On a donc proposé que le domaine FYVE est recruté vers les membranes en raison de l'insertion de sa boucle hydrophobe dans la bicouche lipidique. Ceci amène la protéine à reconnaître le PtdIns-3-P, dont la liaison conduit le segment N-terminal jusque là mobile à se refermer sur le groupement de tête du PtdIns-3-P.

E. *Inositol polyphosphate-phosphatases*

Il est mis fin à la signalisation via la cascade des phospho-inositides par l'action d'un groupe d'inositol-phosphatases classées fonctionnellement comme 1-, 3-, 4- et 5-phosphatases. Nous clôturerons notre étude de cette cascade par un exposé sur les caractéristiques de ces enzymes importantes.

a. Les inositol polyphosphate 5-phosphatases interviennent dans de nombreuses voies de signalisation

Les premières **inositol polyphosphate 5-phosphatases** qui furent étudiées hydrolysent l'IP$_3$ (Ins-1,4,5-P$_3$) en IP$_2$ (Ins-1,4-P$_2$) et mettent ainsi fin à la mobilisation cellulaire du Ca^{2+} (Fig. 19-51, *en bas*). On trouve chez les mammifères > 10 isozymes à activité 5-phosphatase. Ces enzymes partagent un même cœur catalytique et ont été classées en deux groupes d'après leur spécificité de substrat : les enzymes de type I déphosphorylent les inositol phosphate ; celles de type II hydrolysent en plus les phospho-inositides correspondants.

Les **5-phosphatases de type I**, qui n'hydrolysent que l'IP$_3$ et l'**Ins-1,3,4,5-P$_4$**, sont ancrées dans la membrane par prénylation. Celle qui est présente dans les plaquettes sanguines (un genre de cellule qui participe à la coagulation du sang ; Section 35-1) forme un complexe stœchiométrique avec la **pleckstrine**, protéine de 350 résidus formée essentiellement de deux domaines PH. Lorsque les plaquettes sont stimulées par la **thrombine**, enzyme protéolytique de la coagulation (Section 35-1B), la pleckstrine est phosphorylée sur des résidus Ser et Thr par la PKC, laquelle active à son tour la 5-phosphatase qui lui est associée. Noter que la PKC est activée par le DAG, un produit de la PLC, qui fournit en même temps l'IP$_3$, substrat de la 5-phosphatase de type I (Fig. 19-51). Cet IP$_3$ stimule la libération de Ca^{2+} tandis que l'autre produit de la PLC, le DAG, active la 5-phosphatase de type I via la phosphorylation de la pleckstrine pour mettre fin au signal Ca^{2+}. Cet arrêt de signalisation semble important pour une croissance cellulaire normale car une diminution de l'expression de la 5-phosphatase de type I provoque une augmentation de la prolifération cellulaire qui peut aller jusqu'à la transformation cancéreuse.

Les 5-phosphatases de type II partagent de plus grandes similitudes de leur cœur catalytique que celles de type I. De plus, elles possèdent un domaine dit de type II du côté N-terminal de leur cœur catalytique. Il en existe trois sous-types principaux : les **GIP**, les **SHIP** et les **SCIP**. Les GIP (pour *G*AP-containing *i*nositol *p*hosphatase) tirent leur nom du fait qu'elles ont un domaine GAP C-terminal, bien qu'elles n'aient pas d'activité GAP démontrée. Les GIP hydrolysent l'IP$_3$ et l'Ins-1,3,4,5-P$_4$ et les lipides correspondants, le PtdIns-4,5-P$_2$ et le PtdIns-3,4,5-P$_3$, bien qu'avec des efficacités catalytiques différentes.

On ne connaît que deux GIP, la **5-phosphatase II** et **OCRL**. Cette dernière doit son nom au fait que sa mutation provoque la **dystrophie oculo-cérébro-rénale** (ou **syndrome de Lowe**), maladie héréditaire liée à X caractérisée par une cataracte congénitale, une dégénérescence rétinienne progressive, un retard mental et une déficience tubulaire rénale qui conduit à l'insuffisance rénale chez le jeune adulte. OCRL est une protéine de 901 résidus que l'on trouve principalement à la surface des lysosomes, où elle est ancrée par prénylation. Les cellules tubulaires rénales des patients atteints du syndrome de Lowe sont dépourvues d'activité hydrolytique vis-à-vis du PtdIns-4,5-P$_2$ et du PtdIns-3,4,5-P$_3$, alors que les inositol phosphate correspondants sont hydrolysés normalement ; l'OCRL est donc une lipide-phosphatase. Le PtdIns-4,5-P$_2$ stimule le bourgeonnement de vésicules membraneuses à partir des lysosomes, de sorte que l'accumulation de ce lipide conduit probablement à un trafic accru d'enzymes, du lysosome vers l'espace extracellulaire. De fait, les enzymes lysosomiales de ces cellules semblent mal réparties (comme c'est le cas de plusieurs hydrolases lysosomiales dans la mucolipidose de type II ou I-cell disease ; Section 12-4C). C'est cette fuite chronique d'enzymes lysosomiales dans le syndrome de Lowe qui provoquerait les dégâts tissulaires menant à l'insuffisance rénale et à la cécité.

Les SHIP n'hydrolysent que des substrats possédant également un phosphate en position 3. Les deux membres connus de ce goupe, **SHIP** (pour « *S*H2-containing *i*nositol-5-*p*hosphatases ») et **SHIP2**, sont des protéines d'environ 1200 résidus à domaine SH2 N-terminal. Ces protéines peuvent donc se lier à des PTK et sont de fait phosphorylées par celles-ci pour donner une séquence consensus de fixation de domaines PTB (NPXpY ; Section 19-3C). De plus, elles contiennent également un domaine C-terminal riche en proline qui peut se lier à des protéines possédant un domaine SH3. L'activité SHIP peut donc être contrôlée par différents systèmes. De fait, SHIP, qu'on ne trouve que dans les cellules hématopoïétiques, s'associe aux adaptateurs protéiques Grb2 et Shc (Section 19-3C). Elle hydrolyse le PtdIns-3,4,5-P$_3$, qui est impliqué dans l'activation de l'Akt et de la PLC. SHIP2 exerce la même fonction dans les cellules non hématopoïétiques où elle limite la réponse cellulaire à l'insuline, à l'EGF et au PDGF.

Les **SCIP** (pour « *S*ac1-containing *i*nositol *p*hosphatases ») sont appelées ainsi car elles contiennent un domaine N-terminal homologue de la phosphatidylinositol phosphatase de levure **Sac1**. La première SCIP caractérisée fut nommée **synaptojanine1** car purifiée à partir de vésicules synaptiques et en raison de la présence de deux domaines phosphatase rappelant les deux domaines kinase des Janus kinases (JAK ; Section 19-3E). Le domaine 5-phosphatase de la synaptojanine1, protéine de 1575 résidus, hydrolyse le PIP$_3$ et le PtdIns-4,5-P$_2$, et son domaine Sac1 phosphatase hydrolyse le PtdIns-3-P et le PtdIns-4-P. On ne trouve la synaptojanine1 que dans les neurones où elle forme des complexes avec la dynamine, une protéine G (Section 12-4C), et participe ainsi au recyclage des vésicules synaptiques. La **synaptojanine2**, très semblable, est ubiquitaire, mais ses fonctions restent largement inconnues.

b. L'inositol polyphosphate 1-phosphatase est impliquée dans la maladie maniaco-dépressive

Les mammifères n'ont qu'un type d'**inositol polyphosphate 1-phosphatase**, enzyme de 399 résidus qui hydrolyse l'**Ins-1,4-P_2** et l'Ins-1,3,4-P_3 (IP_3), mais n'agit pas sur des substrats lipidiques. Cette enyme est inhibée par l'ion Li^+. L'efficacité de l'ion Li^+ dans le contrôle des sautes d'humeur invalidantes des personnes souffrant de maniaco-dépression (**maladie bipolaire**) suggère donc que cette maladie mentale résulte d'une anomalie de la 1-phosphatase dans le cerveau, sans doute suite à l'activation anormale de récepteurs mobilisant le Ca^{2+} (Fig. 19-51, *en bas*). De fait, des mouches *Drosophila* dont on a éliminé cette 1-phosphatase manifestent des troubles neurologiques (phénotype dit « shaker ») identiques à ceux de mouches normales traitées au Li^+.

c. L'inositol polyphosphate 3-phosphatase PTEN est un suppresseur de tumeurs

Les **inositol polyphosphate 3-phosphatases** inversent l'action des PI3K. La mieux caractérisée de ces enzymes est **PTEN** (pour «*p*hosphatase and *t*ensin homolog ; la **tensine** est une protéine du cytosquelette qui se fixe à l'actine), protéine de 403 résidus qui déphosphoryle *in vitro* tous les phospho-inositides phosphorylés en position 3 et l'Ins-1,3,4,5-P_4. PTEN est un **suppresseur de tumeurs** (protéine dont la perte de fonction provoque le cancer), sans doute parce que son activité 3-phosphatase freine l'action de l'Akt activée par le PtdIns-3,4,5-P_3. De

fait, on trouve fréquemment des formes mutantes de PTEN dans plusieurs types de cancer. PTEN peut aussi déphosphoryler des peptides phosphorylés sur Ser, Thr et Tyr, mais cette activité ne porte que sur des peptides très acides.

La structure par rayons X de PTEN, déterminée par Jack Dixon et Nikola Pavletich, montre que la protéine est constituée d'un domaine phosphatase N-terminal et d'un domaine C2 C-terminal (Fig. 19-63). La structure de son domaine phosphatase ressemble à celle qui est commune aux domaines des protéines tyrosine-phosphatases (les PTP) (p. ex. Fig. 19-47), mais avec une poche du site actif plus grande, sans doute pour accueillir son gros substrat le PtdIns-3,4,5-P_3. Le domaine C2 ne lie ni le Ca^{2+} ni des ligands qui fixent cet ion, mais il se lie cependant à des phospholipides de membranes comme le fait le domaine C2 de la PI3Kγ (Fig. 19-60). Les domaines phosphatase et C2 s'associent sur une vaste interface, dont les résidus sont souvent mutés dans le cancer. On trouve une même interface serrée entre les domaines kinase et C2 de la PLC-δ1 (Fig. 19-54). Ceci suggère que le rôle du domaine C2 de PTEN est de placer correctement dans la membrane le domaine phosphatase qui lui est associé.

d. Les inositol polyphosphate 4-phosphatases contrôlent la concentration de PtdIns-3,4-P2

Il existe deux isoformes d'inositol 4-phosphatase, les **4-phosphatases I** et **II**, qui catalyse l'hydrolyse des **Ins-1,3,4-P_3**, **Ins-2,4-P_2** et PtdIns-3,4-P_2. En fait, ces protéines d'environ 940 résidus comptent pour > 95 % de l'activité PtdIns-3,4-P_2 phosphatase dans de nombreux tissus humains, suggérant qu'elles jouent un rôle important dans le métabolisme de ce second messager. Ceci est étayé par l'observation que la stimulation de plaquettes humaines par la thrombine ou un ionophore à Ca^{2+} conduit à l'inactivation de la 4-phosphatase I suite à son clivage protéolytique par la **calpaïne**, une protéase Ca^{2+}-dépendante. Cette inactivation de la 4-phosphatase I est en corrélation avec l'accumulation, dépendant du Ca^{2+} ou de l'agrégation plaquettaire, de PtdIns-3,4-P_2 caractéristique des plaquettes humaines (qui s'agrégent aux premiers stades de la formation du caillot sanguin ; Section 35-1).

E. *Épilogue : systèmes complexes et propriétés émergentes*

Les sytèmes complexes sont, par définition, difficiles à comprendre et à expliciter. On pense, par exemple, au climat de notre planète, aux économies de grands pays, à l'écologie -même sur de petits territoires- et au cerveau humain. Après la lecture de ce chapitre, on peut y ajouter les systèmes biologiques de transduction du signal. Comme nous l'avons vu, un signal hormonal est véhiculé par plusieurs voies de signalisation intracellulaires, chacune étant constituée de nombreuses composantes, dont plusieurs interagissent avec des composantes d'autres voies de signalisation. Par exemple, il est clair que le **système de signalisation par l'insuline** (Fig. 19-64), encore qu'imparfaitement élucidé, est très complexe. Suite à la liaison de l'insuline, le récepteur insulinique s'autophosphoryle sur plusieurs résidus Tyr (Section 19-3A) puis phosphoryle sur Tyr ses protéines cibles, ce qui active plusieurs voies de signalisation qui contrôlent un large spectre de procesus :

Domaine phosphatase   **Domaine C2**

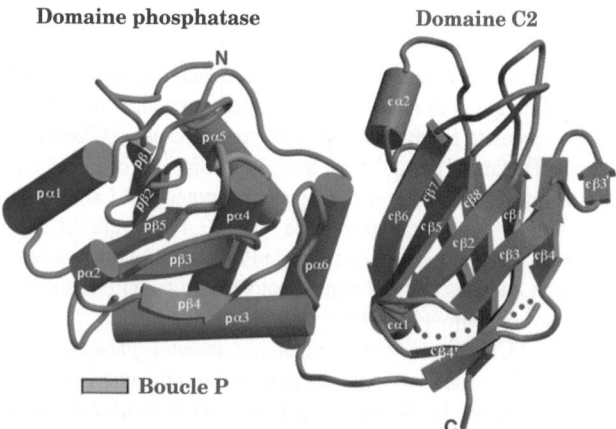

FIGURE 19-63 Structure par rayons X de PTEN. La protéine est vue avec son domaine phosphatase en bleu, son domaine C2 en rouge, et la boucle P, qui interagit avec le substrat, en beige. La ligne pointillée représente un segment de 24 résidus qui fut enlevé à la protéine pour faciliter sa cristallisation.. [Avec la permission de Nicolas Pavletich, Memorial Sloan-Kettering Cancer Center, New-York, New-York. PDBid 1DR5.]

1. La phosphorylation de Shc (Section 19-3C) aboutit à la stimulation d'une cascade de MAP kinases (Section 19-3D), ce qui modifie finalement la croissance et la différenciation.

2. La phosphorylation de **Gab-1** (pour « **Grb2-associated binder-1** ») active de même cette cascade de MAP kinases.

3. La phosphorylation de substrats protéiques du récepteur insulinique (IRS) (Section 19-3C) active une cascade de phospho-inositides via la PI3K (Section 19-4D), ce qui débouche sur la stimulation de nombreux processus métaboliques comme la synthèse de glycogène (Section 18-3E) et le transport de glucose (Section 20-2E), de même que la croissance et la différenciation cellulaires.

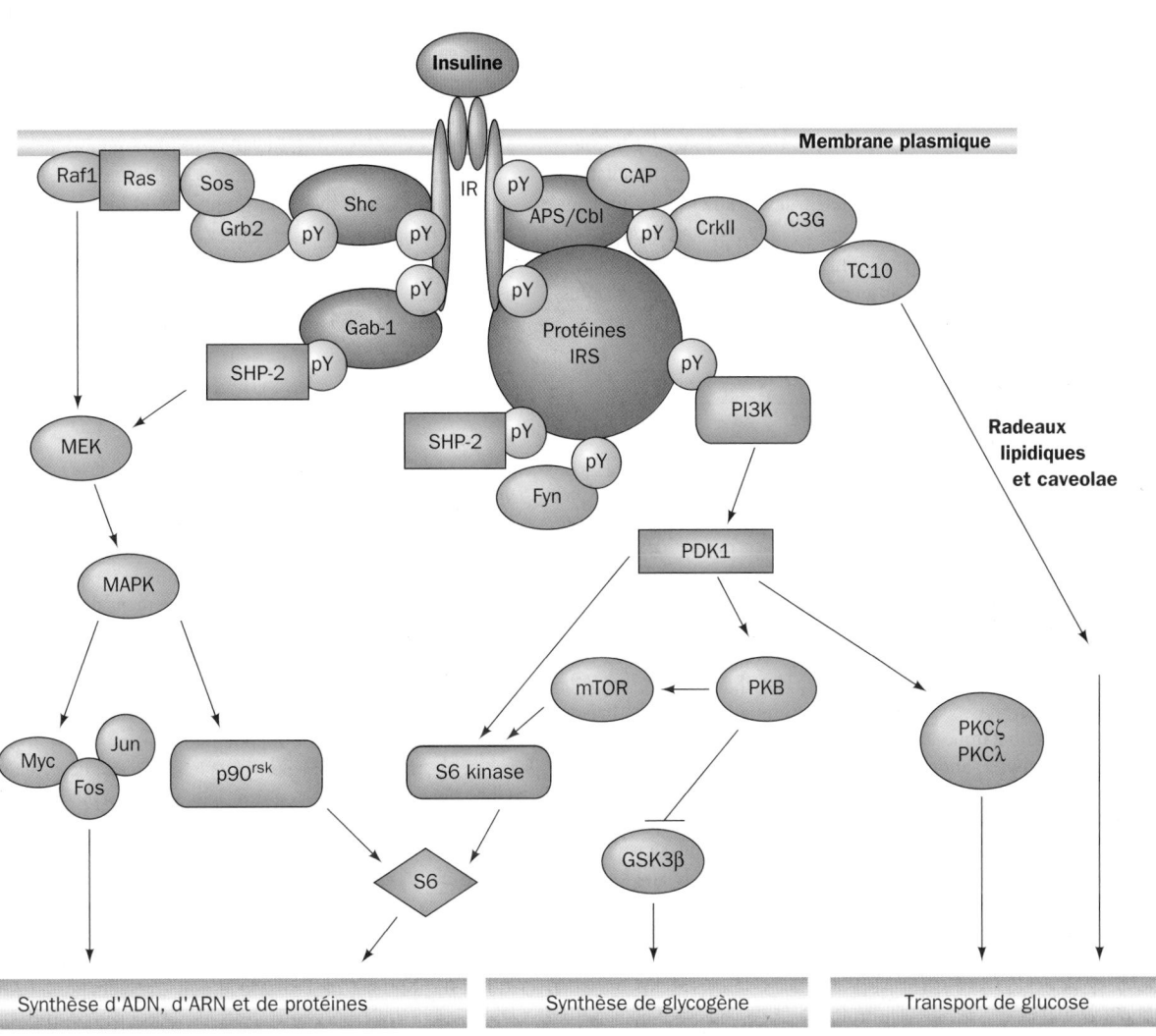

FIGURE 19-64 Transduction du signal par l'insuline. La liaison de l'insuline à son récepteur (**IR**) induit son autophosphorylation sur plusieurs résidus Tyr de ses sous-unités β. Plusieurs protéines, dont Shc, Gab-1, le complexe APS/Cbl et les protéines IRS, se fixent à ces résidus pYoù ils sont phosphorylés sur Tyr par le récepteur insulinique activé, ce qui active les cascades de phosphorylation par la MAP kinase et la PI3K, ainsi qu'un processus de régulation par radeaux lipidiques et caveolae. La cascade MAPK régule l'expression de gènes imliqués dans la prolifération cellulaire et la différenciation. La cascade PI3K conduit à des modifications de l'état de phosphorylation de plusieurs enzymes, de sorte à stimuler la synthèse de glycogène ainsi que d'autres voies. La cascade PI3K participe également au contrôle du trafic vésiculaire, ce qui conduit à la translocation du transporteur de glucose **GLUT4** vers la surface cellulaire et donc à l'augmentation de la vitesse d'entrée du glucose dans la cellule (Section 20-2E). Le contrôle du transport de glucose est égale-

ment assuré, indépendamment de la PI3K, par le système APS/Cbl, qui implique les radeaux lipidiques et les caveolae. Autres symboles : Myc, Fos et Jun (facteurs de transcription ; Section 19-3D), SHP-2 (une PTP contenant un SH2 ; Section 19-3F), **CAP** (Cbl-associated protein), **C3G** [un facteur d'échange des nucléotides guanyliques (GEF)], **Crk II** [un adaptateur protéique contenant un SH2/SH3)], PDK1 (protéine-kinase-1 phospho-inositide-dépendante ; Section 19-4C), PKB (protéine-kinase B, aussi appelée Akt ; Section 19-4D), **mTOR** [pour « *m*ammalian *t*arget *o*f *r*apamycin », protéine-kinase apparentée à la PI3K ; la **rapamycine** est un immunosuppresseur semblable au FK506 (Section 9-2B) ; mTOR est également appelée **FKBP12-rapamycin-associated protein (FRAP)]**, **S6** [sous-unité protéique de la petite sous-unité des ribosomes d'eucaryotes (Section 32-3A ; sa phosphorylation stimule la traduction)], et PKCζ et PKCλ (formes atypiqques de la protéine-kinase C ; Section 19-4D). [D'après Zick, Y. *Trends Cell Biol.* **11**, 437 (2001).]

4. La phosphorylation du complexe **APS/Cbl** (APS pour « *A*dapter *p*rotein containing *p*leckstrin homology and *S*rc homology-2 domains ; Cbl, produit d'un proto-oncogène, est une protéine d'accostage pour domaines SH2/SH3) mène à la stimulation de **TC10** [une protéine G de la famille Rho (Section 35-3E)] et à la régulation, indépendante de la PI3K, du transport de glucose impliquant la participation de radeaux lipidiques et de caveolae (Section 12-3C).

La démarche scientifique prédominante est réductionniste : on s'efforce de comprendre un système en étudiant ses constituants. Ainsi, chimistes et biochimistes expliquent les propriétés des molécules selon les propriétés des atomes qui les constituent, les biologistes cellulaires expliquent la nature des cellules en termes de propriétés des macromolécules dont elles sont faites, et les biologistes cellulaires expliquent les caractéristiques des organismes multicelllaires en termes de propriétés des cellules dont ils sont constitués. Cependant, les systèmes complexes sont douées de **propriétés émergentes**, qui ne sont pas facilement prévisibles à partir de la compréhension de leurs constituants (le tout est plus grand que la somme de ses parties). De fait, la vie elle-même est une propriété émergente qui émane des innombrables réactions chimiques dont la cellule est le siège.

L'élucidation des propriétés émergentes d'un système complexe exige une démarche intégrative. Pour les systèmes de transduction du signal, une telle approche suppose qu'on puisse déterminer comment chacun des constituants de chaque voie de signalisation d'une cellule donnée interagit avec chacun de tous ces autres constituants et ce, dans les conditions que chaque constituant rencontre dans son environnement local. Les techniques requises sont rarement disponibles. De plus, loin d'être statiques, ces systèmes varient au cours du temps quant à leur réponse à des programmes qui concernent la cellule ou l'organisme entier. Par conséquent, les moyens d'investigation du fonctionnement des systèmes cellulaires de transduction du signal dans leur globalité n'en sont encore qu'aux premiers balbutiements. Une telle compréhension devrait avoir un grand intérêt biomédical car de nombreuses maladies, dont le cancer, le diabète et plusieurs pathologies neurologiques, sont la conséquence de dysfonctionnements de systèmes de transduction du signal.

RÉSUMÉ DU CHAPITRE

1 ■ Les hormones Les messagers chimiques sont classés en hormones autocrines, paracrines et endocrines selon qu'ils agissent sur la même cellule, sur des cellules voisines ou sur des cellules éloignées de celle qui les a sécrétés. L'organisme contient un système endocrine complexe qui contrôle de nombreux aspects de son métabolisme. Les concentrations en hormones peuvent être déterminées par des radioimmunodosages. Les récepteurs sont des protéines liées à des membranes, qui fixent leur ligand en vertu de la loi d'action des masses. Les paramètres qui décrivent la liaison d'un ligand radiomarqué à son récepteur peuvent être déterminés à partir de la représentation de Scatchard. Les constantes de dissociation d'autres ligands pour le même site de liaison sur le récepteur peuvent alors être déterminées par des études de liaison compétitive. Les cellules des îlots pancréatiques sécrètent l'insuline et le glucagon, hormones polypeptidiques qui induisent le stockage ou la libération du glucose et des lipides, respectivement par le foie et le tissu adipeux. Les hormones polypeptidiques gastro-intestinales coordonnent divers aspects de la digestion. Les hormones thyroïdiennes, T_3 et T_4, sont des dérivés d'acides aminés iodés qui stimulent globalement le métabolisme en activant des facteurs de transcription cellulaires. Le métabolisme de l'ion Ca^{2+} est régulé par les niveaux de PTH, de vitamine D et de calcitonine. La PTH et la vitamine D entraînent une augmentation de $[Ca^{2+}]$ sanguin, en stimulant sa libération à partir des os, sa réabsorption rénale, et son absorption intestinale, alors que la calcitonine a des effets opposés. La vitamine D est un dérivé stéroïdien qui doit être apporté par l'alimentation ou par exposition aux rayons UV. La vitamine D, après être transformée successivement dans le foie et dans le rein en $1,25(OH)_2D$, stimule, dans l'épithélium intestinal, la synthèse d'une protéine qui fixe le Ca^{2+}. Les glandes médullosurrénales sécrètent l'adrénaline et la noradrénaline, deux catécholamines qui se fixent sur les récepteurs adrénergiques α et β d'un grand nombre de cellules, de manière à préparer l'organisme à « combattre ou fuir ». Le cortex surrénalien sécrète les stéroïdes glucocorticoïdes et minéralocorticoïdes. Les glucocorticoïdes ont, sur le métabolisme, un effet opposé à celui de l'insuline mais ils interviennent également dans un grand nombre de fonctions vitales. Les minéralocorticoïdes régulent l'excrétion, par le rein, de l'eau et des sels. Les gonades sécrètent les hormones stéroïdes sexuelles, androgènes (hormones mâles) et oestrogènes (hormones femelles), qui régulent la différenciation sexuelle, le développement des caractères sexuels secondaires et le comportement sexuel. De plus, les ovaires sécrètent les progestines qui interviennent dans le cycle menstruel et la grossesse. À moins d'être sous l'influence de la testostérone, un androgène, les embryons de mammifère deviennent des individus femelles. *SRY*, un gène qui code une protéine qui se fixe sur l'ADN et qui se trouve normalement sur le chromosome Y, induit le développement des testicules qui, à leur tour, produisent de la testostérone. L'hypothalamus sécrète une série de polypeptides qui sont des hormones de libération ou d'inhibition telles que les CRF, TRF, GnRF et la somatostatine qui contrôlent la sécrétion, par l'adénohypophyse, des hormones trophiques correspondantes. La plupart de ces dernières, comme l'ACTH, la TSH, la LH et la FSH stimulent la libération d'autres hormones par leurs glandes endocrines cibles. L'hormone de croissance agit directement sur les tissus ou stimule la synthèse, par le foie, de facteurs de croissance connus sous le nom de somatomédines. La neurohypophyse produit deux peptides, la vasopressine, qui stimule la rétention d'eau par les reins, et l'ocytocine qui stimule la contraction utérine. Le cycle menstruel résulte d'une relation complexe entre les hormones hypothalamiques et adénohypophysaires et les stéroïdes sexuels. Un ovule fécondé et implanté sécrète la CG, qui se fixe sur le même récepteur et a les mêmes effets que la LH, ce qui empêche la menstruation. La fixation de la hGH sur son récepteur entraîne la dimérisation de ce dernier, fournissant un signal intracellulaire qui indique la fixation de l'hormone. De nombreux autres signaux hormonaux sont transmis de cette manière. L'adénohypophyse sécrète également des peptides opioïdes qui ont des effets sur le système nerveux central semblables à ceux des opiacés. Le monoxyde d'azote (NO), un gaz radicalaire très réactionel, est un médiateur local qui régule la vasodilatation, agit comme neurotransmetteur, et joue un rôle dans la réponse immunitaire. Chez les mammifères, il est synthétisé par trois isozymes de la NO synthase (NOS), une enzyme qui contient cinq groupements prosthétiques rédox. La eNOS et la nNOS sont activées par le Ca^{2+} en vertu de leur fixation du complexe Ca^{2+}–calmoduline ; iNOS est contrôlée au niveau transcriptionnel. Le NO active la guanylate cyclase à produire du GMPc, qui à son tour active la protéine-kinase GMPc-dépendante.

2 ■ Protéines G hétérotrimériques La liaison de ligands (hormones) à certains récepteurs à sept domaines transmembranaires active la sous-unité $G_{s\alpha}$ d'une protéine G stimulatrice à remplacer le GDP qui lui est fixé, par du GTP, libérer les sous-unités $G_{\beta\gamma}$ qui lui sont associées, et activer l'adénylate cyclase (AC) à synthétiser de l'AMPc. L'activation se poursuit jusqu'à ce que $G_{s\alpha}$ hydrolyse en GDP le GTP qui lui est fixé, et se réassocie à $G_{\beta\gamma}$. Plusieurs types de récepteurs hormonaux activés d'une même cellule peuvent stimuler la même protéine G_s. Il existe également des protéines G inhibitrices, qui peuvent avoir les mêmes sous-unités G_β et G_γ que G_s, mais qui ont une sous-unité $G_{i\alpha}$ inhibitrice, laquelle désactive l'adénylate cyclase. Les systèmes biologiques de signalisation peuvent être désensibilisés suite à la phosphorylation et à la séquestration endocytaire des récepteurs situés à la surface de la cellule. La toxine du choléra (CT) et l'entérotoxine thermolabile (LT), qui sont des protéines bactériennes AB_5 apparentées, induisent une production incontrôlée d'AMPc en ADP-ribosylant $G_{s\alpha}$, ce qui la rend incapable d'hydrolyser le GTP. La toxine de la coqueluche, également une protéine AB_5, ADP-ribosyle de même $G_{i\alpha}$. Le noyau catalytique des nombreuses isoformes de l'AC sont des hétérodimères pseudosymétriques qui sont activés, dans la plupart des cas, par la liaison du domaine commutateur II de $G_{s\alpha}$ · GTP dans une fente d'un domaine C_{1a} de l'AC. L'AMPc et le GMPc sont éliminés par l'action de nombreuses phosphodiestérases (PDE), dont l'activité est contrôlée par divers agents, ce qui donne lieu à un « dialogue » entre systèmes de signalisation.

3 ■ Signalisation par tyrosine-kinases La fixation de ligands tels qu'hormones et facteurs de croissance protéiques stimule des récepteurs à activité tyrosine-kinase (RTK) en induisant leur dimérisation et leur autophosphorylation subséquente sur des résidus Tyr spécifiques dans la boucle d'activation de leur domaine tyrosine-kinase. Ceci est d'habitude suivi de l'autophosphorylation de résidus Tyr dans d'autres domaines cytoplasmiques. L'immortalité des cellules cancéreuses et leur prolifération incontrôlée leur confère la capacité de former des tumeurs invasives et métastatiques. Le virus du sarcome de Rous, un rétrovirus qui provoque un sarcome du poulet, porte un oncogène, v-*src*, qui est l'homologue du gène cellulaire normal c-*src*. Ces deux gènes codent une protéine tyrosine-kinase (PTK) qui stimule la divison cellulaire. Les produits d'oncogènes comprennent des analogues de facteurs de croissance, des récepteurs de ces facteurs, des protéines nucléaires qui stimulent la transcription et/ou la division cellulaire, et des protéines G. Un RTK autophosphorylé peut à son tour activer d'autres protéines en les phosphorylant sur certaines de leurs tyrosines. Il peut également moduler les activités de protéines spécifiques par fixation d'une séquence peptidique du RTK contenant une (des) phosphoTyr sur des domaines SH2 et PTB de ces protéines ou d'adaptateurs qui se lient à ces protéines. La protéine Grb2, un adaptateur, se fixe de cette manière sur certains RTK activés et en même temps sur une protéine Sos par l'intermédiaire de ses domaines SH3. La protéine Sos fixée, à son tour, joue le rôle de facteur d'échange des nucléotides guanyliques (GEF) pour stimuler Ras, une petite protéine G, à échanger pour du GTP le GDP qui lui est fixé. Ras est une GTPase médiocre, mais elle finit par hydrolyser en GDP le GTP qui lui est fixé, grâce à la protéine activatrice de la GTPase (GAP) RasGAP, qui insinue la chaîne latérale d'une Arg importante pour la catalyse dans le site actif de Ras qui, sans cela, serait inefficace. Les mutations qui interfèrent avec la capacité de Ras–RasGAP à

hydrolyser le GTP lié à Ras sont oncogéniques. La liaison de Ras · GTP à Raf, une Ser/Thr-kinase, active Raf à phosphoryler MEK, une MAP kinase kinase (MKK), qui à son tour phosphoryle la MAP kinase (MAPK). La MAPK activée phosphoryle diverses protéines cytoplasmiques ou associées à des membranes et, de plus, est transférée dans le noyau où elle phosphoryle des facteurs de transcription, lesquels induisent la transcription de leurs gènes cibles. Les protéines de ces cascades MAP kinases sont ordonnées par leur liaison à des protéines d'assemblage, qui empêchent également les membres des différentes cascades de MAP kinases d'une cellule de se phosphoryler l'un l'autre de manière inappropriée. Cependant, les membres activés d'une cascade de MAP kinases peuvent phosphoryler d'autres protéines régulatrices, et ainsi engager des « dialogues » entre différentes voies de transduction du signal. Les récepteurs associés à une tyrosine-kinase transmettent le signal qu'ils ont fixé, en activant des tyrosine-kinases qui ne sont pas des récepteurs mais leur sont associées (NRTK), dont plusieurs sont membres des familles Src ou Jak. Les protéines Jak activées phosphorylent des protéines STAT, qui alors dimérisent et passent dans le noyau où elles agissent comme facteurs de transcription. Le gleevec est un inhibiteur très sélectif de l'Abl et un médicament efficace pour traiter la leucémie myéloïde chronique (CML). Les protéines phosphorylées sont désactivées par des protéine-phosphatases. Certaines protéines tyrosine-phosphatases (PTP) sont des récepteurs transmembranaires qui sont désactivés par leur dimérisation induite par le ligand. D'autres PTP sont cytoplasmiques et sont activées par leur liaison à des PTK activées, par exemple via des domaines SH2, comme pour SHP-2. Les cellules contiennent plusieurs types de Ser/Thr-phosphatases : PP1 participe à la régulation du métabolisme du glycogène ; PP2A, qui intervient dans de multiples processus régulateurs, est un hétérodimère qui a de nombreuses variantes et donc différentes spécificités et localisations cellulaires ; et la calcineurine (CaN ; aussi appelée PP2B) est une phosphatase hétérodimérique activée par le Ca^{2+}. La CaN est la cible des médicaments immunosuppresseurs que sont la cyclosporine A et FK506 suite à sa liaison des complexes de ces médicaments avec les rotamases cyclophiline et FKBP12, ce qui empêche CaN de se fixer à ses phosphopeptides cibles.

4 ■ Cascade des phospho-inositides PIP_2, un constituant phospholipidique mineur du feuillet interne de la membrane plasmique, peut donner jusqu'à trois types de seconds messagers. Des interactions hormone-récepteur, par l'intermédiaire d'une protéine G ou d'un RTK, stimulent la phospholipase C correspondante à hydrolyser PIP_2 en IP_3 hydrosoluble et en DAG lié à la membrane. L'IP_3 stimule la libération de Ca^{2+} à partir du réticulum endoplasmique via des canaux sensibles au ligand. Le Ca^{2+} se fixe sur la calmoduline, qui à son tour active divers processus cellulaires. Le DAG active la protéine-kinase C (PKC) à phosphoryler et ainsi à moduler les activités de nombreuses protéines cellulaires. Le DAG peut également être dégradé pour donner l'arachidonate, intermédiaire important dans la biosynthèse des prostaglandines et composés apparentés. PLC-δ1 est fixée à la membrane, qui contient son substrat le PIP_2, via son domaine PH, qui se lie à PIP_2, et son domaine C2, qui se lie à des molécules de phosphatidylsérine de la membrane par l'intermédiaire de trois ions Ca^{2+}. Les diverses classes de PLC sont activées de différentes manières qui toutes amènent la PLC en contact avec son substrat PIP_2 dans la membrane : les PLC-β en se fixant à $G_{q\alpha}$ · GTP et $G_{\beta\gamma}$; les PLC-γ en se fixant, via des domaines SH2, à des PTK phosphorylées ce qui conduit à la phosphorylation de la PLC par la PTK ; les PLC-δ par le Ca^{2+} ; et les PLC-ϵ par liaison à Ras · GTP. Les PKC « conventionnelles » sont activées par le Ca^{2+} et le DAG. Les esters de phorbol, qui miment le DAG et activent la PKC, sont les plus puissants promoteurs de tumeurs connus. Le DAG et le Ca^{2+}

fixent, en synergie, la PKC dans la membrane via ses domaines C1 et C2, ce qui, par un mécanisme conformationnel, extrait le pseudosubstrat N-terminal de la PKC du site actif de la kinase. L'activité catalytique de la kinase est déclenchée par phosphorylation de sa boucle d'activation par la PKD1 suivie par autophosphorylation sur deux sites supplémentaires. Les phospho-inosites peuvent être phosphorylés sur les positions 3-, 4- et -5 de leur groupement de tête inositol selon toutes les combinaisons possibles, pour donner des seconds messagers liés à la membrane qui fonctionnent en recrutant à la surface de la membrane les protéines qui se lient à ces messagers. Les phospho-inositide 3-kinases (PI3K) forment trois classes qui diffèrent par leur structure, leur spécificité de substrat et leur mode de régulation. Le $PtdIns-3,4-P_2$ et le $PtdIns-3,4,5-P_3$, produits de la PI3K, se lient au domaine PH de l'Akt (PKB), produit d'un proto-oncogène, ce qui colocalise l'Akt et la PDK1, elle aussi arrimée à la membrane via son domaine PH, de sorte que la PDK1 phosphoryle et active l'Akt.

Le $PtdIns-3-P$ se fixe à des domaines FYVE qui, comme les domaines PH, sont maintenus par deux ions Zn^{2+} en liaison trétraédrique. Les différents types d'inositide polyphosphate-phosphatases mettent fin à la signalisation par la cascade des phospho-inositides. OCRL, une 5-phosphatase de type II qui participe au contrôle du bourgeonnement des vésicules à partir des lysosomes, est mutée dans la maladie oculo-cérébro-rénale (syndrome de Lowe). La seule 1-phosphatase présente chez les mammifères, qui hydrolyse l'$Ins-1,4-P_2$ et le PIP_3, est inhibée par l'ion Li^+ et est ainsi impliquée dans le syndrome maniaco-dépressif. La 3-phosphatase PTEN, un suppresseur de tumeurs muté dans plusieurs types de cancers, inverse l'action des PI3K. La 4-phosphatase de type I des plaquettes sanguines est inactivée par clivage protéolytique sous l'action de la calpaïne, une protéase activée par le Ca^{2+}. Les systèmes cellulaires de transduction du signal, comme celui de l'insuline, sont des systèmes complexes doués de propriétés émergentes qui restent imparfaitement comprises.

■ RÉFÉRENCES

GENERALITÉS

Gomperts, B.D., Tatham, P.E.R., and Kramer, I.M., *Signal Transduction*, Academic Press (2002).

Helmreich, E.J.M., *The Biochemistry of Cell Signaling*, Oxford (2001).

Krauss, G., *Biochemistry of Signal Transduction and Regulation* (2nd ed.), Wiley-VCH (2001).

Science's Signal Transduction Knowledge Environment (STKE). http://stke.sciencemag.org/ [Une banque de donnnées sur les molécules de signalisation et leurs relations mutuelles. Cette banque est expliquée dans une série d'articles parus dans Science 296, 1632–1657 (2002). L'accès à toutes les données de cette banque suppose un abonnement, qui est pris par la plupart des bibliothèques des institutions académiques.]

HORMONES

Alderton, W.K., Cooper, C.E., and Knowles, R.G., Nitric oxide synthases: structure, function, and inhibition, *Biochem. J.* **357,** 593–615 (2002).

Capel, B., Sex in the 90s: *SRY* and the switch to the male pathway, *Annu. Rev. Physiol.* **60,** 497–523 (1998).

Crane, B.R., Arvai, A.S., Ghosh, D.K., Wu, C., Getzoff, E.D., Stuehr, D.J., and Tainer, J.A., Structure of nitric oxide synthase oxygenase dimer with pterin and substrate, *Science* **279,** 2121–2126 (1998); Raman, C.S., Li, H., Martásek, P., Král, V., Masters, B.S.S., and Poulos, T.L., Crystal structure of a constitutive endothelial nitric oxide synthase: A paradigm for function involving a novel metal center, *Cell* **95,** 939–950 (1998); *and* Fischmann, T.O., et al., Structural characterization of nitric oxide synthase isoforms reveals striking active site conservation, *Nature Struct. Biol.* **6,** 233–242 (1999).

DeGroot, L.J. and Jameson, J.L. (Eds.), *Endocrinology* (4th ed.), Saunders (2001). [Un compendium en trois volumes.]

Hadley, M.E., *Endocrinology* (5th ed.), Prentice-Hall (2000).

Ignarro, L.J. (Ed.), *Nitric Oxide. Biology and Pathobiology,* Academic Press (2000).

Kossiakoff, A.A. and de Vos, A.M., Structural basis for cytokine hormone –receptor recognition and receptor activation, *Adv. Protein Chem.* **52,** 67–108 (1999).

Ma, Y.-A., Sih, C.J. and Harms, A., Enzymatic mechanism of thyroxine biosynthesis. Identification of the "lost three-carbon fragment," *J. Am. Chem. Soc.* **121,** 8967–8968 (1999).

Norman, A.W. and Litwack, G., *Hormones* (2nd ed.), Academic Press (1997).

Pfeiffer, S., Mayer, B., and Hemmens, B., Nitric oxide: Chemical puzzles posed by a biological messenger, *Angew. Chem. Int. Ed.* **38,** 1714–1731 (1999).

Schafer, A.J. and Goodfellow, P.N., Sex determination in humans, *BioEssays* **18,** 955–963 (1996).

Stamler, J.S., Singel, D.J., and Loscalzo, J., Biochemistry of nitric oxide and its redox-activated forms, *Science* **258,** 1898–1902 (1992).

Stuehr, D.J., Structure-function aspects in the nitric oxide synthases, *Annu. Rev. Pharmacol.* **37,** 339–359 (1997).

PROTÉINES G HÉTÉROTRIMÉRIQUES

Bockaert, J. and Pin, J.P., Molecular tinkering of G protein-coupled receptors: An evolutionary success, *EMBO J.* **18,** 1723–1729 (1999). [Traite des différents types de GPCR.]

Clapham, D.E. and Neer, E.J., G protein βγ subunits, *Annu. Rev. Pharmacol. Toxicol.* **37,** 167–203 (1997).

Corbin, J.D. and Francis, S.H., Cyclic GMP phosphodiesterase-5: Target of sildenafil, *J. Biol. Chem.* **274,** 13729–13732 (1999).

Fan, E., Merritt, E.A., Verlinde, C.L.M.J., and Hol, W.G.J., AB_5 toxins: Structures and inhibitor design, *Curr. Opin. Struct. Biol.* **10,** 680–686 (2000).

Hall, A. (Ed.), *GTPases*, Oxford University Press (2000).

Hamm, H.E., The many faces of G protein signaling, *J. Biol. Chem.* **273,** 669–672 (1998).

Houslay, M.D. and Milligan, G., Tailoring cAMP-signaling responses through isoform multiplicity, *Trends Biochem. Sci.* **22,** 217–224 (1997).

Hurley, J.H., The adenylyl and guanylyl cyclase superfamily, *Curr. Opin. Struct. Biol.* **8,** 770–777 (1998).

Ji, T.H., Grossmann, M., and Ji, I., G protein-coupled receptors, *J. Biol. Chem.* **273,** 17299–17302 (1998).

Noel, J.P., Hamm, H.E., and Sigler, P.B., The 2.2 Å crystal structure of transducin-α complexed with GTPγS, *Nature* **366,** 654–663 (1993); *and* Lambright, D.G., Noel, J.P., Hamm, H.E., and Sigler, P.B., Structure determinants for activation of the α-subunit of a heterotrimeric G protein, *Nature* **369,** 621–628 (1994). [Le premier article décrit le complexe GTPγS et le second le compare au complexe GDP.]

Palczewski, K., et al., Crystal structure of rhodopsin: A G protein–coupled receptor, *Science* **289**, 739–745 (2000); Teller, D.C., Okada, T., Behnke, C.A., Palczewski, K., and Stenkamp, R.E., Advances in determination of a high-resolution three-dimensional structure of rhodopsin, a model of G-protein-coupled receptors (GCPRs), *Biochemistry* **40**, 7761–7772 (2001); *and* Okada, T. and Palczewski, K., Crystal structure of rhodopsin: Implications for vision and beyond, *Curr. Opin. Struct. Biol.* **11**, 420–426 (2001).

Soderling, S.H. and Beavo, J.A., Regulation of cAMP and cGMP signaling: New phosphodiesterases and new functions, *Curr. Opin. Cell Biol.* **12**, 174–179 (2000); *and* Beavo, J.A., Cyclic nucleotide phosphodiesterases: Functional implications of multiple isoforms, *Physiol. Rev.* **75**, 725–748 (1995).

Sprang, S.R., G protein mechanisms: Insights from structural analysis, *Annu. Rev. Biochem.* **66**, 639–678 (1997).

Stein, P.E., Boodhoo, A., Armstrong, G.D., Cockle, S.A., Klein, M.H., and Read, R.J., The crystal structure of pertussis toxin, *Structure* **2**, 45–57 (1994).

Strader, C.D., Fong, T.M., Tota, M.R., Underwood, D., and Dixon, R.A.F., Structure and function of G protein–coupled receptors, *Annu. Rev. Biochem.* **63**, 101–132 (1994).

Sunahara, R.K., Tesmer, J.J.G., Gilman, A.G., and Sprang, S.R., Crystal structure of the adenylyl cyclase activator $G_{s\alpha}$, *Science* **278**, 1943-1947 (1997).

Tesmer, J.J.G. and Sprang, S.R., The structure, catalytic mechanism and regulation of adenylyl cyclase, *Curr. Opin. Struct. Biol.* **8**, 713–719 (1998).

Tesmer, J.J.G., Sunahara, R.K., Gilman, A.G., and Sprang, S.R., Crystal structure of the catalytic domains of adenylyl cyclase in a complex with $G_{s\alpha} \cdot GTP\gamma S$, *Science* **278**, 1907–1916 (1997).

Vetter, I.R., and Wittinghofer, A., The guanine nucleotide–binding switch in three dimensions, *Science* **294**, 1299–1304 (2001).

Wall, M.A., Coleman, D.E., Lee, E., Iñiguez-Lluhi, J.A., Posner, B.A., Gilman, A.G., and Sprang, S.R., The structure of the G protein heterotrimer $G_{i\alpha 1}\beta_1\gamma_2$, *Cell* **83**, 1047–1058 (1995); *and* Lambright, D.G., Sondek, J., Bohm, A., Skiba, N.P., Hamm, H.E., and Sigler, P.B., The 2.0 Å crystal structure of a heterotrimeric G protein, *Nature* **379**, 311–319 (1996).

Zhang, R.-G., Scott, D.L., Westbrook, M.L., Nance, S., Spangler, B.D., Shipley, G.G., and Westbrook, E.M., The three-dimensional crystal structure of cholera toxin, *J. Mol. Biol.* **251**, 563–573 (1995); *and* Merrrit, E.A., Sarfaty, S., Jobling, M.G., Chang, T., Holmes, R.K., Hirst, T.R., and Hol, W.G.J., Structural studies of receptor binding by cholera toxin mutants, *Protein Sci.* **6**, 1516–1528 (1997).

SIGNALISATION PAR TYROSINE KINASE

Angier, N., *Natural Obsessions: The Search for the Oncogene*, Houghton Mifflin (1988). [Un exemple de démarche scientifique concrète.]

Barford, D., Das, A.K., and Egloff, M.-P., The structure and mechanism of protein phosphatases: Insights into catalysis and regulation, *Annu. Rev. Biophys. Biomol. Struct.* **27**, 133–164 (1998).

Blumer, K.J. and Johnson, G.L., Diversity in function and regulation of MAP kinase pathways, *Trends Biochem. Sci.* **19**, 236–240 (1994).

Bollen, M., Combinatorial control of protein phosphatase-1, *Trends Biochem. Sci.* **26**, 426–431 (2001).

Boriak-Sjodin, P.A., Margarit, S.M., Bar-Sagi, D., and Kuriyan, J., The structural basis of the activation of Ras by Sos, *Nature* **394**, 337–343 (1998).

Capdeville, R., Buchdunger, E., Zimmermann, J., and Matter, A., Glivec (STI571, ImatinlB), a rationally developed tar-geted anti-cancer drug, *Nature Rev. Drug Discov.* **1**, 493–502 (2002).

Carlisle Michel, J. J. and Scott, J.D., AKAP mediated signal transduction, *Annu. Rev. Pharmacol. Toxicol.* **42**, 235–257 (2002).

Carpenter, L.R., Yancopoulos, G.D., and Stahl, N., General mechanisms of cytokine receptor signaling, *Adv. Protein Chem.* **52**, 109–140 (1999).

Chang, L. and Karin, M., Mammalian MAP kinase signaling cascades, *Nature* **410**, 37–40 (2001).

Charbonneau, H. and Tonks, N.K., 1002 protein phosphatases? *Annu. Rev. Cell Biol.* **8**, 463–493 (1992).

Cherfils, J. and Chardin, P., GEFs: Structural basis for their activation of small GTP-binding proteins, *Trends Biochem. Sci.* **24**, 306–311 (1999).

Chien, C.-T., Bartel, P.L., Sternglanz, R., and Fields, S., The two-hybrid system: A method to identify and clone genes from proteins that interact with a protein of interest, *Proc. Natl. Acad. Sci.* **88**, 9578–9582 (1991).

Corbett, K.D. and Alber, T., The many faces of Ras: Recognition of small GTP-binding proteins, *Trends Biochem. Sci.* **26**, 710–716 (2001).

Druker, B.J. and Lydon, N.B., Lessons learned from the development of an Abl tyrosine kinase inhibitor for chronic mye-logenous leukemia, *J. Clin. Invest.* **105**, 3–7 (2000).

Edwards, A.S. and Scott, J.D., A-kinase anchoring proteins: Protein kinase A and beyond, *Curr. Opin. Cell. Biol.* **12**, 217–221 (2000).

Gamblin, S.J. and Smerdon, S.J., GTPase-activating proteins and their complexes, *Curr. Opin. Struct. Biol.* **8**, 195–201 (1998).

Garrington, T.P. and Johnson, G.L., Organization and regulation of mitogen-activated protein kinase signaling pathways, *Curr. Opin. Cell Biol.* **11**, 211–218 (1999).

Goldstein, B., *Tyrosine Phosphoprotein Phosphatases* (2nd ed.), Oxford (1998). [Un ouvrage de référence.]

Groves, M.R., Hanlon, N., Turowski, P., Hemmings, B.A., and Barford, D., The structure of the protein phosphatase 2A PR65/A subunit reveals the conformation of its 15 tandemly repeated HEAT motifs, *Cell* **96**, 99–110 (1999).

Hof, P., Pluskey, S., Dhe-Paganon, S., Eck, M.J., and Shoelson, S.E., Crystal structure of tyrosine phosphatase SHP-2, *Cell* **92**, 441–450 (1998).

Hubbard, S.R., Crystal structure of the activated insulin receptor tyrosine kinase in complex with peptide substrate and ATP analog, *EMBO J.* **16**, 5572–5581 (1997); *and* Hubbard, S.R., Wei, L., Ellis, L., and Hendrickson, W.A., Crystal structure of the tyrosine kinase domain of the human insulin receptor, *Nature* **372**, 746–753 (1994).

Hubbard, S.R. and Hill, J.H., Protein tyrosine kinase structure and function, *Annu. Rev. Biochem.* **69**, 373–398 (2000).

Kissinger, C.R., et al., Crystal structures of human calcineurin and the human FKBP12–FK506–calcineurin complex, *Nature* **378**, 641–644 (1995); *and* Griffith, J.P., et al., X-Ray structure of calcineurin inhibited by the immunophilin–immunosuppressant FKBP12–FK506 complex, *Cell* **82**, 507–522 (1995).

Kolch, W., Meaningful relationships: The regulation of the Ras/Raf/MEK/ERK pathway by protein interactions, *Biochem. J.* **351**, 289–305 (2000).

Kuriyan, J. and Cowburn D., Structures of SH2 and SH3 domains, *Curr. Opin. Struct. Biol.* **3**, 828–837 (1993).

Li, L. and Dixon, J.E., Form, function, and regulation of protein tyrosine phosphatases and their involvement in human disease, *Sem. Immunol.* **12**, 75–84 (2000).

Lim, W.A., The modular logic of signaling proteins: building allosteric switches from simple binding domains, *Curr. Opin. Struct. Biol.* **12**, 61–68 (2002).

Maignan, S., Guilloteau, J.-P., Fromage, N., Arnoux, B., Becquart, J., and Ducruix, A., Crystal structure of the mammalian Grb2 adaptor, *Science* **268**, 291–293 (1995).

Margolis, B., The PTB domain: The name doesn't say it all, *Trends Endocrin. Metab.* **10,** 262–267 (1999).

Millward, T.A., Zolnierowicz, S., and Hemmings, B.A., Regulation of protein kinase cascades by protein phosphatase 2A, *Trends Biochem. Sci.* **24,** 186–191 (1999).

Musacchio, A., Sareste, M., and Wilmanns, M., High-resolution crystal structures of tyrosine kinase SH3 domains complexed with proline-rich peptides, *Nature Struct. Biol.* **1,** 546–551 (1994).

Nassar, N., Horn, G., Herrmann, C., Scherer, A., McCormack, F., and Wittinghofer, A., The 2.2 Å crystal structure of the Ras-binding domain of the serine/threonine kinase c-Raf1 in complex with Rap1A and a GTP analogue, *Nature* **375,** 554–560 (1995).

O' Shea, J.J., Gadino, M., and Schreiber, R.D., Cytokine signaling in 2002: New surprises in the Jak/Stat pathway, *Cell* **109,** S121–S131 (2002).

Pellizzari, R., Guidi-Rontani, C., Vitale, G., Mock, M., and Montecucco, C., Anthrax lethal factor cleaves MKK3 in macrophages and inhibits the LPS/IFNγ-induced release of NO and TNFα, *FEBS Lett.* **462,** 199–204 (1999).

Scheffzek, K., Ahmadian, M.R., Kabsch, W., Wiesmüller, L., Lautwein, A., Schmitz, F., and Wittinghofer, A., The Ras-RasGAP complex: Structural basis for GTPase activation and its loss in oncogenic Ras mutants, *Science* **277,** 333–338 (1997).

Schindler, C. and Darnell, J.E., Jr., Transcriptional responses to polypeptide ligands: The JAK-STAT pathway, *Annu. Rev. Biochem.* **64,** 621–651 (1995).

Schindler, T., Bornmann, W., Pellicenna, P., Miller, W.T., Clarkson, B., and Kuriyan, J., Structural mechanism for STI-571 inhibition of Abelson tyrosine kinase, *Science* **289,** 1938–1942 (2000).

Schlessinger, J., Cell signaling by receptor tyrosine kinases, *Cell* **103,** 211-225 (2000).

Schlessinger, J., Plotnikov, A.N., Ibrahimi, O.A., Eliseenkova, A.V., Yeh, B.K., Yayon, A., Linhardt, R.J., and Mohammadi, M., Crystal structure of a ternary FGF-FGFR-heparin complex reveals a dual role for heparin in FGF binding and dimerization, *Mol. Cell* **6,** 743–750 (2000).

Shuai, K., The STAT family of proteins in cytokine signaling, *Prog. Biophys. Mol. Biol* **71,** 405–422 (1999).

Sprang, S., GEFs: Master regulators of G-protein activation, *Trends Biochem. Sci.* **26,** 266–267 (2001).

Thomas, S.M. and Brugge, J.S., Cellular functions regulated by Src family kinases, *Annu. Rev. Cell Dev. Biol.* **13,** 513–609 (1997).

Tonks, N.K. and Neel, B.G., Combinitorial control of the specificity of protein tyrosine phosphatases, *Curr. Opin. Cell Biol.* **13,** 182–195 (2001).

Varmus, H. and Weinberg, R.A., *Genes and the Biology of Cancer,* Scientific American Library (1993).

Vogelstein, B. and Kinzler, K.W., The multistep nature of cancer, *Trends Genet.* **9,** 138–140 (1993).

Waksman, G., Shoelson, S.E., Pant, N., Cowburn, D., and Kuriyan, J., Binding of high affinity phosphotyrosyl peptide to the Src SH2 domain: Crystal structures of the complexed and peptide-free forms, *Cell* **72,** 779–790 (1993).

Walton, K.M. and Dixon, J.E., Protein tyrosine phosphatases, *Annu. Rev. Biochem.* **62,** 101–120 (1993).

Whitmarsh, A.J. and Davis, R.J., Structural organization of MAP-kinase signaling modules by scaffold proteins in yeast and mammals, *Trends Biochem. Sci.* **23,** 481–485 (1998).

Widman, C., Gibson, S., Jarpe, M.B., and Johnson, G.L., Mitogen-activated protein kinase: Conservation of a three-kinase module from yeast to humans, *Physiol. Rev.* **79,** 143–180 (1999).

Xu, W., Doshi, A., Lei, M., Eck, M.J., and Harrison, S.C., Crystal structures of c-Src reveal features of its autoinhibitory mechanism, *Mol. Cell* **3,** 629–638 (1999); *and* Xu, W., Harrison, S.C., and Eck, M.J., Three dimensional structure of the tyrosine kinase c-Src, *Nature* **385,** 595–602 (1995).

Yaffe, M.B., Phosphotyrosine-binding domains in tyrosine transduction, *Nature Rev. Mol. Cell Biol.* **3,** 177–186 (2002).

Young, M.A., Gonfloni, F., Superti-Furga, G., Roux, B., and Kuriyan, J., Dynamic coupling between the SH2 and SH3 domains of c-Src and Hck underlies their inactivation by C-terminal tyrosine phosphorylation, *Cell* **105,** 115–126 (2001).

Zhang, Z.-Y., Protein tyrosine phosphatases: structure and function, substrate specificity, and inhibitor development, *Annu. Rev. Pharmaccol. Toxicol.* **42,** 209–234 (2002).

Zhou, M.-M., et al., Structure and ligand recognition of the phosphotyrosine binding domain of Shc, *Nature* **378,** 584–592 (1995).

CASCADE DE PHOSPHO-INOSITIDES

Berridge, M.J., Inositol trisphosphate and calcium signaling, *Nature* **361,** 315–325 (1993).

Brazil, D.P., Park, J., and Hemmings, B.A., PKB binding proteins: Getting in on the Akt, *Cell* **111,** 292–303 (2002); Brazil, D.P. and Hemmings, D.A., Ten years of protein kinase B signaling: A hard Akt to follow, *Trends Biochem. Sci.* **26,** 657–664 (2001); *and* Chan, T.O., Rittenhouse, S.E., and Tsichlis, P.N., AKT/PKB and other D3 phosphoinositide regulated kinases: Kinase action by phosphoinositide-dependent phosphorylation, *Annu. Rev. Biochem.* **68,** 965–1014 (1999).

Cho, W., Membrane targeting by C1 and C2 domains, *J. Biol. Chem.* **276,** 32407–32410 (2001).

Cockcroft, S. (Ed.), *Biology of Phosphoinositides,* Oxford (2000).

Essen, L.-O., Perisic, O., Katan, M., Wu, Y., Roberts, M.F., and Williams, R.L., Structural mapping of the catalytic mechanism for a mammalian phosphoinositide-specific phospholipase C, *Biochemistry* **36,** 1704–1718 (1997); *and* Essen, L.-O., Perisic, O., Cheung, R., Katan, M., and Williams, R.L., Crystal structure of a mammalian phosphoinositide-specific phospholipase Cδ, *Nature* **380,** 595–602 (1996).

Exton, J.H., Regulation of phosphoinositide phospholipases by hormones, neurotransmitters, and other agonists linked to G proteins, *Annu. Rev. Pharmacol. Toxicol.* **36,** 481–509 (1996).

Ferguson, K.M., Lemmon, M.A., Schlessinger, M.A., and Sigler, P.B., Structure of the high affinity complex of inositol trisphosphate with a phospholipase C pleckstrin homology domain, *Cell* **83,** 1037–1046 (1995).

Fruman, D.A., Meyers, R.E., and Cantley, L.C., Phosphoinositide kinases, *Annu. Rev. Biochem.* **67,** 481–507 (1998); *and* Anderson, R.A., Boronenkov, I.V., Doughman, S.D., Kunz, J., and Loijens, J.C., Phosphatidylinositide kinases, a multifaceted family of signaling enzymes, *J. Biol. Chem.* **274,** 9907–9910 (1999).

Hurley, J.H. and Misra, S., Signaling and subcellular targeting by membrane-binding domains, *Annu. Rev. Biophys. Biomol. Struct.* **29,** 49–79 (2000).

Katso, R., Okkenhaug, K., Ahmadi, K., White, S., Timms, J., and Waterfield, M.D., Cellular function of phosphoinositide 3-kinases: Implications for development, immunity, homeostasis, and cancer, *Annu. Rev. Cell Dev. Biol.* **17,** 615–675 (2001).

Kutateladze, T. and Overduin, M., Structural mechanism of endosome docking by the FYVE domain, *Science* **291,** 1793–1796 (2001).

Lee, J.-O., Yang, H., Georgescu, M.-M., Di Cristofano, A., Maehama, T., Shi, Y., Dixon, J.E., Pandolfi, P., and Pavletich, N.P., Crystal structure of the PTEN tumor suppressor: Implications for its phosphoinositide phosphatase activity and membrane association, *Cell* **99**, 323–344 (1999).

Leevers, S.J., Vanhaesebroeck, B., and Waterfield, M.D., Signaling though phosphoinositide 3-kinases: The lipids take centre stage, *Curr. Opin. Cell Biol.* **11**, 219–225 (1999).

Maehama, T., Taylor, G.S., and Dixon, J.E., PTEN and myotubularin: Novel phosphoinositide phosphatases, *Annu. Rev. Biochem.* **70**, 247–279 (2001).

Majerus, P.W., Kisseleva, M.V., and Norris, F.A., The role of phosphatases in inositol signaling reactions, *J. Biol. Chem.* **274**, 10669–10672 (1999).

Newton, A.C. and Johnson, J.E., Protein kinase C: A paradigm for the regulation of protein function by two membrane-targeting modules, *Biochim. Biophys. Acta* **1376**, 155–172 (1998).

Rameh, L.E. and Cantley, L.C., The role of phosphoinositide 3-kinase lipid products in cell function, *J. Biol. Chem.* **274**, 8347–8350 (1999).

Rhee, S.G., Regulation of phosphoinositide-specific phospholipase C, *Annu. Rev. Biochem.* **70**, 281–312 (2001); *and* Rhee, S.G. and Bae, Y.S., Regulation of phosphoinositide-specific phospholipase C, *J. Biol. Chem.* **272**, 15045–15048 (1997).

Ron, D. and Kazanietz, M.G., New insights into the regulation of protein kinase C and novel phorbol ester receptors, *FASEB J.* **13**, 1658–1676 (1999).

Saltiel, A.R. and Pessin, J.E., Insulin signaling pathways in time and space, *Trends Cell Biol.* **12**, 65–71 (2002).

Singer, W.D., Brown, H.A., and Sternweis, P.C., Regulation of eukaryotic phosphatidylinositol-specific phospholipase C and phospholipase D, *Annu. Rev. Biochem.* **66**, 475–509 (1997).

Vanhaesebroek, B., Leevers, S.J., Ahmadi, K., Timms, J., Katso, R., Driscoll, P.C., Woscholski, R., Parker, P.J., and Waterfield, M.D., Synthesis and function of 3-phosphorylated inositol lipids, *Annu. Rev. Biochem.* **70**, 535–632 (2001).

Walker, E.H., Persic, O., Ried, C., Stephens, L., and Williams, R.L., Structural insights into phosphoinositide 3-kinase catalysis and signaling, *Nature* **402**, 313–320 (1999); *and* Pacold, M.E., et al., Crystal structure and functional analysis of Ras binding to its effector phosphoinositide 3-kinase γ, *Cell* **103**, 931–943 (2000).

Weng, G., Bhalla, U.S., and Iyengar, R., Complexity in biological signaling systems, *Science* **284**, 92–96 (1999).

Wymann, M.P. and Pirola, L., Structure and function of phosphoinositide 3-kinases, *Biochim. Biophys. Acta* **1436**, 127–150 (1998).

Zick, Y. Insulin resistance: a phosphorylation-based uncoupling of insulin signaling, *Trends Cell Biol.* **11**, 437–441 (2001).

PROBLÈMES

1. Expliquez les observations suivantes : (a) Lorsqu'on les prive de nourriture, des rats thyroïdectomisés peuvent survivre pendant vingt jours alors que, dans les mêmes conditions, des rats normaux meurent en moins d'une semaine. (b) Le syndrome de Cushing, qui résulte d'une sécrétion excessive de corticostéroïdes, peut être causé par une tumeur hypophysaire. (c) **Le diabète insipide**, qui se caractérise par l'élimination continuelle d'urine et une soif insatiable, résulte d'une lésion de l'hypophyse. (d) Le développement de tumeurs malignes des organes sexuels peut être ralenti ou inversé par ablation chirurgicale des gonades et des glandes surrénales.

2. Comment la présence de l'analogue non hydrolysable du GTP, le GDPNP, modifie-t-elle les systèmes de récepteurs AMPc-dépendants ?

3. Expliquez pourquoi les personnes qui manipulent régulièrement de la dynamite (pulpe de bois ou autre substance absorbante imprégnée de nitroglycérine) dans leur travail présentent une incidence anormalement élevée d'infarctus en fin de semaine.

4. Un effet secondaire dose-dépendant du sildénafil (Viagra) est la perte transitoire de la discrimination du bleu et du vert. Quelle est l'explication biochimique de ce phénomène ?

5. Les rétrovirus porteurs d'oncogènes infectent des cellules de l'hôte animal correspondant, mais ne les transforment d'habitude pas. Cependant, ces rétrovirus transforment facilement des cellules immortalisées provenant de ce même organisme. Expliquez.

6. Expliquez pourquoi des mutations du résidu Arg de $G_{s\alpha}$ qui est ADP-ribosylée par la toxine du choléra sont oncogéniques. Pourquoi le choléra ne provoque-t-il pas le cancer ?

7. Les modifications suivantes de Src pourraient-elles être oncogéniques ? Expliquez. (a) Délétion ou inactivation du domaine SH3. (b) Mutation de Tyr 416 en Phe. (c) Mutation de Tyr 527 en Phe. (d) Remplacement des résidus 249 à 253 de Src par la séquence APTMP.

8. JIP-1 tire son nom du fait que, lorsqu'elle fut identifiée par surexpression en cellules de mammifère, elle semblait agir comme « *J*NK *I*nhibitor *P*rotein ». Sur quoi cette observation est-elle fondée ?

9. Pourquoi la toxine pertussique semble-t-elle inhiber certaines isozymes de la PLC ? Identifiez ces isozymes.

10. Le pseudosubstrat auto-inhibiteur de la PKC se trouve à son extrémité N-terminale, alors que celui de la MLCK (Fig. 18-19) est à son extrémité C-terminale. Pour étudier ce phénomène, un collègue propose de construire une PKC dont le pseudosubstrat se trouve à son extrémité C-terminale avec un bras assez long pour que le pseudosubstrat puisse se fixer dans le site actif de l'enzyme. Pensez-vous que cette variante de la PKC soit activable ? Expliquez.

Chapitre
20

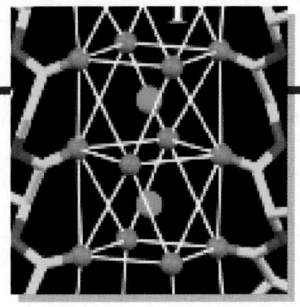

Les transports membranaires

Le métabolisme se déroule dans des cellules qui sont séparées de leur milieu environnant par des membranes plasmiques. De plus, les cellules eucaryotes sont compartimentées par des membranes intracellulaires qui délimitent les frontières et forment les structures internes de leurs différents organites. Le cœur non polaire des membranes biologiques les rend très imperméables à la plupart des substances ionisées et polaires, de sorte que *ces substances ne peuvent traverser les membranes que par l'intermédiaire de **protéines de transport** spécifiques.* De telles protéines sont donc indispensables pour assurer les mouvements transmembranaires d'ions comme Na^+, K^+, Ca^{2+}, et Cl^-, et de métabolites comme le pyruvate, les acides aminés, les sucres et les nucléotides, et même l'eau (malgré la facilité relative de son passage à travers les bicouches ; Section 12-2B). Les protéines de transport sont également responsables de tous les phénomènes biologiques électrochimiques tels que la neurotransmission. Dans ce chapitre, nous étudierons la thermodynamique, la cinétique et les mécanismes chimiques de

ces systèmes de transports membranaires, en terminant par les mécanismes de la neurotransmission.

1 ■ THERMODYNAMIQUE DES TRANSPORTS

Comme déjà vu dans la Section 3-4A, l'énergie libre d'un soluté, A, est fonction de sa concentration :

$$\overline{G}_A - \overline{G}_A^{\circ\prime} = RT\ln[A] \qquad [20.1]$$

où $\overline{G}_A$ est le **potentiel chimique** (l'énergie libre molaire partielle) de A (la barre indique la quantité par mole) et $\overline{G}_A^{\circ\prime}$ est le potentiel chimique à son état standard. En réalité, cette équation n'est valable que pour les solutions idéales ; pour les solutions non idéales (réelles), les concentrations molaires doivent être remplacées par les activités (cf. Appendice du Chapitre 3). Dans les solutions diluées (millimolaires) des expériences en laboratoire, les activités sont très proches des valeurs de leurs concentrations molaires correspondantes. Cependant, ce n'est pas le cas dans le milieu intracellulaire très concentré (Section 3-4C). Comme il est difficile de déterminer l'activité d'une substance dans un compartiment cellulaire, nous ferons l'hypothèse simplificatrice, dans les calculs qui suivent, que les activités sont égales aux concentrations molaires.

La diffusion d'une substance de part et d'autre d'une membrane

$$A\ (externe) \rightleftharpoons A\ (interne)$$

ressemble à un équilibre chimique sur le plan thermodynamique. Une différence entre les concentrations de la substance de chaque côté d'une membrane génère une différence de potentiel chimique :

$$\Delta\overline{G}_A = \overline{G}_A(in) - \overline{G}_A(out) = RT\ln\left(\frac{[A]_{in}}{[A]_{out}}\right) \qquad [20.2]$$

Par conséquent, si la concentration de A à l'extérieur de la membrane est supérieure à la concentration à l'intérieur, $\Delta\overline{G}_A$ qui accompagne le transfert de A de l'extérieur vers l'intérieur sera négatif et le mouvement spontané de A se fera vers l'intérieur. Cependant, si [A] est plus forte à l'intérieur qu'à l'extérieur, $\Delta\overline{G}_A$ est positive et un mouvement net de A vers l'intérieur ne pourra se faire que s'il est couplé à un processus exergonique tel que l'hydrolyse de l'ATP, afin que la variation d'énergie libre totale soit négative.

a. Les potentiels de membrane résultent de différences de concentration transmembranaire de substances ioniques

Les perméabilités des membranes biologiques à des ions comme H^+, Na^+, K^+, Cl^- et Ca^{2+} sont contrôlées par des systèmes de transport enfouis dans la membrane, que nous étudierons plus loin. *La différence de charge résultante à travers une membrane biologique est à l'origine d'une différence de potentiel électrique, $\Delta\psi = \psi(int.) - \psi(ext.)$, où $\Delta\psi$ désigne le **potentiel de membrane**.* Par conséquent, si A est ionisé, l'Éq. [20.2] doit être modifiée afin de tenir compte du travail électrique nécessaire au transfert d'une mole de A à travers la membrane de l'extérieur vers l'intérieur :

$$\Delta\overline{G}_A = RT \ln\left(\frac{[A]_{in}}{[A]_{out}}\right) + Z_A\mathscr{F}\Delta\Psi \qquad [20.3]$$

où Z_A est la charge ionique de A ; F, la constante de Faraday, est la charge portée par une mole d'électrons (96,485 $C \cdot mol^{-1}$) ; et $\overline{G}_A$ s'appelle maintenant le **potentiel électrochimique** de A.

Les potentiels de membrane dans les cellules vivantes peuvent être mesurés directement avec des microélectrodes. Des valeurs de $\Delta\psi$ de -100 mV (intérieur négatif) ne sont pas rares (noter que 1 V = 1 $J \cdot C^{-1}$). Ainsi, le dernier terme de l'Éq. [20.3] est souvent significatif pour des substances ionisées.

2 ■ CINÉTIQUE ET MÉCANISMES DES TRANSPORTS

La thermodynamique nous renseigne sur le caractère spontané d'un système de transport donné mais, comme pour les réactions chimiques et enzymatiques, elle ne donne aucune indication quant à la vitesse à laquelle se fait le transport. Les analyses cinétiques des transports associées à des études de mécanismes ont permis néanmoins de caractériser ces processus. Il y a deux types de transport : les **transports par diffusion passive** (ou par simple diffusion) et les **transports facilités**. Dans le premier type, le transport se fait par simple diffusion, alors que le deuxième type *nécessite l'intervention de protéines de transport spécifiques* appelées **perméases**, **translocases**, **translocateurs** ou encore **transporteurs**. Selon la thermodynamique du système, on distingue deux catégories de transports facilités :

1. Le **transport facilité passif** ou **par diffusion facilitée** dans lequel le flux des molécules spécifiques se fait depuis les fortes concentrations vers les faibles concentrations afin d'équilibrer leurs gradients de concentration.

2. Le **transport actif** où des molécules spécifiques sont transportées depuis les faibles concentrations vers les fortes concentrations, c'est-à-dire contre leurs gradients de concentration. Un tel processus endergonique doit être couplé à un processus suffisamment exergonique pour le rendre favorable.

Dans cette section, nous étudierons la nature des transports par diffusion passive puis nous les comparerons aux transports par diffusion facilitée, en prenant les exemples des ionophores, des porines, des transporteurs du glucose, et des canaux potassiques. Les transports actifs seront étudiés dans les sections suivantes.

A. *Transport par diffusion passive*

La force d'entraînement qui permet le transport par simple diffusion d'une substance A dans un milieu est le gradient de potentiel électrochimique de A. Cette relation s'exprime par l'**équation de Nernst-Planck** :

$$J_A = -[A]U_A(d\overline{G}_A/dx) \qquad [20.4]$$

où J_A est le **flux** (vitesse de passage par unité de surface) de A, x est l'épaisseur de la membrane, $d\overline{G}_A/dx$ est le gradient de potentiel électrochimique de A, et U_A est sa **mobilité** (vitesse par unité de force) dans le milieu. En supposant, pour simplifier, que A est une molécule non chargée de sorte que $\overline{G}_A$ est donné par l'Éq. [20.1], l'équation de Nernst-Planck devient :

$$J_A = -D_A(d[A]/dx) \qquad [20.5]$$

où $D_A \equiv RTU_A$ est le **coefficient de diffusion** de A dans le milieu. C'est la **première loi de diffusion de Fick** selon laquelle *une substance diffuse dans la direction qui tend à éliminer son gradient de concentration, $d[A]/dx$, à une vitesse proportionnelle à l'importance de ce gradient.*

Pour une membrane d'épaisseur x, l'Éq. [20.5] se résout à

$$J_A = \frac{D_A}{x}([A]_{out} - [A]_{in}) = P_A([A]_{out} - [A]_{in}) \qquad [20.6]$$

où D_A est le coefficient de diffusion de A dans la membrane et $P_A = D_A/x$ est appelé **coefficient de perméabilité** de la membrane pour A. Le coefficient de perméabilité nous renseigne sur la tendance du soluté à être transféré du solvant aqueux au cœur non polaire de la membrane. Il doit donc varier avec le rapport de la solubilité du soluté dans un solvant non polaire semblable au cœur de la membrane (l'huile d'olive par exemple), sur celle de l'eau, une valeur appelée le **coefficient de partage** du soluté entre les deux solvants. Effectivement, le flux de nombreux non électrolytes à travers les membranes d'érythrocyte varie de façon linéaire avec les différences de concentration de part et d'autre de la membrane,

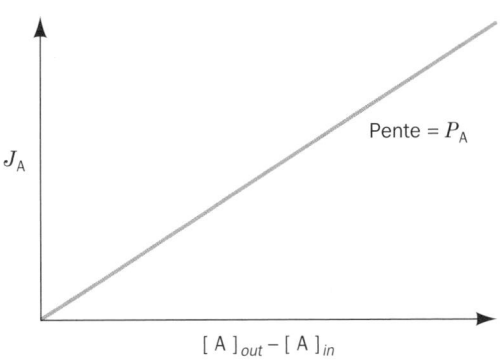

FIGURE 20-1 **Relation linéaire entre le flux de diffusion (J_A) et** ([A]$_{ext}$ - [A]$_{int}$) **à travers une membrane semiperméable** ; cf. Éq. [20.6].

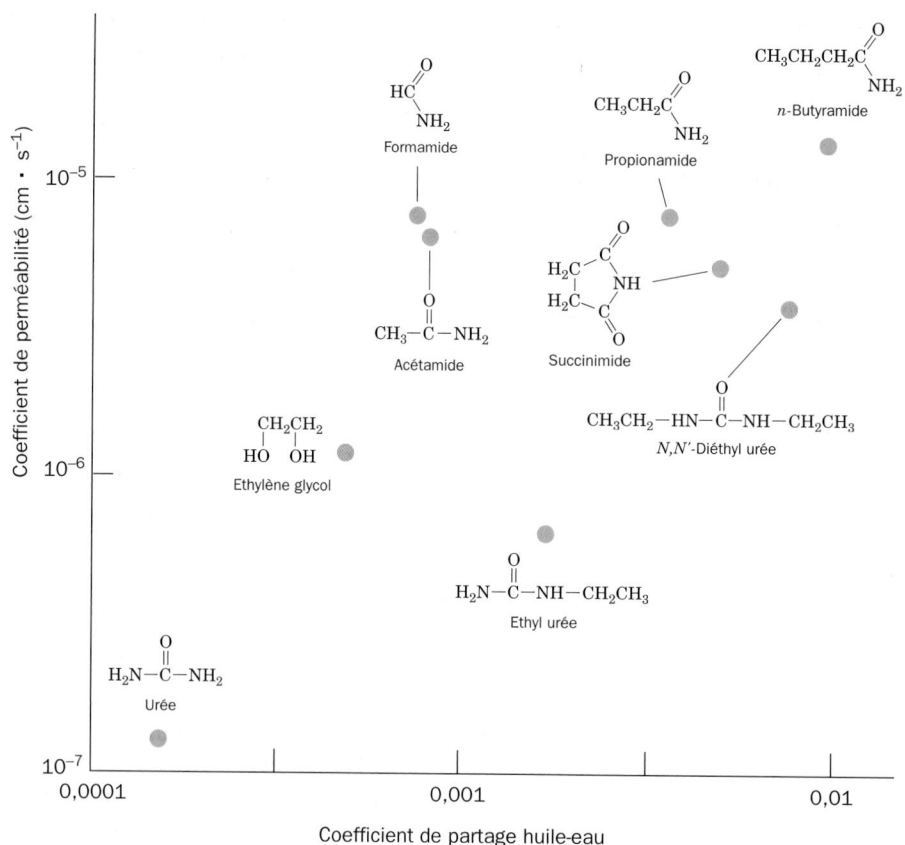

FIGURE 20-2 Corrélation entre perméabilité et solubilité dans la membrane. Valeurs des coefficients de perméabilité de différentes molécules organiques dans les membranes plasmiques de l'algue *Nitella mucronata* en fonction de leurs coefficients de partage entre l'huile d'olive et l'eau (mesure du caractère polaire d'une molécule). Ce tracé log-log plus ou moins linéaire indique que la réaction limitante pour l'entrée non facilitée d'une molécule dans une cellule est son passage à travers le cœur hydrophobe de la membrane. [D'après des données de Collander, R., *Physiol. Plant.* **7**, 433-434 (1954).]

comme le prévoit l'Éq. [20.6] (Fig. 20-1). De plus, leurs coefficients de perméabilité calculés d'après les pentes des graphes comme celui de la Fig. 20-1, sont en bon accord avec leurs coefficients de partage mesurés entre des solvants non polaires et l'eau (Fig. 20-2).

B. *Cinétique des transports facilités : transport du glucose dans les érythrocytes*

Malgré l'intérêt du modèle précédent qui permet de calculer le nombre de molécules qui traversent une membrane par unité de temps, de nombreuses combinaisons entre solutés et membranes ne respectent pas l'Éq. [20.6]. Dans de tels systèmes, le flux ne varie pas de façon linéaire en fonction de la différence de concentration en soluté de part et d'autre de la membrane (Fig. 20-3) ; de plus, le coefficient de perméabilité du soluté est très supérieur à la valeur prévue d'après la valeur de son coefficient de partage. Ce résultat signifie que *ces solutés sont pris en charge à travers les membranes sous forme de complexe avec des molécules transporteur ; autrement dit, ils font l'objet d'un transport facilité.*

Le système de transport du glucose à travers la membrane des érythrocytes fournit un exemple bien caractérisé d'un transport par diffusion facilitée : il transporte invariablement le glucose dans le sens de son gradient de concentration mais à une vitesse qui ne correspond pas à l'Éq. [20.6]. De fait, le **transporteur de glucose éry-**

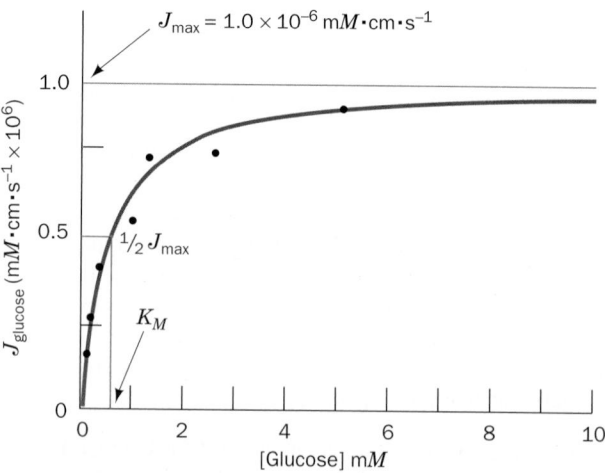

FIGURE 20-3 Variation du flux de glucose dans des érythrocytes humains en fonction de la concentration externe en glucose à 5°C. Les points noirs sont des valeurs expérimentales et la courbe verte a été obtenue par ordinateur à partir de l'Éq. [20.7] avec $J_{max} = 1,0 \times 10^{-6}$ mM · cm · s^{-1} et $K_M = 0,5$ mM. Le flux de glucose non facilité augmente de façon linéaire avec la [glucose] (Fig. 20-1) mais ne s'éloignerait guère de la ligne de base avec l'échelle utilisée dans ce graphe. [D'après des données de Stein, W.D., *Movement of Molecules across Membranes*, p. 134, Academic Press (1967).]

throcytaire présente quatre caractéristiques qui distinguent les transports facilités des transports par simple diffusion : (1) *Vitesse et spécificité*, (2) *Cinétique de saturation*, (3) *Possibilité d'inhibition compétitive*, et (4) *Possibilité d'inactivation chimique*. Nous allons voir, dans les paragraphes suivants, comment se manifestent ces propriétés en prenant l'exemple du transporteur de glucose érythrocytaire.

a. Vitesse et spécificité

Le Tableau 20-1 montre que les coefficients de perméabilité du D-glucose et du D-mannitol dans des bicouches synthétiques, et celui du D-mannitol dans la membrane de l'érythrocye, concordent avec les valeurs calculées d'après les coefficients de diffusion et de partage de ces sucres dans l'huile d'olive. Toutefois, le coefficient de perméabilité du D-glucose déterminé expérimentalement dans la membrane de l'érythrocyte est supérieur de 4 ordres de grandeur à la valeur prévue par le calcul. *La membrane de l'érythrocyte doit donc contenir un système qui transporte le glucose rapidement et qui peut distinguer le D-glucose du D-mannitol.*

b. Cinétique de saturation

Le fait que le transport du glucose dépend de sa concentration indique que son flux obéit à la relation :

$$J_A = \frac{J_{max}[A]}{K_M + [A]} \qquad [20.7]$$

Cette **fonction de saturation** a une forme hyperbolique familière (Fig. 20-3). Nous l'avons déjà vue dans l'équation qui décrit la liaison de l'O_2 à la myoglobine (Éq. [10.4]) et dans l'équation de Michaelis–Menten qui décrit les vitesses des réactions enzymatiques (Éq. [14.24]). Comme dans ces équations, K_M peut être déterminé expérimentalement comme la concentration en glucose pour laquelle le flux de transport est égal à la moitié de sa vitesse maximale, $J_{max}/2$. *Le fait que le transport de glucose se caracté-*

TABLEAU 20-1 Coéfficients de perméabilité au D-glucose et au D-mannitol de membranes naturelles ou synthétique à 25°C

Préparation membranaire	Coefficient de perméabilité (cm · s²¹)	
	D-Glucose	D-Mannitol
Bicouche lipidique synthétique	2.4×10^{-10}	4.4×10^{-11}
Diffusion non facilitée calculée	4×10^{-9}	3×10^{-9}
Erythrocyte humain intact	2.0×10^{-4}	5×10^{-9}

Source : Jung, C.Y., *dans* Surgenor, D. (Ed.), *The Red Blood Cell,* Vol. 2, p. 709, Academic Press (1975).

rise par une **cinétique de saturation** *a fourni la première preuve de l'existence d'un nombre de sites spécifiques et saturables dans la membrane impliqués dans le transport d'une substance donnée.*

Le mécanisme de transport peut être décrit par une séquence cinétique en quatre étapes impliquant liaison, transport, dissociation et retour à l'état initial (Fig. 20-4). Les étapes de liaison et de dissociation sont équivalentes à la reconnaissance du substrat et à la libération d'un produit par une enzyme. Les mécanismes de transport et de retour à l'état initial seront étudiés dans la Section 20-2D.

c. Possibilité d'inhibition compétitive

De nombreux composés de structure analogue à celle du D-glucose inhibent le transport du glucose. Une représentation en double inverse (Section 14-2B) du flux de glucose dans les érythrocytes en présence ou absence de 6-*O*-benzyl-D-galactose (Fig. 20-5) donne des droites caractéristiques d'une inhibition compétitive du transport du glucose (l'inhibition compétitive des enzymes est étudiée dans la Section 14-3A). *Le fait qu'il y ait inhibition compétitive signifie qu'il y a un nombre limité de sites disponibles pour faciliter le transport.*

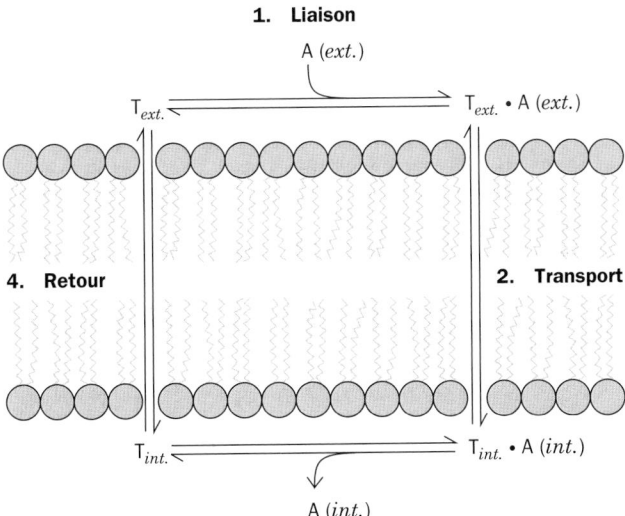

FIGURE 20-4 Représentation cinétique générale d'un transport membranaire. On distingue quatre étapes : liaison, transport, dissociation, et retour à l'état initial. T est la protéine de transport dont le site de liaison pour le soluté A est situé à un moment donné soit sur le côté interne de la membrane, soit sur son côté externe.

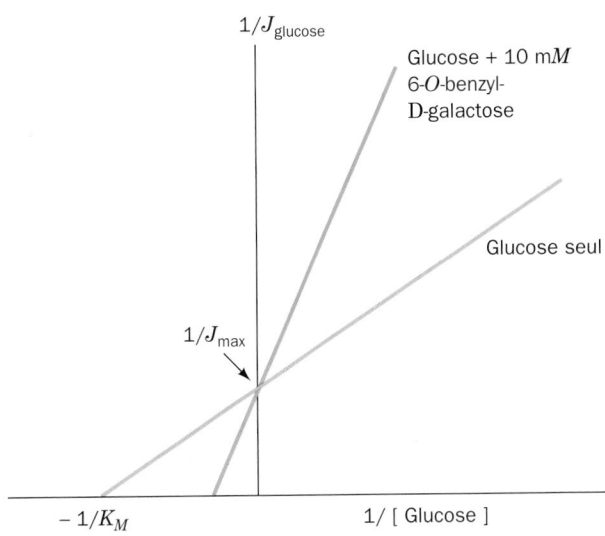

FIGURE 20-5 Représentation en double inverse du flux net de glucose dans les érythrocytes en présence ou en l'absence de 6-*O*-benzyl-D-galactose. Le tracé obtenu est celui d'une inhibition compétitive. [D'après Barnett, J.E.G., Holman, G.D., Chalkley, R.A. and Munday, K.A., *Biochem. J.* **145**, 422 (1975).]

d. Possibilité d'inactivation chimique

Si l'on traite les érythrocytes avec $HgCl_2$, qui réagit avec les groupements sulfhydryle des protéines

$$RSH + HgCl_2 \rightarrow RS{-}Hg{-}Cl + HCl$$

et inactive ainsi de nombreuses enzymes, le flux de glucose rapide et saturable n'est plus assuré et le coefficient de perméabilité est voisin de celui du mannitol. *La sensibilité du système de transport du glucose dans les érythrocytes à des agents modificateurs des protéines indique que le système est une protéine.*

L'ensemble des observations ci-dessus signifie que *le transport de glucose à travers la membrane des érythrocytes est sous la dépendance d'un nombre limité de transporteurs protéiques.* Cependant, avant d'étudier le mécanisme de ce système de transport, nous allons voir quelques systèmes plus simples de diffusion facilitée.

C. *Ionophores*

La compréhension des transports facilités a été favorisée par l'étude des **ionophores**, substances qui augmentent considérablement la perméabilité des membranes à certains ions.

a. Les ionophores peuvent être des transporteurs ou des formateurs de canaux

Les ionophores sont des molécules organiques de différents types, beaucoup étant des antibiotiques d'origine bactérienne. Les cellules et les organites assurent activement le maintien des gradients de concentration de plusieurs ions de part et d'autre de leurs membranes (Section 20-3A). Les propriétés antibiotiques des ionophores viennent de leur tendance à annuler ces gradients de concentration vitaux.

On distingue deux types d'ionophores :

1. *Les* ***transporteurs****, qui augmentent les perméabilités des membranes à leur ion spécifique en se liant à lui, en diffusant à travers la membrane, et en le libérant de l'autre côté (Fig. 20-6a).* Pour qu'un transport net soit assuré, l'ionophore non complexé doit alors retourner du côté de la membrane d'où il est parti afin de répéter le processus. Les transporteurs partagent donc la propriété commune d'*être solubles sous forme de complexes ioniques, dans les solvants non polaires.*

2. *Les* ***formateurs de canaux****, qui forment des canaux transmembranaires ou des pores par lesquels leurs ions spécifiques peuvent diffuser (Fig. 20-6b).*

Les deux types d'ionophores transportent les ions à des vitesses remarquables. Par exemple, une seule molécule de l'antibiotique transporteur **valinomycine** transporte jusqu'à 10^4 ions K^+ par seconde à travers une membrane. Les formateurs de canaux sont encore plus efficaces ; ainsi, chaque canal membranaire formé par l'antibiotique **gramicidine A** permet le passage de plus de 10^7 ions K^+ par seconde. Il est clair que la présence de l'un ou l'autre type d'ionophore, même en petites quantités, augmente fortement la perméabilité d'une membrane pour les ions spécifiques transportés. Cependant, *puisque les ionophores permettent la diffusion passive d'ions à travers une membrane dans les deux directions, leur présence a pour effet d'équilibrer les concentrations des ions pour lesquels ils sont spécifiques de part et d'autre d'une membrane.*

Il est facile de distinguer expérimentalement transporteurs et formateurs de canaux en mesurant leur activité en fonction de la

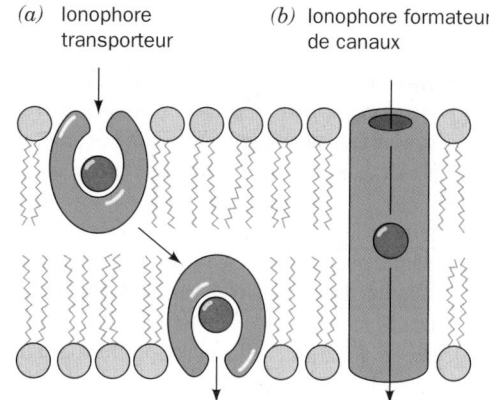

(a) Ionophore transporteur   *(b)* Ionophore formateur de canaux

FIGURE 20-6 Modes de transport des ions par les ionophores. *(a)* Les ionophores transporteurs transportent les ions par diffusion à travers la bicouche lipidique. *(b)* Les ionophores formateurs de canaux forment un canal transmembranaire par lequel les ions peuvent diffuser.

température. Les transporteurs doivent diffuser librement à travers la membrane. Par conséquent, en refroidissant une membrane en dessous de sa température de transition (la température en dessous de laquelle elle prend une consistance de type gel solide ; Section 12-2C) on élimine pratiquement sa perméabilité ionique dépendant de transporteurs. Par contre, la perméabilité de la membrane due à la présence de formateurs de canaux est presque insensible à la température car, une fois en place, les formateurs de canaux n'ont pas besoin de se déplacer pour assurer le transport d'ions.

b. Le complexe K^+-Valinomycine est polaire à l'intérieur et hydrophobe à l'extérieur

La valinomycine, peut-être le ionophore transporteur le mieux caractérisé, se lie spécifiquement à l'ion K^+ et à l'ion Rb^+ (ce dernier n'a pas d'intérêt biologique). C'est un **depsipeptide** cyclique qui contient des résidus d'acides aminés D et L (Fig. 20-7 ; un depsipeptide présente des liaisons esters ainsi que des liaisons peptidiques). La structure par rayons X du complexe valinomycine-K^+ (Fig. 20-8a) montre que l'ion K^+ est à l'intérieur d'un octaèdre où il établit six liaisons de coordinence avec les groupements carbonyle de ses 6 résidus Val, qui forment également ses liaisons esters. Le squelette cyclique, maintenu par des liaisons hydrogène intramoléculaires, de la valinomycine, s'enroule en zigzag autour de la sphère de coordination de K^+ comme un bracelet souple. *Ses chaînes latérales méthyle et isopropyle se projettent à l'extérieur*

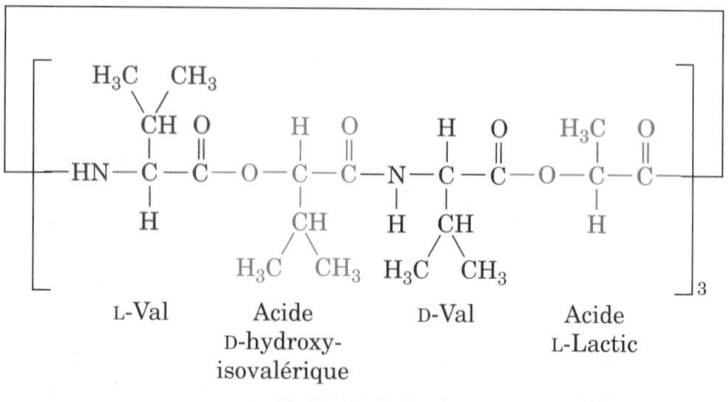

Valinomycine

FIGURE 20-7 La valinomycine. Ce depsipeptide cyclique (présence, à la fois, de liaisons ester et amide) contient des D- et des L-aminoacides.

(a)

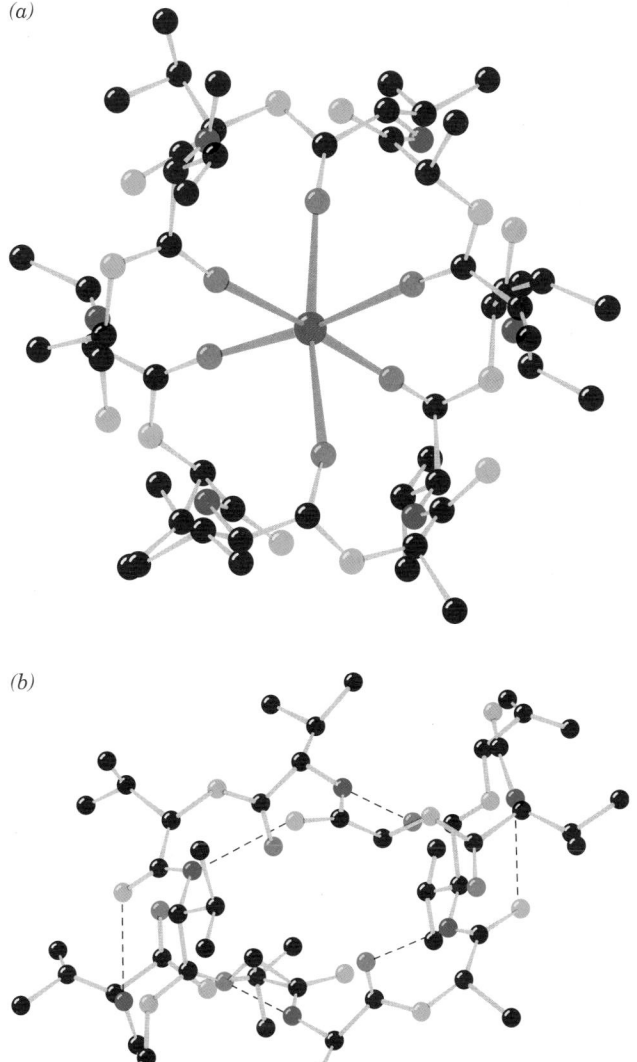

(b)

FIGURE 20-8 Structures par rayons X de la valinomycine. (*a*) Le complexe avec K⁺. Les six atomes d'oxygène qui forment un complexe octaédrique avec l'ion K⁺ sont d'un rouge plus foncé que les autres atomes d'oxygène. [D'après Neupert-Laves, K. and Dobler, M., *Helv. Chim. Acta* **58**, 439 (1975).] (*b*) Valinomycine non complexée. [D'après Smith, G.D., Duax, W.L., Langs, D.A., DeTitta, G.T., Edmonds, R.C., Rohrer, D.C., and Weeks, C.M., *J. Am. Chem. Soc.* **97**, 7242 (1975).] Les atomes d'hydrogène ne sont pas représentés.

du bracelet, formant ainsi une enveloppe externe hydrophobe autour du complexe sphéroïde, ce qui le rend soluble dans les solvants non polaires ainsi que dans le cœur hydrophobe des bicouches lipidiques. La valinomycine non complexée (Fig. 20-8*b*) présente une conformation plus ouverte que la forme complexée avec K⁺, ce qui, sans doute, facilite sa liaison rapide avec K⁺.

K⁺ (rayon ionique, $r = 1{,}33$ Å) et Rb⁺ ($r = 1{,}49$ Å) s'encastrent parfaitement à l'intérieur du site de coordination de la valinomycine. Cependant, la rigidité de la valinomycine rend ce site trop grand pour loger correctement Na⁺ ($r = 0{,}95$ Å) ou Li⁺ ($r = 0{,}60$ Å) ; autrement dit, les six atomes d'oxygène des groupements carbo-

nyle de la valinomycine ne peuvent pas établir simultanément des liaisons de coordinence avec ces ions. Ceux-ci se complexent beaucoup plus facilement avec l'eau qu'avec la valinomycine, car le complexe avec l'eau est thermodynamiquement plus favorable. Cela explique que la valinomycine ait une affinité de liaison 10 000 fois supérieure pour K⁺ que pour Na⁺. En réalité, on ne connaît pas d'autre substance qui distingue aussi nettement Na⁺ de K⁺.

L'ionophore **monensine** (Fig. 20-9*a*), acide carboxylique polyéther linéaire qui se lie aux ions Na⁺, est chimiquement différent de la valinomycine. Cependant, l'analyse par rayons X a montré que le complexe monensine-Na⁺ présente les mêmes caractéristiques générales que le complexe valinomycine-K⁺, l'ion Na⁺ se trouvant à l'intérieur d'un octaèdre de coordination de la monensine, et donc enveloppé dans une structure non polaire (Fig. 20-9*b*). D'autres ionophores transporteurs présentent des caractéristiques analogues.

c. La gramicidine A forme des canaux hélicoïdaux transmembranaires

La gramicidine A, isolée de *Bacillus brevis*, est un ionophore qui forme des canaux permettant le passage de protons et de cations alcalins, mais qui est bloqué par les ions Ca²⁺. C'est un polypeptide linéaire de 15 résidus où alternent des D- et L-ami-

(a)

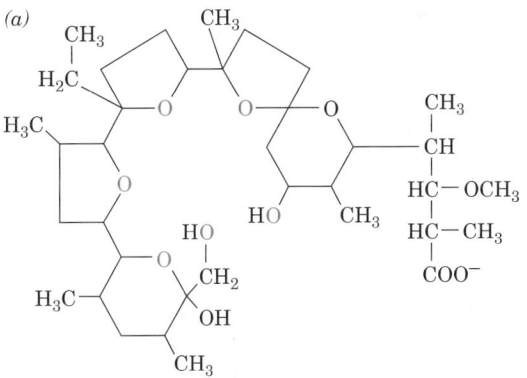

(b)

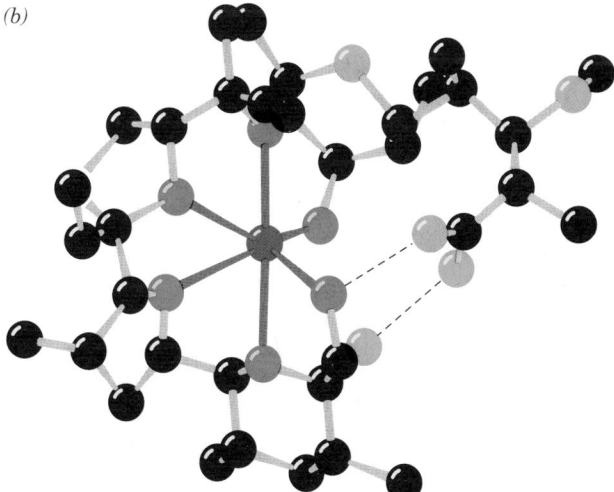

FIGURE 20-9 La monensine. (*a*) Formule développée avec les six atomes d'oxygène qui forment un complexe octaédrique avec Na⁺ représentés en rouge. (*b*) La structure par rayons X du complexe avec Na⁺ (les atomes d'hydrogène ne sont pas représentés). [D'après Duax, W.L., Smith, G.D., and Strong, P.D., *J. Am. Chem. Soc.* **102**, 6728 (1980).]

noacides et dont l'extrémité N-terminale est bloquée par un groupement formyle et l'extrémité C-terminale forme une liaison amide avec de l'éthanolamine (Fig. 20-10). Noter que tous ses rési-

H
\
C—NH—Val—Gly—Ala—Leu—Ala—5
//   L   L   D   L
O

            D   L   D   L   D
            Val—Val—Val—Trp—Leu—10

                                        O
                                        ‖
      L   D   L   D   L   15 C
      Trp—Leu—Trp—Leu—Trp—C
                                        |
            HO—CH₂—CH₂—NH

Gramicidine A

FIGURE 20-10 La gramicidine A. Ce polypeptide est formée de 15 résidus de D- et L-aminoacides en alternance et ses extrémités N- et C-terminales sont bloquées.

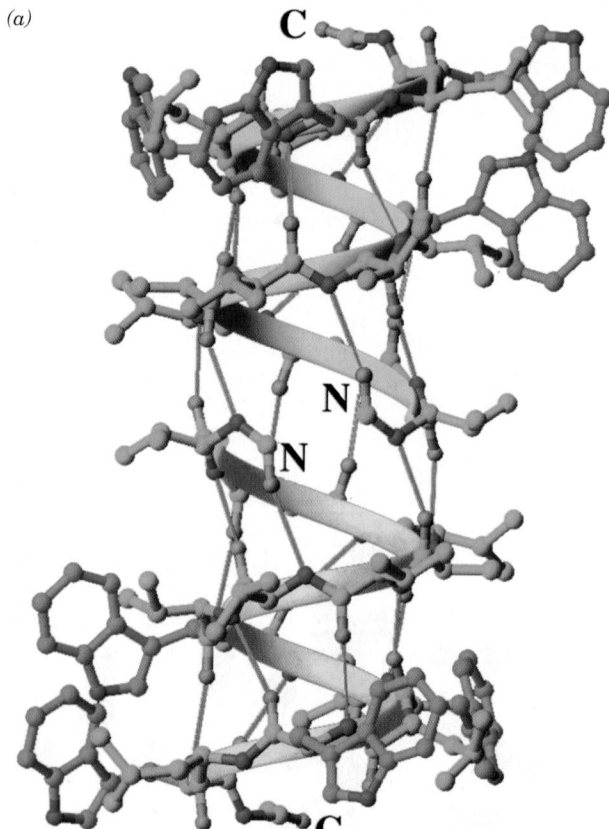

(a)

FIGURE 20-11 Structure par RMN de la gramicidine A enfouie dans une bicouche de dimyristoyl phosphatidylcholine. (*a*) Vue à partir de l'intérieur de la bicouche dans le sens de l'axe d'ordre 2 de l'hélice homodimérique. Le polypeptide est représenté en modèle éclaté et est coloré selon le type d'atome (N en bleu, O en rouge et N en vert, excepté pour les C des chaînes latérales de résidus Trp qui sont en magenta). Les rubans en bleu-vert et en doré indiquent les trajets en hélice empruntés par les squelettes polypeptidiques supérieur et inférieur. Les liaisons hydrogène sont représentées par des lignes grises. Les atomes d'hydrogène ont été omis pour simplifier. L'hélice (environ 25 Å de long) est de pas à droite avec 6,5 résidus par tour. La nouvelle disposition des liaisons hydrogène est rendue possible car

dus sont hydrophobes comme il se doit pour un petit polypeptide transmembranaire. Des études par RMN et par rayons X ont montré que la *gramicidine A se dimérise selon une disposition en tête-à-tête pour former un canal transmembranaire* (Fig. 20-11*a*). L'obtention d'un canal à ions fonctionnel en réunissant, par liaisons croisées, les extrémités N-terminales de deux molécules de gramicidine A confirme cette disposition transmembranaire. De plus, l'activité du canal est abolie par l'introduction d'un résidu chargé à l'extrémité N-terminale de la gramicidine A, mais elle persiste si un tel résidu est ajouté à l'extrémité C-terminale.

Le canal de la gramicidine A a été appelé **hélice β** car il ressemble à un feuillet β parallèle enroulé. Selon ce modèle, les groupements N—H successifs du squelette pointent alternativement vers le haut et vers le bas de l'hélice pour établir des liaisons hydrogène avec les groupements carbonyle du squelette (Fig. 20-11*a*). L'alternance de ses résidus L- et D- aminoacides permet aux chaînes latérales de l'hélice β de tapisser sa périphérie, conférant ainsi à la surface extérieure de l'hélice le caractère hydrophobe indispensable (se rappeler que dans un feuillet β où tous les résidus d'acides aminés sont de la série L, les chaînes latérales se projettent alternativement de chaque côté du feuillet ; Fig. 8-17). Les groupements polaires du squelette bordent ainsi le canal central (Fig. 20-11*b*), ce qui facilite le passage des ions. Les quatre chaînes latérales Trp de la moitié C-terminale de chaque polypeptide sont orientées avec leurs groupements polaires N—H dirigés vers la surface de la bicouche, ce qui dispose l'hélice dimérique perpendiculairement à la bicouche. Le remplacement de ces résidus Trp par des Phe diminue significativement la stabilité de l'hélice β et donc la conducti-

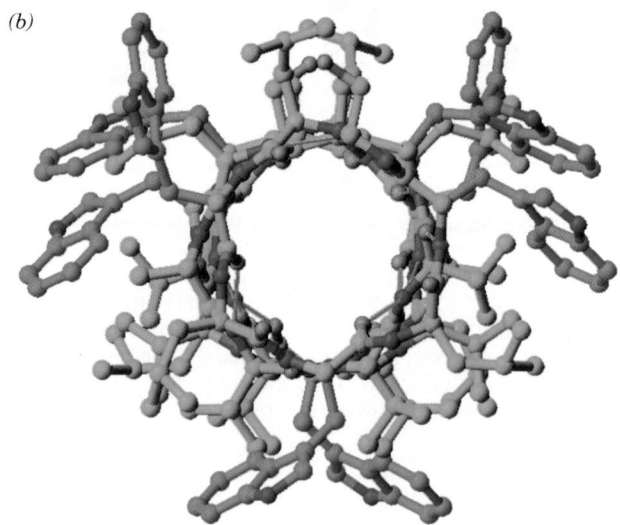

(b)

les configurations en alternance D et L des résidus d'acide aminé permettent à des groupements successifs N–H et C=O de pointer en directions opposées le long de l'axe de l'hélice. Noter que tous les groupements N–H du squelette qui ne projettent pas à partir du sommet ou du bas de l'hélice forment des liaisons hydrogène soit intra- soit intermoléculaires. (*b*) Vue perpendiculaire au plan de la bicouche (rotation de 90° autour de l'axe horizontal par rapport à la Partie *a*). Le pore cylindrique de 4 Å de diamètre qui parcourt le dimère hélicoïdal est bordé de tous les groupements polaires du squelette du polypeptide et est assez large pour laisser passer les cations alcalins métalliques. [D'après une structure par RMN due à Timothy Cross, Florida State University. PDBid 1MAG.]

vité du canal. Noter que la gramicidine A exerce une fonction similaire à celle de toxines qui forment des canaux mais sont beaucoup plus complexes, comme l'α-hémolysine (Section 12-3G), bien que cette dernière possède un pore beaucoup plus large et ne puisse donc distinguer des ions différents.

D. *La maltoporine : base structurale de la discrimination des sucres*

Les **porines** sont des protéines transmembranaires homotrimériques qui facilitent le transport de petites molécules et d'ions à travers les membranes externes des bactéries Gram négatif et des mitochondries. Chaque sous-unité est formée principalement d'un tonneau β comportant de 16 à 22 segments antiparallèles qui constitue un canal accessible au solvant dans le sens de l'axe du tonneau (Section 12-3A). Dans la porine d'*E. coli* OmpF (Fig. 12-27), ce canal long d'environ 50 Å se resserre en son centre pour prendre la forme d'un pore en ellipse de section transversale minimum de 7 × 11 Å. Par conséquent, des solutés de plus de 600 D environ sont trop volumineux pour passer par ce canal.

La **maltoporine** est une porine bactérienne qui facilite la diffusion des **maltodextrines** [oligosaccharides d'unités glucose unies par liaisons α(1→4) résultant de la dégradation de l'amidon ; p.ex ; le maltose (Fig. 11-12)]. La structure par rayons X de la maltoporine d'*E. coli* (Fig. 20-12), déterminée par Tilman Schirmer, montre qu'elle ressemble à celle de la porine OmpF (Fig. 12-27), sauf que le canal de transport de chaque sous-unité est entouré d'un tonneau β comportant 18 segments plutôt que 16. Trois longues boucles provenant de la face extracellulaire de chaque sous-unité de maltoporine se replient à l'intérieur du tonneau, ce qui, à hauteur du centre de la membrane, ramène à environ 5 Å (ceci est nettement plus petit que l'ouverture d'OmpF) le diamètre du canal, lequel montre en coupe la forme d'un sablier. Un côté du canal est tapissé de six chaînes aromatiques contiguës disposées en une hélice de pas à gauche qui correspond à la courbure hélicoïdale de pas à gauche de l'α-amylose (Fig. 11-17). Cette « glissoire lubrifiée » va de l'entrée du canal, via son étroiture, jusqu'à sa sortie dans le périplasme.

La manière dont les oligosaccharides interagissent avec la maltoporine a été étudiée en déterminant les structures par rayons X de la maltoporine en complexe avec les maltodextrines Glc_2 (maltose), Glc_3, ou Glc_6, ou encore avec le saccharose (un disaccharide glucose-fructose ; Fig. 11-12). Deux molécules de Glc_2, une de Glc_3, et un segment Glc_5 de Glc_6 occupent le canal de la maltoporine en contact avec la glissoire et en épousant la forme de celle-ci. Ainsi, les faces hydrophobes des résidus glycosyle de la maltodextrine s'empilent sur des chaînes latérales aromatiques, comme on l'observe fréquemment dans les complexes entre sucres et protéines. Les groupements hydroxyle du glucose, qui sont disposés en deux bandes le long des arêtes opposées des maltodextrines, établissent de nombreuses liaisons hydrogène avec les chaînes latérales polaires qui bordent ces bandes. Six de ces sept chaînes latérales polaires sont chargées, ce qui renforce probablement ces liaisons hydrogène, comme on l'a aussi observé dans les complexes entre sucres et protéines. Tyr 118, qui fait protrusion dans le canal du côté opposé à la glissoire, agirait comme barrière stérique ne permettant le passage que de groupements quasi plans tels que des résidus glycosyle. Ainsi, le saccharose, en forme de crochet et que la maltoporine ne transporte que très lentement, se lie

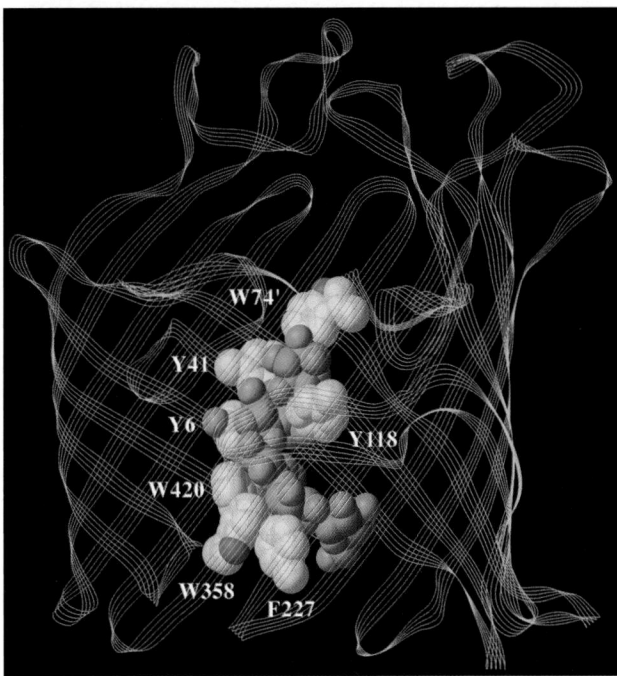

FIGURE 20-12 Structure par rayons X d'une sous-unité de la maltoporine d'*E. coli* complexée à une maltodextrine de 6 unités glucosyle (Glc_6). La structure est vue de l'intérieur de la membrane externe de la bactérie avec sa face extracellulaire vers le haut. Le squelette du polypeptide est représenté par un ruban à plusieurs brins (*bleu-vert*). Les unités Glc_6 (on ne peut voir ici que 5 unités glucosyles) et les chaînes latérales aromatiques qui bordent la région rétrécie du canal transporteur situé au centre de la protéine sont représentées en modèle compact et colorées selon le type d'atome (N en bleu, O en rouge, les C des chaînes latérales de la protéine en doré, et les C des unités glucosyle en vert). Noter la courbure hélicoïdale prononcée, de pas à gauche, de l'unité Glc_6. La « glissoire lubrifiée », constituée des chaînes latérales aromatiques de 6 résidus (W74′ provient d'une boucle en surplomb appartenant à une sous-unité adjacente), épouse étroitement cette forme. La chaîne latérale de Y118 fait protrusion dans le canal à l'opposé de la glissoire lubrifiée de sorte à ne permettre que le passage de groupements quasi plans tels que les résidus glucosyle. Les groupements hydroxyle de la maltodextrine sont disposés en deux bandes (dont une seule est représentée ici) qui bordent la glissoire lubrifiée et établissent un vaste réseau de liaisons hydrogène essentiellement avec des chaînes latérales chargées (non montré). [D'après une structure par rayons X due à Tilman Schirmer, Université de Bâle, Suisse. PDBid 1MPO.]

à cette dernière avec seul son résidu glucose inséré dans la partie rétrécie du canal et son volumineux résidu fructose se prolongeant dans le vestibule extracellulaire.

Les structures ci-dessus suggèrent un modèle pour le transport sélectif de maltodextrines par la maltoporine. Au début du processus de translocation, le résidu glycosyle entrant interagit avec l'extrémité facilement accessible de la glissoire dans le vestibule extracellulaire du canal. La progression de la maltodextrine dans ce canal en hélice exige qu'elle se comporte comme une vis dans un écrou pour préserver la structure hélicoïdale de cet oligosaccharide, ce qui exclut les molécules de taille comparable mais de forme différente. Il est peu probable que le processus de translocation se heurte à une barrière de haute énergie, en raison du caractère lisse de la surface de la glissoire et du grand nombre de groupements polaires dans l'étroiture du canal qui permettent un échange continu de liaisons hydrogène lors du passage de la maltodextrine dans ce rétrécissement. On peut donc considérer la maltoporine comme une enzyme qui catalyse la translocation de son substrat d'un compartiment à un autre.

E. *Transport du glucose par diffusion facilitée*

Le transporteur de glucose des érythrocytes humains est une glycoprotéine de 492 résidus qui, d'après l'analyse de l'hydropathie de séquence (Sections 8-4C et 12-3A), présente 12 hélices α traversant la membrane (Fig. 20-13) qui formeraient un cylindre hydrophobe. Cinq de ces hélices (3, 5, 7, 8, 11) sont amphipathiques et constituent vraisemblablement un canal hydrophile par lequel le glucose est transporté. Un domaine fortement chargé de 66 résidus, situé entre les hélices 6 et 7, ainsi qu'un domaine C-terminal de 43 résidus occupent le cytoplasme, tandis qu'un domaine de 34 résidus, porteur de groupements oligosaccharidiques, situé entre les hélices 1 et 2, est à l'extérieur.. Le transporteur de glucose représente 2 % des protéines membranaires de l'érythrocyte et correspond à la bande 4,5 des gels en SDS-PAGE des membranes d'érythrocytes (Section 12-3D ; il n'apparaît pas dans l'électrophérogramme de la Fig. 12-36 en raison de l'hétérogénéité de ses motifs oligosaccharidiques qui rend floue la bande protéique).

a. **Le transport du glucose fait intervenir un mécanisme de « pore à soupape »**

Le transporteur de glucose de l'érythrocyte possède des sites de liaison du glucose des deux côtés de la membrane de l'érythrocyte mais ces sites ont des exigences stériques différentes. John Barnett a montré que le 1-propylglucose ne se fixe pas à la face extracellulaire du transporteur de glucose de l'érythrocyte mais se fixe du côté cytoplasmique, alors que c'est l'inverse pour le 6-propylglucose. Il a donc proposé que le transporteur de glucose présente deux conformations alternées : l'une dont le site de liaison au glucose est exposé sur la face externe de la membrane, qui nécessite un contact avec O1, laissant O6 libre, l'autre avec le site de liaison au glucose exposé sur la face interne de la membrane, qui établit un contact avec O6, laissant O1 libre (Fig. 20-14). *Le transport se ferait par liaison du glucose à la protéine d'un côté de la mem-*

brane, suivie d'un changement conformationnel qui fermerait le premier site tout en exposant le deuxième. Le glucose se dissocierait alors de la protéine après avoir traversé la membrane. Le cycle du transport de ce « **pore à soupape** » *s'achèverait par le retour du transporteur de glucose à sa conformation initiale en l'absence de glucose. Ce cycle pouvant s'effectuer dans les deux directions, le transport de glucose se fera dans le sens de son gradient de concentration. Le transporteur de glucose fournit donc le moyen d'équilibrer les concentrations en glucose de part et d'autre de la membrane de l'érythrocyte sans perte concomitante de petites molécules ou d'ions.*

b. **Plusieurs types de transporteur de glucose sont exprimés chez les eucaryotes**

Le transporteur de glucose des érythrocytes, appelé aussi **GLUT1**, a une séquence en acides aminés très conservée (98 % d'identité de séquence entre l'homme et le rat), ce qui suggère que tous les segments de cette protéine sont fonctionnellement importants. GLUT1 est exprimé dans la plupart des tissus, bien que dans le foie et les muscles, tissus particulièrement actifs dans le transport de glucose, il ne soit présent qu'en quantités infimes. Trois autres transporteurs de glucose, **GLUT2**, **GLUT3** et **GLUT4**, ont été caractérisés (**GLUT5** a d'abord été pris pour un transporteur de glucose, mais s'est avéré être un transporteur de fructose). Ils présentent de 40 à 65 % d'identité avec GLUT1, mais ont une distribution tissulaire différente. Par exemple, GLUT2 est prédominant dans les cellules β du pancréas (qui sécrète l'insuline en réponse à une élévation de la glycémie ; Section 18-3F) et le foie (où son absence provoque des symptômes qui ressemblent à ceux de la maladie de stockage de glycogène de Type I ; Section 18-4), alors que GLUT4 se trouve principalement dans les cellules musculaires et les adipocytes. Noter que la distribution tissulaire de ces trans-

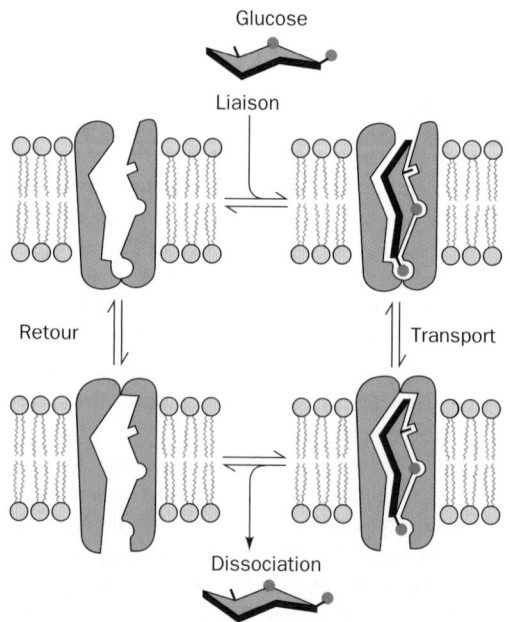

FIGURE 20-14 Modèle de conformations en alternance pour le transport du glucose. Un tel système est aussi appelé « pore à soupape ». [D'après Baldwin, S.A. and Lienhard, G.E., *Trends Biochem. Sci.* **6,** 210 (1981).]

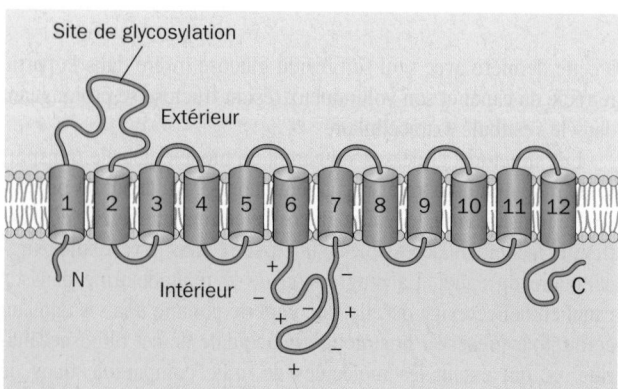

FIGURE 20-13 Prédictions de structure secondaire et d'orientation membranaire du transporteur de glucose.

porteurs de glucose est en accord avec la réponse de ces tissus à l'insuline : le foie est insensible à l'insuline (le rôle du foie, entre autres, est de maintenir la glycémie constante ; Section 18-3F), tandis que les cellules musculaires et les adipocytes consomment du glucose quand elles sont stimulées par l'insuline. De nouveaux membres de la famille GLUT (jusqu'à GLUT12) ont été identifiés dans différents tissus, mais ils restent à caractériser.

c. Le captage du glucose par la cellule est régulée par exocytose/endocytose, sensible à l'insuline, des transporteurs de glucose

L'insuline stimule le captage de glucose par les adipocytes et les cellules musculaires. Moins de 15 min après administration d'insuline, le J_{max} du transport de glucose par diffusion facilitée augmente de 6 à 12 fois, alors que le K_M reste constant. Après retrait de l'insuline, la vitesse d'absorption du glucose revient à la normale dans un temps compris entre 20 min et 2 h, selon les conditions. Ni l'augmentation, ni la diminution de la vitesse de transport du glucose ne sont affectées par la présence d'inhibiteurs de la synthèse protéique, ce qui signifie que ces observations ne s'expliquent pas par la synthèse de nouvelles molécules de transporteur de glucose ou de protéines qui l'inhiberaient. Comment l'insuline régule-t-elle donc le transport du glucose ?

Les cellules musculaires et les adipocytes au repos séquestrent la plupart de leurs transporteurs de glucose dans des vésicules membraneuses internes. Après stimulation par l'insuline, ces vésicules fusionnent avec la membrane plasmique par le processus d'exocytose (Fig. 20-15). L'augmentation du nombre de transporteurs de glucose (GLUT4) à la surface cellulaire qui en résulte se traduit par une augmentation proportionnelle de l'entrée du glucose dans ces cellules. Lorsqu'il n'y a plus d'insuline, le processus est inversé par endocytose des transporteurs de glucose inté-

grés dans la membrane plasmique. La délétion ou la mutation des huit résidus N-terminaux de GLUT4, en particulier Phe 5, entraîne l'accumulation du transporteur dans la membrane plasmique. Manifestement, le segment N-terminal de GLUT4 permet à la machinerie de l'endocytose cellulaire de le séquestrer, mais on connaît mal la manière dont l'insuline contrôle ce système, qui rend compte de la plupart des effets de l'insuline sur les cellules musculaires et adipeuses. Des recherches récentes montrent cependant que ce mécanisme d'exocytose implique une cascade de phosphorylations sur tyrosine déclenchée par la liaison de l'insuline à son récepteur (Sections 19-3A et 19-4F) et qui inclut l'activation de la phospho-inositide 3-kinase (PI3K ; Section 19-4D) ainsi que la fusion vésiculaire (Section 12-4D).

F. *Canaux potassiques : discrimination des ions*

Les ions potassium diffusent du cytoplasme (où $[K^+] > 100$ mM) vers l'espace extracellulaire (où $[K^+] < 5$ mM) à travers des protéines transmembranaires connues sous le nom de **canaux potassiques**. Ce phénomène sous-tend de nombreux processus biologiques importants, dont le maintien de l'équilibre osmotique des cellules, la transmission de l'influx nerveux (Section 20-5) et la transduction du signal (Chapitre 19). Bien qu'il existe une variété de canaux potassiques différents, même au sein d'un organisme donné, tous ont des séquences semblables et des caractéristiques de perméabilité comparables, et surtout sont au moins 10 000 fois plus perméables à K^+ qu'à Na^+. Une telle sélectivité (pratiquement la même que celle de la valinomycine ; Section 20-2C) suppose des interactions de forte énergie entre K^+ et la protéine. Comment dès lors le canal potassique peut-il maintenir une vitesse de passage proche de celle de la diffusion, à savoir 10^8 ions par seconde (donc 10^4 fois plus que pour la valinomycine) ?

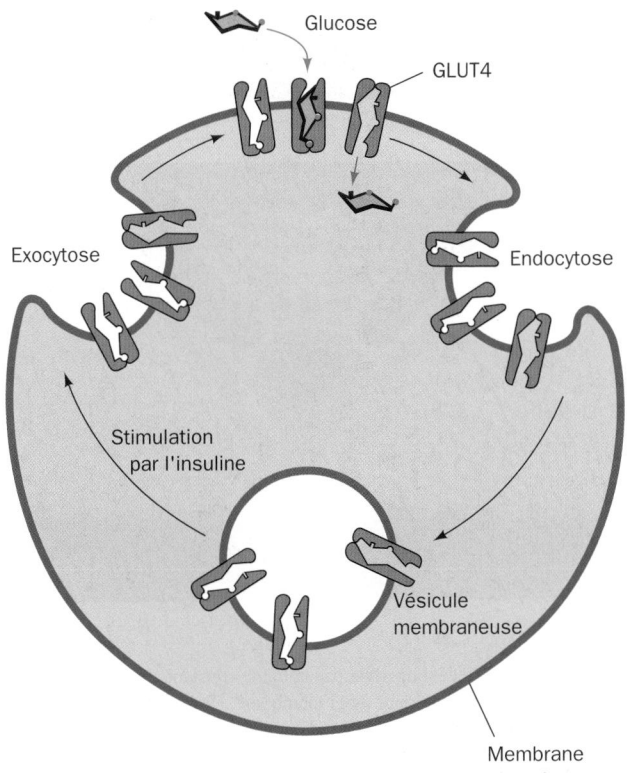

FIGURE 20-15 Régulation de l'entrée du glucose dans les cellules musculaires et les adipocytes. Ce processus résulte de l'exocytose, stimulée par l'insuline (le contraire de l'endocytose ; Section 12-5B), de vésicules membraneuses contenant des transporteurs de glucose GLUT4 (*à gauche*). En l'absence d'insuline, le processus s'inverse par endocytose (*à droite*).

a. La structure par rayons X de KcsA explique la sélectivité des canaux potassiques

KcsA, le canal potassique de *Streptomyces lividans*, est un tétramère de sous-unités identiques de 158 résidus. La structure par rayons X de son segment N-terminal de 125 résidus, déterminée par Roderick McKinnon, montre que chaque sous-unité KcsA forme deux hélices transmembranaires quasi parallèles inclinées d'environ 25° par rapport à la perpendiculaire au plan de la membrane et qui sont reliées par une région formant pore d'environ 20 résidus (Fig. 20-16a). Comme pour tous les autres canaux potas-siques connus, quatre sous-unités de ce type s'associent pour former un assemblage d'une symétrie de rotation d'ordre quatre entourant un pore central. Les quatre hélices internes (C-terminales), qui constituent l'essentiel du pore, s'empilent près du côté cytoplasmique de la membrane, un peu comme les perches d'un « tipi » inversé. Les quatre hélices externes, qui font face à la bicouche lipidique, viennent étayer les hélices internes, mais sans entrer en contact avec les hélices externes adjacentes. Les régions du pore, dont chacune comprend une « tourelle », une hélice du pore, et un filtre de sélectivité, occupent l'extrémté du tipi ouverte

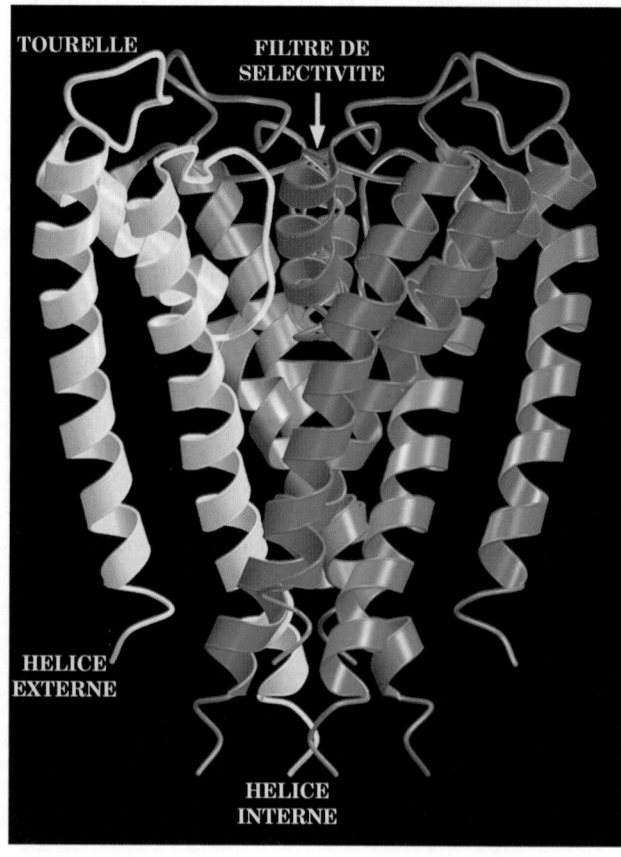

(a)

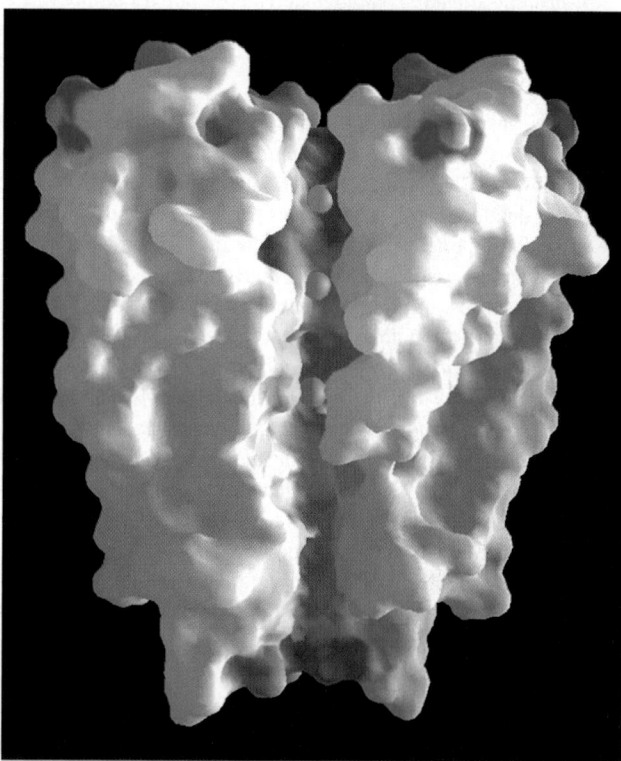

(b)

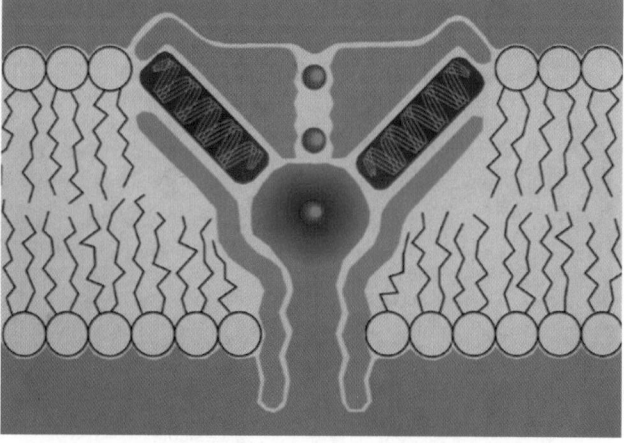

(c)

FIGURE 20-16 Structure par rayons X du canal potassique KcsA. (*a*) Diagramme en ruban du tétramère vu de l'intérieur du plan de la membrane, le cytoplasme étant vers le bas et la région extracellulaire vers le haut. L'axe de rotation d'ordre 4 de la protéine est vertical et chacune des quatre sous-unités identiques est de couleur différente. (*b*) Schéma en coupe vu comme en *a* où le canal potassique est repré-senté par sa surface accessible au solvant. La surface est colorée selon ses propriétés physiques, avec les zones chargées négativement en rouge, non chargées en blanc, chargées positivement en bleu, et les régions hydrophobes du pore central en jaune. Les ions K^+ sont représentés par des sphères vertes. (*c*) Diagramme schématique montrant comment le canal potassique stabilise un cation au centre de la membrane. La cavité aqueuse du pore central (dont le diamètre est de 10 Å), laquelle contient environ 50 molécules d'eau, stabilise un ion K^+ (*sphères vertes*) au sein de la membrane, par ailleurs hydrophobe. De plus, toutes les extrémités C-terminales des hélices du pore (*rouge*) pointent vers l'ion K^+, le stabili-sant ainsi électrostatiquement via leurs moments dipolaires (une hélice α possède un fort moment dipolaire dont l'extrémité négative pointe vers l'extrémité C-terminale de l'hélice car tous les dipoles des groupements carbonyle et N–H qui la composent sont parallèles à l'axe de l'hélice, leurs extrémités négatives pointant vers son extrémité C-terminale ;

Fig. 8-11). Cet effet est amplifié par la faible constante diélectrique qui règne au centre de l'intérieur de la membrane. Des calculs d'électrosta-tique montrent que la cavité est conçue pour stabiliser au maximum les cations monovalents. [Avec la permission de Roderick MacKinnon, Rockefeller University. PDBid IBL8.]

du côté extracellulaire, les hélices du pore venant se loger entre ses perches. On voit dans le pore central plusieurs ions K$^+$ et molécules d'eau ordonnées (Fig. 20-16*b* et 20-17*a*).

Le pore central, dont la longueur est de 45 Å, a une largeur variable. Il commence, du côté cytoplasmique (Fig. 20-16*b*, *en bas*), par un tunnel de 18 Å de long et de ~6 Å de diamètre, appelé pore interne, dont l'entrée est bordée de quatre chaînes latérales anioniques qui vraisemblablement permettent l'exclusion des anions (zone en rouge au bas de la Fig. 20-16*b*). Le pore interne s'élargit alors pour former une cavité de ~10 Å de diamètre. Ces deux régions du pore central sont assez larges pour qu'un ion K$^+$ puisse les traverser dans son état hydraté. Cependant, le diamètre de la partie supérieure du pore, nommée filtre de sélectivité, se réduit à 3 Å, ce qui force l'ion K$^+$ en transit à abandonner les molécules d'eau qui l'hydratent. Les parois du pore interne et de la cavité sont tapissées de groupements hydrophobes interagissant

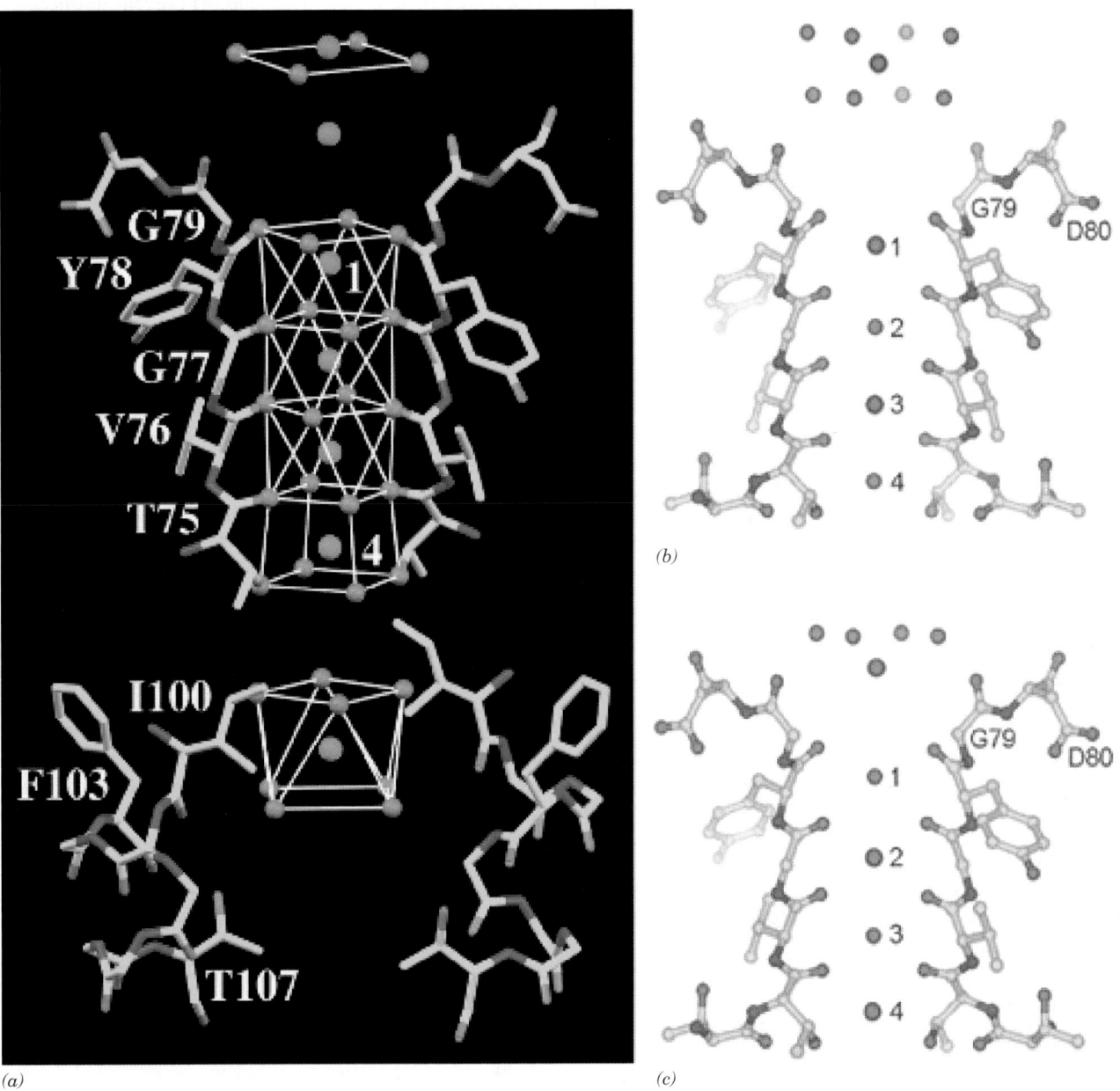

(a)   (b)   (c)

FIGURE 20-17 Parties du canal potassique KcsA responsables de sa sélectivité ionique vues comme dans la Fig. 20-16. (*a*) Structure par rayons X des résidus constituant la cavité (*en bas*) et le filtre de sélectivité (*en haut*), les sous-unités à l'avant-plan et à l'arrière ayant été omises pour plus de clarté. Les atomes sont colorés selon le type, avec C en jaune, N en bleu, O en rouge, et les ions K$^+$ représentés par des sphères vertes. Les atomes O de l'eau et de la protéine qui lient les ions K$^+$, y compris ceux provenant des sous-unités non montrées, sont représentés par des sphères rouges. Les polyèdres de coordination formés par ces atomes O sont esquissés par de fines lignes blanches. (*b* et *c*) Deux états du filtre de sélectivité pour la liaison de K$^+$, dont la superposition est censée rendre compte de la densité électronique observée dans la structure par rayons X de KcsA. Les atomes sont colorés comme dans la Partie *a*. Noter que les ions K$^+$ occupant le filtre de sélectivité se trouvent parmi des molécules d'eau et que l'ion K$^+$ situé juste au dessus du filtre de sélectivité dans la Partie *b* est plus haut par rapport à la protéine que dans la Partie *c*. Ces ions se suivent donc à distance constante lors de leur passage à travers le filtre de sélectivité. [Partie *a* fondée sur une structure par rayons X due à Roderick MacKinnon, Rockefeller University, et Parties *b* et *c* avec sa permission. PDBid 1K4C.]

peu avec les ions qui y diffusent (zone en jaune du pore dans la Fig. 20-16*b*). Cependant, le filtre de sélectivité (zone en rouge du pore au sommet de la Fig. 20-16*b*) est bordé d'oxygènes de carbonyles, très rapprochés, qui appartiennent à des chaînes principales de résidus (sommet de la Fig. 20-17*a*) très conservés dans tous les canaux potassiques (TVGYG, leur séquence signature) et dont la mutation perturbe la capacité du canal à distinguer K^+ de Na^+.

Quelle est la fonction de la cavité ? D'après des calculs d'énergie, un ion qui se déplace à travers un pore transmembranaire étroit doit surmonter une barrière énergétique qui est maximum au centre de la membrane. L'existence de la cavité réduit cette déstabilisation électrostatique en entourant l'ion de molécules d'eau polarisables (Fig. 20-16*c*). De plus, les extrémités C-terminales des quatre hélices du pore pointent directement au centre de la cavité de sorte que les dipôles des hélices imposent à la cavité un potentiel électrostatique négatif qui abaisse la barrière électrostatique rencontrée par le cation traversant la bicouche lipidique.

On peut voir que l'ion K^+ occupant la cavité est en liaison avec 8 molécules d'eau ordonnées situées aux coins d'un antiprisme carré (cube dont une face a subi une rotation de 45° par rapport à la face opposée) au centre duquel se trouve l'ion K^+ (Fig. 20-17*a*, *en bas*). On savait qu'en solution aqueuse l'ion K^+ présente une telle enveloppe interne d'hydratation, mais elle n'avait jamais été observée directement. Bien que l'ion K^+ se trouve précisément au centre de la cavité, les molécules d'eau qui s'y fixent ne sont pas en contact de van der Waals avec les parois de la cavité. En fait celle-ci peut héberger environ 40 molécules d'eau supplémentaires mais on ne les voit pas dans la structure par rayons X car elles sont désorganisées. Ce désordre découle du fait que la cavité est tapissée de groupements hydrophobes (principalement les chaînes latérales de Ile 100 et de Phe 103 ; Fig. 20-17*a*) qui n'interagissent que faiblement avec les molécules d'eau et permettent donc à celles-ci d'interagir librement avec l'ion K^+ de sorte à former une enveloppe d'hydratation externe. Par quoi l'ion K^+ hydraté est-il donnc maintenu en place ? Il semble que ce soit par des liaisons hydrogène très faibles impliquant des groupements protéiques tels que l'hydroxyle de Thr 107 et peut-être des atomes O de carbonyles des hélices du pore et des hélices internes. L'absence d'un tel complexe d'hydratation ordonné lorsque c'est Na^+ et non K^+ qui occupe la cavité traduit bien la correspondance géométrique précise entre le K^+ hydraté et la cavité (les rayons ioniques de Na^+ et de K^+ sont respectivement de 0,95 et 1,33 Å). C'est ainsi que la cavité procure une concentration effective élevée de K^+ (~$2M$) au centre de la membrane et place l'ion K^+ dans l'axe du pore afin qu'il entre directement dans le filtre de sélectivité.

Comment le canal potassique peut-il si bien distinguer l'ion K^+ de l'ion Na^+ ? Les atomes O des chaînes principales qui tapissent le filtre de sélectivité forment un empilement d'anneaux (Fig. 20-17*a*, *en haut*) qui fournit une série de sites de coordinence rapprochés et de dimensions adéquates pour les ions K^+ déshydratés mais pas pour les ions Na^+, lesquels sont plus petits. La structure de la protéine là où elle entoure le filtre de sélectivité suggère que le diamètre du pore est rigoureusement maintenu. Ceci élève considérablement l'énergie, dans le filtre de sélectivité, d'un Na^+ déshydraté par rapport à celle d'un Na^+ hydraté, et rend ainsi compte de la haute sélectivité du canal potassique pour les ions K^+.

Puisque le filtre de sélectivité semble conçu pour fixer spécifiquement les ions K^+, comment peut-il laisser passer ces ions à une telle vitesse (jusqu'à 10^8 ions par seconde) ? Dans la structure

montrée à la Fig. 20-17*a*) on croit observer 4 ions K^+ dans le filtre de sélectivité et deux autres juste à sa sortie du côté extracellulaire. Des ions positifs si rapprochés devraient se repousser fortement et représenter une situation de haute énergie. Cependant, plusieurs données suggèrent que cette structure correspond en fait à la superposition de deux groupes d'ions K^+, l'un avec les ions K^+ tout en haut dans la Fig. 20-17*a* et en positions 1 et 3 dans le filtre de sélectivité (Fig. 20-17*b*), et l'autre avec les ions K^+ en deuxième position à partir du sommet dans la Fig. 20-17*a* et en positions 2 et 4 dans le filtre de sélectivité (Fig. 20-17*c* ; les structures par rayons X peuvent montrer des atomes en superposition car elles correspondent aux moyennes de nombreuses mailles du réseau cristallin). À l'intérieur du filtre de sélectivité, les positions non occupées par des ions K^+ le sont par des molécules d'eau qui fixent des ions K^+ voisins par coordinence.

La densité électronique qui est censée correspondre aux 4 molécules d'eau les plus supérieures dans la Fig. 20-17*a* est très allongée dans le sens vertical alors que cette structure est à haute résolution (2,0 Å). On pense donc qu'elle résulte en fait de la présence de 8 molécules d'eau qui se fixent à l'ion K^+ le plus haut dans la Fig. 20-17*b*, pour former une enveloppe interne d'hydratation semblable à celle du K^+ situé dans la cavité centrale (Fig. 20-17*a*, *en bas*). Les 4 molécules d'eau qui se fixent à l'ion K^+ le plus haut dans la Fig. 20-17*c* contribuent également à cette densité électronique par un anneau moléculaire qui fournit la moitié des 8 atomes O fixant l'ion K^+ associé. Les autres atomes O appartiennent aux groupements carbonyle des 4 résidus Gly 79 qui sont dans l'orientation appropriée. On en conclut qu'un ion K^+ déshydraté franchit le filtre de sélectivité (passe d'une position à la suivante dans les Fig. 20-17*b* et *c*) par échange de ligands espacés convenablement sur les parois, puis passe dans la solution extracellulaire en échangeant pour de l'eau ces ligands de nature protéique, de façon à acquérir à nouveau une enveloppe d'hydratation. L'espacement et l'orientation de ces ligands sont tels qu'il y a peu de variation d'énergie (on l'estime à < 12 kJ · mol^{-1}) le long du trajet réactionnel emprunté par un ion K^+ lorsqu'il traverse le filtre de sélectivité et aboutit dans la solution extracellulaire. La déshydratation rapide de l'ion K^+ lorsqu'il passe de la cavité dans filtre de sélectivité procéderait du même mécanisme. Le caractère pratiquement plat du paysage énergétique de ce processus est évidemment en faveur d'un transit rapide des ions K^+ à travers le canal potassique et doit donc être le résultat d'ajustements de plus en plus précis au cours de l'évolution. Des calculs d'énergie montrent que les répulsions électrostatiques mutuelles des ions K^+ qui se succèdent dans le canal selon un déplacement concerté contrebalancent les interactions de type attractif qui maintiennent ces ions dans le filtre de sélectivité et accélèrent ainsi leur passage.

3 ■ TRANSPORTS ACTIFS ATP-DÉPENDANTS

Un transport facilité est classé selon la stoechiométrie du processus de transport (Fig. 20-18) :

1. Un système **uniport** est caractérisé par le transport d'une seule molécule à la fois. Le transporteur de glucose de l'érythrocyte est un système uniport.

2. Dans un système **symport**, deux molécules différentes sont transportées simultanément dans le même sens.

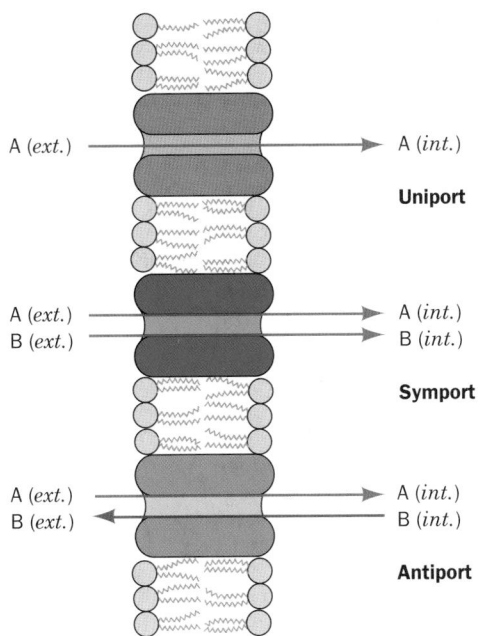

FIGURE 20-18 Systèmes de translocation uniport, symport et antiport.

3. Dans un système **antiport**, il y a transport simultané de deux molécules différentes en sens opposés.

Dans le cas de transport d'ions, le caractère électrique du système est :

1. Electroneutre (sans conséquence électrique) s'il y a simultanément neutralisation de charges, soit par symport d'ions chargés de signes opposés, soit par antiport d'ions de même charge.

2. Electrogénique si le processus de transport aboutit à une différence de charges de part et d'autre de la membrane.

La concentration en glucose dans le sang étant généralement supérieure à celle des cellules, le transporteur de glucose des érythrocytes assure normalement le transport du glucose dans les érythrocytes, où il est métabolisé par l'intermédiaire de la glycolyse. Cependant, on connaît de nombreuses substances qui se trouvent en plus faible concentration d'un côté de la membrane que du côté où elles sont nécessaires. De telles substances doivent être transportées activement et sélectivement à travers la membrane contre leurs gradients de concentration.

Le transport actif est un processus endergonique souvent couplé à l'hydrolyse de l'ATP. Comment ce couplage est-il assuré ? Dans des réactions de biosynthèse endergoniques, il résulte souvent de la phosphorylation directe d'un substrat par l'ATP ; par exemple, la formation de l'UTP dans la synthèse du glycogène (Section 18-2B). Toutefois le transport membranaire est généralement un processus physique plutôt qu'un processus chimique ; la molécule transportée n'est pas modifiée chimiquement. Comprendre le mécanisme par lequel l'énergie libre utilisable après hydrolyse de l'ATP permet l'accomplissement de processus physiques endergoniques a donc constitué un défi scientifique.

Trois types de protéines transmembranaires qui hydrolysent l'ATP et transportent activement des cations ont été identifiés :

1. Les **ATPases de type P** localisées principalement dans les membranes plasmiques et qui tirent leur nom du fait qu'elles sont directement phosphorylées lors du processus de transport. Elles transportent H^+, Na^+, K^+, Ca^{2+}, Cu^{2+}, Cd^{2+} et Mg^{2+} contre un gradient de concentration. Elles se distinguent des autres ATPases transporteur de cations par leur inhibition par les ions **vanadate** (VO_4^{3-}, un analogue du phosphate ; cf. Problème 4 dans ce chapitre).

2. Les **ATPases de type F (F_1F_0)** dont le rôle est de transporter des protons dans les mitochondries et les cellules bactériennes, ce qui fournit l'énergie pour la synthèse d'ATP. Elles seront étudiées dans la Section 22-3C.

3. Les **ATPases de type V** localisées dans les membranes des vacuoles des cellules végétales et dans des vésicules acides, comme les lysosomes des cellules animales. Elles sont homologues aux ATPases de type F.

Les anions sont transportés par un quatrième type d'ATPase, appelée **ATPase de type A**. Dans cette section, nous étudierons les ATPases de type P. Nous étudierons également un processus de transport actif bactérien où les molécules transportées sont simultanément phosphorylées. Dans la section suivante, nous étudierons les transports actifs secondaires, appelés ainsi car ils utilisent l'énergie libre de gradients électrochimiques formés par des ATPases pompes à ions qui transportent des ions ou des molécules neutres contre leurs gradients de concentration.

A. *La (Na⁺ - K⁺) ATPase des membranes plasmiques*

La **(Na⁺ – K⁺) ATPase** des membranes plasmiques est l'un des systèmes de transport actif les plus étudiés. Cette protéine transmembranaire a été isolée pour la première fois par Jens Skou en 1957. Elle est constituée de deux types de sous-unités : une sous-unité α non glycosylée de ~1000 résidus qui contient l'activité catalytique de l'enzyme et les sites de liaison des ions, et une sous-unité β glycoprotéique de ~300 résidus, dont on ne connaît pas la fonction. Les séquences des sous-unités α de plusieurs espèces animales (on trouve 98 % d'identité chez les mammifères) suggèrent que cette sous-unité possède environ huit segments en hélice α transmembranaires et deux domaines cytoplasmiques de taille importante. La sous-unité β aurait une seule hélice transmembranaire et un vaste domaine extracellulaire. La composition en sous-unités de la protéine serait $(\alpha\beta)_2$ (Fig. 20-19), mais il n'est pas cer-

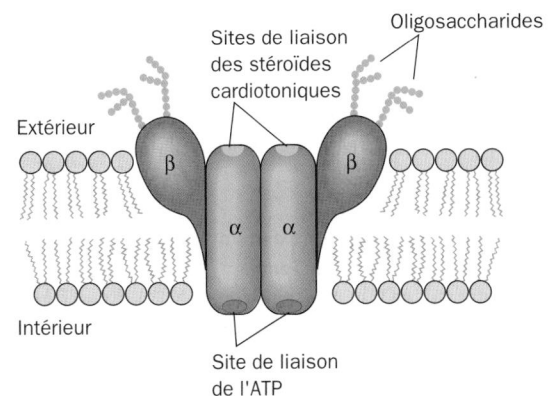

FIGURE 20-19 Structure dimérique présumée de la (Na⁺–K⁺) ATPase montrant son orientation dans la membrane plasmique.

tain que cette structure dimérique ait une importance fonctionnelle. L'enzyme est souvent appelée **pompe (Na⁺ – K⁺),** car *elle « pompe » hors de la cellule des ions Na⁺ en même temps qu'elle « pompe » dans la cellule des ions K⁺, avec hydrolyse concomitante d'ATP intracellulaire.* La stœchiométrie globale de la réaction catalysée par la (Na⁺ – K⁺) ATPase est :

$$3Na^+(int.) + 2K^+(ext.) + ATP + H_2O \rightleftharpoons$$
$$3Na^+(ext.) + 2K^+(int.) + ADP + P_i$$

La (Na⁺ – K⁺)ATPase est donc un antiport électrogénique : trois charges positives sortent de la cellule pour deux charges positives qui entrent. Cette sortie de Na⁺ permet aux cellules animales de contrôler osmotiquement leur contenu en eau ; sans ces pompes (Na⁺ – K⁺), les cellules animales, dépourvues de parois cellulaires, gonfleraient et éclateraient (se rappeler que les bicouches lipidiques sont perméables à l'eau ; Section 12-2B). De plus, le gradient de potentiel électrochimique formé par les pompes (Na⁺ – K⁺) est responsable de l'excitabilité électrique des cellules nerveuses (Section 20-5B) et fournit l'énergie libre nécessaire au transport actif de glucose et d'acides aminés dans certaines cellules (Section 20-4A). En réalité, *toutes les cellules dépensent une grande partie de l'ATP qu'elles forment (jusqu'à 70 % dans le cas des cellules nerveuses) pour maintenir leurs concentrations cytosoliques en Na⁺ et K⁺ aux valeurs requises.*

a. Lors du processus de transport, un Asp essentiel est phosphorylé par l'ATP

La variation d'énergie libre qui accompagne l'hydrolyse de l'ATP assure le transport endergonique de Na⁺ et de K⁺ contre un gradient électrochimique. Toutefois, le couplage de ces deux processus nécessite qu'une barrière cinétique s'oppose au transport des ions Na⁺ et K⁺ dans le sens de leurs gradients de concentration, tout en facilitant leur transport contre leurs gradients. De plus, il ne faut pas que l'ATP soit hydrolysé en l'absence de transport. On ne sait toujours pas très bien comment ces problèmes sont résolus par l'enzyme, bien que de nombreux aspects du mécanisme de transport aient été élucidés

Découverte très importante : l'enzyme est phosphorylée par l'ATP en présence de Na⁺ au cours du processus de transport. En utilisant des techniques de « piège chimique », on a montré que c'est un résidu Asp qui est phosphorylé pour donner un intermédiaire **aspartyl phosphate** très réactif. Par exemple, le borohydrure de sodium réduit les acyls phosphate en alcools correspondants. Partant d'un résidu aspartyl phosphate, l'alcool obtenu est l'**homosérine.** En utilisant du [³H]NaBH₄ pour réduire l'enzyme phosphorylée, on a isolé de l'homosérine tritiée après hydrolyse acide de l'enzyme (Fig. 20-20). Le résidu phosphorylé, Asp376, est le premier de la séquence très conservée DKTG que l'on trouve dans la région centrale de la chaîne polypeptidique.

b. La (Na⁺-K⁺) ATPase présente deux états conformationnels principaux

Le fait que l'ATP ne phosphoryle la (Na⁺ – K⁺) ATPase qu'en présence de Na⁺, et que le résidu aspartyl phosphate n'est hydrolysé qu'en présence de K⁺, a conduit à l'hypothèse de l'existence de *deux états conformationnels principaux de l'enzyme, E₁ et E₂.* Ces états se différencient par leur structure tertiaire, leur activité catalytique et leur spécificité vis-à-vis des ligands :

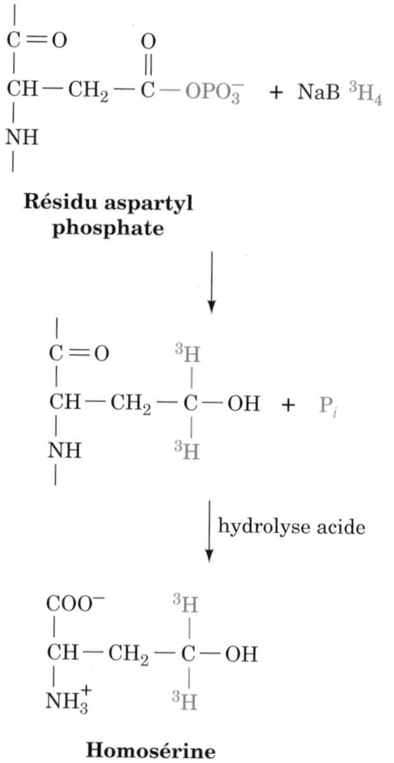

Résidu aspartyl phosphate

Homosérine

FIGURE 20-20 Réaction entre [³H]NaBH₄ et la (Na⁺ – K⁺) ATPase phosphorylée. L'isolement de [³H]homosérine après hydrolyse acide de la protéine indique que le résidu d'acide aminé phosphorylé au départ est Asp.

1. E_1 possède un site de liaison à haute affinité pour Na⁺ orienté vers l'intérieur de la cellule (K_M = 0,2 mM, bien en dessous de la concentration intracellulaire de Na⁺) et ne réagit avec l'ATP pour donner la forme activée E_1~P que si Na⁺ est lié.

2. E_2—P possède un site de liaison à haute affinité pour K⁺ (K_M = 0,05 M, bien en dessous de la concentration extracellulaire en ions K⁺), dirigé vers l'espace extracellulaire et qui ne s'hydrolyse pour former P_i + E_2 que si K⁺ est lié.

c. Un mécanisme réactionnel cinétique séquentiel ordonné rend compte du couplage entre le transport actif et l'hydrolyse de l'ATP

On pense que la (Na⁺ – K⁺) ATPase suit le mécanisme séquentiel ordonné suivant (Fig. 20-21) :

1. $E_1 \cdot 3Na^+$, qui a fixé Na⁺ à l'intérieur de la cellule, se lie à l'ATP pour donner le complexe ternaire $E_1 \cdot ATP \cdot 3Na^+$.

2. Le complexe ternaire réagit pour former un intermédiaire aspartyl phosphate « riche en énergie » E_1~P $\cdot 3Na^+$.

3. Cet intermédiaire « riche en énergie » prend sa conformation « faible en énergie », E_2—P $\cdot 3Na^+$, et libère ses Na⁺ dans l'espace extracellulaire ; par conséquent, les ions Na⁺ ont été transportés à travers la membrane.

4. E_2—P lie 2K⁺ de l'espace extracellulaire pour former E_2—P $\cdot 2K^+$.

5. Le groupement phosphate est hydrolysé, donnant $E_2 \cdot 2K^+$.

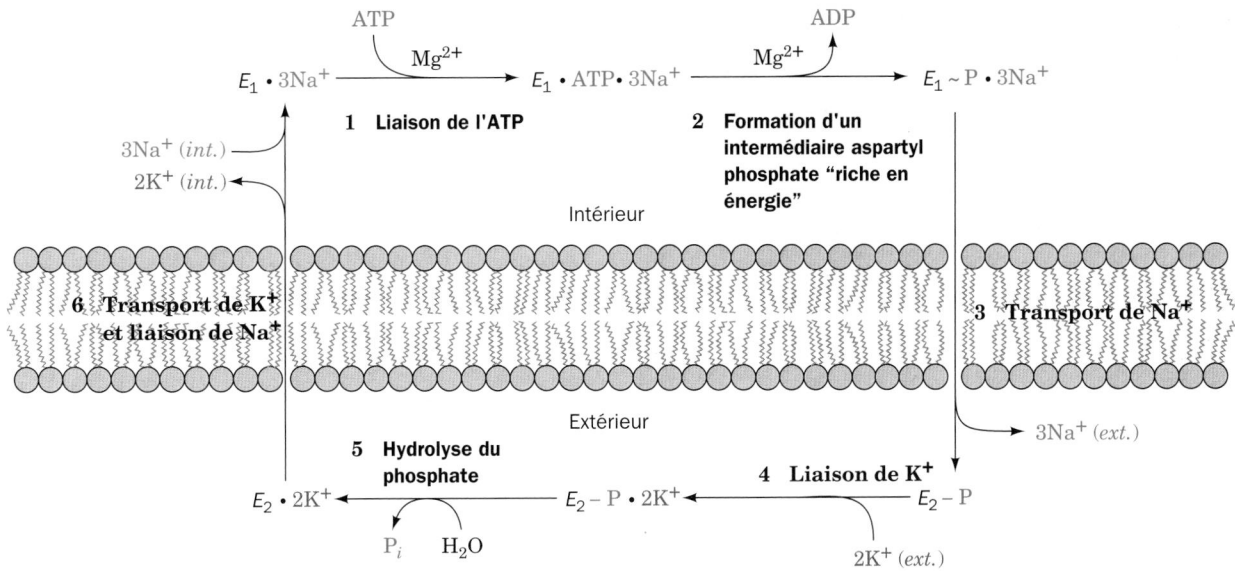

FIGURE 20-21 Représentation schématique cinétique du mécanisme de transport actif de Na^+ et K^+ par la (Na^+–K^+) ATPase.

6. $E_2 \cdot K^+$ change de conformation et libère ses $2K^+$ à l'intérieur de la cellule pour les remplacer par $3Na^+$, achevant ainsi le cycle de transport.

On pense que l'enzyme n'a qu'un exemplaire de sites de liaison de cations, dont apparemment l'orientation et la spécificité changent durant le cycle du transport.

Le sens obligatoire de la réaction nécessite que l'ATP ne soit hydrolysé que si Na^+ est transporté contre son gradient. Réciproquement, Na^+ ne peut être transporté dans le sens de son gradient que si de l'ATP est synthétisé de façon concomitante. Par conséquent, bien que chacune des étapes réactionnelles soit individuellement réversible, le cycle, comme schématisé dans la Fig. 20-21, ne peut se dérouler que dans le sens de déplacement des aiguilles d'une montre dans des conditions physiologiques normales ; autrement dit, l'hydrolyse de l'ATP et le transport des ions sont des processus couplés. Noter que le caractère **vectoriel** (unidirectionnel) du cycle des réactions résulte de l'alternance entre certaines des réactions de l'hydrolyse exergonique de l'ATP (réactions 1 + 2 et réaction 5) et certaines réactions du processus de transport endergonique des ions (réactions 3 + 4 et réaction 6). Ainsi, aucune réaction ne peut se faire complètement tant que l'autre n'est pas accompli.

d. La déstabilisation mutuelle de l'enzyme rend compte de la vitesse de transport de Na^+ et K^+

Le mécanisme cinétique ordonné que nous venons de voir explique seulement le couplage entre le transport actif et l'hydrolyse de l'ATP. *Afin que la vitesse de transport soit maintenue à une valeur raisonnable, les énergies libres de tous les intermédiaires doivent être sensiblement égales. Si certains intermédiaires étaient beaucoup plus stables que d'autres, les intermédiaires stables s'accumuleraient, réduisant ainsi sérieusement la vitesse globale du transport.* Par exemple, pour que Na^+ soit transporté à l'extérieur de la cellule contre son gradient, sa liaison doit être forte pour E_1 à l'intérieur et faible pour E_2 à l'extérieur. Qui dit liaison forte dit stabilité plus grande d'où une difficulté potentielle. Celle-ci est

contrecarrée par la phosphorylation de $E_1 \cdot 3Na^+$ et le changement conformationnel qui l'accompagne, avec la formation de E_2—P de faible affinité pour Na^+ (réactions 2 et 3, Fig. 20-21). De même, la liaison forte de K^+ à E_2—P à l'extérieur est affaiblie suite à sa déphosphorylation et au changement conformationnel concomitant qui se traduit par une faible affinité de E_1 pour K^+ (réactions 5 et 6, Fig. 20-21). Ce sont ces déstabilisations mutuelles qui assurent le transport rapide de Na^+ et de K^+.

e. Les glycosides cardiotoniques inhibent spécifiquement la (Na^+ – K^+) ATPase

L'étude de la (Na^+ – K^+) ATPase a été grandement facilitée par l'utilisation de **glycosides cardiotoniques** (appelés aussi **stéroïdes cardiotoniques**), produits naturels qui augmentent l'intensité des contractions du muscle cardiaque. Par exemple, la **digitale**, extraite des feuilles de la plante du même nom (Fig. 20-22a), qui contient un mélange de glycosides cardiotoniques dont la **digitoxine** (**digitaline** ; Fig. 20-22b), est utilisée depuis des siècles comme traitement de l'insuffisance cardiaque. Le glycoside cardiotonique **ouabaïne** (Fig. 20-22b), un produit extrait de l'Ouabio, arbre d'Afrique Orientale, a servi pendant longtemps comme poison de flèche. Ces deux stéroïdes, parmi les médicaments les plus prescrits pour les maladies cardiaques, inhibent la (Na^+ – K^+) ATPase en se liant fortement à une région exposée à l'extérieur de l'enzyme (ces substances n'ont pas d'effet quand elles sont injectées à l'intérieur des cellules), bloquant ainsi la réaction 5 de la Fig. 20-21. L'augmentation de la [Na^+] intracellulaire qui s'ensuit stimule le système antiport (Na^+ – Ca^{2+}) cardiaque qui assure la sortie de Na^+ et l'entrée de Ca^{2+} dans la cellule (Section 22-1B). L'augmentation de la [Ca^{2+}] cytosolique augmente la [Ca^{2+}] d'autres organites intracellulaires, en particulier celle du réticulum sarcoplasmique. Ainsi, la libération de Ca^{2+} qui déclenche la contraction musculaire (Section 35-3C) s'accompagne d'une augmentation supérieure à la normale de la [Ca^{2+}] cytosolique, intensifiant ainsi la force des contractions cardiaques. L'ouabaïne, dont on pensait qu'elle n'était produite que par les plantes, est égale-

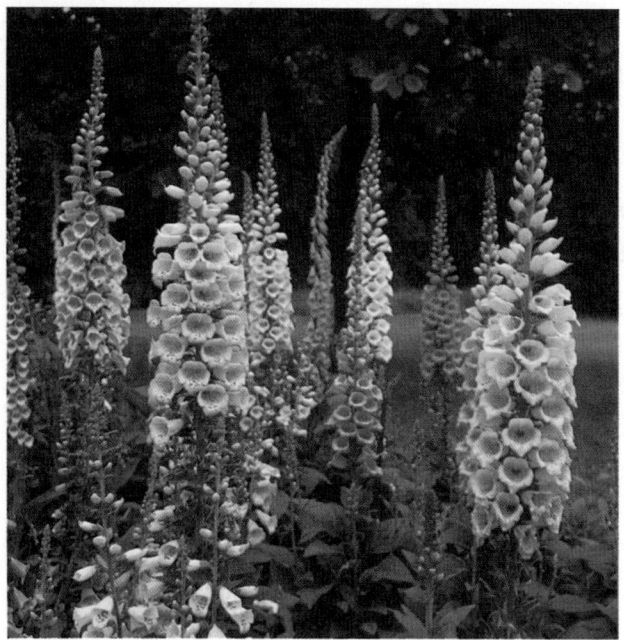

(a)

Digitoxine (digitaline)

Ouabaïne

(b)

FIGURE 20-22 Glycosides cardiotoniques. (*a*) On extrait la digitale, stimulant cardiaque, des feuilles de la plante du même nom. [Derek Fell]. (*b*) La digitoxine (digitaline), constituant majeur de la digitale, et l'ouabaïne, un glycoside cardiotonique extrait de l'arbre Ouabio qui pousse en Afrique Orientale, sont parmi les médicaments les plus couramment prescrits pour certaines maladies cardiaques.

ment une hormone animale découverte récemment, sécrétée par les corticosurrénales et qui assure la régulation de la [Na⁺] cellulaire et l'équilibre hydrosalin dans tout le corps.

B. *La Ca²⁺ ATPase*

Le Ca²⁺ joue souvent le rôle de second messager d'une manière semblable à l'AMPc (Section 19-4). Des augmentations transitoires de la [Ca²⁺] cytosolique déclenchent de nombreuses réponses cellulaires, dont la contraction musculaire (Section 35-3C), la libération de neurotransmetteurs (Section 20-5C) et, comme nous l'avons vu, la glycogénolyse (Section 18-3C). De plus, Ca²⁺ est un activateur important du métabolisme oxydatif (Section 22-4).

Pour pouvoir utiliser le phosphate comme monnaie énergétique courante, il faut que la concentration intracellulaire en Ca²⁺ soit maintenue à un niveau très bas car, par exemple, $Ca_3(PO_4)_2$ a une solubilité maximum en milieu aqueux de 65 μ*M*. Ainsi, la [Ca²⁺] cytosolique (~0,1 μ*M*) est inférieure de quatre ordres de grandeur à la [Ca²⁺] extracellulaire (~1500 μ*M*). Ce fort gradient de concentration est maintenu par le transport actif de Ca²⁺ à travers la membrane plasmique, le réticulum endoplasmique (le réticulum sarcoplasmique dans les myocytes), et la membrane interne mitochondriale. Nous étudierons le système mitochondrial dans la Section 22-1B. La membrane plasmique et le réticulum endoplasmique contiennent chacun une **Ca²⁺ ATPase** de type P (**pompe à Ca²⁺**) qui pompe les ions Ca²⁺ hors du cytosol, moyennant l'hydrolyse de l'ATP. Le mécanisme cinétique de ces pompes (Fig. 20-23) est très semblable à celui des (Na⁺-K⁺) ATPases (Fig. 20-21).

a. La structure par rayons X de la Ca²⁺ ATPase renseigne sur son mécanisme

La structure par rayons X de la Ca²⁺ ATPase (994 résidus) du réticulum sarcoplasmique de muscle de lapin complexée à deux

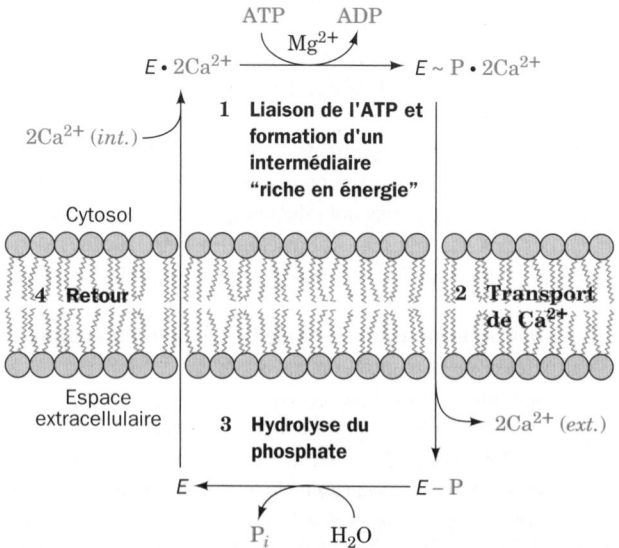

FIGURE 20-23 Représentation schématique du mécanisme cinétique de la Ca²⁺ ATPase. Dans cette figure, (*int.*) indique le compartiment cytosolique et (*ext.*) le compartiment extracellulaire pour la Ca²⁺ ATPase de la membrane plasmique, ou la lumière du réticulum endoplasmique (ou du réticulum sarcoplasmique) pour la Ca²⁺ ATPase de cette membrane.

ions Ca²⁺ et à l'analogue de l'AMP **2',3'-O-(2,4,6-trinitrophé-nyl)-AMP (TNP-AMP)**

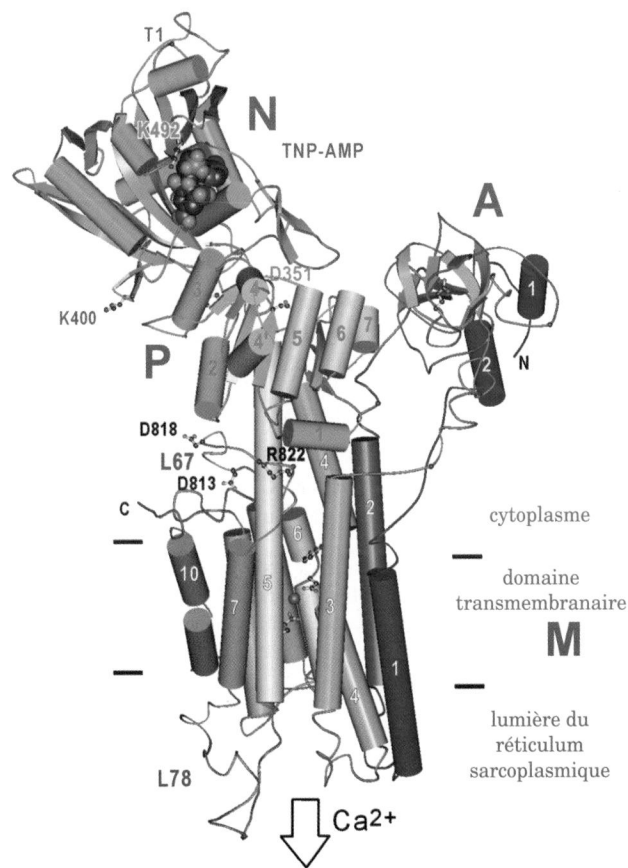

**2′,3′-O-(2,4,6-trinitrophenyl)-AMP
(TNP-AMP)**

fut déterminée par Chikashi Toyoshima. Cette protéine mono-mérique de 140 Å de long (Fig. 20-24) est constituée d'un

domaine transmembranaire (M) composé de 10 hélices (M1-M10) de longueurs différentes et de trois domaines cytoplas-miques bien séparés : le domaine effecteur (A pour « action-neur ») ainsi appelé car il participe à la transmission de modifications conformationnelles majeures (voir ci-dessous) ; le domaine de liaison des nucléotides (N), qui fixe le TNP-AMP et probablement l'ATP ; et le domaine de phosphorylation (P), qui contient l'Asp 351 phosphorylable au début de la séquence conservée DKTG. Les deux ions Ca²⁺ sont fixés l'un à côté de l'autre au centre du domaine transmembranaire. La cavité de liai-son du Ca²⁺ résulte en grande partie du déroulement des hélices M4 et M6 dans cette région. De fait, 3 des 6 atomes O qui fixent un des ions Ca²⁺ sont des atomes O des carbonyles des chaînes principales de trois résidus dans le segment déroulé de l'hélice M4. La Ca²⁺ ATPase ne semble pas posséder de pore à travers lequel des ions Ca²⁺ pourraient être pompés du cytoplasme vers le réticulum sarcoplasmique (comme celui des canaux potas-siques ; Fig. 20-16b). Cependant, les parties déroulées des hélices M4 et M6 procurent des rangées de groupements carbonyle de

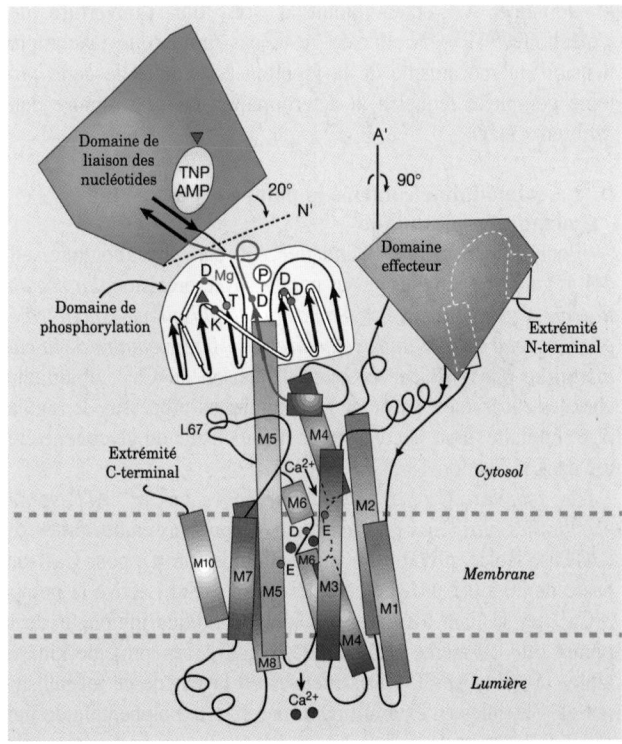

(b)

rales importantes sont dessinées en modèle boules et bâtonnets. [Avec la permission de Chikashi Toyoshima, Université de Tokyo, Tokyo, Japon. PDBid 1EUL.] (*b*) Schéma de la structure, vue comme dans la Partie *a*, où les ions Ca²⁺ sont représentés par des sphères vertes ; les positions des résidus impliqués dans la liaison du Ca²⁺ ou la catalyse, par de petites sphères et en code à une lettre ; et la position du site de phosphorylation, Asp 351, par la lettre P entourée d'un cercle. N′ et A′ indiquent la rota-tion du domaine de liaison des nucléotides et du domaine effecteur requise pour correspondre à la densité électronique de la structure à faible résolution de la Ca²⁺ ATPase en absence de calcium. [D'après MacLennan, D.H. and Green, N.M., *Nature* **405**, 634 (2000).]

(a)

FIGURE 20-24 Structure par rayons X de la Ca²⁺ ATPase du réticu-lum sarcoplasmique de muscle de lapin. (*a*) Diagramme en tubes et flèches parallèle au plan de la membrane où la chaîne polypeptidique est colorée selon les couleurs de l'arc-en-ciel de l'extrémité N-terminale (*bleu*) à C-terminale (*rouge*) et où les domaines transmembranaire, effec-teur, de liaison des nucléotides, et de phosphorylation sont respective-ment indiqués par M, A, N, et P. Les ions Ca²⁺ fixés dans la région trans-membranaire sont représentés par de grosses sphères pourpres, le TNP-AMP fixé au domaine N est en modèle compact, et les chaînes latéchaînes latérales pointant des sites de fixation du Ca^{2+} vers le cytoplasme. On postule que la fonction de ces atomes O est d'enlever aux ions Ca^{2+}, au cours de leur passage du cytoplasme vers leurs sites de liaison, des molécules d'eau qui leur sont fortement associées. Les ions Ca^{2+} sortiraient par la région entourée des hélices M3 à M5, où on trouve également un anneau d'atomes O.

Le site de phosphorylation (Asp 351) sur le domaine P est à plus de 25 Å du TNP-AMP fixé au domaine N. Donc, l'hydrolyse de l'ATP exige la fermeture des « mâchoires » formées par les domaines P et N comme c'est le cas dans de nombreuses kinases (p. ex. Fig. 17-5). De plus, le site de liaison du Ca^{2+} est situé à ~80 Å de celui de l'ATP. Comment ces sites se communiquent-ils leurs états de liaison ? La comparaison de la structure par rayons X de la Fig. 20-24*a* avec celle, fondée sur la cristallographie électronique à faible résolution (8 Å), de la Ca^{2+} – ATPase libre de Ca^{2+}, montre qu'en absence de Ca^{2+} et de nucléotide lié, le domaine A de la protéine a pivoté de 90° par rapport au domaine transmembranaire et que les « mâchoires » P – N se sont refermées partiellement (20°) (Fig. 20-24*b*). Toyoshima a donc postulé que la liaison du Ca^{2+} provoque ces vastes mouvements de domaines en déplaçant les positions des hélices M1, M2 et M3 de sorte qu'elles libèrent le domaine A, lequel induit à son tour l'ouverture des « mâchoires » P – N. Il n'en reste pas moins que la compréhension du mécanisme de la fonction essentielle de cette protéine complexe requerra la détermination de sa structure dans différents états.

b. La calmoduline contrôle la pompe à Ca^{2+} de la membrane plasmique

Pour qu'une cellule maintienne son état physiologique, elle doit réguler les activités de ses pompes avec précision. *La régulation de la pompe à Ca^{2+} de la membrane plasmique est contrôlée par le niveau de Ca^{2+} intracellulaire par l'intermédiaire de la **calmoduline (CaM)**.* Cette protéine de liaison du Ca^{2+}, ubiquitaire chez les eucaryotes, participe à de nombreux processus de régulation cellulaire, dont le contrôle du métabolisme du glycogène étudié dans la Section 18-3C.

Le complexe Ca^{2+} – calmoduline active la Ca^{2+} ATPase des membranes plasmiques. L'activation, d'après les études faites sur l'ATPase isolée, produit une diminution de son K_M pour Ca^{2+} qui passe de 20 à 0,5 μ*M*. Le complexe Ca^{2+} – CaM active la pompe à Ca^{2+} en se liant à un segment polypeptidique inhibiteur de la pompe, de la même manière qu'il active ses protéine-kinases cibles (Section 18-3C). Des preuves en faveur de ce mécanisme ont été obtenues en excisant par protéolyse le polypeptide de liaison à la CaM de la pompe à Ca^{2+}, donnant une pompe tronquée qui est active même en l'absence de CaM. Des peptides synthétiques correspondant à ce domaine de liaison à la CaM non seulement se lient au complexe Ca^{2+} – CaM mais inhibent la pompe tronquée en augmentant son K_M pour Ca^{2+} et en diminuant sa V_{max}. Ces résultats suggèrent qu'en l'absence du complexe Ca^{2+} – CaM, le domaine de liaison de la CaM de la pompe interagit avec le reste de la protéine, ce qui inhibe son activité. Quand la concentration en Ca^{2+} augmente, le complexe Ca^{2+} – CaM se forme et se lie au domaine de liaison de la CaM de la pompe, provoquant ainsi sa dissociation du reste de la pompe et levant l'inhibition.

Nous comprenons maintenant comment Ca^{2+} autorégule sa concentration cytosolique : pour des $[Ca^{2+}]$ inférieures à la constante de dissociation de la CaM pour Ca^{2+} (~1 μ*M*), la Ca^{2+} ATPase est relativement inactive en raison de l'auto-inhibition par l'intermédiaire de son domaine de liaison à la CaM. Cependant, si la $[Ca^{2+}]$ atteint cette valeur, Ca^{2+} se lie à la CaM qui, à son tour, se lie au domaine de liaison de la CaM, ce qui lève l'inhibition, activant ainsi la pompe à Ca^{2+} :

$$Ca^{2+} + CaM \rightleftharpoons Ca^{2+} - CaM^* + pompe \ (inactive) \rightleftharpoons$$
$$Ca^{2+} - CaM^* \cdot pompe \ (active)$$

(CaM* symbolise la CaM activée). Cette interaction fait passer le K_M de la pompe pour Ca^{2+} en dessous de la $[Ca^{2+}]$ ambiante, ce qui entraîne le pompage de Ca^{2+} hors du cytosol. Quand la $[Ca^{2+}]$ est suffisamment basse, Ca^{2+} se dissocie de la CaM et l'ensemble du processus se fait en sens inverse, inactivant ainsi la pompe. On peut comparer ce système à une pompe de drainage activée automatiquement par un flotteur quand l'eau atteint un niveau préétabli.

C. *La (H⁺ – K⁺) ATPase de la muqueuse gastrique*

Les cellules pariétales de la muqueuse gastrique de mammifère sécrètent HCl à une concentration de 0,15*M* (pH 0,8). Le pH cytosolique de ces cellules étant de 7,4, il y a une différence de 6,6 unités pH, la plus grande connue dans les cellules eucaryotes. Les protons sécrétés proviennent de l'hydratation intracellulaire de CO_2 par l'anhydrase carbonique :

$$CO_2 + H_2O \rightleftharpoons HCO_3^- + H^+$$

La sécrétion de H^+ fait intervenir une **(H⁺ – K⁺) ATPase**, système antiport électroneutre de structure et propriétés comparables à celles de la Ca^{2+} ATPase. Tout comme la Ca^{2+} – ATPase et la (Na⁺ – K⁺) ATPase apparentées, elle est phosphorylée durant le processus de transport. Ici cependant, K⁺, qui entre dans la cellule quand H^+ est pompé vers l'extérieur, ressort ensuite de la cellule par cotransport électroneutre avec Cl⁻. Globalement, il y a donc transport de HCl dans l'espace extracellulaire.

Durant de nombreuses années, le traitement efficace des ulcères gastriques, pathologie souvent fatale causée par l'attaque de la muqueuse duodénale par l'acide stomacal, nécessitait l'ablation chirurgicale d'une partie de l'estomac ou même de l'entièreté de celui-ci. La découverte, par James Black, de la **cimétidine**

Cimétidine

Histamine

qui inhibe la sécrétion acide de l'estomac, a rendu presque inutile cette intervention chirurgicale dangereuse et affaiblissante. La (H⁺-K⁺) ATPase de la muqueuse gastrique est activée suite à la stimulation d'un récepteur de surface cellulaire par l'histamine, selon un mécanisme AMPc-dépendant. La cimétidine (le nom commercial est Tagamet) et ses analogues inhibent compétitivement la liaison de l'histamine à son récepteur, et sont parmi les médicaments les plus prescrits aux États-Unis.

D. *Translocation de groupements*

La **translocation de groupements** est une variante des transports actifs ATP-dépendants utilisée par les bactéries pour importer certains sucres. Elle est utilisée dans de nombreux processus bactériens, certains utiles, d'autres nuisibles (à l'homme), comme la fabrication de fromages et de sauce au soja, ou le développement de caries dentaires. *Elle diffère des transports actifs par le fait que les molécules transportées sont simultanément modifiées chimiquement.* L'exemple de translocation de groupements qui a été le plus étudié est le **système phosphotransférase phosphoénolpyruvate-dépendant (PTS)** d'*E. coli*, découvert par Saul Roseman en 1964. Le phosphoénolpyruvate (PEP) est le donneur de groupement phosphoryle de ce système (se rappeler que le PEP est un composé phosphoryle « riche en énergie » qui permet la synthèse d'ATP dans la réaction catalysée par la pyruvate kinase de la glycolyse ; Section 17-2J). *Le PTS transporte et phosphoryle simultanément les sucres. La membrane cellulaire étant imperméable aux sucres phosphorylés, une fois dans la cellule, ils y restent.* Certains des sucres transportés par le système PTS sont donnés dans le Tableau 20-2.

Le système PTS fait intervenir deux protéines cytoplasmiques solubles, l'**Enzyme I (EI)** et **HPr** (pour *h*istidine-containing phosphocarrier *pr*otein, soit protéine transporteur de phosphate conte-

TABLEAU 20-2 Exemples de sucres transportés par le système phosphotransférase PEP-dépendant (PTS) de *E. coli*

Glucose	Galactitol
Fructose	Mannitol
Mannose	Sorbitol
N-Acétylglucosamine	Xylitol

nant de l'histidine), qui participent au transport de tous les sucres (Fig. 20-25). De plus, pour chaque sucre que le système transporte, il existe une protéine de transport transmembranaire spécifique **EII,** formée d'au moins trois constituants fonctionnels : deux qui sont cytoplasmiques, **EIIA** et **EIIB**, et un canal transmembranaire **EIIC.** Ces trois constituants s'associent différemment pour donner des EII différentes. Chez *E. Coli*, par exemple, EIIA, EIIB et EIIC sont des sous-unités différentes de la EII spécifique de la cellobiose ; EIIB et EIIC sont reliées et EIIA en est séparée dans la EII spécifique du glucose ; et ces trois constituants font partie du même peptide dans la EII spécifique du mannitol.

Le transport du glucose, qui ressemble à celui d'autres sucres, implique le transfert d'un groupement phosphoryle du PEP au glucose, accompagné de l'inversion de configuration de l'atome de phosphore. Puisque chaque transfert de groupement phosphoryle s'accompagne d'une inversion de configuration (Section 16-2B), il doit y avoir un nombre impair de transferts. On a identifié quatre protéines intermédiaires phosphorylées, ce qui indique qu'il y a cinq transferts de groupements phosphoryle :

$$PEP \rightarrow EI \rightarrow HPr \rightarrow EIIA^{glc} \rightarrow EIIBC^{glc} \rightarrow glucose$$

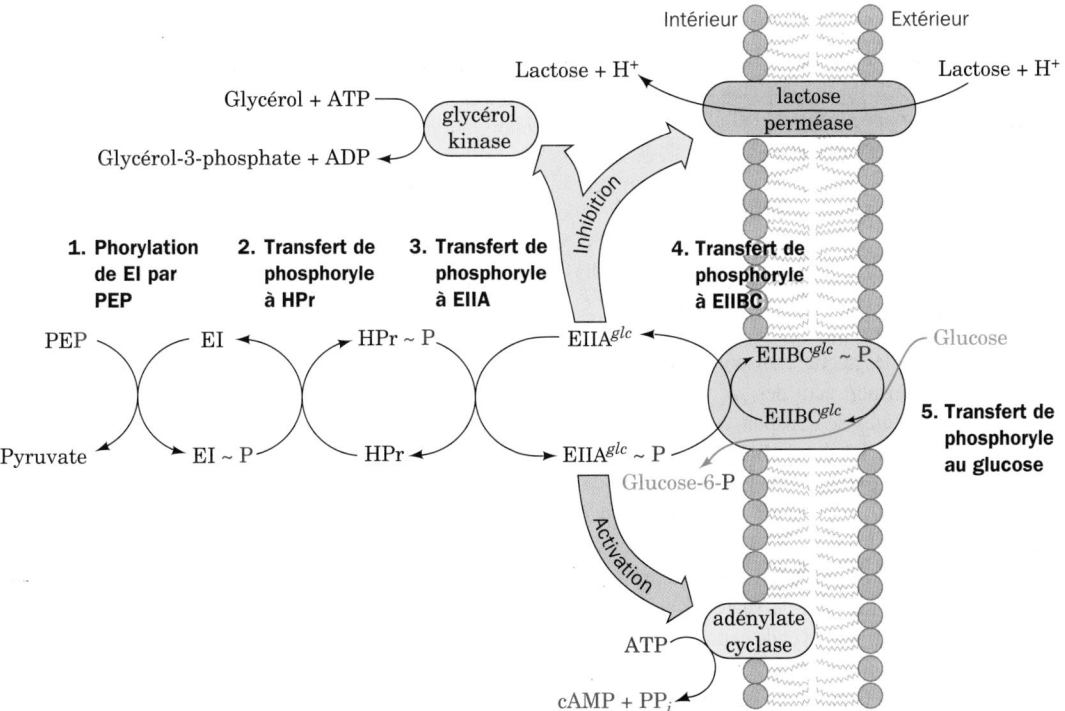

FIGURE 20-25 Transport du glucose par le système phosphotransférase PEP-dépendant (PTS). HPr et EI sont des protéines cytoplasmiques communes à tous les sucres transportés. EIIA^{glc} et EIIBC^{glc} sont des protéines spécifiques pour le glucose. EIIA^{glc} inhibe les protéines de transport non PTS comme la lactose perméase (Section 20-4B) et des enzymes comme la glycérol kinase. L'adénylate cyclase est activée par la présence de EIIA^{glc}~P (ou, peut-être, inhibée par la présence de EIIA^{glc}).

Le mécanisme du transfert se fait de la façon suivante (Fig. 20-25) :

1. Le PEP phosphoryle EI sur le N3 (N_ε) de His 189 pour donner un adduit phosphohistidine réactionnel.

Résidu phosphohistidine

2. Le groupement phosphoryle est transféré au N1 (N_δ) de His 15 de l'HPr. His semble être un accepteur de groupement phosphoryle préféré dans les réactions de transfert de phosphoryle. Il intervient également dans la réaction de la phosphoglycérate mutase de la glycolyse (Section 17-2H).

3. HPr~P poursuit la chaîne de transfert de phosphoryle en phosphorylant EIIA^{glc}, sur le N3 de His 90.

4. Le quatrième transfert de phosphoryle se fait sur la Cys 421 de EIIB^{glc}.

5. Le groupement phosphoryle est finalement transféré de EIIB^{glc} au glucose qui, dans ce processus, est transporté à travers la membrane par EIIC^{glc}. Le glucose n'est libéré dans le cytoplasme qu'après avoir été phosphorylé en glucose-6-phosphate (G6P).

Le transport du glucose est donc sous la dépendance de sa phosphorylation exergonique indirecte par le PEP. Le PTS est un système énergétiquement efficace puisqu'il ne nécessite qu'un équivalent ATP pour le transport et la phosphorylation du glucose. Quand les étapes de transport actif et de phosphorylation se font séparément, ce qui est le cas de beaucoup de cellules, deux ATP sont hydrolysés par glucose transporté et phosphorylé.

a. Le transport des sucres dans les bactéries est régulé génétiquement

Le système PTS est plus compliqué que les autres systèmes de transport que nous avons étudiés, sans doute parce qu'il fait partie d'un système de régulation complexe qui contrôle le transport des sucres. Quand l'un quelconque des sucres transportés par le PTS est en quantité suffisante, le transport actif des sucres qui entrent dans la cellule par d'autres systèmes de transport est inhibé. Cette inhibition, appelée **répression par les catabolites**, est régulée par la concentration en AMPc (Section 31-3C). L'AMPc active la transcription de gènes codant différentes protéines de transport des sucres, dont la **lactose perméase** (Section 20-4B). La présence de glucose entraîne la diminution de la [AMPc], ce qui réprime la synthèse des autres protéines de transport de sucres. L'inhibition directe des protéines de transport de sucres et de certaines enzymes peut également se produire.

On pense que le mécanisme de contrôle de [AMPc] est sous la dépendance de EIIA^{glc}, qui se trouve transitoirement phosphorylée dans la réaction 3 du processus de transport par le PTS (Fig. 20-25). Quand le glucose se trouve en abondance, cette enzyme est essentiellement sous forme déphosphorylée, car EIIA^{glc}~P trans-

fère rapidement son groupement phosphoryle au glucose via EIIBC^{glc}. Dans ces conditions, l'adénylate cyclase est inactive, bien que l'on ne sache pas exactement si l'enzyme est inhibée par la déphospho EIIA^{glc} ou activée par EIIA^{glc}~P. Cependant, la déphospho EIIA^{glc} se lie à de nombreux transporteurs autres que le PTS ainsi qu'à des enzymes qui participent au métabolisme d'autres sucres que le glucose (le métabolite de choix pour de nombreuses bactéries), dont la lactose perméase et la **glycérol kinase** (Section 17-5), et les inhibe. En l'absence de glucose, EIIA^{glc} est transformée en EIIA^{glc}~P, levant ainsi l'inhibition des transporteurs autres que le PTS. De plus, l'adénylate cyclase est activée et produit de l'AMPc qui, à son tour, induit la production accrue de certains des transporteurs autres que le PTS, et d'enzymes que EIIA^{glc} inhibe. C'est une forme d'économie d'énergie pour la cellule. Pourquoi synthétiser les protéines nécessaires pour le transport et le métabolisme de tous les sucres quand le métabolisme d'un seul sucre à la fois est suffisant ?

b. Structure par rayons X de EIIA^{glc} complexée à la glycérol kinase

Les structures par rayons X de EIIA^{glc} seule ou complexée à l'une de ses cibles de régulation, la glycérol kinase, déterminées par James Remington et Roseman, ont montré comment EIIA^{glc} inhibe du moins certaines de ses cibles, et pourquoi EIIA^{glc}~P ne les inhibe pas. EIIA^{glc} présente deux résidus His, His 75 et His 90, nécessaires au transfert de phosphoryle, bien que seul His 90 soit nécessaire pour que EIIA^{glc} accepte un phosphate de HPr. La structure par rayons X de EIIA^{glc} seule, extraite de *E. Coli*, montre que ces deux résidus His sont proches l'un de l'autre (leurs atomes N3 sont séparés de 3,3 Å) dans un creux à la surface de la protéine, entouré d'un anneau hydrophobe remarquable de ~18 Å de diamètre formé de 11 chaînes latérales de Phe, Val et Ile.

La structure par rayons X de EIIA^{glc} complexée à la glycérol kinase (Fig. 20-26) confirme que ce joint hydrophobe est le site d'interaction entre les deux protéines et révèle comment la phosphorylation de His 90 déstabilise cette interaction. Les deux résidus His du site actif, qui se trouvent complètement à l'intérieur de la dépression hydrophobe, forment des liaisons de coordination avec un ion Zn^{2+}, lui-même lié par coordinence au Glu 478 de la glycérol kinase et à une molécule d'eau. La phosphorylation de His 90 de EIIA^{glc} qui donne EIIA^{glc}~P désorganise sans aucun doute ces interactions, libérant ainsi la glycérol kinase et levant son inhibition.

4 ■ TRANSPORTS ACTIFS SECONDAIRES

Des systèmes comme la ($Na^+ - K^+$) ATPase que nous venons d'étudier utilisent l'énergie libre de l'hydrolyse de l'ATP pour former des gradients de potentiel électrochimique à travers les membranes. Réciproquement, *l'énergie libre mise en réserve sous la forme de ces gradients de potentiel électrochimique peut être utilisée pour permettre le fonctionnement de différents processus physiologiques endergoniques.* Par exemple, la synthèse de l'ATP par les mitochondries et les chloroplastes est actionnée par la dissipation de gradients de protons formés grâce au transfert d'électrons et à la photosynthèse (Sections 22-3C et 24-2D). Dans cette section, nous étudierons les transports actifs actionnés par dissipation des gradients d'ions (ce qu'on appelle des transports actifs secon-

FIGURE 20-26 Structure par rayons X de EIIA^{glc} d'*E. coli* (*en jaune*, un monomère de 168 résidus) complexée à une de ses cibles régulatrices, la glycérol kinase (*en bleu*, un tétramère de sous-unités identiques de 501 résidus). Les deux protéines s'associent, en partie en formant un complexe de coordination tétraédrique avec un ion Zn^{2+} via les chaînes latérales de His 75 et de His 90 de EIIA^{glc}, un oxygène du carboxylate de Glu 478 de la glycérol kinase, et une molécule d'eau. Ces groupements sont représentés en modèle éclaté avec C en gris, N en bleu, O en rouge, et Zn^{2+} en blanc. L'interaction Zn^{2+}-dépendante entre EIIA^{glc} et la glycérol kinase inactive la glycérol kinase, probablement par l'intermédiaire d'un changement de configuration induit. La phosphorylation de EIIA^{glc} sur His 90 désorganise cette interaction, levant ainsi l'inhibition de la glycérol kinase. [Avec la permission de James Remington, University of Oregon. PDBid 1GLA.]

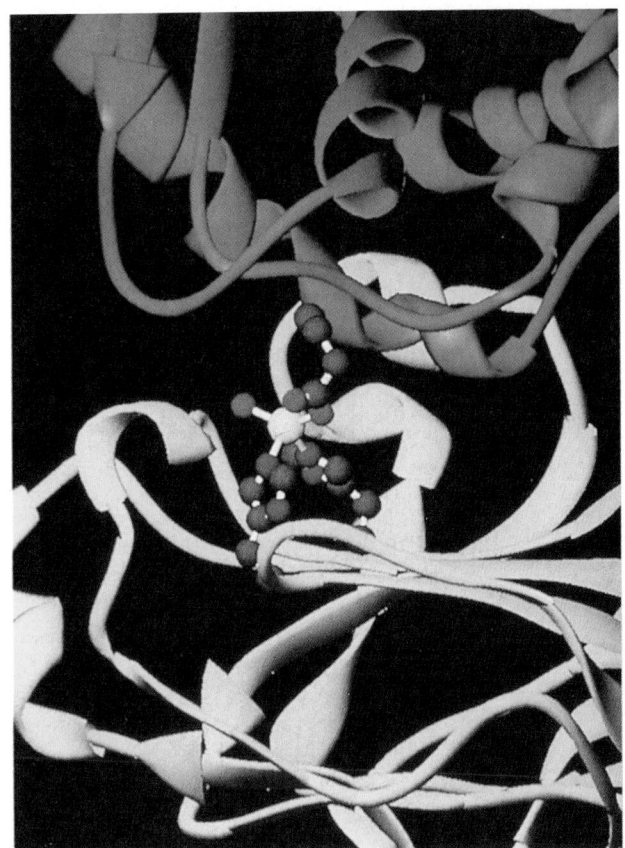

daires, puisqu'ils dépendent de la formation, en premier lieu, de gradients de potentiel électrochimique. N.d.T.). Nous prendrons trois exemples : le captage intestinal de glucose par le **symport Na$^+$ – glucose**, le captage de lactose par la **lactose perméase** d'*E. coli* et la **translocase des nucléotides adényliques** mitochondriale.

A. *Le symport Na$^+$ – glucose*

Le glucose provenant de l'alimentation est concentré activement par les **cellules de la bordure en brosse** de l'épithélium intestinal, grâce à un symport Na$^+$-dépendant (Fig. 20-27). Il est ensuite transporté de ces cellules au système circulatoire par un système uniport de glucose à diffusion facilitée localisé sur le côté capillaire de ces cellules, semblable à celui de la membrane des érythrocytes (Section 20-2B). Noter que *bien que la source énergétique immédiate pour le transport de glucose à partir de l'intestin soit le gradient de Na$^+$, c'est en fait l'énergie libre de l'hydrolyse de l'ATP qui fournit l'énergie en maintenant le gradient de Na$^+$ grâce à la (Na$^+$–K$^+$) ATPase.* Néanmoins, puisque le glucose aug-

mente l'entrée de Na$^+$, qui, à son tour, augmente l'entrée de l'eau, des personnes souffrant de diarrhée et perdant ainsi des sels et de l'eau, sont, pour cette raison, nourries non seulement avec du sel et de l'eau, mais aussi avec du glucose.

(a) Petit intestin

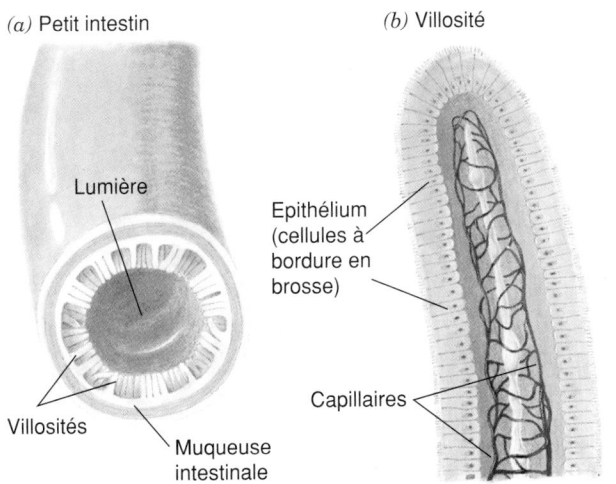

(b) Villosité

(c) Transport du glucose

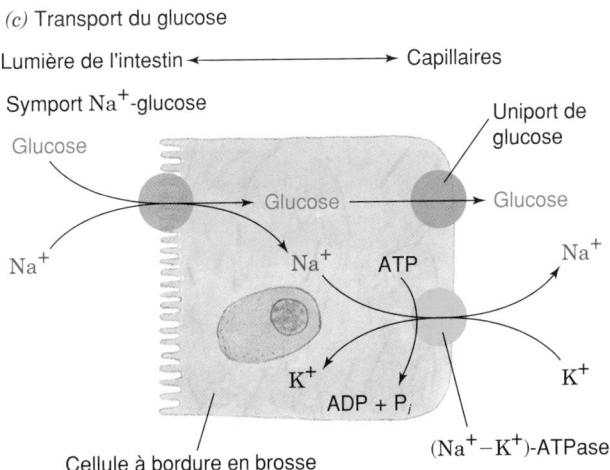

FIGURE 20-27 Transport du glucose dans l'épithélium intestinal Les villosités en bordure en brosse qui bordent le petit intestin augmentent fortement sa surface, facilitant ainsi l'absorption de nutriments. Les cellules de la bordure en brosse qui forment les villosités concentrent activement le glucose de la lumière de l'intestin par sym-

port avec Na$^+$, processus entraîné par la (Na$^+$–K$^+$) ATPase, laquelle est localisée sur le côté capillaire de la cellule et maintient une faible [Na$^+$]. Le glucose est exporté dans le courant sanguin par un système différent, de diffusion facilitée par uniport, comme celui de l'érythrocyte.

a. Les transporteurs actif et passif du glucose ont des sensibilités différentes à des substances pharmacologiques

Les deux systèmes de transport du glucose sont inhibés par des substances pharmacologiques différentes :

1. La **phlorizine** inhibe le transport de glucose Na$^+$-dépendant.

2. La **cytochalasine B** inhibe le transport de glucose indépendant de Na$^+$.

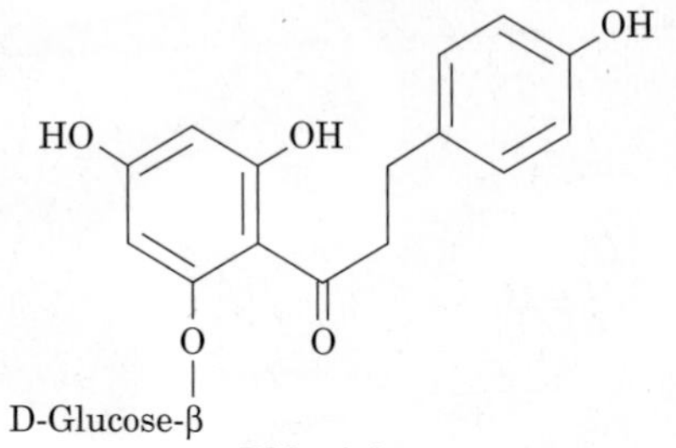

Phlorizine

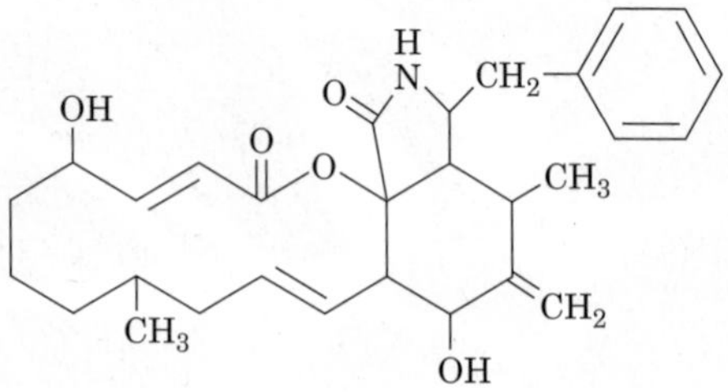

Cytochalasine B

La phlorizine ne se lie qu'à la surface externe du transporteur de glucose Na$^+$-dépendant, alors que la cytochalasine B se lie sur le côté cytosolique du transporteur de glucose indépendant de Na$^+$. Cela indique en plus que ces deux protéines sont insérées asymétriquement dans les membranes. L'utilisation de ces inhibiteurs permet d'étudier séparément les actions de ces deux transporteurs dans des cellules intactes.

Des études cinétiques ont montré que le système symport Na$^+$ – glucose lie ses substrats, Na$^+$ et glucose, selon un mécanisme Bi Bi aléatoire (Fig. 20-28) même si l'augmentation très importante de l'affinité du transporteur pour le glucose après liaison de Na$^+$ est très en faveur du mécanisme représenté en haut de la figure. Cependant, ce n'est que lorsque les deux substrats sont liés que la protéine change de conformation, ce qui oriente les sites de liaison vers l'intérieur de la cellule. Cette nécessité d'un transport concomitant de Na$^+$ et de glucose évite une dissipation en pure perte du gradient de Na$^+$.

B. *La lactose perméase*

Des bactéries Gram négatif comme *E. coli* ont plusieurs systèmes de transport actif pour concentrer les sucres. Nous avons déjà étudié le système PTS. Un autre système particulièrement étudié, la **lactose perméase** (appelé aussi **galactoside perméase**), *utilise le gradient de protons à travers la membrane de la cellule bactérienne pour cotransporter H$^+$ et le lactose (Fig. 20-29).* Le gradient de protons résulte du métabolisme oxydatif tout comme celui formé par les mitochondries (Section 22-3B). Les gradients de potentiel électrochimique formés par ces deux systèmes sont essentiellement utilisés pour permettre la synthèse de l'ATP.

Comment savons-nous que le transport de lactose nécessite la formation d'un gradient de protons ? C'est Ronald Kaback qui a démontré le besoin de ce gradient à partir des observations suivantes :

1. La vitesse de transport du lactose dans la bactérie est très fortement augmentée après addition de D-lactate, une source énergétique qui assure l'établissement du gradient de protons transmembranaire. Inversement, des inhibiteurs du métabolisme oxydatif comme le cyanure bloquent à la fois la formation du gradient de protons et le transport de lactose.

2. Le 2,4-dinitrophénol, un protonophore qui dissipe les gradients de protons transmembranaires (Section 22-3D), inhibe le transport de lactose aussi bien dans des bactéries intactes que dans des vésicules membranaires.

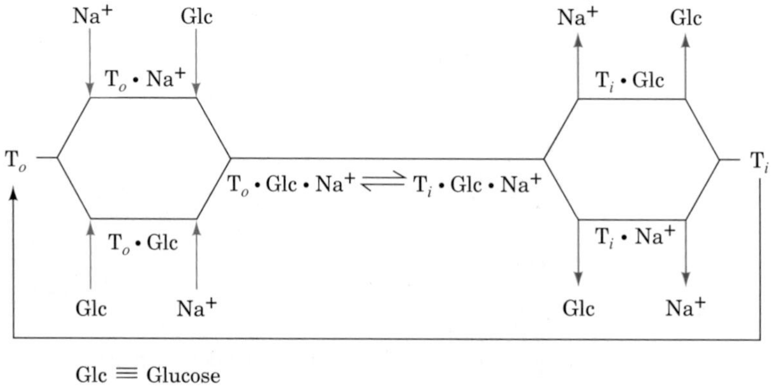

Glc ≡ Glucose

FIGURE 20-28 Le système symport Na$^+$-glucose représenté comme un mécanisme cinétique Bi Bi aléatoire. La liaison de Na$^+$ augmente l'affinité du transporteur pour le glucose à un point tel que la voie cinétique représentée en haut est la plus probable. T_o et T_i représentent la protéine de transport avec ses sites de liaison dirigés respectivement vers le côté externe (« outer » en anglais) et interne (« inner ») de la surface de la membrane. [D'après Crane, R.K. and Dorando, F.C., *in* Martonosi, A.N. (Ed.), *Membranes and Transport,* Vol. 2, p. 154, Plenum Press (1982).]

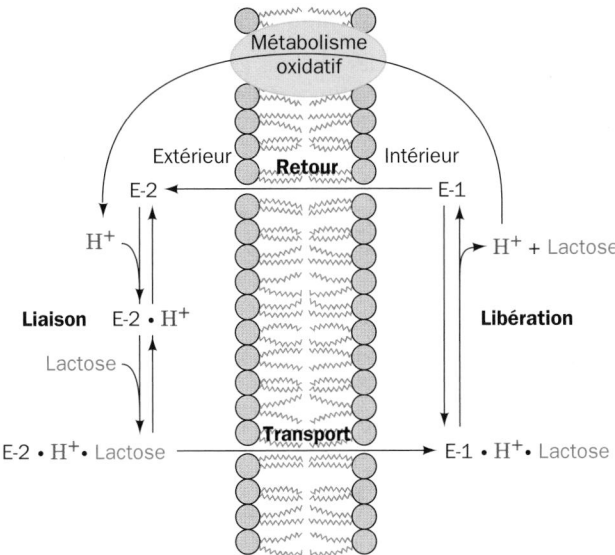

FIGURE 20-29 Mécanisme cinétique de la lactose perméase d'*E. coli.* H^+ se lie en premier à E-2 à l'extérieur de la cellule, suivi par le lactose. Ils sont libérés en ordre quelconque de E-1 à l'intérieur de la cellule. E-2 doit lier à la fois le lactose et H^+ afin de prendre la conformation E-1, ce qui permet le cotransport de ces substances dans la cellule. E-1 reprend la conformation E-2 quand ni le lactose ni H^+ ne sont liés, achevant ainsi le cycle de transport.

3. La fluorescence du **dansylaminoéthylthiogalactoside,**

Lactose

Dansylaminoéthylthiogalactoside

inhibiteur compétitif du transport de lactose, est sensible au caractère polaire de son environnement et, par conséquent, elle change lorsqu'elle se lie à la lactose perméase. Des mesures de fluorescence montrent qu'il ne se lie pas aux vésicules membranaires contenant la lactose perméase en l'absence de gradient de protons transmembranaire.

a. La lactose perméase présente deux états conformationnels principaux

La lactose perméase est un monomère de 417 résidus qui, comme les transporteurs de glucose des mammifères (Section 20-2E) auxquels elle est apparentée, est essentiellement constituée de

12 hélices transmembranaires, ses extrémités N- et C-terminales étant dans le cytoplasme. Tout comme la ($Na^+ - K^+$) ATPase, elle a deux états conformationnels principaux (Fig. 20-29):

1. E-1, caractérisé par un site de liaison de faible affinité pour le lactose orienté vers l'intérieur de la cellule.

2. E-2, caractérisé par un site de liaison à haute affinité pour le lactose orienté vers l'extérieur de la cellule.

E-1 et E-2 ne peuvent s'interconvertir que lorsque leurs sites de liaison pour H^+ et pour le lactose sont, tous les deux, soit saturés, soit vides. Ainsi, il ne peut y avoir ni dissipation du gradient de protons sans cotransport de lactose dans la cellule, ni transport de lactose hors de la cellule sans cotransport de H^+ contre son gradient.

C. La translocase des nucléotides adényliques

L'ATP formé dans la matrice de la mitochondrie (son compartiment interne; Section 1-2A) par l'intermédiaire des phosphorylations oxydatives (Section 22-3C) est essentiellement utilisé dans le cytosol pour permettre le déroulement de processus endergoniques comme les biosynthèses, les transports actifs et la contraction musculaire. La membrane interne mitochondriale contient un système qui transporte l'ATP de la matrice mitochondriale vers le cytosol en échange d'ADP produit dans le cytosol par hydrolyse de l'ATP. Ce système antiport, la **translocase des nucléotides adényliques**, est électrogénique puisqu'il y a échange d'ADP^{3-} avec de l'ATP^{4-}.

Plusieurs produits naturels inhibent la translocase des nucléotides adényliques. L'**atractyloside** et son dérivé le **carboxyatractyloside** n'inhibent le transport que du côté externe de la membrane interne mitochondriale; l'**acide bongkrékique** n'inhibe le transport que du côté interne de cette membrane.

R = H **Atractyloside**
R = COOH **Carboxyatractyloside**

Acide bongkrékique

Ces inhibiteurs aux mécanismes d'action différents ont été très utiles pour isoler la translocase et pour élucider son mécanisme d'action. Par exemple, la translocase a été purifiée par chromato-

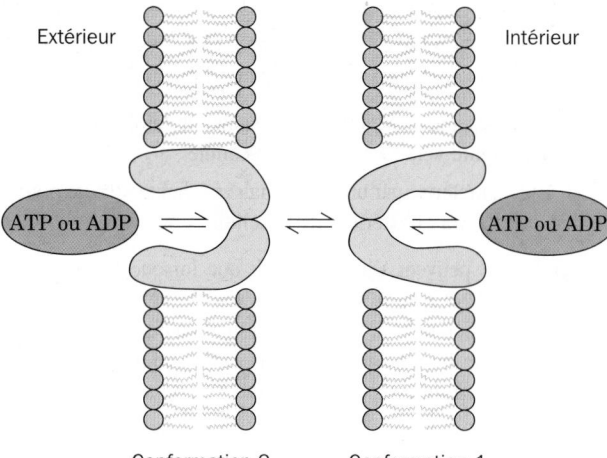

FIGURE 20-30 Mécanisme conformationnel de la translocase des nucléotides adényliques. Un site de liaison pour un nucléotide adénylique situé dans la zone de contact entre les sous-unités de la translocase dimérique, est exposé alternativement d'un côté ou de l'autre de la membrane. Contrairement au transporteur du glucose (Fig. 20-14), la translocase des nucléotides adényliques ne change de conformation que si elle est liée à l'ADP ou à l'ATP.

graphie d'affinité (Section 6-3C) en utilisant des dérivés de l'atractyloside comme ligands d'affinité. La liaison de l'atractyloside est aussi un moyen commode pour identifier la translocase.

La translocase des nucléotides adényliques, dimère de sous-unités identiques d'environ 300 résidus, a les mêmes caractéristiques que celles d'autres protéines de transport. Elle possède un site de liaison pour lequel l'ADP et l'ATP entrent en compétition. Elle présente deux conformations principales, l'une avec son site de liaison pour ADP – ATP orienté vers la matrice, l'autre avec le site orienté vers l'espace intermembranaire (Fig. 20-30). La translocase est un système antiport car elle doit se lier à un ligand pour passer d'un état conformationnel à un autre à une vitesse suffisante dans les conditions physiologiques.

La translocase des nucléotides adényliques n'est pas, par elle-même, un système de transport actif. Cependant, l'exportation électrogénique d'une charge négative par cycle de transport quand l'ATP est exporté et l'ADP importé est possible grâce à la différence de potentiel transmembranaire, $\Delta\psi$, de la membrane interne mitochondriale (extérieur positif). Il s'ensuit la formation de gradients d'ATP et d'ADP à travers la membrane.

5 ■ LA NEUROTRANSMISSION

Chez les animaux supérieurs, les communications intercellulaires les plus rapides et les plus complexes sont transmises par des influx nerveux. Les neurones (cellules nerveuses ; par exemple Fig. 1-10*d*) transmettent électriquement ces signaux sur toute la longueur de leur prolongement (l'**axone** ; couramment plus d'un mètre pour les animaux de grande taille) sous forme de vagues de courants ioniques. La transmission du signal entre neurones, aussi bien qu'entre neurones et muscles ou glandes, est habituellement assurée par des neurotransmetteurs chimiques. Dans la suite de cette section, nous étudierons les aspects électriques et chimiques de la transmission d'influx nerveux.

A. *Canaux ioniques voltage-dépendants*

Comme nous l'avons vu, les gradients ioniques à travers les membranes sont produits par des pompes spécifiques demandant de l'énergie (Section 20-3). Ces gradients ioniques sont ensuite dissipés via des canaux ioniques comme les canaux potassiques (Section 20-2F). Cependant, ces pompes ne peuvent traiter le flux massif d'ions traversant les canaux. Ceux-ci restent donc normalement fermés et ne s'ouvrent que pour assurer une fonction particulière de la cellule. L'ouverture et la fermeture des canaux ioniques (« **gating** » en anglais) survient en réponse à divers stimuli :

1. Les **canaux ligand-dépendants** s'ouvrent en réponse à des stimuli extracellulaires. Par exemple, le canal potassique KcsA (Section 20-2F) s'ouvre lorsque le pH extracellulaire est inférieur à ~4, alors que dans les cellules nerveuses les canaux ioniques ligand-dépendants s'ouvrent lorsqu'ils fixent des neurotransmetteurs spécifiques du côté extracellulaire (Section 20-5B).

2. Les **canaux signal-dépendants** s'ouvrent lorsqu'ils fixent du côté intracellulaire des seconds messagers comme l'ion Ca^{2+} ou la sous-unité $G_{\beta\gamma}$ d'une protéine G hétérotrimérique (Section 19-2C).

3. Les **canaux voltage-dépendants** s'ouvrent en réponse à une modification du potentiel de membrane. Les organismes pluricellulaires contiennent un grand nombre de canaux voltage-dépendants différents. Par exemple, les influx nerveux résultent de l'ouverture séquentielle de canaux voltage-dépendants sur toute la longueur d'une même cellule nerveuse (Section 20-5B).

Tous les canaux potassiques voltage-dépendants sont des homotétramères transmembranaires dont chaque sous-unité contient un domaine N-terminal cytoplasmique de ~220 résidus, un domaine transmembranaires de ~250 résidus constitué de six hélices, S1 à S6, et un domaine C-terminal cytoplasmique de ~150 résidus (Fig. 20-31). S5 et S6, avec leur boucle P intermédiaire, sont homologues au canal potassique KcsA (Section 20-2F), la boucle P contenant la séquence signature TVGYG du canal potassique.

Les **canaux sodiques et calciques** voltage-dépendants sont des monomères de ~2000 résidus constitués de 4 domaines consécutifs, dont chacun est homologue au domaine transmembranaire du canal potassique, séparés par des boucles cytoplasmiques souvent très longues. On pense que ces domaines adoptent une disposition

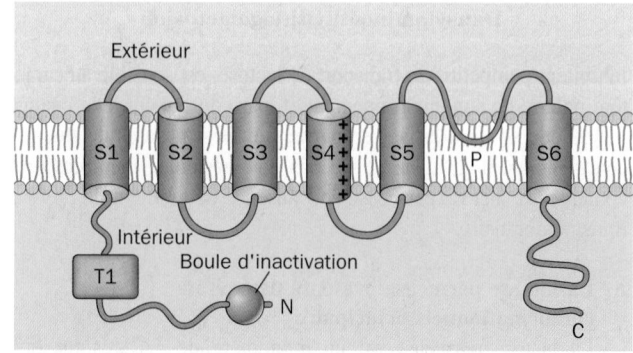

FIGURE 20-31 Prédictions de structure secondaire et d'orientation membranaire des canaux potassiques voltage-dépendants.

pseudotétramérique autour d'un pore central qui ressemble à celui des sous-unités dans les canaux potassiques voltage-dépendants. Cette homologie de structure suggère que les canaux ioniques voltage-dépendants ont en commun une architecture où les différences de sélectivité vis-à-vis des ions découlent de différences stéréochimiques précises du pore central. Cependant, à part leur noyau transmembranaire conservé, les canaux ioniques voltage-dépendants de sélectivités ioniques distinctes sont très différents. Par exemple, les canaux potassiques voltage-dépendants connus sous le nom de **canaux K_V** possèdent un domaine conservé de ~100 résidus, dit domaine T1, qui précède le domaine transmembranaire et est absent des autres types de canaux ioniques voltage-dépendants.

Quelle est la nature du mécanisme d'ouverture des canaux ioniques voltage-dépendants ? L'hélice S4 (~19 résidus ; Fig. 20-31), qui contient ~5 chaînes latérales chargées positivement tous

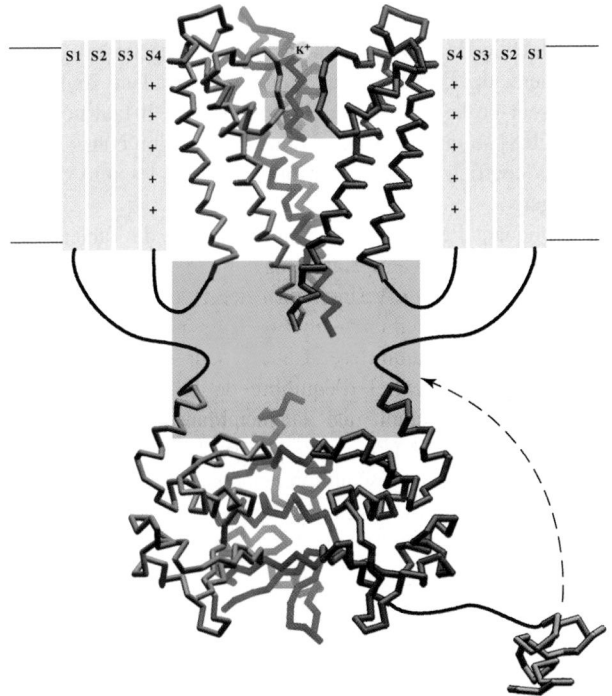

FIGURE 20-32 Modèle composite du canal K_V. Le canal est vu parallèlement au plan de la membrane, avec sa face extracellulaire vers le haut. La partie inférieure du dessin montre un diagramme C_α de la structure par rayons X du tétramère T1, chaque sous-unité (dont trois seulement sont représentées, pour plus de clarté) étant de couleur différente. Seul le peptide d'inactivation lié à la sous-unité en rouge est montré (*en jaune*). La partie supérieure du modèle représente son domaine transmembranaire, les hélices S5 et S6 étant représentées comme dans la structure par rayons X du canal homologue KcsA (Fig. 20-16) et les hélices S1 à S4, dont la structure est inconnue, étant représentées schématiquement. Les domaines C-terminaux, qui suivent les hélices S6, ont été omis pour plus de clarté. La boîte en vert clair désigne le filtre de sélectivité formé par les quatre boucles P. La boîte en orange délimite la région occupée par les fenêtres latérales présumées par lesquelles les ions K^+ cytoplasmiques et les peptides d'inactivation ont accès au pore central. [Avec la permission de Senyon Choe, The Salk Institute, La Jolla, California. PDBid 1EOE pour T1 et 1ZTN pour les peptides d'inactivation.]

les ~3 résidus, agirait comme détecteur de voltage (les résidus chargés étant instables dans un environnement lipidique, S4 est probablement entourée de la protéine). Ceci fut montré en fixant par covalence à l'un ou l'autre des résidus de S4 un colorant dont le spectre de fluorescence varie avec la polarité de l'environnement. D'après des mesures de fluorescence pratiquées sur chacun des canaux ioniques ainsi marqués, une augmentation du potentiel de membrane (l'intérieur devenant moins négatif) entraîne le déplacement d'un segment d'au moins 7 résidus à l'extrémité N-terminale de S4, située dans la membrane, vers l'environnement extracellulaire. C'est ce mouvement qui déclencherait l'ouverture du canal. En dépit de recherches poussées, le mécanisme par lequel les canaux ioniques s'ouvrent en réponse à une modification du potentiel transmembranaire reste cependant obscur. Il est néanmoins probable que l'ouverture est formée en grande partie des extrémités cytoplasmiques des quatre hélices S6 du canal ionique.

Le domaine T1 du canal K_V confère la spécificité d'oligomérisation des sous-unités : il empêche les sous-unités de différentes familles K_V de s'assembler au sein d'un même tétramère. La structure par rayons X de domaines T1 isolés, déterminée par Senyon Choe et Paul Pfaffinger, montre que cette protéine hydrosoluble forme un homotétramère de symétrie de rotation d'ordre 4 (Fig.20-32, *en bas*). Une telle symétrie C_4 (Section 8-5B) est rare pour les protéines globulaires (dont pratiquement tous les homotétramères ont une symétrie D_2) mais elle est évidemment normale pour les protéines homotétramériques transmembranaires. Le tétramère T1 pend sans doute sous la face cytoplasmique du domaine transmembranaire du canal K_V de sorte à en rapprocher les axes d'ordre 4. Ceci suggère que le canal central rempli d'eau, dont le plus petit diamètre est ~4 Å, du tétramère T1 forme l'entrée extérieure du pore K^+ et peut être même une partie de son ouverture. Cependant, nous allons voir que ce n'est pas le cas.

a. Les canaux ioniques ont deux ouvertures

Des mesures électrophysiologiques montrent que le canal K_V se ferme spontanément quelques millisecondes après son ouverture, processus appelé **inactivation**, et ne s'ouvre à nouveau qu'après repolarisation de la membrane (retour au potentiel de repos). De toute évidence, *le canal K_V contient deux portes voltage-dépendantes, une pour ouvrir le canal suite à une augmentation du potentiel de membrane, l'autre pour le fermer très peu de temps après.* Ce phénomène a d'importantes conséquences pour la transmission de l'influx nerveux (Section 20-5B). En fait, on peut détecter les faibles « courants de porte » résultant des mouvements de ces portes chargées positivement, lorsqu'elles s'ouvrent et se ferment (un courant électrique est le déplacement d'une charge), si l'on bloque au préalable les courants beaucoup plus intenses des ions K^+ à travers la membrane en obstruant le canal K_V du côté cytoplasmique avec de hautes concentrations d'ions Cs^+ ou tétraéthylammonium (qui sont trop volumineux pour traverser le pore à K^+ et restent apparemment coincés dans celui-ci).

b. L'inactivation résulte de l'insertion du peptide N-terminal du canal K_V dans son pore central

L'inactivation du canal K_V est abolie par délétion protéolytique de son segment N-terminal de ~20 résidus (dit peptide d'inactivation) auquel des études par RMN attribuent une structure sphérique (Fig. 20-32, *en bas à droite*). Cependant, lorsqu'un peptide d'inactivation synthétisé chimiquement est injecté dans le cytoplasme, le canal K_V tronqué s'inactive à une vitesse proportionnelle à la concentration du peptide d'inactivation. Ceci suggère que l'inactivation survient lorsque la boule d'inactivation se rabat à partir de l'extrémité du peptide de ~65 résidus qui la rattache au domaine T1, et vient se fixer au pore K^+ ouvert de sorte à bloquer physiquement le passage des ions K^+ -on parle du mécanisme de la boule et de la chaîne. En effet, la durée d'ouverture du canal K_V varie avec la longueur de cette chaîne, qu'on peut faire varier par mutagenèse.

Où le site de fixation du peptide d'inactivation se trouve-t-il ? Une analyse par mutagenèse, due à McKinnon, montre que les résidus hydrophobes qui tapissent le pore interne du canal et sa cavité centrale forment le site récepteur du peptide d'inactivation. Puisque l'entrée cytoplasmique du pore interne est trop étroite (diamètre de ~6 Å) pour la boule, le peptide qui la constitue doit se déplier pour y entrer. Les 10 premiers résidus des peptides d'inactivation sont essentiellement hydrophobes, alors que les 10 suivants sont essentiellement hydrophiles et comprennent plusieurs résidus basiques. Il semble donc que l'inactivation résulte de la liaison de l'extrémité N-terminale du peptide d'inactivation en pleine extension, à l'intérieur du pore interne via des interactions hydrophobes, association renforcée par la liaison des résidus basiques du segment C-terminal du peptide d'inactivation aux résidus acides qui bordent l'entrée du pore interne. Le peptide d'inactivation agit donc plutôt comme un serpent que comme une boule au bout d'une chaîne.

Comment le peptide d'inactivation accède-t-il au pore interne, qui est censé être fermé par le tétramère T1 ? Il ne peut traverser le centre de celui-ci, qui est trop étroit comme le montre la structure par rayons X. De plus, les domaines individuels T1 du tétramère ne peuvent se séparer suffisamment pour laisser passer le peptide d'inactivation. Christopher Miller a en effet démontré que le pontage de domaines T1 adjacents par liaisons disulfure (introduites par génie génétique à des positions déterminées selon la structure par rayons X de T1) n'altère par significativement les propriétés d'ouverture et de fermeture du canal K_V Ceci suggère que le peptide d'inactivation accède au bas du pore transmembranaire via des fenêtres latérales entre les domaines transmembranaire et T1, dont les côtés sont formés par le segment peptidique de ~35 résidus qui relie ces domaines (Fig. 20-32, *flèche courbe en pointillés*). Les ions K^+ passent sans doute par ces mêmes fenêtres lorsque le canal K_V est ouvert.

Un canal K_V modifié par génie génétique de sorte à ne laisser un peptide d'inactivation qu'à une des sous-unités s'inactive toujours, mais à une vitesse tombée au quart de celle des canaux K_V normaux. Dans ceux-ci, donc, n'importe lequel des quatre peptides d'inactivation peut bloquer le canal et ce au hasard. Au contraire, les canaux sodiques voltage-dépendants ne possèdent qu'un seul peptide d'inactivation, situé sur le segment qui relie les troisième et quatrième domaines transmembranaires homologues. C'est pourquoi la section de la chaîne peptidique dans cette région abolit l'inactivation du canal sodique.

B. *Potentiels d'action*

Les neurones, comme les autres cellules, génèrent des gradients ioniques à travers leur membrane plasmique par l'intermédiaire de pompes correspondantes, spécifiques de chaque ion. En particulier, une $(Na^+ - K^+)$ ATPase (Section 20-3A) catalyse l'entrée de K^+ et la sortie de Na^+ dans le neurone de façon à aboutir à des concentrations ioniques intra- et extracellulaires semblables à celles qui figurent au Tableau 20-3. Le potentiel de membrane qui en résulte, $\Delta\Psi$, peut être décrit par l'**équation de Goldman**, une extension de l'Éq. [20.3] qui rend compte de manière explicite des perméabilités membranaires différentes des ions :

$$\Delta\Psi = \frac{RT}{\mathscr{F}}\ln\frac{\sum P_c[C(out)] + \sum P_a[A(in)]}{\sum P_c[C(in)] + \sum P_a[A(out)]} \qquad [20.8]$$

Dans cette formule, C et A représentent respectivement les cations et les anions et, par souci de simplication, nous avons émis l'hypothèse physiologiquement raisonnable que seuls les ions monovalents ont une concentration significative. Les quantités P_c et P_a, **coefficients de perméabilité** respectivement des différents cations et anions, sont indicatifs de la rapidité avec laquelle ils traversent la membrane (chacun est égal au coefficient de diffusion de l'ion correspondant divisé par l'épaisseur de la membrane ; Section 20-2A). Il faut noter que l'Éq. [20.8] se ramène à l'équation [20.3] si l'on considère que tous les coefficients de perméabilité de tous les ions mobiles sont égaux.

En appliquant l'équation [20.8] aux données du Tableau 20-3 et en considérant la température égale à 25° C, on obtient une valeur de $\Delta\Psi = -83$ mV (intérieur négatif), en bon accord avec les potentiels de membrane mesurés expérimentalement pour des cellules de mammifère. Cette valeur est toutefois plus grande que le potentiel d'équilibre de K^+, $\Delta\Psi = -91$ mV obtenu en considérant que la membrane n'est perméable qu'aux seuls ions K^+ ($P_{Na^+} = P_{Cl^-} = 0$). Le potentiel de membrane est créé par un déséquilibre, étonnamment faible, de la distribution ionique à travers la membrane : seule une paire d'ions par million environ est séparée par la membrane, l'anion allant du côté cytoplasmique et le cation allant vers l'extérieur. Le champ électrique qui en résulte est néanmoins énorme d'un

TABLEAU 20-3 **Concentrations en ions et coefficients de perméabilité membranaire chez les mammifères**

Ion	Concentration cellulaire (mM)	Concentration sanguine (mM)	Coefficient de perméabilité (cm · s⁻¹)
K^1	139	4	5×10^{-7}
Na^1	12	145	5×10^{-9}
Cl^2	4	116	1×10^{-8}
$X^{2'}$	138	9	0

[a]X^- représente les macromolécules chargées négativement dans les conditions physiologiques.

Source : Darnell, J., Lodish, H., and Baltimore, D., *Molecular Cell Biology*, pp. 618 and 725, Scientific American Books (1986).

point de vue macroscopique : en considérant une membrane de 50 Å d'épaisseur, il atteint presque 170 000 V · cm⁻¹.

a. Les potentiels d'action propagent l'influx nerveux

*Un influx nerveux consiste en une vague de dépolarisation membranaire transitoire connue sous le nom de **potentiel d'action** et qui se déplace le long d'une cellule nerveuse.* Une microélectrode implantée dans un **axone** enregistre que, pendant la première demi-milliseconde d'un potentiel d'action, $\Delta\Psi$ passe de sa valeur au repos d'environ − 60 mV, à environ 30 mV (Fig. 20-33*a*). Cette

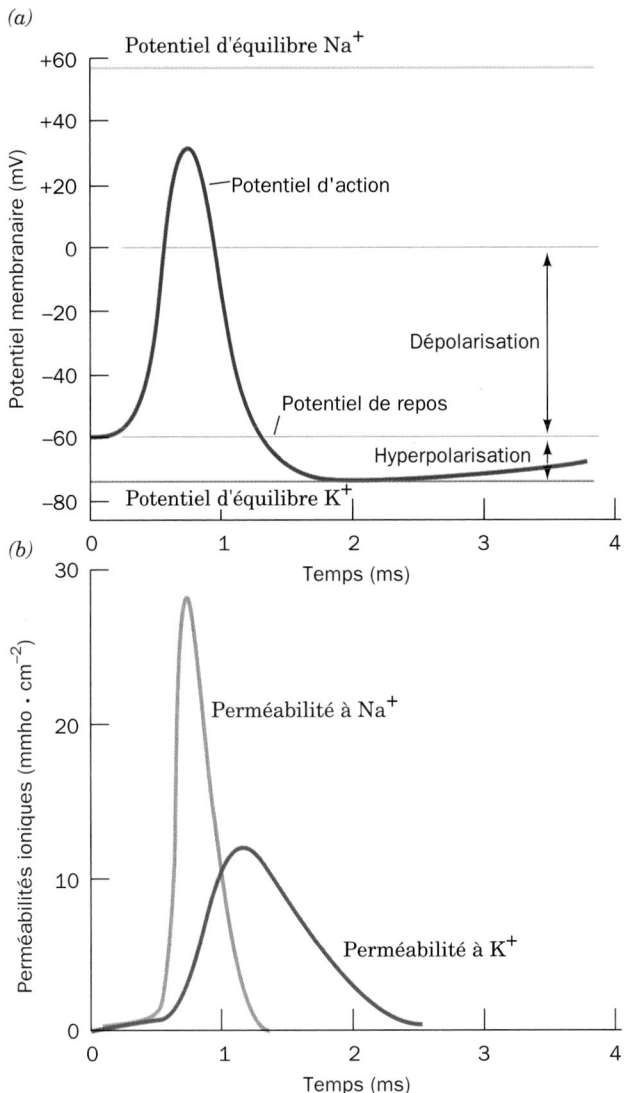

(a)

FIGURE 20-33 Évolution d'un potentiel d'action en fonction du temps. (*a*) La membrane de l'axone subit une dépolarisation rapide, suivie d'une hyperpolarisation presqu'aussi rapide puis d'un retour lent au potentiel de repos. (*b*) La dépolarisation est causée par une augmentation transitoire de la perméabilité au Na⁺ (conductance), tandis que l'hyperpolarisation résulte d'une augmentation de la perméabilité au K⁺ qui, commençant une fraction de milliseconde plus tard, dure pendant une période plus longue. L'unité de conductance, 1 mho = 1 ohm⁻¹. [D'après Hodgkin, A.L. and Huxley, A.F., *J. Physiol.* **117**, 530 (1952).]

dépolarisation est suivie d'une repolarisation presqu'aussi rapide au delà du potentiel de repos, jusqu'au potentiel d'équilibre de K⁺ (hyperpolarisation) suivie ensuite d'un retour plus lent au potentiel de repos. Quelle est l'origine de ce comportement électrique complexe ? En 1952, Alan Hodgkin et Andrew Huxley ont démontré que le potentiel d'action résulte d'une augmentation transitoire de la perméabilité membranaire vis-à-vis de Na⁺ (P_{Na^+}) suivie, en moins d'une fraction de milliseconde, d'une augmentation transitoire de celle vis-à-vis de K⁺ (P_{K^+}, Fig. 20-33*b*).

Les changements spécifiques de perméabilité des ions, qui caractérisent un potentiel d'action, proviennent de la présence de canaux sodiques et potassiques voltage-dépendants. Lorsqu'un influx nerveux atteint une zone donnée de la membrane de la cellule nerveuse, l'augmentation du potentiel de membrane induit l'ouverture transitoire des canaux sodiques de sorte que les ions Na⁺ diffusent dans la cellule nerveuse à la vitesse d'environ 6 000 ions · ms⁻¹ et par canal. Cette augmentation de P_{Na^+} entraîne une augmentation de $\Delta\Psi$ (Éq. [20.3]) qui, à son tour, entraîne l'ouverture d'un plus grand nombre de canaux sodiques etc ..., conduisant à une entrée massive de Na⁺ dans la cellule. Pourtant, avant que ce processus ne puisse atteindre la valeur du potentiel d'équilibre de Na⁺, soit environ − 60 mV, les canaux potassiques s'ouvrent (P_{K^+} augmente), tandis que les canaux sodiques se referment (s'inactivent ; P_{Na^+} revient à sa valeur au repos). $\Delta\Psi$ ainsi change de signe et dépasse sa valeur au repos pour approcher de la valeur de K⁺ à l'équilibre. Finalement, les canaux potassiques se ferment également et la zone membranaire revient à son potentiel de repos. Les canaux sodiques qui ne restent ouverts que de 0,5 à 1,0 ms, ne se réouvriront pas avant que la membrane ne soit revenue à son état de repos, ce qui limite la vitesse de décharge de l'axone.

Un potentiel d'action est déclenché par une augmentation de $\Delta\Psi$ d'environ 20 mV jusqu'à environ − 40 mV. Les potentiels d'action se propagent ainsi le long d'un axone puisque la valeur initialement croissante de $\Delta\Psi$ dans un secteur donné de la membrane axonale déclenche le potentiel d'action dans un secteur adjacent et ainsi de suite (Fig. 20-34). L'influx nerveux est ainsi amplifié en continu de sorte que l'amplitude du signal reste constante le long de l'axone (par contre, une impulsion électrique qui se propage le long d'un cable se dissipe par suite d'effets résistifs et capacitifs). Il faut cependant noter que, puisque le déséquilibre ionique responsable du potentiel de membrane au repos est faible, seule une minuscule fraction du gradient Na⁺ − K⁺ d'une cellule nerveuse se décharge au cours d'un influx (seul un ion K⁺ du cytosol sur 3000 à 30 000 est échangé pour un Na⁺ extracellulaire, comme l'indiquent des mesures avec du Na⁺ radioactif). Un axone peut ainsi transmettre un nouvel influx nerveux après quelques millisecondes sans aucun arrêt. Cette capacité de réaction rapide est une caractéristique essentielle des communications neuronales : *puisque les influx nerveux ont tous la même amplitude, l'ordre de grandeur d'un stimulus dépend de la vitesse à laquelle le nerf déclenche les potentiels.*

b. Le canal sodique voltage-dépendant est la cible de nombreuses neurotoxines

Les neurotoxines se sont révélées être des outils inestimables pour disséquer les différents aspects des mécanismes de neurotransmission. De nombreuses neurotoxines interfèrent, comme nous le verrons, avec l'action de canaux sodiques voltage-dépen-

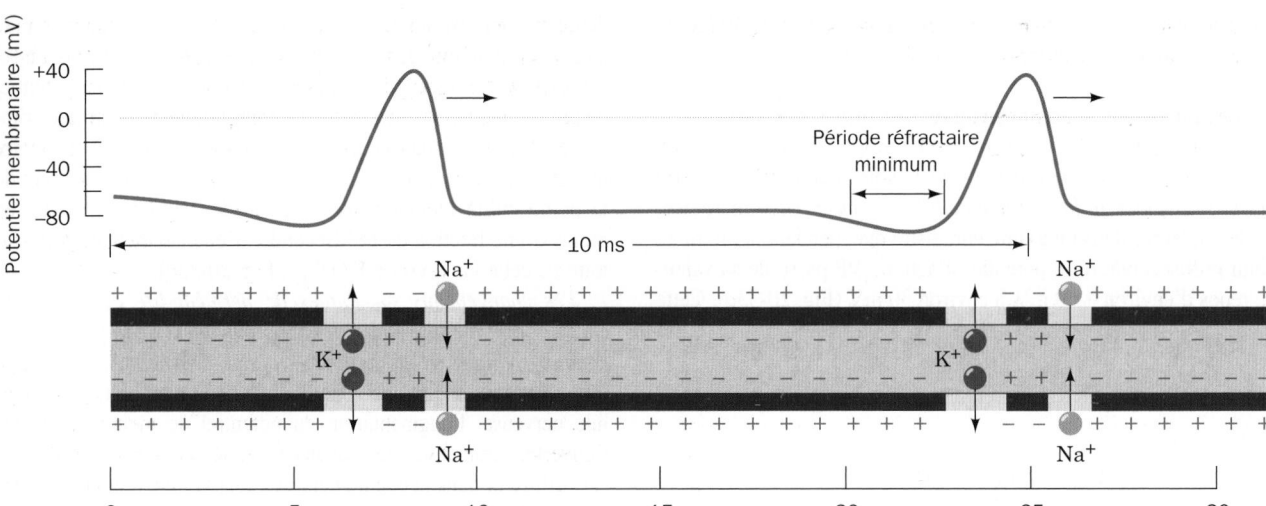

FIGURE 20-34 Propagation d'un potentiel d'action le long d'un axone. La dépolarisation membranaire initiale déclenche un potentiel d'action au niveau de la zone de la membrane axonique immédiatement en aval, en induisant l'ouverture des canaux sodiques voltage-dépendants. Au fur et à mesure du déplacement de la dépolarisation vers l'aval, les canaux sodiques se referment et les canaux potassiques s'ouvrent pour hyperpolariser la membrane. Après une courte période réfractaire, pendant laquelle les canaux potassiques se ferment et la membrane hyperpolarisée revient à son potentiel de repos, un second influx peut se déclen-cher. La vitesse de propagation de l'influx qui est indiquée est celle qui est mesurée dans l'axone géant du calmar qui, du fait de son épaisseur exceptionnelle (~1 mm), est un modèle expérimental favori des neuro-physiologistes. Noter que le potentiel d'action sur cette figure diffère de celui de la Fig. 20-33, car il montre ici la distribution du potentiel membranaire le long d'un axone à un instant donné, tandis que, sur la Fig. 20-33, la variation est exprimée en fonction du temps, en un point donné de l'axone.

dants mais, curieusement, on en connaît peu qui affectent les canaux potassiques voltage-dépendants. La **tétrodotoxine**,

Tétrodotoxine

poison paralysant très puissant que l'on trouve dans la peau, les ovaires, le foie et l'intestin du poisson-globe (connu sous le nom de fugu au Japon, où il est considéré comme un mets délicat qui ne doit être préparé que par des chefs qui connaissent l'anatomie de ce poisson), agit en bloquant spécifiquement les canaux sodiques. Il en est de même pour la **saxitoxine**,

Saxitoxine

produit par des dinoflagellés marins (un type de plancton connu sous le nom de « red tide » ou marée rouge) qui est concentré par filtration par les coquillages au point qu'une moule peut, à elle seule, contenir suffisamment de saxitoxine pour tuer cinquante personnes. Ces deux neurotoxines possèdent un groupement guanidinium et toutes deux ne sont efficaces que si elles sont appliquées à la surface externe d'un neurone (leur injection dans le cytoplasme n'induit aucune réponse). C'est pourquoi on pense que ces toxines interagissent spécifiquement avec un anion carboxylate localisé à l'entrée du canal sodique, du côté extracellulaire.

La **batrachotoxine**,

Batrachotoxine

un alcaloïde stéroïdien sécrété par la peau d'une grenouille venimeuse colombienne, *Phyllobates aurotaenia*, est le plus puissant venin connu ($2 \ \mu g/kg$ est létal à 50 % chez la souris). Cette substance se fixe également spécifiquement sur les canaux sodiques voltage-dépendants mais, à l'inverse des actions de la tétrodotoxine et de la saxitoxine, elle rend la membrane axonale fortement perméable à Na^+. En fait, la dépolarisation axonale induite par la batrachotoxine peut être inversée par la tétrodotoxine. L'observation selon laquelle la stimulation électrique répétée d'un neurone augmente l'action de la batrachotoxine indique que cette toxine se fixe sur le canal sodique lorsqu'il est ouvert.

Les venins de scorpions d'origine américaine contiennent des familles de neurotoxines protéiques de 60 à 70 résidus qui agissent également pour dépolariser les neurones en se fixant sur leur canaux sodiques (les différentes neurotoxines d'un même venin semblent être destinées à se fixer sur les canaux sodiques des différentes espèces que le scorpion est susceptible de rencontrer). Les toxines de scorpion et la tétrodotoxine n'entrent pas en compétition, ce qui indique qu'elles doivent se fixer sur des sites différents.

c. La vitesse de l'influx nerveux est augmentée par la myélinisation

Les axones des neurones des vertébrés de plus grande taille sont entourés de **myéline**, un « isolant électrique » biologique enroulé autour de l'axone (Fig. 20-35a) afin de l'isoler électriquement du milieu extracellulaire. Des influx dans des nerfs myélinisés se propagent à des vitesses allant jusqu'à 100 m · s^{-1}, alors que les vitesses ne dépassent pas 10 m · s^{-1} pour des nerfs non recouverts de myéline (on s'imagine les difficultés de coordination si, par exemple, une girafe ne disposait que de nerfs non myélinés).

Comment la myélinisation augmente-t-elle la vitesse des influx nerveux ? Les gaines de myéline sont interrompues environ tous les millimètres le long de l'axone par des secteurs étroits sans myéline connus sous le nom de **nœuds de Ranvier** (Fig. 20-35b) où l'axone est en contact avec le milieu extracellulaire. Des études utilisant la fixation de tétrodotoxine radioactive indiquent que les canaux sodiques voltage-dépendants dans les axones sans myéline ont une distribution plutôt espacée, bien qu'uniforme, d'environ 20 canaux · µm^{-2}. A l'opposé, les canaux sodiques d'axones myélinisés ne se rencontrent qu'au niveau des nœuds de Ranvier où ils sont concentrés jusqu'à une densité de 10^4 · µm^{-2}. Le potentiel d'action de ces axones myélinisés « saute » entre ces nœuds, processus connu sous le nom de **conduction saltatoire** (du latin *saltare*, sauter). La transmission de l'influx nerveux entre ces nœuds doit donc se produire par conduction passive d'un courant ionique, mécanisme qui est plus rapide que la propagation continue d'un potentiel d'action, mais qui est également dissipatif. Les nœuds agissent comme des points d'amplification pour maintenir l'intensité de l'impulsion électrique tout au long de l'axone. Sans la gaine de myéline, l'impulsion électrique deviendrait trop atténuée, à la fois par fuite d'ions et par effets capacitifs, pour pouvoir déclencher un potentiel d'action au nœud suivant. En fait, la **sclérose en plaques**, maladie auto-immune qui conduit à la démyélinisation des fibres nerveuses du cerveau et de la moëlle épinière, provoque des troubles neurologiques graves pouvant conduire à la mort.

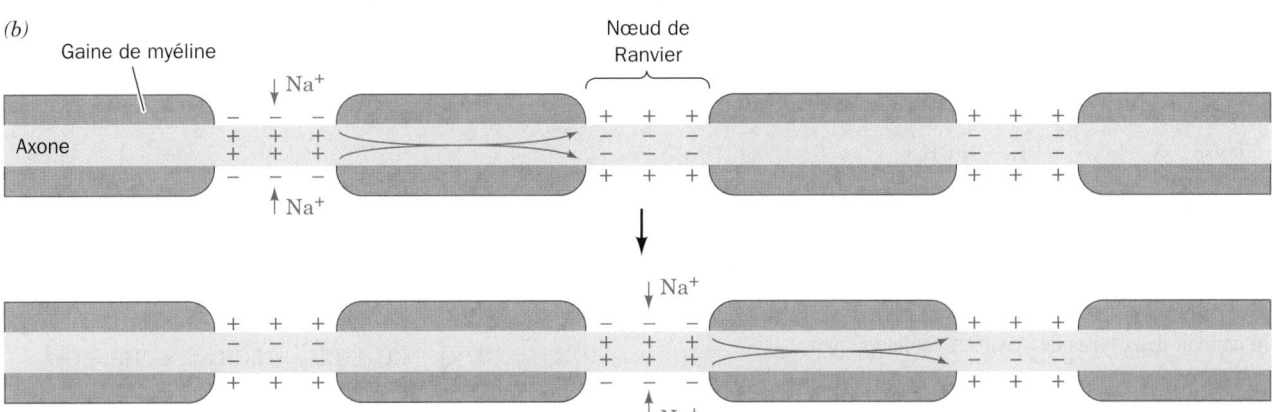

FIGURE 20-35 La myélinisation. (*a*) Micrographie électronique d'une coupe transversale de fibres nerveuses myélinisées. La gaine de myéline qui entoure un axone est la membrane plasmique d'une **cellule de Schwann** qui, à mesure qu'elle croît autour d'un axone, fait sortir son cytoplasme d'entre les couches. La double bicouche qui en résulte et qui fait de 10 à 150 tours autour de l'axone, est un bon isolant électrique à cause de sa teneur lipidique particulièrement élevée (79 %). [Avec la permission de Cédric Raine, Albert Einstein College of Medicine of Yeshiva University.] (*b*) Représentation schématique d'un axone myélinisé en section longitudinale, montrant qu'au niveau des nœuds de Ranvier (courts espaces entre deux cellules de Schwann adjacentes), la membrane axonale est en contact avec le milieu extracellulaire. Une dépolarisation produite par un potentiel d'action au niveau d'un nœud se transmet, par conduction ionique, le long de l'axone (*flèches rouges*) vers le nœud voisin où il déclenche un nouveau potentiel d'action. Les influx nerveux dans les axones myélinisés sont ainsi transmis par conduction saltatoire.

C. *Neurotransmetteurs et leurs récepteurs*

Les jonctions au niveau desquelles les neurones transmettent des signaux à d'autres neurones, muscles ou glandes sont appelées **synapses**. Dans les **synapses électriques**, qui sont spécialisées dans la transmission rapide de signaux, les cellules sont séparées par un espace interstitiel, la **fente synaptique**, d'une largeur de 20 Å seulement et qui est enjambée par des jonctions communicantes (Section 12-3F). Ainsi, un potentiel d'action qui arrive du côté présynaptique de la fente peut suffisamment dépolariser la membrane postsynaptique pour déclencher directement son potentiel d'action. Les synapses dont la largeur est supérieure à 200 Å, ce qui est le cas de la majorité d'entre elles, ont une distance trop grande pour un couplage électrique direct. Dans ces **synapses chimiques**, le potentiel d'action qui arrive déclenche la libération, par le neurone présynaptique, d'une substance spécifique connue sous le nom de **neurotransmetteur**, qui diffuse à travers la fente et se fixe à ses récepteurs correspondants situés sur la membrane postsynaptique. Dans les **synapses excitatrices**, la fixation d'un neurotransmetteur induit la dépolarisation de la membrane, déclenchant ainsi un potentiel d'action à travers la membrane postsynaptique. A l'opposé, la fixation de neurotransmetteurs dans des **synapses inhibitrices** modifie la perméabilité de la membrane postsynaptique de manière à inhiber le potentiel d'action et atténuer ainsi les signaux excitateurs. Quel est le mécanisme par lequel un potentiel d'action stimule la libération d'un neurotransmetteur et comment sa fixation sur un récepteur peut-elle modifier la perméabilité de la membrane postsynaptique ? Pour répondre à ces questions, considérons le fonctionnement des **synapses cholinergiques**, c'est-à-dire celles qui utilisent l'**acétylcholine (ACh)** comme neurotransmetteur :

$$CH_3 - \overset{\displaystyle O}{\overset{\|}{C}} - O - CH_2 - CH_2 - \overset{+}{N}(CH_3)_3$$

Acétylcholine (ACh)

Nicotine

Muscarine

On connaît deux types de synapses cholinergiques :

1. Celles qui contiennent des **récepteurs nicotiniques** (récepteurs qui répondent à la **nicotine**).

2. Celles qui contiennent des **récepteurs muscariniques** (récepteurs qui répondent à la **muscarine**, alcaloïde produit par le champignon vénéneux *Amanita muscaria*).

Dans ce qui suit, nous nous intéresserons plus particulièrement aux synapses cholinergiques qui contiennent des récepteurs nicotiniques puisque ce type bien caractérisé de synapses se rencontre à toutes les jonctions neuromusculaires excitatrices chez les vertébrés et à de nombreux endroits du système nerveux.

a. Les organes électriques des poissons électriques sont riches en synapses cholinergiques

L'étude de la fonction synaptique a été grandement facilitée en découvrant que, lorsqu'on homogénéise un tissu nerveux, les terminaisons présynaptiques se détachent par épincement et se réassocient pour former des **synaptosomes**. L'emploi des synaptosomes, qui peuvent être rapidement isolés par ultracentrifugation sur gradient de densité, a l'avantage d'en permettre la manipulation et l'analyse sans interférence avec d'autres composants neuronaux.

Les organes électriques de l'anguille électrique d'eau douce *Electrophorus electricus* et du poisson électrique marin du genre *Torpedo* constituent la source la plus riche connue en synapses cholinergiques. Les organes électriques que ces organismes utilisent pour paralyser ou tuer leurs proies, consistent en empilements d'environ 5 000 cellules fines et plates appelées **électroplaques** qui se développent d'abord comme des cellules musculaires mais perdent finalement leur appareil contractile. Un côté de l'électroplaque est fortement innervé et possède une résistance électrique élevée, le côté opposé étant au contraire sans innervation et avec une faible résistance. Au repos, le potentiel de membrane est d'environ -90 mV. Lors d'une stimulation neuronale, toutes les membranes innervées dans la pile d'électroplaques se dépolarisent simultanément jusqu'à atteindre un potentiel de membrane d'environ 40 mV, ce qui entraîne une différence de potentiel entre chaque cellule de 130 mV (Fig. 20-36). Puisque les 5 000 électroplaques sont montées en série comme les piles d'une lampe de poche, la différence de potentiel totale est égale à $5\,000 \times 0,130$ V = 650 V, ce qui est suffisant pour tuer un être humain.

b. L'acétylcholine est libérée des vésicules synaptiques par exocytose Ca²⁺-dépendante

L'ACh est synthétisée, au voisinage de la terminaison présynaptique d'un neurone, par le transfert du groupement acétyle d'une molécule **d'acétyl-CoA** [la structure du coenzyme A (CoA) est donnée à la Fig. 21-2] sur la **choline**, selon une réaction catalysée par la **choline acétyltransférase**.

$$H_3C - \overset{\displaystyle O}{\overset{\|}{C}} - S - CoA \quad + \quad HO - CH_2 - CH_2 - \overset{+}{N}(CH_3)_3$$

Acétyl-CoA   **Choline**

$$\downarrow \text{choline acétyltransférase}$$

$$H_3C - \overset{\displaystyle O}{\overset{\|}{C}} - O - CH_2 - CH_2 - \overset{+}{N}(CH_3)_3 \quad + \quad HS - CoA$$

Acétylcholine

La plus grande quantité de l'ACh formée est stockée dans des **vésicules synaptiques** de 400 Å de diamètre, limitées par une membrane, qui contiennent chacune environ 10^4 molécules d'ACh. *L'arrivée d'un potentiel d'action au niveau de la membrane présynaptique déclenche l'ouverture de **canaux calciques voltage-dépendants**,* ce qui élève transitoirement la $[Ca^{2+}]$ locale de son

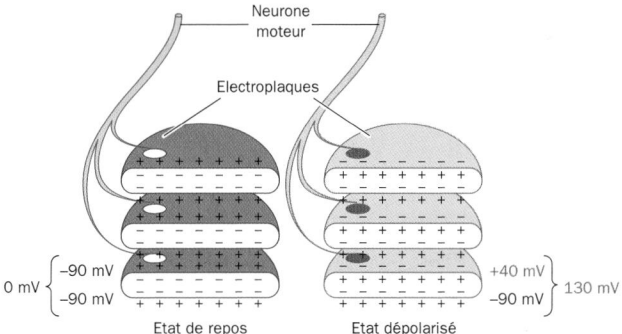

FIGURE 20-36 La dépolarisation simultanée (*en rouge*, *à droite*) des membranes innervées dans une pile d'électroplaques « montées » en série, entraîne une grande différence de potentiel entre les deux extrémités de la pile. Ceci est dû au fait que la différence de potentiel totale est la somme des différences de potentiel de chaque électroplaque.

niveau de repos de 0,1 µM à une valeur de 10 à 100 µM. *L'influx de Ca^{2+} extracellulaire qui en résulte stimule à son tour l'exocytose des vésicules synaptiques dans le voisinage du canal calcique de sorte que leur contenu en ACh est libéré dans la fente synaptique (Fig. 12-61).* Le mécanisme par lequel les vésicules synaptiques fusionnent avec la membrane présynaptique est étudié dans la Section 12-4D.

On commence à comprendre comment le Ca^{2+} induit l'exocytose des vésicules synaptiques. Le principal détecteur de Ca^{2+} serait la **synaptotagmine I**, protéine dont une hélice transmembranaire traverse la membrane de la vésicule synaptique et dont le domaine cytosolique contient quatre sites de fixation du Ca^{2+}. A des $[Ca^{2+}]$ basales, la synaptotagmine I se lie au Q-SNARE syntaxine (Section 12-4D) de manière à bloquer sa liaison au R-SNARE synaptobrévine et au Q-SNARE SNAP25, ce qui empêche la fusion vésiculaire. Cependant, lorsqu'elle fixe le Ca^{2+}, la synaptotagmine libère la syntaxine, ce qui permet le déclenchement de la fusion vésiculaire.

Une fois déclenchée, la fusion des vésicules synaptiques avec la membrane présynaptique survient très rapidement (<0,3 ms) car de nombreuses vésicules synaptiques se sont déjà accolées à la membrane présynaptique. Chaque impulsion de Ca^{2+} provoque l'exocytose d'environ 10 % des ces dernières. Cependant, elles sont rapidement remplacées car la majorité des vésicules synaptiques restantes sont tenues en réserve dans une zone, dite active, à moins de 20 nm de la membrane présynaptique. Le maintien des vésicules dans cette zone est dû à une phosphoprotéine fibreuse appelée **synapsine I**, qui se fixe également à l'actine et à la spectrine, protéines du cytosquelette (Section 12-3D). La synapsine I est un substrat de la protéine-kinase calmoduline-dépendante (Section 18-3C), de sorte qu'une augmentation de Ca^{2+} entraîne sa phosphorylation. Ceci libérerait les vésicules synaptiques de la zone active, leur permettant ainsi de s'accoler à la membrane présynaptique en vue de l'exocytose. La distance de 20 nm entre la zone active et la membrane présynaptique serait assez courte pour que les Q- et R-SNARE commencent à former leur complexe de spire enroulée (Fig. 12-62), ce qui faciliterait le processus d'accostage.

L'araignée appelée veuve noire utilise ce système : son venin contient une protéine très neurotoxique, l'α-**latrotoxine** (130 kD), qui cause une libération massive d'ACh au niveau de la jonction neuromusculaire, notamment en formant à travers la membrane présynaptique des canaux transmembranaires homotétramériques qui agissent comme ionophores à Ca^{2+}. À l'opposé, la **toxine botulinique** interfère, comme nous l'avons vu (Section 12-4D), avec l'exocytose des vésicules synaptiques en clivant par protéolyse des protéines SNARE spécifiques, ce qui empêche la libération d'Ach.

Les protéines des vésicules synaptiques ayant subi l'exocytose sont rapidement récupérées de la membrane présynaptique par endocytose, essentiellement dans des vésicules tapissées de clathrine (Section 12-4C). Cependant, une fois que ces dernières ont perdu leur manteau de clathrine, elles ne fusionnent pas avec les endosomes comme c'est d'habitude le cas (Fig. 12-79). Au contraire, elles sont immédiatement à nouveau remplies d'ACh par un antiport H^+–ACh, qui est actionné par les protons pompés dans la vésicule par une ATPase de type V (Section 20-3), et envoyées dans la zone active. Ce recyclage rapide des vésicules synaptiques (qui prend <1 min) permet aux neurones de se décharger en continu à un rythme d'environ 50 fois par seconde.

c. Le récepteur de l'acétylcholine est un canal cationique ligand-dépendant

Le **récepteur de l'acétylcholine** est une glycoprotéine transmembranaire de 290 kD, de type $\alpha_2\beta\gamma\delta$, dont les quatre sous-unités homologues ont chacune, d'après les prédictions de structure, 4 hélices transmembranaires (M1 à M4) ainsi qu'un grand domaine synaptique N-terminal et une boucle cytoplasmique assez longue entre les hélices M3 et M4. Des études cristallographiques électroniques, réalisées par Nigel Unwin, montrent que la forme du récepteur en l'absence du ligand est celle d'un cylindre de 80 Å de diamètre et de 125 Å de long, qui déborde de 60 Å environ dans l'espace synaptique et de 20 Å environ dans le cytoplasme (Fig. 20-37). Ses cinq sous-unités en bâtonnets sont organisées selon une symétrie de pseudo-ordre cinq sur une grande partie de la longueur avec, dans le sens horaire, l'ordre -α-β-α-δ-γ, lorsqu'on l'observe à partir de l'espace synaptique. La caractéristique la plus frappante du récepteur d'ACh est son canal central rempli d'eau, de 20 Å environ de diamètre sur 65 Å de long, et qui s'étend depuis l'entrée synaptique jusqu'à la bicouche lipidique où il forme un pore plus resserré de 30 Å de long qui semble être bloqué vers le milieu de la bicouche. Ce blocage, qui correspond vraisemblablement à l'entrée du canal, a moins de 6 Å d'épaisseur, ce qui suggère qu'il est constitué d'un ou deux anneaux de chaînes latérales, sans doute des résidus Leu conservés, qui se projettent des parois du canal à l'intérieur de celui-ci. L'extrémité cytoplasmique du récepteur forme une cavité centrale d'environ 20 Å de diamètre et de 20 Å de long qui communique avec le cytoplasme via des ouvertures latérales entre sous-unités adjacentes à un niveau situé environ à 30 Å sous la surface de la membrane. Bien que de tailles différentes, ces ouvertures ont toutes moins de 10 Å de diamètre et pourraient donc servir de filtre pour empêcher le passage d'anions (par répulsion de la part de chaînes latérales anioniques) et de gros cations cytoplasmiques. Noter que les canaux K_V semblent présenter de semblables ouvertures latérales sur le cytoplasme (Section 20-5A). *La fixation de deux molécules d'ACh, une par sous-unité α, induit de manière allostérique l'ouverture du canal à travers la bicouche*

(a)

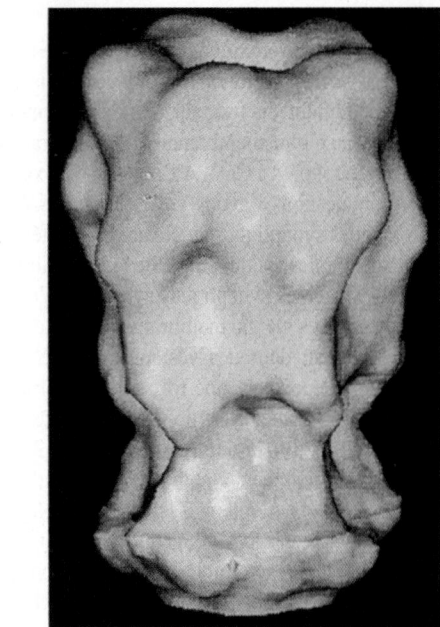

(b)

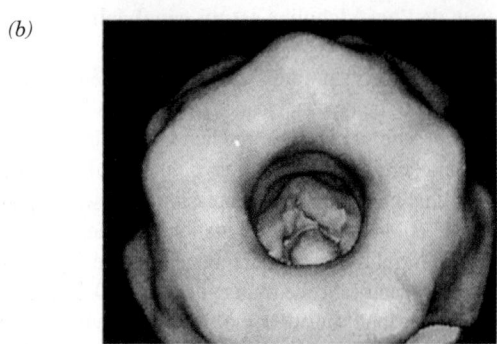

**FIGURE 20-37 Structure électronique d'un cristal du récepteur nico-
tinique de l'acétylcholine, provenant du poisson électrique *Torpedo
marmorata*.** (*a*) Vue de côté, avec la face synaptique au dessus. La séparation dans le bas de la structure marque la position de la bicouche membranaire dans laquelle est enfoui le récepteur de l'ACh et qui sépare le
grand domaine extracellulaire du domaine cytoplasmique qui est plus
petit. (*b*) Vue de l'entrée synaptique du canal. Ce dernier se rétrécit brutalement au niveau de la bicouche lipidique, environ 60 Å en dessous du
niveau de l'entrée. [Avec la permission de Nigel Unwin, MRC Laboratory of Molecular Biology, Cambridge, U. K.]

*de façon à permettre la diffusion de Na^+ et K^+, respectivement
dans et hors de la cellule à des vitesses d'environ 20 000 ions de
chaque type par milliseconde. La dépolarisation de la membrane
postsynaptique qui en résulte est à l'origine d'un nouveau potentiel d'action.* Après 1 à 2 ms, l'ACh se dissocie spontanément de
son récepteur et le canal se referme.

Le récepteur de l'ACh est la cible de quelques unes des neurotoxines les plus puissantes et mortelles qui soient connues (la mort
survenant par arrêt respiratoire) et dont l'utilisation a grandement
aidé à l'élucidation de sa fonction réceptrice. L'**histrionicatoxine**,
un alcaloïde sécrété par la peau de la grenouille colombienne
venimeuse *Dendrobates histrionicus* et utilisé comme poison de
flèche, et la **d-tubocurarine**, l'espèce active du poison de flèche

amazonien appelé **curare**, également utilisé en médecine comme
agent paralysant, sont tous deux des antagonistes de l'ACh qui
empêchent l'ouverture du canal du récepteur de l'ACh :

Histrionicatoxine

d-Tubocurarine

De même, une famille de protéines apparentées de 7 à 8 kD que
l'on trouve dans les venins de certains serpents les plus venimeux
du monde, comprenant l'**α-bungarotoxine** qui provient du venin
des serpents de genre *Bungarus*, l'**érabutoxine** de serpents marins
et la **cobratoxine** de cobras, empêchent l'ouverture du canal du
récepteur de l'ACh en se fixant spécifiquement mais non irréversiblement sur ses sous-unités α. En fait, le récepteur de l'ACh solu-
bilisé par un détergent a été purifié par chromatographie d'affinité
sur une colonne à laquelle de la cobratoxine était fixée de manière
covalente.

d. L'acétylcholine est rapidement dégradée par l'acétylcholinestérase

*Une molécule d'ACh qui participe à la transmission d'un influx
nerveux donné doit être dégradée dans les quelques millisecondes
avant l'arrivée de l'influx nerveux suivant. Cette tâche essentielle
est accomplie par l'**acétylcholinestérase (AChE)**,* enzyme très
active de 75 kD qui est ancrée à la surface de la membrane postsynaptique par l'intermédiaire de phospholipides à GPI (Section
12-3B)

$$H_3C-\overset{\displaystyle O}{\overset{\|}{C}}-O-CH_2-CH_2-\overset{+}{N}(CH_3)_3 \;+\; H_2O$$
Acétylcholine

↓ acétylcholinestérase

$$H_3C-\overset{\displaystyle O}{\overset{\|}{C}}-O^- \;+\; HO-CH_2-CH_2-\overset{+}{N}(CH_3)_3 \;+\; H^+$$
Acétate   **Choline**

(le turnover de l'AChE est k_{cat} = 14 000 s^{-1}; l'efficacité catalytique k_{cat}/K_M = 1,5 10^8 $M^{-1} \cdot$ s^{-1} est proche de la valeur limite d'un catalyseur presque parfait qui serait uniquement limité par la diffusion; Section 14-2B). La choline produite est captée par la cellule présynaptique via un symport Na–choline en vue de son utilisation dans la resynthèse d'ACh. Ce transporteur fonctionne comme le symport Na–glucose des cellules de la bordure en brosse de l'intestin (Section 20-4A).

L'AChE est une estérase à sérine, dont le mécanisme ressemble à celui des protéases à sérine telles que la trypsine. Ces enzymes, comme nous l'avons vu dans la Section 15-3A, sont inhibées de manière irréversible par des alkylphosphofluoridates tels que le diisopropylphosphofluoridate (DIPF). Des composés voisins tels le **tabun** et le **sarin**

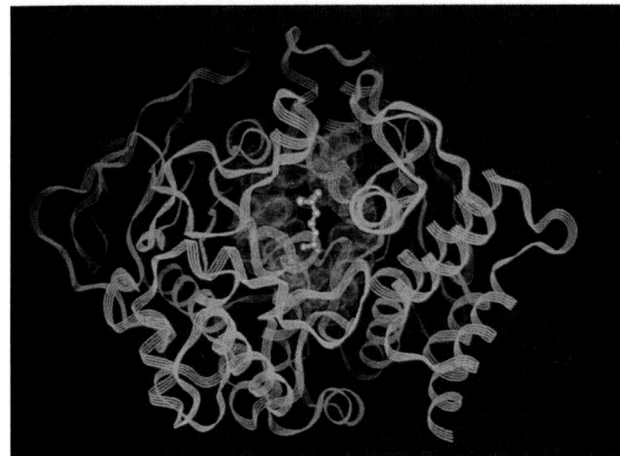

FIGURE 20-38 Structure par rayons X de l'acétylcholinestérase (AChE). Représentation en ruban. Les chaînes latérales aromatiques qui bordent la gorge du site actif (*en violet*) sont représentées en structure éclatée et entourées de leur surface de van der Waals, en pointillés. L'ACh, substrat modélisée dans le site actif (l'enzyme a été cristallisée en son absence), est représentée en structure éclatée avec les atomes en doré et les liaisons en bleu-vert. L'entrée de la gorge se situe au sommet de la figure. [Avec la permission de Joël Sussman, The Weizmann Institute of Science, Rehovot, Israël. PDBid 1ACL.]

Tabun   **Sarin**

sont des gaz utilisés à des fins militaires car leur efficacité d'inactivation de l'AChE humaine par réaction avec la Ser du site actif cause la paralysie par blocage des influx nerveux cholinergiques et la mort par suffocation. La **succinylcholine,**

$$H_2C - \overset{\overset{\displaystyle O}{\|}}{C} - O - CH_2 - CH_2 - \overset{+}{N}(CH_3)_3$$
$$H_2C - \underset{\underset{\displaystyle O}{\|}}{C} - O - CH_2 - CH_2 - \overset{+}{N}(CH_3)_3$$

Succinylcholine

qui est utilisée comme myorelaxant durant les interventions chirurgicales, est un agoniste de l'ACh qui, bien que libéré rapidement du récepteur, n'est hydrolysé que lentement par l'AChE. La succinylcholine produit ainsi une dépolarisation persistente de la membrane postsynaptique. Cependant ses effets sont de courte durée car elle est rapidement hydrolysée par la **butyrylcholinestérase,** enzyme non spécifique, que l'on trouve dans le plasma et dans le foie. Certains venins de serpents, comme celui du mamba vert, inactivent l'AChE, bien qu'ils agissent en se fixant sur un site distinct de son site actif.

e. Structure par rayons X de l'acétylcholinestérase

La structure par rayons X de l'AChE du poisson électrique *Torpedo californica* (537 résidus), déterminée par Joel Sussman, Israel Silman et Michal Harel, confirme que les résidus Ser 200 et His 440, précédemment identifiés, sont membres de la triade catalytique de l'AChE. La structure révèle de plus que le troisième membre de la triade catalytique est Glu 237 plutôt qu'un Asp; parmi les nombreuses protéases, lipases et estérases à sérine de structure connue, ce n'est que le deuxième exemple de ce type. La triade catalytique de l'AChE s'organise de sorte qu'elle semble être l'image en miroir des triades catalytiques, par exemple, de la trypsine et de la subtilisine (Fig. 15-20); en fait, ce n'est pas le cas dans la réalité puisque toutes les protéines sont constituées d'acides aminés de la série L.

Le site catalytique de l'AChE se situe vers l'extrémité inférieure d'une gorge étroite de 20 Å de profondeur qui s'étend sur la moitié de la protéine et s'évase vers sa base (Fig. 20-38). Les parois latérales de cette gorge, dite du site actif, sont formées par les chaînes latérales de 14 résidus aromatiques qui représentent 40 % de sa surface. Puisque l'atome d'oxygène de la Ser active de l'enzyme n'est situé qu'à 4 Å de l'extrémité inférieure de la gorge, l'ACh doit s'y fixer avec son groupement triméthylammonium, chargé positivement, entouré de chaînes latérales aromatiques. Cela a constitué une surprise car on aurait pu raisonnablement s'attendre à ce que ce groupement soit fixé sur un site anionique. Il est possible que la liaison faible qui existe entre un groupement triméthylammonium et les électrons π des noyaux aromatiques facilite la diffusion rapide de l'ACh vers le fond de la gorge, ce qui expliquerait la constante catalytique élevée. En fait, des composés aromatiques modèles ont été synthétisés et on a montré qu'ils peuvent se fixer à des composés de type ions ammonium quaternaires. Assez curieusement, le site de fixation de l'ACh sur chaque sous-unité de son récepteur est également situé au fond d'une gorge semblable qui s'ouvre dans son canal central du côté synaptique, même s'il n'existe aucune similitude de séquence entre ces régions de l'AChE et du récepteur de l'ACh.

f. Des acides aminés et leurs dérivés fonctionnent comme neurotransmetteurs

Le système nerveux des mammifères utilise plus de trente substances comme neurotransmetteurs. Certaines d'entre elles, comme la glycine et le glutamate, sont des acides aminés; beaucoup d'autres sont des produits de décarboxylation des acides aminés ou leurs dérivés (souvent appelés **amines biogéniques**). Ainsi, comme nous le verrons dans la Section 26-4B, la **dopamine,** la noradrénaline et l'adrénaline [appelées collectivement

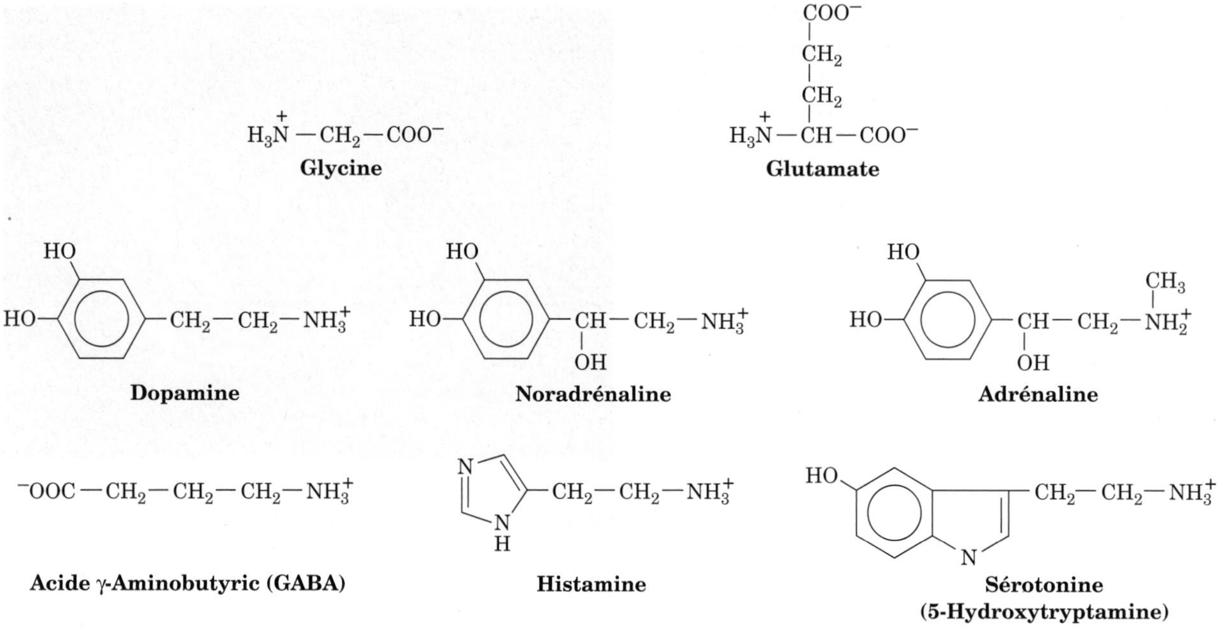

FIGURE 20-39 Formules de quelques neurotransmetteurs.

catécholamines car elles dérivent du catéchol (1,2-dihydroxyben-zène)] sont successivement synthétisées à partir de la tyrosine, alors que l'acide **γ-aminobutyrique** (**GABA**), l'**histamine** et la **sérotonine** dérivent respectivement de l'acide glutamique, de l'histidine et du tryptophane (Fig. 20-39). Beaucoup de ces composés sont des substances à action hormonale, présentes dans la circulation sanguine. Cependant, comme le cerveau est isolé de la circulation générale par un système de filtration sélectif connu sous le nom de **barrière hémato-encéphalique**, la présence de ces substances dans le sang n'a pas d'effet direct sur le cerveau. L'utilisation des mêmes composés à la fois comme hormones et neuro-transmetteurs n'a apparemment pas de signification physiologique, mais on pense plutôt que cela reflète un opportunisme au cours de l'évolution, résultant de l'adaptation de systèmes existants à de nouveaux rôles.

L'utilisation de techniques sélectives de marquage a établi que chacun des différents neurotransmetteurs intervient dans des régions indépendantes et souvent très localisées du système nerveux. Les différents neurotransmetteurs ne sont pas toutefois de simples équivalents fonctionnels de l'acétylcholine, mais beaucoup d'entre eux ont plutôt des rôles physiologiques distincts. Par exemple, le GABA et la glycine sont des neurotransmetteurs inhibiteurs plutôt qu'excitateurs. Les récepteurs de ces substances sont des canaux ligand-dépendants sélectivement perméables à Cl^-. Ainsi, leur ouverture tend à hyperpolariser la membrane (rendant le potentiel de membrane plus négatif) plutôt que de la dépolariser. Un neurone inhibé de cette manière doit ainsi être dépolarisé de manière plus importante pour pouvoir déclencher un potentiel d'action (il faut noter que ces neurones répondent à plus d'un type de neurotransmetteur). Ainsi, les canaux anioniques sont inhibiteurs alors que les canaux cationiques sont excitateurs. On pense que l'éthanol, le plus vieux et le plus utilisé des produits psychoactifs, agit en favorisant dans le cerveau l'ouverture des canaux Cl^- des récepteurs du GABA.

Les sous-unités de ces canaux cationiques dépendant des neuro-transmetteurs partagent de 20 à 40 % d'identité de séquence, comme c'est le cas également pour les canaux anioniques. Cependant, les deux familles de protéines intervenant comme canaux n'ont pas de relations entre elles. En dépit de ce manque d'homologie, les séquences de ces deux types de canaux suggèrent qu'elles ont une importante similitude de structure.

La nature réelle de la réponse d'un neurone à un neurotransmetteur dépend plus des caractéristiques du récepteur correspondant que de la nature du neurotransmetteur. Ainsi, comme nous l'avons vu, les récepteurs nicotiniques de l'ACh, qui déclenchent la contraction rapide des muscles squelettiques, répondent à l'ACh en quelques millisecondes en dépolarisant la membrane postsynaptique. À l'opposé, la fixation de l'ACh sur des récepteurs muscariniques du muscle cardiaque inhibe la contraction musculaire pendant plusieurs secondes (plusieurs battements cardiaques). Ceci s'accomplit par l'hyperpolarisation de la membrane postsynaptique et la fermeture des canaux K^+. Des neurotransmetteurs à action lente peuvent fonctionner en induisant la formation d'un second messager comme l'AMPc. En fait, le cerveau possède la plus forte concentration de kinases AMPc-dépendantes de l'organisme. La fixation des catécholamines sur leurs récepteurs neuronaux respectifs active, par l'intermédiaire de l'adénylate cyclase et de l'AMPc, la phosphorylation des canaux ioniques due à l'activation des kinases, ce qui modifie les propriétés électriques des neurones. L'effet final de ce processus peut être soit excitateur soit inhibiteur. Il faut noter que les catécholamines, qu'elles agissent comme hormones (Section 19-1F) ou comme neurotransmetteurs, ont des mécanismes semblables d'activation des récepteurs.

g. Les neuropeptides sont des neurotransmetteurs

Ils existe une longue liste, sans cesse croissante, de polypeptides à action hormonale, appelés **neuropeptides**, qui agissent aussi comme neurotransmetteurs. Sans surprise figurent dans cette catégorie des peptides opioïdes comme la β-endorphine, les met- et leu-enképhalines (Section 19-1K), ainsi que les facteurs hypothalamiques TRF, GnRF et somatostatine (Section 19-1H). Ce qui est plus surprenant, c'est que plusieurs hormones gastrointestinales polypeptidiques comme la gastrine, la sécrétine et la cholécystokinine (CCK ; Section 19-1C) agissent comme neurotransmetteurs dans certaines régions du cerveau. Il en est de même pour les hormones hypophysaires que sont l'ocytocine et la vasopressine (Section 19-1H). De tels neuropeptides diffèrent des simples neuro-

transmetteurs en ce qu'ils semblent déclencher des comportements complexes. Par exemple, l'injection intracrânienne à des rats d'un nanogramme de vasopressine augmente fortement leur capacité à apprendre et à se souvenir de nouvelles tâches. De même, l'injection à un rat mâle ou femelle de GnRF leur confère les postures respectives nécessaires à l'accouplement. Savoir comment fonctionnent ces neuropeptides n'est que l'une des nombreuses énigmes du fonctionnement et de l'organisation du cerveau.

RÉSUMÉ DU CHAPITRE

1 ■ Thermodynamique des transports Les molécules polaires et les ions sont transportés à travers les membranes biologiques par des protéines de transport transmembranaires spécifiques. La variation d'énergie libre de la molécule transportée dépend du rapport de ses concentrations de part et d'autre de la membrane et, si la molécule est chargée, du potentiel de membrane $\Delta\psi$.

2 ■ Cinétique et mécanismes des transports La vitesse d'une diffusion non facilitée à travers une membrane est une fonction linéaire de la différence de concentration de l'espèce de chaque côté de la membrane et elle obéit à la première loi de diffusion de Fick. Le transport facilité est caractérisé par une cinétique de saturation rapide et par la spécificité de la substance transportée. Il peut être l'objet d'inhibition compétitive et d'inactivation chimique. Les ionophores transportent les ions à travers les membranes. Les ionophores transporteurs, comme la valinomycine, assurent leur fonction en enveloppant un ion spécifique dans une structure hydrophobe, soluble dans la membrane, qui diffuse librement à travers celle-ci. Les ionophores formateurs de canaux, comme la gramicidine A, forment un pore transmembranaire par lequel des ions spécifiques peuvent diffuser rapidement. La maltoporine laisse passer spécifiquement les maltodextrines car son canal transporteur épouse leur forme en hélice de pas à gauche et est bordé de chaînes latérales aromatiques qui jouent le rôle de « glissoire lubrifiée ». Le transport du glucose à travers la membrane des érythrocytes est assuré par des glycoprotéines dimériques transmembranaires qui adoptent deux conformations : l'une avec le site de liaison du glucose orienté vers l'espace extracellulaire, l'autre avec le site de liaison orienté vers le cytosol. Le transport est assuré par la liaison du glucose à la protéine d'un côté de la membrane, suivie d'un changement de conformation qui ferme ce site et expose l'autre site (« pore à soupape »). Le canal potassique Kcs A, homotétramère transmembranaire, permet le passage rapide des ions K^+ pour lesquels il est hautement sélectif. Ceci est dû en partie au fait qu'il forme une cavité aqueuse entourée des extrémités négatives de dipôles hélicoïdaux qui stabilisent les ions K^+ au milieu de la bicouche. Les ions K^+, mais pas les ions Na^+ qui sont plus petits, sont transportés parce que le filtre de sélectivité assure la liaison spécifique par coordinence des ions K^+ grâce à des anneaux d'atomes O de sorte à permettre leur déshydratation, leur passage et leur réhydratation sans barrière d'activation significative.

3 ■ Transports actifs ATP-dépendants Le transport actif de molécules ou d'ions contre un gradient de concentration nécessite un apport d'énergie libre. L'énergie libre de l'hydrolyse de l'ATP est couplée à la sortie de trois ions Na^+ et l'entrée de deux ions K^+ dans la cellule grâce à la (Na^+–K^+) ATPase. Ce processus électrogénique implique la phosphorylation d'un résidu Asp (par l'ATP) en présence de Na^+ et sa déphosphorylation (hydrolyse) en présence de K^+. Phosphorylation et déphosphorylation s'accompagnent de changements conformationnels qui permettent des interconversions rapides de tous les intermédiaires impliqués dans le mécanisme de transport. Le

transport de Ca^{2+} ATP-dépendant par la Ca^{2+} ATPase activée par la calmoduline, et celui de H^+ par la (H^+–K^+) ATPase font intervenir des mécanismes de phosphorylation/déphosphorylation semblables. La structure par rayons X de la Ca^{2+} ATPase montre qu'elle possède un domaine transmembranaire de 10 hélices qui fixe deux ions Ca^{2+} près de son centre, et trois domaines cytoplasmiques bien séparés qui semblent être le siège de vastes mouvements rigides lors du pompage des ions Ca^{2+}. Le transport des sucres par les bactéries se fait par translocation de groupements, processus au cours duquel la substance transportée est modifiée chimiquement. Le système PTS, qui assure d'importantes fonctions de régulation, phosphoryle les sucres au cours de leur transport en utilisant le phosphoénolpyruvate comme agent phosphorylant.

4 ■ Transport actifs secondaires Les transports actifs peuvent utiliser l'énergie libre correspondant à des gradients d'ions (transports actifs secondaires). Le glucose est transporté dans les cellules de l'épithélium intestinal contre son gradient de concentration par un système symport Na^+–glucose. Ce processus est, en dernier ressort, actionné par l'énergie libre de l'hydrolyse de l'ATP car le gradient de Na^+ est constamment maintenu par la (Na^+ – K^+) ATPase. Le système est conforme à un mécanisme cinétique Bi Bi aléatoire, impliquant la liaison simultanée de Na^+ et de glucose pour que le changement conformationnel qui sous-tend le transport puisse avoir lieu. Le lactose est transporté dans *E. coli* par la lactose perméase, un système symport H^+–lactose. Ce processus est dépendant du gradient électrochimique des protons de la cellule qui, à son tour, est maintenu par une pompe à protons couplée au métabolisme oxydatif. Le système antiport ADP–ATP mitochondrial interagit également avec le potentiel de membrane dans le transport asymétrique de l'ATP sortant et de l'ADP entrant dans la mitochondrie.

5 ■ La neurotransmission Les canaux cationiques voltage-dépendants comme les canaux K_V s'ouvrent en réponse au potentiel de membrane et se ferment peu de temps après sous l'action d'une seconde porte qui fonctionne selon un mécanisme du type « boule et chaîne » modifié. Les influx nerveux sont transmis le long des membranes plasmiques des axones sous forme d'ondes électrique appelées potentiels d'action. Ceux-ci sont produits suite à l'ouverture transitoire de canaux sodiques voltage-dépendants qui laissent entrer les ions Na^+ dans la cellule, suivie, immédiatement après, de l'ouverture de canaux potassiques qui laissent sortir les ions K^+ de la cellule. Les influx nerveux sont transmis chimiquement à travers la plupart des synapses par libération de neurotransmetteurs. Le plus connu d'entre eux, l'acétylcholine (ACh), est stocké dans des vésicules synaptiques qui sont libérées, par exocytose, dans la fente synaptique. Ce processus est déclenché par une augmentation cytosolique de $[Ca^{2+}]$, provenant de l'ouverture de canaux calciques voltage-dépendants lors de l'arrivée d'un potentiel d'action. L'ACh diffuse à travers la fente synaptique et se fixe sur son récepteur, un canal ionique transmembranaire qui s'ouvre lors de la fixation d'ACh. Le flux de Na^+ entrant et de K^+ sortant de la cellule postsynaptique qui en résulte dépolarise la membrane postsynaptique, ce qui déclenche, si suffisamment de neurotransmetteur a été libéré, un potentiel d'action postsynaptique. Le récepteur de l'ACh est la cible de nombreuses neurotoxines mortelles, parmi lesquelles l'histrionicatoxine, la *d*-tubocurarine et la cobratoxine, qui se fixent toutes sur le récepteur et empêchent son ouverture. L'ACh est rapidement dégradée, avant l'arrivée d'un autre influx nerveux, sous l'action de l'acétylcholinestérase, estérase à sérine très active qui possède un site actif bordé de chaînes latérales aromatiques, ce qui est inhabituel. Les gaz neurotoxiques et la succinylcholine inhibent l'acétylcholinestérase, bloquant ainsi la transmission de l'influx nerveux au niveau des synapses cholinergiques.

De nombreuses régions spécifiques du système nerveux utilisent des neurotransmetteurs autres que l'ACh. La plupart d'entre eux sont des acides aminés, comme la glycine et le glutamate, ou leurs produits de décarboxylation et leurs dérivés, parmi lesquels les catécholamines, le GABA, l'histamine et la sérotonine. Un grand nombre de ces composés ont une activité hormonale, sauf dans lecerveau, à cause de la barrière hémato-encéphalique. Bien que de nombreux neurotransmetteurs, comme l'ACh, soient des activateurs, d'autres sont des inhibiteurs. Ces derniers stimulent l'ouverture de canaux anioniques (Cl⁻), entraînant l'hyperpolarisation de la membrane postsynaptique ce qui nécessite une plus importante dépolarisation pour déclencher un potentiel d'action. Il existe également une liste, sans cesse croissante, de neurotransmetteurs polypeptidiques, dont un grand nombre sont également des hormones. Ces derniers conduisent apparemment à des attitudes comportementales complexes.

RÉFÉRENCES

GÉNÉRALITÉS

Franklin, H.M., *The Vital Force: A Study of Bioenergetics,* Chapters 9 and 10, Freeman (1986).

Saier, M.H., Jr. and Reizer, J., Families and superfamilies of transport proteins common to prokaryotes and eukaryotes, *Curr. Opin. Struct. Biol.* **1,** 362–368 (1991).

Stein, W.D., *Transport and Diffusion across Cell Membranes,* Academic Press (1986).

CINÉTIQUE ET MÉCANISMES DES TRANSPORTS

Clapham, D.E., Unlocking family secrets: K⁺ channel transmembrane domains, *Cell* **97,** 547–550 (1999).

Dobler, M., *Ionophores and Their Structures,* Wiley–Interscience (1981).

Dutzler, R., Wang, Y.-F., Rizkallah, P.J., Rosenbusch, J.P., and Schirmer, T., Crystal structures of various maltooligosaccharides reveal a specific sugar translocation pathway, *Structure* **4,** 127–134 (1996); *and* Dutzler, R., Schirmer, T., Karplus, M., and Fischer, S., Translation mechanism of long sugar chains across the maltoporin membrane channel, *Structure* **10,** 1273–1284 (2002).

Kovacs, F., Quine, J., and Cross, T.A., Validation of the single-stranded channel conformation of gramicidin A by solid-state NMR, *Proc. Natl. Acad. Sci.* **96,** 7910–7915 (1999).

Rees, D.C., Chang, G., and Spencer, R.H., Crystallographic analysis of ion channels: Lessons and challenges, *J. Biol. Chem.* **275,** 713–716 (2000).

Zhou, Y., Morais-Cabral, J.H., Kaufman, A., and MacKinnon, R., Chemistry of ion coordination and hydration revealed by a K⁺ channel–Fab complex at 2.0 Å resolution, *Nature* **414,** 43–48 (2001); *and* Doyle, D.A., Cabral, J.M., Pfuetzner, R.A., Kuo, A., Gulbis, J.M., Cohen, S.L., Chait, B.T., and MacKinnon, R., The structure of the potassium channel: Molecular basis of K⁺ conduction and selectivity, *Science* **280,** 69–77 (1998). [Structures par rayons X du canal KcsA à haute et moyenne résolution.]

TRANSPORT DU GLUCOSE

Barnett, J.E.G., Holman, G.D., Chalkley, R.A., and Munday, K.A., Evidence for two asymmetric conformational states in the human erythrocyte sugar transport system, *Biochem. J.* **145,** 417–429 (1975).

Czech, M.P., Clancy, B.M., Pessino, A., Woon, C.-W., and Harrison, S.A., Complex regulation of simple sugar transport in insulin-responsive cells, *Trends Biochem. Sci.* **17,** 197–200 (1992).

Elsas, L.J. and Longo, N., Glucose transporters, *Annu. Rev. Med.* **43,** 377–393 (1992).

Piper, R.C., Tai, C., Kulesza, P., Pang, S., Warnock, D., Baenziger, J., Slot, J.W., Geuze, H.J., Puri, C., and James, D.E., GLUT-4 NH₂ Terminus contains a phenylalanine-based targeting motif that regulates intracellular sequestration, *J. Cell Biol.* **121,** 1221–1232 (1993).

Silverman, M., Structure and function of hexose transporters, *Annu. Rev. Biochem.* **60,** 757–794 (1991). [Traite des transporteurs de glucose par diffusion facilitée et du symport Na⁺–glucose.]

Walmsley, A.R., Barrett, M.P., Bringaud, F., and Gould, G.W., Sugar transporters from bacteria, parasites, and mammals: Structure–activity relationships, *Trends Biochem. Sci.* **22,** 476–481 (1998).

(NA⁺ – K⁺) ATPASE

Blaustein, M.P., Physiological effects of endogenous ouabain: Control of intracellular Ca²⁺ stores and cell responsiveness, *Am. J. Physiol.* **264,** C1367–C1378 (1993).

Cantley, L.C., Carilli, C.T., Smith, R.L., and Perlman, D., Conformational changes of Na,K-ATPase necessary for transport, *Curr. Top. Membr. Transp.* **19,** 315–322 (1983).

Gadsby, D.C., The Na/K pump of cardiac cells, *Annu. Rev. Biophys. Bioeng.* **13,** 373–398 (1984).

Mercer, R.W., Schneider, J.W., and Benz, E.J., Jr., Na,K–ATPase structure, *in* Agre, P. and Parker, J.C. (Eds.), *Red Blood Cell Membranes, pp.* 135–165, Marcel Dekker (1989).

Møller, J.V., Juul, B., and le Maire, M., Structural organization, ion transport, and energy transduction of P-type ATPases, *Biochim. Biophys. Acta* **1236,** 1–51 (1996).

Pedersen, P.L. and Carafoli, E., Ion motive ATPases. I. Ubiquity, properties and significance to cell function; *and* II. Energy coupling and work output, *Trends Biochem. Sci.* **12,** 146–150, 186–189 (1987).

CA²⁺–ATPASE

Carafoli, E., The Ca²⁺ pump of the plasma membrane, *J. Biol. Chem.* **267,** 2115–2118 (1992).

Enyedi, A., Vorherr, T., James, P., McCormick, D.J., Filoteo, A.G., Carafoli, E., and Penniston, J.T., The calmodulin binding domain of the plasma membrane Ca²⁺ pump interacts both with calmodulin and with another part of the pump, *J. Biol. Chem.* **264,** 12313–12321 (1989).

Jencks, W.P., Coupling of hydrolysis of ATP and the transport of Ca²⁺ by the calcium ATPase of sarcoplasmic reticulum, *Biochem. Soc. Trans.* **20,** 555–559 (1992). [Excellente discussion du mécanisme de couplage entre l'énergie chimique et le transport vectoriel d'ions contre un gradient de concentration.]

MacLennan, D.H., Rice, W.J., and Green, N.M., The mechanism of Ca^{2+} transport by sarco(endo)plasmic reticulum Ca^{2+}-ATPases, *J. Biol. Chem.* **272**, 28815–28818 (1997).

Toyoshima, C., Nakasako, M., and Ogawa, H., Crystal structure of the calcium pump of sacroplasmic reticulum at 2.6 Å resolution, *Nature* **405**, 647–655 (2000).

Wuytack, F. and Raeymaekers, L, The Ca^{2+}-transport ATPases from the plasma membrane, *J. Bioenerg. Biomembr.* **24**, 285–300 (1992).

Zhang, P., Toyoshima, C., Yonekura, K., Green, N.M., and Stokes, D.L., Structure of the calcium pump from sacroplasmic reticulum at 8-Å resolution, *Nature* **392**, 835–840 (1998).

(H⁺–K⁺) ATPASE

Besanèon, M., Shin, J.M., Mercier, F., Munson, K., Rabon, E., Hersey, S., and Sachs, G., Chemomechanical coupling in the gastric H,K ATPase, *Acta Physiol. Scand.* **146**, 77–88 (1992).

Sachs, G., Besanèon, M., Shin, J.M., Mercier, F., Munson, K., and Hersey, S., Structural aspects of the gastric H,K ATPase, *J. Bioenerg. Biomembr.* **24**, 301–308 (1992).

SYSTÈME DE PHOSPHOTRANSFÉRASE PEP-DÉPENDANT

Erni, B., Group translocation of glucose and other carbohydrates by the bacterial phosphotransferase system, *Int. Rev. Cytology* **137A**, 127–148 (1992).

Herzberg, O. and Klevit, R., Unraveling a bacterial hexose transport pathway, *Curr. Opin. Struct. Biol.* **4**, 814–822 (1994).

Hurley, J.H., Faber, H.R., Worthylake, D., Meadow, N.D., Roseman, S., Pettigrew, D.W., and Remington, S.J., Structure of the regulatory complex of *Escherichia coli* E III^{glc} with glycerol kinase, *Science* **259**, 673–677 (1993). [EIIA a d'abord été appelé EIII.]

Meadow, N.D., Fox, D.K., and Roseman, S., The bacterial phosphoenolpyruvate: Glucose phosphotransferase system, *Annu. Rev. Biochem.* **59**, 497–542 (1990); *and* Feese, M., Pettigrew, D.W., Meadow, N.D., Roseman, S., and Remington, S.J., Cation promoted association (CPA) of a regulatory and target protein is controlled by protein phosphorylation, *Proc. Natl. Acad Sci.* **91**, 3544–3548 (1994).

Saier, M.H., Jr., Chauvaux, S., Deutscher, J., Reizer, J., and Ye, J.-J., Protein phosphorylation and regulation of carbon metabolism in gram-negative versus gram-positive bacteria, *Trends Biochem. Sci.* **20**, 267–271 (1995).

SYMPORT NA⁺–GLUCOSE

Wright, E.M., The intestinal Na^+/glucose cotransporter, *Annu. Rev. Physiol.* **55**, 575–589 (1993).

LACTOSE PERMÉASE

Barrett, M.P., Walmsley, A.R., and Gould, G.W., Structure and function of facultative sugar transporters, *Curr. Opin. Cell Biol.* **11**, 496–502 (1999).

Kaback, H.R. and Wu, J., What to do while awaiting crystals of a membrane protein and thereafter, *Acc. Chem. Res.* **32**, 805–813 (1999); *and* From membrane to molecule to the third amino acid from the left with a membrane transport protein, *Q. Rev. Biophys.* **30**, 333–364 (1997).

TRANSLOCASE DES NUCLÉOTIDES ADÉNYLIQUES

Vignais, P.V., Block, M.R., Boulay, F., Brandolin, G., Dalbon, P., and Lauquin, G.J.M., Molecular aspects of structure-function relationships in mitochondrial adenine nucleotide carrier, *in* Bengha, G. (Ed.), *Structure and Properties of Cell Membranes,* Vol. II, *pp.* 139–179, CRC Press (1985).

NEUROTRANSMISSION

Alberts, B., Johnson, A., Lewis, J., Raff, M., Roberts, K., and Walter, P., *The Molecular Biology of the Cell* (4th ed.), Chapter 11, Garland Science (2002).

Armstrong, C.M. and Hille, B., Voltage-gated ion channels and electrical excitability, *Neuron* **20**, 371–380 (1998).

Catterall, W.A., Structure and regulation of voltage-gated Ca^{2+} channels, *Annu. Rev. Cell Dev. Biol.* **16**, 521–555 (2000).

Choe, S., Kreusch, A., and Pfaffinger, P.J., Towards the three-dimensional structure of voltage-gated potassium channels, *Trends Biochem. Sci.* **24**, 345–349 (1999).

Geppert, M. and Südhof, T.C., Rab3 and synaptotagmin. The yin and yang of synaptic transmission, *Annu. Rev. Neurosci.* **21**, 75–95 (1998).

Hille, B., *Ionic Channels of Excitable Membranes* (3rd ed.), Sinauer Associates (2001).

Horn, R., Conversation between voltage sensors and gates of ion channels, *Biochemistry* **39**, 15653–15658 (2000).

Koberz, W.R., Williams, C., and Miller, C., Hanging gondola structure of the T1 domain in a voltage-gated K^+ channel, *Biochemistry* **39**, 10347–10352 (2000); *and* Koberz, W.R. and Miller, C., K^+ channels lacking the 'tetramerization' domain: Implications for core structure, *Nature Struct. Biol.* **6**, 1122–1125 (1999).

Lin, R.C. and Scheller, R.H., Mechanisms of synaptic vesicle exocytosis, *Annu. Rev. Cell Dev. Biol.* **16**, 19–49 (2000).

Lodish, H., Berk, A., Zipursky, S.L., Matsudaira, P., Baltimore, D., and Darnell, J., *Molecular Cell Biology* (4th ed.), Chapter 21, Freeman (2000).

Lynch, D.R. and Snyder, S.H., Neuropeptides: Multiple molecular forms, metabolic pathways and receptors, *Annu. Rev. Biochem.* **55**, 773–799 (1986).

Minor, D.L. Potassium channels: Life in the post-structural world, *Curr. Opin. Struct. Biol.* **11**, 408–414 (2001).

Miyazawa, A., Fujiyoshi, Y., Stowell, M., and Unwin, N., Nicotinic acetylcholine receptor at 4.6 Å resolution: Transverse tunnels in the channel wall, *J. Mol. Biol.* **288**, 765–786 (1999); Unwin, N., Acetylcholine receptor channel imaged in the open state, *Nature* **373**, 37–43 (1995); *and* Unwin, N., Nicotinic acetylcholine receptor at 9 Å resolution, *J. Mol. Biol.* **229**, 1101–1124 (1993).

Orlova, E.V., Rahman, M.A., Gowen, B., Volynski, K.E., Ashton, A.C., Manser, C., van Heel, M., and Ushkaryov, Y.A., Structure of α-latrotoxin oligomers reveals that divalent cation-dependent tetramers form membrane pores, *Nature Struct. Biol.* **7**, 48–53 (2000).

Sussman, J.L., Harel, M., Frolow, F., Oefner, C., Goldman, A., Toker, L., and Silman, I., Atomic structure of acetylcholinesterase from *Torpedo californica:* A prototypic acetylcholine-binding protein, *Science* **253**, 872–879 (1991); *and* Sussman, J.L. and Silman, I., Acetylcholinesterase: Structure and use as model for specific cation–protein interactions, *Curr. Opin. Struct. Biol.* **2**, 721–729 (1992).

Yellin, G., The voltage-gated potassium channels and their relatives, *Nature* **419**, 35–42 (2002); *and* The moving parts of voltage-gated channels, *Q. Rev. Biophys.* **31**, 239–295 (1998).

Zhou, M., Morais-Cabral, J.H., Mann, S., and MacKinnon, R., Potassium channel receptor site for the inactivation gate and quaternary amine inhibitors, *Nature* **411**, 657–661 (2001).

PROBLÈMES

1. Quelle est la différence de potentiel chimique du glucose à travers une membrane cellulaire à 37°C sachant que la concentration en glucose est de 10 mM à l'extérieur de la cellule et de 0,1 mM à l'intérieur ?

*2. Si une solution d'une macromolécule chargée est en équilibre avec une solution saline séparée d'elle par une membrane perméable aux ions salins mais imperméable à la macromolécule, il s'établit un potentiel de membrane à travers la membrane. Cet **équilibre de Donnan** est dû à ce que la membrane est imperméable à certains ions mais pas à d'autres, ce qui empêche que les concentrations ioniques s'égalisent de part et d'autre de la membrane. Pour le démontrer, supposez que le sel Cl$^-$ d'une protéine monocationique P$^+$ soit dissout dans l'eau de sorte que [Cl$^-$] = 0,1M et que la solution soit séparée par une membrane imperméable à la protéine mais perméable à NaCl, d'une solution de NaCl 0,1M de même volume. En admettant qu'il n'y ait pas de variation de volume dans chacun des compartiments, quelles sont les concentrations des différentes espèces ioniques de chaque côté de la membrane une fois le système équilibré ? Quel est le potentiel de membrane ? (Indice : la masse est conservée et la solution de chaque côté de la membrane doit être électriquement neutre. A l'équilibre, $\Delta G_{Na^+} + \Delta G_{Cl^-} = 0$.)

3. Quel temps faudrait-il pour qu'une molécule de gramicidine A transporte suffisamment de Na$^+$ pour augmenter de 10 mM la concentration à l'intérieur d'un érythrocyte d'un volume de 80 μm^3 ? Supposez que la pompe à Na$^+$ de l'érythrocyte n'est pas fonctionnelle.

4. La (Na$^+$ − K$^+$) ATPase est inhibée par des concentrations nanomolaires de vanadate, qui forme un ion pentavalent, VO$_5^{5-}$, à symétrie bipyramidale trigonale. Expliquez le mécanisme de cette inhibition. (cf. Section 16-2B.)

5. La (H$^+$ − K$^+$) ATPase sécrète des protons à une concentration de 0,18M à partir de cellules dont le pH interne est 7. Quel est le ΔG nécessaire au transport de 1 mol de H$^+$ dans ces conditions ? En supposant que le ΔG de l'hydrolyse de l'ATP est de −31,5 kJ · mol^{-1} dans ces conditions, et que le potentiel de membrane est de 0,06 V, l'intérieur étant négatif, combien d'ATP doit être hydrolysé par mole de H$^+$ transporté pour que ce transport soit exergonique ?

6. Une membrane de 100 Å d'épaisseur a un potentiel de membrane de 100 mV. Quelle est la valeur de cette différence de potentiel en V · cm^{-1} ? Commentez cette valeur de potentiel en termes macroscopiques.

7. Le potentiel de membrane au repos ($\Delta\psi$) dans un neurone à 37 °C est de −60 mV (intérieur négatif). Si la variation d'énergie libre associée au transport d'un ion Na$^+$ de l'extérieur vers l'intérieur est de 11,9 kJ · mol^{-1}, et que [Na$^+$] à l'extérieur de la cellule est de 260 mM, quelle est la [Na$^+$] à l'intérieur de la cellule ?

8. Vous venez d'isoler une nouvelle souche de bactérie et vous voulez savoir si la leucine et l'éthylène glycol entrent dans ces cellules par diffusion facilitée ou par simple diffusion. Pour ce faire, vous mesurez les vitesses initiales d'entrée de ces molécules en faisant varier les concentrations externes et vous obtenez les résultats suivants :

Composé	Concentration (M)	Vitesse initiale de captage (unités arbitraires)
Leucine	1×10^{-6}	110
	2×10^{-6}	220
	5×10^{-6}	480
	1×10^{-5}	830
	3×10^{-5}	1700
	1×10^{-4}	2600
	5×10^{-4}	3100
	1×10^{-3}	3200
Ethylène glycol	1×10^{-3}	1
	5×10^{-3}	5
	0,01	10
	0,05	50
	0,1	100
	0,5	500
	1,0	1000

Quel(s) composé(s) entre(nt) par diffusion facilitée ? D'après quels critères ?

9. Donner la structure des composés suivants et indiquez quels sont ceux qui, selon vous, traversent une membrane avec ou sans un système facilité. Indiquez les critères que vous avez utilisés. (a) Ethanol, (b) glycine, (c) cholestérol et (d) ATP.

10. Ecrivez un schéma cinétique pour la (H$^+$ − K$^+$) ATPase qui assure le couplage entre l'hydrolyse de l'ATP et le transport de H$^+$. Discutez l'ordre d'addition des substrats requis pour le couplage. Spécifiez les réactions pour lesquelles une déstabilisation mutuelle s'accompagne de vitesses de transport raisonnables.

11. Quel pourrait-être le rôle fonctionnel de la digitaline dans la plante digitale ?

12. La haute perméabilité à l'eau de nombreuses cellules (p. ex. les érythrocytes et les cellules des tubules des néphrons) est en partie due à des canaux transmembranaires appelés **aquaporines**. La structure d'une aquaporine montre que ses 8 hélices forment un pore en forme de sablier dont le plus petit diamètre est de 3 Å. Cette aquaporine est imperméable au glycérol [CHOH(CH$_2$OH)$_2$]. Cependant, un **canal du glycérol**, de structure semblable et qui se rétrécit à 3,4 Å, permet le passage du glycérol mais n'est que faiblement perméable à l'eau. Quelles différences entre ces canaux pourraient rendre compte de ces perméabilités différentes ?

13. Quel est le potentiel de membrane au repos de la membrane d'un axone à 25 °C en présence (a) de tétrodotoxine ou (b) d'une concentration élevée de Cs$^+$ à l'intérieur de l'axone (utiliser les données du Tableau 20-3) ? Comment ces substances modifient-elles le potentiel d'action de l'axone ?

14. Pourquoi les influx nerveux ne se propagent-ils pas en sens inverse ?

15. **L'ion décaméthonium** est un myorelaxant de synthèse.

$$(H_3C)_3\overset{+}{N} - (CH_2)_{10} - \overset{+}{N}(CH_3)_3$$

Décaméthonium

Quel est son mécanisme d'action ?

Nous poursuivons dans ce chapitre notre exploration du métabolisme par l'étude du **cycle de l'acide citrique**, voie de dégradation oxydative commune aux eucaryotes et aux procaryotes. Ce cycle, appelé aussi **cycle des acides tricarboxyliques (TCA)** ou **cycle de Krebs,** constitue le carrefour principal du métabolisme : *il rend compte de la majeure partie de l'oxydation des glucides, acides gras et acides aminés et fournit de nombreux précurseurs de biosynthèse.* Le cycle de l'acide citrique est donc **amphibolique,** dans la mesure où il intervient à la fois dans des voies cataboliques et dans des voies anaboliques.

Nous commencerons notre étude du cycle de l'acide citrique par une vue d'ensemble de ses différentes réactions et par un résumé de l'histoire de sa découverte. Puis nous étudierons l'origine du composé de départ du cycle, l'**acétyl-coenzyme A (acétyl-CoA),** intermédiaire commun formé lors de la dégradation de la plupart des « carburants » métaboliques. Ensuite, après avoir étudié les mécanismes réactionnels des enzymes qui catalysent les réactions du cycle, nous verrons par quels moyens il est régulé. Enfin, nous considèrerons le caractère amphibolique du cycle de l'acide citrique en étudiant ses relations avec d'autres voies métaboliques.

1 ■ VUE D'ENSEMBLE DU CYCLE

Le cycle de l'acide citrique (Fig. 21-1) est une suite ingénieuse de réactions qui oxydent le groupement acétyle de l'acétyl-CoA en deux molécules de CO_2 selon un processus permettant de récupérer l'énergie libre disponible pour la synthèse de l'ATP. Avant d'étudier ces réactions en détail, penchons-nous sur la stratégie chimique du cycle en « parcourant » le cycle et en suivant le devenir du groupement acétyle à chaque réaction. Après cette étude préliminaire, nous rappellerons quelques-unes des principales découvertes qui ont permis de comprendre le cycle de l'acide citrique.

A. *Réactions du cycle*

Les huit enzymes du cycle de l'acide citrique (Fig. 21-1) catalysent une série de réactions organiques bien connues qui, au bout du compte, oxydent un groupement acétyle en deux molécules de CO_2 avec la formation concomitante de trois NADH, un $FADH_2$ et un GTP :

1. La **citrate synthase** catalyse la condensation de l'acétyl-CoA avec l'**oxaloacétate** pour donner du **citrate,** d'où le nom du cycle.

2. La stratégie des deux réactions suivantes est de convertir le citrate en un isomère plus facile à oxyder. L'**aconitase** isomérise le citrate, un alcool tertiaire difficile à oxyder, en **isocitrate,** alcool secondaire facile à oxyder. Il y a d'abord déshydratation du citrate qui donne le *cis*-aconitate lié à l'enzyme, puis hydratation de sorte que le groupement hydroxyle du citrate est transféré sur un atome de carbone adjacent.

3. L'**isocitrate déshydrogénase** oxyde l'isocitrate en **oxalosuccinate,** un intermédiaire β-cétoacide, grâce à la réduction couplée de NAD^+ en NADH ; l'oxalosuccinate est ensuite décarboxylé pour donner l'**α-cétoglutarate.** C'est la première réaction dans laquelle l'oxydation est couplée à la formation de NADH et la première aussi où il y a formation de CO_2.

4. Le complexe multienzymatique **α-cétoglutarate déshydrogénase** catalyse la décarboxylation oxydative de l'α-cétoglutarate en **succinyl-coenzyme A.** La réaction s'accompagne de la réduction d'un second NAD^+ en NADH et de la formation d'une deuxième molécule de CO_2. À ce stade, deux molécules de CO_2 ont été formées de sorte que l'oxydation du groupement acétyle est

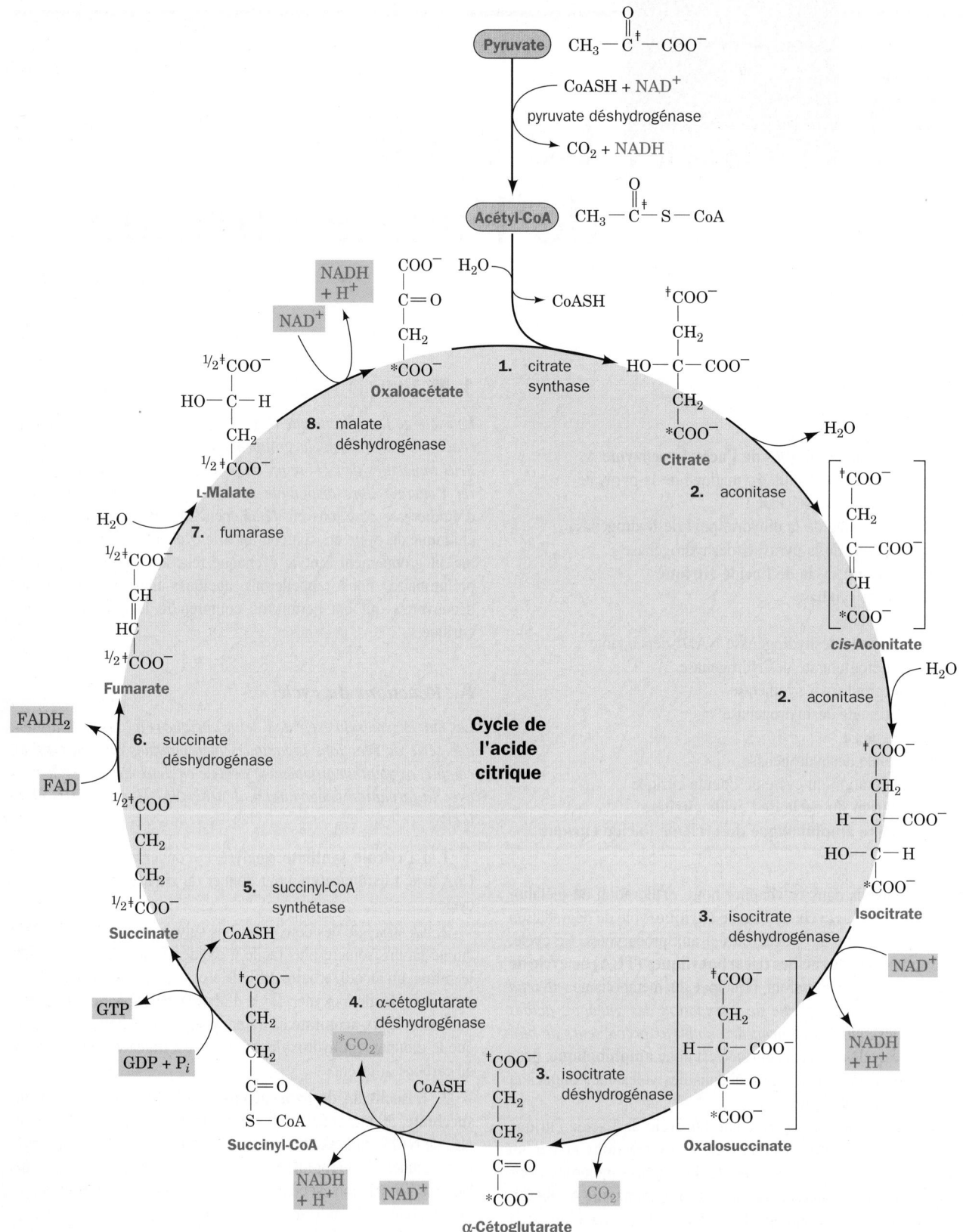

FIGURE 21-1 Réactions du cycle de l'acide citrique. Les substrats et les produits du cycle catalytique sont encadrés. La réaction pyruvate → acétyl-CoA (*en haut*) fournit le substrat du cycle en provenance du catabolisme des glucides mais n'est pas considérée comme faisant partie du cycle. Les composés entre crochets sont des intermédiaires liés aux enzymes. Un marquage isotopique du C4 de l'oxaloacétate (*) devient le C1 de l'α-cétoglutarate et est libéré sous forme de CO_2 au cours de la réaction 4. Un marquage isotopique de l'acétyl-CoA (‡) devient le C5 de l'α-cétoglutarate et se trouve réparti dans la réaction 5 entre les C1 et C4 du succinate (1/2‡).

complète. Noter cependant que ce ne sont pas les atomes de carbone de l'acétyl-CoA entrant qui ont été oxydés.

5. La **succinyl-CoA synthétase** transforme le succinyl-CoA en **succinate**. L'énergie libre de la liaison thioester est conservée au cours de cette réaction par la formation de GTP (« riche en énergie ») à partir de GDP + P$_i$.

6. Les réactions restantes du cycle vont régénérer l'oxaloacétate à partir du succinate, afin de permettre au cycle de reprendre. La **succinate déshydrogénase** catalyse l'oxydation de la simple liaison centrale du succinate en une double liaison trans, donnant le **fumarate** avec la réduction concomitante du coenzyme rédox FAD en FADH$_2$ (les formules moléculaires du FAD et du FADH$_2$ et leurs réactions d'interconversion sont données à la Fig. 16-8).

7. La **fumarase** catalyse ensuite l'hydratation de la double liaison du fumarate, ce qui donne le **malate.**

8. Enfin, la **malate déshydrogénase** redonne de l'oxaloacétate en oxydant la fonction alcool secondaire du malate en cétone correspondante, avec la réduction concomitante d'un troisième NAD$^+$ en NADH.

Les groupements acétyle sont ainsi complètement oxydés en CO$_2$ selon la stœchiométrie :

$$3NAD^+ + FAD + GDP + P_i + \text{acétyl-CoA} \rightarrow$$
$$3NADH + FADH_2 + GTP + CoA + 2CO_2$$

Le cycle de l'acide citrique fonctionne catalytiquement puisqu'il régénère l'oxaloacétate : un nombre infini de groupements acétyle peuvent être oxydés par l'entremise d'une seule molécule d'oxaloacétate.

Le NADH et le FADH$_2$ sont des produits de toute première importance du cycle de l'acide citrique. Leur réoxydation par l'O$_2$ via la chaîne de transport des électrons et les phosphorylations oxydatives (Chapitre 22) achèvent la dégradation des métabolites par un mécanisme qui assure la synthèse d'ATP. Les autres fonctions du cycle seront étudiées dans la Section 21-5.

B. *Rappel historique*

C'est en 1937 que Hans Krebs proposa le cycle de l'acide citrique, une des découvertes les plus importantes de la chimie métabolique. C'est pourquoi nous en résumons l'histoire.

Au début des années 1930, on était sur le point d'élucider la voie de la glycolyse (Section 17-1A). Toutefois, le mécanisme de l'oxydation du glucose et son rapport avec la respiration cellulaire (la consommation d'oxygène) restaient mystérieux. Néanmoins, la participation de plusieurs métabolites aux oxydations cellulaires était bien établie. On savait, par exemple, qu'en plus du lactate et de l'acétate, les dicarboxylates succinate, malate et α-cétoglutarate, ainsi que le tricarboxylate citrate, sont rapidement oxydés par le tissu musculaire pendant la respiration. On savait également que le **malonate** (Section 21-3F), inhibiteur puissant de l'oxydation du succinate en fumarate, inhibe aussi la respiration cellulaire, et on soupçonnait donc que le succinate joue un rôle central dans le métabolisme oxydatif plutôt que celui d'une substance métabolique supplémentaire.

En 1935, Albert Szent-Györgyi montra que la respiration cellulaire est considérablement accélérée par l'addition de quantités catalytiques de succinate, de fumarate, de malate ou d'oxaloacétate ; autrement dit, *l'addition de l'une de ces substances à du tissu musculaire broyé stimule la consommation d'oxygène et la production de CO$_2$ à des valeurs très supérieures à celles correspondant à l'oxydation du dicarboxylate ajouté.* Szent-Györgyi montra ensuite que ces composés se transforment selon la séquence :

$$\text{Succinate} \rightarrow \text{fumarate} \rightarrow \text{malate} \rightarrow \text{oxaloacétate}$$

Peu de temps après, Carl Martius et Franz Knoop montrèrent que le citrate est isomérisé, via le *cis*-aconitate, en isocitrate, lequel est déshydrogéné en α-cétoglutarate. On savait déjà que l'α-cétoglutarate subissait une réaction de décarboxylation oxydative pour donner du succinate et du CO$_2$. D'où la séquence de réactions suivante :

$$\text{Citrate} \rightarrow cis\text{-aconitate} \rightarrow \text{isocitrate} \rightarrow \alpha\text{-cétoglutarate}$$
$$\rightarrow \text{succinate} \rightarrow \text{fumarate} \rightarrow \text{malate} \rightarrow \text{oxaloacétate}$$

Pour pouvoir boucler le cycle afin de rendre le système catalytique, il fallait établir comment l'oxaloacétate était transformé en citrate. En 1936, Martius et Knoop montrèrent que le citrate pouvait être formé par voie non enzymatique à partir d'oxaloacétate et de pyruvate en présence de H$_2$O$_2$ en se plaçant en milieu alcalin. Krebs utilisa ce modèle chimique comme point de départ d'expériences biochimiques qui l'amenèrent à proposer le cycle de l'acide citrique.

L'hypothèse de Krebs se fondait sur ses recherches, commencées en 1936, sur la respiration de broyats de muscle d'aile de pigeon (dont la vitesse de respiration est particulièrement élevée). L'idée d'un cycle catalytique n'était pas nouvelle pour lui : en 1932, il avait, avec Kurt Henseleit, élucidé les grandes lignes du **cycle de l'urée**, au cours duquel l'ammoniaque et le CO$_2$ sont transformés en urée (Section 26-2). Parmi les observations les plus importantes faites par Krebs en accord avec l'existence du cycle de l'acide citrique, citons :

1. Le succinate se forme à partir de fumarate, de malate ou d'oxaloacétate en présence du malonate, un inhibiteur métabolique. Puisque le malonate inhibe la réduction directe du fumarate en succinate, le succinate doit se former par un cycle oxydatif.

2. Le pyruvate et l'oxaloacétate peuvent former du citrate par voie enzymatique. Krebs suggéra alors que le cycle métabolique est bouclé par la réaction :

$$\text{Pyruvate} + \text{oxaloacétate} \rightarrow \text{citrate} + CO_2$$

3. Les vitesses d'interconversion des différentes réactions du cycle sont suffisamment rapides pour rendre compte des vitesses de respiration observées, donc le cycle doit être (au moins) la principale voie d'oxydation du pyruvate dans le muscle.

Bien que Krebs ait établi l'existence du cycle de l'acide citrique, quelques lacunes restaient à combler. Le mécanisme de la formation du citrate ne fut élucidé que lorsque Nathan Kaplan et Fritz Lipmann découvrirent le **coenzyme A** en 1945 (Section 21-2), et que Severo Ochoa et Feodor Lynen montrèrent en 1951 que l'acétyl-CoA est l'intermédiaire qui se condense avec l'oxaloacétate pour donner du citrate. On montra également que la décarboxylation oxydative de l'α-cétoglutarate en succinate nécessite du coenzyme A et qu'il se forme du succinyl-CoA comme intermédiaire.

L'élucidation du cycle de l'acide citrique constitue une découverte exceptionnelle, et, comme toutes les découvertes de cette importance, elle a nécessité les travaux de nombreux chercheurs. En réalité, de nombreux biochimistes travaillent encore actuellement à l'élucidation du cycle au niveau enzymatique et moléculaire. Après avoir étudié l'acétyl-CoA et son origine, principal substrat du cycle, nous passerons en revue les huit enzymes qui catalysent ses différentes réactions.

2 ■ VUE ORIGINES MÉTABOLIQUES DE L'ACÉTYL-COENZYME A

*Les groupements acétyle entrent dans le cycle de l'acide citrique sous la forme d'**acétyl-coenzyme A (acétyl-SCoA** ou **acétyl-CoA** : Fig. 21-2), produit commun de la dégradation des glucides, des acides gras et des acides aminés.* Le **coenzyme A** (**CoASH** ou **CoA**) est formé d'un groupement β-mercaptoéthylamine lié par une liaison amide à la vitamine **acide pantothénique**, qui à son tour est lié à la 3-phosphoadénosine par l'intermédiaire d'une liaison pyrophosphate. Le groupement acétyle de l'acétyl-CoA forme une liaison thioester avec le groupement sulfhydryle du groupement β-mercaptoéthylamine. *Le CoA assure donc le transport du groupement acétyle ainsi que d'autres groupements acyle (le A de CoA désigne « acétylation »).*

L'acétyl-CoA est un composé « riche en énergie » : le $\Delta G^{\circ\prime}$ de l'hydrolyse de sa liaison thioester est de $-31{,}5$ kJ·mol^{-1}, soit légè-

rement plus exergonique (1 kJ·mol^{-1}) que l'hydrolyse de l'ATP (Section 16-4B). La formation de cette liaison thioester dans un métabolite permet de mettre en réserve une partie de l'énergie libre de l'oxydation d'un substrat.

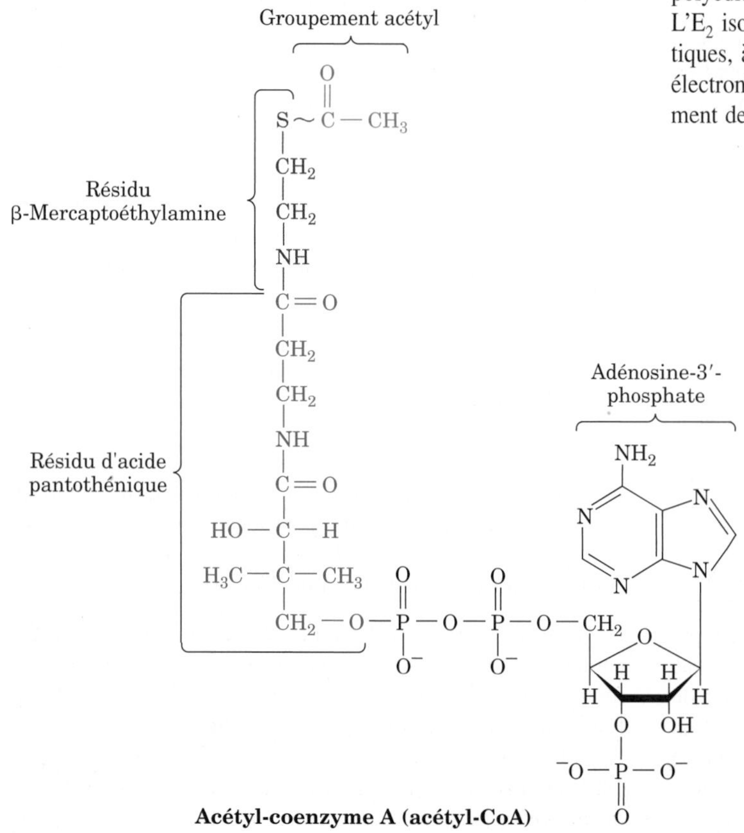

A. *Le complexe multienzymatique de la pyruvate déshydrogénase (PDC)*

Le précurseur immédiat de l'acétyl-CoA lors de la dégradation de glucides est le pyruvate, produit de la glycolyse. Nous avons vu dans la Section 17-3 que, dans des conditions anaérobies, le NADH formé au cours de la glycolyse est réoxydé avec la réduction concomitante de pyruvate en lactate (dans le muscle) ou en éthanol (dans la levure). Cependant, dans des conditions aérobies, le NADH est réoxydé par la chaîne respiratoire mitochondriale (Section 22-2) de sorte que le pyruvate, qui entre dans la mitochondrie via un système symport pyruvate-H$^+$ spécifique (la nomenclature des transports membranaires est donnée dans la Section 20-3), peut subir une oxydation plus poussée. (La formation d'acétyl-CoA à partir des acides gras et des acides aminés sera étudiée dans les Sections 25-2 et 26-3).

L'acétyl-CoA se forme à partir de pyruvate par décarboxylation oxydative grâce à un **complexe multienzymatique** appelé **pyruvate déshydrogénase.** Généralement, les complexes multienzymatiques sont formés d'enzymes associées qui catalysent deux réactions successives ou plus, d'une voie métabolique. Le **complexe multienzymatique de la pyruvate déshydrogénase (PDC)** est constitué de trois enzymes : la **pyruvate déshydrogénase** (E_1), la **dihydrolipoyl transacétylase** (E_2) et la **dihydrolipoyl déshydrogénase** (E_3). Le complexe pyruvate déshydrogénase d'*E. coli*, particulièrement bien étudié par Lester Reed, est une particule polyédrique de ~4600 kD et de ~300 Å de diamètre (Fig. 21-3*a*). L'E_2 isolée d'*E. coli* forme une particule de 24 sous-unités identiques, à symétrie cubique comme le montrent les micrographies électroniques (Fig. 21-3*b*, 21-4*a* et 21-5*a*). Les sous-unités E_1 forment des dimères qui s'associent avec le cube E_2 aux centres des

FIGURE 21-2 Formule développée de l'acétyl-CoA. La liaison thioester est représentée par un ~ pour indiquer que c'est une liaison « riche en énergie ». Dans le CoA, le groupement acétyle est remplacé par un hydrogène.

Acétyl-coenzyme A (acétyl-CoA)

FIGURE 21-3 Micrographies électroniques du complexe multienzymatique pyruvate déshydrogénase d'*E. coli*. (*a*) Complexe intact. (*b*) Complexe du noyau central de la dihydrolipoyl transacétylase (E₂). [Avec la permission de Lester Reed, University of Texas.]

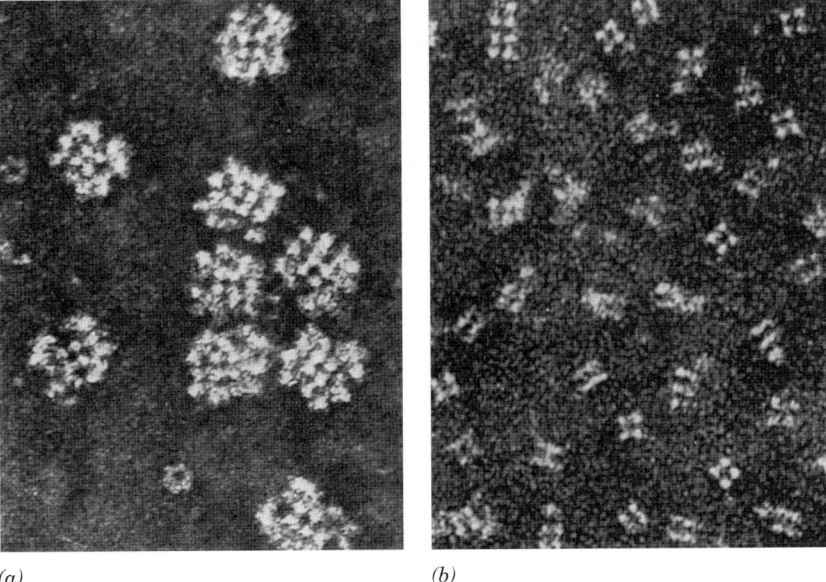

(*a*)   (*b*)

FIGURE 21-4 Organisation structurale du PDC d'*E. coli*. (*a*) Noyau dihydrolipoyl transacétylase (E₂) du complexe. Ses 24 sous-unités (*sphères vertes*) associées en trimères sont localisées aux coins d'un cube pour donner une particule à symétrie cubique (Symétrie *O* ; Section 8-5B). (*b*) Les 24 sous-unités pyruvate déshydrogénase (E₁, *sphères oranges*) forment des dimères qui s'associent avec le noyau E₂ (*cube ombré*) au centre de chacune de ses 12 arêtes, tandis que les 12 sous-unités de dihydrolipoyl déshydrogénase (E₃, *sphères violettes*) forment des dimères qui se lient au cube E₂ au centre de chacune de ses six faces. (*c*) Combinaison des parties *a et b* pour former le complexe entier de 60 sous-unités.

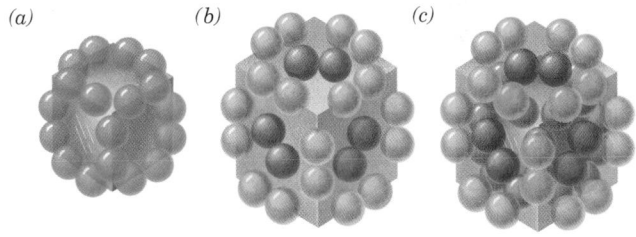

(*a*)   (*b*)   (*c*)

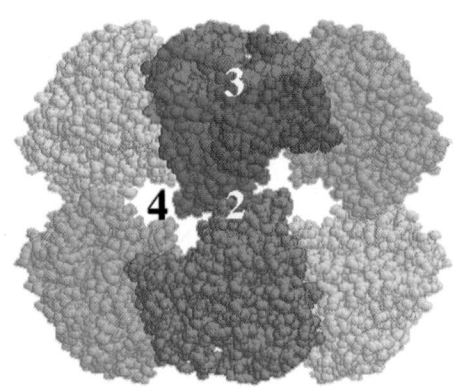

(*a*)

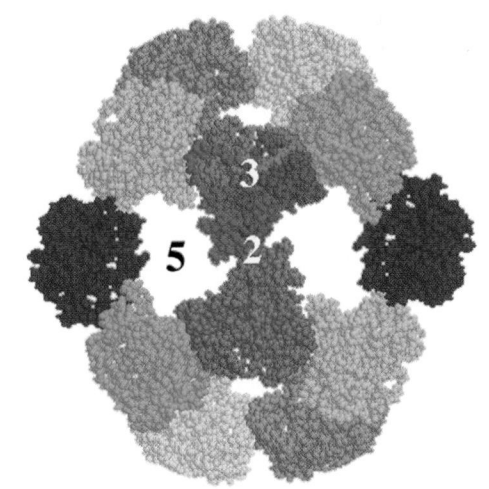

(*b*)

FIGURE 21-5 Comparaison des structures par rayons X des noyaux dihydrolipoyl transacétylase (E₂) de différents PDC. Les structures, en modèle compact, sont vues dans le sens de leur axe de symétrie d'ordre 2. La partie postérieure de chaque complexe, qui est presqu'entièrement masquée par la partie antérieure, a été enlevée pour plus de clarté. (*a*) Noyau E₂ cubique d'*Azobacter vinelandii*. Il comporte 24 sous-unités qui forment 8 trimères, montrés ici en couleurs différentes. Les positions d'axes de symétrie d'ordre 2, 3 et 4 sont indiquées. Sa hauteur est d'environ 125 Å. (*b*) Noyau E₂ dodécaédrique de *B. stearothermophilus*. Il comporte 60 sous-unités qui forment 20 trimères, montrés ici en couleurs différentes. Les positions d'axes de symétrie d'ordre 2, 3 et 5 sont indiquées. Son diamètre externe est d'environ 237 Å. Les sous-unités formant le trimère au dessus du centre de chaque dessin sont colorées individuellement. Noter que ces sous-unités sont étroitement associées, mais que, dans les deux types de complexes, les interactions entre trimères sont plutôt faibles. Noter aussi que ces trimères en contact forment, respectivement, des cycles à 4 et à 5 sommets qui constituent les faces carrées et pentagonales des complexes cubique et dodécaédrique. [D'après des structures par rayons X dues à Wim Hol, University of Washington. PDBid 1EAB et 1B5S.]

12 arêtes du cube (Fig. 21-4*b* et *c*), tandis que les sous-unités E_3 forment des dimères situés aux centres des 6 faces de ce cube. Nous étudierons ci-dessous les structures par rayons X des sous-unités E_1, E_2 et E_3.

a. Certains PDC ont une forme de dodécaèdre

Bien que tous les PDC catalysent les mêmes réactions par des mécanismes semblables, ils peuvent avoir des structures quaternaires différentes. Alors que les PDC d'*E. coli* et de la plupart des autres bactéries Gram négatif ont la symétrie cubique mentionnée ci-dessus, ceux des eucaryotes et de certaines bactéries Gram positif ont une même forme dodécaédrique [Fig. 21-5*b* ; un dodécaèdre est un polyèdre régulier de symétrie *I* (Section 8-5B) possédant 20 sommets, chacun sur un axe d'ordre 3, et douze faces pentagonales totalisant 30 arêtes]. Ainsi,n le complexe des mitochondries des eucaryotes, le plus grand complexe multienzymatique connu (~10 000 kD), est formé de 30 hétérotétramères ($\alpha_2\beta_2$) E_1 (un au centre de chaque arête) et de 12 dimères E_3 (un au centre de chaque face) qui entourent un noyau central formé de 20 trimères E_2 disposés pour former un dodécaèdre.

Le fait que les PDC des eucaryotes et des bactéries Gram positif forment un dodécaèdre suggère que les mitochondries descendraient de ces bactéries. Toutefois, les mitochondries sont limitées par deux membranes comme les bactéries Gram négatif, alors que les bactéries Gram positif n'ont qu'une membrane (Sections 1-2A et 11-3B). Cependant, des comparaisons de séquences de génomes ont récemment démontré que les mitochondries sont en fait étroitement apparentées au parasite intracellulaire obligatoire *Rickettsia prowazekii*, l'agent responsable du typhus. Ces bactéries sont Gram négatif, mais la structure de leur PDC est dodécaédrique.

b. Les complexes multienzymatiques sont des catalyseurs très efficaces

Les complexes multienzymatiques représentent un saut évolutif en direction d'une plus grande efficacité catalytique. Ils offrent les avantages mécanistiques suivants :

1. Les vitesses des réactions enzymatiques sont limitées par la fréquence de collision entre enzymes et substrats (Section 14-2B). Si une suite de réactions se déroule au sein d'un complexe multienzymatique, la distance que doivent parcourir les substrats entre les sites actifs est minimisée, ce qui augmente la vitesse de l'ensemble des réactions.

2. La formation d'un complexe donne les moyens de **guider** les intermédiaires métaboliques d'une enzyme à l'autre dans une voie métabolique, minimisant ainsi les réactions annexes.

3. Les réactions catalysées par un complexe multienzymatique peuvent être régulées de manière coordonnée.

c. La formation de l'acétyl-CoA fait intervenir cinq réactions

Le PDC catalyse cinq réactions successives (Fig. 21-6) dont la stœchiométrie globale est la suivante :

$$\text{Pyruvate} + \text{CoA} + \text{NAD}^+ \rightarrow \text{acétyl-CoA} + \text{CO}_2 + \text{NADH}$$

Les coenzymes et groupements prosthétiques nécessaires dans cette suite de réactions sont la thiamine pyrophosphate (TPP ; Fig. 17-26), le flavine adénine dinucléotide (FAD ; Fig. 16-8), le nicotinamide adénine dinucléotide (NAD$^+$; Fig. 13-2), et le **lipoamide** (Fig. 21-7) ; leurs rôles sont indiqués dans le Tableau 21-1. Le lipoamide est constitué d'**acide lipoïque** qui forme une liaison amide avec un groupement ε–amino d'un résidu Lys. La réduction de son disulfure cyclique en un dithiol, le **dihydrolipoamide**, et sa réoxydation (Fig. 21-7) sont « l'affaire »de ce groupement prosthétique.

Les cinq réactions catalysées par le PDC sont (Fig. 21-6) :

1. La pyruvate déshydrogénase (E_1), enzyme à TPP, décarboxyle le pyruvate avec la formation intermédiaire de l'hydroxyé-

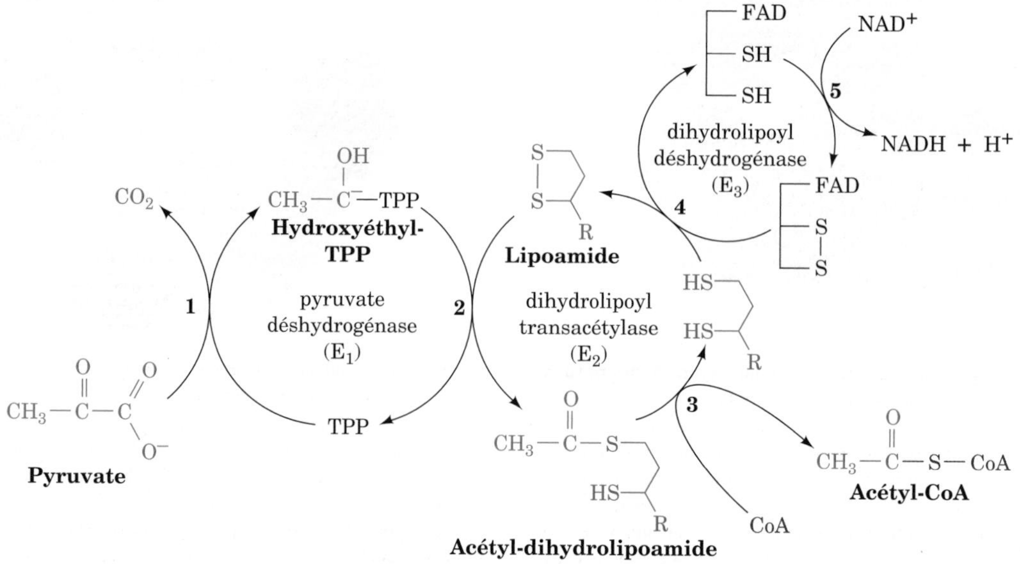

FIGURE 21-6 Les cinq réactions du PDC. E_1 (la pyruvate déshydrogénase) contient la TPP et catalyse les réactions 1 et 2. E_2 (la dihydrolipoyl transacétylase) contient le lipoamide et catalyse la réaction 3. E_3 (la dihydrolipoyl déshydrogénase) contient du FAD et un disulfure à activité rédox et elle catalyse les réactions 4 et 5.

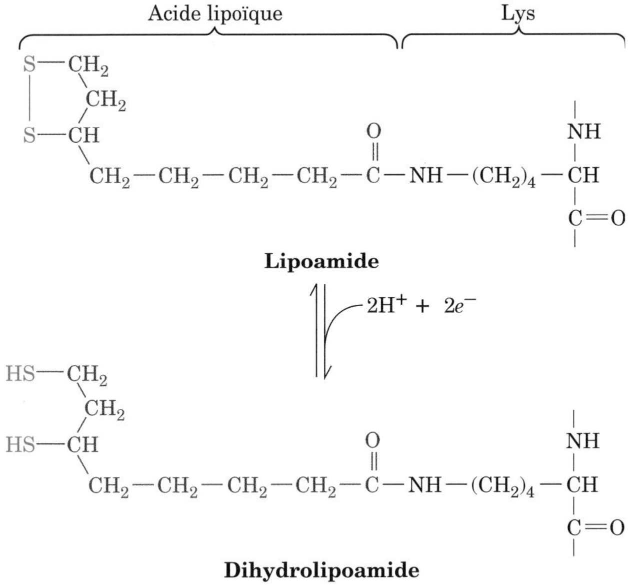

FIGURE 21-7 Interconversion du lipoamide et du dihydrolipoamide.
Le lipoamide est l'acide lipoïque lié par covalence au groupe ε-amino
d'un résidu Lys de l'apoenzyme, par une liaison amide.

thyl-TPP. Cette réaction est identique à celle catalysée par la pyruvate décarboxylase de levure (Section 17-3B) :

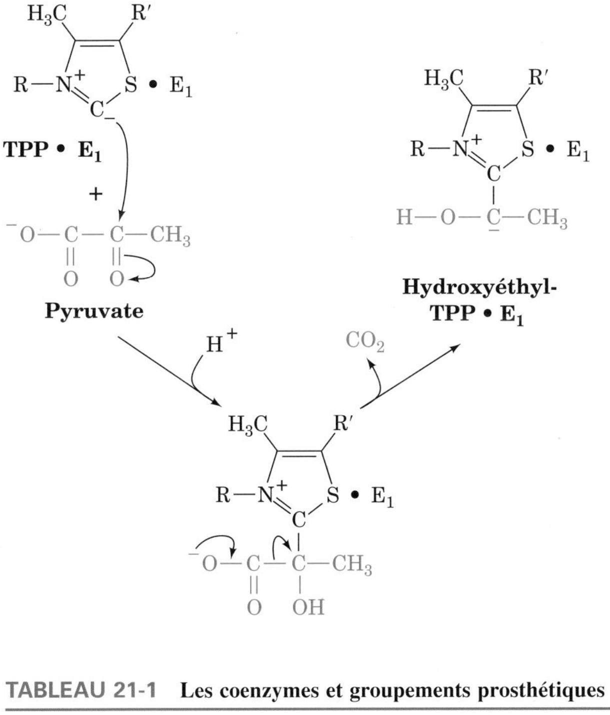

2. Cependant, à l'inverse de la pyruvate décarboxylase, la pyruvate déshydrogénase ne transforme pas l'intermédiaire hydroxyéthyl-TPP en acétaldéhyde et TPP. Le groupement hydroxyéthyle est au contraire transféré à l'enzyme suivante de la séquence multienzymatique, la dihydrolipoyl transacétylase (E_2). La réaction se fait par l'attaque du groupement carbanion de l'hydroxyéthyle sur le disulfure du lipoamide, suivie de l'élimination de la TPP de l'adduit intermédiaire, ce qui donne l'acétyl-dihydrolipoamide et régénère la forme active de E_1. Le carbanion hydroxyéthyle est ainsi oxydé en groupement acétyle en même temps qu'il y a réduction de la liaison disulfure du lipoamide :

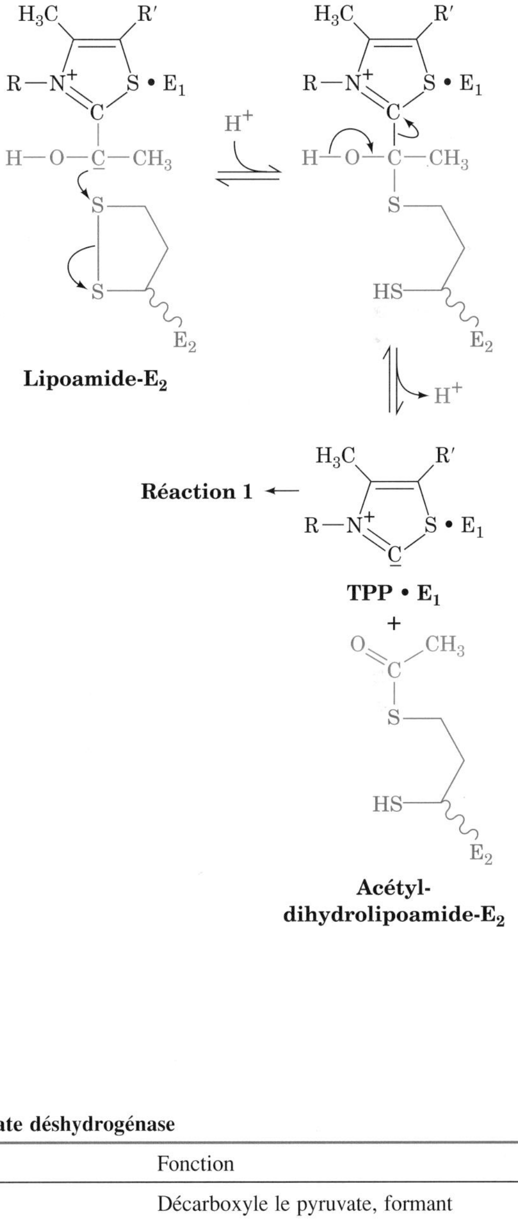

TABLEAU 21-1 Les coenzymes et groupements prosthétiques de la pyruvate déshydrogénase

Cofacteur	Localisation	Fonction
Thiamine pyrophosphate (TPP)	Liée à E_1	Décarboxyle le pyruvate, formant un carbanion hydroxyéthyl-TPP
Acide lipoïque	Lié par covalence à une Lys de E_2 (lipoamide)	Accepte le carbanion hydroxyéthyle du TPP comme un groupement acétyle
Coenzyme A (CoA)	Substrat pour E_2	Accepte le groupement acétyle de l'acétyl-dihydrolipoamide
Flavine adénine dinucléotide (FAD)	Lié à E_3	Réduit par le dihydrolipoamide
Nicotinamide adénine dinucléotide (NAD^+)	Substrat pour E_3	Réduit par le $FADH_2$

3. Le transfert du groupement acétyl sur le CoA est ensuite catalysé par E_2, donnant l'acétyl-CoA et le dihydrolipoamide-E_2 :

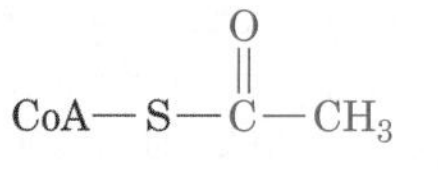

Acétyl-CoA

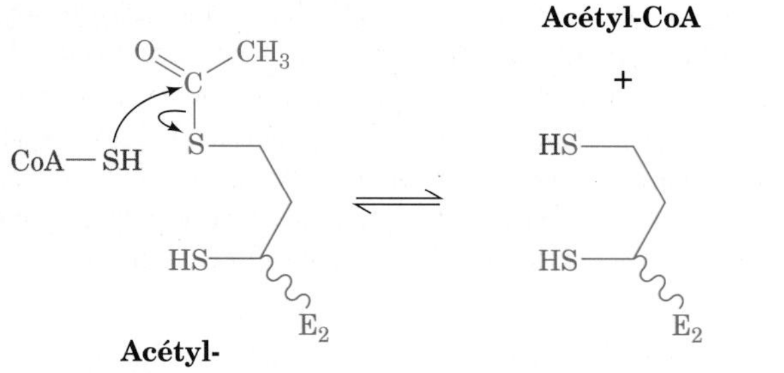

Acétyl-dihydrolipoamide-E_2

Dihydrolipoamide-E_2

C'est une réaction de transestérification dans laquelle le groupement sulfhydryle du CoA attaque le groupement acétyle de l'acétyl-dihydrolipoamide-E_2 pour former un intermédiaire tétraédrique (non montré), qui se décompose en acétyl-CoA et en dihydrolipoamide-E_2.

4. La dihydrolipoyl déshydrogénase (E_3 ; appelée aussi la **lipoamide déshydrogénase**) réoxyde le dihydrolipoamide, complétant ainsi le cycle catalytique de E_2 :

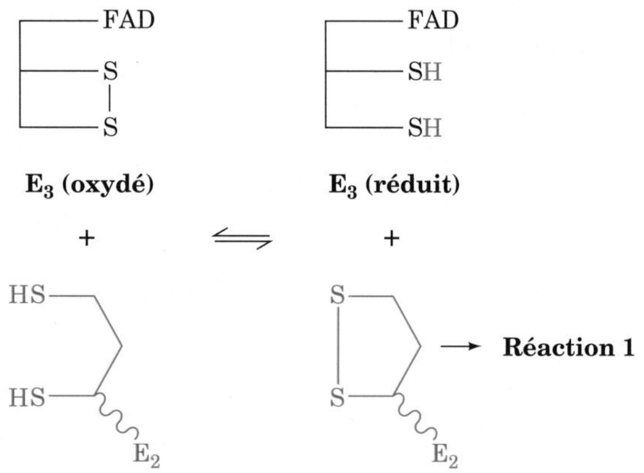

E_3 (oxydé)

E_3 (réduit)

+

⟶ **Réaction 1**

La forme oxydée de E_3 présente un groupement disulfure réactionnel et un FAD fortement lié. L'oxydation du dihydrolipoamide est une réaction d'échange de liaison disulfure (Section 9-1A) : la liaison disulfure du lipoamide se forme avec la réduction concomitante du disulfure réactionnel de E_3 en deux groupements sulfhydryle.

5. E_3 réduite est réoxydée par le NAD^+ :

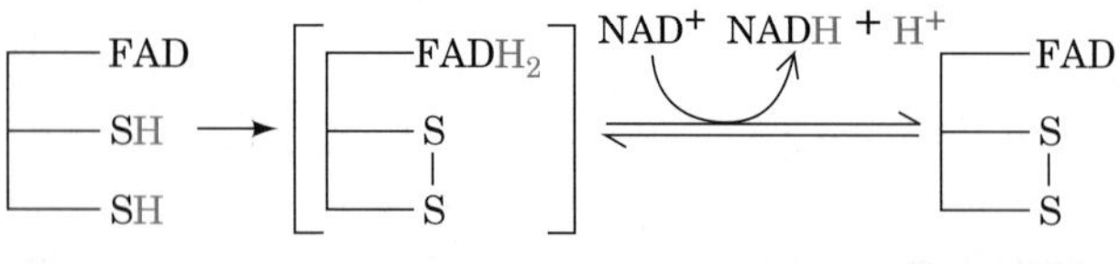

E_3 (oxydé)

Réaction 4

Les groupements sulfhydryle actifs de l'enzyme sont réoxydés par le FAD lié à l'enzyme, qui se trouve ainsi réduit en $FADH_2$. Le $FADH_2$ est alors réoxydé en FAD par le NAD^+, donnant du NADH.

d. Le bras lipoyllysyl assure le transfert des intermédiaires entre les sous-unités du complexe

Comment les intermédiaires des réactions sont-ils acheminés entre les différentes enzymes du PDC ? Le groupement entre la liaison disulfure du lipoamide et le squelette peptidique de E_2, ce que l'on désigne par le **bras lipoyllysyl**, a une longueur en complète extension de 14 Å :

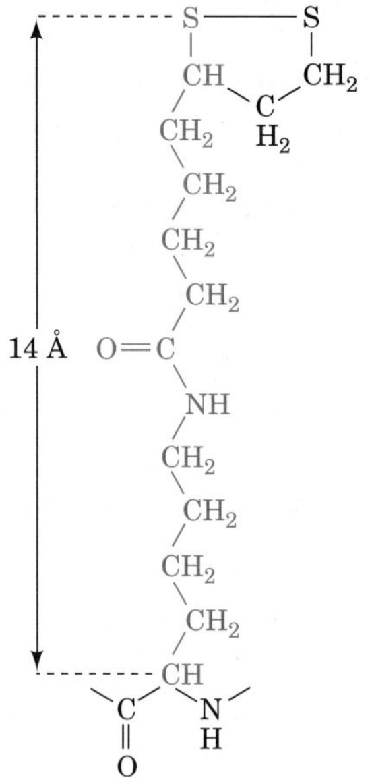

Bras lipoyllysyl (en extension)

On pense que *le bras lipoyllysyl agirait comme le pendule d'une horloge faisant osciller le groupement lipoamide et son produit réduit acétylé (Réaction 2) entre les sites actifs de E_1, E_2 et E_3.* De fait, des analyses spectroscopiques ont montré que le domaine de E_2 porteur du bras lipoyllysyl est relié de façon souple au reste de la sous-unité. De plus, il y a un échange rapide de groupements acétyle entre les groupements lipoyle du noyau central de E_2 (24 groupements lipoyle chez *E. coli*, 60 chez les mammifères) ; ces bras accrochés se déplacent également entre eux, permettant l'échange de groupements acétyle et disulfure :

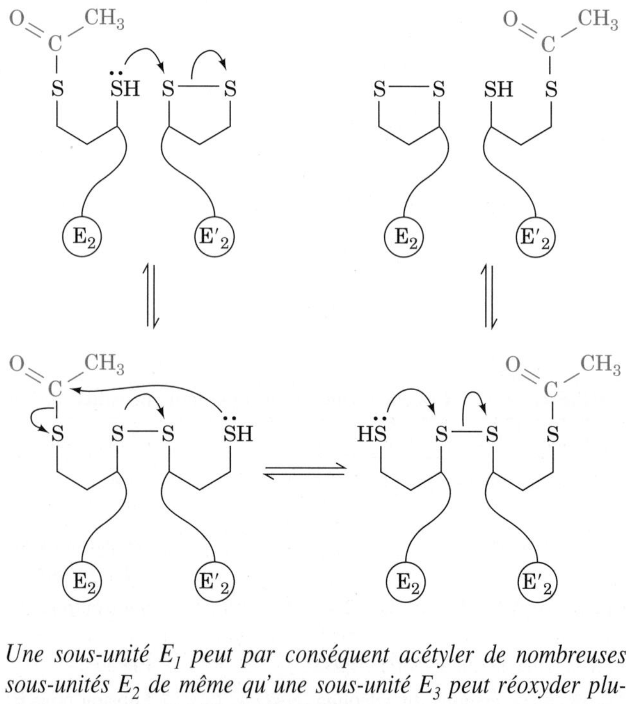

Une sous-unité E_1 peut par conséquent acétyler de nombreuses sous-unités E_2 de même qu'une sous-unité E_3 peut réoxyder plusieurs groupements dihydrolipoamide.

e. Structure de E₂

La dihydrolipoyl transacétylase (E_2) est formée de plusieurs domaines (Fig. 21-8) : de un à trois domaines lipoyle N-terminaux (~80 résidus) chacun lié par covalence à un résidu lipoamide, un domaine périphérique (~35 résidus) de liaison à E_1 et à E_3 et un domaine catalytique C-terminal (~250 résidus) contenant le centre catalytique de l'enzyme et ses sites de liaison entre sous-unités. Ces domaines sont reliés par des segments de 20 à 40 résidus particulièrement souples, riches en Pro et Ala, conférant ainsi aux domaines lipoyle la mobilité nécessaire pour qu'ils interagissent avec E_1 et E_3.

La structure par rayons X du domaine catalytique (résidus 409-638) de E_2 de la bactérie Gram négatif *Azotobacter vinelandii*, déterminée par Wim Hol, montre, en accord avec les observations de microscopie électronique déjà citées, que E_2 est constituée de huit trimères étroitement associés (Fig. 21-9) disposés aux coins d'un cube (Fig. 21-5a). La structure en forme de cage creuse qui en résulte présente des canaux suffisamment grands pour permettre l'entrée et la sortie des substrats par diffusion. En réalité, les structures par rayons X du complexe ternaire formé du domaine catalytique, du coenzyme A et de l'acide dihydrolipoïque a montré que ces substrats se lient en complète extension aux extrémités opposées d'un canal de 30 Å de long qui se trouve à l'interface entre deux des sous-unités dans un trimère. Cette disposition implique que le CoA s'approche de son site de liaison depuis l'intérieur du cube. Les domaines lipoyle souples de E_2 avanceraient depuis le noyau central afin d'interagir avec les domaines lipoyle de sous-unités E_2 voisines, ainsi qu'avec E_1 et E_3 (voir ci-dessous).

Les structures par RMN des domaines lipoyle de E_2 de plusieurs organismes confirment le caractère exposé du site du groupement lipoyle. Elles montrent un sandwich en tonneau β contenant un feuillet β à 4 segments et un autre à 3 segments antiparallèles, la Lys à laquelle le groupement lipoyl serait attaché s'étendant à partir d'une position exposée sur un coude β de type I qui relie deux des segments β du feuillet à 4 segments (Fig. 21-10a).

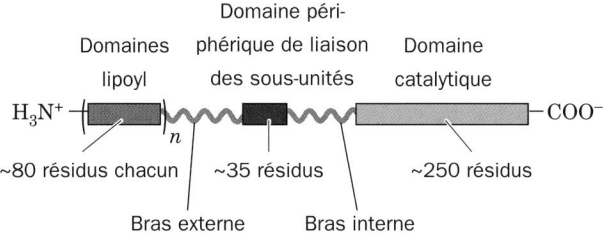

FIGURE 21-8 Structure en domaines de la sous-unité dihydrolipoyl transacétylase (E_2) du PDC. Le nombre de domaines lipoyl, *n*, varie selon les espèces : *n* = 3 pour *E. coli* et *A. vinelandii*, *n* = 2 pour les mammifères et *Streptococcus faecalis*, et *n* = 1 pour *B. stearothermophilus* et la levure.

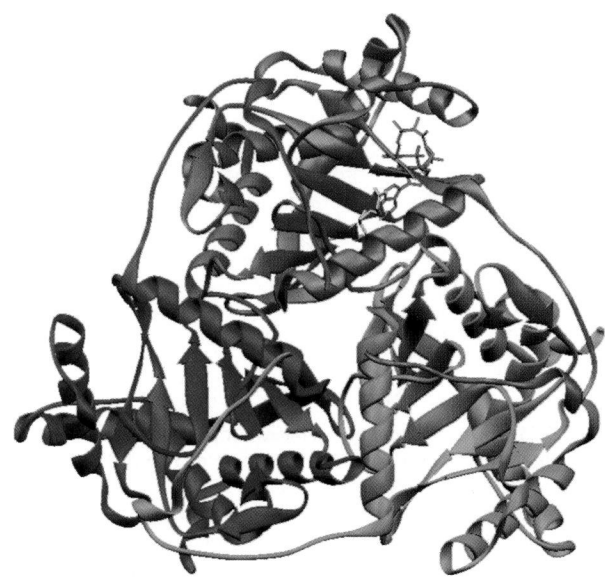

FIGURE 21-9 Structure par rayons X des domaines catalytiques d'un trimère de la dihydrolipoyl transacétylase (E_2) de *A. vinelandii*. (*a*) Ce diagramme en ruban est vu de l'extérieur du complexe, dans le sens de son axe d'ordre 3 (la diagonale du complexe cubique). Le coenzyme A (*violet*) et le lipoamide (*bleu-vert*), en représentation éclatée, sont montrés liés au site actif de la sous-unité en rouge. Noter que le « coude » N-terminal de chaque sous-unité s'étend au-dessus d'une sous-unité voisine ; sa délétion déstabilise fortement le complexe. Comparer cette représentation à celle du complexe cubique complet (Fig. 21-5a). [D'après une structure par rayons X due à Wim Hol, University of Washington. PDBid 1EAB.]

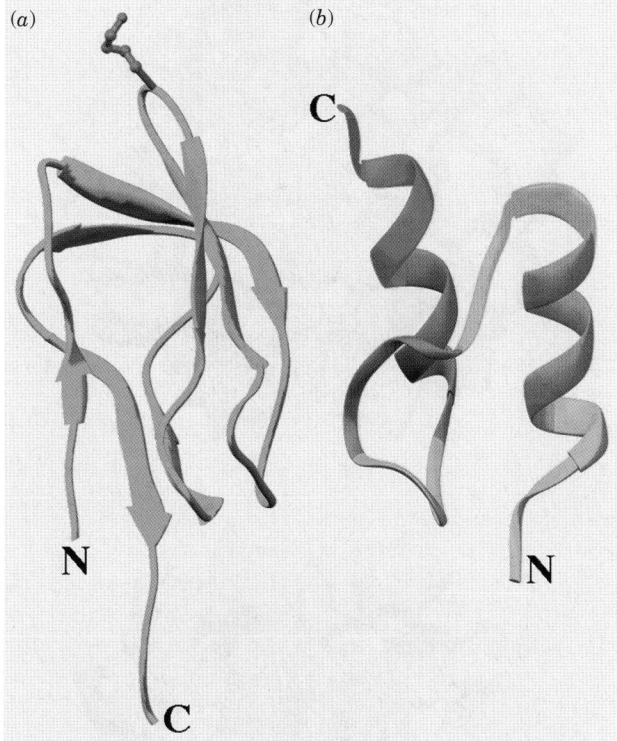

FIGURE 21-10 Structure par RMN du domaine lipoyl et du domaine périphérique de liaison des sous-unités de la dihydrolipoyl transacétylase (E_2). (*a*) Structure par RMN du domaine lipoyl de la dihydrolipoyl transacétylase (E_2) de *A. vinelandii*. La chaîne latérale Lys à laquelle le groupement lipoyl est censé se fixer est montrée en modèle éclaté et est localisée dans un tournant β de type I. [D'après une structure par RMN due à Aart de Kok, Wageningen Agricultural University, Wageningen, Pays-Bas. PDBid 1IYU.] (*b*) Structure par RMN du domaine périphérique de liaison des sous-unités de E_2 de *B. stearothermophilus*. Le ruban polypeptidique est coloré en escalier, du rouge au bleu, de l'extrémité N- à C-terminale. [D'après une structure par RMN due à Richard Perham, Cambridge University, U.K. PDBid 2PDD.]

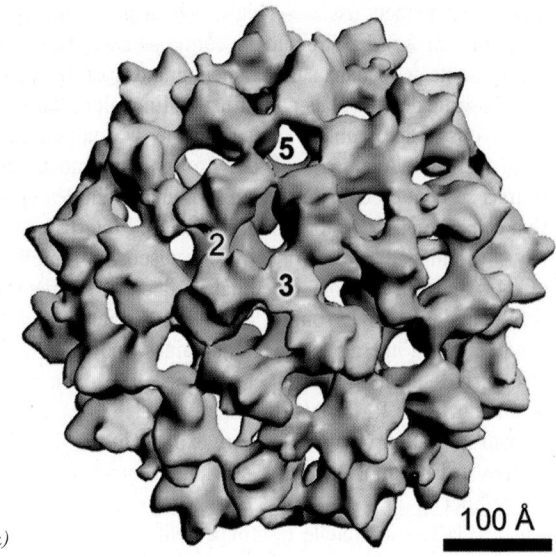

(a)

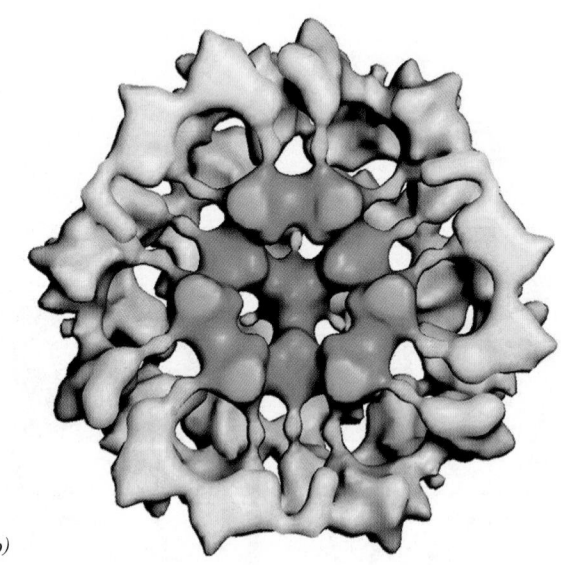

(b)

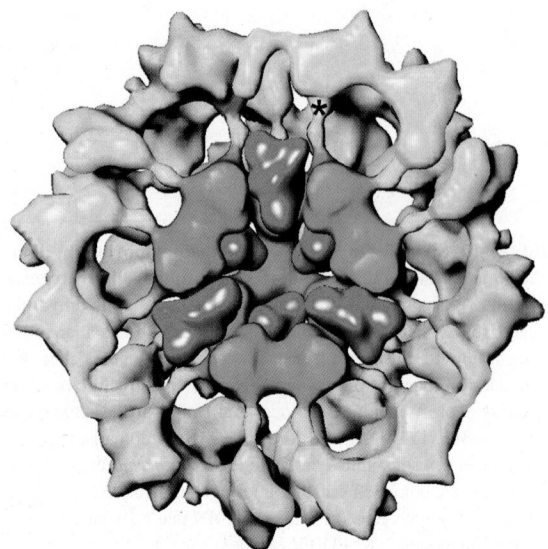

(c)

La structure par RMN du domaine périphérique de liaison des sous-unités de *B. stearothermophilus,* déterminée par Richard Perham, montre que sa région ordonnée d'environ 35 résidus est constituée de deux hélices parallèles séparées par une boucle qui forment un cœur hydrophobe très serré (Fig. 21-10*b*). Il s'agit là d'un des plus petits polypeptides connus posssédant une structure ordonnée.

f. les PDC de mammifère et de levure contiennent des sous-unités supplémentaires

Chez les mammifères et les levures, la structure dodécaédrique déjà compliquée du PDC atteint un degré supérieur de complexité en raison de la présence de sous-unités supplémentaires : environ 12 copies d'une **protéine de liaison de E_3 (E_3BP)** facilitent la liaison de E_3 au cœur E_2 du complexe dodécaédrique eucaryote. E_3BP possède, comme E_2, un domaine contenant une lipoyllysine et peut accepter un groupement acétyle, mais son domaine C-terminal n'a pas d'activité catalytique, et la suppression de son domaine lipoyllysine ne diminue pas l'activité catalytique du complexe. Le rôle principal de E_3BP serait de favoriser la liaison de E_3, car la protéolyse ménagée de E_3BP diminue la capacité de liaison de E_3.

James Stoops et Reed ont déterminé par microscopie électronique l'organisation du complexe dodécaédrique de rein de bœuf (Fig. 21-11). Comme attendu, les sous-unité E_2 forment un noyau dodécaédrique entouré d'un dodécaèdre concentrique de sous-unité E_1 (Fig. 21-11*a, b*). Les sous-unité E_2 fixent les sous-unité E_1 par le biais de bras internes rayonnants d'environ 50 Å de long qui

FIGURE 21-11 Représentations, fondées sur la microscopie électronique, du complexe pyruvate déshydrogénase de rein de bœuf à une résolution de ~35 Å. (*a*) La particule entière vue dans le sens de son axe de symétrie d'ordre 3, les positions d'un axe d'ordre 5 et d'un axe d'ordre 2 étant également indiquées. E_1 est en jaune, le noyau catalytique E_2 est en vert, et les bras internes qui relient les domaines catalytiques de E_2 à ses domaines de liaison à E_1 (Fig. 21-8) sont en bleu-vert. (*b*) Diagramme en coupe vu et coloré comme dans la Partie *a*, mais après enlèvement de la partie la plus proche de la particule pour montrer le noyau catalytique E_2 ainsi que les bras internes. Comparer la partie en vert avec la structure par rayons X du noyau catalytique E_2 dodécaédrique vu dans le sens de son axe d'ordre 2 (Fig. 21-5*b*). (*c*) Diagramme en coupe comme dans la Partie *b*, mais avec les dimères E_3 (Fig. 21-13*a*) montrés à une résolution de 20 Å (en *rouge*) et insérés dans les ouvertures pentagonales du noyau E_2. La position d'un site périphérique de liaison des sous-unités à l'extrémité d'un bras interne de E_2 est indiquée par un astérisque (*). [D'après Zhou, Z.H., McCarthy, D.B., O'Connor, C.M., Reed, L.J., et Stoops, J.K., *Proc. Natl. Acad. Sci.* **98,** 14802 (2001).]

précédent, dans E_2, le domaine périphérique de liaison des sous-unités (Fig. 21-8 ; on ne voit pas ces bras dans la Fig. 21-5b parce que la structure par rayons X ne contient que le noyau catalytique de E_2). Le PDC de rein bovin utilisé pour déterminer la structure ne contient pas assez de $E_3BP\cdot E_3$ pour qu'on puisse voir ce dernier. Cependant, sa position dans la structure par microscopie électronique de PDC de levure indique qu'un dimère E_3 occupe quasi entièrement chaque ouverture pentagonale du noyau E_2 (Fig. 21-11c). Les sous-unités E_3 ne sont donc pas disposées selon une symétrie dodécaédrique (de même, les sous-unités E_3 dans le PDC cubique d'*E. coli* ne sont pas disposées selon une symétrie cubique ; Fig. 21-4b). Le domaine périphérique de liaison des sous-unités, qui est localisé à l'extrémité du bras interne de E_2 (* dans la Fig. 21-11c), est le point autour duquel pivotent les domaines lipoyl de E_2 (Fig. 21-10a). Il est situé à environ 50 Å des sites actifs de E_1, E_2 et E_3.

En plus de E_3BP, le PDC de mammifère contient une à trois copies de **pyruvate déshydrogénase kinase** et de **pyruvate déshydrogénase phosphatase.** Ces enzymes assurent la régulation de l'activité catalytique du complexe (Section 21-2C).

g. Les composés à base d'arsenic sont des poisons parce qu'ils séquestrent le lipoamide

On sait depuis longtemps que l'arsenic est un poison. Les composés à As(III), comme l'**arsénite** (AsO_3^{3-}) et les arsénicaux organiques, sont toxiques en raison de leur capacité à se lier par covalence aux composés à groupement(s) sulfhydryle. Cela est particulièrement vrai de composés comme le lipoamide qui peuvent former des adduits à deux « dents » :

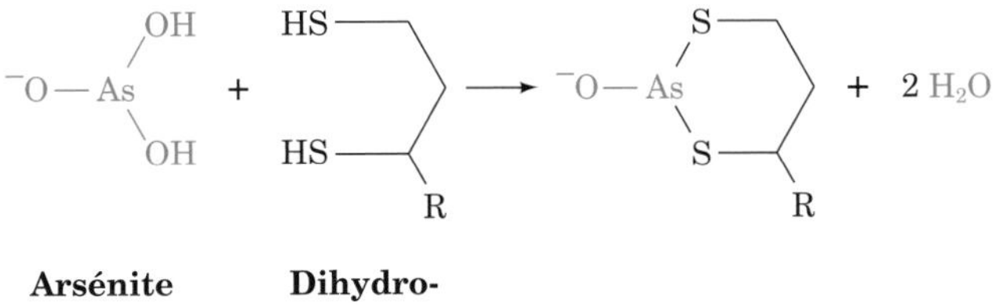

Arsénite   **Dihydro-lipoamide**

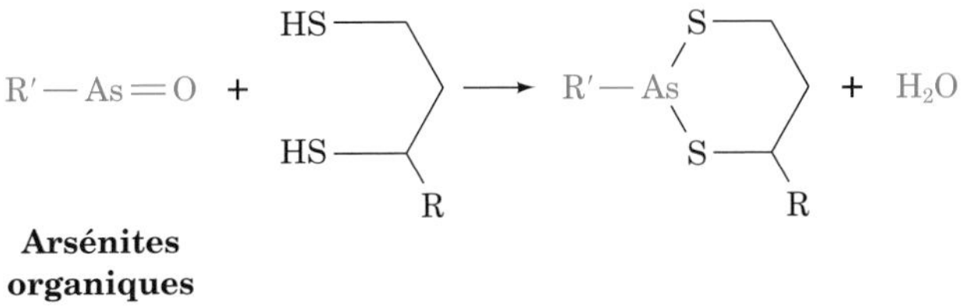

Arsénites organiques

L'inactivation des enzymes à lipoamide, en particulier les complexes pyruvate déshydrogénase et α-cétoglutarate déshydrogénase (Section 21-3D) finit par bloquer la respiration.

Les arsénicaux organiques sont plus toxiques pour les microorganismes que pour l'homme, sans doute à cause de sensibilités différentes de leurs enzymes à ces composés. Cette toxicité différente est à l'origine de l'utilisation, au début du vingtième siècle, de ces composés dans le traitement de la syphilis (maintenant rem-placés par la pénicilline) et des trypanosomiases (les trypanosomes sont des protozoaires parasites qui provoquent plusieurs maladies dont la **maladie du sommeil** et la **maladie de Chagas-Cruz**). Ces composés ont été réellement les premiers antibiotiques, bien que, ce n'est pas surprenant, ils aient provoqué des effets secondaires indésirables.

On soupçonne souvent l'arsenic d'avoir été responsable de morts prématurées. On pense, par exemple, que Napoléon Bonaparte est mort par empoisonnement à l'arsenic lorsqu'il était en exil à Sainte-Hélène, une île de l'Atlantique. Ces soupçons, et les analyses chimiques qui en ont suivi, sont à l'origine d'une anecdote passionnante. On a trouvé, en effet, qu'une boucle des cheveux de Napoléon contenait des teneurs élevées en arsenic, d'où l'idée qu'il était mort par empoisonnement à l'arsenic. Était-ce un meurtre ou le fait d'une pollution ambiante ? On a décelé de l'arséniate de cuivre ($CuHAsO_4$), un pigment vert (courant à l'époque), dans des échantillons du papier peint de la chambre de Napoléon. Or, on a montré que, par temps humide comme c'est le cas à Sainte-Hélène, des champignons transforment l'arsenic en un produit volatil et hautement toxique, la triméthylarsine [$CH_3)_3As$]. De fait, les visiteurs assidus de Napoléon souffraient de symptômes typiques de l'empoisonnement par l'arsenic (p. ex. troubles gastro-intestinaux) qui diminuaient lorsqu'ils passaient du temps à l'extérieur. L'empoisonnement de Napoléon par l'arsenic n'est donc peut-être pas intentionnel.

Un travail rétrospectif de détective suggère aussi que Charles Darwin serait mort par empoisonnement chronique à l'arsenic. Durant le reste de sa vie, après son retour de son voyage épique, Darwin s'est plaint de toutes sortes de maux, dont de l'eczéma, des vertiges, des maux de tête, de l'arthrite, de la goutte, des palpitations et des nausées, soit tous les symptômes d'un empoisonnement à l'arsenic. La solution de Fowler, un tonique très prisé au dix-neuvième siècle, contenait 10 mg d'arsénite par mL. De nombreux malades, peut-être Darwin lui-même, ont pris cette « médication » durant des années.

h. Structure de E_1

En plus du PDC, la plupart des cellules contiennent deux autres complexes multienzymatiques étroitement apparentés : le **complexe α-cétoglutarate déshydrogénase** (qui catalyse la Réaction 4 du cycle de l'acide citrique ; Fig. 21-1) et le **complexe de la déshydrogénase des acides α-cétoniques à chaîne branchée** (qui intervient dans la dégradation de l'isoleucine, de la leucine et de la valine ; Sections 2-3E et 26-3F). Ces complexes multienzymatiques catalysent des réactions semblables : la décarboxylation oxydative, NAD$^+$-dépendante, d'un acide α-cétonique accompagnée du transfert au CoA du groupement acyle résultant. En fait, les trois membres de cette famille **2-cétoacide déshydrogénase** de complexes multienzymatiques partagent tous la même sous-unité E_3, et leurs sous-unités E_1 et E_2, spécifiques des substrats correspondants, sont homologues et utilisent les mêmes cofacteurs.

On ne dispose pas encore de la structure par rayons X de E_1 d'un PDC (pyruvate déshydrogénase). Cependant, Hol a déterminé la structure par rayons X de E_1 d'une déshydrogénase des acides α-cétoniques à chaîne branchée de *Pseudomonas putida*, appelée **2-oxoisovalérate déshydrogénase**. Il s'agit d'un hétérotétramère $\alpha_2\beta_2$ de symétrie d'ordre 2 dans lequel le dimère β_2 semble pincé entre les deux sous-unités du dimère α_2 (Fig. 21-12a ; dans les PDC cubiques et dans l'α-cétoglutarate déshydrogénase, cubique elle aussi, les E_1 sont des homodimères où les sous-unités α et β

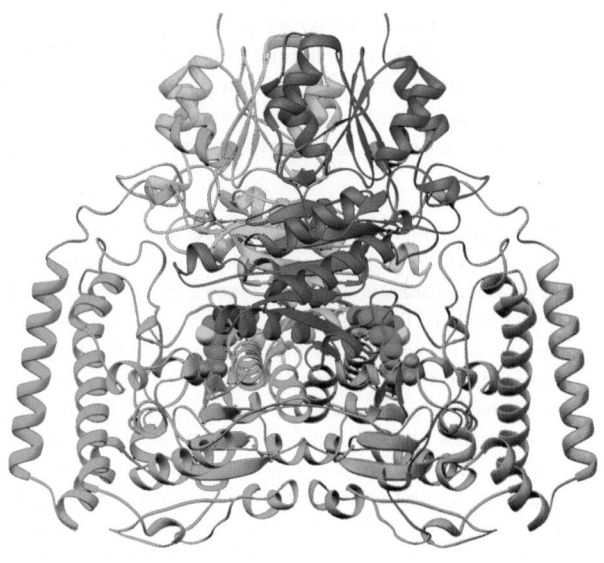

(a)

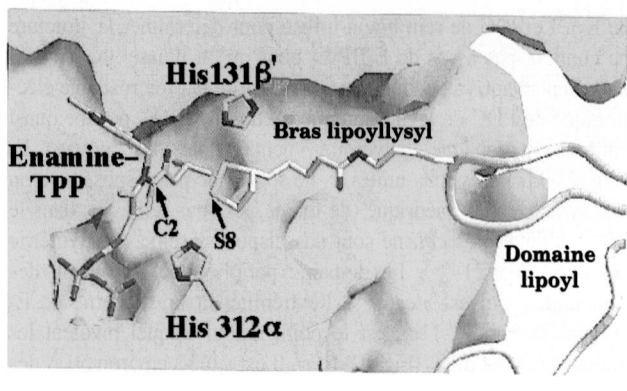

(b)

FIGURE 21-12 Structure par rayons X de E₁ de la déshydrogénase des acides α-cétoniques à chaîne branchée de *P. putida*. (*a*) La protéine hétérotétramérique α₂β₂ est vue perpendiculairement à son axe d'ordre 2 avec ses sous-unités α en bleu clair et en doré, et ses sous-unités β en bleu-vert et en orange. Ses cofacteurs TPP, qui se fixent à l'interface entre les sous-unité α et β, sont en modèle compact et colorés selon le type d'atome (C en vert, N en bleu, O en rouge, P en magenta et S en jaune). (*b*) Diagramme de la surface de la région du site actif, coupée pour montrer le canal de ~20 Å de long qui conduit du site actif à la sur-

face de l'enzyme. Le bras lipoyllysyl du domaine lipoyl E₂ a été incorporé dans le canal. L'adduit du substrat TPP [où ici l'adduit sur le C2 (Fig. 17-26) de la TPP est un groupement hydroxyisovalérate], le bras lipoyllysyl dans son état disulfure, et les deux chaînes latérales Lys qui ont été impliquées comme donneuses de protons dans le mécanisme catalytique sont représentés en bâtonnets. [Partie *a* basée sur une structure par rayons X due à Wim Hol, University of Washington, et Partie *b* avec sa permission. PDBid 1QS0.]

mentionnées ci-dessus sont fusionnées). Un noyau structural conservé est constitué de 185 résidus de la sous-unité α (410 résidus) et de 125 résidus de la sous-unité β (339 résidus). On trouve un tel noyau dans d'autres enzymes de structure connue utilisant la TPP, comme la pyruvate décarboxylase (qui est aussi un homodimère ; Section 17-3B). Le site de liaison de la TPP est situé à l'extrémité d'un canal en forme d'entonnoir de ~20 Å de long à l'interface entre une sous-unité α et une sous-unité β (Fig. 21-12*b*). On pense que le bras lipoyllysyl à l'extrémité d'un domaine lipoyl de E₂ s'insère dans ce canal de manière à transférer le substrat hydroxyacyle de la TTP au lipoamide.

B. *Mécanisme de la dihydrolipoyl déshydrogénase*

La réaction catalysée par la dihydrolipoamide déshydrogénase (E₃) est plus complexe que le suggèrent les Réactions 4 et 5 de la Fig. 21-6. Vincent Massey a démontré que *la dihydrolipoamide déshydrogénase oxydée contient une liaison disulfure à activité rédox qui, dans la forme réduite de l'enzyme, a accepté une paire d'électrons suite à la rupture de la liaison pour former un dithiol :*

Sa démonstration était basée sur les observations suivantes, fondées sur l'utilisation d'arsénite (lequel réagit, comme nous l'avons vu dans la Section 21-2A, avec des groupements voisins sulfhydryle, mais pas disulfure) :

1. Le spectre de la dihydrolipoamide déshydrogénase oxydée (E) n'est pas influencé par l'arsénite.

2. Lorsque le NADH réagit avec l'enzyme oxydée en présence d'arsénite, l'enzyme ainsi réduite (EH₂) fixe l'arsénite pour donner une molécule inactive au plan enzymatique.

3. On peut facilement déterminer l'état d'oxydation de la flavine d'une **flavoprotéine** (protéine contenant une flavine) sur base de son spectre en lumière UV et visible : le FAD est jaune foncé alors que le FADH₂ est jaune pâle. Le spectre de EH₂ inactivée par l'arsénite indique que son groupement prosthétique FAD est entièrement oxydé.

La dihydrolipoamide déshydrogénase oxydée doit donc contenir, en plus du FAD, un second accepteur d'électrons ; la spécificité de l'arsénite suggère que cet accepteur est un disulfure. La séquence en acides aminés de la dihydrolipoamide déshydrogénase montre que sa liaison disulfure à activité rédox se forme entre Cys 43 et Cys 48, dans une région hautement conservée de la chaîne polypeptidique.

a. Structures par rayons X de la lipoamide déshydrogénase et de la glutathion réductase

Les structures par rayons X de la dihydrolipoyl déshydrogénase de plusieurs micro-organismes, déterminées pour la plupart par Hol, montrent que chacune des sous-unités (~470 résidus) de ces enzymes homodimériques est repliée en quatre domaines qui tous participent à la formation du centre catalytique de la sous-unité (Fig. 21-13). La flavine est quasi complètement enfouie dans la protéine, ce qui empêche la solution environnante d'interférer avec la réaction de transfert d'électrons catalysée par l'enzyme (le $FADH_2$ est rapidement oxydé par O_2, mais ni le NADH ni les groupements thiol ne le sont). La liaison disulfure à activité rédox, située du côté du cycle flavinique opposé à celui du cycle nicotinamide, relie des tournants successifs dans un segment déformé d'une hélice α (sans cette déformation, les atomes C_α de Cys 43 et de Cys 48 seraient trop loin l'un de l'autre pour établir la liaison disulfure).

Le mécanisme catalytique de E_3 a été déterminé essentiellement par analogie avec celui de la **glutathion réductase (GR)**, enzyme homologue (~33 % d'identité), mais bien mieux caractérisée au plan structural. Cette enzyme pratiquement ubiquitaire catalyse la réduction NADPH-dépendante du **glutathion oxydé** (**GSSG**; disulfure de glutathion) en **glutathion (GSH)**, un agent réducteur intracellulaire dont la fonction physiologique est étudiée dans les Sections 23-4E et 26-4C :

Glutathione disulfide (GSSG)

Glutathione (GSH)
(γ-L-Glutamyl-L-cysteinylglycine)

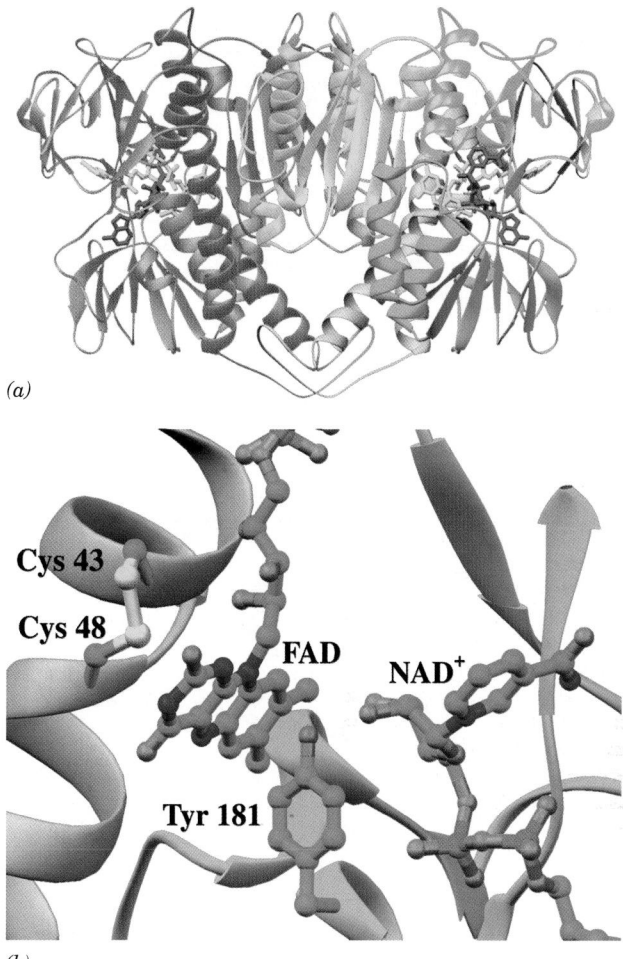

(a)

(b)

FIGURE 21-13 Structure par rayons X de la dihydrolipoamide déshydrogénase (E_3) de *P. putida* en complexe avec le FAD et le NAD^+. (*a*) L'enzyme homodimérique est vue avec son axe de symétrie d'ordre 2 orienté verticalement. Une sous-unité est en gris et l'autre est colorée selon le domaine, avec son domaine de liaison du FAD (résidus 1-142) en lavande, son domaine de liaison du NAD^+ (résidus 143-268) en bleu-vert, son domaine central (résidus 269-337) en jaune-vert, et son domaine d'interface (résidus 338-458) en doré, Dans les deux sous-unités, le NAD^+ (en vert) et le FAD (en jaune) sont représentés en bâtonnets. (*b*) Région du site actif de l'enzyme d'où les domaines central et d'interface ont été enlevés pour plus de clarté. La vue est prise d'à peu près la même direction que pour la sous-unité de droite de la Partie *a*. Les parties rédox des cofacteurs liés, le NAD^+ et le FAD, les chaînes latérales de Cys 43 et de Cys 48 qui forment la liaison disulfure à activité rédox, et la chaîne latérale de Tyr 181, sont en modèle éclaté, avec C en vert, N en bleu, O en rouge, P en magenta et S en jaune. Noter que la chaîne latérale de Tyr 181 s'interpose entre les cycles flavinique et nicotinamide. [D'après une structure par rayons X due à Wim Hol, University of Washington. PDBid 1LVL.]

Noter que cette réaction est analogue à celle catalysée par la dihydrolipoyl déshydrogénase, mais que ces deux réactions se déroulent normalement en sens opposés; en effet, la dihydrolipoyl déshydrogénase utilise normalement le NAD^+ pour oxyder deux groupements thiol en disulfure (Fig. 21-6), alors que la GR utilise le NADPH pour réduire un disulfure en deux groupements thiol. Néanmoins, les sites actifs de ces deux enzymes sont quasi superposables.

La disposition des groupements dans le centre catalytique de la dihydrolipoyl déshydrogénase et le déroulement de sa réaction sont représentés dans la Fig. 21-14. Le site de liaison du substrat est situé à l'interface entre les deux sous-unités de l'enzyme dans le voisinage du disulfure à activité rédox. En absence de NAD^+ la chaîne latérale phénolique de sa Tyr 181 couvre la poche de liaison du nicotinamide, ce qui empêche la flavine d'entrer en contact avec la solution. De fait, la Fig. 21-13*b* montre un complexe

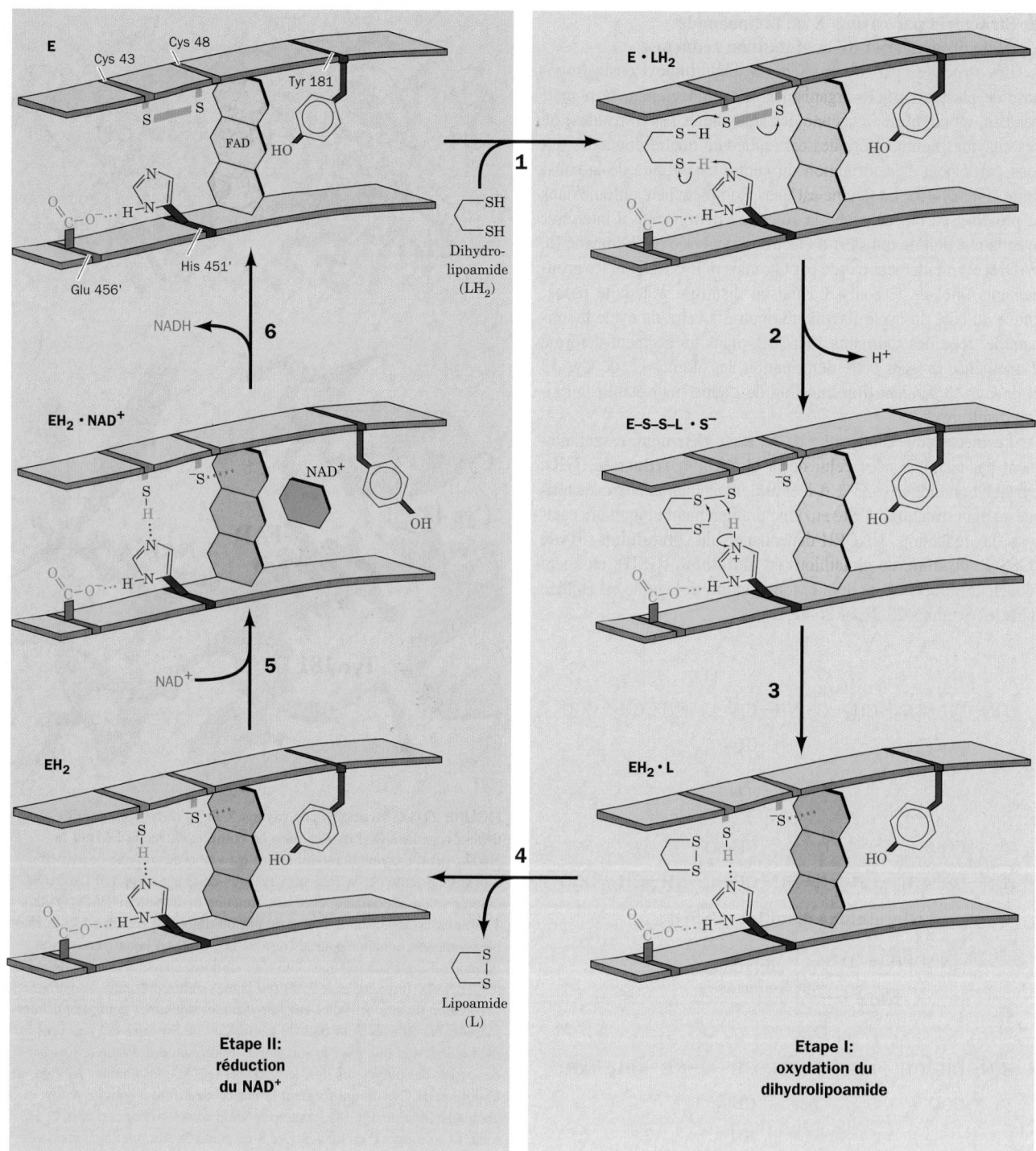

Etape II:
réduction
du NAD⁺

Etape I:
oxydation du
dihydrolipoamide

FIGURE 21-14 Cycle de la réaction catalytique de la dihydrolipoyl déshydrogénase. Le centre catalytique est entouré par la protéine de sorte que les sites de liaison du NAD⁺ et du dihydrolipoamide se trouvent dans des poches profondes. Le cycle catalytique comporte 6 étapes. (**1**) L'enzyme oxydée, E, qui présente une liaison disulfure à activité rédox entre Cys 43 et Cys 48, fixe le dihydrolipoamide, LH₂, premier substrat de l'enzyme, pour donner un complexe enzyme-substrat E·LH₂. (**2**) Un atome S du substrat mène une attaque nucléophile contre S₄₃ pour donner une liaison disulfure et libérer S₄₈ sous forme d'ion thiolate. Le proton du deuxième groupement thiol du substrat est enlevé par His 451' pour donner un second ion thiolate, E–S–S–LS⁻. (**3**) L'ion thiolate du substrat déplace, par action nucléophile, S₄₃ à

l'aide de la catalyse générale acide exercée par His 451', pour donner le produit lipoamide de l'enzyme complexé à l'enzyme réduite stable, EH₂·L, où S₄₈ forme un complexe de transfert de charge avec le noyau flavinique (*ligne en pointillés rouges vers le noyau flavinique en rouge*). (**4**) Le produit lipoamide est libéré, donnant EH₂. La chaîne latérale phénolique de Tyr 181 bloque toujours l'accès au cycle flavinique du FAD, empêchant ainsi l'oxydation de l'enzyme par O₂. (**5**) Le second substrat de l'enzyme, le NAD⁺, lie EH₂ pour donner EH₂·NAD⁺. La chaîne latérale phénolique de Tyr 181 est repoussée sur le côté par le noyau nicotinamide du NAD⁺. (**6**) Le cycle catalytique est bouclé lors de la réduction du NAD⁺ par EH₂ pour reformer l'enzyme oxydée, E, et donner du NADH, second produit de l'enzyme.

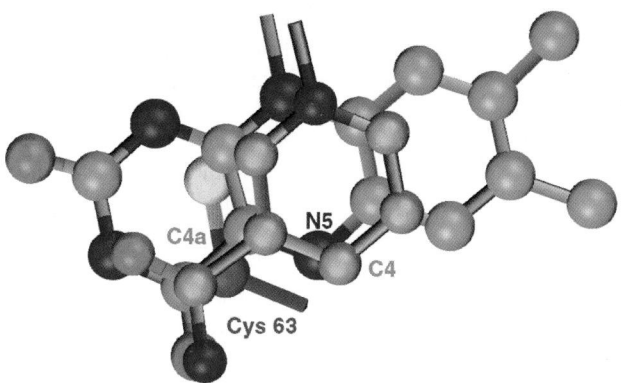

FIGURE 21-15 Complexe entre le noyau flavinique, le noyau nicoti-namide et la chaîne latérale de Cys 63, tel qu'observé dans la structure par rayons X de la glutathion réductase d'érythrocyte humain et vu perpendiculairement au noyau flavinique. Les atomes de C du noyau nicotinamide sont en bleu-vert, ceux du noyau flavinique en vert, et ceux de Cys 63 en violet. Les atomes de N sont en bleu, les atomes d'O en rouge et l'atome de S en jaune. Les deux hétérocycles plans sont parallèles et en contact de van der Waals. L'atome S de Cys 63 (équivalent du S_{48} de la dihydrolipoyl déshydrogénase), membre du disulfure à activité rédox, est aussi en contact de van der Waals avec le noyau flavinique de l'autre côté par rapport au noyau nicotinamide. [D'après une structure par rayons X due à Andrew Karplus et Georg Schulz, Institut für Organische Chemie und Biochemie, Freiburg, Allemagne. PDBid 1GRB.]

enzyme-produit de dihydrolipoyl déshydrogénase oxydée et de NAD$^+$ où la chaîne latérale de Tyr 181 s'interpose entre le cycle nicotinamide et son site de liaison dans le centre catalytique de l'enzyme. Cependant, dans la structure par rayons X de la GR complexée au NADPH, déterminée par Georg Schulz et Heiner Schirmer, cette chaîne latérale s'est déplacée sur le côté de sorte que le cycle nicotinamide réduit se lie parallèlement au cycle flavine de l'enzyme entièrement oxydée, E, et en contact de van der Waals avec ce cycle (Fig. 21-15). Le substituant H_S de l'atome prochiral C4 (qui fait face à la flavine) du nicotinamide réduit, à savoir l'atome H qui sera perdu dans la réaction GR, se trouve près de l'atome N5 de la flavine, endroit par lequel les électrons entrent souvent dans un cycle flavinique lors de sa réduction. Cette disposition prend tout son sens lorsque l'on considère le mécanisme catalytique décrit ci-dessous.

b. Mécanisme catalytique

Les structures par rayons X des protéines n'indiquent ni les positions des atomes H (sauf dans les structures à très haute résolution) ni les voies du transfert des électrons. Le cheminement des électrons dans la réaction de la glutathion réductase a néanmoins été déduit des structures par rayons X d'une série d'intermédiaires stables de cette réaction, ainsi que de données enzymologiques. Nous présentons ici ce mécanisme sur base de la réaction calysée par la dihydrolipoamide déshydrogénase, enzyme très semblable (Fig. 21-14).

La dihydrolipoamide déshydrogénase agit selon un méca-nisme Ping-Pong (Section 14-5A) ; chacun de ses deux substrats, le dihydrolipoamide et le NAD$^+$, agit en l'absence de l'autre (Fig. 21-6 ; Réactions 4 et 5). Le stade I de la réaction cataly-tique (Fig. 21-14, étapes 1 à 4) implique une réaction d'échange de groupements disulfure entre le premier substrat, le dihydroli-

poamide (LH$_2$) et le disulfure à activité rédox de l'enzyme, pro-cessus où l'His 451' agit comme groupemen acido-basique (les résidus avec apostrophe désignent ceux de la sous-unité oppo-sée). De fait, la disposition de Glu 456', His 451' et Cys 43 rap-pelle celle de la triade catalytique des protéases à sérine (Sec-tion 15-3B) où le SH de Cys remplacerait le OH de Ser. L'importance de His 451' comme catalyseur acido-basique est fondée sur l'observation de Charles Williams selon laquelle son remplacement (par mutagenèse) par une Gln donne une enzyme dont l'activité catalytique tombe à ~0,4 % de celle de l'enzyme normale. L'anion thiolate obtenu à partir de Cys 48 lors de l'étape 2 forme un **complexe de transfert de charge** avec la fla-vine où S_{48}^- (l'atome S de Cys 48) entre en contact avec le cycle flavinique près de sa position 4a (un complexe de transfert de charge désigne une interaction non covalente dans laquelle une paire d'électrons est partiellement transférée d'un donneur, dans ce cas S_{48}^-, à un accepteur, dans ce cas le noyau flavine oxydé ; la couleur rouge de ce complexe est révélatrice de la formation d'un complexe de transfert de charge).

Le stade II de cette réaction Ping-Pong (Fig. 21-14, étapes 5 et 6) implique la liaison et la réduction du NAD$^+$, suivies de la libé-ration du NADH pour régénérer l'enzyme oxydée. Le chemine-ment des électrons à partir du disulfure réactionnel sous sa forme réduite, via le FAD, vers le NAD$^+$ a été élucidé par des études spectroscopiques et la chimie de composés modèles. Ces données suggèrent qu'un transfert rapide d'une paire d'électrons se fait entre S_{48}^- et la flavine via la formation transitoire d'une liaison covalente entre S_{48} et l'atome 4a de la flavine (Fig. 21-16, étape 1). His 451' récupère le proton du thiol de S_{43} pour former un ion thio-late, lequel mène une attaque nucléophile sur S_{48} pour reformer le groupement disulfure à activité rédox (Fig. 21-16, étape 2). L'exis-tence de l'anion flavinique réduit (FADH$^-$) qui en résulte n'est que

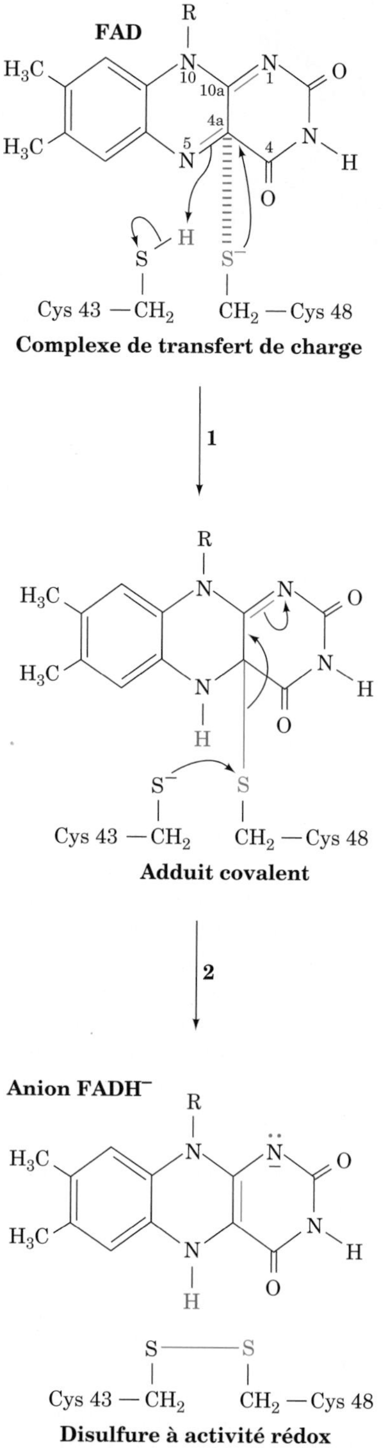

FAD

Complexe de transfert de charge

↓ **1**

Adduit covalent

↓ **2**

Anion FADH⁻

Disulfure à activité rédox

FIGURE 21-16 Réaction de transfert d'une paire d'électrons du disulfure à activité rédox de la dihydrolipoyl déshydrogénase sous forme réduite, au noyau flavinique lié à l'enzyme. (1) Effondrement du complexe de transfert de charge entre l'ion thiolate Cys 48 et le noyau flavinique (*ligne rouge en pointillés*) pour former une liaison covalente entre S_{48} et l'atome C4a de la flavine. S_{48} est situé hors du plan de la flavine, comme le montre la Fig. 21-15. L'atome N5 de la flavine capte un proton, peut-être de S_{43}, qui devient un ion thiolate. **(2)** L'atome thiolate S_{43} mène une attaque nucléophile sur S_{48} pour former la liaison disulfure à activité rédox, ce qui libère l'anion flavinique réduit FADH⁻.

transitoire. L'atome H de son N5 est immédiatement transféré (en tant qu'ion hydrure) à l'atome C4 voisin du cycle nicotinamide (Fig. 21-15), ce qui donne du FAD et le second produit de la réaction, le NADH, pour terminer le cycle catalytique. Le FAD fonctionne donc plutôt comme un « canal » d'électrons entre la forme réduite du disulfure à activité rédox et le NAD⁺ que comme source ou puits d'électrons.

C. *Contrôle de la pyruvate déshydrogénase*

Le PDC régule l'entrée d'unités acétyle, issues de la dégradation des glucides, dans le cycle de l'acide citrique. La décarboxylation du pyruvate par E_1 est irréversible, et puisqu'il n'existe pas d'autres voies chez les mammifères pour former de l'acétyl-CoA à partir de pyruvate, il est important que cette réaction soit parfaitement contrôlée. Deux systèmes de régulation sont utilisés :

1. Inhibition par les produits NADH et acétyl-CoA (Fig. 21-17*a*)

2. Modification covalente par phosphorylation/déphosphorylation de la sous-unité pyruvate déshydrogénase (E_1) (Fig. 21-17*b* ; la régulation enzymatique par modification covalente est étudiée dans la Section 18-3B).

a. Contrôle par inhibition par les produits

Le NADH et l'acétyl-CoA entrent en compétition avec le NAD⁺ et le CoA pour les sites de liaison de leurs enzymes respectives. Ils provoquent également l'inversion des réactions réversibles de la transacétylase (E_2) et de la dihydrolipoyl déshydrogénase (E_3) (Fig. 21-17a). Des rapports [NADH]/ [NAD⁺] et [acétyl-CoA]/[CoA] élevés maintiennent E_2 sous sa forme acétylée, incapable d'accepter le groupement hydroxyéthyle de la TPP de E_1. La TPP de la sous-unité E_1 reste donc sous sa forme hydroxyéthyle, ce qui diminue la vitesse de décarboxylation du pyruvate.

b. Contrôle par phosphorylation/déphosphorylation

Le contrôle par phosphorylation/déphosphorylation n'a lieu que pour les complexes enzymatiques eucaryotes. Ces complexes contiennent la pyruvate déshydrogénase kinase et la pyruvate déshydrogénase phosphatase liées au noyau central de la dihydrolipoyl transacétylase (E_2). *La kinase inactive la sous-unité pyruvate déshydrogénase (E_1) en catalysant la phosphorylation d'un résidu Ser spécifique de la déshydrogénase par l'ATP (Fig. 21-17b). L'hydrolyse de ce résidu phospho-Ser par la phosphatase réactive le complexe.*

La pyruvate déshydrogénase kinase est activée par son interaction avec la forme acétylée de E_2. En conséquence, les produits de la réaction, le NADH et l'acétyl-CoA, en plus de leurs effets directs sur le PDC, activent indirectement la pyruvate déshydrogénase kinase. La phosphorylation résultante inactive le complexe en même temps que les produits eux-mêmes l'inhibent. L'acétyl-CoA et le NADH étant des produits de l'oxydation des acides gras (Section 25-2), cette inhibition du PDC vise à préserver les stocks de glucides lorsque des lipides sont disponibles.

Le Ca^{2+} est un second messager important qui signale le besoin d'une augmentation d'apport énergétique (p. ex. lors de la contrac-

(a) **Inhibition par produit(s)**

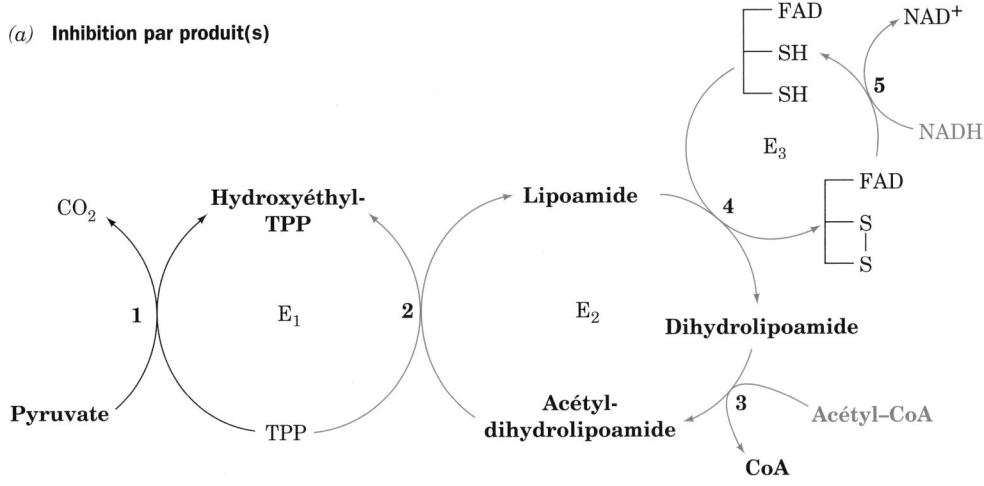

(b) **Modification covalente**

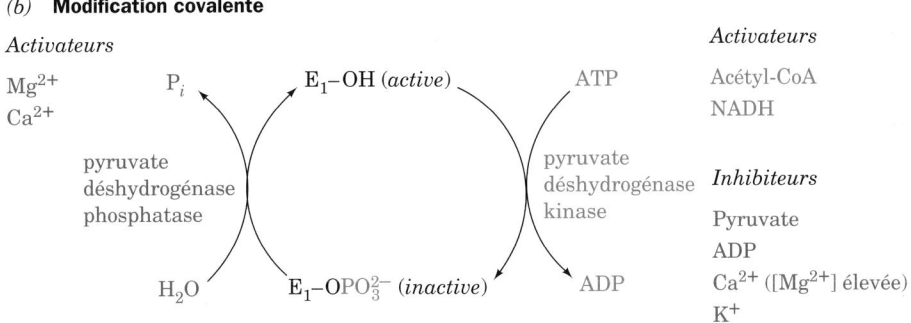

FIGURE 21-17 Facteurs qui contrôlent l'activité du PDC. (*a*) Inhibition par les produits. Le NADH et l'acétyl-CoA sont en compétition, respectivement, avec le NAD$^+$ et le CoA dans les réactions 3 et 5 de la séquence réactionnelle de la pyruvate déshydrogénase. Quand les concentrations relatives en NADH et acétyl-CoA sont élevées, les réactions réversibles catalysées par E_2 et E_3 se font en sens inverse (*flèches rouges*), inhibant ainsi la formation ultérieure d'acétyl-CoA. (*b*) Modifi-

cation covalente dans le complexe eucaryote. La pyruvate déshydrogénase (E_1) est inactivée par la phosphorylation spécifique de l'un de ses résidus Ser catalysée par la pyruvate déshydrogénase kinase (*à droite*). Ce groupement phosphoryle est hydrolysé par la pyruvate déshydrogénase phosphatase (*à gauche*), ce qui réactive E_1. Les activateurs et inhibiteurs de la kinase sont indiqués sur la droite et les activateurs de la phosphatase sont indiqués à gauche.

tion musculaire). Une augmentation de $[Ca^{2+}]$ stimule l'activité de la la pyruvate déshydrogénase phosphatase, ce qui active le PDC.

L'insuline participe au contrôle de ce système en activant indirectement la pyruvate déshydrogénase phosphatase. On se rappellera que l'insuline active également la synthèse de glycogène en activant la phosphoprotéine phosphatase (Section 18-3C). En réponse à une hyperglycémie, l'insuline active donc la synthèse de l'acétyl-CoA et celle du glycogène. Nous verrons dans la Section 25-4 que l'acétyl-CoA est non seulement le « carburant » du cycle de l'acide citrique, mais aussi le précurseur de la synthèse des acides gras. D'autres activateurs et inhibiteurs régulent le système pyruvate déshydrogénase (Fig. 21-17*b*) mais, contrairement au système de contrôle du métabolisme du glycogène (Section 18-3), il est insensible à l'AMPc.

1 ■ ENZYMES DU CYCLE DE L'ACIDE CITRIQUE

Cette section sera consacrée à l'étude des mécanismes réactionnels des huit enzymes du cycle de l'acide citrique. Ce que nous savons

sur ces mécanismes repose sur des travaux expérimentaux considérables ; au cours de cette étude, nous mentionnerons certains de ces travaux. La régulation et les relations du cycle de l'acide citrique avec le métabolisme cellulaire seront traitées dans les sections suivantes.

A. *Citrate synthase*

*La citrate synthase (appelée initialement **enzyme condensante**) catalyse la condensation de l'acétyl-CoA et de l'oxaloacétate (Réaction 1, Fig. 21-1).* Cette première réaction du cycle de l'acide citrique est l'endroit où les atomes de carbone « enfournés » sous forme d'acétyl-CoA. La réaction de la citrate synthase se fait selon un mécanisme séquentiel ordonné (Section 14-5B), l'oxaloacétate se liant à l'enzyme avant l'acétyl-CoA.

La structure par rayons X de l'enzyme dimérique libre, déterminée par James Remington et Robert Huber, montre qu'elle adopte une « forme ouverte » dans laquelle les deux domaines de chaque sous-unité forment une profonde crevasse où se trouve le site de liaison de l'oxaloacétate (Fig. 21-18*a*). Cependant, après liaison de l'oxaloacétate, le petit domaine effectue une rotation remarquable de 18° par rapport au grand domaine, ce qui ferme la crevasse (Fig. 21-18*b*).

Les structures par rayons X de deux inhibiteurs de la citrate synthase en complexe ternaire avec l'enzyme et l'oxaloacétate ont été déterminées également. L'**acétonyl-CoA**, inhibiteur analogue de l'acétyl-CoA à l'état fondamental, et le **carboxyméthyl-CoA**, un analogue présumé de l'état de transition (cf. ci-dessous),

CoAS — C(=O)—CH₃
Acétyl-CoA

CoAS — C(OH)=CH₂
Intermédiaire énol présumé

CoAS — CH₂ — C(=O)—CH₃
Acétonyl-CoA (analogue de l'état fondamental)

CoAS — CH₂ — C(OH)=O
Carboxyméthyl-CoA (analogue de l'état de transition)

se lient à l'enzyme sous sa forme « fermée », ce qui permet de localiser le site de liaison de l'acétyl-CoA. L'existence des formes « ouverte »et « fermée » explique pourquoi le mécanisme de la réaction est séquentiel ordonné. *Le changement conformationnel induit par la liaison de l'oxaloacétate entraîne la formation du site de liaison de l'acétyl-CoA tout en interdisant l'accès du solvant à l'oxaloacétate lié.* C'est un exemple classique du modèle d'ajustement induit par liaison du substrat (Section 10-4C). L'hexokinase en est un autre exemple (Section 17-2A).

La réaction de la citrate synthase est une condensation mixte ester de Claisen-aldol, qui nécessite une catalyse générale acide-base et la participation momentanée de la forme énol(ate) de l'acétyl-CoA. La structure par rayons X de l'enzyme sous forme de complexe ternaire avec l'oxaloacétate et le carboxyméthyl-CoA révèle que trois de ses chaînes latérales ionisables sont orientées correctement pour jouer un rôle catalytique : His 274, Asp 375, et His 320. Les atomes N1 des chaînes latérales de ces deux His établissent des liaisons hydrogène avec deux groupements NH du squelette polypeptidique, ce qui indique que ces atomes N1 ne sont pas protonés. La participation de His 274, Asp 375, et His 320 a été confirmée par des études cinétiques d'enzymes mutantes obtenues par mutagenèse dirigée. Ces observations ont conduit James Remington à proposer le mécanisme à trois réactions suivant (Fig. 21-19) :

1. La forme énolate de l'acétyl-CoA est produite par l'étape limitante de la réaction grâce à la participation catalytique de Asp 375 jouant le rôle d'une base en enlevant un proton du groupement méthyle, et de His 274, sous forme neutre, jouant le rôle d'un acide

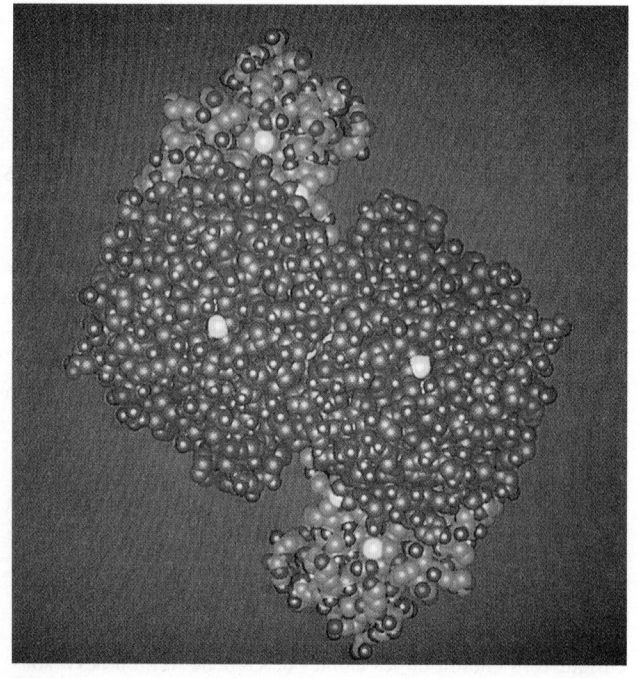

(a)

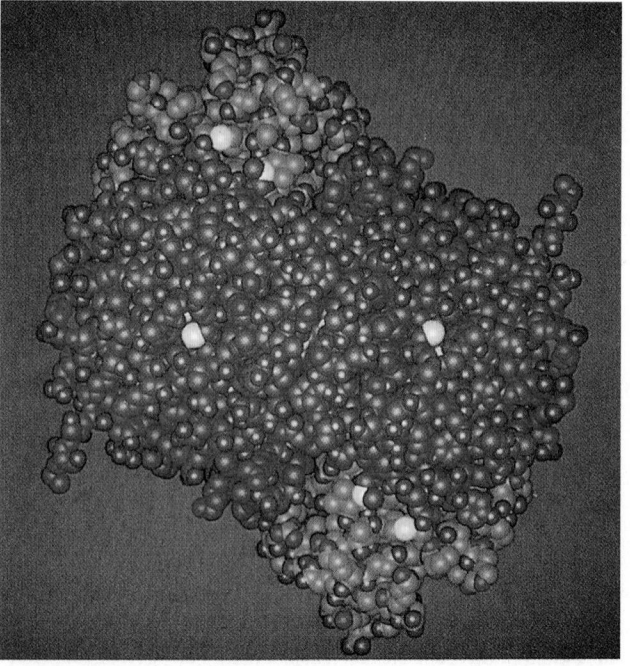

(b)

FIGURE 21-18 Modifications conformationnelles de la citrate synthase. Représentation compacte de la citrate synthase (*a*) en conformation ouverte et (*b*) en conformation fermée, liée au substrat. Les atomes de carbone du petit domaine de chaque sous-unité sont en vert et ceux du grand domaine sont en violet. Les atomes de N, O, et S dans chaque domaine sont en bleu, rouge et jaune. Vue le long de l'axe de rotation d'ordre deux de la protéine homodimérique. Le changement de confor-

mation important entre les deux états entraîne des mouvements interatomiques relatifs jusqu'à 15 Å. [Avec la permission de Anne Dallas, University of Pennsylvania, et de Helen Berman, Fox Chase Cancer Center. D'après des structures par rayons X déterminées par James Remington et Robert Huber, Max-Planck-Institut für Biochemie, Martinsried, Allemagne. PDBid (*a*) 1CTS et (*b*) 2CTS.]

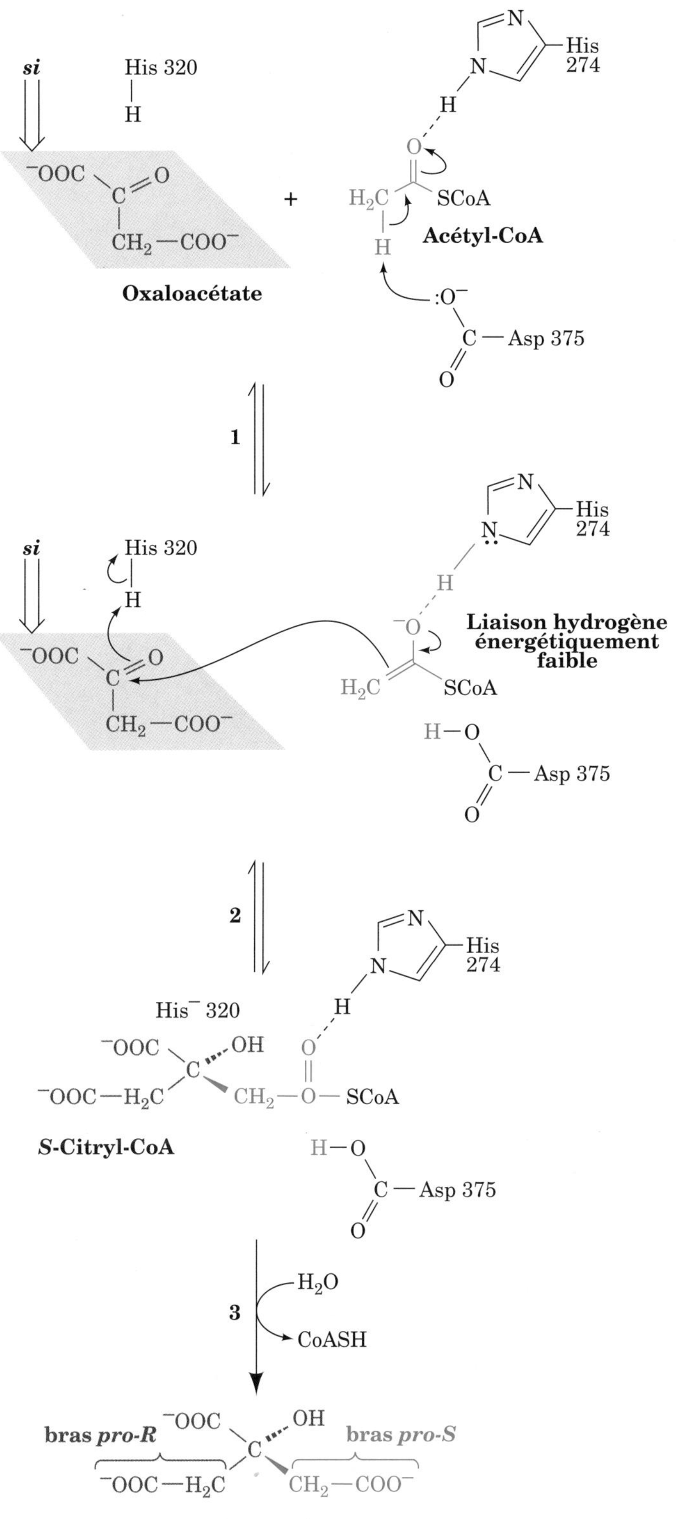

si → His 320

$^-$OOC—C=O, CH$_2$—COO$^-$
Oxaloacétate

+

H$_2$C—C—SCoA, H
Acétyl-CoA

:O$^-$—C—Asp 375 (O)

His 274

1

si → His 320

$^-$OOC—C=O, CH$_2$—COO$^-$

H$_2$C=C—SCoA (O$^-$)
Liaison hydrogène énergétiquement faible

H—O—C—Asp 375 (O)

His 274

2

His$^-$ 320

$^-$OOC—C—OH, $^-$OOC—H$_2$C—CH$_2$—O—SCoA
S-Citryl-CoA

H—O—C—Asp 375 (O)

His 274

3

H$_2$O → CoASH

bras *pro-R* $^-$OOC—C—OH **bras *pro-S***
$^-$OOC—H$_2$C—CH$_2$—COO$^-$

FIGURE 21-19 Mécanisme et stéréochimie de la réaction de la citrate synthase. His 274 et His 320 sous forme neutre et Asp 375 agiraient comme catalyseurs acido-basiques. L'étape limitante de la réaction globale est la formation de la forme énolate de l'acétyl-CoA, qui est sans doute stabilisée par une liaison hydrogène de faible barrière énergétique avec His 274. Il y a attaque nucléophile par la forme énolate de l'acétyl-CoA sur le côté *si* du carbone du carbonyle de l'oxaloacétate. L'intermédiaire formé, le (*S*)-citryl-CoA, est hydrolysé pour donner le citrate et le CoA. [Essentiellement d'après Remington, S.J., *Curr. Opin. Struct. Biol.* **2**, 732 (1992)].

en protonant l'oxygène de l'énolate (dont la forme carbonyle protonée est normalement beaucoup plus acide que la chaîne latérale de His neutre). Tout comme dans le cas de la réaction semblable catalysée par la triose phosphate isomérase (Section 17-2E), le p*K* de la forme protonée de l'oxygène du carbonyle thioester du substrat augmente jusqu'à ~14 en passant sous la forme énol, valeur proche de celle de His 274 neutre. Ainsi, cette protonation serait facilitée par la formation d'une liaison hydrogène de faible barrière énergétique (qui, rappelons-le, est une forme de liaison hydrogène particulièrement forte dans laquelle l'atome d'hydrogène est plus ou moins également partagé entre les atomes « donneur » et « accepteur » ; Section 15-3D). Cependant, la formation d'une telle liaison hydrogène de faible barrière énergétique reste controversée. La liaison thioester avec le CoA facilite l'énolisation ; l'énolisation de l'acétate seul nécessiterait la formation d'un intermédiaire beaucoup plus chargé et donc beaucoup moins stable.

2. Le **citryl-CoA** se forme au cours d'une seconde réaction à catalyse acide-base concertée suite à une attaque nucléophile de l'oxaloacétate par la forme énolate de l'acétyl-CoA, tandis His 320, également sous forme neutre, cède un proton au groupement carbonyle de l'oxaloacétate. Le citryl-CoA reste lié à l'enzyme.

3. Le citryl-CoA est hydrolysé en citrate et CoA, tandis que His 320, à présent sous forme anionique, enlève un proton à l'eau en attaquant le groupement carbonyle du citryl-CoA et que la forme acide d'Asp 375 cède un proton au CoA qui s'en va. C'est cette hydrolyse qui entraîne irréversiblement la réaction ($\Delta G°' = -31,5$ kJ·mol^{-1}). Nous allons voir pourquoi il est nécessaire que la réaction s'accompagne d'une variation d'énergie libre aussi importante, apparemment perdue.

Nous avons déjà vu que les réactions enzymatiques sont stéréospécifiques. La réaction de condensation de Claisen qui se produit ici implique l'attaque de la forme énolate de l'acétyl-CoA exclusivement du côté *si* de l'atome de carbone du carbonyle de l'oxaloacétate, amenant ainsi la formation de (*S*)-citryl-CoA (la nomenclature de la chiralité est donnée dans la Section 4-2C). De la sorte, le groupement acétyle de l'acétyl-CoA ne peut former que le groupement carboxyméthyle *pro-S* du citrate.

B. *Aconitase*

L'aconitase catalyse l'isomérisation réversible du citrate en isocitrate avec le cis-aconitate comme intermédiaire (Réaction 2, Fig. 21-1). Bien que le citrate ait un plan de symétrie et qu'il ne soit donc pas optiquement actif, il est néanmoins prochiral ; l'aconitase distingue les groupements carboxyméthyle *pro-R* et *pro-S* du citrate.

Les résultats combinés de la cristallographie par rayons X et de mutagénèse dirigée par Helmut Beinert et David Stout ont permis d'identifier plusieurs résidus d'acide aminé participant à la catalyse. La formation de l'intermédiaire cis-aconitate implique une déshydratation dans laquelle le groupement alcoxyde de Ser 642, jouant le rôle d'une base générale, capte le proton *pro-R* du C2 du groupement carboxyméthyle *pro-R* du citrate (Fig. 21-20, en haut). [L'O$_\gamma$ de Ser 642 se trouve à l'intérieur d'une sorte de trou à oxyanion (Section 15-3D) qui semble stabiliser sa forme alcoxyde, très basique sans cela. Le carbanion formé dans l'état de transition de cette réaction n'est pas montré]. Après quoi, il y a départ du

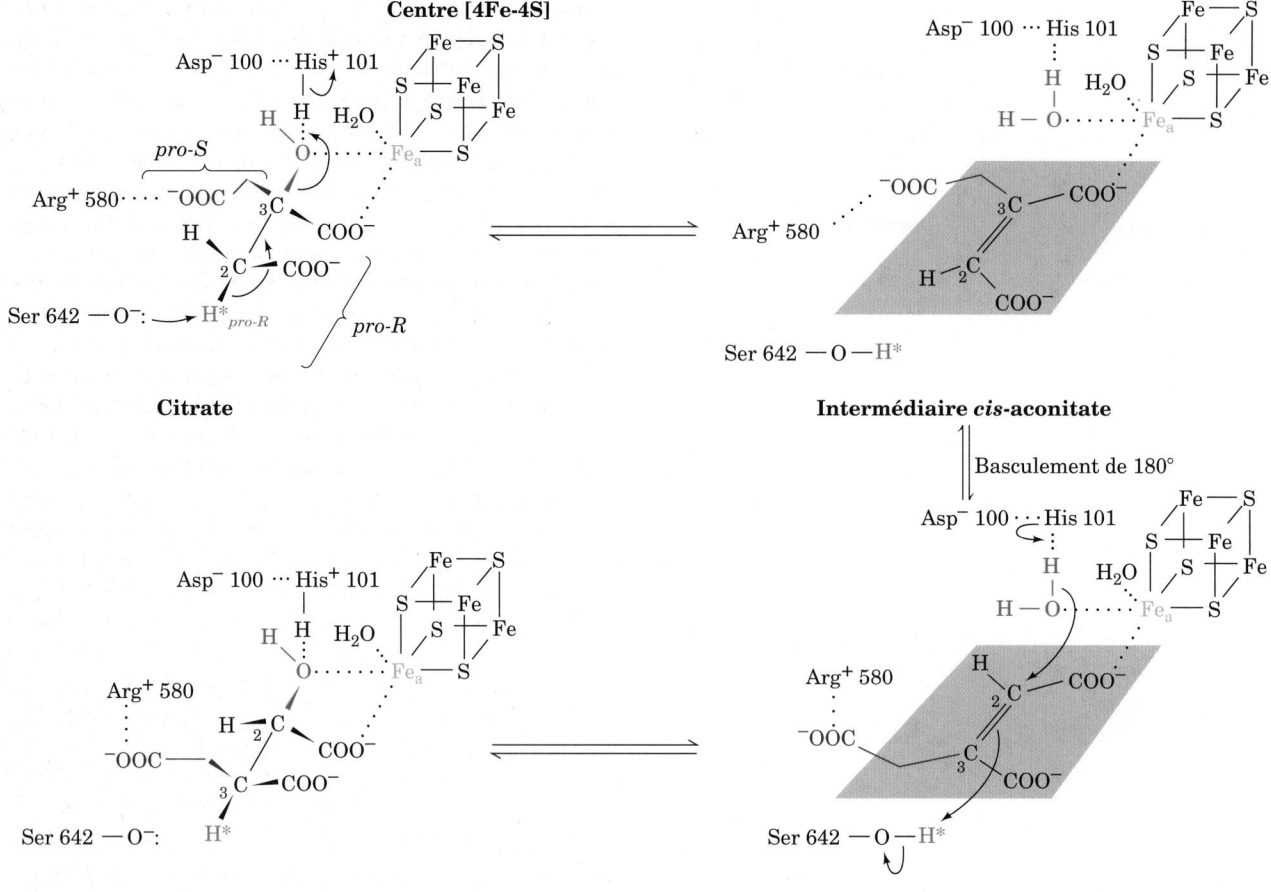

FIGURE 21-20 Mécanisme et stéréochimie de la réaction de l'aconitase. Fe_a du groupement [4Fe-4S] de l'enzyme est lié par coordinence aux groupements hydroxyle et carboxylate central du citrate ; Arg 580 établit une liaison saline avec le groupement carboxyle *pro-S* ; Ser 642, sous sa forme alcoxyde, agit comme un catalyseur général basique, et His 101 polarisée par Asp 100 agit comme un catalyseur général acide pour éliminer l'eau et former le cis-aconitate. Noter le basculement de 180°, tout à fait inhabituel, que doit faire le cis-aconitate tout en restant sans doute lié au site actif ; ainsi, la réhydratation se fait sur le côté opposé du substrat de celui d'où s'est faite la déshydratation, formant ainsi le $(2R,3S)$-isocitrate.

groupement OH du C3 par trans-élimination de H_2O ce qui donne l'intermédiaire cis-aconitate. La dernière étape de la réaction est facilitée par une catalyse générale acide par His 101 dont le groupement imidazolium est polarisé par l'établissement d'une liaison de type ionique avec la chaîne latérale de Asp 100. Le remplacement par mutagenèse de Asp 100, His 101 ou Ser 642 se traduit par une diminution de l'activité catalytique de l'aconitase d'un facteur compris entre 10^3 et 10^5, sans pour autant affecter son affinité de liaison pour le substrat, ce qui confirme le mécanisme réactionnel décrit ci-dessus.

L'aconitase contient un **centre fer-soufre [4Fe-4S]** lié par covalence et nécessaire à l'activité catalytique (les propriétés des centres fer-soufre sont étudiées dans la Section 22-2C). On pense qu'un atome de Fe(II) spécifique, appelé Fe_a, se lie par coordinence au groupement OH du substrat afin de faciliter son élimination. Les centres fer-soufre sont presque toujours associés à des processus d'oxydo-réduction, bien que ce ne soit pas le cas pour l'aconitase. On a suggéré que les propriétés électroniques du

centre [4Fe-4S] permettraient à l'atome Fe_a d'étendre son enveloppe de coordination des quatre ligands observés dans la structure par rayons X de l'enzyme libre (trois ions S^{2-} et un ion OH^-), aux six ligands disposés en octaèdre observés dans le complexe enzyme-substrat. Un simple ion métallique, comme Zn^{2+} ou Cu^{2+}, serait incapable d'assurer cette structure et, par conséquent, nécessiterait que certains de ses ligands soient déplacés lors de la liaison du substrat.

La deuxième étape de la réaction de l'aconitase est la réhydratation de la double liaison du *cis*-aconitate pour former de l'isocitrate (Fig. 21-20, *en bas*). L'addition non enzymatique de H_2O sur la double liaison du *cis*-aconitate aboutirait à la formation de quatre stéréoisomères. Toutefois, l'aconitase catalyse la trans-addition stéréospécifique de OH^- et de H^+ sur la double liaison pour donner uniquement le $(2R,3S)$-isocitrate dans la réaction directe et le citrate dans la réaction inverse.

Bien que le groupement OH du citrate soit perdu dans le solvant lors de la réaction de l'aconitase, le H^+ enlevé est retenu par

Ser 642. Ce qui est remarquable, c'est qu'il s'ajoute sur les côtés opposés de la double liaison du cis-aconitate en formant le citrate et l'isocitrate. Le cis-aconitate doit exposer un côté différent au H+ « séquestré » lors de la formation de l'isocitrate. On pense que l'intermédiaire pourrait se retourner de 180° à la surface de l'enzyme tout en gardant son association avec Arg 580, ou qu'il se dissocierait de l'enzyme et serait remplacé par une autre molécule de cis-aconitate dans l'orientation inverse.

Le fluorocitrate inhibe l'aconitase

Le **fluoroacétate,** l'une des petites molécules les plus toxiques connues ($LD_{50} = 0,2$ mg·kg^{-1} de poids du corps chez le rat), se trouve dans les feuilles de certaines plantes toxiques d'Afrique, d'Australie et d'Amérique du sud. Curieusement, le fluoroacétate en lui-même est peu toxique pour les cellules ; en fait, les cellules le transforment enzymatiquement d'abord en fluoroacétyl-CoA puis en **(2R,3R)-2-fluorocitrate**, qui inhibe spécifiquement l'aconitase (voir Problème 9) :

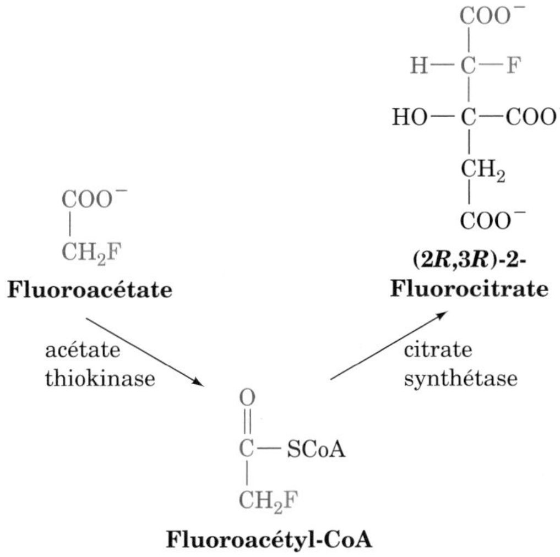

Cependant, on ne sait pas si l'inhibition de l'aconitase est responsable à 100 % de la forte toxicité du fluorocitrate. On sait, par ailleurs, que le fluorocitrate inhibe aussi le transport du citrate à travers la membrane mitochondriale.

C. *Isocitrate déshydrogénase NAD+ dépendante*

L'isocitrate déshydrogénase catalyse la décarboxylation oxydative de l'isocitrate en α-cétoglutarate avec formation de la première molécule de CO_2 du cycle de l'acide citrique et de NADH (Réaction 3, Fig. 21-1). Les tissus de mammifère contiennent deux isoformes de cette enzyme. Bien qu'elles catalysent toutes deux la même réaction, l'une participe au cycle de l'acide citrique, est mitochondriale et utilise le NAD+ comme coenzyme. L'autre isoforme se trouve dans les mitochondries et dans le cytosol, elle utilise le NADP+ comme coenzyme, et elle fournit du NADPH pour la biosynthèse réductrice.

On pense que l'isocitrate déshydrogénase NAD+-dépendante, qui nécessite Mn^{2+} ou Mg^{2+} comme cofacteur, catalyserait l'oxydation d'un alcool secondaire (l'isocitrate) en une cétone (l'oxalosuccinate), puis la décarboxylation du groupement carboxyle en position β de la fonction cétone (Fig. 21-21). Au cours de cette séquence, le groupement céto en β du groupement carboxylique facilite la décarboxylation en servant de puits d'électrons. L'oxydation s'accompagne de la réduction stéréospécifique du NAD+ sur son côté *re* (addition côté A ; Section 13-2A). Mn^{2+} établit une liaison de coordinence avec le groupement carbonyle nouvellement formé, ce qui polarise sa charge électronique.

Bien que la formation de l'intermédiaire oxalosuccinate soit chimiquement logique, les preuves de sa formation sont rares car cet intermédiaire n'est que transitoire dans les réactions catalysées par l'enzyme « sauvage ». Cependant, la vitesse d'une réaction enzymatique peut être ralentie suit à la mutation de résidus particuliers importants pour la catalyse, ce qui permet l'accumulation d'intermédiaires spécifiques. Ainsi, la mutation de Lys 230, qui facilite la décarboxylation de l'intermédiaire oxalosuccinate (Fig. 21-21), en Met dans l'isocitrate déshydrogénase NADP+-dépendante conduit à l'accumulation de l'intermédiaire oxalosuccinate. Celui-ci fut visualisé directement dans la structure par rayons X de l'enzyme mutante, en présence d'un apport continu en substrat, par des mesures rapides de l'intensité des rayons X.

D. *α-Cétoglutarate déshydrogénase*

L'α-cétoglutarate déshydrogénase catalyse la décarboxylation oxydative de l'α–cétoglutarate (acide α-cétonique), produisant la deuxième molécule de CO_2 du cycle de l'acide citrique et du

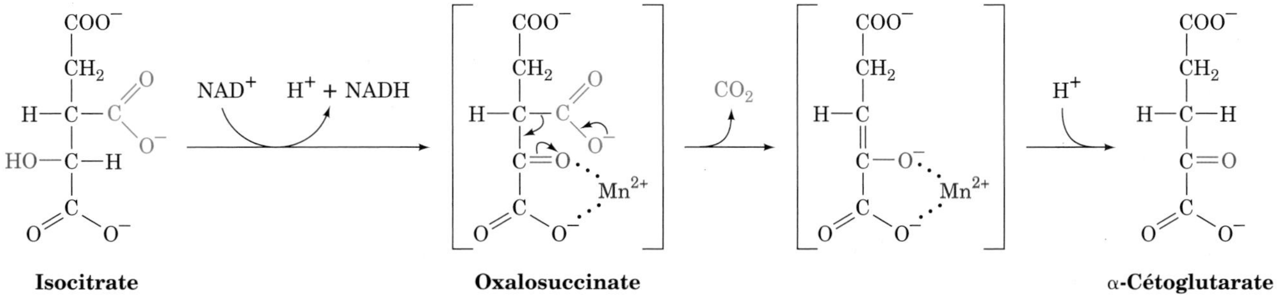

FIGURE 21-21 Mécanisme réactionnel probable de l'isocitrate déshydrogénase. L'oxalosuccinate est mis entre crochets car il reste lié à l'enzyme.

NADH (Réaction 4, Fig. 21-1). La réaction globale ressemble étroitement à celle catalysée par le PDC (Section 21-6). Elle fait intervenir un complexe multienzymatique homologue qui comprend l'**α-cétoglutarate déshydrogénase** (E$_1$), la **dihydrolipoyl transsuccinylase** (E$_2$) et la dihydrolipoyl déshydrogénase (E$_3$), et où les sous-unités E$_3$ sont identiques à celles du PDC (Section 21-2A).

Les réactions individuelles catalysées par le complexe font intervenir des mécanismes identiques à ceux de la réaction catalysée par la pyruvate déshydrogénase (Section 21-2A), le produit final étant aussi un thioester « riche en énergie », en l'occurence le succinyl-CoA. Cependant, il n'y a pas de modification covalente des enzymes dans le complexe de l'α-cétoglutarate déshydrogénase.

E. *Succinyl-CoA synthétase*

*La succinyl-CoA synthétase (appelée aussi **succinate thiokinase**) hydrolyse le succinyl-CoA « riche en énergie » avec la synthèse couplée d'un nucléoside triphosphate « riche en énergie » (Réaction 5, Fig. 21-1)*. (Remarque : les noms des enzymes peuvent désigner la réaction qu'elles catalysent dans un sens ou dans l'autre ; dans ce cas, succinyl-CoA synthétase et succinate thiokinase désignent la réaction en sens inverse). Du GTP est synthétisé à partir de GDP + P$_i$ par l'enzyme de mammifère ; les enzymes de plantes et de bactéries utilisent de l'ADP + P$_i$ pour donner de l'ATP. De toute façon, ces réactions sont équivalentes car l'ATP et le GTP s'interconvertissent rapidement grâce à la nucléoside diphosphate kinase (Section 16-4C) :

$$\text{GTP} + \text{ADP} \rightleftharpoons \text{GDP} + \text{ATP} \qquad \Delta G^{\circ\prime} = 0$$

a. L'énergie de la liaison thioester du succinyl-CoA est conservée par la formation d'une série de composés phosphorylés « riches en énergie »

Comment la succinyl-CoA synthétase assure-t-elle le couplage entre l'hydrolyse exergonique du succinyl-CoA ($\Delta G^{\circ\prime} = -32,6$ kJ · mol^{-1}) avec la formation endergonique d'un nucléoside triphosphate ($\Delta G^{\circ\prime} = +30,5$ kJ · mol^{-1}) ? On a pu répondre à cette question par l'utilisation judicieuse de traceurs isotopiques. En l'absence de succinyl-CoA, l'enzyme d'épinard (qui utilise des nucléotides adényliques) catalyse le transfert du groupement phosphoryle en γ de l'ATP sur l'ADP, comme cela a été détecté en utilisant du ^{14}C-ADP et en observant le marquage sur l'ATP. Un tel échange isotopique (Section 14-5D) suggère la participation d'un intermédiaire phosphoryle-enzyme qui assure la séquence réactionnelle suivante :

Effectivement, ce résultat conduisit à l'isolement d'une phospho-

ryle-enzyme cinétiquement active et dont le groupement phosphoryle est lié par covalence au N3 d'un résidu His.

Quand la réaction de la succinyl-CoA synthétase, qui est tout à fait réversible, se fait dans le sens de la formation de succinyl-CoA (en sens opposé à celui du cycle de l'acide citrique) en utilisant du [^{18}O]succinate comme substrat, ^{18}O est transféré du succinate au phosphate. Manifestement, du succinyl phosphate, un anhydride mixte « riche en énergie », se forme transitoirement pendant la réaction.

Ces observations suggèrent la séquence des trois réactions suivantes catalysées par la succinyl-CoA synthétase (Fig. 21-22) :

1. Le succinyl-CoA réagit avec P$_i$ pour former du succinyl phosphate et du CoA (ce qui explique la réaction d'échange de ^{18}O).

2. Le groupement phosphoryle du succinyl phosphate est transféré sur un résidu His de l'enzyme, avec libération du succinate (ce qui explique la formation du résidu 3-phosphoHis).

3. Le groupement phosphoryle de l'enzyme est transféré sur du GDP, donnant du GTP (d'où la réaction d'échange du nucléoside diphosphate).

Noter que dans chacune des étapes *l'énergie libre de l'hydrolyse du succinyl-CoA « riche en énergie » est conservée à travers la formation successive de composés « riches en énergie » : dans l'ordre, le succinyl phosphate, le résidu 3-phosphoHis et le GTP*. Ce processus fait penser au passage d'une patate chaude de voisin à voisin !

b. Faisons le point

À ce stade du cycle, un équivalent acétyle a été complètement oxydé en 2CO$_2$. Deux NADH et un GTP (en équilibre avec l'ATP) ont également été formés. Pour boucler le cycle, le succinate doit redonner de l'oxaloacétate. Les trois dernières réactions du cycle vont s'en charger.

F. *Succinate déshydrogénase*

La succinate déshydrogénase catalyse la déshydrogénation stéréospécifique du succinate en fumarate (Réaction 6, Fig. 21-1) :

L'enzyme est fortement inhibée par le **malonate**, un analogue

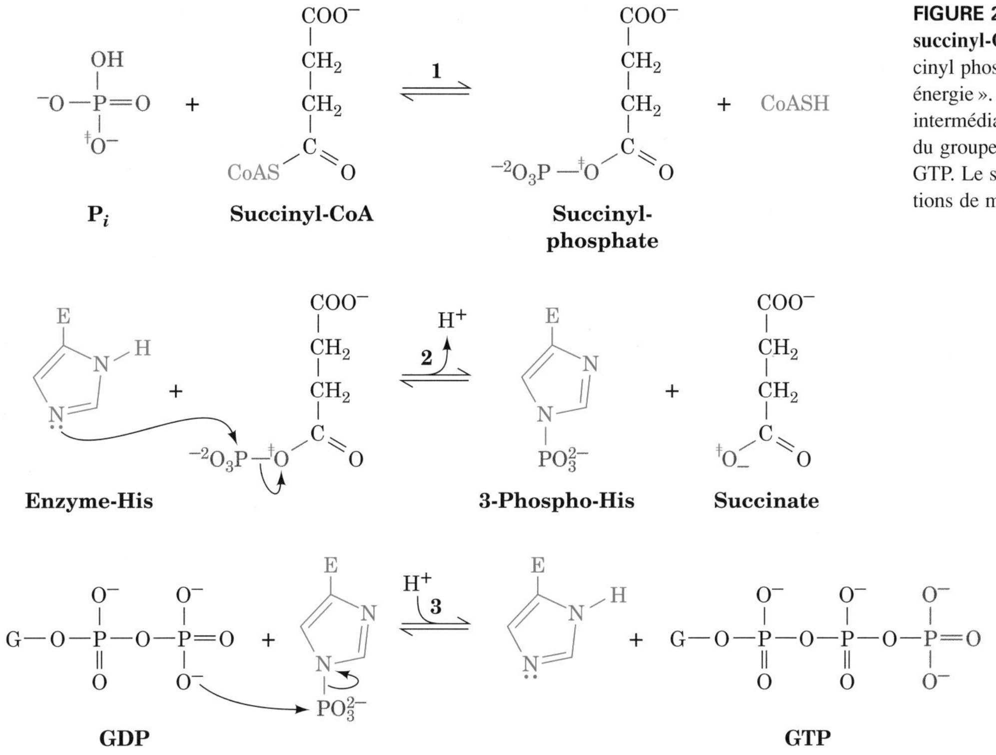

FIGURE 21-22 Réactions catalysées par la succinyl-CoA synthétase. (1) Formation de succinyl phosphate, un anhydride mixte « riche en énergie ». **(2)** Formation de phosphoryl-His, un intermédiaire « riche en énergie ». **(3)** Transfert du groupement phosphoryle au GDP, formant du GTP. Le symbole ⧧ représente ^{18}O dans des réactions de marquage isotopique.

structural du succinate et un exemple classique d'inhibiteur compétitif :

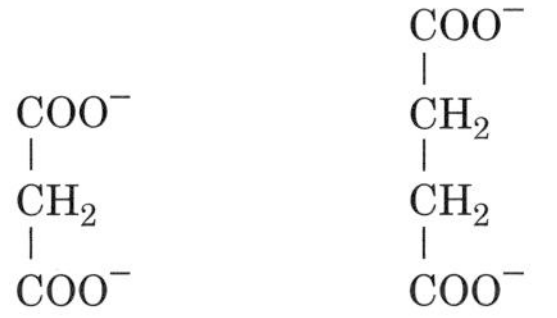

Malonate   **Succinate**

Se rappeler que l'inhibition de la respiration cellulaire par le malonate est une des observations qui ont conduit Krebs à émettre l'hypothèse du cycle de l'acide citrique (Section 21-1B).

La succinate déshydrogénase contient du FAD, l'accepteur d'électrons de la réaction. Généralement, le FAD est impliqué dans l'oxydation d'alcanes en alcènes, alors que le NAD^+ oxyde les alcools en aldéhydes ou cétones. Ceci est dû à ce que l'oxydation d'un alcane (comme le succinate) en alcène (comme le fumarate) est assez exergonique pour réduire le FAD en $FADH_2$ mais pas assez exergonique pour réduire le NAD^+ en NADH. Par contre, l'oxydation d'un alcool peut réduire le NAD^+ (Tableau 16-4). Le FAD de la succinate déshydrogénase est lié par covalence par son atome C8a à un résidu His de l'enzyme (Fig. 21-23). Une liaison covalente entre le FAD et une protéine est plutôt rare ; généralement le FAD n'est pas lié par covalence à l'enzyme, même s'il y

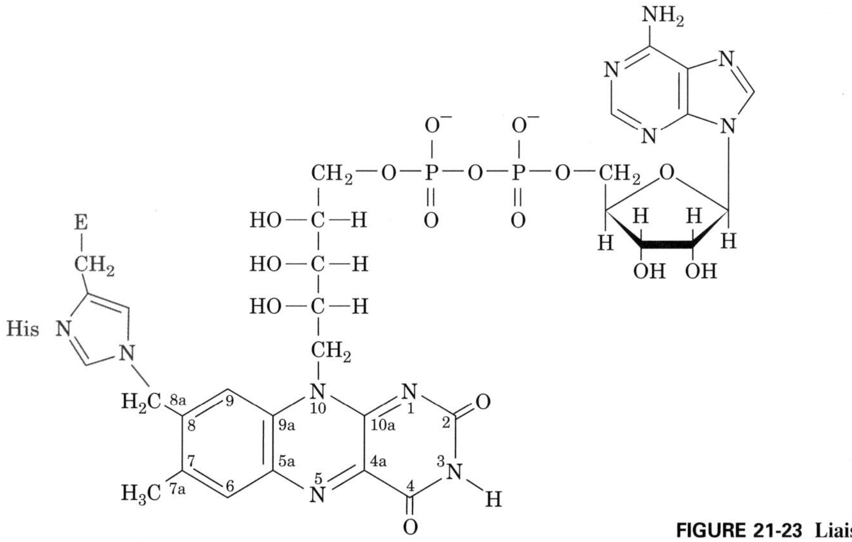

FAD

FIGURE 21-23 Liaison covalente du FAD à un résidu His de la succinate déshydrogénase.

est fixé fortement (p. ex. à la dihydrolipoyl déshydrogénase ; Section 21-2B).

Comment la réoxydation du FADH₂ de la succinate déshydrogénase est-elle assurée ? Ce groupement prosthétique étant lié en permanence à l'enzyme, il ne peut fonctionner comme un métabolite à la manière du NADH. En réalité, *la succinate déshydrogénase (aussi appelée complexe II) est réoxydée par le coenzyme Q de la chaîne respiratoire mitochondriale,* comme nous le verrons dans la Section 22-2C. Cela explique pourquoi la succinate déshydrogénase, qui se trouve enfouie dans la membrane interne mitochondriale, est la seule enzyme membranaire du cycle de l'acide citrique. Les autres enzymes sont dans la matrice mitochondriale sous forme soluble (la structure mitochondriale est décrite dans la Section 22-1A).

G. *Fumarase*

*La fumarase (ou **fumarate hydratase**) catalyse l'hydratation de la double liaison du fumarate pour donner du (S)-malate (L-malate) (Réaction 7, Fig. 21-1).* L'étude d'expériences qui ont permis de comprendre le mécanisme de la fumarase illustre le rôle joué par des recherches indépendantes.

Arguments mécanistiques contradictoires : dans quel ordre se font les additions de H⁺ et de OH⁻ ?

Des expériences conçues afin de déterminer si la réaction de la fumarase fait intervenir un mécanisme à carbanion (addition de OH⁻ en premier) ou à carbocation (addition de H⁺ en premier) ont donné des résultats contradictoires (Fig. 21-24). On a obtenu des preuves en faveur du mécanisme à carbocation en étudiant la déshydratation du (S)-malate (la réaction de la fumarase en sens inverse) dans H₂¹⁸O. Du [¹⁸O]malate se forme dans le milieu réactionnel plus rapidement que si ¹⁸O s'incorporait par réaction

inverse du fumarate nouvellement formé. Ce résultat suggère qu'il y a formation rapide d'un carbocation intermédiaire sur le C2, à partir duquel OH⁻ s'échangerait avec ¹⁸OH⁻, suivi du départ lent de l'hydrogène du C3 (Fig. 21-24, *voie du bas*).

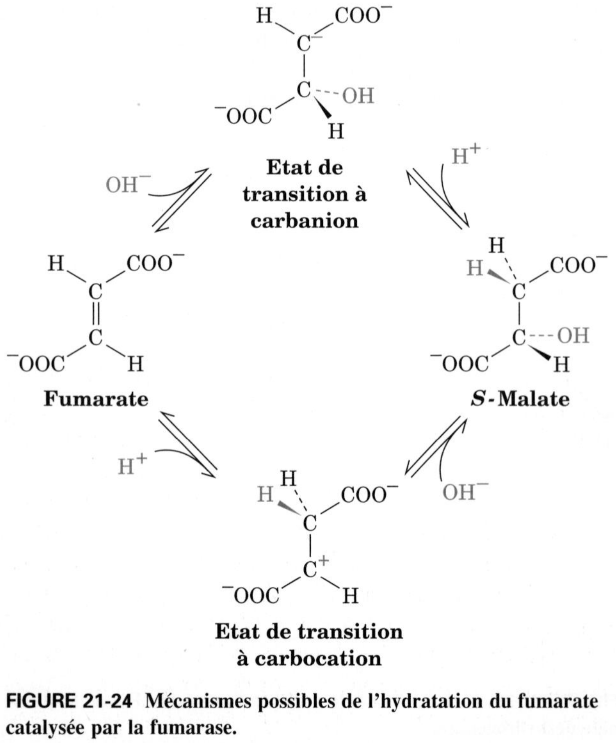

Cependant, d'autres résultats indiquent que la réaction se ferait via la formation d'un carbanion intermédiaire sur le C3 (Fig. 21-24, *voie du haut*). David Porter a synthétisé le **3-nitro-2-(S)-hydroxypropionate,** qui ressemble au (S)-malate d'un point de vue stérique :

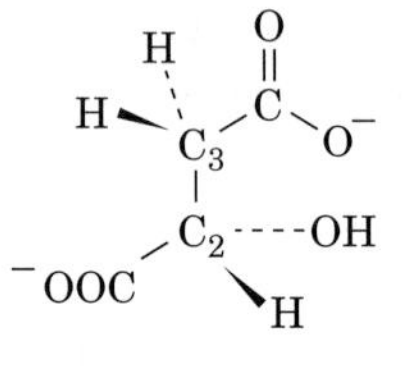

S-Malate

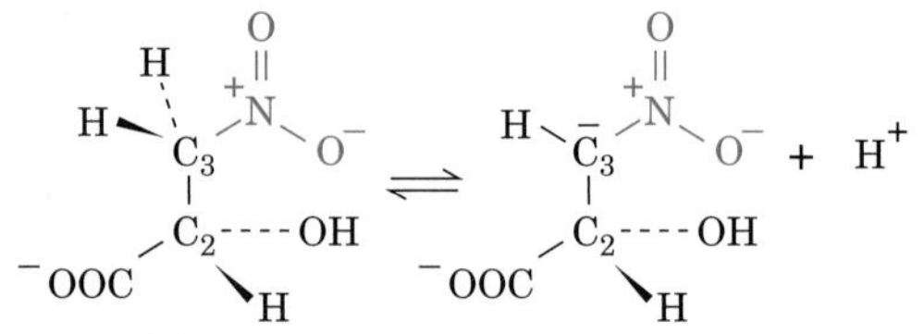

3-Nitro-2-S-hydroxypropionate

La nature électro-attractive du groupement nitro rend les protons du C3 relativement acides (pK ≈ 10). L'anion résultant est un analogue de l'état de transition à carbanion présumé sur le C3 de la réaction de la fumarase, mais n'a rien à voir avec l'état de transition à carbocation sur le C2 (Fig. 21-24 ; les analogues des états de transition sont étudiés dans la Section 15-1F). Cet anion est, en fait, un excellent inhibiteur de la fumarase : il a une affinité de liaison à l'enzyme 11 000 fois supérieure à celle du (S)-malate.

Si la réaction de la fumarase fait intervenir un mécanisme à carbanion, comment expliquer l'échange rapide de OH⁻ ? Réciproquement, si c'est un mécanisme à carbocation, pourquoi l'anion nitro est-il un inhibiteur si efficace ? Une chose est claire suite à cette série de résultats contradictoires : l'*étude des mécanismes réactionnels enzymatiques nécessite d'aborder le problème de différentes manières. Une seule série d'expériences ne peut constituer une preuve, et il faut se garder d'interpréter trop rapidement les résultats.* En réalité, on peut interpréter les résultats des échanges avec ¹⁸O de sorte qu'ils soient compatibles avec le mécanisme du carbanion. Il se trouve que c'est la libération du produit qui constitue la réaction à vitesse limitante de l'enzyme :

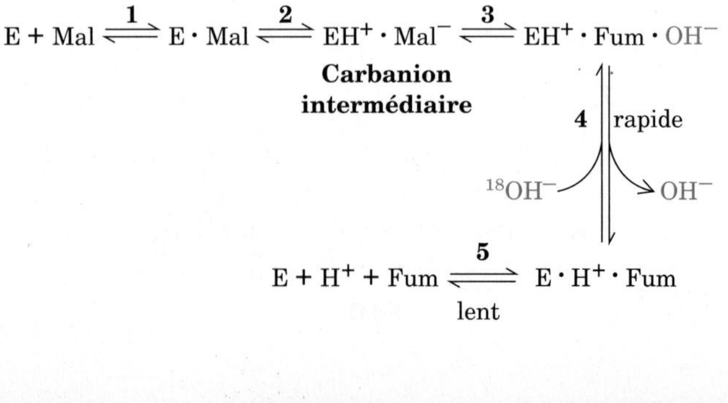

FIGURE 21-24 Mécanismes possibles de l'hydratation du fumarate catalysée par la fumarase.

Le malate se lie à la fumarase (**1**), forme un carbanion (**2**), élimine OH⁻ ce qui donne le fumarate (**3**), et libère rapidement OH⁻ de la surface de l'enzyme (**4**). La libération des autres produits (**5**) est lente. ¹⁸OH⁻ peut dès lors s'échanger avec OH⁻ pour former du [¹⁸O]malate à une vitesse plus rapide que la vitesse globale de la réaction de la fumarase.

H. *Malate déshydrogénase*

La malate déshydrogénase catalyse la dernière réaction du cycle de l'acide citrique, la régénération de l'oxaloacétate (Réaction 8, Fig. 21-1). Pour ce faire, le groupement hydroxyle du (*S*)-malate est oxydé en cétone dans une réaction NAD⁺-dépendante :

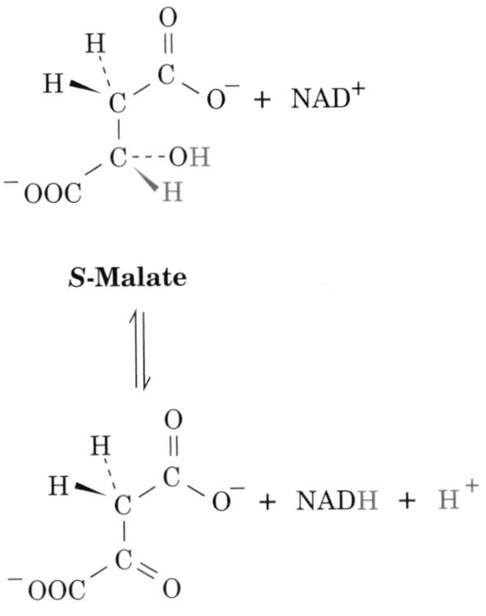

S-Malate

Oxaloacétate

L'ion hydrure libéré par l'alcool au cours de cette réaction est transféré sur le côté *re* du NAD⁺, le même côté que celui utilisé par la lactate déshydrogénase (Section 17-3A) et par l'alcool déshydrogénase (Section 17-3B). En fait, *la comparaison de la structure par rayons X des domaines de liaison du NAD⁺ de ces trois déshydrogénases a montré qu'elles sont remarquablement similaires, ce qui a conduit à suggérer que tous les domaines de liaison du NAD⁺ sont issus d'un ancêtre commun (Section 9-3B).*

Le $\Delta G°'$ de la réaction de la malate déshydrogénase est de +29,7 kJ·mol⁻¹ ; la concentration en oxaloacétate formé à l'équilibre est donc très faible. Cependant, se rappeler que la réaction catalysée par la citrate synthase, première enzyme du cycle, est très exergonique ($\Delta G°' = -31,5$ kJ·mol⁻¹ ; Section 21-3A) en raison de l'hydrolyse de la liaison thioester du citryl-CoA. Nous comprenons maintenant la nécessité de ce processus en apparence inutile. Il assure que la formation du citrate sera exergonique, même à des concentrations physiologiques en oxaloacétate très basses, ce qui permet ainsi l'initiation d'un nouveau tour de cycle.

I. *Intégration du cycle de l'acide citrique*

a. Impact du cycle de l'acide citrique sur la production d'ATP

L'étude précédente montre qu'un tour du cycle de l'acide citrique s'accompagne des transformations chimiques suivantes (Fig. 21-1) :

1. Un groupement acétyle est oxydé en deux molécules de CO_2, processus qui met en jeu quatre paires d'électrons (même si, comme nous le discutons ci-dessous, ce ne sont pas les atomes de carbone de l'acétyle entrant qui sont oxydés).

2. Trois molécules de NAD⁺ sont réduites en NADH, ce qui correspond à trois des paires d'électrons.

3. Une molécule de FAD est réduite en FADH₂, ce qui correspond à la quatrième paire d'électrons.

4. Un groupement phosphate « riche en énergie » est formé sous la forme de GTP (ou d'ATP).

Les huit électrons provenant du groupement acétyle durant le cycle de l'acide citrique vont ensuite passer dans la chaîne respiratoire, pour réduire en dernier ressort deux molécules d'O₂ en H₂O. Les trois paires d'électrons provenant du NADH vont permettre chacune, par l'intermédiaire des phosphorylations oxydatives, la synthèse de trois ATP, alors que la paire d'électrons provenant du FADH₂ produira, par le même processus, environ deux ATP. Un tour du cycle de l'acide citrique permet donc la régénération de 12 ATP environ. Le transport des électrons et les phosphorylations oxydatives feront l'objet du Chapitre 22.

b. Vérification par techniques isotopiques de la stœchiométrie du cycle de l'acide citrique

Les réactions du cycle de l'acide citrique ont été confirmées par des expériences avec des traceurs radioactifs, devenues possibles à la fin des années 1930 et au début des années 1940. À cette époque, on pouvait utiliser des composés enrichis en ¹³C (isotope stable, détectable par spectrométrie de masse et maintenant par RMN) ou en ¹¹C, isotope radioactif mais dont la demi-vie n'est que de 20 minutes ; le ¹⁴C, utilisé pour la première fois à la fin des années 1940 par Samuel Ruben et Martin Kamen, présente l'avantage sur le ¹¹C d'avoir une demi-vie de 5715 années.

Dans une expérience qui a fait date, du [4-¹¹C]oxaloacétate fut synthétisé à partir de ¹¹CO₂ et de pyruvate,

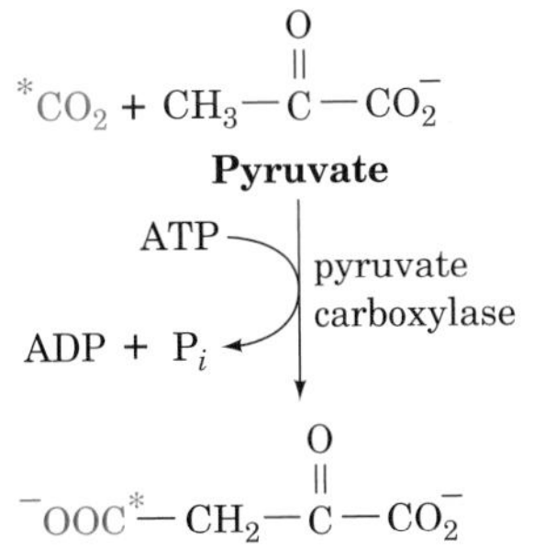

Oxaloacétate

puis utilisé dans le cycle de l'acide citrique de cellules musculaires métaboliquement actives et les intermédiaires formés au cours du cycle furent isolés. L'identification du carbone marqué de l'α-cétoglutarate isolé provoqua des discussions passionnées. Nous avons vu dans les Sections 21-3A et B que la citrate synthase et l'aconitase catalysent des réactions stéréospécifiques dans lesquelles la citrate synthase fait la distinction entre les deux côtés du groupement carbonyle de l'oxaloacétate, et l'aconitase reconnaît les groupements carboxyméthyle *pro-R* et *pro-S* du citrate. Toutefois, au début des années 1940, le concept de prochiralité n'était pas établi ; on pensait que les deux moitiés du citrate étaient indiscernables (ce qui est vrai, en effet, dans le cas de réactions non enzymatiques). On supposait donc que la radioactivité initialement localisée sur le C4 de l'oxaloacétate (* dans la Fig. 21-1) se répartissait également entre les atomes C1 et C6 du citrate, ce qui devait se traduire par le marquage des atomes C1 et C5 de l'α-cétoglutarate. En fait, seul le C1, celui du groupement carboxylique en α du groupement céto de l'α-cétoglutarate, se révéla radioactif (Fig. 21-1). Ce résultat jeta un doute quant à la nature du produit de condensation de l'oxaloacétate et de l'acétyl-CoA. Comment concilier ces résultats de marquage avec la symétrie de la molécule de citrate ? En raison de cette polémique, le cycle de l'acide citrique (nom proposé par Krebs) fut désormais appeleé cycle des acides tricarboxyliques (TCA).

En 1948, Alexander Ogston fit remarquer que, bien que symétrique, la molécule de citrate est prochirale et peut par conséquent entrer en contact de manière asymétrique avec la surface de l'aconitase (Section 13-2A). Même s'il est maintenant clairement établi que le citrate est un intermédiaire du cycle, la dualité du nom du cycle persiste (le terme « Cycle de Krebs » est aussi très utilisé ; N.d.T.).

Bien que le résultat net du cycle se solde par l'oxydation des atomes de carbone d'unités acétyle en CO_2, le CO_2 éliminé à chaque tour du cycle provient du squelette carboné de l'oxaloacétate. Ceci peut être démontré en suivant le cheminement du C4 marqué de l'oxaloacétate (* dans la Fig. 21-1) dans le cycle de l'acide citrique. On voit (Fig. 21-1) qu'il est éliminé sous forme de CO_2 lors de la réaction de l'α-cétoglutarate déshydrogénase.

On a fait des expériences en utilisant du $[1-^{14}C]$acétate, que les cellules transforment en $[1-^{14}C]$acétyl-CoA :

$$CH_3—^*COO^- + CoASH \xrightarrow[\text{acétate thiokinase}]{ATP \quad AMP + PP_i} CH_3—\overset{\overset{\displaystyle O}{\|}}{C}{}^*—SCoA$$

Acétate   **Acétyl-CoA**

En suivant le parcours de ce marqueur (‡ dans la Fig. 21-1) on constate qu'il n'est pas perdu en tant que CO_2. Il se partage (1/2 ‡ dans la Fig. 21-1) pendant le cycle lors de la formation du succinate, premier intermédiaire du cycle vraiment symétrique (non prochiral).

4 ■ RÉGULATION DU CYCLE DE L'ACIDE CITRIQUE

Dans cette section, nous étudierons comment est régulé le flux métabolique à travers le cycle de l'acide citrique. En étudiant le contrôle du flux métabolique (Section 17-4), nous avons établi que pour comprendre comment est contrôlée une voie métabolique, il faut connaître le(s) enzyme(s) qui catalyse(nt) sa (ses) réaction(s) à vitesse limitante, les effecteurs *in vitro* de ces enzymes, et les concentrations *in vivo* de ces substances. *Un mécanisme hypothétique de contrôle de flux doit démontrer qu'une augmentation ou une diminution du flux est consécutive à une augmentation ou une diminution de la concentration de l'effecteur présumé.*

a. La citrate synthase, l'isocitrate déshydrogénase et l'α-cétoglutarate déshydrogénase sont les enzymes qui contrôlent la vitesse du cycle de l'acide citrique

Il est plus difficile d'identifier les réactions limitantes du cycle de l'acide citrique que celles de la glycolyse, car la plupart des

TABLEAU 21-2   Variations d'énergie libre standard ($\Delta G^{\circ\prime}$) et variations d'énergie libre physiologique (ΔG) des réactions du cycle de l'acide citrique

Réaction	Enzyme	$\Delta G^{\circ\prime}$ (kJ·mol^{-1})	ΔG (kJ·mol^{-1})
1	Citrate synthase	−31,5	Négative
2	Aconitase	~5	~0
3	Isocitrate déshydrogénase	−21	Négative
4	Complexe multienzymatique α-cétoglutarate déshydrogénase	−33	Négative
5	Succinyl-CoA synthétase	−2,1	~0
6	Succinate déshydrogénase	+6	~0
7	Fumarase	−3,4	~0
8	Malate déshydrogénase	+29,7	~0

métabolites du cycle se trouvent aussi bien dans les mitochondries que dans le cytosol et on ne connaît pas exactement leur répartition entre ces deux compartiments (se rappeler que pour déterminer les réactions limitantes d'une voie métabolique, il faut déterminer le ΔG de chacune de ses réactions à partir des concentrations de ses substrats et produits). Cependant, si l'on suppose qu'il y a un équilibre entre les deux compartiments, on peut déduire les concentrations mitochondriales des concentrations totales dans la cellule. Le Tableau 21-2 donne les variations d'énergie libre standard des huit réactions du cycle de l'acide citrique et une estimation des variations d'énergie libre physiologiques pour le muscle cardiaque et le tissu hépatique. On constate que trois réactions sont très éloignées de l'équilibre dans des conditions physiologiques (ΔG négatifs) : celles catalysées par la citrate synthase, l'isocitrate déshydrogénase NAD$^+$-dépendante et l'α–cétoglutarate déshydrogénase. Nous allons donc voir comment ces enzymes sont régulées (Fig. 21-25).

b. Le cycle de l'acide citrique est essentiellement régulé par la disponibilité en substrat, l'inhibition par le produit et l'inhibition par d'autres intermédiaires du cycle

Dans le muscle cardiaque, où le rôle essentiel du cycle de l'acide citrique est d'assurer la formation d'ATP pour la contraction musculaire, les enzymes du cycle fonctionnent comme une entité fonctionnelle, leurs flux métaboliques étant proportionnels à la vitesse de consommation d'oxygène cellulaire. *La consommation en oxygène, la réoxydation du NADH et la production d'ATP étant étroitement couplées (Section 22-4), le cycle de l'acide citrique doit être régulé par des mécanismes de rétrocontrôle (feed-back) qui règlent sa production de NADH sur la dépense énergétique.* Contrairement aux réactions limitantes de la glycolyse et du métabolisme du glycogène, qui font appel aux systèmes élaborés du contrôle allostérique, des cycles de substrat et des

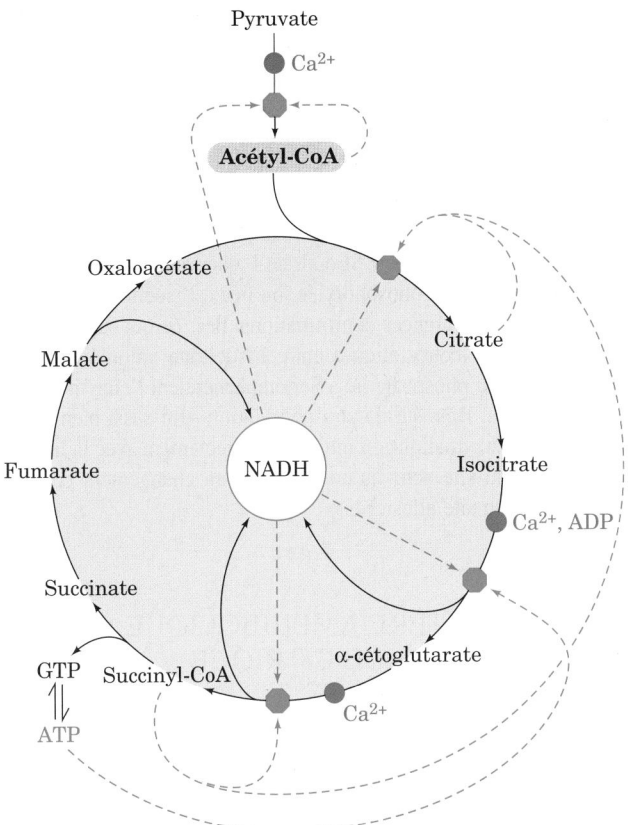

FIGURE 21-25 Régulation du cycle de l'acide citrique. Cette représentation du cycle de l'acide citrique et de la réaction de la pyruvate déshydrogénase indique les points d'inhibition (*octogones rouges*) et les intermédiaires du cycle qui sont des inhibiteurs (*flèches rouges en pointillés*). L'ADP et le Ca²⁺ (*points verts*) sont des activateurs.

modifications covalentes pour le contrôle des flux métaboliques, les enzymes régulatrices du cycle de l'acide citrique semblent être contrôlées presque entièrement par trois moyens simples : (1) la disponibilité en substrat, (2) l'inhibition par le (ou les) produit(s), (3) l'inhibition compétitive par rétrocontrôle exercé par des intermédiaires formés postérieurement au cours du cycle. Nous allons rencontrer plusieurs exemples de ces mécanismes de régulation directe dans ce qui suit.

Les régulateurs les plus stratégiques du cycle de l'acide citrique sont sans doute ses substrats, l'acétyl-CoA et l'oxaloacétate, et son produit, le NADH. L'acétyl-CoA et l'oxaloacétate sont présents dans la mitochondrie à des concentrations non saturantes pour la citrate synthase. Le flux métabolique au niveau de cette enzyme varie donc en fonction de la concentration de ses substrats et est contrôlé par leur disponibilité. La formation d'acétyl-CoA à partir de pyruvate est régulée par l'activité de la pyruvate déshydrogénase (Section 21-2B). L'oxaloacétate se trouve en équilibre avec le malate, sa concentration variant avec la valeur du rapport [NADH]/[NAD⁺] selon l'expression de l'équilibre

$$K = \frac{[\text{oxaloacetate}][\text{NADH}]}{[\text{malate}][\text{NAD}^+]}$$

Lorsque le tissu passe d'une faible activité à une activité et une respiration intenses, la [NADH] mitochondriale diminue. L'augmen-

tation de la [oxaloacétate] qui s'ensuit stimule la réaction de la citrate synthase, qui contrôle la vitesse de formation du citrate.

Le fait que la [citrate] diminue invariablement quand l'activité augmente signifie que la vitesse d'utilisation du citrate augmente plus vite que sa vitesse de formation. La vitesse d'utilisation du citrate est sous la dépendance de l'isocitrate déshydrogénase NAD⁺-dépendante (la réaction de l'aconitase est proche de l'équilibre), qui est fortement inhibée *in vitro* par le NADH (inhibition par le produit). La citrate synthase est aussi inhibée par le NADH. Il est évident que l'isocitrate déshydrogénase NAD⁺-dépendante est plus sensible que la citrate synthase aux variations de [NADH].

La diminution de la [citrate] consécutive au passage d'une faible à une forte activité et donc à une vitesse de respiration accélérée se traduit par un effet d'entraînement :

1. Le citrate est un inhibiteur compétitif de l'oxaloacétate pour la citrate synthase (inhibition par le produit) ; la diminution de la [citrate] due à l'augmentation de l'activité de l'isocitrate déshydrogénase augmente la vitesse de formation de citrate.

2. L'α-cétoglutarate déshydrogénase est également fortement inhibée par ses produits, le NADH et le succinyl-CoA. Par conséquent, son activité augmente quand la [NADH] diminue.

3. Le succinyl-CoA entre aussi en compétition avec l'acétyl-CoA dans la réaction de la citrate synthase (inhibition compétitive par rétrocontrôle).

Ce système d'engrenage permet au cycle de l'acide citrique d'être régulé harmonieusement.

c. L'ADP, l'ATP et le Ca²⁺ sont des effecteurs allostériques d'enzymes du cycle de l'acide citrique

En étudiant les enzymes du cycle de l'acide citrique *in vitro*, on a identifié quelques inhibiteurs et activateurs allostériques. Une activité intense s'accompagne d'une augmentation de la [ADP], due à l'hydrolyse accélérée de l'ATP. L'ADP est un effecteur positif de l'isocitrate déshydrogénase en diminuant son K_M apparent pour l'isocitrate. L'ATP, qui s'accumule quand le muscle est au repos, inhibe cette enzyme.

En plus de ses multiples fonctions biologiques, le Ca²⁺ est un régulateur métabolique essentiel. Il stimule la glycogénolyse (Section 18-3C), déclenche la contraction musculaire (Section 35-3C), et il constitue un second messager de certains signaux hormonaux (Section 19-4A). Le Ca²⁺ joue également un rôle important dans la régulation du cycle de l'acide citrique (Fig. 21-25). Il active la pyruvate déshydrogénase phosphatase et inhibe la pyruvate déshydrogénase kinase, ce qui active le PDC et donc la production d'acétyl-CoA (Fig. 21-17b). De plus, le Ca²⁺ active l'isocitrate déshydrogénase et l'α-cétoglutarate déshydrogénase. Ainsi, le même signal stimule la contraction musculaire et la production de l'ATP qui la fournit en énergie.

Dans le foie, le rôle du cycle de l'acide citrique est plus complexe que dans le muscle cardiaque. Le foie synthétise de nombreuses substances nécessaires à l'organisme dont le glucose, les acides gras, le cholestérol, les acides aminés et les porphyrines. Certaines réactions du cycle de l'acide citrique jouent un rôle important dans beaucoup de ces voies de biosynthèse, en plus de leur rôle dans le métabolisme énergétique. Nous étudierons dans la section suivante les contributions du cycle de l'acide citrique à ces processus.

d. Les enzymes du cycle de l'acide citrique constituent-ils un métabolon ?

L'efficacité d'une voie métabolique peut être augmentée si les enzymes qui en catalysent les étapes successives interagissent pour se transmettre les intermédiaires métaboliques. Nous avons vu que c'est bien le cas pour le PDC (Section 21-2A). Parmi les avantages d'un tel assemblage, appelé **métabolon**, on notera la protection d'intermédiaires instables et l'augmentation de leur concentration locale pour une meilleure catalyse. De nombreux travaux ont été consacrés à la démonstration que ce concept s'applique aux voies métaboliques principales comme la glycolyse et le cycle de l'acide citrique. Cependant, les intermédiaires du cycle de l'acide citrique doivent être mis à la disposition d'autres voies métaboliques. Tout complexe d'enzymes de ce cycle sera donc labile et ne résistera pas aux manipulations expérimentales requises pour son isolement.

En dépit de ce qui précède, des interactions spécifiques *in vivo* ont été démontrées entre les membres de plusieurs paires d'enzymes du cycle de l'acide citrique, dont le couple citrate synthase-malate déshydrogénase. Par exemple, Paul Srere a isolé le gène codant une citrate synthase mutante de levure qu'il a appelée « mutant d'assemblage » car elle possède un activité enzymatique normale *in vitro*, mais entraîne une déficience du cycle de l'acide citrique *in vivo*. Cette mutation touche un segment très conservé (13 résidus) de l'enzyme (Pro 354-Pro 366 chez la levure), qui forme une boucle exposée au solvant pouvant interagir avec d'autres protéines. Pour aller plus loin, Srere construisit un plasmide exprimant une protéine de fusion (Section 5-5G) constituée du peptide de la citrate synthase sauvage associé à l'extrémité C-terminale de la GFP (Section (5-5H). Si le peptide se fixe à la malate déshydrogénase, l'expression en levure de cette protéine de fusion enzymatiquement inactive devrait inhiber le cycle de l'acide citrique. C'est bien le cas, à en juger par l'incapacité de cette levure à pousser avec de l'acétate comme substrat, lequel ne peut être métabolisé que par le cycle de l'acide citrique. De plus, le remplacement du peptide de la citrate synthase par un peptide sans relation avec ce dernier diminue à peine la croissance sur acétate, ce qui démontre le rôle de la séquence spécifique du peptide de la citrate synthase dans l'inhibition observée lors de l'expérience précédente. Si cette inhibition de la croissance résulte bien de la compétition du peptide avec la citrate synthase pour un partenaire de son interaction au sein du métabolon, l'inhibition devrait être levée par la surexpression de la citrate synthase ou de ce partenaire. De fait, la croissance sur acétate reprend lorsque la citrate synthase ou la malate déshydrogénase est surexprimée dans la levure qui exprime la protéine de fusion GFP-peptide de la citrate synthase. Cependant, l'inhibition n'est pas levée par surexpression de l'aconitase. On conclut de ces observations que la citrate synthase et la malate déshydrogénase doivent interagir pour un fonctionnement optimal du cycle de l'acide citrique, et que l'interaction de ces deux enzymes dépend du peptide de 13 résidus Pro 354-Pro 366.

e. Une isocitrate déshydrogénase bactérienne est régulée par phosphorylation

L'isocitrate déshydrogénase d'*E. coli* est un dimère de deux sous-unités identiques de 416 résidus qui est inactivé par phos-phorylation de Ser 113, un résidu du site actif. Par contre, la plupart des autres enzymes dont on sait qu'elles sont l'objet de phosphorylation/déphosphorylation covalentes, par exemple la glycogène phosphorylase (Section 18-3), sont phosphorylées sur des sites allostériques. Dans le cas de l'isocitrate déshydrogénase, la phosphorylation rend l'enzyme incapable de se lier à son substrat, l'isocitrate.

La comparaison des structures par rayons X, déterminées par Daniel Koshland et Robert Stroud, de l'isocitrate déshydrogénase seule, ou sous forme phosphorylée, ou liée à l'isocitrate ne révèle que de petites différences conformationnelles, ce qui suggère que des répulsions électrostatiques entre l'isocitrate anionique et les groupements du phosphate lié à Ser empêcheraient l'enzyme de se lier au substrat. Bien sûr, la phosphorylation peut aussi bien réguler l'activité enzymatique en interférant directement avec la liaison d'un ligand au site actif qu'en induisant un changement conformationnel d'un site allostérique.

5 ■ CARACTÈRE AMPHIBOLIQUE DU CYCLE DE L'ACIDE CITRIQUE

On pense généralement qu'une voie métabolique est soit catabolique avec libération (et conservation) d'énergie libre, soit anabolique avec un besoin en énergie libre. Le cycle de l'acide citrique est, par nature, catabolique puisqu'impliqué dans un processus de dégradation et qu'il assure la conservation d'énergie libre chez la plupart des organismes. Les intermédiaires du cycle de l'acide citrique ne sont nécessaires qu'en quantités catalytiques pour assurer le rôle catabolique du cycle. Cependant, plusieurs voies de biosynthèse utilisent des intermédiaires du cycle de l'acide citrique comme produits de départ. C'est la raison pour laquelle on dit que le cycle de l'acide citrique est **amphibolique** (à la fois anabolique et catabolique).

Toutes les voies de biosynthèse qui utilisent des intermédiaires du cycle de l'acide citrique ont aussi besoin d'énergie libre. Par conséquent, le rôle catabolique du cycle de l'acide citrique ne peut être interrompu ; *les intermédiaires du cycle qui ont été « détournés » doivent être remplacés*. Même si les aspects mécanistiques des réactions enzymatiques impliquées dans les voies qui utilisent et reforment les intermédiaires du cycle ne sont étudiés que dans des chapitres ultérieurs, il est utile de mentionner brièvement ici ces interrelations (Fig. 21-26).

a. Voies qui utilisent des intermédiaires du cycle de l'acide citrique

Les réactions qui utilisent et donc consomment des intermédiaires du cycle de l'acide citrique sont appelées **réactions cataplérotiques** (réactions de vidange ; du grec *cata*, en bas, et *plérotikos*, remplissage). Ces réactions servent non seulement à synthétiser des produits importants, mais aussi à éviter l'accumulation inappropriée dans la mitochondrie d'intermédiaires du cycle de l'acide citrique, par exemple lors d'une dégradation intense d'acides aminés en de tels intermédiaires (Section 26-3). On trouve des réactions cataplérotiques dans les voies suivantes :

1. La **biosynthèse du glucose (gluconéogenèse** ; Section 23-1), qui se déroule dans le cytosol, nécessite de l'oxaloacé-

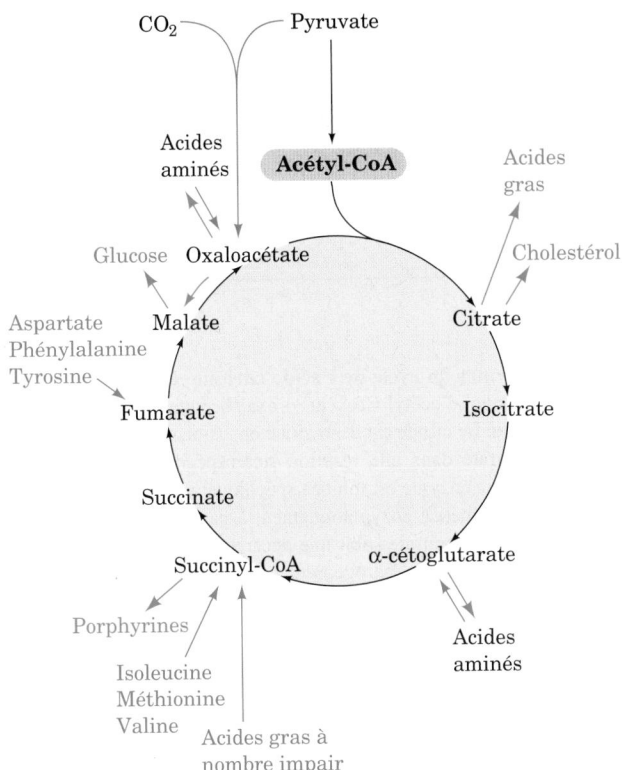

FIGURE 21-26 Fonctions amphiboliques du cycle de l'acide citrique.
Ce diagramme montre les endroits où les intermédiaires sont utilisés dans
le sens cataplérotique pour des voies anaboliques (*flèches rouges*) et les
endroits où des réactions anaplérotiques réapprovisionnent le cycle en
intermédiaires (*flèches vertes*). Les réactions de transamination et de
désamination des acides aminés sont réversibles, et leur sens varie en
fonction de la demande métabolique.

tate. Celui-ci ne traverse pas la membrane interne mitochondriale,
à l'inverse du malate. Le malate qui est transporté à travers la
membrane interne mitochondriale passe dans le cytosol où il est
oxydé en oxaloacétate pour la gluconéogenèse.

2. La **biosynthèse des lipides,** qui inclut la **biosynthèse des
acides gras** (Section 25-4) et la **biosynthèse du cholestérol** (Section 25-6A), est un processus cytosolique qui nécessite de l'acétyl-
CoA. L'acétyl-CoA est formé dans les mitochondries mais ne traverse pas la membrane interne mitochondriale. L'acétyl-CoA
cytosolique est donc formé par dégradation du citrate, qui peut traverser la membrane interne mitochondriale, lors d'une réaction
catalysée par la **citrate lyase ATP-dépendante** (Section 25-4D) :

$$\text{ATP} + \text{citrate} + \text{CoA} \rightleftharpoons$$
$$\text{ADP} + \text{P}_i + \text{oxaloacétate} + \text{acétyl-CoA}$$

3. La **biosynthèse de certains acides aminés** utilise des intermédiaires du cycle de l'acide citrique de deux manières. L'α-cétoglutarate donne du glutamate par amination réductrice dans une
réaction qui utilise le NAD^+ ou le NADP^+, catalysée par la **glutamate déshydrogénase** (Section 26-1) :

$$\alpha\text{-Cétoglutarate} + \text{NAD(P)H} + \text{NH}_4^+ \rightleftharpoons$$
$$\text{glutamate} + \text{NAD(P)}^+ + \text{H}_2\text{O}$$

L'α-cétoglutarate et l'oxaloacétate sont également utilisés pour la
synthèse du glutamate et de l'aspartate dans des réactions de transamination (Section 26-1) :

$$\alpha\text{-Cétoglutarate} + \text{alanine} \rightleftharpoons \text{glutamate} + \text{pyruvate}$$

et

$$\text{Oxaloacétate} + \text{alanine} \rightleftharpoons \text{aspartate} + \text{pyruvate}$$

4. La **biosynthèse des porphyrines** (Section 26-4A) utilise le
succinyl-CoA comme produit de départ.

5. L'**oxydation complète des acides aminés**, laquelle exige
que les intermédiaires du cycle de l'acide citrique résultant de la
dégradation des acides aminés soient d'abord convertis en PEP
[dans une réaction catalysée par la **phosphoénolpyruvate carboxykinase** (**PEPCK** ; Section 23-1) : oxaloacétate + GTP $\rightleftharpoons$
PEP + GDP)], puis en pyruvate par la pyruvate kinase (Section 17-
2J) et finalement en acétyl CoA par la pyruvate déshydrogénase
(Section 21-2A).

**b. Réactions qui redonnent des intermédiaires du cycle de
l'acide citrique**

Les réactions qui réapprovisionnent en intermédiaires le cycle
de l'acide citrique sont appelées des **réactions anaplérotiques**
(réactions de remplissage ; du grec *ana*, de nouveau, et *plerotikos*,
remplissage). La principale réaction de ce genre est catalysée par
la **pyruvate carboxylase**, qui produit de l'oxaloacétate (Section 23-1A) :

$$\text{Pyruvate} + \text{CO}_2 + \text{ATP} + \text{H}_2\text{O} \rightleftharpoons \text{oxaloacétate} + \text{ADP} + \text{P}_i$$

Cette enzyme « perçoit » »le besoin en intermédiaires du cycle de
l'acide citrique par son activateur, l'acétyl-CoA. Tout ralentissement du cycle provoqué par une concentration insuffisante en oxaloacétate ou en tout autre intermédiaire, se traduit par une augmentation de la [acétyl-CoA] qui n'est plus pris en charge. Il
s'ensuit une activation de la pyruvate carboxylase, qui réapprovi-
sionne en oxaloacétate, d'où une accélération du cycle. Bien
entendu, si le cycle de l'acide citrique est inhibé à un autre niveau,
en raison d'une forte [NADH] par exemple, l'augmentation de la
[oxaloacétate] sera sans effet. S'il y a excès d'oxaloacétate, celui-
ci s'équilibre avec le malate qui sera transporté hors de la mitochondrie vers le cytosol pour être utilisé dans la gluconéogenèse.

Des voies de dégradation forment des intermédiaires du cycle
de l'acide citrique :

1. L'oxydation d'acides gras à nombre impair d'atomes de carbone (Section 25-2E) conduit à la formation de succinyl-CoA.

2. La dégradation des acides aminés isoleucine, méthionine et
valine (Section 26-3E) conduit également à la formation de succinyl-CoA.

3. La transamination et la désamination de certains acides aminés conduisent à la formation d'α-cétoglutarate et d'oxaloacétate.
Ces réaction sont réversibles et, selon la demande métabolique,
permettent de réduire ou d'augmenter la concentration de ces
intermédiaires du cycle de l'acide citrique.

Le cycle de l'acide citrique est véritablement au centre du
métabolisme (cf. Fig. 16-1). Ses produits réduits, le NADH et le

FADH$_2$, sont réoxydés par la chaîne respiratoire au cours des phosphorylations oxydatives et l'énergie libre libérée est couplée à la biosynthèse de l'ATP. Les intermédiaires du cycle de l'acide citrique sont utilisés dans la biosynthèse de nombreux constituants cellulaires vitaux. Dans les prochains chapitres, nous étudierons plus en détail les interrelations de ces voies.

RÉSUMÉ DU CHAPITRE

1 ■ Vue d'ensemble du cycle Le cycle de l'acide citrique, voie du métabolisme oxydatif commune à la plupart des organismes aérobies, est sous la dépendance de huit enzymes qui transforment 1 acétyl-CoA en 2 molécules de CO$_2$ avec formation de 3 NADH, 1 FADH$_2$ et 1 GTP (ou ATP). La réoxydation des NADH et FADH$_2$ par O$_2$ via la chaîne respiratoire s'accompagne de la synthèse d'environ 11 ATP supplémentaires, ce qui donne en tout environ 12 ATP par tour de cycle.

2 ■ Origines métaboliques de l'acétyl-coenzyme A Le pyruvate, produit final de la glycolyse dans des conditions aérobies, est transformé en acétyl-CoA par le complexe multienzymatique pyruvate déshydrogénase (PDC), une association cubique ou dodécaédrique de trois enzymes : la pyruvate déshydrogénase, la dihydrolipoyl transacétylase et la dihydrolipoyl déshydrogénase. La sous-unité pyruvate déshydrogénase catalyse la transformation du pyruvate en CO$_2$ et un intermédiaire hydroxyéthyl-TPP. Ce dernier est conduit à la dihydrolipoyl transacétylase, qui oxyde le groupement hydroxyéthyle en acétate et le transfère au CoA pour former de l'acétyl-CoA. Le groupement prosthétique lipoamide, qui se trouve réduit au cours de ce processus, est réoxydé par la dihydrolipoamide déshydrogénase dans une réaction qui implique du FAD lié qui réduit le NAD$^+$ en NADH. La dihydrolipoamide transacétylase est inactivée par formation d'adduit covalent entre le lipoamide réduit et des composés As(III). La dihydrolipoamide déshydrogénase, très semblable à la glutathion réductase, catalyse une réaction en deux étapes. Au cours de la première, le dihydrolipoamide réduit le groupement disulfure à activité rédox de l'enzyme pour donner le lipoamide, premier produit de la réaction. Lors de la deuxième étape, le NAD$^+$ réoxyde l'enzyme réduite par l'intermédiaire du groupement prosthétique FAD de l'enzyme, ce qui complète le cycle catalytique et fournit le deuxième produit de l'enzyme, le NADH. L'activité du PDC varie en fonction des rapports [NADH]/[NAD$^+$] et [acétyl-CoA]/[CoA]. Chez les eucaryotes, la sous-unité pyruvate déshydrogénase est aussi inactivée par phosphorylation d'un résidu Ser spécifique et est réactivée par déphosphorylation. Ces modifications sont sous la dépendance respective de la pyruvate déshydrogénase kinase et de la pyruvate déshydrogénase phosphatase, qui font partie du complexe multienzymatique et répondent en fonction des niveaux des intermédiaires métaboliques comme le NADH et l'acétyl-CoA.

3 ■ Enzymes du cycle de l'acide citrique Le citrate se forme par condensation d'acétyl-CoA et d'oxaloacétate catalysée par la citrate synthase. Le citrate est déshydraté en *cis*-aconitate qui est réhydraté en isocitrate dans une réaction stéréospécifique catalysée par l'aconitase. Cette enzyme est inhibée spécifiquement par le (2*R*,3*R*)-2-fluorocitrate, synthétisé enzymatiquement à partir de fluoroacétate et d'oxaloacétate. L'isocitrate subit une décarboxylation oxydative catalysée par l'isocitrate déshydrogénase, pour donner l'α-cétoglutarate, du NADH et du CO$_2$. L'α-cétoglutarate à son tour subit une réaction de décarboxylation oxydative catalysée par l'α-cétoglutarate déshydrogénase, complexe multienzymatique homologue au PDC. Cette réaction donne un deuxième NADH et le deuxième CO$_2$. Le succinyl-CoA formé est transformé en succinate avec formation de GTP (ATP chez les plantes et les bactéries) par la succinyl-CoA synthétase. Le succinate est déshydrogéné stéréospécifiquement en furamate par la succinate déshydrogénase lors d'une réaction qui donne du FADH$_2$. Les deux dernières réactions du cycle de l'acide citrique, catalysées par la fumarase et la malate déshydrogénase, assurent l'hydratation du fumarate en (*S*)-malate, puis l'oxydation de cet alcool en cétone correspondante, l'oxaloacétate, avec formation concomitante du troisième et dernier NADH du cycle.

4 ■ Régulation du cycle de l'acide citrique L'ensemble des enzymes du cycle de l'acide citrique forment une unité fonctionnelle dont la vitesse est fonction de la demande métabolique cellulaire. Les enzymes qui contrôlent le flux sont la citrate synthase, l'isocitrate déshydrogénase et l'α-cétoglutarate déshydrogénase. Leurs activités dépendent de la disponibilité en substrat, de l'inhibition par le produit et par certains intermédiaires du cycle, et de l'activation par le Ca^{2+}. Il est possible que les enzymes du cycle de l'acide citrique s'organisent *in vivo* en métabolon, ce qui assure le passage des produits d'une enzyme à la suivante au cours du cycle.

5 ■ Caractère amphibolique du cycle de l'acide citrique Plusieurs voies anaboliques utilisent, dans des réactions cataplérotiques, des intermédiaires du cycle de l'acide citrique comme produits de départ. Ces substances essentielles sont remplacées lors de réactions anaplérotiques, la principale étant la synthèse d'oxaloacétate à partir de pyruvate et de CO$_2$ par la pyruvate carboxylase.

RÉFÉRENCES

HISTORIQUE

Holmes, F.L., *Hans Krebs*: Vol. 1: *The Formation of a Scientific Life*, 1900–1933; et Vol. 2: *Architect of Intermediary Metabolism*, 1933–1937, Oxford University Press (1991 et 1993). [Biographie du découvreur du cycle de l'acide citrique à la lumière de cette découverte.]

Kornberg, H.L., Tricarboxylic acid cycles, *BioEssays* **7**, 236–238 (1987). [Panorama des connaissances ayant conduit à la découverte du cycle de l'acide citrique.]

Krebs, H.A., The history of the tricarboxylic acid cycle, *Perspect. Biol. Med.* **14**, 154–170 (1970).

COMPLEXE MULTIENZYMATIQUE PYRUVATE DÉSHYDROGÉNASE

Izard, T., Ævarsson, A., Allen, M.D., Westphal, A.H., Perham, R.N., de Kok, A., et Hol, W.G.J., Principles of quasi-equivalence and euclidean geometry govern the assembly of cubic and dodecahedral cores of pyruvate dehydrogenase, *Proc. Natl. Acad. Sci.* **96,** 1240–1245 (1999).

Karplus, P.A. et Schulz, G.E., Refined structure of glutathione reductase at 1.54 Å resolution, *J. Mol. Biol.* **195,** 701–729 (1987).

Karplus, P.A. et Schulz, G.E., Substrate binding and catalysis by glutathione reductase derived from refined enzyme : Substrate crystal structures at 2Å resolution, *J. Mol. Biol.* **210,** 163–180 (1989).

Mattevi, A., Obmolova, G., Sokatch, J.R., Betzel, C., et Hol, W.G.J., The refined crystal structure of *Pseudomonas putida* lipoamide dehydrogenase complexed with NAD⁺ at 2.45 Å resolution, *Proteins* **13,** 336–351 (1992) ; *et* Mattevi, A., Schierbeek, A.J., et Hol, W.G.J., Refined crystal structure of lipoamide dehydrogenase from *Azotobacter vinelandii* at 2.2 Å resolution. A comparison with the structure of glutathione reductase, *J. Mol. Biol.* **220,** 975–994 (1991).

Patel, M.S. et Korotchkina, L.G., The biochemistry of the pyruvate dehydrogenase complex, *Biochem. Mol. Biol. Educ.* **31,** 5–15 (2003).

Patel, M.S., Roche, T.E., et Harris, R.A. (Éds.), *Alpha-Keto Acid Dehydrogenase Complexes,* Birkhäuser (1996).

Perham, R.N., Swinging arms and swinging domains in multifunctional enzymes: Catalytic machines for multistep reactions, *Annu. Rev. Biochem.* **69,** 961–1004 (2000). [Revue, par un spécialiste, des complexes multienzymatiques.]

Reed, L.J., A trail of research from lipoic acid to α-keto acid dehydrogenase complexes, *J. Biol. Chem.* **276,** 38329–38336 (2001). [Compte rendu scientifique.]

Reed, L.J. et Hackert, M.L., Structure-function relationships in dihydrolipoamide acyltransferases, *J. Biol. Chem.* **265,** 8971–8974 (1990).

Roche, T.E., Baker, J.C., Yan, X., Hiromasa, Y., Gong, X., Peng, T., Dong, J., Turkan, A., et Kasten, S.E., Distinct regulatory properties of pyruvate dehydrogenase kinase and phosphatase isoforms, *Prog. Nucl. Acid Res. Mol. Biol.* **70,** 33–75 (2001).

Wegenknecht, T., Grassucci, R., Radke, G.A., et Roche, T.E., Cryoelectron microscopy of mammalian pyruvate dehydrogen-ase complex, *J. Biol. Chem.* **266,** 24650–24656 (1991).

Williams, C.H., Jr., Lipoamide dehydrogenase, glutathione reductase, thioredoxin reductase, and mercuric ion reductase—A family of flavoenzyme transhydrogenases, *in* Müller, F. (Éd.), *Chemistry and Biochemistry of Flavoenzymes,* Vol. III, pp. 121–211, CRC Press (2000).

Zhou, Z.H., McCarthy, D.B., O'Connor, C.M., Reed, L.J., et Stoops, J.K., The remarkable structural and functional organization of the eukaryotic pyruvate dehydrogenase complexes, *Proc. Natl. Acad. Sci.* **98,** 14802–14807 (2001) ; *et* Stoops, J.K., Cheng, R.H., Yazdi, M.A., Maeng, C.-Y., Schroeter, J.P., Klueppelberg, U., Kolodziej, S.J., Baker, T.S., et Reed, L.J., On the unique structural organization of the *Saccharomyces cerevisiae* pyruvate dehydrogenase complex, *J. Biol. Chem.* **272,** 5757–5764 (1997).

ENZYMES DU CYCLE DE L'ACIDE CITRIQUE

Beinert, H., Kennedy, M.C., et Stout, D.C., Aconitase as iron-sulfur protein, enzyme, and iron-regulatory protein, *Chem. Rev.* **96,** 2335–2374 (1996).

Bolduc, J.M., Dyer, D.H., Scott, W.G., Singer, P., Sweet, R.M., Koshland, D.E., Jr., et Stoddard, B.L., Mutagenesis and Laue structures of enzyme intermediates : Isocitrate dehydrogenase, *Science* **268,** 1312–1318 (1995).

Cleland, W.W. et Kreevoy, M.M., Low-barrier hydrogen bonds and enzymic catalysis, *Science* **264,** 1887–1890 (1994).

Karpusas, M., Branchaud, B., et Remington, S.J., Proposed mechanism for the condensation reaction of citrate synthase : 1.9-Å structure of the ternary complex with oxaloacetate and carboxymethyl coenzyme A, *Biochemistry* **29,** 2213–2219 (1990).

Kurz, L.C., Nakra, T., Stein, R., Plungkhen, W., Riley, M., Hsu, F., et Drysdale, G.R., Effects of changes in three catalytic residues on the relative stabilities of some of the intermediates and transition states in the citrate synthase reaction, *Biochemistry* **37,** 9724–9737 (1998).

Lauble, H., Kennedy, M.C., Beinert, H., et Stout, D.C., Crystal structures of aconitase with isocitrate and nitroisocitrate bound, *Biochemistry* **31,** 2735–2748 (1992).

Mulholland, A.J., Lyne, P.D., et Karplus, M., Ab initio QM/MM study of the citrate synthase mechanism. A low-barrier hydrogen bond is not involved, *J. Am. Chem. Soc.* **122,** 534–535 (2000).

Porter, D.J.T. et Bright, H.J., 3-Carbanionic substrate analogues bind very tightly to fumarase and aspartase, *J. Biol. Chem.* **255,** 4772–4780 (1980).

Remington, S.J., Structure and mechanism of citrate synthase, *Curr. Top. Cell Regul.* **33,** 202–229 (1992) ; *et* Mechanisms of citrate synthase and related enzymes (triose phosphate isomerase and mandelate racemase), *Curr. Opin. Struct. Biol.* **2,** 730–735 (1992).

Walsh, C., *Enzymatic Reaction Mechanisms,* Freeman (1979). [L'auteur y discute des mécanismes de certaines enzymes du cycle de l'acide citrique.]

Wolodk, W.T., Fraser, M.E., James, M.N.G., and Bridger, W.A., The crystal structure of succinyl-CoA synthetase from *Escherichia coli* at 2.5Å resolution, *J. Biol. Chem.* **269,** 10883–10890 (1994).

Zheng, L., Kennedy, M.C., Beinert, H., et Zalkin, H. Mutational analysis of active site residues in pig heart aconitase, *J. Biol. Chem.* **267,** 7895–7903 (1992).

POISONS MÉTABOLIQUES

Committee on the Medical and Biological Effects of Environmental Pollutants, Subcommittee on Arsenic, *Arsenic,* National Research Council, National Academy of Sciences (1977).

Gibble, G.W., Fluoroacetate toxicity, *J. Chem. Ed.* **50,** 460–462 (1973).

Jones, D.E.H. et Ledingham, K.W.D., Arsenic in Napoleon's wallpaper, *Nature* **299,** 626–627 (1982).

Lauble, H., Kennedy, M.C., Emptage, M.H., Beinert, H., et Stout, C.D., The reaction of fluorocitrate with aconitase and the crystal structure of the enzyme-inhibitor complex, *Proc. Natl. Acad. Sci.* **93,** 13699–13703 (1996).

Winslow, J.H., *Darwin's Victorian Malady,* American Philosophical Society (1971).

MÉCANISMES DE CONTRÔLE

Hurley, J.H., Dean, A.M., Sohl, J.L., Koshland, D.E., Jr., et Stroud, R.M., Regulation of an enzyme by phosphorylation at the active site, *Science* **249,** 1012–1016 (1990).

Owen, O.E., Kalhan, S.C., et Hanson, R.W., The key role of anaplerosis and cataplerosis for citric acid cycle function, *J. Biol. Chem.* **277,** 30409–30412 (2002).

Reed, L.J., Damuni, Z., et Merryfield, M.L., Regulation of mammalian pyruvate and branched-chain α-keto-acid dehydrogenase complexes by phosphorylation and dephosphorylation, *Curr. Top. Cell. Regul.* **27,** 41–49 (1985).

Srere, P.A., Sherry, A.D., Malloy, C.R., et Sumegi, B., Channelling in the Krebs tricarboxylic acid cycle, *in* Agius, L. and Sherratt, H.S.A. (Éds.), *Channelling in Intermediary Metabolism,* pp. 201–217, Portland Press (1997).

Stroud, R.M., Mechanisms of biological control by phosphorylation, *Curr. Opin. Struct. Biol.* **1**, 826–835 (1991). [Revoit notamment l'inactivation de l'isocitrate déshydrogénase par phosphorylation.]

Vélot, C., Mixon, M.B., Teige, M., et Srere, P.A., Model of a quinary structure between Krebs TCA cycle enzymes : A model for the metabolon, *Biochemistry* **36**, 14271–14276 (1997).

Vélot, C. et Srere, P.A., Reversible transdominant inhibition of a metabolic pathway. In vivo evidence of interaction between two sequential tricarboxylic acid cycle enzymes in yeast. *J. Biol. Chem.* **275**, 12926–12933 (2000).12933 (2000).

PROBLÈMES

1. Indiquez l'évolution du marquage radioactif du [2-^{14}C]glucose au cours de la glycolyse et du cycle de l'acide citrique. À quel(s) niveau(x) du cycle la radioactivité sera-t-elle libérée sous forme de $^{14}CO_2$? Combien de tours de cycles seront-ils nécessaires pour que toute la radioactivité se retrouve sous forme de CO_2 ? Reprenez ce problème avec du pyruvate marqué par du ^{14}C dans son groupement méthyle.

2. La réaction de la glutathion réductase avec un excès de NADPH et en présence d'arsénite conduit à la formation d'une enzyme réduite à quatre électrons qui n'est pas physiologique. Quelle est la nature chimique de cette espèce catalytiquement inactive ?

3. La dihydrolipoamide déshydrogénase réduite à deux électrons (EH_2), à l'inverse de l'enzyme oxydée (E), réagit avec l'iodoacétate (ICH_2COO^-) pour donner une enzyme inactive. Pourquoi ?

4. En fonction des données suivantes, calculez le ΔG physiologique de la réaction de l'isocitrate déshydrogénase à 25 °C et pH 7,0 : [NAD$^+$]/[NADH] = 8 ; [α-cétoglutarate] = 0,1 mM ; [isocitrate] = 0,02 mM ; on supposera que les conditions pour CO_2 sont standard (le $\Delta G°'$ est donné dans le Tableau 21-2). Cette réaction est-elle un site de contrôle métabolique possible ? Expliquez.

5. L'oxydation d'acétyl-CoA en deux molécules de CO_2 implique le transfert de quatre paires d'électrons à des coenzymes rédox. Quelles sont les réactions du cycle où ont lieu ces transferts d'électrons ? Donnez la nature du coenzyme dans chaque cas. Pour chaque réaction, donnez la formule développée des substrats, des intermédiaires et des produits et montrez, à l'aide de flèches courbes, comment se déplacent les électrons.

6. On a pensé que la réaction de la citrate synthase se faisait par l'intermédiaire de la forme énol de l'acétyl-CoA. Dans ce cas, comment expliquer le fait que ^{3}H ne soit pas incorporé dans l'acétyl-CoA quand l'acétyl-CoA est incubé avec la citrate synthase dans ^3H_2O ?

7. Le malonate est un inhibiteur compétitif du succinate dans la réaction de la succinate déshydrogénase. Donnez les graphes obtenus en portant $1/v$ en fonction de 1/ [succinate] pour trois concentrations en malonate différentes. Indiquez les droites obtenues pour les [malonate] faible, moyenne et forte.

8. Krebs a trouvé que l'inhibition du cycle de l'acide citrique par le malonate était levée en augmentant la [oxaloacétate]. Expliquez le mécanisme de ce processus d'après les résultats trouvés dans le problème 7.

*9. Le (2*R*,3*R*)-2-Fluorocitrate contient le F dans le bras carboxyméthyle *pro-S* du citrate [noter que d'après la nomenclature des composés organiques l'atome C2 du citrate (Fig. 21-20) devient C4 dans le (2*R*,3*R*)-2-fluorocitrate]. Ce composé, mais pas son diastéréoisomère, est un puissant inhibiteur de l'aconitase. (a) Écrivez la réaction du (2*R*,3*R*)-2-fluorocitrate catalysée par l'aconitase en supposant qu'elle est la même que celle du citrate (Fig. 21-20). (b) En fait, l'aconitase ne catalyse pas cette réac-

tion du (2*R*,3*R*)-2-fluorocitrate, mais donne plutôt l'inhibiteur de haute affinité ci-dessous :

Écrivez une autre réaction catalysée par l'aconitase qui donnerait cet inhibiteur. (c) Ecrivez la réaction, catalysée par l'aconitase, du (2*S*,3*R*)-3-fluorocitrate, le diastéréoisomère du (2*R*,3*R*)-2-fluorocitrate (fluorocitrate contenant le F dans le bras carboxyméthyle *pro-R* du citrate ; ici les atomes sont numérotés comme dans la Fig. 21-20). Y aurait-il ici formation d'un inhibiteur de haute affinité ?

10. Quels sont, parmi les métabolites suivants, ceux qui subissent une oxydation nette lors du cycle de l'acide citrique : (a) α-cétoglutarate, (b) succinate, (c) citrate, et (d) acétyl-CoA ?

11. Bien qu'il n'y ait pas de synthèse nette d'intermédiaires au cours du cycle de l'acide citrique, des intermédiaires du cycle de l'acide citrique sont utilisés dans des réactions de biosynthèse comme la biosynthèse de porphyrines à partir de succinyl-CoA. Écrivez une réaction qui aboutit à la synthèse nette de succinyl-CoA à partir de pyruvate.

12. L'oxaloacétate et l'α-cétoglutarate sont les précurseurs de l'aspartate et du glutamate tout en étant des intermédiaires catalytiques du cycle de l'acide citrique. Décrivez la synthèse nette d'α–cétoglutarate à partir de pyruvate, dans laquelle aucun intermédiaire du cycle de l'acide citrique ne se trouve diminué.

13. L'acide lipoïque est lié aux enzymes qui catalysent la décarboxylation oxydative des acides α–cétoniques. (a) Quel type de liaison chimique relie l'acide lipoïque aux enzymes ? (b) En vous servant des formules développées, montrez comment l'acide lipoïque participe à la décarboxylation oxydative des acides α-cétoniques.

14. La **British anti-lewisite (BAL)**, qui a été conçue pour contrer le gaz de combat arsénical **lewisite**, est utile pour le traitement des empoisonnements à l'arsenic. Expliquez.

British anti-lewisite (BAL)   **Lewisite**

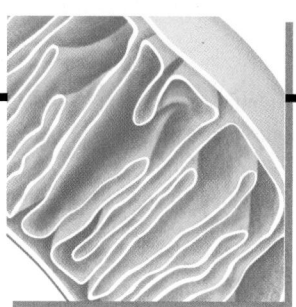

Transport des électrons et phosphorylations oxydatives

En 1789, Armand Séguin et Antoine Lavoisier (le père de la chimie moderne) écrivaient :

> *...en général, la respiration n'est rien d'autre qu'une lente combustion de carbone et d'hydrogène, en tout point semblable à celle qui a lieu dans une lampe ou une bougie, et de ce point de vue, les animaux qui respirent sont de véritables corps combustibles qui brûlent et se consument eux-mêmes.*

À cette époque, Lavoisier avait montré que les animaux consomment de l'oxygène et dégagent du dioxyde de carbone. Cependant,

ce n'est qu'au début du vingtième siècle, avec la naissance de l'enzymologie, qu'il fut établi, essentiellement grâce aux travaux d'Otto Warburg, que les oxydations biologiques sont catalysées par des enzymes intracellulaires. Comme nous l'avons vu, le glucose est complètement oxydé en CO_2 via les réactions de la glycolyse et du cycle de l'acide citrique. Dans ce chapitre nous étudierons le devenir des électrons enlevés au glucose au cours du processus d'oxydation.

L'oxydation complète du glucose par l'oxygène moléculaire se traduit par l'équation rédox suivante :

$$C_6H_{12}O_6 + 6O_2 \rightarrow 6CO_2 + 6H_2O$$

$$\Delta G^{\circ\prime} = -2823 \text{ kJ} \cdot \text{mol}^{-1}$$

Pour mieux faire apparaître le transfert d'électrons, décomposons cette équation en deux demi-réactions. Dans la première, les atomes de carbone sont oxydés :

$$C_6H_{12}O_6 + 6H_2O \rightarrow 6CO_2 + 24H^+ + 24e^-$$

et dans la seconde, l'oxygène moléculaire est réduit :

$$6O_2 + 24H^+ + 24e^- \rightarrow 12H_2O$$

Chez les organismes vivants, le processus de transfert d'électrons qui relie ces deux demi-réactions fait intervenir de très nombreuses réactions enzymatiques qui récupèrent l'énergie libre libérée pour former de l'ATP.

Les douze paires d'électrons issues de l'oxydation du glucose ne sont pas transférées directement à l'oxygène. Comme nous l'avons vu, *elles sont transférées aux coenzymes NAD^+ et FAD*

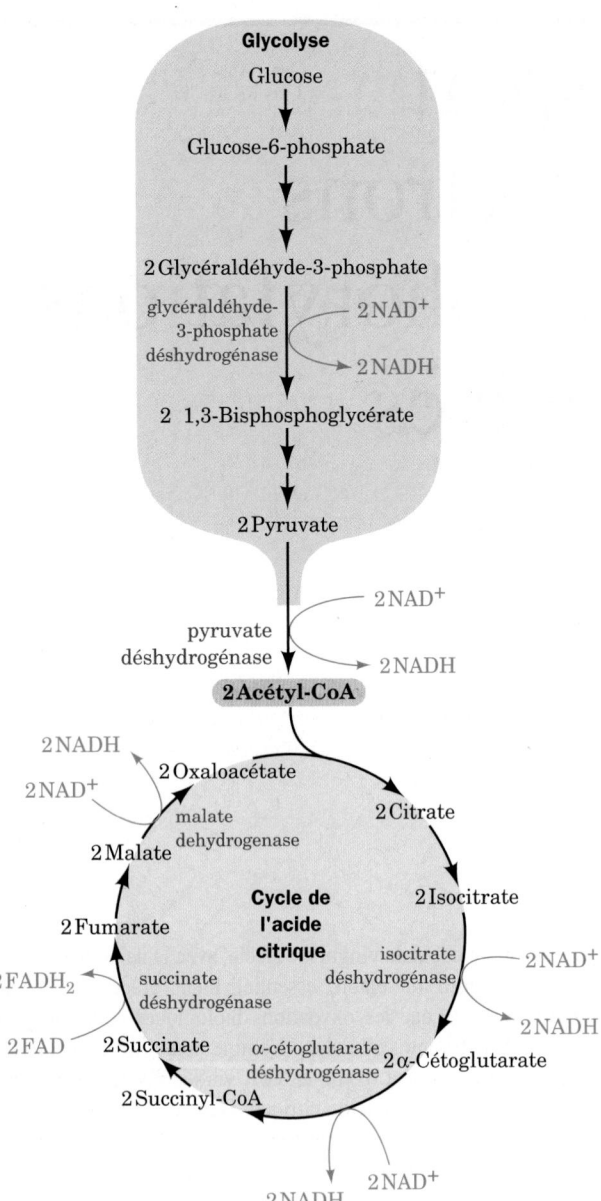

FIGURE 22-1 Les réactions du transfert des électrons qui donnent du NADH et du $FADH_2$ dans la glycolyse et le cycle de l'acide citrique.

pour former 10 NADH et 2 FADH$_2$ (Fig. 22-1) au cours des réactions catalysées par l'enzyme de la glycolyse glycéraldéhyde-3-phosphate déshydrogénase (Section 17-2F), la pyruvate déshydrogénase (Section 21-2A), et les enzymes du cycle de l'acide citrique isocitrate déshydrogénase, α-cétoglutarate déshydrogénase, succinate déshydrogénase (la seule réduction de FAD) et malate déshydrogénase (Section 21-3). *Les électrons vont alors passer dans la* **chaîne de transport des électrons** *où, suite à la réoxydation du NADH et du FADH$_2$, ils vont participer aux réactions d'oxydoréduction de plus de 10 centres rédox avant de réduire O$_2$ en H$_2$O. Au cours de ce processus, des protons sortent de la mitochondrie. L'énergie libre résultant de la formation de ce gradient de pH est utilisée pour la synthèse d'ATP à partir d'ADP et de P$_i$ grâce aux* **phosphorylations oxydatives.** La réoxydation de chaque NADH permet la synthèse de ~3 ATP, et la réoxydation de FADH$_2$ permet la synthèse de ~2 ATP, soit un total de ~38 ATP par molé-

cule de glucose complètement oxydé en CO_2 et H_2O (y compris les 2 ATP synthétisés lors de la glycolyse et les deux ATP formés par le cycle de l'acide citrique).

Dans ce chapitre nous étudierons les mécanismes du transport des électrons et des phosphorylations oxydatives ainsi que leur régulation. Nous commencerons par l'étude de la structure de la mitochondrie et des systèmes de transport.

1 ■ LA MITOCHONDRIE

La mitochondrie (Section 1-2A) est le siège du métabolisme oxydatif chez les eucaryotes. Comme l'ont montré Albert Lehninger et Eugene Kennedy en 1948, elle contient les enzymes qui assurent ce processus, dont la pyruvate déshydrogénase, les enzymes du cycle de l'acide citrique, les enzymes qui catalysent l'oxydation des acides gras (Section 25-2C), et les enzymes et protéines rédox impliquées dans le transport des électrons et les phosphorylations oxydatives. On peut donc à juste titre appeler la mitochondrie la « centrale énergétique » de la cellule.

A. *Structure de la mitochondrie*

Les mitochondries sont de taille et de forme très variables, selon leur origine et leur état métabolique. Ce sont typiquement des ellipsoïdes de ~0,5 μm de diamètre et 1 μm de long (environ la taille d'une bactérie ; Fig. 22-2). La mitochondrie est limitée par une membrane externe lisse et une membrane interne avec de nombreuses invaginations. Le nombre de ces invaginations, appelées **crêtes**, varie avec l'activité respiratoire de la cellule. En effet, les protéines qui assurent le transport des électrons et les phosphorylations oxydatives sont liées à la membrane interne mitochondriale de sorte que l'intensité de la respiration varie avec la surface de cette membrane. Le foie, par exemple, dont l'intensité respiratoire n'est pas très importante, a des mitochondries avec peu de crêtes, alors que celles du muscle cardiaque en contiennent beaucoup. Néanmoins, la surface totale des membranes internes mitochondriales d'une cellule hépatique est ~15 fois plus grande que la surface de la membrane plasmique.

Le compartiment interne mitochondrial est constitué d'une substance de type gel avec <50 % d'eau, appelée **matrice**, qui contient en concentrations très élevées des enzymes solubles du métabolisme oxydatif (par exemple les enzymes du cycle de l'acide citrique), ainsi que des substrats, des cofacteurs nucléotidiques et des ions inorganiques. La matrice contient aussi la machinerie génétique mitochondriale — ADN, ARN et ribosomes — qui synthétise quelques unes des protéines mitochondriales (Section 12-4E).

a. La membrane interne mitochondriale et les crêtes répartissent les fonctions métaboliques

La membrane externe mitochondriale contient la **porine**, une protéine qui forme des pores non spécifiques permettant la libre diffusion de molécules jusqu'à 10 kD (les structures par rayons X de porines bactériennes sont étudiées dans les Sections 12-3A et 20-2D). La membrane interne, qui est ~75 % protéique en masse, est beaucoup plus riche en protéines que la membrane externe (Fig. 22-3). Elle n'est librement perméable qu'à l'O_2, au CO_2 et à l'eau et elle contient, en plus des protéines de la chaîne respiratoire, de nombreuses protéines de transport qui contrôlent le pas-

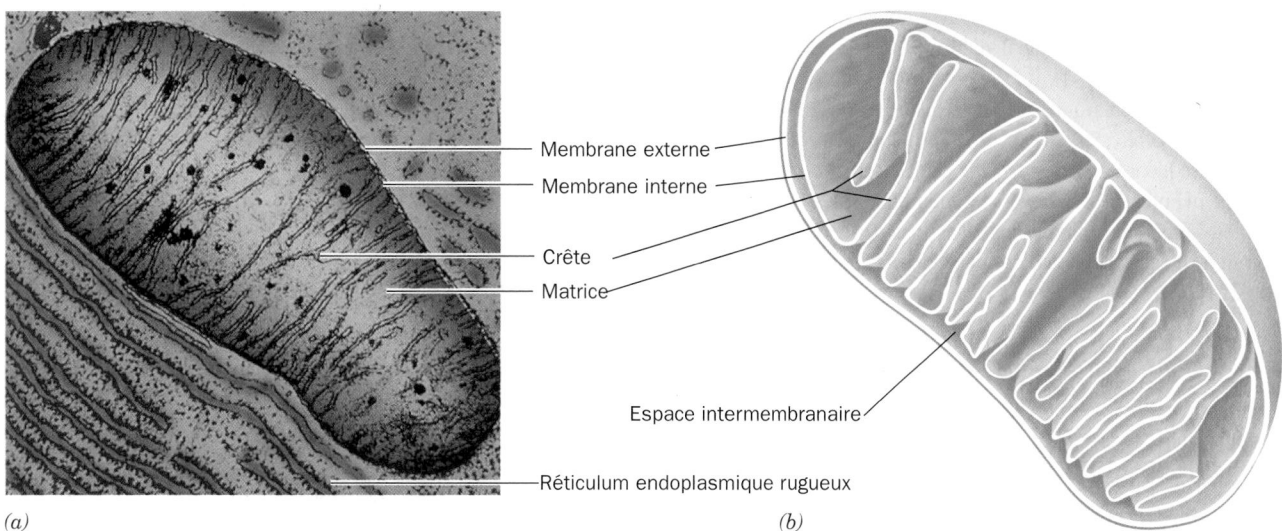

FIGURE 22-2 Structure d'une mitochondrie. (*a*) Micrographie électronique d'une mitochondrie animale. [K.R. Porter/PhotoResearchers, Inc.] (*b*) Représentation en coupe d'une mitochondrie.

sage de métabolites comme l'ATP, l'ADP, le pyruvate, le Ca^{2+} et le phosphate (cf. ci-dessous). *Cette imperméabilité contrôlée de la membrane interne mitochondriale à la plupart des ions, des métabolites, et de composés de faible masse moléculaire, permet la formation de gradients ioniques à travers cette membrane et est à l'origine de la compartimentation des fonctions métaboliques entre le cytosol et les mitochondries.*

Des micrographies électroniques à deux dimensions de mitochondries, comme celle de la Fig. 22-2*a*, suggèrent que les crêtes ressemblent à des chicanes et que les espaces entre les crêtes communiquent librement avec l'espace intermembranaire de la mitochondrie, comme l'implique la Fig. 22-2*b*. Cependant, des reconstitutions en trois dimensions, fondées sur la microscopie électronique, ont montré que la forme des crêtes peut varier de la

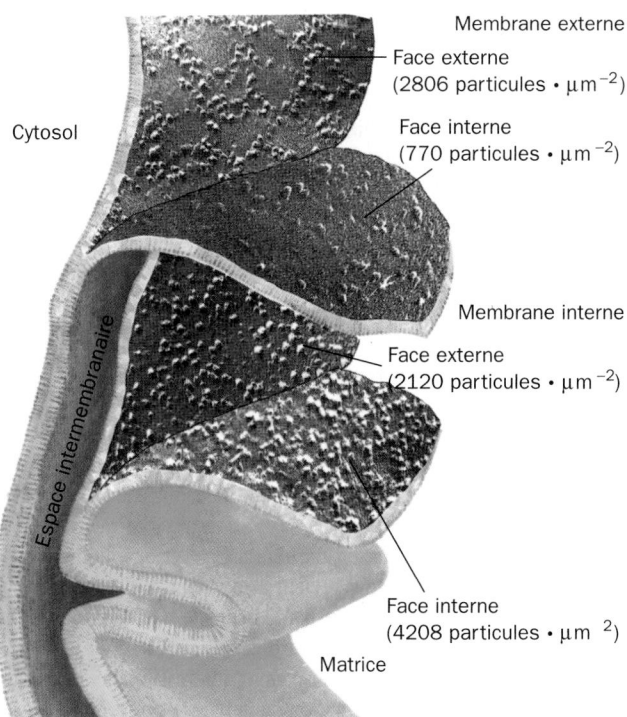

FIGURE 22-3 Micrographies électroniques après cryo-fracture et cryo-décapage des membranes interne et externe mitochondriales. La membrane interne a une densité en particules encastrées environ deux fois supérieure à celle de la membrane externe. [Avec la permission de Lester Packer, University of California at Berkeley.]

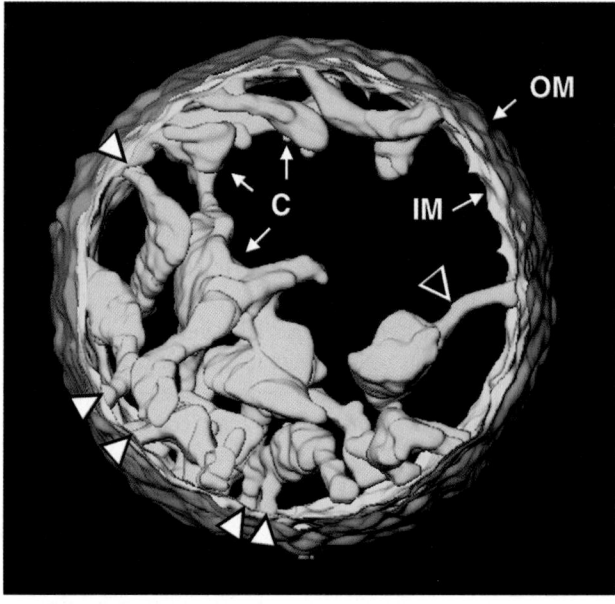

FIGURE 22-4 Reconstruction en trois dimensions d'une mitochondrie de foie de rat fondée sur la microscopie électronique. La membrane externe (OM) est en rouge, la membrane interne (IM) en jaune, et les crêtes (C) en vert. Les pointes de flèche désignent les régions tubulaires des crêtes qui les relient entre elles et à la membrane interne. [Avec la permission de Carmen Mannella, Wadsworth Center, Albany, New York.]

simple structure tubulaire à des assemblages lamellaires complexes qui communiquent par d'étroites tubulures avec la membrane interne (Fig. 22-4). Il est clair que les crêtes constituent des microcompartiments qui limitent la diffusion des substrats et des ions entre les crêtes et les espaces intermembranaires. Une importante conséquence fonctionnelle de cette disposition serait un gradient de pH plus élevé à travers les membranes des crêtes qu'à travers les membranes internes ne faisant pas partie des crêtes, ce qui devrait influencer la vitesse des phosphorylations oxydatives (Section 22-3).

B. *Systèmes de transport mitochondriaux*

La membrane interne mitochondriale est imperméable à la plupart des substances hydrophiles. Elle doit par conséquent contenir des systèmes de transport permettant les processus suivants :

1. Le NADH produit par la glycolyse dans le cytosol doit accéder à la chaîne de transport des électrons pour pouvoir être oxydé par l'oxygène.

2. Les métabolites produits par la mitochondrie comme l'oxaloacétate et l'acétyl-CoA, précurseurs respectifs de la biosynthèse cytosolique du glucose et des acides gras, doivent atteindre leurs destinations métaboliques.

3. L'ATP produit par la mitochondrie doit parvenir au cytosol où se déroulent la plupart des réactions qui utilisent l'ATP, tandis que l'ADP et le P_i, substrats des phosphorylations oxydatives, doivent entrer dans la mitochondrie.

Nous avons déjà étudié la translocase des nucléotides adényliques et sa dépendance vis-à-vis de $\Delta\Psi$, la différence de potentiel électrochimique à travers la membrane interne mitochondriale (Section 20-4C). Les « sorties » de l'oxaloacétate et de l'acétyl-CoA de la mitochondrie seront étudiées respectivement dans les Sections 23-1A et 25-4D. Le reste de cette section sera consacré à l'étude des systèmes de transports mitochondriaux de P_i et de Ca^{2+} et aux systèmes de navette du NADH.

a. Transport de Pi

L'ATP se forme dans la mitochondrie à partir d'ADP et de P_i mais il est essentiellement utilisé dans le cytosol. Le P_i formé dans le cytosol revient dans la mitochondrie par le **transporteur de phosphate,** un système symport P_i—H^+ électroneutre sous la dépendance d'un ΔpH. Le proton qui accompagne le P_i dans la mitochondrie en avait été exclu par les pompes de la chaîne de transport des électrons couplées aux réactions d'oxydo-réduction (Section 22-3B). Le gradient de potentiel électrochimique formé par ces pompes à protons maintient de fortes concentrations intra-mitochondriales en ADP et P_i tout en fournissant l'énergie libre indispensable à la synthèse de l'ATP.

b. Transport de Ca^{2+}

Puisque le Ca^{2+}, comme l'AMPc, est un second messager (Section 18-3C), ses concentrations dans les différents compartiments de la cellule doivent être finement ajustées. La mitochondrie, le réticulum endoplasmique et l'espace extracellulaire sont autant de réserves de Ca^{2+}. Nous avons étudié les Ca^{2+}–ATPases de la membrane plasmique, du réticulum endoplasmique et du réticulum sarcoplasmique dans la Section 20-3B. Nous étudierons ici les systèmes de transport de Ca^{2+} mitochondriaux.

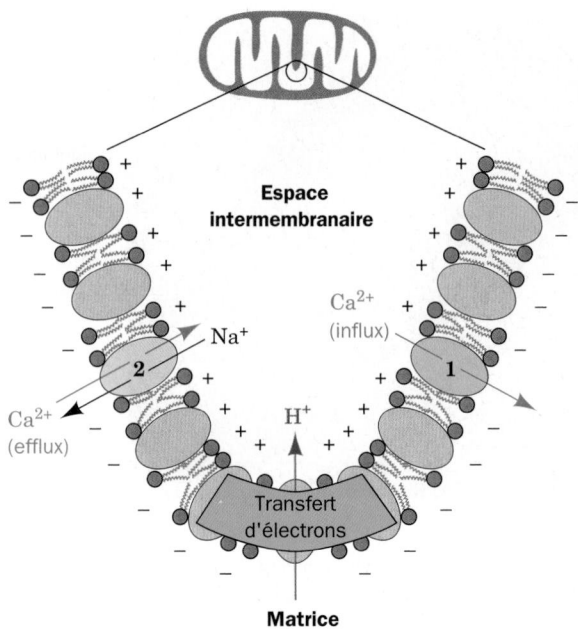

FIGURE 22-5 Les deux systèmes de transport de Ca^{2+} mitochondriaux. Le système 1 assure l'entrée de Ca^{2+} dans la matrice en réponse au potentiel de membrane (intérieur négatif). Le système 2 assure la sortie de Ca^{2+} en échange avec Na^+.

L'influx et l'efflux de Ca^{2+} sont assurés par des systèmes différents dans la membrane interne mitochondriale (Fig. 22-5). L'influx de Ca^{2+} est assuré par le potentiel de membrane ($\Delta\Psi$, intérieur négatif) de la membrane interne mitochondriale, qui attire les ions chargés positivement. La vitesse de l'influx est fonction de la $[Ca^{2+}]$ externe car le K_M pour le transport de Ca^{2+} par ce système est supérieur à la concentration cytosolique en Ca^{2+}.

Dans les mitochondries de cœur, de cerveau et de muscle squelettique en particulier, l'efflux de Ca^{2+} est assuré de façon indépendante par le gradient de Na^+ à travers la membrane interne mitochondriale. Le Ca^{2+} ne sort de la matrice qu'en échange de Na^+, ce qui constitue un système antiport. Cet échange se fait normalement à sa vitesse maximum. *Les mitochondries (ainsi que les réticulums endoplasmique et sarcoplasmique) peuvent par conséquent servir de « tampon » pour le Ca^{2+} cytosolique (Fig. 22-6) :* si la $[Ca^{2+}]$ cytosolique augmente, la vitesse de l'influx mitochondrial de Ca^{2+} augmente alors que celle de l'efflux reste constante, ce qui augmente la $[Ca^{2+}]$ mitochondriale tandis que la $[Ca^{2+}]$ cytosolique diminue pour retrouver sa valeur initiale. Réciproquement, une diminution de la $[Ca^{2+}]$ cytosolique diminue la vitesse de l'influx, produisant un efflux net de Ca^{2+} et une augmentation de la $[Ca^{2+}]$ cytosolique qui revient à sa valeur initiale.

La phase oxydative assurée par le cycle de l'acide citrique dans la matrice mitochondriale est contrôlée par la $[Ca^{2+}]$ de la matrice (Section 21-4). Il est par conséquent intéressant de remarquer qu'en réponse à une augmentation de la $[Ca^{2+}]$ cytosolique, consécutive à une activité musculaire accrue, la $[Ca^{2+}]$ de la matrice augmente, activant ainsi les enzymes du cycle de l'acide citrique. Il s'ensuit une augmentation de la [NADH], dont la réoxydation par les phosphorylations oxydatives (que nous étudions dans ce chapitre) forme l'ATP nécessaire à cette activité musculaire intense.

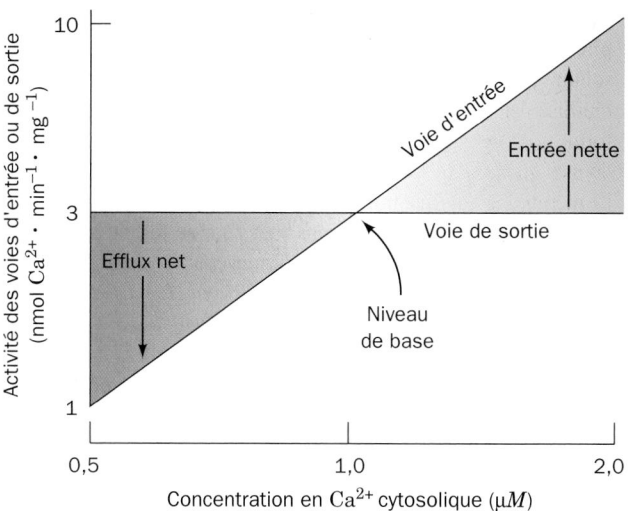

FIGURE 22-6 Régulation de la [Ca²⁺] cytosolique. La sortie se fait à vitesse constante et est indépendante de la [Ca²⁺], tandis que l'activité de la voie d'entrée varie avec la [Ca²⁺]. Lorsque la [Ca²⁺] est à son niveau de base, les activités des deux voies sont égales et il n'y a pas de flux net de Ca²⁺. Une augmentation de la [Ca²⁺] cytosolique entraîne un influx net dans la mitochondrie, et une diminution de la [Ca²⁺] cytosolique provoque l'effet inverse. Les deux effets rétablissent la [Ca²⁺] cytosolique normale. [D'après Nicholls, D., *Trends Biochem. Sci.* **6**, 37 (1981).]

c. Des systèmes de navette cytoplasmiques « transportent » le NADH à travers la membrane interne mitochondriale

Bien que la majeure partie du NADH qui résulte de l'oxydation du glucose soit formée dans la matrice mitochondriale par l'intermédiaire du cycle de l'acide citrique, le NADH formé lors de la glycolyse se trouve dans le cytosol. Or, la membrane interne mitochondriale ne possède pas de protéine de transport du NADH. *Seuls les électrons du NADH cytosolique sont transportés dans la mitochondrie par un des systèmes de « navette » ingénieux suivants.* Dans la **navette malate-aspartate** (Fig. 22-7), que l'on trouve dans le cœur, le foie et le rein, le NAD⁺ mitochondrial est réduit par le NADH cytosolique moyennant la réduction de l'oxaloacétate suivie de sa régénération. Ce processus fait intervenir deux phases de trois réactions chacune :

Phase A (transport des électrons dans la matrice) :

1. Dans le cytosol, le NADH réduit l'oxaloacétate pour donner du NAD⁺ et du malate lors d'une réaction catalysée par la malate déshydrogénase cytosolique.

2. Le **transporteur malate–α–cétoglutarate** transporte le malate formé, du cytosol dans la matrice mitochondriale en échange d'α-cétoglutarate provenant de la matrice.

3. Dans la matrice mitochondriale, le NAD⁺ réoxyde le malate pour donner du NADH et de l'oxaloacétate lors d'une réaction catalysée par la malate déshydrogénase mitochondriale (Section 21-3H).

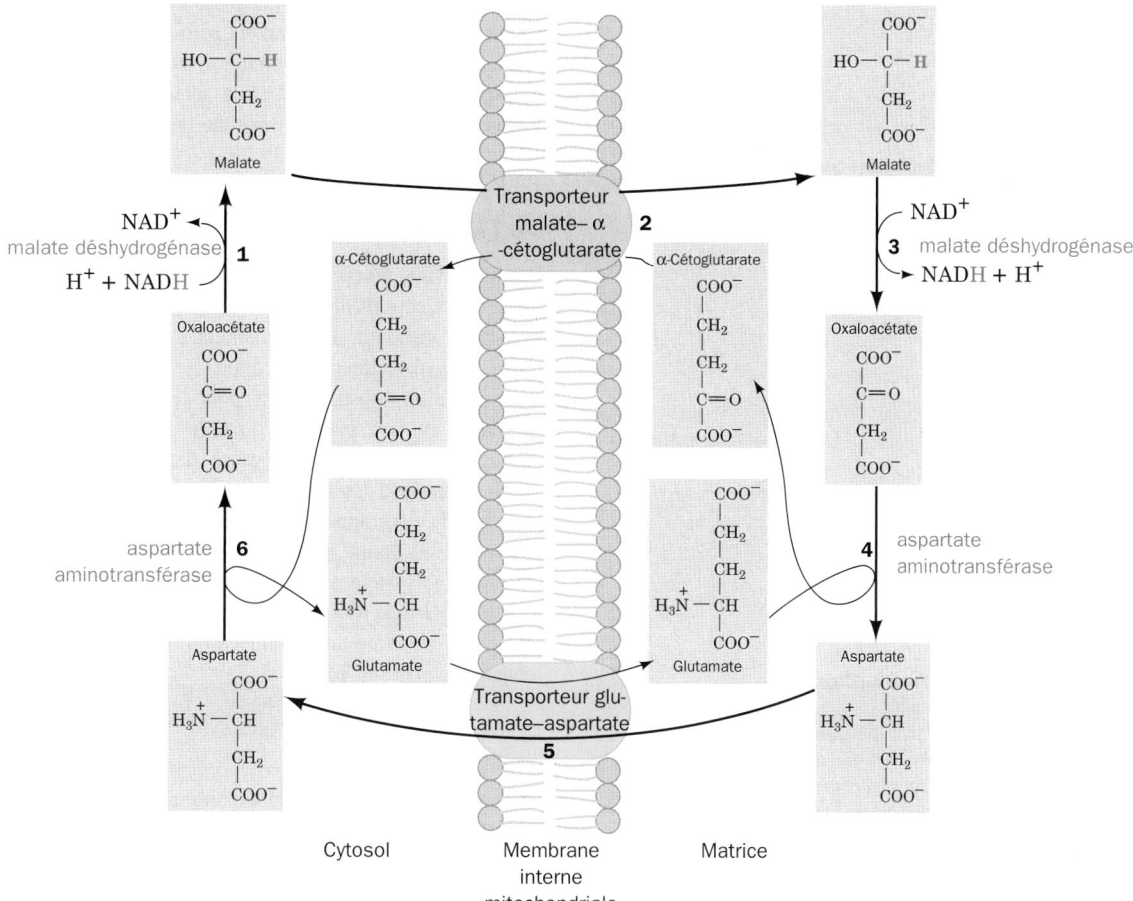

FIGURE 22-7 La navette malate-aspartate. Les électrons du NADH cytosolique sont transportés au NADH mitochondrial (transferts d'ions hydrure représentés en rouge) au cours des réactions **1** à **3**. Les réactions **4** à **6** assurent la régénération de l'oxaloacétate cytosolique.

Phase B (régénération de l'oxaloacétate cytosolique) :

4. Dans la matrice, une transaminase (Section 26-1A) transforme l'oxaloacétate en aspartate avec transformation concomitante de glutamate en α-cétoglutarate.

5. L'aspartate est transporté de la matrice dans le cytosol par le **transporteur glutamate–aspartate** en échange de glutamate cytosolique.

6. Dans le cytosol, l'aspartate est transformé en oxaloacétate par une transaminase en même temps que de l'α-cétoglutarate est transformé en glutamate.

Ainsi, les électrons du NADH cytosolique sont transférés au NAD$^+$ mitochondrial pour former du NADH, qui est réoxydé par la chaîne de transport des électrons. *La navette malate–aspartate permet la synthèse de 3 ~ATP pour chaque NADH cytosolique.* Noter, cependant, que chaque NADH entrant dans la matrice est accompagné d'un proton qui, comme nous le verrons (Section 22-3C), aurait pu servir à produire ~0,3 ATP. Par conséquent, *chaque NADH cytosolique transporté dans la matrice par la navette malate–aspartate donne ~2,7 ATP.*

La **navette du glycérophosphate** (Fig. 22-8), plus simple mais moins efficace au plan énergétique que la navette malate–aspartate, se trouve dans le cerveau et le muscle squelettique, en particulier dans le muscle alaire des insectes (le tissu au potentiel énergétique le plus important connu — pratiquement le même rapport puissance /poids qu'un petit moteur de voiture). Ici, la **glycérol-3-phosphate déshydrogénase** catalyse l'oxydation du NADH cytosolique par la dihydroxyacétone phosphate pour donner du NAD$^+$ réutilisé dans la glycolyse. Les électrons du **glycérol-3-phosphate** formé sont transférés à une **déshydrogénase flavoprotéique** pour donner du FADH$_2$. Cette enzyme, localisée sur le côté externe de la membrane interne mitochondriale, fournit des électrons à la chaîne de transport des électrons tout comme le fait la succinate déshydrogénase (Section 22-2C). *La navette du glycérophosphate permet ainsi la synthèse de ~2 ATP par NADH cytosolique réoxydé, soit ~0,7 ATP de moins que la navette malate–aspartate.* Cependant, comme elle est pratiquement irréversible, la navette du glycérophosphate présente l'avantage de travailler efficacement même lorsque la concentration du NADH cytoplasmique est faible par rapport à celle du NAD$^+$, comme c'est le cas dans les tissus très actifs au plan métabolique. Au contraire, la navette malate–aspartate est réversible et est donc actionnée par des gradients de concentration.

2 ■ LE TRANSPORT DES ÉLECTRONS

Au cours du transport des électrons, l'énergie libre du transport des électron depuis le NADH ou le FADH$_2$ à l'O$_2$ par l'intermédiaire de centres rédox liés à des protéines est couplée à la synthèse d'ATP. Nous commencerons l'examen de ce processus par l'étude de sa thermodynamique. Nous étudierons ensuite le cheminement des électrons le long des centres rédox du système et décrirons des expériences qui ont permis de l'élucider. Finalement, nous étudierons les quatre complexes qui constituent la chaîne de transport des électrons. Dans la section suivante, nous verrons comment l'énergie libre qui résulte du transport des électrons est couplée à la synthèse d'ATP.

A. *Thermodynamique du transport des électrons*

Nous pouvons déterminer l'efficacité thermodynamique du transport des électrons d'après les valeurs des potentiels d'oxydoréduction standard. En étudiant la thermodynamique des réactions d'oxydo-réduction (Section 16-5), nous avons appris que l'affinité d'un substrat oxydé pour les électrons augmente avec la valeur de son potentiel d'oxydo-réduction standard, $\mathscr{E}°'$ [le voltage d'une demi-pile mesuré dans des conditions biochimiques standard (substrats et produits à 1M où [H$^+$] est égal à 1 à pH 7) par rapport à l'électrode à hydrogène standard ; le Tableau 16-4 donne les valeurs des potentiels d'oxydo-réduction de plusieurs systèmes rédox d'intérêt biochimique]. La différence de potentiel d'oxydo-réduction standard, $\Delta\mathscr{E}°'$, pour une réaction d'oxydo-réduction faisant intervenir deux demi-réactions quelconques s'exprime par :

$$\Delta\mathscr{E}°' = \mathscr{E}°'_{(\text{accepteur d'}e^-)} - \mathscr{E}°'_{(\text{donneur d'}e^-)}$$

a. L'oxydation du NADH est une réaction très exergonique

Les demi-réactions pour l'oxydation de NADH par O$_2$ sont (Tableau 16-4) :

$$\text{NAD}^+ + \text{H}^+ + 2e^- \rightleftharpoons \text{NADH} \qquad \mathscr{E}°' = -0,315 \text{ V}$$

et

$$\tfrac{1}{2}\text{O}_2 + 2\text{H}^+ + 2e^- \rightleftharpoons \text{H}_2\text{O} \qquad \mathscr{E}°' = 0,815 \text{ V}$$

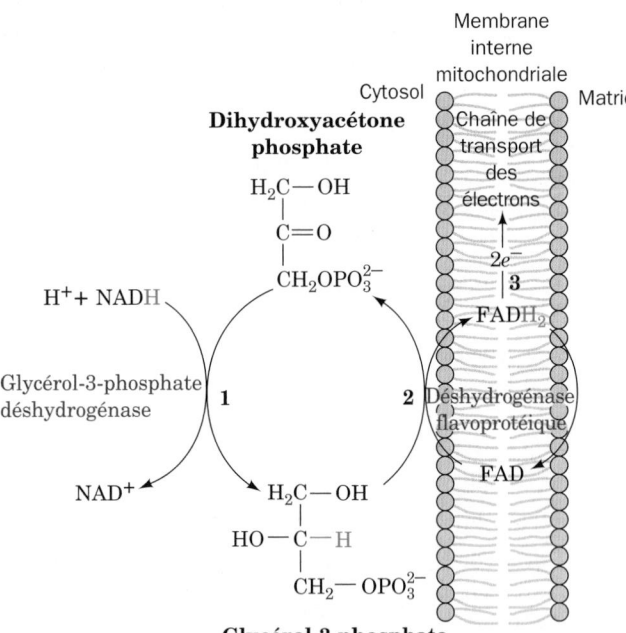

Dihydroxyacétone phosphate

H$_2$C—OH
|
C=O
|
CH$_2$OPO$_3^{2-}$

H$^+$ + NADH

Glycérol-3-phosphate déshydrogénase

NAD$^+$

1

2

H$_2$C—OH
|
HO—C—H
|
CH$_2$—OPO$_3^{2-}$

Glycérol-3-phosphate

Cytosol

Membrane interne mitochondriale

Chaîne de transport des électrons

Matrice

$2e^-$
|
3

FADH$_2$

Déshydrogénase flavoprotéique

FAD

FIGURE 22-8 La navette du glycérophosphate. Les électrons du NADH cytosolique sont transportés à la chaîne de transport des électrons mitochondriale en trois étapes (représentées en rouge en tant que transferts d'ion hydrure) : (**1**) Oxydation cytosolique du NADH par la dihydroxyacétone phosphate catalysée par la glycérol-3-phosphate déshydrogénase. (**2**) Oxydation du glycérol-3-phosphate par la déshydrogénase flavoprotéique avec réduction de FAD en FADH$_2$. (**3**) Réoxydation du FADH$_2$ par transfert des électrons à la chaîne de transport des électrons mitochondriale. Noter que la navette du glycérophosphate n'est pas un système de transport membranaire.

Puisque la demi-réaction O_2/H_2O a le potentiel d'oxydo-réduction standard le plus élevé et donc la plus grande affinité pour les électrons, la demi-réaction du NADH s'inverse et c'est le NADH qui est le donneur d'électrons dans ce couple et O_2 l'accepteur d'électrons. La réaction globale s'écrit

$$\tfrac{1}{2}O_2 + NADH + H^+ \rightleftharpoons H_2O + NAD^+$$

si bien que

$$\Delta\mathscr{E}^{\circ\prime} = 0,815 - (-0,315) = 1,130\,V$$

La variation d'énergie libre standard de la réaction peut être calculée d'après l'Éq. [16.7] :

$$\Delta G^{\circ\prime} = -n\mathscr{F}\Delta\mathscr{E}^{\circ\prime}$$

où F, la constante de Faraday, est égale à 96,494 C $\cdot$ mol^{-1} d'électrons et n est le nombre d'électrons transférés par mole de substrat. Ainsi, puisque 1 V = 1 J $\cdot$ C^{-1}, la valeur de $\Delta G^{\circ\prime}$ pour l'oxydation du NADH sera :

$$\begin{aligned}
\Delta G^{\circ\prime} &= -2\frac{\text{mol } e^-}{\text{mol reactant}} \times 96,485\frac{C}{\text{mol } e^-} \times 1.13\,J \cdot C^{-1} \\
&= -218\,kJ \cdot mol^{-1}
\end{aligned}$$

Autrement dit, l'oxydation de 1 mol de NADH par O_2 (le transfert de deux électrons) dans les conditions biochimiques standard s'accompagne de la libération de 218 kJ d'énergie libre.

b. Le transport des électrons est thermodynamiquement efficace

La quantité d'énergie libre standard nécessaire à la synthèse de 1 mol d'ATP à partir d'ADP et de P_i est de 30,5 kJ. La variation d'énergie libre standard qui accompagne l'oxydation de NADH par O_2 et lorsqu'elle est couplée à la synthèse d'ATP est donc suffisante pour assurer la synthèse de plusieurs moles d'ATP. Ce couplage, comme nous allons le voir, est assuré par la chaîne de transport des électrons où les électrons vont passer par trois complexes protéiques contenant des centres rédox dont les affinités pour les électrons augmentent progressivement (les potentiels d'oxydo-réduction standard vont croissant) au lieu de réagir directement avec O_2. *Cela permet à l'importante énergie libre disponible d'être libérée en plusieurs fractions, chacune d'elles étant couplée à la synthèse d'ATP par le mécanisme des* **phosphorylations oxydatives**. *L'oxydation d'un NADH s'accompagne donc de la synthèse de ~3 ATP.* (L'oxydation du FADH$_2$, qui entre dans la chaîne de transport des électrons via un quatrième complexe protéique, est de même couplée à la synthèse de ~2 ATP). Le rendement thermodynamique des phosphorylations oxydatives est donc de 3 × 30,5 kJ $\cdot$ mol^{-1} × 100/218 kJ $\cdot$ mol^{-1} = 42 % dans les conditions biochimiques standard. Cependant, avec des mitochondries actives dans des conditions physiologiques (où les concentrations en substrat et produit ainsi que le pH sont différents des valeurs standard), le rendement thermodynamique serait de l'ordre de 70 %. À titre de comparaison, le rendement énergétique d'un moteur de voiture est <30 %.

B. Séquence du transport des électrons

L'énergie libre nécessaire à la synthèse d'ATP est fournie par l'oxydation de NADH et de FADH$_2$ par la chaîne de transport des électrons, une succession de quatre complexes protéiques parcourus par les électrons depuis les plus bas vers les plus hauts potentiels d'oxydo-réduction standard (Fig. 22-9). Les électrons sont transférés des **Complexes I** *et* **II** *au* **Complexe III** *par le* **coen-**

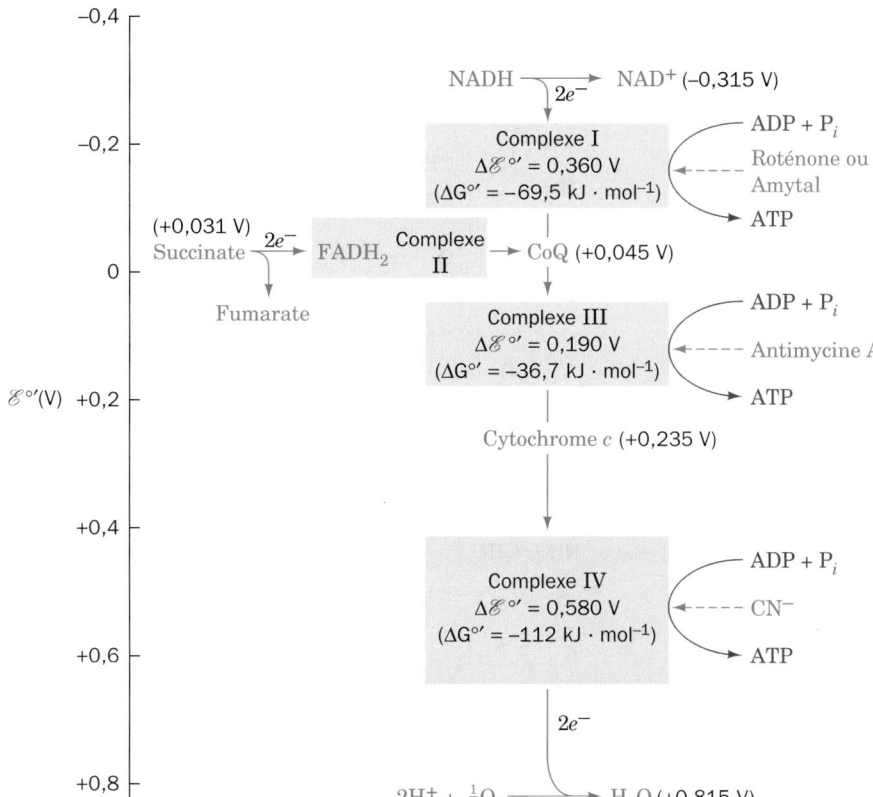

FIGURE 22-9 La chaîne de transport des électrons mitochondriale. Les potentiels d'oxydo-réduction standard de ses composants les plus mobiles (*vert*) sont indiqués, ainsi que les sites qui libèrent suffisamment d'énergie libre pour permettre la synthèse d'ATP (*bleu*) et les sites d'action de plusieurs inhibiteurs du transfert d'électrons (*rouge*). (Noter que les Complexes I, III et IV ne synthétisent pas directement de l'ATP mais accumulent plutôt l'énergie libre nécessaire pour cela en pompant les protons hors de la mitochondrie, formant ainsi un gradient de protons ; Section 22-3).

zyme **Q** (**CoQ** ou **ubiquinone** ; ainsi appelé en raison de son caractère ubiquitaire chez les organismes qui respirent), et du Complexe III au **Complexe IV** par la protéine membranaire périphérique, le **cytochrome *c*** (Sections 7-3B et 9-6A).

Le Complexe I catalyse l'oxydation du NADH par le CoQ :

NADH + CoQ (*oxydé*) $\rightarrow$ NAD$^+$ + CoQ (*réduit*)
$\Delta\mathscr{E}°' = 0{,}360$ V $\qquad$ $\Delta G°' = -69{,}5$ kJ $\cdot$ mol^{-1}

Le Complexe III catalyse l'oxydation du CoQ (réduit) par le cytochrome c :

CoQ (*réduit*) + 2cytochrome *c* (*oxydé*) $\rightarrow$
$\qquad\qquad$ CoQ (*oxydé*) + 2cytochrome *c* (*réduit*)
$\Delta\mathscr{E}°' = 0{,}190$ V $\qquad$ $\Delta G°' = -36{,}7$ kJ $\cdot$ mol^{-1}

Le Complexe IV catalyse l'oxydation du cytochrome c (réduit) par O$_2$, l'accepteur final des électrons de la chaîne de transport des électrons :

2Cytochrome *c* (*réduit*) + $\frac{1}{2}$O$_2$ $\rightarrow$
$\qquad\qquad$ 2cytochrome *c* (*oxydé*) + H$_2$O
$\Delta\mathscr{E}°' = 0{,}580$ V $\qquad$ $\Delta G°' = -112$ kJ $\cdot$ mol^{-1}

Les variations de potentiel d'oxydo-réduction standard lorsqu'une paire d'électrons parcourt successivement les Complexes I, III et IV donnent lieu, à chaque étape, à une réaction suffisamment exergonique pour assurer la synthèse d'une molécule d'ATP.

Le Complexe II catalyse l'oxydation du FADH$_2$ par le CoQ :

FADH2 + CoQ (*oxydé*) $\rightarrow$ FAD + CoQ (*réduit*)
$\Delta\mathscr{E}°' = 0{,}085$ V $\qquad$ $\Delta G°' = -16{,}4$ kJ $\cdot$ mol^{-1}

Cette réaction d'oxydo-réduction n'est pas suffisamment exergonique pour permettre la synthèse d'ATP ; elle sert à introduire les électrons du FADH$_2$ dans la chaîne de transport des électrons.

a. Le fonctionnement de la chaîne de transport des électrons a été élucidé par l'utilisation d'inhibiteurs

L'élucidation de la séquence des événements dans le transport des électrons est due, pour une large part, à l'utilisation d'inhibiteurs spécifiques. Cette séquence a été confirmée par la mesure des potentiels d'oxydo-réduction standard des systèmes rédox des différents complexes et par la détermination de la stœchiométrie du transfert d'électrons et de la synthèse couplée de l'ATP.

La vitesse de consommation de l'oxygène par une suspension de mitochondries permet de mesurer avec précision le fonctionnement de la chaîne de transport des électrons. Elle est facilement mesurée avec une **électrode à oxygène** (Fig. 22-10). Des composés qui inhibent le transfert d'électrons, comme en témoigne leur influence sur la consommation d'oxygène avec ce dispositif, ont été des outils expérimentaux de toute première importance pour élucider le cheminement des électrons dans la chaîne de transport des électrons et pour déterminer les points d'entrée des électrons provenant de différents substrats. Citons, parmi les inhibiteurs du transfert d'électrons les plus utilisés, la **roténone** (une toxine végétale utilisée par les Indiens d'Amazonie pour empoisonner les poissons et qui est également utilisée comme insecticide), l'**amytal** (un barbiturique), l'**antimycine** (un antibiotique), et le **cyanure** :

Roténone

Amytal

Cyanure

Antimycine A

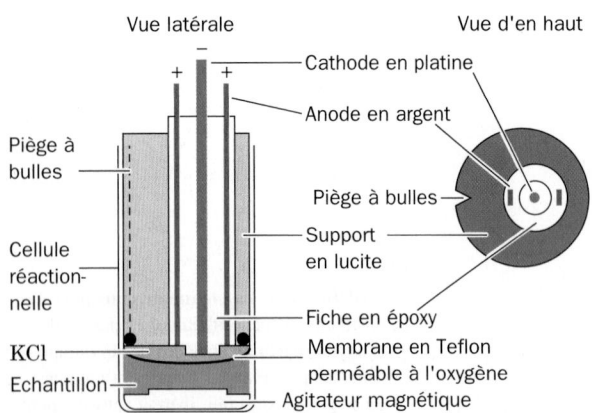

FIGURE 22-10 L'électrode à oxygène. Cette électrode est constituée d'une électrode de référence Ag/AgCl et d'une électrode en Pt, qui plongent dans une solution de KCl et sont en contact avec la cellule réactionnelle par l'intermédiaire d'une membrane en Teflon perméable à l'oxygène. O$_2$ est réduit en H$_2$O au niveau de l'électrode en Pt, ce qui crée une différence de potentiel par rapport à l'électrode de référence qui est proportionnelle aux concentrations en O$_2$ dans la cellule fermée où se trouve l'échantillon. [D'après Cooper, T.G., *The Tools of Biochemistry*, p. 69, Wiley (1977).]

Les expériences suivantes montrent comment ces inhibiteurs ont été utilisés :

Une solution tampon contenant de l'ADP et du P$_i$ en excès est équilibrée dans la cellule réactionnelle d'une électrode à oxygène.

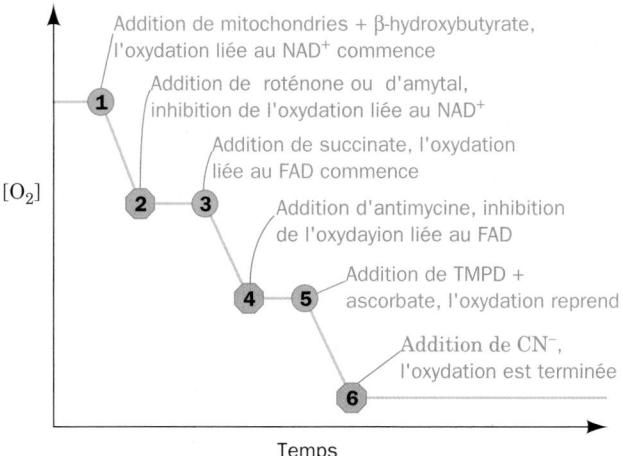

FIGURE 22-11 Effet d'inhibiteurs sur le transport des électrons.
Tracé théorique obtenu par une électrode à oxygène plongée dans une
suspension de mitochondries en présence d'un excès d'ADP et de P_i. Aux
points numérotés, les réactifs indiqués sont injectés dans la cellule et les
variations de $[O_2]$ sont enregistrées. Les chiffres renvoient au texte.
[D'après Nicholls, D.G., *Bioenergetics, p.* 110, Academic Press (1982).]

Différents réactifs sont ajoutés dans la cellule et on enregistre la
consommation d'O_2 (Fig. 22-11) :

1. Des mitochondries et du β-**hydroxybutyrate** sont ajoutés
dans la cellule. Les mitochondries assurent l'oxydation du β-
hydroxybutyrate NAD^+-dépendante (Section 25-3) :

$$CH_3-CH-CH_2-CO_2^-$$
$$\overset{\displaystyle OH}{|}$$
β-Hydroxybutyrate

NAD^+ ⟶ NADH + H^+
β-hydroxybutyrate
déshydrogénase

$$CH_3-\overset{\displaystyle O}{\overset{\|}{C}}-CH_2-CO_2^-$$
Acétoacétate

Au fur et à mesure que le NADH formé est oxydé par la chaîne de
transport des électrons avec O_2 comme accepteur terminal d'électrons, la concentration en O_2 dans le mélange réactionnel diminue.

2. L'addition de roténone ou d'amytal arrête complètement
l'oxydation du β-hydroxybutyrate.

3. L'addition de succinate, qui s'oxyde par l'intermédiaire du
FAD, rétablit la consommation d'O_2. Les électrons du $FADH_2$ peuvent donc réduire l'oxygène en présence de roténone ; cela signifie que *les électrons du $FADH_2$ entrent dans la chaîne de transport
des électrons après l'étape inhibée par la roténone.*

4. L'addition d'antimycine inhibe le transport des électrons
provenant du $FADH_2$.

5. Bien que le NADH et le $FADH_2$ soient les deux donneurs
d'électrons physiologiques de la chaîne respiratoire, on peut utili-

ser aussi des donneurs d'électrons artificiels pour explorer le cheminement des électrons. La **tétraméthyl-*p*-phénylènediamine
(TMPD)** est un transporteur rédox réduit par l'ascorbate et qui
transfère ses électrons directement au cytochrome *c* :

**Tetraméthyl-*p*-phénylènediamine
(TMPD), forme oxydée**   +   **Acide ascorbique**

TMPD, forme réduite   +   **Acide déshydroascorbiqu**

L'addition de TMPD et d'ascorbate au mélange réactionnel inhibé
par l'antimycine fait repartir la consommation d'oxygène ; *il y a
donc un troisième point d'entrée pour les électrons dans la chaîne
de transport des électrons.*

6. L'addition de cyanure inhibe complètement l'oxydation des
trois donneurs d'électrons, ce qui indique qu'il bloque la chaîne de
transport des électrons après le troisième point d'entrée des électrons.

Des expériences comme celles-ci ont permis d'établir l'ordre
du parcours des électrons à travers les complexes de la chaîne de
transport des électrons ainsi que les sites bloqués par différents
inhibiteurs du transfert d'électrons (Fig. 22-9). Cet ordre a été
confirmé et précisé du fait que les potentiels d'oxydo-réduction
standard des complexes de la chaîne de transport des électrons sont
très proches des potentiels d'oxydo-réduction standard de leurs
substrats donneurs d'électrons (Tableau 22-1). *Les trois sauts de
potentiel d'oxydo-réduction entre le NADH, le CoQ, le cytochrome
c et l'O_2 sont chacun suffisamment importants pour assurer la synthèse d'ATP.* En réalité, ces sauts de potentiel rédox correspondent
aux sites d'inhibition par la roténone (ou l'amytal), par l'antimycine et par le cyanure.

**b. Phosphorylations et oxydations sont étroitement
couplées**

Les études thermodynamiques précédentes suggèrent que les
oxydations par O_2 du NADH, du $FADH_2$ et de l'ascorbate permettent respectivement la synthèse de trois, deux et un ATP. Cette stœchiométrie, appelée le **rapport P/O** [rapport de l'ATP synthétisé
et des atomes d'O réduits (paires d'électrons captées)], a été
confirmée expérimentalement par des mesures de consommation
d'oxygène par des mitochondries au repos ou en activité. Voici un
exemple d'une expérience type qui permet de déterminer le rapport P/O : une suspension de mitochondries (isolées par centrifugation différentielle après rupture des cellules ; Section 6-1B)
contenant un excès de P_i mais pas d'ADP est incubée dans la cellule d'une électrode à oxygène. *L'oxydation et la phosphorylation*

TABLEAU 22-1 **Potentiels d'oxydo-réduction des composants de la chaîne de transport des électrons dans des mitochondries au repos**

Composant	$\mathscr{E}°'$ (V)
NADH	−0,315
Complexe I (NADH:CoQ réductase ; ~900 kD, 43 sous-unités) :	
FMN	?
(Fe-S)N-1a	−0,380
(Fe-S)N-1b	−0,250
(Fe-S)N-2	−0,030
(Fe-S)N-3,4	−0,245
(Fe-S)N-5,6	−0,270
Succinate	0,031
Complexe II (succinate:CoQ réductase ; 127 kD, 4 sous-unités) :	
FAD	−0,040
[2Fe-2S]	−0,030
[4Fe-4S]	−0,245
[3Fe-4S]	−0,060
Hème b_{560}	−0,080
Coenzyme Q	0,045
Complexe III (CoQ:cytochrome c réductase ; 243 kD, 11 sous-unités) :	
Hème b_H (b_{562})	0,030
Hème b_L (b_{566})	−0,030
(Fe-S)	0,280
Hème c_1	0,215
Cytochrome c	0,235
Complexe IV (cytochrome c oxydase; ~200 kD, 8-13 sous-unités) :	
Hème a	0,210
Cu_A	0,245
Cu_B	0,340
Hème a_3	0,385
O_2	0,815

Source : principalement Wilson, D.F., Erecinska, M., and Dutton, P.L.., *Annu. Rev. Biophys. Bioeng.* **3**, 205 and 208 (1974) ; *et* Wilson, D.F., *In* Bittar, E.E. (Ed.), *Membrane Structure and Function,* Vol. 1, *p. 1*60, Wiley (1980).E.E. (Ed.), *Membrane Structure and Function,* Vol. 1, *p.* 160, Wiley (1980).

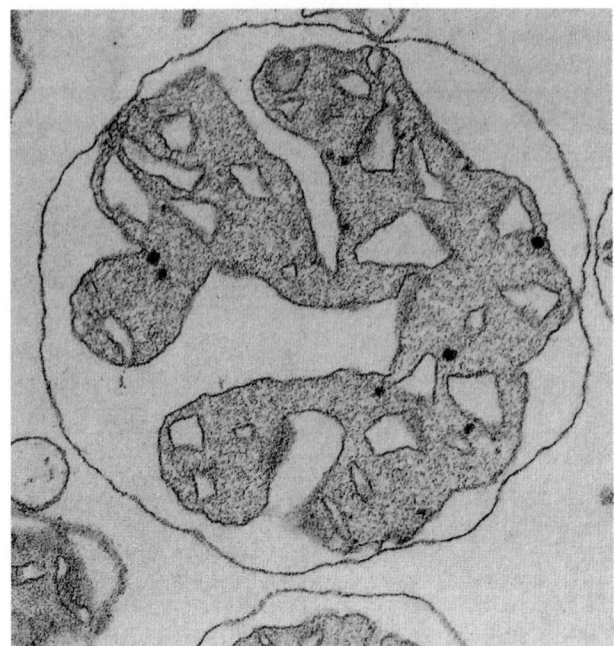

(a)

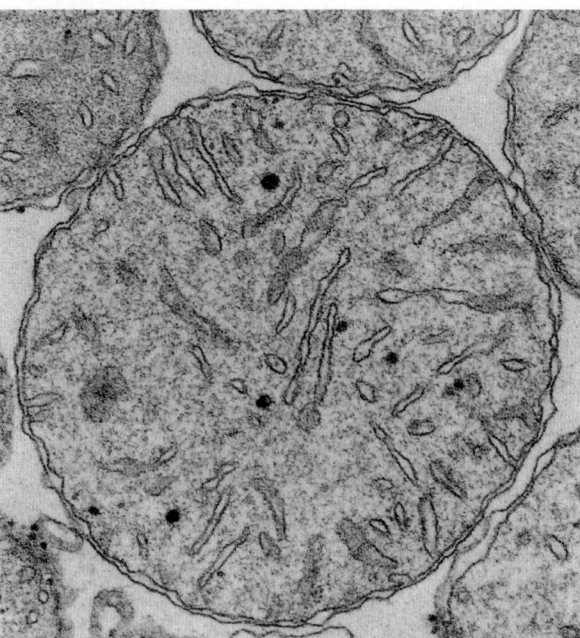

(b)

FIGURE 22-12 Micrographies électroniques de mitochondries de foie de souris. (*a*) En état de respiration active et (*b*) en état de repos. Les crêtes des mitochondries actives sont beaucoup plus condensées que celles des mitochondries au repos. [Avec la permission de Charles Hackenbrock, University of North Carolina Medical School.]

étant étroitement couplées dans des mitochondries en bon état, le transfert d'électrons ne peut être assuré que si de l'ADP est simultanément phosphorylé (Section 22-3). En fait, le métabolisme mitochondrial est si bien régulé que même les aspects morphologiques de mitochondries qui respirent activement et de mitochondries au repos sont très différents (Fig. 22-12). Puisqu'il n'y a pas d'ADP dans le milieu réactionnel, les mitochondries sont au repos et la consommation d'O_2 est minimum (Fig. 22-13 ; Région 1). On procède alors aux additions suivantes :

(a) On ajoute 90 µmol d'ADP et un excès de β-hydroxybutyrate (substrat NAD$^+$-dépendant). Immédiatement les mitochondries passent sous forme active et la vitesse de la consommation d'oxygène augmente (Fig. 22-13 ; Région 2) et se maintient à ce niveau jusqu'à ce que tout l'ADP soit phosphorylé. La mitochondrie retourne alors à l'état de repos (Fig. 22-13 ; Région 3). Durant la phosphorylation des 90 µmol d'ADP dans ces conditions, il y a eu consommation de 15 µmol d'O_2. Puisque l'oxydation de NADH

par O_2 consomme deux fois plus de molécules de NADH que de molécules d'O_2, le rapport P/O pour la réoxydation du NADH dans la Région 2 est 90 µmoles d'ADP/(2 × 15 µmoles d'O_2) = 3 ; autrement dit, *3 moles d'ADP sont phosphorylées par mole de NADH oxydé.*

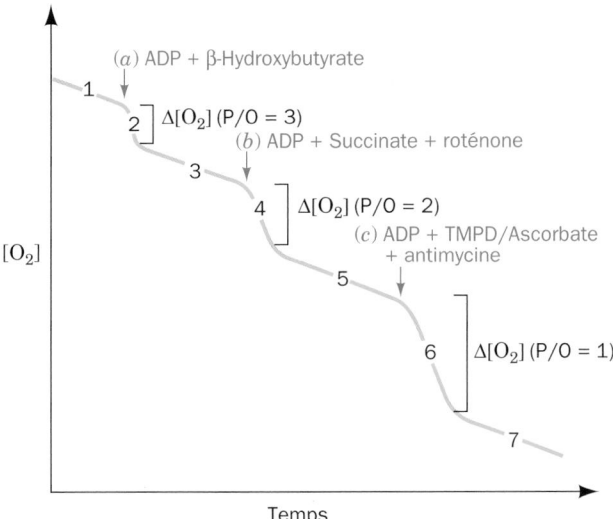

FIGURE 22-13 Stœchiométrie du couplage entre oxydation et phosphorylation (rapport P/O) avec différents donneurs d'électrons. Les mitochondries sont incubées dans un tampon phosphate en excès dans la cellule d'une électrode à oxygène. (*a*) On ajoute 90 µmol d'ADP et un excès de β-hydroxybutyrate. La respiration se poursuit jusqu'à ce que tout l'ADP soit phosphorylé. Le ΔO_2 de la Région 2 est de 15 µmol, ce qui correspond à 30 µmol de NADH oxydé ; le P/O = 90/30 = 3. (*b*) 90 µmol d'ADP et un excès de succinate sont ajoutés en même temps que de la roténone afin d'inhiber le transfert d'électrons depuis le NADH. Le ΔO_2 de la Région 4 est de 22,5 µmol, ce qui correspond à 45 µmol de $FADH_2$ oxydé ; le P/O = 90/45 = 2. (*c*) 90 µmol d'ADP et un excès de TMPD/ascorbate sont ajoutés avec de l'antimycine pour inhiber le transfert d'électrons depuis le $FADH_2$. Le ΔO_2 de la Région 6 est de 45 µmol, correspondant à 90 µmol d'ascorbate oxydé ; le P/O = 90/90 = 1.

(b) On continue l'expérience en inhibant le transfert d'électrons depuis le NADH par la roténone et en ajoutant à nouveau 90 µmol d'ADP (Fig. 22-13 ; Région 4), en même temps qu'un excès de succinate (qui s'oxyde par une déshydrogénase à FAD). La consommation d'oxygène reprend jusqu'à ce que tout l'ADP soit phosphorylé, pour revenir à nouveau à l'état de base (Fig. 23-13 ; Région 5). Le calcul du rapport P/O correspondant à l'oxydation du $FADH_2$ donne une valeur de 2 ; c'est-à-dire que *2 moles d'ADP sont phosphorylées par mole de $FADH_2$ oxydée*.

(c) En opérant de la même manière, *l'oxydation de l'ascorbate/TMPD donne un rapport P/O de 1 (Fig. 22-13 ; Régions 6 et 7)*.

Ces conclusions sont en accord avec les études à l'aide d'inhibiteurs indiquant qu'il y a trois points d'entrée pour les électrons dans la chaîne de transport des électrons, et avec les mesures de potentiel d'oxydo-réduction standard qui font apparaître trois sauts de potentiel, chacun capable de fournir l'énergie libre nécessaire à la synthèse d'ATP (Fig. 22-9).

c. Les rapports P/O peuvent être revus

Les mesures de rapports P/O peuvent faire l'objet d'erreurs expérimentales difficiles à corriger, telles que des imprécisions dans la mesure de la concentration de l'oxygène, la présence d'AMP, et une fuite de protons à travers la membrane interne mitochondriale. Aussi, les valeurs de P/O, acceptées par beaucoup, de 3, 2 et 1, associées à l'oxydation du $NADH^-$, du $FADH_2^-$ et de l'ascorbate/TMPD pourraient-elles être erronées. De fait, Peter Hinkle a trouvé des valeurs proches de 2,5, 1,5 et 1 pour ces oxydations (nous verrons dans la Section 22-3 que les P/O ne sont pas forcément des nombres entiers). Si ces valeurs sont correctes, le nombre de molécules d'ATP synthétisées par molécule de glucose oxydé est 2,5 ATP/NADH × 10 NADH/glucose + 1,5 ATP/$FADH_2$ × 2 $FADH_2$/glucose + 2 ATP/glucose du cycle de l'acide citrique + 2 ATP/glucose provenant de la glycolyse = 32 ATP/glucose au lieu de la valeur couramment admise de 38 ATP/glucose impliquant des rapports P/O de 3, 2 et 1. Cependant, comme un certain désaccord persiste quant à ces valeurs de rapport P/O revues, nous utiliserons dans ce livre, par souci de cohérence, les valeurs de rapports P/O 3, 2 et 1 traditionnelles. On se rappellera cependant que ces valeurs sont contestées.

La détermination du rendement ATP/glucose *in vivo* pose encore plus de problèmes. Les équivalents réducteurs provenant du NADH produit par la GAPDH peuvent être importés dans la mitochondrie par la navette du glycérophosphate, qui donne du $FADH_2$, ou par la navette malate–aspartate, qui donne du NADH mais fait entrer un proton dans la matrice (Section 22-1B). La contribution de ces deux systèmes de navette varie de tissu à tissu, ce qui est donc aussi le cas du rendement en ATP. De plus, la vitesse à laquelle ce proton fuit en retour à travers la membrane interne mitochondriale, ce qui n'est pas négligeable, varie selon les conditions et le type cellulaire. Le rendement ATP/glucose *in vivo* est donc sans doute nettement inférieur aux valeurs de 38 ou 32 ATP/glucose données ci-dessus.

Nous verrons dans la Section 22-3 comment l'énergie libre issue du transport des électrons est couplée à la synthèse d'ATP, une question d'actualité. Nous étudierons d'abord les structures des quatre complexes respiratoires afin de comprendre comment ils sont impliqués dans le fonctionnement de la chaîne de transport des électrons. Cependant, il faut savoir que ce domaine, comme la plupart des domaines de la biochimie, fait l'objet de recherches intenses et que nous manquons de renseignements pour comprendre en totalité les mécanismes mis en jeu.

C. *Constituants de la chaîne respiratoire*

De nombreuses protéines enfouies dans la membrane interne mitochondriale font partie des quatre complexes respiratoires de la chaîne de transport des électrons. Chaque complexe est formé de plusieurs constituants protéiques associés à différents groupes prosthétiques d'oxydo-réduction dont les potentiels augmentent progressivement (Tableau 22-1). Les complexes peuvent se déplacer latéralement à l'intérieur de la membrane interne mitochondriale ; ils ne semblent pas être agencés en superstructures stables. En effet, ils ne sont pas présents en rapports équimoléculaires. Dans les paragraphes suivants, nous étudierons leurs structures et les molécules qui assurent le transfert d'électrons entre eux. Leurs relations sont résumées dans la Fig. 22-14.

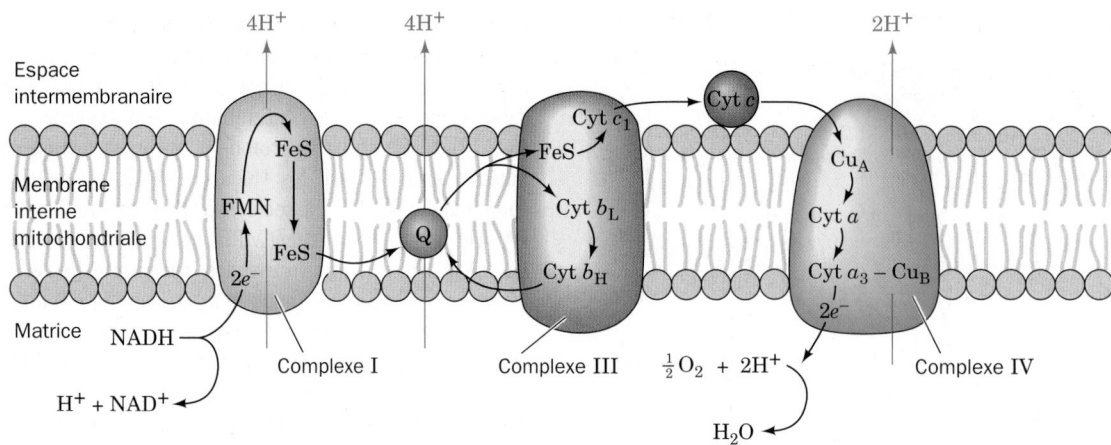

FIGURE 22-14 La chaîne de transport des électrons mitochondriale. Le trajet suivi par les électrons (*noir*) et le pompage des protons (*rouge*) sont indiqués. Les électrons sont transférés des Complexes I à III par le CoQ (Q) soluble dans les membranes et entre les Complexes III et IV par le cytochrome *c* (Cyt *c*), protéine membranaire périphérique. Le Complexe II (non montré) transfère des électrons du succinate au CoQ.

1. Complexe I (NADH :Coenzyme Q réductase)

*Le Complexe I (appelé aussi **NADH déshydrogénase**) transfère les électrons du NADH au CoQ.* C'est probablement le complexe protéique le plus important (en taille) de la membrane interne mitochondriale (~900 kD chez les mammifères et ~700 kD chez *Neurospora crassa*) ; il contient une molécule de **flavine mononucléotide** (**FMN** ; un groupement prosthétique d'oxydo-réduction qui ne diffère du FAD que par l'absence du groupement AMP) et six à sept **centres fer-soufre** qui participent au transfert d'électrons (Tableau 22-1). Chez les mammifères, 7 de ses 43 sous-unités sont codées par des gènes mitochondriaux, les autres l'étant par des gènes nucléaires.

a. Les centres fer-soufre sont des systèmes à activité rédox

Les centres fer-soufre, découverts par Helmut Beinert, sont des groupements prosthétiques courants de **protéines fer-soufre.** On connaît quatre types de centres fer-soufre (Fig. 22-15). Les **centres [2Fe-2S]** et **[4Fe-4S]** sont formés d'un nombre égal d'ions Fe et d'ions sulfure et ils sont l'un et l'autre liés par coordinence à quatre groupements sulfhydryle de résidus Cys de la protéine. Le **centre [3Fe-4S]** ressemble au centre [4Fe-4S] avec un atome de Fe en moins. On peut identifier ces centres en mettant à profit le caractère labile de leurs ions sulfure en milieu acide. Ils donnent de l'H_2S à un pH proche de 1. Le **centre [Fe-S]**, qui n'a été trouvé que chez des bactéries, est formé d'un seul atome de fer lié à quatre résidus Cys. Noter que les ions Fe dans les quatre types de centre forment des liaisons de coordi-

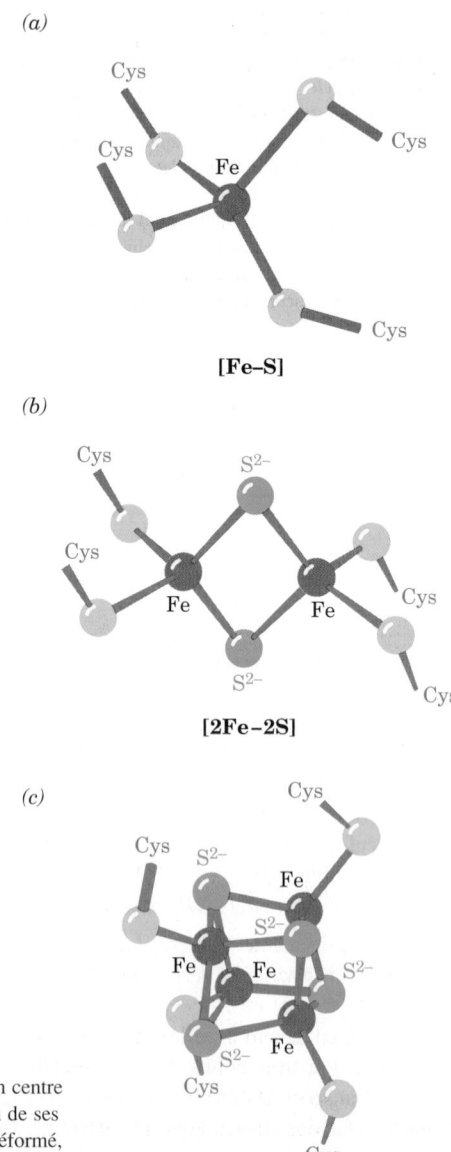

FIGURE 22-15 Structure des centres fer-soufre courants. (*a*) un centre [Fe-S], (*b*) un centre [2F-2S] et (*c*) un centre [4F-4S]. Le centre [3F-4S] ressemble au centre [4F-4S] sans un de ses ions Fe. Alors que les ions Fe et S^{2-} des centres [4F-4S] forment, semble-t-il, un cube déformé, noter que cette structure correspond en fait à l'interpénétration de deux tétraèdres d'ions Fe et d'ions S^{2-}.

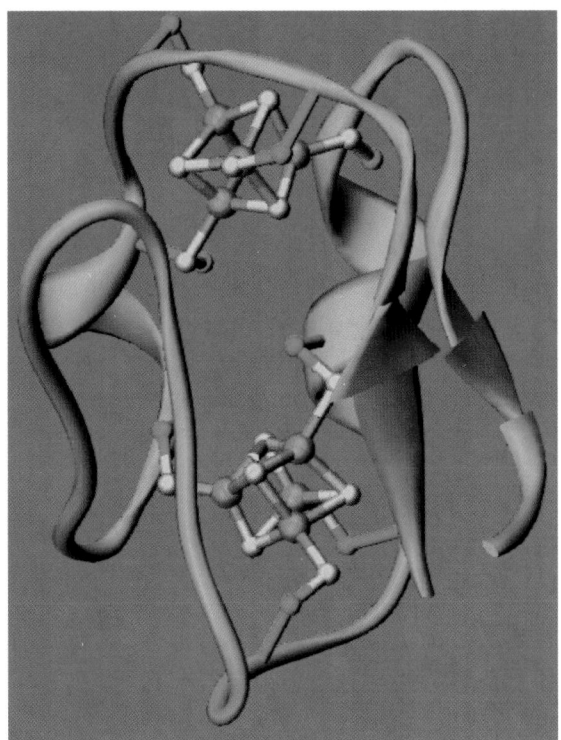

FIGURE 22-16 Structure par rayons X de la ferrédoxine de *Peptococcus aerogenes*. Cette protéine monomérique de 54 résidus contient deux centres [4Fe-4S]. Les atomes C_β des quatre résidus Cys chacun lié au centre [4Fe-4S] sont en vert, les atomes de Fe sont en orange, et les atomes de S sont en jaune. [D'après une structure par rayons X obtenue par Elinor Adman, Larry Sieker et Lyle Jensen, University of Washington. PDBid 1FDX.]

nence avec quatre atomes de S qui adoptent une disposition plus ou moins tétraédrique autour de Fe. Cependant, dans les **protéines fer-soufre de Rieske** (d'après John Rieske, qui les a découvertes) un des atomes de Fe dans un centre [2Fe-2S] établit des liaisons de coordinence avec deux résidus His plutôt qu'avec deux résidus Cys. *Les formes oxydée et réduite de tous les centres fer-soufre ne diffèrent que par une seule charge formelle, quel que soit le nombre d'ions Fe.* Ceci parce que les atomes de Fe de chaque centre forment un système conjugué et, par conséquent, peuvent avoir des états d'oxydation compris entre les valeurs +2 et +3 possibles pour des atomes de Fe isolés. Par exemple, chacun des deux centres [4Fe-4S] de la protéine **ferrédoxine** (Fig. 22-16) contient un Fe(II) et trois Fe(III) sous forme oxydée et deux Fe(II) et deux Fe(III) sous forme réduite. Le potentiel d'oxydo-réduction standard d'un centre fer-soufre donné dépend autant de son interaction avec la protéine associée que de son état d'oxydation. On trouve également des protéines fer-soufre dans les chaînes de transport des électrons photosynthétiques des plantes et des bactéries (Section 24-2) ; à vrai dire, on pense que les chaînes de transport des électrons photosynthétiques sont, sur le plan de l'évolution, les précurseurs des chaînes respiratoires (Section 1-5C).

b. Les coenzymes du Complexe I

Le FMN et l'ubiquinone (CoQ), les coenzymes du Complexe I, peuvent l'un et l'autre prendre trois états d'oxydation différents (Fig. 22-17). Bien que le NADH ne puisse participer qu'à un transfert à deux électrons, le FMN et le CoQ sont capables d'accepter et de donner soit un, soit deux électrons en raison de leurs formes semiquinone stables. Par contre, les cytochromes du Complexe III (cf. ci-dessous), auxquels le CoQ cède ses électrons, ne peuvent accepter qu'un électron. *Le FMN et le CoQ constituent donc un canal à électrons entre le NADH donneur de deux électrons, et les cytochromes, accepteurs d'un électron.*

La queue hydrophobe du CoQ explique sa solubilité dans la bicouche lipidique de la membrane interne mitochondriale. Chez les mammifères, cette queue est formée de 10 unités isoprénoïde en C5, d'où sa désignation par Q_{10}. Chez d'autres organismes, le CoQ peut n'avoir que 6 (Q_6) ou 8 (Q_8) unités isoprénoïde.

c. La structure du Complexe I à basse résolution montre une protéine en forme de L

Faute de structure du Complexe I par rayons X, on dispose de structures à basse résolution fondées sur la microscopie électronique pour le Complexe I de cœur de bœuf, de *Neurospora crassa* et d'*E. coli* (Fig. 22-18). Elles montrent toutes une protéine en forme de L, dont un domaine (le bras du L) est incorporé dans la membrane interne mitochondriale (la membrane plasmique dans le cas d'*E. coli*) et l'autre se prolonge dans la matrice (le cytosol dans le cas d'*E. coli*). Les complexes d'*E. coli* et de bœuf montrent tous deux une étroitesse entre les deux domaines, qui abriterait le centre fer-soufre N-2 (Tableau 22-1) et le site de liaison de l'ubiquinone.

2. Complexe II (Succinate:Coenzyme Q réductase)

Le Complexe II, qui contient l'enzyme du cycle de l'acide citrique, la succinate déshydrogénase (Section 21-3F) et trois autres sous-unités (toutes codées par des gènes nucléaires), transfère les électrons du succinate au CoQ. Ce transfert implique la participation d'un FAD lié par covalence, d'un centre [2Fe-2S], d'un centre [4Fe-4S], d'un centre [3Fe-4S], et d'un cytochrome b_{560} (Tableau 22-1). Nous étudierons les structures des cytochromes en même temps que celles du Complexe III ci-après.

La variation de potentiel d'oxydo-réduction standard lors du transfert des électrons du succinate au CoQ (Fig. 22-9) est insuffisante pour fournir l'énergie libre nécessaire à la synthèse d'ATP. Néanmoins, le Complexe II est important car il permet à ces électrons à potentiel relativement élevé d'entrer dans la chaîne de transport des électrons. Deux autres enzymes synthétisent également et libèrent du $CoQH_2$ dans la membrane interne mitochondriale, et participent ainsi aux phosphorylations oxydatives via les Complexes III et IV. Il s'agit de la glycérol-3-phosphate déshydrogénase de la navette du glycérophosphate (Fig. 22-8) et de l'**ETF:ubiquinone réductase**, qui intervient dans l'oxydation des acides gras (Section 25-2C ; ETF pour « electron transfer flavoprotein »).

(a)

$$CH_2OPO_3^{2-}$$

HO—C—H

HO—C—H

HO—C—H

CH₂

Flavin mononucléotide (FMN)
(forme oxydée ou quinone)

↕ [H•]

R

FMNH• (forme radicalaire
ou semiquinone)

↕ [H•]

R

FMNH₂ (forme réduite
ou hydroquinone)

(b)

H₃CO $\quad$ CH₃

H₃CO $\quad$ (CH₂—CH=C—CH₂)ₙH

Unités isoprénoïdes

Coenzyme Q (CoQ) ou Ubiquinone
(forme oxydée ou quinone)

↕ [H•]

O•

H₃CO $\quad$ CH₃

H₃CO $\quad$ R

OH

Coenzyme QH• ou Ubisemiquinone
(forme radicalaire ou semiquinone)

↕ [H•]

OH

H₃CO $\quad$ CH₃

H₃CO $\quad$ R

OH

Coenzyme QH₂ ou Ubiquinol
(forme réduite ou hydroquinone)

FIGURE 22-17 Les états d'oxydo-réduction des coenzymes du Complexe I. (*a*) FMN et (*b*) CoQ. Les deux coenzymes prennent des formes semiquinone stables à radical libre.

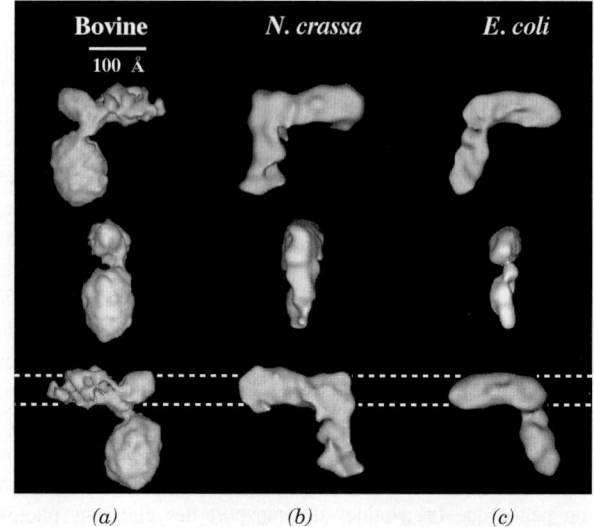

FIGURE 22-18 Structures tridimensionnelles du Complexe I basées sur la microscopie électronique. Les complexes de (*a*) cœur de bœuf, (*b*) *N. Crassa,* et (*c*) *E. coli* furent examinés à une résolution de 22, 28 et 34 Å, respectivement. Les vues successives ont, de haut en bas, subi une rotation de 90° autour d'un axe vertical. Les lignes en pointillés indiquent les limites des bicouches lipidiques dans lesquelles ces protéines sont immergées. Le bras vertical fait protrusion dans la matrice mitochondriale (ou le cytoplasme pour les bactéries). [Avec la permission de Nikolaus Grigorieff, Brandeis University. Les structures chez *N. Crassa* et *E. coli* furent déterminées par Vincent Guénebaut et Kevin Leonard, European Molecular Biology Laboratory, Heidelberg, Allemagne.]

a. La quinol-fumarate réductase est homologue au Complexe II

Bien que la structure par rayons X du complexe II mitochondrial soit inconnue, celle de la **quinol-fumarate réductase (QFR)** d'*E. coli*, homologue au complexe respiratoire, a été déterminée. Chez les organismes anaérobies qui utilisent le fumarate comme accepteur final d'électrons, la QFR catalyse la même réaction que le Complexe II mais en direction opposée, c'est-à-dire qu'elle utilise un quinol pour réduire le fumarate en succinate.

La QFR d'*E. coli* est un hétérotétramère de 121 kD constitué de deux sous-unités hydrosolubles très conservées, une flavoprotéine (Fp ; 601 résidus) et une protéine fer-soufre (Ip ; 243 résidus), ainsi que de deux sous-unités transmembranaires (130 et 118 résidus) dont la séquence varie d'un organisme à l'autre. La structure par rayons X de la QFR complexée à son inhibiteur l'oxaloa-

cétate (Fig. 22-19*a*), déterminée par Douglas Rees, a la forme de la lettre « b », le lobe du bas correspondant à Fp et Ip, et la queue aux sous-unités transmembranaires. Le complexe est orienté dans la membrane cellulaire de la bactérie de manière à ce que Fp et Ip se projettent dans le cytoplasme (l'équivalent de la matrice mitochondriale pour le Complexe II). Fp fixe à la fois l'oxaloacétate et le groupement prosthétique FAD, dont un atome C8a est lié par covalence à la protéine sur une chaîne latérale His spécifique, comme pour la succinate déshydrogénase (Fig. 21-22). Ip fixe les trois centres fer-soufre du complexe et les sous-unités transmem-

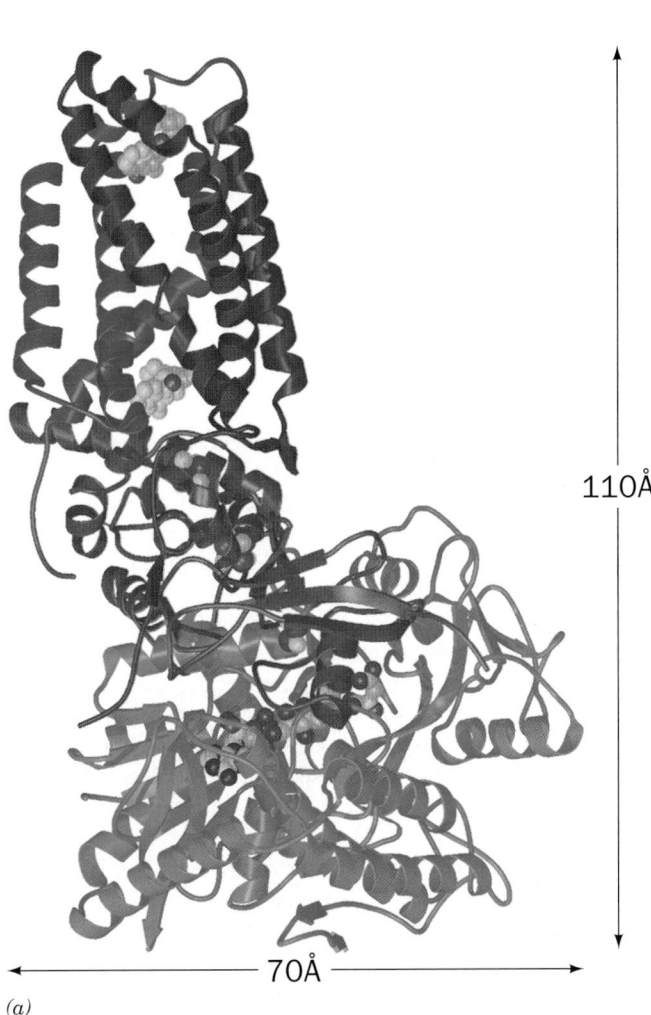

(a)

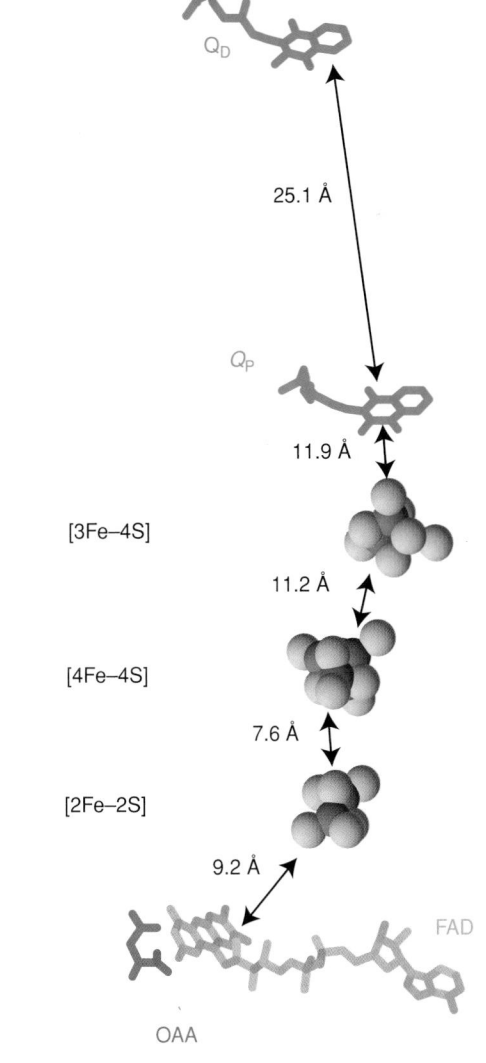

(b)

FIGURE 22-19 Structure par rayons X de la quinol-fumarate réductase (QFR) d'*E. coli* complexée à son inhibiteur, l'acide oxaloacétique (OAA). La vue est parallèle à la membrane de la cellule avec le cytosol (l'équivalent de la matrice mitochondriale) en bas. (*a*) Représentation en ruban où la flavoprotéine (Fp) est en bleu, la protéine fer-soufre (Ip) en rouge et les sous-unités transmembranaires en vert et en violet. L'OAA et ses cofacteurs rédox sont en modèle com-

pact, les atomes étant colorés selon le type (C et S en jaune, N et Fe en violet, et O en rouge). [Avec la permission de Douglas Rees, California Institute of Technology. PDBid 1L0V.] (*b*) Disposition des cofacteurs rédox (OAA en violet, FAD en orange, Fe en rouge, S en jaune, et ménaquinone en vert) de la QFR avec indication des distances bord à bord. [Avec la permission de Tomoko Ohnishi, University of Pennsylvania.]

branaires fixent deux molécules, désignées par Q_P et Q_D, de **ménaquinone,**

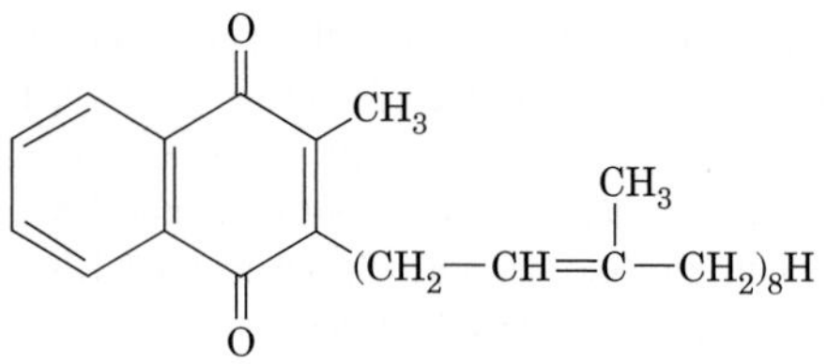

Ménaquinone

dont la structure ressemble à celle de l'ubiquinone (celle-ci peut remplacer la ménaquinone *in vitro*). Noter que les parties transmembranaires des QFR de certaines espèces fixent un ou deux groupements hème de type *b* (le Complexe II en fixe un ; Tableau 22-1).

Les six cofacteurs rédox de la QFR forment une chaîne quasi linéaire de séquence FAD–[2Fe-2S]–[4Fe-4S]–[3Fe-4S]–Q_P–Q_D (de bas en haut dans la Fig. 22-19*b*). A l'exception de Q_P et Q_D, ces cofacteurs sont séparés de 7,6 à 11, 9 Å, ce qui est courant dans la chaîne de transport des électrons (voir ci-dessous). Ainsi, bien que le centre [4Fe-4S] ait un potentiel d'oxydo-réduction trop négatif (–0,245 V ; Tableau 22-1) pour accepter des électrons du succinate dans la réaction succinate Æ fumarate, il est probable qu'il participe au transport des électrons.

La distance (25,1 Å) entre Q_P et Q_D est trop grande pour que les électrons puissent passer entre ces deux centres à vitesse suffisante au plan physiologique. Rees a donc proposé que, soit le site Q_D n'est pas catalytique, soit il existe un site de liaison pour un troisième cofacteur a mi-distance entre Q_P et Q_D. Cette deuxième

hypothèse est confortée par la présence d'une densité électronique non identifiée dans une cavité entre les hélices transmembranaires et par des expériences de mutagenèse qui indiquent qu'un groupe de résidus dans le voisinage de cette cavité est essentiel à l'activité enzymatique.

La structure QFR·oxaloacétate suggère un mécanisme pour la réduction du fumarate où un ion hydrure est transféré du N5 de la flavine à la double liaison du fumarate (Fig. 22-20), suivi du transfert d'un proton à partir d'une chaîne latérale voisine. En faveur de ce mécanisme, on observe que quatre résidus en contact avec l'inhibiteur ou le substrat, à savoir His 232, Arg 287, Arg 390 et His 355 sont conservés dans toutes les séquences de QFR ou de succinate déshydrogénase connues et que la mutation de n'importe lequel des trois premiers de ces résidus inactive ces enzymes.

Bien qu'on puisse penser que la QFR et le Complexe II ont des structures semblables, des organismes comme *E. coli*, dont le métabolisme est aussi bien aérobie qu'anaérobie, utilisent ces deux complexes dans ces deux conditions différentes. La raison en serait que, en aérobiose, la QFR produit 25 fois plus d'ions superoxyde que le Complexe II d'*E. coli*, et produit du H_2O_2, ce que ne fait pas le Complexe II. Ces **espèces réactionnelles de l'oxygène (ROS)** sont hautement dommageables. La comparaison des structures par rayons X de la QFR et de celle du Complexe II d'*E. coli*, déterminées par So Iwata, montre en fait que la distribution des électrons autour de leurs centres rédox favorise les réactions secondaires, génératrices de ROS, de O_2 avec le noyau flavinique de la QFR par rapport à celui du Complexe II. Ceci suggère que diverses conséquences pathologiques de mutations des gènes codant le Complexe II chez les eucaryotes, telles que développement de tumeurs, troubles neurologiques, vieillissement prématuré, résulteraient de la production de ROS.

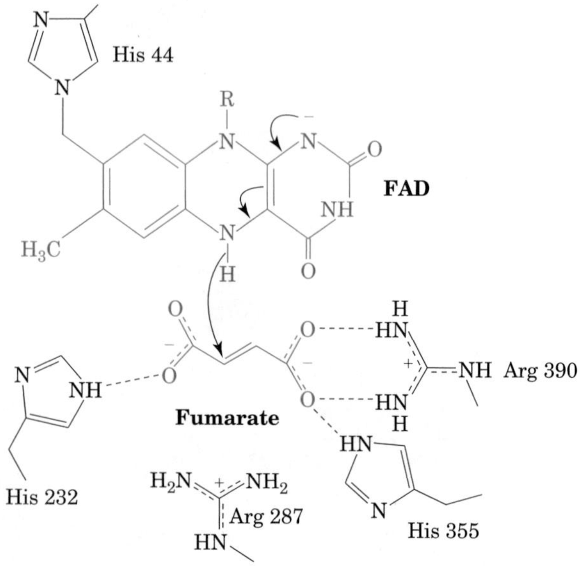

3. Complexe III (Coenzyme Q :cytochrome *c* réductase ou Complexe du cytochrome *bc₁*)

Le Complexe III transfère les électrons du CoQ réduit au cytochrome c. Il contient quatre cofacteurs rédox : deux hèmes de type *b*, un hème de type *c*, et un centre [2Fe-2S] (Tableau 22-1).

a. Les cytochromes sont des hémoprotéines qui transportent des électrons

Les cytochromes, dont le rôle fut élucidé en 1925 par David Keilin, sont des protéines rédox que l'on trouve chez tous les organismes sauf quelques anaérobies obligatoires. Ces protéines contiennent des noyaux (ou groupements) hème dont l'état d'oxydation alterne entre Fe(II) et Fe(III) au cours du transfert d'électrons.

Les noyaux hème des cytochromes réduits [Fe(II)] ont des spectres caractéristiques dans le visible avec trois pics d'absorption : les bandes α, β et γ (**bande de Soret**) (Fig. 22-21*a*). La longueur d'onde de la bande α, qui varie selon le cytochrome (elle est absente si les cytochromes sont oxydés), est utile pour distinguer les différents cytochromes. C'est ainsi que le spectre de membranes mitochondriales (Fig. 22-21*b*) indique qu'elles contiennent trois espèces de cytochromes, les **cytochromes *a*, *b*** et ***c***.

Dans chaque groupe de cytochromes, de légères différences des pics d'absorption des bandes α permettent de distinguer des environnements du noyau hème différents. Par exemple, le Com-

FIGURE 22-20 Interactions au site actif dans le mécanisme proposé pour la réduction du fumarate en succinate catalysée par la QFR. La première étape de la réaction est un transfert d'hydrure de l'atome N5 de la flavine sur la double liaison du fumarate (*flèches courbes*). Ceci est suivi d'un transfert de protons au substrat pour donner le succinate. [D'après Iverson, T.M., Luna-Chavez, C., Schröder, I., Cecchini, G., and Rees, D.C., *Curr. Opin. Struct. Biol.* **10,** 451 (2000).]

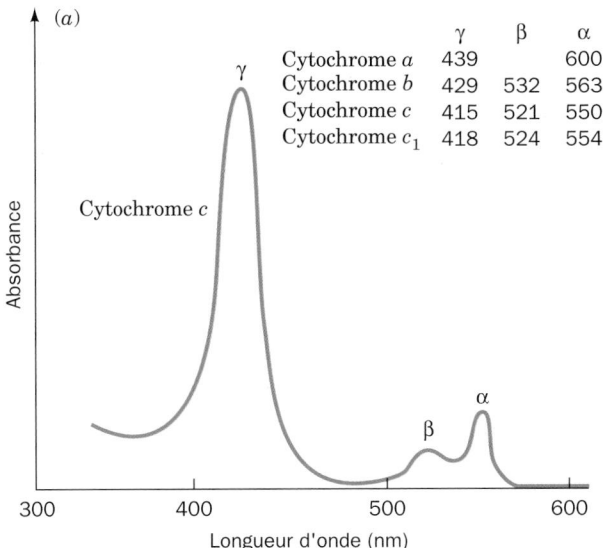

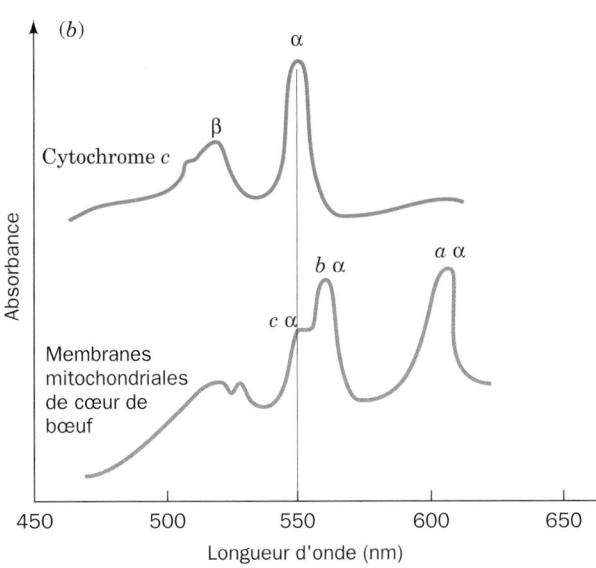

FIGURE 22-21 Spectre d'absorption de cytochromes dans le visible. (*a*) Spectre d'absorption du cytochrome *c* réduit montrant ses bandes d'absorption α, β, et γ (Soret) caractéristiques. Les maxima d'absorption des cytochromes *a*, *b*, *c*, et c_1 sont donnés. (*b*) Les trois bandes α séparées dans le spectre d'absorption dans le visible de membranes mitochon-driales de cœur de bœuf (*en bas*) indiquent la présence des cytochromes *a*, *b*, et *c*. Le spectre du cytochrome *c* purifié (*en haut*) est donné comme référence. [D'après Nicholls, D.G. and Ferguson, S.J., *Bioenergetics* **3**, p. 96, Academic Press (1992).]

Hème *a*

Hème *b* **(fer–protoporphyrine IX)**

Hème *c*

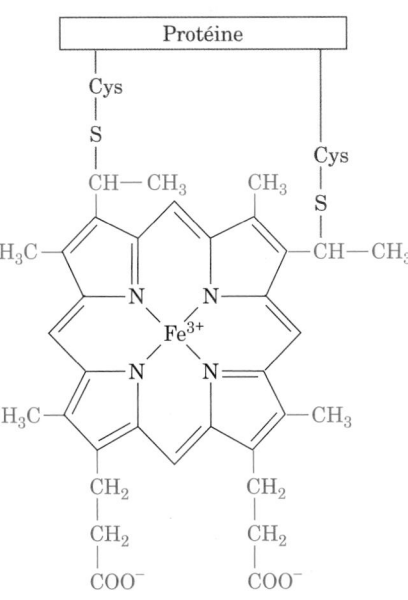

FIGURE 22-22 Noyaux porphyrine de cytochromes. (*a*) Structures chimiques et (*b*) ligands axiaux des noyaux hème des cytochromes *a*, *b*, et *c*.

plexe III contient deux types de cytochrome *b* ; l'un avec un maximum d'absorption à 562 nm est appelé b_{562} ou b_H (pour haut potentiel ; anciennement appelé b_K), l'autre avec un maximum à 566 nm appelé b_{566} ou b_L (pour bas [low] potentiel ; anciennement appelé b_T).

Chaque type de cytochrome contient un noyau porphyrine substitué différemment (Fig. 22-22*a*) en coordinence avec l'atome de Fe rédox. Les cytochromes de type *b* contiennent la **protoporphyrine IX,** que l'on trouve aussi dans l'hémoglobine (Section 10-

FIGURE 22-23 Structure par rayons X du cytochrome bc_1. (*a*) Le complexe dimérique bovin est vu perpendiculairement à son axe d'ordre 2 et parallèlement à la membrane, avec la matrice en bas. Ses 11 sous-unités et ses 4 cofacteurs rédox sont colorés comme indiqué. [Avec la permission de So Iwata, Uppsala University, Uppsala, Suède et Bing Jap, Lawrence Berkeley National Laboratory, University of California at Berkeley. PDBid 1BE3.] (*b*) L'enzyme de levure complexée au cytochrome *c* et à l'inhibiteur stigmatelline vue après rotation de ~90° autour de son axe d'ordre 2 par rapport à la Partie *a* et colorée de même. Les groupements hème sont colorés différemment mais leurs atomes de Fe sont tous en orange. Noter qu'il n'y a qu'une molécule de cytochrome *c* fixée au cytochrome bc_1 dimérique. [D'après une structure par rayons X déterminée par Carola Hunte, Max Planck Institute for Biophysics, Francfort-sur-Main, Allemagne. PDBid 1KYO.]

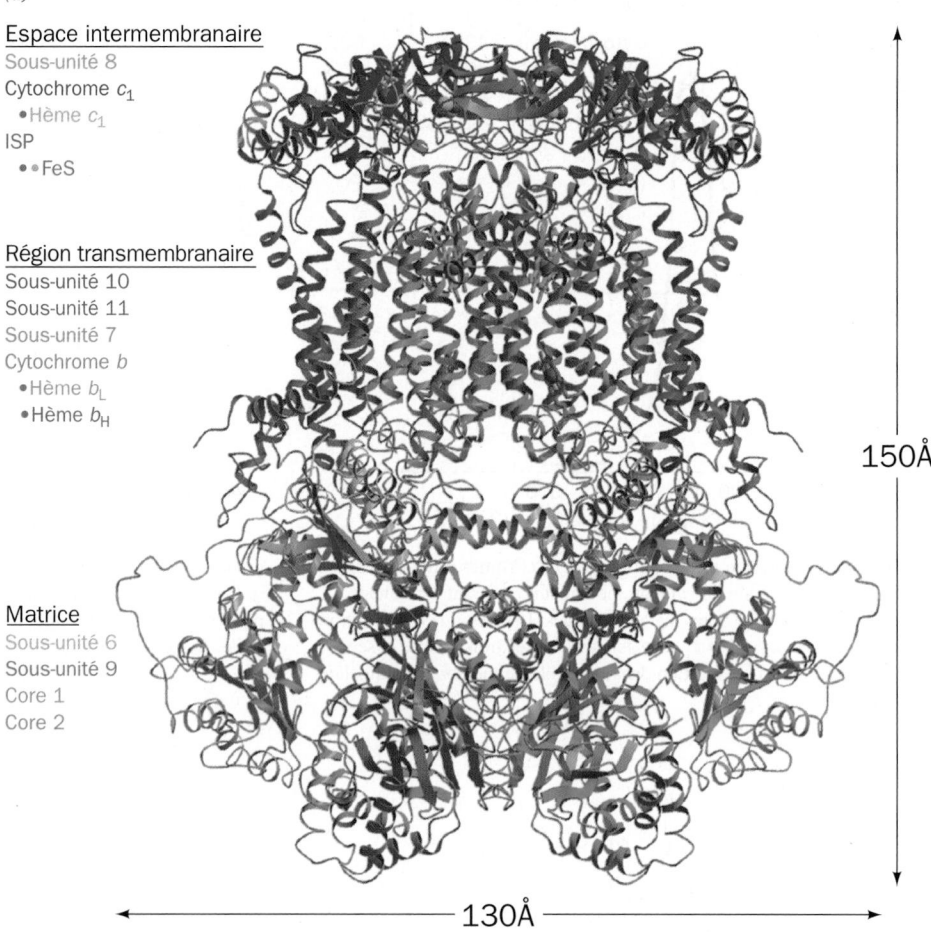

(*a*)

Espace intermembranaire
Sous-unité 8
Cytochrome c_1
 • Hème c_1
ISP
 • • FeS

Région transmembranaire
Sous-unité 10
Sous-unité 11
Sous-unité 7
Cytochrome *b*
 • Hème b_L
 • Hème b_H

Matrice
Sous-unité 6
Sous-unité 9
Core 1
Core 2

150Å

130Å

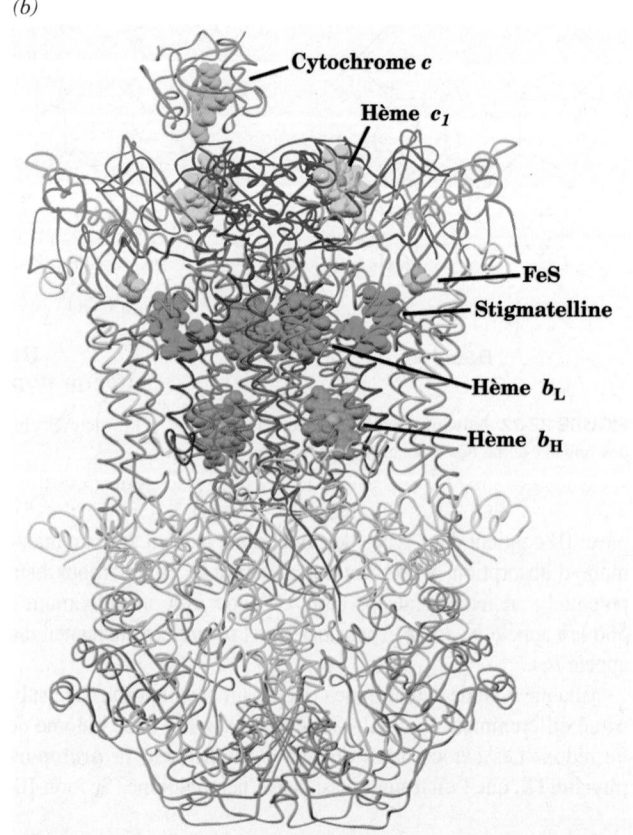

(*b*)

Cytochrome *c*

Hème c_1

FeS

Stigmatelline

Hème b_L

Hème b_H

1A). Le noyau hème des cytochromes de type *c* diffère de la protoporphyrine IX du fait que ses groupements vinyl établissent des liaisons thioéthers avec des résidus Cys de la protéine. L'hème *a* présente une longue queue hydrophobe de trois unités isoprène (un groupement **farnésyl**) attachée à la porphyrine via un groupement hydroxyéthyl, ainsi qu'un groupement formyl à la place d'un groupement méthyl substitué. Les ligands axiaux du fer de l'hème varient également avec les types de cytochrome. Dans les cytochromes *a* et *b*, les deux ligands sont des résidus His, alors que dans le cytochrome *c*, l'un est un résidu His, l'autre un résidu Met (Fig. 22-22*b*). Noter que le nom d'un type de cytochrome donné renvoie seulement à l'identité de son (ses) noyau(x) hème prosthétique(s) ; la protéine de chaque type de cytochrome peut présenter plusieurs repliements différents non apparentés.

b. Structure par rayons X du complexe du cytochrome bc_1

Tous les complexes connus du cytochrome bc_1 ont trois unités en commun : le **cytochrome *b*** qui fixe les noyaux hème b_H et b_L, le **cytochrome c_1**, qui contient un seul noyau hème de type *c*, et la **protéine fer-soufre de Rieske (ISP),** qui contient un noyau [2Fe-2S]. Le complexe bc_1 bovin contient 8 sous-unités supplémentaires, pour un total de 11 sous-unités différentes (dont seul le cytochrome *b* est codé par un gène mitochondrial) qui se combinent pour former un protomère de 2166 résidus (243 kD) qui dimérise.

Les structures par rayons X des complexes du cytochrome bc_1 de bœuf (Fig. 22-23*a*), de poulet, et de levure (Fig. 22-23*b*) ont été déterminés indépendamment par Johann Diesenhofer, par Iwata et Bing Jap, par Edward Berry, Anthony Crofts et Sung-Hou Kim, et par Hartmut Michel. Toutes ces structures montrent une molécule en forme de poire, de symétrie d'ordre 2, d'un diamètre maximum de ~130 Å et d'une hauteur de ~150 Å, dont la large extrémité se projette de ~75 Å dans l'espace matriciel et dont l'extrémité étroite se projette de ~35 Å dans l'espace intermembranaire. La partie qui traverse la membrane a ~40 Å d'épaisseur et est constituée de 13 hélices transmembranaires par protomère (12 chez la levure, qui comporte 9 sous-unités différentes). Huit de ces hélices transmembranaires viennent de la sous-unité cytochrome b, qui fixe les noyaux hème b_H et b_L via sa région transmembranaire, le noyau hème b_L étant le plus proche de l'espace intermembranaire. Une des autres hélices transmembranaires correspond à l'ancrage du cytochrome c_1 dans la membrane, le reste de ce cytochrome étant un domaine globulaire qui se projette dans l'espace intermembranaire. C'est cette partie du complexe qui contient le noyau hème c_1 et où vient accoster le cytochrome c (Fig. 22-3b). L'ISP est de même ancrée par une seule hélice transmembranaire et elle se projette dans l'espace intermembranaire. Les deux ISP du complexe dimérique sont entremêlées de sorte que le domaine qui contient le centre [2Fe-2S] d'un protomère interagit avec les sous-unités cytochrome b et c_1 de l'autre protomère. Les distances entre les différents centres métalliques sont toutes très grandes, allant de 21 à 34 Å. La partie du complexe occupant la matrice, qui rend compte de plus de la moitié de la masse du cytochrome bc_1, est constituée des protéines, de structures semblables, **core 1** et **core 2**, plus la s**ous-unité 6** et la **sous-unité 9**.

Le trajet des électrons dans le complexe du cytochrome bc_1 est étudié dans la Section 22-3B, en même temps que le mécanisme qui permet à ce complexe de conserver l'énergie libre issue du transfert des électrons du CoQH$_2$ au cytochrome c pour la synthèse d'ATP.

4. Cytochrome c

Le cytochrome c est une protéine membranaire périphérique dont on connaît la structure à trois dimensions (Fig. 8-42 et 9-38c) et qui est faiblement associée à la face externe de la membrane interne mitochondriale. *Il se lie alternativement au cytochrome c_1 (du Complexe III) et à la cytochrome c oxydase (Complexe IV), assurant ainsi le transfert d'électrons entre ces deux complexes.*

Le site de liaison du cytochrome c présente plusieurs résidus Lys invariants disposés en anneau autour du bord exposé de son noyau hème dont le reste est enfoui (Fig. 22-24). Ce site de liaison a été identifié par la technique de **marquage différentiel** : le cytochrome c est traité avec de l'anhydride acétique (qui acétyle les résidus Lys) en présence ou en l'absence de cytochrome c_1, ce qui a permis de montrer que les résidus Lys sont complètement protégés par le cytochrome c_1. Les réactivités d'autres résidus Lys du cytochrome c, éloignés du bord exposé de l'hème, ne sont pas affectées par la formation du complexe. Des résultats presque identiques ont été obtenus en remplaçant le cytochrome c_1 par la cytochrome c oxydase. Il semble évident que ces deux protéines ont des sites chargés négativement, complémentaires à l'anneau de résidus Lys chargés positivement du cytochrome c (cf. ci-dessous).

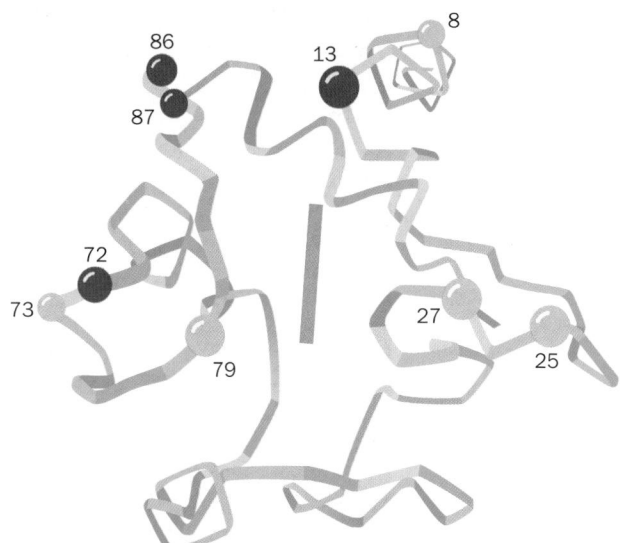

FIGURE 22-24 Représentation en ruban du cytochrome c montrant les résidus Lys impliqués dans la formation du complexe intermoléculaire. Le cytochrome c forme des complexes avec la cytochrome c oxydase et avec le cytochrome c_1, comme l'indiquent des études de modification chimique. Les sphères bleu foncé et bleu pâle indiquent respectivement les positions des résidus Lys dont les groupements ε−aminés sont très ou peu protégés de l'acétylation par l'anhydride acétique en présence de cytochrome c oxydase ou de cytochrome c_1. Noter que ces résidus Lys sont disposés en anneau autour de l'hème (*trait épais*) d'un côté de la protéine. [D'après Mathews, F.S., *Prog. Biophys. Mol. Biol.* **45**, 45 (1986).]

La structure par rayons X du cytochrome bc_1 de levure en complexe avec le cytochrome c, déterminée par Carola Hunte, montre que, comme attendu, le cytochrome c se fixe à la sous-unité c_1 du cytochrome bc_1 (Fig. 22-23b). Cette liaison semble particulièrement lâche, car la surface d'interaction (880 Å^2) est nettement inférieure à celle des complexes protéine-protéine de faible stabilité (<1600 Å^2), mais elle devrait favoriser la rapidité d'association et de dissociation. Cette interface n'implique que deux résidus Lys du cytochrome c, Lys 86 et Lys 79, qui contactent respectivement Glu 235 et Ala 164 du cytochrome c_1. D'autres paires de résidus chargés, et souvent conservés, entourent le site de contact mais ils ne sont pas assez proches pour établir des interactions polaires directes. Il est possible que ces interactions soient assurées par des molécules d'eau, invisibles dans la structure par rayons X. La distance la plus courte entre les deux groupements hème des protéines en contact est de 4,5 Å entre les atomes de leurs chaînes vinyliques respectives, et leur distance Fe-Fe est de 17,4 Å. Ceci rend compte de la vitesse de transfert des Èlectrons (8,3 x 10^6 s^{-1}) entre ces deux centres rédox (voir ci-dessous).

a. Influence de la structure protéique sur la vitesse de transfert des électrons

Les hèmes réduits sont des entités très réactionnelles ; ils peuvent transporter des électrons sur des distances de 10 à 20 Å à des vitesses physiologiquement significatives. Dans un sens, les cytochromes ont l'effet inverse des enzymes : au lieu de permettre à des substrats non réactionnels de réagir, ils doivent empêcher leurs hèmes de transférer leurs électrons de manière non spécifique à

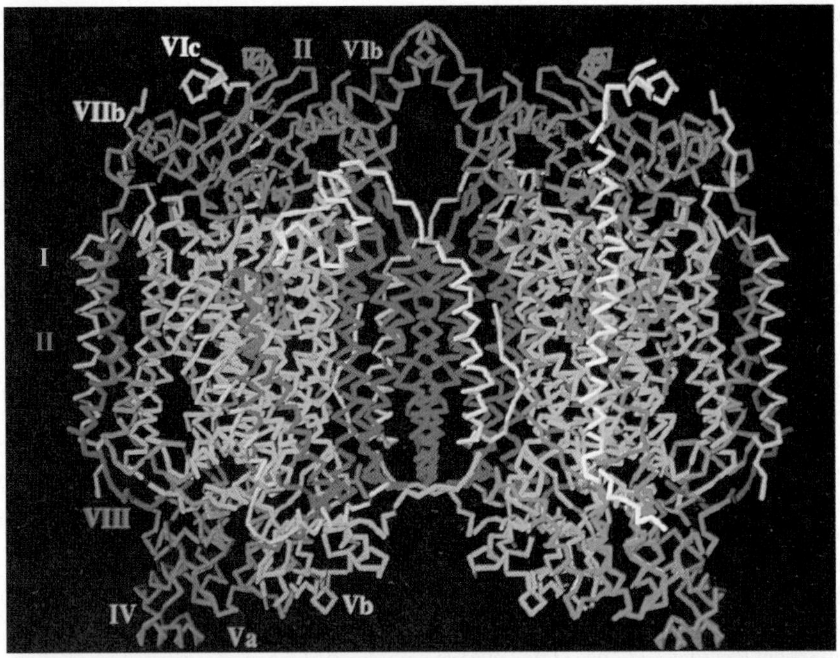

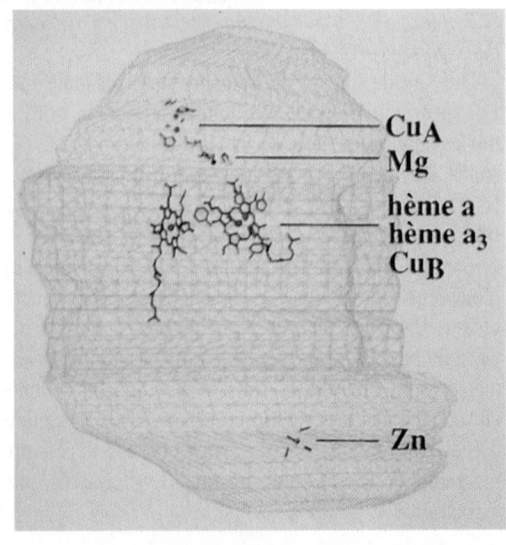

FIGURE 22-25 Structure par rayons X de la cytochrome *c* oxydase de cœur de bœuf complètement oxydée. (*a*) Vue parallèle à la membrane avec la matrice en bas. L'axe d'ordre 2 du complexe homodimérique est vertical. Chacune de ses 13 sous-unités distinctes est représentée par un tracé C_α dont la couleur correspond à son nom. (*b*) Vue du complexe à partir du haut de la Partie *a* dans le sens de son axe d'ordre 2. Noter le peu de contacts entre les protomères formant le complexe dimérique. (*c*) Un protomère vu comme dans la Partie *a* montrant les positions des centres rédox du complexe. La surface de la protéine est représentée par une cage avec sa partie transmembranaire hydrophobe en jaune et ses parties hydrophiles faisant protrusion dans l'espace intermembranaire (*en haut*) et la matrice (*en bas*) en bleu-vert. L'hème *a* (*à gauche*) et l'hème a_3 (*à droite*) sont en rouge, les ions Cu sont des sphères vertes, et les chaînes latérales des acides aminés qui fixent les ions métalliques sont en vert ou en gris. Le Complexe IV possède trois ions métalliques supplémentaires dont la fonction serait non pas catalytique mais structurale : un ion Mg^{2+} (*sphère orange*) fixé par une molécule d'eau (*sphère bleue*), un ion Zn^{2+} (*sphère rouge*) fixé par coordinence tétraédrique à quatre chaînes latérales Cys, et un ion Na^+ ou Ca^{2+} (non montré) près de l'espace intermembranaire. [Avec la permission de Shinya Yoshikawa, Himeji Institute of Technology, Hyogo, Japon. PDBid 1OCC.]

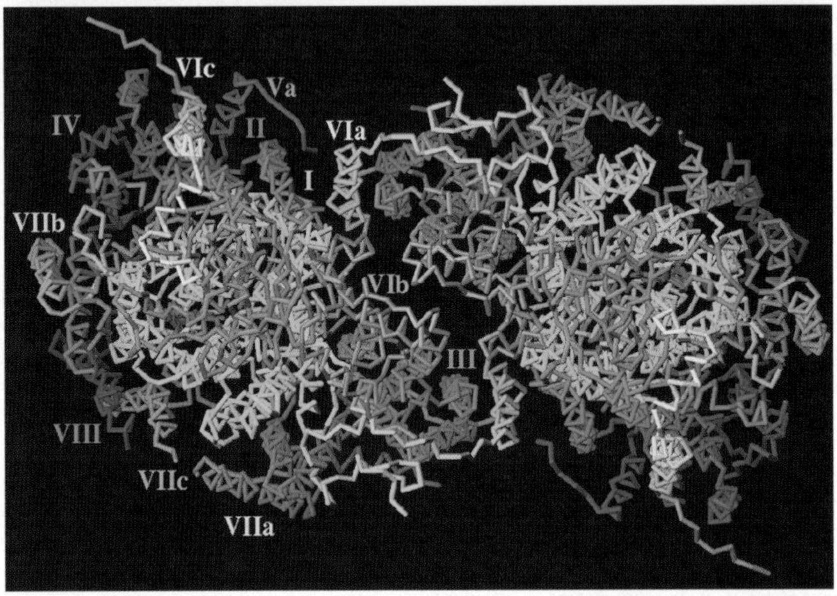

d'autres constituants cellulaires. C'est sans doute pourquoi les hèmes sont presque complètement enfermés dans la protéine. Toutefois, les cytochromes doivent aussi permettre aux électrons d'être transférés à un partenaire approprié.

Dans les protéines, le transfert d'électrons se fait entre cofacteurs à activité rédox tels que les groupements hème. Cependant, un examen de protéines de structure connue dont la fonction est le transport d'électrons montre que les électrons ne parcourent pas plus de 14 Å entre centres rédox logés dans la protéine, et que leur transport sur de plus grandes distances implique toujours une chaîne de cofacteurs à activité rédox (p. ex. Fig. 22-19*b*). Le transfert d'électrons est beaucoup plus efficace lorsqu'il se fait par l'intermédiaire de liaisons plutôt que dans l'espace, ce qui met en jeu un processus de mécanique quantique appelé **passage des électrons par effet tunnel**. Ainsi, Harris Gray a démontré expérimentalement que, dans les protéines, ce processus implique essentiellement les chaînes polypeptidiques qui relient les groupements à activité rédox et que la vitesse du transport des électrons varie selon la structure de ce polypeptide intercalaire. De plus, cet effet tunnel à travers l'interface protéine–protéine est en grande partie assuré par des interactions de van der Waals et des liaisons hydrogène via des molécules d'eau. Néanmoins, Leslie Dutton a montré que, pour le transfert d'électrons au sein de protéines, les vitesses de transfert mesurées ne dépendent que de la distance qui sépare le donneur de l'accepteur d'électrons, cette vitesse diminuant avec cette distance et étant 10 fois plus faible pour chaque augmentation de 1,7 Å de la distance.

5. Complexe IV (Cytochrome c oxydase)

*La cytochrome c oxydase (**COX** ; N.d.T. : à ne pas confondre avec la cyclooxygénase qui a la même abréviation), dernière enzyme de la chaîne de transport des électrons, catalyse l'oxydation à un électron de quatre molécules de cytochrome c réduites consécutives et la réduction concomitante à quatre électrons d'une molécule d'O₂ pour donner H₂O :*

$$4\text{Cytochrome } c^{2+} + 4\text{H}^+ + \text{O}_2 \rightarrow 4\text{cytochrome } c^{3+} + 2\text{H}_2\text{O}$$

La COX des eucaryotes est une protéine transmembranaire de ~ 200 kD constituée de 6 à 13 sous-unités dont les plus grandes et les plus hydrophobes, les sous-unités I, II et III, sont codées par le génome mitochondrial. La COX des eucaryotes se présente comme un dimère dans les membranes. Les sous-unités I et II du complexe contiennent ses quatre centres rédox : deux hèmes de type *a* (*a* et a_3) et deux centres à atomes de Cu (Cu$_A$ et Cu$_B$). Les potentiels du noyau hème *a* et du centre Cu$_A$ sont bas (0,210 et 0,245 V, respectivement), alors que ceux de l'hème a_3 et de Cu$_B$ sont plus élevés (0,340 et 0,385 V, respectivement ; Tableau 22-1). Des études spectroscopiques montrent que les électrons passent du cytochrome *c* au centre Cu$_A$, puis à l'hème *a*, et enfin à un complexe binucléé de hème a_3 et de Cu$_B$. L'oxygène se fixe à ce complexe binucléé et est réduit en H₂O dans une réaction complexe à 4 électrons (voir ci-dessous).

a. Structures par rayons X de la cytochrome *c* oxydase

Les structures par rayons X de deux espèces de cytochrome *c* oxydase ont été déterminées : une forme relativement simple de la bactérie du sol *Paracoccus denitrificans* (1106 résidus) par Michel, et une forme plus complexe, celle de cœur de bœuf (1806 résidus), par Shinya Yoshikawa. Chaque protomère de la COX bovine dimé-

rique, de symétrie d'ordre 2, a une forme ellipsoïde comprenant une partie transmembanaire de 48 Å d'épaisseur et des parties hydrophiles qui se projettent respectivement de 32 et 37 Å dans la matrice mitochondriale et l'espace intermembranaire (Fig. 22-25). Ces protomères sont constitués de 13 sous-unités différentes qui forment essentiellement 28 hélices transmembranaires. Les faces du protomère impliquées dans l'interface du dimère sont concaves (Fig. 22-25*b*) et réalisent ainsi une cavité lâche remplie de lipides. Il semble donc improbable que la formation du dimère joue un rôle mécanique. La COX de *Paracoccus* est un complexe monomérique ne contenant que 4 sous-unités qui forment ensemble 22 hélices transmembranaires.

Pour la COX bovine, les structures des sous-unités I (12 hélices transmembranaires) et II (2 hélices transmembranaires), qui fixent les 4 centres rédox du complexe, sont très semblables à celles de la COX de *Paracoccus*. Ce sont ces sous-unités qui assurent les fonctions principales du complexe : transporter les électrons du cytochrome *c* à O₂ pour donner de l'eau, tout en pompant des protons de l'intérieur (la matrice mitochondriale ou le cytoplasme bactérien) vers l'extérieur (l'espace intermembranaire mitochondrial ou l'espace périplasmique bactérien). La sous-unité III bovine (7 hélices transmembranaires), dont la structure ressemble elle aussi à celle de la COX de *Paracoccus*, ne semble pas participer directement au transfert d'électrons ou à la translocation de protons. En effet, un complexe formé uniquement des sous-unités I et II de *Paracoccus* peut transporter activement des électrons et pomper des protons. La fonction de la sous-unité III est donc inconnue, bien que des données suggèrent un rôle dans l'assemblage des sous-unités I et II pour former un complexe actif. Noter cependant que la sous-unité III n'entre pas en contact avec la sous-unité II. Aucune des 10 sous-unités de la COX bovine codées par le génome nucléaire ne ressemble à la sous-unité IV de la COX de *Paracoccus* (1 hélice transmembranaire). Sept de ces sous-unités bovines ont chacune 1 hélice transmembranaire, toutes orientées avec leur extrémité N-terminale du côté matriciel de la membrane et distribuées en périphérie du noyau dimérique formé par les sous-unités I, II et III (Fig. 22-25*b*). Les 3 sous-unités bovines restantes sont globulaires et s'associent exclusivement aux parties extramembranaires du complexe. La structure par rayons X de la COX bovine ne renseigne pas vraiment sur la fonction de ses sous-unités codées par le génome nucléaire. Peut-être jouent-elles un rôle régulateur.

La sous-unité I fixe l'hème *a* et le centre binucléé a_3–Cu$_B$ (Fig. 22-26), dont les ions métalliques sont tous situés à ~13 Å sous la surface de la membrane du côté intermembranaire/périplasmique (Fig. 22-25*c*). Le Fe de l'hème a_3 a un ligand His axial, le Fe de l'hème *a* en a deux (comme dans la Fig. 22-22*b*, *en haut*), et l'atome Cu$_B$ a trois ligands His, dont les atomes N de coordinence sont disposés en triangle équilatéral centré sur Cu$_B$ et parallèle au noyau hème a_3. La structure par rayons X de la COX bovine complètement oxydée montre un groupement peroxyde (O$_2^{2-}$; Fig. 22-26) qui relie le Fe de l'hème a_3 et Cu$_B$ (4,9 Å les séparent), Cu$_B$ étant ainsi fixé dans un plan carré déformé, une géométrie de coordination stable pour Cu(II). Cependant, dans la structure par rayons X de la COX bovine complètement réduite (où la distance entre le Fe de l'hème a_3 et Cu$_B$ est de 5,2 Å) ce ligand est absent. La liaison de Cu$_B$ est alors trigonale, ce qui est une géométrie de coordination stable pour Cu(I). La distance la plus courte entre les

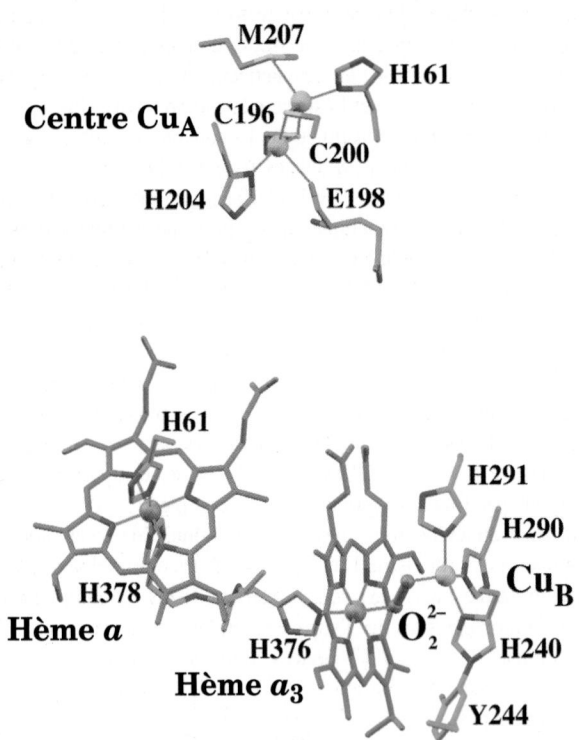

FIGURE 22-26 Les centres rédox dans la structure par rayons X de la cytochrome *c* oxydase de cœur de bœuf. Les ions Fe et Cu sont représentés par des sphères en orange et en bleu-vert. Les groupements hème et protéiques qui les fixent (à partir de la sous-unité II pour le centre Cu$_B$ et de la sous-unité I pour les autres) sont représentés en bâtonnets colorés selon le type d'atome (C des hème en magenta, C protéiques en vert, N en bleu, O en rouge et S en jaune). Le groupement peroxy qui relie les ions Fe de Cu$_B$ et de l'hème a_3 est en modèle éclaté en rouge. Les liaisons de coordination sont représentées par des lignes blanches. Noter que les chaînes latérales de His 240 et de Tyr 244 sont unies par une liaison covalente (*en bas à droite*). [D'après une structure par rayons X établie par Shinya Yoshikawa, Himeji Institute of Technology, Hyogo, Japon. PDBid 2OCC.]

deux groupements hème est de 4 Å, et celle entre leurs atomes de Fe est de 13,2 Å.

En plus de ses deux hélices transmembranaires, la sous-unité II possède sur sa face externe un domaine globulaire qui fixe le centre Cu$_A$ et est constitué essentiellement d'un tonneau β à 10 segments. Le centre Cu$_A$ est situé à ~8 Å au dessus de la surface de la membrane externe. Bien qu'on ait pensé pendant longtemps que le centre Cu$_A$ ne contient qu'un atome Cu, les structures par rayons X de la COX montrent clairement qu'il en contient deux (Fig. 22-26). Ceux-ci sont reliés à deux atomes S de Cys et établissent chacun deux liaisons protéiques supplémentaires pour se disposer comme dans un centre [2Fe–2S] (Fig. 22-15*b*) où 2,4 Å séparent les deux atomes Cu. D'après des mesures spectroscopiques, les deux atomes Cu sont à l'état Cu(I) dans la forme réduite du centre Cu$_A$, alors que dans sa forme complètement oxydée l'électron nouvellement acquis semble délocalisé entre les deux atomes Cu de sorte à adopter l'état [Cu$^{1,5+}$ $\cdots$ Cu$^{1,5+}$].

b. Acquisition d'électrons et de protons

On pense que le site de liaison du cytochrome *c* de la COX est situé dans un coin formé par le domaine globulaire de la sous-unité II et la face externe de la sous-unité I, car cette région est proche du site Cu$_A$ et elle contient 10 chaînes latérales acides qui pourraient interagir avec l'anneau de chaînes latérales Lys qui entourent la crevasse de l'hème du cytochrome *c* (Fig. 22-24). De fait, le marquage différentiel des groupements carboxyliques de la cytochrome *c* oxydase en présence ou en absence du cytochrome *c* a montré que celui-ci protège les résidus conservés Asp 112, Glu 114 et Glu 198 (numérotés comme dans l'enzyme bovine) de la sous-unité II. Glu 198 est localisé entre les deux résidus Cys de la sous-unité II qui fixent Cu$_A$ (Fig. 22-26). Cette observation vient étayer les données spectroscopiques qui placent le site de liaison du cytochrome *c* sur la sous-unité II à proximité de Cu$_A$. Des réactions de pontage ont de plus montré que la surface du cytochrome *c* opposée au site de transfert des électrons interagit avec la sous-unité III, suggérant que celle-ci participe à la liaison du cytochrome *c*.

La spectroscopie résolue en temps montre qu'un électron fourni par le cytochrome *c* est d'abord acquis par le centre Cu$_A$ puis transféré à l'hème *a* plutôt qu'à l'hème a_3, probablement parce que la distance Cu$_A$ $\cdots$ hème *a* la plus courte (11,7 Å) est inférieure à la distance Cu$_A$ $\cdots$ hème a_3 la plus courte (14,7 Å). L'électron est ensuite transféré rapidement au centre binucléé hème a_3–Cu$_B$ où il participe à la réduction en H$_2$O de l'O$_2$ fixé. Noter que le cinquième ligand de l'hème *a*, His 378, n'est séparé du cinquième ligand de l'hème a_3, His 376, que par un résidu. La distance à parcourir par l'électron entre l'hème *a* et l'hème a_3 via les liaisons chimiques est donc relativement courte. De plus, la plus petite distance entre les deux groupements hème est de 4 Å.

La COX doit trouver du côté interne quatre **protons scalaires**, dits aussi **protons chimiques**, pour chaque molécule d'O$_2$ qu'elle réduit en H$_2$O. Ce processus à 4 électrons est couplé au transport, de l'intérieur vers l'extérieur, de **protons pompés** (jusqu'à quatre), dits aussi **protons vectoriels**, ce qui contribue au gradient de protons qui assure la synthèse d'ATP (section 22-2C). Noter que pour chaque cycle enzymatique,

$$8H^+_{intérieur} + 4cyt\ c^{2+} + O_2 \rightarrow 4cyt\ c^{3+} + 2H_2O + 4H^+_{extérieur}$$

huit charges positives au total sont transportées à travers la membrane et contribuent ainsi à son potentiel de membrane.

c. Séquence réactionnelle de la réduction de O$_2$ par la cytochrome *c* oxydase

La réduction de O$_2$ en 2 H$_2$O par la cytochrome *c* oxydase se fait sur le complexe binucléé cytochrome a_3–Cu$_B$ (Fig. 22-26). En effet, un modèle synthétique de ce complexe binucléé (Fig. 22-27) réalisé par James Collman, catalyse efficacement la réduction de O$_2$ en 2 H$_2$O lorsqu'il est associé à une électrode.

La réduction de O$_2$ catalysée par la COX exige, comme nous le verrons, l'arrivée quasi simultanée de quatre électrons. Cependant, le complexe binucléé complètement réduit cytochrome a_3^{2+}–Cu$_B^{1+}$ ne peut en fournir facilement que trois à l'O$_2$ qui lui est fixé, en atteignant son état d'oxydation complète a_3^{4+}–Cu$_B^{2+}$ [le cytochrome a_3 adopte transitoirement son état d'oxydation Fe(IV) ou **ferryl** lors de la réduction de l'O$_2$; voir ci-dessous]. D'où le quatrième électron provient-il ?

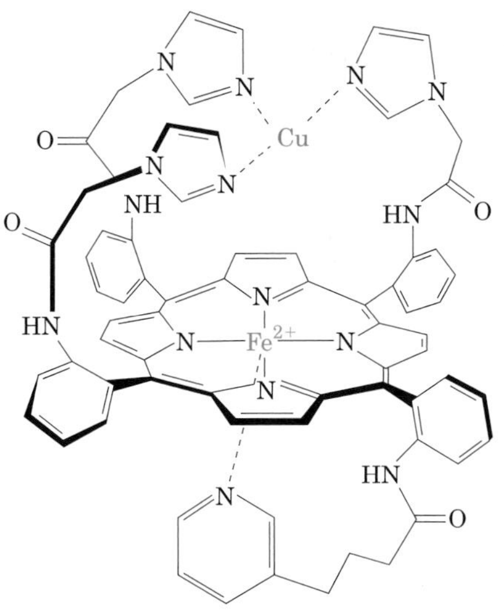

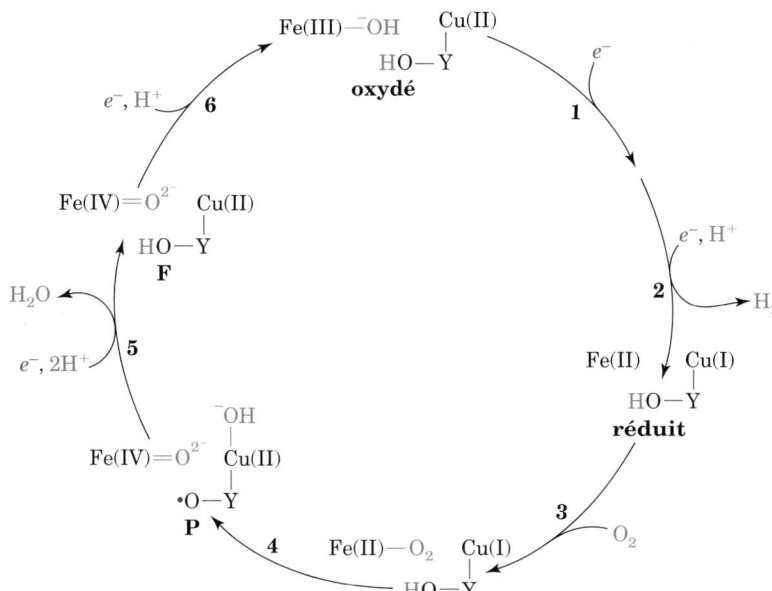

FIGURE 22-27 Modèle synthétique du complexe binucléé cytochrome
a_3**–Cu$_B$.** Lorsqu'elle est associée à une électrode cette structure réduit
efficacement O_2 en H_2O. Le groupement pyridine qui fixe axialement
l'ion Fe (*en bas*) peut être remplacé par un groupement imidazole.

Les structures par rayons X de la COX bovine et de *Paracoccus* montrent bien que le ligand His 240 (numérotation
bovine) de Cu$_B$ est uni par liaison covalente à la chaîne latérale de la Tyr 244 conservée (Fig. 22-26, *en bas à droite*).
Ceci amène le groupement OH phénolique de Tyr 244 tout
près de l'O_2 fixé à l'hème a_3 de sorte que Tyr 244 peut fournir le quatrième électron en formant transitoirement un radical tyrosyl (TyrO·). En fait, ajouter du peroxyde à l'enzyme
en conditions basales produit un radical tyrosyl, alors que

muter Tyr 244 en Phe inactive l'enzyme. De plus, des radicaux tyrosyl ont été impliqués dans plusieurs processus rédox
enzymatiques, y compris la production d'O_2 à partir d'H_2O
lors de la photosynthèse (en un sens, l'inverse de la réaction
catalysée par la COX ; Section 24-2C), ainsi que dans la réaction catalysée par la **ribonucléotide réductase** (qui convertit
les NDP en dNDP ; Section 28-3A). Le groupement OH phénolique de Tyr 244 est à distance adéquate de l'O_2 lié à la
COX pour s'y fixer par liaison hydrogène et se qualifie donc
comme donneur de H$^+$ lors de la scission de la liaison O–
O. On s'attend à ce que la formation du pontage covalent
abaisse le potentiel de réduction et le pK de Tyr 244, ce qui
facilite la formation du radical et le don de proton (si le complexe binucléé synthétique de la Fig. 22-27 peut fonctionner
sans radical tyrosyl, c'est sans doute parce que l'électrode
associée peut lui fournir des électrons beaucoup plus vite que
le cytochrome c les fournit à la COX).

La séquence réactionnelle de la COX, élucidée essentiellement par Marten Wikström et Gerald Babcock à l'aide de techniques
spectroscopiques, fait intervenir quatre transferts à un électron
consécutifs depuis les sites du Cu$_A$ et du cytochrome a et se
déroule ainsi (Fig. 20-28) :

1. & 2. Le complexe binucléé oxydé [Fe(III)$_{a3}$–OH$^-$ Cu(II)$_B$]
est réduit par deux transferts à un électron consécutifs depuis le
cytochrome c via le cytochrome a et Cu$_A$, pour prendre la forme
[Fe(II)$_{a3}$Cu(I)$_B$]. Au cours de ce processus, un proton est acquis à
partir de la matrice et une H_2O est libérée. Tyr 244 (Y–OH) est à
l'état phénolique.

3. O_2 se lie à ce complexe binucléé réduit de sorte à ponter son
atome Fe(II)$_{a3}$. Il se fixe à l'hème selon une configuration semblable à celle qu'il adopte dans l'oxymyoglobine (Fig. 10-12).

4. Une redistribution interne des électrons conduit rapidement
au complexe oxyferryl [Fe(IV)=O^{2-} HO$^-$ – Cu(II)] où Tyr 244 a
cédé un électron et un proton au complexe pour adopter son état
radicalaire neutre (Y–O·). On l'appelle composé P car on pensait,

**FIGURE 22-28 Séquence des réactions proposées pour
la réduction de O_2 par le complexe binucléé cytochrome a_3–Cu$_B$ de la cytochrome c oxydase.** Les étapes
numérotées sont expliquées dans le texte. L'ensemble de la
réaction est extrêmement rapide ; elle nécessite ~1 ms à la
température de la pièce. [Modifié d'après Babcock, G.T.,
Proc. Natl. Acad. Sci. **96**, 12971 (1999).]

sur base d'études spectroscopiques, qu'il s'agissait d'un complexe peroxy. On sait maintenant que la réaction n'implique pas de composé peroxy. Le complexe peroxy de la Fig. 22-26 est un état (de « valence mixte ») réduit de l'enzyme à deux électrons qui ne peut réduire l'O_2 au delà de sa forme peroxy.

5. Un troisième transfert à un électron à partir du cytochrome *c* associé à l'acquisition de deux protons ramène Tyr 244 à son état phénolique, ce qui donne le composé F (pour ferryl) et libère une H_2O.

6. Un quatrième et dernier transfert à un électron associé à une acquisition de proton donne le complexe oxydé [Fe(III)$_{a3}$–OH$^-$Cu(II)$_B$], ce qui boucle le cycle.

Il faut noter que la réaction de la COX se déroule sans que les intermédiaires destructeurs de l'oxygène partiellement réduit ne quittent le site actif. Les endroits du cycle catalytique proposé où les protons sont pompés de la matrice (ou cytoplasme bactérien) vers l'espace intermembranaire (ou périplasmique) sont mentionnés dans la Section 22-3B. Garder cependant à l'esprit que certains aspects de ce cycle sont incertains ou controversés et sont donc toujours à l'étude.

3 ■ LES PHOSPHORYLATIONS OXYDATIVES

La synthèse endergonique d'ATP à partir d'ADP et de P$_i$ dans les mitochondries, catalysée comme nous le verrons par l'**ATP synthase-pompe à protons** (**Complexe V**), est couplée au transport d'électrons. Cependant, le Complexe V étant physiquement distinct des protéines qui assurent le transfert d'électrons (Complexes I-IV), *l'énergie libre libérée par le transfert d'électrons doit être mise en réserve sous une forme utilisable par l'ATP synthase.* Cette conservation de l'énergie est appelée **couplage énergétique** ou **transduction d'énergie.**

La caractérisation physique du couplage énergétique s'est révélée particulièrement difficile ; de nombreuses hypothèses sensées et souvent ingénieuses n'ont pas résisté aux vérifications expérimentales. Dans cette section, nous commencerons par passer en revue certaines des hypothèses formulées pour expliquer le couplage entre le transfert d'électrons et la synthèse d'ATP. Puis nous étudierons le mécanisme de couplage qui a recueilli le plus de preuves expérimentales, nous analyserons le mécanisme de la synthèse d'ATP par l'ATP synthase, et finalement nous verrons comment le transfert d'électrons et la synthèse de l'ATP peuvent être découplés.

A. *Hypothèses sur le couplage énergétique*

Durant les 60 années et plus au cours desquelles le transport des électrons et les phosphorylations oxydatives ont été étudiés, de nombreux mécanismes ont été proposés pour expliquer comment ces processus sont couplés. Dans les paragraphes suivants, nous parlerons des mécanismes qui ont donné lieu aux études expérimentales les plus importantes :

1. Hypothèse du couplage chimique. En 1953, Edward Slater formula l'**hypothèse du couplage chimique**, selon laquelle le transfert d'électrons permettrait la formation d'intermédiaires réactionnels dont l'hydrolyse ultérieure assurerait les phosphorylations oxydatives. Nous avons déjà rencontré de tels mécanismes qui assurent la synthèse d'ATP par exemple dans la glycolyse (Sections 17-2F et G). Ainsi, l'oxydation exergonique du glycéraldéhyde-3-phosphate par le NAD$^+$ conduit à la formation de 1,3-bisphosphoglycérate, un acyl phosphate « riche en énergie », dont le groupement phosphoryle est transféré à l'ADP pour donner de l'ATP dans la réaction catalysée par la phosphoglycérate kinase. En ce qui concerne les phosphorylations oxydatives, un tel mécanisme a fini par être abandonné, car en dépit d'intenses recherches faites dans de nombreux laboratoires pendant plusieurs années, aucun intermédiaire approprié n'a pu être identifié.

2. Hypothèse du couplage conformationnel. Selon l'**hypothèse du couplage conformationnel**, formulée par Paul Boyer en 1964, le transfert d'électrons induit certaines protéines de la membrane interne mitochondriale à prendre des conformations « activées » ou « énergisées ». Ces protéines étant associées à l'ATP synthase, elles assureraient la synthèse de l'ATP en revenant à leur conformation originale. Comme l'hypothèse précédente, celle-ci n'a pu être vérifiée expérimentalement. Cependant, un couplage conformationnel différent semble impliqué dans la synthèse de l'ATP (Section 22-3C).

3. Hypothèse chimiosmotique. L'**hypothèse chimiosmotique** proposée par Peter Mitchell en 1961 a provoqué une controverse sans précédent ainsi que des recherches intenses, et est actuellement le modèle le plus en accord avec les faits expérimentaux. Selon cette hypothèse, *l'énergie libre du transfert d'électrons est utilisée pour faire passer des protons de la matrice mitochondriale dans l'espace intermembranaire, entraînant la formation d'un gradient électrochimique du proton à travers la membrane interne mitochondriale. Le potentiel électrochimique de ce gradient est utilisé pour synthétiser l'ATP (Fig. 22-29).*

Plusieurs résultats importants s'expliquent par l'hypothèse chimiosmotique :

(a) Les phosphorylations oxydatives nécessitent une membrane interne mitochondriale intacte.

(b) La membrane interne mitochondriale est imperméable aux ions tels que H$^+$, OH$^-$, K$^+$ et Cl$^-$, dont la libre diffusion annulerait le gradient électrochimique.

(c) Le transfert d'électrons s'accompagne d'une sortie de protons de mitochondries intactes, créant ainsi un gradient électrochimique mesurable à travers la membrane interne mitochondriale.

(d) Des composés qui augmentent la perméabilité de la membrane interne mitochondriale aux protons, dissipant ainsi le gradient électrochimique, n'entravent en rien le transfert d'électrons (dû à l'oxydation du NADH ou du succinate) mais inhibent la synthèse d'ATP ; il y a ce qu'on appelle découplage entre le transfert d'électrons et les phosphorylations oxydatives. Inversement, l'augmentation de l'acidité à l'extérieur de la membrane interne mitochondriale stimule la synthèse d'ATP.

Dans le reste de cette section, nous étudierons comment le transfert d'électrons peut créer une translocation de protons et comment un gradient électrochimique peut interagir avec l'ATP synthase pour assurer la synthèse de l'ATP.

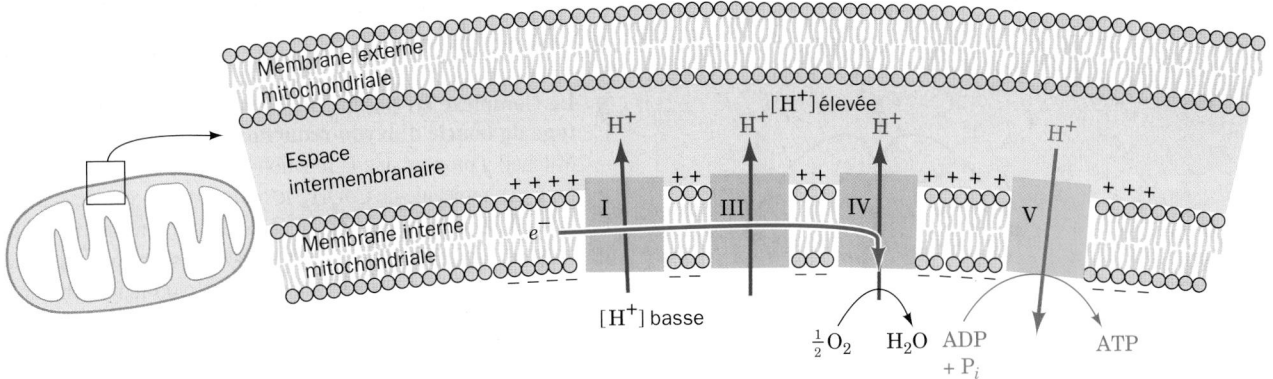

FIGURE 22-29 Couplage entre le transport des électrons (*flèche verte*) et la synthèse d'ATP. H⁺ est exclu de la mitochondrie par les Complexes I, III et IV de la chaîne de transport des électrons (*flèches bleues*), ce qui génère un gradient électrochimique à travers la membrane interne mitochondriale. Le retour exergonique de ces protons vers la matrice fournit l'énergie pour la synthèse de l'ATP (*flèches rouges*). Noter que la membrane externe mitochondriale est perméable aux petites molécules et aux ions, y compris H⁺.

B. *Formation d'un gradient de protons*

Comme nous le verrons, le transfert d'électrons amène les Complexes I, III, et IV à transporter des protons à travers la membrane interne mitochondriale depuis la matrice, compartiment de faible [H⁺] et de potentiel électrique négatif, à l'espace intermembranaire (en contact avec le cytosol), où règnent une [H⁺]élevée et un potentiel électrique positif (Fig. 22-14). L'énergie libre emmagasinée sous forme du gradient électrochimique résultant [qui, par analogie avec le terme de force électromotrice (fem), est appelée la **force protomotrice (pmf)**] assure la synthèse de l'ATP.

a. La sortie de protons est un processus endergonique

La variation d'énergie libre qui accompagne la sortie d'un proton de la mitochondrie contre un gradient électrochimique s'exprime par l'Éq. [20.3] qui, en fonction du pH, devient :

$$\Delta G = 2{,}3RT\,[\mathrm{pH}(int.) - \mathrm{pH}(ext.)] + Z\mathcal{F}\Delta\Psi \qquad [22.1]$$

où Z est la charge d'un proton (y compris le signe), F la constante de Faraday, et $\Delta\Psi$ le potentiel de membrane. Par convention, $\Delta\Psi$ est positif si un ion positif est transporté d'un compartiment négatif à un compartiment positif. Puisque le pH(*ext.*) est inférieur au pH(*int.*), la sortie de protons de la matrice mitochondriale (contre le gradient de protons) est un processus endergonique. De plus, *le transport de protons hors de la matrice rend le côté interne de la membrane interne mitochondriale plus négatif que son côté externe.* Le transport vers l'extérieur d'un ion positif s'accompagne donc d'une $\Delta\Psi$ positive, d'où une augmentation en énergie libre (processus endergonique), tandis que le transport vers l'extérieur d'un ion négatif donne le résultat opposé. Il faut toujours préciser la polarité de la membrane quand on définit un potentiel de membrane.

Le potentiel de membrane mesuré à travers la membrane interne d'une mitochondrie de foie par exemple, est de 0,168 V (l'intérieur étant négatif ; ce qui correspond à un champ électrique de ~210 000 V · cm⁻¹ à travers son épaisseur de ~80 Å). Le pH de sa matrice est de 0,75 unités de pH supérieur à celui de son espace intermembranaire. Le ΔG pour le transport d'un proton hors de la matrice mitochondriale est donc de 21,5 kJ · mol⁻¹.

b. Le transport d'environ trois protons est nécessaire à la synthèse d'un ATP

L'énergie libre physiologique nécessaire à la synthèse d'une molécule d'ATP est de l'ordre de +40 à +50 kJ · mol⁻¹, donc trop importante pour être fournie par le retour d'un seul proton dans la matrice mitochondriale ; il faut au moins deux protons. Il est difficile de mesurer ce nombre avec précision, en particulier parce que les protons transportés ont tendance à retourner d'où ils viennent en s'infiltrant à travers la membrane interne mitochondriale. Cependant, on estime en général qu'il faut une rentrée de trois protons pour la synthèse d'un ATP.

c. Deux mécanismes de transport de protons ont été proposés

Trois des quatre complexes de transport des électrons, les Complexes I, III et IV, sont impliqués dans la translocation de protons. Deux mécanismes ont été proposés pour expliquer le couplage entre l'énergie libre du transfert d'électrons et le transport actif de protons : le **mécanisme des boucles d'oxydo-réduction** et le **mécanisme de pompe à protons.**

d. Mécanisme des boucles d'oxydo-réduction

Selon ce mécanisme proposé par Mitchell, la disposition dans la membrane des centres rédox de la chaîne respiratoire (FMN, CoQ, cytochromes et centres fer-soufre) est telle que la réduction nécessite qu'un centre rédox accepte simultanément un e⁻ et un H⁺ depuis le côté matrice de la membrane interne mitochondriale. La réoxydation de ce centre rédox par le centre suivant implique la libération de H⁺ sur le côté cytosolique de la membrane associée au retour des électrons vers le côté matrice (Fig. 22-30). Le flux d'électrons d'un centre au centre suivant s'accompagne donc

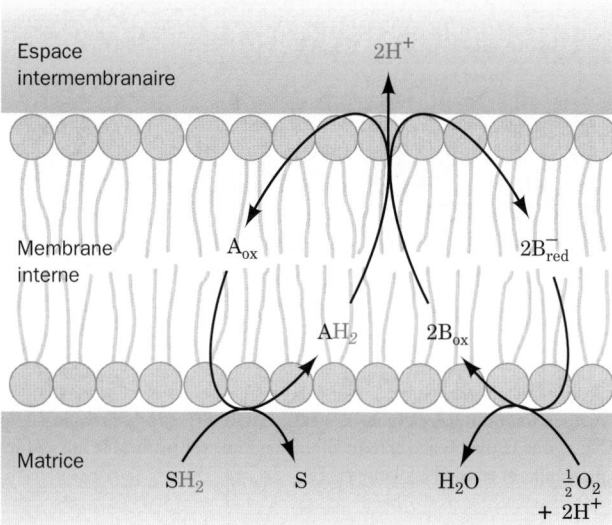

FIGURE 22-30 Mécanisme des boucles d'oxydo-réduction pour la translocation de H⁺ liée au transport des électrons. AH_2 représente des transporteurs de $(H^+ + e^-)$ comme $FMNH_2$ et $CoQH_2$, tandis que B représente des transporteurs exclusifs d'e^- comme les centres fer-soufre et les cytochromes. Ces composants sont disposés de telle sorte que le transfert d'électrons doit être accompagné de la translocation de H⁺.

d'une translocation nette de protons et de la création d'un gradient électrochimique ($\Delta\Psi$ et ΔpH).

Ce mécanisme implique que le premier transporteur rédox ait plus d'atomes d'hydrogène sous sa forme réduite que sous sa forme oxydée et que le deuxième transporteur rédox ait le même nombre d'atomes d'hydrogène quel que soit son état. Cette condition est-elle remplie dans la chaîne de transport des électrons ? Certains transporteurs rédox, FMN et CoQ, ont en fait plus d'atomes d'hydrogène sous forme réduite que sous forme oxydée et sont par conséquent aussi bien des transporteurs de protons que des transporteurs d'électrons. Dans la mesure où ces centres alterneraient dans la membrane avec des transporteurs exclusifs d'électrons (les cytochromes et les centres fer-soufre), un tel mécanisme serait plausible.

La principale difficulté du mécanisme des boucles d'oxydoréduction vient de ce qu'il n'y a pas assez de transporteurs de $(H^+ + e^-)$ pouvant alterner avec des transporteurs d'e^- purs. Alors que l'on trouve jusqu'à 15 transporteurs d'e^- (jusqu'à 8 protéines fer-soufre, 5 cytochromes et deux centres Cu), on ne connaît que deux transporteurs de $(H^+ + e^-)$. Le fait qu'il y ait 3 complexes avec des différences de potentiel d'oxydo-réduction standard suffisamment importantes pour fournir assez d'énergie libre pour la synthèse d'ATP suggère la nécessité d'au moins 3 sites rédox de translocation de protons. Cependant, comme nous le verrons, il existe en fait 3 sites de translocation de protons, mais seulement 2 transporteurs rédox de protons : le mécanisme des boucles

d'oxydo-réduction et le mécanisme de pompe à protons (étudié ci-dessous) sont tous deux utilisés.

e. Le Complexe III pompe des protons via le cycle Q, un type de boucle d'oxydo-réduction

Mitchell a proposé que la fonction du Complexe III est de permettre à une molécule de $CoQH_2$, le transporteur à deux électrons, de réduire séquentiellement 2 molécules de cytochrome *c*, un transporteur à un électron, tout en transportant 4 protons. Ceci met en jeu un mécanisme modifié de boucle d'oxydo-réduction impliquant une bifurcation remarquable du flux d'électrons du $CoQH_2$ au cytochrome c_1 et au cytochrome *b*. C'est via ce **cycle Q** que le Complexe III pompe des protons de la matrice vers l'espace intermembranaire.

La clé du cycle Q est que *$CoQH_2$ fait l'objet d'une réoxydation en deux cycles, avec la formation de la semiquinone, CoQ^{-}, comme intermédiaire stable.* Ceci implique deux sites de liaison du coenzyme Q indépendants : Q_0, qui fixe $CoQH_2$ et est situé entre l'ISP et l'hème b_L près de l'espace intermembranaire (Fig. 22-23) ; et Q_i, qui fixe CoQ^{-} et CoQ et est situé près de l'hème b_H à proximité de la matrice. Au cours du premier cycle (Fig. 22-31*a*), $CoQH_2$, qui est fourni par les Complexes I ou II du côté matrice de la membrane interne mitochondriale (**1**), diffuse à travers la membrane vers son côté cytoplasmique où il se lie au site Q_o (**2**). Là, il transfère un de ses électrons à l'ISP (**3**), tout en libérant ses deux protons dans l'espace intermembranaire et en fournissant CoQ^{-}. L'ISP réduit alors le cytochrome c_1, tandis que le CoQ^{-} transfère l'électron qui lui reste à l'hème b_L (**4**), pour donner le CoQ pleinement oxydé. L'hème b_L réduit alors l'hème b_H (**6**). Le CoQ de l'étape 4 est libéré du site Q_0 et retraverse la membrane par diffusion pour se refixer au site Q_i (**5**), où il capte l'électron de l'hème b_H (**7**) pour reprendre la forme semiquinone CoQ^{-}. Pour ce premier cycle, la réaction est donc :

$$CoQH_2 + \text{cytochrome } c_1(Fe^{3+}) \rightarrow$$
$$CoQ^{-} + \text{cytochrome } c_1(Fe^{2+}) + 2H^+(\text{extérieur})$$

Au cours du second cycle (Fig. 22-31*b*), un autre $CoQH_2$ repasse par les étapes 1 à 6 : un électron réduit l'ISP puis le cytochrome c_1, et l'autre réduit successivement l'hème b_L et l'hème b_H. Ce second électron réduit alors le CoQ^{-} au site Q_i produit au cours du premier cycle (**8**), ce qui donne $CoQH_2$. Les protons captés lors de cette dernière étape proviennent de la matrice mitochondriale. Pour ce deuxième cycle, la réaction est donc :

$$CoQH_2 + CoQ^{-} + \text{cytochrome } c_1(Fe^{3+}) + 2H^+(\text{matrice})$$
$$\rightarrow CoQ + CoQH_2 + \text{cytochrome } c_1(Fe^{2+}) + 2H^+(\text{extérieur})$$

Pour deux $CoQH_2$ entrant dans le cycle Q, un $CoQH_2$ est régénéré. La combinaison des deux cycles, où deux électrons sont transférés du $CoQH_2$ au cytochrome c_1, donne la réaction globale suivante :

$$CoQH_2 + 2 \text{ cytochrome } c_1(Fe^{3+}) + 2H^+ \text{ (matrice)}$$
$$\rightarrow CoQ + 2\text{cytochrome } c_1(Fe^{2+}) + 4H^+ \text{ (extérieur)}$$

Des études du Complexe III par rayons X offrent des preuves directes de l'existence indépendante des sites Q_o et Q_i. Les anti-

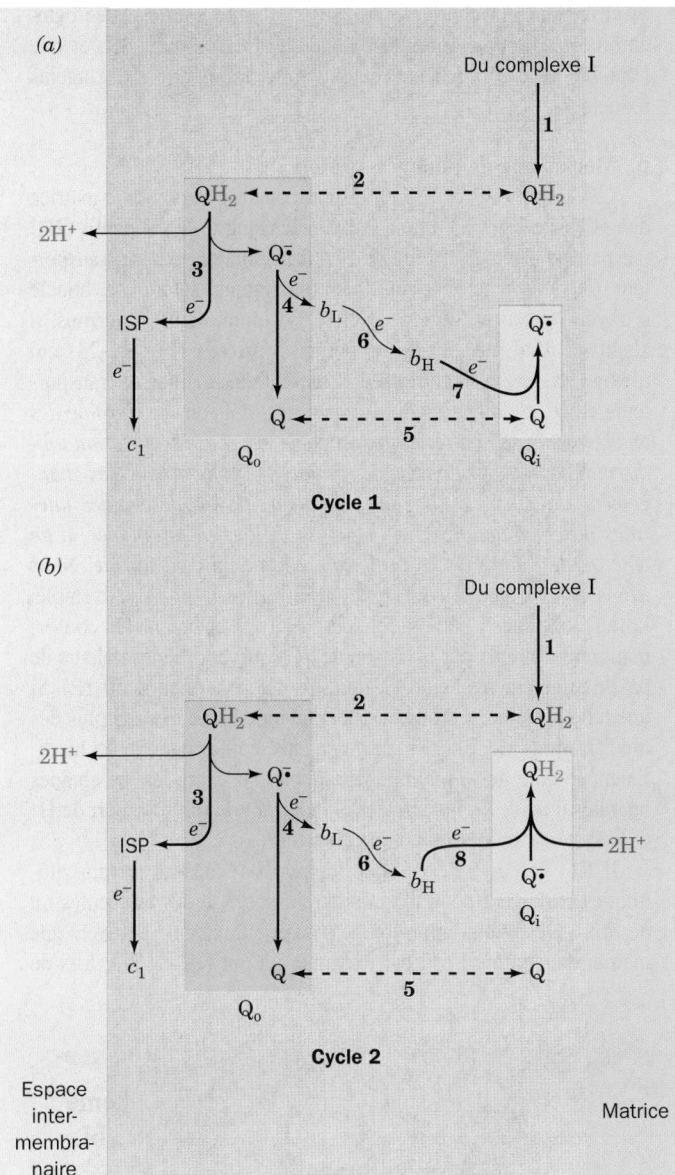

(a)

Cycle 1

(b)

Cycle 2

Espace
inter-
membra-
naire

Matrice

FIGURE 22-31 Le cycle Q. Ce cycle de transport des électrons dans le Complexe III rend compte de la translocation de H⁺ durant le transfert d'électrons du cytochrome *b* au cytochrome *c*. Le cycle complet comprend en fait deux cycles, le premier (*a*) englobant les réactions 1 à 7 et le deuxième (*b*) les réactions 1 à 6 et 8. (**1**) Le coenzyme QH₂ est fourni par le Complexe I du côté matrice de la membrane (**2**). QH₂ diffuse vers le côté cytosolique de la membrane. (**3**) QH₂ réduit la protéine fer-soufre de Rieske (ISP) formant la semiquinone Q⁻ et libérant 2H⁺. L'ISP réduit le cytochrome c_1. (**4**) Q⁻ réduit l'hème b_L ce qui donne le CoQ. (**5**) Q diffuse vers le côté matrice. (**6**) L'hème b_L réduit l'hème b_H. (**7**, seulement pour le cycle 1) Q est réduit en Q⁻ par l'hème b_H. (**8**, seulement pour le cycle 2) Q⁻ est réduit en QH₂ par l'hème b_H. [D'après Trumpower, B.L., *J. Biol. Chem.* **265**, 11410 (1990).]

fongiques **myxothiazol** et **stigmatelline**,

Myxothiazol

Stigmatelline

qui tous deux bloquent le flux des électrons du CoQH₂ vers l'ISP et l'hème b_L (étapes 3 et 4 des deux cycles), se fixent dans une poche du cytochrome *b* entre l'ISP et l'hème b_L (Fig. 22-23*b*). Il est clair que cette poche de liaison se superpose au site Q₀. De même, l'antimycine (Section 22-2B), qui bloque le flux des électrons de l'hème b_H vers le CoQ et le CoQ⁻ (étape 7 du cycle 1 et étape 8 du cycle 2), se fixe dans une poche près de l'hème b_H, ce qui identifie cette poche comme étant le site Qᵢ.

Le circuit du transport des électrons dans le Complexe III est lié à la capacité du coenzyme Q de diffuser dans le cœur hydrophobe de la membrane pour se fixer aux sites Q₀ et Qᵢ. Ce processus est facilité par une indentation dans la surface de la région transmembranaire du cytochrome *b* qui contient le Q₀ d'un protomère et le Qᵢ de l'autre. *Lorsque le CoQH₂ est oxydé, deux molécules de cytochrome c réduit et quatre protons apparaissent du côté extérieur de la membrane.* Le transport de protons par le cycle Q est donc conforme au mécanisme des boucles d'oxydo-réduction où un centre rédox (CoQ) est lui-même le transporteur de protons. Cependant, comme nous le verrons ci-dessous, les Complexes I et IV transportent les protons par un mécanisme différent appelé pompe à protons.

f. La bifurcation du flux des électrons dans le cycle Q résulte du mouvement d'un domaine protéique

Pourquoi CoQH⁻ lié à Q₀ réduit-il exclusivement l'hème b_L (étape 4 du cycle Q) plutôt que le centre Rieske [2Fe–2S] de l'ISP, malgré qu'une plus grande différence de potentiel d'oxydo-réduction (ΔE) soit en faveur de la deuxième de ces réactions (tableau 22-1) ? La réponse remarquable à cette question éclaire d'une façon pénétrante les rouages internes du Complexe III. Bien que la liaison de la stigmatelline et celle du myxothiazol à Q₀ soient mutuellement exclusives, ces inhibiteurs ont des effets différents sur ce site : la stigmatelline perturbe le spectre et les propriétés rédox du centre Rieske [2Fe–2S] de l'ISP et l'empêche d'oxyder le cytochrome c_1, alors que le myxothiazol n'interagit pas avec l'ISP mais décale le spectre de l'hème b_L. De toute évidence, la stigmatelline est un analogue de $CoQH_2$ et le myxothiazol mime $CoQH^-$.

Les structures par rayons X du Complexe III (Section 22-2C) montrent que son site Q_o est une poche bifide où la stigmateline se fixe tout près de l'interface d'accostage de l'ISP (voir ci-dessous), tandis que le myxothiazol se fixe dans le voisinage de l'hème b_L (Fig. 22-32 ; leurs liaisons à Q_o sont mutuellement exclusives car leurs queues hydrophobes se superposeraient). De plus, la conformation du domaine globulaire de l'ISP contenant le centre Rieske [2Fe–2S] (Fig. 22-23, *en haut*) est flexible. L'état conformationnel de ce domaine dépend du ligand fixé à Q_o : ce domaine se lie au cytochrome b près du site de l'hème b_L lorsque la stigmatelline est fixée au site Q_o, mais il pivote de ~20Å (suite à un mouvement de charnière de ~57° qui épargne sa structure tertiaire) pour se lier au cytochrome c_1 près de son hème c lorsque c'est le myxothiazol qui est fixé à Q_o. Apparemment, le domaine globulaire de l'ISP sert de navette à électrons entre le $CoQH_2$ lié à Q_o près de l'interface d'accostage de l'ISP, et l'hème c_1 en imposant au centre Rieske [2Fe–2S] réduit un mécanisme de balancement entre ces sites. Le $CoQH^-$ qui en résulte se déplace (probablement en tournant autour d'une liaison qui unit le cycle semiquinone à sa queue non polaire) pour se rapprocher de l'hème b_L qu'il réduit alors. Ainsi, $CoQH^-$ est incapable de réduire l'ISP (après avoir réduit le cytochrome c_1) parce qu'il en est trop éloigné. Ce mécanisme inattendu est conforté par le fait que l'insertion par mutagenèse d'un pont disulfure dans la charnière de l'ISP, ou entre celle-ci et le cytochrome b, diminue fortement l'activité du Complexe III, et que l'activité de ce dernier est rétablie après exposition à des agents réducteurs.

g. Mécanisme de pompe à protons

Le Complexe IV (COX) transporte quatre protons de la matrice dans l'espace intermembranaire pour chaque O_2 qu'il réduit ($2H^+$ par paire d'électrons ; Fig. 22-14). Il ne contient pas de transporteur ($H^+ + e^-$) et ne peut donc fonctionner selon une boucle d'oxydo-réduction (du type cycle Q). Comme nous le verrons, il s'agit ici d'un mécanisme de pompe à protons (Fig. 22-23) qui n'exige pas que les centres rédox servent eux-mêmes de transporteurs de H^+. Selon ce modèle, *le transfert d'électrons entraîne des changements de conformation du complexe. La translocation unidirectionnelle de protons est le résultat de l'influence de ces changements de conformation sur les valeurs de pK de chaînes latérales d'acides aminés et de leur exposition, en alternance, d'un côté ou de l'autre de la membrane interne mitochondriale.* Nous avons déjà vu que la conformation influence le pK. Par exemple, l'effet Bohr dans l'hémoglobine est dû à des changements conformationnels induits par la liaison de l'O_2 qui modifie les valeurs de pK de groupements acido-basiques protéiques (Section 10-2E). Si une telle protéine se trouvait dans une membrane et si en plus des modifications de pK, les changements conformationnels modifiaient le côté de la membrane auquel sont exposées les chaînes latérales d'acide aminé affectées, il s'ensuivrait un transport de H^+ et le système serait une pompe à protons.

Il faut garder à l'esprit que les protons sont des noyaux atomiques et doivent donc toujours être associés à des molécules ou des ions. De ce fait, un proton ne peut être transporté à travers une membrane comme l'est, par exemple, un ion K^+. En fait, lors de

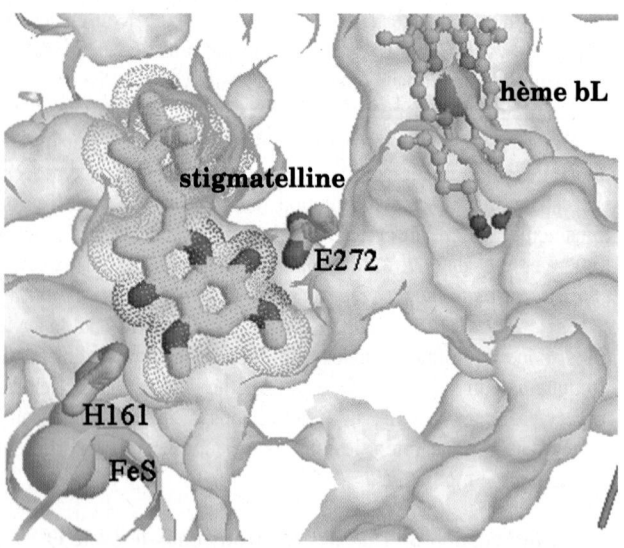

(a)

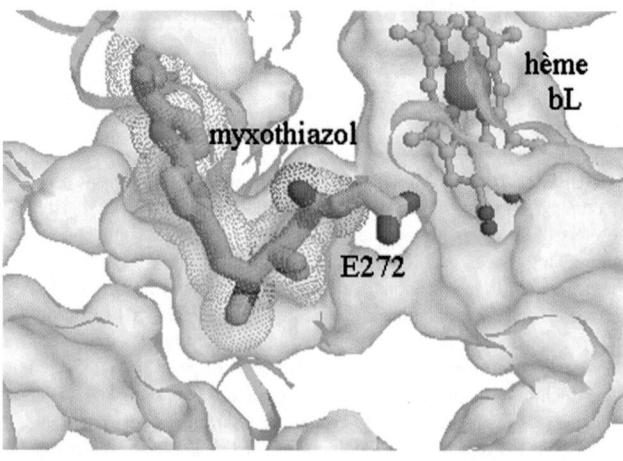

(b)

FIGURE 22-32 Structures par rayons X du site de liaison Q_o occupé par des inhibiteurs dans le complexe du cytochrome bc_1 de poulet. Les structures montrent (*a*) le complexe avec la stigmatelline et (*b*) le complexe avec le myxothiazol. La surface de la protéine (*en blanc*) a été enlevée pour révéler la poche Q_o. L'hème b_L (*en haut à droite*) est en modèle éclaté avec C en gris, N en bleu, O en rouge et Fe en beige. Dans la Partie *a* la stigmatelline est en bâtonnets avec C en jaune et son volume est représenté par le contour en pointillés. Le centre [2Fe-2S] de Rieske (*en bas à gauche*) est représenté par des sphères dorées, et le domaine de l'ISP auquel il est fixé est symbolisé par un ruban bleu-vert.

Noter que His 61, un des ligands du centre [2Fe-2S] de Rieske, établit une liaison hydrogène avec la stigmatelline. Dans la Partie *b* le myxothiazol est en bâtonnets avec C en orange. Noter également que la partie du myxothiazol qui mime la semiquinone se lie à Q_o dans le voisinage de l'hème b_L alors que sa queue hydrophobe occupe la même position que celle de la stigmatelline. Noter enfin que le domaine de l'ISP contenant le centre [2Fe-2S] n'est pas visible ici ; il a subi une rotation l'amenant près du cytochrome c_1. [Avec la permission d'Antony Crofts, University of Illinois at Urbana-Champagne, et d'Edward Berry, University of California at Berkeley. PDBid 3BCC.]

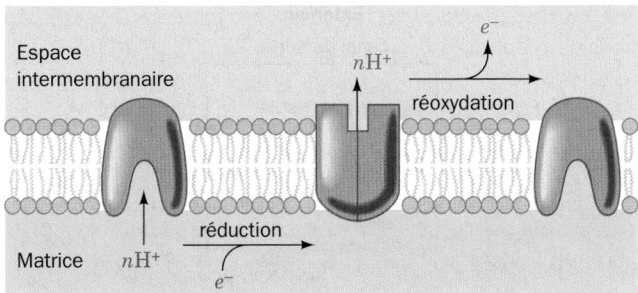

FIGURE 22-33 Mécanisme de la pompe à protons pour la translocation de protons liée au transport des électrons. A chaque site de translocation de H⁺, *n* protons se lient à des chaînes latérales d'acides aminés sur le côté matrice de la membrane. La réduction entraîne un changement de conformation qui diminue les p*K* de ces chaînes latérales et les expose au côté cytosolique de la membrane où les protons se dissocient. La réoxydation entraîne un changement de conformation qui rétablit la pompe dans sa conformation originale.

leur translocation, les protons sautent le long de chaînes de groupements de la protéine de transport unis par liaisons hydrogène, un peu comme les ions hydronium se déplacent dans une solution aqueuse (Fig. 2-9). Une telle disposition de groupements unis par liaisons hydrogène a été comparée à un « câble à protons ». Cependant, contrairement à un câble de circuit électrique, il n'est pas nécessaire que tous les éléments d'un câble à protons soient connectés en même temps. De plus, il est probable que des molécules d'eau internes (qui ne sont pas toujours visibles dans les structures par rayons X) fassent partie intégrante du câble à protons. L'élucidation du cheminement précis des protons transportés à travers une protéine reste une tâche difficile et d'issue incertaine.

h. La bactériorhodopsine est une pompe à protons actionnée par la lumière

La pompe à protons la plus simple et la mieux caractérisée est une protéine membranaire intrinsèque, la **bactériorhodopsine** d'*Halobacterium halobium*. Elle est constituée essentiellement de 7 hélices transmembranaires (A à G) qui forment un canal polaire central (Section 12-3A). Ce canal contient un groupement prosthétique rétinal lié par covalence, via une base de Schiff protonée, à Lys 216 qui se projette à partir de l'hélice G (Fig. 12-24). La protéine tire l'énergie libre nécessaire au pompage unidirectionnel des protons de l'absorption d'un photon par le rétinal. Celle-ci déclenche une séquence d'événements au cours desquels la protéine ajuste sa conformation en passant par des intermédiaires successifs appelés J, K, L, M, N et O, que l'on peut caractériser par spectroscopie, le système retournant à son état de base en ~10 ms. Le résultat net de ce cycle est la translocation d'un proton du cytoplasme vers le milieu extracellulaire, ce qui convertit l'énergie lumineuse en force protomotrice. Le mécanisme de ce processus, découvert suite à des études de nombreux laboratoires par approches structurales, mutagenèse, et spectroscopie résolue en temps, mais qui reste à élucider complètement, est schématisé dans la Fig. 22-34 :

1. En absorbant un photon, le rétinal tout-*trans* de l'état de repos se photoisomérise en sa forme 13-cis. C'est un processus en plusieurs étapes qui passe rapidement (~3 ps) par les états J et K. L'extrémité libre du rétinal, à présent enroulée autour de la double liaison devenue cis, se déplace par rapport à l'armature pro-

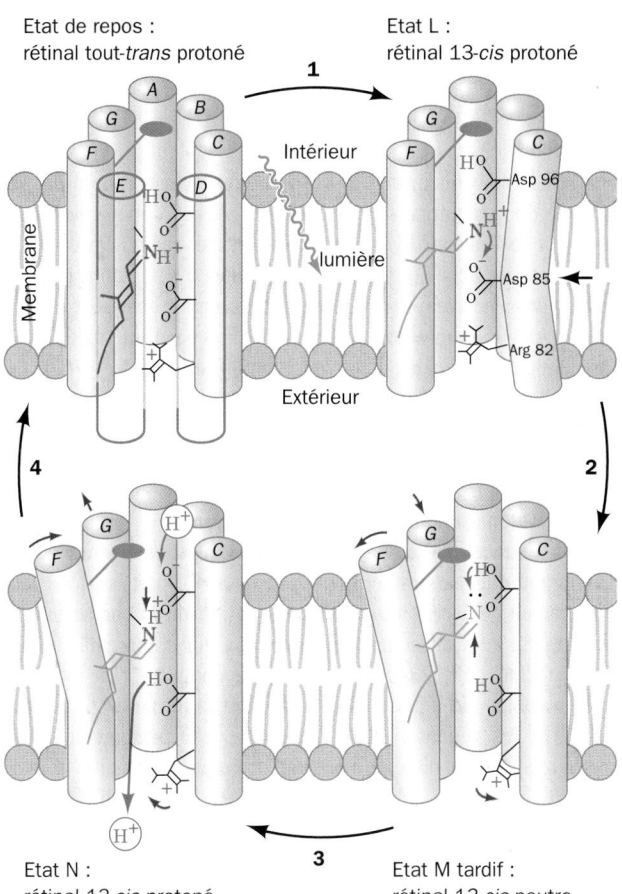

FIGURE 22-34 La pompe à protons de la bactériorhodopsine. Son mécanisme est décrit dans le texte. La protéine est représentée par ses sept hélices transmembranaires, A à G (les hélices D et E étant omises pour plus de clarté, sauf dans le panneau supérieur gauche), et par plusieurs chaînes latérales importantes pour le mécanisme. Le rétinal est représenté en tenant compte des couleurs approximatives du complexe dans ses différents états caractérisés en spectroscopie. Les flèches rouges indiquent les mouvements de protons, les flèches bleues les mouvements des groupements d'atomes, et la « palette » attachée à l'hélice F représente les chaînes latérales volumineuses qui doivent s'écarter pour ouvrir le canal cytoplasmique. [D'après Kühlbrandt, W., *Nature* **406,** 569 (2000).]

téique de sorte que le groupement méthyle en C13 du rétinal et son atome C14 se déplacent vers l'intérieur de 1,3 et 1,7 Å, respectivement. On arrive ainsi à l'état L.

2. L'état M est atteint au prix d'ajustements conformationnels supplémentaires. Ici, l'atome N de la base de Schiff a subi une rotation et a quitté sa position d'état de repos (où il est uni par liaison hydrogène à une molécule d'eau interne), pour une autre où il pointe vers la face interne de la protéine dans le voisinage des chaînes latérales hydrophobes de Val 49 et de Leu 93. Ceci réduit le p*K* de la base de Schiff protonée. Au contraire, le p*K* de Asp 85 augmente. En effet, à l'état de repos, Asp 85 sert de contre-ion à la base de Schiff protonée et participe à un réseau de liaisons hydrogène avec trois molécules d'eau internes, mais à l'état M il n'est associé qu'à une seule molécule d'eau. Il s'en suit que Asp 85 est protoné par la base de Schiff. Ceci est facilité par un léger mouvement de l'hélice C qui rapproche Asp 85 de l'atome N de la base de Schiff. Le rétinal déprotoné se redresse et, ce faisant, il se déplace vers le haut (vers l'intérieur) de 0,7 à 1,0 Å. Il repousse ainsi l'hélice F, dont l'extrémité interne (cytoplasmique) se penche de ~3,5 Å vers l'extérieur du canal et qui est en partie remplacée par l'hélice G.

3. Le mouvement de l'hélice F ouvre le canal central du côté interne de la membrane, laissant entrer plusieurs molécules d'eau qui, via des liaisons hydrogène, forment une chaîne entre Asp 96 et la base de Schiff. Une de ces molécules d'eau établit une liaison hydrogène avec Asp 96, dont le pK est ainsi abaissé. Ceci permet à Asp 96 de protoner la base de Schiff par l'intermédiaire de la chaîne de molécules d'eau, pour aboutir à l'état N.

4. Asp 96 est reprotoné par la solution cytoplasmique. Puisque les boucles qui forment la face interne de la bactériorhodopsine portent de nombreux résidus chargés, elles pourraient agir comme des « antennes » pour capter des protons dans le milieu cytoplasmique alcalin. Asp 85 transfère son proton au milieu extracellulaire via un réseau de liaisons hydrogène qui comprend plusieurs molécules d'eau liées. Ce processus est facilité par un déplacement préalable de 1,6 Å de la chaîne latérale de Arg 82 vers un complexe de résidus qui comprend Glu 194 et Glu 204, ce qui réduit le pK de ce complexe. Le rétinal se relâche alors, via l'état O, pour reprendre sa forme originale tout-*trans*, et les hélices F et G reprennent leur position de départ pour rendre à la protéine son état de repos et boucler le cycle catalytique.

Le rétinal, qui occupe le centre du canal protéique, agit donc comme une soupape à protons unidirectionnelle. La nature vectorielle de ce processus résulte de la série unidirectionnelle de modifications conformationnelles subies par le rétinal photoexcité lorsqu'il se relâche vers son état de repos. Les mouvements principaux de la protéine lors du pompage des protons sont remarquablement discrets, puisque les groupements qui se déplacent ne le font que de ~1 Å ou moins en réponse à la flexion du rétinal induite par la lumière. Néanmoins, ces mouvements modifient le pK de plusieurs résidus, ce qui facilite le transfert des protons ainsi que la mise en place et la disparition de réseaux, fondés sur des liaisons hydrogène, de groupements protéiques et de molécules d'eau, dans la séquence appropriée pour le transport d'un proton. La COX utiliserait un mécanisme semblable, mais ses modifications conformationnelles résulteraient de réactions rédox plutôt que de la photoexcitation.

i. La COX possède deux canaux transporteurs de protons

Deux canaux susceptibles de transporter des protons de l'intérieur vers le voisinage du centre réducteur d'O_2 ont été décrits dans la COX bovine et dans celle de *Paracoccus* (Fig. 22-35). Ces canaux, tous deux situés dans la sous-unité I, sont appelés canaux K et D, d'après leurs résidus clés respectifs (K319 et D91 selon la numérotation bovine utilisée ci-dessous). Ces canaux présumés ressemblent à ceux de la bactériorhodopsine dans la mesure où ils sont constitués de chaînes de groupements protéiques unis par liaisons hydrogène, de molécules d'eau liées et de cavités remplies d'eau.

Le canal K va de K319, qui fait face à l'intérieur, à Y244, le substrat présumé donneur d'électrons et de protons dans la réaction conduisant à l'état P (étape 4 dans la Fig. 22-28). Le mutant K319M a une activité extrêmement basse (<0,05 % de

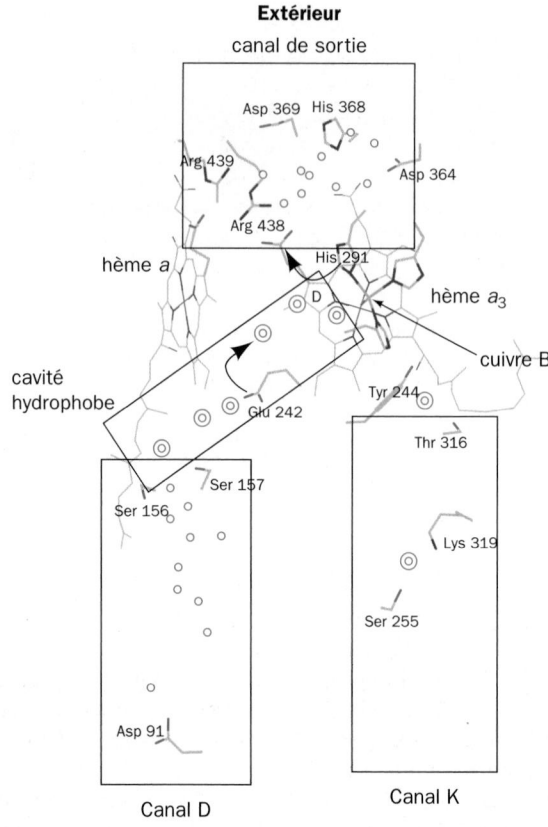

FIGURE 22-35 Canaux de la translocation de protons dans la COX bovine. L'enzyme est vue parallèlement à la membrane, avec la matrice en dessous. Les quatre rectangles délimitent les voies proposées pour l'entrée et la sortie des protons. Les cercles simples et doubles représentent respectivement des molécules d'eau observées dans les structures par rayons X ou dont la présence est postulée sur base d'études théoriques. [D'après un dessin par Mårten Wikström, University of Helsinki, Helsinki, Finlande.]

celle du type non muté), laquelle n'est pas augmentée par un apport extérieur de protons supplémentaires. Il semble donc que le canal K ne soit pas connecté au canal de sortie présumé (Fig. 22-35) conduisant à l'extérieur. Dès lors, la fonction du canal K se limiterait à fournir des protons chimiques au centre réducteur d'O_2.

L'entrée du canal D se trouve dans une région de la surface de la protéine qiu agirait comme une antenne capteuse de protons. La mutation de D91 en tout résidu sans carboxylate élimine la capacité de pompage des protons, mais ne réduit la vitesse de réduction d'O_2 qu'à 45 % de celle du type non muté (chez *E. coli*). De toute évidence, le canal D, en série avec le canal de sortie, est le canal de pompage des protons, De plus, les preuves s'accumulent pour dire que le canal D, qui atteint le voisinage du centre binucléé hème a_3–Cu_B, sert également au passage des protons chimiques requis dans la seconde partie du cycle réactionnel (étapes 5 et 6 dans la Fig. 22-28).

Quel est le mécanisme du couplage de la réduction d'O_2 au pompage des protons dans la COX ? Malheureusement, la cristallographie par rayons X n'a pas permis de répondre à cette question car on ne dispose que de quelques structures d'états distincts de la COX et leur résolution est trop faible pour mettre en évidence leurs petites différences structurales (garder à l'esprit que la structure de la COX est une des plus grosses à avoir été déterminées). L'explication proposée pour le pompage des protons par la COX est donc fondée sur des informations structurales partielles, des expériences de mutagenèse dirigée, des données spectroscopiques, des considérations théoriques et de l'intuition chimique. Plusieurs modèles ingénieux, mais essentiellement phénoménologiques, ont été proposés. Ils admettent tous qu'au moins un proton est pompé lors de chacune des étapes 5 et 6 du cycle réactionnel de la COX (Fig. 22-28), mais sont en désaccord quant à l'endroit du cycle où les deux protons restants sont pompés et comment. On est encore loin de comprendre complètement le fonctionnement de la COX.

C. *Mécanisme de la synthèse d'ATP*

*L'énergie libre du gradient électrochimique du proton à travers la membrane interne mitochondriale est utilisée pour la synthèse de l'ATP par une **ATP synthase-pompe à protons** (ou **ATPase-F_1F_0** ou **Complexe V** ou encore **H^+–ATPase de type F**). Dans les sous-sections suivantes, nous étudierons la localisation et la structure de cette ATP synthase ainsi que le mécanisme qui lui permet de récupérer l'énergie du flux de protons pour assurer la synthèse de l'ATP.*

a. L'ATP synthase-pompe à protons est une protéine transmembranaire multimérique

L'ATP synthase-pompe à protons présente deux structures principales et 8 à 13 sous-unités différentes. Les micrographies électroniques de mitochondries (Fig. 22-36) montrent des struc-

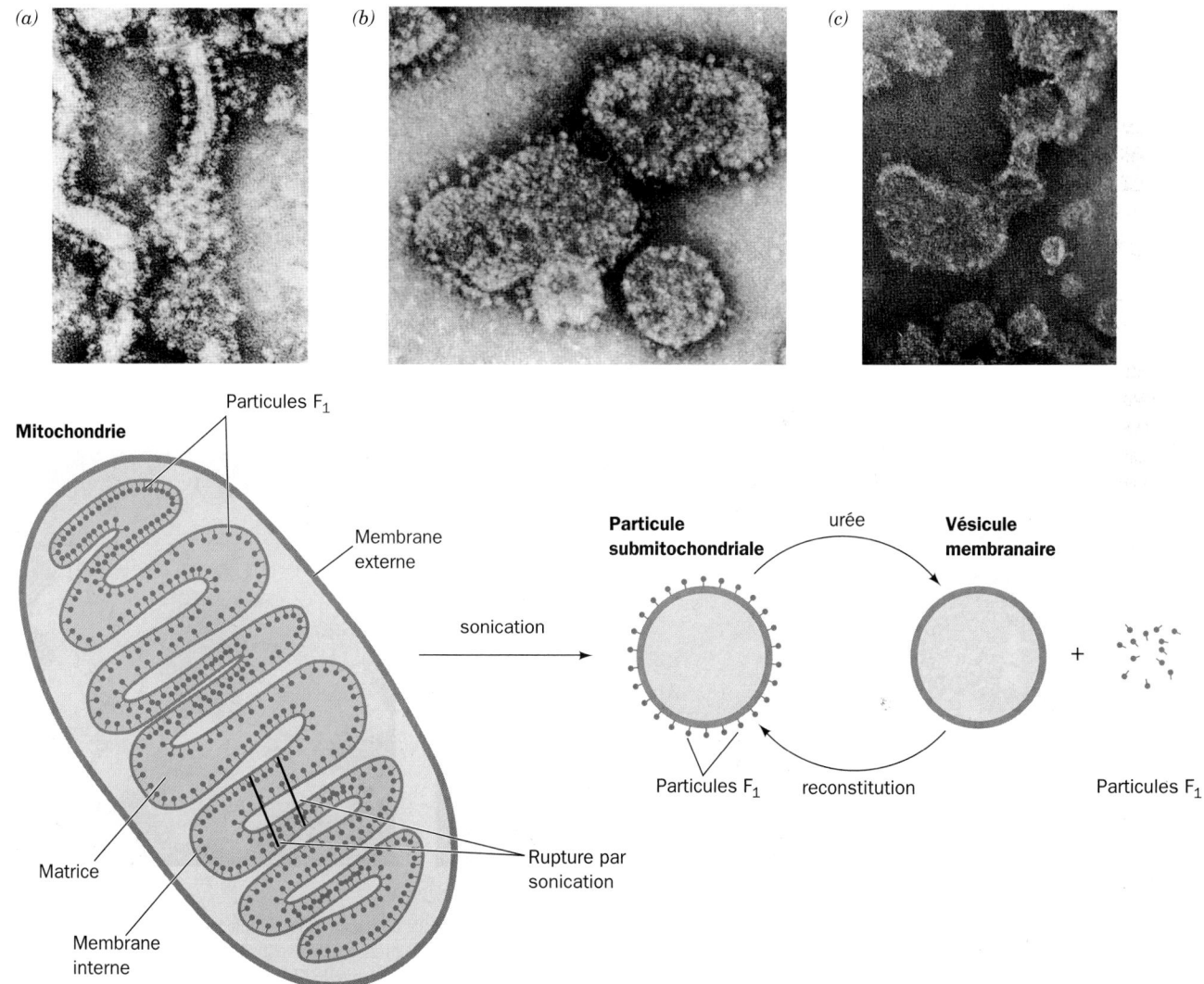

FIGURE 22-36 Micrographies électroniques et dessins d'interprétation de la membrane mitochondriale à différents stades de « dissection ». (*a*) Crêtes de mitochondries intactes montrant les particules F_1 se projetant dans la matrice. [D'après Parsons, D.F., *Science* **140**, 985 (1963). Copyright (c) 1963 American Association for the Advancement of Science. Avec autorisation.] (*b*) Particules submitochondriales mon-

trant leurs « champignons » F_1 se projetant à l'extérieur. Les particules submitochondriales sont préparées par ultrasonication de membranes internes mitochondriales [Avec la permission de Peter Hinkle, Cornell University.] (*c*) Particules submitochondriales après traitement à l'urée. [Avec la permission d'Efraim Racker, Cornell University.]

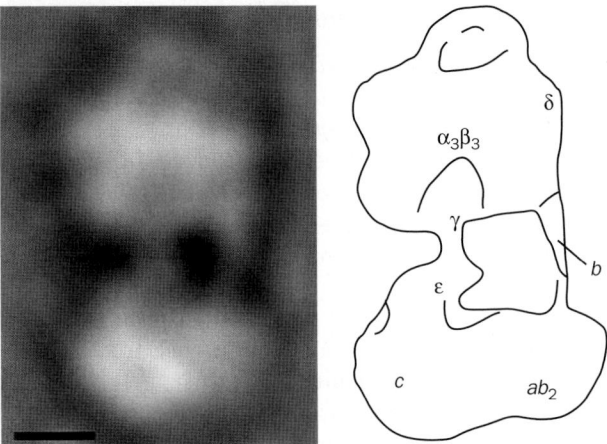

FIGURE 22-37 Représentation de l'ATPase-F_1F_0 *d'E. coli* d'après la microscopie électronique. Le dessin d'interprétation montre les positions de ses sous-unités, décrites dans le texte. [Avec la permission de Roderick Capaldi, University of Oregon.]

tures en forme de champignon qui garnissent la face interne de la membrane interne mitochondriale (Fig. 22-36*a*). Des entités similaires ont été observées sur la face interne de la membrane plasmique des bactéries et dans les chloroplastes (Section 24-2D). En soumettant la membrane interne mitochondriale aux ultra-sons, on obtient des vésicules fermées, appelées **particules submitochondriales**, d'où se projettent ces « champignons » (Fig. 22-36*b*) et qui assurent la synthèse d'ATP.

Efraim Racker a montré que l'ATP synthase des particules submitochondriales est formée de deux unités fonctionnelles, **F_0** et **F_1**.

F_0 est une protéine transmembranaire insoluble dans l'eau, composée de sous-unités différentes (jusqu'à 8, alors qu'il n'y en a que trois chez *E. coli*) avec un canal pour la translocation des protons. F_1 est une protéine membranaire périphérique soluble dans l'eau, composée de cinq types de sous-unités, qui est facilement dissociée de F_0 par traitement à l'urée. F_1 solubilisée peut hydrolyser l'ATP mais ne peut pas le synthétiser (d'où le nom d'ATPase). Les particules submitochondriales dont F_1 a été enlevée par traitement à l'urée ne présentent plus les « champignons » en microscopie électronique (Fig. 22-36*c*) et ne peuvent pas synthétiser l'ATP. Cependant, si on rajoute F_1 à ces particules submitochondriales contenant F_0, on rétablit la possibilité de synthétiser l'ATP et l'on retrouve les « champignons » par examen en microscopie électronique. Ainsi, *les « champignons » sont les particules F_1*. Des micrographies de particules F_1F_0 *d'E. coli* dues à Roderick Capaldi montrent nettement leur structure en forme d'haltère dans laquelle F_0 et F_1 sont réunies par une tige centrale de ~45 Å et par une zone périphérique moins dense (Fig. 22-37).

b. La structure par rayons X de F_1 explique sa forme en champignon

La sous-unité F_1 de l'ATPase-F_1F_0 mitochondriale est un nonamère $\alpha_3\beta_3\gamma\delta\varepsilon$ où la sous-unité β contient le site catalytique pour la synthèse d'ATP et la sous-unité δ est requise pour la liaison de F_1 à F_0. La structure par rayons X de F_1 de mitochondries de cœur de bœuf, déterminée par John Walker et Andrew Leslie, montre que cette protéine de 3440 résidus (371 kD) est un sphéroïde de 80 Å de haut et de 100 Å de large portée par une tige de 30 Å de long (Fig. 22-38*a*). Les sous-unités α et β de F_1, qui présentent 20 % d'identité de séquence et qui ont pra-

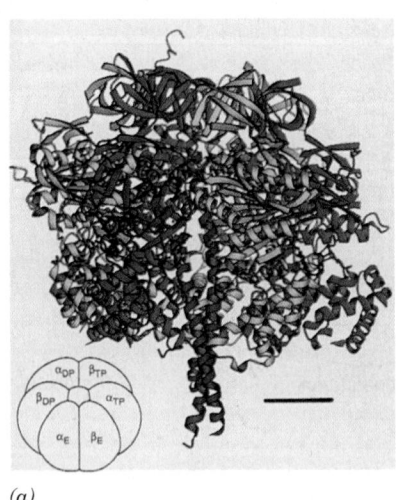

(a)

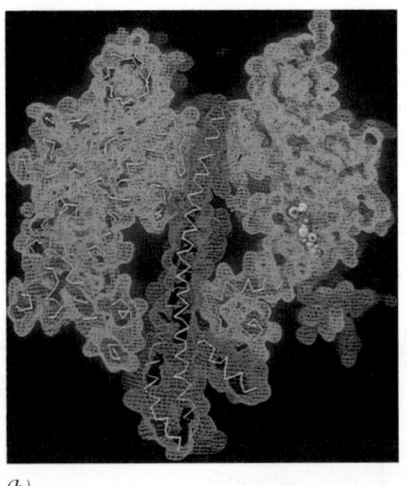

(b)

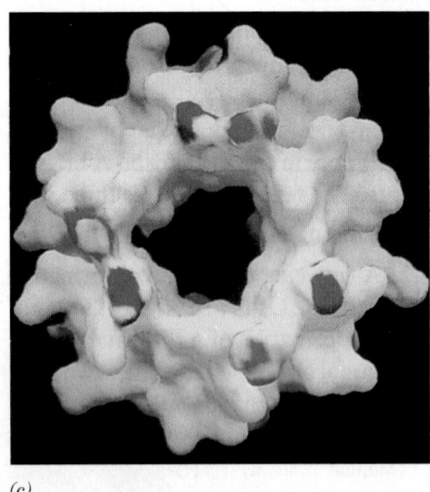

(c)

FIGURE 22-38 Structure par rayons X de l'ATPase-F_1 de mitochondries de cœur de bœuf. (*a*) Représentation en ruban dans laquelle les sous-unités α, β et γ sont respectivement en rouge, jaune et bleu, et les nucléotides en modèle éclaté sont en noir. Le dessin en insert donne l'orientation de ces sous-unités dans cette représentation. La barre a 20 Å de long. (*b*) Coupe transversale à travers la carte de densité électronique de la protéine dans laquelle la densité pour les sous-unités α et β est en bleu et celle de la sous-unité γ est en orange. Les squelettes des C_α superposés de ces sous-unités sont en jaune et un ADPNP lié est représenté en modèle compact (C en jaune, N en bleu, O en rouge). Noter la

grande cavité centrale entourant la sous-unité γ entre les deux régions où elle est en contact avec l'assemblage $\alpha_3\beta_3$. (*c*) Surface de la partie interne de l'assemblage $\alpha_3\beta_3$ par laquelle l'hélice C-terminale de la sous-unité γ pénètre, correspondant aux représentations *a* et *b* vues d'en haut. La surface est colorée selon son potentiel électrique, les potentiels positifs en bleu et les potentiels négatifs en rouge. Noter l'absence de charge sur la surface interne de cette gaine. La partie de l'hélice C-terminale de la sous-unité γ en contact avec cette gaine est également dépourvue de charge. [D'après Abrahams, J.P., Leslie, A.G.W., Lutter, R., and Walker, J.E., *Nature* **370**, 623 et 627 (1994). PDBid 1BMF.]

tiquement les mêmes repliements, sont disposées en alternance, comme les quartiers d'une orange, sur la partie supérieure d'une hélice α de 90 Å de long formée par la partie C-terminale de la sous-unité γ. L'extrémité C-terminale de cette hélice émerge dans une dépression de 15 Å de profondeur située au centre du sommet du sphéroïde (Fig. 22-38*b*). La moitié inférieure de l'hélice s'enroule autour du segment N-terminal de la sous-unité γ selon une disposition en superhélice antiparallèle de pas à gauche et recourbée. Cette spire enroulée est presque certainement une partie de la tige de ~45 Å de long observée par microscopie électronique de l'ATPase-F₁F₀ comme celle représentée dans la Fig. 22-37.

L'arrangement cyclique et les analogies de structure des sous-unités α et β de F₁ lui confèrent une symétrie de rotation à la fois de pseudo-ordre trois et de pseudo-ordre six. Néanmoins, la protéine est asymétrique, d'une part, en raison de la présence de la sous-unité γ, mais aussi parce que chacune des sous-unités α et β adopte une conformation un peu différente. Ainsi, une sous-unité β (désignée par $β_{TP}$) fixe une molécule d'un analogue non hydrolysable de l'ATP, l'ADPNP (Section 18-3F), la deuxième ($β_{DP}$) fixe l'ADP, et la troisième ($β_E$) possède un site de liaison vide et déformé. Cependant, les sous-unités α fixent toutes l'ADPNP, bien qu'elles diffèrent aussi l'une de l'autre par la conformation. Les sites de liaison de l'ADPNP et de l'ADP se trouvent à une distance de ~20 Å proche d'une interface entre des sous-unités α et β adjacentes et, en fait, ils contiennent tous quelques résidus de la sous-unité adjacente.

Bien que trois segments (55 %) de la sous-unité γ ainsi que la totalité des sous-unités δ et ε ne soient pas visibles dans la structure par rayons X de la Fig. 22-38, ils le sont dans la structure par rayons X de l'ATPase F₁ bovine déterminée dans des conditions différentes. Dans cette dernière (Fig. 22-39), également déterminée par Leslie et Walker, l'hélice C-terminale de la sous-unité γ montre environ 4 tours à son extrémité N-terminale au delà de celle que l'on voit au bas de la Fig. 22-38*a* (elle atteint ainsi 114 Å), et les autres parties « manquantes » de la sous-unité γ ainsi que les sous-unités δ et ε enveloppent la base de la spire enroulée de la sous-unité γ. Noter qu'en raison d'une malheureuse confusion de nomenclature, la sous-unité ε d'*E. coli* est l'homologue de la sous-unité δ mitochondriale, la sous-unité δ d'*E. coli* correspond à la **protéine conférant la sensibilité à l'oligomycine** (OSCP ; voir Problème 9) des mitochondries, et la sous-unité ε mitochondriale n'a pas de contrepartie dans les ATP synthases des bactéries ou des chloroplastes.

c. Les sous-unités *c* de F₀ forment un anneau transmembranaire qui contacte la tige de F₁

La partie F₀ de l'ATPase-F₁F₀ d'*E. coli* est constituée de trois sous-unités transmembranaires *a*, *b*, et *c*, qui forment un complexe $a_1b_2c_{9-12}$. La F₀ mitochondriale contient en plus une copie de trois sous-unités différentes, *d*, F₆, et OCSP (voir ci-dessus), ainsi que plusieurs sous-unités « mineures » *e, f, g*, et A6L, dont la fonction est inconnue. D'après de nombreuses données, les sous-unités *c*, hydrophobes, s'associent pour former un anneau avec le groupe ab_2 situé à sa périphérie (voir ci-dessous). La séquence de la sous-unité *a* suggère que ce peptide très hydrophobe de 271 résidus forme cinq hélices transmembranaires. Chaque sous-unité *b* (156 résidus) est constituée d'une simple hélice transmembranaire qui vient ancrer un domaine polaire

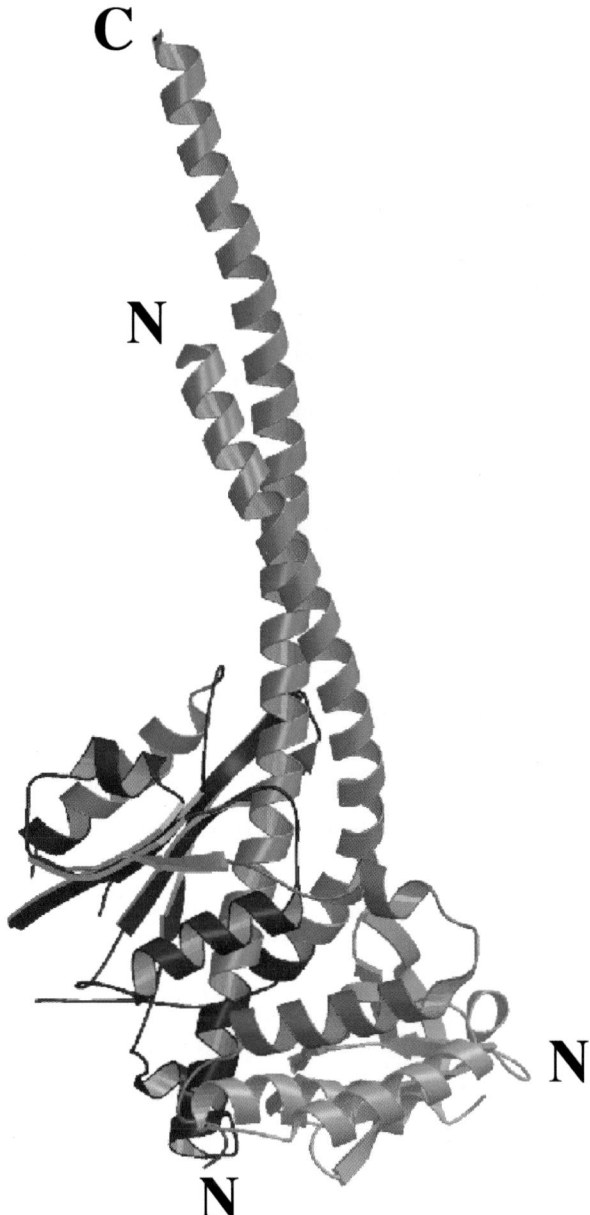

FIGURE 22-39 Sous-unités γ, δ et ε dans la structure par rayons X de l'ATPase-F₁ bovine. Les sous-unités γ (*bleu-vert et bleu*), δ (*vert*) et ε (*magenta*) sont visibles dans cette structure par rayons X de l'ATPase-F₁ bovine, déterminée dans des conditions différentes de celles de la Fig. 22-38. Les régions en bleu-vert de la sous-unité γ sont visibles dans cette dernière structure, ce qui n'est pas le cas des régions en bleu et des sous-unités δ et ε. [Avec la permission d'Andrew Leslie et John Walker, MRC Laboratory of Molecular Biology, Cambridge, U.K. PDBid 1E79.]

interne, lequel forme un homodimère pour donner une spire enroulée parallèle en hélice α.

Mark Girvin et Robert Fillingame on déterminé la structure par RMN de la sous-unité *c* d'*E. coli* (79 résidus) à pH 5 et à pH 8 (Fig. 22-40). Elle montre que la sous-unité *c* est constituée de deux hélices α reliées par une boucle polaire de 4 résidus et qui sont disposées en spire enroulée antiparallèle en forme de banane. L'importance des différents états de protonation est abordée ci-dessous.

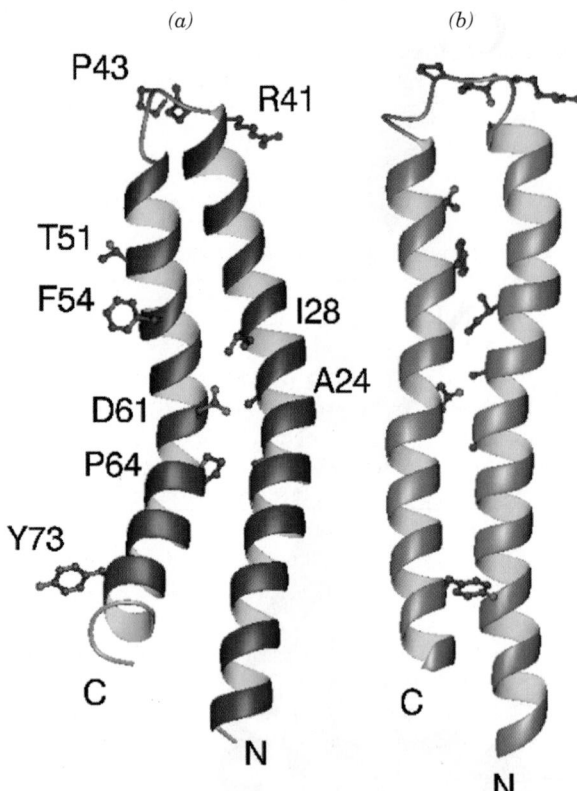

(a)   (b)

**FIGURE 22-40   Structure par RMN de la sous-unité *c* de l'ATPase-
F_1F_0 d'*E. coli*.** Ces structures furent déterminées dans une solution chloroforme–méthanol–eau (4 :4 :1) à (*a*) pH 8 (auquel D61 est déprotoné) et
(*b*) pH 5 (auquel D61 est protoné). Des chaînes latérales particulières
sont représentées afin de faciliter la comparaison des deux structures.
Noter que l'hélice C-terminale dans la structure à pH 8 a tourné de 140°
dans le sens horaire, vu du haut du dessin, par rapport à celle dans la
structure à pH 5. [Avec la permission de Mark Girvin, Albert Einstein
College of Medicine. PDBid (*a*) 1C99 et (*b*) 1C0V.]

La structure par rayons X à faible résolution de la F_1 mitochondriale de levure complexée à son anneau oligomérique *c* (Fig.
22-41) a été déterminée par Leslie et Walker. Les conformations
des sous-unités α et β de la F_1 de levure et les nucléotides qui s'y
lient sont semblables à ceux de la F_1 bovine (Fig. 22-38*a*). La
structure du domaine N-terminal de la sous-unité δ bovine (Fig.
22-39) correspond à une région de la carte de densité électronique
de la F_1 de levure où il contacte la base de la sous-unité γ et l'anneau *c*, ce qui constitue une interface en forme de pied entre F_0 et
F_1.

L'oligomère *c* de levure comporte 10 sous-unités (leur nombre
peut-être différent chez *E.* coli) dont chacune ressemble à la structure par RMN de la sous-unité *c* d'*E. coli* isolée (Fig. 22-40). Les
sous-unité *c* s'associent face à dos pour former deux anneaux
concentriques d'hélices α. Bien que ses chaînes latérales ne puissent être identifiées dans cette structure par rayons X à faible résolution, les longueurs différentes des deux hélices des sous-unité *c*
de levure (76 résidus) permettent de les identifier dans l'anneau *c* :
les longueurs des hélices interne (58 Å de long) et externe (47 Å
de long) sont compatibles avec les hélices N-terminale (39 résidus)
et C-terminale (31 résidus) de la sous-unité *c* de levure. Les
boucles polaires de 5 des 10 sous-unités *c* contactent la sous-

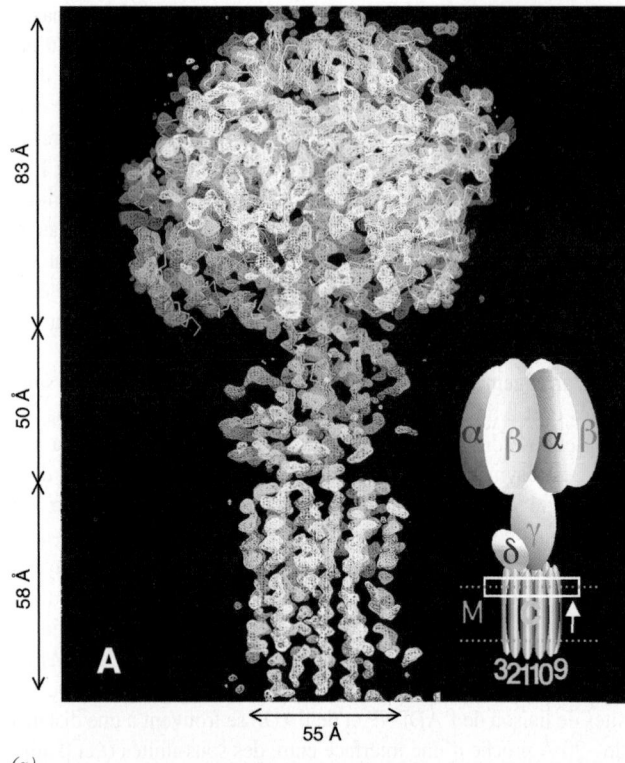

(a)

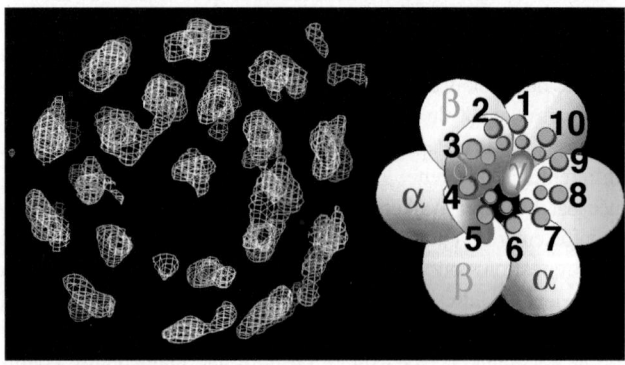

(b)

**FIGURE 22-41   Carte de densité électronique à basse résolution
(3,9 Å) du complexe mitochondrial F_1–c_{10} de levure.** (*a*) Vue à partir
de l'intérieur de la membrane interne mitochondriale avec la matrice en
haut. Le squelette C_α de la F_1 bovine (avec α en orange, β en jaune et γ
en vert) est superposé à la carte de densité électronique. L'insert indique
la localisation des sous-unités du complexe ; les lignes en pointillés montrent la position supposée de la membrane interne mitochondriale (M) et
les sous-unités *c* sont numérotées. (*b*) Vue, à partir de l'espace intermembranaire, de la section encadrée de l'anneau c_{10} dans l'insert de la Partie
a. L'insert indique la localisation des sous-unités de F_1 par rapport aux
sous-unités *c*. Les cercles bleus représentent les hélices α des sous-unités
c numérotées, les plus grands cercles extérieurs rendant compte des
chaînes latérales plus volumineuses dans l'hélice C-terminale. [Avec la
permission d'Andrew Leslie et John Walker, MRC Laboratory of Molecular Biology, Cambridge, U.K. PDBid 1QO1.]

unité δ. La sous-unité γ semble s'associer à 1 ou 2 autres sous-unités *c* de sorte que ~2/3 de la face supérieure de l'anneau *c* entrent
en contact avec la tige de F_1.

d. Mécanisme du changement d'affinité : l'ATP synthase-pompe à protons est actionnée par des changements de conformation

On peut distinguer trois phases dans le mécanisme de synthèse de l'ATP par l'ATP synthase-pompe à protons :

1. Translocation de protons assurée par F_0.

2. Catalyse de la formation de la liaison pyrophosphate de l'ATP assurée par F_1.

3. Couplage entre la dissipation du gradient de protons et la synthèse d'ATP, qui demande l'interaction de F_1 et de F_0.

Plusieurs faits expérimentaux sont en faveur d'un mécanisme, proposé par Boyer, comparable à l'hypothèse du couplage conformationnel des phosphorylations oxydatives (Section 22-3A). Cependant, les changements conformationnels dont l'ATP synthase est le siège lors de la synthèse d'ATP sont dus à la translocation des protons et non au transfert d'électrons comme le prévoyait la première version de l'hypothèse du couplage conformationnel.

F_1 aurait trois protomères catalytiques en interaction, chacun étant dans un état conformationnel différent : un état qui se lie faiblement aux substrats et aux produits (état L), un état qui s'y lie fortement (état T), et un état qui ne s'y lie pas du tout (état ouvert ou O). L'énergie libre issue de la translocation des protons permet l'interconversion entre ces trois états. La liaison pyrophosphate de l'ATP n'est synthétisée qu'à l'état T et l'ATP n'est libéré qu'à l'état O. La réaction implique trois étapes (Fig. 22-42) :

1. La liaison de l'ADP et de P_i au site de faible affinité (à l'état L).

2. Un changement conformationnel induit par l'énergie libre fait passer le site précédent de l'état L à l'état T, ce qui rend possible la synthèse de l'ATP sur ce site ; en même temps, les deux autres sous-unités changent de conformation : le site T qui contient de l'ATP passe en configuration ouverte (O) et le site qui se trouvait en configuration O passe en configuration L.

3. En même temps que l'ATP est synthétisé sur le site T d'une sous-unité, celui qui est lié au site O d'une autre sous-unité se dissocie. A la surface du site actif, la formation d'ATP à partir d'ADP et de P_i implique très peu de changement d'énergie libre, la réaction étant pratiquement à l'équilibre. L'énergie libre fournie par la translocation des protons a donc pour rôle essentiel de faciliter la libération de l'ATP nouvellement formé, de l'enzyme, en provoquant la transition T → O, rompant ainsi les interactions entre l'enzyme et l'ATP préalablement établies pour assurer la formation spontanée de l'ATP à partir d'ADP et de P_i sur le site T.

Comment l'énergie libre de la translocation de protons est-elle couplée à la synthèse d'ATP ? Boyer a suggéré que *les changements d'affinité sont provoqués par la rotation de l'assemblage catalytique $\alpha_3\beta_3$ par rapport aux autres parties de l'ATP synthase-F_1F_0*. Cette hypothèse est en accord avec les données de la cristallographie de F_1. Ainsi, la disposition presque circulaire étroitement ajustée de la face interne des sous-unités α et β autour de la partie C-terminale hélicoïdale de la sous-unité γ rappelle un axe cylindrique tournant dans une gaine (Fig. 20-38*b* et *c*). Effectivement, les surfaces hydrophobes en contact dans cet assemblage sont dépourvues de liaisons hydrogène et d'interactions ioniques qui gêneraient leur libre rotation (Fig. 22-38*c*) ; autrement dit, l'axe et la gaine sont comme « lubrifiés ». De plus, la cavité centrale de l'assemblage $\alpha_3\beta_3$ (Fig. 22-38*b*) devrait permettre le passage de l'hélice N-terminale de la sous-unité γ à l'intérieur du noyau de cette particule pendant la rotation. Enfin, les différences de conformation des trois sites catalytiques de F_1 semblent synchrones avec la position de la sous-unité γ. *Apparemment la sous-unité γ, tournant à l'intérieur de l'assemblage fixe $\alpha_3\beta_3$, fonctionnerait comme un arbre à cames moléculaire qui coupleraient le moteur rotatif actionné par le gradient de protons aux changements conformationnels des sites catalytiques de F_1*. Cette idée est confortée par des simulations de dynamique moléculaire (Section 9-4) par Leslie, Walker et Martin Karplus, selon lesquelles les modifications conformationnelles des sous-unités β résultent d'interactions stériques et électrostatiques avec la sous-unité γ en rotation.

D'autres systèmes rotatifs sont connus en biologie. On savait déjà que les flagelles bactériens, qui fonctionnent comme des hélices, sont des moteurs rotatifs montés sur la membrane et actionnés par la dissipation d'un gradient de protons (Section 35-3G).

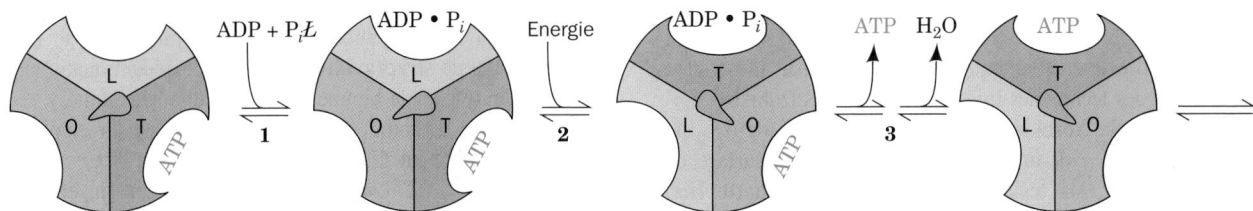

FIGURE 22-42 Mécanisme du changement d'affinité énergie-dépendant de la synthèse d'ATP par l'ATP synthase-pompe à protons. F_1 présente trois protomères interactifs αβ chimiquement identiques mais de conformation différente : O, la conformation ouverte, a très peu d'affinité pour les ligands et est catalytiquement inactive ; L lie faiblement les ligands et est catalytiquement inactive ; T a une forte affinité pour les ligands et est catalytiquement active. La synthèse de l'ATP se fait en trois étapes : (**1**) Liaison de l'ADP et de P_i au site L. (**2**) Changement conformationnel énergie-dépendant qui transforme les sites de liaison L en T, T en O, et O en L. (**3**) Synthèse de l'ATP au site T et libération d'ATP au site O. L'enzyme reprend son état initial après deux autres séries de cette séquence de réactions. L'énergie qui provoque les changements conformationnels semble transmise à l'assemblage catalytique $\alpha_3\beta_3$ par la rotation de l'assemblage γε (chez *E. coli* ; γδ dans les mitochondries), représentée ici par l'objet asymétrique (*vert*) situé au centre. [D'après Cross, R.L., *Annu. Rev. Biochem.* **50**, 687 (1980).]

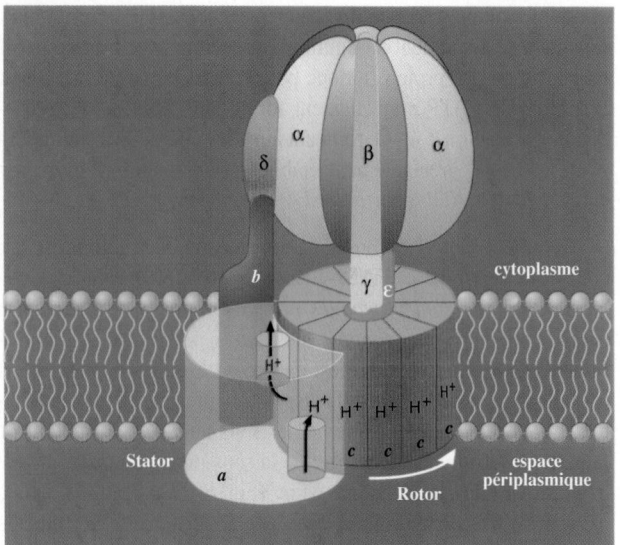

FIGURE 22-43 Modèle de l'ATPase-F_1F_0 d'*E. coli*. Le complexe annulaire $\gamma\epsilon$–c_{12} est le rotor et le complexe ab_2–$\alpha_3\beta_3\delta$ est le stator. La rotation du rotor est entraînée par le passage des protons de l'extérieur (périplasme) vers l'intérieur (cytoplasme). Les protons venant de l'extérieur se fixent à une sous-unité c, où elle interagit avec une sous-unité a, et passent à l'intérieur suite à la rotation quasi complète de l'anneau c comme indiqué (*flèche blanche*), de sorte que la sous-unité c entre à nouveau en contact avec la sous-unité a. La fonction du complexe $b_2\delta$ serait d'empêcher l'assemblage $\alpha_3\beta_3$ de tourner avec la sous-unité γ. [Avec la permission de Richard Cross, State University of New York, Syracuse, New York.]

e. L'ATPase-F_1F_0 est un moteur rotatif

La rotation présumée de l'assemblage $\alpha_3\beta_3$ par rapport à la sous-unité γ produite par le mécanisme de changement d'affinité a conduit au modèle d'ATPase-F_1F_0 schématisé dans la Fig. 22-43. Un moteur rotatif doit posséder un rotor qui tourne dans un stator immobile. Dans l'ATPase-F_1F_0 le rotor serait formé de l'anneau c associé aux sous-unités γ et (*E. coli*) ϵ, la partie stationnaire correspondant au groupe ab_2 et à la sous-unité δ (*E. coli*) plus le sphéroïde $\alpha_3\beta_3$. La rotation de l'anneau c dans la membrane par rapport à la sous-unité a stationnaire est assurée par la migration de protons de l'extérieur vers l'intérieur, comme expliqué ci-dessous. Le rôle de l'assemblage $b_2\delta$ serait de maintenir en place le sphéroïde $\alpha_3\beta_3$ tandis que la sous-unité γ tourne à l'intérieur de celui-ci.

La rotation du rotor $\gamma\epsilon$-anneau c d'*E. coli* par rapport au stator ab_2–$\alpha_3\beta_3\delta$ a été démontrée élégamment par Masamitsu Futai grâce à des techniques mises au point par Kazuhiko Kinosita Jr. et Masasuke Yoshida (Fig. 22-44a). Le sphéroïde $\alpha_3\beta_3$ de l'ATPase-F_1F_0 d'*E. coli* fut fixé tête en bas sur une surface de verre comme suit : six résidus His consécutifs (**étiquette His**) furent attachés par mutagenèse à l'extrémité N-terminale de la sous-unité α, située au sommet du sphéroïde $\alpha_3\beta_3$ comme montré dans la Fig. 20-38a. Le complexe ainsi marqué par His fut déposé sur une surface de verre recouverte de peroxydase de raifort (laquelle colle au verre comme la plupart des protéines) fixée à de l'**acide nitriloacétique**-Ni^{2+} [$N(CH_2COOH)_3$, qui se lie aux étiquettes His], assurant ainsi la liaison de l'ATPase-F_1F_0 à la surface avec son côté F_0 s'éloignant de celle-ci. Les résidus

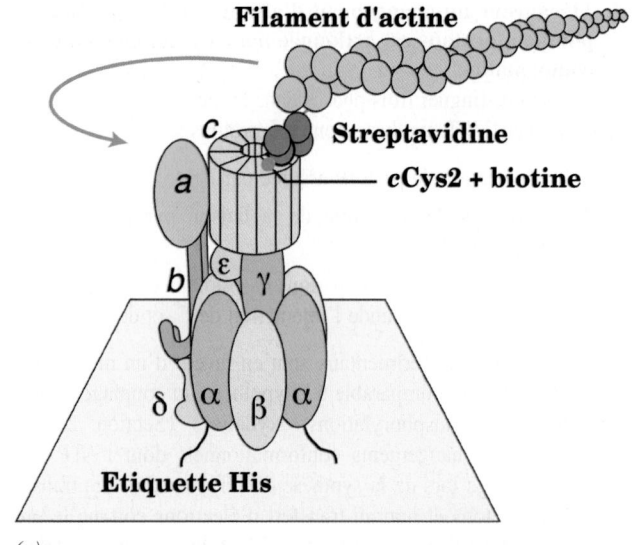

(a)

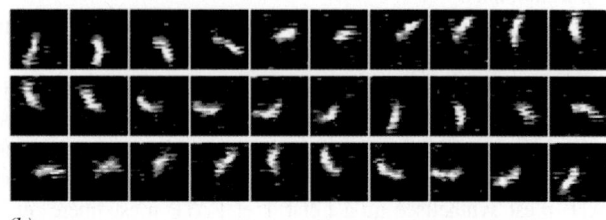

(b)

FIGURE 22-44 Rotation de l'anneau c dans l'ATPase-F_1F_0 d'*E. coli*. (*a*) Système expérimental utilisé pour observer la rotation. Voir le texte pour les détails. La flèche bleue indique la direction de la rotation observée pour le filament d'actine marqué par fluorescence fixé à l'anneau c. (*b*) Rotation d'un filament d'actine de 3,6 µm en présence de 5 m*M* MgATP observée en images vidéo successives prises en microscopie à fluorescence. [Avec la permission de Masamitsu Futai, Osaka University, Osaka, Japon.]

Glu 2 des sous-unités c de cet assemblage, situés sur le côté de l'anneau c opposé à F_1, avaient été remplacés par mutagenèse par des résidus Cys qui furent ensuite liés par covalence à la **biotine** (coenzyme qui participe normalement aux réactions de carboxylation ; Section 23-1A). Un filament d'**actine**, protéine de muscle (Section 35-3A), marqué par fluorescence et biotinylé (à une extrémité) fut alors attaché à la sous-unité c par le biais d'une molécule de **streptavidine**, protéine possédant quatre sites de haute affinité pour la biotine (Cys 193 de la sous-unité γ, seul autre résidu Cys du rotor, avait été muté en Ala pour empêcher sa fixation au filament d'actine).

L'ATPase-F_1F_0 d'*E. coli* peut fonctionner en sens inverse, car elle peut pomper des protons de l'intérieur (le cytoplasme) vers l'extérieur (le périplasme) aux dépens de l'hydrolyse de l'ATP (ceci permet à la bactérie de maintenir son gradient de protons en anaérobiose, pour assurer divers processus tels que la rotation du flagelle). La préparation décrite plus haut fut donc observée sous microscope à fluorescence tandis qu'une solution d'ATPMg à 5 m*M* était infusée par dessus. *De nombreux filaments d'actine se mirent à tourner (Fig. 22-44b), toujours en direction anti-*

horaire vue en regardant d'en haut la surface de verre (donc de l'extérieur). Ceci devrait permettre à la sous-unité γ d'interagir successivement avec les sous-unités β dans la direction

$$\beta_E(\text{état O}) \rightarrow \beta_{DP}(\text{état L}) \rightarrow \beta_{TP}(\text{état T})$$

(Fig. 22-38*a* et 22-42), la direction attendue pour l'hydrolyse de l'ATP.

Dans une variante de l'expérience précédente, la sous-unité γ du complexe $\alpha_3\beta_3\gamma$ fut pontée directement, via sa Cys 193, à un filament d'actine marqué par fluorescence et, ici, les sous-unités α furent immobilisées par des étiquettes His qui leur avaient été ajoutées. A concentration très basse en ATP (p. ex. 0,02 μ*M*) des images vidéo (Fig. 22-45) montrèrent que le filament d'actine fluorescent tourne dans le sens antihoraire par sauts de 120°, comme prédit par le mécanisme de changement d'affinité. De plus, le travail de friction calculé pour chaque étape de rotation est quasi égal à l'énergie fournie par l'hydrolyse d'une molécule d'ATP, autrement dit, *l'ATPase-F₁F₀ convertit l'énergie chimique en énergie mécanique avec une efficacité de près de 100 %.*

f. La rotation de l'anneau *c* est provoquée par des changements de conformation induits par les protons

Les données structurales et biochimiques ci-dessus ont mené au modèle schématisé à la Fig. 22-43 pour la rotation de la sous-unité F_0 induite par les protons. Des protons provenant de l'extérieur pénètrent dans un canal hydrophile situé entre la sous-unité *a* et l'anneau *c*, où ils se fixent à la sous-unité *c*. L'anneau *c* fait alors un tour presque complet (tandis que les protons se fixent à des sous-unités *c* successives en franchissant ce canal d'entrée) jusqu'à ce que la sous-unité atteigne un second canal hydrophile, situé entre la sous-unité *a* et l'anneau *c*, qui s'ouvre sur l'intérieur. C'est là que le proton est libéré. Ainsi, l'ATPase-F_1F_0, qui produit 3ATP par tour et dont (du moins chez la levure) l'assemblage F_0 comporte 10 sous-unités *c*, forme idéalement 3/10 = 0,3 ATP pour chaque proton qu'elle transfère de l'espace intermembraire (l'extérieur) dans la matrice (l'intérieur).

Mais comment le passage des protons dans ce système induit-il la rotation de l'anneau *c* et donc la synthèse d'ATP ? La mutation en Asn de l'Asp 61 conservé de la sous-unité *c* inactive l'ATPase-F_1F_0 chez *E. coli*. L'Arg 210 conservée (numérotation chez *E. coli*) de la sous-unité *a* a été de même impliquée dans la translocation du proton. En mutant en Cys des résidus choisis des sous-unités *a* et *c*, Fillingame a montré que l'hélice C-terminale de la sous-unité *c* d'*E. coli*, qui contient Asp 61, peut être pontée par liaisons disulfure à la quatrième hélice présumée de la sous-unité *a*, qui contient Arg 210. Il est clair que ces hélices se juxtaposent en un point du cycle de rotation de l'anneau *c*. La rotation de celui-ci serait rendue possible par la protonation d'Asp 61 qui, de ce fait, n'attirerait plus Arg 210.

La comparaison des structures par RMN (Fig. 22-40) de la sous-unité *c* à pH 8 (Asp 61 déprotoné) et à pH 5 (Asp 61 protoné) montre que sa modification conformationnelle principale suite à la protonation est une rotation horaire de ~140° (vue à partir de F_1) de son hélice C-terminale contenant Asp 61, par rapport à son hélice N-terminale. Puisque l'hélice C-terminale est l'hélice externe de l'anneau *c* (Fig. 22-41*b*), ceci suggère que, lors de la protonation, cette hélice pousse mécaniquement la sous-unité *a* voisine de manière à faire pivoter l'anneau *c* dans la direction indiquée à la Fig. 22-43.

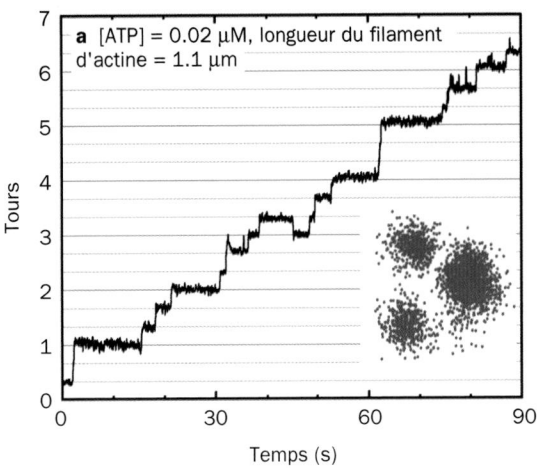

FIGURE 22-45 Rotation saltatoire, à basse concentration en ATP, de la sous-unité γ de F_1 par rapport à un assemblage $\alpha_3\beta_3$ immobilisé, observée en microscopie à fluorescence. On a porté en graphique le nombre de rotations effectuées par un filament d'actine marqué par fluorescence et dont une extrémité a été fixée à la sous-unité γ dans une préparation semblable à celle schématisée à la Fig. 22-44*a* (mais sans F_0, δ et ε). Noter que le filament d'actine tourne par pas de 120°. Ceci apparaît bien dans l'insert qui montre la superposition des centres des images d'actine (l'assemblage $\delta_3\beta_3\gamma$ est fixé au centre). [Avec la permission de Kazuhiko Kinosita Jr., Keio University, Yokohama, Japon.]

D. Découplage des phosphorylations oxydatives

Le transport des électrons (l'oxydation de NADH et de FADH₂ par O₂) et les phosphorylations oxydatives (la synthèse d'ATP) sont normalement étroitement couplés en raison de l'imperméabilité de la membrane interne mitochondriale au passage des protons. La seule façon pour H⁺ de regagner la matrice est donc via la partie F_0 de l'ATP synthase-pompe à protons. A l'état de repos, quand les phosphorylations oxydatives fonctionnent au ralenti, le gradient électrochimique à travers la membrane interne mitochondriale atteint sa valeur maximum lorsque l'énergie libre nécessaire au pompage de protons supplémentaires devient supérieure à celle fournie par la chaîne de transport des électrons, ce qui inhibe tout transfert d'électrons ultérieur. Cependant, un certain nombre de composés, dont le **2,4-dinitrophénol (DNP)** et la **carbonylcyanure-*p*-trifluorométhoxyphénylhydrazone (FCCP)** « découplent » ces deux processus. L'hypothèse chimiosmotique permet de comprendre le mécanisme d'action de ces agents découplants.

La présence à l'intérieur de la membrane interne mitochondriale d'un agent qui augmente sa perméabilité aux protons, découple les phosphorylations oxydatives du transfert d'électrons en provoquant la dissipation du gradient électrochimique du proton sans nécessiter de synthèse d'ATP. Lorsqu'il y a découplage, le transfert d'électrons se fait librement, même lorsque la synthèse d'ATP est inhibée. Le DNP et la FCCP sont des acides faibles liposolubles qui traversent facilement les membranes. Dans un gradient de pH, ils fixent des protons du côté acide de la membrane, diffusent à travers celle-ci, et les libèrent du côté basique de la membrane, dissipant ainsi le gradient (Fig. 22-46). Ainsi, *de tels*

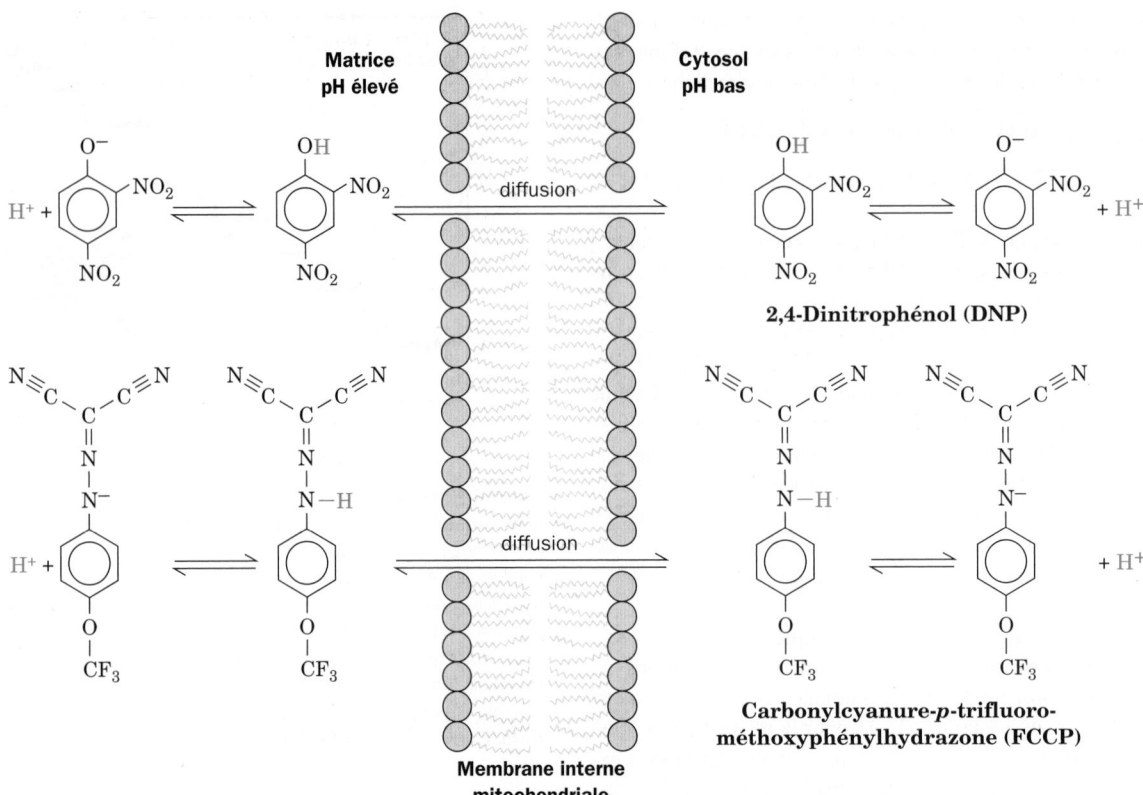

FIGURE 22-46 Découplage des phosphorylations oxydatives. Les protonophores DNP et FCCP découplent les phosphorylations oxydatives du transport des électrons en dissipant le gradient électrochimique du proton formé par le transfert d'électrons.

découplants sont des ionophores (Section 20-2C) transporteurs de protons.

Avant même que le mécanisme du découplage fût connu, on savait que le métabolisme était accéléré par de tels composés. Des études faites à l'Université de Stanford au début du vingtième siècle avaient montré que le DNP entraînait une accélération des oxydations cellulaires et une perte de poids. Ce composé a même été utilisé comme « pilule amaigrissante » durant plusieurs années. Selon les termes d'Efraim Racker (*A New Look at Mechanisms in Bioenergetics, p. 155*) :

Malgré les avertissements des scientifiques de Stanford, quelques médecins entreprenants ont commencé à administrer du dinitrophénol à des patients obèses sans prendre de précautions particulières. Les résultats ont été surprenants. Malheureusement, dans certains cas le traitement a non seulement éliminé la graisse mais aussi les patients, et plusieurs décès ont été signalés dans le Journal of the American Medical Association en 1929. Cela a découragé les médecins pendant un certain temps...

a. Le découplage hormono-dépendant dans le tissu adipeux brun assure la thermogenèse

La dissipation du gradient électrochimique du proton, formé par le transfert d'électrons et découplé de la synthèse d'ATP, produit de la chaleur. La production de chaleur est le rôle physiologique du **tissu adipeux brun (graisse brune)**. Ce tissu diffère du tissu adipeux typique (blanc) car il contient, outre de grandes quantités de triacylglycérols, de nombreuses mitochondries dont les cytochromes leur confèrent cette couleur brune. Les nouveau-nés des mammifères sans fourrure, comme l'espèce humaine, ainsi que les mammifères hibernants, ont du tissu adipeux brun dans le cou et dans la partie supérieure du dos qui assure la **thermogenèse sans frisson**, c'est-à-dire une « couverture chauffante biologique ». (L'hydrolyse de l'ATP lors des contractions musculaires dues au frissonnement — ou à tout autre mouvement — produit aussi de la chaleur. La thermogenèse sans frisson par l'intermédiaire des cycles de substrats est étudiée dans la Section 17-4F).

Le mécanisme de la thermogenèse dans la graisse brune implique le découplage régulé des phosphorylations oxydatives dans leurs mitochondries. Ces mitochondries ont une **protéine découplante** (UCP ; aussi appelée **thermogénine**), un homodimère de sous-unités de 307 résidus qui joue le rôle de canal de contrôle de la perméabilité de la membrane interne mitochondriale aux protons. Chez les animaux adaptés au froid, l'UCP représente 15 % des protéines de la membrane interne mitochondriale de la graisse brune. Le flux de protons qui traversent ce canal protéique est inhibé par des concentrations physiologiques de nucléotides puriques (ADP, ATP, GDP, GTP), mais cette inhibition peut être levée par des acides gras libres. Les constituants de ce système sont sous contrôle hormonal.

La thermogenèse dans les mitochondries du tissu adipeux brun est activée par les acides gras libres. Ainsi, l'effet inhibiteur des nucléotides puriques est contrebalancé, ce qui stimule le flux de protons à travers le canal et découple le transport des électrons des phosphorylations oxydatives. *La concentration en acides gras dans le tissu adipeux brun est contrôlée par la* **noradrénaline** *(norépinéphrine)*

Noradrénaline

l'AMPc jouant le rôle de second messager (Section 18-3). Sous l'action de la noradrénaline (Fig. 22-47), la composante adénylate cyclase du système récepteur de la noradrénaline synthétise de l'AMPc comme décrit dans la Section 19-2. L'AMPc, à son tour,

stimule allostériquement la protéine-kinase A (PKA), qui active une **triacylglycérol lipase hormono-sensible** en la phosphorylant (Section 25-5). Finalement, la lipase activée hydrolyse les triacylglycérols pour donner des acides gras libres qui ouvrent le canal à protons.

b. D'autres tissus contiennent des homologues de l'UCP

Bien que seule la graisse brune ait été considérée comme possédant une protéine découplante, on a trouvé des homologues de l'UCP1 dans d'autres tissus. Ainsi, l'**UCP2** est présente dans de nombreux tissus dont le tissu adipeux blanc, et l'**UCP3** l'est dans le tissu adipeux brun et le tissu adipeux blanc, ainsi que dans le muscle. Les rôles métaboliques de l'UCP2 et de l'UCP3 ne sont pas clairs, mais il se pourrait que l'UCP2 participe à la thermogenèse induite par la prise de nourriture (plutôt que par le froid) (Section 27-3E).

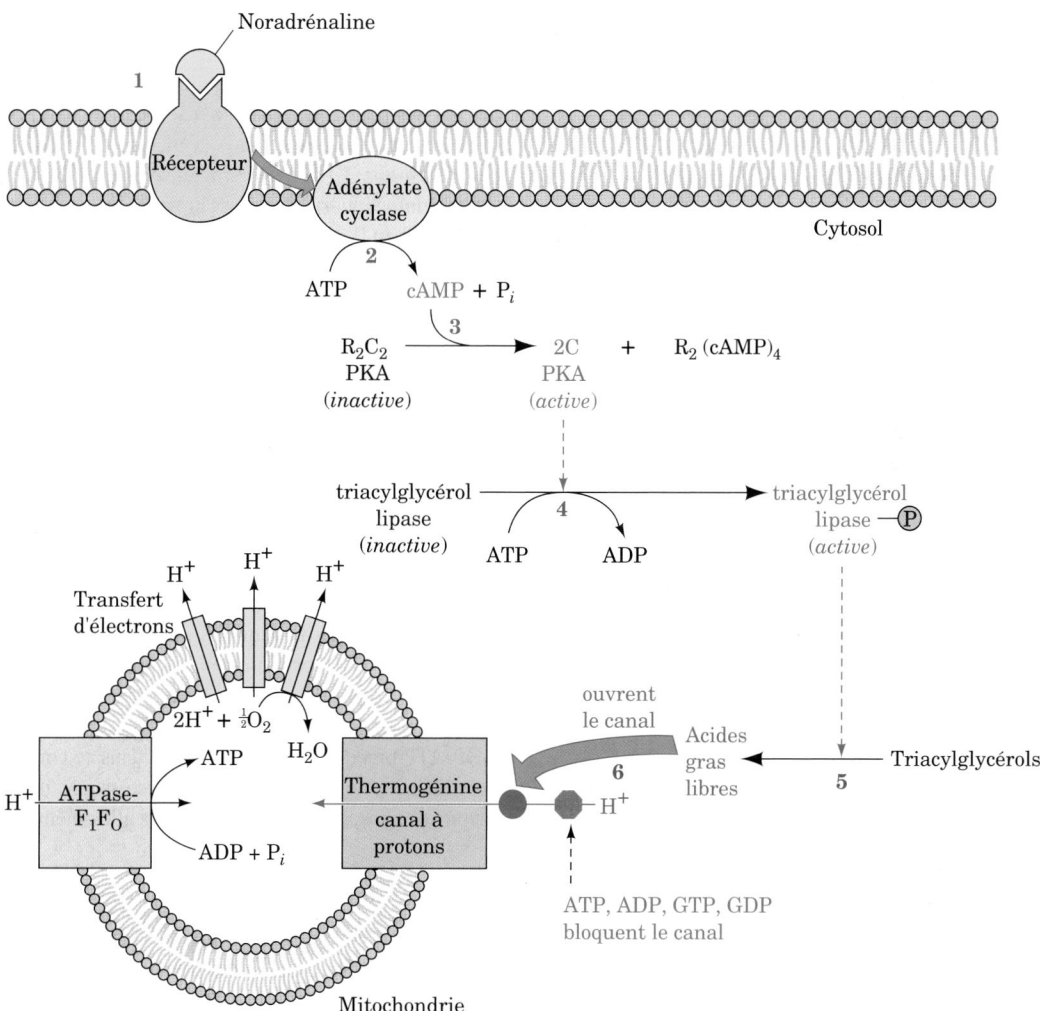

FIGURE 22-47 Mécanisme du découplage des phosphorylations oxydatives hormono-dépendant dans les mitochondries du tissu adipeux brun. (**1**) La noradrénaline se lie à son récepteur à la surface de la cellule. (**2**) Le complexe noradrénaline-récepteur stimule l'adénylate cyclase, provoquant l'augmentation de la [AMPc]. (**3**) L'AMPc se lie à la protéine-kinase AMPc-dépendante (PKA) et la stimule. (**4**) La PKA phosphoryle la triacylglycérol lipase hormono-dépendante, ce qui l'active. (**5**) Les triacylglycérols sont hydrolysés, d'où libération d'acides gras. (**6**) Les acides gras libres lèvent l'inhibition, due à la présence des nucléotides puriques, du canal à protons formé par la thermogénine, ce qui permet aux protons de rentrer dans la mitochondrie sans qu'il y ait synthèse d'ATP.

4 ■ CONTRÔLE DE LA PRODUCTION D'ATP

Une femme adulte a besoin de 1500 à 1800 kcal (6300 à 7500 kJ) d'énergie métabolique par jour. Cela correspond à l'énergie libre libérée par l'hydrolyse de plus de 200 mol d'ATP en ADP et P_i. Malgré cela, la quantité d'ATP présente dans le corps à un moment donné est <0,1 mol ; de toute évidence, cette faible quantité d'ATP doit être continuellement renouvelée. Comme nous l'avons vu, quand les glucides sont la source énergétique et que les conditions aérobies prédominent, ce renouvellement implique la glycogénolyse, la glycolyse, le cycle de l'acide citrique et les phosphorylations oxydatives.

Naturellement, le besoin en ATP n'est pas constant. Selon que l'on dorme ou que l'on exerce une activité intense, l'utilisation de l'ATP change d'un facteur 100. *Les activités des voies qui produisent l'ATP sont sous un strict contrôle coordonné de sorte qu'il n'y a pas plus d'ATP produit que nécessaire.* Nous savons déjà comment sont contrôlés la glycolyse, la glycogénolyse et le cycle de l'acide citrique (Sections 17-4, 18-3 et 21-4). Dans cette section nous étudierons comment les phosphorylations oxydatives sont contrôlées et verrons comment ces quatre systèmes sont synchronisés pour produire de l'ATP à la vitesse requise et quand cela est nécessaire.

A. *Contrôle des phosphorylations oxydatives*

Dans notre exposé du contrôle de la glycolyse, nous avons vu que la plupart des réactions d'une voie métabolique sont proches de l'équilibre. *Les quelques réactions irréversibles constituent les points de contrôle potentiels de la voie et sont généralement catalysées par des enzymes régulatrices qui sont sous contrôle allostérique.* Dans le cas des phosphorylations oxydatives, le transfert d'électrons du NADH au cytochrome *c* est proche de l'équilibre ($\Delta G'° \approx 0$) :

$$\tfrac{1}{2}\text{NADH} + \text{cytochrome } c^{3+} + \text{ADP} + \text{P}_i \rightleftharpoons$$
$$\tfrac{1}{2}\text{NAD}^+ + \text{cytochrome } c^{2+} + \text{ATP}$$

avec

$$K_{\text{eq}} = \left(\frac{[\text{NAD}^+]}{[\text{NADH}]}\right)^{\frac{1}{2}}\frac{[c^{2+}]}{[c^{3+}]}\frac{[\text{ATP}]}{[\text{ADP}][\text{P}_i]} \qquad [22.2]$$

Cette voie est donc facilement inversée par addition d'ATP. *Cependant, dans la réaction catalysée par la cytochrome c oxydase, l'étape terminale de la chaîne de transport des électrons est irréversible et constitue par conséquent un candidat de premier ordre pour le contrôle de la voie.* La cytochrome *c* oxydase, contrairement à la plupart des systèmes de régulation enzymatiques, semble contrôlée exclusivement par la disponibilité en l'un de ses substrats, le cytochrome *c* réduit (c^{2+}). Ce substrat étant en équilibre avec le reste du système couplé aux phosphorylations oxydatives (Éq. [22.2]), sa concentration dépend en définitive de la valeur du rapport [NADH]/[NAD$^+$] intramitochondrial et du **rapport d'action des masses pour l'ATP** ([ATP]/[ADP][P_i]). Après réarrangement de l'Éq. [22.2], le rapport de la forme réduite sur la forme oxydée du cytochrome *c* s'exprime par :

$$\frac{[c^{2+}]}{[c^{3+}]} = \left(\frac{[\text{NADH}]}{[\text{NAD}^+]}\right)^{\frac{1}{2}}\left(\frac{[\text{ADP}][\text{P}_i]}{[\text{ATP}]}\right)K_{\text{eq}} \qquad [22.3]$$

Par conséquent, plus le rapport [NADH]/[NAD$^+$] est élevé et plus le rapport d'action des masses pour l'ATP est bas, plus la concen-tration de cytochrome *c* réduite sera haute et donc plus l'activité de la cytochrome *c* oxydase sera élevée.

Comment ce système est-il affecté par des changements de l'activité physique ? Pour une personne au repos, l'hydrolyse de l'ATP en ADP et P_i est minimale et le rapport d'action des masses pour l'ATP est élevé ; la [cytochrome *c* réduit] est donc faible et les phosphorylations oxydatives fonctionnent au ralenti. Une activité accrue entraîne l'hydrolyse de l'ATP en ADP et P_i, ce qui diminue le rapport d'action des masses pour l'ATP et augmente la [cytochrome *c* réduit]. Il s'ensuit une accélération de la vitesse de transport des électrons et des phosphorylations oxydatives qui y sont couplées. Ce contrôle des phosphorylations oxydatives par le rapport d'action des masses pour l'ATP est appelé **contrôle respiratoire** car la vitesse des phosphorylations oxydatives augmente avec la concentration en ADP, l'accepteur du groupement phosphoryle. En termes d'offre et de demande (Section 17-4D), le contrôle respiratoire se fait par le bloc de la demande.

La compartimentation de la cellule en mitochondries, où l'ATP est synthétisé, et le cytosol, où l'ATP est utilisé, pose une question intéressante quant au mécanisme de contrôle : est-ce le rapport d'action des masses pour l'ATP dans le cytosol ou dans la matrice mitochondriale qui, en dernier ressort, contrôle les phosphorylations oxydatives ? Il semble logique que ce soit le rapport d'action des masses pour l'ATP dans la matrice mitochondriale qui exerce directement ce contrôle, dans la mesure où c'est dans les mito-chondries que l'ATP est synthétisé. Cependant, la membrane interne mitochondriale, qui est imperméable aux nucléotides adé-nyliques et au P_i, dépend de systèmes de transport spécifiques pour assurer les communications entre les deux compartiments (Section 20-4C). Cette organisation peut faire que le transport des nucléo-tides adényliques ou de P_i participe au contrôle des phosphoryla-tions oxydatives.

De nombreuses recherches ont eu pour but de comprendre la régulation des phosphorylations oxydatives en termes d'analyse du contrôle métabolique. Par exemple, Hans Westerhoff et Martin Kushmerick ont recouru à la RMN ^{31}P pour mesurer chez l'homme le rapport ATP/ADP dans les muscles de l'avant-bras au repos et lors de contractions par saccades provoquées par stimulation élec-trique extérieure (le spectre de l'ATP par RMN ^{31}P est montré à la Fig. 16-15). Quand la demande en ATP est basse ou modérée, le rapport cytosolique d'action des masses contrôlé par le bloc de la demande apparaît alors comme le facteur principal du contrôle des oxydations mitochondriales. Cependant, comme montré par d'autres, lorsque la demande en ATP augmente, la translocase ADP-ATP prend une part plus grande dans ce contrôle qui, en cas de demande élevée en ATP, est exercé par le bloc de l'offre, à savoir les phosphorylations oxydatives elles-mêmes.

B. *Contrôle coordonné de la formation d'ATP*

La glycolyse, le cycle de l'acide citrique et les phosphorylations oxydatives constituent les voies principales qui assurent la produc-tion de l'ATP cellulaire. Le contrôle des phosphorylations oxyda-tives par le rapport d'action des masses pour l'ATP dépend, natu-rellement, d'un apport suffisant en électrons pour faire fonctionner la chaîne de transport des électrons. Cet aspect du contrôle du sys-tème dépend, à son tour, du rapport [NADH]/[NAD$^+$] (Éq. [22.3], lequel reste élevé sous l'action concertée de la glycolyse et du cycle de l'acide citrique qui transforment 10 molécules de NAD$^+$ en NADH par molécule de glucose oxydé (Fig. 22-1). Il est donc clair qu'un contrôle coordonné des trois processus est nécessaire. Il est assuré par la régulation de chacun des points de contrôle de la glycolyse [hexokinase, phosphofructokinase (PFK) et pyruvate kinase] et du cycle de l'acide citrique (pyruvate déshydrogénase, citrate synthase, isocitrate déshydrogénase et α-cétoglutarate déshydrogénase) par les nucléotides adényliques ou le NADH, ou les deux, ainsi que par certains métabolites (Fig. 22-48).

a. Le citrate inhibe la glycolyse

Les principaux points de contrôle de la glycolyse et du cycle de l'acide citrique sont régulés par plusieurs effecteurs en plus des nucléotides adényliques ou du NADH (Fig. 22-48). Il s'agit d'un système très complexe dont les demandes sont également complexes et dont les nombreux effecteurs, impliqués dans différents aspects du métabolisme, augmentent la sensibilité de sa régulation. Un effet régulateur particulièrement important est l'inhibition de la PFK par le citrate. Quand la demande en ATP diminue, la [ATP] augmente et la [ADP] diminue. Le cycle de l'acide citrique ralentit au niveau de l'isocitrate déshydrogénase (activée par l'ADP) et de l'α-cétoglutarate déshydrogénase (inhibée par l'ATP), d'où accumulation de citrate. Celui-ci peut sortir des mitochondries via un transporteur spécifique, *et une fois dans le cytosol, il va intensifier l'inhibition de la glycolyse en inhibant la PFK*.

b. L'oxydation des acides gras inhibe la glycolyse

Comme nous le verrons dans la Section 25-1, l'oxydation des acides gras est un processus aérobie qui produit de l'acétyl-CoA, lequel entre dans le cycle de l'acide citrique, ce qui augmente les concentrations mitochondriale et cytoplasmique en citrate. L'augmentation de concentration en acétyl-CoA inhibe le complexe pyruvate déshydrogénase, tandis que l'augmentation de concentration en citrate inhibe la phosphofructokinase, ce qui conduit à une accumulation de glucose-6-phosphate, lequel inhibe l'hexokinase (Fig. 22-48). Cette inhibition de la glycolyse par l'oxydation des acides gras est appelée **cycle glucose-acides gras** (bien qu'il ne s'agisse pas d'un cycle) ou **effet Randle** (car découvert par Philip Randle). Ce « cycle » permet l'utilisation des acides gras comme principale source d'énergie du métabolisme oxydatif dans le muscle cardiaque, ce qui épargne le glucose en faveur des autres organes qui en ont besoin, comme le cerveau.

C. *Implications physiologiques des métabolismes aérobie et anaérobie*

En 1861, Louis Pasteur observa que *des levures consomment moins de glucose et produisent moins d'éthanol en aérobiose* (ce qu'on appelle l'**effet Pasteur** ; la fermentation alcoolique dans les levures qui produit de l'ATP, du CO_2 et de l'éthanol est étudiée dans la Section 17-3B). Un effet similaire est observé dans le muscle de mammifère ; la concentration en acide lactique, produit de la glycolyse anaérobie dans le muscle, diminue brutalement quand les cellules passent en conditions aérobies.

FIGURE 22-48 Représentation schématique du contrôle coordonné de la glycolyse et du cycle de l'acide citrique par l'ATP, l'ADP, l'AMP, P_i, Ca^{2+} et le rapport [NADH]/[NAD⁺] (les flèches verticales indiquent une augmentation de ce rapport). Un point vert correspond à une activation et un octogone rouge à une inhibition. [D'après Newsholme, E.A. and Leech, A.R., *Biochemistry for the Medical Sciences*, pp. 316, 320, Wiley (1983).]

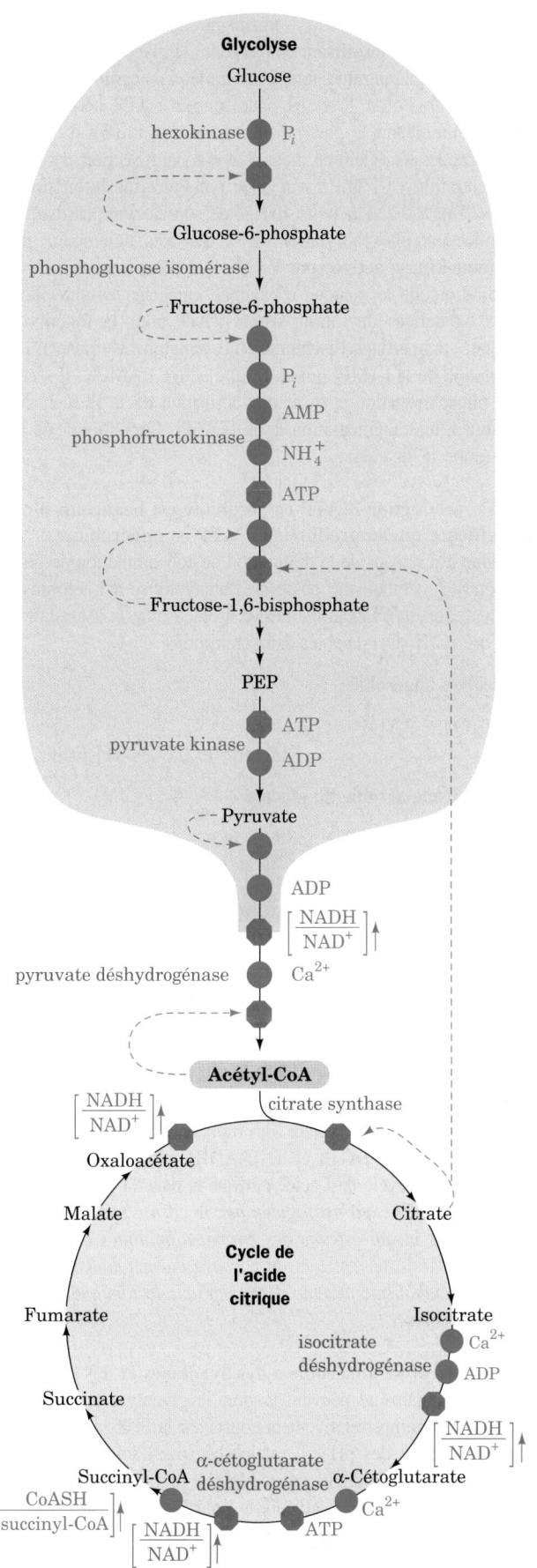

a. L'hypoxie provoque une augmentation de la glycolyse

En présence d'oxygène, les phosphorylations oxydatives satisfont aux besoins de l'organisme en ATP. Cependant, en **hypoxie** (apport insuffisant en oxygène) la glycolyse doit être stimulée (ce qui entraîne une consommation accrue de glucose ; l'inverse de l'effet Pasteur) pour fournir l'ATP nécessaire. Le F2,6P, stimulateur le plus puissant connu de la PFK-1, participe à ce processus. Comme nous l'avons vu (Section 18-3F), la concentration en F2,6P est régulée par l'enzyme bifonctionnelle PFK-2/FBPase-2. L'activité PFK-2 de son isozyme cardiaque est stimulée par phosphorylation de sa Ser 466, notamment par la **protéine-kinase activée par l'AMP** (AMPK ; Sections 25-4B et 25-5). Lorsque le manque d'oxygène empêche les phosphorylations oxydatives de fournir assez d'ATP pour la fonction cardiaque, comme dans l'**ischémie** (flux sanguin insuffisant), l'augmentation de la [AMP] qui en résulte active l'AMPK. Il s'en suit une phosphorylation et donc une activation de la PFK-2, ce qui conduit à une augmentation de la [F2,6P]. Ceci stimule la PFK-1 et donc la glycolyse.

b. La production d'ATP en aérobiose est beaucoup plus efficace que la production d'ATP en anaérobiose

Une des raisons de la diminution de consommation de glucose lorsque le métabolisme passe de l'anaérobiose à l'aérobiose est évidente lorsqu'on examine la stœchiométrie de la dégradation du glucose ($C_6H_{12}O_6$) dans les deux conditions :

Glycolyse anaérobie :

$$C_6H_{12}O_6 + 2ADP + 2P_i \rightarrow$$
$$2\text{lactate} + 2H^+ + 2H_2O + 2ATP$$

Métabolisme aérobie du glucose

$$C_6H_{12}O_6 + 38ADP + 38P_i + 6O_2 \rightarrow$$
$$6CO_2 + 44H_2O + 38ATP$$

(3 ATP pour chacun des 10 NADH formés par glucose oxydé, 2 ATP pour chacun des 2 FADH$_2$ formés, 2 ATP produits par la glycolyse, et 2GTP $\rightleftharpoons$ 2ATP produits par le cycle de l'acide citrique). Ainsi, *le métabolisme aérobie est 19 fois plus efficace que la glycolyse anaérobie pour la production d'ATP.* Le passage au métabolisme aérobie augmente donc rapidement le rapport d'action des masses pour l'ATP. Au fur et à mesure que ce rapport augmente, la vitesse du transfert des électrons diminue, ce qui augmente la valeur du rapport [NADH]/[NAD$^+$]. Les augmentations de [ATP] et de [NADH] inhibent leurs enzymes cibles dans le cycle de l'acide citrique et dans la glycolyse. *L'activité de la PFK, qui est régulée par le citrate et les nucléotides adényliques et qui est une des enzymes limitantes de la glycolyse, diminue fortement lors du passage du métabolisme anaérobie au métabolisme aérobie. Cela explique la diminution brutale de la glycolyse.*

c. La glycolyse anaérobie a des avantages et des limites

Les animaux ne peuvent assurer la glycolyse anaérobie que pendant des temps relativement courts car la PFK, qui fonctionne au ralenti pour des pH <7, est inhibée par l'acidification due à la production d'acide lactique. Malgré ce facteur limitant et la faible efficacité de la glycolyse pour produire de l'ATP, *les enzymes de la glycolyse se trouvent à de telles concentrations*

que si elles ne sont pas inhibées, la production d'ATP par la glycolyse est beaucoup plus rapide que par les phosphorylations oxydatives.

Les caractéristiques différentes des métabolismes aérobie et anaérobie nous permettent de comprendre certains aspects du métabolisme des cellules cancéreuses et des maladies cardiovasculaires.

d. Métabolisme des cellules cancéreuses

Comme l'a remarqué pour la première fois Warburg en 1926, certaines cellules cancéreuses produisent davantage d'acide lactique dans des conditions aérobies que des cellules normales. Cela est dû à ce que la voie de la glycolyse dans ces cellules produit du pyruvate plus rapidement que le cycle de l'acide citrique ne peut en utiliser. Comment est-ce possible, compte tenu des contrôles interdépendants du système ? Première hypothèse : ces contrôles auraient disparu dans les cellules cancéreuses. Autre hypothèse : l'utilisation de l'ATP dans ces cellules est trop rapide pour pouvoir être régénéré par les phosphorylations oxydatives. Les rapports de concentration des nucléotides adényliques seraient modifiés de sorte que l'inhibition de la PFK-1 serait levée. De plus, de nombreuses lignées de cellules cancéreuses ont une [F2,6P] beaucoup plus élevée que les cellules normales. Elles possèdent un isozyme inductible de la PFK-2/FBPase-2 dont un site est phosphorylable par l'AMPK, ce qui active la PFK-2. Ainsi, toute augmentation de la [AMP] dans ces cellules cancéreuses provoquera une augmentation de leur [F2,6P], ce qui stimulera la PFK-1 et donc la glycolyse. Des tentatives pour comprendre les différences du métabolisme entre cellules cancéreuses et cellules normales pourront peut être ouvrir des pistes pour le traitement de cette maladie dévastatrice.

e. Les maladies cardiovasculaires

Une déficience en oxygène dans certains tissus provoquée par des maladies cardiovasculaires est d'une grande importance médicale. Par exemple, deux des causes les plus fréquentes de mort chez l'homme, l'**infarctus du myocarde** (crise cardiaque) et la **congestion cérébrale**, sont dues à un arrêt (ou une insuffisance) de l'apport sanguin en O$_2$ dans une partie du cœur ou du cerveau. Que cela entraîne un arrêt de l'activité cellulaire semble évident, mais pourquoi la cellule meurt-elle ?

En l'absence d'O$_2$, une cellule qui n'a plus que la glycolyse pour sa production d'ATP épuise rapidement ses réserves en phosphocréatine (une source de production rapide d'ATP ; Section 16-4C) et en glycogène. Comme la production d'ATP est insuffisante pour que les pompes à ions membranaires puissent maintenir les concentrations en ions intracellulaires à des valeurs appropriées, l'équilibre osmotique du système est désorganisé d'où le gonflement des cellules et des organites intracellulaires. L'étirement anormal des membranes qui en résulte rend celles-ci perméables, et les constituants des différents compartiments passent au travers. [En fait, un test diagnostic de l'infarctus du myocarde est la présence dans le sang d'enzymes spécifiques du cœur, comme l'isoenzyme lactate déshydrogénase de type H (le type M prédomine dans le muscle squelettique ; Section 17-3A), qui s'échappent du tissu cardiaque nécrosé (mort).] De plus, l'abaissement du pH intracellulaire qui accompagne la glycolyse anaérobie (en raison de la production d'acide lactique) permet aux enzymes lysosomiales libérées (qui ne sont actives qu'à pH acide) de dégrader les constituants cellulaires. Ainsi, l'arrêt de l'activité métabolique entraîne des dégâts irréversibles dans la cellule. Les tissus à respiration rapide, comme le cœur et le cerveau, sont particulièrement vulnérables.

RÉSUMÉ DU CHAPITRE

1 ■ La mitochondrie Au cours du processus des phosphorylations oxydatives le NADH et le $FADH_2$ formés au cours du catabolisme sont réoxydés avec la synthèse concomitante d'ATP. Le processus se fait dans la mitochondrie, un organite ellipsoïde limité par une membrane externe perméable et une membrane interne imperméable très invaginée qui borde la matrice. Les enzymes des phosphorylations oxydatives sont enfouies dans la membrane interne mitochondriale. Le P_i entre dans la mitochondrie via un transporteur spécifique. Des protéines d'importation et d'exportation de Ca^{2+} assurent une $[Ca^{2+}]$ cytosolique constante. Les électrons du NADH cytosolique sont importés dans la mitochondrie par l'un des différents systèmes de navette comme la navette du glycérophosphate ou la navette malate-aspartate.

2 ■ Le transport des électrons La variation d'énergie libre standard qui accompagne l'oxydation du NADH par O_2 est $\Delta G°' = -218$ kJ · mol^{-1}, alors que celle de la synthèse de l'ATP à partir d'ADP et de P_i est $\Delta G°' = +30,5$ kJ · mol^{-1}. Par conséquent, l'énergie libre molaire de l'oxydation du NADH par O_2 est suffisante pour assurer la synthèse de plusieurs moles d'ATP dans les conditions standard. Les électrons fournis lors de l'oxydation du NADH et du $FADH_2$ sont pris en charge par quatre complexes protéiques, la chaîne de transport des électrons, avec la synthèse couplée de l'ATP. Les Complexes I, III et IV participent à l'oxydation du NADH en produisant 3 ATP par NADH, tandis que l'oxydation du $FADH_2$, qui implique les complexes II, III et IV, ne produit que 2 ATP par $FADH_2$ (même si, selon certaines mesures, ces rapports pourraient être 2,5 et 1,5). Le trajet suivi par les électrons le long de la chaîne de transport a été élucidé, en partie, en utilisant des inhibiteurs du transport des électrons. La roténone et l'amytal inhibent le Complexe I, l'antimycine inhibe le Complexe III, et le cyanure inhibe le Complexe IV. Les mesures des potentiels d'oxydo-réduction des groupements prosthétiques transporteurs d'électrons contenus dans les différents complexes ont aussi permis de définir ce trajet.

Le Complexe I contient du FMN et six à sept centres fer-soufre inclus dans un complexe protéique transmembranaire de 43 sous-unités (chez les mammifères). Ce complexe en forme de L transfère les électrons du NADH au CoQ, une petite molécule non polaire qui diffuse librement dans la membrane. Le Complexe II contient l'enzyme du cycle de l'acide citrique succinate déshydrogénase et il transfère aussi les électrons au CoQ, dans ce cas à partir du succinate via le FAD et trois centres fer-soufre. La structure par rayons X de l'enzyme quinol-fumarate réductase d'*E. coli*, un homologue du Complexe II, montre que ses cofacteurs rédox sont disposés en une chaîne linéaire. Le $CoQH_2$ transfère les électrons au Complexe III (cytochrome bc_1), complexe homodimérique dont chaque protomère contient deux hèmes de type b fixés à une sous-unité du cytochrome b, une protéine fer-soufre de Rieske (ISP) et un cytochrome c_1. Un électron du cytochrome c_1 du Complexe III est transféré au centre Cu_A du Complexe IV (la cytochrome c oxydase) par l'intermédiaire de la protéine membranaire périphérique cytochrome c. Cet électron est alors transféré au cytochrome a, lequel le passe à son tour à un centre binucléé composé de hème a_3 et de Cu_B, qui réduit O_2 en H_2O. Ce processus se fait en quatre étapes à 1 électron qui pompent quatre protons de la matrice mitochondriale (ou du cytoplasme bactérien) vers l'espace intermembranaire (ou le périplasme).

3 ■ Phosphorylations oxydatives Le mécanisme qui permet à l'énergie libre libérée par la chaîne respiratoire d'être mise en réserve puis utilisée pour la synthèse d'ATP est décrit par l'hypothèse chimiosmotique. Selon cette hypothèse, l'énergie libre issue du transport des électrons est conservée sous forme d'un gradient électrochimique du proton à travers la membrane interne mitochondriale (ou de la membrane cellulaire bactérienne ; positive et acide à l'extérieur), qui est ensuite utilisé pour la synthèse d'ATP. Le gradient de protons est créé et maintenu par la translocation obligatoire vers l'extérieur des protons à travers la membrane interne mitochondriale, tandis que les électrons parcourent les complexes I, III et IV.

Le complexe III pompe les protons par un mécanisme de boucles d'oxydo-réduction appelé cycle Q, un double cycle bifurqué où une molécule de $CoQH_2$ est oxydée en CoQ puis réduite à nouveau en $CoQH_2$ par une seconde molécule de $CoQH_2$ au cours d'un processus qui transfère quatre protons de l'intérieur vers l'extérieur tout en oxydant une molécule de $CoQH_2$ en CoQ. Les électrons sont transférés entre deux CoQ, fixés sur des site différents, Q_0 et Q_i, ainsi qu'entre le $CoQH_2$ fixé sur Q_0 et le cytochrome c_1 via l'ISP, qui subit de ce fait une modification conformationnelle. Le complexe IV ne contient pas de transporteurs $(H^+ + e^-)$ tels que $CoQH_2$; il exécute la translocation de protons par un mécanisme de pompe à protons. La bactériorhodopsine, la pompe à protons la mieux caractérisée, le fait via un processus assuré par la lumière. Ceci implique une isomérisation trans-cis du rétinal, groupement prosthétique de la bactériorhodopsine, lors de l'absorption d'un photon, suivie de la translocation d'un proton au travers du canal central hydrophile de cette protéine trnasmembranaire via un processus impliquant des modifications conformationnelles et des changementds du pK des groupements polaires bordant le canal, tandis que le rétinal retourne à son état de base. On pense que le complexe IV pompe les protons par un mécanisme semblable mais assuré par les modifications de l'état rédox de son centre binucléé hème a_3–Cu_B tandis qu'il réduit O_2 en H_2O.

L'énergie mise en réserve sous la forme de ce gradient électrochimique du proton est utilisée par l'ATP synthase-pompe à protons (Complexe V ou ATPase-F_1F_0) dans la synthèse de l'ATP, via le mécanisme de changement de liaison, en couplant ce processus au retour exergonique des protons dans la matrice. L'ATP synthase est formée de deux constituants oligomériques : F_1 ($\alpha_3\beta_3$ $\gamma\delta\varepsilon$), une protéine membranaire périphérique qui ressemble à des « champignons » en microscopie électronique de la membrane interne mitochondriale, et F_0 (ab_2c_{9-12} chez *E. coli*), une protéine membranaire intrinsèque qui contient le canal à protons. Les changements conformationnels qui assurent la synthèse d'ATP à partir d'ADP et de P_i sont dus à la rotation, bien démontrée, de la sous-unité γ par rapport à l'assemblage catalytique $\alpha_3\beta_3$ qui contient les trois sites actifs de l'enzyme. La sous-unité γ est fixée à un anneau de sous-unités c dans F_0, dont la rotation est provoquée par le passage de protons entre celle-ci et la sous-unité a.

Des composés comme le 2,4-dinitrophénol sont des découplants des phosphorylations oxydatives, car ils transportent les protons à travers la membrane mitochondriale, dissipant ainsi le gradient de protons et permettant au transfert d'électrons de se poursuivre sans synthèse d'ATP concomitante. Les mitochondries du tissu adipeux brun contiennent un système de découplage régulé qui, sous contrôle hormonal, produit de la chaleur au lieu d'ATP.

4 ■ Contrôle de la production d'ATP Dans des conditions aérobies, la vitesse de synthèse de l'ATP par les phosphorylations oxydatives est régulée, un phénomène appelé contrôle respiratoire,

par le rapport d'action des masses pour l'ATP. La synthèse de l'ATP est étroitement couplée à l'oxydation du NADH et du $FADH_2$ par la chaîne respiratoire. La glycolyse et le cycle de l'acide citrique sont contrôlés de façon concertée afin de former du NADH et du $FADH_2$ à une vitesse juste suffisante pour que les besoins en ATP de l'organisme soient satisfaits.

RÉFÉRENCES

HISTORIQUE

Ernster, L. and Schatz, G., Mitochondria: A historical review, *J. Cell Biol.* **91,** 227s–255s (1981).

Fruton, J.S., *Molecules and Life, pp.* 262–396, Wiley–Interscience (1972).

Krebs, H., *Otto Warburg. Cell Physiologist, Biochemist, and Eccentric,* Clarendon Press (1981). [Biographie, par un de ses illustres étudiants, d'un des pionniers de l'étude biochimique de la respiration.]

Prebble, J., Peter Mitchell and the ox phos wars, *Trends Biochem. Sci.* **27,** 209–212 (2002).

Racker, E., *A New Look at Mechanisms in Bioenergetics,* Academic Press (1976). [Compte-rendu personnel par un des meilleurs spécialistes du domaine.]

GÉNÉRALITÉS

Ernster, L. (Ed.), *Bioenergetics,* Elsevier (1984).

Harold, F.M., *The Vital Force: A Study of Bioenergetics,* Chapter 7, Freeman (1986).

Hatefi, Y., The mitochondrial electron transport chain and oxidative phosphorylation system, *Annu. Rev. Biochem.* **54,** 1015–1069 (1985).

Martonosi, A.N. (Ed.), *The Enzymes of Biological Membranes* (2nd ed.), Vol. 4, *Bioenergetics of Electron and Proton Transport,* Plenum Press (1985).

Newsholme, E. and Leech, T., *The Runner,* Fitness Books (1983). [Traité savoureux de la physiologie et de la biochimie de la course à pied.]

Nicholls, D.G. and Ferguson, S.J., *Bioenergetics* (3rd ed.), Academic Press (2002). [Monographie bien documentée consacrée presqu'entièrement au mécanisme des phosphorylations oxydatives et aux techniques de leur élucidation].

Schultz, B.E. and Chan, S.I., Structures and proton-pumping strategies of mitochondrial respiratory enzymes, *Annu. Rev. Biophys. Biomol. Struct.* **30,** 23–65 (2001).

MITOCHONDRIES

Frey, T.G. and Mannella, C.A., The internal structure of mitochondria, *Trends Biochem. Sci.* **23,** 319–324 (2000).

Science **283,** 1476–1497 (1999). [Quatre articles de revue sur les mitochondries.]

TRANSPORT DES ÉLECTRONS

Babcock, G.T., How oxygen is activated and reduced in respiration, *Proc. Natl. Acad. Sci.* **96,** 12971–12973 (1999); *and* Proshlyakov, D.E., Pressler, M.A., and Babcock, G.T., Dioxygen activation and bond cleavage by mixed-valence cytochrome c oxidase, *Proc. Natl. Acad. Sci.* **95,** 8020–8025 (1998).

Beinert, H., Holm, R.H., and Münck, E., Iron-sulfur clusters: Nature's modular, multipurpose structures, *Science* **277,** 653–659 (1997).

Berry, E.A., Guergova-Kuras, M., Huang, L., and Crofts, A.R., Structure and function of cytochrome *bc* complexes, *Annu. Rev. Biochem.* **69,** 1005–1075 (2000).

Calhoun, M.W., Thomas, J.W., and Gennis, R.B., The cytochrome superfamily of redox-driven proton pumps, *Trends Biochem. Sci.* **19,** 325–330 (1994).

Collman, J.P., Rapta, M., Bröring, M., Raptova, L., Schwenninger, R., Boitrel, B., Fu, L., and L'Her, M., Close structural analogues of the cytochrome c oxidase Fe_{a3}/Cu_B center show clean 4e^- electroreduction of O_2 to H_2O at physiological pH, *J. Amer. Chem. Soc.* **121,** 1387–1388 (1999).

Crofts, A.R. and Berry, E.A., Structure and function of the cytochrome bc_1 complex of mitochondria and photosynthetic bacteria, *Curr. Opin. Struct. Biol.* **8,** 501–509 (1998).

Darrouzet, E., Moser, C.C., Dutton, P.L., and Daldal, F., Large scale domain movement in cytochrome bc_1: A new device for electron transfer in proteins. *Trends Biochem. Sci.* **26,** 445–451 (2001).

Hinkle, P.C., Kumar, M.A., Resetar, A., and Harris, D.L., Mechanistic stoichiometry of mitochondrial oxidative phosphorylation, *Biochemistry* **30,** 3576–3582 (1991). [Description de la mesure des rapports P/O qui montre que leurs valeurs sont 2,5, 1,5, et 1.]

Hunte, C., Koepke, J., Lange, C., Rossmanith, T., and Michel, H., Structure at 2.3 Å resolution of the cytochrome bc_1 complex from the yeast *Saccharomyces cerevisiae* co-crystallized with an antibody Fv fragment, *Structure* **8,** 669–684 (2000).

Iverson, T.M., Luna-Chavez, C., Cecchini, G., and Rees, D.C., Structure of the *Escherichia coli* fumarate reductase respiratory complex, *Science* **284,** 1961–1966 (1999); *and* Iverson, T.M., Luna-Chavez, C., Schröder, I., Cecchini, G., and Rees, D.C., Analyzing your complexes: Structure of the quinol reductase respiratory complex, *Curr. Opin. Struct. Biol.* **10,** 448–455 (2000).

Iwata, S., Ostermeier, C., Ludwig, B., and Michel, H., Structure at 2.8 Å resolution of cytochrome c oxidase from *Paracoccus denitrificans,* *Nature* **376,** 660–669 (1995).

Iwata, S., Lee, J.W., Okada, K., Lee, J.K., Iwata, M., Rasmussen, B., Link, T.A., Ramaswamy, S., and Jap, B.K., Complete structure of the 11-subunit bovine mitochondrial cytochrome bc_1 complex, *Science* **281,** 64–71 (1998).

Kim, H., Xia, D., Yu, C.-A., Xia, J.-Z., Kachurin, A.M., Zhang, L., Yu, L., and Deisenhofer, J., Inhibition binding changes domain mobility in the iron–sulfur protein of mitochondrial bc_1 complex from bovine heart, *Proc. Natl. Acad. Sci.* **95,** 8026–8033 (1998); *and* Xia, D., Yu, C.-A., Kim, H., Xia, J.-Z., Kachurin, A.M., Zhang, L., Yu, L., and Deisenhofer, J., Crystal structure of the cytochrome bc_1 complex from heart mitochondria, *Science* **277,** 60–66 (1997).

Lange, C. and Hunte, C., Crystal structure of the yeast cytochrome bc_1 complex with its bound substrate cytochrome c, *Proc. Natl. Acad. Sci.* **99,** 2800–2805 (2002).

Michel, H., Behr, J., Harrenga, A., and Kannt, A., Cytochrome c oxidase: Structure and spectroscopy, *Annu. Rev. Biophys. Biomol. Struct.* **27,** 329–356 (1998).

Moore, G.R. and Pettigrew, G.W., *Cytochromes c. Evolutionary, Structural and Physicochemical Aspects,* Springer-Verlag (1990).

Moser, C.C., Keske, J.M., Warncke, K., Farid, R.S., and Dutton, L.S., Nature of biological electron transfer, *Nature* **355**, 796–802 (1992).

Ohnishi, T., Moser, C.C., Page, C.C., Dutton, P.L., and Yano, T., Simple redox-linked proton-transfer design: New insights from structures of quinol-fumarate reductase, *Structure* **8**, R23–R32 (2000).

Trumpower, B.L., The protonmotive Q cycle, *J. Biol. Chem.* **265**, 11409–11412 (1990).

Tsukihara, T., Aoyama, H., Yamashita, E., Tomizaki, T., Yamaguchi, H., Shinzawa-Itoh, K., Nakashima, R., Yaono, R., and Yoshikawa, S., The whole structure of the 13-subunit oxidized cytochrome *c* oxidase at 2.8 Å, *Science* **272**, 1136–1144 (1996).

Walker, J.E., The NADH:ubiquinone oxidoreductase (complex I) of respiratory chains, *Q. Rev. Biophys.* **25**, 253–324 (1992). [Une revue très complète.]

Yankovskaya, V., Horsefield, R., Törnroth, S., Luna-Chavez, C., Miyoshi, H., Légar, C., Byrne, B., Cecchini, G., and Iwata, S., Architecture of succinate dehydrogenase and reactive oxygen species generation, Science 299, 700–704 (2003).

Yoshikawa, S., et al., Redox-coupled crystal structural changes in bovine heart cytochrome *c* oxidase, *Science* **280**, 1723–1729 (1998); *and* Yoshikawa, S., Beef heart cytochrome *c* oxidase, *Curr. Opin. Struct. Biol.* **7**, 574–579 (1997).

Zhang, Z., Huang, L., Shulmeister, V.M., Chi, Y.-I., Kim, K.K., Huang, L.-W., Crofts, A.R., Berry, E.A., and Kim, S.H., Electron transfer by domain movement in cytochrome bc_1, *Nature* **392**, 677–684 (1998).

BACTÉRIORHODOPSINE

Gennis, R.B. and Ebray, T.G., Proton pump caught in the act, *Science* **286**, 252–253 (1999).

Haupts, U., Tittor, J., and Oesterhelt, D., Closing in on bacteriorhodopsin: Progress in understanding the molecule, *Annu. Rev. Biophys. Biomol. Struct.* **28**, 367–399 (1999).

Heberle, J., Proton transfer reactions across bacteriorhodopsin and along the membrane, *Biochim. Biophys. Acta* **1458**, 135–147 (2000).

Kühlbrandt, W., Bacteriorhodopsin—the movie, *Nature* **406**, 569–570 (2000).

Lanyi, J.K., Progress toward an explicit mechanistic model for the light-driven pump, bacteriorhodopsin, *FEBS Lett.* **464**, 103–107 (1999); *and* Lanyi, J.K. and Luecke, H., Bacteriorhodopsin, *Curr. Opin. Struct. Biol.* **11**, 415–419 (2001)

PHOSPHORYLATIONS OXYDATIVES

Abrahams, J.P., Leslie, A.G.W., Lutter, R., and Walker, J.E., Structure at 2.8 Å resolution of F_1-ATPase from bovine heart mitochondria, *Nature* **370**, 621–628 (1994).

Boyer, P.D., The binding change mechanism for ATP synthase—some probabilities and possibilities, *Biochim. Biophys. Acta* **1140**, 215–250 (1993).

Boyer, P.D., The ATP synthase—a splendid molecular machine, *Annu. Rev. Biochem.* **66**, 717–749 (1997).

Capaldi, R. and Aggeler, R., Mechanism of F_1F_0-type ATP synthase, a biological rotary motor, *Trends Biochem. Sci.* **27**, 154–160 (2002).

Gennis, R.B., Multiple proton-conducting pathways in cytochrome oxidase and a proposed role for the active-site tyrosine, *Biochim. Biophys. Acta* **1458**, 241–248 (2000).

Gibbons, C., Montgomery, M.G., Leslie, A.G.W., and Walker, J.E., The structure of the central stalk in bovine F_1-ATPase at 2.4 Å resolution, *Nature Struct. Biol.* **7**, 1055–1061 (2000).

Klingenberg, M., Mechanism and evolution of the uncoupling protein of brown adipose tissue, *Trends Biochem. Sci.* **15**, 108–112 (1990).

Ma, J., Flynn, T.C., Cui, Q., Leslie, A.G.W., Walker, J.E., and Karplus, M. A dynamic analysis of the rotation mechanism for the conformational change in F1-ATPase, Structure 10, 921–931 (2002).

Mills, D.A., Florens, L., Hiser, C., Qian, J., and Ferguson-Miller, S., Where is outside in cytochrome *c* oxidase and how and when do protons get there? *Biochim. Biophys. Acta* **1458**, 180–187 (2000).

Mitchell, P., Vectorial chemistry and the molecular mechanics of chemiosmotic coupling: Power transmission by proticity, *Biochem. Soc. Trans.* **4**, 398–430 (1976).

Nicholls, D.G. and Rial, E., Brown fat mitochondria, *Trends Biochem. Sci.* **9**, 489–491 (1984).

Noji, H. and Yoshida, M., The rotary engine in cell ATP synthase, *J. Biol. Chem.* **276**, 1665–1668 (2001).

Rastogi, V.K. and Girvin, M.E., Structural changes linked to proton translocation by subunit *c* of the ATP synthase, *Nature* **402**, 262–268 (1999); *and* Girvin, M.E., Rastogi, V.K., Abildgaard, F., Markley, J.L., and Fillingame, R.H., Solution structure of the transmembrane H^+-transporting subunit c of the ATP synthase, *Biochemistry* **37**, 8817–8824 (1998).

Sambongi, Y., Iko, Y., Tanabe, M., Omote, H., Iwamoto-Kihara, A., Ueda, I., Yanagida, T., Wada, Y., and Futai, M., Mechanical rotation of the c subunit oligomer in ATP synthase (F_0F_1): Direct observation, *Science* **286**, 1722–1724 (1999).

Stock, D., Leslie, A.G.W., and Walker, J.E., Molecular architecture of the rotary motor in ATP synthase, *Science* **286**, 1700–1705 (1999). [Une série d'articles de revue qui font autorité.]

Stock, D., Gibbons, C., Arechaga, I., Leslie, A.G.W., and Walker, J.E., The rotary mechanism of ATP synthase, *Curr. Opin. Struct. Biol.* **10**, 672–679 (2000).

Verkhovsky, M.I., Jasaitis, A., Verkhovskaya, M.L., Morgan, J.E., and Wikström, M., Proton translocation by cytochrome *c* oxidase, *Nature* **400**, 480–483 (1999).

Walker, J.E. (Ed.), *The Mechanism of F_1F_0-ATPase, Biochim. Biophys. Acta* **1458**, 221–514 (2000). [A series of authoritative reviews.]

Wilkens, S. and Capaldi, R.A., ATP synthase's second stalk comes into focus, *Nature* **393**, 29 (1998).

Yasuda, R., Noji, H., Kinosita, K., Jr., and Yoshida, M., F_1-ATPase is a highly efficient molecular motor that rotates with discrete 120° steps, *Cell* **93**, 1117–1124 (1998).

Yoshida, M. Muneyuki, E., and Hisabori, T., ATP synthase—a marvelous rotary engine of the cell, *Nature Rev. Mol. Cell. Biol.* **2**, 669–677 (2001); *and* Noji, H. and Yoshida, M., The rotary machine in the cell ATP synthase, *J. Biol. Chem.* **276**, 1665–1668 (2001).

Zaslavsky, D. and Gennis, R.B., Proton pumping by cytochrome oxidase: Progress, problems, and postulates, *Biochim. Biophys. Acta* **1458**, 164–179 (2000).

CONTRÔLE DE LA PRODUCTION D'ATP

Brown, G.C., Control of respiration and ATP synthesis in mammalian mitochondria and cells, *Biochem. J.* **284**, 1–13 (1992).

Chesney J., Mitchell, R., Benigni, F., Bacher, M., Spiegel, L., Al-Abed, Y., Han, J.H., Metz, C., and Bucala, R., An inducible gene product for 6-phosphofructo-2-kinase with an AU-rich instability element: role in tumor cell glycolysis and the Warburg effect, *Proc. Natl. Acad. Sci.* **96**, 3047–3052 (2000).

Harris, D.A. and Das, A.M., Control of mitochondrial ATP synthesis in the heart, *Biochem. J.* **280**, 561–573 (1991).

Jeneson, J.A.L., Westerhoff, H.V., and Kushmerick, M.J., A metabolic control analysis of kinetic controls in ATP free energy metabolism in contracting skeletal muscle, *Am. J. Physiol. Cell Physiol.* **279**, C813–C832 (2000).

Marsin, A-S., Bertrand, L., Rider, M.H., Deprez, J., Beauloye, C., Vincent, M.F., Van den Berghe, G., Carling, D., and Hue, L., Phosphorylation and activation of heart PFK-2 by AMPK has a role in the stimulation of glycolysis during ischaemia, *Curr. Biol.* **10**, 1247–1255 (2000).

Marsin, A-S., Bouzin, C., Bertrand, L., and Hue, L., The stimulation of glycolysis by hypoxia in activated monocytes is mediated by AMP-activated protein kinase and inducible 6-phosphofructo-3-kinase, *J. Biol. Chem.* **277**, 30778–30783 (2002).

Randle, P.J., Regulatory interactions between lipids and carbohydrates: The glucose fatty acid cycle after 35 years. *Diabetes/Metab. Rev.* **14**, 263–283 (1998).

Ricquier, D. and Bouillaud, F., The mitochondrial uncoupling protein: Structural and genetic studies, *Prog. Nucl. Acid Res. Mol. Biol.* **56**, 83–108 (1997).

PROBLÈMES

1. Rangez les coenzymes d'oxydo-réduction et les groupements prosthétiques de la chaîne de transport des électrons par affinité croissante pour les électrons : cytochrome a, CoQ, FAD, cytochrome c, NAD^+.

2. Pourquoi l'oxydation du succinate en fumarate ne permet-elle la formation que de deux ATP par les phosphorylations oxydatives alors que l'oxydation du malate en oxaloacétate permet la formation de trois ATP ?

3. Quelle est l'efficacité thermodynamique de l'oxydation du $FADH_2$ associée à la formation de deux ATP dans les conditions biochimiques standard ?

4. Un empoisonnement sublétal par le cyanure peut être levé par administration de nitrites. Ces substances oxydent l'hémoglobine, qui a une affinité relativement faible pour CN^-, en methémoglobine, qui a une affinité relativement élevée pour CN^-. Pourquoi ce traitement est-il efficace ?

5. Faites correspondre le composé à son effet : (1) roténone, (2) dinitrophénol, et (3) antimycine. (a) Inhibe les phosphorylations oxydatives quand le substrat est le pyruvate mais pas quand le substrat est le succinate. (b) Inhibe les phosphorylations oxydatives quand le substrat est le pyruvate ou le succinate. (c) Permet au pyruvate d'être oxydé par les mitochondries même en l'absence d'ADP.

6. La **nigéricine** est un ionophore (Section 20-2C) qui permet l'échange K^+ pour H^+ à travers les membranes. Expliquez pourquoi le traitement de mitochondries actives par la nigéricine découple le transfert des électrons des phosphorylations oxydatives. Est-ce que la valinomycine, un ionophore qui transporte K^+ mais non H^+, aurait le même effet ? Expliquez.

7. La différence de pH entre le côté interne et le côté externe de la membrane interne mitochondriale est de 1,4 unités de pH (extérieur acide). Si le potentiel de membrane est égal à 0,06 V (intérieur négatif) quelle est l'énergie libre libérée par le retour de 1 mol de protons à travers la membrane ? Combien de protons doivent être transportés pour que l'énergie libre accompagnant ce transport soit suffisante pour la synthèse de 1 mol d'ATP (en se plaçant dans les conditions biochimiques standard) ?

8*. (a) Selon une interprétation simpliste du cycle Q, l'efficacité du pompage des protons par le cytochrome bc_1 ne serait pas réduite de plus de 50 % par des quantités saturantes d'antimycine. Expliquez. (b) Dites pourquoi le cytochrome bc_1 est en fait inhibé à près de 100 % par l'antimycine.

9. L'antibiotique **oligomycine B**

Oligomycin B

se fixe à la sous-unité F_0 de l'ATPase–F_1F_0 et l'empêche ainsi de synthétiser de l'ATP [Noter que la protéine conférant la sensibilité à l'oligomycine B (OSCP), contrepartie mitochondriale de la sous-unité δ d'*E. coli* (Fig. 22-43), ne fixe pas l'oligomycine B.] Expliquez pourquoi : (a) Des particules submitochondriales dont F_1 a été enlevé sont perméables aux protons. (b) L'addition d'oligomycine B à des particules submitochondriales dépourvues de F_1 diminue fortement cette perméabilité.

10. L'oligomycine B (voir Problème 9) et le cyanure inhibent tous deux les phosphorylations oxydatives, que le substrat soit le pyruvate ou le succinate. Le dinitrophénol peut permettre de faire la distinction entre ces deux inhibiteurs. Expliquez.

11. L'ATPase–F_1F_0 d'*E. coli* ne peut synthétiser de l'ATP lorsque Met 23 de sa sous-unité γ est mutée en Lys. Cependant, le constituant F_1 de ce complexe montre toujours la rotation de sa sous-unité γ par rapport à son sphéroïde $\alpha_3\beta_3$ lorsque de l'ATP y est ajouté. Quelle serait la raison de ces effets ?

12. Pour une quantité donnée de glucose oxydée, est-ce la thermogénèse sans frisson du tissu adipeux brun ou la thermogénèse avec frisson des muscles qui produira le plus de chaleur ?

13. Quel sera l'effet de l'atractyloside sur la respiration mitochondriale ? (cf. Section 20-4C pour un indice).

14. Quelques charlatans sans scrupules ont offert, moyennant finances, de congeler dans l'azote liquide des personnes décédées récemment, en attendant que la médecine puisse vaincre la maladie dont elles sont mortes. Quelle est l'erreur biochimique de ce procédé ?

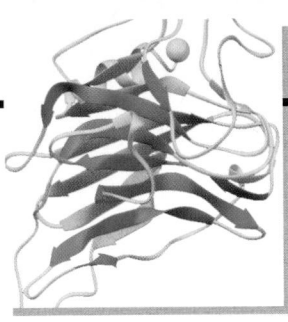

Chapitre 23

Autres voies du métabolisme des glucides

Nous avons déjà étudié plusieurs aspects du métabolisme des glucides. Nous avons vu comment l'énergie libre de l'oxydation du glucose est utilisée pour la synthèse de l'ATP par l'intermédiaire de la glycolyse, du cycle de l'acide citrique et des phosphorylations oxydatives. Nous avons aussi étudié le mécanisme de mise en réserve du glucose sous forme de glycogène et le contrôle du métabolisme du glycogène en fonction des besoins de l'organisme. Dans ce chapitre, nous étudierons plusieurs voies importantes du métabolisme des glucides :

1. La **gluconéogenèse**, qui permet la synthèse de glucose à partir de précurseurs non glucidiques comme le lactate, le pyruvate, le glycérol et certains acides aminés.

2. Le **cycle du glyoxylate**, qui permet aux plantes de transformer l'acétyl-CoA en glucose.

3. La biosynthèse des oligosaccharides et des glycoprotéines : après synthèse, certains oligosaccharides sont ajoutés à des résidus spécifiques d'acides aminés protéiques pour donner des glycoprotéines.

4. La **voie des pentoses phosphate,** une autre voie de dégradation du glucose, qui produit du **NADPH,** source d'équivalents réducteurs utilisés dans les réactions de biosynthèse réductrice, et de **ribose-5-phosphate,** le sucre précurseur des acides nucléiques.

Ce chapitre complète notre étude du métabolisme des glucides chez les animaux ; la photosynthèse, qui n'a lieu que chez les plantes et certaines bactéries, fera l'objet du Chapitre 24.

1 ■ GLUCONÉOGENÈSE

Le glucose occupe une place centrale dans le métabolisme, à la fois comme « carburant » et comme précurseur de glucides de structure essentiels et d'autres molécules biologiques. Le cerveau et les globules rouges dépendent presque exclusivement du glucose comme source d'énergie. Cependant, les réserves du foie en glycogène ne peuvent fournir du glucose au cerveau que pour une demi-journée en cas de jeûne ou de privation de nourriture. Ainsi, *en cas de jeûne, la plupart des besoins en glucose de l'organisme doivent être résolus par la gluconéogenèse (littéralement, nouvelle synthèse de glucose), la biosynthèse de glucose à partir de précurseurs non glucidiques.* Des études par marquage isotopique afin de déterminer l'origine du glucose dans le sang durant un jeûne ont montré en effet que la gluconéogenèse est responsable de 64 % de la production totale de glucose durant les 22 premières heures du jeûne et de la presque totalité après 46 heures. Par conséquent, la gluconéogenèse fournit une fraction importante du glucose produit chez des personnes qui jeûnent, même après quelques heures. La gluconéogenèse est assurée par le foie et, à un moindre degré, par les reins.

Parmi les précurseurs non glucidiques pouvant être transformés en glucose on trouve les produits de la glycolyse lactate et pyruvate, les intermédiaires du cycle de l'acide citrique et les squelettes carbonés de la plupart des acides aminés protéiques. Cependant, toutes ces substances doivent d'abord être transformées en oxaloacétate, le véritable point de départ de la gluconéo-

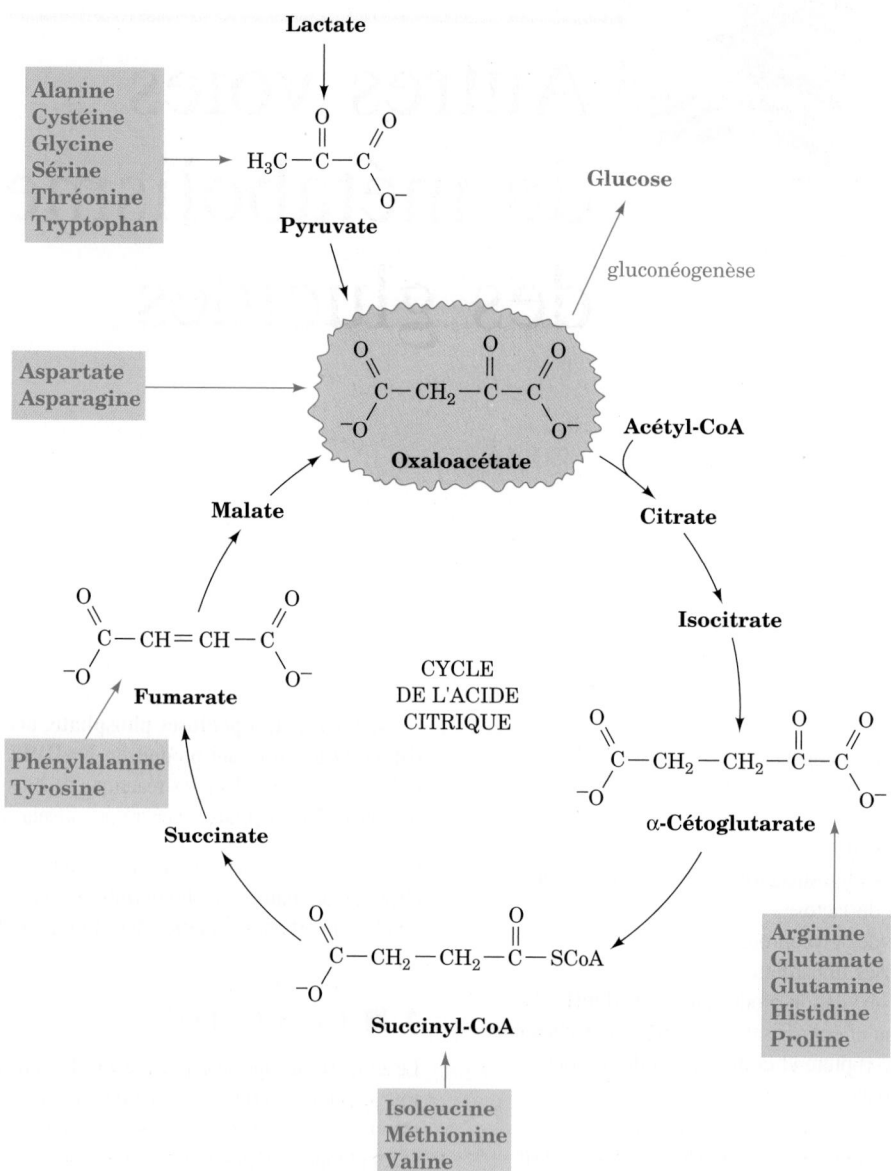

FIGURE 23-1 Voies de transformation du lactate, du pyruvate et des intermédiaires du cycle de l'acide citrique en oxaloacétate. Les squelettes carbonés de tous les acides aminés sauf ceux de la leucine et de la lysine peuvent, du moins en partie, être transformés en oxaloacétate et donc en glucose par ces réactions.

genèse (Fig. 23-1). Les seuls acides aminés qui ne peuvent donner de l'oxaloacétate chez l'animal sont la leucine et la lysine car leur dégradation ne conduit qu'à la formation d'acétyl-CoA (Section 26-3F). *Chez les animaux, il n'existe pas de voie qui permette la conversion nette d'acétyl-CoA en oxaloacétate.* Pour la même raison, les acides gras ne peuvent servir de précurseurs de glucose chez les animaux, car la plupart des acides gras sont complètement dégradés en acétyl-CoA (Section 25-2C). Cependant, à l'inverse des animaux, les plantes ont la possibilité de transformer l'acétyl-CoA en oxaloacétate grâce au **cycle du glyoxylate** (Section 23-2), si bien que les lipides peuvent être la seule source de carbone de la cellule végétale. Le glycérol, un des produits de dégradation des triacylglycérols, est transformé en glucose via la synthèse de la dihydroxyacétone phosphate, intermédiaire de la glycolyse, comme décrit dans la Section 25-1.

A. *Voie de la gluconéogenèse*

La gluconéogenèse utilise des enzymes de la glycolyse. Cependant, trois de ces enzymes, l'hexokinase, la phosphofructokinase (PFK) et la pyruvate kinase, catalysent des réactions très exergoniques dans le sens de la glycolyse. Ces réactions doivent donc être remplacées dans la gluconéogenèse par d'autres réactions qui rendent la synthèse de glucose thermodynamiquement favorable. Tout comme dans le métabolisme du glycogène (Section 18-1D), nous constatons que *les voies de biosynthèse et de dégradation diffèrent d'au moins une réaction. Cela permet non seulement aux deux voies (synthèse et dégradation) d'être thermodynamiquement possibles dans des conditions physiologiques identiques, mais aussi d'être régulées de manière indépendante de sorte qu'une voie peut être activée alors que l'autre est inhibée.*

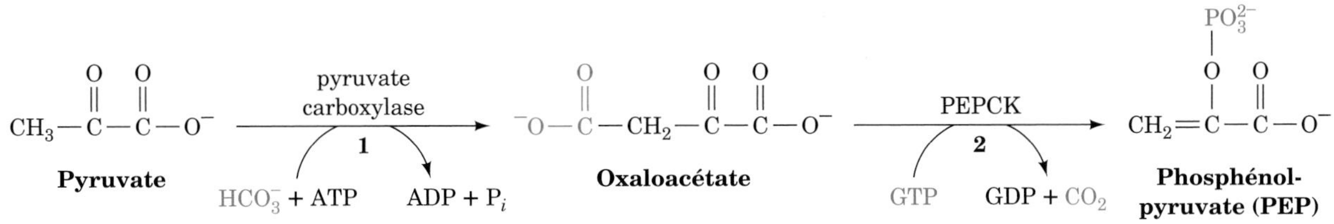

FIGURE 23-2 Transformation du pyruvate en oxaloacétate puis en phosphoénolpyruvate. Les enzymes impliquées sont (**1**) la pyruvate carboxylase et (**2**) la PEP carboxykinase (PEPCK).

a. Le pyruvate est transformé en oxaloacétate pour pouvoir donner du phosphoénolpyruvate

La formation de phosphoénolpyruvate (PEP) à partir de pyruvate, l'inverse de la réaction de la pyruvate kinase, est endergonique et nécessite par conséquent un apport d'énergie. Pour ce faire, le pyruvate est d'abord transformé en oxaloacétate. L'oxaloacétate est un intermédiaire à « haut potentiel énergétique » dont la décarboxylation exergonique fournit l'énergie libre nécessaire à la synthèse du PEP. Cette transformation fait intervenir deux enzymes (Fig. 23-2) :

1. La **pyruvate carboxylase** catalyse la formation ATP-dépendante d'oxaloacétate à partir de pyruvate et de HCO_3^-.

2. La **PEP carboxykinase (PEPCK)** transforme l'oxaloacétate en PEP dans une réaction qui utilise le GTP comme agent phosphorylant.

b. Le groupement prosthétique de la pyruvate carboxylase est la biotine

La pyruvate carboxylase, découverte en 1959 par Merton Utter, est une protéine tétramérique de sous-unités identiques de ~120 kD, chacune avec de la **biotine** comme groupement prosthétique. *La biotine (Fig. 23-3a) joue le rôle de transporteur de CO_2 en formant un substituant carboxylé sur son **groupement uréide** (Fig. 23-3b).* La biotine est liée par covalence à l'enzyme par une liaison amide entre le groupement carboxylique de sa chaîne latérale valérate et le groupement ϵ-aminé d'un résidu Lys de l'enzyme, pour donner un résidu **biocytine** (appelé aussi résidu **biotinyllysine**) (Fig. 23-3b). Le cycle biotine se trouve ainsi à l'extrémité d'un « bras » souple de 14 Å de long, tout comme l'acide lipoïque comme groupement prosthétique du complexe multienzymatique pyruvate déshydrogénase (Section 21-2A).

La biotine, découverte en 1935 comme facteur de croissance des levures, est un nutriment indispensable pour l'homme. Sa déficience alimentaire est cependant rare, car on la trouve dans de nombreux aliments et parce qu'elle est synthétisée par la flore bactérienne intestinale. La déficience en biotine chez l'homme est presque toujours due à la consommation excessive d'œufs crus. Ceci s'explique par la présence dans le blanc d'œuf de l'**avidine,** protéine qui se lie si fortement à la biotine (constante de dissociation, $K = 10^{-15}M$) qu'elle empêche son absorption intestinale (les œufs cuits sont sans effet car la cuisson dénature l'avidine). On pense que le rôle de l'avidine dans les œufs serait d'inhiber la croissance de micro-organismes dans cet environnement très nutritif. La **streptavidine,** homologue de l'avidine sécrété par *Streptomyces avidinii,* est utilisée comme agent de liaison dans de nombreuses applications biotechnologiques (voir p. ex. Section 22-3C) en raison de sa très haute affinité pour la biotine.

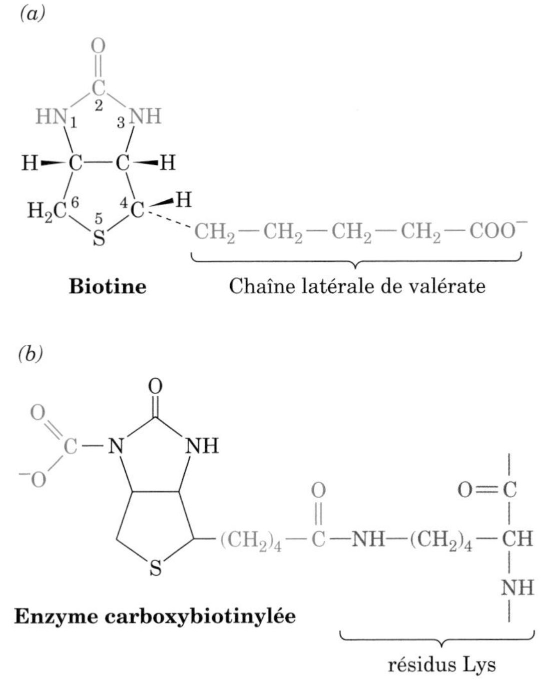

FIGURE 23-3 Biotine et carboxybiotinyl-enzyme. (*a*) La biotine est formée d'un noyau imidazole accolé en cis à un cycle de tétrahydrothiophène porteur d'une chaîne latérale de valérate. La chiralité de chacun de ses centres asymétriques est indiquée. Les positions 1, 2 et 3 forment un groupement uréide. (*b*) Dans la carboxybiotinyl-enzyme, le N1 du groupement uréido de la biotine est le site de carboxylation. La biotine est liée par covalence aux carboxylases par une liaison amide entre le groupement carboxyle du valérate et un groupement ϵ-aminé d'une chaîne latérale d'un résidu Lys de l'enzyme.

c. Réaction de la pyruvate carboxylase

La réaction de la pyruvate carboxylase se fait en deux phases (Fig. 23-4) :

Phase I La biotine est carboxylée sur son atome N1 par un ion bicarbonate dans une réaction en trois étapes au cours de laquelle l'hydrolyse de l'ATP en ADP + P_i permet, via la formation de **carboxyphosphate,** de déshydrater le bicarbonate. Cela donne du CO_2 libre ayant suffisamment d'énergie libre pour carboxyler la biotine. Le groupement carboxylate formé est activé par rapport au bicarbonate (le $\Delta G°'$ de son hydrolyse est de $-19,7$ kJ·mol^{-1}) et peut donc être transféré sans apport d'énergie supplémentaire.

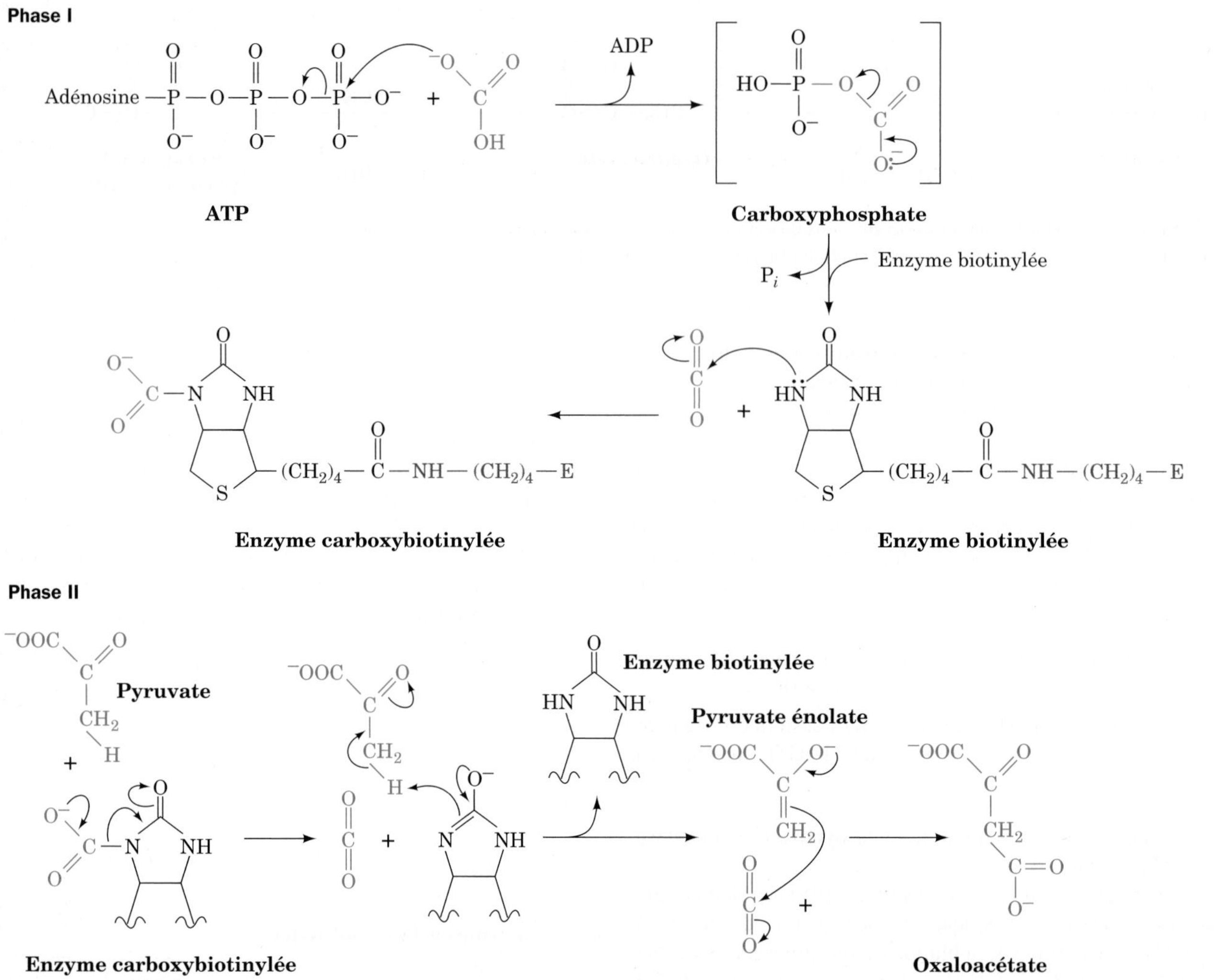

Phase I

Phase II

FIGURE 23-4 Mécanisme réactionnel en deux phases de la pyruvate carboxylase. La **phase I** est une réaction en trois étapes : synthèse de carboxyphosphate à partir de bicarbonate et d'ATP, puis formation de CO_2 sur l'enzyme, qui carboxyle ensuite la biotine. La **phase II** comporte aussi trois étapes : production de CO_2 au site actif due au départ de l'enzyme biotinylée, laquelle accepte un proton du pyruvate ce qui donne l'énolpyruvate ; celui-ci, à son tour donne de l'oxaloacétate par attaque nucléophile du CO_2. [D'après Knowles, J.R., *Annu. Rev. Biochem.* **58**, 217 (1989).]

Phase II Le groupement carboxylate activé est transféré de la carboxybiotine au pyruvate dans une réaction en trois étapes pour donner de l'oxaloacétate.

Ces deux phases réactionnelles se font sur différents sites de la même enzyme ; le bras de 14 Å de la biocytine assure le transfert du cycle biotine entre les deux sites.

d. L'acétyl-CoA régule la pyruvate carboxylase

La synthèse de l'oxaloacétate est une réaction anaplérotique qui accroît l'activité du cycle de l'acide citrique (Section 21-4). L'accumulation d'acétyl-CoA, substrat du cycle de l'acide citrique, signale donc un besoin supplémentaire en oxaloacétate. En fait, l'acétyl-CoA est un effecteur positif puissant de la pyruvate carboxylase ; l'enzyme est pratiquement inactive si elle n'est pas complexée à l'acétyl-CoA. *Cependant, si le cycle de l'acide citrique est inhibé (par l'ATP ou le NADH dont la présence en fortes concentrations indique que les phosphorylations oxydatives ont satisfait les demandes en ATP ; Section 21-4), l'oxaloacétate sera utilisé dans la gluconéogenèse.*

e. La PEP carboxykinase

La PEPCK, enzyme monomérique de 74 kD, catalyse la décarboxylation GTP-dépendante de l'oxaloacétate pour donner du PEP et du GDP (Fig. 23-5). Noter que le CO_2 utilisé pour carboxyler le pyruvate en oxaloacétate est éliminé lors de la formation du PEP. On peut donc considérer l'oxaloacétate comme du pyruvate « activé », le CO_2 et la biotine facilitant l'activation aux dépens de l'hydrolyse de l'ATP. Nous verrons que l'acétyl-CoA est activé de la même façon par un processus de carboxylation–décarboxylation (qui donne du malonyl-CoA ; Section 25-4B), lors de la biosynthèse des acides gras. En général, on peut considérer les β-cétoacides comme des composés « riches en énergie » en raison de la forte énergie libre de décarboxylation du groupement β-carboxyle.

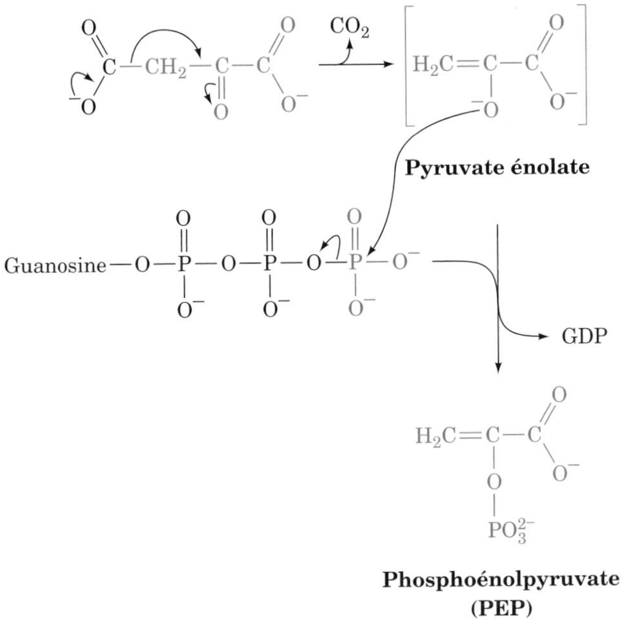

L'énolate ainsi produit est utilisé pour former des liaisons carbone–carbone lors de la synthèse des acides gras ou du PEP comme ici dans la gluconéogenèse.

f. La gluconéogenèse nécessite le transport de métabolites entre les mitochondries et le cytosol

La formation d'oxaloacétate à partir de pyruvate ou d'intermédiaires du cycle de l'acide citrique ne se fait que dans les mitochondries, tandis que les enzymes qui transforment le PEP en glucose sont cytosoliques. La localisation intracellulaire de la PEPCK varie selon les espèces. Dans le foie de souris et de rat, elle est presque exclusivement cytosolique, dans le foie de pigeon et de lapin elle est mitochondriale, et chez le cobaye et l'homme elle se répartit à peu près équitablement entre les deux compartiments. Pour que la gluconéogenèse soit assurée, ou l'oxaloacétate doit sortir de la mitochondrie pour être transformé en PEP, ou le PEP formé dans la mitochondrie doit passer dans le cytosol.

Le PEP est transporté à travers la membrane mitochondriale par des protéines de transport membranaires spécifiques. Par contre, il n'existe pas de système de transport pour l'oxaloacétate. Celui-ci doit d'abord être transformé soit en aspartate (Fig. 23-6, Voie 1) soit en malate (Fig. 23-6, Voie 2), pour lesquels des systèmes de transport mitochondriaux existent (Section 22-1B). La

FIGURE 23-5 Mécanisme de la PEPCK. La décarboxylation de l'oxaloacétate (un acide β-cétonique) conduit à la formation d'un anion énolate stabilisé par résonance dont l'atome d'oxygène attaque le groupement γ-phosphoryle du GTP formant ainsi le PEP et du GDP.

Pyruvate énolate

Phosphoénolpyruvate (PEP)

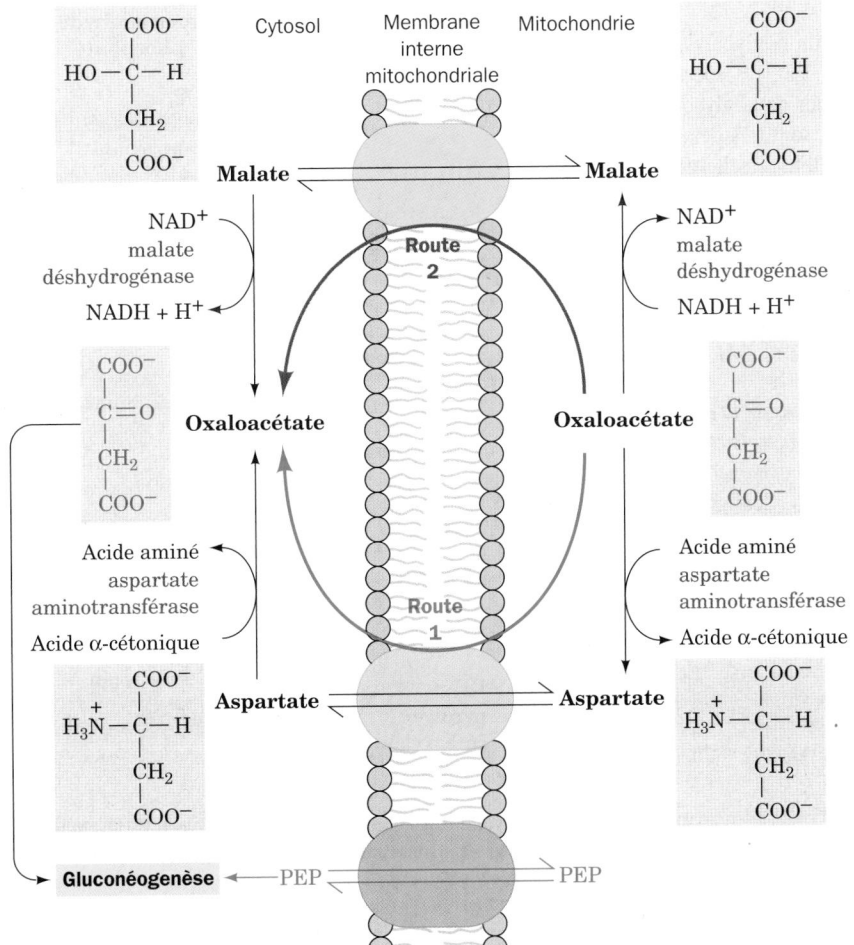

FIGURE 23-6 Transports du PEP et de l'oxaloacétate de la mitochondrie dans le cytosol. Le PEP est transporté directement entre ces deux compartiments. Cependant, l'oxaloacétate doit d'abord être transformé en aspartate sous l'action de l'**aspartate aminotransférase** (Voie I) ou en malate par la malate déshydrogénase (Voie 2). La Voie 2 implique l'oxydation mitochondriale du NADH suivie de la réduction cytosolique du NAD+, ce qui revient à un transfert d'équivalents réducteurs de NADH de la mitochondrie vers le cytosol.

différence entre ces deux voies concerne le transport d'équivalents réducteurs NADH. La voie de la **malate déshydrogénase** (Voie 2) se traduit par le transport d'équivalents réducteurs de la mitochondrie au cytosol, puisqu'elle utilise du NADH mitochondrial et produit du NADH cytosolique. La voie de l'**aspartate aminotransférase** (Voie 1) ne fait pas intervenir de NADH. Du NADH cytosolique étant nécessaire à la gluconéogenèse, dans la plupart des cas la voie par l'intermédiaire du malate est indispensable. Cependant, si le précurseur gluconéogénique est le lactate (Section 23-1C), son oxydation en pyruvate fournit du NADH cytosolique si bien que les deux voies peuvent être utilisées. Naturellement, comme nous l'avons vu, au cours du métabolisme oxydatif les deux voies peuvent aussi alterner (la Voie 2 s'inversant) pour que la navette malate–aspartate qui assure le transport d'équivalents réducteurs NADH dans la mitochondrie (Section 22-1B) fonctionne.

Dans le foie, siège du cycle de l'urée (Section 26-2), le transport de l'oxaloacétate vers le cytosol peut se faire par une troisième voie, une variante de la Voie 1. L'aspartate qui pénètre dans le cytosol par la Voie 1 peut être converti en fumarate dans le cycle de l'urée (Fig. 26-7) plutôt que d'être transaminé. Le fumarate est alors hydraté en malate et déshydrogéné en oxaloacétate par les équivalents cytosoliques d'enzymes du cycle de l'acide citrique. Cette troisième voie produit du NADH cytosolique comme le fait la Voie 2.

g. Des réactions d'hydrolyse court-circuitent les réactions de la PFK et de l'hexokinase

Les voies contraires de la gluconéogenèse et de la glycolyse utilisent de nombreuses enzymes communes (Fig. 23-7). Cependant, les variations d'énergie libre de deux réactions de la glycolyse, en plus de la réaction de la pyruvate kinase, sont très défavorables à la gluconéogenèse : la réaction de la PFK et celle de l'hexokinase. Aussi, au lieu de former de l'ATP par inversion des réactions de la glycolyse, le FBP et le G6P sont hydrolysés, libérant du P_i, grâce à deux réactions exergoniques catalysées respectivement par la **fructose-1,6-bisphosphatase** (**FBPase**) et la **glucose-6-phosphatase**. *La glucose-6-phosphatase ne se trouve que dans le foie et le rein, ce qui permet à ces deux organes de fournir du glucose aux autres tissus.*

C'est par l'intervention de trois enzymes spécifiques de la gluconéogenèse, différentes des enzymes qui catalysent les trois réactions irréversibles de la glycolyse, que glycolyse et gluconéogenèse sont des voies thermodynamiquement favorables. Cela grâce à l'énergie libre libérée par l'hydrolyse de deux molécules d'ATP et de deux molécules de GTP par molécule de glucose synthétisé par la gluconéogenèse en plus des deux molécules d'ATP consommées par l'inversion de la glycolyse.

Glycolyse :

Glucose + 2NAD⁺ + 2ADP + 2P$_i$ ⟶

2pyruvate + 2NADH + 4H⁺ + 2ATP + 2H₂O

Gluconéogenèse :

2Pyruvate + 2NADH + 4H⁺ + **4ATP** + **2GTP** + 6H₂O ⟶ glucose + 2NAD⁺ + 4ADP + 2GDP + 6P$_i$

Bilan global :

2ATP + 2GTP + 4H₂O ⟶ 2ADP + 2GDP + 4P$_i$

De telles pertes en énergie libre dans des processus cycliques sont thermodynamiquement inévitables. C'est le coût énergétique à payer pour que soit assurée la régulation indépendante de chacune des voies.

B. Régulation de la gluconéogenèse

En l'absence de contrôle, la glycolyse et la gluconéogenèse aboutiraient en pure perte à un cycle futile avec hydrolyse d'ATP et de GTP. Il n'en est rien. En réalité, *ces voies sont chacune régulées*

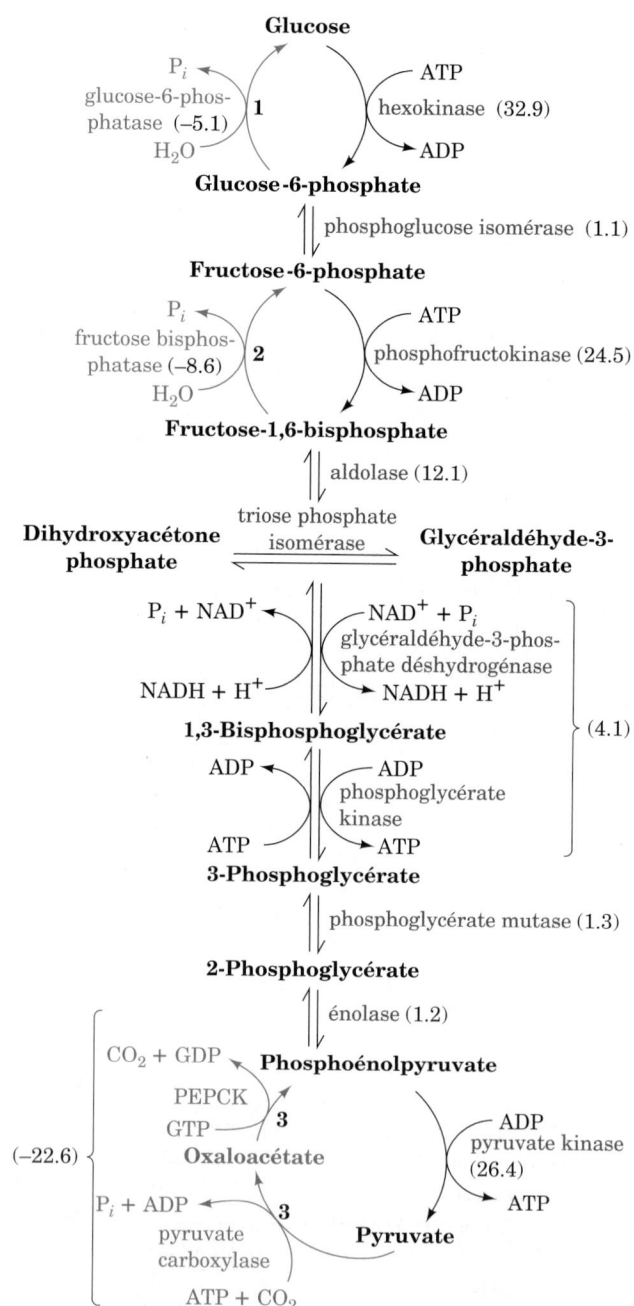

FIGURE 23-7 Voies de la gluconéogenèse et de glycolyse. Les trois étapes numérotées, qui sont catalysées par des enzymes différentes dans la gluconéogenèse, sont figurées par des flèches rouges. Les ΔG des réactions qui se font dans le sens de la gluconéogenèse dans des conditions physiologiques sont donnés entre parenthèses en kJ·mol⁻¹. [Les valeurs de ΔG viennent de Newsholme, E.A. et Leech, A.R., *Biochemistry for the Medical Sciences*, p. 448, Wiley (1983).]

TABLEAU 23-1   Régulateurs de l'activité des enzymes de la gluconéogenèse

Enzyme	Inhibiteurs allostériques	Activateurs allostériques	Phosphorylation de l'enzyme	Synthèse protéique
PFK	ATP, citrate	AMP, F2,6P		
FBPase	AMP, F2,6P			
Pyruvate kinase	Alanine	F1,6P	Inactivate	
Pyruvate carboxylase		Acétyl-CoA		
PEPCK				Stimulée par le glucagon, les hormones thyroïdiennes et les glucocorticoïdes ; inhibée par l'insuline
PFK-2	Citrate	AMP, F6P, P_i	Inactivate	
FBPase-2	F6P	Glycérol-3-P	Activate	

pour pouvoir répondre aux besoins de l'organisme. Après un repas, quand la glycémie est au maximum, le métabolisme hépatique assure la mise en réserve de carburant énergétique : le glycogène est synthétisé et la glycolyse et la pyruvate déshydrogénase sont activées, dégradant le glucose en acétyl-CoA pour la biosynthèse d'acides gras et la mise en réserve de lipides. A l'état de jeûne, le foie maintient la glycémie à la fois en stimulant la glycogénolyse et en inversant la glycolyse pour assurer la gluconéogenèse [en utilisant essentiellement des produits de la dégradation des protéines via le **cycle glucose-alanine** (Section 26-1A) et du glycérol provenant de l'hydrolyse du triacylglycérol (Section 25-1)].

a. La glycolyse et la gluconéogenèse sont contrôlées par des interactions allostériques et par modifications covalentes

La vitesse et la direction de la glycolyse et de la gluconéogenèse sont contrôlées aux endroits de ces voies où les réactions dans un sens ou dans l'autre peuvent être régulées indépendamment : les réactions catalysées par (1) l'hexokinase/la glucose-6-phosphatase, (2) la PFK/la FBPase, et (3) la pyruvate kinase/la pyruvate carboxylase et la PEPCK (Fig. 23-7). Le Tableau 23-1 donne la liste de ces enzymes régulées et de leurs effecteurs. Les principaux mécanismes font intervenir des interactions allostériques et des modifications covalentes AMPc-dépendantes (phosphorylation/déphosphorylation ; Section 18-3). Les modifications covalentes AMPc-dépendantes rendent ce système sensible au contrôle par le glucagon et d'autres hormones qui modifient la concentration en AMPc.

L'un des effecteurs allostériques les plus importants impliqué dans la régulation de la glycolyse et de la gluconéogenèse est le fructose 2,6-bisphosphate (F2,6P), qui stimule la PFK et inhibe la FBPase (Section 18-3F). La concentration en F2,6P est dépendante des vitesses de sa synthèse (par la PFK-2) et de sa dégradation (par la FBPase-2). Le contrôle des activités de la PFK-2 et de la FBPase-2 constitue donc un point important de la régulation de la gluconéogenèse même si ces enzymes ne catalysent pas des réactions de cette voie. Les activités PFK-2 et FBPase-2, qui sont assurées par deux domaines différents de la même enzyme bifonctionnelle, sont régulées allostériquement et contrôlées par modifications covalentes (Tableau 23-1). En cas d'hypoglycémie la gluconéogenèse est activée par voie hormonale provoquant l'abaissement de la [F2,6P] (Fig. 23-8).

La stimulation de la gluconéogenèse dans le foie implique aussi l'inhibition de la glycolyse au niveau de la pyruvate kinase.

La pyruvate kinase du foie est inhibée, à la fois allostériquement par l'alanine (un précurseur du pyruvate ; Section 26-1A) et par phosphorylation. La glycogénolyse, au contraire, est stimulée par phosphorylation (Section 18-3C). Les deux voies convergent vers la production de G6P, qui est transformé en glucose pour être exporté aux muscles et au cerveau. La pyruvate kinase musculaire, une isoenzyme de celle du foie, n'est pas soumise à ces contrôles. De tels contrôles ne seraient pas intéressants dans le cas du muscle car celui-ci ne contient pas de glucose-6-phosphatase et ne peut donc assurer la synthèse de glucose via la gluconéogenèse.

b. La concentration en PEPCK est contrôlée au niveau transcriptionnel

La PEPCK est l'enzyme qui catalyse la première réaction d'engagement dans la gluconéogenèse. Il est dès lors intéressant de constater (Tableau 23-1) que l'activité de la PEPCK est contrôlée uniquement via une régulation transcriptionnelle du gène qui la code (ce type de régulation est résumé dans la Section 5-4A et détaillé dans les Sections 31-3 et 34-3). En particulier, la transcription du gène de la PEPCK est stimulée par le glucagon, les glucocorticoïdes et les hormones thyroïdiennes, et elle est inhibée par l'insuline. Par exemple, l'AMPc produit en réponse à la stimulation du foie par le glucagon non seulement déclenche une cascade

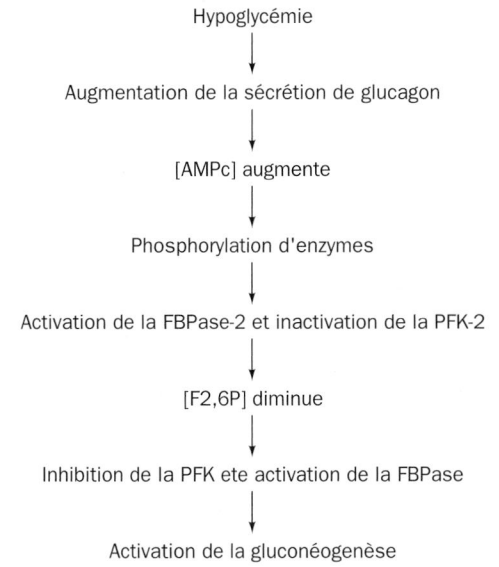

FIGURE 23-8   Régulation hormonale de la [F2,6P]. Ce processus stimule la gluconéogenèse hépatique en réponse à une hypoglycémie.

de phosphorylations (Section 18-3), mais aussi induit la transcription du gène de la PEPCK. Richard Hanson a montré que ceci résulte de la présence, dans le **promoteur** (région de contrôle qui précède le site d'initiation de la transcription de gènes codant des protéines ; Section 5-4A) du gène de la PEPCK, d'une séquence d'ADN spécifique appelée **élément de réponse à l'AMPc (CRE)**. Ce CRE fixe un **facteur de transcription** appelé **protéine de liaison du CRE (CREB)**, mais uniquement lorsque CREB fixe également l'AMPc (pour rappel, un facteur de transcription est une protéine qui se fixe à un segment spécifique de son promoteur cible et, ce faisant, stimule l'ARN polymérase à commencer la transcription du gène auquel elle est associée ; Section 5-4A). Cependant, le promoteur du gène de la PEPCK contient de nombreux autres sites de liaison pour des facteurs de transcription spécifiques. On compte parmi ceux-ci un **élément de réponse aux hormones thyroïdiennes (TSE)**, auquel se fixe le récepteur des hormones thyroïdiennes complexé à l'hormone (Section 19-1D), et un **élément de réponse aux hormones glucocorticoïdes (GRE)**, auquel se fixe le **récepteur glucocorticoïde** complexé à l'hormone (Sections 19-1G et 34-3B). Au contraire, la transcription du gène de la PEPCK est fortement réprimée par des facteurs protéiques phosphorylés en réponse à la cascade de signalisation de la PI3K déclenchée par la liaison de l'insuline au récepteur insulinique (ces facteurs protéiques peuvent réprimer la transcription en interférant avec la liaison des facteurs de transcription mentionnés plus haut ; les mécanismes de signalisation par l'insuline sont étudiés dans les Sections 19-3A, 19-3B, 19-4D et 19-4F). La vitesse de production de l'ARNm de la PEPCK est déterminée par l'intégration de ces diverses interactions et donc par les signaux qui les provoquent.

C. *Cycle des Cori*

La contraction musculaire est actionnée par l'hydrolyse de l'ATP, qui est ensuite régénéré par les phosphorylations oxydatives dans les mitochondries des fibres musculaires (rouges) à contraction lente et par la glycolyse avec formation de lactate dans les fibres musculaires (blanches) à contraction rapide. Les fibres à contraction lente produisent aussi du lactate quand la demande en ATP est supérieure au flux oxydatif. Le lactate est transféré au foie par la circulation sanguine, où il est reconverti en pyruvate par la lactate déshydrogénase pour donner ensuite du glucose par la gluconéogenèse. Ainsi, par l'intermédiaire de la circulation sanguine, le foie

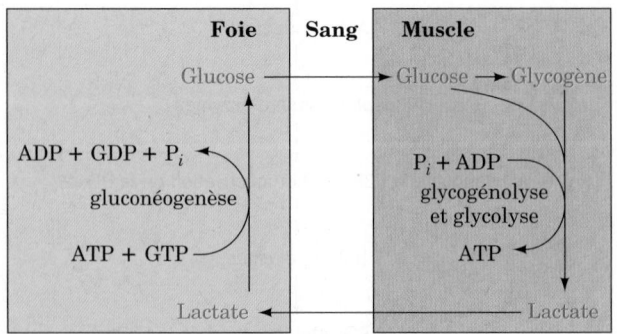

FIGURE 23-9 Cycle des Cori. Le lactate produit par la glycolyse musculaire est transporté par le sang jusqu'au foie, où il est transformé en glucose par la gluconéogenèse. Le sang ramène le glucose au muscle, où il pourra être mis en réserve sous forme de glycogène.

et le muscle participent à un cycle métabolique appelé le **cycle des Cori** (Fig. 23-9) en l'honneur de Carl et Gerti Cori qui furent les premiers à le décrire. C'est le même « cycle futile » glycolyse/gluconéogenèse consommant de l'ATP que celui dont nous avons déjà parlé. Cependant dans ce cas, au lieu de coexister dans la même cellule, les deux voies se déroulent dans deux organes différents. L'ATP du foie est utilisé pour régénérer le glucose à partir du lactate formé dans le muscle. Le glucose resynthétisé retourne au muscle, pour y être stocké sous forme de glycogène et utilisé, à la demande, pour former de l'ATP pour la contraction musculaire. L'ATP utilisé par le foie dans ce processus est régénéré par les phosphorylations oxydatives. Après un exercice intense, il faut parfois au moins trente minutes pour que tout le lactate ainsi produit soit converti en glycogène et que la vitesse de consommation en oxygène retourne à la normale ; c'est ce qu'on appelle la **dette en oxygène.**

2 ■ CYCLE DU GLYOXYLATE

Les plantes, à l'inverse des animaux, ont des enzymes qui permettent la transformation nette d'acétyl-CoA en succinate, lequel est alors converti, via le malate, en oxaloacétate. C'est le rôle du **cycle du glyoxylate** (Fig. 23-10), une voie qui nécessite des enzymes du **glyoxysome** (organite membraneux des plantes ; Section 1-2A). Le cycle du glyoxylate implique cinq enzymes, dont trois participent également au cycle de l'acide citrique : la citrate synthase, l'aconitase et la malate déshydrogénase. Les deux autres enzymes, l'isocitrate lyase et la malate synthase, sont propres au cycle du glyoxylate.

Le cycle du glyoxylate comprend cinq réactions (Fig. 23-10) :

Réactions 1 et 2. L'oxaloacétate glyoxysomial se condense avec de l'acétyl-CoA pour donner du citrate, qui est isomérisé en isocitrate comme dans le cycle de l'acide citrique. Puisque le glyoxysome ne contient pas d'aconitase, on pense que la Réaction 2 se déroule dans le cytosol.

Réaction 3. L'**isocitrate lyase** du glyoxysome scinde l'isocitrate en succinate et **glyoxylate** (d'où le nom du cycle).

Réaction 4. La malate synthase, une enzyme du glyoxysome, catalyse la condensation du glyoxylate avec une deuxième molécule d'acétyl-CoA pour donner du malate.

Réaction 5. La malate déshydrogénase glyoxysomiale catalyse l'oxydation du malate en oxaloacétate avec le NAD$^+$ comme cofacteur, ce qui boucle le cycle.

La voie du glyoxylate aboutit donc à la transformation nette de deux molécules d'acétyl-CoA en succinate au lieu de donner quatre molécules de CO_2 comme dans le cas du cycle de l'acide citrique. Le succinate produit dans la Réaction 3 est transporté aux mitochondries où il entre dans le cycle de l'acide citrique pour donner du malate, lequel a deux devenirs possibles : (1) conversion en oxaloacétate dans la mitochondrie et passage par le cycle de l'acide citrique, ce qui fait du cycle du glyoxylate un processus anaplérotique (Section 21-5) ; ou bien (2) transport vers le cytosol où il est converti en oxaloacétate et entre dans la voie gluconéogénique.

La réaction globale du cycle du glyoxylate se solde donc par la formation d'une molécule d'oxaloacétate à partir de deux molécules d'acétyl-CoA :

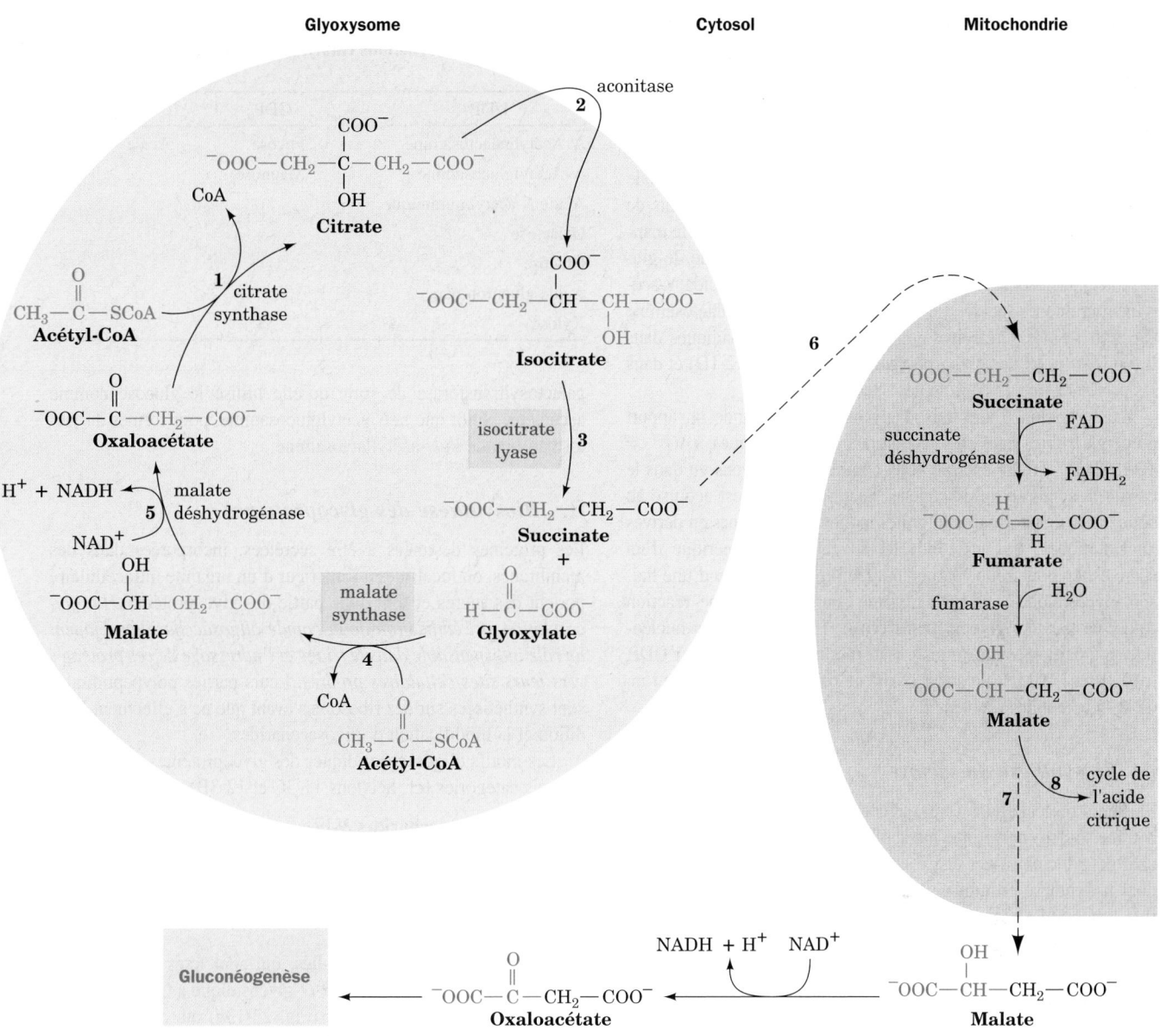

FIGURE 23-10 Cycle du glyoxylate. Ce cycle se solde par la transformation nette dans le glyoxysome de deux acétyl-CoA en succinate, qui peut être converti en malate dans la mitochondrie et utilisé pour la gluconéogenèse. L'isocitrate lyase et la malate synthase, enzymes que l'on ne trouve que dans les glyoxysomes des plantes, sont encadrées en bleu. (**1**) La citrate synthase glyoxysomiale catalyse la condensation de l'oxaloacétate avec l'acétyl-CoA pour former du citrate. (**2**) L'aconitase cytosolique catalyse la transformation du citrate en isocitrate. (**3**) L'isocitrate lyase catalyse la scission de l'isocitrate en succinate et glyoxylate. (**4**) La malate synthase catalyse la condensation du glyoxylate avec l'acétyl-CoA pour donner du malate. (**5**) La malate déshydrogénase glyoxysomiale catalyse l'oxydation du malate en oxaloacétate, ce qui boucle le cycle. (**6**) Le succinate est transporté dans la mitochondrie où il est converti en malate dans le cycle de l'acide citrique. (**7**) Le malate est transporté dans le cytosol, où la malate déshydrogénase catalyse son oxydation en oxaloacétate, qui peut être utilisé pour la gluconéogenèse. (**8**) Le malate peut aussi continuer ses transformations dans le cycle de l'acide citrique, ce qui rend anaplérotique le cycle du glyoxylate.

$$2\text{Acétyl-CoA} + 2\text{NAD}^+ + \text{FAD} \rightarrow$$
$$\text{oxaloacétate} + 2\text{CoA} + 2\text{NADH} + \text{FADH}_2 + 2\text{H}^+$$

L'isocitrate lyase et la malate synthase, les seules enzymes de la voie du glyoxylate propres aux plantes, permettent aux graines en germination de transformer leurs triacylglycérols de réserve, par l'intermédiaire de l'acétyl-CoA, en glucose. On a longtemps pensé que ce processus était essentiel pour la germination. Cependant, un mutant d'*Arabidopsis thaliana* (plante oléagineuse) qui ne possède pas d'isocitrate lyase et donc incapable de transformer les lipides en glucides, germe quand même. Il faut diminuer l'apport de lumière à ces plantes mutantes pour les empêcher de germer. L'importance du cycle du glyoxylate pour le développement de la graine semble donc liée à sa fonction anaplérotique de fournir des unités à 4 carbones au cycle de l'acide citrique, qui peut alors oxyder l'acétyl-CoA provenant du triacylglycérol.

3 ■ BIOSYNTHÈSE DES OLIGOSACCHARIDES ET DES GLYCOPROTÉINES

Les oligosaccharides sont formés d'unités monosaccharidiques reliées par des liaisons glycosidiques (liaisons entre le C1, carbone anomérique d'une unité, et un groupement OH d'une seconde unité ; Section 11-1C). On connaît environ 80 types différents de liaisons glycosidiques dans la nature, la plupart impliquant le mannose, la N-acétylglucosamine, l'acide N-acétylmuramique, le glucose, le galactose, le fucose (ou 6-désoxygalactose), l'acide N-acétylneuraminique (acide sialique), et la N-acétylgalactosamine (Section 11-1C). On trouve aussi des liaisons glycosidiques dans les lipides (p. ex. les glycosphingolipides ; Section 12-1D) et dans les protéines (les glycoprotéines ; Section 11-3C).

La formation d'une liaison glycosidique demande un apport d'énergie libre dans les conditions physiologiques ($\Delta G^{\circ\prime}$ = 16 kJ·mol^{-1}). Cette énergie libre, comme nous l'avons vu dans le cas de la synthèse du glycogène (Section 18-2B), est acquise au cours de la transformation d'unités monosaccharidiques en dérivés nucléotidiques. Un nucléotide lié au carbone anomérique d'un sucre est un bon groupe partant qui facilite la formation d'une liaison glycosidique avec un deuxième sucre grâce à une réaction catalysée par une **glycosyltransférase** (Fig. 23-11). Les nucléotides qui participent aux transferts de monosaccharides sont l'UDP, le GDP, et le CMP ; un sucre donné ne peut être associé qu'à l'un de ces nucléotides (Tableau 23-2).

A. *Biosynthèse du lactose*

Plusieurs disaccharides sont synthétisés pour être ensuite utilisés comme source énergétique métabolique. Chez les plantes, le disaccharide principal à cet égard est le saccharose (Section 11-2B), dont la synthèse est étudiée dans la Section 24-3A. Un disaccharide typique des mammifères est le lactose [β-galactosyl-(1→4)-glucose ; le sucre du lait], qui est synthétisé dans la glande mammaire par la **lactose synthase** (Fig. 23-12). Le sucre donneur est l'UDP-galactose, formé par épimérisation de l'UDP-glucose (Section 17-5B). Le sucre accepteur est le glucose.

La lactose synthase est constituée de deux sous-unités :

1. La **galactosyltransférase,** la sous-unité catalytique, que l'on trouve dans de nombreux tissus, où elle catalyse la réaction entre l'UDP-galactose et la N-acétylglucosamine pour donner la N-acétyllactosamine, un constituant de nombreux complexes oligosaccharidiques (cf. p.ex. Fig. 23-19, Réaction 6).

2. L'**α-lactalbumine,** une protéine de la glande mammaire dépourvue d'activité catalytique, qui modifie la spécificité de la

TABLEAU 23-2 Nucleotides et leurs monosaccharides correspondants dans les réactions catalysées par des glycosyltransférases

UDP	GDP	CMP
N-Acétylgalactosamine	Fucose	Acide sialique
N-Acétylglucosamine	Mannose	
Acide N-acétylmuramique		
Galactose		
Glucose		
Acide glucuronique		
Xylose		

galactosyltransférase de sorte qu'elle utilise le glucose comme accepteur, plutôt que la N-acétylglucosamine, pour former du lactose au lieu de la N-acétyllactosamine.

B. *Biosynthèse des glycoprotéines*

Les protéines destinées à être sécrétées, incorporées dans des membranes, ou localisées à l'intérieur d'un organite intracellulaire portent des sucres et font donc partie des glycoprotéines. *La glycosylation et l'édification de la copule oligosaccharidique jouent un rôle indispensable dans le triage et l'adressage de ces protéines vers leurs sites cellulaires propres.* Leurs parties polypeptidiques sont synthétisées sur des ribosomes avant que ne s'effectuent l'addition et la modification d'oligosaccharides.

Les motifs oligosaccharidiques des glycoprotéines sont classés en trois catégories (cf. Sections 11-3C et 12-3B) :

1. Les **oligosaccharides N-liés,** qui sont fixés à la chaîne polypeptidique par une liaison β-N-glycosidique à N d'une chaîne latérale d'un résidu Asn dans une séquence Asn-X-Ser ou Asn-X-Thr, où X peut être n'importe quel résidu d'acide aminé sauf Pro ou peut être Asp (Fig. 23-13a).

2. Les **oligosaccharides O-liés,** qui sont fixés à leur chaîne polypeptidique par une liaison α-O-glycosidique à O d'une chaîne latérale d'un résidu Ser ou Thr (Fig. 23-13b) ou, dans les collagènes uniquement (Section 8-2B), d'un résidu 5-hydroxylysine (Hyl) (Fig. 23-13c).

3. Les **ancres glycosylphosphatidylinositol (GPI) membranaires,** qui sont fixées à leur chaîne polypeptidique par une liaison amide entre un mannose-6-phosphoéthanolamine et le groupement carboxyle C-terminal (Fig. 23-13d).

Nous étudierons séparément la synthèse de ces trois types d'oligosaccharides.

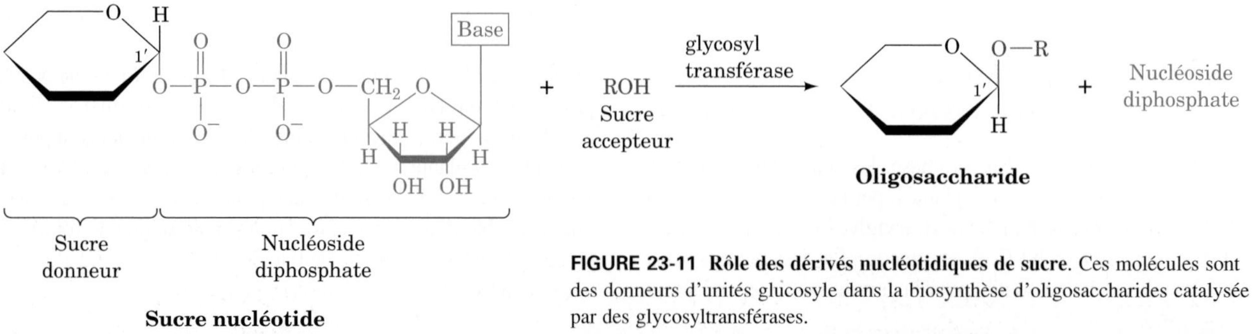

Sucre nucléotide

FIGURE 23-11 Rôle des dérivés nucléotidiques de sucre. Ces molécules sont des donneurs d'unités glucosyle dans la biosynthèse d'oligosaccharides catalysée par des glycosyltransférases.

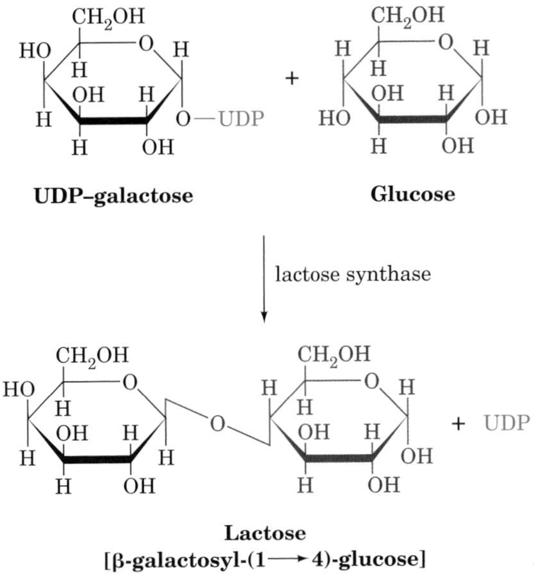

FIGURE 23-12 Lactose synthase. Cette enzyme catalyse la formation de lactose à partir d'UDP–galactose et de glucose.

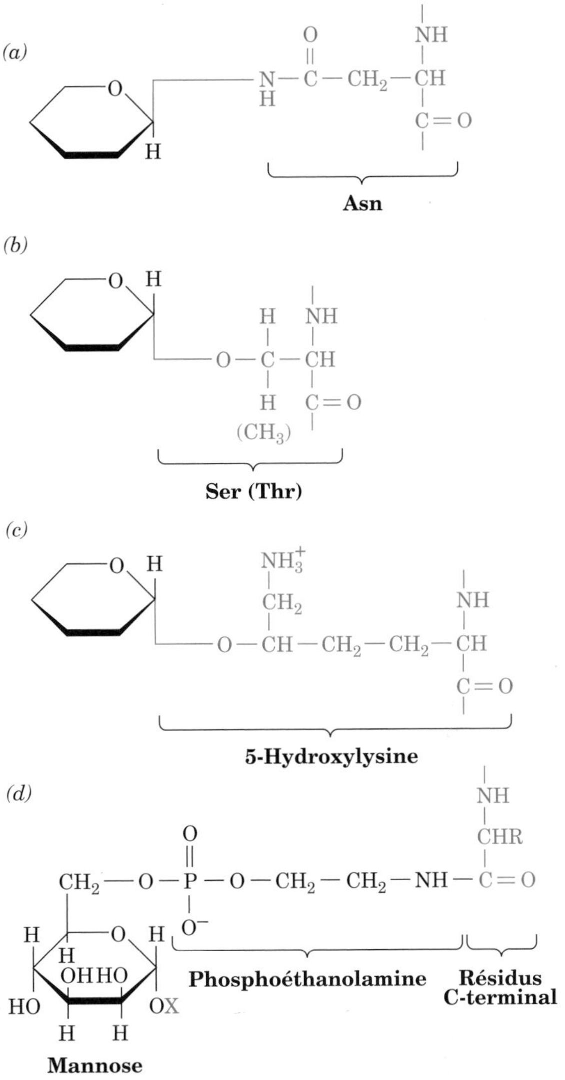

FIGURE 23-13 Types de liaison saccharide–polypeptide dans les glycoprotéines. (*a*) Liaison glycosidique *N*-liée à un résidu Asn dans la séquence Asn-X-Ser/Thr. (*b*) Liaison glycosidique *O*-liée à un résidu Ser (ou Thr). (*c*) Liaison glycosidique *O*-liée à un résidu 5-hydroxylysine dans le collagène. (*d*) Liaison amide entre le résidu aminoacide C-terminal d'une protéine et le pont phosphoéthanolamine lié au C6 d'un résidu mannose de l'ancre glycosylphosphatidylinositol (GPI). Le groupement X (*en vert*) désigne le reste de l'ancre GPI (Fig. 12-30).

a. Les glycoprotéines *N-liées* sont synthétisées en quatre étapes

Les glycoprotéines N-liées sont formées dans le réticulum endoplasmique et affinées dans l'appareil de Golgi. La synthèse de la copule glucidique fait intervenir quatre étapes :

1. Synthèse d'un précurseur oligosaccharidique lié à un lipide.

2. Transfert de ce précurseur à N d'une chaîne latérale d'un résidu Asn du peptide en croissance.

3. Élimination de quelques résidus de sucre du précurseur.

4. Addition de résidus de sucre au noyau oligosaccharidique restant.

Voyons ces différentes étapes successivement.

b. Les oligosaccharides *N*-liés sont construits sur le dolichol

Les oligosaccharides N-liés sont d'abord synthétisés sous forme de précurseurs liés à un lipide. Le composé lipidique dans ce processus est le **dolichol**, un polyisoprénol à longue chaîne comportant entre 14 et 24 unités isoprène (17-21 unités chez les animaux et 14-24 unités chez les champignons et les plantes ; les unités isoprène sont des unités en C_5 ayant le squelette carboné de l'isoprène ; Section 25-6A), lié au précurseur oligosaccharidique par l'intermédiaire d'un pont pyrophosphate (Fig. 23-14). Il

semble que le dolichol ancre l'oligosaccharide en formation à la membrane du réticulum endoplasmique. Ce sont Armando Parodi et Luis Leloir qui montrèrent en 1972 que la synthèse de glyco-

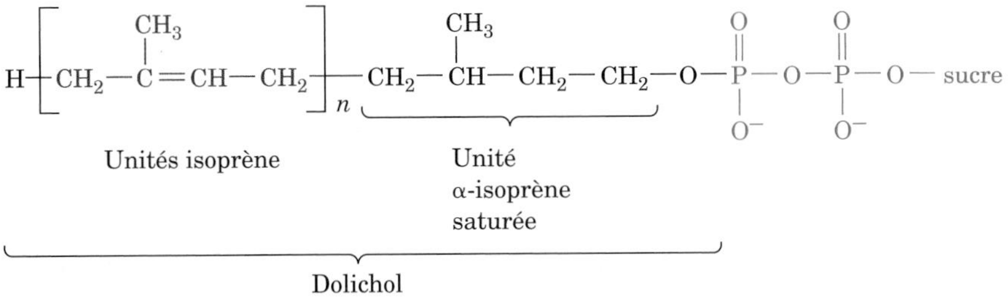

FIGURE 23-14 Dolichol-pyrophosphoryl-glycoside. Les précurseurs oligosaccharidiques des glycosides *N*-liés sont synthétisés sous forme de dolichol-pyrophosphoryl-glycosides. Les dolichols sont des polyisoprénols à longue chaîne ($n = 14$-24), l'unité α-isoprène étant saturée.

protéines *N*-liées se faisait à partir d'oligosaccharides liés à un lipide : après incubation d'un oligosaccharide lié à un lipide et contenant du [^{14}C]glucose avec des **microsomes** (fragments vésiculaires de réticulum endoplasmique isolé) de foie de rat, ces auteurs retrouvèrent la radioactivité associée à la glycoprotéine.

c. Les glycoprotéines *N*-liées ont un noyau oligosaccharidique commun

Le mécanisme de la synthèse du dolichol-PP-oligosaccharide se fait par additions séquentielles d'unités monosaccharidiques au glycolipide en formation, grâce à des glycosyltransférases spécifiques, pour donner un noyau commun. Chaque unité monosaccharidique est incorporée par une glycosyltransférase unique (Fig. 23-15). Par exemple, lors de la Réaction 2 de la Fig. 23-15,

cinq unités mannosyle sont ajoutées sous l'action de cinq mannosyltransférases différentes, chacune étant spécifique d'un oligosaccharide accepteur différent. Le noyau oligosaccharidique, produit de la Réaction 9 dans la Fig. 23-15, a la composition (*N*-acétylglucosamine)$_2$(mannose)$_9$(glucose)$_3$.

Bien que les dérivés nucléotidiques de sucres soient les formes les plus courantes de donneur de monosaccharides dans les réactions catalysées par les glycosyltransférases, *plusieurs résidus mannosyle et glucosyle sont transférés à l'oligosaccharide lié au dolichol-PP en formation, depuis leurs dérivés dolichol-P correspondants.* Le besoin en **dolichol-P-mannose** fut découvert par Stuart Kornfeld, qui trouva que des cellules mutantes d'un lymphome de souris (le lymphome est une forme de cancer) incapables de synthétiser des oligosaccharides normaux liés aux

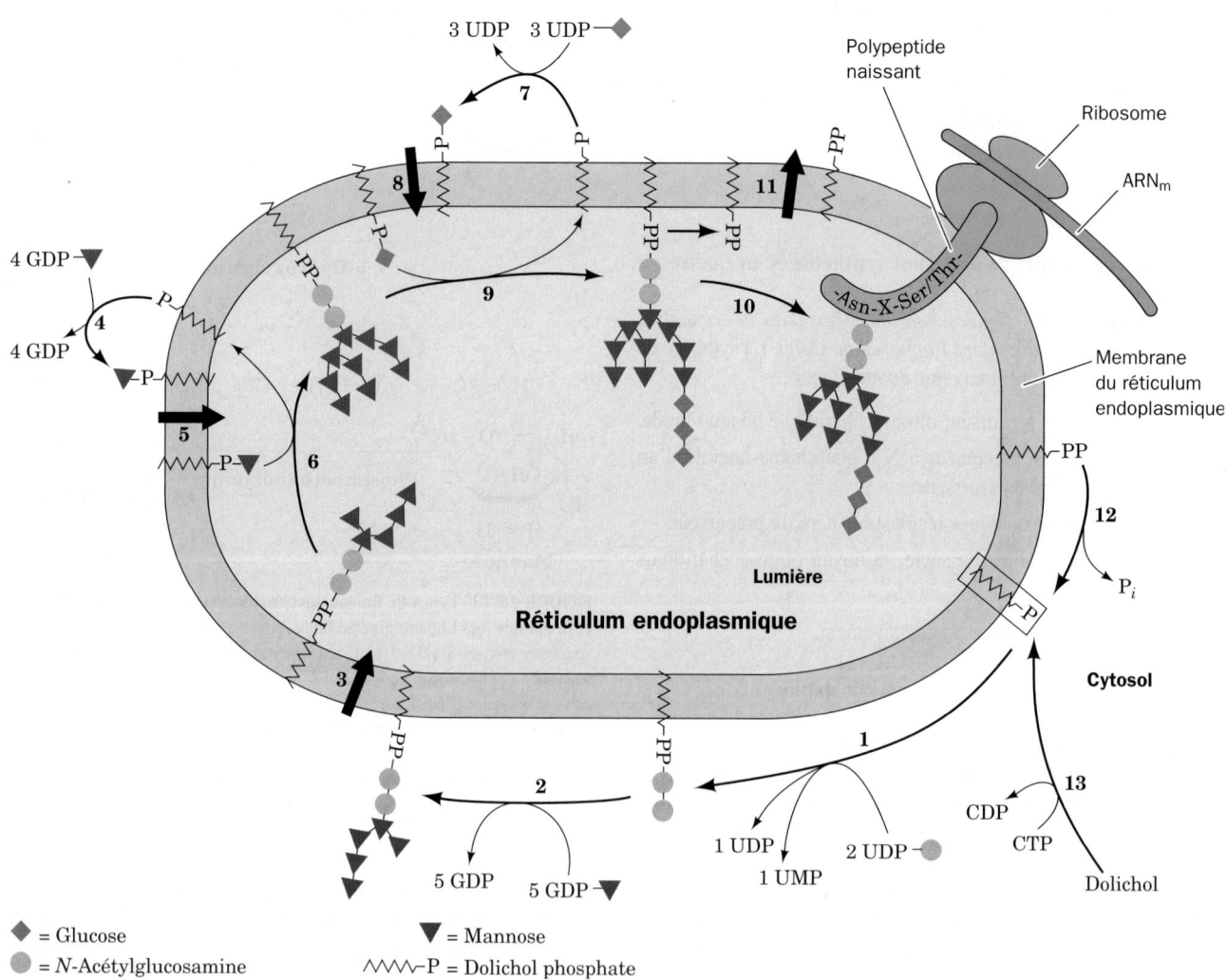

FIGURE 23-15 Biosynthèse d'un dolichol-PP-oligosaccharide.
(**1**) Additions de *N*-acétylglucosamine-1-phosphate et d'une autre *N*-acétylglucosamine au dolichol-P. (**2**) Additions de cinq résidus mannosyle à partir de GDP–mannose, catalysées par cinq mannosyltransférases distinctes. (**3**) Translocation du dolichol-PP-(*N*-acétylglucosamine)$_2$(mannose)$_5$ dans la lumière du réticulum endoplasmique (RE). (**4**) Synthèse cytosolique de dolichol-P-mannose à partir de GDP–mannose et de dolichol-P. (**5**) Translocation du dolichol-P-mannose dans la lumière du RE. (**6**) Additions de quatre résidus mannosyle à partir de dolichol-P-mannose catalysées par quatre mannosyltransférases différentes. (**7**) Syn-

thèse cytosolique de dolichol-P-glucose à partir d'UDP-glucose et de dolichol-P. (**8**) Translocation du dolichol-P-glucose dans la lumière du RE. (**9**) Additions de trois résidus glucosyle à partir de dolichol-P glucose. (**10**) Transfert de l'oligosaccharide porté par le dolichol-PP sur un résidu Asn de la chaîne polypeptidique dans la séquence Asn-X-Ser/Thr, avec libération de dolichol-PP. (**11**) Translocation du dolichol-PP sur le côté cytoplasmique de la membrane du RE. (**12**) Hydrolyse du dolichol-PP en dolichol-P. (**13**) Le dolichol-P peut se former aussi par phosphorylation du dolichol par le CTP. [Modifié d'après Abeijon, C. et Hirschberg, C.B., *Trends Biochem. Sci.* **17**, 34 (1992).]

lipides, formaient un glycolipide plus petit et anormal. Ces cellules contenaient toutes les glycosyltransférases nécessaires mais étaient incapables de synthétiser du dolichol-P-mannose (la Réaction 4 de la Fig. 23-15 ne se faisait pas). L'apport de ce composé aux cellules mutantes entraînait l'addition d'unités mannosyle au dolichol-PP-oligosaccharide anormal.

d. La synthèse de dolichol-PP-oligosaccharide implique des déplacements topographiques des intermédiaires

Les Réactions 1, 2, 4 et 7 de la Fig. 23-15 se font toutes sur le côté cytoplasmique de la membrane du réticulum endoplasmique (RE). Ceci a été établi en utilisant des vésicules de RE rugueux à polarité normale, et en montrant que différents réactifs ne traversant pas la membrane provoquaient l'arrêt d'une ou de plusieurs de ces réactions. Les Réactions 6, 9 et 10 ont lieu dans la lumière du RE, comme le prouve le fait que la concanavaline A, une **lectine** (protéine qui se lie à certains sucres), ne peut réagir avec les produits de ces réactions à moins que la membrane ne soit rendue perméable. Le (mannose)$_5$(N-acétylglucosamine)$_2$-PP-dolichol, produit de la Réaction 2, le dolichol-P-mannose, produit de la Réaction 4 et le dolichol-P-glucose, produit de la réaction 7, doivent donc traverser la membrane du RE (Réactions 3, 5 et 8) afin de se projeter dans la lumière du RE et de permettre à la synthèse des oligosaccharides N-liés de se poursuivre. Le mécanisme de ces différentes translocations n'est pas connu.

e. L'addition aux protéines des oligosaccharides N-liés est un processus cotraductionnel

Le **virus de la stomatite vésiculeuse** (**VSV**), qui infecte le bétail en donnant des symptômes proches de l'influenza (la grippe), a fourni un modèle excellent pour l'étude de la maturation des glycoprotéines N-liées. L'enveloppe du VSV est constituée de membrane de la cellule hôte dans laquelle une seule glycoprotéine virale, la **protéine G de VSV** (à ne pas confondre avec les GTPases impliquées dans la transduction du signal ; Chap. 19), est intégrée. Sachant que lorsqu'il y a infection virale, la machinerie de la cellule hôte responsable de la synthèse protéique est totalement dévolue à la synthèse des protéines virales, l'appareil de Golgi d'une cellule infectée par le VSV, qui contient normalement des centaines de glycoprotéines différentes, ne contient virtuellement pas d'autres glycoprotéines que la protéine G virale. Par conséquent, la maturation de la protéine G est relativement facile à suivre.

La majorité (70 à 90 %) des sites Asn-X-Ser/Thr des protéines eucaryotes matures sont N-glycosylées. L'étude de cellules infectées par VSV a montré que le *transfert de l'oligosaccharide lié au lipide sur la chaîne polypeptidique a lieu alors que celle-ci est en cours de synthèse*. Des prédictions de structure (Section 9-3A) et des études de glycosylation de polypeptides modèles suggèrent que les séquences en acides aminés jouxtant les sites de N-glycosylation connus se trouvent au niveau de coudes β ou de boucles où le groupement N—H peptidique de Asn forme une liaison

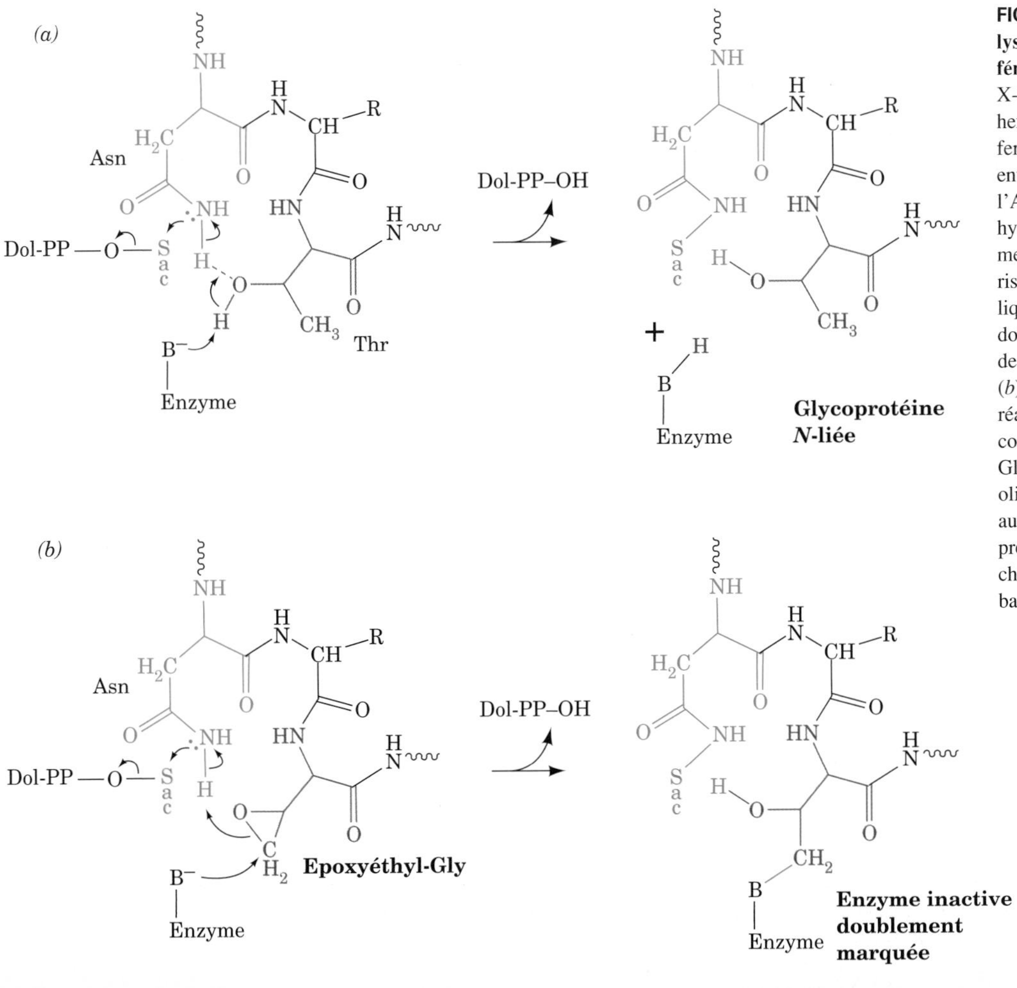

FIGURE 23-16 Réaction catalysée par l'oligosaccharyltransférase (OST). (*a*) La partie Asn-X-Thr d'un substrat modèle hexapeptidique forme un anneau fermé par une liaison hydrogène entre le groupement amide de l'Asn et le groupement hydroxyle de la Thr. Un groupement basique de l'enzyme favorise le déplacement nucléophilique, par le N de l'amide, du dolichol pyrophosphate à partir de l'oligosaccharide (Sac). (*b*) Inactivation de l'OST par réaction avec un hexapeptide contenant Asn-Gly-époxyéthyl-Gly en présence de dolichol-PP-oligosaccharide. L'oligopeptide auquel l'oligosaccharide est à présent lié par covalence marque chimiquement le groupement basique de l'enzyme.

hydrogène avec l'atome O de l'hydroxyle de Ser ou Thr (Fig. 23-16a). Cela explique pourquoi Pro ne peut occuper la position X ; elle empêcherait la séquence Asn-X-Ser/Thr de prendre la conformation indispensable à l'établissement de la liaison hydrogène présumée.

La protéine G du VSV est *N*-glycosylée par une **oligosaccharyltransférase (OST)** membranaire multimérique de ~300 kD qui reconnaît la séquence Asn-X-Ser/Thr (Fig. 23-15, Réaction 10). Ernst Bause a proposé pour l'OST un mécanisme catalytique où une base de l'enzyme enlève un proton au groupement hydroxyle Ser/Thr qui, à son tour, enlève un proton au groupement NH$_2$ de Asn, ce qui provoque son attaque nucléophile sur l'oligosaccahride (Sac), lequel déplace alors le groupemement pyrophosphate du dolichol (Fig. 23-16A). L'observation suivante milite en faveur de ce mécanisme. Faire réagir l'OST avec le dolichol-PP-oligosaccharide et un substrat modèle hexapeptidique contenant la séquence Asn-X-époxyéthylGly (plutôt que Asn-X-Ser/Thr) inactive irréversiblement l'enzyme en la fixant de manière covalente à l'hexapeptide à présent glycosylé (Fig. 23-16b).

f. Le cycle calnexine/calréticuline facilite le repliement des glycoprotéines

La maturation du cœur oligosaccharidique des glycoprotéines débute dans le réticulum endoplasmique par l'élimination enzymatique de ses trois résidus glucose (Fig. 23-17, Réactions 2 et 3) et d'un de ses résidus mannose (Fig. 23-17, Réaction 4) avant le repliement de la protéine dans sa conformation native. Il ne s'agit pas d'un processus direct, car l'**UDP-glucose :glycoprotéine glucosyltransférase (GT)**, protéine soluble de 1513 résidus, glucosyle à nouveau les oligosaccharides des glycoprotéines partiellement repliées, ce qui inverse l'enlèvement du dernier des trois résidus glucose par la **glucosidase II** (Fig. 23-17, Réaction 3). Ce cycle futile (la plupart des glycoprotéines sont reglucosylées au moins une fois) participe à un processus de repliement des glycoprotéines assisté par des chaperons, appelé **cycle calnexine/calréticuline**. La calnexine (**CNX** ; protéine membranaire de ~570 résidus) et la **calréticuline** (**CRT** ; son homologue soluble de ~400 résidus) sont des lectines résidant dans le RE qui fixent les glycoprotéines partiellement repliées porteuses d'un oligosaccharide monoglucosylé et protègent ainsi ces glycoprotéines vis-à-vis de la dégradation et d'un transfert prématuré dans l'appareil de Golgi. Si une glycoprotéine est libérée et déglucosylée avant son repliement adéquat, la GT, qui ne reconnaît que les glycoprotéines non natives, la glucosyle à nouveau de sorte que le cycle CNX/CRT puisse se répéter. La CNX et la CRT fixent toutes les deux l'**ERp57**, une thiol oxydo-réductase de 481 résidus homologue à la protéine disulfure isomérase (PDI ; Section 9-2A). Tandis que la glycoprotéine partiellement repliée est fixée au complexe, l'ERp57 catalyse les réactions d'échange de groupements disulfure pour faciliter la formation de liaisons disulfure appariées correctement. Les complexes CNX/ERp57 et CRT/ERp57 sont donc responsables de l'exactitude du repliement et de la position des ponts

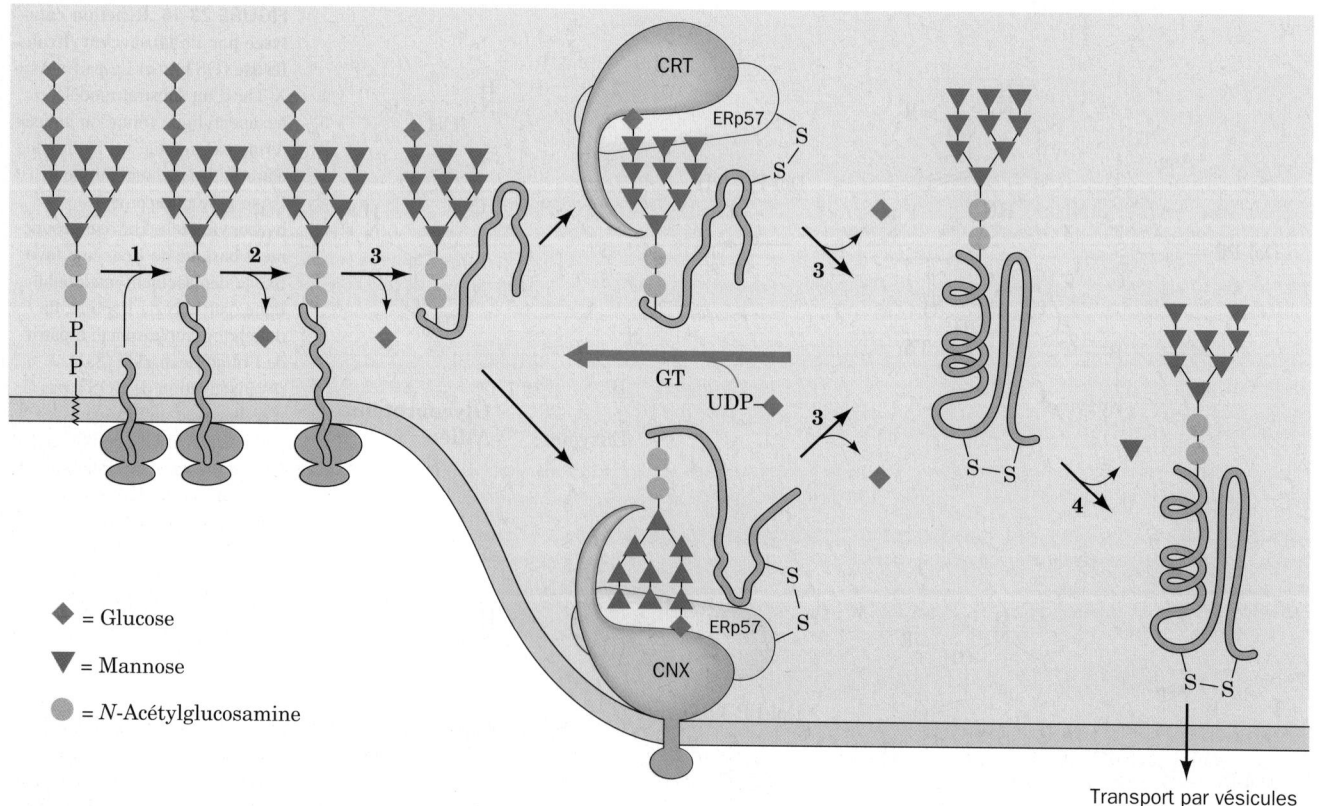

= Glucose

= Mannose

= *N*-Acétylglucosamine

Transport par vésicules vers le réseau cis-Golgi

FIGURE 23-17 Rôle du cycle calnexine/calréticuline dans le repliement des glycoprotéines au sein du réticulum endoplasmique. Les réactions sont catalysées par : (**1**) l'oligosaccharyltransférase (OST) ; (**2**) l'α-glucosidase I ; (**3**) l'α-glucosidase II, l'UDP-glucose:glycoprotéine glucosyltransférase (GT), la calréticuline (CRT), la calnexine (CNX) et la thiol oxydo-réductase ERp57 ; et (**4**) l'α-1,2-mannosidase du RE. [D'après Helenius, A. et Aebi, M., *Science.* **291**, 2367 (2001).]

disulfure pour les glycoprotéines dans le RE. L'importance de ce phénomène est illustrée par le fait que les souris knockout pour le gène codant la CRT meurent *in utero*.

La structure par rayons X du domaine luminal de la calnexine (résidus 61-458), déterminée par Miroslaw Cygler, révèle une structure inhabituelle (Fig. 23-18) : un domaine globulaire compact (résidus 61-262 et 415-458) d'où se projette un bras de 145 Å de long (résidus 270-414). Le domaine globulaire forme un sandwich en feuillets β antiparallèles, un à 6 segments et un à 7 segments, qui fixe un ion Ca^{2+} et ressemble aux lectines des légumineuses comme la concanavaline A (Fig. 8-40). Ce domaine fixe le glucose sur sa face concave (*en bleu*) bordée de groupements formant des liaisons hydrogène qui, d'après la construction de modèles, fixent la partie (glucose)$_1$(mannose)$_3$ du substrat naturel (glucose)$_1$(mannose)$_9$ de la calnexine. Le long bras, qui forme une épingle à cheveux en extension, est appelé domaine P car il contient quatre copies contenant chacune deux motifs riches en Pro différents disposés en séquence 11112222, chaque motif 1 de ~18 résidus étant en association antiparallèle avec un motif 2 de ~14 résidus sur le segment opposé de l'épingle à cheveux. Chacune de ces paires de motifs a une structure semblable, ses résidus conservés établissant des interactions identiques au sein de chaque paire. On a montré que le domaine P constitue le site de liaison de ERp57 dans la calnexine et la calréticuline.

g. La maturation des glycoprotéines se termine dans l'appareil de Golgi

Une fois repliée selon sa conformation native et amputée d'un de ses résidus mannosyle par l'α-1,2-mannosidase du RE (Fig. 23-

17, étape 4), la glycoprotéine est véhiculée dans des vésicules membraneuses vers l'appareil de Golgi pour la pousuite de sa maturation (Fig. 23-19). Comme étudié dans la Section 12-4C, l'appareil de Golgi (Fig. 12-51) est constitué (en allant du RE vers l'extérieur) du réseau cis-Golgi, par où les glycoprotéines entrent dans l'appareil de Golgi ; puis d'un empilement d'au moins trois types de saccules, les citernes cis, médianes et trans ; et du réseau

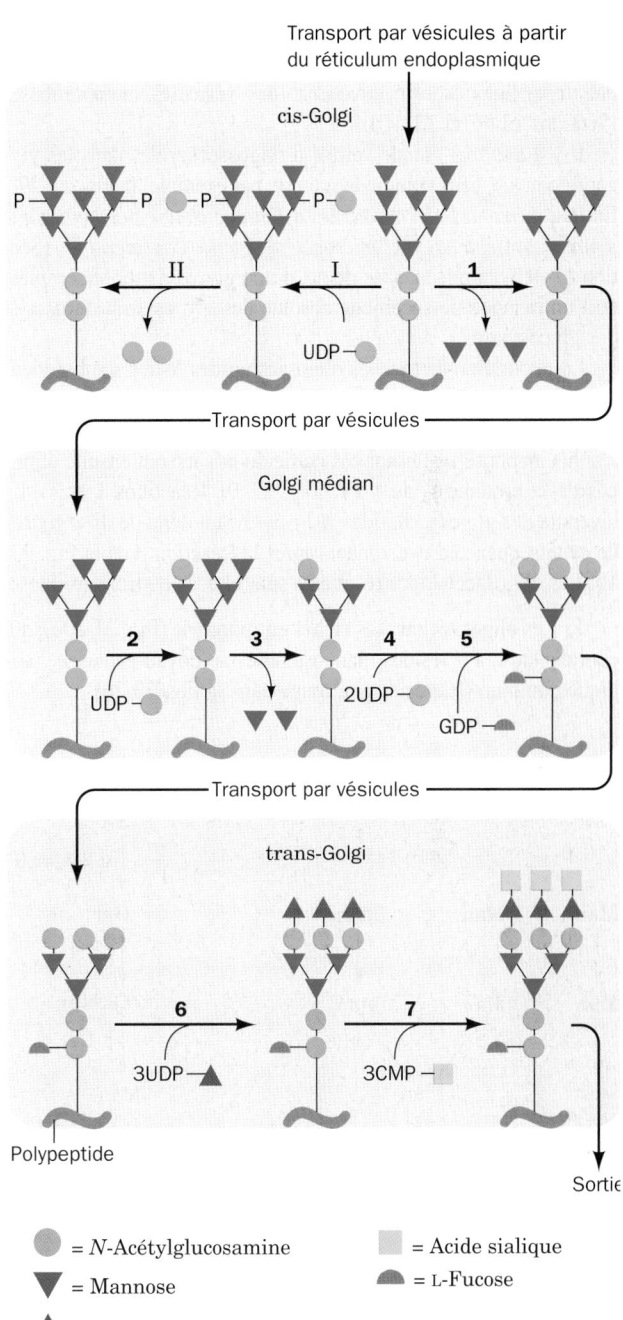

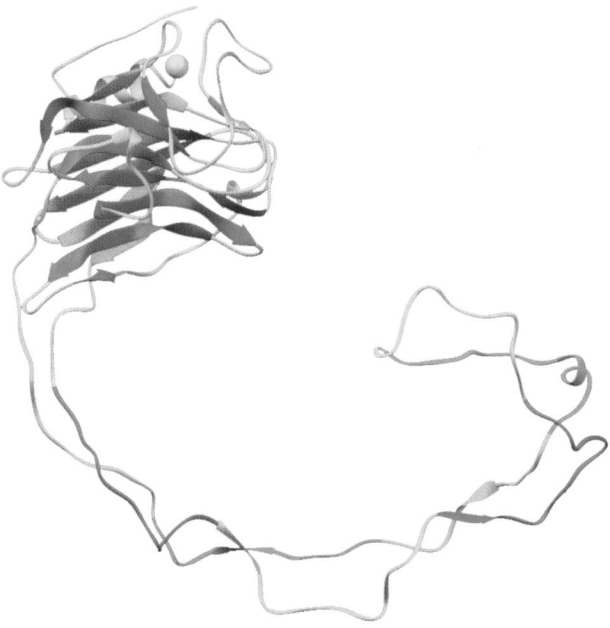

FIGURE 23-18 Structure par rayons X de la partie luminale de la calnexine de chien. Les feuillets β antiparallèles à 6 et 7 segments de son domaine globulaire sont colorés en orange et en bleu, avec les autres régions en gris et l'ion Ca^{2+} qui lui est fixé étant représenté par une sphère en vert clair. Dans le domaine P, les motifs 1 sont alternativement en vert et en jaune, et les motifs 2 alternativement en magenta et en bleu-vert. [D'après une structure par rayons X due à Miroslaw Cygler, Biotechnology Research Institute, NRC, Montréal, Québec, Canada. PDBid 1JHN.]

FIGURE 23-19 Maturation de l'oligosaccharide sur la protéine G du VSV dans le Golgi. Les réactions sont catalysées par : (**1**) l'α-mannosidase I du Golgi, (**2**) la *N*-acétylglucosaminyltransférase I, (**3**) l'α-mannosidase II du Golgi, (**4**) la *N*-acétylglucosaminyltransférase II, (**5**) la fucosyltransférase, (**6**) la galactosyltransférase, et (**7**) la sialyltransférase. Les protéines lysosomiales sont modifiées par : (**I**) la *N*-acétylglucosaminyl phosphotransférase et (**II**) la *N*-acétylglucosamine-1-phosphodiester α-*N*-acétylglucosaminidase. [Modifié d'après Kornfeld, R. et Kornfeld, S., *Annu. Rev. Biochem.* **54**, 640 (1985).]

trans-Golgi, par où les protéines quittent l'appareil de Golgi. Les glycoprotéines traversent le Golgi, des citernes cis aux médianes puis aux trans, chacune contenant des enzymes de maturation différentes, comme l'ont montré James Rothman et Stuart Kornfeld. Au cours de ce passage, des résidus mannose sont éliminés de chaque groupement oligosaccharidique et des résidus de *N*-acétylglucosamine, de galactose, de fucose et/ou d'acide sialique sont ajoutés pour achever la maturation de la glycoprotéine (Fig. 23-19 ; Réactions 1-7). Les glycoprotéines sont alors triées dans le réseau trans-Golgi pour être acheminées vers leurs destinations cellulaires respectives par des vésicules membraneuses (Sections 12-4C et 12-4D).

Il y a une très grande variété d'oligosaccharides dans les glycoprotéines *N*-liées comme le montre, par exemple, la Fig. 11-29*c*. En fait, *même des glycoprotéines ayant une chaîne polypeptidique donnée présentent une microhétérogénéité considérable* (Section 11-3C), en raison, sans doute, d'une glycosylation incomplète et d'un manque de spécificité absolue des glycosyltransférases et des glycosylases.

La maturation de tous les oligosaccharides *N*-liés semble identique jusqu'à la Réaction 4 de la Fig. 23-17, de sorte qu'ils ont tous en commun le noyau (*N*-acétylglucosamine)$_2$(mannose)$_3$ (cinq résidus mannose ne faisant pas partie du noyau sont ensuite éliminés de la protéine G du VSV ; Fig. 23-19, Réactions 1 et 3). La diversité des oligosaccharides *N*-liés provient donc de divergences de cette séquence d'événements après la Réaction 3 de la Fig. 23-19. Les oligosaccharides résultants sont classés en trois groupes :

1. Les **oligosaccharides riches en mannose** (Fig. 23-20*a*), qui contiennent 2 à 9 résidus mannose reliés au noyau pentasaccharidique commun (les résidus en rouge dans la Fig. 23-20).

2. Les **oligosaccharides complexes** (Fig. 23-20*b*), qui présentent un nombre variable d'unités *N*-acétyllactosamine ainsi que des résidus d'acide sialique et/ou de fucose liés au noyau.

3. Les **oligosaccharides hybrides** (Fig. 23-20*c*), formés d'éléments des deux premiers groupes.

On ne sait pas comment s'établit la relation entre les différents types d'oligosaccharides et la fonction et/ou la localisation cellulaire finale de leurs glycoprotéines. Cependant, les glycoprotéines lysosomiales semblent appartenir au groupe riche en mannose.

h. L'utilisation d'inhibiteurs a facilité l'étude de la glycosylation *N*-liée

L'élucidation des étapes du processus de glycosylation a été grandement facilitée par l'utilisation d'inhibiteurs qui bloquent spécifiquement des enzymes de la glycosylation. Parmi les plus utiles on trouve deux antibiotiques : la **tunicamycine** (Fig. 23-21*a*), un analogue hydrophobe de l'UDP-*N*-acétylglucosamine, et la **bacitracine** (Fig. 23-22), un polypeptide cyclique. Ils ont été découverts en raison de leur faculté à inhiber la biosynthèse de la paroi cellulaire bactérienne, mécanisme mettant en jeu des oligosaccharides liés à des lipides. La tunicamycine bloque la formation des dolichol-PP-oligosaccharides en inhibant la synthèse de la dolichol-PP-*N*-acétylglucosamine à partir de dolichol-P et d'UDP-*N*-acétylglucosamine (Fig. 23-15, Réaction 1). La tunicamycine ressemble à un adduit de ces substrats (Fig. 23-21*b*) et, de fait, se lie à l'enzyme avec une constante de dissociation de $7 \times 10^{-9}M$.

La bacitracine forme avec le dolichol-PP un complexe qui inhibe sa déphosphorylation (Fig. 23-15, Réaction 12), empêchant ainsi la synthèse de glycoprotéines à partir de précurseurs oligo-

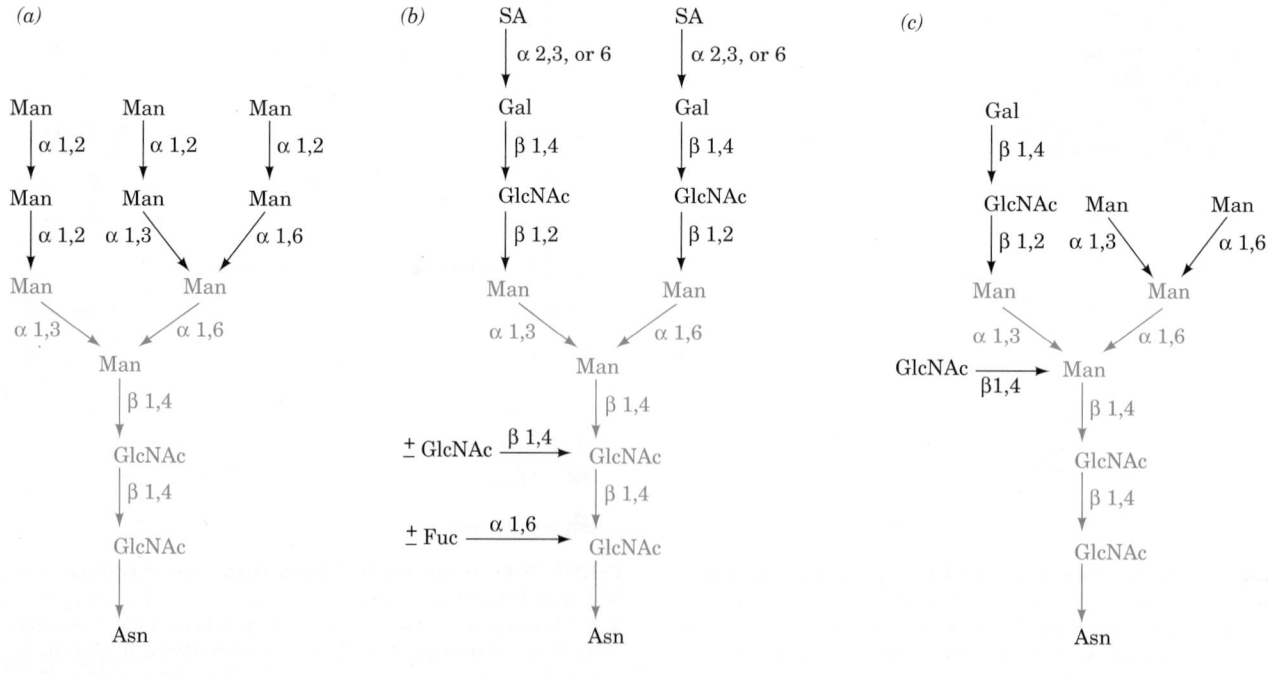

Riche en mannose **Complexe** **Hybride**

FIGURE 23-20 Types d'oligosaccharides *N*-liés. Structures primaires caractéristiques d'oligosaccharides *N*-liés (*a*) riches en mannose, (*b*) complexes, et (*c*) hybrides. Le noyau pentasaccharidique commun à tous les oligosaccharides *N*-liés est représenté en rouge. [D'après Kornfeld, R. et Kornfeld, S., *Annu. Rev. Biochem.* **54**, 633 (1985).]

FIGURE 23-21 Structure chimique de la tunicamycine. Comparaison des structures chimiques de (*a*) la tunicamycine, un inhibiteur de glycosylation et (*b*) le dolichol-P + l'UDP-*N*-acétylglucosamine.

(*a*)

Tunicamycine

(*b*)

Dolichol phosphate

UDP-*N*-Acétylglucosamine

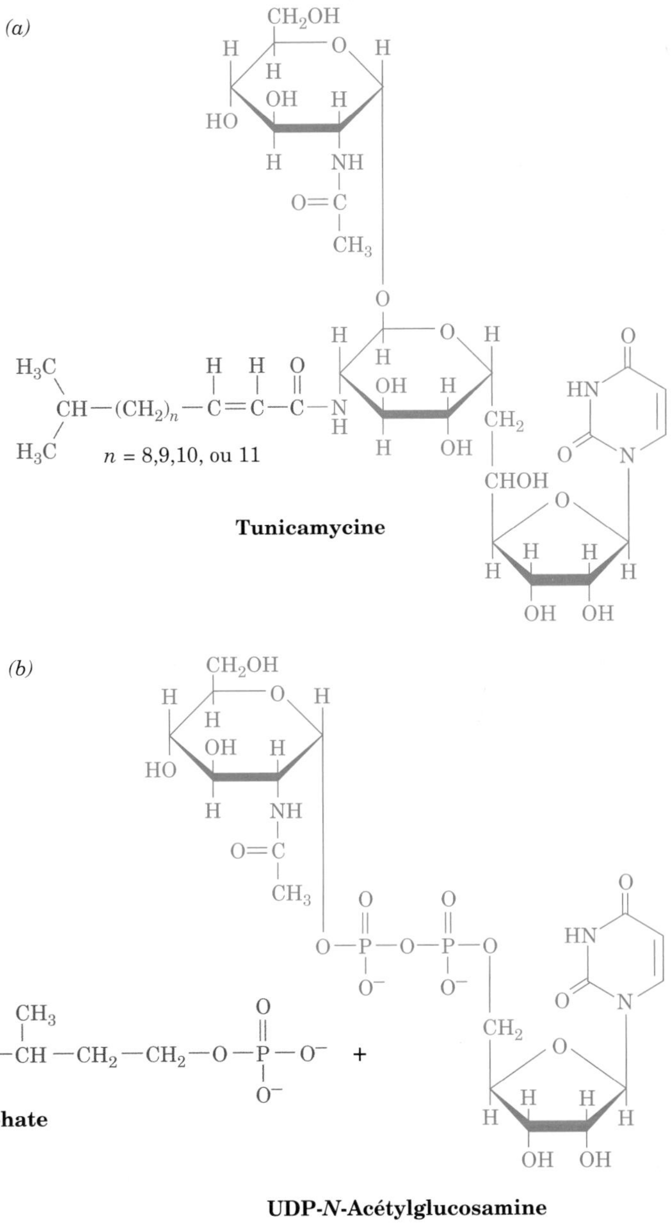

saccharidiques liés à un lipide. La bacitracine est utilisée contre certaines maladies parce qu'elle détruit les parois des cellules bactériennes sans affecter les cellules animales car elle ne peut traverser les membranes cellulaires (la biosynthèse de la paroi cellulaire bactérienne est un processus extracellulaire).

i. Les oligosaccharides *O*-liés sont formés après la traduction

L'étude de la biosynthèse de la **mucine**, une glycoprotéine *O*-liée sécrétée par les glandes salivaires sous-maxillaires, a montré que *les oligosaccharides O-liés sont synthétisés dans l'appareil de*

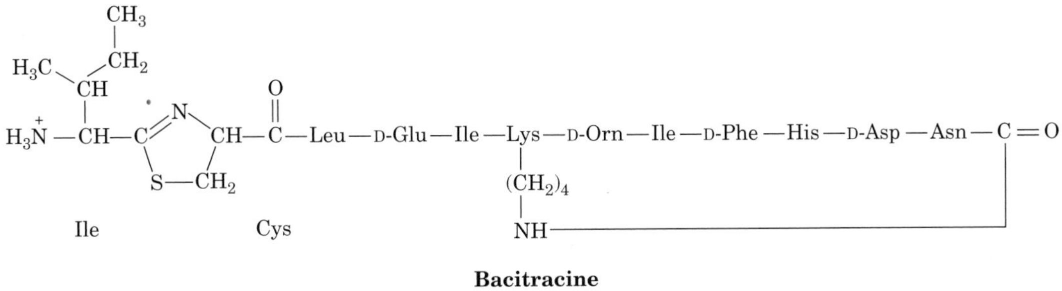

Bacitracine

FIGURE 23-22 Structure chimique de la bacitracine. Noter que ce dodécapeptide a quatre résidus de D-aminoacide et deux liaisons intraca-

ténaires anormales. « Orn » symbolise le résidu ornithine, acide aminé non protéique (Fig. 4-22).

Golgi par additions successives d'unités monosaccharidiques à une chaîne polypeptidique achevée (Fig. 23-23). La synthèse commence par le transfert de *N*-acétylgalactosamine (GalNAc) depuis l'UDP-GalNAc à un résidu Ser ou Thr du polypeptide catalysé par la **GalNAc transférase**. Contrairement aux oligosaccharides *N*-liés, qui sont transférés à une Asn se trouvant dans une séquence d'acides aminés spécifique, les résidus Ser et Thr *O*-glycosylés ne font pas partie d'une séquence commune. On pense plutôt que les sites de glycosylation sont déterminés par les structures secondaire et tertiaire du polypeptide. La glycosylation se poursuit par additions successives de galactose, d'acide sialique, de *N*-acétylglucosamine et/ou de fucose catalysées par les glycosyltransférases correspondantes.

j. Les oligosaccharides des glycoprotéines servent de sites de reconnaissance

Les glycoprotéines synthétisées dans le réticulum endoplasmique et arrivées à maturation dans l'appareil de Golgi sont soit sécrétées, soit insérées dans des membranes cellulaires, soit incorporées dans des organites intracellulaires comme les lysosomes. Cela suggère que *les motifs oligosaccharidiques servent de marqueurs de reconnaissance pour ce processus d'aiguillage.* Par

exemple, l'étude de la maladie dite des inclusions (I-cell disease ; Section 12-4C) a montré que les enzymes glycoprotéiques destinées aux lysosomes ont un résidu mannose qui est phosphorylé en mannose-6-phosphate (M6P) dans les citernes cis du Golgi. Cette transformation met en jeu deux enzymes (Fig. 23-19, Réactions I et II) qui reconnaîtraient les formes précurseur des enzymes lysosomiales grâce à plusieurs caractéristiques structurales de ces protéines plutôt que par la présence d'une séquence d'acides aminés spécifique. Dans le trans-Golgi, les glycoprotéines porteuses de M6P sont triées dans des vésicules tapissées liées à des lysosomes. Ce tri implique leur liaison spécifique à l'un des deux récepteurs du M6P, l'un d'eux étant une glycoprotéine membranaire de 275 kD appelée **récepteur M6P/IGF-II** (car on a montré que ce récepteur du M6P est la même protéine que le **récepteur du facteur de croissance II de type insuline** ; en anglais : insulinlike growth factor II receptor). Les personnes atteintes de cette maladie des inclusions ne possèdent pas l'enzyme qui catalyse la phosphorylation du mannose (Fig. 23-19, Réaction I), ce qui se traduit par la sécrétion des enzymes normalement localisées dans les lysosomes.

Les antigènes des groupes sanguins ABO (Section 12-3E) sont des glycoprotéines *O*-liées. Leurs oligosaccharides caractéristiques sont des constituants de lipides de la surface cellulaire et de protéines que l'on trouve dans différentes sécrétions comme la salive. Ces oligosaccharides sont des sites de reconnaissance par les anticorps.

On pense que les glycoprotéines interviennent dans les reconnaissances entre cellules. Par exemple, un oligosaccharide *O*-lié d'une glycoprotéine qui recouvre la surface de l'ovule de souris (zona pellucida) sert de récepteur au spermatozoïde. Même si cet oligosaccharide est détaché de sa protéine, il garde la faculté de se lier au spermatozoïde de souris.

k. Protéines liées au GPI

Les groupements **glycosylphosphatidylinositol (GPI)** permettent d'ancrer de nombreuses protéines à la surface externe de la membrane plasmique des cellules eucaryotes, solution alternative à l'existence de domaines polypeptidiques transmembranaires (Section 12-3B ; Fig. 12-30). Cet ancrage résulte d'une transamidation d'un glycolipide GPI préformé, moins d'une minute après la synthèse et le transfert d'une protéine cible dans le RE. La biosynthèse du noyau central du GPI (Fig. 23-24*a*) commence du côté cytoplasmique du RE par le transfert de *N*-acétylglucosamine à partir

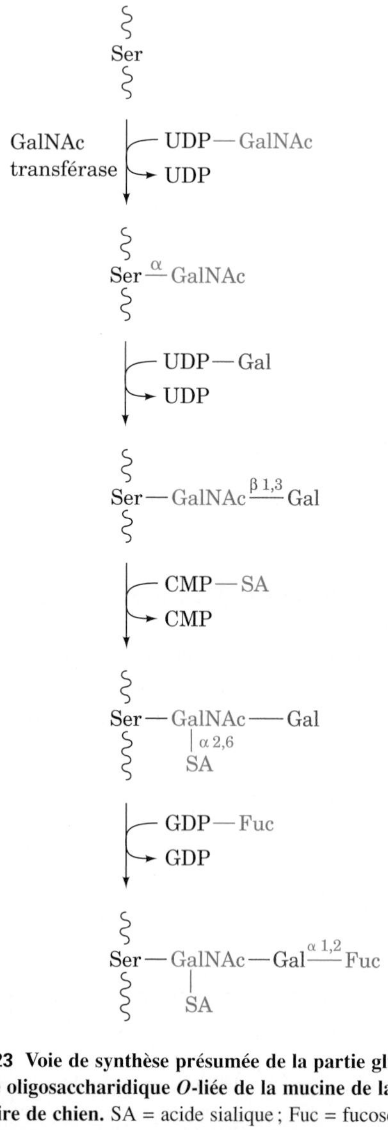

FIGURE 23-23 Voie de synthèse présumée de la partie glucidique d'une chaîne oligosaccharidique *O*-liée de la mucine de la glande sous-maxillaire de chien. SA = acide sialique ; Fuc = fucose.

FIGURE 23-24 Ancres GPI. *(Page opposée)* (*a*) Synthèse du noyau tétrasaccharidique du glycosylphosphatidylinositol (GPI). Les enzymes et étapes suivantes sont impliquées : (**1**) Complexe UDP–GlcNAc:PI α1→6 *N*-acétylglucosaminyltransférase, (**2**) GlcNAc–PI de-*N*-acétylase, (**3**) inositol acyltransférase, (**4**) Dol-P-Man:GlcN–PI/GlcN–(acyl)PI α1→4 mannosyltransférase (MT-I), (**5**) une éthanolamine phosphotransférase, (**6**) Dol-P–Man:Man$_1$GlcN–(acyl)PI α1→6 mannosyltransférase (MT-II), (**7**) Dol-P–Man:Man$_2$GlcN–(acyl)PI α1→2 mannosyltransférase (MT-III), (**8**) remaniement de la partie lipidique (remplacement des groupements d'acide gras sur le PI), et (**9**) transfert de phosphoéthanolamine à partir de phosphatidyléthanolamine sur l'hydroxyle en C6 du résidu mannose terminal du noyau tétrasaccharidique par une éthanolamine phosphotransférase. (*b*) Transamidation de la protéine cible par formation d'une liaison amide C-terminale avec l'ancre GPI.

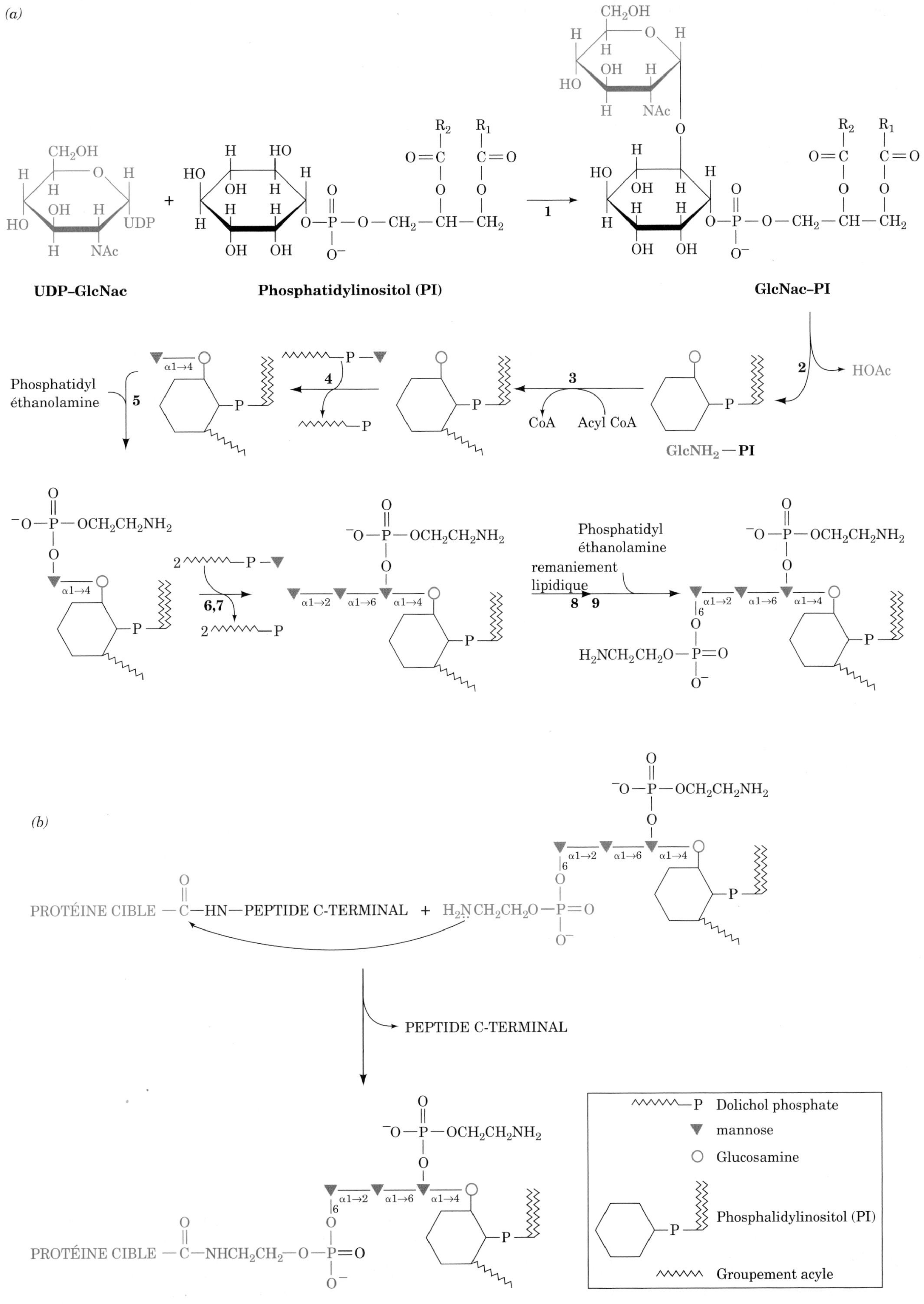

(a)

CH₂OH ... UDP–GlcNac + Phosphatidylinositol (PI) →(1)→ GlcNac–PI

Phosphatidyl éthanolamine (5) ← (4) ← (3) ←(2)→ HOAc

GlcNH₂—PI

CoA   Acyl CoA

(6,7)

Phosphatidyl éthanolamine remaniement lipidique (8) (9) →

(b)

PROTÉINE CIBLE —C—HN—PEPTIDE C-TERMINAL + H₂NCH₂CH₂O—P=O

→ PEPTIDE C-TERMINAL

PROTÉINE CIBLE —C—NHCH₂CH₂—O—P=O

∿∿∿—P	Dolichol phosphate
▼	mannose
○	Glucosamine
⬡‖P	Phosphalidylinositol (PI)
∿∿∿	Groupement acyle

d'UDP-*N*-acétylglucosamine (UDP–GlcNAc) sur l'hydroxyle en position 6 de l'inositol du phosphatidylinositol, suivi de l'enlèvement du groupement acétyle. Vient ensuite, chez les mammifères, l'acylation de l'inositol en position 2, la translocation du produit du côté luminal du RE, puis l'addition de mannose à partir de dolichol-P-mannose (dol-P-man ; Fig. 23-15) et de phosphoéthanolamine à partir de phosphatidyléthanolamine (Tableau 12-2), comme le montre la Fig. 23-24*a*. Ce noyau est ensuite modifié par plusieurs additions de résidus de sucre selon les espèces et la protéine à laquelle il est attaché. Il y a une très grande diversité dans la nature des résidus d'acides gras des ancres GPI, en raison du renouvellement important en lipides durant la synthèse de l'ancre GPI. Les protéines cibles sont ancrées à la surface de la membrane suite à l'attaque nucléophile d'un groupement aminoacyle spécifique de la protéine proche de son extrémité C-terminale par le groupement amino du résidu phosphoéthanolamine du GPI, ce qui permet une transamidation qui libère un peptide signal hydrophobe de 20 à 30 résidus C-terminal (Fig. 23-24*b*). Les groupements GPI étant liés à des protéines sur le côté luminal du RER, les protéines ancrées au GPI se projettent sur la face externe de la membrane plasmique (Fig. 12-53). Cependant, elles sont distribuées inégalement dans le feuillet externe de la membrane plasmique en raison de leur association préférentielle avec des radeaux de sphingolipides-cholestérol (Section 12-3C).

La structure du noyau GPI a été conservée au cours de l'évolution chez tous les eucaryotes, malgré des différences dans sa voie de synthèse entre les espèces. Par exemple, la surface cellulaire des trypanosomes qui provoquent la maladie du sommeil africaine (maladie débilitante et souvent mortelle qui affecte des millions de personnes en Afrique sub-saharienne) est recouverte d'une **glycoprotéine de surface variante (VSG)** associée à la membrane plasmique par une ancre GPI. Cette couverture de VSG dissimule la membrane plasmique du trypanosome vis-à-vis du système immunitaire de l'hôte, bien qu'il reconnaisse et attaque la VSG elle-même. Le parasite est néanmoins capable d'échapper aux défenses immunitaires de l'hôte car il possède un répertoire génétique d'environ mille VSG immunologiquement distinctes. Un trypanosome donné n'exprime qu'un des ses gènes VSG, si bien que l'hôte peut monter, en à peu près une semaine, une attaque immunologique efficace contre la population majoritaire de VSG (Section 35-2A). Cependant, en exprimant d'autres gènes VSG, une nouvelle population de trypanosomes prend le dessus jusqu'à la nouvelle réponse immunitaire suivante, un cycle qui se répète jusqu'à la mort de l'hôte. La comparaison de la voie de biosynthèse du GPI des trypanosomes avec celle des mammifères a montré plusieurs différences, comme l'inversion des Étapes 3 et 4 de la Fig. 23-23*a* chez les trypanosomes. Ces différences, et d'autres concernant la spécificité de substrats des enzymes de cette voie, ont ouvert des pistes pour la mise au point de médicaments contre la maladie du sommeil.

4 ■ VOIE DES PENTOSES PHOSPHATE

L'ATP est la « monnaie énergétique » de la cellule ; son hydrolyse exergonique est couplée à des fonctions cellulaires qui seraient endergoniques sans elle. *Les cellules ont une deuxième « monnaie », la puissance réductrice.* De nombreuses réactions endergoniques, en particulier la biosynthèse réductrice des acides

gras (Section 25-4) et du cholestérol (Section 25-6A), ainsi que la photosynthèse (Section 24-3A), ont besoin de NADPH en plus de l'ATP. Malgré leur analogie chimique évidente, *le NADPH et le NADH ne sont pas métaboliquement interchangeables* (se rappeler que ces coenzymes ne diffèrent que par la présence d'un groupement phosphate en 2'-OH de la partie adénosine du NADPH ; Fig. 13-2). Alors que le NADH participe à la synthèse de l'ATP en utilisant l'énergie libre provenant de l'oxydation de métabolites (les phosphorylations oxydatives), *le NADPH permet l'utilisation de l'énergie libre issue de l'oxydation de métabolites pour des biosynthèses réductrices qui seraient endergoniques sans elle.* Cette distinction est possible en raison de la très grande spécificité, vis-à-vis de leurs coenzymes respectifs, des déshydrogénases intervenant dans le métabolisme oxydatif et le métabolisme réducteur. Normalement, les cellules maintiennent leur rapport [NAD$^+$]/[NADH] proche de 1000, ce qui favorise l'oxydation de métabolites, tandis que leur rapport [NADP$^+$]/[NADPH] est maintenu proche de 0,01, favorisant ainsi la réduction de métabolites.

Le NADPH est formé par l'oxydation du G6P par une autre voie que la glycolyse, la **voie des pentoses phosphate** *[appelée aussi* **shunt des hexoses monophosphate (HMP)** *ou* **voie du phosphogluconate** *; Fig. 23-25]. Cette voie produit également le ribose-5-phosphate (R5P), un précurseur essentiel pour la synthèse des nucléotides (Sections 28-1, 28-2 et 28-5).* La première preuve de l'existence de cette voie fut obtenue dans les années 1930 par Otto Warburg, qui découvrit le NADP$^+$ alors qu'il étudiait l'oxydation du G6P en 6-phosphogluconate. Des preuves supplémentaires vinrent du fait que des tissus continuent à respirer en présence de fortes concentrations en ion fluorure, qui, rappelons-le, bloque la glycolyse au niveau de l'énolase (Section 17-2I). Cependant, ce n'est que dans les années 1950 que la voie des pentoses phosphate fut élucidée par Frank Dickens, Bernard Horecker, Fritz Lipmann et Efraim Racker. Les tissus qui assurent la biosynthèse des acides gras et du cholestérol (le foie, les glandes mammaires, le tissu adipeux et les corticosurrénales) sont particulièrement riches en enzymes de la voie des pentoses phosphate. Ainsi, environ 30 % de l'oxydation du glucose dans le foie est assurée par cette voie.

La réaction globale de la voie des pentoses phosphate est :

3G6P + 6NADP$^+$ + 3H$_2$O $\rightleftharpoons$

6NADPH + 6H$^+$ + 3CO$_2$ + 2F6P + GAP

Cependant, on peut distinguer trois phases dans la voie :

1. Des réactions d'oxydation (Fig. 23-25, Réactions 1-3), qui donnent du NADPH et du **ribulose-5-phosphate (Ru5P).**

3G6P + 6NADP$^+$ + 3H$_2$O $\rightarrow$

6NADPH + 6H$^+$ + 3CO$_2$ + 3Ru5P

2. Des réactions d'isomérisation et d'épimérisation (Fig. 23-25, Réactions 4 et 5), qui transforment le Ru5P en **ribose-5-phosphate (R5P)** ou en **xylulose-5-phosphate (Xu5P).**

3Ru5P $\rightleftharpoons$ R5P + 2Xu5P

3. Une série de réactions de rupture et de formation de liaisons C—C (Fig. 23-25, Réactions 6-8) qui transforment deux molécules de Xu5P et une molécule de R5P en deux molécules de fructose-

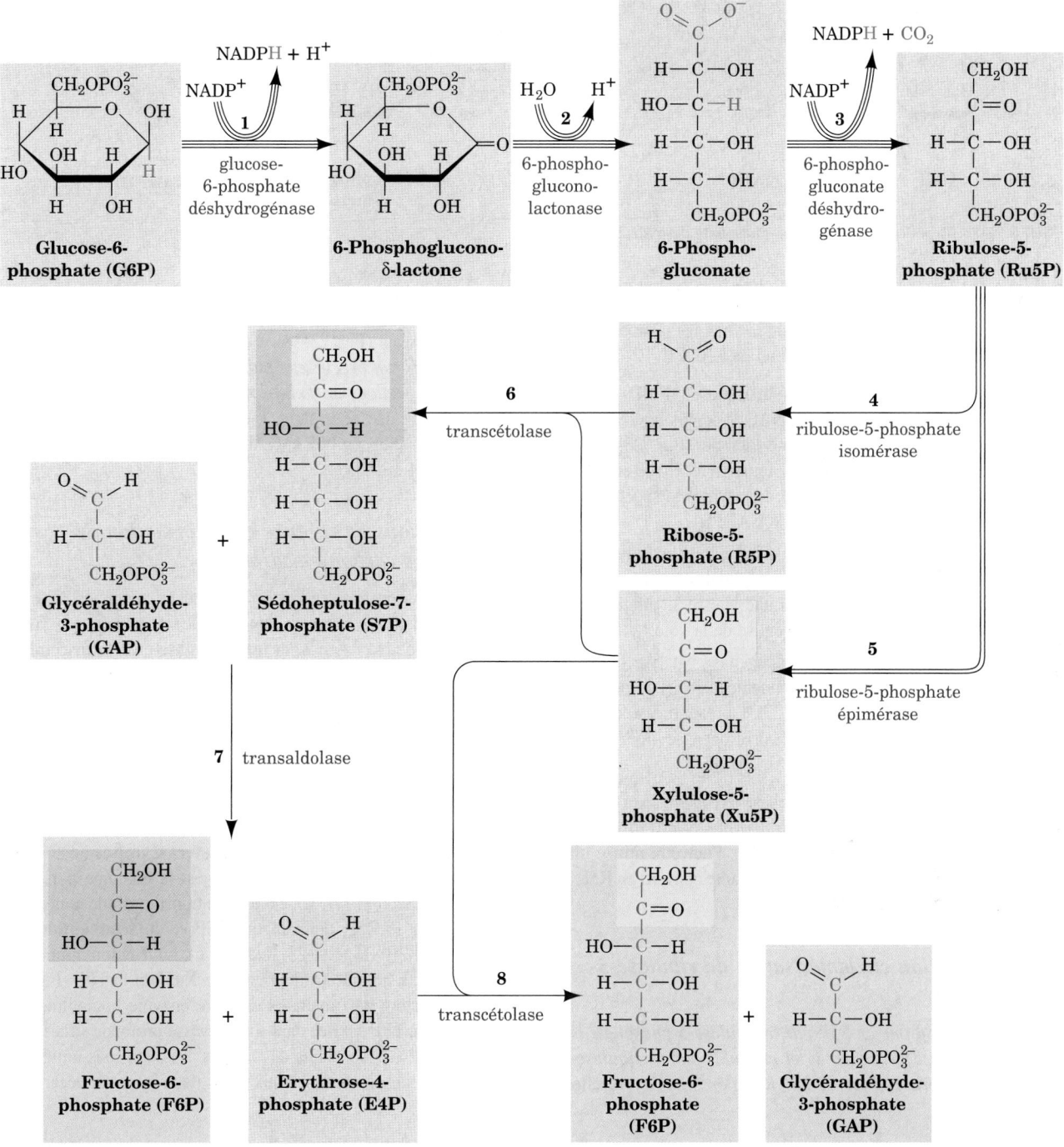

FIGURE 23-25 Voie des pentoses phosphate. Le nombre de lignes dans une flèche représente le nombre de molécules mises en jeu lors d'un tour de la voie afin de transformer trois G6P en trois CO_2, deux F6P et un GAP. Par souci de clarté, les sucres à partir de la Réaction 3 sont donnés en représentation linéaire. Le squelette carboné de R5P et les atomes qui en sont issus sont en rouge et ceux de Xu5P sont en vert. Les unités en C_2 transférées par la transcétolase sont ombrées en vert et les unités en C_3 transférées par la transaldolase sont ombrées en bleu.

6-phosphate (F6P) et une molécule de glycéraldéhyde-3-phosphate (GAP).

$$R5P + 2Xu5P \rightleftharpoons 2F6P + GAP$$

Les réactions des deux dernières phases sont tout à fait réversibles si bien que les produits de la voie varient en fonction des besoins de la cellule. Par exemple, quand du R5P est nécessaire pour la biosynthèse de nucléotides, la Phase 3 s'inverse pour produire, sans réaction oxydative, du R5P à partir de F6P et de GAP. Dans cette section, nous étudierons les trois phases de la voie des pentoses phosphate et le contrôle de cette voie. Nous terminerons en étudiant les conséquences de l'une de ses anomalies.

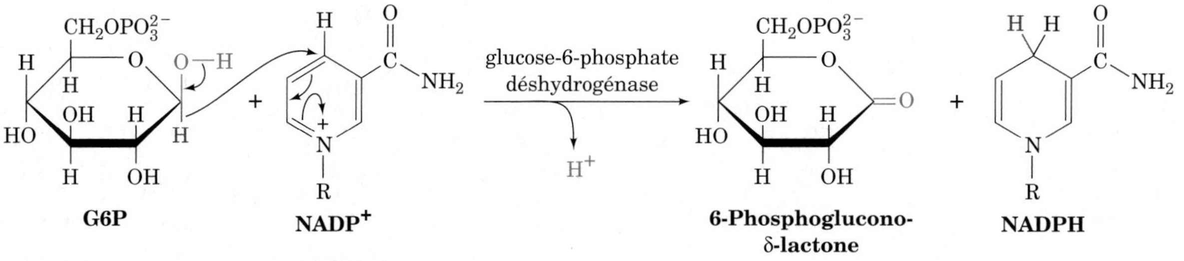

FIGURE 23-26 Réaction de la glucose-6-phosphate déshydrogénase.

A. *Réactions d'oxydation produisant du NADPH*

Seules les trois premières réactions de la voie des pentoses phosphate sont impliquées dans la formation de NADPH.

1. La **glucose-6-phosphate déshydrogénase (G6PD)** catalyse le transfert net d'un ion hydrure au NADP$^+$ depuis le C1 du G6P pour donner la **6-phosphoglucono-δ-lactone** (Fig. 23-26). Le G6P, un hémiacétal cyclique avec une fonction aldéhyde en C1, est oxydé en un ester cyclique (lactone). L'enzyme est spécifique du NADP$^+$ et est fortement inhibée par le NADPH.

2. La **6-phosphogluconolactonase** accélère l'hydrolyse de la 6-phosphoglucono-δ-lactone en **6-phosphogluconate** (en l'absence d'enzyme, la réaction se fait à une vitesse significative), le substrat de la prochaine enzyme oxydative de la voie.

3. La **phosphogluconate déshydrogénase** catalyse la décarboxylation oxydative du 6-phosphogluconate, un acide β-hydroxylé, en Ru5P et CO$_2$ (Fig. 23-27). La réaction est identique à celle catalysée par l'isocitrate déshydrogénase du cycle de l'acide citrique (Section 21-3C).

La formation de Ru5P achève la phase oxydative de la voie des pentoses phosphate. *Il se forme ainsi deux molécules de NADPH par molécule de G6P entrant dans la voie.* Pour être utilisé ultérieurement, le Ru5P formé doit être ensuite converti en R5P ou Xu5P.

B. *Isomérisation et épimérisation du ribulose-5-phosphate*

*Le Ru5P est transformé en R5P par la **ribulose-5-phosphate isomérase** (Fig. 23-25, Réaction 4) et en Xu5P par la **ribulose-5-phosphate épimérase** (Fig. 23-25, Réaction 5). Ces réactions*

d'isomérisation et d'épimérisation, comme nous l'avons vu dans la Section 16-2D, font vraisemblablement intervenir des intermédiaires ènediolate (Fig. 23-28).

Le R5P est un précurseur indispensable à la biosynthèse des nucléotides (Sections 28-1, 28-2 et 28-8). Toutefois, s'il y a plus de R5P formé que nécessaire, l'excès sera transformé, en même temps que le Xu5P, en F6P et GAP, intermédiaires de la glycolyse, comme décrit ci-dessous.

C. *Réactions de rupture et de formation de liaisons carbone—carbone*

La conversion de trois sucres en C$_5$ en deux sucres en C$_6$ et un sucre en C$_3$ fait intervenir un remarquable « tour de passe-passe » catalysé par deux enzymes, la **transaldolase** et la **transcétolase**. Comme nous l'avons vu dans la Section 16-2E, les réactions enzymatiques qui forment ou rompent des liaisons carbone–carbone font généralement intervenir des mécanismes impliquant la formation d'un carbanion stabilisé et son addition à un centre électrophile comme un aldéhyde. C'est effectivement le schéma directeur des réactions de la transaldolase et de la transcétolase.

a. La transcétolase catalyse le transfert d'unités en C$_2$

La transcétolase, dont le cofacteur est la thiamine pyrophosphate (TPP ; Section 17-3B), catalyse le transfert d'une unité en C$_2$ du Xu5P sur le R5P, donnant du GAP et du **sédoheptulose-7-phosphate (S7P)** (Fig. 23-25, Réaction 6). La réaction implique la formation d'un adduit covalent entre le Xu5P et la TPP (Fig. 23-29). La structure par rayons X de cette enzyme homodimérique montre que la TPP est liée dans une crevasse profonde située entre les sous-unités, de sorte que des résidus des deux sous-unités participent à sa liaison, comme dans le cas de la pyruvate décarboxy-

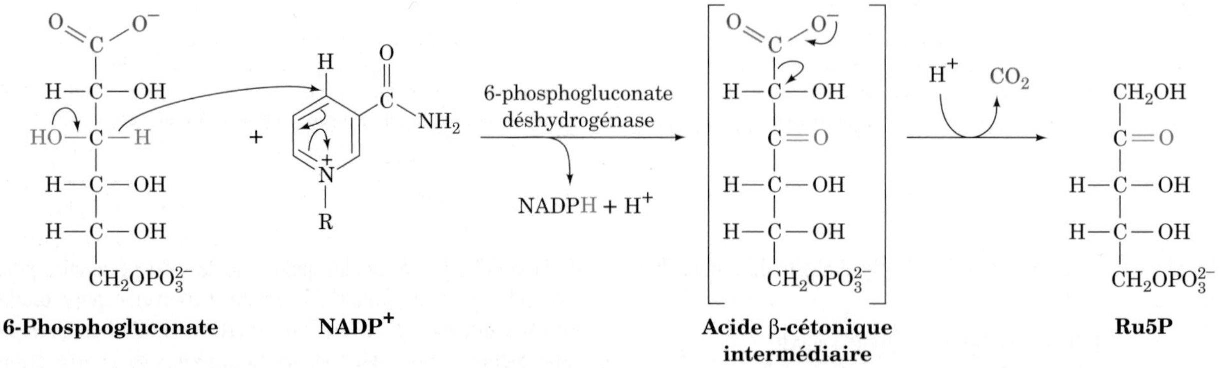

FIGURE 23-27 Réaction de la phosphogluconate déshydrogénase. L'oxydation du groupement OH conduit à la formation d'un acide

β-cétonique qui doit se décarboxyler facilement (bien que l'intermédiaire présumé n'ait pas été isolé).

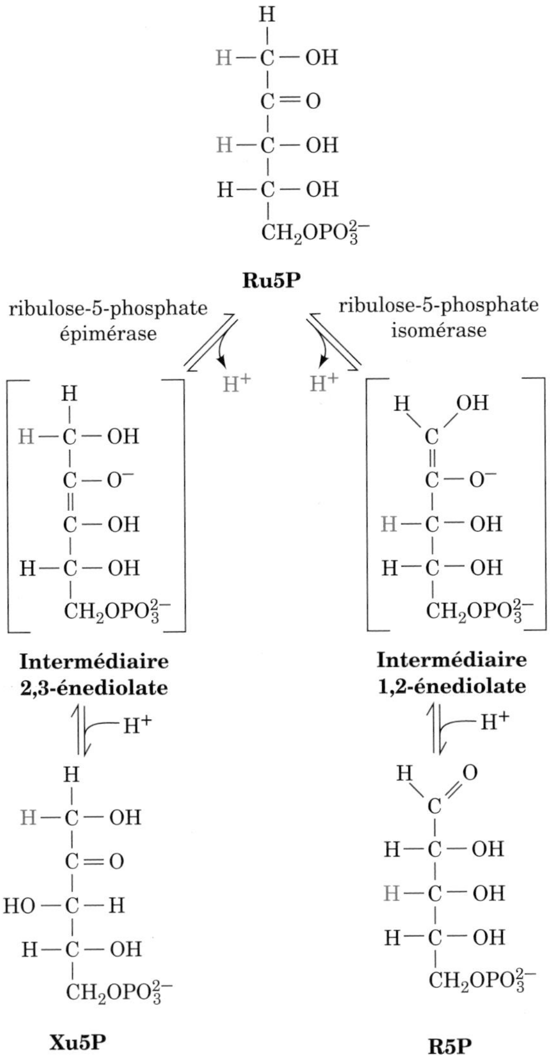

Ru5P

ribulose-5-phosphate épimérase

ribulose-5-phosphate isomérase

Intermédiaire 2,3-ènediolate

Intermédiaire 1,2-ènediolate

Xu5P

R5P

FIGURE 23-28 Réactions de la ribulose-5-phosphate isomérase et de la ribulose-5-phosphate épimérase. Les réactions catalysées par ces deux enzymes impliquent toutes deux la formation d'intermédiaires ènediolate. Dans la réaction de l'isomérase (*à droite*), une base de l'enzyme enlève un proton du C1 de Ru5P pour former un 1,2-ènediolate puis ajoute un proton sur le C2 pour former du R5P. Dans la réaction de l'épimérase (*à gauche*), une base de l'enzyme enlève un proton du C3 ce qui donne un 2,3-ènediolate. Un proton est ensuite ajouté au même carbone mais sa configuration est inversée, donnant ainsi le Xu5P.

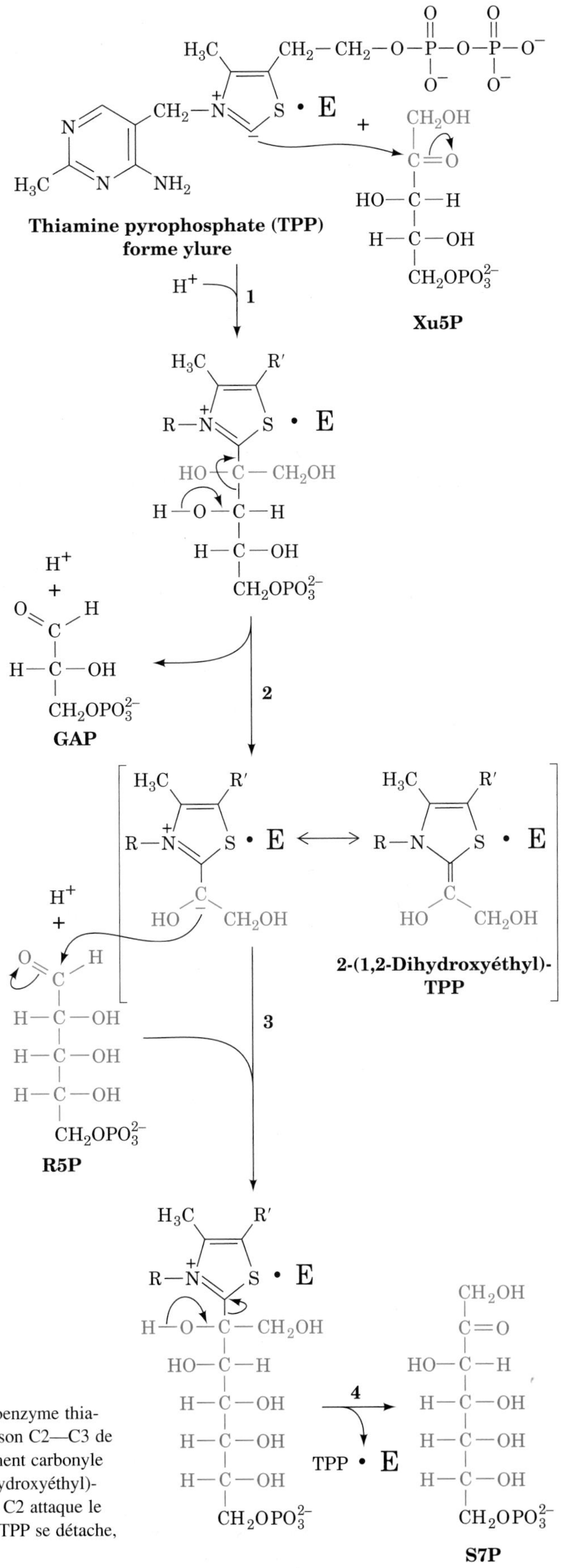

Thiamine pyrophosphate (TPP) forme ylure

Xu5P

GAP

2-(1,2-Dihydroxyéthyl)-TPP

R5P

S7P

FIGURE 23-29 Mécanisme de la transcétolase. La transcétolase utilise le coenzyme thiamine pyrophosphate pour stabiliser le carbanion formé après rupture de la liaison C2—C3 de Xu5P. La réaction se déroule comme suit : (**1**) L'ylure TPP attaque le groupement carbonyle de Xu5P. (**2**) La rupture de la liaison C2—C3 donne du GAP et du 2-(1,2-dihydroxyéthyl)-TPP lié à l'enzyme, un carbanion stabilisé par résonance. (**3**) Le carbanion en C2 attaque le carbone du groupement aldéhyde de R5P, formant un adduit S7P-TPP. (**4**) La TPP se détache, libérant le S7P et régénérant l'enzyme-TPP.

lase (une autre enzyme à TPP ; Fig. 17-28). Les structures des deux enzymes sont tellement semblables qu'il est probable qu'elles sont issues d'un ancêtre commun.

b. La transaldolase catalyse le transfert d'unités en C_3

La transaldolase catalyse le transfert d'une unité en C_3 du S7P au GAP pour donner de l'**érythrose-4-phosphate (E4P)** et du F6P (Fig. 23-25, Réaction 7). La réaction fait intervenir un clivage aldolique qui débute par la formation d'une base de Schiff entre un groupement ϵ-amino d'un résidu Lys essentiel de l'enzyme et le groupement carbonyle de S7P (Fig. 23-30). La transaldolase et l'aldolase de classe I (Section 17-2D) partagent un même mécanisme réactionnel et peut-être un ancêtre commun, même si elles n'ont pas d'identité de séquence évidente. Les deux protéines sont en tonneau α/β (Section 8-3B), mais la Lys formant la base de Schiff est sur $\beta4$ (quatrième segment β à partir de l'extrémité N-terminale) de la transaldolase alors qu'elle est sur $\beta6$ de l'aldolase de classe I. Si l'on superpose la structure en tonneau des deux enzymes, tout en maintenant l'alignement des segments β porteurs des résidus Lys formant la base de Schiff, on obtient une meilleure correspondance qu'en maintenant l'alignement des tonneaux α/β complets. De plus, cinq des paires de résidus du site actif appariés dans la première superposition sont identiques. Ceci suggère que, lors de l'évolution, la séquence d'ADN codant les deux unités α/β a été transposée de l'extrémité N-terminale à l'extrémité C-terminale de l'aldolase de classe I, déplaçant ainsi la Lys du site actif de $\beta6$ à $\beta4$. Cette permutation circulaire des éléments structuraux d'un tonneau α/β ne modifie pas significativement sa structure.

c. Une deuxième réaction catalysée par la transcétolase donne du GAP et une deuxième molécule de F6P

Dans une deuxième réaction de transcétolisation, une unité en C_2 est transférée d'une deuxième molécule de Xu5P à l'E4P pour donner du GAP et une autre molécule de F6P (Fig. 23-25, Réaction 8). La troisième phase de la voie des pentoses phosphate transforme donc deux molécules de Xu5P et une molécule de R5P en deux molécules de F6P et une molécule de GAP. Ces transformations de squelette carboné (Fig. 23-25, Réactions 6-8) sont résumées dans la Fig. 23-31.

D. *Contrôle de la voie des pentoses phosphate*

Les principaux produits de la voie des pentoses phosphate sont le R5P et le NADPH. Les réactions de la transaldolase et de la transcétolase permettent de transformer le R5P en excès en intermédiaires de la glycolyse quand le besoin métabolique en NADPH excède celui du R5P pour la biosynthèse des nucléotides. Le GAP

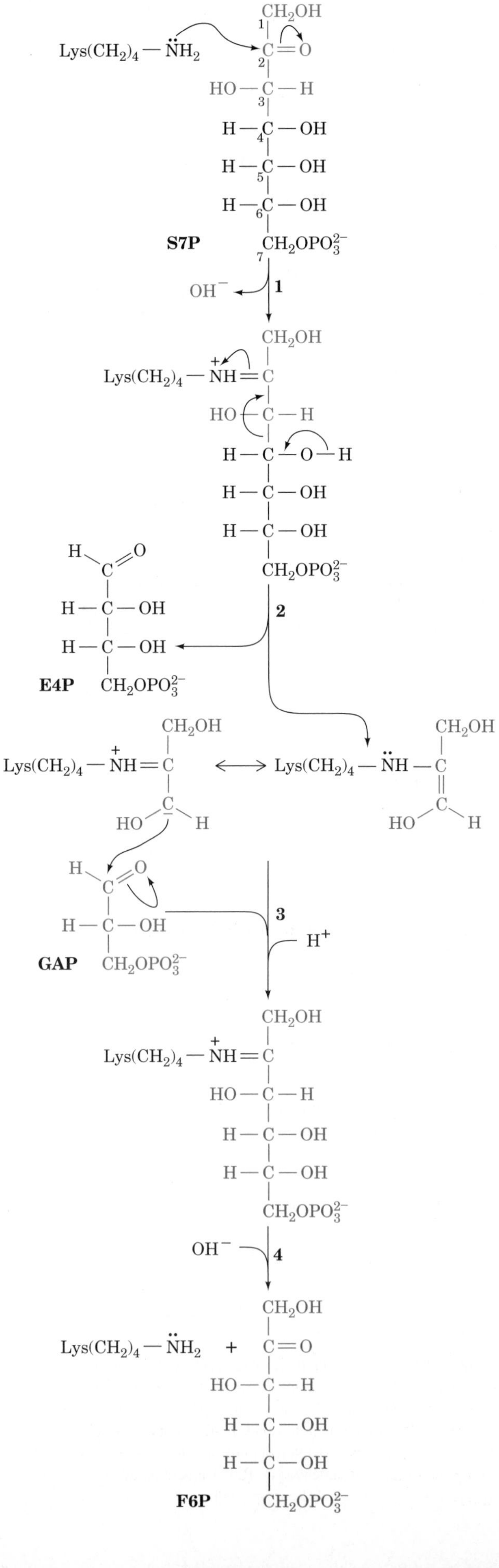

FIGURE 23-30 Mécanisme de la transaldolase. La transaldolase contient un résidu Lys essentiel qui forme une base de Schiff avec le S7P qui facilite la réaction de scission aldolique. La réaction se déroule comme suit : (**1**) Le groupement ϵ-aminé du résidu Lys forme une base de Schiff avec le groupement carbonyle de S7P. (**2**) Un carbanion en C3 stabilisé par une base de Schiff se forme après la réaction de scission aldolique entre C3 et C4, et libération d'E4P. (**3**) Le carbanion stabilisé par résonance lié à l'enzyme s'ajoute à l'atome de carbone du groupement carbonyle du GAP, donnant ainsi le F6P lié à l'enzyme par une base de Schiff. (**4**) La base de Schiff est hydrolysée, régénérant l'enzyme sous sa forme active et libérant le F6P.

(6) $\quad C_5 + C_5 \;\rightleftharpoons\; C_7 + C_3$

(7) $\quad C_7 + C_3 \;\rightleftharpoons\; C_6 + C_4$

(8) $\quad \underline{C_5 + C_4 \;\rightleftharpoons\; C_6 + C_3}$

(Somme) $\;\; 3\,C_5 \;\rightleftharpoons\; 2\,C_6 + C_3$

FIGURE 23-31 Résumé des réarrangements du squelette carboné dans la voie des pentoses phosphate. Formations et ruptures de liaisons carbone–carbone transforment trois sucres en C_5 en deux sucres en C_6 et un en C_3. Le nombre à gauche de chaque réaction renvoie à la réaction correspondante de la Fig. 23-25.

et le F6P formés peuvent être dégradés par les voies de la glycolyse et des phosphorylations oxydatives, ou recyclés par la gluconéogenèse pour former du G6P. *Dans ce dernier cas, 1 molécule de G6P peut être transformée, par l'intermédiaire de 6 cycles de la voie des pentoses phosphate et de la gluconéogenèse, en 6 molécules de CO_2 avec formation concomitante de 12 molécules de NADPH.* Quand les besoins en R5P dépassent ceux en NADPH, le F6P et le GAP peuvent permettre la synthèse de R5P par les réactions en sens inverse de la transaldolase et de la transcétolase, plutôt que d'alimenter la glycolyse. De fait, une analyse, par spectrométrie de masse, des carbones marqués au ^{13}C issus de [1,2–^{13}C]glucose et incorporés dans l'ARN de cellules cancéreuses en prolifération active a montré que plus de ~70 % de la synthèse *de novo* de ribose provient de cette inversion non oxydative de la voie des pentoses phosphate (plutôt que de la voie dans sa direction normale).

Le flux à travers la voie oxydative des pentoses phosphate, et donc la vitesse de formation de NADPH, est contrôlé par la vitesse de la réaction catalysée par la G6P déshydrogénase (Fig. 23-25, Réaction 1). L'activité de cette enzyme, qui catalyse la première réaction d'engagement de la voie des pentoses phosphate ($\Delta G = -17{,}6$ kJ·mol^{-1} dans le foie), est régulée par la concentration en NADP$^+$ (disponibilité en substrat). Quand la cellule consomme du NADPH, la concentration en NADP$^+$ augmente, ce qui augmente la vitesse de la réaction catalysée par la G6P déshydrogénase, stimulant ainsi la régénération de NADPH.

E. Déficience en glucose-6-phosphate déshydrogénase

Le NADPH est nécessaire à plusieurs réactions de réduction en plus des biosynthèses déjà évoquées. Par exemple, l'intégrité de la membrane de l'érythrocyte a un besoin important de glutathion réduit (GSH), un tripeptide contenant Cys (Sections 21-2B et 26-4C). Une des principales fonctions du GSH dans l'érythrocyte est d'éliminer H_2O_2 et les hydroperoxydes organiques. H_2O_2, produit toxique issu de réactions d'oxydation, réagit avec les doubles liaisons de résidus d'acides gras dans la membrane cellulaire de l'érythrocyte pour former des hydroperoxydes organiques. Ceux-ci, à leur tour, entraînent la rupture de liaisons C—C d'acides gras, endommageant ainsi la membrane. Dans les érythrocytes, l'accumulation non contrôlée de peroxydes provoque une lyse prématurée de la cellule. Les peroxydes sont éliminés sous l'action de la **glutathion peroxydase**, l'une des rares enzymes dont le cofacteur

est le sélénium, pour donner du disulfure de glutathion (glutathion oxydé ou GSSG).

$$2\text{GSH} + \text{R}-\text{O}-\text{O}-\text{H} \xrightarrow{\text{glutathione peroxydase}} \text{GSSG} + \text{ROH} + H_2O$$
Hydroperoxide organique

Le GSH est ensuite régénéré par réduction du GSSG par le NADPH catalysée par la glutathion réductase (Section 21-2B).

$$\text{GSSG} + \text{NADPH} + \text{H}^+ \xrightarrow{\text{glutathion réductase}} 2\text{GSH} + \text{NADP}^+$$

Un apport constant en NADPH est donc vital pour l'intégrité des érythrocytes.

a. La primaquine entraîne une anémie hémolytique chez des personnes déficientes en glucose-6-phosphate déshydrogénase

Une anomalie génétique fréquente dans les populations d'Afrique, d'Asie et du pourtour méditerranéen, se traduit par une anémie hémolytique sévère après infection ou après administration de certains médicaments dont la **primaquine**, médicament contre la malaria.

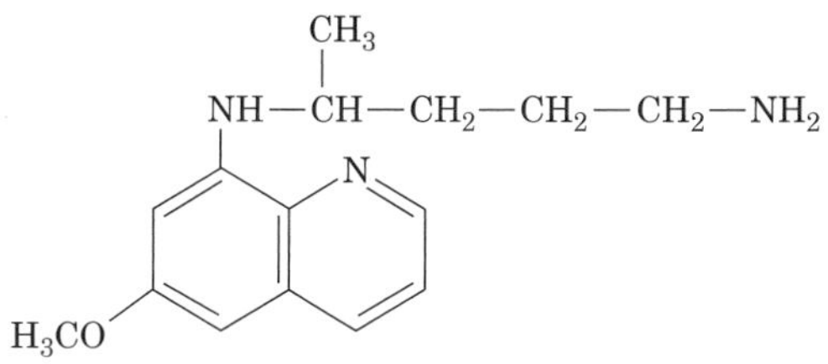

Primaquine

Des effets identiques, connus sous le nom de **favisme**, se produisent quand des personnes porteuses de cette anomalie mangent des **fèves** (*Vicia faba*), un aliment de base au Moyen-Orient, qui contient de faibles quantités de glycosides toxiques. On a montré que l'anomalie a pour origine une modification du gène de la glucose-6-phosphate déshydrogénase (G6PD). Dans les cas les plus fréquents, les érythrocytes mutants ont une activité enzymatique suffisante pour fonctionner normalement. Toutefois, des agents comme la primaquine et les fèves stimulent la formation de peroxydes, augmentant ainsi les besoins en NADPH que les cellules mutantes ne peuvent assurer.

La raison principale de cette faible activité enzymatique dans les cellules affectées semble être une accélération de la vitesse de dégradation de l'enzyme mutée (la dégradation protéique est étudiée dans la Section 32-6). Cela explique pourquoi les patients ayant une G6PD déficiente sont sujets à une anémie hémolytique après administration de primaquine et qu'ils « guérissent » en moins d'une semaine même s'ils continuent le traitement. Les érythrocytes matures n'ont pas de noyaux ni la machinerie qui permet la synthèse protéique et, par conséquent, ils ne peuvent synthétiser de nouvelles molécules d'enzymes pour remplacer les molécules endommagées (pour la même raison, ils ne peuvent synthétiser de nouveaux composants membranaires, ce qui explique qu'ils soient si sensibles, en premier lieu, aux dommages membranaires). Les premiers traitements à la primaquine provoquent la lyse des globules rouges anciens dont la G6PD anormale est déjà très dégradée. Les produits de la lyse stimulent l'arrivée de jeunes globules rouges plus riches en enzyme et donc mieux aptes à faire face au stress de la primaquine.

On estime à environ 400 millions le nombre de personnes déficientes en G6PD, ce qui en fait l'enzymopathie humaine la plus fréquente. De fait, environ 400 variants de la G6PD ont été décrits et au moins 125 ont été caractérisés au plan moléculaire. L'activité de la G6PD dépend d'un équilibre dimère-tétramère. Nombre des sites mutés chez les individus le plus sévèrement atteints sont à l'interface du dimère, ce qui déplace l'équilibre en faveur du monomère inactif et instable.

Plusieurs variantes de G6PD sont très fréquentes. Par exemple, l'anomalie de type A⁻, qui n'a que 10 % d'activité G6PD par rapport à la normale, atteint 11 % de la population noire américaine. Cette variante est aussi la plus commune en Afrique sub-saharienne. La variante « Méditerranéenne » est décrite tout autour de la Méditerranée et au Moyen-Orient et elle touche 65 % des juifs Kurdes, la population la plus affectée. Le fait que les déficits en G6PD sont prépondérants dans les régions du globe où sévit la malaria, suggère que de telles mutations confèrent la résistance au parasite responsable de la malaria, *Plasmodium falciparum* (nous avons vu que c'était aussi le cas du trait drépanocytaire ; Section 7-3A). Effectivement, deux études épidémiologiques portant sur plus de 2000 enfants africains porteurs de l'anomalie de type A⁻ ont montré que cette déficience est associée à une réduction de ~50 % du risque de malaria sévère chez les filles hétérozygotes et les garçons hémizygotes (la déficience en G6PD est un caractère lié à X).

D'après des études *in vitro*, les érythrocytes ayant un déficit en G6PD sont des hôtes moins appropriés au parasite que les cellules normales car celui-ci a besoin des produits de la voie des pentoses phosphate et/ou parce que l'érythrocyte est lysé avant que le parasite ne soit mûr. Ainsi, tout comme pour le trait drépanocytaire (Section 7-3A), *un déficit en G6PD confère un avantage sélectif à des personnes vivant dans des zones où la malaria est endémique.*

RÉSUMÉ DU CHAPITRE

1 ■ Gluconéogenèse Le lactate, le pyruvate, les intermédiaires du cycle de l'acide citrique et de nombreux acides aminés peuvent être transformés en glucose, avec formation intermédiaire d'oxaloacétate, via la gluconéogenèse. Pour ce faire, les trois réactions irréversibles de la glycolyse doivent être contournées. La réaction de la pyruvate kinase est contournée par transformation du pyruvate en oxaloacétate au cours d'une réaction ATP-dépendante catalysée par la pyruvate carboxylase, enzyme à biotine. L'oxaloacétate est ensuite décarboxylé et phosphorylé en PEP en présence de GTP sous l'action de la PEPCK. Chez les organismes où la PEPCK est cytosolique, l'oxaloacétate doit être transporté de la mitochondrie au cytosol sous la forme intermédiaire de malate ou d'aspartate. La transformation en malate s'accompagne du transport au cytosol d'équivalents réducteurs sous forme de NADH. Les deux autres réactions irréversibles de la glycolyse, les réactions de la PFK et de l'hexokinase, sont contournées par la simple hydrolyse de leurs produits, FBP et G6P, respectivement par la FBPase et la glucose-6-phosphatase. Une molécule de glucose peut ainsi être synthétisée à partir de pyruvate aux dépens de quatre molécules d'ATP de plus que n'en forme le processus inverse. La glycolyse et la gluconéogenèse sont régulées de sorte que le glucose est consommé quand la demande en ATP est forte, et synthétisé quand la demande en ATP est faible. Les contrôles de ces voies s'exercent au niveau des enzymes pyruvate kinase/pyruvate carboxylase-PEPCK, PFK/FBPase et hexokinase/glucose-6-phosphatase. La régulation de ces enzymes est assurée essentiellement par des interactions allostériques et des modifications covalentes AMPc-dépendantes d'enzymes et, pour la PEPCK, par modification de l'expression génique. Les muscles, qui ne peuvent assurer la gluconéogenèse, transfèrent par le sang beaucoup du lactate qu'ils produisent au foie, où il est transformé en glucose puis retourné aux muscles. Grâce au cycle des Cori la charge métabolique de formation de l'ATP par oxydation nécessaire à la gluconéogenèse est déplacée des muscles au foie.

2 ■ Cycle du glyoxylate Les animaux ne peuvent pas transformer les acides gras en glucose car ils n'ont pas les enzymes nécessaires pour synthétiser l'oxaloacétate à partir d'acétyl-CoA. Toutefois, les plantes peuvent le faire via le cycle du glyoxylate, un processus qui se fait dans les glyoxysomes et qui transforme deux molécules d'acétyl-CoA en une molécule de succinate avec formation intermédiaire de glyoxylate. Le succinate est converti en oxaloacétate qui est utilisé pour la gluconéogenèse ou dans le cycle de l'acide citrique.

3 ■ Biosynthèse des oligosaccharides et des glycoprotéines Les liaisons glycosidiques se forment par transfert de l'unité monosaccharidique d'un dérivé nucléotidique de sucre à une deuxième unité de sucre. Ces réactions interviennent dans la synthèse de disaccharides comme le lactose et dans celle des motifs oligosaccharidiques des glycoprotéines. Dans les glycoprotéines *N*-liées, l'oligosaccharide est lié à la protéine par une liaison *N*-glycosidique à un résidu Asn dans la séquence Asn-X-Ser/Thr. Dans les glycoprotéines *O*-liées, l'oligosaccharide est lié à la protéine par une liaison *O*-glycosidique avec Ser ou Thr, ou, dans le cas des collagènes, avec une 5-hydroxylysine. Dans les protéines liées au GPI, un groupement glycosylphosphatidylinositol est lié à la protéine par un pont phosphoéthanolamine intermédiaire qui forme une liaison amide avec le résidu C-terminal de la protéine. La synthèse des oligosaccharides *N*-liés commence dans le réticulum endoplasmique avec la formation par étapes d'un précurseur lié à un lipide constitué de dolichol pyrophosphate uni à un noyau oligosaccharidique commun de 14 résidus. L'oligosaccharide est ensuite transféré sur un résidu Asn d'une chaîne polypeptidique en cours d'élaboration. Le repliement correct de la glycoprotéine *N*-liée immature fait appel au cycle calnexine/calréticuline et la glycoprotéine est ensuite transférée, à l'intérieur d'une vésicule membraneuse, au réseau cis-Golgi. La maturation se termine par l'élimination de résidus mannose suivie de l'incorporation d'une variété d'autres monosaccharides catalysée par des enzymes spécifiques dans les citernes du cis-, médian- et trans-Golgi. Les glycoprotéines *N*-liées achevées sont triées dans les citernes du trans-Golgi selon la nature de leurs motifs oligosaccharidiques pour être transportées, par l'intermédiaire de vésicules membraneuses, à leurs sites cellulaires définitifs. On distingue trois types d'oligosaccharides *N*-liés, les oligosaccharides riches en mannose, complexes, ou hybrides, tous présentant un noyau pentasaccharidique commun. Les études sur la synthèse des glycoprotéines ont été facilitées par l'utilisation d'antibiotiques, comme la tunicamycine et la bacitracine, qui inhibent des enzymes spécifiques impliquées dans la synthèse de ces oligosaccharides. Les oligosaccharides *O*-liés sont synthétisés dans l'appareil de Golgi par liaisons successives d'unités monosaccharidiques à certains résidus Ser ou Thr. Les composants glucidiques des glycoprotéines serviraient de marqueurs de reconnaissance pour le transport des glycoprotéines vers leurs sites cellulaires propres, ainsi que pour la reconnaissance entre cellules et par les anticorps. L'ancre GPI membranaire est fixée à la protéine sur la face luminale du réticulum endoplasmique, dirigeant ainsi les protéines à GPI sur le côté externe de la membrane plasmique.

4 ■ Voie des pentoses phosphate La cellule utilise le NAD^+ dans les réactions d'oxydation, et a besoin de NADPH dans les biosynthèses réductrices. Le NADPH est régénéré par la voie des pentoses phosphate, une voie alternative d'oxydation du glucose. Cette voie synthétise aussi du R5P utilisé dans la synthèse des nucléotides. Les trois premières réactions de la voie des pentoses phosphate assurent l'oxydation du G6P en Ru5P avec libération de CO_2 et production de deux molécules de NADPH. Ensuite, le Ru5P est soit isomérisé en R5P, soit

épimérisé en Xu5P. Chaque molécule de R5P qui n'est pas utilisée dans la biosynthèse des nucléotides réagit avec deux molécules de Xu5P pour donner deux molécules de F6P et une molécule de GAP sous les actions successives de la transcétolase, de la transaldolase et, à nouveau, de la transcétolase. Les produits de la voie des pentoses phosphate dépendent des besoins cellulaires. Le F6P et le GAP peuvent être métabolisés via la glycolyse et le cycle de l'acide citrique ou recyclés via la gluconéogenèse. Si le NADPH est en excès, les dernières réactions de la voie peuvent s'inverser pour synthétiser du R5P à partir d'intermédiaires de la glycolyse. La voie des pentoses phosphate est contrôlée à sa première étape d'engagement, la réaction de la glucose-6-phosphate déshydrogénase, par la concentration en $NADP^+$. Une déficience génétique en glucose-6-phosphate déshydrogénase conduit à l'anémie hémolytique après administration de primaquine, un antimalarique. Cette déficience liée à X, due à une accélération de la dégradation de l'enzyme mutée, confère la résistance à la malaria aux femmes hétérozygotes et aux hommes hémizygotes porteurs de ce trait.

RÉFÉRENCES

GLUCONÉOGENÈSE

Croniger, C.M., Olswang, Y., Reshef, L., Kalhan, S.C., Tilghman, S.M., et Hanson, R.W., Phosphoenolpyruvate carboxykinase revisited. Insights into its metabolic role, *Biochem. Mol. Biol. Educ.* **30**, 14–20 (2002); *et* Croniger, C.M., Chakravarty, K., Olswang, Y., Cassuto, H., Reshef, L., et Hanson, R.W., Phosphoenolpyruvate carboxykinase revisited. II. Control of PEPCK-C gene expression, *Biochem. Mol. Biol. Educ.* **30**, 353–362 (2002).

Hanson, R.W. et Reshef, L., Regulation of phosphoenolpyruvate carboxykinase (GTP) gene expression, *Annu. Rev. Biochem.* **66**, 581–611 (1997).

Knowles, J.R., The mechanism of biotin-dependent enzymes, *Annu. Rev. Biochem.* **58**, 195–221 (1989).

Friedman, N., *Hormonal Control of Gluconeogenesis,* Vols. I and C Press (1986).

M. A., Tari, L.W., Goldie, H., et Delbaere, T.J., Structure and mechanism of phosphoenolpyruvate carboxykinase, *J. Biol. Chem.* **272**, 8105–8108 (1997).

Pilkis, S.J., Mahgrabi, M.R., et Claus, T.H., Hormonal regulation of hepatic gluconeogenesis and glycolysis, *Annu. Rev. Biochem.* **57**, 755–783 (1988).

Rothman, D.L., Magnusson, I., Katz, L.D., Shulman, R.G., et Shulman, G.I., Quantitation of hepatic gluconeogenesis in fasting humans with ^{13}C NMR, *Science* **254**, 573–576 (1991).

Van Schaftingen, E., et Gerin, I., The glucose-6-phosphatase system, *Biochem. J.* **362**, 513–532 (2002).

CYCLE DU GLYOXYLATE

Eastmond, P.J. et Graham, I.A., Re-examining the role of the glyoxylate cycle in oilseeds, *Trends Plant Sci.* **6**, 72–77 (2001).

BIOSYNTHÈSE DES OLIGOSACCHARIDES

Abeijon, C. et Hirschberg, C.B., Topography of glycosylation reactions in the endoplasmic reticulum, *Trends Biochem. Sci.* **17**, 32–36 (1992).

Bause, E., Wesemann, M., Bartoschek, A., et Breuer, W., Epoxyethylglycyl peptides as inhibitors of oligosaccharyltransferase: double-labeling of the active site, *Biochem. J.* **322**, 95–102 (1997).

Burda, P. et Aebi, M., The dolichol pathway of *N*-linked glycosylation, *Biochim. Biophys. Acta* **1426**, 239–257 (1999).

Elbein, A.D., Inhibitors of the biosynthesis and processing of N linked oligosaccharide chains, *Annu. Rev. Biochem.* **56**, 497–534 (1987).

Englund, P.T., The structure and biosynthesis of glycosyl phosphatidylinositol protein anchors, *Annu. Rev. Biochem.* **62**, 65–100 (1993).

Ferguson, M.A.J., Brimacombe, J.S., Brown, J.R., Crossman, A., Dix, A., Field, R.A., Güther, M.L.S., Milne, K.G., Sharma, D.K., et Smith, T.K., The GPI biosynthetic pathway as a therapeutic target for African sleeping sickness, *Biochim. Biophys. Acta* **1455**, 327–340 (1999).

Florman, H.M. et Wasserman, P.M., *O*-Linked oligosaccharides of mouse egg ZP3 account for its sperm receptor activity, *Cell* **41**, 313–324 (1985).

Helenius, A. et Aebi, M., Intracellular functions of N-linked glycans, *Science* **291**, 2364–2369 (2001).

Helenius, A., Trombetta, E.S., Hebert, J.N., et Simons, J.F., Calnexin, calreticulin and the folding of glycoproteins, *Trends Cell Biol.* **7**, 193–200 (1997).

Hirschberg, C.B. et Snider, M.D., Topography of glycosylation in the rough endoplasmic reticulum and the Golgi apparatus, *Annu. Rev. Biochem.* **56**, 63–87 (1987).

Kornfeld, R. et Kornfeld, S., Assembly of asparagine-linked oligosaccharides, *Annu. Rev. Biochem.* **54**, 631–664 (1985).

Maeda, Y., Watanabe, R., Harris, C.L., Hong, Y., Ohishi, K., Kinoshita, K., et Kinoshita, T., PIG-M transfers the first mannose to glycosylphosphatidylinositol on the lumenal side of the ER, *EMBO J.* **20**, 250–261 (2001).

Parodi, A.J., Role of N-oligosaccharide endoplasmic reticulum processing reactions in glycoprotein folding and degradation, *Biochem. J.* **348**, 1–13 (2000); *et* Protein glucosylation and its role in protein folding, *Annu. Rev. Biochem.* **69**, 69–93 (2000).

Schachter, H., Enzymes associated with glycosylation, *Curr. Opin. Struct. Biol.* **1**, 755–765 (1991).

Schrag, J.D., Bereron, J.J.M., Li, Y., Borisova, S., Hahn, M., Thomas, D.Y., et Cygler, M., The structure of calnexin, an ER chaperone involved in quality control of protein folding, *Mol. Cell* **8,** 633–644 (2001).

Schwartz, R.T. et Datema, R., Inhibitors of trimming : New tools in glyco-protein research, *Trends Biochem. Sci.* **9,** 32–34 (1984).

Shaper, J.H. et Shaper, N.L., Enzymes associated with glycosylation, *Curr. Opin. Struct. Biol.* **2,** 701–709 (1992).

Tartakoff, A.M. et Singh, N., How to make a glycoinositol phospholipid anchor, *Trends Biochem. Sci.* **17,** 470–473 (1992).

von Figura, K. et Hasilik, A., Lysosomal enzymes and their receptors, *Annu. Rev. Biochem.* **55,** 167–193 (1986).

VOIE DES PENTOSES PHOSPHATE

Adams, M.J., Ellis, G.H., Gover, S., Naylor, C.E., et Phillips, C., Crystal-lographic study of coenzyme, coenzyme analogue and substrate bin-ding in 6-phosphogluconate dehydrogenase : Implications for NADP specificity and enzyme mechanism, *Structure* **2,** 651–668 (1994).

Au, S.W.N., Gover, S., Lam, V.M.S., et Adams, M.J., Human glucose-6-phosphate dehydrogenase : The crystal structure reveals a structural NADP[1] molecule and provides insights into enzyme deficiency, *Structure* **8,** 293–303 (2000).

Beutler, E., The molecular biology of G6PD variants and other red cell enzyme defects, *Annu. Rev. Med.* **43,** 47–59 (1992).

Boros, L.G., et al. Oxythiamine and dehydroepiandrosterone inhibit the nonoxidative synthesis of ribose and tumor cell proliferation, *Cancer Res.* **57,** 4242–4248 (1997).

Jia, J., Huang, W., Schörken, U., Sahm, H., Sprenger, G.A., Lindqvist, Y., et Schneider, G., Crystal structure of transaldolase B from Escherichia coli suggests a circular permutation of the ayb barrel within the class I aldolase family, *Structure* **4,** 715–724 (1996).

Lindqvist, Y. et Schneider, G., Thiamin diphosphate dependent enzymes : transketolase, pyruvate oxidase and pyruvate decarboxylase, *Curr. Opin. Struct. Biol.* **3,** 896–901 (1993) ; *et* Muller, Y.A., Lindqvist, Y., Furey, W., Schulz, G.E., Jordan, F., et Schneider, G., A thiamin diphos-phate binding fold revealed by comparison of the crystal structures of transketolase, pyruvate oxidase and pyruvate decarboxylase, *Structure* **1,** 95–103 (1993).

Luzzato, L., Mehta, A., et Vulliamy, T., Glucose-6-phosphate dehydroge-nase deficiency, *in* Scriver, C.R., Beaudet, A., Sly, W.S., and Valle, D. (Eds.), *The Metabolic & Molecular Bases of Inherited Disease* (8th ed.), pp. 4517–4553, McGraw-Hill (2001).

Ruwende, C., et al., Natural selection of hemi- and heterozygotes for G6PD deficiency in Africa by resistance to severe malaria, *Nature* **376,** 246–249 (1995).

Wood, T., *The Pentose Phosphate Pathway,* Academic Press (1985).

PROBLÈMES

1. Comparez les efficacités énergétiques relatives, en ATP par molé-cule de glucose oxydé, de l'oxydation du glucose par la glycolyse + le cycle de l'acide citrique par rapport à l'oxydation du glucose par la voie des pentoses phosphate + la gluconéogenèse. Supposez que le NADH et le NADPH sont tous les deux équivalents à trois ATP.

2. Bien que les animaux ne puissent synthétiser de glucose à partir d'acétyl-CoA, si un rat est nourri avec du ^{14}C-acétate, un peu de carbone marqué se retrouvera dans le glycogène extrait de ses muscles. Expliquez.

3. Des substances qui inhibent des étapes d'élimination spécifique lors de la maturation de glycoprotéines *N*-liées ont été des instruments utiles pour élucider ce processus. Expliquez.

4. Par des techniques de génie génétique judicieuses, vous avez obtenu une enzyme non régulée qui utilise aussi bien le NAD$^+$ que le NADP$^+$ dans une réaction d'oxydo-réduction. Quelles en seraient les conséquences phy-siologiques dans un organisme pourvu d'une telle enzyme ?

5. Quelle est la variation d'énergie libre de la réaction

$$NADH + NADP^+ \rightleftharpoons NAD^+ + NADPH$$

dans les conditions physiologiques ? Supposez que $\Delta G^{\circ\prime} = 0$ pour cette réaction et que $T = 37°C$.

6. Si du G6P est marqué par du ^{14}C sur le C2, quelle sera la distribu-tion du marqueur radioactif dans les produits de la voie des pentoses phos-phate après un tour de cycle ? Quelle sera la distribution isotopique après passage de ces produits dans la gluconéogenèse et un deuxième tour de la voie des pentoses phosphate ?

7. Après addition de [1,2-^{13}C]glucose au milieu de culture de cellules en prolifération rapide et isolement de leur ARN, vous trouvez que les atomes C1 et C2 des unités ribosyle sont marqués. Montrez, à l'aide des formules chimiques et des enzymes appropriées, comment la voie des pen-toses phosphate peut conduire à cette distribution isotopique.

8. Dans un organisme, les contributions métaboliques relatives de la glycolyse + le cycle de l'acide citrique et de la voie des pentoses phosphate + la gluconéogenèse peuvent être mesurées en comparant les vitesses de formation de $^{14}CO_2$ après administration de glucose marqué par ^{14}C sur le C1, et de glucose marqué sur le C6. Expliquez.

9. Partant du fait qu'une mutation normalement bénigne, voire même avantageuse, conduit à une sensibilité anormale à la primaquine, et tenant compte de la très grande complexité de la génétique des êtres humains, quelles sont, à votre avis, les chances d'obtenir des médicaments qui ne produisent pas d'effets secondaires atypiques chez n'importe quel indi-vidu ?

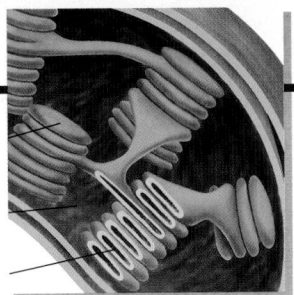

La photosynthèse

La vie sur Terre dépend du soleil. *Les plantes et les cyanobactéries captent chimiquement l'énergie solaire par la photosynthèse, un mécanisme dépendant de la lumière où le CO_2 est « fixé » pour former des glucides (CH_2O).*

$$CO_2 + H_2O \xrightarrow{\text{lumière}} (CH_2O) + O_2$$

Ce processus, au cours duquel du CO_2 est réduit et de l'H_2O est oxydée pour donner des glucides et de l'O_2, est, en gros, le mécanisme en sens inverse de l'oxydation des glucides. Les glucides issus de la photosynthèse sont une réserve énergétique pour les organismes qui les synthétisent ainsi que pour les organismes non photosynthétiques qui, directement ou indirectement, consomment les organismes photosynthétiques. Même l'industrie moderne est très dépendante des produits de la photosynthèse dans la mesure où le charbon, le pétrole et le gaz (ce qu'on appelle les combustibles fossiles) sont très certainement des restes d'organismes anciens. On estime qu'annuellement la photosynthèse fixe $\sim 10^{11}$ tonnes de carbone, ce qui représente la mise en réserve de plus de 10^{18} kJ d'énergie. De plus, la photosynthèse produit depuis des siècles l'oxygène de l'atmosphère terrestre (Section 1-5C).

Il a fallu presque deux siècles pour admettre que les plantes se nourrissaient d'éléments aussi peu substantiels que la lumière et l'air. En 1648, le médecin flamand Jean-Baptiste van Helmont

constata que la croissance d'un saule dans un pot à partir d'une racine s'accompagnait d'une variation insignifiante du poids de la terre dans laquelle le saule avait été planté. Bien qu'un siècle dût passer avant que les lois sur la conservation de la matière ne soient formulées, van Helmont attribua le gain en poids de l'arbre à l'eau qu'il avait assimilée. Cette idée fut reprise en 1727 par Stephen Hales qui suggéra que les plantes extraient une partie de leur substance de l'air.

C'est le pasteur et chimiste pionnier anglais Joseph Priestley qui, le premier, montra que les plantes produisent de l'oxygène :

Ayant remarqué que des bougies brûlent particulièrement bien dans une atmosphère où des plantes ont poussé pendant un certain temps, et soupçonnant qu'il y avait un rapport entre les plantes et le renouvellement de l'atmosphère spoliée par la respiration, j'ai pensé qu'il était possible que le même processus puisse renouveler l'air spolié par la combustion de bougies. C'est pourquoi, le 17 Août 1771, je plaçai un rameau de menthe dans un volume d'air restreint dans lequel une bougie avait brûlé jusqu'à s'éteindre et, le 27 du même mois, je constatai qu'une autre bougie y brûlait parfaitement bien.

Bien que Priestley ne découvrit que plus tard l'oxygène, qu'il appela « »'air inflammable », c'est Antoine Lavoisier qui élucida son rôle dans la combustion et la respiration. Néanmoins, le travail de Priestley inspira le médecin hollandais Jan Ingen-Housz qui montra en 1779 que le pouvoir « purificateur » des plantes était dû à l'influence de la lumière solaire sur leurs parties vertes. En 1782, le pasteur suisse Jean Senebier montra que le CO_2, qu'il appelait « air fixé », est assimilé durant la photosynthèse. Son compatriote, Théodore de Saussure, montra en 1804 que la somme des poids de la matière organique formée par les plantes et de l'oxygène qu'elles produisent est supérieure au poids de CO_2 qu'elles absorbent. Il en conclut que l'eau, la seule autre substance ajoutée dans son système, était aussi nécessaire à la photosynthèse. Le dernier ingrédient à la recette globale de la photosynthèse fut découvert par le physiologiste allemand Robert Mayer, l'un des auteurs du premier principe de la thermodynamique, qui conclut que les plantes transforment l'énergie lumineuse en énergie chimique.

1 ■ LES CHLOROPLASTES

*Chez les eucaryotes (algues et plantes supérieures), la photosynthèse se déroule dans le **chloroplaste** (Section 1-2A), un membre d'une famille d'organites membraneux intracellulaires particuliers aux plantes, appelés **plastides**.* Theodor Englemann fut le premier à montrer que les chloroplastes jouent un rôle dans la photosynthèse lorsqu'il observa en 1882 que de petites bactéries mobiles en quête d'O_2 se rassemblaient à la surface de l'algue *Spirogyra*, recouvrant son unique chloroplaste, à condition qu'il soit éclairé. Les chloroplastes doivent donc être le lieu de la libération de l'oxygène induite par la lumière, c'est-à-dire de la photosynthèse. Les chloroplastes, dont le nombre va de 1 à 1000 par cellule, ont des tailles et des formes très variables mais ont généralement une forme d'ellipsoïde de ~5µm de long. Comme les mitochondries, auxquelles ils ressemblent beaucoup, les chloroplastes ont une membrane externe très perméable et une membrane interne pratiquement imperméable, séparées par un espace intermembranaire étroit (Fig. 24-1). La membrane interne entoure le **stroma**, solution concentrée d'enzymes qui contient aussi de l'ADN, des ARN et des ribosomes qui assurent la synthèse de plusieurs protéines chloroplastiques, tout comme la matrice mitochondriale. Le stroma, à son tour, entoure un troisième compartiment membraneux, le **thylacoïde** (du grec *thylacos,* sac ou poche). Le thylacoïde correspond sans doute à une seule vésicule extrêmement repliée, bien que dans la plupart des organismes il se présente sous forme d'empilements de saccules en forme de disques appelés **grana**, reliés par des lamelles libres appelées **lamelles du stroma**. Normalement, un chloroplaste contient entre 10 et 100 grana. Les membranes du thylacoïde résultent d'invaginations de la membrane interne de chloroplastes en formation et correspondent donc aux crêtes mitochondriales.

La composition en lipides de la membrane des thylacoïdes est particulière. On trouve seulement ~10 % de phospholipides ; la plus grande partie, ~80 %, sont des **mono- et digalactosyl diacylglycérols**, le restant, ~10 %, étant les sulfolipides **sulfoquinovosyl diacylglycérols** (le **quinovose** étant le 6-désoxyglucose) :

X = OH   **Galactosyl diacylglycérol**

X =   **Digalactosyl diacylglycérol**

X = SO_3^-
* = C atom inverted   **Sulfoquinovosyl diacylglycérol**

Les chaînes d'acides gras de ces lipides sont fortement insaturées, ce qui explique le caractère particulièrement fluide de la membrane du thylacoïde.

La photosynthèse se déroule en deux phases distinctes :

1. La **phase lumineuse** qui utilise l'énergie de la lumière pour former du NADPH et de l'ATP.

2. La **phase obscure**, où des réactions indépendantes de la lumière utilisent le NADPH et l'ATP pour synthétiser des glucides à partir de CO_2 et d'H_2O.

Les réactions de la phase lumineuse se déroulent dans la membrane des thylacoïdes selon un processus semblable aux transferts d'électrons et phosphorylations oxydatives mitochondriales (Sections 22-2 et 22-3). Chez les procaryotes photosynthétiques, qui sont dépourvus de chloroplastes, la phase lumineuse a lieu dans la membrane plasmique (interne) de la cellule ou dans des structures fortement invaginées qui en dérivent, appelées **chromatophores**

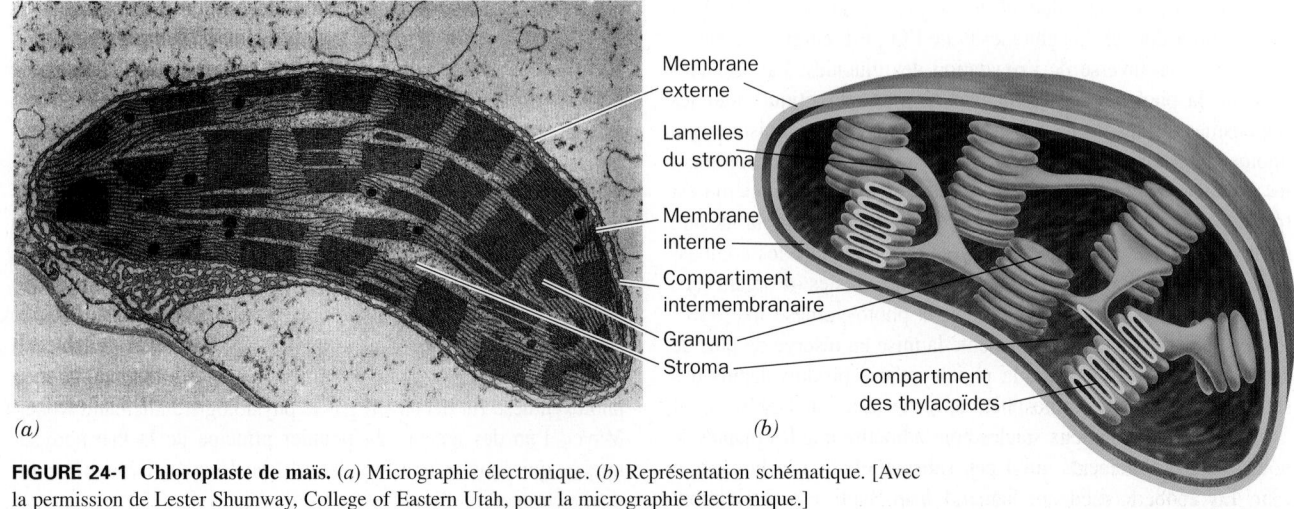

(a)   *(b)*

FIGURE 24-1 Chloroplaste de maïs. (*a*) Micrographie électronique. (*b*) Représentation schématique. [Avec la permission de Lester Shumway, College of Eastern Utah, pour la micrographie électronique.]

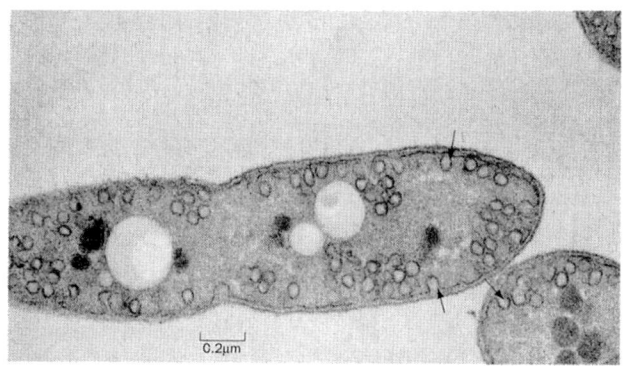

FIGURE 24-2 Micrographie électronique d'une coupe de la bactérie photosynthétique pourpre *Rhodobacter sphaeroides*. Sa membrane plasmique se replie pour former des tubules reliés extérieurement appelés chromatophores (*flèches*; vus ici en section transversale circulaire) où se déroule la photosynthèse. [Avec la permission de Gerald A. Peters, Virginia Commonwealth University.]

(p. ex., Fig. 24-2; se rappeler que les chloroplastes ont évolué à partir de cyanobactéries qui entretenaient une relation symbiotique avec un eucaryote non photosynthétique; Section 1-2A). Chez les eucaryotes, la phase obscure se déroule dans le stroma et fait intervenir une série de réactions enzymatiques cycliques. Dans les sections suivantes, nous étudierons en détail les réactions des phases lumineuse et obscure.

2 ■ LA PHASE LUMINEUSE

Durant les premières décennies du vingtième siècle, il était généralement admis que la lumière, absorbée par des pigments photosynthétiques, réduisait directement le CO_2 qui, à son tour, se combinait avec l'eau pour former des glucides. Selon ce schéma, c'est du CO_2 que provenait l'O_2 formé au cours de la photosynthèse. Cependant, en 1931, Cornelis van Niel montra que des bactéries photosynthétiques vertes, anaérobies qui utilisent H_2S dans la photosynthèse, forment du soufre:

$$CO_2 + 2H_2S \xrightarrow{\text{lumière}} (CH_2O) + 2S + H_2O$$

La ressemblance chimique entre H_2S et H_2O conduisit van Niel à proposer que la réaction générale de la photosynthèse est:

$$CO_2 + 2H_2A \xrightarrow{\text{lumière}} (CH_2O) + 2A + H_2O$$

où H_2A est H_2O dans les plantes vertes et les cyanobactéries, et H_2S dans les bactéries à soufre photosynthétiques. Cela suggère que la photosynthèse est un processus en deux phases où l'énergie lumineuse est captée pour oxyder H_2A (la phase lumineuse):

$$2H_2A \xrightarrow{\text{lumière}} 2A + 4[H]$$

et où l'agent réducteur formé [H] réduit ensuite le CO_2 (la phase obscure):

$$4[H] + CO_2 \longrightarrow (CH_2O) + H_2O$$

Ainsi, dans la photosynthèse aérobie, c'est H_2O, et non CO_2, qui est photolysé (scindé par la lumière).

L'hypothèse de van Niel fut confirmée par deux expériences. En 1937, Robert Hill s'aperçut que lorsque des chloroplastes iso-

lés manquant de CO_2 sont éclairés en présence d'un accepteur d'électrons artificiel comme le ferricyanure [$Fe(CN)_6^{3-}$], il y a libération d'O_2 avec réduction concomitante de l'accepteur [en ferrocyanure, $Fe(CN)_6^{4-}$ dans notre exemple]. Cette réaction, appelée **réaction de Hill,** montre que le CO_2 ne participe pas directement à la production d'O_2. On découvrit plus tard que l'accepteur d'électrons naturel dans la photosynthèse est le $NADP^+$ (Fig. 13-2) dont le produit de réduction, le NADPH, est utilisé dans la phase obscure pour réduire le CO_2 en glucides (Section 24-3A). En 1941, quand l'isotope de l'oxygène ^{18}O fut disponible, Samuel Ruben et Martin Kamen démontrèrent directement que l'oxygène de la photosynthèse provenait bien de H_2O:

$$H_2^{18}O + CO_2 \xrightarrow{\text{lumière}} (CH_2O) + {}^{18}O_2$$

Dans cette section, nous étudierons les différents points importants des réactions de la phase lumineuse.

A. *Absorption de la lumière*

Le photorécepteur principal de la photosynthèse est la **chlorophylle**. Ce tétrapyrrole cyclique, comme le noyau hème des globines et des cytochromes (Sections 10-1A et 22-2C), est synthétisé à partir de la protoporphyrine IX. Cependant, la chlorophylle se distingue du noyau hème par les quatre points suivants (Fig. 24-3):

1. L'ion métallique central est Mg^{2+} au lieu de Fe(II) ou Fe(III).

2. Un cycle cyclopentanone, le Cycle V, est accolé au Cycle pyrrole III.

3. Le Cycle pyrrole IV est partiellement réduit dans la **chlorophylle *a*** (**Chl *a***) et dans la **chlorophylle *b*** (**Chl *b***), les deux variétés principales de chlorophylle chez les eucaryotes et les cyanobactéries, alors que dans les **bactériochlorophylle *a*** (**BChl *a***) et **bactériochlorophylle *b*** (**BChl *b***), les principales chlorophylles des bactéries photosynthétiques, les Cycles II et IV sont partiellement réduits.

4. La chaîne latérale propionyle du Cycle IV est estérifiée par un alcool tétraisoprénoïde. Dans les Chl *a* et *b* ainsi que dans la BChl *b* c'est le **phytol**, alors que dans la BChl *a* on trouve soit le phytol soit le **géranylgéraniol** selon l'espèce de bactéries.

De plus, la Chl *b* a un groupement formyle à la place du méthyle qui vient substituer l'atome 3 du Cycle II de la Chl *a*. De même, les BChl *a* et *b* ont des substituants différents sur l'atome C4.

a. Les interactions entre la lumière et la matière sont complexes

La photosynthèse étant un processus dépendant de la lumière, il est important d'étudier comment la lumière et la matière interagissent. La radiation électromagnétique se propage sous forme de **quanta** (**photons**) dont l'énergie E est donnée par la **loi de Planck**:

$$E = h\nu = \frac{hc}{\lambda} \qquad [24.1]$$

où h est la **constante de Planck** ($6{,}626 \times 10^{-34}$ J·s), c est la vitesse de la lumière ($2{,}998 \times 10^8$ m·s^{-1} dans le vide), ν est la fréquence

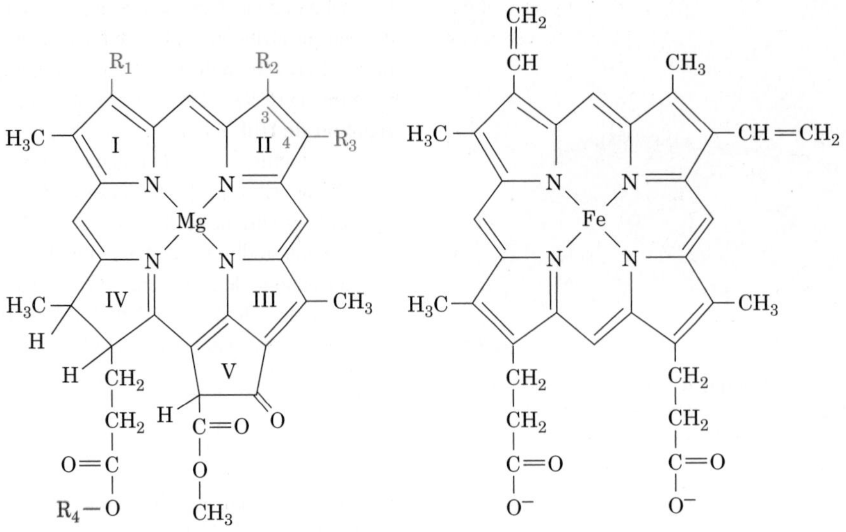

Chlorophylle　　　　　　**Fer–protoporphyrine IX**

	R_1	R_2	R_3	R_4
Chlorophylle *a*	$-CH=CH_2$	$-CH_3$	$-CH_2-CH_3$	P
Chlorophylle *b*	$-CH=CH_2$	$\overset{O}{\overset{\|}{-C}}-H$	$-CH_2-CH_3$	P
Bactériochlorophylle *a*	$\overset{O}{\overset{\|}{-C}}-CH_3$	$-CH_3{}^a$	$-CH_2-CH_3{}^a$	P ou G
Bactériochlorophylle *b*	$\overset{O}{\overset{\|}{-C}}-CH_3$	$-CH_3{}^a$	$=CH-CH_3{}^a$	P

[a] Pas de double liaison entre C3 et C4.

P = $-CH_2$ ...

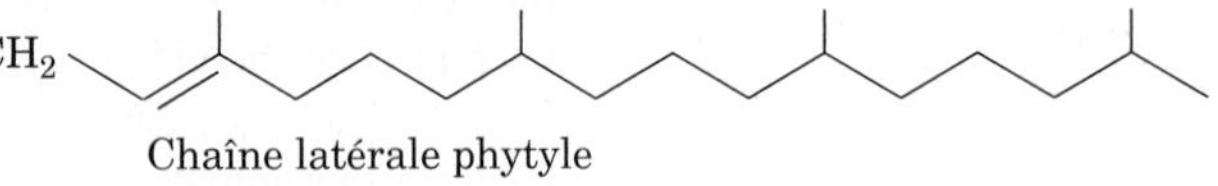

Chaîne latérale phytyle

G = $-CH_2$ ...

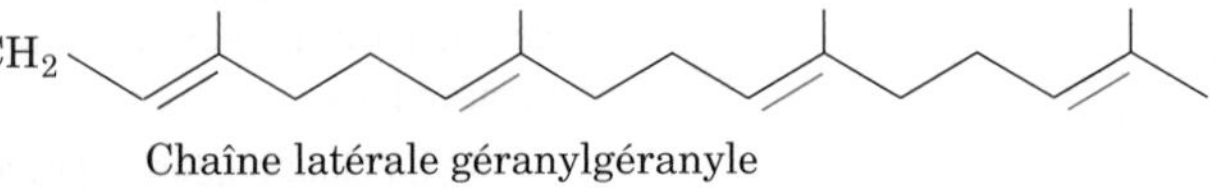

Chaîne latérale géranylgéranyle

FIGURE 24-3 Structure des chlorophylles. Les formules développées des chlorophylles *a* et *b* et des bactériochlorophylles *a* et *b* sont comparées à celle de la protoporphyrine IX à Fe (hème). Les chaînes latérales isoprénoïdes phytyle et géranylgéranyle augmentent sans doute la solubilité des chlorophylles dans les milieux non polaires.

de la radiation, et λ est sa longueur d'onde (les longueurs d'onde dans le visible vont de 400 à 700 nm). Ainsi, la lumière rouge dont λ = 680 nm a une énergie de 176 kJ·einstein^{-1} (un **einstein** est égal à une mole de photons).

Les molécules, comme les atomes, ont plusieurs états quantiques électroniques d'énergies différentes. De plus, les molécules ayant plus d'un noyau, chacun de leurs états électroniques est caractérisé par une série de sous-états de vibration et de rotation qui sont proches l'un de l'autre sur le plan énergétique (Fig. 24-4). L'absorption de la lumière par une molécule provoque généralement le passage d'un électron depuis son orbitale moléculaire à son niveau fondamental (énergie la plus basse) à une orbitale de niveau énergétique supérieur. Cependant, *une molécule donnée ne peut absorber que des photons de longueurs d'onde données car, en raison du principe de la conservation de l'énergie, la différence d'énergie entre les deux états doit correspondre exactement à l'énergie du photon absorbé.*

La quantité de lumière absorbée par une substance à une longueur d'onde donnée obéit à la loi de **Beer-Lambert** :

$$A = \log \frac{I_0}{I} = \varepsilon c l \qquad [24.2]$$

où A est l'absorbance, I_0 et I étant respectivement les intensités de la lumière incidente et de la lumière transmise, c la concentration molaire de l'échantillon, l la longueur en cm du trajet optique dans l'échantillon, et ε le **coefficient d'extinction molaire** de la molécule. Par conséquent, la courbe de A en fonction de λ pour une molécule donnée, son **spectre d'absorption** (Fig. 24-5), nous renseigne sur sa structure électronique.

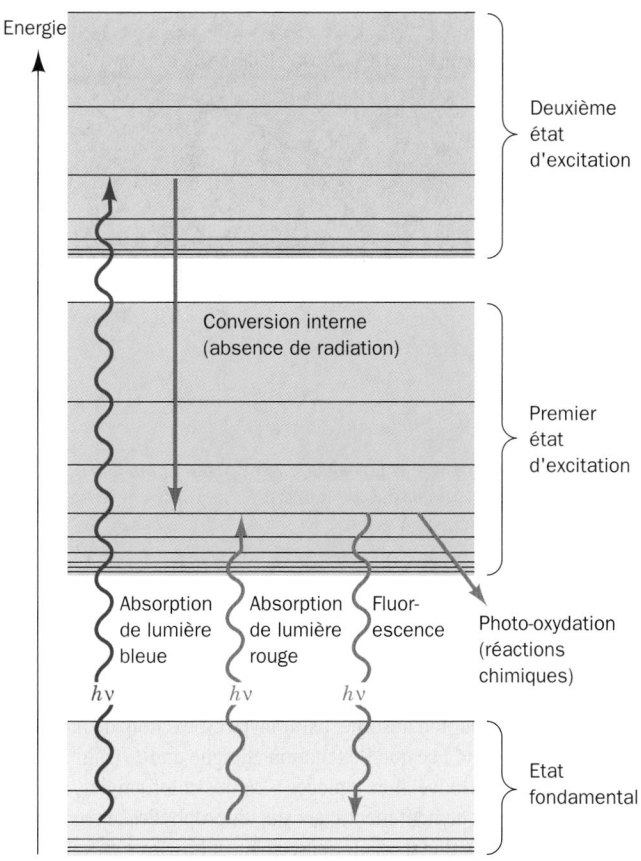

FIGURE 24-4 Diagramme énergétique représentant schématiquement les états électroniques de la chlorophylle et ses modes de transition les plus importants. Les flèches ondulées représentent l'absorption de photons ou leur émission fluorescente. L'énergie d'excitation peut se dissiper aussi sans émettre de rayonnement, par conversion interne (production de chaleur) ou dans des réactions chimiques.

Les différentes chlorophylles sont des molécules fortement conjuguées (Fig. 24-3). Ce sont précisément de telles molécules qui absorbent fortement dans le visible (la bande spectrale pour laquelle la radiation solaire qui atteint la surface de la Terre est à son maximum d'intensité ; Fig. 24-5). De fait, les coefficients d'extinction molaires des pics des différentes chlorophylles, supérieurs à 10^5 $M^{-1} \cdot cm^{-1}$, sont parmi les plus élevés des molécules organiques connues. Cependant, les différences chimiques relativement faibles entre les chlorophylles modifient sérieusement leurs spectres d'absorption. Ces différences spectrales, comme nous allons le voir, ont un intérêt physiologique.

Une molécule excitée électroniquement peut dissiper son énergie d'excitation de différentes manières. Les plus importantes sur le plan de la photosynthèse sont (Fig. 24-4) :

1. La **conversion interne**, où l'énergie électronique se transforme en énergie cinétique de déplacement moléculaire, c'est-à-dire en chaleur. Ce processus se fait très rapidement, puisqu'il s'achève en moins de 10^{-11} s. De nombreuses molécules reviennent à leur état fondamental de cette manière. Cependant, les molécules de chlorophylle ne retournent généralement qu'à leurs états excités les plus bas. Par conséquent, *l'énergie d'excitation, utilisable pour la photosynthèse, d'une molécule de chlorophylle qui a absorbé un photon dans sa zone de courte longueur d'onde, qui correspond à son deuxième état d'excitation, n'est pas différente de celle qu'elle aurait si elle avait absorbé un photon dans sa zone de grande longueur d'onde moins énergétique.*

2. La **fluorescence**, où une molécule excitée par un électron revient à son niveau fondamental en émettant un photon. Ce processus demande ~10^{-8} s, et il est donc beaucoup plus lent que le processus de conversion interne. Par conséquent, un photon émis par fluorescence a généralement une longueur d'onde plus grande (donc une énergie plus faible) que celle absorbée initialement. La fluorescence ne représente qu'une dissipation de 3 à 6 % de l'éner-

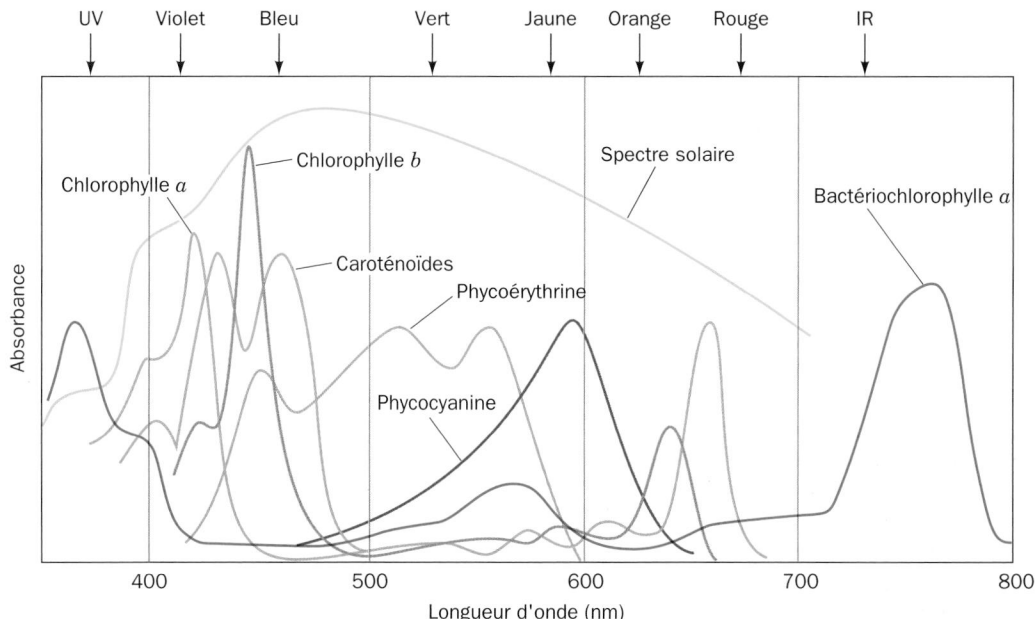

FIGURE 24-5 Spectres d'absorption de différents pigments photosynthétiques. Les chlorophylles ont deux bandes d'absorption, l'une dans le rouge et l'autre dans le bleu. La phycoérythrine absorbe dans le bleu et le vert, alors que la phycocyanine absorbe dans le jaune. Ensemble, ces pigments absorbent la plus grande partie de la lumière visible du spectre solaire. [D'après un dessin de Govindjee, University of Illinois.]

gie lumineuse absorbée par les plantes vivantes. Toutefois, la chlorophylle en solution, où bien sûr la capture photosynthétique de cette énergie ne peut être assurée, présente une fluorescence rouge intense.

3. Le **transfert d'exciton** (appelé aussi **transfert d'énergie de résonance**), où la molécule excitée transfère directement son énergie d'excitation à des molécules voisines non excitées dont les propriétés électroniques sont semblables. Ce processus est assuré par des interactions entre orbitales moléculaires des molécules participantes de la même manière que les interactions entre pendules couplés mécaniquement de fréquences identiques. Un exciton (excitation) peut être transféré successivement aux membres d'un groupe de molécules ou, si leur couplage électronique est assez fort, le groupe entier peut se comporter comme une seule « supermolécule »excitée. Nous verrons que *ce transfert d'exciton est particulièrement important pour canaliser l'énergie lumineuse vers les centres réactionnels photosynthétiques.*

4. La **photo-oxydation,** où une molécule donneuse excitée par la lumière s'oxyde en transférant un électron à une molécule acceptrice, ainsi réduite. Ce processus vient de ce que l'électron transféré est moins fortement lié à la molécule donneuse sous sa forme excitée que dans son état fondamental. Dans la photosynthèse, la chlorophylle excitée (Chl*) joue ce rôle de donneur. *L'énergie du photon absorbé est ainsi transférée chimiquement au système réactionnel photosynthétique.* La chlorophylle photo-oxydée en Chl+, radical libre cationique, revient finalement à son état initial en oxydant une autre molécule.

b. La lumière absorbée par des chlorophylles antennaires est transférée aux centres réactionnels photosynthétiques

Les premières réactions de la photosynthèse, comme expliqué dans les Sections 24-B et 24-2C, ont lieu aux **centres réactionnels photosynthétiques (RC)**. Cependant, *les organites photosynthétiques contiennent beaucoup plus de molécules de chlorophylle que de centres réactionnels.* C'est ce que démontrèrent en 1932 Robert Emerson et William Arnold qui étudiaient la production de O_2 par l'algue verte *Chlorella* (un sujet expérimental favori), après exposition à des flashes de lumière répétés très brefs (10 μs). La quantité d'O_2 formée par flash est maximum quand les flashes sont espacés d'au moins 20 ms. Manifestement, c'est le temps requis pour un seul tour du cycle de réaction photosynthétique. Emerson et Arnold mesurèrent ensuite la variation de la quantité d'O_2 formé en faisant varier l'intensité des flashes, ceux-ci étant espacés de 20 ms. Pour de faibles intensités, la production d'O_2 augmente de façon linéaire avec l'intensité de sorte qu'une molécule d'O_2 est produite pour environ huit photons absorbés (Fig. 24-6). Pour des intensités supérieures, l'efficacité du système diminue, certainement parce que le nombre de photons est proche de celui des unités photochimiques. Ce qui était inattendu, cependant, c'est que chaque flash d'intensité saturante ne produisait qu'une seule molécule d'O_2 pour ~2400 molécules de chlorophylle présentes. Puisqu'au moins huit photons doivent être absorbés successivement pour libérer une molécule d'O_2 (Section 24-2C), ces résultats suggèrent que l'unité photosynthétique contient ~2400/8 = 300 molécules de chlorophylle par RC.

Avec un tel excès de molécules de chlorophylle par RC, il semblait improbable que toutes participent directement à des réactions photochimiques. On pensa plutôt, et l'expérience le confirma par

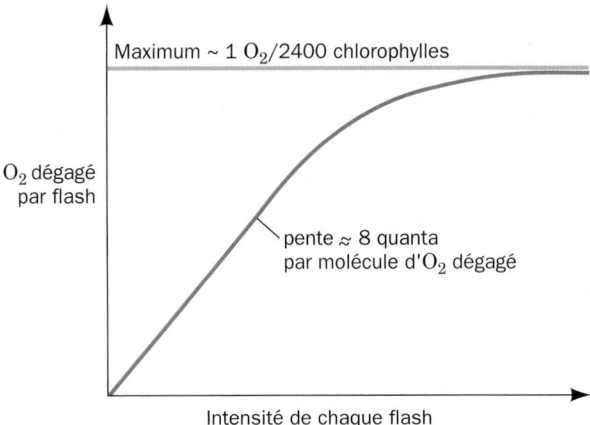

FIGURE 24-6 Quantité d'O_2 dégagée par l'algue *Chlorella* en fonction de l'intensité des flashes de lumière. Ces flashes sont séparés par des intervalles d'obscurité >20 ms.

la suite, que *la plupart des molécules de chlorophylle ont pour rôle de rassembler la lumière ; elles fonctionnent comme des antennes collectrices de lumière.* Ces **chlorophylles antennaires** transfèrent l'énergie d'un photon absorbé, par transfert d'exciton, de molécule à molécule jusqu'à ce que l'excitation atteigne un RC (Fig. 24-7*a*). L'excitation se trouve alors « piégée » car les chlorophylles du RC, bien que chimiquement identiques aux chlorophylles antennairess, ont des énergies d'état excité légèrement inférieures en raison de leur environnement différent (Fig. 24-7*b*).

Le transfert de l'énergie du système d'antennes à un RC se fait en moins de 10^{-10} s avec un rendement >90 %. Cette très grande efficacité est due à l'espacement approprié et aux orientations respectives des molécules de chlorophylle. Même en plein soleil, un RC n'intercepte que ~un photon par seconde, soit une vitesse métaboliquement insignifiante, et par conséquent, ces **complexes photocollecteurs** (**LHC ;** pour « Light harvesting complexes ») jouent un rôle essentiel.

c. Les LHC des bactéries photosynthétiques pourpres contiennent de nombreuses molécules absorbant la lumière disposées symétriquement

La plupart des **bactéries photosynthétiques pourpres**, qui comptent parmi les organismes photosynthétiques les plus simples, possèdent deux types de LHC, **LH1** et **LH2**, protéines transmembranaires douées de propriétés spectrales et biochimiques différentes. LH2, qui absorbe la lumière à des longueurs d'onde plus courtes que LH1, transmet rapidement l'énergie des photons qu'elle absorbe à LH1, lequel la passe à son tour au RC. La structure par rayons X de LH2 de la bactérie photosynthétique pourpre *Rhodospirillum (Rs.) molischianum* (Fig. 24-8), déterminée par Harmut Michel, montre que cette protéine est un 16-mère $\alpha_8\beta_8$ de symétrie de rotation d'ordre huit qui fixe 24 molécules de bactériochlorophylle *a* (BChl *a*) et 8 molécules de **lycopène** (un **caroténoïde** ; voir ci-dessous) :

Lycopene

(a)

Photon

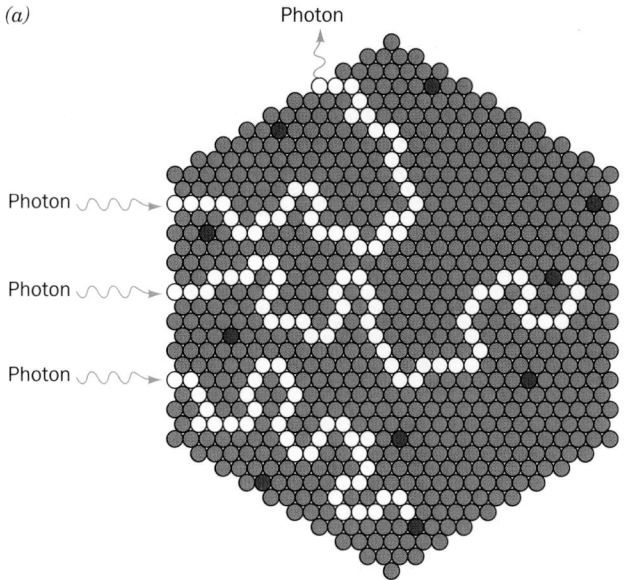

Photon

Photon

Photon

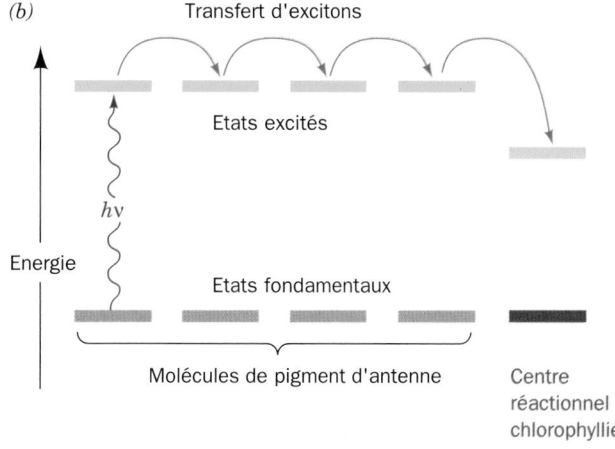

(b) Transfert d'excitons

États excités

$h\nu$

Énergie

États fondamentaux

Molécules de pigment d'antenne | Centre réactionnel chlorophyllie

FIGURE 24-7 Flux d'énergie à travers un complexe d'antennes photosynthétique. (*a*) L'excitation provoquée par l'absorption d'un photon se déplace au hasard par transfert d'exciton parmi les molécules du complexe d'antennes (*cercles vert pâle*) jusqu'à ce qu'elle soit « piégée » par la chlorophylle d'un RC (*cercles vert foncé*) ou, moins fréquemment, réémise sous forme de fluorescence. (*b*) L'excitation est « piégée » par la chlorophylle du RC car son état excité le plus faible a une énergie inférieure à celle des molécules de pigments antennaires.

Les sous-unités α (56 résidus) et β (45 résidus) sont principalement constituées d'hélices uniques alignées quasi perpendiculairement au plan de la membrane dans laquelle elles sont insérées. Les huit sous-unités α sont empilées côte à côte pour former un cylindre creux de ~ 31 Å de diamètre (mesuré entre les axes des

hélices). Chacune des huit sous-unités β est disposée en rayon extérieur à la sous-unité α et participe ainsi à la formation d'un cylindre concentrique de ~ 62 Å de diamètre. Seize des molécules de BChl *a* s'emplilent entre ces anneaux d'hélices comme dans une turbine à 16 pales. Ces systèmes annulaires successifs quasi parallèles de BChl *a* sont en contact de van der Waals partiel (leurs ions Mg^{2+} sont séparés de ~ 9 Å), leur plan étant perpendiculaire à celui de la membrane. Leurs atomes de Mg^{2+} sont chacun fixés

(a)

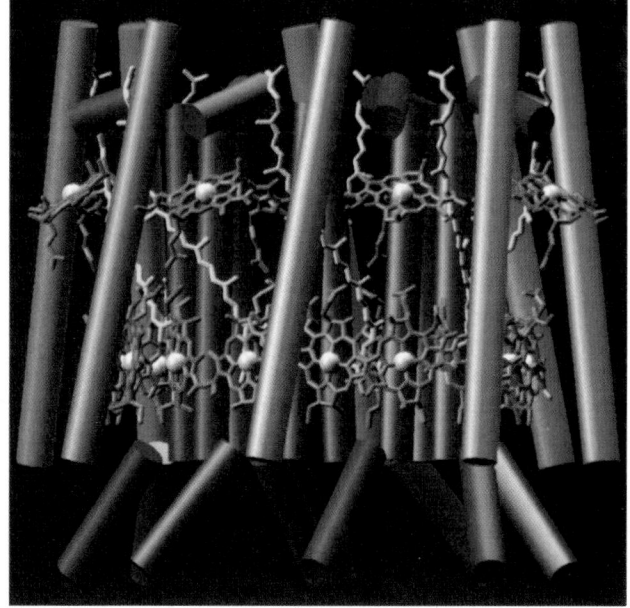

(b)

FIGURE 24-8 Structure par rayons X de LH2 de *Rs. molischianum.* Les sous-unités α sont en violet et les sous-unités β en rose. Les chromophores fixés sont en bâtonnets, avec les BChl *a* en vert et les lycopènes en jaune. Les queues phytyle des BChl *a* ont été enlevées pour plus de clarté. (*a*) Vue perpendiculaire à la membrane bactérienne à partir du cytoplasme. Les chaînes polypeptidiques sont représentées par des tubes

selon leurs atomes C_α. (*b*) Vue parallèle à la membrane avec le cytoplasme en haut. Les sous-unités de la protéine ne sont représentées que par leurs hélices, ici des cylindres. Les ions Mg^{2+} sont représentés par des sphères blanches. [Avec la permission de Juergen Koepke et Harmut Michel, Max-Planck-Institut für Biochemie, Francfort, Allemagne. PDBid 1LGH.]

axialement par des chaînes latérales His [comme le Fe(II) dans la désoxyhémoglobine] qui se projettent alternativement à partir d'une sous-unité α et β à l'extrémité inférieure du cylindre. Les huit molécules de BChl *a* restantes, qui sont chacune fixées axialement par une chaîne latérale Asp 6α à l'extrémité supérieure du cylindre, sont disposées en un anneau de symétrie d'ordre huit entre les hélices d'unités β successives et sont orientées de sorte que le plan de leurs systèmes annulaires est incliné de ~35° par rapport au plan de la membrane. Les huit molécules de lycopène sont prises en sandwich entre les sous-unités α et β et se déploient sur pratiquement toute leur longueur ce qui leur permet de contacter les deux groupes de molécules de BChl *a*. Le LH2 de *Rhodopseudomonas (Rps.) acidophila*, une autre bactérie photosynthétique pourpre, est un 18-mère $\alpha_9\beta_9$ dont la structure est semblable à celle de *Rs. molischianum* dans sa région transmembranaire, même si leurs sous-unités α et β ne présentent respectivement que 26 et 31 % d'identité de séquence.

D'après des mesures spectroscopiques, les molécules de BChl *a* fixées par His à LH2 et étroitement associées absorbent un maximum de rayonnement à la longueur d'onde de 850 nm (et sont donc appelées B850) et ce, de manière fortement couplée, car elles se comportent comme une unité d'absorption de lumière. Les autres molécules de BChl *a*, plus lâchement associées (B800), absorbent un maximum de rayonnement à la longueur d'onde de 800 nm, essentiellement en tant que molécules individuelles (l'environnement local d'une BChl *a* au sein de la protéine modifie le spectre qu'elle a en solution ; Fig. 24-5). Lorsqu'une BChl *a* B800 absorbe un photon, l'excitation est rapidement [en ~700 femtosecondes (fs) ; 1 fs = 10^{-15} s] transférée à une BChl *a* B850 de moindre énergie (qui peut absorber un photon indépendamment), laquelle échange encore plus rapidement (en ~100 fs) l'excitation avec les autres molécules de BChl *a* B850. Le système B850 joue ainsi le rôle d'anneau de stockage d'énergie qui délocalise l'excitation sur une vaste région. Les molécules de caroténoïdes présentes dans ce système absorbent la lumière visible (<800 nm) et peuvent également faciliter la transmission de l'excitation entre les molécules de BChl *a* B850 et B800, dont les plus voisines sont assez éloignées (19 Å entre les atomes de Mg).

Tout comme LH2, LH1 comporte des sous-unités α et β de ~50 résidus chacune. La structure à basse résolution (8,5 Å) par cristallographie électronique de LH1 de *Rs. rubrum* montre qu'elle ressemble à LH2, mais avec une symétrie de rotation d'ordre 16, et qu'elle forme un cylindre de 116 Å de diamètre percé jusqu'à son centre d'un trou de 68 Å de diamètre. La taille de cette cavité est suffisante pour contenir un RC (voi ci-dessous), ce qui est en fait le cas, d'après la microscopie électronique (Fig. 24-9). Les molécules de BChl *a* de LH1 absorbent un rayonnement de longueur d'onde supérieure à celui absorbé par LH2. Par conséquent, lorsque ces deux complexes protéiques sont en contact, l'excitation est rapidement [en 1-5 picosecondes (ps) ; 1 ps = 10^{-12} s] transférée de LH2 à LH1, puis (en 20-40 ps) au RC enfermé dans LH1. L'excitation peut également être échangée entre des LH2 qui sont en contact. Ainsi, ce système d'antennes transfère au RC pratiquement toute l'énergie du rayonnement qu'il absorbe, en bien moins de temps que les quelques nanosecondes (ns ; 1 ns = 10^{-9} s) nécessaires à la disparition de ces excitations. Il faut noter que cette disposition compliquée de **chromophores** (molécules qui absorbent la lumière) compte parmi les plus simples connues ; celles des sys-

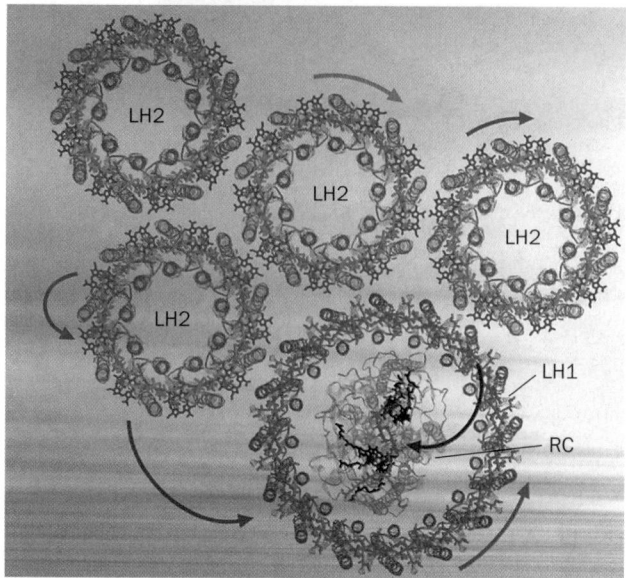

FIGURE 24-9 Modèle du système d'antennes photocollectrices des bactéries photosynthétiques pourpres. Plusieurs LH2 s'associent entre elles et avec LH1, qui entoure le centre réactionnel photosynthétique (RC). Les BChl *a* de LH2 B850 et de LH1 sont en vert, celles de LH2 B800 sont en violet, et les pigments photoabsorbants du RC (voir ci-dessous) sont en rouge et noir. La lumière absorbée par les molécules de BChl *a* et de lycopène d'un LH2 est transférée rapidement (*flèches incurvées*), souvent via d'autres LH2 en contact avec celui-ci, à LH1, lequel transfére à son tour l'excitation au RC qu'il contient. [D'après Bhattarchardee, Y., *Nature*, **412**, 474 (2001).]

tèmes végétaux de collecte de lumière sont beaucoup plus élaborées (voir ci-dessous).

d. Les LHC contiennent des pigments accessoires

La plupart des LHC contiennent, en plus de la chlorophylle, des réseaux organisés d'autres substances qui absorbent la lumière . Ces **pigments accessoires** absorbent la lumière dans des régions du spectre où les chlorophylles ne l'absorbent que faiblement (Fig. 24-5). Les **caroténoïdes**, polyènes en C_{40} essentiellement linéaires comme le lycopène et le **β-carotène**,

β-Carotène

se trouvent dans toutes les plantes vertes ainsi que dans de nombreuses bactéries photosynthétiques, ce qui en fait les pigments accessoires les plus courants (ils sont en grande partie responsables des magnifiques couleurs automnales des arbres et aussi de la couleur orange des carottes, d'où leur nom).

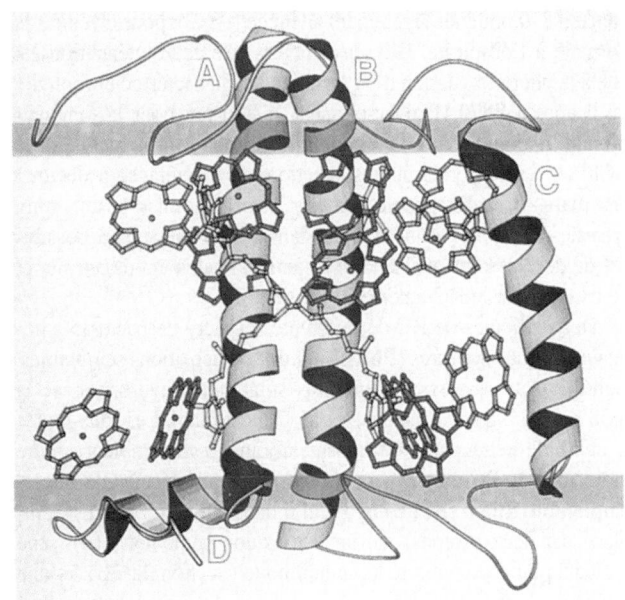

FIGURE 24-10 Structure d'une sous-unité de la protéine trimérique LHC-II de chloroplastes de pois déterminée par cristallographie électronique. Les 7 Chl *a*, 5 Chl *b* (représentées seulement par leur noyau porphyrine), et 2 caroténoïdes de cette protéine transmembranaire hautement conservée sont représentés respectivement en vert foncé, vert clair et jaune, et ses ions Mg^{2+} fixés à la chlorophylle sont en rose. Les bandes bleues indiquent les limites approximatives de la membrane du thylacoïde dans laquelle la protéine est normalement incrustée, avec son côté supérieur faisant face au stroma comme représenté ici. Noter que la plus grande partie de la protéine, y compris ses hélices A et B, ainsi que la plupart de ses molécules de pigments, présente une symétrie approximative d'ordre deux, l'axe de pseudo-ordre deux étant perpendiculaire au plan de la membrane. [Avec la permission de Werner Kühlbrandt, Max Planck Institute of Biophysics, Francfort, Allemagne.]

Le **LHC-II,** la protéine membranaire la plus abondante des chloroplastes des plantes vertes, est une protéine transmembranaire de 232 résidus qui fixe au moins 7 Chl *a*, 5 Chl *b* et 2 caroténoïdes (Fig. 24-10), soit environ la moitié de la chlorophylle de la biosphère. Les caroténoïdes ont une autre fonction que celle d'antennes photocollectrices. Par des interactions électroniques, ils empêchent les molécules de chlorophylle excitées par la lumière auxquelles ils sont associés de transférer cette excitation à O_2, ce qui conduirait à une forme d'O_2 très réactive et donc destructrice.

Les organismes photosynthétiques aquatiques, responsables de près de la moitié de la photosynthèse sur la Terre, contiennent d'autres types de pigments accessoires. Ceci parce que la lumière en dehors des longueurs d'onde comprises entre 450 à 550 nm (lumière bleue et verte) est presque complètement absorbée à partir de dix mètres de profondeur d'eau. Chez les algues rouges et les cyanobactéries, la Chl *a* est remplacée par une série de tétrapyrroles linéaires comme pigments antennaires, en particulier la **phycoérythrobiline** rouge et la **phycocyanobiline** bleue :

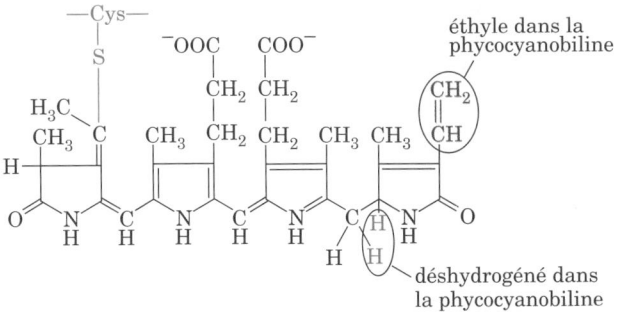

Peptide-linked Phycoérythrobiline et Phycocyanobiline

Les états excités les plus faibles de ces différentes **bilines** ont des énergies supérieures à ceux des chlorophylles, ce qui facilite le transfert d'énergie au RC. Les bilines sont liées par covalence via des atomes S de Cys aux **phycobiliprotéines** pour donner la **phycoérythrine** et la **phycocyanine** (les spectres sont donnés Fig. 24-5). Celles-ci s'organisent à leur tour en particules de haut poids moléculaire appelées **phycobilisomes**. Les phycobilisomes sont fixés aux faces externes des membranes photosynthétiques afin de canaliser l'énergie d'excitation vers les RC sur de longues distances avec un rendement >90 %.

B. Transport des électrons chez les bactéries photosynthétiques pourpres

La photosynthèse est un processus dans lequel les électrons provenant de molécules de chlorophylle excitées passent par une série d'accepteurs qui transforment l'énergie électronique en énergie chimique. Deux questions se posent : (1) Quel est le mécanisme de transduction de l'énergie ? et (2) Comment les molécules de chlorophylle photo-oxydées récupèrent-elles leurs électrons perdus ? Nous allons voir que les bactéries photosynthétiques résolvent ces problèmes d'une manière légèrement différente de celle des cyanobactéries et des plantes. Nous étudierons d'abord ces mécanismes chez les bactéries photosynthétiques, car ils sont plus simples et mieux compris. Le transport des électrons chez les cyanobactéries et les plantes fera l'objet de la Section 24-2C.

a. Le centre réactionnel photosynthétique est une protéine transmembranaire complexée à plusieurs chromophores

C'est Louis Duysens, en 1952, qui suggéra le premier que la chlorophylle subit une photo-oxydation directe lors de la photosynthèse. Il observa qu'en éclairant des préparations membranaires de la bactérie photosynthétique pourpre *Rs. rubrum* leur absorbance à 870 nm était légèrement atténuée (~2 %), pour revenir à la normale à l'obscurité. Duysens suggéra que cette atténuation est due à la photo-oxydation d'un complexe de la bactériochlorophylle qu'il appela **P870** (P pour pigment et 870 nm pour la longueur d'onde maximum de la bande d'absorption principale de la BChl *a*; les bactéries photosynthétiques ont tendance à occuper des mares d'eau stagnante sombres, aussi ont-elles besoin d'un type de chlorophylle qui absorbe dans l'infra-rouge). La possibilité de déceler la présence de P870 permit finalement de purifier et de caractériser le RC auquel il est lié.

Des particules de RC de différentes espèces de bactéries photosynthétiques pourpres (PbRC) ont des compositions semblables. Celle de *Rps. viridis* contient trois sous-unités hydrophobes : H (258 résidus), L (273 résidus), et M (323 résidus). Les sous-unités L et M de cette particule transmembranaire rassemblent quatre molécules de BChl *b* (λ_{max} = 960 nm), deux molécules de **bactériophéophytine *b*** (**BPhéo *b***; BChl *b* dans laquelle Mg^{2+} est remplacé par deux protons), un ion Fe(II) non hème/non Fe–S, une molécule du coenzyme rédox ubiquinone (Section 22-2B), et une molécule de **ménaquinone**

Ménaquinone

(c'est la **vitamine K₂**, une substance nécessaire à la coagulation du sang ; Section 35-1B). Dans beaucoup de PbRC, cependant, la BChl *b*, la BPhéo *b*, et la ménaquinone sont remplacées respectivement par la BChl *a*, la BPhéo *a* et une deuxième ubiquinone.

Le RC de *Rps. viridis*, dont la structure par rayons X a été déterminée par Johann Deisenhofer, Robert Huber et Hartmut Michel en 1984, est la première protéine transmembranaire dont la structure à l'échelle atomique a été décrite (Fig. 12-26). *La partie transmembranaire de la protéine est constituée de 11 hélices α qui forment un cylindre aplati de 45 Å de long, de surface hydrophobe comme on pouvait s'y attendre.* Un cytochrome de type *c* contenant quatre noyaux hème, constituant intrinsèque du RC pour certaines bactéries photosynthétiques, est lié au RC sur la face externe de la membrane plasmique. En réalité, le RC d'une autre espèce de bactérie, *Rhodobacter (Rb.) sphaeroides*, dont la structure par rayons X (Fig. 24-11) a été déterminée indépendamment par Marianne Schiffer et par Douglas Rees et George Feher, est pratiquement identique à celle de *Rps. viridis* mais n'a pas de cytochrome lié.

b. Deux molécules de BChl *b* forment une « paire spéciale »

Ce qu'il y a de plus surprenant dans le RC c'est la disposition de ses groupements prosthétiques chromophores qui présentent une symétrie d'ordre deux presque parfaite (Fig. 24-12a). Cette symétrie vient de ce que les sous-unités L et M, auxquelles ces groupements sont liés exclusivement, ont des séquences homologues et les mêmes repliements. Dans le RC de *Rsp. viridis,* deux des molécules de BChl *b*, appelées « **paire spéciale** », sont étroitement

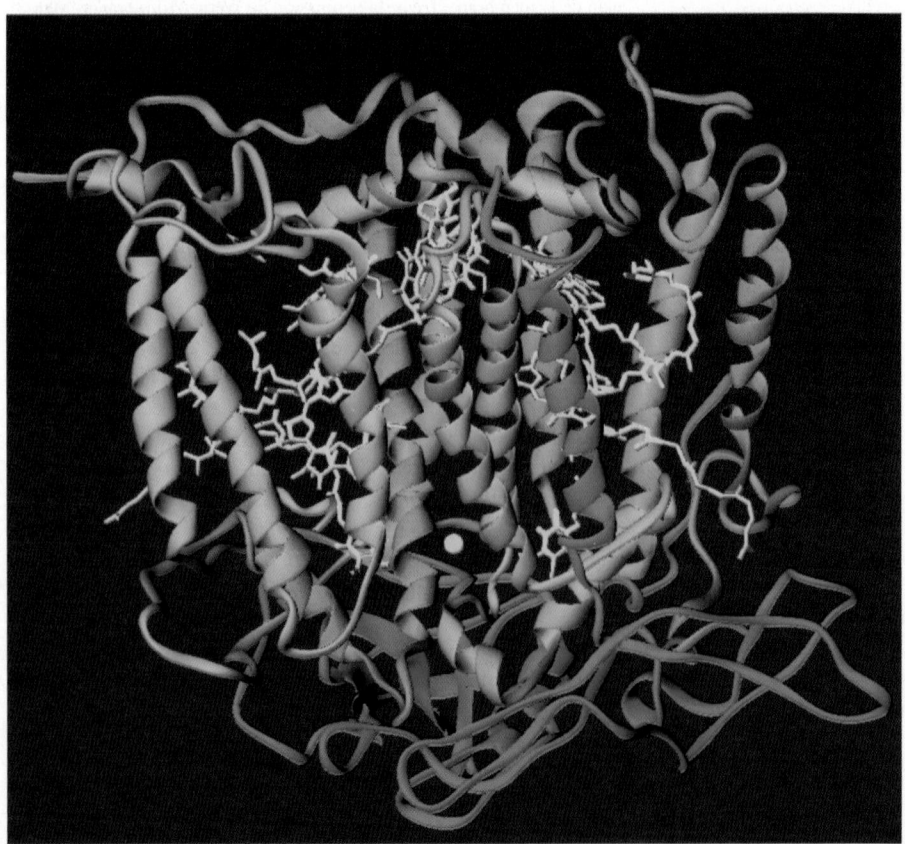

FIGURE 24-11 Représentation en ruban du centre réactionnel photosynthétique (RC) de *Rb. sphaeroides*. Les sous-unités H, M et L, comme vues de l'intérieur du plan de la membrane plasmique, le cytoplasme étant en-dessous, sont respectivement en magenta, bleu-vert et orange. Les groupementss prosthétiques sont en jaune en représentation squelettique, à l'exception de l'atome de Fe(II), représenté par une sphère. Les onze hélices pratiquement verticales qui constituent la partie centrale de la protéine forment sa région transmembranaire. Comparer cette structure à celle du RC de *Rps. viridis* (Fig. 12-26), dont les sous-unités H, M et L ont 39, 50 et 59 % d'identité de séquence avec celles de *Rb. sphaeroides*. Noter que la protéine de *Rb. sphaeroides* n'a pas de cytochrome de type *c* à quatre hèmes (*vert* dans la Fig. 12-26) sur son côté périplasmique et que le groupement prosthétique Q_A, dont le noyau quinone se trouve à droite de Fe(II), est de l'ubiquinone chez *Rb. sphaeroides* mais de la ménaquinone chez *Rps. viridis*. [D'après une structure par rayons X due à Marianne Schiffer, Argonne National Laboratory. PDBid 2RCR.]

(a) 0 s

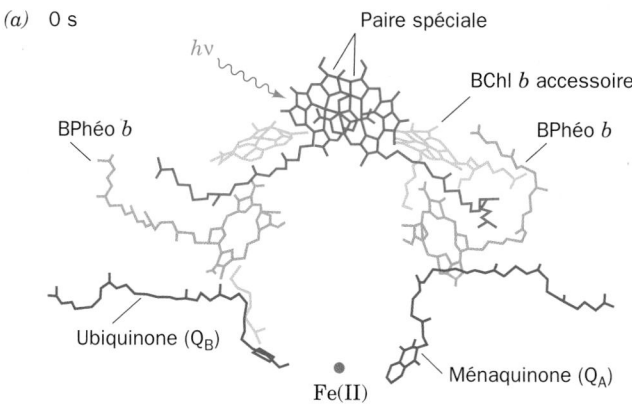

Paire spéciale

BChl *b* accessoire

BPhéo *b*

BPhéo *b*

Ubiquinone (Q$_B$)

Ménaquinone (Q$_A$)

Fe(II)

(b) 3×10^{-12} s

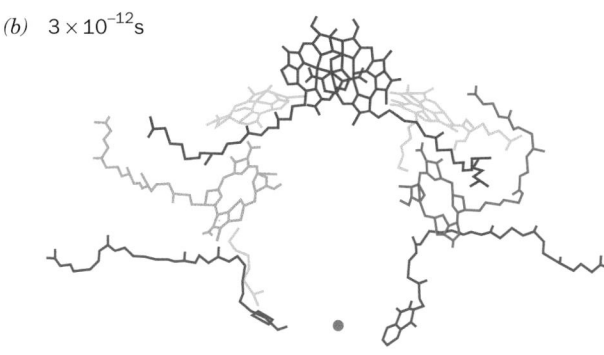

(c) 200×10^{-12} s

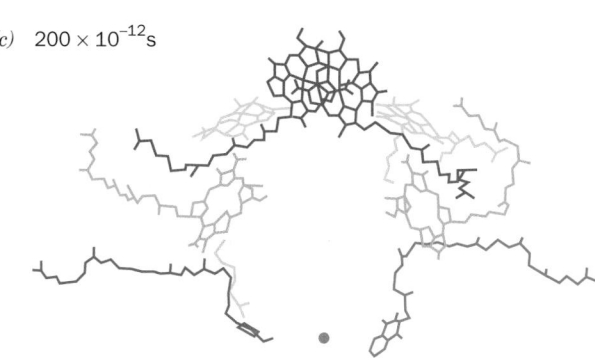

(d) 100×10^{-6} s

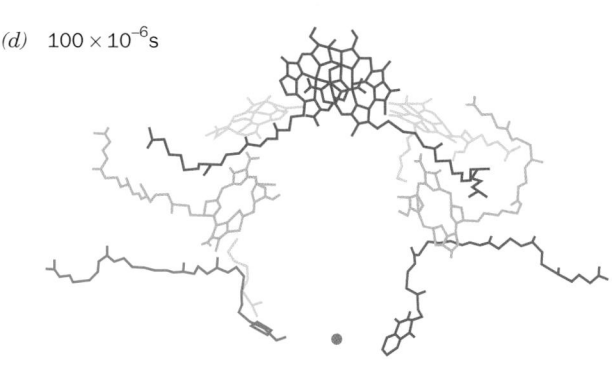

FIGURE 24-12 Séquence des excitations dans le RC de la bactérie *Rps. viridis*. Les chromatophores du RC sont montrés comme dans la Fig. 12-26, qui ressemble à la Fig. 24-11. Noter que leurs noyaux, mais pas leurs chaînes latérales aliphatiques, sont disposés selon une symétrie de pseudo-ordre deux. (*a*) Au temps zéro, un photon est absorbé par la « paire spéciale » de molécules de BChl *b*, ce qui les fait passer sous un état excité [à chaque étape, la (les) molécule(s) excitée(s) est (sont) représentée(s) en rouge]. (*b*) En moins de 3 ps, un électron excité est transféré à la BPhéo *b* de la sous-unité L (bras droit du système) sans qu'elle se rapproche de la BChl *b* accessoire. La paire spéciale présente donc une charge positive. (*c*) Quelque 200 ps plus tard, l'électron excité est transféré à la ménaquinone (Q$_A$, qui est de l'ubiquinone chez *Rb. sphaeroides*). (*d*) Dans les 100 μs qui suivent, la paire spéciale est réduite (via une chaîne de transfert d'électrons décrite dans le texte), ce qui neutralise sa charge positive tandis que l'électron excité est capté par l'ubiquinone (Q$_B$). Après qu'un deuxième électron ait été transféré de même sur Q$_B$, celle-ci capte deux protons du milieu et s'échange avec le pool d'ubiquinone membranaire.

cule de BChl *b* avec His comme ligand, molécule qui, à son tour, est associée à une molécule de BPhéo *b*. La ménaquinone est étroitement associée BPhéo *b* de la sous-unité L (Fig. 24-12*a*, *à droite*), tandis que l'ubiquinone, qui n'est que faiblement liée à la protéine, s'associe à BPhéo *b* de la sous-unité M (Fig. 24-12*a*, *à gauche*). Ces différents chromophores sont étroitement associés à plusieurs cycles aromatiques protéiques, ce qui laisse penser qu'ils participent également au transfert d'électrons décrit ci-dessous. Le Fe(II) est situé entre les cycles de la ménaquinone et de l'ubiquinone, et se trouve au centre d'un octaèdre avec comme ligands quatre chaînes latérales His et les deux atomes d'oxygène du groupement carboxyle d'une chaîne latérale d'un Glu. Toutefois, les deux groupes de chromophores symétriques ne sont pas fonctionnellement équivalents ; comme nous allons le voir, les électrons sont presque exclusivement transférés par l'intermédiaire de la sous-unité L (les côtés droits des Fig. 24-11 et 24-12). Ceci, en raison de différences structurales et électroniques infimes entre les sous-unités L et M.

c. Les états électroniques de molécules sièges de réactions rapides peuvent être suivis par les techniques d'EPR et de spectroscopie laser

Le turnover pour un cycle de réaction photosynthétique, comme nous l'avons vu, n'est que de quelques millisecondes. La séquence des réactions ne peut donc être suivie que par des mesures adaptées à des variations électroniques extrêmement rapides des molécules. Deux techniques répondent à ces exigences :

1. La **spectroscopie par résonance paramagnétique électronique (EPR)** [appelée aussi **spectroscopie de résonance de spin électronique (ESR)**], qui détecte les spins d'électrons célibataires d'une manière analogue à la détection des spins nucléaires dans la spectroscopie RMN. Une espèce moléculaire ayant des électrons célibataires, un radical organique ou l'ion d'un métal de transition par exemple, a un spectre EPR caractéristique car ses ions célibataires interagissent avec les champs magnétiques issus des noyaux

associées ; elles sont presque parallèles et leurs Mg sont distants d'environ 7 Å. La « paire spéciale » se trouve dans une région essentiellement hydrophobe de la protéine et chacun de ses ions Mg^{2+} a une chaîne latérale His comme cinquième ligand. Chaque membre de la « paire spéciale » est en contact avec une autre moléet des autres électrons de la molécule. Des espèces paramagnétiques dont la durée de vie n'est que de 10 ps peuvent donner des spectres EPR spécifiques.

2. La **spectroscopie optique utilisant des lasers pulsés**. Des flashes de laser inférieurs à 1 fs ont été obtenus. En suivant l'atténuation (la disparition) de certaines bandes d'absorption et la formation d'autres bandes, la spectroscopie laser permet de suivre l'évolution dans le temps d'un processus de réactions rapides.

d. L'absorption de photon photo-oxyde rapidement la paire spéciale

La séquence des événements photochimiques sous la dépendance d'un centre réactionnel photosynthétique est schématisée dans la Fig. 24-12 :

(a) Le premier événement photochimique d'une photosynthèse bactérienne est l'absorption d'un photon par la paire spéciale (P870 ou **P960** selon qu'il s'agisse de la BChl *a* ou *b* ; à titre d'exemple, nous supposerons que c'est P960). Cet événement est pratiquement instantané ; il nécessite ~3 fs, le temps d'oscillation d'une onde de lumière. Des mesures par EPR ont montré que P960 est, en fait, une paire de molécules de BChl *b* et que l'électron excité se trouve délocalisé au-dessus d'elles.

(b) La forme excitée de P960, P960*, n'a qu'une existence fugace. La spectroscopie laser a montré que moins de ~3 ps après sa formation, P960* a transféré un électron à la BPhéo *b* à droite dans la Fig. 24-12*b* pour donner P960+ BPhéo−. En formant cette paire radicalaire, l'électron transféré doit passer à proximité de la BChl *b* accessoire mais ne semble pas la réduire (c'est pourquoi elle est appelée chlorophylle accessoire), bien que sa localisation suggère fortement qu'elle joue un rôle important dans l'acheminement des électrons.

(c) Environ 200 ps plus tard, l'électron se trouve sur la ménaquinone (ou, dans beaucoup d'espèces sur la deuxième ubiquinone), symbolisée par Q_A, pour donner le radical semiquinone anionique Q_A^-. Tous ces transferts d'électrons, comme schématisé dans la Fig. 24-13, se font vers des états énergétiques de plus en plus bas, rendant ce processus pratiquement irréversible.

Le départ rapide de l'électron excité du voisinage de P960+ est une caractéristique essentielle du RC ; ainsi, les réactions en sens inverse qui ramèneraient l'électron à P960+, laissant ainsi un temps suffisant pour que l'énergie d'excitation soit transformée en chaleur, ne sont pas possibles. De fait, *cette séquence de transferts d'électrons est si efficace que son **rendement quantique** global (rapport du nombre de molécules ayant réagi par photon absorbé) est virtuellement de 100 %*. Aucun système conçu par l'homme n'a encore approché ce niveau d'efficacité.

e. Le retour des électrons à la paire spéciale photo-oxydée se fait via une chaîne de transport des électrons

Le reste du processus photosynthétique de transport des électrons se fait beaucoup plus lentement. Moins de ~100 μs après sa formation, Q_A^-, qui est logée dans une poche hydrophobe de la protéine, transfère son électron excité à une quinone plus exposée au solvant, Q_B, pour former Q_B^- (Fig. 24-12*d*). Le Fe(II) non hème n'est pas réduit lors de ce processus et, en réalité, son enlèvement

n'affecte que légèrement la vitesse du transfert d'électrons, si bien que l'on pense que le rôle de Fe(II) est d'harmoniser le caractère électronique du RC. Q_A n'est jamais réduite à 100 % ; elle oscille entre ses formes oxydée et semiquinone. De plus, la durée de vie de Q_A^- est si courte qu'elle n'est jamais protonée. Par contre, une fois que le RC est excité à nouveau, il transfère un deuxième électron à Q_B^- pour donner la forme complètement réduite Q_B^{2-}. Ce quinol anionique capte deux protons de la solution du côté cytoplasmique de la membrane plasmique pour former Q_BH_2. *Q_B est donc un transducteur moléculaire qui transforme deux excitations à un électron dépendant de la lumière en une réduction chimique à deux électrons.*

Les électrons captés par Q_BH_2 retournent finalement à P960+ par l'intermédiaire d'une chaîne de transport des électrons complexe (Fig. 24-13). Les détails de ce processus varient selon les espèces et sont moins bien compris que les précédents. Les transporteurs rédox disponibles comprennent un pool membranaire de molécules d'ubiquinone, le **cytochrome bc_1**, et le **cytochrome c_2**. Le cytochrome bc_1 est un complexe protéique transmembranaire composé d'une sous-unité à centre [2Fe–2S], un cytochrome c_1 avec un hème c, un cytochrome b qui présente deux hèmes b différents au plan fonctionnel, b_H et b_L (H et L pour haut et bas potentiel) ; dans certaines espèces on trouve une quatrième sous-unité. Noter que le cytochrome bc_1 est très semblable au Complexe III mitochondrial qui est aussi appelé cytochrome bc_1 (Section 22-2C). Le trajet des électrons va de Q_BH_2 situé sur le côté cytosolique de la membrane plasmique, via le pool d'ubiquinone, avec lequel s'échange Q_BH_2, au cytochrome bc_1, puis au cytochrome c_2, localisé sur la face externe (périplasmique) de la membrane plasmique. Le cytochrome c_2 réduit qui, comme son nom l'indique, ressemble étroitement au cytochrome c mitochondrial, diffuse le long de la face externe de la membrane jusqu'à ce qu'il réagisse avec le RC transmembranaire pour transférer un électron à P960+ (les structures de différents cytochromes de type c, dont celle du cytochrome c_2 de *Rs. rubrum*, sont schématisées dans la Fig. 9-38). Chez *Rps. viridis*, le cytochrome de type c à quatre hèmes lié au complexe du RC sur la face externe de la membrane plasmique (Fig. 12-26) est intercalé entre le cytochrome c_2 et P960+. Noter que l'un des hèmes de ce cytochrome de type c est localisé de sorte à pouvoir réduire la paire spéciale photo-oxydée. Le RC se trouve ainsi prêt à absorber un autre photon.

f. Le transport d'électrons photosynthétique entraîne la formation d'un gradient de protons

Le transport des électrons dans les PbRC étant un processus cyclique (Fig. 24-13), *il se solde par l'absence de toute oxydation ou réduction nette. Son rôle est d'assurer la translocation des protons cytoplasmiques acquis par Q_BH_2 au travers de la membrane plasmique, ce qui rend la cellule plus basique que son environnement.* Le mécanisme de ce processus est identique à celui de la translocation des protons dans le Complexe III mitochondrial (Section 22-3B) ; autrement dit, en plus de la translocation des deux H+ résultant de la réduction à deux électrons de Q_B en QH_2, un cycle Q assuré par le cytochrome bc_1 permet la translocation de deux H+ soit un total de quatre H+ transportés pour deux photons absorbés (Fig. 24-13*a* ; voir aussi Fig. 22-31). *La synthèse de l'ATP, processus appelé **photophosphorylation**, est assurée par la dissi-*

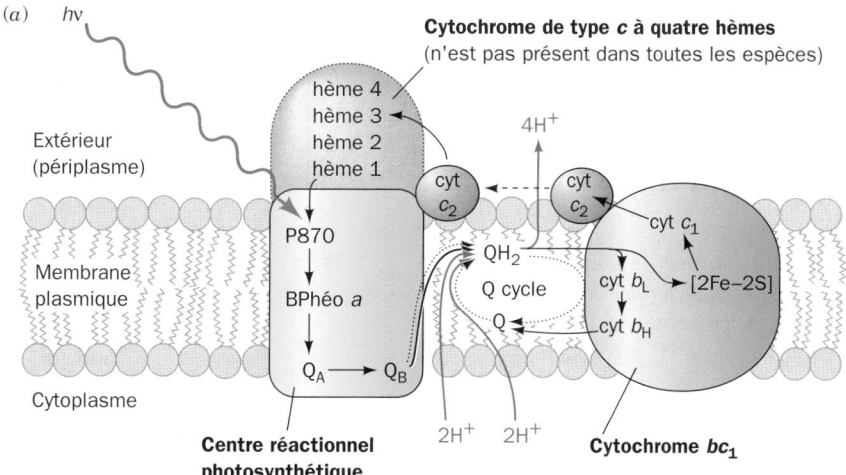

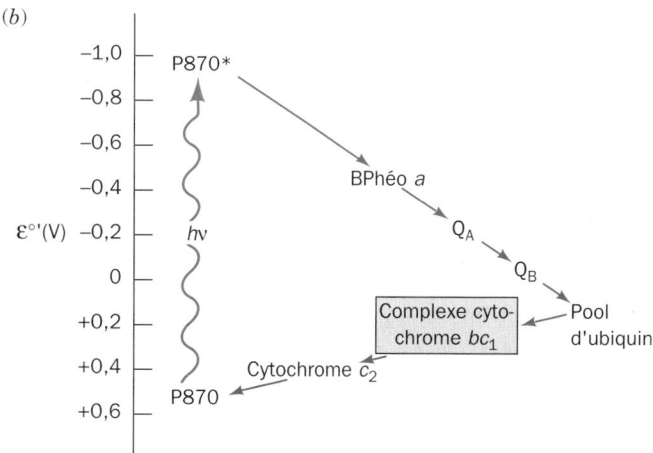

FIGURE 24-13 Système de transport des électrons photosynthétique d'une bactérie photosynthétique pourpre. (*a*) Représentation schématique montrant la disposition des constituants du système dans la membrane plasmique bactérienne et les flux d'électrons (*flèches noires*) et de protons (*flèches bleues*) que l'absorption des photons (*hν*) déclenche. Le système contient deux complexes protéiques, le RC et le cytochrome bc_1. Les deux électrons libérés par la paire spéciale, ici P870 (comme dans *Rb. sphaeroides*), après absorption consécutive de deux photons sont captés par l'ubiquinone (Q_B) en même temps que deux protons du cytoplasme ce qui donne l'ubiquinol (QH_2). QH_2 se détache du RC et diffuse (*flèches en pointillés*) à travers la membrane vers le cytochrome bc_1 qui, grâce à une réaction à deux électrons, l'oxyde en ubiquinone avec libération concomitante de ses deux protons dans le milieu extérieur. L'un des électrons est transféré, via le centre [2Fe-2S] et le cytochrome c_1, au cytochrome c_2, protéine membranaire extrinsèque qui diffuse alors à travers la surface externe de la membrane afin de retourner l'électron au P870 du RC. Le deuxième électron provenant de QH_2 passe, via un cycle Q, par les hèmes b_L et b_H du cytochrome bc_1 puis contribue à la réduction d'une molécule d'ubiquinone (Q) avec capture concomitante de deux autres protons cytoplasmiques (deux tours de cycle Q sont nécessaires pour la réduction d'une molécule de Q en QH_2; Fig. 22-31). Le QH_2 formé retourne par diffusion au cytochrome bc_1. Il est alors réoxydé avec libération de ses deux protons à l'extérieur et restitution de l'un de ses deux électrons, via le cytochrome c_2, à P870, bouclant ainsi le circuit électrique. Noter qu'à chaque tour de cycle Q, la moitié des électrons

libérés par l'oxydation de QH_2 en Q est utilisée pour réduire Q en QH_2 si bien qu'après un grand nombre de tours, un électron qui entre dans un cycle Q passe deux fois par lui en moyenne, avant de retourner à P870. Ainsi, l'absorption de deux photons par le RC se solde par la translocation de quatre protons du cytoplasme dans le milieu extérieur. (*b*) Potentiels d'oxydo-réduction standard approximatifs des différents constituants du système de transport des électrons photosynthétique.

pation du gradient de pH résultant, de la même manière que la synthèse de l'ATP dans les phosphorylations oxydatives (Section 22-3C). Le mécanisme de la photophosphorylation est étudié plus en détail dans la Section 24-2D.

Les bactéries photosynthétiques utilisent l'ATP formé par photophosphorylation pour assurer leurs différents processus endergoniques. Cependant, à l'inverse des cyanobactéries et des plantes, qui forment leurs équivalents réducteurs nécessaires par photo-oxydation de H_2O (voir ci-dessous), les bactéries photosynthétiques doivent obtenir leurs équivalents réducteurs de l'environnement. Plusieurs substances, comme H_2S, S, $S_2O_3^{2-}$, H_2 et de nombreux composés organiques, assurent ce rôle selon les espèces bactériennes.

On pense que les bactéries photosynthétiques actuelles ressemblent aux premiers organismes photosynthétiques. Ceux-ci sont apparus probablement très tôt dans l'histoire de la vie cellulaire, quand les réserves en composés à haute énergie de l'environnement étaient devenues très faibles, alors que les agents réducteurs étaient encore en abondance (Section 1-5C). Pendant cette période, les bactéries photosynthétiques étaient sans aucun doute la forme dominante de la vie. Toutefois, leur expansion même les conduisit à épuiser les ressources réductrices disponibles. Les ancêtres des cyanobactéries actuelles se sont adaptés à cette situation en développant un système photosynthétique de force électromotrice suffisante pour extraire des électrons de H_2O. L'accumulation croissante du produit de déchet toxique, O_2, obligea les bactéries photosynthétiques, qui ne peuvent assurer la photosynthèse en présence d'O_2, (bien que quelques espèces aient acquis la possibilité de respirer), à se réfugier dans des niches écologiques où elles sont confinées actuellement.

C. *Transfert d'électrons à deux centres photorécepteurs*

Les plantes et les cyanobactéries utilisent le pouvoir réducteur issu de la photo-oxydation de H_2O pour former du NADPH. Les demi-réactions qui composent ce processus, et leurs potentiels d'oxydo-réduction standard sont

$$O_2 + 4e^- + 4H^+ \rightleftharpoons 2H_2O \quad \mathscr{E}°\ddagger = +0,815 \text{ V}$$

et

$$NADP^+ + H^+ + 2e^- \rightleftharpoons NADPH \qquad \mathscr{E}°\ddagger = -0,320 \text{ V}$$

Ainsi, la réaction globale à quatre électrons et la variation de potentiel d'oxydo-réduction standard qui l'accompagne est

$$2NADP^+ + 2H_2O \rightleftharpoons 2NADPH + O_2 + 2H^+$$
$$\Delta\mathscr{E}°\ddagger = -1,135 \text{ V}$$

Cette dernière valeur correspond (Eq. [16.5]) à une variation d'énergie libre standard $\Delta G°\ddagger = 438 \text{ kJ} \cdot \text{mol}^{-1}$, qui d'après l'Éq. [24.1] est l'énergie d'un einstein pour des photons émis à 223 nm (lumière UV). En définitive, *même si la photosynthèse avait un rendement de 100 %, ce qui n'est pas le cas, elle nécessiterait plus d'un photon de lumière dans le visible pour former une molécule d'O_2. En fait, des mesures expérimentales indiquent que des algues nécessitent au minimum 8 à 10 photons de lumière dans le visible pour produire une molécules d'O_2.* Dans les sous-sections qui suivent, nous étudierons comment les plantes et les cyanobactéries gèrent ce processus à plusieurs photons.

a. La production d'O_2 par la photosynthèse nécessite deux photosystèmes successifs

Deux observations fructueuses ont permis d'élucider le mécanisme de base de la photosynthèse chez les plantes :

1. Le rendement quantique de la production d'O_2 par *Chlorella pyrenoidosa* varie faiblement avec la longueur d'onde de la lumière incidente entre 400 et 675 nm mais diminue brusquement au-dessus de 680 nm (Fig. 24-14, courbe inférieure). Ce phénomène, la «chute dans le rouge», était inattendu car la Chl *a* absorbe précisément dans le rouge lointain (Fig. 24-5).

2. Une lumière de longueur d'onde plus courte, comme la lumière jaune-vert, augmente le rendement de la photosynthèse à 700 nm d'une valeur bien supérieure au contenu énergétique de cette lumière à plus courte longueur d'onde ; c'est-à-dire que *le rendement en O_2 en présence des deux lumières est supérieur à la somme des rendements mesurés pour chaque lumière séparément (Fig. 24-14, courbe supérieure).* Qui plus est, cette augmentation persiste si la lumière jaune-vert est éteinte plusieurs secondes avant que la lumière rouge soit allumée et vice versa.

Ces observations indiquent clairement que deux processus sont impliqués. Elles sont expliquées par un modèle mécanistique, le **schéma en Z**, selon lequel *la photosynthèse productrice d'O_2 est assurée grâce aux actions de deux RC photosynthétiques disposés en série (Fig. 24-15).*

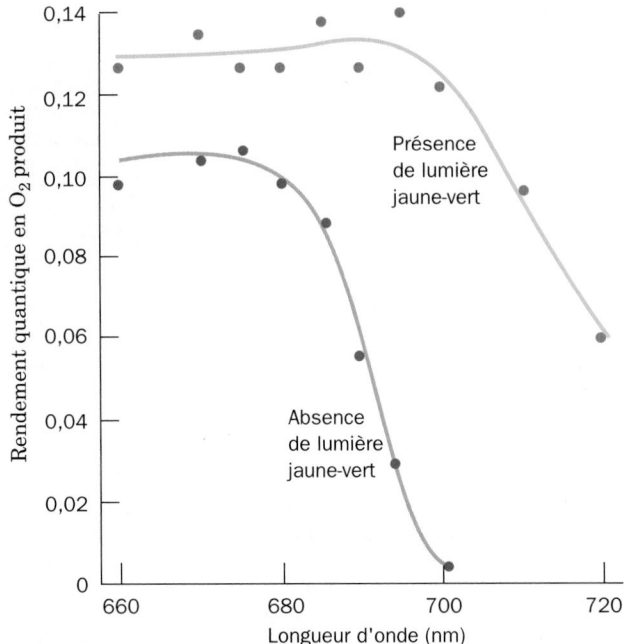

FIGURE 24-14 Rendement quantique de la production d'O_2 par l'algue *Chlorella* en fonction de la longueur d'onde de la lumière incidente. L'expérience fut réalisée en l'absence (*courbe inférieure*) et en présence (*courbe supérieure*) de lumière jaune-vert supplémentaire. La courbe supérieure a été corrigée pour tenir compte de la production d'O_2 induite par la lumière jaune-vert seule. Noter que la courbe inférieure s'infléchit brutalement pour des longueurs d'onde supérieures à 680 nm (la «chute dans le rouge»). Cependant, la lumière supplémentaire augmente fortement le rendement quantique dans la zone de longueurs d'ondes supérieures à 680 nm (rouge lointain) dans laquelle les algues absorbent la lumière. [D'après Emerson, R., Chalmers, R., et Cederstrand, C., *Proc. Natl. Acad. Sci.* **49**, 137 (1957).]

1. Le **photosystème I (PSI)** assure la formation d'un puissant réducteur capable de réduire $NADP^+$ et, de façon concomitante, celle d'un oxydant faible.

2. Le **photosystème II (PSII)** assure la formation d'un oxydant puissant capable d'oxyder H_2O, ainsi que celle d'un réducteur faible.

Le réducteur faible réduit l'oxydant faible si bien que *PSI et PSII constituent un «stimulateur» d'électrons à deux étapes. Les deux photosystèmes doivent donc fonctionner pour que la photosynthèse (transfert d'électrons depuis H_2O sur le $NADP^+$ pour former O_2 et du NADPH) soit assurée.*

La «chute dans le rouge» s'explique dans le schéma en Z du fait que PSII n'est que faiblement activé à 680 nm alors que PSI, en présence de cette seule lumière dans le rouge lointain, est activé mais ne peut recevoir que quelques uns des électrons qu'il a activés. La lumière jaune-vert stimule efficacement PSII qui peut alors fournir ces électrons. Le fait que les lumières rouge lointain et jaune-vert puissent être utilisées alternativement signifie que les deux photosystèmes restent activés un certain temps après l'extinction de la lumière.

La validité du schéma en Z a été vérifiée comme suit. L'état d'oxydation du **cytochrome *f***, un cytochrome de type *c* de la chaîne de transport des électrons qui relie PSI et PSII (cf. ci-dessous), peut être suivi par spectroscopie. Si l'on éclaire des algues

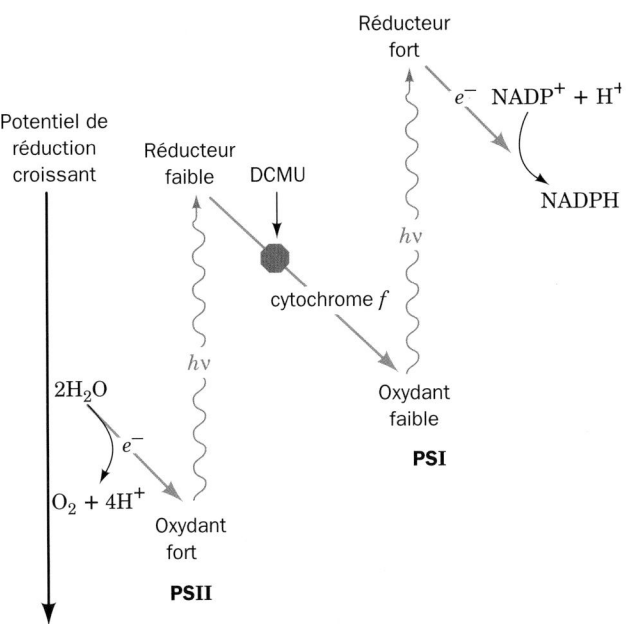

FIGURE 24-15 Le schéma en Z de la photosynthèse chez les plantes et les cyanobactéries. Deux photosystèmes, PSI et PSII, assurent le transfert d'électrons depuis H_2O au NADPH. Le potentiel d'oxydo-réduction augmente vers le bas de sorte que le transfert d'électrons se fait spontanément dans cette direction. L'herbicide DCMU (cf. texte) bloque le transfert d'électrons photosynthétique entre PSII et le cytochrome *f*.

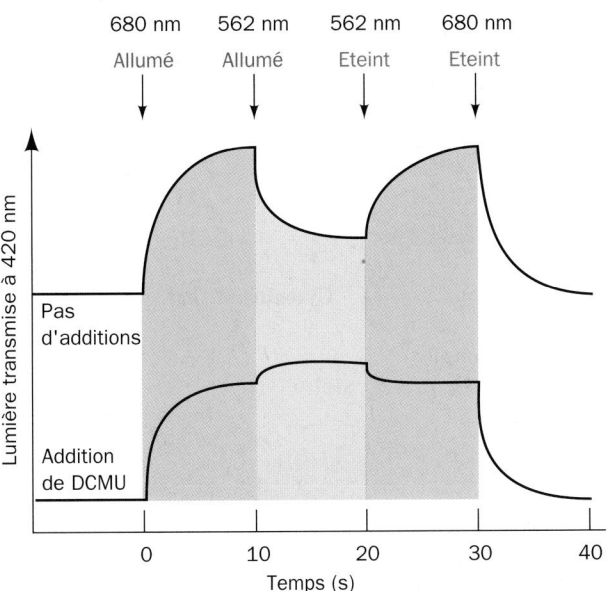

FIGURE 24-16 État d'oxydo-réduction du cytochrome *f* de l'algue *Porphyridium cruentum* suivi par un faisceau de lumière à 420 nm (bleu-violet) de faible intensité. Une augmentation de lumière transmise traduit une oxydation du cytochrome *f*. Dans la courbe supérieure, une forte lumière à 680 nm (rouge lointain) provoque l'oxydation du cytochrome *f* mais la superposition de lumière à 562 nm (jaune-vert) induit sa réduction partielle. Dans la courbe inférieure, en présence de l'herbicide DCMU, inhibiteur du transfert d'électrons photosynthétique, la lumière à 562 nm oxyde davantage, au lieu de réduire, le cytochrome *f*.

avec de la lumière à 680 nm (rouge lointain), le cytochrome *f* s'oxyde (Fig. 24-16). Cependant, si on envoie en plus un faisceau de lumière à 562 nm (jaune-vert), le cytochrome *f* se réduit à nouveau partiellement. En présence de l'herbicide **3-(3,4-dichloro-phényl)-1,1-diméthylurée (DCMU)**,

3-(3,4-Dichlorophényl)-1,1-diméthylurée (DCMU)

qui inhibe toute production d'oxygène par la photosynthèse, la lumière à 680 nm oxyde toujours le cytochrome *f* mais la super-position de la lumière à 562 nm ne fait que l'oxyder un peu plus. L'explication de ces résultats est la suivante : la lumière à 680 nm, qui n'active efficacement que PSI, permet à celui-ci d'accepter les électrons du cytochrome *f* (qui s'oxyde). La lumière à 562 nm active aussi PSII, qui transfère ainsi les électrons au cytochrome *f* (qui se réduit). La DCMU bloque le flux d'électrons du PSII au cytochrome *f* (Fig. 24-15), si bien qu'une augmentation de l'in-tensité de la lumière, quelle que soit sa longueur d'onde, ne sert qu'à activer davantage PSI.

b. La production d'O_2 par la photosynthèse est sous la dépendance de trois complexes protéiques transmembranaires réunis par des transporteurs d'électron mobiles

Les constituants du schéma en Z impliqués dans le transfert des électrons depuis H_2O jusqu'au NADPH sont regroupés dans trois

*particules liées à la membrane des thylacoïdes (Fig. 24-17) : (1) PSII, (2) le **complexe cytochrome b_6f**, et (3) PSI.* Comme dans les phosphorylations oxydatives, les électrons sont transférés entre ces complexes par des transporteurs d'électron mobiles. L'analogue de l'ubiquinone la **plastoquinone (Q)**, via sa réduction en **plastoqui-nol (QH_2)**,

Plastoquinone

$$2\,[H\bullet]$$

Plastoquinol

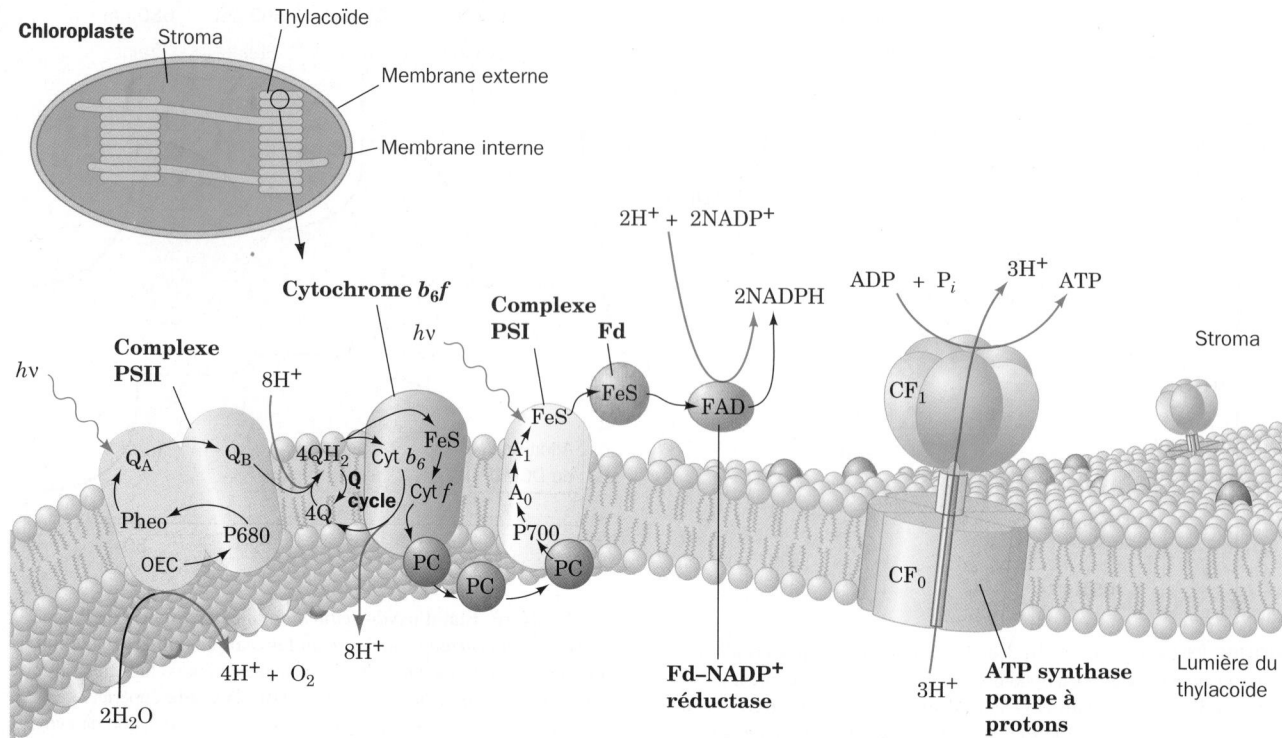

FIGURE 24-17 Représentation schématique de la membrane du thylacoïde montrant les constituants de sa chaîne de transport des électrons. Le système comprend trois complexes protéiques : PSII, le complexe cytochrome b_6f et PSI, qui sont « connectés » électriquement par la diffusion des transporteurs d'électrons, le plastoquinol (Q) et la plastocyanine (PC). Le transfert d'électrons induit par la lumière (*flèches noires*) depuis H_2O jusqu'à $NADP^+$ pour former du NADPH provoque la translocation de protons (*flèches rouges*) dans la lumière des thylacoïdes

(Fd est la ferrédoxine). D'autres protons proviennent de H_2O par le complexe de production d'oxygène (OEC) qui forme de l'O_2. Le gradient de protons ainsi formé permet la synthèse d'ATP par l'ATP synthase pompe à protons CF_1CF_0 [CF_1 et CF_0 (C pour chloroplaste) sont les analogues de F_1 et F_0 des mitochondries]. La membrane contient aussi des complexes photocollecteurs dont les constituants, les chlorophylles et d'autres chromatophores, transmettent leurs excitations aux PSI et PSII. [D'après Ort, D.R. et Good, N.E., *Trends Biochem. Sci.* **13**, 469 (1988).]

relie PSII au complexe cytochrome b_6f qui, à son tour, interagit avec PSI par l'intermédiaire de la protéine rédox mobile à Cu **plastocyanine (PC)**. Suivons à présent le trajet des électrons dans le système des chloroplastes, depuis H_2O jusqu'à $NADP^+$ (Fig. 24-18).

c. PSII ressemble à PbRC

Le PSII de la cyanobactérie thermophile *Synechococcus elongatus* est constitué d'au moins 17 sous-unités, dont 14 occupent la membrane photosynthétique. Ces sous-unités transmembranaires comprennent les protéines RC **D1 (PsbA)** et **D2 (PsbD),** les sous-unités antennaires internes contenant de la chlorophylle **CP43 (PsbC)** et **CP47 (PsbB)**, et les sous-unités α et β du **cytochrome b_{559}**. La structure par rayons X de ce PSII fut déterminée par Norbert Krauss, Wolfram Saenger et Horst-Tobias Witt, mais à une résolution si faible (3,8 Å) que seules ses caractéristiques principales, telles que hélices et cycles de chlorophylle, purent être repérées. On constate (Fig. 24-19) que cette protéine de ~340 kD est un dimère symétrique dont chaque protomère contient 36 hélices transmembranaires, dont 22 appartiennent à D1, D2, CP43 et CP47. Chaque protomère fixe 32 Chl *a*, deux molécules de **phéophytine** *a* (**Phéo *a*** ; Chl *a* où Mg^{2+} est remplacé par deux protons),

deux noyaux hème, deux plastoquinones, un Fe non hème, et un groupe de quatre ions Mn. (Chez les plantes supérieures, PSII comporte environ 25 sous-unités et forme un supercomplexe transmembranaire de ~1000 kD avec LHC-II et plusieurs autres protéines antennaires).

D1 est en relation avec D2 selon un axe de symétrie de pseudo-ordre 2 parallèle à l'axe du dimère et qui passe par le Fe non hème. La disposition des cinq hélices transmembranaires dans D1 et D2 ressemble à celle décrite dans les sous-unités L et M du PbRC (Fig. 24-11). De fait, ces deux catégories de sous-unités ont des séquences en acides aminés semblables, ce qui signifie qu'elles sont issues d'un ancêtre commun. CP43 et CP47, également en relation selon une pseudosymétrie, contiennent chacune six hélices constituant un trimère de dimères et fixent respectivement 12 et 14 Chl *a* antennaires.

Les cofacteurs du RC de PSII (Fig. 24-20) sont organisés comme ceux du système bactérien (Fig. 24-12) : ils ont essentiellement les mêmes constituants (Chl *a*, Phéo *a* et plastoquinone remplaçant respectivement BChl *b*, BPhéo *b* et ménaquinone) et sont disposés symétriquement dans le sens de l'axe de pseudo-ordre 2 du complexe. Les deux anneaux de Chl *a* marqués P_{D1} et P_{D2} dans la Fig. 24-20 sont situés comme les BChl *b* de la paire

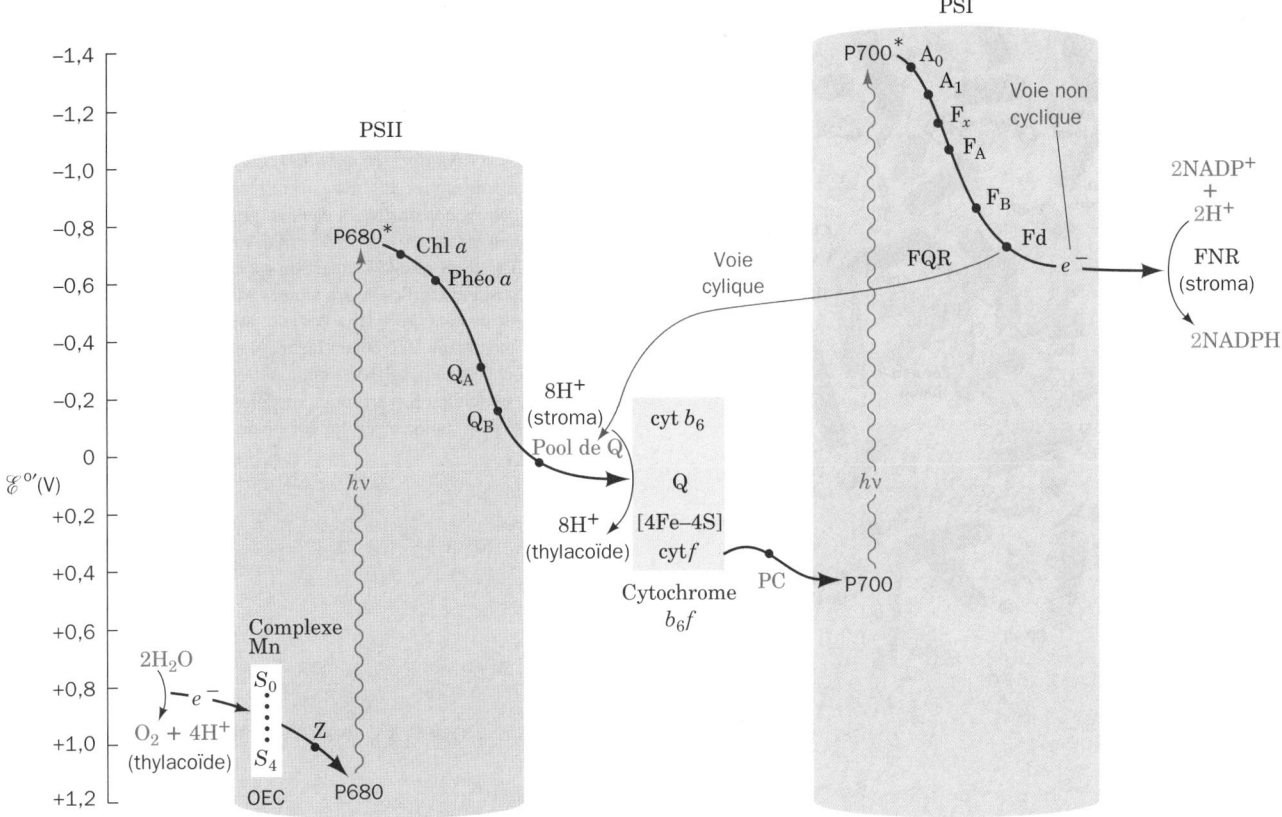

FIGURE 24-18 Représentation détaillée du schéma en Z de la photosynthèse. Les électrons expulsés de P680 suite à l'absorption de photons sont remplacés par les électrons arrachés à H$_2$O par un complexe protéique-Mn (OEC), formant ainsi O$_2$ et quatre H$^+$. Chaque électron expulsé passe par une chaîne de transporteurs d'électrons jusqu'à un pool de molécules de plastoquinone (Q). Le plastoquinol formé réduit à son tour la particule de cytochrome b_6f (*boîte jaune*) qui transfère les électrons avec translocation concomitante de protons, via un cycle Q, dans la lumière du thylacoïde. Le cytochrome b_6f transfère ensuite les électrons à la plastocyanine (PC). La plastocyanine régénère le P700 qui a été photo-oxydé. L'électron expulsé de P700, par l'intermédiaire d'une chaîne de transporteurs d'électrons (A$_0$, A$_1$, F$_X$, F$_A$, F$_B$, et F$_D$) réduit le NADP$^+$ en NADPH par un transfert d'électrons non cyclique. Alternativement, l'électron peut être restitué au complexe cytochrome b_6f par un processus cyclique avec translocation de protons dans la lumière du thylacoïde.

spéciale de P960 et constitueraient donc le donneur primaire d'électrons de PSII, **P680** (d'après la longueur d'onde de son absorption maximum). Cependant, les anneaux parallèles de P680 sont plus écartés que ceux de P960 (la distance Mg–Mg étant de 10 Å dans P680 et de 7 Å dans P960) de sorte qu'ils ne sont que faiblement couplés électroniquement. Il est donc probable que l'électron célibataire dans P680$^+$ photo-oxydé soit situé sur un seul de ces anneaux, vraisemblablement P$_{D1}$ car il est plus proche de Tyr$_Z$ que ne l'est P$_{D2}$ (voir ci-dessous). Le sort de l'électron éjecté de P680 est le même que dans le système bactérien, malgré le fait que les deux systèmes fonctionnent dans des gammes différentes de potentiel d'oxydo-réduction (comparer les Fig. 22-13b et 22-18). Comme indiqué dans la partie centrale de la Fig. 24-18, l'électron est transféré à une molécule de Phéo a (Phéo$_{D1}$ dans la Fig. 24-20), probablement via une molécule de Chl a (Chl$_{D1}$), puis à une plastoquinone fixée (Q$_A$). Ensuite, les deux électrons sont transférés, un à la fois, à une seconde molécule de plastoquinone, Q$_A$, qui capte deux protons à la surface stromale (cytoplasmique) de la membrane du thylacoïde. Le plastoquinol qui en résulte,

Q$_B$H$_2$, s'échange alors avec un pool de molécules de plastoquinone fixées à la membrane (le site de liaison présumé de cette plastoquinone relativement mobile est inoccupé dans la structure par rayons X de PSII). La DCMU, de même que de nombreux autres herbicides courants, entre en compétition avec le site de liaison de Q$_B$ sur PSII, ce qui explique comment ces agents inhibent la photosynthèse.

Les deux molécules de Chl a « supplémentaires », Chlz$_{D1}$ et Chlz$_{D2}$, sont situées à la périphérie du RC, où elles participeraient au transfert de l'excitation des systèmes antennaires à P680. Le cytochrome b_{559}, dont la fonction n'est pas claire, rompt la pseudosymétrie du protomère PSII, comme le fait l'agrégat de Mn, dont nous allons étudier le rôle.

d. La production d'O$_2$ est assurée par une réaction de photolyse de l'eau en cinq étapes via un complexe protéique contenant du manganèse

L'oxydation de deux molécules d'eau pour former une molécule d'O$_2$ nécessite quatre électrons. Le transfert d'un seul électron

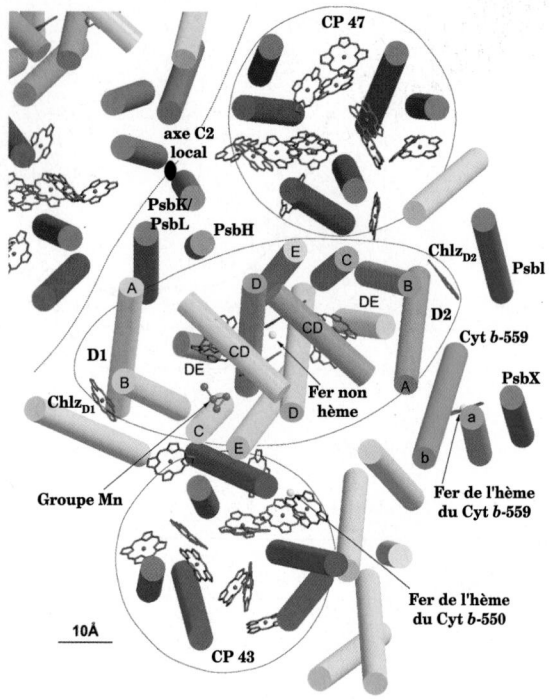

(a)

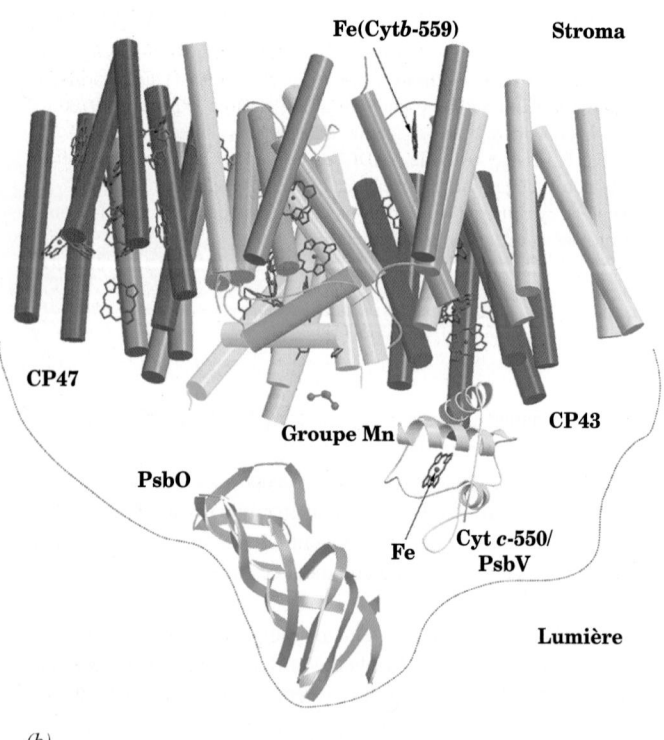

(b)

FIGURE 24-19 Structure par rayons X de PSII de *S. elongatus* montrant la disposition de ses hélices (*cylindres*) et cofacteurs. (*a*) Vue perpendiculaire à la membrane à partir de la lumière du thylacoïde ne montrant que la partie transmembranaire du complexe. Un protomère du complexe dimérique est montré dans sa totalité, et une partie du second protomère en relation avec le premier par un axe local d'ordre deux (*ellipse en noir à l'interface en pointillés*) est montrée en haut à gauche. Les hélices de sous-unités différentes sont représentées en couleurs différentes, les 7 hélices non attribuées étant en gris. Les noyaux de Chl *a* et de hème sont en bâtonnets (*noir*). D1 et D2 sont entourées d'une ellipse, et CP43 et CP47 d'un cercle. L'amas Mn est en modèle éclaté (*brun*), bien que les positions réelles de ses atomes Mn soient incertaines.
(*b*) Vue à partir du côté droit de la Partie *a*, avec la lumière en bas et et le plan de la membrane légèrement incliné. Les protéines luminales **PsbO** et **cytochrome *c*$_{550}$ (PsbV)** sont montrées, respectivement, comme une structure en feuillet β (*vert*) et un modèle hélicoïdal (*gris*). [Avec la permission de Wolfram Saenger, Freie Universität Berlin, Allemagne. PDBid 1FE1.]

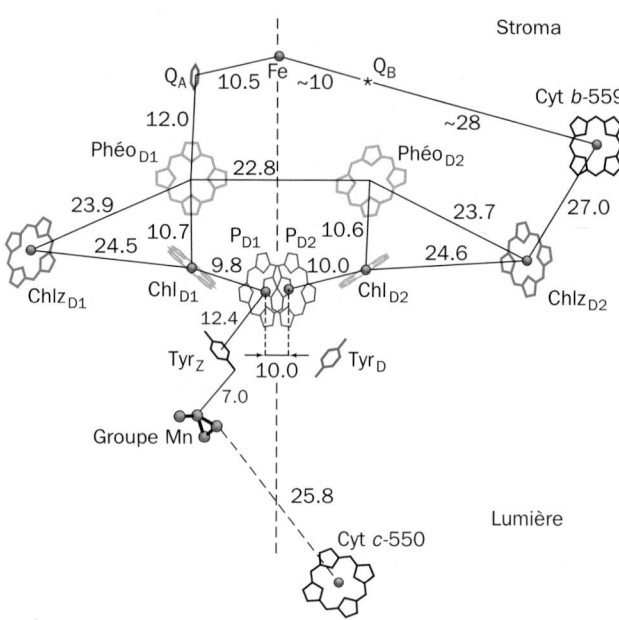

FIGURE 24-20 Disposition des cofacteurs dans les sous-unités (D1 et D2) du RC de PSII. Le complexe est vu dans le plan de la membrane, avec la lumière du thylacoïde vers le bas. La ligne en pointillés passant par le Fe non hème est l'axe de pseudosymétrie d'ordre 2 du RC, parallèle à l'axe local d'ordre 2 des deux protomères du dimère PSII (Fig. 24-19*a*). Les fines lignes indiquent les distances centre à centre, en Å, entre les cofacteurs. L'astérique désigne le site de liaison présumé de Q$_{B.}$ Comparer cette figure avec la Fig. 24-12 (laquelle est inversée de bas en haut par rapport à celle-ci). [D'après Zouni, A., Witt, H.-T., Kern, J., Fromme, P., Krauss, N., Saenger, W., et Orth, P., *Nature* **409**, 741 (2001).

depuis H$_2$O au NADP$^+$ nécessitant deux processus photochimiques, on comprend qu'il faille un minimum de 8 à 10 photons absorbés par molécule d'O$_2$ produite.

Les quatre électrons nécessaires à la production d'une molécule d'O$_2$ donnée doivent-ils être captés par un seul photosystème ou par plusieurs photosystèmes différents ? Pierre Joliet et Bessel Kok ont répondu à cette question en analysant la vitesse de production d'O$_2$ par des chloroplastes adaptés à l'obscurité et exposés à des séries de flashes de courte durée. L'O$_2$ est produit selon un schéma d'oscillations particulier (Fig. 24-21). Il n'y a pratique-

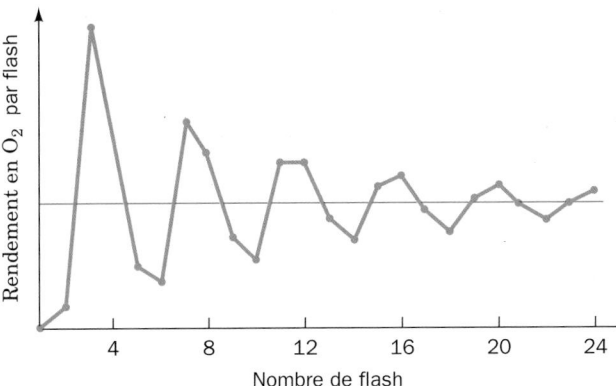

FIGURE 24-21 Rendement en O₂ par flash pour des chloroplastes d'épinard adaptés à l'obscurité. Noter que le rendement est maximum pour le troisième flash puis pour chaque quatrième flash jusqu'à ce que la courbe s'amortisse et revienne à sa valeur moyenne. [D'après Forbush, B., Kok, B., et McGloin, M.P., *Photochem. Photobiol.* **14**, 309 (1971).]

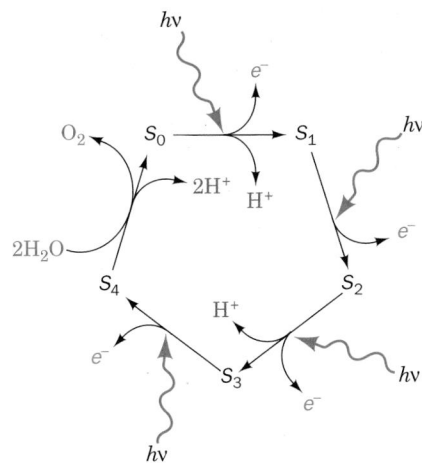

FIGURE 24-22 Mécanisme schématique de la formation d'O₂ dans les chloroplastes. Quatre électrons sont enlevés, un à la fois, dans des réactions dépendantes de la lumière ($S_0 \rightarrow S_4$), depuis deux molécules d'H_2O. Dans la phase de récupération ($S_4 \rightarrow S_0$), qui est indépendante de la lumière, O_2 est libéré et deux autres molécules d'H_2O sont liées. Trois de ces cinq étapes libèrent des protons dans la lumière du thylacoïde.

ment aucune production d'O_2 après les deux premiers flashes. Le troisième flash provoque la production maximum d'oxygène. Après quoi, la quantité d'O_2 produite est maximum à chaque quatrième flash jusqu'à ce que les oscillations s'atténuent et retournent à l'état stationnaire. Cette périodicité indique que chaque centre producteur d'O_2 fait intervenir un cycle de cinq états différents, de S_0 à S_4 (Fig. 24-22). Chaque transition entre S_0 et S_4 est une réaction d'oxydo-réduction dépendante de la lumière ; celle de S_4 à S_0 se traduit par la production d'O_2. Ainsi, *chaque molécule d'O_2 doit être produite par un seul photosystème.* Le fait que la production maximum d'O_2 se fasse au troisième plutôt qu'au quatrième flash indique que l'état de repos du centre producteur d'oxygène est principalement S_1 plutôt que S_0. Si les oscillations s'atténuent progressivement c'est parce qu'une petite fraction des RC ne sont pas excités ou sont deux fois excités par un flash donné ce qui, finalement, fait perdre aux centres leur synchronisation. Les cinq phases réactionnelles libèrent séquentiellement dans la lumière (espace interne) des thylacoïdes quatre protons au total en provenance de l'eau (Fig. 24-22).

Puisque les états S assurent l'enlèvement d'électrons de H_2O, leurs potentiels d'oxydo-réduction standard doivent en moyenne être supérieurs à 0,815 V, valeur du potentiel d'oxydo-réduction de la demi-réaction O_2/H_2O (ce qui fait de P680⁺, qui enlève ces électrons, un des agents oxydants biologiques les plus puissants connus). PSII possède la propriété remarquable de stabiliser ces intermédiaires très réactionnels pendant des périodes prolongées (de l'ordre de plusieurs minutes) à proximité étroite de l'eau, et nous commençons tout juste à comprendre comment. PSII contient quatre ions Mn liés à la protéine qui, après excitation des chloroplastes par de courts flashes de lumière, émettent des signaux EPR qui ont une périodicité de quatre flashes identique à celle de la production d'O_2 (Fig. 24-21). Ces ions Mn, associés à un ion Ca^{2+} et à 2 ions Cl^-, constituent un complexe catalytiquement actif, le **complexe de production d'oxygène (OEC)** (pour « oxygen evolving complex »), qui se lie à deux molécules d'eau afin de faciliter la production d'O_2. L'OEC passe par une série d'états d'oxydo-réduction cyclique [les états S, qui semblent impliquer différentes combinaisons de Mn(II), Mn(III), Mn(IV) et Mn(V)] tout en captant des protons et des électrons de molécules d'eau, pour finale-

ment libérer O_2 dans l'espace interne des thylacoïdes. Bien qu'on aie pu localiser l'agrégat Mn de l'OEC dans la structure par rayons X de PSII (Fig. 24-19 et 24-20), la disposition de ses atomes de Mn ni ses ligands n'ont pu être établis définitivement. Cependant, des données spectroscopiques on conduit à proposer plusieurs modèles pour la structure de l'OEC, comme celui de la Fig. 24-23. Cependant, faute d'une structure définitive, le mécanisme de l'oxydation de H_2O en O_2 par l'OEC demeure spéculatif.

Le maillon suivant dans la chaîne de transport des électrons de PSII est une substance qui fut appelée Z (Fig. 24-18), laquelle transfère à P680 les électrons provenant de l'OEC. L'existence de Z est révélée par un spectre EPR transitoire, dans des chloroplastes éclairés, qui est parallèle aux transitions de l'état S. Le changement provoqué dans ce spectre par l'administration de tyrosine deutérée à des cyanobactéries indique que Z⁺ est un radical tyrosyl (TyrO• ;

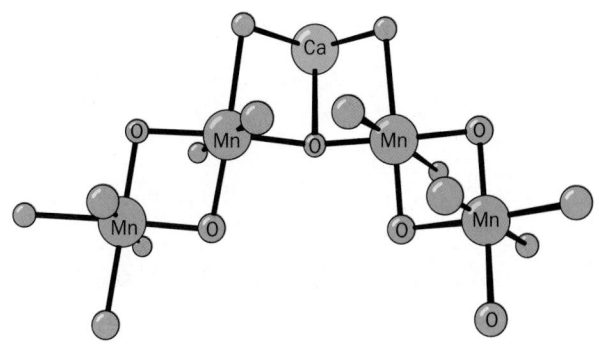

FIGURE 24-23 Structure présumée de l'OEC. Ce modèle est compatible avec les caractéristiques spectroscopiques (mais d'autres le sont aussi). Noter que, dans ce modèle, les paires voisines d'ions Mn sont chacune pontées par deux atomes d'O, une caractéristique structurale particulièrement bien en accord avec les données spectroscopiques. [D'après Robblee, J.H., Cinco, R.M., et Yachindra, V.K., *Biochim. Biophys. Acta* **1503**, 16 (2001).]

les spectres EPR reflètent les spins nucléaires des atomes avec lesquels les électrons célibataires interagissent). On l'a identifié dans PSII comme étant Tyr$_Z$ (Fig. 24-20) en raison de sa position entre l'agrégat Mn et la chlorophylle P$_{D1}$.

e. Le transport des électrons à travers le complexe cytochrome b_6f entraîne la formation d'un gradient de protons

Les électrons sont transférés du pool de plastoquinone au **complexe cytochrome b_6f.** Cet assemblage membranaire intrinsèque ressemble étroitement au cytochrome bc_1, sa contrepartie bactérienne (Section 24-2B), ainsi qu'au Complexe III de la chaîne de transport des électrons mitochondriale (également appelé cytochrome bc_1; Section 22-2C). Le cytochrome b_6f, qui est presque certainement un dimère fonctionnel, comme l'est le Complexe III, comporte au moins sept sous-unités différentes, ses quatre

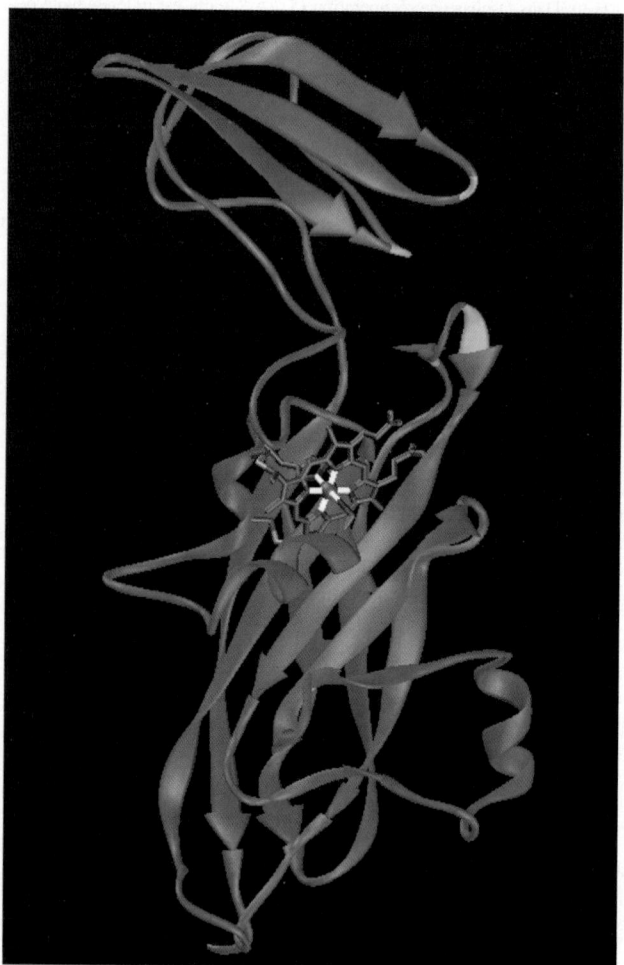

FIGURE 24-24 Structure par rayons X du cytochrome f de navet. Le groupement hème et les groupements liés par covalence à la protéine (Cys 21, Cys 24, His 25 et le groupement aminé N-terminal) sont représentés en modèle éclaté avec leurs atomes de C, N, O et S respectivement en vert, bleu, rouge et jaune ; l'atome de Fe de l'hème est représenté par une sphère orange. Les cinq résidus Lys et Arg qui constituent une plage chargée positivement à la surface du petit domaine sont bleu-vert.
[D'après une structure par rayons X de Janet Smith, Purdue University. PDBid 1CTM.]

« grosses » sous-unités étant un **cytochrome f** (qui contient un hème de type c), un **cytochrome b_6** (qui contient deux hèmes de type b), la sous-unité IV, et une protéine fer–soufre de Rieske (qui contient un centre [2Fe–2S] ; Section 22-2C). Le cytochrome b du Complexe III mitochondrial correspond à la fusion du cytochrome b_6 chloroplastique et de la sous-unité IV, et les protéines fer–soufre de Rieske des deux complexes sont homologues et de structure semblable. Cependant, le cytochrome f (f pour *feuille*) n'est pas apparenté à sa contrepartie dans le Complexe III, le cytochrome c_1, bien que ces deux cytochromes soient de type c.

Le complexe cytochrome b_6f transporte des protons et des électrons depuis l'extérieur vers l'intérieur de la membrane du thylacoïde. Cette translocation de protons fait intervenir un cycle Q (Section 22-3B et Fig. 24-13a) dans lequel la plastoquinone est le transporteur de (H$^+$ + e^-). Le mécanisme du cycle Q prévoit que deux protons sont transportés à travers la membrane du thylacoïde pour chaque électron transféré, mais les difficultés expérimentales rencontrées n'ont pas permis de déterminer ce rapport sans ambiguïté. Il est clair, cependant, *que le transfert d'électrons, via le complexe cytochrome b_6f, génère la majeure partie du gradient électrochimique du proton qui assurera la synthèse de l'ATP dans le chloroplaste (cf. ci-dessous).*

Le cytochrome f de navet (285 résidus), le plus grand des polypeptides du complexe cytochrome b_6f, présente un seul segment transmembranaire près de son extrémité C-terminale (résidus 251-270, qui forment probablement une hélice α) disposé de sorte que les 250 résidus N-terminaux se déploient dans la lumière du thylacoïde. La structure par rayons X du segment N-terminal de 252 résidus du cytochrome f, déterminée par Janet Smith, révèle une structure allongée à deux domaines où prédominent des feuillets β (Fig. 24-24), soit une structure très différente des autres cytochromes de type c de structure connue (cf. p. ex. Fig. 9-38 et 12-26a). L'unique noyau hème de type c du cytochrome f est néanmoins lié par covalence au grand domaine de la protéine par deux résidus Cys se trouvant dans une séquence Cys-X-Y-Cys-His caractéristique des cytochromes de type c et dont le résidu His est l'un des deux ligands axiaux du Fe(III) (Fig. 9-36). Curieusement, le deuxième ligand axial est le groupement aminé N-terminal de la protéine, ce qui n'a encore jamais été observé pour un noyau hème.

f. La plastocyanine transporte les électrons du cytochrome b_6f au PSI

Le transfert d'électrons entre le cytochrome f, le dernier transporteur d'électrons du complexe cytochrome b_6f, et le PSI est assuré par la **plastocyanine (PC)**, une protéine membranaire extrinsèque monomérique à Cu de 99 résidus et située sur la face luminale du thylacoïde (Fig. 24-17). La PC est donc l'analogue fonctionnel du cytochrome c qui transfère les électrons du Complexe III au Complexe IV dans la chaîne de transport ds électrons mitochondriale (Section 22-2C).

Le centre redox de la PC oscille entre les états d'oxydation Cu(I) et Cu(II). La structure par rayons X de la PC de feuilles de peuplier, déterminée par Hans Freeman, montre que son seul atome de Cu est lié par coordinence au centre d'un tétraèdre déformé, à une Cys, une Met, et deux His (Fig. 24-25). Les complexes Cu(II) à quatre ligands prennent normalement une géométrie de coordination carrée plane alors que ceux avec Cu(I) sont généralement tétraédriques. Manifestement, la contrainte imposée

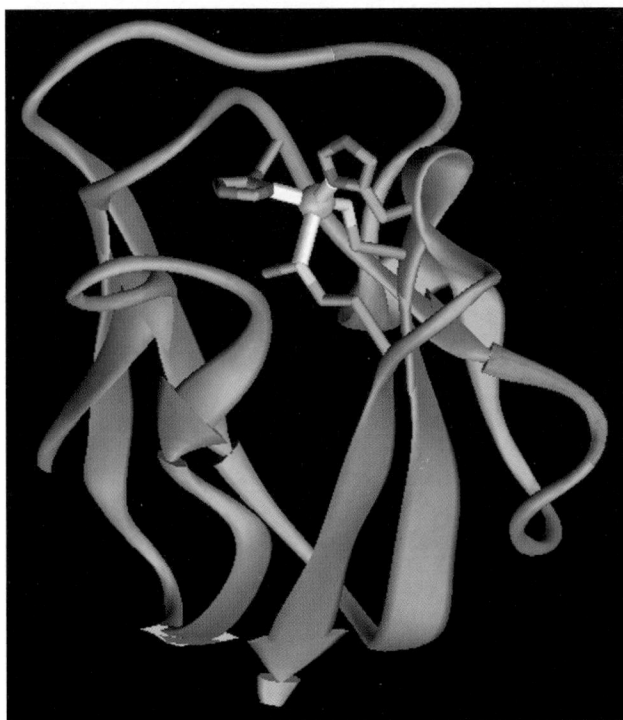

FIGURE 24-25 Structure par rayons X de la plastocyanine (PC) de feuilles de peuplier. Cette protéine, membre de la famille des **protéines à cuivre bleu** (comme l'est le domaine globulaire de la sous-unité II du complexe IV, qui fixe le centre CU_A), se replie en un sandwich β. Son atome de Cu (*sphère orange*), qui alterne entre les états d'oxydation Cu(I) et Cu(II), se trouve au centre d'un tétraèdre et est lié aux chaînes latérales de His 37, Cys 84, His 87 et Met 92, représentées en modèle éclaté avec leurs atomes de C, N, et S en vert, bleu et jaune. Six résidus conservés Asp et Glu formant une plage chargée négativement à la surface de la protéine sont en rouge. [D'après une structure par rayons X due à Mitchell Guss et Hans Freeman, University of Sydney, Australie. PDBid 1PLC.]

plutôt que le cytochrome c_1, son analogue fonctionnel dans le Complexe III, car le cytochrome f est mieux à même d'interagir avec la PC, alors que le cytochrome c_1 est mieux à même d'interagir avec le cytochrome c.

g. PSI ressemble à la fois à PSII et au PbRC

Les PSI des cyanobactéries sont des trimères de protomères chacun formés d'au moins 11 sous-unités protéiques différentes et de >100 cofacteurs. La structure par rayons X du PSI de *S. elongatus* (Fig. 24-26), déterminée à une résolution de 2,5 Å par Krauss, Saenger et Petra Fromme, montre que chacun de ses protomères (356 kD) contient neuf sous-unités transmembranaires (**PsaA, PsaB, PsaF, PsaI-M et PsaX**) et trois sous-unités stromales (cytoplasmiques) (**PsaC-E**) qui, ensemble, fixent 127 cofacteurs qui comptent pour 30 % de la masse du PSI. Les cofacteurs qui forment le RC de PSI sont tous fixés aux sous-unités homologues PsaA (755 résidus) et PsaB (740 résidus), dont les 11 hélices transmembranaires sont disposées comme dans les sous-unités L et M du PbRC (Fig. 24-11) et dans les sous-unités D1 et D2 de PSII (Fig. 24-19), ce qui est en faveur de l'hypothèse que tous les RC proviennent d'un ancêtre commun. PsaA et PsaB, ainsi que les autres sous-unités transmembranaires, fixent également les cofacteurs du système antennaire central (voir ci-dessous).

La Fig. 24-27 montre que le RC de PSI comporte six Chl *a* et deux molécules de **phylloquinone** (**vitamine K_1**; remarquer qu'elle a la même chaîne latérale phytyle que les chlorophylles; Fig. 24-3),

$$O$$

Phylloquinone

toutes disposées en deux branches en relation pseudosymétrique et suivies de trois centres [4Fe–4S]. Le donneur primaire d'électrons de ce système, **P700**, est constitué d'une paire de molécules de Chl *a*, A1 et B1, dont les ions Mg^{2+} sont distants de 6,3 Å comme dans la paire spéciale du PbRC. Cependant, des études par EPR montrent que l'électron célibataire associé à P700+ photo-oxydé réside à ~80 % sur la Chl *a* B1. A1 est suivie, dans la branche gauche de la Fig. 24-27, de deux anneaux supplémentaires de Chl *a*, B2 et A3, tandis que B1 est suivie de A2 et B3 dans la branche droite. Une molécule de Chl *a* (ou les deux) de la troisième paire, A3 et B3, correspond(ent) probablement à l'accepteur primaire d'électrons A_0 identifié en spectroscopie (côté droit de la Fig. 24-18). Les ions Mg^{2+} de A3 et B3 sont chacun fixés axialement par l'atome S d'un résidu Met plutôt que par une chaîne latérale de His (ce qui constitue le seul exemple biologique connu de coordination Mg^{2+}—S). Tous les résidus impliqués dans la coordination de Mg^{2+}

au Cu(II) par la coordination tétraédrique dans la PC favorise son passage à la forme réduite Cu(I). Cette hypothèse explique le potentiel d'oxydo-réduction standard élevé de la PC (0,370 V) comparé avec celui de la demi-réaction Cu(II)/Cu(I) (0,158 V). Ceci est un exemple du fait que les protéines peuvent adapter à leur fonction les potentiels d'oxydo-réduction de leurs centres rédox — dans le cas de la plastocyanine, le transfert efficace des électrons du complexe cytochrome b_6f au PSI.

Les structures du cytochrome f et de la PC montrent comment ces protéines peuvent s'associer. La Lys 187 du cytochrome f, qui fait partie d'un groupe conservé de cinq résidus chargés positivement à la surface du petit domaine de la protéine, peut établir une liaison croisée avec Asp 44 de la PC, qui fait partie aussi d'une plage chargée négativement à la surface de la PC. Il est vraisemblable que les deux protéines s'associent par des interactions électrostatiques, tout comme le cytochrome c s'associe à ses partenaires rédox de la chaîne de transport des électrons mitochondriale, le Complexe III et le Complexe IV (Section 22-2C). Ceci suggère que le cytochrome b_6f contient le cytochrome f

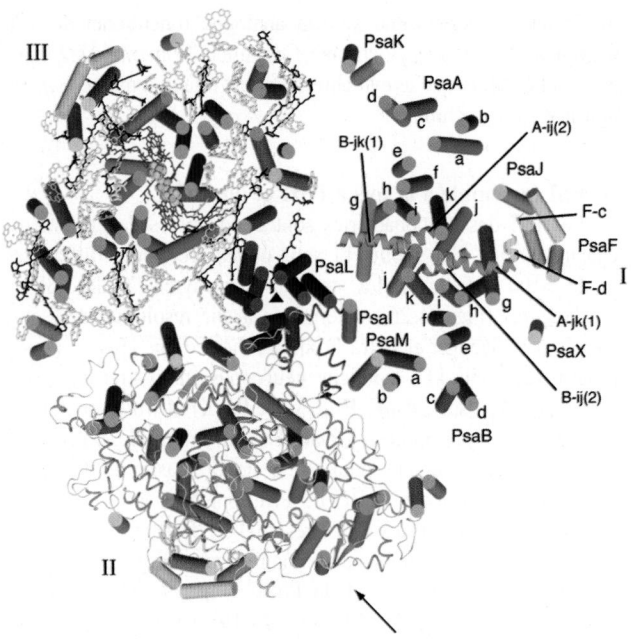

(a)

(b)

FIGURE 24-26 Structure par rayons X de PSI de *S. elongatus*.
(*a*) Vue du trimère perpendiculaire à la membrane à partir du côté stromal. Les sous-unités stromales ont été enlevées pour plus de clarté. L'axe de symétrie d'ordre trois du PSI est représenté par le petit triangle noir. Différents éléments structuraux sont montrés pour chacun des trois protomères (I, II, et III). I montre la disposition des hélices transmembranaires (*cylindres*) qui sont colorées différemment pour chaque sous-unité. Les hélices transmembranaires de PsaA (*bleu*) et de PSaB (*rouge*) sont désignées par a à k, de leurs extrémités N-terminale à C-terminale. Les six hélices dans les régions en boucle extramembranaires sont représentées par des spirales. II montre les hélices transmembranaires comme des cylindres, avec les régions en boucle stro-

male et luminale représentées en ruban. III montre les hélices transmembranaires comme des cylindres, avec tous les cofacteurs. Les Chl *a* et les quinones du RC, représentées en modèle éclaté, sont en violet, avec les atomes de Fe et S des centres [4Fe–4S] représentés par des sphères orange et jaune, le système d'antennes des Chl *a* (dont les chaînes latérales ont été enlevées pour plus de clarté) en jaune, les caroténoïdes en noir, et les lipides fixés, en vert clair. (*b*) Un protomère vu parallèlement à la membrane dans le sens de la flèche de la Partie *a* avec les sous-unités stromales PSaC, PsaD, et PsaE en rose, bleu-vert, et vert clair. La ligne verticale et le triangle désignent l'axe de symétrie d'ordre trois. [Avec la permission de Wolfram Saenger, Freie Universität Berlin, Allemagne. PDBid 1JB0.]

et dans les liaisons hydrogène de ces seconde et troisième Chl *a* sont conservés dans les PSI, des cyanobactéries aux plantes supérieures, ce qui suggère que toutes ces interactions sont importantes

pour le réglage fin de leur potentiel rédox. Les électrons passent de A3 et B3 aux phylloquinones, Q_K-A et Q_K-B, qui correspondent presque certainement à l'accepteur d'électrons A_1 identifié en

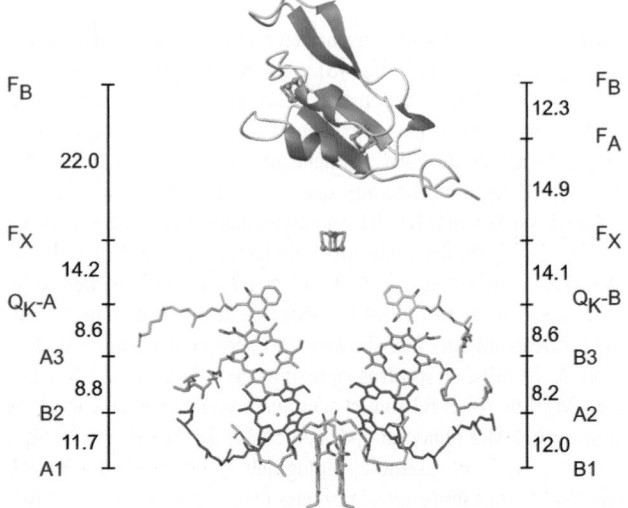

FIGURE 24-27 Cofacteurs du RC de PSI et PsaC. La structure est vue parallèlement au plan de la membrane, avec le stroma au dessus. Les molécules de Chl *a* et de phylloquinone sont disposées en deux branches en relation via l'axe de pseudosymétrie d'ordre 2 de PSI, qui est vertical dans ce dessin. Les Chl *a* sont désignées A et B pour indiquer que leurs ions Mg^{2+} sont fixés par les chaînes latérales de PsaA et de PsaB, respectivement. et à partir du côté luminal par différentes couleurs et les nombres 1 à 3. Les phylloquinones sont désignées par Q_K-A et Q_K-B. PsaC est représenté en ruban, avec en rose ses parties semblables aux segments des ferrédoxines bactériennes 2[4Fe-4S], les insertions et extensions étant en vert. Les trois centres [4Fe-4S] sont en modèle éclaté et désignés par F_X, F_A, et F_B, selon leur identité spectroscopique. Les distances centre à centre entre les cofacteurs (*lignes noires verticales*) sont en Å. Comparer cette figure avec les Fig. 24-19 et 24-12. [Avec la permission de Wolfram Saenger, Freie Universität Berlin, Allemagne. PDBid 1JB0.]

spectroscopie. Des études cinétiques par spectroscopie montrent que, contrairement à la situation pour le PbRC, les électrons passent ici par les deux branches du RC du PSI, bien qu'à des vitesses différentes : 35×10^6 s^{-1} pour la branche aboutissant à Q_K-B et $4,4 \times 10^6$ s^{-1} pour celle qui aboutit à Q_K-A. De fait, le RC de PSI est étroitement apparenté au RC des **bactéries à soufre vertes** (une deuxième classe de bactéries photosynthétiques), qui est un vrai homodimère.

Jusqu'ici, le RC du PSI ressemble à celui du PSII et des bactéries photosynthétiques pourpres. Cependant, plutôt que de voir les formes réduites de Q_K-A ou Q_K-B se dissocier du PSI, on constate que ces deux quinones transfèrent directement leur électron photoexcité à une chaîne de trois centres [4Fe–4S] appelés F_X, F_A et F_B (côté droit de la Fig. 24-18). F_X, situé sur l'axe de pseudo-ordre deux qui relie PsaA et PsaB, est coordiné à deux résidus Cys de chacune de ces sous-unités. F_A et F_B sont fixés à la sous-unité stromale PsaC, dont la structure ressemble à celle des ferrédoxines bactériennes 2[4Fe–4S] (p. ex. Fig. 22-16). Des études de mutagenèse des résidus Cys de PsaC qui fixent par coordinence ses deux centres [4Fe–4S] indiquent que le centre le plus proche de F_X est F_A et que le plus éloigné est F_B (Fig. 24-27). On peut comprendre pourquoi les deux branches du transfert d'électrons du PSI sont actives, alors qu'une seule l'est dans le PSII et le PbRC. En effet, les deux quinones situées aux extrémités de chaque branche sont équivalentes au plan fonctionnel dans le PSI, mais pas dans le PSII ou le PbRC.

Le système antennaire central du PSI est constitué de 90 molécules de Chl *a* et de 22 caroténoïdes (Fig. 24-26a). Les ions Mg^{2+} de 79 de ces molécules de Chl *a* sont fixés axialement par des résidus de PsaA et PsaB (essentiellement des chaînes latérales His et des molécules d'eau protéiques), alors que les 11 autres le sont de même par les plus petites sous-unités PsaJ à M et par PsaX. La distribution spatiale de ces Chl *a* antennaires ressemble à celle que l'on trouve dans les sous-unités CP43 et CP47 du PSII. De fait, les domaines N-terminaux de PsaA et PsaB ont une séquence semblable à ceux de CP43 et CP47 et leur repliement aboutit à des structures similaires contenant chacune six hélices transmembranaires. Les caroténoïdes, qui sont pour l'essentiel des β-carotènes, sont profondément enfouis dans la membrane, où ils sont en contact de van der Waals avec les anneaux de Chl *a*. Ceci permet un transfert efficace d'énergie des caroténoïdes photoexcités à la Chl *a*, tout en protégeant le PSI contre la photo-oxydation. Le PSI fixe également quatre molécules de lipides de manière à ce que leurs groupements d'acide gras s'insèrent entre les hélices transmembranaires du complexe. Ceci suggère pour ces lipides un rôle structural et/ou fonctionnel, plutôt qu'un artefact de préparation. En effet, le groupement de tête de l'un d'entre eux, un phospholipide, fixe par coordinence le Mg^{2+} d'une Chl *a* antennaire, un type d'interaction qui n'avait pas été décrit.

h. Les électrons activés du PSI peuvent réduire le NADP$^+$ ou provoquer la formation d'un gradient de protons

Les électrons issus du F_B du PSI peuvent suivre l'une des deux voies suivantes (Fig. 24-18) :

1. La plupart des électrons suivent une voie non cyclique en étant transférés sur une ferrédoxine (**Fd**) soluble de ~100 rési-

dus, ayant un centre [2Fe–2S] et située dans le stroma. La Fd réduite, à son tour réduit le NADP$^+$ au cours d'une réaction catalysée par la **ferrédoxine-NADP$^+$ réductase (FNR, Fig. 24-28a)**, enzyme à FAD monomérique de ~310 résidus, pour donner le produit final de la phase lumineuse dans le chloroplaste, le NADPH. Deux molécules de Fd réduites cèdent chacune un électron au FAD de la FNR, qui prend successivement la forme semiquinone neutre, puis la forme complètement réduite, avant de transférer les deux électrons et un proton au NADP$^+$ par un transfert d'ion hydrure. La structure par rayons X du complexe entre Fd et FNR extrait de la feuille de maïs (Fig. 24-28b), déterminée par Genji Kurisu, montre que la distance interatomique la plus courte entre le centre [2Fe–2S] de Fd et le NAD de la FNR correspond aux 6,0 Å entre un atome de Fe et l'atome C8a du FAD (le C du méthyle le plus proche de son résidu ribitol ; Fig. 16-8). Cette distance est suffisamment courte pour un transfert direct d'électrons à travers l'espace entre ces deux groupements prosthétiques. Le complexe est stabilisé par cinq ponts salins, comme cela semble être le cas pour l'interaction entre le cytochrome *f* et la PC.

2. Quelques électrons retournent depuis le PSI, via le cytochrome b_6, au pool des plastoquinones, empruntant ainsi une voie cyclique qui assure la translocation de protons à travers la membrane des thylacoïdes. Le mécanisme probable de ce processus est que Fd réduit la **ferrédoxine-plastoquinone réductase (FQR)**, qui, à son tour, réduit la plastoquinone, laquelle réduit le cytochrome b_6f, ce qui transfère les protons via le cycle Q dans la lumière du thylacoïde. Cependant, la FQR n'a pas été isolée.

Noter que la voie cyclique est indépendante de l'action de PSII et ne conduit donc pas à la formation d'O$_2$. Ceci explique que les chloroplastes absorbent plus de huit photons par molécules d'O$_2$ produite.

Le rôle du flux cyclique d'électrons est probablement d'augmenter la quantité d'ATP formé par rapport à celle de NADPH et ainsi de permettre à la cellule d'ajuster les quantités relatives de ces deux substances selon ses besoins.

i. PSI et PSII sont situés à des endroits différents de la membrane du thylacoïde

La micrographie électronique après cryofracture (Section 12-3C) a montré que les complexes protéiques de la membrane du thylacoïde ont des distributions caractéristiques (Fig. 24-29) :

1. PSI se trouve essentiellement dans les lamelles du stroma non empilées, au contact du stroma, et donc avec le NADP$^+$.

2. PSII est localisé presque exclusivement entre les grana étroitement serrés, sans contact direct avec le stroma.

3. Le cytochrome b_6f est réparti uniformément dans toute la membrane du thylacoïde.

Les vitesses de déplacement élevées de la plastoquinone et de la plastocyanine, les transporteurs d'électrons qui font la navette entre ces complexes, permettent à la photosynthèse de se dérouler à vitesse raisonnable.

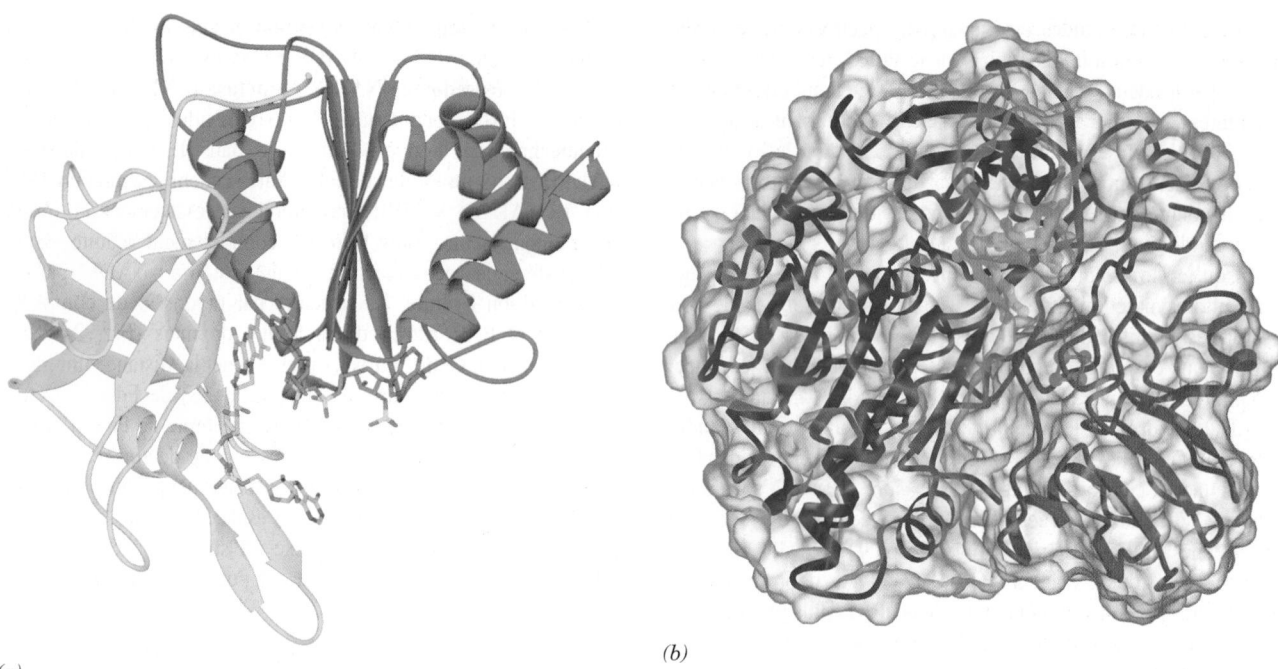

(a)

(b)

FIGURE 24-28 La ferrédoxine–NADP⁺ réductase. (*a*) Structure par rayons X de la forme mutée Y308S de la ferrédoxine-NADP⁺ réductase (FNR) de pois complexée au FAD et au NADP⁺. Cette protéine de 308 résidus présente deux domaines : le domaine N-terminal (*doré*), qui forme le site de liaison du FAD, se replie en tonneau β antiparallèle, alors que le domaine C-terminal (*magenta*), qui constitue le site de liaison du NADP⁺, forme un pli de liaison à dinucléotide (Section 8-3B). Le FAD et le NADP⁺ sont représentés en bâtonnets, avec le C du NADP⁺ en vert, le C du FAD en bleu-vert, N en bleu, O en rouge et P en jaune. Les noyaux flavine et nicotinamide sont en opposition, avec le C4 du noyau nicotinamide et le C5 du noyau flavine séparés de 3 Å, une disposition compatible avec un transfert direct d'hydrure, comme c'est le cas pour la glutathion réductase et la dihydrolipoyl déshydrogénase (Section 21-2B). Cependant, contrairement à ces deux dernières enzymes, dont les noyaux flavine et nicotinamide sont parallèles, ceux de la FNR sont inclinés de ~30°, ce qui est un nouveau mode de liaison. [D'après une structure par rayons X due à Andrew Karplus, Cornell University. PDBid 1QFY.] (*b*) Structure par rayons X du complexe entre Fd (*rouge*) et FNR (*bleu*) de feuille de maïs, les deux protéines, représentées en ruban, étant enfouies dans leurs surfaces accessibles au solvant. Le centre [2Fe-2S] de Fd (*vert*) et le FAD de FNR (*jaune*) sont en modèle éclaté. La Fd se fixe dans un creux entre les deux domaines de la FNR (Partie *a*) de sorte que la ligne qui relie les deux Fe du centre [2Fe-2S] se trouve pratiquement dans le plan du noyau flavine. [Avec la permission de Genji Kurisu, Osaka University, Osaka, Japon. PDBid 1GAQ.]

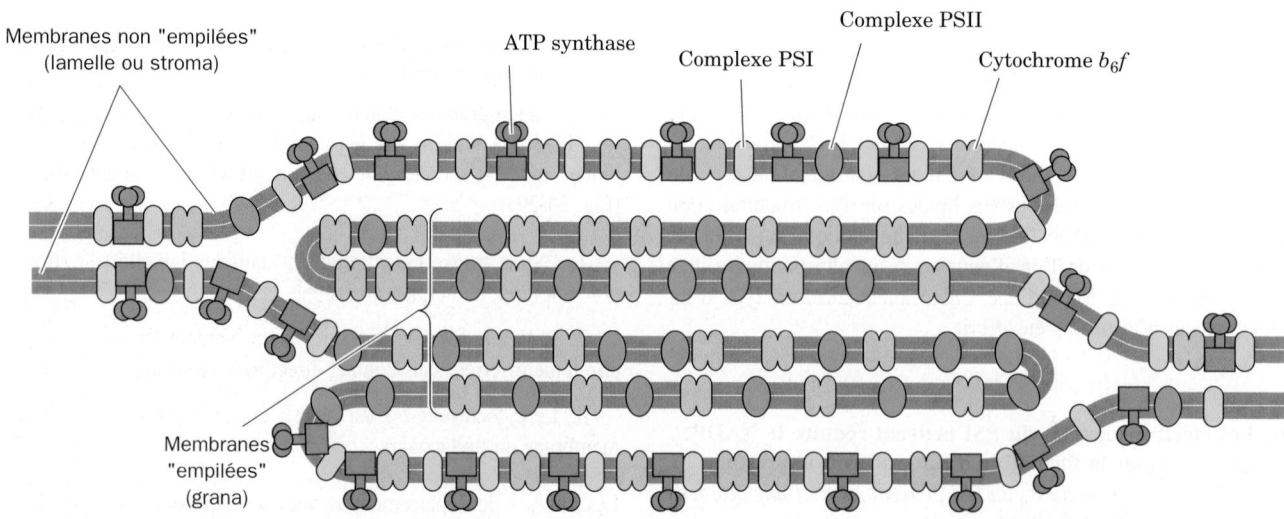

FIGURE 24-29 Séparation de PSI et PSII. Disposition des complexes protéiques photosynthétiques entre les régions empilées (grana) et les régions non empilées (exposées au stroma) de la membrane du thyla-coïde. [D'après Anderson, J.M. et Anderson, B., *Trends Biochem. Sci.* **7**, 291 (1982).]

Quel rôle peut-on attribuer à la ségrégation de PSI et de PSII, qui sont en quantité équimolaire dans les chloroplastes ? Si les deux photosystèmes étaient à proximité l'un de l'autre, l'énergie d'excitation supérieure de PSII (P680 contre P700) ferait qu'une grande partie des photons absorbés par PSII serait transférée sur PSI, via le transfert d'exciton ; autrement dit, PSII servirait d'antenne collectrice de lumière pour PSI (Fig. 24-7*b*). La séparation de ces particules d'environ 100 Å élimine cette difficulté.

La séparation physique de PSI et de PSII permet aussi aux chloroplastes de répondre aux variations d'éclairement. Les quantités relatives de lumière collectée par les deux photosystèmes varient selon la distribution des complexes photocollecteurs (LHC) entre les parties empilées et non empilées de la membrane du thylacoïde. Sous un fort éclairement (la lumière solaire directe normale, qui contient une grande proportion de lumière bleue de courtes longueurs d'onde), toutes choses étant égales par ailleurs, PSII absorbe plus de lumière que PSI. Ce dernier se trouve alors incapable d'accepter des électrons aussi rapidement que PSII en fournit. Par conséquent, la plastoquinone se trouve essentiellement sous forme réduite. La plastoquinone réduite active une protéine kinase qui phosphoryle des résidus Thr spécifiques des LHC, qui, de ce fait, se déplacent vers les régions non empilées de la membrane du thylacoïde où ils se lient au PSI. Une fraction plus importante de la lumière incidente se trouve ainsi concentrée sur PSI. Sous un faible éclairement (lumière ombragée normale, qui contient une forte proportion de lumière rouge de grandes longueurs d'onde), PSI capte plus rapidement les électrons que PSII ne peut les fournir, de sorte que la plastoquinone est essentiellement sous forme oxydée. Les LHC sont donc déphosphorylés et migrent dans les régions empilées de la membrane du thylacoïde, pour se lier au PSII. Ainsi, le chloroplaste maintient l'équilibre entre ses deux photosystèmes par un mécanisme de rétrocontrôle activé par la lumière.

D. *La photophosphorylation*

Les chloroplastes forment de l'ATP de la même manière que les mitochondries, c'est-à-dire en couplant la dissipation d'un gradient de protons à la synthèse enzymatique d'ATP (Section 22-3C). Ceci a été démontré sans équivoque en créant artificiellement un gradient de pH à travers la membrane du thylacoïde. Les chloroplastes sont incubés à l'obscurité pendant plusieurs heures dans une solution d'acide succinique de pH 4 afin d'amener le pH de l'espace des thylacoïdes à cette valeur (la membrane des thylacoïdes est perméable à l'acide succinique non ionisé). Le transfert direct de ces chloroplastes dans un tampon de pH 8 contenant de l'ADP + P_i entraîne la synthèse immédiate d'ATP : près de 100 ATP sont synthétisés par molécule de cytochrome *f* présent. De plus, la quantité d'ATP synthétisé n'est pas affectée par la présence d'inhibiteurs du transfert d'électrons comme la DCMU. Ces résultats et le fait que la photophosphorylation exige une membrane de thylacoïde intacte et que les protonophores comme le 2,4-dinitrophénol (Section 22-3D) découplent la photophosphorylation du transfert d'électrons dépendant de la lumière, sont autant de preuves en faveur de l'hypothèse chimiosmotique (Section 22-3A).

a. L'ATP synthase pompe à protons des chloroplastes ressemble à celle des mitochondries

Des micrographies électroniques des surfaces stromales de membrane de thylacoïde et des surfaces internes de membrane plasmique bactérienne ont révélé la présence de structures en forme de champignon (Fig. 24-30). Elles ressemblent étroitement aux unités F_1 de l'ATP synthase pompe à protons qui tapissent la face interne (matricielle) des membranes internes mitochondriales (Fig. 22-36*a*). À vrai dire, l'ATP synthase du chloroplaste, appelée **complexe CF_1CF_0** (C pour chloroplaste), a des propriétés remarquablement similaires à celles du complexe F_1F_0 mitochondrial (Section 22-3C). Par exemple,

1. Les unités F_0 et CF_0 sont toutes deux des protéines transmembranaires hydrophobes contenant un canal à protons.

2. F_1 et CF_1 sont toutes deux des protéines membranaires extrinsèques hydrophiles de composition en sous-unités $\alpha_3\beta_3\gamma\delta\varepsilon$, β étant une ATPase réversible.

3. Les deux ATP synthases sont inhibées par l'oligomycine.

4. L'ATP synthase des chloroplastes transporte des protons de la lumière du thylacoïde vers le stroma (Fig. 24-17), et l'ATP synthase mitochondriale les achemine vers l'espace matriciel (l'équivalent mitochondrial du stroma) à partir de l'espace intermembranaire (Section 22-3A).

Il est clair que les ATP synthases pompes à protons sont apparues très tôt dans l'histoire de la vie cellulaire. L'ATP synthase des chloroplastes est localisée dans les régions non empilées de

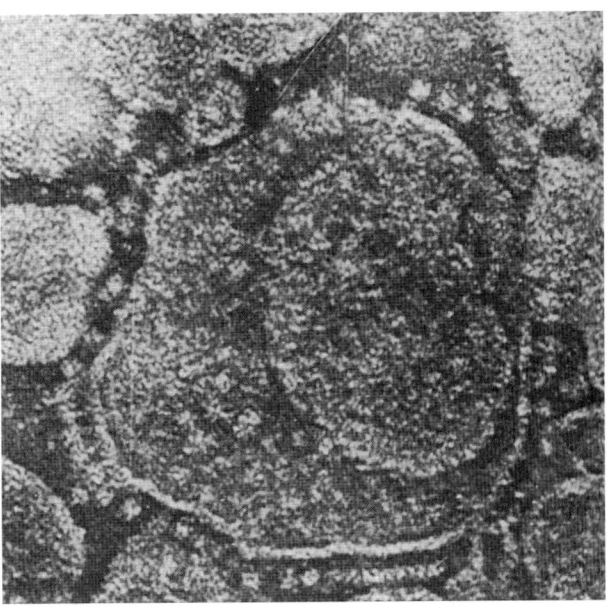

FIGURE 24-30 Micrographie électronique de thylacoïdes. Les CF_1 en forme de « champignon » des ATP synthases se projettent depuis la surface du stroma. Comparer avec la Fig. 22-36*a* et *b*. [Avec la permission de Peter Hinkle, Cornell University.]

la membrane des thylacoïdes, au contact du stroma, et où la particule volumineuse CF_1 peut se loger et avoir accès à l'ADP (Fig. 24-29).

b. La photosynthèse associée au transport non cyclique des électrons produit environ 1,25 ATP par photon absorbé

Lorsque l'intensité de la lumière est saturante, les chloroplastes forment un gradient de protons de ~3,5 unités de pH à travers la membrane de leurs thylacoïdes. Comme nous l'avons vu (Fig. 24-17 et 24-18), cette formation a deux origines :

1. La production d'une molécule d'O_2 à partir de deux molécules d'eau libère quatre protons dans la lumière du thylacoïde. On doit considérer ces protons comme étant fournis depuis le stroma par les protons et atomes d'hydrogène utilisés pour la formation de NADPH.

2. Le transport des quatre électrons libérés par l'intermédiaire du complexe b_6f s'accompagne de la translocation estimée de huit protons du stroma dans la lumière du thylacoïde

Globalement, ~12 protons sont transportés par molécule d'O_2 produite par le transport d'électrons non cyclique.

Contrairement à la membrane interne mitochondriale, la membrane du thylacoïde est perméable à des ions comme Mg^{2+} et Cl^-. La translocation de protons et d'électrons à travers la membrane des thylacoïdes s'accompagne par conséquent du passage de ces ions afin de maintenir l'électroneutralité (sortie de Mg^{2+} et entrée de Cl^-). Il s'ensuit la dissipation du potentiel de membrane, $\Delta\Psi$ (Éq. [22.1]). *Par conséquent, le gradient électrochimique des chloroplastes est essentiellement dû au gradient de pH.*

L'ATP synthase des chloroplastes, selon la plupart des estimations, produit un ATP pour trois protons transportés depuis la lumière du thylacoïde. Le transfert d'électrons non cyclique assure donc la production de ~12/3 = 4 molécules d'ATP par molécule d'O_2 formé (bien que cette valeur soit discutable), soit environ un demi ATP par photon absorbé. Le transfert cyclique d'électrons fournit davantage d'ATP puisqu'il permet la formation de deux tiers d'un ATP (deux protons transportés) par photon absorbé. Le processus non cyclique forme aussi bien sûr du NADPH, dont chaque molécule contient l'énergie libre nécessaire à la production de trois ATP (Section 22-2A ; bien que ceci ne se produise normalement pas), soit un total de 6 équivalents d'ATP supplémentaires par O_2 formé. Par conséquent, le rendement énergétique du processus non cyclique est 4/8 + 6/8 = 1,25 équivalents ATP par photon absorbé.

3 ■ LA PHASE OBSCURE

Nous venons de voir comment l'énergie lumineuse est captée pour assurer la formation d'ATP et de NADPH. Dans cette section, nous étudierons comment ces produits sont utilisés pour la synthèse de glucides et d'autres substances à partir de CO_2.

A. *Le cycle de Calvin*

La voie métabolique qui permet aux plantes d'incorporer le CO_2 dans les glucides a été élucidée par Melvin Calvin, James Bassham et Andrew Benson entre 1946 et 1953. Pour cela, ils ont suivi le cheminement métabolique du $^{14}CO_2$ dans les différents intermédiaires photosynthétiques. Leur stratégie expérimentale de base consistait à exposer des cultures d'algues, comme *Chlorella*, à du $^{14}CO_2$ pendant des temps variables et dans des conditions d'éclairement différentes, puis à plonger les cellules dans de l'alcool bouillant afin de les détruire tout en préservant l'intégrité des molécules marquées. Les produits radioactifs étaient ensuite séparés et identifiés (travail souvent délicat) en utilisant la technique, récente à cette époque, de la chromatographie sur papier à deux dimensions (Section 6-3D) couplée à l'autoradiographie. L'ensemble de la voie, représentée dans la Fig. 24-31, est appelé **cycle de Calvin** ou **cycle réducteur des pentoses phosphate**.

Certaines des premières expériences de Calvin montraient que des algues exposées au $^{14}CO_2$ pendant une minute ou plus, avaient synthétisé un mélange complexe de métabolites radioactifs dont des sucres et des acides aminés. Cependant, en inactivant les algues 5 s après leur exposition au $^{14}CO_2$, on constata que le *premier produit radioactif stable formé était le 3-phosphoglycérate (3PG), qui, initialement, n'est marqué que dans son groupement carboxylate*. Ce résultat suggéra immédiatement que, selon la biochimie classique, le 3PG était formé par carboxylation d'un composé en C_2. Cependant, l'impossibilité de trouver un tel précurseur conduisit à l'abandon de cette hypothèse. La véritable réaction de carboxylation fut découverte lors d'une expérience dans laquelle des algues étaient éclairées et exposées à du $^{14}CO_2$ pendant environ 10 min afin que les concentrations de leurs intermédiaires photosynthétiques soient en état stationnaire. Après retrait du CO_2, comme prévu, la concentration du produit de carboxylation, le

FIGURE 24-31 (*Page opposée*). **Le cycle de Calvin**. Le nombre de lignes d'une flèche indique le nombre de molécules qui réagissent dans cette réaction pour un seul tour de cycle qui transforme trois molécules de CO_2 en une molécule de GAP. Par souci de clarté, les sucres sont donnés en structure linéaire, bien que les hexoses et heptoses se trouvent essentiellement sous forme cyclique (Section 11-1B). Les carbones marqués par ^{14}C après un tour de cycle et exposition au $^{14}CO_2$ sont en rouge. Noter que deux des Ru5P ne sont marqués que sur leur C3, alors que le troisième Ru5P est marqué uniformément sur ses C1, C2 et C3.

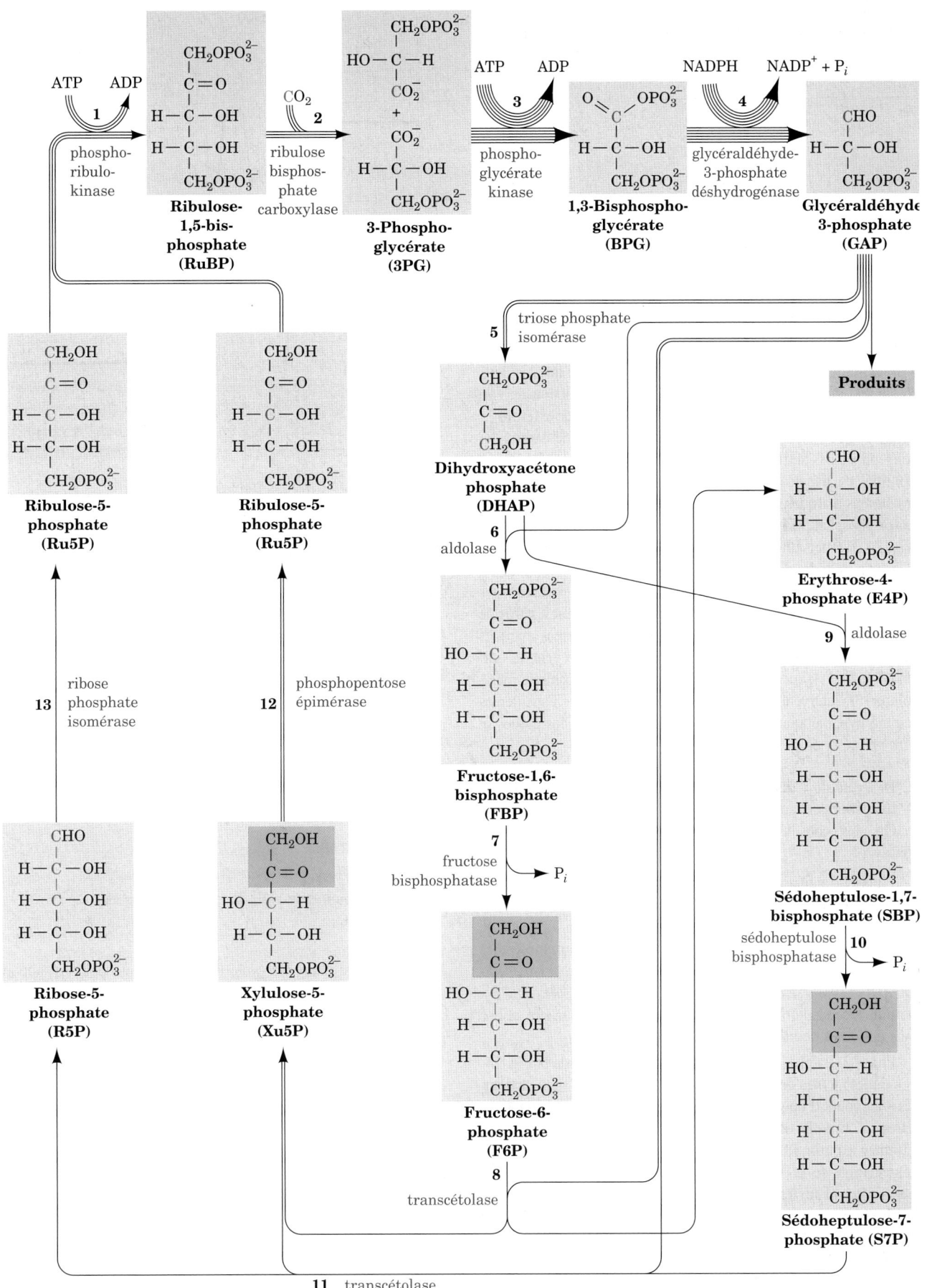

3PG, diminua (Fig. 24-32) en raison des réactions en aval qui le faisaient disparaître. Cependant la concentration du **ribulose-5-phosphate (Ru5P)**,

$$
\begin{array}{c}
CH_2OH \\
| \\
C{=}O \\
| \\
H{-}C{-}OH \\
| \\
H{-}C{-}OH \\
| \\
CH_2OPO_3^{2-}
\end{array}
$$

Ribulose-5-phosphate (Ru5P)

augmentait simultanément. Manifestement, Ru5P était le substrat de carboxylation du cycle de Calvin. Dans ce cas, le produit de carboxylation en C_6 devait se scinder en deux composés en C_3, l'un étant le 3PG (Fig. 24-31, Réaction 2). Compte tenu des états d'oxydo-réduction de Ru5P et de CO_2, il s'est avéré que les deux composés en C_3 devaient être du 3PG et que la réaction de carboxylation ne nécessitait pas d'agent oxydo-réducteur externe.

Alors que l'on continuait à chercher le substrat de carboxylation, plusieurs autres intermédiaires photosynthétiques étaient identifiés et, par des études de dégradation chimique, la position des atomes marqués était élucidée. Par exemple, l'hexose fructose-1,6-bisphosphate (FBP) n'est initialement marqué qu'en C3 et C4 (Fig. 24-31) mais ultérieurement ses autres atomes sont aussi marqués à un moindre degré. De même, une série de tétrose, pentoses, hexoses et heptose phosphate ayant la structure et les marquages initiaux indiqués dans la Fig. 24-31 furent isolés. C'est à partir de ces résultats et de l'examen du cheminement des atomes marqués dans ces différents intermédiaires que fut élucidé le cycle de Calvin (Fig. 24-31), une des étapes importantes de la biochimie métabolique. L'intervention de nombreuses réactions considérées comme hypothétiques fut finalement confirmée par des études *in vitro* en présence d'enzymes purifiées.

a. Le cycle de Calvin forme du GAP à partir de CO_2 par un processus en deux phases

On peut considérer que le cycle de Calvin implique deux phases :

Phase 1 La phase de production (ligne d'en haut de la Fig. 24-31), où trois molécules de Ru5P réagissent avec trois molécules de CO_2 pour donner six molécules de glycéraldéhyde-3-phosphate (GAP) aux dépens de neuf molécules d'ATP et de six molécules de NADPH. *La nature cyclique de la voie rend ce processus équivalent à la synthèse d'un GAP à partir de trois molécules de CO_2.* De fait, à ce stade, un GAP peut sortir du cycle pour être utilisé dans des voies de biosynthèse (cf. Phase 2).

Phase 2 La phase de récupération (lignes du bas de la Fig. 24-31), où les atomes de carbone des cinq GAP restants sont « mélangés » au cours d'une série remarquable de réactions semblables à celles de la voie des pentoses phosphate (Section 23-4), pour reformer les trois Ru5P avec lesquels le cycle a démarré. En fait, l'élucidation de la voie des pentoses phosphate qui s'est faite presque en même temps que celle du cycle de Calvin a fourni de nombreuses preuves biochimiques en faveur du cycle de Calvin. On peut décomposer cette phase en quatre séries de réactions (les numéros indiqués correspondent à ceux des réactions de la Fig. 24-31) :

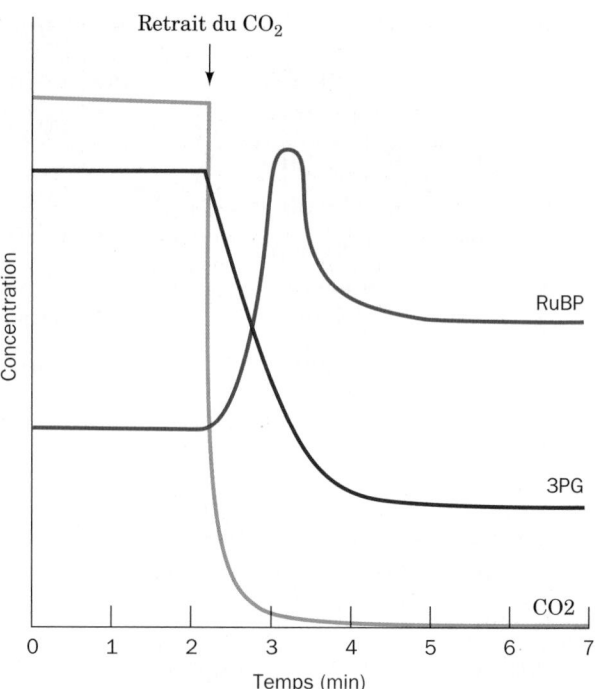

FIGURE 24-32 Evolution des concentrations de 3PG et de RuBP dans des algues après retrait du CO_2. Evolution des concentrations de 3PG (*courbe violette*) et de RuBP (*courbe verte*) dans des algues éclairées, marquées par $^{14}CO_2$ à l'état stationnaire, en fonction du temps après retrait rapide (*courbe orange*) du CO_2. En absence de CO_2, la concentration en 3PG diminue rapidement car il est utilisé par les réactions du cycle de Calvin sans être renouvelé par ces réactions. Inversement, la concentration de RuBP augmente transitoirement car il est synthétisé à partir du pool résiduel des intermédiaires du cycle de Calvin mais, en absence de CO_2, il ne peut être utilisé pour leur renouvellement.

6. $C_3 + C_3 \rightarrow C_6$
8. $C_3 + C_6 \rightarrow C_4 + C_5$
9. $C_3 + C_4 \rightarrow C_7$
11. $C_3 + C_7 \rightarrow C_5 + C_5$

Ainsi, la stœchiométrie globale de ce processus est

$$5C_3 \rightarrow 3C_5$$

Noter que cette phase du cycle de Calvin ne nécessite ni apport d'énergie libre (ATP), ni potentiel réducteur (NADPH).

b. La plupart des réactions du cycle de Calvin ont lieu également dans d'autres voies métaboliques

Tous les types de réactions du cycle de Calvin, à part la réaction de carboxylation, sont familiers (Section 23-4). La première phase du cycle de Calvin commence par la phosphorylation du Ru5P par la **phosphoribulokinase** qui donne le **ribulose-1,5-bisphosphate (RuBP)**. Après la réaction de carboxylation, étudiée au paragraphe suivant, le 3PG formé est transformé d'abord en 1,3-bisphosphoglycérate (BPG) puis en GAP. Cette dernière séquence correspond à deux réactions consécutives en sens inverse de la glycolyse (Sections 17-2G et 17-2F), mise à part l'intervention de NADPH dans le cycle de Calvin au lieu de NADH.

La deuxième phase du cycle de Calvin débute par la réaction inverse d'une réaction de la glycolyse, l'isomérisation du GAP en dihydroxyacétone phosphate (DHAP) par la triose phosphate isomérase (Section 17-2E). Après quoi la DHAP s'engage dans deux voies analogues (Fig. 24-31 : Réactions 6-8 ou Réactions 9-11. Les Réactions 6 et 9 sont des condensations aldoliques catalysées par l'aldolase dans lesquelles la DHAP est liée à un aldéhyde (l'aldolase est spécifique de la DHAP mais peut accepter plusieurs aldéhydes). La Réaction 6 est aussi la réaction inverse d'une réaction de la glycolyse (Section 17-2D). Les Réactions 7 et 10 sont des réactions d'hydrolyse d'esters phosphates catalysées respectivement par la fructose bisphosphatase (FBPase, déjà rencontrée lors de l'étude des cycles futiles et de la gluconéogenèse ; Sections 17-4B et 23-1A), et la **sédoheptulose bisphosphatase (SBPase)**. Les autres réactions du cycle de Calvin sont catalysées par des enzymes qui participent aussi à la voie des pentoses phosphate. Dans les Réactions 8 et 11, toutes deux catalysées par la **transcétolase,** une unité céto en C_2 (ombrée en vert dans la Fig. 24-31) est transférée d'un cétose sur le GAP pour former le **xylulose-5-phosphate (Xu5P)** et donner les aldoses **érythrose-4-phosphate (E4P)** dans la Réaction 8 et le **ribose-5-phosphate (R5P)** dans la Réaction 11. L'E4P formé dans la Réaction 8 est un substrat de la Réaction 9. Les Xu5P formés par les Réactions 8 et 11 sont transformés en Ru5P par la **phosphopentose épimérase** dans la Réaction 12. Le R5P de la Réaction 11 est aussi transformé en Ru5P par la **ribose phosphate isomérase** dans la Réaction 13, achevant ainsi un tour de cycle de Calvin. En définitive, il n'y a que trois des onze enzymes du cycle de Calvin, la phosphoribulo-

kinase, l'enzyme de carboxylation **ribulose bisphosphate carboxylase**, et la SBPase qui n'ont pas d'équivalents dans les tissus animaux.

c. La RuBP carboxylase catalyse la fixation de CO_2 selon un processus exergonique

L'enzyme qui catalyse la fixation de CO_2, la ribulose bisphosphate carboxylase (la **RuBP carboxylase**), est sans aucun doute l'enzyme la plus importante au monde car pratiquement toute vie sur Terre dépend d'elle en dernier ressort. Cette protéine, sans doute en raison de sa faible efficacité catalytique ($k_{cat} = \sim 3\ s^{-1}$), correspond à environ 50 % du contenu protéique des feuilles et est, par conséquent, la protéine la plus abondante dans la biosphère (on estime qu'elle est synthétisée à raison de $\sim 4 \times 10^9$ tonnes par an et qu'elle fixe $\sim 10^{11}$ tonnes de CO_2 par an ; à titre de comparaison, le pétrole brut est consommé à raison de $\sim 3 \times 10^9$ tonnes par an). La RuBP carboxylase des plantes supérieures et de la plupart des microorganismes photosynthétiques est constituée de huit grandes (L) sous-unités (477 résidus dans celle de la feuille de tabac) codées par l'ADN des chloroplastes, et huit petites (S) sous-unités (123 résidus) codées par un gène nucléaire (la RuBP carboxylase de certaines bactéries photosynthétiques est un dimère L_2 dont la sous-unité L présente 28 % d'identité de séquence avec l'enzyme L_8S_8 et a une structure analogue à celle-ci). Des études par rayons X réalisées par Carl-Ivar Brändén et par David Eisenberg ont montré que l'enzyme L_8S_8 présente la symétrie d'un prisme carré (Fig. 24-33a). La sous-unité L contient le site catalytique de l'enzyme car l'absence des sous-unités S ne supprime pas l'activité

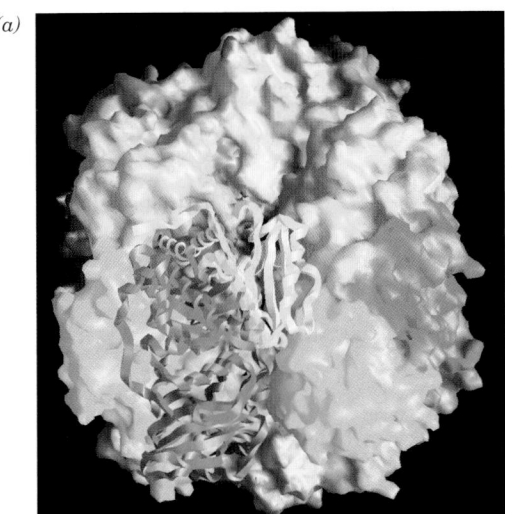

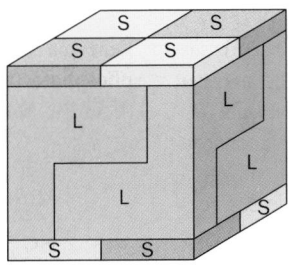

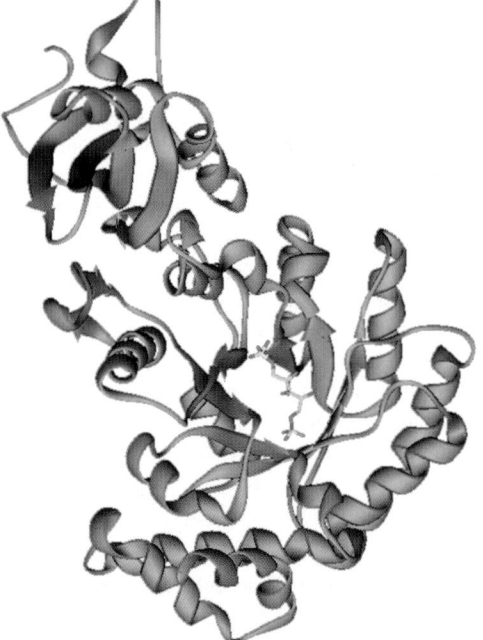

FIGURE 24-33 Structure par rayons X de la RuBP carboxylase de tabac. (*a*) Dessin montrant la structure quaternaire de cette protéine L_8S_8. Une sous-unité L et une sous-unité S sont en ruban, les autres étant représentées par leurs surfaces de van der Waals. La protéine, de symétrie D_4 (la symétrie de rotation d'un prisme carré ; Fig. 8-64b), est vue avec son axe d'ordre quatre incliné vers l'observateur. Comme l'indique le diagramme voisin, les sous-unités L allongées (six sont visibles dans le dessin de la structure) peuvent être considérées comme s'associant selon deux tétramères emboîtés, celui partant du haut étant représenté en vert, celui partant du bas étant représenté en bleu-vert. Les membres du tétramère S_4 que l'on voit en haut et au bas du complexe sont alternativement en jaune et en orange (seule une sous-unité du tétramère S_4 inférieur est visible). [D'après une structure par rayons X due à Yasushi Kai, Osaka University, Osaka, Japon. PDBid 1BUR.] (*b*) Une sous-unité L complexée à l'inhibiteur de l'état de transition **2-carboxyarabinitol-1,5-bisphosphate (CABP ;** cf. texte) et représentée en bâtonnets avec ses atomes de C, O et P respectivement en bleu-vert, rouge et jaune. Noter que le CABP est lié à l'entrée du tonneau α/β de l'enzyme. Le substrat a subi une rotation autour de l'axe vertical par rapport à celui de la représentation en ruban de la Partie *a*. [D'après une structure par rayons X due à David Eisenberg, UCLA. PDBid 1RLC.]

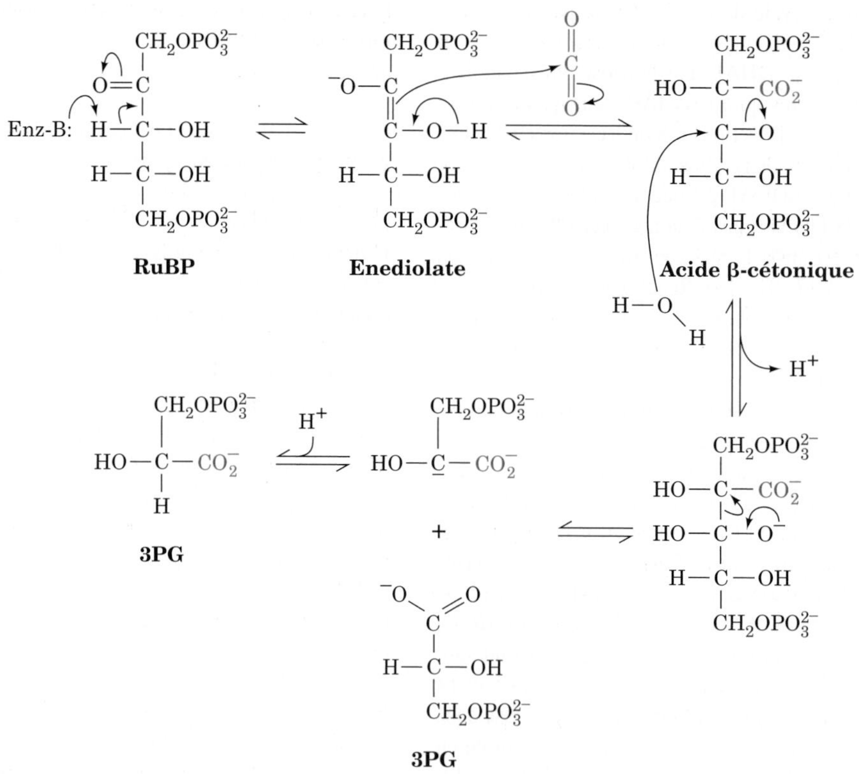

FIGURE 24-34 Mécanisme réactionnel présumé de la réaction de carboxylation catalysée par la RuBP carboxylase. Après formation d'un intermédiaire ènediolate, il y a synthèse d'un acide β-cétonique par attaque nucléophile du CO_2 par l'ènediolate. L'acide β-cétonique réagit avec l'eau pour donner deux molécules de 3PG.

catalytique. Elle est formée de deux domaines (Fig. 24-33*b*) : les résidus 1 à 150 forment un feuillet β à cinq segments mélangés et les résidus 151 à 475 se replient pour former un tonneau α/β (Fig. 8-19*b*) qui, comme le font quais toutes les enzymes à tonneau α/β connues (Section 8-3B), contient le site actif de l'enzyme à l'entrée du tonneau près de l'extrémité C-terminale de ses segments β. Le rôle de la sous-unité S est inconnu ; on a essayé de montrer qu'elle avait un rôle régulateur, comme c'est le cas avec d'autres enzymes, mais sans succès.

Le mécanisme probable de la RuBP carboxylase, formulé essentiellement par Calvin, est donné dans la Fig. 24-34. Le départ d'un proton du C3 de RuBP, la réaction limitante du processus, amène la formation d'un ènediolate qui exerce une attaque nucléophile sur le CO_2 (et non le HCO_3^-). L'acide β-cétonique formé est rapidement attaqué par H_2O sur son C3 pour donner un adduit qui se scinde, dans une réaction semblable à une scission aldolique, ce qui donne deux molécules de 3PG. Les arguments en faveur de ce mécanisme sont les suivants :

1. Le proton du C3 de RuBP lié à l'enzyme s'échange avec le solvant, ce qui est compatible avec l'existence d'un intermédiaire ènediolate.

2. Les atomes d'oxygène sur C2 et C3 restent liés à leurs atomes de carbone respectifs, ce qui élimine les mécanismes impliquant la formation d'un adduit covalent, comme une base de Schiff, entre RuBP et l'enzyme.

3. La « prise au piège » de l'acide β-cétonique, intermédiaire présumé, après réduction par le borohydrure, et la forte liaison à

l'enzyme de ses analogues comme le **2-carboxyarabinitol-1-phosphate (CA1P)** et le **2-carboxyarabinitol-1,5-bisphosphate (CABP),**

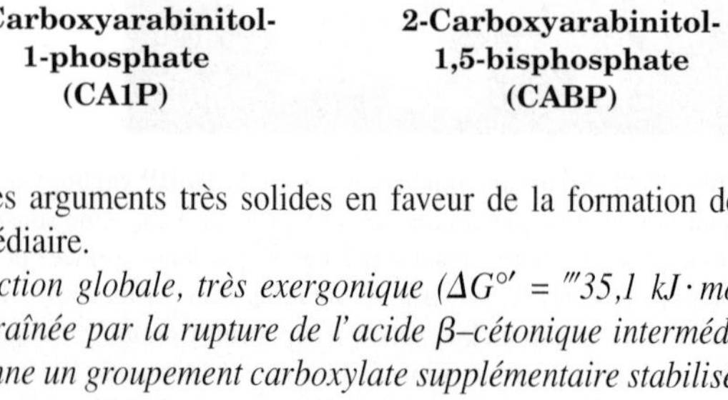

2-Carboxyarabinitol-1-phosphate (CA1P)

2-Carboxyarabinitol-1,5-bisphosphate (CABP)

sont des arguments très solides en faveur de la formation de cet intermédiaire.

La réaction globale, très exergonique ($\Delta G^{\circ\prime} = {}'''35,1 \ kJ \cdot mol^{'''1}$), est entraînée par la rupture de l'acide β–cétonique intermédiaire qui donne un groupement carboxylate supplémentaire stabilisé par résonance.

L'activité de la RuBP carboxylase nécessite un ion métallique divalent lié, Mg^{2+} dans les conditions physiologiques, dont le rôle probable est de stabiliser les charges négatives qui apparaissent lors de la catalyse. L'ion Mg^{2+} est, en partie, lié à l'enzyme par l'intermédiaire d'un groupement carbamate essentiel à la catalyse, formé par la réaction d'un CO_2 non substrat avec le groupement ε-aminé de Lys 201. Bien que la réaction d'activation *in vitro* se fasse spontanément en présence de Mg^{2+} et de HCO_3^-, elle est catalysée *in vivo* par l'enzyme **RuBP carboxylase activase** avec intervention d'ATP.

d. Le GAP est le précurseur du glucose-1-phosphate et d'autres produits de biosynthèse

La stœchiométrie globale du cycle de Calvin est

$$3CO_2 + 9ATP + 6NADPH \longrightarrow$$
$$GAP + 9ADP + 8P_i + 6NADP^+$$

Le GAP, premier produit de la photosynthèse, est utilisé dans de nombreuses voies de biosynthèse, aussi bien à l'intérieur qu'à l'extérieur du chloroplaste. Par exemple, il peut donner du fructose-6-phosphate sous l'action ultérieure d'enzymes du cycle de Calvin, puis du glucose-1-phosphate (G1P) grâce à la phosphoglucose isomérase (Section 17-2B) et à la phosphoglucomutase (Section 18-1B). *Le G1P est le précurseur des glucides caractéristiques des plantes.* Parmi les plus importants, citons le saccharose (Section 11-2B), le principal sucre fournisseur de glucides aux cellules qui n'assurent pas la photosynthèse; l'amidon (Section 11-2D), leur polysaccharide de réserve majeur; et la cellulose (Section 11-2C), le constituant structural numéro un de leurs parois cellulaires. Lors de la synthèse de toutes ces substances, le G1P est activé par formation d'ADP–, de CDP–, de GDP– ou d'UDP–glucose (Section 18-2), selon la plante ou la voie métabolique. Son unité glucose est ensuite transférée à l'extrémité non réductrice d'une chaîne polysaccharidique en formation, à la manière de la synthèse du glycogène (Section 18-2B). Pour la synthèse du saccharose, l'accepteur est l'extrémité réductrice du F6P, ce qui donne le **saccharose-6-phosphate** qui est hydrolysé ensuite par une phosphatase pour donner le saccharose. Des acides gras et des acides aminés sont synthétisés à partir de GAP comme décrit respectivement dans les Sections 25-4 et 26-5.

B. *Contrôle du cycle de Calvin*

Durant la journée, les plantes satisfont à leurs besoins énergétiques grâce aux réactions des phases lumineuse et obscure de la photosynthèse. La nuit, cependant, comme les autres organismes, elles doivent utiliser leurs réserves alimentaires pour former l'ATP et le NADPH dont elles ont besoin par l'intermédiaire de la glycolyse, des phosphorylations oxydatives et de la voie des pentoses phosphate. Puisque le stroma contient les enzymes de la glycolyse et de la voie des pentoses phosphate ainsi que celles du cycle de Calvin, *les plantes doivent avoir un mécanisme de contrôle photosensible pour empêcher le cycle de Calvin de dégrader en pure perte l'ATP et le NADPH issus de voies cataboliques.*

Comme nous l'avons vu dans la Section 17-4F, le contrôle du flux d'une voie métabolique s'exerce au niveau des réactions enzymatiques qui sont loin de l'équilibre car très exergoniques. D'après le Tableau 24-1, trois réactions remplissent ces conditions: celles catalysées par la RuBP carboxylase, la FBPase et la SBPase (les Réactions 2, 7 et 10, Fig. 24-31). En réalité, l'efficacité catalytique de ces trois enzymes varie *in vivo* en fonction de l'éclairement.

L'activité de la RuBP carboxylase répond à trois facteurs dépendant de la lumière:

1. Elle varie avec le pH. A la lumière, le pH du stroma passe d'environ 7,0 à environ 8,0 car des protons sont pompés du stroma dans la lumière du thylacoïde. La RuBP carboxylase a un pH optimum très marqué près de pH 8.

TABLEAU 24-1 **Variations d'énergie libre standard et physiologiques des réactions du cycle de Calvin**

Réaction[a]	Enzyme	$\Delta G^{\circ\prime}$ (kJ·mol^{-1})	ΔG (kJ·mol^{-1})
1	Phosphoribulokinase	−21,8	−15,9
2	Ribulose bisphosphate carboxylase	−35,1	−41,0
3 + 4	Phosphoglycérate kinase + glycéraldéhyde-3-phosphate déshydrogénase	+18,0	−6,7
5	Triose phosphate isomérase	−7,5	−0,8
6	Aldolase	−21,8	−1,7
7	Fructose bisphosphatase	−14,2	−27,,2
8	Transcétolase	+6,3	−3,8
9	Aldolase	−23,4	−0,8
10	Sédoheptulose bisphosphatase	−14,2	−29,7
11	Transcétolase	+0,4	−5,9
12	Phosphopentose épimérase	+0,8	−0,4
13	Ribose phosphate isomérase	+2,1	−0,4

[a]Correspond à la Fig. 24-31.

Source: Bassham, J.A. et Buchanan, B.B., *dans* Govindjee (Ed.), *Photosynthesis* Vol. II, p. 155, Academic Press (1982).

2. Elle est stimulée par Mg^{2+}. On se rappellera que l'influx de protons dans la lumière du thylacoïde induit par la lumière s'accompagne d'un efflux d'ions Mg^{2+} dans le stroma (Section 24-2D).

3. Elle est fortement inhibée par l'analogue de son état de transition le 2-carboxyarabinitol-1-phosphate (CA1P ; Section 24-3A), que beaucoup de plantes ne synthétisent qu'à l'obscurité. La **RuBP carboxylase activase** facilite la dissociation du CA1P fortement lié de la RuBP carboxylase tout en catalysant sa carbamylation (Section 24-3A).

La FBPase et la SBPase sont aussi activées par une augmentation de pH et de $[Mg^{2+}]$ ainsi que par le NADPH. L'action de ces facteurs est renforcée par un deuxième système régulateur sensible au potentiel rédox du stroma, la **thiorédoxine**, une protéine de ~105 résidus que l'on trouve dans de nombreuses cellules et qui contient un groupement disulfure rédox. La thiorédoxine réduite active la FBPase et la SBPase par une réaction d'échange de disulfure (Fig. 24-35). Cela explique pourquoi ces enzymes du cycle de Calvin sont activées par des agents à disulfure réduits comme le dithiothréitol. L'état d'oxydo-réduction de la thiorédoxine dépend de la **ferrédoxine-thiorédoxine réductase (FTR)**. Celle-ci contient un disulfure rédox étroitement associé à un centre [4Fe–4S] grâce auquel la protéine répond directement à l'état rédox de la ferrédoxine (Fd) soluble dans le stroma. Cet état, à son tour, varie avec l'intensité de la lumière. Le système de la thiorédoxine désactive aussi la phosphofructokinase (PFK), la principale enzyme génératrice d'énergie de la glycolyse (Section 17-4F). Par conséquent, chez les plantes *la lumière stimule le cycle de Calvin et inactive la glycolyse, alors que l'obscurité a les effets inverses* (c'est-à-dire que les réactions dites de la phase obscure n'ont pas lieu à l'obscurité).

Nous avons vu que la ferrédoxine réduit la ferrédoxine–$NADP^+$ réductase (Section 24-2C) et la FTR, tout en fournissant des électrons à la voie cyclique de la photosynthèse chloroplastique, vraisemblablement en réduisant la ferrédoxine–plastoquinone réductase (Section 24-2C). De plus, la ferrédoxine sert

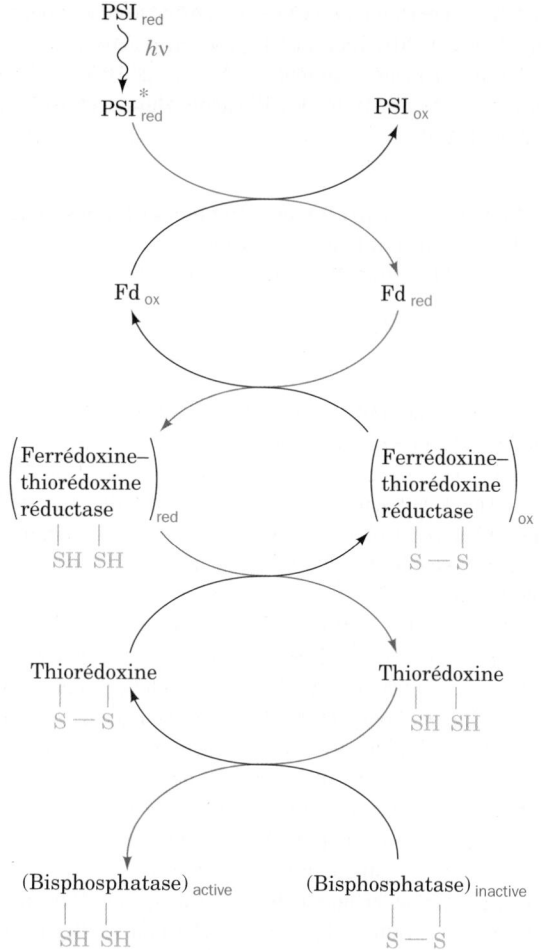

FIGURE 24-35 Mécanisme d'activation de la FBPase et de la SBPase par la lumière. Le PSI photoactivé réduit la ferrédoxine (Fd) soluble, qui réduit la ferrédoxine–thiorédoxine réductase, laquelle réduit à son tour le pont disulfure de la thiorédoxine. La thiorédoxine réduite réagit avec les bisphosphatases inactives par échange de disulfure, activant ainsi ces enzymes du cycle de Calvin.

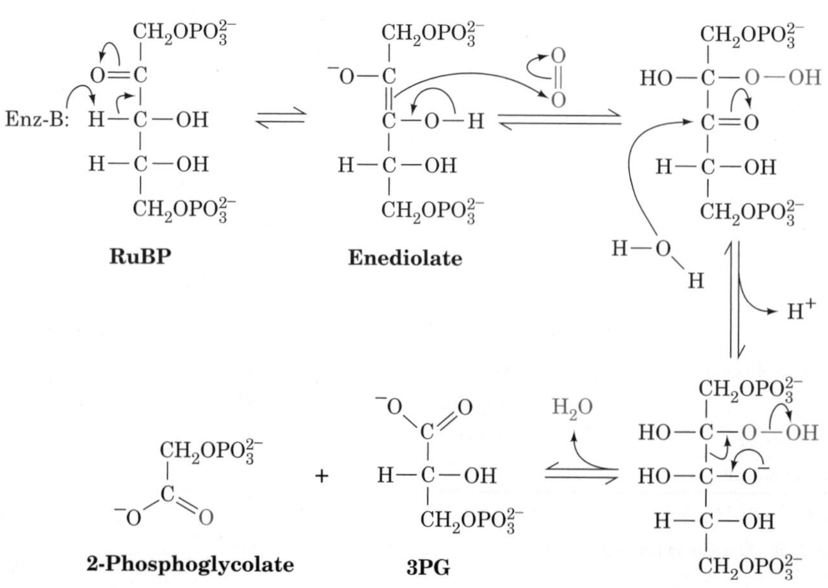

FIGURE 24-36 Mécanisme présumé de la réaction de l'oxygénase catalysée par la RuBP carboxylase–oxygénase. Noter la ressemblance de ce mécanisme avec celui de la réaction de carboxylation catalysée par la même enzyme (Fig. 24-34).

RuBP

Enediolate

2-Phosphoglycolate

3PG

d'agent réducteur à trois enzymes chloroplastiques essentiels au plan métabolique : la **sulfite réductase** (qui réduit SO_3^{2-} en S^{2-},) la **nitrite réductase** (qui réduit NO_2^- en NH_4^+), et la **glutamate synthase** (qui catalyse la réaction de l'α-cétoglutarate et du NH_4^+ pour former du glutamate ; Section 26-5A). Ainsi, la Fd est au centre d'un réseau complexe de processus enzymatiques et régulateurs.

C. *Photorespiration et cycle des composés en C_4*

On sait depuis les années 1960 que *des plantes à la lumière consomment de l'oxygène et rejettent du CO_2 par une autre voie que les phosphorylations oxydatives. En réalité, pour des teneurs faibles en CO_2 et fortes en O_2, cette **photorespiration** peut dépasser la fixation de CO_2 par la photosynthèse.* L'origine de la photorespiration est tout à fait inattendue : *l'O_2 est en compétition avec le CO_2 comme substrat de la RuBP carboxylase* (c'est pourquoi la RuBP carboxylase est aussi appelée **RuBP carboxylase–oxygénase ou RuBisCO**). Dans la réaction de l'oxygénase, l'O_2 réagit avec le deuxième substrat de la **RuBisCO**, le RuBP, pour former du 3PG et du **2-phosphoglycolate** (Fig. 24-36). Le 2-phosphoglycolate est hydrolysé en **glycolate** par la **glycolate phosphatase** et, comme décrit ci-dessous, est partiellement oxydé pour donner du CO_2 par une série de réactions enzymatiques qui se déroulent dans les peroxysomes et les mitochondries. La photorespiration apparaît donc comme un processus de gaspillage qui annule une partie du travail accompli par la photosynthèse. Dans les sous-sections suivantes, nous étudions la base biochimique de la photorespiration, sa signification, et les moyens utilisés par certaines plantes pour échapper à ses effets nuisibles.

a. La photorespiration gaspille l'ATP et le NADPH

La voie de la photorespiration est représentée dans la Fig. 24-37. Le glycolate est exporté du chloroplaste vers le peroxysome (appelé aussi glyoxysome, Section 1-2A), où il est oxydé en **glyoxylate** et H_2O_2 par la **glycolate oxydase**. H_2O_2, un agent oxydant puissant et potentiellement dangereux, est décomposé en H_2O et O_2 dans les peroxysomes par la **catalase**, enzyme contenant un noyau hème. Une partie du glyoxylate est oxydée par la glycolate oxydase en oxalate. Le reste est transformé en glycine par une **réaction de transamination**, comme nous le verrons dans la Section 26-1A, puis exporté dans la mitochondrie. Dans cet organite, deux molécules de glycine sont transformées en une molécule de sérine et une molécule de CO_2 par une réaction décrite dans la Section 26-3B. *C'est ce CO_2 qui est produit lors de la photorespiration.* La sérine est transportée au peroxysome pour être transformée en **hydroxypyruvate** par transamination. Cette substance est réduite en **glycérate** et phosphorylée dans le cytosol en 3PG, qui rentre dans le chloroplaste pour y redonner du RuBP dans le cycle de Calvin. *Le résultat net de ce cycle de photorespiration complexe est un gaspillage d'une partie de l'ATP et du NADPH formés par les réactions de la phase lumineuse de la photosynthèse.*

Bien que la photorespiration n'ait pas de rôle métabolique connu, toutes les RuBisCO du grand nombre d'organismes photosynthétiques étudiés à ce jour, ont une activité oxygénase. Cependant, au cours des âges, les forces de l'évolution ont dû optimiser la fonction de cette enzyme importante. On pense que la photosynthèse est apparue à une période où l'atmosphère ter-

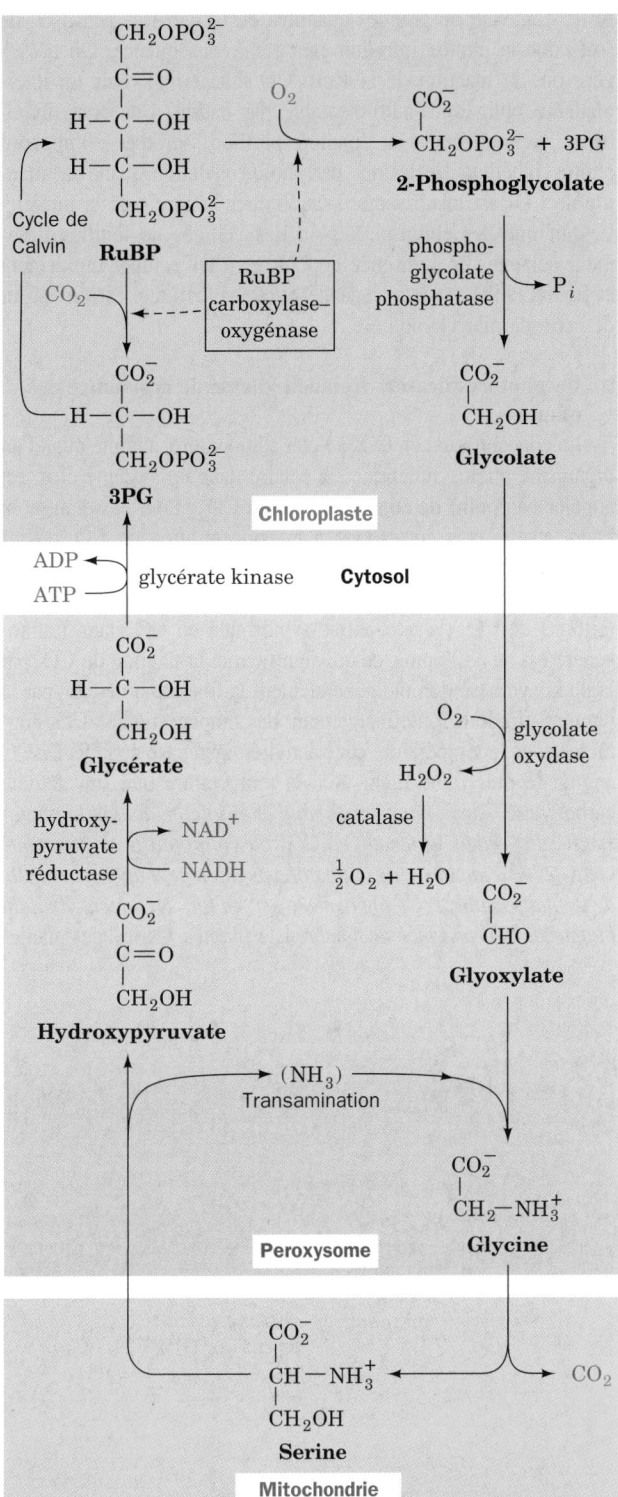

FIGURE 24-37 La photorespiration. Cette voie métabolise le phosphoglycolate produit par l'oxydation du RuBP catalysée par la RuBP carboxylase. Les réactions ont lieu, comme indiqué, dans le chloroplaste, le peroxysome, la mitochondrie et le cytosol. Noter l'utilisation de deux glycines pour former de la sérine + CO_2 (Section 26-3B).

restre contenait de grandes quantités de CO_2 et très peu d'O_2 de sorte que la photorespiration était sans conséquence. On a suggéré que la réaction de la RuBisCO faisait intervenir un intermédiaire obligatoire auto-oxydable par nature. Une autre hypothèse serait que la photorespiration protège l'appareil photosynthétique de lésions par photo-oxydation quand la quantité de CO_2 est insuffisante pour dissiper l'énergie de la lumière. Le fait que des chloroplastes ou des cellules de feuilles fortement éclairées en l'absence de CO_2 et d'O_2 perdent rapidement et irréversiblement leur capacité photosynthétique, est en faveur de cette dernière hypothèse.

b. La photorespiration freine la vitesse de croissance des plantes

La concentration en CO_2 à l'état stationnaire, atteinte quand un organisme photosynthétique est éclairé dans un système clos, est appelée son **point de compensation en CO_2**. Pour des plantes en bonne santé, cela correspond à la concentration en CO_2 où les vitesses de la photosynthèse et de la photorespiration sont égales. Pour de nombreuses espèces elle est de ~40 à 70 ppm (parts par million) de CO_2 (la concentration normale en CO_2 dans l'atmosphère est de 330 ppm), ce qui signifie que la fixation de CO_2 par la photosynthèse domine généralement la libération de CO_2 par la photorespiration. Toutefois, le point de compensation en CO_2 augmente avec la température car l'activité oxygénase de la RuBisCO augmente plus rapidement avec la température que son activité carboxylase. Ainsi, *par temps chaud et ensoleillé, quand la photosynthèse a réduit la teneur en CO_2 du chloroplaste et augmenté celle de l'O_2, la vitesse de la photorespiration peut approcher celle de la photosynthèse. Ce phénomène est, en fait, un facteur limitant majeur de la croissance de nombreuses plantes.* Certes, des plantes

ayant une RuBisCO à activité oxygénase significativement réduite, non seulement auront un rendement photosynthétique accru, mais auront besoin de moins d'eau car leurs **stomates** (les pores qui conduisent aux espaces internes des feuilles) devront rester ouverts moins longtemps pour absorber le CO_2, et de moins d'engrais car elles auront moins besoin de leur RuBisCO. Le contrôle de la photorespiration est donc un problème agricole important et non résolu qui est abordé actuellement par les techniques de génie génétique (Section 5-5).

c. Les plantes à C_4 concentrent le CO_2

Certaines espèces de plantes, comme la canne à sucre, le maïs et les mauvaises herbes les plus rebelles, ont un cycle métabolique qui concentre le CO_2 dans leurs cellules photosynthétiques, empêchant presque totalement la photorespiration (leur point de compensation en CO_2 est compris entre 2 et 5 ppm). Les feuilles des plantes qui sont le siège de ce **cycle en C_4** ont une anatomie caractéristique. Leurs vaisseaux les plus fins sont entourés d'une seule couche concentrique de **cellules de la gaine périvasculaire**, qui, à leur tour, sont entourées d'une couche de **cellules du mésophylle**.

Le cycle en C_4 (Fig. 24-38) fut élucidé dans les années 1960 par Marshall Hatch et Roger Slack. Il débute par l'absorption de CO_2 atmosphérique par les cellules du mésophylle qui, n'ayant pas de RuBisCO dans leurs chloroplastes, assurent cette fonction en le condensant sous forme de HCO_3^- avec le phosphoénolpyruvate (PEP) pour donner de l'oxaloacétate. Celui-ci est réduit par le NADPH en **malate** qui est exporté dans les cellules de la gaine périvasculaire (le terme C_4 fait référence à ces acides à quatre carbones). Là, le malate subit une décarboxylation oxydative en présence de $NADP^+$ pour former du CO_2, du pyruvate et du NADPH. Le CO_2, qui a été concentré par ce processus, entre dans

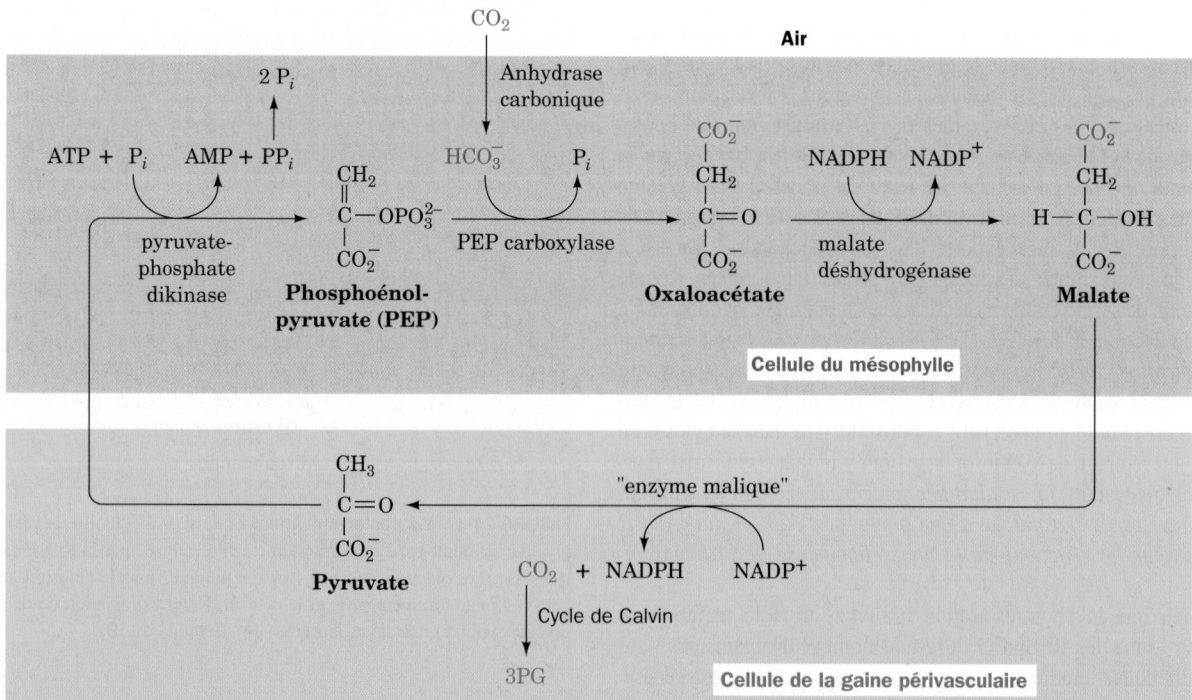

FIGURE 24-38 La voie en C_4. Le CO_2 est concentré dans les cellules du mésophylle et transporté dans les cellules de la gaine périvasculaire pour qu'il entre dans le cycle de Calvin.

le cycle de Calvin. Le pyruvate retourne aux cellules du mésophylle, pour être phosphorylé et redonner du PEP. L'enzyme qui catalyse cette réaction, la **pyruvate-phosphate dikinase**, possède la propriété inhabituelle d'activer un groupement phosphate en hydrolysant l'ATP en AMP + PP_i, lequel est ensuite hydrolysé en deux P_i, ce qui correspond à la consommation d'un deuxième ATP. *Le CO_2 se trouve ainsi concentré dans les cellules de la gaine périvasculaire aux dépens de deux ATP par CO_2. La photosynthèse en phase obscure des plantes à C_4 consomme au total cinq ATP par CO_2 fixé au lieu de trois pour le seul cycle de Calvin.* Cet ATP supplémentaire est vraisemblablement produit par le flux cyclique d'électrons au cours des réactions de la phase lumineuse (Section 24-2C).

Les **plantes à C_4**, qui comprennent ~5 % des plantes terrestres, se trouvent essentiellement dans les régions tropicales car elles poussent plus rapidement dans des conditions chaudes et ensoleillées que les autres plantes, appelées **plantes à C_3** (ainsi appelées car elles fixent initialement le CO_2 sous forme d'acides à trois carbones). Dans les climats plus froids, où la photorespiration est moins contraignante, les plantes à C_3 sont avantagées car elles ont besoin de moins d'énergie pour fixer le CO_2.

d. Les plantes CAM captent le CO_2 selon une variante du cycle en C_4

On trouve une variante du cycle en C_4 où l'absorption de CO_2 et le cycle de Calvin sont séparés dans le temps plutôt que dans l'espace, chez beaucoup de plantes grasses qui poussent dans des régions désertiques. Si, comme la plupart des plantes, elles ouvraient leurs stomates le jour pour absorber le CO_2, elles transpireraient (perte d'eau par évaporation) ce qui, pour elles, constituerait des pertes d'eau inacceptables. Pour réduire cette perte, ces plantes n'absorbent le CO_2 que la nuit quand la température est plus basse. Elles mettent en réserve ce CO_2 selon un processus appelé **métabolisme des acides chez les Crassulacées (CAM** ; ainsi appelé car il a été découvert dans des plantes de cette famille), par la synthèse de malate grâce aux réactions du cycle en C_4 (Fig. 24-38). La grande quantité de PEP nécessaire pour stocker l'approvisionnement quotidien en CO_2 est fournie par la dégradation de l'amidon via la glycolyse. Au cours de la journée, ce malate est dégradé en CO_2 qui entre dans le cycle de Calvin, et en pyruvate qui est utilisé pour resynthétiser l'amidon. Les plantes CAM sont ainsi capables d'assurer la photosynthèse avec un minimum de perte d'eau.

RÉSUMÉ DU CHAPITRE

1 ■ Les chloroplastes La photosynthèse est le processus de fixation du CO_2 dépendant de la lumière, pour former des glucides et d'autres molécules biologiques. Chez les plantes, la photosynthèse a lieu dans les chloroplastes, constitués de membranes interne et externe qui entourent le stroma, une solution enzymatique concentrée dans laquelle le système membranaire des thylacoïdes est immergé. La photosynthèse se fait en deux phases, la phase lumineuse où l'énergie lumineuse est captée pour synthétiser de l'ATP et du NADPH, et la phase obscure où ces produits sont utilisés pour permettre la synthèse de glucides à partir de CO_2 et d'H_2O. La membrane des thylacoïdes est le siège de la phase lumineuse de la photosynthèse, alors que la phase obscure se déroule dans le stroma. La contrepartie du thylacoïde dans les bactéries photosynthétiques est une région spécialisée de la membrane plasmique appelée chromatophore.

2 ■ La phase lumineuse La chlorophylle est le principal photorécepteur de la photosynthèse. La lumière est d'abord absorbée par un complexe d'antennes photocollectrices (LHC) formé de chlorophylles et de pigments accessoires comme les caroténoïdes. L'excitation qui en résulte est transférée sous forme d'excitons vers la chlorophylle du centre réactionnel pour y être piégée. Chez les bactéries photosynthétiques pourpres, le LH2 est une protéine transmembranaire constituée de 8 ou 9 sous-unités en relation de rotation qui fixent chacune trois molécules de BChl *a* et un caroténoïde. LH1, dont la constitution est similaire, mais avec une symétrie d'ordre 16, contient une cavité centrale où se lie un centre réactionnel photosynthétique (RC). L'énergie lumineuse absorbée par LH2 passe à LH1 qui, à son tour, la transmet au RC.

Le RC des bactéries photosynthétiques pourpres (PbRC) est une particule comportant trois sous-unités et plusieurs petites molécules oxydo-réductrices qui forment deux chaînes de transporteurs d'électrons en relation pseudosymétrique. Chez la bactérie *Rps. viridis*, le photon est initialement absorbé par une « paire spéciale » du centre réactionnel, constituée de deux molécules de BChl *b* appelées P960.

Par des techniques de mesures rapides on a montré que l'électron cédé par P960* est pris en charge par une troisième BChl *b* puis transféré sur une molécule de BPhéo *b* d'une des deux chaînes (l'autre est apparemment non fonctionnelle) et ensuite à une ménaquinone (Q_A) puis à une ubiquinone (Q_B). La forme Q_B^- résultante est encore réduite par un deuxième processus de transfert à un électron, puis elle capte deux protons du cytosol pour donner Q_BH_2. Les électrons captés par cette espèce retournent au P960 via un complexe cytochrome bc_1, le cytochrome c_2, et, chez quelques bactéries, un cytochrome de type *c* à quatre hèmes associé au centre réactionnel photosynthétique. Ce processus de transfert cyclique d'électrons permet la translocation de protons du cytoplasme vers l'extérieur de la cellule, grâce à un cycle Q assuré par le cytochrome bc_1. Le gradient de protons formé permet la synthèse d'ATP par le processus de photophosphorylation. La photosynthèse bactérienne ne formant pas les équivalents réducteurs nécessaires à de nombreuses voies de biosynthèse, les bactéries photosynthétiques ont besoin d'une source extérieure d'agents réducteurs comme H_2S.

Chez les plantes et les cyanobactéries, les réactions de la phase lumineuse se déroulent dans deux centres réactionnels, PSI et PSII, qui sont électriquement « connectés » en série. Cela permet au système de fournir une force électromotrice suffisante pour former du NADPH par oxydation de H_2O par une voie non cyclique appelée schéma en Z. Le cœur de PSI et de PSII contient un système antennaire et leurs RC sont apparentés entre eux et au PbRC sur le plan évolutif. PSII contient un complexe Mn_4 qui oxyde deux H_2O en quatre H^+ et O_2 grâce à quatre étapes à un électron. Les électrons sont transférés séparément, par une chaîne latérale Tyr appelée Z, au P680 photo-oxydé, l'espèce absorbant les photons du centre réactionnel, constitué de deux molécules de Chl *a* moins étroitement associées que la paire spéciale de molécules de BChl *a* dans le PbRC. L'électron préalablement éjecté de P680* est transféré, grâce à une série de transporteurs aux propriétés semblables à celles du PbRC, à un pool de molécules de plastoquinone. Les électrons entrent ensuite dans le complexe cytochrome b_6f, qui transporte les protons, via un cycle Q, du stroma dans la lumière du thylacoïde. Ces électrons sont transférés séparément, par un transporteur à plastocyanine, directement au pigment photo-oxydé du PSI absorbant les photons, P700, qui est une paire de molécules de Chl a semblable à la paire spéciale du PbRC. L'électron préalablement libéré de P700* passe par les deux branches d'une chaîne bifurquée de molécules de Chl a puis via une chaîne de trois centres [4Fe–4S], à une molécule de ferrédoxine (Fd) soluble qui contient un centre [2Fe–2S]. L'électron réduit alors le $NADP^+$ par un processus non cyclique assuré par la ferrédoxine-$NADP^+$ réductase. Alternativement, il peut être restitué, sans doute par la ferrédoxine-plastoquinone réductase, au pool de plastoquinones dans un processus cyclique qui ne requiert pas d'électrons du PSII et n'assure que la translocation de protons à travers la membrane des thylacoïdes. L'ATP est synthétisé par l'ATP synthase CF_1-CF_0, qui ressemble étroitement au complexe mitochondrial analogue, dans une réaction assurée par dissipation du gradient de protons à travers la membrane des thylacoïdes.

3 ■ **La phase obscure**   Le CO_2 est fixé lors des réactions de la phase obscure de la photosynthèse des plantes et des cyanobactéries par les réactions du cycle de Calvin. La première phase du cycle de Calvin se traduit globalement par la réaction $3RuBP + 3CO_2 \rightarrow 6GAP$ avec consommation de 9 ATP et de 6 NADPH produits lors de la phase lumi-

neuse. La deuxième phase répartit les atomes de cinq GAP pour reformer les trois RuBP de départ, processus qui ne nécessite pas d'apport d'énergie ou d'équivalents réducteurs supplémentaires. Le sixième GAP, le produit du cycle de Calvin, est utilisé pour la synthèse de glucides, d'acides aminés et d'acides gras. Les enzymes qui contrôlent le flux du cycle de Calvin sont photo-activées par l'intermédiaire de variations de pH et de concentrations en Mg^{2+} et en NADPH, ainsi que par l'état rédox de la thiorédoxine. L'enzyme centrale du cycle de Calvin, la RuBP carboxylase, catalyse une réaction de carboxylation et une réaction d'oxygénation avec RuBP. Cette dernière réaction est la première étape de la photorespiration qui libère du CO_2. La vitesse de la photorespiration augmente avec la température et diminue avec la teneur en CO_2, ce qui fait que la photorespiration entraîne des pertes énergétiques significatives pour la plupart des plantes les jours de grande chaleur et de grand soleil. Les plantes à C_4, très fréquentes sous les tropiques, ont un système qui leur permet de concentrer le CO_2 dans leurs cellules photosynthétiques afin de minimiser les effets de la photorespiration mais aux dépens de deux ATP par CO_2 fixé. Certaines plantes du désert économisent leur eau en absorbant le CO_2 la nuit et en le libérant pour le cycle de Calvin le jour. Ce métabolisme des acides des Crassulacées fait intervenir un système semblable au cycle des plantes à C_4.

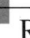

RÉFÉRENCES

GÉNÉRALITÉS

Blankenship, R.E., *Molecular Mechanisms of Photosynthesis,* Blackwell Science (2002).

Buchanan, B.B., Gruissem, W., et Jones, R.L. (Éds.), *Biochemistry and Molecular Biology of Plants,* American Society of Plant Physiologists (2000).

Deisenhofer, J. et Norris, J.R. (Éds.), *The Photosynthetic Reaction Center,* Vols. I et II, Academic Press (1993). [Le Vol. I traite des aspects chimiques et biochimiques de la photosynthèse et le Vol. II est consacré à ses principes physiques.]

Hall, D.O. et Rao, K.K., *Photosynthesis* (6th ed.), Cambridge (1999).

Lawlor, D.W., *Photosynthesis* (3ᵉ éd.), BIOS Scientific Publishers Ltd. (2001).

Nicholls, D.G. and Ferguson, S.J., *Bioenergetics 3,* Chapitre 6, Academic Press (2002).

CHLOROPLASTES

Bogorad, L. et Vasil, I.K. (Éds.), *The Molecular Biology of Plastids,* Academic Press (1991).

Hoober, J.K., *Chloroplasts,* Plenum Press (1984).

PHASE LUMINEUSE

Allen, J.F., How does protein phosphorylation regulate photosynthesis? *Trends Biochem. Sci.* **17,** 12–17 (1992).

Anderson, J.M., Photoregulation of the composition, function and structure of thylakoid membranes, *Annu. Rev. Plant Physiol.* **37,** 93–136 (1986).

Barber, J., Photosystem II : a multisubunit membrane protein that oxidises water, *Curr. Opin. Struct. Biol.* **12,** 523–530 (2002).

Barber, J. et Anderson, B., Revealing the blueprint of photosynthesis, *Nature* **370,** 31–34 (1994).

Bendall, D.S. et Manasse, R.S., Cyclic photophosphorylation and electron transport, *Biochim. Biophys. Acta* **1229,** 23–38 (1995).

Chitnis, P.R., Photosystem I : Function and physiology, *Annu. Rev. Plant Physiol. Plant Biol.* **52,** 593–626 (2001).

Cramer, W.A., Soriano, G.M., Ponomarev, M., Huang, D., Zhang, H., Martinez, S.E., et Smith, J.L., Some new structural aspects of old controversies concerning the cytochrome b_6f complex of oxygenic photosynthesis, *Annu. Rev. Plant Physiol. Plant Mol. Biol.* **47,** 477–508 (1996).

Debus, R.J., The manganese and calcium ions of photosynthetic oxygen evolution, *Biochim. Biophys. Acta* **1102,** 269–352 (1992).

Deisenhofer, J., Epp, O., Sinning, I., et Michel, H., Crystallographic refinement at 2.3 Å resolution and refined model of the photosynthetic reaction centre from *Rhodopseudomonas viridis, J. Mol. Biol.* **246,** 429–457 (1995).

Deisenhofer, J. et Michel, H., High-resolution structures of photosynthetic reaction centers, *Annu. Rev. Biophys. Biophys. Chem.* **20,** 247–266 (1991) ; *et* Structures of bacterial photosynthetic reaction centers, *Annu. Rev. Cell Biol.* **7,** 1–23 (1991).

Deng, Z., Aliverti, A., Zanetti, G., Arakaki, A.K., Ottado, J., Orellano, E.G., Calcaterra, N.B., Ceccarelli, E.A., Carrillo, N., et Karplus, P.A., A productive $NADP^+$ binding mode of ferredoxin–$NADP^+$ reductase revealed by protein engineering and crystallographic studies, *Nature Struct. Biol.* **6,** 847–853 (1999) ; *et* Bruns, C.M. et Karplus, P.A., Refined crystal structure of spinach ferredoxin reductase at 1.7 Å resolution: Oxidized, reduced, and 2′-phospho-5′-AMP bound states, *J. Mol. Biol.* **247,** 125–145 (1995).

DiMagno, T.J., Wang, Z., et Norris, J.R., Initial electron-transfer events in photosynthetic bacteria, *Curr. Opin. Struct. Biol.* **2,** 836–842 (1992).

Diner, B.A. et Rappaport, F., Structure, dynamics, and energetics of the primary photochemistry of photosystem II of oxygenic photosynthesis, *Annu. Rev. Plant Biol.* **53,** 551–580 (2002).

El-Kabbani, O., Chang, C.-H., Tiede, D., Norris, J., et Schiffer, M., Comparison of reaction centers from *Rhodobacter sphaeroides* and *Rhodopseudomonas viridis:* Overall architecture and protein-pigment interactions, *Biochemistry* **30**, 5361–5369 (1991).

Fleming, G.R. et van Grondelle, R., Femtosecond spectroscopy of photosynthetic light-harvesting systems, *Curr. Opin. Struct. Biol.* **7**, 738–748 (1997).

Gennis, R.B., Barquera, B., Hacker, B., Van Doren, S.R., Arnaud, S., Crofts, A.R., Davidson, E., Gray, K.A., et Daldal, F., The *bc*₁ complexes of *Rhodobacter sphaeroides* and *Rhodobacter capsulatus*, *J. Bioenerg. Biomembr.* **25**, 195–209 (1993).

Green, B.R. et Durnford, B.G., The chlorophyll-carotenoid proteins of oxygenic photosynthesis, *Annu. Rev. Plant Physiol. Plant Mol. Biol.* **47**, 685–714 (1996).

Heathcote, P., Fyfe, P.K., et Jones, M.R., Reaction centers: The structure and evolution of biological solar power, *Trends Biochem. Sci.* **27**, 79–87 (2002).

Horton, P., Ruban, A.V., et Walters, R.G., Regulation of light harvesting in green plants, *Annu. Rev. Plant Physiol. Plant Mol. Biol.* **47**, 655–684 (1996).

Jordan, P., Fromme, P., Witt, H.T., Klukas, O., Saenger, W., et Krauss, N., Three-dimensional structure of cyanobacterial photosystem I at 2.5 Å resolution, *Nature* **411**, 909–917 (2001).

Karrasch, S., Bullough, P.A., et Ghosh, R., The 8.5 Å projection map of the light harvesting complex I from *Rhodospirillum rubrum* reveals a ring composed of 16 subunits, *EMBO J.* **14**, 631–638 (1995).

Knaff, D.B. and Hirasawa, M., Ferredoxin-dependent chloroplast enzymes, *Biochim. Biophys. Acta* **1056**, 93–125 (1991).

Koepke, J., Hu, X., Muenke, C., Schulen, K., et Michel, H., The crystal structure of the light-harvesting complex II (B800–850) from *Rhodospirillum molischianum*, *Structure* **4**, 581–597 (1996); *et* McDermott, G., Prince, S.M., Freer, A.A., Horthornthwaite-Lawless, A.M., Papiz, M.Z., Cogdell, R.J., et Isaacs, N.W., Crystal structure of an integral membrane light-harvesting complex from photosynthetic bacteria, *Nature* **374**, 517–521 (1995). [Structures par rayons X des LH2.]]

Kühlbrandt, W., Wang, D.N., et Fujiyoshi, Y., Atomic model of plant light-harvesting complex by electron crystallography, *Nature* **367**, 614–621 (1994); *et* Kühlbrandt, W., Structure and function of the plant light-harvesting complex, LHC-II, *Curr. Opin. Struct. Biol.* **4**, 519–528 (1994).

Kurisu, G., Kusunoki, M., Katoh, E., Yamazaki, T., Teshima, K., Onda, Y., Kimata-Ariga, Y., et Hase, T., Structure of the electron transfer complex between ferredoxin and ferredoxin-NADP⁺ reductase, *Nature Struct. Biol.* **8**, 117–121 (2001).

Martinez, S.E., Huang, D., Szczepaniak, A., Cramer, W.A., et Smith, J.L., Crystal structure of chloroplast cytochrome *f* reveals a novel cytochrome fold and unexpected heme ligation. *Structure* **2**, 95–105 (1994).

Okamura, M.Y. et Feher, G., Proton transfer in reaction centers from photosynthetic bacteria, *Annu. Rev. Biochem.* **61**, 861–896 (1992).

Ort, D.R. et Yocum, C.F. (Éds.), *Oxygenic Photosynthesis: The Light Reactions,* Kluwer Academic Publishers (1996).

Pullerits, T. et Sundström, V., Photosynthetic light-harvesting pigment–protein complexes: Toward understanding how and why, *Acc. Chem. Res.* **29**, 381–389 (1996).

Stanier, R.Y., Ingraham, J., Wheelis, M.L., et Painter, P.R., *The Microbial World* (5ᵉ éd.), Chapitre 15, Prentice-Hall (1986). [Biologie des eubactéries photosynthétiques.]

Strotmann, H. et Bickel-Sandkötter, S., Structure, function, and regulation of chloroplast ATPase, *Annu. Rev. Plant Physiol.* **35**, 97–120 (1984).

Yachandra, V.K., Sauer, K., et Klein, M.P., Manganese cluster in photosynthesis: Where plants oxidize water to dioxygen, *Chem. Rev.* **96**, 2927–2950 (1996). [Une revue bien documentée.]

Zouni, A., Witt, H.-T., Kern, J., Fromme, P., Krauss, N., Saenger, W., et Orth, P., Crystal structure of photosystem II from *Synechococcus elongatus* at 3.8 Å resolution, *Nature* **409**, 739–743 (2001).

PHASE OBSCURE

Brändén, C.-I., Lindqvist, Y., et Schneider, G., Protein engineering of rubisco, *Acta Crystallogr.* **B47**, 824–835 (1991); *et* Schneider, G., Lindqvist, Y., et Branden, C.-I., RUBISCO: Structure and mechanism, *Annu. Rev. Biophys. Biomol. Struct.* **21**, 119–143 (1992).

Cushman, J.C. et Bohnert, H.J., Crassalacean acid metabolism: Molecular genetics, *Annu. Rev. Plant Physiol. Plant Mol. Biol.* **50**, 305–332 (1999).

Dai, S., Schwendtmayer, C., Schürmann, P., Ramaswamy, S., et Eklund, H., Redox signaling in chloroplasts: Cleavage of disulfides by an iron-sulfur cluster, *Science* **287**, 655–658 (2000).

Gutteridge, S., Limitations of the primary events of CO_2 fixation in photosynthetic organisms: The structure and mechanism of rubisco, *Biochim. Biophys. Acta* **1015**, 1–14 (1990).

Hartman, F.C. et Harpel, M.R., Chemical and genetic probes of the active site of D-ribulose-1,5-bisphosphate carboxylase/oxygenase: A retrospective based on the three-dimensional structure, *Adv. Enzymol. Relat. Areas Mol. Biol.* **67**, 1–75 (1993).

Hatch, M.D., C_4 photosynthesis: A unique blend of modified biochemistry, anatomy, and ultrastructure, *Biochim. Biophys. Acta* **895**, 81–106 (1987).

Ogren, W.L., Photorespiration: Pathways, regulation, and modification. *Annu. Rev. Plant Physiol.* **35**, 415–442 (1984).

Portis, A.R., Jr., Regulation of ribulose 1,5-bisphosphate carboxylase/oxygenase activity, *Annu. Rev. Plant Physiol. Plant Mol. Biol.* **43**, 415–437 (1992); *et* Rubisco activase, *Biochim. Biophys. Acta* **1015**, 15–28 (1990).

Schreuder, H.A., Knight, S., Curmi, P.M.G., Andersson, I., Cascio, D., Sweet, R.M., Brändén, C.-I., et Eisenberg, D., Crystal structure of activated tobacco rubisco complexed with the reaction-intermediate analogue 2 carboxy-arabinitol 1,5-bisphosphate, *Protein Sci.* **2**, 1136–1146 (1993).

Spreitzer, R.J. et Salvucci, M.E., Rubisco: structure, regulatory interactions, and possibilities for a better enzyme, *Annu. Rev. Plant Biol.* **53**, 449–475 (2001).

Taylor, T.C. et Andersson, I., The structure of the complex between rubisco and its natural substrate ribulose 1,5-bisphosphate, *J. Mol. Biol.* **265**, 432–444 (1997).

■ PROBLÈMES

1. Pourquoi la chlorophylle est-elle verte alors qu'elle absorbe dans les régions du rouge et du bleu du spectre (Fig. 24-5)?

1. Pourquoi la chlorophylle est-elle verte alors qu'elle absorbe dans les régions du rouge et du bleu du spectre (Fig. 24-5)?

2. La « marée rouge » est une prolifération massive de certaines espèces d'algues qui donnent une couleur rouge à l'eau de mer. Quelles sont les caractéristiques spectrales des principaux pigments photosynthétiques de ces algues?

3 On ajoute $H_2\ ^{18}O$ à une suspension de chloroplastes capables d'assurer la photosynthèse. Où le marqueur radioactif apparaît-il lorsque la suspension est exposée à la lumière?

4 Indiquez, quand cela est possible, les consituants analogues dans les chaînes de transport des électrons des bactéries photosynthétiques pourpres et des chloroplastes.

5. L'antimycine inhibe la photosynthèse dans les chloroplastes. Indiquez son site d'action le plus probable et justifiez votre réponse.

6. Calculez le rendement énergétique de la photosynthèse cyclique et non cyclique dans des chloroplastes éclairés à 680 nm. Quel serait ce rendement à 500 nm? Supposez que la formation d'ATP nécessite 59 kJ·mol⁻¹ dans des conditions physiologiques.

*7. Quel est le gradient de pH minimum nécessaire pour synthétiser de l'ATP à partir d'ADP + P_i? Supposez que [ATP]/([ADP] [P_i]) = 10^3, $T = 25$ °C, et que trois protons doivent subir la translocation par ATP formé. (cf. Tableau 16-3 pour des renseignements thermodynamiques utiles).

8. Indiquez quelle serait la répartition moyenne du marquage du ribulose-5-phosphate dans le cycle de Calvin après deux séries d'exposition au $^{14}CO_2$.

9. Des chloroplastes sont éclairés jusqu'à ce que les concentrations des intermédiaires du cycle de Calvin soient à l'état stationnaire. Puis on éteint la lumière. Quelle sera ensuite l'évolution des teneurs en RuBP et de 3PG?

10. Quel est le rendement énergétique du cycle de Calvin associé à celui de la glycolyse et des phosphorylations oxydatives; c'est-à-dire, quel pourcentage de l'apport d'énergie peut-il être récupéré en synthétisant de l'amidon à partir de CO_2 et en utilisant à cette fin le NADPH et l'ATP produits par la photosynthèse, plutôt que de stocker d'une manière ou d'une autre ces intermédiaires «riches en énergie»? Supposez que chaque NADPH est énergétiquement équivalent à trois ATP et que la synthèse et la dégradation de l'amidon sont énergétiquement équivalentes à la synthèse et à la dégradation du glycogène.

11. Si une plante à C_3 et une plante à C_4 sont mises ensemble et illuminées dans une boîte close avec suffisamment d'humidité, la plante à C_4 se développe alors que la plante à C_3 dépérit et finit par mourir. Expliquez pourquoi.

12. Les feuilles de certaines espèces de plantes du désert ont un goût acide au petit matin mais, au fil de la journée, elles n'ont plus de goût puis deviennent amères. Expliquez.

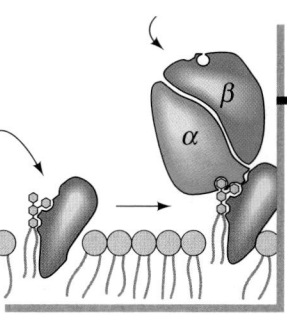

Chapitre
25

Métabolisme des lipides

Les lipides jouent des rôles indispensables dans la structure et le métabolisme de la cellule. Par exemple, les triacylglycérols représentent la principale réserve d'énergie métabolique chez les animaux ; le cholestérol est un constituant vital des membranes cellu-

laires et le précurseur des hormones stéroïdes et des sels biliaires ; l'arachidonate, un acide gras insaturé en C_{20}, est le précurseur des prostaglandines, prostacyclines, thromboxanes, leucotriènes et lipoxines, médiateurs intercellulaires importants qui contrôlent de nombreux processus complexes ; enfin, les glycolipides et les phospholipides complexes sont des constituants essentiels des membranes biologiques. Nous avons étudié les structures des lipides simples et complexes dans la Section 12-1. La première partie de ce chapitre sera consacrée à l'étude du métabolisme des acides gras et des triacylglycérols, y compris leur digestion, leur oxydation et leur biosynthèse. Puis nous examinerons comment le cholestérol est synthétisé et utilisé, et comment sont synthétisés les prostaglandines, prostacyclines, thromboxanes, leucotriènes et lipoxines. Nous terminerons par l'étude de la biosynthèse des glycolipides et des phospholipides complexes à partir de lipides et glucides simples.

1 ■ DIGESTION, ABSORPTION ET TRANSPORT DES LIPIDES

*Les **triacylglycérols** (appelés aussi **graisses** ou **triglycérides**) représentent ~90 % des lipides alimentaires et la forme principale de réserve énergétique métabolique chez les êtres humains.* Les triacylglycérols sont des triesters de glycérol et d'acides gras tels que les acides palmitique ou oléique

$$
\begin{array}{l}
H_2C^1-O-C^1\!\!\!\diagup\!\!\!\diagdown\!\!\!\diagup\!\!\!\diagdown\!\!\!\diagup\!\!\!\diagdown\!\!\!\diagup^{16} \\
\qquad\quad \| \\
\qquad\quad O \\
HC^2-O-C^1\!\!\!\diagup\!\!\!\diagdown\!\!\!\diagup\!\!\!\diagup_{9}\!\!=\!\!\diagup\!\!\!\diagdown^{18} \\
\qquad\quad \| \\
\qquad\quad O \\
H_2C^3-O-C^1\!\!\!\diagup\!\!\!\diagdown\!\!\!\diagup\!\!\!\diagup_{9}\!\!=\!\!\diagup\!\!\!\diagdown^{18} \\
\qquad\quad \| \\
\qquad\quad O
\end{array}
$$

1-Palmitoyl-2,3-dioléoyl-glycérol

(les noms et formules développées de quelques acides gras courants sont donnés dans le Tableau 12-1). Comme le glucose, ils sont catabolisés en CO_2 et H_2O. Cependant, comme la plupart des atomes de carbone des triacylglycérols sont dans des états d'oxydation inférieurs à ceux du glucose, *le métabolisme oxydatif des triacylglycérols libère deux fois plus d'énergie que celui des glu-*

TABLEAU 25-1 **Contenu énergétique des constituants alimentaires**

Constituant	$\Delta H(kJ \cdot g^{-1}$ de poids sec)
Glucide	16
Lipide	37
Protéine	17

Source: Newsholme, E.A. and Leech, A.R., *Biochemistry for the Medical Sciences,* p. 16, Wiley (1983).

cides et des protéines à poids sec égal (Tableau 25-1). De plus, étant non polaires, les triacylglycérols sont mis en réserve sous forme anhydre, tandis que le glycogène, forme de stockage du glucose, étant polaire il est mis en réserve sous une forme hydratée qui contient environ deux fois son poids sec en eau. Les graisses fournissent par conséquent six fois plus d'énergie métabolique que le glycogène hydraté à poids égal.

a. La digestion des lipides se fait aux interfaces lipide-eau

Les triacylglycérols étant insolubles dans l'eau alors que les enzymes de la digestion sont hydrosolubles, *la digestion des triacylglycérols se fait aux interfaces lipide-eau.* La vitesse de digestion des triacylglycérols dépend par conséquent de la surface de l'interface, qui se trouve fortement augmentée par les mouvements péristaltiques de l'intestin associés à l'action émulsifiante des **sels biliaires** (également appelés **acides biliaires**). Les sels biliaires sont des détergents digestifs puissants qui, comme nous le verrons dans la Section 25-6C, sont synthétisés par le foie et sécrétés via la vésicule biliaire dans l'intestin grêle, où la digestion et l'absorption des lipides se déroulent principalement.

b. La lipase pancréatique nécessite une activation interfaciale et possède une triade catalytique

La **lipase** pancréatique (ou **triacylglycérol lipase**) catalyse l'hydrolyse des triacylglycérols aux positions 1 et 3 pour donner successivement des **1,2-diacylglycérols** et des **2-acylglycérols**, ainsi que les sels de Na^+ et de K^+ des acides gras (savons). Ces savons étant amphipatiques, ils favorisent le processus d'émulsion des lipides.

L'activité enzymatique de la lipase pancréatique augmente fortement lorsqu'elle est complexée à la **colipase** pancréatique, une protéine qui forme un complexe 1:1 avec la lipase en présence d'un mélange de micelles de phosphatidylcholine (Fig. 12-4) et de sels biliaires. Ce complexe favorise l'adsorption de l'enzyme sur les gouttelettes d'huile émulsifiée et stabilise l'enzyme sous sa conformation active. Les structures par rayons X, déterminées par Christian Cambillau, des complexes lipase-procolipase pancréatiques seuls ou cocristallisés avec des micelles mixtes de phosphatidylcholine et de sels biliaires ont révélé l'origine structurale de l'activation de la lipase et le mécanisme par lequel la colipase et les micelles facilitent la liaison de la lipase à l'interface lipide–eau (Fig. 25-1).

Le site actif de la lipase pancréatique (449 résidus), situé dans le domaine N-terminal de l'enzyme (résidus 1-336), contient une triade catalytique qui ressemble étroitement à celle des protéases à sérine (Section 15-3B ; se rappeler que l'hydrolyse d'un ester fait intervenir un mécanisme équivalent à celui de l'hydrolyse d'une liaison peptidique). En l'absence de micelles mélangées, le site

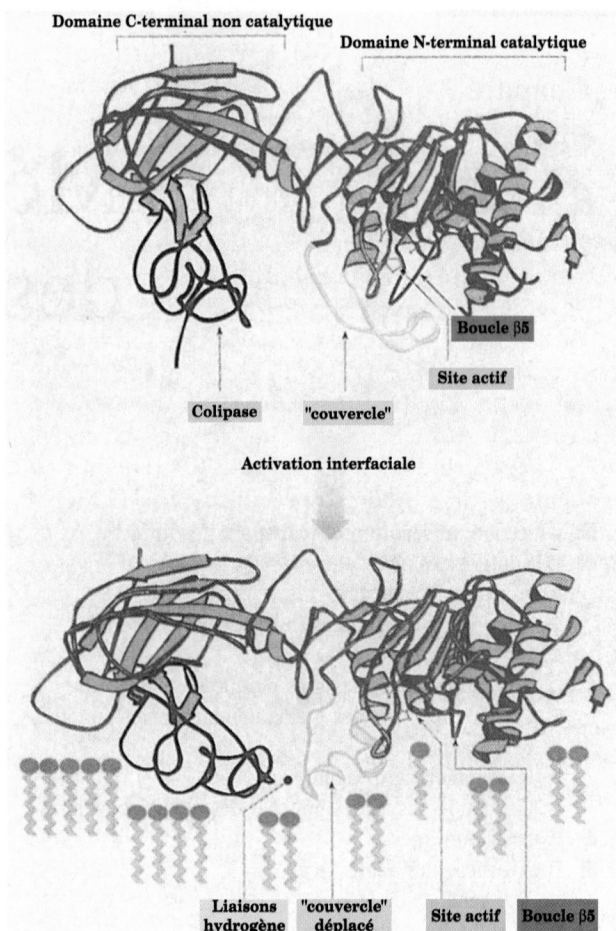

FIGURE 25-1 Mécanisme de l'activation à l'interface de la triacylglycérol lipase complexée à la procolipase. Après s'être lié à une micelle phospholipidique (*vert*), le couvercle (*jaune*) de 25 résidus recouvrant le site actif (*beige*) de l'enzyme change de conformation, exposant ses résidus hydrophobes et découvrant ainsi le site actif. Cela entraîne un déplacement latéral de la boucle β5 (*brun*) de 10 résidus et la formation du trou oxyanion de l'enzyme. La procolipase (*magenta*) change aussi de conformation et établit des liaisons hydrogène avec le couvercle « ouvert », ce qui le stabilise dans cette conformation, formant ainsi, en association avec la lipase, une surface hydrophobe allongée. [D'après *Nature,* **362**, 793 (1993). Reproduit avec autorisation. PDBid 1LPA.]

actif de la lipase est fermé par un couvercle hélicoïdal de 25 résidus. La présence de micelles mixtes entraîne une réorganisation structurale complexe du couvercle qui expose le site actif : la boucle β5 de dix résidus change de conformation pour constituer le trou de l'oxyanion de l'enzyme active et former une surface hydrophobe à l'entrée du site actif. De fait, le site actif du complexe micellaire présente un long segment dense aux électrons en contact avec le résidu Ser de la triade catalytique et qui semble être une molécule de phosphatidylcholine.

La procolipase se lie au domaine C-terminal de la lipase (résidus 337-449) de sorte que les extrémités hydrophobes des trois boucles qui représentent la majeure partie de cette protéine de 90 résidus s'étendent depuis le complexe du même côté que le site actif de la lipase. Un plateau hydrophobe continu se

phospholipase A₁

Phospholipide

Lysophospholipide

FIGURE 25-2 Réaction catalysée par la phospholipase A₂. La phospholipase A₂ hydrolyse le résidu d'acide gras en C2 d'un phospholipide pour donner le lysophospholipide correspondant. Les liaisons hydrolysées par d'autres types de phospholipases, désignées selon leurs spécificités, sont aussi indiquées.

trouve ainsi formé sur une longueur >50 Å au-delà du site actif ce qui, sans doute, facilite la liaison du complexe à la surface du lipide. La procolipase établit aussi trois liaisons hydrogène avec le couvercle ouvert, le stabilisant ainsi dans cette conformation.

Le phénomène de forte augmentation de l'activité de la lipase à l'interface lipide-eau est appelé **activation interfaciale.** Celle-ci mettrait en jeu le démasquage et la restructuration du site actif de la lipase suite à des modifications conformationnelles induites par des interactions avec l'interface lipide-eau. Cependant, selon des études de Juan Fontecilla-Camps, par diffraction de neutrons, sur des cristaux d'un complexe lipase-colipase-micelle où la lipase est dans sa conformation active, la micelle activatrice interagit, non pas avec le site de liaison du substrat, mais avec la face concave de la colipase et l'extrémité adjacente du domaine C-terminal de la lipase (Fig. 25-1, *en haut à gauche*). Il semble que la liaison de la micelle et celle du substrat impliquent des régions différentes du complexe lipase-colipase. Strictement parlant, l'activation de la lipase ne se ferait donc pas à l'interface, mais bien dans la phase aqueuse et serait facilitée par la liaison de la colipase et de la micelle.

c. La phospholipase A₂ pancréatique présente une triade catalytique modifiée

Les phospholipides sont dégradés par la **phospholipase A₂** pancréatique, qui hydrolyse l'acide gras en C2 pour donner les **lysophospholipides** correspondants (Fig. 25-2), également des détergents puissants. De fait, la lécithine (ou phosphatidylcholine) est un phospholipide sécrétée dans la bile, sans doute pour faciliter la digestion des lipides.

La phospholipase A₂, comme la triacylglycérol lipase, catalyse les réactions préférentiellement aux interfaces lipide-eau. Cependant, comme le montrent les déterminations par rayons X de la structure des phospholipases A₂ de venin de cobra et d'abeille, par Paul Sigler, leur mécanisme d'activation interfaciale est différent de celui de la triacylglycérol lipase car elles ne changent pas de conformation. En fait, la phospholipase A₂ présente un canal hydrophobe qui permet au substrat d'accéder directement depuis

(a)

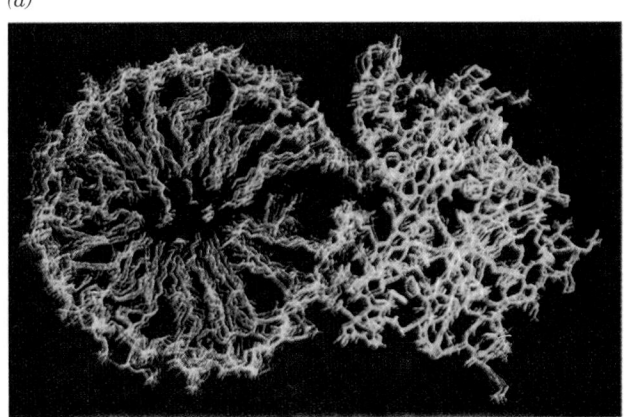

(b)

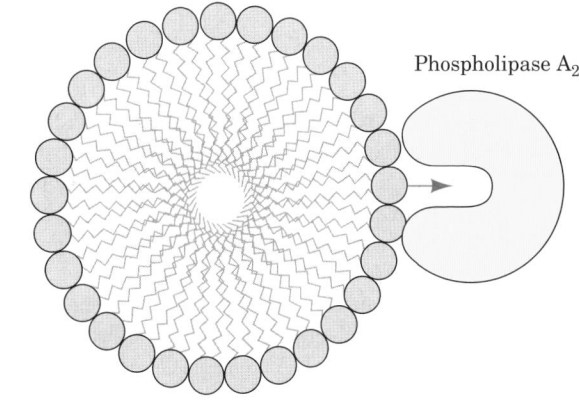

Phospholipase A₂

Micelle lipidique

FIGURE 25-3 Liaison du substrat à la phospholipase A₂. *(a)* Un modèle hypothétique de la phospholipase A₂ complexée à une micelle de lysophosphatidyléthanolamine, représenté en coupe transversale. La protéine est en bleu-vert, les têtes des phospholipides sont en jaune et leurs queues hydrocarbonées sont en bleu. Les mouvements atomiques calculés de l'assemblage sont indiqués par une série d'images superposées prises à 5 ps d'intervalle. [Avec la permission de Raymond Salemme, E.I. du Pont de Nemours & Company.] *(b)* Représentation schématique d'une interaction efficace entre la phospholipase A₂ et un phospholipide dans une micelle.

(a)

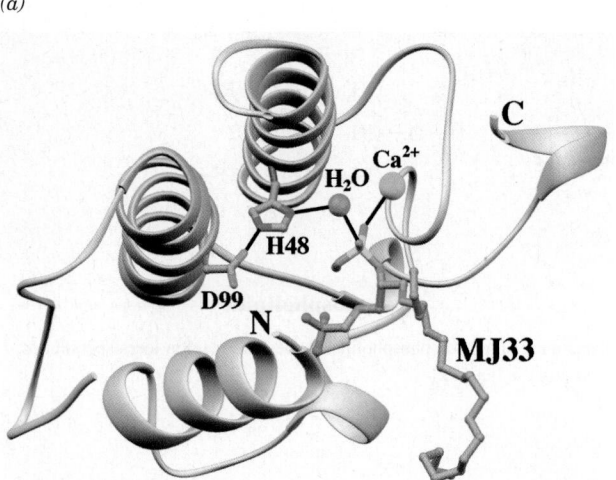

FIGURE 25-4 Structure et mécanisme d'action de la phospholipase A₂. *(a)* Structure par rayons X de la phospholipase A₂ porcine, protéine monomérique de 124 résidus *(bleu lavande)* complexée à l'intermédiaire tétraédrique modèle MJ33. Le site actif de l'enzyme contient une triade catalytique semblable à celle des protéases à sérine (Fig. 15-21), une molécule d'eau remplaçant la Ser catalytique. Les chaînes latérales His 48 et Asp 99 de cette triade ainsi que MJ33 sont représentés en bâtonnets et colorés selon le type d'atome (C en gris, N en bleu, O en rouge, F en vert et P en jaune). La molécule d'eau de la triade catalytique et l'ion Ca²⁺ important pour la catalyse sont représentés par des sphères en rouge et en bleu-vert. Les liaisons hydrogène importantes pour la catalyse et les interactions fixant le Ca²⁺ sont représentées par de fines lignes noires. Le groupement phosphoryle tétraédrique de MJ33 occupe probablement le site de la molécule d'eau (qu'on ne peut observer). Les résidus 65 à 74 de la protéine ont été omis pour plus de clarté. [D'après une structure par rayons X due à Mahendra Jain et Brian Bahnson, University of Delaware. PDBid 1FXF.] *(b)* Mécanisme catalytique de la phospholipase A₂. **(1)** La triade catalytique active une seconde molécule d'eau pour une attaque du carbone carbonyle scissile, Ca²⁺ fixant par coordinence la molécule d'eau activée et stabilisant par effet électrostatique l'intermédiaire tétraédrique ainsi produit (plutôt que de le faire par catalyse nucléophile comme pour les protéases à sérine ; Fig. 15-23). **(2)** L'intermédiaire tétraédrique se décompose pour donner les produits. [D'après Berg, O.G., Gelb, M.H., Tsai, M-D., and Jain, M.K., *Chem. Rev.* **101**, 2638 (2001).]

(b)

Triade catalytique

Intermédiaire tétraédrique

$$R_1 = -CH \begin{array}{l} CH_2-O-\overset{\displaystyle O}{\overset{\|}{C}}-R \\ \\ CH_2-O-\overset{\displaystyle O}{\underset{\underset{O^-}{|}}{\overset{\|}{C}}}-OX \end{array}$$

la surface de l'agrégat phospholipidique (micelle ou membrane) au site actif de l'enzyme liée. Ainsi, quand le substrat part de sa micelle pour se lier à l'enzyme, le substrat n'a pas besoin d'être solvaté puis désolvaté (Fig. 25-3). Par contre, les phospholipides solubles et dispersés doivent d'abord surmonter ces barrières cinétiques importantes afin de se lier à l'enzyme.

De même, le mécanisme catalytique de la phospholipase A₂ diffère notoirement de celui de la triacylglycérol lipase. Bien que le site actif de la phospholipase A₂ contienne les résidus His et Asp d'une triade catalytique, une molécule d'eau liée à l'enzyme occupe la position qui serait celle d'une Ser de centre actif. De plus, le site actif contient un ion Ca²⁺ lié et ne forme pas d'intermédiaire acyl–enzyme. Sigler propose donc que la phospholipase A₂ catalyse l'hydrolyse directe de phospholipides grâce à une « dyade catalytique » His-Asp qui activerait une molécule d'eau du site actif, suivie de l'attaque nucléophile de la liaison ester, l'ion

Ca²⁺ stabilisant l'état de transition oxyanion. Cependant, la structure par rayons X de la phospholipase A₂ complexée à **MJ33**,

$$H_3C-O-\overset{\displaystyle \overset{O}{\|}}{\underset{\underset{O^-}{|}}{P}}-O-\overset{\displaystyle CH_2-O-(CH_2)_{15}-CH_3}{\underset{\displaystyle CH_2-O-CH_2-CF_3}{\overset{|}{CH}}}$$

MJ33 [1-Hexadécyl-3-(trifluoroéthyl)-*sn*-glycéro-2-phosphométhanol]

analogue de l'intermédiaire tétraédrique, déterminée ultérieurement par Mahendra Jain et Brian Bahnson, suggère que cette attaque nucléophile est en fait menée par une seconde molécule d'eau fixée à l'ion Ca²⁺et qui avait échappé à l'observation (Fig. 25-4*a*). Ceci a conduit à proposer un mécanisme réactionnel (Fig.

25-4*b*) où la triade catalytique Asp-His-eau et l'ion Ca^{2+} activent tous deux cette deuxième molécule d'eau, l'ion Ca^{2+} stabilisant également l'intermédiaire tétraédrique qui en résulte.

d. Les sels biliaires et la protéine de liaison des acides gras facilitent l'absorption des lipides par l'intestin

Le mélange d'acides gras et de mono- et diacylglycérols produits par la digestion des lipides est absorbé par les cellules qui bordent l'intestin grêle (la muqueuse intestinale) via un processus facilité par les sels biliaires. Les micelles formées par les sels biliaires prennent en charge les produits non polaires de dégradation des lipides afin de permettre leur transport à travers la couche d'eau non perturbée à la surface de la paroi intestinale. L'importance de ce processus est démontrée chez des personnes dont les canaux biliaires sont obstrués : très peu de lipides alimentaires sont absorbés, la majorité étant éliminée sous forme hydrolysée dans les fèces (**stéatorrhée**). Manifestement, *les sels biliaires ne sont pas seulement utiles à la digestion des lipides mais sont essentiels à l'absorption des produits de digestion des lipides*. De même, les sels biliaires sont nécessaires à l'absorption intestinale efficace des vitamines liposolubles A, D, E et K.

Une fois dans les cellules intestinales, les acides gras forment des complexes avec la **protéine de liaison des acides gras intestinale (I-FABP**, pour **intestinal fatty acid-binding protein)**, protéine cytoplasmique dont le rôle est d'augmenter la solubilité réelle de ces substances insolubles dans l'eau et aussi de protéger la cellule de leurs actions de type détergent (se rappeler que les savons sont des sels d'acides gras). Les structures par rayons X de la I-FABP de rat, seule ou complexée à une seule molécule de palmitate, ont été déterminées par James Sacchettini. Cette protéine monomérique de 131 résidus est formée essentiellement de 10 segments β antiparallèles répartis en deux feuillets β pratiquement orthogonaux (Fig. 25-5). Le palmitate se trouve dans une brèche située entre deux segments β ce qui fait qu'il est pratiquement parallèle, sur presque toute sa longueur, aux segments β qui bordent la brèche (structure appelée parfois « β-clam »). Le groupement carboxylate du palmitate est en contact avec Arg 106, Gln 115 et deux molécules d'eau liées, tandis que la chaîne méthylène est enveloppée des chaînes latérales de plusieurs résidus hydrophobes, le plus souvent aromatiques.

e. Les lipides sont transportés sous forme de complexes lipoprotéiques

Les produits de la digestion des lipides absorbés au niveau de la muqueuse intestinale sont transformés par celle-ci en triacylglycérols (Section 25-4F) puis enfermés dans des particules lipoprotéiques appelées **chylomicrons**. A leur tour, ceux-ci sont libérés

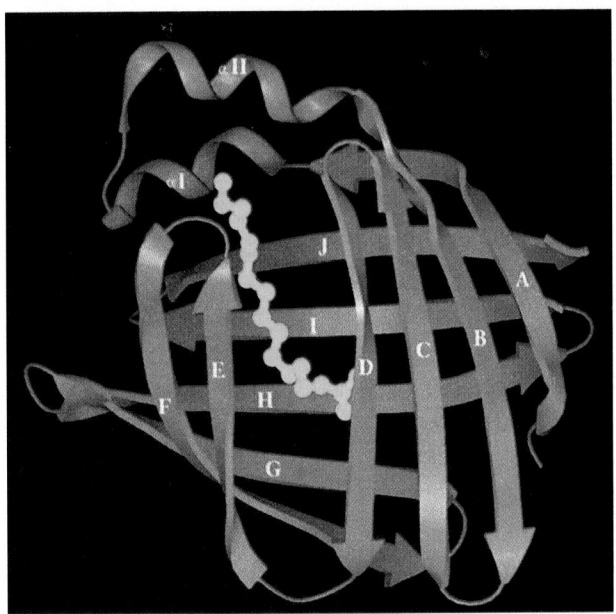

FIGURE 25-5 Structure par rayons X de la protéine de liaison des acides gras intestinale de rat. La structure est représentée en ruban (*bleu*), complexée au palmitate, représenté en modèle éclaté (*jaune*). [Avec la permission de James Sacchettini, Albert Einstein College of Medicine.]

dans le courant sanguin par le système lymphatique qui les transporte aux tissus. De même, les triacylglycérols synthétisés par le foie sont enfermés dans des **lipoprotéines à très faible densité (VLDL** pour **very low density lipoproteins)** puis libérés dans le sang. Ces lipoprotéines, dont les origines, les structures et les fonctions sont étudiées dans la Section 12-5, gardent en solution aqueuse leurs constituants lipidiques, autrement insolubles.

Les triacylglycérols des chylomicrons et des VLDL sont hydrolysés en acides gras libres et en glycérol dans les capillaires du tissu adipeux et des muscles squelettiques par la **lipoprotéine lipase** (Section 12-5B). Les acides gras libres formés restent dans ces tissus tandis que le glycérol est transporté au foie et aux reins pour être transformé en dihydroxyacétone phosphate sous les actions successives de la **glycérol kinase** et de la **glycérol-3-phosphate déshydrogénase** (Fig. 25-6).

La mobilisation des triacylglycérols en réserve dans le tissu adipeux implique leur hydrolyse en glycérol et acides gras libres par la **triacylglycérol lipase hormono-sensible** (ou **lipase hormono-sensible** ; Section 25-5). Les acides gras libres sont libérés dans le courant sanguin où ils se lient à l'**albumine**, une protéine soluble monomérique de 585 résidus qui représente environ la

FIGURE 25-6 Transformation du glycérol en dihydroxyacétone phosphate, intermédiaire de la glycolyse.

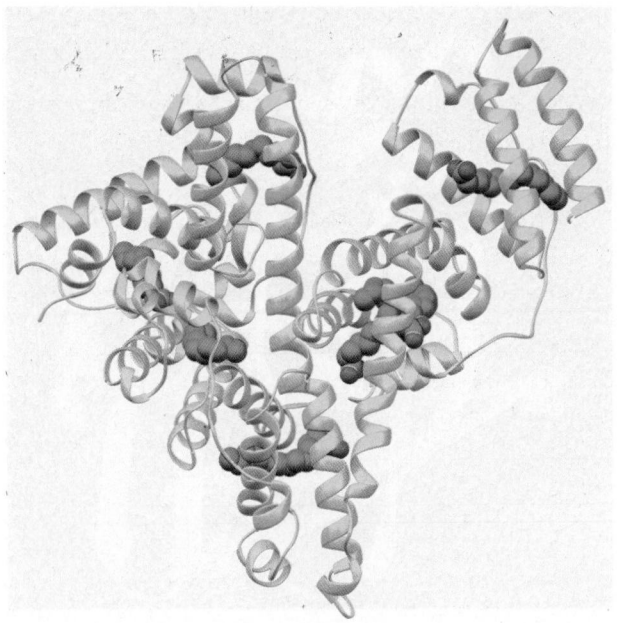

FIGURE 25-7 Structure par rayons X de l'albumine sérique humaine complexée à 7 molécules d'acide palmitique. La protéine est en doré et les acides gras sont en modèle compact avec C en vert et O en rouge. [D'après une structure par rayons X due à Stephen Curry, Imperial College of Science, Technology, and Medicine, London, U.K. PDBid 1E7H.]

moitié des protéines totales du sérum sanguin. En l'absence d'albumine, la solubilité maximum des acides gras libres est ~10^{-6} *M*. Pour des concentrations supérieures, les acides gras libres forment des micelles dont les propriétés détergentes détruisent la structure des protéines et des membranes, ce qui en ferait des com-

posés toxiques. Cependant, la solubilité réelle des acides gras complexés à l'albumine est de 2 m*M*. Toutefois, les rares personnes atteintes d'**analbuminémie** (leur taux d'albumine est très faible) ne souffrent pas de symptômes particuliers ; manifestement, leurs acides gras libres sont transportés sous forme de complexes avec d'autres protéines sériques.

La structure par rayons X de l'albumine humaine complexée à divers acides gras courants, déterminée par Stephen Curry, montre que chaque molécule d'albumine peut fixer jusqu'à sept molécules d'acides gras (Fig. 25-7). Cependant, ces sites diffèrent en affinité, si bien qu'en conditions physiologiques chaque molécule d'albumine transporte entre 0,1 et 2 molécules d'acides gras. L'albumine fixe également une variété extrêmement large de médicaments et influence donc sérieusement, mais de façon souvent imprévisible, leur pharmacocinétique (Section 15-4B). Ainsi, l'afflux d'acides gras dans le sang après les repas peut modifier la pharmacocinétique d'un médicament par interactions compétitives et/ou coopératives.

2 ■ OXYDATION DES ACIDES GRAS

La stratégie biochimique de l'oxydation des acides gras a été comprise bien avant l'avènement de techniques modernes qui ont permis la purification des enzymes ou l'utilisation des traceurs radioactifs. En 1904, Franz Knoop, lors de la première utilisation de marqueurs chimiques pour élucider une voie métabolique, nourrit des chiens avec des acides gras marqués sur leur carbone ω (le dernier carbone) par un noyau de benzène puis isola les produits métaboliques phénylés de leur urine. Des chiens nourris avec des acides gras à nombre impair d'atomes de carbone excrètent de l'**acide hippurique**, la glycinamide de l'**acide benzoïque**, tandis que ceux nourris avec des acides gras à nombre pair d'atomes de carbone excrètent l'**acide phénylacéturique**, la glycinamide de l'**acide phénylacétique** (Fig. 25-8). Knoop déduisit de ces expé-

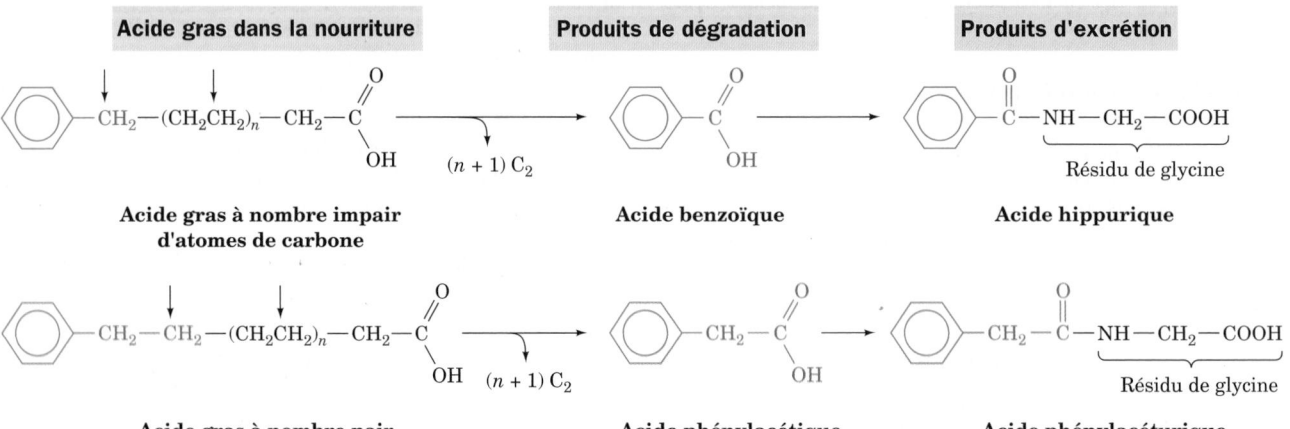

FIGURE 25-8 L'expérience classique de Franz Knoop montrant que les acides gras sont oxydés au niveau de leur carbone β. Des acides gras ω–phénylés à nombre impair d'atomes de carbone sont oxydés en acide benzoïque (produit en C_1 phénylé), alors que ceux ayant un nombre pair d'atomes de carbone sont oxydés en acide phé-

nylacétique (produit en C_2 phénylé). Ces produits sont excrétés sous leurs formes glycinamide respectives, les acides hippurique et phénylacéturique. Les flèches verticales indiquent les sites d'oxydation de carbone déduits. Les produits intermédiaires en C_2 sont oxydés en CO_2 et H_2O et ne sont donc pas isolés.

riences que l'oxydation de l'atome de carbone en β du groupement carboxylate est impliquée dans la dégradation des acides gras. Sinon, l'acide phénylacétique serait oxydé ultérieurement en acide benzoïque. Knoop proposa que cette dégradation était assurée par un mécanisme appelé **β oxydation** où l'atome C_β de l'acide gras est oxydé. Ce n'est qu'en 1950, après la découverte du coenzyme A, que les enzymes de l'oxydation des acides gras furent isolées et le mécanisme des réactions élucidé. Ce travail confirma l'hypothèse de Knoop.

A. *Activation des acides gras*

Pour pouvoir être oxydés, les acides gras doivent être « préparés » à la réaction par une réaction d'acylation ATP-dépendante qui forme un acyl-CoA. Ce processus d'activation est catalysé par une famille d'au moins trois **acyl-CoA synthétases** (appelées aussi **thiokinases**) qui sont différentes selon leur spécificité de longueur de chaîne. Ces enzymes, qui sont associées soit au réticulum endoplasmique (RE) soit à la membrane externe mitochondriale, catalysent la réaction

$$\text{Acide gras} + \text{CoA} + \text{ATP} \rightleftharpoons \text{acyl-CoA} + \text{AMP} + \text{PP}_i$$

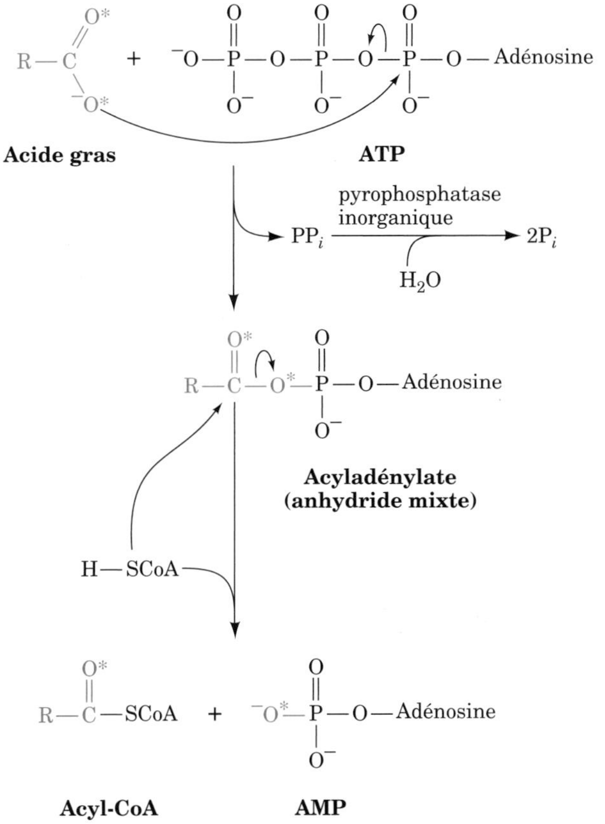

Au cours de l'activation de ^{18}O-palmitate par une acyl-CoA synthétase spécifique des acides gras à longue chaîne, les deux produits AMP et acyl-CoA sont marqués par ^{18}O. Cette observation signifie que la réaction fait intervenir un intermédiaire acyladénylate anhydride mixte qui est attaqué par le groupement sulfhydryle du CoA pour former le produit thioester (Fig. 25-9). La réaction implique à la fois la rupture et la synthèse de liaisons accompagnées de variations d'énergie libre d'hydrolyse très négatives de sorte que la variation d'énergie libre de la réaction globale est proche de zéro. La réaction est rendue irréversible dans la cellule par l'hydrolyse très exergonique du produit pyrophosphate (PP_i) catalysée par la **pyrophosphatase inorganique** ubiquitaire. Ainsi, comme cela est fréquent dans les voies métaboliques, *une réaction qui conduit à la formation d'une liaison « riche en énergie » suite à l'hydrolyse de l'une des liaisons pyrophosphate de l'ATP est rendue irréversible grâce à l'hydrolyse de la deuxième liaison de ce type.*

B. *Transport à travers la membrane interne mitochondriale*

Bien que l'activation des acides gras qui précède l'oxydation ait lieu dans le cytosol, leur oxydation se fait dans les mitochondries comme l'ont montré Eugene Kennedy et Albert Lehninger en 1950. Nous devons donc examiner comment un acyl-CoA traverse la membrane interne mitochondriale. Un acyl-CoA à longue chaîne ne peut traverser directement la membrane interne mitochondriale. Sa partie acyle est transférée à la **carnitine** (Fig. 25-10), une substance que l'on trouve aussi bien chez les animaux que chez les plantes. Cette réaction de transestérification a une constante d'équilibre proche de 1, ce qui signifie que la liaison *O*-acyl de l'**acyl-carnitine** a une énergie libre d'hydrolyse identique à celle de la liaison thioester. Les **carnitine palmitoyltransférases I** et **II**, qui peuvent transférer de nombreux groupements acyle, sont localisées respectivement sur les faces externe et interne de la membrane interne mitochondriale. Le processus de translocation est sous la dépendance d'une protéine transporteur spécifique qui assure l'entrée de l'acyl-carnitine dans la mitochondrie et la sortie

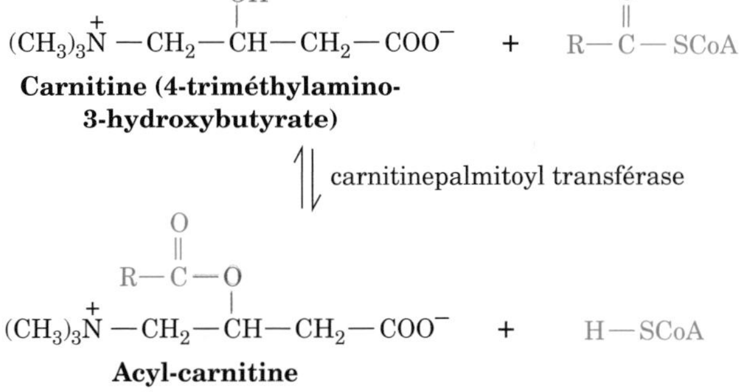

FIGURE 25-9 Mécanisme d'activation d'un acide gras catalysée par l'acyl-CoA synthétase. Des expériences utilisant des acides gras marqués par ^{18}O (*) montrent que la formation de l'acyl-CoA passe par la formation d'un acyladénylate intermédiaire (anhydride mixte).

FIGURE 25-10 Acylation de la carnitine catalysée par la carnitine-palmitoyl transférase.

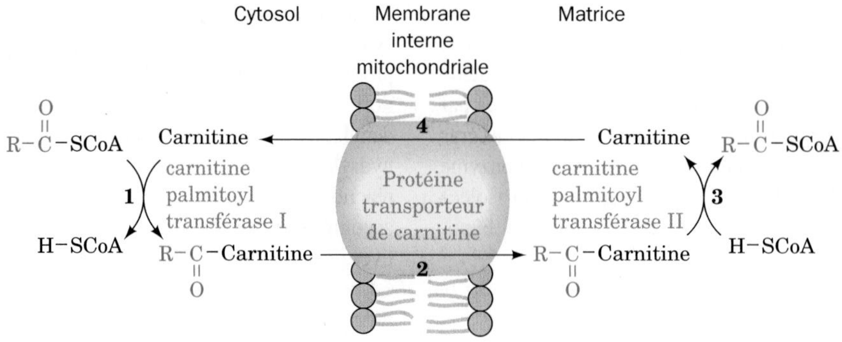

FIGURE 25-11 Transport des acides gras dans la mitochondrie.

de carnitine libre en sens inverse. Le transport d'acyl-CoA fait donc intervenir quatre réactions (Fig. 25-11) :

1. Le groupement acyle d'un acyl-CoA cytosolique est transféré à la carnitine, libérant ainsi le CoÀ qui rejoint son pool cytosolique.

2. L'acyl-carnitine formée est transportée dans la matrice mitochondriale par le système de transport.

3. Le groupement acyle est transféré à une molécule de CoA du pool mitochondrial.

4. Le produit carnitine rejoint le cytosol.

Ainsi, la cellule conserve des pools distincts de CoA. Le pool mitochondrial permet la dégradation oxydative du pyruvate (Section 21-2A), de certains acides aminés (Sections 26-3E-G) et des acides gras, tandis que le pool cytosolique est utilisé dans la biosynthèse des acides gras (Section 25-4). La cellule garde également des pools séparés d'ATP et de NAD^+ cytosoliques et mitochondriaux.

C. β oxydation

Les acides gras sont dégradés par β oxydation des acyl-CoA, un processus qui fait intervenir quatre réactions (Fig. 25-12) :

1. Formation d'une double liaison trans entre les carbones α et β suite à une déshydrogénation assurée par la flavoprotéine **acyl-CoA déshydrogénase (AD).**

2. Hydratation de la double liaison par l'**énoyl-CoA hydratase (EH)** qui donne un **3-L-hydroxyacyl-CoA.**

3. Déshydrogénation NAD^+-dépendante de ce β-hydroxyacyl-CoA par la **3-L-hydroxyacyl-CoA déshydrogénase (HAD)** pour former le β-cétoacyl-CoA correspondant.

4. Réaction de thiolyse avec le CoÀ qui provoque la rupture de la liaison C_α—C_β, catalysée par la **β-cétoacyl-CoA thiolase (KT** ou simplement **thiolase)** pour donner de l'acétyl-CoA et un nouvel acyl-CoA avec deux atomes de carbone de moins que celui de départ.

Les trois premières réactions de ce processus rappellent celles du cycle de l'acide citrique qui transforment le succinate en oxaloacétate (Sections 21-3F-H) :

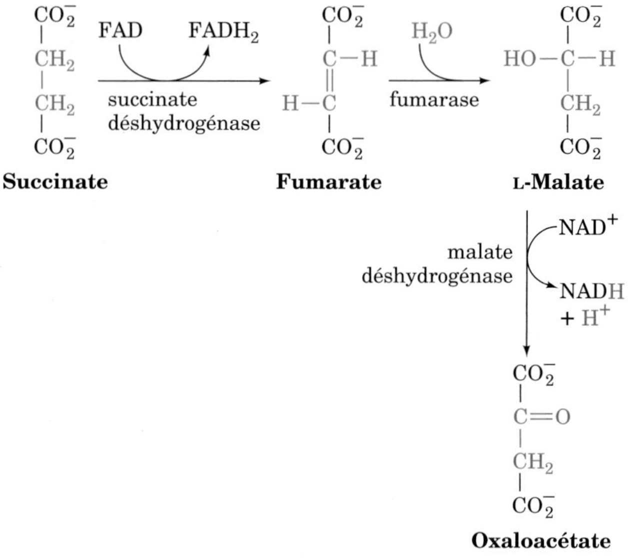

Les mitochondries ont quatre acyl-CoA déshydrogénases spécifiques des acyl-CoA à courte (C_4 à C_6), moyenne (C_6 à C_{10}), longue (entre moyenne et très longue) et très longue (C_{12} à C_{18}) chaîne hydrocarbonée. On pense que la réaction catalysée par ces enzymes impliquerait le départ d'un proton du C_α et le transfert d'un équivalent d'ion hydrure du C_β au FAD (Fig. 25-12, Réaction 1). La structure par rayons X de **la déshydrogénase des acyl-CoA à longueur de chaîne moyenne (MCAD)** complexée à de l'**octanoyl-CoA,** déterminée par Jung-Ja Kim, montre clairement comment s'orientent la base de l'enzyme (Glu 376), la liaison C_α—C_β du substrat, et le groupement prosthétique FAD pour qu'il y ait réaction (Fig. 25-13).

a. L'acyl-CoA déshydrogénase est réoxydée par l'intermédiaire de la chaîne de transport des électrons

Le $FADH_2$ formé lors de l'oxydation de l'acyl-CoA est réoxydé par la chaîne respiratoire mitochondriale par l'intermédiaire d'une série de réactions de transfert d'électrons. La **flavo-**

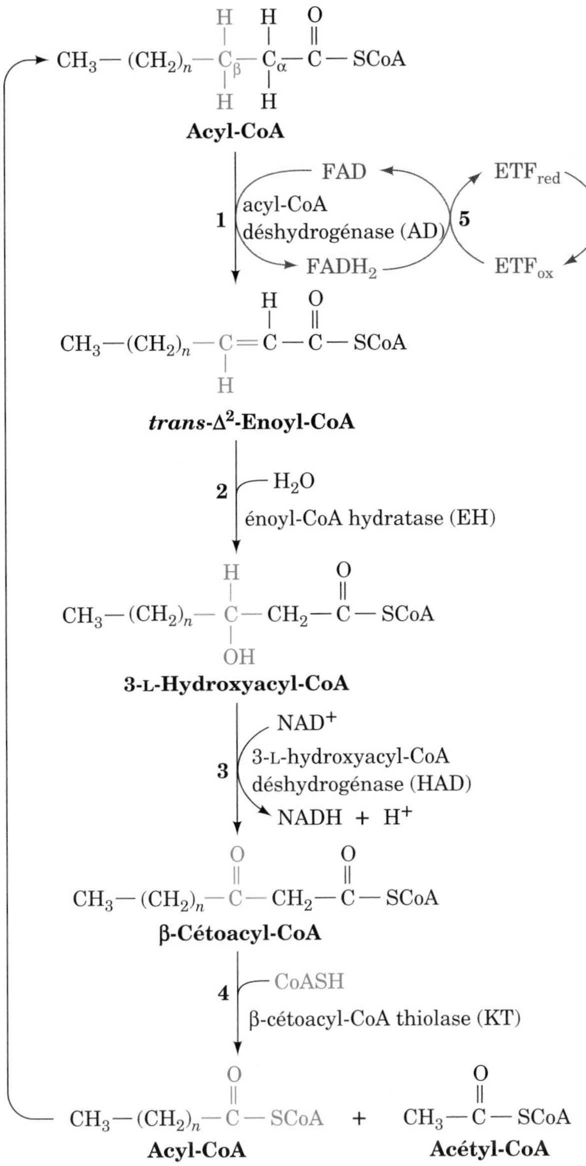

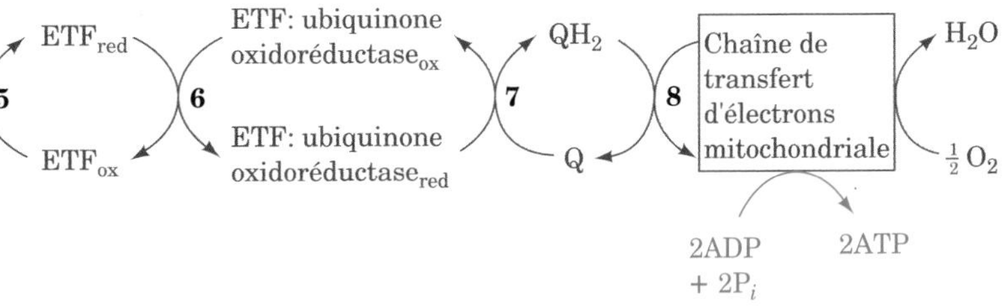

CH_3—(CH_2)_n—C_β—C_α—C—SCoA

Acyl-CoA

1 acyl-CoA déshydrogénase (AD) FAD → FADH_2 **5** ETF_red / ETF_ox **6** ETF: ubiquinone oxidoréductase_ox / ETF: ubiquinone oxidoréductase_red **7** QH_2 / Q **8** Chaîne de transfert d'électrons mitochondriale → H_2O / ½ O_2

2ADP + 2P_i → 2ATP

CH_3—(CH_2)_n—C=C—C—SCoA

trans-Δ²-Enoyl-CoA

2 —H_2O énoyl-CoA hydratase (EH)

CH_3—(CH_2)_n—C—CH_2—C—SCoA (OH)

3-L-Hydroxyacyl-CoA

3 NAD⁺ 3-L-hydroxyacyl-CoA déshydrogénase (HAD) NADH + H⁺

CH_3—(CH_2)_n—C—CH_2—C—SCoA

β-Cétoacyl-CoA

4 —CoASH β-cétoacyl-CoA thiolase (KT)

CH_3—(CH_2)_n—C—SCoA + CH_3—C—SCoA

Acyl-CoA (2 atomes de C en moins) **Acétyl-CoA**

FIGURE 25-12 Voie de la β oxydation des acyl-CoA.

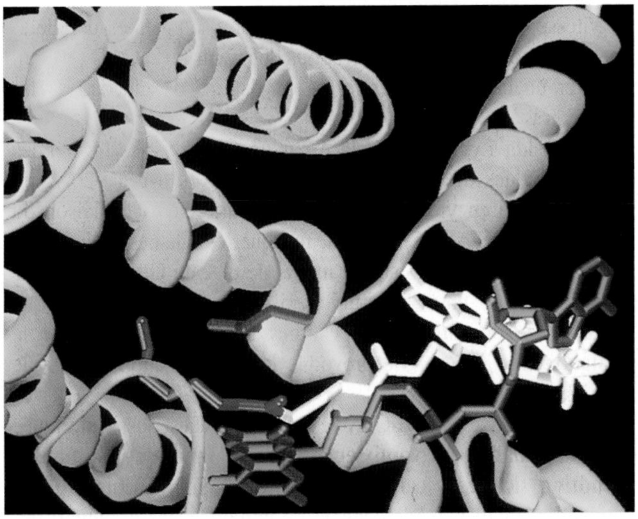

FIGURE 25-13 Représentation en ruban de la région du site actif d'une sous-unité de l'acyl-CoA déshydrogénase à longueur de chaîne moyenne, de mitochondrie de foie de porc, complexée à de l'octanoyl-CoA. L'enzyme est un homotétramère composé de sous-unités identiques de 385 résidus, chacune d'elles étant liée au groupement prosthétique FAD (*vert*) et à son substrat octanoyl-CoA (l'octanoyl en bleu clair et le CoA en blanc) en conformations très allongées. L'octanoyl-CoA se lie de sorte que sa liaison C_α—C_β est prise en sandwich entre le groupement carboxylate de Glu 376 (*rouge*) et le cycle flavinique (*vert*), en accord avec l'hypothèse où Glu 376 serait la base générale qui capture le proton en α lors de la réaction d'α,β déshydrogénation catalysée par l'enzyme. [D'après une structure par rayons X due à Jung-Ja Kim, Medical College of Wisconsin. PDBid 3MDE.]

protéine de transfert d'électrons (ETF) transfère une paire d'électrons du FADH_2 à la flavoprotéine fer-soufre **ETF:ubiquinone oxydoréductase** qui, à son tour, transfère une paire d'électrons à la chaîne respiratoire mitochondriale en réduisant le coenzyme Q (CoQ ; Fig. 25-12, Réactions 5-8). La réduction de O_2 en H_2O par la chaîne respiratoire commençant au niveau du CoQ, se solde par la synthèse de deux ATP par paire d'électrons transférés (Section 22-2B).

b. Une déficience en acyl-CoA déshydrogénase peut avoir des conséquences fatales

La mort inopinée d'un nourrisson apparemment en bonne santé, le plus souvent la nuit, est appelée, faute d'explications plausibles, **syndrome de la mort subite du nourrisson** (SIDS : sudden infant death syndrome). On s'est aperçu que la MCAD est

déficiente chez 10 % de ces nourrissons, ce qui fait que cette maladie est plus répandue que la **phénylcétonurie** (**PKU**) (Section 26-3H), une anomalie d'origine génétique de la dégradation de la phénylalanine pour laquelle les bébés de nombreux pays sont testés

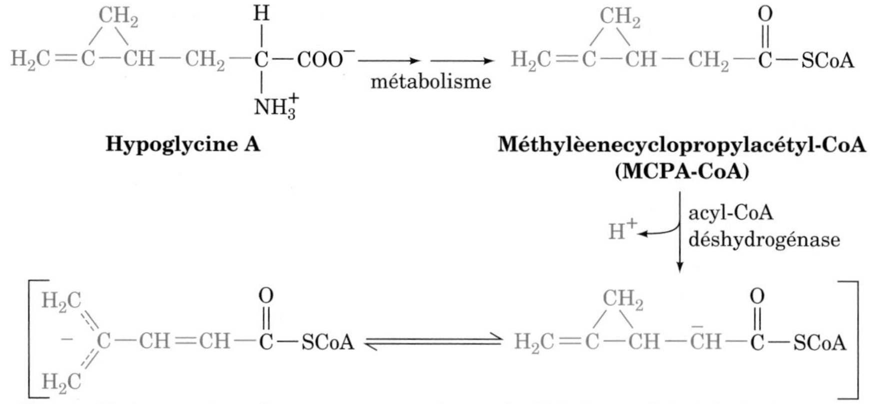

FIGURE 25-14 Transformations métaboliques de l'hypoglycine A donnant un produit qui inactive l'acyl-CoA déshydrogénase. Des variations de spectre suggèrent que le groupement prosthétique de l'enzyme, le FAD, a été modifié.

systématiquement. Aussitôt après un repas, le glucose est le substrat énergétique principal, mais quand le taux de glucose diminue, la vitesse d'oxydation des acides gras doit augmenter parallèlement. La mort subite des nourrissons déficients en MCAD pourrait résulter du déséquilibre entre les oxydations du glucose et des acides gras.

Le résidu Lys 304, remplacé par un Glu dans les formes les plus répandues de déficience en MCAD, se trouve à ~20 Å du site actif de l'enzyme et ne peut donc participer à la liaison du substrat ou du FAD. Cependant, puisque les chaînes latérales de Asp 300 et de Asp 346 sont à moins de 6 Å de Glu 304, proche d'une interface entre sous-unités, il n'est pas impossible que cette forte concentration de charges négatives résultant de la mutation Lys 304 → Glu provoque la déstabilisation structurale de l'enzyme.

La déficience en acyl-CoA déshydrogénase est aussi impliquée dans la **maladie des vomissements de la Jamaïque (Jamaican vomiting sickness),** caractérisée par des vomissements violents suivis de convulsions, de coma et de la mort. Dans la plupart des cas, on constate une forte hypoglycémie. Cette maladie survient après ingestion du fruit vert de l'**akee**, qui contient de l'**hypoglycine A**, acide aminé rare métabolisé en **méthylènecyclopropyla-cétyl-CoA (MCPA-CoA ;** Fig. 25-14). Le MCPA-CoA, un substrat pour l'acyl-CoA déshydrogénase, subirait la première réaction catalysée par cette enzyme, le départ d'un proton du C_α, pour former un intermédiaire réactif qui modifierait par liaison covalente le FAD de l'enzyme (Fig. 25-14). Puisque cet intermédiaire réactif est le produit d'une réaction normale catalysée par l'enzyme, le MCPA-CoA est ce qu'on appelle un **inhibiteur suicide.**

c. Les énoyl-CoA à longue chaîne sont convertis en acétyl-CoA et un acyl-CoA plus court par la protéine trifonctionnelle mitochondriale

Les produits des acyl-CoA déshydrogénases sont des 2-énoyl-CoA. Leur sort ultérieur dépend de l'un des trois systèmes suivants selon la longueur de leur chaîne (Fig. 25-12) : les 2-énoyl-CoA hydratases (EH), hydroxyacyl-CoA déshydrogénases (HAD), et β-cétoacyl-CoA thiolases (KT) à courte, moyenne, ou

longue chaîne. Les versions à longue chaîne (LC) de ces enzymes sont portées par une protéine octamérique $\alpha_4\beta_4$, la **protéine trifonctionnelle mitochondriale** située dans la membrane interne mitochondriale. La LCEH et la LCHAD sont localisées dans les sous-unités α et la LCKT dans les sous-unités β. Il s'agit donc d'un complexe protéique multifonctionnel (plus d'une activité enzymatique pour une seule chaîne polypeptidique) multienzymatique (un complexe de polypeptides catalysant plus d'une réaction). Une telle enzyme trifonctionnelle a l'avantage de canaliser les intermédiaires vers le produit final. De fait, ce système ne libère en solution aucun intermédiaire hydroxyacyl-CoA ou cétoacyl-CoA à longue chaîne.

d. La réaction de la thiolase fait intervenir le clivage d'un ester de Claisen

Le stade final de la β-oxydation d'un acide gras, la réaction de la thiolase, donne un acétyl-CoA et un nouvel acyl-CoA avec deux atomes de carbone en moins comparé à celui de départ. Ce processus implique cinq étapes réactionnelles (Fig. 25-15) :

1. Un thiol du site actif réagit avec le groupement β-cétonique du substrat.

2. La rupture d'une liaison carbone–carbone donne un intermédiaire carbanion acétyl-CoA stabilisé par le retrait d'électrons dans le groupement carbonyle de ce thioester. Ce type de réaction est ce qu'on appelle un clivage d'ester de Claisen (la réaction inverse d'une condensation de Claisen). La citrate synthase du cycle de l'acide citrique catalyse aussi une réaction qui implique la formation d'un intermédiaire carbanion acétyl-CoA stabilisé (Section 21-3A).

3. L'intermédiaire carbanion acétyl-CoA est protoné par un groupement acide de l'enzyme, ce qui donne l'acétyl-CoA.

4 et 5. Enfin, le CoA déplace le groupement thiol de l'enzyme de l'intermédiaire enzyme–thioester, formant ainsi l'acyl-CoA.

La formation d'un intermédiaire thioester–enzyme impliquant un groupement thiol du site actif est basée sur l'observation que du

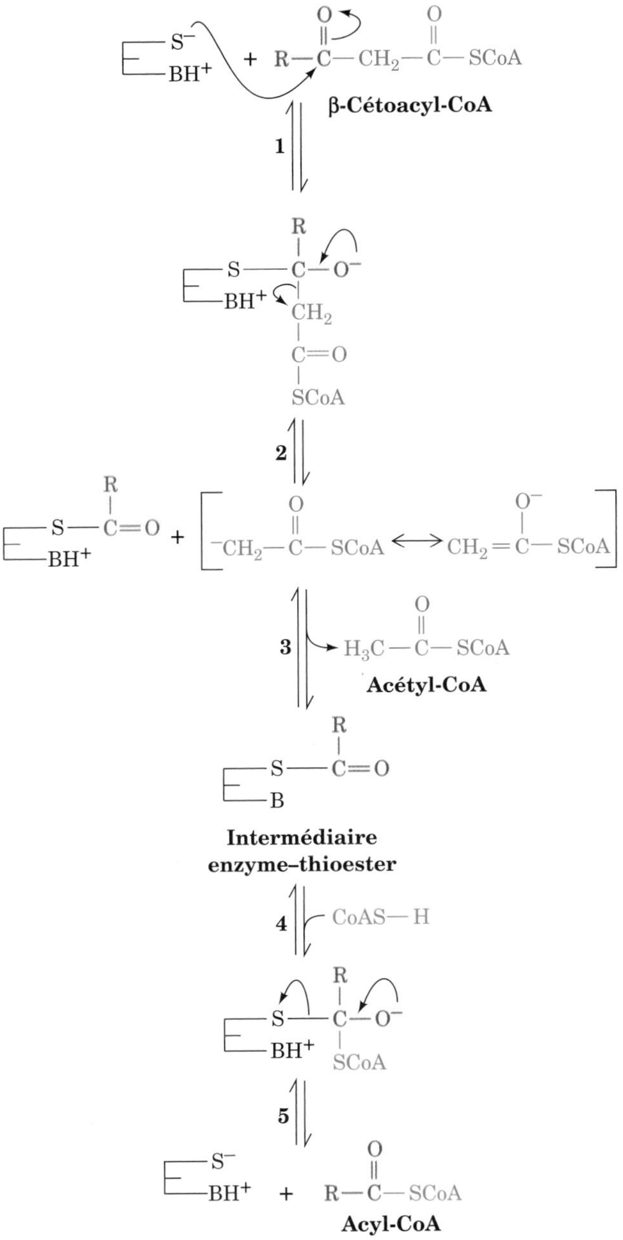

$[^{14}C]$acétyl-CoA marque un résidu Cys spécifique de l'enzyme (l'inverse des étapes 4 et 5) :

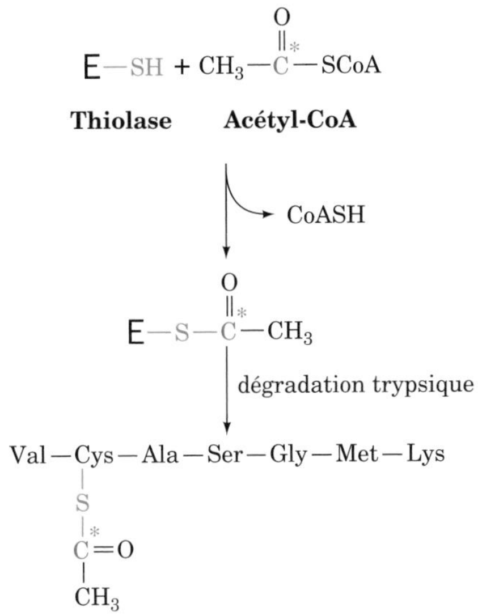

FIGURE 25-15 Mécanisme d'action de la β-cétoacyl-CoA thiolase. Un résidu Cys du site actif participe à la formation d'un intermédiaire enzyme-thioester.

e. L'oxydation des acides gras est fortement exergonique

Le rôle de l'oxydation des acides gras est, naturellement, de fournir de l'énergie métabolique. Chaque tour de β oxydation produit un NADH, un $FADH_2$ et un acétyl-CoA. L'oxydation de l'acétyl-CoA via le cycle de l'acide citrique forme d'autres $FADH_2$ et NADH, qui sont réoxydés par les phosphorylations oxydatives pour donner de l'ATP. L'oxydation complète d'un acide gras est donc un processus fortement exergonique qui assure la formation de nombreux ATP. Par exemple, l'oxydation du palmitoyl-CoA (acide gras à 16 atomes de carbone) nécessite 7 tours de β oxydation, formant 7 $FADH_2$, 7 NADH et 8 acétyl-CoA. L'oxydation des 8 acétyl-CoA, à son tour, conduit à la formation de 8 GTP, 24 NADH et 8 $FADH_2$. Puisqu'après phosphorylations oxydatives, les 31 molécules de NADH formeront 93 ATP et que les 15 molécules de $FADH_2$ formeront 30 ATP, après soustraction des deux équivalents d'ATP nécessaires à la formation d'acyl-CoA (Section 25-2A), *l'oxydation d'une molécule de palmitate permet la formation nette de 129 molécules d'ATP.*

D. *Oxydation des acides gras insaturés*

Presque tous les acides gras insaturés d'origine biologique (Section 12-1A) ne contiennent que des doubles liaisons cis, qui, le plus souvent, commencent entre C9 et C10 (appelée Δ^9 ou double liaison 9 ; Tableau 12-1). S'il y a d'autres doubles liaisons, elles se trouvent à trois carbones d'intervalle et ne sont donc pas conjuguées. Les acides oléique et linoléique sont deux exemples d'acides gras insaturés (Fig. 25-16). Noter que l'une des doubles liaisons de l'acide linoléique se trouve à un atome de carbone

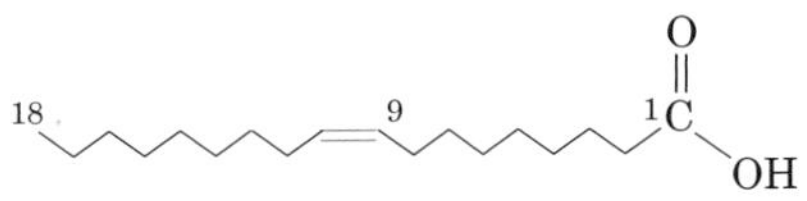

Acide oléique
(Acide 9-*cis*-Octadécénoïque)

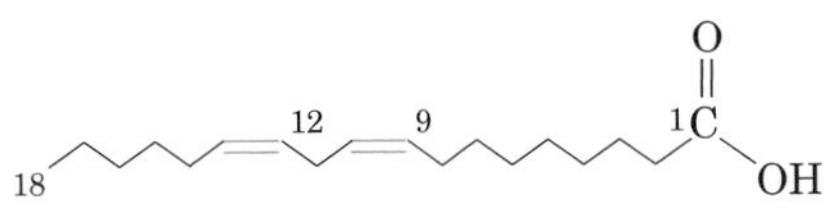

Acide linoléique
(Acide 9,12-*cis*-Octadécadiénoïque)

FIGURE 25-16 Structures de deux acides gras insaturés courants. La plupart des acides gras insaturés présentent des doubles liaisons insaturées cis non conjuguées.

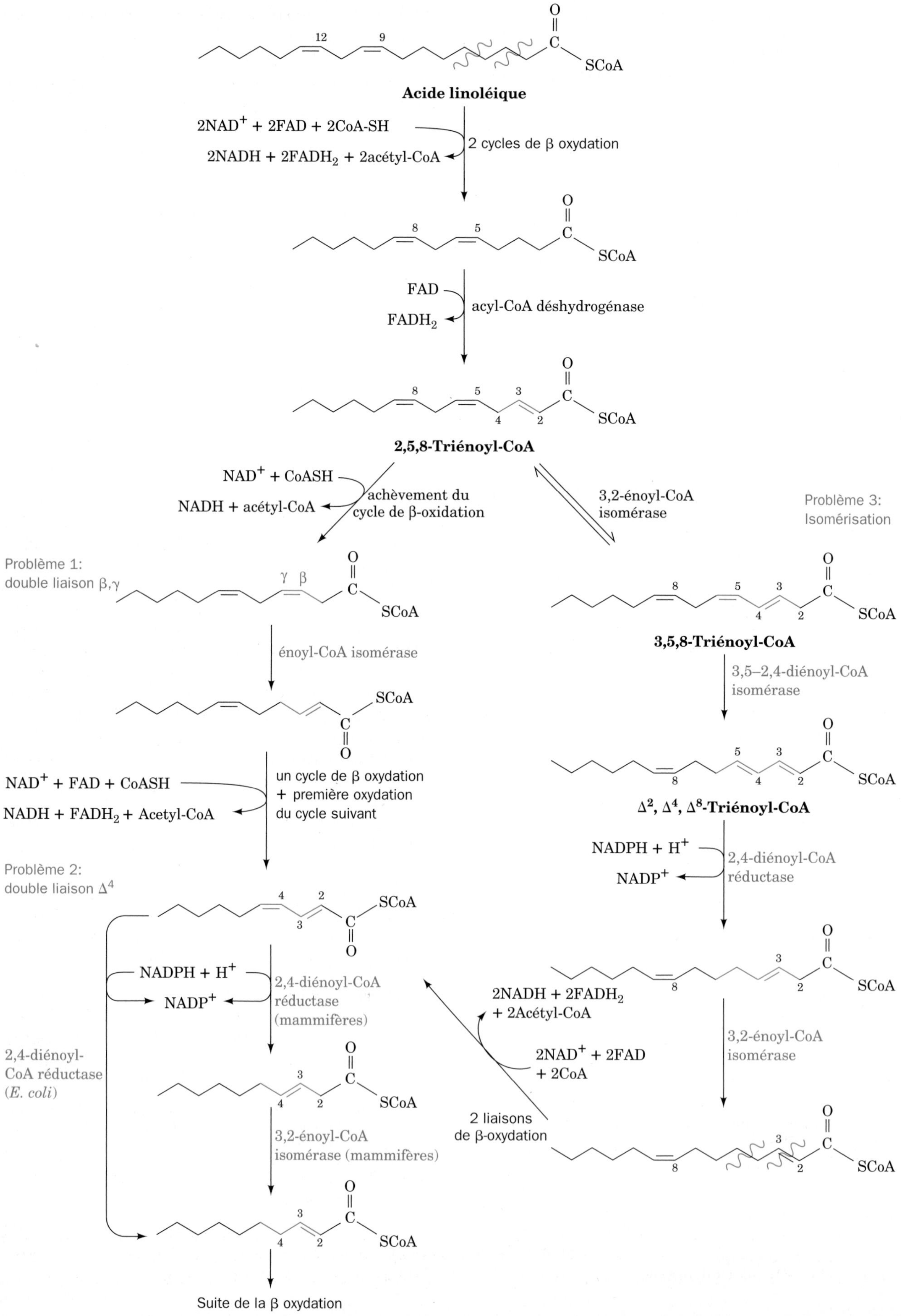

Acide linoléique

$2NAD^+ + 2FAD + 2CoA\text{-}SH$

$2NADH + 2FADH_2 + 2acétyl\text{-}CoA$

2 cycles de β oxydation

FAD

$FADH_2$

acyl-CoA déshydrogénase

2,5,8-Triénoyl-CoA

$NAD^+ + CoASH$

$NADH + acétyl\text{-}CoA$

achèvement du cycle de β-oxidation

3,2-énoyl-CoA isomérase

Problème 3: Isomérisation

Problème 1: double liaison β,γ

énoyl-CoA isomérase

3,5,8-Triénoyl-CoA

3,5–2,4-diénoyl-CoA isomérase

$NAD^+ + FAD + CoASH$

$NADH + FADH_2 + Acetyl\text{-}CoA$

un cycle de β oxydation + première oxydation du cycle suivant

$\Delta^2, \Delta^4, \Delta^8$-**Triénoyl-CoA**

$NADPH + H^+$

$NADP^+$

2,4-diénoyl-CoA réductase

Problème 2: double liaison Δ^4

$NADPH + H^+$

$NADP^+$

2,4-diénoyl-CoA réductase (mammifères)

$2NADH + 2FADH_2$ + 2Acétyl-CoA

$2NAD^+ + 2FAD$ + 2CoA

2 liaisons de β-oxydation

3,2-énoyl-CoA isomérase

2,4-diénoyl-CoA réductase (E. coli)

3,2-énoyl-CoA isomérase (mammifères)

Suite de la β oxydation

FIGURE 25-17 *(Page opposée)* **Problèmes et leurs solutions lors de l'oxydation d'acides gras insaturés.** L'acide linoléique est pris comme exemple. Le premier problème, la présence d'une double liaison entre les atomes de carbone β et γ dans la voie de gauche est résolu par la transformation de cette liaison en une double liaison trans-α,β par l'énoyl-CoA isomérase. Le deuxième problème dans la voie de gauche, le fait qu'un 2,4-diénoyl-CoA ne soit pas un substrat pour l'énoyl-CoA hydratase, est éliminé par la réduction NADPH-dépendante de la double liaison en 4 par la 2,4-diénoyl-CoA réductase qui donne le substrat de β oxydation *trans*-2-énoyl-CoA chez *E. coli*, mais le *trans*-3-énoyl-CoA chez les mammifères. Ceux-ci ont une 3,2-énoyl-CoA isomérase, qui transforme le *trans*-3-énoyl-CoA en *trans*-2-énoyl-CoA. Le troisième problème, l'isomérisation du 2,5-diénoyl-CoA (provenant de l'oxydation d'acides gras insaturés à doubles liaisons sur des carbones impairs) en 3,5-diénoyl-CoA par la 3,2-énoyl-CoA isomérase, est résolu par la 3,5–2,4-diénoyl-CoA isomérase, qui transforme le 3,5-diénoyl-CoA en 2,4-diénoyl-CoA, un substrat de la 2,4-diénoyl-CoA réductase.

impair et que l'autre se trouve à un atome de carbone pair. Les doubles liaisons dans ces positions posent pour la voie de la β oxydation trois problèmes qui sont résolus par quatre enzymes supplémentaires (Fig. 25-17) :

Problème N°1 : double liaison **β,γ**

La première difficulté enzymatique survient après trois tours de β oxydation (voie de gauche dans la Fig. 25-17) : l'énoyl-CoA formé présente une double liaison cis-β,γ qui n'est pas un substrat pour l'énoyl-CoA hydratase. L'**énoyl-CoA isomérase** va assurer la transformation de la double liaison cis-Δ^3 en ester conjugué trans-Δ^2 plus stable :

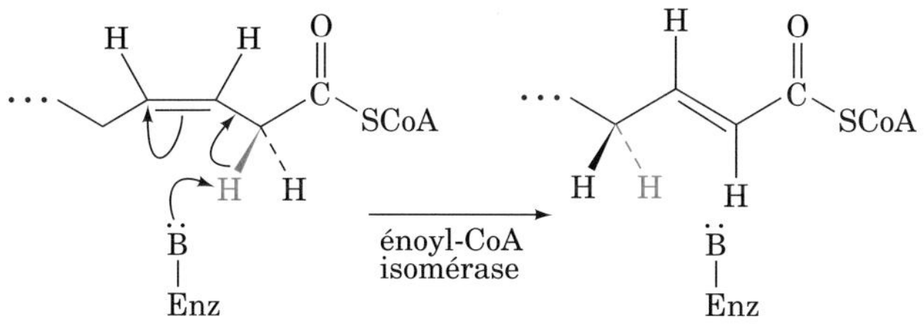

De tels composés sont des substrats normaux pour l'énoyl-CoA hydratase et la β oxydation peut donc se poursuivre.

Problème N°2 : une double liaison Δ^4 inhibe l'action de l'hydratase

La difficulté suivante surgit au cinquième tour de β oxydation (voie de gauche dans la Fig. 25-17). La présence d'une double liaison sur un carbone pair aboutit à la formation de 2,4-diénoyl-CoA, qui est un mauvais substrat pour l'énoyl-CoA hydratase. Cependant, la **2,4-diénoyl-CoA réductase** NADPH-dépendante réduit la double liaison Δ^4. La réductase d'*E. coli* forme un *trans*-2-énoyl-CoA, un substrat normal pour la β oxydation. Pourtant, la réductase de mammifère donne un *trans*-3-énoyl-CoA, qui, pour poursuivre la voie de β oxydation, doit d'abord être isomérisé en *trans*-2-énoyl-CoA par la **3,2-énoyl-CoA isomérase.**

Problème N°3 : isomérisation imprévue du 2,5-énoyl-CoA par la 3,2-énoyl-CoA isomérase

La 3,2-énoyl-CoA isomérase de mammifère catalyse une interconversion réversible de doubles liaisons Δ^2 et Δ^3. Un groupement carbonyle est stabilisé par conjugaison avec une double liaison Δ^2. Cependant, la présence d'une double liaison Δ^5 (provenant d'un acide gras insaturé porteur d'une double liaison à un atome de carbone impair telle que la double liaison Δ^9 de l'acide linoléique) est de même stabilisée par conjugaison avec une double liaison Δ^3. Si un 2,5-énoyl-CoA est converti par la 3,2-énoyl-CoA isomérase en 3,5-énoyl-CoA, ce qui arrive une fois sur cinq, il faut une autre enzyme pour poursuivre l'oxydation. Il s'agit de la **3,5–2,4-diénoyl-CoA isomérase** qui isomérise le 3,5-diène en 2,4-diène, lequel est ensuite réduit par la 2,4-diénoyl-CoA réductase et isomérisé par la 3,2-énoyl-CoA isomérase comme dans le Problème 2 ci-dessus. Après deux tours supplémentaires de β oxydation, la double liaison cis-Δ^4 provenant de la double liaison cis-Δ^{12} de l'acide linoléique est aussi traitée comme dans le Problème 2.

E. *Oxydation des acides gras à nombre impair d'atomes de carbone*

La plupart des acides gras ont un nombre pair d'atomes de carbone et sont par conséquent entièrement transformés en acétyl-CoA par β oxydation. Cependant, certaines plantes et certains organismes marins synthétisent des acides gras à nombre impair d'atomes de carbone. *Le dernier cycle de β oxydation de ces acides gras forme du propionyl-CoA qui, comme nous allons le voir, est transformé en succinyl-CoA pour entrer dans le cycle de l'acide citrique.* Le propionate ou le propionyl-CoA est aussi produit par oxydation des acides aminés isoleucine, valine et méthionine (Section 26-3E). De plus, les ruminants comme le bétail trouvent la plus grande partie de leur apport calorique dans l'acétate et le propionate formés dans leur rumen (estomac) par fermentation bactérienne des glucides. Ces produits sont absorbés par l'animal et métabolisés après conversion en acyl-CoA correspondant.

a. La propionyl-CoA carboxylase est une enzyme à biotine

La transformation de propionyl-CoA en succinyl-CoA fait intervenir trois enzymes (Fig. 25-18). La première réaction est catalysée par la **propionyl-CoA carboxylase**, enzyme tétramérique dont le groupement prosthétique est de la biotine (Section 23-1A). La réaction se fait en deux étapes (Fig. 25-19) :

1. Carboxylation de la biotine en N1' par l'ion bicarbonate comme dans la réaction catalysée par la pyruvate carboxylase (Fig. 23-4). Cette étape, rendue possible par l'hydrolyse concomitante d'ATP en ADP + P_i, active le groupement carboxylate formé pour son transfert sans autre apport d'énergie libre.

2. Transfert stéréospécifique du groupement carboxylate activé depuis la carboxybiotine au propionyl-CoA pour donner le (S)-méthylmalonyl-CoA. Cette étape fait intervenir une attaque nucléophile de la carboxybiotine par un carbanion en C2 du propionyl-CoA (cf. ci-dessous).

Ces deux étapes ont lieu sur des sites catalytiques différents de la propionyl-CoA carboxylase. On a donc proposé que le lien biotinyllysine qui unit la biotine à l'enzyme forme un bras flexible qui

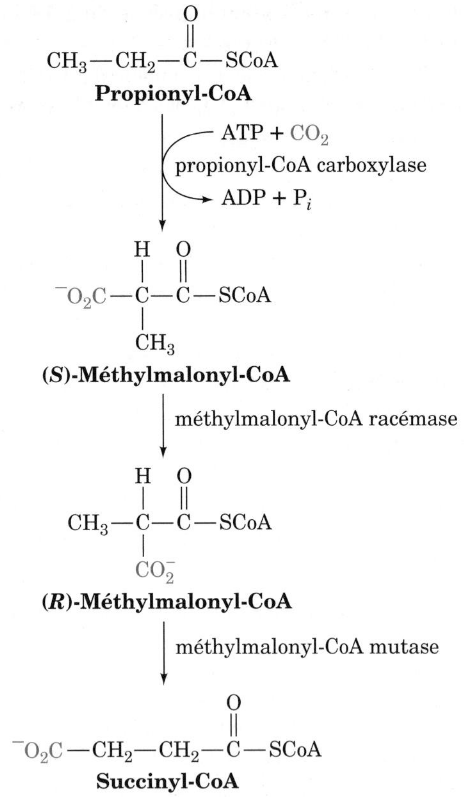

FIGURE 25-18 Transformation de propionyl-CoA en succinyl-CoA.

assure le transfert efficace de la biotine entre ces deux sites actifs comme postulé pour la pyruvate carboxylase (Section 23-1A).

La formation du carbanion en C2 dans la deuxième étape de la réaction implique le départ d'un proton en α du thioester. Ce proton est relativement acide car, comme nous l'avons vu dans la Section 25-2C, la charge négative d'un carbanion en α d'un thioester peut être délocalisée dans le groupement carbonyle du thioester. Cela peut expliquer le chemin relativement compliqué pour aller du propionyl-CoA au succinyl-CoA (Fig. 25-18). Il semblerait plus simple, du moins sur papier, pour que ce processus se fasse en une étape, qu'il y ait carboxylation du C3 du propionyl-CoA, donnant directement le succinyl-CoA. Cependant, le carbanion en C3 nécessaire à cette carboxylation serait extrêmement instable. La nature a choisi une voie plus facile mais moins directe, qui carboxyle le propionyl-CoA sur une position plus réactive et qui donne ensuite le squelette en C_4 du produit désiré.

b. Le groupement prosthétique de la méthylmalonyl-CoA mutase est le coenzyme B_{12}

La **méthylmalonyl-CoA mutase** qui catalyse la troisième réaction de la transformation de propionyl-CoA en succinyl-CoA (Fig. 25-18), est spécifique du (R)-méthylmalonyl-CoA même si la propionyl-CoA carboxylase synthétise stéréospécifiquement le (S)-

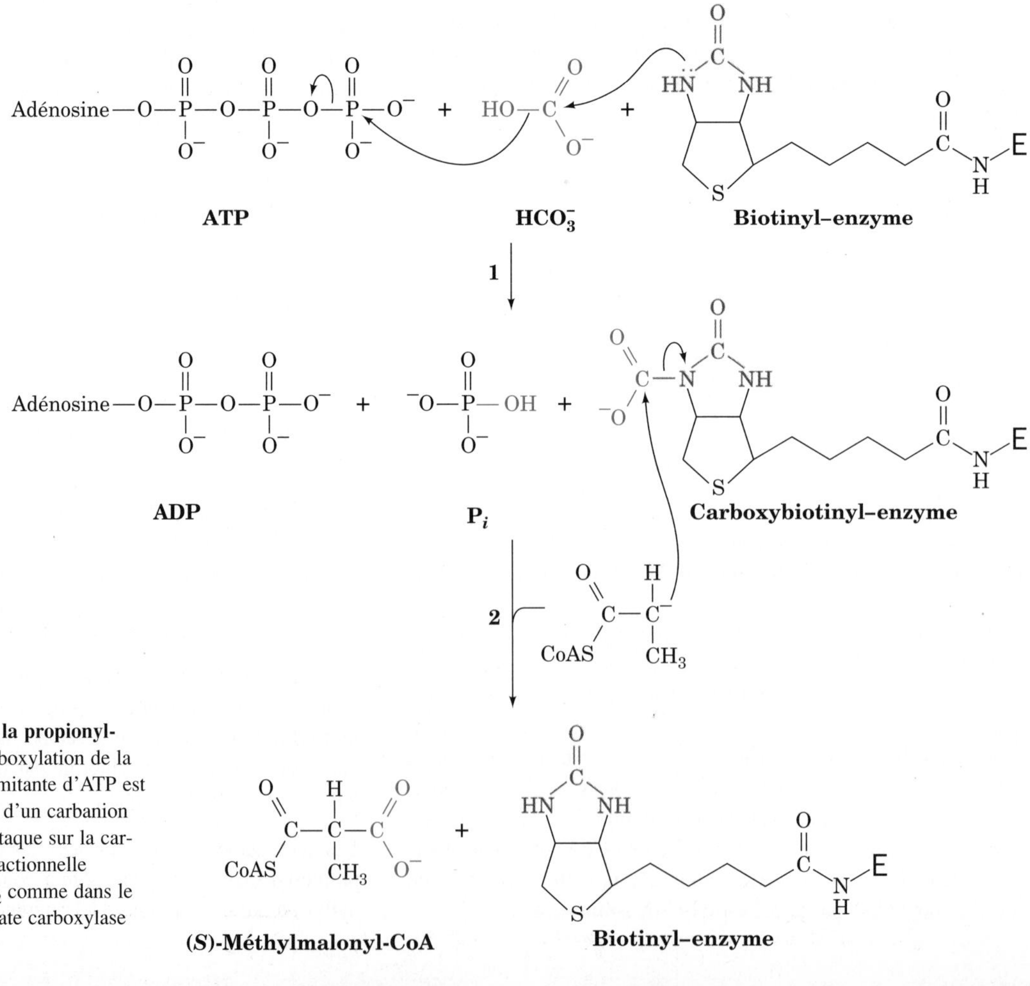

FIGURE 25-19 Réaction de la propionyl-CoA carboxylase. (**1**) La carboxylation de la biotine avec hydrolyse concomitante d'ATP est suivie de (**2**) la carboxylation d'un carbanion du propionyl-CoA, par son attaque sur la carboxybiotine. Chaque étape réactionnelle implique la formation de CO_2 comme dans le cas de la réaction de la pyruvate carboxylase (Fig. 23-4).

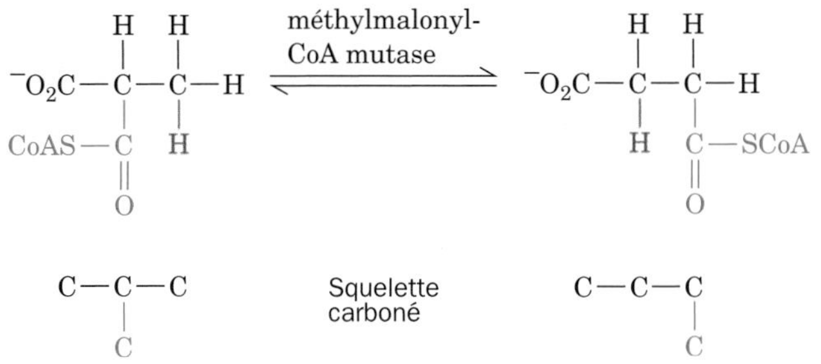

méthylmalonyl-
CoA mutase

^-O_2C—C—C—H
CoAS—C
O

(R)-Méthylmalonyl-CoA

^-O_2C—C—C—H
C—SCoA
O

Succinyl-CoA

C—C—C
C

Squelette
carboné

C—C—C
C

FIGURE 25-20 Réarrangement catalysé par la méthylmalonyl-CoA mutase.

méthylmalonyl-CoA. Cette diversion est rectifiée par la **méthylmalonyl-CoA racémase**, qui interconvertit les configurations (R) et (S) du méthylmalonyl-CoA, probablement en provoquant la dissociation réversible de son H en α acide par la formation d'un carbanion intermédiaire stabilisé par résonance :

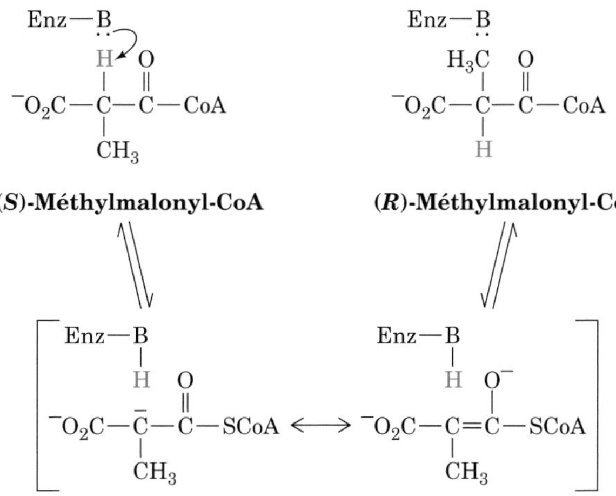

Enz—B
H O
^-O_2C—C—C—CoA
CH_3

(S)-Méthylmalonyl-CoA

Enz—B
H_3C O
^-O_2C—C—C—CoA
H

(R)-Méthylmalonyl-CoA

Enz—B
H O
^-O_2C—C—C—SCoA
CH_3
⟷
Enz—B
H O$^-$
^-O_2C—C=C—SCoA
CH_3

Carbanion intermédiaire stabilisé par résonance

La méthylmalonyl-CoA mutase, qui catalyse un réarrangement inhabituel de squelette carboné (Fig. 25-20), utilise le groupement prosthétique **5′-désoxyadénosylcobalamine** (**AdoCbl**, appelée aussi **coenzyme B$_{12}$**). Dorothy Hodgkin a élucidé la structure de cette molécule complexe (Fig. 25-21) en 1956, un

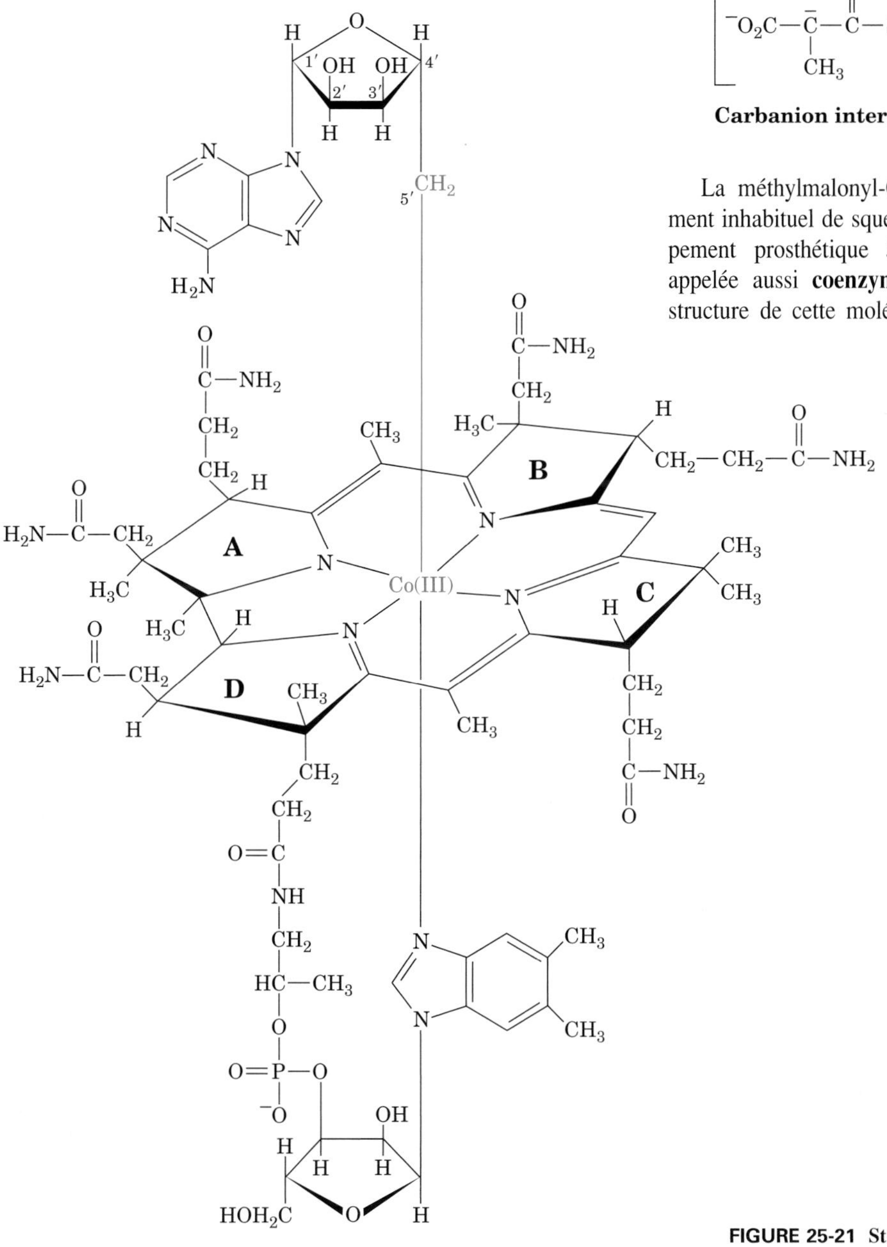

5′-Désoxyadénosylcobalamine (coenzyme B$_{12}$)

FIGURE 25-21 Structure de la 5′-désoxyadénosylcobalamine (coenzyme B$_{12}$).

exploit mémorable, par analyse cristallographique aux rayons X associée à des études de dégradations chimiques. L'AdoCbl contient un cycle **corrine** de type hème dont les quatre atomes d'azote pyrrole sont liés à un ion Co de coordinence 6. Le cinquième ligand Co du coenzyme libre est un atome d'azote du nucléotide **5,6-diméthylbenzimidazole (DMB)** lié par covalence au cycle D du noyau corrine. Le sixième ligand est un groupement 5'-désoxyadénosyl dans lequel l'atome C5' du désoxyribose forme une liaison C—Co covalente, *une des deux seules liaisons carbone–métal connues en biologi*e (l'autre étant une liaison C—Ni dans l'enzyme bactérienne **monoxyde de carbone déshydrogénase**). Pour quelques enzymes, le sixième ligand est un groupement méthyle qui, de la même manière, forme une liaison C—Co.

La liaison réactionnelle C—Co de l'AdoCbl participe à deux types de réactions enzymatiques :

1. Réarrangements au cours desquels un atome d'hydrogène est transféré directement entre deux atomes de carbone adjacents avec échange concomitant du deuxième substituant X :

$$-\underset{\underset{\displaystyle H}{|}}{C_1}-\underset{\underset{\displaystyle X}{|}}{C_2}- \longrightarrow -\underset{\underset{\displaystyle X}{|}}{C_1}-\underset{\underset{\displaystyle H}{|}}{C_2}-$$

où X peut être un atome de carbone substitué, un atome d'oxygène d'un alcool, ou une amine.

2. Transferts de groupements méthyle entre deux molécules.

On connaît environ une douzaine d'enzymes à cobalamine. Deux seulement interviennent chez les mammifères : (1) la méthylmalonyl-CoA mutase, qui catalyse un réarrangement de squelette carboné (le groupement X dans le réarrangement est —COSCoA ; Fig. 25-20) et est la seule enzyme à coenzyme B_{12} que l'on trouve aussi bien chez les eucaryotes que chez les procaryotes ; et (2) **la méthionine synthase**, une enzyme qui transfère un groupement méthyle lors de la biosynthèse de la méthionine (Sections 26-3E et 26-5B). La déficience en méthylmalonyl-CoA mutase conduit à l'**acidurie méthylmalonique**, maladie souvent mortelle dans l'enfance, en raison de l'**acidose** (abaissement du pH sanguin), à moins qu'on élimine de l'alimentation les acides gras à nombre impair d'atomes de carbone et y diminue les acides aminés dégradés en propionyl-CoA (Ile, Leu et Met ; Section 26-3E).

c. La réaction catalysée par la méthylmalonyl-CoA mutase fait intervenir un radical libre

La méthylmalonyl-CoA mutase de *Propionibacterium shermanii* est un hétérodimère αβ dont la sous-unité α (728 résidus), porteuse de l'activité catalytique, a une séquence identique à 24 % à celle de la sous-unité β (638 résidus), inactive au plan catalytique. Au contraire, l'enzyme humaine est un homodimère dont les sous-unités α ont une identité de séquence de 60 % avec la sous-unité α de *P. shermanii*. On considère donc la sous-unité β de *P. shermanii* comme un fossile de l'évolution. La structure par rayons X de la méthylmalonyl-CoA mutase de *P. shermanii* complexée au **2-carboxypropyl-CoA** (un analogue du substrat, sans l'atome d'oxygène du thioester du méthylmalo-

nyl-CoA) fut déterminée par Philip Evans. Son cofacteur AdoCbl est pris en sandwich entre les deux domaines de la sous-unité α : un tonneau α/β (tonneau TIM, le motif enzymatique enzymatique le plus courant ; Section 8-3B) N-terminal de 559 résidus et un domaine α/β C-terminal de 169 résidus ressemblant à un pli de Rossmann (Section 8-3B). La structure de ce tonneau α/β réservait plusieurs surprises (Fig. 25-22) :

1. Le site actif de quasi toutes les enzymes à tonneau α/β est situé à l'extrémité C-terminale des segments β du tonneau. Par contre, dans la méthylmalonyl-CoA mutase, l'AdoCbl est coincée contre les extrémités N-terminales des segments β du tonneau.

2. Dans l'AdoCbl libre, l'atome de Co est fixé axialement par un atome de N de son groupement DMB et par le groupement 5'-CH_2 du résidu adénosyle (Fig. 25-21). Dans l'enzyme, cependant, le DMB s'est écarté pour se lier dans une poche séparée et a été remplacé par la chaîne latérale de l'His 610 du domaine C-terminal. Bien qu'en raison du désorde dans la structure le groupement adénosyle n'y soit pas visible, il a probablement basculé de côté lui aussi.

3. Dans pratiquement toutes les enzymes à tonneau α/β le centre du tonneau est fermé par de grosses chaînes latérales hydrophobes souvent ramifiées. Cependant, dans la méthylmalonyl-CoA mutase, le groupement panthéine du 2-carboxypropyl-CoA se fixe dans un tunnel étroit passant par le centre du tonneau α/β de sorte que le groupement méthylmalonyle d'un substrat intact se rapproche de la face non liée du noyau cobalamine. Ce tunnel procure le seul accès direct à la cavité du site actif, ce qui empêche les intermédiaires radicaux libres réactionnels de subir des réactions secondaires (voir ci-dessous). Ce tunnel est bordé de petits résidus hydrophiles (Ser et Thr).

Le mode de fixation du substrat de la méthylmalonyl-CoA mutase ressemble à celui de plusieurs autres enzymes à AdoCbl de structure connue, ce qui en fait une classe à part dans les protéines à tonneau α/β.

Le mécanisme présumé de la réaction catalysée par la méthylmalonyl-CoA mutase (Fig. 25-23) débute par un **clivage homolytique** de la liaison C—Co(III) de la cobalamine (les atomes C et Co retiennent chacun un des électrons qui formaient la liaison de covalence rompue). L'ion Co oscille donc entre les états d'oxydation Co(III) et Co(II) [les deux états sont spectroscopiquement discernables : Co(III) est rouge et diamagnétique (absence d'électrons célibataires), alors que Co(II) est jaune et paramagnétique (présence d'électrons célibataires)]. Noter qu'une réaction par clivage homolytique est exceptionnelle en biologie ; la plupart des autres réactions de scission de liaison en biologie impliquent un **clivage hétérolytique** (la paire d'électrons provenant de la liaison rompue étant entièrement prise en charge par un des deux atomes ainsi séparés).

Le rôle de l'AdoCbl dans le processus catalytique est de fournir de façon réversible des radicaux libres. La liaison C—Co(III) est bien appropriée à cette fonction car elle est, par nature, énergétiquement faible (énergie de dissociation = 109 kJ · mol^{-1}) et semble encore affaiblie en raison d'interactions stériques avec l'enzyme. En effet, comme le montre la Fig. 25-22, l'atome de Co dans la méthylmalonyl-CoA mutase n'a pas de sixième ligand, et est donc dans son état Co(II), comme le confirment des mesures

(a)   *(b)*

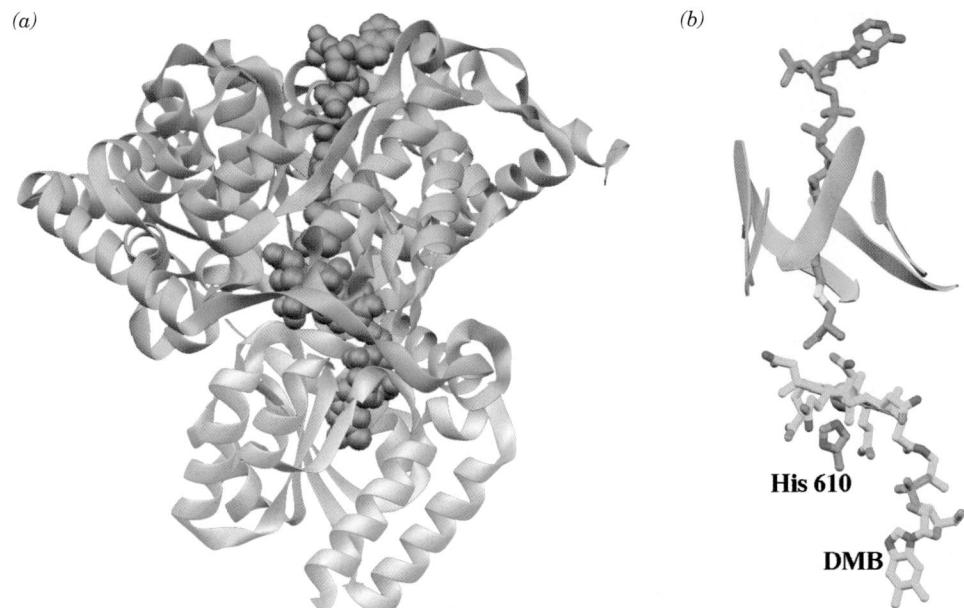

His 610

DMB

FIGURE 25-22 **Structure par rayons X de la méthylmalonyl-CoA mutase de *P. Shermanii* complexée au 2-carboxypropyl-CoA et à l'AdoCbl.** *(a)* La sous-unité α, catalytiquement active, où le domaine N-terminal est en bleu-vert avec les segments β de son tonneau α/β en orange, et le domaine C-terminal est en rose. Le 2-carboxypropyl-CoA *(magenta)* et l'AdoCbl *(vert)* sont en modèle plein. Le 2-carboxypropyl-CoA passe par le centre du tonneau α/β et est orienté de sorte que le groupement méthylmalonyle du méthylmalonyl-CoA contacterait le cycle corrine de l'AdoCbl pris en sandwich entre les domaines N- et C-terminal de l'enzyme. *(b)* Disposition des molécules d'AdoCbl et de 2-carboxypropyl-CoA représentées, comme l'est la chaîne latérale de His 610, en bâtonnets colorés selon le type d'atome (C d'AdoCbl et de His en vert, C du 2-carboxypropyl-CoA en bleu-vert, N en bleu, O en rouge, P en magenta et S en jaune). L'atome de Co du noyau corrine est représenté par une sphère lavande et les segments β du tonneau α/β par des rubans oranges. La vue est prise comme dans la Partie *a*. Noter que le groupement DMB *(en bas)* s'est éloigné du noyau corrine (vu par la tranche) pour être remplacé par la chaîne latérale de His 610 du domaine C-terminal et que le groupement 5'-désoxyadénosyle n'est pas visible (en raison du désordre). [D'après une structure par rayons X due à Philip Evans, MRC Laboratory of Molecular Biology, Cambridge, U.K. PDBid 7REQ.]

spectroscopiques. La liaison His N—Co est très longue (2,5 Å au lieu des 1,9 à 2,0 Å observés dans diverses autres structures contenant de la B$_{12}$). On pense que cette liaison étirée et donc affaiblie stabilise l'état Co(II) par rapport à l'état Co(III), ce qui favorise la formation du radical adénosyle et facilite le clivage homolytique impliqué dans la catalyse (Fig. 23-23). Il est probable que le radical adénosyle enlève un atome d'hydrogène au substrat, facilitant ainsi la réaction de réarrangement par formation intermédiaire d'un radical cyclopropyloxy.

d. Le succinyl-CoA ne peut être métabolisé directement par le cycle de l'acide citrique

La méthylmalonyl-CoA mutase catalyse la transformation d'un métabolite en un intermédiaire en C$_4$ du cycle de l'acide citrique autre que l'acétyl-CoA. Cependant, la voie d'oxydation du succinyl-CoA n'est pas aussi simple qu'on pourrait le croire à première vue. Le cycle de l'acide citrique reforme tous ses intermédiaires en C$_4$ de sorte que ces composés sont réellement des catalyseurs et non des substrats. Par conséquent, le succinyl-CoA ne peut être dégradé par les seules enzymes du cycle. De fait, *pour qu'un métabolite soit oxydé par le cycle de l'acide citrique, il doit préalablement être transformé en pyruvate ou directement en acétyl-CoA.* La dégradation nette du succinyl-CoA commence par sa transformation, via le cycle de l'acide citrique, en malate. A fortes concentrations, le malate est transporté, par l'intermédiaire d'une protéine transporteur spécifique, dans le cytosol où il peut subir une réaction de décarboxylation oxydative pour donner du pyruvate et du CO$_2$, par l'**enzyme malique (malate déshydrogénase, décarboxylante)** :

$$\text{Malate} \quad \xrightarrow[\text{NADP}^+ \quad \text{NADPH}]{\text{H}^+ +} \quad \left[\; \right] \quad \xrightarrow{\text{CO}_2} \quad \text{Pyruvate}$$

Malate   **Pyruvate**

(une enzyme que nous avons déjà vue dans le cycle en C$_4$ de la photosynthèse ; Fig. 24-38). Le pyruvate est alors entièrement oxydé par la pyruvate déshydrogénase et le cycle de l'acide citrique.

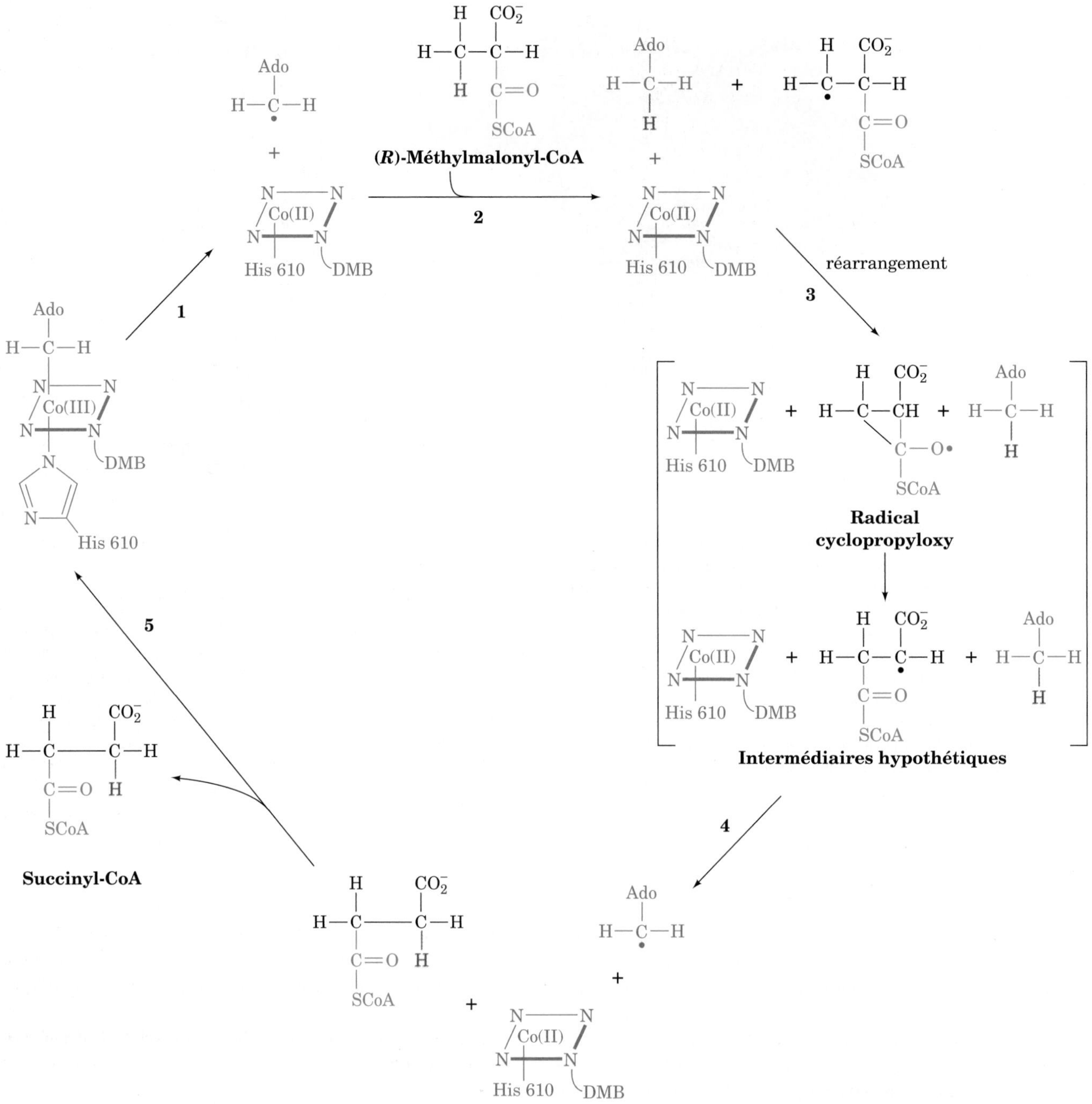

FIGURE 25-23 Mécanisme présumé de la méthylmalonyl-CoA mutase. (**1**) Clivage homolytique de la liaison C—Co(III) donnant un radical 5′-désoxyadénosyle et de la cobalamine à l'état d'oxydation Co(II). (**2**) Capture d'un atome d'hydrogène du méthylmalonyl-CoA par le radical 5′-désoxyadénosyle, amenant ainsi la formation d'un radical méthylmalonyl-CoA. (**3**) Réarrangement du squelette carboné pour for- mer un radical succinyl-CoA via un intermédiaire cyclopropyloxy radica- laire présumé. (**4**) Capture d'un atome d'hydrogène de la 5′-désoxyadé- nosine par le radical succinyl-CoA pour former le succinyl-CoA et redonner le radical 5′-désoxyadénosyle. (**5**) Libération du succinyl-CoA et régénération du coenzyme.

e. L'anémie pernicieuse est due à une déficience en vitamine B$_{12}$

On décela l'existence de la **vitamine B$_{12}$** en 1926 quand George Minot et William Murphy découvrirent que l'**anémie per- nicieuse**, une maladie souvent fatale chez les personnes d'un cer- tain âge qui se traduit par un nombre de globules rouges insuffi- sant, un faible taux d'hémoglobine et une détérioration neurolo- gique progressive, pouvait être traitée par la consommation quoti- dienne de grandes quantités de foie cru (un traitement que certains patients trouvaient pire que la maladie). Cependant, ce n'est qu'en

1948, après la mise au point d'un test bactérien pour déceler la présence du facteur antipernicieux, que la vitamine B_{12} fut isolée.

La vitamine B_{12} n'est synthétisée ni par les plantes ni par les animaux mais seulement par quelques espèces de bactéries. Les herbivores trouvent leur vitamine B_{12} dans les bactéries qui colonisent leur tube digestif (certains animaux comme les lapins doivent périodiquement manger un peu de leurs fèces pour avoir une quantité suffisante de cette précieuse substance). L'espèce humaine trouve sa vitamine B_{12} directement dans sa nourriture, en particulier dans la viande. La vitamine se lie spécifiquement dans l'intestin à une glycoprotéine, le **facteur intrinsèque,** sécrété par l'estomac. Ce complexe est absorbé par un récepteur spécifique de la muqueuse intestinale, puis il se dissocie et la vitamine B_{12} à l'état libre est transportée vers le courant sanguin. Elle se lie alors à au moins trois globulines du plasma différentes, appelées **transcobalamines**, ce qui facilite son assimilation par les tissus.

L'anémie pernicieuse n'est généralement pas due à une carence en vitamine B_{12} mais résulte plutôt d'une sécrétion insuffisante de facteur intrinsèque. Les besoins normaux en cobalamine chez l'homme sont très faibles, ~3µg · jour^{-1}, et le foie a une réserve de cette vitamine pour trois à cinq ans. Ceci explique l'apparition insidieuse de l'anémie pernicieuse et le fait qu'une véritable déficience en vitamine B_{12}, même chez les végétariens les plus stricts, est extrêmement rare.

F. *β oxydation peroxysomiale*

La β oxydation des acides gras se fait aussi bien dans les peroxysomes que dans les mitochondries. La β oxydation peroxysomiale chez les animaux permet le raccourcissement des chaînes très longues d'acides gras (>22 atomes de C) afin de faciliter leur dégradation par le système de β oxydation mitochondrial. Chez les plantes et la levure, l'oxydation des acides gras a lieu exclusivement dans les peroxysomes et les glyoxysomes (peroxysomes spécialisés, Sections 23-2 et 1-2A).

La voie peroxysomiale fait intervenir les mêmes modifications chimiques des acides gras que la voie mitochondriale, bien que les enzymes de ces deux organites soient différentes. La protéine qui transporte dans les peroxysomes les acides gras à très longue chaîne, la **protéine ALD** (voir ci-dessous), n'a pas besoin de carnitine. Les acides gras à très longue chaîne qui pénètrent dans ce compartiment sont activés par une acyl-CoA synthétase peroxysomiale spécifique des acides gras à très longue chaîne pour former des esters de CoA oxydés directement. Les produits acyl à chaîne plus courte se lient ensuite à la carnitine pour être transportés aux mitochondries et y être oxydés.

a. L'X-adrénoleucodystrophie est due à une déficience en protéine ALD

L'**X-adrénoleucodystrophie** (**X-ALD**), maladie héréditaire rare liée au chromosome X, se traduit par l'accumulation dans le sang d'acides gras saturés à très longue chaîne qui détruisent la myéline, la gaine isolante qui entoure les axones de nombreux neurones (Section 20-5B). Ses divers symptômes neurologiques apparaissent entre les âges de 4 et 10 ans, l'issue fatale intervenant 1 à 10 ans plus tard (à moins d'une transplantation de moelle osseuse réussie). Cette maladie est due à une déficience en protéine ALD. Ainsi, chez les patients X-ALD, l'**acide lignocérique**

(24 :0 ; se rappeler que le symbole *n:m* indique un acide gras à C_n avec *m* doubles liaisons) n'est transformé en lignocéroyl-CoA qu'à raison de13 % de la vitesse normale, bien qu'une fois activé, il subisse la β oxydation à vitesse normale.

b. La β oxydation peroxysomiale diffère de la β oxydation mitochondriale sur des points de détail

La β oxydation dans les peroxysomes diffère comme suit de celle dans les mitochondries :

1. La première enzyme de la voie peroxysomiale, l'**acyl-CoA oxydase**, catalyse la réaction :

$$\text{Acyl-CoA} + O_2 \rightarrow \textit{trans-}\Delta^2\text{-énoyl-CoA} + H_2O_2$$

Cette réaction fait intervenir un cofacteur FAD mais diffère de la réaction mitochondriale correspondante du fait que les électrons enlevés sont transférés directement à l'O_2 au lieu d'être transférés le long d'une chaîne de transport des électrons avec phosphorylations oxydatives concomitantes (Fig. 25-12). L'oxydation peroxysomiale fournit donc 2 ATP de moins que l'oxydation mitochondriale pour chaque cycle en C_2. L'H_2O_2 formée est transformée en H_2O et O_2 sous l'action de la catalase peroxysomiale (Section 1-2A).

2. Les activités de l'énoyl-CoA hydratase et de la 3-L-hydroxyacyl-CoA déshydrogénase peroxysomiales sont portées par la même chaîne polypeptidique et rejoignent ainsi la liste croissante des enzymes multifonctionnelles. Les réactions catalysées sont identiques à celles du système mitochondrial (Fig. 25-12).

3. La thiolase peroxysomiale a une spécificité de longueur de chaîne différente de l'enzyme mitochondriale. Elle est pratiquement inactive avec des acyls-CoA en C_8 ou moins, de sorte que les acides gras ne sont pas complètement oxydés dans les peroxysomes.

Bien que la β oxydation peroxysomiale ne demande pas que les groupements acyle soient sous forme d'esters de carnitine pour entrer dans les peroxysomes, ceux-ci contiennent des carnitine-acyltransférases. Les acyl-CoA raccourcis par β oxydation peroxysomiale sont ensuite transformés en esters de carnitine. Ces substances, en majorité, diffusent passivement hors du peroxysome pour entrer dans la mitochondrie où leur oxydation se poursuit.

G. *Oxydation des acides gras par des voies secondaires*

La β oxydation est bloquée par la présence d'un groupement alkyle sur le C_β d'un acide gras, et donc sur n'importe quel atome de carbone impair. L'**acide phytanique**, fréquent dans le régime alimentaire, est l'un de ces acides gras ramifiés. C'est un produit de la dégradation de la chaîne latérale phytyle de la chlorophylle (Section 24-2A) et il se trouve donc dans les produits laitiers, la graisse des ruminants et le poisson, bien que curieusement, la chlorophylle elle-même soit une source mineure d'acide phytanique pour les humains. L'oxydation d'acides gras ramifiés comme l'acide phytanique est facilitée par l'**α oxydation** (Fig. 25-24). Dans ce processus, l'acide gras est converti en son thioester CoA et son C_α est hydroxylé par la **phytanoyl-CoA hydroxylase**, une enzyme à Fe^{2+}. Le thioester CoA formé subit une réaction de décarboxylation oxydative pour donner un nouvel acide gras avec un C_β non substitué. La dégradation de la molécule peut alors se

Acide phytanique

ATP + CoASH

AMP + PP_i

Phytanoyl-CoA

α-cétoglutarate + O_2 phytanoly-CoA
                           hydroxylase
Fe^{2+}
succinate + CO_2

2-Hydroxyphytanoyl-CoA

2-hydroxyphytanoyl-CoA lyase

Formyl-CoA

Pristanal

$NAD(P)^+$ aldéhyde déshydrogénase
$NAD(P)H$

Acide pristanique

ATP + CoA   acyl-CoA synthase
AMP + PP_i

6 cycles de β oxydation

2-Méthyl-propionyl-CoA   **Acétyl-CoA**   **Propionyl-CoA**

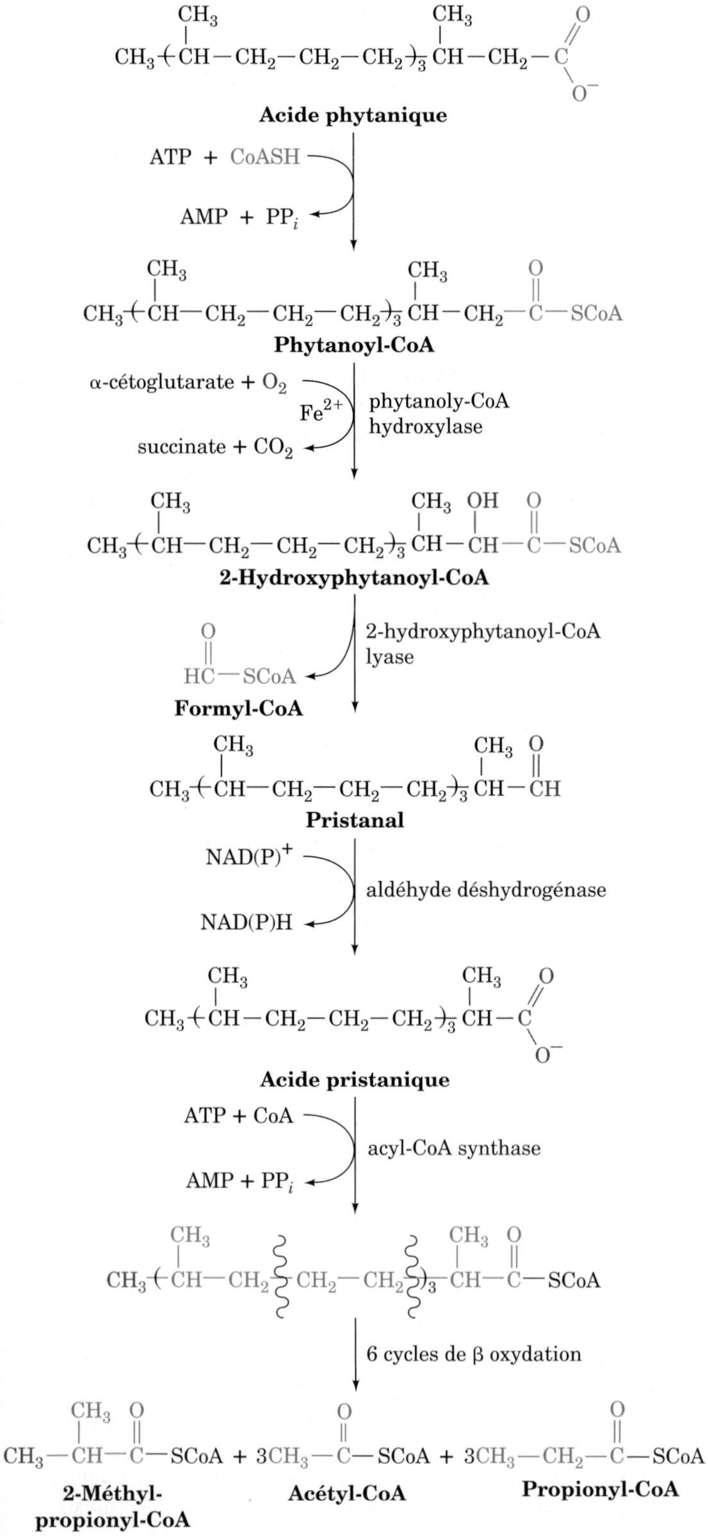

FIGURE 25-24 Voie de l' α oxydation des acides gras. L'acide phytanique, un produit de dégradation de la chaîne latérale phytol de la chlorophylle, est métabolisé par α oxydation en **acide pristanique** suivi de β oxydation.

poursuivre par six cycles de β oxydation pour donner trois propionyl-CoA, trois acétyl-CoA et un 2-méthylpropionyl-CoA (qui sera transformé en succinyl-CoA).

Une maladie génétique rare, la **maladie de Refsum** ou le **syndrome d'accumulation d'acide phytanique**, se caractérise par l'accumulation de ce métabolite dans l'organisme. La maladie, caractérisée par des troubles neurologiques progressifs comme des tremblements, une démarche mal assurée et une faible vision nocturne, est due à une déficience en phytanoyl-CoA hydroxylase. On peut diminuer ses symptômes par un régime d'où sont exclus les produits qui contiennent de l'acide phytanique.

Les acides gras à chaîne moyenne et longue sont transformés en acides dicarboxyliques par **φ oxydation** (oxydation du dernier atome de carbone). Ce processus, qui est catalysé par des enzymes du réticulum endoplasmique, implique l'hydroxylation de l'atome C_ω de l'acide gras par le **cytochrome P_{450}**, une mono-oxygénase qui utilise le NADPH et O_2 (Section 15-4B). Le groupement CH_2-OH est ensuite oxydé en groupement carboxylique, transformé en son dérivé CoA à l'une ou l'autre de ses extrémités, et oxydé par β oxydation. L'ω oxydation n'est sans doute pas très importante dans l'oxydation des acides gras.

3 ■ CORPS CÉTONIQUES

L'acétyl-CoA produit par l'oxydation des acides gras dans les mitochondries du foie peut être oxydé par le cycle de l'acide citrique comme nous l'avons vu dans le Chapitre 21. Cependant, une fraction significative de cet acétyl-CoA subit un autre sort. *Par un processus appelé* **cétogénèse**, *qui se déroule principalement dans les mitochondries du foie, l'acétyl-CoA est transformé en* **acétoacétate** *ou en* D-β-**hydroxybutyrate**. *Ces composés et l'* **acétone**, *appelés quelque peu improprement* **corps cétoniques**,

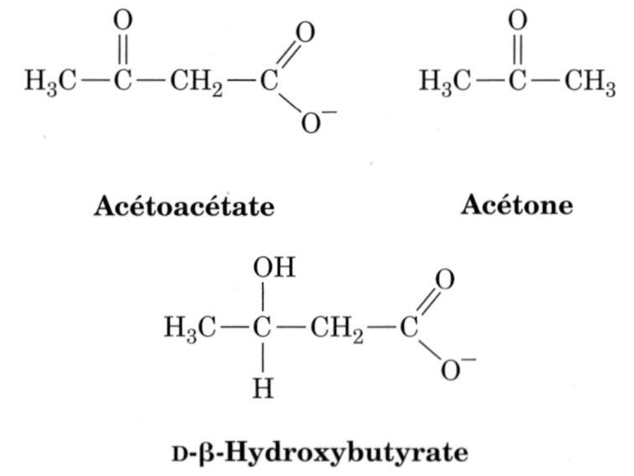

Acétoacétate   **Acétone**

D-β-**Hydroxybutyrate**

sont des carburants métaboliques importants pour de nombreux tissus périphériques, en particulier le cœur et les muscles squelettiques. Le cerveau n'utilise normalement que le glucose comme source énergétique (les acides gras ne peuvent pas passer la barrière hémato-encéphalique) mais en cas de jeûne, les corps cétoniques sont la source énergétique principale du cerveau (Section 27-4A). Les corps cétoniques sont des équivalents hydrosolubles des acides gras.

La formation d'acétoacétate se fait par trois réactions (Fig. 25-25) :

1. Deux molécules d'acétyl-CoA se condensent pour former de l'**acétoacétyl-CoA** grâce à la thiolase (appelée aussi **acétyl-CoA acétyltransférase**), qui catalyse la réaction en sens inverse de celle qu'elle catalyse dans la dernière étape de la β oxydation (Section 25-2C).

2. La condensation de l'acétoacétyl-CoA avec une troisième molécule d'acétyl-CoA par l'**HMG-CoA synthase** donne le β-**hydroxy-β-méthylglutaryl-CoA (HMG-CoA)**. Le mécanisme de cette réaction ressemble à celui de la réaction en sens inverse de la réaction de la thiolase (Fig. 25-15) dans la mesure où un thiol du site actif forme un intermédiaire acyl-thioester.

3. L'HMG-CoA est dégradé en acétoacétate et acétyl-CoA au cours d'une réaction de clivage d'ester de Claisen mixte catalysée par l'**HMG-CoA lyase.** Le mécanisme de cette réaction est analogue à celui de la réaction de la citrate synthase en sens inverse (Section 21-3A). (L'HMG-CoA est aussi un précurseur dans la biosynthèse du cholestérol et il peut ainsi être utilisé à cette fin comme nous le verrons dans la Section 25-6A).

La réaction globale catalysée par l'HMG-CoA synthase et l'HMG-CoA lyase est :

Acétoacétyl-CoA + H$_2$O → acétoacétate + CoA

On peut se demander pourquoi cette hydrolyse apparemment simple se fait de manière si indirecte. La réponse n'est pas claire mais peut résider dans le mécanisme de régulation.

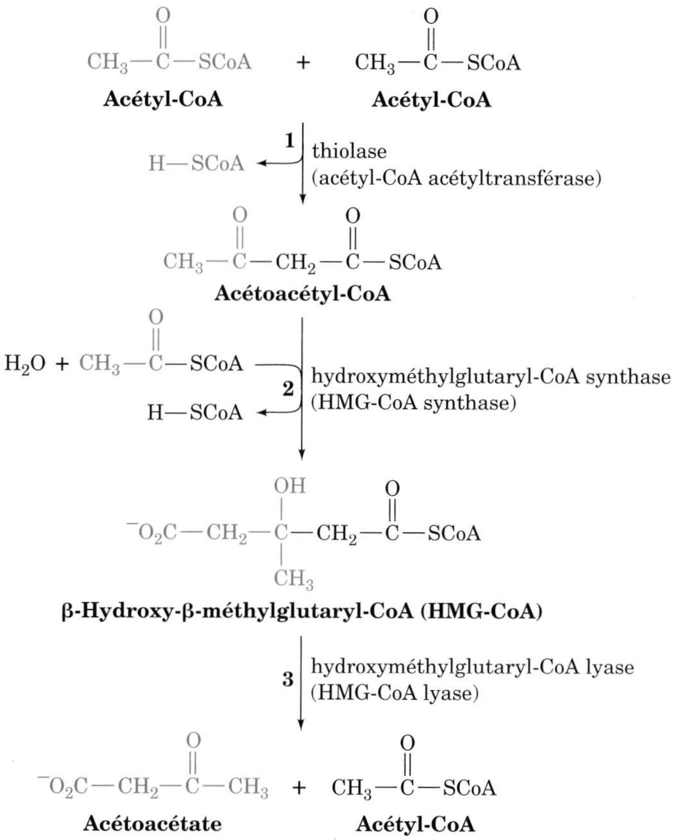

FIGURE 25-25 La cétogenèse : réactions enzymatiques conduisant à la formation d'acétoacétate à partir d'acétyl-CoA. (1) Deux molécules d'acétyl-CoA se condensent pour donner de l'acétoacétyl-CoA, réaction catalysée par la thiolase. **(2)** Condensation d'ester de Claisen entre l'acétoacétyl-CoA et une troisième molécule d'acétyl-CoA pour donner le β-hydroxy-β-méthylglutaryl-CoA (HMG-CoA) catalysée par l'HMG-CoA synthase. **(3)** Dégradation de l'HMG-CoA en acétoacétate et acétyl-CoA par une réaction de clivage d'aldol-ester de Claisen mixte catalysée par l'HMG-CoA lyase.

L'acétoacétate peut être réduit en D-β-hydroxybutyrate par la β-**hydroxybutyrate déshydrogénase** :

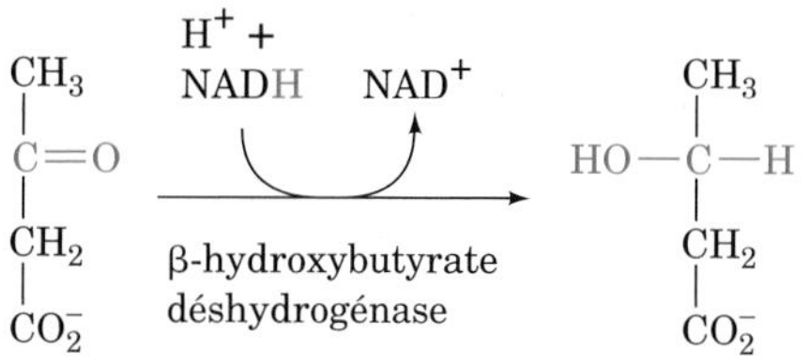

Noter que ce produit est le stéréoisomère du L-β-hydoxyacyl-CoA qui se forme dans la voie de β oxydation. L'acétoacétate étant un acide β-cétonique, il peut être décarboxylé facilement et non enzymatiquement en acétone et CO$_2$. De fait, une odeur d'acétone peut être détectée dans l'haleine des personnes présentant de la **cétose** (ou **acidocétose),** symptôme pouvant traduire une pathologie (comme le diabète sucré ; Section 27-4B), qui synthétisent plus rapidement l'acétoacétate qu'elles ne le métabolisent.

L'acétoacétate et le β-hydroxybutyrate synthétisés dans le foie passent dans le courant sanguin pour être utilisés comme carburants alternatifs dans les tissus périphériques. Ces molécules sont alors transformées en acétyl-CoA comme le montre la Fig. 25-26.

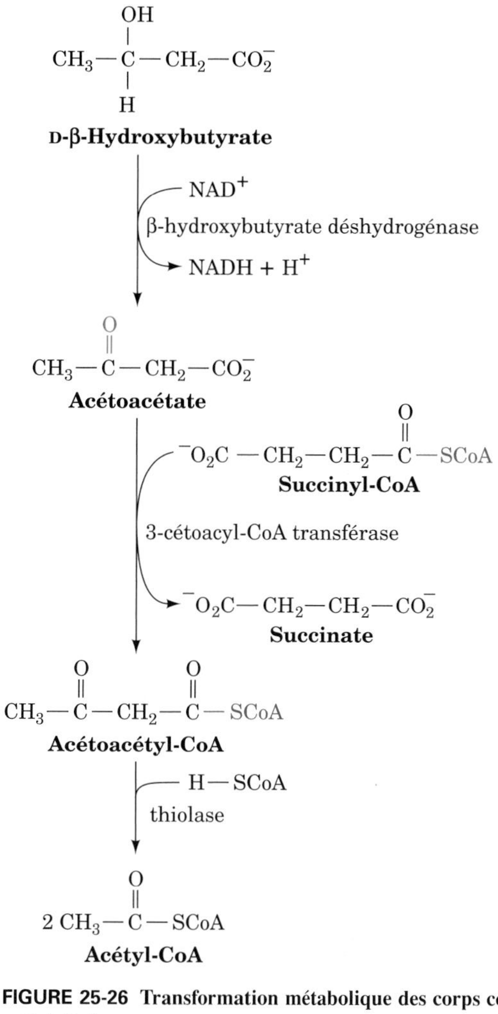

FIGURE 25-26 Transformation métabolique des corps cétoniques en acétyl-CoA.

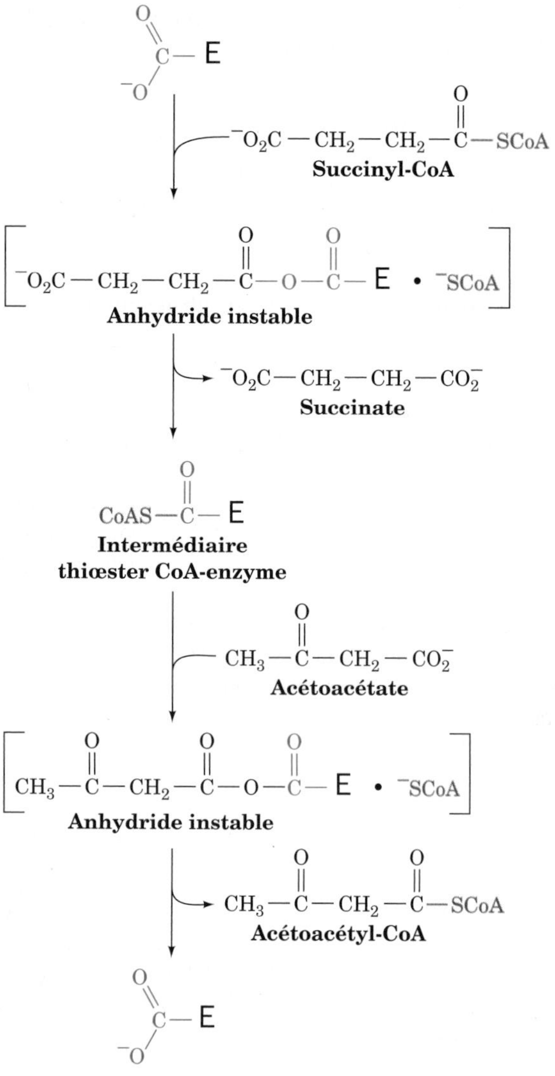

FIGURE 25-27 Mécanisme présumé de la 3-cétoacyl-CoA transférase impliquant la formation d'un intermédiaire thioester CoA-enzyme.

Le mécanisme hypothétique de la réaction catalysée par la **3-cétoacyl-CoA-transférase** (Fig. 25-27), qui catalyse la deuxième réaction de cette voie, implique la participation d'un groupement carboxylate du site actif avec formation intermédiaire d'un thioester CoA-enzyme et d'un anhydride instable. Le succinyl-CoA, qui sert de donneur de CoA dans cette réaction, peut aussi être transformé en succinate avec synthèse couplée de GTP par la réaction de la succinyl-CoA synthase du cycle de l'acide citrique (Section 21-3E). L'activation de l'acétoacétate court-circuite cette réaction avec donc un « coût » énergétique égal à l'énergie libre qui accompagne l'hydrolyse du GTP. Le foie ne contient pas de 3-cétoacyl-CoA transférase, ce qui lui permet de fournir des corps cétoniques aux autres tissus.

4 ■ BIOSYNTHÈSE DES ACIDES GRAS

La biosynthèse des acides gras se fait par condensation d'unités en C_2, l'opération inverse de la β oxydation. David Rittenberg et Konrad Bloch montrèrent en 1945, par des techniques de mar-

quage isotopique, que ces unités de condensation sont dérivées de l'acide acétique. Peu de temps après, il fut prouvé que l'acétyl-CoA est un précurseur de la réaction de condensation mais son mécanisme resta obscur jusqu'à la fin des années 1950, lorsque Salih Wakil découvrit qu'il y avait besoin de bicarbonate pour la biosynthèse d'acides gras et que l'on montra que le malonyl-CoA était un intermédiaire. Dans cette section, nous étudierons les réactions de la biosynthèse des acides gras.

A. *Vue générale de la voie*

La voie de la biosynthèse des acides gras est différente de la voie de leur oxydation. Nous retrouvons une situation typique, déjà rencontrée dans la Section 18-1D, de voies de synthèse et de dégradation opposées, ce qui leur permet d'être toutes les deux thermodynamiquement favorables et régulées indépendamment dans des conditions physiologiques identiques. La Fig. 25-28 donne les grandes lignes des voies d'oxydation et de synthèse en mettant l'accent sur leurs différences. Alors que l'oxydation des acides gras a lieu dans les mitochondries et utilise des acyl-CoA, la biosynthèse des acides gras se fait dans le cytosol et, comme le montra Roy Vagelos, les acides gras en formation sont estérifiés à une **protéine transporteur d'acyl** (**ACP** pour **acyl-carrier protein** ; Fig. 25-29). L'ACP, comme le CoA, contient un groupement phosphopantéthéine qui forme des thioesters avec les groupements acyl. Le groupement phosphate de la phosphopantéthéine estérifie un groupement OH d'une Ser de l'ACP, tandis que dans le CoA il estérifie l'AMP. Chez les animaux, l'ACP fait partie d'une protéine multifonctionnelle de grande taille (ACP de type I ; voir ci-dessous), alors que chez *E. coli* elle est un polypeptide de 125 résidus (ACP de type II). Le groupement phosphopantéthéine est transféré, par **l'ACP synthase,** du CoA à l'apo-ACP pour former l'holo-ACP active.

Chez les animaux, les voies d'oxydation et de biosynthèse des acides gras ont des coenzymes rédox différents (NAD^+ et FAD pour l'oxydation ; NADPH pour la biosynthèse) tout comme la stœchiométrie de leurs étapes intermédiaires, mais leur différence principale est la manière dont les unités en C_2 sont enlevées de, ou ajoutées à, la chaîne acyl thioester. Dans la voie oxydative, la β-cétothiolase catalyse le clivage de la liaison C_α—C_β du β-cétoacyl-CoA afin de donner de l'acétyl-CoA et un nouvel acyl-CoA plus court de deux atomes de carbone. Le $\Delta G°'$ de cette réaction est très proche de zéro si bien qu'elle peut fonctionner en sens inverse (formation de corps cétoniques). Dans la voie de biosynthèse, la réaction de condensation est couplée à l'hydrolyse de l'ATP, ce qui rend la réaction irréversible. Ce processus se fait en deux étapes : (1) carboxylation ATP-dépendante de l'acétyl-CoA en **malonyl-CoA** catalysée par l'**acétyl-CoA carboxylase**, et (2) décarboxylation exergonique du groupement malonyle lors de la réaction de condensation catalysée par l'**acide gras synthase**. Les mécanismes de ces enzymes sont décrits dans la section suivante.

B. *Acétyl-CoA carboxylase*

*L'acétyl-CoA carboxylase (**ACC**) catalyse la première étape d'engagement de la biosynthèse des acides gras et l'une de ses réactions à vitesse limitante.* Le mécanisme réactionnel de cette enzyme à biotine est très semblable à ceux de la propionyl-CoA carboxylase (Section 25-2E) et de la pyruvate carboxylase (Fig.

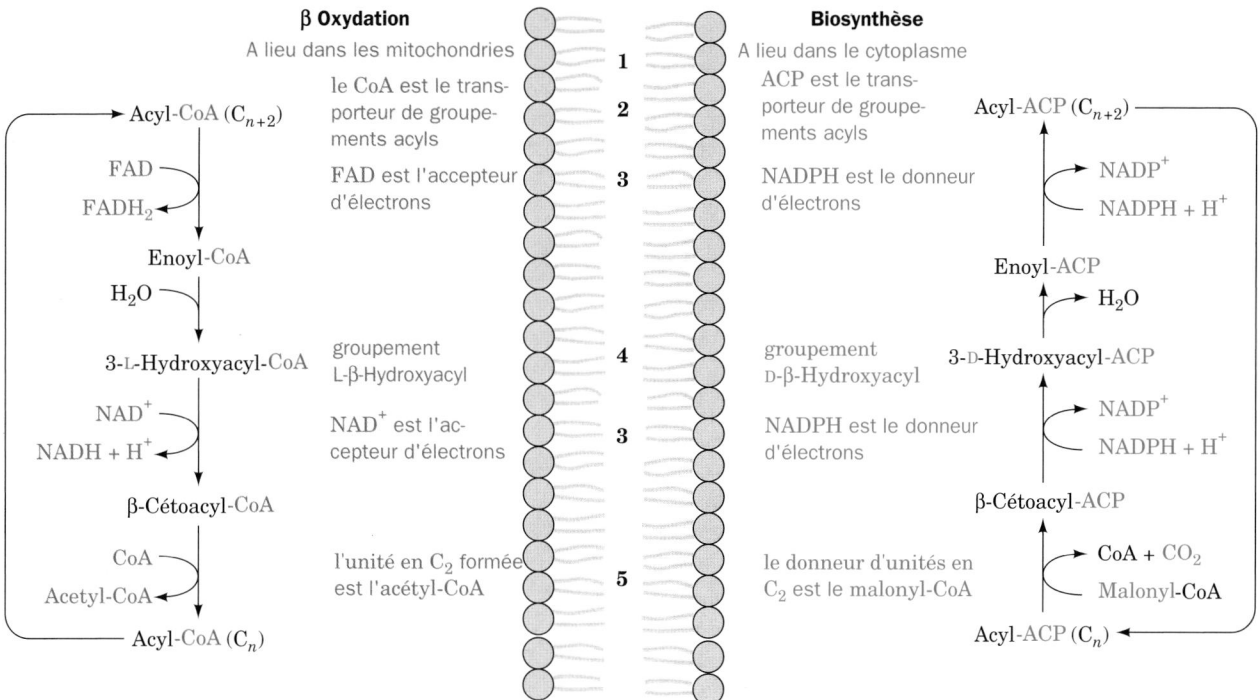

FIGURE 25-28 Comparaison des voies de β oxydation et de synthèse des acides gras. Les différences concernent : (**1**) la localisation intracellulaire, (**2**) le transporteur de groupements acyl, (**3**) Les accepteurs et donneurs d'électrons, (**4**) la stéréochimie des réactions d'hydratation et de déshydratation, et (**5**) la forme sous laquelle les unités en C_2 sont produites ou cédées.

23-4) qui se font en deux étapes, activation de CO_2 et carboxylation :

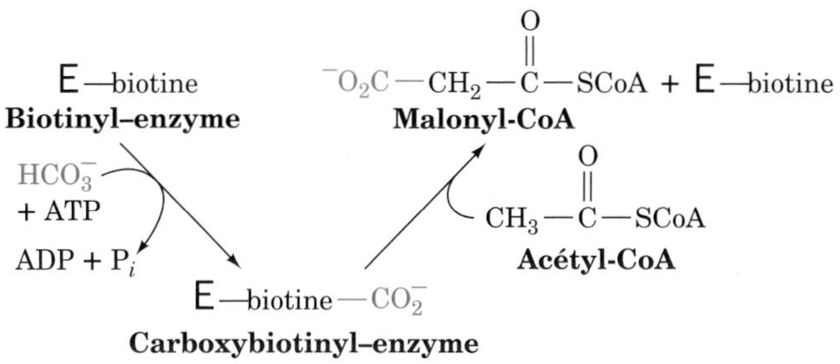

$$E\text{—biotine} \qquad {}^-O_2C\text{—}CH_2\text{—}\overset{\overset{\displaystyle O}{\|}}{C}\text{—}SCoA + E\text{—biotine}$$

Biotinyl–enzyme **Malonyl-CoA**

$$\begin{array}{c} HCO_3^- \\ + \text{ ATP} \\ \\ ADP + P_i \end{array}$$

$$CH_3\text{—}\overset{\overset{\displaystyle O}{\|}}{C}\text{—}SCoA$$

Acétyl-CoA

$$E\text{—biotine—}CO_2^-$$

Carboxybiotinyl–enzyme

Chez *E. coli*, ces étapes sont catalysées par des sous-unités séparées, appelées respectivement **biotine carboxylase** et **trans-carboxylase**. De plus, la biotine est liée sous forme d'un résidu biocytine à une troisième sous-unité, appelée **protéine de transport de biotine carboxylée**. Chez les mammifères et les oiseaux, ces deux activités enzymatiques ainsi que la protéine de transport de biotine carboxylée sont portées par une seule chaîne polypeptidique de 2346 résidus.

a. L'acétyl-CoA carboxylase est régulée par phosphorylation réversible sous contrôle hormonal

L'ACC est aussi régulée par des hormones. Le glucagon ainsi que l'adrénaline et la noradrénaline (Section 18-3E) provoquent l'augmentation de l'état de phosphorylation AMPc-dépendante de l'enzyme, ce qui l'inactive. De son côté, l'insuline stimule la déphosphorylation de l'enzyme, ce qui l'active.

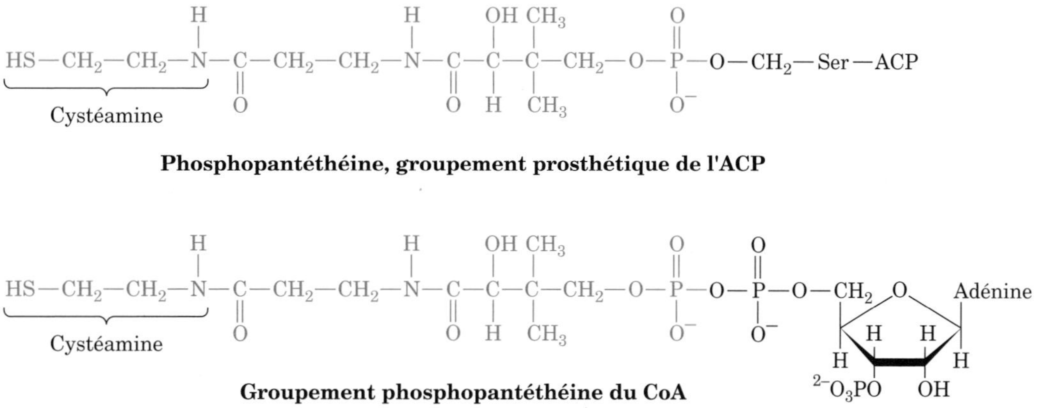

$$HS\text{—}CH_2\text{—}CH_2\text{—}\underset{\text{Cystéamine}}{\underbrace{\overset{\overset{\displaystyle H}{|}}{N}}}\text{—}\overset{\overset{\displaystyle O}{\|}}{C}\text{—}CH_2\text{—}CH_2\text{—}\overset{\overset{\displaystyle H}{|}}{N}\text{—}\overset{\overset{\displaystyle H}{|}}{\underset{\displaystyle O\,H}{C}}\text{—}\overset{\overset{\displaystyle OH\ CH_3}{|\ \ |}}{\underset{\displaystyle CH_3}{C}}\text{—}CH_2\text{—}O\text{—}\overset{\overset{\displaystyle O}{\|}}{\underset{\displaystyle O^-}{P}}\text{—}O\text{—}CH_2\text{—}Ser\text{—}ACP$$

Phosphopantéthéine, groupement prosthétique de l'ACP

$$HS\text{—}CH_2\text{—}CH_2\text{—}\underset{\text{Cystéamine}}{\underbrace{\overset{\overset{\displaystyle H}{|}}{N}}}\text{—}\overset{\overset{\displaystyle O}{\|}}{C}\text{—}CH_2\text{—}CH_2\text{—}\overset{\overset{\displaystyle H}{|}}{N}\text{—}\overset{\overset{\displaystyle H}{|}}{C}\text{—}\overset{\overset{\displaystyle OH\ CH_3}{|\ \ |}}{C}\text{—}CH_2\text{—}O\text{—}P\text{—}O\text{—}P\text{—}O\text{—}CH_2\ \ \text{Adénine}$$

Groupement phosphopantéthéine du CoA

FIGURE 25-29 Le groupement phosphopantéthéine de la protéine transporteur d'acyl (ACP) et du CoA.

Le mécanisme de cet effet de l'AMPc est intéressant. I*n vitro*, l'ACC est phosphorylée par deux kinases différentes, la protéine-kinase AMPc-dépendante (PKA ; Section 18-3C) sur Ser 77, et la **protéine-kinase AMP-dépendante** (**AMPK** ; Sections 25-5 et 27-1) (laquelle est indépendante de l'AMPc) sur Ser 79. Cependant, quand des cellules de foie sont incubées en présence de ^{32}P-ATP avec des hormones qui augmentent le taux d'AMPc, seule la Ser 79 se trouve marquée. Manifestement, l'augmentation de [AMPc] se traduit par une phosphorylation accrue des sites normalement phosphorylés par l'AMPK et non par la PKA. Comment est-ce-possible ? On s'est aperçu qu'*in vivo*, l'augmentation de phosphorylation AMPc-dépendante est due non pas à la phosphorylation de nouveaux sites mais plutôt à l'inhibition de déphosphorylation de sites déjà phosphorylés. Nous avons déjà vu un tel mécanisme en étudiant le contrôle du métabolisme du glycogène, où la phosphorylation AMPc-dépendante de l'inhibiteur-1 de la phosphoprotéine-phosphatase entraîne l'inhibition de la déphosphorylation (Section 18-3C). Dans le cas de l'ACC, cependant, la déphosphorylation est catalysée par la **phosphoprotéine-phosphatase-2A,** qui est insensible à l'inhibiteur-1 de la phosphoprotéine-phosphatase. Le mécanisme par lequel la PKA provoque l'augmentation de phosphorylation associée à l'activité AMPK est à l'étude.

b. Les acétyl-CoA carboxylases d'oiseaux et de mammifères sont activées par polymérisation de l'enzyme

La microscopie électronique a montré que les protomères plats et rectangulaires des acétyl-CoA carboxylases d'oiseaux et de mammifères s'associent pour former de longs filaments de masses moléculaires comprises entre 4000 et 8000 kD (Fig. 25-30). *Cette forme polymérisée de l'enzyme est catalytiquement active alors que le protomère ne l'est pas.* La vitesse de synthèse des acides gras est donc contrôlée par l'état d'équilibre entre ces formes :

$$\text{Protomère (\textit{inactif})} \rightleftharpoons \text{polymère (\textit{actif})}$$

La phosphorylation déplace l'équilibre de polymérisation vers la forme protomère inactive, la déphosphorylation le déplace vers le polymère actif. Plusieurs métabolites affectent l'activité de l'ACC. Le citrate se fixe à l'enzyme déphosphorylée et l'active, mais il se fixe aussi à l'enzyme phosphorylée et l'active partiellement, alors que le palmitoyl-CoA l'inhibe. Ainsi, le citrate cytosolique, dont la concentration augmente quand l'acétyl-CoA s'accumule dans les mitochondries (Section 25-4D), active la biosynthèse des acides gras, alors que le palmitoyl-CoA, produit de la voie, est un rétro-inhibiteur.

c. Il existe deux isoformes principales de l'acétyl-CoA carboxylase de mammifère

L'ACC se présente sous deux isoformes principales. On trouve l'**ACC α** dans le tissu adipeux et l'**ACC β** dans les tissus qui oxydent mais ne synthétisent pas les acides gras, comme le muscle cardiaque. Les tissus qui synthétisent les acides gras et les oxydent, tels que le foie, contiennent les deux isoformes, qui sont homologues bien que les gènes qui les codent sont situés sur des chromosomes différents. Quelle est la fonction de l'ACC β ? Le produit de la réaction qu'elle catalyse, le malonyl-CoA, est un inhibiteur puissant de l'entrée des acyl-CoA dans la mitochondrie

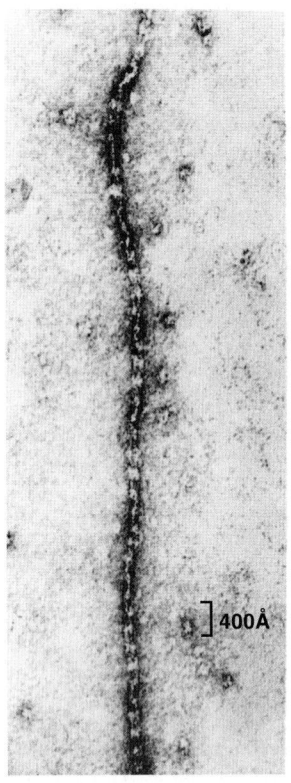

FIGURE 25-30 Association des protomères de l'acétyl-CoA carboxylase. Micrographie électronique accompagnée d'un dessin interprétatif montrant que les filaments de l'acétyl-CoA carboxylase de foie d'oiseau sont formés de chaînes linéaires de protomères rectangulaires plats. [Avec la permission de Malcolm Lane, The Johns Hopkins University School of Medicine.]

où les acides gras sont oxydés, point de contrôle principal de ce processus. Il semble donc que l'ACC β exerce une fonction régulatrice (Section 25-5).

Les acétyl-CoA carboxylases de procaryotes ne sont pas soumises à de tels contrôles, car les acides gras chez ces organismes ne sont pas mis en réserve sous forme de graisses mais sont utilisés essentiellement comme précurseurs des phospholipides. L'enzyme d'*E. coli* est, en fait, régulée par les nucléotides guanyliques de sorte que les acides gras sont synthétisés en fonction des besoins de la cellule en croissance.

C. *Acide gras synthase*

La synthèse des acides gras, principalement l'acide palmitique, à partir d'acétyl-CoA et de malonyl-CoA fait intervenir sept réactions enzymatiques. Ces réactions ont d'abord été étudiées dans des extraits acellulaires d'*E. coli*, où elles sont catalysées par sept enzymes indépendantes en présence de l'ACP. On trouve aussi des enzymes individuelles ayant ces activités dans les chloroplastes (le seul site de synthèse des acides gras chez les plantes). Dans la levure cependant, les acides gras sont synthétisés par l'**acide gras synthase** (**FAS**), une enzyme multifonctionnelle $\alpha_6\beta_6$ de 2500 kD, alors que chez les animaux, la FAS est une enzyme multifonctionnelle constituée de deux chaînes

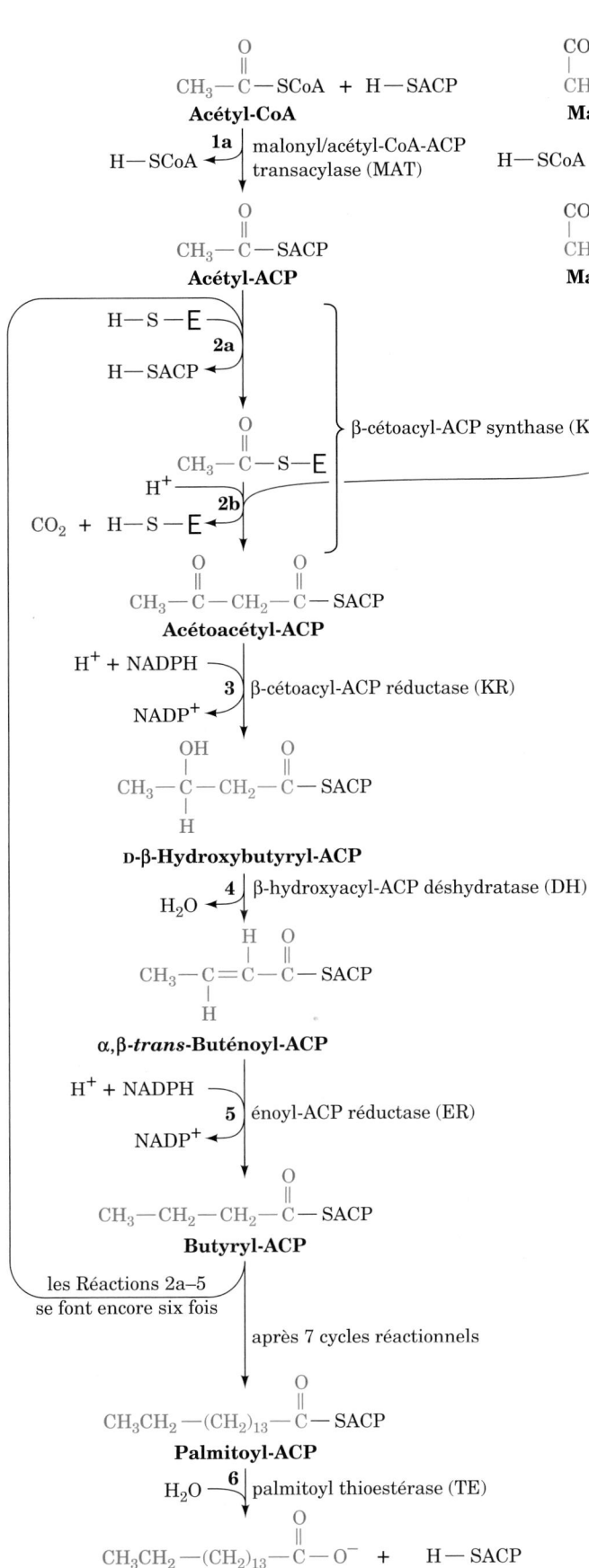

FIGURE 25-31 Séquence des réactions de la biosynthèse des acides gras. Pour la formation de palmitate, sept cycles d'élongation en C_2 se répètent, suivis d'une étape d'hydrolyse finale.

polypeptidiques identiques de 272 kD dont chacune contient les sept activités plus l'ACP.

Les structures primaires de plusieurs acides gras synthases ont été déduites de la séquence de leurs gènes. La séquence de l'enzyme de foie de poulet (2511 résidus) est identique à 67 % à celle de rat, où beaucoup de différences résultent de substitutions conservatrices. Les régions de plus forte homologie englobent les segments polypeptidiques qui comportent les sites actifs enzymatiques, ce qui laisse penser que cette enzyme multifonctionnelle est le résultat de la réunion d'enzymes autrefois séparées.

Les réactions catalysées par l'enzyme multifonctionnelle de mammifère pour la synthèse de palmitate sont représentées dans la Fig. 25-31, la longue chaîne flexible de la phosphopantéthéine de l'ACP (Fig. 25-29) servant à transporter le substrat entre les différents domaines enzymatiques de la protéine :

1a. Transfert, catalysé par la **malonyl/acétyl-CoA-ACP transacylase (MAT)**, du groupement acétyle de l'acétyl-CoA à l'ACP pour donner l'acétyl-ACP.

2a. « Charge » de la **β-cétoacyl-ACP synthase** (**KS** ; également appelée **enzyme condensante**) par le transfert d'un groupement acétyle de l'ACP sur un résidu Cys de la KS, ce qui préserve la liaison thioester du groupement acétyle.

1b. Formation de malonyl-ACP dans une réaction analogue à la Réaction 1a, catalysée, chez les animaux, par la même enzyme, MAT.

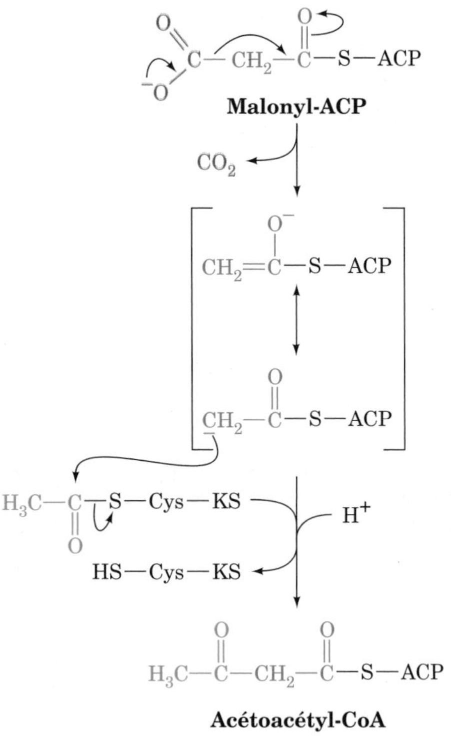

Malonyl-ACP

CO_2

$CH_2=C-S-ACP$

$CH_2-C-S-ACP$

$H_3C-C-S-Cys-KS$

$HS-Cys-KS$

H^+

$H_3C-C-CH_2-C-S-ACP$

Acétoacétyl-CoA

FIGURE 25-32 Mécanisme présumé de la formation d'une liaison carbone—carbone lors de la biosynthèse des acides gras. Condensation d'un groupement acétyle sur la Cys du site actif de la β-cétoacyl-ACP synthase (KS) avec un groupement malonyle sur le bras phosphopantéthéine de l'ACP pour former un β-cétoacyl-ACP. La réaction est assurée par l'élimination de CO_2 du groupement malonyle pour donner un intermédiaire carbanion acétyl-ACP stabilisé par résonance.

2b. Couplage du groupement acétyle au C_β du groupement malonyle sur l'ACP de la même ou de l'autre sous-unité avec décarboxylation concomitante du groupement malonyle et donc formation d'acétoacétyl-ACP et régénération du groupement Cys-SH du site actif (Fig. 25-32). *Ainsi, le CO_2 utilisé lors de la réaction de l'acétyl-CoA carboxylase (Section 25-4B) n'apparaît pas dans l'acide gras produit. La décarboxylation entraîne plutôt la formation de liaisons carbone-carbone lors de la réaction de condensation qui, lors de la réaction de l'acétyl-CoA carboxylase, est couplée à l'hydrolyse de l'ATP.*

3-5. Réduction, déshydratation puis nouvelle réduction de l'acétoacétyl-ACP pour donner du **butyryl-ACP**, catalysées dans l'ordre par la **β-cétoacyl-ACP réductase (KR)**, la **β-hydroxyacyl-ACP déshydratase (DH)** et l'**énoyl-ACP réductase (ER)**. Le coenzyme des deux réactions d'oxydo-réduction est le NADPH, alors que dans la β-oxydation, les réactions correspondant aux Réactions 3 et 5 utilisent respectivement le NAD+ et le FAD (Fig. 25-28 ; bien que, chez la levure, le NADPH dans la Réaction 5 réduit le FMN en FMNH$_2$, lequel, à son tour, réduit la double liaison C=C). De plus, la Réaction 3 produit, et la Réaction 4 a besoin, d'un D-β–hydroxyacyle comme substrat alors que la réaction analogue dans la β oxydation donne l'isomère L correspondant

Répétition de 2a à 5. Le groupement butyryle du butyryl-ACP est transféré sur le Cys–SH de KS. Ainsi, le groupement acétyle qui a permis l'amorçage du système se trouve allongé d'une unité en C_2. L'ACP est « rechargée » d'un groupement malonyle (étape 1b) et on entre dans un nouveau cycle d'élongation en C_2. Après sept tours du cycle, le **palmitoyl-ACP** sera formé.

6. La liaison thioester du palmitoyl-ACP est alors hydrolysée par la **palmitoyl thioestérase (TE)**, donnant le palmitate, produit normal de la voie de l'acide gras synthase, et régénérant l'enzyme pour une nouvelle synthèse.

La stœchiométrie de la synthèse de palmitate est donc :

Acétyl-CoA + 7malonyl-CoA + 14NADPH + 7H+ →
$\qquad$ palmitate + 7CO_2 + 14NADP+ + 8CoA + 6H_2O

Les 7 malonyl-CoA étant formés à partir d'acétyl-CoA comme suit :

7Acétyl-CoA + 7CO_2 + 7ATP →
$\qquad$ 7malonyl-CoA + 7ADP + 7P$_i$ + 7H+

la stœchiométrie globale de la synthèse de palmitate est

8Acétyl-CoA + 14NADPH + 7ATP →
$\qquad$ palmitate + 14NADP+ + 8CoA + 6H_2O + 7ADP + 7P$_i$

a. Organisation du dimère acide gras synthase

La plupart des activités enzymatiques de la FAS animale, mais pas toutes, sont conservées après dissociation de l'enzyme dimérique native en monomères. L'examen par microscopie électronique montre que ces monomères sont formés d'une chaîne linéaire d'au moins quatre lobes de 50 Å de diamètre. De plus, des fragments obtenus par protéolyse ménagée de la synthase présentent plusieurs des activités enzymatiques de la protéine intacte. Ainsi, *des segments adjacents de la chaîne polypeptidique se replient pour former une série de domaines autonomes, chacun ayant une activité catalytique spécifique mais différente.* D'autres enzymes, comme l'acétyl-CoA carboxylase de mammifère (Section 25-4B), présentent aussi ce caractère multifonctionnel mais aucun n'a autant d'activités catalytiques séparées que la FAS des animaux. L'ordre des activités catalytiques le long de la chaîne polypeptidique de la FAS est présenté dans la Fig. 25-33.

La réaction de condensation nécessite la juxtaposition des groupements sulfhydryle de la phosphopantéthéine de l'ACP et d'un résidu Cys du site actif de la KS. Cependant, la forme monomérique de la FAS est inactive dans la réaction globale de la FAS, ce qui suggère que ces deux groupements sulfhydryle sont sur des sous-unités opposées, qui sont dès lors disposées en tête-à-queue. De fait, le **1,3-dibromo-2-propanone**

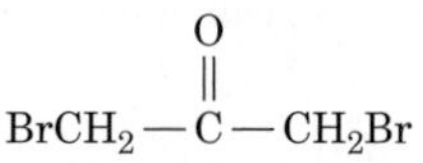

$BrCH_2-C-CH_2Br$

1,3-Dibromo-2-propanone

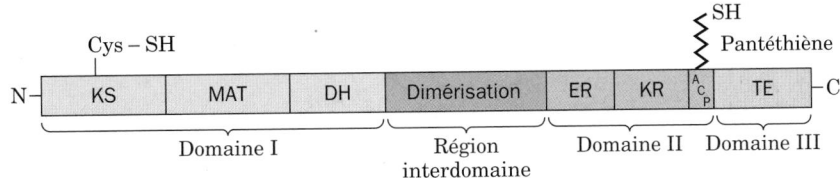

FIGURE 25-33 Schéma de l'ordre des activités enzymatiques le long de la chaîne polypeptidique d'un monomère d'acide gras synthase (FAS).

réunit ces deux groupements par liaisons croisées, ce qui démontre qu'ils sont fort proches. De plus, des images de la FAS humaine prises en microscopie électronique par Wakil et Wah Chiu révèlent que les protomères sont en orientation antiparallèle au sein de ce dimère (Fig. 25-34). Cependant, Stuart Smith a produit une FAS mutée, constituée d'un protomère normal et d'un protomère privé de son module ACP. Cet hétérodimère peut réaliser la réaction catalytique complète, bien qu'à vitesse réduite, ce qui démontre que le thiol du site actif de la KS peut interagir avec la phosphopantéthéine de l'ACP sur le même monomère. De fait, de nouvelles expériences de réticulation au 1,3-dibromo-2-propanone, cette fois sur des mutants de la FAS dont une sous-unité est dépourvue de groupements sulfhydryle de Cys ou de phosphopantéthéine, montrent que les réactions croisées en tête-à-queue peuvent se faire au sein d'une même sous-unité. Manifestement, le polypeptide FAS est suffisamment flexible pour que l'ACP d'une sous-unité interagisse avec la KS de l'une ou de l'autre sous-unité.

b. Variation sur un thème : biosynthèse des polycétides

Les **polycétides** sont une famille de produits naturels issus de la condensation modulaire de monomères d'acyl-CoA, tels que l'acétyl-CoA et le propionyl-CoA, avec des unités de malonyl-CoA et de méthylmalonyl-CoA dont la décarboxylation entraîne la réaction de condensation. Le nom de polycétide provient du fait que les produits primaires de condensation portent des groupements fonctionnels β-cétoniques. Les acides gras à longue chaîne

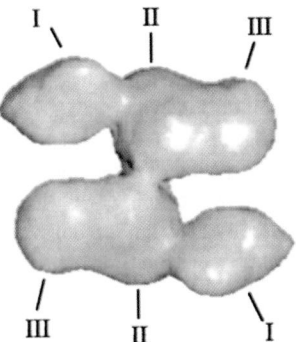

FIGURE 25-34 Image, basée sur la microscopie électronique, d'un dimère de FAS humaine vu dans le sens de son axe d'ordre 2. Les domaines I, II et III sont indiqués. Noter l'orientation antiparallèle des monomères. [Avec la permission de Salih Wakil et Wah Chiu, Baylor College of Medicine.]

sont des polycétides, car ils résultent de la condensation d'une amorce acétyl-CoA et de sept unités de malonyl-CoA. Après chaque réaction de condensation, le nouveau groupement β-cétonique peut être réduit, hydraté, et à nouveau réduit comme pour les acides gras, ou ne subir qu'une modification partielle.

Tous les polycétides sont synthétisés sur de grosses enzymes multifonctionnelles. Nous avons vu que la FAS contient sept activités enzymatiques, en plus de l'ACP. Un autre exemple de polycétide est le **6-désoxyérythronolide B** (**6dEB**), la **macrolactone** de l'antibiotique **érythromycine A** (Section 32-3G). Celle-ci est synthétisée par *Saccharopolyspora erythraea*, une bactérie du sol, à partir d'une amorce propionyl-CoA et de six unités d'extension (*S*)-méthylmalonyl-CoA, sous l'action de la **désoxyérythronolide B synthase** (**DEBS** ; Fig. 25-35). La DEBS est un complexe $\alpha_2\beta_2\gamma_2$ de 2000 kD, chacune de ses trois unités homodimériques catalysant deux cycles d'élongation/modification. Contrairement à la FAS, qui catalyse plusieurs cycles d'élongation/modification sur les mêmes sites actifs, la DEBS catalyse chacun de ces cycles sur un module différent, permettant ainsi des modifications différentes au cours de chaque cycle. Le module 4, comme le montre la Fig. 25-35, exerce une fonction quasi identique à celle de la FAS. Il contient en effet les activités KS, **acyltransférase** (**AT** ; homologue à MAT), ACP, KR, DH et ER, et il réduit en groupement méthylène son produit primaire β-cétonique de condensation. Il ne possède cependant pas d'activité TE car le processus de condensation n'est pas terminé après cette phase. Le module 3 ne contient que les activités ACP, KS et AT, et il passe son produit de condensation β-cétonique au module 4 sans modification supplémentaire. Dans les modules 1, 2, 5 et 6 on ne trouve que les activités ACP, AT, KS et KR, nécessaires aux étapes de condensation et de réduction cétonique, ce qui donne des produits hydroxylés. Ainsi, l'organisation générale des modules fournit un produit polyhydroxylé dont la chaîne porte un groupement cétonique et un groupement méthylène. Le produit final de la DEBS, le 6dEB, est une lactone résultant de la réaction du groupement hydroxyle terminal avec le thioester qui relie la chaîne en croissance à la synthase. L'organisation en modules diffère d'une polycétide synthase à l'autre, ce qui permet la synthèse d'une multitude de produits naturels différents.

Voyons maintenant comment l'acétyl-CoA mitochondrial est transporté dans le cytosol, lieu de synthèse des acides gras. Après quoi, nous étudierons les réactions qui permettent l'allongement et l'insaturation des acides gras.

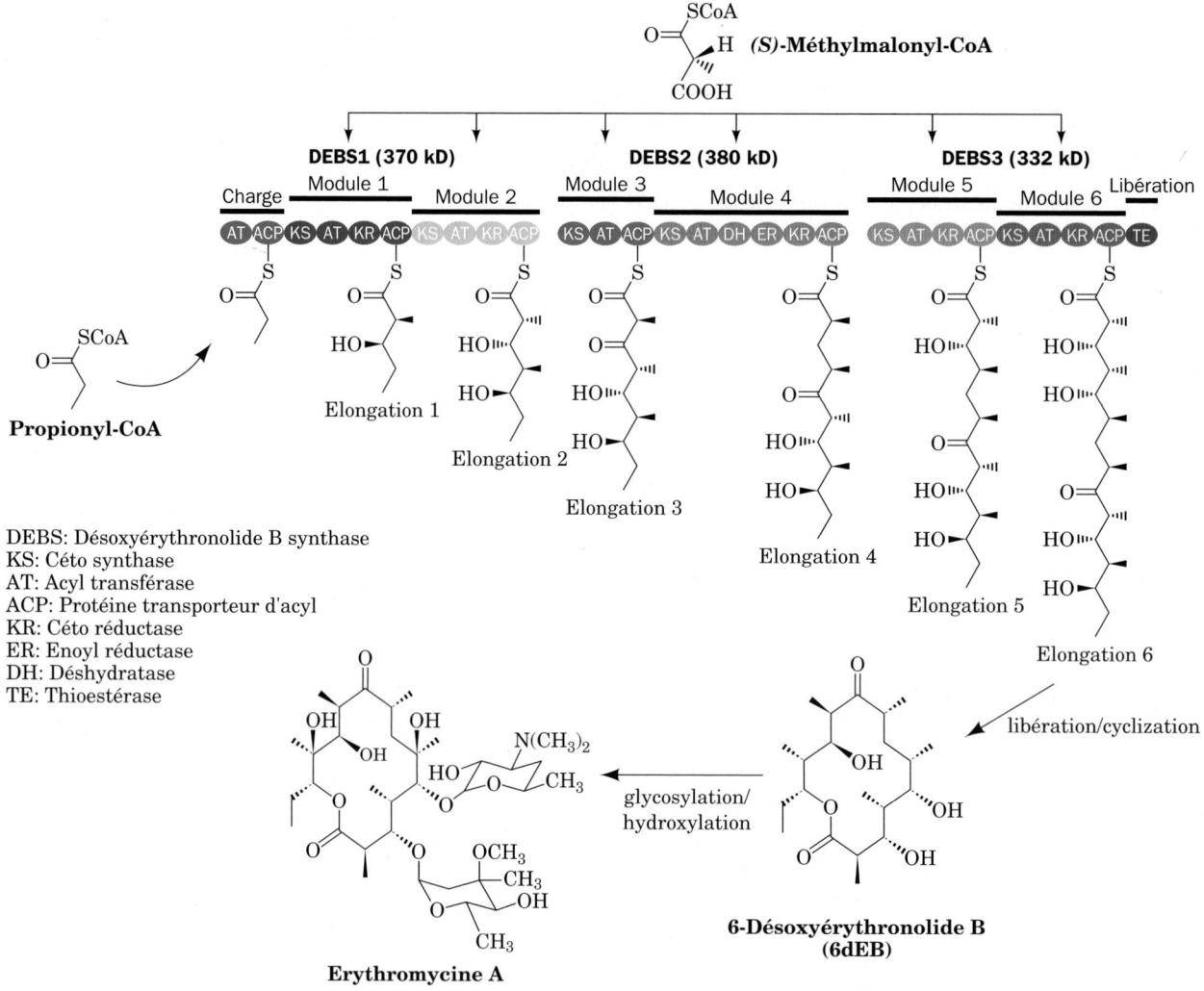

FIGURE 25-35 Exemple de biosynthèse d'un polycétide : celle de l'érythromycine A. [D'après Pfeifer, B.A., Admiraal, S.J., Gramajo, H., Cane, D.E., and Khosla, C., *Science* **291**, 1790 (2001).]

D. *Transport de l'acétyl-CoA mitochondrial dans le cytosol*

L'acétyl-CoA est formé dans la mitochondrie par décarboxylation oxydative du pyruvate catalysée par la pyruvate déshydrogénase (Section 21-2A) ainsi que par oxydation des acides gras. Quand les besoins de synthèse d'ATP sont faibles, de sorte que l'oxydation de l'acétyl-CoA par le cycle de l'acide citrique et les phosphorylations oxydatives sont minimum, cet acétyl-CoA mitochondrial peut être mis en réserve sous forme de graisse pour un usage ultérieur. La biosynthèse des acides gras a lieu dans le cytosol, mais la membrane interne mitochondriale est quasi imperméable à l'acétyl-CoA. *L'acétyl-CoA entre dans le cytosol sous forme de citrate grâce au système **transporteur des tricarboxylates** (Fig. 25-36).* La **citrate lyase ATP-dépendante** cytosolique catalyse ensuite la réaction

Citrate + CoA + ATP
$$\rightleftharpoons \text{acétyl-CoA} + \text{oxaloacétate} + \text{ADP} + \text{P}_i$$

qui ressemble à la réaction inverse de celle de la citrate synthase (Section 21-3A) si ce n'est qu'il y a hydrolyse d'ATP pour per-

mettre la formation de l'intermédiaire « riche en énergie » citryl-CoA, dont l'hydrolyse rend la réaction de la citrate synthase irréversible. L'hydrolyse de l'ATP est donc nécessaire dans la réaction de la citrate lyase pour permettre de resynthétiser cette liaison thioester. L'oxaloacétate est réduit en malate par la malate déshydrogénase. Le malate peut subir une réaction de décarboxylation oxydative sous l'action de l'enzyme malique (Section 25-2E) pour donner du pyruvate qui peut rentrer sous cette forme dans la mitochondrie. La réaction de l'enzyme malique ressemble à celle de l'isocitrate déshydrogénase car dans les deux cas, un acide β-hydroxylé est oxydé en acide β-cétonique, ce qui rend sa décarboxylation très favorable (Section 21-3C). Le coenzyme de l'enzyme malique est le NADP$^+$ qui va donc donner du NADPH, lequel sera utilisé dans les réactions de réduction de la biosynthèse des acides gras.

Le transport du citrate hors de la mitochondrie doit être équilibré par un transport d'anion dans la mitochondrie. Le malate, le pyruvate et le P$_i$ peuvent assurer ce rôle. Le malate peut donc aussi regagner les mitochondries sans former de NADPH. Comme nous l'avons vu dans la Section 25-4C, la synthèse de chaque ion palmitate nécessite 8 molécules d'acétyl-CoA et 14 molécules de NADPH. Huit de ces

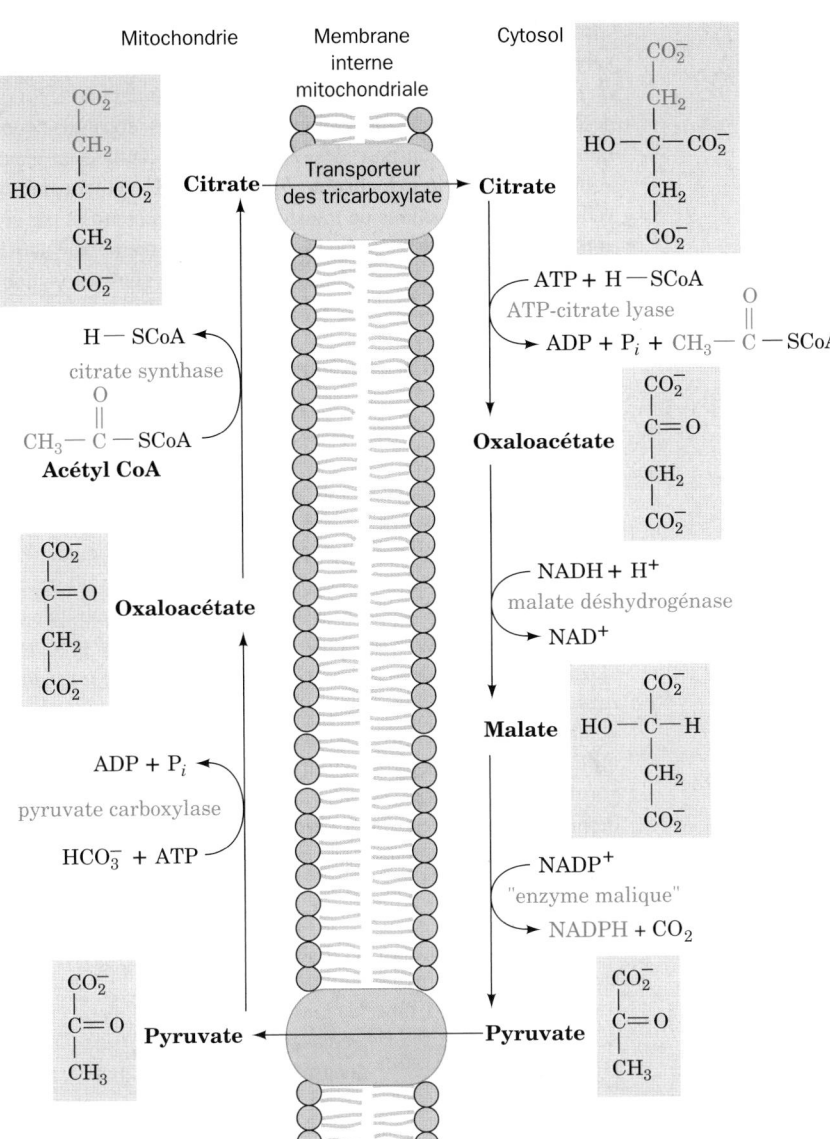

Mitochondrie   Membrane interne mitochondriale   Cytosol

FIGURE 25-36 **Transfert de l'acétyl-CoA des mitochondries au cytosol par le transporteur des tricarboxylates.**

molécules de NADPH peuvent être fournies avec les huit molécules d'acétyl-CoA si tout le malate produit dans le cytosol subit la réaction de décarboxylation oxydative. Le reste du NADPH est fourni par la voie des pentoses phosphate (Section 23-4).

E. *Elongases et désaturases*

Le palmitate (16:0), produit normal de la voie de biosynthèse des acides gras, est le précurseur d'acides gras à chaînes plus longues et insaturées formées sous l'action des **élongases** *et des* **désaturases**. On trouve des élongases dans les mitochondries et dans le RE mais les mécanismes d'élongation sont différents. L'élongation dans les mitochondries (processus indépendant de la voie de la FAS) est assurée par addition et réduction successives d'unités acétyle selon un processus inverse de celui de la β oxydation ; seule différence d'ordre chimique entre ces deux voies : c'est le NADPH au lieu du FADH₂ qui est utilisé dans la dernière réaction d'oxydo-réduction (Fig. 25-37). L'élongation dans le RE se fait par condensations successives de malonyl-CoA avec l'acyl-CoA. Cha-

cune de ces réactions est suivie de réductions par le NADPH identiques à celles catalysées par la FAS, la seule différence étant que l'acide gras est allongé sous forme d'acyl-CoA et non sous forme d'acyl-ACP.

Les acides gras insaturés sont formés par des **désaturases terminales.** Chez les mammifères, on trouve quatre désaturases terminales dont la spécificité vis-à-vis de la longueur de la chaîne est assez large, désignées par Δ^9-, Δ^6-, Δ^5- et Δ^4-**acyl-CoA désaturases.** Ces enzymes à fer non hème catalysent la réaction générale :

$$CH_3-(CH_2)_x-\overset{\overset{\displaystyle H}{|}}{\underset{\underset{\displaystyle H}{|}}{C}}-\overset{\overset{\displaystyle H}{|}}{\underset{\underset{\displaystyle H}{|}}{C}}-(CH_2)_y-\overset{\overset{\displaystyle O}{\|}}{C}-SCoA + NADH + H^+ + O_2$$

$$\downarrow$$

$$CH_3-(CH_2)_x-\overset{\displaystyle C}{\underset{\underset{\displaystyle H}{|}}{}}=\overset{\displaystyle C}{\underset{\underset{\displaystyle H}{|}}{}}-(CH_2)_y-\overset{\overset{\displaystyle O}{\|}}{C}-SCoA + 2H_2O + NAD^+$$

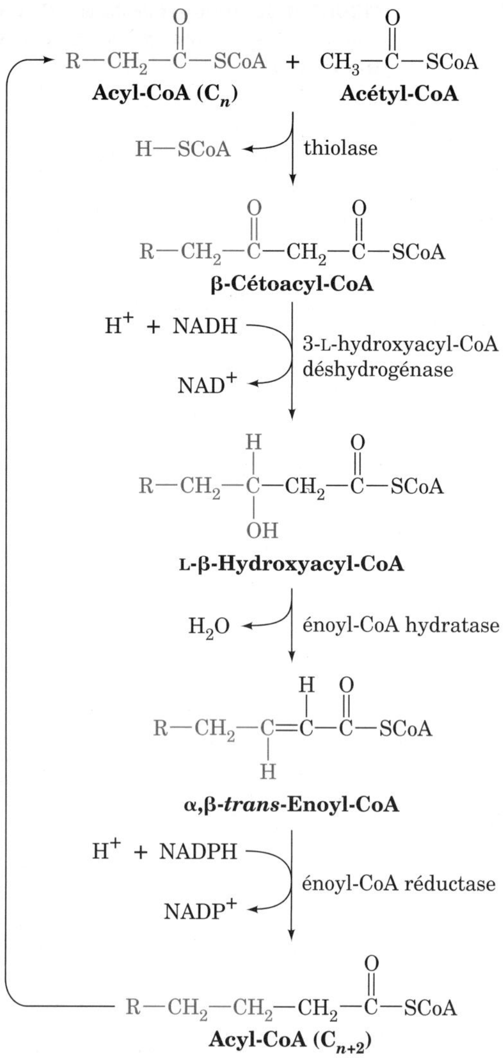

$$R-CH_2-\overset{\overset{\textstyle O}{\|}}{C}-SCoA \;+\; CH_3-\overset{\overset{\textstyle O}{\|}}{C}-SCoA$$

Acyl-CoA (C_n)   **Acétyl-CoA**

H—SCoA ← | thiolase

$$R-CH_2-\overset{\overset{\textstyle O}{\|}}{C}-CH_2-\overset{\overset{\textstyle O}{\|}}{C}-SCoA$$

β-Cétoacyl-CoA

H^+ + NADH — | 3-L-hydroxyacyl-CoA déshydrogénase

NAD$^+$ ←

$$R-CH_2-\overset{\overset{\textstyle H}{|}}{\underset{\underset{\textstyle OH}{|}}{C}}-CH_2-\overset{\overset{\textstyle O}{\|}}{C}-SCoA$$

L-β-Hydroxyacyl-CoA

H_2O ← | énoyl-CoA hydratase

$$R-CH_2-\overset{\overset{\textstyle H}{|}}{C}=\overset{}{\underset{\underset{\textstyle H}{|}}{C}}-\overset{\overset{\textstyle O}{\|}}{C}-SCoA$$

α,β-*trans*-Enoyl-CoA

H^+ + NADPH — | énoyl-CoA réductase

NADP$^+$ ←

$$R-CH_2-CH_2-CH_2-\overset{\overset{\textstyle O}{\|}}{C}-SCoA$$

Acyl-CoA (C_{n+2})

FIGURE 25-37 Elongation des acides gras dans les mitochondries. L'élongation des acides gras est assurée par l'inversion de leur oxydation, mise à part la dernière réaction qui utilise le NADPH au lieu du $FADH_2$ comme coenzyme rédox.

où x est au moins égal à cinq et où $(CH_2)_x$ peut comporter une ou plusieurs doubles liaisons. La partie $(CH_2)_y$ du substrat est toujours saturée. Les doubles liaisons sont insérées entre des doubles liaisons déjà existantes de la partie $(CH_2)_x$ du substrat et le groupement CoA de sorte que la nouvelle double liaison se trouve trois carbones plus proche du groupement CoA que la double liaison suivante (elle n'est pas conjuguée à une double liaison existante) et, chez les animaux, elle ne se trouve jamais au-delà du C9. Les désaturases terminales de mammifère sont des constituants de mini-chaînes de transport des électrons qui contiennent deux autres protéines : le **cytochrome b_5** et la **NADH-cytochrome b_5 réductase**. Les réactions de transfert d'électrons assurées par ces complexes se déroulentt sur la face interne de la membrane du RE (Fig. 25-38) et ne sont donc pas associées aux phosphorylations oxydatives.

a. Certains acides gras insaturés doivent être fournis par les aliments

Un certain nombre d'acides gras insaturés peuvent être synthétisés par combinaisons des réactions d'élongation et de désaturation. Cependant, puisque l'acide palmitique est l'acide gras disponible le plus court chez les animaux, les règles ci-dessus empêchent la formation de la double-liaison Δ^{12} de l'acide linoléique [acide $\Delta^{9,12}$-octadécadiénoïque ; 18:2n–6 (cette nomenclature est expliquée au Tableau 12-1)], précurseur indispensable des **prostaglandines.** *Par conséquent, l'acide linoléique doit se trouver dans le régime alimentaire (en fin de compte, dans les plantes ayant des Δ^{12}- et Δ^{15}-désaturases) et constitue ce qu'on appelle un **acide gras essentiel**.* Si des animaux recoivent un régime alimentaire sans lipides, ils présenteront un état pathologique caractérisé par une croissance ralentie, des cicatrisations défectueuses et des dermatoses, état qui conduira à la mort. L'acide linoléique est aussi un constituant important des sphingolipides de l'épiderme qui assurent l'imperméabilité à l'eau de la peau.

En raison de l'incapacité des désaturases animales à ajouter des doubles liaisons au delà de la position C9, un autre acide gras essentiel est l'acide **α-linolénique** [ALA ; acide $\Delta^{9,12,15}$-octadécatriénoïque ; 18:3n–3, un acide gras ω–3]. Il s'agit d'un précurseur de l'**EPA (acide $\Delta^{5,8,11,14,17}$-eicosapentaénoïque** ; 20:5n-3) et du **DHA (acide $\Delta^{4,7,10,13,16,19}$-docosahexaénoïque** ; 22:6n–3), acides gras ω–3 polyinsaturés découverts récemment (notamment dans les huiles de poisson) comme constituants alimentaires importants pour les fonctions cognitives et la vision, et qui contribueraient à protéger contre l'inflammation et les maladies cardiovasculaires. Le DHA est l'acide gras principal des phospholipides des segments externes des bâtonnets de la rétine. Son remplacement dans ces phospholipides par des acides gras identiques, sauf qu'il s'agit d'ω–6, diminue l'acuité visuelle. Une déficience en acides gras ω–3 polyinsaturés dans les phospholipides du cerveau est associée à des pertes de mémoire et à une diminution des fonctions cognitives.

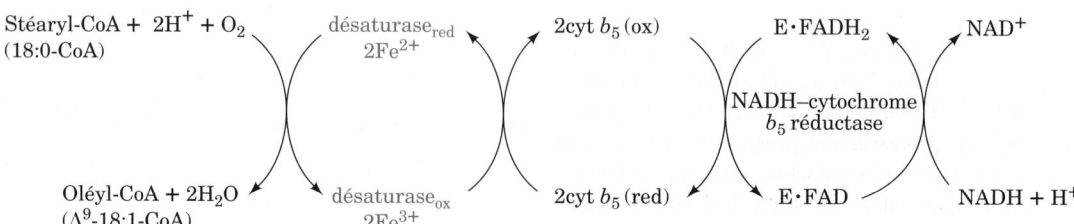

FIGURE 25-38 Réactions de transfert d'électrons assurées par le complexe de la Δ^9-acyl-CoA désaturase. Ses trois protéines, la désaturase, le cytochrome b_5 et la NADPH-cytochrome b_5 réductase, sont situées dans la membrane du réticulum endoplasmique. [D'après Jeffcoat, R., *Essays Biochem.* **15**, 19 (1979).]

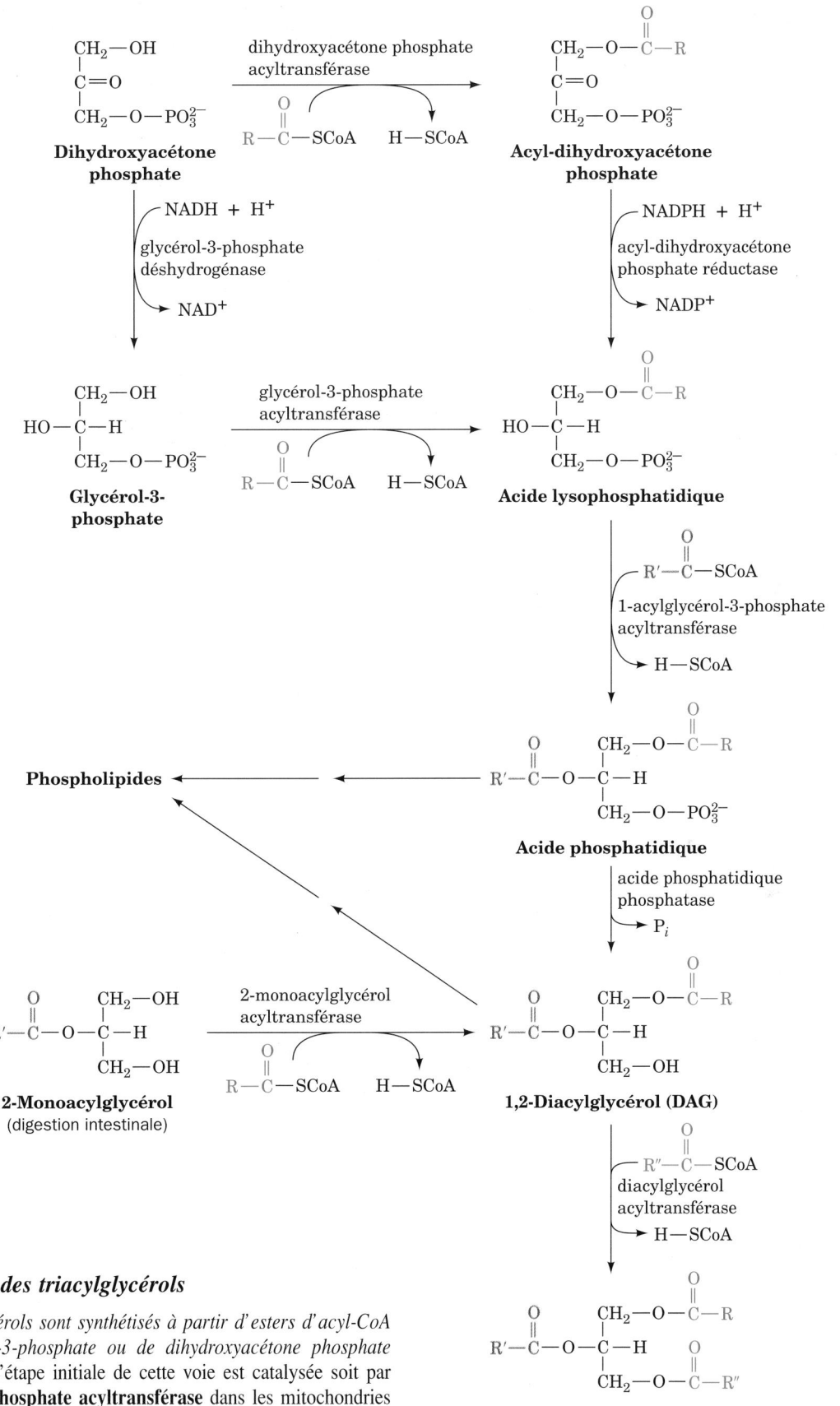

F. Synthèse des triacylglycérols

Les triacylglycérols sont synthétisés à partir d'esters d'acyl-CoA et de glycérol-3-phosphate ou de dihydroxyacétone phosphate (Fig. 25-39). L'étape initiale de cette voie est catalysée soit par la **glycérol-3-phosphate acyltransférase** dans les mitochondries et dans le RE, soit par la **dihydroxyacétone phosphate acyltransférase** dans le RE et dans les peroxysomes. Dans ce dernier cas, l'**acyl-dihydroxyacétone phosphate** formée est réduite

FIGURE 25-39 Réactions de la biosynthèse des triacylglycérols.

en **acide lysophosphatidique** correspondant par une réductase à NADPH. L'acide lysophosphatidique est ensuite transformé en triacylglycérol sous les actions successives de la **1-acylglycérol-3-phosphate acyltransférase**, de l'**acide phosphatidique phosphatase**, et de la **diacylglycérol acyltransférase**. Les acides phosphatidiques et diacylglycérols (DAG) intermédiaires peuvent aussi être convertis en phospholipides par les voies décrites dans la Section 25-8. Les acyltransférases ne sont pas entièrement spécifiques pour des acyl-CoA particuliers, aussi bien pour ce qui est de la longueur de la chaîne que du degré d'insaturation, mais dans les triacylglycérols de tissu adipeux humain, on trouve essentiellement du palmitate en position 1 et de l'oléate en position 2.

a. La glycéronéogenèse est importante pour la biosynthèse du triacylglycérol

La dihydroxyacétone phosphate servant à fabriquer le glycérol-3-phosphate pour la synthèse de triacylglycérol provient soit du glucose par la voie glycolytique (Fig. 17-3), soit de l'oxaloacétate via une version raccourcie de la gluconéogenèse (Fig. 23-7) appelée **glycéronéogenèse**. Celle-ci est nécessaire en cas de privation de nourriture, car environ 30 % des acides gras qui arrivent au foie sont alors réestérifiés en triacylglycérol et exportés sous forme de VLDL (Sections 25-1 et 25-6A). En cas de jeûne, la glycéronéogenèse se déroule également dans les adipocytes. Ceux-ci ne peuvent assurer la gluconéogenèse, mais ils possèdent une enzyme de cette voie, la phosphoénolpyruvate carboxykinase (PEPCK), qui augmente en hypoglycémie et participe ainsi à la glycéronéogenèse requise pour la biosynthèse de triacylglycérol.

5 ■ RÉGULATION DU MÉTABOLISME DES ACIDES GRAS

L'étude du contrôle du métabolisme concerne généralement la régulation du flux métabolique d'une voie en rapport avec les besoins énergétiques et l'état nutrionnel d'un organisme. Par exemple, la différence en besoins énergétiques entre un muscle au repos et un muscle en intense activité peut être de 100 fois. On peut observer de telles variations dans les besoins en énergie à l'échelle du corps entier, selon qu'il est nourri ou à jeun. Par exemple Eric Newsholme, qui fait autorité dans la biochimie du sport, apprécie une course à pied de 2 heures avant son petit déjeuner, alors que d'autres se contentent de mouvements de la main à la bouche. Chez ces deux types de personnes cependant, le glycogène et les triacylglycérols sont les carburants énergétiques numéro un pour les processus qui consomment de l'énergie et sont synthétisés en période de repos pour usages ultérieurs.

Le métabolisme des acides gras est sous contrôle hormonal

La synthèse et la dégradation du glycogène et des triacylglycérols, que nous avons étudiées en détail dans le chapitre 18 et ci-dessus, sont des processus qui concernent l'organisme entier, ses organes et tissus reliés par la circulation sanguine constituant un réseau interdépendant. Le sang transporte les métabolites qui vont produire de l'énergie : les triacylglycérols sous forme de chylomicrons et de VLDL (Section 12-5A), des

acides gras complexés à l'albumine (Section 25-1), des corps cétoniques, des acides aminés, du lactate et du glucose. Les cellules α et β du pancréas perçoivent l'état nutritionnel et énergétique de l'organisme essentiellement selon la concentration en glucose sanguin. En cas d'hypoglycémie due au jeûne et à des besoins énergétiques, les cellules α sécrètent du glucagon. En cas d'hyperglycémie, l'organisme étant au repos et nourri, les cellules β sécrètent de l'insuline. Nous avons déjà étudié comment ces hormones sont impliquées dans le métabolisme du glycogène (Sections 18-3E et 18-3F). *Elles régulent également les voies opposées du métabolisme lipidique et déterminent par conséquent si les acides gras doivent être oxydés ou synthétisés.* Leurs cibles sont les enzymes régulatrices (dont dépend le flux) des voies de synthèse et de dégradation des acides gras dans des tissus spécifiques (Fig. 25-40).

Nous connaissons déjà les mécanismes qui permettent de contrôler les activités catalytiques des enzymes régulatrices : disponibilité en substrat, interactions allostériques et modifications covalentes (phosphorylations). Ce sont des **régulations à court terme**, la régulation demandant un temps de réponse d'une minute ou moins. *La synthèse des acides gras est, en partie, contrôlée par des régulations à court terme.* L'acétyl-CoA carboxylase, qui catalyse la première réaction d'engagement de cette voie, est inhibée par le palmitoyl-CoA et par phosphorylation AMPc-dépendante stimulée par le glucagon, et elle est activée par le citrate et par déphosphorylation stimulée par l'insuline (Section 25-4B).

Un autre mécanisme permet de contrôler l'activité d'enzymes régulatrices d'une voie : la modification de la quantité d'enzymes disponibles par modification des vitesses de synthèse et de dégradation de ces enzymes. Ce mécanisme demande des heures ou des jours et est ce qu'on appelle une **régulation à long terme** (les contrôles de la synthèse et de la dégradation des protéines sont étudiés dans les Chapitres 31 et 32). *La biosynthèse des lipides est également contrôlée par régulation à long terme,* l'insuline stimulant et le jeûne inhibant la synthèse de l'acétyl-CoA carboxylase et de l'acide gras synthase. La présence dans le régime alimentaire d'acides gras polyinsaturés diminue aussi la concentration de ces enzymes. La quantité de lipoprotéine lipase dans le tissu adipeux, l'enzyme qui provoque l'entrée des acides gras des lipoprotéines dans le tissu adipeux pour y être mis en réserve (Section 12-5B), est aussi accrue par l'insuline et diminuée par le jeûne. Par contre, la concentration en lipoprotéine lipase cardiaque, qui contrôle l'entrée des acides gras des lipoprotéines dans le tissu cardiaque pour être oxydés au lieu d'être stockés, est diminuée par l'insuline et augmentée par le jeûne. *Le jeûne et/ou des exercices réguliers, qui diminuent la glycémie, modifient l'équilibre hormonal du corps. Il s'ensuit des modifications à long terme de l'expression des gènes, qui augmentent les taux d'enzymes de l'oxydation des acides gras et diminuent ceux d'enzymes de la biosynthèse des lipides.*

L'oxydation des acides gras est essentiellement régulée par la concentration des acides gras dans le sang, qui, à son tour, est contrôlée par la vitesse d'hydrolyse des triacylglycérols dans le tissu adipeux par la **triacylglycérol lipase hormono-sensible**. *Cette enzyme est appelée ainsi car elle est régulée par phosphorylation/déphosphorylation selon les concentrations en AMPc contrôlées par des hormones. L'adrénaline et

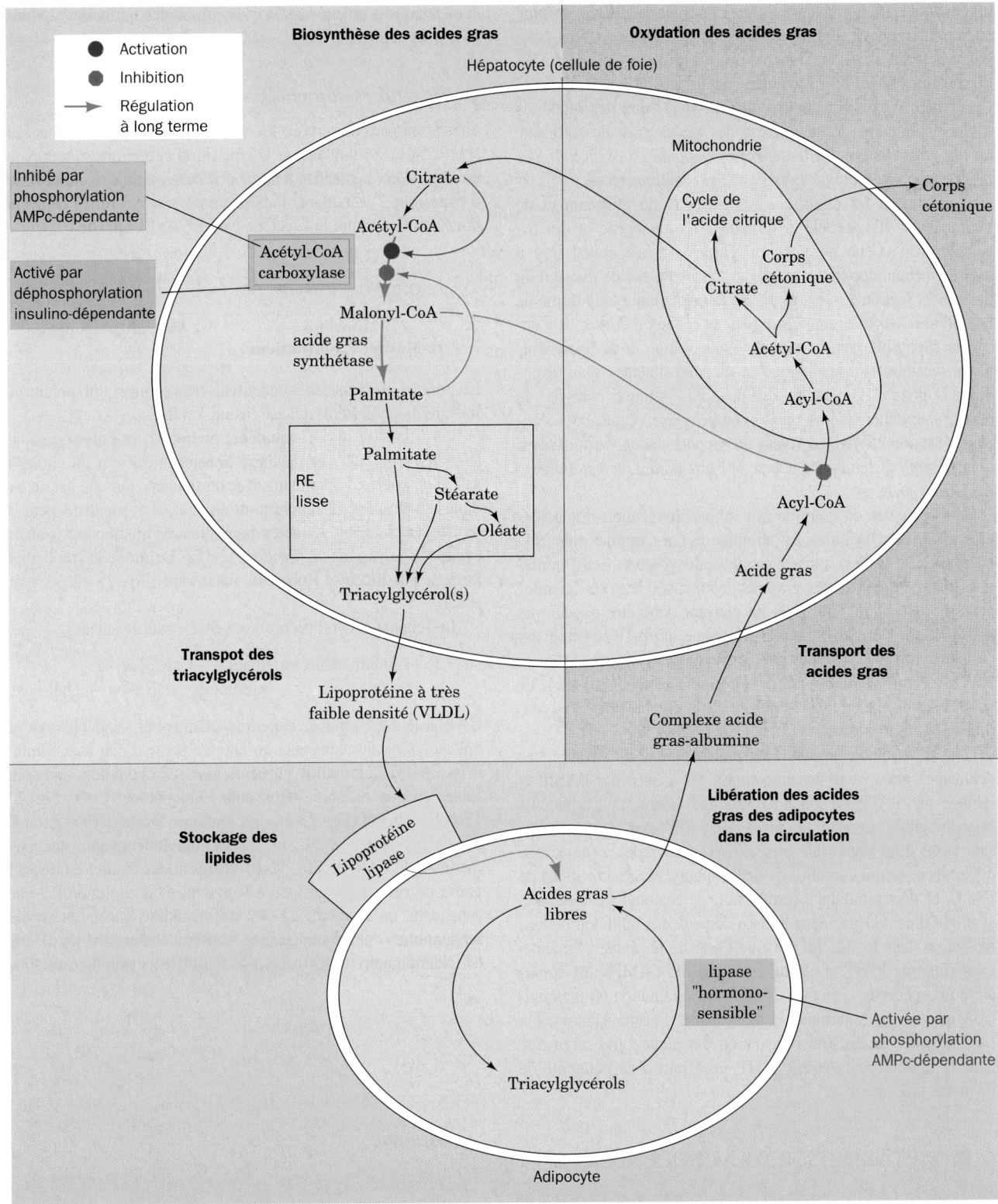

FIGURE 25-40 Sites de régulation du métabolisme des acides gras.

la noradrénaline, comme le glucagon, augmentent la concentration en AMPc dans le tissu adipeux. L'AMPc active allostériquement la protéine kinase AMPc-dépendante (PKA) qui, à son tour, augmente le taux de phosphorylation des enzymes sensibles. La phosphorylation active la triacylglycérol lipase

hormono-sensible, stimulant ainsi la lipolyse dans le tissu adipeux, d'où augmentation de la concentration en acides gras dans le sang, et activant ultérieurement la voie de la β oxydation dans d'autres tissus comme le foie et les muscles. Dans le foie, ce processus conduit à la formation de corps cétoniques qui passent dans le sang pour être utilisés comme source énergétique alternative du glucose dans les tissus périphériques. La PKA, de concert avec la protéine-kinase AMP-dépendante (AMPK), provoque également l'inactivation de l'acétyl-CoA carboxylase (Section 25-4B), l'une des réactions à vitesse limitante de la synthèse des acides gras, de sorte que *la phosphorylation AMPc-dépendante stimule l'oxydation des acides gras et en inhibe la biosynthèse simultanément.*

L'insuline a les effets inverses de ceux du glucagon et de l'adrénaline : elle stimule la formation du glycogène et des tri-acylglycérols. Cette hormone protéique, sécrétée quand il y a hyperglycémie, déclenche un réseau très complexe de transdution du signal (Section 19-4F) qui induit la régulation à long terme de nombreuses enzymes tout en diminuant le taux d'AMPc. Il s'ensuit la déphosphorylation et donc l'inactivation de la lipase hormono-sensible, ce qui diminue la quantité d'acides gras disponibles pour l'oxydation. L'insuline stimule aussi la déphosphorylation de l'acétyl-CoA carboxylase, ce qui active l'enzyme (Section 25-4B). *La valeur du rapport glucagon/insuline est donc déterminante pour la vitesse et l'orientation du métabolisme des acides gras.*

Un autre site de contrôle qui inhibe l'oxydation des acides gras quand leur synthèse est stimulée est la carnitine palmitoyl transférase I, qui est inhibée par le malonyl-CoA. Cette inhibition maintient les acides gras néo-synthétisés hors de la mitochondrie (Section 25-1) et ils ne peuvent donc être oxydés par β oxydation. De fait, le muscle cardiaque, un tissu oxydatif qui ne peut synthétiser d'acides gras, contient une isoforme de l'acétyl-CoA carboxylase, l'AAC β, dont la seule fonction serait de synthétiser du malonyl-CoA en vue de la régulation de l'oxydation des acides gras.

L'AMPK semble être un régulateur important du métabolisme des acides gras. Cette protéine-kinase est activée par l'AMP et inhibée par l'ATP, ce qui en ferait une « jauge de carburant » pour la cellule. Lorsque les niveaux en ATP sont élevés, traduisant l'état d'un organisme bien nourri et au repos, cette kinase est inhibée, ce qui conduit à la déphosphorylation (activation) de l'ACC et donc stimule la production de malonyl-CoA pour la synthèse d'acides gras dans le tissu adipeux et l'inhibiton de leur oxydation dans le muscle. Lorsque l'activité physique augmente, avec chute de l'ATP et élévation de l'AMP, l'AMPK est stimulée à phosphoryler (inactiver) l'ACC. La diminution en malonyl-CoÀ qui en résulte diminue la biosynthèse d'acides gras dans le tissu adipeux, tandis que l'oxydation des acides gras augmente dans le muscle pour fournir l'ATP nécessaire à la poursuite de l'activité physique.

6 ■ MÉTABOLISME DU CHOLESTÉROL

Le cholestérol est un constituant vital des membranes cellulaires et le précurseur des hormones stéroïdes et des sels biliaires. Il est indispensable à la vie, bien que son dépôt dans les artères soit à l'origine de maladies et accidents cardiovasculaires, deux causes principales de mort chez l'homme. Chez des sujets sains, un équilibre complexe est maintenu entre la biosynthèse, l'utilisation et le transport du cholestérol, d'où un dépôt minimum. Dans cette section, nous étudierons les voies de biosynthèse et de transport du cholestérol et leur régulation. Nous verrons également comment le cholestérol est utilisé dans la biosynthèse des hormones stéroïdes et des sels biliaires.

A. *Biosynthèse du cholestérol*

Tous les atomes de carbone du cholestérol proviennent de l'acétate (Fig. 25-41). Se fondant sur la répartition du marquage isotopique du cholestérol synthétisé à partir d'acétate marqué, Konrad Bloch a pensé que l'acétate est d'abord transformé en **unités isoprène**, unités en C_5 qui ont le squelette carboné de l'**isoprène** :

Isoprène   **Une unité isoprène**
(2-Méthyl-1,3-butadiene)

Les unités isoprène se condensent pour donner un précurseur linéaire du cholestérol qui est ensuite cyclisé.

On a montré que le **squalène,** hydrocarbure polyisoprénoïde (Fig. 25-42*a*) est l'intermédiaire linéaire précurseur du cholestérol : si on nourrit des animaux avec du squalène marqué par un isotope, ils forment du cholestérol marqué. Le squalène peut se replier de plusieurs manières pour prendre la structure à quatre cycles du noyau stérol (Section 12-1E). Le mode de repliement proposé par Bloch et Robert B. Woodward (Fig. 25-42*b*) s'avéra exact.

Le schéma général proposé par Bloch était le suivant

Acétate → intermédiaire isoprénoïde → squalène →
                         produit de cyclisation → cholestérol

Cette voie a été prouvée expérimentalement et ses détails ont été précisés. On sait maintenant qu'elle fait partie d'une voie ramifiée (Fig. 25-43) qui fournit plusieurs autres isoprénoïdes indispensables en plus du cholestérol, dont l'ubiquinone (CoQ ; Fig. 22-17*b*), le dolichol (Fig. 23-14), les protéines farnésylées et géranylgéranylées (Fig. 12-29), et l'**isopentényladénosine** (une base modifiée de l'ARNt ; Fig. 32-10). Nous allons étudier en détail la partie de cette voie qui assure la synthèse du cholestérol. Noter, cependant, qu'au moins 25 000 isoprénoïdes (également appelés **terpénoïdes**) ont été caractérisés, essentiellement dans les plantes, les champignons et les bactéries. Parmi leurs nombreuses fonc-

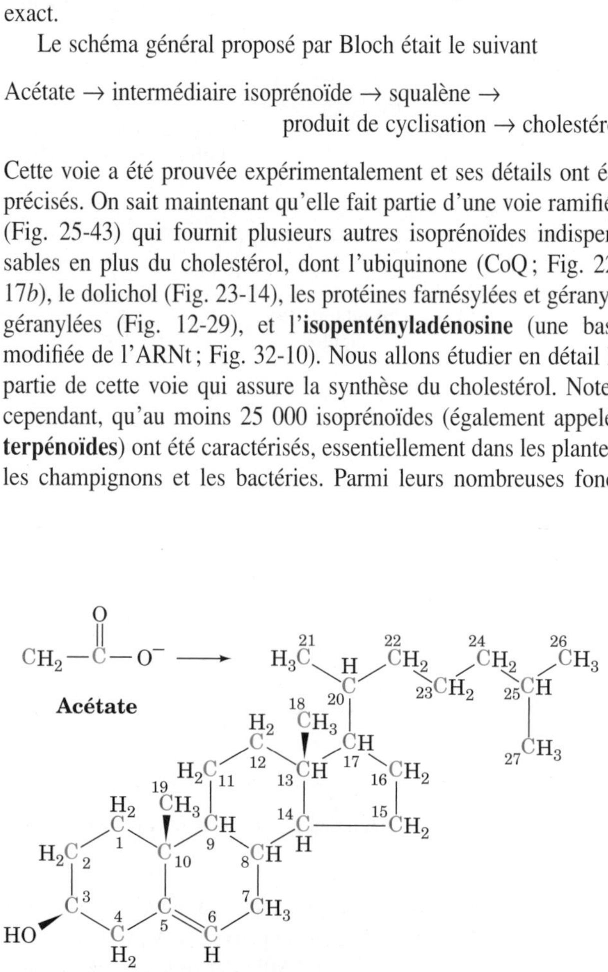

FIGURE 25-41 Tous les atomes de carbone du cholestérol proviennent de l'acétate.

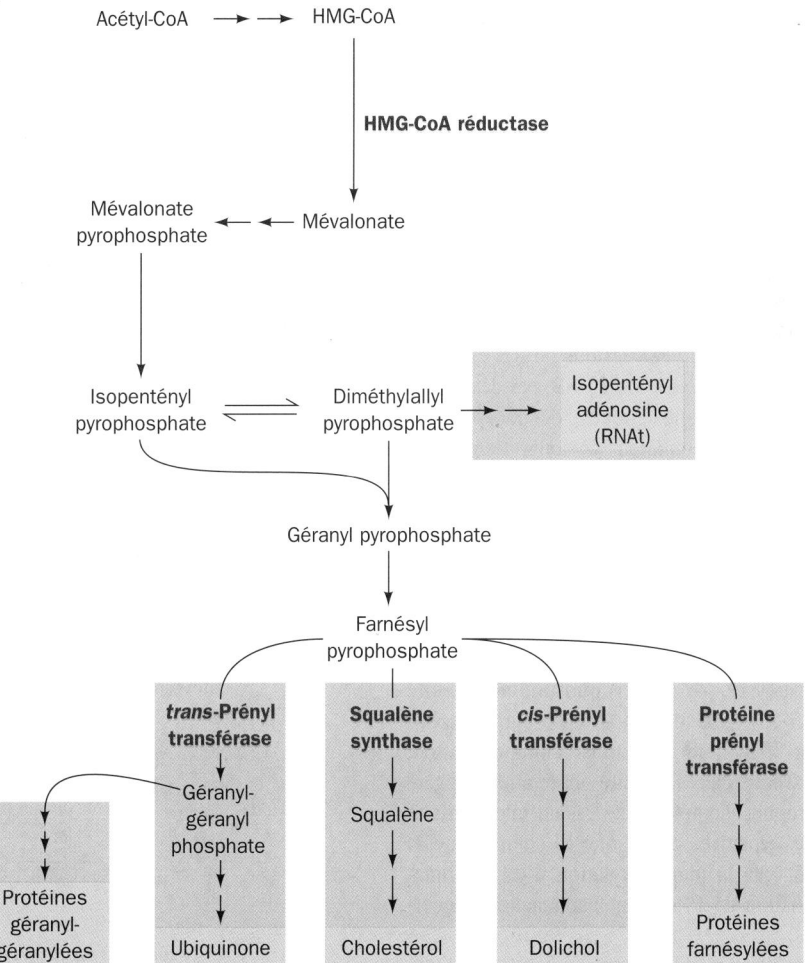

(a)   *(b)*

FIGURE 25-42 Le squalène. (*a*) Conformation en extension. Chaque carré contient une unité isoprène. (*b*) Forme repliée préalable à la cyclisation telle que prédite par Bloch et Woodward.

tions biologiques on peut citer celles de constituants membranaires (p. ex. le cholestérol), d'hormones (stéroïdes), de phéromones, d'agents de défense, de molécules photoprotectrices (p. ex. le β-carotène ; Section 24-2A) et de pigments visuels (p. ex. le rétinal ; Section 12-3A).

a. L'HMG-CoA est un précurseur clé du cholestérol

L'acétyl-CoA est transformé en unités isoprène par une série de réactions qui débute par la formation d'hydroxyméthylglutaryl-

CoA (HMG-CoA ; Fig. 25-25), molécule que nous avons déjà rencontrée comme intermédiaire des corps cétoniques (Section 25-3). La synthèse d'HMG-CoA nécessite la participation de deux enzymes : la thiolase et l'HMG-CoA synthase. Les enzymes formant l'HMG-CoA précurseur des corps cétoniques se trouvent dans les mitochondries, tandis que celles responsables de la synthèse d'HMG-CoA utilisé dans la biosynthèse du cholestérol sont localisées dans le cytosol, même si leurs mécanismes catalytiques sont identiques.

FIGURE 25-43 Voie ramifiée du métabolisme des isoprénoïdes dans les cellules de mammifère. La voie conduit à la formation d'ubiquinone, de dolichol, de protéines farnésylées et géranylgéranylées, et d'isopentény-l adénosine, une base modifiée d'ARNt, en plus du cholestérol.

L'HMG-CoA est le précurseur de deux intermédiaires isopré-noïdes, l'**isopentényl pyrophosphate** et le **diméthylallyl pyro-phosphate** :

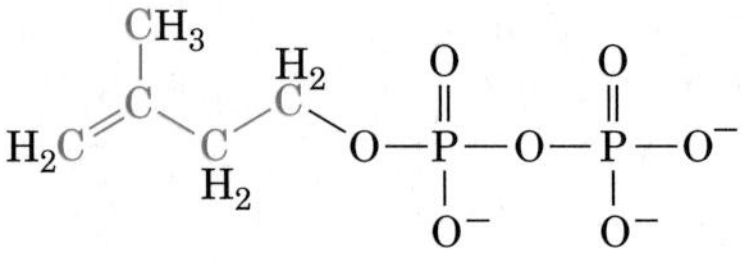

Isopentényl pyrophosphate

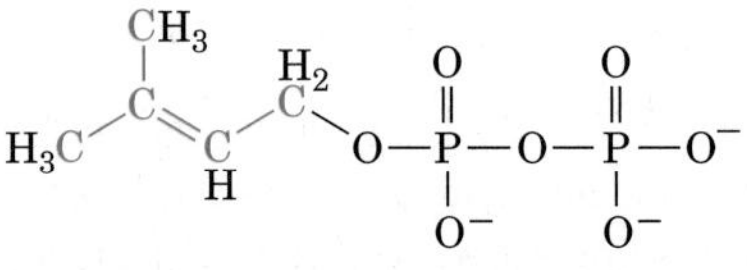

Diméthylallyl pyrophosphate

La formation d'isopentényl pyrophosphate fait intervenir quatre réactions (Fig. 25-44) :

1. Le groupement thioester CoA de l'HMG-CoA est réduit en alcool par une réaction de réduction à quatre électrons NADPH-dépendante catalysée par l'**HMG-CoA réductase**, ce qui donne du **mévalonate.**

2. Le nouveau groupement OH est phosphorylé par la **mévalo-nate-5-phosphotransférase**.

3. Le groupement phosphate est transformé en pyrophosphate par la **phosphomévalonate kinase**.

4. La molécule est décarboxylée et l'alcool résultant est déshy-draté par la **pyrophosphomévalonate décarboxylase**.

L'HMG-CoA réductase catalyse la réaction à vitesse limitante de la synthèse du cholestérol et est l'enzyme la plus régulée de la voie. Cette protéine membranaire de 888 résidus du RE est régu-lée comme nous le verrons dans la Section 25-6B, par des méca-nismes d'inhibition compétitive, allostériques, de phosphoryla-tion/déphosphorylation et de régulation à long terme. Le cholestérol lui-même est un rétro-inhibiteur important de l'en-zyme.

b. La pyrophosphomévalonate décarboxylase catalyse une réactions apparemment concertée

Le **5-pyrophosphomévalonate** est transformé en isopentényl pyrophosphate par une réaction de déshydratation-décarboxyla-tion ATP-dépendante catalysée par la **pyrophosphomévalonate décarboxylase** (Fig. 25-45). Quand du [3-^{18}O]-5-pyrophospho-mévalonate (*O dans la Fig. 25-45) est utilisé comme substrat, l'oxygène marqué se retrouve dans P$_i$. Cette observation suggère que le 3-phospho-5-pyrophosphomévalonate est un intermédiaire de la réaction. Toutes les tentatives pour isoler ce composé ayant échoué, on pense plutôt que la phosphorylation, l'α,β élimina-tion de CO$_2$ et l'élimination de P$_i$ se font par réaction concer-tée.

L'isomérisation entre l'isopentényl pyrophosphate et le dimé-thylallyl pyrophosphate est catalysée par l'**isopentényl pyrophos-phate isomérase**. On pense que la réaction ferait intervenir un pro-

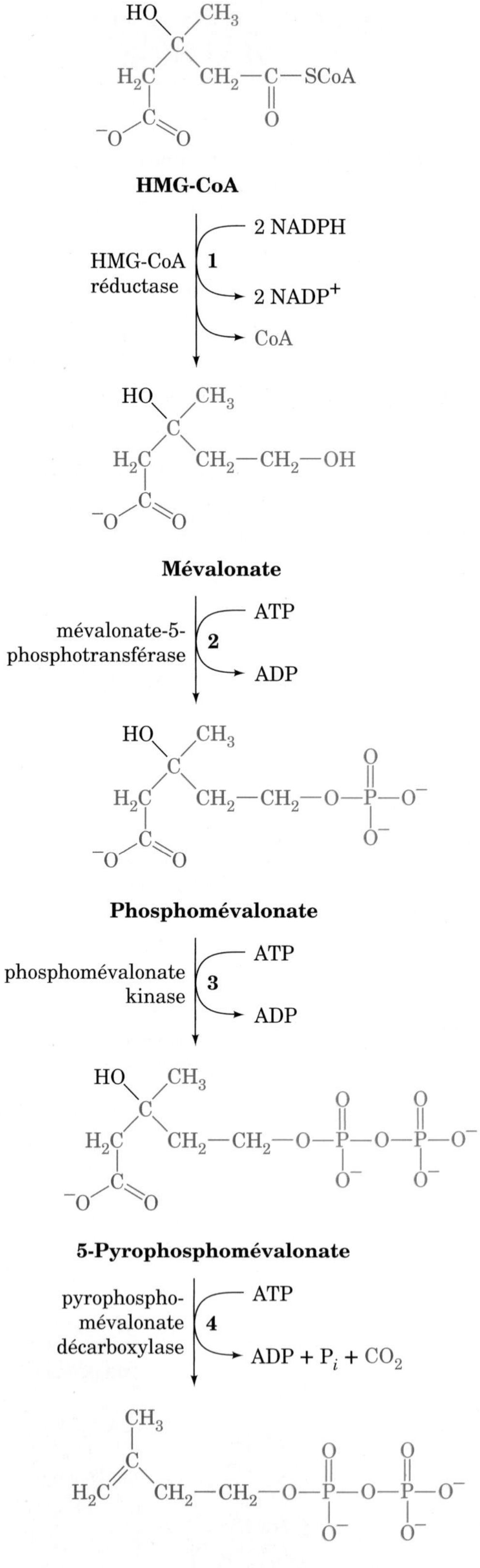

FIGURE 25-44 Formation d'isopentényl pyrophosphate à partir d'HMG-CoA.

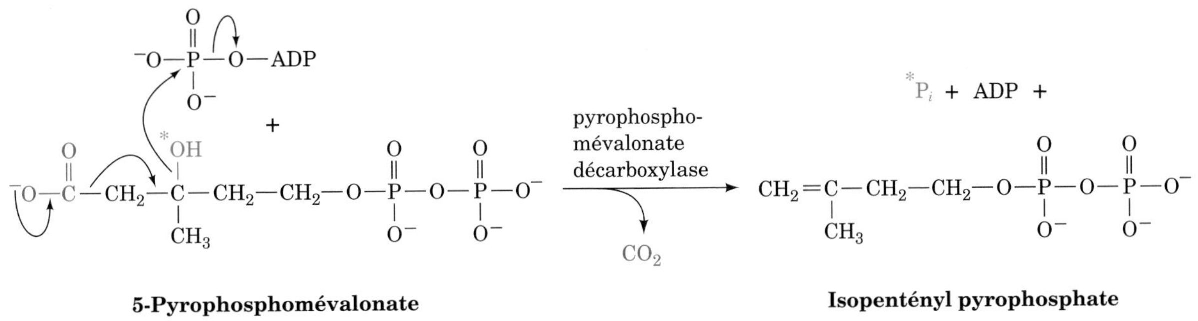

FIGURE 25-45 Action de la pyrophosphomévalonate décarboxylase. L'enzyme catalyse une réaction de déshydratation-décarboxylation concertée ATP-dépendante du pyrophosphomévalonate, formant l'isopenténol pyrophosphate.

cessus de protonation/déprotonation concerté faisant intervenir un intermédiaire carbocation tertiaire. Des résidus Cys et Glu ont été impliqués, respectivement, dans la catalyse générale acide et

basique (Fig. 25-46), sur base de la mutagenèse dirigée et de la structure par rayons X de l'enzyme. Le carbocation serait stabilisé par interactions avec le nuage π aromatique d'un résidu Trp adjacent. Les résidus aromatiques donnent lieu à des interactions riches en électrons avec des groupements chargés positivement sans former des liaisons covalentes qui détruiraient l'intermédiaire.

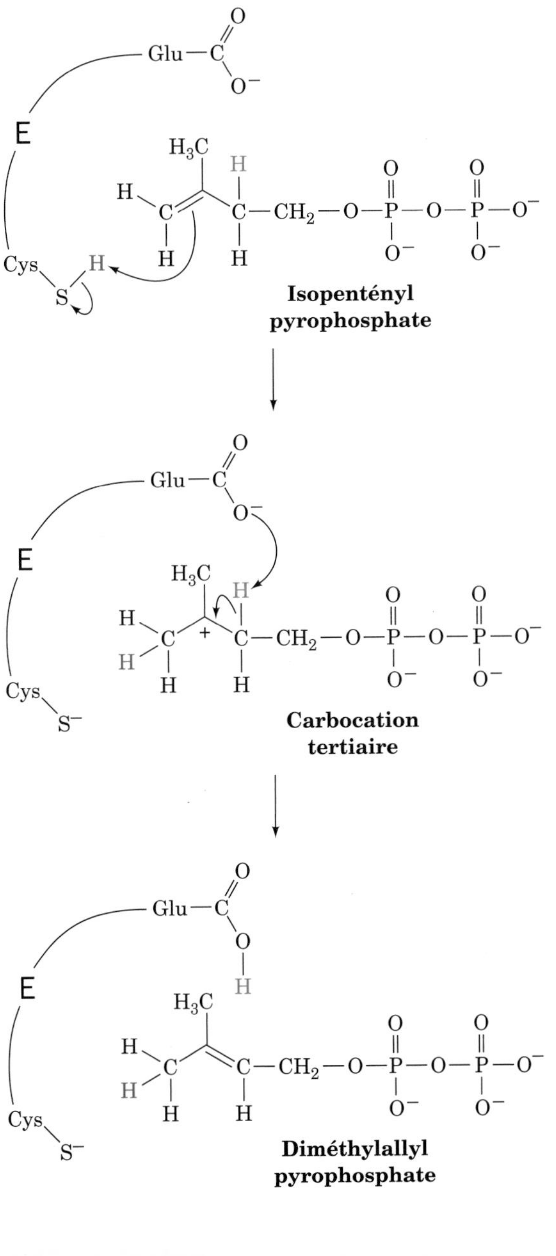

c. Le squalène se forme suite à la condensation de six unités isoprène

Quatre isopenténol pyrophosphates et deux diméthylallyl pyrophosphates se condensent pour former le précurseur du cholestérol, le squalène en C_{30}, en trois réactions catalysées par deux enzymes (Fig. 25-47) :

1. La **prényl transférase** (ou **farnésyl pyrophosphate synthase**) catalyse la condensation tête-à-queue (1′-4′) de diméthylallyl pyrophosphate et d'isopenténol pyrophosphate pour donner le **géranyl pyrophosphate.**

2. La prényl transférase catalyse une deuxième condensation tête-à-queue de géranyl pyrophosphate et d'isopenténol pyrophosphate qui donne le **farnésyl pyrophosphate.**

3. La **squalène synthase** (**SQS**) catalyse alors la condensation tête-à-tête (1-1′) de deux molécules de farnésyl pyrophosphate pour former le squalène. Le farnésyl pyrophosphate est aussi le précurseur du dolichol, des protéines farnésylées et géranylgéranylées, et de l'ubiquinone (Fig. 25-43).

La prényl transférase catalyse la condensation d'isopenténol pyrophosphate avec un pyrophosphate allylique (conjugué à une double liaison C=C). Elle est spécifique de l'isopenténol pyrophosphate mais elle peut utiliser soit le diméthylallyl pyrophosphate à 5 carbones, soit le **géranyl pyrophosphate** à 10 carbones comme substrat allylique. Le mécanisme de condensation catalysé par la prényl transférase est particulièrement intéressant car c'est

FIGURE 25-46 Mécanisme d'action de l'isopenténol pyrophosphate isomérase. L'enzyme catalyse l'interconversion d'isopenténol pyrophosphate en diméthylallyl pyrophosphate par une réaction de protonation/déprotonation concertée impliquant un carbocation intermédiaire où un résidu Cys et un résidu Gly agissent respectivement comme donneur et accepteur de proton. On pense que le carbocation intermédiaire est stabilisé par interactions π avec une chaîne latérale de Trp voisine.

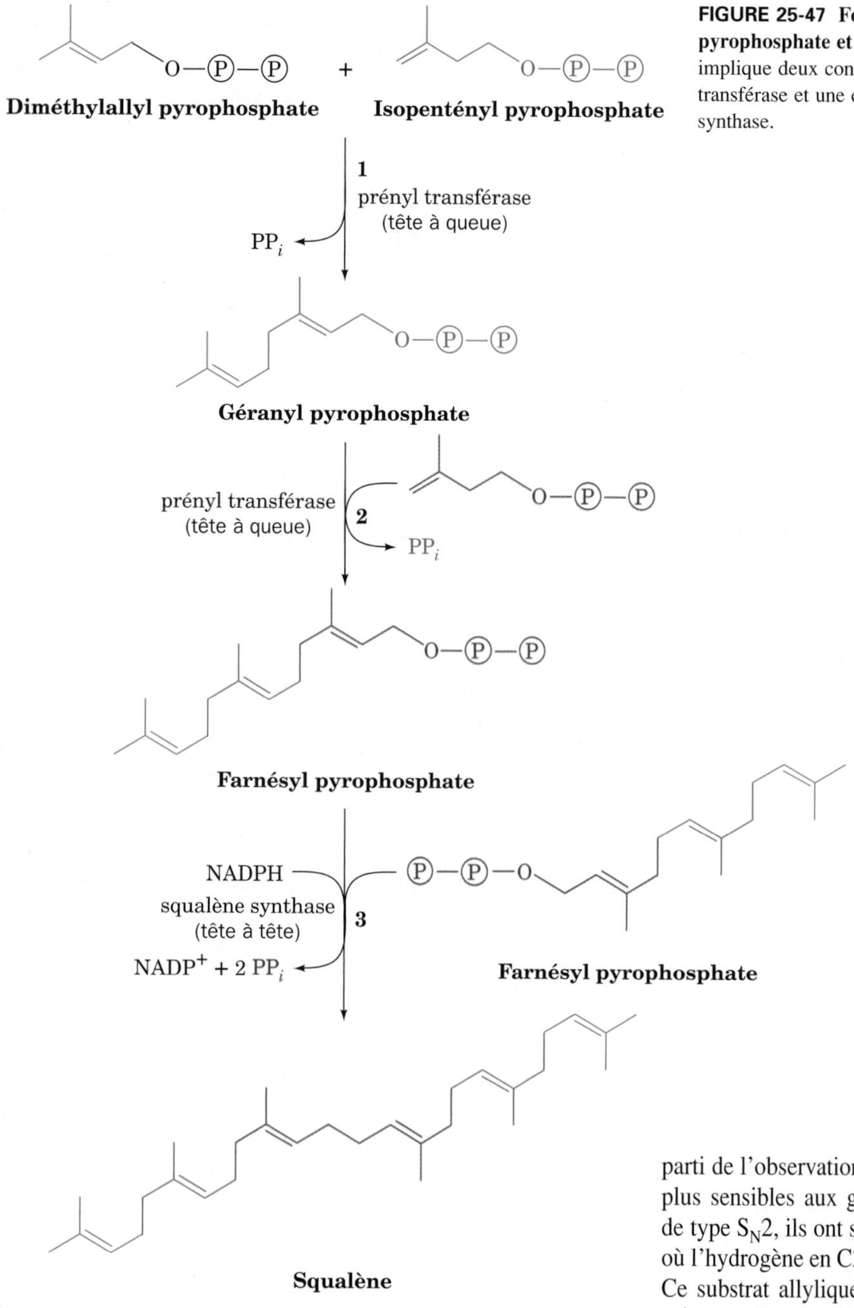

FIGURE 25-47 Formation de squalène à partir d'isopenténtyl pyrophosphate et de diméthylallyl pyrophosphate. La voie implique deux condensations tête-à-queue catalysées par la prényl transférase et une condensation tête-à-tête catalysée par la squalène synthase.

l'une des rares réactions enzymatiques faisant intervenir un carbocation intermédiaire. Deux mécanismes de condensation sont possibles (Fig. 25-48) :

Schéma I Un mécanisme S_N1 au cours duquel un carbocation allylique se forme par élimination de PP_i. L'isopentényl pyrophosphate se condense alors avec ce carbocation, formant un nouveau carbocation qui élimine un proton pour donner le produit.

Schéma II Une réaction S_N2 dans laquelle le PP_i allylique est déplacé de manière concertée. Dans ce cas, un nucléophile de l'enzyme, X, aide la réaction. Ce groupement est éliminé dans la deuxième étape avec perte d'un proton pour donner le produit.

Dale Poulter et Hans Rilling se sont servis de la logique chimique pour faire la distinction entre les deux mécanismes. Tirant parti de l'observation que les réactions de type S_N1 sont beaucoup plus sensibles aux groupements électronégatifs que les réactions de type S_N2, ils ont synthétisé un dérivé du géranyl pyrophosphate où l'hydrogène en C3 est remplacé par un F qui attire les électrons. Ce substrat allylique pour la deuxième réaction de condensation (1′-4) catalysée par la prényl transférase a le même K_M que le substrat naturel (F et H ayant des rayons atomiques similaires, ce résultat n'est pas surprenant) :

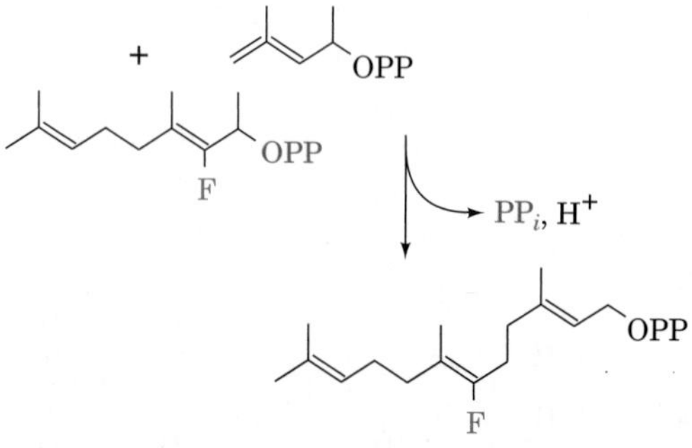

Cependant, c'est la valeur de V_{max} qui est intéressante. Si la réaction est de type S_N2, le dérivé fluoré devrait réagir à une

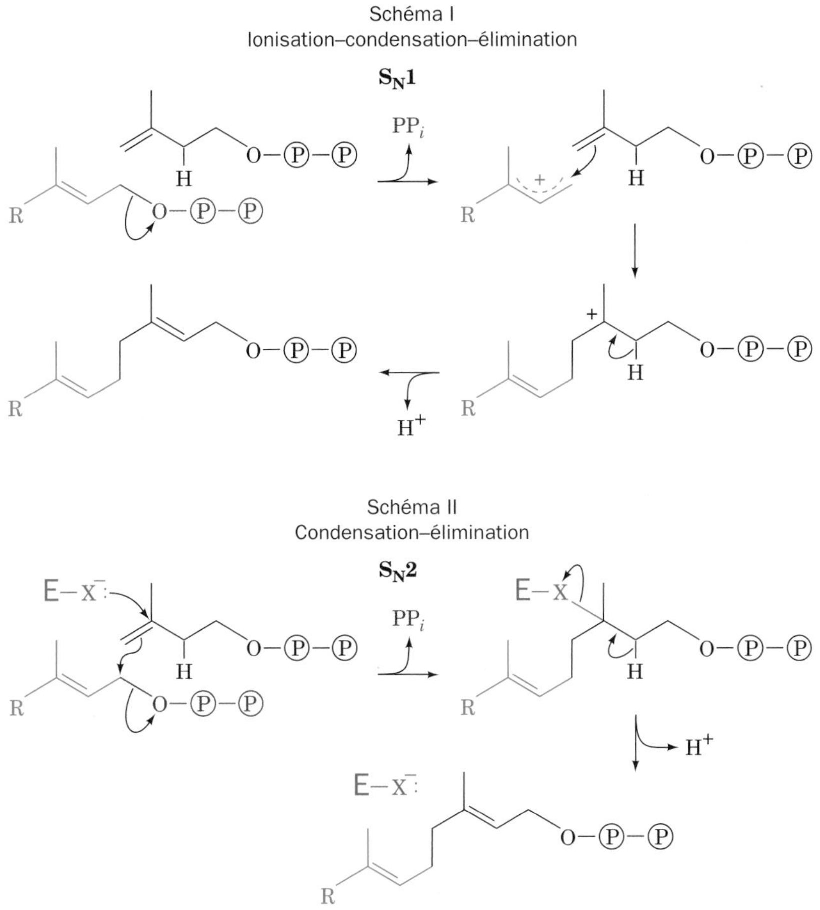

Schéma I
Ionisation–condensation–élimination

S_N1

Schéma II
Condensation–élimination

S_N2

FIGURE 25-48 Deux mécanismes possibles pour la réaction de la prényl transférase. Le Schéma I implique la formation d'un carbocation intermédiaire, alors que le Schéma II implique la participation d'un groupement nucléophile, X, de l'enzyme.

vitesse identique à celle du substrat naturel. Si, par contre, la réaction fait intervenir un mécanisme S_N1, le dérivé fluoré devrait réagir à une vitesse plus lente de plusieurs ordres de grandeur que le substrat naturel. En fait, le 3-fluorogéranyl pyrophosphate forme un produit à une vitesse <1 % à celle mesurée avec le produit naturel, ce qui est tout à fait en faveur d'un mécanisme de type S_N1 avec formation d'un carbocation intermédiaire.

On sait à présent que les carbocations participent à plusieurs réactions dans la biosynthèse des isoprénoïdes. Les enzymes sont classées selon la manière dont elles produisent ces carbocations. Les enzymes de classe I le font en libérant du pyrophosphate, comme nous l'avons vu pour la prényl transférase. Les enzymes de classe II le font en protonant une double liaison, comme le fait l'isopenténryl pyrophosphate isomérase (Fig. 25-46), ou un époxyde, comme nous le verrons ci-dessous pour l'oxydosqualène cyclase.

Le squalène, le précurseur immédiat des stérols, se forme par condensation tête-à-tête de deux molécules de farnésyl pyrophosphate (FPP) sous l'action de la SQS. Bien que la SQS soit une enzyme de classe I apparentée au plan structural à la prényl transférase et produisant des carbocations en libérant du pyrophosphate, la réaction n'est pas une simple condensation tête-à-tête, comme on pouvait le penser, mais elle fait intervenir une réaction complexe en deux étapes catalysées chacune par des sites actifs distincts de l'enzyme (Fig. 25-49) :

Etape I Réaction de deux molécules de FPP pour donner un intermédiaire stable, le **présqualène pyrophosphate**. Cette réac-

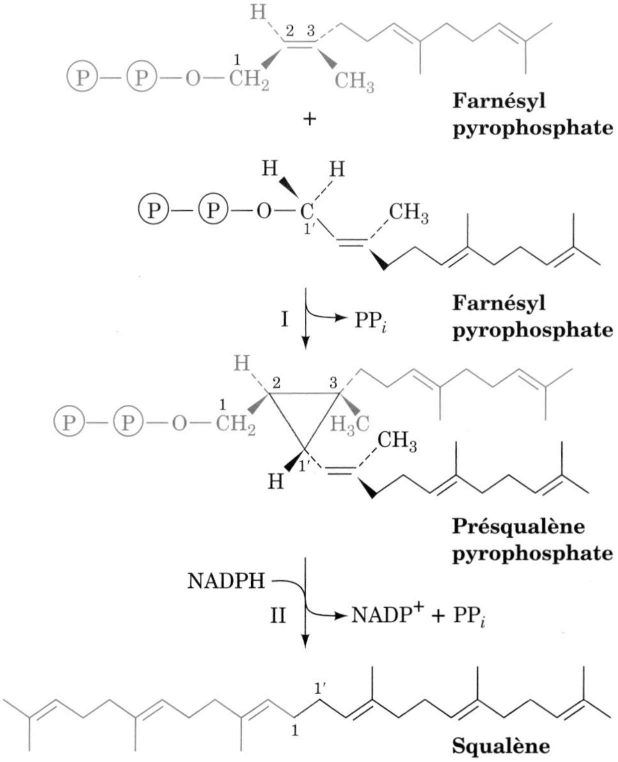

FIGURE 25-49 Action de la squalène synthase. L'enzyme catalyse la condensation tête-à-tête de deux molécules de farnésyl pyrophosphate pour former le squalène.

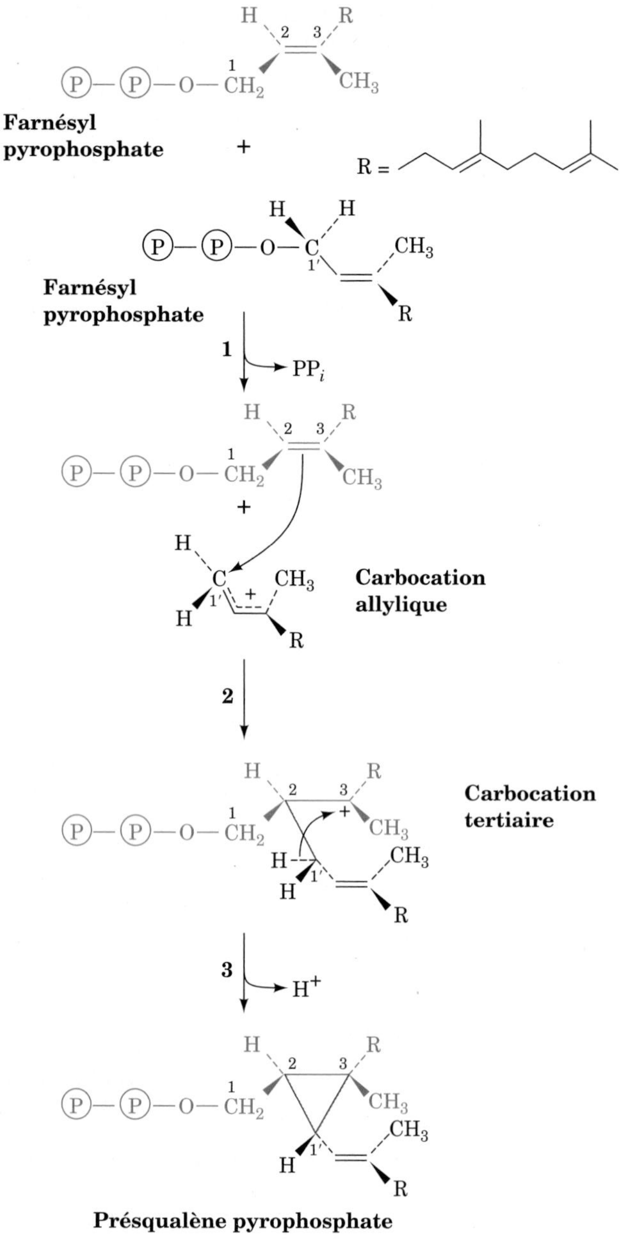

Farnésyl pyrophosphate +

Farnésyl pyrophosphate

Carbocation allylique

Carbocation tertiaire

Présqualène pyrophosphate

FIGURE 25-50 Mécanisme proposé pour la formation de pyrophosphate de présqualène à partir de deux molécules de pyrophosphate de farnésyle catalysée par la squalène synthase (Fig. 25-49, étape I). (**1**) Le groupement pyrophosphate d'un des pyrophosphate de farnésyle s'en va, laissant un carbocation allylique. Cette étape est facilitée par un don de proton de la part de la chaîne latérale d'un résidu Tyr essentiel, ce qui stabilise le cation allylique via des interactions π-cation. (**2**) La double liaison C2=C3 du second pyrophosphate de farnésyle mène une attaque nucléophile contre le carbocation allylique pour former un carbocation tertiaire en C3. (**3**) La déprotonation du pro-*S* en C1' par le groupement phénolate du résidu Tyr essentiel conduit à la formation d'une liaison C1'—C3, ce qui donne le pyrophosphate de présqualène.

Présqualène pyrophosphate

cation cyclopropylcarbinyl primaire

cation cyclopropylcarbinyl tertiaire

Squalène

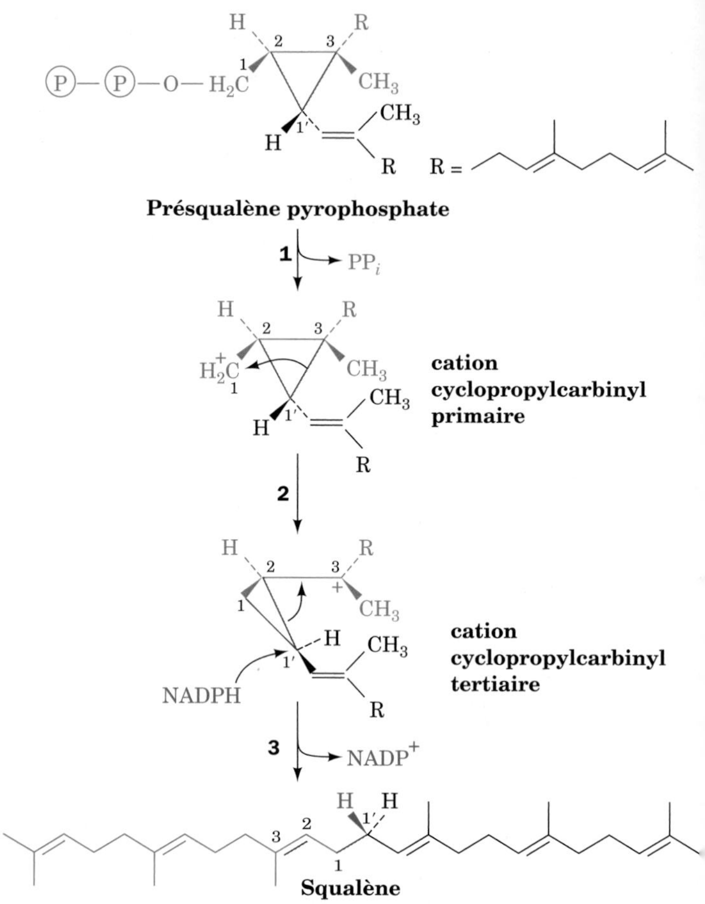

FIGURE 25-51 Mécanisme de réarrangement et de réduction du pyrophosphate de présqualène en squalène catalysés par la squalène synthase (Fig. 25-49, étape II). (**1**) Le groupement pyrophosphate du présqualène s'en va, laissant un carbocation primaire en C1. (**2**) Les électrons formant la liaison C1'—C3 migrent sur C1, formant la liaison C1—C1' du squalène et un carbocation tertiaire en C3. (**3**) Le processus s'achève par l'addition d'un ion hydrure fourni par le NADPH au C1' et par la formation d'une double liaison C2=C3.

s'insère dans la double liaison C2=C3 riche en électrons d'une seconde molécule, pour donner le présqualène pyrophosphate, un cyclopropylcarbinyl pyrophosphate.

Etape II Réarrangement et réduction du présqualène pyrophosphate par NADPH pour former le squalène. Cette réaction implique la formation et le réarrangement d'un cation cyclopropylcarbinyl selon une séquence réactionnelle complexe appelée un **processus 1'-2-3** (Fig. 25-51).

La SQS, une protéine monomérique, est ancrée dans la membrane du RE par un court domaine transmembranaire C-terminal, son site actif faisant face au cytosol. Ceci lui permet d'accueillir ses substrats hydrosolubles, le farnésyl pyrophosphate et le NADPH, présents dans le cytosol et de libérer le produit hydrophobe, le squalène, dans la membrane du RE.

tion est amorcée par l'élimination de PP$_i$ d'une molécule de farnésyl pyrophosphate pour former sur le C1 un carbocation allylique stabilisé par une interaction π avec un résidu Tryr essentiel (Fig. 25-50). Le carbocation pauvre en électrons très réactionnel

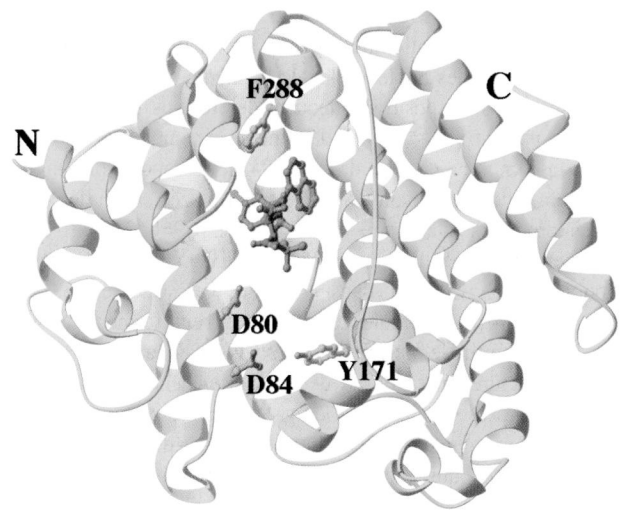

FIGURE 25-52 Structure par rayons X de la squalène synthase humaine (SQS) complexée à l'inhibiteur CP-320473. Cet inhibiteur, ainsi que les chaînes latérales de D80, D84, Y171, et F288 sont en modèle éclaté et colorés selon le type d'atome (C de l'inhibiteur en vert, C de la protéine en bleu-vert, N en bleu, O en rouge, et Cl en magenta). La protéine est vue dans la direction de son canal central, les sites actifs présumés pour les étapes I et II de la réaction catalysée étant respectivement au bas et au sommet de la crevasse. Le segment transmembranaire C-terminal de la protéine (résidus 371-417) et ses 30 résidus N-terminaux ont été éliminés pour faciliter la cristallisation, ce qui n'influence pas son activité catalytique *in vitro*. [D'après une structure par rayons X due à Jayvardhan Pandit, Pfizer Central Research, Groton, Connecticut, PDBid 1EZF.]

La structure par rayons X de la SQS humaine (417 résidus) complexée à l'inhibiteur **CP-320473**,

CP-320473

déterminée par Jayvardhan Pandit, montre que la protéine se replie en un domaine unique dont une face est traversée par un large canal où se fixe le CP-320473 (Fig. 25-52). Ce canal est bordé de résidus Asp et Arg qui, d'après des études de mutagenèse, sont impliqués dans la liaison du FPP. Parmi ceux-ci, Asp 80 et Asp 84 participent à la liaison d'ions Mg^{2+} qui fixent un groupement pyrophosphate du FPP. Ces résidus Asp sont voisins de Tyr 171, qui forme la base du canal et que des études de mutagenèse identifient comme la Tyr essentielle pour stabiliser l'intermédiaire carbocation allylique lors de l'étape I de la réaction de la SQS. L'étape II de cette réaction exige que ses intermédiaires carbocations très réactionnels soient protégés de tout contact avec le solvant aqueux qui pourrait empêcher la réaction. Ceci suggère que, pour l'étape II, le présqualène pyrophosphate produit lors de l'étape I s'enfonce dans le canal pour s'y loger dans une poche bordée de groupements hydrophobes, comme Phe 288 dont la mutation inactive l'enzyme. Ainsi, le rôle de Phe 288 serait de stabiliser un des intermédiaires cationiques de l'étape II (Fig. 25-51) par des interactions π-cation.

d. La cyclisation du squalène donne du lanostérol

Le squalène, un hydrocarbure en C$_{30}$ linéaire, est cyclisé en deux étapes pour former le squelette stéroïde tétracyclique. La **squalène époxydase** catalyse l'oxydation du squalène pour former le **2,3-oxydosqualène** (Fig. 25-53). L'**oxydosqualène cyclase** (**lanostérol synthase**) transforme cet époxyde en **lanostérol**, le stérol précurseur du cholestérol. La réaction est complexe, impliquant la cyclisation du 2,3-oxydosqualène en un cation **protostérol**, via un mécanisme de classe II impliquant la protonation de

Squalène + O$_2$ → (NADPH → NADP$^+$, squalène époxydase) → **2,3-Oxydosqualène** + H$_2$O

FIGURE 25-53 Réaction de la squalène époxydase.

l'époxyde, puis le réarrangement de ce cation en lanostérol par une série de déplacements d'1,2-hydrure et de méthyle (Fig. 25-54).

Les interactions de l'oxydosqualène avec la lanostérol synthase le replient et le font réagir de sorte qu'il ne puisse former que du lanostérol. On pense que plusieurs résidus aromatiques bordent le site actif où ils peuvent stabiliser des carbocations intermédiaires. La structure du site actif protège probablement les intermédiaires cationiques d'une atténuation (« quenching ») prématurée par des nucléophiles de l'enzyme ou par l'eau. L'importance d'une disposition adéquate des résidus pour la formation du produit attendu a été démontrée par mutagenèse dirigée. La transformation en Tyr de Thr 384 de la lanostérol synthase fait que la double liaison C8=C9 est mal placée, 11 % des molécules produites ayant une double liaison C9=C11 et 10 % un groupement 9-OH ; la double mutation T384Y/V451I donne une double liaison C9=C11 dans 64 % des cas. Ceci explique en partie comment différentes enzymes peuvent former différents produits à partir de squalène et d'oxydosqualène.

La structure par rayons X de l'oxydosqualène cyclase n'a pas été déterminée. Cependant, Georg Schulz a déterminé celle de l'enzyme apparentée **squalène-hopène cyclase** de *Alicyclobacillus acidocaldérius*, qui catalyse la transformation de squalène en **hopène**

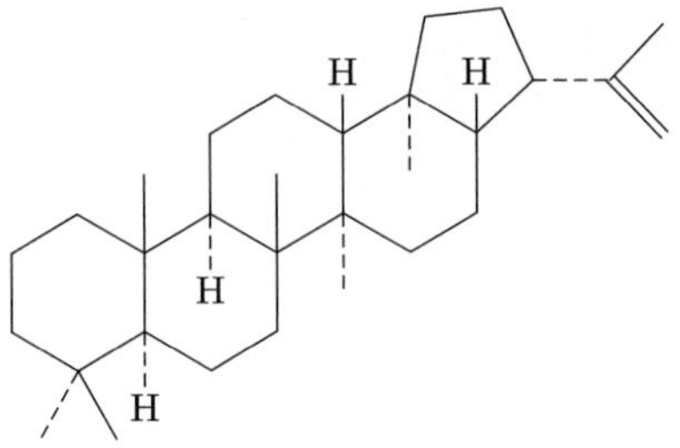

2,3-Oxidosqualène

Cation protostérol

Lanostérol

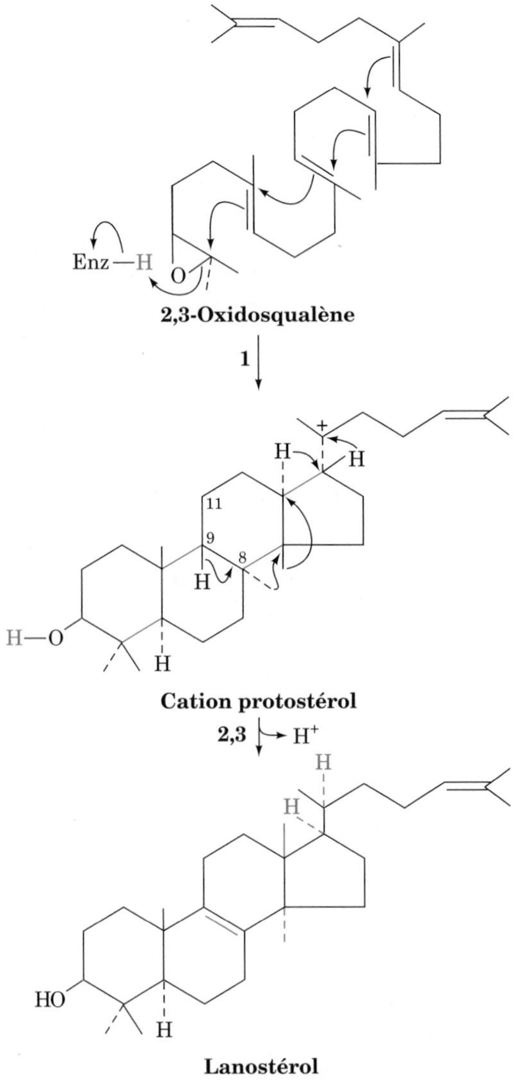

FIGURE 25-54 Réaction de la squalène oxydocyclase. (1) Le 2,3-oxydosqualène est cyclisé en cation protostérol selon un processus qui débute par la protonation enzymatique de l'oxygène de l'époxyde de squalène pendant que cette molécule en extension est cyclisée selon le schéma prévu par Bloch et Woodward. L'ouverture de l'époxyde laisse un centre déficient en électron dont la migration entraîne la série de cyclisation qui forme le cation protostérol. **(2)** Une série de migrations de méthyles et d'hydrures donnerait un intermédiaire carbocation sur le C8, ce qui élimine un proton du C9 du stérol pour former la double liaison C8=C9 du lanostérol.

Hopène

via une cascade de cyclisation cationique semblable à celle catalysée par l'oxydosqualène cyclase (bien qu'amorcée par protonation d'une double liaison C=C plutôt qu'un époxyde). Chaque sous-unité (631 résidus) de cette protéine monotopique (intrinsèque, mais pas transmembranaire) homodimérique comporte deux domaines de structure semblable appelés **tonneaux** α/α (Fig. 25-55*a*). Un tonneau α/α est constitué de deux tonneaux concentriques de six hélices chacun, les hélices du tonneau interne étant parallèles l'une à l'autre et antiparallèles à celles du tonneau externe (un peu comme dans un tonneau α/β dont les segments β du tonneau seraient remplacés par des hélices, mais avec 6 unités α/α plutôt que 8 unités α/β). Le site actif de cette sous-unité en forme d'haltère est situé à l'intérieur d'une cavité centrale remarquablement vaste (Fig. 25-55*b*) qui probablement replie le squalène de manière à ce qu'il ne puisse donner que du hopène. Cette cavité est bordée de plusieurs chaînes latérales de résidus aromatiques conservés dont la position stabiliserait les carbocations intermédiaires de la réaction catalysée. La réaction implique une cascade cationique semblable à celle de l'étape I de l'oxydosqualène cyclase (Fig. 25-54). Cette cascade est amorcée par un résidu acide de l'enzyme, probablement Asp 376 au sommet de la cavité, et désamorcée par une base, vraisemblablement une molécule d'eau fixée à Tyr 495 au fond de la cavité. Celle-ci est accessible à partir de la membrane via un canal non polaire passant par la partie de l'enzyme immergée dans la membrane.

Domaine 1

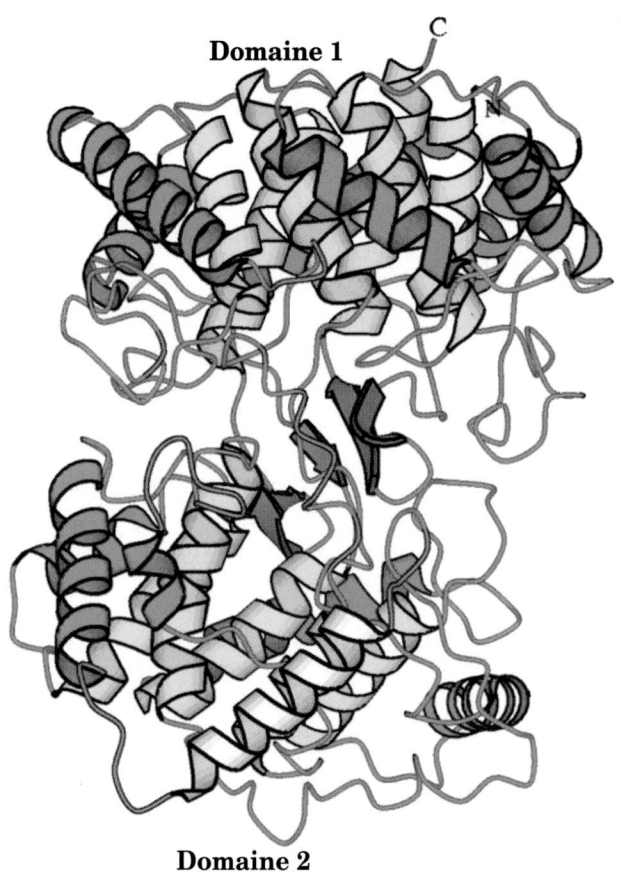

Domaine 2

(a)

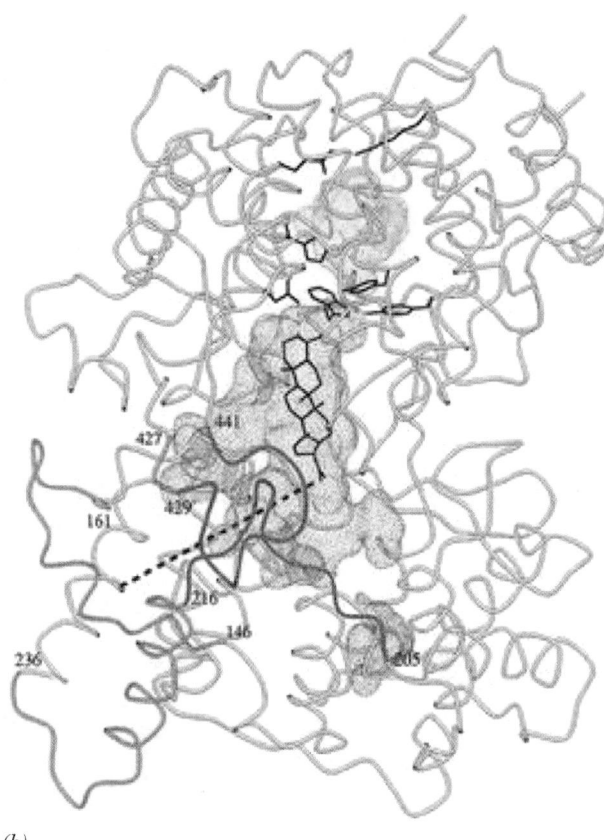

(b)

FIGURE 25-55 Structure par rayons X de la squalène-hopène cyclase de *A. acidocaldérius*. (*a*) Une des sous-unités de la protéine homodimérique. Les hélices internes de ses deux tonneaux α/α sont en jaune, ses hélices externes en rouge, les segments β en vert, et la partie non polaire qui plonge dans la membrane en blanc. (*b*) Profil C$_\alpha$ de la sous-unité vue comme dans la Partie *a* avec sa région fixée à la membrane en jaune. Les trois cavités les plus vastes de la protéine sont montrées, avec celle du site actif en bleu, la supérieure en rouge, et l'inférieure en vert. Le hopène, représenté en bâtonnets, a été modélisé dans la cavité du site actif. Le canal qui relie celle-ci à la membrane est indiqué par la ligne en pointillés. [Avec la permission de Georg Schulz, Institut für Organische Chemie und Biochemie, Freiburg im Breisgau, Allemagne. PDBid (*a*) 1SQC et (*b*) 2SQC.]

e. Le cholestérol est synthétisé à partir de lanostérol

La transformation de lanostérol en cholestérol (Fig. 25-56) est un processus en 19 étapes que nous n'étudierons pas en détail. Il implique l'oxydation puis la perte de trois groupements méthyle. Le premier groupement méthyle est enlevé sous forme de formiate et les deux autres sont éliminés sous forme de CO_2, au cours de réactions qui demandent toutes du NADPH et de l'O_2. Les enzymes qui assurent ces réactions sont enfouies dans la membrane du RE.

f. Le cholestérol est transporté par le sang et capté par les cellules sous forme de complexes lipoprotéiques

Le transport et l'entrée du cholestérol dans les cellules sont décrits dans la Section 12-5. Pour récapituler, le cholestérol synthétisé par le foie est soit transformé en sels biliaires utilisés dans le processus de la digestion (Section 25-1), soit estérifié par l'**acyl-CoA:cholestérol acyl transférase (ACAT)** pour former des **esters de cholestérol**

Ester de cholestérol

qui passent dans le courant sanguin en tant que constituant des **lipoprotéines à très faible densité (VLDL pour very low density lipoproteins).** Pendant que les VLDL circulent (dans le sang), leurs triacylglycérols et la majorité de leurs **apolipoprotéines** (Tableau 12-6) en sont enlevés dans les capillaires des muscles et du tissu adipeux, transformant progressivement les VLDL en **lipoprotéines de densité intermédiaire (IDL: inter-**

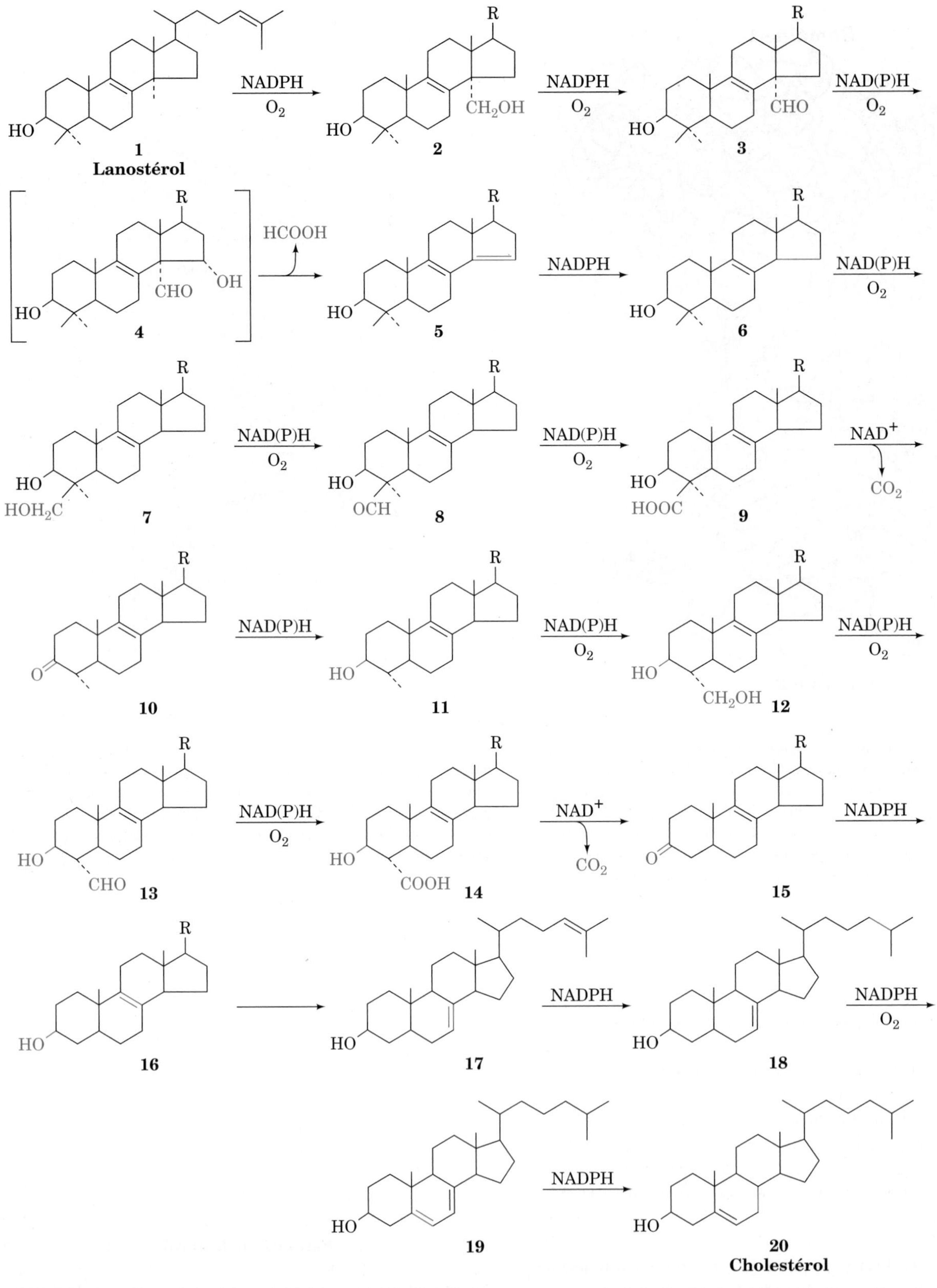

FIGURE 25-56 Les 19 réactions de transformation du lanostérol en cholestérol. [D'après Rilling, H.C. and Chayet, L.T., *dans* Danielsson, H. and Sjövall, J. (Eds), *Sterols and Bile Acids,* p. 33, Elsevier (1985), comme modifié par Bae, S-H. and Paik, Y-K., *Biochem. J.* **326,** 609-616 (1997).]

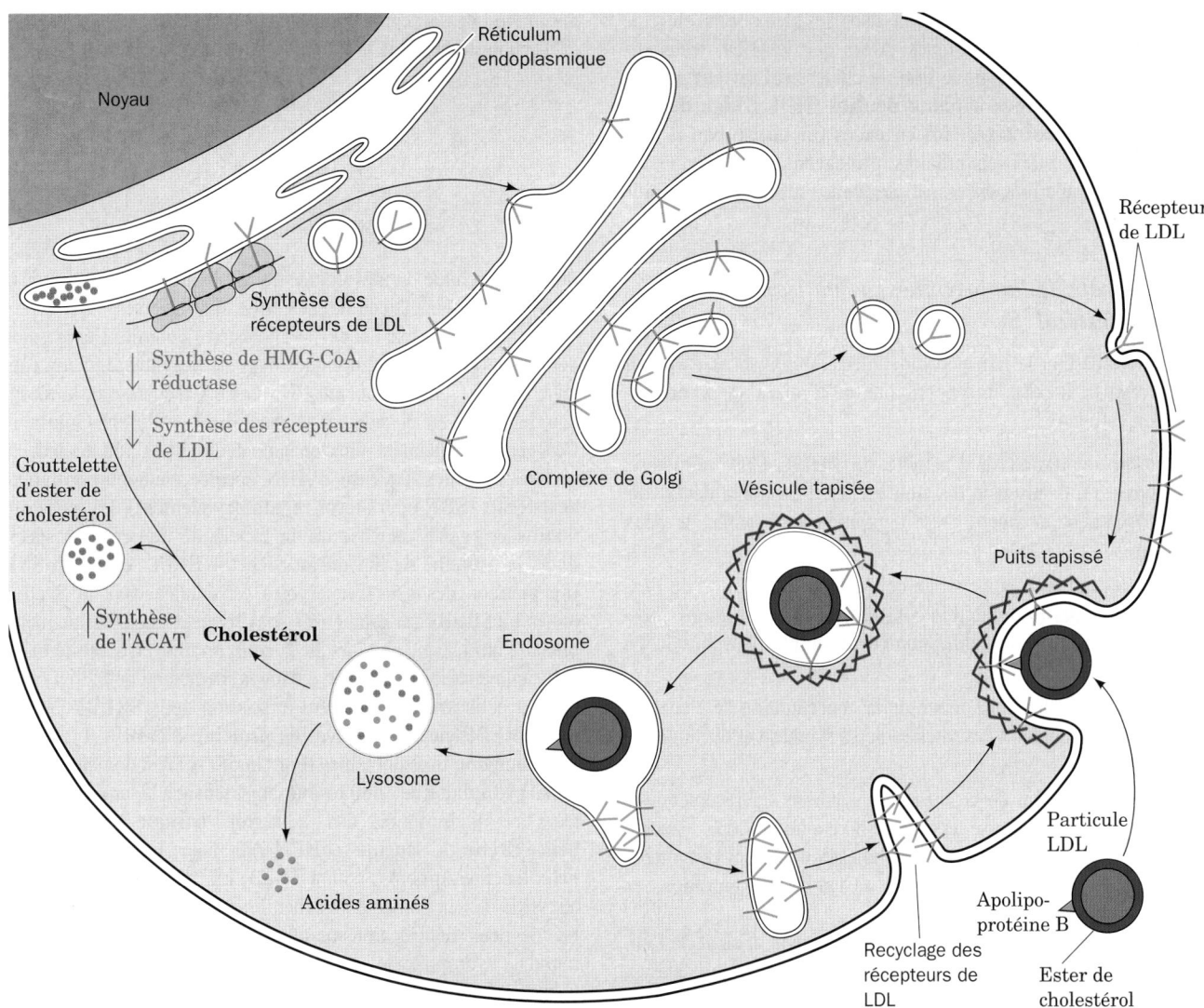

FIGURE 25-57 Endocytose par récepteurs de LDL dans les cellules de mammifère. Le récepteur de LDL est synthétisé sur le réticulum endoplasmique, apprêté dans le complexe de Golgi, et inséré dans la membrane plasmique comme constituant des puits tapissés. La LDL est spécifiquement liée au récepteur dans le puits tapissé et entraînée dans la cellule via des endosomes qui livrent la LDL aux lysosomes tandis que le récepteur de LDL est recyclé à la membrane plasmique (Section 12-5B).

La dégradation lysosomiale des LDL libère le cholestérol, dont la présence diminue la vitesse de synthèse de l'HMG-CoA réductase et des récepteurs de LDL (*flèches dirigées vers le bas*), et augmente celle de l'acyl-CoA :cholestérol acyltransférase (ACAT ; *flèche vers le haut*). [D'après Brown, M.S. and Goldstein, J.L., *Curr. Top. Cell. Reg.* **26**, 7 (1985).]

mediate density lipoproteins), puis en **lipoprotéines de faible densité (LDL : low density lipoproteins)**. Normalement, les tissus périphériques obtiennent l'essentiel de leur cholestérol exogène des LDL par endocytose à récepteur (Fig. 25-57 ; Section 12-5B). À l'intérieur de la cellule, les esters de cholestérol sont hydrolysés par une lipase lysosomiale en cholestérol libre, qui est soit incorporé dans les membranes cellulaires, soit réestérifié par l'ACAT pour être stocké sous forme de gouttelettes d'ester de cholestérol.

Le cholestérol, les esters de cholestérol et les triacylglycérols alimentaires sont transportés dans le sang par des complexes lipoprotéiques synthétisés dans l'intestin, appelés **chylomicrons**.

Après départ de leurs triacylglycérols au niveau des tissus périphériques, les **résidus de chylomicrons** se lient à des récepteurs spécifiques de la cellule hépatique pour être captés par endocytose à récepteur de manière identique à celle des LDL. Dans le foie, le cholestérol alimentaire est soit utilisé pour la biosynthèse des sels biliaires (Section 25-6C), soit enpaqueté dans les VLDL pour être exporté. *Le foie et les tissus périphériques ont donc deux possibilités pour s'approvisionner en cholestérol : soit ils le synthétisent à partir d'acétyl-CoA par la voie de novo que nous venons d'expliquer, soit ils l'obtiennent du sang par endocytose à récepteur.* Une faible quantité de cholestérol entre aussi dans les cellules par une voie sans récepteur.

Le cholestérol circule en fait dans les deux sens entre le foie et les tissus périphériques. Alors que les LDL transportent le cholestérol depuis le foie, le cholestérol revient au foie par les **lipoprotéines à haute densité (HDL : high-density lipoproteins).** Le cholestérol en excès est utilisé par le foie pour synthétiser des sels biliaires, protégeant ainsi l'organisme d'une accumulation excessive de cette substance insoluble dans l'eau.

B. *Contrôle de la biosynthèse et du transport du cholestérol*

La biosynthèse et le transport du cholestérol doivent être étroitement régulés. Il existe trois possibilités de réguler l'apport en cholestérol cellulaire :

1. Par régulation de l'activité de l'HMG-CoA réductase, l'enzyme qui catalyse la réaction à vitesse limitante de la voie de biosynthèse *de novo*. Cette régulation est assurée de deux manières :

(**i**) Régulation à court terme de l'activité catalytique de l'enzyme par (a) inhibition compétitive, (b) interactions allostériques et (c) modification covalente par phosphorylation réversible.

(**ii**) Régulation à long terme de la concentration de l'enzyme par modulation des vitesses de sa synthèse et de sa dégradation.

2. Par régulation de la vitesse de synthèse des récepteurs de LDL et donc de la vitesse de captage du cholestérol. Des concentrations intracellulaires élevées en cholestérol arrêtent la synthèse des récepteurs de LDL, tandis que de faibles concentrations en cholestérol la stimulent.

3. Par régulation de la vitesse d'estérification et ainsi de l'élimination de cholestérol libre. L'ACAT, l'enzyme qui catalyse l'estérification intracellulaire du cholestérol, est régulée par phosphorylation réversible et par contrôle à long terme.

a. L'HMG-CoA réductase est le site de contrôle principal de la biosynthèse du cholestérol

L'HMG-CoA réductase catalyse la réaction à vitesse limitante de la biosynthèse du cholestérol et, comme on pouvait le prévoir, elle constitue le site de régulation principal de la voie. Cependant, la voie diverge après cette réaction (Fig. 25-43) ; l'ubiquinone, le dolichol, les protéines farnésylées et géranylgéranylées, et l'isopentényl adénosine sont également indispensables quoique à un moindre degré. L'HMG-CoA réductase fait donc l'objet de contrôles multiples, à long terme et à court terme, afin de coordonner la synthèse de tous ces produits.

b. La régulation de l'HMG-CoA réductase par rétrocontrôle à long terme est le moyen de contrôle principal

Le principal mode de contrôle de l'HMG-CoA réductase est le rétrocontrôle à long terme de la quantité d'enzyme présente dans la cellule. Quand les concentrations de cholestérol dans les LDL ou de mévalonate chutent, la quantité d'HMG-CoA réductase intracellulaire peut être multipliée jusqu'à 200 fois, suite à une augmentation de la synthèse de l'enzyme accompagnée d'une

diminution de sa dégradation. Quand on rajoute aux cellules des LDL-cholestérol ou de la **mévalonolactone**

Mévalonolactone

(un ester cyclique du mévalonate qui est hydrolysé en mévalonate et métabolisé dans la cellule) ces effets sont inversés.

Le mécanisme par lequel le cholestérol contrôle l'expression des gènes (plus de 20) impliqués dans sa biosynthèse et son captage, comme ceux qui codent l'HMG-CoA réductase et le récepteur de LDL, a été élucidé par Michael Brown et Joseph Goldstein. Ces gènes contiennent tous en amont du site d'initiation de la transcription une séquence d'ADN appelée **élément régulateur des stérols (SRE** pour **sterol regulatory element).** La transcription de ces gènes suppose qu'un facteur de transcription spécifique, la **protéine de liaison au SRE (SREBP), se fixe au SRE** (l'expression des gènes eucaryotes est étudiée dans la Section 34-3). La SREBP est synthétisée sous forme d'une protéine membranaire intrinsèque qui, lorsque la concentration en cholestérol est suffisamment élevée, se trouve dans la membrane de RE en complexe avec la **protéine activant la scission de la SREBP (SCAP** pour **SREBP cleavage-activating protein).** SREBP (~1160 résidus) comporte trois domaines (Fig. 25-58) : (1) un domaine N-terminal cytosolique de ~480 résidus appartenant à la famille des facteurs de transcription dits à **région basique-hélice-boucle-hélice/tirette à leucine (bHLH/Zip** pour **basic helix-loop-helix/leucine zipper)** (Section 34-3B) qui se fixe spécifiquement aux SRE ; (2) un domaine transmembranaire de ~90 résidus constitué de deux hélices transmembranaires reliées par une boucle luminale hydrophile de ~30 résidus ; et (3) un domaine régulateur C-terminal cytosolique de ~590 résidus. SCAP (1276 résidus) comporte deux domaines (Fig. 25-58) : (1) un domaine N-terminal de 730 résidus contenant huit hélices transmembranaires ; et (2) un domaine C-terminal cytosolique de 546 résidus contenant cinq copies du motif d'interactions protéine-protéine appelé **WD repeat** (ou encore motif de séquence WD40 car sa longueur est de ~40 résidus ; Section 19-2C) et qui forme probablement un propulseur β à 5 pales semblable au propulseur β à 7 pales de la sous-unité G_β (Fig. 19-18*b*). SCAP et SREBP s'associent par interaction du domaine régulateur de SCAP avec le domaine WD de SREBP (Fig. 25-58).

SCAP joue le rôle de détecteur de stérols. Un segment de ~170 résidus de son domaine transmembranaire, le **domaine détecteur de stérols,** interagit avec les stérols par un mécanisme inconnu. Lorsque le cholestérol vient à manquer dans la membrane du RE, SCAP change de conformation et escorte la SREBP qui lui est associée, vers l'appareil de Golgi via des vésicules membraneuses (Sections 12-4C et 12-4D). Dans le Golgi, SREBP subit deux clivages successifs sous l'action de deux protéases membranaires (Fig. 25-58), La **protéase du site 1 (S1P),** protéase à sérine de la famille de la subtilisine, coupe SREBP dans la boucle luminale qui relie ses deux hélices transmembranaires, mais ce uniquement si cette dernière est associée à SCAP. Cette scission expose une liaison peptidique, située à trois résidus du début de l'hélice transmembranaire N-terminale de

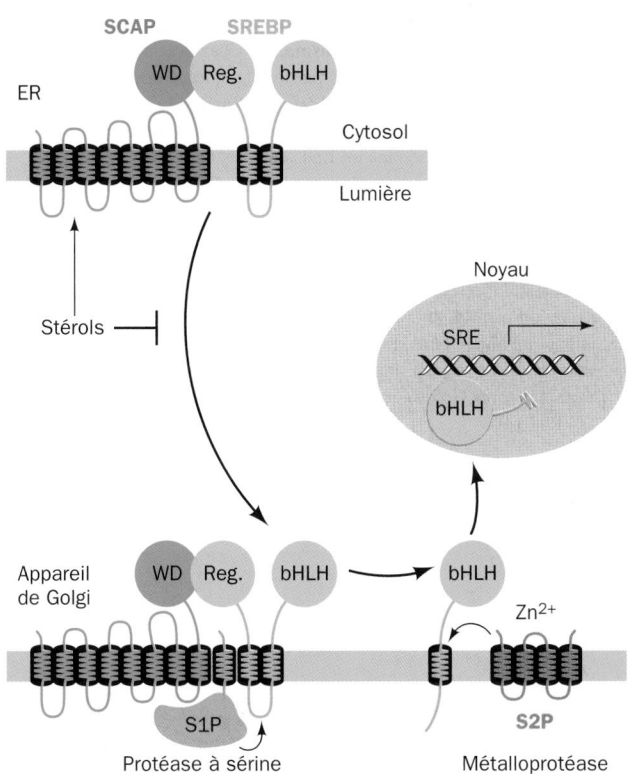

FIGURE 25-58 Modèle de l'activation protéolytique de la SREBP sous l'influence du cholestérol. Lorsque la concentration cellulaire en cholestérol est élevée, le complexe SREBP-SCAP se trouve dans le RE. Lorsque la concentration en cholestérol est basse, SCAP transporte SREBP, via des vésicules membraneuses, vers l'appareil de Golgi où SREBP subit deux clivages protéolytiques successifs sous l'action des deux protéases membranaires S1P et S2P. Ceci libère le domaine N-terminal de SREBP, contenant le motif bHLH/Zip, qui migre dans le noyau où il se fixe aux SRE de ses gènes cibles dont il induit la transcription. [D'après Goldstein, J., Rawson, R.B., and Brown, M., *Arch. Biochem. Biophys.* **397**, 139 (2002).]

SREBP, à l'attaque par la **protéase du site 2 (S2P)**, une métalloprotéase à zinc. Ceci libère le domaine bHLH/Zip qui migre alors vers le noyau où il stimule la transcription de ses gènes cibles. En conséquence, le niveau de cholestérol augmente jusqu'à ce que SCAP cesse d'induire la translocation de SREBP dans le Golgi, exemple classique de rétro-inhibition.

Cette voie régulatrice complexe fut élucidée en partie par l'étude de lignées de souris transgéniques qui surexpriment l'une ou l'autre des protéines mentionnées ci-dessus, et de souris knockout qui en sont dépourvues. Par exemple, des souris dont le foie n'exprime pas SCAP ou S1P expriment moins d'HMG-CoA réductase et de récepteurs de LDL, même sous alimentation sans cholestérol. Ces protéines sont au contraire surexprimées chez des souris qui surexpriment SREBP ou SCAP. En fait, les animaux surexprimant uniquement le domaine bHLH/Zip de SREBP présentent un énorme foie (jusqu'à 4 fois le volume normal) en raison d'une accumulation de triacylglycérols et d'esters de cholestérol, tout en continuant à transcrire les gènes cibles de SREBP, dont les ARNm montent à des niveaux 75 fois supérieurs à la normale. De nombreux patients obèses ou diabétiques en raison d'une résistance à l'insuline (diabète de type II ; Section 27-4B) ont un foie surchargé de lipides, ce qui peut conduire à l'insuffisance hépatique. Cette situation résulterait d'une élévation du niveau d'insuline et donc de celui de SREBP.

c. La régulation de l'HMG-CoA réductase par modification covalente permet à la cellule de conserver son énergie

L'HMG-CoA réductase existe sous des formes plus ou moins actives intercovertibles, comme c'est le cas de la glycogène phosphorylase (Section 18-3C), la glycogène synthase (Section 18-3D), la pyruvate déshydrogénase (Section 21-2C), et l'acétyl-CoA carboxylase (Section 25-4B) parmi d'autres. La forme non modifiée de l'HMG-CoA réductase est plus active ; la forme phosphorylée est moins active. L'HMG-CoA réductase est phosphorylée (inactivée) sur sa Ser 871 suite à une cascade bicyclique sous la dépendance de l'enzyme modifiable par covalence, la protéine-kinase AMP-dépendante (AMPK) qui, comme nous l'avons vu dans la Section 25-4B, agit aussi sur l'acétyl-CoA carboxylase [dans ce contexte, cette enzyme fut d'abord appelée **HMG-CoA réductase kinase (RK)**, jusqu'à ce qu'on découvre que cette enzyme est identique à l'AMPK]. Il semble que ce contrôle a pour but de conserver l'énergie quand le taux d'ATP diminue et que celui d'AMP augmente, en inhibant les voies de biosynthèse. Cette hypothèse a été vérifiée par Brown et Goldstein qui, par les techniques de génie génétique, ont obtenu des cellules de hamster avec une HMG-CoA réductase mutante où Ala remplace Ser 871 ce qui la rend incontrôlable par phosphorylation. Ces cellules répondent normalement à la régulation par rétrocontrôle de la biosynthèse du cholestérol par les LDL-cholestérol et le mévalonate mais, contrairement aux cellules normales, la synthèse de cholestérol dans ces cellules n'est pas diminuée après épuisement de l'ATP, ce qui confirme que le contrôle de l'HMG-CoA réductase par phosphorylation est impliqué dans la conservation de l'énergie.

d. L'activité des récepteurs de LDL contrôle l'homéostasie du cholestérol

Les récepteurs de LDL jouent un rôle important dans le maintien des taux de LDL-cholestérol du plasma. Chez des individus normaux, environ la moitié des IDL formées à partir de VLDL reviennent dans le foie par endocytose à récepteur de LDL (les

(a) **Normal**

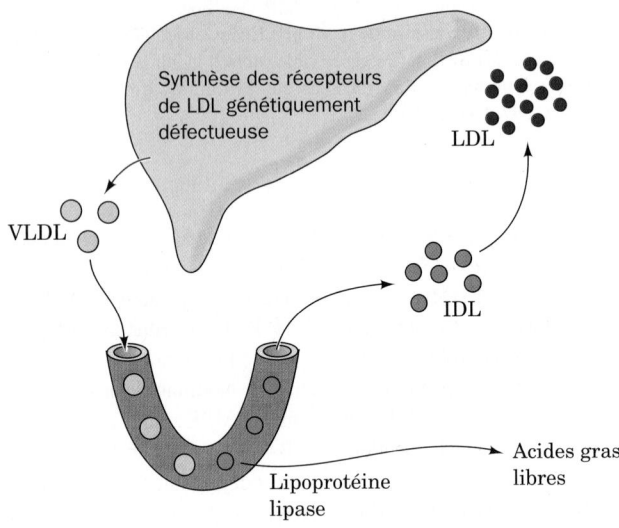

(b) **Hypercholestérolémie familiale**

(c) **Régime riche en cholestérol**

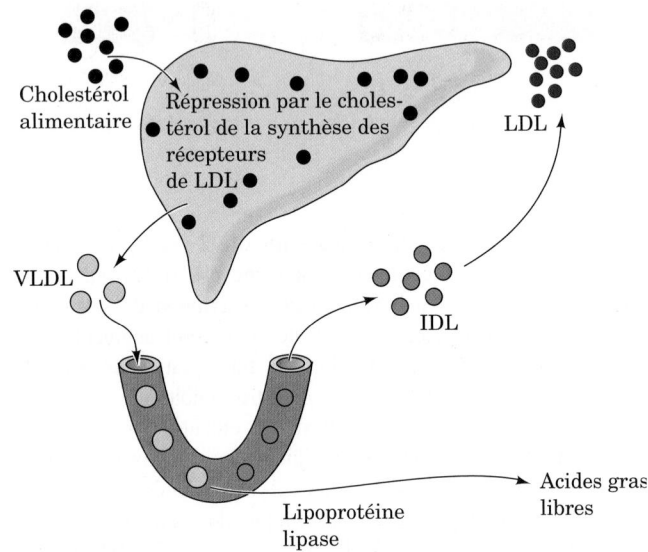

FIGURE 25-59 Les récepteurs de LDL du foie contrôlent la formation et le captage des LDL du plasma. *(a)* Chez des sujets humains normaux, les VLDL sont sécrétées par le foie et transformées en IDL dans les capillaires des tissus périphériques. Environ la moitié des particules IDL du plasma se lient au récepteur de LDL et sont captées par le foie. Le restant est transformé en LDL dans les tissus périphériques. *(b)* Chez les individus atteints d'hypercholestérolémie familiale (FH), les récepteurs de LDL du foie sont peu nombreux ou absents en raison d'une déficience génétique. *(c)* Chez les individus normaux qui s'alimentent régulièrement avec un régime riche en cholestérol, le foie est surchargé de cholestérol qui réprime la vitesse de synthèse des récepteurs de LDL. La diminution du nombre de récepteurs, qu'elle soit d'origine génétique ou alimentaire, augmente le taux de LDL plasmatiques en augmentant la vitesse de leur production et en diminuant la vitesse de leur captage. [D'après Goldstein, J.L. and Brown, M.S., *J. Lipid Res.* **25**, 1457 (1984).]

IDL et les LDL contiennent toutes les deux des apolipoprotéines qui se lient spécifiquement au récepteur de LDL ; Section 12-5B). Les IDL restantes sont transformées en LDL (Fig. 25-59*a*). *La concentration en LDL dans le sérum dépend par conséquent de la vitesse à laquelle le foie enlève les IDL de la circulation qui, à son tour, dépend du nombre de récepteurs de LDL fonctionnels à la surface des cellules du foie.*

Un taux de cholestérol élevé dans le sang (une **hypercholestérolémie**) dû à une surproduction et/ou à une sous-utilisation des LDL, est le résultat de deux irrégularités métaboliques : (1) la maladie génétique **hypercholestérolémie familiale (FH)**, ou (2) une alimentation très riche en cholestérol. La FH est est une anomalie génétique dominante due à une déficience en récepteurs de LDL fonctionnels (Section 12-5C). Les homozygotes porteurs de cette anomalie n'ont pas de récepteurs de LDL fonctionnels, ce qui rend leurs cellules incapables de capter les IDL ou les LDL par endocytose à récepteur. L'augmentation d'IDL dans le sang entraîne une augmentation correspondante de LDL qui ne

peuvent être utilisées puisqu'elles ne peuvent être captées par les cellules (Fig. 25-59*b*). Les homozygotes FH ont par conséquent des taux de LDL-cholestérol trois à cinq fois supérieurs à la normale. Les hétérozygotes FH, qui sont beaucoup plus courants, ont environ la moitié du nombre normal de récepteurs de LDL fonctionnels et un taux de LDL-cholestérol environ double de la moyenne.

Une nourriture riche en cholestérol produit à la longue des effets analogues à ceux de la FH, quoique moins graves (Fig. 25-59c). Le cholestérol alimentaire en excès entre dans les cellules hépatiques dans les résidus de chylomicrons et réprime la biosynthèse des récepteurs de LDL. Le nombre insuffisant de récepteurs de LDL à la surface des cellules hépatiques a des conséquences identiques à celles de la FH.

Une déficience en récepteurs de LDL, qu'elle soit d'origine génétique ou alimentaire, augmente le taux de LDL par deux mécanismes : (1) production accrue de LDL due à une diminution du captage des IDL ; et (2) captage diminué des LDL. Deux stratégies sont utilisées chez l'homme (en plus d'un régime alimentaire pauvre en cholestérol) pour inverser ces conditions :

1. *Ingestion de résines échangeuses d'anions (Section 6-3A) qui fixent les sels biliaires, empêchant ainsi leur absorption intestinale* (les résines sont insolubles dans l'eau). Les sels biliaires, qui sont dérivés du cholestérol, sont normalement recyclés efficacement par le foie (Section 25-6C). L'élimination dans les fèces des sels biliaires liés aux résines oblige le foie à transformer davantage de cholestérol en sels biliaires que normalement. La diminution de la concentration en cholestérol dans le sérum qui s'ensuit induit la synthèse de récepteurs de LDL (naturellement, pas chez les homozygotes FH). Malheureusement, la diminution du taux de cholestérol dans le sérum induit aussi la synthèse de l'HMG-CoA réductase, ce qui augmente la vitesse de synthèse de cholestérol. L'ingestion de résines fixant les sels biliaires, comme la **cholestyramine,** ne permet, par conséquent, qu'une diminution du taux de cholestérol sérique de l'ordre de 15 à 20 %.

2. *Traitement avec des inhibiteurs compétitifs de l'HMG-CoA réductase.* Ceux-ci comprennent (Fig. 25-60) la **lovastatine** (appelée aussi **mévinoline**), la **pravastatine** et la **simvastatine**, produits par des champignons, ainsi que l'inhibiteur synthétique **atorvastatine** (un des médicaments les plus prescrits aux États-Unis), composés appelés collectivement **statines**. La diminution de cho-

lestérol intracellulaire provoquée par les statines entraîne à nouveau l'induction de la synthèse des récepteurs de LDL et de l'HMG-CoA réductase, cette enzyme remontant alors à son niveau pré-existant. Cependant, l'augmentation du nombre des récepteurs de LDL augmente le retrait de LDL et d'IDL (précurseurs à apo-B des LDL), ce qui diminue sensiblement les niveaux de LDL dans le sérum. Les hétérozygotes FH traités par l'atorvastatine ont un taux de cholestérol sérique diminué de 40 à 50 %.

De plus, l'utilisation combinée de ces agents entraîne une diminution du taux de cholestérol sérique de 50 à 60 %.

e. La surexpression des récepteurs de LDL prévient l'hypercholestérolémie d'origine alimentaire

Des expériences prometteuses sont en cours pour le traitement de personnes hypercholestérolémiques par **thérapie génique** (Section 5-5H). Une lignée de souris transgéniques qui surproduisent le gène du récepteur de LDL humain a été obtenue. Quand ces animaux transgéniques reçoivent un régime riche en cholestérol, graisses et sels biliaires, il n'y a pas d'augmentation décelable de leurs LDL plasmatiques. Par contre, des souris normales recevant le même régime ont une augmentation importante de leurs LDL plasmatiques. Manifestement, la surexpression non régulée des récepteurs de LDL peut empêcher l'hypercholestérolémie d'origine alimentaire, du moins chez la souris.

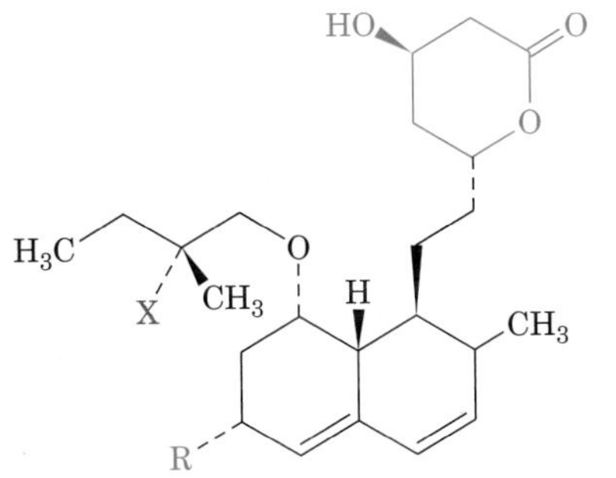

X = H   R = CH₃   **Lovastatine**
X = H   R = OH   **Pravastatine**
X = CH₃   R = CH₃   **Simvastatine**

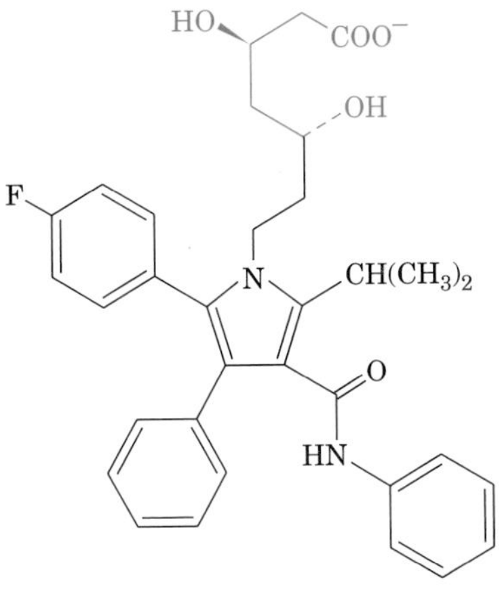

Atorvastatine

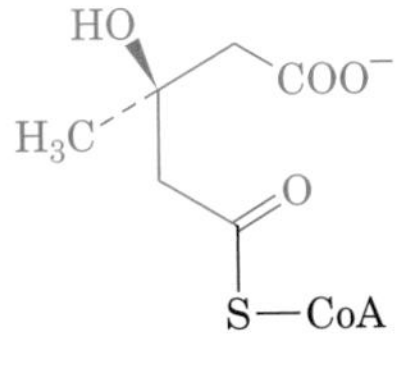

HMG-CoA

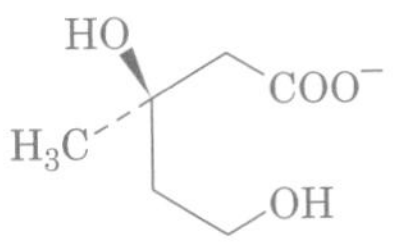

Mévalonate

FIGURE 25-60 Inhibiteurs compétitifs de l'HMG-CoA réductase utilisés dans le traitement de l'hypercholestérolémie. Formules moléculaires de la lovastatine, la pravastatine, la simvastatine et l'atorvastatine, puissants inhibiteurs compétitifs de l'HMG-CoA réductase. Les structures de l'HMG-CoA et du mévalonate sont données à titre de comparaison. Noter que la lovastatine, la pravastatine et la simvastatine sont des lactones, alors que l'atorvastatine et le mévalonate sont des hydroxy-acides. Les lactones sont hydrolysées enzymatiquement *in vivo* en leur forme active hydroxyacide.

C. *Utilisation du cholestérol*

Le cholestérol est le précurseur des hormones stéroïdes et des sels biliaires. Les hormones stéroïdes sont classées en cinq catégories : **progestines, glucocorticoïdes, minéralocorticoïdes, androgènes** et **œstrogènes**. Ces hormones, comme décrit dans la Section 19-1G, interviennent dans un grand nombre de fonctions physiologiques vitales. Elles contiennent toutes les quatre cycles du noyau stérol et ont des structures remarquablement similaires, étant donné les différences considérables de leurs propriétés physiologiques. Un schéma de biosynthèse simplifié (Fig. 25-61) indique leurs analogies et différences structurales. Nous n'étudierons pas les détails de ces voies.

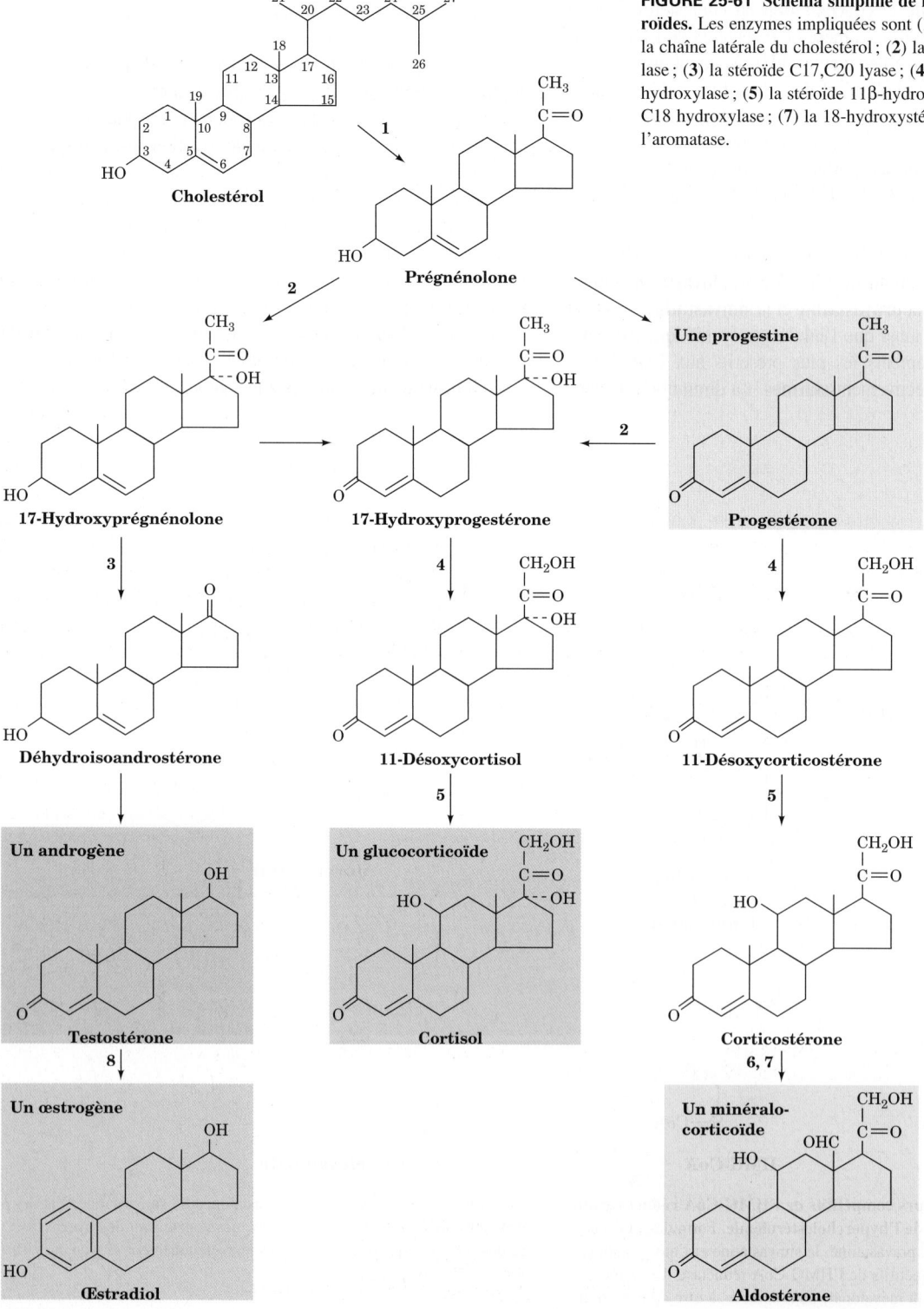

FIGURE 25-61 Schéma simplifié de la biosynthèse des stéroïdes. Les enzymes impliquées sont (**1**) l'enzyme de clivage de la chaîne latérale du cholestérol ; (**2**) la stéroïde C17 hydroxylase ; (**3**) la stéroïde C17,C20 lyase ; (**4**) la stéroïde C21 hydroxylase ; (**5**) la stéroïde 11β-hydroxylase ; (**6**) la stéroïde C18 hydroxylase ; (**7**) la 18-hydroxystéroïde oxydase ; et (**8**) l'aromatase.

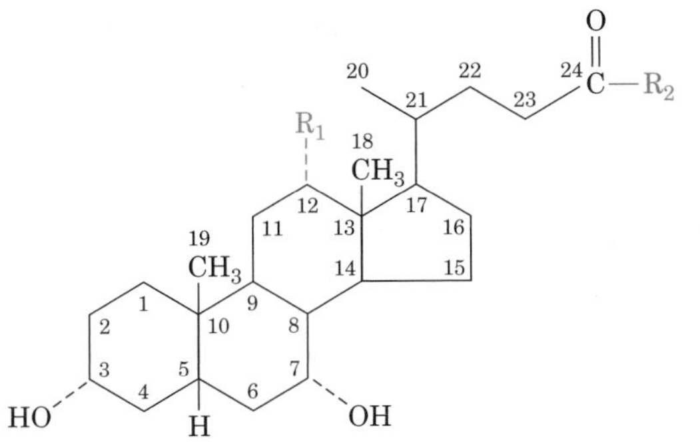

	$R_1 = OH$	$R_1 = H$
$R_2 = OH$	**Acide cholique**	**Acide chènodésoxycholique**
$R_2 = NH—CH_2—COOH$	**Acide glycocholique**	**Acide glycochènodésoxycholique**
$R_2 = NH—CH_2—CH_2—SO_3H$	**Acide taurocholique**	**Acide taurochènodésoxycholique**

FIGURE 25-62 Structures des principaux acides biliaires et de leurs formes conjuguées avec la glycine et la taurine.

*La voie d'excrétion la plus importante du cholestérol chez les mammifères est la formation des sels biliaires (bases conjuguées des **acides biliaires**).* Les principaux sels biliaires, le **cholate** et le **chénodésoxycholate**, sont synthétisés dans le foie et sont sécrétés sous forme conjuguée avec la glycine ou la **taurine** (Fig. 25-62) dans la vésicule biliaire. Ils sont sécrétés ensuite dans l'intestin grêle, où ils servent d'agents émulsifiants pour la digestion et l'absorption des lipides et des vitamines liposolubles (Section 25-1). Un système de recyclage efficace permet aux sels biliaires de regagner la circulation sanguine et de retourner au foie pour être réutilisés plusieurs fois par jour. Moins de 1 g de sels biliaires par jour échappent à ce recyclage et sont métabolisés par la flore du gros intestin puis excrétés. *C'est la seule voie d'excrétion du cholestérol de l'organisme.*

La comparaison des structures du cholestérol et des acides biliaires (Fig. 25-41 et 25-62) montre que la biosynthèse des acides biliaires à partir de cholestérol implique (1) la saturation de la double liaison 5,6, (2) l'épimérisation du groupement 3β-OH, (3) l'introduction de groupements OH en 7α et 12α, (4) l'oxydation de C24 en acide carboxylique, et (5) la conjugaison de cette chaîne latérale carboxylique avec la glycine ou la taurine. La **cholestérol 7-α-hydroxylase** catalyse la première réaction, à vitesse limitante, de la synthèse des acides biliaires et est étroitement régulée.

7 ■ MÉTABOLISME DES EICOSANOÏDES : PROSTAGLANDINES, PROSTACYCLINES, THROMBOXANES, LEUCOTRIENÈS ET LIPOXINES

Les **prostaglandines (PG)** ont été trouvées pour la première fois dans le sperme humain par Ulf von Euler au début des années 1930 grâce à leurs propriétés de stimuler les contractions utérines et d'abaisser la pression artérielle. Von Euler pensa que ces substances provenaient de la prostate (d'où leur nom) mais on montra plus tard qu'elles étaient synthétisées dans les vésicules séminales. Lorsque cette erreur fut découverte, le nom était bien enraciné. Au milieu des années 1950, ces composés furent obtenus sous forme cristallisée à partir de différents liquides biologiques et appelés PGE (soluble dans l'éther) et PGF (soluble dans un tampon phosphate ; *fosfat* en suédois). Ce fut le départ d'une explosion de travaux sur ces substances puissantes.

Presque toutes les cellules de mammifère sauf les globules rouges produisent des prostaglandines et des composés proches : **prostacyclines, thromboxanes**, **leucotriènes** et **lipoxines** (appelées collectivement **eicosanoïdes** car ce sont tous des composés en C_{20} ; du grec eikosi, vingt). Les eicosanoïdes, comme les hormones, jouent des rôles physiologiques importants à très faibles concentrations. Par exemple, ils interviennent dans : (1) la réponse inflammatoire, notamment au niveau des articulations (arthrite rhumatoïde), de la peau (psoriasis), et des yeux ; (2) la production de douleur et de fièvre ; (3) la régulation de la pression artérielle ; (4) l''induction de la coagulation du sang ; (5) le contrôle de plusieurs fonctions de la reproduction comme le déclenchement de l'accouchement ; et (6) la régulation du cycle sommeil/éveil. Les enzymes qui synthétisent ces produits et les récepteurs auxquels ils se lient font par conséquent l'objet de recherches pharmacologiques intenses.

Les eicosanoïdes sont également proches des hormones dans la mesure où ils se fixent à des récepteurs couplés aux protéines G (Section 19-2B) et où nombre de leurs effets intracellulaires font intervenir l'AMPc. Cependant, à la différence des hormones, ils ne sont pas transportés par le sang vers leurs sites d'action. En fait, ces substances chimiquement et biologiquement instables (certaines se décomposent en une minute ou moins *in vitro*) sont des médiateurs locaux (hormones paracrines ; Section 19-1) ; *ils exercent leurs actions dans le même environnement que celui de leur synthèse.*

Dans cette section, nous étudierons la structure des eicosanoïdes et passerons en revue leurs voies de biosynthèse et modes d'action. Ce faisant, nous noterons la grande diversité de leurs structures et de leurs fonctions, ce qui fait de l'élucidation des rôles physiologiques de ces substances puissantes un véritable défi pour les chercheurs.

A. *Introduction*

*Les prostaglandines sont toutes des dérivés de l'acide gras en C_{20} hypothétique, l'**acide prostanoïque** qui présente un cycle cyclo-*

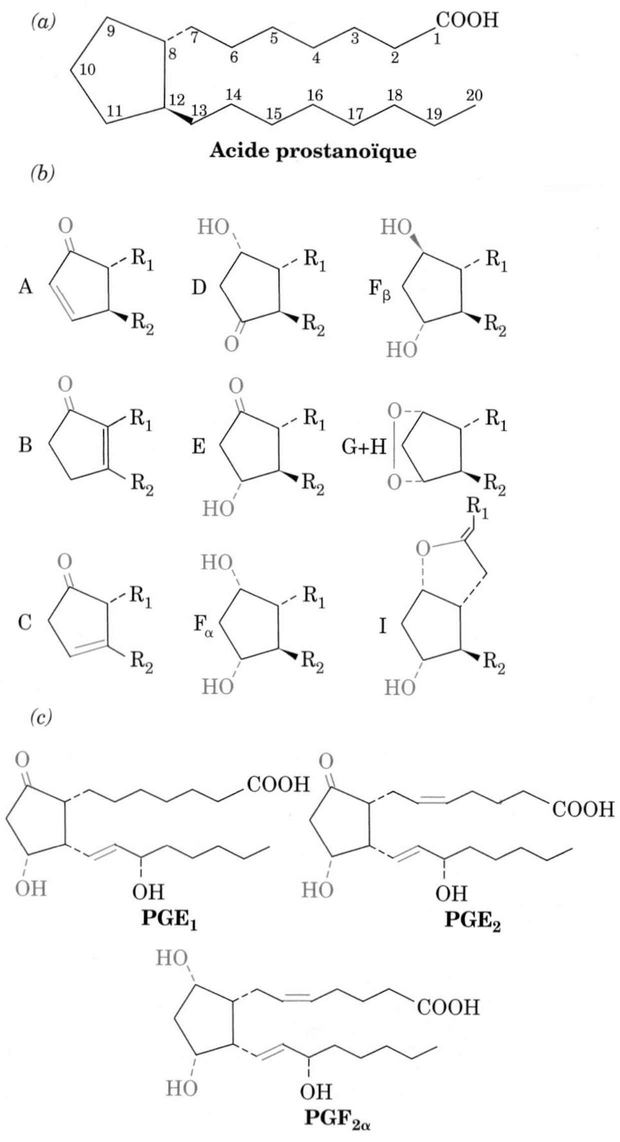

(a)

Acide prostanoïque

(b)

(c)

PGE₁

PGE₂

PGF₂α

FIGURE 25-63 Structures des prostaglandines. (*a*) Squelette carboné de l'acide prostanoïque, le « père » des prostaglandines. (*b*) Structures des prostaglandines A à I. (*c*) Structures des prostaglandines E_1, E_2 et $F_{2\alpha}$ (les premières prostaglandines identifiées).

pentane entre les atomes 8 à 12 (Fig. 25-63a). Les prostaglandines A à I diffèrent selon la nature des substituants sur le noyau cyclopentane (Fig. 25-63*b*) : les **PGA** sont des cétones α,β-insaturées, les **PGE** sont des cétones β-hydroxylées, les **PGF** sont des 1,3-diols, etc. Dans les **PGF$_\alpha$**, le groupement C9—OH se trouve du même côté du cycle que R_1 ; il se trouve du côté opposé dans les **PGF$_\beta$**. Le chiffre en indice du nom indique le nombre de doubles liaisons qui se trouvent sur les chaînes latérales du noyau cyclopentane (Fig. 25-63*c*).

*Dans l'espèce humaine, le précurseur le plus important des prostaglandines est l'**acide arachidonique** (acide 5,8,11,14-eicosatétraénoïque), un acide gras polyinsaturé en C_{20} à quatre doubles liaisons non conjuguées.* La double liaison en C14 se trouve à six atomes de carbone de l'atome de carbone terminal (l'atome de carbone ω), ce qui fait de l'acide arachidonique un acide gras ω–6. L'acide arachidonique est synthétisé à partir de

l'acide gras essentiel l'acide linoléique (aussi un acide gras ω–6) qui subit une désaturation en **acide γ-linolénique (GLA)** sous l'action d'une Δ^6-désaturase, puis une élongation et une seconde désaturation, cette fois par une Δ^5-désaturase (Fig. 25-64 ; Section 25-4E),

Les prostaglandines avec l'indice 1 (les prostaglandines de la « série 1 ») sont synthétisées à partir de l' **acide dihomo-γ-linolénique (DGLA ; acide 8,11,14-eicosatriénoïque),** tandis que les prostaglandines de la « série 2 » sont synthétisées à partir de l'acide arachidonique. L'acide α-linolénique (ALA), autre acide gras essentiel car la Δ^{15}-désaturase requise pour sa synthèse ne se trouve que chez les plantes, est un précurseur de l'acide 5,8,11,14,17-eicosapentaénoïque (EPA) et des prostaglandines de la « série 3 ». L'arachidonate étant le principal précurseur des prostaglandines chez l'homme, nous nous référerons essentiellement aux prostaglandines de la série 2 dans nos exemples. Noter, cependant, que lorsque les acides linoléique et α-linolénique sont disponibles en quantités égales dans l'alimentation, ce sont les activités relatives des Δ^5- et Δ^6-désaturases qui déterminent les contributions relatives de ces précurseurs à la synthèse des prostaglandines.

a. L'arachidonate est formé par hydrolyse de phospholipides

L'arachidonate, estérifié en C2 du glycérol des phosphatidylinositols et d'autres phospholipides, se trouve en réserve dans les membranes cellulaires. La production de métabolites de l'arachidonate dépend de la vitesse d'hydrolyse de l'arachidonate de ces phospholipides suivant trois voies possibles (Fig. 25-65) :

1. La **phospholipase A₂** hydrolyse les groupements acyle en C2 des phospholipides (Fig. 25-65*b*, *à gauche*).

2. La **phospholipase C** (Section 19-4B) hydrolyse spécifiquement le groupement de tête des phosphatidylinositols pour donner un **1,2-diacylglycérol (DAG)** et du **phosphoinositol**. Le DAG est phosphorylé par une **diacylglycérol kinase** en acide phosphatidique, un substrat de la phospholipase A₂ (Fig. 25-65*b*, *au centre*). Se rappeler que le DAG et les diverses formes phosphorylées du phosphoinositol sont aussi d'importantes molécules de signalisation dans la cascade des phosphoinositides (Section 19-4).

3. Le DAG peut aussi être hydrolysé directement par la **diacylglycérol lipase** (Fig. 25-65*b*, *à droite*).

Les corticostéroïdes sont utilisés comme agents anti-inflammatoires parce qu'ils inhibent la phospholipase A₂, diminuant ainsi la vitesse de production d'arachidonate.

b. L'aspirine inhibe la synthèse des prostaglandines

L'emploi d'**aspirine** comme analgésique (contre la douleur), antipyrétique (qui diminue la fièvre), et comme agent anti-inflammatoire est très répandu depuis le dix-neuvième siècle. Cependant, ce n'est qu'en 1971 que John Vane découvrit son mécanisme d'action. L'*aspirine, comme d'autres **médicaments anti-inflammatoires non stéroïdiens (AINS)**, inhibe la synthèse des prostaglandines à partir d'eicosanoïdes précurseurs (Section 25-7B).* Ces inhibiteurs se sont avérés des outils très intéressants pour élucider les voies de biosynthèse des prostaglandines et ont fourni un point de départ pour la synthèse rationnelle de nouveaux médicaments anti-inflammatoires.

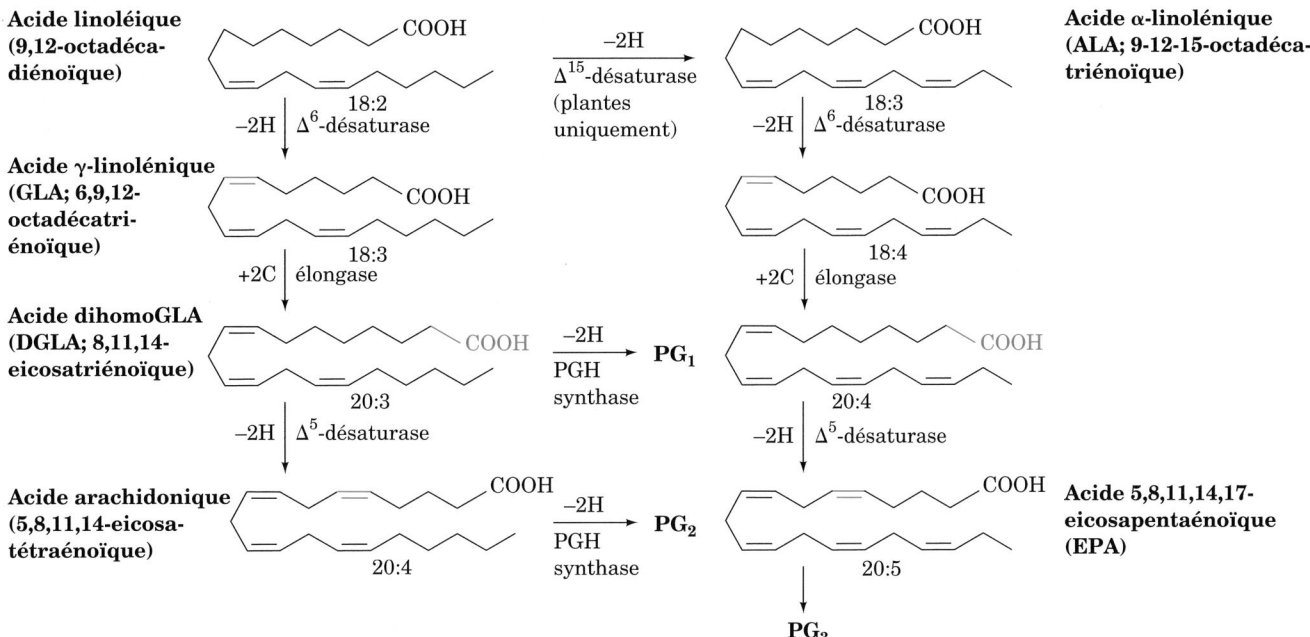

FIGURE 25-64 Synthèse des précurseurs des prostaglandines. Les dérivés de l'acide linoléique, l'acide dihomoGLA (DGLA), l'acide arachidonique, et l'acide 5,8,11,14,17-eicosapentaénoïque (EPA) sont les précurseurs respectifs des prostaglandines de la série 1, de la série 2 et de la série 3.

c. L'acide arachidonique est un précurseur des leucotriènes, des thromboxanes et des prostacyclines

L'acide arachidonique est aussi un précurseur de composés dont la synthèse n'est pas inhibée par l'aspirine. En fait, il y a deux voies principales du métabolisme des eicosanoïdes. La voie dite cyclique, qui est inhibée par les AINS, forme le cycle cyclopentane caractéristique des prostaglandines, alors que la voie dite linéaire, qui n'est pas inhibée par ces agents, conduit à la for-

(a) phospholipase A_2

$$H_{31}C_{19}-C-O-CH$$

Groupement arachidonoyl

$$CH_2-O-C-R_1$$

$$CH_2-O-P-X$$

phospholipase C

X = Inositol

(b) **Phospholipide (phosphatidylinositol)**

phospholipase A_2 phospholipase C → **Phosphoinositol**

Lysophospholipide + Acide arachidonique   **1,2-Diacylglycérol (DAG)**

diacylglycérol kinase   diacylglycérol lipase

Acide phosphatidique   **Monoacylglycérol + Acide arachidonique**

phospholipase A_2

Acide lysophosphatidique+ Acide arachidonique

FIGURE 25-65 Libération d'acide arachidonique par hydrolyse de phospholipides. *(a)* Sites d'hydrolyse par les phospholipases A_2 et C. Le groupement de tête polaire, X, est souvent l'inositol sous ses diverses formes phsophorylées (Section 19-4D). *(b)* Différentes voies de libération d'acide arachidonique à partir de phospholipides.

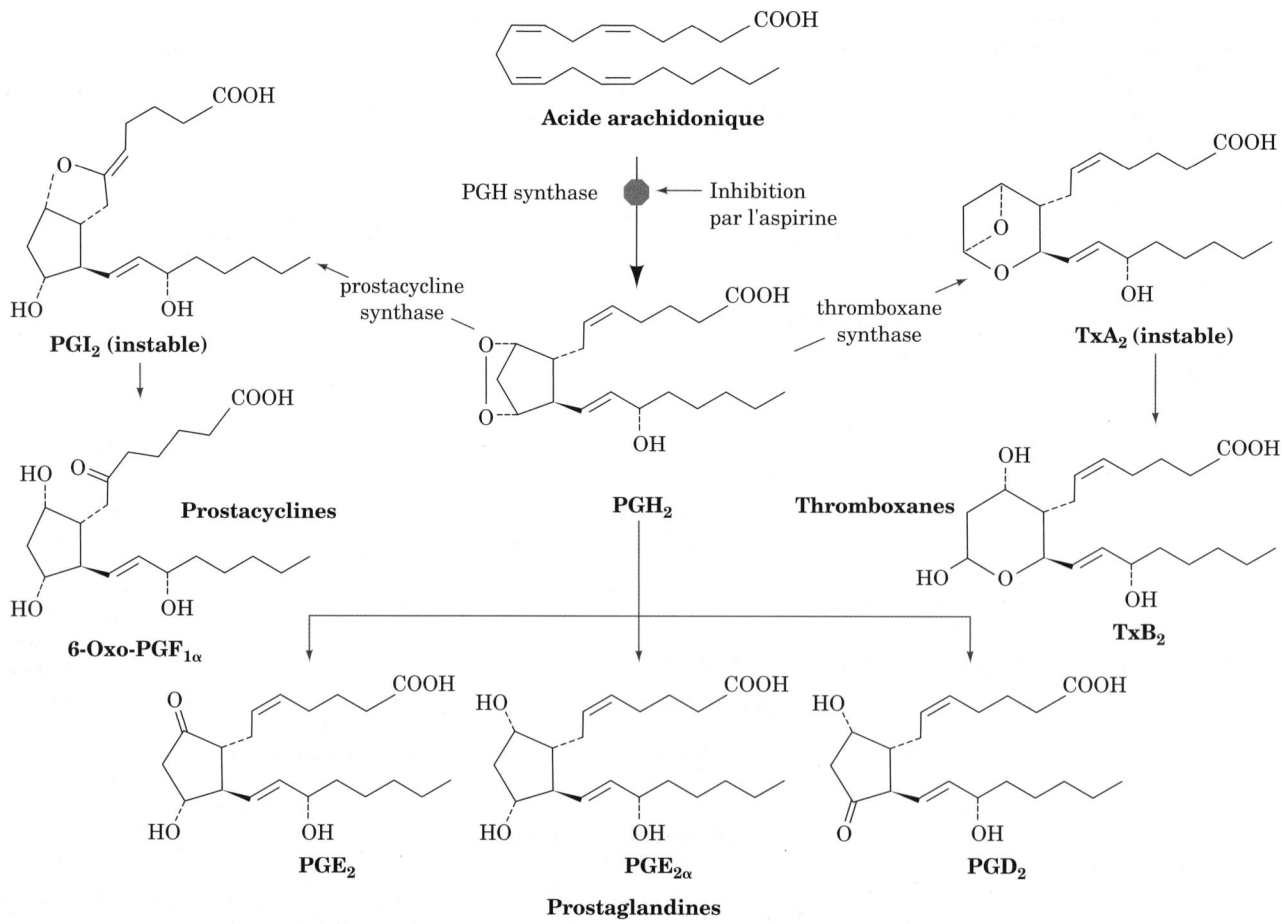

FIGURE 25-66 Voie cyclique et voie linéaire du métabolisme de l'acide arachidonique.

FIGURE 25-67 Voie cyclique du métabolisme de l'acide arachidonique. Les branches de cette voie conduisent à la formation des prostaglandines, des prostacyclines et des thromboxanes.

mation des **leucotriènes** et des **HPETE** (Fig. 25-66 ; Section 25-7C).

Des études utilisant les AINS ont permis de démontrer que deux classes de composés voisins et à durée de vie très courte, les prostacyclines et les thromboxanes (Fig. 25-67), sont également des produits de la voie cyclique du métabolisme des eicosanoïdes. Les produits spécifiques formés par cette voie ramifiée dépendent du tissu impliqué. Par exemple, les plaquettes sanguines (ou thrombocytes) produisent presque exclusivement des thromboxanes ; les cellules endothéliales vasculaires, qui tapissent les parois des veines et des artères, synthétisent essentiellement des prostacyclines ; et le muscle cardiaque forme des PGI_2, des PGE_2 et des $PGF_{2\alpha}$ en quantités à peu près égales. Le reste de cette section sera consacré à l'étude des voies cyclique et linéaire du métabolisme des eicosanoïdes.

B. *Voie cyclique du métabolisme des eicosanoïdes : prostaglandines, prostacyclines et thromboxanes*

La première étape de la voie cyclique du métabolisme des eicosanoïdes est catalysée par la **PGH synthase** (**PGHS** ; aussi appelée **prostaglandine H synthase** ou **prostaglandine endoperoxyde synthase** ; Fig. 25-68). Cette enzyme à noyau hème a deux activités catalytiques : une activité cyclo-oxygénase et une activité peroxydase. La première catalyse l'addition, par l'intermédiaire d'un radical tyrosyl, de deux molécules d'O_2 sur l'acide arachidonique, pour former la **PGG_2**. La deuxième transforme la fonction hydroperoxy de PGG_2 en groupement OH pour donner la **PGH_2**. *La PGH_2 est le précurseur immédiat de toutes les prostaglandines de la série 2, des prostacyclines et des thromboxanes (Fig. 25-67).* L'activité cyclo-oxygénase de l'enzyme lui vaut son nom courant de **COX** [à ne pas confondre avec l'abréviation de la cytochrome *c* oxydase (Section 22-2C)].

La PGHS, glycoprotéine homodimérique avec des sous-unités de 576 résidus, est une protéine intrinsèque membranaire qui se projette dans la lumière du réticulum endoplasmique. Sa structure par rayons X, déterminée par Michael Garavito, révèle que chacune des sous-unités se replie en trois domaines (Fig. 25-69*a*) : un module N-terminal dont la structure ressemble à celle du **facteur de croissance épidermique** (**EGF** pour **epidermal growth factor** ; un polypeptide de type hormonal qui stimule la prolifération cellulaire ; Section 19-3B) ; un motif central de liaison à la membrane ; et un domaine enzymatique C-terminal. Le motif de liaison à la membrane de 44 résidus a une surface hydrophobe qui va dans la direction opposée à celle du corps de la protéine mais qui n'a pas une épaisseur suffisante pour pénétrer plus d'un feuillet de la bicouche lipidique [ceci s'applique également à la squalène-hopène cyclase (Section 25-6A), la seule autre protéine membranaire monotopique de structure connue].

Le site actif peroxydase de la PGHS se trouve à l'interface entre le grand lobe et le petit lobe du domaine catalytique, dans une crevasse peu profonde où se trouve le groupement prosthétique hème-Fe(III) de l'enzyme. La crevasse expose une grande partie de l'hème au solvant et l'on pense qu'elle comprend le site de liaison du substrat.

Le site actif cyclo-oxygénase se trouve du côté opposé de l'hème à l'extrémité d'un canal long et étroit (~8 × 25Å) qui va de la surface externe du motif de liaison à la membrane jusqu'au centre de chaque sous-unité (Fig. 25-69*b*). Ce canal permet au substrat associé à la membrane d'atteindre le site actif. On a montré que la Tyr 385, qui se trouve proche du sommet du canal, juste en dessous de l'hème, prend une forme radicalaire transitoire durant la réaction de la cyclo-oxygénase comme le fait, par exemple,

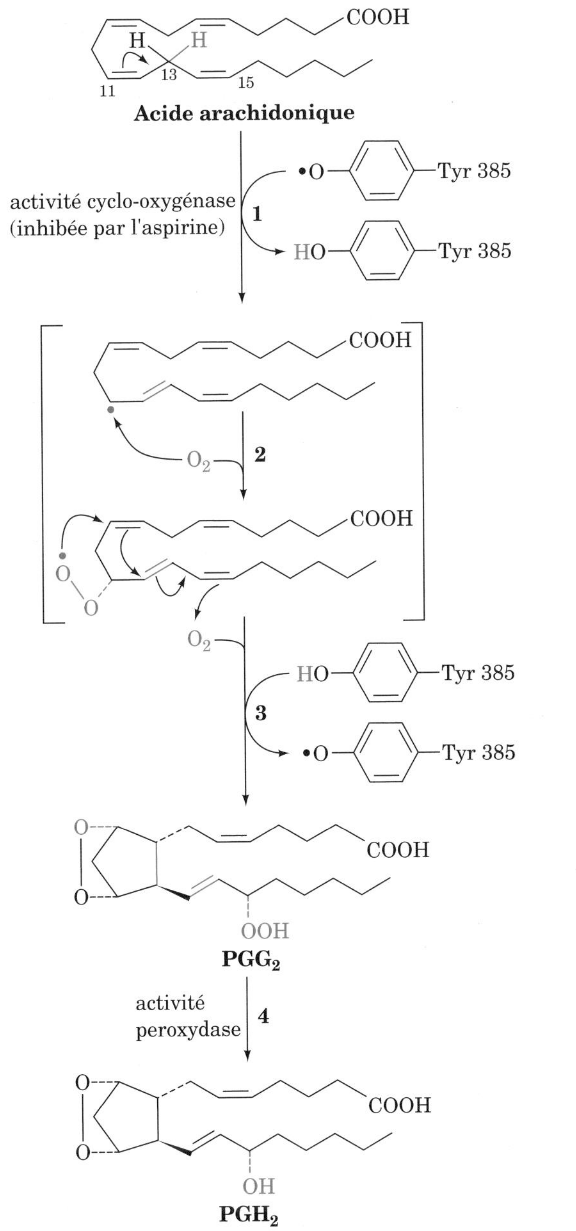

FIGURE 25-68 Réactions catalysées par la PGH synthase (PGHS). L'enzyme contient deux activités : une cyclo-oxygénase qui catalyse les étapes 1 à 3 et est inhibée par l'aspirine, et une peroxydase qui catalyse l'étape 4. (**1**) Une forme radicalaire de Tyr 385 produite par le cofacteur hème de l'enzyme enlève stéréospécifiquement un atome d'hydrogène au C13 de l'acide arachidonique, qui se réarrange de sorte que le radical se trouve sur C11. (**2**) Le radical réagit avec O_2 pour donner un radical hydroperoxyde. (**3**) Le radical se cyclise et réagit avec une seconde molécule d'O_2 sur le C15 pour donner un radical peroxyde au cours d'un processus qui régénère le radical Tyr. (**4**) L'activité peroxydase de l'enzyme transforme le peroxyde sur C15 en un groupement hydroxyle.

Lumière du RE

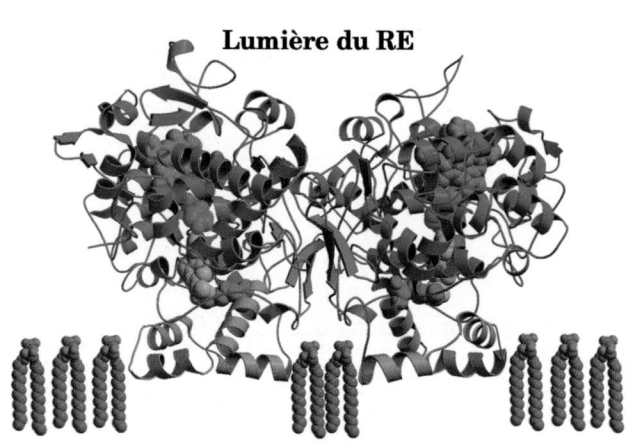

(a)

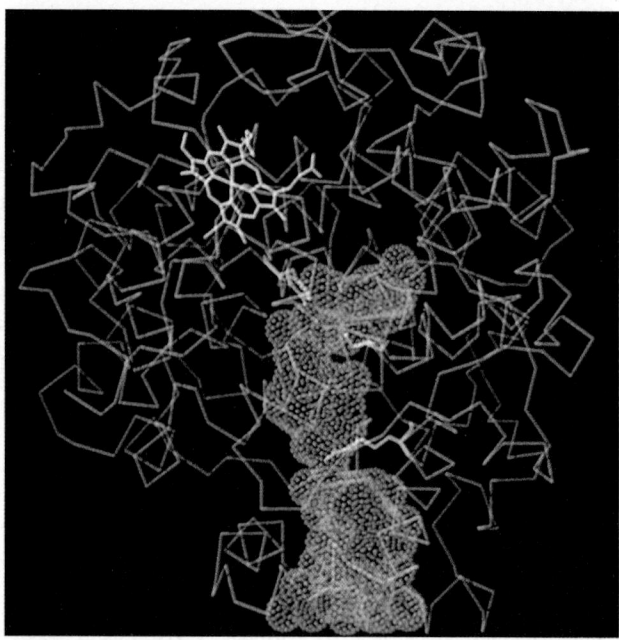

(b)

FIGURE 25-69   Structure par rayons X de la PGH synthase (PGHS) de vésicules séminales de mouton complexée à l'AINS flurbiprofène. (*a*) Cette protéine membranaire monotopique homodimérique est vue de l'intérieur dans le plan de la membrane du RE, son axe de symétrie d'ordre 2 étant vertical. Le module EGF est en vert, le motif de liaison à la membrane en orange, et le domaine catalytique en bleu. L'hème (*rouge*) ; le flurbiprofène (*jaune*) ; Tyr 385 (*magenta*), qui prend une forme radicalaire transitoire lors de la réaction de la cyclo-oxygénase ; et Arg 120 (*vert*), qui forme une paire ionique avec le flurbiprofène, sont en modèle compact. (*b*) Représentation des C$_\alpha$

d'une sous-unité de la PGHS (*vert*), la sous-unité à gauche dans la Partie *a* étant observée de la gauche sous un angle de 30°. Le site actif de la peroxydase est situé au dessus de l'hème (*rose*). Le canal hydrophobe, qui pénètre dans la sous-unité depuis le motif de liaison à la membrane au bas de la figure jusqu'au site actif de la cyclo-oxygénase en dessous de l'hème, est représenté par ses surfaces de van der Waals (*points bleus*). Dans le canal, les trois résidus représentés par des bâtonnets oranges sont, de haut en bas : Tyr 385, Ser 530, qui est acétylé par l'aspirine, et Arg 120. [Avec la permission de Michael Garavito, Michigan State University. PDBid 1CQE.]

Tyr 22 dans la ribonucléotide réductase de classe I (Section 28-3A). De fait, le remplacement par mutagénèse du Tyr 385 de la PGHS par une Phe annule l'activité cyclo-oxygénase. Le radical Tyr 385 est produit par oxydation intramoléculaire sous l'action du cofacteur hème.

Le devenir de PGH$_2$ dépend des activités relatives des enzymes catalysant les interconversions spécifiques (Fig. 25-67). Les plaquettes contiennent la **thromboxane synthase,** qui assure la formation de **thromboxane A$_2$ (TxA$_2$),** un vasoconstricteur et un stimulateur d'agrégation des plaquettes (une étape initiale de la coagulation du sang ; Section 35-1). Les cellules endothéliales vasculaires contiennent la **prostacycline synthase**, qui catalyse la synthèse de la **prostacycline I$_2$ (PGI$_2$),** un vasodilatateur et un inhibiteur de l'agrégation des plaquettes. Ces deux substances ont des effets antagonistes et assurent un équilibre dans le système cardiovasculaire.

a. Les AINS inhibent la PGH synthase

Les médicaments anti-inflammatoires non stéroïdiens (AINS ; Fig. 25-70) inhibent la synthèse des prostaglandines, des prostacyclines et des thromboxanes en inhibant ou en inactivant l'activité cyclo-oxygénase de la PGHS. Par exemple, l'aspirine (l'**acide acé-**

tylsalicylique), acétyle cette enzyme : si l'on incube l'enzyme avec de l'acide [^{14}C-*acétyl*]salicylique, la radioactivité devient liée irréversiblement à l'enzyme inactive en même temps que Ser 530 est acétylée (Fig. 25-71). La structure par rayons X de la PGHS montre que Ser 530, qui n'est pas impliquée dans la catalyse, se projette dans le canal de la cyclo-oxygénase juste en-dessous de Tyr 385 de sorte que son acétylation empêcherait l'accès de l'acide arachidonique au site actif (Fig. 25-69*b*). La structure de la PGHS, cristallisée avec l'AINS **flurbiprofène** (Fig. 25-70), montre que celui-ci se lie dans le canal de la cyclo-oxygénase, son groupement carboxylate formant une paire ionique avec Arg 120 (Fig. 25-69*a*). Manifestement, le flurbiprofène, et implicitement d'autres AINS, inhibe l'activité cyclo-oxygénase de la PGHS en bloquant le canal de son site actif.

De faibles doses d'aspirine, ~75 mg tous les un deux jours, diminuent significativement les risques d'infarctus du myocarde et d'accidents vasculaires cérébraux à long terme. Des doses aussi faibles inhibent sélectivement l'agrégation des plaquettes et donc la formation du caillot sanguin, car ces cellules sans noyaux, dont la durée de vie dans la circulation est de ~10 jours, ne peuvent resynthétiser leurs enzymes inactivées. Les cellules endothéliales des vaisseaux ne sont pas affectées aussi sévèrement car, pour la

Aspirine
(acide acétylsalicylique)

Indométhacine

Ibuprofène

Flurbiprofène

Paracétamol

Naproxène

Phénylbutazone

FIGURE 25-70 Quelques médicaments anti-inflammatoires non stéroïdiens (AINS).

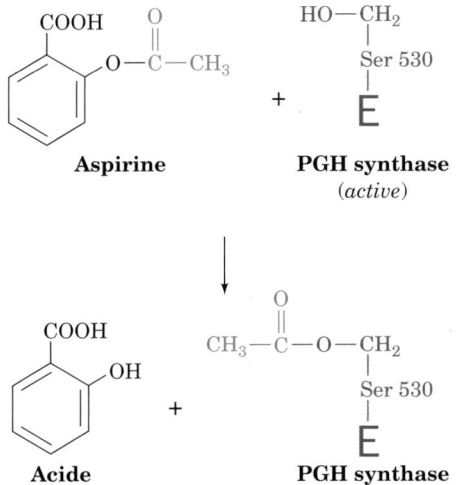

Aspirine

PGH synthase
(active)

Acide salicylique

PGH synthase
(inactive)

FIGURE 25-71 Inactivation de la PGH synthase par l'aspirine. L'aspirine acétyle la Ser 530 de la PGH synthase, bloquant ainsi l'activité cyclo-oxygénase de l'enzyme.

plupart, elles se trouvent éloignées du site d'absorption de l'aspirine, donc exposées à de plus faibles concentrations d'aspirine et, de toutes façons, elles peuvent synthétiser de la PGHS supplémentaire.

b. Les inhibiteurs de la COX-2 sont dépourvus de certains effets secondaires des autres AINS

Il existe deux isoformes de la PGHS, **COX-1** et **COX-2**, qui partagent un haut degré (60 %) d'identité de séquence et d'homologie structurale. COX-1 est exprimée constitutivement (pas de régulation) dans la plupart des tissus de mammifère, sinon tous, assurant ainsi une synthèse de prostaglandines suffisante pour maintenir l'homéostasie des organes et des tissus, comme celle de la muqueuse gastrique. Au contraire, COX-2 n'est exprimée que dans certains tissus en réponse à des stimuli inflammatoires tels que cytokines, facteurs de croissance protéiques, endotoxines, et est donc responsable des concentrations élevées de prostaglandines qui provoquent l'inflammation. Les AINS de la Fig. 25-70 sont relativement non spécifiques et peuvent donc donner lieu à des effets secondaires indésirables, comme des ulcères gastro-intestinaux, lorsqu'administrés pour combattre l'inflammation ou la fièvre. Un programme de mise au point de médicaments fondée sur la structure (Section 15-4A) fut donc lancé en vue d'obtenir des inhibiteurs ciblant COX-2, mais non COX-1. Les structures tridimensionnelles de COX-1 et de COX-2 sont pratiquement identiques. Cependant, le volume du canal du site actif de COX-2 est ~20 % supérieur à celui de COX-1, en raison de différences en acides aminés : I523V, I434V et H513R (dans ces couples, les résidus de COX-1 sont à gauche). De plus, l'orientation de la quatrième hélice du domaine de liaison à la membrane est légèrement différente, ce qui donne au canal une plus large ouverture. Ceci conduisit les chimistes à synthétiser des inhibiteurs, collectivement appelés **coxib**, pouvant pénétrer dans le canal de COX-2, mais pas dans celui de COX-1. Deux de ces inhibiteurs, le **rofécoxib** et le **célécoxib** (Fig. 25-72) sont devenus d'importants médicaments

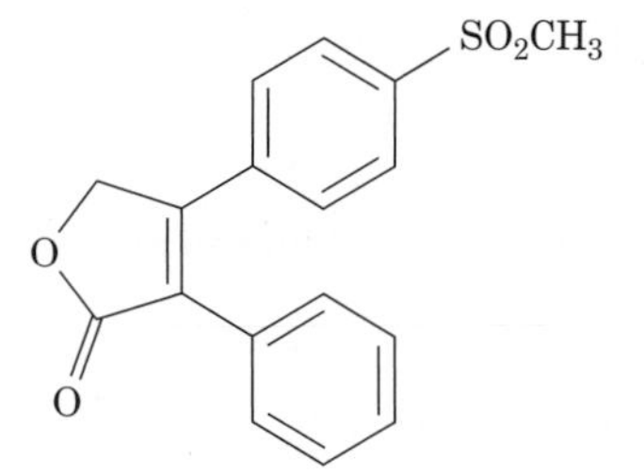

Rofécoxib

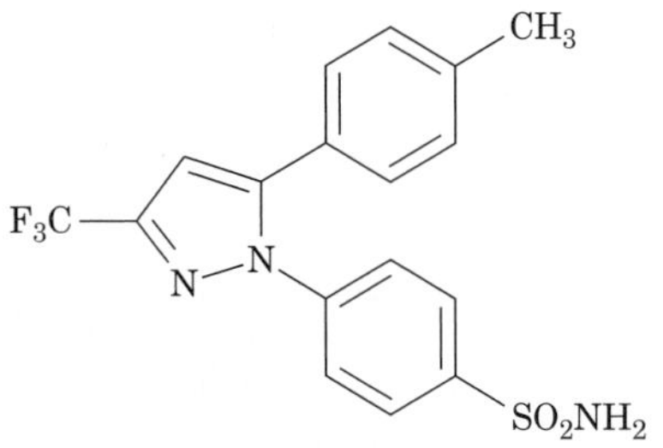

Célécoxib

FIGURE 25-72 Inhibiteurs de COX-2. Le Rofécoxib et le Célécoxib sont des inhibiteurs spécifiques de COX-2 (**PGS synthase-2**).

pour le traitement de maladies inflammatoires comme l'arthrite, car ils ne provoquent pas les principaux effets secondaires des AINS non spécifiques. (Toutefois, on a constaté une incidence accrue d'accidents cardiovasculaires tels que des infarctus du myocarde après traitement à long terme par certains coxib, qui ont dès lors été retirés du marché; N.d.T.).

c. La COX-3 est une cible possible du paracétamol

Le paracétamol (acétaminophène) est un des médicaments les plus utilisés comme analgésique ou antipyrétique. Il ne possède que peu d'activité anti-inflammatoire et n'est donc pas vraiment un AINS; il ne se fixe d'ailleurs ni à COX-1 ni à COX-2. Son mécanisme d'action est resté énigmatique jusqu'à la découverte récente, par Daniel Simmons, d'une troisième isozyme COX, **COX-3**, qui est inhibée sélectivement par le paracétamol et par certains AINS. Ainsi, COX-3 pourrait être la cible principale de médicaments qui soulagent la douleur et la fièvre.

C. *Voie linéaire du métabolisme des eicosanoïdes : leucotriènes et lipoxines*

La voie linéaire transforme l'acide arachidonique en plusieurs **acides hydroperoxyeicosatétraénoïques** (**HPETE**) sous l'action des **5-, 12-,** et **15-lipoxygénases** (**5-, 12-,** et **15-LO**; Fig. 25-66). Les **hépoxilines** sont des dérivés époxy hydroxylés du **12-HPETE** dont les fonctions sont mal connues. Les **lipoxines**, produites par une seconde lipoxygénase qui agit sur le **15-HPETE**, ont une activité anti-inflammatoire. Les leucotriènes, obtenus par action de la 5-LO, sont synthétisés par différents types de globules blancs, par les mastocytes (cellules du tissu conjonctif de la lignée sanguine sécrétant des substances qui interviennent dans les réactions inflammatoires et allergiques) ainsi que par les poumons, la rate, le cerveau et le cœur. Les **peptidoleucotriènes** (**LTC$_4$**, **LTD$_4$**, et

LTE$_4$) font partie des **substances à réaction lente de l'anaphylaxie** (**SRS-A** pour **slow reacting substances of anaphylaxis**; l'anaphylaxie est une réaction allergique violente qui peut être fatale) libérées par le poumon sensibilisé après une stimulation immunologique. Ces substances agissent à très faibles concentrations (aussi basses que $10^{-10}M$) pour provoquer la contraction des muscles lisses vasculaires, respiratoires et intestinaux. Par exemple, les peptidoleucotriènes sont ~10 000 fois plus puissants que l'histamine, stimulant bien connu des réactions allergiques. Dans le système respiratoire, ils contractent les bronches, en particulier les bronchioles, augmentent la sécrétion de mucus, et on pense qu'ils sont impliqués dans l'asthme. Ils sont également impliqués dans les réactions d'hypersensibilité immédiate (allergiques), les réactions inflammatoires et l'infarctus du myocarde.

a. Synthèse des leucotriènes

Les deux premières réactions dans la transformation d'acide arachidonique en leucotriènes sont catalysées par la **5-LO**, laquelle contient un atome de fer non hème qui n'est pas dans un centre [Fe-S]; il doit se trouver dans l'état Fe(III) pour être actif. Ces réactions se déroulent comme suit (Fig. 25-73):

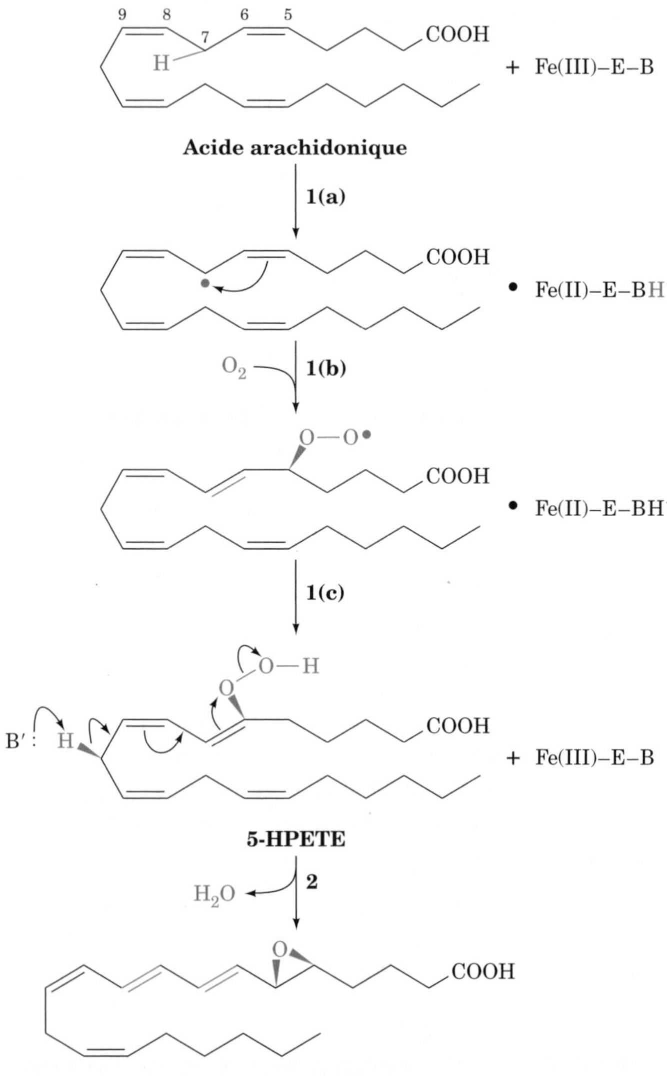

FIGURE 25-73 Oxydation de l'acide arachidonique en LTA$_4$, via l'intermédiaire 5-HPETE, catalysée par la 5-LO.

1. Oxydation de l'acide arachidonique en 5-HPETE, substance qui n'a pas de propriétés physiologiques par elle-même. Cette réaction se fait en trois étapes :

(a) L'atome de fer du site actif, dans l'état Fe(III), capte un électron du groupement méthylène central de la partie 5,8-penta-diène de l'arachidonate et le radical libre formé cède un proton à un groupement basique de l'enzyme.

(b) Après réarrangement du radical libre, O_2 s'additionne pour former un radical hydroperoxyde.

(c) Le radical hydroperoxyde réagit avec le fer du centre actif, maintenant dans l'état Fe(II), pour donner la forme anionique de l'hydroperoxyde, qui est protonée par l'enzyme pour donner le produit hydroperoxyde et régénérer l'enzyme Fe(III) active.

2. Elimination d'eau par catalyse basique pour former l'époxyde instable **leucotriène A_4** (**LTA$_4$** ; l'indice désigne le nombre de doubles liaisons carbone–carbone, qui est aussi le numéro de série).

La structure par rayons X de la 15-LO de réticulocyte de lapin, homologue à la 5-LO, complexée à l'inhibiteur compétitif **RS75091**

RS75091

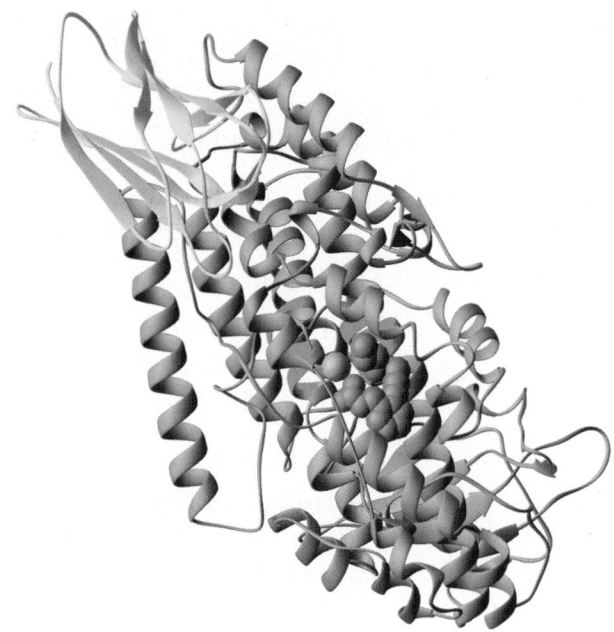

FIGURE 25-74 Structure par rayons X de la 15-lipoxygénase (15-LO) de réticulocyte de lapin complexée à son inhibiteur compétitif RS75091. Le domaine N-terminal en tonneau β est en doré et le domaine catalytique C-terminal en bleu clair avec ses deux segments hélicoïdaux π fixant l'atome de fer, en magenta. Celui-ci est représenté par une sphère orange et RS75091 est en modèle compact, avec C en vert et O en rouge. [D'après une structure par rayons X due à Michelle Browner, Roche Bioscience, Palo Alto, California. PDBid 1LOX.]

a été déterminée par Michelle Browner. Cette protéine monomérique de 663 résidus comporte un domaine N-terminal en tonneau β à 8 segments et un domaine catalytique C-terminal (Fig. 25-74). Son atome de fer du site actif est fixé par coordinence à 4 résidus His conservés et par un oxygène du carboxylate C-terminal. Cette disposition de liaisons correspond à un octaèdre déformé avec seulement un de ses six sommets inoccupé. L'atome de Fe, bien en dessous de la surface de la protéine, fait face à une cavité interne occupée par RS75091. Il s'agit donc là de la cavité du substrat, laquelle est essentiellement bordée de résidus hydrophobes et suit un chemin irrégulier après l'atome de Fe vers la surface de la protéine. Curieusement, la 15-LO (tout comme la **lipoxygénase-1 de soja,** seule autre lipoxygénase de structure connue) présente deux hélices π rarement observées (Fig. 8-14*c*), contenant chacune deux des résidus His fixant le Fe. Chacune de ces hélices π est imbriquée dans une hélice plus longue au lieu de se trouver au bout d'une hélice α comme c'est le cas des hélices π déjà connues.

La taille des cavités de liaison du substrat des 5- et 12-LO ont été prédites par modélisation d'homologie (Section 9-3B) sur la 15-LO. On y trouve, dans la 5-LO et la 12-LO, des acides aminés plus petits que dans la 15-LO, de sorte que, par exemple, le volume de la cavité de la 5-LO serait ~20 % supérieur à celui de la 15-LO. La mutagenèse de la 5-LO, réalisée par Harmut Kuhn, en vue de diminuer la taille de cette cavité, a donné une enzyme douée de la spécificité de la 15-LO. Ceci conforte l'idée

selon laquelle la taille de la cavité détermine la spécificité de la lipoxygénase.

b. Peptidoleucotriènes

Le LTA_4 est transformé en peptidoleucotriènes par réaction avec la **LTC$_4$ synthase**, une **glutathion-*S*-transférase** qui catalyse ensuite l'addition du groupement sulfhydryle du glutathion à l'époxyde LTA_4, formant ainsi le premier des peptidoleucotriènes, le **leucotriène C_4** (**LTC$_4$** ; Fig. 25-75). La **γ-glutamyltransférase** enlève l'acide glutamique, transformant le LTC_4 en **leucotriène D4** (**LTD$_4$**). Le LTD_4 est transformé en **leucotriène E_4** (**LTE$_4$**) par une dipeptidase qui enlève la glycine. Le LTA_4 peut aussi être hydrolysé en **leucotriène B_4** (**LTB$_4$**), un agent chimiotactique puissant (une substance qui attire des cellules motiles) impliqué dans l'attraction de certains types de globules blancs pour combattre l'infection.

Plusieurs maladies inflammatoires et d'hypersensibilité (comme l'asthme) sont associées à des taux élevés de leucotriènes. La mise au point de médicaments inhibant la synthèse de leucotriènes est donc un champ de recherches très actif. L'activité 5-LO nécessite la présence de la **protéine activatrice de la 5-LO** (**FLAP** pour **5-lipoxygénase-activating protein**), une protéine membranaire intrinsèque de 18 kD, pour être active. La FLAP se lie à l'acide arachidonique, substrat de la 5-LO, et facilite la liaison enzyme-substrat ainsi que l'interaction de la 5-LO avec la

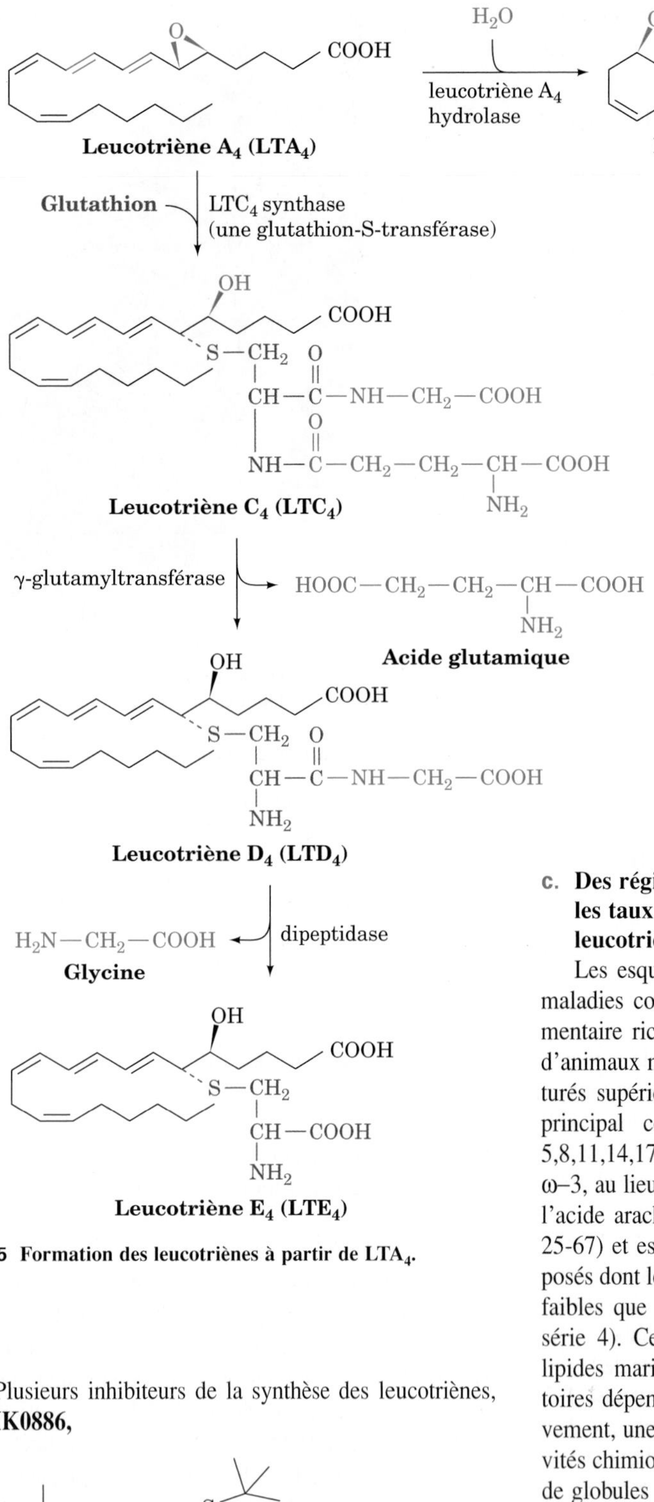

FIGURE 25-75 Formation des leucotriènes à partir de **LTA$_4$**.

membrane. Plusieurs inhibiteurs de la synthèse des leucotriènes, comme le **MK0886,**

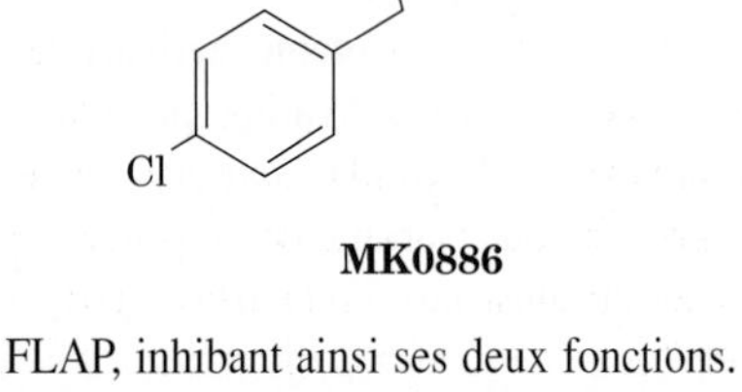

MK0886

se lient à la FLAP, inhibant ainsi ses deux fonctions.

c. Des régimes riches en lipides marins peuvent diminuer les taux de cholestérol, de prostaglandines et de leucotriènes

Les esquimaux du Groenland courent très peu de risques de maladies coronariennes et de thromboses malgré un régime alimentaire riche en cholestérol et en graisse. Leur consommation d'animaux marins leur fournit une proportion en acides gras insaturés supérieure au régime alimentaire type des Américains. Le principal composé insaturé des lipides marins est l'acide 5,8,11,14,17-eicosapentaénoïque (EPA ; Fig. 25-64), un acide gras ω–3, au lieu de l'acide linoléique (acide gras ω–6), précurseur de l'acide arachidonique. L'EPA inhibe la formation de TxA$_2$ (Fig. 25-67) et est un précurseur des **leucotriènes de la série 5**, composés dont les activités physiologiques sont considérablement plus faibles que leurs contreparties dérivées de l'arachidonate (de la série 4). Cela suggère qu'un régime alimentaire contenant des lipides marins doit diminuer l'intensité des réponses inflammatoires dépendant des prostaglandines et des leucotriènes. Effectivement, une alimentation enrichie en EPA inhibe *in vitro* les activités chimiotactiques et d'agrégation des neutrophiles (une variété de globules blancs). De plus, un régime alimentaire riche en EPA diminue les taux de cholestérol et de triacylglycérols dans le plasma de malades hypertriacylglycérolémiques.

d. Les lipoxines et les *épi*-lipoxines induites par l'aspirine ont des propriétés anti-inflammatoires

Les eicosanoïdes sont couramment associés à la réponse inflammatoire. Cependant, certains eicosanoïdes ont des propriétés anti-inflammatoires. Les **lipoxines (LX),** produites par les voies des 12- et 15-LO (impliquant parfois aussi la 5-LO), doivent leur nom au fait qu'elles sont synthétisées par des *lip*oxygénases en *int*eraction. Leurs actions seraient d'inhiber celles des leuco-

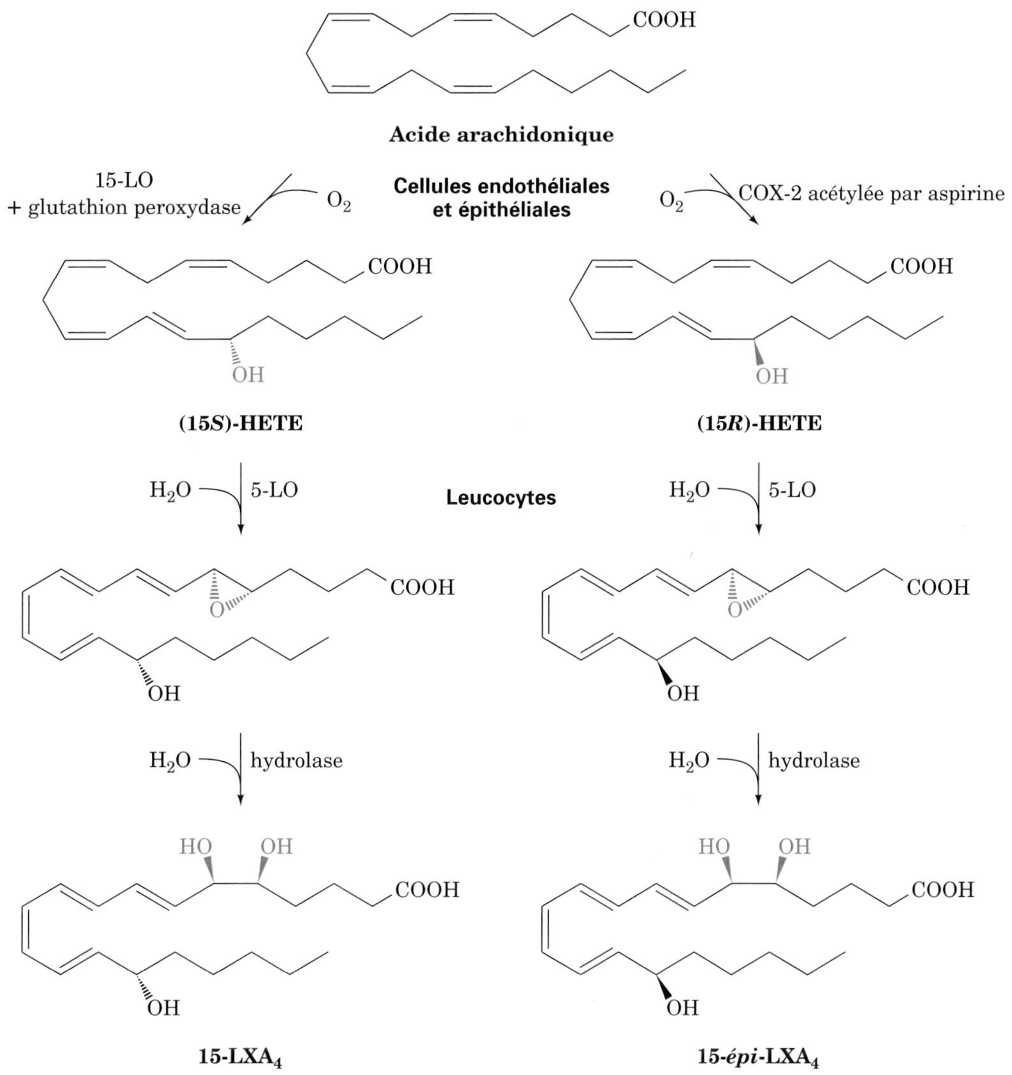

FIGURE 25-76 Biosynthèse des lipoxines. Biosynthèse de la lipoxine LXA$_4$ (*à gauche*) et de l'*épi*-lipoxine induite par l'aspirine (ATL) 15-*épi*-LXA$_4$ (*à droite*). Dans les cellules endothéliales et épithéliales, l'acide arachidonique est transformé par la 15-LO et la glutathion peroxydase en (15*S*)-HETE, ou par la COX-2 acétylée par l'aspirine, en (15*R*)-HETE. Après transfert aux leucocytes, ces intermédiaires y sont transformés en LXA$_4$ et 15-*épi*-LXA$_4$ par la 5-LO et une hydrolase.

triènes, d'où leur effet anti-inflammatoire. Il existe de nombreuses voies de biosynthèse des LX sous les actions combinées des 5-, 12- et 15-LO. Nous n'étudierons ici qu'une de ces voies (Fig. 25-76, *à gauche*). La synthèse de **lipoxine A$_4$ (LXA$_4$)** à partir d'acide arachidonique commence dans les cellules endothéliales et épithéliales par la synthèse, catalysée par la 15-LO, de l'**acide (15*S*)-hydroperoxyeicosatétraénoïque [(15*S*)-HPETE]**, qui est réduit par la **glutathion peroxydase** en **acide (15*S*)-hydroxyeicosatétraénoïque [(15*S*)-HETE]**. Le (15*S*)-HETE arrive alors aux leucocytes où il est transformé en LXA$_4$ par la 5-LO et une hydrolase.

Charles Sherdan a découvert une voie supplémentaire pour l'action anti-inflammatoire de l'aspirine qui implique la production de lipoxines. Comme nous l'avons vu (Fig. 25-71), l'aspirine inhibe de façon covalente l'activité cyclo-oxygénase de la PGHS (COX). Cependant, après acétylation par l'aspirine, la COX-2 garde une activité résiduelle 15-LO (étapes 3 et 4 de la Fig. 25-68) qui conduit à une voie de transformation de l'acide arachidonique en agents anti-inflammatoires appelés *épi*-**lipoxines déclenchées par l'aspirine** (ATL ; Fig. 25-76, *à droite*). Cette voie commence dans les cellules endothéliales et épithéliales par la transformation,

catalysée par COX-2 acétylée par l'aspirine, d'acide arachidonique en **acide (15*R*)-hydroxyeicosatétraénoïque [(15*R*)-HETE]**, l'épimère du (15*S*)-HETE. Dans les leucocytes, la 5-LO et une hydrolase transforment alors le (15*R*)-HETE en **15-*épi*-lipoxine A$_4$ (15-*épi*-LXA$_4$)** un agent anti-inflammatoire.

Nous vivons des moments passionnants avec l'étude du métabolisme des eicoanoïdes et ses incidences physiologiques. Les mécanismes d'action des prostaglandines, des prostacyclines, des thromboxanes, des leucotriènes et des lipoxines étant compris de mieux en mieux, la mise au point de nouveaux agents thérapeutiques plus performants devrait bénéficier de ces avancées.

8 ■ MÉTABOLISME DES PHOSPHOLIPIDES ET DES GLYCOLIPIDES

Les « lipides complexes » sont des molécules amphipathiques à double queue, constituées soit de 1,2-diacyl-sn-glycérol, soit de N-acyl-sphingosine (céramide) liés à un groupement de tête polaire qui est un glucide ou un ester phosphate (Fig. 25-77 ; Section 12-

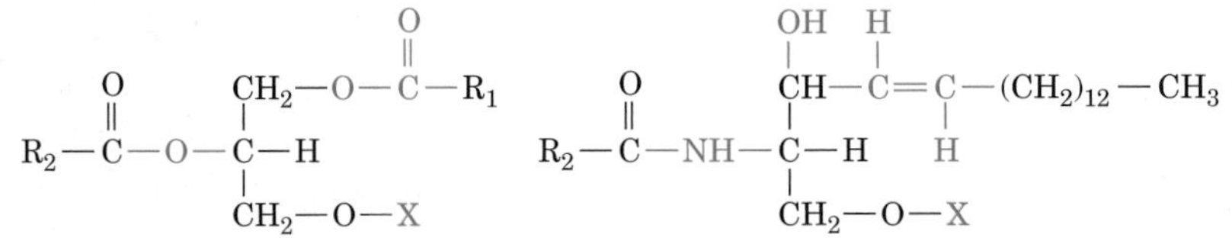

Glycérolipide **Sphingolipide**

X = H	**1,2-Diacylglycérol**	***N*-Acylsphingosine (céramide)**
X = Glucide	**Glycéroglycolipide**	**Sphingoglycolipide (glycosphingolipide)**
X = Ester phosphate	**Glycérophospholipide**	**Sphingophospholipide**

FIGURE 25-77 Glycérolipides et sphingolipides. Les structures des groupements de tête courants, X, sont données dans le Tableau 12-2.

1C et 12-1D ; *sn* signifie numérotation stéréospécifique, qui attribue la position 1 au groupement occupant la position *pro-S* d'un centre prochiral). Il y a donc deux catégories de phospholipides, les **glycérophospholipides** et les **sphingophospholipides**, et deux catégories de glycolipides, les **glycéroglycolipides** et les **sphingoglycolipides** (également appelés **glycosphingolipides**; **GSL**). Dans cette section, nous décrirons le mécanisme de la biosynthèse *de novo* de ces lipides complexes. Nous verrons que la grande diversité de ces molécules est en rapport avec les nombreuses enzymes nécessaires à leur biosynthèse. Noter aussi que ces substances sont synthétisées dans des membranes, le plus souvent sur le côté cytosolique du réticulum endoplasmique, pour être ensuite transportées à leur destination cellulaire finale comme indiqué dans la Section 12-4B–D.

A. *Glycérophospholipides*

Les glycérophospholipides présentent une asymétrie importante quant à la nature des groupements acyle liés au C1 et au C2 : les substituants en C1 sont essentiellement des acides gras saturés alors que les substituants en C2 sont principalement des acides gras insaturés. Nous étudierons les voies principales de la biosynthèse et du métabolisme des glycérophospholipides en nous intéressant à l'origine de cette asymétrie.

a. Biosynthèse des diacylglycérophospholipides

Les précurseurs des triacylglycérols, les 1,2-diacyl-sn-glycérols et les acides phosphatidiques sont aussi les précurseurs de certains glycérophospholipides (Fig. 25-39 et 25-77). Les esters phosphate activés des groupements de tête polaires (Tableau 12-2) réagissent avec le groupement C3—OH du 1,2-diacyl-*sn*-glycérol pour donner la liaison phosphodiester du phospholipide. Dans certains cas le groupement phosphoryle d'un acide phosphatidique est activé et réagit avec le groupement de tête polaire non activé.

Le mécanisme de la formation de l'ester phosphate activé est le même pour les deux groupements de tête polaires **éthanolamine** et **choline** (Fig. 25-78) :

1. L'ATP phosphoryle le groupement OH de la choline ou de l'éthanolamine.

2. Le groupement phosphoryle de la **phosphoéthanolamine** ou de la **phosphocholine** formée attaque le CTP, déplaçant du PP_i, pour former les dérivés CDP correspondants, qui sont les esters phosphate activés du groupement polaire de tête.

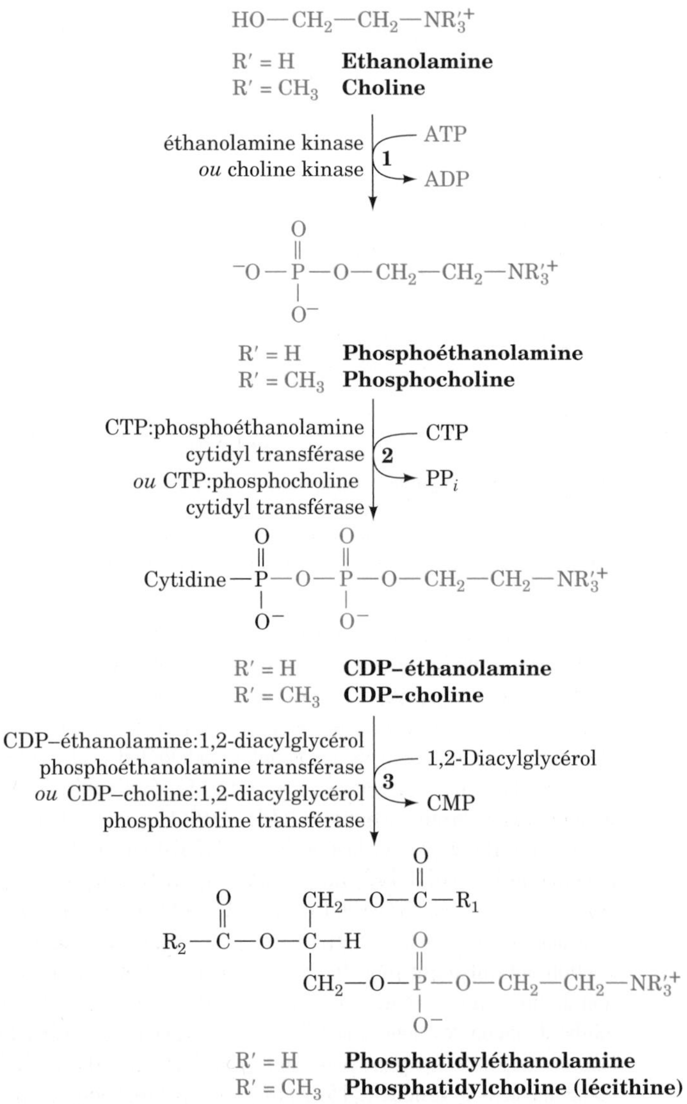

FIGURE 25-78 Biosynthèse de la phosphatidyléthanolamine et de la phosphatidylcholine. Chez les mammifères, la CDP-éthanolamine et la CDP-choline sont les précurseurs des groupements de tête.

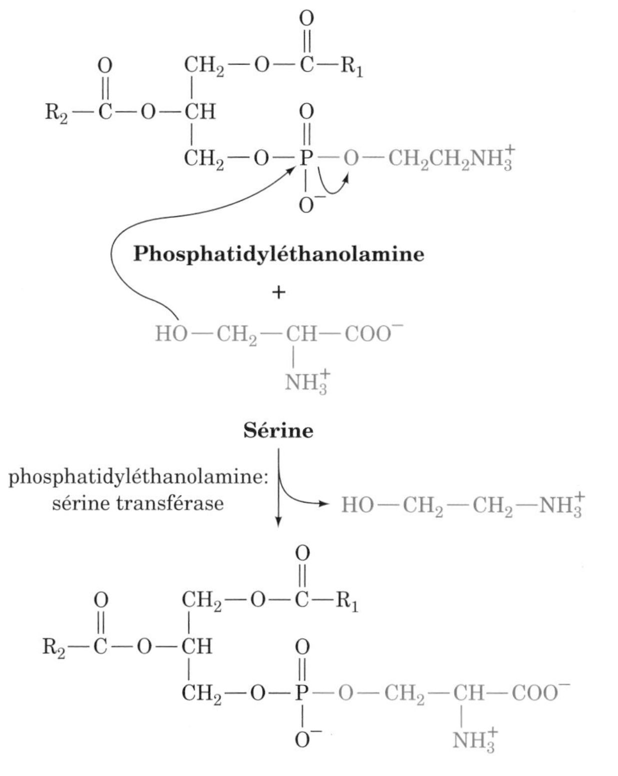

Phosphatidyléthanolamine

+

HO—CH$_2$—CH—COO$^-$
|
NH$_3^+$

Sérine

phosphatidyléthanolamine:
sérine transférase

HO—CH$_2$—CH$_2$—NH$_3^+$

Phosphatidylsérine

FIGURE 25-79 Synthèse de la phosphatidylsérine. La sérine remplace l'éthanolamine dans la phosphatidyléthanolamine lors d'une réaction d'échange de groupements de tête.

3. Le groupement C3—OH du 1,2-diacyl-*sn*-glycérol attaque le groupement phosphoryle de la CDP–éthanolamine ou de la CDP–choline activé, déplaçant le CMP pour donner le glycérophospholipide correspondant.

Le foie transforme aussi la phosphatidyléthanolamine en phosphatidylcholine par triméthylation de son groupement amine, la **S-adénosylméthionine** (Section 26-3E) étant l'agent méthylant.

La **phosphatidylsérine** est synthétisée à partir de phosphatidyléthanolamine lors d'une réaction d'échange de groupement de tête catalysée par la **phosphatidyléthanoamine :sérine transférase** dans laquelle le groupement OH de la sérine attaque le groupement phosphoryle du donneur (Fig. 25-79). Le groupement de tête original se trouve éliminé, avec formation de phosphatidylsérine.

Pour la synthèse de **phosphatidylinositol** et de **phosphatidylglycérol**, c'est la queue hydrophobe qui est activée au lieu du groupement polaire de tête. L'acide phosphatidique, le précurseur du 1,2-diacyl-*sn*-glycérol (Fig. 25-39), attaque le groupement phosphoryle en α du CTP pour donner le **CDP–diacylglycérol** et du PP$_i$ (Fig. 25-80). Le phosphatidylinositol résulte d'une attaque de l'inositol sur le CDP–diacylglycérol. Le phosphatidylglycérol est formé en deux réactions : (1) attaque par le groupement C1—OH du *sn*-glycérol-3-phosphate du CDP-diacylglycérol, ce qui donne le **phosphatidylglycérol phosphate** ; et (2) hydrolyse du groupement phosphoryle pour donner le phosphatidylglycérol.

La **cardiolipine**, un phospholipide important isolé pour la première fois du tissu cardiaque, est synthétisé à partir de deux molécules de phosphatidylglycérol (Fig. 25-81). La réaction se fait par l'attaque menée par le groupement C1—OH de l'une des molécules de phosphatidylglycérol sur le groupement phosphoryle de l'autre, déplaçant une molécule de glycérol.

Les enzymes qui synthétisent les acides phosphatidiques ont une préférence générale pour des acides gras saturés en C1 et des acides gras insaturés en C2. Cependant, cette préférence générale ne peut expliquer, par exemple, pourquoi ~80 % des phosphatidylinositols du cerveau ont un groupement stéaryle (18 :0) en C1 et un groupement arachidonyle (20 :4) en C2, et que ~40 % de la phosphatidylcholine des poumons a des groupements palmityle (16 :0) dans les deux positions (cette dernière substance est le constituant principal du surfactant qui empêche les poumons de se collaber quand l'air est expulsé ; sa déficience est responsable du **syndrome de détresse respiratoire** des enfants prématurés). William Lands a montré qu'*une telle spécificité de chaîne latérale est due à des réactions de « redistribution » au cours desquelles les groupements acyle de glycérophospholipides individuels sont échangés sous l'action de phospholipases et d'acyltransférases spécifiques.*

b. Biosynthèse des plasmalogènes et des alkylacylglycérophospholipides

Les membranes des eucaryotes contiennent des quantités significatives de deux autres glycérophospholipides :

1. Les **plasmalogènes,** qui contiennent une chaîne hydrocarbonée liée au C1 du glycérol par une liaison vinyl éther :

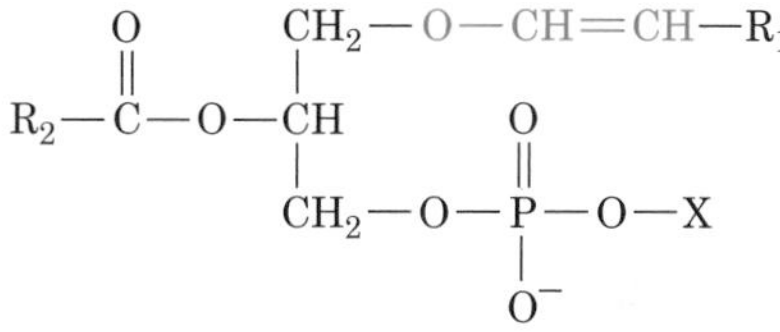

Un plasmalogène

2. Les **alkylacylglycérophospholipides,** dans lesquels le substituant alkyl sur le C1 du glycérol est lié par une liaison éther :

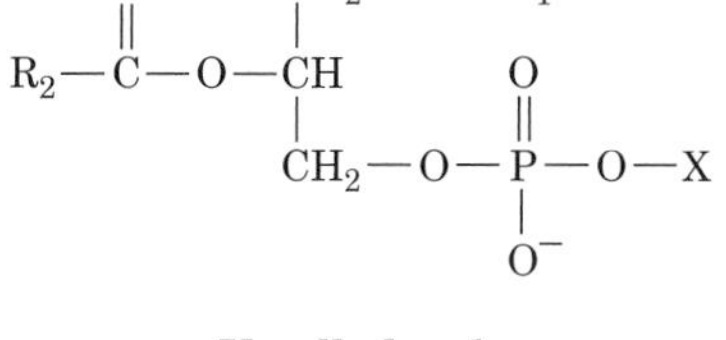

**Un alkylacyl-
glycérophospholipide**

Environ 20 % des glycérophospholipides de mammifère sont des plasmalogènes. Le pourcentage exact varie selon les espèces et selon les tissus à l'intérieur d'un même organisme. Alors que les plasmalogènes ne représentent que 0,8 % des phospholipides dans le foie humain, ils en représentent 23 % dans le tissu nerveux humain. Les alkylacylglycérophospholipides sont moins abondants que les plasmalogènes ; par exemple, 59 % des éthanolamines glycérophospholipides dans le cœur humain sont des plas-

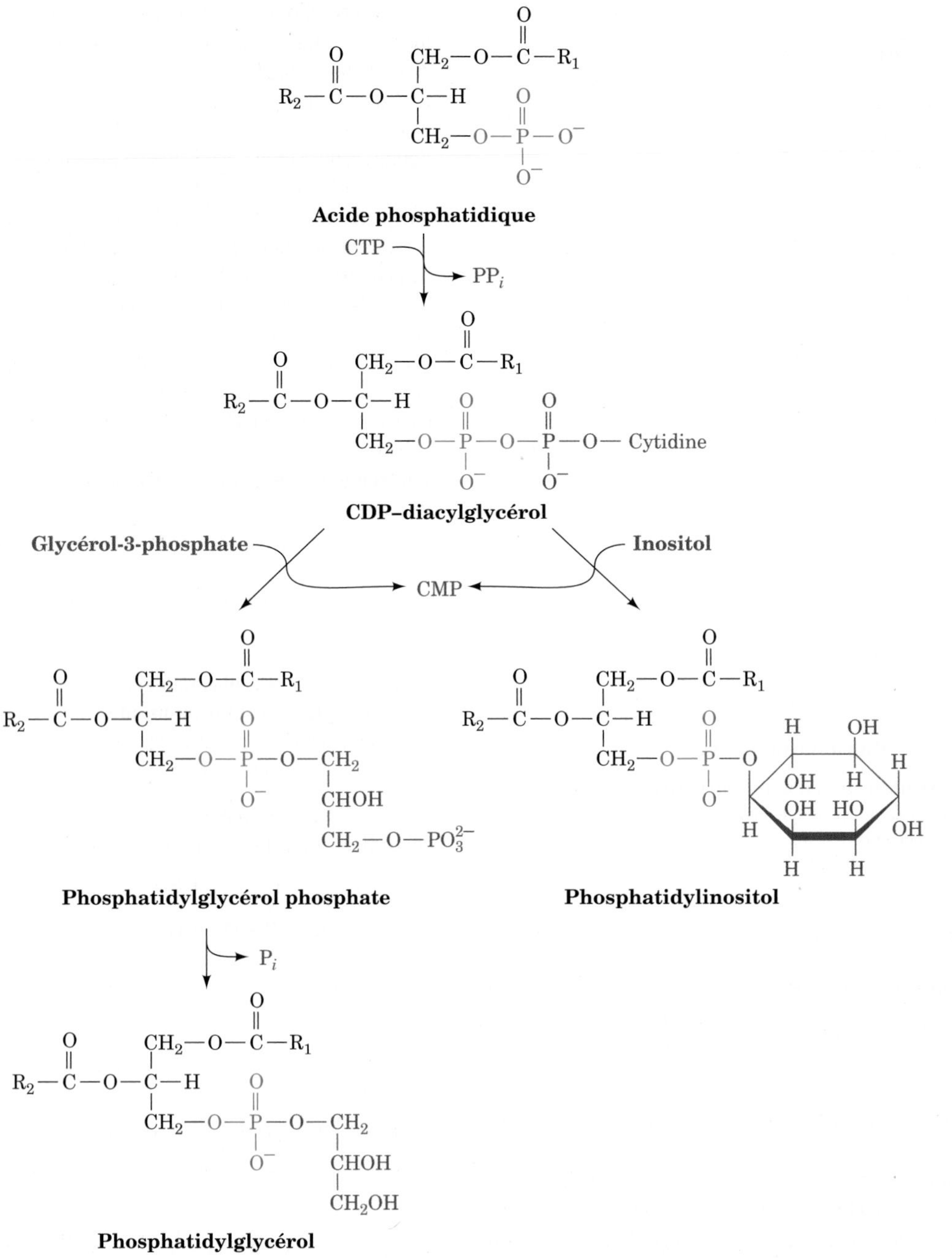

FIGURE 25-80 Biosynthèse de phosphatidylinositol et de phosphatidylglycérol. Chez les mammifères, ce processus implique un intermédiaire CDP-diacyglycérol.

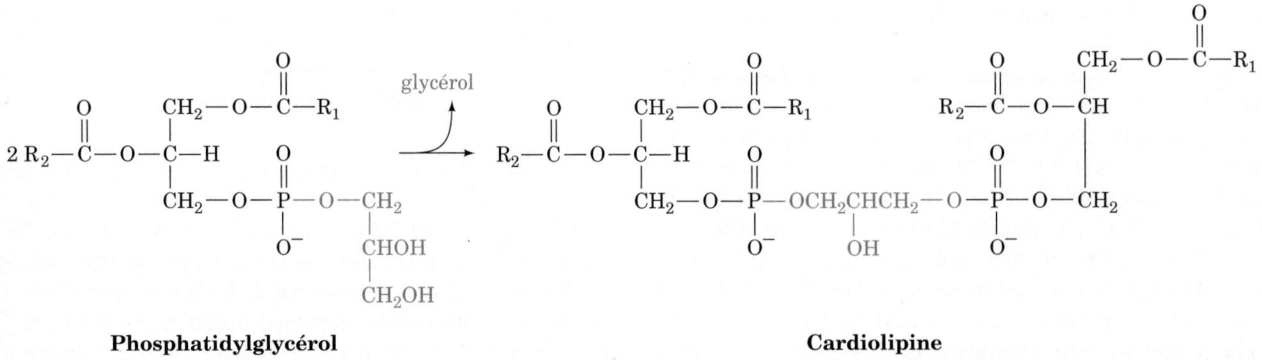

FIGURE 25-81 Formation de la cardiolipine.

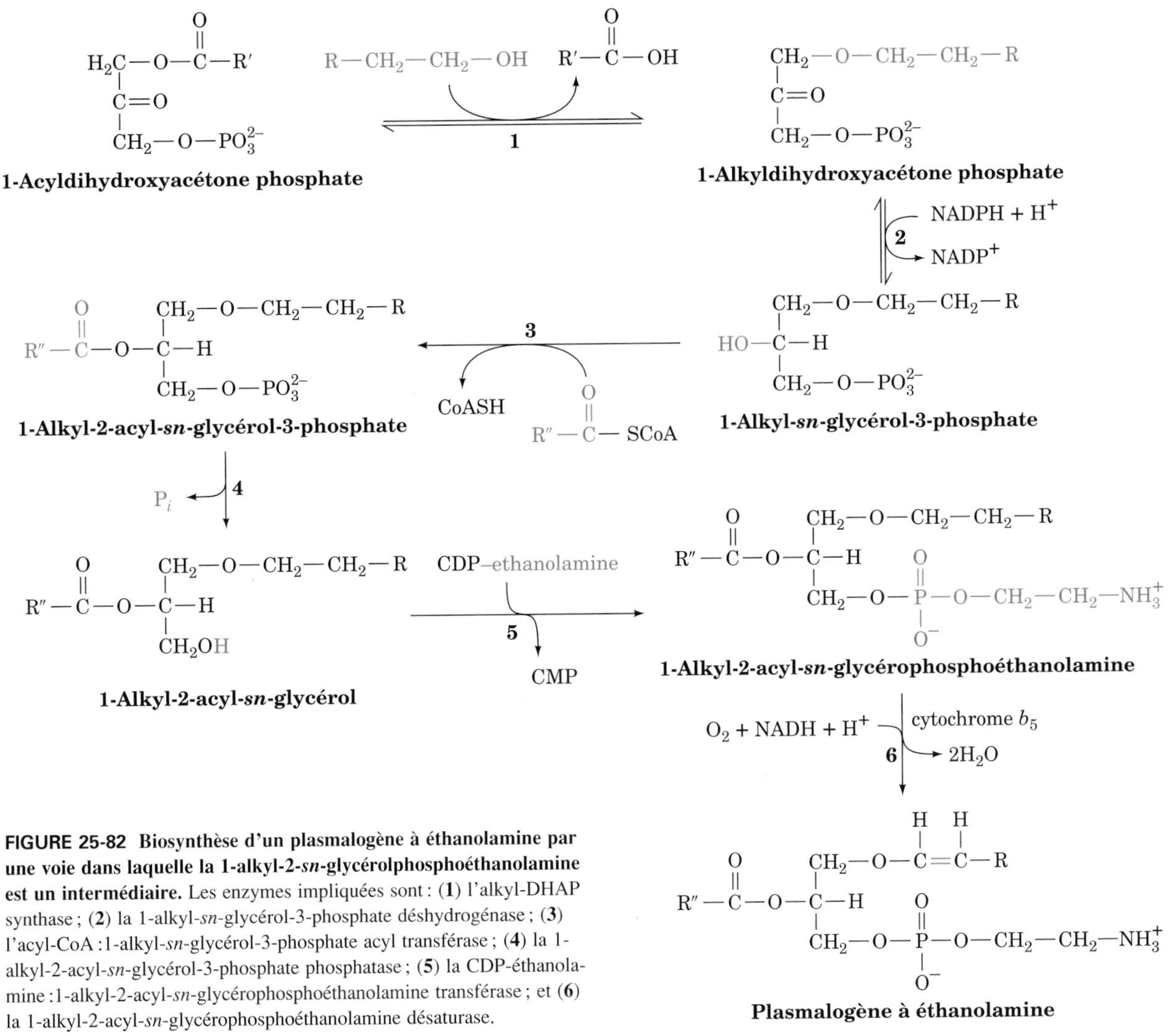

1-Acyldihydroxyacétone phosphate

1-Alkyldihydroxyacétone phosphate

NADPH + H$^+$

2

NADP$^+$

3

CoASH

R″ — C — SCoA

1-Alkyl-2-acyl-*sn*-glycérol-3-phosphate

1-Alkyl-*sn*-glycérol-3-phosphate

P$_i$ **4**

1-Alkyl-2-acyl-*sn*-glycérol

CDP–ethanolamine

5

CMP

1-Alkyl-2-acyl-*sn*-glycérophosphoéthanolamine

O$_2$ + NADH + H$^+$ — cytochrome b_5

6 2H$_2$O

Plasmalogène à éthanolamine

FIGURE 25-82 Biosynthèse d'un plasmalogène à éthanolamine par une voie dans laquelle la 1-alkyl-2-*sn*-glycérolphosphoéthanolamine est un intermédiaire. Les enzymes impliquées sont : (**1**) l'alkyl-DHAP synthase ; (**2**) la 1-alkyl-*sn*-glycérol-3-phosphate déshydrogénase ; (**3**) l'acyl-CoA :1-alkyl-*sn*-glycérol-3-phosphate acyl transférase ; (**4**) la 1-alkyl-2-acyl-*sn*-glycérol-3-phosphate phosphatase ; (**5**) la CDP-éthanolamine :1-alkyl-2-acyl-*sn*-glycérophosphoéthanolamine transférase ; et (**6**) la 1-alkyl-2-acyl-*sn*-glycérophosphoéthanolamine désaturase.

malogènes, alors que 3,6 % seulement sont des alkylacylglycérophospholipides. Cependant, dans les érythrocytes de bovin, 75 % des éthanolamine glycérophospholipides sont des alkylacylglycérophospholipides.

La biosynthèse des plasmalogènes éthanolamines et des alkylacylglycérophospholipides nécessite plusieurs réactions (Fig. 25-82) :

1. Echange du groupement acyle du **1-acyldihydroxyacétone phosphate** par un alcool.

2. Réduction de la cétone en **1-alkyl-*sn*-glycérol-3-phosphate.**

3. Acylation du groupement C2—OH formé par un acyl-CoA.

4. Hydrolyse du groupement phosphoryle ce qui donne un alkylacylglycérol.

5. Attaque par le nouveau groupement OH de l'alkylglycérol de la CDP–éthanolamine pour donner la **1-alkyl-2-acyl-*sn*-glycérophosphoéthanolamine.**

6. Introduction d'une double liaison dans le groupement alkyle pour former le plasmalogène par une désaturase ayant les

mêmes exigences en cofacteur que les acides gras désaturases (Section 25-4E).

Se rappeler que la relation précurseur–produit entre l'alkylacylglycérophospholipide et le plasmalogène a été établie en utilisant de la [^{14}C]éthanolamine (Section 16-3B).

Le plasmalogène ayant un proupement acétyle en R$_2$ et la choline comme tête polaire (X), la **1-*O*-hexadec-1'-ényl-2-acétyl-*sn*-glycéro-3-phosphocholine,** est appelé **facteur activateur des plaquettes (PAF).** Cette molécule a plusieurs fonctions et agit à très faibles concentrations ($10^{-10}M$) pour diminuer la pression artérielle et provoquer l'agrégation des plaquettes.

B. *Sphingophospholipides*

Seul un phospholipide majeur contient un céramide (*N*-acyl-sphingosine) comme queue hydrophobe : la **sphingomyéline** (*N*-acyls-phingosine phosphocholine ; Section 12-1D), un lipide structural important des membranes des cellules nerveuses. On a tout d'abord pensé que la molécule était synthétisée à partir de *N*-acyls-phingosine et de CDP–choline. Plus récemment, on a montré que

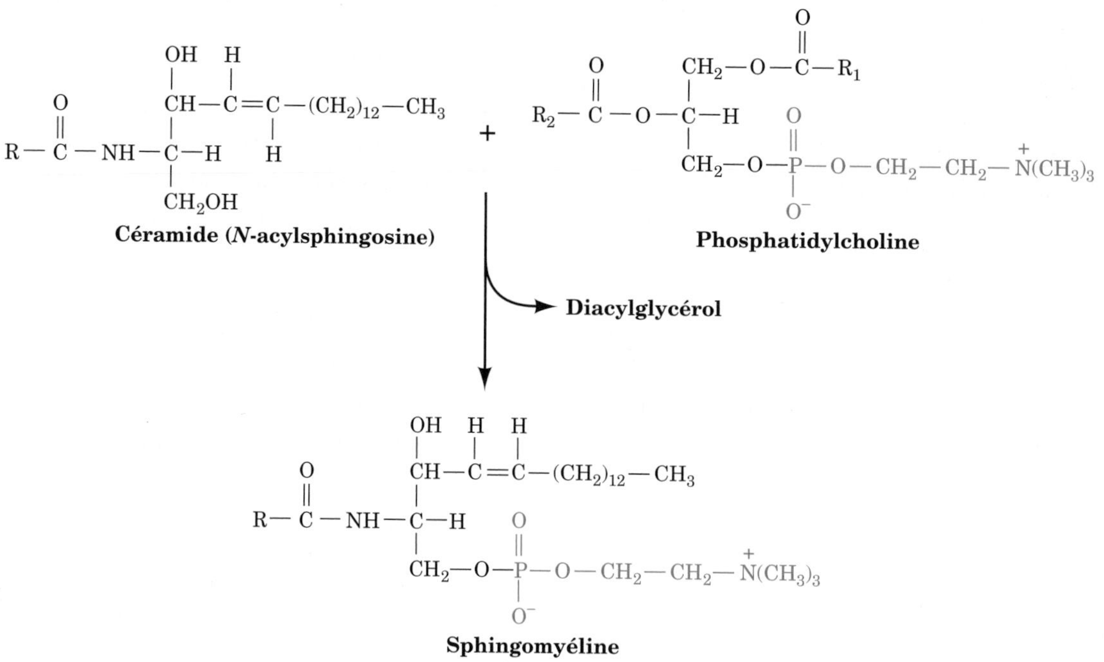

FIGURE 25-83 Synthèse de sphingomyéline à partir de *N*-acylsphingosine et de phosphatidylcholine.

la voie de synthèse principale de la sphingomyéline se faisait par transfert du groupement phosphocholine de la phosphatidylcholine sur la *N*-acylsphingosine (Fig. 25-83). On a pu distinguer ces deux voies en déterminant les relations précurseur–produit entre la CDP–choline, la phosphatidylcholine et la sphingomyéline (Section 16-3B). On a isolé des microsomes de foie de souris que l'on a incubés avec de la [H³]choline. La radioactivité n'est apparue dans la sphingomyéline qu'après être apparue dans la CDP–choline et dans la phosphatidylcholine, excluant la possibilité d'un transfert direct de phosphocholine de la CDP–choline sur la *N*-acylsphingosine.

Les groupements acyle les plus fréquents dans les sphingomyélines sont les groupements palmitoyle (16:0) et stéaroyle (18:0). Les acides gras à plus longue chaîne comme l'acide nervonique (24:1) et l'acide béhénique (22:0) se trouvent moins fréquemment dans les sphingomyélines.

C. *Sphingoglycolipides*

La plupart des sphingolipides sont des sphingoglycolipides, dont les groupements de tête polaires sont des unités glucidiques (Section 12-1D). Les principales classes de sphingoglycolipides, comme l'indique la Fig. 25-84, sont les **cérébrosides** (céramides monosaccharidiques), les **sulfatides** (sulfates de céramide monosaccharidiques), les **globosides** (céramides neutres polysaccharidiques), et les **gangliosides** (céramides acides oligosaccharidiques à acide sialique). L'unité glucidique est unie à la *N*-acylsphingosine par son groupement C1—OH (Fig. 25-77).

Les lipides procurant les glucides qui couvrent la face externe des cellules eucaryotes sont des sphingoglycolipides. Comme les glycoprotéines (Section 23-3), ils sont synthétisés sur la face luminale du réticulum endoplasmique et de l'appareil de Golgi et arrivent à la membrane plasmique par transport vésiculaire (Sections 12-4C et 12-4D), où ils se retrouvent du côté externe de la surface de la bicouche lipidique en vertu de la fusion des membranes (Fig. 12-53). Les sphingolipides sont dégradés dans les lysosomes après endocytose à partir de la membrane plasmique.

Dans les sous-sections suivantes, nous étudierons la biosynthèse et la dégradation des *N* acylsphingosines et des sphingoglycolipides ainsi que les maladies causées par des déficiences de leurs enzymes de dégradation.

a. Biosynthèse des céramides (N-acylsphingosine)

La biosynthèse des *N*-acylsphingosines nécessite quatre réactions à partir des précurseurs palmitoyl-CoA et sérine (Fig. 25-85) :

1. La **3-cétosphinganine synthase (sérine palmitoyl transférase)**, une enzyme à phosphate de pyridoxal, catalyse la condensation de palmitoyl-CoA avec la sérine pour donner la **3-cétosphinganine** (les réactions qui nécessitent du phosphate de pyridoxal sont étudiées dans la Section 26-1A).

2. La **3-cétosphinganine réductase** catalyse la réduction NADPH-dépendante du groupement céto de la 3-cétosphinganine pour donner la **sphinganine (dihydrosphingosine).**

3. Le **dihydrocéramide** est formé par transfert d'un groupement acyle d'un acyl-CoA sur le groupement 2-aminé de la sphingamine, formant une liaison amide.

4. La **dihydrocéramide réductase** transforme le dihydrocéramide en céramide par oxydation avec le FAD comme cofacteur.

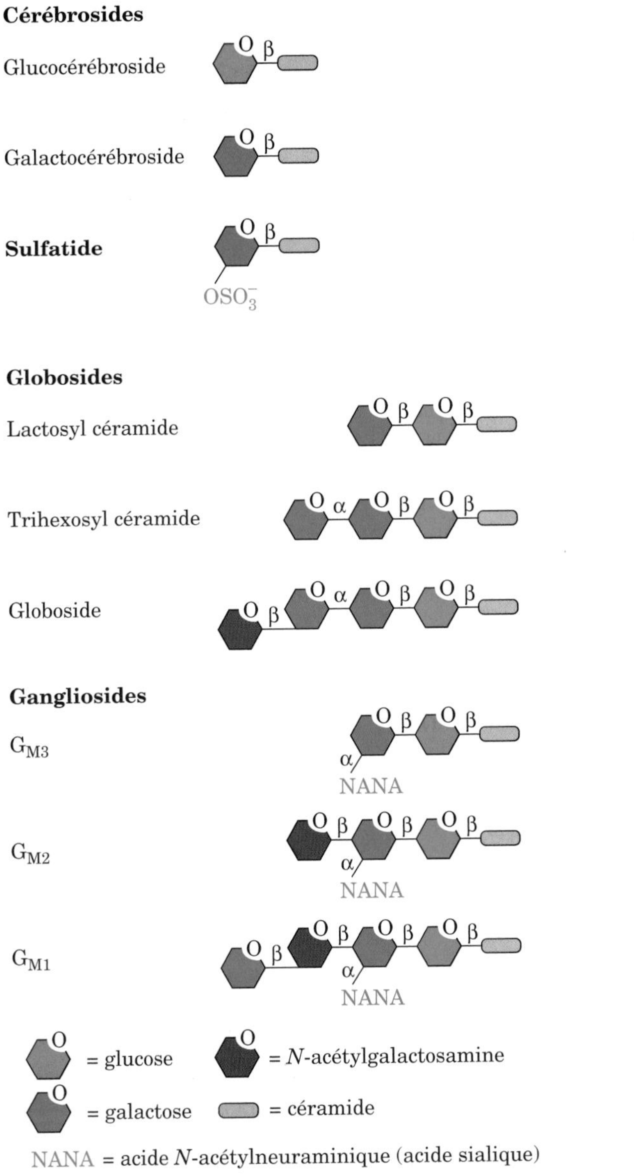

Cérébrosides

Glucocérébroside

Galactocérébroside

Sulfatide

OSO_3^-

Globosides

Lactosyl céramide

Trihexosyl céramide

Globoside

Gangliosides

G_{M3}

NANA

G_{M2}

NANA

G_{M1}

NANA

= glucose　= N-acétylgalactosamine

= galactose　= céramide

NANA = acide N-acétylneuraminique (acide sialique)

FIGURE 25-84 Représentation schématique des principales classes de sphingoglycolipides. Les structures des gangliosides G_M sont données avec plus de détails dans la Fig. 12-7.

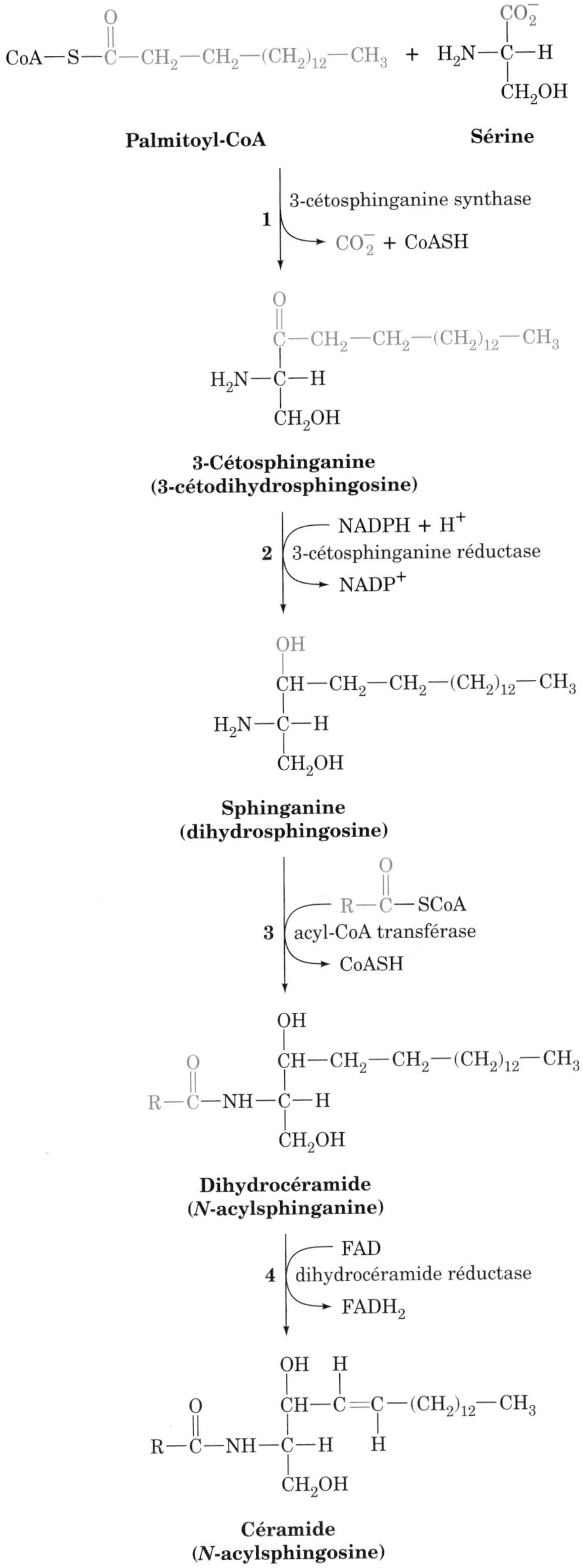

b. Biosynthèse des cérébrosides (glycosylcéramides)

Le **galactocérébroside (1-β-galactosylcéramide)** et le **glucocérébroside (1-β-glucosylcéramide)** sont les deux cérébrosides les plus courants. En réalité, le terme cérébroside est souvent synonyme de galactocérébroside. Ils sont tous les deux synthétisés à partir de céramide par addition d'une unité glycosyle de l'UDP-hexose correspondant (Fig. 25-86). Le galactocérébroside est un constituant courant des lipides du cerveau. Le glucocérébroside, relativement plus rare, est le précurseur des globosides et des gangliosides.

c. Biosynthèse des sulfatides

Les sulfatides (galactocérébroside-3-sulfate) représentent 15 % des lipides de la substance blanche du cerveau. Ils sont formés par

$$CoA-S-\overset{O}{\overset{\|}{C}}-CH_2-CH_2-(CH_2)_{12}-CH_3 \;+\; H_2N-\overset{CO_2^-}{\underset{CH_2OH}{\overset{|}{\underset{|}{C}}}}-H$$

Palmitoyl-CoA　　　　　**Sérine**

1 | 3-cétosphinganine synthase
$\rightarrow CO_2^- + CoASH$

$$\overset{O}{\overset{\|}{C}}-CH_2-CH_2-(CH_2)_{12}-CH_3$$
$$H_2N-\overset{|}{C}-H$$
$$CH_2OH$$

**3-Cétosphinganine
(3-cétodihydrosphingosine)**

2 | NADPH + H$^+$; 3-cétosphinganine réductase ; NADP$^+$

$$\overset{OH}{\overset{|}{CH}}-CH_2-CH_2-(CH_2)_{12}-CH_3$$
$$H_2N-\overset{|}{C}-H$$
$$CH_2OH$$

**Sphinganine
(dihydrosphingosine)**

3 | $R-\overset{O}{\overset{\|}{C}}-SCoA$; acyl-CoA transférase ; CoASH

$$\overset{OH}{\overset{|}{CH}}-CH_2-CH_2-(CH_2)_{12}-CH_3$$
$$R-\overset{O}{\overset{\|}{C}}-NH-\overset{|}{C}-H$$
$$CH_2OH$$

**Dihydrocéramide
(N-acylsphinganine)**

4 | FAD ; dihydrocéramide réductase ; FADH$_2$

$$\overset{OH\;\;H}{\overset{|\;\;\;|}{CH-C}}=C-(CH_2)_{12}-CH_3$$
$$R-\overset{O}{\overset{\|}{C}}-NH-\overset{|}{C}-H$$
$$CH_2OH$$

**Céramide
(N-acylsphingosine)**

FIGURE 25-85 Biosynthèse d'un céramide (N-acylsphingosine).

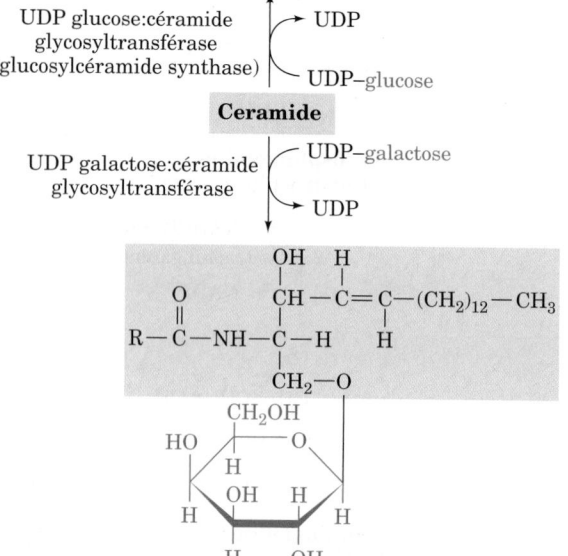

Glucocérébroside (1-β-D-glucosylcéramide)

UDP glucose:céramide
glycosyltransférase
(glucosylcéramide synthase)   → UDP
← UDP–glucose

Céramide

UDP galactose:céramide   → UDP–galactose
glycosyltransférase   → UDP

Galactocérébroside (1-β-D-galactosylcéramide)

FIGURE 25-86 Biosynthèse des cérébrosides.

transfert d'un groupement sulfate « activé » depuis le **3′-phos-phoadénosine-5′-phosphosulfate (PAPS)** sur le groupement C3—OH du galactose du galactocérébroside (Fig. 25-87).

d. Biosynthèse des globosides et des gangliosides

La biosynthèse des globosides (céramides oligosaccharidiques neutres) et des gangliosides (céramides oligosaccharidiques à acide sialique) est catalysée par une série de **glycosyl transférases**. Bien que les réactions soient chimiquement identiques, elles sont catalysées chacune par une enzyme spécifique. Les voies débutent par le transfert d'une unité galactosyle depuis l'UDP–Gal sur un glucocérébroside pour former une liaison $\beta(1 \rightarrow 4)$ (Fig. 25-88). Cette liaison étant la même que celle qui unit le glucose au galactose dans le lactose, ce glycolipide est souvent appelé **lactosyl céramide**. Le lactosyl céramide est le précurseur des globosides et des gangliosides. Pour former un globoside, une unité galactosyle et une unité *N*-acétylgalactosaminyle sont ajoutées successivement au lactosyl céramide à partir respectivement d'UDP–Gal et d'UDP–GalNAc. Les gangliosides G_M sont formés par addition d'**acide *N*-acétylneuraminique (NANA, acide sialique)**

**Acide *N*-acétylneuraminique
(NANA, acide sialique)**

fourni par le CMP-NANA au lactosyl céramide, via une liaison $\alpha(2 \rightarrow 3)$ pour donner G_{M3}. Les additions séquentielles à G_{M3} des unités *N*-acétylgalactosamine et galactose à partir d'UDP–GalNAc et d'UDP–Gal donnent les gangliosides G_{M2} et G_{M1}. D'autres gangliosides sont formés par addition d'un deuxième groupement NANA à G_{M3}, donnant $\mathbf{G_{D3}}$, ou par addition d'une unité de *N*-acétylglucosamine au lactosyl céramide avant l'addi-

3′-Phosphoadénosine-5′-phosphosulfate(PAPS)

3′-Phosphoadénosine-5′-phosphate

Galactocérébroside

Sulfatide (galactocérébroside-3-sulfate)

FIGURE 25-87 Biosynthèse des sulfatides.

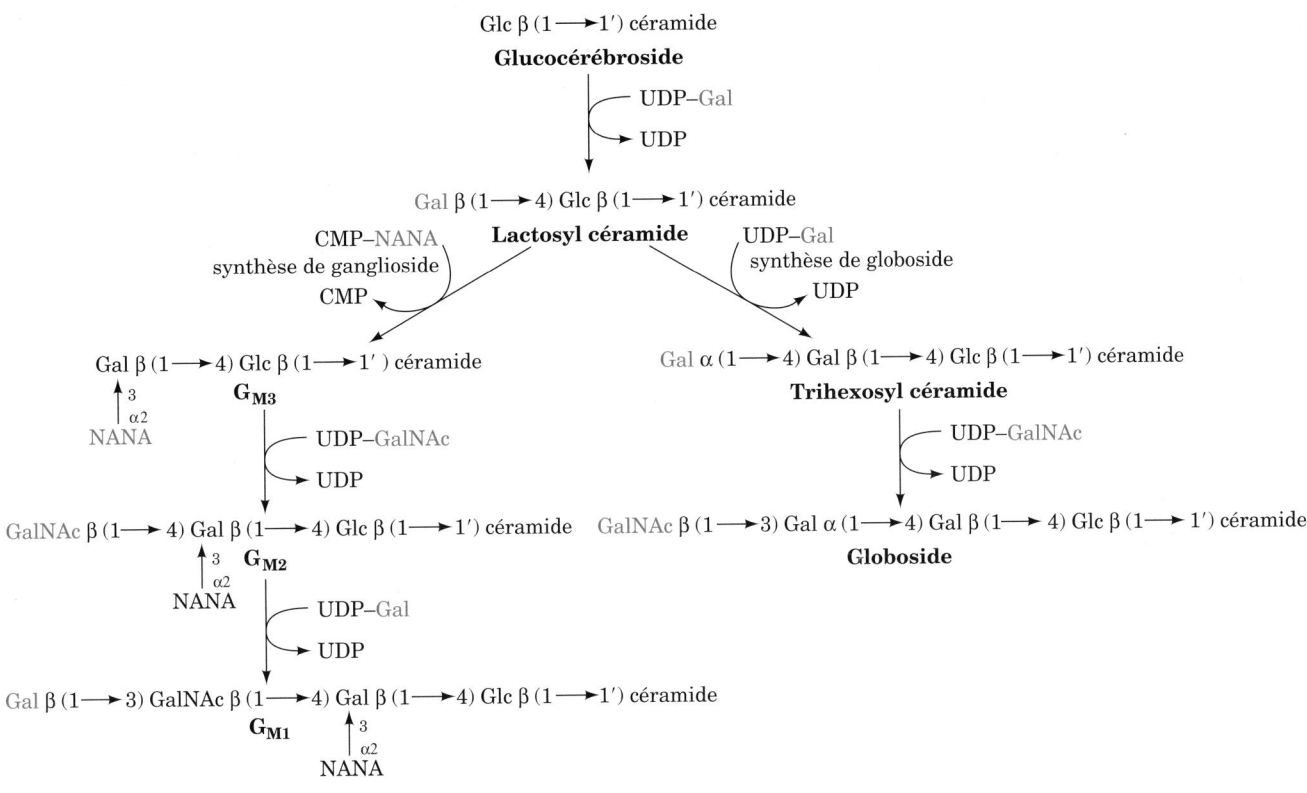

FIGURE 25-88 Biosynthèse des globosides et des gangliosides G$_M$.

tion du groupe NANA, donnant le **G$_{A2}$**. On connaît plus de 60 gangliosides différents.

e. Dégradation des sphingolipides et maladies de stockage des lipides

Les sphingoglycolipides sont dégradés dans les lysosomes par une série de réactions d'hydrolyse enzymatiques (Fig. 25-89). Ces réactions sont catalysées à l'interface lipide-eau par des enzymes solubles, souvent avec l'aide de **protéines activatrices des sphingolipides (SAP** ; comprenant les **saposines,** la **protéine activatrice de G$_{M2}$,** et **SAP-A** à **SAP-D**). Ces protéines auxiliaires non enzymatiques faciliteraient l'accessibilité de la partie glucidique du sphingoglycolipide à l'enzyme de dégradation. Par exemple, la protéine activatrice de G$_{M2}$ se fixe à G$_{M2}$ et l'expose à la surface de la membrane. Le complexe ainsi formé se fixe alors à l'**hexosaminidase A**, un dimère αβ qui détache par hydrolyse l'acétylgalactosamine de G$_{M2}$ à l'interface lipide-eau (Fig. 25-90).

L'absence héréditaire de l'une des hydrolases des sphingolipides ou d'une SAP entraîne une **maladie de stockage des sphingolipides** (Tableau 25-2). La plus fréquente de ces maladies est la **maladie de Tay-Sachs,** due à la déficience autosomique récessive de l'hexosaminidase A. L'absence de cette enzyme entraîne l'accumulation de G$_{M2}$ sous la forme d'inclusions qui rappellent un coquillage (Fig. 25-91).

Bien que les nouveaux-nés atteints de la maladie de Tay-Sachs semblent normaux aux premiers jours, vers l'âge de un an, quand assez de G$_{M2}$ s'est accumulé pour perturber les fonctions neuronales, ils s'affaiblissent progressivement, manifestent un retard de croissance, perdent la vue et meurent généralement vers 3 ans. Il est cependant possible de détecter les porteurs potentiels de cette maladie par une simple analyse du sérum. Il est aussi possible de déceler la maladie *in utero* par analyse du liquide amniotique ou des cellules amniotiques par amniocentèse. Le test consiste à utiliser un substrat artificiel de l'hexosaminidase, la **4-méthylombelliféryl-β-D-N-acétylglucosamine,** qui forme un produit fluorescent après hydrolyse.

4-Méthylumbelliféryl-β-D-N-acétylglucosamine

hexosaminidase

**4-Méthylumbelliférone
(fluorescent en milieu alcalin)**

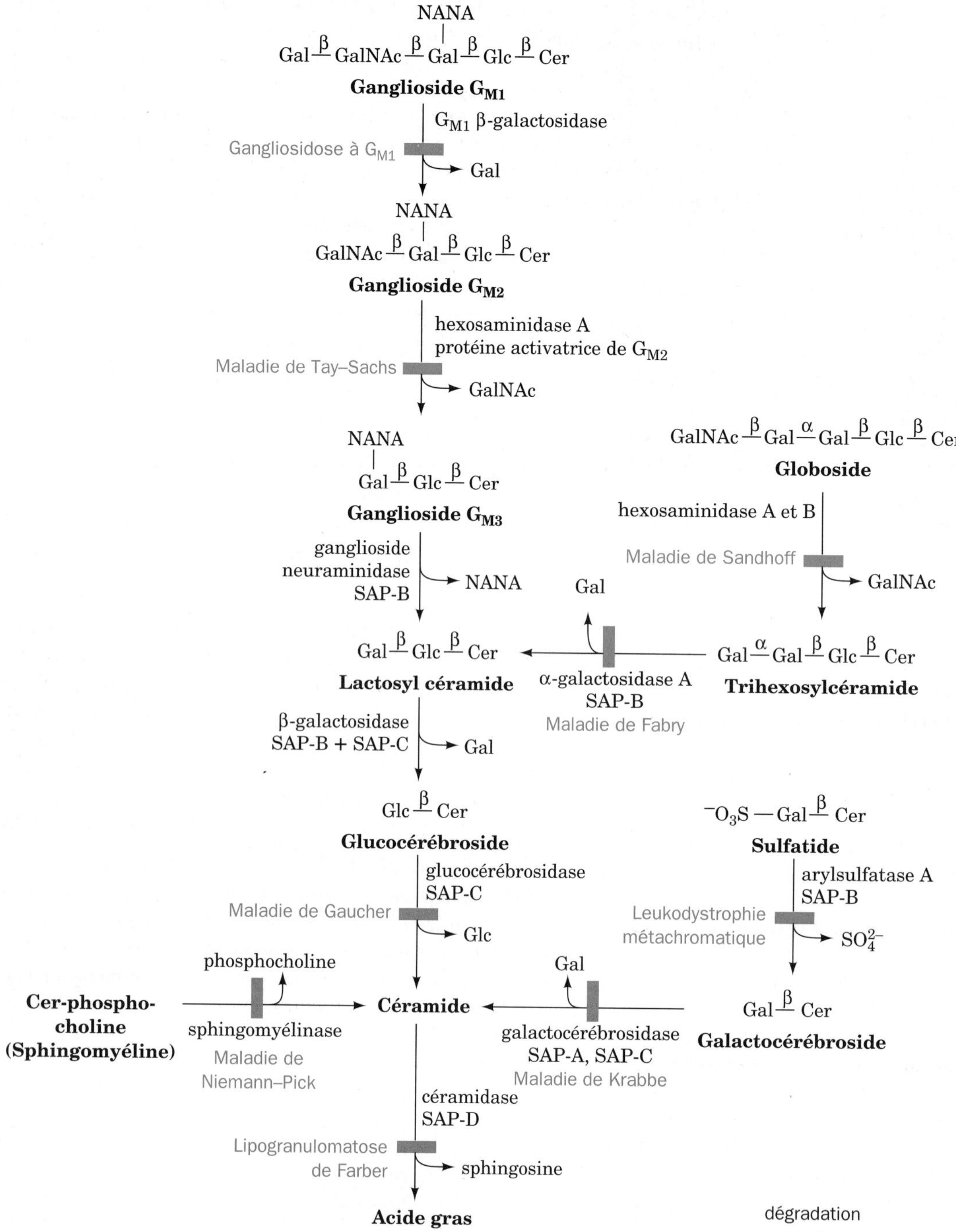

NANA
|
Gal $\overset{\beta}{-}$ GalNAc $\overset{\beta}{-}$ Gal $\overset{\beta}{-}$ Glc $\overset{\beta}{-}$ Cer

Ganglioside G$_{M1}$

G_{M1} β-galactosidase

Gangliosidose à G$_{M1}$

$\longrightarrow$ Gal

NANA
|
GalNAc $\overset{\beta}{-}$ Gal $\overset{\beta}{-}$ Glc $\overset{\beta}{-}$ Cer

Ganglioside G$_{M2}$

hexosaminidase A
protéine activatrice de G$_{M2}$

Maladie de Tay–Sachs

$\longrightarrow$ GalNAc

NANA
|
Gal $\overset{\beta}{-}$ Glc $\overset{\beta}{-}$ Cer

Ganglioside G$_{M3}$

ganglioside
neuraminidase
SAP-B

$\longrightarrow$ NANA

GalNAc $\overset{\beta}{-}$ Gal $\overset{\alpha}{-}$ Gal $\overset{\beta}{-}$ Glc $\overset{\beta}{-}$ Cer

Globoside

hexosaminidase A et B

Maladie de Sandhoff

$\longrightarrow$ GalNAc

Gal $\overset{\alpha}{-}$ Gal $\overset{\beta}{-}$ Glc $\overset{\beta}{-}$ Cer

Trihexosylcéramide

Gal

α-galactosidase A
SAP-B
Maladie de Fabry

Gal $\overset{\beta}{-}$ Glc $\overset{\beta}{-}$ Cer

Lactosyl céramide

β-galactosidase
SAP-B + SAP-C

$\longrightarrow$ Gal

Glc $\overset{\beta}{-}$ Cer

Glucocérébroside

glucocérébrosidase
SAP-C

Maladie de Gaucher

$\longrightarrow$ Glc

^-O_3S — Gal $\overset{\beta}{-}$ Cer

Sulfatide

arylsulfatase A
SAP-B

Leukodystrophie
métachromatique

$\longrightarrow$ SO$_4^{2-}$

Gal $\overset{\beta}{-}$ Cer

Galactocérébroside

phosphocholine

**Cer-phospho-
choline
(Sphingomyéline)**

sphingomyélinase

Maladie de
Niemann–Pick

Céramide

Gal

galactocérébrosidase
SAP-A, SAP-C
Maladie de Krabbe

céramidase
SAP-D

Lipogranulomatose
de Farber

$\longrightarrow$ sphingosine

Acide gras

FIGURE 25-89 Dégradation des sphingolipides par des enzymes lysosomiales. Les maladies génétiques causées par la déficience de l'enzyme correspondante sont indiquées en rouge.

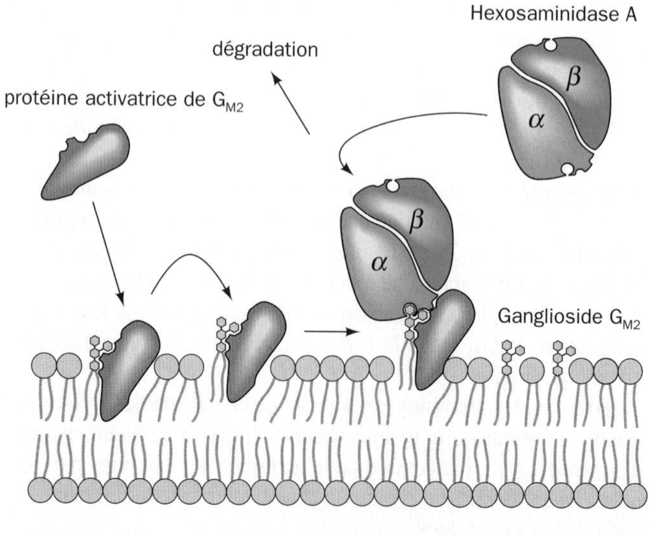

dégradation

protéine activatrice de G$_{M2}$

Hexosaminidase A

β
α

β
α

Ganglioside G$_{M2}$

FIGURE 25-90 Modèle proposé pour l'hydrolyse du ganglioside G$_{M2}$ par l'hexosaminidase A stimulée par la protéine activatrice de G$_{M2}$. La protéine activatrice de G$_{M2}$ se fixe à G$_{M2}$ et le fait émerger de la membrane de sorte qu'il soit reconnu et clivé par le dimère $\alpha\beta$ d'hexosaminidase A. [D'après Kolter, T. and Sandhoff, K., *Angew. Chem. Int. Ed.* **38**, 1532 (1999).]

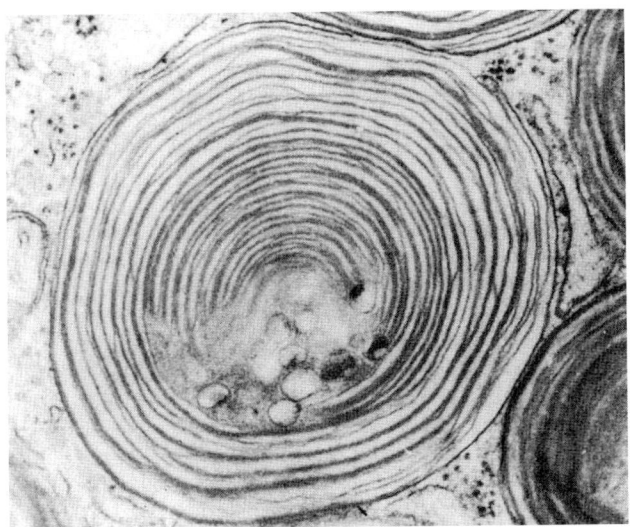

FIGURE 25-91 Corps membraneux cytoplasmique dans un neurone d'un patient atteint de la maladie de Tay-Sachs. [Avec la permission de John S. O'Brien, University of California at San Diego Medical School.]

Les maladies de stockage des sphingolipides se manifestent lorsque la capacité synthétique de la cellules dépasse celle de dégradation, ce qui conduit à l'accumulation de sphingolipides. Un nouveau type de traitement prometteur de plusieurs de ces maladies est le **traitement par privation de substrat**, par inhibition de la **glucosylcéramide synthase**, l'enzyme qui catalyse la première étape d'engagement dans la biosynthèse des globosides et des gangliosides (Fig. 25-86). Plusieurs de ces inhibiteurs ont été mis au point et font l'objet d'études cliniques. Dans un modèle de maladie de Tay-Sachs chez la souris, l'administration orale de *N*-**butyl-désoxynojirimycine (NB-DNJ)**

N-**Butyldésoxynojirimycine (NB-DNJ)**

Ce substrat étant aussi reconnu par l'**hexosaminidase B,** qui reste active dans la maladie de Tay-Sachs, l'hexosaminidase B doit d'abord être inactivée par la chaleur, car elle est plus thermolabile que l'hexosaminidase A. Suite aux efforts de dépistage systématiques entrepris, les conséquences dramatiques de cette déficience enzymatique héréditaire s'estompent. Les autres maladies de stockage des sphingolipides, bien que plus rares, produisent des effets semblables (Tableau 25-2).

réduit de moitié l'accumulation de ganglioside G_{M2} dans le cerveau. La NB-DNJ a également fait l'objet d'essais cliniques chez des patients atteints de la maladie de Gaucher non neuropathique. Le volume de la rate, qui est augmenté chez ces malades (Tableau 25-2), diminue de 12 à 19 % après 12 mois de traitement. Bien que beaucoup reste à faire pour mettre au point des médicaments efficaces contre les maladies de stockage des sphingolipides, il est clair qu'une compréhension moléculaire des enzymes impliquées peut déboucher sur des avancées cliniques importantes.

TABLEAU 25-2 Maladies de stockage des sphingolipides

Maladie	Enzyme déficiente	Principale substance stockée	Principaux symptômes
G_{M1} Gangliosidosis	G_{M1} β-galactosidase	Ganglioside G_{M1}	Retard mental, hépatomégalie, problèmes au niveau du squelette, mort vers 2 ans
Maladie de Tay–Sachs	Hexosaminidase A	Ganglioside G_{M2}	Retard mental, cécité, mort vers 3 ans
Maladie de Fabry	α-Galactosidase A	Trihexosylcéramide	Dermatose, insuffisance rénale, douleur dans les membres inférieurs
Maladie de Sandhoff	Hexosaminidases A et B	Ganglioside G_{M2} et globoside	Comme dans la maladie de Tay-Sachs mais développement plus rapide
Maladie de Gaucher	Glucocérébrosidase	Glucocérébroside	Hépato- et splénomégalie, érosion des os longs, retard mental uniquement pour la forme infantile
Maladie de Niemann–Pick	Sphingomyélinase	Sphingomyéline	Hépato- et splénomégalie, retard mental
Lipogranulomatose	Céramidase	Céramide	Articulations douloureuses et déformées, nodules cutanés, mort en quelques années
Maladie de Krabbe	Galactocérébrosidase	Galactocérébroside désacylé	Perte de myéline, retard mental, mort vers deux ans
Leucodistrophie métachromatique (Lipidose à sulfatide)	Arylsulfatase A	Sulfatide	Retard mental, mort dans la première décennie

RÉSUMÉ DU CHAPITRE

1 ■ Digestion, absorption et transport des lipides Les triacylglycérols, la forme de mise en réserve de l'énergie métabolique chez les animaux, fournissent six fois plus d'énergie métabolique que le glycogène hydraté à poids égal. Les lipides alimentaires sont digérés par des enzymes pancréatiques comme la lipase et la phospholipase A_2 qui sont actives à l'interface lipide-eau d'émulsions stabilisées par les sels biliaires. Les sels biliaires sont aussi indispensables à l'absorption intestinale des lipides alimentaires, tout comme la protéine de liaison des acides gras. Les triacylglycérols alimentaires et ceux synthétisés par le foie sont transportés respectivement dans le sang par les chylomicrons et les VLDL. Les triacylglycérols présents dans ces lipoprotéines sont hydrolysés par la lipoprotéine lipase à l'extérieur des cellules et entrent dans les cellules sous forme d'acides gras libres. Les acides gras issus de l'hydrolyse des triacylglycérols du tissu adipeux par la lipase hormono-sensible sont transportés dans le courant sanguin sous forme de complexes acide gras–albumine.

2 ■ Oxydation des acides gras Avant d'être oxydés, les acides gras sont transformés en acyl-CoA par l'acyl-CoA synthase dans une réaction exigeant de l'ATP, transportés dans les mitochondries sous forme d'esters de carnitine, puis reconvertis en acyl-CoA dans la matrice mitochondriale. La β oxydation des acyl-CoA détache des unités en C_2 pour transformer totalement un acyl-CoA à nombre pair d'atomes de carbone en acétyl-CoA. Le mécanisme implique la déshydrogénation FAD-dépendante d'un groupement alkyle, l'hydratation de la double liaison formée, l'oxydation NAD^+-dépendante de cet alcool en cétone, et le clivage d'une liaison C—C pour former de l'acétyl-CoA et un nouvel acyl-CoA avec deux atomes de carbone en moins. Le processus se répète. L'oxydation complète de l'acétyl-CoA, du NADH et du $FADH_2$ est assurée par le cycle de l'acide citrique et les phosphorylations oxydatives. L'oxydation des acides gras insaturés et des acides gras à nombre impair d'atomes de carbone se fait également par β oxydation mais nécessite la participation d'enzymes supplémentaires. Les acides gras à nombre impair d'atomes de carbone donnent du propionyl-CoA, dont le métabolisme ultérieur demande la participation de (1) la propionyl-CoA carboxylase, enzyme à biotine, (2) la méthylmalonyl-CoA racémase, et (3) la méthylmalonyl-CoA mutase, qui contient de l'AdoCbl (coenzyme B_{12}). La méthylmalonyl-CoA mutase catalyse une réaction de réarrangement du squelette carboné via un mécanisme à radical libre où ce dernier est produit par clivage homolytique de la liaison C—Co(III) de l'AdoCbl. La β oxydation a lieu aussi dans les peroxysomes. La voie peroxysomiale diffère de la voie mitochondriale dans la mesure où le $FADH_2$ formé dans la première réaction est directement oxydé par O_2 pour former H_2O_2, au lieu de former de l'ATP par les phosphorylations oxydatives. Les enzymes peroxysomiales sont spécifiques des acides gras à longue chaîne et raccourcissent les chaînes par β oxydation. Les produits résultants à longueur de chaîne intermédiaire sont transférés dans les mitochondries pour achever leur oxydation.

3 ■ Corps cétoniques Une fraction significative de l'acétyl-CoA issu de l'oxydation des acides gras dans le foie est transformée en acétoacétate et en D-β-hydroxybutyrate, qui, avec l'acétone, sont appelés corps cétoniques. Les deux premiers composés sont des substrats énergétiques importants pour les tissus périphériques.

4 ■ Biosynthèse des acides gras La biosynthèse des acides gras diffère de leur oxydation sur plusieurs points. Alors que l'oxydation des acides gras se déroule dans les mitochondries en utilisant des esters d'acyl-CoA, la biosynthèse des acides gras se fait dans le cytosol, les acides gras en formation étant estérifiés à une protéine transporteur d'acyl (ACP). Les coenzymes rédox sont différents (FAD et NAD+ pour l'oxydation ; NADPH pour la biosynthèse), ainsi que la stœchiométrie des étapes intermédiaires des voies. L'oxydation produit de l'acétyl-CoA, alors que le malonyl-CoA est le précurseur immédiat dans la biosynthèse. HCO^-_3 est nécessaire à la biosynthèse mais n'est pas incorporé dans l'acide gras. Chez les mammifères, la synthèse des acides gras a lieu sur une seule protéine douée des six activités requises qui sont portées par des modules séparés fonctionnant avec l'aide de l'ACP. Des systèmes semblables, mais plus élaborés, servent à la synthèse des polycétides. L'acétyl-CoA est transféré des mitochondries au cytosol sous forme de citrate par le transporteur des tricarboxylates, puis le citrate est clivé pour donner l'acétyl-CoA et l'oxaloacétate. Ce dernier est transformé en malate, puis en pyruvate pour retourner à la mitochondrie, selon un processus qui forme aussi un peu de NADPH nécessaire à la biosynthèse. Le palmitate est le produit principal de la biosynthèse des acides gras chez les animaux. Les acides gras plus longs et insaturés sont formés à partir de palmitate par des réactions d'élongation et de désaturation. Les triacylglycérols sont formés à partir d'esters d'acyl-CoA et de glycérol-3-phosphate.

5 ■ Régulation du métabolisme des acides gras Le métabolisme des acides gras est régulé par contrôle allostérique de la triacylglycérol lipase hormono-sensible et de l'acétyl-CoA carboxylase, par phosphorylation/déphosphorylation, et/ou par variations des vitesses de synthèse et de dégradation de certaines enzymes du métabolisme lipidique. Cette régulation est sous la dépendance des hormones glucagon, adrénaline et noradrénaline, qui stimulent la dégradation, et par l'insuline qui stimule la biosynthèse. Ces hormones interagissent pour contrôler le taux d'AMPc, qui, à son tour, contrôle les rapports de phosphorylation/déphosphorylation via la PKA. L'AMPK, qui est sensibles au niveau en ATP, est également un régulateur important du métabolisme des acides gras.

6 ■ Métabolisme du cholestérol Le cholestérol est un constituant vital des membranes cellulaires et est le précurseur des hormones stéroïdes et des sels biliaires. Sa biosynthèse, son transport et son utilisation sont étroitement contrôlés. Le cholestérol est synthétisé dans le foie à partir d'acétate selon une voie qui implique la formation d'HMG-CoA à partir de trois molécules d'acétate, suivie de réduction, phosphorylation, décarboxylation et déshydratation pour donner les unités isoprène isopentén1 pyrophosphate et diméthylallyl pyrophosphate. Quatre de ces unités isoprène se condensent, par des mécanismes cationiques, pour donner du squalène, qui, à son tour, se cyclise au cours d'une cascade cationique pour former du lanostérol, le stérol précurseur du cholestérol. Le site de contrôle principal de la voie est l'HMG-CoA réductase. Cette enzyme est régulée par des mécanismes de compétition et allostériques, par phosphorylation/déphosphorylation, et, plus important, par contrôle à long terme des vitesse de synthèse et de dégradation de l'enzyme. La régulation à long terme est assurée par la protéine membranaire intrinsèque SREBP qui, lorsque le niveau de cholestérol est bas, est escortée par la SCAP vers l'appareil de Golgi. Elle y est clivée séquentiellement par les protéases S1P et S2P, ce qui libère son domaine soluble bHLH/Zip. Celui-ci migre dans le noyau où il induit la transcription de gènes à SRE, comme ceux qui codent l'HMG-CoA réductase et le récepteur de LDL. Le foie sécrète du cholestérol dans le courant sanguin sous forme estérifiée qui fait partie des VLDL. Ce complexe est successivement transformé en IDL et en LDL. Les LDL qui entrent dans les cellules par endocytose à récepteur, transportent la plus grande partie du cholestérol aux tissus périphériques où il est utilisé. Le cholestérol en excès retourne au foie depuis les tissus périphériques, via les HDL. L'entrée de cholestérol dans les cellules est contrôlée par trois mécanismes : (1) régulation à long et à court terme de l'HMG-CoA réductase ; (2) contrôle de la synthèse des récepteurs de LDL par la concentration en cholestérol ; et (3) régulation à long et à court terme de l'acyl-CoA :cholestérol acyl transférase (ACAT), qui assure l'estérification du cholestérol. Le cholestérol est le précurseur des hormones stéroïdes, qui sont classées en progestines, glucocorticoïdes, minéralocorticoïdes, androgènes et œstrogènes. La voie la plus importante, quantitativement, d'excrétion de cholestérol, est la formation de sels biliaires.

7 ■ Métabolisme des eicosanoïdes : prostaglandines, prostacyclines, thromboxanes, leucotriènes et lipoxines. Les prostaglandines, prostacyclines, thromboxanes, leucotriènes et lipoxines sont des eicosanoïdes produits principalement par métabolisme de l'arachidonate. Ces composés très instables ont des effets physiologiques importants à très faibles concentrations. Ils sont impliqués dans les réponses inflammatoires, la production de douleur et de fièvre, la régulation de la pression artérielle et beaucoup d'autres processus physiologiques. L'arachidonate est synthétisé à partir d'acide linoléique, un acide gras essentiel, et mis en réserve dans les phosphatidylinositols et d'autres phospholipides. Les prostaglandines, prostacyclines et thromboxanes sont synthétisés par la « voie cyclique », alors que les leucotriènes et les lipoxines sont synthétisés par la « voie linéaire ». L'aspirine et d'autres agents anti-inflammatoires non stéroïdiens (AINS) inhibent la voie cyclique mais pas la voie linéaire. Les inhibiteurs de la COX-2 sont des AINS qui se fixent à COX-2 mais pas à COX-1, ce qui réduit des effets secondaires d'autres AINS, mais non sans provoquer d'autres complications (N.d.T). Les peptidoleucotriènes ont été identifiés comme les substances à réaction lente de l'anaphylaxie (SRS-A) libérée des poumons sensibilisés après une stimulation immunologique. Les lipoxines et les *épi*-lipoxines induites par l'aspirine ont des propriétés anti-inflammatoires.

8 ■ Métabolisme des phospholipides et des glycolipides Les lipides complexes ont un ester phosphate ou un glucide comme groupement polaire de tête et soit un 1,2-diacyl-*sn*-glycérol soit un céramide (*N*-acylsphingosine) comme queue hydrophobe. Les phospholipides sont soit des glycérophospholipides soit des sphingophospholipides, alors que les glycolipides sont soit des glycéroglycolipides ou des sphingoglycolipides. Les groupements polaires de tête des glycérophospholipides, qui sont des esters phosphate de l'éthanolamine, de la sérine, de la choline, de l'inositol ou du glycérol sont unis au groupement C3—OH du 1,2-diacyl-*sn*-glycérol grâce à des réactions catalysées par des transférases à CTP. Les acides gras à longue chaîne spécifique que l'on trouve en position C1 et C2 sont incorporés par des « réaction de redistribution » après l'addition du groupement polaire de tête. Les plasmalogènes et les alkylacylglycérophospholipides contiennent respectivement un groupement alkyle à longue chaîne lié par une liaison éther-vinyl ou une liaison éther au groupement C1—OH du glycérol. Le facteur activateur des plaquettes (PAF) est un plasmalogène important. Le sphingophospholipide principal est la sphingomyéline (*N*-acylsphingosine phosphocholine), un lipide structural important des membranes des cellules nerveuses. La plupart des sphingolipides ont des têtes polaires composées d'unités glucidiques et sont donc appelés sphingoglycolipides. Les principales catégories de sphingoglycolipides sont les cérébrosides, les sulfatides, les globosides et les gangliosides. Leurs unités glucidiques, qui sont liées au groupement C1—OH de la *N*-acylsphingosine par des liaisons glycosidiques, sont formées par additions successives d'unités monosaccharidiques activées. Plusieurs maladies de stockage de sphingolipides, dont la maladie de Tay-Sachs, sont dues à des déficiences d'enzymes qui dégradent les sphingoglycolipides.

RÉFÉRENCES

GÉNÉRALITÉS

Boyer, P.D. (Ed.), *The Enzymes* (3rd ed.), Vol. 16, Academic Press (1983). [Un ensemble de revues sur l'enzymologie des lipides. La Section 1 a trait à la biosynthèse des acides gras ; la Section 2 couvre la synthèse et la dégradation des glycérides ; les Sections 3–5 revoient le métabolisme des phospholipides, sphingolipides, et glycolipides ; et la Section 6 concerne des aspects du métabolisme du cholestérol.]

Newsholme, E.A. and Leech, A.R., *Biochemistry for the Medical Sciences,* Wiley (1983). [Les Chapitres 6–8 contiennent une masse d'informations sur le contrôle du métabolisme des acides gras et son intégration dans le schéma général du métabolisme.]

Scriver, C.R., Beaudet, A.C., Sly, W.S., and Valle, D. (Eds.), *The Metabolic & Molecular Bases of Inherited Disease* (8th ed.), McGraw-Hill (2001). [Les Volumes 2 et 3 contiennent de nombreux chapitres sur les déficiences du métabolisme lipidique.]

Thompson, G.A., *The Regulation of Membrane Lipid Metabolism* (2nd ed.), CRC Press (1992).

Vance, D.E. and Vance, J.E. (Eds.), *Biochemistry of Lipids, Lipoproteins and Membranes* (3rd ed.), Elsevier (1996).

DIGESTION DES LIPIDES

Berg, O.G., Gelb, M.H., Tsai, M.-D., and Jain, M.K., Interfacial enzymology: the secreted phospholipase A$_2$-paradigm, *Chem. Rev.* **101**, 2613–2653 (2001).

Bhattacharya, A.A., Grüne, T., and Curry, S., Crystallographic analysis reveals common modes of binding of medium and long-chain fatty acids to human serum albumin, *J. Mol. Biol.* **303**, 721–732 (2002).

Borgström, B., Barrowman, J.A., and Lindström, M., Roles of bile acids in intestinal lipid digestion and absorption, *in* Danielsson, H. and Sjövall, J. (Eds.), *Sterols and Bile Acids,* pp. 405–425, Elsevier (1985).

Brady, L., Brzozowski, A.M., Derewenda, Z.S., Dodson, E., Dodson, G., Tolley, S., Turkenburg, J.P., Christiansen, L., Huge-Jensen, B., Norskov, L., Thim, L., and Menge, U., A serine protease triad forms the catalytic centre of a triacylglycerol lipase, *Nature* **343**, 767–770 (1990).

Derewenda, Z.S., Structure and function of lipases, *Adv. Prot. Chem.* **45**, 1–52 (1994).

Hermoso, J., Pignol, D., Penel, S., Roth, M., Chapus, C., and Fontecilla-Camps, J.C., Neutron crystallographic evidence of lipase–colipase complex activation by a micelle, *EMBO J.* **16**, 5531–5536 (1997).

Sacchettini, J.C., Gordon, J.I., and Banaszak, L.J., Crystal structure of rat intestinal fatty-acid binding-protein, *J. Mol. Biol.* **208**, 327–339 (1989) [Structure de l' I-FABP complexée au palmitate]; *and* Scapin, G., Gordon, J.I., and Sacchettini, J.C., Refinement of the structure of recombinant rat intestinal fatty acid-binding apoprotein at 1.2-Å resolution, *J. Biol. Chem.* **267**, 4253–4269 (1992).

van Tilbeurgh, H., Bezzine, S., Cambillau, C., Verger, R., and Carriére, F., Colipase: structure and interaction with pancreatic lipase, *Biochim. Biophys. Acta* **1441**, 173–184 (1999); van Tilbeurgh, H., Egloff,

M.-P., Martinez, C., Rugani, N., Verger, R., and Cambillau, C., Interfacial activation of the lipase–colipase complex by mixed micelles revealed by X-ray crystallography, *Nature* **362**, 814–820 (1993); *and* van Tilburgh, H., Sarda, L., Verger, R., and Cambillau, C., Structure of pancreatic lipase–colipase complex, *Nature* **359**, 159–162 (1992).

OXYDATION DES ACIDES GRAS

Bannerjee, R., Radical peregrinations catalyzed by coenzyme B$_{12}$-dependent enzymes, *Biochem.* **40**, 6191–6198 (2001).

Bieber, L.L., Carnitine, *Annu. Rev. Biochem.* **88**, 261–283 (1988).

Kim, J.-J.P. and Battaile, K.P., Burning fat: The structural basis of fatty acid β-oxidation, *Curr. Opin. Struct. Biol.* **12**, 721–728 (2002).

Kim, J.-J.P., Wang, M., and Pashke, R., Crystal structures of medium-chain acyl-CoA dehydrogenase from pig liver mitochondria with and without substrate, *Proc. Natl. Acad. Sci.* **90**, 7523–7527 (1993).

Kindl, H., Fatty acid degradation in plant peroxisomes: Function and biosynthesis of the enzymes involved, *Biochimie* **75**, 225–230 (1993).

Mancia, R., Smith, G.A., and Evans, P.R., Crystal structure of substrate complexes of methylmalonyl-CoA mutase, *Biochem.* **38**, 7999–8005 (1999).

Marsh, E.N.G. and Drennan, C.L., Adenosylcobalamin-dependent isomerases: new insights into structure and mechanism, *Curr. Opin. Chem. Biol.* **5**, 499–505 (2001).

Rinaldo, P., Matern, D., and Bennett, M.J., Fatty acid oxidation disorders, *Annu. Rev. Physiol.* **64**, 477–502 (2002).

Shoukry, K. and Schulz, H., Significance of the reductase-dependent pathway for the β-oxidation of unsaturated fatty acids with odd-numbered double bonds: mitochondrial metabolism of 2-*trans*-5-*cis*-octadienoyl-CoA, *J. Biol. Chem.* **273**, 6892–6899 (1998).

Sudden infant death and inherited disorders of fat oxidation, *Lancet,* 1073–1075, Nov. 8, 1986.

Thorpe, C., Green enzymes and suicide substrates: a look at acyl-CoA dehydrogenases in fatty acid oxidation, *Trends Biochem. Sci.* **14**, 148–151 (1989).

van den Bosch, H., Schutgens, R.B.H., Wanders, R.J.A., and Tager, J.M., Biochemistry of peroxisomes, *Annu. Rev. Biochem.* **61**, 157–197 (1992).

BIOSYNTHÈSE DES ACIDES GRAS

Brink, J., Ludtke, S.J., Yang, C.-Y., Gu, Z.-W., Wakil, S.J., and Chiu, W., Quaternary structure of human fatty acid synthase by electron cryomicroscopy, *Proc. Natl. Acad. Sci.* **99**, 138–143 (2002).

Brownsey, R.W. and Denton, R.M., Acetyl-coenzyme A carboxylase, *in* Boyer, P.D. and Krebs, E.G. (Eds.), *The Enzymes* (3rd ed.), Vol. 18, pp. 123–146, Academic Press (1987).

Brownsey, R.W., Zhande, R., and Boone, A.N., Isoforms of acetyl-CoA carboxylase: structures, regulatory properties and metabolic functions, *Biochem. Soc. Trans.* **25**, 1232–1238 (1997).

Cane, D.E., Walsh, C.T., and Khosla, C., Harnessing the biosynthetic code: combinations, permutations and mutations, *Science* **282**, 63–68 (1998).

Jump, D.B., The biochemistry of $n-3$ polyunsaturated fatty acids, *J. Biol. Chem.* **277**, 8755–8758 (2002).

Los, D.A. and Murata, N., Structure and expression of fatty acid desaturases, *Biochim. Biophys. Acta* **1394**, 3–15 (1998).

Pfeifer, B.A., Admiraal, S.J., Gramajo, H., Cane, D.E., and Khosla, C., Biosynthesis of complex polyketides in a metabolically engineered strain of *E. coli, Science* **291**, 1790–1792 (2001).

Rangan, V.S., Joshi, A.K., and Smith, S., Mapping the functional topology of the animal fatty acid synthase by mutant complementation in vitro, *Biochemistry* **40**, 10792–10799 (2001).

Wakil, S.J., Fatty acid synthase, a proficient multifunctional enzyme, *Biochemistry* **28**, 4523–4530 (1989).

RÉGULATION DU MÉTABOLISME DES ACIDES GRAS

Eaton, S., Control of mitochondrial β-oxidation flux, *Prog. Lipid Res.* **41**, 197–239 (2002).

Hardie, D.G., Carling, D., and Carlson, M., The AMP-Activated/SNF1 protein kinase subfamily: metabolic sensors of the eukaryotic cell? *Annu. Rev. Biochem.* **67**, 821–855 (1998).

Hardie, D.G. and Carling, D., The AMP-activated protein kinase: fuel gauge of the mammalian cell? *Eur. J. Biochem.* **246**, 259–273 (1997).

Munday M.R. and Hemingway C.J., The regulation of acetyl-CoA carboxylase – A potential target for the action of hypolipidemic agents, *Adv. Enzym. Regul.* **39**, 205–234 (1999).

Stralfors, P., Olsson, H., and Belfrage, P., Hormone-sensitive lipase, *in* Boyer, P.D. and Krebs, E.G. (Eds.), *The Enzymes* (3rd ed.), Vol. 18, pp. 147–177, Academic Press (1987).

Witters, L.A., Watts, T.D., Daniels, D.L., and Evans, J.L., Insulin stimulates the dephosphorylation and activation of acetyl-CoA carboxylase, *Proc. Natl. Acad. Sci.* **85**, 5473–5477 (1988).

MÉTABOLISME DU CHOLESTÉROL

Bloch, K., The biological synthesis of cholesterol, *Science* **150**, 19–28 (1965).

Chang, T.Y., Chang, C.C.Y., and Cheng, D., Acyl-coenzyme A:cholesterol acyltransferase, *Annu. Rev. Biochem.* **66**, 613–638 (1997).

Durbecq, V., et al., Crystal structure of isopentenyl diphosphate:dimethylallyl diphosphate isomerase, *EMBO J.* **20**, 1530–1537 (2001).

Edwards, P.A., Sterols and isoprenoids: signaling molecules derived from the cholesterol biosynthetic pathway, *Annu. Rev. Biochem.* **68**, 157–185 (1999).

Gibson, D.M. and Parker, R.A., Hydroxymethylglutaryl-coenzyme A reductase, *in* Boyer, P.D. and Krebs, E.G. (Eds.), *The Enzymes* (3rd ed.), Vol. 18, pp. 179–215, Academic Press (1987).

Goldstein, J.L. and Brown, M.S., Regulation of the mevalonate pathway, *Nature* **343**, 425–430 (1990).

Goldstein, J.L., Rawson, R.B., and Brown, M.S., Mutant mammalian cells as tools to delineate the sterol regulatory element binding protein pathway for feedback regulation of lipid synthesis, *Arch. Biochem. Biophys.* **397**, 139–148 (2002).

Istvan, E.S., Bacterial and mammalian HMG-CoA reductases: related enzymes with distinct architectures, *Curr. Opin. Struct. Biol.* **11**, 746–751 (2001).

Istvan, E.S. and Deisenhofer, J., Structural mechanism for statin inhibition of HMG-CoA reductase, *Science* **292**, 1160–1164 (2001).

Knopp, R.H., Drug therapy: drug treatment of lipid disorders, *New Engl. J. Med.* **341**, 498–511 (1999).

Meyer, M.M., Segura, M.J.R., Wilson, W.K., and Matsuda, S.P.T., Oxidosqualene cyclase residues that promote formation of cycloartenol, lanosterol and parkeol, *Angew. Chem. Int. Ed.* **39**, 4090–4092 (2000).

Rilling, H.C. and Chayet, L.T., Biosynthesis of cholesterol, *in* Danielsson, H. and Sjövall, J. (Eds.), *Sterols and Bile Acids,* pp. 1–40, Elsevier (1985).

Russell, D.W. and Setchell, K.D.R., Bile acid biosynthesis, *Biochemistry* **31**, 4737–4749 (1992).

Sato, R., Goldstein, J.L., and Brown, M.S., Replacement of serine-871 of hamster 3-hydroxy-3-methylglutaryl-CoA reductase prevents phosphorylation by AMP-activated kinase and blocks inhibition of sterol synthesis induced by ATP depletion, *Proc. Natl. Acad. Sci.* **90**, 9261–9265 (1993).

Sinensky, M. and Lutz, R.J., The prenylation of proteins, *BioEssays* **14,** 25–31 (1992).

Tansey, T.R. and Shechter, I. Structure and regulation of mammalian squalene synthase, *Biochim. Biophys. Acta* **1529,** 49–62 (2000).

Yokode, M., Hammer, R.E., Ishibashi, S., Brown, M.S., and Goldstein, J.L., Diet-induced hypercholesterolemia in mice: Prevention by overexpression of LDL receptors, *Science* **250,** 1273–1275 (1990).

Wang, K.C. and Ohnuma, S.-I., Isoprenyl diphosphate synthases, *Biochim. Biophys. Acta* **1529,** 33–48 (2000).

Wendt, K.U., Lenhart, A., and Schulz, G.E., Structure and function of squalene cyclase, *Science* **277,** 1811–1815 (1997); *and* Wendt, K.U., Poralla, K., and Schulz, G.E., The structure of the membrane protein squalene-hopene cyclase at 2.0 Å resolution, *J. Mol. Biol.* **286,** 175–187 (1998).

Wendt, K.U., Schulz, G.E., Corey, E.J. and Liu, D.R., Enzyme mechanisms for polycyclic triterpene formation, *Angew. Chem. Int. Ed.* **39,** 2812–2833 (2000).

MÉTABOLISME DES EICOSANOÏDES

Abramovitz, M., Wong, E., Cox, M.E., Richardson, C.D., Li, C., and Vickers, P.J., 5-Lipoxygenase-activating protein stimulates the utilization of arachidonic acid by 5-lipoxygenase, *Eur. J Biochem.* **215,** 105–111 (1993).

Chandrasekharan, N.V., Dai, H., Roos, K.L.T., Evanson, N.K., Tomsik, J., Elton, T.S., and Simmons, D.L., COX-3, a cyclooxygenase-1 variant inhibited by acetaminophen and other analgesic/antipyretic drugs: Cloning, structure, and expression, *Proc. Natl. Acad. Sci.* **99,** 13926–13931 (2002).

Ford-Huchinson, A.W., FLAP: a novel drug target for inhibiting the synthesis of leukotrienes, *Trends Pharm. Sci.* **12,** 68–70 (1991).

Ford-Huchinson, A.W., Gresser, M., and Young, R.N., 5-Lipoxygenase, *Annu. Rev. Biochem.* **63,** 383–417 (1994).

Gillmor, S.A., Villaseñor, A., Fletterick, R., Sigal, E., and Browner, M.F., The structure of mammalian 15-lipoxygenase reveals similarity to the lipases and the determinants of substrate specificity, *Nature Struct. Biol.* **4,** 1003–1009 (1997).

Hayaishi, O., Sleep–wake regulation by prostaglandins D_2 and E_2, *J. Biol. Chem.* **263,** 14593–14596 (1988).

Kurumbail, R.G., Kiefer, J.R., and Marnett, L.J., Cyclooxygenase enzymes: catalysis and inhibition, *Curr. Opin. Struct. Biol.* **11,** 752–760 (2001).

Lewis, R.A., Austen, F., and Soberman, R.J., Leukotrienes and other products of the 5-lipoxygenase pathway, *New Engl. J. Med.* **323,** 645–655 (1990).

Phillipson, B.E., Rothrock, D.W., Conner, W.E., Harris, W.S., and Illingworth, D.R., Reduction of plasma lipids, lipoproteins and apoproteins by dietary fish oils in patients with hypertriglyceridemia, *New Engl. J. Med.* **312,** 1210–1216 (1985).

Picot, D., Loll, P.J., and Garavito, R.M., The X-ray crystal structure of the membrane protein prostaglandin H_2 synthase-1, *Nature* **367,** 243–249 (1994).

Samuelsson, B. and Funk, C.D., Enzymes involved in the biosynthesis of leukotriene B4, *J. Biol. Chem.* **264,** 19469–19472 (1989).

Schwarz, K., Walther, M., Anton, M., Gerth, C., Feussner, I., and Kuhn, H., Structural basis for lipoxygenase specificity: conversion of the human leukocyte 5-lipoxygenase to a 15-lipoxygenating enzyme species by site-directed mutagenesis, *J. Biol. Chem.* **276,** 773–339 (2001).

Serhan, C.N., Lipoxins and novel aspirin-triggered 15-*epi*-lipoxins (ATL): a jungle of cell-cell interactions or a therapeutic opportunity? *Prostaglandins* **53,** 107–137 (1997).

Smith, W.L., DeWitt, D.L., and Garavito, R.M., Cyclooxygenases: structural, cellular and molecular biology, *Annu. Rev. Biochem.* **69,** 145–182 (2000).

Tsai, A.-L., Hsi, L.C., Kulmacz, R.J., Palmer, G., and Smith, W.L., Characterization of the tyrosyl radicals in ovine prostaglandin H synthase-1 by isotope replacement and site-directed mutagenesis, *J. Biol. Chem.* **269,** 5085–5091 (1994).

Turini, M.E. and DuBois, R.N., Cyclooxygenase-2: a therapeutic target, *Annu. Rev. Med.* **53,** 35–57 (2002).

Vane, J.R., Bakhle, Y.S., and Botting, R.M., Cyclooxygenases 1 and 2, *Annu. Rev. Pharmacol. Toxicol.* **38,** 97–120 (1998).

Weissman, G., Aspirin, *Sci. Am.* **264**(1), 84–90 (1991).

MÉTABOLISME DES PHOSPHOLIPIDES ET DES GLYCOLIPIDES

Conzelmann, E. and Sandhoff, K., Glycolipid and glycoprotein degradation, *Adv. Enzymol.* **60,** 89–216 (1987).

Dowhan, W., Molecular basis for membrane diversity: Why are there so many lipids? *Annu. Rev. Biochem.* **66,** 199–232 (1997).

Kent, C., Eukaryotic phospholipid synthesis, *Annu. Rev. Biochem.* **64,** 315–342 (1995).

Kolter, T. and Sandhoff, K., Sphingolipids—their metabolic pathways and the pathobiochemistry of neurodegenerative diseases, *Angew. Chem. Int. Ed.* **38,** 1532–1568 (1999).

Neufield, E.F., Natural history and inherited disorders of a lysosomal enzyme, β-hexosaminidase, *J. Biol. Chem.* **264,** 10927–10930 (1989).

Prescott, S.M., Zimmerman, G.A., and McIntire, T.M., Platelet-activating factor, *Biol. Chem.* **265,** 17381–17384 (1990).

Tifft, C.J. and Proila, R.L., Stemming the tide: glycosphingloipid synthesis inhibitors as therapy for storage diseases, *Glycobiology* **10,** 1249–1258 (2000).

van Echten, G. and Sandhoff, K., Ganglioside metabolism, *J. Biol. Chem.* **268,** 5341–5344 (1993).

PROBLÈMES

1. Les venins de plusieurs serpents venimeux, dont le serpent à sonnettes, contiennent une phospholipase A_2 causant des dégâts tissulaires qui semblent hors de proportion avec la petite quantité d'enzyme injectée. Expliquez.

2. Pourquoi les victimes de la maladie des « vomissements de la Jamaïque » sont-elles généralement dépourvues de glycogène ?

3. Comparez les rendements métaboliques, en moles d'ATP produit par gramme, de tripalmitoylglycérol complètement oxydé, par rapport à celui du glucose provenant du glycogène. Supposez que le lipide est anhydre et que le glycogène est mis en réserve avec deux fois son poids en eau.

4. La méthylmalonyl-CoA mutase est incubée avec du méthylmalonyl-CoA deutéré. Le coenzyme B_{12} extrait de cette mutase contient du deutérium dans son groupement méthylène en 5′. Expliquez le transfert de l'isotope du substrat au coenzyme.

5. Quel est le coût énergétique, en unités d'ATP, de la transformation d'acétoacétyl-CoA en acétoacétate suivie de la resynthèse d'acétoacétyl-CoA ?

6. Un animal à jeun est nourri avec de l'acide palmitique ayant du ^{14}C dans son groupement carboxylate. (a) Après un temps suffisant pour permettre la dégradation puis la resynthèse de l'acide gras, quelle serait la distribution de l'isotope dans les résidus d'acide palmitique de l'animal ? (b) Le glycogène du foie de l'animal devient marqué par le ^{14}C bien qu'il n'y ait pas d'augmentation nette de cette substance. Indiquez la séquence des réactions expliquant pourquoi le glycogène devient marqué. Pourquoi n'y a-t-il pas de synthèse nette de glycogène ?

7. Combien y a-t-il d'ATP formé après l'oxydation complète d'une molécule de (a) acide α-linolénique (acide 9,12,15-octadécatriénoïque, 18:3*n*–3), et (b) **acide margarique** (acide heptadécanoïque, 17:0) ? Quel est celui qui a la plus grande quantité d'énergie biologique disponible rapportée à un carbone ?

*8. Le rôle du coenzyme B$_{12}$ dans le transfert d'hydrogène a été établi en utilisant l'enzyme bactérienne à coenzyme B$_{12}$ **dioldéshydratase**, qui catalyse la réaction :

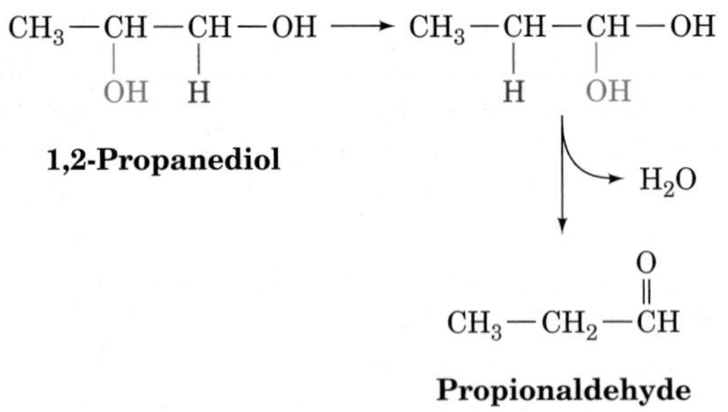

$$CH_3-CH-CH-OH \longrightarrow CH_3-CH-CH-OH$$

$$OH \quad H \qquad\qquad H \quad OH$$

1,2-Propanediol

$$\downarrow \rightarrow H_2O$$

$$CH_3-CH_2-CH \quad \overset{O}{\overset{\|}{}}$$

Propionaldehyde

L'enzyme transforme le [1-^{3}H$_2$]1,2-propanediol en [1,2-^{3}H]propionaldéhyde avec incorporation de tritium dans les deux positions en C5' du résidu 5'-désoxyadénosyl de la 5'-désoxyadénosylcobalamine. Proposez un mécanisme pour cette réaction. Quels seraient les produits de la réaction de la dioldéshydratase si l'enzyme était mise en présence de [5'-^{3}H]désoxyadénosylcobalamine et de 1,2-propanediol non marqué ?

9. Quel est le coût énergétique, en équivalents ATP, pour dégrader l'acide palmitique en acétyl-CoA et le resynthétiser ensuite ?

10. Quel est le coût énergétique, en équivalents ATP, de la synthèse du cholestérol à partir d'acétyl-CoA ?

11. Quelle serait la distribution du marquage de ^{14}C dans le cholestérol s'il était synthétisé à partir d'HMG-CoA marqué par ^{14}C (a) en C5, l'atome de carbone de son groupement carboxylate ou (b) en C1, l'atome de carbone du thioester ?

*12. Un enfant souffrant de douleurs abdominales aiguës est admis à l'hôpital plusieurs heures après avoir mangé un repas consistant de hamburgers, de pommes de terre frites et de crème glacée. Son sang a l'apparence d'une « soupe de tomate crémeuse » et les analyses montrent qu'il contient de grandes quantités de chylomicrons. En tant que médecin assistant, quel est votre diagnostic (la cause des douleurs abdominales n'est pas évidente) ? Quel traitement prescririez-vous pour diminuer les symptômes de cette maladie héréditaire ?

13. Bien que l'acide linoléique soit un acide gras essentiel pour les animaux, il n'est pas nécessaire aux cellules animales en culture de tissu. Expliquez pourquoi.

14. L'inactivation de la fonction peroxydase de la prostaglandine H synthase (PGHS) inactive également sa fonction cyclo-oxygénase, mais pas l'inverse. Expliquez.

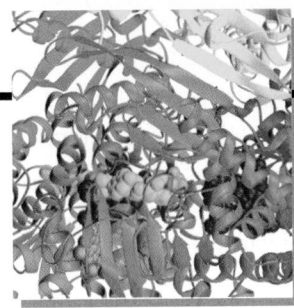

Métabolisme des acides aminés

Les α-aminoacides, en plus de leur rôle comme unités monomériques des protéines, sont des métabolites énergétiques et des précurseurs de nombreux composés azotés importants, en particulier l'hème, les amines physiologiquement actives, le glutathion, les nucléotides et les coenzymes nucléotidiques. On classe les acides aminés en deux groupes : acides aminés **essentiels** et acides aminés **non essentiels.** Les mammifères synthétisent les acides aminés non essentiels à partir de précurseurs métaboliques mais doivent trouver les acides aminés essentiels dans leurs aliments. Les acides aminés alimentaires en excès ne sont ni mis en réserve, ni excrétés. Ils sont transformés en intermédiaires métaboliques comme le pyruvate, l'oxaloacétate et l'α-cétoglutarate. Par conséquent, *les acide aminés sont aussi les précurseurs du glucose, des acides gras et des corps cétoniques et sont donc des carburants métaboliques.*

Dans ce chapitre, nous étudierons les voies de dégradation, de synthèse et d'utilisation des acides aminés. Nous commencerons par l'étude des trois possibilités de dégradation classiques des acides aminés :

1. La **désamination** (départ du groupement aminé), où le groupement aminé donne de l'ammoniac ou forme le groupement aminé de l'aspartate.

2. L'incorporation des atomes d'azote de l'ammoniac et de l'aspartate dans l'urée, qui sera excrétée.

3. La transformation des squelettes carbonés des acides aminés (les acides α-cétoniques formés par désamination) en intermédiaires métaboliques.

Beaucoup de ces réactions sont semblables à celles déjà rencontrées dans d'autres voies. D'autres utilisent des cofacteurs que nous n'avons pas encore vus. L'un de nos objectifs dans cette étude du métabolisme des acides aminés est de comprendre les mécanismes d'action de ces cofacteurs.

Après avoir étudié le catabolisme des acides aminés, nous passerons en revue les voies par lesquelles les acides aminés sont utilisés pour la synthèse de l'hème, des amines physiologiquement actives et du glutathion (les synthèses des nucléotides et des coenzymes nucléotidiques font l'objet du Chapitre 28). Nous étudierons ensuite les voies de biosynthèse des acides aminés et nous terminerons par l'étude de la fixation de l'azote, processus qui transforme l'azote atmosphérique en ammoniac et qui est donc la source biologique ultime d'azote métaboliquement utile.

1 ■ DÉSAMINATION DES ACIDES AMINÉS

La dégradation d'un acide aminé commence presque toujours par le départ de son groupement α-aminé, ce qui conduit à l'excrétion de l'azote en excès et à la dégradation du squelette carboné restant ou sa transformation en glucose. L'urée, le principal produit d'excrétion azoté chez les mammifères terrestres, est synthétisée à partir d'ammoniac et d'aspartate. Ces deux dernières substances proviennent surtout du glutamate, produit de la plupart des réactions de désamination. Dans cette section nous étudierons les voies qui permettent aux groupements α-aminés d'être incorporés dans le glutamate puis dans l'aspartate et dans l'ammoniac. Dans la Section 26-2, nous étudierons la biosynthèse de l'urée à partir de ces précurseurs.

La plupart des acides aminés sont désaminés par **transamination**, le transfert de leur groupement aminé à un acide α-cétonique pour donner l'acide α-cétonique correspondant à l'acide aminé de départ et un nouvel acide aminé, lors de réactions catalysées par des **aminotransférases** (ou **transaminases**). C'est l'α-cétoglutarate l'accepteur de groupement aminé le plus fréquent, ce qui conduit à la formation de glutamate comme nouvel acide aminé :

$$\text{Acide aminé} + \alpha\text{-cétoglutarate} \rightleftharpoons$$
$$\text{acide } \alpha\text{-cétonique} + \text{glutamate}$$

À son tour, le groupement aminé du glutamate est transféré à l'oxaloacétate lors d'une deuxième réaction de transamination, pour donner de l'aspartate :

$$\text{Glutamate} + \text{oxaloacétate} \rightleftharpoons \alpha\text{-cétoglutarate} + \text{aspartate}$$

Bien sûr, une transamination ne se traduit pas par une désamination nette. La désamination est essentiellement assurée par la désamination oxydative du glutamate par la **glutamate déshydrogénase (GDH)**, avec formation d'ammoniac. La réaction nécessite du NAD^+ ou du $NADP^+$ comme agent oxydant, et régénère l'α-cétoglutarate qui pourra être utilisé dans d'autres réactions de transamination :

$$\text{Glutamate} + \text{NAD(P)}^+ + H_2O \rightleftharpoons$$
$$\alpha\text{-cétoglutarate} + NH_4^+ + \text{NAD(P)H}$$

Les mécanismes des réactions de transamination et de désamination oxydative sont étudiés dans cette section. Nous verrons également d'autres possibilités de départ du groupement aminé d'acides aminés particuliers.

A. *Transamination*

a. Les réactions des aminotransférases se font en deux étapes :

1. Le groupement aminé d'un acide aminé est transféré sur l'enzyme, ce qui donne l'acide α-cétonique correspondant et l'enzyme aminé :

$$\text{Acide aminé} + \text{enzyme} \rightleftharpoons$$
$$\text{acide } \alpha\text{-cétonique} + \text{enzyme—NH}_2$$

2. Le groupement aminé est transféré à l'acide cétonique accepteur (p. ex. l'α-cétoglutarate), ce qui donne le produit acide aminé (p. ex. le glutamate) et régénère l'enzyme :

$$\alpha\text{-Cétoglutarate} + \text{enzyme—NH}_2 \rightleftharpoons \text{enzyme} + \text{glutamate}$$

Pour accepter le groupement aminé, les aminotransférases utilisent un coenzyme à groupement aldéhyde, le **pyridoxal-5′-phosphate (PLP)**, *un dérivé de la* **pyridoxine** *(la* **vitamine B$_6$** *; Fig. 26-1a,b). En se fixant sur le PLP, le groupement aminé transforme celui-ci en* **pyridoxamine-5′-phosphate** *(PMP ; Fig. 26-1c). Le PLP est lié à l'enzyme par covalence via une base de Schiff*

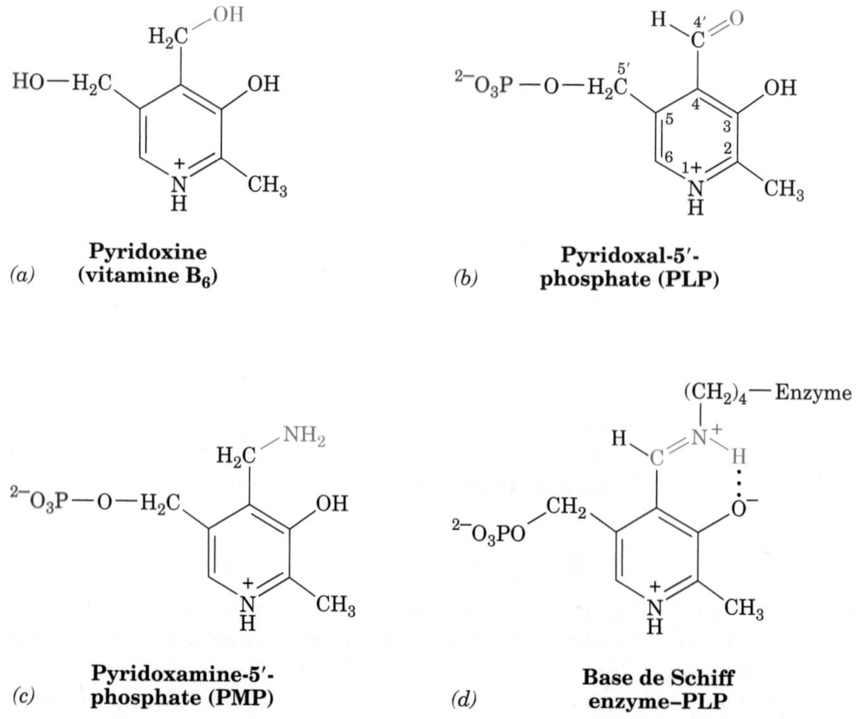

FIGURE 26-1 Formes du phosphate de pyridoxal. (*a*) La pyridoxine (vitamine B$_6$). (*b*) Le pyridoxal-5′-phosphate (PLP). (*c*) La pyridoxamine-5′-phosphate (PMP). (*d*) La base de Schiff formée entre le PLP et un groupement ε-aminé de l'enzyme.

(imine) formée par condensation de son groupement aldéhyde avec le groupement ε-aminé d'un résidu Lys de l'enzyme (Fig. 26-1*d*). La base de Schiff, qui est conjuguée au cycle pyridinium du coenzyme, est le siège de l'activité du coenzyme.

Esmond Snell, Alexander Braunstein et David Metzler ont montré que la réaction de l'aminotransférase se fait selon un mécanisme Ping-Pong Bi Bi dont les deux phases comportent trois étapes chacune (Fig. 26-2) :

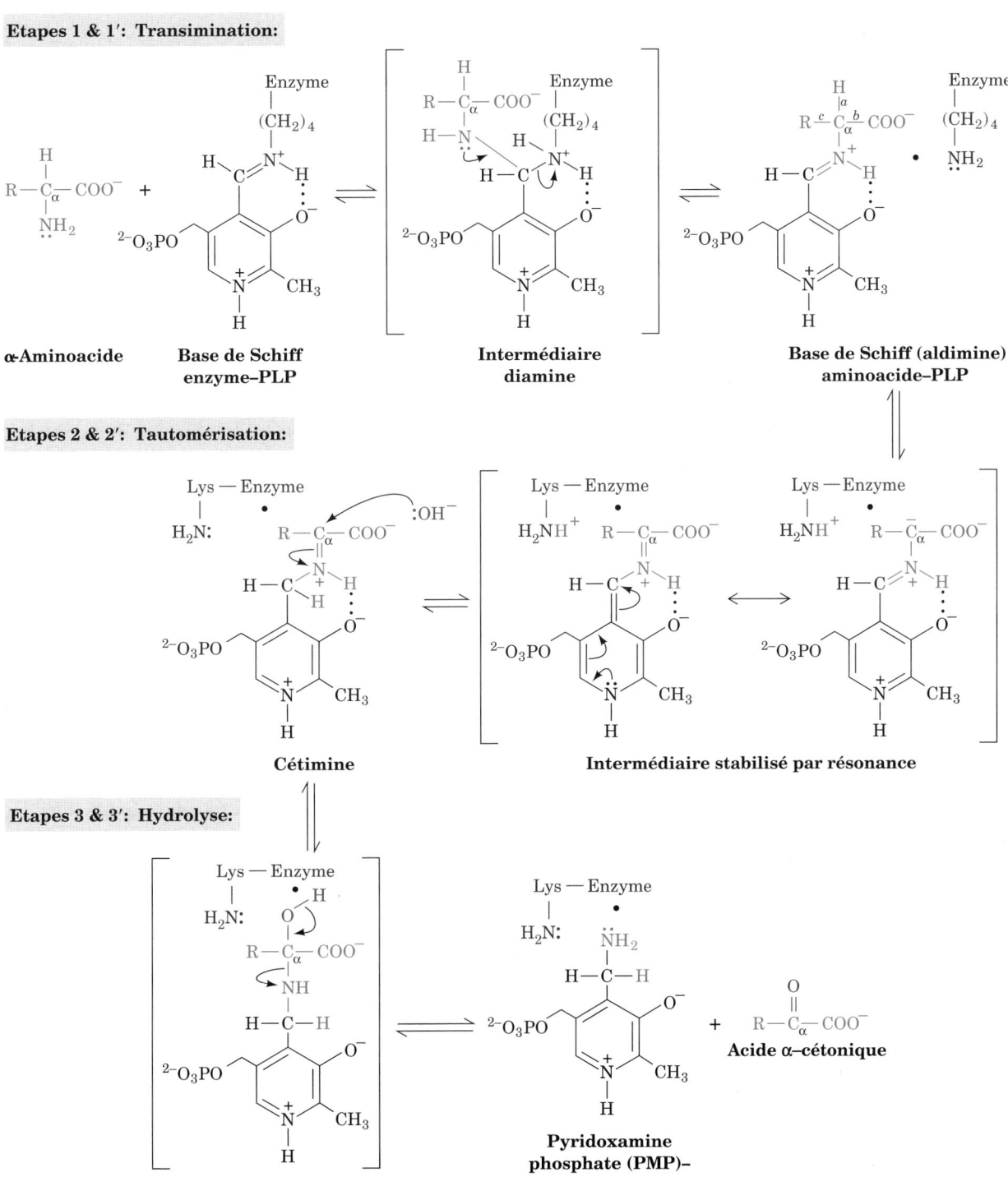

FIGURE 26-2 Mécanisme de la transamination enzymatique PLP-dépendante. La première phase de la réaction, dans laquelle le groupe α-aminé d'un acide aminé est transféré au PLP pour donner un acide α-cétonique et du PMP, comporte trois étapes : (**1**) transimination ; (**2**) tautomérisation, dans laquelle la Lys libérée pendant la réaction de transimination sert de catalyseur général acide-base ; et (**3**) hydrolyse. La deuxième phase de la réaction, dans laquelle le groupement aminé du PMP est transféré à un acide α-cétonique différent pour donner un nouvel acide aminé et du PLP, est essentiellement l'inverse de la première phase : les étapes 3′, 2′ et 1′ sont respectivement les inverses des étapes 3, 2 et 1.

b. Phase I : Transformation d'un acide aminé en un acide α-cétonique

Étape 1. Le groupement aminé nucléophile de l'acide aminé attaque l'atome de carbone de la base de Schiff du complexe enzyme–PLP par une réaction de **transimination (trans-Schiffisation)** pour donner une base de Schiff acide aminé–PLP (une aldimine), avec libération concomitante du groupement aminé du résidu Lys de l'enzyme. Cette Lys se trouve donc libre et peut jouer le rôle de base générale au site actif.

Étape 2. La base de Schiff acide aminé–PLP se tautomérise en base de Schiff acide α-cétonique–PMP suite au départ de l'hydrogène en α de l'acide aminé catalysé par la Lys du site actif, et à la protonation de l'atome C4′ du PLP via un carbanion intermédiaire stabilisé par résonance. Cette stabilisation par résonance facilite la rupture de la liaison C_α—H.

Étape 3. La base de Schiff acide α-cétonique–PMP est hydrolysée en PMP et acide α-cétonique.

c. Phase II : Transformation d'un acide α-cétonique en un acide aminé

Pour achever le cycle catalytique de l'aminotransférase, le coenzyme doit passer de la forme PMP à la base de Schiff enzyme–PLP. Cela implique les mêmes étapes que ci-dessus en sens inverse :

Étape 3′. La PMP réagit avec un acide α-cétonique pour former une base de Schiff.

Étape 2′. La base de Schiff acide α-cétonique–PMP se tautomérise pour donner une base de Schiff acide aminé–PLP.

Étape 1′. Le groupement ε-aminé du résidu Lys du site actif attaque la base de Schiff acide aminé–PLP par réaction de transimination pour régénérer la base de Schiff active enzyme–PLP, avec libération du nouvel acide aminé.

La stœchiométrie globale de la réaction est donc

Acide aminé 1 + acide α-cétonique 2 $\rightleftharpoons$
acide α-cétonique 1 + acide aminé 2

L'étude de la structure de la base de Schiff acide aminé–PLP (Fig. 26-2, Étape 1) permet de comprendre pourquoi ce système est appelé « la joie du pousseur d'électrons. » *La rupture de l'une ou l'autre des liaisons de l'atome C_α de l'acide aminé (marquées par a, b et c) amène la formation d'un carbanion en C_α stabilisé par résonance dont les électrons sont délocalisés sur tout le trajet qui les conduit à l'atome d'azote protoné de l'ion pyridinium du coenzyme ; le PLP est ce qu'on appelle un puits d'électrons.* Pour les réactions de transamination, ce déficit en électrons facilite le départ du proton en α (rupture de la liaison *a*) lors de la tautomérisation de la base de Schiff. Les réactions PLP-dépendantes qui impliquent la rupture de la liaison *b* (décarboxylation des acides aminés) et la labilisation de la liaison *c* sont étudiées respectivement dans la Section 26-4B et les Sections 26-3B et 26-3G.

Les aminotransférases ont des spécificités différentes en ce qui concerne les acides aminés lors de la première phase de la réaction de transamination, formant ainsi les acides α-cétoniques correspondants. Cependant, la plupart des aminotransférases n'acceptent que l'α-cétoglutarate ou (à un moindre degré) l'oxaloacétate comme substrat acide α-cétonique de la deuxième phase de la réaction, ce qui conduit à la formation de glutamate ou d'aspartate comme seuls acides aminés produits. *Les groupements aminés de la plupart des acides aminés sont par conséquent destinés à la formation de glutamate ou d'aspartate, qui sont eux-mêmes interconvertis par la* **glutamate-aspartate aminotransférase :**

Glutamate + oxaloacétate $\rightleftharpoons$ α-cétoglutarate + aspartate

La désamination oxydative du glutamate (Section 26-1B) conduit à la formation d'ammoniac et à la régénération d'α-cétoglutarate utilisable pour un autre cycle de réactions de transamination. L'ammoniac et l'aspartate sont les deux donneurs de groupements aminés dans la synthèse de l'urée.

d. Le cycle glucose–alanine transporte de l'azote au foie

Contrairement à ce qui vient d'être dit, un groupe d'aminotransférases musculaires acceptent le pyruvate comme acide α-cétonique substrat. L'acide aminé produit, l'alanine, est libéré dans le courant sanguin et transporté au foie, où, après transamination, il donne du pyruvate qui sera utilisé dans la gluconéogenèse (Section 23-1A). Le glucose formé retourne aux muscles où, après glycolyse, il redonne du pyruvate. C'est le **cycle glucose–alanine** (Fig. 26-3). Le groupement aminé donne de l'ammoniac ou de l'aspartate utilisé dans la synthèse de l'urée. Manifestement, le cycle glucose–alanine assure le transport de l'azote du muscle au foie.

En cas de jeûne, le glucose formé par cette voie dans le foie est aussi utilisé par les autres tissus périphériques, ce qui rompt le cycle. Dans ces conditions, le groupement aminé et le pyruvate proviennent tous les deux de la dégradation des protéines musculaires, permettant ainsi la formation de glucose pour d'autres tissus (se rappeler que les muscles n'assurent pas la gluconéogenèse ; Section 23-1).

L'azote est aussi transporté au foie sous la forme de glutamine, synthétisée à partir de glutamate et d'ammoniac par la **glutamine**

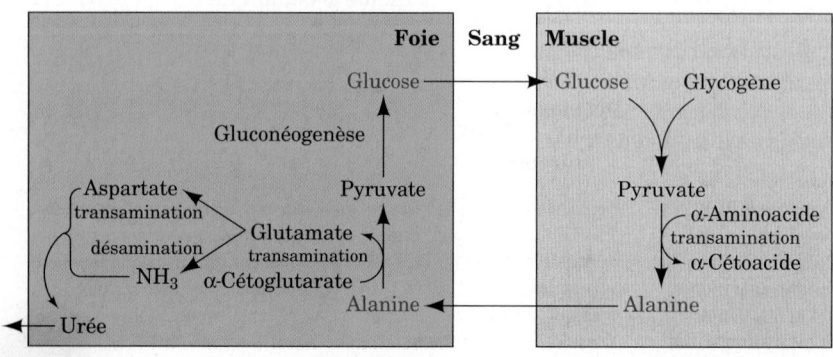

FIGURE 26-3 Le cycle glucose–alanine.

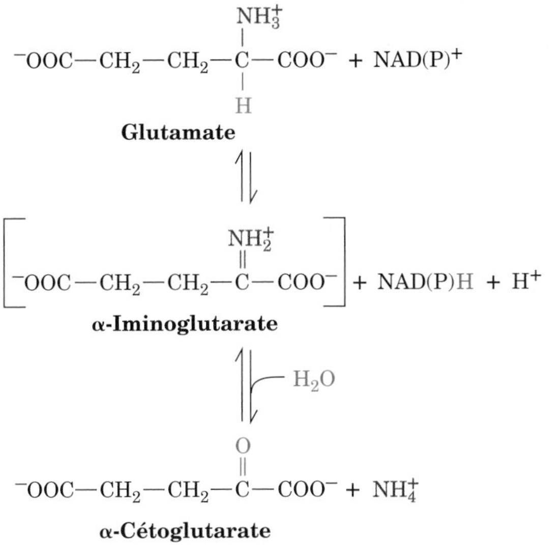

$$^-OOC-CH_2-CH_2-\overset{\overset{\displaystyle NH_3^+}{|}}{\underset{\underset{\displaystyle H}{|}}{C}}-COO^- + NAD(P)^+$$

Glutamate

$$\left[^-OOC-CH_2-CH_2-\overset{\overset{\displaystyle NH_2^+}{\|}}{C}-COO^-\right] + NAD(P)H + H^+$$

α-Iminoglutarate

$$^-OOC-CH_2-CH_2-\overset{\overset{\displaystyle O}{\|}}{C}-COO^- + NH_4^+$$

α-Cétoglutarate

FIGURE 26-4 Désamination oxydative du glutamate par la glutamate déshydrogénase. Cette réaction implique la formation intermédiaire de l'α-iminoglutarate.

synthétase (Section 26-5A). L'ammoniac est libéré, pour la synthèse d'urée dans les mitochondries du foie ou pour l'excrétion par les reins, sous l'action de la **glutaminase** (Section 26-3D).

B. *Désamination oxydative : la glutamate déshydrogénase*

Le glutamate est désaminé oxydativement dans les mitochondries par la glutamate déshydrogénase (GDH), la seule enzyme connue qui, du moins chez certaines espèces, peut utiliser aussi bien le NAD⁺ que le NADP⁺ comme coenzyme rédox. On pense que l'oxydation fait intervenir le transfert d'un ion hydrure du C_α du glutamate sur le NAD(P)⁺, formant ainsi l'α-iminoglutarate qui est hydrolysé en α-cétoglutarate et en ammoniac (Fig. 26-4). La GDH est inhibée par le GTP et le NADH, et elle est activée par l'ADP, la leucine et le NAD⁺ *in vitro* (effets allostériques), ce qui suggère que ces effecteurs régulent l'enzyme *in vivo*.

a. Les structures par rayons X de la GDH révèlent son mécanisme allostérique

Les structures par rayons X de la GDH homohexamérique de mitochondries de foie humain et de foie bovin, déterminées par Thomas Smith, montrent que chaque monomère possède trois domaines, un pour le substrat, un pour le coenzyme, et un domaine antennaire. La protéine, de symétrie D_3, peut être considérée comme un dimère de trimères, les domaines antennaires de chaque trimère s'enroulant l'un autour de l'autre dans l'axe d'ordre 3 (Fig. 26-5a). On a comparé les structures d'un monomère (501 résidus) du complexe **GDH–glutamate–NADH–GTP** bovin (Fig. 26-5b) et de l'**apoenzyme** humain, identique à 96 % (sans ligands régulateurs ou fixés au site actif) (Fig. 26-5c). On constate que, moyennant la fixation de ces ligands, le domaine de liaison du coenzyme tourne autour de l'hélice dite « pivot », ce qui referme le sillon entre les domaines

du coenzyme et du substrat. Simultanément, le domaine antennaire subit une rotation qui entraîne le déroulement d'un tour de l'hélice antennaire connectée à l'hélice pivot. Bien que la forme fermée soit requise pour la catalyse, la forme ouverte favorise l'association et la dissociation des substrats et des produits. A l'état ouvert, Arg 463 (numérotation humaine) au centre de l'hélice pivot interagit avec l'activateur ADP (dont le site de liaison dans le complexe bovin est occupé par la partie ADP d'un NADH ; Fig. 26-5b), alors qu'à l'état fermé la chaîne latérale de His 454 est fixée par liaison hydrogène au γ-phosphate de l'inhibiteur GTP. Le site de liaison du GTP se déforme et se bloque à l'état ouvert, de sorte que la liaison du GTP favorise la forme fermée de l'enzyme. Ceci entraîne la liaison étroite des substrats et produits et donc l'inhibition de l'enzyme. La liaison de l'ADP favorise la forme ouverte, ce qui permet la dissociation des produits et active ainsi l'enzyme. Il semble que les interactions allostériques communiquent entre les sous-unités via des interactions des domaines antennaires. De fait, les GDH bactériennes, où les régulations allostériques font défaut, diffèrent des GDH de mammifère essentiellement par l'absence de domaines antennaires.

b. L'hyperinsulinisme/hyperammoniémie (HI/HA) est due à la perte du contrôle de l'activité GDH

Charles Stanley a publié une nouvelle forme d'hyperinsulinisme congénital caractérisée par de l'hypoglycémie et de l'**hyperammoniémie (HI/HA)** et montré qu'elle est due à des mutations de la GDH à l'extrémité N-terminale de son hélice pivot dans le site de liaison du GTP, ou dans le domaine antennaire près de sa jonction avec l'hélice pivot. Les enzymes mutantes sont moins sensibles à l'inhibition par le GTP, mais sont encore activables par l'ADP. Les mutants suivants de la GDH, S448P, H454Y et R463A, ont été respectivement produits pour affecter la région antennaire, le site de liaison du GTP, et le site de liaison de l'ADP (Fig. 26-5b). Tous ces mutants sont moins sensibles à l'inhibition par le GTP (Fig. 26-6), les mutations H454Y et S448P, connues pour être associées à l'HI/HA, causant la résistance la plus forte à cette inhibition. L'hypoglycémie et l'hyperammoniémie des patients HI/HA résulte de l'activité accrue des formes mutantes de la GDH dans la direction de la dégradation, avec production augmentée d'α-cétoglutarate et de NH₃. L'augmentation des niveaux d'α-cétoglutarate stimule le cycle de l'acide citrique et les phosphorylations oxydatives, ce qui est connu pour augmenter la sécrétion d'insuline et donc l'hypoglycémie, d'où la symptomatologie. Le NH₃ produit est d'habitude transformé en urée (Section 26-2), mais il peut aussi passer dans le sang.

Si cette interprétation de l'étiologie de l'HI/HA est correcte, il faut revoir le rôle de la GDH dans l'homéostasie de l'ammoniac. L'état d'équilibre de la réaction de la GDH est très en faveur de la formation de glutamate ($\Delta G^{\circ\prime} \approx 30$ kJ·mol⁻¹ pour la réaction écrite comme dans la Fig. 26-4), mais des mesures des concentrations intracellulaires des produits et substrats suggéraient néanmoins que la réaction enzymatique est proche de l'équilibre ($\Delta G \approx 0$) *in vivo*. Il était donc généralement admis qu'une augmentation de la concentration en NH₃, qui est toxique à haute dose, inverserait la réaction de la GDH afin de prévenir cette toxicité. Cette idée est remise en question par le fait que les patients HI/HA ont trop de NH₃ malgré l'augmentation d'activité de leur GDH. Si

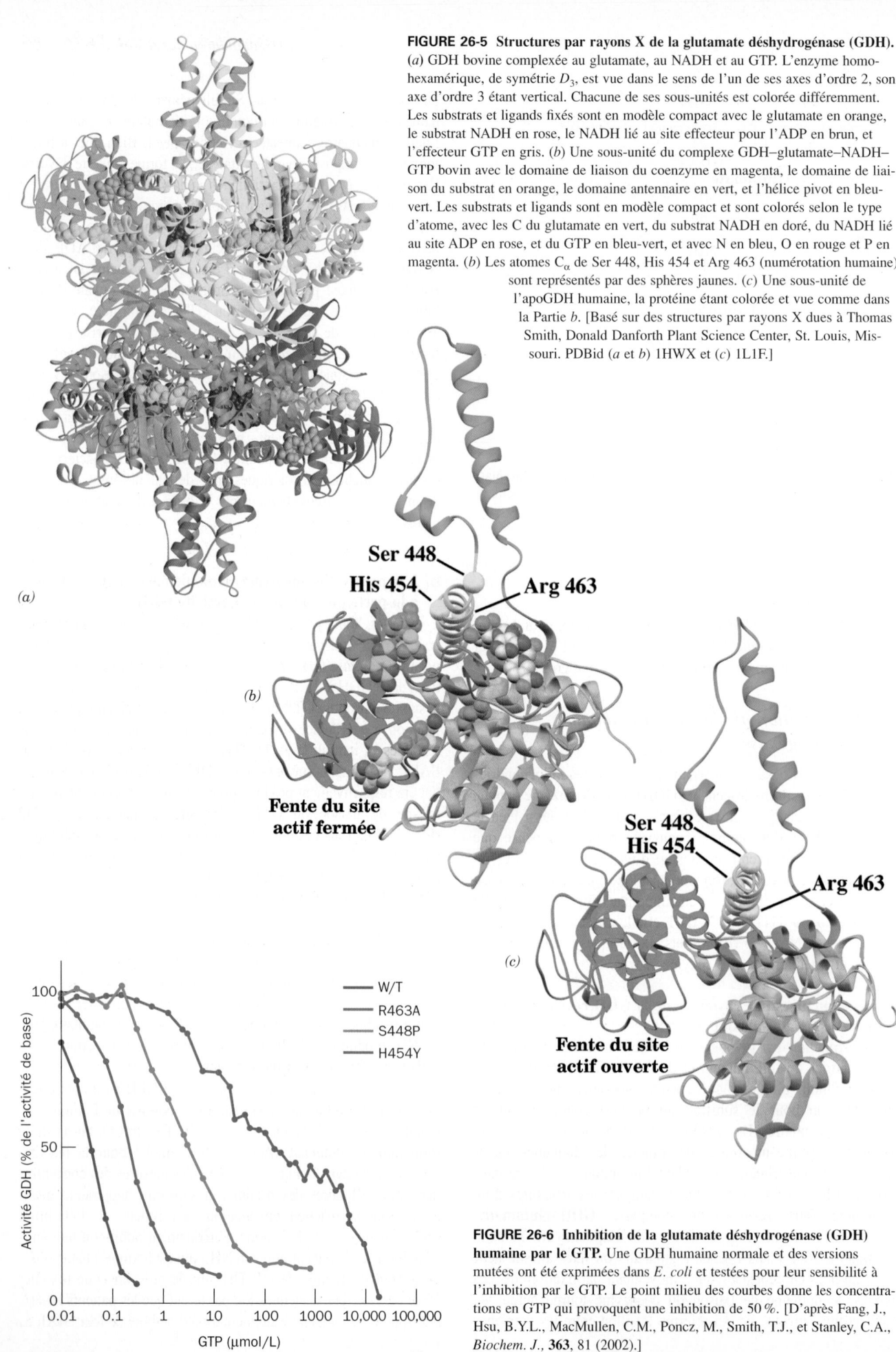

FIGURE 26-5 Structures par rayons X de la glutamate déshydrogénase (GDH). (*a*) GDH bovine complexée au glutamate, au NADH et au GTP. L'enzyme homo-hexamérique, de symétrie D_3, est vue dans le sens de l'un de ses axes d'ordre 2, son axe d'ordre 3 étant vertical. Chacune de ses sous-unités est colorée différemment. Les substrats et ligands fixés sont en modèle compact avec le glutamate en orange, le substrat NADH en rose, le NADH lié au site effecteur pour l'ADP en brun, et l'effecteur GTP en gris. (*b*) Une sous-unité du complexe GDH–glutamate–NADH–GTP bovin avec le domaine de liaison du coenzyme en magenta, le domaine de liaison du substrat en orange, le domaine antennaire en vert, et l'hélice pivot en bleu-vert. Les substrats et ligands sont en modèle compact et sont colorés selon le type d'atome, avec les C du glutamate en vert, du substrat NADH en doré, du NADH lié au site ADP en rose, et du GTP en bleu-vert, et avec N en bleu, O en rouge et P en magenta. (*b*) Les atomes C_α de Ser 448, His 454 et Arg 463 (numérotation humaine) sont représentés par des sphères jaunes. (*c*) Une sous-unité de l'apoGDH humaine, la protéine étant colorée et vue comme dans la Partie *b*. [Basé sur des structures par rayons X dues à Thomas Smith, Donald Danforth Plant Science Center, St. Louis, Missouri. PDBid (*a* et *b*) 1HWX et (*c*) 1L1F.]

Ser 448
His 454
Arg 463

(a)

(b)

Fente du site actif fermée

Ser 448
His 454
Arg 463

(c)

Fente du site actif ouverte

W/T
R463A
S448P
H454Y

100

Activité GDH (% de l'activité de base)

50

0

0.01   0.1   1   10   100   1 000   10 000   100 000

GTP (µmol/L)

FIGURE 26-6 Inhibition de la glutamate déshydrogénase (GDH) humaine par le GTP. Une GDH humaine normale et des versions mutées ont été exprimées dans *E. coli* et testées pour leur sensibilité à l'inhibition par le GTP. Le point milieu des courbes donne les concentrations en GTP qui provoquent une inhibition de 50 %. [D'après Fang, J., Hsu, B.Y.L., MacMullen, C.M., Poncz, M., Smith, T.J., et Stanley, C.A., *Biochem. J.*, **363**, 81 (2002).]

la réaction de la GDH était proche de l'équilibre, des modifications de son activité suite à des interactions allostériques ne produiraient pas de changements de flux significatifs.

C. *Autres mécanismes de désamination*

Deux aminoacide oxydases non spécifiques, la **L-aminoacide oxydase** et la **D-aminoacide oxydase**, catalysent l'oxydation des L- et des D-aminoacides, en utilisant le FAD comme coenzyme rédox [plutôt que le NAD(P)$^+$]. Le FADH$_2$ formé est réoxydé par O$_2$.

$$\text{Acide aminé} + \text{FAD} + \text{H}_2\text{O} \longrightarrow$$
$$\text{acide } \alpha\text{-cétonique} + \text{NH}_3 + \text{FADH}_2$$
$$\text{FADH}_2 + \text{O}_2 \longrightarrow \text{FAD} + \text{H}_2\text{O}_2$$

On trouve essentiellement la D-aminoacide oxydase dans le rein. Son rôle est énigmatique puisque les D-aminoacides ne se trouvent pratiquement que dans les parois des bactéries (Section 11-3B). Quelques acides aminés, comme la sérine et l'histidine, sont désaminés par un processus non oxydatif (Sections 26-3B et 26-3D).

2 ■ LE CYCLE DE L'URÉE

Les organismes excrètent l'azote en excès qui résulte de la dégradation des acides aminés selon l'une des trois voies possibles. De nombreux animaux aquatiques excrètent simplement de l'ammoniac. Cependant, quand l'eau est moins abondante, des mécanismes permettent de transformer l'ammoniac en produits de dégradation moins toxiques qui nécessitent donc moins d'eau pour être excrétés. L'un de ces produits est l'urée, excrétée par la plupart des vertébrés terrestres ; un autre produit est l'**acide urique**, excrété par les oiseaux et les reptiles terrestres :

Ammoniac   **Urée**   **Acide urique**

Ainsi, les organismes sont soit **ammoniotéliques** (excrétion d'ammoniac), soit **uréotéliques** (excrétion d'urée), soit **uricotéliques** (excrétion d'acide urique). Certains animaux peuvent passer de l'ammoniotélisme à l'uréotélisme ou à l'uricotélisme si leur approvisionnement en eau diminue. Nous allons nous intéresser maintenant à la formation de l'urée. La synthèse de l'acide urique est étudiée dans la Section 28-4A.

L'urée est synthétisée dans le foie par les enzymes du cycle de l'urée. L'urée passe ensuite dans le sang pour être concentrée dans les reins et excrétée dans l'urine. Le cycle de l'urée a été élucidé dans ses grandes lignes en 1932 par Hans Krebs et Kurt Henseleit (premier cycle métabolique connu ; Krebs n'élucida le cycle des acides tricarboxyliques qu'en 1937). Ses différentes réactions furent décrites plus tard en détail par Sarah Ratner et Philip Cohen. La réaction globale du cycle est

Ainsi, les deux atomes d'azote de l'urée sont apportés par l'ammoniac et l'aspartate, alors que l'atome de carbone provient de HCO$_3^-$. Le cycle de l'urée comprend cinq réactions enzymatiques, dont deux mitochondriales et trois cytosoliques (Fig. 26-7). Dans cette section, nous étudierons le mécanisme de ces réactions et leur régulation.

A. *La carbamyl phosphate synthétase : acquisition du premier atome d'azote de l'urée*

La **carbamyl phosphate synthétase** (CPS) ne fait pas partie, à strictement parler, du cycle de l'urée. Elle catalyse la condensation et l'activation de NH$_3$ et de HCO$_3^-$ pour donner le **carbamyl phosphate**, premier substrat azoté du cycle, avec hydrolyse concomitante de deux ATP. Les eucaryotes ont deux CPS différentes :

1. La **CPS I** mitochondriale, dont la source d'azote est l'ammoniac et qui participe à la synthèse de l'urée.

2. La **CPS II** cytosolique dont la source d'azote est la glutamine et qui est impliquée dans la synthèse du noyau pyrimidique (Section 28-2A).

La réaction catalysée par la CPS I fait intervenir trois étapes (Fig. 26-8) :

1. Activation de HCO$_3^-$ par l'ATP pour former du **carboxyphosphate** et de l'ADP.

2. Attaque par l'ammoniac du carboxyphosphate, déplaçant le phosphate pour former du **carbamate** et du P$_i$.

3. Phosphorylation du carbamate par le deuxième ATP pour donner le carbamyl phosphate et de l'ADP.

La réaction est pratiquement irréversible et constitue la réaction à vitesse limitante du cycle de l'urée. La CPS I est activée allostériquement par le *N*-acétylglutamate comme nous le verrons dans la Section 26-2F.

E. coli ne contient qu'un type de CPS, qui est homologue aux CPS I et II. L'enzyme est un hétérodimère, mais lorsqu'elle est activée allostériquement par l'ornithine (un intermédiaire du cycle de l'urée), elle forme un tétramère d'hétérodimères, $(\alpha\beta)_4$. La fonction de sa petite sous-unité (382 résidus) est d'hydrolyser la glutamine et de fournir le produit NH$_3$ à la grosse sous-unité (1073 résidus). Cependant, si l'activité **glutaminase (glutamine amidotransférase)** de l'enzyme est éliminée (p. ex. par mutagenèse dirigée), la grosse sous-unité peut toujours produire du carbamyl phosphate si du NH$_3$ est fourni à concentration suffisante. La grosse sous-unité est constituée de deux moitiés quasi superpo-

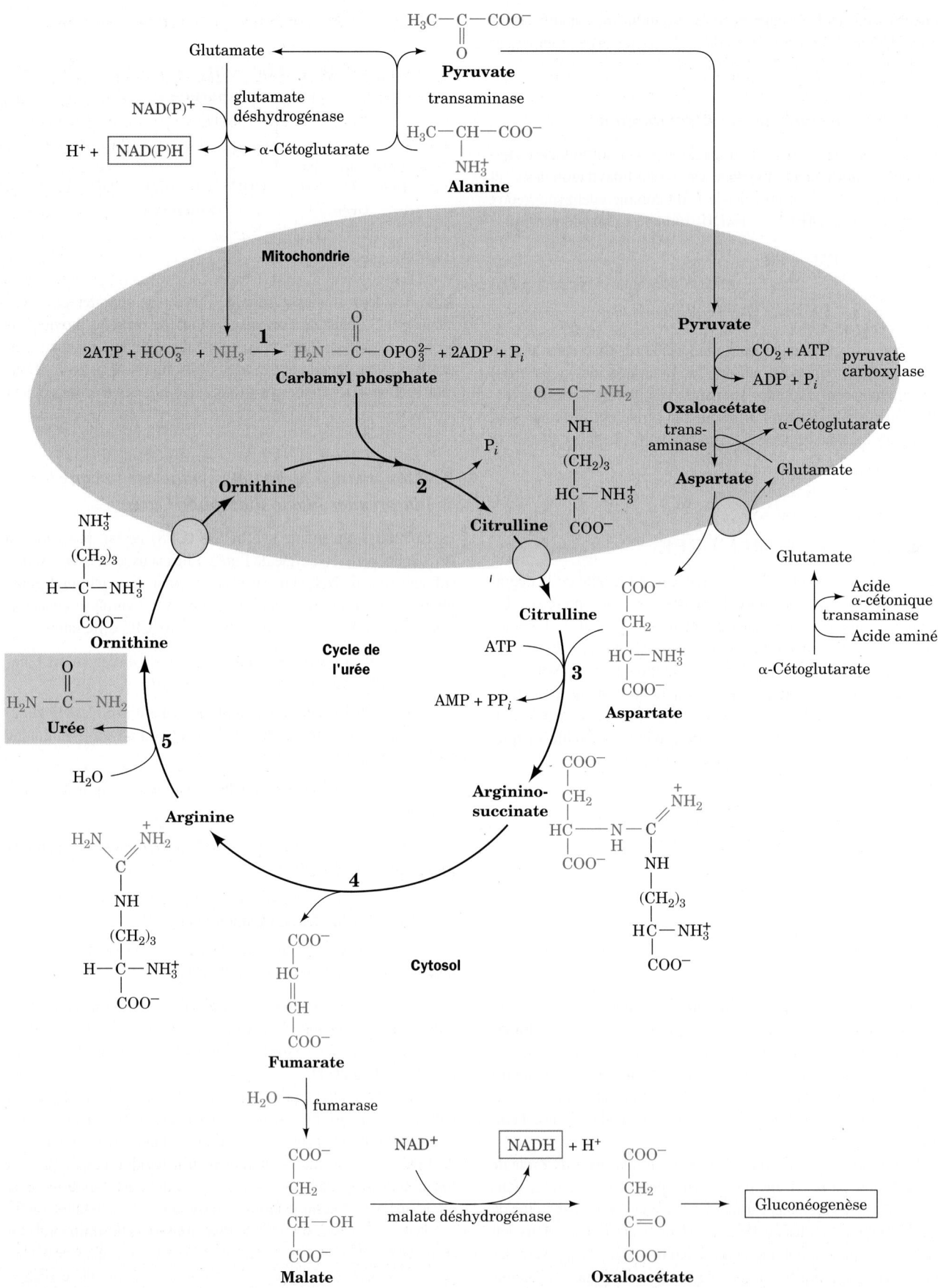

FIGURE 26-7

FIGURE 26-7 (*Page opposée*) **Le cycle de l'urée.** Ses cinq enzymes sont : (**1**) la carbamyl phosphate synthétase, (**2**) l'ornithine transcarbamylase, (**3**) l'argininosuccinate synthétase, (**4**) l'argininosuccinase et (**5**) l'arginase. Les réactions se déroulent en partie dans la mitochondrie, le reste dans le cytosol, l'ornithine et la citrulline étant transportées à travers la membrane mitochondriale par des transporteurs spécifiques (*cercles jaunes*). Un des groupements aminés de l'urée (*vert*) provient du NH_3 produit par la réaction de la glutamate déshydrogénase (*en haut*). L'autre groupement aminé (*rouge*) est fourni par l'aspartate suite au transfert d'un acide aminé à l'oxaloacétate par transamination (*à droite*). Le fumarate produit par la réaction de l'argininosuccinase est transformé en oxaloacétate pour la gluconéogenèse par les mêmes réactions que celles du cycle de l'acide citrique, mais qui se déroulent dans le cytosol (*en bas*). L'ATP utilisé dans les Réactions 1 et 3 du cycle peut être régénéré par phosphorylations oxydatives à partir du NAD(P)H produit lors des réactions de la glutamate déshydrogénase (*en haut*) et de la malate déshydrogénase (*en bas*).

sables partageant 40 % d'identité de séquence. La partie N-terminale contient la région impliquée dans la synthèse de carboxyphosphate et un domaine d'oligomérisation, la partie C-terminale contenant la région impliquée dans la synthèse de carbamyl phosphate et un domaine de fixation de régulateurs allostériques.

La CPS d'*E. coli* contient un tunnel extrêmement long

La structure par rayons X de la CPS d'*E. coli* en complexe avec Mn^{2+}, ADP, P_i et l'ornithine, déterminée par Hazel Holden et Ivan Rayment, montre que le site actif dans la synthèse de l'intermédiaire carboxyphosphate est à ~45 Å du site de synthèse de l'ammoniac et à ~35 Å du site actif dans la synthèse de carbamyl phosphate. Ces trois sites sont reliés par un tunnel moléculaire étroit, long de 96 Å, qui traverse cette protéine allongée, pratiquement sur toute sa longueur (Fig. 26-9). La CPS peut ainsi guider ses produits intermédiaires, du site actif dans leur formation vers celui de leur utilisation. Ce phénomène, où l'intermédiaire de deux réactions est transféré directement d'un site actif de l'enzyme à un autre, est appelé « **channeling** » (**guidage préférentiel** ; le terme « tunneling », pour « effet tunnel », est réservé à certains phénomènes de mécanique quantique).

FIGURE 26-8 **Mécanisme d'action de la CPS I.** (**1**) Activation de HCO_3^- par phosphorylation pour donner l'intermédiaire carboxyphosphate ; (**2**) attaque nucléophile du carboxyphosphate par NH_3 pour former le carbamate, second intermédiaire de la réaction et (**3**) phosphorylation du carbamate par l'ATP qui donne le carbamyl phosphate, produit de la réaction.

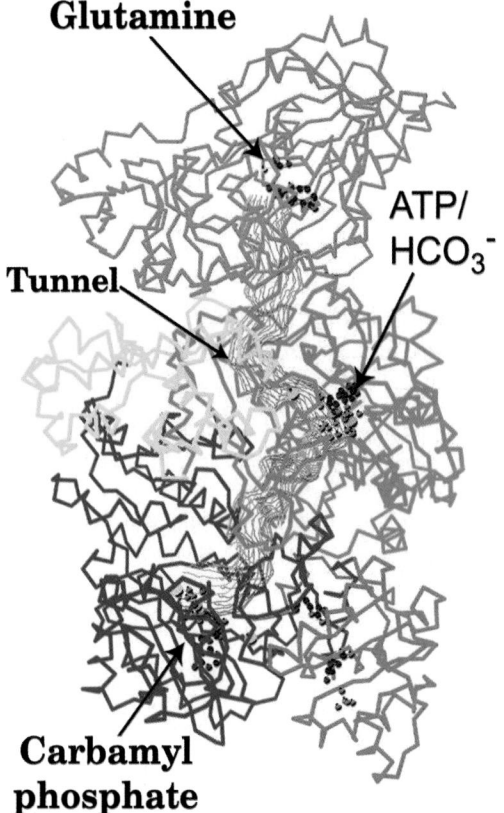

FIGURE 26-9 **Structure par rayons X de la carbamyl phosphate synthétase (CPS) d'*E. coli*.** La protéine est représentée par son squelette C_α. La petite sous-unité (*magenta*) contient le site de la liaison de la glutamine où NH_3 est produit ou fixé. La grosse sous-unité comporte le domaine carboxyphosphate (*vert*), le domaine d'oligomérisation (*jaune*), le domaine carbamyl phosphate (*bleu*) et le domaine de liaison allostérique (*orange*). Le tunnel de 96 Å qui relie les trois sites actifs est délimité en rouge. [Avec la permission de Hazel Holden et Ivan Rayment, University of Wisconsin. PDBid 1JDB.]

Le « channeling » augmente la vitesse d'une voie métabolique en empêchant la perte de produits intermédiaires et en les protégeant contre la dégradation. Le NH_3 doit parcourir ~45 Å dans le tunnel pour réagir avec le carboxyphosphate afin de former l'intermédiaire suivant, le carbamate. Celui-ci doit, à son tour, parcourir ~35 Å pour atteindre le site où il est phosphorylé par l'ATP pour former le produit final, le carbamyl phosphate. La partie du tunnel où passe le NH_3 est bordée de groupements polaires pouvant établir des liaisons hydrogène avec NH_3, alors que celle où passe le carbamate est bordée d'atomes du squelette et est dépourvue de groupements chargés qui pourraient induire son hydrolyse lors de sa diffusion entre sites actifs. Protection et guidage préférentiel sont nécessaires, car les intermédiaires carboxyphosphate et carbamate sont extrêmement réactionnels, avec des demi-vies respectives de 28 et 70 ms à pH neutre. De plus, le guidage préférentiel permet à la concentration locale de NH_3 d'atteindre une valeur supérieure à celle dans le milieu cellulaire. Nous rencontrerons plusieurs autres exemples de « channeling » lors de nos études d'enzymes métaboliques, mais le tunnel de la CPS est bien plus long que dans toute autre enzyme connue.

B. *L'ornithine transcarbamylase*

L'**ornithine transcarbamylase** transfère le groupement carbamyle du carbamyl phosphate sur l'**ornithine**, donnant de la **citrulline** (Fig. 26-7, Réaction 2 ; noter que ces deux composés sont des acides α–aminés non standard car on ne les trouve pas dans les protéines). La réaction a lieu dans les mitochondries, ce qui implique que l'ornithine, produite dans le cytosol, entre dans la mitochondrie par un transporteur spécifique. De même, puisque les autres réactions du cycle de l'urée se déroulent dans le cytosol, la citrulline doit sortir de la mitochondrie.

C. *L'argininosuccinate synthétase : acquisition du deuxième atome d'azote de l'urée*

Le deuxième atome d'azote de l'urée entre dans le cycle de l'urée lors de la troisième réaction par condensation du groupement uréido de la citrulline avec le groupement aminé d'un aspartate catalysée par l'**argininosuccinate synthétase** (Fig. 26-10). L'atome d'oxygène du groupement uréido est activé comme groupement partant par formation d'un intermédiaire citrullyl-AMP, qui est ensuite déplacé par le groupement aminé de l'aspartate.

L'existence de l'intermédiaire citrullyl-AMP a été prouvée par des expériences faites en présence de ^{18}O-citrulline (* dans la Fig. 26-10). Le marqueur est retrouvé dans l'AMP formé lors de la réaction, ce qui montre qu'au cours de la réaction, l'AMP et la citrulline sont liés par covalence par l'atome d'oxygène du groupement uréido.

D. *L'argininosuccinase*

Avec la formation de l'argininosuccinate, tous les constituants de la molécule d'urée sont réunis. Cependant, le groupement aminé apporté par l'aspartate est toujours lié au squelette carboné de l'aspartate. L'**argininosuccinase** va scinder la molécule d'argininosuccinate en arginine et fumarate (Fig. 26-7, Réaction 4). L'arginine est le précurseur immédiat de l'urée. Le fumarate produit lors de la réaction de l'argininosuccinase réagit, via la fumarase et la malate déshydrogénase, pour donner de l'oxaloacétate (Fig. 26-7, *en bas*), qui est alors utilisé dans la gluconéogenèse.

E. *L'arginase*

La cinquième et dernière réaction du cycle de l'urée est catalysée par l'**arginase** qui hydrolyse l'arginine en urée et ornithine (Fig. 26-7 ; Réaction 5). L'ornithine rentre dans les mitochondries et le cycle peut recommencer. Le cycle de l'urée transforme donc deux groupements aminés, l'un de NH_3, l'autre de l'aspartate, et un atome de carbone fourni par HCO_3^-, en un produit d'excrétion relativement non toxique, l'urée, aux dépens de quatre liaisons phosphate riches en énergie (trois ATP hydrolysés en deux ADP, deux P_i, un AMP et un PP_i, suivi par l'hydrolyse rapide de PP_i). Ce coût énergétique, ainsi que celui de la gluconéogenèse, est couvert par l'oxydation de l'acétyl-CoA résultant de la dégradation du squelette carboné des acides aminés (p. ex. la thréonine, Fig. 26-12). De fait, la moitié de l'oxygène consommé par le foie est utilisé pour fournir cette énergie.

F. *Régulation du cycle de l'urée*

La carbamyl phosphate synthétase I, l'enzyme mitochondriale qui catalyse la première réaction d'engagement du cycle de l'urée, est activée allostériquement par le *N*-**acétylglutamate** :

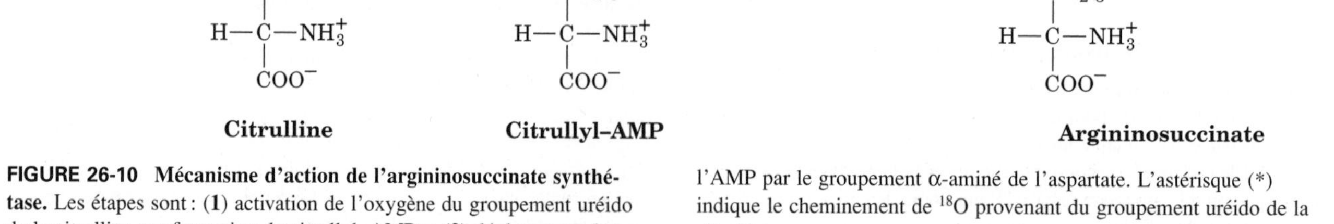

FIGURE 26-10 Mécanisme d'action de l'argininosuccinate synthétase. Les étapes sont : (**1**) activation de l'oxygène du groupement uréido de la citrulline par formation de citrullyl–AMP et (**2**) déplacement de l'AMP par le groupement α-aminé de l'aspartate. L'astérisque (*) indique le cheminement de ^{18}O provenant du groupement uréido de la citrulline.

$$
\begin{array}{c}
COO^- \\
| \\
(CH_2)_2 \quad\quad O \\
| \quad\quad\quad || \\
H-C-N-C-CH_3 \\
| \quad\; H \\
{}^-OOC
\end{array}
$$

N-Acétylglutamate

Ce métabolite est synthétisé à partir de glutamate et d'acétyl-CoA par la **N-acétylglutamate synthase** et est hydrolysé par une hydrolase spécifique. La vitesse de production d'urée par le foie est fonction de la concentration en N-acétylglutamate. Une synthèse accrue d'urée est nécessaire lorsque les vitesses de dégradation des acides aminés augmentent, formant de l'azote en excès qui doit être éliminé. Ces augmentations de vitesse de dégradation sont signalées par une augmentation de la concentration en glutamate suite à des réactions de transamination (Section 26-1). Ceci provoque une augmentation de la synthèse de N-acétylglutamate, stimulant ainsi la réaction de la carbamyl phosphate synthétase et donc le cycle de l'urée dans son ensemble.

Les autres enzymes du cycle de l'urée sont contrôlées par les concentrations de leurs substrats. Ainsi, des déficiences héréditaires en enzymes du cycle de l'urée autres que l'arginase n'entraînent pas de diminutions significatives de la production d'urée (l'absence totale des enzymes de l'urée entraîne la mort très vite après la naissance). En fait, le substrat de l'enzyme déficiente s'accumule, ce qui augmente la vitesses de la réaction jusqu'à la normale. Cependant, l'accumulation anormale de substrat n'est pas sans conséquence. Les concentrations en substrat augmentent toutes en amont de l'enzyme déficiente jusqu'au NH_3, ce qui entraîne une hyperammoniémie. Bien que la véritable raison de la toxicité de NH_3 ne soit pas entièrement connue, une forte concentration en NH_3 entraîne une forte « pression » sur le système d'élimination de NH_3, notamment dans le cerveau (parmi les symptômes des déficiences en enzymes du cycle de l'urée on trouve le retard mental et la léthargie). Ce système d'élimination impliquerait la glutamate déshydrogénase (fonctionnant en sens inverse) et la **glutamine synthétase**, ce qui diminue les pools d'α-cétoglutarate et de glutamate (Sections 26-1 et 26-5A). Le cerveau est particulièrement sensible à la diminution de ces pools. Une diminution de la concentration en α-cétoglutarate diminue la vitesse de fonctionnement du cycle de l'acide citrique fournisseur d'énergie, tandis que la diminution de concentration en glutamate perturbe la fonction neuronale, puisqu'il est un neurotransmetteur et un précurseur du **γ-aminobutyrate (GABA)**, autre neurotransmetteur (Section 20-5C). Une chute du glutamate devrait aussi diminuer le fonctionnement du cycle de l'urée, puisqu'il est également un précurseur du N-acétylglutamate, le régulateur principal du cycle. L'implication de la GDH dans l'élimination de NH_3 est controversée suite à l'observation d'une désinhibition de la GDH dans l'HI/HA (Section 26-1B), ce qui suggère qu'une activité GDH accrue augmente, et non diminue, la concentration en NH_3.

3 ■ CATABOLISME DES ACIDES AMINÉS

Le catabolisme des acides aminés les transforme en intermédiaires du cycle de l'acide citrique ou en leurs précurseurs, de sorte qu'ils peuvent être métabolisés en CO_2 et H_2O ou utilisés dans la gluconéogenèse. Effectivement, la dégradation oxydative des acides aminés représente entre 10 à 15 % de l'énergie métabolique produite par les animaux. Dans cette section, nous étudierons comment les squeletttes carbonés des acides aminés sont catabolisés. Les 20 acides aminés protéiques présentent des squelettes carbonés très différents, si bien que leurs transformations en intermédiaires du cycle de l'acide citrique suivent des voies différentes. Nous n'étudierons pas toutes les voies en détail. Nous examinerons plutôt comment ces voies sont organisées et nous verrons plus en détail quelques réactions d'intérêt chimique ou médical.

A. *Les acides aminés peuvent être glucoformateurs, cétogènes ou les deux*

Les acides aminés protéiques sont dégradés en l'un des sept intermédiaires métaboliques suivants : pyruvate, α-cétoglutarate, succinyl-CoA, fumarate, oxaloacétate, acétyl-CoA ou acétoacétate (Fig. 26-11). On peut donc répartir les acides aminés en deux groupes selon leur catabolisme (Fig. 26-11) :

1. Les **acides aminés glucoformateurs**, dont les squelettes carbonés donnent du pyruvate, de l'α-cétoglutarate, du succinyl-CoA, du fumarate ou de l'oxaloacétate et qui sont donc des précurseurs du glucose (Section 23-1A).

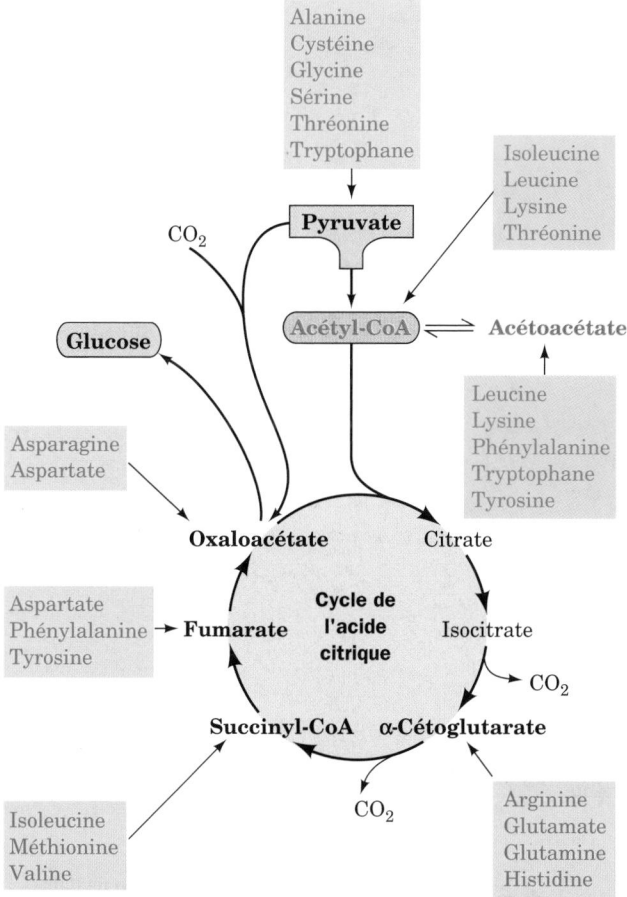

FIGURE 26-11 Dégradation des acides aminés en l'un des sept intermédiaires métaboliques courants. Les dégradations glucoformatrices et cétogènes sont indiquées respectivement en vert et en rouge.

2. Les **acides aminés cétogènes,** dont les squelettes carbonés sont dégradés en acétyl-CoA ou en acétoacétate et qui peuvent donc être transformés en acides gras ou en corps cétoniques (Section 25-3).

Par exemple, l'alanine est glucoformatrice car son produit de transamination, le pyruvate (Section 26-1A), peut donner du glucose par la gluconéogenèse (Section 23-1A). De son côté, la leucine est cétogène car son squelette carboné est transformé en acétyl-CoA et en acétoacétate (Section 26-3F). Les animaux n'ayant pas de voie métabolique leur permettant de transformer l'acétyl-CoA ou l'acétoacétate en précurseurs de la gluconéogenèse, aucune synthèse nette de glucides n'est possible partant de la leucine ou de la lysine, les deux seuls acides aminés uniquement cétogènes. L'isoleucine, la phénylalanine, la thréonine, le tryptophane et la tyrosine sont à la fois glucoformateurs et cétogènes ; par exemple, l'isoleucine est dégradée en succinyl-CoA et acétyl-CoA et est donc précurseur de glucides et de corps cétoniques (Section 26-3E). Les 13 aminoacides restants sont uniquement glucoformateurs.

En étudiant les voies de dégradation spécifiques des acides aminés, nous allons répartir les acides aminés dans des groupes qui correspondent aux sept métabolites mentionnés ci-dessus : pyruvate, oxaloacétate, α-cétoglutarate, succinyl-CoA, fumarate, acétyl-CoA et acétoacétate. Quand l'acétoacétyl-CoA est un produit de dégradation d'un acide aminé, il peut, bien entendu, être directement transformé en acétyl-CoA (Section 25-2). Nous étudierons également la voie par laquelle il est transformé en acétoacétate dans le foie, pour être ensuite utilisé comme carburant énergétique dans les tissus périphériques (Section 25-3).

B. *L'alanine, la cystéine, la glycine, la sérine et la thréonine sont dégradées en pyruvate*

Cinq acides aminés, alanine, cystéine, glycine, sérine et thréonine, sont dégradés en pyruvate (Fig. 26-12). Le tryptophane peut se rattacher à ce groupe, car l'un de ses produits de dégradation est l'alanine (Section 26-3G), qui, nous l'avons vu (Section 26-1A), donne du pyruvate par transamination.

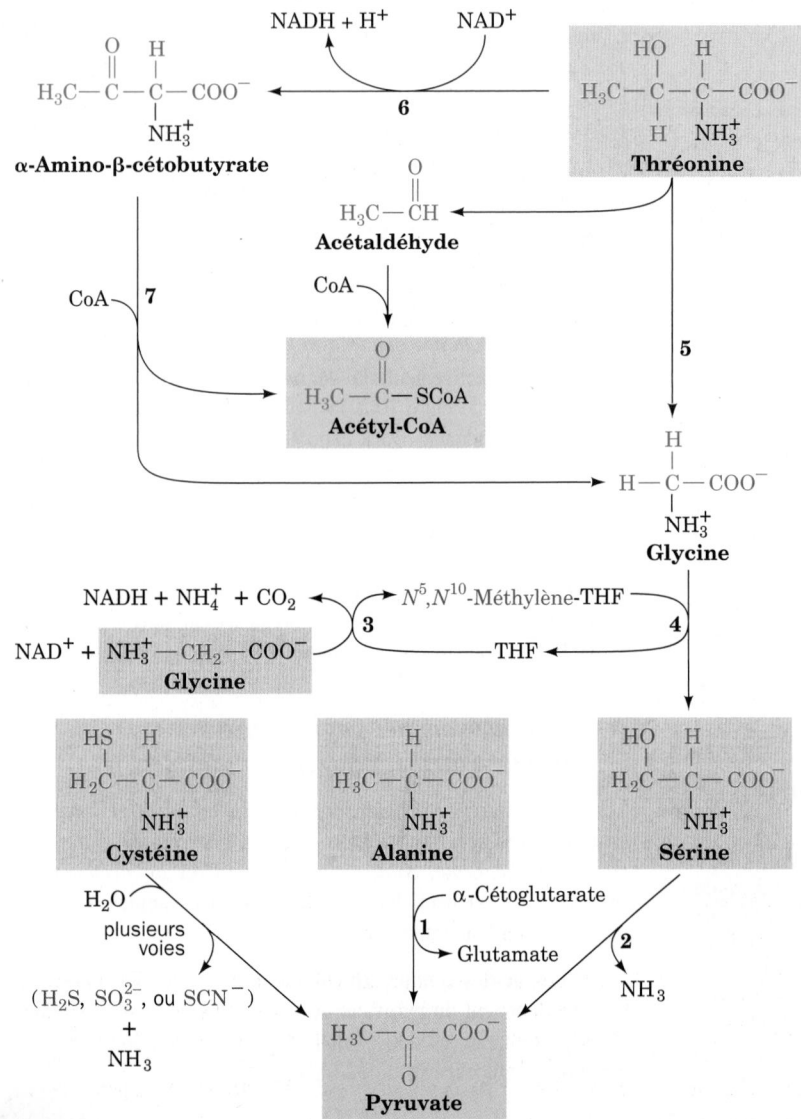

FIGURE 26-12 Voies de transformation de l'alanine, de la cystéine, de la glycine, de la sérine et de la thréonine en pyruvate. Les enzymes impliquées sont (**1**) l'alanine aminotransférase, (**2**) la sérine déshydratase, (**3**) le complexe de clivage de la glycine, (**4**) et (**5**) la sérine hydroxyméthyltransférase, (**6**) la thréonine déshydrogénase et (**7**) l'α-amino-β-cétobutyrate lyase.

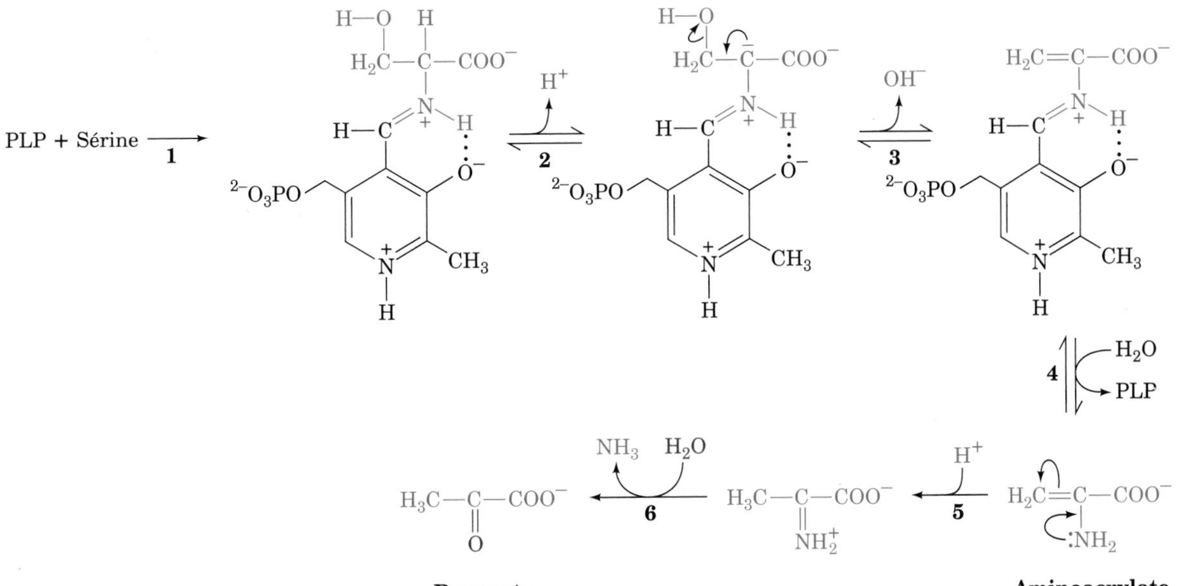

FIGURE 26-13 Réaction de la sérine déshydratase. Cette enzyme à PLP catalyse l'élimination de l'eau de la sérine. Les étapes de la réaction sont (**1**) formation d'une base de Schiff sérine–PLP, (**2**) départ de l'atome de H en α de la sérine pour donner un carbanion stabilisé par résonance, (**3**) β élimination de OH⁻, (**4**) hydrolyse de la base de Schiff pour donner la PLP–enzyme et de l'aminoacrylate, (**5**) tautomérisation non enzymatique de l'imine et (**6**) hydrolyse non enzymatique pour donner le pyruvate et l'ammoniac.

La sérine est transformée en pyruvate après déshydratation par la **sérine déshydratase.** Cette enzyme à PLP, comme les aminotransférases (Section 26-1), forme une base de Schiff aminoacide–PLP ce qui facilite le départ de l'atome d'hydrogène en C_α de l'acide aminé. Cependant, dans la réaction de la sérine déshydratase, le carbanion en C_α se dégrade avec l'élimination du groupement OH en C_β de l'acide aminé, et non une tautomérisation (Fig. 26-2, Etape 2), si bien que le substrat subit une réaction d'α,β-déshydratation et non une désamination (Fig. 26-13). L'énamine produite par cette déshydratation, l'**aminoacrylate,** se tautomérise non enzymatiquement pour donner l'imine correspondante, qui s'hydrolyse spontanément pour donner du pyruvate et de l'ammoniac.

La cystéine peut être transformée en pyruvate par des voies différentes dans lesquelles le groupement sulfhydryle est libéré sous forme de H_2S, SO_3^{2-} ou SCN^-.

La glycine est transformée en sérine par l'enzyme **sérine hydroxyméthyl transférase,** une autre enzyme à PLP (Fig. 26-12, Réaction 4). Cette enzyme utilise le N^5,N^{10}-**méthylène-tétrahydrofolate** (N^5,N^{10}-**méthylène-THF**) comme cofacteur pour apporter l'unité en C_1 nécessaire à cette transformation. Nous étudierons plus loin (Section 26-4D) les réactions impliquant les cofacteurs à THF.

a. Le système de clivage de la sérine est un complexe multienzymatique

Le groupement méthylène du N^5,N^{10}-méthylène-THF utilisé dans la transformation de la glycine en sérine est obtenu par dégradation d'une deuxième molécule de glycine au cours d'une réaction où les atomes restants de cette glycine sont libérés sous forme de CO_2 et de NH_4^+ (Fig. 26-12, Réaction 3). Cette réaction est catalysée par le **système de clivage de la glycine** (appelé aussi **système multienzymatique de la glycine décarboxylase** chez les plantes et **glycine synthase** quand il fonctionne dans l'autre sens ; Section 26-5A). Ce complexe, qui ressemble au complexe de la pyruvate déshydrogénase (Section 21-2A), contient quatre constituants protéiques (Fig. 26-14) :

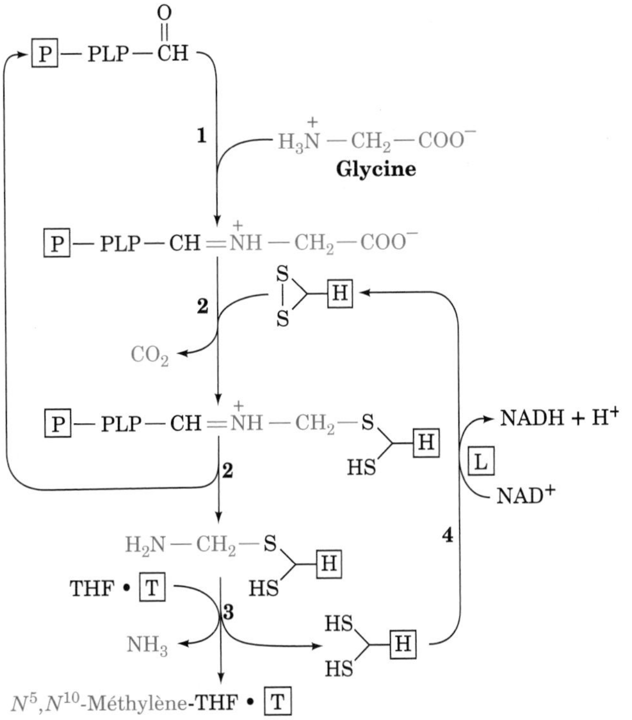

FIGURE 26-14 Réactions catalysées par le complexe multienzymatique de clivage de la glycine. Les enzymes impliquées sont (**1**) une glycine décarboxylase PLP-dépendante (protéine P), (**2**) une protéine à lipoamide (protéine H), (**3**) une enzyme à THF (protéine T), et (**4**) une dihydrolipoyl déshydrogénase à FAD, NAD⁺-dépendante (protéine L).

1. Une glycine décarboxylase à PLP (la **protéine P**).

2. Un transporteur d'aminométhyle à lipoamide (la **protéine H**), qui transporte le groupement aminométhyle issu de la décarboxylation de la glycine.

3. Une enzyme synthétisant le N^5,N^{10}-méthylène-THF [(la **protéine T**; aussi appelée aminométhyltransférase (**AMT**)], qui accepte un groupement méthylène du transporteur d'aminométhyle (la protéine H; le groupement aminé est libéré sous forme d'ammoniac).

4. Une dihydrolipoyl déshydrogénase à FAD, NAD⁺-dépendante (la **protéine L**), protéine qui fait également partie, sous le nom de E_3, du complexe de la pyruvate déshydrogénase (Section 21-2A).

Contrairement au complexe de la pyruvate déshydrogénase, les constituants du système de clivage de la glycine ne sont que lâchement associés et sont donc isolés comme protéines indépendantes. Néanmoins, la protéine H joue un rôle central au sein de ce système multienzymatique: son bras lipoyllysyl oxydé (Section 21-2A) est réduit par l'arrivée d'un groupement aminométhyle cédé par la protéine P (Fig. 26-14, Étape 2), il cède ensuite le groupement méthylène au THF complexé à la protéine T, avec libération d'ammoniac (Fig. 26-14, Étape 3), puis est réoxydé par la protéine L (Fig. 26-14, Étape 4). La structure par rayons X de la protéine H de feuille de pois (Fig. 26-15), déterminée par Roland Douce, montre qu'elle est essentiellement constituée d'un sand-wich de feuillets β antiparallèles à 3 et à 6 segments dont la structure ressemble au domaine lipoyl de E_2 dans le complexe de la pyruvate déshydrogénase (Fig. 21-10a).

Le groupement aminométhylthio est instable et est d'habitude hydrolysé rapidement en formaldéhyde et NH_4^+. Cependant, lors de son aminométhylation, le groupement lipoyl, jusqu'alors exposé (Fig. 26-15a), s'insère dans une crevasse hydrophobe de la protéine H où son groupement aminé se fixe à Glu 14 par liaison hydrogène (Fig. 26-15b), ce qui protège le groupement aminométhyle de l'hydrolyse. Effectivement, celle-ci survient rapidement moyennant remplacement de Glu 14 par Ala. Ainsi, la fonction de la protéine T dans le complexe THF·T·H serait de libérer le groupement lipoyl de la crevasse de la protéine H et de rapprocher le THF du C du méthylène du groupement aminométhyl en vue de la réaction. Deux observations montrent que cette voie est la voie de dégradation principale de la glycine dans les tissus de mammifère:

1. La sérine isolée d'un animal nourri avec de la [2-¹⁴C]glycine se trouve marquée par ¹⁴C en C2 et C3. Ce résultat indique que le groupement méthylène du N^5,N^{10}-méthylène-THF utilisé par la sérine hydroxyméthyl transférase est dérivé du C2 de la glycine.

2. La maladie héréditaire humaine **hyperglycinémie sans cétose,** caractérisée par un retard mental et l'accumulation de grandes quantités de glycine dans les liquides de l'organisme, est due à l'absence du système de clivage de la glycine.

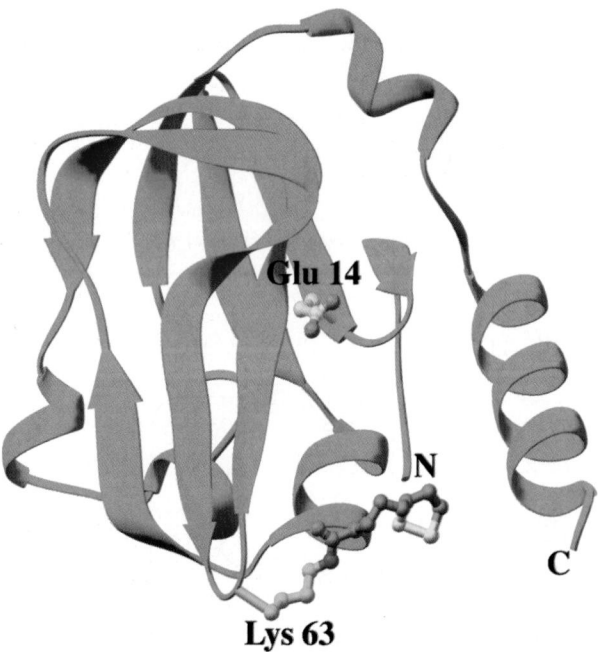

(a)

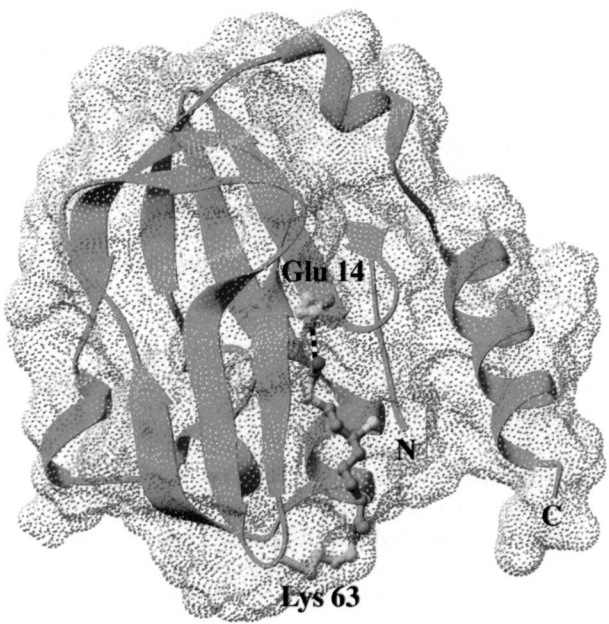

(b)

FIGURE 26-15 Structure par rayons X de la protéine H du système de clivage de la glycine de feuille de pois. (*a*) Forme oxydée à lipoamide où la chaîne latérale de Glu 14 et celle de Lys 63 à laquelle le groupement lipoyl est lié par covalence sont représentées en modèle éclaté et colorées selon le type d'atome (C de Glu 14 en doré, C de Lys 63 en bleu-vert, C du lipoyl en vert, N en bleu, O en rouge et S en jaune). (*b*) Forme réduite aminométhyl-dihydrolipoamide de la protéine H vue et colorée comme dans la Partie *a*. Le contour en pointillés représente la surface de la protéine accessible au solvant. Noter comment l'aminométhyl-dihydrolipoamide a changé de conformation par rapport au lipoamide de la Partie *a*, de sorte qu'il se fixe dans une crevasse hydrophobe de la protéine où son groupement aminé est uni à Glu 14 par liaison hydrogène (*trait noir interrompu*), ce qui protège le groupement aminométhyle de l'hydrolyse. [Basé sur des structures par rayons X dues à Roland Douce, Centre National de la Recherche Scientifique et Commissariat à l'Energie Atomique, Grenoble, France. PDBid (*a*) 1HPC et (*b*) 1HTP.]

Le système de clivage de la glycine et la sérine hydroxyméthyl transférase jouent un rôle vital dans les feuilles vertes, où ils catalysent la destruction rapides des grandes quantités de glycine produites par la photorespiration (Section 24-3C). En fait, ces enzymes représentent environ la moitié des protéines mitochondriales des feuilles de pois et d'épinard.

La thréonine est à la fois glucoformatrice et cétogène, car l'une de ses voies de dégradation donne du pyruvate et de l'acétyl-CoA (Fig. 26-12, Réactions 6 et 7). Sa principale voie de dégradation passe par la **thréonine déshydrogénase**, qui donne de l'**α-amino-β-cétobutyrate,** lequel est transformé en acétyl-CoA et glycine par l'**α-amino-β-cétobutyrate lyase.** La glycine peut être transformée, via la sérine, en pyruvate.

b. La sérine hydroxyméthyl transférase catalyse le clivage PLP-dépendant de la liaison C_α—C_β

La thréonine peut aussi être transformée directement en glycine et acétaldéhyde (ce dernier étant ensuite oxydé en acétyl-CoA), du moins *in vitro*, via la Réaction 5 de la Fig. 26-12. Curieusement, cette réaction est catalysée par la sérine hydroxyméthyl transférase. Jusqu'à maintenant, nous avons étudié des réactions catalysées en présence de PLP qui débutent par la rupture d'une liaison C_α—H d'un acide aminé (Fig. 26-2). La dégradation de la thréonine en glycine et acétaldéhyde par la sérine hydroxyméthyl transférase montre que le PLP facilite aussi le clivage de la liaison C_α—C_β en délocalisant les électrons du carbanion résultant dans le cycle du PLP conjugué :

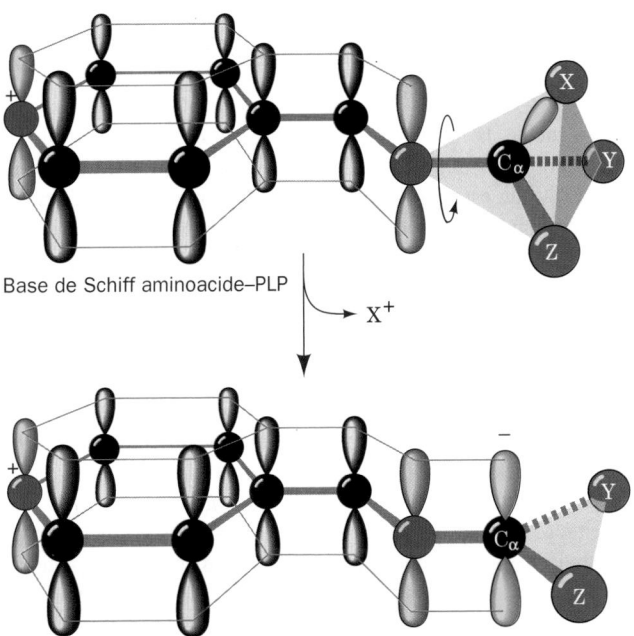

Base de Schiff aminoacide–PLP

$\longrightarrow X^+$

Carbanion en α délocalisé

(a)

c. Le PLP facilite la rupture de différentes liaisons dans différentes enzymes

Comment la même base de Schiff acide aminé–PLP peut-elle être impliquée dans le clivage des différentes liaisons aux C_α d'un acide aminé selon les enzymes ? Une réponse à cette énigme a été proposée par Harmon Dunathan. Pour que les électrons se retirent dans le système conjugué du PLP, les orbitales π du PLP doivent recouvrir l'orbitale de liaison qui contient la paire d'électrons à délocaliser. Cela n'est possible que si la liaison à rompre se trouve dans le plan perpendiculaire au plan du système des orbitales π du PLP (Fig. 26-16*a*). Différentes liaisons au C_α peuvent se trouver dans ce plan par rotation autour de l'axe C_α—N. Effectivement, la

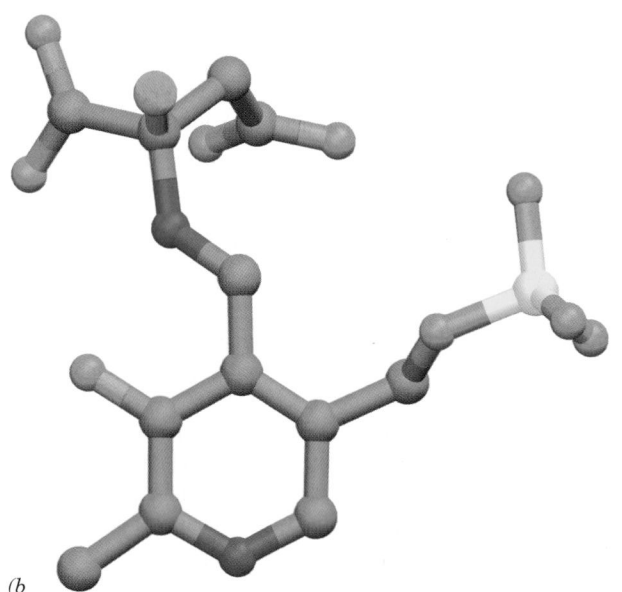

(b

FIGURE 26-16 Orientation des liaisons dans une base de Schiff aminoacide–PLP. (*a*) Disposition des orbitales π d'une base de Schiff aminoacide–PLP. La liaison au C_α dans le plan perpendiculaire au système des orbitales π du PLP (de X dans l'illustration) est labilisée en raison de son recouvrement par le système π, ce qui permet à la paire d'électrons de la liaison rompue d'être délocalisée sur la molécule conjuguée. (*b*) Le complexe base de Schiff entre l'inhibiteur **α-méthylaspartate** et le PLP dans la structure par rayons X de l'aspartate aminotransférase de porc vue dans le plan perpendiculaire au cycle pyridoxal. L'inhibiteur est dessiné en modèle éclaté avec C en vert, N en bleu, O en rouge, et P en doré, sauf que le C du méthyle et la liaison qui le relie au résidu aspartate sont en magenta. L'atome de C du groupement méthyle occupe la position de l'atome H que l'enzyme excise normalement de l'aspartate. Noter que la liaison reliant l'atome de C du méthyle à l'aspartate est dans le plan perpendiculaire au cycle pyridoxal et est donc idéalement orientée pour être rompue. [Partie *b* fondée sur une structure par rayons X due à David Metzler et Arthur Arnone, University of Iowa. PDBid 1AJS.]

structure par rayons X de l'aspartate aminotransférase montre que la liaison C_α—H de son substrat aspartate se trouve juste dans cette conformation (Fig. 26-16b). Manifestement, *chaque enzyme rompt spécifiquement sa liaison ad hoc parce que l'enzyme fixe l'adduit base de Schiff acide aminé–PLP de sorte que la liaison à rompre se trouve dans le plan perpendiculaire au plan du noyau PLP.* Ceci est un exemple d'assistance stéréoélectronique (Section 15-1E) : *l'enzyme se lie au substrat dans une conformation qui minimise l'énergie électronique de l'état de transition.*

C. *L'asparagine et l'aspartate sont dégradés en oxaloacétate*

La transamination de l'aspartate donne directement de l'oxaloacétate :

$$^-O-\underset{\underset{O}{\parallel}}{C}-CH_2-\underset{\underset{NH_3^+}{\mid}}{\overset{\overset{H}{\mid}}{C}}-\underset{\underset{O^-}{}}{\overset{\overset{O}{\parallel}}{C}}$$

Aspartate

α-Cétoglutarate → | ← aminotransférase
Glutamate ←

$$\underset{^-O}{\overset{O}{\parallel}}C-CH_2-\overset{O}{\underset{\parallel}{C}}-\overset{O}{\underset{O^-}{C}}$$

Oxaloacétate

L'asparagine est aussi transformée en oxaloacétate de cette manière après avoir été hydrolysée en aspartate par la **L-asparaginase** :

$$\underset{H_2N}{\overset{O}{\parallel}}C-CH_2-\underset{\underset{NH_3^+}{\mid}}{\overset{\overset{H}{\mid}}{C}}-\overset{O}{\underset{O^-}{\parallel}}C$$

Asparagine

H_2O → | ← L-asparaginase
NH_4^+ ←

$$\underset{^-O}{\overset{O}{\parallel}}C-CH_2-\underset{\underset{NH_3^+}{\mid}}{\overset{\overset{H}{\mid}}{C}}-\overset{O}{\underset{O^-}{\parallel}}C$$

Aspartate

Noter que la L-asparaginase est un agent chimiothérapeutique efficace dans le traitement de cancers qui doivent acquérir leur asparagine par le sang, en particulier la **leucémie lymphoblastique aiguë**. Les cellules cancéreuses n'ont que très peu d'asparagine synthétase (Section 26-5A) et donc meurent sans source extérieure d'asparagine. Cependant, le traitement par la L-asparaginase peut sélectionner des cellules exprimant plus d'asparagine synthétase, qui donc survivront et résisteront à ce traitement.

D. *L'arginine, le glutamate, la glutamine, l'histidine et la proline sont dégradés en α-cétoglutarate*

L'arginine, la glutamine, l'histidine et la proline sont toutes transformées en glutamate (Fig. 26-17), qui, à son tour, est oxydé en α-cétoglutarate par la glutamate déshydrogénase (Section 26-1). La transformation de glutamine en glutamate se fait par hydrolyse catalysée par la **glutaminase**. La transformation de l'histidine en glutamate est plus compliquée : après une désamination non oxydative suivie d'une hydratation, son noyau imidazole est clivé pour donner du *N*-formiminoglutamate. Le groupement formimino est ensuite transféré au tétrahydrofolate pour donner du glutamate et du N^5-**formiminotétrahydrofolate** (Section 26-4D). L'arginine et la proline sont toutes les deux transformées en glutamate avec formation intermédiaire de **glutamate-5-semialdéhyde**.

E. *L'isoleucine, la méthionine et la valine sont dégradées en succinyl-CoA*

L'isoleucine, la méthionine et la valine ont des voies de dégradation complexes qui donnent toutes du propionyl-CoA. Le propionyl-CoA, qui est aussi un produit de dégradation des acides gras à nombre impair d'atomes de carbone, est transformé, comme déjà vu, en succinyl-CoA par une série de réactions qui demandent de la biotine et du coenzyme B_{12} (Section 25-2E).

a. La dégradation de la méthionine implique la synthèse de *S*-adénosylméthionine et de cystéine

La dégradation de la méthionine (Fig. 26-18) débute par une réaction avec l'ATP pour former la **S-adénosylméthionine** (**SAM** ; ou **AdoMet**). *Ce groupement méthyle très réactif de l'ion sulfonium en fait un agent méthylant biologique très important.* Par exemple, nous avons déjà vu que la SAM est le donneur de méthyle dans la synthèse de la phosphatidylcholine à partir de phosphatidyléthanolamine (Section 25-8A). C'est également le donneur de méthyle dans la transformation de noradrénaline en adrénaline (Section 26-4B).

Les réactions de méthylation impliquant la SAM conduisent à la formation de **S-adénosyl-homocystéine** en plus de la molécule méthylée. Le premier produit est hydrolysé en adénosine et **homocystéine** dans la réaction suivante de la voie de dégradation de la méthionine. L'homocystéine peut être méthylée pour redonner de la méthionine via une réaction dans laquelle le N^5-**méthyl-THF** est le donneur de méthyle. Alternativement, l'homocystéine se combine avec la sérine, dans une réaction exigeant du PLP, pour former de la **cystathionine,** qui donne ensuite de la cystéine (biosynthèse de la cystéine) et de l'**α-cétobutyrate,** lequel sera transformé en propionyl-CoA puis en succinyl-CoA.

b. L'hyperhomocystéinémie est associée à une maladie

Un déséquilibre entre la vitesse de production d'homocystéine par réactions de méthylation utilisant de la SAM (Fig. 26-18, Réactions 2 et 3) et la vitesse de sa dégradation par reméthylation pour former de la méthionine (Fig. 26-18, Réaction 4) ou par réaction avec la sérine pour former de la cystathionine dans la voie de biosynthèse de la cystéine (Fig. 26-18, Réaction 5) peut conduire à une augmentation de libération d'homocystéine dans le milieu extracellulaire et, de là, dans le plasma et l'urine. Une augmenta-

FIGURE 26-17 **Voies de dégradation de l'arginine, du glutamate, de la glutamine, de l'histidine et de la proline en α–cétoglutarate.** Les enzymes catalysant les réactions sont : (**1**) la glutamate déshydrogénase, (**2**) la glutaminase, (**3**) l'arginase, (**4**) l'ornithine-δ–aminotransférase, (**5**) la glutamate 5-semialdéhyde déshydrogénase, (**6**) la proline oxydase, (**7**) réaction spontanée, (**8**) l'histidine ammonium lyase, (**9**) l'urocanate hydratase, (**10**) l'imidazolone propionase et (**11**) la glutamate formiminotransférase.

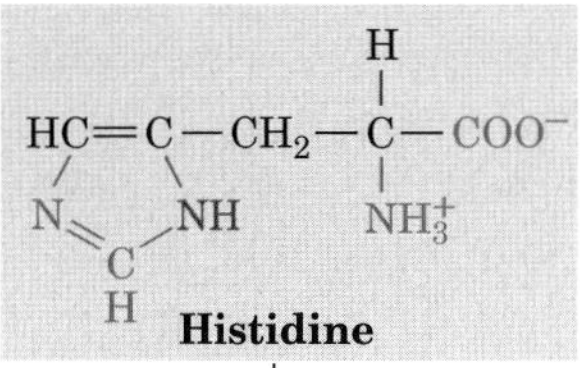

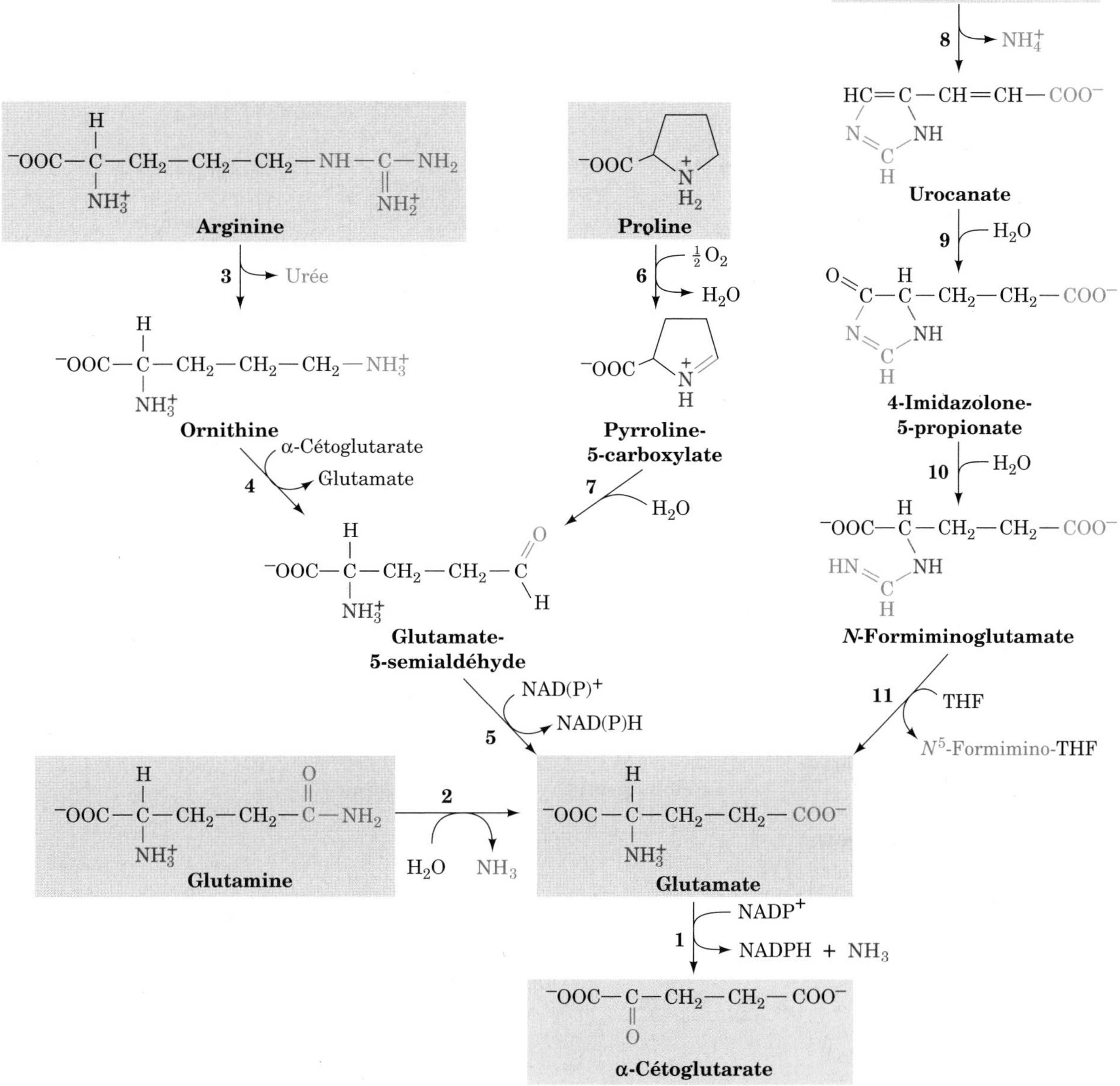

tion modérée de la concentration plasmatique d'homocystéine, **l'hyperhomocystéinémie**, est associée, pour d'obscures raisons, aux anomalies suivantes : maladie cardiovasculaire, déficit cognitif, **défauts de développement du tube neural** [cause de plusieurs malformations congénitales comme le **spina bifida** (atteinte de la moelle épinière qui s'accompagne souvent de paralysie) et l'**anencéphalie** (absence de développement du cerveau toujours fatale et principale cause de mort des enfants nés avec des malformations))]. On peut facilement contrôler l'hyperhomocystéinémie en donnant les vitamines précurseurs des coenzymes du métabolisme de l'homocystéine, à savoir la B_6 (pyridoxine, précurseur du PLP ;

Fig. 26-1), la B_{12} (Fig. 25-21) et en particulier le folate (Section 26-4D). L'administration de ce dernier aux femmes enceintes diminue de façon spectaculaire l'incidence de défauts du tube neural chez les nouveau-nés. Ceci a conduit à la découverte que 10 % de la population est homozygote pour la mutation A222V dans la *N^5,N^{10}*-méthylène-tétrahydrofalate réductase (**MTHFR** ; Fig. 26-18, Réaction 12 ; Section 26-4D), l'enzyme qui produit le N^5-méthyl-THF pour la réaction de la méthionine synthase (Fig. 26-18, Réaction 4). Cette mutation n'affecte pas la cinétique de réaction de cette enzyme homotétramérique, mais augmente la vitesse de sa dissociation en dimères qui perdent facilement leur

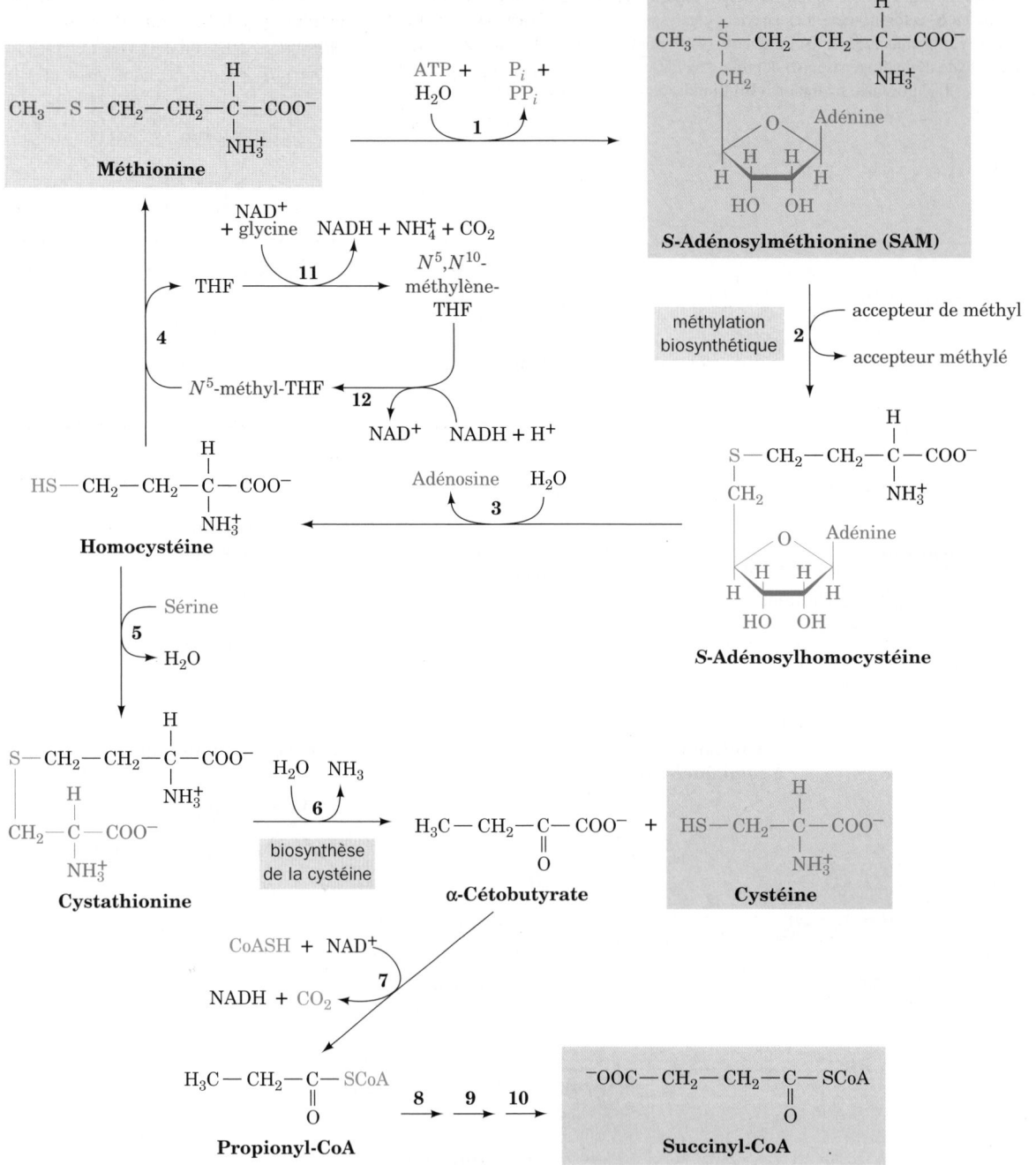

FIGURE 26-18 Voie de dégradation de la méthionine conduisant à la formation de cystéine et de succinyl-CoA. Les enzymes impliquées dans la voie sont (**1**) la méthionine adénosyltransférase qui conduit à la formation de l'agent méthylant biologique *S*-adénosylméthionine (SAM), (**2**) la méthyltransférase, (**3**) l'adénosylhomocystéinase, (**4**) la méthionine synthase (enzyme à coenzyme B_{12}), (**5**) la cystathionine β-synthase (enzyme à PLP), (**6**) la cystathionine γ-lyase (enzyme à PLP), (**7**) l'acide α-cétonique déshydrogénase, (**8**) la propionyl-CoA carboxylase, (**9**) la méthylmalonyl-CoA racémase et (**10**) la méthylmalonyl-CoA mutase (enzyme à coenzyme B_{12}; les Réactions 8-10 sont étudiées dans la Section 25-2E), (**11**) le système de clivage de la glycine (Fig. 26-12 et 26-14) ou sérine hydroxyméthyltransférase (Fig. 26-12), (**12**) la N^5, N^{10}-méthylène-tétrahydrofolate réductase (enzyme FAD-dépendante à coenzyme B_{12}; Fig. 26-19 et 26-49).

cofacteur flavinique essentiel. Des dérivés du folate qui se fixent à l'enzyme diminuent cette vitesse de dissociation et la perte de flavine, et augmentent ainsi l'activité globale de l'enzyme mutante, ce qui fait baisser la concentration d'homocystéine.

La structure par rayons X de la MTHFR d'*E. coli* (identique à 30 % au domaine catalytique de la MTHFR humaine), déterminée

par Rowena Matthews et Martha Ludwig, montre que cette enzyme de 296 résidus forme un tonneau α/β. Le cofacteur FAD se lie aux extrémités C-terminales des segments β3, β4 et β5 du tonneau et le long de l'hélice α5 (Fig. 26-19). Ala 117, qui correspond à Ala 222 dans l'enzyme de mammifère, n'interagit pas directement avec le FAD du site actif. Elle occupe au contraire une

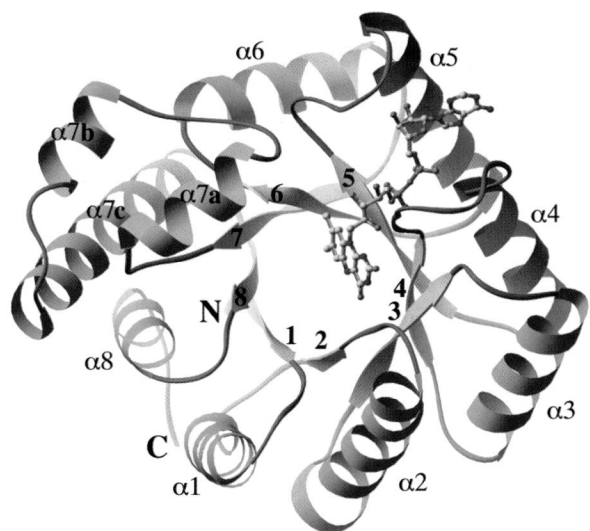

FIGURE 26-19 Structure par rayons X de la N^5**,** N^{10}**-méthylène-tétrahydrofolate réductase (MTHFR)** *d'E. coli.* La structure est vue dans l'axe de son tonneau α/β dans la direction des extrémités C-terminales de ses segments β. La protéine est colorée selon sa structure secondaire avec les segment β en jaune et les hélices α en bleu-vert, sauf pour l'hélice α5 qui est en rouge. Le FAD fixé à l'enzyme est en modèle éclaté avec C en jaune, N en bleu, O en rouge et P en vert. Noter que la partie AMP du FAD entre en contact avec l'hélice α5. [Avec la permission de Rowena Matthews et Martha Ludwig, University of Michigan. PDBid 1B5T.]

position tout contre l'hélice α5 (qui se termine par le résidu 176). Il est proposé que le remplacement d'Ala 177 par une Val plus volumineuse force l'hélice α5 à se réorienter. Puisque cette hélice semble impliquée dans l'interface entre sous-unités et dans la liaison du FAD, cette réorientation devrait diminuer l'intensité de ces interactions.

Pourquoi cette mutation est-elle si fréquence dans l'espèce humaine ? Nous avons vu que le gène de l'anémie falciforme confère un avantage sélectif contre la malaria (Section 10-3B). Cependant, si la mutation A222V dans la MTHFR a un avantage sélectif, celui-ci reste énigmatique.

c. La méthionine synthase est une enzyme dépendante du coenzyme B_{12}

La **méthionine synthase** (ou **homocystéine méthyltransférase**), l'enzyme qui catalyse la Réaction 4 de la Fig. 26-18, est, chez les mammifères, la seule enzyme associée au coenzyme B_{12} à part la méthylmalonyl-CoA mutase (Section 25-2E). Cependant, dans la méthionine synthase l'ion Co de la cobalamine est fixé axialement par un groupement méthyle formant la **méthylcobalamine** plutôt que par un groupement 5′-désoxyadénosyl comme dans la méthylmalonyl-CoA mutase (Fig. 25-21). En effet, le rôle de la cobalamine est d'accepter le groupement méthyle du N^5-méthyl-THF pour donner la méthylcobalamine (et le THF) laquelle, à son tour, passe le groupement méthyle à l'homocystéine pour donner la méthionine.

La structure par rayons X de la partie (246 résidus) de la méthionine synthase d'*E. coli* (protéine monomérique de 1227

résidus) qui fixe la méthylcobalamine, également déterminée par Matthews et Ludwig, montre qu'elle est constituée de deux domaines, un domaine N-terminal hélicoïdal et un domaine C-terminal α/β en pli de Rossmann, le noyau corrine étant pris en sandwich entre les deux (Fig. 26-20). Le domaine α/β ressemble au domaine α/β fixant la corrine dans la méthylmalonyl-CoA mutase (Fig. 25-22), et de fait des homologies de séquence suggèrent que ce domaine constitue un motif de liaison commun aux enzymes à B_{12}. Le deuxième ligand axial de l'ion Co est une chaîne latérale de His, comme pour la méthylmalonyl-CoA mutase ; la partie 5,6-diméthylbenzimidazole (DMB) du coenzyme, qui fixe l'ion Co dans la méthylcobalamine libre, s'est déplacée de côté pour s'ancrer dans la protéine à quelque distance du noyau corrine.

d. Les voies de dégradation des acides aminés ramifiés et de l'oxydation des acyl-CoA ont des parties en commun

La dégradation des acides aminés ramifiés isoleucine, leucine et valine débute par trois réactions qui utilisent des enzymes com-

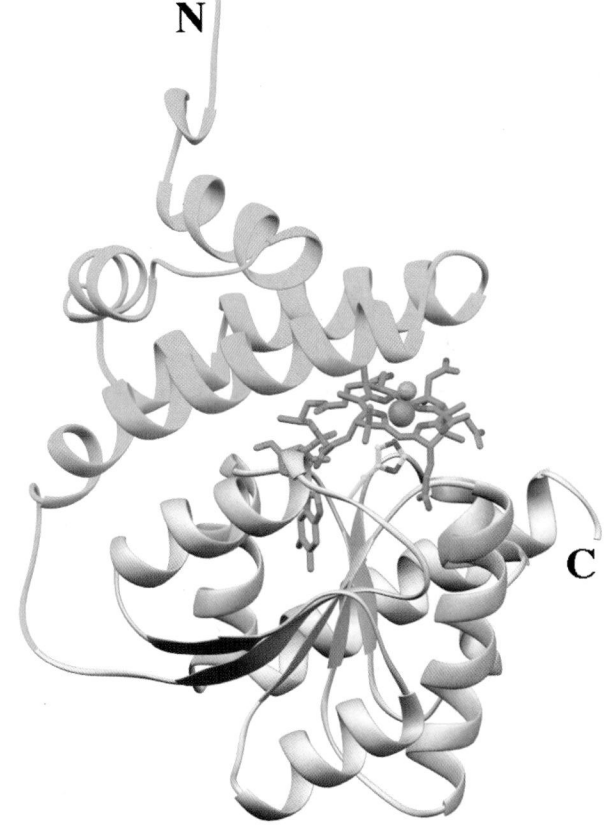

FIGURE 26-20 Structure par rayons X des domaines de liaison de la B_{12} dans la méthionine synthase *d'E. coli.* Son domaine hélicoïdal N-terminal (résidus 651-743) est en bleu-vert et son domaine α/β C-terminal (résidus 744-896) est en rose. Le cofacteur méthylcobalamine et la chaîne latérale de His 759 qui lui est fixée dans l'axe sont en bâtonnets, avec C de la cobalamine en vert, C de His en doré, N en bleu et O en rouge, l'ion Co et le groupement méthyle qui lui est fixé dans l'axe étant respectivement représentés par des sphères en bleu et en orange. [D'après une structure par rayons X due à Rowena Matthews et Martha Ludwig, University of Michigan. PDBid 1BMT.]

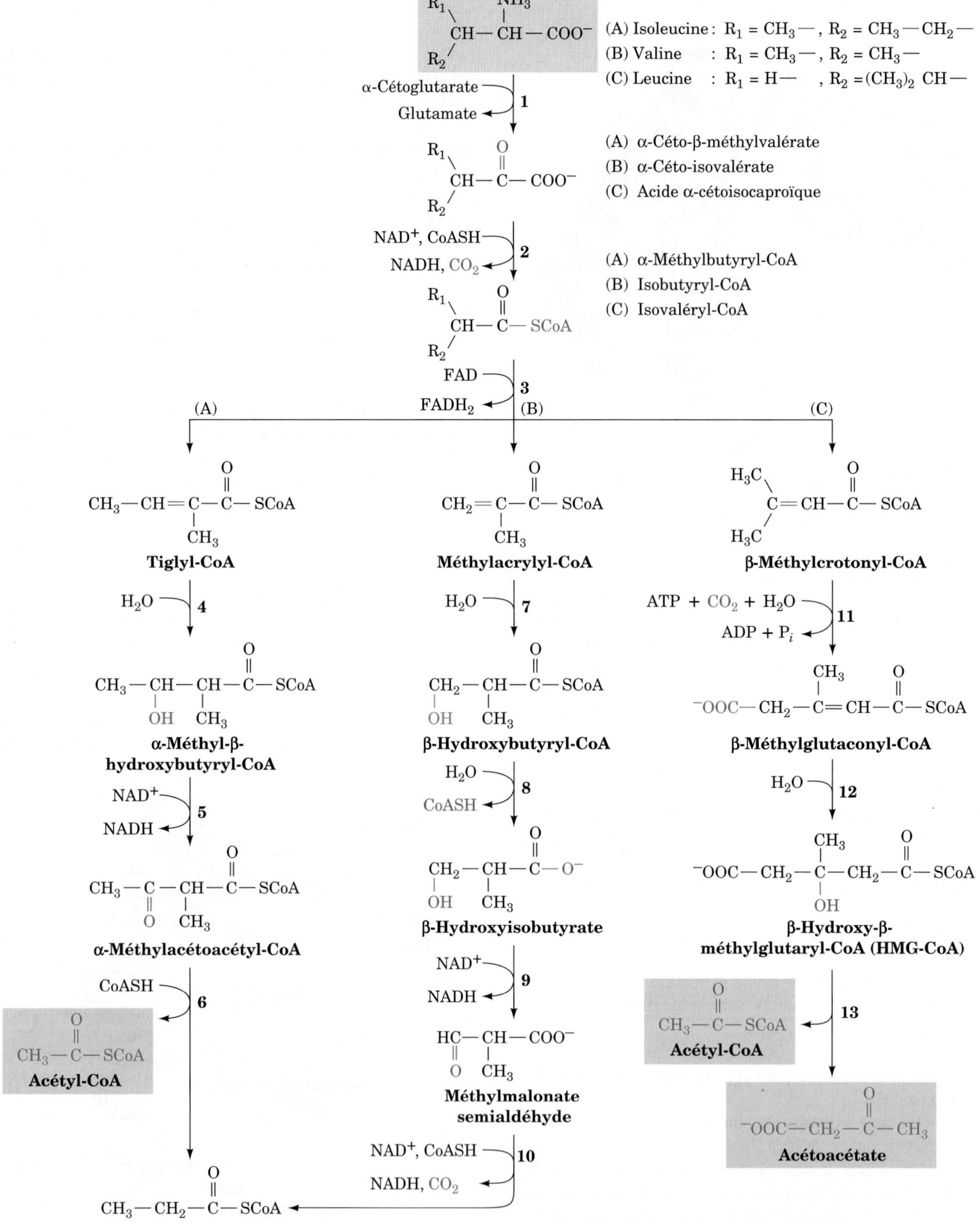

$$\begin{matrix} R_1 \\ | \\ CH \end{matrix} \begin{matrix} NH_3^+ \\ | \\ CH \end{matrix} - COO^-$$
$$R_2$$

(A) Isoleucine : $R_1 = CH_3$—, $R_2 = CH_3$—CH_2—
(B) Valine   : $R_1 = CH_3$—, $R_2 = CH_3$—
(C) Leucine   : $R_1 = H$— , $R_2 = (CH_3)_2\ CH$—

α-Cétoglutarate
Glutamate — **1**

$$\begin{matrix} R_1 \\ | \\ CH \end{matrix} \begin{matrix} O \\ || \\ C \end{matrix} - COO^-$$
$$R_2$$

(A) α-Céto-β-méthylvalérate
(B) α-Céto-isovalérate
(C) Acide α-cétoisocaproïque

NAD⁺, CoASH
NADH, CO_2 — **2**

$$\begin{matrix} R_1 \\ | \\ CH \end{matrix} \begin{matrix} O \\ || \\ C \end{matrix} - SCoA$$
$$R_2$$

(A) α-Méthylbutyryl-CoA
(B) Isobutyryl-CoA
(C) Isovaléryl-CoA

FAD
FADH₂ — **3**

(A)   **(B)**   **(C)**

$$CH_3-CH=\overset{\overset{O}{||}}{\underset{\underset{CH_3}{|}}{C}}-C-SCoA$$
Tiglyl-CoA

$$CH_2=\overset{\overset{O}{||}}{\underset{\underset{CH_3}{|}}{C}}-C-SCoA$$
Méthylacrylyl-CoA

$$\overset{H_3C}{\underset{H_3C}{}}C=CH-\overset{O}{\overset{||}{C}}-SCoA$$
β-Méthylcrotonyl-CoA

H_2O — **4** H_2O — **7**   ATP + CO_2 + H_2O / ADP + P_i — **11**

$$CH_3-\underset{\underset{OH}{|}}{CH}-\underset{\underset{CH_3}{|}}{CH}-\overset{O}{\overset{||}{C}}-SCoA$$
α-Méthyl-β-hydroxybutyryl-CoA

$$CH_2-\underset{\underset{OH}{|}}{}-\underset{\underset{CH_3}{|}}{CH}-\overset{O}{\overset{||}{C}}-SCoA$$
β-Hydroxybutyryl-CoA

$$^-OOC-CH_2-\underset{\underset{}{\overset{CH_3}{|}}}{C}=CH-\overset{O}{\overset{||}{C}}-SCoA$$
β-Méthylglutaconyl-CoA

NAD⁺ — **5** H_2O, CoASH — **8** H_2O — **12**
NADH

$$CH_3-\underset{\underset{O}{||}}{C}-\underset{\underset{CH_3}{|}}{CH}-\overset{O}{\overset{||}{C}}-SCoA$$
α-Méthylacétoacétyl-CoA

$$CH_2-\underset{\underset{OH}{|}}{}-\underset{\underset{CH_3}{|}}{CH}-\overset{O}{\overset{||}{C}}-O^-$$
β-Hydroxyisobutyrate

$$^-OOC-CH_2-\underset{\underset{OH}{|}}{\overset{\overset{CH_3}{|}}{C}}-CH_2-\overset{O}{\overset{||}{C}}-SCoA$$
β-Hydroxy-β-méthylglutaryl-CoA (HMG-CoA)

CoASH — **6**   NAD⁺ — **9**   **13**
NADH

$$\begin{matrix} O \\ || \\ CH_3-C-SCoA \end{matrix}$$
Acétyl-CoA

$$HC-\underset{\underset{CH_3}{|}}{CH}-COO^-$$
$$\overset{O}{||}$$
Méthylmalonate semialdéhyde

$$\begin{matrix} O \\ || \\ CH_3-C-SCoA \end{matrix}$$
Acétyl-CoA

$$^-OOC-CH_2-\overset{O}{\overset{||}{C}}-CH_3$$
Acétoacétate

NAD⁺, CoASH — **10**
NADH, CO_2

$$\begin{matrix} O \\ || \\ CH_3-CH_2-C-SCoA \end{matrix}$$
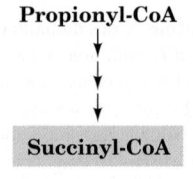
Propionyl-CoA

↓
↓
Succinyl-CoA

FIGURE 26-21 Dégradation des acides aminés ramifiés (A) isoleucine, (B) valine, et (C) leucine. Les trois premières réactions de chaque voie utilisent les mêmes enzymes (**1**) l'aminotransférase des aminoacides ramifiés, (**2**) la déshydrogénase des acides α-cétoniques ramifiés (BCKDH), et (**3**) l'acyl-CoA déshydrogénase. La dégradation de l'isoleucine se poursuit (*à gauche*) par (**4**) l'énoyl-CoA hydratase, (**5**) la β-hydroxyacyl-CoA déshydrogénase, et (**6**) l'acétyl-CoA acétyltransférase pour donner de l'acétyl-CoA et du propionyl-CoA, précurseur du succinyl-CoA. La dégradation de la valine (*au centre*) se poursuit par (**7**) l'énoyl-CoA hydratase, (**8**) la β-hydroxyisobutyryl-CoA hydrolase, (**9**) la β-hydroxyisobutyrate déshydrogénase, et (**10**) la méthylmalonate semialdéhyde déshydrogénase pour donner aussi du propionyl-CoA. La dégradation de la leucine (*à droite*) continue par (**11**) la β-méthylcrotonyl-CoA carboxylase (enzyme à biotine), (**12**) la β-méthylglutaconyl-CoA hydratase, et (**13**) l'HMG-CoA lyase qui donne de l'acétyl-CoA et de l'acétoacétate.

munes (Fig. 26-21, *en haut*) : (1) transamination en acide α-cétonique correspondant, (2) décarboxylation oxydative en acyl-CoA correspondant, et (3) déshydrogénation par le FAD pour former une double liaison.

La suite de la dégradation de l'isoleucine (Fig. 26-21, *à gauche*) est identique à celle de l'oxydation des acides gras (Section 25-2C) : (4) hydratation de la double liaison, (5) déshydrogénation par le NAD⁺, et (6) thiolyse pour donner de l'acétyl-CoA et du propionyl-CoÀ qui sera transformé en succinyl-CoA. La dégradation de la valine est une variation sur ce thème (Fig. 26-21, *au centre*) : après (7) l'hydratation de la double liaison, (8) la liaison thioester-CoA est hydrolysée avant (9) la deuxième réaction de déshydrogénation. La liaison thioester est alors régénérée sous forme de propionyl-CoA lors de la dernière réaction (10), réaction de décarboxylation oxydative plutôt que thiolyse.

e. La maladie dite du sirop d'érable est due à une déficience de la dégradation des acides aminés ramifiés

La **déshydrogénase des acides α-cétoniques ramifiés** (**BCKDH** pour « branched chain α-keto acid dehydrogenase » aussi appelée **α-cétoisovalérate déshydrogénase**), qui catalyse la Réaction 2 de la dégradation des acides aminés ramifiés (Fig. 26-21), est un complexe multienzymatique comportant trois constituants enzymatique E1, E2 et E3, ainsi que la **BCKDH kinase** (la phosphorylation est inactivatrice) et la **BCKDH phosphatase** (la déphosphorylation est activatrice), qui exerce son contrôle par modification covalente. Ce complexe ressemble étroitement aux complexes multienzymatiques de la pyruvate déshydrogénase et de l'α-cétoglutarate déshydrogénase (Sections 21-2A et 21-3D). Effectivement, ces trois complexes multienzymatiques ont en commun un même constituant protéique, E₃ (la dihydrolipoyl déshydrogénase), et ils utilisent les coenzymes thiamine pyrophosphate (TPP), lipoamide et FAD ainsi que le NAD⁺ comme agent oxydant terminal.

Une déficience génétique en BCKDH est à l'origine de la **maladie du sirop d'érable (MSUD),** ainsi appelée car l'accumulation des acides α-cétoniques ramifiés confère à l'urine l'odeur caractéristique du sirop d'érable. À moins d'un traitement très rapide par un régime alimentaire qui ne contient qu'un minimum d'acides aminés ramifiés (mais suffisamment pour couvrir les besoins en ces acides aminés essentiels), cette maladie conduit rapidement à la mort.

La MSUD est une maladie autosomique récessive résultant de déficiences en l'une des quatre sous-unités suivantes, E1α, E1β, E2, ou E3 (E1 est un hétérotétramère α₂β₂), de ce complexe de six sous-unités. La structure par rayons X de E1 de la BCKDH humaine, déterminée par Wim Hol (Fig. 26-22), a permis d'interpréter plusieurs des mutations provoquant la MSUD. La mutation la plus courante est Y393N-α, dite mutation Mennonite car elle survient une fois sur 176 naissances vivantes dans la population de « l'Ordre Ancien des Mennonites », pour 1 sur 185 000 dans la population générale. Elle est donc attribuée à un effet fondateur, c'est-à-dire transmise par un seul membre du très petit nombre de fondateurs de cette communauté isolée. On peut considérer le tétramère E1 comme un dimère d'hétérodimères αβ avec un cofacteur TPP à l'interface entre une sous-unité α et une sous-unité β, chaque sous-unité α contactant les sous-unités β et β' (Fig. 26-22a). Le changement d'acide aminé dans la mutation Mennonite intéresse l'interface α–β' : Tyr 393α établit des liaisons hydrogène avec His 385α et Asp 328β' (Fig. 26-22b). Sa mutation en Asp perturbe ces interactions, ce qui empêche la tétramérisation.

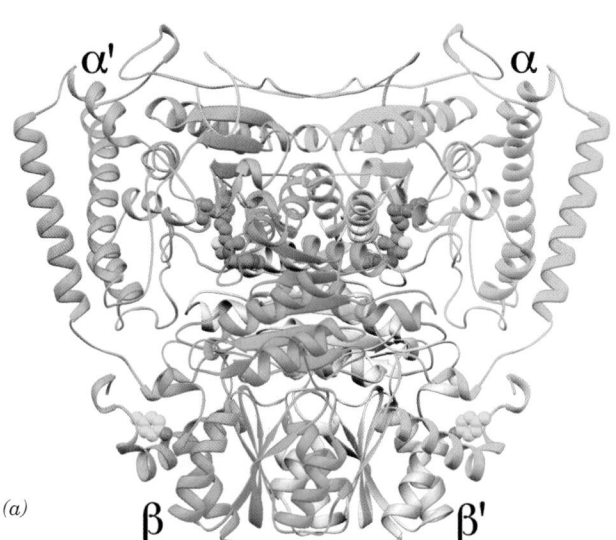

(a)

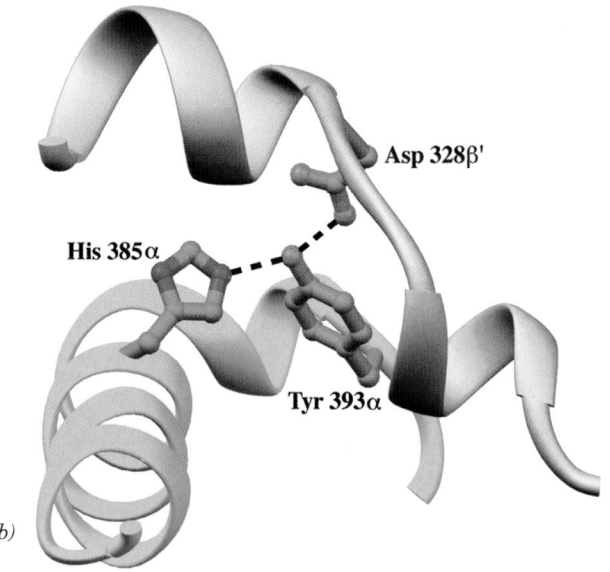

(b)

FIGURE 26-22 Structure par rayons X du constituant E1 du complexe multienzymatique humain de la déshydrogénase des acides α-cétoniques ramifiés. (*a*) L'hétérotétramère α₂β₂. Les sous-unités α sont colorées en bleu-vert et en orange, et les sous-unités β en bleu clair et en rose. Le cofacteur pyrophosphate de thiamine (TPP) et la Tyr 393α (mutée en Asn dans la mutation Mennonite, provoquant la maladie du sirop d'érable) sont en modèle compact avec le C du TPP en vert, le C de Tyr 393α en doré, N en bleu, O en rouge, S en jaune et P en magenta. (*b*) L'interface α–β' colorée comme dans la Partie *a* et montrant les interactions de Tyr 393α avec His 385α et Asp 328β'. Les chaînes latérales de ces résidus sont en modèle éclaté avec C en vert, N en bleu et O en rouge, les liaisons hydrogène entre elles étant représentées par des lignes interrompues. [D'après une structure par rayons X due à Wim Hol, University of Washington. PDBid 1DTW.]

F. *La leucine et la lysine sont dégradées en acétoacétate et/ou acétyl-CoA*

La leucine est oxydée par combinaison entre des réactions de la β oxydation et de la synthèse des corps cétoniques (Fig. 26-21, *à droite*). Les premières réactions de déshydrogénation et d'hydratation sont séparées par (11) une réaction de carboxylation catalysée par une enzyme à biotine. La réaction d'hydratation (12) donne le **β-hydroxy-β-méthylglutaryl-CoA** (**HMG-CoA**), qui est clivé par l'HMG-CoA lyase pour former de l'acétyl-CoA et le corps cétonique acétoacétate (13) (qui, à son tour, peut être transformé en deux acétyl-CoA ; Section 25-3).

Bien qu'il existe plusieurs voies de dégradation de la lysine, celle qui passe par la formation de l'adduit α-cétoglutarate-lysine **saccharopine** est la voie prépondérante dans le foie des mammifères (Fig. 26-23). Cette voie est intéressante car nous avons déjà rencontré 7 de ses 11 réactions dans d'autres voies. La Réaction 4 est une transamination PLP-dépendante. La Réaction 5 est une décarboxylation oxydative d'un acide α-cétonique par un complexe multienzymatique identique à ceux de la pyruvate déshydro-

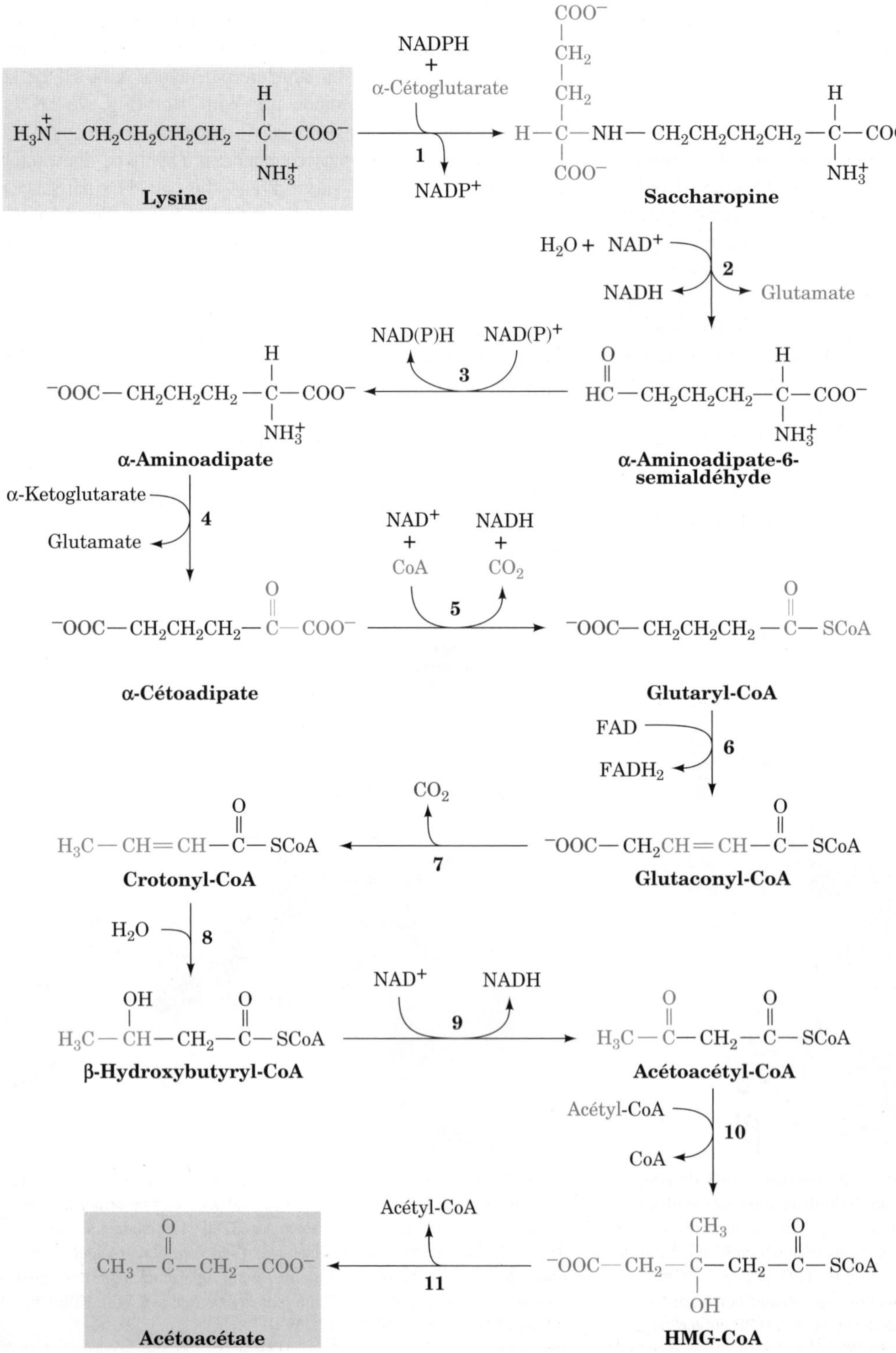

FIGURE 26-23 Voie de dégradation de la lysine dans le foie de mammifère. Les enzymes impliquées sont (**1**) la saccharopine déshydrogénase (NADP⁺, donnant de la lysine), (**2**) la saccharopine déshydrogénase (NAD⁺, donnant du glutamate), (**3**) l'aminoadipate semialdéhyde déshydrogénase, (**4**) l'aminoadipate aminotransférase (enzyme à PLP), (**5**) l'acide α-cétonique déshydrogénase, (**6**) la glutaryl-CoA déshydrogénase, (**7**) la décarboxylase, (**8**) l'énoyl-CoA hydratase, (**9**) la β-hydroxyacyl-CoA déshydrogénase, (**10**) l'HMG-CoA synthase et (**11**) l'HMG-CoA lyase. Les Réactions 10 et 11 sont étudiées dans la Section 25-3.

génase et de l'α-cétoglutarate déshydrogénase (Sections 21-2A et 21-3D). Les Réactions 6, 8 et 9 sont des réactions standard de l'oxydation des acyl-CoA : déshydrogénation par le FAD, hydratation, et déshydrogénation par le NAD⁺. Les Réactions 10 et 11 sont des réactions standard de la formation des corps cétoniques. Deux molécules de CO_2 sont formées dans les Réactions 5 et 7 de la voie.

On pense que la voie de la saccharopine prédomine chez les mammifères car une déficience héréditaire de l'enzyme qui catalyse la Réaction 1 entraîne une **hyperlysinémie** et une **hyperlysinurie** (taux élevés de lysine dans le sang et dans les urines) accompagnées de retard mental et physique. Ceci est un autre exemple du fait que l'étude d'anomalies héréditaires rares a permis d'élucider des voies métaboliques.

Le squelette carboné de la leucine est, comme nous l'avons vu, transformé en une molécule d'acétoacétate et une molécule d'acétyl-CoA, alors que celui de la lysine donne une molécule d'acétoacétate et deux molécules de CO_2. Puisque ni l'acétoacétate ni l'acétyl-CoA ne peuvent être transformés en glucose chez les animaux, la leucine et la lysine sont des acides aminés purement cétogènes.

G. *Le tryptophane est dégradé en alanine et acétoacétate*

La complexité de la voie de dégradation principale du tryptophane (Fig. 26-24) empêche l'étude détaillée de toutes ses réactions. Cependant, une réaction de la voie est particulièrement

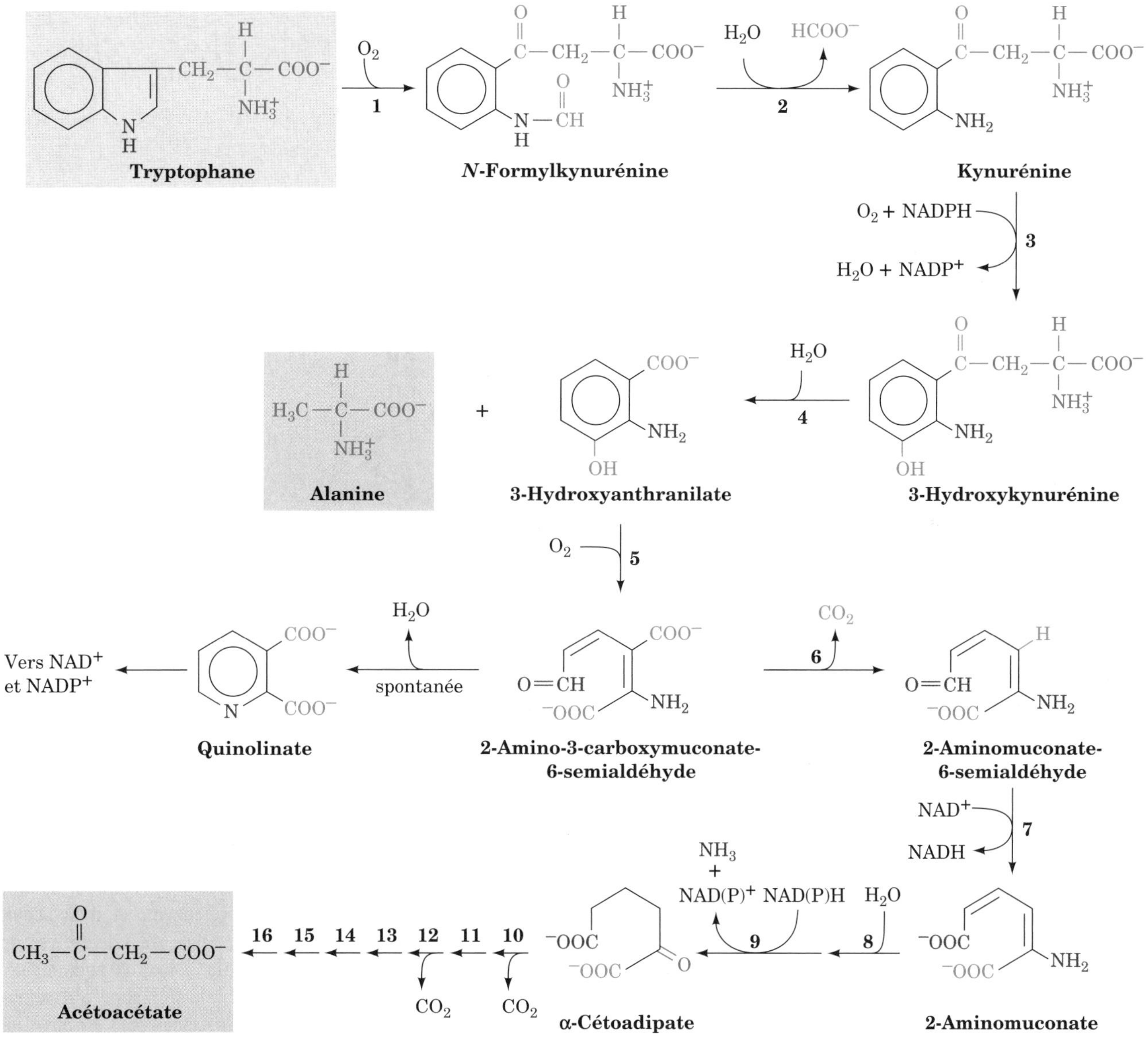

FIGURE 26-24 Voie de dégradation du tryptophane. Les enzymes impliquées sont (**1**) la tryptophane-2,3-dioxygénase, (**2**) la formamidase, (**3**) la kynurénine-3-mono-oxygénase, (**4**) la kynuréninase (PLP-dépendante), (**5**) la 3-hydroxyanthranilate-3,4-dioxygénase, (**6**) l'amino carboxymuconate semialdéhyde décarboxylase, (**7**) l'aminomuconate semial-déhyde déshydrogénase, (**8**) une hydratase, (**9**) une déshydrogénase, et (**10-16**) les enzymes des Réactions 5 à 11 de la dégradation de la lysine (Fig. 26-23). Le 2-amino-3-carboxymuconate-6-semialdéhyde, en plus d'être le substrat de la Réaction 6, donne spontanément du **quinolate**, précurseur de NAD⁺ et de NADP⁺ (Section 28-5A).

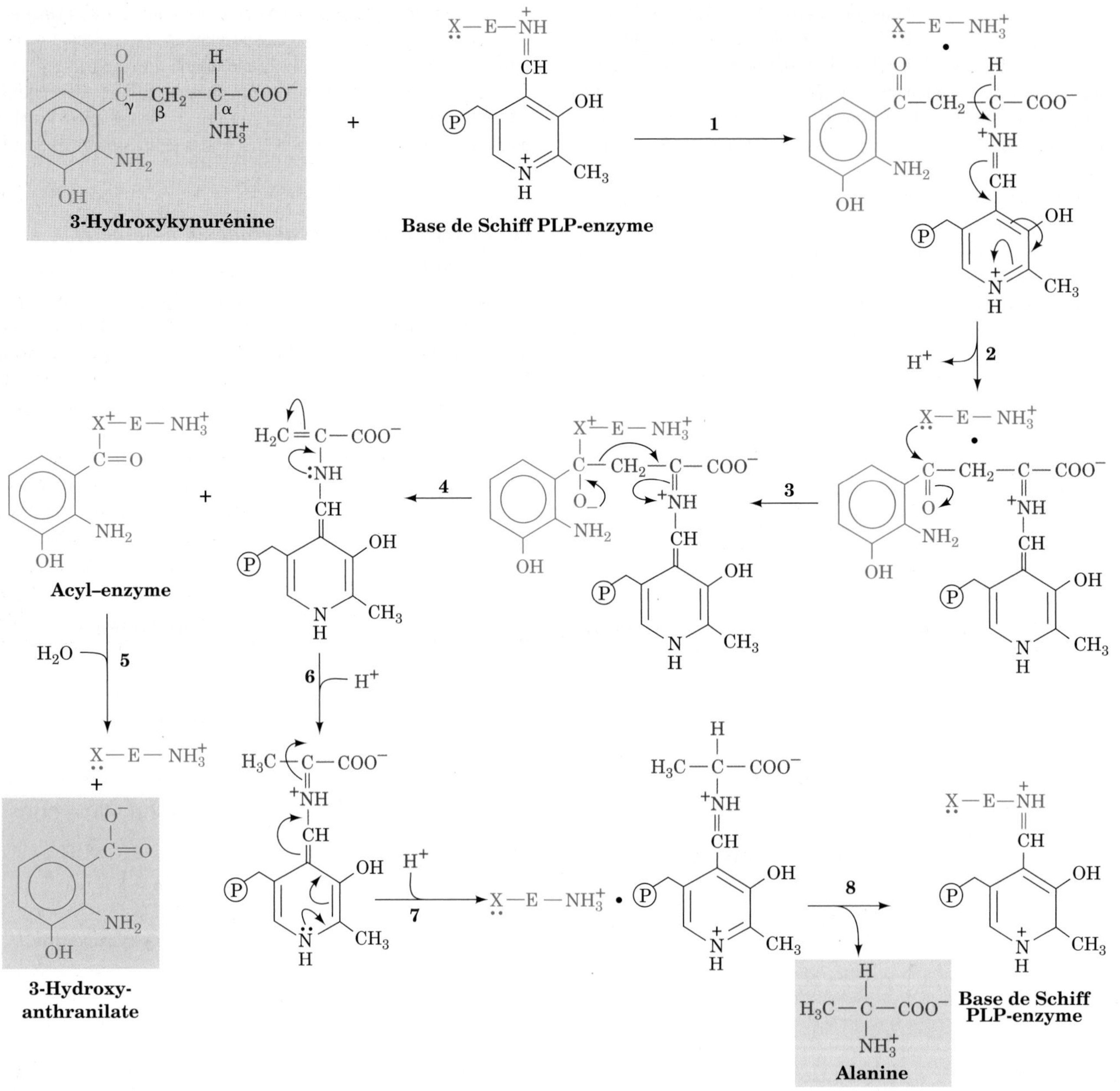

FIGURE 26-25 Mécanisme proposé de la rupture de la liaison C_β—C_γ de la 3-hydroxykynurénine catalysée par la kynuréninase PLP-dépendante. La réaction fait intervenir huit étapes : (**1**) transimination, (**2**) tautomérisation, (**3**) attaque par un nucléophile de l'enzyme, (**4**) rupture de la liaison C_β—C_γ avec formation d'un intermédiaire acyl–enzyme, (**5**) hydrolyse de l'acyl–enzyme, (**6**) et (**7**) tautomérisation et (**8**) transimination.

intéressante. La Réaction 4, l'hydrolyse de la **3-hydroxykynurénine** en alanine et **3-hydroxyanthranilate**, est catalysée par la **kynuréninase**, une enzyme-PLP dépendante. La réaction montre une fois de plus les propriétés polyvalentes du PLP. Nous avons vu comment le PLP peut labiliser des liaisons C_α—H et C_α—C_β d'un α-aminoacide (Fig. 26-16). Ici, c'est la rupture de la liaison C_β—C_γ qui est facilitée. La réaction suit les mêmes étapes qu'une réaction de transamination mais il n'y a pas hydrolyse de la base de Schiff tautomérisée (Fig. 26-25). Le mécanisme réactionnel proposé implique une attaque par un groupement nucléophile de l'enzyme, du carbone du carbonyle (C_γ) de la base de

Schiff 3-hydroxykynurénine–PLP tautomérisée (Fig. 26-25, Etape 3), suivie de la rupture de la liaison C_β—C_γ pour aboutir à la formation d'un intermédiaire acyl–enzyme et d'un adduit alanine–PLP tautomérisé (Fig. 26-25, Etape 4). L'hydrolyse de l'intermédiaire acyl–enzyme donne le 3-hydroxyanthranilate, dont la dégradation ultérieure conduit à la formation d'α-cétoadipate (Fig. 26-24, Réactions 5-9). L'α-cétoadipate est aussi un intermédiaire dans la dégradation de la lysine (Fig. 26-23, Réaction 4) si bien que les sept dernières réactions de la dégradation de ces deux acides aminés sont identiques, donnant de l'acétoacétate et deux molécules de CO_2.

Phénylalanine

$$CH_2 - \overset{\overset{NH_3^+}{|}}{CH} - COO^-$$

Phénylalanine

Tétrahydrobioptérine + O_2 ⟶ **1**
Dihydrobioptérine + H_2O ⟵

$$HO - \boxed{} - CH_2 - \overset{\overset{NH_3^+}{|}}{CH} - COO^-$$

Tyrosine

α-Cétoglutarate ⟶ **2**
Glutamate ⟵

$$HO - \boxed{} - CH_2 - \overset{\overset{}{C}}{\underset{O}{\parallel}} - COO^-$$

p-Hydroxyphénylpyruvate

Ascorbate + O_2 ⟶ **3**
Dihydroascorbate + H_2O + CO_2 ⟵

$$\overset{OH}{\boxed{}} - CH_2 - COO^-$$
$$HO$$

Homogentisate

O_2 ⟶ **4**

$$\begin{array}{l} H - C - COO^- \\ \parallel \\ H - C - C - CH_2 - C - CH_2 - COO^- \\ \quad\quad \parallel \quad\quad\quad\quad \parallel \\ \quad\quad O \quad\quad\quad\quad\quad O \end{array}$$

4-Maléylacétoacétate

5

$$\begin{array}{l} {}^-OOC - C - H \\ \parallel \\ H - C - C - CH_2 - C - CH_2 - COO^- \\ \quad\quad \parallel \quad\quad\quad\quad \parallel \\ \quad\quad O \quad\quad\quad\quad\quad O \end{array}$$

4-Fumarylacétoacétate

H_2O ⟶ **6**

$$\begin{array}{l} {}^-OOC - C - H \\ \parallel \\ H - C - COO^- \end{array} \quad + \quad \begin{array}{l} CH_3 - C - CH_2 - COO^- \\ \quad\quad \parallel \\ \quad\quad O \end{array}$$

Fumarate   **Acétoacétate**

FIGURE 26-26 Voie de dégradation de la phénylalanine. Les
enzymes impliquées sont : (**1**) la phénylalanine hydroxylase, (**2**) l'aminotransférase, (**3**) la *p*-hydroxyphénylpyruvate dioxygénase, (**4**) l'homogentisate dioxygénase, (**5**) la maléylacétoacétate isomérase, et (**6**) la fumaryl-
acétoacétase. Les symboles marquant les différents atomes de carbone
permettent de suivre la migration du groupement qui se produit dans la
Réaction 3 de la voie (voir Fig. 26-31).

H. La phénylalanine et la tyrosine sont dégradées en fumarate et acétoacétate

La première réaction dans la dégradation de la phénylalanine étant
son hydroxylation en tyrosine, une même voie (Fig. 26-26) assure
la dégradation de ces deux acides aminés. Les produits finaux de
cette dégradation en six réactions sont le fumarate, un intermédiaire du cycle de l'acide citrique, et l'acétoacétate, un corps cétonique.

a. Les ptérines sont des cofacteurs rédox

L'hydroxylation de la phénylalanine catalysée par la **phénylalanine hydroxylase** (**PAH**), enzyme homotétramérique à fer non
hème, requiert de l'oxygène et du fer à l'état Fe(II). L'enzyme
nécessite aussi la participation de la **bioptérine**, dérivé de la **ptérine**. Les ptérines sont des composés qui contiennent le noyau **ptéridine** (Fig. 26-27). Noter la ressemblance entre le noyau ptéridine
et le noyau isoalloxazine des coenzymes flaviniques ; les positions
des atomes d'azote dans la ptéridine sont identiques à celles de ces
atomes dans les cycles B et C de l'isoalloxazine. Les dérivés folate
contiennent aussi le cycle ptérine (Section 26-4D). Les ptérines,
comme les flavines, interviennent dans les oxydations biologiques.
La forme active de la bioptérine est la forme totalement réduite, la
5,6,7,8-tétrahydrobioptérine (**BH$_4$**). Elle se forme à partir de **7,8-
dihydrobioptérine** et de NADPH, dans une réaction considérée

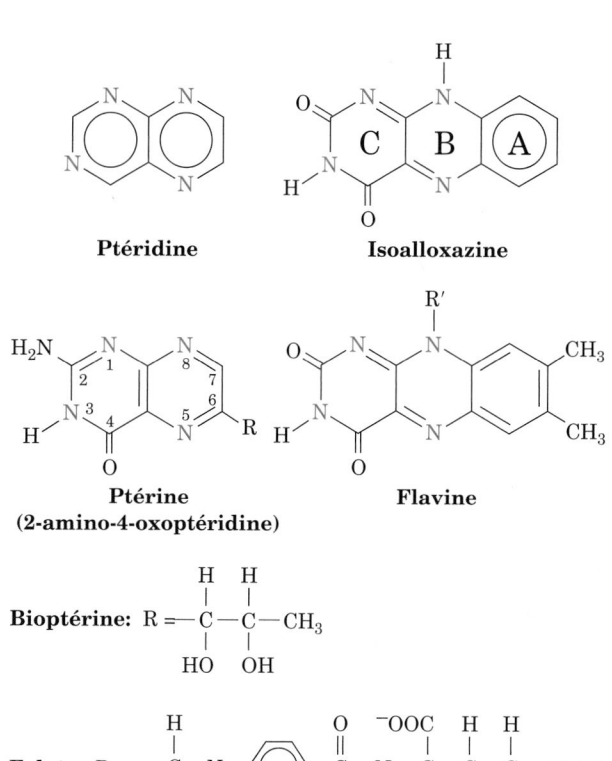

FIGURE 26-27 Cycle ptéridine, noyau de la bioptérine et folate.
Noter les similitudes de structure entre la ptéridine et le cycle isoalloxazine des coenzymes flaviniques.

comme réaction d'amorçage, catalysée par la **dihydrofolate réductase** (Fig. 26-28).

Chaque sous-unité (452 résidus) de l'homotétramère de PAH contient trois domaines, un domaine régulateur N-terminal, un domaine catalytique, et un domaine de tétramérisation C-terminal. Cependant, le domaine catalytique seul (325 résidus) peut former des dimères actifs au plan catalytique. La structure par rayons X du domaine catalytique de la PAH à l'état Fe(II) complexée à BH$_4$, déterminée par Edward Hough, montre que le Fe(II) est en coordinence tétraédrique avec His 285, His 290, Glu 330, et trois molécules d'eau, et que l'atome O4 de BH$_4$ établit des liaisons hydrogène avec deux de ces molécules d'eau (Fig. 26-29).

Dans la réaction de la phénylalanine hydroxylase, la 5,6,7,8-tétrahydrobioptérine est hydroxylée en **ptérine-4a-carbinolamine** (Fig. 26-28), laquelle est transformée en **7,8-dihydrobioptérine (forme quinoïde)** par la **ptérine-4a-carbinolamine déshydratase.** Ce quinoïde est ensuite réduit par la **dihydroptérine réductase**, enzyme à NAD(P)H, pour régénérer le cofacteur actif. Noter que, bien que la dihydrofolate réductase et la dihydroptéridine réductase conduisent au même produit, elles utilisent des tautomères différents du substrat. Cela suggère que ces enzymes ont une parenté évolutive, mais la comparaison de leurs structures par rayons X montre qu'il n'en est rien. En fait, la dihydroptéridine réductase ressemble à des enzymes flaviniques à nicotinamide

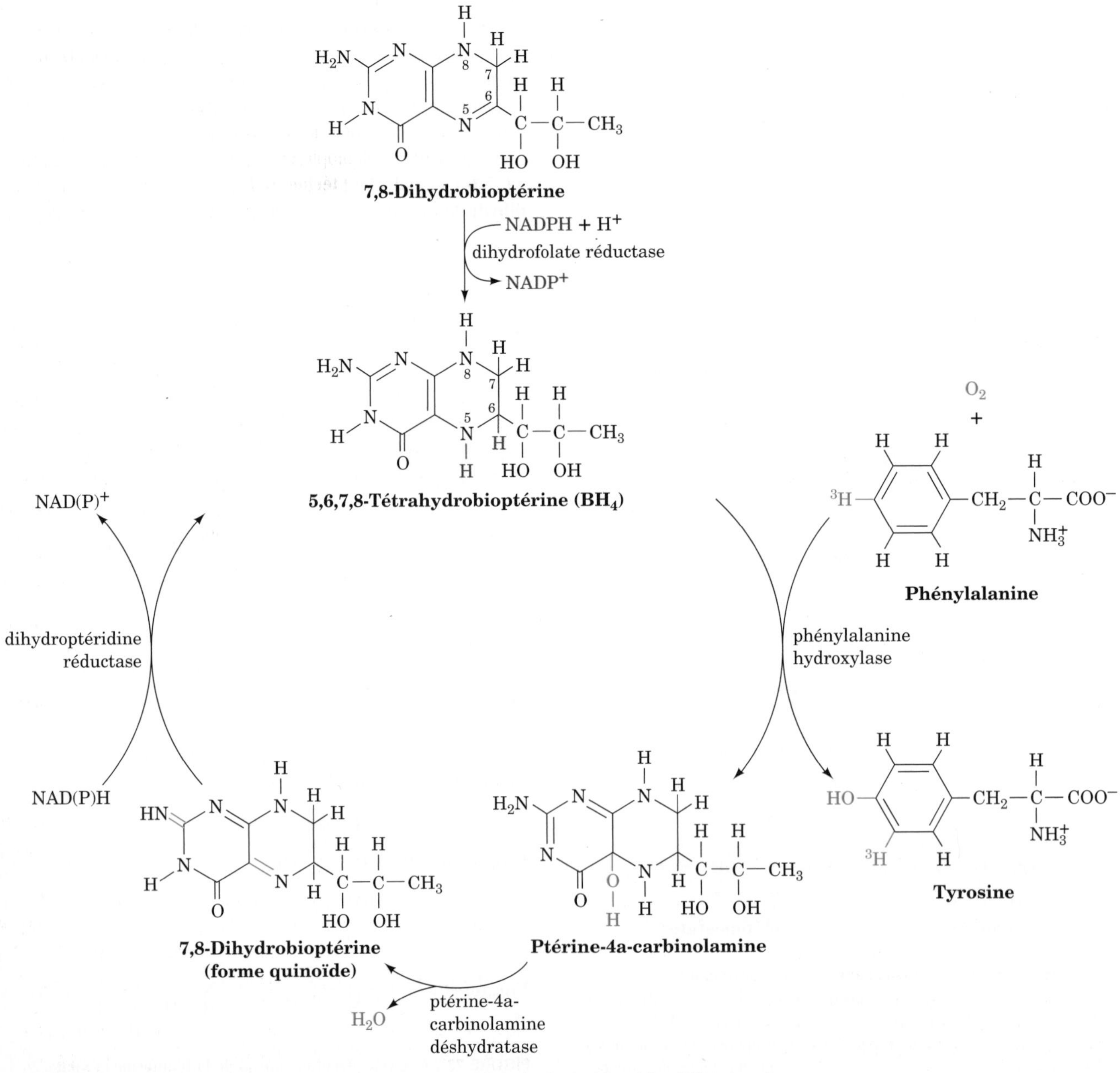

FIGURE 26-28 Formation, utilisation et régénération de la 5,6,7,8-tétrahydrobioptérine (BH$_4$) dans la réaction de la phénylalanine hydroxylase.

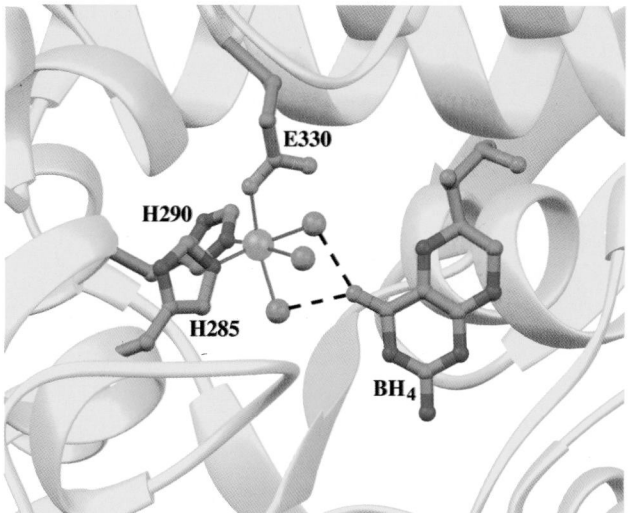

FIGURE 26-29 Site actif de la forme Fe(II) de la phénylalanine hydroxylase (PAH) complexée à la 5,6,7,8-tétrahydrobioptérine (BH₄). Le Fe(II) (*sphère orange*) est en coordinence octaédrique (*lignes grises*) avec His 285, His 290 et Glu 330 (C en vert, N en bleu et O en rouge) et trois molécules d'eau (*sphères rouges*). L'atome O4 de BH₄ est uni à deux de ces molécules d'eau par liaisons hydrogène (*lignes noires interrompues*). [D'après une structure par rayons X due à Edward Hough, University of Tromsø, Norvège. PDBid 1J8U.]

comme la glutathion réductase et la dihydrolipoyl déshydrogénase (Section 21-2B).

b. La phénylalanine hydroxylase est contrôlée par phosphorylation et interactions allostériques

La PAH amorce la détoxication de haute concentrations de phénylalanine, ainsi que la synthèse des catécholamines, qui agissent comme hormones ou neurotransmetteurs (Section 26-4B). La PAH est activée allostériquement par son substrat, la phénylalanine, et par phosphorylation de sa Ser 16 par la protéine-kinase AMPc-dépendante (PKA ; Section 18-3C). Son second substrat, BH₄, inhibe l'enzyme par effet allostérique.

c. Le déplacement NIH

Curieusement, dans la réaction de la phénylalanine hydroxylase, un atome de ^{3}H se trouvant sur le C4 du cycle phényle de la phénylalanine, se retrouve, après réaction, sur le C3 de ce cycle dans la tyrosine (Fig. 26-28, *à droite*) au lieu de se perdre dans le solvant par substitution avec le groupement OH. Le mécanisme proposé pour expliquer ce **déplacement NIH** (appelé ainsi car il a été mis en évidence par des chimistes des National Institutes of Health) implique l'activation de l'oxygène par les cofacteurs ptérine et Fe pour former la ptérine-4a-carbinolamine et un groupement oxyferryl réactionnel [Fe(IV)=O^{2-} ; Fig. 26-30, Étapes 1 et 2] qui réagir avec le substrat pour donner un époxy au-dessus de la liaison 3,4 du cycle phényle (Fig. 26-30, Étape 3), suivie de l'ouverture de l'époxy qui donne un carbocation sur le C3 (Fig. 26-30, Étape 4). Le déplacement d'un ion hydrure de C4 à C3 forme un carbocation plus stable (un ion oxonium ; Fig. 26-30, Étape 5). Ce déplacement est suivi de l'aromatisation du cycle pour donner la tyrosine (Fig. 26-30, Étape 6). La **tyrosine hydroxylase** et la **tryp-**

tophane hydroxylase (Section 26-4B) sont toutes deux homologues à la phénylalanine hydroxylase et procèdent de ce même mécanisme de déplacement NIH, bien qu'il se pourrait qu'un intermédiaire époxy ne se forme pas dans ces cas.

La Réaction 3 (Fig. 26-26) de la voie de dégradation de la phénylalanine fournit un deuxième exemple de déplacement NIH. Cette réaction, catalysée par la **p-hydroxyphénylpyruvate dioxygénase,** enzyme à Fe(II), implique la décarboxylation oxydative d'un acide α-cétonique ainsi que l'hydroxylation du cycle. Dans ce cas, le déplacement NIH implique la migration d'un groupement alkyle au lieu de celle d'un ion hydrure pour former un carbocation plus stable (Fig. 26-31). Ce déplacement, montré par des études de marquage avec des isotopes (représentés par différents symboles dans les Fig. 26-26 et 26-31), rend compte de l'observation selon laquelle le C3 est lié au C4 dans le **p-hydroxyphénylpyruvate** mais au C5 dans l'**homogentisate**.

d. L'alcaptonurie et la phénylcétonurie proviennent d'anomalies dans la dégradation de la phénylalanine

Archibald Garrod réalisa au début des années 1900 que les maladies génétiques humaines étaient dues à des déficiences d'enzymes spécifiques. Nous avons déjà montré comment cette prise de conscience avait contribué à l'élucidation de voies métaboliques. La première de ces maladies connue est l'**alcaptonurie** qui, comme Garrod l'observa, se traduit par l'excrétion de grandes quantités d'acide homogentisique dans les urines. Cette pathologie est due à la déficience en **homogentisate dioxygénase** (Fig. 26-26, Réaction 4). Les alcaptonuriques ne souffrent que d'arthrite dans leurs vieux jours (même si leurs urines noircissent de façon alarmante en raison de l'oxydation rapide de l'acide homogentisique à l'air).

Les individus souffrant de **phénylcétonurie (PKU)** ont moins de chance. Un retard mental important apparaît quelques mois après la naissance si la maladie n'est pas détectée et traitée aussitôt (cf. ci-dessous). De fait, environ 1 % des patients dans les asiles psychiatriques étaient (avant que ne soient mises en place des détections systématiques) des phénylcétonuriques. La PKU est due à l'impossibilité d'hydroxyler la phénylalanine (Fig. 26-26, Réaction 1), d'où l'augmentation de la concentration en phénylalanine dans le sang (**hyperphénylalaninémie**). La phénylalanine en excès est transaminée en **phénylpyruvate**

$$\text{\large ◯}-CH_2-\overset{\overset{\displaystyle O}{\|}}{C}-COO^-$$

Phénylpyruvate

par une voie mineure normalement. Le passage de phénylpyruvate (une phénylcétone) dans les urines fut la première observation en relation avec la maladie, d'où son nom, bien qu'on sache à présent que c'est l'excès de phénylalanine elle-même qui affecte les fonctions cérébrales. Tous les bébés nés aux États-Unis et dans d'autres pays subissent systématiquement un test de dépistage pour la PKU immédiatement après leur naissance par dosage de la phénylalanine dans leur sang.

La PKU classique est due à une déficience en phénylalanyl hydroxylase (PAH). Cela fut établi en 1947 et c'est la première erreur congénitale du métabolisme dont l'anomalie biochimique de base a été identifiée. Depuis lors, on a identifié plus de 400

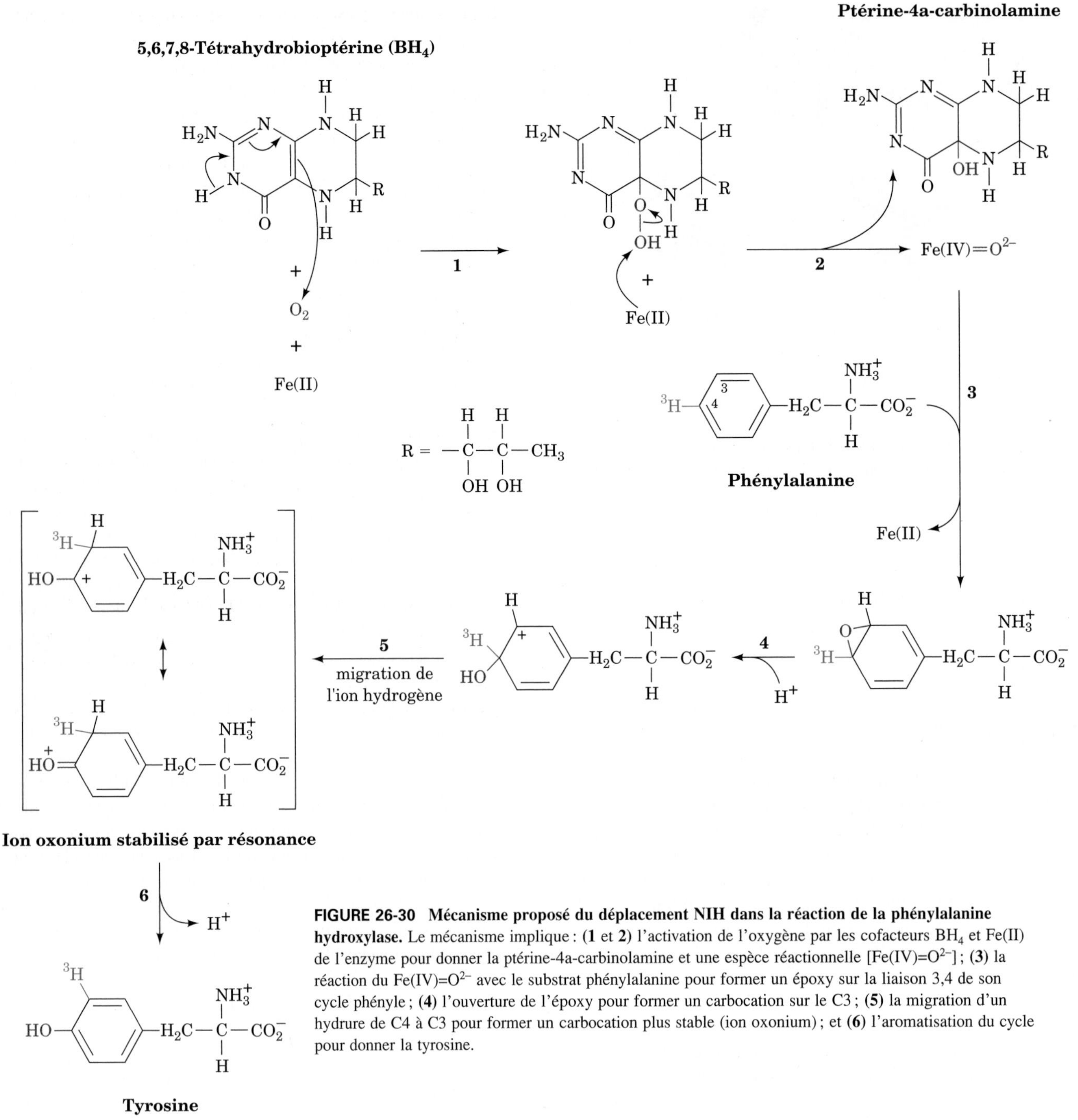

FIGURE 26-30 Mécanisme proposé du déplacement NIH dans la réaction de la phénylalanine hydroxylase. Le mécanisme implique : (**1** et **2**) l'activation de l'oxygène par les cofacteurs BH_4 et Fe(II) de l'enzyme pour donner la ptérine-4a-carbinolamine et une espèce réactionnelle [Fe(IV)=O^{2-}] ; (**3**) la réaction du Fe(IV)=O^{2-} avec le substrat phénylalanine pour former un époxy sur la liaison 3,4 de son cycle phényle ; (**4**) l'ouverture de l'époxy pour former un carbocation sur le C3 ; (**5**) la migration d'un hydrure de C4 à C3 pour former un carbocation plus stable (ion oxonium) ; et (**6**) l'aromatisation du cycle pour donner la tyrosine.

mutations de la PAH. Puisque toutes les enzymes de la dégradation de la tyrosine sont normales, le traitement consiste à donner au patient un régime pauvre en phénylalanine et à suivre le taux de phénylalanine dans le sang pour s'assurer qu'il reste dans les limites tolérables pendant les 5 à 10 premières années de la vie (les effets défavorables de l'hyperphénylalaninémie semblent disparaître après cet âge). La déficience en PAH est aussi à l'origine d'un autre symptôme de la PKU : ses victimes ont les cheveux et la peau plus clairs que leurs frères et sœurs. Cela est dû à ce que l'hydroxylation de la tyrosine, la première réaction dans la synthèse du pigment noir de la peau, la **mélanine** (Section 26-4B), est inhibée par des concentrations élevées de phénylalanine.

D'autres causes d'hyperphénylalaninémie ont été découvertes depuis l'introduction des méthodes de dépistage chez le nouveauné. Elles proviennent de déficiences d'enzymes qui catalysent la formation ou la régénération de la 5,6,7,8-tétrahydrobioptérine (BH_4), le cofacteur de la PAH (Fig. 26-28). Dans ces cas, on doit donner aussi aux malades de la L-**3,4-dihydroxyphénylalanine** (L-DOPA) et du **5-hydroxytryptophane**, précurseurs métaboliques respectifs des neurotransmetteurs **noradrénaline** et **sérotonine,** car la tyrosine hydroxylase et la tryptophane hydroxylase, les enzymes qui synthétisent ces amines physiologiquement actives, ont aussi besoin de 5,6,7,8-tétrahydrobioptérine (Section 26-4B). La simple addition de BH_4 au régime alimentaire de ces malades

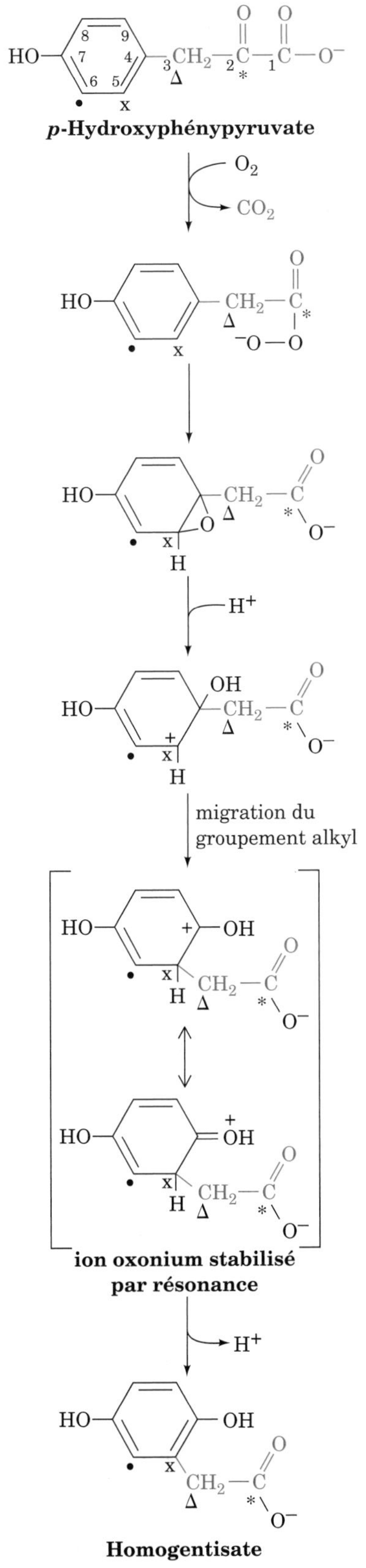

FIGURE 26-31 Le déplacement NIH dans la réaction de la *p*-hydroxyphénylpyruvate dioxygénase. Les atomes de carbone sont marqués pour permettre de suivre la migration du groupement qui constitue le déplacement.

ne suffit pas, car ce composé est instable et ne peut traverser la barrière hémato-encéphalique.

4 ■ ACIDES AMINÉS EN TANT QUE PRÉCURSEURS BIOSYNTHÉTIQUES

Certains acides aminés, en plus de leur rôle principal comme élément de construction des protéines, sont des précurseurs indispensables pour de nombreuses molécules biologiques importantes, dont les nucléotides et les coenzymes nucléotidiques, l'hème, plusieurs hormones et neurotransmetteurs, et le glutathion. Dans cette section, nous étudierons donc les voies de synthèse de certaines de ces substances. Nous commencerons par l'étude de la biosynthèse de l'hème à partir de glycine et de succinyl-CoA. Nous verrons ensuite les voies par lesquelles la tyrosine, le tryptophane, le glutamate et l'histidine sont transformés en différents neurotransmetteurs et nous étudierons certains aspects de la biosynthèse du glutathion et l'implication de ce tripeptide dans le transport d'acides aminés et dans d'autres processus. Enfin, nous étudierons le rôle des dérivés du folate dans le transfert d'unités en C_1 lors de biosynthèses. La biosynthèse des nucléotides et des coenzymes nucléotidiques sera étudiée dans le Chapitre 28.

A. Biosynthèse et dégradation de l'hème

Comme nous l'avons déjà vu, l'hème (Fig. 26-32) est un groupement prosthétique contenant du Fe qui est un constituant indispensable de nombreuses protéines, en particulier l'hémoglobine, la myoglobine et les cytochromes. Les premières réactions de la bio-

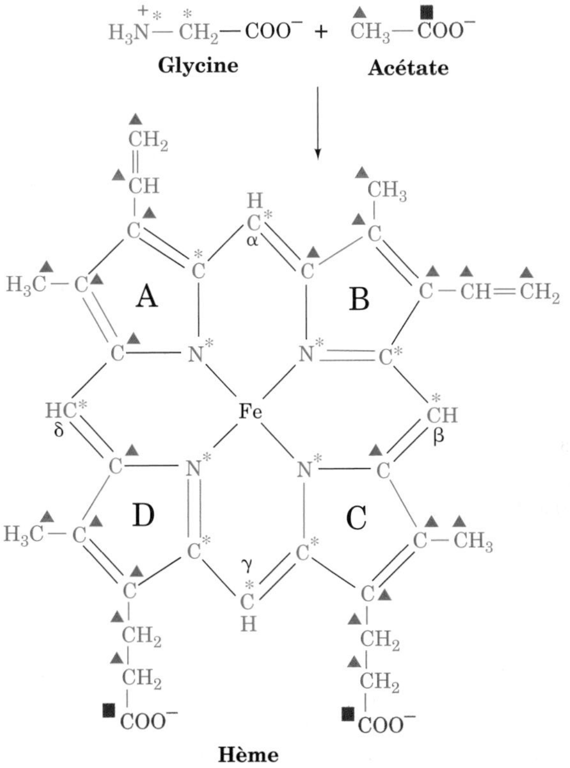

FIGURE 26-32 Structure de l'hème. Les atomes de C et de N de l'hème proviennent de la glycine et de l'acétate.

synthèse de l'hème sont communes à la formation d'autres molécules tétrapyrroliques dont les chlorophylles des plantes et des bactéries (Section 24-2A) et le coenzyme B_{12} des bactéries (Section 25-2E).

a. Les porphyrines sont formées à partir de succinyl-CoA et de glycine

L'élucidation de la voie de la biosynthèse de l'hème a été un travail de détective. David Shemin et David Rittenberg, qui furent parmi les premiers à utiliser des traceurs isotopiques pour élucider des voies métaboliques, montrèrent en 1945 que *tous les atomes de C et de N de l'hème proviennent de l'acétate et de la glycine*. Parmi les nombreux métabolites marqués par ^{15}N qu'ils utilisèrent (dont l'ammoniac, le glutamate, la leucine et la proline), seule la glycine donnait de l'hème marqué par ^{15}N dans l'hémoglobine des sujets expérimentaux auxquels ces métabolites avaient été administrés. Des expériences semblables avec de l'acétate marqué au ^{14}C dans ses groupements méthyle et carboxylate, ou de la $[^{14}C_{\alpha}]$glycine, démontrèrent que 24 des 34 atomes de carbone de l'hème sont issus du carbone du méthyle de l'acétate, 2 de l'atome de carbone du carboxylate de l'acétate, et 8 du C_{α} de la glycine (Fig. 26-32). Aucun des atomes de l'hème ne provient de l'atome de carbone du groupement carboxylate de la glycine.

La Figure 26-32 montre que les atomes de C de l'hème issus des groupements méthyle de l'acétate se trouvent par groupes de trois atomes liés. Manifestement, l'acétate est tout d'abord transformé en un autre métabolite qui présente cette distribution de marquage. Shemin et Rittenberg proposèrent, pour les raisons suivantes, que ce métabolite est le succinyl-CoA (Fig. 26-33) :

1. L'acétate est métabolisé via le cycle de l'acide citrique (Section 21-3I).

2. Des études de marquage montrent que l'atome C3 de l'intermédiaire du cycle de l'acide citrique succinyl-CoA est issu de l'atome de C du méthyle de l'acétate, alors que l'atome C4 vient du carbone du groupement carboxylate de l'acétate.

3. Après de nombreux tours de cycle de l'acide citrique, le C1 et le C2 du succinyl-CoA deviennent eux aussi entièrement dérivés de l'atome de carbone du méthyle de l'acétate.

Nous allons voir que cette distribution de marquage conduit en fait à celle de l'hème.

Dans les mitochondries de levure et animales, et chez certaines bactéries, la biosynthèse de l'hème commence par une condensation entre le succinyl-CoA et la glycine suivie d'une décarboxylation pour former de l'**acide δ-aminolévulinique (ALA)** catalysée par la **δ-aminolévulinate synthase,** enzyme à PLP (Fig. 26-34). Le groupement carboxylate perdu par décarboxylation (Fig. 26-34, Réaction 5) provient de la glycine, ce qui explique que l'hème n'est pas marqué par ce groupement.

b. Le cycle pyrrole est produit à partir de deux molécules d'ALA

La phase suivante de la biosynthèse amène la formation du cycle pyrrole à partir de deux molécules d'ALA ce qui donne le **porphobilinogène (PBG)**. La réaction est catalysée par la **porphobilinogène synthase [PBGS ; ou acide δ-aminolévulinique déshydratase (ALAD)]** qui, chez la levure et les animaux, est une enzyme à Zn^{2+}, et implique la formation d'une base de Schiff entre

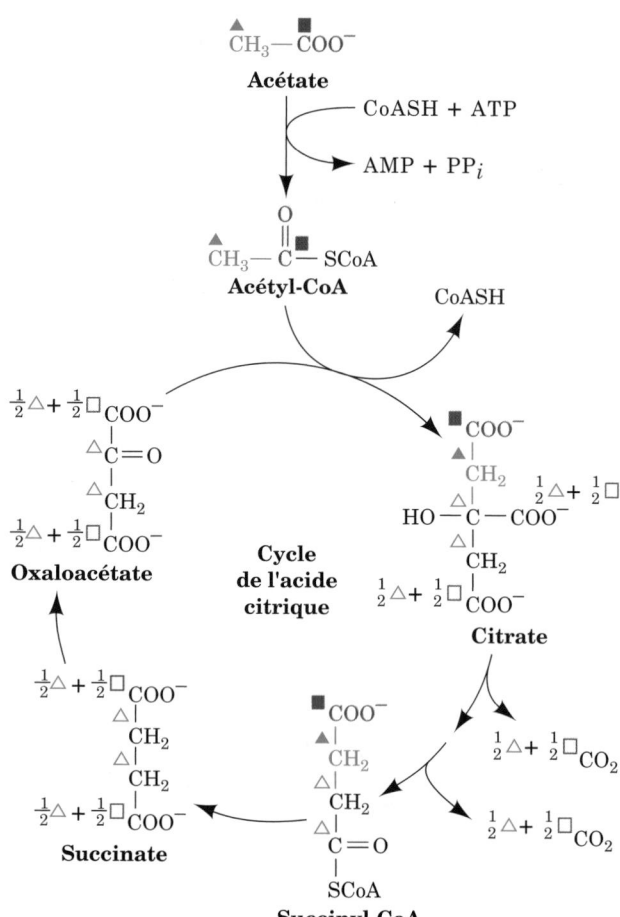

FIGURE 26-33 Origine des atomes de C du succinyl-CoA provenant de l'acétate via le cycle de l'acide citrique. Les atomes de C marqués par des triangles et des carrés proviennent respectivement des atome de C du méthyle et du carboxylate de l'acétate. Les symboles pleins marquent les atomes dérivés de l'acétate lors du cycle de l'acide citrique en cours, tandis que les symboles ouverts marquent les atomes dérivés de l'acétate lors de cycles antérieurs. Noter que les atomes C1 et C4 du succinyl-CoA sont mélangés lors de la formation du succinate à symétrie d'ordre deux.

l'une des molécules de substrat et un groupement aminé de l'enzyme (chez certaines bactéries et toutes les plantes Mg^{2+} remplace Zn^{2+}) . Un mécanisme possible pour cette réaction par condensation-élimination est la formation d'une deuxième base de Schiff entre la base de Schiff ALA–enzyme et la deuxième molécule d'ALA (Fig. 26-35). À ce stade, si nous continuons à suivre les marquages de l'acétate et de la glycine au cours de la réaction de la PBG synthase (Fig. 26-35), nous commençons à voir comment s'explique la distribution de marquage de l'hème.

La structure par rayons X de la PBGS humaine en complexe covalent avec son produit le PBG, déterminée par Jonathan Cooper, montre que cette enzyme est un homo-octamère de symétrie D_4. Chacune de ses sous-unités (330 résidus) est constituée d'un tonneau α/β et d'une queue N-terminale de 39 résidus qui s'enroule autour d'un monomère voisin (en relation de symétrie d'ordre 2 avec lui), de sorte que la protéine est mieux décrite comme un tétramère lâche de dimères compacts. Comme pour pra-

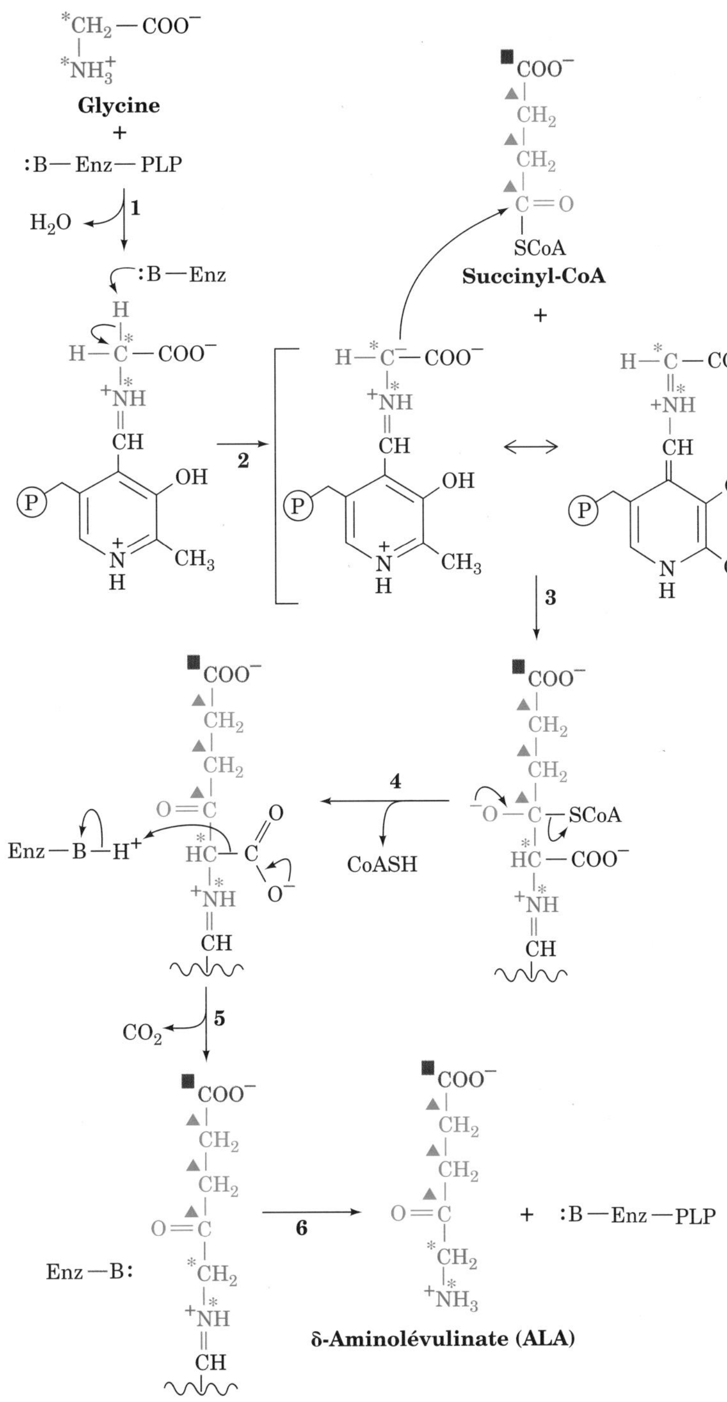

FIGURE 26-34 Mécanisme d'action de la δ-aminolévulinate synthase, enzyme PLP-dépendante. Les étapes de la réaction sont : (**1**) transimination, (**2**) formation d'un carbanion stabilisé par le PLP, (**3**) formation d'une liaison C—C, (**4**) élimination de CoA, (**5**) décarboxylation facilitée par la base de Schiff–PLP, et (**6**) transimination formant l'ALA et régénérant la PLP–enzyme.

tiquement toutes les autres enzymes à tonneau α/β, le site actif de la PBGS (Fig. 26-36) se trouve à l'entrée du tonneau aux extrémités C-terminales de ses segments β. Le site actif est couvert d'une boucle qui, selon des comparaisons avec d'autres structures de PBGS, forme un couvercle flexible sur le substrat, une disposition qui rappelle l'enzyme glycolytique triose phosphate isomérase (TIM ; Fig. 17-11). Le PBG est lié par covalence à Lys 252 et son groupement aminé libre est fixé par coordinence à l'ion Zn^{2+} du site actif. Lys 199 est bien située pour agir comme catalyseur acido-basique général.

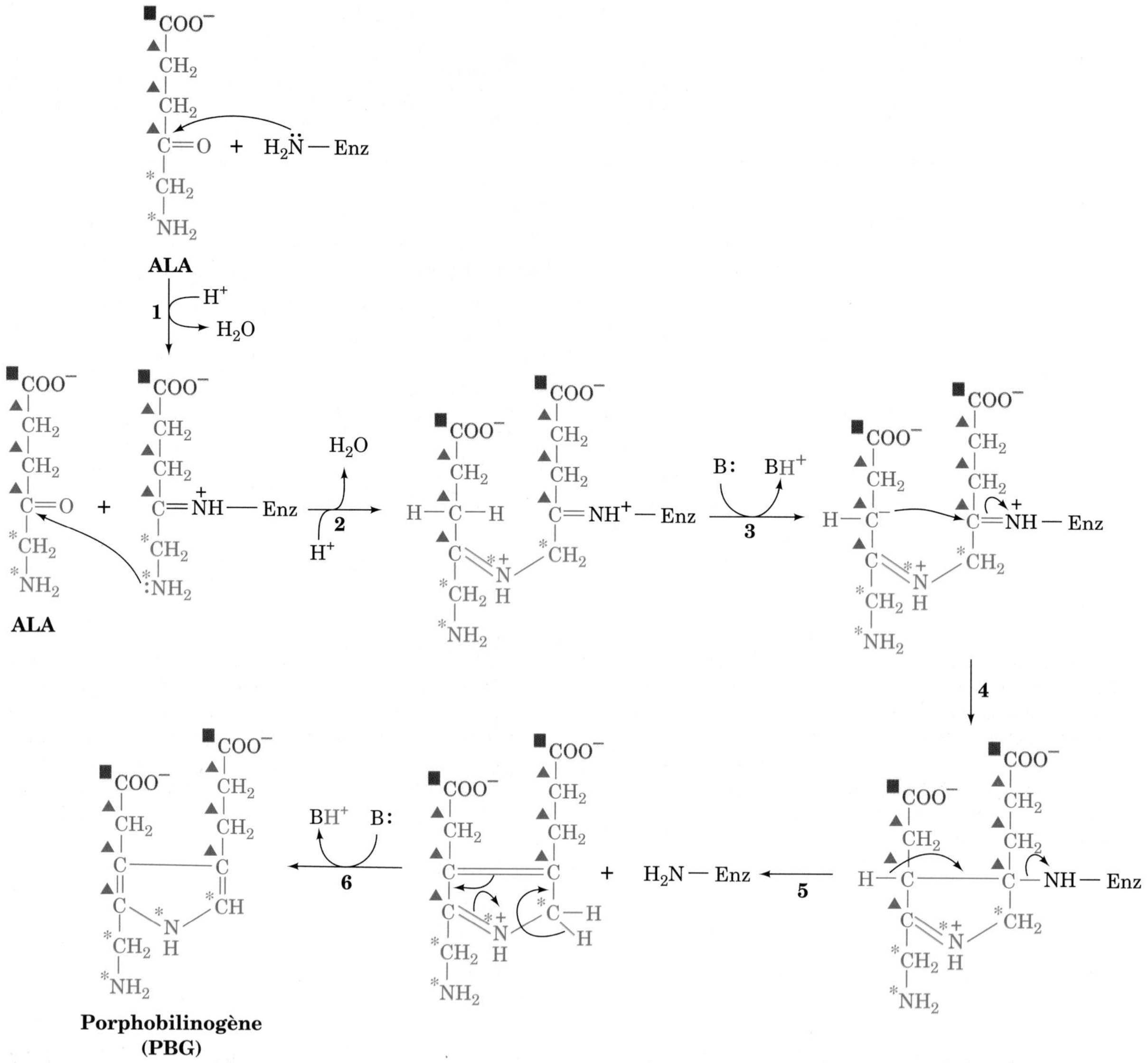

FIGURE 26-35   Un mécanisme possible pour la porphobilinogène synthase. La réaction implique (**1**) la formation d'une base de Schiff, (**2**) la formation d'une deuxième base de Schiff, (**3**) la formation d'un carbanion en α d'une base de Schiff, (**4**) la cyclisation par une condensation de type aldolique, (**5**) l'élimination du groupement enzyme–NH$_2$, et (**6**) une tautomérisation.

L'inhibition de la PBG synthase par Pb^{2+} (un compétiteur de l'ion Zn^{2+} de son site actif) est une des manifestations principales de l'empoisonnement par le plomb, qui compte parmi les intoxications les plus courantes. On a suggéré que l'accumulation d'ALA dans le sang, qui ressemble au neurotransmetteur **acide γ-aminobutyrique** (Section 26-4B), serait responsable de la psychose qui accompagne souvent l'empoisonnement par le plomb.

c.   Le noyau porphyrine se forme à partir de quatre molécules de PBG

La phase suivante de la synthèse de l'hème est la condensation de quatre molécules de PBG pour former l'**uroporphyrinogène III**, le noyau porphyrine, par une série de réactions catalysées par la **porphobilinogène désaminase** (ou **hydroxyméthylbilane syn-** thase ou encore **uroporphyrinogène synthase**) et l'**uroporphyrinogène III synthase**. La réaction (Fig. 26-37) commence par le déplacement par l'enzyme du groupement aminé du PBG pour former un adduit covalent. Une deuxième, puis troisième, puis quatrième molécule de PBG sont successivement ajoutées avec déplacement du groupement amine primaire d'un PBG par un atome de carbone du cycle pyrrole du PBG suivant, ce qui donne le tétrapyrrole linéaire, lequel est hydrolysé et libéré de l'enzyme en tant qu'**hydroxyméthylbilane** (appelé aussi **pré-uroporphyrinogène**).

d.   La porphobilinogène désaminase a un cofacteur dipyrrométhane

Peter Shoolingin-Jordan et Allan Battersby ont montré indépendamment que la porphobilinogène désaminase présente un

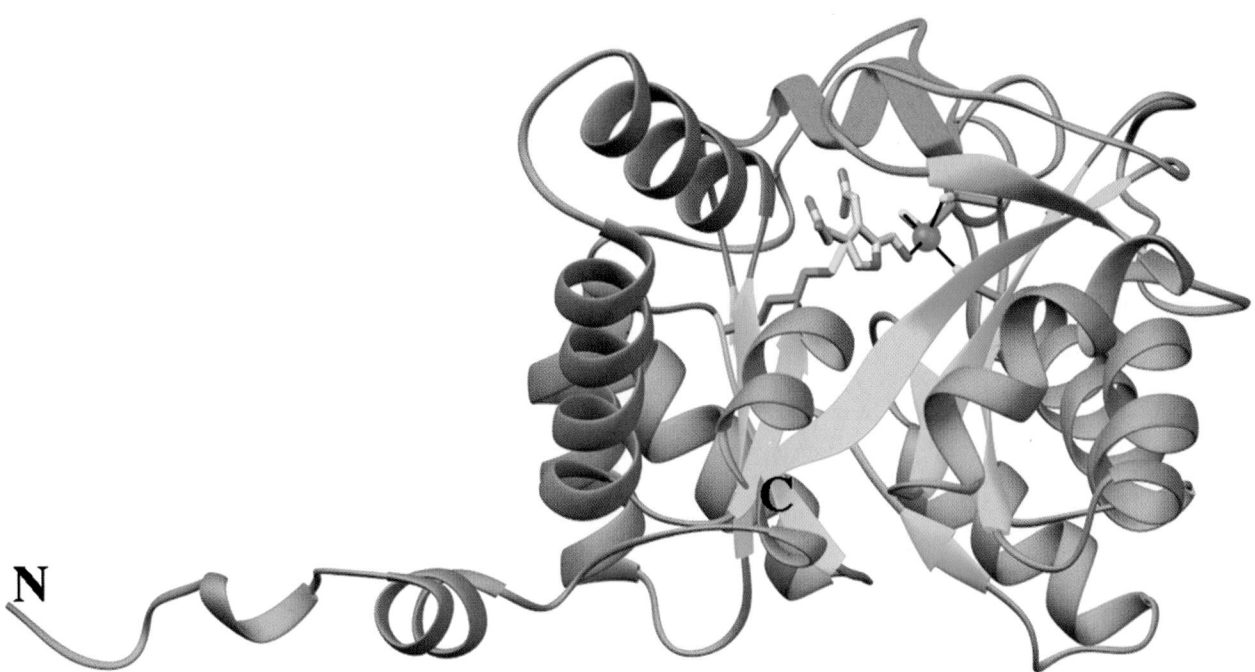

FIGURE 26-36   Structure par rayons X de la porphobilinogène synthase (PBGS) humaine. (*a*) Monomère de cette protéine homo-octamérique vu perpendiculairement à l'axe de son tonneau α/β et dessiné en gris avec ses segments β en bleu-vert et la boucle formant son couvercle flexible (résidus 201-222) en magenta. Le produit porphobilinogène (PBG) de la PBGS, Lys 252 à laquelle il est uni par covalence, et les trois chaînes latérales de Cys qui fixent l'ion Zn^{2+} du site actif (*sphère bleue*) sont en bâtonnets avec C de PBG en rose, C des chaînes latérales en vert, N en bleu, O en rouge, S en jaune et la liaison N—C qui unit Lys 252 à PBG en doré. L'ion Zn^{2+} du site actif est fixé (*lignes noires*) par les atomes S de Cys 122, Cys 124, Cys 132, et par le groupement aminé de PBG. La position de Lys 199, qui se trouve ici directement derrière Lys 252, semble parfaite pour une action de catalyse acido-basique. [D'après une structure par rayons X due à Jonathan Cooper, University of Southampton, U.K. PDBid 1E51.]

cofacteur unique, le **dipyrrométhane** (deux pyrroles réunis par un pont méthylène ; les cycles C_1 et C_2 dans la Fig. 26-37), lié par covalence par une liaison C—S à un résidu Cys de l'enzyme. Ainsi, le complexe méthylbilane–enzyme contient en fait un hexapyrrole linéaire. La réaction suivante, catalysée aussi par la porphobilinogène désaminase (Etape 5 dans la Fig. 26-37), est l'hydrolyse de la liaison entre les deuxième et troisième unités pyrrole de l'hexapyrrole pour donner l'hydroxyméthylbilane et le cofacteur dipyrrométhane. Ce dernier est toujours lié à l'enzyme, qui est donc prête à catalyser un nouveau cycle de synthèse d'hydroxyméthylbilane.

Comment la synthèse du cofacteur dipyrrométhane est-elle assurée ? Shoolingin-Jordan a montré que la porphobilinogène désaminase synthétise son propre cofacteur à partir de deux unités de PBG, en utilisant, semble-t-il, la machinerie catalytique avec laquelle elle synthétise le méthylbilane. Cependant, la Cys de l'enzyme réagit beaucoup plus rapidement avec l'hydroxyméthylbilane présynthétisé pour former un intermédiaire de la réaction (le produit de l'Etape 2 dans la Fig. 26-37) qui continue à ajouter deux unités de PBG de plus. Lorsque l'hydroxyméthylbilane est libéré, l'enzyme conserve son cofacteur dipyrrométhane.

La structure par rayons X de la porphobilinogène désaminase d'*E. coli* (>45 % d'identité de séquence avec l'enzyme de mam-

mifère) en complexe covalent avec son cofacteur dipyrrométhane, montre que cette protéine monomérique de 307 résidus se replie en trois domaines de taille équivalente (Fig. 26-38). Le cofacteur dipyrrométhane est enfoui profondément dans une crevasse entre les domaines 1 et 2 de sorte qu'un espace inoccupé considérable se trouve dans la crevasse. Bien qu'elle ajoute successivement quatre résidus PBG au cofacteur, l'enzyme n'a qu'un seul site catalytique.

Si l'enzyme n'a qu'un seul site catalytique, comment peut-elle replacer la chaîne polypyrrole après chaque cycle catalytique pour l'allonger encore ? Il est possible que la chaîne polypyrrole remplisse la cavité proche du cofacteur. Ce modèle fournit une explication stérique simple quant à la longueur limitée à six résidus de la chaîne de polypyrrole (dont les quatre derniers résidus sont hydrolysés par l'enzyme pour donner le produit hydroxyméthylbilane et régénérer le cofacteur dipyrrométhane).

e. La synthèse de la protoporphyrine IX exige quatre réactions supplémentaires

La cyclisation de l'hydroxyméthylbilane demande la participation de **l'uroporphyrinogène III synthase** (Fig. 26-37). En l'absence cette enzyme, l'hydroxyméthylbilane se détache de la synthase et se cyclise spontanément et rapidement pour donner

FIGURE 26-37 Synthèse de l'uroporphyrinogène III à partir de PBG catalysée par la porphobilinogène désaminase et l'uroporphyrinogène III synthase. (1a) Elimination de NH₃ par catalyse générale basique qui donne un intermédiaire **méthylène pyrrolinène. (1b)** Addition à l'intermédiaire méthylène pyrrolinène du cofacteur dipyrrométhane lié par covalence à l'enzyme pour former un adduit covalent. **(2-4)** Addition séquentielle d'une deuxième, d'une troisième et d'une quatrième molécule de PBG avec éliminations successives de NH₃ du PBG pour former le méthylène pyrrolinène comme dans la Réaction 1a, suivi par l'addition d'un atome de carbone du cycle pyrrole de la chaîne en formation, comme dans la Réaction 1b. **(5)** Hydrolyse du méthylbilane–enzyme qui donne l'hydroxyméthylbilane et régénère le complexe enzyme–dipyrrométhane libre. **(6)** Synthèse de l'uroporphyrinogène III via un intermédiaire spiro par la porphobilinogène désaminase et l'uroporphyrinogène III synthase. **(7)** Cyclisation spontanée de l'hydroxyméthylbilane en l'absence de l'uroporphyrinogène III synthase. A et P représentent les groupements acétyle et propionyle.

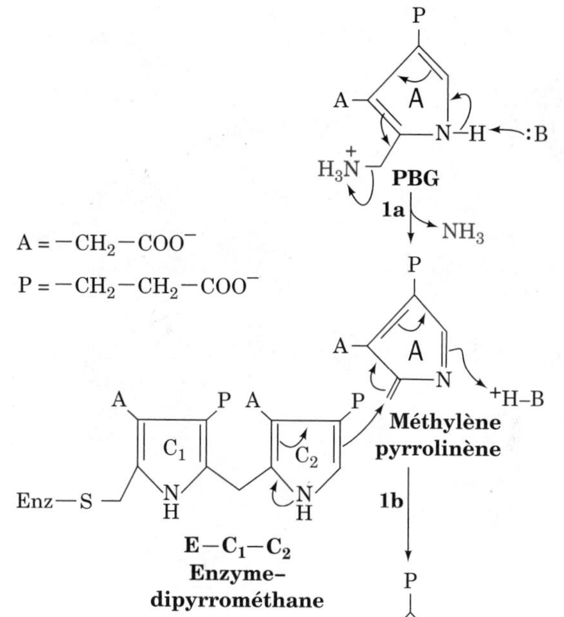

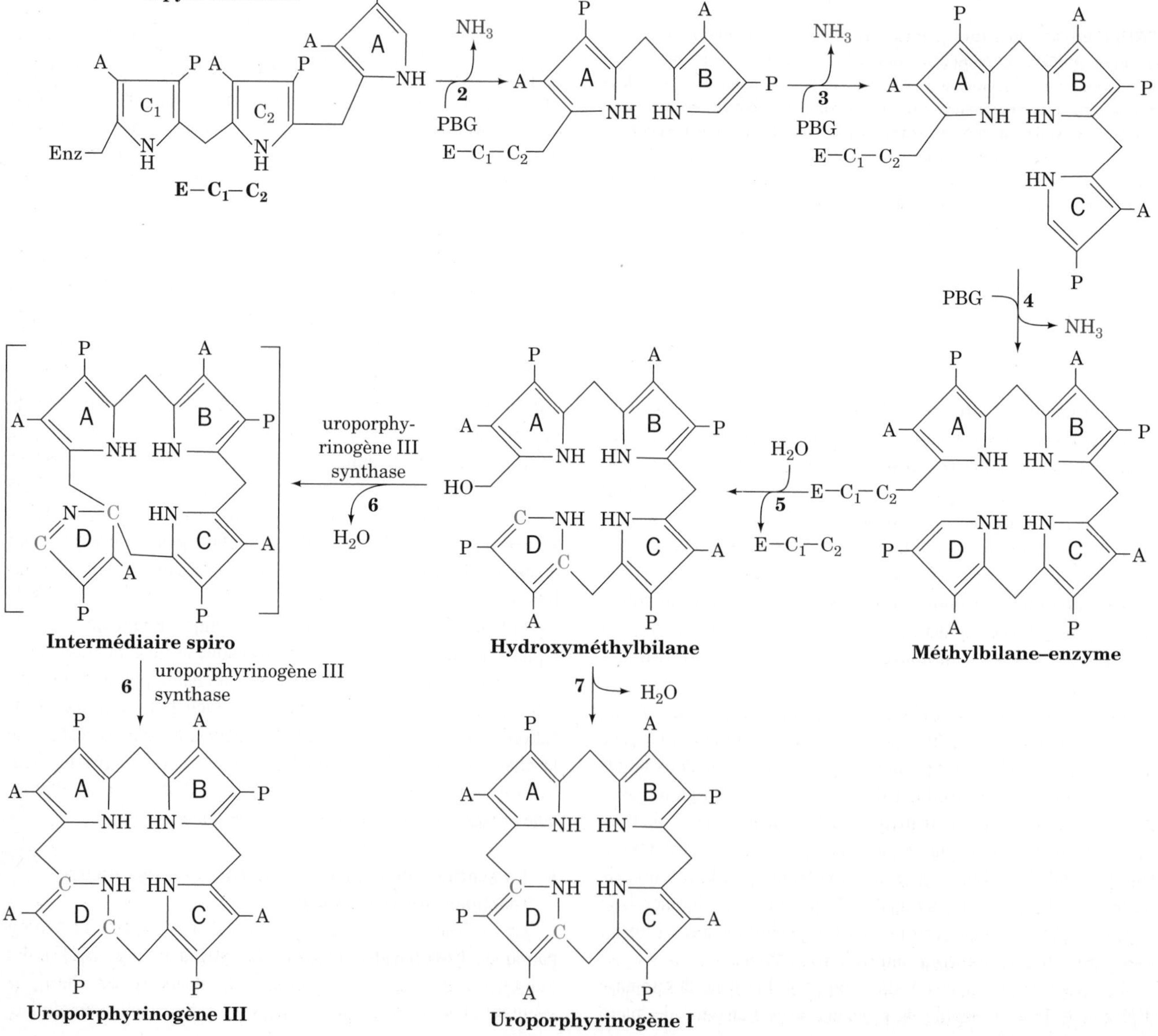

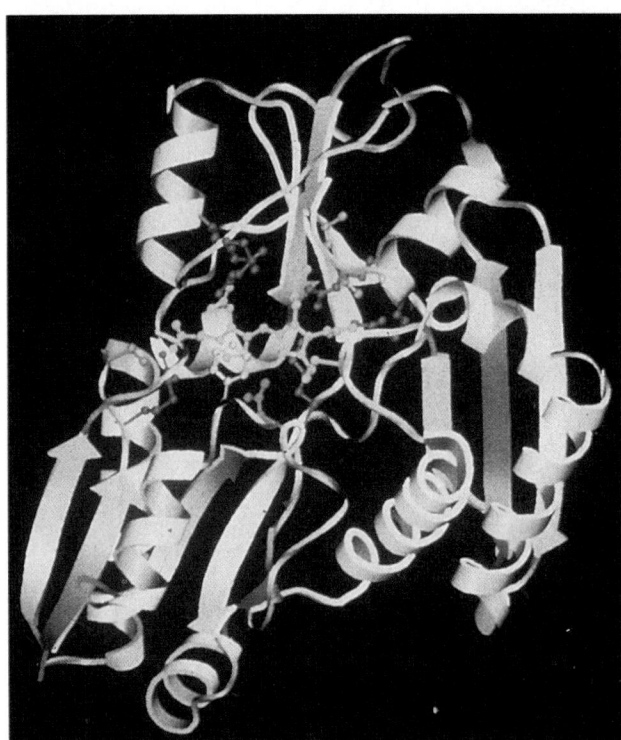

FIGURE 26-38 Structure par rayons X de la porphobilinogène désa-minase d'*E. coli* en complexe covalent avec son cofacteur dipyrromé-thane. La protéine est représentée en ruban et le cofacteur dipyrromé-thane (*jaune*) avec les chaînes latérales à son contact en modèle éclaté. [Avec la permission de Gordon Louie, Stephan Wood, Peter Shoolingin-Jordan et Tom Blundell, Birkbeck College, London,U.K. PDBid 1DPA.]

l'**uroporphyrinogène I** symétrique. Cependant, l'hème est une molécule asymétrique ; le substituant méthyle du cycle pyrrole D est en position inverse par rapport à ceux des cycles A, B et C (Fig. 26-32). Battersby a montré que cette inversion du cycle qui donne l'uroporphyrinogène III provient de la liaison des méthy-lènes des cycles A et C au même atome de carbone du cycle D, formant ainsi un composé spiro (composé bicyclique ayant un atome de carbone commun aux deux cycles ; Fig. 26-37).

La biosynthèse de l'hème se déroule en partie dans la mito-chondrie et en partie dans le cytosol (Fig. 26-39). L'ALA est synthétisé dans les mitochondries puis est transporté dans le cytosol pour donner le PBG puis l'uroporpyrinogène III. La **pro-toporpyrine IX,** à laquelle Fe s'ajoute pour donner l'hème, se forme à partir de l'uroporphyrinogène III par une série de réac-tions catalysées par (1) l'**uroporphyrinogène décarboxylase,** qui décarboxyle les quatre chaînes latérales acétate (A) en grou-pements méthyle (M) ; (2) la **coproporphyrinogène oxydase,** qui transforme deux chaînes latérales de propionate (P) en grou-pements vinyle (V) par décarboxylation oxydative ; et (3) la **pro-toporphyrinogène oxydase,** qui oxyde les groupements méthy-lène reliant les cycles pyrrole aux groupements méthényle. Globalement, six groupements carboxylate provenant de l'acétate

sont éliminés sous forme de CO_2. Les seuls atomes de carbone restants provenant du groupement carboxylate de l'acétate sont les deux carboxylates des deux chaînes latérales propionate (P) de l'hème. Pendant la réaction de la coproporphyrinogène oxy-dase, le macrocycle retourne dans les mitochondries pour les der-nières réactions de la biosynthèse.

f. La ferrochélatase catalyse l'insertion de Fe(II) dans la protoporphyrine IX pour former l'hème

La protoporphyrine IX est transformée en hème par l'inser-tion de Fe(II) dans le noyau tétrapyrrole grâce à la **ferrochéla-tase**, protéine associée à la membrane interne mitochondriale du côté matrice. La structure par rayons X de la ferrochélatase humaine, déterminée par Harry Dailey et Bi-Cheng Wang, montre que les sous-unités (361 résidus) de cette protéine homo-dimérique sont constituées de deux domaines de structure sem-blable et d'une extension C-terminale que l'on ne trouve que dans les ferrochélatases animales. Cette extension participe à la formation de liaisons hydrogène entre les sous-unités ; les ferro-chélatases bactériennes, qui ne la possèdent pas, sont monomé-riques. De plus, cette extension C-terminale est reliée au domaine N-terminal par un centre [2Fe-2S] inhabituel en coor-dinence avec C196 du domaine N-terminal et C403, C406 et C411 de l'extension C-terminale. La fonction de ce centre [2Fe-2S], situé à distance du site actif, n'est pas claire, bien qu'il pourrait jouer un rôle structural. Trois mutations, C406Y, C406S et C411G, qui inactivent l'enzyme et, ce faisant, provoquent la **protoporphyrie érythropoïétique,** maladie héréditaire rare (voir ci-dessous), démontrent l'importance du centre [2Fe-2S] dans l'activité de l'enzyme.

Le site actif de la ferrochélatase (Fig. 26-40) est constitué de deux lèvres hydrophobes dont on pense qu'elles participent à l'as-sociation de l'enzyme à la membrane. La réaction de la ferroché-latase implique un mécanisme ordonné où le Fe(II) se fixe à l'en-zyme avant la porphyrine. La réaction requiert le départ des deux protons du NH pyrrolique de la porphyrine avant la liaison du Fe(II) (Fig. 26-39). La H263 conservée semble bien située pour enlever ces protons à la porphyrine, et les résidus acides conservés et rapprochés E343, H341 et D340 formeraient un canal à protons conduisant de H263 à la surface de l'enzyme (Fig. 26-40), hypo-thèse confortée par des études de mutagenèse. Les résidus conser-vés R164 et Y165 sont situés du côté opposé du site actif par rap-port à H263 (et probablement du côté opposé à celui du substrat protoporphyrine IX). Leur mutagenèse réduit l'affinité de la ferro-chélatase pour le Fe(II), mais pas pour la porphyrine, ce qui sug-gère leur rôle catalytique dans la métalation. D'après des études spectroscopiques, cette réaction de métalation est facilité par la distorsion de la porphyrine en une conformation non plane (en dôme ou ondulée).

g. La biosynthèse de l'hème est régulée différemment dans les cellules érythropoïétiques et dans les cellules du foie

Les deux sites principaux de la biosynthèse de l'hème sont les cellules érythropoïétiques, qui synthétisent environ 85 % des grou-pements hème de l'organisme, et les cellules du foie qui en syn-thétisent pratiquement tout le reste. Un rôle important de l'hème dans le foie vient de ce qu'il constitue le groupement prosthétique

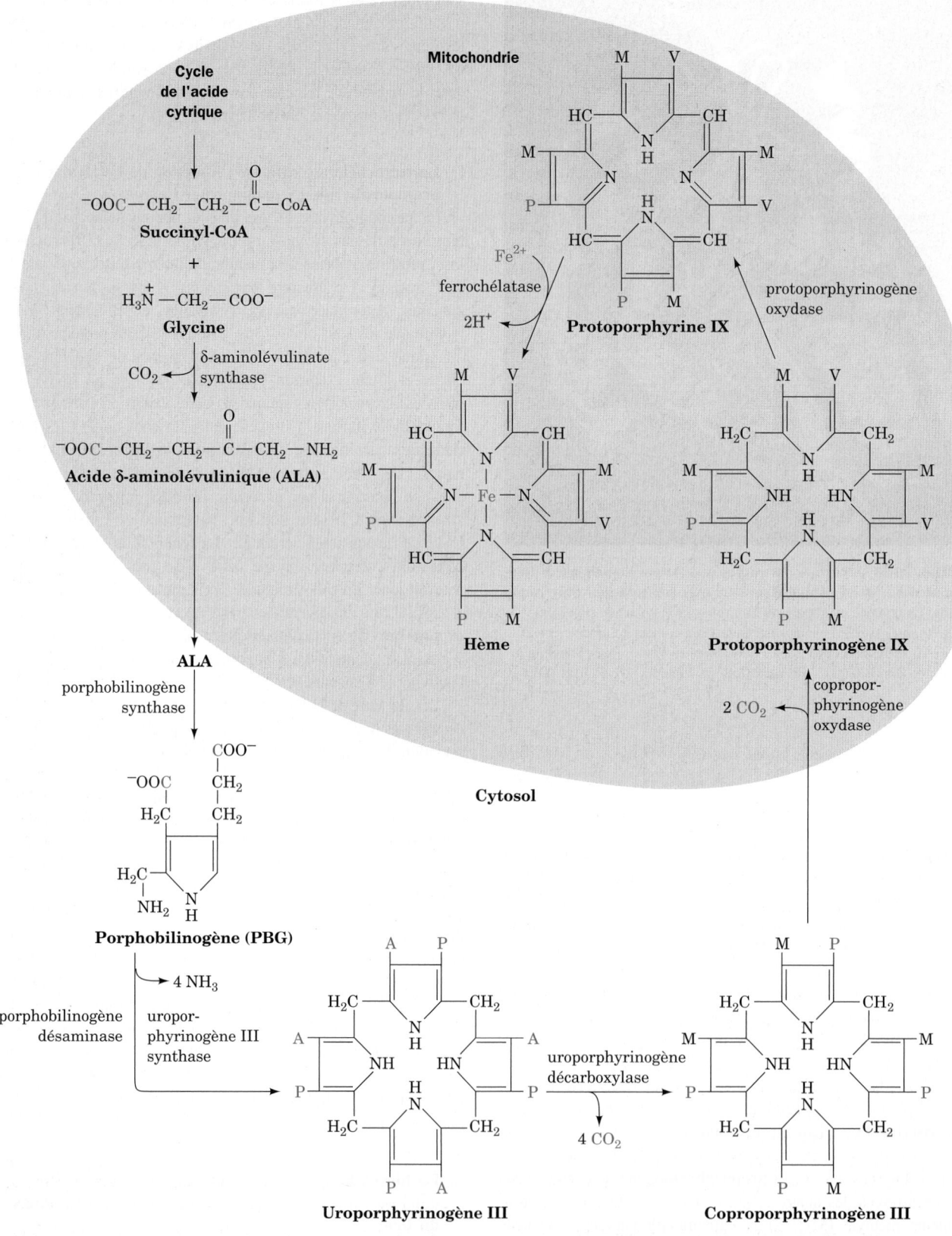

FIGURE 26-39 Voie générale de la biosynthèse de l'hème. L'acide δ-aminolévulinique (ALA) est synthétisé dans la mitochondrie par l'ALA synthase. L'ALA (*à gauche*) sort de la mitochondrie et est transformé en PBG, dont quatre molécules se condensent pour former un cycle porphyrine. Les trois réactions suivantes impliquent l'oxydation des substituants des cycles pyrrole pour donner le protoporphyrinogène IX dont la forma-tion s'accompagne de son retour dans la mitochondrie. Après oxydation des groupements méthylène reliant les pyrroles pour donner la protoporphyrine IX, la ferrochélatase catalyse l'insertion de Fe^{2+}, ce qui donne l'hème. A, P, M et V symbolisent respectivement les groupements acé-tyle, propionyle, méthyle et vinyle ($—CH_2=CH_2$). Les atomes de C pro-venant du groupement carboxyle de l'acétate sont en rouge.

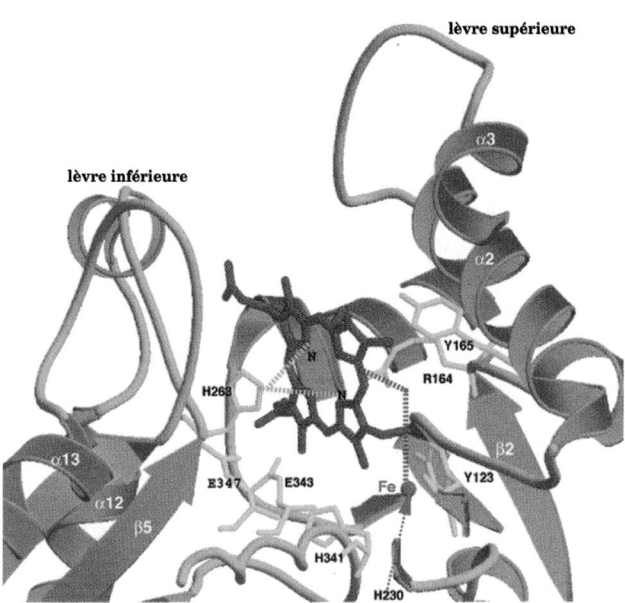

FIGURE 26-40 Poche du site actif de la ferrochélatase humaine montrant les résidus impliqués dans le mécanisme catalytique proposé. Le substrat protoporphyrine IX (*bleu*), qui a été inséré par modélisation dans la crevasse du site actif, entre dans celui-ci à partir de la membrane (*en haut*), tandis que Fe(II) arrive de la matrice (*ligne rouge interrompue*). On pense que la chaîne latérale de His 263 enlève des protons aux deux groupements NH pyrroliques (*lignes bleu-vert interrompues*) et les transfère à la matrice via une série de groupements acides rapprochés constitués des chaînes latérales de E343, H341 et D340. Les chaînes latérales R164 et Y165, situées de l'autre côté de la poche du site actif par rapport à H263, participeraient à la réaction de métalation, qui est également facilitée par le plissement de la porphyrine induit par l'enzyme. [Avec la permission de Harry Dailey, University of Georgia. PDBid 1HRK.]

du **cytochrome P450**, une enzyme oxydative impliquée dans les processus de détoxication (Section 15-4B), qui est indispensable tout au long de la vie de l'hépatocyte en quantités variables selon les conditions. Par contre, les cellules érythropoïétiques, dans lesquelles l'hème est, bien sûr, un constituant de l'hémoglobine, n'assurent la synthèse de l'hème que lors de leur différenciation, quand elles synthétisent l'hémoglobine en grandes quantités. Cette synthèse n'a lieu qu'une fois; l'hème doit persister durant toute la vie de l'érythrocyte (120 jours normalement) car la synthèse de l'hème et de l'hémoglobine cessent quand les globules rouges sont matures (la synthèse protéique s'arrête avec la perte des noyaux et des ribosomes). Les régulations différentes de la synthèse de l'hème dans les hépatocytes et dans les cellules érythropoïétiques reflètent ces demandes différentes: dans le foie, la biosynthèse de l'hème doit être vraiment « contrôlée », alors que dans les cellules érythropoïétiques, il s'agit plutôt de « rompre une digue ».

Dans le foie, la cible principale de contrôle de la biosynthèse de l'hème est l'ALA-synthase, l'enzyme qui catalyse la première réaction d'engagement de la voie. L'hème, ou son produit d'oxydation Fe(III) **hémine**, contrôle l'activité de cette enzyme par trois mécanismes: (1) rétroinhibition, (2) inhibition du transport de l'ALA-synthase depuis son site de biosynthèse cytosolique vers son site d'action, la mitochondrie (Fig. 26-39), et (3) répression de la synthèse de l'ALA-synthase.

Dans les cellules érythropoïétiques, l'hème a un effet tout à fait différent sur sa biosynthèse. Il stimule, au lieu de réprimer, la synthèse protéique dans les réticulocytes (érythrocytes non matures). Bien que les protéines synthétisées par les réticulocytes soient essentiellement de la globine, il est prouvé que l'hème induit aussi ces cellules à synthétiser les enzymes de la voie de biosynthèse de l'hème. De plus, la réaction à vitesse limitante de la biosynthèse de l'hème dans les cellules érythropoïétiques ne serait pas la réaction de l'ALA-synthase. Des expériences réalisées sur différents systèmes de cellules érythropoïétiques en cours de différenciation impliquent la ferrochélatase et la porphobilinogène désaminase dans le contrôle de la biosynthèse de l'hème dans ces cellules. L'entrée du fer dans les cellules serait également un facteur limitant. Le fer est transporté dans le plasma complexé à la **transferrine**, protéine de transport du fer. La vitesse à laquelle le complexe fer–transferrine entre dans la plupart des cellules, y compris celles du foie, est contrôlée par endocytose à récepteur (Section 12-4B). Cependant, des complexes de fer liposolubles qui diffusent directement dans les réticulocytes stimulent la biosynthèse *in vitro* de l'hème. L'existence de plusieurs points de contrôle laisse supposer qu'une fois la synthèse de l'hème « mise en marche » dans les cellules érythropoïétiques, toutes les réactions se font à vitesse maximum plutôt que ne s'exerce un contrôle du flux au niveau d'une réaction à vitesse limitante. La synthèse de la globine activée par l'hème assure aussi que l'hème et la globine sont synthétisés en proportions correctes pour pouvoir s'associer et donner de l'hémoglobine (Section 32-4A).

h. Les porphyries provoquent des symptômes étranges

On connaît plusieurs anomalies génétiques de la biosynthèse de l'hème dans le foie ou les cellules érythropoïétiques. Elles se traduisent toutes par l'accumulation de porphyrine et/ou de ses précurseurs et sont appelées pour cette raison des **porphyries** (du grec *porphyra*, pourpre). On connaît deux anomalies qui affectent les cellules érythropoïétiques: l'une due à une déficience en uroporphyrinogène III synthase (**porphyrie érythropoïétique congénitale**), l'autre à une déficience en ferrochélatase (**protoporphyrie érythropoïétique**). La première se traduit par une accumulation d'uroporphyrinogène I et de son produit de décarboxylation, le **coproporphyrinogène I.** L'excrétion de ces produits donne une couleur rouge à l'urine, leur dépôt dans les dents leur donne une couleur brun-rouge fluorescente, et leur accumulation dans la peau rend celle-ci très photosensible avec formation d'ulcères et de cicatrices inesthétiques. On observe également chez les personnes atteintes une croissance accélérée des cheveux qui peuvent recouvrir le visage et les extrémités. Ainsi, certains pensent que la légende du loup-garou aurait une telle origine biochimique.

La porphyrie la plus courante qui affecte en priorité le foie est due à une déficience en porphobilinogène désaminase (**porphyrie intermittente aiguë**). Cette maladie se manifeste par des crises intermittentes de douleurs abdominales et de dysfonctionnements neurologiques. Des quantités importantes d'ALA et de PBG sont excrétées dans les urines pendant et après les crises. L'urine peut devenir rouge en raison de l'excrétion de porphyrines en excès synthétisées à partir de PBG dans les cellules non hépatiques mais la peau ne devient pas anormalement sensible à la lumière. Le roi George III, qui régna sur l'Angleterre durant la Révolution Américaine, souvent décrit comme fou, avait en réalité des crises de porphyrie intermittente aiguë, et l'on disait qu'il avait des urines couleur du vin de Porto ; plusieurs de ses descendants héritèrent de cette maladie. L'histoire de l'Amérique aurait pu être différente si George III n'avait pas hérité de cette anomalie métabolique.

i. L'hème est dégradé en pigments biliaires

À la fin de leur vie, les globules rouges sont retirés de la circulation et leurs constituants dégradés. Le catabolisme de l'hème (Fig. 26-41) débute par un clivage oxydatif, catalysé par l'**hème oxygénase**, de la porphyrine entre les cycles A et B pour donner de la **biliverdine**, un tétrapyrrole linéaire vert. Le pont méthène central de la biliverdine (entre les cycles C et D) est ensuite réduit, ce qui donne la **bilirubine** rouge-orange. Les changements de couleur d'une contusion en cours de guérison sont le reflet de la dégradation de l'hème.

La bilirubine très liposoluble est insoluble en milieu aqueux. Comme d'autres métabolites liposolubles, les acides

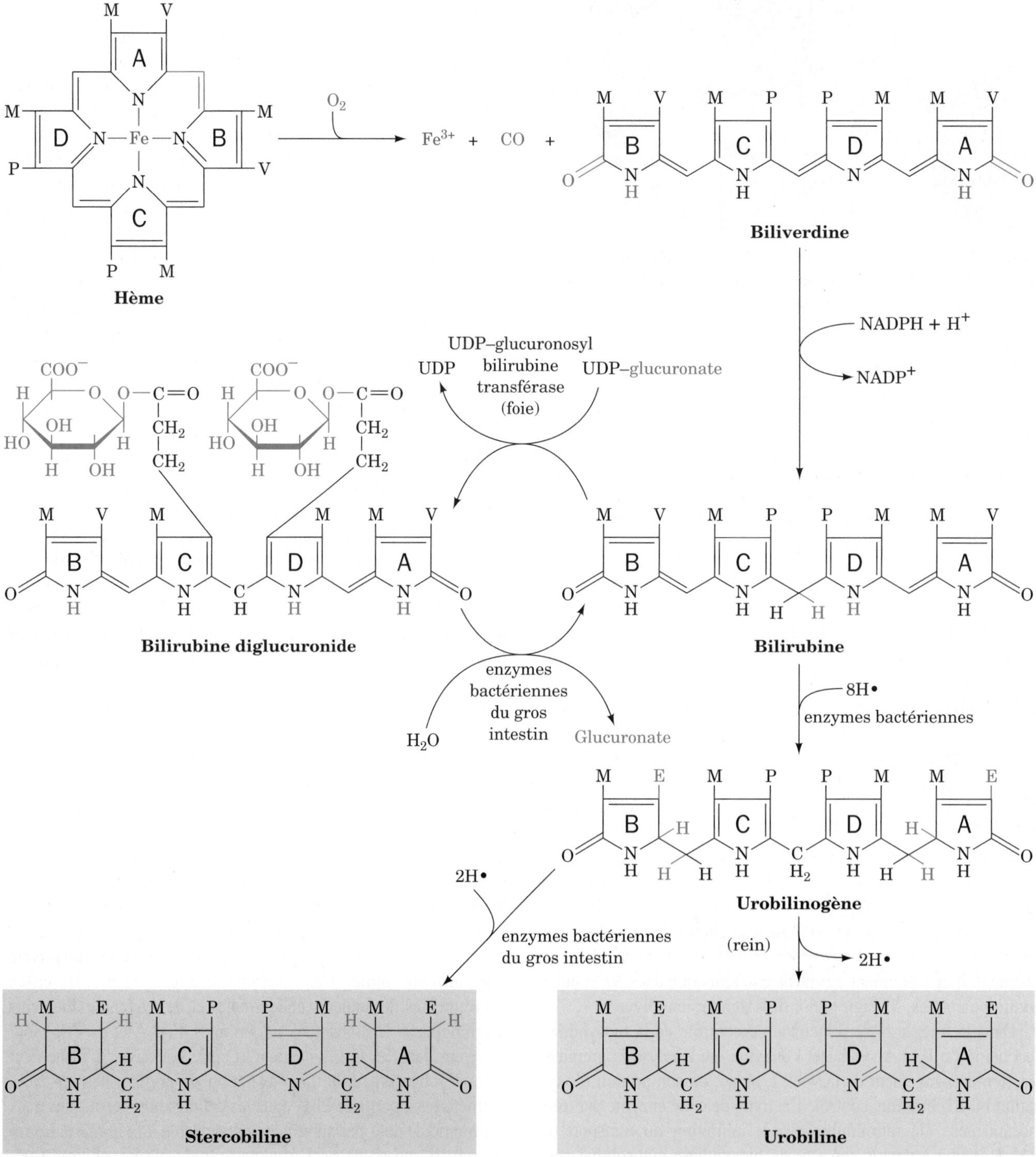

FIGURE 26-41 Voie de dégradation de l'hème. M, V, P et E symbolisent respectivement les groupements méthyle, vinyle, propionyle et éthyle.

gras par exemple, elle est transportée dans le sang complexée à l'albumine. Dans le foie, sa solubilité aqueuse est augmentée par l'estérification de ses deux groupements propionate par l'acide glucuronique, formant le **diglucuronide de bilirubine**, qui est sécrété dans la bile. Des enzymes bactériennes dans le gros intestin hydrolysent les groupements acide glucuronique et, selon un processus à plusieurs étapes, transforment la bilirubine en plusieurs produits, dont l'**urobilinogène**. Une partie de l'urobilinogène est réabsorbé et transporté par le sang jusqu'aux reins où il est transformé en **urobiline** jaune et excrété, donnant ainsi sa couleur caractéristique à l'urine. Cependant, la majeure partie de l'urobilinogène est transformée par des bactéries en **stercobiline** de couleur brun-rouge foncé, le principal pigment des fèces.

Quand le sang contient des quantités excessives de bilirubine, le dépôt de cette substance très peu soluble colore la peau et le blanc des yeux en jaune. C'est ce qui arrive en cas de **jaunisse,** due soit à une destruction anormalement rapide des globules rouges, soit à un dysfonctionnement du foie ou à une occlusion des voies biliaires. Les nouveau-nés, en particulier les prématurés, ont souvent la jaunisse car leur foie ne synthétise pas encore assez de **bilirubine UDP-glucuronyl transférase** pour glucuronider la bilirubine. Les nouveau-nés atteints de jaunisse sont soumis au rayonnement d'une lampe fluorescente qui transforme photochimiquement la bilirubine en isomères plus solubles que le nouveau-né peut dégrader et excréter.

j. La faible affinité de l'hémoglobine pour le CO empêche l'anoxie

Dans la réaction qui donne de la biliverdine, le carbone du pont méthène entre les cycles A et B de la porphyrine est libéré sous forme de CO (Fig. 26-41, *en haut*) qui, nous l'avons vu, est un très bon ligand de l'hème (il a 200 fois plus d'affinité pour l'hémoglobine que O_2; Section 10-1A). Par conséquent, ~1 % des sites de liaison de O_2 de l'hémoglobine sont bloqués par CO, même en l'absence de pollution atmosphérique. Cependant, l'hème libre en solution fixe le CO avec 20 000 fois plus d'affinité que l'O_2. Donc, la partie globine (protéique) de l'hémoglobine (il en est de même pour la myoglobine) abaisse l'affinité de l'hème qui lui est fixé pour le CO, ce qui rend possible le transport d'O_2. Comment expliquer cet effet de la globine?

Les premières structures par rayons X de la **carboxymyoglobine** (la myoglobine fixant un CO) montraient que ce CO est incliné de 40 à 60° par rapport au plan perpendiculaire à l'hème (l'angle de la liaison Fe–C–O étant de 120 à 140°), à peu près le même angle avec lequel l'O_2 se fixe à l'hème (Fig. 10-12). Néanmoins, lorsqu'il est complexé aux porphyrines en absence de protéine, le CO est perpendiculaire au plan de l'hème. Ceci suggérait que la globine (aussi bien dans la myoglobine que dans l'hémoglobine) écarte par effet stérique le CO de sa géométrie linéaire préférée, ce qui réduit son affinité pour le CO, lequel peut être éliminé lentement par expiration. Cependant, des données spectroscopique et de plus fines structures par rayons X de la carboxymyoglobine révèlent que le CO fixé est en fait incliné de ~7° par rapport au plan perpendiculaire à l'hème, ce qui est trop peu pour expliquer l'affinité réduite de la myoglobine pour le CO. Cette diminution pourrait bien sûr s'expliquer par les distorsions imposées à la globine par le ligand CO ainsi dressé, pro-

bablement via le résidu His distal (E7, le résidu His qui établit une liaison hydrogène avec l'O_2 lié; Section 10-2). Cette hypothèse est discréditée par des études d'énergie de liaison du CO et de l'O_2 à des myoglobines dont la His E7 a été mutée en résidus non polaires de volume semblable (p. ex. Leu). En fait, la réduction d'affinité de la myoglobine pour le CO par rapport à celle pour l'O_2 résulte de la plus grande affinité de liaison hydrogène de His E7 pour O_2 que pour CO, et d'effets électrostatiques dus aux différences de distribution de charges dans les ligands O_2 et CO.

k. La chloroquine protège de la malaria en inhibant la séquestration de l'hème par le plasmodium

La malaria est causée par le moustique porteur du parasite *Plasmodium falciparum* (Section 7-3A), qui se multiplie à l'intérieur des globules rouges et les détruit selon un cycle de deux jours. Durant ses séjours à l'intérieur de l'érythrocyte, le parasite satisfait partiellement à ses besoins nutritionnels en protéolysant l'hémoglobine (jusqu'à ~80 %) dans sa vacuole acide. Ce processus libère l'hème qui, sous sa forme soluble, est toxique pour le parasite car il endommage les membranes cellulaires et inhibe plusieurs enzymes. Ne pouvant pas, comme l'homme, dégrader l'hème, les plasmodia le concentrent dans leurs vacuoles sous la forme inoffensive de granules brun foncé appelés **hémozoïne**, constitués de cristaux d'hème dimérisés réunis par des liaisons fer-carboxylate entre les ions ferriques et les chaînes latérales propionate de molécules adjacentes. On a montré que l'hémozoïne est identique à la **β-hématine**,

β-Hématine (hémozoïne)

dont on connaît la structure par rayons X. Dans les cristaux, les dimères interagissent par liaisons hydrogène entre les groupements carboxyliques restants.

La **chloroquine**,

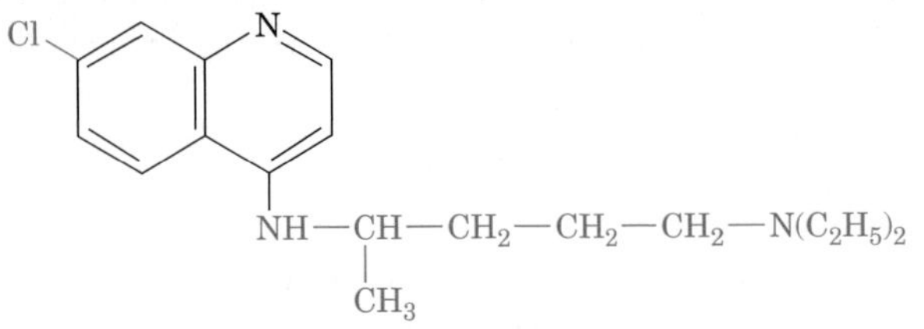

Chloroquine

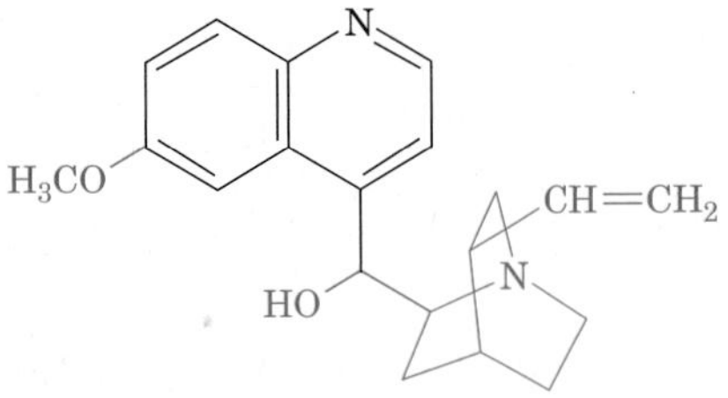

Quinine

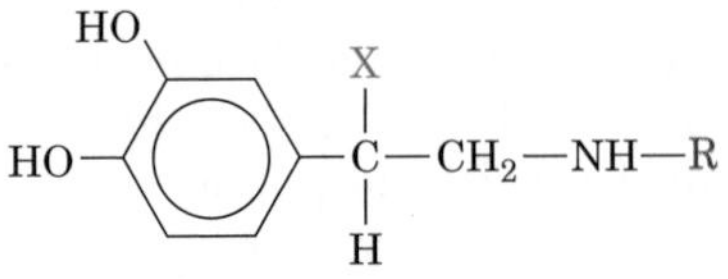

X = OH,	R = CH$_3$	**Adrénaline**
X = OH,	R = H	**Noradrénaline**
X = H,	R = H	**Dopamine**

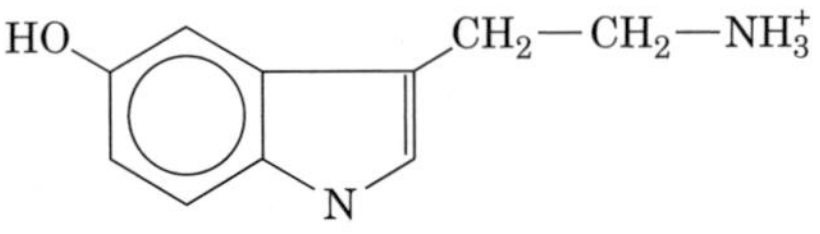

Sérotonine
(5-hydroxytryptamine)

$$^-OOC-CH_2-CH_2-CH_2-NH_3^+$$

Αχιδε γ-**aminobutyrique (GABA)**

Histamine

un membre de la famille des antipaludéens à noyau quinoline, dont la **quinine**, est l'un des agents antipaludéens les plus efficaces ayant été produits. Il n'est efficace contre les plasmodia que lors de leur séjour intraérythrocytaire. Ce médicament étant une base faible qui peut facilement traverser les membranes sous sa forme non chargée, il s'accumule dans la vacuole acide des plasmodia sous sa forme acide à des concentrations de l'ordre du millimolaire. La chloroquine et plusieurs autres antipaludéens à noyau quinoline inhibent la cristallisation de l'hème en hémozoïne. Cette inhibition *in vivo* est presque certainement responsable des propriétés antipaludéennes de ces drogues. Son mécanisme n'est pas clair, bien qu'une hypothèse est que le médicament s'adsorbe sur l'hémozoïne cristallisée, empêchant ainsi toute cristallisation ultérieure.

L'utilisation intensive de la chloroquine a, malheureusement, conduit à l'apparition de plasmodia résistants à la chloroquine dans presque toutes les régions du monde où sévit la malaria. Les plasmodia résistants ne concentrent pas la chloroquine dans leurs vacuoles aux fortes concentrations trouvées dans les parasites sensibles. Ils exportent le médicament de leurs vacuoles près de 50 fois plus vite que ne le font les parasites sensibles. Puisque l'action de la chloroquine et la résistance à la chloroquine font intervenir des mécanismes différents, il devrait être possible de modifier des structures existantes contenant de la quinoline ou de trouver de nouveaux inhibiteurs de la cristallisation de l'hémozoïne qui soient des agents antipaludéens efficaces auxquels les plasmodia ne sont pas (encore) résistants.

B. Biosynthèse d'amines physiologiquement actives

L'adrénaline, la noradrénaline, la dopamine, la sérotonine (ou 5-hydroxytryptamine), l'acide γ-aminobutyrique (GABA) et l'histamine

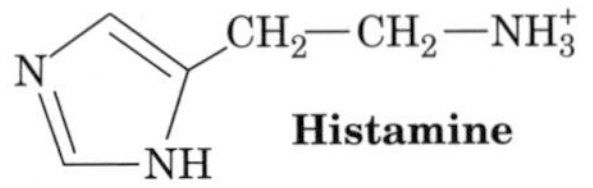

sont des hormones et/ou des neurotransmetteurs dérivés d'acides aminés. L'adrénaline, par exemple, stimule l'adénylate cyclase musculaire, stimulant ainsi la glycogénolyse (Section 18-3E) ; une déficience de la production de dopamine entraîne la **maladie de Parkinson**, une maladie dégénérative qui provoque des tremblements ; la sérotonine stimule la contraction des muscles lisses ; le GABA, libéré dans 30 % des synapses du cerveau, est l'un de ses principaux neurotransmetteurs inhibiteurs (Section 20-5C) ; enfin l'histamine est impliquée dans les réponses allergiques (comme le savent les victimes d'allergies qui prennent des antihistaminiques), ainsi que dans le contrôle de la sécrétion d'acide par l'estomac (Section 20-3C).

La biosynthèse de chacune de ces amines physiologiquement actives implique la décarboxylation de l'acide aminé précurseur correspondant. Les décarboxylases des acides aminés sont des enzymes à PLP qui forment des bases de Schiff avec leur substrat afin de stabiliser le carbanion en C$_\alpha$ formé suite à la rupture de la liaison C$_\alpha$—COO$^-$ (Section 26-1A) :

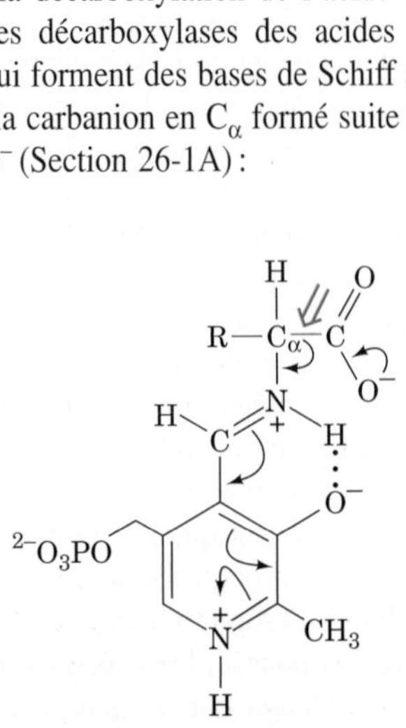

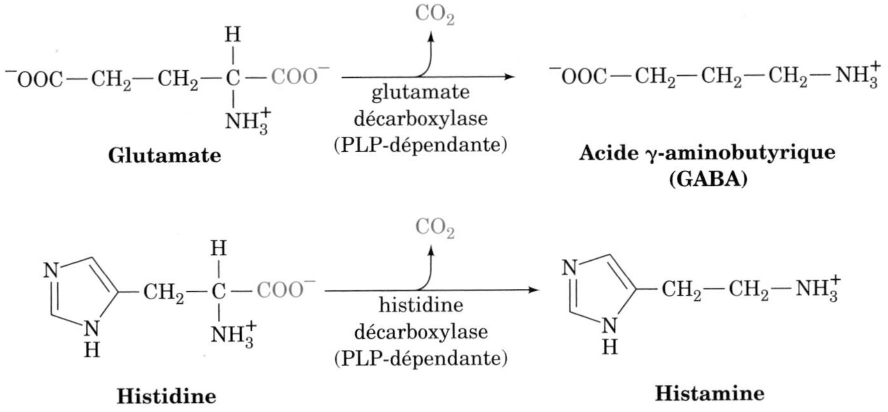

FIGURE 26-42 Formation de l'acide γ-aminobutyrique (GABA) et de l'histamine. Les réactions impliquent la décarboxylation du glutamate pour donner le GABA et de l'histidine pour donner l'histamine.

La formation de l'histamine et du GABA sont des processus en une étape (Fig. 26-42). Lors de la synthèse de la sérotonine à partir de tryptophane, la décarboxylation est précédée d'une hydroxylation (Fig. 26-43) par la **tryptophane hydroxylase,** l'une des trois enzymes de mammifère qui utilise le cofacteur 5,6,7,8-tétrahydrobioptérine (Section 26-3H). Cette hydroxylation implique un déplacement NIH semblable à celui décrit pour la phénylalanine hydroxylase (Section 26-30), bien qu'on ait pas observé ici d'intermédiaire époxy. La dopamine, la noradrénaline et l'adrénaline sont appelées **catécholamines** car ce sont des dérivés amines du **catéchol :**

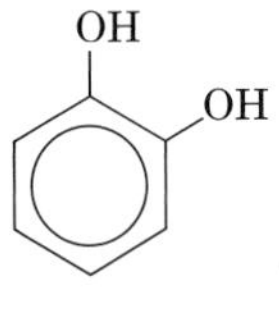

Catéchol

La transformation de la tyrosine en ces différentes catécholamines se fait comme suit (Fig. 26-44) :

1. La tyrosine est ,hydroxylée en **3,4-dihydroxyphénylalanine (L-DOPA)** par la **tyrosine hydroxylase,** autre enzyme nécessitant la 5,6,7,8-tétrahydrobioptérine.

2. La L-DOPA est décarboxylée en dopamine.

3. Une deuxième hydroxylation conduit à la noradrénaline.

4. La méthylation du groupement amine de la noradrénaline par la *S*-adénosylméthionine (SAM : Section 26-3E) donne l'adrénaline.

La catécholamine spécifique produite par une cellule dépend des enzymes de la voie qui sont présentes. Dans les médullo-surrénales, qui assurent la synthèse d'hormones (Section 19-1F), l'adrénaline est le produit principal. Dans certaines régions du cerveau, la noradrénaline est plus courante. Dans d'autres régions, en particulier dans la **substantia nigra,** la voie s'arrête

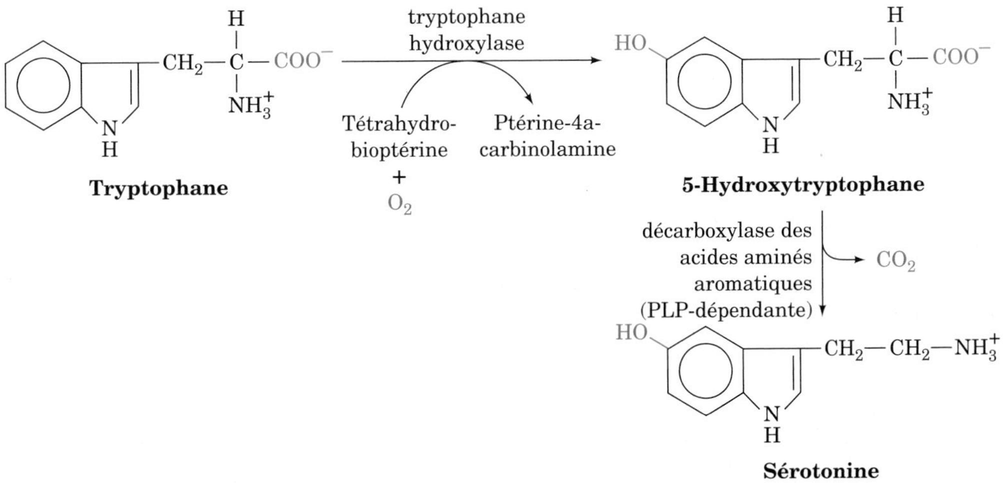

FIGURE 26-43 Formation de la sérotonine. La sérotonine est formée par hydroxylation et décarboxylation subséquente du tryptophane.

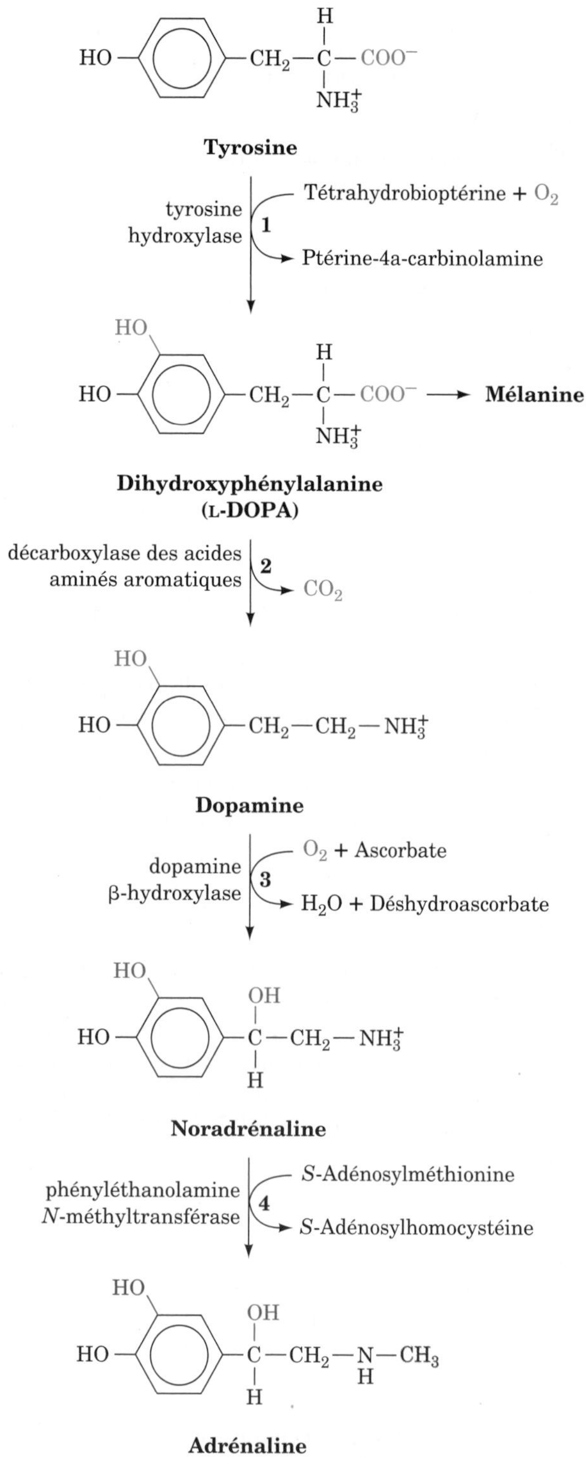

Tyrosine

tyrosine hydroxylase | **1**

Tétrahydrobioptérine + O_2

Ptérine-4a-carbinolamine

Dihydroxyphénylalanine (L-DOPA) ⟶ **Mélanine**

décarboxylase des acides aminés aromatiques | **2** CO_2

Dopamine

dopamine β-hydroxylase | **3**

O_2 + Ascorbate

H_2O + Déshydroascorbate

Noradrénaline

phényléthanolamine *N*-méthyltransférase | **4**

S-Adénosylméthionine

S-Adénosylhomocystéine

Adrénaline

FIGURE 26-44   Synthèses séquentielles de la L-DOPA, de la dopamine, de la noradrénaline et de l'adrénaline à partir de tyrosine. La L-DOPA est aussi le précurseur du pigment noir de la peau, la mélanine, substance polymérisée oxydée.

à la synthèse de la dopamine. En fait, la maladie de Parkinson, causée par la dégénérescence de la substantia nigra, a été traitée avec quelque succès par administration de L-DOPA, le précurseur immédiat de la dopamine. La dopamine elle-même n'a pas

d'effet car elle ne peut traverser la barrière hémato-encéphalique. Cependant, la L-DOPA peut accéder à son site d'action où elle est décarboxylée en dopamine. L'enzyme qui catalyse cette réaction, la **décarboxylase des acides aminés aromatiques,** décarboxyle tous les acides aminés aromatiques et est donc responsable de la formation de la sérotonine. Dans un nouveau traitement de la maladie de Parkinson, une partie de la médullosurrénale du patient est transplantée dans le cerveau. Vraisemblablement, la dopamine et la L-DOPA libérées par ce tissu remplacent celles qui ne sont plus produites par la substantia nigra dégénérée. La L-DOPA est aussi un précurseur de la mélanine, pigment noir de la peau.

C. *Le glutathion*

Le **glutathion** (GSH ; γ-glutamylcystéinylglycine),

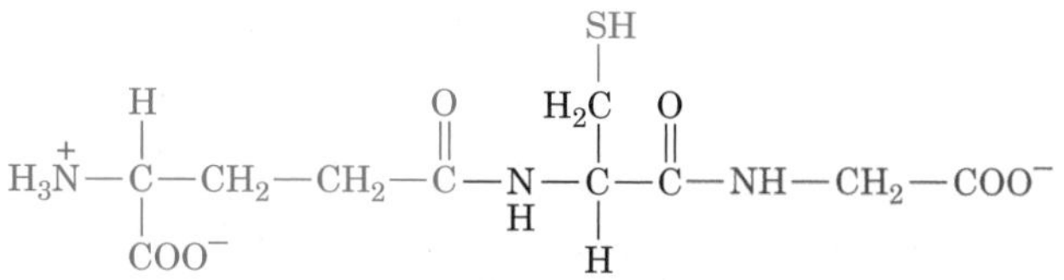

Glutathion (GSH ; γ-glutamylcystéinylglycine)

un tripeptide qui présente une liaison γ-amide inhabituelle, participe à de nombreux processus de détoxication, de transport et de métabolisme (Fig. 26-45). Par exemple, c'est un substrat des réactions des peroxydases, favorisant la destruction des peroxydes formés par des oxydases ; il est impliqué dans la biosynthèse des leucotriènes (Section 25-7C) ; et l'équilibre entre sa forme réduite (GSH) et sa forme oxydée (GSSG) maintient les groupements sulfhydryle des protéines intracellulaires dans leur état d'oxydo-réduction correct.

Le **cycle γ-glutamyl,** élucidé par Alton Meister, *fournit un « véhicule » pour l'entrée énergie-dépendante des acides aminés dans les cellules grâce à la synthèse et la dégradation du GSH (Fig. 26-46). Le GSH est synthétisé à partir de glutamate, de cys-*

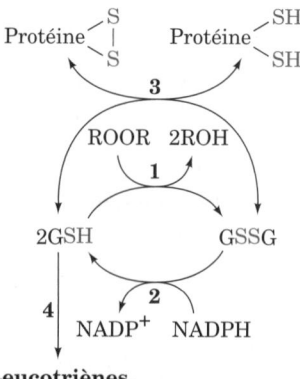

FIGURE 26-45   Quelques réactions impliquant le glutathion. Les réactions et les enzymes sont (**1**) détoxication des peroxydes par la **glutathion peroxydase,** (**2**) régénération de GSH à partir de GSSG par la glutathion réductase (Section 21-2B), (**3**) modulation par la thiol transférase de l'équilibre thiol–disulfure protéique, et (**4**) biosynthèse des leucotriènes par la glutathion-*S*-transférase.

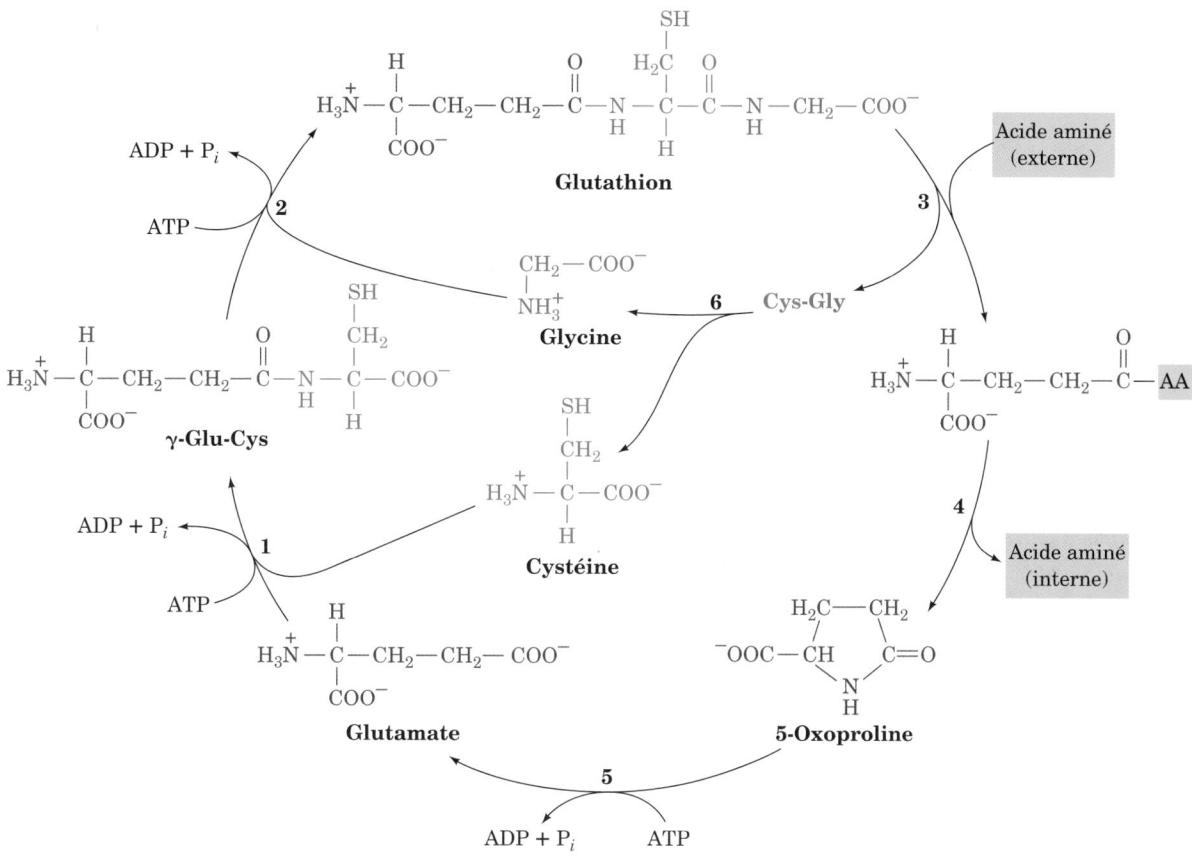

FIGURE 26-46 Synthèse du glutathion en tant qu'élément du cycle γ-glutamyl du métabolisme du glutathion. Les réactions du cycle sont catalysées par : (**1**) la γ-glutamylcystéine synthétase, (**2**) la gluta-thion synthétase, (**3**) la γ-glutamyl transpeptidase, (**4**) la γ-glutamyl cyclotransférase, (**5**) la 5-oxoprolinase, et (**6**) une protéase intracellu-laire.

téine et de glycine par les actions consécutives de la **γ-glutamyl-cystéine synthétase** et de la **GSH synthétase** (Fig. 26-46, Réactions 1 et 2). L'hydrolyse de l'ATP fournit l'énergie libre nécessaire à chaque réaction. Le groupement carboxylate est activé pour la formation de la liaison peptidique par formation d'un intermédiaire acyl phosphate :

$$R\!-\!\overset{\displaystyle O}{\overset{\|}{C}}\!-\!O^- + ATP \xrightarrow{\quad\text{ADP}\quad} R\!-\!\overset{\displaystyle O}{\overset{\|}{C}}\!-\!OPO_3^{2-}$$

$$\xrightarrow[\quad P_i \quad]{\quad NH_2\!-\!R' \quad}$$

$$R\!-\!\overset{\displaystyle O}{\overset{\|}{C}}\!-\!\underset{\displaystyle H}{N}\!-\!R'$$

La dégradation du GSH est catalysée par la **γ-glutamyl trans-peptidase**, la **γ-glutamyl cyclotransférase**, la **5-oxoprolinase**, et une peptidase intracellulaire (Fig. 26-46, Réactions 3-6).

Le transport des acides aminés est assuré car, alors que le GSH est synthétisé et localisé essentiellement à l'intérieur de la cellule, la γ-glutamyl transpeptidase, qui catalyse la dégradation du GSH (Fig. 26-46, Réaction 3), est située sur la face externe de la membrane cellulaire et accepte des acides aminés, en par-ticulier la cystéine et la méthionine. Le GSH est d'abord trans-porté à la surface externe de la membrane cellulaire, où le trans-fert du groupement γ-glutamyl depuis le GSH sur un acide aminé externe a lieu. Le γ-glutamyl aminoacide retourne ensuite dans la cellule pour être transformé en glutamate selon un processus en deux étapes au cours duquel l'acide aminé transporté est libéré avec formation de l'intermédiaire **5-oxoproline.** La der-nière étape du cycle, l'hydrolyse de la 5-oxoproline, s'accom-pagne de l'hydrolyse d'ATP. Cette observation surprenante (l'hy-drolyse d'une liaison amide est presque toujours exergonique) vient de ce que la liaison amide interne de la 5-oxoproline est anormalement stable.

D. *Les cofacteurs à tétrahydrofolate : métabolisme des unités en C_1*

De nombreux processus biochimiques impliquent l'addition d'une unité en C_1 à un précurseur métabolique. Un exemple familier est la carboxylation. Par exemple, la gluconéogenèse à partir de pyru-vate débute par l'addition d'un groupement carboxylate pour for-mer de l'oxaloacétate (Section 23-1A). Le coenzyme impliqué dans cette réaction et dans la plupart des réactions de carboxyla-tion est la biotine (Section 23-1A). Par contre, la *S*-adénosylmé-thionine est impliquée dans des réactions de méthylation (Section 26-3E).

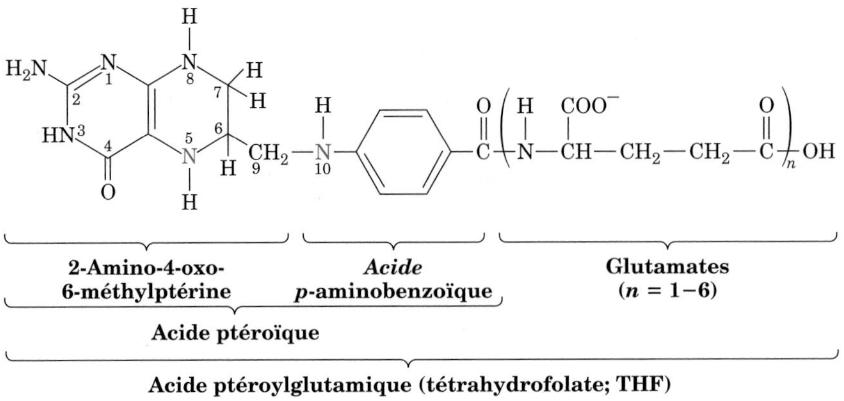

2-Amino-4-oxo-6-méthylptérine

Acide p-aminobenzoïque

Glutamates (n = 1–6)

Acide ptéroïque

Acide ptéroylglutamique (tétrahydrofolate; THF)

FIGURE 26-47 Le tétrahydrofolate (THF).

*Le **tétrahydrofolate (THF)** a des rôles plus variés que les cofacteurs juste mentionnés car il intervient dans le transfert d'unités en C_1 qui sont dans des états d'oxydo-réduction différents.* Le THF est un dérivé de la 6-méthylptérine lié successivement à l'acide *p*-aminobenzoïque et à des résidus Glu (Fig. 26-47). On peut trouver jusqu'à cinq résidus Glu supplémentaires liés au premier glutamate par des liaisons isopeptidiques ce qui forme une queue polyglutamyl.

Le THF est un dérivé de l'**acide folique** (du latin *folium*, feuille), une forme doublement oxydée du THF qui doit être réduite enzymatiquement pour devenir un coenzyme actif (Fig. 26-48). Les deux réductions sont catalysées par la **dihydrofolate réductase (DHFR)**. Les mammifères ne peuvent pas synthétiser l'acide folique qui doit donc être apporté par leur alimentation ou par des micro-organismes intestinaux.

Les unités en C_1 sont liées par covalence au THF aux positions N5, N10, ou N5 et N10 à la fois. Ces unités en C_1, qui peuvent être aux niveaux d'oxydation du formiate, du formaldéhyde ou du méthanol (Tableau 26-1), sont toutes interconvertibles par des réactions d'oxydo-réduction enzymatiques (Fig. 26-49).

L'entrée principale des unités en C_1 dans le pool du THF se fait sous la forme de N^5,N^{10}-**méthylène-THF** par la transformation de sérine en glycine par la sérine hydroxyméthy transférase (Sections 26-3B et 26-5A) et le clivage de la glycine par la glycine synthase (le système de clivage de la glycine; Section 26-3B, Fig. 26-14). L'histidine fournit aussi des unités en C1 lors de sa dégradation avec formation de N^5-**formimino-THF** (Fig. 26-17, Réaction 11).

Une unité en C_1 du pool du THF peut avoir plusieurs destins (Fig. 26-50):

1. Elle peut être utilisée directement sous forme de N^5,N^{10}méthylène-THF dans la transformation du désoxyribonucléotide dUMP en dTMP par la **thymidylate synthase** (Section 28-3B).

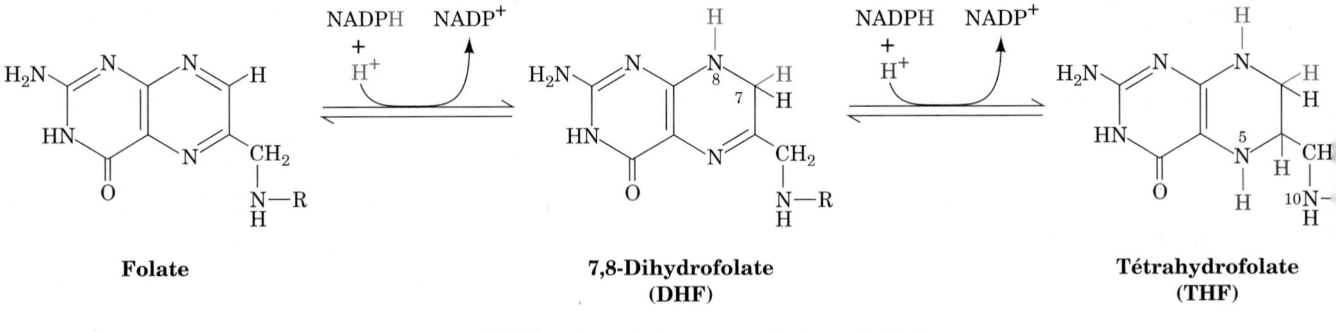

Folate

7,8-Dihydrofolate (DHF)

Tétrahydrofolate (THF)

FIGURE 26-48 **Réduction en deux étapes du folate en THF.** Les deux réactions sont catalysées par la dihydrofolate réductase (DHFR).

TABLEAU 26-1 **Oxidation Levels of C_1 Groups Carried by THF**

Etat d'oxydation	Groupement transporté	Dérivé(s) THF
Méthanol	Méthyl (—CH_3)	N^5-Méthyl-THF
Formaldéhyde	Méthylène (—CH_2—)	N^5,N^{10}-Méthylène-THF
Formiate	Formyl (—CH=O)	N^5-Formyl-THF, N^{10}-formyl-THF
	Formimino (—CH=NH)	N^5-Formimino-THF
	Méthényl (—CH=)	N^5,N^{10}-Méthenyl-THF

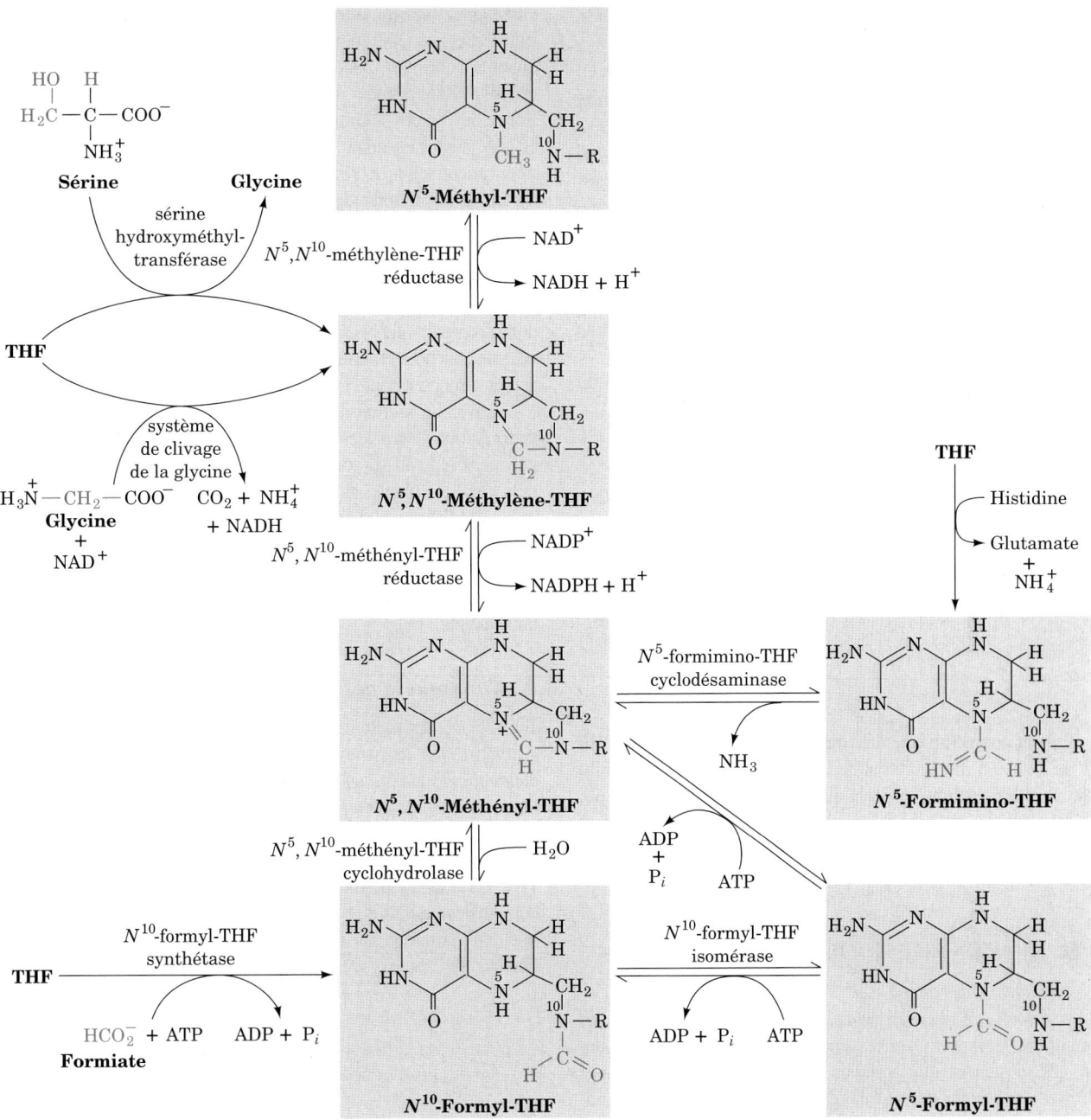

FIGURE 26-49 Interconversions des unités en C_1 portées par le THF.

FIGURE 26-50 Devenirs biosynthétiques des unités en C_1 du pool THF.

2. Elle peut être réduite en N^5-**méthyl-THF** pour la synthèse de méthionine à partir d'homocystéine (Section 26-3E).

3. Elle peut être oxydée via le N^5,N^{10}-méthényl-THF en N^{10}-**formyl-THF** utilisé dans la synthèse des bases puriques (Section 28-1A). Le cycle purique de l'ATP étant impliqué dans la synthèse de l'histidine chez les micro-organismes et les plantes (Section 26-5B), le N^{10}-formyl-THF se trouve impliqué indirectement dans cette voie. Les procaryotes utilisent le N^{10}-formyl-THF dans une réaction de formylation qui conduit au **formylméthionine-ARNt**, qui leur est indispensable pour l'initiation de la biosynthèse des protéines (Section 32-3C).

Les **sulfamides (médicaments à base de soufre)**, comme la **sulfanilamide,** sont des antibiotiques qui ont une analogie de structure avec l'acide *p*-aminobenzoïque, l'un des constituants du THF :

Sulfonamides
(R = H, sulfanilamide)

Acide *p*-aminobenzoïque

Ils inhibent compétitivement la biosynthèse bactérienne du THF lors de l'étape d'incorporation de l'acide *p*-aminobenzoïque, bloquant ainsi les réactions exigeant du THF que nous venons de voir. Les mammifères ne pouvant synthétiser l'acide folique ne sont donc pas affectés par les sulfamidés, d'où l'usage thérapeutique de ces agents antibactériens.

5 ■ BIOSYNTHÈSE DES ACIDES AMINÉS

De nombreux acides aminés sont synthétisés par des voies qui ne sont assurées que chez les plantes et les micro-organismes. Les mammifères devant trouver ces acides aminés dans leur alimentation, ces substances sont appelées **acides aminés essentiels**. Les autres acides aminés qui peuvent être synthétisés par les mammifères à partir de molécules courantes sont appelés **acides aminés non essentiels**. Leur squelette carboné α–cétonique est converti en acide aminé par réaction de transamination (Section 26-1A) à partir de l'azote α–aminé préformé d'un autre acide aminé, d'habitude le glutamate. On a d'abord supposé que le glutamate peut être synthétisé à partir d'ammoniac et d'α-cétoglutarate par la glutamate déshydrogénase agissant en sens inverse. Il semble bien, cependant, que l'action physiologique principale de cette enzyme soit la dégradation du glutamate (Seciton 26-1B). *Il s'en suit que l'azote α–aminé préformé doit être considéré comme un nutriment essentiel.* Dans ce contexte, il est intéressant de noter qu'en plus des quatre récepteurs du goût bien connus, pour le sucré, le sûr, le salé et l'amer, on en a découvert récemment un cinquième pour le **monoglutamate de sodium (MSG)**, au goût de viande, appelé (du japonais) **umami.**

La liste des acides aminés essentiels et non essentiels est donnée dans le Tableau 26-2. L'arginine est classée comme essentielle, bien qu'elle soit synthétisée au cours du cycle de l'urée (Section 26-2D), car elle doit être fournie en plus grandes quantités que n'en peut fournir cette voie lors de la croissance et du développement des enfants (mais pas des adultes). On trouve les acides aminés essentiels dans les protéines animales et végétales. Cependant, les proportions en acides aminés essentiels varient selon les protéines. Par exemple, les protéines du lait les contiennent tous dans des proportions requises pour l'alimentation humaine. Par contre, la protéine du haricot contient de grandes quantités de lysine mais est déficiente en méthionine, tandis que celle du blé est déficiente en lysine mais contient beaucoup de méthionine. Un régime protéique équilibré doit donc contenir plusieurs sources protéiques différentes qui se complètent pour fournir les proportions requises de tous les acides aminés essentiels.

Dans cette section nous étudierons les voies impliquées dans la formation des acides aminés non essentiels. Nous étudierons aussi brièvement les voies de synthèse des acides aminés essentiels chez les plantes et les micro-organismes. Noter cependant, qu'à côté des voies de synthèse principales que nous allons étudier, il existe des variantes multiples de ces voies selon les espèces. Par contre, comme nous l'avons vu, les voies fondamentales du métabolisme des glucides et des lipides sont quasi universelles.

A. *Biosynthèse des acides aminés non essentiels*

Tous les acides aminés non essentiels, excepté la tyrosine, sont synthétisés par des voies simples à partir de quatre intermédiaires métaboliques classiques : le pyruvate, l'oxaloacétate, l'α-cétoglutarate et le 3-phosphoglycérate. La tyrosine, qui est vraiment mal classée comme non essentielle, est synthétisée par l'hydroxylation en une étape de l'acide aminé essentiel phénylalanine (Section 26-3H). En fait, les besoins alimentaires en phénylalanine tiennent compte des besoins en tyrosine. La présence de tyrosine dans l'alimentation diminue par conséquent les besoins en phénylalalnine. Puisque de l'azote α–aminé préformé sous forme de glutamate est

TABLEAU 26-2 **Acides aminés essentiels et non essentiels chez l'humain**

Essentiels	Non essentiels
Arginine[a]	Alanine
Histidine	Asparagine
Isoleucine	Aspartate
Leucine	Cystéine
Lysine	Glutamate
Méthionine	Glutamine
Phénylalanine	Glycine
Thréonine	Proline
Tryptophane	Sérine
Valine	Tyrosine

[a]Bien que les mammifères synthétisent l'arginine, ils en hydrolysent la plus grnade partie pour former de l'urée (Sections 26-2D et 26-2E).

un nutriment indispensable pour la biosynthèse des acides aminés non essentiels, nous commencerons par étudier sa production par les plantes et les micro-organismes.

a. Le glutamate est synthétisé par la glutamate synthase

La **glutamate synthase**, une enzyme que l'on ne trouve que chez les micro-organismes, les plantes et les animaux inférieurs, transforme en glutamate l'α-cétoglutarate et l'ammoniac provenant de la glutamine. Les électrons nécessaires à cette amination réductionnelle proviennent du NADPH ou de la ferrédoxine, selon l'organisme considéré. La glutamate synthase NADPH-dépendante de la bactérie fixant l'azote *Azospirillum brasilense*, l'enzyme de ce type la mieux caractérisée, est un hétérotétramère $\alpha_2\beta_2$ qui fixe un NAD et deux centres [4Fe–4S] sur chaque sous-unité β, et un FMN et un centre [3Fe–4S] sur chaque sous-unité α. La réaction globale est

NADPH + H$^+$ + glutamine + α-cétoglutarate

$\rightarrow$ 2glutamate + NADP$^+$

et se fait en cinq étapes qui impliquent trois sites actifs distincts (Fig. 26-51) :

1. Les électrons sont transférés du NADPH au FAD sur le site actif 1 de la sous-unité β pour donner le FADH$_2$.

2. Les électrons sont transférés du FADH$_2$ au FMN sur le site 2 d'une sous-unité α spécifique via les centres fer-soufre pour donner le FMNH$_2$.

3. La glutamine est hydrolysée en α-glutamate et ammoniac sur le site 3 d'une sous-unité α.

4. L'ammoniac produit est transféré au site 2 où il réagit avec l'α-cétoglutarate pour former l'α-iminoglutarate.

5. L'α-iminoglutarate est réduit par le FMNH$_2$ pour former le glutamate.

En absence de sous-unité β, la sous-unité α peut synthétiser du glutamate à partir de glutamine et d'α-cétoglutarate en présence d'un donneur d'électrons artificiel ; de plus, elle est homologue et semblable, au plan fonctionnel, aux glutamine synthases ferrédoxine-dépendantes. La sous-unité α de *A. brasilense* est donc considérée comme le cœur catalytique de l'enzyme.

La structure par rayons X de la sous-unité α (1479 résidus) de la glutamate synthase de *A. brasilense* complexée à un centre [3Fe–4S], un FMN, un substrat α–cétoglutarate et un inhibiteur, la

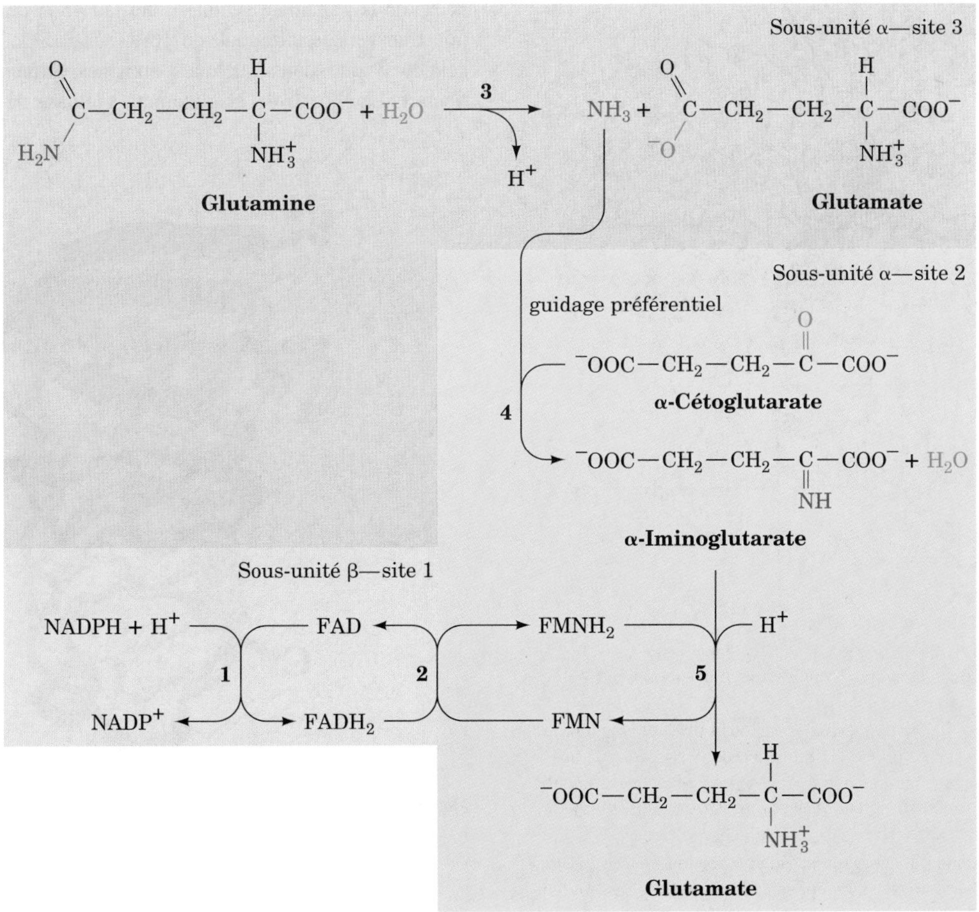

Bilan global: NADPH + H$^+$ + glutamine + α-cétoglutarate $\longrightarrow$ 2 glutamate + NADP$^+$

FIGURE 26-51 Séquence des réactions catalysées par la glutamate synthase.

méthionine sulfone (un analogue tétraédrique de l'état de transition),

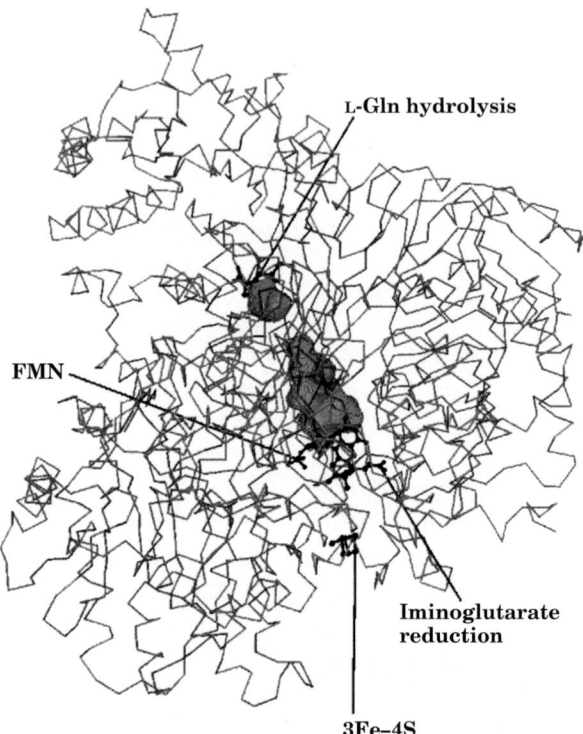

Glutamine

Methionine sulfone

fut déterminée par Andrea Mattevi (Fig. 26-52). La sous-unité comporte quatre domaines, un domaine glutamine amidotransférase N-terminal, un domaine central, un domaine de liaison du FMN, et un domaine à **hélice β** C-terminal (voir ci-dessous). La méthionine sulfone se fixe au domaine amidotransférase N-termi-nal (site 3), où la glutamine est normalement hydrolysée suite à l'attaque nucléophile de l'atome C_γ de la glutamine par le goupement sulfhydryle de Cys 1 pour donner transitoirement un intermédiaire tétraédrique mimé par le groupement sulfone tétra-édrique. Le domaine de liaison du FMN est essentiellement constitué d'un tonneau α/β à l'entrée duquel se fixent l'α–céto-glutarate et le centre [3Fe–4S]. La distance entre le groupement méthyle de la méthionine sulfone (analogue du groupement amide de la glutamine) et le groupement α–cétonique de l'α-cÈtogluta-rate est de 31 ≈. Ces deux sites communiquent par un tunnel par lequel doit diffuser l'ammoniac pour rÈagir avec l'α-cÈtoglutarate (RÈaction 4, Fig. 26-51). Cependant, le tunnel est bloquÈ par les atomes des chaÔnes principales de quatre rÈsidus qui y font pro-trusion. Il faut donc un déplacement d'au moins 2 à 3 Å dans la structure au cours de la réaction pour que l'ammoniac puisse dif-fuser entre ces sites. Ce contrôle du calibre du tunnel est sans doute crucial pour réguler la fonction de l'enzyme de sorte à éviter une hydrolyse inutile de glutamine. Celle-ci n'est en fait hydrolysée que lorsque l'enzyme a fixé l'α-cÈtoglutarate et que des Èquiva-lents rÈducteurs sont disponibles pour la rÈduction de l'iminoglu-tarate.

Le domaine C-terminal de la glutamate synthase est constitué essentiellement d'une hélice β à 7 tours, de pas à droite (Fig. 26-53). Dans ce motif rare, la chaîne polypeptidique s'enroule en hélice très large, de sorte que les tours voisins de la chaîne inter-agissent comme le font les segments d'un feuillet β parallèle. L'hé-lice β de la glutamate synthase, qui fait 43 Å de long, a une sec-tion transversale elliptique de 16 Å sur 23. On n'a observé des hélices β que dans quelques enzymes, principalement bacté-riennes. L'hélice β de la glutamate synthase ne contient pas de

FIGURE 26-52 Structure par rayons X de la sous-unité α de la glu-tamate synthase de *A. Brasilense* représentée par son squelette des C_α. La sous-unité possède quatre domaines, un domaine glutamine ami-dotransférase N-terminal (*bleu*), auquel est fixée la méthionine sulfone (un analogue tétraédrique de l'état de transition de la glutamine) ; un domaine central (*rouge*), un domaine de liaison du FMN (*vert*) auquel sont fixés un FMN, un centre [3Fe–4S] et un α–cétoglutarate ; et un domaine à hélice β (*violet*). Les ligands mentionnés ci-dessus sont en modèle éclaté. Le tunnel de 31 Å qui va du groupement méthyle de la méthionine sulfone (analogue du groupement amidé de la glutamine) au groupement α–cétonique de l'α-cétoglutarate est délimité par un contour gris. Dans cette structure, le tunnel est bloqué (divisé en deux cavités) par les atomes de la chaîne principale de quatre résidus qui font protru-sion dans le tunnel. [Avec la permission d'Andrea Mattevi, Università degli Studi di Pavia, Italie. PDBid 1EA0.]

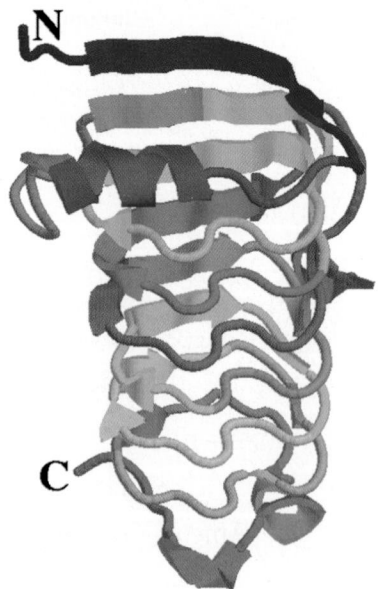

FIGURE 26-53 L'hélice β de la glutamate synthase de *A. Brasilense*. Le squelette polypeptidique (résidus 1225-1416) est représenté en cou-leurs étagées, du bleu à l'extrémité N-terminale au rouge à l'extrémité C-terminale. Les tours voisins de la chaîne polypeptidique au sein de l'hé-lice interagissent comme le font les segments de feuillets β parallèles. Néanmoins, plusieurs de ces segments sont dessinés en spirale car leur conformation s'écarte de celle de segments β courants. [D'après une structure par rayons X due à Andrea Mattevi, Università degli Studi di Pavia, Italie. PDBid 1EA0.]

résidu impliqué dans la catalyse ou le transfert d'électrons. Cependant, elle pourrait jouer un rôle structural important car certains de ses résidus bordent le tunnel par où passe l'ammoniac.

Des domaines ou des sous-unités glutamine amidotransférase font partie de plusieurs structures protéiques où la glutamine est le donneur d'ammoniac pour une réaction ultérieure. Dans la glutamate synthase, c'est un domaine de la sous-unité α (Fig. 26-52). Dans la carbamyl phosphate synthétase d'*E. coli* (CPS ; Section 26-2A), il s'agit d'une sous-unité complète au sein d'un hétérodimère. On trouve ces domaines ou sous-unités dans une de deux familles qui se distinguent par la structure de leur site actif. Dans la CPS, c'est la **famille de la triade**, qui doit son nom à la présence d'une Cys du site actif dans une triade catalytique comme dans les protéases à sérine (Section 15-3). Le domaine glutamine amidotransférase de la glutamate synthase appartient à la **famille nucléophile N-terminale (Ntn)** qui, nous l'avons vu, possède une Cys N-terminale agissant comme nucléophile du site actif. Parmi les autres enzymes impliquées dans la biosynthèse d'acides aminés et possédant un domaine glutamine amidotransférase, on compte l'asparagine synthétase (Fig. 26-54, Réaction 4 ; voir ci-dessous), membre de la famille Ntn, et l'imidazole glycérol phosphate synthase (Fig. 26-65, Réaction 5), membre de la famille de

la triade. Toutes ces enzymes ont un tunnel pour le passage de l'ammoniac qui relie le site amidotransférase au site d'utilisation de l'ammoniac.

b. L'alanine, l'asparagine, l'aspartate, le glutamate et la glutamine sont synthétisés à partir de pyruvate, d'oxaloacétate et d'α-cétoglutarate

Le pyruvate, l'oxaloacétate et l'α-cétoglutarate sont les acides α-cétoniques correspondants respectivement à l'alanine, l'aspartate et le glutamate. Comme nous l'avons vu (Section 26-1), la synthèse de chacun de ces trois acides aminés se fait par une réaction de transamination en une étape (Fig. 26-54, Réactions 1-3). L'asparagine et la glutamine sont synthétisées respectivement à partir d'aspartate et de glutamate par amidation (Fig. 26-54, Réactions 4 et 5). La **glutamine synthétase** catalyse la formation de glutamine dans une réaction où l'ATP est hydrolysé en ADP et P_i via l'intermédiaire du **γ-glutamylphosphate** et où NH_4^+ est le groupement aminé donneur (Fig. 26-54, Réaction 5). Curieusement, l'amidation de l'aspartate par l'**asparagine synthétase** pour donner l'asparagine suit une voie différente ; elle utilise la glutamine comme donneur de groupement aminé et hydrolyse l'ATP en AMP + PP_i (Fig. 26-54, Réaction 4). Cette enzyme est constituée

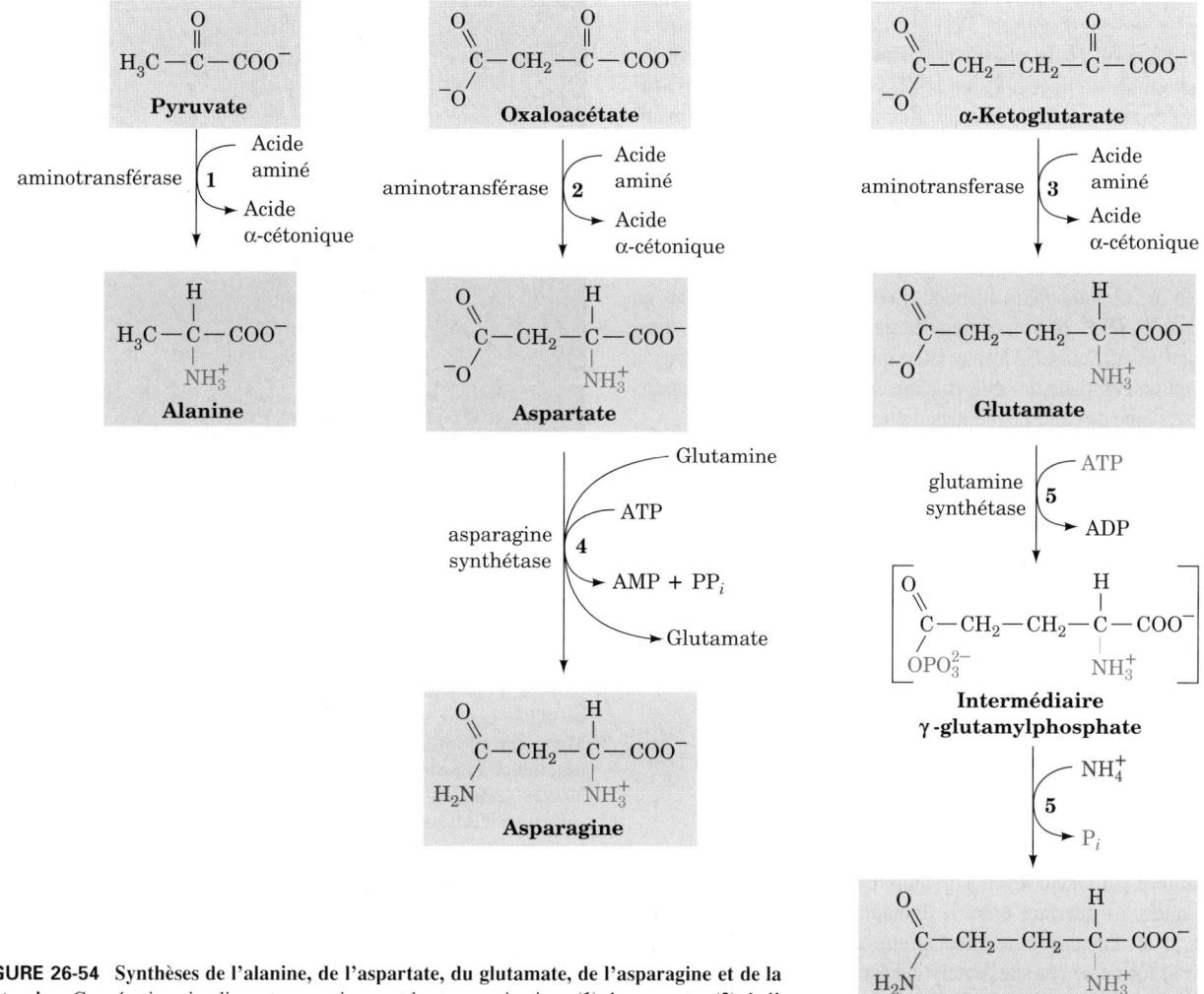

FIGURE 26-54 Synthèses de l'alanine, de l'aspartate, du glutamate, de l'asparagine et de la glutamine. Ces réactions impliquent respectivement les transaminations (**1**) du pyruvate, (**2**) de l'oxaloacétate, et (**3**) de l'α–cétoglutarate, et les amidations (**4**) de l'aspartate et (**5**) du glutamate.

d'un domaine amidotransférase de la famille Ntn (voir ci-dessus) et d'un second domaine où le β-aspartyl-AMP

β-Aspartyl-AMP

est synthétisé à partir de Asp et d'ATP et réagit ensuite avec l'ammoniac pour former de l'Asn. Comme dans d'autres enzymes à activité glutamine amidotransférase, les deux domaines communiquent par un tunnel qui conduit l'ammoniac d'un site actif à l'autre.

c. La glutamine synthétase est un point de contrôle central du métabolisme azoté

La glutamine est, comme nous l'avons vu, le donneur de groupement aminé pour la formation de nombreux produits biosynthétiques et est une forme de stockage de l'ammoniac. Par conséquent, la position de plaque tournante qu'occupe la glutamine synthétase dans le métabolisme azoté, fait du contrôle de son activité un point crucial. En fait, les glutamine synthétases de mammifère sont activées par l'α-cétoglutarate, produit de la désamination oxydative du glutamate. Ce contrôle empêche probablement l'accumulation d'ammoniac produit par cette réaction.

Earl Stadtman a montré que la glutamine synthétase bactérienne présente un système de contrôle bien plus élaboré. Cette enzyme, formée de 12 sous-unités identiques de 469 résidus disposées en symétrie D_6 (Fig. 26-55), est régulée par plusieurs effecteurs ainsi que par modification covalente. Bien que nous ne donnions pas la description complète de cette enzyme complexe, plusieurs aspects de ce système de contrôle méritent d'être signalés.

La structure par rayons X de la glutamine synthétase de *Salmonella typhimurium* complexée à l'analogue structural du glutamate, la **phosphinothricine**,

Phosphinothricine   **Glutamate**

déterminée par David Eisenberg, montre que ses sites catalytiques sont situés à l'interface entre le domaine C-terminal d'une sous-unité et le domaine N-terminal d'une sous-unité adjacente. On décrit la forme de ces sites catalytiques comme un « diabolo » qui s'ouvre aux côtés exposés supérieur (fixation de l'ATP) et inférieur (fixation de Glu et de NH_4^+) de la molécule (entre ses deux

anneaux hexamériques) et se rétrécit dans le plan des ions métalliques essentiels (deux par sous-unité). La liaison du nucléotide induit des modifications conformationnelles qui augmentent l'affi-

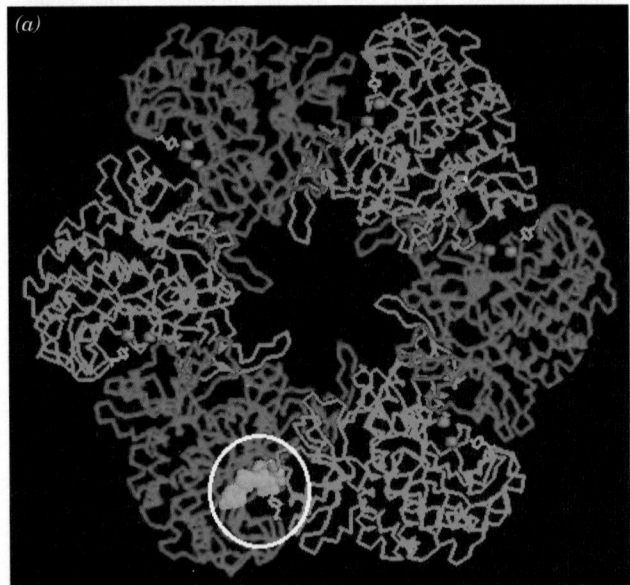
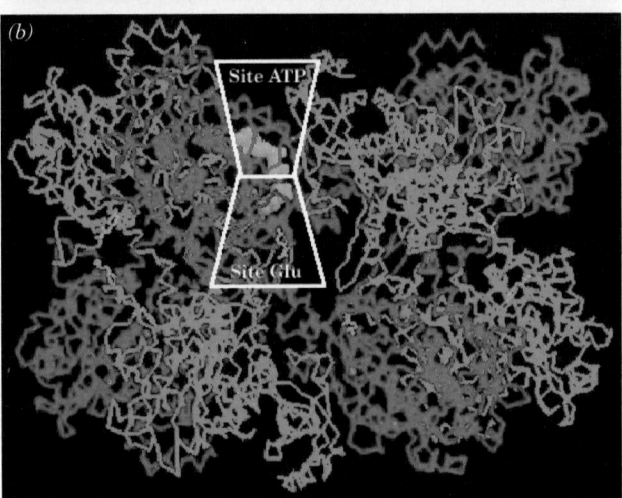

FIGURE 26-55   Structure par rayons X de la glutamine synthétase de *S. typhimurium*. L'enzyme est constituée de 12 sous-unités identiques, représentées ici par leurs squelettes des C_α disposées en symétrie D_6 (la symétrie d'un prisme hexagonal). (*a*) Vue vers le bas le long de l'axe de symétrie d'ordre 6 ne montrant que les six sous-unités de l'anneau supérieur alternativement en bleu et en vert. Les sous-unités de l'anneau inférieur sont pratiquement en dessous de celles de l'anneau supérieur. La protéine, y compris ses chaînes latérales (non montrées), a un diamètre de 143 Å. Les six sites actifs montrés sont indiqués par les paires d'ions Mn^{2+} (*sphères rouges ;* des ions métalliques divalents, Mg^{2+} *in vivo*, sont nécessaires à l'activité enzymatique). Chaque site d'adénylylation, Tyr 397 (*en jaune*), est situé entre deux sous-unités à une distance radiale supérieure à celle du site actif correspondant. On voit aussi dans un site actif l'ADP (*bleu-vert*) et la phosphinothricine (*orange*), un inhibiteur compétitif du glutamate. L'ouverture supérieure vers ce site actif, par laquelle se fixent l'ATP et l'ADP, est indiquée par un cercle blanc. (*b*) Vue latérale dans le sens de l'axe de symétrie d'ordre 2 ne montrant que les huit sous-unités les plus proches. La molécule s'étend sur 103 Å le long de l'axe d'ordre 6 qui est ici vertical. Le site actif en forme de diabolo est dessiné en blanc. [D'après une structure par rayons X due à David Eisenberg, UCLA. PDBid 1FPY.]

nité du glutamate et de l'ion ammonium, ce qui conduit à un mécanisme séquentiel ordonné.

Neuf rétro-inhibiteurs allostériques contrôlent l'activité de la glutamine synthétase bactérienne de façon cumulative : l'histidine, le tryptophane, le carbamyl phosphate (celui synthétisé par la carbamyl phosphate synthétase II), la glucosamine-6-phosphate, l'AMP et le CTP sont tous des produits terminaux de voies partant de la glutamine, tandis que l'alanine, la sérine et la glycine reflètent le niveau azoté de la cellule. Plusieurs de ces inhibiteurs agissent comme compétiteurs en se fixant soit au site de liaison du glutamate (sérine, glycine, alanine), soit au site de liaison de l'ATP (AMP et CTP).

La glutamine synthétase d'E. coli est modifiée par covalence par adénylylation d'un résidu Tyr spécifique (Fig. 26-56). La sensibilité de l'enzyme à la rétro-inhibition cumulative augmente avec son degré d'adénylylation, diminuant ainsi son activité. Cette adénylylation est contrôlée par une cascade métabolique complexe qui rappelle celle qui contrôle la glycogène phosphorylase (même si le type de modification covalente est différent puisque la glycogène phosphorylase est phosphorylée sur un résidu Ser spécifique ; Sections 18-3B et 18-3C). L'adénylylation et la désadénylylation de la glutamine synthétase sont toutes les deux catalysées par l'**adénylyl transférase** complexée à une protéine régulatrice tétramérique, **P_{II}**. Ce complexe désadénylyle la

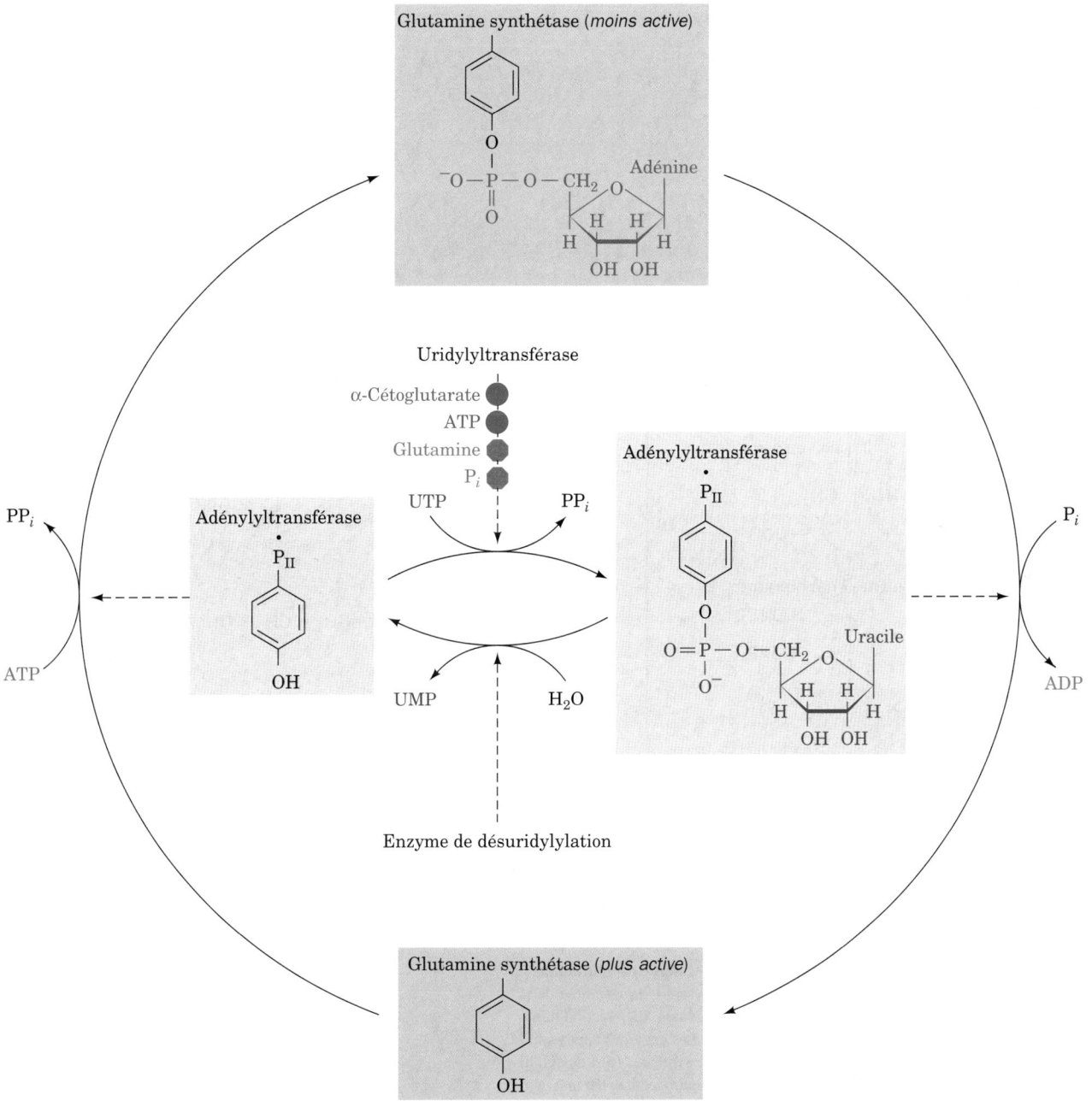

FIGURE 26-56   Régulation de la glutamine synthétase bactérienne.
L'adénylylation/désadénylylation d'un résidu Tyr spécifique est contrôlée par le niveau d'uridylylation d'un résidu Tyr spécifique de l'adénylyl-transférase·P_{II}. Ce niveau d'uridylylation est, à son tour, contrôlé par les activités relatives de l'uridylyltransférase sensibles aux taux de plusieurs métabolites azotés, et de l'enzyme de désuridylylation, dont l'activité est insensible à la teneur de ces métabolites.

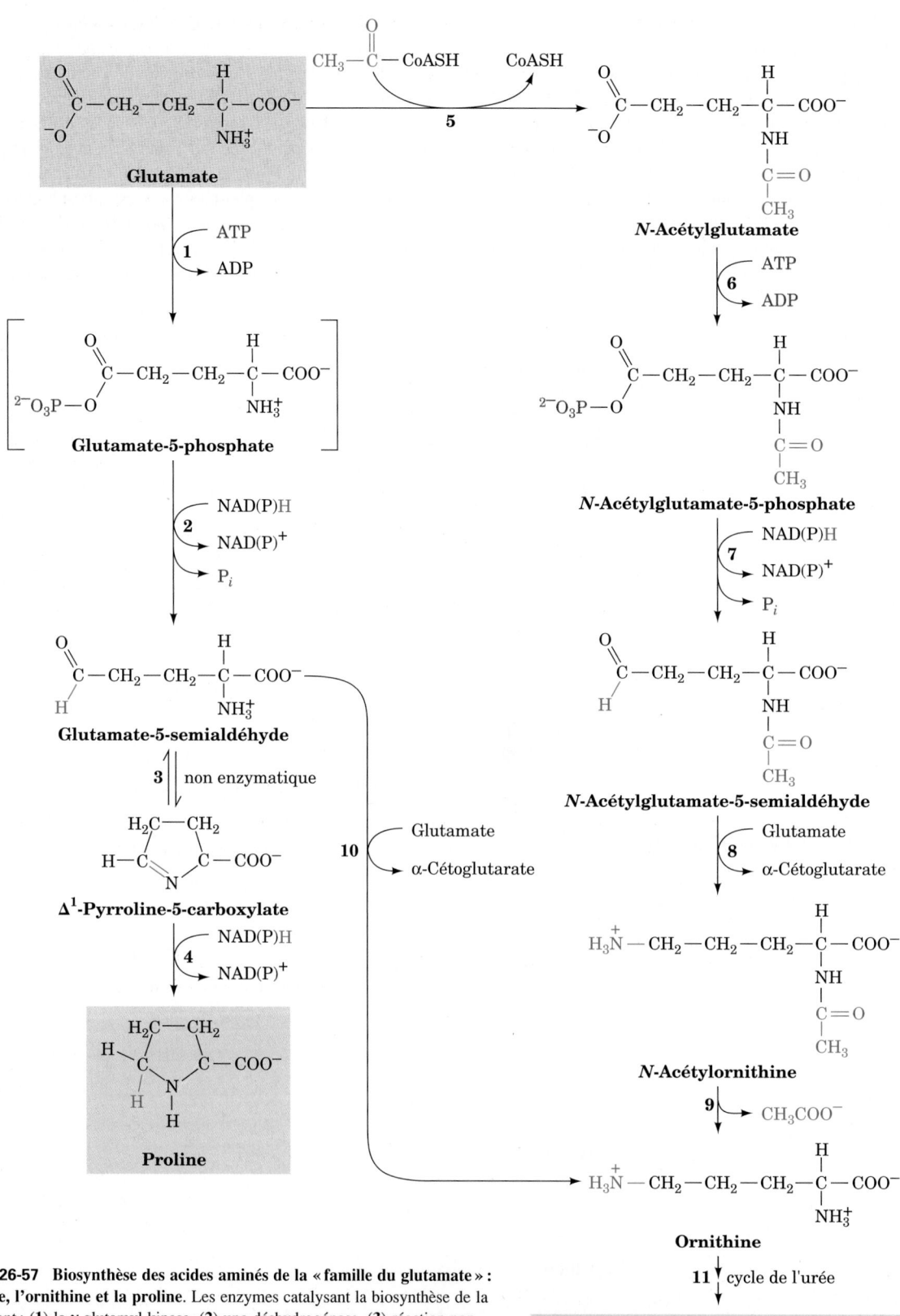

FIGURE 26-57   Biosynthèse des acides aminés de la « famille du glutamate » : l'arginine, l'ornithine et la proline. Les enzymes catalysant la biosynthèse de la proline sont : (**1**) la γ-glutamyl kinase, (**2**) une déshydrogénase, (**3**) réaction non enzymatique et (**4**) la pyrroline-5-carboxylate réductase. Les enzymes catalysant la biosynthèse de l'ornithine sont : (**5**) la *N*-acétylglutamate synthase, (**6**) l'acétylglutamate kinase, (**7**) la *N*-acétyl-γ-glutamyl phosphate déshydrogénase, (**8**) la *N*-acétylornithine-δ-aminotransférase, et (**9**) l'acétylornithine désacétylase. L'ornithine peut aussi être synthétisée par la Réaction (**10**), catalysée par l'ornithine-δ-aminotransférase. L'ornithine est transformée en arginine (**11**) par le cycle de l'urée (Fig. 26-7, Réactions 2-4).

glutamine synthétase quand P_{II} est uridylylée (également sur un résidu Tyr) et il adénylyle la glutamine synthétase quand P_{II} est dépourvue de résidus UMP. Le niveau d'uridylylation de P_{II} dépend à son tour des activités relatives de deux activités enzymatiques localisées sur la même protéine : une **uridylyl transférase** qui uridylyle P_{II} et une **enzyme de désuridylylation** qui hydrolyse les groupements UMP liés à P_{II} (Fig. 26-56). L'uridylyl transférase est activée par l'α-cétoglutarate et l'ATP et inhibée par la glutamine et P_i, alors que l'enzyme de désuridylylation est insensible à ces métabolites. Cette cascade métabolique complexe rend l'activité de la glutamine synthétase d'*E. coli* extrêmement sensible aux besoins azotés de la cellule.

d. Le glutamate est le précurseur de la proline, de l'ornithine et de l'arginine

La transformation du glutamate en proline (Fig. 26-57, Réactions 1-4) implique la réduction du groupement γ-carboxylate en aldéhyde suivie de la formation d'une base de Schiff interne dont la réduction ultérieure donne la proline. La réduction du groupement γ-carboxylate en aldéhyde est un processus endergonique facilité par la phosphorylation préalable du groupement carboxylate par la **γ-glutamyl kinase**. Le produit instable, le **glutamate-5-phosphate**, n'a pas été isolé de mélanges réactionnels mais on suppose que c'est le substrat de la réduction qui suit. Le **glutamate-5-semialdéhyde** résultant se cyclise spontanément pour former la base de Schiff interne **Δ¹-pyrroline-5-carboxylate**. La réduction finale en proline est catalysée par la **pyrroline-5-carboxylate réductase**. On ignore si l'enzyme a besoin de NADH ou de NADPH.

Chez *E. coli*, la voie qui conduit du glutamate à l'ornithine puis à l'arginine implique également la réduction ATP-dépendante du groupement γ-carboxylate du glutamate en aldéhyde (Fig. 26-57, Réactions 6 et 7). La cyclisation spontanée de cet intermédiaire, le **N-acétylglutamate-5-semialdéhyde**, est empêchée par l'acétylation préalable de son groupement aminé catalysée par la **N-acétylglutamate synthase** qui donne le **N-acétylglutamate** (Fig. 26-57, Réaction 5). Le N-acétylglutamate-5-semialdéhyde est à son tour transformé en amine correspondante par transamination (Fig. 26-57, Réaction 8). L'hydrolyse du groupement acétyle protecteur donne finalement l'ornithine qui, comme nous l'avons vu (Section 26-2), est transformée en arginine via le cycle de l'urée. Chez l'homme cependant, la voie qui conduit à l'ornithine est plus directe. La N-acétylation du glutamate qui le protège de la cyclisation n'a pas lieu. Le glutamate-5-semialdéhyde, qui est en équilibre avec la Δ¹-pyrroline-5-carboxylate, est directement transaminé pour donner l'ornithine lors d'une réaction catalysée par l'**ornithine-δ-aminotransférase** (Fig. 26-57, Réaction 10).

e. La sérine, la cystéine et la glycine sont formées à partir du 3-phosphoglycérate

La sérine se forme à partir du 3-phosphoglycérate, un intermédiaire de la glycolyse, par une voie à trois réactions (Fig. 26-58) :

1. Le groupement 2-OH du 3-phosphoglycérate est transformé en cétone, ce qui donne le **3-phosphohydroxypyruvate**, l'acide cétonique phosphorylé analogue de la sérine.

2. Le 3-phosphohydroxypyruvate est transaminé en phosphosérine.

3. La phosphosérine est hydrolysée en sérine.

La sérine participe à la synthèse de la glycine de deux manières (Section 26-3B) :

1. Transformation directe de sérine en glycine par la sérine hydroxyméthyl transférase lors d'une réaction qui donne aussi du N^5,N^{10}-méthylène-THF (Fig. 26-12, Réaction 4 en sens inverse).

2. Condensation du N^5,N^{10}-méthylène-THF avec CO_2 et NH_4^+ catalysée par le système de clivage de la glycine (Fig. 26-12, Réaction 3 en sens inverse).

Nous avons déjà étudié, chez les animaux, la synthèse de cystéine à partir de sérine et d'homocystéine, un produit de dégradation de la méthionine (Section 26-3E). L'homocystéine se combine à la sérine pour donner la cystathionine, qui donne ensuite la cystéine et l'α-cétobutyrate (Fig. 26-18, Réactions 5 et 6). Puisque le groupement sulfhydryle de la cystéine se forme à partir de l'acide aminé essentiel méthionine, la cystéine est en fait un acide aminé essentiel. Chez les plantes et les micro-organismes cependant, la cystéine est synthétisée à partir de sérine par une réaction en deux étapes impliquant l'activation du groupement OH de la sérine qui est transformée en **O-acétylsérine** suivi du déplacement de l'acétate par le sulfure (Fig. 26-59a). Le sulfure nécessaire est produit à partir de sulfate par une réduction à 8 électrons qui a lieu chez *E. coli* comme le montre la Fig. 26-59b. Le sulfate est d'abord

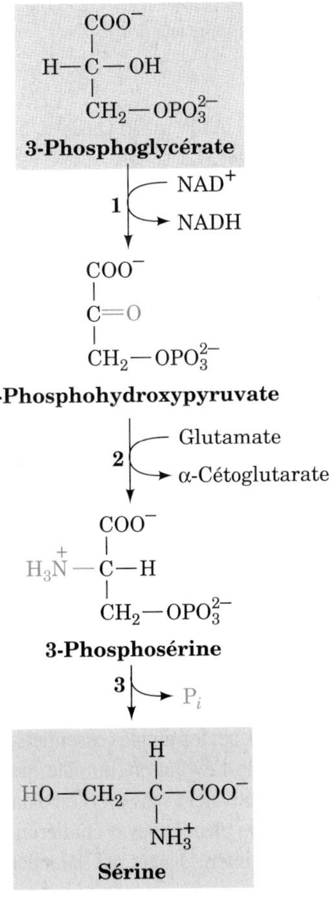

FIGURE 26-58 Transformation du 3-phosphoglycérate en sérine. Les enzymes sont (**1**) la 3-phosphoglycérate déshydrogénase, (**2**) une aminotransférase PLP-dépendante, et (**3**) la phosphosérine phosphatase.

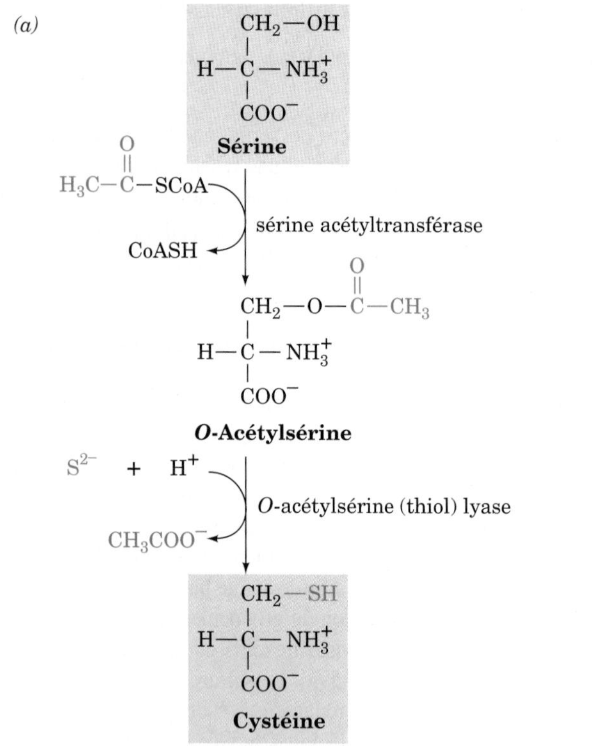

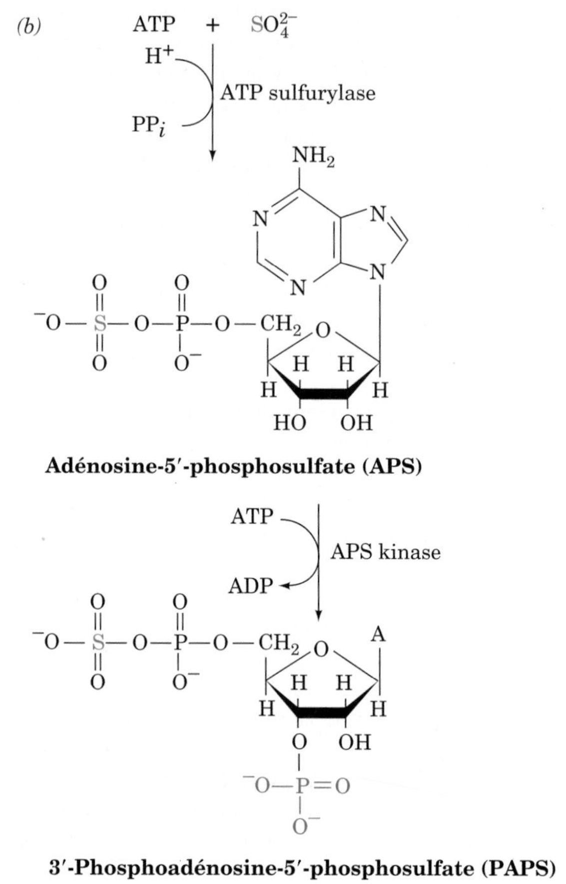

(a)

(b)

FIGURE 26-59 Biosynthèse de la cystéine. *(a)* Synthèse de la cystéine à partir de la sérine chez les plantes et les micro-organismes. *(b)* Réduction à 8 e^- du sulfate en sulfure chez *E. coli*.

activé par les enzymes **ATP sulfurylase** et **adénosine-5'-phos-phosulfate (APS) kinase**. Le sulfate activé est ensuite réduit en sulfite par la **3'-phosphoadénosine-5'-phosphosulfate (PAPS) réductase** et en sulfure par la **sulfite réductase**.

B. *Biosynthèse des acides aminés essentiels*

Les acides aminés essentiels, comme les acides aminés non essentiels, sont synthétisés à partir de métabolites courants. Cependant, leurs synthèses ne sont assurées que chez les micro-organismes et les plantes et nécessitent généralement plus d'étapes intermédiaires que celles des acides aminés non essentiels. Par exemple, la lysine, la méthionine et la thréonine sont toutes les trois synthétisées à partir d'aspartate par des voies dont la première réaction commune est catalysée par l'**aspartokinase**, une enzyme que l'on ne trouve que dans les plantes et les micro-organismes. De même, la valine et la leucine sont formées à partir de pyruvate ; l'isoleucine se forme à partir de pyruvate et d'α-cétobutyrate ; et le tryptophane, la phénylalanine et la tyrosine se forment à partir de phosphoénolpyruvate et d'érythrose-4-phosphate. Les enzymes qui assurent la synthèse des acides aminés essentiels ont apparemment été perdues au cours de l'évolution animale, peut-être parce que ces acides aminés se trouvaient sans problème dans l'alimentation.

Faute de temps et de place, nous n'étudierons pas en détail les nombreuses réactions intéressantes qui jalonnent ces voies. Les voies de biosynthèse des acides aminés des familles de l'aspartate, du pyruvate, des acides aminés aromatiques et de l'histidine sont présentées dans les Fig. 26-60 à 26-63, et 26-65 avec la liste des enzymes impliquées. Plusieurs herbicides utilisés en agriculture

FIGURE 26-60 *(Page opposée)* **Biosynthèse des acides aminés de la famille de l'aspartate : la lysine, la méthionine et la thréonine.** Les enzymes impliquées sont (**1**) l'aspartokinase, (**2**) la β–aspartate semialdéhyde déshydrogénase, (**3**) l'homosérine déshydrogénase, (**4**) l'homosérine kinase, (**5**) la thréonine synthase (enzyme à PLP), (**6**) l'homosérine acyltransférase, (**7**) la cystathionine γ-synthase, (**8**) la cystathionine β-lyase, (**9**) la méthionine synthase (ou homocystéine méthyltransférase, que l'on trouve aussi chez les mammifères ; Section 26-3E), (**10**) la dihydrodipicolinate synthase, (**11**) la dihydrodipicolinate réductase, (**12**) la *N*-succinyl-2-amino-6-cétopimélate synthase, (**13**) la succinyl-diaminopimélate aminotransférase (enzyme à PLP), (**14**) la succinyl-diaminopimélate désuccinylase, (**15**) la diaminopimélate épimérase, et (**16**) la diaminopimélate décarboxylase.

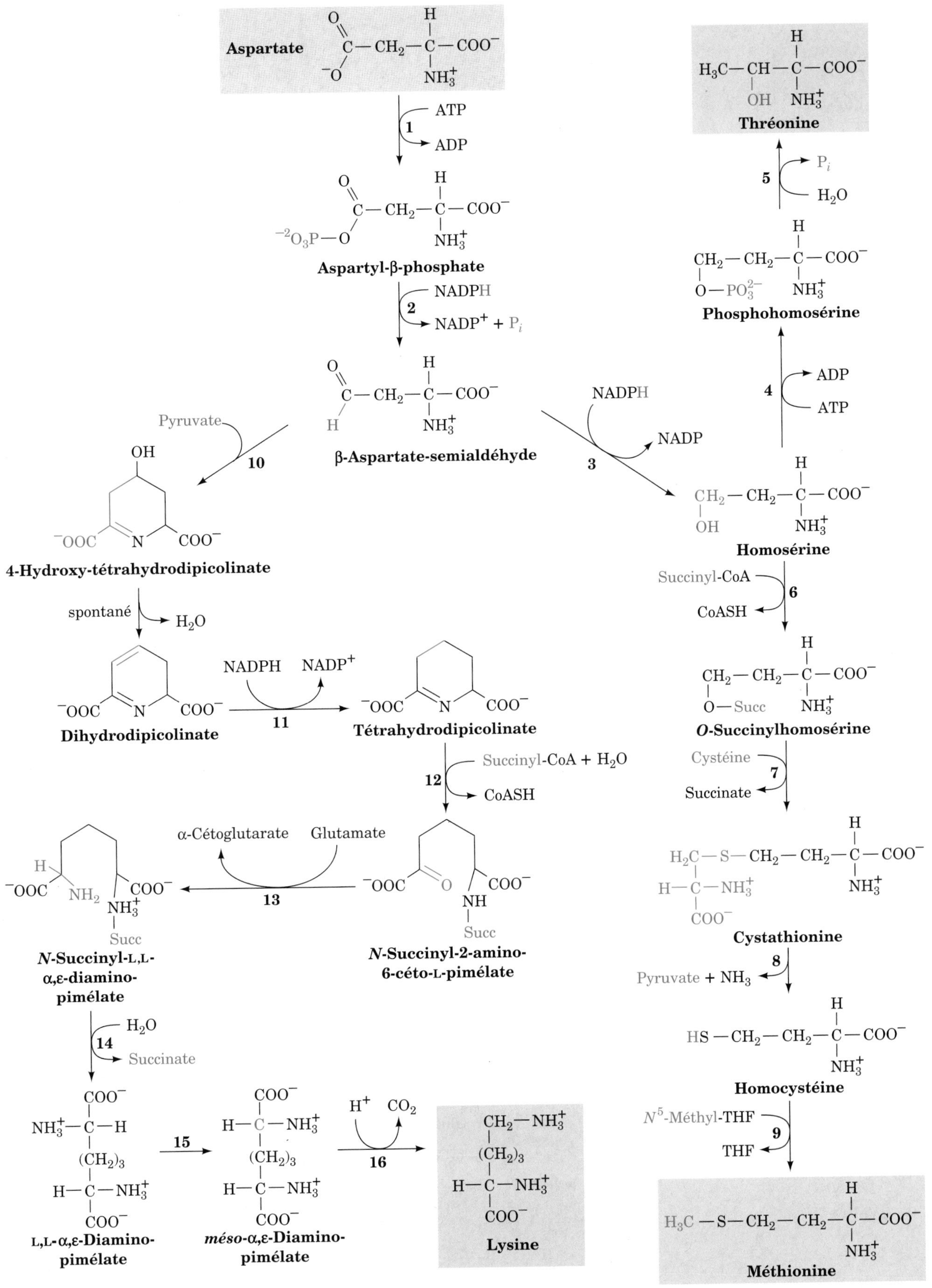

Aspartate

1 ATP → ADP

Aspartyl-β-phosphate

2 NADPH → NADP⁺ + Pᵢ

β-Aspartate-semialdéhyde

Pyruvate 10

4-Hydroxy-tétrahydrodipicolinate

spontané → H_2O

Dihydrodipicolinate

11 NADPH → NADP⁺

Tétrahydrodipicolinate

12 Succinyl-CoA + H_2O → CoASH

N-Succinyl-2-amino-6-céto-L-pimélate

13 Glutamate → α-Cétoglutarate

N-Succinyl-L,L-α,ε-diamino-pimélate

14 H_2O → Succinate

L,L-α,ε-Diamino-pimélate

15

méso-α,ε-Diamino-pimélate

16 H⁺ → CO_2

Lysine

Thréonine

5 → Pᵢ, H_2O

Phosphohomosérine

4 → ADP, ATP

3 NADPH → NADP

Homosérine

6 Succinyl-CoA → CoASH

O-Succinylhomosérine

7 Cystéine → Succinate

Cystathionine

8 → Pyruvate + NH_3

Homocystéine

9 N^5-Méthyl-THF → THF

Méthionine

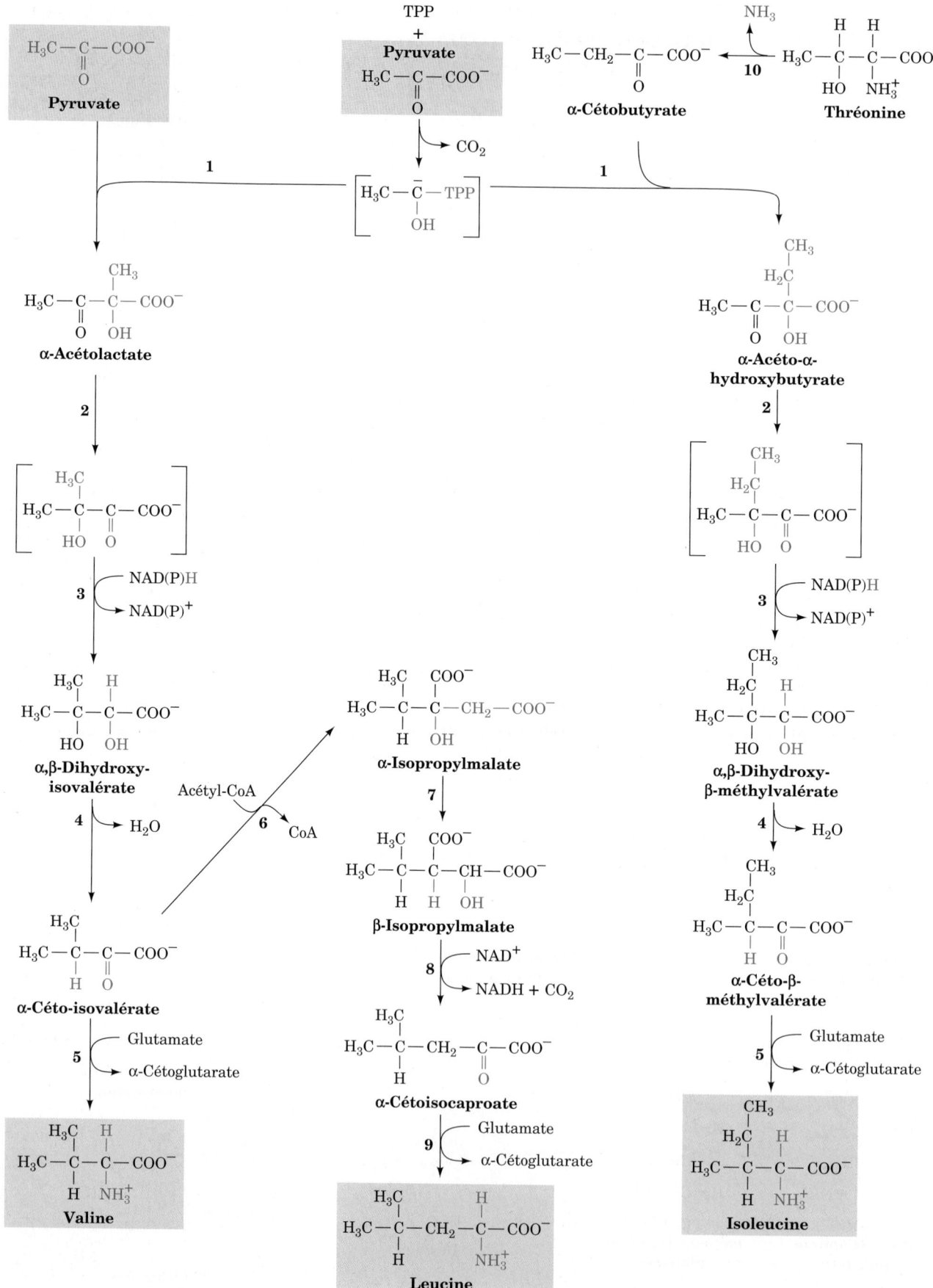

sont des inhibiteurs spécifiques de certaines de ces enzymes. Ces herbicides sont peu toxiques vis-à-vis des animaux et ne devraient donc pas poser de problèmes pour la santé de l'homme et pour l'environnement.

a. La famille de l'aspartate : lysine, méthionine et thréonine

Chez les bactéries, l'aspartate est le précurseur commun de la lysine, de la méthionine et de la thréonine (Fig. 26-60). La biosynthèse de ces acides aminés essentiels commence par la phosphorylation de l'aspartate catalysée par l'aspartokinase pour donner l'**aspartyl-β-phosphate**. Nous avons vu que le contrôle des voies métaboliques s'exerce généralement sur la première réaction d'engagement de la voie. On pourrait dès lors penser que les biosynthèses de la lysine, de la méthionine et de la thréonine sont contrôlées en bloc. En fait, chacune de ces voies est contrôlée indépendamment. Chez *E. coli*, il y a trois isoenzymes de l'aspartokinase qui répondent différemment aux trois acides aminés, à la fois par rétro-inhibition de l'activité enzymatique et par répression de la synthèse de l'enzyme. Le Tableau 26-3 résume ces différents contrôles. De plus, le sens de la voie est contrôlé par rétro-inhibition aux points de branchement par les acides aminés individuels. Ainsi, la méthionine inhibe l'*O*-acylation de l'homosérine (Fig. 26-60, Réaction 6), alors que la lysine inhibe la dihydropicolinate synthase (Fig. 26-60, Réaction 10).

b. La famille du pyruvate : leucine, isoleucine et valine

La valine et l'isoleucine sont toutes deux synthétisées par la même voie en cinq étapes (Fig. 26-61), la seule différence concernant la première réaction de la série. Au cours de cette réaction TPP-dépendante, qui ressemble à celles catalysées par la pyruvate décarboxylase (Section 17-3B) et la transcétolase (Section 23-4C), le pyruvate forme un adduit avec le TPP, qui est décarboxylé en hydroxyéthyl-TPP. Ce carbanion stabilisé par résonance s'ajoute soit au groupement céto d'un deuxième pyruvate pour former l'**acétolactate** dans la voie de la valine, soit au groupement céto de l'**α-cétobutyrate** (dérivé de la thréonine) pour donner l'**α-acéto-α-hydroxybutyrate** dans la voie de l'isoleucine. La voie de biosynthèse de la leucine diverge de celle de la valine après formation de l'**α-céto-isovalérate** (Fig. 26-61, Réaction 6). Les Réactions 6 à 8 dans la Fig. 26-61 rappellent les trois premières réactions du cycle de l'acide citrique (Sections 21-3A-C). Dans ce cas, l'acétyl-CoA se condense avec l'**α-céto-isovalérate** pour former l'**α-isopropylmalate**, qui subit ensuite une réaction de déshydra-

TABLE 26-3 **Contrôle différentiel des enzymes de l'aspartokinase dans *E. Coli***

Enzyme	Rétro-inhibiteur	Corépresseur(s)[a]
Aspartokinase I	Thréonine	Thréonine et isoleucine
Aspartokinase II	Aucun	Méthionine
Aspartokinase III	Lysine	Lysine

[a]Composés dont la présence entraîne la répression transcriptionnelle de la synthèse de l'enzyme (Section 31-3G).

tation/hydratation, suivie d'une décarboxylation oxydative et d'une transamination pour donner la leucine.

c. Les acides aminés aromatiques : phénylalanine, tyrosine et tryptophane

Les précurseurs des acides aromatiques sont le phosphoénolpyruvate (PEP), un intermédiaire de la glycolyse, et l'érythrose-4-phosphate, un intermédiaire de la voie des pentoses phosphate ; Section 23-4C). Leur condensation donne le **2-céto-3-désoxy-D-arabinoheptulosonate-7-phosphate**, un composé en C_7 qui se cyclise et qui est finalement transformé en **chorismate** (Fig. 26-62), le point de branchement pour la biosynthèse du tryptophane. Le chorismate est soit transformé en anthranilate puis en tryptophane, soit en **préphénate** puis en tyrosine ou en phénylalanine (Fig. 26-63). Bien que les mammifères synthétisent la tyrosine par hydroxylation de la phénylalanine (Section 26-3H), de nombreux micro-organismes la synthétisent directement à partir de préphénate.

La synthèse des acides aromatiques n'étant assurée que dans les plantes et les micro-organismes, cette voie est une cible naturelle pour des herbicides qui ne sont pas toxiques pour les animaux. Par exemple, le **glyphosate,**

$$^-{^2}O_3P—CH_2—NH—CH_2—COO^-$$
Glyphosate

principe actif de l'un des herbicides les plus utilisés, le « Round-up », est un inhibiteur compétitif vis-à-vis du PEP dans la réaction de la **5-énolpyruvylshikimate-3-phosphate synthase** (**EPSP synthase**) (Réaction 6 de la Fig. 26-62).

d. Un tunnel protéique conduit les produits intermédiaires de la tryptophane synthase entre deux sites actifs

Les deux dernières réactions de la biosynthèse du tryptophane, les Réactions 5 et 6 de la Fig. 26-63, sont toutes les deux catalysées par la **tryptophane synthase** :

1. La sous-unité α (268 résidus) de cette enzyme $\alpha_2\beta_2$ bifonctionnelle clive l'**indole-3-glycérol phosphate**, donnant l'**indole** et la glycéraldéhyde-3-phosphate (Réaction 5).

2. La sous-unité β (396 résidus) unit l'indole à la L-sérine par une réaction PLP-dépendante pour former le L-tryptophane (Réaction 6).

Chacune des sous-unités isolée est enzymatiquement active, mais quand elles sont réunies sous forme du tétramère $\alpha_2\beta_2$ les vitesses

FIGURE 26-61 (*Page opposée*) **Biosynthèse des acides aminés de la « famille du pyruvate » : l'isoleucine, la leucine et la valine.** Les enzymes de la voie sont : (**1**) l'acétolactate synthase (enzyme à TPP), (**2**) l'acétolactate mutase, (**3**) une réductase, (**4**) la dihydroxy acide déshydratase, (**5**) la valine aminotransférase (enzyme à PLP), (**6**) l'α-isopropylmalate synthase, (**7**) l'α-isopropylmalate déshydratase, (**8**) l'isopropylmalate déshydrogénase, (**9**) la leucine aminotransférase (enzyme à PLP), et (**10**) la thréonine désaminase (sérine déshydratase, enzyme à PLP).

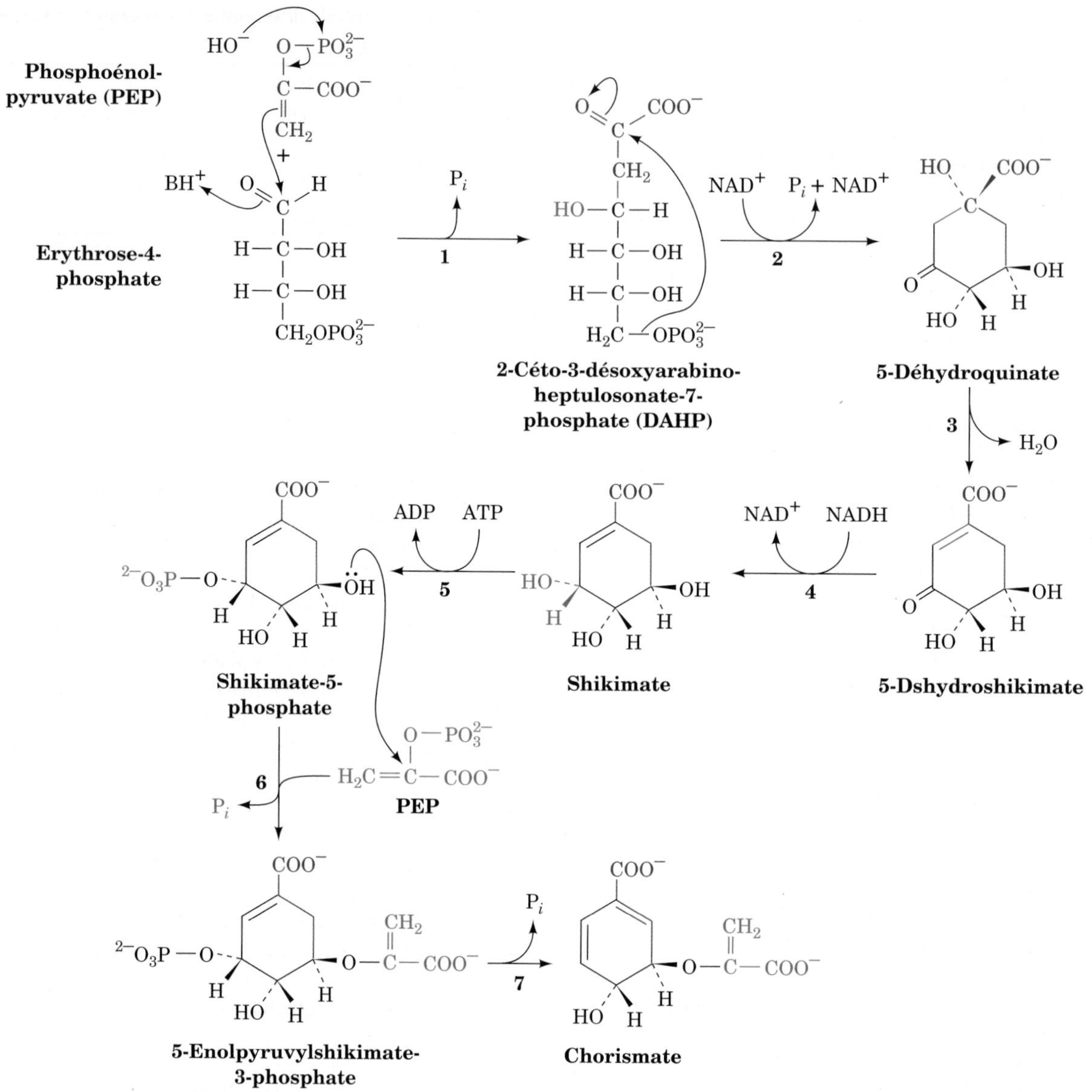

FIGURE 26-62 Biosynthèse du chorismate, le précurseur des acides aminés aromatiques. Les enzymes de la voie sont : (**1**) la 2-céto-3-désoxy-D-arabinoheptulosonate-7-phosphate synthase, (**2**) la déshydroquinate synthase (réaction nécessitant du NAD$^+$, mais qui laisse le NAD$^+$ inchangé ce qui signifie qu'il y a formation d'un intermédiaire oxydé comme dans la réaction de l'UDP-galactose-4-épimérase : Section 17-5B), (**3**) la 5-déshydroquinate déshydratase, (**4**) la shikimate déshydrogénase, (**5**) la shikimate kinase, (**6**) la 3-énolpyruvylshikimate-5-phosphate synthase, et (**7**) la chorismate synthase.

des deux réactions et leurs affinités pour les substrats sont augmentées d'un à deux ordres de grandeur. L'indole, le produit intermédiaire, ne se trouve pas à l'état libre en solution ; il semble qu'il soit séquestré par l'enzyme.

La structure par rayons X de la tryptophane synthase de *Salmonella typhimurium,* déterminée par Craig Hyde, Edith Miles et David Davies explique cette dernière observation. La protéine forme un complexe α–β–β–α ayant une symétrie d'ordre deux et long de 150 Å (Fig. 26-64) dans lequel les sites actifs des sous-unités α et β voisines sont séparées de ~25 Å. *Ces sites actifs sont reliés par un tunnel rempli de solvant, assez large pour permettre le passage du substrat intermédiaire, l'indole.* Cette structure inédite suggère la série d'événements suivants. Le substrat indole-3-glycérol phosphate se lie à la sous-unité α grâce à une ouverture dans son site actif, sa « porte de devant », et le produit glycéraldéhyde-3-phosphate sort par le même chemin. De même, le site actif de la sous-unité β a une « porte de devant » qui s'ouvre sur le solvant par laquelle la sérine peut entrer et le tryptophane peut sortir. Les deux sites actifs ont aussi des « portes de derrière » »qui sont reliées par

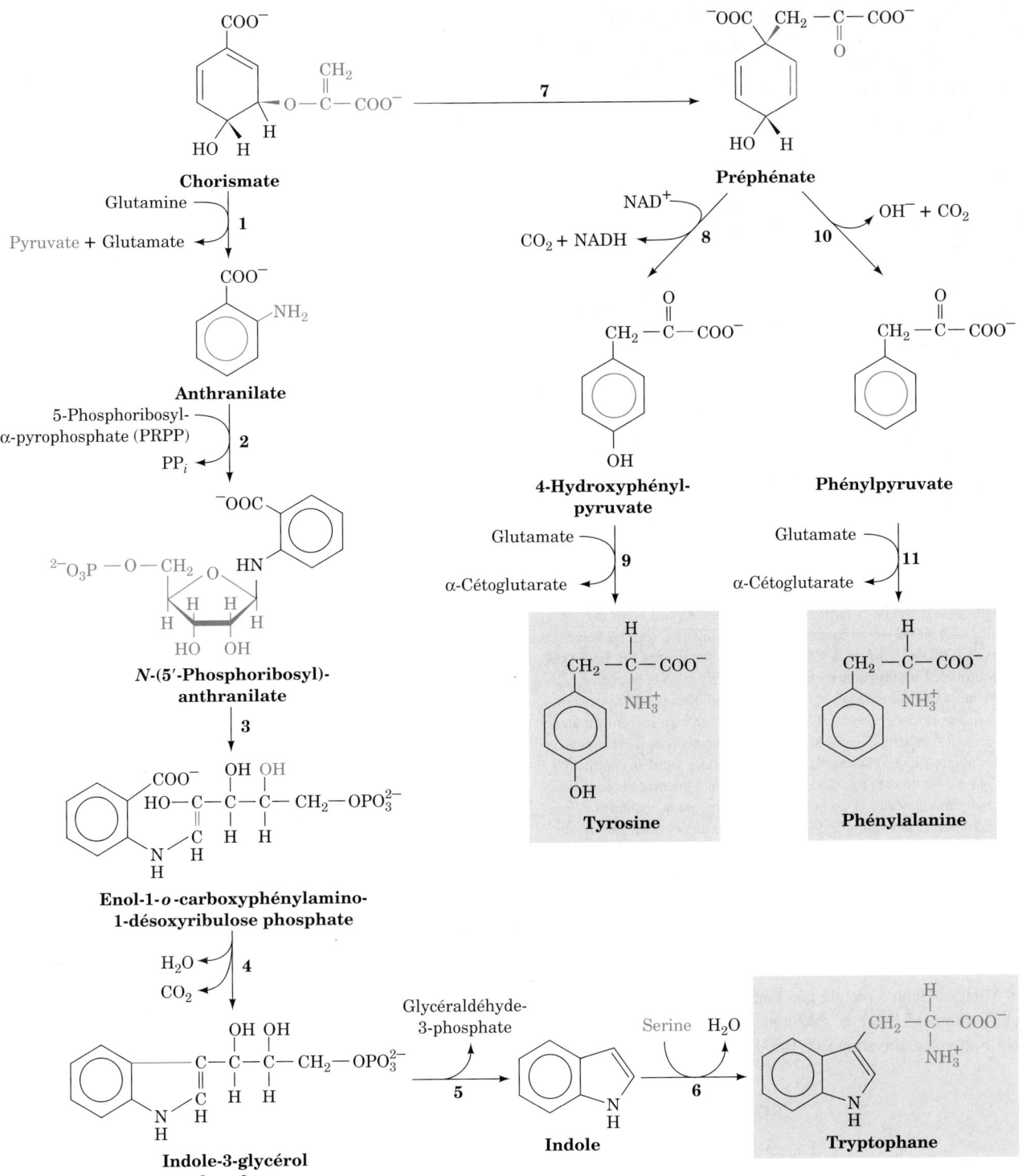

FIGURE 26-63 Biosynthèse de la phénylalanine, du tryptophane et de la tyrosine à partir du chorismate. Les enzymes de ces voies sont (**1**) l'anthranilate synthase, (**2**) l'anthranilate phosphoribosyl transférase, (**3**) la *N*-(5′-phosphoribosyl)-anthranilate isomérase, (**4**) l'indole-3-glycérol phosphate synthase, (**5**) la tryptophane synthase, sous-unité α, (**6**) la tryptophane synthase, sous-unité β, (**7**) la chorismate mutase, (**8**) la préphénate déshydrogénase, (**9**) une aminotransférase, (**10**) la préphénate déshydratase, et (**11**) une aminotransférase.

le tunnel. L'intermédiaire indole diffuse vraisemblablement entre les deux sites actifs via le tunnel et ne peut donc s'échapper dans le solvant.

Des interactions allostériques entre les sous-unités permettant de contrôler l'activité de la sous-unité α assurant également que l'indole n'est libéré que quand la sous-unité β est prête à l'accep-

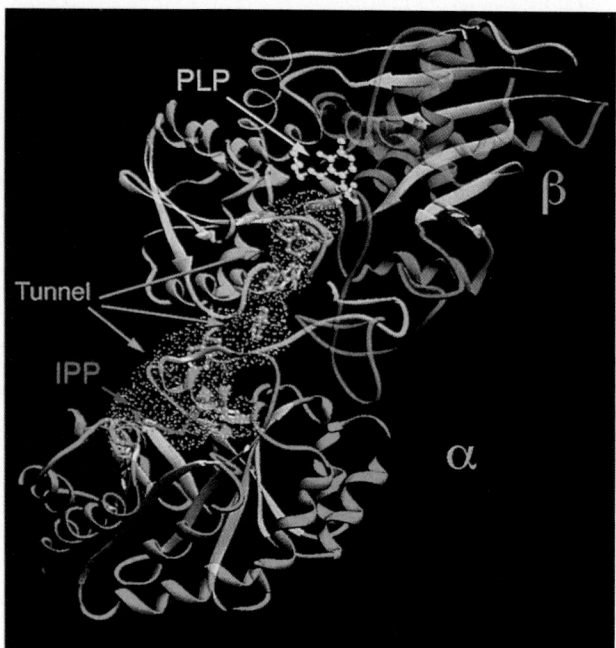

FIGURE 26-64 Représentation en ruban de l'enzyme bifonctionnelle tryptophane synthase de *S. typhimurium*. On ne voit qu'un protomère αβ de cet hétérotétramère αββα de symétrie d'ordre 2. La sous-unité α est en bleu, le domaine N-terminal de la sous-unité β est en orange, son domaine C-terminal est en rouge, et tous les feuillets β sont en beige. La localisation du site actif de la sous-unité α est donnée par son inhibiteur compétitif lié, l'**indolpropanol phosphate** (**IPP**; *modèle éclaté en rouge*), alors que celle de la sous-unité β est indiquée par son coenzyme PLP (*modèle éclaté en jaune*). La surface accessible au solvant du tunnel long de ~25 Å reliant les sites actifs des sous-unités α et β est indiquée par des points jaunes. Plusieurs molécules d'indole (*modèle éclaté en vert*) ont été introduites par modélisation en tête à queue dans le tunnel, ce qui montre que celui-ci est suffisamment large pour permettre au produit indole de la sous-unité α de passer dans le tunnel pour accéder au site actif de la sous-unité β. [Avec la permission de Craig Hyde, National Institutes of Health.]

ter. Michael Dunn a montré que l'élimination d'eau de la base de Schiff sérine–PLP sur la sous-unité β pour former une base de Schiff intermédiaire aminoacrylate–PLP

Base de Schiff aminoacrylate-PLP

induit une modification conformationnelle qui stimule la sous-unité α à produire l'indole. La diffusion de celui-ci vers la sous-

FIGURE 26-65 (*Page opposée*) **Biosynthèse de l'histidine.** Les enzymes de la voie sont (**1**) l'ATP phosphoribosyl transférase, (**2**) la pyrophospho-hydrolase, (**3**) la phosphoribosyl–AMP cyclohydrolase, (**4**) la phosphori-bosylformimino-5-aminoimidazole carboxamide ribonucléotide isomé-rase, (**5**) l'imidazole glycérol phosphate synthase (une glutamine amidotransférase), (**6**) l'imidazole glycérol phosphate déshydratase, (**7**) la L-histidinol phosphate aminotransférase, (**8**) l'histidinol phosphate phos-phatase, et (**9**) l'histidinol déshydrogénase.

unité β pour réagir avec cet intermédiaire conduit alors à la for-mation de tryptophane.

Ce phénomène de guidage préférentiel (« **channeling** ») peut être particulièrement important pour l'indole car cette molécule non polaire pourrait s'échapper de la cellule bactérienne en diffu-sant à travers ses membranes plasmique et externe. Nous avons rencontré un phénomène analogue dans les réactions impliquant les glutamine amidotransférases (Sections 26-2A et 26-5A) et la série de réactions catalysées par l'acide gras synthase, où le produit en formation est maintenu à proximité du site actif de l'enzyme multifonctionnelle par liaison covalente au bras souple phospho-pantéthéine de l'enzyme (Section 25-4C). Le channeling intervient aussi dans la biosynthèse en plusieurs étapes des bases puriques et pyrimidiques (Sections 28-2A).

e. Biosynthèse de l'histidine

Cinq des six atomes de C de l'histidine sont dérivés du **5-phos-phoribosyl-α-pyrophosphate** (**PRPP**; Fig. 26-65), un intermé-diaire impliqué aussi dans les biosynthèses du tryptophane (Fig. 26-63, Réaction 2), et des nucléotides puriques (Section 28-1A) et pyrimidiques (Section 28-2A). Le sixième atome de C de l'histi-dine provient de l'ATP. Les atomes de l'ATP non incorporés dans l'histidine sont éliminés sous forme de **5-aminoimidazole-4-car-boxamide ribonucléotide** (Fig. 26-65, Réaction 5), qui est aussi un intermédiaire dans la synthèse des purines (Section 28-1A).

La biosynthèse peu ordinaire de l'histidine à partir d'une purine vient renforcer l'hypothèse d'une vie originelle fondée sur l'ARN (Section 1-5C). Comme nous l'avons vu, les résidus His sont souvent des constituants des sites actifs des enzymes soit comme nucléophiles soit comme catalyseurs acide base. La décou-verte des propriétés catalytiques de certains ARN (Section 31-4A) suggère que la partie imidazole des purines joue un rôle identique dans ces ARN enzymes appelés **ribozymes.** Cela suggère égale-ment que la voie de biosynthèse de l'histidine est un « fossile » de la transition vers des formes de vie plus efficaces fondées sur les protéines.

6 ■ FIXATION DE L'AZOTE

Les éléments chimiques les plus abondants dans les systèmes vivants sont O, H, C, N et P. Les éléments O, H et P se trouvent en grandes quantités sous des formes métaboliquement disponibles (H_2O, O_2 et P_i). Toutefois, les principales formes disponibles de C et N, CO_2 et N_2, sont extrêmement stables (non réactionnelles); par exemple, la triple liaison N≡N a une énergie de liaison de 945 kJ · mol^{-1} (contre 351 kJ · mol^{-1} pour une simple liaison C—O).

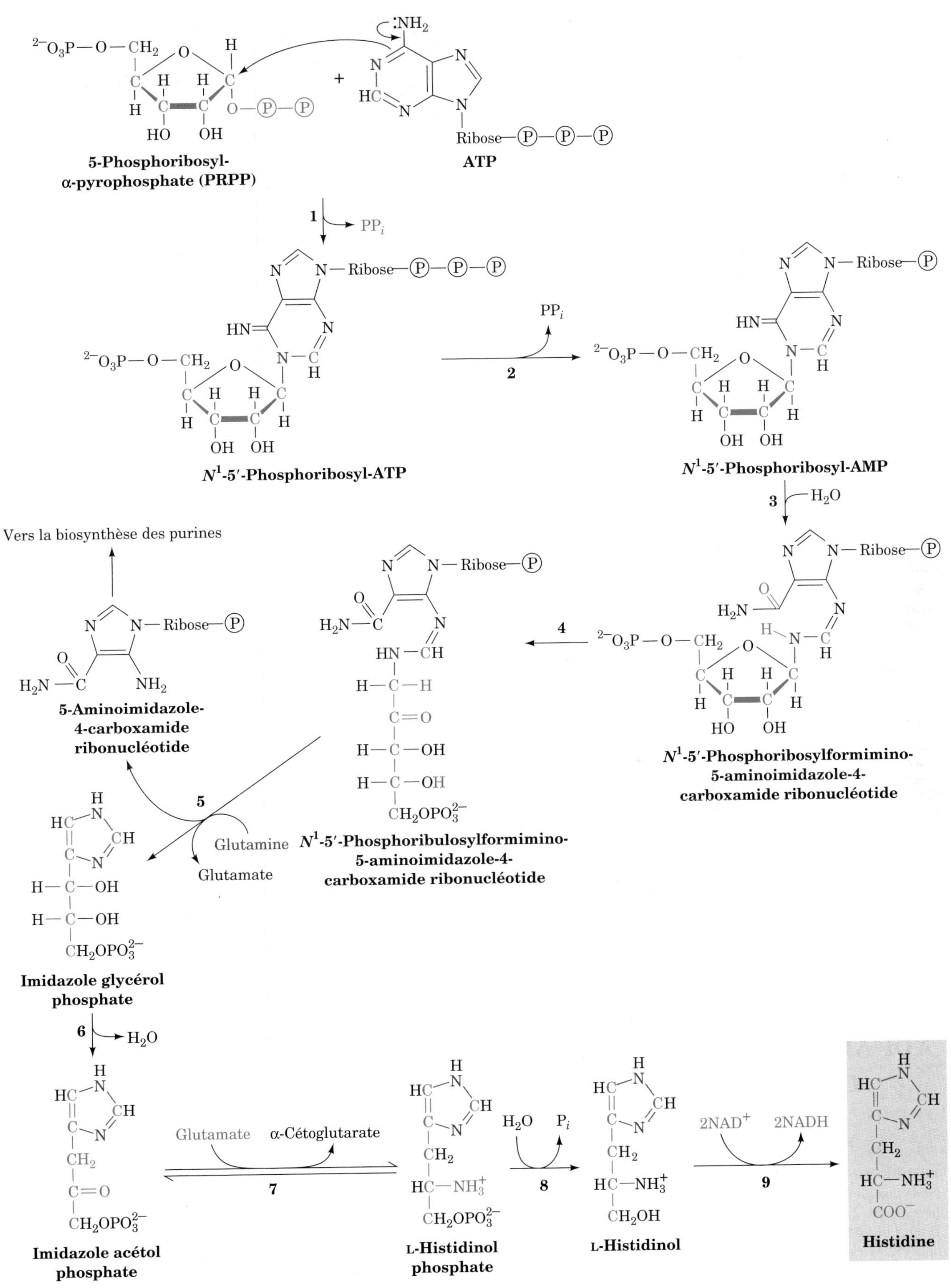

5-Phosphoribosyl-α-pyrophosphate (PRPP)

ATP

N^1-5′-Phosphoribosyl-ATP

N^1-5′-Phosphoribosyl-AMP

N^1-5′-Phosphoribosylformimino-5-aminoimidazole-4-carboxamide ribonucléotide

Vers la biosynthèse des purines

5-Aminoimidazole-4-carboxamide ribonucléotide

N^1-5′-Phosphoribulosylformimino-5-aminoimidazole-4-carboxamide ribonucléotide

Glutamine

Glutamate

Imidazole glycérol phosphate

Imidazole acétol phosphate

Glutamate   α-Cétoglutarate

H_2O P_i

L-Histidinol phosphate

L-Histidinol

$2NAD^+$ $2NADH$

Histidine

Le CO_2, à part quelques exceptions mineures, n'est métabolisé (fixé) que par les organismes photosynthétiques (Chapitre 24). *La fixation de N_2 est encore plus rare ; cet élément n'est transformé en formes métabolisables que par quelques souches bactériennes appelées **diazotrophes**.*

Les diazotrophes du genre *Rhizobium* vivent en symbiose avec les cellules des nodules des racines des légumineuses (plantes appartenant à la famille du petit pois, comme les haricots, le trèfle et l'alfalfa ; Fig. 26-66) où elles transforment N_2 en NH_3 :

$$N_2 + 8H^+ + 16ATP + 16H_2O + 8e^- \rightarrow$$
$$2NH_3 + H_2 + 16ADP + 16P_i$$

Le NH_3 ainsi formé peut être incorporé dans le glutamate par la glutamate déshydrogénase (Section 26-1B) ou dans la glutamine par la glutamine synthétase (Section 26-5A). Ce système de fixation de l'azote fournit plus de substance azotée métaboliquement utilisable que la légumineuse ne peut en consommer ; l'excédent est excrété dans le sol, ce qui le fertilise. Il est donc courant, en agriculture, de planter par intervalles de l'alfalfa dans un champ pour accumuler l'azote utilisable dans le sol avant d'y faire pousser d'autres plantes.

a. La nitrogénase présente des centres rédox inédits

La **nitrogénase**, qui catalyse la réduction de N_2 en NH_3, est formée de deux protéines :

1. La **protéine à Fe** (ou **protéine à fer),** un homodimère qui contient un centre [4Fe-4S] et deux sites de liaison pour l'ATP.

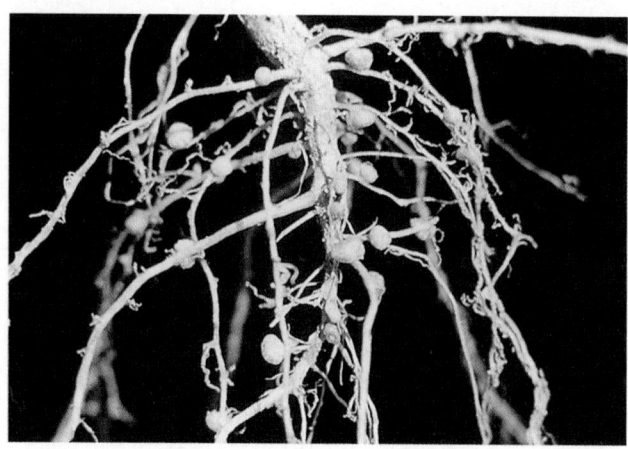

FIGURE 26-66 Photographie montrant les nodules des racines du trèfle cornu, une légumineuse. [Vu/Cabisco/Visuals Unlimited]

2. La **protéine à MoFe,** un hétérotétramère $\alpha_2\beta_2$ qui contient du Fe et du Mo.

La structure par rayons X de la nitrogénase d'*Azotobacter vinelandii* complexée à l'inhibiteur ADP • AlF_4^- (qui mime l'état de transition lors de l'hydrolyse de l'ATP), déterminée par Douglas Rees, montre que chaque protéine à MoFe s'associe à deux molécules de protéine à Fe (Fig. 26-67).

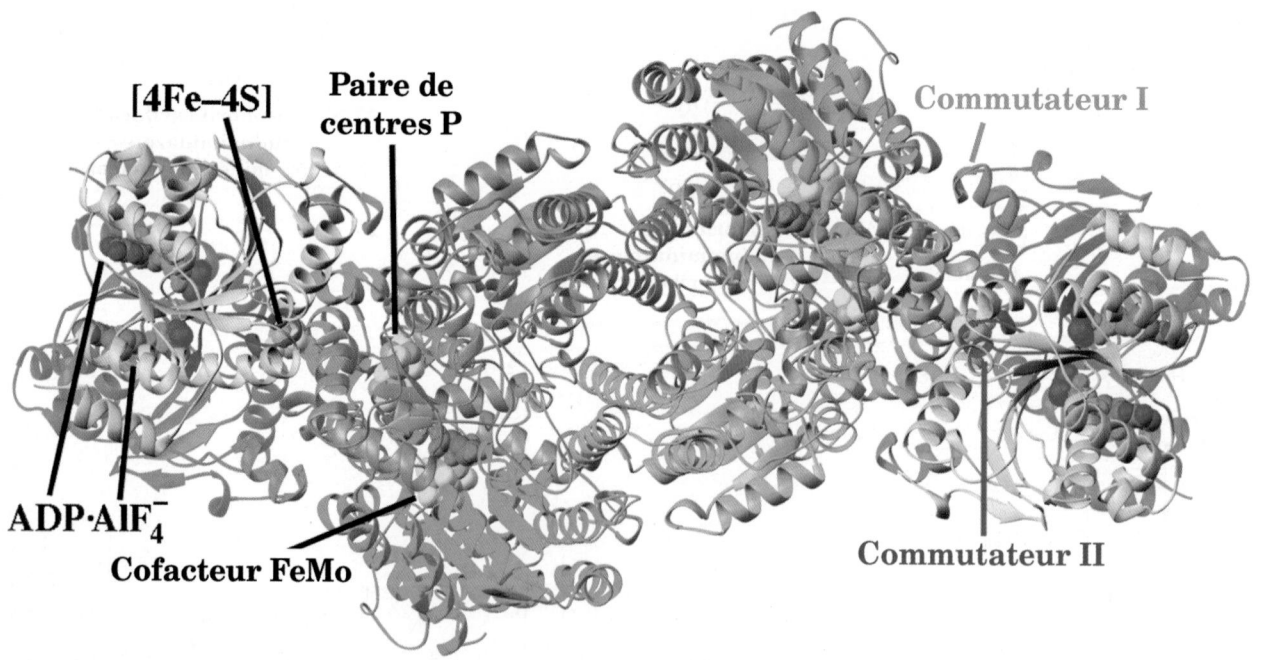

FIGURE 26-67 Structure par rayons X de la nitrogénase d'*A. vinelandii* complexée à l'ADP • AlF_4^-. L'enzyme, vue dans son axe moléculaire d'ordre 2 est un hétéro-octamère $(\alpha\beta\gamma_2)_2$ où l'assemblage β–α–α–β, la protéine à MoFe, est flanquée de deux protéines à Fe γ_2 dont les sous-unités (289 résidus) sont en relation de symétrie locale d'ordre 2. Les sous-unités homologues α (*bleu-vert et magenta* ; 491 résidus) et β (*rouge clair et bleu clair* ; 522 résidus) sont en relation de symétrie de pseudo-ordre 2. Les deux sous-unités γ formant chaque protéine à Fe (*rose et vert clair avec leurs segments commutateurs I et II en rouge et en bleu*) se fixent à la protéine à MoFe, l'axe d'ordre 2 qui les relie coïncidant avec l'axe de pseudo-ordre 2 des sous-unités α et β de la protéine à MoFe. Le complexe ADP • AlF_4^-, le centre [4Fe-4S], le cofacteur FeMo et la paire de centres P sont en modèle compact avec C en vert, N en bleu, O en rouge, S en jaune, Fe en orange, Mo en rose et l'ion AlF_4^- en pourpre. [D'après une structure par rayons X due à Douglas Rees, California Institute of Technology. PDBid 1N2C]

Le seul centre [4Fe-4S] du dimère de la protéine à Fe est situé dans une crevasse exposée au solvant entre les deux sous-unités et est lié symétriquement aux Cys 97 et Cys 132 des deux sous-unités, ce qui donne à la protéine à Fe l'aspect d'un « papillon en fil de fer » avec le centre [4Fe-4S] à sa tête. Ses sites de liaison du nucléotide sont situés à l'interface entre les deux sous-unités.

Les sous-unités α et β de la protéine à MoFe se replient de manière semblable et s'associent étroitement pour former un dimère αβ de symétrie de pseudo-ordre 2, deux dimères s'associant moins fortement pour former le tétramère α₂β₂ d'ordre 2 (Fig. 26-67). Chaque dimère αβ contient deux centres rédox liés :

1. La **paire de centres P** (Fig. 26-68*a,b*), formée de deux centres [4Fe-3S] reliés par un ion sulfure supplémentaire formant le huitième coin de chacun des centres pour former des structures de type cubane, et qui sont réunis par deux ligands thiol de résidu Cys, chacun fixant par coordinence un Fe de chaque centre. Quatre thiols de Cys supplémentaires fixent par coordinence les quatre Fe restants. La position de deux des atomes de Fe dans l'un des centres [4Fe-3S] se modifie lors de l'oxydation, ce qui rompt les liaisons entre ces atomes de Fe et l'ion sulfure qui les fixe. À l'état oxydé, ces liaisons sont remplacées, pour un des Fe par un ligand

oxygène d'une Ser, et pour l'autre Fe par une liaison au N de l'amide d'une Cys.

2. Le **cofacteur FeMo** (Fig. 26-68*c*), qui est formé d'un centre [4Fe–3S] et d'un centre [1Mo–3Fe–3S] réunis par trois ions sulfure. L'atome de Mo du cofacteur FeMo se trouve au centre d'un complexe de coordination octaédrique dont les ligands sont trois soufres du cofacteur, un azote du noyau imidazole d'une His, et deux atomes d'oxygène d'un ion **homocitrate** (constituant essentiel du cofacteur FeMo) lié :

$$
\begin{array}{c}
\text{COO}^- \\
| \\
\text{CH}_2 \\
| \\
\text{CH}_2 \\
| \\
\text{HO}\!-\!\text{C}\!-\!\text{COO}^- \\
| \\
\text{CH}_2 \\
| \\
\text{COO}^-
\end{array}
$$

Homocitrate

Le cofacteur FeMo présente une cavité centrale qui, d'après une structure par rayons X à haute résolution (1,16 Å) de la protéine à MoFe d'*A. vinelandii*, également déterminée par Rees, montre ce

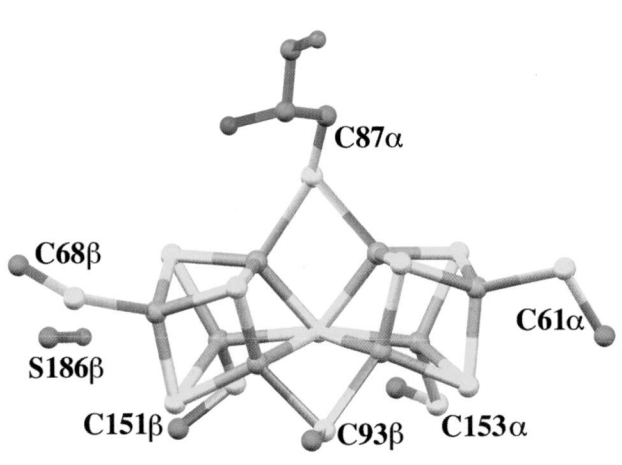

(a)

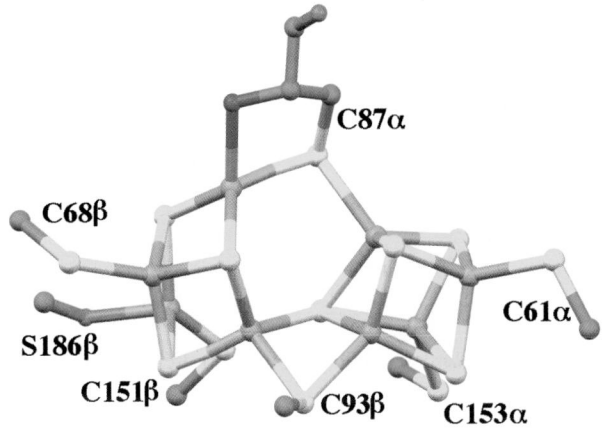

(b)

FIGURE 26-68 Groupements prosthétiques de la protéine à MoFe de la nitrogénase. Les molécules sont en modèle éclaté, avec C en vert, N en bleu, O en rouge, S en jaune, Fe en orange et Mo en rose.(*a*) La paire de centres P réduite de *Klebsiella pneumoniae*. Elle est formée de deux complexes [4Fe–3S] unis par un ion sulfure supplémentaire formant le huitième coin de chaque structure de type cubane, et reliés par deux ligands thiol de Cys, chacun fixant par coordinence un Fe de chaque centre. Quatre thiols de Cys supplémentaires fixent par coordinence les quatre atomes de Fe restants. (*b*) La paire de centres P oxydée à 2 électrons de *K. pneumoniae*. Par comparaison avec la paire de centres P réduite de la Partie *a*, deux des liaisons Fe–S de l'ion sulfure central qui unit les deux centres [4Fe–3S] ont été remplacées, l'une provenant du N de l'amide de Cys 87α et l'autre provenant du O de la chaîne latérale de Ser 186β, pour former un centre [4Fe–3S] (*à gauche*) et un centre [4Fe–4S] (*à droite*), qui restent associés par une liaison directe Fe–S et deux thiols de Cys. (*c*) Le cofacteur FeMo de *A. vinelandii*. Il est constitué d'un centre [4Fe–3S] et d'un centre [1Mo–3Fe–3S] réunis par trois ions sulfure. Le cofacteur FeMo n'est fixé à la protéine que par deux ligands à ses extrémités opposées, un de His 442α à l'atome Mo et l'autre de Cys 275α à un atome Fe. L'atome Mo est de plus réuni par un double pont à l'homocitrate. Un atome qui, selon toute vraisemblance est N (*sphère*

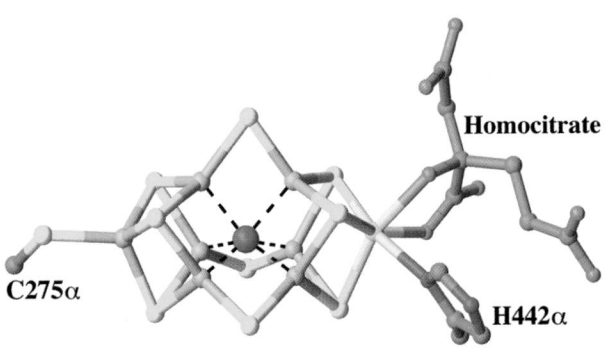

(c)

bleue), est fixé aux six atomes de Fe centraux du complexe FeMo (*lignes noires interrompues*). [Parties *a* et *b* fondées sur des structures par rayons X dues à David Lawson, John Innes Centre, Norwich, U.K. Partie *c* d'après une structure par rayons X de Douglas Rees, California Institute of Technology. PDBid (*a*) 1QGU, (*b*) 1QH1 et (*c*) 1M1N.]

qui est probablement un atome d'azote (bien qu'un C ou un O ne soit pas à exclure). Cet atome N supposé est fixé aux six atomes de Fe centraux du cofacteur FeMo de manière qu'il complète l'environnement de coordinence à peu près tétraédrique de chacun de ces atomes de Fe.

Le cofacteur FeMo est ~10 Å en dessous de la surface de la sous-unité α ; aussi pense-t-on que N_2 accède à son site de liaison grâce à des modifications de conformation de la protéine (se rappeler que la myoglobine et l'hémoglobine n'ont pas non plus d'accès direct pour qu'O_2 approche de ses sites de liaison sur l'hème dans ces protéines ; Section 10-2). La paire de centres P, qui se trouve aussi ~10 Å en dessous de la surface de la protéine, est à l'interface entre les sous-unités α et β sur l'axe de pseudo-ordre 2 qui réunit ces deux sous-unités. L'axe d'ordre 2 de la protéine à Fe et l'axe de pseudo-ordre 2 des protéines à MoFe coïncident au sein de leur complexe.

La nitrogénase hydrolyse deux molécules d'ATP pour chaque électron qu'elle transfère. Puisque les sites de liaison du nucléotide et le centre [4Fe–4S] sur la protéine à Fe sont séparés de ~20 Å, ce qui est trop pour un couplage direct entre transfert d'électrons et hydrolyse d'ATP, on postule un couplage allostérique via des modifications conformationnelles à l'interface entre sous-unités. De fait, des parties de la protéine à Fe ressemblent à celles de protéines G, pour lesquelles l'hydrolyse du nucléotide est couplée à des modifications de conformation qui contrôlent les effets de la protéine (Sections 19-2C et 19-3C). En particulier, deux régions de la protéine à Fe, appelées commutateurs (« switch ») I et II (Fig. 26-67), sont homologues à celles de Ras (Section 19-3C). La fixation de ADP • AlF_4^- à la protéine à Fe induit des modifications conformationnelles dans le commutateur I qui influencent les interactions entre les protéines à Fe et à MoFe, et dans le commutateur II qui influencent l'environnement du centre [4Fe–4S].

Dans la nitrogénase, le centre [4Fe–4S] de la protéine à Fe s'approche à ~14 Å de la paire de centres P de la protéine à MoFe, alors que la paire de centres P et le cofacteur FeMo sont éloignés de ~13 Å.

Ainsi, la séquence des réactions de transfert d'électrons catalysée par la nitrogénase serait

centre [4Fe–4S] → paire de centres P → cofacteur FeMo → N_2

Il semble donc que le rôle de l'hydrolyse de l'ATP soit de stabiliser une conformation de la protéine à Fe qu'elle ne peut adopter d'elle-même et qui facilite le transfert d'électrons du centre [4Fe–4S] de la protéine à Fe sur la paire de centres P de la protéine à MoFe.

b. La réduction de N_2 est énergétiquement coûteuse

La fixation de l'azote nécessite deux participants en plus de N_2 et de la nitrogénase : (1) une source d'électrons et (2) de l'ATP. Les électrons sont fournis soit oxydativement, soit photosynthétiquement, selon les organismes. Ces électrons sont transférés à la ferrédoxine (Section 22-2C), un transporteur d'électrons contenant un centre [4Fe-4S] qui transfère un électron à la protéine à Fe de la nitrogénase, amorçant ainsi le processus de fixation d'azote (Fig. 26-69). Deux molécules d'ATP se lient à la protéine à Fe réduite et sont hydrolysées pendant que les électrons sont transférés de la protéine à Fe à la protéine à MoFe. L'hydrolyse de l'ATP induit un changement conformationnel de la protéine à Fe, ce qui modifie son potentiel d'oxydo-réduction qui passe de –0,29 à –0,40 V, rendant l'électron capable de réduire N_2 ($\mathscr{E}°'$ pour la demi réaction N_2 + $6H^+$ + $6e^- \rightleftharpoons 2NH_3$ est égal à –0,34 V).

La véritable réduction de N_2 se réalise sur la protéine à MoFe en trois étapes distinctes, chacune impliquant une paire d'électrons :

$$N\equiv N \xrightarrow{2H^+ + 2e^-} H-N=N-H \xrightarrow{2H^+ + 2e^-} \begin{array}{c} H \quad\quad H \\ \diagdown \quad\quad \diagup \\ N-N \\ \diagup \quad\quad \diagdown \\ H \quad\quad H \end{array} \xrightarrow{2H^+ + 2e^-} 2NH_3$$

Diimine   **Hydrazine**

Il doit y avoir six transferts d'un électron par molécule de N_2 fixée ce qui nécessite 12 ATP. Bien que le site de liaison de N_2 soit quasi certainement le cofacteur FeMo, on spécule encore sur le mécanisme précis de la fixation de l'azote et de sa réduction . Des études théoriques suggèrent que les atomes de Fe du cofacteur FeMo disposés en prisme procurent des sites d'interaction favorables pour N_2 et ses produits de réduction. De fait, il est semble bien que l'atome N censé être fixé au cofacteur FeMo (Fig. 26-68c) participe à la réduction de N_2.

La nitrogénase réduit aussi H_2O en H_2, qui, à son tour, réagit avec la **diimine** pour redonner N_2 :

$$HN = NH + H_2 \longrightarrow N_2 + 2H_2$$

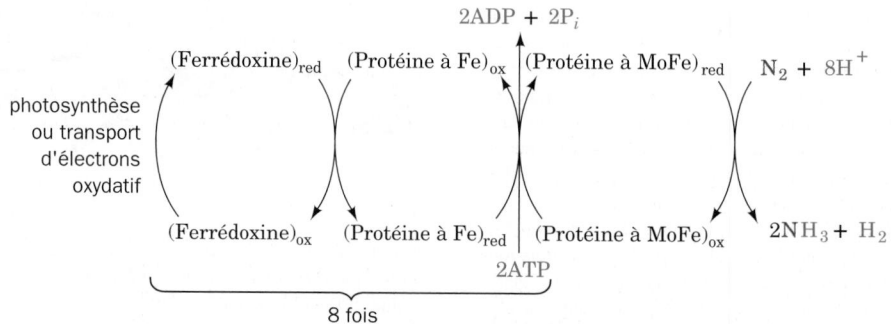

Ce cycle futile qui en résulte est favorisé quand la concentration en ATP est faible et/ou la réduction de la protéine à Fe se fait lentement. Cependant, même quand il y a beaucoup d'ATP, le cycle continue à former une molécule de H_2 par N_2 réduite et il semble donc nécessaire à la réaction de la nitrogénase. Le coût total de la réduction de N_2 s'élève donc à 8 électrons transférés et 16 ATP hydrolysés (entre 20 et 30 ATP dans des conditions physiologiques). La fixation de l'azote est donc un processus coûteux en énergie ; effectivement, les bactéries qui fixent l'azote dans les nodules des racines de petits pois consomment près de 20 % de l'ATP produit par la plante.

c. La leghémoglobine protège la nitrogénase de l'inactivation par l'oxygène

La nitrogénase est rapidement inactivée par O_2, si bien que l'enzyme doit être protégée contre cette substance réactionnelle. Les cyanobactéries (bactéries photosynthétiques qui dégagent de l'oxygène ; Section 1-1A) assurent cette protection en fixant l'azote dans des cellules spécialisées non photosynthétiques appelées **hétérocystes**, qui ont le Photosystème I mais n'ont pas le Photosystème II (Section 24-2C). Dans les nodules des racines des légumineuses (Fig. 26-66), la protection est assurée par la synthèse symbiotique de **leghémoglobine**. La partie globine de cette protéine monomérique (~145 résidus) qui fixe l'oxygène est synthétisée par la plante (une curiosité sur le plan de l'évolution puisque toutes les autres globines se trouvent dans le règne animal), alors que l'hème est synthétisé par le *Rhizobium*. La leghémoglobine a une très forte affinité pour O_2, maintenant ainsi la pO_2 suffisamment basse pour protéger la nitrogénase tout en assurant le transport passif de l'oxygène pour la bactérie aérobie.

d. Conférer à des plantes non légumineuses la propriété de fixer l'azote révolutionnerait l'agriculture

Bien que l'azote atmosphérique soit la source ultime d'azote pour tous les organismes, la plupart des plantes n'assurent pas la croissance symbiotique des bactéries qui fixent l'azote. Elles doivent donc dépendre d'une source d'azote « préfixé » comme le nitrate ou l'ammoniac. Ces nutriments proviennent de décharges d'éclairs (l'origine de ~10 % de N_2 fixée naturellement), de la décomposition de matière organique dans le sol, ou d'apport d'engrais. Le processus d'Haber, inventé par Fritz Haber en 1910, est un processus chimique pour fixer l'azote, encore très utilisé pour la production d'engrais. Cette réduction directe de N_2 par H_2 pour former NH_3 demande des températures de 300 à 500 °C, des pressions >300 atm, et un catalyseur à base de fer. Il est intéressant de noter que l'espacement des atomes de Fe à la surface de ce catalyseur ressemble à celui des atomes centraux de Fe du cofacteur FeMo (Fig. 26-68c).

L'un des buts à long terme de l'ingéniérie génétique est d'induire les plantes non légumineuses d'intérêt agronomique à fixer leur propre azote, entreprise complexe qui doit conférer à la plante des conditions favorables à la fixation de l'azote ainsi que la machinerie enzymatique indispensable. Cela éviterait aux agriculteurs, en particulier ceux des pays en voie de développement, soit d'acheter des engrais, soit de laisser leurs champs en jachère (permettant aux légumineuses de pousser), soit encore de déboiser progressivement les forêts tropicales, contribuant ainsi significativement à l'effet de serre (la pollution par le CO_2 réchauffant à long terme l'atmosphère).

◼ RÉSUMÉ DU CHAPITRE

1 ◼ Désamination des acides aminés Les acides aminés sont les précurseurs de nombreuses subsances azotées comme l'hème, les amines physiologiquement actives et le glutathion. Les acides aminés en excès sont transformés en intermédiaires courants pour être utilisés comme carburant métabolique. La première étape dans la dégradation des acides aminés est l'enlèvement de leur groupement α–aminé par transamination. Les transaminases nécessitent le phosphate de pyridoxal (PLP) et transforment les acides aminés en acides α-cétoniques correspondants. Le groupement aminé est transféré à l'α-cétoglutarate pour donner du glutamate, à l'oxaloacétate pour donner de l'aspartate, ou au pyruvate pour donner de l'alanine. Le glutamate subit ensuite une désamination oxydative par la glutamate déshydrogénase (GDH) pour former de l'ammoniac et régénérer de l'α-cétoglutarate. L'hyperinsulinisme/hyperammoniémie (HI/HA), une maladie génétique, est due à une mutation du gène de la GDH qui rend celle-ci moins sensible à l'inhibition par le GTP.

2 ◼ Le cycle de l'urée Dans le cycle de l'urée, les groupements aminés de NH_3 et de l'aspartate se combinent avec HCO_3^- pour donner de l'urée. Cette voie a lieu dans le foie, en partie dans la mitochondrie, et en partie dans le cytosol. Elle commence avec la condensation ATP-dépendante de NH_3 avec HCO_3^- catalysée par la carbamyl phosphate synthétase, enzyme possédant un tunnel de 96 Å de long reliant ses trois sites actifs et par lequel passent ses produits intermédiaires hautement réactionnels. Le carbamyl phosphate résultant réagit avec l'ornithine pour donner de la citrulline, qui se combine avec l'aspartate pour donner l'argininosuccinate lequel, à son tour, est clivé en fumarate et arginine. L'arginine est ensuite hydrolysée en urée qui est excrétée, et en ornithine qui rentre dans le cycle de l'urée. Le *N*-acétylglutamate régule le cycle de l'urée en activant allostériquement la carbamyl phosphate synthétase.

3 ◼ Catabolisme des acides aminés Les acides α-cétoniques produits par transamination sont dégradés en intermédiaires du cycle de l'acide citrique ou en leurs précurseurs. Les acides aminés leucine et lysine sont cétogéniques car ils ne sont transformés qu'en acétyl-CoA ou acétoacétate, précurseurs des corps cétoniques. Les autres acides aminés sont, du moins en partie, glucoformateurs car ils sont transformés en pyruvate, oxaloacétate, α-cétoglutarate, succinyl-CoA ou fumarate, précurseurs du glucose. L'alanine, la cystéine, la glycine, la sérine et la thréonine sont transformées en pyruvate. La sérine hydroxyméthyl transférase catalyse la rupture PLP-dépendante de la liaison C_α—C_β de la sérine pour former de la glycine. La réaction nécessite le transfert d'un groupement méthylène à partir du N^5,N^{10}-méthylène-tétrahydrofolate que le tétrahydrofolate (THF) obtient du système multienzymatique de clivage de la glycine. L'asparagine et l'aspartate sont transformés en oxaloacétate. L'α-cétoglutarate est un produit de dégradation de l'arginine, du glutamate, de la glutamine, de l'histidine et de la proline. La méthionine, l'isoleucine et la valine sont dégradées en succinyl-CoA. La dégradation de la méthionine passe par la formation de *S*-adénosylméthionine (SAM), un ion sulfonium qui joue le rôle de donneur de méthyle dans de nombreuses réactions de biosynthèse. L'hyperhomocystéinémie, un facteur de risque de maladies cardiovasculaires, déficiences cognitives ou défauts de développement du tube neural, est due à sa mauvaise dégradation folate-dépendante. La maladie du sirop d'érable (MSUD) est due à une déficience héréditaire dans la dégradation des acides aminés ramifiés. Les voies de dégradation des acides aminés ramifiés font intervenir des réactions communes à celles de l'oxydation des acyl-CoA. Le tryptophane est dégradé en alanine et acétoacétate. La phénylalanine et la tyrosine sont dégradées en fumarate et acétoacétate. La plupart des personnes atteintes de phénylcétonurie, maladie héréditaire, n'ont pas de phénylalanine hydroxylase (PAH), qui transforme la phénylalanine en tyrosine.

4 ■ Acides aminés en tant que précurseurs biosynthétiques L'hème est synthétisé à partir de glycine et de succinyl-CoA. Ces précurseurs se condensent pour donner l'acide δ-aminolévulinique (ALA), qui se cyclise en porphobilinogène (PBG), composé pyrrole. Quatre molécules de PBG se condensent pour former l'uroporphyrinogène III, qui donnera l'hème après une dernière réaction, l'insertion de Fe(II) dans la protoporphyrine IX, catalysée par la ferrochélatase. Les porphyries, qui résultent de déficiences dans la biosynthèse de l'hème, se caractérisent par des symptômes bizarres. L'hème est dégradé en tétrapyrroles linéaires, qui sont ensuite excrétés comme pigments biliaires. Les hormones et neurotransmetteurs L-DOPA, adrénaline, noradrénaline, sérotonine, acide γ-aminobutyrique (GABA) et histamine sont tous synthétisés à partir d'acides aminés précurseurs. Le glutathion, un tripeptide synthétisé à partir de glutamate, de cystéine et de glycine, est impliqué dans plusieurs processus de protection, de transport et de métabolisme. Le tétrahydrofolate est un coenzyme qui participe au transfert d'unités en C_1.

5 ■ Biosynthèse des acides aminés Les acides aminés sont nécessaires pour de nombreuses fonctions vitales dans un organisme. Ceux qui peuvent être synthétisés par les mammifères à partir de squelettes carbonés d'acides α-cétoniques et d'azote α-aminé préformé comme celui du glutamate sont appelés acides aminés non essentiels, alors que ceux qu'ils doivent trouver dans leur alimentation sont appelés acides aminés essentiels. La biosynthèse des acides aminés non essentiels implique des voies relativement simples, celle des acides aminés essentiels nécessitant des voies plus complexes.

6 ■ Fixation de l'azote Bien que la source ultime d'azote pour la biosynthèse des acides aminés soit l'azote atmosphérique N_2, ce gaz pratiquement inerte doit d'abord être réduit en une forme métabolisable, NH_3, par fixation d'azote. Ce processus n'est assuré que par certaines bactéries dont un genre vit en symbiose avec les légumineuses. N_2 est fixé dans ces organismes par une enzyme sensible à l'oxygène, la nitrogénase, constituée de deux protéines : la protéine à Fe, un dimère qui contient un centre [4Fe-4S] et deux sites de fixation pour l'ATP, et la protéine à MoFe, un tétramère $\alpha_2\beta_2$ dont chaque dimère αβ contient une paire de centres P (contenant deux centres [4Fe−3S] unis par un ion sulfure) et un cofacteur FeMo (un centre [4Fe−3S] et un centre [1Mo−3Fe−3S] reliés par trois ions sulfure et en coordination avec l'homocitrate). Ces cofacteurs fonctionnent comme transporteur de deux électrons pour la réduction ATP-dépendante de N_2 en NH_3.

RÉFÉRENCES

GENERALITÉS

Bender, D.A., *Amino Acid Metabolism*, Wiley (1985).

Scriver, C.R., Beaudet, A.C., Sly, W.S., and Valle, D. (Eds.), *The Metabolic & Molecular Bases of Inherited Disease* (8th ed.), McGraw-Hill (2001). [Le Volume 2, Partie 8 contient de nombreux chapitres sur les déficiences du métabolisme des acides aminés.]

Walsh, C., *Enzymatic Reaction Mechanisms*, Chapters 24 and 25, Freeman (1979). [On y traite des cofacteurs PLP, THF et SAM.]

DÉSAMINATION DES ACIDES AMINÉS ET CYCLE DE L'URÉE

Baker, P.J., Britton, K.L., Engel, P.C., Farrants, G.W., Lilley, K.S., Rice, D.W., and Stillman, T.J., Subunit assembly and active site location in the structure of glutamate dehydrogenase, *Proteins* **12**, 75–86 (1992). [Structure par rayons X de l'enzyme de *Clostridium symbiosum*.]

Cohen, P.P., The ornithine–urea cycle: biosynthesis and regulation of carbamyl phosphate synthetase I and ornithine trans-carbamylase, *Curr. Topics Cell. Reg.* **18**, 1–19 (1981). [Une historique intéressante de la découverte de l'urée et du cycle de l'urée, ainsi qu'une discussion de la régulation du cycle.]

Fang, J., Hsu, B.Y.L., MacMullen, M., Poncz, M., Smith, T.J., and Stanley, C.A., Expression, purification and characterization of human glutamate dehydrogenase (GDH) allosteric regulatory mutations, *Biochem. J.* **363**, 81–87 (2002).

Holden, H.M., Thoden, J.B., and Raushel, F.M., Carbamoyl phosphate synthetase: a tunnel runs through it, *Curr. Opin. Struct. Biol.* **8**, 679–685 (1998); *and* Thoden, J.B., Holden, H.M., Wesenberg, G., Raushel, F.M., and Rayment, I., Structure of carbamoyl phosphate synthetase: A journey of 96 Å from substrate to product, *Biochemistry* **36**, 6305–6316 (1997).

Jansonius, J.N., Structure, evolution and action of vitamin B_6-dependent enzymes, *Curr. Opin. Struct. Biol.* **8**, 759–769 (1998).

Jungas, R.L., Halperin, M.L., and Brosnan, J.T., Quantitative analysis of amino acid oxidation and related gluconeogenesis in humans, *Physiol. Rev.* **72**, 419–448 (1992).

Martell, A.E., Vitamin B_6 catalyzed reactions of α-amino and α-keto acids: model systems, *Acc. Chem. Res.* **22**, 115–124 (1989).

Meijer, A.J., Lamers, W.H., and Chamuleau, R.A.F.M., Nitrogen metabolism and ornithine cycle function, *Physiol. Rev.* **70**, 701–748 (1990).

Miles, E.W., Rhee, S., and Davies, D.R., The molecular basis of substrate channeling, *Biochemistry* **274**, 12193–12196 (1999).

Saeed-Kothe, A. and Powers-Lee, S.G., Specificity determining residues in ammonia- and glutamine-dependent carbamoyl phosphate synthetases, *J. Biol. Chem.* **277**, 7231–7238 (2002).

Smith, T.J., Peterson, P.E., Schmidt, T., Fang, J., and Stanley, C.A., Structures of bovine glutamate dehydrogenase complexes elucidate the mechanism of purine regulation, *J. Mol. Biol.* **307**, 707–720 (2001).

Smith, T.J., Schmidt, T., Fang, J., Wu, J., Siuzdak, G., and Stanley, C.A., The structure of apo human glutamate dehydrogenase details subunit communication and allostery, *J. Mol. Biol.* **318**, 765–777 (2002).

Stanley, C.A., Fang, J., Kutyna, K., Hsu, B.Y.L., Ming, J.E., Glaser, B., and Poncz, M., Molecular basis and characterization of the hyperinsulinism/hyperammonemia syndrome: predominance of mutations in exons 11 and 12 of the glutamate dehydrogenase gene, *Diabetes* **49**, 667–673 (2000).

Stipanuk, M.H. and Watford, M., Amino acid metabolism, Chap. 11, in Stipanuk, M.H. (Ed.), Biochemical and Physiological Basis of Nutrition, Saunders (2000).

Torchinsky, Yu.M., Transamination: its discovery, biological and chemical aspects (1937–1987), *Trends Biochem. Sci.* **12**, 115–117 (1987).

CATABOLISME DES ACIDES AMINÉS

Anderson, O.A., Flatmark, T., and Hough, E., High resolution crystal structures of the catalytic domain of human phenylalanine hydroxylase in its catalytically active Fe(II) form and binary complex with tetrahydrobiopterin, *J. Mol. Biol.* **314**, 279–291 (2001).

Ævarsson, A., Chuang, J.L., Wynn, R.M., Turley, S., Chuang, D.T., and Hol, W.G.J., Crystal structure of human branched-chain α-ketoacid dehydrogenase and the molecular basis of multienzyme complex deficiency in maple syrup urine disease, *Structure* **8**, 277–291 (2000); *and* Wynn, R.M., Davie, J.R., Chuang, J.L., Cote, C.D., and Chuang, D.T., Impaired assembly of E1 decarboxylase of the branched-chain α-ketoacid dehydrogenase complex in type IA maple syrup urine disease, *J. Biol. Chem.* **273**, 13110–13110 (1998).

Binda, C., Bossi, R.T., Wakatsuki, S., Arzt, S., Coda, A., Curti, B., Vanoni, M.A., and Mattevi, A., Cross-talk and ammonia channeling between active centers in the unexpected domain arrangement of glutamate synthase, *Structure* **8**, 1299–1308 (2000).

Douce, R., Bourguignon, J., Neuburger, M., and Rébeillé, F., The glycine decarboxylase system: a fascinating complex, *Trends Plant Sci.* **6**, 167–176 (2001).

Drennen, C.L., Huang, S., Drumond, J.T., Matthews, R., and Ludwig, M.L., How a protein binds B_{12}: A 3.0 Å X-ray structure of B_{12}-binding domains of methionine synthase, *Science* **266**, 1669–1674 (1994).

Faure, M., Rourguignon, J., Neuburger, M., Macherel, D., Sieker, L., Ober, R., Kahn, R., Cohen-Addad, C., and Douce, R., Interaction between the lipoamide-containing H-protein and the lipoamide dehydrogenase (L-protein) of the glycine decarboxylase multienzyme system, 2. Crystal structures of H- and L-proteins, *Eur. J. Biochem.* **267**, 2890–2898 (2000).

Guenther, B.D., Sheppard, C.A., Tran, P., Rozen, R., Matthews, R.G., and Ludwig, M.L., The structure and properties of methylenetetrahydrofolate reductase from *Escherichia coli* suggest how folate ameliorates human hyperhomocysteinemia, *Nature, Struct. Biol.* **6**, 359–365 (1999).

Guilhaudis, L., Simorre, J.-P., Blackledge, M., Marion, D., Gans, P., Neuburger, M., and Douce, R., Combined structural and biochemical analysis of the H–T complex in the glycine decarboxylase cycle: evidence for a destabilization mechanism of the H-protein, *Biochemistry* **39**, 4259–4266 (2000).

Huang, X., Holden, H.M., and Raushel, F.M., Channeling of substrates and intermediates in enzyme-catalyzed reactions, *Annu. Rev. Biochem.* **70**, 149–180 (2001).

Jansonius, J.N. and Vincent, M.G., Structural basis for catalysis by aspartate aminotransferase, *in* Jurnak, F.A. and McPherson, A. (Eds.), *Biological Macromolecules and Assemblies,* Vol. 3, *pp.* 187–285, Wiley (1987).

Kelly, A. and Stanley, C.A., Disorders of glutamate metabolism, *Mental Retard. Devel. Dis. Res. Rev.* **7**, 287–295 (2001).

Ludwig, M.L. and Matthews, R.G., Structure-based perspectives on B_{12}-dependent enzymes, *Annu. Rev. Biochem.* **66**, 269–313 (1997).

Medina, M.Á., Urdiales, J.L., and Amores-Sánchez, M.I., Roles of homocysteine in cell metabolism: Old and new functions, *Eur. J. Biochem.* **268**, 3871–3882 (2001).

Nichol, C.A., Smith, G.K., and Duch, D.S., Biosynthesis and metabolism of tetrahydrobiopterin and molybdopterin, *Annu. Rev. Biochem.* **54**, 729–764 (1985).

Sellers, V.M., Wu, K.-T., Dailey, T.A., and Dailey, H.A., Heme ferrochelatase: Characterization of substrate-iron binding and proton-abstracting residues, *Biochemistry* **40**, 9821–9827 (2001); *and* Wu, C.-K., Dailey, H.A., Rose, J.P., Burden, A., Sellers, V.M., and Wang,

B.-C., The 2.0 Å structure of human ferrochelatase, the terminal enzyme of heme biosynthesis, *Nature Struct. Biol.* **8**, 156–160 (2001).

Spiro, T.G. and Kozlowski, P.M., Is the CO adduct of myoglobin bent, and does it matter?, *Acc. Chem. Res.* **34**, 137–144 (2001).

Swain, A.L., Jaskólski, M., Housset, D., Rao, J.K.M., and Wladower, A., Crystal structure of *Escherichia coli* L-asparaginase, an enzyme used in cancer therapy, *Proc. Natl. Acad. Sci.* **90**, 1474–1478 (1993).

Varughese, K.I., Skinner, M.M., Whiteley, J.M., Matthews, D.A., and Xuong, N.H., Crystal structure of rat liver dihydropteridine reductase, *Proc. Natl. Acad. Sci.* **89**, 6080–6084 (1992).

Zalkin, H. and Smith, J.L. Enzymes utilizing glutamine as an amide donor, *Adv. Enzymol.* **72**, 87–144 (1998).

ACIDES AMINÉS EN TANT QUE PRÉCURSEURS BIOSYNTHÉTIQUES

Battersby, A.R., Tetrapyrroles: the pigments of life, *Nat. Prod. Rep.* **17**, 507–526 (2000).

Beru, N. and Goldwasser, E., The regulation of heme biosynthesis during erythropoietin-induced erythroid differentiation, *J. Biol. Chem.* **260**, 9251–9257 (1985).

Erskine, P.T., Newbold, R., Brindley, A.A., Wood, S.P., Shoolingin-Jordan, P.M., Warren, M.J., and Cooper J.B., The X-ray structure of yeast 5-aminolaevulinic acid dehydratase complexed with substrate and three inhibitors, *J. Mol. Biol.* **312**, 133–141 (2001).

Fitzpatrick, P.F., Tetrahydropterin-dependent amino acid hydroxylases, *Annu. Rev. Biochem.* **68**, 355–381 (1999).

Grandchamp, B., Beaumont, C., de Verneuil, H., and Nordmann, Y., Accumulation of porphobilinogen deaminase, uroporphyrinogen decarboxylase, and α- and β-globin mRNAs during differentiation of mouse erythroleukemic cells: effects of succinylacetone, *J. Biol. Chem.* **260**, 9630–9635 (1985).

Jaffe, E.K., Martins, J., Li, J., Kervinen, J., and Dunbrack, R.L., Jr., The molecular mechanism of lead inhibition of human porphobilinogen synthase, *J. Biol. Chem.* **276**, 1531–1537 (2001).

Jaffe, E.K., Kervinen, J., Martins, J., Stauffer, F., Neier, R., Wlodawer, A., and Zdanov, A., Species-specific inhibition of porphobilinogen synthase by 4-oxosebacic acid, *J. Biol. Chem.* **277**, 19792–19799 (2002).

Jordan, P.M. and Gibbs, P.N.B., Mechanism of action of 5-aminolevulinate dehydratase from human erythrocytes, *Biochem. J.* **227**, 1015–1021 (1985).

Louie, G.V., Brownlie, P.D., Lambert, R., Cooper, J.B., Blundell, T.L., Wood, S.P., Warren, M.J., Woodcock, S.C., and Jordan, P.M., Structure of porphobilinogen deaminase reveals a flexible multidomain polymerase with a single catalytic site, *Nature* **359**, 33–39 (1992).

Macalpine, I. and Hunter, R., Porphyria and King George III, *Sci. Am.* **221**(1), 38–46 (1969).

Meister, A., Glutathione metabolism and its selective modification, *J. Biol. Chem.* **263**, 17205–17208 (1988).

Padmanaban, G., Venkateswar, V., and Rangarajan, P.N., Haem as a multi-functional regulator, *Trends Biochem. Sci.* **14**, 492–496 (1989).

Pagola, S., Stephens, P.W., Bohle, D.S., Kosar, A.D., and Madsen, S.K., The structure of malaria pigment β-haematin, *Nature* **404**, 307–310 (2000).

Ponka, P. and Schulman, H.M., Acquisition of iron from transferrin regulates reticulocyte heme synthesis, *J. Biol. Chem.* **260**, 14717–14721 (1985).

Schneider-Yin, X., Gouya, L., Dorsey, M., Rüfenacht, U., Deybach, J.-C., and Ferreira, G.C., Mutations in the iron-sulfur cluster ligands of the human ferrochelatase lead to erythropoietic protoporphyria, *Blood* **96**, 1545–1549 (2000).

Sellers, V.M., Wu, C.-K., Dailey, T.A., and Dailey, H.A., Human ferrochelatase: characterization of substrate-iron binding and proton abstracting residues, *Biochemistry* **40**, 9821–9827 (2001).

Shoolingin-Jordan, P.M., Warren, M.J., and Awan, S.J., Discovery that the assembly of the dipyrromethane cofactor of porphobilinogen deaminase holoenzyme proceeds initially by the reaction of preuroporphyrinogen with the apoenzyme, *Biochem. J.* **316**, 373–376 (1996).

Thunell, S., Porphyrins, porphyrin metabolism and porphyrias. I. Update, *Scand. J. Clin. Lab. Invest.* **60**, 509–540 (2000).

Warren, M.J. and Scott, A.I., Tetrapyrrole assembly and modification into the ligands of biologically functional cofactors, *Trends Biochem. Sci.* **15**, 486–491 (1990).

Wellems, T.E., How chloroquine works, *Nature* **355**, 108–109 (1992).

Wu, C.-K., Dailey, H.A., Rose, J.P., Burden, A., Sellers, V.M., and Wang, B.-C., The 2.0 Å structure of human ferrochelatase, the terminal enzyme of heme biosynthesis, *Nature Struct. Biol.* **8**, 156–160 (2001).

BIOSYNTHÈSE DES ACIDES AMINÉS

Adams, E. and Frand, L., Metabolism of proline and the hydroxyprolines, *Annu. Rev. Biochem.* **49**, 1005–1061 (1980).

Chaudhuri, B.N., Lange, S.C., Myers, R.S., Chittur, S.V., Davisson, V.J., and Smith, J.L., Crystal structure of imidazole glycerol phosphate synthase: a tunnel through a $(\beta/\alpha)_8$ barrel joins two active sites, *Structure* **9**, 987–997 (2001).

Cooper, A.J.L., Biochemistry of sulfur-containing amino acids, *Annu. Rev. Biochem.* **52**, 187–222 (1983).

Eisenberg, D., Gill, H.S., Pfluegl, M.U., and Rotstein, S.H., Structure-function relationships of glutamine synthetases, *Biochim. Biophys. Acta* **1477**, 122–145 (2000); *and* Gill, H.S. and Eisenberg, D., The crystal structure of phosphinothricin in the active site of glutamine synthetase illuminates the mechanism of enzymatic inhibition, *Biochemistry* **40**, 1903–1912 (2001).

Herrmann, K.M. and Somerville, R.L. (Eds.), *Amino Acids: Biosynthesis and Genetic Regulation,* Addison–Wesley (1983).

Katagiri, M. and Nakamura, M., Animals are dependent on preformed α-amino nitrogen as an essential nutrient, *Life* **53**, 125–129 (2002).

Kishore, G.M. and Shah, D.M., Amino acid biosynthesis inhibitors as herbicides, *Annu. Rev. Biochem.* **57**, 627–663 (1988). [Traite de la biosynthèse des acides aminés essentiels.]

Larsen, T.M., Boehlein, S.K., Schuster, S.M., Richards, N.G.J., Thoden, J.B., Holden, H.M., and Rayment, I., Three-dimensional structure of *Escherichia coli* asparagine synthetase B: a short journey from substrate to product, *Biochemistry* **38**, 16146–16167 (1999).

Miles, E.W., Structural basis for catalysis by tryptophan synthase, *Adv. Enzymol.* **64**, 93–172 (1991); Hyde, C.C. and Miles, E.W., The tryptophan synthase multienzyme complex: Exploring structure-function relationships with X-ray crystallography and mutagenesis, *Biotechnology* **8**, 27–32 (1990); *and* Hyde, C.C., Ahmed, S.A., Padlan, E.A., Miles, E.W., and Davies, D.R., Three-dimensional structure of the tryptophan synthase $\alpha_2\beta_2$ multienzyme complex from *Salmonella typhimurium*, *J. Biol. Chem.* **263**, 17857–17871 (1988).

Pan, P., Woehl, E., and Dunn, M.F., Protein architecture, dynamics and allostery in tryptophan synthase channeling, *Trends Biochem. Sci.* **22**, 22–27 (1997).

Stadtman, E.R., The story of glutamine synthetase regulation, *J. Biol. Chem.* **276**, 44357–44364 (2001).

Stallings, W.C., Abdel-Meguid, S.S., Lim, L.W., Shieh, H.-S., Dayringer, H.E., Leimgruber, N.K., Stegeman, R.A., Anderson, K.S., Sikorski, J.A., Padgette, S.R., and Kishore, G.M., Structure and topological symmetry of the glyphosate target 5-*enol*-pyruvylshikimate-3-phosphate synthase: A distinctive protein fold, *Proc. Natl. Acad. Sci.* **88**, 5046–5050 (1991). [Il s'agit de l'enzyme qui catalyse la Réaction 6 de la Fig. 26-62, complexée au glyphosate, un inhibiteur employé comme herbicide à large spectre.]

Wellner, D. and Meister, A., A survey of inborn errors of amino acid metabolism and transport in man, *Annu. Rev. Biochem.* **50**, 911–968 (1981).

FIXATION DE L'AZOTE

Christiansen, J., Dean, D.R., and Seefeldt, L.C., Mechanistic features of the Mo-containing nitrogenase, *Annu. Rev. Plant Physiol. Plant Mol. Biol.* **52**, 269–295 (2001).

Einsle, O., Tezcan, F.A., Andrade, A.L.A., Schmidt, B., Yoshida, M., Howard, J.B., and Rees, D.C., Nitrogense MoFe-protein at 1.16 Å resolution: A central ligand in the FeMo-cofactor, *Science* **297**, 1696–1700 (2002).

Fisher, R.F. and Long, S.R., *Rhizobium*–plant signal exchange, *Nature* **357**, 655–660 (1992). [Discusses the signals through which Rhizobiaceae and legumes communicate to symbiotically generate the root nodules in which nitrogen fixation occurs.]

Jang, S.B., Seefeldt, L.C., and Peters, J.W., Insights into nucleotide signal transduction in nitrogenase: Structure of an iron protein with MgADP bound, *Biochemistry* **39**, 14745–14752 (2000).

Lawson, D.M. and Smith, B.E., Molybdenum nitrogenases: a crystallographic and mechanistic view, *Metal Ions Biol. Sys.* **39**, 75–120 (2002).

Mayer, S.M., Lawson, D.M., Gormal, C.A., Roe, S.M., and Smith, B.E., New insights into structure-function relationships in nitrogenase: A 1.6 Å resolution X-ray crystallographic study of *Klebsiella pneumoniae* MoFe-protein, *J. Mol. Biol.* **292**, 871–891 (1999).

Peters, J.W., Stowell, M.H.B., Soltis, S.M., Finnegan, M.G., Johnson, M.K., and Rees, D.C., Redox-dependent structural changes in the nitrogenase P-cluster, *Biochemistry* **36**, 1181–1187 (1997).

Rees, D.C. and Howard, J.B., Nitrogenase: standing at the crossroads, *Curr. Opin. Chem. Biol.* **4**, 559–566 (2000); *and* Howard, J.B. and Rees, D.C., Structural basis of biological nitrogen fixation, *Chem. Rev.* **96**, 2965–2982 (1996).

Schindelin, H., Kisker, C., Schlessman, J.L., Howard, J.B., and Rees, D.C., Structure of ADP · AlF$_4^-$ stabilized nitrogenase complex and its implications for signal transduction, *Nature* **387**, 370–376 (1997).

PROBLÈMES

1. Écrivez la réaction de transamination d'un acide aminé selon la notation de Cleland (Section 14-5A).

2. Les symptômes d'une déficience partielle d'une enzyme du cycle de l'urée peuvent être atténués par une alimentation pauvre en protéines. Expliquez.

3. Pourquoi recommande-t-on aux personnes qui consomment beaucoup de protéines de boire beaucoup d'eau ?

4. Un étudiant suivant un régime dépense 10 000 kJ • jour^{-1} alors qu'il excrète 40 g d'urée. En supposant que les protéines ont 16 % d'azote en poids et que leur métabolisme libère 18 kJ • g^{-1}, quel est le pourcentage des besoins en énergie de l'étudiant provenant des protéines ?

5. Pourquoi interdit-on aux phénylcétonuriques de manger des produits contenant l'édulcorant **aspartame** (nom chimique de l'ester méthylique de la L-aspartyl-L-phénylalanine ?

6. Montrez que la synthèse de l'hème à partir du PBG tel qu'il est marqué dans la Fig. 26-35 conduit à la distribution de marquage donnée dans la Fig. 26-32.

7. Expliquez pourquoi certains médicaments et autres produits chimiques peuvent provoquer une crise de porphyrie intermittente aiguë.

8. Chez les hétérozygotes pour la protoporphyrie érythropoïétique, l'activité ferrochélatase résiduelle n'est que de 20 à 30 % et non 50 % comme on s'y attendrait pour une maladie héréditaire autosomique dominante. Donnez une explication plausible de cette observation.

9. L'un des symptômes du **kwashiorkor**, maladie due à une déficience en protéines chez les enfants, est la dépigmentation de la peau et des cheveux. Expliquez l'origine biochimique de ce symptôme.

10. Quelles sont les conséquences métaboliques d'une déficience de l'enzyme de désuridylylation chez *E. coli* ?

11. La Réaction 9 de la Fig. 26-60 montre que la méthionine est synthétisée chez les micro-organismes par méthylation de l'homocystéine dans une réaction où le N^5-méthyl-THF est le donneur de méthyle. Cependant, lors de la dégradation de la méthionine (Fig. 26-18), sa déméthylation se fait en trois étapes où la SAM est un intermédiaire. Expliquez pourquoi cette réaction ne se fait pas, en une étape, par la réaction inverse de la réaction de méthylation.

*12. Dans le cycle glucose-alanine (Fig. 26-3), le pyruvate issu de la glycolyse est transaminé en alanine et exporté dans le foie pour être transformé en glucose et ramené à la cellule. Expliquez comment une cellule musculaire est capable de participer à ce cycle dans des conditions anaérobies (après un effort intense). (*N.B.* La dégradation de nombreux acides aminés donne du NH_3).

13. Dessinez les intermédiaires activés impliqués dans la biosynthèse (a) de glutamine à partir de glutamate et (b) d'asparagine à partir d'aspartate. (c) Donnez un exemple d'une autre activation métabolique d'un groupement d'acide carboxylique analogue à chacune de ces réactions.

14. Le tétramère $\alpha_2\beta_2$ de la tryptophane synthase catalyse la réaction PLP-dépendante de l'indole-3-glycérol phosphate et de la sérine pour former le tryptophane (Fig. 26-63, Réactions 5 et 6). Écrivez les réactions chimiques impliquées dans cette synthèse, y compris la participation du PLP, et montrez le flux des électrons par des flèches courbes. Quel est le rôle du PLP dans cette réaction ?

15. Suggérez une explication à la perte du Photosystème II et la conservation du Photosystème I par les hétérocystes des cyanobactéries qui fixent l'azote.

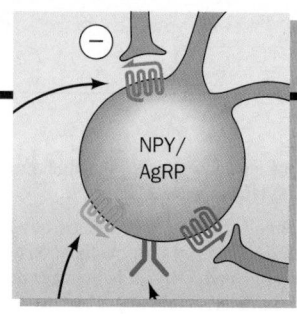

Chapitre

27

Métabolisme énergétique : intégration et spécialisation d'organes

À ce stade de notre étude nous avons vu les principales voies du métabolisme énergétique. Par conséquent, nous sommes en mesure d'analyser comment les organismes, les mammifères en particulier, orchestrent cette symphonie métabolique pour satisfaire leurs besoins énergétiques. Au début de ce chapitre nous récapitulerons les principales voies métaboliques et leurs systèmes de contrôle, après quoi nous étudierons comment ces processus se répartissent entre les différents organes du corps, puis nous terminerons en étudiant l'adaptation métabolique, à savoir comment l'organisme maintient son équilibre énergétique (l'homéostasie), comment il fait face au défi métabolique du jeûne et comment il réagit à la perte de contrôle caractéristique du diabète sucré.

1 ■ PRINCIPALES VOIES ET STRATÉGIES DU MÉTABOLISME ÉNERGÉTIQUE : RÉSUMÉ

La Fig. 27-1 décrit les relations des voies principales du métabolisme énergétique. Passons en revue ces voies et leurs mécanismes de contrôle.

1. Glycolyse (Chapitre 17) La dégradation métabolique du glucose débute par sa transformation en deux molécules de pyruvate avec la synthèse nette de deux molécules d'ATP et de deux molécules de NADH. Dans des conditions anaérobies, le pyruvate est transformé en lactate (ou en éthanol chez la levure) afin de régénérer le NADH. Cependant, dans des conditions aérobies, la glycolyse est suivie d'une oxydation plus poussée du glucose, et le NAD^+ est régénéré par les phosphorylations oxydatives (cf. ci-dessous). Le flux de métabolites par la voie glycolytique est essentiellement contrôlée par l'activité de la phosphofructokinase (PFK). Cette enzyme est activée par l'AMP et l'ADP, dont les concentrations augmentent avec la demande énergétique, et est inhibée par l'ATP et le citrate, dont les concentrations augmentent quand la demande énergétique diminue. Le citrate, un intermédiaire du cycle de l'acide citrique, inhibe également la PFK et la glycolyse lorsque le métabolisme aérobie l'emporte sur le métabolisme anaérobie, ce qui rend plus efficace l'oxydation du glucose (effet Pasteur ; Section 22-4C), et lorsque l'oxydation des acides gras et/ou des corps cétoniques (également des voies aérobies) couvrent les besoins énergétiques (cycle glucose–acides gras ou effet Randle ; Section 22-4B). La PFK est aussi activée par le fructose-2,6-bisphosphate, dont la concentration est régulée par les taux de glucagon, d'adrénaline et de noradrénaline par l'intermédiaire de l'AMPc (Section 18-3F). Les taux de F2,6P dans le foie et dans le muscle cardiaque sont inversement régulés : une augmentation de la [AMPc] entraîne une baisse de la [F2,6P] dans le foie et une augmentation de la [F2,6P] dans le muscle cardiaque. Cependant, la [F2,6P] dans le muscle squelettique n'est pas influencée par des modifications de la [AMPc].

2. Gluconéogenèse (Section 23-1) Les mammifères peuvent synthétiser le glucose à partir de nombreux précurseurs, dont le pyruvate, le lactate, le glycérol, et les acides aminés glucoformateurs (mais pas les acides gras), grâce à des voies que l'on trouve essentiellement dans le foie et le rein. La plupart de ces précurseurs sont transformés en oxaloacétate qui, à son tour, est transformé en phosphoénolpyruvate puis, par une série de réactions qui correspondent essentiellement à la glycolyse en sens inverse, en glucose. Les réactions irréversibles de la glycolyse, celles catalysées par la PFK et l'hexokinase, sont contournées dans la gluconéogenèse par des réactions d'hydrolyse catalysées respectivement par la fructose-1,6-bisphosphatase (FBPase) et la glucose-6-phosphatase. La FBPase et la PFK peuvent être simultanément partiellement actives, assurant ainsi un cycle de substrat. Ce cycle, et les régulations réciproques de la PFK et de la FBPase, jouent un rôle

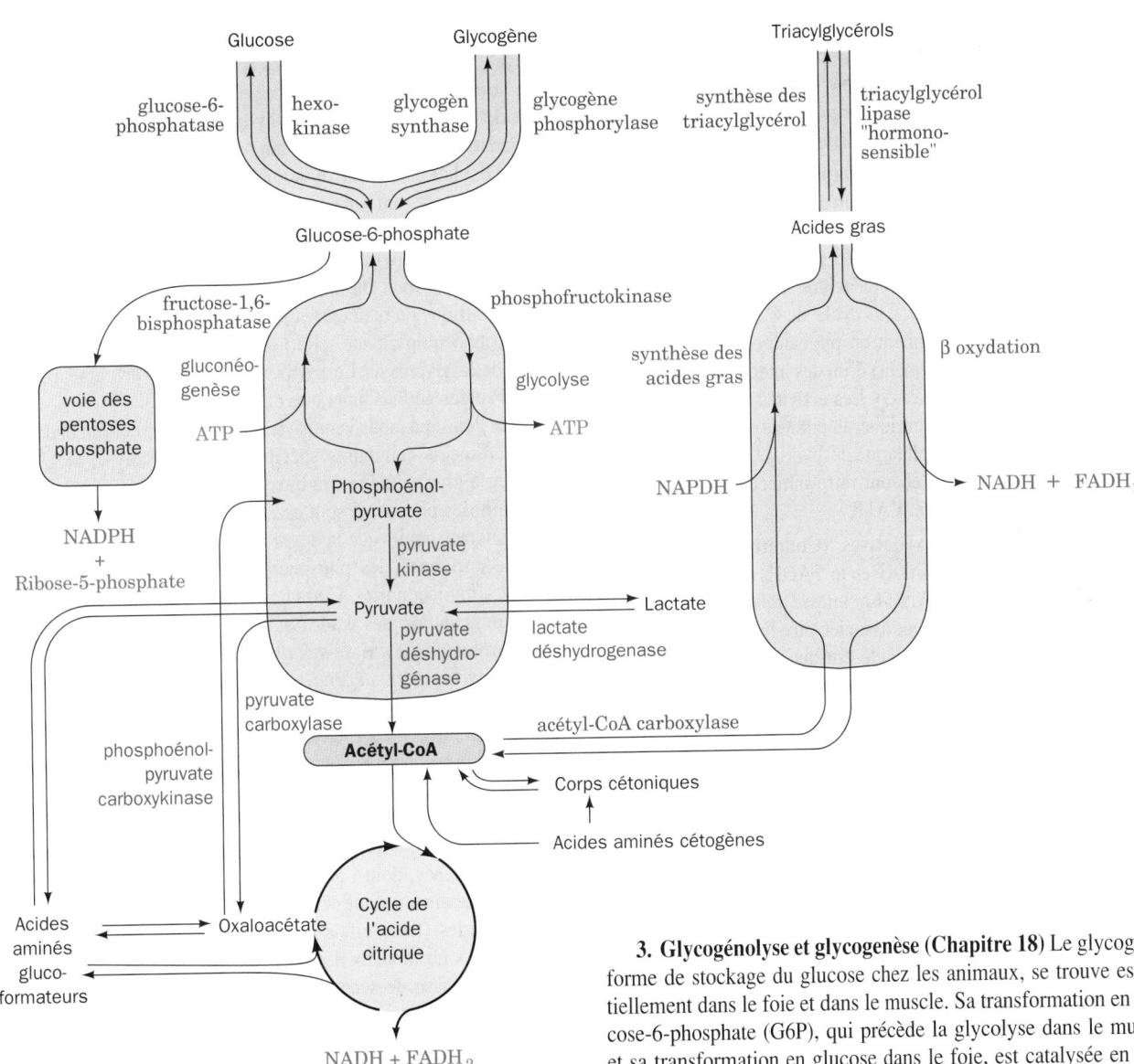

FIGURE 27-1 Voies principales du métabolisme énergétique.

3. Glycogénolyse et glycogenèse (Chapitre 18) Le glycogène, forme de stockage du glucose chez les animaux, se trouve essentiellement dans le foie et dans le muscle. Sa transformation en glucose-6-phosphate (G6P), qui précède la glycolyse dans le muscle et sa transformation en glucose dans le foie, est catalysée en partie par la glycogène phosphorylase, alors que sa synthèse est assurée par la glycogène synthase. Ces enzymes sont régulées par des réactions de phosphorylation/déphosphorylation catalysées par des cascades amplificatrices qui répondent aux concentrations des hormones glucagon et adrénaline par l'intermédiaire de l'AMPc, et par l'insuline (Sections 18-3E et 19-4F). *Ainsi, le rapport glucagon–insuline est un facteur capital pour déterminer la vitesse et la direction du métabolisme du glycogène.*

4. Dégradation et synthèse des acides gras (Sections 25-1 à 25-5) Les acides gras sont dégradés par tranches d'unités C_2 en acétyl-CoA grâce à la β oxydation. Ils sont synthétisés à partir de ce métabolite par une voie différente. L'activité de la β oxydation dépend de la concentration en acides gras. Celle-ci dépend à son tour de l'activité de la triacylglycérol lipase hormono-sensible du tissu adipeux, qui est stimulée, via des réactions de phosphorylation/déphosphorylation AMPc-dépendantes, par le glucagon et l'adrénaline, mais inhibée par l'insuline. La vitesse de synthèse des acides gras varie avec l'activité de l'acétyl-CoA carboxylase, qui est activée par le citrate et déphosphorylation insulino-dépendante, et inactivée par le palmityl-CoA, le produit de la voie, et par phosphorylation AMPc- et AMP-dépendante. La synthèse des

important dans la régulation de la vitesse et de la direction des flux de la glycolyse et de la gluconéogenèse (Sections 17-4F et 23-1B). L'oxydation des acides gras et des corps cétoniques peut augmenter la vitesse de la gluconéogenèse dans le foie en diminuant la concentration de F2,6P (Section 18-3F). En effet, l'augmentation de la concentration de citrate résultant de l'activation du cycle de l'acide citrique lors de l'oxydation des acides gras inhibe la PFK-2 et la PFK (Tableau 23-1). La phosphoénolpyruvate carboxykinase (PEPCK) contourne la troisième réaction irréversible de la glycolyse, celle catalysée par la pyruvate kinase (PK), et est contrôlée exclusivement par régulation transcriptionnelle à long terme.

acides gras est aussi régulée à long terme par la modification des vitesses de synthèse des enzymes impliquées dans le processus, stimulées par l'insuline et inhibées par le jeûne. *Le rapport glucagon–insuline est donc d'importance primordiale pour déterminer la vitesse et la direction du métabolisme des acides gras.*

5. Cycle de l'acide citrique (Chapitre 21) Le cycle de l'acide citrique oxyde l'acétyl-CoA, produit de dégradation commun du glucose, des acides gras, des corps cétoniques, et des acides aminés cétogènes, en CO_2 et H_2O avec formation concomitante de NADH et de $FADH_2$. De nombreux acides aminés glucoformateurs peuvent aussi être oxydés via le cycle de l'acide citrique après avoir été transformés finalement en pyruvate et acétyl-CoA, parfois par **cataplérose** (épuisement) d'un des intermédiaires du cycle de l'acide citrique (Section 21-5). Les activités des enzymes régulatrices du cycle de l'acide citrique, la citrate synthase, l'isocitrate déshydrogénase et l'α-cétoglutarate déshydrogénase, dépendent de la disponibilité en substrat et sont rétro-inhibées par les intermédiaires du cycle, le NADH et l'ATP.

6. Phosphorylations oxydatives (Chapitre 22) Cette voie mitochondriale oxyde le NADH et le $FADH_2$ en NAD^+ et FAD avec synthèse couplée d'ATP. La vitesse des phosphorylations oxydatives, qui est étroitement associée aux flux métaboliques de la glycolyse et du cycle de l'acide citrique, est fortement dépendante des concentrations en ATP, ADP et P_i ainsi que de l'O_2.

7. Voie des pentoses phosphate (Section 23-4) Le rôle de cette voie est d'assurer la production de NADPH utilisé dans les voies de biosynthèse réductrice, ainsi que la synthèse du ribose-5-phosphate précurseur de nucléotides, par oxydation du G6P. La réaction dont dépend le flux de cette voie est catalysée par la glucose-6-phosphate déshydrogénase, dont l'activité dépend de la disponibilité en $NADP^+$. *La possibilité qu'ont les enzymes de faire la distinction entre le NADH, principalement utilisé dans le métabolisme énergétique, et le NADPH, permet au métabolisme énergétique et aux voies de biosynthèse d'être régulés indépendamment.*

8. Dégradation et synthèse des acides aminés (Sections 26-1 à 26-5) Les acides aminés en excès peuvent être dégradés en intermédiaires métaboliques communs. La plupart de ces voies débutent par la transamination d'un acide aminé qui donne l'acide α-cétonique correspondant accompagné du transfert final du groupement aminé à l'urée via le cycle de l'urée. La leucine et la lysine sont des acides aminés cétogènes car ils ne peuvent être transformés qu'en acétyl-CoA ou en acétoacétate, et ne sont donc pas des précurseurs du glucose. Les autres acides aminés sont glucoformateurs car ils peuvent, du moins en partie, être transformés en l'un des précurseurs du glucose, à savoir le pyruvate, l'oxaloacétate, l'α-cétoglutarate, le succinyl-CoA ou le fumarate. Cinq acides aminés sont à la fois glucoformateurs et cétogènes. Les acides aminés essentiels sont ceux qui ne peuvent être synthétisés par l'animal lui-même ; ils doivent provenir de sources végétales ou microbiennes. Les acides aminés non essentiels peuvent être synthétisés par les animaux à partir de groupements aminés préformés, grâce à des voies généralement plus simples que celles qui permettent la synthèse des acides aminés essentiels.

Deux composés se trouvent à la croisée des voies métaboliques précédentes : l'acétyl-CoA et le pyruvate (Fig. 27-1). L'acétyl-CoA est le produit de dégradation commun de la plupart des combustibles métaboliques, dont les polysaccharides, les lipides et les pro-

téines. Son groupement acétyle peut être oxydé en CO_2 et H_2O via le cycle de l'acide citrique et les phosphorylations oxydatives, ou être utilisé pour la synthèse des acides gras. Le pyruvate est le produit de la glycolyse, de la déshydrogénation du lactate, et de la dégradation de certains acides aminés. Il peut subir une réaction de décarboxylation oxydative pour donner de l'acétyl-CoA, engageant ainsi ses atomes de carbone dans une voie oxydative ou dans la voie de biosynthèse des acides gras. Alternativement, il peut être carboxylé par la pyruvate carboxylase pour donner de l'oxaloacétate qui, à son tour, ou bien rejoint les intermédiaires du cycle de l'acide citrique ou bien entre dans la voie de la gluconéogenèse via le phosphoénolpyruvate, court-circuitant ainsi une étape irréversible de la glycolyse. Le pyruvate est donc le précurseur de plusieurs acides aminés ainsi que du glucose.

Les voies que nous venons de mentionner se déroulent dans des compartiments cellulaires spécifiques. La glycolyse, la glycogenèse et la glycogénolyse, la biosynthèse des acides gras et la voie des pentoses phosphate sont essentiellement, voire complètement, cytosoliques, tandis que la dégradation des acides gras, le cycle de l'acide citrique et les phosphorylations oxydatives se déroulent dans les mitochondries. Certaines phases de la gluconéogenèse et de la dégradation des acides aminés se font dans chacun de ces compartiments. *Le flux de métabolites à travers les membranes qui les compartimentent dépend, dans la plupart des cas, de transporteurs spécifiques dont l'activité est régulée.*

Le nombre considérable de réactions enzymatiques qui ont lieu simultanément dans chaque cellule (Fig. 16-1) doit être coordonné et strictement contrôlé pour satisfaire les besoins cellulaires. Une telle régulation s'exerce à différents niveaux. Les communications intercellulaires qui régulent le métabolisme font intervenir certaines hormones, dont l'adrénaline, la noradrénaline, le glucagon et l'insuline ainsi qu'une série d'hormones stéroïdes appelées **glucocorticoïdes** (leurs effets sont étudiés dans la Section 19-1G). Ces signaux hormonaux déclenchent diverses réponses cellulaires, dont la synthèse de seconds messagers tels que l'AMPc à court terme et la modulation de la vitesse de synthèse des protéines à long terme. A l'échelle moléculaire, les vitesses des réactions enzymatiques sont contrôlées par phosphorylation/déphosphorylation par l'intermédiaire de cascades de réactions amplificatrices, par des réponses allostériques déclenchées par des effecteurs, qui sont généralement précurseurs ou produits de la voie contrôlée, et par la disponibilité en substrat. Le système qui assure la régulation de voies anaboliques et cataboliques opposées est conçu de sorte que ces voies sont régulées réciproquement.

Toutes les voies évoquées ci-dessus sont, d'une manière ou d'une autre, influencées par les besoins en ATP, lesquels se reflètent dans la concentration intracellulaire en AMP. Plusieurs enzymes sont activées ou inhibées allostériquement par l'AMP et plusieurs autres sont phosphorylées par la protéine-kinase AMP-dépendante (AMPK, appelée jauge de combustible de la cellule). Les cibles de l'AMPK comprennent les isozymes cardiaque et inductible de l'enzyme bifonctionnelle PFK-2/FBPase-2, qui contrôle la concentration en F2,6P (Sections 18-3F et 22-4C). La phosphorylation de ces isozymes active leur activité PFK-2, ce qui augmente la concentration en F2,6P, lequel active la PFK et la glycolyse. Ainsi, lorsqu'il y a trop peu d'oxygène pour maintenir une concentration adéquate en ATP par les phosphorylations oxydatives, l'accumulation d'AMP fait passer la cellule en glycolyse anaérobie afin d'augmenter la production d'ATP.

L'AMPK phosphoryle également la triacylglycérol lipase hormono-sensible, ce qui l'active (Section 25-5). La disponibilité en acides gras à oxyder augmente, ce qui procure un autre moyen de fournir de l'ATP. La phosphorylation AMPK-dépendante inhibe par contre d'autres enzymes, comme l'acétyl Co-carboxylase (ACC ; elle catalyse la première réaction d'engagement dans la synthèse des acides gras ; Section 25-4B), l'hydroxyméthylglutaryl-CoA réductase (HMG-CoA réductase ; elle catalyse la réaction d'engagement dans la biosynthèse du cholestérol ; Section 25-6B), et la glycogène synthase (qui catalyse la réaction d'engagement dans la synthèse du glycogène ; Section 18-3D), Ainsi, lorsque la vitesse de production d'ATP ne suffit pas, ces voies biosynthé-tiques sont coupées afin de préserver l'ATP pour couvrir les besoins cellulaires les plus vitaux.

2 ■ SPÉCIALISATION D'ORGANES

Les différents organes exercent des fonctions métaboliques et physiologiques différentes. Nous étudions dans cette section comment sont assurés les besoins particuliers des organes de mammifère et comment leurs aptitudes métaboliques sont coordonnées pour répondre à ces besoins. Nous étudierons plus particulièrement le cerveau, le muscle, le tissu adipeux, le foie et le rein (Fig. 27-2).

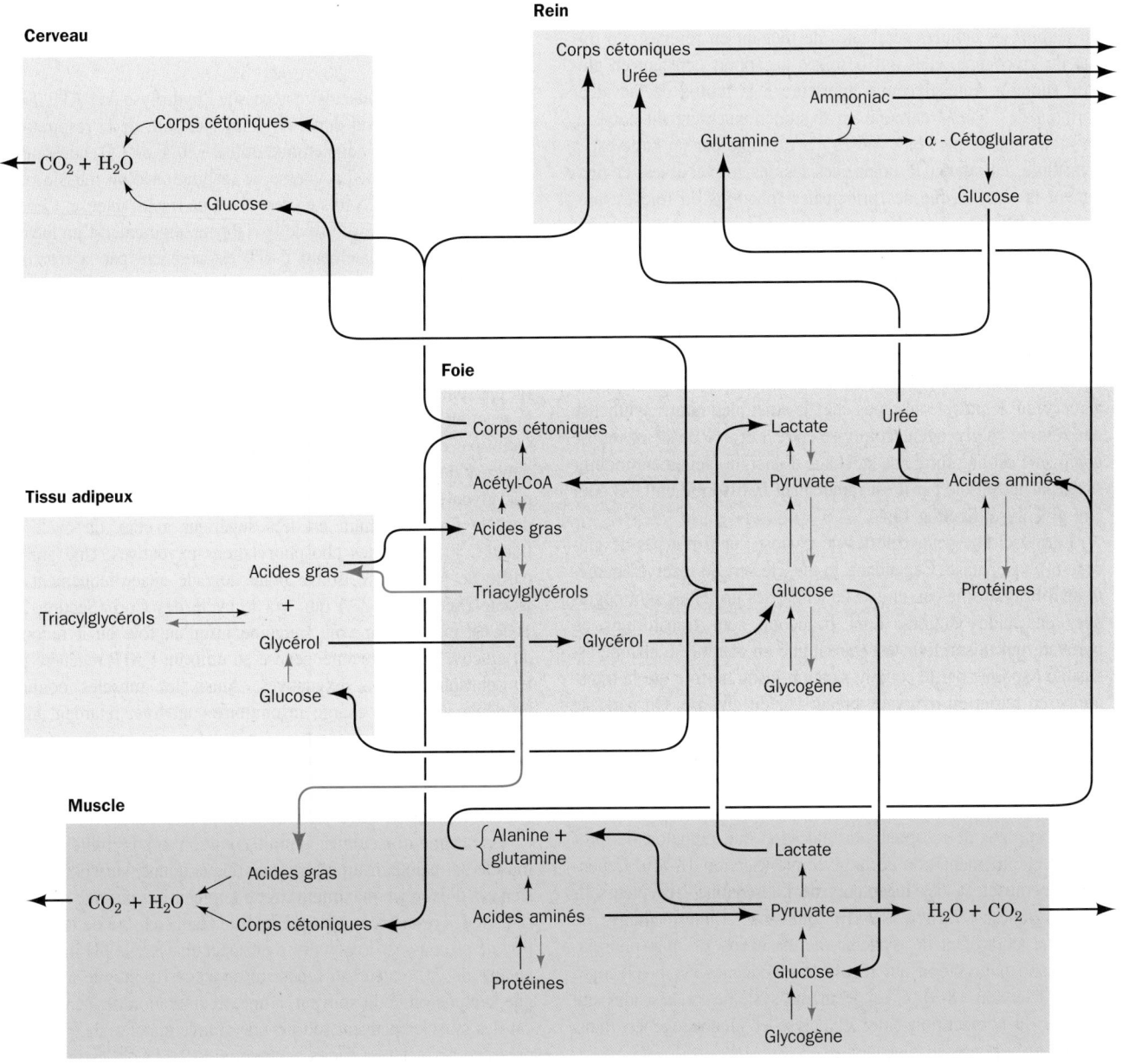

FIGURE 27-2 Relations métaboliques entre le cerveau, le tissu adipeux, le muscle, le foie et le rein. Les flèches en rouge indiquent les voies qui prédominent chez le sujet bien nourri, quand le glucose, les acides aminés et les acides gras sont fournis directement par l'intestin.

A. *Le cerveau*

Le tissu cérébral a une intensité respiratoire remarquablement élevée. Ainsi, le cerveau humain ne représente que ~2 % de la masse totale du corps adulte mais est responsable de ~20 % de sa consommation en O_2 à l'état de repos. De plus, cette consommation est indépendante de l'activité mentale ; elle varie peu selon que l'on dorme ou que l'on se concentre intensément pour étudier, disons, la biochimie. La plus grande partie de la production énergétique du cerveau est utilisée pour faire fonctionner la (Na^+–K^+) ATPase de la membrane plasmique (Section 20-3A), qui maintient le potentiel de membrane indispensable à la transmission de l'influx nerveux (Section 20-5). Ainsi, la respiration de tranches de cerveau est diminuée de plus de 50 % par l'ouabaïne, inhibiteur de la (Na^+–K^+) ATPase (Section 20-3A).

En conditions habituelles, le glucose est le seul « combustible » du cerveau (bien qu'en cas de jeûne prolongé, le cerveau consomme de plus en plus de corps cétoniques ; Section 27-4A). En réalité, les cellules cérébrales ne mettant en réserve que très peu de glycogène, elles ont besoin d'un apport constant en glucose sanguin. Une glycémie inférieure à la moitié de la valeur normale de ~5 mM entraîne un dysfonctionnement du cerveau. Des taux encore plus bas, causés par exemple par un large excès d'insuline, entraînent le coma, des lésions irréversibles, et finalement la mort. L'une des principales fonctions du foie est précisément d'assurer une glycémie constante (Sections 18-3F et 27-2D).

B. *Le muscle*

Les principaux combustibles du muscle sont le glucose à partir de glycogène, les acides gras et les corps cétoniques. Contrairement au cerveau, le muscle au repos chez le sujet bien nourri synthétise une réserve en glycogène comprise entre 1 et 2 % de sa masse. Le glycogène est une forme de stockage d'énergie facilement mobilisable par le muscle car il est rapidement transformé en G6P pour être glycolysé (Section 18-1).

Le muscle ne peut exporter de glucose car il n'a pas de glucose-6-phosphatase. Cependant, le muscle sert de réserve énergétique à l'organisme car, en cas de jeûne, ses protéines sont dégradées en acides aminés, dont beaucoup sont transformés en pyruvate qui, à son tour, est transaminé en alanine. L'alanine est ensuite exportée par le courant sanguin jusqu'au foie qui la transamine en retour en pyruvate, précurseur du glucose. On parle de cycle glucose–alanine (Section 26-1A).

Le muscle n'assurant pas la gluconéogenèse, il ne possède pas le système régulateur de ce processus que l'on trouve dans des organes gluconéogéniques comme le foie et le rein. Le muscle n'a pas de récepteurs du glucagon qui, rappelons-le, provoque une augmentation de la glycémie (Section 18-3F). Cependant, le muscle a des récepteurs de l'adrénaline (récepteurs β-adrénergiques ; Section 19-1F) qui, par l'intermédiaire de l'AMPc, contrôlent le système de cascades de phosphorylation/déphosphorylation qui régule la glycogenèse et la glycogénolyse (Section 18-3). C'est le même système de cascades qui contrôle la compétition entre glycolyse et gluconéogenèse dans le foie en réponse au glucagon.

Le muscle cardiaque et le muscle squelettique ont chacun des isoenzymes PFK-2/FBPase-2 différentes. La phosphorylation de l'isozyme du muscle cardiaque a des conséquences opposées à celles observées pour l'isoenzyme du foie, l'isoenzyme du muscle squelettique n'étant pas contrôlée par phosphorylation (Section 18-3F). Ainsi, suite à une augmentation de [AMPc], la concentration de F2,6P du muscle cardiaque augmente alors qu'elle diminue dans le foie. De plus, l'isoenzyme pyruvate kinase du muscle, qui catalyse la dernière réaction de la glycolyse, n'est pas soumise à un cycle de phosphorylation/déphosphorylation comme l'isoenzyme du foie (Section 23-1B). Ainsi, *alors qu'une augmentation d'AMPc dans le foie stimule la glycogénolyse et la gluconéogenèse, ce qui permet au glucose d'être exporté, une augmentation d'AMPc dans le muscle cardiaque active la glycogénolyse et la glycolyse, ce qui entraîne une consommation de glucose. Par conséquent, l'adrénaline, qui prépare l'organisme à l'action (se battre ou s'enfuir), joue un rôle différent de celui du glucagon qui, de concert avec l'insuline mais en sens opposé à celle-ci, régule la glycémie.*

La contraction musculaire est anaérobie en cas d'activité intense

La contraction musculaire nécessite l'hydrolyse de l'ATP (Section 35-3B) et dépend donc, en dernier ressort, de la respiration. Au repos, le muscle squelettique utilise ~30 % de l'O_2 consommé par le corps humain. La vitesse de respiration d'un muscle peut augmenter jusqu'à 25 fois en réponse à un travail intense. Cependant, sa vitesse d'hydrolyse de l'ATP peut augmenter d'un facteur bien supérieur. Initialement, l'ATP est régénéré par la réaction, catalysée par la créatine kinase, de l'ADP avec la phosphocréatine (Section 16-4C) :

$$\text{Phosphocréatine} + \text{ADP} \rightleftharpoons \text{créatine} + \text{ATP}$$

(la phosphocréatine est resynthétisée dans le muscle au repos par la réaction inverse). Cependant, en cas d'exercice maximum, un sprint par exemple, un muscle ne dispose d'une réserve de phosphocréatine que pour 4 s environ. Il doit donc produire de l'ATP par glycolyse du G6P issu de la glycogénolyse, un processus dont le flux maximum est très supérieur à ceux du cycle de l'acide citrique et des phosphorylations oxydatives. Une grande partie de ce G6P se trouve donc dégradé anaérobiquement en lactate (Section 17-3A) qui, via le cycle des Cori (Section 23-1C), est exporté par voie sanguine jusqu'au foie où il redonne du glucose par la gluconéogenèse en utilisant l'ATP régénéré par les phosphorylations oxydatives. Ainsi, les muscles confient beaucoup de leur « charge respiratoire » au foie, retardant ainsi le processus de consommation en oxygène, phénomène appelé dette en oxygène.

La fatigue musculaire joue un rôle protecteur

La **fatigue musculaire**, définie comme l'impossibilité pour un muscle de maintenir un effort énergétique donné, survient en ~20 s en cas d'exercice maximum. Cette fatigue n'est pas due à l'épuisement des réserves en glycogène. Elle résulte en fait de la formation de protons par la glycolyse qui peut abaisser le pH intramusculaire de 7,0, valeur au repos, jusqu'à 6,4 (la fatigue n'est pas due, comme on le dit souvent, à une accumulation de lactate seul, car des muscles peuvent fournir une grande quantité de travail en présence de lactate à fortes concentrations si le pH est maintenu proche de 7,0). Le mécanisme par lequel une acidité élevée cause la fatigue musculaire est mal compris. Deux autres causes possibles de cette fatigue sont les suivantes. (1) L'augmentation de [P$_i$] résultant de l'utilisation de l'ATP peut précipiter le Ca^{2+} sous forme de phosphate de calcium (très peu soluble) et réduire ainsi la force contractile (la contraction musculaire est déclenchée par la libération d'ions Ca^{2+} ; Section 35-3C) ; et (2) la libération d'ions K$^+$ par les cellules musculaires en contraction peut conduire à leur dépolarisation (Section 20-5B) et donc à une diminution de leur contraction. Quelle que soit la cause, il est probable que ce phénomène est une adaptation qui évite que les cellules musculaires ne se suicident en épuisant leurs réserves en ATP (ne pas oublier pas que la glycolyse et d'autres voies génératrices d'ATP doivent être amorcées par l'ATP).

Le cœur est un organe essentiellement aérobie

Le cœur est un organe musculaire mais dont l'activité est continue au lieu d'être intermittente. Pour cette raison, le muscle cardiaque, excepté pour de courtes périodes d'activité intense, repose entièrement sur le métabolisme aérobie. Il est donc très riche en mitochondries qui représentent jusqu'à 40 % de son volume cytoplasmique, alors que certains muscles squelettiques en sont pratiquement dépourvus. Le cœur peut métaboliser les acides gras, les corps cétoniques, le glucose, le pyruvate et le lactate. Au repos, le cœur consomme essentiellement les acides gras comme combustible, mais s'il doit faire face à une activité intense, le cœur augmente fortement sa consommation de glucose, issu essentiellement de ses réserves limitées en glycogène.

C. *Le tissu adipeux*

Le tissu adipeux, formé de cellules appelées adipocytes (Fig. 12-2), est réparti dans tout le corps mais se trouve surtout sous la peau, dans la cavité abdominale, dans le muscle squelettique, autour des vaisseaux sanguins et dans la glande mammaire. Le tissu adipeux d'un homme normal pesant 70 kg contient ~15 kg de graisse. Cette quantité correspond à environ 590 000 kJ d'énergie (141 000 Calories), ce qui est assez pour se maintenir en vie pendant 3 mois environ. Cependant, le tissu adipeux n'est pas qu'un simple dépôt de stockage passif. En réalité, il participe avec le foie au maintien de l'homéostasie métabolique (Section 27-3).

Les acides gras du tissu adipeux proviennent essentiellement du foie et du régime alimentaire comme nous l'avons vu dans la Section 25-1. Les acides gras sont activés sous forme d'acyl-CoA pour estérifier le glycérol-3-phosphate et former les triacylglycérols de réserve (Section 25-4F). Le glycérol-3-phosphate provient de la réduction de la dihydroxyacétone phosphate, qui doit être formée à partir de glucose par la glycolyse ou de pyruvate ou oxaloacétate par la gluconéogenèse (un processus appelé **glycéronéogenèse** ; Section 25-4F) car les adipocytes n'ont pas la kinase qui phosphoryle le glycérol endogène.

Les adipocytes hydrolysent les triacylglycérols en acides gras et glycérol en fonction des taux de glucagon, d'adrénaline et d'insuline, grâce à une réaction catalysée par la triacylglycérol lipase hormono-sensible » (Section 25-5). Si le glycérol-3-phosphate est abondant, beaucoup des acides gras ainsi formés sont réestérifiés en triacylglycérols. En effet, la vitesse moyenne de renouvellement des triacylglycérols dans les adipocytes n'est que de quelques jours. Cependant, si la concentration en glycérol-3-phosphate est faible, les acides gras sont libérés dans le courant sanguin. *La vitesse d'entrée du glucose dans les adipocytes, qui est régulée par*

l'insuline ainsi que par la disponibilité en glucose, est donc un facteur de contrôle important pour la formation et la mobilisation des triacylglycérols. Cependant, le glycérol-3-phosphate est également produit par la glycéronéogenèse sous le contrôle de la PEPCK, ce qui permet le renouvellement des triacylglycérols même en cas d'hypoglycémie.

L'obésité est due à un contrôle aberrant du métabolisme

L'obésité est l'un des principaux problèmes de santé des pays industrialisés. La plupart des personnes obèses (celles dont le poids est au moins supérieur de 20 % à leur poids souhaitable) éprouvent de grandes difficultés à maigrir ou, ayant réussi, à conserver un poids normal. Cependant, la plupart des animaux, l'homme compris, ont des poids stables ; ainsi, lorsque la nourriture est disponible, ils mangent juste assez pour garder leur « poids idéal ». La nature du système régulateur qui maintient ce poids idéal, anormalement élevé chez les obèses, commence tout juste à être compris (voir Section 27-3).

Des personnes extrêmement obèses, qui ont perdu au moins 100 kg pour retrouver un poids normal, présentent certains des symptômes métaboliques du jeûne : elles sont obsédées par la nourriture, leur cœur bat lentement, elles sont frileuses, et ont besoin de 25 % de moins d'apport calorique que les individus normaux de taille et de poids identiques. Aussi bien chez les personnes normales que chez les obèses, environ 50 % des acides gras libérés par hydrolyse des triacylglycérols sont réestérifiés avant qu'ils ne quittent les adipocytes. Chez les personnes anciennement obèses, cette vitesse de réestérificarion n'est que de 35 à 40 %, une vitesse comparable à celle observée chez les personnes normales après un jeûne de plusieurs jours. De plus, les adipocytes chez les personnes normales et les obèses ont pratiquement la même taille mais les obèses en ont plus. En fait, les cellules précurseurs des adipocytes de personnes très obèses prolifèrent de manière excessive en culture de tissu comparées à celles de personnes normales ou modérément obèses (les adipocytes eux-mêmes ne se répliquent pas). Puisque les cellules du tissu adipeux, une fois là, ne sont jamais perdues, on pense que les adipocytes, bien que de taille très variable, ont tendance à maintenir un certain volume fixe et ce faisant, influencent le métabolisme et donc l'appétit. Cette explication n'a malheureusement pas encore conduit à une méthode permettant de normaliser le poids des personnes sujettes à l'obésité.

D. *Le foie*

Le foie est le principal centre de triage et de régulation métabolique de l'organisme. Il assure le maintien dans le sang de niveaux corrects des nutriments qui seront utilisés par le cerveau, le muscle et d'autres tissus. Le foie occupe une position unique qui lui permet d'assurer ce rôle car tous les nutriments absorbés par l'intestin, à l'exception des acides gras, sont libérés dans la veine porte, qui se déverse directement dans le foie.

L'un des rôles principaux du foie est de servir de « tampon » glucose du sang. Pour ce faire, il capte ou libère du glucose selon les concentrations de glucagon, d'adrénaline et d'insuline ainsi que de celle du glucose. Après un repas contenant des glucides, quand la glycémie atteint ~6 mM, le foie absorbe du glucose en le transformant en G6P. Le processus est catalysé par la glucokinase (Section 18-3F), qui diffère de l'hexokinase, l'enzyme correspondant de la glycolyse des autres cellules, par son affinité très inférieure pour le glucose (la glucokinase atteint $V_{max}/2$ pour ~5 mM de glucose contre <0,1 mM de glucose pour l'hexokinase) et par son insensibilité au G6P. Contrairement aux cellules musculaires et aux adipocytes, les cellules hépatiques sont perméables au glucose ce qui fait que l'insuline n'a pas d'effet direct sur l'entrée du glucose dans ces cellules. La glycémie étant normalement inférieure au K_M de la glucokinase, la vitesse de phosphorylation du glucose dans le foie est plus ou moins proportionnelle à la concentration de glucose dans le sang. Les autres sucres absorbés par l'intestin, essentiellement le fructose, le galactose et le mannose, sont aussi transformés en G6P dans le foie (Section 17-5). Après un jeûne d'une nuit, la glycémie est de ~4 mM. Le foie s'oppose à ce qu'elle diminue davantage en libérant du glucose dans le sang comme décrit ci-dessous. De plus, le lactate, produit de la glycolyse anaérobie dans le muscle, est capté par le foie pour être utilisé dans la gluconéogenèse et la lipogénèse ainsi que dans les phosphorylations oxydatives (cycle des Cori ; Section 23-1C). L'alanine produite dans le muscle est captée par le foie et transformée en pyruvate pour la gluconéogenèse également (cycle glucose–alanine ; Section 26-1A).

Le destin du glucose-6-phosphate varie selon les besoins métaboliques

Le G6P se trouve au carrefour du métabolisme des glucides : plusieurs possibilités s'offrent à lui selon la demande en glucose (Fig. 27-1) :

1. Le G6P peut donner du glucose sous l'action de la glucose-6-phosphatase pour être transporté par le sang aux organes périphériques.

2. Le G6P peut être mis en réserve sous forme de glycogène (Section 18-2) quand la demande de l'organisme pour le glucose est faible. Toutefois, en cas de demande en glucose accrue, signalée par une élévation des taux de glucagon et/ou d'adrénaline, le processus est inversé (Section 18-1).

3. Le G6P peut être transformé en acétyl-CoA via la glycolyse et sous l'action de la pyruvate déshydrogénase (Chapitre 17 et Section 21-2). La plus grande partie de cet acétyl-CoA issu du glucose est utilisée pour la synthèse d'acides gras (Section 25-4), dont le devenir est décrit ci-dessous, et pour la synthèse de phospholipides (Section 25-8) et de cholestérol (Section 25-6A). Ce dernier est, à son tour, un précurseur des sels biliaires produits par le foie (Section 25-6C), agents émulsifiants pour la digestion intestinale et l'absorption des graisses (Section 25-1).

4. Le G6P peut être dégradé par la voie des pentoses phosphate (Section 23-4) pour produire le NADPH nécessaire à la biosynthèse des acides gras et à beaucoup d'autres fonctions de biosynthèse du foie, ainsi que le ribose-5-phosphate (R5P) nécessaire à la biosynthèse des nucléotides (Sections 28-1A et 28-2A).

Le foie peut synthétiser ou dégrader les triacylgcérols

Les acides gras ont également plusieurs destins métaboliques dans le foie (Fig. 27-1) :

1. En cas de demande élevée en combustibles métaboliques, les acides gras sont dégradés en acétyl-CoA puis en corps cétoniques (Section 25-3) pour être exportés dans les tissus périphériques via le courant sanguin.

2. Si la demande en combustibles métaboliques est faible, les acides gras sont utilisés pour la synthèse de triacylglycérols qui passent dans le sang sous forme de VLDL pour être captés par le tissu adipeux. Les acides gras peuvent aussi être incorporés dans les phospholipides (Section 25-8).

La vitesse d'oxydation des acides gras ne variant qu'en fonction de leur concentration (Section 25-5), on pourrait penser que les acides gras produits par le foie sont réoxydés avant de pouvoir être exportés. Ce cycle futile ne se produit pas en raison de la compartimentation : l'oxydation des acides gras se fait dans les mitochondries, tandis que leur biosynthèse est cytosolique. La carnitine palmitoyltransférase I, un élément du système de transport des acides gras dans les mitochondries (Section 25-2B), est inhibée par le malonyl-CoA, l'intermédiaire clé de la biosynthèse des acides gras (Section 25-4A). Ainsi, quand la demande en combustibles métaboliques est faible, ce qui permet la biosynthèse des acides gras, ceux-ci ne peuvent entrer dans la mitochondrie pour être transformés en acétyl-CoA. La demande du foie en acétyl-CoA est, en fait, satisfaite par dégradation du glucose.

Quand la demande en combustibles métaboliques augmente, de sorte que la biosynthèse en acides gras est inhibée, les acides gras sont néanmoins transportés jusqu'aux mitochondries du foie pour donner des corps cétoniques. Dans des conditions où la glycémie est faible, l'activité de la glucokinase se trouve réduite si bien qu'il y a une sortie nette de glucose (cependant, il y a toujours un cycle futile entre les réactions catalysées par la glucokinase et la glucose-6-phosphatase ; Section 18-3F). Le foie ne peut utiliser les corps cétoniques pour son compte car les cellules hépatiques n'ont pas de 3-cétoacyl-CoA transférase (Section 25-3). Ce sont en définitive les acides gras, plutôt que le glucose ou les corps cétoniques, qui sont la principale source d'acétyl-CoA dans des conditions de demande métabolique intense. Le foie forme son ATP à partir de cet acétyl-CoA par l'intermédiaire du cycle de l'acide citrique et des phosphorylations oxydatives. L'oxydation aérobie des acides gras inhibe l'utilisation du glucose car la stimulation du cycle de l'acide citrique et des phosphorylations oxydatives augmente la concentration en citrate, lequel inhibe la glycolyse (cycle glucose–acides gras ou cycle de Randle ; Section 22-4B).

Les acides aminés sont des combustibles métaboliques importants

Le foie dégrade les acides aminés en différents intermédiaires métaboliques (Section 26-3). Ces voies débutent, pour la plupart, par la transamination de l'acide aminé qui donne l'acide α-cétonique correspondant (Section 26-1A), le groupement aminé étant finalement transformé en urée excrétée, via le cycle de l'urée (Section 26-2). Les acides aminés glucoformateurs peuvent être transformés ainsi en pyruvate ou en intermédiaires du cycle de l'acide citrique tels que l'oxaloacétate et donc ezn précurseurs de la gluconéogenèse (Section 23-1). Les acides aminés cétogènes, dont beaucoup sont aussi glucoformateurs, peuvent donner des corps cétoniques.

La réserve du foie en glycogène est insuffisante pour assumer les besoins en glucose de l'organisme plus de 6 h après un repas. Après quoi, le glucose est fourni par la gluconéogenèse à partir d'acides aminés provenant essentiellement de la dégradation des protéines musculaires en alanine (cycle glucose–alanine ; Sections 26-1A et 27-2B) et glutamine (la forme de transport de l'ammoniac ; Section 26-1B). Ainsi les protéines, en plus de leurs rôles structural et fonctionnel, constituent des ressources énergétiques importantes. (Les animaux ne peuvent transformer les lipides en glucose car ils n'ont pas de voie leur permettant la transformation nette d'acétyl-CoA en oxaloacétate ; Section 23-2).

Le foie est la principale unité de transformation métabolique de l'organisme

Le foie assure de nombreuses fonctions biochimiques spécialisées en plus de celles déjà mentionnées. Parmi elles, les plus importantes sont la synthèse des protéines du plasma, la dégradation des porphyrines (Section 26-4A) et des bases des acides nucléiques (Section 28-5), la mise en réserve du fer, et la détoxication de substances biologiquement actives comme les médicaments, les poisons et les hormones grâce à toute une série de réactions d'oxydation (p. ex. par les cytochromes P450 ; Section 15-4B), de réduction, d'hydrolyse, de conjugaison et de méthylation.

E. *Le rein*

Le rein sert notamment à débarrasser le sang de son urée par filtration et à la concentrer en vue de son excrétion, à récupérer des métabolites importants comme le glucose, et à participer à l'homéostasie du pH sanguin. Ce dernier est maintenu par régénération des tampons sanguins tels que le bicarbonate (perdu sous forme de CO_2 expiré) et par excrétion de l'excès de H^+ et de bases conjuguées des acides métaboliques comme les corps cétoniques α-cétobutyrate, acétoacétate et α-hydroxybutyrate. Le phosphate, tampon principal de l'urine lors d'une excrétion modérée d'acide, est accompagné de quantités équivalentes de cations comme Na^+ et K^+. Cependant, des pertes importantes de Na^+ et de K^+ perturberaient l'équilibre électrolytique de l'organisme. En cas de production de grandes quantités d'acides, comme de l'acide lactique ou des corps cétoniques, le rein fabrique du NH_4^+ pour faciliter l'excrétion des H^+ en excès (le contre-ion étant Cl^- ou la base conjuguée d'un acide métabolique). Ce NH_4^+ est produit à partir de glutamine, qui est d'abord transformée en glutamate puis en α-cétoglutarate par la glutaminase et la glutamate déshydrogénase. La réaction globale est

$$\text{Glutamine} \rightarrow \text{α-cétoglutarate} + 2NH_4^+$$

L'α-cétoglutarate est transformé en malate dans le cycle de l'acide citrique puis exporté de la mitochonrie pour être converti en pyruvate, lequel est oxydé complètement en CO_2, ou, via l'oxaloacétate, en PEP puis en glucose par la gluconéogenèse. Une alimentation riche en graisses, qui donne lieu à de hautes concentrations sanguines en acides gras libres et en corps cétoniques, et donc à une forte charge acide, provoque la transformation complète de l'α-cétoglutarate en CO_2, puis en bicarbonate, ce qui augmente le pouvoir tampon du sang. En cas de jeûne, l'α-cétoglutarate s'engage dans la gluconéogenèse, au point que le rein peut alors fournir jusqu'à 50 % du glucose nécessaire à l'organisme.

3 HOMÉOSTASIE MÉTABOLIQUE : RÉGULATION DE L'APPÉTIT, DE LA DÉPENSE D'ÉNERGIE ET DU POIDS CORPOREL

Lorsqu'un animal normal se suralimente, l'accumulation de graisse envoie un signal au cerveau pour que cet animal mange moins et dépense plus d'énergie. Inversement, la perte de graisse stimule la prise de nourriture jusqu'à ce que la graisse perdue soit remplacée. Manifestement, les animaux possèdent un « lipostat » qui permet de maintenir constante (+/-1 %) sur plusieurs années la quantité de graisse corporelle. Au moins un constituant de ce lipostat se trouve dans l'hypothalamus (partie du cerveau qui exerce un contrôle hormonal sur de nombreuses fonctions physiologiques ; Section 19-1H), car des lésions de celui-ci provoquent une obésité monstrueuse.

Malgré l'existence d'un tel type de contrôle chez l'animal, on assiste à une véritable épidémie de l'obésité dans les populations humaines, au point d'en faire, en raison de ses complications comme le diabète et les maladies cardiovasculaires, un problème de santé publique à l'échelle planétaire. De nombreuses recherches récentes ont permis de cerner les mécanismes impliqués dans l'**homéostasie métabolique**, l'équilibre entre apport et dépense d'énergie, et d'identifier certaines de ses perturbations menant à l'obésité. Ainsi, nombre de souches mutantes de rongeurs frappés d'obésité ont été décrites, et leur étude a permis d'identifier plusieurs hormones qui agissent de concert pour réguler l'appétit.

A. *La leptine*

Deux des gènes dont la mutation conduit à l'obésité chez la souris sont connus sous le nom de *obese* (*ob*) et *diabetes* (*db* ; les gènes normaux correspondants sont appelés *OB* et *DB*). Les homozygotes pour ces gènes récessifs, *ob/ob* et *db/db,* sont monstrueusement obèses et ont à peu près le même phénotype (Fig. 27-3). En fait, on a pu distinguer ces phénotypes par **parabiose**, c'est-à-dire en réalisant chirurgicalement une circulation croisée entre la souris mutante et la souris normale (ici *OB/OB*). Suite à cette opération, le poids corporel et la prise de nourriture se normalisent chez les souris *ob/ob*, ce qui n'est pas le cas chez les souris *db/db*. Ainsi, un facteur circulant de régulation de l'appétit et du métabo-

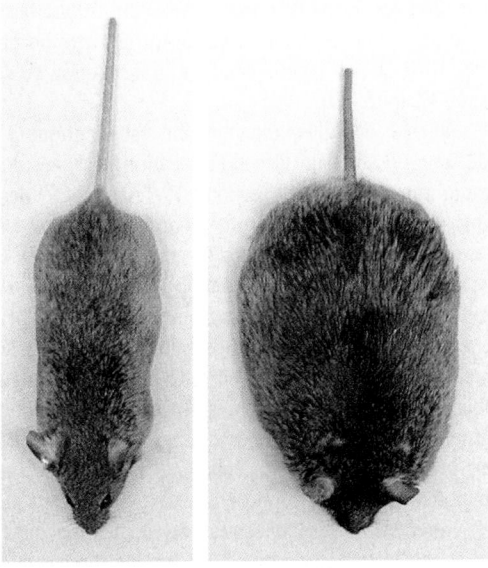

FIGURE 27-3 **Souris normales (***OB/OB, à gauche)* **et souris obèses** (***ob/ob, à droite***).** [Avec la permission de Richard D. Palmiter, University of Washington.]

lisme ferait défaut chez les souris *ob/ob*, et c'est le récepteur de ce facteur qui manquerait chez les souris *db/db*.

Le gène *OB* de souris code une protéine monomérique de 146 résidus appelée **leptine** (du grec *leptos*, mince ; Fig. 27-4), dont la séquence n'est apparentée à aucune protéine connue. La leptine, découverte par Jerry Friedman, n'est exprimée que par les adipocytes, qui informeraient de cette manière le cerveau sur la quantité de graisse corporelle. Ainsi, l'injection de leptine à des souris *ob/ob* les fait manger moins et perdre du poids. En fait, les souris *ob/ob* traitées à la leptine et mises au régime hypocalorique perdent 50 % de poids en plus que les souris soumises au même régime, mais non traitées. Ceci suggère que cette restriction alimentaire à elle seule ne peut rendre compte de la perte de poids induite par la leptine. Celle-ci semble donc contrôler également la dépense énergétique.

L'injection de leptine est sans effet sur les souris *db/db*, d'où l'hypothèse que le gène *db* code un récepteur de la leptine déficient. Le gène codant le récepteur de la leptine a été identifié à partir d'une bibliothèque d'ADNc d'une région du cerveau de souris fixant spécifiquement la leptine, et en isolant de cette bibliothèque un clone exprimant le récepteur, sur base de sa capacité à lier la leptine (les techniques de clonage de gènes sont exposées dans la Section 5-5). Ce gène, qui est en fait le gène *DB*, code une protéine appelée **OB-R** (pour « OB receptor ») qui n'aurait qu'un seul segment transmembranaire et un domaine extracellulaire semblable aux récepteurs de certaines cytokines (protéines qui régulent la différenciation, la prolifération et les activités de diverses cellules sanguines ; Section 19-3E).

La protéine OB-R, découverte par Louis Tartaglia, se présente sous au moins six formes, résultant d'un épissage différentiel (expliqué dans la Section 31-4A), dont l'expression est histo-spécifique. Chez la souris normale, l'hypothalamus exprime de grandes quantités d'une variante d'épissage de l'OB-R possédant un segment cytoplasmique de 302 résidus. Cependant, chez les souris *db/db* ce segment ne fait que 34 résidus, amputation due à la présence d'un site d'épissage anormal, d'où l'impossibilité pour ce OB-R muté de transmettre le signal leptine. Le contrôle exercé par la leptine sur le poids corporel dépendrait donc de la transduction d'un signal résultant de la liaison de cette hormone à la protéine OB-R dans l'hypothalamus (la transduction du signal est étudiée au Chapitre 19).

La séquence de la leptine humaine est identique à 84 % à celle de souris. La mesure des concentrations sériques de leptine, par radioimmunodosage (Section 19-1A), chez des sujets humains normaux ou obèses a montré que, dans ces deux groupes, la concentration de leptine augmente avec le pourcentage de graisse corporelle, tout comme le fait le contenu de leurs adipocytes en ARNm *ob*. De plus, lorsque les obèses perdent du poids, on voit diminuer leur concentration sérique de leptine et le contenu de leurs adipocytes en ARNm *ob*. Ceci suggère que la plupart des obèses produisent suffisamment de leptine, mais manifestent une « résistance à la leptine ». Puisque celle-ci doit franchir la barrière hémato-encéphalique pour exercer ses effets sur l'hypothalamus, on a proposé que ce passage est saturable et limite l'entrée de fortes concentrations de leptine dans le cerveau. Les hautes concentrations de leptine trouvées chez les obèses ne sont cependant pas sans effet. L'OB-R est aussi présent dans les tissus périphériques, où la leptine agit également.

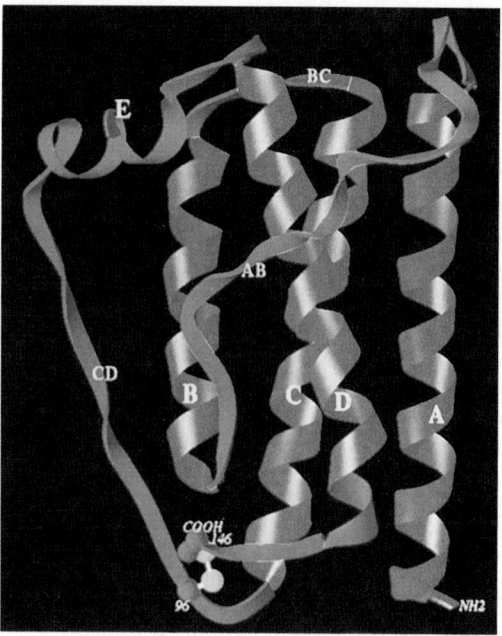

FIGURE 27-4 Structure par rayons X de la leptine E-100 humaine. Cette protéine mutante (W100E) a une activité comparable à celle de la leptine normale mais cristallise plus facilement. Noter que cette protéine monomérique de 146 résidus à un seul domaine forme un faisceau de quatre hélices en disposition « haut-haut-bas-bas », comme le font plusieurs cytokines et facteurs de croissance (Fig. 19-9). Une liaison disulfure unit les chaînes latérales de Cys 96 et de Cys 146 (C en vert et S en jaune). [Avec la permission de Faming Zhang, Eli Lilly & Co., Indianapolis, Indiana.]

Bien qu'elle n'empêche pas l'obésité, cette hormone stimule directement l'oxydation des acides gras et inhibe l'accumulation de lipides dans les tissus non adipeux. Ces actions de la leptine résultent de la stimulation de la protéine-kinase AMP-dépendante (AMPK), qui phosphoryle et ainsi inactive l'acétyl CoA-carboxylase (ACC). Ceci réduit la concentration en malonyl-CoA, ce qui diminue l'inhibition qu'elle exerce sur la carnitine palmitoyltransférase I, laquelle transporte les acyl-CoA dans la mitochondrie en vue de leur oxydation (Section 25-5). La fonction de la leptine dans les tissus périphériques est étudiée dans la Section 27-3F.

De rares sujets obèses manquent de leptine, comme les souris *ob/ob*. On a décrit dans une même famille consanguine (issue des mêmes ancêtres) deux enfants très obèses (ils sont cousins et les deux paires de parents sont cousins) homozygotes pour un gène OB anormal. Ces enfants, un de 86 kg à l'âge de 8 ans et un de 29 kg à 2 ans, avaient de formidables appétits. Leur gène OB est porteur d'une délétion d'un G du codon 133, d'où un changement du cadre de lecture susceptible de rendre la leptine mutante biologiquement inactive. De plus, ils n'ont que ~10 % de la concentration normale en leptine sérique. Leurs symptômes ont régressé suit à l'injection de leptine.

B. *L'insuline*

Nous avons étudié les cascades de signalisation par l'insuline (Section 19-4F) et le rôle de l'insuline dans les tissus périphériques comme le muscle et le tissu adipeux où cette hormone stimule le captage de glucose (Fig. 20-15) et promeut son stockage sous forme de glycogène (Section 18-3) ou de graisse (Section 25-5). On trouve des récepteurs insuliniques dans l'hypothalamus également. Ainsi, l'infusion d'insuline à des rats qui présentent un diabète insulinoprive inhibe la prise de nourriture, supprimant la boulimie caractéristique de cette maladie. Des souris knockout pour le gène du récepteur insulinique uniquement dans le système nerveux central ont un développement cérébral normal et une survie normale. Cependant, elles deviennent obèses, avec plus de graisse corporelle et une augmentation de leptine et de triacylglycérol sérique, ainsi qu'une élévation de l'insulinémie typique de la résistance à l'insuline (Section 27-4B). Manifestement, l'insuline joue aussi un rôle dans la régulation neuronale de la prise de nourriture et du poids corporel. Comme nous le verrons dans la Section 27-3D, l'insuline et la leptine agissent toutes deux via des récepteurs hypothalamiques pour diminuer la prise de nourriture.

C. *La ghréline et PYY_{3-36}*

La ghréline et PYY_{3-36} sont des régulateurs à court terme de l'appétit

La ghréline, découverte par Masayasu Kojima et Kenji Kanagawa, est un peptide gastrique orexigène (qui stimule l'appétit) sécrété par l'estomac vide. Ce peptide de 28 résidus fut d'abord découvert comme peptide de libération de l'hormone de croissance (« *growth hormone release* », d'où son nom). L'octanoylation de sa Ser 3 est nécessaire à son activité.

$$\overset{10}{\text{GSXFLSPEHQ}} \ \overset{20}{\text{RVQQRKESKK}} \ \overset{28}{\text{PPAKLQPR}}$$

Ghréline humaine

X = Ser modifiée par l'acide *n*-octanoïque

L'injection de ghréline à des rongeurs induit de l'adiposité en stimulant la prise de nourriture et en réduisant l'utilisation des graisses. Chez les sujets humains en bilan énergétique positif, comme l'obésité ou un régime riche en calories, il y a moins de ghréline circulante, alors que lors du jeûne les niveaux de ghréline circulante augmentent.

PYY_{3-36}

$$\overset{3}{\text{IKPEAPGE}} \ \overset{10}{\text{DASPEELNRY}} \ \overset{20}{\text{YASLRHTLNL}} \ \overset{30}{\text{VTRQRY}}$$

PYY_{3-36} humain

est un peptide sécrété par le tractus gastro-intestinal proportionnellement à la teneur calorique d'un repas, et qui inhibe la poursuite de la prise de nourriture. Chez les rongeurs et les humains, ce peptide fait diminuer l'ingestion d'aliments pendant une douzaine d'heures. Des volontaires soumis à une perfusion de PYY_{3-36} sur 90 minutes ne prennent que 1500 kcal pendant les 24 heures qui suivent, contre 2200 kcal pour les sujets contrôlent ne recevant qu'une solution saline.

D. *Intégration hypothalamique de signaux hormonaux*

Des neurones de la région du noyau arqué de l'hypothalamus intègrent et transmettent des signaux de faim

Près de la moitié de la longueur de l'hypothalamus est occupée par le **noyau arqué**, un groupe de corps cellulaires neuronaux constitué de deux types de cellules : le type **NPY/AgRP** et le type **POMC/CART**, tous deux nommés d'après le neuropeptide qu'ils sécrètent. Le **neuropeptide Y (NPY)**

$$\overset{1}{\text{Y}} \text{PSKPDNPGE} \ \overset{10}{\text{D}} \text{APAGAMARY} \ \overset{20}{\text{Y}} \text{SALRHYINL} \ \overset{30}{\text{I}} \text{TRQRY} - \overset{36}{\text{N}} \text{H}_2$$

Neuropeptide Y

Le carboxyle N-terminal est amidé

est un puissant stimulateur de la prise de nourriture et un inhibiteur de la dépense d'énergie, comme l'est le **peptide apparenté Agouti (AgRP)**. La pro-opiomélanocortine (POMC) subit dans l'hypothalamus une maturation post-transcriptionnelle qui donne l'**hormone mélanotrope (α-MSH** ; Section 34-3C). Le **transcrit régulé par la cocaïne et l'amphétamine (CART)** et l'α-MSH sont des inhibiteurs de la prise de nourriture et des stimulateurs de la dépense d'énergie.

Les sécrétions relatives de ces deux types cellulaires sont contrôlées par la leptine, l'insuline, la ghréline et PYY_{3-36} (Fig. 27-5). La leptine et l'insuline sont des signaux de satiété et diminuent donc l'appétit en diffusant à travers la barrière hémato-encéphalique vers le noyau arqué, où elles stimulent les neurones POMC/CART à produire le CART et l'α-MSH, tout en inhibant la production de NPY par les neurones NPY/AgRP. Les récepteurs de la leptine agissent via la voie de transduction du signal JAK–STAT (Section 19-3E). Les neurones NPY/AgRP possèdent des récepteurs de la ghréline qui stimulent la sécrétion de NPY et d'AgRP pour augmenter l'appétit. Il est intéressant de noter que PYY_{3-36}, un peptide homologue à NPY, se fixe spécifiquement au sous-type Y2R des récepteurs NPY sur les neurones NPY/AgRP. Cependant, ce sous-type est un récepteur inhibiteur, de sorte que la liaison de PYY_{3-36} provoque une diminution de la sécrétion des neurones NPY/AgRP. Les stimuli intégrés de toutes ces sécrétions du noyau arqué contrôlent l'appétit.

E. *Contrôle de la dépense d'énergie par la thermogenèse adaptative*

L'organisme utilise le contenu énergétique de la nourriture soit pour faire un travail physique, soit pour produire de la chaleur. L'énergie en excès est stockée sous forme de glycogène ou de graisse en vue d'une utilisation ultérieure. Chez les sujets bien équilibrés à ce point de vue, ce processus de stockage se maintient constant sur des années. Cependant, lorsque l'apport d'énergie est toujours supérieur à la dépense, l'obésité s'installe. L'organisme peut mettre en œuvre plusieurs mécanismes pour la prévenir. L'un d'entre eux est le contrôle de l'appétit (voir ci-dessus). Un autre est la **thermogenèse induite par les aliments**, une forme de **thermogenèse adaptative** (production de chaleur en réaction à l'environnement). Nous avons déjà étudié la thermogenèse adaptative en

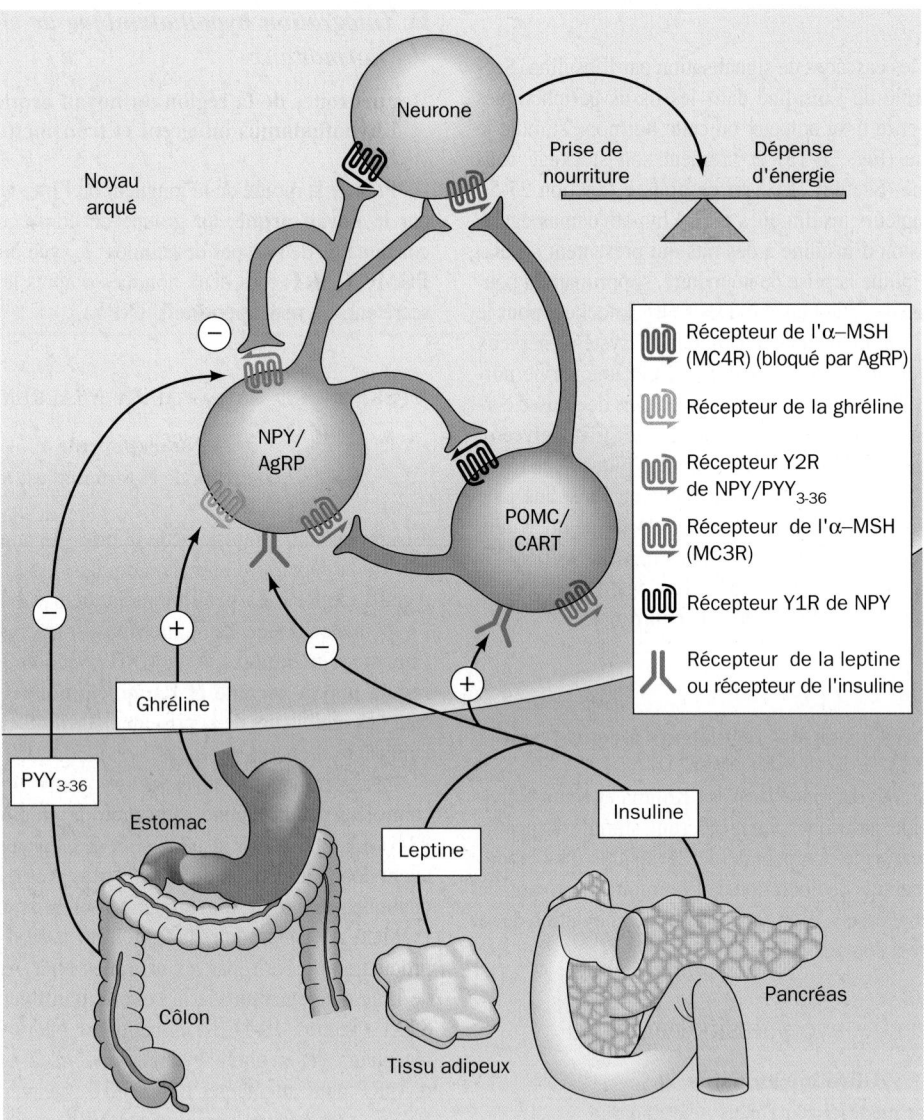

FIGURE 27-5 Hormones du contrôle de l'appétit. La leptine et l'insuline (*bas de la figure*) circulent dans le sang à une concentration proportionnelle à celle de la masse grasse du corps. Elles diminuent l'appétit en inhibant les neurones à NPY/AgRP (*au centre*) tout en stimulant les neurones produisant la mélanocortine, dans la région du noyau arqué de l'hypothalamus. NPY et AgRP augmentent l'appétit, et les mélanocortines le diminuent, par le biais d'autres neurones (*en haut*). La stimulation des neurones à NPY/AgRP inhibe les neurones à mélanocortine. La ghréline, une hormone gastrique, stimule l'appétit en stimulant les neurones à NPY/AgRP. PYY_{3-36}, libéré par le tractus gastro-intestinal, inhibe les neurones à NPY/AgRP, ce qui diminue l'appétit. PYY_{3-36} agit en partie via Y2R, un sous-type de récepteur NPY auto-inhibiteur. [D'après Schwartz, M.W. and Morton, G.J., *Nature* **418**, 596

réaction au froid, qui survient chez les rongeurs et les nouveau-nés humains par découplage des phosphorylations oxydatives dans le tissu adipeux brun (Section 22-3D). Le mécanisme de cette thermogenèse implique la libération de noradrénaline par le cerveau en réponse au froid et sa liaison aux récepteurs β-adrénergiques du tissu adipeux brun. Ceci induit une augmentation de la [AMPc], laquelle déclenche une cascade de phosphorylations enzymatiques qui active la triacylglycérol lipase hormono-sensible. L'augmentation de la concentration d'acides gras libres qui s'ensuit fournit du combustible à oxyder et induit l'ouverture d'un canal à protons appelé protéine découplante-1 (UCP-1) ou thermogénine dans la membrane mitochondriale interne. L'ouverture d'UCP-1 décharge le gradient de protons à travers cette membrane, ce qui découple le transport d'électrons de la production d'ATP. L'énergie qui, sinon, aurait été utilisée pour la synthèse d'ATP, est ainsi libérée sous forme de chaleur.

Des mesures métaboliques sur des humains adultes démontrent qu'une augmentation d'apport énergétique provoque une augmentation du métabolisme et de la thermogenèse. Le mécanisme en reste cependant énigmatique, car les sujets adultes ont très peu de tissu adipeux brun. Cependant, le muscle squelettique représente jusqu'à 40 % de leur poids corporel et possède une haute capacité mitochondriale. On a identifié des homologues de l'UCP-1 : l'**UCP-2**, présente dans de nombreux tissus y compris le tissu adipeux blanc, et l'**UCP-3**, présente dans le tissu adipeux brun, le tissu adipeux blanc et le muscle. La leptine augmente la concentration en UCP-2, mais une implication de l'UCP-3 musculaire dans la thermogenèse induite par les aliments reste à démontrer. On invoque également la participation de cycles de substrats qui hydrolysent l'ATP, comme celui impliquant les acides gras et le triacylglycérol dans le tissu adipeux (Section 27-2C).

F. *La leptine résulte-t-elle de l'évolution d'un « gène de l'économie » ?*

Les effets inattendus de la leptine, qui empêche la prise de poids chez les individus normaux mais dont la concentration augmente sans conséquence apparente chez les obèses, ont mené à l'hypothèse que la leptine est apparue au cours de l'évolution à partir d'un « gène de l'économie ». Dans les populations de « chasseurs-cueilleurs » la capacité de survivre à des famines intermittentes offre un avantage certain. Pour y arriver, la graisse doit pouvoir être stockée dans le tissu adipeux en période d'abondance, d'où l'intérêt de développer une obésité à court terme. Cependant, l'accumulation d'acides gras et de lipides dans les tissus non adipeux conduit à l'insuffisance coronarienne, à la résistance à l'insuline et au diabète (Section 27-4B). Durant cet épisode d'obésité transitoire, la leptine assurerait une protection contre ces maladies en stimulant directement l'oxydation des acides gras et en inhibant l'accumulation de lipides dans les tissus non adipeux, et elle conférerait ainsi un avantage lors de la sélection naturelle. Cependant, nos sociétés industrialisées offrant un accès à la nourriture inégalé à ce jour, l'obésité est devenue un état persistant et non plus transitoire, avec évidemment plus de désavantages que de bénéfices.

4 ■ ADAPTATION MÉTABOLIQUE

Dans cette section, nous étudierons la réponse de l'organisme à deux situations métaboliques anormales : (1) le jeûne et (2) le diabète sucré.

A. *Le jeûne*

Le glucose est le métabolite de choix pour le cerveau et pour le muscle en activité. Cependant, l'organisme ne dispose d'une réserve en glucides que pour moins d'une journée (Tableau 27-1). Ainsi, la faible concentration en glucose sanguin même après une seule nuit de jeûne entraîne, suite à l'augmentation de la sécrétion de glucagon et la diminution de la sécrétion d'insuline, une mobilisation des acides gras du tissu adipeux (Section 25-5). La diminution du taux d'insuline inhibe aussi l'entrée de glucose dans les muscles. Par conséquent, les muscles produisent leur énergie en passant du métabolisme du glucose à celui des acides gras. Toutefois, le cerveau reste très dépendant du glucose.

Chez les animaux, le glucose ne peut être synthétisé à partir d'acides gras. Ceci parce que ni le pyruvate ni l'oxaloacétate, les précurseurs du glucose dans la gluconéogenèse (Section 23-1), ne peuvent être synthétisés à partir d'acétyl-CoA (l'oxaloacétate dans le cycle de l'acide citrique est dérivé de l'acétyl-CoA mais la nature cyclique de ce processus exige que l'oxaloacétate soit consommé à la même vitesse qu'il est formé ; Section 21-1A). Durant le jeûne, le glucose doit donc être synthétisé à partir du gly-

TABLE 27-1 Réserves énergétiques d'un homme normal de 70 kg

Combustible	Masse (kg)	Calories[a]
Tissus		
Lipides (triacylglycérols du tissu adipeux)	15	141,000
Protéines (principalement musculaires)	6	24,000
Glycogène (musculaire)	0,150	600
Glycogène (hépatique)	0,075	300
Combustibles circulants		
Glucose (liquide extracellulaire)	0,020	80
Acides gras libres (plasma)	0,0003	3
Triacylglycérols (plasma)	0,003	30
Total		166,000

[a] 1 grande calorie ou 1 Calorie = 1 kcal = 4,184 kJ.

Source : Cahill, G.F., Jr., *New Engl. J. Med.* **282**, 669 (1970).

cérol issu de la dégradation des triacylglycérols et, ce qui est plus important, des acides aminés issus de la protéolyse des protéines, principalement musculaires. Cependant, la dégradation continue du muscle au cours du jeûne aboutirait à une situation irréversible, car l'animal doit disposer d'une masse musculaire suffisante pour qu'il puisse se déplacer en quête de nourriture. L'organisme doit donc trouver des solutions de rechange.

Après plusieurs jours de jeûne, la gluconéogenèse a tellement amoindri les disponibilités en oxaloacétate du foie que la possibilité de métaboliser l'acétyl-CoA via le cycle de l'acide citrique dans cet organe est fortement diminuée. Aussi, le foie transforme-t-il l'acétyl-CoA en corps cétoniques (Section 25-3), qu'il libère dans le courant sanguin. Le cerveau s'adapte progressivement à l'utilisation des corps cétoniques comme combustible en synthétisant les enzymes appropriées : après trois jours de jeûne, il n'y a qu'un tiers des besoins énergétiques du cerveau qui sont assurés par les corps cétoniques, mais après 40 jours de jeûne, ~70 % de ses besoins énergétiques sont assurés de cette façon. La vitesse de dégradation des muscles après un jeûne prolongé diminue par conséquent à ~25 % de sa valeur après quelques jours de jeûne. Le temps de survie d'une personne qui jeûne est, par conséquent, beaucoup plus fonction de la quantité de ses réserves lipidiques que de sa masse musculaire. En effet, des personnes très obèses peuvent survivre plus d'un an sans manger (certaines de ces personnes se sont prêtées à cette expérience sous surveillance médicale).

B. *Le diabète sucré*

L'hormone polypeptidique insuline agit principalement sur les cellules du muscle, du foie et du tissu adipeux pour stimuler la synthèse de glycogène, de lipides et de protéines tout en inhibant la dégradation de ces combustibles métaboliques. De plus, l'insuline stimule l'entrée du glucose dans la plupart des cellules, à l'exception remarquable des cellules du cerveau et du foie. Associé au glucagon, qui produit essentiellement les effets contraires, l'insuline assure le maintien de la concentration correcte en glucose dans le sang (la glycémie).

Dans la maladie appelée **diabète sucré**, qui est la troisième cause de décès aux États-Unis après les maladies cardiaques et le cancer, ou bien l'insuline n'est pas sécrétée en quantités suffisantes ou bien elle ne stimule pas efficacement ses cellules cibles. En conséquence, la glycémie s'élève au point que le glucose

« déborde » dans les urines, d'où un diagnostic facile de la maladie. Cependant, malgré cette hyperglycémie, les cellules « jeûnent » car l'entrée insulino-dépendante du glucose dans les cellules est compromise. L'hydrolyse des triacylglycérols, l'oxydation des acides gras, la gluconéogenèse et la formation des corps cétoniques sont accélérées, et le taux de corps cétoniques dans le sang s'élève anormalement, conduisant à la **cétoacidose**. Les corps cétoniques étant des acides, leur forte concentration affecte le pouvoir tampon du sang et surcharge celui du rein, qui contrôle le pH sanguin en excrétant dans les urines les H+ en excès (Section 27-2E). Cette excrétion accrue de H+ s'accompagne de l'excrétion de NH_4^+, Na^+, K^+, P_i et H_2O, provoquant une déshydratation importante (qui aggrave la déshydratation due à l'effet osmotique résultant de l'hyperglycémie ; une soif intense est un symptôme classique de ce diabète) et une diminution du volume sanguin — situations qui, à la longue, menacent la vie.

Il y a deux formes principales de diabète sucré :

1. Le **diabète sucré insulino-dépendant** ou de **type 1**, ou **juvénile,** qui affecte le plus souvent et soudainement les enfants.

2. Le **diabète sucré insulino-indépendant** ou de **type 2**, ou **de l'adulte**, qui d'habitude apparaît progressivement à partir de 40 ans.

Le diabète insulino-dépendant résulte d'une déficience en cellules β du pancréas

Dans le diabète sucré insulino-dépendant (type 1), l'insuline est absente ou presque parce que le pancréas n'a pas de cellules β ou, s'il en a, elles sont défectueuses. Cet état pathologique est dû, chez des personnes prédisposées génétiquement (cf. ci-dessous), à une réponse auto-immune qui détruit sélectivement leurs cellules β. Comme l'ont montré Frederick Banting et George Best en 1921, les personnes ayant un diabète insulino-dépendant ont besoin d'injections quotidiennes d'insuline pour survivre et elles doivent suivre un régime alimentaire soigneusement équilibré et faire des exercices physiques sous surveillance médicale. Leur espérance de vie peut, malgré tout, être réduite jusqu'à un tiers, en raison de complications dégénératives telles que de l'insuffisance rénale, des neuropathies, et des troubles cardiovasculaires, et elles peuvent devenir aveugles, sans doute suite à un mauvais contrôle du métabolisme en raison du caractère intermittent des injections d'insuline. Les nouveaux systèmes qui enregistrent la glycémie et libèrent de l'insuline de manière continue et en quantité juste suffisante devraient améliorer cette situation.

La manifestation généralement rapide des symptômes du diabète insulino-dépendant laissait penser que l'attaque auto-immune des cellules β pancréatiques responsable de cette maladie est de courte durée. Cependant, la maladie couve généralement pendant plusieurs années au cours desquelles le système immunitaire stimulé de manière aberrante détruit lentement les cellules β. Ce n'est que lorsque >80 % de ces cellules ont été éliminées que les symptômes classiques du diabète apparaissent tout d'un coup.

Pourquoi le système immunitaire attaque-t-il les cellules β pancréatiques ? On sait depuis longtemps que certains allèles (variantes génétiques) des **protéines du complexe majeur d'histocompatibilité (MHC) de Classe II** sont particulièrement courants chez les diabétiques insulino-dépendants [les protéines du MHC sont des composantes du système immunitaire très poly-morphes (variables au sein d'une même espèce) auxquelles les antigènes d'origine cellulaire comme les protéines virales doivent se lier afin d'être reconnus comme étrangers ; Section 35-2A et 35-2E]. On pense que l'auto-immunité contre les cellules β est induite chez une personne prédisposée, par un antigène étranger, peut-être un virus, qui ressemble sur le plan immunologique à un constituant des cellules β. La protéine du MHC de Classe II se lie à cet antigène avec une telle affinité qu'elle incite le système immunitaire à déclencher une attaque anormalement intense et prolongée contre l'antigène. Certaines des cellules activées du système immunitaires parviennent au pancréas, où elles amorcent une attaque des cellules β en raison de la ressemblance étroite du constituant de la cellule β avec l'antigène étranger.

Le diabète insulino-indépendant est caractérisé par une résistance à l'insuline et une sécrétion d'insuline inappropriée

Le diabète sucré insulino-indépendant (type 2, **NIDDM** pour « noninsulin-dependent diabetes mellitus »), qui représente plus de 90 % des cas de diabète diagnostiqués et affecte 18 % de la tranche d'âge de plus de 65 ans, concerne généralement des personnes obèses qui sont génétiquement prédisposées à cette maladie (bien que cette prédisposition diffère de celle associée au diabète insulino-dépendant). Ces personnes peuvent avoir des taux d'insuline normaux, voire très supérieurs à la normale. Leurs symptômes sont dus à une **résistance à l'insuline**, manque apparent de sensibilité à l'insuline des cellules normalement sensibles à cette hormone. La résistance à l'insuline, qui peut précéder le NIDDM de 10 à 20 ans, serait due à une interruption de la voie de signalisation par l'insuline (Section 19-4F). D'après Gérald Schulman, cette interruption résulte d'une cascade de Ser/Thr kinases qui phosphorylent des protéines connues sous le nom de **substrats du récepteur insulinique (IRS ;** Section 19-3C), ce qui diminue leur capacité à être phosphorylées sur des résidus Tyr par le récepteur insulinique activé. Cette phosphorylation sur tyrosine est requise pour l'activation des IRS et leur communication avec la phospho-inositide 3-kinase (PI3K ; Section 19-4D), laquelle stimule alors la translocation de vésicules contenant GLUT-4 vers la surface de la cellule pour y faire entrer plus de glucose (Section 20-2E). La cascade de Ser/Thr kinases mentionnée ci-dessus est déclenchée par l'activation d'une isoforme de la protéine-kinase C (PKC ; Section 19-4C) causée par l'augmentation d'acyl-CoA, de diacylglycérol et de céramides (Section 12-1D) suite à celle des acides gras libres (Fig. 27-6). Cette hypothèse rend compte de l'observation selon laquelle un régime alimentaire approprié suffit souvent à contrôler ce type de diabète.

La technologie des puces à ADN permet une étude intégrée de la régulation métabolique

Notre capacité à comprendre le caractère intégré du métabolisme et sa régulation génétique normale et pathologique a tiré un immense profit de l'avènement des puces à ADN (microdamiers ; Section 7-6B). Par exemple, Ronald Kahn a utilisé cette technologie pour étudier les fondements génétiques des anomalies métaboliques qui sous-tendent l'obésité et le diabète. À cette fin, il a isolé de l'ARNm de muscle squelettique de souris normales, diabétiques, ou diabétiques traitées par l'insuline, et l'a rétrotranscrit en ADNc (Section 5-5F) qui fut alors hybridé à des microdamiers d'oligonucléotides représentant 14 288 gènes de souris. Chez les

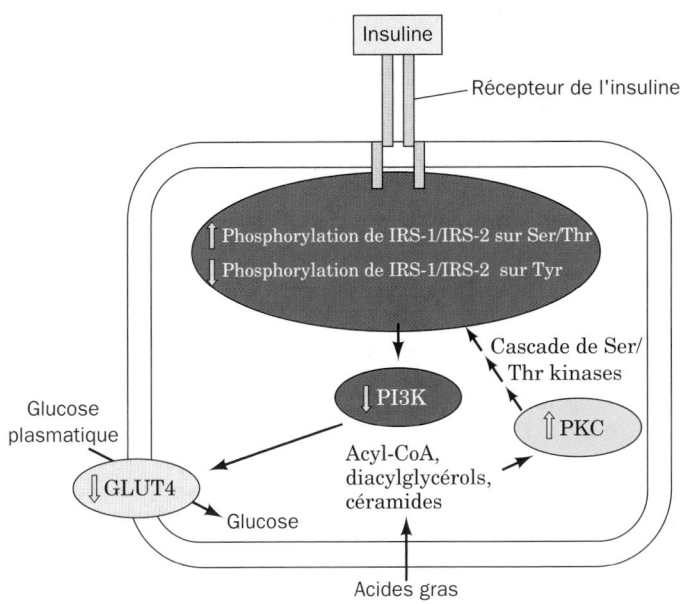

FIGURE 27-6 Mécanisme par lequel de hautes concentrations d'acides gras libres induisent une résistance à l'insuline. Les acides gras libres à haute concentration sanguine diffusent dans les cellules musculaires où ils sont transformés en acyl-CoA, diacylglycérols et céramides. Ces substances lipotoxiques activent une isoforme de la protéine-kinase C (PKC), ce qui déclenche une cascade de Ser/Thr kinases conduisant à la phosphorylation de IRS-1 et IRS-2. Cette phosphorylation inhibe la phosphorylation sur Tyr requise pour la transmission du signal insulinique, ce qui diminue la stimulation de la PI3K, d'où une diminution de la vitesse de fusion des vésicules contenant GLUT-4 avec la membrane plasmique et donc de la quantité de glucose qui entre dans la cellule. [Modifié d'après Shulman, G.I., *J. Clin. Invest.* **106**, 173 (2000).]

souris diabétiques, 129 de ces gènes étaient surexprimés et 106 étaient sous-exprimés. Comme attendu, l'expression des ARNm codant des enzymes de la voie de la β oxydation des acides gras était augmentée, alors qu'on observait une diminution coordonnée de ceux codant GLUT-4, la glucokinase, le constituant E1 du complexe multienzymatique de la pyruvate déshydrogénase, et les sous-unités des quatre complexes de la chaîne de transport des électrons mitochondriale. Curieusement, le traitement par l'insuline ne normalisait que la moitié environ de ces modifications de l'expression des gènes. Il est clair que la période postgénomique où nous entrons va déboucher sur une explosion des connaissances concernant les régulations métaboliques, dont devraient bénéficier les sciences de la santé. Cependant, le plus grand défi sera d'interpréter correctement cette énorme masse de données.

RÉSUMÉ DU CHAPITRE

1 ■ Principales voies et stratégies du métabolisme énergétique : Résumé Le réseau complexe des processus impliqués dans le métabolisme énergétique est réparti dans différents compartiments cellulaires et différents organes du corps. Le rôle de ces mécanismes est d'assurer la production d'ATP « à la demande », de fabriquer et de mettre en réserve du glucose, des triacylglycérols et des protéines au moment et en quantités voulues selon les besoins, et de maintenir la glycémie à une valeur adéquate pour l'utilisation du glucose par des organes comme le cerveau, dont il est le seul combustible métabolique dans des conditions normales. Les principales voies du métabolisme énergétique sont la glycolyse, la glycogénolyse et la glycogénèse, la gluconéogenèse, la voie des pentoses phosphate et la synthèse des triacylglycérols et des acides gras, qui toutes se déroulent dans le cytosol, ainsi que l'oxydation des acides gras, le cycle de l'acide citrique et les phosphorylations oxydatives dont le siège est la mitochondrie. La dégradation des acides aminés se partage entre les deux compartiments. Le transport facilité des métabolites à travers les membranes joue donc aussi un rôle essentiel dans le métabolisme.

2 ■ Spécialisation d'organes Normalement, le cerveau consomme de grandes quantités de glucose. Les muscles, si la demande en ATP est importante comme dans un sprint, dégradent anaérobiquement le glucose et le glycogène, produisant ainsi du lactate, qui est transporté par le sang jusqu'au foie pour être retransformé en glucose par la gluconéogenèse. En cas d'activité modérée, le muscle produit de l'ATP en oxydant complètement le glucose issu du glycogène, les acides gras et les corps cétoniques, en CO_2 et H_2O via le cycle de l'acide citrique et les phosphorylations oxydatives. Le tissu adipeux met en réserve les triacylglycérols et libère des acides gras dans le courant sanguin selon les besoins métaboliques de l'organisme. Ces besoins sont communiqués au tissu adipeux par l'intermédiaire de l'insuline, hormone qui signale un état de satiété qui convient à une mise en réserve, et du glucagon, de l'adrénaline et de la noradrénaline qui signalent un besoin de libération d'acides gras pour fournir du combustible énergétique aux autres tissus. Le foie, le centre de triage métabolique central de l'organisme, maintient constante la glycémie en stockant le glucose sous forme de glycogène quand il y en a en excès, et en libérant du glucose en cas de besoin par la glycogénolyse et la gluconéogenèse. Il transforme aussi les acides gras en corps cétoniques qui seront utilisés dans les tissus périphériques. Pendant un jeûne, le foie dégrade les acides aminés provenant de la dégradation des protéines, en intermédiaires métaboliques qui peuvent être utilisés pour former du glucose. Le rein débarrasse le sang de son urée par filtration, récupère des métabolites importants, et maintient le pH sanguin. À cette fin, la glutamine est dégradée pour fournir du NH_4^+ servant à l'excrétion de H^+. L'α-cétoglutarate ainsi produit est converti, via le CO_2, en bicarbonate qui maintient le pouvoir tampon du sang. En cas de jeûne, cet α-cétoglutarate sert aussi à la gluconéogenèse.

3 ■ Homéostasie métabolique : Régulation de l'appétit, de la dépense d'énergie et du poids corporel L'appétit est supprimé sous les actions de la leptine, une hormone produite par le tissu adipeux, de l'insuline, produite par les cellules β du pancréas, et de PYY_{3-36}, produit par le tractus gastro-intestinal. Toutes ces hormones agissent dans l'hypothalamus où elles inhibent la sécrétion du neuropeptide Y (NPY) et stimulent la sécrétion d'α-MSH et de CART. Ceci diminue l'appétit et donc la prise de nourriture. La ghréline, une hormone sécrétée par l'estomac vide, s'oppose aux effets de la leptine, de l'insuline et de PYY$_{3-36}$, ce qui stimule l'appétit et la prise de nourriture. La leptine agit aussi sur les tissus périphériques pour stimuler la dépense d'énergie par oxydation des acides gras et thermogenèse.

4 ■ Adaptation métabolique Durant un jeûne prolongé, le cerveau s'adapte progressivement en utilisant les corps cétoniques au lieu du glucose, sa seule source énergétique habituelle, déplaçant ainsi la charge métabolique de la dégradation des protéines sur celle

des lipides. Le diabète sucré est une maladie où l'insuline est soit non sécrétée, soit incapable de stimuler efficacement ses cellules cibles, ce qui conduit à l'hyperglycémie et à l'apparition de glucose dans les urines. Les cellules « jeûnent alors dans l'abondance » car elles ne peuvent absorber le glucose sanguin et les signaux hormonaux qu'elles reçoivent indiquent une situation de famine. Une production anormalement élevée de corps cétoniques est l'une des conséquences les plus dangereuses du diabète non traité.

RÉFÉRENCES

Chapitres 17 à 26 de ce livre.

Baskin, D.G., Lattemann, D.F., Seeley, R.J., Woods, S.C., Porte, D., Jr., and Schwartz, M.W., Insulin and leptin: dual adiposity signals to the brain for the regulation of food intake and body weight, *Brain Res.* **848,** 114–123 (1999).

Batterham, R.L., *et al.,* Gut hormone PYY$_{3-36}$ physiologically inhibits food intake, *Nature* **418,** 650–654 (2002).

Brüning, J.C., Gautam, D., Burks, D.J., Gillette, J., Schubert, M., Orban, P.C., Klein, R., Krone, W., Müller-Weiland, D., and Kahn, C.R., Role of brain insulin receptor in control of body weight and reproduction, *Science* **289,** 2122–2125 (2000).

Chen, H., et al., Evidence that the diabetes gene encodes the leptin receptor: Identification of a mutation in the leptin receptor gene in *db/db* mice, *Cell* **84,** 491–495 (1996); *and* Chua, S.C., Jr., Chung, W.K., Wu-Peng, S., Zhang, Y., Liu, S.-M., Tartaglia, L., and Leibel, R.L., Phenotypes of mouse *diabetes* and rat *fatty* due to mutations in the OB (leptin) receptor, *Science* **271,** 994–996 (1996).

Considine, R.V., *et al.,* Serum immunoreactive-leptin concentrations in normal-weight and obese humans, *New Engl. J. Med.* **334,** 292–295 (1996).

Evans, J.L., Goldfine, I.D., Maddux, B.A., and Grodsky, G.M., Oxidative stress and stress-activated signaling pathways: a unifying hypothesis of type 2 diabetes, *Endocrine Rev.* **23,** 599–622 (2002).

Kristensen, P., et al., Hypothalamic CART is a new anorectic peptide regulated by leptin, *Nature* **393,** 72–76 (1998).

Lee, G.-H., Proenca, R., Montez, J.M., Carroll, K.M., Darvishzadah, J.G., Lee, J.I., and Friedman, J.M., Abnormal splicing of the leptin receptor in *diabetic* mice, *Nature* **379,** 632–635 (1996).

Lowell, B.B. and Spiegelman, B.M., Towards a molecular understanding of adaptive thermogenesis, *Nature* **404,** 652–660 (2000).

Montague, C.T., et al., Congenital leptin deficiency is associated with severe early-onset obesity in humans, *Nature* **387,** 903–908 (1997).

Moreno-Aliaga, M.J., Marti, A., García-Foncillas, J. and Martínes, J.A., DNA hybridization arrays: a powerful technology for nutritional and obesity research, *British Journal of Nutrition* **86,** 119–122 (2001).

Nakazato, M., Murakami, N., Date, Y., Kojima, M., Matsuo, H., Kangawa, K., and Matsukara, S., A role for ghrelin in the central regulation of feeding, *Nature* **409,** 194–198 (2001).

Newgard, C.B. and McGarry, J.D., Metabolic factors in pancreatic β-cell signal transduction, *Annu. Rev. Biochem.* **64,** 689–719 (1995). [Une revue des mécanismes biochimiques qui assurent la sécrétion d'insuline par les cellules β du pancréas en réponse au glucose.]

Obesity, *Science* **299,** 845–860 (2003). [Une série d'articles bien documentés sur les origines de l'obésité.]

Schwartz, M.W. and Morton, G.J., Keeping hunger at bay, *Nature* **418,** 595–597 (2002).

Schwartz, M.W., Woods, S.C., Porte, D. Jr., Seeley, R.J., and Baskin, D.G., Central nervous system control of food intake, *Nature* **404,** 661–671 (2000).

Shulman, G.I., Cellular mechanisms of insulin resistance, *J. Clin. Invest.* **106,** 171–176 (2000).

Spiegelman, B.M. and Flier, J.S., Obesity and the regulation of energy balance, *Cell* **104,** 531–543 (2001).

Tartaglia, L.A., et al., Identification and expression cloning of a leptin receptor, OB-R, *Cell* **83,** 1263–1271 (1995).

Tshöp, M., Smiley, D.L., and Heiman, M.L., Ghrelin induces adiposity in rodents, *Nature* **407,** 908–913 (2000).

Unger, R.H., Leptin physiology: a second look, *Regulatory Peptides* **92,** 87–95 (2000).

Yechoor, V.K., Patti, M.-E., Saccone, R., and Kahn, C.R., Coordinated patterns of gene expression for substrate and energy metabolism in skeletal muscle of diabetic mice, *Proc. Natl. Acad. Sci.* **99,** 10587–10592 (2002).

Zhang, F., et al., Crystal structure of the *obese* protein leptin-E100, *Nature* **387,** 206–209 (1997).

Zhang, Y., Proenca, R., Maffei, M., Barone, M., Leopold, L., and Friedman, J.M., Positional cloning of the mouse *obese* gene and its human homologue, *Nature* **372,** 425–432 (1994).

Zick, Y., Insulin resistance: a phosphorylation-based uncoupling of insulin signaling, *Trends Cell Biol.* **11,** 437–441 (2001).

PROBLÈMES

1. Décrivez les effets métaboliques de l'insuffisance hépatique.

2. Sur quoi repose l'hypothèse selon laquelle les muscles des athlètes sont plus tamponnés que ceux d'individus normaux ?

3. Des coureurs expérimentés savent que l'ingestion de grandes quantités de glucose avant une course de fond comme le marathon ne donne pas de bons résultats. Quel est le fondement métabolique de ce qui semble être un paradoxe ?

4. Expliquez pourquoi la production d'urée est fortement diminuée pendant un jeûne.

5. Expliquez pourquoi on survit plus longtemps en jeûnant totalement qu'en mangeant uniquement des glucides.

6. Expliquez pourquoi l'haleine d'un diabétique non traité sent l'acétone.

7. Parmi les nombreux régimes amaigrissants « mangez à volonté et perdez du poids » qui furent un temps populaires, il en est un qui interdit tout glucide mais autorise sans restriction les protéines et les graisses. Un tel régime peut-il être efficace ? (*Note* : les adeptes d'un tel régime se plaignent souvent de mauvaise haleine).

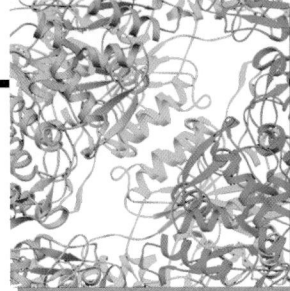

Chapitre 28

Métabolisme des nucléotides

Les **nucléotides**, comme nous l'avons vu, sont des substances biologiques ubiquitaires qui participent à presque tous les processus biochimiques. Ce sont les unités monomériques de l'ARN et de l'ADN ; l'hydrolyse de l'ATP et du GTP assure de nombreux processus énergie-dépendants ; les niveaux d'ATP, d'ADP, et d'AMP régulent de nombreuses voies métaboliques ; l'AMPc et le GMPc relaient la signalisation hormonale ; et le NAD^+, le $NADP^+$, le FMN, le FAD, et le coenzyme A sont des coenzymes essentiels à un grande nombre de réactions enzymatiques. L'importance des nucléotides dans le métabolisme cellulaire est soulignée par le fait que pratiquement toutes les cellules peuvent les synthétiser soit *de novo* soit par dégradation des acides nucléiques. Dans ce chapitre, nous étudierons le mécanisme de leur biosynthèse. Ce faisant, nous verrons comment ils sont régulés et quelles sont les conséquences de leur blocage, que ce soit par déficience génétique ou après administration d'agents chimiothérapeutiques. Nous étudierons ensuite la dégradation des nucléotides. Enfin, nous passerons en revue la synthèse des coenzymes nucléotidiques.

1 ■ SYNTHÈSE DES RIBONUCLÉOTIDES PURIQUES

Dans cette section, nous commençons l'étude de la synthèse des acides nucléiques et de leurs constituants par la description de la synthèse des ribonucléotides puriques. En 1948, John Buchanan obtint les premiers renseignements sur ce mécanisme *de novo* en donnant à manger à des pigeons une série de composés marqués par des isotopes et en déterminant chimiquement les positions des atomes marqués dans l'**acide urique** (une purine) qu'ils excrétaient.

Acide urique

Il choisit des oiseaux pour ces expériences car ces animaux excrètent l'azote perdu presque entièrement sous forme d'acide urique, substance insoluble dans l'eau et donc facile à isoler. Les résultats de ses expériences, résumés dans la Fig. 28-1, montraient que le N1 des purines provient du groupement amine de l'aspartate ; les C2 et C8 proviennent du formiate ; N3 et N9 sont

FIGURE 28-1 Origines biosynthétiques des atomes du cycle purique. Noter que C4, C5 et N7 proviennent d'une seule molécule de glycine mais que chacun des autres atomes est issu d'un précurseur indépendant.

fournis par le groupement amide de la glutamine ; C4, C5 et N7 sont issus de la glycine (ce qui suggère que cette molécule est entièrement incorporée dans le noyau purine) ; et C6 vient de HCO_3^- (CO_2).

La voie exacte qui permet à ces précurseurs d'être incorporés dans le noyau purique, décrite dans la Section 28-1A, a été élucidée par les recherches subséquentes de Buchanan et de G. Robert Greenberg. Ces travaux ont montré que le dérivé purique synthétisé en premier est l'**inosine monophosphate (IMP)**,

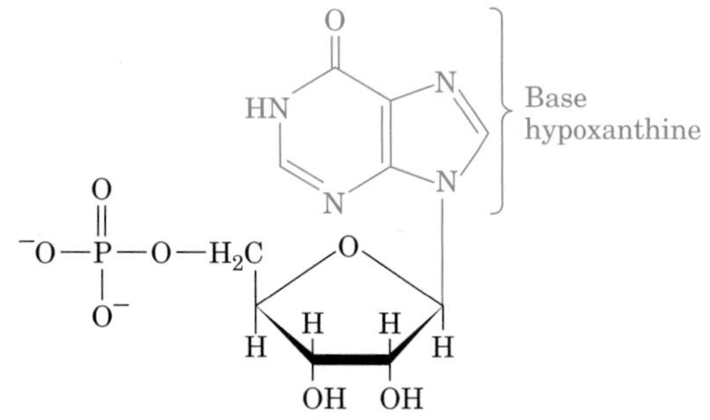

Inosine monophosphate (IMP)

le nucléotide dont la base est l'**hypoxanthine**. L'AMP et le GMP sont ensuite synthétisés à partir de cet intermédiaire par des voies séparées (Section 28-1B). Ainsi, contrairement à une hypothèse un peu simpliste, les purines sont synthétisées initialement sous forme de ribonucléotides et non sous forme de bases libres. D'autres travaux ont montré que la biosynthèse des nucléotides puriques fait intervenir le même mécanisme chez des organismes aussi distants que *E. coli*, la levure, le pigeon et l'homme, ce qui démontre, une fois de plus, l'unité biochimique de la vie.

A. Synthèse de l'inosine monophosphate

L'IMP est synthétisé par une voie qui comporte 11 réactions (Fig. 28-2) :

1. Activation du ribose-5-phosphate. La molécule de départ pour la synthèse des purines est l'α-D-ribose-5-phosphate (R5P), un des produits de la voie des pentoses phosphate (Section 23-4). Lors de la première étape de la biosynthèse des purines *de novo*, la **ribose phosphate pyrophosphokinase** (aussi appelée **phosphoribosylpyrophosphate synthétase**) active le R5P en présence d'ATP pour former le **5-phosphoribosyl-α-pyrophosphate (PRPP)**. Cette réaction, qui implique l'attaque nucléophile du $P_β$ de l'ATP par le groupement C1—OH du R5P, est inhabituelle car un groupement pyrophosphoryle est transféré directement de l'ATP au C1 du R5P et le produit présente une configuration anomérique en α. Le PRPP est aussi un précurseur dans la biosynthèse des pyrimidines (Section 28-2A) et des acides aminés histidine et tryptophane (Section 26-5B). Ainsi, comme on peut s'y attendre d'une enzyme au carrefour de voies de biosynthèse si importantes, l'activité de la ribose phosphate pyrophosphokinase varie en fonction des concentrations de nombreux métabolites, dont le PP_i et le 2,3-bisphosphoglycérate, qui sont des activateurs, et l'ADP et le GDP, qui sont des inhibiteurs mixtes (Section 14-3C). La régula-

tion de la biosynthèse des nucléotides puriques est étudiée dans la Section 28-1C.

2. Incorporation de l'atome N9 du cycle purique. L'**amidophosphoribosyl transférase** (ou **glutamine PRPP aminotransférase** ; ou **PurF** d'après le gène *purF* qui la code chez *E. coli*) catalyse le déplacement du groupement pyrophosphate du PRPP par l'azote du groupement amide de la glutamine pour donner la **β-5-phosphoribosylamine (PRA)**. Il s'agit de la première réaction spécifique à la biosynthèse *de novo* des purines (certains la considèrent donc comme la première réaction de la voie, qui n'en compterait alors que 10). Ce processus se déroule en deux étapes consécutives sur des sites actifs différents de l'enzyme :

1. Glutamine + H_2O → acide glutamique + NH_3

2. NH_3 + PRPP Æ PRA + PP_i

L'étape 1 est catalysée par un membre de la famille des amidotransférases nucléophiles N-terminales (Ntn) (Section 26-5A). Au

FIGURE 28-2 *(Page opposée)* **Voie de biosynthèse** *de novo* **de l'IMP.** Le résidu purine est construit sur un cycle ribose en 11 réactions enzymatiques. La structure par rayons X de toutes les enzymes, sauf celle qui catalyse la Réaction 5, est montrée à l'extérieur de la flèche de la réaction correspondante. La chaîne peptidique des enzymes monomériques est en couleurs étagées de l'extrémité N-terminale (*bleu*) à l'extrémité C-terminale (*rouge*). Les enzymes oligomériques, toutes constituées de chaînes polypeptidiques identiques, sont vues dans le sens de leur axe de rotation, les différentes chaînes étant de couleurs différentes. Les ligands fixés sont en modèle compact. L'enzyme 1, de structure déterminée par Sine Larson, Université de Copenhagen, Danemark, est un hexamère D_3 de *B. subtilis* qui fixe l'**α,β-méthylène-ADP** sur ses sites catalytiques (*rouge*) et allostériques (*bleu*) ; PDBid 1DKU. L'enzyme 2, de structure déterminée par Janet Smith, Purdue University, est un tétramère D_2 de *B. subtilis* qui fixe le GMP (*bleu*), l'ADP (*rouge*), et un centre [4Fe–4S] (*orange*, qui aurait une fonction régulatrice plutôt que rédox) ; PDBid 1AO0. Les structures des enzymes 3 et 6, toutes deux *d'E. coli*, furent déterminées par JoAnne Stubbe, MIT, et Steven Ealick, Cornell University ; PDBid 1GSO et 1CLI. L'enzyme 4, *d'E. coli*, de structure déterminée par Robert Almassy, Agouron Pharmaceuticals, San Diego, California, fixe le GAR (*bleu-vert*) et le 5-déazatétrahydrofolate (*rouge*) ; PDBid 1CDE. La Réaction 7, chez *E. coli*, est catalysée par deux enzymes agissant successivement, la PurE de Classe I (*en haut*) et la PurK (*en bas*). La PurE de Classe I, de structure déterminée par JoAnne Stubbe, MIT, et Steven Ealick, Cornell University, est un octamère D_4 qui fixe l'AIR (*rouge*) ; PDBid 1D7A. PurK, de structure déterminée par JoAnne Stubbe, MIT, et Hazel Holden, University of Wisconsin, est un dimère C_2 qui fixe l'ADP (*rouge*) ; PDBid 1B6S. La structure de l'enzyme 8, de levure, fut déterminée par Victor Lamzin, Académie des Sciences, Moscou, Russie, et Keith Wilson, EMBL, Hambourg, Allemagne ; PDBid 1A48. L'enzyme 9, de *Thermatoga maritima*, de structure déterminée par Todd Yeates, UCLA, est un tétramère D_2 ; PDBid 1C3U. Les Réactions 10 et 11 chez le poulet sont catalysées par une enzyme bifonctionnelle de structure déterminée par Stephen Benkovic, Pennsylvania State University, et Ian Wilson, The Scripps Research Institute, La Jolla, California. Elle forme un dimère C_2 montré ici avec sa fonction transformylase de l'AICAR en haut, et sa fonction cyclohydrolase de l'IMP, qui fixe le GMP (*violet*), en bas ; PDBid 1G8M.

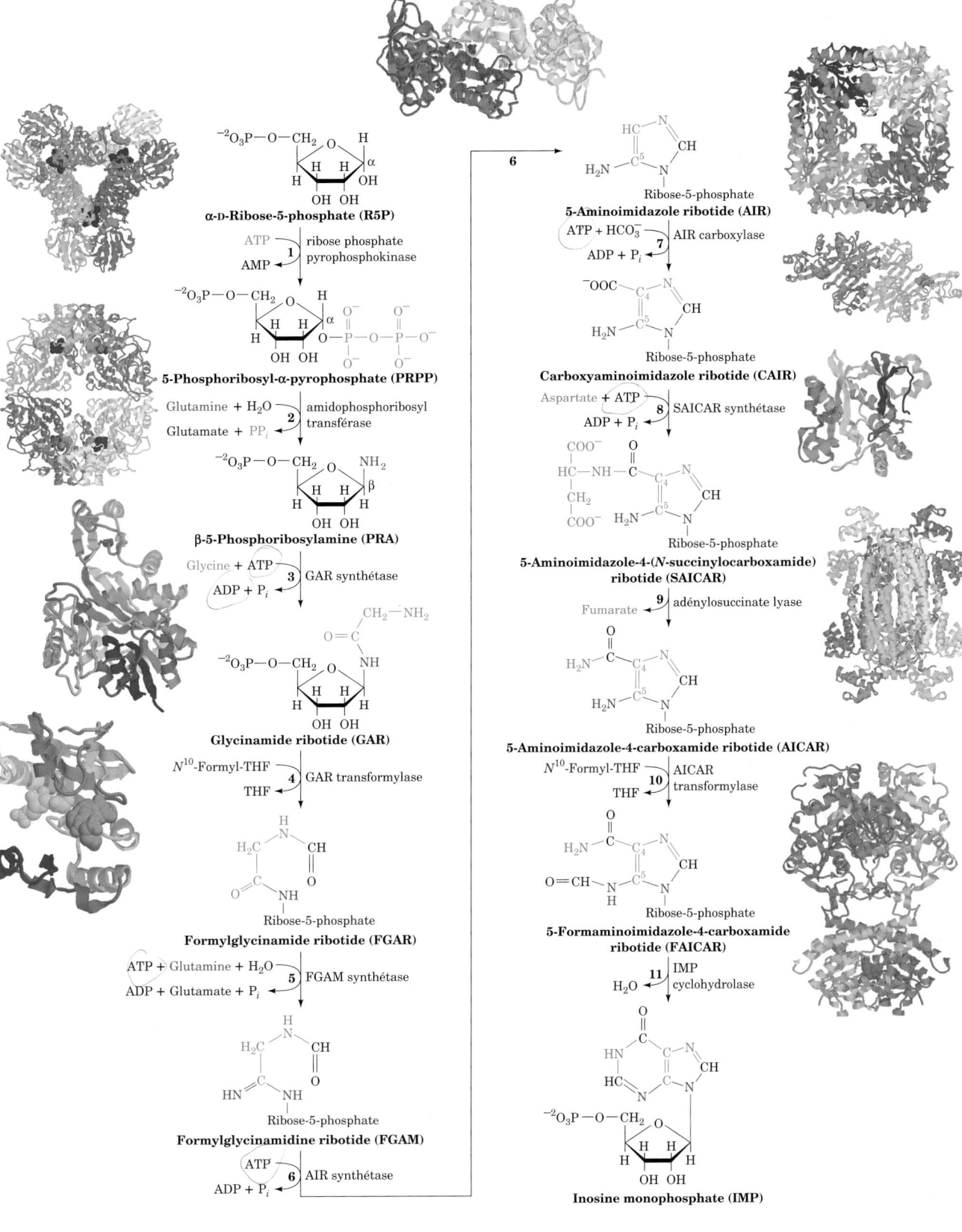

α-D-**Ribose-5-phosphate (R5P)**

ATP ↘ ribose phosphate
       1 pyrophosphokinase
AMP ↙

5-**Phosphoribosyl-α-pyrophosphate (PRPP)**

Glutamine + H₂O ↘ amidophosphoribosyl
                 2 transférase
Glutamate + PP$_i$ ↙

β-5-**Phosphoribosylamine (PRA)**

Glycine + ATP ↘ GAR synthétase
             3
ADP + P$_i$ ↙

Glycinamide ribotide (GAR)

N^{10}-Formyl-THF ↘ GAR transformylase
                   4
THF ↙

Formylglycinamide ribotide (FGAR)

ATP + Glutamine + H₂O ↘ FGAM synthétase
                     5
ADP + Glutamate + P$_i$ ↙

Formylglycinamidine ribotide (FGAM)

ATP ↘ AIR synthétase
    6
ADP + P$_i$ ↙

6

5-**Aminoimidazole ribotide (AIR)**

ATP + HCO₃⁻ ↘ AIR carboxylase
            7
ADP + P$_i$ ↙

Carboxyaminoimidazole ribotide (CAIR)

Aspartate + ATP ↘ SAICAR synthétase
               8
ADP + P$_i$ ↙

5-**Aminoimidazole-4-(*N*-succinylocarboxamide)
ribotide (SAICAR)**

Fumarate ↘ adénylosuccinate lyase
         9

5-**Aminoimidazole-4-carboxamide ribotide (AICAR)**

N^{10}-Formyl-THF ↘ AICAR
                   10 transformylase
THF ↙

5-**Formaminoimidazole-4-carboxamide
ribotide (FAICAR)**

H₂O ↘ IMP
     11 cyclohydrolase

Inosine monophosphate (IMP)

cours de l'étape 2, il y a inversion de la configuration du C1 du ribose, ce qui confère sa forme anomérique au futur nucléotide. Le NH_3 passe entre les deux sites actifs par un tunnel de 20 Å de long bordé de résidus non polaires conservés qui n'ont pas de groupement autorisant des liaisons hydrogène et n'empêchent donc pas la diffusion du NH_3 [nous avons vu que le NH_3 produit lors de l'hydrolyse de la glutamine est conduit de même vers le site actif de son utilisation par la carbamyl phosphate synthétase (Section 26-2A) et la glutamate synthétase (Section 26-5A)]. Ces étapes, qui sont rendues irréversibles par l'hydrolyse subséquente du PP_i formé, constituent la réaction qui détermine le flux de la voie. Il n'est donc pas surprenant que l'amido-phosphoribosyl transférase soit rétro-inhibée par les nucléotides puriques (Section 28-1C).

3. Incorporation des atomes C4, C5 et N7 du cycle purique. Le groupement carboxyle de la glycine forme une amide avec le groupement aminé de la PRA, ce qui donne le **glycinamide ribotide (GAR),** lors d'une réaction catalysée par la **GAR synthétase (PurD)** et facilitée par la phosphorylation intermédiaire du groupement carboxyle de la glycine. La réaction, qui est réversible malgré l'hydrolyse concomitante de l'ATP en ADP + P_i est la seule réaction de la voie où plus d'un atome du noyau purique est incorporé. Le fait que la PRA soit chimiquement instable (elle est hydrolysée en R5P et NH_3 avec une demi-vie de 5 s à 37 °C) suggère que la GAR synthétase et l'amidophosphoribosyl transférase s'associent pour canaliser entre elles la PRA. Un modèle, plausible aux plans stérique et électrostatique, d'un tel complexe a d'ailleurs été construit sur base de la structure par rayons X de ces deux enzymes.

4. Incorporation de l'atome C8 du cycle purique. Le groupement α–aminé libre du GAR est formylé par la **GAR transformylase (PurN)** pour donner le **formylglycinamide ribotide (FGAR).** Le donneur de formyle de cette réaction est le N^{10}-formyltétrahydrofolate (N^{10}-formyl-THF), un cofacteur qui transfère des unités en C_1 depuis des donneurs comme la sérine, la glycine et le formiate, à différents accepteurs dans des réactions de biosynthèse (Section 26-4D). Des études structurales et enzymatiques indiquent que la réaction est assurée par une attaque nucléophile par le groupement amine du GAR sur le carbone du formyle du N^{10}-formyl-THF avec la formation d'un intermédiaire tétraédrique.

5. Incorporation de l'atome N3 du cycle purique. Le groupement aminé de l'amide d'une deuxième glutamine est transféré au noyau purique en formation pour donner le **formylglycinamidine ribotide (FGAM).** Cette réaction, qui est catalysée par la **FGAM synthétase (PurL),** est couplée à l'hydrolyse d'ATP en ADP + P_i. Elle se ferait par le mécanisme représenté dans la Fig. 28-3. Selon ce mécanisme, l'oxygène de la forme isoamide du FGAR réagit avec l'ATP pour donner un ester phosphate intermédiaire. Cet intermédiaire réagit à son tour avec NH_3 (l'azote du groupement amide de la glutamine labilisé par formation transitoire d'une forme thioester de l'enzyme) pour former un adduit tétraédrique. L'adduit donne un produit imine, le FGAM, après élimination de P_i. De telles réactions, dans lesquelles un oxygène d'un carboxamide est remplacé par un groupement imine, sont courantes dans la biosynthèse des nucléotides. Par exemple, la Réaction 6 de cette voie, et les réactions qui transforment l'IMP en AMP (Section 28-1B) et l'UTP en CTP (Section 28-2B), suivent

des mécanismes similaires, à savoir transformation de l'oxygène d'un carboxamide en ester phosphate qui subit une attaque nucléophile par un atome d'azote d'une amine pour former un adduit tétraédrique lequel, à son tour, élimine P_i pour former le produit.

6. Formation du noyau imidazole du cycle purique. Le noyau imidazole du cycle purique est fermé par une réaction de condensation intramoléculaire ATP-dépendante qui donne le **5-aminoimidazole ribotide (AIR),** dans une réaction catalysée

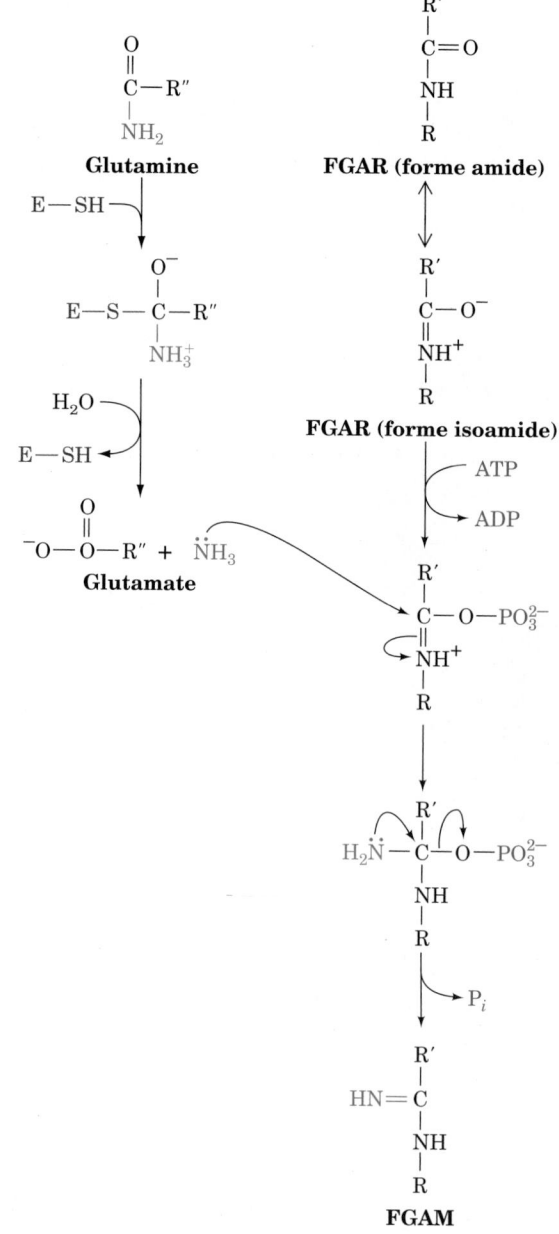

FIGURE 28-3 Mécanisme proposé pour la formylglycinamide ribotide (FGAM) synthétase. Le domaine glutaminase de l'enzyme contient un résidu Cys du site actif qui catalyse la libération de NH_3 avec formation transitoire d'un thioester de l'enzyme (non montré) dont l'hydrolyse donne du glutamate. La forme isoamide de FGAR est phosphorylée par l'ATP puis réagit avec le « NH_3 » pour donner un intermédiaire tétraédrique dont la décomposition fournit du FGAM + P_i.

par l'**AIR synthétase (PurM)**. L'aromatisation du noyau imidazole est facilitée par tautomérisation de la forme imine en forme énamine du substrat.

7. Incorporation du C6. Chez les eucaryotes supérieurs, le C6 du noyau purique est introduit sous forme de HCO_3^- (CO_2) lors d'une réaction catalysée par l'**AIR carboxylase** qui donne le **carboxyaminoimidazole ribotide (CAIR)**. Cependant, chez la levure, les plantes et la plupart des procaryotes (y compris *E. coli*), cette réaction se fait en deux étapes par des activités enzymatiques distinctes : **PurK** et **PurE de Classe I**.

PurE catalyse la carboxylation ATP-dépendante de l'AIR pour donner le N^5-**CAIR**, que la PurE de Classe I réarrange pour donner le CAIR. La PurE de Classe I est homologue à l'AIR carboxylase, laquelle est dès lors aussi appelée PurE de Classe II. La PurE de classe I seule peut catalyser la réaction de l'AIR carboxylase mais comme son K_M pour HCO_3^- est de 110 mM, elle nécessite une concentration en HCO_3^- élevée et non physiologique (~100 mM) pour que la réaction se fasse à une vitesse significative. Cependant, la présence de PurK diminued'un facteur >1000 la concentration en HCO_3^- nécessaire à la réaction catalysée par PurE probablement suite à la formation ATP-dépendante de carbonyl phosphate, comme postulé pour la réaction catalysée par la carbamyl phosphate synthétase (section 26-2A). Le fait que le N^5-CAIR soit chimiquement instable (il se décompose en AIR avec une demi-vie de 15 s à pH 7,5 et 25 °C) suggère que le N^5-CAIR est canalisé entre PurK et la PurE de Classe I. De fait, chez la levure et les plantes, l'extrémité N-terminale de la PurE de Classe I est fusionnée à l'extrémité C-terminale de PurK. Chez *E. coli*, cependant, ces deux activités enzymatiques sont portées par des protéines différentes dont on n'a aucune preuve qu'elles soient associées.

8. Incorporation du N1. L'atome N1 du cycle purique est apporté par l'aspartate au cours d'une réaction de condensation catalysée par la **SAICAR synthétase (PurC)** qui forme une amide, le **5-aminoimidazole-4-(*N*-succinylcarboxamide) ribotide (SAICAR)**. La réaction, qui nécessite l'hydrolyse de l'ATP en ADP + P_i, ressemble chimiquement à la Réaction 3.

9. Elimination de fumarate. Le SAICAR est clivé avec élimination de fumarate pour donner le **5-aminoimidazole-4-carboxamide ribotide (AICAR)** lors d'une réaction catalysée par l'**adénylosuccinate lyase (PurB)**. Les Réactions 8 et 9 ressemblent chimiquement aux réactions du cycle de l'urée dans lesquelles la citrulline est aminée pour donner de l'arginine (Sections 26-2C et 26-2D). Dans les deux voies, le groupement aminé de l'aspartate est transféré à un groupement accepteur lors d'une réaction ATP-dépendante, puis il y a élimination du squelette carboné de l'aspartate sous forme de fumarate. Chez les plantes et les micro-organismes, l'AICAR se forme également lors de la biosynthèse de l'histidine (Section 26-5B) mais, comme dans ce cas l'AICAR est issu de l'ATP, il ne permet pas de synthèse nette de purine.

10. Incorporation du C2. Le dernier atome du noyau purique est acquis par formylation par le N^{10}-formyltétrahydrofolate, ce qui donne le **5-formaminoimidazole-4-carboxamide ribotide (FAICAR)** lors d'une réaction catalysée par l'**AICAR transformylase (PurH)**. Chez les bactéries, cette réaction et la Réaction 4 sont inhibées indirectement par les sulfamides qui, rappelons-le, empêchent la synthèse de folate en entrant en compétition avec sa composante *p*-aminobenzoate (Section 26-4D). Les animaux, y compris l'homme, doivent trouver le folate dans leur alimentation, car ils ne peuvent le synthétiser. Ils ne sont donc pas affectés par les sulfamides. Les propriétés antibiotiques des sulfamides sont donc essentiellement dues à ce qu'ils inhibent la biosynthèse des acides nucléiques chez les bactéries sensibles.

11. Cyclisation pour donner de l'IMP. La dernière réaction de la voie, la fermeture du cycle pour donner de l'IMP, se fait par l'élimination d'eau catalysée par l'**IMP cyclohydrolase (PurJ)**. Contrairement à la Réaction 6, la cyclisation qui permet la formation du noyau imidazole, cette réaction n'implique pas l'hydrolyse de l'ATP.

Chez les animaux, les activités enzymatiques qui catalysent les Réactions 3, 4 et 6, les Réactions 7 et 8, et les Réactions 10 et 11, sont portées dans les trois cas par un seul polypeptide. Les produits intermédiaires de ces enzymes multifonctionnelles ne sont pas immédiatement libérés dans le milieu, mais ils sont canalisés vers l'activité enzymatique suivante de la voie. Ceci augmente la vitesse globale de ces processus à plusieurs étapes et protège les intermédiaires de la dégradation par d'autres enzymes cellulaires. Par exemple, nous avons vu antérieurement que la formation d'acétyl-CoA à partir de pyruvate se fait sur le complexe multienzymatique de la pyruvate déshydrogénase, qui contient trois enzymes catalysant cinq réactions consécutives (Section 21-2A) ; que les sept activités enzymatiques catalysant la synthèse des acides gras chez l'animal sont toutes portées par une seule molécule protéique (Section 25-4C) ; et que les enzymes multifonctionnelles carbamyl phosphate synthétase I (Section 26-2A), tryptophane synthase (Section 26-5B) et amidophosphoribosyl transférase font passer des produits intermédiaires réactionnels entre leurs sites actifs par des tunnels protéiques. L'association d'enzymes en relations fonctionnelles apparaît donc comme un phénomène répandu.

B. Synthèse des ribonucléotides adényliques et guanyliques

L'IMP ne s'accumule pas dans la cellule mais est rapidement transformé en AMP et en GMP. L'AMP, qui ne diffère de l'IMP que par le remplacement de son groupement céto en 6 par un grou-

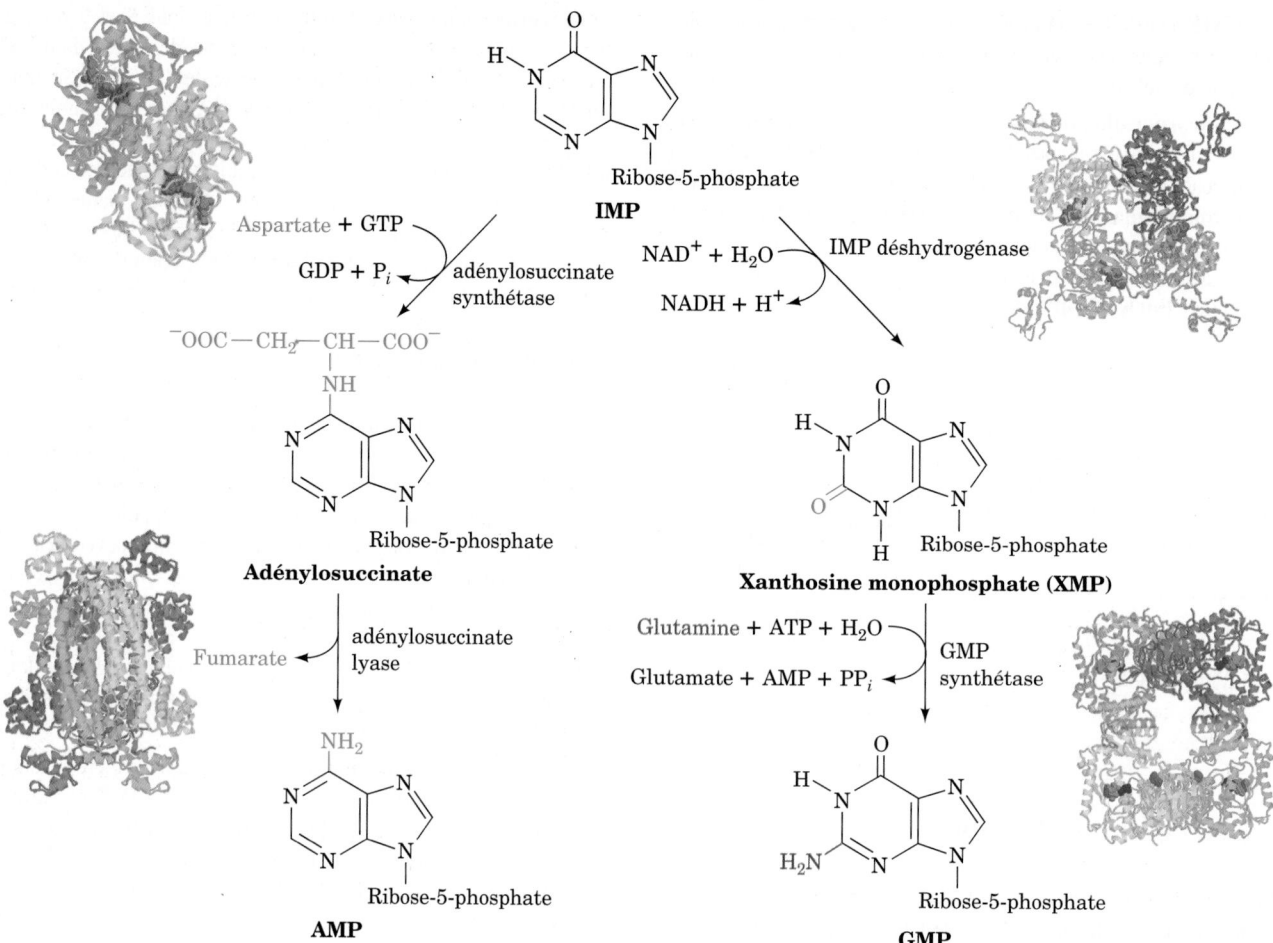

FIGURE 28-4 L'IMP est transformé en AMP ou GMP par des voies distinctes à deux réactions. La structure par rayons X de toutes les enzymes catalysant ces réactions est montrée à l'extérieur de la flèche de la réaction correspondante. Les structures par rayons X des ces homo-oligomères sont représentées comme décrit dans la légende de la Fig. 28-2. L'adénylosuccinate synthétase d'*E. coli*, de structure déterminée par Herbert Fromm et Richard Honzatko, Iowa State University, est un dimère C_2 complexé à l'IMP (*vert*), au GDP (*rouge*), et à l'**hadacidine** (*magenta*; un inhibiteur compétitif de l'aspartate);

PDBid 1GIM. L'adénylosuccinate lyase, de *Thermatoga maritima*, de structure déterminée par Todd Yeates, UCLA, est un tétramère D_2; PDBid 1C3U. L'IMP déshydrogénase de hamster chinois, de structure déterminée par Keith Wilson, Vertex Pharmaceuticals, Cambridge, Massachusetts, est tétramère C_4 complexé à l'IMP oxydé (*rouge*) et au MPA (*violet*); PDBid 1JR1. La GMP synthétase d'*E. coli*, de structure déterminée par Janet Smith, Purdue University, est un tétramère D_2 complexé à l'AMP (*rouge*), au pyrophosphate (*bleu*), et au citrate (*violet*); PDBid 1GPM.

pement aminé, est synthétisé par une voie à deux réactions (Fig. 28-4, à gauche). Lors de la première réaction, le groupement aminé de l'aspartate est lié à l'IMP en même temps qu'il y a hydrolyse de GTP en GDP + P_i, ce qui donne de l'adénylosuccinate. Au cours de la deuxième réaction, l'adénylosuccinate lyase catalyse l'élimination de fumarate à partir de l'adénylosuccinate et donne de l'AMP. Cette enzyme catalyse aussi la Réaction 9 de la voie de l'IMP (Fig. 28-2).

Le GMP est aussi synthétisé à partir d'IMP par une voie à deux réactions (Fig. 28-4, *à droite*). Lors de la première réaction, l'**IMP déshydrogénase** catalyse l'oxydation NAD⁺-dépendante de l'IMP pour donner de la **xanthosine monophosphate (XMP** ; le ribonucléotide dont la base est la **xanthine**). Le XMP est ensuite transformé en GMP par le remplacement de son groupement 2-céto par l'azote de l'amide d'une glutamine, avec hydrolyse concomitante d'ATP en AMP + PP_i (hydrolysé ensuite en $2P_i$).

L'IMP déshydrogénase, un homotétramère dont les sous-unités ont 514 résidus, a été incubée avec de l'IMP, du NAD⁺, et l'inhibiteur d'origine fongique l'**acide mycophénolique (MPA).**

Acide mycophénolique (MPA)

La structure par rayons X du complexe ainsi formé, déterminée par Keith Wilson, montre que l'enzyme a fixé le MPA ainsi qu'un intermédiaire de la réaction où l'atome C2 de l'IMP s'est fixé par covalence à l'atome S de Cys 331 puis a été déshydrogéné par le NAD⁺ pour donner un ester thioimidate :

Ester thioimidate enzyme-produit

Le remplacement, par mutagenèse, de Cys 331 par Ala inactive l'enzyme. Ces observations sont en faveur d'un mécanisme catalytique où le groupement thiol de Cys 331 mène une attaque nucléophile sur l'atome C2 de l'IMP, suivie d'un transfert d'hydrure au NAD⁺ pour donner l'intermédiaire fixé par covalence mentionné ci-dessus, lequel est ensuite hydrolysé en XMP. Le MPA se fixe à l'enzyme avec son noyau bicyclique plaqué contre le cycle purique (comme attendu pour le cycle nicotinamide du NAD⁺) et avec son groupement hydroxyle phénolique dans le site présumé de l'eau au cours de l'hydrolyse. Ceci bloque l'hydrolyse de l'ester thioimidate, et inactive donc l'enzyme.

La réponse immunitaire (Section 35-2) exige de l'IMP déshydrogénase car celle-ci est requise par les cellules du système immunitaire appelées lymphocytes *B* et *T*, pour fabriquer les nucléotides guanyliques dont elles ont besoin pour proliférer. De plus, certaines cellules cancéreuses ont une activité IMP déshydrogénase augmentée. Cette enzyme est donc une cible pour des médicaments immunosuppresseurs ou anticancéreux. De fait, le MPA est utilisé en clinique pour prévenir le rejet de greffes de rein.

A. Les nucléosides diphosphate et triphosphate sont synthétisés par phosphorylation de nucléosides monophosphate

Pour pouvoir participer à la synthèse des acides nucléiques, les nucléosides monophosphate doivent être transformés en nucléosides triphosphate correspondants. Lors de la première des deux réactions de phosphorylation séquentielles impliquées, les nucléosides diphosphate sont synthétisés à partir des nucléosides monophosphate correspondants par des **nucléoside monophosphate kinases** spécifiques de la base. Par exemple, l'adénylate kinase (Section 17-4F) catalyse la phosphorylation de l'AMP en ADP :

$$AMP + ATP \rightleftharpoons 2ADP$$

De même, le GDP est formé par une enzyme spécifique de la guanine :

$$GMP + ATP \rightleftharpoons GDP + ADP$$

Ces nucléoside monophosphate kinases ne font pas de différence entre le ribose et le désoxyribose dans le substrat.

Les nucléosides diphosphate sont transformés en nucléosides triphosphate correspondants par la **nucléoside diphosphate kinase** ; par exemple :

$$ATP + GDP \rightleftharpoons ADP + GTP$$

Bien que, dans cette réaction, l'ATP soit le donneur de groupement phosphoryle et que le GDP soit l'accepteur, la nucléoside diphos-

phate kinase n'est spécifique ni des bases de l'un ou l'autre de ses substrats ni du résidu de sucre (ribose ou désoxyribose). La réaction fait intervenir un mécanisme de type Ping-Pong où le substrat NTP phosphoryle un résidu His de l'enzyme qui, à son tour, phosphoryle le substrat NDP. Lors de la réaction de la phosphoglycérate mutase de la glycolyse, il se forme aussi un intermédiaire phospho-His (Section 17-2H). La réaction de la nucléoside diphosphate kinase, comme on pouvait s'y attendre compte tenu des structures presque identiques de ses substrats et de ses produits, se trouve normalement proche de l'équilibre ($\Delta G \approx 0$). L'ADP est, bien sûr, transformé en ATP par une série de réactions qui libèrent de l'énergie comme celles de la glycolyse et des phosphorylations oxydatives. En réalité, ce sont ces réactions qui en définitive entraînent les réactions de kinases précédentes.

C. Régulation de la biosynthèse des nucléotides puriques

Les voies impliquées dans le métabolisme des acides nucléiques sont étroitement régulées comme le montre, par exemple, l'augmentation de la vitesse de synthèse des nucléotides lorsqu'il y a prolifération cellulaire. De fait, les voies de synthèse de l'IMP, de l'ATP et du GTP sont régulées séparément dans la plupart des cellules afin de contrôler non seulement les quantités totales de nucléotides puriques produits, mais aussi de coordonner les quantités relatives d'ATP et de GTP. Ce réseau de contrôle est schématisé dans la Fig. 28-5.

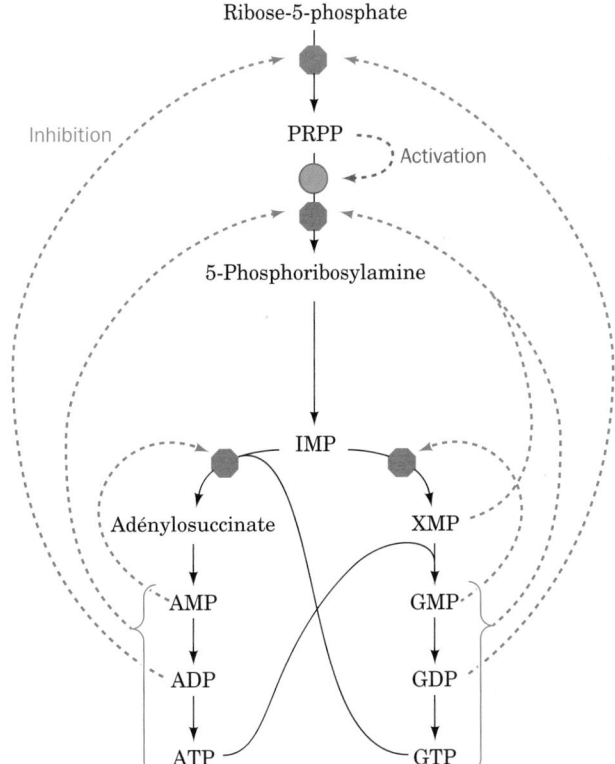

FIGURE 28-5 Réseau de régulation de la voie de biosynthèse des purines. Les octogones rouges et les points verts signalent les points de contrôle. Les rétro-inhibitions sont indiquées par des flèches en pointillés rouges et la régulation positive (feedforward) est représentée par une flèche en pointillés verts.

La voie de l'IMP est régulée au niveau de ses deux premières réactions : celles qui catalysent les formations de PRPP et de 5-phosphoribosylamine. Nous savons déjà que la ribose phosphate pyrophosphokinase, l'enzyme qui catalyse la Réaction 1 de la voie de l'IMP, est inhibée par l'ADP et le GDP (Section 28-1A). L'amidophosphoribosyl transférase, l'enzyme qui catalyse la première réaction d'engagement de la voie de l'IMP (Réaction 2), est également régulée par rétro-inhibition. Cependant, dans ce cas, l'enzyme lie l'ATP, l'ADP et l'AMP sur un site inhibiteur et le GTP, le GDP et le GMP sur un autre site inhibiteur. *La vitesse de formation de l'IMP est donc contrôlée de façon indépendante mais en synergie par les concentrations des nucléotides adényliques et guanyliques.* De plus, l'amidophosphoribosyl transférase est stimulée allostériquement par le PRPP (« feedforward control » ou action directe positive, le contraire de « feedback »).

Un deuxième niveau de régulation s'exerce juste après le point de branchement qui conduit de l'IMP à l'AMP et au GMP (Fig. 28-4). L'AMP et le GMP sont chacun des inhibiteurs compétitifs de l'IMP pour leur propre synthèse, si bien qu'une forte accumulation de ces produits ne peut avoir lieu. De plus, les vitesses de synthèse des nucléotides adényliques et guanyliques sont coordonnées car le GTP entraîne la synthèse d'AMP à partir de l'IMP, alors que l'ATP entraîne la synthèse de GMP à partir de l'IMP. Cette réciprocité permet d'équilibrer les productions d'AMP et de GMP (qui doivent être fournis en quantités à peu près équivalentes pour la synthèse des acides nucléiques) : *la vitesse de synthèse du GMP augmente avec la [ATP], tandis que celle de l'AMP augmente avec la [GTP].*

D. *Voies de récupération des purines*

La plupart des cellules ont une vitesse de renouvellement importante pour beaucoup de leurs acides nucléiques (en particulier certains types d'ARN) qui, en vertu des processus de dégradation décrits dans la Section 28-4A, conduisent à la formation d'adénine, de guanine et d'hypoxanthine. Ces purines libres sont retransformées en leurs nucléotides correspondants par des **voies de récupération**. Contrairement à la voie de synthèse *de novo* des nucléotides puriques, qui est pratiquement la même dans toutes les cellules, les voies de récupération sont différentes dans leur caractère et leur distribution. Chez les mammifères, les purines sont, pour la plupart, récupérées par deux enzymes différentes. L'**adénine phosphoribosyltransférase (APRT)** catalyse la formation de l'AMP par transfert de l'adénine au PRPP avec libération de PP_i :

$$\text{Adénine} + \text{PRPP} \rightleftharpoons \text{AMP} + PP_i$$

L'**hypoxanthine-guanine phosphoribosyltransférase (HGPRT)** catalyse la réaction analogue pour l'hypoxanthine et pour la guanine :

$$\text{Hypoxanthine} + \text{PRPP} \rightleftharpoons \text{IMP} + PP_i$$
$$\text{Guanine} + \text{PRPP} \rightleftharpoons \text{GMP} + PP_i$$

a. Le syndrome de Lesch-Nyhan est dû à une déficience en HGPRT

Les symptômes du **syndrome de Lesch-Nyhan,** dû à une déficience sévère en HGPRT, révèlent que les réactions de récupération des purines ne servent pas seulement à préserver l'énergie

nécessaire à la synthèse *de novo* des purines. Cette déficience congénitale liée au sexe (elle n'affecte pratiquement jamais que les garçons) se traduit par une surproduction d'acide urique (l'acide urique est un produit de dégradation des purines ; Section 28-4A), et par des anomalies neurologiques telles que la spasticité, le retard mental, l'agressivité et un comportement destructeur avec tendance à l'automutilation. C'est ainsi que beaucoup d'enfants atteints de ce syndrome ont une envie tellement irrésistible de mordre leurs lèvres et leurs doigts qu'on doit les en empêcher par des dispositifs spéciaux. Si ces dispositifs sont enlevés, les malades demandent à ce qu'ils soient remis en place, même s'ils essayent de se mutiler.

L'hyperproduction d'acide urique des malades atteints du syndrome de Lesch-Nyhan est facile à expliquer. L'absence d'activité HGPRT entraîne une accumulation du PRPP qui serait normalement utilisé dans la récupération de l'hypoxanthine et de la guanine. Le PRPP en excès active l'amidophosphoribosyl transférase (qui catalyse la Réaction 2 de la voie de biosynthèse de l'IMP ; Fig. 28-2), ce qui augmente fortement la production des nucléotides puriques et par contrecoup, celle de leur produit de dégradation, l'acide urique. Toutefois, on n'explique pas l'origine physiologique des anomalies neurologiques qui accompagnent la maladie. Que la déficience d'une seule enzyme puisse provoquer de telles modifications du comportement, graves mais bien caractérisées, a néanmoins d'importantes implications psychiatriques.

2 ■ SYNTHÈSE DES RIBONUCLÉOTIDES PYRIMIDIQUES

La biosynthèse des pyrimidines est un processus plus simple que celle des purines. Des expériences de marquage isotopique ont montré que les atomes N1, C4, C5 et C6 du cycle pyrimidique proviennent tous de l'acide aspartique, que C2 vient de HCO_3^-, et que N3 est issu de la glutamine (Fig. 28-6). Dans cette section nous étudierons le mécanisme de la biosynthèse des ribonucléotides pyrimidiques et sa régulation.

A. *Synthèse de l'UMP*

La principale découverte dans l'élucidation de la voie de biosynthèse *de novo* des ribonucléotides pyrimidiques a été apportée par l'obtention de mutants de la moisissure du pain *Neurospora crassa* qui, incapables de synthétiser des pyrimidines, doivent donc trouver dans leur milieu de culture de la cytosine et de l'uracile ; cependant, ces mutants croissent normalement si l'on substitue la cytosine et l'uracile dans le milieu de culture par une autre pyrimidine, l'**acide orotique** (acide uracile-6-carboxylique).

Acide orotique (acide uracil-6-carboxylique)

Cette observation a permis l'élucidation de la voie de la biosynthèse de l'UMP, qui comporte 6 réactions successives (Fig. 28-7). Remarquer qu'à l'inverse de la synthèse des nucléotides puriques,

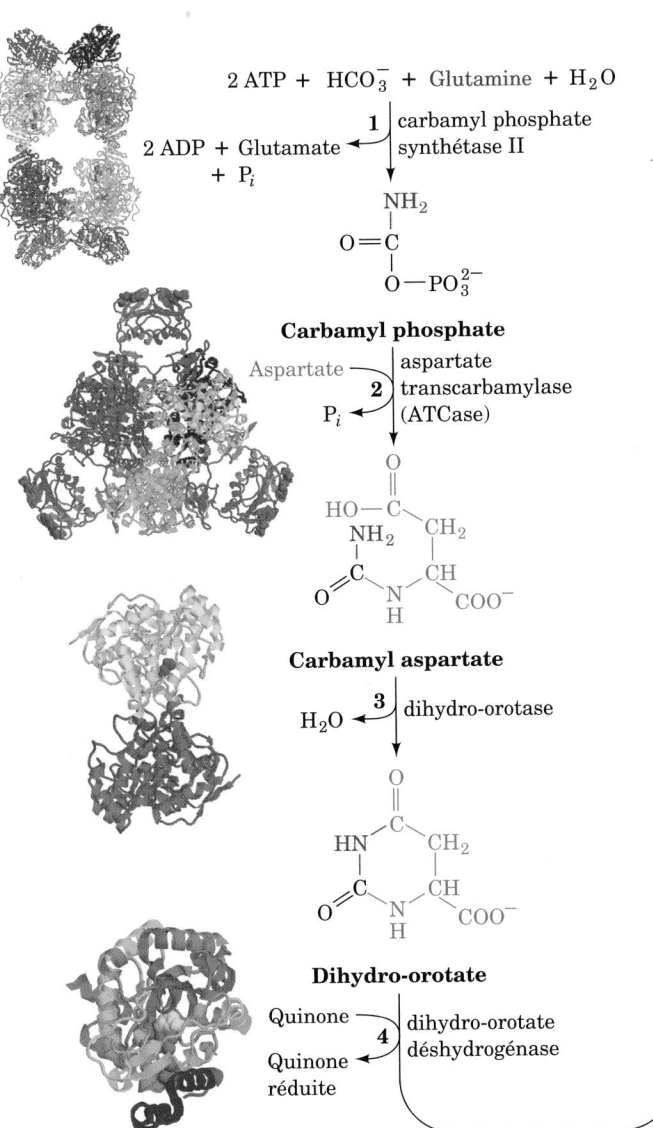

FIGURE 28-6 Origines biosynthétiques des atomes du cycle pyrimidique.

le cycle pyrimidique est uni à la partie ribose-5-phosphate *après* la synthèse du cycle.

1. Synthèse de carbamyl phosphate. La première réaction de la biosynthèse des nucléotides pyrimidiques est la synthèse de **carbamyl phosphate** à partir de HCO_3^- et du groupement amide de la glutamine catalysée par l'enzyme cytosolique **carbamyl phosphate synthétase II (CPS II).** Cette réaction est particulière car elle ne nécessite pas de biotine et consomme deux molécules

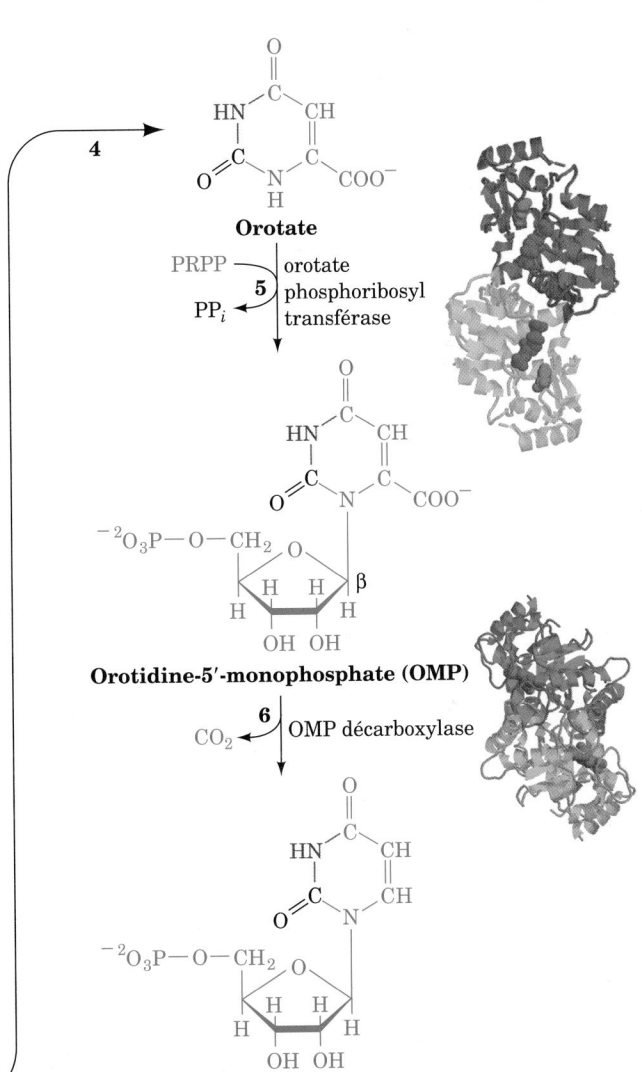

FIGURE 28-7 Voie de biosynthèse *de novo* de l'UMP. Cette voie est une suite de six réactions enzymatiques. Remarquer qu'à l'inverse de la biosynthèse des purines (Fig. 28-2), le cycle pyrimidique est formé avant de se lier au cycle ribose. Les structures par rayons X des enzymes sont représentées comme décrit dans la légende de la Fig. 28-2. L'enzyme 1, d'*E. coli*, de structure déterminée par Hazel Holden, University of Wisconsin, est un hétéro-octamère $\alpha_4\beta_4$ de symétrie D_2 dont chaque grosse sous-unité fixe deux ADPNP (*rouge*) et une ornithine (*violet*) ; PDBid 1D3H. L'enzyme 2, d'*E. coli*, de structure déterminée par William Lipscomb, Harvard University, est un hétéro-dodécamère c_6r_6 de symétrie D_3 dont les sous-unités régulatrices (*r*) fixent chacune un CTP (*vert*) ; PDBid

5AT1. L'enzyme 3, d'*E. coli*, de structure déterminée par Hazel Holden, University of Wisconsin, est un dimère C_2 dont une sous-unité fixe le carbamyl aspartate (*violet*) et l'autre fixe l'orotate (*rouge*) ; PDBid 1J79. L'enzyme 4, humaine, de structure déterminée par Jon Clardy, Cornell University, est un monomère qui fixe l'orotate (*jaune*), le FMN (*magenta*), et A77 1726 (*vert*) ; PDBid 1D3H. L'enzyme 5, de *salmonella typhimurium,* de structure déterminée par James Sacchettini, Albert Einstein College of Medicine, est un dimère C_2 qui fixe l'orotate (*orange*) et le PRPP (*violet*) ; PDBid 1OPR. L'enzyme 6, d'*E. coli*, de structure déterminée par Stephen Ealick, Cornell University, est un dimère C_2 qui fixe l'UMP (*vert*) ; PDBid 1DBT.

d'ATP : l'une fournit le groupement phosphate et l'autre l'énergie nécessaire à la réaction. Nous avons déjà étudié la synthèse de carbamyl phosphate en rapport avec la formation d'arginine (Section 26-2A). Quand l'arginine est synthétisée via le cycle de l'urée, le carbamyl phosphate utilisé dans cette voie est synthétisé par une enzyme mitochondriale distincte, la **carbamyl phosphate synthétase I (CPS I)**, qui utilise l'ammoniac comme source d'azote. Les procaryotes n'ont qu'une carbamyl phosphate synthétase, qui permet les biosynthèses des nucléotides pyrimidiques et de l'arginine et qui utilise la glutamine. Cette dernière enzyme, comme nous l'avons vu, comporte trois sites actifs différents reliés par un remarquable tunnel de 96 Å de long par où diffusent les produits intermédiaires (Fig. 26-9).

2. Synthèse de carbamyl aspartate. La condensation de carbamyl phosphate et d'aspartate pour former du **carbamyl aspartate** est catalysée par l'**aspartate transcarbamylase (ATCase)**. Cette réaction, la réaction limitante de la voie, ne nécessite pas d'ATP car le carbamyl phosphate est activé intrinsèquement. La structure et la régulation de l'ATCase d'*E. coli* sont étudiées dans la Section 13-4.

3. Fermeture du cycle pour donner le dihydro-orotate. La troisième réaction de la voie a été élucidée par Arthur Kornberg après qu'il eût observé que des micro-organismes contraints à croître sur de l'acide orotique comme seule source de carbone réduisent d'abord celui-ci en **dihydro-orotate**. La réaction qui forme le cycle pyrimidique donne du dihydro-orotate par une réaction de condensation intramoléculaire catalysée par la **dihydro-orotase**.

4. Oxydation du dihydro-orotate. Le dihydro-orotate est oxydé de manière irréversible par la **dihydro-orotate déshydrogénase (DHODH)**. L'enzyme eucaryote, qui contient du FMN, est localisée sur la face externe de la membrane interne mitochondriale où l'ubiquinone sert d'oxydant. Les cinq autres enzymes de la biosynthèse des nucléotides pyrimidiques sont cytosoliques chez les animaux. De nombreuses dihydro-orotate déshydrogénases bactériennes sont des flavoprotéines liées au NAD^+ qui contiennent du FMN, du FAD et un centre [2Fe–2S]. Ces enzymes fonctionnent normalement dans le sens de la dégradation, c'est-à-dire dans le sens orotate → dihydro-orotate, permettant ainsi à ces bactéries de métaboliser l'orotate, ce qui explique l'observation de Kornberg. La réaction catalysée par la DHODH eucaryote implique deux étapes rédox, comme indiqué sur la Fig. 28-8. La structure par rayons X de la DHODH humaine complexée à l'orotate, déterminée par Jon Clardy, montre que le cycle pyrimidique de l'orotate est plaqué sur le cycle flavinique du FMN, le C6 de l'orotate et le N5 du FMN étant séparés de 36 Å, distance compatible avec un transfert direct d'hydrure entre ces deux centres. Un tunnel partant du côté opposé du noyau flavinique mène à une région hydrophobe à la surface de l'enzyme. Celle-ci se fixe probablement à la surface de la membrane mitochondriale via cette plage hydrophobe, ce qui permet à l'ubiquinone, laquelle diffuse facilement à l'in-

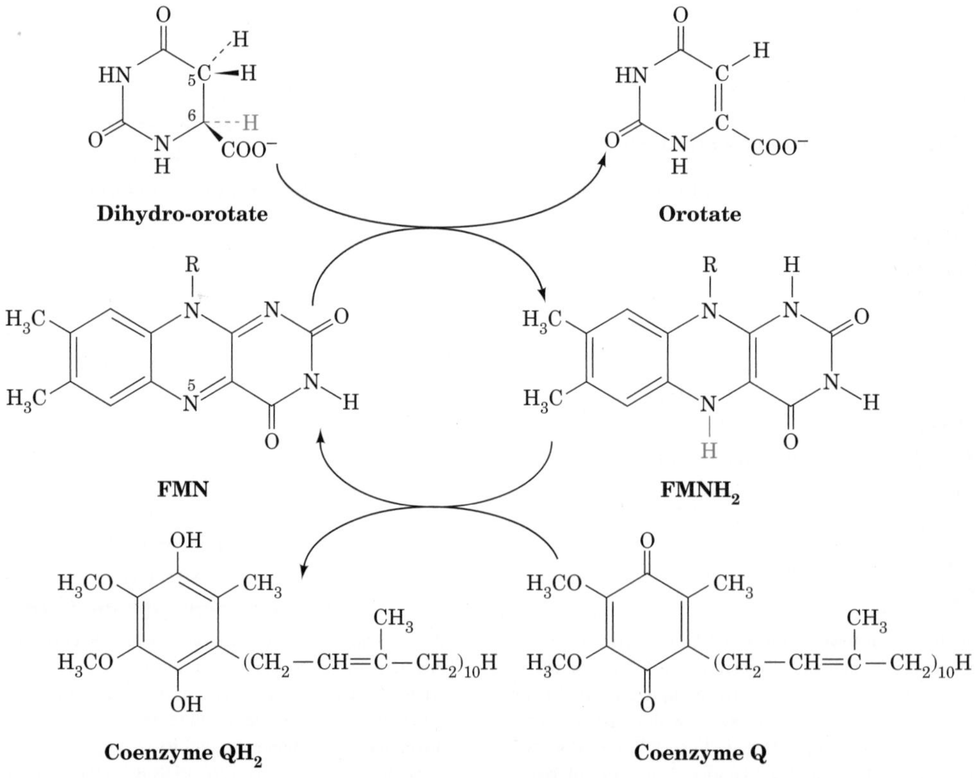

FIGURE 28-8   Réactions catalysées par la dihydro-orotate déshydrogénase d'eucaryote. La réaction commence par l'enlèvement d'un proton du C5 du dihydro-orotate par l'enzyme, suivi d'un transfert direct d'hydrure du C6 du dihydro-orotate au N5 du FMN pour donner de l'orotate et du FMNH⁻, qui peut alors être protoné pour donner du

FMNH₂. Celui-ci (ou le FMNH⁻) réagit alors avec le coenzyme Q provenant de la membrane interne mitochondriale pour régénérer l'enzyme sous sa forme FMN et donner le coenzyme QH₂, lequel regagne la membrane interne mitochondriale.

térieur de la membrane mitochondriale, d'atteindre le $FMNH_2$ fixé à l'enzyme et de le réoxyder. Dans la structure par rayons X, ce tunnel est occupé par une molécule fermement fixée appelée **A77 1726**, métabolite principal de la **léflunomide,**

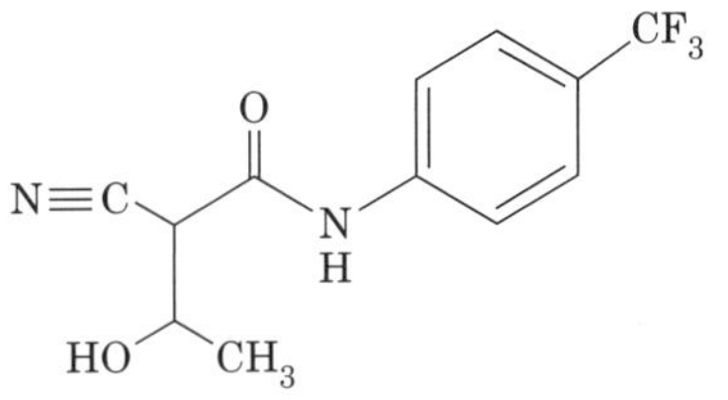

A77 1726

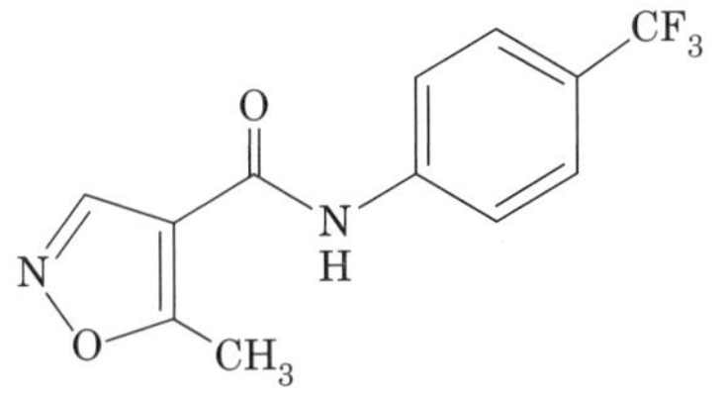

Léflunomide

un médicament utilisé pour le traitement de l'arthrite rhumatoïde. L'A77 1726 atténue cette maladie auto-immune en bloquant la biosynthèse des pyrimidines dans les lymphocytes *T*, ce qui réduit leur prolifération inappropriée. Cependant, l'A77 1726 n'inhibe pas les DHODH bactériennes.

5. Incorporation de la partie ribose phosphate. L'orotate réagit avec le PRPP pour donner l'**orotidine-5'-monophosphate (OMP)** par une réaction catalysée par l'**orotate phosphoribosyl transférase** et entraînée par l'hydrolyse du PP_i formé. C'est lors de cette réaction que la forme anomérique des nucléotides pyrimidiques prend la configuration β. L'orotate phosphoribosyl transférase intervient également dans la récupération d'autres bases pyrimidiques, comme l'uracile et la cytosine, en les transformant en leurs nucléotides correspondants. Bien que les différentes phosphoribosyl transférases, y compris l'HGPRT, ne partagent que peu de similitude de séquence, leurs structures par rayons X montrent qu'elles possèdent un cœur structural commun qui ressemble au pli de liaison des dinucléotides (Section 8-3B), mais auquel manquerait un des segments β.

6. Décarboxylation pour former de l'UMP. La dernière réaction de la voie est la décarboxylation de l'OMP catalysée par l'**OMP décarboxylase (ODCase)** pour former de l'UMP. L'ODCase augmente la vitesse (k_{cat}/K_M) de l'OMP décar-

boxylase d'un facteur 2×10^{23} par rapport à celle de la réaction non catalysée, ce qui en fait l'enzyme la plus catalytiquement active connue. Cependant, l'ODCase n'a pas de cofacteur qui pourrait stabiliser le carbanion intermédiaire postulé dans cette réaction. Comment est-ce possible ? La structure par rayons X, due à Stephen Ealick, de l'ODCase de *B. subtilis* complexée à l'UMP montre qu'un groupement carboxylique C6 de l'OMP fixé qui est coplanaire à son noyau pyrimidine serait très proche des chaînes latérales d'Asp 60 et de Lys 62. Ealick a donc proposé un mécanisme (Fig. 28-9) où des interactions électrostatiques entre les groupements carboxyliques voisins de l'OMP et d'Asp 60 déstabiliseraient l'état fondamental de l'OMP. A l'état de transition, cette déstabilisation se réduirait en raison du déplacement de la charge négative de l'OMP de son groupement carboxylique vers le C6, où elle serait stabilisée par la chaîne latérale adjacente chargée positivement de Lys 62. Cette chaîne latérale pourrait aussi protoner la liaison C—C en rupture lorsqu'elle devient suffisamment basique pour accepter le proton, ce qui évite la formation d'un intermédiaire carbanion de haute énergie. L'interaction électrostatique défavorable entre l'OMP et Asp 60 est possible parce que l'enzyme fixe fortement l'OMP via de nombreuses interactions avec ses autres groupements fonctionnels. De fait, l'élimination du groupement phosphate de l'OMP, qui est très éloigné du groupement carboxylique C6, diminue le k_{cat}/K_M d'un facteur 7×10^7, ce qui donne un exemple frappant de l'utilisation de l'énergie de liaison pour la catalyse (liaison préférentielle de l'état de transition).

Chez les bactéries, les six enzymes de la biosynthèse de l'UMP sont des protéines indépendantes. Chez les animaux cependant, comme l'a montré Mary Ellen Jones, les trois premières activités enzymatiques de la voie, la carbamyl phosphate synthétase II, l'ATCase et la dihydro-orotase, se trouvent sur une même chaîne polypeptidique de 210 kD. De même, les Réactions 5 et 6 de la voie de biosynthèse des pyrimidines chez les animaux sont catalysées par une seule chaîne polypeptidique.

B. *Synthèse de l'UTP et du CTP*

La synthèse de l'UTP à partir de l'UMP est analogue à la synthèse des nucléosides triphosphate puriques (Section 28-1B). Le processus est assuré par les actions séquentielles d'une nucléoside monophosphate kinase et d'une nucléoside diphosphate kinase :

$$\text{UMP} + \text{ATP} \rightleftharpoons \text{UDP} + \text{ADP}$$
$$\text{UDP} + \text{ATP} \rightleftharpoons \text{UTP} + \text{ADP}$$

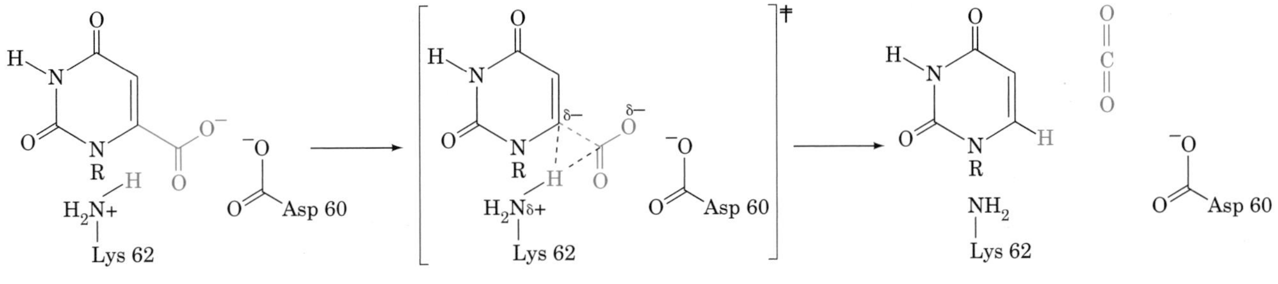

FIGURE 28-9 Mécanisme proposé pour la catalyse par l'OMP décarboxylase. [D'après Appleby, T.C., Kinsland, C., Begley, T.P., and Ealick, S.E., *Proc. Natl. Acad. Sci.* **97,** 2005 (2000).]

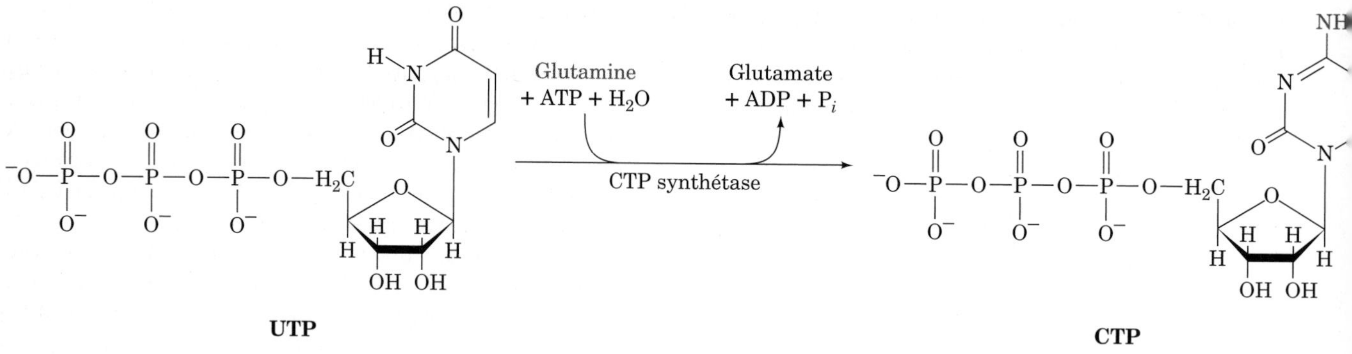

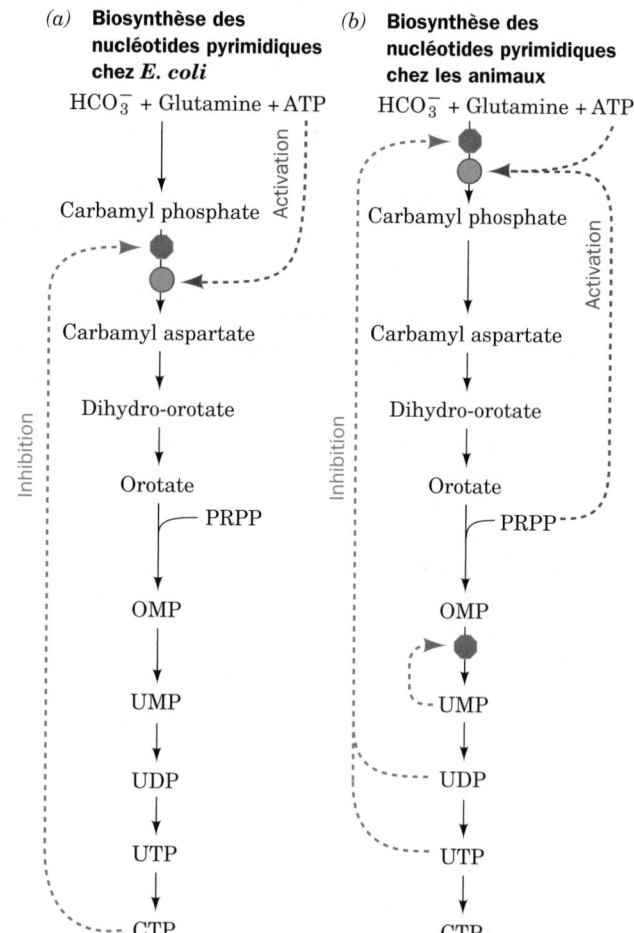

FIGURE 28-10 Synthèse du CTP à partir d'UTP.

Le CTP est formé par amination de l'UTP par la **CTP synthétase** (Fig. 28-10). Chez les animaux, le groupement aminé est fourni par la glutamine, alors que chez les bactéries il est fourni directement par l'ammoniac.

C. *Régulation de la biosynthèse des nucléotides pyrimidiques*

Chez les bactéries, la voie de biosynthèse des pyrimidines est essentiellement régulée au niveau de la Réaction 2, la réaction de l'ATCase (Fig. 28-11*a*). Chez *E. coli*, le contrôle s'exerce par stimulation allostérique de l'ATCase par l'ATP et inhibition allostérique par le CTP (Section 13-4). Cependant, chez beaucoup de bactéries, c'est l'UTP qui est le principal inhibiteur de l'ATCase.

Chez les animaux, l'ATCase n'est pas une enzyme régulatrice. La biosynthèse des pyrimidines est, en fait, contrôlée par l'activité de la carbamyl phosphate synthétase II, qui est inhibée par l'UDP et l'UTP et activée par l'ATP et le PRPP (Fig. 28-11*b*). Chez les mammifères, il y a un deuxième contrôle de la voie, au niveau de l'OMP décarboxylase pour laquelle l'UMP et, à un moindre degré, le CMP sont des inhibiteurs compétitifs. Chez tous les organismes, la vitesse de production de l'OMP est fonction de la disponibilité de son précurseur, le PRPP. Rappelons que la concentration de PRPP dépend de l'activité de la ribose phosphate pyrophosphokinase, qui est inhibée par l'ADP et le GDP (Section 28-1A).

a. L'orotacidurie est due à une déficience enzymatique héréditaire

L'**orotacidurie**, maladie héréditaire de l'homme, se caractérise par l'excrétion de grandes quantités d'acide orotique dans les urines, un retard de croissance et une anémie sévère. Elle est due à la déficience de l'enzyme bifonctionnelle qui catalyse les Réactions 5 et 6 de la biosynthèse des nucléotides pyrimidiques. Connaissant l'origine biochimique de la maladie, on a mis au point un traitement efficace : l'administration d'uridine et/ou de cytidine. L'UMP formé après phosphorylation de ces nucléosides, non seulement remplace celui qui serait synthétisé normalement, mais aussi inhibe la carbamyl phosphate synthétase II, ce qui diminue la vitesse de synthèse de l'acide orotique. On ne connaît quasi pas d'autres déficiences héréditaires de la biosynthèse des nucléotides pyrimidiques chez l'homme, probablement parce que de telles déficiences sont létales *in utero*.

3 ■ FORMATION DES DÉSOXYRIBONUCLÉOTIDES

L'ADN diffère chimiquement de l'ARN sur deux points : (1) ses nucléotides contiennent des résidus de 2′-désoxyribose au lieu de résidus de ribose, et (2) il contient la base thymine (5-méthylura-

FIGURE 28-11 Régulation de la synthèse des pyrimidines. Les réseaux de régulation sont montrés pour (*a*) *E. coli* et (*b*) les animaux. Les octogones rouges et les points verts signalent les points de contrôle. Les rétro-inhibitions sont représentées par des flèches en pointillés rouges et les activations par des flèches en pointillés verts.

cile) à la place de l'uracile. Dans cette section, nous étudierons la biosynthèse de ces constituants de l'ADN.

A. *Formation de résidus de désoxyribose*

Les désoxyribonucléotides sont synthétisés à partir des ribonucléotides correspondants par réduction de leur position en C2′ et non par synthèse de novo à partir de précurseurs contenant du désoxyribose.

NDP

dNDP

Cette voie a été élucidée par Irwin Rose qui étudia comment des rats métabolisent la cytidine marquée par du ^{14}C à la fois dans sa base et dans son ribose. Le dCMP isolé de l'ADN des rats avait le même rapport de marquage dans ses résidus cytosine et désoxyribose que la cytidine initiale, indiquant que les constituants de l'ADN restaient liés durant la synthèse de l'ADN. Si les résidus cytosine et ribose s'étaient séparés, une dilution des résidus cytosine et ribose marqués avec des résidus non marqués, qui se trouvent dans les tissus du rat en quantités différentes, aurait modifié la valeur de ce rapport.

Les enzymes qui catalysent la formation des désoxyribonucléotides par réduction des ribonucléotides correspondants sont appelées **ribonucléotide réductases (RNR)**. On a caractérisé trois classes de RNR qui diffèrent quant aux substrats (NDP ou NTP) ou aux cofacteurs, ou encore dans leur manière d'obtenir les équivalents réducteurs (voir ci-dessous). Les RNR de Classe I et II sont largement distribuées parmi les procaryotes ; certaines espèces ont une RNR de Classe I, alors que d'autres, parfois des espèces voisines, ont une RNR de Classe II. Cependant, tous les eucaryotes, à l'exception de quelques espèces unicellulaires, ont des RNR de Classe I. Les RNR de Classe III se trouvent chez les procaryotes qui peuvent vivre en anaérobiose. (Les RNR de Classe III sont sensibles à l'O_2, alors que les RNR de Classe I ont besoin d'O_2 pour être actives ; voir ci-dessous). En fait, *E. coli*, qui peut vivre aussi bien en aérobiose qu'en anaérobiose, possède une RNR de Classe I et une RNR de Classe III. Dans ce qui suit, nous étudierons essentiellement le mécanisme des RNR de Classe I, mais décrirons pour terminer les relations évolutives des différentes classes de RNR.

a. La ribonucléotide réductase de Classe I : structure et mécanisme

La RNR de classe I d'*E. coli,* comme l'a montré Peter Reichard, se présente *in vitro* essentiellement sous forme d'un hétérotétra-

mère qui peut être décomposé en deux homodimères catalytiquement inactifs, R1$_2$ (sous-unités de 761 résidus) et R2$_2$ (sous-unités de 375 résidus), qui ensemble forment les deux sites actifs de l'enzyme (Fig. 28-12*a*). Chaque sous-unité R1 contient un site de liaison du substrat ainsi que trois sites de liaison d'effecteur indépendants qui contrôlent à la fois l'activité catalytique de l'enzyme et sa spécificité de substrat (voir ci-dessous). Les résidus catalytiques de R1 comprennent plusieurs groupements thiol rédox actifs.

La structure par rayons X de R2$_2$ (Fig. 28-12*b*), déterminée par Hans Eklund, montre que chaque sous-unité contient un groupement prosthétique Fe(III) binucléé original dont les ions Fe(III) sont reliés à la fois par un pont formé d'un ion O^{2-} (pont μ-oxo) et par le groupement carboxylate de Glu 115 (Fig. 28-12*c*). Chaque ion Fe(III) est lié en plus par deux atomes d'O de carboxylate de résidus Asp ou Glu, par un atome $N_δ$ de His, et par une molécule d'eau. Des mesures par RPE ont montré que le complexe Fe(III) réagit avec Tyr 122 pour former un radical libre tyrosyl insolite (TyrO•) qui est à 5 Å de l'atome de Fe le plus proche et se trouve enfoui à 10 Å en dessous de la surface de la protéine, hors de contact du solvant et de toute chaîne latérale oxydable [des radicaux tyrosyl ont également été observés dans la cytochrome *c* oxydase (Section 22-2C) et dans le photosystème II (Section 24-2C)].

La RNR d'*E. coli* est inhibée par l'**hydroxyurée,** qui élimine spécifiquement le radical tyrosyl, et par la **8-hydroxyquinoline**, qui capte par chélation les ions Fe^{3+}.

Hydroxyurée   **8-Hydroxyquinoline**

Les RNR de mammifère ont des caractéristiques semblables à celle d'*E. coli*. Ainsi, l'hydroxyurée est utilisée en thérapeutique comme agent anticancéreux.

Si la RNR d'*E. coli* est incubée avec du [3′-^{3}H]UDP, on retrouve toujours une faible proportion de ^{3}H libérée sous forme de ^{3}H$_2$O. Cette observation, associée à des études de cinétique, de spectroscopie et de mutagénèse dirigée, ont conduit JoAnne Stubbe à proposer le mécanisme catalytique suivant pour la RNR d'*E. coli* (Fig. 28-13) :

1. Le radical libre (X•) de la RNR capte un atome d'H du C3′ du substrat lors de l'étape à vitesse limitante de la réaction.

2 & 3. Le clivage par catalyse acide de la liaison C2′—OH libère H$_2$O pour former un intermédiaire radical-cation. Le radical assure la stabilisation du cation en C2′ par la paire d'électrons non partagée du groupement 3′—OH, ce qui rend compte du rôle catalytique du radical.

4. L'intermédiaire radical–cation est réduit par la paire de sulfhydryles rédox active de l'enzyme pour donner un radical 3′-désoxyribonucléotide et un groupement disulfure protéique.

5. Le radical en 3′ capte à nouveau un H de la protéine pour former le produit désoxyribonucléotide diphosphate et régénérer l'enzyme sous sa forme radicalaire initiale. Une faible proportion des atomes d'H captés en premier s'échange avec le solvant avant d'être remplacée, ce qui explique la libération de ^{3}H lors de la réduction de [3′-^{3}H]UDP.

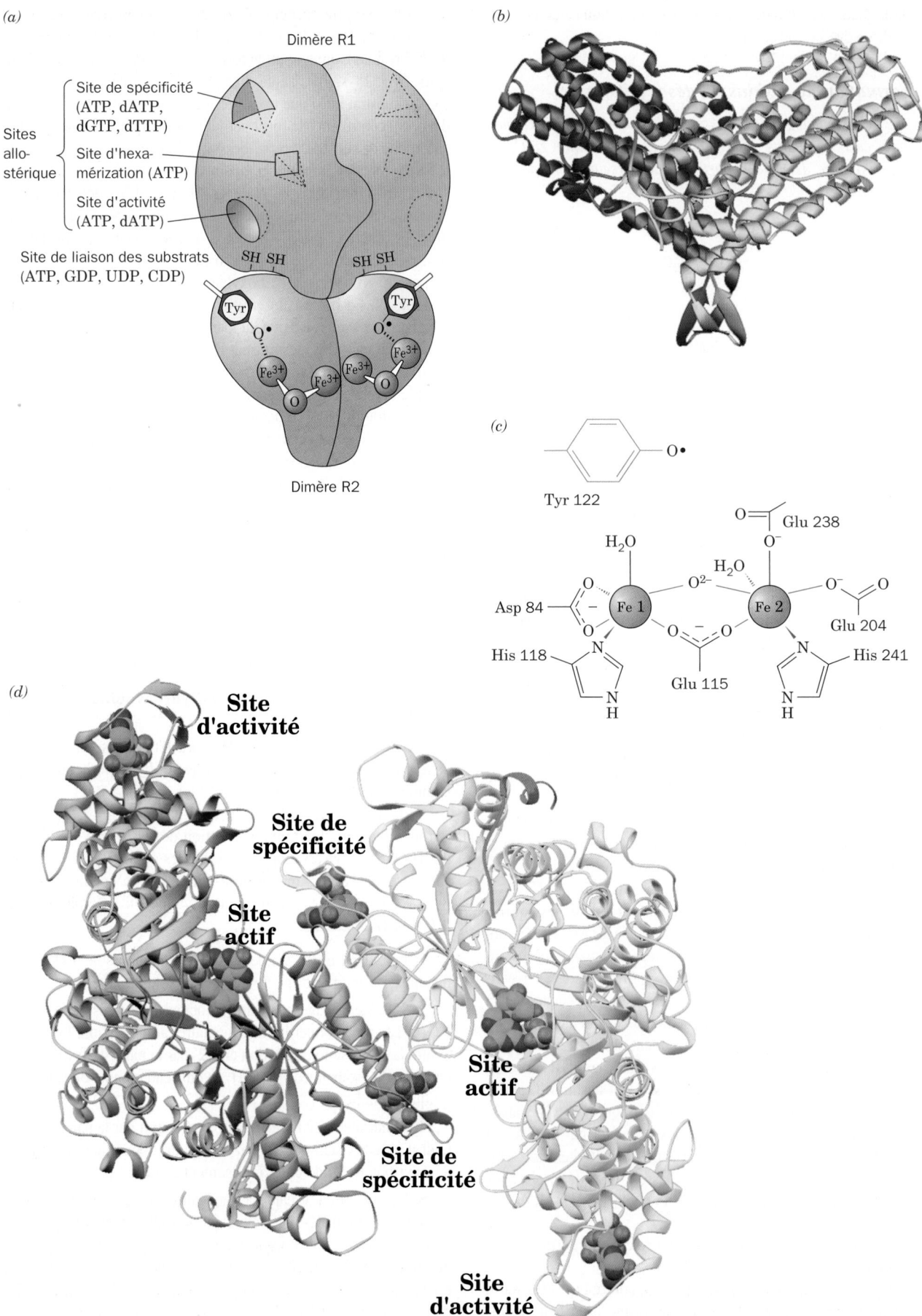

(a)

Dimère R1

Sites allostérique

Site de spécificité (ATP, dATP, dGTP, dTTP)

Site d'hexa-mérization (ATP)

Site d'activité (ATP, dATP)

Site de liaison des substrats (ATP, GDP, UDP, CDP)

SH SH   SH SH

Tyr   Tyr

Fe^{3+} Fe^{3+} Fe^{3+} Fe^{3+}

O   O

Dimère R2

(b)

(c)

$O\bullet$

Tyr 122

H_2O Glu 238

O^-

Asp 84   Fe 1 O^{2-} H_2O Fe 2 O^- Glu 204

O^- O^-

His 118   His 241

N   Glu 115   N

H   H

(d)

Site d'activité

Site de spécificité

Site actif

Site actif

Site de spécificité

Site d'activité

FIGURE 28-12 (*Page opposée*) **La ribonucléotide réductase de Classe I d'*E. coli*.**
(*a*) Représentation schématique de la structure quaternaire. L'enzyme est constituée de deux paires de sous-unités identiques $R1_2$ et $R2_2$. Chaque sous-unité R2 contient un complexe binucléé Fe(III) qui entraîne la formation d'un radical phénoxy sur sa Tyr 122. Les sous-unités R1 contiennent chacune trois sites différents d'effecteurs allostériques et cinq résidus Cys catalytiquement importants. Les deux sites actifs de l'enzyme se trouvent près de l'interface entre des sous-unités R1 et R2 voisines. (*b*) Structure par rayons X de $R2_2$ en vue perpendiculaire à son axe d'ordre deux, la dimension la plus longue du dimère se trouvant dans le plan horizontal. L'une des sous-unités de la protéine homodimérique est représentée en bleu, l'autre est en jaune. Les ions Fe(III) de ses complexes Fe binucléés sont représentés par des sphères oranges et les chaînes latérales de Tyr 122 qui abritent les radicaux sont représentées en modèle compact avec leurs atomes de C et d'O en vert et rouge. Remarquer que chaque sous-unité est formée essentiellement d'un faisceau de huit hélices anormalement longues. (*c*) Le complexe binucléé Fe(III) de R2. Chaque ion Fe(III) forme un complexe de coordinence six octaédrique avec l'atome Nδ d'une His et cinq atomes d'O, dont ceux de l'ion O^{2-} et du groupement carboxylate du Glu qui forment un pont entre les deux Fe(III). (*d*) Structure par rayons X du dimère R1, chaque sous-unité étant complexée au peptide C-terminal (20 résidus) de R2, avec le GDP dans le site actif et le dTTP dans le site de spécificité. On a superposé à cette structure l'ADPNP, analogue de l'ATP, fixé au site d'activité du complexe très semblable formé de R1, du peptide C-terminal de 20 résidus, et de l'ADPNP. La structure est vue dans le sens de son axe d'ordre deux avec ses deux sous-unités en lavande et gris clair, les deux peptides R2 en bleu-vert et magenta, et le GDP, le dTTP et l'ATP en modèle compact et colorés selon le type d'atome (C en vert, N en bleu, O en rouge et P en doré). [Les Parties *b* et *d* sont basées sur des structures par rayons X dues à Hans Eklund, Swedish University of Agricultural Sciences, Uppsala, Suède. PDBid (*b*) 1RIB et (*d*) 3R1R et 4R1R.]

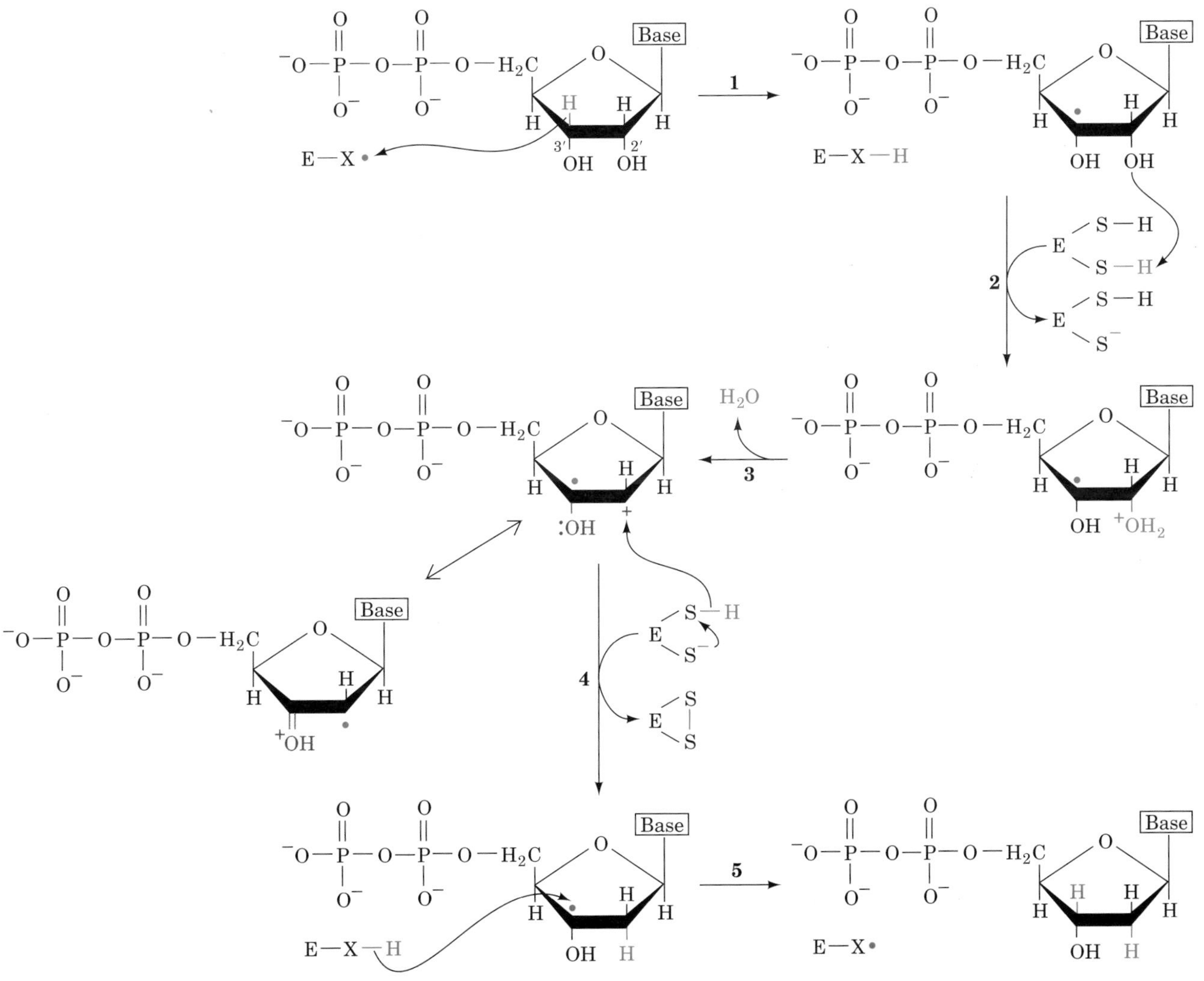

FIGURE 28-13 Mécanisme enzymatique de la ribonucléotide réductase. La réaction fait intervenir un mécanisme à radical libre dans lequel les équivalents réducteurs sont fournis par formation d'une liaison disulfure enzymatique. [D'après Stubbe, J.A., *Biol. Chem.* **265**, 5330 (1990).]

Le radical Tyr 122 de R2 est trop éloigné (>10 Å) du site catalytique de l'enzyme pour pouvoir capter directement un électron du substrat. Manifestement, la protéine assure le transfert d'électron depuis ce radical tyrosyl à un autre groupement (X• dans la Fig. 28-13) qui se trouve au voisinage immédiat du groupement C3′—H du substrat. Des études par mutagénèse dirigée suggèrent que Cys 439 de R1, dans sa forme radicalaire thiyl (—S•), est le candidat le plus sérieux pour X• (ce qui ferait de la RNR la seule enzyme dans laquelle un résidu Cys réduirait un substrat glucidique). Des expériences analogues suggèrent que Cys 225 et Cys 462 de R1 formeraient la paire de sulfhydryles rédox-active qui réduit directement le substrat. De plus, le pont disulfure résultant est ensuite réduit pour régénérer l'enzyme active suite à des échanges de disulfure avec Cys 754 et Cys 759 de R1, qui semblent en bonne position pour accepter des électrons d'agents réducteurs externes (voir ci-dessous). Par conséquent, chaque sous-unité R1 contient au moins cinq résidus Cys qui participent chimiquement à la réduction des nucléotides.

Ces observations ont été confirmées par la structure par rayons X (également due à Eklund ; Fig. 28-12d) de R1 complexée au polypeptide formé des 20 résidus C-terminaux de R2 (R1 ne cristallise pas de manière satisfaisante en l'absence de ce polypeptide). Le domaine central du monomère R1 qui en comporte trois est constitué d'un tonneau α/β original à dix segments formé par la réunion antiparallèle de deux demi-tonneaux topologiquement semblables, chacun comprenant cinq segments β parallèles reliés par quatre hélices α. Comme pour les tonneaux α/β semblables à huit segments qui constituent les sites actifs de nombreuses enzymes (Section 8-3B), les résidus Cys (439, 225, 462) du site actif de R1 sont localisés à l'entrée du tonneau α/β à dix segments.

Les deux résidus Cys de R1, 754 et 759, impliqués dans la régénération de l'enzyme active se trouvent dans le segment C-terminal de R1, qui n'est pas visible dans la structure par rayons X de R1 et a donc probablement une structure désordonnée. Cette observation renforce l'hypothèse selon laquelle ce segment C-terminal servirait de navette flexible pour amener les équivalents réducteurs de la surface de l'enzyme à son site actif.

b. La production d'un radical par la RNR de Classe I exige la présence d'O₂

Une des propriétés les plus remarquables de la RNR de Classe I est sa capacité à préserver son radical TyrO• qui normalement est très réactionnel (sa demi-vie est de 4 jours dans la protéine et de quelques ms en solution). Or, éliminer ce radical par, disons, l'hy-droxyurée, inactive l'enzyme. Ceci pose la question de l'origine de ce radical. Il peut être régénéré *in vitro* en traitant simplement l'enzyme inactive par Fe(II) et un agent réducteur en présence d'O₂. Il s'agit d'une réduction de O₂ à quatre électrons où l'agent réducteur qui fournit l'électron représenté par *e⁻* peut être l'ascorbate ou même du Fe^{2+} en excès.

c. L'incapacité de la RNR oxydée à fixer son substrat joue un rôle protecteur important

La comparaison des structures par rayons X de R1 réduite (où les résidus Cys 225 et Cys 462 rédox-actifs sont sous forme SH) et de R1 oxydée (où Cys 225 et Cys 462 rédox-actifs sont unis par une liaison disulfure) montre que Cys 462 dans R1 réduite a basculé par rotation de la position qu'elle avait dans R1 oxydée pour s'enfouir dans une poche hydrophobe, tandis que Cys 225 vient occuper la région où se trouvait Cys 462. Ainsi, la distance entre les atomes S auparavant reliés par un pont disulfure passe de 2,0 à 5,7 Å. Ces mouvements sont accompagnés de petits déplacements de la chaîne polypeptidique environnante. RNR oxydée ne fixe pas le substrat car la Cys 225 de son dimère R1 empêcherait cette liaison en raison de l'obstruction stérique exercée par son atome S sur l'atome O2' du substrat dNDP .

Cette incapacité de RNR oxydée à fixer le substrat a une importance physiologique. En absence de substrat, le radical libre de l'enzyme est niché à l'intérieur de la protéine du dimère R2, près de son centre à fer binucléé. Lors de la fixation du substrat, le radical lui est transféré probablement via une série de chaînes latérales protéiques de R2 et de R1. Si le substrat ne peut réagir correctement après réception de ce radical libre, comme ce serait le cas pour RNR sous sa forme oxydée, ceci peut conduire à la destruction du substrat et/ou de l'enzyme. De fait, la mutation de la Cys 225 rédox-active en Ser donne une enzyme qui permet la formation d'un radical substrat (Fig. 28-13) ; cependant, puisque cette enzyme mutante ne peut le réduire, ce radical se décompose et libère ses constituants, la base et la partie phosphate. Qui plus est, il se forme un radical peptidique transitoire qui clive et inactive la chaîne polypeptidique de R1 tout en consommant le radical, ce qui inactive R2. Un rôle important de l'enzyme est donc de contrôler la libération du grand pouvoir oxydant du radical. Elle le fait en partie en empêchant la fixation du substrat lorsqu'elle est sous sa forme oxydée.

d. La ribonucléotide réductase est régulée par oligomérisation induite par des effecteurs

La synthèse des quatre dNTP en quantités requises pour la synthèse de l'ADN est assurée par un système de rétrocontrôle. Le maintien des concentrations intracellulaires *ad hoc* des dNTP est indispensable pour une croissance normale. Effectivement, *une déficience de l'un des dNTP est létale, tandis qu'un excès est mutagène car la probabilité qu'un dNTP donné sera incorporé de façon erronée dans un brin d'ADN en formation augmente avec sa concentration par rapport à celles des autres dNTP.*

Les activités des RNR de Classe I d'*E. coli* et de mammifère sont allostériquement sensibles aux concentrations respectives des différents dNTP. Ainsi, comme montré par Reichard, l'ATP induit la réduction du CDP et de l'UDP ; le dTTP induit la réduction du GDP et inhibe la réduction du CDP et de l'UDP ; le dGTP induit

Tyr 122-R2

$$\text{O—H} + 2Fe^{2+} + O_2 + H^+ + e^-$$

$$\text{O•} + Fe^{3+} \quad O^{2-} \quad Fe^{3+} + H_2O$$

Tyr 122-R2

la réduction de l'ADP et, chez les mammifères mais pas chez *E. coli*, inhibe la réduction du CDP et de l'UDP ; et le dATP inhibe la réduction de tous les NDP.

Barry Cooperman a montré que l'activité catalytique de la RNR de souris varie avec son état d'oligomérisation, lequel est à son tour influencé par la liaison d'effecteurs nucléotidiques à trois sites allostériques de R1 indépendants : (1) le site de spécificité, qui fixe l'ATP, le dATP, le dGTP et le dTTP ; (2) le site d'activité, qui fixe l'ATP et le dATP ; et (3) le site d'hexamérisation, qui ne fixe que l'ATP. En étudiant la RNR de souris quant à ses para-

mètres de masse moléculaire, de fixation de ligands et d'activité, Cooperman a élaboré un modèle qui rend compte au plan quantitatif de la régulation allostérique de la RNR de Classe I et qui possède les caractéristiques suivantes (Fig. 28-14a) :

1. La liaison de l'ATP, du dATP, du dGTP ou du dTTP au site de spécificité induit le monomère R1 catalytiquement inactif à former le dimère $R1_2$ catalytiquement actif.

2. La liaison du dATP ou de l'ATP au site d'activité induit les dimères à former des tétramères catalytiquement actifs, $R1_{1a}$, qui

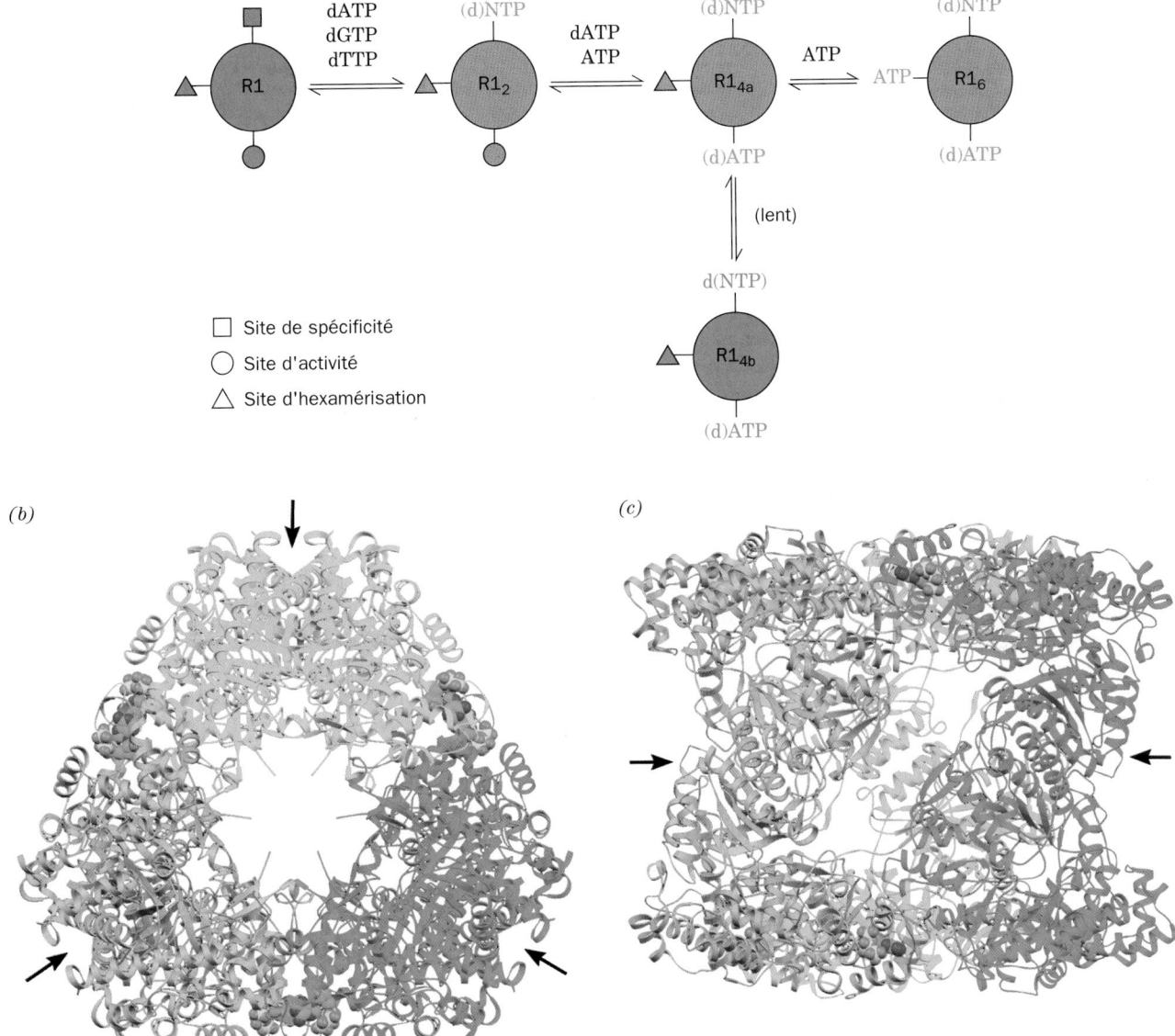

FIGURE 28-14 Régulation de la ribonucléotide réductase.
(*a*) Modèle de régulation allostérique de la RNR de Classe I par oligomérisation. Les états représentés en vert ont une activité élevée et ceux en rouge n'en ont que peu ou pas du tout. R2 n'est pas montrée pour simplifier. [D'après Kashlan, O.B., Scott, C.P., Lear, J.D., and Cooperman, B.S., *Biochemistry* **41**, 461 (2002).] (*b*) Structure par rayons X de l'hexamère R1, de symétrie D_3 en complexe avec l'ADPNP et vu dans le sens de son axe d'ordre trois. Chacun des trois dimères est de couleur différente (la structure par rayons X d'un dimère est montrée à

la Fig. 28-12*d*). L'ADPNP, qui se fixe aux sites d'activité de l'enzyme, est représenté en modèle compact avec C en vert, N en bleu, O en rouge et P en doré. Les flèches noires pointent dans le sens des axes d'ordre deux des dimères R1 et désignent les sites d'accostage probables pour la liaison des dimères R2. (*c*) Vue de l'hexamère R1•ADPNP dans le sens de l'axe d'ordre deux vertical de la Partie *b*. [Parties *b* et *c* basées sur une structure par rayons X due à Hans Eklund, Swedish University of Agricultural Sciences, Uppsala, Suède. PDBid 3R1R.]

changent lentement mais réversiblement de conformation pour adopter un état R1$_{1b}$, catalytiquement inactif.

3. La liaison de l'ATP au site d'hexamérisation induit les tétramères à s'agréger pour former des hexamères catalytiquement actifs, R1$_6$, forme active principale de la RNR.

La concentration intracellulaire d'ATP est telle qu' *in vivo* R1 est quasi entièrement sous ses formes tétramérique ou hexamérique. En conséquence, l'ATP assure le couplage de la vitesse globale de la synthèse d'ADN à l'état énergétique de la cellule.

Les sites de spécificité et d'activité, mais pas le site d'hexamérisation, ont pu être localisés dans les structures par rayons X de R1 d'*E. coli* (Fig. 28-12d). Dans de telles structures, on avait observé antérieurement l'hexamère R1 (Fig. 28-14b,c), mais les interactions entre dimères étaient si faibles qu'on les avait prises pour des artefacts de cristallisation sans signification physiologique. Puisque le site d'activité se trouve où les dimères sont en contact, il semble bien que sa fixation de l'ATP ou du dATP induise l'oligomérisation de R1 via des modifications conformationnelles locales.

Pour simplifier, le modèle ci-dessus fait abstraction de la présence des sous-unités de R2, bien qu'évidemment l'activité de l'enzyme exige des quantités équimolaires de R1 et de R2. Il est probable que les dimères R1 et R2 s'associent de manière à faire coïncider leurs axes d'ordre 2. Le manque de place à l'intérieur de l'hexamère R1 impose aux dimères R2 de contacter les dimères R1 de l'extérieur de l'hexamère (Fig. 28-14b).

Le dCTP n'est pas un effecteur de la RNR, sans doute parce que l'équilibre intracellulaire entre le dCTP et le dTTP n'est pas contrôlé par la RNR, mais bien par la **désoxycytidine désaminase**, qui transforme le dCTP en dUMP, précurseur du dTTP. Cette enzyme est activée par le dCTP et est inhibée par le dTTP.

e. La thiorédoxine et la glutarédoxine sont les agents réducteurs physiologiques de la ribonucléotide réductase de Classe I

La dernière étape du cycle catalytique de la RNR est la réduction du pont disulfure nouvellement formé pour reconstituer la paire de sulfhydryles rédox-actifs. Des dithiols comme le dithiothréitol (Section 7-1B) peuvent servir d'agents réducteurs *in vitro* par une réaction d'échange de disulfure. Cependant, l'un des agents réducteurs physiologiques de l'enzyme est la **thiorédoxine (Trx),** une protéine ubiquitaire monomérique de 108 résidus qui présente une paire de résidus Cys rédox-actifs très proches, Cys 32 et Cys 35 (nous avons déjà rencontré la thiorédoxine lors de l'étude de l'activation du cycle de Calvin induite par la lumière ; Section 24-3B). La thiorédoxine réduit la RNR oxydée par échange de disulfure,

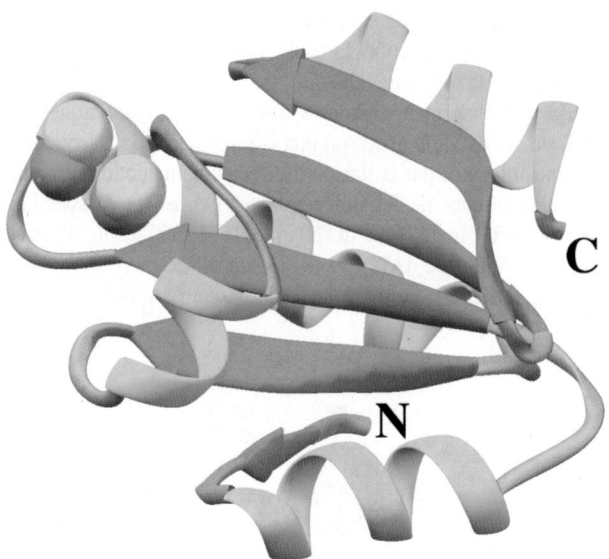

FIGURE 28-15 Structure par rayons X de la thiorédoxine humaine sous sa forme réduite (sulfhydryle). Le squelette de ce polypeptide de 105 résidus est coloré selon sa structure secondaire avec les hélices en bleu-vert, les feuillets en magenta, et le reste en orange. Les chaînes latérales des résidus rédox-actif, Cys 32 et Cys 35, sont en modèle compact avec C en vert et S en jaune. Cette structure ressemble étroitement à celle des domaines homologues de la protéine disulfure isomérase (PDI, Fig. 9-15a). [D'après une structure par rayons X due à William Montfort, University of Arizona. PDBid 1ERT.]

La structure par rayons X de la Trx d'*E. coli* réduite (Fig. 28-15) montre que la chaîne latérale de la Cys 32 rédox-active est exposée à la surface de la protéine, où elle peut être oxydée. La Trx oxydée est, à son tour, réduite par le NADPH dans une réaction assurée par la flavoprotéine **thiorédoxine réductase.** Le NADPH sert ainsi d'agent réducteur final lors de la réduction des NDP en dNDP catalysée par la RNR (Fig. 28-16).

L'existence de mutants d'*E. coli* viables dépourvus de thiorédoxine signifie que cette protéine n'est pas la seule substance capable de réduire *in vivo* la RNR oxydée. Cette observation a conduit à la découverte de la **glutarédoxine**, une protéine à disulfure monomérique de 85 résidus qui peut aussi réduire la RNR (des mutants dépourvus de thiorédoxine et de glutarédoxine ne sont pas viables). La glutarédoxine oxydée est réduite, par échange de disulfure, par le tripeptide glutathion qui contient un résidu Cys et qui, à son tour, est réduit par le NADPH dans une réaction catalysée par la glutathion réductase (GR ; Section 21-2B). Les contributions respectives de la thiorédoxine et de la glutarédoxine dans la réduction des RNR ne sont pas établies.

f. La thiorédoxine réductase oscille entre deux conformations selon son état rédox

La thioédoxine réductase (**TrxR**), un homodimère de sous-unités de 316 résidus, est homologue à la GR et catalyse une réaction semblable : réduction d'une liaison disulfure du substrat par le NADPH assurée par un groupement prosthétique FAD et une paire

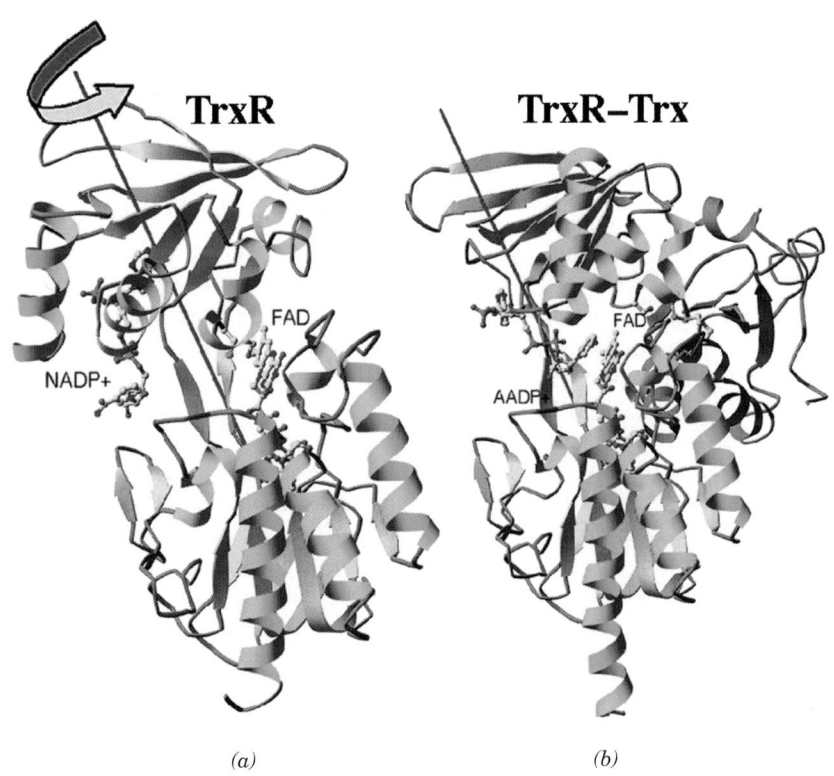

FIGURE 28-16 Voie de transfert d'électrons dans la réduction des nucléosides diphosphate (NDP). Le NADPH fournit les équivalents réducteurs par l'intermédiaire de la thiorédoxine réductase, de la thiorédoxine et de la ribonucléotide réductase.

sulfhydryle rédox-active (Cys 135 et Cys 138). Cependant, la structure par rayons X du mutant C138S de la TrxR d'*E. coli* complexée au NADP$^+$ (Fig. 28-17*a*), déterminée par Charles Williams et John Kuriyan, montre que TrxR et GR diffèrent quant à la disposition de leur site actif de sorte que leurs paires sulfhydryle rédox-actives sont sur des côtés opposés du noyau flavinique dans les deux enzymes. Néanmoins, la position de la paire sulfhydryle rédox-active de la TrxR semble parfaite pour réduire le noyau flavinique. Cependant, le cycle nicotinamide du NADP$^+$ est situé à >17 Å du noyau flavinique et la paire sulfhydryle rédox-active est enfouie au point de ne pouvoir réagir avec le substrat Trx de l'enzyme. Comment la TrxR parvient-elle donc à transférer à la Trx, via son noyau flavinique et la paire sulfhydryle rédox-active, une paire d'électrons du NADPH qui lui est fixé ?

La réponse fut donnée par Williams et Martha Ludwig en déterminant la structure par rayons X du mutant C135S de la TrxR, dont la Cys 138 est unie par liaison disulfure à la Cys 32 du mutant C35S de la TrxR d'*E. coli* (sans doute la liaison disulfure physiologique), et complexé à l'analogue du NADP$^+$ **3-aminopyridine adénine dinucléotide phosphate (AADP$^+$)**. Dans ce complexe (Fig. 28-17*b*), le domaine de liaison du NADP$^+$ de la TrxR a subi une rotation de 67° par rapport au reste de la protéine, comparée à

(a)   *(b)*

FIGURE 28-17 Structures par rayons X de la thiorédoxine réductase (TrxR) d'*E. coli*. (*a*) Mutant C138S de la TrxR complexé au NADP$^+$. La protéine est représentée en ruban et colorée selon sa structure secondaire. Le NADP$^+$, le FAD et les chaînes latérales de Cys 135 et Ser 138 sont en modèle éclaté avec C en jaune, N en bleu, O en rouge, S en vert, et P en magenta. (*b*) Mutant C135S de la TrxR complexé au AADP$^+$ et uni par liaison covalente au mutant C35S de la Trx via une liaison disulfure entre Cys 138 de TrxR et Cys 32 de Trx. La TrxR est représentée comme dans la Partie *a*, le ruban Trx est en gris, et les chaînes latérales de Cys 32 et de Ser 35 sont en modèle éclaté. La comparaison de ces deux structures montre que le domaine de liaison du NADP$^+$ de la TrxR (résidus 120 à 243) subit une rotation de 67° autour de l'axe dessiné en bleu par rapport au reste de la protéine, laquelle est dans la même orientation pour les deux structures. [Avec la permission de Martha Ludwig, University of Michigan. PDBid (*a*) 1TDF et (*b*) 1F6M.]

sa position dans TrxR seule (Fig. 28-17a). Ceci permet au noyau pyridine de l'AADP⁺ de réagir avec le noyau flavinique et à la paire sulfhydryle rédox-active de TrxR de subir une réaction d'échange de disulfure avec celle de la Trx. De plus, dans cette dernière conformation, le domaine de liaison du NADP⁺ semble procurer le site de reconnaissance pour le substrat Trx. Manifestement, la TrxR passe d'une conformation à l'autre à chaque étape successive du processus de transfert d'une paire d'électrons du NADPH à la flavine, puis à la paire sulfhydryle rédox-active, puis à son substrat Trx. Cette complication supplémentaire du mécanisme par rapport à celui de la GR, laquelle ne change pas significativement de conformation lors de la réduction du disulfure du glutathion (Section 21-2B), est semble-t-il apparue pour permettre à la TrxR de réduire son substrat protéique : la Trx serait trop volumineuse pour que sa paire sulfhydryle rédox-active puisse s'approcher de la paire sulfhydryle du site actif comme dans une enzyme de type GR.

g. Parenté évolutive des trois classes de ribonucléotide réductases

Nous avons vu que les formes actives des RNR de Classe I sont des oligomères $R1_2R2_2$, $R1_4R2_4$ et $R1_6R2_6$ qui tous possèdent des radicaux tyrosyl essentiels pour le mécanisme stabilisés par des complexes Fe(III) binucléés à pont oxo, utilisent des NDP comme substrats, et obtiennent leurs équivalents réducteurs de la thiorédoxine et de la glutarédoxine. Par ailleurs, les RNR de Classe II, qui sont des monomères α ou des dimères $α_2$, produisent leur radical à l'aide d'un cofacteur 5'-désoxyadénosylcobalamine (coenzyme B_{12}; Section 25-2E), utilisent des NDP comme substrats, et sont réduites par la thiorédoxine et la glutarédoxine. Enfin, les RNR de Classe III sont des dimères $α_2$ qui interagissent avec une protéine $β_2$ productrice de radical contenant un centre [4Fe–4S] et exigeant pour son activité de la S-adénosylméthionine (SAM ; Section 26-3C) et du NADPH, qui ont comme substrats des NTP, et dont les équivalents réducteurs sont fournis par l'oxydation du formiate en CO_2.

Puisque tous les organismes vivants synthétisent leurs désoxyribonucléotides à partir de ribonucléotides, l'émergence d'une RNR a dû précéder, au cours de l'évolution, la transition du règne de l'ARN (Section 1-5C) à celui de l'ADN. Les trois classes de RNR sont-elles apparues indépendamment ou sont-elles apparentées au plan évolutif ? Malgré leurs grandes différences apparentes, elles catalysent des réactions étonnamment semblables. Elles remplacent toutes le groupement 2' OH du ribose par un H via un mécanisme à radical libre impliquant un radical thiyl, les équivalents réducteurs étant fournis par un groupement sulfhydryl d'une Cys (Fig. 28-13 ; le deuxième résidu Cys de la paire sulfhydryle rédox-active des RNR de Classes I et II étant remplacé par le formiate dans les RNR de Classe III). Elles se distinguent essentiellement par la manière dont elles produisent le radical libre. Pour les RNR de Classe II, il provient du clivage homolytique de la liaison C–Co(III) du cofacteur 5'-désoxyadénosylcobalamine (Section 25-2E). Pour les RNR de Classe III, il provient du clivage réducteur à un électron (fourni par le NADPH et faisant intervenir un centre [4Fe–4S]) de la SAM par la protéine $β_2$ pour donner de la méthionine et le radical 5-désoxyadénosyl (le même que celui fourni par clivage homolytique de la 5'-désoxyadénosylcobalamine) ; ce radical capte alors l'atome H d'un groupement $C_α$–H d'une Gly spéci-

fique de la sous-unité α pour donner la 5-désoxyadénosine et un radical glycyl stable mais sensible à O_2. De plus, les structures par rayons X d'une RNR de Classe II et d'une RNR de Classe III montrent que leurs sites actifs sont formés de tonneaux α/β à 10 segments de même connectivité et qui sont superposables à ceux des RNR de Classe I. Ceci plaide en faveur d'une parenté évolutive des RNR des trois classes. La vie est apparue en conditions anaérobies et le formiate, un des réducteurs organiques les plus simples, était probablement disponible en abondance sur la Terre primitive (Section 1-5B). Ceci a conduit Richard à proposer que la RNR originelle était une enzyme de Classe III. L'émergence d'organismes photosynthétiques produisant de l'O_2 a ensuite promu l'évolution des RNR vers celles de la Classe II pouvant fonctionner en conditions anaérobies ou aérobies. Enfin, les RNR de Classe I, dont l'activation exige la présence d'O_2, sont apparues en dernier lieu, probablement à partir d'une RNR de Classe II.

h. Les dNTP sont formés par phosphorylation des dNDP

Pour les RNR des Classes I et II, la dernière étape de la production de dNTP est la phosphorylation de leurs dNDP correspondants :

$$dNDP + ATP \rightleftharpoons dNTP + ADP$$

Cette réaction est catalysée par la nucléoside diphosphate kinase, la même enzyme qui phosphoryle les NDP (Section 28-1B). Comme précédemment, la réaction est écrite avec l'ATP comme donneur de groupement phosphoryle, mais n'importe quel NTP ou dNTP peut assurer ce rôle. Pour les réactions impliquant des RNR de Classe III, la production de NTP à partir de NDP précède la réduction du NTP en dNTP.

B. Origine de la thymine

a. La dUTP diphosphohydrolase

Le constituant dTMP de l'ADN est synthétisé, comme nous allons le voir ci-dessous, par méthylation du dUMP. Le dUMP est formé par l'hydrolyse du dUTP par la **dUTP diphosphohydrolase (dUTPase** ; également appelée **dUTP pyrophosphatase**) :

$$dUTP + H_2O \rightleftharpoons dUMP + PP_i$$

La raison apparente de ce gaspillage d'énergie (le dTMP, une fois formé, est rephosphorylé en dTTP) est que les cellules doivent minimiser leur concentration en dUTP afin d'éviter l'incorporation éventuelle d'uracile dans leur ADN. Ceci parce que, comme nous le verrons dans la Section 30-5B, l'ADN polymérase ne fait pas la distinction entre le dUTP et le dTTP.

Les structures par rayons X d'UTPases humaines, déterminées par John Tainer, expliquent l'extrême spécificité de cette enzyme pour le dUTP. Cet homotrimère, composé de sous-unités de 141 résidus, fixe le dUTP dans une cavité parfaitement adaptée dont les chaînes latérales de résidus conservés excluent par empêchement stérique le groupement méthyle en C5 de la thymidine (Fig. 28-18a). L'enzyme distingue l'uracile de la cytosine à l'aide d'un groupe de liaisons hydrogène partant du squelette de la protéine qui miment l'interaction de l'adénine lors de l'appariement des bases (Fig. 28-18b), et elle distingue le dUTP de l'UTP en raison de l'exclusion stérique du groupement 2' OH du ribose par la chaîne latérale d'une Tyr conservée.

(a)

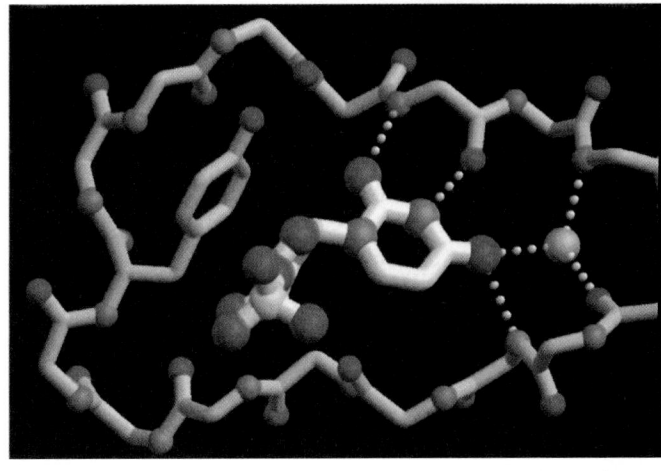

(b)

FIGURE 28-18 Structure par rayons X de la dUTPase humaine. *(a)* Surface moléculaire du site de liaison du substrat montrant comment l'enzyme distingue l'uracile de la thymine. Le dUTP fixé est en représenté en bâtonnets avec ses atomes N, O et P symbolisés par des sphères de couleur bleue, rouge et jaune, respectivement. Les ions Mg^{2+} introduits dans la structure par modélisation sont représentés par des sphères vertes. La surface moléculaire de la protéine est colorée selon son potentiel électrostatique, avec les régions positives en bleu, négatives en rouge, et quasi neutres en blanc. Noter comment l'encastrement de cycle de l'uracile dans le site de liaison en exclurait le groupement méthyle en C5 de la thymine par empêchement stérique. *(b)* Site de liaison du substrat montrant comment l'enzyme distingue l'uracile de la cytosine et le 2′-désoxyribose du ribose. Le dUMP fixé au site actif est représenté comme dans la Partie *a*. La protéine, essentiellement le squelette d'un motif en épingle à cheveux β, est dessinée de même, mais avec de plus fines liaisons en gris. Les liaisons hydrogène correspondent aux lignes blanches en pointillés, et une molécule d'eau conservée, fermement fixée, est représentée par une sphère rose. Le réseau de donneurs et accepteurs de liaisons hydrogène sur la protéine empêcherait la fixation de la cytosine dans la poche du site actif. La chaîne latérale de la Tyr conservée exclut stériquement le groupement 2′ OH du ribose. [Avec la permission de John Tainer, The Scripps Research Institute, La Jolla, California.]

b. La thymidylate synthase

Le dTMP est synthétisé à partir de dUMP par la **thymidylate synthase (TS)**, *le donneur de méthyle étant le N^5,N^{10}-méthylènetétrahydrofolate (N^5,N^{10}-méthylène-THF) :*

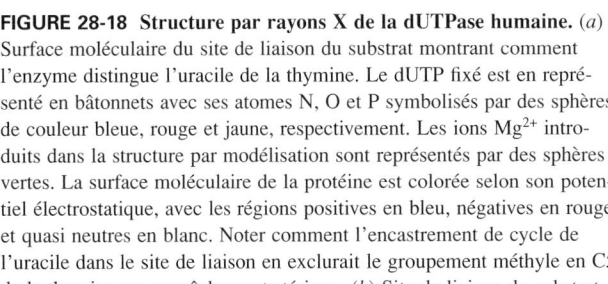

dUMP   **N^5,N^{10}-Méthylènetétrahydrofolate**

dTMP   **Dihydrofolate**

$R = $ —⟨benzene⟩— $\overset{O}{\underset{}{C}}$ —($\overset{H}{N}$ — $\overset{COO^-}{CH}$ — CH_2 — CH_2 — $\overset{O}{C}$)$_n$ — O^-; $n = 1\text{–}6$

(les cofacteurs THF sont étudiés dans la Section 26-4D). Remarquer que le groupement méthylène transféré (dont le carbone a l'état d'oxydation du formaldéhyde) est réduit en groupement méthyle (dont le carbone a l'état d'oxydation du méthanol) aux dépens de l'oxydation du cofacteur THF en dihydrofolate (DHF).

Le mécanisme catalytique de la TS, protéine dimérique de 70 kD très conservée, a fait l'objet d'études poussées. Si l'on incube l'enzyme avec du N^5,N^{10}-méthylène-[6-^{3}H]THF et de l'UMP, le ^{3}H est transféré quantitativement au groupement méthyle du produit dTMP. Cependant, quand le substrat est du [5-^{3}H]dUMP, le ^{3}H est libéré dans le solvant aqueux. Sachant que le C6 de l'uracile en position β d'une cétone α,β-insaturée est susceptible d'une attaque nucléophile, ces résultats ont conduit Daniel Santi à proposer le mécanisme suivant pour la réaction de la TS (Fig. 28-19) :

1. Un groupement nucléophile de l'enzyme, identifié comme le groupement thiolate de la Cys 146, attaque le C6 du dUMP pour former un adduit covalent.

2. Le C5 de l'énolate formé attaque le groupement CH_2 du cation iminium en équilibre avec le N^5,N^{10}-méthylène-THF pour former un complexe ternaire covalent enzyme–dUMP–THF.

3. Une base de l'enzyme capte le proton acide du C5 du dUMP lié à l'enzyme, formant un groupement méthylène exocyclique et éliminant le cofacteur THF. Le proton capté s'échange ensuite avec le solvant.

4. La réaction d'oxydo-réduction fait intervenir la migration de l'atome N6—H du THF sous forme d'un ion hydrure sur le groupement méthylène exocyclique, le transformant en groupement méthyle (ce qui rend compte du transfert de ^{3}H décrit ci-dessus) et donnant du DHF. Cette réduction entraîne le déplacement du groupement Cys thiolate de l'intermédiaire, ce qui libère le produit, le dTMP, et redonne l'enzyme active.

c. Le 5-fluorodésoxyuridylate est un puissant anticancéreux

Le mécanisme ci-dessus est confirmé par le fait que le **5-fluorodésoxyuridylate (FdUMP)**

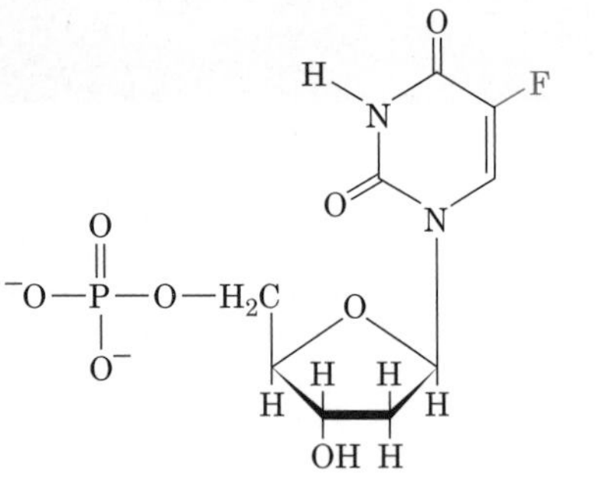

5-Fluorodésoxyuridylate (FdUMP)

est un inhibiteur irréversible de la TS. Cette substance, comme le dUMP, se lie à l'enzyme (un atome de F n'est pas beaucoup plus grand qu'un atome d'H) et subit les deux premières étapes de la réaction enzymatique normale. Cependant, lors de l'étape 3, l'enzyme ne peut capter l'atome de F sous la forme F$^+$ (se rappeler que F est l'élément le plus électronégatif) si bien que l'enzyme se trouve immobilisée quasi définitivement sous la forme du complexe ternaire covalent enzyme–FdUMP–THF analogue à celui formé après l'étape 2 dans la Fig. 28-19. Effectivement, l'analyse par rayons X réalisée par David Matthews et Jesus Villafranca montre que des cristaux de TS d'*E. coli* imprégnés d'une solution contenant du FdUMP et du N^5,N^{10}-méthylène-THF contiennent précisément ce complexe (Fig. 28-20). Des inhibiteurs d'enzyme comme le FdUMP, qui n'inactivent une enzyme qu'après avoir subi tout ou partie de ses réactions catalytiques normales, sont appelés des **inhibiteurs suicides** (car ils poussent l'enzyme à « se suicider »). *Les inhibiteurs suicides, étant ciblés pour certaines enzymes, sont parmi les inactivateurs d'enzymes les plus puissants et spécifiques, et donc les plus utiles.*

La position stratégique de la thymidylate synthase dans la biosynthèse de l'ADN a conduit à utiliser le FdUMP comme agent antitumoral en clinique. Des cellules qui prolifèrent rapidement, comme les cellules cancéreuses, demandent un apport constant en dTMP afin de survivre et sont donc tuées après traitement par le FdUMP. Au contraire, la plupart des cellules normales de mammifère, qui croissent lentement voire pas du tout, ont un moindre besoin en dTMP si bien qu'elles sont relativement insensibles au FdUMP (il y a des exceptions : les cellules de la moelle osseuse qui forment les cellules du sang et la plupart des cellules du système immunitaire, la muqueuse intestinale et les follicules pileux). Le **5-fluorouracile** et la **5-fluorodésoxyuridine** sont également des agents antitumoraux efficaces car ils sont transformés en FdUMP par des réactions de récupération.

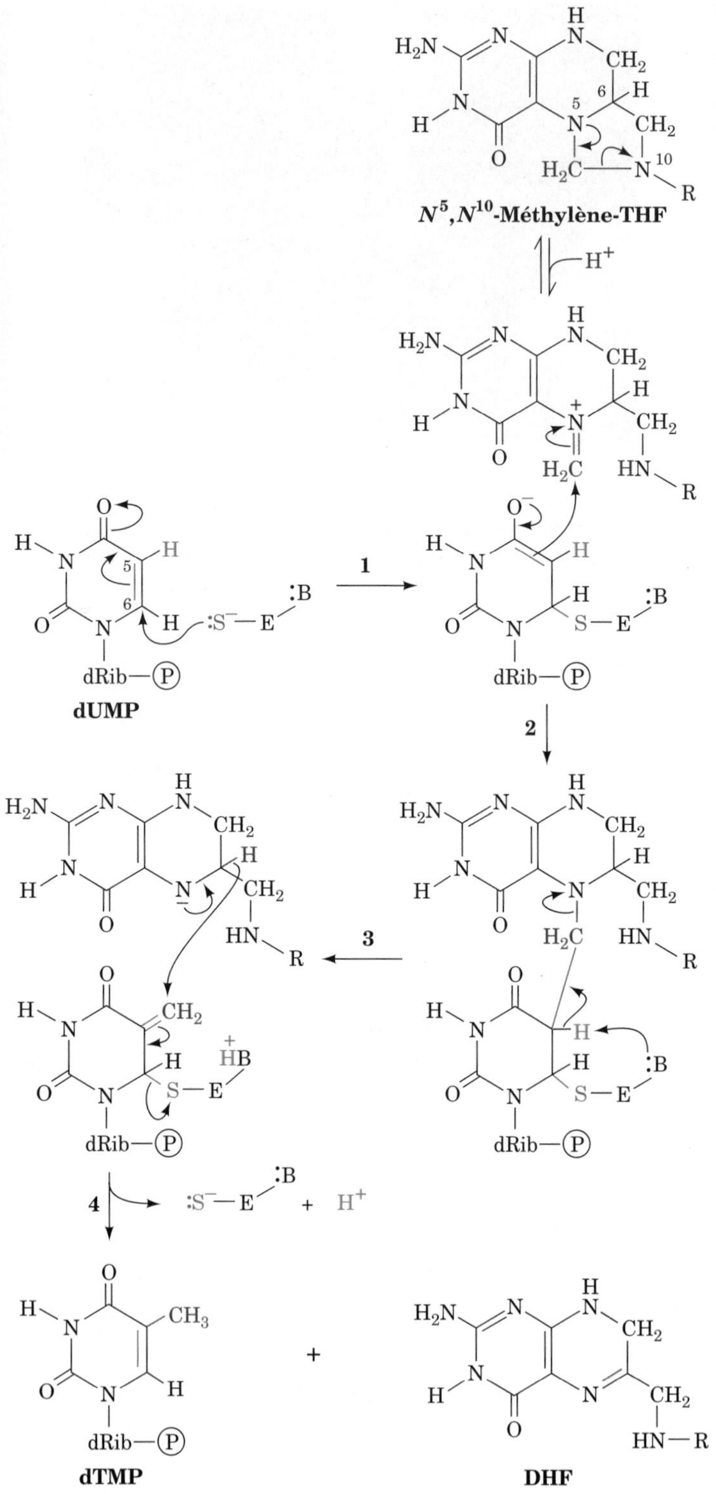

FIGURE 28-19 Mécanisme catalytique de la thymidylate synthase. Le groupement méthyle est fourni par le N^5,N^{10}-méthylène-THF, qui se retrouve oxydé en dihydrofolate.

d. Le N^5,N^{10}-méthylène-THF est régénéré en deux réactions

La réaction de la thymidylate synthase est unique en biochimie du fait qu'elle oxyde le THF en DHF ; on ne connaît pas d'autres réactions enzymatiques utilisant le THF comme cofacteur qui en

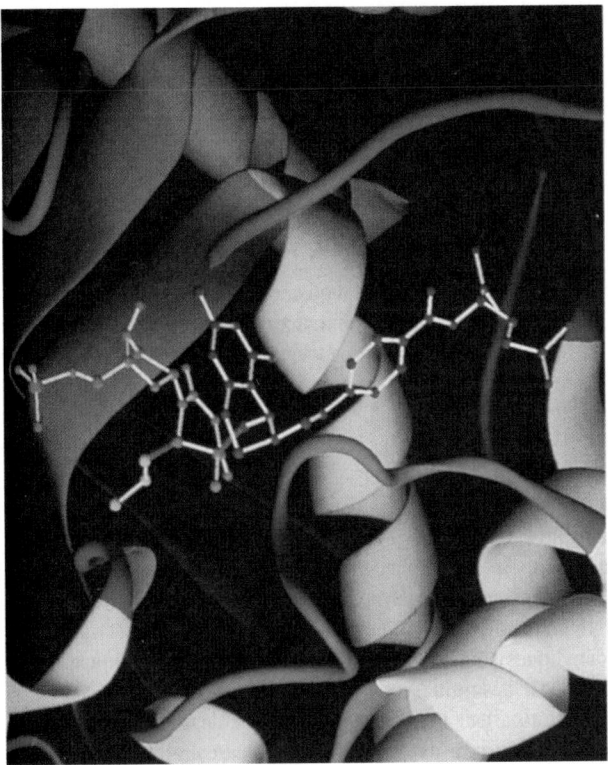

FIGURE 28-20 Structure par rayons X de la thymidylate synthase d'*E. coli* en complexe ternaire avec le FdUMP et le THF. La région du site actif d'une sous-unité de cette enzyme dimérique (colorée selon sa structure secondaire avec ses hélices en jaune, ses segments β en orange et le reste du polypeptide en bleu) est montrée en complexe covalent avec le FdUMP (*sphères vertes*) et le N^5,N^{10}-méthylène-THF (*sphères bleues*). Les atomes C5 et C6 du FdUMP forment des liaisons covalentes (*en rouge*) avec le groupement CH$_2$ substituant de N5 du THF et l'atome de S de la Cys 146 (*sphères jaunes*). [Avec la permission de Jesus Villa-franca et David Matthews, Agouron Pharmaceuticals, La Jolla, Califor-nia.]

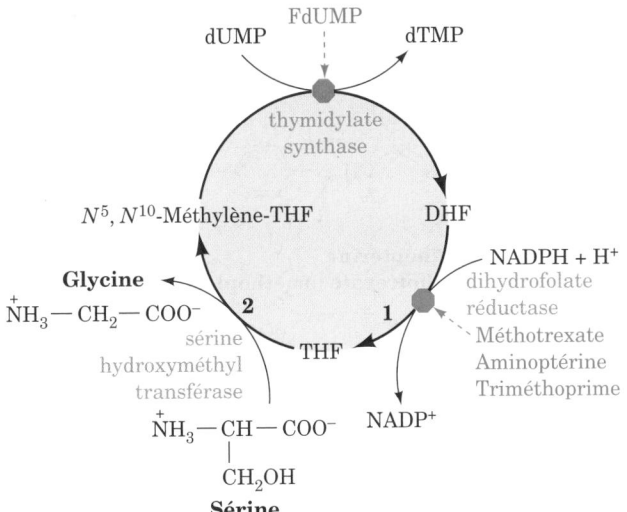

FIGURE 28-21 Régénération du N^5,N^{10}-méthylènetétrahydrofolate. Le DHF produit dans la réaction de la thymidylate synthase est régénéré en N^5,N^{10}-méthylène-THF sous les actions successives de (1) la dihydro-folate réductase et (2) la sérine hydroxyméthyl transférase. La thymidy-late synthase est inhibée par le FdUMP, tandis que la dihydrofolate réductase est inhibée par des antifolates comme le méthotrexate, l'amino-ptérine et la triméthoprime.

modifie l'état d'oxydation net. Le DHF, produit de la réaction de la thymidylate synthase, est recyclé en N^5,N^{10}-méthylène–THF par deux réactions successives (Fig. 28-21) :

1. Le DHF est réduit en THF par le NADPH lors d'une réac-tion catalysée par la **dihydrofolate réductase (DHFR ;** Section 26-4D). Bien que dans la plupart des organismes la DHFR soit une enzyme monomérique monofonctionnelle, chez les protozoaires et chez certaines plantes, la DHFR et la TS se trouvent sur la même chaîne polypeptidique pour former une enzyme bifonctionnelle, et on a montré qu'elle dirige le DHF depuis le site actif de sa TS jus-qu'au site actif de sa DHFR.

2. La sérine hydroxyméthyl transférase (Section 26-3B) trans-fère le groupement hydroxyméthyle de la sérine au THF pour don-ner le N^5,N^{10}-méthylène-THF et de la glycine.

e. Les antifolates sont des agents anticancéreux

L'inhibition de la DHFR entraîne rapidement la conversion de la totalité du THF cellulaire en DHF par la réaction de la thymi-dylate synthase. L'inhibition de la DHFR empêche donc non seu-

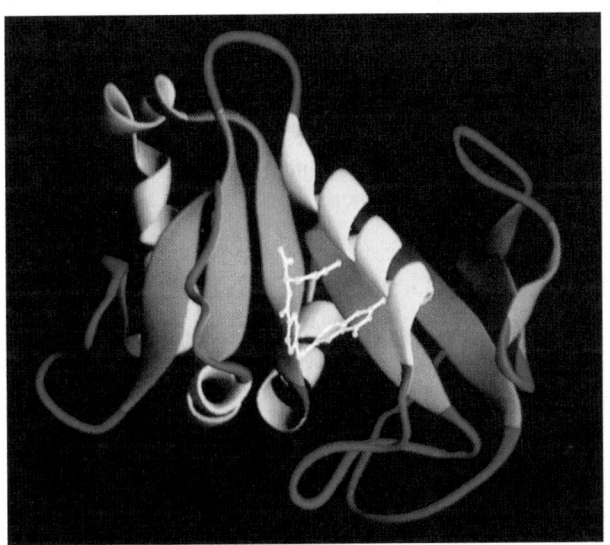

FIGURE 28-22 Représentation en ruban de la dihydrofolate réduc-tase humaine complexée au folate. Cette enzyme monomérique est colorée selon sa structure secondaire avec ses hélices en jaune, ses seg-ments β en orange et le reste du polypeptide en bleu. [Avec la permission de Jay F. Davies II et Joseph Kraut, University of California at San Diego.]

lement la synthèse de dTMP (Fig. 28-21), mais bloque également toutes les réactions biochimiques THF-dépendantes comme la syn-thèse des purines (Section 28-1A), de l'histidine et de la méthio-nine (Section 26-5B). La DHFR (Fig. 28-22) constitue donc une cible attrayante pour la chimiothérapie.

Le méthotrexate (améthoptérine), l'aminoptérine et la triméthoprime

R = H   **Aminoptérine**
R = CH$_3$ **Méthotrexate (améthoptérine)**

Triméthoprime

sont des analogues du DHF qui se lient compétitivement, bien que de manière presque irréversible, à la DHFR avec une affinité ~1000 fois supérieure à celle du DHF. Ces **antifolates** (substances qui contrecarrent l'action des cofacteurs folate) sont des agents anticancéreux efficaces, notamment contre la leucémie des enfants. En fait, une stratégie chimiothérapeutique efficace consiste à traiter une personne atteinte d'un cancer avec une dose létale de méthotrexate puis, quelques heures après, à « sauver » le malade (mais, on l'espère, pas le cancer) en administrant des doses massives de 5-formyl-THF et/ou de thymidine. Une faible dose de méthotrexate est également efficace pour traiter l'arthrite rhumatoïde, en diminuant l'inflammation suite à l'inhibition de l'activité du système immunitaire. La triméthoprime, découverte par George Hitchings et Gertrude Elion, se lie plus fortement aux DHFR bactériennes qu'à celles de mammifère et constitue donc un agent antibactérien utilisé en clinique.

4 ■ DÉGRADATION DES NUCLÉOTIDES

La plupart des aliments étant d'origine cellulaire, ils contiennent des acides nucléiques. Les acides nucléiques alimentaires résistent au milieu acide de l'estomac, mais sont dégradés en nucléotides, principalement dans le duodénum, par des nucléases pancréatiques et des phosphodiestérases intestinales. Ces composés ioniques, qui ne peuvent traverser les membranes cellulaires, sont ensuite hydrolysés en nucléosides par une série de nucléotidases spécifiques des bases et de phosphatases non spécifiques. Les nucléosides peuvent être absorbés directement par la muqueuse intestinale ou bien subir d'abord une dégradation en bases libres et ribose ou ribose-1-phosphate sous l'action de nucléosidases et de **nucléosidases et de nucléoside phosphorylases :**

$$\text{Nucléoside} + \text{H}_2\text{O} \xrightarrow{\text{nucléosidase}} \text{base} + \text{ribose}$$

$$\text{Nucléoside} + \text{P}_i \xrightarrow[\text{phosphorylase}]{\text{nucléoside}} \text{base} + \text{ribose-1-P}$$

Des expériences de marquage radioactif ont montré qu'une faible proportion des bases des acides nucléiques ingérés étaient incorporées dans les acides nucléiques tissulaires. Manifestement, les voies de biosynthèse de nucléotides *de novo* couvrent largement les besoins en nucléotides de l'organisme. Par conséquent, les bases ingérées sont en grande partie dégradées et excrétées. Les acides nucléiques cellulaires sont aussi dégradés comme le sont pratiquement tous les constituants cellulaires. Dans cette section, nous passerons en revue ces voies cataboliques et nous étudierons les conséquences de plusieurs déficiences héréditaires de ces voies.

A. *Catabolisme des purines*

Les principales voies du catabolisme des nucléotides et désoxynucléotides puriques chez les animaux sont schématisées dans la Fig. 28-23. Certains organismes peuvent utiliser des voies quelque peu différentes parmi ces différents intermédiaires (y compris l'adénine) mais toutes ces voies conduisent à l'acide urique. Bien sûr, les intermédiaires de ces processus peuvent aussi être réutilisés pour former des nucléotides par les voies de récupération. De plus, le ribose-1-phosphate, un produit de la réaction catalysée par la **purine nucléoside phosphorylase (PNP)**, est isomérisé par la **phosphoribomutase** en ribose-5-phosphate, le précurseur du PRPP.

L'adénosine et la désoxyadénosine ne sont pas dégradées par la PNP de mammifère. Au lieu de cela, les nucléosides et nucléotides adényliques sont désaminés par l'**adénosine désaminase (ADA)** et l'**AMP désaminase** en leurs dérivés inosinyliques correspondants, qui, à leur tour, peuvent subir des dégradations plus poussées. La structure par rayons X de l'ADA murine cristallisée en présence de son inhibiteur, le **ribonucléoside purique**, a été déterminée par Florante Quiocho (Fig. 28-24*a*). L'enzyme forme un tonneau α/β à huit segments, le site actif étant dans une poche à l'extrémité C-terminale du tonneau β, comme c'est le cas avec pratiquement toutes les enzymes à tonneau α/β connues (Section 8-3B). Les ribonucléosides puriques se lient à l'ADA sous une forme hydratée normalement rare, le **6-hydroxyl-1,6-dihydropurine ribonucléoside (HDPR)**,

Ribonucléoside purique   **6-Hydroxy-1,6-dihydropurine ribonucléoside (HDPR)**

un analogue de l'état de transition presque idéal de la réaction de l'ADA. Bien qu'on ait prétendu que l'ADA ne nécessitait pas de cofacteur, sa structure par rayons X révèle clairement qu'un ion zinc est lié dans la partie la plus profonde de la poche du site actif, où il est pentacoordiné avec trois chaînes latérales de His, un oxygène du groupement carboxylate de l'Asp 295, et l'atome O6 du HDPR. Le complexe du site actif de l'ADA suggère un mécanisme catalytique (Fig. 28-24*b*) qui rappelle celui de l'anhydrase carbonique (Section 15-1C) : His 238, qui se trouve bien placée pour servir de base générale, capte un proton d'une molécule d'eau activée liée à Zn^{2+}, qui mène une attaque nucléophile sur l'atome C6 de l'adénine pour former un intermédiaire tétraédrique. Les produits se forment ensuite par élimination d'ammoniac.

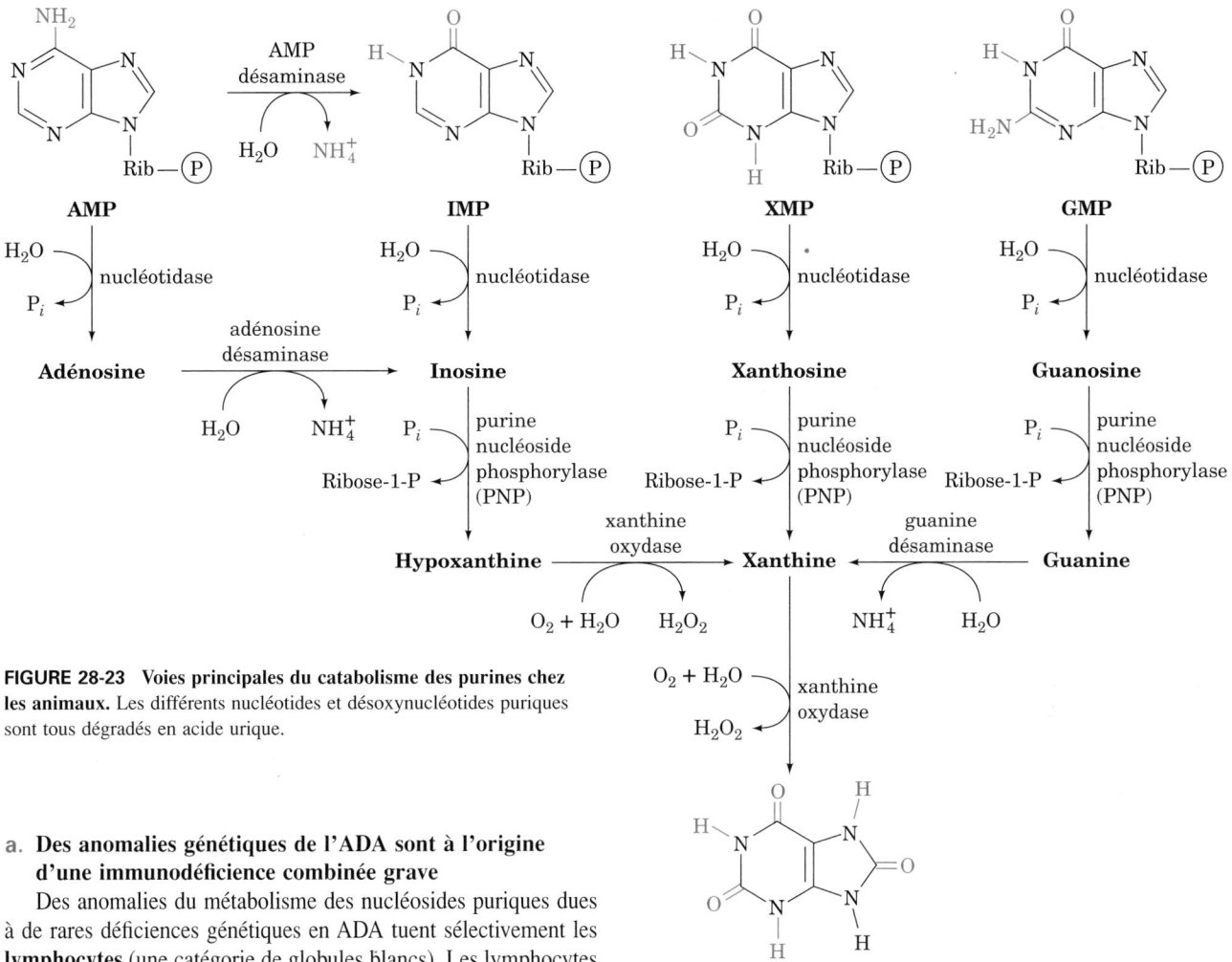

FIGURE 28-23 Voies principales du catabolisme des purines chez les animaux. Les différents nucléotides et désoxynucléotides puriques sont tous dégradés en acide urique.

Acide urique

a. Des anomalies génétiques de l'ADA sont à l'origine d'une immunodéficience combinée grave

Des anomalies du métabolisme des nucléosides puriques dues à de rares déficiences génétiques en ADA tuent sélectivement les **lymphocytes** (une catégorie de globules blancs). Les lymphocytes étant impliqués dans de nombreux aspects de la réponse immunitaire (Section 35-2A), une déficience en ADA entraîne ce qu'on appelle l'**immunodéficience combinée grave** (**SCID** pour « Severe Combined Immunodeficiency Disease ») qui, en l'absence de mesures de protection particulières, est toujours fatale chez le nourrisson en raison d'infections généralisées. Les mutations constatées dans les huit variantes connues de l'ADA chez des malades de la SCID semblent perturber la structure du site actif de l'ADA.

Des études biochimiques ont fourni une explication valable de l'étiologie de la SCID. En absence d'ADA active, la désoxyadénosine est phosphorylée pour donner des taux de dATP 50 fois supérieurs à la normale. Cette forte concentration en dATP inhibe la ribonucléotide réductase (Section 28-3A), empêchant ainsi la synthèse des autres dNTP, et donc la synthèse de l'ADN et la prolifération cellulaire. La spécificité de la déficience en ADA vis-à-vis du système immunitaire peut s'expliquer par le fait que l'activité de phosphorylation de la désoxyadénosine est particulièrement importante dans le tissu lymphoïde.

La SCID due à une déficience en ADA ne peut être traitée par une injection intraveineuse d'ADA car le foie élimine l'enzyme du courant sanguin en quelques minutes. Cependant, si on lie par covalence plusieurs molécules de **polyéthylène glycol** (**PEG**),

$$HO + CH_2 - CH_2 - O +_n H$$
Polyéthylène glycol

polymère inerte sur le plan biologique, aux groupements de surface de l'ADA, le complexe **PEG–ADA** reste dans le sang pendant une à deux semaines, permettant ainsi à la victime de la SCID de retrouver un système immunitaire fonctionnel. Le PEG lié à la protéine ne réduit que de ~ 40 % l'activité catalytique de l'ADA mais, bien sûr, la masque des récepteurs qui permettent son élimination du sang. La SCID peut donc être traitée efficacement par le PEG–ADA. Toutefois, ce traitement est onéreux et n'est pas entièrement satisfaisant. C'est pourquoi la déficience en ADA a été choisie comme l'une des premières maladies génétiques à traiter par thérapie génique (Section 5-5H). Des lymphocytes sont isolés du sang de l'enfant ADA-déficient et cultivés en laboratoire. On y insère par les techniques de génie génétique (Section 5-5) le gène normal codant l'ADA, puis on les réinjecte à l'enfant. Après 12 ans, 20 à 25 % des lymphocytes des patients contiennent toujours le gène de l'ADA normale ainsi introduit. Cependant, des considérations éthiques imposent qu'on poursuive leur traitement par le PEG–ADA, ce qui rend difficile l'évaluation de ce protocole de thérapie génique.

(a)

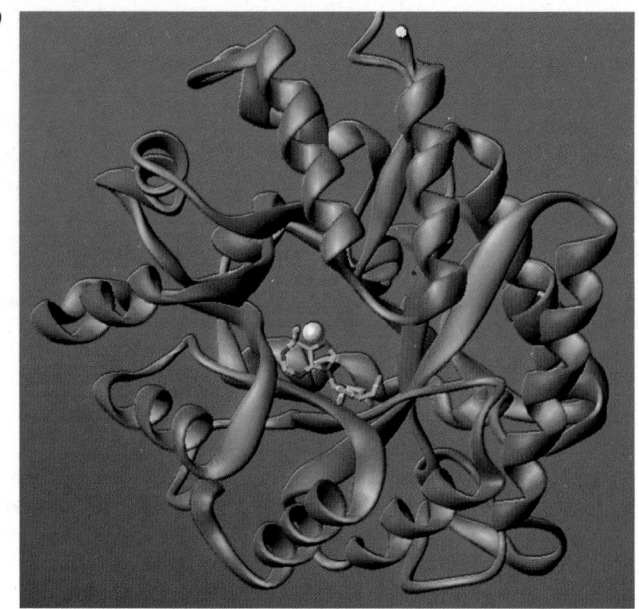

(b)

Adenosine

Tetrahedral Intermediate

Inosine (enol tautomer)

FIGURE 28-24 Structure et mécanisme d'action de l'adénosine désaminase. (*a*) Représentation en ruban de l'adénosine désaminase murine complexée à son analogue d'état de transition HDPR et vue approximativement vers le bas le long de l'axe du tonneau α/β de l'enzyme depuis les extrémités N-terminales de ses segments β. Le HDPR est en représentation squelettique avec ses atomes C, N et O en vert, bleu et rouge. L'ion Zn²⁺ lié à l'enzyme, qui est coordiné au groupement 6 OH du HDPR, est représenté par une sphère argentée. [D'après une structure par rayons X due à Florante Quiocho, Baylor College of Medicine. PDBid 1ADA.] (*b*) Mécanisme catalytique présumé de l'adénosine désaminase. Une molécule d'eau polarisée par Zn²⁺ (Section 15-1C) produit une attaque nucléophile du C6 de la molécule d'adénosine liée à l'enzyme par un mécanisme facilité par His 238 qui joue le rôle d'une base générale, de Glu 217 qui joue le rôle d'un acide général et de Asp 295 qui oriente la molécule d'eau par liaisons hydrogène. L'intermédiaire tétraédrique résultant se décompose avec élimination d'ammoniac lors d'une réaction aidée par les chaînes latérales imidazolium de His 238 et carboxylique de Glu 217 qui interviennent respectivement comme acide général et base générale. Il se forme de l'inosine sous sa forme tautomère énol qui, après s'être détachée de l'enzyme, prend sa forme céto dominante. L'ion Zn²⁺ est coordiné à trois chaînes latérales de His qui ne sont pas montrées. [D'après Wilson, D.K. and Quiocho, F.A., *Biochemistry* **32**, 1692 (1993).]

b. Cycle des nucléotides puriques

La désamination de l'AMP en IMP, quand elle est associée à la synthèse d'AMP à partir d'IMP (Fig. 28-4, *à gauche*), se solde par la désamination de l'aspartate en fumarate (Fig. 28-25). John Lowenstein a montré que ce **cycle des nucléotides puriques** joue un rôle métabolique important dans le muscle squelettique. Une augmentation de l'activité musculaire demande une augmentation de l'activité du cycle de l'acide citrique, ce qui nécessite, en général, la formation d'intermédiaires du cycle de l'acide citrique supplémentaires (Section 21-4). Cependant, les muscles n'ont pas la plupart des enzymes qui catalysent ces réactions anaplérotiques (« de remplissage ») que l'on trouve dans les autres tissus. Par contre, le muscle renouvelle ses intermédiaires du cycle de l'acide citrique via le fumarate formé par le cycle des nucléotides puriques. L'importance de ce cycle des nucléotides puriques dans le métabolisme musculaire est confirmée par le fait que les activités des trois enzymes impliquées sont de plusieurs fois supérieures dans le muscle par rapport aux autres tissus. Par ailleurs, des personnes ayant une déficience héréditaire en AMP désaminase musculaire (la **déficience en myoadénylate désaminase**) se fatiguent facilement et souffrent généralement de crampes après un exercice.

c. La xanthine oxydase est une protéine mini-transporteur d'électrons

La **xanthine oxydase (XO)** transforme l'hypoxanthine en xanthine, et la xanthine en acide urique (Fig. 28-23, *en bas*). Chez les mammifères, cette enzyme se trouve presque exclusivement dans le foie et dans la muqueuse de l'intestin grêle. La XO est un homodimère dont chaque sous-unité (~1330 résidus) fixe divers agents transporteurs d'électrons : un FAD, deux centres [2Fe–2S] que l'on peut distinguer par spectroscopie, et un **complexe molybdoptérine (Mo-pt)**

Complexe molybdoptérine (Mo-pt)

qui oscille entre les états d'oxydation Mo(VI) et Mo(IV). L'accepteur terminal d'électrons est l'oxygène, qui est transformé en H_2O_2, un agent oxydant potentiellement dangereux aussitôt décomposé en H_2O et O_2 par la catalase (Section 1-2A). Dans la XO, le polypeptide a été clivé par protéolyse en trois segments (l'enzyme non clivée, connue sous le nom de **xanthine déshydrogénase**, utilise de préférence le NAD^+ comme accepteur d'électrons, alors que la XO ne réagit pas avec le NAD^+).

La structure par rayons X de la XO de lait de vache complexée à l'acide salicylique (Section 25-7B), un inhibiteur compétitif, déterminée par Emil Pai, montre que les deux centres [2Fe–2S] s'interposent entre le FAD et le complexe molybdoptérine pour former une mini-chaîne de transport d'électrons (Fig. 28-26). Cha-

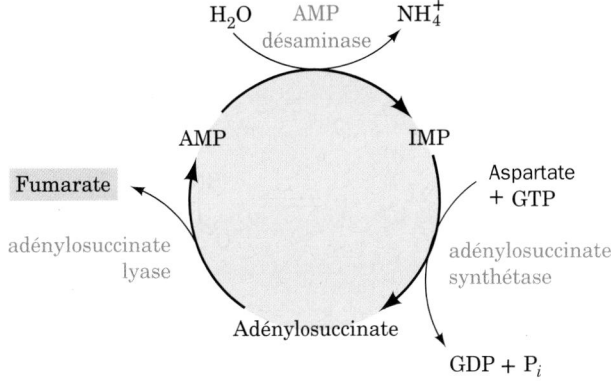

Bilan: H_2O + Aspartate + GTP → NH_4^+ + GDP + P_i + fumarate

FIGURE 28-25 Cycle des nucléotides puriques. Cette voie fonctionne, dans le muscle, pour amorcer le cycle de l'acide citrique en formant du fumarate.

cun de ses trois segments peptidiques constitue un domaine séparé, le domaine N-terminal fixant les deux centres [2Fe–2S], le domaine central fixant le FAD et le domaine C-terminal fixant le complexe Mo-pt. Bien que l'acide salicylique n'entre pas en contact avec le complexe Mo-pt, il se fixe à la XO de manière à bloquer l'accès des substrats au centre métallique.

(a)

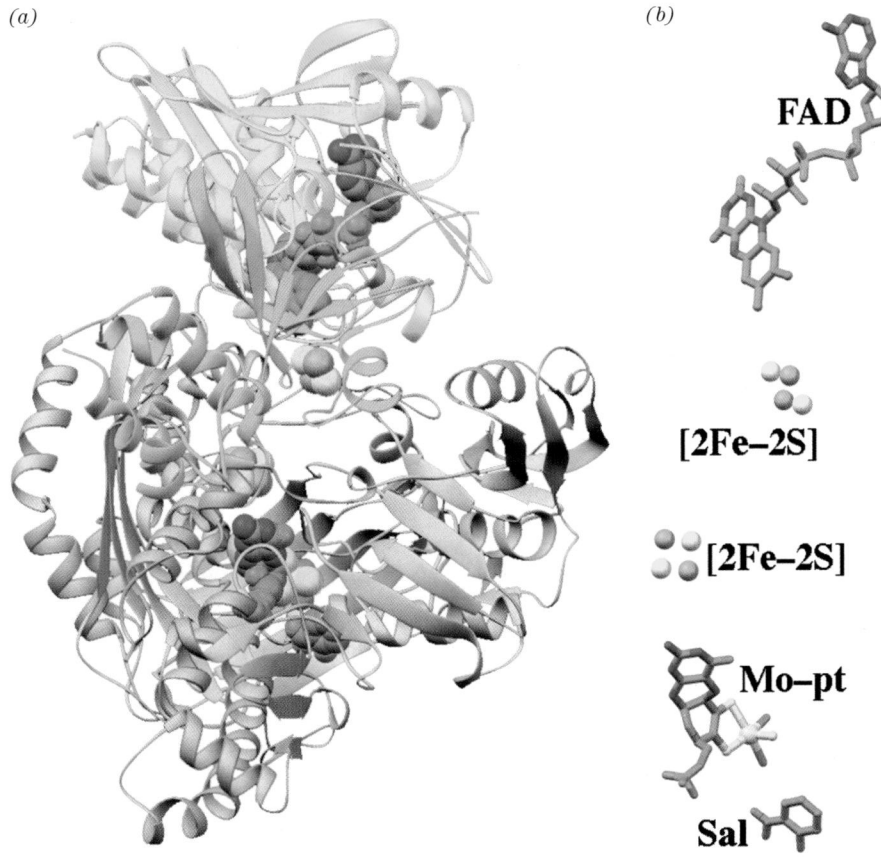

(b)

FIGURE 28-26 Structure par rayons X de la xanthine oxydase de lait de vache en complexe avec l'acide salicylique. *(a)* Représentation en ruban de sa sous-unité de 1332 résidus où le domaine N-terminal (résidus 2-165) est en bleu-vert, le domaine central (résidus 224-528) est en doré, et le domaine C-terminal (résidus 571-1315) est en lavande. Les cofacteurs rédox de l'enzyme et l'acide salicylique fixé sont en modèle compact avec C en vert, N en bleu, O en rouge, S en jaune, P en magenta, Fe en orange et Mo en bleu clair. Les segments peptidiques de ~50 résidus qui relient ces domaines sont désorganisés et apparemment très flexibles. *(b)* Cofacteurs rédox de l'enzyme et acide salicylique (Sal), représentés en bâtonnets avec leurs atomes de S, Fe et Mo symbolisés par des sphères. Les atomes sont colorés comme dans la Partie *a* et sont vus de la même direction, mais à plus fort grossissement. [D'après une structure par rayons X due à Emil Pai, University of Toronto, Toronto, Ontario, Canada. PDBid 1FIQ.]

La XO hydroxyle la xanthine en C8 (et l'hypoxanthine en C2) pour donner l'acide urique sous sa forme énol qui se tautomérise en sa forme céto plus stable :

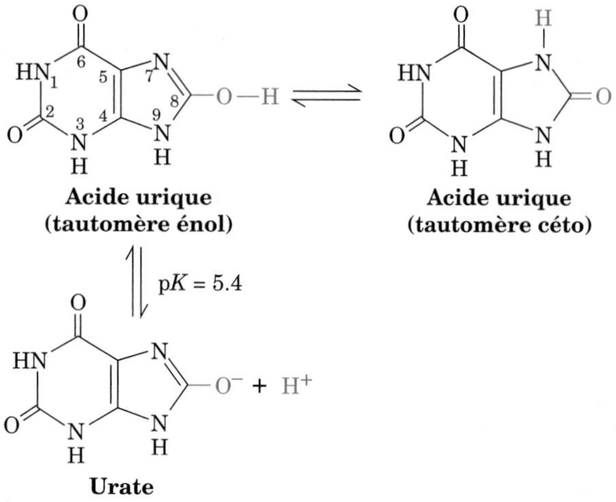

Acide urique
(tautomère énol)

Acide urique
(tautomère céto)

$pK = 5,4$

Urate

(sa forme énol s'ionise avec un pK de 5,4 ; d'où le nom d'*acide urique*). Des expériences de marquage avec ^{18}O ont montré que l'oxygène du groupement céto en C8 de l'acide urique est issu de l'eau, alors que les atomes d'oxygène de H_2O_2 viennent de O_2. Des études chimiques et spectroscopiques suggèrent que l'enzyme fait intervenir le mécanisme suivant (Fig. 28-27) :

1. La réaction commence par l'attaque du C8 de la xanthine par un groupement nucléophile, X, de l'enzyme.

2. L'atome C8—H est éliminé sous forme d'un ion hydrure qui se combine avec le complexe Mo(VI), le réduisant à l'état Mo(IV).

3. L'eau déplace le groupement nucléophile de l'enzyme pour former l'acide urique.

Lors de la deuxième étape de la réaction, l'enzyme qui se trouve sous forme réduite est réoxydée dans son état original Mo(VI) par une réaction avec O_2. Ce processus complexe est, on pouvait s'y

attendre, mal compris. Des mesures par RPE montrent que les électrons sont canalisés depuis Mo(IV), en passant par les deux centres [2Fe–2S] de l'enzyme, vers la flavine et ensuite à O_2, formant ainsi H_2O_2 et régénérant l'enzyme sous sa forme initiale.

B. *Devenir de l'acide urique*

Chez l'homme et d'autres primates, le produit de dégradation final des purines est l'acide urique, qui est excrété dans les urines. Il en est de même des oiseaux, des reptiles terrestres et de beaucoup d'insectes, mais ces organismes, qui n'excrètent pas d'urée, catabolisent aussi l'azote en excès provenant d'acides aminés en acide urique via la biosynthèse des purines. Ce système compliqué d'excrétion de l'azote joue un rôle manifeste : celui *d'économiser l'eau*. L'acide urique n'est que faiblement soluble dans l'eau, si bien que son excrétion sous forme d'une pâte de cristaux d'acide urique s'accompagne de très peu d'eau. Par contre, l'excrétion d'une quantité équivalente d'urée, beaucoup plus soluble dans l'eau, séquestre, par osmose, une quantité d'eau significative.

Chez tous les autres organismes, l'acide urique est davantage métabolisé avant l'excrétion (Fig. 28-28). Les mammifères autres que les primates l'oxydent en **allantoïne**, leur produit d'excrétion, par une réaction catalysée par l'**urate oxydase**, une enzyme contenant du cuivre. Chez les téléostéens (poissons osseux), une dégradation plus poussée donne l'**acide allantoïque**, produit d'excrétion. Chez les poissons cartilagineux et les amphibiens, l'acide allantoïque est dégradé en urée qui est excrétée. Enfin, les invertébrés marins décomposent l'urée pour donner leur produit d'excrétion azoté, NH_4^+.

a. La goutte est due à un excès d'acide urique

*La **goutte** est une maladie caractérisée par des taux élevés d'acide urique dans les liquides de l'organisme.* Elle se manifeste le plus souvent par l'inflammation, atrocement douloureuse et soudaine, d'articulations arthritiques notamment celles du gros orteil (Fig. 28-29), due au dépôt de cristaux d'urate de sodium pratiquement insolubles. L'urate de sodium et/ou l'acide urique peuvent

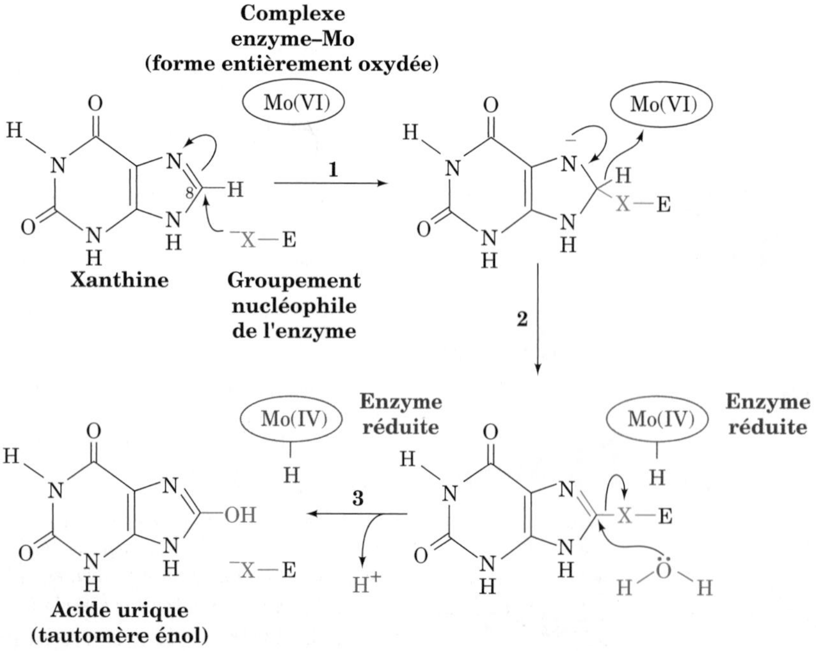

Complexe
enzyme–Mo
(forme entièrement oxydée)

Mo(VI)

Mo(VI)

1

Xanthine   **Groupement**
nucléophile
de l'enzyme

2

Mo(IV)   **Enzyme**
réduite

Mo(IV)   **Enzyme**
réduite

3

Acide urique
(tautomère énol)

FIGURE 28-27   Mécanisme de la xanthine oxydase. L'enzyme réduite est ensuite réoxydée par O_2, formant H_2O_2.

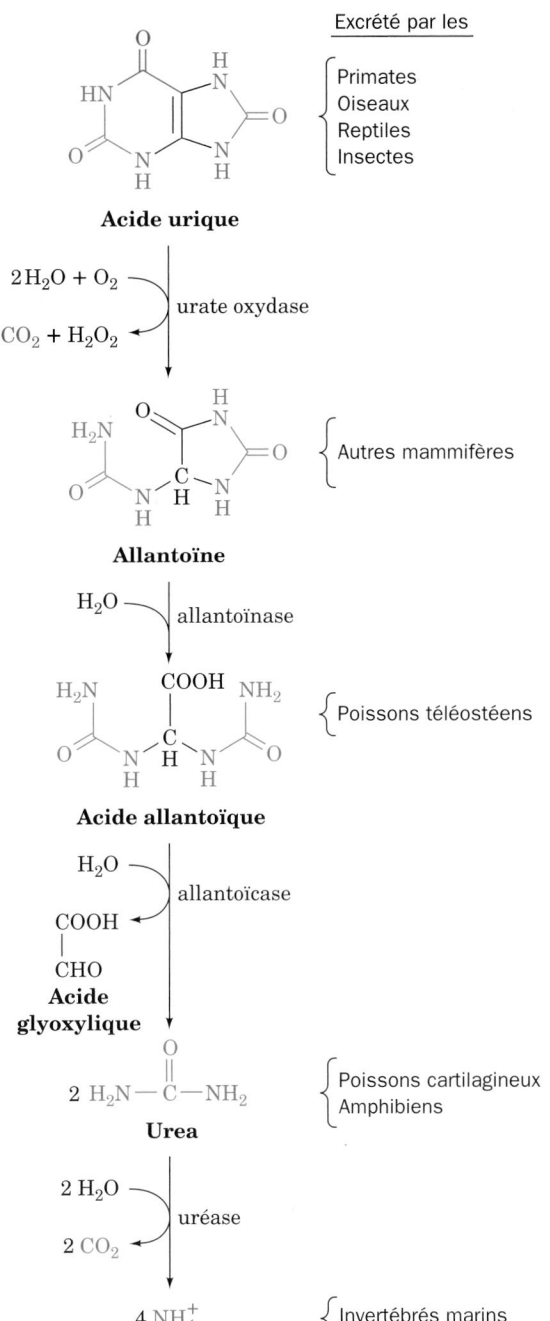

Acide urique

Excrété par les
{ Primates
Oiseaux
Reptiles
Insectes

$2 H_2O + O_2$

urate oxydase

$CO_2 + H_2O_2$

Allantoïne

{ Autres mammifères

H_2O

allantoïnase

Acide allantoïque

{ Poissons téléostéens

H_2O

allantoïcase

COOH
|
CHO
**Acide
glyoxylique**

Urea

{ Poissons cartilagineux
Amphibiens

$2 H_2O$

uréase

$2 CO_2$

$4 NH_4^+$

{ Invertébrés marins

FIGURE 28-28 Dégradation de l'acide urique en ammoniac. Le processus s'arrête en différents points selon les espèces et le produit azoté résultant est excrété.

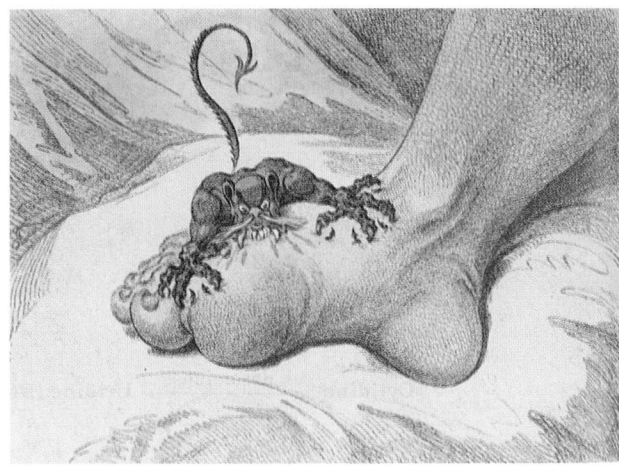

FIGURE 28-29 *La goutte,* **dessin humoristique de James Gilroy (1799).** [Yale University Medical Historical Library.]

La cause la plus fréquente de la goutte est une mauvaise excrétion de l'acide urique (pour des raisons autres que l'empoisonnement par le plomb). La goutte peut provenir aussi de plusieurs insuffisances métaboliques, dont la plupart ne sont pas bien caractérisées. Une cause bien connue est la déficience en HGPRT (qui donne le syndrome de Lesch-Nyhan dans les cas graves), laquelle se traduit par une production excessive d'acide urique suite à l'accumulation de PRPP (Section 28-1D). La surproduction d'acide urique est aussi causée par une déficience en glucose-6-phosphatase (maladie de stockage du glycogène de von Gierke ; Section 18-4) : la disponibilité accrue en glucose-6-phosphate stimule la voie des pentoses phosphate (Section 23-4), ce qui augmente la vitesse de production de ribose-5-phosphate et par conséquent celle de PRPP qui, à son tour, stimule la biosynthèse des purines.

La goutte peut être soignée par administration de l'inhibiteur de la xanthine oxydase, l'**allopurinol,** un analogue de l'hypoxanthine où les positions N7 et C8 sont interverties.

Allopurinol   **Hypoxanthine**

La xanthine oxydase hydroxyle l'allopurinol, comme l'hypoxanthine, donnant l'**alloxanthine,**

Alloxanthine

qui reste fortement lié à la forme réduite de l'enzyme, ce qui l'inactive. L'allopurinol diminue par conséquent les symptômes de la goutte en diminuant la vitesse de production d'acide urique tout en augmentant les concentrations de l'hypoxanthine et de la xanthine,

aussi précipiter dans les reins et les uretères sous forme de calculs, provoquant des lésions rénales et l'obstruction des voies urinaires. La goutte, qui affecte ~3 personnes sur 1000, surtout les hommes, est traditionnellement attribuée aux excès de nourriture et de boisson, ce qui n'est pas exact. L'origine probable de cette explication est qu'aux siècles précédents le vin était souvent contaminé par du plomb durant sa fabrication et son stockage. Boire abondamment se traduisait alors par un empoisonnement par le plomb qui, entre autres, diminue la possibilité d'excrétion de l'acide urique par le rein.

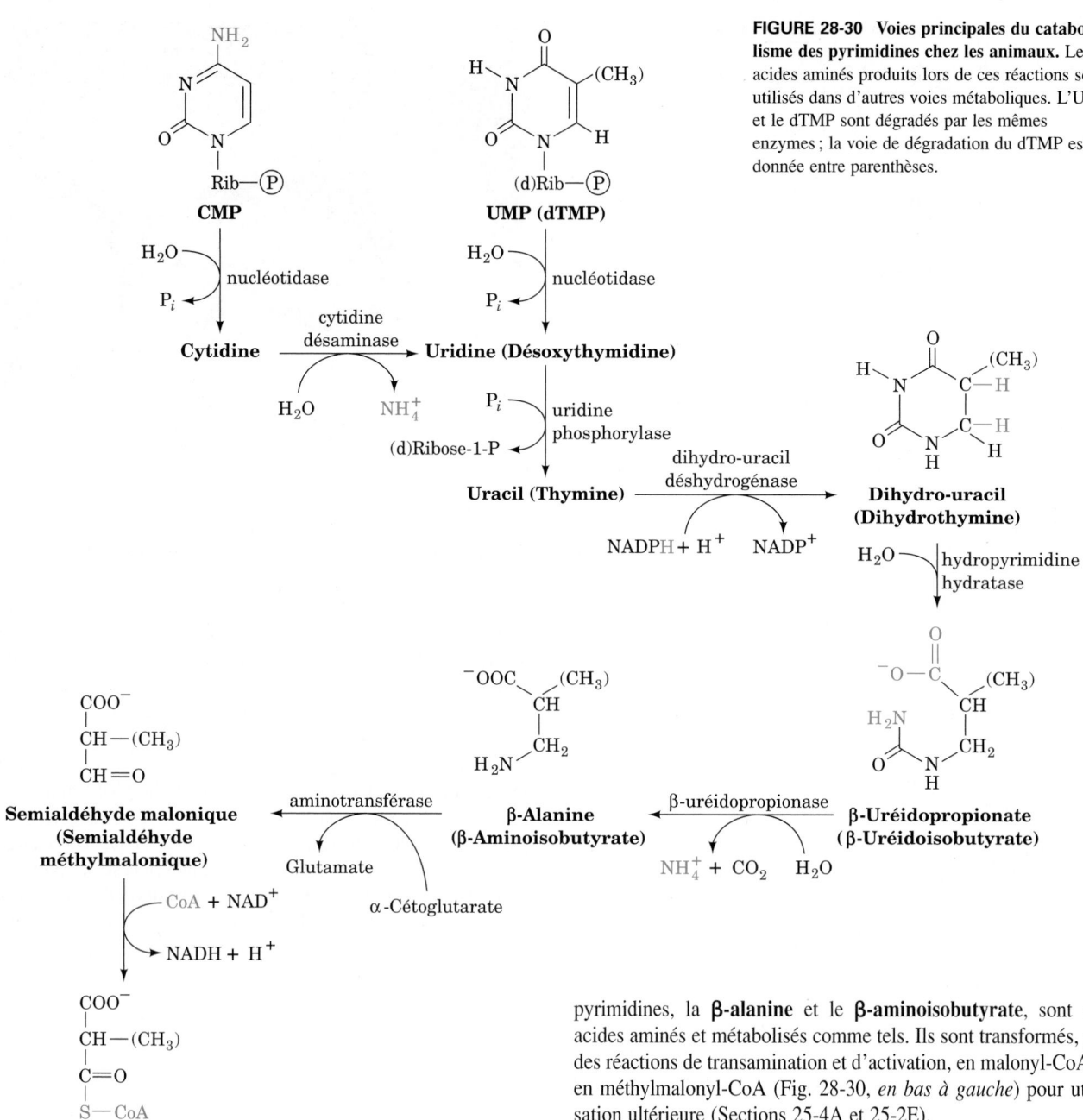

FIGURE 28-30 Voies principales du catabolisme des pyrimidines chez les animaux. Les acides aminés produits lors de ces réactions sont utilisés dans d'autres voies métaboliques. L'UMP et le dTMP sont dégradés par les mêmes enzymes ; la voie de dégradation du dTMP est donnée entre parenthèses.

plus solubles. Bien que l'allopurinol diminue les symptômes « goutteux » du syndrome de Lesch-Nyhan, il est sans effet sur ses symptômes neurologiques.

C. *Catabolisme des pyrimidines*

Les cellules animales dégradent les nucléotides pyrimidiques en leurs bases (Fig. 28-30, *en haut*). Ces réactions, comme celles des nucléotides puriques, se font par déphosphorylation, désamination et hydrolyse de liaisons glycosidiques. L'uracile et la thymine formés sont dégradés dans le foie par réduction (Fig. 28-30, *au centre*) plutôt que par oxydation comme c'est le cas dans le catabolisme des purines. Les produits terminaux du catabolisme des

pyrimidines, la **β-alanine** et le **β-aminoisobutyrate**, sont des acides aminés et métabolisés comme tels. Ils sont transformés, par des réactions de transamination et d'activation, en malonyl-CoA et en méthylmalonyl-CoA (Fig. 28-30, *en bas à gauche*) pour utilisation ultérieure (Sections 25-4A et 25-2E).

5 ■ BIOSYNTHÈSE DES COENZYMES NUCLÉOTIDIQUES

Dans cette section, nous passerons en revue l'assemblage, chez les animaux, des coenzymes nucléotidiques NAD⁺ et NADP⁺, FMN et FAD, et le coenzyme A, à partir de leurs précurseurs. Ceux-ci sont des vitamines qui sont synthétisées *de novo* uniquement chez les plantes et les micro-organismes.

A. *Coenzymes à nicotinamide*

La partie nicotinamide des coenzymes à nicotinamide (NAD⁺ et NADP⁺) est dérivée, chez l'homme, du nicotinamide, de l'acide nicotinique ou de l'acide aminé essentiel tryptophane, tous trouvés dans le régime alimentaire (Fig. 28-31). La **nicotinate phos-**

FIGURE 28-31 Voies de biosynthèse du NAD⁺ et du NADP⁺. Ces coenzymes à nicotinamide sont synthétisés à partir de leurs vitamines précurseurs, le nicotinate et le nicotinamide, et à partir du quinolinate, produit de dégradation du tryptophane.

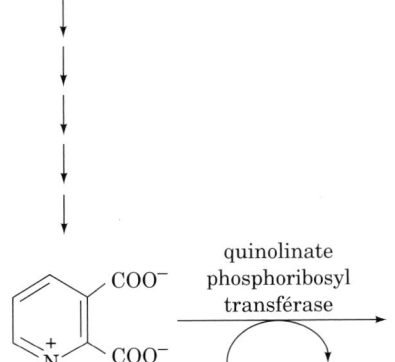

Tryptophane

Quinolinate

Nicotinate

Nicotinamide

Nicotinate mononucléotide

Nicotinamide mononucléotide (NMN)

Nicotinate adénine dinucléotide

Nicotinamide adénine dinucléotide (NAD⁺)

Nicotinamide adénine dinucléotide phosphate (NADP⁺)

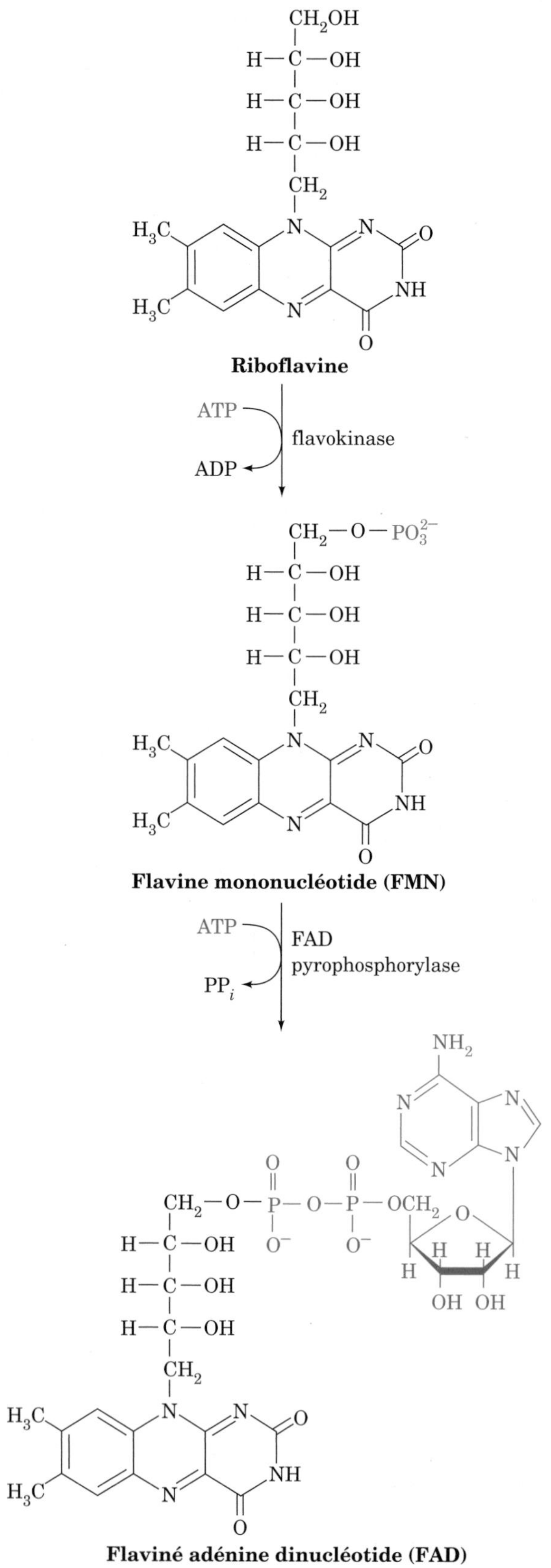

Riboflavine

ATP

ADP

flavokinase

Flavine mononucléotide (FMN)

ATP

PP_i

FAD
pyrophosphorylase

Flaviné adénine dinucléotide (FAD)

FIGURE 28-32 **Biosynthèse du FMN et du FAD à partir de la vitamine riboflavine.**

phoribosyl transférase, qui se trouve dans la plupart des tissus de mammifère, catalyse la formation du **nicotinate mononucléotide** à partir de nicotinate et de PRPP. Cet intermédiaire peut être aussi synthétisé à partir de **quinolinate**, un produit de dégradation du tryptophane (Section 26-3G), au cours d'une réaction catalysée par la **quinolinate phosphoribosyl transférase**, qui se trouve principalement dans le foie et le rein. Cependant, un régime alimentaire mal équilibré peut donner la pellagre (déficience en acide nicotinique ; Section 13-3), puisque dans ces conditions le tryptophane sera presque entièrement utilisé dans la biosynthèse des protéines. Le nicotinate mononucléotide est lié par un groupement pyrophosphate à un résidu AMP, provenant de l'ATP, par la **NAD$^+$ pyrophosphorylase** pour donner le **nicotinate adénine dinucléotide** (le **désamino NAD$^+$**). Finalement, la **NAD$^+$ synthétase** transforme cet intermédiaire en NAD$^+$ par une réaction de transamidation où la glutamine est le donneur de NH_2.

Le NAD$^+$ peut aussi être synthétisé à partir de nicotinamide. Cette vitamine est transformée en **nicotinamide mononucléotide (NMN)** par la **nicotinamide phosphoribosyl transférase,** une enzyme largement répandue, différente de la nicotinate phosphoribosyl transférase. Cependant, le NAD$^+$ est synthétisé à partir de NMN et de PRPP par la NAD$^+$ pyrophosphorylase, la même enzyme que celle qui synthétise le nicotinate adénine dinucléotide.

Le NADP$^+$ est formé par phosphorylation du groupement C2′ OH du résidu adénosine du NAD$^+$ par la **NAD$^+$ kinase.**

B. *Coenzymes flaviniques*

Le FAD est synthétisé à partir de riboflavine par une voie à deux réactions (Fig. 28-32). Premièrement, le groupement 5′ OH de la chaîne latérale ribityl de la riboflavine est phosphorylé par la **flavokinase**, donnant le flavine mononucléotide (FMN ; ce n'est pas un véritable nucléotide car le résidu ribityl n'est pas un vrai sucre). Le FAD peut alors être formé suite au couplage du FMN à l'AMP, provenant de l'ATP, par une liaison pyrophosphate lors d'une réaction catalysée par la **FAD pyrophosphorylase**. Ces deux enzymes sont largement répandues dans la nature.

C. *Coenzyme A*

Le coenzyme A est synthétisé dans les cellules de mammifère selon la voie représentée dans la Fig. 28-33. Le pantothénate, une vitamine, est phosphorylé par la **pantothénate kinase** puis est couplé à la cystéine, la future extrémité fonctionnelle du CoA, par la **phosphopantothénylcystéine synthétase**. Après décarboxylation catalysée par la **phosphopantothénylcystéine décarboxylase**, le **4′-phosphopanthéthiène** résultant est couplé à l'AMP par une liaison pyrophosphate sous l'action de la **déphospho-CoA pyrophosphorylase** puis phosphorylé sur le groupement 3′ OH de son résidu adénosine par la **déphospho-CoA kinase** pour donner le CoA. Ces trois dernières activités enzymatiques sont assurées par une même protéine.

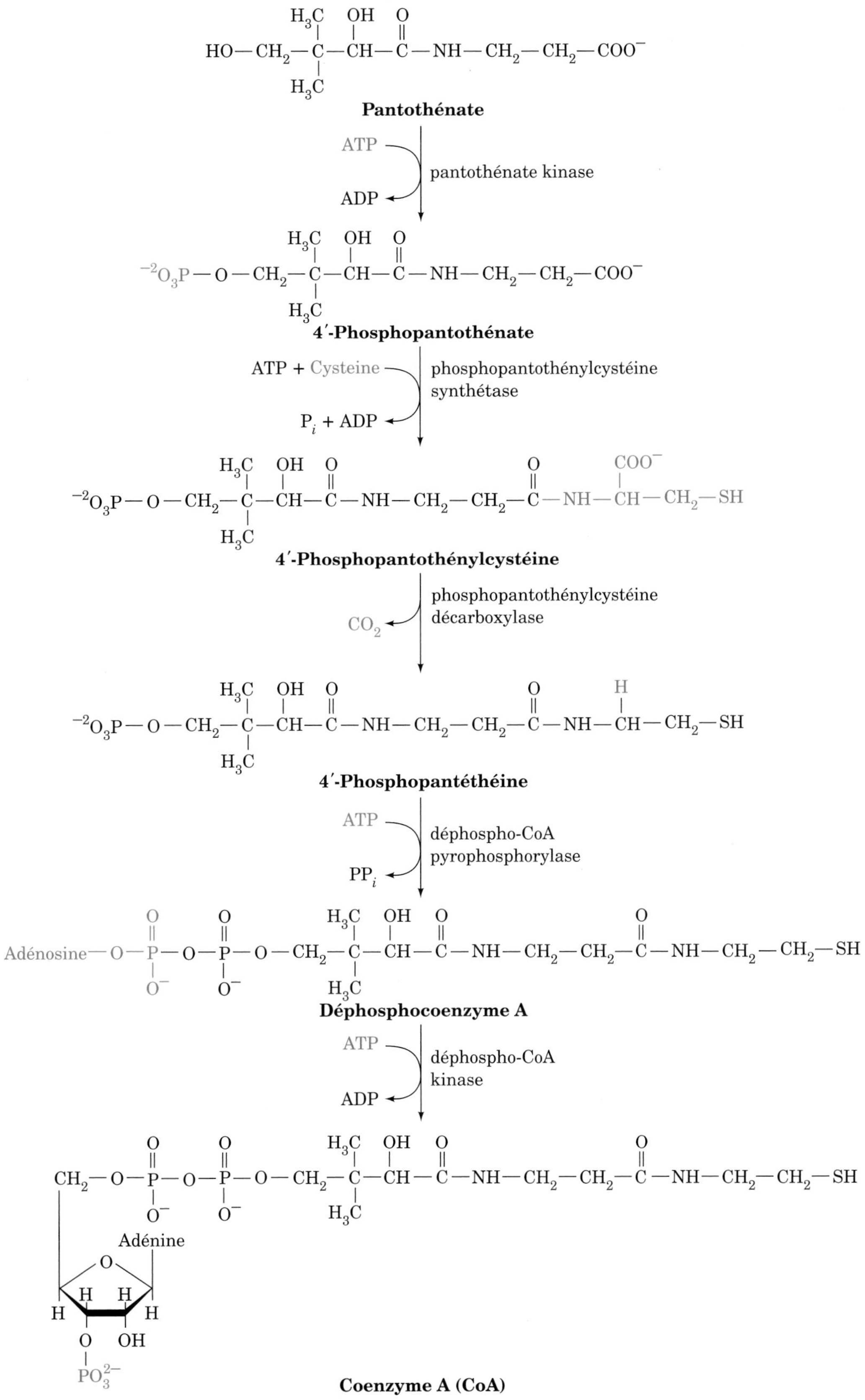

$$\text{HO}-\text{CH}_2-\underset{\underset{\text{H}_3\text{C}}{|}}{\overset{\overset{\text{H}_3\text{C}}{|}}{\text{C}}}-\underset{\overset{|}{\text{OH}}}{\text{CH}}-\overset{\overset{\text{O}}{\|}}{\text{C}}-\text{NH}-\text{CH}_2-\text{CH}_2-\text{COO}^-$$

Pantothénate

ATP ⟶ | pantothénate kinase
ADP ⟵ |

$$^{-2}\text{O}_3\text{P}-\text{O}-\text{CH}_2-\underset{\underset{\text{H}_3\text{C}}{|}}{\overset{\overset{\text{H}_3\text{C}}{|}}{\text{C}}}-\underset{\overset{|}{\text{OH}}}{\text{CH}}-\overset{\overset{\text{O}}{\|}}{\text{C}}-\text{NH}-\text{CH}_2-\text{CH}_2-\text{COO}^-$$

4′-Phosphopantothénate

ATP + Cysteine ⟶ | phosphopantothénylcystéine synthétase
P_i + ADP ⟵ |

$$^{-2}\text{O}_3\text{P}-\text{O}-\text{CH}_2-\underset{\underset{\text{H}_3\text{C}}{|}}{\overset{\overset{\text{H}_3\text{C}}{|}}{\text{C}}}-\underset{\overset{|}{\text{OH}}}{\text{CH}}-\overset{\overset{\text{O}}{\|}}{\text{C}}-\text{NH}-\text{CH}_2-\text{CH}_2-\overset{\overset{\text{O}}{\|}}{\text{C}}-\text{NH}-\underset{\overset{|}{\text{COO}^-}}{\text{CH}}-\text{CH}_2-\text{SH}$$

4′-Phosphopantothénylcystéine

| phosphopantothénylcystéine décarboxylase
CO_2 ⟵ |

$$^{-2}\text{O}_3\text{P}-\text{O}-\text{CH}_2-\underset{\underset{\text{H}_3\text{C}}{|}}{\overset{\overset{\text{H}_3\text{C}}{|}}{\text{C}}}-\underset{\overset{|}{\text{OH}}}{\text{CH}}-\overset{\overset{\text{O}}{\|}}{\text{C}}-\text{NH}-\text{CH}_2-\text{CH}_2-\overset{\overset{\text{O}}{\|}}{\text{C}}-\text{NH}-\underset{\overset{|}{\text{H}}}{\text{CH}}-\text{CH}_2-\text{SH}$$

4′-Phosphopantéthéine

ATP ⟶ | déphospho-CoA pyrophosphorylase
PP_i ⟵ |

$$\text{Adénosine}-\text{O}-\overset{\overset{\text{O}}{\|}}{\underset{\underset{\text{O}^-}{|}}{\text{P}}}-\text{O}-\overset{\overset{\text{O}}{\|}}{\underset{\underset{\text{O}^-}{|}}{\text{P}}}-\text{O}-\text{CH}_2-\underset{\underset{\text{H}_3\text{C}}{|}}{\overset{\overset{\text{H}_3\text{C}}{|}}{\text{C}}}-\underset{\overset{|}{\text{OH}}}{\text{CH}}-\overset{\overset{\text{O}}{\|}}{\text{C}}-\text{NH}-\text{CH}_2-\text{CH}_2-\overset{\overset{\text{O}}{\|}}{\text{C}}-\text{NH}-\text{CH}_2-\text{CH}_2-\text{SH}$$

Déphosphocoenzyme A

ATP ⟶ | déphospho-CoA kinase
ADP ⟵ |

$$\text{CH}_2-\text{O}-\overset{\overset{\text{O}}{\|}}{\underset{\underset{\text{O}^-}{|}}{\text{P}}}-\text{O}-\overset{\overset{\text{O}}{\|}}{\underset{\underset{\text{O}^-}{|}}{\text{P}}}-\text{O}-\text{CH}_2-\underset{\underset{\text{H}_3\text{C}}{|}}{\overset{\overset{\text{H}_3\text{C}}{|}}{\text{C}}}-\underset{\overset{|}{\text{OH}}}{\text{CH}}-\overset{\overset{\text{O}}{\|}}{\text{C}}-\text{NH}-\text{CH}_2-\text{CH}_2-\overset{\overset{\text{O}}{\|}}{\text{C}}-\text{NH}-\text{CH}_2-\text{CH}_2-\text{SH}$$

Adénine

(ribose ring: O, H, H, H, O, OH, PO_3^{2-})

Coenzyme A (CoA)

FIGURE 28-33 Biosynthèse du coenzyme A à partir de pantothénate, sa vitamine précurseur.

RÉSUMÉ DU CHAPITRE

1 ■ Synthèse des ribonucléotides puriques Presque toutes les cellules synthétisent *de novo* les nucléotides puriques par des voies métaboliques semblables. Le cycle purique est constitué d'une suite de 11 réactions qui donne l'IMP. L'AMP et le GMP sont synthétisés à partir d'IMP par des voies différentes. Les nucléosides diphosphate et triphosphate sont formés successivement à partir de ces produits par des réactions de phosphorylation. Les vitesses de synthèse de ces différents nucléotides sont coordonnées par des mécanismes de rétro-inhibition qui contrôlent leurs concentrations. Les nucléotides puriques peuvent être synthétisés également à partir de purines libres récupérées de la dégradation des acides nucléiques. L'importance de ces réactions de récupération est démontrée, par exemple, par les conséquences très graves et étranges du syndrome de Lesch-Nyhan.

2 ■ Synthèse des ribonucléotides pyrimidiques Les cellules synthétisent aussi les pyrimidines *de novo* mais, dans cette voie à six réactions, il se forme une base libre avant qu'elle soit transformée en nucléotide, l'UMP. L'UTP est ensuite formé par phosphorylation de l'UMP, et le CTP est synthétisé par amination de l'UTP. La biosynthèse des nucléotides pyrimidiques est régulée par rétro-inhibition ainsi que par les concentrations en nucléotides puriques.

3 ■ Formation des désoxyribonucléotides Les désoxyribonucléotides sont formés par réduction des ribonucléotides correspondants. On a caractérisé trois types de ribonucléotide réductase (RNR) : la Classe I, que l'on trouve chez presque tous les eucaryotes et de nombreux procaryotes, contient un groupement Fe(III—O^{2-}—Fe(III) et un tyrosyl à radical libre ; les RNR de Classe II et III, que l'on ne trouve que chez les procaryotes, contiennent respectivement un cofacteur coenzyme B_{12}, ou un centre [4Fe–4S] ainsi qu'un radical glycyl. Elles catalysent toutes des réductions à partir de radicaux

libres. Les substrats des RNR de Classe I et de Classe II sont des NDP ; ceux des RNR de Classe III sont des NTP. La RNR de Classe I possède trois sites régulateurs indépendants qui contrôlent sa spécificité de substrat et son activité catalytique en partie via son état d'oligomérisation, ce qui permet la production de désoxynucléotides en quantités requises pour la synthèse d'ADN. La RNR de Classe I d'*E. coli* est réduite à son état initial par une chaîne de transfert d'électrons qui implique la thiorédoxine, la thiorédoxine réductase et le NADPH ; ou la glutarédoxine, le glutathion, la glutathion réductase et le NADPH. La thymine est synthétisée par méthylation du dUMP par la thymidylate synthase, ce qui donne le dTMP. Le donneur de méthyle de la réaction, le N^5,N^{10}-méthylène-THF, est oxydé au cours de la réaction en dihydrofolate. Le N^5,N^{10}-méthylène-THF est ensuite régénéré sous les actions successives de la dihydrofolate réductase et de la sérine hydroxyméthyl transférase. Cette séquence de réactions étant nécessaire pour la synthèse de l'ADN, elle constitue une excellente cible pour la chimiothérapie. Le FdUMP, un inhibiteur du mécanisme de la thymidylate synthase, et le méthotrexate, un antifolate qui inhibe de manière irréversible la dihydrofolate réductase, sont tous deux des agents anticancéreux très efficaces.

4 ■ Dégradation des nucléotides Les nucléotides puriques sont catabolisés en acide urique. Selon les espèces, l'acide urique est directement excrété ou dégradé dans un premier temps en molécules azotées plus simples. La surproduction ou la mauvaise élimination de l'acide urique est responsable de la goutte chez l'homme. Les pyrimidines sont catabolisées en acides aminés dans les cellules animales.

5 ■ Biosynthèse des coenzymes nucléotidiques Les coenzymes nucléotidiques, NAD$^+$ et NADP$^+$, FMN et FAD, et le coenzyme A sont synthétisés chez les animaux à partir de vitamines précurseurs.

RÉFÉRENCES

GENERALITÉS

Kornberg, A. and Baker, T.A., *DNA Replication* (2nd ed.), Chapter 2, Freeman (1992).

Scriver, C.R., Beaudet, A.L., Sly, W.S., and Valle, D. (Eds.), *The Metabolic & Molecular Bases of Inherited Disease* (8th ed.), Chapters 106–113, McGraw-Hill (2001).

BIOSYNTHÈSE DES NUCLÉOTIDES PURIQUES

Almassey, R.J., Janson, C.A., Kan, C.-C., and Hostomska, Z., Structures of the apo and complexed *Escherichia coli* glycinamide ribonucleotide transformylase, *Proc. Natl. Acad. Sci.* **89,** 6114–6118 (1992).

Eriksen, T.A., Kadziola, A., Bentsen, A.-K., Harlow, K.W., and Larsen, S., Structural basis for the function of *Bacillus subtilis* phosphoribosylpyrophosphate synthetase, *Nature Struct. Biol.* **7,** 303–308 (2000).

Greasley, S.E., Horton, P., Ramcharan, J., Beardsley, G.P., Benkovic, S.J., and Wilson, I.A., Crystal structure of a bifunctional transformylase and cyclohydrolase enzyme in purine biosynthesis, *Nature Struct. Biol.* **8,** 402–406 (2001).

Kappock, T.J., Ealick, S.E., and Stubbe, J., Modular evolution of the purine biosynthetic pathway, *Curr. Opin. Chem. Biol.* **4,** 567–572 (2000).

Levdikov, V.M., Barynin, V.V., Grebenko, A.I., Melik-Adamyan, W.R., Lamzin, V.S., and Wilson, K.S., The structure of SAICAR synthase:

An enzyme in the *de novo* pathway of purine biosynthesis, *Structure* **6,** 363–376 (1998).

Li, C., Kappock, T.J., Stubbe, J., Weaver, T.M., and Ealick, S.E., X-Ray crystal structure of aminoimidazole ribonucleotide synthetase (PurM) from the *Escherichia coli* purine biosynthetic pathway at 2.5 Å resolution, *Structure* **7,** 1155–1166 (1999).

Mathews, I.I., Kappock, T.J., Stubbe, J., and Ealick, S.E., Crystal structure of *Escherichia coli* PurE, an unusual mutase in the purine biosynthetic pathway, *Structure* **7,** 1395–1406 (1999).

Poland, B.W., Fromm, H.J., and Honzatko, R.B., Crystal structures of adenylosuccinate synthetase from *Escherichia coli* complexed with GDP, IMP, hadacidin, NO$_3^-$, and Mg^{2+}, *J. Mol. Biol.* **264,** 1013–1027 (1996).

Sintchak, M.D., Fleming, M.A., Futer, O., Raybuck, S.A., Chambers, S.P., Caron, P.R., Murcko, M.A., and Wilson, K.P., Structure and mechanism of inosine monophosphate dehydrogenase in complex with the immunosuppressant myco-phenolic acid, *Cell* **85,** 921–930 (1996).

Smith, J.L., Glutamine PRPP amidotransferase: Snapshots of an enzyme in action, *Curr. Opin. Struct. Biol.* **8,** 686–694 (1998).

Tesmer, J.J., Klem, T.J., Deras, M.L., Davisson, V.J., and Smith, J.L., The crystal structure of GMP synthetase reveals a novel catalytic triad and is a structural paradigm for two enzyme families, *Nature Struct. Biol.* **3,** 74–86 (1996).

Thoden, J.B., Kappock, T.J., Stubbe, J.A., and Holden, H.M., Three-dimensional structure of N^5-carboxyaminoimidazole ribonucleotide synthetase: A member of the ATP grasp protein superfamily, *Biochemistry* **38**, 15480–15492 (1999). [Structure par rayons X de la PurK.]

Toth, E.A. and Yeates, T.O., The structure of adenylosuccinate lyase, an enzyme with dual activity in the *de novo* purine biosynthetic pathway, *Structure* **8**, 163–174 (2000).

Wang, W., Kappock, T.J., Stubbe, J.A., and Ealick, S.E., X-Ray structure of glycinamide ribonucleotide synthetase from *Escherichia coli, Biochemistry* **37**, 15647–15662 (1998).

Zalkin, H. and Dixon, J.E., *De novo* purine nucleotide biosynthesis, *Prog. Nucleic Acid Res. Mol. Biol.* **42**, 259–285 (1992).

BIOSYNTHÈSE DES NUCLÉOTIDES PYRIMIDIQUES

Begley, T.P., Appleby, T.C., and Ealick, S.E., The structural basis for the remarkable catalytic proficiency of orotidine 5′-monophosphate decarboxylase, *Curr. Opin. Struct. Biol.* **10**, 711–718 (2000).

Jones, M.E., Orotidylate decarboxylase of yeast and man, *Curr. Top. Cell Regul.* **33**, 331–342 (1992).

Liu, S., Neidhardt, E.A., Grossman, T.H., Ocain, T., and Clardy, J., Structures of human dihydroorotate dehydrogenase in complex with antiproliferative agents, *Structure* **8**, 25–33 (1999).

Miller, B.G. and Wolfenden, R., Catalytic proficiency: The unusual case of OMP decarboxylase, *Annu. Rev. Biochem.* **71**, 847–885 (2002).

Scapin, G., Ozturk, D.H., Grubmeyer, C., and Sacchettini, J.C., The crystal structure of the orotate phosphoribosyltransferase complexed with orotate and α-D-5-phosphoribosyl-1-pyrophosphate, *Biochemistry* **34**, 10744–10754 (1995).

Thoden, J.B., Phillips, G.N., Jr., Neal, T.M., Raushel, F.M., and Holden, H.M., Molecular structure of dihydroorotase: A paradigm for catalysis through the use of a binuclear center, *Biochemistry* **40**, 6989–6997 (2001).

Traut, T.W. and Jones, M.E., Uracil metabolism—UMP synthesis from orotic acid or uridine and conversion of uracil to β-alanine: Enzymes and cDNAs, *Prog. Nucleic Acid Res. Mol. Biol.* **53**, 1-78 (1996).

SYNTHÈSE DES DÉSOXYNUCLÉOTIDES

Carreras, C.W. and Santi, D.V., The catalytic mechanism and structure of thymidylate synthase, *Annu. Rev. Biochem.* **64**, 721–762 (1995).

Eriksson, M., Uhlin, U., Ramaswamy, S., Ekberg, M., Regnström, K., Sjöberg, B.-M., and Eklund, H., Binding of allosteric effectors to ribonucleotide reductase protein R1: Reduction of active site cysteines promotes substrate binding, *Structure* **5**, 1077–1092 (1997).

Hardy, L.W., Finer-Moore, J.S., Montfort, W.R., Jones, M.O., Santi, D.V., and Stroud, R.M., Atomic structure of thymidylate synthase: Target for rational drug design, *Science* **235**, 448–455 (1987). [Structure par rayons X de l'enzyme de *Lactobacillus casei*.]

Jordan, A. and Reichard, P., Ribonucleotide reductases, *Annu. Rev. Biochem.* **67**, 71–98 (1998).

Kashlan, O.B., Scott, C.P., Lear, J.D., and Cooperman, B.S., A comprehensive model for the allosteric regulation of mammalian ribonuclease reductase. Functional consequences of ATP- and dATP-induced oligomerization of the large subunit, *Biochemistry* **41**, 462–474 (2002).

Knighton, D.R., Kan, C.-C., Howland, E., Janson, C.A., Hostomska, Z., Welsh, K.M., and Matthews, D.A., Structure of and kinetic channeling in bifunctional dihydrofolate reductase-thymidylate synthase, *Nature Struct. Biol.* **1**, 186–194 (1994).

Kraut, J. and Matthews, D.A., Dihydrofolate reductase, *in* Jurnak, F.A. and McPherson, A. (Eds.), *Biological Macromolecules and Assemblies,* Vol. 3, *pp.* 1–71, Wiley (1987).

Lennon, B.W., Williams, J.R., Jr., and Ludwig, M.L., Twists in catalysis: Alternating conformations in *Escherichia coli* thioredoxin reductase, *Science* **289**, 1190–1194 (2000); *and* Waksman, G., Krishna, T.S.R., Williams, C.H., Jr., and Kuriyan, J., Crystal structure of *Escherichia coli* thioredoxin reductase refined at 2 Å resolution, *J. Mol. Biol.* **236**, 800–816 (1994).

Logan, D.T., Andersson, J., Sjöberg, B.-M., and Nordlund, P., A glycyl radical site in the crystal structure of a Class III ribonucleotide reductase, *Science* **283**, 1499–1504 (1999).

Matthews, D.A., Villafranca, J.E., Janson, C.A., Smith, W.W., Welsh, K., and Freer, S., Stereochemical mechanisms of action for thymidylate synthase based on the X-ray structure of the covalent inhibitory ternary complex with 5-fluoro-2′-deoxyuridylate and 5,10-methylenetetrahydrofolate, *J. Mol. Biol.* **214**, 937–948 (1990); *and* Hyatt, D.C., Maley, F., and Montfort, W.R., Use of strain in a stereospecific catalytic mechanism: Crystal structure of *Escherichia coli* thymidylate synthase bound to FdUMP and methylenetetrahydrofolate, *Biochemistry* **36**, 4585–4594 (1997).

Mol, C.D., Harris, J.M., McIntosh, E.M., and Tainer, J.A., Human dUTP pyrophosphatase: Uracil recognition by a β hairpin and active sites formed by three separate subunits, *Structure* **4**, 1077–1092 (1996).

Nordlund, P. and Eklund, H., Structure and function of the *Escherichia coli* ribonucleotide reductase protein R2, *J. Mol. Biol.* **232**, 123–164 (1993).

Powis, G. and Montfort, W.R., Properties and biological activities of thioredoxins, *Annu. Rev. Biophys. Biomol. Struct.* **30**, 421–455 (2001).

Sintchak, M.D., Arjara, G., Kellog, B.A., Stubbe, J., and Drennan, C.L., The crystal structure of class II ribonucleotide reductase reveals how an allosterically regulated monomer mimics a dimer, *Nature Struct. Biol.* **9**, 293–300 (2002).

Stubbe, J. and Riggs-Gelasco, P., Harnessing free radicals: Formation and function of the tyrosyl radical in ribonucleotide reductase, *Trends Biochem. Sci.* **23**, 438–443 (1998).

Stubbe, J., Ge, J., and Yee, C.S., The evolution of ribonucleotide reduction revisited, *Trends Biochem. Sci.* **26**, 93–99 (2001); *and* Stubbe, J., Ribonucleotide reductases: The link between an RNA and a DNA world, *Curr. Opin. Struct. Biol.* **10**, 731–736 (2000).

Uhlin, U. and Eklund, H., Structure of ribonucleotide reductase protein R1, *Nature* **370**, 533–539 (1994).

DÉGRADATION DES NUCLÉOTIDES

Enroth, C., Eger, B.T., Okamoto, K., Nishino, T., Nishino, T., and Pai, E., Crystal structure of bovine milk xanthine dehydrogenase and xanthine oxidase: Structure based mechanism of conversion, *Proc. Natl. Acad. Sci.* **97**, 10723–10728 (2000).

Parkman, R., Weinberg, K., Crooks, G., Nolta, I., Kapoor, N., and Kohn, D., Gene therapy for adenosine deaminase deficiency, *Annu. Rev. Med.* **51**, 33–47 (2000).

Wilson, D.K., Rudolph, F.B., and Quiocho, F.A., Atomic structure of adenosine deaminase complexed with a transition-state analog: Understanding catalysis and immunodeficiency mutations, *Science* **252**, 1278–1284 (1991); Wilson, D.K. and Quiocho, F.A., A pre-transition-state mimic of an enzyme: X-ray structure of adenosine deaminase with bound 1-deazaadenosine and zinc-activated water, *Biochemistry* **32**, 1689–1694 (1993); *and* Crystallographic observation of a trapped tetrahedral intermediate in a metalloenzyme, *Nature Struct. Biol.* **1**, 691–694 (1994).

PROBLÈMES

1. L'azasérine (*O*-diazoacétyl-L-sérine) et la **6-diazo-5-oxo-L-nor-leucine (DON)**

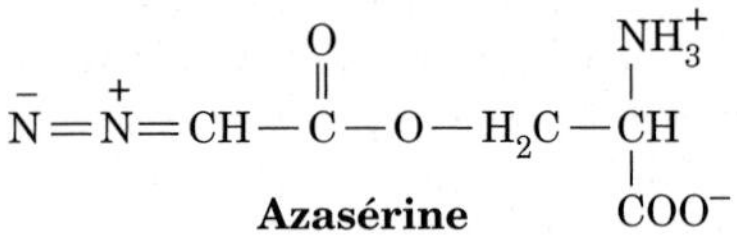

$$\bar{N}=\overset{+}{N}=CH-\overset{\overset{\displaystyle O}{\|}}{C}-O-H_2C-\overset{\overset{\displaystyle NH_3^+}{|}}{\underset{\underset{\displaystyle COO^-}{|}}{CH}}$$

Azasérine

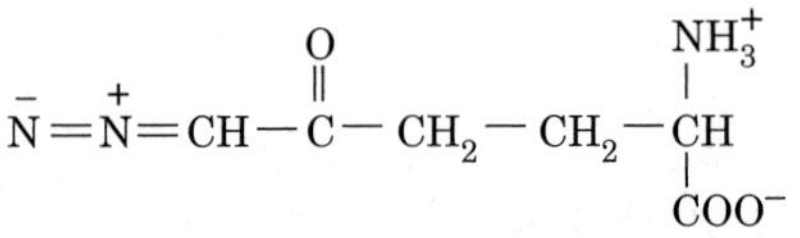

$$\bar{N}=\overset{+}{N}=CH-\overset{\overset{\displaystyle O}{\|}}{C}-CH_2-CH_2-\overset{\overset{\displaystyle NH_3^+}{|}}{\underset{\underset{\displaystyle COO^-}{|}}{CH}}$$

6-Diazo-5-oxo-L-norleucine (DON)

sont des analogues de la glutamine. Ils forment des liaisons covalentes avec les groupements nucléophiles des sites actifs d'enzymes qui fixent la glutamine, inactivant ces enzymes de façon irréversible. Identifiez les intermédiaires de la biosynthèse des nucléotides qui s'accumulent en présence de l'un ou l'autre de ces antagonistes de la glutamine.

2. Suggérez un mécanisme pour la réaction de l'AIR synthétase (Fig. 28-2, Réaction 6).

*3. Quel est le coût énergétique, exprimé en ATP, de la synthèse du résidu hypoxanthine de l'IMP à partir de CO_2 et de NH_4^+ ?

4. Pourquoi la désoxyadénosine est-elle toxique pour les cellules de mammifère ?

5. Indiquez lesquelles de ces substances sont des inhibiteurs « suicides » et donnez vos raisons. (a) La tosyl-L-phénylalanine chlorométhyl-cétone avec la chymotrypsine (Section 15-3A). (b) La triméthoprime avec la dihydrofolate réductase bactérienne. (c) L'analogue δ-lactone de (NAG)$_4$ avec le lysozyme (Section 15-2C). (d) L'allopurinol avec la xanthine oxydase.

6. Pourquoi des personnes qui suivent une chimiothérapie avec des agents cytotoxiques (qui tuent les cellules) comme le FdUMP ou le méthotrexate deviennent-elles temporairement chauves ?

7. Des cellules normales meurent dans un milieu nutritif contenant de la thymidine et du méthotrexate qui permet la croissance de cellules mutantes déficientes en thymidylate synthase. Expliquez.

8. Le FdUMP et le méthotrexate, quand ils sont administrés ensemble, sont des agents chimiothérapeutiques moins efficaces que pris séparément. Expliquez.

9. Pourquoi la goutte est-elle plus fréquente dans les populations qui mangent des quantités relativement importantes de viande ?

10. La goutte due à une surproduction *de novo* de purines peut être distinguée de la goutte causée par une mauvaise excrétion de l'acide urique, en administrant au patient de la ^{15}N-glycine et en déterminant la distribution du ^{15}N dans l'acide urique excrété. Quelles distributions isotopiques sont attendues pour chaque type d'anomalie ?

11. La **6-mercaptopurine,**

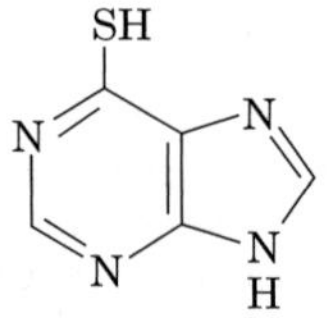

6-Mercaptopurine

après transformation en nucléotide correspondant par des réactions de récupération, est un puissant inhibiteur compétitif de l'IMP pour les voies de biosynthèse de l'AMP et du GMP. C'est donc un agent anticancéreux utile en clinique. L'efficacité chimiothérapeutique de la 6-mercaptopurine est augmentée quand elle est administrée avec de l'allopurinol. Expliquez le mécanisme de cette augmentation

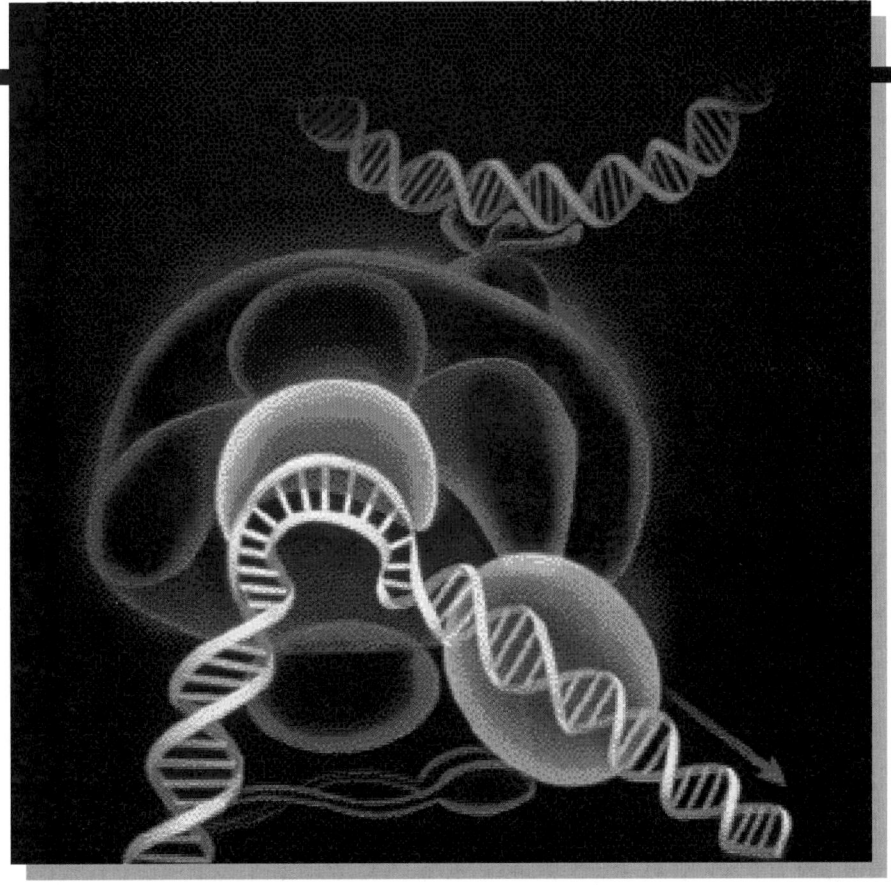

Schéma interprétant le complexe eucaryotique de préinitialisation dont la formation est indispensable
à la transcription de l'ADN en ARN messager. Les protéines affines des boîtes TATA sont en orangé.

L'EXPRESSION ET LA TRANSMISSION DE L'INFORMATION GÉNÉTIQUE

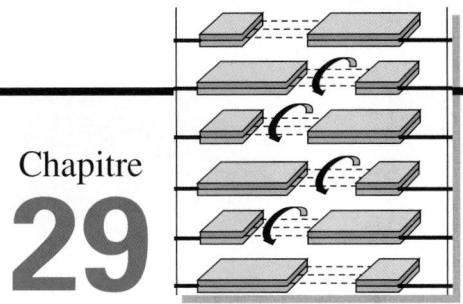

*Il y a deux classes d'acides nucléiques, **l'acide désoxyribonucléique (ADN) et l'acide ribonucléique (ARN)**. L'ADN est la molécule de l'hérédité dans toutes les formes de vie cellulaire ainsi que chez de nombreux virus.* Il n'a que deux fonctions :

1. Conduire sa propre **réplication** au cours du cycle cellulaire.

2. Conduire la **transcription** de molécules d'ARN complémentaires de la séquence transcrite.

L'ARN, par contre, a des fonctions biologiques plus variées :

1. Les transcrits, en ARN, de séquences d'ADN qui spécifient des polypeptides, les **ARN messagers (ARNm),** dirigent la synthèse de ces polypeptides par les ribosomes ; ce processus est appelé la traduction.

2. Les ARN constituant deux tiers des ribosomes, le dernier tiers étant des protéines, jouent aussi bien des rôles fonctionnels que des rôles dans la structure des ribosomes

3. Pendant la synthèse des protéines, les acides aminés sont acheminés aux ribosomes par des molécules d'**ARN de transfert (ARNt).**

4. Certains ARN sont associés à des protéines spécifiques pour former des **ribonucléoprotéines** actives dans le processus de maturation post-transcriptionnelle d'autres ARN.

5. Chez de nombreux virus c'est un ARN plutôt qu'un ADN qui est le support de l'information héréditaire.

La structure et les propriétés de l'ADN ont été introduites dans la Section 5-5. Nous allons dans ce chapitre développer ce qui concerne l'ADN, les structures des ARN sont détaillées dans les Sections 31-4A et 32-2B. Les méthodes de purification, de séquençage et de synthèse chimique des acides nucléiques sont présentées dans les Sections 6-6, 7-2 et 7-5. Les techniques de l'ADN recombinant dans la Section 5-5. La Bioinformatique relative aux acides nucléiques, est abordée dans la Section 7-4 et la banque de données sur les acides nucléiques (Nucleic Acid Database) est décrite dans la Section 8-3C.

1 ■ LES STRUCTURES EN DOUBLES HÉLICES

La double hélice d'ADN présente trois formes principales, l'ADN-B, l'ADN-A et l'ADN-Z, dont les structures sont décrites dans les Fig. 29-1, 29-2 et 29-3. Dans ce paragraphe nous présentons les caractéristiques principales de chacune de ces formes hélicoïdales et celles des doubles hélices d'ARN ou des hélices d'hybrides ADN-ARN.

(a)

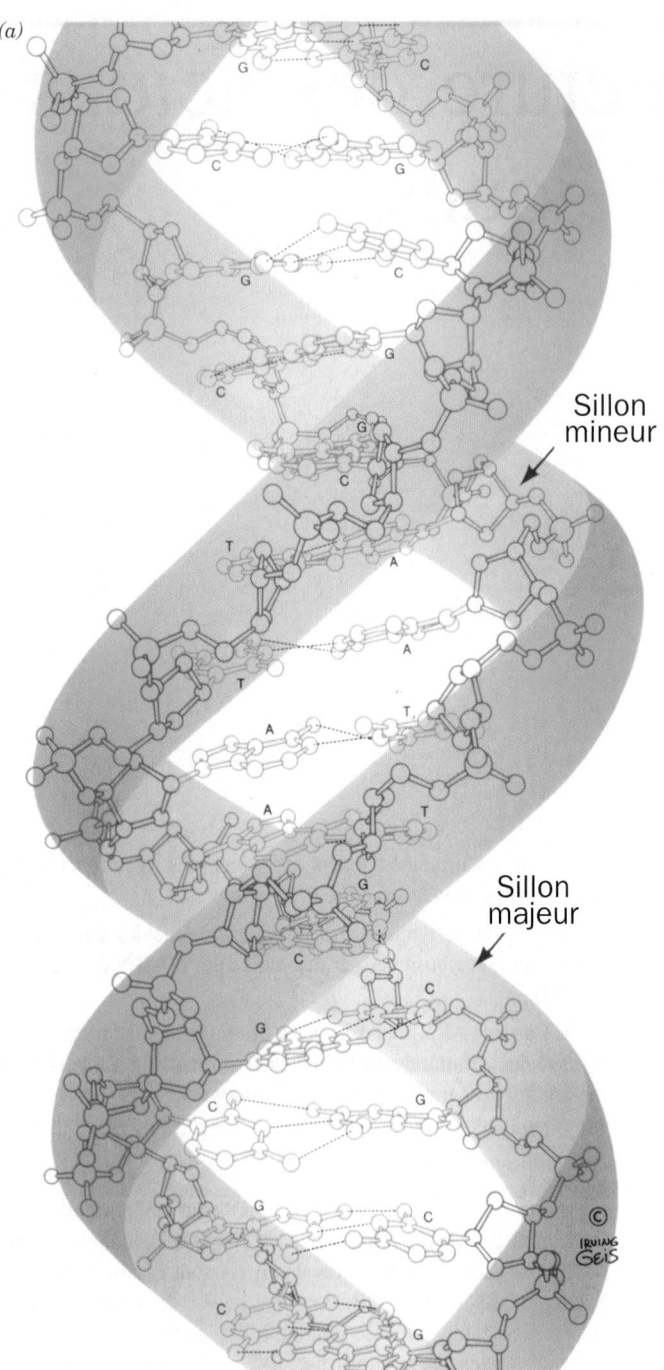

Sillon
mineur

Sillon
majeur

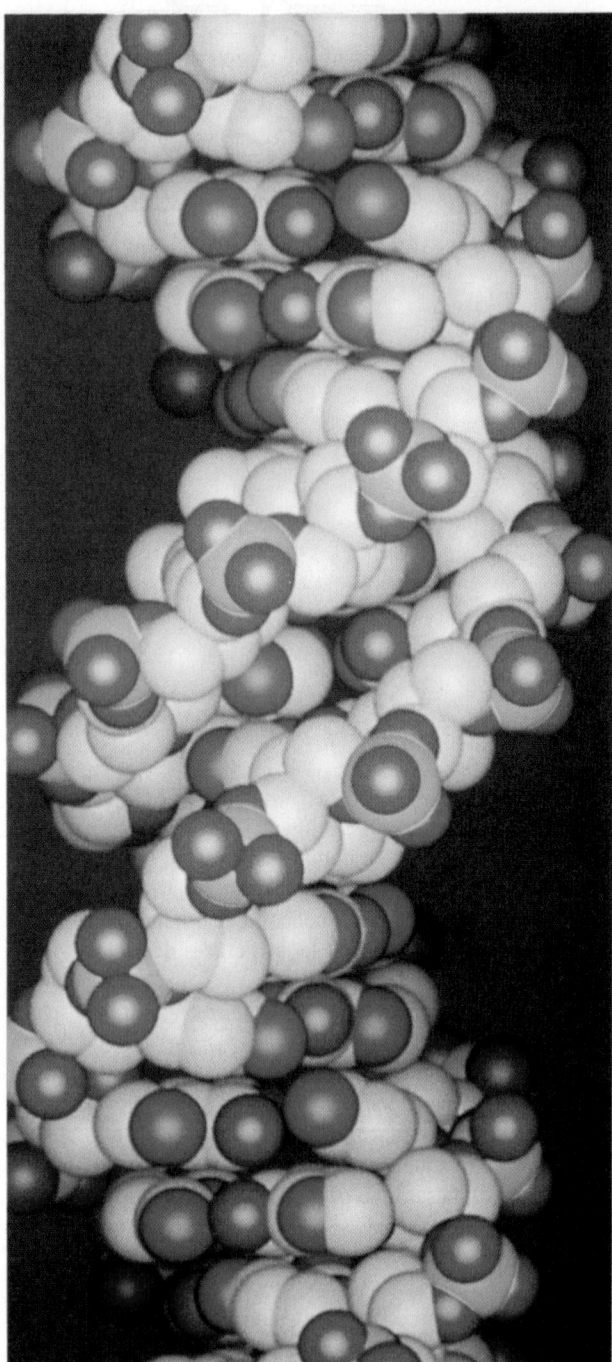

FIGURE 29-1 Structure 3-D de l'ADN-B. L'Hélice est représentée en (a) modèle éclaté ou en modèle compact réalisé par ordinateur. L'hélice est construite selon la structure par rayons X du dodécamère autocomplémentaire d(CGCGAATTCGCG) déterminée par Richard Dickerson et Horace Drew. En (a), vue perpendiculaire à l'axe de l'hélice. Les enchaînements sucre-phosphate, tournant en périphérie de la molécule, sont en bleu et les bases, au centre, sont en rouge, sur le dessin. Dans le modèle, les atomes C, N, O et P sont respectivement en blanc, bleu, rouge et vert.

Dans les deux représentations, les atomes H n'ont pas été représentés pour éviter une surcharge. On remarque bien que les deux chaînes sucre-phosphate tournent dans des sens opposés. En *(b)* (page suivante), l'axe de l'hélice est observé par dessus. Dans le dessin, les atomes O des cycles de riboses sont en rouge et la base voisine est en blanc. On remarque que l'axe de l'hélice passe par les paires de bases constituant le cœur de l'hélice. [Copyrighted, Irving Geis.]

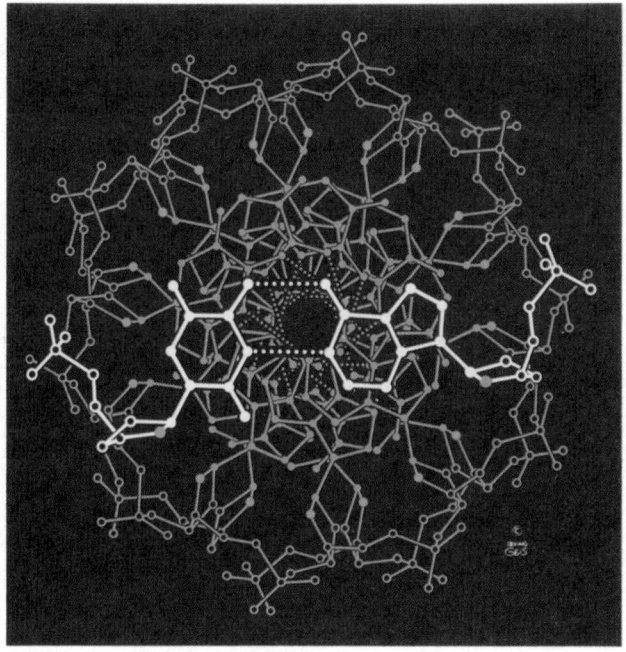 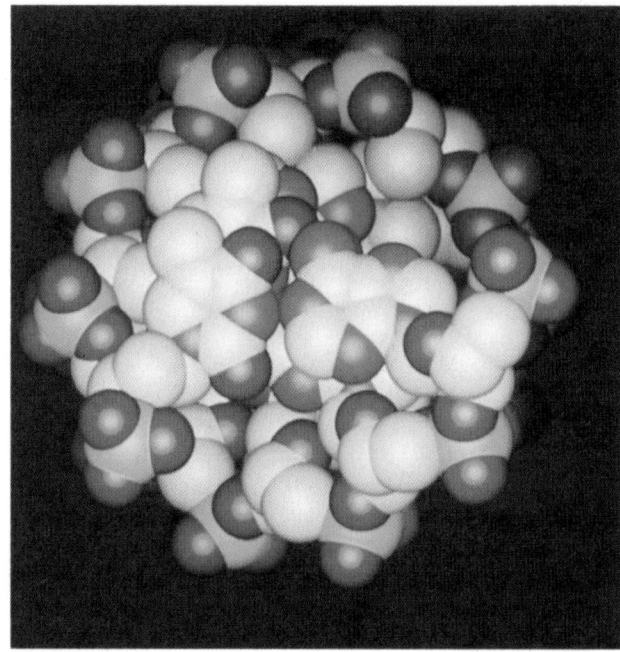

FIGURE 29-1 *(b)*

A. *La structure Watson et Crick : l'ADN B*

La structure de l'**ADN-B** (Fig. 29-1), la forme biologique la plus abondante de l'ADN, est décrite dans la Section 5-3A. En résumé (Tableau 29-1), l'ADN-B est constitué d'une double hélice de pas à droite dont les deux chaînes antiparallèles de sucre-phosphate s'enroulent à la périphérie de l'hélice. Ses bases aromatiques (A, T, G et C), situées au cœur de l'hélice, forment des paires de bases complémentaires A · T et G · C de type Watson-Crick (Fig. 5-12), les plans qu'elles constituent sont presque perpendiculaires à l'axe

de la double hélice. Les paires de bases voisines, dont les cycles aromatiques ont une épaisseur de 3,4 Å, s'empilent en mettant en contact leurs surfaces de van der Waals et l'axe de l'hélice passe au milieu de chaque paire de base. L'ADN-B a un diamètre de 20 Å et présente deux profonds sillons entre les chaînes de sucre-phosphate : Le **sillon mineur**, relativement étroit qui expose le coté de chaque paire de bases correspondant à la liaison glycosidique (entre l'azote N de la base et le C1' du ribose ; en bas de la

TABLEAU 29-1 **Données sur la structure de l'ADN idéal : A, B et Z**

	A	B	Z
Sens du pas de l'hélice	à droite	à droite	à gauche
Diamètre	~26 Å	~20 Å	~18 Å
Paires de bases par tour d'hélice	11,6	10	12 (6 dimères)
Rotation de l'hélice par paire de bases	31°	36°	9° pour les successions pyrimidine–purine; 51° pour les successions purine–pyrimidine
Longueur d'hélice par tour	34 Å	34 Å	44 Å
Hauteur d'hélice par paire de bases	2.9 Å	3.4 Å	7.4 Å par dimère
Inclinaison normale des bases vers l'axe de l'hélice	20°	6°	7°
Grand sillon	Etroit et profond	Large et profond	Aplati
Petit sillon	Large et superficiel	Etroit et profond	Etroit et profond
Plissement des sucres	C3'-*endo*	C2'-*endo*	C2'-*endo* pour les pyrimidines; C3'-*endo* pour les purines
Liaison glycosidique	Anti	Anti	Anti pour les pyrimidines; syn pour les purines

Source: Mainly Arnott, S., *in* Neidle, S. (Ed.), *Oxford Handbook of Nucleic Acid Structure,* p. 35, Oxford University Press (1999).

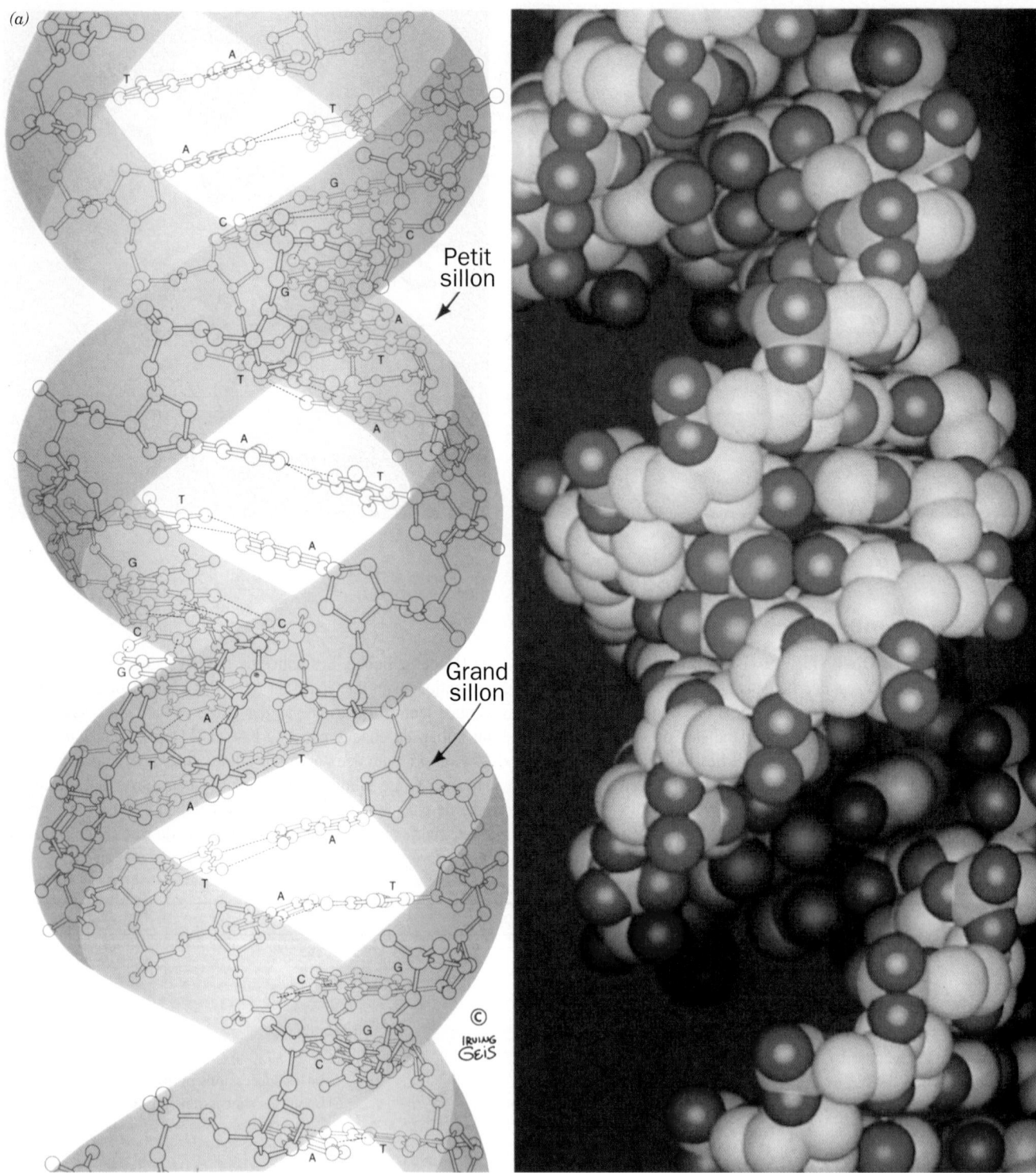

FIGURE 29-2   Structure 3-D de l'ADN-A. Dessins en modèle éclaté et modèle compact, de l'ADN-A avec, en (*a*), une vue perpendiculaire à l'axe de l'hélice. Les codes de couleurs sont les mêmes que dans la Fig. 29.1. L'hélice a été construite par Richard Dickerson, sur la base des structures de l'octamère auto-complémentaire d(GGTAATCC), révélées aux rayons X par Olga Kennard, Dov Rabinovitch, Zippora Shakked et Mysore Viswamitra. On remarque que les paires de bases sont obliques par rapport à l'axe de l'hélice et que celle-ci est creuse au centre. À comparer avec la Fig. 29-1. [Copyrighted, Irving Geis.]

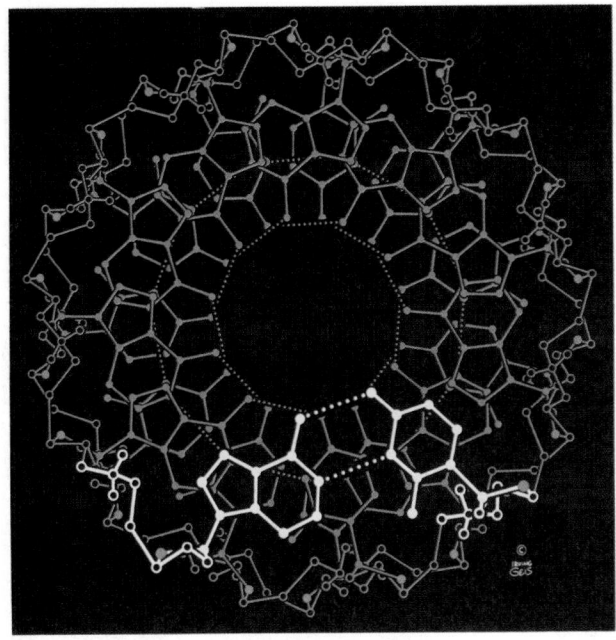

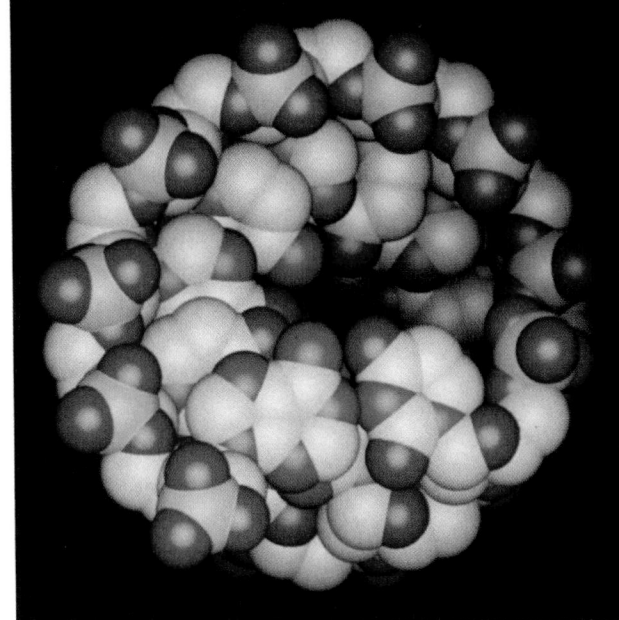

FIGURE 29-2 *(b)*

Fig. 5-12) et le **sillon majeur** relativement large qui expose l'autre coté de chaque paire de base (en haut de la Fig. 5-12). L'hélice » idéale » d'ADN-B a un pas de 10 paires de bases (pb) par tour et donc un pas (élévation par tour) de 34 Å.

Les paires de bases Watson-Crick quelle que soit leur orientation ont une structure qui les rend interchangeables, c'est à dire que A · T, T · A, G · C et C · G peuvent être mises à la place l'une de l'autre dans la double hélice sans modifier les positions des atomes C1' du squelette sucre-phosphate. Au contraire, toute autre combinaison de paire de bases déformerait la double hélice puisque la formation d'une paire non Watson-Crick nécessiterait une réorientation importante des squelettes sucre-phosphate de l'ADN.

a. L'ADN réel n'a pas exactement la structure idéale de Watson-Crick

Les échantillons d'ADN disponibles lorsque James Watson et Francis Crick ont élaboré la structure Watson-Crick en 1953, étaient extraits de cellules et étaient donc constitués de molécules de longueurs et de compositions en bases hétérogènes. Ce type de molécules allongées ne cristallise pas mais on peut les étirer en fibres filiformes dans lesquelles les axes des hélices des molécules d'ADN sont tous à peu près parallèles à l'axe de la fibre mais assez mal alignés, si tant est qu'ils le sont d'une façon ou d'une autre. Les figures de diffraction des rayons X de ce type de fibres ne fournit que des images assez brutes, de basse résolution dans lesquelles la densité électronique d'une paire de base est la densité électronique moyenne de toutes les paires de bases de la fibre. La structure Watson-Crick a été établie en partie à partir des figures de diffraction des rayons X par les fibres d'ADN-B (Fig. 5-10).

Vers la fin des années 70, les progrès de la chimie des acides nucléiques ont permis la synthèse et la cristallisation d'assez longues molécules oligonucléotidiques de séquences déterminées (Section 7-6A). C'est ainsi que 25 ans après la formulation de la

structure de Watson-Crick, sa structure avec les rayons X a été clairement visualisée pour la première fois lors de la détermination, par Richard Dickerson et Horace Drew, de la première structure cristalline par les rayons X d'un ADN-B, à savoir celle du dodécamère d(CGCGAATTCGCG), autocomplémentaire, à une résolution quasi-atomique de 1,9 Å. Cette molécule dont la structure a été déterminée par la suite avec une bien meilleure résolution (1,4 Å) par Loren Williams a une élévation moyenne de 3,3 Å par résidu et comporte 10,1 bp par tour d'hélice (elle tourne donc de 35,5° par paire de base). Ces valeurs sont quasi identiques à celles de l'ADN-B théorique. Cependant certains résidus dévient de manière significative de cette conformation moyenne en fonction de la séquence (Fig. 29-1). Par exemple, la torsion par paire de base va de 26° à 43° dans ce dodécamère. Chaque paire de bases subit en plus une distorsion par rapport à sa conformation théorique en gauchissant chaque base opposée autour de l'axe longitudinal, (selon des angles allant de −26° à −7° pour ce qui est de la structure résolue à 1,4 Å), et une distorsion par rotation globale autour du même axe longitudinal (de -14° à +17°).

En réalité, les études avec les rayons X et la RMN sur de nombreux autres oligomères d'ADN en doubles hélices ont démontré de manière sûre que *la conformation de l'ADN, en particulier celle de l'ADN-B, est irrégulière et que ceci dépend de la séquence.* Les manières selon lesquelles les séquences modifient la conformation sont cependant encore très obscures. Cela vient du fait que *la séquence des bases conditionne bien davantage la possibilité de déformer l'hélice qu'elle ne lui confère une conformation définie.* Ainsi dans l'ADN-B, les successions 5'-R-Y-3'(où R et Y sont les abréviations respectives pour les purines et les pyrimidines) se courbent facilement car le recouvrement des cycles des paires de bases adjacentes est limité. Au contraire, les successions Y-R et R-R (cette dernière du fait des règles d'appariement de bases est équivalente des successions Y-Y), et plus particulièrement les successions A-A, sont plus rigides du fait que le recouvrement plus

(a)

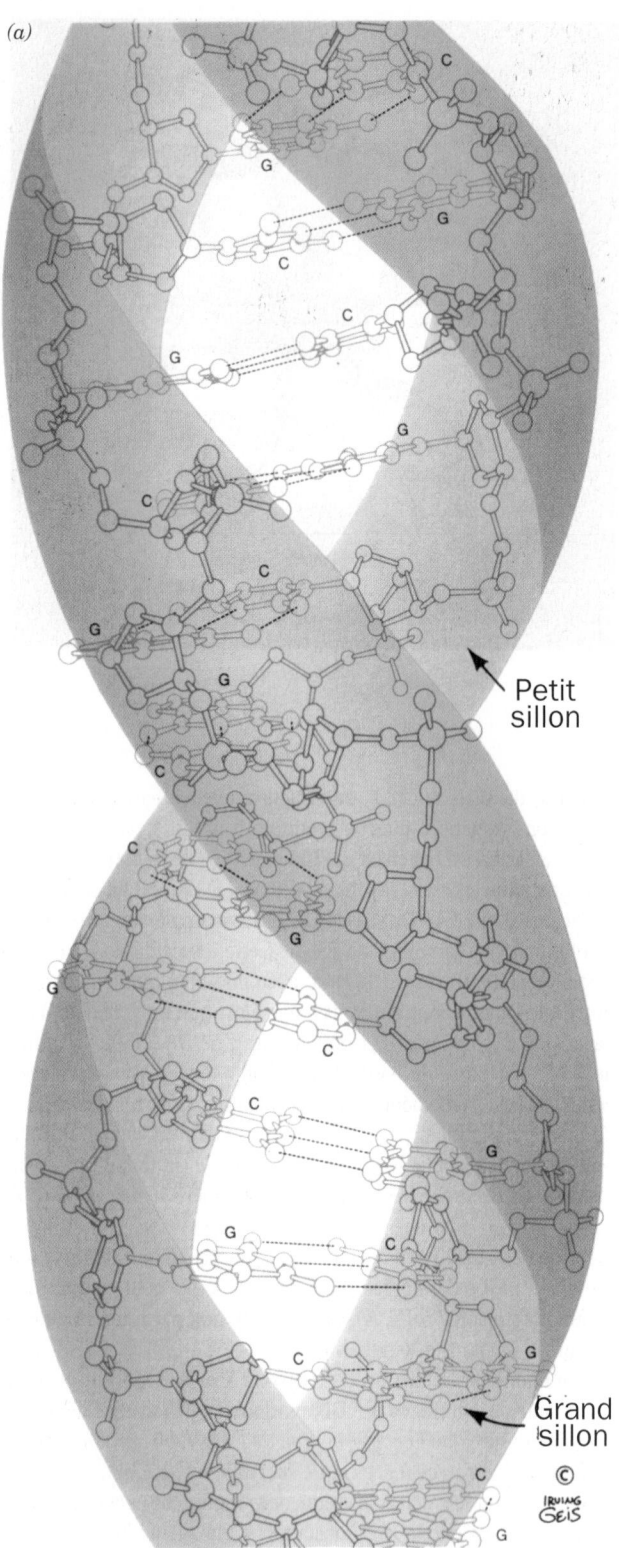

Petit sillon

Grand sillon

©
IRVING
GEIS

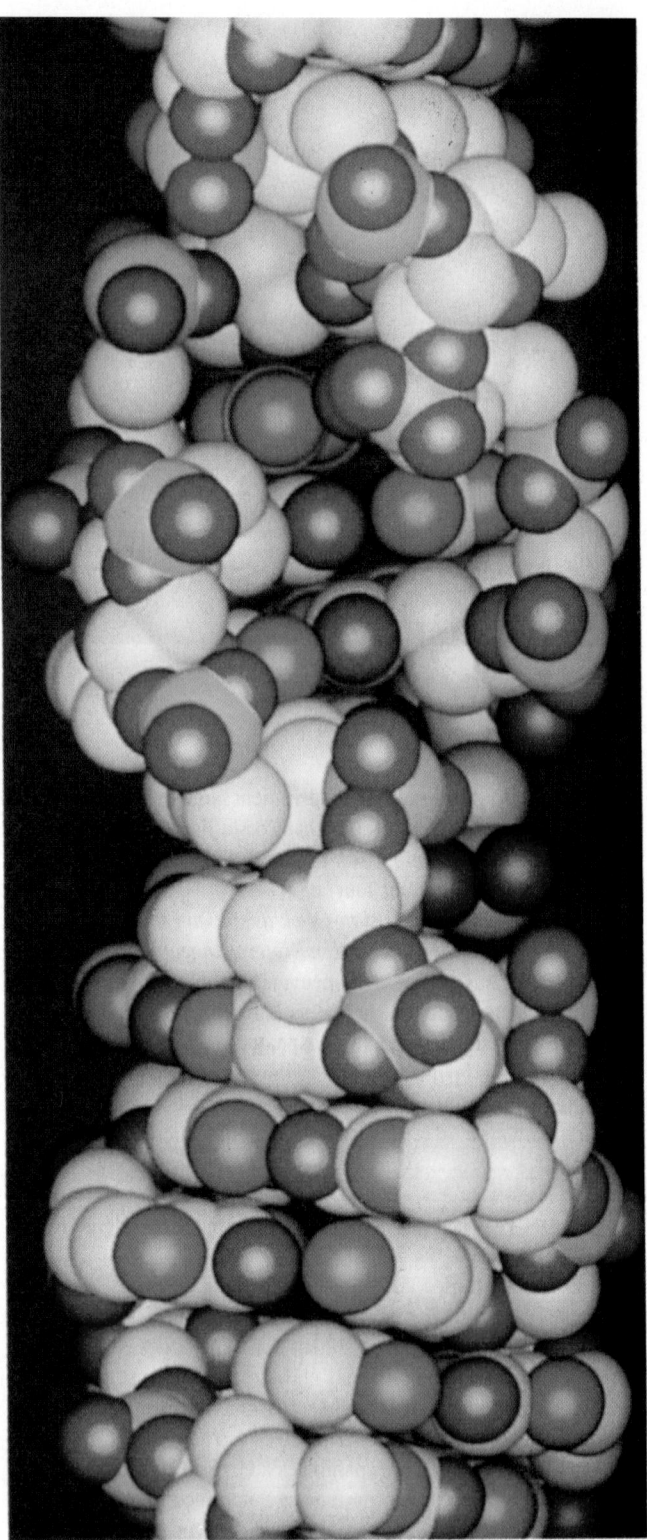

FIGURE 29-3 Structure 3-D de l'ADN-Z. Dessins en modèle éclaté et modèle compact de l'ADN-Z, avec, en *(a)*, une vue de l'hélice perpendiculaire à l'axe et en *(b)* *(page suivante)*, une vue polaire sur l'axe. Les codes de couleurs sont les mêmes que pour la Fig. 29-1. L'hélice à été construite à partir de plusieurs répétitions par Richard Dickerson, sur la base des structures de l'hexamère d(CGCGCG) déterminées par rayons X par Andrew Wang et Alexander Rich. On remarque que l'hélice est, cette fois, de pas à gauche et que les enchaînements sucre-phosphate suivent un parcours en zig-zag ; de plus, les résidus riboses de la même paire ne sont pas dans un même rayon [voir en *(b)*] montrant que le motif récurrent de l'ADN-Z est un dinucléotide. À comparer avec les Fig. 29-1 et 29-2. [Copyrighted, Irving Geis.]

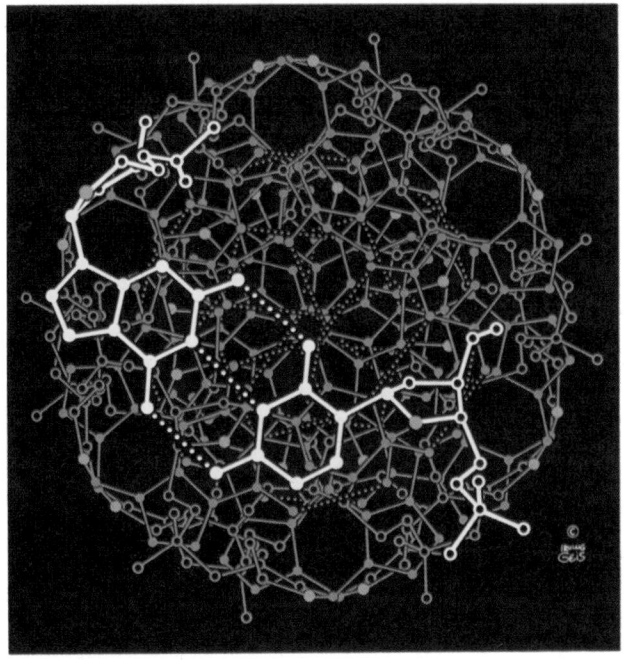
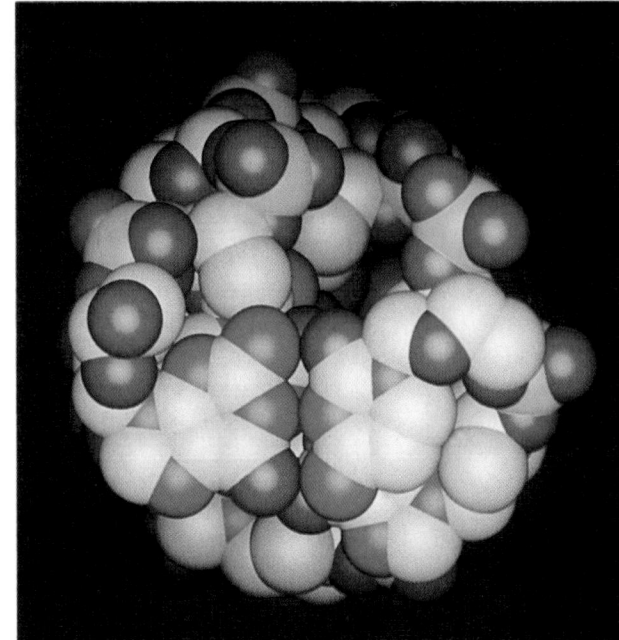

FIGURE 29-3 *(b)*

important des cycles des paires de bases adjacentes a tendance à maintenir ces paires de bases parallèles. *Ce phénomène, nous le verrons, a une conséquence importante pour la fixation spécifique, sur une séquence d'ADN, des protéines dont la fonction est de permettre l'utilisation de l'information génétique.* Cela tient au fait que pour beaucoup de ces protéines, leur ADN cible s'enroule autour d'elles, souvent par une courbure de bien plus de 90°. Des ADN de séquences s'éloignant de celle de l'ADN cible auront une liaison moins efficace à la protéine du fait de leur résistance à la déformation pour acquérir la conformation correcte.

B. *Les autres types d'hélices d'acides nucléiques*

Les études de diffraction de rayons X par des fibres qui ont débuté au milieu des années 1940, ont révélé que *les acides nucléiques sont des molécules de conformation variable.* De fait, l'ADN comme l'ARN en double hélice peut prendre différentes structures qui dépendent de facteurs tels que le taux d'humidité, la nature des cations présents ou la séquence des bases. Par exemple, en présence d'ions de métaux alcalins comme Na⁺ et d'une humidité relative de 92 % on aura formation de fibres d'ADN-B. Dans ce paragraphe sont décrites les autres principales conformations de l'ADN double brin ainsi que celles de l'ARN double brin et des hélices hybrides d'ARN-ADN.

a. Les paires de bases sont inclinées vers l'axe de l'hélice dans l'ADN-A

Quand l'humidité relative descend à 75 %, l'ADN-B subit un changement de conformation, réversible, vers la forme appelée A. Les analyses aux rayons X suggèrent que l'**ADN-A** *forme une hélice de pas à droite plus large et plus aplatie que l'ADN-B* (Fig. 29-2 ; Tableau 29-1). L'ADN-A compte 11,6 pb par tour d'hélice et son pas est de 34 Å, ce qui provoque un trou passant par son axe (Fig. 29-2b). Le caractère le plus remarquable de cet ADN-A est

que les plans formés par les paires de bases sont inclinés de 20° par rapport à l'axe de l'hélice. Puisque l'axe de l'hélice passe plutôt » à l'aplomb » des paires de bases du coté du grand sillon (Fig. 29-2b) plutôt qu'il ne les traverse comme dans l'ADN-B, l'ADN-A a le grand sillon très profond et le petit sillon très peu profond ; il pourrait être comparé à un ruban aplati tournant autour d'une lumière cylindrique de 6 Å de diamètre. La plupart des oligonucléotides de moins de 10 pb auto-complémentaires, comme d(GGCCGGCC) et d(GGTATACC), cristallisent sous la forme A. De même que l'ADN-B, les molécules d'ADN-À présentent des variations importantes de conformation en fonction de la séquence mais à un degré moindre que l'ADN-B.

L'ADN-A n'a cependant été observé que dans deux situations biologiques. Un segment d'environ 3 pb d'ADN-A se trouve dans le site actif de l'ADN polymérase (Section 31-2A). En outre, lorsque les bactéries Gram+ **sporulent** (en conditions de stress, elles forment des cellules résistantes et en dormance appelées **spores**, assurant la survie de l'espèce), elles contiennent une proportion élevée (20 %) de **petites protéines sporales acidosolubles** (SAPS pour » small acid-soluble spore proteins »). Certaines SAPS induisent une transition ADN-B vers ADN-A, au moins en conditions *in vitro*. L'ADN présent dans les spores de ces bactéries s'avère résistant aux effets délétères des UV. Les mutants ne possédant plus ces protéines acides ne possèdent plus la résistance aux UV. La résistance s'explique par le fait que le changement de B vers A empêche la formation des liaisons covalentes entre des bases pyrimidiques (Section 31-5), induites par les UV, en partie à cause de la distance plus grande sous la forme A, entre des pyrimidines successives.

b. L'ADN-Z forme une hélice de pas à gauche

Parfois il s'avère qu'un système bien connu ou du moins assez familier présente des propriétés inattendues. Ainsi, plus de 25 années après la découverte de la structure de Watson-Crick,

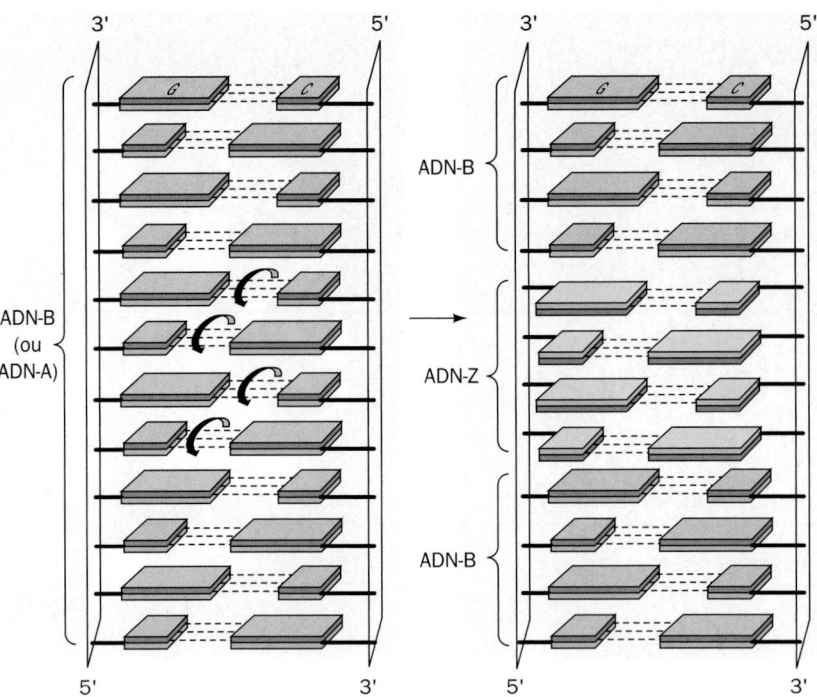

FIGURE 29-4   Passage de la forme ADN-B à ADN-Z. La conversion implique un retournement de 180° de chaque paire de bases sur un segment de 4 pb (*voir les flèches incurvées*) par rapport aux enchaînements sucre-phosphate. Les faces des paires de bases sont colorées, l'une en rouge, l'autre en vert. Il faut noter que si le dessin de gauche est fait en regardant à l'intérieur du petit sillon d'un ADN A ou B, le dessin de droite est fait en regardant l'intérieur du grand sillon du segment d'ADN-Z déroulé. (D'après Rich, A., Nordheim, A., and Wang, A.H.-J., *Ann. Rev. Biochem.* 53, 799 (1984).)

Andrew Wang et Alexander Rich observent avec surprise que *la structure cristalline de l'oligomère d(CGCGCG) révèle une double hélice de pas à gauche (Fig. 29-9 ; Tableau 29-1). Une double hélice de même sens est formée par d(CGCATGCG). Cette double hélice, appelée **ADN-Z**, a 12 pb par tour, un pas de 44 Å* et, contrairement à l'ADN-A, un petit sillon profond , alors que le grand sillon n'est pas apparent (l'axe de l'hélice passe en dessous des paires de bases du coté du petit sillon ; Fig. 29-3b). L'ADN-Z ressemble donc à une sorte de foret de pas à gauche. Les paires de bases dans l'ADN-Z ont basculé de 180° par rapport à l'ADN-B (Fig. 29-4) à la suite de changements de conformation qui seront exposés dans la Section 29-2A. L'unité répétitive est alors un dinucléotide d(XpYp), plutôt qu'un mononucléotide comme dans les autres doubles hélices d'ADN. La courbe qui rejoindrait les groupements phosphates successifs d'une des chaînes polynucléotidiques a un parcours en zig-zag le long de l'hélice (Fig. 29-3a ; d'où vient l'appellation d'ADN-Z), plutôt qu'une courbe régulière comme dans les formes A et B (Fig. 29-1a et 29-2a).

Les études de diffraction des rayons X et de RMN, faites sur des fibres d'ADN, ont montré que les polynucléotides complémentaires avec des purines et pyrimidines en alternance, comme le poly d(GC)/poly d(GC) ou le poly d(AC)/poly d(GT), acquièrent la conformation en ADN-Z à concentration élevée en sel. Manifestement, *la conformation Z est plus facilement adoptée par les segments d'ADN comportant des alternances de purine-pyrimidine pour des raisons de structure analysées dans la Section 29-2A*. Une concentration élevée en sel stabilise la forme Z par rapport à la forme B en réduisant les forces électrostatiques de répulsion entre les groupes phosphate les plus proches, des chaînes opposées, qui seraient normalement augmentées dans l'ADN-Z à cause de leurs distances (8 Å dans l'ADN-Z au lieu de 12 Å dans l'ADN-B). La méthylation des résidus cytosine en C5, modification fréquente *in vivo* (Section 30-7), favorise aussi la forme Z, car la position occupée par le groupement méthyle hydrophobe est moins exposée au solvant dans la forme Z qu'elle ne l'est dans la forme B.

La forme en ADN-Z a-t-elle une signification biologique ? Rich pense que la transition réversible de zones spécifiques d'ADN-B en forme Z dans des conditions particulières agit comme un commutateur pouvant modifier l'expression des gènes, et on sait qu'il se forme de façon transitoire à l'arrière de l'ARN polymérase en phase active de transcription (Section 31-4B). Mais l'existence de l'ADN-Z *in vivo* a été longue à démontrer. Il est particulièrement difficile de savoir si une sonde capable de détecter l'ADN-Z, par exemple un anticorps spécifique contre l'ADN-Z, n'entraîne pas simplement le changement de la forme B en Z. C'est une question comparable au principe d'incertitude, appliqué à un problème biologique : le simple fait de mesurer perturbe forcément le système sur lequel on fait la mesure. Rich a toutefois récemment découvert une famille de domaines protéiques se liant à l'ADN-Z appelés **Zα**, dont l'existence suggère fortement l'existence de l'ADN-Z *in vivo*. La structure par rayons X des 81 résidus du complexe entre un domaine Zα de l'enzyme éditrice d'ARN, **ADAR1** (Section 31-4A) et l'oligonucléotide d(TCGCGCG) a été déterminée.(Fig. 29-5). Le segment CGCGCG de cet heptanucléotide est auto-complémentaire et forme donc un fragment d'ADN-Z de 6 pb avec une symétrie d'ordre deux avec un T dépassant l'extrémité 5′ de chaque brin (ces T apparaissent désordonnés dans la structure par rayons X). Un monomère de Zα se lie à chacun des brins de l'ADN-Z, sans établir de contact avec l'unité Zα liée sur l'autre brin. L'interaction entre la protéine et l'ADN-Z se fait d'abord par des liaisons hydrogène et des ponts salins entre les chaînes latérales polaires et basiques et le squelette sucre-phosphate. Notons qu'aucune des bases de l'ADN n'est impliquée dans ces associations. La surface de liaison à l'ADN de la protéine, dont la forme est complémentaire de celle de l'ADN-Z, possède une charge positive, comme on s'y attend de la part d'une protéine interagissant avec plusieurs groupements phosphates anioniques rapprochés. On pense que le domaine Zα de ADAR1 la dirige vers l'ADN-Z en **amont** des gènes en phase de transcription active (les arguments sont présentés dans la Section 31-4A).

c. Les hybrides appelés ARN-11 et ARN-ADN ont une conformation semblable à celle de l'ADN-A

L'ARN en double hélice ne peut pas prendre une conformation semblable à celle de l'ADN-B à cause d'encombrements stériques aux alentours des groupes 2′-OH. Il prend donc habituellement une forme semblable à celle de l'ADN-A (Fig. 29-2), appelée **ARN-A** ou **ARN-11**, parce qu'il présente 11 pb par tour d'hélice, un pas de 30,9 Å et une inclinaison de 16,7° des paires de bases par rapport à l'axe de l'hélice. Par exemple, beaucoup d'ARN, comme les ARN de transfert et les ARN ribosomiques, (dont les structures seront détaillées dans les Sections 32-2A et 32-3A), contiennent des séquences complémentaires sur la même chaîne qui peuvent former des tiges en doubles hélices.

Les doubles hélices hybridées entre ARN et ADN ont sans doute une conformation comme celle de l' ADN-A. En effet, la structure, établie par Barry Finzel (Fig. 29-6), du complexe de 10 pb entre un oligonucléotide ADN, d(GGCGCCCGAA) et son oligonucléotide ARN complémentaire r(UUCGGGCGCC) s'avère avoir les caractéristiques d'une double hélice de type A (Tableau 29-1). Elle a 10,9 pb par tour d'hélice, un pas de 31,3 Å et une inclinaison moyenne des paires de bases de 13,9° par rapport à l'axe de l'hélice. Cependant, cette hélice hybride a aussi des caractéristiques d'hélice d'ADN-B avec un sillon

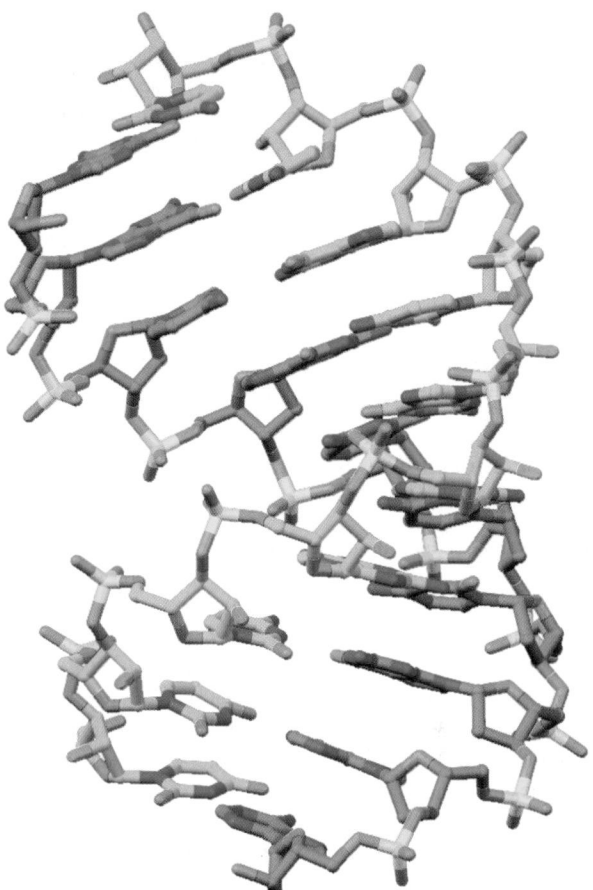

FIGURE 29-6 Structure par rayons X d'une hélice hybride d 'ARN-ADN de 10 pb constituée d'un complexe entre d(GGCGCCCGAA) et r(UUCGGGCGCC). La structure est représentée sous forme éclatée, avec les atomes C de l'ARN en bleu clair et ceux de l'ADN en vert, les atomes N en bleu foncé, les atomes O en rouge à l'exception des O2′ de l'ARN qui sont en rose, et les atomes P en jaune. [D'après la structure par rayons X de Barry Finzel, Pharmacia & Upjohn, Inc., Kalamazoo, Michigan, PDBid 1FIX.]

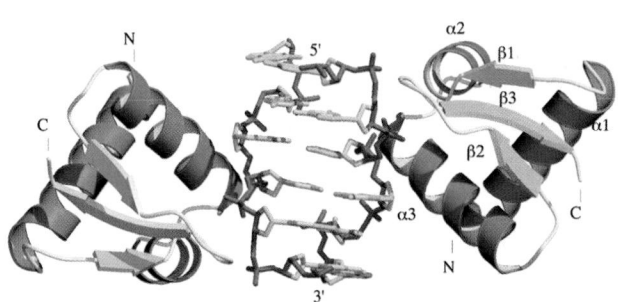

FIGURE 29-5 Structure par rayons X de deux domaines ADAR1 Zα complexés avec de l'ADN-Z. . Le complexe est observé selon son axe de symétrie d'ordre 2. Le duplex des deux héxamères d(CGCGCG) autocomplémentaires est montré sous forme éclatée avec son squelette sucre-phosphate en rouge et les autres parties en rose. Les domaines Zα sont dessinés sous forme de rubans avec les hélices en bleu foncé et les feuillets β en bleu clair. On notera que chaque domaine Zα n'est en contact qu'avec un seul des brins de l'ADN-Z. [Avec l'aimable autorisation d'Alexander Rich, MIT. PDBid 1 QBJ.]

mineur d'une largeur de 9,5 Å, intermédiaire entre celle de 7,4 Å habituelle pour l'ADN-B et celle de 11 Å de l'ADN-A. De plus, certains des cycles des résidus ribose de son brin d'ADN ont des conformations caractéristiques de l'ADN-B (Section 29-2A), tandis que d'autres ont des conformations caractéristiques de l'ARN-A. Cette structure a une signification biologique, puisque de courts motifs hybrides ARN-ADN existent aussi bien lors de la transcription en ARN de la matrice ADN (Section 31-2C) que lors de l'initiation de la réplication de l'ADN par des petites amorces d'ARN (Section 30-1D). La composante ARN de cette hélice constitue le substrat de la **Rnase H** spécialisée dans l'hydrolyse des brins d'ARN des hélices hybrides ARN-ADN in vivo (Section 30-4C).

2 ■ LES FORCES STABILISANT LES STRUCTURES DES ACIDES NUCLÉIQUES

L'ADN ne présente pas une complexité de structure comme les protéines, parce qu'il n'a que peu de possibilités de prendre des structures secondaires semblables aux structures tertiaires et quaternaires des protéines (voir la Section 29-3). On pouvait s'y attendre car il est évident que les propriétés chimiques et physiques de composés formés de vingt résidus d'acides aminés différents, sont de loin plus nombreuses que celles de composés seulement faits des quatre bases différentes de l'ADN. Cependant, comme nous le verrons dans les Sections 31-4A, 32-2B et 32-3A, de nombreux ARN possèdent des structures tertiaires bien définies.

Dans cette section, on examinera les forces qui engendrent les structures des acides nucléiques. Ces forces sont naturellement assez semblables à celles qui structurent les protéines (Section 8-4) mais, comme on pourra le constater, la manière selon laquelle elle interagissent, va donner aux acides nucléiques des propriétés tout à fait différentes de celles des protéines.

A. *La conformation de l'enchaînement sucre-phosphate*

La conformation de l'unité nucléotidique, comme l'indique la Fig. 29-7, est caractérisée par six angles de torsion du squelette sucre-phosphate ainsi que par l'angle de torsion définissant l'orientation de la base par rapport à la liaison glycosidique qui unit le C1′ à la base. On pourrait croire que ces sept degrés de liberté par nucléotide rendent les polynucléotides très flexibles. Cependant, on va voir que ces angles de rotation sont soumis à des contraintes internes variées qui réduisent fortement les potentialités réelles de conformation.

a. Les angles de torsion par rapport aux liaisons glycosidiques n'ont qu'une ou deux valeurs stables

La torsion d'une base autour de sa liaison avec le sucre est fortement réduite, comme on peut le montrer en manipulant un modèle moléculaire en trois dimensions. Les résidus de purines ont deux orientations possibles dans l'espace par rapport au sucre ; elles s'appellent les conformations **syn** (signifiant avec, en grec) et **anti** (contre) (Fig. 29-8). Les résidus de pyrimidine ne forment facilement que la conformation anti parce que, sous la conformation syn, le résidu de sucre interférerait dans l'espace avec le substituant du C2 de la pyrimidine. Dans la plupart des acides nucléiques en double hélice, toutes les bases sont dans la conformation anti (revoir les Fig. 29-1b et 29-2b). L'ADN-Z est l'exception (Section 29-1B), dans laquelle les résidus successifs de purine et de pyrimidine sont anti et syn (Fig. 29-3b). *Ceci explique la conformation Z de l'ADN dans les cas des séquences avec alternance de purine et de pyrimidine.* En fait, le basculement des

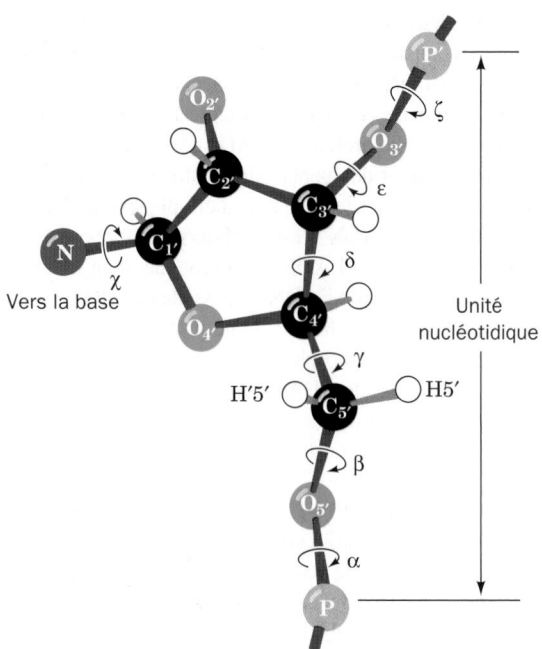

FIGURE 29-7 La conformation de l'unité nucléotidique est déterminée dans l'ADN par les sept angles de torsion indiqués dans la figure.

paires de bases qui conduit de la forme ADN-B en ADN-Z (Fig. 29-4) est obtenu par la rotation de chaque base purique autour de l'axe de la liaison glycosidique, passant d'une conformation anti à syn. Cependant, les sucres des pyrimidines tournent aussi, ce qui les maintient dans leur conformation anti.

b. La déformation des cycles des résidus ribose est limitée à quelques possibilités

Le cycle ribose a un certain degré de flexibilité qui affecte de manière significative la conformation du squelette sucre-phosphate. Les angles des sommets d'un pentagone régulier sont de 108°, valeur proche de celle d'un tétraèdre régulier, qui est de 109°5′ ; on s'attend ainsi à ce que le cycle ribofuranose soit presque aplati. Cependant, les substituants du cycle sont éclipsés lorsque le cycle est plan. Pour diminuer l'encombrement qui en résulte et qui se manifeste même au niveau des atomes d'hydrogène, le cycle se déforme légèrement, réorientant les atomes substituants (Fig. 29-9 ; ceci peut être constaté en manipulant des modèles moléculaires éclatés).

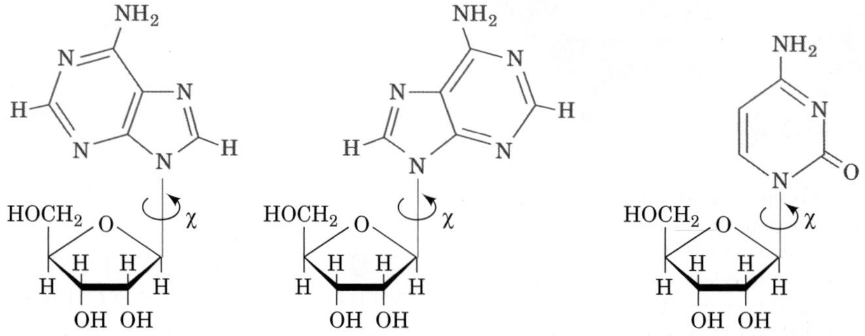

syn-Adénosine   *anti*-Adénosine   *anti*-Cytidine

FIGURE 29-8 Orientations permises des bases puriques et pyrimidiques par rapport aux résidus riboses auxquels elles sont liées.

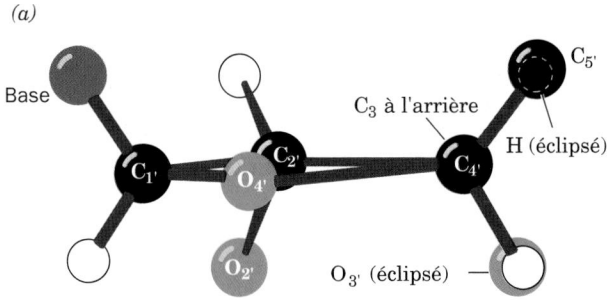

(a)

Base

C₃ à l'arrière

C₅'

H (éclipsé)

O₃' (éclipsé) —

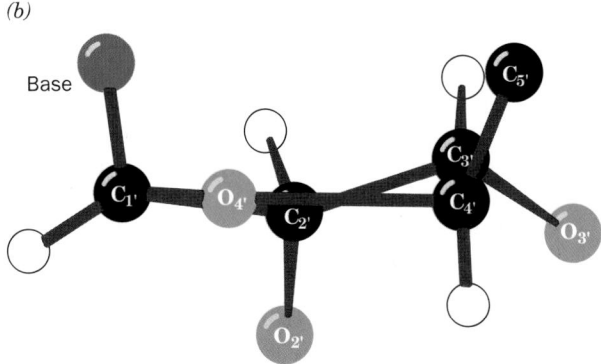

(b)

Base

FIGURE 29-9 La déformation du cycle ribose. Les substituants d'un cycle *(a)* ribose, vu ici avec la liaison C3'-C4' perpendiculaire au plan, sont tous éclipsés. Cette contrainte stérique peut être levée partiellement en déformant le cycle comme en *(b)*, ce qui donne une conformation en demi-chaise dans laquelle C3' apparaît hors du plan.

On pourrait s'attendre à ce que seulement trois atomes sur les cinq constituant le cycle ribose, soient dans un même plan, puisqu'un plan est défini par trois points dans l'espace. Cependant, dans la grande majorité des structures cristallines qui ont été décrites, pour plus de 50 nucléotides et nucléosides, quatre atomes du cycle sont dans un même plan à quelques centi-

mètres d'Å près, et l'atome restant est en dehors de ce plan, à plusieurs dizaines d'Å (conformation en **demi-chaise**). Si l'atome en dehors du plan se trouve du même coté du cycle que l'atome C5', on dit qu'il a la conformation **endo** (du grec » *endo* », à l'intérieur), tandis que s'il est de l'autre coté, la conformation est appelée **exo** (du grec « *exo* », à l'extérieur). Dans la grande majorité des structures connues de nucléosides et de nucléotides, l'atome hors du plan est soit C2', soit C3' (Fig. 29-10). Le type de torsion du ribose le plus fréquent est C2'–*endo* ; les C3'–*endo* et –*exo* sont assez courantes, les autres conformations sont rares.

La torsion du ribose est importante dans l'étude de la conformation des acides nucléiques parce que ce phénomène détermine les orientations des substituants phosphates de chaque résidu ribose (Fig. 29-10). En tous cas, il est difficile de construire un modèle d'acide nucléique en double hélice si les C2' et C3' ne sont *pas* en endo. En réalité, l'ADN-B a la conformation C2'–*endo* tandis que l'ADN-A et l'ARN-11 ont la conformation C3v-*endo*. Dans l'ADN-Z, les nucléotides puriques sont tous C3'–*endo* et les nucléotides pyrimidiques sont C2' endo, ce qui montre encore une fois que l'unité répétitive de l'ADN-Z est un dinucléotide. Dans les structures par rayons X d'ADN-A, les torsions des sucres observées sont presque exclusivement C3'–*endo*. Cependant, celles de l'ADN-B, bien que majoritairement C2'–*endo*, ont une certaine variabilité comprenant des C4'–*exo*, O4'–*endo*, C1'–*exo* et C3'–*exo*. Cette variabilité de la torsion des sucres de l'ADN-B montre probablement sa plus grande flexibilité par rapport aux autres types d'hélices d'ADN.

c. La conformation du squelette sucre-phosphate subit des contraintes

Si la rotation de la chaîne sucre-phosphate (Fig.29-7) pouvait être complètement libre autour de ses axes, il ne pourrait probablement pas exister d'acide nucléiques ayant une structure stable. La comparaison faite par Muttaiya Sundaralingam, d'une quarantaine de structures cristallines de nucléosides et de nucléotides, a montré que les angles de rotation sont réellement limités. Par exemple, la valeur de l'angle de torsion autour de la liaison C4'–C5' (γ, dans la Fig. 29-7) a une distribution étroite, de telle

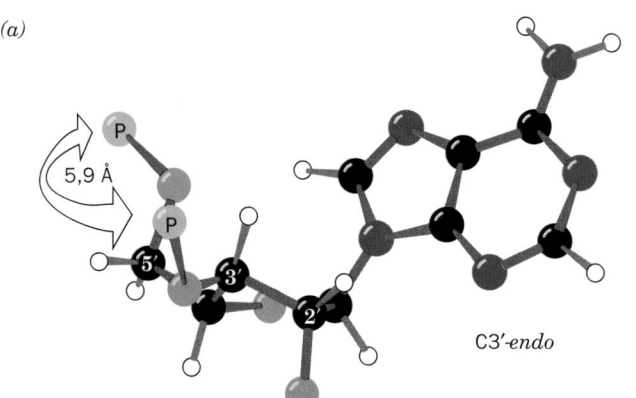

(a)

P

5,9 Å

C3'-endo

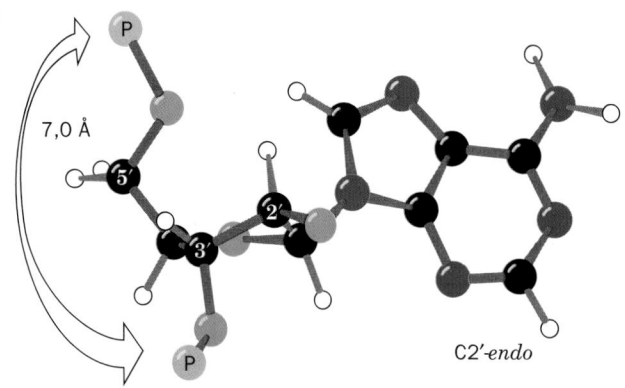

(b)

P

7,0 Å

P

C2'-endo

FIGURE 29-10 Les conformations du sucre des nucléotides. Le nucléotide en *(a)* a la conformation C3'-endo (C3' est du même coté du cycle que C5'), comme dans l'ARN-A et l'ARN-11 ; en *(b)*, la conformation C2'-endo, rencontrée dans l'ADN-B. Les distances entre les atomes

P adjacents du squelette sucre-phosphate sont indiquées. [D'après Saenger, W., *Principles of Nucleic Acid Structure,* p. 237, Springer-Verlag (1983).]

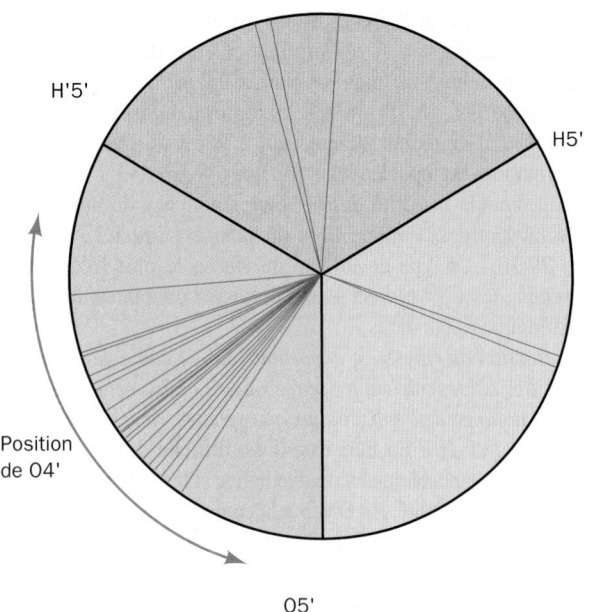

H'5'

H5'

Position
de O4'

O5'

FIGURE 29-11 Diagramme circulaire montrant les variations et la distribution des angles de torsion autour de la liaison C4'-C5'. Les angles de torsion (notés γ dans la figure 29-7) ont été mesurés pour 33 nucléosides, nucléotides et polynucléotides dont la structure a été déterminée aux rayons X. Chaque rayon en rouge représente la position de la liaison C4'-O4' dans une structure donnée, par rapport aux substituants du C5' vus dans l'axe C5' vers C4'. Noter que la plupart des angles de torsion observés sont relativement bien groupés. [D'après Sundaralingam, M., Biopolymers 7, 838 (1969).]

façon que O4' a généralement une conformation gauchie par rapport à O5' (Fig 29-11). Ceci résulte de certaines interactions non covalentes avec le groupe phosphate, qui raidissent la chaîne sucre-phosphate en réduisant l'amplitude de ses angles de torsion. Cette réduction est encore plus importante dans les polynucléotides à cause des interférences stériques entre les résidus.

Les angles déterminant la conformation des doubles hélices diverses sont finalement assez libres de varier. *Les doubles hélices sont donc des arrangements à conformation souple du squelette sucre-phosphate.* Le squelette sucre-phosphate n'est donc pas une structure rigide ; il prend d'ailleurs une conformation avec des ondulations aléatoires lorsqu'il est dénaturé en simple chaîne.

B. *L'appariement des bases*

L'appariement des bases est comme dû à une « colle » qui maintiendrait ensemble les deux chaînes des acides nucléiques. Dans les structures cristallines d'oligonucléotides autocomplémentaires, il n'y a que des paires de type Watson-Crick. Il est donc important de comprendre par quoi les paires Watson-Crick diffèrent d'autres arrangements à deux liaisons hydrogène qui ont une disposition rationnelle dans l'espace (par ex. Fig. 29-12).

a. Les bases appariées A-T libres suivent une disposition selon Hoogsteen

Lorsqu'on fait cocristalliser des dérivés monomères d'adénine et de thymine, ils forment invariablement des paires A-T avec le N7 de l'adénine comme accepteur pour la liaison hydrogène (**Disposition de Hoogsteen** ; Fig. 29-12b) plutôt que N1, comme dans la disposition de Watson-Crick (Fig. 5-12). Ceci suggère que la disposition de Hoogsteen est plus stable pour les paires A-T que celle de Watson-Crick. Il semble donc que ce sont des effets de l'environnement et de la conformation de l'ADN en double hélice qui rendent la disposition de Watson-Crick préférable dans les doubles hélices. La géométrie de Hoogsteen n'en est pas moins importante du point de vue biologique ; par exemple, elle favorise la stabilisation des structures tertiaires des ARNt (Section 32-2B). Par contre, les paires monomériques G · C cocristallisent selon la disposition de Watson-Crick à cause de leur structure à trois liaisons hydrogène.

b. Les paires de bases non conformes au modèle de Watson-Crick ont une stabilité faible

Il a été montré (Section 5-3A) que les bases d'une double hélice sont associées de telle manière que n'importe quelle position occupée par une paire peut être A · T, T · A, G · C ou C · G,

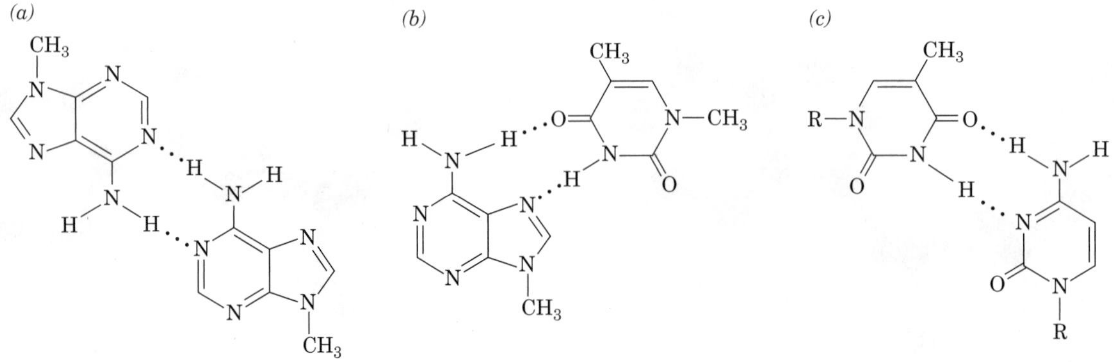

(a)

(b)

(c)

FIGURE 29-12 Quelques paires de bases autres que celles de Watson-Crick. (*a*) Appariement de deux résidus adénine dans la structure cristalline formée par la 9-méthyladénine. (*b*) Appariement selon Hoogsteen entre des résidus adénine et thymine, dans la structure cristalline formée par la 9-méthyladénine/1-méthylthymine. (*c*) Appariement hypothétique entre des résidus cytosine et thymine. On peut comparer ces paires de bases avec les paires de bases de Watson-Crick dans la Fig. 5-12.

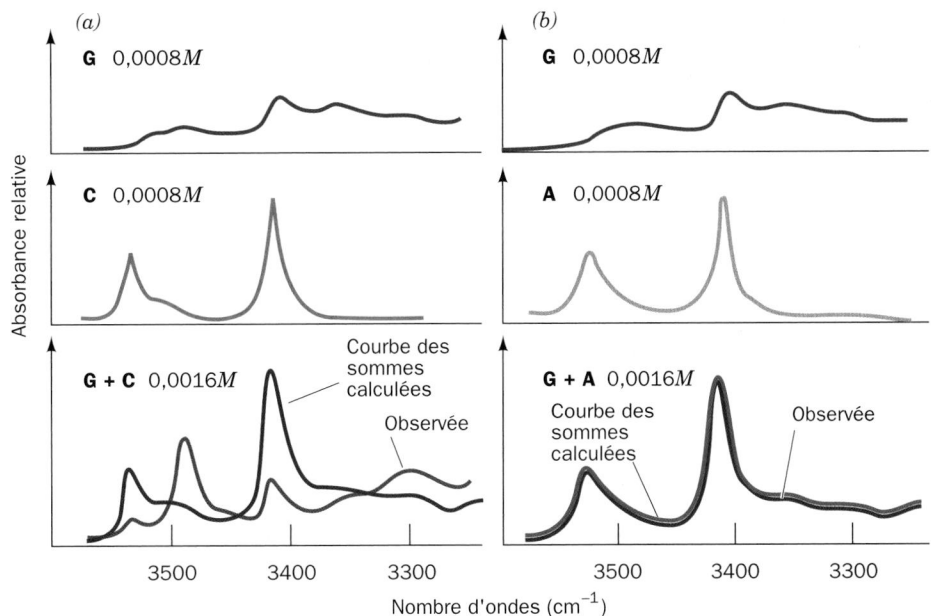

FIGURE 29-13   Spectres dans l'infrarouge ; dans la région des liaisons N-H de dérivés de la guanine, cytosine et adénine. Chaque molécule a été analysée soit seule, soit dans le mélange indiqué. Le solvant, CDCl$_3$ ne forme pas de pont hydrogène avec les bases et n'absorbe pas dans la gamme de fréquence utilisée. (*a*) G + C. La courbe en brun (en bas) correspond à la somme des absorbances à chaque fréquence de G et de C seuls (en haut) ; elle serait identique au spectre du mélange G + C si les molécules n'interagissaient pas. Le pic proche de 3500 cm^{-1} dans le spectre réel observé pour G + C indique une association spécifique par un pont hydrogène entre G et C. (*b*) G + A. La concordance étroite entre les spectres calculés et observés dans le cas de G et À montre bien que G et A n'interagissent pas de manière significative. [D'après Kyogoku , Y., Lord, R.C., and Rich, A., *Science*, **154**, 5109 (1966).]

sans que la conformation des chaînes sucre-phosphate soit affectée. On peut donc supposer que cette exigence de **complémentarité spatiale** entre les bases, selon Watson-Crick, A avec T et G avec C, est la seule raison pour laquelle d'autres appariements de bases n'ont pas lieu dans une double hélice. C'est bien ce que l'on a pensé pendant de nombreuses années après la découverte de la double hélice.

En fait, le fait que l'on ait jamais détecté des paires de bases, dans un environnement sans double hélice, autres que A avec T (ou U) et G avec C, a conduit Richard Lord et Rich, à montrer par des études spectroscopiques, que *seules les bases de Watson-Crick ont une haute affinité l'une pour l'autre.* La Fig. 29-13a présente le spectre infrarouge (IR) dans la région N-H des dérivés guanine et cytosine, séparément et en mélange. La bande supplémentaire observée dans le spectre du mélange G + C indique une interaction hydrogène spécifique entre G et C. Ce genre d'association, qui peut être observé entre molécules semblables ou différentes, est décrit par les équations habituelles d'action de masse.

$$B_1 + B_2 \rightleftharpoons B_1 \cdot B_2 \qquad K = \frac{[B_1 \cdot B_2]}{[B_1][B_2]} \quad [29.1]$$

En analysant les spectres IR tels que ceux de la Fig. 29-13, les valeurs de K ont été déterminées pour les différentes paires de bases possibles. Les constantes d'auto-association des quatre bases sont présentées dans la partie supérieure du Tableau 29-2 (la liaison hydrogène de molécules semblables est marquée par l'apparition de nouvelles bandes IR quand la concentration de la molécule augmente). Le bas du Tableau 29-2 présente les valeurs des constantes

d'association des paires de bases de Watson-Crick. On notera que chacune de ces deux valeurs est plus élevée que les constantes d'auto-association des bases prises séparément, ce qui signifie que les paires de bases selon Watson-Crick se forment de manière préférentielle. En revanche, les autres paires de bases, A · C, A · G, C · U et G · U, quelles que soient leurs géométries, ont des constantes d'association relativement négligeables par rapport à la constante d'auto-association de leurs constituants (par ex. Fig. 29-13b). *Il apparaît donc une seconde raison expliquant le non appariement de bases autres que celle de Watson-Crick dans l'ADN double brin ; elles ont une stabilité relativement faible.* Inversement, la seule présence des paires Watson-Crick dans l'ADN,

TABLEAU 29-2   Constantes d'association pour la formation des paires de bases

Paire de bases	$K\ (M^{-1})^a$
Auto-association	
A · A	3,1
U · U	6,1
C · C	28
G · G	10^3–10^4
Paires de bases Watson–Crick	
A · U	100
G · C	10^4–10^5

[a]Données mesurées dans le deutérochloroforme à 25°C.

Source: Kyogoku, Y., Lord, R.C., and Rich, A., *Biochim. Biophys. Acta* **179,** 10 (1969).

résulte, en partie, de la **complémentarité électronique** entre A et T et entre G et C. La base théorique de cette complémentarité est mal connue ; il s'agit en fait d'une observation expérimentale. Les approximations encore inhérentes aux présupposés théoriques actuels ne permettent pas de prendre en compte de manière précise les petites différences d'énergie (quelques kJ · mol^{-1}) entre les associations par liaison hydrogène, spécifiques et non spécifiques. Les portions de double hélice de nombreux ARN contiennent cependant quelques paires de bases non conformes à Watson-Crick ; c'est le plus souvent G · U qui présente une signification fonctionnelle et structurale (cf. Sections 32-2B et 32-2D)

c. Les liaisons hydrogène ne stabilisent pas l'ADN

Il est clair que les liaisons hydrogène sont nécessaires à l'appariement spécifique des bases dans l'ADN, puisque c'est cet appariement qui est finalement la condition de la fidélité très élevée requise lors de la réplication, pour que celle-ci se déroule presque sans erreur (Section 30-3D). Pourtant, il en va de même que pour les protéines (Section 8-4B), *la stabilité de la double hélice n'est que très peu dépendante des liaisons hydrogène.* Ainsi, lorsqu'on ajoute de l'éthanol, composé relativement peu polaire, à une solution aqueuse d'ADN, ce qui renforce les liaisons hydrogène, la double hélice est pourtant déstabilisée comme l'indique une diminution de sa température de fusion (T_m ; Section 5-3C). La raison en est que les forces hydrophobes, qui sont la cause principale de la stabilisation de l'ADN (voir Section 29-2C), sont détruites par les solvants non polaires. Par contre, *les liaisons hydrogène qui existaient entre les bases dans l'ADN natif, sont remplacées dans l'ADN dénaturé, par des liaisons hydrogène, dont l'énergie est quasi équivalente, entre les bases et l'eau.* Cela rend compte de l'observation thermodynamique que la contribution des liaisons hydrogène à la stabilité de l'appariement des bases n'est que de 2 à 8 kJ/mol.

C. Le tassement des bases et les interactions hydrophobes

Les purines et les pyrimidines ont tendance à former de longs empilements de molécules planes et parallèles. On a observé ce phénomène dans les structures d'acides nucléiques (Fig. 29-1, 29-2, et 29-3) et dans des centaines de structures cristallines, observées aux rayons X, qui contiennent les bases des acides nucléiques. Dans ces structures, les bases sont habituellement chevauchantes (par ex. Fig. 29-14). En réalité, les structures cristallines des bases chimiquement apparentées présentent des tassements semblables. Il semble que les interactions conduisant à ces tassements, du même type que les interactions de van der Waals (Section 8-4), sont assez spécifiques, mais pas autant que l'appariement des bases.

a. Les bases des acides nucléiques se tassent en solution aqueuse

En solution aqueuse, les bases s'agrègent ; ceci a été montré par l'étude des variations de la pression osmotique en fonction de la concentration. La loi de van't Hoff sur la pression osmotique

$$\pi = RTm \qquad [29.2]$$

où π est la pression osmotique, m, la molarité de la solution (moles de soluté/kg de solvant), R, la constante des gaz parfaits et T la

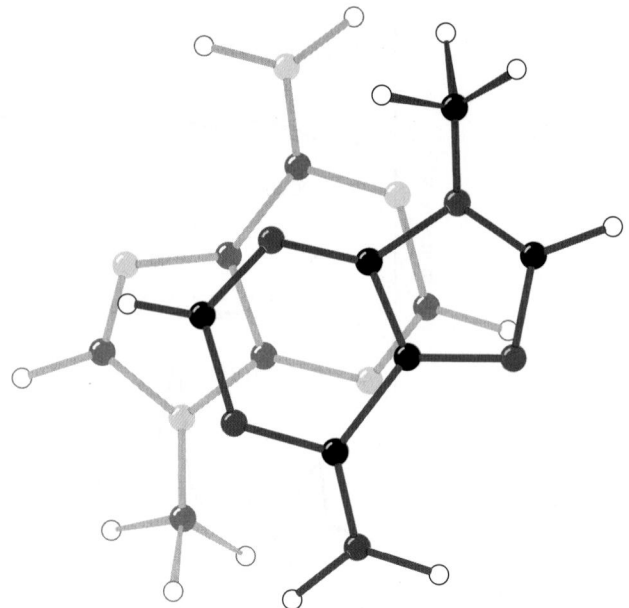

FIGURE 29-14 Tassement des cycles adénine dans la structure cristalline de la 9-méthyladénine. Le chevauchement partiel des cycles est typique de l'association entre les bases, tant dans les structures cristallines, que dans les acides nucléiques en doubles hélices. [D'après Stewart, R. F., and Jensen, L.H., *J. Chem. Phys.* **40**, 2071 (1964).]

température absolue. La masse moléculaire M d'un soluté idéal peut être déterminée à partir de la pression osmotique puisque $M = c/m$; c étant la concentration en g de soluté par kg de solvant.

Si la molécule étudiée a une masse moléculaire connue et qu'elle s'agrège en solution, on doit réécrire l'équation [29.2] comme suit :

$$\pi = \phi RTm \qquad [29.3]$$

où ϕ est un **coefficient osmotique** qui indique le degré d'association du soluté. ϕ varie de 1 à 0, depuis une association nulle à une association infinie. La variation de ϕ en fonction de m pour les bases des acides nucléiques en solution aqueuse (cf. Fig. 29-15), se produit de manière conforme à un modèle discontinu, en plusieurs étapes :

$$A + A \rightleftharpoons A_2 + A \rightleftharpoons A_3 + A \rightleftharpoons \cdots \rightleftharpoons A_n$$

où n est au moins égal à 5 (si la réaction se poursuit jusqu'au bout, $\phi = 1/n$). Cette réaction ne peut résulter de la formation de liaisons hydrogène puisque la **N^6, N^6-diméthyladénosine**,

N^6, N^6-Diméthyladénosine

qui ne peut pas former de liaison hydrogène entre les bases, possède un degré d'association plus élevé que l'adénosine (Fig. 29-15). Il apparaît donc que l'*agrégation se fait par formation d'em-*

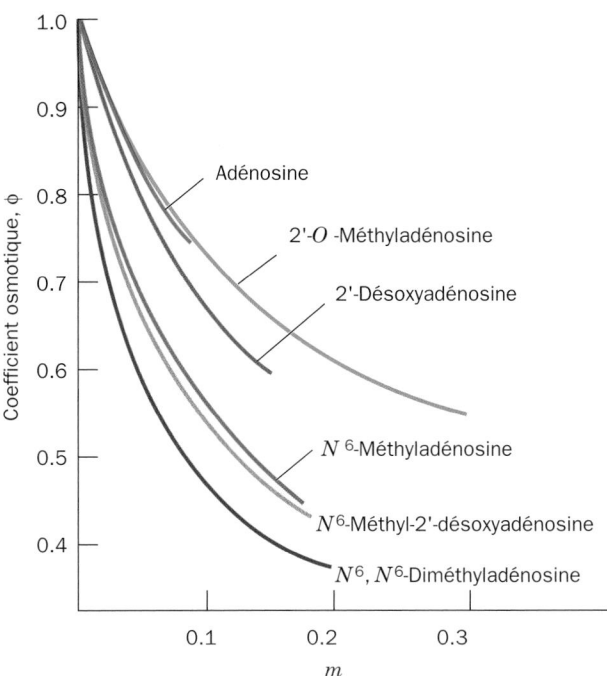

FIGURE 29-15 Variation du coefficient osmotique φ en fonction de la concentration molale *m* dans l'eau, de quelques dérivés de l'adénosine. La décroissance de φ, quand *m* décroît, indique que ces dérivés s'agrègent tout en restant en solution. [D'après Broom, A.D., Schweizer, M.P., and Ts'O, P.O.P., *J. Am. Chem. Soc.* **89**, 3613 (1967).]

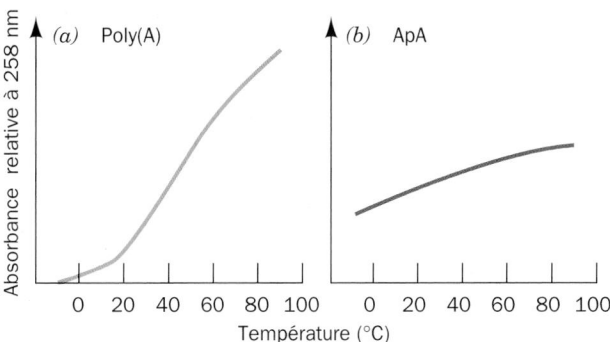

FIGURE 29-16 Les courbes de fusion de poly(A) et de ApA. La variation assez régulière de l'hyperchromicité, mesurée à 258 nm, de (*a*) poly(A) et (*b*) ApA, s'étale sur une large gamme de températures, indiquant que ces substances subissent des changements de conformation non coopératifs. Comparer cette figure avec la Fig. 5-16. [D'après Leng, M., and Felsefeld, G., *J. Mol. Biol.* **15**, 457 (1966).]

pilements de molécules planes. Ce modèle est conforté par des études de RMN du proton : les déphasages des agrégats sont seulement compatibles avec le modèle par entassement et non avec un modèle d'agrégation par ponts hydrogène. Par ailleurs, les associations par tassement des monomères de bases ne sont pas observés dans les solutions non aqueuses.

Les polynucléotides simple brin font aussi l'objet des interactions de tassement. Par exemple, la poly(A) montre un accroissement important d'absorbance en UV à température croissante (Fig. 29-16a). Cette hyperchromicité (qui indique une dénaturation de l'acide nucléique ; Section 5-3C) est dépendante de la concentration en poly(A), indiquant qu'elle ne peut résulter d'une désagrégation intermoléculaire. Elle ne peut pas non plus être due à une diminution des liaisons hydrogènes intramoléculaires puisque la poly (N^6, N^6-diméthyl A) présente un degré d'hyperchromicité supérieur à celui de la poly(A). L'hypechromicité ne peut donc résulter que d'un type d'associations par tassement de la simple hélice sur elle-même qui se relâche à température croissante. Il ne s'agit pas d'un phénomène très coopératif, comme l'indiquent l'amplitude de la courbe de fusion et le fait que les polynucléotides courts, y compris des dinucléosides phosphates comme l'ApA, présentent des courbes de fusion semblables (Fig. 29-16b).

b. Les structures des acides nucléiques sont stabilisées par des forces hydrophobes

Les associations par tassement en solution aqueuse sont fortement stabilisées par des forces hydrophobes. On peut raisonnablement supposer que les interactions hydrophobes dans les acides nucléiques ont des caractéristiques semblables à celles qui stabili-

sent les structures protéiques. Cependant, si l'on examine bien cette question, on s'aperçoit que ces deux types d'interactions sont qualitativement différentes. Une analyse thermodynamique des courbes de fusion en fonction de la réaction

Dinucléosides phosphates (non tassés) ⇌

Dinucléosides phosphates (tassés)

(Tableau 29-3), indique que *le tassement des bases entraîne une variation d'enthalpie négative et une variation d'entropie positive, donc déterminée par l'enthalpie et allant contre l'entropie. Les interactions hydrophobes responsables de la stabilisation des associations par tassement des bases dans les acides nucléiques ont donc un caractère diamétralement opposé à celles qui stabilisent les structures protéiques* (qui ont lieu contre l'enthalpie et dans le sens de l'entropie ; Section 8-4C). Ceci se traduit par des propriétés structurales différentes de ces interactions. Par exemple, les chaînes latérales aromatiques des protéines ne sont presque jamais tassées et la structure cristalline des hydrocarbures aromatiques comme le benzène, qui ressemble à ces chaînes latérales protéiques, ne présente jamais de tassement.

Les forces hydrophobes sont très mal comprises dans le cas des acides nucléiques. Le fait observé qu'elles sont de caractère différent de celles qui stabilisent les protéines n'est cependant pas très surprenant, car les bases, qui contiennent de l'azote, sont beaucoup plus polaires que les résidus hydrocarbures des protéines qui par-

Tableau 29-3   Paramètres thermodynamiques de la réaction

Dinucléoside phosphate ⇌ dinucléoside phosphate		
(Non empilé)		*(Empilé)*
Dinucléoside Phosphate	$\Delta H_{empilement}$ (kJ · mol^{-1})	$-T\Delta S_{empilement}$ (kJ · mol^{-1} à 25°C)
ApA	−22,2	24,9
ApU	−35,1	39,9
GpC	−32,6	34,9
CpG	−20,1	21,2
UpU	−32,6	36,2

Source: Davis, R.C. and Tinoco, I., Jr., *Biopolymers* **6**, 230 (1968).

ticipent aux interactions hydrophobes. Cependant, il n'y a pas de théorie valable qui puisse expliquer correctement la nature des forces hydrophobes dans les acides nucléiques (il faut bien reconnaître que la connaissance des forces hydrophobes dans les protéines est fragmentaire aussi). Ce sont des interactions complexes dont le tassement des bases est probablement une composante significative. Les forces hydrophobes, quelle que soit leur origine, ont une importance fondamentale dans le déterminisme des structures des acides nucléiques.

D. *Les interactions ioniques*

Toute théorie sur la stabilité des structures des acides nucléiques doit prendre en compte les interactions électrostatiques des groupes phosphates anioniques. La théorie des polyélectrolytes donne une représentation approximative des interactions électrostatiques dans l'ADN en considérant la double hélice anionique comme une molécule linéaire ou un cylindre de charge homogène. Nous n'allons pas aborder ici les détails de cette théorie, mais on peut noter qu'elle s'accorde en général assez bien avec les faits expérimentaux.

La température de dénaturation de l'ADN duplex s'accroît avec la concentration en cations parce que ces ions positifs se lient plus fortement à l'ADN en duplex qu'à l'ADN simple brin à cause de la densité de charges anioniques plus grande du duplex. L'augmentation de la concentration saline va donc déplacer l'équilibre vers la formation du duplex en augmentant la T_m de l'ADN. La relation expérimentale pour Na^+ est

$$T_m = 41.1 X_{G+C} + 16.6 \log[Na^+] + 81.5 \qquad [29.4]$$

dans laquelle, X_{G+C} est la fraction molaire de paires de bases G · C (rappelons que la T_m augmente avec le contenu en G+C ; Fig. 5-17) ; cette équation est valable dans la zone $0,3 < X_{G+C} < 0,7$ et dans la zone $10\text{-}3M < [Na^+] < 1,0M$. D'autres cations monovalents tels que Li^+ et K^+ établissent des interactions non spécifiques semblables avec les groupes phosphates. Des cations divalents Mg^{++}, Mn^{++} ou Co^{++}, par contre, se lient spécifiquement aux groupes phosphates. *Les cations divalents sont donc plus protecteurs pour les acides nucléiques que les cations monovalents.* Par exemple, un ion Mg^{++} a un effet sur la double hélice d'ADN comparable à celui de 100 à 1000 cations Na^+. En fait les enzymes qui catalysent des réactions impliquant les acides nucléiques ou les

nucléotides (cf. l'ATP) exigent généralement Mg^{++} pour être activées. De plus, les ions Mg^{++} jouent un rôle essentiel en stabilisant les structures complexes prises par beaucoup d'ARN comme les ARNt (Section 31-2B) et les ARNr (Section 31-3A).

3 ■ L'ADN SUPERENROULÉ

La carte génétique circulaire de virus et de bactéries suggère que leur chromosome est aussi circulaire. Des micrographies électroniques ont effectivement montré des molécules d'ADN circulaires (Fig. 29-17). Certains de ces ADN circulaires ont un aspect étrangement torsadé ; le phénomène résulte d'un **superenroulement**, appelé aussi **supercoiling**, **supertwisting** et **superhélicité**. Le superenroulement résulte d'une propriété topologique des molécules circulaires fermées par des liaisons covalentes. On appelle cette conformation la structure tertiaire de l'ADN.

A. *La topologie des superhélices*

On peut raisonner sur une molécule en double hélice dans laquelle les deux brins sont fermés sur eux-mêmes par des liaisons covalentes tout en formant une double hélice circulaire, comme dans la Fig. 29-18 (chaque brin ne peut être joint qu'à lui-même car les deux brins complémentaires sont antiparallèles). *Une des propriétés géométriques d'un tel ensemble est qu'il n'est pas possible de changer le nombre de tours sans couper au préalable au moins un des deux brins en un point quelconque.* On peut démontrer pratiquement et simplement cette propriété en manipulant une ceinture fermée avec sa boucle après l'avoir tordue sur elle-même ; chaque bord de la ceinture représente un brin d'ADN. Le nombre de tours appliqué à la ceinture avant de la fermer ne peut être modifié sans la déboucler ou sans couper la ceinture, comme dans le cas où on couperait une chaîne polynucléotidique.

Ce phénomène peut être exprimé par l'équation suivante :

$$L = T + W \qquad [29.5]$$

Dans laquelle :

1. L, le **nombre d'enlacements** (aussi symbolisé par Lk), est le nombre de fois qu'une des deux chaînes d'ADN tourne autour de l'autre. Cette valeur est plus facilement mesurée quand l'axe de la molécule duplex est forcé dans un seul plan (cf . ci-dessous).

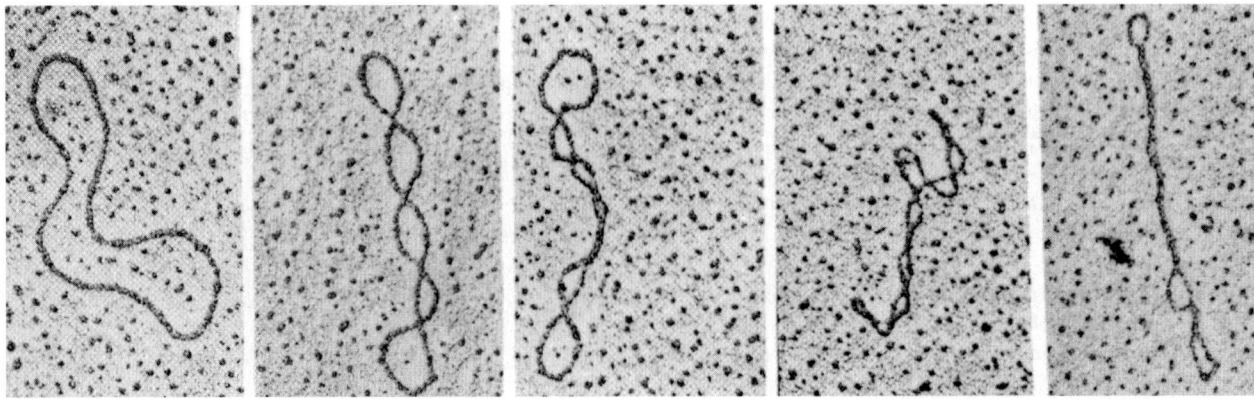

FIGURE 29-17 Micrographies électroniques d'ADN duplex circulaires. Leur conformation variable va de la forme sans superenroulement (*à gauche*), jusqu'à la forme fortement superenroulée (*à droite*). [Micrographies électroniques par Laurien Polder. D'après Kornberg, A., and Baker, T.A., *DNA replication* (2nd ed.), p. 36, W.H. Freeman (1992). Reproduction autorisée.]

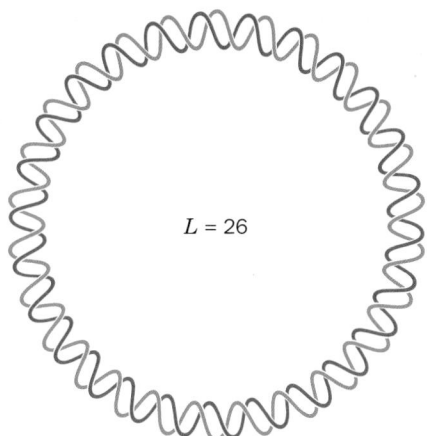

FIGURE 29-18 Représentation schématique d'une double hélice d'ADN circulaire ayant 26 tours et fermée grâce à ses liaisons covalentes. On dit que les deux chaînes polynucléotidiques sont associées l'une à l'autre par une liaison topologique, du fait qu'on ne peut pas les séparer sans briser de liaison covalente bien qu'elles ne soient pas liées entre elles par une liaison covalente.

Cependant, *ce nombre L est invariable pour une molécule donnée, qu'elle soit tordue ou non, aussi longtemps que ses chaînes polynucléotidiques restent intactes en ce qui concerne les liaisons covalentes ; le nombre L est donc une propriété topologique de cette molécule.*

2. T, le **nombre de torsions** (aussi symbolisé par Tw), est le nombre de tours complets qu'un brin polynucléotidique fait autour de l'axe du duplex dans la conformation observée. Par convention, T est positif pour les tours faits par les doubles hélices de pas à droite, ce qui fait que pour l'ADN-B en solution, T est égal au nombre de paires de bases divisé par 10,4 (qui est le nombre de pb par tour d'hélice d'ADN-B dans des conditions physiologiques ; voir Section 29-3B).

3. W, le **nombre de supertorsions** (aussi symbolisé par Wr), est le nombre de torsades que l'axe du duplex fait autour de l'axe de la superhélice dans la conformation observée. *Il mesure le degré de superhélicité de l'ADN.* La différence entre la torsion et la supertorsion est illustrée par l'exemple familier présenté sur la Fig. 29-19, $W = 0$ quand l'axe de la molécule d'ADN duplex est forcé à rester dans un plan (cf . Fig. 29-18) ; dans ce cas, $L = T$, et on peut évaluer L en comptant les tours de l'ADN duplex.

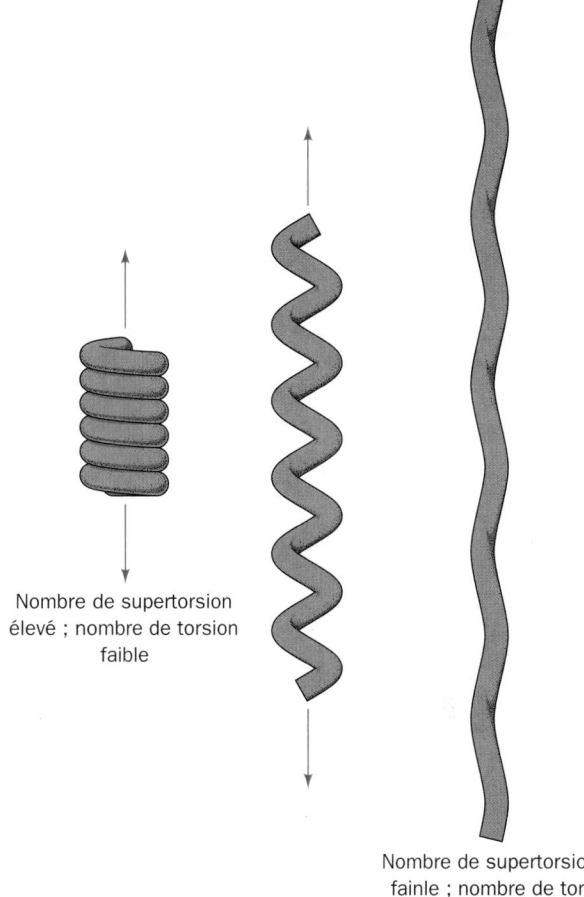

Nombre de supertorsion élevé ; nombre de torsion faible

Nombre de supertorsion faible ; nombre de torsion élevé

FIGURE 29-19 La différence entre la supertorsion et la torsion modélisée à l'aide d'un fil téléphonique. Dans un état relâché (*à gauche*), le fil est sous la forme hélicoïdale avec un nombre de supertorsion W élevé et un nombre faible de torsion T. Si on tire sur le cordon (*au milieu*), jusqu'à ce qu'il se redresse presque totalement (*à droite*), le nombre de supertorsion devient faible et le nombre de torsion élevé.

Les deux conformations de l'ADN représentées sur la partie droite de la Fig. 29-20 sont équivalentes quant à leur topologie ; elles ont le même nombre d'enlacements L mais diffèrent par le nombre de

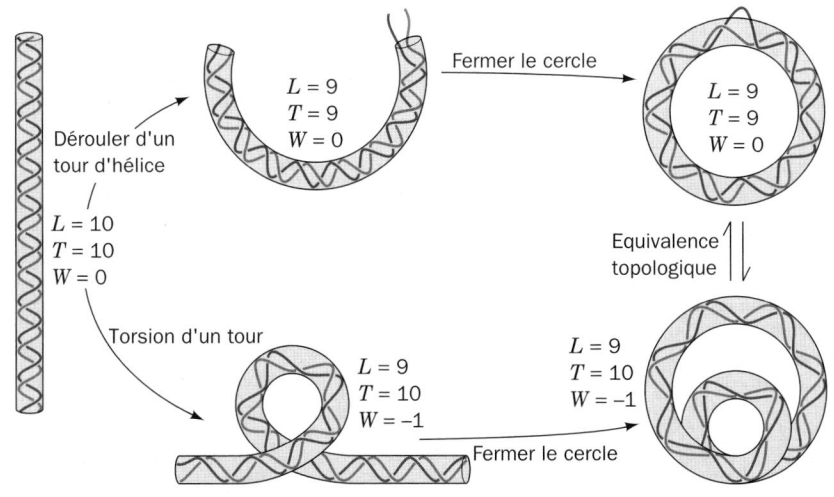

FIGURE 29-20 Deux façons de provoquer un pas de supertorsion dans un ADN de 10 tours d'hélice. Les deux formes de molécules circulaires fermées dessinées à droite ont deux topologies équivalentes ; elles peuvent en effet se convertir l'une en l'autre sans briser de liaison covalente. Les nombres d'enlacements L, de torsion T et de supertorsion W sont indiqués dans chaque cas. A strictement parler, le nombre L n'est défini que pour un cercle fermé par des liaisons covalentes.

torsion T et de supertorsion W. T et W ne doivent pas être des nombres entiers, contrairement à L.

Puisque L est constant pour un ADN duplex intact, pour chaque tour de double hélice ΔT supplémentaire, il faut un nombre égal et opposé de tours de superhélice ; dans ce cas, $\Delta W = -\Delta T$. Par exemple, un ADN circulaire fermé sans superenroulement (Fig. 29-20, en haut, à droite) peut prendre la conformation à superenroulement de pas à gauche, c'est-à-dire, en sens opposé à celui de la double hélice (Fig. 29-20, en bas, à droite) en imposant à celle-ci le même nombre de torsions positives (de pas à droite).

a. Les superenroulements peuvent former un toron ou se faire autour d'eux-mêmes

Un duplex superenroulé peut se présenter sous deux formes équivalentes :

1. Une superhélice en toron autour d'un cylindre virtuel (Fig. 29-21a).

2. Une superhélice torsadée, avec l'axe du duplex tordu autour de lui-même (Fig. 29-21b).

Ces deux formes sont interconvertibles. Puisque les tours du toron, de pas à gauche, peuvent être convertis en tours de duplex de pas à gauche (voir Fig. 29-19), les tours de pas à gauche du toron et les tours de pas à droite faits sur eux-mêmes sont tous deux caractérisés par des nombres négatifs de superenroulement. Donc un duplex moins tordu (T < nombre de bases de la molécule circulaire divisé par 10,4) va, par exemple, tendre à développer un autoenroulement de pas à droite ou des torons de pas à gauche, dès que les contraintes imposant le déficit de torsion seront levées. En effet, les forces moléculaires de l'ADN en double hélice amènent à la formation de son nombre normal de tours d'hélice.

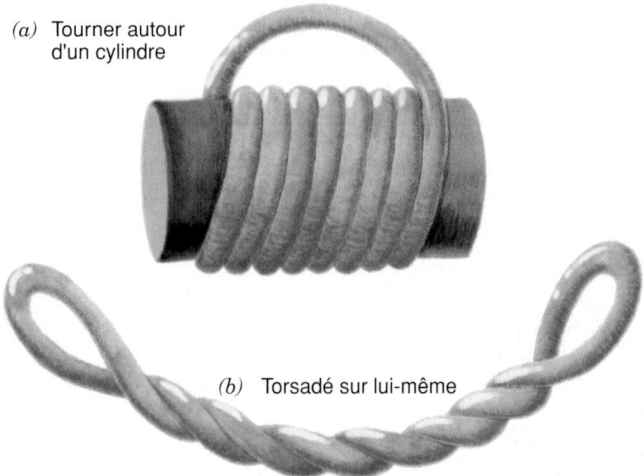

(a) Tourner autour d'un cylindre

(b) Torsadé sur lui-même

FIGURE 29-21 Les superenroulements en forme de toron ou de torsade. Exemple d'un bracelet en caoutchouc qui a été enroulé *(a)* en hélice avec pas à gauche autour d'un cylindre, sans couper d'extrémité, de telle façon qu'il n'y ait pas de torsion, et qui peut passer en un instant à une forme tordue sur elle-même *(b)* mais avec un pas à droite, dès qu'on enlève le cylindre. Il n'y a pas eu de modification, ni du nombre d'enlacements, ni du nombre de torsion, ni du nombre de supertorsion lors de la transformation.

b. L'ADN superenroulé passe sous la forme relâchée s'il se produit une cassure sur un seul brin

L'ADN superenroulé peut être converti en **cercles relâchés** (comme on le voit sur la partie la plus à gauche de la Fig. 29-17) par traitement avec l'**ADNase I pancréatique**, dont l'activité **endonucléasique** ne coupe qu'un seul brin de l'ADN duplex en hydrolysant les liaisons phosphodiester. *Une cassure sur un seul des brins suffit pour relâcher un ADN superenroulé.* La chaîne sucre-phosphate opposée à la cassure est alors libre de pivoter autour de ses liaisons (Fig. 29-7), ce qui change le nombre L et altère la superhélicité. Le superenroulement augmente les contraintes sur l'élasticité dans l'ADN circulaire comme dans une bande de caoutchouc. L'état relâché d'un ADN circulaire n'est donc pas l'état superenroulé.

B. *Les mesures du degré de superenroulement*

L'ADN superenroulé, loin de ne représenter qu'une curiosité mathématique, a été observé couramment. C'est justement la découverte de son existence comme forme réelle d'ADN dans le virus du polyome, par Jerome Vinograd, qui a provoqué les recherches sur les propriétés topologiques des superhélices.

a. Les agents intercalants modifient le superenroulement en provoquant des détorsions

Tous les cercles d'ADN d'origine naturelle (natifs) sont tordus négativement, avec un nombre L moindre que celui de leur forme relâchée correspondante. La preuve de cet état a été fournie par l'étude de la vitesse de sédimentation de l'ADN circulaire en fonction de la concentration en bromure d'éthidium (Fig. 29-22). Les agents intercalants tels que l'éthidium (Un cation plan aromatique ; Section 6-6C) modifient le degré de superhélicité des ADN circulaires en forçant la double hélice d'ADN à se détordre d'environ 26° au site où s'est intercalée la molécule (Fig. 29-23). Le nombre W est négatif dans un cercle natif enroulé à l'envers, à cause de la tendance de l'ADN duplex à maintenir une torsion T d'un tour par 10,4 pb. La titration d'un ADN circulaire par l'éthidium détord le duplex, donc T décroît et cette décroissance est compensée par un accroissement de W. Le cercle perd d'abord son hyperhélicité négative. Mais au fur et à mesure que de plus en plus d'éthidium s'intercale, la valeur de W passe par zéro, correspondant à l'état relâché, et devient positive car le cercle reprend une conformation superenroulée inversée, positive. La vitesse de sédimentation de l'ADN enroulé négativement, qui mesure son degré de compactage, diminue et passe par un minimum en fonction de l'accroissement de la concentration en éthidium. Ceci est observé avec l'ADN natif (Fig. 29-22). Au contraire, la vitesse de sédimentation d'un cercle enroulé positivement ne peut qu'augmenter en fonction de la concentration en éthidium.

b. Les ADN peuvent être séparés en fonction de leur nombre L par électrophorèse en gels

L'électrophorèse en gels (Section 6-4 et 6-6C) peut aussi séparer des molécules de même espèce en fonction de leur compacité. La vitesse de migration d'un ADN duplex circulaire augmente avec son degré de superhélicité. Ainsi, l'électrophorèse en gel d'agarose d'une population de molécules d'ADN, chimiquement identiques mais dont les nombres L sont différents, produit plu-

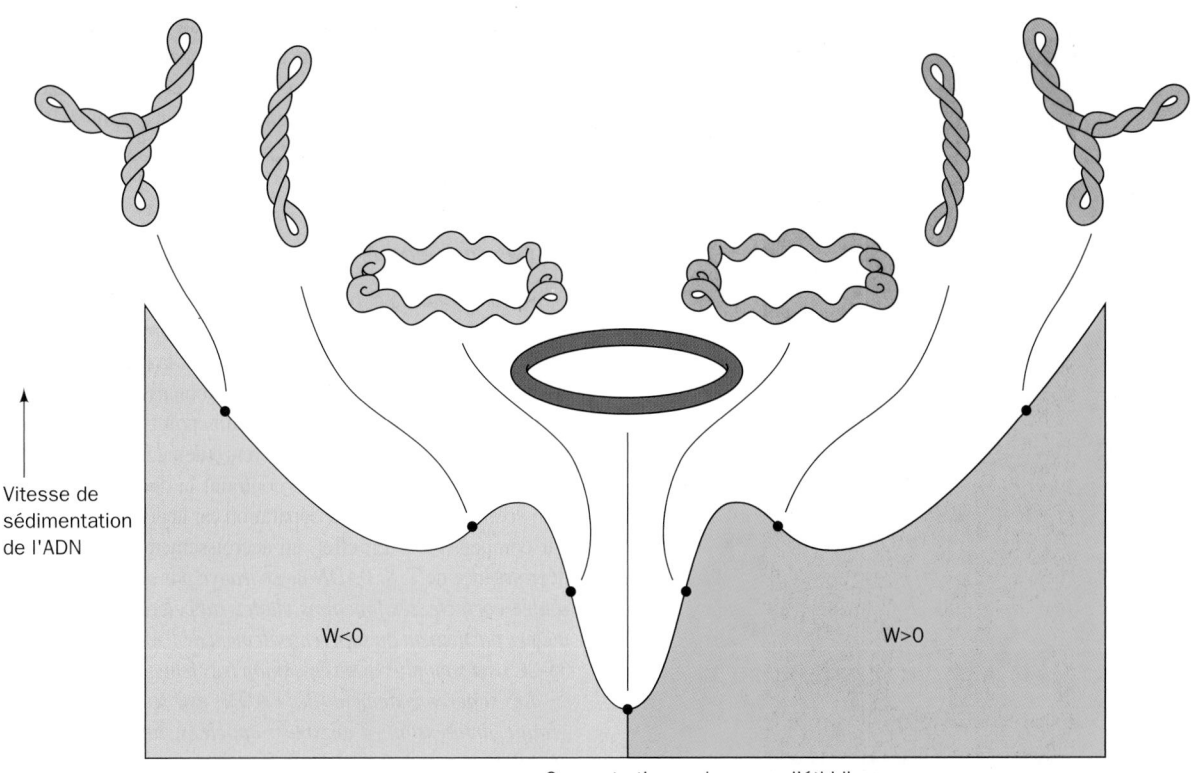

Vitesse de
sédimentation
de l'ADN

W<0

W>0

Concentration en bromure d'éthidium ⟶

FIGURE 29-22 Variation de la vitesse de sédimentation de l'ADN duplex circulaire ayant un superenroulement négatif, en fonction de la concentration en bromure d'éthidium. L'éthidium s'intercale entre les paires de bases et provoque des diminutions localisées du superenroulement (Fig 29-23), entraînant, à nombre d'enlacements constant, un accroissement du nombre de supertorsions. Au fur et à mesure que la superhélice de gauche, à superenroulement à gauche, donc négatif, se détord, elle devient moins compacte et sédimente moins vite. Au point le plus bas de la courbe, les cercles d'ADN sont complexés avec suffisamment d'éthidium pour être sous la forme relâchée. Si on accroît encore la concentration en éthidium, l'ADN subit des supertorsions dans l'autre sens et forme des superhélices superenroulées à droite, donc à superenroulement positif. Les différents aspects superenroulés des ADN circulaires ont été observés réellement par microscopie électronique. [D'après Bauer, W.R., Crick, F.H.C., and White, J.H., *Sci. Am.* **243** (1) : 129 (1980). Copyrighted Scientific American inc.]

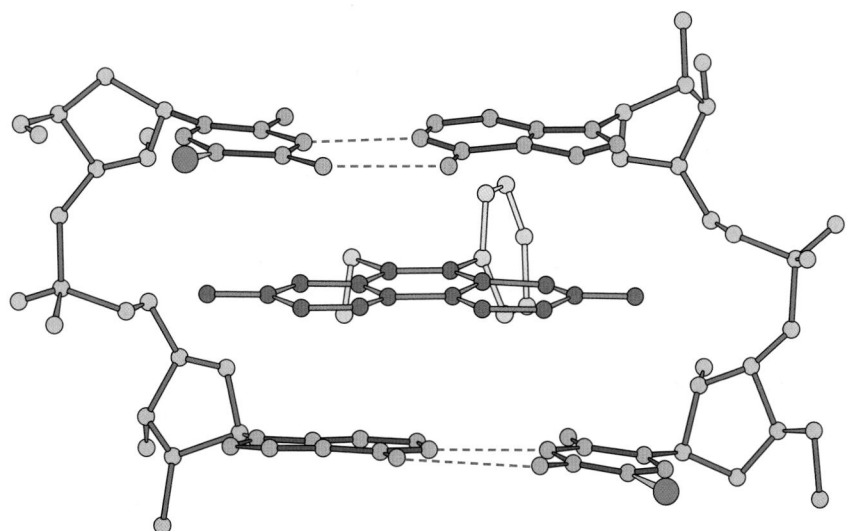

FIGURE 29-23 Structure révélée aux rayons X d'un complexe entre l'éthidium et le 5-iodo-UpA. L'éthidium (en rouge), s'intercale entre les paires de bases des dinucléosides phosphates appariés en double hélice, et sert ainsi de modèle pour concevoir la structure du complexe formé par l'éthidium et l'ADN duplex. [D'après Tsai, C.-C., Jain, S.C., and Sobelle, H.M., *Proc. Natl. Acad. Sci.* **72**, 629 (1975).]

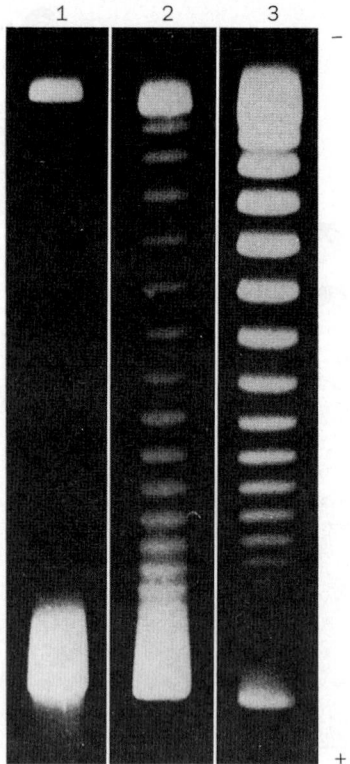

FIGURE 29-24 **Profil de l'ADN SV40 après électrophorèse en gel d'agarose.** La piste n° 1 contient l'ADN natif superenroulé négativement (c'est la bande en bas, l'ADN ayant été déposé en haut du gel). Dans les pistes 2 et 3, l'ADN a été soumis pendant respectivement 5 et 30 minutes à l'enzyme topoisomérase de type I (Section 29-3C), qui relâche les supertours négatifs un par un, en accroissant le nombre L. Des bandes successives ont une migration de plus en plus réduite ; elles correspondent, à l'intérieur d'une même piste, à des ADN dont le nombre L s'est accru d'une unité ($\Delta L = +1$). [D'après Keller, W., *Proc. Natl. Acad. Sci.* **72**, 2553 (1975).]

sieurs bandes séparées (Fig.29-24). Les molécules d'une même bande ont toutes le même nombre L et diffèrent de celles des bandes voisines par un ΔL de ±1.

La comparaison des profils des bandes de l'ADN du **virus simien 40 (SV40)**, à différents degrés de relâchement par l'action d'une enzyme suivi de religature (Fig. 29-24), montre qu'il y a jusqu'à 26 bandes formées pendant la transition entre l'état natif et l'état complètement relâché. L'ADN natif du SV40 a donc une valeur $W = 26$ (ce qui n'est qu'une valeur moyenne). Puisque sa longueur est de 5243 pb, il y a un tour de superhélice pour environ 19 tours de double hélice. Une telle **densité de la superhélice** (W/T) est caractéristique chez les ADN circulaires d'origines biologiques variées.

c. L'ADN, en solution physiologique, a un pas de 10,4 pb par tour

Les techniques du génie génétique (Section 5-5C) permettent l'insertion de paires de bases supplémentaires en nombre x dans un ADN superenroulé de nombre L donné. Cette insertion va accroître la torsion T de l'ADN et faire décroître son superenroulement W

d'une valeur $x/h°$ où $h°$ est le nombre de pb par tour de duplex. L'insertion va décaler la position de chaque bande dans le gel d'électrophorèse en modifiant leur espacement d'un facteur $x/h°$. En mesurant l'effet de plusieurs insertions, James Wang a pu démontrer que $h° = 10,4 ± 1$pb pour l'ADN-B en solution dans les conditions physiologiques.

C. *Les topoisomérases*

Le fonctionnement biologique normal de l'ADN n'est assuré que s'il se présente sous la forme topologique appropriée. Dans les processus biologiques fondamentaux que sont la transcription en forme ARN et la réplication de l'ADN, la reconnaissance d'une séquence de bases exige la séparation en certains points des brins de nucléotides complémentaires. Le superenroulement négatif, qui est la conformation de l'ADN natif, contraint la double hélice à une torsion ; celle-ci entraîne cette séparation car la double hélice se déroule par compensation. En effet, un accroissement de W provoque une décroissance de T. *Si l'ADN ne se trouve pas sous la forme superenroulée correcte, les fonctions vitales rappelées ci-dessus, qui elles-mêmes participent au superenroulement de l'ADN (Sections 30-2C et 31-2C), ne sont plus assurées, sinon très lentement.*

Le superenroulement de l'ADN est sous le contrôle d'un groupe intéressant d'enzymes appelées **topoisomérases**. Cette appellation correspond à leur fonction de changer l'état topologique (nombre L) d'un ADN circulaire sans changer sa structure covalente. Il y a deux classes de topoisomérases :

1. Les topoisomérases de type I provoquent des cassures transitoires sur un seul des brins de l'ADN. Les enzymes de type I sont subdivisées en type IA et en type IB en fonction de leur séquence en acides aminés et de leur mécanisme de réaction (voir ci-dessous).

2. Les topoisomérases de type II provoquent des cassures transitoires dans l'ADN sur les deux brins.

a. Les topoisomérases de type I augmentent pas à pas l'état de relâchement de l'ADN superenroulé

Les topoisomérases de type I *catalysent le relâchement de l'ADN superenroulé en changeant son nombre L d'un tour à la fois jusqu'à ce que le superenroulement soit nul.* Les enzymes de type IA, qui sont présentes dans toutes les cellules, ne relâchent que l'ADN à superenroulement négatif, tandis que les enzymes de type IB, qui sont très répandues chez les procaryotes (sauf *E. coli*) et chez les eucaryotes, relâchent aussi bien l'ADN à enroulement négatif que positif. Bien que les topoisomérases de type IA et IB soient toutes deux des enzymes monomériques d'environ 100 kDa, elles diffèrent aussi bien par leur séquence et leur structure que par leur mode de fonctionnement, comme nous allons le voir, via différents mécanismes enzymatiques.

Une indication sur le mode d'action d'une topoisomérase de type I a pu être fournie par l'observation montrant qu'elle **enchaîne** de manière réversible l'un à l'autre des cercles monocaténaires (Fig. 29-25a). L'enzyme doit donc couper un des brins, faire passer un cercle simple brin fermé sur lui même dans l'espace de la coupure et ressouder celle-ci ensuite (Fig. 29-25b) ; la double hélice est alors détordue d'un tour. Ce modèle d'action par cassure et ressoudure d'un seul brin d'ADN est appuyé par le fait que la dénaturation d'une enzyme de type I après incubation avec un ADN circulaire simple brin fournit un ADN linéarisé dont le groupe phosphoryl de l'extrémité 5′ est lié à un résidu tyrosine de l'enzyme par une liaison phosphodiester.

Topo-isomérase de type I

CH₂

Tyr

DNA

Au contraire, une enzyme dénaturée de type IB sera liée à l'extrémité 3′ de l'ADN via une liaison phosphodiester sur un résidu tyrosine. La formation d'intermédiaires par liaison covalente enzyme-ADN se fait sans variation d'énergie libre, puisque l'éner-

(a)

(b)

1 2 3

ADN duplex   ADN duplex
(*n* tours)   (*n* − 1 tours)

FIGURE 29-25 Mode d'action de la topoisomérase de type IA. (*a*) Elle peut enchaîner deux cercles monocaténaires ou (*b*) dérouler l'ADN duplex tour par tour en coupant un seul des brins de l'ADN et en faisant passer ensuite une boucle de l'autre brin à travers cette coupure avant de la ressouder.

gie de la liaison phosphodiester coupée est conservée ; aucun apport d'énergie ne sera donc nécessaire pour ressouder la cassure.

b. Les topoisomérases de type IA utilisent probablement un mécanisme de passage d'un brin à travers l'autre

Les cellules d'*E. coli* contiennent deux sortes de topoisomérases de type I appelées **topoisomérase I** et **topoisomérase III.** La Tyrosine 328 de la topoisomérase III est le résidu du site actif qui forme une liaison 5′-phosphotyrosine avec l'ADN coupé. La structure par rayons X du mutant inactif Y328F de la topoisomérase III complexée à l'octanucléotide simple brin (CGCAACTT), déterminée par Alfonson Mondragón (Fig. 29-26), a montré que ce monomère de 659 résidus est constitué par des repliements formant quatre domaines qui entourent une cavité de 20 Å par 29 Å, donc assez grande pour faire passer une double hélice d'ADN. La surface interne de cette cavité est garnie par de nombreuses chaînes latérales Arg et Lys. L'octanucléotide s'accroche dans un sillon également garni de chaînes latérales Arg et de Lys ; son squelette sucre-phosphate est en contact avec la protéine et la plupart de ses bases sont accessibles avec la possibilité de s'apparier. Curieusement, cet ADN simple brin adopte une conformation de type B alors même que son deuxième brin serait exclu de ce sillon par encombrement stérique. Le brin d'ADN est orienté de sorte que son extrémité 3′ soit près du site actif ; ainsi, si le résidu Phe 328 du mutant était Tyr comme dans la protéine sauvage, sa chaîne latérale serait en position de faire une attaque nucléophile sur le groupe phosphate qui relie le C6 de l'ADN et son T7, formant ainsi une liaison 5′-phosphotyrosine avec le T7 en libérant le C6 porteur d'une fonction 3′-OH libre. Cette structure et celle de la

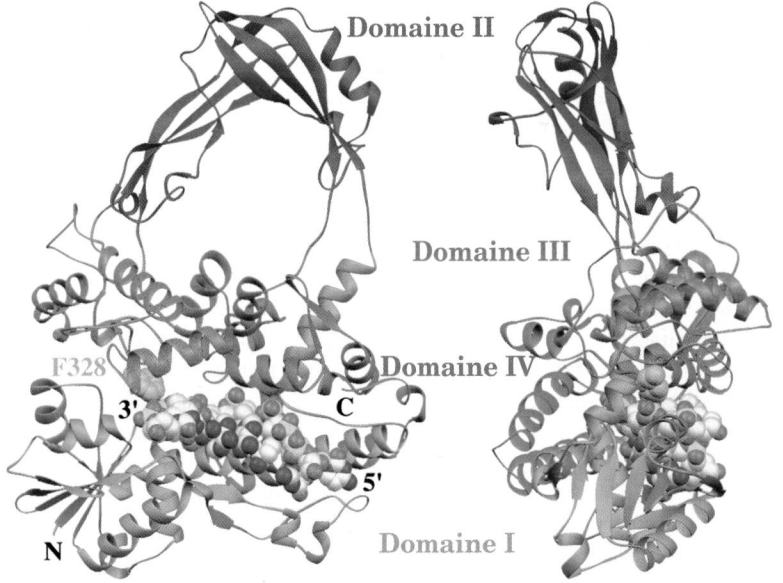

FIGURE 29-26 Structure par rayons X du mutant Y328F de la topoisomérase III de type IA d'*E. coli*, complexée avec un octanucléotide simple brin d(CGCAACTT). Les deux vues présentées correspondent à une rotation de l'une par rapport à l'autre de 90° autour d'un axe vertical. L'ADN est représenté en vue compacte avec ses atomes C en gris, N en bleu, O en rouge et P en jaune. Le site actif de l'enzyme est indiqué par la chaîne latérale du résidu Phe 328, représentée sous forme compacte en vert clair. [D'après une structure aux rayons X d'Alfonso Mondragòn, Northwestern University. PDBid 1I7D.]

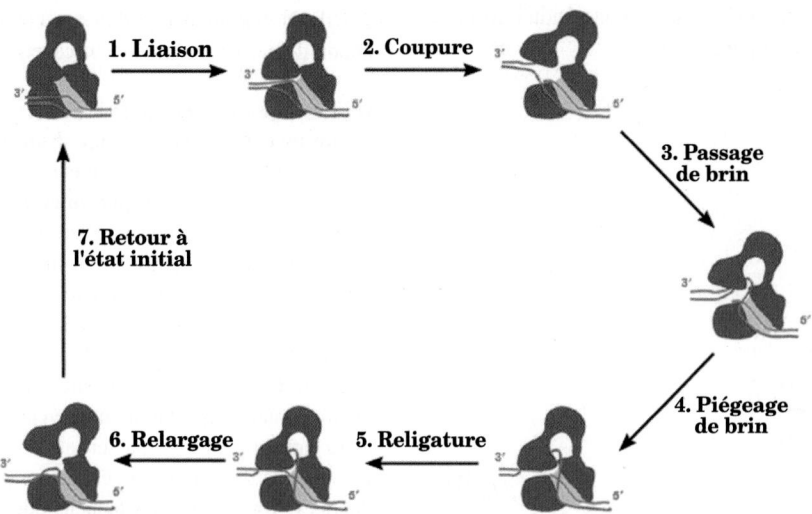

FIGURE 29-27 Mécanisme supposé de la réaction de passage de brin catalysée par les topoisomérases de type IA. L'enzyme est représentée en bleu avec une tache jaune qui correspond à une dépression en sillon où se lie l'ADN simple brin (ss). Les deux brins d'ADN, représentés en rouge et vert, pourraient être ceux d'un duplex circulaire fermé par liaison covalente ou encore deux cercles simple brin. (**1**) La protéine reconnaît une région d'ADN ss, le brin rouge, qui se lie à elle au niveau de son site de fixation en sillon. Au même moment, ou juste après, un espace s'ouvre entre les domaines I et III. (**2**) Il y a coupure de l'ADN et liaison covalente entre l'extrémité 5′ nouvellement formée et le résidu Tyr du site actif, tandis que l'extrémité 3′ reste fermement ancrée de façon non covalente dans le site de fixation. (**3**) Le brin intact (vert) passe à travers la coupure, ou porte, formée par le brin coupé (rouge) et entre dans la cavité centrale de la protéine. (**4**) Le brin intact se trouve piégé suite à une fermeture partielle de la porte. (**5**) Les deux extrémités coupées du brin rouge sont réunies par une réaction qui est probablement la réaction inverse de celle de la coupure. (**6**) La porte entre les domaines I et II s'ouvre à nouveau et libère le brin rouge ; le produit de la réaction est donc un brin vert qui a passé à travers une coupure transitoire du brin rouge. (**7**) L'enzyme revient à son état initial. Si les deux brins proviennent d'un duplex d'ADN à superenroulement négatif, son nombre d'enlacements L a augmenté de 1 ; s'il s'agit de deux cercles d'ADN ss, ils ont été soit enchaînés, soit désenchaînés. Dans le cas d'un duplex d'ADN, ce processus peut se répéter jusqu'à l'élimination totale de son superenroulement (W = 0). [D'après un dessin d'Alfonso Mondragòn, Northwestern University.]

topoisomérase I d'*E. coli,* qui est son homologue et qui a une structure similaire, suggèrent le mécanisme de réaction du passage de brin à travers une coupure dans le cas des topoisomérases de type I qui est présenté dans la Fig. 29-27.

c. Les topoisomérases de type IB utilisent probablement un mécanisme de rotation contrôlée

La **topoisomérase I humaine** (**topo I** est une topoisomérase de type IB de 765 résidus (elle n'est pas apparentée à la topoisomérase I d'*E. coli*). Elle catalyse la coupure transitoire d'un des brins d'une double hélice d'ADN par une attaque nucléophile du résidu Tyr 723 sur un atome P de l'ADN qui va produire une liaison phosphodiester phoshotyrosine à l'extrémité 3′ qui libère le nucléotide suivant porteur d'un groupe 5′-0H libre. Des études de protéolyse ménagée ont révélé que topo I comporte quatre régions principales : les domaines N-terminal, cœur, de jonction et C-terminal. Le domaine N-terminal, d'environ 210 résidus, fortement polaire, est peu conservé, il contient plusieurs signaux d'adressage nucléaire et n'est pas nécessaire à l'activité enzymatique.

La structure par rayons X du mutant non catalytique Y723F de topo I, ne possédant pas les 214 résidus N-terminaux, en complexe avec une double hélice d'ADN palindromique de 22 pb, a été déterminée par Wim Hol (Fig. 29-28). Le domaine cœur de cette protéine bilobée s'enroule étroitement autour de l'ADN. Si l'on remplaçait le résidu Phe 723 du mutant par le résidu sauvage Tyr, sa fonction OH serait alignée avec la liaison P-O5′ à couper et donc en position idéale pour une attaque nucléophile sur cet atome P et pour former une liaison covalente avec l'extrémité 3′ du brin

sectionné. Comme on pouvait s'y attendre, l'interaction de la protéine avec l'ADN est relativement indépendante de la séquence ; sur les 41 contacts directs entre la protéine et l'ADN, 37 sont des interactions protéine-phosphate contre une seule spécifique d'une base particulière. La protéine interagit davantage avec les cinq paires de bases de l'ADN en aval de la coupure (celui qui contiendra la partie clivée avec la nouvelle extrémité 5′ ; il est responsable de 29 des 41 contacts) qu'avec les paires de bases de la partie en amont (qui se liera de façon covalente au résidu Tyr 723 ; on y trouve 12 des 41 contacts).

Topo I n'a apparemment pas les propriétés stériques lui permettant de relâcher l'ADN superenroulé via le mécanisme de passage de brin à travers une coupure auquel se conforment les topoisomérases de type IA (Fig. 29-27). Il est plus probable, comme le montre la Fig. 29-29, que topo I relâche les supertours de l'ADN en permettant au segment aval du brin coupé de la double hélice, qui est le moins bien fixé, de tourner par rapport au segment amont qui est fermement tenu. Cette rotation ne peut mettre en jeu que les liaisons sucre-phosphate du brin non coupé (α, β, γ, ε et ζ dans la Fig. 29-7) qui se trouvent en face du site de coupure, puisque cette dernière les autorise à une rotation libre. Ce modèle est conforté par le fait que la région protéique qui est autour du segment aval contient 16 résidus positivement chargés conservés, qui forment un anneau autour de la double hélice d'ADN et qui seraient susceptibles de maintenir l'ADN dans cet anneau, mais sans spécifier son orientation. Le segment aval est en fait peu susceptible de pouvoir tourner librement du fait que la cavité qui le contient est conformée de façon à bloquer le segment aval s'il

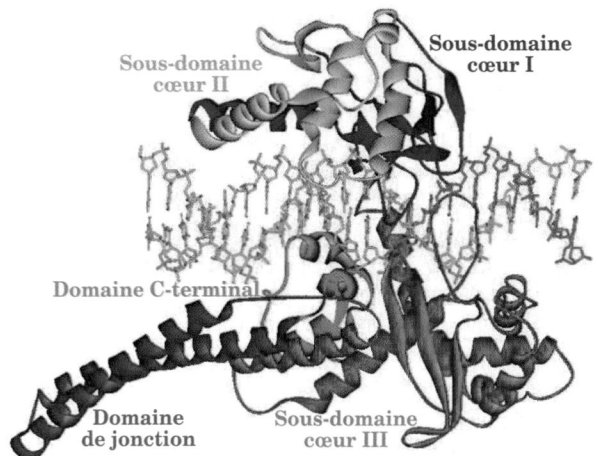

FIGURE 29-28 Structure par rayons X du mutant Y723F de la topoisomérase I humaine, amputée de son extrémité N-terminale, associée avec un duplex d'ADN de 22 pb. Les différents domaines et sousdomaines de la protéine sont représentés par des couleurs différentes. Le brin d'ADN intact est bleu clair, les fragments du brin clivés sont respectivement rose foncé et rose clair pour les moitiés en amont et en aval de la coupure. [Avec l'aimable autorisation de Wim Hol, University of Washington. PDBid 1A36.]

devait entrer en rotation. C'est pourquoi on dit que les topoisomérases de type IB catalysent un mécanisme de **rotation contrôlée** permettant le relâchement de l'ADN superenroulé. Le moteur de ce relâchement est la tension superhélicoïdale de l'ADN et ne nécessite pas d'apport d'énergie. Finalement, il y a religature de l'ADN par une réaction inverse de celle du clivage et libération de l'ADN dans un état moins superenroulé.

d. Les topoisomérases de type II utilisent un mécanisme de passage de brin à travers une coupure

Les topoisomérases de type II d'origine procaryotique, connues aussi sous le nom d'**ADN gyrases**, sont des protéines de quelques 375 kDa de type hétérotétramère A_2B_2 dont les sous-unités A et B sont appelées **GyrA** et **GyrB.** Ces enzymes catalysent pas à pas le superenroulement négatif de l'ADN, corrélativement à l'hydrolyse d'ATP en ADP + P_i. Elles peuvent aussi faire des nœuds dans des cercles d'ADN duplex et entrelacer ou désenlacer ces cercles. Toutes les autres topoisomérases de type II, qu'elles soient eucaryotiques ou procaryotiques, ne sont capables que de relâcher le superenroulement tout en nécessitant une hydrolyse d'ATP pour le faire (Le superenroulement de l'ADN des eucaryotes est généré d'une façon qui diffère de celle des procaryotes ; Section 34-1B).

Les ADN gyrases sont inhibées par diverses substances dont la **novobiocine**, appartenant à la famille des antibiotiques de *Strep-*

FIGURE 29-29 Mécanisme de rotation contrôlée catalysé par les topoisomérases de type IB. Un ADN à fort taux de superenroulement négatif (en rouge avec une torsion de pas à droite) est converti, grâce aux étapes *(a)* à *(g)*, en une forme moins superenroulée (en vert). Topo I est représentée sous forme compacte avec deux lobes : le lobe bleu, formé des domaines cœur I et II (Fig. 29-28) et le lobe rose foncé, formé du sous-domaine cœur III, du domaine de jonction et du domaine C-terminal. La structure montrée en *(d)* est grossie deux fois par rapport aux autres ; elle montre la partie de l'ADN en rotation qui est située en aval de la coupure (celle qui contient la nouvelle extrémité 5' du brin coupé), et cela à plusieurs intervalles de 30° représentés par différentes couleurs. Du fait que l'enzyme n'est pas en permanence au contact direct de l'ADN en rotation, il se peut que de petit mouvements de balancier de la protéine (*symbolisés par les petites flèches courbes*) accompagnent la rotation contrôlée. [Avec l'aimable autorisation de Wim Hol, University of Washington. PDBid 1A36.]

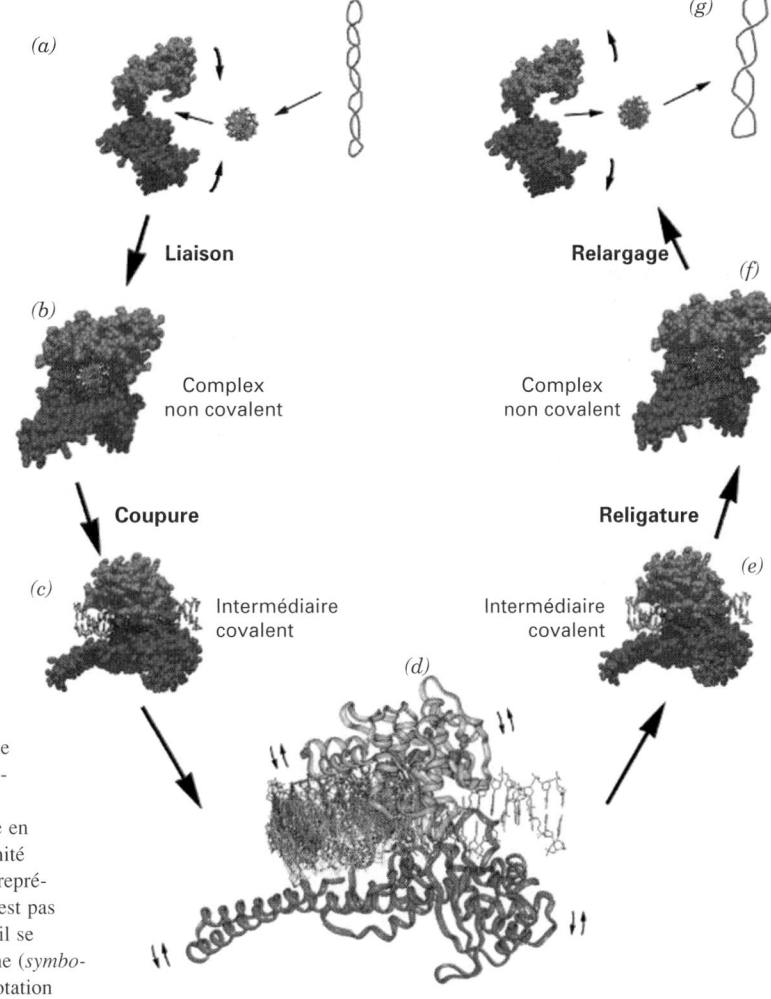

Rotation contrôlée

tomyces dérivant de la coumarine, et la **ciprofloxacine** (commercialisée sous le nom de **cipro**), appartenant aux antibiotiques synthétiques de la famille des **quinolones** (Les groupements coumarine et quinolone sont dessinés en rouge) :

Novobiocine

Acide oxolinique

Ces antibiotiques inhibent fortement la réplication de l'ADN bactérien et la transcription en ARN, ce qui montre bien l'importance de la conformation superenroulée de l'ADN dans ces processus. Des travaux sur des mutants de la gyrase d'*E. coli* résistants à ces antibiotiques ont montré que la ciprofloxine s'associe avec la sous-unité GyrA tandis que la novobiocine s'associe avec GyrB.

Le profil de séparation électrophorétique des cercles duplex d'ADN exposés à l'ADN gyrase, montrent des bandes espacées correspondant à des nombres de liaison différant par deux unités plutôt que par une seule, comme c'est le cas avec les topoisomérases de type I. Il est clair que l'ADN gyrase procède par coupure des deux brins d'un duplex, en faisant passer ensuite le duplex par la coupure et en la ressoudant finalement (Fig. 29-30). Ce modèle a été admis après avoir observé que lorsque l'ADN gyrase est incubée avec l'ADN et la ciprofloxacine, puis dénaturé ensuite avec le chlorure de guanidium, ses sous-unités GyrA restent liées de manière covalente par des liaisons phosphotyrosine aux extrémités 5′ des deux brins coupés. Il existe un décalage de quatre bases entre les coupures sur les deux brins qui génère des extrémités cohésives.

La **topoisomérase II** (**topo II**) de *Saccharomyces cerevisiae* (la levure de boulanger), une topoisomérase de type II, est un homodimère de sous-unités dont les segments N et C-terminaux sont les homologues respectifs des sous-unités A et B des ADN gyrases. Le fragment de 92 kDa comportant les résidus 410 à 1202 de cette protéine de 1429 résidus est capable de couper une double hélice d'ADN mais ne peut pas en assurer le transport à travers une coupure car elle ne possède pas le domaine à activité ATPase (les résidus 1 à 409). Quant au fragment C-terminal (résidus 1203 à 1429) il ne semble pas indispensable à l'activité de l'enzyme.

La structure par rayons X du fragment de 92 kDa (Fig. 29-31a), déterminée par James Berger, Stephen Harrison et Wang a révélé que ses deux monomères en forme de croissant s'associent pour former un dimère en forme de cœur dans lequel les deux sous-fragments B′ (résidus 410 à 633) s'associent au sommet du cœur et les deux sous-fragments A′ (résidus 683 à 1202) se rencontrent à la pointe du cœur. Le segment de 49 résidus entre ces deux sous-fragments n'a pas de structure particulière. Le dimère renferme une grande cavité centrale (55 Å de large et 60 Å de haut). Le résidu Tyr 783, qui forme une liaison covalente transitoire phosphotyrosine avec l'extrémité 5′ des brins d'ADN clivé, est situé à l'interface entre les sous-fragments A′ et B′ d'une même sous-unité, à l'extrémité d'un étroit tunnel qui débouche dans la cavité centrale. À cet endroit, le sous-fragment A′ forme un sillon semi-circulaire positivement chargé qui canalise vers ce tunnel du site actif. L'ADN-B peut se mouler dans ce sillon avec les 4 nt qui dépassent de son extrémité 5′ qui s'engagent dans le tunnel du site actif. Les deux résidus Tyr du site actif sont séparés de 27 Å et doivent donc se déplacer de 35 à 40 Å en direction l'un de l'autre en franchissant la ligne médiane de la distance qui les sépare pour se retrouver dans des positions satisfaisantes pour se lier aux extrémités 5′ du duplex d'ADN coupé.

La structure d'un fragment de GyrB d'*E. coli*, obtenue par diffraction des rayons X, comprenant les résidus 2 à 293 de la sous-unité de 804 résidus, complexée avec l'analogue de l'ATP non hydrolysable, l'adénosine-5′-(β,γ-imido)triphosphate (ADPNP), a été déterminée par guy Dodson et Eleanor Dodson (Fig. 29-31b). Ce fragment protéique, qui se dimérise en solution en présence d'ADPNP, présente deux domaines. Le domaine N-terminal, qui se trouve impliqué dans l'hydrolyse de l'ATP, se lie avec l'ADPNP-Mg^{++}. Les domaines C-terminaux forment les parois d'un trou de 20 Å de diamètre qui traverse le dimère, ce diamètre est aussi celui

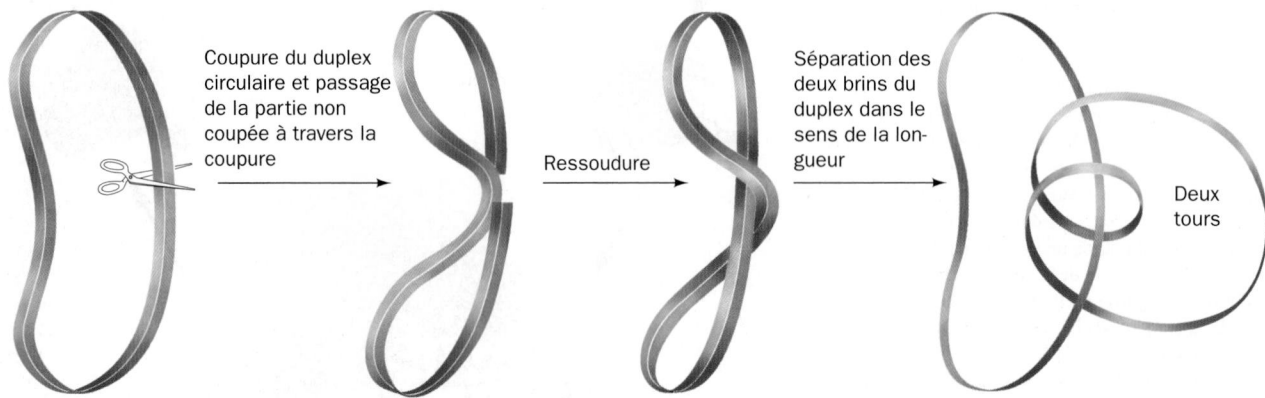

FIGURE 29-30 Démonstration du fait que lorsque l'on coupe un cercle duplex, si l'on fait passer le duplex à travers la coupure et si l'on ressoude celle-ci, cela change le nombre d'enlacements de 2 unités. En séparant les brins résultants, on verra qu'un des deux brins fait mainte-

nant deux tours autour de l'autre. L'ADN est ici sous forme d'un ruban double dont on peut séparer les deux constituants dans le sens de la longueur, comme le montre le dessin de droite.

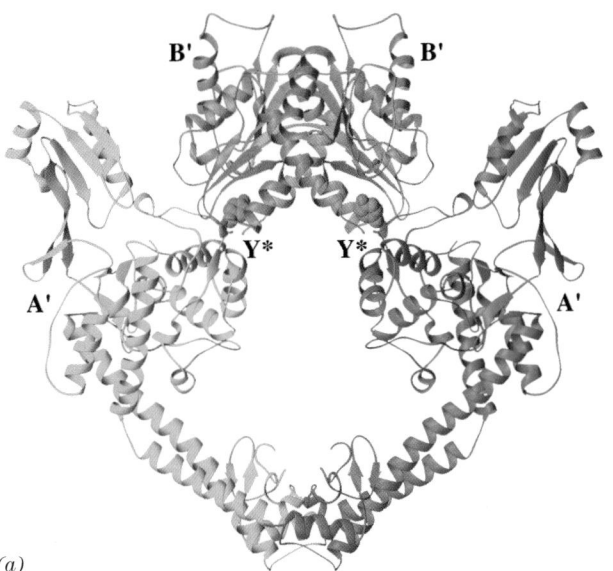

(a)

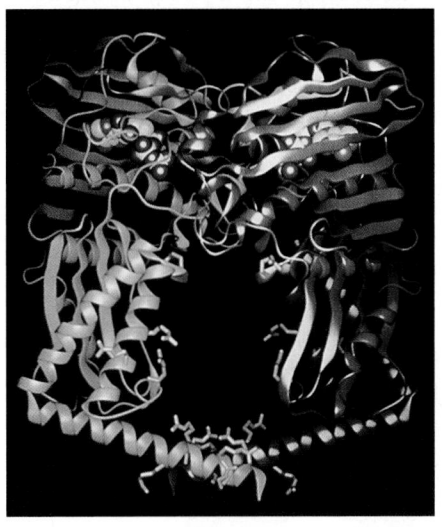

(b)

FIGURE 29-31 Les structures de la topoisomérase II. (*a*) Structure par rayons X d'un dimère de fragments de 92 kDa (résidus 410 à 1202) de la topoisomérase II de levure représenté avec son axe de symétrie d'ordre deux vertical. Les sous-fragments A' et B' d'une des sous-unités sont bleu foncé et rouge, ceux de l'autre sous-unité sont bleu clair et orange. Les chaînes latérales des résidus Tyr 783 du site actif, indiqués par un Y*, sont figurées sous forme compacte (les atomes C en vert et O en rouge) [D'après une structure par rayons X de James Berger, Stephen Harrison, et James Wang, Harvard University. PDBid 1 BGW.] (*b*) structure par rayons X d'un dimère du fragment N-terminal de la protéine GyrB

d'*E. coli* (résidus 2 à 393) complexé avec l'ADPNP, l'axe de symétrie d'ordre deux est disposé selon la verticale. Les deux sous-unités identiques, colorées l'une en vert, l'autre en rouge, se replient chacune en deux domaines représentés par deux nuances, l'une claire, l'autre foncée, de la même couleur. Les chaînes latérales des résidus Arg, bordant la cavité centrale de 20 Å de diamètre qui traverse la protéine, sont montrées en forme éclatée (*en bleu*) et les molécules d'ADPNP sont représentées en modèle compact. [Avec l'aimable autorisation d'Eleanor Dodson et Guy Dodson, University of York, U.K.]

de la double hélice d'ADN-B. Les nombreux résidus Arg de ce domaine tapissent les parois de cette cavité, comme on doit s'y attendre si ces surfaces sont capables de se lier à l'ADN.

La prise en compte des deux structures précédentes conduit à un modèle de type passage de brin à travers une cassure pour les topoisomérases de type II (Fig. 29-32), dans lequel le duplex

d'ADN à couper se lie dans le sillon décrit plus haut en travers de la pointe du cœur. L'ATP en se liant au domaine de liaison à l'ATP (qui est absent du fragment de 92 kDa), induit alors une série de changements de conformation au cours desquels le segment d'ADN, appelé G (G veut dire » Gate » pour porte en anglais), est coupé et où les deux fragments obtenus s'écartent d'au moins 20 Å

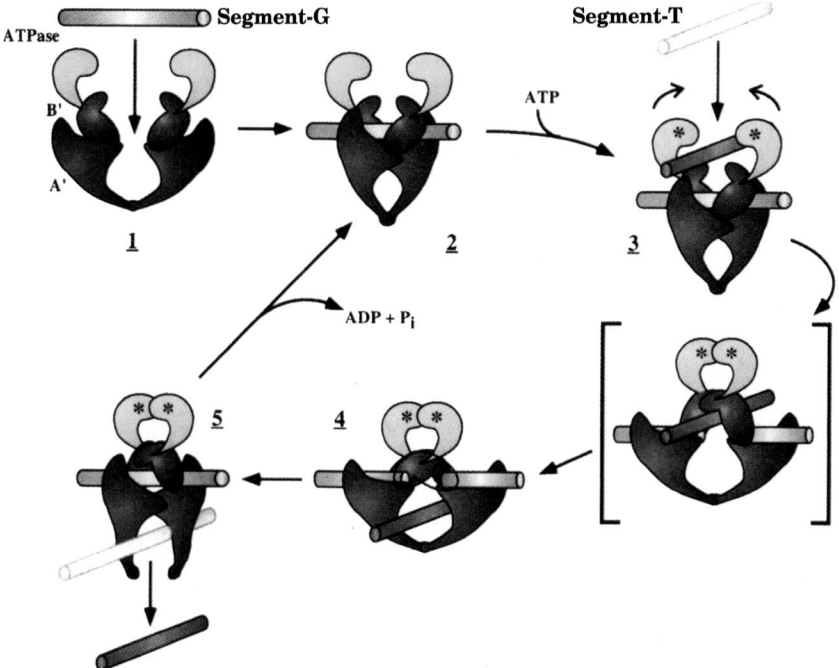

FIGURE 29-32 Modèle représentant le mécanisme de la réaction enzymatique catalysée par les topoisomérases de type II. Les domaines protéiques B', A', et ceux à activité ATPase, sont respectivement colorés en jaune, rouge et violet. Les segments d'ADN G et T sont respectivement colorés en gris et en vert. En **1**, le segment G se lie à l'enzyme, induisant ainsi le changement de conformation dessiné en **2**. La fixation d'ATP (représentée par des astérisques) et du segment T (**3**) induit une série de changements de conformation durant lesquels le segment G est coupé par les sous-fragments A' lorsqu'ils s'écartent l'un de l'autre. Au même moment, les domaines à activité ATPase se dimérisent et le segment T est transféré à travers la coupure dans la cavité centrale (**4**, le sous-fragment B' situé en avant-plan est transparent pour plus de clarté). L'étape de transport de l'ADN est montrée comme mettant en jeu un intermédiaire hypothétique figuré entre crochets. Les segments G sont alors ressoudés et le segment T est libéré grâce à la séparation des sous-fragments A' au niveau de leur interface de dimérisation (**5**). Cette interface va ensuite se reconstituer tandis que l'ATP est hydrolysé et libéré pour restaurer l'état initial de l'enzyme (**2**). [Avec l'aimable autorisation de James Wang, Harvard University.]

sous l'action de la protéine. Cela permet le passage du fragment T de l'ADN (T pour transporté) qui passe de la pointe du cœur à travers la cassure vers le centre de la cavité, et ce faisant augmente le nombre *L* de l'ADN de deux unités. Les deux sous-fragments B′ se rapprochent l'un de l'autre pour ressouder l'ADN coupé selon un processus qui s'accompagne d'une hydrolyse d'ATP, et l'ADN qui occupe la cavité centrale est libéré en sortant de la base du cœur grâce à l'écartement des deux sous-fragments A′ (ou des deux sous-unités GyrA). Enfin, l'ADP et le P_i produits sont relar-

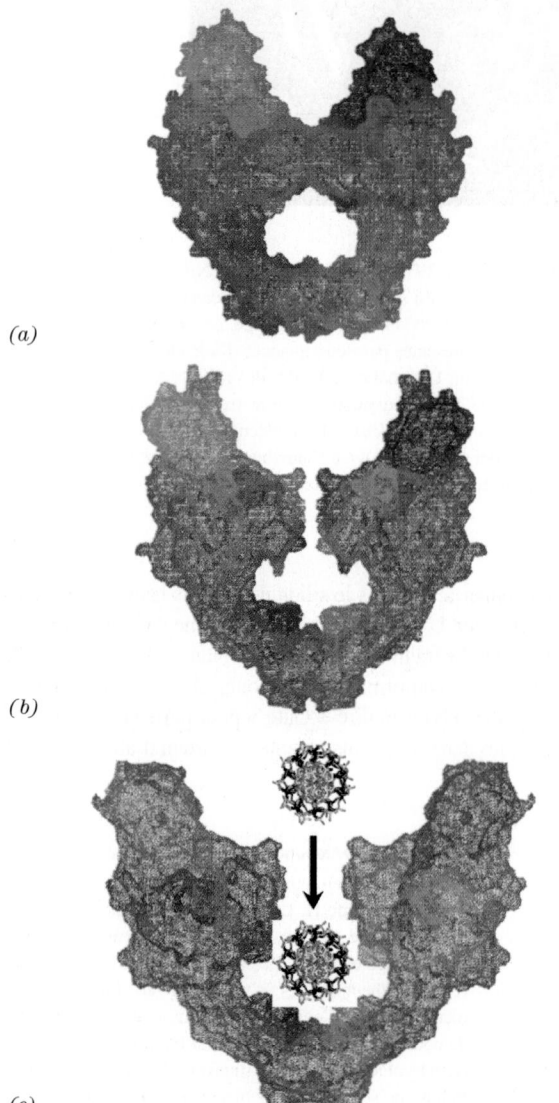

(a)

(b)

(c)

FIGURE 29-33 Représentation des surfaces de van der Waals des structures par rayons X de dimères de sous-fragments A′ d'une topoisomérase de type II. Dans cette vue des protéines, l'axe de symétrie d'ordre deux est vertical. (*a*) Sous-unités de Gyr A d'*E. coli* (résidus 2 à 523) ; c'est le plus petit fragment qui, lorsqu'il est complexé avec Gyr B, conserve une activité de coupure. (*b*) Sous-fragments A′ dans la structure par rayons X du segment de 92 kDa de topoII cristallisée dans des conditions différentes de celles de la figure 29-31a. (*c*) Sous-fragments A′ de topo II dans la structure par rayons X de topo II (parties bleu foncé et bleu clair de la Fig. 29-31a). Ce modèle représente le passage de l'ADN dans la cavité centrale de l'enzyme. [Avec l'aimable autorisation de James Berger, University of California at Berkeley PDBids (*a*) 1AB4, (*b*) 1BJT, et (*c*) 1BJW.]

gués et les sous-fragments A′ se réunissent pour reconstituer l'enzyme. Deux structures par rayons X établies de façon indépendantes confortent ce modèle : celle du fragment de 92 kDa de topo II cristallisé dans des conditions différentes de celles de la Fig. 29-31a et celle d'un fragment de 59 kDa de GyrA (Fig. 29-33). Les conformations que ces protéines adoptent semblent représentatives de certaines des conformations que l'on peut prédire à partir du modèle de la Fig. 29-32.

e. Les inhibiteurs de topoisomérases sont des antibiotiques et des agents de chimiothérapie anticancéreuse efficaces

Les dérivés de la coumarine comme la novobiocine et les dérivés de quinolone comme la ciprofloxacine, sont des inhibiteurs spécifiques des ADN gyrases et sont donc des antibiotiques. En fait, la ciproflaxine est le plus efficace des antibiotiques par voie orale contre les bactéries gram-négatif utilisé en médecine clinique (les effets secondaires indésirables et l'apparition rapide de résistances bactériennes ont entraîné une interruption de son utilisation dans le traitement des maladies infectieuses humaines). Un certain nombre de substances, parmi lesquelles la **doxorubicine** (également appelée **adriamycine** et produite par *Streptomyces peucetius*) et l'**étoposide** (un dérivé de synthèse)

Doxorubicine (Adriamycine)

Etoposide

inhibent les topoisomérases de type II eucaryotiques et sont de ce fait très utilisées en chimiothérapie anticancéreuse.

Les inhibiteurs des topoisomérases de type II ont deux modes d'action possibles. Beaucoup d'entre eux, dont la novobiocine, inhibent l'activité ATPase de leur enzyme cible (la novobiocine est un inhibiteur compétitif de l'ATP à cause de sa liaison étroite à GyrB qui empêche la liaison du cycle adénine de l'ATP). Elles tuent donc les cellules en bloquant l'activité des topoisomérases, ce qui entraîne un arrêt de la réplication de l'ADN et de la transcription en ARN. Par contre, d'autres substances comme la ciprofloxacine, la doxorubicine et l'étoposide augmentent le taux de clivage de la double hélice d'ADN par leurs topoisomérases II cibles et/ou réduise le taux de resoudure des coupures par ces enzymes. Ces agents induisent par conséquent des niveaux anormalement élevés de coupures temporaires de l'ADN, recouvertes par des ponts protéiques, dans les cellules traitées. Ces ponts protéiques sont facilement rompus par le passage de la machinerie de réplication ou de transcription, ce qui les transforme en cassures définitives. Bien que les cellules aient des machineries enzymatiques de réparation perfectionnées pour réparer l'ADN endommagé (Section 30-5), un niveau suffisamment élevé de dégâts dans l'ADN entraîne la mort de la cellule. Par conséquent, du fait que les cellules en division active, comme les cellules cancéreuses, ont des niveaux élevés de topoisomérases de type II, elles sont bien plus sujettes à des dégâts létaux de l'ADN lorsqu'on inhibe leur topoisomérases de type II que ne le seraient des cellules se divisant lentement ou des cellules quiescentes.

Les topoisomérases de type IB sont inhibées de façon spécifique par la **camptothécine**,

Camptothécine

un alcaloïde de type quinoline (produit par l'arbre chinois *Camptotheca acuminata*), et ses dérivés, qui agissent en stabilisant le complexe covalent entre la topoisomérase I et l'ADN. Ces composés, qui sont les seuls inhibiteurs naturels connus de topoisomérase IB, sont de ce fait de puissants agents anticancéreux.

RÉSUMÉ DU CHAPITRE

1 ■ Les structures en doubles hélices L'ADN-B est constitué d'une double hélice de pas à droite de deux chaînes antiparallèles de sucre-phosphate ayant un pas de 34 Å pour 10 pb, les bases étant presque perpendiculaires à l'axe de l'hélice. Les bases des chaînes opposées forment des liaisons hydrogène d'une manière complémentaire résultant de leur géométrie, appariant les paires de bases A · T et G · C, dites de Watson-Crick. A faible taux d'humidité, l'ADN-B subit une transformation réversible vers une autre forme de double hélice, appelée ADN-A, de pas à droite, plus large et plus ramassée. L'ADN-Z, qui se forme à concentration saline élevée, dans le cas de polynucléotides où alternent des purines et des pyrimidines, est une hélice de pas à gauche. Les doubles hélices d'ARN ou d'hybrides ARN-ADN sont sous une forme semblable à l'ADN-A. La conformation de l'ADN, notamment celle de l'ADN-B dépend de la séquence de ses bases, en grande partie du fait que la possibilité de déformer l'ADN varie en fonction de cette séquence.

2 ■ Les forces stabilisatrices des structures des acides nucléiques Les orientations par rapport à la liaison glycosidique et les différents angles de torsion de la chaîne sucre-phosphate font l'objet de contraintes stériques dans les acides nucléiques. En outre, seules quelques unes des conformations théoriquement possibles du plissement des sucres sont couramment observées. L'appariement de bases Watson-Crick présente une complémentarité tant géométrique qu'électronique. Pourtant, les interactions par liaisons hydrogène n'ont pas d'effet important de stabilisation sur les structures des acides nucléiques. Ce sont plutôt les interactions hydrophobes qui contribuent largement à la stabilisation des structures. Les forces hydrophobes présentent cependant des caractéristiques qualitatives différentes de celles qui stabilisent les protéines.

Les interactions électrostatiques entre les groupes phosphates chargés sont également des déterminants structuraux importants des acides nucléiques.

3 ■ Le superenroulement de l'ADN Le nombre d'enlacements (*L*) d'une molécule circulaire d'ADN fermée est invariable. Il en résulte que toute modification dans la torsion (*T*) sur un duplex circulaire se voit compensée par un changement inverse et de même valeur du nombre de supertorsion (*W*), qui indique le degré de superenroulement. Le superenroulement peut être provoqué par des agents intercalants. La mobilité électrophorétique d'un ADN s'accroît avec son degré de superhélicité. Tous les ADN d'origine naturelle sont superenroulés négativement, condition indispensable pour pouvoir être répliqués ou transcrits en ARN. Les topoisomérases de type IA relâchent le superenroulement négatif de l'ADN grâce à un mécanisme de passage de brin qui consiste à couper un seul des brins de l'ADN pour former une liaison 5'-phosphoTyr, un tronçon d'ADN simple brin passe alors à travers cette coupure avant de ressouder celle-ci. Les topoisomérases de type IB relâchent aussi bien les ADN superenroulés négativement que positivement grâce à un mécanisme de rotation contrôlée mettant en jeu une coupure sur un seul des brins, une liaison phophoTyr se forme de façon transitoire au niveau de l'extrémité 3' nouvellement formée. Les topoisomérases de type II relâchent les duplex d'ADN par des augmentations de deux supertours à la fois qui nécessitent l'hydrolyse d'ATP pour couper les deux brins de l'ADN et former deux liaisons 5'-phosphoTyr transitoires, le duplex passe à travers la coupure avant qu'elle ne soit ressoudée. L'ADN gyrase consomme également de l'ATP pour générer des supertours négatifs. Les topoisomérases constituent les cibles de nombreux antibiotiques et agents chimiothérapeutiques.

RÉFÉRENCES

GÉNÉRALITÉS

Bloomfield, V.A., Crothers, D.M., and Tinoco, I., Jr., *Nucleic Acids: Structures, Properties, and Functions,* University Science Books (2000).

Calladine, C.R. and Drew, H.R., *Understanding DNA,* Academic Press (1992). [The molecule and how it works.]

Neidle, S. (Ed.), *Oxford Handbook of Nucleic Acid Structure,* Oxford University Press (1999).

Saenger, W., *Principles of Nucleic Acid Structure,* Springer-Verlag (1984). [A detailed and authoritative exposition.]

Sinden, R.R., *DNA Structure and Function,* Academic Press (1994).

The double helix – 50 years, Nature 421, 395–453 (2003). [A supplement containing a series of articles on the historical, cultural, and scientific influences of the DNA double helix celebrating the fiftieth anniversary of its discovery.]

Travers, A. and Buckle, M. (Eds.) DNA–Protein Interactions. A Practical Approach, Oxford University Press (2000). [A laboratory manual for numerous physicochemical methods that are used to probe the interactions of DNA and proteins.]

STRUCTURE ET STABILITÉ DES ACIDES NUCLÉIQUES

Dickerson, R.E., Sequence-dependent B-DNA conformation in crystals and in protein complexes, *in* Sarma, R.H. and Sarma, M.H. (Eds.), *Structure, Motion, Interaction and Expression in Biological Molecules, pp.* 17–35, Adenine Press (1998); *and* DNA bending: the prevalence of kinkiness and the virtues of normality, *Nucleic Acids Res.* **26,** 1906–1926 (1998).

Fairhead, H., Setlow, B., and Setlow, P., Prevention of DNA damage in spores and in vitro by small, acid-soluble proteins from *Bacillus* species, *J. Bacteriol.* **175,** 1367–1374 (1993).

Joshua-Tor, L. and Sussman, J.L., The coming of age of DNA crystallography, *Curr. Opin. Struct. Biol.* **3,** 323–335 (1993).

Rich, A., Nordheim, A., and Wang, A.H.-J., The chemistry and biology of left-handed Z-DNA, *Annu. Rev. Biochem.* **53,** 791–846 (1984).

Schwartz, T., Rould, M.A., Lowenhaupt, K., Herbert, A., and Rich, A., Crystal structure of the Zα domain of the human editing enzyme ADAR1 bound to left-handed Z-DNA, *Science* **284,** 1841–1845 (1999).

Sundaralingam, M., Stereochemistry of nucleic acids and their constituents. IV. Allowed and preferred conformations of nucleosides, nucleoside mono-, di-, tri-, and tetraphosphates, nucleic acids and polynucleotides, *Biopolymers* **7,** 821–860 (1969).

Voet, D. and Rich, A., The crystal structures of purines, pyrimidines and their intermolecular structures, *Prog. Nucleic Acid Res. Mol. Biol.* **10,** 183–265 (1970).

Wing, R., Drew, H., Takano, T., Broka, C., Tanaka, S., Itakura, K., and Dickerson, R.E., Crystal structure analysis of a complete turn of B-DNA, *Nature* **287,** 755–758 (1980); and Shui, X., McFail-Isom, L., Hu, G.G., and Williams, L.D., The B-DNA decamer at high resolution reveals a spine of sodium, *Biochemistry* **37,** 8341–8355 (1998). [The Dickerson dodecamer at its original 2.5 Å resolution and at its later-determined 1.4 Å resolution.]

ADN SUPERENROULÉ

Bates, A.D. and Maxwell, A. *DNA Topology,* IRL Press (1993). [A monograph.]

Berger, J.M., Type II DNA topoisomerases, *Curr. Opin. Struct. Biol.* **8,** 26–32 (1998).

Berger, J.M., Gamblin, S.J., Harrison, S.C., and Wang, J.C., Structure and mechanism of DNA topoisomerase II, *Nature* **379,** 225–232 (1996); Morais Cabral, J.H., Jackson, A.P., Smith, C.V., Shikotra, N., Maxwell, A., and Liddington, R.C., Crystal structure of the breakage–reunion domain of DNA gyrase, *Nature* **388,** 903–906 (1997); *and* Fass, D., Bogden, C.E., and Berger, J.M., Quaternary changes in topoisomerase II may direct orthogonal movement of two DNA strands, *Nature Struct. Biol.* **6,** 322–326 (1999).

Champoux, J.J., DNA topoisomerases: Structure, function, and mechanism, *Annu. Rev. Biochem.* **70,** 369–413 (2001).

Changela, A., DiGate, R., and Mondragón, A., Crystal structure of a complex of a type IA DNA topoisomerase with a single-stranded DNA, *Nature* **411,** 1077–1081 (2001); Mondragón, A. and DiGate, R., The structure of *Escherichia coli* DNA topoisomerase III, *Structure* **7,** 1373–1383 (1999); *and* Lima, C.D., Wang, J.C., and Mondragón, A., Three-dimensional structure of the 67K N-terminal fragment of *E. coli* DNA topoisomerase I, *Nature* **367,** 138–146 (1994).

Froelich-Ammon, S.J. and Osheroff, N., Topoisomerase poisons: Harnessing the dark side of enzyme mechanism, *J. Biol. Chem.* **270,** 21429–21432 (1995).

Horton, N.C. and Finzel, B.C., The structure of an RNA/DNA hybrid: A substrate of the ribonuclease activity of HIV-1 reverse transcriptase, *J. Mol. Biol.* **264,** 521–533 (1996).

Kanaar, R. and Cozarelli, N.R., Roles of supercoiled DNA structure in DNA transactions, *Curr. Opin. Struct. Biol.* **2,** 369–379 (1992).

Lebowitz, J., Through the looking glass: The discovery of supercoiled DNA, *Trends Biochem. Sci.* **15,** 202–207 (1990). [An informative eyewitness account of how DNA supercoiling was discovered.]

Li, T.-K. and Liu, L.F., Tumor cell death induced by topoisomerase-targeting drugs, *Annu. Rev. Pharmacol. Toxicol.* **41,** 53–77 (2001).

Maxwell, A., DNA gyrase as a drug target, *Biochem. Soc. Trans.* **27,** 48–53 (1999).

Redinbo, M.R., Stewart, L., Kuhn, P., Champoux, J.J., and Hol, W.G.J., Crystal structures of human topoisomerase I in covalent and noncovalent complexes with DNA, *Science* **279,** 1504–1513 (1998); Stewart, L., Redinbo, M.R., Qiu, X., Hol, W.G.J., and Champoux, J.J., A model for the mechanism of human topoisomerase I, *Science* **279,** 1534–1541 (1998); *and* Redinbo, M.R., Champoux, J.J., and Hol, W.G.J., Structural insights into the function of type IB topoisomerases, *Curr. Opin. Struct. Biol.* **9,** 29–36 (1999).

Wang, J.C., DNA topoisomerases, *Annu. Rev. Biochem.* **65,** 635–692 (1996).

Wang, J.C., Moving one DNA double helix through another by a type II DNA topoisomerase: The story of a simple molecular machine, *Q. Rev. Biophys.* **31,** 107–144 (1998).

Wang, J.C., Cellular roles of DNA topoisomerases: a molecular perspective, *Nature Rev. Mol. Cell Biol.* **3,** 430–440 (2002).

Wigley, D.B., Davies, G.J., Dodson, E.J., Maxwell, A., and Dodson, G., Crystal structure of an N-terminal fragment of DNA gyrase B, *Nature* **351,** 624–629 (1991).

PROBLÈMES

1. L'effet de torsion hélicoïdale des paires de base A · T de l'ADN est plus variable que celui des paires de bases G · C. Proposez une base structurale expliquant cette propriété.

*2. Aux concentrations en Na$^+$ supérieures à 5M, La T$_m$ de l'ADN s'abaisse avec la concentration croissante en Na$^+$. Expliquez ce phénomène en prenant en compte les besoins de solvatation de Na$^+$.

*3. Pourquoi les conformations du noyau ribose les plus fréquemment observées sont-elles celles dans lesquelles soit l'atome C2′, soit C3′, est en dehors du plan des quatre autres atomes du cycle ? (Aide à la réponse : si on déforme un cycle plan de telle manière qu'un atome soit mis en dehors du plan des quatre autres, les groupes substituants du coté opposé à l'atome déplacé restent éclipsés. On peut observer cela très bien avec un modèle éclaté.)

4. Le virus à ADN du polyome peut être séparé en trois composants par sédimentation à pH neutre, ayant les coefficients de sédimentation de 20, 16 et 14,5S, connus sous le nom d'ADN de types respectifs I, II et III. Ces ADN ont une composition en bases et une masse moléculaire identiques. Dans NaCl 0,15 M, les types II et III montrent des courbes de dénaturation d'allure normale avec une T_m de 88°C. Par contre, le type I montre une courbe de dénaturation plus étalée et une T_m de 107°C. À pH 13, les types I et III ont des coefficients de sédimentation respectivement de 5S et 16S, et le type II se sépare en deux composants de coefficients 16S et 18S. Par quel caractère diffèrent les types I, II et III entre eux ? Expliquer leurs propriétés physiques différentes.

5. Lorsqu'on contraint l'axe de l'hélice d'un duplex d'ADN circulaire de 2340 bp à se maintenir dans un plan, l'ADN a une torsion (T) de 212. Une fois la contrainte relâchée cet ADN reprend sa valeur normale de torsion de 10,4 pb par tour. Donnez les valeurs d'enlacements (L), de supertorsion (W) et de torsion pour les états contraint et non contraint de cet ADN circulaire. Quelle est la densité superhélicoïdale, σ, des cercles d'ADN contraint et non contraint ?

6. Une molécule d'ADN duplex circulaire possède un segment de 100 pb présentant une alternance de résidus G et C. Après transfert dans une solution à haute concentration en sels, ce segment passe de la conformation B à la conformation Z. Quel est le changement du nombre d'enlacements, du nombre de supertorsion, et le nombre de torsion ?

7. Supposons que l'on découvre une enzyme produite par une bactérie particulièrement virulente, capable de cliver la liaison C2′-C3′ des résidus désoxyribose de l'ADN duplex . Quel peut être l'effet de cette enzyme sur l'ADN superenroulé ?

8. Un chromosome bactérien est constitué par un complexe protéine-ADN dans lequel la molécule unique d'ADN est superenroulée, comme le montre sa titration au bromure d'éthidium. Cependant, contrairement à ce qui s'observe avec l'ADN nu, circulaire et double brin, la cassure de ce complexe simple brin, sous l'action de la lumière, ne détruit pas la structure superenroulée. Cette observation donne-t-elle une indication sur la structure de ce chromosome bactérien, en particulier sur les effets stabilisants des protéines ?

9. Bien que les topoisomérases de types IA et II ne présentent pas de similitude significative de séquences, une parenté lointaine a été proposée sur la base de similitudes de certains aspects de leurs mécanismes enzymatiques. Quelles sont ces similitudes ?

10. Dessinez le mécanisme de coupure et de ressoudure de brin catalysé par les topoisomérases de type IA.

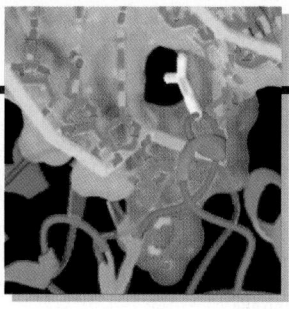

Chapitre 30

Réplication, réparation et recombinaison de l'ADN

Une population c'est un moyen pour l'ADN de faire encore plus d'ADN.

Anon.

Nous abordons une série, de trois chapitres sur les processus de base de l'expression génique : la réplication de l'ADN (ce chapitre), la transcription (Chapitre 31) et la traduction (Chapitre 32). Les grandes lignes de ces processus ont été esquissées dans la Section 5-4. Nous allons maintenant les approfondir en évoquant l'origine de nos connaissances.

1 ■ LA RÉPLICATION DE L'ADN : GÉNÉRALITÉS

L'article original de Watson et Crick décrivant la double hélice, finissait sur cette phrase « Il ne nous a pas échappé que les appariements spécifiques que nous avons supposés, suggèrent l'existence d'un mécanisme de copie conforme pour la perpétuation du matériel génétique ». Dans un des articles qui ont suivi, ils revenaient sur cette remarque un peu sybilline en faisant remarquer qu'un brin d'ADN pourrait servir de matrice pour conduire la synthèse de son brin complémentaire. Bien que Meselson et Stahl eussent démontré, dès 1958, que l'ADN est en réalité répliqué de manière semi-conservative (Section 5-3B), ce n'est que 20 ans plus tard que le mécanisme de la réplication de l'ADN chez les procaryotes a été compris avec suffisamment de précisions. Comme on pourra le constater au cours de la lecture de ce chapitre, le processus de réplication de l'ADN arrive largement au niveau de complexité de celui de la traduction, mais il est réalisé par un ensemble de protéines qui lui sont souvent faiblement associées et qui ne sont présentes qu'en un faible nombre de copies dans la cellule. *La complication surprenante de la réplication de l'ADN, quand on la compare avec la transcription, pourtant très semblable du point de vue chimique (Section 31-2), provient sans doute de la nécessité d'une très grande fidélité dans la réplication de l'ADN, de façon à conserver l'intégrité du génome transmis de génération en génération.*

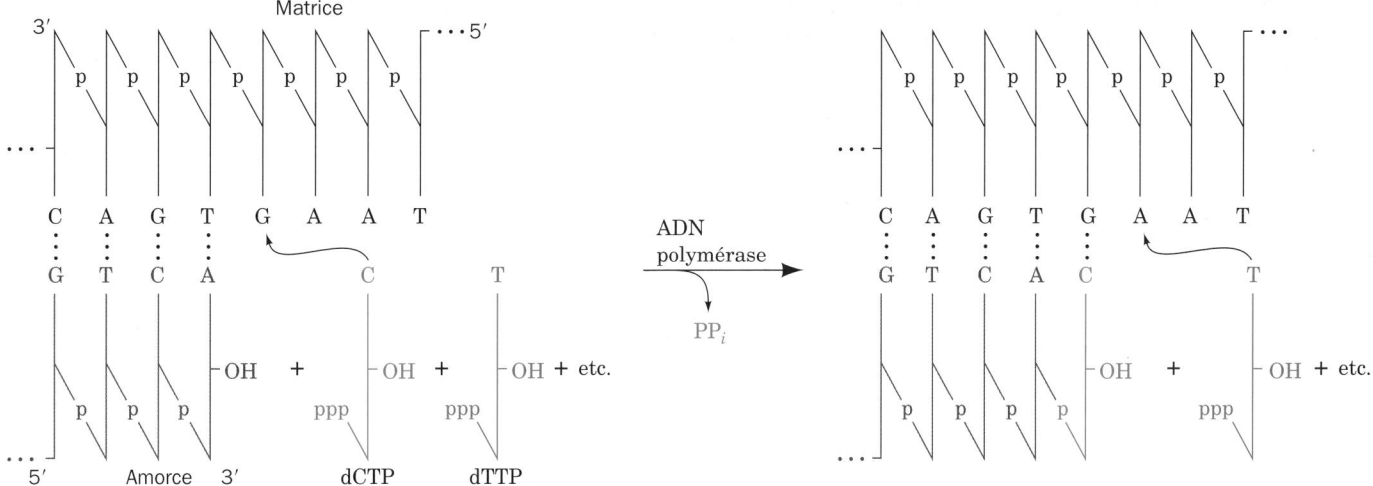

FIGURE 30-1 Mode d'action des ADN polymérases. Les ADN polymérases positionnent les désoxyribonudéosides triphosphates qui se présentent, en face d'un ADN simple brin matrice, de telle façon que le brin néosynthétisé soit allongé dans le sens 5' → 3'.

A. Les fourches de réplication

*L'ADN est répliqué par des enzymes connues sous le nom d'**ADN polymérases ADN dépendantes** ou plus simplement **d'ADN polymérases**.* Ces enzymes utilisent l'ADN simple brin comme matrice sur laquelle elles peuvent catalyser la synthèse d'un brin complémentaire à partir des désoxyribonucléotides triphosphates appropriés (Fig. 30.1). Les nucléotides qui se présentent sont sélectionnés pour leur capacité à former les appariements de Watson-Crick avec l'ADN matrice, de telle manière que le brin néosynthétisé forme dès lors une double hélice avec le brin matrice. *Presque toutes les ADN polymérases connues ne peuvent faire que l'ajout d'un nucléotide, fourni par un nucléotide triphosphate, à une extrémité 3'-OH d'un polynucléotide à bases appariées avec la matrice, de sorte que les brins d'ADN ne peuvent être synthétisés que dans le sens 5' →3'. Il sera question des ADN polymérases dans les Sections 30-2A, 2B et 4B.*

a. L'ADN duplex se réplique de façon semi-conservative aux fourches de réplication.

C'est grâce à l'autoradiographie de l'ADN en cours de réplication que John Cairns a mis en lumière la façon dont les chromosomes se répliquent. Des autoradiogrammes de chromosomes circulaires de *E. coli* incubés dans un milieu contenant de la thymidine [3H] montrent la présence d' « yeux » ou de « bulles » de réplication (Fig. 30.2). *Ces structures appelées, par analogie, **images en q,** indiquent que l'ADN duplex se réplique par séparation progressive de ses deux brins parentaux, qui s'accompagne de la synthèse de leurs brins complémentaires, de façon à produire deux duplex identiques répliqués de manière semi-conservative (Fig. 30-3).* La réplication de l'ADN selon ces structures est connue sous le nom de **réplication θ.**

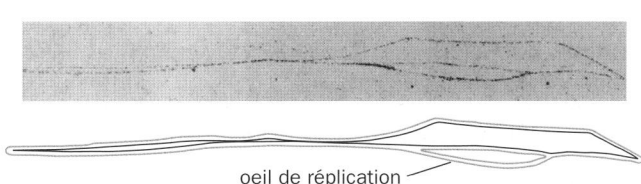

oeil de réplication

FIGURE 30-2 Un autoradiogramme et son schéma interprétatif, d'un chromosome *d'E. coli* en cours de réplication. La bactérie a été cultivée pendant un peu plus d'une génération cellulaire sur un milieu contenant de la thymidine[3H], l'ADN synthétisé dans ces conditions est marqué radioactivement, et apparaît comme un chapelet de grains noirs alignés sur l'émulsion photographique (ces alignements sont interprétés par des lignes rouges sur le dessin). La taille de l'œil de réplication montre qu'un sixième du chromosome circulaire a déjà été répliqué pour le cycle de réplication en cours. [Avec l'autorisation de John Cairns, Cold Spring Harbor Laboratory.]

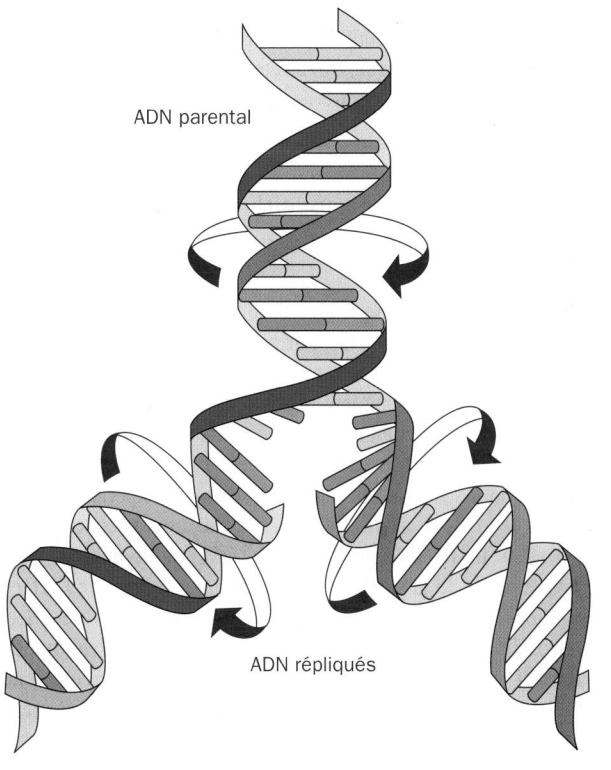

FIGURE 30-3 La réplication de l'ADN.

Un point de branchement, là où commence un œil de réplication, là où a mieu la synthèse de l'ADN, s'appelle **la fourche de réplication**. Une bulle de réplication peut contenir une ou deux fourches de réplication (cas des **réplications unidirectionnelle** ou **bidirectionnelle**). Les études par autoradiographie ont démontré que la réplication θ est presque toujours bidirectionnelle (Fig. 30-4). De plus, l'association de ces résultats d'autoradiographies avec les résultats génétiques, ont montré que l'ADN des procaryotes et des bactériophages ne possède qu'une seule **origine de réplication**, site où la synthèse d'ADN commence.

B. *Le rôle de l'ADN gyrase*

La nécessité que l'ADN parental se déroule à la fourche de réplication (Fig. 30-3), présente un obstacle topologique très difficile. En effet, l'ADN de *E. coli* se réplique à une vitesse de quelques 1000 nucléotides /s. Si son chromosome de 1300 μm de long était linéaire, il aurait à se retourner à l'intérieur de la cellule de *E. coli,* qui ne fait que 3 μm de long, à la fréquence de 100 tours/s (il faut rappeler que l'hélice ADN-B a un pas de 10 pb). Mais en fait, comme le chromosome de *E. coli* est circulaire, cela ne se passe pas ainsi. La molécule d'ADN va plutôt accumuler 100 tours de superenroulement (revoir la Section 29-3A pour les questions de superenroulements) jusqu'à ce qu'elle devienne trop tordue pour permettre un déroulement ultérieur. Les superenroulements négatifs, qui se font naturellement, facilitent le déroulement ultérieur mais seulement à raison de 5 % environ des tours de double hélice (il faut se rappeler qu'un ADN natif a normalement un supertour par 20 tours d'hélice environ ; cf Section 29-3B). Chez les procaryotes, cependant, les supertours négatifs peuvent être produits par la topoisomérase de type II, au prix de l'hydrolyse de l'ATP (voir l'ADN gyrase ; Section 29-3C). Ce mécanisme est essentiel pour permettre la réplication chez les procaryotes ; ceci est bien démontré par l'effet des inhibiteurs de l'ADN gyrase, comme la novobiocine et l'acide oxolinique, qui arrêtent la réplication, sauf chez les mutants dont l'ADN gyrase ne peut se lier avec ces antibiotiques.

C. *La réplication semi-discontinue*

Les autoradiogrammes semblables aux Fig. 30-2 et 30-4b sont d'une faible résolution, mais ils suggèrent que les deux brins antiparallèles de l'ADN sont répliqués simultanément, à la fourche de réplication qui se déplace . On sait pourtant que toutes les ADN polymérases connues ne peuvent allonger les brins d'ADN que dans le sens 5'→ 3'. Comment procède donc l'ADN polymérase pour copier le brin parental qui a lui même une orientation 5'→ 3' à partir de la fourche de réplication ? En 1968 Reiji Okasaki a donné la réponse à cette question à la suite des expériences suivantes. Si une culture de *E. coli*, en cours de croissance, est marquée pendant un temps court de 30 sec., avec la thymidine [³H], une bonne partie de la radioactivité incorporée, et donc de l'ADN néosynthétisé, acquiert un coefficient de sédimentation de 7S à 11S en milieu alcalin. Ces fragments ont été appelé **fragments d'Okazaki** et ont une taille de 100 à 200 nucléotides seulement (100 à 200 chez les eucaryotes). Si d'autre part après le bref marquage de 30 sec. à la thymidine tritiée, les bactéries sont transférées dans un milieu sans tritium, l'ADN radioactif sédimente à une vitesse croissante, en fonction du temps que les cellules ont passé

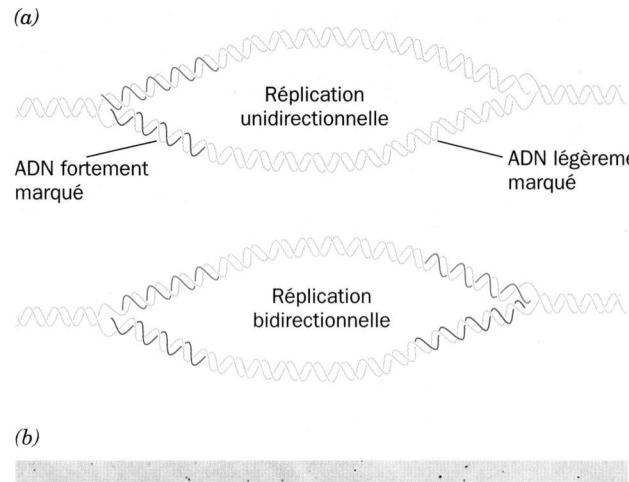

FIGURE 30-4 L'autoradiographie permet de préciser si la réplication θ de l'ADN est unidirectionnelle ou bidirectionnelle. *(a)* Un organisme est cultivé pendant plusieurs générations cellulaires dans un milieu légèrement marqué avec la thymidine [³H], de telle façon que tout son ADN soit visible sur un autoradiogramme. Une grande quantité de thymidine [³H], est ensuite ajoutée au milieu pendant quelques secondes, avant que l'ADN soit isolé (**marquage par impulsion** ou « **pulse labeling** ») pour ne marquer que les bases proches de la ou des fourches de réplication. Si la réplication est unidirectionnelle, on ne verra qu'un point de branchement fortement marqué *(au dessus)*, tandis que si elle est bidirectionnelle, deux branchements seront visibles *(en dessous)*, *(b)* Un autoradiogramme de l'ADN de *E. coli* ainsi traité, démontrant que cet ADN est bien répliqué de manière bidirectionnelle. [Avec l'aimable autorisation de David M. Prescott, Université du Colorado.]

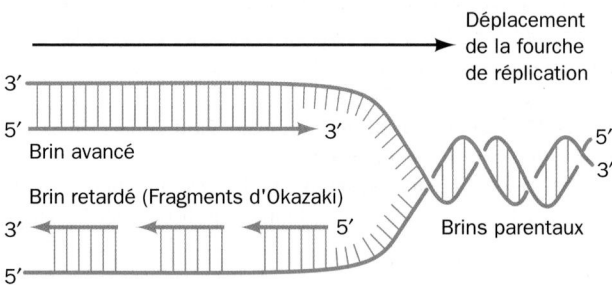

FIGURE 30-5 La réplication semi-discontinue de l'ADN. Au cours de la réplication de l'ADN, les deux brins fils (en rouge) sont synthétisés dans le sens 5' → 3'. Le brin avancé est synthétisé de manière continue, tandis que le brin retardé est synthétisé de manière discontinue.

sur le milieu non radioactif (l'expérience s'appelle « **pulse-chase** », impulsion suivie d'une chasse), indiquant que les fragments sont de plus en plus longs. Les fragments d'Okazaki sont donc incorporés de manière covalente à des molécules d'ADN plus longues.

Okazaki a interprété ses résultats expérimentaux en formulant le modèle de la réplication semi-discontinue (Fig. 30-5). Les deux

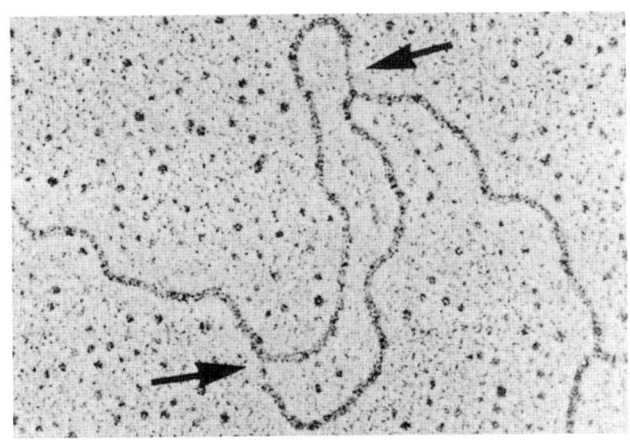

FIGURE 30-6 Micrographie électronique de l'œil de réplication, dans l'ADN de *Drosophila nnelanogaster*. Noter que les régions simple brin (flèches), proches des fourches de réplication, présentent la même configuration trans, ce qui est cohérent avec le modèle semi-discontinu de la réplication de l'ADN. [D'après Kreigstein, H.J. and Hogness, D.S. Proc. Natl. Acad.Sci.**71**, 173 (I974).]

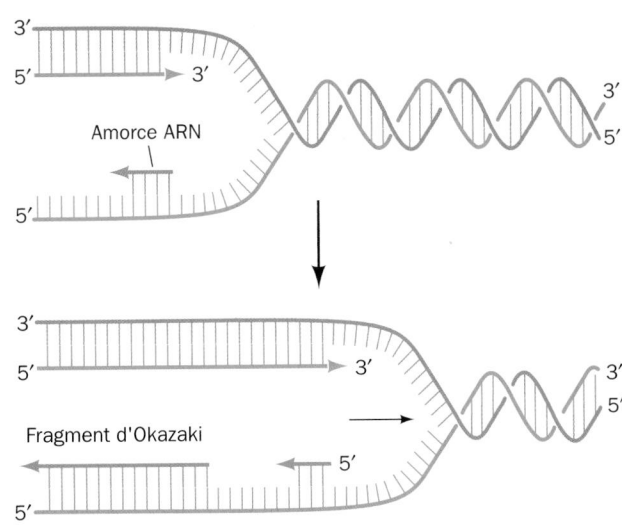

FIGURE 30-7 La synthèse d'ADN est amorcée par des petits segments d'ARN.

brins parentaux sont répliqués de manière différente. *Le brin d'ADN néosynthétisé qui s'allonge dans la polarité 5' → 3', dans le sens de déplacement de la fourche de réplication, est appelé le **brin avancé**; il est synthétisé de manière tout à fait continue dans le sens 5' → 3' au fur et à mesure que la fourche de réplication avance. L'autre brin néosynthétisé s'appelle le **brin retardé**; il est aussi synthétisé dans le sens 5' → 3', mais d'une manière discontinue, sous la forme des fragments d'Okasaki. Les fragments d'Okazaki ne sont reliés entre eux que quelques temps après leur synthèse par l'**ADN ligase** (Section 30-2D).*

Ce modèle semi-discontinu de la réplication de l'ADN est validé par les micrographies électroniques de l'ADN en cours de réplication, montrant les régions simple brin d'un coté de la fourche de réplication (Fig. 30-6). Dans le cas d'ADN se répliquant de manière bidirectionnelle, les deux régions simple brin se présentent, comme on peut s'y attendre, aux deux cotés opposés, à l'extérieur de la bulle de réplication.

D. *Les amorces ARN*

Toutes les ADN polymérases doivent disposer de la présence d'un groupement 3'-OH libre pour pouvoir allonger un brin d'ADN. Cette exigence doit être rapprochée du fait que le modèle de réplication proposé est discontinu; on doit donc répondre à la question suivante: comment la synthèse d'ADN commence-t-elle? L'analyse détaillée des fragments d'Okazaki *a révélé que leurs extrémités sont des segments d'ARN de 1 à 60 nucléotides (cette longueur dépend de l'espèce), complémentaires du brin d'ADN matrice (Fig. 30-7).* E. coli possède deux enzymes capables de catalyser la formation de ces **amorces ARN: l'ARN polymérase**, enzyme multimérique d'environ 459 kD responsable de la transcription (Section 31-2), et une **primase** beaucoup plus petite (60kD), monomère produit par le gène *dnaG*.

La primase est insensible à la **rifampicine**, un inhibiteur de l'ARN polymérase (Section 31-2C). La rifampicine n'inhibe que la synthèse du brin avancé, ce qui montre indirectement que *la primase produit les amorces pour la synthèse des fragments d'Okazaki*. Le départ de la synthèse du brin avancé chez E. coli, qui arrive beaucoup plus rarement que celle des fragments d'Okasaki, peut être provoqué in vitro, soit par l'ARN polymérase seule, soit par la primase seule, mais elle est très fortement stimulée si les deux enzymes sont présentes. On pense donc que ces deux enzymes ont une action synergique in vivo pour cette fonction d'initiation de la synthèse du brin avancé. L'ADN mature ne contient plus d'ARN. Les amorces ARN sont donc enlevées et les trous simple brin qui en résultent sont comblés sous forme d'ADN par un mécanisme décrit dans la Section 30-2A.

2 ■ LES ENZYMES DE LA RÉPLICATION

La réplication de l'ADN est un processus complexe qui implique une assez grande variété d'enzymes. Elle requiert, si l'on se limite aux principaux acteurs, selon leur ordre d'action: (1) les ADN topoisomérases, (2) les enzymes connues sous le nom d'hélicases, qui séparent les brins d'ADN à la fourche de réplication, (3) des protéines qui empêcheront les deux brins de se réassocier avant d'avoir été répliqués, (4) des enzymes pour synthétiser les amorces ARN, (5) une ADN polymérase, (6) une enzyme pour enlever les amorces ARN, (7) une enzyme pour ligaturer de manière covalente les fragments d'Okazaki contigus. Dans cette section seront décrites les propriétés et les fonctions de bon nombre de ces enzymes.

A. *L'ADN polymérase I*

En 1957, Arthur Kornberg publie la découverte d'une enzyme catalysant la synthèse d'ADN dans des extraits de E. coli, grâce à son aptitude à faire incorporer la radioactivité de la thymidine (^{14}C) triphosphate dans l'ADN. Cette enzyme, connue depuis comme l'**ADN polymérase I** ou **Pol I**, est un monomère de 928 résidus d'acides aminés.

Pol I associe les désoxyribonucléosides triphosphates sur une matrice ADN (Fig. 30-1) par une attaque de type nucléophile du groupement 3'-OH à l'extrémité du brin d'ADN en cours de synthèse, réagissant alors avec le groupe phosphoryle α du nucléoside triphosphate qui s'est présenté. La réaction est thermodynamiquement possible, par l'élimination corrélative de PP$_i$ inorganique, qui sera hydrolysé par la pyrophosphatase. La réaction ressemble globalement à celle catalysée par l'ARN polymérase (Fig. 5-23), mais en diffère par l'obligation que le groupe 3'-OH soit l'extrémité d'un polynucléoside apparié avec une matrice, pour y relier le nucléoside qui se présente (il faut rappeler que l'ARN polymérase initie la transcription en reliant l'un à l'autre deux ribonucléosides triphosphates sur une matrice d'ADN ; Section 31-2C). La complémentarité entre l'ADN produit et la matrice avait d'abord été déduite des compositions en bases et des études d'hybridation, et avait été établie ensuite directement par la détermination des séquences de bases. Le taux d'erreur de Pol I par rapport à l'ADN copié est très faible, comme le montre la réplication *in vitro* d'ADN φX174 de 5386 nt, capable de former des ADN de phages, tous infectieux. Le taux d'erreur mesuré est de l'ordre d'une base fausse pour 10 millions.

Pol I est dite « processive », néologisme signifiant qu'elle copie une longueur donnée de la matrice sans la quitter, en général de 20 nucléotides voire beaucoup plus. Pol I peut, bien sûr, agir dans le sens inverse en dégradant l'ADN par pyrophosphorolyse. Cette réaction inverse ne semble cependant pas avoir une gra,nde importance physiologique, à cause de la faible concentration en PP$_i$ qu'elle rencontre *in vivo*, du fait de l'activité de la pyrophosphatase.

a. Pol I reconnaît les dNTP qui se présentent d'après la forme de la paire de base établie avec l'ADN matriciel

On pense que la spécificité de Pol I pour la base à placer, résulte de l'obligation qu'elle mette en place une base appariée selon Watson-Crick avec la matrice, plutôt que d'une reconnaissance directe de la base adéquate (les quatre paires de bases A · T, T · A, G · C et C · G ont des formes presque identiques ; Fig. 5-12). Ainsi, comme Eric Kool l'a montré, lorsque la « base » **2,4-difluorotoluène (F),**

2,4-Difluorotoluene base (F)   **Thymine (T)**

qui est isostérique (c'est-à-dire qu'elle a la même forme) avec la thymine mais incapable de faire des liaisons hydrogène, est insé-

rée artificiellement dans un ADN matrice, Pol I incorpore un A en face de ce F avec u taux d'erreur voisin de celui qu'elle a pour incorporer un A en face d'un T. De même, le dFTP est incorporé en face d'un A de la matrice avec une fidélité voisine de celle de l'incorporation de dTTP. Cependant, l'incorporation de F en face de A dans l'ADN déstabilise la double hélice de 15 kJ/mole par rapport à l'incorporation correcte de T en face de A. Il est clair que Pol I choisi les dNTP qui se présentent surtout en fonction de leur faculté à former une paire ayant la forme d'une paire Watson-Crick avec la base présente dans la matrice en tenant peut compte de la capacité à former des liaisons hydrogène. Effectivement, la structure RMN d'un ADN der 12 pb qui contient en son centre F en face de À montre qu'elle adopte une conformation d'ADN-B dans laquelle la paire F · A ressemble beaucoup à une paire T · À qui serait présente dans un ADN par ailleurs en tout point identique.

b. Pol I peut corriger ses fautes

En plus de son activité polymérase, Pol I possède deux activités hydrolytiques indépendantes :

1. Elle possède une activité exonucléasique 3' → 5'.

2. Elle possède une activité exonucléasique 5 → 3'.

La réaction exonucléasique de polarité 3' → 5' est différente, au point de vue chimique, de la réaction de pyrophosphorolyse, uniquement par l'accepteur du nucléotide, qui est H_2O au lieu du PP$_i$. Des études de cinétique et aussi de cristallographie (cf ci-après) indiquent cependant que ces deux activités catalytiques concernent des sites actifs différents. La fonction exonucléasique 3' est activée par un nucléotide 3'-terminal mal apparié ayant son groupe OH libre. Si la Pol I incorpore un nucléotide erroné (mal apparié Fig. 5-36) à l'extrémité croissante d'un brin d'ADN, l'activité polymérase est inhibée et l'exonucléase 3' → 5'. Excise ce nucléotide (Fig. 5-36). L'activité polymérase reprend ensuite. *La Pol I a donc la capacité de relire le brin d'ADN en cours de synthèse et de corriger ses fautes.* Ceci explique la haute fidélité de la réplication de l'ADN par Pol I : le taux d'erreurs d'incorporation est ~ 10^7 ; il correspond à la fraction des bases mal incorporées lors de la polymérisation qui n'ont pas été excisées par l'activité 3' → 5' exonucléase. Le prix à payer pour cette fidélité est que 3 % des bases dont l'incorporation était correcte sont malgré tout excisées.

L'exonucléase Pol I 5' → 3' se lie à l'ADN duplex à un site de coupure simple brin, sans spécificité pour l'état du nucléotide en 5' (sous forme 5'-OH, ou porteur d'un groupement phosphate, que la base soit appariée ou non). Elle coupe l'ADN dans une région voisine de la cassure, où les bases sont appariées, de telle façon que l'ADN se trouve excisé et libère soit des mononucléotides, soit des oligonucléotides d'une longueur allant jusqu'à 10 résidus (Fig. 5-33). L'activité exonucléasique 3' → 5', au contraire, n'enlève que des mononucléotides mal appariés ayant les 3'-OH libres.

c. La fonction polymérase et les deux fonctions exonucléase correspondent chacune à un site actif différent de Pol I

L'activité exonucléasique 5' → 3' de Pol I est indépendante de son activité 3' → 5' et aussi de son activité polymérase. Effec-

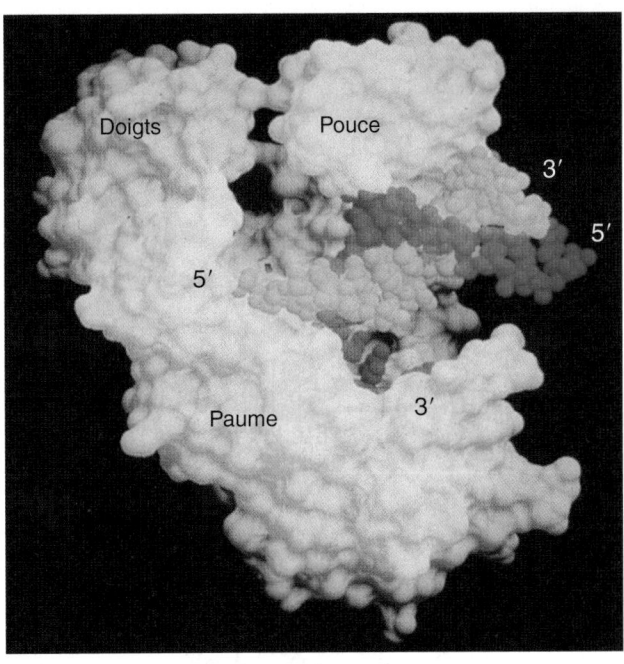

(a)

FIGURE 30-8 Structure par rayons X du fragment de Klenow de l'ADN polymerase I (FK) complexée avec un ADN double hélice. (a) La surface de FK accessible aux solvants est en jaune, les 12 nt du brin matrice sont en bleu ciel et les 14 nt du brin amorce sont en rouge, (b)

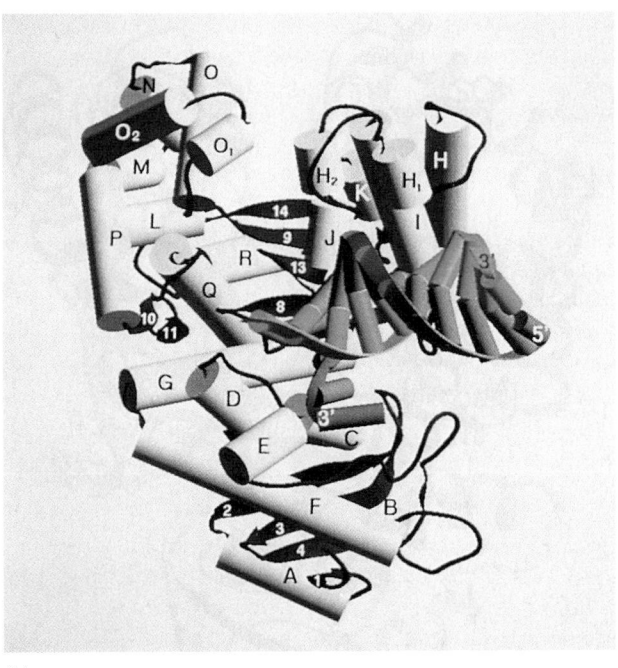

(b)

Une représentation en cylindres et flèches, du complexe dans la même orientation que dans (a), dans laquelle le brin matrice est en bleu et le brin amorce est en violet. [Avec l'aimable autorisation de Thomas Steitz, Université de Yale./PDBid 1KLN.]

tivement, comme cela a été vu dans la Section 7-2A, des protéases comme la subtilisine ou la trypsine coupent Pol I en deux morceaux : le **grand fragment**, dit de « **Klenow** » (**FK** ; des résidus 324 à928), qui contient les activités polymérase et exonucléase 3' → 5', et un fragment plus petit (des résidus 1 è 323), qui contient l'activité exonucléase 5' → 3'. Donc Pol I contient trois sites actifs dans une seule chaîne polypeptidique.

d. La structure par rayons X du fragment de Klenow montre comment il se lie à l'ADN

La structure, déterminée par rayons X par Thomas Steitz, montre que cette protéine est faite de deux domaines (Fig. 30-8). Le domaine le plus petit (des résidus 324 à 517) contient le site pour l'exonucléase 3' → 5', comme cela a été démontré par la perte de cette fonction, tout en gardant l'activité polymérase, par un fragment de Klenow mutant qui avait perdu les sites affines des cations divalents nécessaires à l'activité exonucléase 3' → 5', et dont la structure reste normale par ailleurs. Le domaine le plus grand (résidus 521 à 928, comprenant l'hélice G et au delà, dans la Fig. 30-8*b*) contient le site actif pour la polymérase à la partie inférieure d'une forme en pince proéminente, situé à une distance assez éloignée (~25Å) du site pour l'exonucléase 3' → 5'. Cette pince, recouverte de résidus chargés positivement, a une taille approximative de 22 Å en largeur et de 30 Å en profondeur ; sa

forme lui permet de se lier à une molécule d'ADN-B, comme une main droite saisissant une baguette (les hélices H-I correspondraient au pouce, les hélices L-P aux doigts et le domaine le plus grand à la paume). Ce dernier domaine constitue un feuillet β de six plis antiparallèles où se trouve le site actif pour la fonction polymérase). En fait, les sites actifs de toutes les polymérases à ADN ou ARN dont la structure est connue, sont localisés dans la partie inférieure de formes en pince semblables (30-4B, 30-4C et 31-2A).

e. L'ADN polymérase reconnaît les paires de bases Watson-Crick grâce à des interactions indépendantes de la séquence induisant des mouvements de certains domaines

Le domaine C-terminal de l'ADN polymérase I de *Thermus aquaticus* (*Taq*) (**Klentaq1**) a 50 % d'identité de séquence et une structure assez similaire à celles du grand domaine du fragment de Klenow, bien que Klentaq1 n'ai pas de site exonucléase 3' → 5' fonctionnel. Gabriel Waksman a cristallisé un complexe de Klentaq1 et d'un ADN de 11 pb possédant une extension de brin non appariée GGAAA-5' à l'extrémité 5' du brin matrice. Les cristaux avaient été incubés avec du 2',3'-didéoxy-CTP (ddCTP, qui ne possède pas de fonction 3'-OH). La structure de ces cristaux (Fig. 31-9*a*) montre qu'un résidu ddC forme une liaison covalente avec

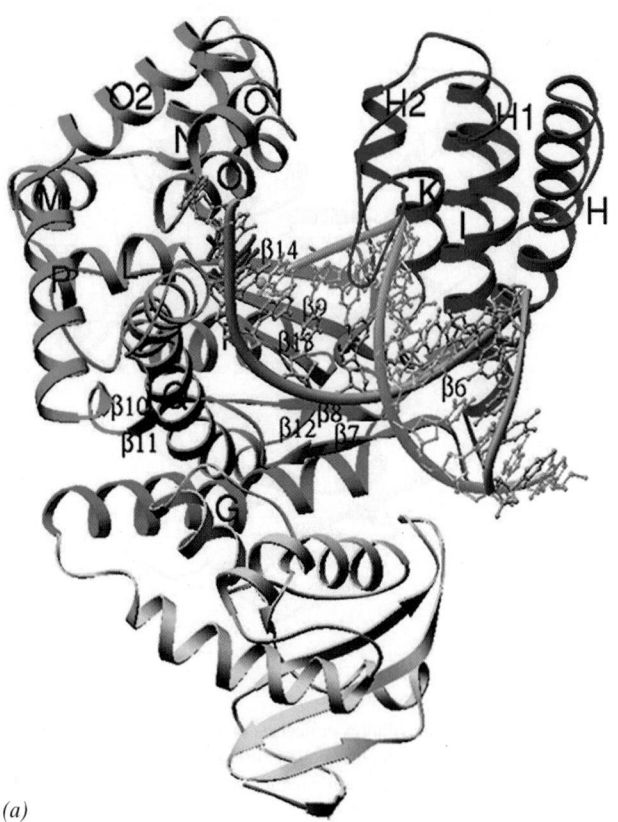

(a)

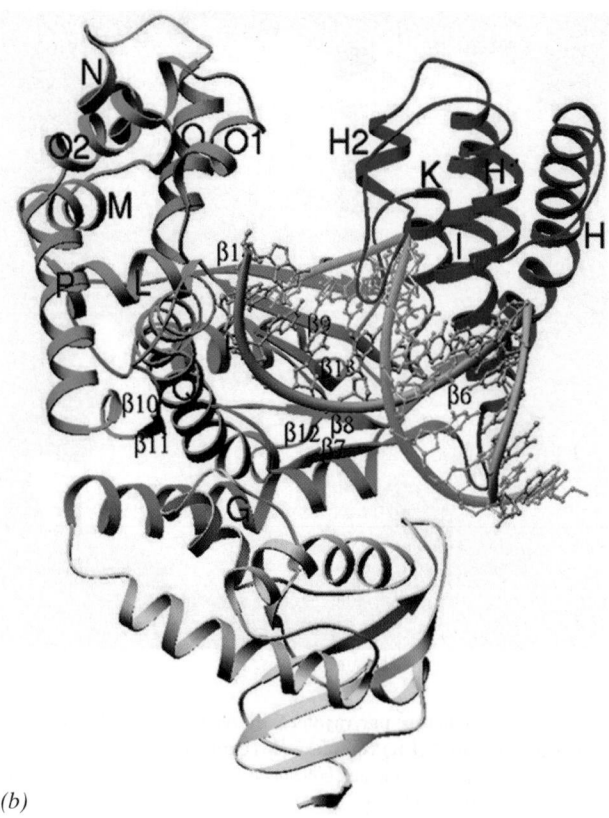

(b)

FIGURE 30-9   Structure par rayons X de Klentaq1 complexée avec de l'ADN et du ddCTP. (*a*) Conformation fermée. (*b*) Conformation ouverte. La protéine est vue sous le même angle que dans la figure 30-8, en représentation en rubans. Les différents domaines : N-terminal, la paume, les doigts et le pouce sont colorés respectivement en jaune, en rose, en vert et en bleu sombre, l'hélice O du domaine des doigts est en rouge. L'ADN est représenté sous forme de bâtonnets avec son squelette

sucre-phosphate représenté par un cylindre ; le brin matrice est bleu et l'amorce est argentée. En *a*, le ddCTP fixé est représenté sous forme de bâtonnets en noir et les deux ions métalliques qui y sont fixés sont représentés par des sphères oranges. [Avec l'aimable autorisation de Gabriel Waksman, École de Médecine de l'Université de Washington. PDBid 3KTG et 2KTQ.]

l'extrémité 3' de l'amorce et qu'il forme une paire Watson-Crick avec le G le plus en 3' de la partie non appariée de la matrice De plus, une molécule de ddCTP (avec laquelle la nouvelle extrémité 3' de l'amorce, constituée d'un résidu ddCTP ne peut pas former de liaison covalente) occupe le site actif de l'enzyme où elle forme une paire Watson-Crick avec le deuxième G de la matrice. Il est donc clair que Klentaq1 a conservée son activité catalytique dans ce type de cristal.

Une ADN polymérase doit être capable de faire la distinction entre les appariements corrects de bases et les mésappariements grâce à des interactions indépendantes de la séquence mettant en jeu le nucléotide qui se présente à l'enzyme. La structure aux rayons X précédemment citée révèle que cela a lieu grâce à une poche du site actif ayant une forme complémentaire de celle des paires Watson-Crick. Cette poche est formée par le tassement entre la chaîne latérale conservée d'un résidu Tyr et la base de la matrice, mais également par des interactions de van der Waals entre la protéine et la paire de bases précédentes. En plus, bien que l'ADN-B ait principalement la conformation B, Les trois paires de bases les plus proches du site actif adopte la conformation A, un fait qui a également été observé dans les structures

aux rayons X de plusieurs autres ADN polymérases complexée à de l'ADN. Le sillon mineur plus large et superficiel qui en résulte (Section 29-1B) permet aux chaînes latérales de la protéine de former des liaisons hydrogène avec les atomes N3 des bases puriques et les atomes O2 des bases pyrimidiques qui sans cela seraient inaccessibles. Les positions responsables de ces liaisons hydrogène ne dépendent pas de la séquence comme on peut le voir sur la Fig. 5-12 [alors qu'au contraire, les positions permettant des liaisons hydrogène dans le grand sillon dépendent aussi bien de l'identité (A · T versus G · C) que de l'orientation (e.g. A · T versus T · A) de la paire de bases]. Mais, dans le cas d'un appariement non Watson-Crick, ces liaisons hydrogène subiraient une déformation importante, voire seraient totalement empêchées. La protéine établit également de nombreuses liaison hydrogènes et d'interactions de van der Waals avec la chaîne sucres-phosphates de l'ADN.

Les cristaux entre la Klentaq1, l'ADN et le ddCTP décrits plus haut ont été partiellement débarrassés du ddCTP en les trempant dans une solution stabilisatrice dépourvue de ddCTP. La structure aux rayons X de cristaux dont on a retiré du ddCTP (Fig. 30-9*b*) a révélé que les domaines en forme de doigts de Klentaq1 adoptent une conformation, dite ouverte, qui est très différente de celle que l'on dit, fermée, décrite plus haut. Notamment, les hélices O, O_1 et O_2 de la conformation fermée ont effectué un mouvement semblable à celui d'une charnière vers le site actif par rapport à leurs positions dans le complexe ouvert (Fig. 30-9*a*) enfouissant ainsi le ddCTP qui a été lié pour assembler le complexe ternaire productif. Ces observations sont en accord avec les mesures cinétiques effectuées sur Pol I, qui indique que le dNTP correct se lie sur l'enzyme, cela induit une étape limitante de changement de conformation qui donne un complexe ternaire solide. On voit donc que l'enzyme en conformation ouverte, est capable de sélectionner rapidement les nucléotides disponibles, mais que la conversion en conformation catalytique fermée n'a lieu que lorsque le dNTP correct forme une paire de bases Watson-Crick avec la base de la matrice. Les étapes ultérieures de la réaction produisent alors rapidement le complexe qui, après un deuxième changement de conformation, libère le PP_i. Finalement, l'Adn se déplace dans le site actif, probablement par un mécanisme de diffusion linéaire, de façon à se mettre en place pour le cycle de réactions suivant.

La comparaison des structures aux rayons X ci-dessus avec celle de la Klentaq1 seule, indiquent que la fixation d'ADN provoque un mouvement du domaine en forme de pouce qui se referme sur l'ADN. Il est probable que ce mouvement explique en grande partie la processivité de Pol I. Ni l'ADN double brin (ADNdb), ni l'ADN simple brin (**ADNsb**), ne passe dans le sillon entre les domaines en forme de pouce et de doigts, dans aucune des deux structures de Klentaq1 avec l'ADN, cela est d'ailleurs suggéré par la forme et la position du sillon. Au contraire, le brin matrice fait un coude brusque au niveau de la première base non appariée, provoquant un détassement de cette base pour positionner cet ADN simple brin du même coté du sillon que l'ADNdb. Des dispositions semblables ont été observées dans les structures aux rayons X d'autres ADN polymérases lorsqu'elles sont complexées à l'ADN.

f. Le mécanisme catalytique de l'ADN polymérase met en jeu deux ions métalliques

Les structures aux rayons X de nombreuses ADN polymérases suggèrent un mécanisme catalytique commun pour le transfert du groupement nucléotidyl (Fig. 30-10). Leurs sites actifs contiennent tous deux ions métalliques, en général Mg^{2+}, qui sont fixés par les chaînes latérales de deux résidus Asp invariables situés dans le domaine constituant la paume. L'ion métallique B de la Fig. 30-10 est lié par les trois groupements phosphate du dNTP fixé, tandis que l'ion métallique A fait un pont entre le groupement phosphate α de ce dNTP et le groupement 3'-OH de l'amorce. On pense que l'ion métallique A active le groupement 3'-OH qui va faire une attaque nucléophile sur le groupement phosphate α (Fig. 16-6b), alors que le rôle de l'ion métallique B est d'orienter le groupement triphosphate auquel il est lié pour faire un écran électrostatique contre ses charges négatives ainsi que contre les charges négatives supplémentaires dans l'état de transition qui conduit à la libération de l'ion PP_i (Section 16-2B).

g. Dans les complexes de correction, le brin amorce se trouve dans le site à activité 3' → 5' exonucléase

Steitz a pu co-cristalliser le fragment de Klenow (FK) avec une « matrice » d'ADN simple brin de 12 nt (5'-TGCCTCGCGGCC-

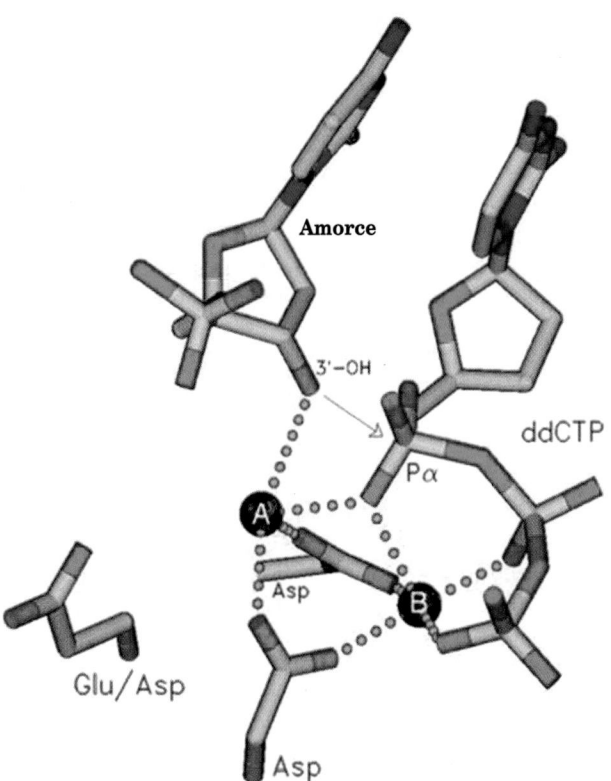

FIGURE 30-10 Représentation schématique du mécanisme nucléotidyl-transférase des ADN polymérases. A et B représentent des ions métalliques liés à l'enzyme, en général des Mg^{2+}. Le code couleur des atomes est le suivant : C en gris, N en bleu, O en rouge et P en jaune. Les liaisons de coordination avec les ions métalliques sont représentées par des pointillés verts. L'ion métallique A active le groupement 3'-OH de l'amorce pour effectuer une attaque nucléophile directe (flèche), sur le groupement phosphate α du dNTP qui se présente tandis que l'action de l'ion métallique B sert à l'orientation et à la stabilisation électrostatique du groupement phosphate porteur d'une charge négative. [Avec l'aimable autorisation de Tom Ellenberger, École de Médecine de Harvard.]

3'), une « amorce » simple brin de 7 nt (3'-GCGCCGG-5') complémentaire de l'extrémité 3' du brin amorce, et du **2'-3'-époxy-ATP**,

$$\text{-O-P(=O)(O}^-\text{)-O-P(=O)(O}^-\text{)-O-P(=O)(O}^-\text{)-O-CH}_2\text{ ... A}$$

2',3'-Epoxy-ATP

qui introduit une liaison solide entre le site polymérase et l'ADN. La structure par rayons X du complexe ainsi formé (Fig. 30-8) montre que l'amorce s'apparie, comme on s'y attend, avec l'extrémité 3' du brin matrice pour former un segment tordu d'ADN-B, et que la polymérase a accroché un résidu époxy-A à l'extrémité 3' de l'amorce (qui s'apparie avec un T sur le brin matrice ; Fig. 30-11). De plus, un deuxième brin amorce dont le

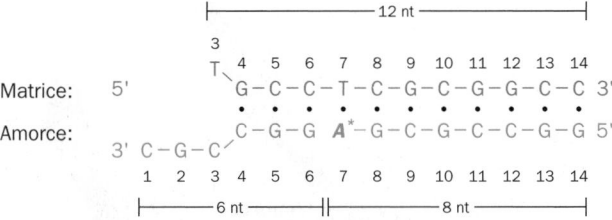

FIGURE 30-11 Séquence probable de l'ADN double brin, telle qu'elle devrait être au sein de la structure du FK par rayons X. *A** représente un résidu 2',3'-époxy-À qui a été attaché par le FK à l'extrémité 3' de l'ADN amorce de 7 nt, avec lequel le cristal de FK (Fig. 30-8) a été incubé (en même temps qu'avec l'ADN de 12 nt). On voit que le brin amorce 3' bipartite est la réplique de l'ADN de 7 nt, amputé de son nt 3'.

résidu 3'G a, semble-t-il été enlevé, allonge l'extrémité 3' de l'amorce (après une cassure de la chaîne sucre-phosphate) en s'appariant, grâce à ses trois nt 5'-terminaux, au brin matrice. Ce complexe comprend donc un ADN duplex de 11 pb, avec un nucléotide non apparié du brin matrice dépassant du coté 5' et 3 nt non appariés du brin amorce dépassant du côté 3'. Le nucléotide terminal 3' du brin amorce (le dernier nt qu'une polymérase active auraait pu placer) est lié au site actif exonucl éase 3' → 5' tandis que le nucléotide 5'-terminal du brin matrice est lié à l'entrée du site actif polymérase. Il est clair que le FK se lie à l'ADN sous forme d'un complexe chargé du contrôle, plutôt que sous la forme d'une pince à activité polymérase avec sa structure en forme de main.

Dans la Pol I de *E. coli*, comment se fait le transfert de l'extrémité 3' du brin amorce, entre le site actif de la polymérase et le site à activité exonucléase 3'→5' ? Il semble qu'il y ait une compétition entre ces deux sites pour l'extrémité 3' du brin amorce, qui s'apparie pour former un ADN-db au niveau du site polymérase et se lie sous forme simple brin dans le site exonucléase. Ainsi, la formation d'une paire Watson-Crick entraînerait la liaison du brin amorce dans le site polymérase, en vue du prochain cycle d'extension de la chaîne, alors qu'une paire de bases mésappariée entraînerait la liaison du brin amorce sous forme simple brin au site exonucléase, afin d'exciser ensuite le nucléotide incorrect. La comparaison du complexe chargé du contrôle, avec les complexes KlenTaq1-ADN suggère que le transfert du brin amorce du site polymérase au site de contrôle du KF implique un déplacement de l'ADNdb en arrière (vers l'extrémité 3' du brin matrice) de plusieurs angstroms le long de l'axe de l'hélice.

h. La Pol I a une fonction physiologique dans la réparation de l'ADN

Pendant les 13 années suivant la découverte de la Pol I, on pensait généralement que cette enzyme était la réplicase de *E. coli* parce qu'on n'avait détecté aucune autre activité de type ADN polymérase chez cette espèce. Cette idée est devenue obsolète dès l'isolement, en 1969, par Cairns et Paula DeLucia, d'un mutant de *E. coli* dont l'extrait possédait moins de 1 % de l'activité Pol I normale, bien qu'il ait gardé un niveau normal d'activité exonucléase 5'→3' et qu'il se multipliât à un taux normal. Cette souche mutante était cependant très sensible aux effets délétères des rayons UV et des **agents mutagènes chimiques** (Section 32-1A).

Ceci montrait, indirectement, que *Pol I joue un rôle clé dans la réparation de l'ADN lésé chimiquement.*

L'ADN endommagé (cf. Section 30-5) est reconnu par plusieurs systèmes de réparation. Le brin d'ADN lésé est souvent clivé du côté 5' de la lésion, par une activité endonucléase, ce qui active l'activité exonucléase 5' → 3' de Pol I. En même temps qu'elle excise l'ADN endommagé, Pol I comble le trou en nucléotides qui en résulte grâce à son activité polymérase. En effet, l'activité exonucléase 5'→3' est multipliée par 10 quand la fonction polymérase est en action. Il est possible que la simultanéité dans l'excision et la polymérisation par Pol I, protège l'ADN contre l'action des nucléases cellulaires, qui endommageraient encore plus l'ADN porteur de trous sur un des brins.

i. Pol I catalyse le déplacement d'une cassure simple brin (« nick translation »)

Les activité jumelées, exonucléase 5'→3' et polymérase de Pol I, permettent de remplacer les nucléotides situés du coté 5' d'une cassure simple brin située sur un fragment d'ADN par ailleurs intact. En effet, ces deux réactions déplacent la cassure vers l'extrémité 3' du brin cassé sans changer le reste de la molécule (Fig. 30-12). Ce mécanisme est d'ailleurs utilisé sous le terme de « **nick translation** », pour préparer de l'ADN fortement radioactif en présence de désoxynucléosides triphosphates marqués (on provoque d'abord des cassures en traitant l'ADN avec une faible quantité d'**ADNase I** pancréatique).

j. La fonction physiologique exonucléase 5'→3' de Pol I est d'enlever les amorces ARN

L'exonucléase 5'→3' enlève aussi les amorces ARN aux extrémités 5' de l'ADN néosynthétisé et la polymérase comble les trous simple brin qui en résultent (Fig. 5-34). On a démontré l'importance de cette fonction après l'isolement de mutants thermosensibles de *E. coli* qui, à la température restrictive de ~43°C, ne sont pas viables et n'expriment aucune activité exonucléase 5'→3' (le niveau faible d'activité polymérase chez le mutant Pol I isolé par Cairns et DeLucia, semble suffisant pour assurer cette fonction de comblement des trous pendant la réplication du chromosome). On voit bien que Pol I a un rôle indispensable dans la réplication de l'ADN chez *E. coli*, mais que ce rôle est bien différent de celui qu'on avait pensé au début.

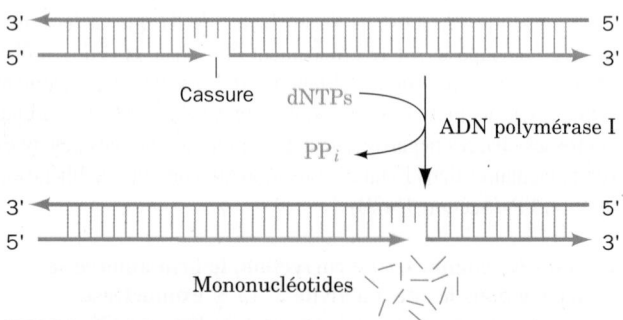

FIGURE 30-12 Le déplacement d'une cassure (« nick translation ») catalysé par Pol I.

B. *L'ADN polymérase III*

La découverte de mutants de *E. coli* se multipliant normalement avec très peu d'activité Pol I a évidemment encouragé la recherche d'une autre activité de polymérisation de l'ADN. L'effort a été utile puisque deux enzymes nouvelles ont été découvertes, appelées **ADN polymérase II** (**Pol II**) et ADN **Polymérase III** (**Pol III**), dans l'ordre de leur découverte. Les propriétés de ces enzymes ont été comparées à celles de Pol I (cf. Tableau 30-1). On comprend que les Pol II et III n'aient pas été détectées avant d'avoir les mutants de Pol I, parce que leurs activités totales se sont avérées être en dessous de 5 % de celle de PolI.

Un mutant de *E. coli* qui n'a pas d'activité détectable Pol II se multiplie normalement. Cependant Pol II est impliquée dans la réparation des lésions de l'ADN via la réponse SOS (Section 30-5D), tout comme le sont deux autres enzymes de *E. coli* découvertes récemment : .l'ADN polymérase IV (Pol IV) et l'ADN polymérase V (Pol V) (Section 30-5D).

a. La Pol III est la réplicase de E. coli

L'arrêt de la réplication chez les mutants thermosensibles **polC**, placés au dessus de la température restrictive, démontre bien que Pol III *est la réplicase de E. coli*. Le cœur ou partie centrale de Pol III se compose des sous-unités αεθ, où α, produit du gène polC (Tableau 30-2), possède la fonction polymérase. Les propriétés catalytiques de ce centre de Pol III ressemblent à celles de Pol I (Tableau 30-1), sauf que le centre de Pol III n'est pas capable de répliquer les ADN simple brin avec amorce, ni les duplex avec des brèches. Le cœur de Pol III in vitro est plutôt actif sur les brèches de moins de 100 nt, situation qui doit plutôt ressembler à celle de l'ADN à la fourche de réplication. La fonction exonucléase 3'→ 5' de Pol III, qui relève de sa sous-unité ε est la première correctrices des erreurs, au cours même de la réplication ; elle augmente la fidélité de la réplication par cette enzyme, par un facteur allant jusqu'à 200. Cependant, l'exonucléase 5'→ 3' de Pol III n'est active que sur l'ADN simple brin , elle ne peut donc pas catalyser la réaction de « nick translation ». θ est une protéine auxiliaire qui stimule l'activité de correction de ε.

*Le centre de la Pol III fonctionne in vivo comme une partie d'un gros complexe enzymatique dissociable de 10 types de sous unités, l'*holoenzyme Pol III** (Tableau 30-2). Les 7 dernières sous-unités indiquées dans le tableau 31-2 modulent l'activité du centre de Pol III. Par exemple, Pol III à une « processivité » portant sur 10 à 15 résidus ; elle ne peut donc combler que des brèches simple brin très courtes. Cependant, Pol III voit sa « processivité » augmenter avec la sous-unité β en présence du complexe γ, de cinq sous-unités (γδδ'χψ). L'assemblage de cette forme se fait en deux étapes au cours desquelles le complexe γ transfère la sous-unité b à la matrice portant l'amorce. Cette réaction dépend de la présence d'ATP. Elle est suivie de l'assemblage du centre de la Pol III avec la sous-unité β sur l'ADN (Section 30-3C). La sous-unité β donne à la partie centrale de l'enzyme une « processivité » pratiquement illimitée, sur plus de 5000 résidus, même si le complexe γ est enlevé par la suite. En réalité, la sous-unité β est très fortement liée à l'ADN mais elle peut coulisser sur lui.

b. La sous-unité b a une forme de pince coulissante en forme d'anneau

Le fait que l'on ait observé qu'une sous-unité β, accrochée à un ADN circulaire coupé, glisse jusqu'à la coupure et se libère, suggère que la sous-unité β forme un anneau fermé autour de l'ADN, ce qui empêche donc sa libération. La structure par rayons X de la sous-unité β (Fig. 30-13a), déterminée par John Kuriyan, correspond à un dimère en forme de deux sous-unités de 366 résidus en forme de C qui s'associent pour former une structure circulaire, appelée **pince coulissante** ou **pince** β, d'un diamètre de 80 Å avec un trou de 35 Å de diamètre, donc plus large que les diamètres de 20 et 26 Å des ADN-A et B (il faut rappeler que les hélices ADN-ARN formées avec les amorces ARN prennent une conformation semblable à celle de l'ADN-A ; voir Section 29-2B). Chaque monomère est formé de six motifs βαβββ de même topologie, qui s'associent par deux pour former trois domaines de pseudo-symétrie d'ordre deux de structures très semblables, mais avec moins de 20 % d'identité de séquence. L'anneau dimérique prend donc la forme d'une étoile à six branches dans laquelle les douze hélices longent le trou central et les chaînes b s'associent en six feuillets β pour former la surface extérieure de la protéine. Le

---

TABLEAU 30-1 **Propriétés des ADN polymérases de E. coli**

	Pol I	Pol II	Pol III
Masse (en kDa)	103	90	130
Nb de Molécules/cellules	400	?	10–20
Vitesse de polymérisation[a]	600	30	9000
Gène de stucture	*polA*	*polB*	*polC*
Mutant létal conditionnel	+	−	+
Polymérization: 5' → 3'	+	+	+
Exonucléase: 3' → 5'	+	+	+
Exonucléase: 5' → 3'	+	−	−

[a]Nucléotides polymérisés min⁻¹·molecule⁻¹ à 37°C.

Source: Kornberg, A. and Baker, T.A., *DNA Replication* (2nd ed.), p. 167, Freeman (1992).

TABLEAU 30-2 **Composition de l' holoenzyme ADN Polymérase III de E. coli**

Sous-unité	Masse (kDa)	Gène de structure
α[a]	130	*polC (dnaE)*
ε[a]	27.5	*dnaQ*
θ[a]	10	*holE*
τ[b]	71	*dnaX*[c]
γ[b]	45.5	*dnaX*[c]
δ[b]	35	*holA*
δ'[b]	33	*holB*
χ[b]	15	*holC*
ψ[b]	12	*holD*
β	40.6	*dnaN*

[a]Composants de Pol III.

[b]Composants du complexe γ.

[c]Les sous-unités γ et τ sont codées par la même séquence du même gène; la sous-unité γ comprend l'extrémité N-terminale de la sous-unité τ.

Sources: Kornberg, A. and Baker, T.A., *DNA Replication* (2nd ed.), p. 169, Freeman (1992); *and* Baker, T.A. and Wickner, S.H., *Annu. Rev. Genet.* **26,** 450 (1992).

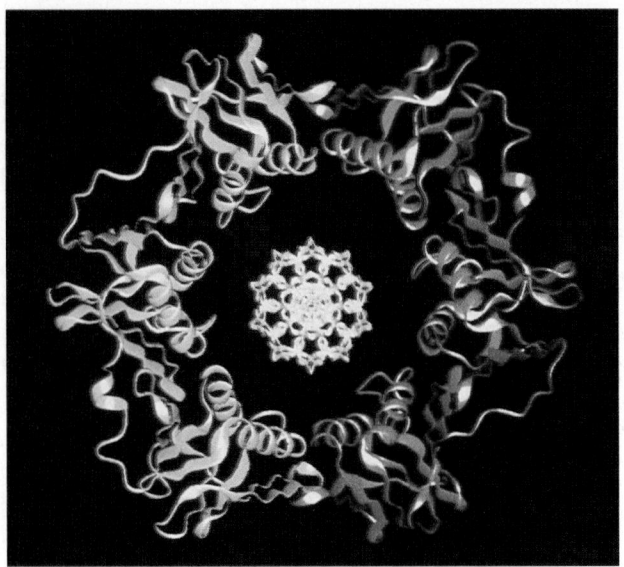

(a)

(b)

FIGURE 30-13 Structure par rayons X de la sous-unité β de l'holoenzyme Pol III de *E. coli*. (*a*) Dessin en ruban montrant les deux unités monomériques de la pince coulissante dimérique en jaune et rouge, comme on la verrait selon l'axe de symétrie d'ordre deux du dimère. Un modèle éclaté d'ADN-B est placé avec l'axe de son hélice confondu avec l'axe de symétrie d'ordre deux du dimère de la pince coulissante. (*b*) Un modèle compact de la pince coulissante, coloré comme en *a*, formant le complexe hypothétique avec l'ADN-B comme celui que l'on voit en bleu ciel en *a*. [Avec l'aimable autorisation de John Kuriyan, Université Rockefeller. PDBid 2POL.]

calcul des charges électrostatiques montre que la surface interne de l'anneau est chargée positivement et la surface extérieure, négativement.

Les études réalisées avec des modèles dans lesquels l'hélice d'ADN-B est passée à travers le trou central (Fig. 30-13), indiquent que les hélices sont toutes orientées perpendiculairement aux segments adjacents du squelette sucre-phosphate, quant à eux orientés radialement. Ces hélices longent donc les sillons grand et petit de l'ADN et n'y pénètrent pas, comme le font, par exemple, les hélices qui ont des interactions spécifiques d'une séquence avec l'ADNdb (voir Section 31-3C). Les ADN-A et B ont 11 et 10 pb par tour, alors que la sous-unité β a une pseudo-symétrie d'ordre 12. Ceci montre que la sous-unité b est adaptée à un minimum d'association avec l'ADN qu'elle entoure. La protéine est donc vraisemblablement autorisée à glisser librement le long de l'ADN double hélice. En réalité, le rayon de la lumière centrale a au moins 3,5 Å de plus que le diamètre de l'ADN, laissant penser que les interactions utilisent probablement des molécules d'eau comme intermédiaires.

C. Le déroulement de l'ADN : les hélicases et la protéine affine de l'ADN simple brin

*L'holoenzyme Pol III ne peut pas, comme le fait Pol I, dérouler le duplex d'ADN. Ce sont ici deux protéine, **DnaB** (produit du gène **dnaB**, les protéines sont désignées par le même nom que le gène qui les code mais en caractères romain et la première lettre majuscule), l'hélicase Rep et la protéine affine de l'ADN simple brin (**SSB**, pour « **single-strand binding protein** ») (Tableau 30-3), qui collaborent au déroulement de l'ADN, en avant de la fourche de réplication (Fig. 30-14). Cette activité est couplée à l'hydrolyse d'ATP.*

a. Les hélicases hexamériques provoquent la séparation des brins de l'ADNdb en se déplaçant sur un des brins

L'accès à l'information génétique codée par une double hélice d'acide nucléique nécessite le déroulement de l'hélice. Les protéines responsables, appelées hélicases, forment un groupe d'enzymes variées qui permettent diverse fonctions dont la réplication de l'ADN, sa recombinaison et sa réparation, mais aussi la terminaison de la transcription (Section 31-2A), l'épissage de l'ARN et son édition (Section 31-4A). De fait, tous les êtres vivants possèdent des hélicases ; il en a 12 sortes chez *E. coli*. Les hélicases agissent en se déplaçant le long d'un des brins d'un acide nucléique en double hélice de sorte à dérouler la double hélice sur leur passage. Cela nécessite bien sûr un apport d'énergie, et les hélicases dépendent donc de l'hydrolyse de NTP. Il existe plusieurs mode de classification des hélicases : selon leur polarité de déplacement 5'→3' ou 3'→ 5' le long du brin où elles se fixent, selon qu'elles fonctionnent comme anneau hexamérique ou comme dimère ou selon certains motifs signatures contenus dans leur séquence.

TABLEAU 30-3 Protéines de déroulement et de liaison dans le processus de réplication de l'ADN chez E. Coli

Protéine	Structure en sous-unités	Masse de la sous-unité (kDa)
DnaB protein	hexamer	50
SSB	tetramer	19
Rep protein	monomer	68
PriA protein	monomer	76

Source: Kornberg, A. and Baker, T.A., *DNA Replication* (2nd ed.), p. 366, Freeman (1992).

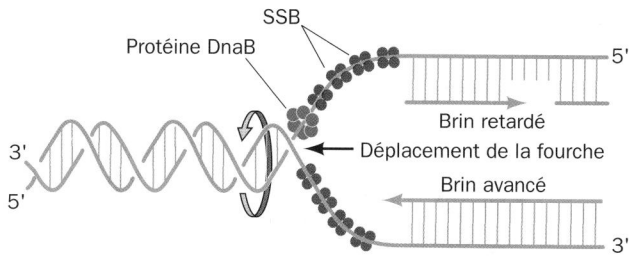

FIGURE 30-14 Le déroulement de l'ADN sous l'action conjuguée des protéines DnaB et SSB. La protéine hexamérique DnaB avance le long du brin matrice retardé dans le sens 5' → 3'. Il en résulte que les brins d'ADN sont séparés et qu'ils sont empêchés de se réassocier à cause de la liaison avec SSB.

La protéine **DnaB** de *E. coli* est une hélicase hexamérique avec des sous-unités identiques de 471 résidus ; elle sépare les brins de l'ADNdb en se déplaçant le long du brin retardé de la matrice dans la direction 5'→3', tout en hydrolysant de l'ATP (elle peut également utiliser du GTP et du CTP mais pas de l'UTP). Des études de microscopie électronique ont révélé que DnaB forme un anneau hexamérique qui, selon les conditions, possède une symétrie d'ordre 3 ou 6 (C_3 ou C_6) avec un canal central d'environ 30 Å de diamètre. De la même façon, l'**hélicase/primase, produit du gène 4 du bactériophage T7** (un bactériophage infectant *E. coli*), forme un anneau hexagonal à deux étages (Fig. 30-15) dont les domaines N-terminaux, qui sont les plus petits (résidus 1-271), contiennent l'activité primase, alors que les grands domaines C-terminaux (résidus 271-566) sont responsables de la fonction hélicase. L'hé-

licase/primase, produit du gène 4 du bactériophage T7 (également appelée **T7 gp4** , où gp signifie gene product pour « produit du gène »), hydrolyse préférentiellement dTTP mais accepte également le dATP et l'ADP.

La structure par rayons X de DnaB n'a pas été déterminée, mais Dale Wigley a déterminé celle du grand domaine C-terminal (résidus 241-566) de l'hélicase/primase, produit du gène 4 du bactériophage T7 complexée avec de l'ADPNP. Cette hélicase forme, comme on pouvait s'y attendre, un anneau hexagonal (Fig. 30-16), dont la cohésion semble principalement due à la liaison des bras de la partie N-terminale de chaque sous-unité avec la sous-unité adjacente. Deux boucles de chaque sous-unité, qui s'étendent dans le canal central de l'hexamère et qui contiennent plusieurs résidus basiques conservés, forment probablement la surface de liaison de l'hexamère à l'ADN.

L'anneau hexagonal présente seulement une symétrie de révolution d'ordre 2 (C_2). Si l'on note les sous-unités adjacentes d'une moitié assymétrique de cet anneau A, B et C, la position de la sous-unité B par rapport à A correspond à une rotation de 15° autour d'un axe situé dans le plan de l'anneau (après une rotation de 60° autour de l'axe d'ordre 6), et la position de la sous unité C par rapport à B correspond à une rotation de 15° supplémentaire (donc 30° par rapport à A). Les boucles de liaison à l'ADN forment donc une rampe en hélice dont la forme est approximativement complémentaire de celle du squelette sucre-phosphate d'un ADNsb en conformation B (notons cependant que la rampe hélicoïdale est interrompue à l'interface entre des sous-unités C et A adjacentes). L'ADPNP est lié aux sous-unités A et B mais pas aux sous-unités C.

FIGURE 30-15 Image de l'hélicase/primase codée par le gène 4 du phage T7 d'après des données de microscopie électronique. Dans cet anneau hexamérique à deux étages (*en jaune*), le plus petit lobe de chaque sous-unité correspond au domaine primase N-terminal et le plus gros lobe au domaine hélicase C-terminal. On pense que la protéine interagit avec l'ADN, comme le montre ce modèle, qui présente une fourche d'ADN composée d'un segment en duplex de 30 pb et de deux segments simple brin de 25 nt, où celui qui se termine par une extrémité 5' passe à travers l'anneau hexamérique. Le mode d'interaction de l'extrémité 3' avec la protéine, si interaction il y a, est inconnu. [Avec l'aimable autorisation de S.S. Patel et K.M. Picha, Université de Médecine et Dentaire du New Jersey.]

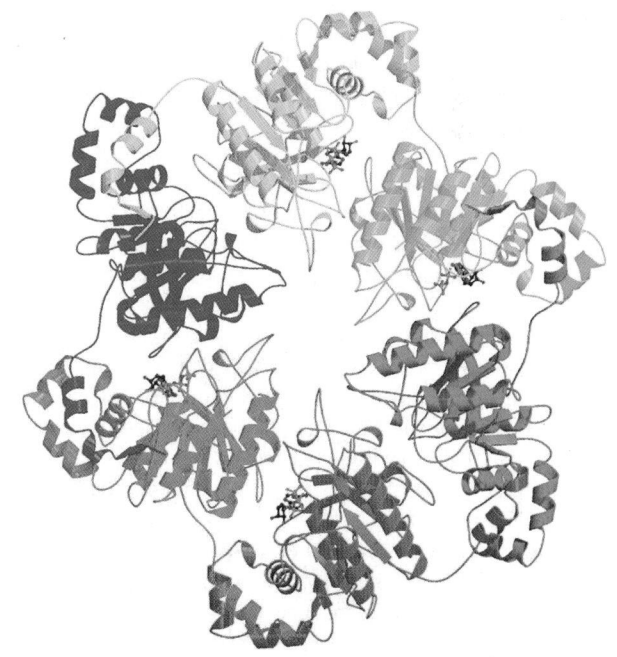

FIGURE 30-16 Structure par rayons X du domaine hélicase de l'hélicase/primase codée par le gène 4 du phage T7. Chaque sous-unité de cet hexamère cyclique est représentée par une couleur propre. Les quatre molécules ADPNP fixées sont représentées en modèle éclaté. Noter que les conformations de sous-unités adjacentes ne sont pas identiques. [Avec l'aimable autorisation de Dale Wigley, Institut de Recherche sur le Cancer du Royaume Uni, Londres. PDBid 1E0J.]

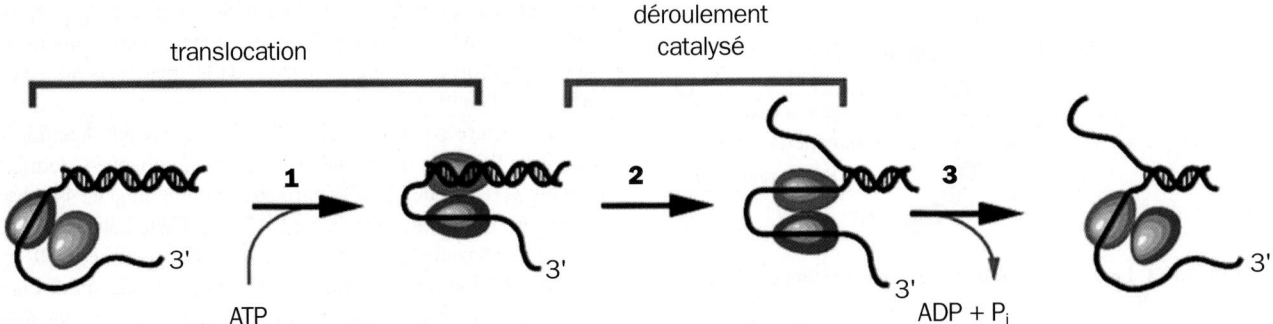

FIGURE 30-17 Le déroulement de l'ADN par l'hélicase Rep est un mécanisme de rotation actif. (1) La sous-unité du dimère d'hélicase Rep qui n'est pas fixée à l'ADNsb, se lie à l'ADNdb en même temps qu'il y a fixation d'ATP. **(2)** La sous-unité fixée à l'ADNdb déroule le duplex et reste attachée au brin terminé par une extrémité 3'. **(3)** Selon un processus qui s'accompagne de la libération des produits d'hydrolyse de l'ATP, la sous-unité située le plus près de l'extrémité 3' de l'ADNsb s'en détache pour se préparer au cycle suivant de réaction de déroulement. [Avec l'aimable autorisation de Gabriel Waksman, École de Médecine de l'Université de Washington.]

Les différentes conformations et les propriétés de liaison à l'ADPNP des sous-unités chimiquement identique de l'hexamère rappellent le mécanisme de changement d'affinité lors de la synthèse d'ATP par l'ATPase-F₁F₀ (Section 22-3C). C'est pourquoi Wigley a suggéré que lorsque l'hélicase se lie et hydrolyse un NTP, elle subit un changement de conformation qui tire l'ADNdb à travers le centre de l'anneau hexamérique sous l'effet de levier des boucles liées à l'ADN. On pense que les états de conformation, A, B et C sont dûs à la séquence dévènements : liaison d'un NTP, hydrolyse de celui-ci, libération du produit NDP et de Pi, comme cela se fait dans le mécanisme de changement d'affinité (Fig. 22-42). On pense donc que le processus de translocation est dû à une onde de rotations des sous-unités couplées qui se propage autour de l'anneau hexamérique. L'hélicase séparerait ainsi les brins de l'ADNdb par effet mécanique en se hissant le long du sillon de l'un des brins dans la direction 5'→3' mais sans effectuer de rotation par rapport à l'ADN.

b. Les dimères d'hélicase Rep séparent les brins d'ADNdb via un mécanisme actif « de balancier ».

Deux autres hélicases, l'hélicase Rep et la protéine PriA, jouent un rôle dans la réplication de l'ADN de nombreux phages de *E. coli* (Section 30-3B) et participent également à certaines étapes de la réplication de l'ADN de *E. coli* (Section 30-3C). Ces deux protéines se déplacent le long de l'ADN dans la direction 3'→5' (il s'agit donc du brin opposé par rapport à DnaB), en hydrolysant de l'ATP. L'hélicase Rep n'est pas indispensable à la réplication de l'ADN de *E. coli* mais il y a réduction d'environ un facteur 2 de la vitesse de propagation de la fourche de réplication de *E. coli* chez les mutants *rep⁻*.

L'hélicase Rep en solution est un monomère de 673 résidus, qui se dimérise lors de sa liaison à l'ADN. Chacune des sous-unités de Rep sous forme dimérique peut se lier à l'ADNsb ou à l'ADNdb de sorte que la liaison de l'ADN à l'une des sous-unités inhibe fortement la liaison de l'ADN à l'autre (coopérativité négative). Cette observation a conduit Timothy Lohman à proposer le mécanisme de balancier par lequel Rep déroule l'ADN et dans lequel les deux sous-unités du dimère se lient à tour de rôle à l'ADNdb ou à l'extrémité 3' de l'ADNsb à la limite ADNsb/ADNdb (Fig.30-17). Les deux sous-unités avancent alors sur l'ADN tout en le déroulant et en consommant de l'ATP grâce

à un mécanisme de commutation dans lequel la sous-unité de l'hélicase liée à l'ADNdb, libère le brin 5', correspondant à l'extrémité 5' par rapport au point de départ, tout en restant liée au brin 3' par rapport au point de départ. Lorsque l'autre sous unité se détache de l'ADNsb 3' par rapport au point de départ, elle permet à nouveau à la première sous-unité de s'attacher à la nouvelle extrémité de l'ADNdb pour continuer le cycle.

La structure par rayons X de l'hélicase Rep de *E. coli* complexée avec un petit ADNsb, dT(pT)15, et de l'ADP (Fig. 30-18),

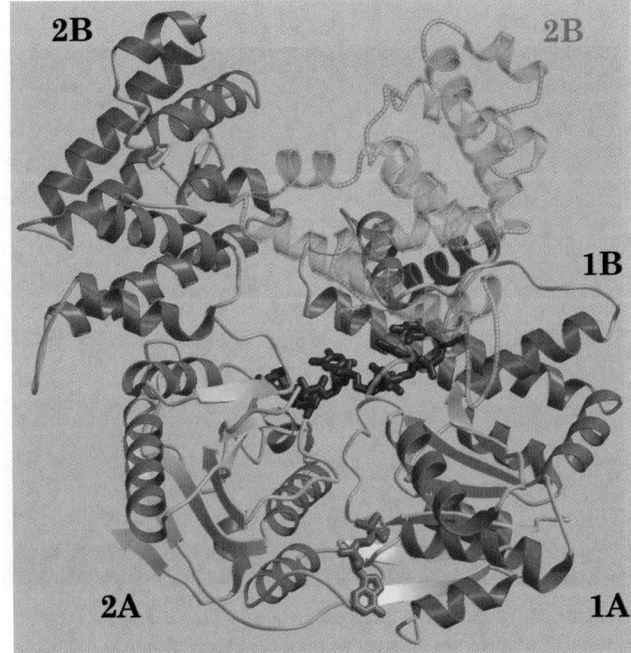

FIGURE 30-18 Structure par rayons X de l'hélicase Rep complexée avec dT(pT)15 et de l'ADP. Le monomère en conformation ouverte est dessiné sous forme de rubans dont les couleurs reflètent la structure secondaire (hélices en rose, feuillets b en jaune, coudes en bleu clair). Le morceau d'ADNsb fixé et l'ADP sont représentés sous formes de bâtonnets en bleu foncé et en rouge. Dans la conformation fermée, le sous-domaine 2B (ruban vert transparent) a pivoté de 130° pour se refermer sur l'ADNsb. [Avec l'aimable autorisation de Gabriel Waksman, École de Médecine de l'Université de Washington. PDBid 1UAA.]

déterminée par Lohman et Waksman, révèle que la molécule d'ADNsb, relativement droite, se lie à deux monomères de Rep qui se touchent. Un monomère de Rep comprend deux domaines, 1 et 2, qui comportent chacun deux sous-domaines, A et B ; les deux sous-domaines N-terminaux (1A et 2A) sont homologues entre eux. Dans les deux monomères de Rep qui sont liés au même ADNsb, les sous-domaines 2B présentent des orientations remarquablement différentes de celle des trois autres sous-domaines (Fig. 30-18). Le monomère de Rep qui est lié à l'extrémité 5' de l'ADNsb (le contact se fait entre les bases 1 à 8) adopte la conformation « ouverte » dans laquelle les quatre sous-domaines sont assemblés d'une façon qui rappelle une pince de crabe où un coté de la pince (sous-domaine 2B) est plus grand que l'autre (Sous-domaine 1B). L'ADN est lié au fond de cette pince, dont la base est constituée par les sous-domaines 1A et 2A. Dans le monomère Rep qui se lie à l'extrémité 3' de l'ADNsb (le contact se fait entre les bases 9 à 16), le sous-domaine 2B s'est réorienté par rapport aux autres sous-domaines en tournant de 130° autour d'une région charnière entre les domaines 2A et 2B, refermant ainsi la pince sur l'ADN pour aboutir à la conformation « fermée ». Ce changement de conformation est en accord avec le mouvement actif de balancier, même si la façon dont les deux monomères de Rep forment le dimère que l'on observe en solution reste inconnu. L'ADP se lie à Rep entre ses sous-domaines 1A et 2A tout près de l'ADN, suggérant que des changements de conformation au niveau du site de liaison de l'ATP sont transmis au site de liaison de l'ADN par l'intermédiaire d'éléments de structure secondaire qui sont au contact des deux sites. La façon dont Rep sépare les deux brins de l'ADNdb reste inconnue pour l'instant.

c. La protéine affine de l'ADN simple brin empêche la renaturation de l'ADN simple brin.

Si on les laisse à eux-même, les brins d'ADN séparés lors de la progression de l'hélicase se réassocieraient rapidement derrière elle pour reformer l'ADNdb. C'est la liaison de la **protéine affine de l'ADN simple brin** (**SSB** pour « single-strand binding protein ») qui les en empêche. Elle empêche également l'ADNsb de former des structures secondaires intramoléculaires fortuites (des tronçons d'hélice) et le protège contre les nucléases. De nombreuses molécules de SSB se lient de façon coopérative à l'ADNsb pour le maintenir sous forme non appariée. Notons cependant que la réplication par l'holoenzyme Pol III, nécessite auparavant que les protéines SSB soient enlevées de l'ADNsb.

La SSB de *E. coli* est un homotétramère de sous-unités de 177 résidus. La SSB se lie à l'ADNsb selon différents modes différents qualifiés de $(SSB)_n$, qui diffèrent par le nombre de nucléotides (n) liés à chaque tétramère. Les deux modes principaux sont $(SSB)_{35}$, pour lequel seules deux des sous-unités du tétramère interagissent fortement avec l'ADN, et $(SSB)_{65}$, pour lequel les quatre sous-unités interagissent avec l'ADNsb . Dans le mode $(SSB)_{35}$, la coopérativité est sans limite et on peut former de longues chaînes de tétramères contigus sur un brin d'ADNsb, tandis que le mode $(SSB)_{65}$ a une coopérativité restreinte et forme des groupes de quelques tétramères contigus enfilés comme des perles sur un ADNsb.

Des études de protéolyse ont montré que le site de liaison de SSB à l'ADNsb est contenu dans ses 115 résidus N-terminaux. La structure par rayons X d'un fragment chymotryptique de la SSB de *E. coli* (résidus 1-135) complexé avec $dC(pC)_{34}$, déterminée par

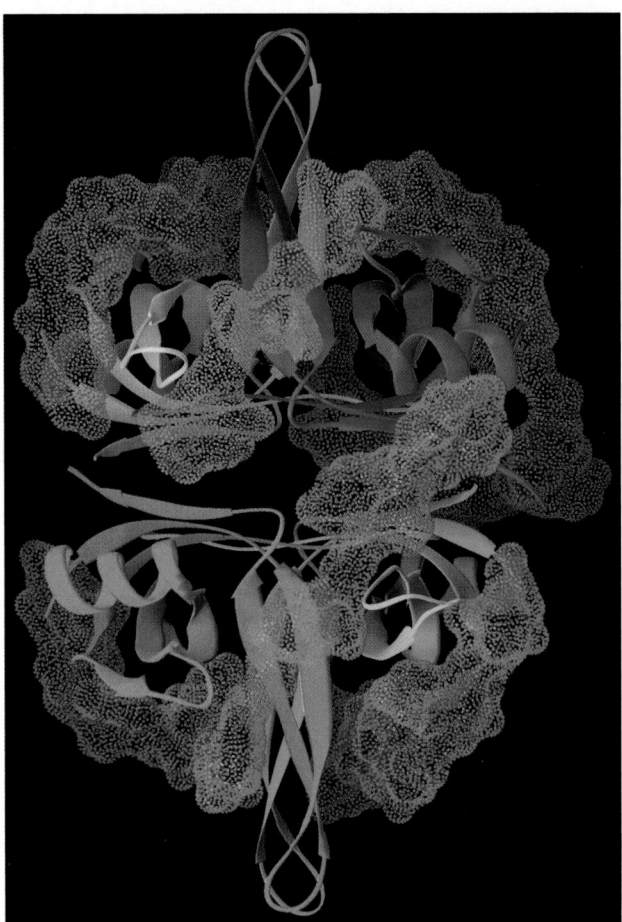

FIGURE 30-19 Structure par rayons X des 135 résidus N-terminaux de la protéine SSB de *E. coli* complexée avec $dC(pC)_{34}$. La protéine homotétramérique est vue selon l'un de ses axes de symétrie d'ordre 2, ses deux autres axes de symétrie d'ordre 2 correspondant à la verticale et à horizontale. Chacune de ses sous-unités a une couleur propre. Les surfaces des deux molécules d'ADNsb fixées sont représentées en points, et on voit un segment de 28 résidus de l'un des ADNsb (en vert) et deux segments de l'autre ADNsb (en rouge), l'un de 14 et l'autre de 9 résidus. [D'après la structure par rayons X obtenue par Timothy Lohman et Gabriel Waksman, École de Médecine de l'Université de Washington. PDBid 1EYG.]

Lohman et Waksman, a révélé que la protéine tétramérique a une double symétrie d'ordre 2, D_2, et fixe deux molécules de $dC(pC)_{34}$ (Fig. 30-19). Pour ce qui est de l'un des 35-mères, 28 nucléotides (résidus 3-30) étaient visibles et avaient la forme d'un sabot de cheval allongé enroulé autour de deux sous-unités de SSB, avec une pseudo-symétrie d'ordre 2 et un sommet touchant une troisième sous-unité. L'autre ADNsb fixé était un peu désordonné de sorte que seuls deux segments étaient visibles, un de 14 nt (résidus 3-16) et l'autre de 9 nt (résidus 19-27). Le cheminement des segments d'ADNsb sur la surface de SSB a suggéré des modèles rationnel par rapport aux différentes propriétés de $(SSB)_{35}$ et de $(SSB)_{65}$. Dans le modèle concernant $(SSB)_{65}$, les deux extrémités d'un segment de 65 nt émergent du même coté du tétramère ; cela limiterait le nombre de tétramères de SSB capables de se lier à des segments d'ADNsb de 65 nt contigus. Pour ce qui est du modèle (SSB) 35, les deux extrémités d'un segment de 35 nt émergent des extrémités opposées du tétramère, autorisant ainsi l'interaction d'une série illimitée de tétramères de SSB bout à bout le long d'un ADNsb.

D. *L'ADN ligase*

Pol I, comme cela a été écrit Section 30-2A, peut remplacer les amorces ARN des fragments d'Okazaki par de l'ADN, par le processus de déplacement de cassure. *En effet, de cette activité de remplacement, il résulte des cassures simple brin entre des fragments d'Okasaki adjacents. Celles-ci, de même que celle correspondant à la fin de la réplication du brin avancé d'un ADN circulaire, sont ressoudées par une réaction catalysée par l'ADN ligase.* L'énergie libre demandée par cette réaction est fournie, selon les espèces, en couplage avec une hydrolyse soit de NAD$^+$ en NMN$^+$ + AMP, soit de l'ATP en PP$_i$ + AMP. L'enzyme de *E. coli* est un monomère de 671 résidus ; elle utilise NAD$^+$ au cours d'une réaction en trois étapes (Fig. 30-20) :

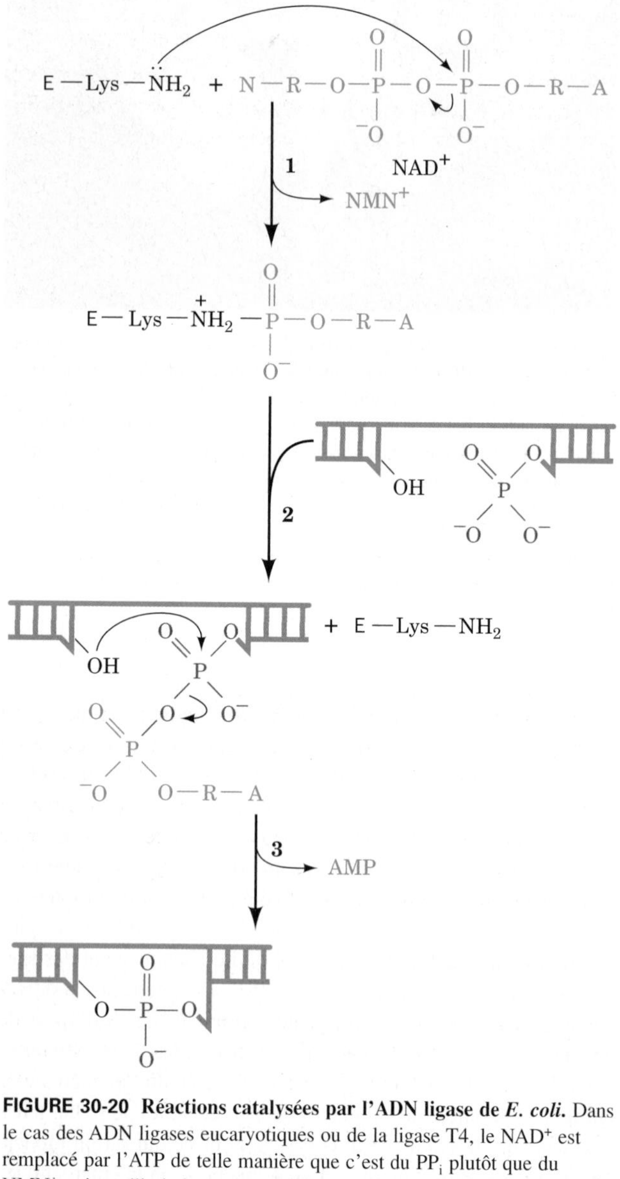

FIGURE 30-20 Réactions catalysées par l'ADN ligase de *E. coli.* Dans le cas des ADN ligases eucaryotiques ou de la ligase T4, le NAD$^+$ est remplacé par l'ATP de telle manière que c'est du PP$_i$ plutôt que du NMN$^+$ qui est éliminé au cours de la première étape de la réaction.

Le groupement adényl de NAD$^+$ est transféré sur le groupe ε-aminé d'un résidu Lys de l'enzyme, pour former un appendice phosphoamide, rarement observé, mais qu'on isole aisément.

Le groupement adényl de l'enzyme ainsi activée est transféré sur l'extrémité 5' phosphoryle d'une cassure, pour former un ADN adénylé. Dans ce cas, l'AMP est lié au nucléotide 5' via une liaison pyrophosphate plutôt que par la liaison habituelle phosphodiester.

L'ADN ligase catalyse la formation d'une liaison phosphodiester en accrochant le 3'-OH sur le groupe 5' phosphoryle, ce qui ligature la cassure et libère l'AMP.

Les ADN ligases nécessitant l'ATP, telles que celles des eucaryotes et celles du phage T4, libèrent du PP$_i$ à la première étape de la réaction, plutôt que du NMN$^+$. La ligase du phage T4 a une propriété remarquable de pouvoir relier, à concentration élevée en ADN, deux extrémités ADN duplex (**ligature des bouts francs**) par une réaction très utilisée en génie génétique (Section 5-5C).

La structure par rayons X de la ligase de *Thermus filiformis* ayant 667 résidus et dépendante de NAD$^+$, a été déterminée par Se Won Suh. Elle a révélé une protéine monomérique avec une pince profonde qui comporte quatre domaines (Fig. 30-21) : le Domaine 1 (résidus 1-317), qui contient le résidu Lys adénylé (Lys 116), le Domaine 2 (résidus 318-403), le Domaine 3 (résidus 404-581), qui contient un ion Zn$^+$ lié à quatre résidus Cys dans un tétraèdre et semblant avoir un rôle structural mais non catalytique, et le Domaine 4 (résidus 582-660), qui n'est pas très ordonné (ses chaînes latérales ne sont pas visibles) et semble donc avoir une grande mobilité. La forme et la charge de surface essentiellement positive de la pince suggèrent fortement qu'il s'agit du site de liaison à l'ADN de l'enzyme. Pourtant, cette pince de liaison potentielle à l'ADN contient une zone fortement négative à proximité du résidu Lys 116 qui est formée par les chaînes latérales des résidus très conservés : Asp 118, Glu 281, et Asp 283. Cela suggère que ces chaînes latérales contribueraient à la réalisation du site actif pour la réaction de ligature, qui du point de vue chimique est similaire à la réaction de polymérisation catalysée par les ADN polymérases et devrait donc avoir un mécanisme similaire mettant en jeu un ion métallique divalent et chaînes latérales acides (Fig. 30-10). On a effectivement montré que plusieurs ligases nécessitent un ion métallique divalent pour fonctionner. La grande mobilité apparente du domaine 4 suggère qu'il se replie par un mécanisme de charnière pour permettre au substrat de l'enzyme, qui est un ADNdb présentant une cassure, de se lier au site actif avant que le domaine ne se replie pour immobiliser l'ADN comme le montre le dessin de la Fig. 30-21.

E. *La primase*

Les primases de bactéries et de plusieurs bactériophages suivent le mouvement de la fourche de réplication en étroite association avec l'hélicase de l'ADN. Ainsi, comme nous l'avons vu (Section 30-2C), le domaine N-terminal de l'hélicase/primase codée par le gène 4 du phage T7 possède son activité primase, tandis que la primase de *E. coli* (DnaG) forme un complexe non covalent avec DnaB. Puisque l'hélicase se déplace le long du brin retardé du duplex d'ADN dans le sens 5'→3' (Fig. 30-14), la primase doit se retourner par rapport à sa direction de déplacement pour synthétiser une amorce ARN dans le sens 5'→3'. La primase de *E. coli* peut synthétiser des amorces allant jusqu'à 60 nt in vitro, bien

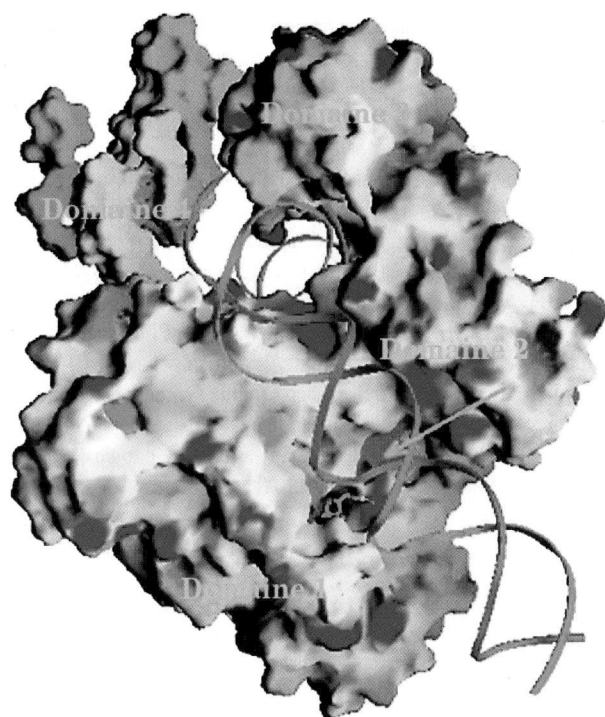

FIGURE 30-21 Structure par rayons X de l'ADN ligase de *Thermus filiformis*. On a représenté ici la surface de cette protéine monomérique, les couleurs représentent le potentiel électrostatique. Le bleu, le blanc et le rouge correspondent respectivement à des potentiels positif, proche de la neutralité et négatif (le Domaine 4, situé en partie derrière le Domaine 1 sur cette vue, est en gris parce que ses chaînes latérales n'ont pu être observées). La partie ribose-phosphate de l'AMP qui est liée de façon covalente à la chaîne latérale du résidu Lys 116 est représentée en modèle éclaté boules/batônnets, avec C en vert, O en rouge, et P en jaune. L'ADNdb (*rubans bleu et rouge*) a été représenté dans la pince à ADN présomptive. La flèche orange indique une zone de surface très négative située à proximité du résidu AMP ; elle est composée des chaînes latérales des résidus Asp 118, Glu 281 et Asp 283 conservés au cours de l'évolution et dont on pense qu'ils forment le site actif de la réaction catalysée par les ligases à métaux divalents. [Avec l'aimable autorisation de Se Won Suh, Université National de Séoul, Corée. PDBid 1DGT.]

révélé une protéine en forme de noix de cajou dont le repliement ne s'apparente à celui d'aucune ADN ou ARN polymérase. Elle contient cependant un segment d'environ 100 résidus similaire tant par sa séquence que par sa structure à des segments de topoisomérases de type IA et II (Section 29-3C) et que l'on a, de ce fait, appelé **feuillet Toprim** (de topoisomérase et primase). Le feuillet Toprim comprend un feuillet β à quatre brins bordé de trois hélices qui ressemble au feuillet de liaison aux nucléotides (Rossmann) (Section 8-3B).

Le domaine catalytique de la primase comporte un sillon au centre de sa surface concave entouré de résidus qui sont bien conservés dans les primases de type DnaG. PParmi ceux-ci, on trouve un résidu Glu et deux résidus Asp, qui sont invariables dans tous les plissements Toprim connus et qui forment des liaisons de coordination avec un ion Mg^{2+} dans une topoisomérase de type II. Cela suggère que ces trois résidus acides se trouvent au site actif de la primase, dont on sait qu'il requiert Mg^{2+} pour son activité. Le modèle construit par Kuriyan suggère qu'une hélice hybride ADN-ARN (ayant une conformation de type ADN-A, Section 29-1B) se lie dans le sillon par l'un de ses groupements phosphate à côté du site potentiel de liaison à Mg^{2+} (Fig. 30-22). L'extension de cette double hélice dans la partie supérieure de la protéine est empêchée par un rétrécissement du sillon. Par conséquent, on voit que la primase ne peut accepter qu'un segment d'hélice ARN-ADN d'environ 10 pb ; cela rend compte de la processivité réduite de cette enzyme.

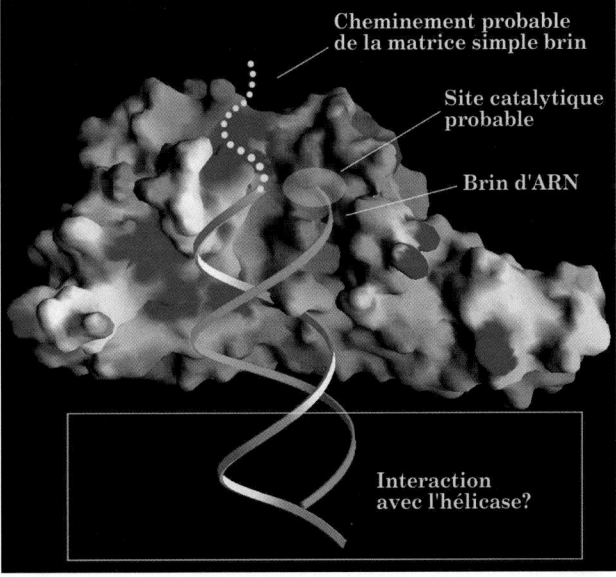

FIGURE 30-22 Structure par rayons X de la primase de *E. coli*. On voit la surface de la protéine colorée selon le potentiel électrostatique : négatif en rouge, proche de la neutralité en blanc et positif en bleu. La tache jaune indique le site présomptif de liaison de Mg^{2+} sur l'enzyme. Un segment d'hélice hybride ARN/ADN a été représenté dans la protéine en plaçant l'extrémité du brin d'ARN (rouge) près du site de fixation de Mg^{2+}. Noter que le brin d'ADN matriciel (bleu) parcourt une région ayant surtout des charges positives. [Avec l'aimable autorisation de John Kuriyan, Université Rockefeller. PDBid 1EQN.]

qu'in vivo les amorces aient une longueur de 11 ± 1 nt.. Comme la fourche de réplication de *E. coli* se déplace d'environ 1000 nt par seconde et que els fragments d'Okasaki ont une longueur d'environ 1000nt, la primase doit synthétiser environ une amorce ARN par seconde.

La primase de *E. coli* est une protéine monomérique de 581 résidus. Des études de protéolyse ont montré qu'elle comporte trois domaines : un domaine N-terminal de liaison à Zn^{2+} (résidus 1-110), où Zn^{2+} se trouve lié au sein d'un tétraèdre formé de trois résidus Cys et un résidu His ; ce domaine est impliqué dans la reconnaissance de l'ADNsb, il y a le domaine central catalytique (résidus 111-433) qui catalyse la synthèse d'ARN, et le domaine C-terminal (résidus 434-581) qui interagit avec DnaB. La structure par rayons X du domaine catalytique (Fig. 30-22), qui a été déterminée de façon indépendante par James Berger et par Kuriyan, a

3 ■ LES MÉCANISMES DE LA RÉPLICATION CHEZ LES PROCARYOTES

Les bactériophages sont les objets biologiques les plus simples et leurs modes de réplication de l'ADN le montrent bien. La majorité des connaissances sur la réplication de l'ADN provient de l'étude de cette fonction chez plusieurs phages. Dans cette Section, on examinera la réplication chez les coliphages M13 et φX174, ainsi que ce qui est connu de la réplication de l'ADN de *E. coli*. La réplication de l'ADN chez les eucaryotes est étudiée dans la Section 30-4.

A. *Le bactériophage M13*

Le **bactériophage M13** possède un ADN circulaire simple brin de 6408 nt qui est son brin viral ou (+). Quand il infecte une cellule de *E. coli*, ce brin conduit la synthèse de son brin complémentaire (-) pour former avec lui une **forme réplicative duplex circulaire (RF)**. Cette forme est soi porteuse d'une cassure simple brin

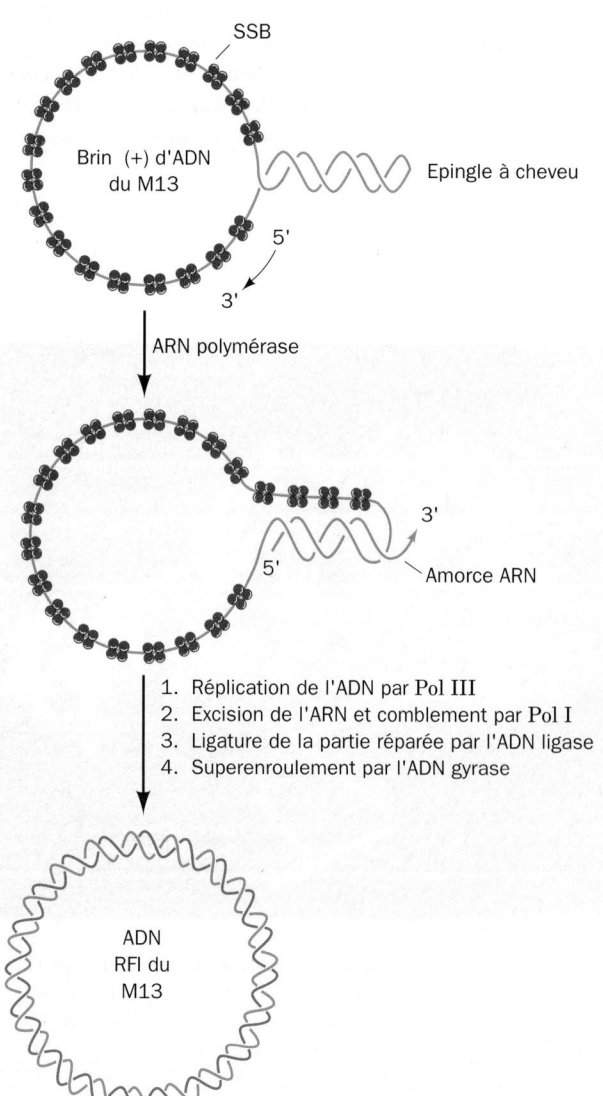

1. Réplication de l'ADN par Pol III
2. Excision de l'ARN et comblement par Pol I
3. Ligature de la partie réparée par l'ADN ligase
4. Superenroulement par l'ADN gyrase

FIGURE 30-23 Synthèse du brin (-) de l'ADN de M13 sur un brin (+) matriciel pour former l'ADN RF I de M13.

(**RFII**) soit superenroulée (**RFI**). Le type de réplication (Fig. 30-23) peut être considéré comme un modèle général de synthèse d'un brin avancé dans l'ADN duplex.

Lorsque le brin (+) du M13 entre dans une cellule de *E. coli*, il est de suite recouvert de SSB, excepté sur un segment palindromique de 57 nt car celui-ci forme un repli double brin en épingle à cheveux. L'ARN polymérase L'ARN polymérase amorce la synthèse d'une amorce, à 6 nt avant le début de l'épingle à cheveux et allonge cet ARN sur 20 à 30 résidus pour former un segment duplex ADN-ARN. L'ADN un peu éloigné de l'épingle à cheveux étant couvert de SSB, l'ARN polymérase vient buter sur lui et la synthèse de l'amorce s'arrête donc. L'holoenzyme Pol III allonge alors l'amorce ARN autour du cercle pour synthétiser un brin (-). L'amorce est ensuite enlevée par la réaction de déplacement de cassure catalysée par Pol I, formant ainsi RFI par des réactions successives avec l'ADN ligase et l'ADN gyrase.

B. *Le bactériophage φX174*

Le bactériophage φX174, comme M13, possède un petit ADN simple brin circulaire de 5386 nt. Cependant, la conversion de la forme virale de l'ADN du φX174 en forme réplicative, est beaucoup plus complexe que chez M13, car la réplication chez φX174 se fait grâce à un complexe protéique de 600 kD connu sous le nom de primosome (Tableau 30-4).

a. La réplication du brin (-) du φX174 est le modèle pour la synthèse du brin retardé

La synthèse du brin (-) chez φX174 se fait en six étapes (Fig. 30-24) :

1. La séquence de réactions commence, comme chez M13 ; le brin (+) est couvert de SSB sauf pour un segment de 44 nt en épingle à cheveux. Une séquence de 70 nt contient cette épingle à cheveux, elle est appelée *pas* (venant de « primosome assembly site », pour site d'assemblage du primosome) ; elle est reconnue par les protéines PriA, **PriB** et **PriC** qui se lient à elle.

2. Les protéines DnaA et **DnaC** forment un complexe DnaB$_6$. DnaC$_6$ grâce à la **protéine DnaT** au prix d'une consommation d'ATP. La protéine DnaC est alors est alors libérée ; le complexe restant est le **préprimosome**. Celui-ci se lie alors à la primase, ce qui forme le primosome.

TABLEAU 30-4   Protéines du Primosome[a]

Protéine	Structure en sous-unité	Masse corresp. (kDa)
PriA	monomérique	76
PriB	dimérique	11,5
PriC	monomérique	23
DnaT	trimérique	22
DnaB	hexamérique	50
DnaC[b]	monomérique	29
Primase (DnaG)	monomérique	60

[a]Le complexe formé par toutes les protéines du primosome, sauf la primase, est connu sous le terme de préprimosome.
[b]Not part of the preprimosome or the primosome.

Source: Kornberg, A. and Baker, T.A., *DNA Replication* (2nd ed.), pp. 286–288, Freeman (1992).

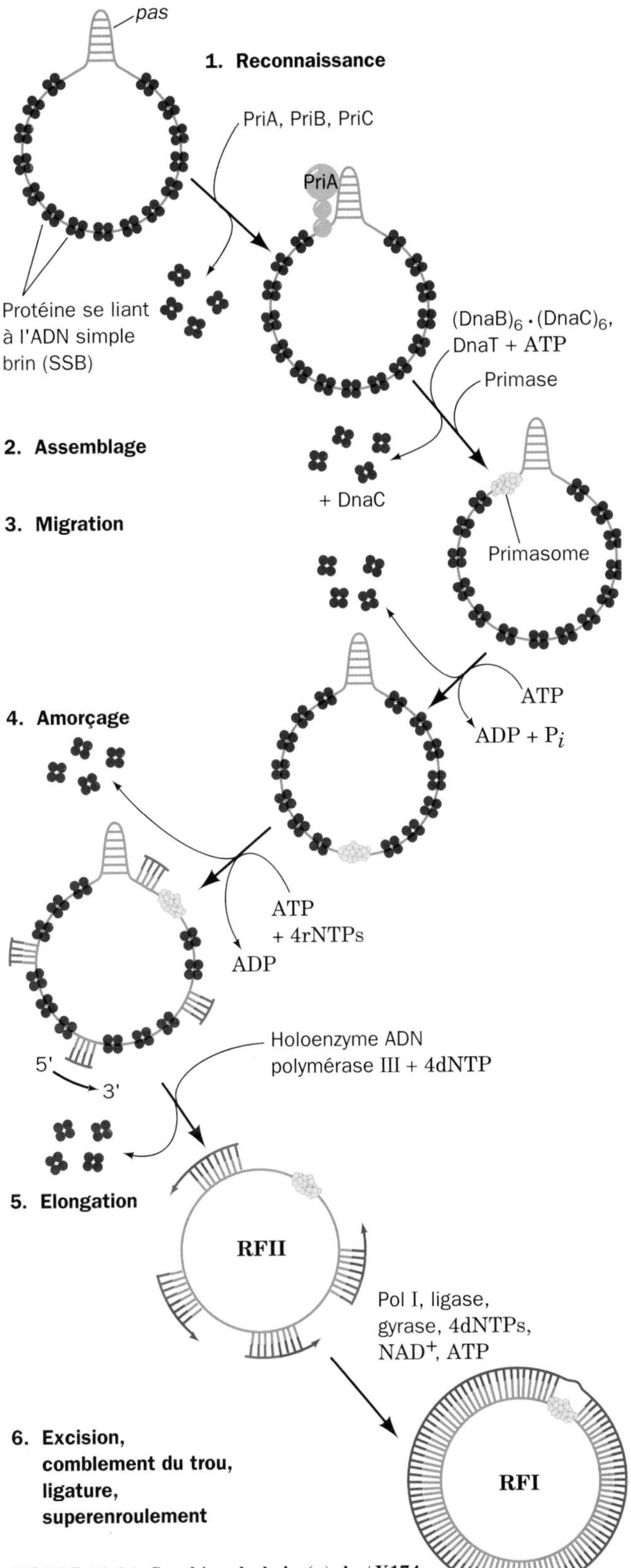

pas

1. Reconnaissance

PriA, PriB, PriC

PriA

Protéine se liant
à l'ADN simple
brin (SSB)

$(DnaB)_6 \cdot (DnaC)_6$,
DnaT + ATP

Primase

2. Assemblage

+ DnaC

3. Migration

Primasome

ATP

ADP + P$_i$

4. Amorçage

ATP
+ 4rNTPs

ADP

Holoenzyme ADN
polymérase III + 4dNTP

5'

3'

5. Elongation

RFII

Pol I, ligase,
gyrase, 4dNTPs,
NAD$^+$, ATP

6. Excision,
comblement du trou,
ligature,
superenroulement

RFI

FIGURE 30-24 Synthèse du brin (–) de ϕ**X174**
sur un brin matrice (+) pour former l'ADN RF I
du ϕ**X174.** [D'après Arai, K., Low, R., Kobori, J. Schlomai, J., and Kornberg, A., J. Biol. Chem. **256**, 5280 (1981).]

3. Le primosome glisse le long du brin (+) dans le sens 5'→3'
de ce brin ; ce mouvement est couplé avec une hydrolyse d'ATP

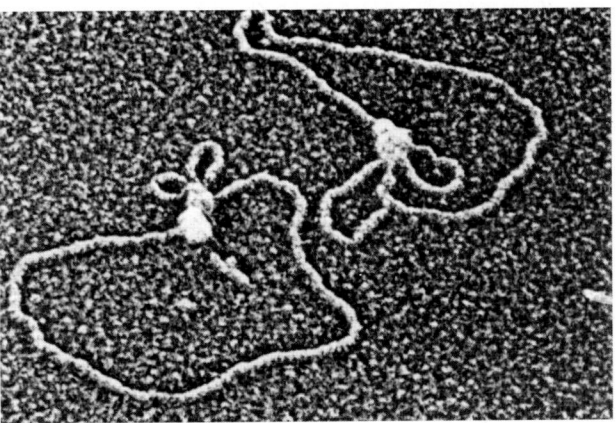

FIGURE 30-25 Micrographie électronique d'un primosome lié à un
ADN RF I de ϕ**X174.** De tels complexes contiennent toujours un seul
primosome avec une ou deux petites boucles d'ADN qui lui sont associées. [Avec l'aimable autorisation de Jack Griffith, Linebergcr Centre de
Recherches sur le Cancer, Université de Caroline du Nord.]

catalysée par PriA et DnaB. Ce mouvement qui enlève également
SSB se fait donc dans le sens opposé à celui qui est suivi pour la
lecture de la matrice, lors de l'élongation du nouveau brin d'ADN.

4. A des sites arrêtés au hasard, le primosome inverse son sens
de migration et la primase synthétise une amorce ARN. L'initiation de la synthèse d'une amorce se fait grâce à a protéine DnaB,
dont on pense qu'elle modifie la conformation de l'ADN matrice,
qui devient ainsi substrat pour la primase. Cette réaction est couplée à l'hydrolyse d'ATP.

5. L'holoenzyme Pol III allonge les amorces pour former des
fragments d'Okazaki.

6. Pol I excise les amorces et les remplace par de l'ADN. Les
fragments sont finalement ligaturés par l'ADN ligase et la molécule duplex est superenroulée par l'ADN gyrase, format la RFI du
ϕX174.

Le primosome reste complexé avec l'ADN (Fig. 30-25 et participe
à la synthèse de nouveaux brins (+) (voir ci-après).

b. La réplication du brin (+) du ϕ**X174 peut servir de**
modèle pour la synthèse du brin avancé
Un brin d'un ADN duplex circulaire peut être synthétisé via le
modèle de réplication en **cercle tournant**, appelé aussi **mode** σ,
par ressemblance de la structure de réplication avec la lettre
grecque σ (Fig. 30-26). *Le brin (+) de* ϕ*X174 est synthétisé sur la*
matrice RFI selon une variante du mode σ *appelée* « *mode en*
cercle tournant avec boucle » (Fig. 30-27).

1. La synthèse du brin (+) commence par la liaison d'une protéine de 513 résidus codée par le gène A du phage. La liaison de
cette enzyme sur son site de reconnaissance de 30 pb est assistée
par le primosome. La protéine, produit du gène A, clive de manière
spécifique une liaison phosphodiester sur le brin (+) (près du début
du gène A) en formant une liaison covalente entre un résidu Tyr et
le groupe 5'-phosphoryle de l'ADN ; l'énergie de la liaison clivée
est donc conservée.

2. L'hélicase Rep (Section 30-2C) s'attache ensuite au brin
(-), au niveau de la protéine produit du gène A. Avec le primosome,

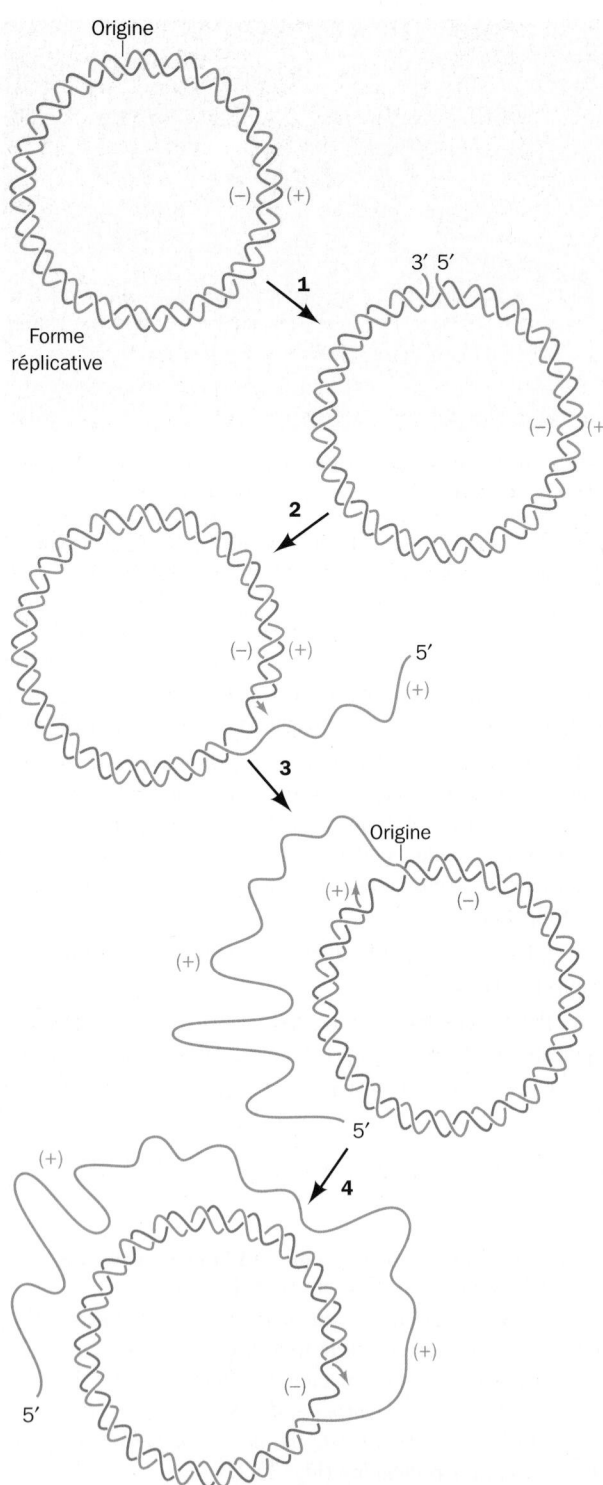

FIGURE 30-26 Le mode de réplication de l'ADN en cercle tournant.
Le brin (+) en cours de synthèse est allongé à partir d'une coupure spécifique faite à l'origine de réplication (**1**), de façon à dissocier l'ancien brin
(+) (**2** et **3**). La synthèse du brin (+) se fait de manière continue sur le
cercle (−) matriciel et cela produit une série de brins (+) liés en tandem
(**4**), qui peuvent être séparés ensuite les uns des autres par une endonucléase spécifique

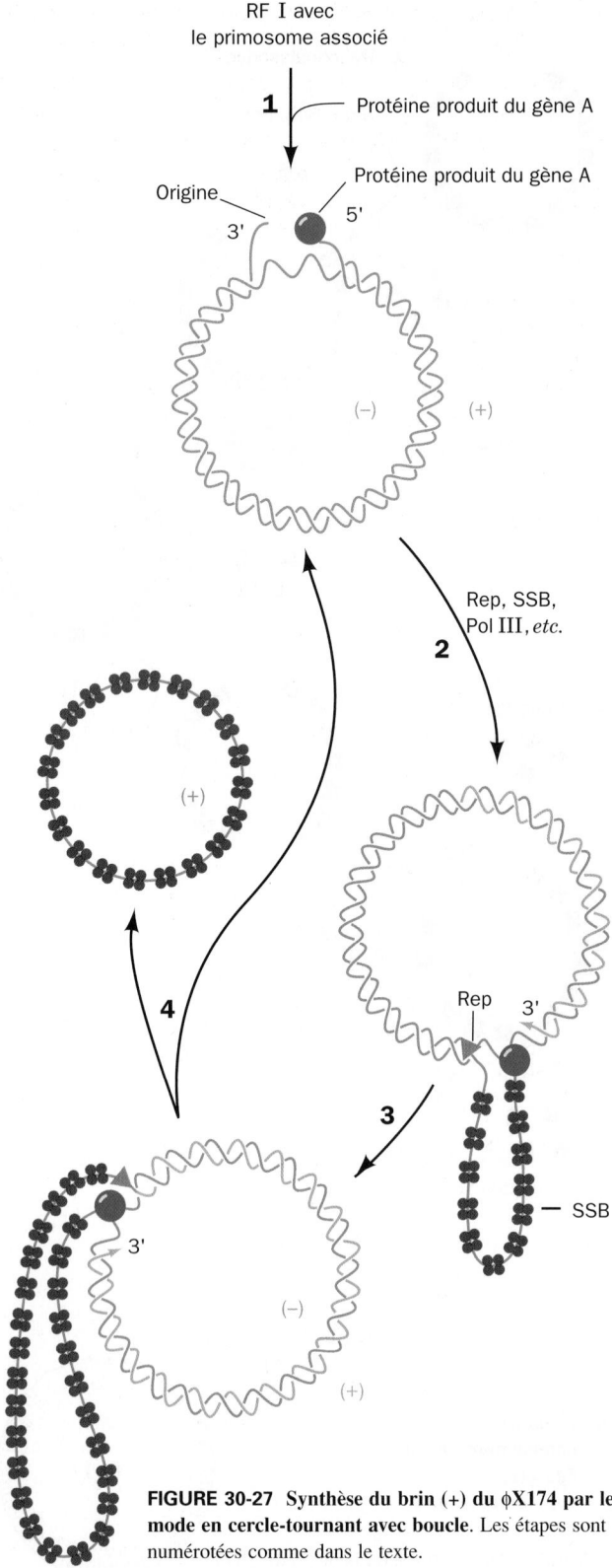

**FIGURE 30-27 Synthèse du brin (+) du φX174 par le
mode en cercle-tournant avec boucle.** Les étapes sont
numérotées comme dans le texte.

toujours associé au brin (+), elle commence à dérouler le duplex
d'ADN pour séparer le brin (+) à partir à partir de son extrémité

5'. Le brin (+) déplacé est alors couvert de SSB, ce qui l'empêche
de se réassocier avec le brin (-). L'hélicase Rep est essentielle pour
la réplication de l'ADN de φX174, mais pas pour celle du chromosome de *E. coli*, comme le montre l'incapacité pour φX174 de

se répliquer dans un mutant *rep⁻* de *E. coli*. L'holoenzyme Pol III allonge alors le brin (+) à partir de son groupe 3'-OH libre.

3. Le phénomène d'extension produit un **cercle tournant avec une boucle latérale**, dans lequel l'extrémité 5' de l'ancien brin (+) reste reliée à la protéine produit du gène A à la fourche de réplication. On pense que le primosome synthétise les amorces nécessaires à la génération ultérieure d'un nouveau brin (-), dès que l'ancien brin (+) est excisé de RF.

4. Quand la protéine produit du gène A a fait un tour complet autour du brin (-), elle refait une coupure spécifique à l'origine de réplication pour former une liaison covalente avec l'extrémité 5' du nouveau brin(+). En même temps le le groupe 3'-OH qui vient d'être formé à l'extrémité de l'ancien brin (+) formant une boucle latérale du effectue une attaque nucléophile sur son point d'attache 5'-phosphoryle sur la protéine produit du gène A ; cela libère un

brin (+) fermé par une liaison covalente. Ceci est rendu possible car la protéine produit du gène A possède deux résidus Tyr peu éloignés, qui s'attachent chacun à leur tour aux extrémités 5' des brins (+) produits successivement. La fourche de réplication continue alors d'avancer le long du cercle duplex et de produire de nouveaux brins (+), selon un mode qui rappellerait une machine à fabriquer des saucisses sortant du dévidoir, accrochées l'une à l'autre.

Au cours des stades intermédiaires de l'infection par φX174, chaque brin (+) nouveau conduit la synthèse du brin (-), pour former une RFI comme décrit ci-dessus. Au cours des derniers stades de l'infection, les derniers brins (+) synthétisés sont empaquetés pour former des particules phagiques.

C. *Escherichia coli*

Le chromosome de *E. coli* se réplique selon le mode bidirectionnel θ à partir d'une seule origine de réplication (Section 30-1A). Le modèle le plus plausible pour rendre compte de ce qui se passe à la fourche de réplication (Fig. 30-28), dérive en grande partie des

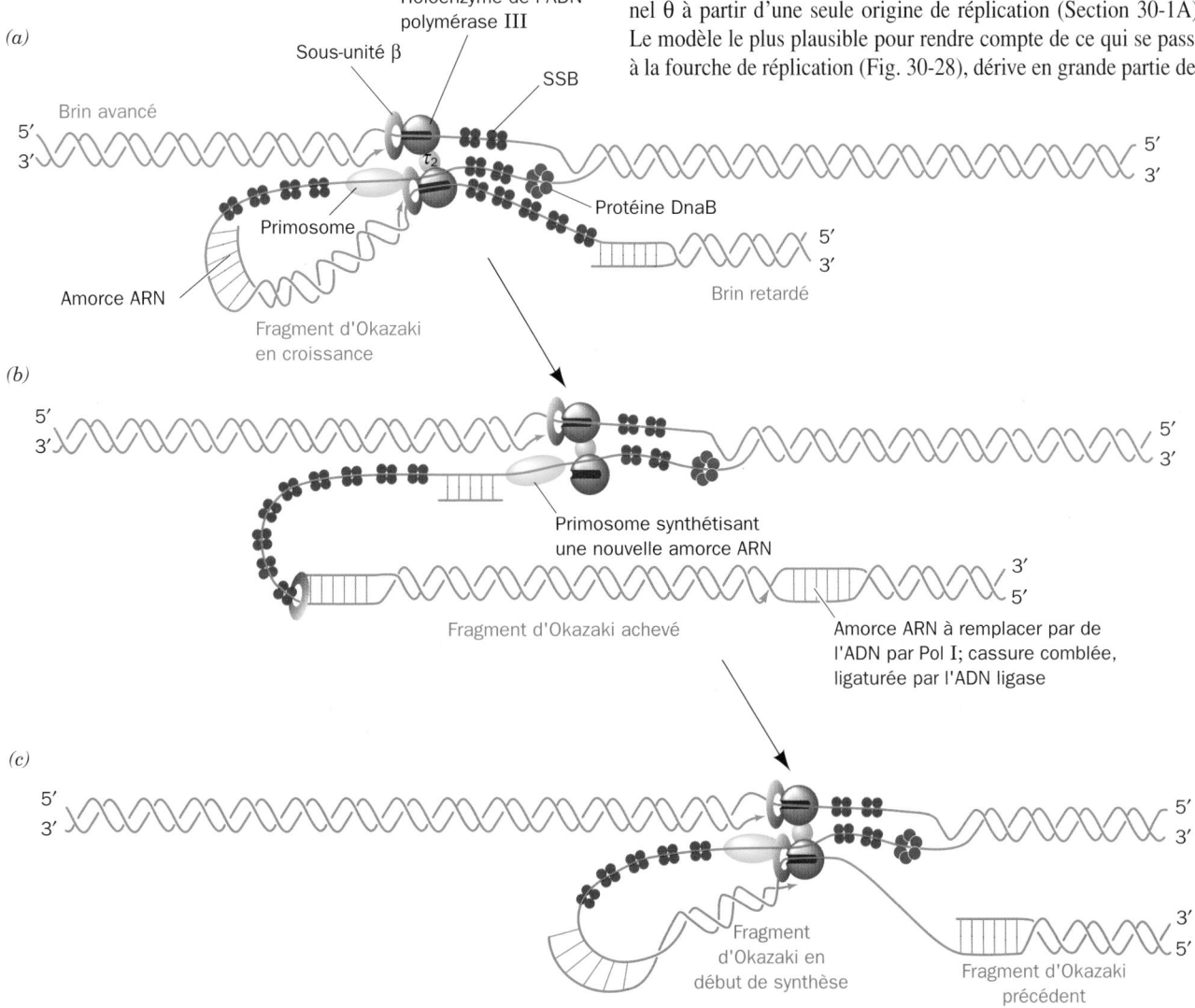

FIGURE 30-28 Réplication de l'ADN de *E. coli*. (*a*) Le réplisome de *E. coli*, qui contient deux complexes holoenzymes de l'ADN polymérase III, synthétise les brins avancé et retardé, à lui seul. La matrice du brin retardé doit faire une boucle pour permettre à une holoenzyme d'allonger le brin retardé amorcé tout près du primosome. (*b*) L'holoenzyme libère la matrice du brin retardé dès qu'elle rencontre le fragment d'Okazaki venant d'être synthétisé. Ceci est sans doute le signal pour le primosome, qui indique qu'il doit synthétiser une nouvelle amorce ARN. (*c*) L'holoenzyme se lie à nouveau avec la matrice du brin retardé et allonge l'amorce ARN pour former un nouveau fragment d'Okazaki. Noter que dans ce modèle, la synthèse du brin avancé prend toujours l'avance sur celle du brin retardé.

travaux sur les mécanismes, plus accessibles au plan expérimental, rencontrés chez les coliphages comme M13 et φX174. L'ADN duplex est déroulé par la protéine DnaB située sur la matrice du brin retardé, où elle est rejointe par le primosome. Les brins ainsi séparés sont immédiatement revêtus par des SSB. La synthèse du brin avancé est catalysée par l'holoenzyme Pol III, de même que celle du brin retardé, après qu'il ait été pourvu d'amorces, grâce à l'activité primase associée au primosome. Les deux synthèses ont lieu au sein d'un complexe multiprotéique unique d'environ 900 kD, appelé le réplisome, qui contient deux centres Pol III ($\alpha\varepsilon\theta$) reliés entre eux, au niveau de leurs sous-unités α, par un pont formé d'un dimère de sous-unités τ. Il s'ensuit que la matrice du brin retardé doit donc faire un tour autour de ce complexe (Fig 30-28). Le dimère τ_2 se fixe également à l'hélicase DnaB (ce n'est pas montré dans la Fig. 30-28), cela stimule son activité hélicase tout en la maintenant au niveau de la fourche e réplication. Dès qu'elle a terminé la synthèse d'un fragment d'Okasaki, l'holoenzyme travaillant sur le brin retardé se repositionne sur une nouvelle amorce, proche de la fourche de réplication. L'amorce ayant initié la synthèse du fragment d'Okazaki précédent est excisée par l'activité de « nick translation » de Pol I, et la dernière cassure est liaturée par l'ADN ligase.

a. La réplication de l'ADN de *E. coli* est initiée au locus *oriC* grâce à la protéine DnaA

L'origine de réplication pour le chromosome de *E. coli* est un segment de 245 pb, appelé locus **oriC**. La séquence de ce segment est très conservée parmi les bactéries gram⁻. Elle entraîne la réplication bidirectionnelle de plasmides variés, dans lesquels elle a été introduite. Kornberg a proposé ce modèle en plusieurs étapes pour expliquer l'initiation de la réplication chez *E. coli*, basé sur ses expériences avec de tels plasmides (Fig. 30-29) :

1. La **protéine DnaA** (467 résidus) reconnaît au niveau de *oriC* ce que l'on appelle les cinq **boîtes DnaA** auxquelles elle se fixe (chacune contient un segment bien conservé de 9 pb dont la séquence moyenne est 5'-TTATCCACA-3'). Cela forme un complexe d'ADN *oriC* superenroulé négativement entourant un noyau central de cinq monomères de protéine DnaA. Ce processus se fait en présence de deux protéines apparentées, HU et IHF (integration host factor), qui se lient à l'ADN et induisent sa courbure (IHF et HU sont présentées dans la Section 33-3C).

2. Les sous-unités protéiques de DnaA séparent ensuite successivement trois segments de 13 pb riches en AT (leur séquence consensus est 5'-GATCTNTTNTTTT-3', avec N signifiant des positions non spécifiques) localisées à coté de la limite « gauche »

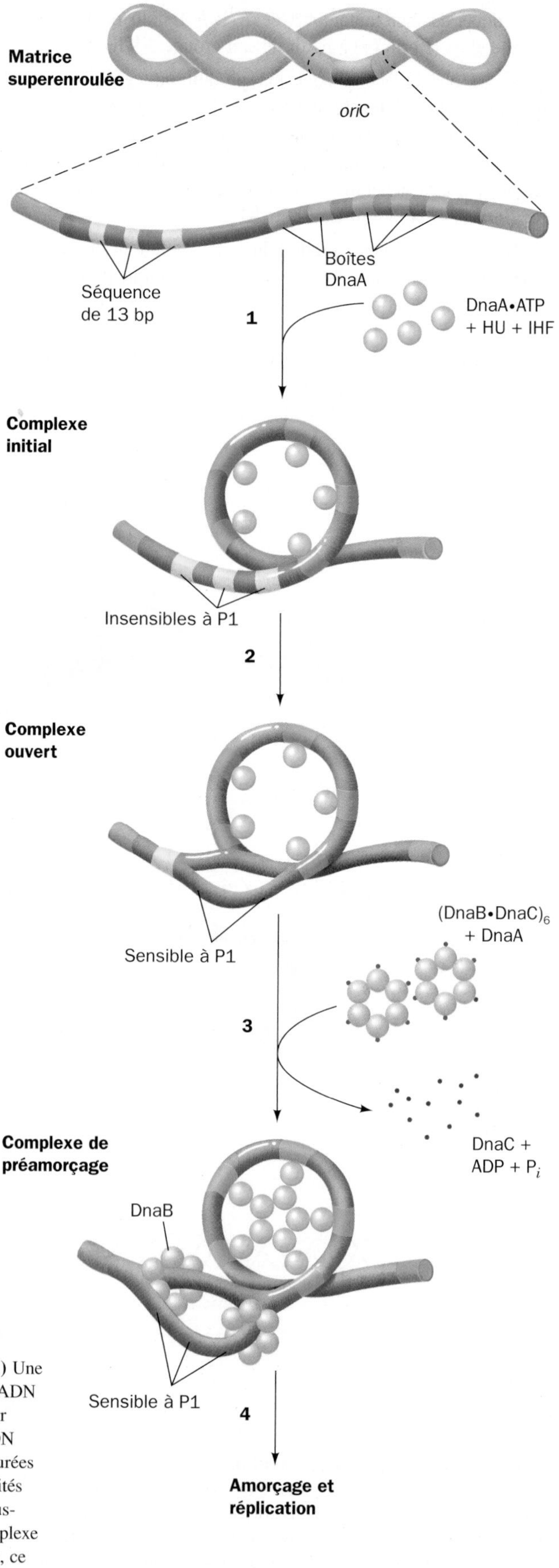

FIGURE 30-29 Modèle pour l'initialisation de la réplication au site *oriC*. (1) Une sous-unité de protéine DnaA se lie à chacune des cinq boîtes DnaA de *oriC*. L'ADN de *oriC* se trouve alors dans un état correct de superenroulement pour s'enrouler autour des protéines, aidé en cela par la liaison des protéines HU et IHF à l'ADN (non montré). **(2)** Les trois répétitions de 13 pb riches en AT sont ensuite dénaturées grâce à une consommation d'ATP pour former un complexe ouvert, aux extrémités duquel **(3)** deux complexes DnaB₆-DnaC₆ se lient, en même temps que cinq sous-unités supplémentaires de DnaA pour former des dimères de DnaA. **(4)** Le complexe ainsi ouvert est ensuite déroulé grâce à la fonction hélicase de la protéine DnaB, ce qui prépare le complexe pour l'amorçage et la réplication bidirectionnelle.

de *oriC*. L'existence d'une région de 45 pb désappariée a été établie grâce à sa sensibilité à la **nucléase P1**, une endonucléase spécifique des simples brins produite par *Penicillium citrinum*. La formation d'un tel complexe ouvert doit se faire en présence de la protéine DnaA et d'ATP (celui-ci se lie fortement à la protéine DnaÀ qui l'hydrolyse en présence d'ADN), seulement au dessus de 22°C (dans les conditions in vitro, tout au moins). Il ne fait pas de doute que la richesse en AT des répétitions de 13 pb facilite le désappariement.

3. Le complexe DnaA conduit ensuite le complexe $DnaB_6$. $DnaC_6$ à l'autre extrémité de la région mésappariée pour former un **complexe de préamorçage** selon un processus qui s'accompagne de la fixation de cinq sous-unités supplémentaires de DnaA ; on aboutit à cinq dimères de DnaA fixés aux boites DnaA. DnaC, une ATPase qui aide à la fixation de DnaB est ensuite libérée.

4. La protéine DnaB, qui est une hélicase, déroule ensuite l'ADN dans les deux sens dans le complexe de préamorçage, en présence de SSB et de gyrase, pour laisser entrer la primase et l'ARN polymérase. La participation de ces deux enzymes à la synthèse de l'amorce pour le brin avancé (Section- 30-1D), en même temps que le fait de réserver cette réaction au site *oriC*, suggère que c'est l'ARN polymérase qui active la primase pour la synthèse de l'amorce. Ceci explique sans doute la similarité entre les 13-mères riches en AT de *oriC* et les promoteurs de transcription actifs sur l'ARN polymérase (Section 31-2B).

Le stade qui permettra la réplication bidirectionnelle de l'ADN par la forme holoenzyme de Pol III, comme cela est décrit plus haut, est donc atteint.

b. L'initiation de la réplication chez E. coli est réglée de manière très stricte

La réplication du chromosome de E. coli n'a lieu qu'une fois par division cellulaire ; ceci implique un système de régulation

très précis Selon les conditions de culture, le temps de doublement de E. coli à la température de 37C peut varier de moins de 20 min à environ 10 h. Par ailleurs, la vitesse de la progression de chaque fourche de réplication est constante, d'environ 1000 nt/sec ; elle détermine donc le temps C que dure la réplication du chromosome, long de $4,7x10^6$ pb, à ~40 min. De plus, la ségrégation des divers composants de la cellule et la formation du septum, qui doivent précéder la division cellulaire, se font en un temps assez constant, D = 20 min, après la fin du cycle correspondant de réplication du chromosome. *Il faut donc que les cellules dont le temps de doublement est inférieur à C +D = 60 min initie un cycle de réplication du chromosome avant que la division cellulaire précédente ne soit terminée.* Ceci entraîne la formation de **chromosomes présentant plusieurs fourches dichotomiques**, comme le montre la Fig. 30-30, correspondant à un temps de doublement cellulaire de 35min.

Même lorsqu'une cellule contient de nombreux sites *oriC*, la réplication n'est initiée àchacun de ces sites qu'une seule et unique fois par division cellulaire. Puis, une fois que l'initiation s'est produite, l'élongation de la chaîne s'effectue à une vitesse uniforme sans réel contrôle. Cela suggère qu'après l'initiation un site oriC se retrouve en quelque sorte séquestré (empêché d'interagir avec) à l'abri de l'appareil de réplication ; on parle de **séquestration**. On a de bonnes preuves par des images telles celles de la Fig. 30-31, que le chromosome de E. coli est associé à la membrane cellulaire. Cet ancrage permettrait d'expliquer comment les chromosomes répliqués sont répartis entre les cellules au cours de la division cellulaire. Mais quel est le mécanisme de la séquestration ?

La séquence la plus fréquemment méthylée chez E. coli est le palindrome GATC ; elle est méthylée en N6 sur les deux bases A par la **Dam méthyltransférase** (Section 30-7). On trouve la séquence GATC 11 fois dans *oriC*, notamment au début de chacune des répétitions de 13 pb (voir plus haut). Les fragments d'ADN qui viennent d'être synthétisés sont hémiméthylés, c'est-à-dire que les séquences GATC du brin néosynthétisé ne sont pas méthylées. Bien que la Dam méthyltransférase commence à méthyler la plupart des segments GATC non méthylés immédiatement après leur synthèse (en moins de 1,5 min), ceux de *oriC* res-

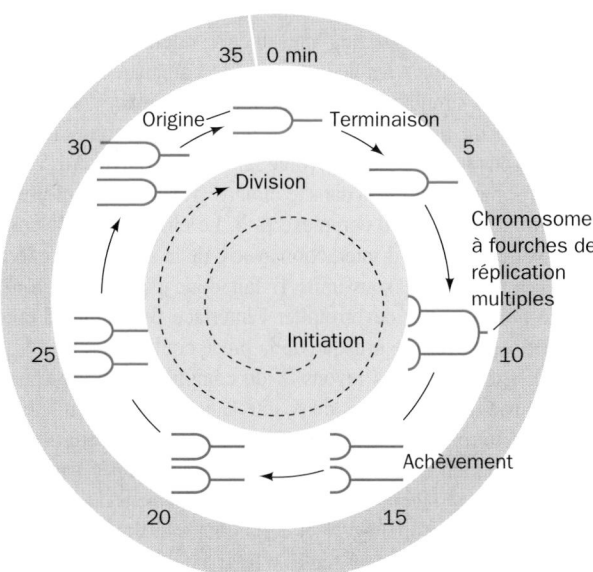

FIGURE 30-30 Chromosomes à plusieurs fourches chez *E. coli*. Dans les cellules qui se divisent toutes les 35 minutes, l'intervalle de temps obligé (60 min) entre l'initiation de la réplication et la division cellulaire entraîne la production de chromosomes à plusieurs fourches de réplication. [D'après Lewin, B., Gènes VII, p. 370, Oxford University Press (2000)].

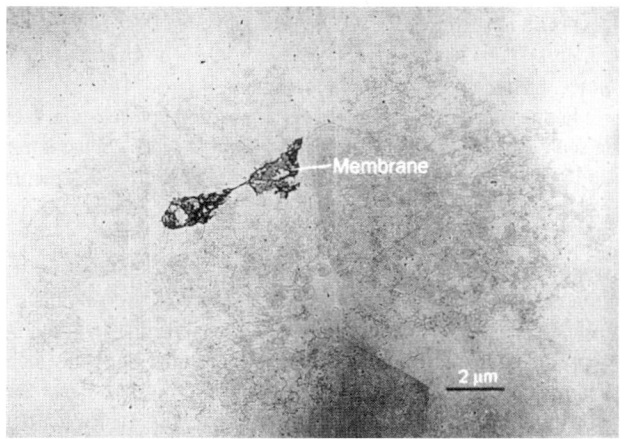

FIGURE 30-31 Micrographie électronique d'un chromosome intact superenroulé de *E. coli*, attaché à deux fragments de la membrane cellulaire. [D'après Delius H. and Worcel, A., *J. Mol. Biol.* 82, 108 (1974).]

tent hémiméthylés durant un tiers de cycle de division. Par conséquent, l'observation faite que les membranes se lient à *oriC* hémiméthylée et pas si elle est non méthylée ou totalement méthylée, suggère que la façon dont *oriC* hémiméthylée est liée à la membrane la rend inaccessible aussi bien pour la machinerie de transcription que pour la Dam méthyltransférase.

L'association de *oriC* hémiméthylée à la membrane requiert la présence de la protéine SeqA (181 résidus), produit du gène *seqA*. Dans les cellules *seqA⁻*, on constate que : (1) le temps mis pour méthyler totalement les sites GATC de *oriC* est réduit à 5 min, tandis que le temps pour méthyler les autres sites GATC reste inchangé ; (2) il n'y a plus de synchronisation de l'initiation dans le cas de sites *oriC* multiples ; et (3) en l'absence de Dam méthyltransférase fonctionnelle, des plasmides contenant une *oriC* complètement méthylée sont répliqués plusieurs fois par génération de cellules, alors qu'en présence de SeqA ils ne sont répliqués qu'une seule fois. De façon évidente, la séquestration met en jeu une liaison de oriC hémiméthylée à la membrane via la protéine SeqA. Le promoteur hémiméthylé du gène dnaA est séquestré de façon similaire, et cela réprime sa transcription ; on a là un mécanisme supplémentaire évitant une initiation à la légère de la réplication de l'ADN.

c. La pince coulissante est mise en place sur l'ADN par un chargeur

La pince coulissante responsable de la grande processivité de Pol III ets un dimère de sous-unités β en forme d'anneau à travers lequel passe le brin d'ADN en cours de réplication (Section 30-2B). Le temps de demi-vie de l'étroite association, entre les deux sous-unités β (*KD <50 nM*) formant la pince coulissante, est d'environ 100 min à 37°C. Mais, du fait que chaque réplisome synthétise environ un fragment d'Okasaki par seconde, c'est avec cette fréquence qu'il faut charger une pince coulissante sur la matrice du brin retardé. Cette fonction de chargeur est due au complexe γ (γτ₂δδ'χΨ), selon un processus consommant de l'ATP. Les sous-unités τ et γ sont toutes deux codées par le gène *dnaX*, τ (643 résidus) étant la forme non tronquée et γ (431 résidus) la forme tronquée du coté C-terminal. Le complexe γ relie les deux centres Pol III du réplisome par les segments C-terminaux de ses sous-unités τ, qui se lient également à l'hélicase DnaB. En fait, comme les sous unités χ et Ψ ne sont pas des acteurs essentiels du processus de mise en place de la pince coulissante (leur rôle est mal compris), nous qualifierons le complexe γτ₂δδ' de **chargeur de la pince**. Comment ce chargeur fonctionne-t-il ?

Parmi les cinq sous-unités du chargeur de la pince, seule δ est la seule capable par elle-même de se lier à la pince coulissante et de l'ouvrir. Kuriyan et Mike O'Donnel ont déterminé la structure par les rayons X de la sous-unité δ en complexe équimolaire 1 : 1 avec une sous-unité β dont deux des résidus de l'interface de dimérisation avaient été mutés pour empêcher cette dimérisation. La structure montre (Fig. 30-32) que δ, qui comporte trois domaines, insère son élément d'interaction avec β, une saillie hydrophobe constituant l'extrémité de son domaine N-terminal, dans une poche hydrophobe de la surface de β. La comparaison de δ dans cette structure avec ce qu'on a dans le complexe γ₃δδ' (voir plus bas) révèle que l'élément d'interaction avec β subit un important changement de conformation lors de sa liaison avec β où l'hélice α4 tourne de 45° et se déplace de 5,5 Å. De plus, lors de la formation du complexe β-δ, la sous-unité β augmente son rayon de courbure

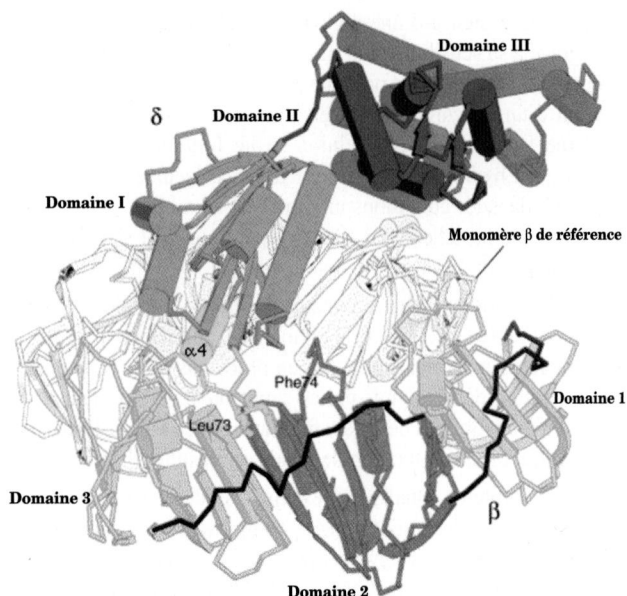

FIGURE 30-32 Structure par rayons X du complexe β—δ. Une deuxième sous-unité β est dessinée en gris. Intitulée « monomère β de référence », elle correspond à la structure par rayons X de la pince coulissante (Fig. 30-13). La vue représente la tranche de l'anneau β. L'élément d'interaction δ de la sous-unité β (en jaune) est composé en grande partie de l'hélice α4 et de deux résidus hydrophobes, Leu 73 et Phe 74, dont les chaînes latérales sont représentées en mode bâtonnets. [Avec l'aimable autorisation de John Kuriyan, Université Rockefeller. PDBid 1JQJ.]

par rapport à celui du dimère β (Fig . 30-13) de telle sorte que l'interaction β-δ induise une ouverture d'environ 15 Å de l'une des interfaces β-β de la pince coulissante. Cette ouverture est assez grande pour permettre le passage d'un ADNsb mais pas d'un ADNdb. Il semble que la fonction du chargeur de la pince soit de piéger l'une des sous-unités β de la pince coulissante dans une conformation qui empêche l'anneau de se refermer bien plutôt que d'écarter activement les deux moitiés de l'anneau. Cela est corroboré par des simulations de dynamique moléculaire (Section 9-4) qui suggèrent que le dimère β₂ a une conformation stable alors qu'une sous-unité β isolée, évolue rapidement (environ 1,5 ns) de la conformation qu'elle a dans le dimère β₂ vers une conformation ressemblant à celle du complexe β–δ. Le changement de conformation de l'élément d'interaction avec β de la sous-unité δ lors de la liaison avec une sous-unité β fait donc penser à la rotation d'une poignée pour déverrouiller l'interface β–β située à coté et permettre l'ouverture brusque de la pince coulissante.

La structure par les rayons X du complexe γ₃δδ' (le chargeur de la pince dans lequel les deux sous-unités τ ont perdu leurs 212 résidus C-terminaux ; γ et τ étant interchangeables pour ce qui est de leur fonction de chargeur de la pince), déterminée par Kuriyan et O'Donnell, suggère le mode de fonctionnement du chargeur de la pince. Les sous-unités γ, δ et δ' ont toutes des repliements similaires ; elles appartiennent toutes à la grande famille des protéines **AAA⁺** (soit *A*TPase *a*ssociée à diverses *a*ctivités cellulaires ; DnaA et DnaC sont des membres de cette famille), bien que seules les sous-unités γ (et τ) se lient à l'ATP et l'hydrolysent. Les régions conservées des protéines AAA⁺ comportent deux domaines, un domaine N-terminal de liaison à l'ATP et un

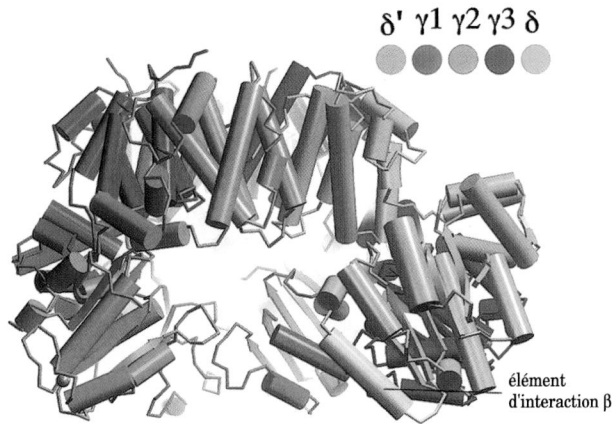

δ' γ1 γ2 γ3 δ

élément
d'interaction β

**FIGURE 30-33 Structure par rayons X du complexe chargeur de la
pince, γ₃δδ'.** Les sous-unités ont les couleurs indiquées et l'élément
interagissant avec β est en jaune. [Avec l'aimable autorisation de John
Kuriyan, Université Rockefeller. PDBid 1JR3.]

domaine plus petit composé d'un faisceau de 3 hélices, dont les
orientations relatives changent lors de la liaison d'ATP. Les
domaines C-terminaux du complexe γ₃δδ' forment un collier en
forme d'anneau dans lequel les sous-unités sont disposées dans le
sens des aiguilles d'une montre selon cet ordre : δ'–γ1–γ2–γ3–δ
(Fig. 30-33). L'orientation relative des trois domaines est différente dans chacune des cinq sous-unités, cela donne une structure
hautement assymétrique, en particulier au niveau des régions des
extrémités N-terminales. Bien que la structure aux rayons X du

complexe γ₃δδ' ne contienne pas de nucléotide lié, les sites de liaison à l'ATP de ses sous-unités ont pu être identifiés par analogie
avec les structures connus des complexes en présence de nucléotides d'autres protéines AAA⁺, telle la protéine NSF (Section 12-
4D ; ces suppositions ont été confirmées ultérieurement par la
structure par rayons X des deux premiers domaines d'une sous-
unité γ complexée de l'ATPγS). Les sites de liaison à l'ATP des
sous-unités γ qui sont formés par leurs domaines N-terminaux,
sont localisés sur la face interne du complexe γ₃δδ' et donc également du chargeur de la pince.

Le chargeur doit se lier étroitement à la pince coulissante avant
de pouvoir l'associer à/ou le dissocier de l'ADN matrice mais doit
ensuite libérer la pince pour éviter d'interférer avec sa liaison au
centre Pol III (αεθ). Les structures du chargeur et du complexe β–
δ, ainsi que divers arguments biochimiques, suggèrent un modèle
de ce phénomène (Fig. 30-34). La liaison d'ATP à γ1 (la sous-unité
γ au contact de δ') entraîne un changement de conformation qui
expose le site de liaison à l'ATP de γ2 auparavant caché. De même,
la liaison d'ATP à γ2 expose γ3 ; la liaison d'ATP à γ3 expose l'élément de la sous-unité δ interagissant avec β, lui permettant de se
lier à la sous-unité β ce qui ouvre la pince coulissante. Finalement,
l'hydrolyse des ATP liés, stimulée par β et par l'ADN, inverse ce
processus.

Une fois que le chargeur à chargé la pince coulissante sur la
matrice d'ADN, il doit se dissocier de la pince pour permettre la
liaison du centre Pol III. Puis, après la synthèse du fragment
d'Okazaki, le centre Pol III doit se dissocier de la pince coulissante
pour qu'elle puisse initier la synthèse du fragment d'Okazaki suivant ; quel en est le mécanisme ?

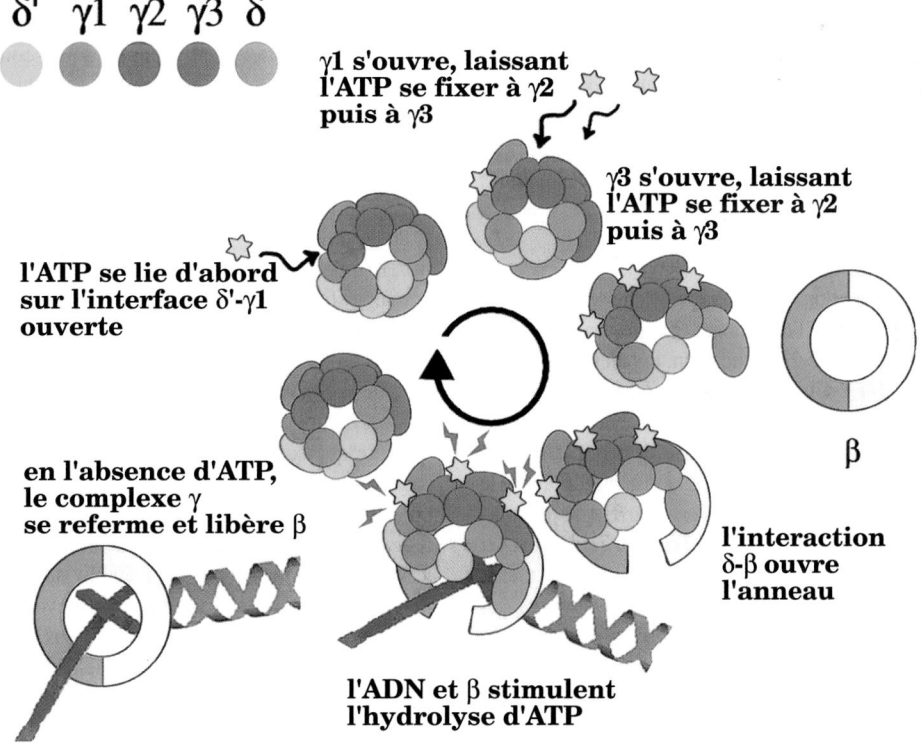

δ' γ1 γ2 γ3 δ

γ1 s'ouvre, laissant
l'ATP se fixer à γ2
puis à γ3

γ3 s'ouvre, laissant
l'ATP se fixer à γ2
puis à γ3

l'ATP se lie d'abord
sur l'interface δ'-γ1
ouverte

β

en l'absence d'ATP,
le complexe γ
se referme et libère β

l'interaction
δ-β ouvre
l'anneau

l'ADN et β stimulent
l'hydrolyse d'ATP

**FIGURE 30-34 Représentation schématique du cycle de charge de la
pince coulissante.** Ce modèle hypothétique repose sur une combinaison
de données structurales et biochimiques. [Avec l'aimable autorisation de
John Kuriyan, Université Rockefeller.]

Les sous-unités α et δ se lient à des sites qui se chevauchent sur une des faces de la pince coulissante β₂. Cela a été montré par l'observation expérimentale que la phosphorylation d'une séquence de reconnaissance d'une kinase, qui avait été introduite par génie génétique dans le segment C-terminal de β, est inhibée aussi bien par α que par δ. La sous-unité β a une affinité environ 30 fois plus grande pour le complexe γ, en présence d'ATP qu'elle n'en a pour le centre Pol III. Mais, en présence d'ADNsb, il y a inversion de l'affinité et β se lie préférentiellement au centre Pol III (peut-être à cause de contacts supplémentaire entre le centre et l'ADN). Ainsi, une fois la pince coulissante chargée sur la matrice du brin retardé dont l'amorce a été synthétisée, le chargeur est déplacé par le centre Pol III, qui bloque alors le chargeur pour qu'il ne dissocie pas la pince. Au lieu de cela, le chargeur charge, sur la matrice du brin retardé, une nouvelle pince associée avec l'amorce synthétisée par le primosome pour préparer le cycle suivant de synthèse d'un fragment d'Okazaki (Fig. 30-28b). Une fois la synthèse du fragment d'Okazaki terminée par le centre Pol III, c'est-à-dire une fois que l'espace séparant deux fragments d'Okazaki successifs se réduit à une simple coupure dans la chaîne, Pol III libère l'ADN et la pince. Le centre Pol III se lie alors à la matrice et à une nouvelle amorce qui sont associées à leur pince coulissante (cela déplaçant le chargeur qui lui est associé) ; c'est le début de la synthèse du fragment d'Okazaki suivant. Durant tout ce processus, l'holoenzyme Pol III est maintenue au niveau de la fourche de réplication par le centre Pol III du brin avancé, qui reste fixé à l'ADN par la pince coulissante qui lui est associée.

La pince coulissante qui reste autour du fragment d'Okazaki terminé sert probablement à recruter Pol I et l'ADN ligase pour remplacer l'amorce ADN du fragment d'Okazaki précédemment synthétisé par de l'ADN et refermé la coupure de chaîne qui subsiste. Mais à la fin la pince coulissante doit être recyclée. On pensait au départ que le chargeur accomplissait ce travail. Mais il est clair, à présent, que la séparation entre la pince coulissante et l'ADN qui lui est associé est le fait d'une sous-unité d libre (celle qui imprime la rotation du chargeur pour écarter les sous-unité β formant la pince coulissante). La quantité de sous-unités δ synthétisées excède de cinq fois celle nécessaire pour former les quelques chargeurs de pinces présents dans une cellule.

d. La terminaison de la réplication

La région où la réplication se termine est, chez *E. coli*, une région assez longue de 350 kb bordée par sept sites presque identiques, non palindromiques, de 23 pb environ, appelés sites terminateurs ***TerE, TerD*** et ***TerA* d'un côté** et ***TerG, TerF, TerB*** et ***TerC*** de l'autre (Fig.30-35 ; noter que *oriC* est à l'opposé de cette région dans le chromosome de *E. coli*). Une fourche de réplication progressant dans le sens inverse des aiguilles d'un montre, comme le montre la Fig. 30-35, va traverser *TerG , TerF, TerB* et *TerC*, mais va s'arrêter lorsqu'elle va rencontrer *TerA, TerD* ou *TerE (TerD* et *TerE* sont sans doute des sites de rappel de *TerA*). De la même manière, une fourche de réplication progressant dans le sens des aiguilles d'une montre, traverse *TerE, TerD* et *TerA,* mais va s'arrêter à *TerC*, et si elle ne peut s'arrêter, sur *TerB, TerF.* ou *TerG.* Les sites de terminaison sont donc polarisés ; ils se comportent comme des soupapes unidirectionnelles permettant aux fourches de réplication de progresser dans la région de terminaison mais ils les empêchent de la quitter. Leur disposition assure

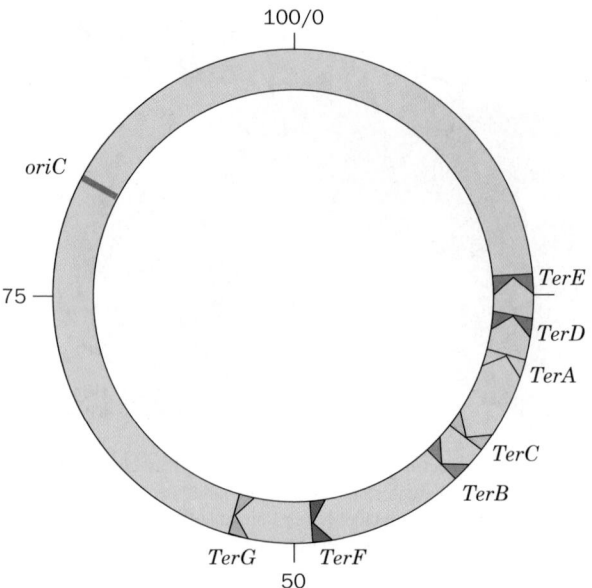

FIGURE 30-35 Carte du chromosome d'*E. coli*, montrant la position des sites *Ter* et du site *oriC*. Les sites *TerG, TerB et TerF et TerC* associés avec la protéine Tus, laissent passer le réplisome qui se déplace dans le sens contraire des aiguilles d'une montre mais ils bloquent le réplisome qui se déplace dans le sens des aiguilles d'une montre. L'inverse est vrai pour les sites *TerE, TerD et TerA.* Il en résulte que les deux fourches de réplication partant du site *oriC* vont se rencontrer entre les sites *Ter* de sens opposés.

que les deux fourches de réplication formées par l'initialisation dans les deux sens au niveau d'*oriC* se rencontreront dans la région de terminaison même si une d'entre-elles y arrive bien avant l'autre.

L'arrêt de la progression d'une fourche de réplication au niveau des sites *Ter* requiert l'intervention de la protéine **Tus,** monomère de 309 résidus, produit du gène *tus* (venant de « terminator utilization substance »). La protéine Tus se lie spécifiquement à un site *Ter,* et y empêche le déroulement des brins par l'hélicase DnaB, ce qui arrête la progression de la fourche. La structure par rayons X de Tus complexée à un ADN de 15 pb, contenant une séquence *Ter* et ayant un T non apparié à chaque extrémité 5', a été déterminée par Kosuke Morikawa ; elle révèle que Tus comprend deux domaines formant une profonde gorge chargée positivement et qui enveloppe en grande partie l'ADN fixé (Fig. 30-36). Un segment de 5pb de l'ADN, à proximité du coté de Tus qui permet le passage de la fourche de réplication (Le coté inférieur sur la Fig. 30-36), est déformé et moins enroulé que l'ADN-B canonique (idéal), de sorte que son grand sillon est plus profond et son petit sillon significativement plus large. La protéine établit des contacts polaires avec plus des deux tiers des groupes phosphates dans une région de 13 pb et son domaine central en feuillet β, pénètre dans le profond grand sillon pour y établir des contacts spécifiques de l'enchaînement des bases qui s'y trouvent. L'importance de ce domaine central pour la fonction de Tus est démontré par le fait que la plupart des mutations ponctuelle d'un résidu qui diminuent la capacité de Tus à arrêter la réplication se situent dans ce domaine intermédiaire.

Lorsque la protéine Tus est fusionnée avec une autre protéine capable de se lier à l'ADN, la réplication est inhibée au site de liai-

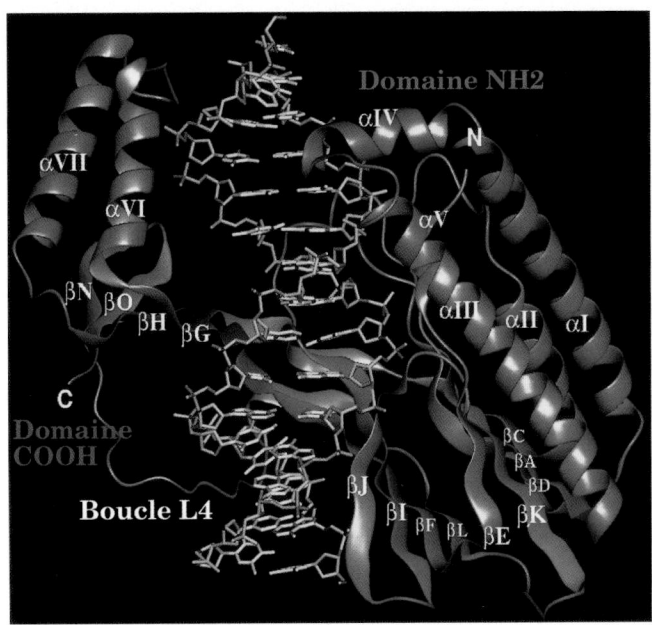

FIGURE 30-36 Structure par rayons X de la protéine Tus de *E. coli* complexée avec un ADN de 15 pb contenant un site *Ter*. Les domaines N et C-terminaux sont respectivement vert et bleu, l'ADN lié est en représentation en bâtonnets avec ses bases en jaune et son squelette sucre-phosphate en doré. [D'après Kamada, K., Horiuchi, T., Ohshumi, K., Simamoto, M. and Morikawa, K., *Nature* 383, 599 (1996), avec leur aimable autorisation. PDBid 1ECR.] Voir les exercices animés.

son sur l'ADN de l'autre protéine. Ceci suggère que la protéine Tus n'agit pas comme une simple pince, mais qu'elle interagit avec la protéine DnaB pour inhiber son action hélicase. Tus interfère apparemment avec le mécanisme de déroulement de l'ADN par DnaB sur un des coté de Tus mais pas sur l'autre, mais la façon dont Tus et DnaB interagissent reste inconnue. Il est cependant curieux de constater que ce système de terminaison n'est pas indispensable pour que cette dernière ait lieu. Lorsque cette région « terminus » est perdue, la réplication s'arrête tout simplement parce que les deux fourches opposées se rencontrent. Cependant, le système d'achèvement est très conservé parmi les bactéries gram-négatif.

D. *La fidélité de la réplication*

On peut se demander pourquoi *E. coli* entretient une panoplie de plus de 20 protéines coordonnées de manière complexe pour répliquer son chromosome.. La réponse est sans doute *qu'il faut assurer une fidélité presque parfaite de la réplication, afin de préserver l'intégrité du message génétique à transmettre de génération en génération.*

Les taux de réversion d'un mutant de *E. coli* ou de phage T4 vers le type sauvage, montrent qu'il n'arrive qu'un mésappariement par 10^8 à 10^{10} paires de bases répliquées. Cela correspond à environ une erreur pour 1000 bactéries par génération. Une telle précision dans la réplication est le résultat de quatre adaptations :

1. Les cellules entretiennent des niveaux équilibrés en dNTP grâce au mécanisme régulateur étudié dans la Section 28-3A. Cette régulation a une importance pour la fidélité, car si un des dNTP est présent à un niveau anormal par rapport aux autres, sa probabilité d'incorporation erronée s'élève. Réciproquement, si un dNTP est présent en trop faible quantité relative, sa probabilité d'être remplacé par un nucléotide présent en quantité plus forte s'élève.

2. La réaction de polymérisation a, par elle-même, une fidélité extraordinaire. Celle-ci résulte comme nous l'avons vu (Section 30-2A) de sa réalisation en deux étapes : (1) une étape de liaison

dans laquelle le dNTP qui se présente s'apparie avec la matrice tandis que l'enzyme est sous la conformation ouverte qui ne permet pas la réaction de polymérisation ; (2) une étape de catalyse dans laquelle la polymérase prend sa conformation fermée autour de la nouvelle paire de bases, ce qui met les résidus du site catalytique dans la position favorable (adaptation induite). Cette conformation est possible s'il y a complémentarité, selon les règles d'appariement Watson-Crick. Le changement de conformation constitue un double contrôle de la conformité de l'appariement.

3. Les fonctions exonucléase $3' \rightarrow 5'$ de Pol I et de Pol III permettent de détecter et d'éliminer les erreurs qui restent encore après l'intervention de la fonction polymérase. En effet, les mutations qui augmentent l'activité exonucléase de correction sur épreuve d'une polymérase font chuter le taux de mutation, détecté sur d'autres gènes marqueurs.

4. Toutes les cellules contiennent une batterie de systèmes enzymatiques remarquables permettant la réparation des erreurs qui restent encore dans l'ADN nouvellement synthétisé, ainsi que la réparation des lésions diverses qui peuvent être produites après la réplication, par des agents chimiques ou physiques. Il sera question des ces systèmes de réparation dans la Section 30-5.

En plus de tout cela, *l'incapacité d'une ADN polymérase d'initier l'élongation d'un brin d'ADN sans amorce, augmente la fidélité de la réplication.* Les quelques premiers nucléotides à s'apparier sont justement ceux qui sont susceptibles d'être souvent mésappariés, parce que l'appariement des bases est un phénomène de nature interactive (Section 29-2). De la même manière, la production d'un oligonucléotide duplex de petite taille est source fréquente d'erreurs. L'utilisation d'amorces ARN élimine cette source d'erreur, puisque l'ARN sera remplacé après réplication, par de l'ADN, dans des conditions qui permettront un appariement correct.

On pourrait cependant encore se demander pourquoi les cellules ont développé, pour un des brins, un mécanisme complexe de synthèse, discontinue et en retard sur l'autre, plutôt que de développer une autre polymérase, qui aurait pu tout simplement allonger des brins d'ADN dans le sens $3' \rightarrow 5'$. C'est en prenant en consi-

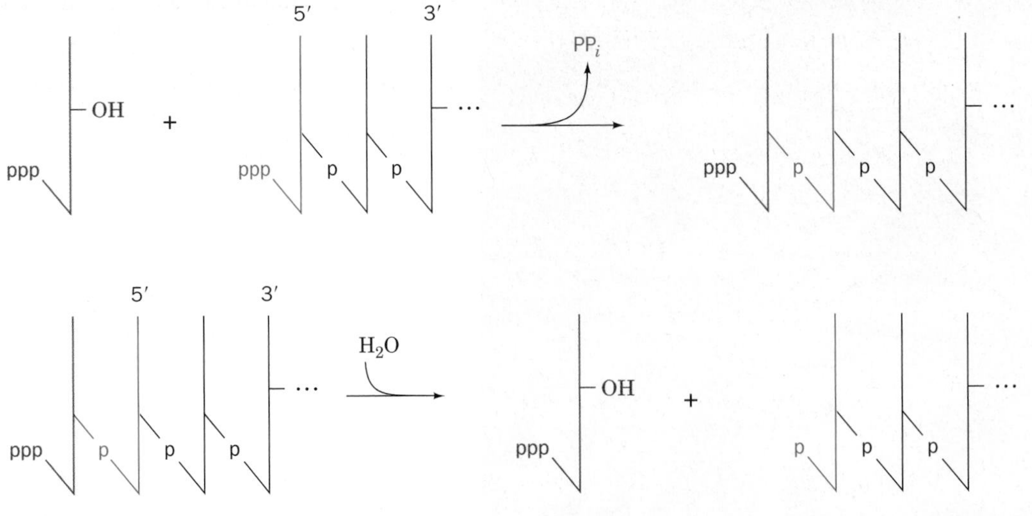

(a)

(b)

FIGURE 30-37 Quelles seraient les conséquences chimiques si une ADN polymérase pouvait synthétiser l'ADN dans le sens 3' → 5'. *(a)* L'accrochage de chaque nucléoside triphosphate au brin croissant devrait être couplé à l'hydrolyse du nucléoside triphosphate accroché immédiatement avant, *(b)* L'élimination par correction, d'un nucléoside triphosphate incorrect, rendrait impossible l'allongement ultérieur du brin d'ADN.

dération l'aspect chimique de la synthèse d'ADN que l'on est amené à conclure que le système existant augmente, lui aussi, la fidélité de la réplication. En effet, la liaison des 5'-désoxynuclcosides triphosphates dans le sens 3'→5' exigerait de conserver le groupement 5' triphosphate terminal sur le brin en croissance pour conduire l'étape suivante d'accrochage (Fig. 30-37*a*). S'il fallait alors reconnaître un nucléotide 5'-terminal mal apparié (Fig. *31-21 b)*, une telle polymérase imaginaire, par analogie avec Pol 1, par exemple, devrait exciser le nucléotide mal apparié, en laissant soit un 5'-OH soit un groupement 5'-phosphate. Aucun de ces deux groupements terminant un brin n'est capable de fournir l'énergie pour une étape nouvelle d'extension. Une ADN polymérase 3'→5' douée d'une activité de contrôle des erreurs devrait donc avoir aussi la capacité de réactiver le groupe terminal. On peut penser qu'un système semblable a, ou aurait été contre-sélectionné au cours de l'évolution, à cause de sa complexité.

4 ■ LA REPLICATION DE L'ADN CHEZ LES EUCARYOTES

Il apparaît de plus en plus que *la similitude est très grande entre les mécanismes de réplication de l'ADN chez les eucaryotes et chez les procaryotes*. Cependant, il y a de nettes différences entre les deux systèmes de réplication, résultant de la complexité d'un autre ordre de grandeur caractérisant les eucaryotes. Il est question de ces différences dans cette section. Les chromosomes eucaryotiques sont, par exemple, des assemblages d'ADN et de protéines à structure complexe et dynamique (Section 34-1), avec lesquels l'appareil de transcription doit interagir pour effectuer son travail. De ce fait, comme c'est souvent le cas en biochimie, nos connaissances sur la réplication de l'ADN des eucaryotes ont pris du retard par rapport aux connaissances sur les procaryotes. Mais les dernières années ont permis de gros progrès de notre compréhension de ces processus fondamentaux. Dans cette section, nous décrirons les connaissances sur la réplication des eucaryotes. On verra aussi qu'il existe deux ADN polymérases particulières aux eucaryotes, la transcriptase réverse et la **télomérase.**

A. *Le cycle cellulaire*

Le **cycle cellulaire** représente la séquence des événements se succédant au cours de la durée de vie d'une cellule eucaryotique ; il est divisé en quatre phases bien distinctes (Fig.30-38) :

1. La mitose et la division cellulaire (cytocinèse), qui ont lieu au cours d'une **phase M** (M vient de « mitose »), de durée assez courte, dans le cas de la mitose.

2. La **phase G_1** (G vient de « gap »), qui dure la majorité du temps du cycle.

3. La **phase S** (S vient de « synthèse »), qui, contrairement à ce qui se passe chez les procaryotes, *est la seule période pendant laquelle l'ADN est synthétisé.*

4. La **phase G_2,** relativement brève, pendant laquelle la cellule, transitoirement tétraploïde (4C), se prépare à la mitose et à la division cellulaire, recommençant éventuellement un nouveau cycle.

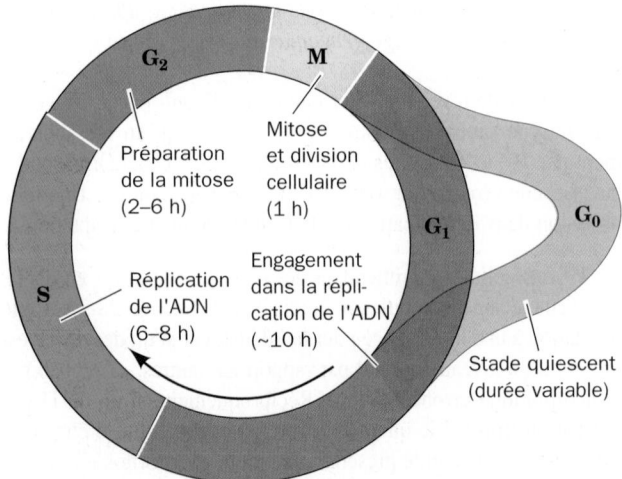

FIGURE 30-38 Le cycle cellulaire d'une cellule eucaryotique. Les cellules en G_1 peuvent éventuellement entrer en phase quiescente (G_0), plutôt que de poursuivre le cycle.

En culture, les cellules ont, en général, un cycle cellulaire d'une durée de 16 à 24 heures. Les cellules de types différents dans un organisme multicellulaire peuvent avoir des durées du cycle allant de 8 heures à plus de100 jours. Cette variation porte essentiellement sur le stade G_1. De plus, beaucoup de cellules arrivées au terme de leur différenciation, comme les neurones ou des cellules des muscles, ne se divisent plus ; elles sont à un stade appelé quiescent et noté **G$_o$.**

Le choix, irréversible, en faveur de la division, est fait en phase G_1,. Une quiescence est respectée si, par exemple, les éléments nutritifs sont en quantité trop faible ou si la cellule, au milieu d'autres cellules, subit **l'inhibition de contact. I**nversement, la synthèse d'ADN peut être induite par différents agents, comme les cancérigènes et les virus produisant les tumeurs, qui forcent à une prolifération incontrôlée (cf. le cancer ; Sections 19-3B et 34-4C), par l'enlèvement chirurgical d'un tissu, provoquant sa régénération rapide, ou par des protéines appelées **mitogènes,** qui se lient à des récepteurs de la surface extérieure de la cellule et induisent la division (Section 34-4D).

a. Le cycle cellulaire est contrôlé par des cyclines et des kinases dépendantes des cyclines

La progression d'une cellule dans le cycle cellulaire est régulée par des protéines appelées **cyclines** et **kinases dépendantes des cyclines (CDK).** Le nom des cyclines leur vient de ce qu'elles sont synthétisées à un moment du cycle pour être totalement détruites dans une étape ultérieure (la dégradation protéique est traitée dans la Section 32-6). Chaque cycline se fixe à la CDK qui lui correspond et l'active pour qu'elle phosphoryle ses cibles protéiques. Il en résulte une activation de ces protéines afin qu'elles accomplissent des réactions propres à cette phase du cycle cellulaire. Pour pouvoir passer à une autre phase du cycle cellulaire, la cellule doit franchir un **point de contrôle** (« checkpoint »), où il sera décidé si la cellule a accompli avec succès l'étape précédente (l'attachement de tous les chromosomes au fuseau mitotique doit, par exemple, précéder la mitose (Section 1-4A ; au cas ou ce ne serait pas le cas, ne fut ce que pour un chromosome, une des cellules filles aurait perdu ce chromosome tandis que l'autre en aurait deux exemplaires, dans les deux cas il s'agit d'une situation délétère sinon létale). Lorsqu'une cellule ne remplie pas les conditions requises à un point de contrôle, le cycle cellulaire est ralenti voire bloqué jusqu'à ce que les conditions soient remplies. Nous traiterons la régulation du cycle cellulaire plus en détails dans la Section 34-4C.

B. *Les mécanismes de la réplication chez les eucaryotes*

La plupart de nos connaissances sur la réplication de l'ADN eucaryotique découlent d'études sur la levure de boulanger (*Saccharomyces cerevisiae*) et sur la levure cloisonnée (Schizosaccharomyces pombe), les plus simples des eucaryotes, ainsi que sur le virus simien 40 (SV40), qui possède un ADN chromosomique circulaire de 5243 pb (Fig. 5-40) avec une seule origine de réplication. Cependant des études sur la réplication de l'ADN dans des cellules de **métazoaires** (animaux multicellulaires), notamment la drosophile, *Xenopus laevis* (un crapaud à griffes africain dont les œufs sont faciles à étudier) et l'homme, ont également conduit à d'importantes avancées dans les connaissances.

a. Les cellules eucaryotiques renferment de nombreuses ADN polymérases

On peut classer les diverses ADN polymérases connues en Six familles d'après leurs relations phylogénétiques : la famille A (par ex. Pol I d'*E. coli*), la famille B (par ex. Pol II d'*E. coli*), la famille C (par ex. Pol III d'*E. coli*), et les familles D, X et Y. Les cellules animales expriment au moins quatre types distincts d'ADN polymérases qui sont impliquées dans la réplication et que l'on appelle en fonction de l'ordre de leur découverte, ADN polymérases α, γ, δ et ε (ou encore POL A, POL G, POL D1 et POL E). On a pu préciser leurs fonctions en partie grâce à leurs types de réponses à des inhibiteurs (Tableau 30-5).

L'ADN polymérase α, une enzyme de la famille B qui ne se rencontre que dans le noyau cellulaire, est active dans la réplication de l'ADN chromosomique. Cette fonction a été mise en évidence par l'utilisation d'un inhibiteur spécifique de cette enzyme, **l'aphidicoline,**

Aphidicoline

TABLEAU 30-5   **Propriétés de quelques ADN polymérases animales**

	α	β	γ	δ
Localisation	noyau	noyau	mitochondrion	noyau
Masse de sous-unités (kD)[a]	167, ~83, 58, 48 (165, 67, 58, 48)	68 (39)	143 (125, 43)	125, 55, 40, 22 (125, 66, 50)
Famille	B	X	A	B
Inhibiteurs:				
Aphidicoline	fort	nul	nul	fort
Didesoxy NTP	nul	fort	fort	faible
N-Ethylmaléimide (NEM)[b]	fort	nul	fort	fort

[a]Levure *S. cerevisiae* (cellules de mammifères).
[b]Un agent alkylant de cystéines (Section 12-4D).

Source: Kornberg, A. and Baker, T.A., *DNA Replication* (2nd ed.), p. 199, Freeman (1992); *et* Hübscher, U., Nasheuer, H.-P., and Syväoja, J.E., *Trends Biochem. Sci.* **25**, 143 (2000).

et par l'observation que l'activité de l'ADN polymérase α varie avec l'intensité de la prolifération cellulaire. Cette protéine, comme toutes les ADN polymérases, réplique l'ADN par une réaction d'allongement d'une amorce, dans le sens 5' → 3', conduite par une matrice d'ADN simple brin. L'ADN polymérase α est dépourvue d'activité exonucléase mais est étroitement associée à une primase (constituée d'une sous-unité de 48 kD contenant le site catalytique à activité primase et une sous-unité de 58 kD nécessaire à une activité primase complète) et une sous-unité d'environ 83 kD impliquée dans la régulation de l'initiation, on obtient ainsi une protéine nommée **pol a/πριμασε**.

La structure par rayons X de l'ADN polymérase de la famille B codée par le bactériophage RB69 **(RB69 pol),** déterminée par Steitz, a révélé que cette enzyme comporte cinq domaines organisés autour d'une cavité centrale qui contient le site actif de la polymérase (Fig . 30-39). La RB69 pol a la forme d'une main droite initialement découverte chez les ADN polymérases de la famille A (Fig. 30-8 et 30-9), le domaine constituant sa paume a une structure de base analogue qui contient les deux résidus Asp invariables impliqués dans le mécanisme de transfert de groupement nucléotidyl (Fig.30-10). Cependant, par comparaison avec les enzymes de la famille A les domaines de RB69 constituant les doigts présentent une rotation de 60°, quant au domaine à activité correctrice, il se trouve à l'opposé du domaine formant la paume.

Pol δ, une enzyme de la famille B, est également nucléaire, sensible aux mêmes inhibiteurs que l'ADN polymérase *a* (Tableau 30-5). Elle ne possède pas d'activité associée de type primase mais elle montre une activité exonucléase 3' → 5'. De plus, tandis que

l'ADN polymérase α montre une « processivité » assez modeste (-100 nt), celle de l'ADN polymérase δ est pratiquement sans limite (elle peut répliquer une matrice dans toute sa longueur), mais ceci n'est vrai que si elle est sous forme de complexe avec l'**antigène nucléaire de la prolifération cellulaire** (**PCNA**, appelé ainsi parce qu'il ne se trouve que dans les noyaux des cellules proliférantes et qu'il réagit avec les sérums des patients souffrant de la maladie auto-immune systémique appelée « lupus erythémateux »). La structure par rayons X de PCNA (Fig. 30-40), déterminée par Kuriyan, a révélé qu'il forme un anneau trimérique ayant une structure presque identique (et une fonction probablement identique) à celle de la pince coulissante β₂ de *E. coli* (Fig. 30-3). Ainsi, chaque sous-unité de PCNA est constituée de quatre motifs structuraux plutôt que de six, de structure similaire aux motifs βαβββ qui constituent la sous-unité β de *E. coli*. Curieusement, PCNA et la sous-unité β ne présentent pas d'identité de séquence significative, même pour les alignements de leurs portions de structure similaire.

Le complexe entre Pol δ et PCNA est nécessaire pour la synthèse aussi bien du brin avancé que du brin retardé. Par opposition la pol α/primase sert à synthétiser des amorces d'ARN de 7 à 10 nt, qu'elle prolonge par l'addition d'environ 15 nt. Puis, selon un processus appelé commutation des polymérases, l'équivalent eucaryotique du complexe γ de *E. coli* (le chargeur de la pince coulissante), qui est le **facteur de réplication C (RFC)**, enlève pol α et charge PCNA sur l'ADN matrice à proximité du brin amorce. Après quoi, pol δ se lie à PCNA et allonge le brin d'ADN avec une grande processivité.

L'ADN polymérase ε, une enzyme nucléaire de la famille B qui ressemble superficiellement à l'ADN polymérase δ, en diffère par sa processivité élevée en l'absence de PCNA et le fait qu'elle possède une activité exonucléase 3' → 5' qui dégrade l'ADN simple brin en oligonucléotides de 6 à 7 résidus, plutôt qu'en mononucléotides, comme le fait l'ADN polymérase δ. Malgré la nécessité de pol ε pour la viabilité de la levure, la moitié C-terminale non catalytique de sa sous-unité catalytique de 256 kD est

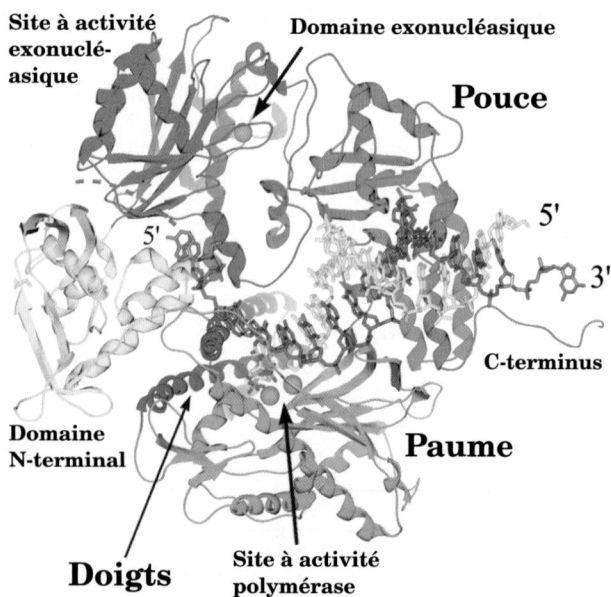

FIGURE 30-39 Structure par rayons X de l'ADN polymérase RB69 (RB69 pol) complexée avec l'ADN matriciel, l'amorce et du dTTP. La protéine est représentée sous forme de rubans de couleurs différentes selon les domaines. L'ADN est représenté sous forme de bâtonnets, la matrice est en gris, le brin amorce en doré. Le dTTP entrant est aussi sous forme de bâtonnets et coloré selon la nature des atomes (doré pour C, bleu pour N, rouge pour O et rose pour P). Les deux ions Ca²⁺ au site polymérase sont représentés par des boules bleu clair tout comme le Ca²⁺ du site exonucléase. Un pointillé gris indique le prolongement probable du chemin suivi par la matrice simple brin entrant dans le site à activité polymérasique. [Avec l'aimable autorisation de Thomas Steitz, Université de Yale. PDBid 1IG9.]

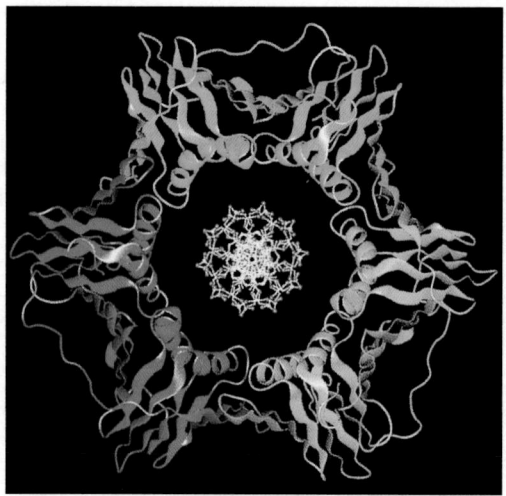

FIGURE 30-40 Structure par rayons X de PCNA. Ses trois sous-unités (rouge, vert et jaune) forment un anneau à symétrie d'ordre 3. On a dessiné, au centre de l'anneau PCNA, un modèle de duplex d'ADN vu selon l'axe de son hélice. On comparera cette structure à celle du dimère de sous-unités β de l'holoenzyme Pol III de *E. coli* (Fig. 30-13). [Avec l'aimable autorisation de John Kuriyan, Université Rockefeller. PDBid 1PLQ.] Voir les exercices animés.

suffisante pour cette viabilité, cela aussi est unique parmi les ADN polymérases de la famille B. De plus, les seules ADN polymérases nécessaires pour la réplication de l'ADN de SV40 sont pol α et pol δ. Il semble donc, qu'au moins chez la levure, pol ε ait une fonction essentielle de contrôle mais non catalytique.

Pol γ, une enzyme de la famille A ne se trouve que dans la mitochondrie, où elle est supposée répliquer l'ADN mitochondrial. Les chloroplastes renferment une enzyme similaire.

Les cellules eucaryotiques contiennent des batteries d'ADN polymérases qui participent à la réplication de l'ADN chromosomique (pol α, δ et ε) et plusieurs autres prenant part aux processus de réparation de l'ADN (Section 30-5), parmi lesquelles **pol β, η, i, k et z** (appelées aussi POLB, POLH, POLI, POLK et POLZ). Pol β, une enzyme de la famille X a une taille remarquablement petite (un monomère de 335 résidus chez le rat). La structure de son fragment résistant à la protéolyse (résidus 85 à 335), réalisée par rayons X (Fig. 30-41), de façon indépendante par Zdenek Hostomsky et Joseph Kraut, montre que cette protéine a une forme de main droite qui rappelle celle d'autres polymérases (voir par ex. Fig. 30-8 , 30-9 et 30-39). La topologie après enroulement est cependant unique, ce qui suggère qu'elle n'a pas d'ancêtre commun avec ces autres polymérases.

b. Les chromosomes des eucaryotes possèdent de nombreux réplicons

Les systèmes de réplication eucaryotiques et procaryotiques diffèrent principalement par le fait que les chromosomes eucaryotiques possèdent des origines multiples de réplication alors que les chromosomes procaryotiques ne possèdent qu'une seule origine. Les cellules eucaryotiques répliquent l'ADN à la vitesse de ~50 nt/sec (~20 fois moins vite que ne le fait *E. coli*). Cette vitesse a été évaluée sur des autoradiographies, en mesurant les longueurs des segments marqués de chromosomes eucaryotiques par la méthode de marquages brefs (« pulses »). Si un chromosome eucaryotique contient 60 fois plus d'ADN que le chromosome procaryotique, et s'il n'avait qu'une seule origine de réplication, sa réplication bidirectionnelle prendrait environ 1 mois. Des micrographies électroniques, comme celles de la Fig. 30-42, montrent que les chromosomes d'eucaryotes contiennent de multiples origines, une toutes les 3 à 300 kb, selon l'espèce et le tissu ; la phase S ne dure ainsi que quelques heures.

Les observations cytologiques montrent aussi que différentes régions d'un chromosome ne sont pas toutes répliquées en même temps, mais par paquets de 20 à 80 **réplicons** adjacents (le réplicon est donc le segment d'ADN soumis à la même origine de réplication), qui sont activés simultanément. D'autres réplicons sont activés au cours de la phase S, jusqu'à ce que le chromosome soit complètement répliqué. Pendant ce processus, les réplicons qui ont déjà terminé leur réplication peuvent être distingués des autres, de sorte à ce que l'ADN chromosomique des cellules ne soit répliquée qu'une seule fois par cycle cellulaire.

c. L'assemblage du complexe d'initiation eucaryotique se fait en deux étapes

Les recherches sur la synthèse de l'ADN chez les virus des eucaryotes suggèrent que la mise en route de la réplication sur un réplicon est stimulée par la transcription d'une amorce, sous le contrôle de renforçateurs (« enhancers ») associés à l'origine de réplication. Ces renforçateurs sont des séquences

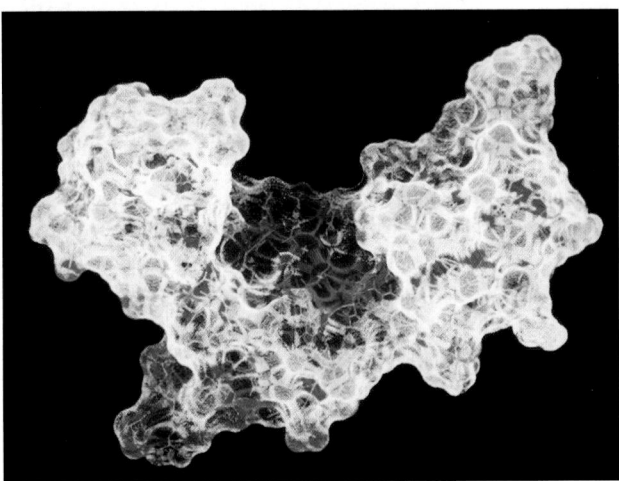

FIGURE 30-41 Structure par rayons X du domaine catalytique de l'ADN polymérase β **du rat**. La protéine, qui est orientée avec son sous-domaine N-terminal en forme de doigts, au dessus et à gauche, est représentée avec sa surface accessible aux solvants colorée selon la charge, en rouge pour une charge négative, en bleu pour une charge positive, et en blanc pour une charge nulle. La charge fortement positive de la pince supposée se lier à l'ADN, facilite certainement la liaison avec l'ADN qui est un polyanion. [Communiqué aimablement par Zdenek Hostomsky, Agouron Pharmaceulicals, San Diego, California. PDBid 1RPL.]

Le fait que la réplication de l'ADN eucaryotique n'ait lieu qu'une seule et unique fois par cycle cellulaire repose sur un mécanisme binaire de type commutateur. Un complexe de préréplication (pre-RC) s'assemble sur chaque origine de réplication durant la phase G₁ du cycle cellulaire. C'est le seul moment du cycle cellulaire durant lequel le complexe pre-RC peut se former ce processus est connu sous le terme de **validation** (« licensing »). Cependant, un complexe pre-RC valide est incapable d'initier la réplication ; il lui faut auparavant être activé, ce processus a lieu pendant la phase S. *Cette séparation dans le temps entre l'assemblage du complexe pre-RC et l'activation de l'origine garantit qu'un nouveau complexe pre-RC ne puisse s'assembler sur une origine qui a déjà été « allumée » (a commencé la réplication), ainsi, chaque origine n'est allumée qu'une fois par cycle cellulaire.* Voyons comment cela fonctionne.

La compréhension du processus de validation et le mode d'activation du complexe pre-RC pour qu'il constitue un complexe d'initiation n'en est qu'à ses débuts. Ainsi, bien qu'il semble que la plupart des protéines formant ces complexes aient été identifiées, leurs structures, leurs interactions et, dans bien des cas, leurs

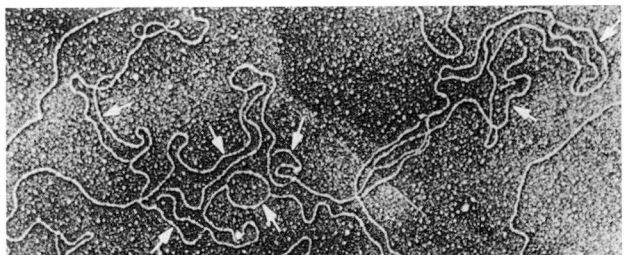

FIGURE 30-42 Micrographie électronique d'un fragment d'ADN de *Drosophila*, en cours de réplication. Les flèches indiquent ses yeux de réplication multiples. [D'après Kreigstein, H.J. and Hogness, D.S., *Proc. Natl. Acad. Sci.* **71**, 136 (1974).]

fonctions restent encore en grande partie inconnues. Étant conscients de cela, voyons ce qui est connu de ces processus.

Les origines de réplication sont étonnamment variables selon les espèces, et souvent pour un même organisme et elles peuvent même varier pour un même organisme selon le stade du développement. Ainsi, alors que les origines chez *S. cerevisiae*, connues sous le nom d'**ARS** (« autonomously replicating sequences » pour **séquences à réplication autonome**), renferment une séquence très conservée de 11 pb riche en AT au sein d'une région moins bien conservée d'environ 125 pb, les origines de certains métazoaires se répartissent dans des « zones d'initiation » de 10 à 50 kb, qui contiennent de multiples origines et n'ont besoin , dans certains cas, d'aucune séquence d'ADN particulière. Malgré cette disparité, les protéines qui participent à la réplication de l'ADN eucaryotique sont très bien conservées de la levure jusqu'à l'homme.

L'assemblage du complexe pre-RC (Fig . 30-43) débute vers la fin de la phase M ou au début de la phase G$_1$ par la fixation à l'origine du **complexe de reconnaissance de l'origine** (**ORC**), un hexamère de protéines apparentées (**Orc1** à **Orc6**), où il demeure fixé durant la plus grande partie du cycle cellulaire. ORC, l'analogue fonctionnel de la protéine DnaA pour l'initiation de la réplication de *E. coli* (Section 30-3C), recrute alors deux protéines,

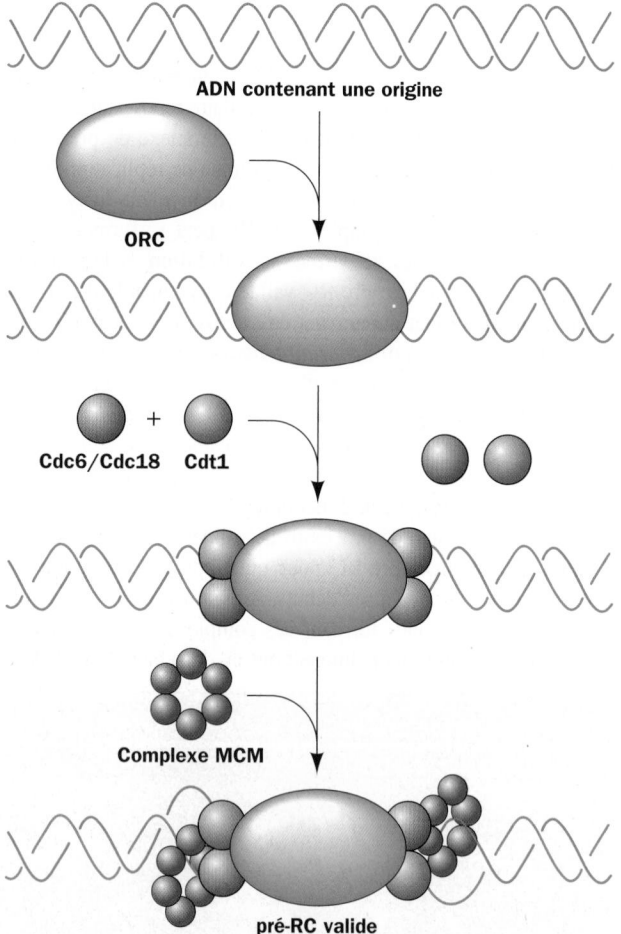

FIGURE 30-43 Représentation schématique de l'assemblage du complexe pré-réplicatif (pré-RC). On ne sait pas grand-chose de la stoechiométrie, des positions et des interactions de ses différents composants. Le complexe pré-RC ne se forme que durant la phase G1 du cycle cellulaire.

Cdc6 chez *S. cerevisiae* (**Cdc18** chez *S. pombe*, Cdc voulant dire contrôle du cycle de division) et **Cdt1**. Ces protéines coopèrent alors avec ORC pour charger le complexe **MCM** [nommé ainsi pour ses fonctions de maintenance de minichromosome (plasmide)], qui est un hexamère de sous-unités apparentées (**Mcm2** à **Mcm7**) sur l'ADN ; on obtient alors le complexe pre-RC valide. Le complexe MCM, une hélicase en forme d'anneau consommant de l'ATP pour progresser, est l'analogue de l'hélicase d'ADN DnaB de *E. coli*, tandis que l'ensemble de Cdc6/Cdc18 et de Cdt1 paraît être un analogue de DnaC de *E. coli* (qui facilite la charge de DnaB). A l'exception de Cdt1, toutes ces protéines, Orc1 à Orc6, Cdc6/Cdc18, Mcm2 à Mcm7 ainsi que DnaA, DnaB et DnaC de *E. coli* sont des ATPases AAA.

La conversion d'un complexe pre-RC valide en un complexe d'initiation actif nécessite l'addition de la pol α/primase, de pol ε et de plusieurs protéines accessoires, et cela n'a lieu qu'à l'enclenchement de la phase S . Ce processus débute par l'addition de la protéine Mcm10 (qui n'a aucune similitude de séquence avec aucune des sous-unités du complexe MCM) au complexe pré-RC ; cela provoquant probablement le départ de Cdt1. suite à quoi, il y a addition d'au moins deux protéine kinases, une Cdk et une **Ddk**, cette dernière étant un hétérodimère comprenant la protéine kinase **Cdc7** et la sous-unité activatrice **Dbf4** (Dbk voulant dire kinase dépendante de Dbf4). Ddk agit en phosphorylant cinq des six sous-unités MCM (à l'exception de Mcm2), activant ainsi le complexe MCM qui devient une hélicase. Par contre, la façon dont les Cdk activent le complexe pre-RC est mal comprise bien que plusieurs protéines ORC et MCM tout comme Cdc6/Cdc18 soient phosphorylées par les Cdk. Ddk avec une Cdk recrute également **Cdc45** dans le complexe d'initiation en cours d'assemblage. Cdc45 est, quant à elle, nécessaire pour l'assemblage de la machinerie d'initiation de la synthèse,au niveau de la fourche de réplication, qui comprend la pol α/primase, pol ε, PCNA et la **protéine A de réplication** (**RPA**), l'analogue hétérotrimérique eucaryotique de SSB ; on a ainsi formé le complexe d'initiation actif.

d. La redondance de réplication est empêchée par l'action des Cdk et de la Géminine

Après que l'initiation ait eu lieu, le complexe d'initiation est rejoint par RFC et pol δ, comme c'est décrit plus haut, ce qui le convertit en un complexe de réplication actif par la mise en marche de la polymérase. La réplication de l'ADN progresse alors dans les deux directions jusqu'à ce que chacune des fourches de réplication soit entrée en collision avec une fourche de réplication se déplaçant dans la direction inverse et permettant d'achever la réplication du réplicon. Une fourche de réplication active va détruire sur son passage tous les complexes pré-RC valides ou tous complexes d'initiation qui ne se sont pas allumés ; cela empêchera une deuxième réplication de l'ADN à partir de ces sites. Les eucaryotes semblent dépourvus de séquences de terminaison et de protéines analogues des protéines des sites *Ter* et Tus de *E. coli*.

Plusieurs mécanismes redondants font en sorte qu'un complexe pré-RC ne puisse initier la synthèse d'ADN qu'une seule fois. Les Cdk sont actives de la fin de la phase G$_1$ jusqu'à la fin de la phase M. Ces niveaux élevés de Cdk, nécessaires à l'activation de l'initiation, ont aussi pour effet d'empêcher la réinitiation. La phosphorylation de Cdc6/Cdc18 effectuée en fin de G$_1$ par une Cdk après la formation des complexes pré-RC provoque la dégradation protéolytique de Cdc6/Cdc18 chez la levure ou sa sortie du noyau pour ce qui est des cellules de mammifères. Il est clair que Cdc6/Cdc18 ne sert qu'à l'assemblage du complexe pré-RC, pas à son activation. L'activité hélicase du complexe MCM est inhibée par la phosphorylation, tout au moins *in vitro*. De plus, les protéines MCM sont exportées hors du noyau durant les phases G2 et M, ce processus est interrompu par l'inactivation due aux Cdk . Quant à la fonction de la phosphorylation des protéines ORC par les Cdk elle n'est pas claire.

Les cellules de métazoaires possèdent encore un autre mécanisme pour empêcher l'assemblage d'un complexe pré-RC valide sur de l'ADN déjà répliqué. On voit apparaître de forts taux d'une protéine appelée géminine en phase S et celle-ci continue de s'accumuler jusqu'à la fin de la phase M, au moment où elle sera dégradée. La géminine s'associe avec Cdt1 (ce dernier coopérant avec Cdc6/Cdc18 pour charger le complexe MCM sur ORC) de façon à inhiber l'assemblage du complexe pré-RC. Cette inhibition est réversible lorsqu'on ajoute un excédent de Cdt1. Il semble donc probable que la présence de géminine protège contre la re-réplication au moment où les Cdk sont inhibées lors de l'activation aux points de contrôle (« checkpoint »).

Signalons enfin que les cellules qui sont entrées dans la phase G_0 (de quiescence) du cycle cellulaire (Fig. 30-38), c'est-à-dire la majorité des cellules du corps humain, arrêtent de synthétiser de l'ADN. Ces cellules se caractérisent par l'absence d'activité Cdk. Dans le cas de cellules en phase proliférative, cela autoriserait la re-réplication de l'ADN. Pourtant, les cellules en G_0 ne possèdent pas non plus de complexe MCM et sont de ce fait incapables d'assembler des complexes pré-RC valides. Du fait que les cellules cancéreuses se caractérisent par un état de prolifération intense (Section 19-3B), la présence des protéines du complexe MCM dans des cellules qui devraient être quiescentes est un bon marqueur pour diagnostiquer un cancer.

e. Les amorces sont éliminées par l'ARNaseH1 et l'endonucléase-1 (Flap Endonuclease-1, FEN1)

Les amorces ARN des fragments d'Okazaki sont éliminées grâce à l'action de deux enzymes : l'**ARNase H1** enlève la plus grande partie de l'ARN en ne laissant qu'un ribonucléotide accolé en 5' de l'ADN ; celui-ci est ensuite éliminé par l'action de **l'endonucléase-1 (FEN1)**. Mais, comme nous l'avons vu, l'enzyme pol a/primase, après avoir fabriqué l'amorce ARN, l'allonge d'une quinzaine de nt d'ADN avant d'être remplacée par pol δ. Du fait que pol α n'a pas d'activité de correction d'erreurs, cette extension de l'amorce a plus de chances de contenir des erreurs que dans le cas de l'ADN synthétisé par pol δ. Pourtant, FEN1 fournit l'équivalent d'une activité de correction des erreurs de pol α en étant capable d'exciser, à partir de l'extrémité 5' d'un ADN double brin, des oligonucléotides faisant jusqu'à 15 nt de long et renfermant des mésappariements. FEN1 est même capable de répéter e genre d'excisions plusieurs fois de suite pour éliminer des mésappariements plus éloignés. Le fragment éliminé étant remplacé ultérieurement par pol δ lorsqu'elle synthétise le fragment d'Okazaki suivant.

f. L'ADN mitochondrial est répliqué en formant des boucles D

L'ADN mitochondrial est répliqué selon un mode dans lequel la synthèse du brin avancé précède largement celle du brin retardé (Fig. 30-44). Le brin avancé déplace donc la matrice pour le brin

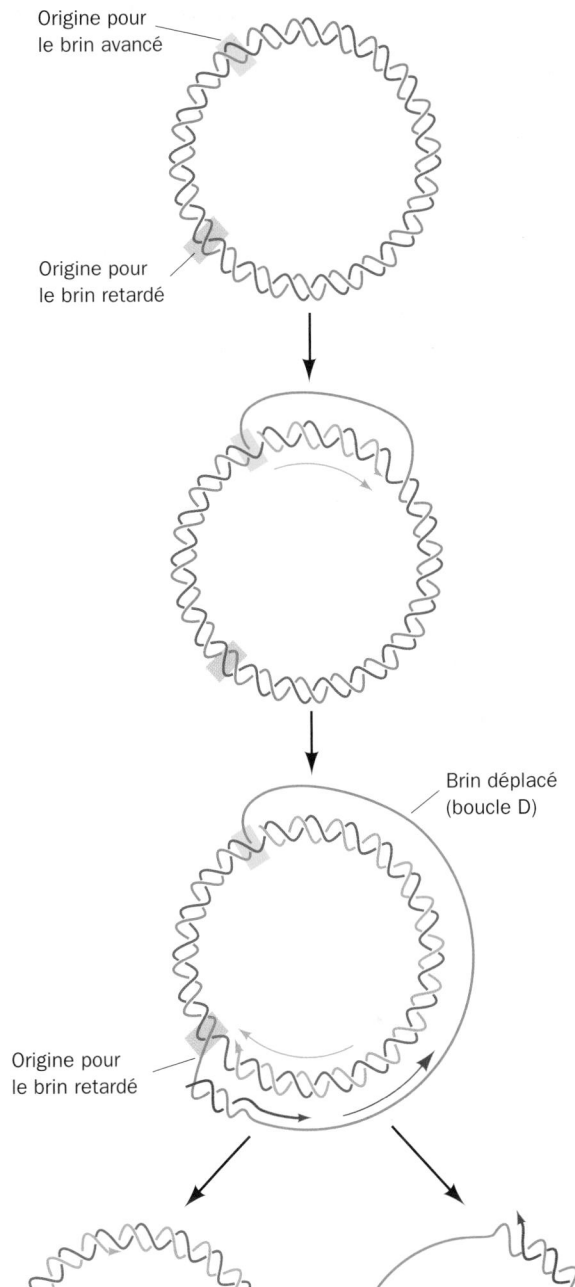

FIGURE 30-44 Le mode de réplication de l'ADN avec boucle D.

retardé, ce qui forme **une boucle par déplacement** ou **boucle D.** Le chromosome mitochondrial circulaire de 15 kb des mammifères ne contient qu'une seul boucle D de 500 à 600 nt, ce qui la soumet à de fréquents cycles de dégradation et de resynthèse. Pendant la réplication, la boucle D s'allonge, lorsqu'elle porte sur ~2/3 du chromosome, l'origine de réplication du brin retardé est découverte et la synthèse commence dans le sens opposé autour du chromosome. La synthèse du brin retardé n'en est donc qu'au ~l/3 lorsque celle du brin avancé se termine.

C. *La transcriptase réverse*

Les **rétrovirus** sont des virus eucaryotiques contenant de l'ARN. Les virus tumorigènes et le virus humain de l'immunodéficience (HIV), contiennent une **ADN polymérase dépendante de l'ARN (transcriptase réverse).** Cette enzyme a été découverte en 1970, séparément, par Howard Temin d'une part, David Baltimore d'autre part. Elle synthétise l'ADN comme Pol I, dans le sens 5' → 3', sur des matrices avec amorce. La particularité de la transcriptase réverse est que la matrice est un ARN.

> La découverte de la transcriptase réverse a causé une surprise dans la communauté des biochimistes car ceci avait été perçu par certains comme contraire au principe fondamental de la biologie moléculaire, jusque là assez dogmatique (Section 5-4). Il n'y a pourtant pas d'impossibilité thermodynamique à ce qu'il y ait transcription d'ARN en ADN. D'ailleurs, sous certaines conditions, Pol I est vraisemblablement capable de copier des matrices ARN.

La transcriptase réverse transcrit le génome du rétrovirus, présenté sous forme d'ARN simple brin, en ADN double brin de la manière suivante (Fig. 30-45) :

1. L'ARN du rétrovirus sert de matrice pour la synthèse d'un brin complémentaire ADN (c'est l'activité ADN polymérase dépendante d'un ARN), donnant une hélice hybride ARN-ADN. La synthèse de l'ADN est amorcée par un ARNt de la cellule-hôte dont l'extrémité 3' se déroule en partie pour former des paires de bases avec un segment complémentaire de l'ARN viral.

2. Le brin d'ARN est ensuite dégradé par une activité **ARNase H** (H vient d'hybride).

3. Enfin, le brin d'ADN sert de matrice à son tour, pour synthétiser son brin complémentaire sous forme ADN (activité ADN polymérase dépendant d'un ADN), formant alors un ADN double brin.

L'ADN est ensuite intégré à un chromosome de la cellule-hôte.

La transcriptase réverse est devenue un outil particulièrement utile en génie génétique, car elle peut transcrire les ARNm en brins d'ADN complémentaires, les ADNc. Lors de la transcription d'ARNm eucaryotiques, possédant des queues poly(A) (Section 31-4A), l'amorce peut être un oligo(dT). On a ainsi utilisé des ADNc comme sondes dans des analyses après transfert selon Sou-

thern (Section 5-5D) pour identifier les gènes spécifiant ces ARNm. La séquence de bases d'un ARN peut être facilement déterminée en séquençant son ADNc (Section 7-2A).

a. La structure par rayons X de la transcriptase réverse de HIV-1

La transcriptase réverse du HIV-1 (notée RT ou TR ; HIV-1 étant un type de HIV) est une protéine dimérique de deux sous-unités formée à partir de deux polypeptides identiques de 66 kD, appelés **p66** (p voulant dire protéine), qui contiennent chacun un domaine polymérase et un domaine ARNase H. Cependant, le domaine ARNase H de l'une des deux sous-unités est excisé par protéolyse, laissant un polypeptide de 51 kD appelé **p51.** Finalement, TR est un dimère de p66 et p51.

Les premiers médicaments ayant été autorisés pour traiter le SIDA, la **3'-azido-3'-désoxythymidine (AZT ; zidovudine), la 2',3'-didésoxyinosine (ddI ; didanosine), la 2',3'-didésoxycytidine (ddC ; zalcitabîne), et la 2',3'-didéshydro-3'-désoxy-thymîdine (stavudine),**

3'-Azido-3'-deésxythymidine (AZT; zidovudine)

2',3'-Didésoxyinosine, (ddI; didanosine)

2',3'-Didésoxycytidine (ddC; zalcitabine)

2',3'-Didézhydro-3'-deésxythymidine (stavudine)

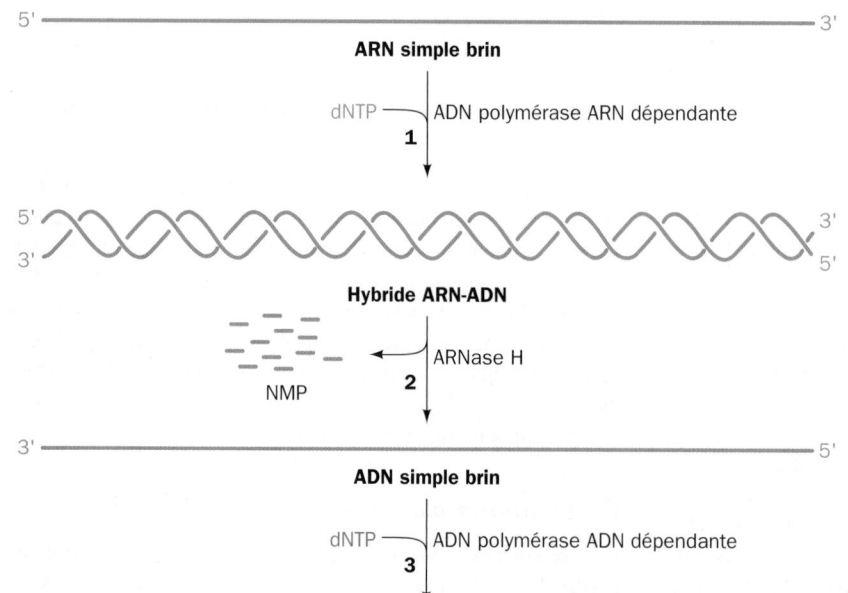

FIGURE 30-45 Les réactions catalysées par la transcriptase réverse.

sont des inhibiteurs de la transcriptase réverse. Malheureusement, des souches résistantes de HIV-1 apparaissent rapidement car la TR ne possède pas de fonction exonucléase de correction ; elle fait donc de nombreuses erreurs. Aussi, comme nous l'avons vu (Section 15-4C), Une thérapie anti-HIV efficace de longue durée nécessite l'administration en parallèle d'au moins un inhibiteur de Tr et d'un inhibiteur de la protéase de HIV.

La structure par rayons X de TR complexée avec un ADN de 18 pb présentant un nt supplémentaire non-apparié à l'extrémité 5' d'un des brins a été déterminée par Edward Arnold (Fig. 30-46). Ce complexe contient aussi un **fragment Fab** monoclonal (segment d'une IgG se liant à l'antigène ; voir Section 35-2B) qui se lie spécifiquement à TR et que l'on suppose faciliter la cristallisation du complexe. Steitz, de son côté, a déterminé par rayons X la structure de TR en l'absence d'ADN.

Les deux structures par rayons X se ressemblent beaucoup, bien que des décalages apparaissent concernant certains éléments de la structure secondaire, particulièrement ceux qui sont en

contact avec l'ADN et avec le fragment Fab. Les domaines polymérase de p66 et p51 couvrent chacun quatre sous-domaines qui ont été appelés, en partant de N-terminal vers C-terminal, les « doigts », la « paume », le « pouce » et la « connexion », par analogie avec les ADN polymérases auxquelles p66 ressemble. Dans p66 le domaine ARNaseH est juste après la connection.

P51 a subi un changement de conformation important par rapport à p66 : la connexion s'est tournée sur 155° et s'est déplacée de 17 Å à partir d'une position dans p66, dans laquelle elle est en contact avec le domaine ARNase H (Fig. 30-46a), à une autre dans p51, de laquelle elle entre en contact avec les trois autres sous-domaines de la polymérase (Fig. 30-46b). Ce changement permet à p66 et à p51 de juxtaposer plusieurs surfaces de leur connexion pour former, au moins partiellement, un sillon dans TR, capable de se lier à l'ADN. Il en résulte évidemment que les domaines polymérases, identiques chimiquement, de p66 et de p51 ne sont pas en disposition selon une pseudosymétrie d'ordre deux, ce qui est rare, bien que déjà observé, mais associés en tête-bêche. Il en

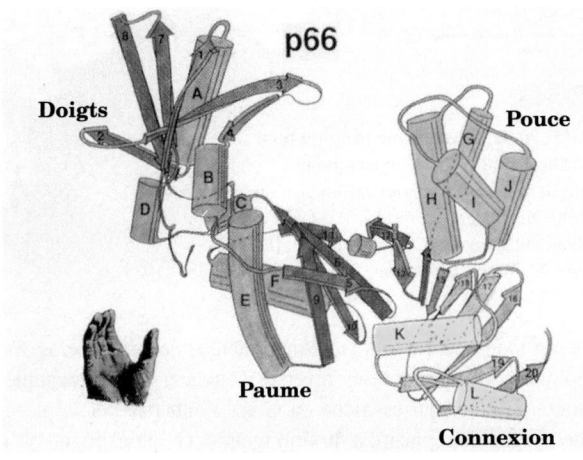

(a)

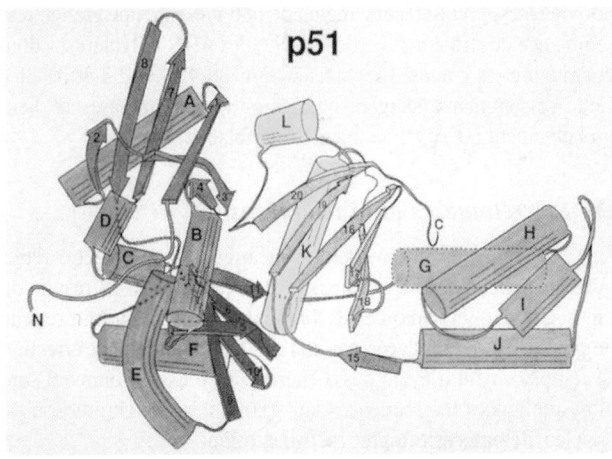

(b)

FIGURE 30-46 Structure par rayons X de la transcriptase réverse de HIV-1. (*a*) Une représentation en tubes et flèches du domaine polymérase de la sous-unité p66, dans laquelle le sous-domaine N-terminal en forme de doigts est en bleu ciel, la paume est en rose, le pouce est en vert, et la connexion en jaune. Le domaine ARNase H (non représenté) est dans la suite de la connexion, (*b*) La sous-unité p51 présente sa sous-unité en forme de paume (en rose), orientée comme celle de p66. Noter les orientations relatives différentes des quatre sous-domaines dans les deux sous-unités. L'hélice G est présentée en traits interrompus parce que sa densité électronique est faible et qu'il y a des ambiguïtés, (*c*) Diagramme en forme de ruban de l'hétérodimère p66/p51 du HIV-1 complexé avec l'ADN. Les sous-domaines p66 et p51 sont colorés comme dans *a* et *b* et le sous-domaine ARNase H de p66 est en orangé (les annotations indiquent chaque sous-unité et chaque sous-domaine ; ainsi, 51F et 66R indiquent le sous-domaine de p51 en forme de doigt et le domaine ARNase H de p66). L'ADN est représenté en forme d'échelle avec le brin amorce de 18 nt en blanc et le brin matrice de 19 nt en bleu. Le complexe est orienté avec le domaine polymérase p66 tourné vers le dessus de la figure. La pince protéique de serrage de la matrice avec l'amorce est montrée par le dessus de façon à voir la courbure dans l'ADN (la base de la pince est constituée surtout par les sous-domaines de connexion de p66 et de p51). [Pour les parties *a* et *b*, communiqué aimablement par Thomas Stcitz, Université de Yale. PDBid 3HVT. Pour la partie *c*, communiqué aimablement par Edward Arnold, Université Rutgers. PDBid 2HMI.] **Voir les exercices animés.**

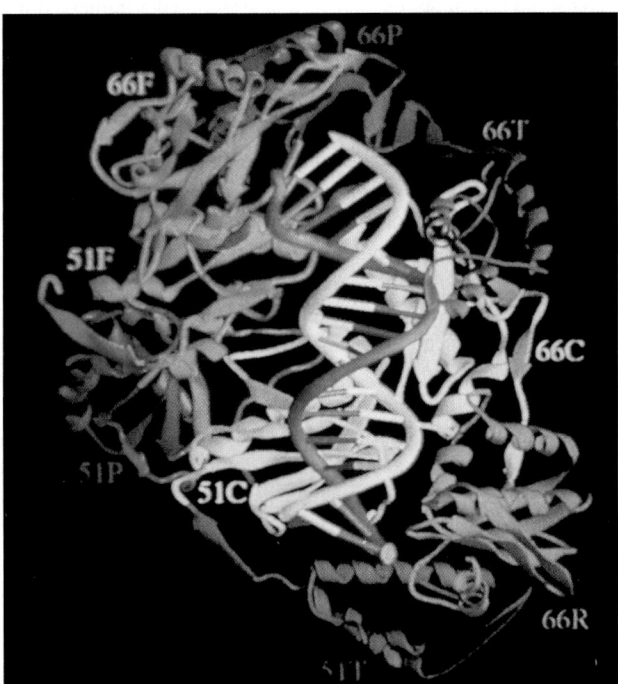

(c)

résulte aussi que TR n'a qu'un seul site polymérase et qu'un seul site ARNase H actifs. Ceci peut être pris comme un exemple de l'économie de gènes pratiquée par les virus : HIV-1, avec son génome de taille réduite, a réussi à monter deux fonctions différentes en utilisant un seul polypeptide.

L'ADN prend une conformation de type ADN-A à côté du site polymérase mais il ressemble plutôt à l'ADN-B dans le domaine ARNase H (Fig. 30-46c). Ce phénomène a également été observé dans plusieurs structures d'ADN polymérases complexées à l'ADN (Section 30-2A). Le groupe 3'-OH à l'extrémité du brin d'ADN de 18 nt, l'amorce, est très voisin de trois chaînes latérales de p66 à résidus Asp, essentielles pour l'activité catalytique ; il est donc bien placé pour l'attaque nucléophile du phosphate α d'un dNTP se présentant pour se lier près de ce site. La majorité des interactions entre la protéine et l'ADN impliquent le squelette sucre-phosphate et les résidus des portions paume, pouce et doigts de p66.

La région de TR proche du site actif contient les quelques motifs de séquences qui se trouvent conservés entre les différentes polymérases. En effet, cette région de p66 présente une grande ressemblance de structure avec les ADN et les ARN polymérases dont la structure est connue (Sections 30-2A, 30-4B, 31-2A et 31-2F). Cette ressemblance suggère que les autres polymérases se lient probablement à l'ADN de manière semblable.

D. *Les télomères et la télomérase*

Les extrémités des chromosomes linéaires ne peuvent être répliquées par aucun des mécanismes étudiés jusqu'ici. Ceci résulte du fait que la dernière amorce ARN à l'extrémité 5' d'un brin retardé ne peut pas être remplacée par de l'ADN, l'amorce pour effectuer ce remplacement n'ayant pas d'endroit où se fixer. Comment sont alors répliquées les séquences aux extrémités des chromosomes, appelées **télomères** (du grec : *telos*, extrémités) ?

L'ADN des télomères a une séquence inhabituelle : il est constitué par des répétitions en tandem, allant jusqu'à des milliers, d'une séquence riche en G, simple, mais variant entre espèces, qui termine le côté 3' de chaque extrémité de chromosome. Par exemple, *Tetrahyrnena,* protozoaire cilié, possède la séquence télomérique répétée TTGGGG, alors que chez tous les vertébrés, la séquence homologue est TTAGGG. De plus, l'extrémité 3' dépasse de ~20 nt non appariés chez la levure à ~200 nt chez l'homme.

Elizabeth Blackburn a montré que le mécanisme de synthèse de l'ADN télomérique est unique. L'enzyme qui synthétise ce brin riche en G de l'ADN télomérique est appelée **télomérase.** La télomérase de *Tetrahymena*, par exemple, ajoute des répétitions en tandem de la séquence télomérique TTGGGG à l'extrémité 3'-terminale de n'importe quel oligonucléotide télomérique riche en G, en l'absence de toute matrice. L'idée sur la manière selon laquelle cela se fait a germé à partir de la découverte que les télomérases sont des ribonucléoprotéines dont les composantes ARN contiennent un segment complémentaire de la séquence télomérique répétée. C'est cette séquence qui semble donc servir de matrice pour réaliser une réaction du type transcriptase réverse. Elle synthétise la séquence télomérique, se déplace sur la nouvelle extrémité 3' de l'ADN et recommence (Fig. 30-47). Ce modèle est confirmé par l'observation suivante : si le segment du gène de la télomérase correspondant au TARN complémentaire de l'ADN télomérique est modifié par mutation, les télomères seront synthétisés avec la

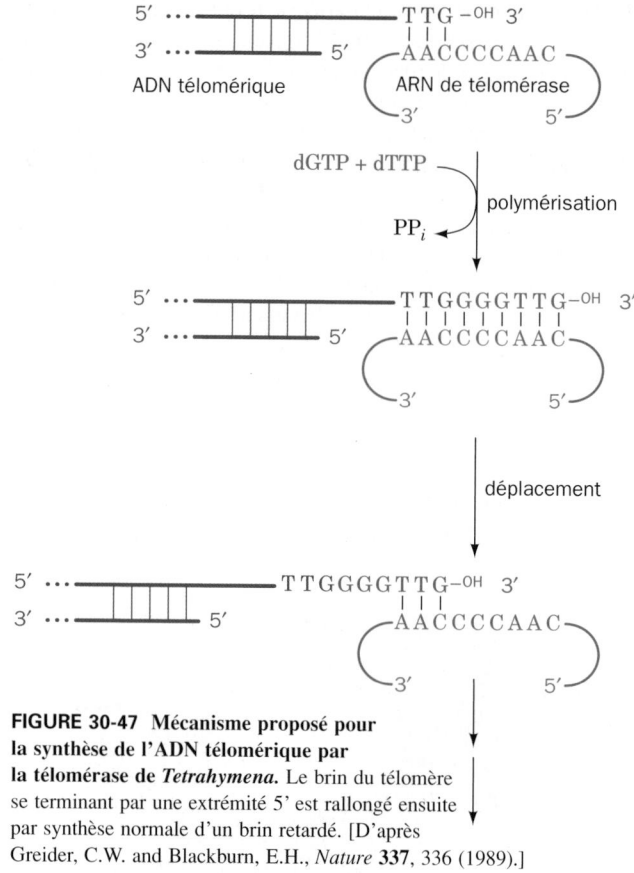

FIGURE 30-47 Mécanisme proposé pour la synthèse de l'ADN télomérique par la télomérase de *Tetrahymena*. Le brin du télomère se terminant par une extrémité 5' est rallongé ensuite par synthèse normale d'un brin retardé. [D'après Greider, C.W. and Blackburn, E.H., *Nature* **337**, 336 (1989).]

séquence modifiée. En fait, la partie protéique de la télomérase est homologue de transcriptases réverses connues. Le brin complémentaire de celui qui est riche en G est synthétisé par le mécanisme normal de réplication du brin retardé, ce qui explique qu'il y ait toujours une partie du brin riche en G.qui dépasse en 3'.

a. Les télomères possèdent une coiffe

En l'absence d'activité télomérase, les extrémités d'un chromosome raccourciraient de 50 à 100 nt à chaque cycle de réplication et de division cellulaire. C'est pourquoi on pensait auparavant qu'en l'absence d'une télomérase active, des gènes importants, situés près des extrémités des chromosomes, finiraient par être perdus, entraînant la létalité des cellules filles produites. Pourtant, il est clair maintenant que les télomères remplissent une fonction vitale pour les chromosomes et que cette fonction est compromise avant même que le danger précédent ne soit réel. Les extrémités libres d'un ADN, qui sont soumises à la dégradation par des nucléases, enclenchent les systèmes de réparation des dégâts de l'ADN dont le rôle normal est de rabouter les extrémités de chromosomes ayant subi une cassure (il y a d'ailleurs arrêt du cycle cellulaire tant que la réparation n'est pas effectuée). Ainsi, un ADN télomérique accessible entraînerait une fusion entre les extrémités des chromosomes, entraînant une instabilité des chromosomes puis la mort des cellules [les chromosomes fusionnés cassent souvent au cours de la méiose (leurs deux centromères pouvant être tirés dans des directions opposées), cela active les points de contrôle portant sur l'intégrité de l'ADN]. Mais, l'ADN télomérique possède une **coiffe**, c'est-à-dire qu'il est lié à des protéines qui cachent les extrémités de l'ADN. Il est de plus en plus évident que l'installation de la coiffe est un processus dynamique et que la probabilité qu'un télomère enlève spontanément sa coiffe augmente lorsque sa longueur diminue. Le fait que la plupart des cellules somatiques des organismes multicellulaires sont dépourvues d'activité télomérase, explique pourquoi ces cellules, mises en culture, ne peuvent effectuer qu'un nombre limité de divisions (20 à 60) avant d'entrer en sénescence (un stade où la division cesse) puis de mourir (Section 19-3B). Effectivement, les cultures de *Tetrahymena* qui ont normalement une durée de vie illimitée, si elles sont affectées par une mutation portant sur les télomérases, expriment un comportement comparable à celui des cellules de mammifères, sénescentes en fin de vie. *Comme les cellules somatiques d'organismes multicellulaires n'ont pas d'activité télomérase, on pense que la perte d'activité télomérase par les cellules somatiques est la cause du vieillissement chez les organismes multicellulaires.*

b. La longueur des télomères est en corrélation avec le vieillissement

Cette théorie du vieillissement est confortée par une accumulation de faits expérimentaux. L'observation de fibroblastcs humains en culture, prélevés sur plusieurs donneurs, d'âges allant de 0 à 93 ans, montre qu'il n'y a qu'une corrélation faible entre la capacité de prolifération en culture et l'âge du donneur. Par contre, il y a une corrélation très forte, vraie à tout âge des donneurs, entre la longueur des télomères au début de la culture et la capacité des cellules à proliférer. Ceci veut dire que des cellules qui ont, au départ, des télomères relativement courts, pourront assurer moins de doublements cellulaires que les cellules ayant de longs télomères. De plus, les fibroblastes prélevés sur des individus atteints de la maladie « **progeria** » (caractérisée par le vieillissement rapide et prématuré, entraînant le décès au cours de l'enfance), ont déjà des télomères courts, et leur capacité de prolifération en culture est réduite. Par contre, les spermatozoïdes (cellules issues de cellules germinales, en principe non vieillissantes) de donneurs dont l'âge varie de 19 à 68 ans, ont des télomères dont la longueur ne dépend pas de l'âge du donneur, ce qui indique qu'il y a une activité télomérase, au moins pendant la multiplication des cellules germinales. De même, les quelques rares cellules qui acquièrent une capacité illimitée de prolifération en culture, possèdent une activité télomérase et des télomères de longueur constante, comme chez les cellules des eucaryotes unicellulaires, qui ont aussi une capacité de prolifération illimitée. Il semble donc que l'érosion des télomères soit une cause importante de la sénescence cellulaire et donc du vieillissement individuel.

c. Les cellules cancéreuses ont une activité télomérase

Quel peut donc être l'avantage sélectif pour les organismes multicellulaires d'avoir éliminé l'activité télomérase dans leurs cellules somatiques ? Il est vraisemblable que la sénescence cellulaire protège indirectement l'organisme multicellulaire contre le cancer. En effet, les deux caractères généraux des cellules cancéreuses sont qu'elles sont immortelles et qu'elles prolifèrent sans contrôle (Sections 19-3B et 34-4C). Si les cellules des mammifères possédaient naturellement un potentiel de prolifération illimité, la fréquence de cancers serait probablement beaucoup plus élevée qu'elle ne l'est, puisque l'immortalisation, impliquant l'activation des télomérases, est une étape clé vers la **transformation maligne** (formation d'un cancer), qui nécessite plusieurs modifications génétiques indépendantes (Section 19-3B). Effectivement, les cancers humains expriment presque tous une forte activité télomérase. De plus, comme l'a montré Robert Weinberg, on peut effectuer la **transformation maligne** de fibroblastes humains en culture en leur faisant acquérir trois gènes seulement, ceux codant : (1) **TERT**, la sous-unité protéique de la télomérase (sa sous-unité ARN de 451 nt, **TR**, étant exprimée de façon normale dans les cellules somatiques), (2) une forme oncogénique de H-Ras (un acteur important des voies de transduction intracellulaires des signaux mitogéniques ; Section 19-3C), et (3) l'**antigène grand T** de SV40 [SV40 est un virus tumorigène dont l'antigène grand T se lie aux protéines de type suppresseur de tumeur **Rb** et **p53** pour les inactiver (Section 34-4C ; T sert aussi d'hélicase dans la réplication de l'ADN viral)]. Cela suggère que les inhibiteurs de télomérase puissent être des agents anticancéreux efficaces.

d. L'ADN télomérique se dimérise grâce aux quartettes de G

On sait depuis assez longtemps que la guanine forme des paires de bases assez solides du type Hoogsteen (Tableau 29-2), qui peuvent se réassocier pour former des tétramères cycliques connus sous le terme de **quartettes de G** (Fig. 3 0-48a). En effet, il est bien

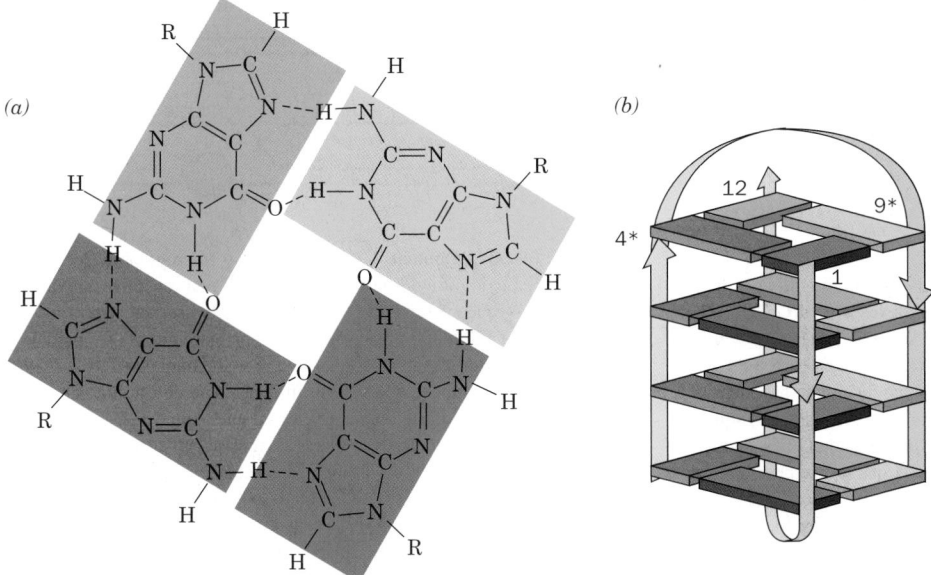

(a)

(b)

FIGURE 30-48 Structure par RMN de l'oligonucléotide télomérique d(GGGGTTTTGGGG). *(a)* Interactions entre les bases qui s'apparient dans le quartette de G à l'extrémité d'un ADN quadruplex en solution, *(b)* Représentation schématique de la structure par RMN, dans laquelle le sens des brins est indiqué par des flèches. Les nucléotides sont numérotés de 1 à 12 sur un brin et de 1* à 12* dans le brin symétrique. Les résidus guanine G1 à G4 sont représentés par des rectangles bleu foncé, G8 à G12 par des rectangles bleu ciel, G1* à G4* sont en rouge, et G9* à G12* sont en rose. [D'après Schulze, P., Smith, F.W., and Feigon, J., *Structure* **2**, 227 (1994). PDBid 156D.]

connu que les polynucléotides riches en G sont difficiles à manipuler à cause de leur tendance à s'agréger. Les parties non appariées riches en G d'un brin télomérique peuvent former des dimères, qui sont des complexes stables en solution, vraisemblablement en formant des structures constituées par ces quartettes de guanine.

La partie télomérique non appariée à l'extrémité 3'-terminale chez le protozoaire cilié *Oxytrichi nova* est de séquence d(T₄G₄)₂, ce qui ressemble aux séquences télomériques répétées des autres organismes. La structure du dodécamère d(G₄T₄G₄) a été déterminée en solution par spectroscopie RMN, par Juli Feigon (Fig 30-48b). Elle montre que chaque oligonucléotide s'enroule autour de lui-même pour former une épingle à cheveux, et deux d'entre eux s'associent de manière antiparallèle, pour former une structure à quatre quartettes de G empilés l'un sur l'autre, tandis que les quatre T successifs forment des boucles aux extrémités de chaque pile.

La **protéine se liant aux télomères (TEBP),** découverte chez *O. nova* forme une coiffe hétérodimérique qui se lie à la partie dépassant en 3' pour la protéger. La structure par rayons X de TEBP complexée avec d(G₄T₄G₄) a été déterminée par Steve Schulz et montre que l'ADN se fixe au fond d'une fente entre les sous-unités α et β de la protéine, où il adopte une conformation d'hélice irrégulière (Fig. 30-49). De plus, deux autres molécules d(G₄T₄G₄) forment un dimère de quartettes de G qui a la même conformation que celle adoptée en solution (Fig. 30-48). L'assemblage du quartette de G a une forme qui s'adapte parfaitement à une petite cavité positivement chargée formée par des domaines N-terminaux, mais différents des sites de liaison à l'ADN simple brin, de trois sous-unités a disposées de façon symétrique dans le cristal. La présence simultanée d'ADN simple brin et de quartettes de G dans la structure par rayons X conforte l'hypothèse selon laquelle diverses structures d'ADN, et en particulier les quartettes de G, jouent un rôle dans la biologie des télomères. Cependant, on n'a pas trouvé d'homologue évident de TEBP, ni chez la levure, ni chez les vertébrés. Pourtant, l'homme et la levure cloisonnée possèdent une protéine, nommée Pot1 (pour protection des télomères), se liant aux extrémités des télomères et dont la suppression entraîne une perte rapide de l'ADN télomérique et les fusions des extrémités des chromosomes.

e. Les télomères forment des boucles-T

L'ADN télomérique des mammifères est également coiffé par deux protéines apparentées entre elles, **TRF1** et **TRF2** (TRF pour facteur se liant aux répétitions télomériques). Jack Griffith et

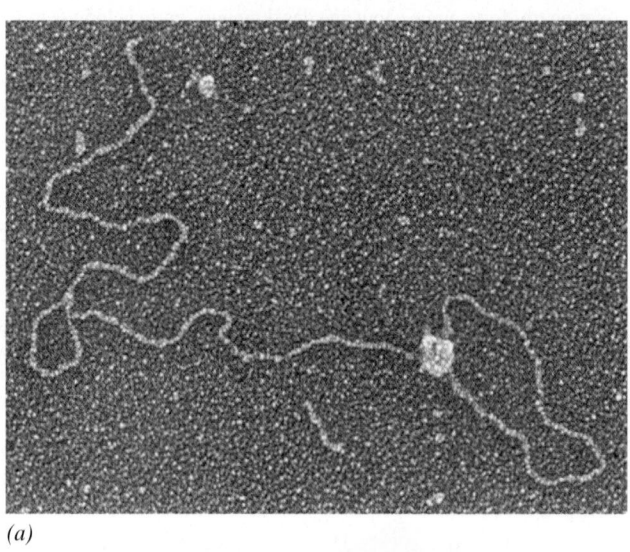

(a)

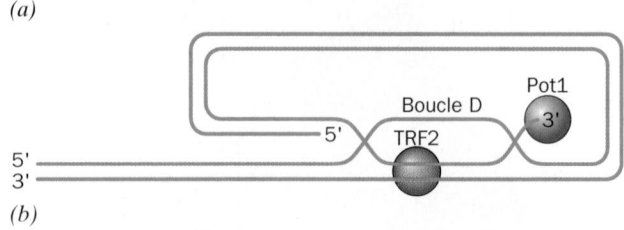

(b)

FIGURE 30-50 La boucle T télomérique. (a) Micrographie électronique d'un ADNdb composé d'une séquence de 3 kb non répétitive, suivie de ~2 kb de la séquence répétitive TTAGGG dans le brin qui se termine par une région de 150 à 200 nt simple brin et une extrémité 3'. Ce modèle d'ADN télomérique a été incubé avec la protéine humaine TRF2. [Communiqué aimablement par Jack Griffith, Université de Caroline du Nord à Chapel Hill.] (b) Proposition de structure d'une boucle T. Dans un processus commandé par TRF2, la séquence répétitive TTAGGG simple brin située vers l'extrémité 3' du brin d'ADN, déplace une partie de la région appariée du même brin d'ADN (en bleu), pour former un duplex avec le brin complémentaire (en rouge) et générer une boucle D. La protéine Pot1 de liaison aux extrémités de télomères se lie de façon spécifique à l'extrémité 3' de la partie simple brin.

FIGURE 30-49 Structure par rayons X de la protéine de liaison aux télomères (TEBP) de *Oxytricha nova* complexée avec d(G₄T₄G₄). La TEBP est en représentation en rubans avec ses sous-unités a et b en rose et en bleu ciel respectivement. L'ADN est représenté en bâtonnets avec ses bases en doré. Le squelette sucre-phosphate du simple brin lié à la fente entre les sous-unités α et β de la protéine est en bleu. Les squelettes de deux brins formant un dimère de quartettes de G liés, sont en rouge et en vert. Le dimère de quartettes de G liés se fixe dans une cavité formée par le domaine N-terminal de trois chaînes α qui présentent une relation de symétrie, bien qu'une seule de ces chaînes apparaisse ici. [D'après une structure par rayons X obtenue par Steve Schulz, Université du Colorado. PDBid 1JB7]

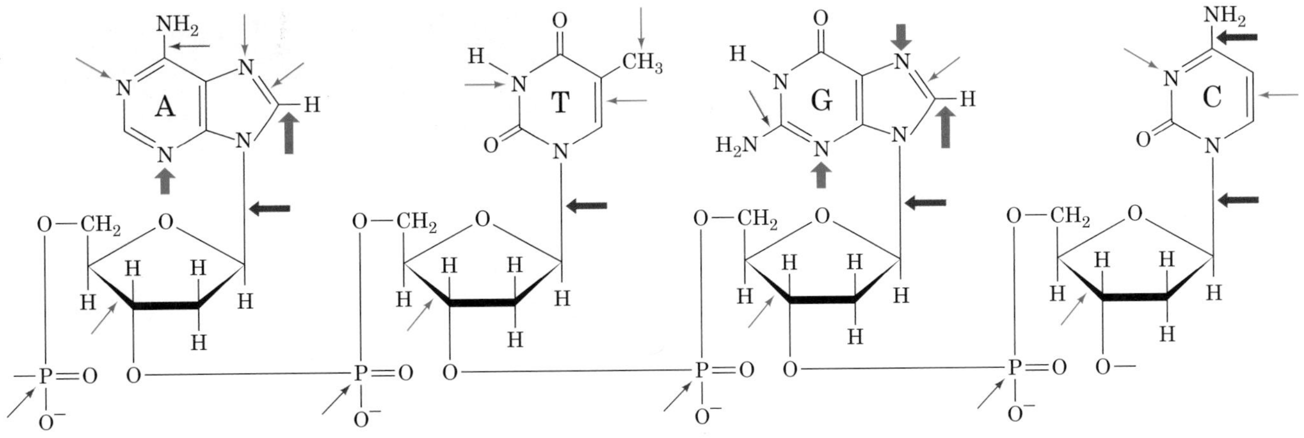

FIGURE 30-51 Les différents types d'altérations chimiques normale-ment possibles dans l'ADN *in vivo* et leurs positions. Les flèches rouges indiquent les sites sujets à une attaque oxydative, les flèches bleues indiquent les sites sujets à une hydrolyse spontanée, les flèches vertes indiquent les sites sujets à une méthylation non enzymatique par la S-adénosylméthionine. L'épaisseur d'une flèche indique la fréquence relative de la réaction. [D'après Lindahl, T., *Nature* **362**, 709 (1993)]

Titia de Lange ont montré par microscopie électronique qu'en pré-sence de TRF2, l'ADN télomérique, auparavant linéaire, forme des duplex de grande boucles terminales, appelées boucles-T (Fig. 30-50a). De plus, lorsque les brins d'ADN télomérique de mammi-fères ont été liés de façon covalente par une réaction chimique, pour préserver leurs relations structurelles, avant de les déprotéi-niser, on peut, par microscopie électronique, voir de nombreuses boucles-T de tailles diverses. Ces observations suggèrent que les boucles-T se forment lorsque, sous l'action de TRF2, l'extrémité télomérique 3' non-appariée envahit l'ADN télomérique double brin (Fig. 30-50b) pour former une boucle-D (Section 30-4B). On a également observé des boucles-T chez les protozoaires, cela sug-gère qu'elles sont un caractère conservé des télomères eucaryo-tiques. TRF1 est impliqué dans le contrôle de la longueur des télo-mères, il y a probablement un effet lié au nombre de molécules de TRF1 qui peuvent se lier au télomère.

5 ■ LA REPARATION DE L'ADN

L'ADN est tout le contraire d'une substance inerte, telle qu'on pourrait la concevoir en considérant grande stabilité des génomes. Ainsi, l'environnement dans lequel baignent les cellules, la pré-sence éventuelle de toutes sortes de substances toxiques, l'exposi-tion aux UV ou à des irradiations ionisantes, les soumettent à de nombreuses agressions chimiques, pouvant exciser ou modifier les bases, ou altérer les squelettes sucre-phosphate (Fig. 30-51). Cer-taines de ces agressions arrivent en fait très fréquemment. Ainsi, dans les conditions physiologiques normales, les liaisons glycosi-diques de quelque 10000 des 3,2 milliards de nucléotides puriques du génome humain sont hydrolysées par jour, dans chaque cellule. *Le message génétique ne peut conserver son intégrité que si toutes ces lésions sont réparées. La réparation est rendue possible grâce à la redondance intrinsèque de l'information sous forme d'ADN duplex.* L'importance biologique de la réparation de l'ADN est illustrée par l'identification d'au moins 130 gènes du génome humain participant à la réparation de l'ADN et par l'abondance de voies de réparation dont est pourvu un organisme relativement

simple tel que *E. coli*. En fait, *les principaux systèmes de répara-tion sont tout à fait semblables, quant à leurs aspects chimiques, entre E. coli et les cellules d'eucaryotes.* Cette section est consa-crée à leur étude.

A. *La restauration immédiate des lésions*

a. Les dimères de thymidines sont rompus par une photolyase

L'irradiation par les UV de 200 à 300 nm provoque la forma-tion d'un cycle cyclobutyle entre les résidus de thymine adjacents d'un même brin d'ADN, pour former un **dimère de thymine** dans le même brin (Fig. 30-52). Il semble qu'il puisse aussi se former des dimères de cytosine et thymine-cytosine mais moins fréquem-

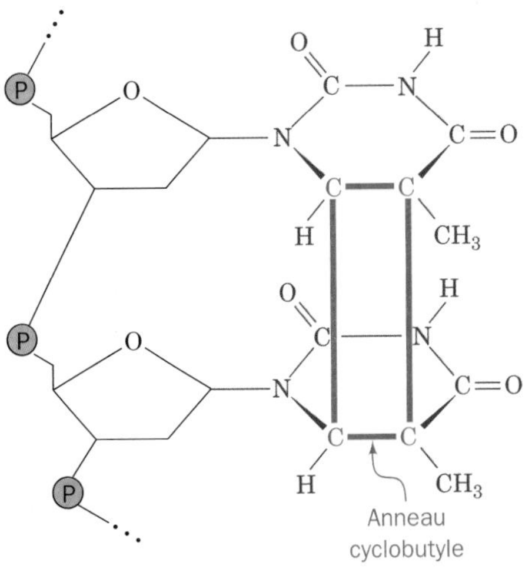

FIGURE 30-52 Dimère cyclobutylthymine, formé par deux résidus thymine adjacents sur le même brin d'ADN, après irradiation UV. Les liaisons covalentes, d'une longueur de ~1,6 Å, reliant les deux cycles thymine (en rouge), sont beaucoup plus courtes que l'espace nor-mal de 3,4 Å séparant deux bases empilées dans l'ADN-B, ce qui déforme l'ADN en ce point.

ment. Ces **dimères de pyrimidines** déforment localement la double hélice d'ADN, de telle façon qu'elle ne peut plus servir de matrice adéquate à la transcription ni à la réplication. De fait, un simple dimère de thymine non réparé suffit à provoquer la mort de *E. coli*.

Les dimères de pyrimidines peuvent être restaurés sous leur forme monomérique, grâce à l'activité d'enzymes photo-absorbantes, présentes chez de nombreux procaryotes et eucaryotes (comme le poisson rouge, le serpent à sonnettes et les marsupiaux mais pas les mammifères placentaires), que l'on appelle les **enzymes de photoréactivation** ou les **ADN photolyases.** Ces enzymes sont monomériques (55 à 65 kD), elles se lient aux dimères de pyrimidines sur l'ADN, phase de la réaction pouvant se passer à l'obscurité. Un chromophore associé de manière non-covalente, le N^5-N^{10}-méthényltétrahydrofolate (**MTHF**; Fig. 26-49) chez certaines espèces et la **5-déazaflavine,** chez d'autres,

$$CH_2OH$$
$$|$$
$$(CHOH)_3$$
$$|$$
$$CH_2$$

La 8-Hydroxy-7,8-didéméthyl-5-déazaribofla

absorbe alors la lumière de 300 à 500 nm et transfère l'énergie d'excitation à un $FADH^-$, lié de manière non-covalente, entraînant le transfert d'un électron sur le dimère de pyrimidine, ce qui le rompt. Enfin, l'anion pyrimidine produit réduit le $FADH^-$ et l'ADN, maintenant restauré, est libéré, ce qui termine l'activité catalytique de l'enzyme. Les ADN photolyases se fixent avec une forte affinité sur l'ADN double ou simple brin, mais sans spécificité de séquence.

La structure par rayons X de l'ADN photolyase de *E. coli,* comportant 471 résidus, a été déterminée par Johann Deisenhofer qui a montré que ses anneaux MTHF et flavine sont distants d'environ 17 Å, ce qui permet un transfert d'énergie efficace entre eux. Le site présomptif de liaison à l'ADN de l'enzyme (Fig. 30-53) est une surface plane positivement chargée creusée d'une cavité ayant une taille et une polarité complémentaire de celles d'un dinucléotide comportant un dimère de pyrimidines. Un dimère de pyrimidine fixé dans cette cavité se trouverait au contact de l'anneau flavine et donc bien situé pour un transfert efficace d'électron à partir de ce système en anneau. Cela implique qu'un dimère de pyrimidines situé dans une double hélice doit s'extraire hors de l'hélice pour pouvoir interagir avec l'enzyme. Cette extraction est probablement facilitée par la faiblesse de l'interaction des paires de bases dans le cas d'un dimère de thymines et les distorsions que celui-ci impose à la double hélice. Dans la discussion qui suit, nous allons voir que l'extraction de bases n'est absolument pas un processus inhabituel pour les enzymes qui effectuent des réactions chimiques sur les bases de l'ADN double brin.

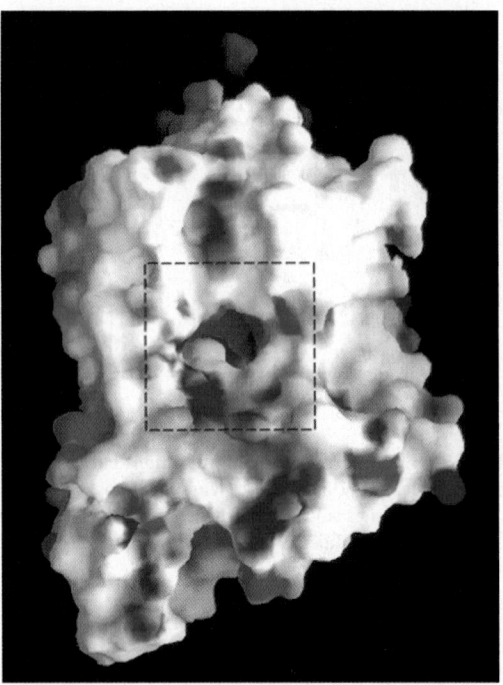

FIGURE 30-53 Structure par rayons X de l'ADN photolyase de *E. coli* montrant sa face probable de liaison à l'ADN. On a représenté la surface accessible aux solvants de l'enzyme, qui est colorée en fonction de son potentiel électrostatique : en bleu le plus positif, en rouge le plus négatif et en blanc s'il est proche de la neutralité. Le carré pointillé entoure la cavité dans la surface de la protéine qui serait le site de liaison d'un dimère de pyrimidine. [Communiqué aimablement par Johann Diesendorfer, Centre Médical du Sud-ouest du Texas, Dallas, Texas. PDBid 1DNP.]

b. Les alkyltransférases désalkylent les nucleotides alkylés

Si l'ADN est exposé à des agents alkylants comme **le *N*-méthyl-N'-nitro-N-nitrosoguanidine (MNNG),**

N-Méthyl-*N*'-nitro-*N*-nitrosoguanidine (MNNG)

Résidu O^6-méthyl-guanine

il se forme, parmi d'autres produits, des résidus **O^6-alkylguanine.** La formation de tels dérivés est très mutagène parce que, à la réplication, ils provoqueront à fréquence élevée, l'incorporation de la thymine à la place de la cytosine.

Chez toutes les espèces étudiées, les lésions de l'ADN sous forme **O^6-Méthylguanine** et **O^6-éthylguanine** sont réparées par une **O^6-méthylguanine-ADN méthyle transférase,** qui transfère directement le groupement alkyl lésionnel sur l'un de ses propres résidus Cys. La réaction inactive cependant cette protéine, qui ne

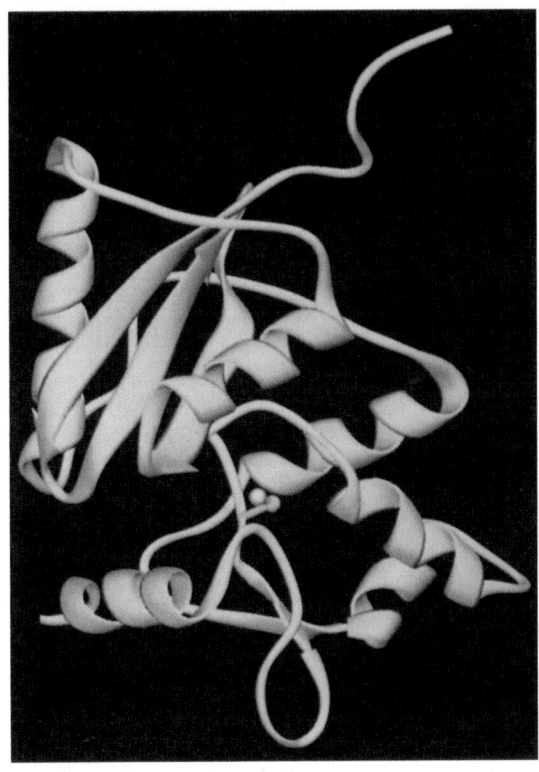

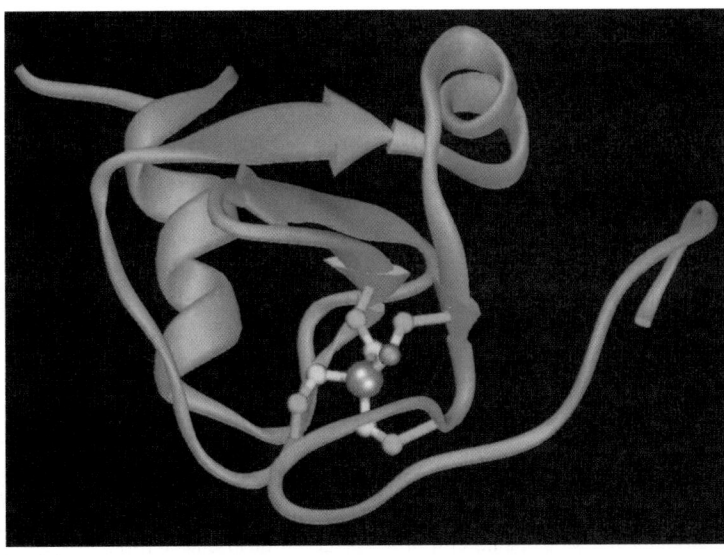

(a)   *(b)*

FIGURE 30-54 Structure de la protéine Ada de *E. coli*. *(a)* Structure par rayons X du segment C-terminal de 178 résidus de Ada, qui contient sa fonction O^6-méthylguanine-ADN méthyltransférase. La chaîne latérale du résidu Cys 146 (Cys 321 dans la protéine intacte), à laquelle le groupement méthyle est transféré de manière irréversible, est représentée sous forme éclatée avec C en vert et S en jaune. Noter que ce résidu est presque complètement enfoui à l'intérieur de la protéine. [Basé sur une structure par rayons X déterminée par Eleanor Dodson et Peter Moody, Université d'York, U.K. PDBid 1SFE.] *(b)* Structure par RMN du segment N-terminal de 92 résidus de Ada, qui assure la fonction de réparation méthyl phosphotriester. L'ion Zn^{2+} lié à la protéine, est représenté par une sphère en gris et les quatre chaînes protéiques latérales Cys de coordination, arrangées en tétraèdre, sont représentées en forme éclatée, avec C en vert et S en jaune, sauf l'atome S de Cys 69 qui est en orangé ; c'est lui qui est méthylé de manière irréversible quand la protéine rencontre un groupement phosphate méthylé de l'ADN. [Basé sur une structure par RMN déterminée par Gregory Verdine et Gerhard Wagner, Université de Harvard. PDBid 1ADN.]

peut donc pas être exactement considérée comme une enzyme. La réaction alkyltransférase a provoqué beaucoup de recherches parce que la cancérogenèse induite par les agents méthylants ou éthylants est directement liée à un défaut de réparation des lésions O^6-alkylguanine.

L'activité O^6-alkylguanine-ADN-alkyltransférase de *E. coli* dépend du segment C-terminal de 178 résidus de la **protéine Ada** de 354 résidus, produite par le gène ***ada.*** Sa structure (Fig. 30-54a) a été déterminée par rayons X par Eleanor Dodson et Peter Moody. Elle révèle, d'une manière inattendue, que le résidu Cys de son site actif, Cys321, est enfoncé à l'intérieur de la protéine. Il semble donc que la protéine doive réaliser un changement important de conformation lors de sa liaison avec l'ADN pour effectuer la réaction de transfert de méthyle.

Le segment N-terminal de la protéine Ada, de 92 résidus, a une fonction indépendante, consistant à réparer les groupes méthyl phosphotriester dans l'ADN, venant des groupements phosphate méthylés, en transférant de manière irréversible le groupe méthyle à son résidu Cys69. La structure par RMN du domaine N-terminal de Ada (Fig. 30-54b), a été déterminée par Gregory Verdine et Gerhard Wagner. Elle révèle que Cys69, avec trois autres résidus Cys, encadre en tétraèdre, un ion Zn^{2+}. On peut penser que cela stabilise la forme thiolate de Cys69 par rapport à sa forme thiol, ce qui facilite l'attaque nucléophile du groupe méthyle.

Une protéine Ada intacte qui est méthylée à son site Cys69 se lie avec une séquence spécifique d'ADN, qui est localisée en amont du gène *ada* et de plusieurs autres gènes codant des protéines des systèmes de réparation, induisant ainsi leur transcription. Il est donc clair que Ada a comme rôle celui de détecteur chimique de lésions par méthylation.

B. *La réparation par excision de nucléotides*

Les cellules utilisent deux types de mécanismes de réparation par excision (1) la **réparation par excision de nucleotides (NER,** pour nucleotide excision repair**),** qui sert à réparer les lésions assez importantes de l'ADN, et (2) la **réparation par excision de base (BER,** pour base excision repair)**,** qui répare les lésions ponctuelles d'une seule base.

a. la réparation par excision de nucléotides

Dans cette voie de réparation, qui existe dans toutes les cellules, un oligonucléotide comportant une lésion est excisé de l'ADN double brin et le trou simple brin qui en résulte est comblé ensuite. Le système NER répare les lésions caractérisées par un déplacement des bases par rapport à leur position normale, comme les dimères de pyrimidines ou lorsqu'un gros substituant s'ajoute sur une base. Ce système semble davantage activé par une distorsion de l'hélice que par la reconnaissance d'un groupement particulier. Chez l'être humain, le système NER constitue la principale défense contre deux types importants de cancérigènes : la lumière solaire et la fumée de cigarettes. Le mécanisme NER chez les procaryotes est similaire à celui des eucaryotes mais il fait appel à 3 sous-unités chez les procaryotes et à 16 sous-unités chez les eucaryotes. Les protéines eucaryotiques sont conservées de la levure à l'homme mais aucune d'entre elles ne présente de similitude de séquence avec les protéines procaryotiques, suggérant que les deux systèmes NER seraient apparus par convergence évolutive.

Chez *E. coli,* la réparation par excision de nucléotides (NER) est un processus dépendant de l'ATP dû à l'action des protéines **UvrA, UvrB** et **UvrC**, produites par les gènes *uvrA, uvrB* et *uvrC.* Ce système, souvent qualifié d' **endonucléase UvrABC** (pourtant nous allons voir qu'il n'existe pas de complexe qui contienne ces trois sous-unités ensemble), clive le brin d'ADN endommagé à la septième et à la troisième ou quatrième liaison phosphodiester à partir de la lésion des cotés 5' et 3' respectivement (Fig. 30-55). L'oligonucléotide de 11 ou 12 nt excisé est enlevé par **UvrD,** qui vient s'y attacher (on l'appelle aussi **hélicase II**), puis il est remplacé par l'action de Pol I, puis ligaturé par l'ADN ligase.

Le mécanisme NER des procaryotes a été élucidé surtout par Aziz Sancar. Dans une première étape de reconnaissance des dégâts, un hétérotrimère (UvrA)$_2$UvrB se fixe fortement mais d'une façon non spécifique à l'ADN double brin, il teste la présence de dommages par la capacité locale à se plier et à se dérouler. La présence d'une lésion active la fonction hélicase de UvrB qui déroule 5 pb autour de la lésion selon un processus nécessitant de l'ATP. Ce changement de conformation induit la dissociation de UvrÀ qui quitte le complexe, autorisant la fixation de UvrC. UvrB effectue alors une coupure du coté 3' de la lésion, à la suite de quoi UvrC fait une incision du coté 5'. UvrD se fixe au niveau des trous dans l'ADN et détache UvrC et l'oligomère contenant la lésion. Ainsi le site d'incision en 5' devient accessible à Pol I, qui comble le trou et détache UvrB. Finalement la ligature par l'ADN ligase restaure l'ADN.

b. La maladie Xeroderma pigmentosum et le syndrome de Cockayne sont dus à une NER génétiquement défectueuse

Chez l'Homme, la maladie génétique, rare, appelée **xeroderma pigmentosum (XP** ; vient du grec : *xeros,* sec et de *derma,* peau) a comme caractéristique principale l'incapacité des cellules de la peau de réparer les lésions induites par les UV. Les personnes souffrant de cette maladie récessive sont très sensibles au rayonnement solaire. Dès l'enfance, elles manifestent des changements de l'aspect de la peau, comme une peau sèche, une fréquence excessive de taches de rousseur, et des kératoses (type de tumeur de la peau ; la peau de ces enfants est décrite comme ressemblant à celle

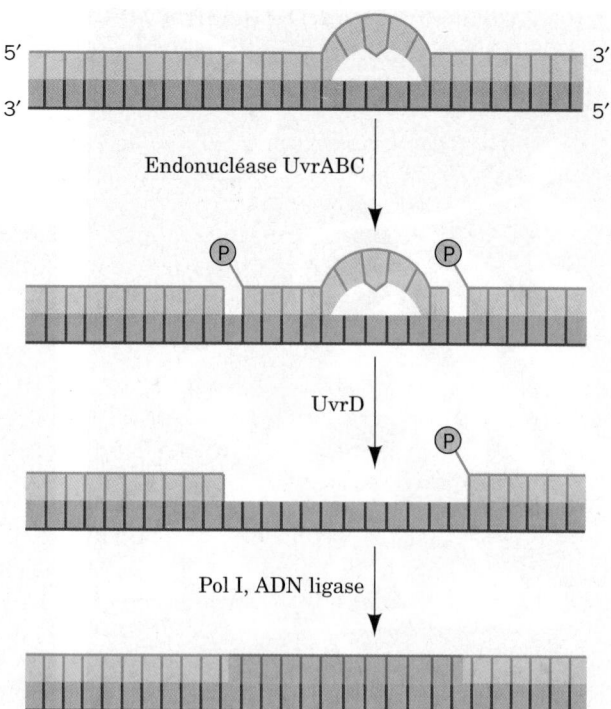

FIGURE 30-55 Mécanisme de la réparation par excision de nucléotides (NER) sur les photodimères de pyrimidines.

d'agriculteurs après de nombreuses années d'exposition au soleil), ainsi que des lésions oculaires, comme l'opacification de la cornée et son ulcération. De plus, elles développent des cancers mortels de la peau à une fréquence 2000 fois supérieure à la normale. Beaucoup de personnes atteintes de XP présentent divers symptômes qui n'ont apparemment pas de lien avec XP, comme une dégénérescence neurologique progressive et un retard de développement.

Les fibroblastes des personnes atteintes de XP, mis en culture, sont défectifs en système de réparation NER des dimères de pyrimidines. On a montré par des expériences de fusion cellulaire entre cellules prélevées sur différents patients, que cette maladie peut résulter de déficiences dans_8 groupes de complémentation différents (Section 1-4C), indiquant qu'il y a certainement au moins 8 produits de gènes différents, XP-A à XP-G et XP-V, impliqués dans cette voie importante de réparation des lésions UV. Le **syndrome de Cockayne (CS),** maladie héréditaire, probablement aussi associé à un système NER défectueux, est causé par une anomalie de XP-B, XP-D et XP-G, ou encore de deux autres groupes de complémentation, CSA et CSB. Les personnes atteintes de CS sont hypersensibles aux UV, grandissent mal et sont sujettes à des dysfonctionnements neurologiques dus à la démyélinisation des neurones, mais curieusement, elles ont une fréquence normale de cancers de la peau. Quelle est alors la base biochimique de ces divers symptômes associés à la déficience en NER ?

Les radicaux libres produits par le métabolisme oxydatif peuvent abîmer l'ADN. Certaines de ces lésions oxydatives sont réparées par le système NER. Comme les neurones ont de forts taux de respiration et sont des cellules vivant longtemps sans aucune division, il paraît vraisemblable qu'elles soient particulièrement exposées aux dommages oxydatifs en l'absence de NER. Cela expliquerait la détérioration neurologique progressive en cas de XP.

Le retard de développement, typique de XP-B, et peut-être aussi la démyélinisation qui a lieu dans le CS, semblent plutôt dus à des altérations de la transcription qu'à une NER défectueuse. En outre, les dimères de pyrimidines sont plus efficacement excisés des portions d'ADN transcrits que des séquences non exprimées. Ces observations s'expliquent par la découverte que certaines voire toutes les sous-unités du facteur de transcription eucaryotique **TFIIH**, une hélicase participant à l'initiation de la transcription de l'ARNm par l'ARN polymérase II (Section 34-3B), sont nécessaires pour la NER. Il y a également un couplage entre la NER et la transcription chez *E. coli* où la protéine **Mfd** déplace l'ARN polymérase qui a calé sur un brin matrice endommagé (qu'elle ne peut pas transcrire), après quoi, Mfd attire les protéines du système UvrABC sur le site endommagé.

c. La réparation par excision de base

Les bases de l'ADN peuvent être modifiées aussi bien par des réactions qui ont lieu dans les conditions physiologiques normales, que suite à l'action des agents présents dans l'environnement. Par exemple, les résidus adénine et cytosine peuvent être spontanément désaminés à un certain taux pour former respectivement des résidus hypoxanthine et uracile. La S-adénosylméthionine (SAM), un agent méthylant normal issu du métabolisme (Section 26-3E), peut parfois méthyler une base, sans l'aide d'enzymes, pour former des dérivés comme les résidus 3-méthyladénine et 7-méthylguanine (Fig. 30-51). Les radiations ionisantes peuvent provoquer des réactions d'ouverture du cycle des bases. Ces changements modifient ou suppriment les propriétés normales d'appariement des bases.

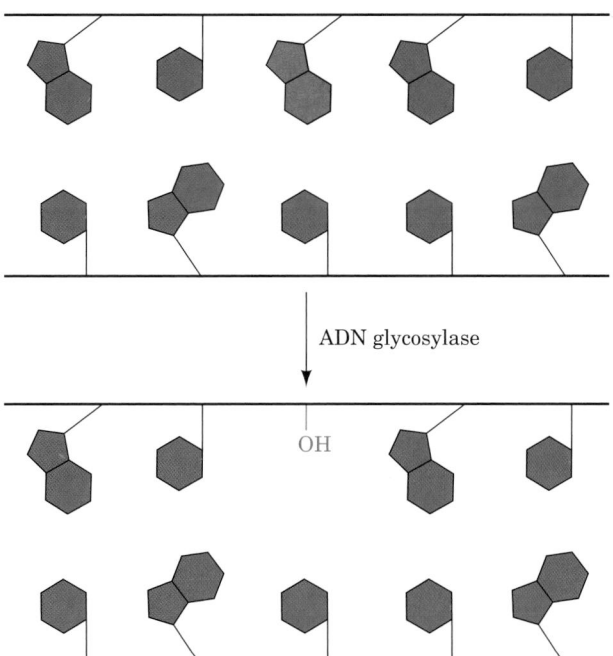

FIGURE 30-56 FIGURE 31-39. Mode d'action des ADN glycosylases. Ces enzymes hydrolysent la liaison glycosidique de la base altérée correspondante *(en rouge)* pour produire un site AP.

L'ADN porteur d'une base endommagée peut être restauré dans son état initial grâce à la réparation par excision de base (BER). Les cellules contiennent des **ADN glycosylases** variées qui peuvent chacune cliver la liaison glycosidique correspondant à un nucléotide spécifique altéré (Fig. 30-56), laissant ainsi un résidu désoxyribose sans base dans la double hélice d'ADN. Ces sites **apuriniques** ou **apyrimidiniques** (**sites AP**) sont aussi formés dans les conditions physiologiques normales par l'hydrolyse spontanée d'une liaison glycosidique. Le résidu désoxyribose est alors coupé d'un côté par une **endonucléase AP,** le désoxyribose et quelques résidus adjacents sont enlevés par une exonucléase cellulaire (qui peut être associée à une ADN polymérase) et le trou est comblé par une ADN polymérase ; il y a ligature ensuite par *l'*ADN ligase.

d. Si l'uracile faisait partie de l'ADN, il serait fortement mutagène

A l'époque où les fonctions de base des acides nucléiques venaient d'être comprises, on ne voyait pas la raison pour laquelle la nature avait dû consentir un effort métabolique considérable en utilisant de la thymine dans l'ADN et l'uracile dans l'ARN, alors que ces bases ont pratiquement les mêmes propriétés d'appariement. Cette énigme a trouvé sa solution lorsqu'on a découvert que la cytosine avait une tendance nette à se convertir en uracile par désamination, soit par hydrolyse spontanée (Fig. 30-51), cela se produirait environ 120 fois par jour dans chaque cellule humaine, soit en réagissant avec des nitrites (Section 32-1A). Si U était une base normale dans l'ADN, la désamination de C serait très mutagène, car rien n'indiquerait si la paire de base G · U mésappariée formée *avait auparavant été une paire* G · C *ou une paire* A · U. *Mais comme la base normale dans l'ADN est* T, *il est sûr qu'un mésappariement* G · U *provient d'une désamination de la cytosine.* Les U se présentant dans l'ADN, sont efficacement excisés par une **uracile-ADN-glycosylase [UDG ;** aussi appelée **uracile N-glycosylase (UNG)]** et ils sont remplacés par C *via* le système BER.

L'UDG a aussi une fonction importante dans la réplication de l'ADN. Le dUTP, intermédiaire dans la synthèse du dTTP, est présent en petites quantités dans toutes les cellules (Section 28-3B). Les ADN polymérases ne distinguent pas bien le dUTP du dTTP (il faut rappeler que les ADN polymérases sélectionnent les bases pour les incorporer dans l'ADN, en fonction de leur capacité d'appariement avec la base présentée sur la matrice, Section 30-2A), ce qui fait que des ADN néosynthétisés contiennent parfois un U, en dépit du faible niveau de concentration en dUTP entretenu dans la cellule. Ces U sont remplacés rapidement par T *via* la réparation par excision de base BER. Cependant, comme l'excision se fait plus rapidement que la réparation, tous les ADN récemment synthétisés sont fragmentés. Lorsque la découverte des fragments d'Okazaki a été faite (Section 30-1C), il avait d'abord semblé que tous les ADN étaient synthétisés de manière discontinue. L'ambiguïté fut levée avec la découverte de mutants de *E. coli* déficients en UDG. Chez ces mutants, appelés *ung⁻,* seulement la moitié de l'ADN néosynthétisé est fragmenté, ce qui montre bien que le brin avancé est synthétisé de manière continue.

e. l'Uracile-ADN glycosylase induit le basculement des nucléotides uridines hors de l'hélice

La structure par rayons X de l'UDG humaine complexée avec un ADN de 10 pb renfermant une paire mésappariée G · U (capable de former deux liaisons hydrogène mais dont la forme est différente de celle des paires de Watson et Crick ; Section 32-2D), a été déterminée par John Tainer. Elle a révélé que l'UDG est liée à l'ADN dont le nucléotide uridine a basculé hors de l'ADN double brin (Fig. 30-57). De plus, l'enzyme a hydrolysé la liaison glycosidique de l'uridine pour produire une base uracile libre et un site AP sur l'ADN, cependant les deux entités restent liées à l'enzyme. La cavité dans l'empilement des bases de l'ADN qui devrait être occupée par l'uracile qui en est sorti est remplie par la chaîne latérale du résidu Leu272, qui s'intercale dans l'ADN en passant par son sillon mineur. La structure par rayons X d'un complexe similaire dans lequel la paire mésappariée U · G est remplacée par une paire U · A présente des caractéristiques essentiellement identiques. Cependant, lorsque le U, dans le complexe renfermant la paire U · A, est remplacé par une **pseudouridine** (dans laquelle la liaison « glycosidique » se fait avec l'atome C5 de l'uracile au lieu du N1),

Pseudouridine

L'uracile reste lié de façon covalente à l'ADN parce que l'UDG est incapable d'hydrolyser sa liaison « glycosidique » qui est maintenant de type C—C.

Comment l'UDG fait-elle pour détecter un uracile apparié, enfoui dans l'ADN et comment discerne-t-elle aussi bien l'uracile des autres bases, et notamment de la thymine qui en est si proche ? Les structures par rayons X précédemment citées indiquent que les groupements phosphate à coté du nucléotide qui a basculé hors de l'hélice se sont rapprochés de 4 Å par rapport à leur position dans de l'ADN B (8 Å au lieu de 12 Å), cela tord l'ADN d'environ 45° dans une direction parallèle à la vue de la Fig. 30-57. Ces distorsions sont dues à la liaison de trois boucles protéiques rigides sur l'ADN, leur liaison simultanée étant impossible sans distordre l'ADN. Cela a conduit Tainer à formuler un mécanisme de « pincement-poussée-traction » (pinch-push-pull en anglais) permettant de détecter l'uracile. Il proposa que l'UDG balaie rapidement un ADN à la recherche d'uracile en se liant périodiquement à lui pour le comprimer et ainsi légèrement courber le squelette de l'ADN (pincement). La probable moindre résistance de l'ADN à la courbure aux sites contenant de l'uracile (une paire U · G est plus petite que G · C et laisse donc un espace dans l'empilement des bases, tandis qu'une paire U · A est encore moins solide qu'une paire T · A), permet à l'enzyme d'éjecter l'uracile en intercalant le résidu Leu272 dans le sillon mineur (poussée), cela permet de courber et de tordre l'ADN. Ce processus est facilité par une liaison solide entre l'uracile éjecté et l'enzyme (traction). La stricte spécificité de la poche de fixation pour l'uracile évite la liaison et donc l'hydrolyse de tout autre base dont l'enzyme aurait pu provoquer l'éjection. Ainsi, la forme générale de l'adénine et de la guanine leur interdit l'accès à cette poche, tandis que le groupement 5-méthyl de la thymine est bloqué par encombrement stérique dû à la chaîne latérale du résidu Tyr147 maintenue de façon rigide. La cytosine qui a presque la même forme que l'uracile est exclue du fait d'un ensemble de liaisons hydrogène qui doivent se faire avec la protéine et qui miment celles faites par l'adénine dans une paire de Watson et Crick A · U.

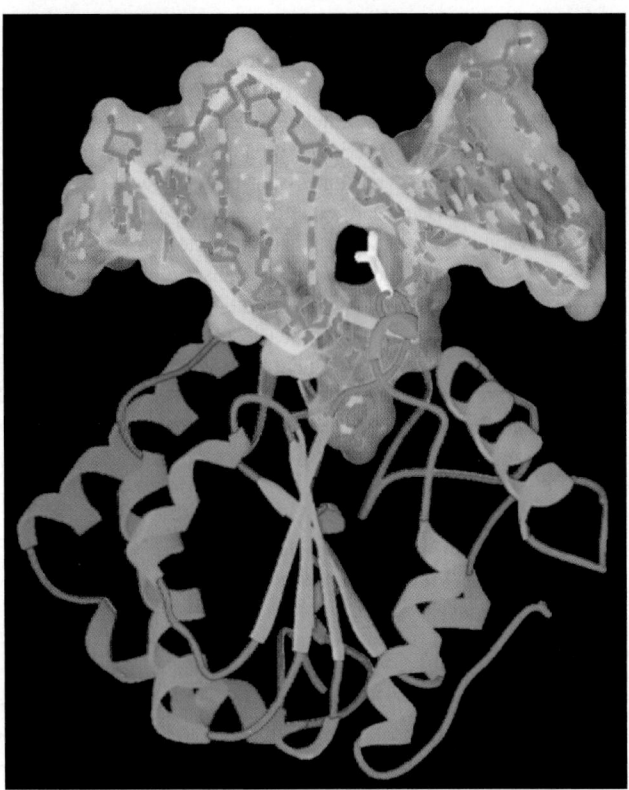

FIGURE 30-57 Structure par rayons X de l'ADN uracile glycosylase (UDG) complexée avec un ADN de 10 pb contenant une paire U · G. Le code couleur de la protéine (en fait les 223 résidus C-terminaux du monomère de 304 résidus) correspond à sa structure secondaire (les hélices en bleu, les feuillets β en orangé et les autres segments en rose). L'ADN est vu par son sillon mineur et représenté en bâtonnets colorés selon le type d'atomes (C en vert, N en bleu clair, O en rouge) le squelette sucre-phosphate est représenté par des tubes jaunes (les atomes O des phosphates ont été omis pour plus de clarté). La surface de l'ADN accessible aux solvants (transparente) est en rose et la chaîne latérale du résidu Leu 272 est en blanc. On voit que l'uridine a glissé hors de la double hélice (en dessous de l'ADN) et qu'elle a été hydrolysée en produisant un nucléotide AP et un uracile, qui reste fixé dans la poche de fixation de l'UDG. La chaîne latérale du résidu Leu 272 s'est intercalée dans la pile des bases de l'ADN pour combler le vide laissé par l'uracile qui en est sorti. [Communiqué aimablement par John Tainer, Institut de Recherches Scripp, La Jolla , Californie. PDBid 4SKN.]

Les sites AP de l'ADN ont une forte cytotoxicité parce qu'ils piègent de façon irréversible la topoisomérase I de mammifère dans son complexe covalent avec l'ADN (Section 29-3C). De plus, comme le ribose des sites AP est dépourvu de liaison glycosidique, il est aisément converti en sa forme linéaire (Section 11-1B), dont la fonction aldéhyde réactive peut faire une liaison covalente avec d'autres composés cellulaires. Cela explique pourquoi les sites AP restent fortement liés à l'UDG en solution aussi bien que dans les cristaux. L'activité de l'UDG est stimulée par l'endonucléase AP, qui est l'enzyme suivante de la voie BER, mais les deux enzymes n'interagissent pas entre elles en l'absence d'ADN. Cela suggère que l'UDG reste associée au site AP qu'elle a créé jusqu'à ce qu'elle soit déplacée par l'endonucléase AP, capable de s'y lier plus fortement encore ; cela protège la cellule de l'effet cytotoxique des sites AP. Il est vraisemblable que les ADN glycosylases spécifiques d'autres dégâts de l'ADN fonctionnent de façon similaire.

C. *La réparation des mésappariements*

Les mésappariements postréplicatifs qui ont échappé aux activités correctrices des diverses ADN polymérases assurant ces mécanismes, peuvent encore être corrigés par un processus appelé **réparation des mésappariements** (**MMR** pour mismatch repair). Par exemple, Pol I et Pol II de *E. coli* ont des taux d'erreur de 10^{-6} à 10^{-7} par paire de bases répliquée alors que chez *E. coli* les taux de mutation réels observés sont de 10^{-9} à 10^{-10} par paire de base répliquée. Le système MMR est en outre capable de corriger des insertions et des délétions ne dépassant pas 4 nt (elles sont dues au glissement d'un brin par rapport à l'autre dans le site actif de l'ADN polymérase). L'importance du MMR est révélée par le fait que des défauts du système MMR humain sont responsables d'une forte incidence de cancers, notamment le **cancer colorectal héréditaire sans polypes** (**HNPCC** ; il touche plusieurs organes et représente peut-être la prédisposition héréditaire au cancer la plus répandue).

Puisque le système MMR est sensé corriger les erreurs réplicatives pour éviter qu'elles ne se perpétuent, il lui faut discerner l'ADN parental, qui possède la séquence correcte, du brin fils, qui renferme une base incorrecte bien que ce soit une base normale. Chez *E. coli*, comme nous l'avons vu (Section 30-3C), cette distinction est possible car les palindromes GATC nouvellement répliqués restent hémiméthylés jusqu'à ce que la Dam méthylase ait eu le temps de méthyler le brin fils.

La réparation des mésappariements chez *E. coli*, qui a en grande partie été élucidé par Paul Modrich, requiert la participation de trois protéines et se réalise de la façon suivante (Fig. 30-58) :

1. MutS (853 résidus) s'attache sous forme d'homodimère à une paire de bases mésappariées ou à des bases non appariées.

2. Le complexe MutS-ADN fixe MutL (615 résidus), qui est également un homodimère.

3. Le complexe MutS-MutL se déplace le long de l'ADN dans les deux directions, et forme ainsi une boucle d'ADN. Il semble que le moteur de la translocation soit la fonction ATPase de MutS.

4. Lorsque le complexe MutS-MutL rencontre un palindrome GATC hémiméthylé, il attire MutH (228 résidus) et active cette endonucléase à coupure simple brin qui va couper du coté 5' du site GATC hémiméthylé. Ce site GATC peut se trouver de n'importe quel coté du mésappariement et à plus de 1000 pb de lui.

5. MutS-MutL attire l'hélicase UvrD, qui associée à une endonucléase, sépare les brins et dégrade le brin coupé à partir de cette coupure, en direction du mésappariement. Si la coupure se trouve du coté 3' par rapport au mésappariement, l'exonucléase utilisée est l'exonucléase I (une exonucléase 3'→5'), tandis que si la coupure est du coté 5' par rapport au mésappariement, l'exonucléase peut être soit RecJ, soit l'exonucléase VII (toutes deux des exonucléases 5'→3').

Il y a resynthèse de l'ADN dégradé par Pol III et soudure du brin par l'ADN ligase, le mésappariement est ainsi corrigé. MutL est également une ATPase, dont on pense qu'elle coordonne les différentes étapes de la réparation des mésappariements.

Les systèmes MMR eucaryotiques sont plus compliqués que celui de *E. coli*. Et ce n'est pas surprenant. Les eucaryotes possèdent six homologues de MutS et cinq homologues de MutL qui forment des hétérodimères sur l'ADN mésapparié. Cependant on

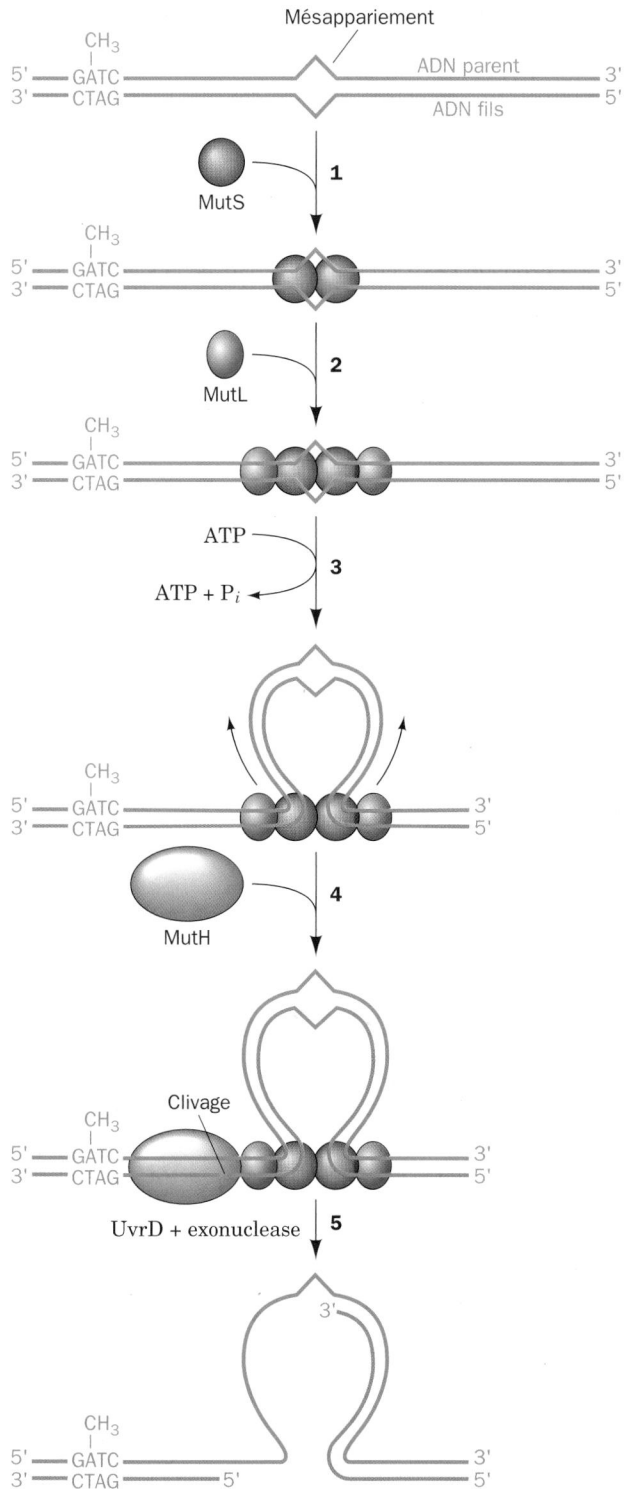

FIGURE 30-58 Le mécanisme de réparation des mésappariements de *E. coli*.

ne trouve des homologues de mutH que chez les bactéries à gram négatif. Les eucaryotes doivent avoir une autre façon de différencier le brin fils du brin parental. Il est possible que le brin fils nouvellement synthétisé soit identifié par la présence de coupure non encore ressoudées.

D. *La réponse SOS*

Les agents provoquant des lésions sur l'ADN, tels que les rayonnements UV, les agents alkylants, les agents provoquant des liaisons covalentes entre brins (« cross-linking »), induisent un système complexes de changements chez *E. coli,* appelés la **réponse SOS.** Les cellules soumises à ces agents arrêtent de se diviser et elles augmentent leur capacité de réparation de l'ADN.

a. La protéine LexA est un répresseur de la réponse SOS

L'observation qui a permis de comprendre le fonctionnement de la réponse SOS est le fait que certains mutants de *E. coli* pour les gènes *recA* et *lexA* ont une activité du système SOS constamment élevée. **RecA**, une protéine de 352 résidus qui recouvre l'ADN en formant un filament multimérique hélicoïdal, joue un rôle clef dans la recombinaison homologue, comme nous allons le voir (Section 30-6A). Si on soumet des cellules de type sauvage de *E. coli* à des agents mutagènes ou à certains inhibiteurs de la réplication, leur protéine RecA entraîne le clivage protéolytique spécifique de la

protéine **LexA** (protéine de 202 résidus) entre ses résidus Asp84 et Gly85.. RecA est activée dans cette fonction, dès qu'elle est sous forme de complexe avec l'ADN simple brin (on a pensé d'abord que RecA agissait en lysant directement la protéine LexA, mais les expériences ultérieures de John Little ont montré que RecA activée induit LexA à se cliver elle-même). Les expériences ultérieures ont montré que LexA fonctionne comme un répresseur de 43 gènes participant à la réparation de l'ADN et au contrôle de la division cellulaire, y compris les gènes *recA, lexA, uvrA* et *uvrB*. L'analyse des séquences d'ADN des gènes réprimés par LexA a montré qu'ils sont tous précédés par une séquence assez homologue de 20 nt, appelée la **boîte SOS,** possédant une symétrie en palindrome caractéristique des opérateurs (des sites de contrôle auxquels se lient des répresseurs afin d'interférer avec l'initiation de transcription par l'ARN polymérase ;Section 5-4A). On a effectivement montré que LexA se fixe directement sur les boîtes SOS de *recA* et de *lexA*.

L'information ci-dessus suggère un modèle de régulation de la réponse SOS (Fig. 30-59). Pendant la croissance normale, LexA réprime presque totalement l'expression des gènes SOS, y compris le gène *lexA*, en se fixant à leur boîtes SOS de façon à empêcher

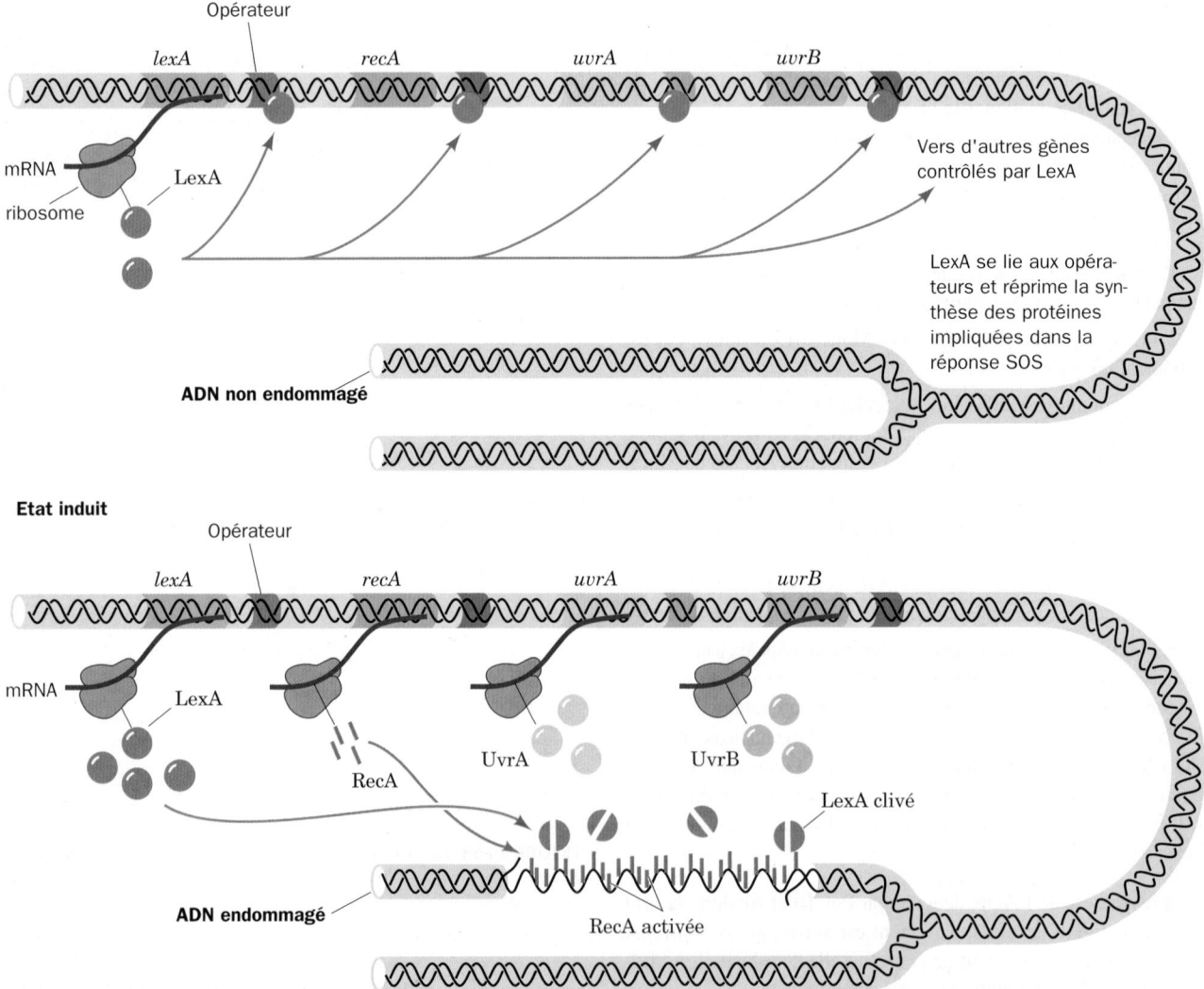

FIGURE 30-59 Régulation de la réponse SOS chez *E. coli.* Dans une cellule dont l'ADN n'est pas endommagé *{partie supérieure)* LexA réprime fortement la synthèse de LexA, RecA, UvrA, UvrB, et d'autres protéines impliquées dans la réponse SOS. Quand il y a eu des lésions en grand nombre *(partie inférieure)*, RecA est activée par sa liaison avec l'ADN simple brin qui résulte des trous post-réplicatifs, et ceci stimule fortement l'autoclivage de Lex-A. Une synthèse importante de protéines SOS a alors lieu, permettant la réparation des lésions de l'ADN.

l'ARN polymérase d'initier la transcription de ces gènes. Dès que les lésions de l'ADN sont assez nombreuses pour entraîner la formation de trous post-réplicatifs, les ADN simple brin s'associent avec RecA, ce qui stimule le clivage de LexA. Les gènes réprimés par LexA sont alors déréprimés et commencent à diriger la synthèse des protéines SOS, y compris celle de LexA (à ce moment, ce répresseur est encore clivé sous le contrôle de RecA). Lorsque les lésions de l'ADN ont été éliminées, RecA n'est plus associé à l'ADN simple brin et arrête de stimuler l'autoprotéolyse de LexA. Les molécules néosynthétisées de LexA fonctionnent donc à nouveau comme répresseurs, ce qui fait retourner la cellule à l'état normal.

b. La réparation SOS fait des erreurs

L'holoenzyme Pol III de *E. coli* est incapable de franchir un certain nombre de lésions lors de la réplication, comme les sites AP et les dimères de thymines. Lorsqu'il rencontre ce type de lésions, le réplisome se bloque et se dissocie en libérant son noyau Pol III ; ce processus est appelé inactivation de la fourche de réplication. Les cellules possèdent deux modes de restauration des fourches de réplication inactivées : la **réparation par recombinaison** et la **réparation de type SOS**. La réparation par recombinaison contourne le problème posé par l'ADN matrice endommagé en utilisant un chromosome homologue en guise de matrice ADN selon un processus connu sous le nom de **recombinaison homologue**, qui a également pour fonction de générer de la diversité génétique. Nous reparlerons de la réparation par recombinaison après avoir parlé de la recombinaison homologue dans la Section 30-6A. Le paragraphe suivant traite de la réparation de type SOS.

Dans la réponse SOS, le cœur de la Pol III qui s'est détaché de la fourche de réplication inactivée est remplacé par l'une des deux ADN **polymérases de contournement**, dont la synthèse est induite lors de la réponse SOS : l'**ADN polymérase IV** (**Pol IV**, de 336 résidus, produite par le gène *dinB*) ou l'**ADN polymérase V** [**Pol V** est le produit hétérotrimérique **UmuD'₂C** des gènes *umuD* et *umuC* (*umu* vient de UV mutagenèse), où UmuD' est produit par l'autoclivage de la protéine **UmuD**, qui comporte 139 résidus en lui faisant perdre ses 24 résidus N-terminaux, UmuC comporte, quant à elle, 422 résidus]. Ces deux enzymes appartiennent à la famille des ADN polymérases Y, dont tous les membres sont dépourvus de l'activité exonucléase 3'→5' de correction, et pour lesquelles la réplication d'un ADN intact est à la fois peu fidèle et de faible processivité, c'est pourquoi on les appelle **ADN polymérases productrices d'erreurs**.

Le **franchissement d'une lésion** (Translesion synthesis, **TLS**) par Pol V, qui a été décrit essentiellement par O'Donnell et Myron Goodman, nécessite la présence simultanée de la pince coulissante β2, du complexe γ (pour charger la pince), de protéines SSB ainsi que d'un filament de RecA complexés à l'ADN simple brin qui a été produit par l'action d'une hélicase sur l'ADN double brin à l'avant de la fourche de réplication bloquée. Ce « **mutasome Pol V** » a tendance à incorporer G avec la même fréquence que A en face de dimères de thymines ou de sites AP, tandis que les pyrimidines sont rarement choisies. Ce processus est évidemment très mutagène. Mais, même dans le cas d'un ADN ne comportant aucune altération, Pol V fait au moins 1000 fois plus d'erreurs que l'holoenzyme Pol I ou Pol III. Pourtant, après avoir synthétisé environ 7 nt le mutasome Pol V est remplacé par l'holoenzyme Pol III, qui entame une réplication normale d'ADN après que la lésion ait été franchie. Pol II, un des acteurs du mécanisme TLS

capable de répliquer l'ADN de façon fidèle, est également induite lors de la réponse SOS, mais sa synthèse est bien plus précoce que celle de Pol V (voir ci-dessous). Le rôle de Pol II semble être de permettre une réparation de type TLS exempte d'erreurs, et ce n'est que si ce n'est pas possible qu'elle sera remplacée par Pol V qui effectuera une réparation de type TLS productrice d'erreurs.

En dehors des sites AP et des dimères de thymine, il existe de nombreux types de lésions de l'ADN qui interfèrent avec la réplication normale de l'ADN. Selon le type de lésion, Pol IV, qui est également productrice d'erreurs, peut également être l'enzyme recrutée pour effectuer une réparation de type TLS. Pour bien des lésions, il arrive qu'une réparation de type TLS omette les nucléotides altérés, ce qui entraîne la délétion d'une ou deux bases dans le brin fils en face de la lésion (on obtient une **mutation de décalage de phase de lecture**, appelée ainsi parce qu'elle changerait la phase de lecture en aval du site de la mutation, dans le cas d'un gène codant ; Section 5-4B). De plus Pol IV a tendance à produire des mutations de décalage de phase de lecture même lorsqu'elle réplique un ADN intact.

L'ADN polymérase Dpo4, qui appartient à la famille des ADN polymérases Y de l'archaebactérie *Sulfolobus solfataricus* P2, est un homologue de Pol IV et Pol V de *E. coli*, elle produit une erreur d'incorporation de base tous les 500 nucléotides en moyenne. La structure par rayons X d'un complexe entre Dpo4 et un ADN matriciel, qui a été incubé avec du ddATP (lequel est complémentaire des bases présentes dans la matrice), a été déterminée par Wei Yang. Cela fournit une explication de cette mauvaise fidélité, à partir de la structure (Fig. 30-60). La protéine, constituée de 352 résidus, com-

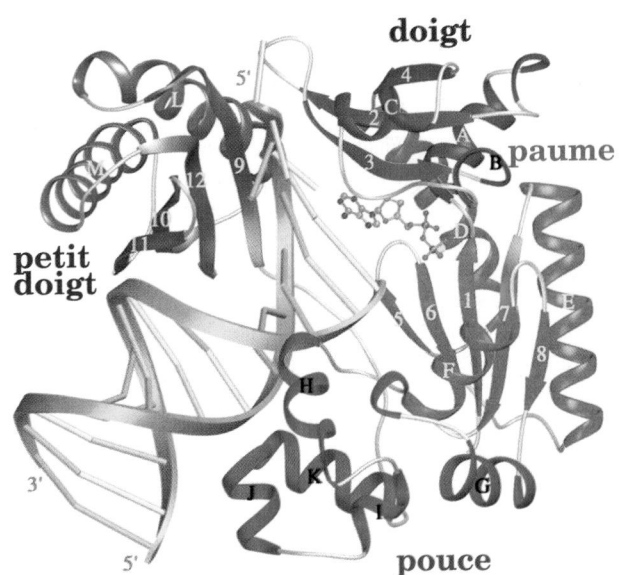

FIGURE 30-60 Structure par rayons X de l'ADN polymérase de contournement Dpo4 de *Sulfolobus solfataricus* P2 complexée avec un ADN hybride amorce-matrice et du ddADP. On voit le modèle en ruban de la protéine avec ses domaines en doigts, en paume, en pouce et en petit doigt représentés en bleu, en rouge, en vert et en violet respectivement. L'ADN est en doré, les squelettes sucre-phosphate en rubans et les bases en baguettes. Le ddADP, qui forme une paire de base avec un T de la matrice dans le site actif de l'enzyme, est représenté sous forme éclatée, avec ses atomes en couleurs (C en rose clair, N en bleu, O en rouge et P en rose vif). [Communiqué aimablement par Wei Yang, NIH, Bethesda, Maryland. PDBid 1JX4.]

porte les domaines en forme de doigts, de paume et de pouce retrouvés dans toutes les polymérases connues (quoique leur ordre puisse varier dans la séquence des différentes familles d'ADN polymérases). Il existe en plus un domaine C-terminal propre à la famille des ADN polymérases Y qui a été surnommé domaine du « petit doigt ». L'enzyme a, comme on s'y attendait, incorporé un résidu ddA à l'extrémité 3' de l'amorce et a en outre un ddATP supplémentaire qui forme une paire de bases impliquant le T suivant de la matrice. Le domaine en petit doigt se lie dans le grand sillon de l'ADN. Cependant, les domaines des doigts et du pouce sont petits et épais, si on les compare aux domaines équivalents des ADN polymérases réplicatives telles que KlentaqI (Fig ; 30-9) et RB69 pol (Fig. 30-69), de plus, les résidus au contact de la paire de bases située dans le site actif sont tous de type Gly et Ala au lieu des résidus Phe, Tyr et Arg que l'on trouve en général dans les ADN polymérases réplicatives. L'ADN fixé au niveau du site actif est en outre uniquement sous la forme B au lieu de la forme A, que l'on rencontre dans les ADN polymérases réplicatives. Du fait que le petit sillon est plus accessible dans la forme A que dans l'ADN-B (Section 29-1B), cela fait penser que les ADN polymérases productrices d'erreurs ont du mal à vérifier la fidélité de l'appariement des paires de bases faites avec le nucléotide entrant au niveau du site actif. Cela explique la capacité des ADN polymérases productrices d'erreurs à supporter des matrices d'ADN déformées ainsi que des paires de bases non Watson-Crick dans leur site actif.

La réparation par le système SOS provoque des erreurs et elle est donc mutagène. C'est pourquoi, ce processus de dernier recours ne se met en marche qu'environ 50 minutes après l'induction de type SOS, et seulement si l'ADN n'a pas pu être réparé d'une autre façon. D'ailleurs, chez les mutants recA⁻ de *E. coli* qui survivent à un traitement activant normalement la réponse SOS, il n'y a jamais d'effet mutagène. Ceci peut s'expliquer par le fait que le système de réparation SOS non mutant insère des bases au niveau des lésions, même s'il n'y a aucune information sur la nature des bases qui étaient présentes avant la lésion. En fait la plupart des mutations de *E. coli* sont provoquées par le système SOS de réparation et montrent qu'il vaut mieux survivre avec un risque de perte d'une fonction que de mourir, car ceci donne une chance de gagner de nouvelles fonctions. Cette idée rejoint quelque peu les théories néodarwinniennes. C'est pourquoi il a été suggéré que dans des conditions de stress environnemental, le système SOS sert à augmenter le taux de mutations de sorte à augmenter la vitesse d'adaptation de *E. coli* à ces nouvelles conditions. Enfin, il faut noter que les membres de la famille des polymérases Y eucaryotiques, pol h, i et k et pol z, un membre de la famille X, sont impliqués dans un mécanisme de type TLS, et que pol h, le produit du gène XPV, est absente dans la maladie xeroderma pigmentosum de type XPV (Section 30-5B).

E. *La réparation des cassures double brin*

Les cassures double brin (DSB, pour double strand breaks) de l'ADN sont provoquées par des rayonnements ionisants et les radicaux libres produits par le métabolisme oxydatif. Les DSB sont également des intermédiaires normaux lors de certains processus cellulaires particuliers comme la méiose (Section 1-4A) et la **recombinaison somatique V(D)J** dans les lymphocytes, où ils sont à l'origine de la grande diversité des sites de liaison des antigènes, que ce soit dans les anticorps ou sur les récepteurs des cellules T (Section 35-2C). Les DSB non réparés ou mal réparés peuvent être létaux pour les cellules ou être à l'origine d'aberrations

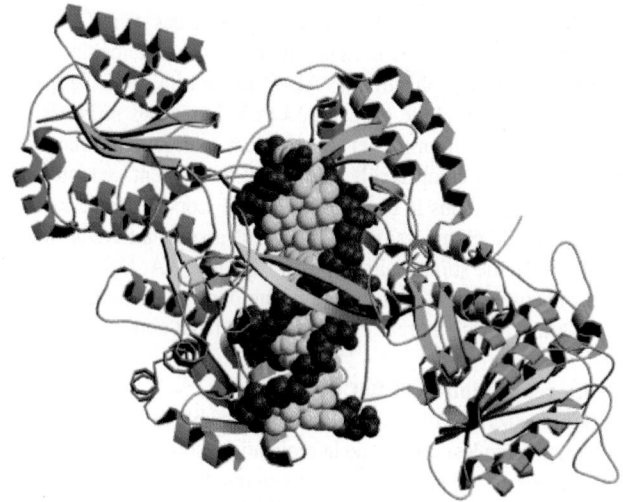

FIGURE 30-61 Structure par rayons X de la protéine Ku humaine complexée avec un ADN de 14 pb. On voit les sous-unités Ku 70 (hélices rouges et feuillets jaunes) et Ku80 (hélices bleues et feuillets verts) selon l'axe de pseudo-symétrie d'ordre 2 qui les relie. L'ADN, dont la partie double brin pointe vers le haut, est en représentation compacte, le squelette sucre-phosphate est en noir et les paires de bases sont en gris clair. Noter que l'ADN est entouré par un anneau protéique. [Communiqué aimablement par John Tainer, Institut de Recherches Scripps, La Jolla, Californie. D'après une structure par rayons X obtenue par Jonathan Goldberg, Centre Anticancéreux Memorial Sloan-Kettering, New York, New York. PDBid 1JEY.]

chromosomiques pouvant entraîner le cancer. C'est pourquoi la réparation efficace des DSB est essentielle pour la viabilité des cellules et l'intégrité génomique.

Les cellules possèdent deux grands modes de réparation des DSB : la réparation par recombinaison et la **fusion d'extrémités non homologues** (**NHEJ**, pour nonhomologous end-joining). Nous allons présenter ce processus NHEJ, qui, comme son nom l'indique, ressoude directement les cassures double brin. La réparation des DSB utilisant la réparation par recombinaison sera présentée dans la Section 30-6A.

Dans le cas de la NHEJ, les extrémités des cassures de type DSB doivent être rapprochées ; si l'un des brins est plus long que l'autre il faut le couper ou compléter l'autre avant de ligaturer les deux extrémités. Le cœur de la machinerie NHEJ des eucaryotes comporte : la protéine **Ku** de liaison aux extrémités de l'ADN (c'est un hétérodimère de sous-unités homologues de 70 et 83 kD, **Ku70** et **Ku80**), l'**ADN ligase IV**, et la protéine auxiliaire **Xrcc4**. Ku est une protéine nucléaire abondante qui se lie aux DSB, que leurs extrémités soient franches ou non, et semble de ce fait constituer le premier détecteur cellulaire des DSB. La structure par rayons X de Ku, complexée avec un ADN de 14 pb, a été déterminée par Jonathan Goldberg. Elle montre que la protéine enveloppe le fragment d'ADN sur toute sa longueur et forme un anneau autour de sa partie centrale sur 3 pb (Fig. 30-61). Cet anneau est également présent dans la structure par rayons X de Ku isolée, qui s'avère très similaire. Cela explique pourquoi lorsqu'on circularise un ADN double brin auquel Ku est liée, celle-ci se trouve piégée de façon définitive. Ku n'établit pas de contact spécifique avec les bases de l'ADN et très peu avec la chaîne des sucres et des phosphates, mais elle s'adapte très bien dans le grand et le petit sillon dont elle assure l'orientation de façon précise. On a montré que les complexes entre l'ADN et Ku se dimérisent en alignant deux morceaux de DSB, qu'ils aient des extrémités franches ou de courtes extrémités (1 à 4 pb) simple brin complémentaires, la ligature se fait alors selon les modalités illustrées dans la Fig. 30-62. Les extrémités de l'ADN se trouvent exposées à la surface de chacun des complexes Ku-ADN, ils sont ainsi probablement accessibles aux polymérases qui comblent les trous et aux nucléases qui arasent les extrémités trop longues ou inappropriées pour permettre la ligature par l'ADN ligase IV complexée avec Xrcc4. Le raccourcissement des extrémités, qui engendre bien sûr des mutations, semble être effectué, selon un mécanisme consommateur d'ATP, par le **complexe Mre11**, conservé au cours de l'évolution et qui comporte deux sous-unités de la nucléase **Mre11** et deux sous-unités ATPasiques **Rad50**. Ku est finalement détachée de l'ADN ressoudé, peut-être par un clivage protéolytique.

F. *Identification des agents cancérigènes*

On connaît de nombreuses formes de cancers provoqués par l'exposition à certains agents chimiques, appelés de ce fait **cancérigènes.** On estime que jusqu'à 80 % des cancers chez l'Homme apparaissent de cette manière. Il y a de nombreuses indications que l'événement initial dans la cancérogenèse est une altération de l'ADN (la cancérogenèse est étudiée dans la Section 34-4C). Il est donc probable que les cancérigènes peuvent aussi induire la réponse SOS chez les bactéries et qu'ils sont des agents mutagènes indirects. Il y a, en effet, une corrélation très forte entre cancérogenèse et mutagenèse (revoir l'évolution de la maladie xeroderma pigmentosum ; Section 30-5B).

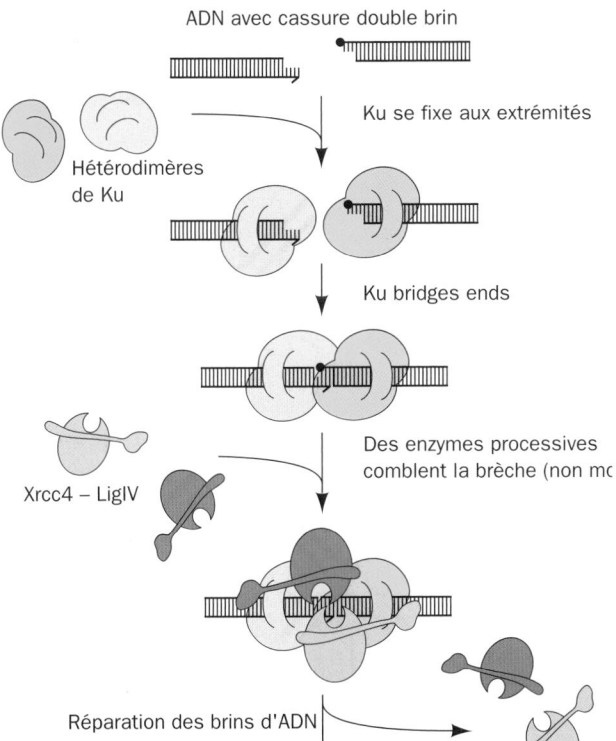

ADN avec cassure double brin

Ku se fixe aux extrémités

Hétérodimères de Ku

Ku bridges ends

Xrcc4 – LigIV

Des enzymes processives comblent la brèche (non mo

Réparation des brins d'ADN

FIGURE 30-62 Représentation schématique de la soudure d'extrémités non homologues (NHEJ). Il manque une base dans le fragment d'ADNdb de gauche, et le fragment de droite est bloqué par un groupement incompatible avec une ligature (rond noir). Les deux hétérodimères de Ku sont représentés par deux nuances de jaune et les complexes Xrcc4-ADN ligase IV par deux nuances de bleu. Les soudures de réparation dans l'ADN sont représentées par des cercles roses. [D'après Jones, J.M., Gellert, M., and Yang, W., *Structure* **9**, 881 (2001).]

L'Homme fabrique actuellement plus de 60000 produits chimiques économiquement importants et en produit environ 1000 nouveaux par an. Les tests standardisés de cancérogenèse sur les animaux, consistant à exposer des rats ou des souris à des doses élevées de cancérigènes potentiels et à contrôler l'apparition de cancers, sont très coûteux et demandent trois ans. On ne peut donc tester que très peu de substances par cette méthode.

a. L'évaluation de la probabilité d'un effet cancérigène par le test de Ames

Bruce Ames a inventé un test rapide et efficace sur bactéries, permettant de prévoir l'effet cancérigène. Ce test est basé sur la corrélation élevée entre cancérogenèse et mutagenèse. Il rassembla trois caractères dans des souches de *Salmonella typhimurium* : 1. une mutation *his*⁻ (auxotrophie pour l'histidine), 2. un caractère provoquant la formation de parois dépourvues d'un lipopolysaccharide, rendant les cellules perméables à de nombreuses substances (Section 11-3B), et 3. un système de réparation par excision inactivé. L'effet mutagène est alors évalué par la fréquence de réversion vers le phénotype *his*⁺.

Dans ce **test de Ames,** on étale environ 10^9 bactéries sur une boîte de culture ne contenant pas d'histidine. En général, on utilise un mélange de plusieurs souches *his*⁻ dues à des mutations différentes de façon à détecter un effet par mutations ponctuelles ou par décalage de la phase de lecture du code. Un produit à tester est placé dans le milieu de culture ; s'il est mutagène, il entraîne la réversion de certaines cellules *his*⁻ vers le phénotype normal, permettant à ces cellules de se multiplier pour former des colonies visibles après deux jours de culture à 37°C (Fig. 30-63). La mutagénicité d'une substance est évaluée par le nombre de colonies apparues, après déduction de celles qui apparaissent en l'absence du produit testé.

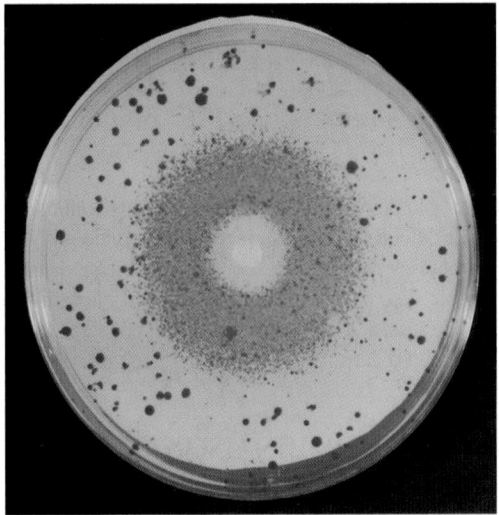

FIGURE 30-63 Le test de Ames du pouvoir mutagène. Un disque de papier filtre contenant un agent mutagène, ici l'éthyl méthane sulfonate, un agent alkylant, est placé au centre d'une boîte de Pétri contenant les souches testeurs *his*- de *Salmonella typhimurium*, sur un milieu ne contenant pas d'histidine. Il apparaît un halo dense de colonies bactériennes révertantes autour du disque, à partir duquel l'agent mutagène a diffusé. Les colonies plus grandes, réparties dans toute la boîte de culture, sont des revertants spontanés. Les bactéries proches du disque ont été tuées à cause de la concentration élevée du mutagène, devenue toxique. [Communiqué aimablement par Raymond Devoret, Institut Curie, Orsay, France.]

De nombreuses molécules non cancérigènes le deviennent dans le foie ou dans d'autres tissus, à la suite de diverses réactions de détoxification (par exemple, celles catalysées par les cytochromes P450 ; Section 15-4B). Une quantité faible d'homogénat de foie de rat est donc incluse dans le milieu de culture pour faire le test de Ames, de façon à tenter de reproduire au moins certains effets du métabolisme chez les mammifères.

b. Certaines molécules de synthèse ainsi que des substances naturelles peuvent être cancérigènes

Il y a une correspondance d'environ 80 % entre les composés déclarés comme cancérigènes à la suite de tests sur animaux et déclarés comme mutagènes par le test de Ames. Les courbes (effet/dose) de réponse à des concentrations croissantes d'un produit sont presque toujours linéaires et passent par l'origine, montrant *qu'il n'y a pas de concentration seuil pour avoir un effet mutagène*. Plusieurs composés, auxquels des personnes ont été exposées de manière assez importante et qui avaient été désignés comme mutagènes par le test de Ames, se sont révélés être cancérigènes à la suite des tests sur animaux. Parmi ces composés, on trouve le tris(2,3-dibromopropyl)phosphate, qui avait été utilisé comme produit ignifugeant sur les vêtements de nuit pour enfants au milieu des années 1970, et qui peut être absorbé par voie cutanée. On trouve aussi le furylfuramide, qui avait été utilisé au Japon pendant les années 1960 et 1970 comme additif bactéricide dans l'alimentation, alors qu'il avait passé deux tests sur animaux avant d'être reconnu comme mutagène. À côté des cancérigènes produits par l'Homme, il en existe dans la nature. De nombreuses plantes, souvent utilisées dans l'alimentation humaine, comme les germes de certains *Vicia,* contiennent des composés cancérigènes. **L'aflatoxine B$_1$**

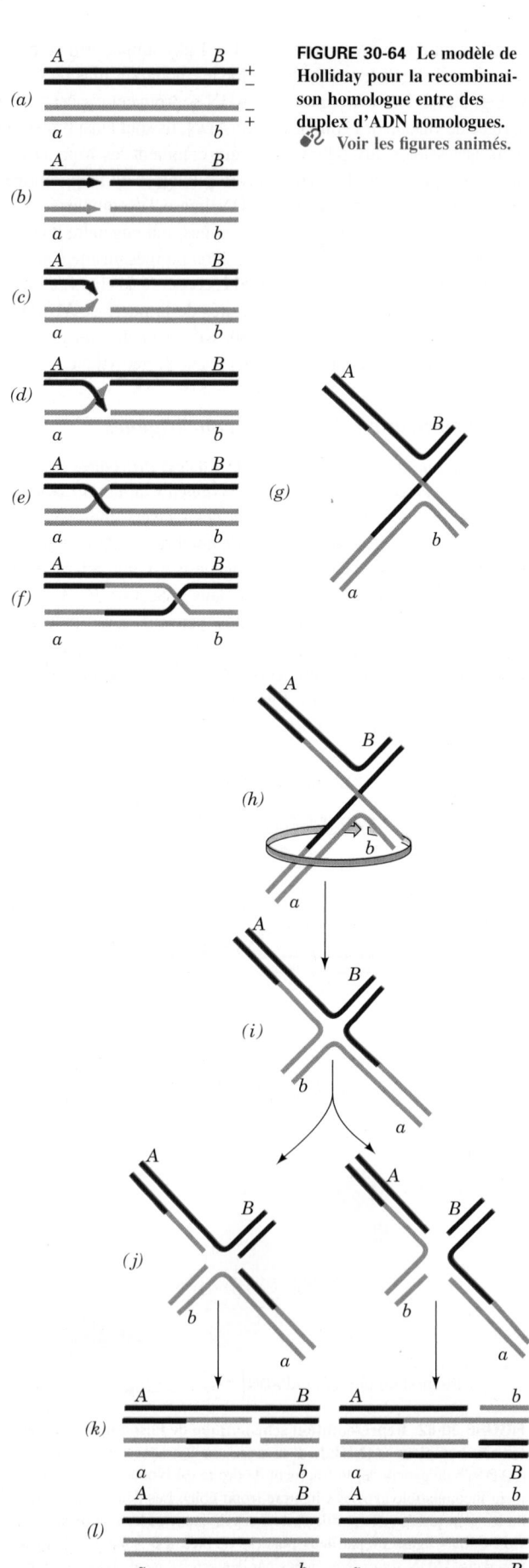

FIGURE 30-64 Le modèle de Holliday pour la recombinaison homologue entre des duplex d'ADN homologues.
Voir les figures animés.

L'aflatoxine B$_1$

est un des plus puissants agents cancérigènes connus ; il est produit par des moisissures proliférant sur les arachides et le maïs. Les mets carbonisés ou trop frits, comme cela arrive dans le cas des viandes ou des pains grillés, contiennent plusieurs composés capables de léser l'ADN. Ainsi, en ce qui concerne la cancérogenèse, comme l'a écrit Ames, « la nature n'est pas que bonté ».

6 ■ LA RECOMBINAISON ET LES ÉLÉMENTS GÉNÉTIQUES MOBILES

Le chromosome n'est pas qu'un bloc unitaire d'information génétique. Si c'était le cas, l'unité de mutation serait le chromosome entier, plutôt que le gène, car il n'y aurait pas de possibilité de séparer un gène muté des autres gènes du même chromosome. Les chromosomes accumuleraient alors des mutations délétères jusqu'à ce qu'ils deviennent non viables.

Les premières études génétiques avaient montré que les paires d'allèles d'un même gène peuvent échanger leur localisation chromosomique par la **recombinaison génétique** (Section 1-4B). Les gènes mutants peuvent donc être étudiés indépendamment des autres gènes, puisque leur transmission n'est pas complètement dépendante de celle des gènes avec lesquels ils ont été associés auparavant. Dans cette section, il sera question des mécanismes par lesquels les éléments génétiques peuvent changer de position, entre chromosomes et à l'intérieur même de ceux-ci.

A. *La recombinaison homologue*

On peut définir la recombinaison homologue (également appelée recombinaison générale) comme un échange de segments homologues entre deux molécules d'ADN. Les études génétiques et cytogénétiques ont montré depuis longtemps que le crossing-over a lieu surtout au cours de la méiose chez les organismes supérieurs (voir Fig. 1-27). Les bactéries, qui sont normalement haploïdes, possèdent néanmoins des mécanismes très élaborés pour permettre l'échange d'information génétique. Elles peuvent incorporer de l'ADN étranger par transformation (Section 5-2A), par **conjugaison**, au cours de laquelle de l'ADN est directement transféré d'une cellule à l'autre par un pont cytoplasmique (Section 31-1A), et par **transduction**, où un bactériophage défectif ayant intégré de façon erronée un segment d'ADN bactérien à la place d'ADN chromosomique viral, transfère cet ADN dans une autre cellule bactérienne. Dans tous ces processus, l'ADN étranger est incorporé dans le chromosome de la cellule receveuse ou dans un plasmide,

par le mécanisme de la recombinaison homologue (faut-il rappeler que pour être transmis régulièrement, un segment d'ADN doit faire partie d'un réplicon, donc être relié à une origine de réplication, comme cela est le cas au sein d'un chromosome, ou d'un plasmide, ou d'un virus).

a. **La recombinaison se fait *via* un intermédiaire de recombinaison**

Le modèle le plus connu pour la recombinaison générale (Fig. 30-64), a été proposé par Robin Holliday en 1964 ; il est basé sur des études génétiques sur des champignons. Les brins de même polarité de deux doubles hélices d'ADN homologues alignées sont cassés au même point, les brins cassés se croisent pour venir s'apparier avec les brins complémentaires de l'autre duplex homologue. IL se forme ainsi deux segments **d'ADN hétéroduplex**, après quoi les cassures sont ligaturées (Fig. 30-*64a-e*) et forment une jontion à quatre branches appelée **structure de Holliday** (ou **intermédiaire de Holliday ;** Fig 30-*64e*). L'analyse par Shing Ho de la structure par rayons X de d(CCGGTACCGG) a effectivement, permis d'observer une structure de Holliday (Fig. 30-65). Même si cela paraît inattendu, toutes les bases de la structure de Holliday forment des paires Watson-Crick normales sans véritable contrainte stérique. Le point d'échange est mobile dans les deux sens, souvent sur plusieurs milliers de nucléotides, et provoque ce qu'on appelle la **migration du point de jonction** (Fig. 30-*64e*, *f*),

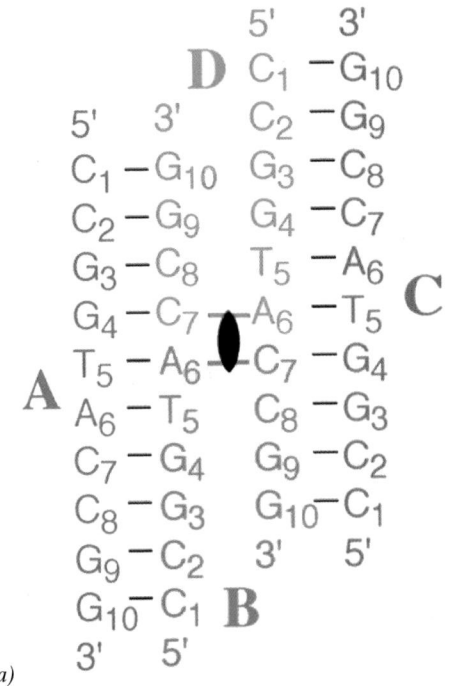

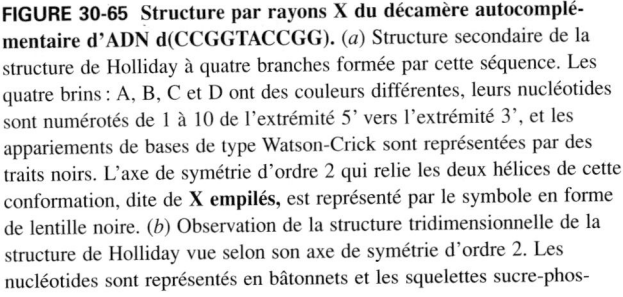

(a)

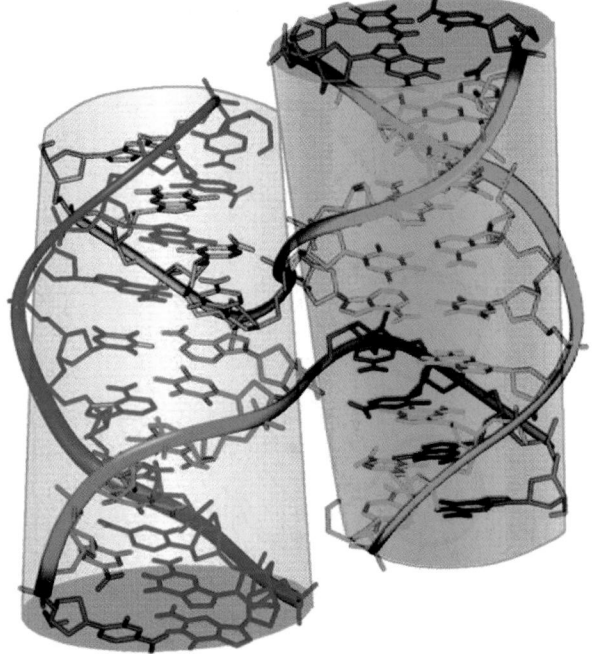

(b)

FIGURE 30-65 Structure par rayons X du décamère autocomplémentaire d'ADN d(CCGGTACCGG). (*a*) Structure secondaire de la structure de Holliday à quatre branches formée par cette séquence. Les quatre brins : A, B, C et D ont des couleurs différentes, leurs nucléotides sont numérotés de 1 à 10 de l'extrémité 5' vers l'extrémité 3', et les appariements de bases de type Watson-Crick sont représentées par des traits noirs. L'axe de symétrie d'ordre 2 qui relie les deux hélices de cette conformation, dite de **X empilés,** est représenté par le symbole en forme de lentille noire. (*b*) Observation de la structure tridimensionnelle de la structure de Holliday vue selon son axe de symétrie d'ordre 2. Les nucléotides sont représentés en bâtonnets et les squelettes sucre-phos-

phate en rubans, les couleurs sont les mêmes qu'en *a*. A l'exception des squelettes des brins B et D au niveau des crossing-over, les deux bras de cette structure forment chacun une hélice d'ADN-B sans distorsion, y compris pour ce qui est de l'empilement des paires de bases bordant les crossing-over. Les deux hélices ont une inclinaison relative entre elles de 41°. Noter que la Fig. 30-*64g* est une représentation schématique de la conformation de X empilés en vue perpendiculaire aux deux hélices (on les voit par le coté dans ce dessin et leur projection a donc l'aspect d'une lettre X). Une structure de Holliday peut prendre une **conformation** dite **en X ouvert**, qui est représentée par la Fig. 30-*64i*. [Communiqué aimablement par Shing Ho, Université de l'état d'Orégon. PDBid 1DCW.]

au cours de laquelle les paires de bases des quatre brins changent continuellement de partenaires d'appariement.

La structure de Holliday peut ensuite être résolue en deux ADN duplex différents, avec une probabilité égale pour chacun (Fig. 30-64*g-l*) :

1. Le clivage des brins qui n'avaient pas été échangés après la première cassure (parcours de droite sur la Fig. 30-64*j-l*), entraîne l'échange des extrémités des duplex de départ, pour former, après ressoudure, des molécules recombinantes au sens classique du terme (Fig. 1-27*b*).

2. Le clivage des brins qui avaient été échangés (parcours de gauche sur la Fig. 30-64*j-l*), entraîne un échange réduit à une paire de segments homologues simple brin.

La recombinaison des ADN duplex circulaires provoque la formation de deux types de structures (Fig. 30-66). Une image en microscopie électronique (Fig. 30-67*a*) montre la réalité de l'exis-

tence des structures en huit. On peut prouver que ces structures en 8 ne sont pas des cercles simplement imbriqués, car le traitement avec une enzyme de restriction ayant un seul site de coupure dans le plasmide, génère toujours une **image en chi** (appelée ainsi à cause de sa ressemblance avec la lettre grecque χ), comme le montre la Fig. 30-67*b*).

b. La recombinaison homologue chez *E. coli* est catalysée par RecA

Les mutants *recA⁻* de *E. coli* ont des taux de recombinaison 10^4 fois inférieurs à ceux du type sauvage. *RecA a donc une fonction importante dans la recombinaison.* En fait, *in vitro,* RecA augmente fortement la vitesse avec laquelle les brins complémentaires se renaturent. Cette protéine de 352 résidus a plusieurs fonctions (rappelons qu'elle stimule aussi l'autoprotéolyse de LexA pour permettre l'induction de la réponse SOS et qu'elle joue un rôle essentiel dans la synthèse d'ADN pour franchir une lésion ; Section 30-5D) ; elle recouvre, comme par contagion, l'ADN simple brin, quelle que soit sa séquence, de même que les brèches simple brin des ADN duplex. Les filaments ainsi formés, qui peuvent contenir jusqu'à plusieurs milliers de monomères de RecA, se lient de manière spécifique avec l'ADN duplex homologue, catalysant l'échange des brins, avec consommation d'ATP. Les études par microscopie électronique de Edward Egelman (Fig.30-68) révèlent que les filaments constitués par RecA liée à l'ADN simple brin ou double brin, forment une hélice de pas à droite avec environ 6,2 monomères de RecA par tour, pour un pas (élévation par tour) de

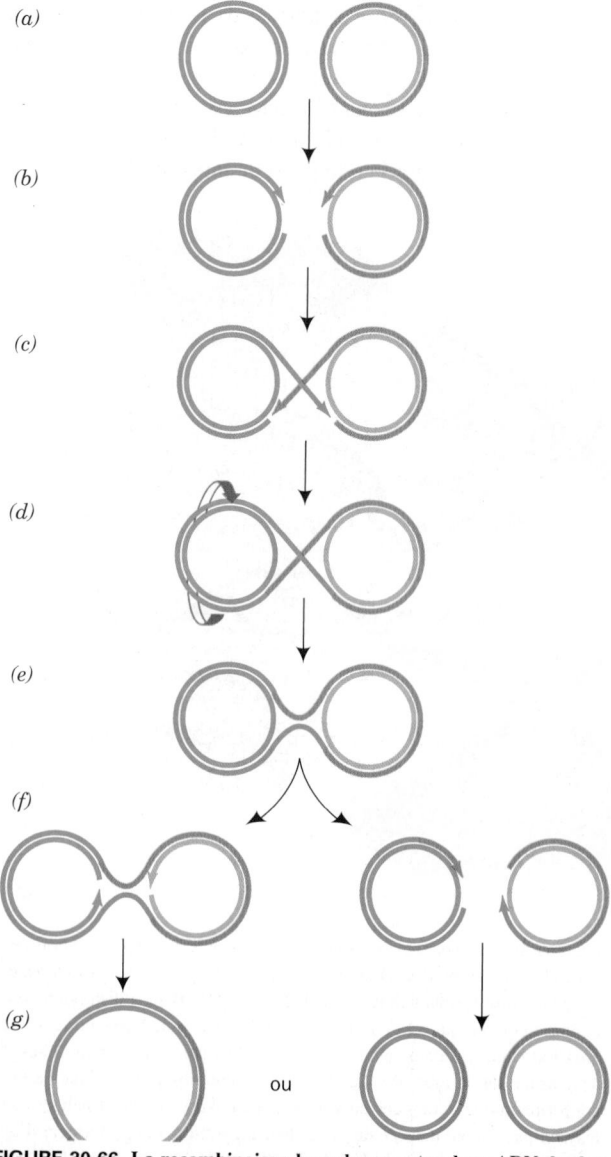

FIGURE 30-66 La recombinaison homologue entre deux ADN duplex circulaires. Ce mécanisme peut conduire à la production de deux cercles de la taille d'origine ou d'un seul cercle composite.

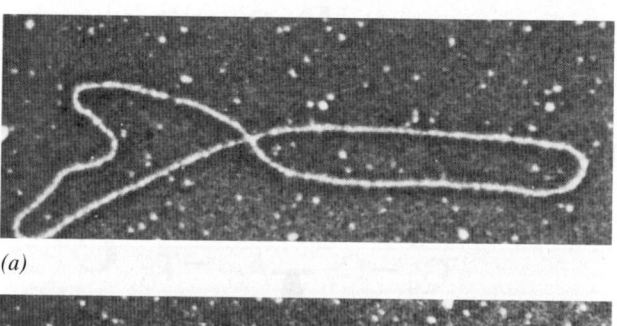

(*a*)

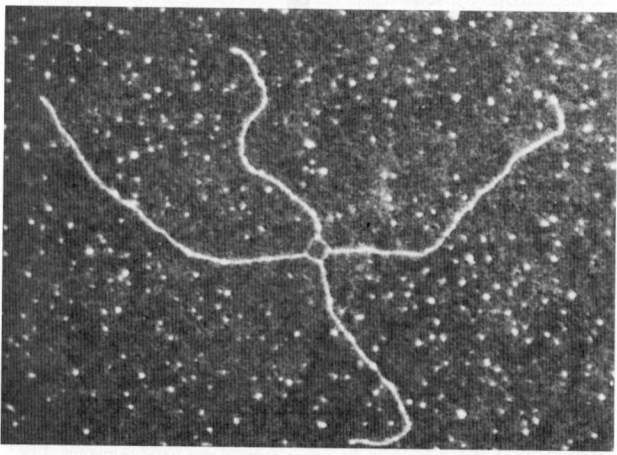

(*b*)

FIGURE 30-67 Micrographies électroniques de structures intermédiaires pendant la recombinaison homologue entre deux plasmides. (*a*) Structure en forme de 8. Elle correspond à la Fig. 30-66*d*. (*b*) Structure en chi résultant du traitement d'une structure en 8 avec une endonucléase de restriction. Noter les connexions simple brin dans la région du crossing-over. [Communiqué aimablement par Huntington Potter, Université de Floride du Sud et David Dressler, Université de Oxford, U.K.]

95 Å. Dans un tel filament, l'ADN se lie avec un monomère de RecA par 3 de ses nucléotides ou paires de bases, et il y a ainsi à peu près 18,6 nt ou pb par tour. Il est donc si fortement étiré (il a un pas de 5,1 Å/pb au lieu de 3,4 Å dans l'ADN-B) qu'il se trouve pratiquement au centre de ce type d'hélice, comme l'indique la Fig. 30-68.

La structure de RecA (Fig. 31-49) a été déterminée par rayons X par Steitz. Elle montre que cette protéine comporte un domaine central bordé par des domaines plus petits, possédant les extrémités N et C terminales. Les monomères s'associent entre eux pour former un filament hélicoïdal d'un diamètre d'environ 120 Å ; chaque tour, d'un pas de 82,7 Å, utilise 6 monomères. Le filament hélicoïdal est bien ouvert, de telle manière qu'il y ait des espaces libres entre les monomères placés sur une même verticale. Il y a

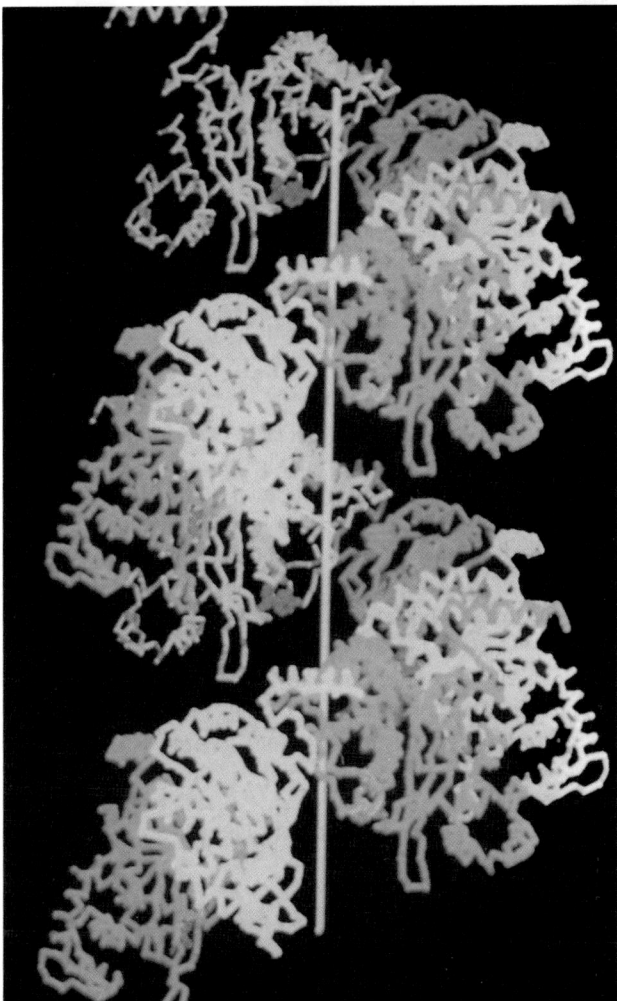

(a)

FIGURE 30-68 Image du filament RecA-ADN-ADP de *E. coli* *(avec les surfaces rendues transparentes)* basée sur des micrographies électroniques. Un modèle d'ADN duplex allongé et non déroulé *(en rouge)* a été représenté à l'intérieur de cette image. [Communiqué aimablement par Edward Egelman, École de Médecine de l'Université du Minnesota.]

FIGURE 30-69 Structure par rayons X de la protéine RecA de *E. coli.* Les monomères RecA sont représentés par leurs chaînes C_α. Les monomères successifs de RecA sont représentés alternativement en jaune et en bleu, et les ADP qui leur sont liés, en rouge. (*a*) Vue perpendiculaire à l'axe de l'hélice formée par le filament de protéines (trait en bleu clair), montrant 12 monomères constituant deux tours d'hélice, dans la même orientation que dans la Fig. 30-68. (*b*) Vue presque parallèle à l'axe de l'hélice pour montrer un tour de celle-ci. [Communiqué aimablement par Thomas Steitz, Université de Yale. PDBid 1REA.]

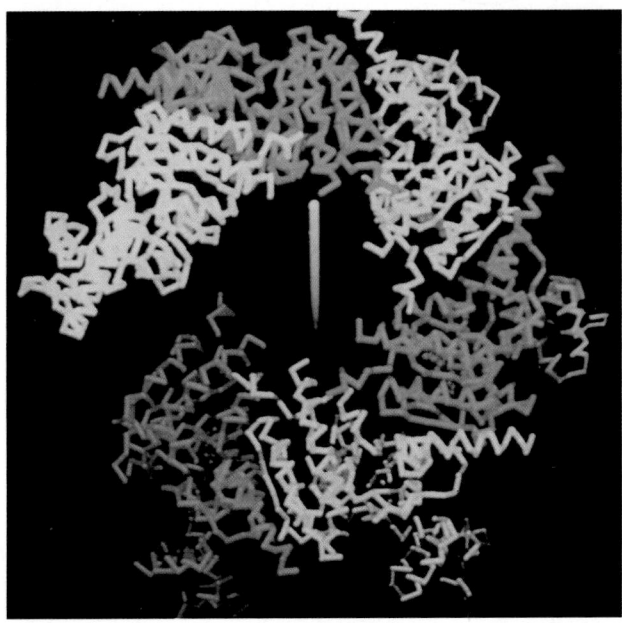

(b)

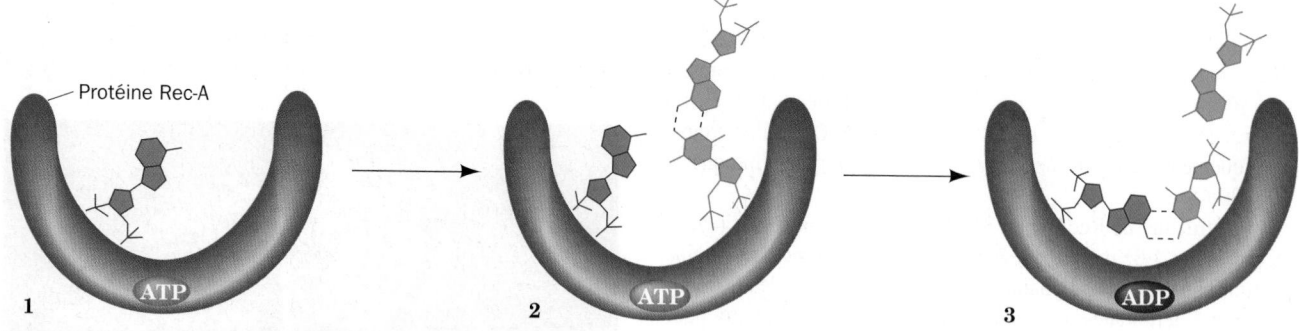

FIGURE 30-70 Modèles proposés pour l'appariement sous le contrôle de RecA, et pour l'échange de brin entre un ADN simple brin et un ADN duplex. (1) Un ADN simple brin se lie à RecA pour former un complexe d'initiation. **(2)** l'ADN duplex se lie à ce complexe d'initiation pour former de manière transitoire une hélice à trois brins qui permet de conduire la recherche d'un appariement correct entre les brins homologues. **(3)** RecA fait tourner les bases des brins homologues alignés pour réaliser l'échange de brins au prix de l'hydrolyse d'ATP. [D'après West, S.C., *Annu. Rev. Biochem.* **61**, 618 (1992).]

donc un sillon assez grand parcourant le filament sur toute sa longueur. Lorsqu'on regarde l'axe de l'hélice en vue verticale, celui-ci forme un trou central d'un diamètre de 25 Å. Ce filament hélicoïdal est très semblable au filament RecA-ADN duplex observé à plus faible résolution au microscope électronique (Fig. 30-68). Les études de microscopie électronique montrent aussi que la protéine LexA se lie à l'intérieur du sillon hélicoïdal en reliant deux sous-unités RecA placées sur les tours successifs de l'hélice.

Comment RecA intervient-elle dans l'échange entre un ADN simple brin et un des brins de l'ADN duplex ? Lorsqu'il y a reconnaissance d'une complémentarité entre l'ADN simple brin lié à RecA et un des simples brins d'un ADN duplex, RecA déroule partiellement le duplex et échange l'ADN simple brin avec le brin de même signe du duplex, au prix de l'hydrolyse d'ATP catalysée par RecA. La Fig.30-70 montre comment RecA est supposée réagir. *Ce mode d'action ne tolère qu'un taux faible de mésappariements. Il faut aussi qu'un des brins subissant l'échange soit libre par son extrémité. Un simple brin circulaire ne peut pas être échangé avec un simple brin d'un duplex linéaire (Fig. 30-71), au delà de l'extrémité 3' d'une région fortement hétérologue du brin complémentaire. L'invasion du simple brin doit donc commencer par son extrémité 5'.* Un modèle représentant le mécanisme de déplace-

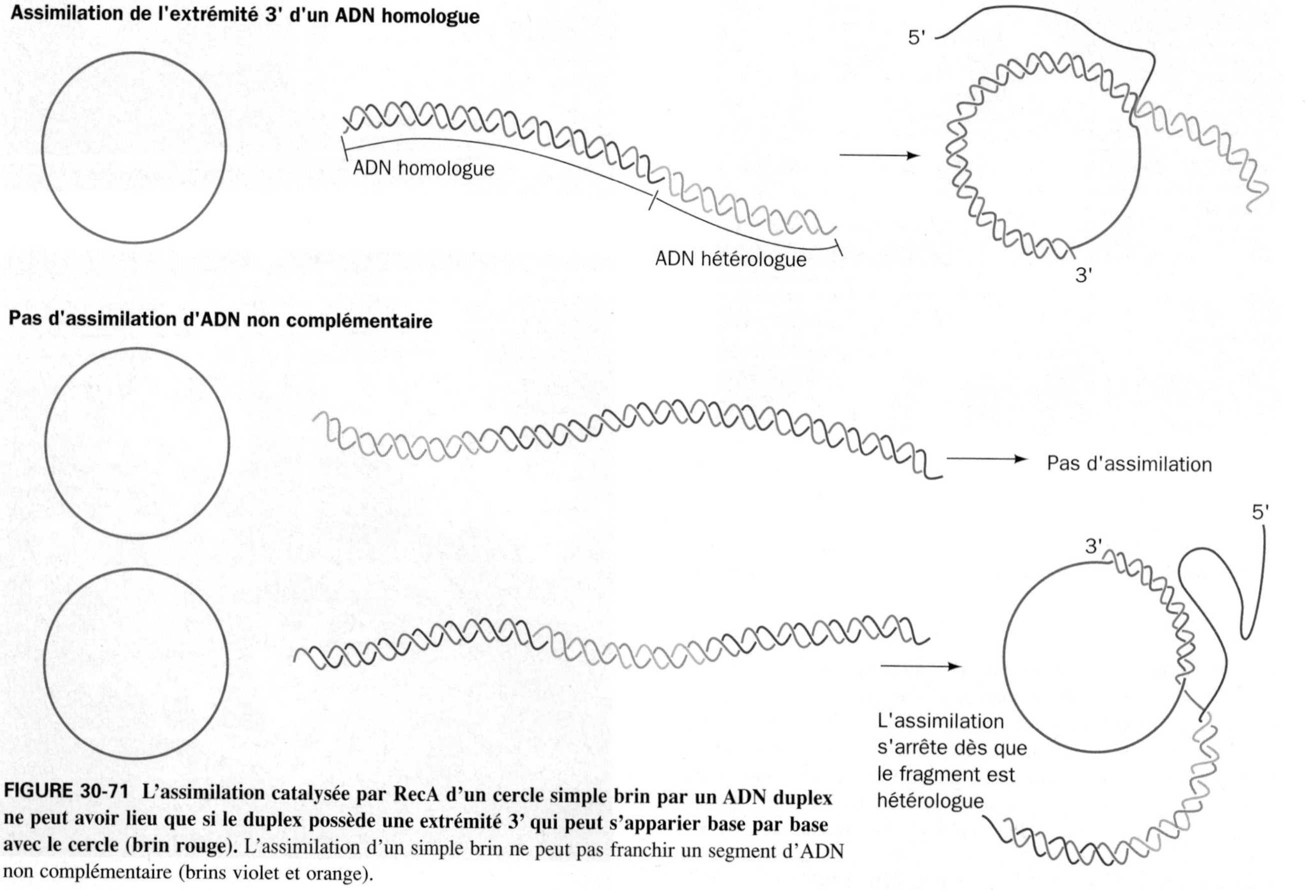

Assimilation de l'extrémité 3' d'un ADN homologue

ADN homologue

ADN hétérologue

5'

3'

Pas d'assimilation d'ADN non complémentaire

Pas d'assimilation

3'

5'

L'assimilation s'arrête dès que le fragment est hétérologue

FIGURE 30-71 L'assimilation catalysée par RecA d'un cercle simple brin par un ADN duplex ne peut avoir lieu que si le duplex possède une extrémité 3' qui peut s'apparier base par base avec le cercle (brin rouge). L'assimilation d'un simple brin ne peut pas franchir un segment d'ADN non complémentaire (brins violet et orange).

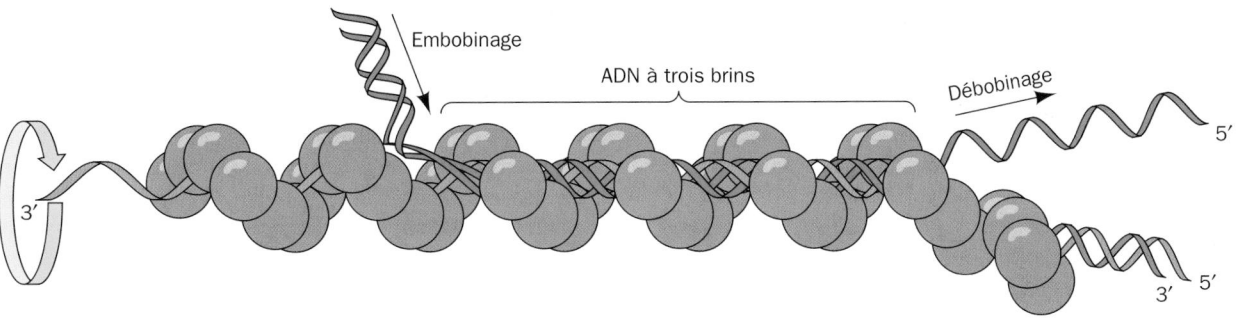

FIGURE 30-72 Modèle hypothétique pour les réactions d'échanges de brins contrôlés par RecA. Les molécules d'ADN homologues sont appariées avec une certaine avance sur l'échange de brins en formant une hélice à 3 brins. La rotation, consommatrice d'ATP, du filament RecA autour de son axe, force l'ADN duplex à s'embobiner avec le filament qui progresse de droite à gauche sur le dessin. [D'après West, S.C., *Annu. Rev. Biochem.* **61**, 617 (1992).]

ment du nœud est proposé Fig. 30 -72. Il est clair que l'échange de 2 brins se fait en une fois, grâce à la formation d'une structure dite de Holliday (Fig. 30-64 et 30-66).

c. Les eucaryotes possèdent des protéines homologues de RecA

La protéine **RAD51** (339 résidus) de la levure intervient dans la réparation utilisant de l'ATP, ainsi que dans la recombinaison de l'ADN, d'une manière très proche de celle de la protéine RecA de *E. coli,* avec laquelle elle a 30 % d'identité. La reconstitution, à faible résolution, grâce à la micrographie électronique, du complexe formé par RAD51 avec l'ADN double brin, montre une structure presque identique à celle de RecA : ces deux complexes forment des filaments hélicoïdaux dans lesquels l'ADN s'étire sur environ 5,1 Å par paire de bases et sur 18,6 pb par tour d'hélice. Des protéines homologues de RAD51 existent chez le poulet, la souris et l'Homme. Il est donc très vraisemblable que la réparation et la recombinaison de l'ADN se font dans le monde vivant grâce à la production de filaments semblables.

d. Le complexe RecBCD effectue la première étape de la recombinaison en pratiquant des incisions simple brin

Les coupures simple brin permettant ensuite la liaison avec RecA sont réalisées par la protéine de 330 kD, **RecBCD**, à activité hélicase et nucléase qui est produite par les trois gènes SOS *recB, recC* et *recD* (Fig. 30-73). RecBCD se lie d'abord à l'extrémité d'un ADN double brin et provoque son déroulement par son activité hélicase au prix de l'hydrolyse d'ATP. Tout en faisant cela, elle coupe derrière elle le simple brin qu'elle a déroulé, en clivant plus souvent le brin se terminant par une extrémité 3' et en le fragmentant donc en morceaux plus petits que le brin se terminant par une extrémité 5'. Cependant lorsque RecBCD rencontre l'extrémité 3' d'une séquence GCTGGTGG (cette séquence s'appelle **Chi** et se rencontre environ une fois par 5 kb chez *E. coli),* elle arrête de couper le brin se terminant par une extrémité 3' et augmente sa fréquence de coupure du brin se terminant par une extrémité 5', fournissant ainsi le segment d'ADN simple brin finissant par une extrémité 3' auquel va se lier RecA. Cela explique le fait que les régions contenant des séquences chi ont de forts taux de recombinaison.

RecBCD a besoin d'une extrémité double brin libre pour amorcer le déroulement de l'ADN. De telles extrémités, normalement absentes dans un génome circulaire comme celui de *E. coli,* sont produites au cours des opérations de recombinaison provoquées

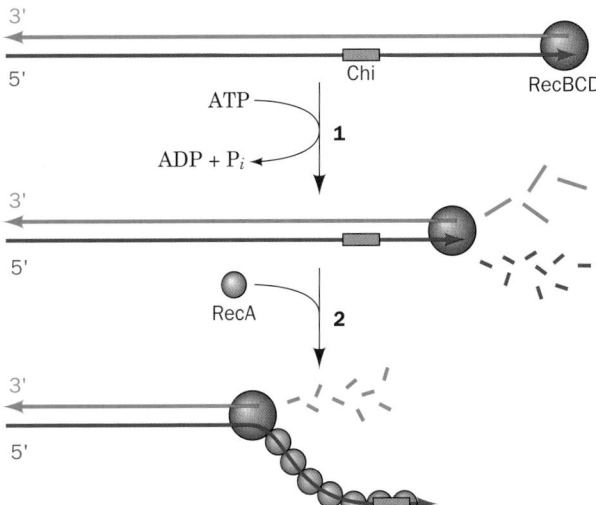

FIGURE 30-73 Modèle pour expliquer la formation de simples brins d'ADN par RecBCD pour l'initialisation de la recombinaison. (1) RecBCD se lie à une extrémité libre d'un ADN duplex et, au prix de l'hydrolyse d'ATP, avance dans l'hélice en déroulant l'ADN et en dégradant les simples brins obtenus derrière lui, le brin terminé par une extrémité 3' étant coupé plus fréquemment que celui terminé par une extrémité 5'.
(2) Lorsque RecBCD rencontre une séquence Chi correctement orientée, cela augmente la fréquence à laquelle elle coupe le brin terminé par une extrémité 5' mais bloque le clivage du brin terminé par une extrémité 3', pour produire le brin terminé par une extrémité 3' potentiellement invasif (envahissant) auquel se fixe RecA.

par la transformation bactérienne, la conjugaison et la transduction *via* les phages ainsi que lors de l'inactivation de fourches de réplication.

e. RuvABC est responsable de la migration du point de jonction et de la résolution de la structure de Holliday

La migration du nœud de la structure de Holliday générée par RecA (Fig. 30-64*e, f*) nécessite de casser et de reformer des paires de bases lorsque les bases changent de partenaires en passant d'une double hélice à l'autre. Comme ΔG = 0 dans cette réaction, on avait d'abord pensé qu'elle se fait de façon spontanée. Cependant, un tel processus irait en avant ou en arrière de façon aléatoire et serait de surcroît bloqué au moindre mésappariement. Chez *E. coli,* et la plupart des autres bactéries, la migration du point de jonction est un processus unidirectionnel consommant de l'ATP et dû à deux protéines dont la synthèse est induite lors de la réponse SOS (Section 30-5D) : **RuvB et RuvA.** RuvB (336 résidus) est un moteur à ATP qui catalyse la migration du nœud mais ne s'accroche que très faiblement à l'ADN. RuvA (203 résidus) se lie de façon spécifique, à la fois aux jonctions de Holliday et à RuvB, ce qui aide cette dernière à devenir affine de l'ADN.

La structure par rayons X de la protéine RuvA de *Mycobacterium leprae* (l'agent de la lèpre) complexée avec une structure de Holliday synthétique et immobilisée (Fig. 30-74*a*) a été déterminée par Morikawa. Elle montre que RuvA forme un homotétramère auquel se lie la structure de Holliday dans sa conformation ouverte en X (Fig. 30-74*b*). Le tétramère de RuvA, qui a l'apparence d'une fleur à quatre pétales (avec une symétrie d'ordre 4 plutôt que d'ordre 2, telle qu'on la trouve dans la plupart des homotétramères), est assez plat (80 x 80 x 45 Å) avec une face concave et l'autre convexe. La face concave (visible dans la Fig. 30-74*b*) a une forte charge positive et est parsemée de nombreux résidus conservés au cours de l'évolution, elle a quatre sillons disposés symétriquement, qui se lient aux quatre bras de la structure de Holliday. Cette face possède quatre pointes chargées négativement en son centre et les forces de répulsion entre elles et les groupes phosphate anioniques de la structure de Holliday facilitent probablement la séparation de segments d'ADN simple brin pour les diriger d'une hélice vers l'autre.

RuvB appartient à la famille des ATPases AAA+ (Section 30-3C). La structure par rayons X de RuvB de *Thermus thermophilus,* cristallisée en présence d'ADP et d'ADPNP, a été déterminée par Morikawa. Elle montre deux molécules de RuvB avec des conformations légèrement différentes, dont l'une fixe l'ADP et l'autre l'ADPNP. Chaque molécule de RuvB comporte trois domaines successifs arrangés en forme de croissant, les nucléotides adényliques sont fixés à l'interface entre le domaine N-terminal et le domaine central. Les études par microscopie électronique montrent qu'en présence d'ADN double brin, RuvB s'oligomérise et forme un hexamère (Fig. 30-75*a*), ressemblant en cela à la plupart des autres membres de la famille AAA+, y compris le domaine D2 de NSF (Fig. 12-66). Un modèle hexamérique de RuvB (Fig. 30-75*b*) a été construit en superposant le domaine N-terminal du monomère RuvB et les domaines ATPase de l'hexamère NSF-D2 ; il s'accorde bien avec l'image obtenue en microscopie électronique et ne présente pas de sérieuse incompatibilité stérique. Ce modèle hexamérique, d'un diamètre de 130 Å, présente une cavité centrale de 30 Å de diamètre par laquelle passe aisément un ADN simple brin (voir ci-dessous). De plus, les six épingles à cheveux β, une par monomère, dont on a dit qu'elles fixaient RuvA se trouvent sur le dessus de l'hexamère (que l'on voit dans la Fig. 30-75*b*).

Les images en microscopie électronique du complexe entre RuvAB et la structure de Holliday montrent que RuvA se fixe à deux hexamères de RuvB diamétralement opposés. Cela a conduit au modèle de leur interaction présenté dans la Fig. 30-76, où RuvA se lie à la structure de Holliday et aide à charger des anneaux hexamérique de RuvB sur deux bras opposés de la structure de Holliday. Les deux anneaux hexamériques sont supposés tourner en sens inverse, chacun dans le sens antihoraire si l'on regarde vers le centre de la structure de Holliday, de façon à visser les brins horizontaux de l'ADN à travers le centre de la structure en les faisant entrer dans les doubles hélices du haut et du bas. On a ainsi migration du nœud bien qu'il n'y ait qu'une rotation relative et non pas de rotation réelle de l'hexamère RuvB par rapport à RuvA ; celui-

(a)

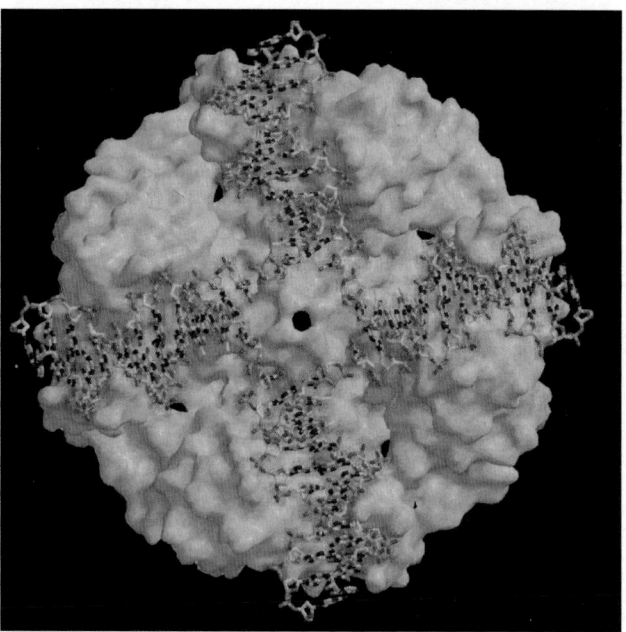

(b)

FIGURE 30-74 Structure par rayons X d'un tétramère de RuvA complexé à une structure de Holliday. (*a*) Représentation schématique d'une structure de Holliday synthétique et immobile où l'on voit la séquence des bases. En rose, on voit les deux paires A · T qui sont défaites par le crossing-over et qui changeront simplement de partenaires d'appariement dans le cas où la structure de Holliday concerne deux ADNdb homologues (comme c'est normalement le cas). (*b*) Vue du com-plexe entre RuvA et la structure de Holliday selon l'axe de symétrie d'ordre 4 du tétramère de protéines. On a représenté la surface moléculaire de la protéine (en gris) et l'ADN en modèle éclaté avec coloration des atomes selon leur type (C en blanc, N en bleu, O en rouge et P e jaune). [Communiqué aimablement par Kosuke Morikawa, Institut de Recherches en Génie Biomoléculaire, Osaka, Japon. PDBid 1C7Y.]

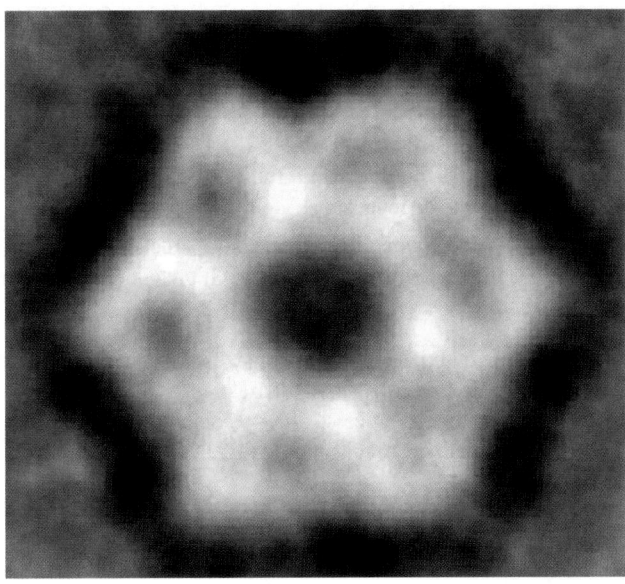

(a)

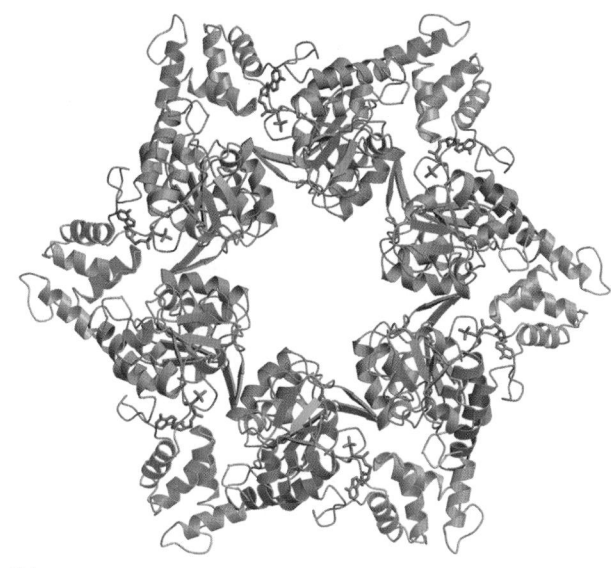

(b)

**FIGURE 30-75 Proposition de structure de l'hexamère de RuvB de
T. thermophilus. (*a*) Reconstitution d'une image de RuvB complexé avec
un ADN de 30 pb (non visible) à partir de données de microscopie électronique, selon l'axe de symétrie d'ordre 6. La résolution est de 30Å. (*b*)
Ce modèle de l'hexamère de RuvB a été construit à partir de la structure
par rayons X des monomères, en superposant les domaines N-terminaux

de RuvB aux domaines à activité ATPasique homologues de l'homohexa-
mère de NSF-D2 (Fig. 12-66). Les domaines N-terminal, central et C-terminal sont respectivement en bleu, jaune et vert, l'ADPNP fixé est représenté en rouge, en modèle éclaté. [Communiqué aimablement par Kosuke
Morikawa, Institut de Recherches en Génie Biomoléculaire, Osaka,
Japon. PDBid 1HQC.]

ci pousserait l'ADN double brin à travers la cavité centrale en parcourant ses sillons à la manière de ce qui est postulé dans le cas
des hélicases hexagonales ; Section 30-2C). La direction de la
migration du nœud dépend de la paire de bras sur laquelle les
hexamères de RuvB ont été chargés.

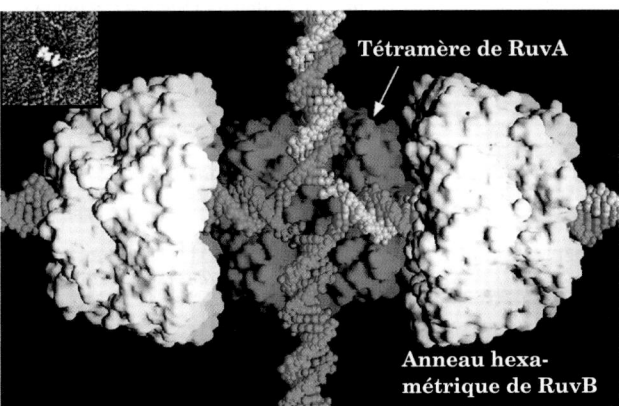

**FIGURE 30-76 Modèle du complexe entre RuvAB et une structure de
Holliday.** Ce modèle se base sur des données de microscopie électronique
comme ci-dessus. On voit le diagramme de surface des protéines avec, en
vert, le tétramère de RuvA, tel que le montre la structure par rayons X, et,
en gris, les deux hexamères de RuvB d'orientations opposées. L'ADN de
la structure de Holliday est représenté en vue compacte où on voit les brins
homologues bleu et rose et leurs brins complémentaires rouge et blanc. On
pense que le complexe entraîne la migration du nœud selon un processus
de rotation en sens inverse des deux hexamères de RuvB par rapport au
tétramère de RuvA ; cela nécessite de l'ATP. L'ADNdb horizontal est
aspiré (comme vissé) à travers le centre des hexamères de RuvB vers le
centre de la structure de Holliday, où ses brins se séparent pour se réappa-
rier avec leurs brins homologues en formant de nouveaux ADNdb, qui sont
eux-mêmes aspirés selon la verticale. [Communiqué aimablement par
Peter Artymiuk, Université de Sheffield, U.K.]

L'étape finale de la recombinaison homologue est la résolution
de la structure de Holliday en deux ADN double brin homologues.
C'est le rôle de la **protéine RuvC,** une exonucléase homodimérique
de 173 résidus dont les sites actifs sont espacés d'environ 30 Å et
situés sur la même face de la protéine. On pense donc que RuvC se
place sur le coté ouvert du complexe entre RuvAB et la structure de
Holliday que l'on voit dans la Fig. 30-76, et qu'elle coupe deux
brins opposés dans la structure de Holliday. Les coupures double
brin résultantes sont alors ressoudées par l'ADN ligase.

Le résolvosome RuvABC, comme on l'appelle, fournit un
modèle satisfaisant aussi bien pour la migration du nœud que pour
la résolution de la structure de Holliday. Cependant, il reste un problème non résolu. La structure par rayons X du complexe entre une
structure de Holliday et RuvA de *M. leprae*, cristallisé dans des
conditions différentes de celles de la Fig. 30-74 a été déterminée
par Laurence Pearl. Elle ressemble au complexe de la figure Fig.
30-74*b* mais avec un deuxième tétramère de RuvA placé face
contre face avec le premier. Ainsi, la structure de Holliday est
enfermée dans deux tunnels qui se croisent à travers l'octamère de
RuvA obtenu. Les deux structures entre RuvA et la structure de
Holliday ont-elles une signification biologique, ou bien l'une
d'entre elles est-elle le résultat d'un artefact de cristallisation ?
Pearl pense que la grande complémentarité des contacts entre les
deux tétramères de RuvA, qui sont très conservés au cours de
l'évolution, ont peu de chances d'être artefactuels et qu'un seul
tétramère de RuvA a peu de chance de résister au couple de torsion exercé par les deux hexamères de RuvB tournant en sens
inverse. Quoiqu'il en soit, si l'octamère de RuvA a une signification biologique, l'un des deux tétramères devrait, à un moment, se
dissocier pour permettre l'accès de RuvC à la structure de Holliday. Les études de modélisation indiquent que la structure déterminée par rayons X du dimère de RuvC ne lui permettrait pas de
contacter les brins d'un ADN lié à un tétramère de RuvB sans

d'importants changements de conformation. Des expériences supplémentaires sont nécessaires pour répondre à ces questions.

f. La réparation par recombinaison répare les fourches de réplication endommagées

La transformation, la transduction et la conjugaison sont des évènements si rares que la plupart des cellules bactériennes n'y sont jamais confrontées. De même, le seul moment de la vie d'un métazoaire où il y a mélange des gènes par recombinaison homologue est la méiose (Section 1-4A). Comment se fait-il alors que presque toutes les cellules possèdent des systèmes permettant la recombinaison homologue ? Cela tient au fait que l'altération d'une fourche de réplication se produit au moins une fois par génération dans le cas des cellules bactériennes et peut-être dix fois par cycle cellulaire dans le cas des cellules eucaryotiques. Les lésions de l'ADN qui endommagent la fourche de réplication peuvent être contournées grâce à la recombinaison homologue selon un processus appelé **recombinaison réparation** [(La réparation de franchissement d'une lésion, ou TLS, qui est fortement mutagène est un mécanisme de dernier recours (Section 30-5D)]. En fait, les taux de synthèse de RuvA et de RuvB augmentent énormément lors de la réponse SOS. Aussi, comme l'a fait remarquer Michael Cox, *le premier rôle de la recombinaison homologue est la réparation des fourches de réplication endommagées*. Nous allons maintenant décrire la recombinaison réparation telle qu'elle a lieu chez *E. coli*.

La recombinaison réparation entre en jeu lorsqu'une fourche de réplication rencontre une lésion non réparée sur un des deux brins (Fig. 30-77) :

1. La réplication de l'ADN s'arrête au site de la lésion mais se poursuit sur l'autre brin qui n'est pas endommagé sur une certaine distance avant que le réplisome ne se désagrège complètement (Section 30-5D).

2. La fourche de réplication revient en arrière et forme une sorte de structure de Holliday, avec une fourche inversée, surnommée « pied de poule ». Ce processus peut se faire soit spontanément, soit être provoqué par le superenroulement qui s'est constitué à l'avant de la fourche de réplication. Il y a intervention soit de RecA, soit de **RecG**, une hélicase dépendante d'ATP qui catalyse la migration du nœud dans le cas de structures d'ADN à trois ou quatre branches.

3. La brèche simple brin au niveau de la fourche endommagée se présente maintenant comme une extrémité 3' en retrait qui est complétée par Pol I.

4. La migration inverse du nœud grâce à RuvAB ou RecG reconstitue une fourche de migration intacte, qui permet à la réplication de redémarrer (voir ci-dessous).

Il faut noter que ce mécanisme ne répare pas réellement la lésion simple brin à l'origine du problème, mais qu'il reconstitue la fourche de réplication de sorte que les systèmes de réparation de l'ADN présentés précédemment puissent ensuite éliminer la lésion (Section-30-5).

Une autre situation qui nécessite la recombinaison réparation est le cas où la fourche de réplication rencontre une cassure simple brin non réparée (Fig. 30-78) :

1. La rencontre d'une cassure simple brin entraîne le désassemblage de la fourche de réplication.

2. Pour commencer le processus de réparation, RecBCD et RecA permettent à l'extrémité 3' du brin néosynthétisé et non endommagé d'envahir l'ADN double brin à partir de son point de cassure.

3. La migration du nœud, due à RuvAB, produit alors une structure de Holliday qui permet d'échanger les extrémités 3' des brins de la fourche de réplication.

4. RuvC permet alors la résolution de la structure de Holliday pour reconstituer une fourche de réplication prête à recommencer la réplication.

Ainsi, la partie du brin en 5' de la cassure est devenue l'équivalent de l'extrémité 5' d'un fragment d'Okazaki.

L'étape finale du processus de recombinaison réparation, consiste à redémarrer la réplication de l'ADN. Ce processus dif-

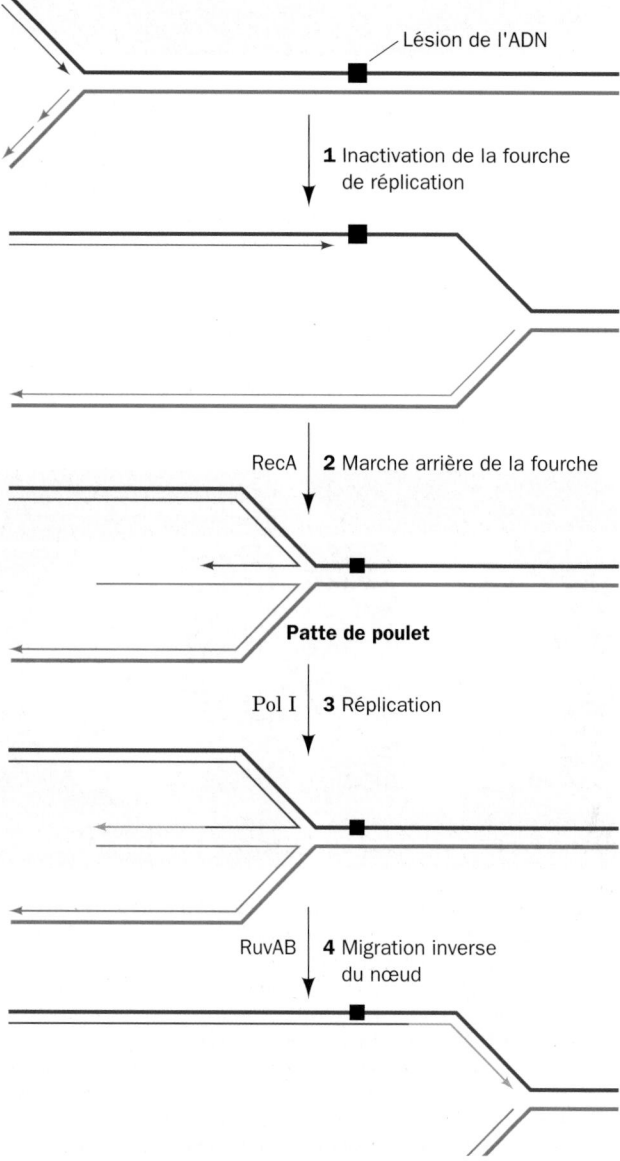

FIGURE 30-77 Réparation par recombinaison d'une fourche de réplication rencontrant une lésion sur un des brins. Les traits épais correspondent à l'ADN parental, les traits fins, à l'ADN néosynthétisé, les traits bleu clair, à l'ADN synthétisé par Pol I, et les flèches indiquent la polarité 5' → 3'. [D'après Cox, M.M., *Annu. Rev. Genet.* **35**, 53 (2000).]

fère nécessairement de l'initiation de la réplication sur *oriC* (Section 30-3C), mais le redémarrage de la réplication indépendant d'une origine est dû à sept protéines que l'on trouve aussi dans le primosome et qui initient la réplication du brin moins du bactériophage φX174 (Tableau 30-4), et qui a été appelé de ce fait **primosome de redémarrage**.

g. La recombinaison réparation permet la réparation des cassures double brin

Nous avons vu qu'on peut ressouder les cassures double brin de l'ADN (DSB), d'une façon souvent mutagène, par la ressoudure d'extrémités non homologues (NHEJ ; Section 30-5E). Les DSB

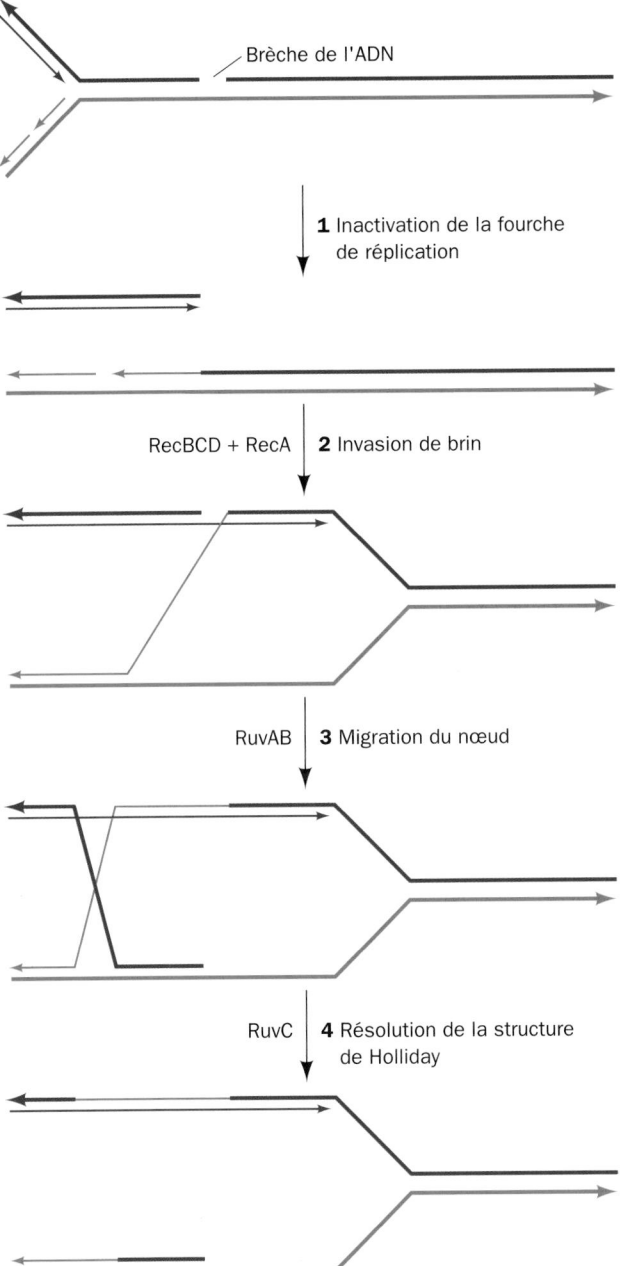

FIGURE 30-78 Réparation par recombinaison d'une fourche de réplication rencontrant une cassure sur un des brins. Les traits épais correspondent à l'ADN parental, les traits fins, à l'ADN néosynthétisé, les traits bleu clair, à l'ADN synthétisé par Pol I, et les flèches indiquent la polarité 5' → 3'. [D'après Cox, M.M., *Annu. Rev. Genet.* **35**, 53 (2000).]

peuvent aussi être réparées d'une façon non mutagène grâce à un processus de recombinaison réparation connu sous le nom de **soudure d'extrémités homologues**, qui nécessite deux structures de Holliday (Fig. 30-79) :

1. Les extrémités double brin des DSB sont grignotées pour produire des extrémités à un seul brin. L'extrémité 3' d'un des brins envahit la séquence correspondante du chromosome homologue et forme une structure de Holliday. Ce processus est permis chez les eucaryotes par RAD51, qui est un homologue de RecA. L'extrémité 3' de l'autre brin s'apparie avec le segment déplacé du chromosome homologue et forme une autre structure de Holliday.

2. Il y a synthèse d'ADN et ligature pour refermer les brèches et souder les extrémités.

3. Les deux structures de Holliday sont résolues et on obtient deux ADN double brin intacts.

Ainsi, les séquences qui pourraient avoir été supprimées lors de la formation de la cassure double brin sont recopiées à partir du chromosome homologue. Bien sûr, la soudure d'extrémités homologues est limitée notamment dans les cellules haploïdes par le fait qu'un segment de chromosome homologue n'est pas forcément disponible.

L'importance de la recombinaison réparation chez l'homme est démontrée par le fait que des défauts des protéines **BRCA1** (1863

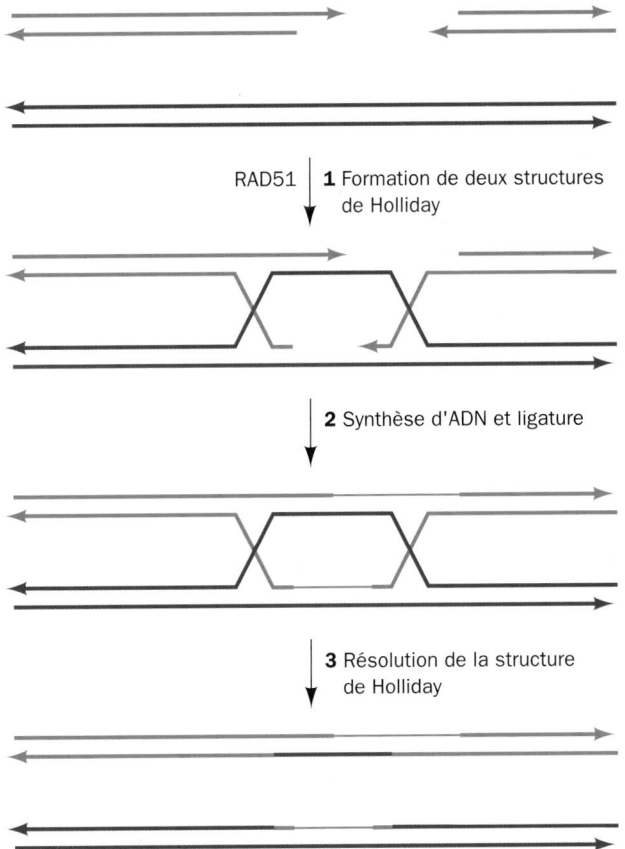

FIGURE 30-79 Réparation par soudure d'extrémités homologues d'une cassure double brin. Les traits épais correspondent à l'ADN parental, les traits fins, à l'ADN néosynthétisé, les traits bleu clair, à l'ADN synthétisé par Pol I, et les flèches indiquent la polarité 5' → 3'. [D'après Haber, J.E., *Trends Genet.* **16**, 259 (2000).]

résidus) et **BRCA2** (3418 résidus), qui interagissent toutes deux avec RAD51, sont associés à une augmentation des cas de cancers du sein, de l'ovaire, de la prostate et du pancréas. En effet, pour les sujets présentant des mutations des gènes *BRCA1* ou *BRCA2* le risque de développer un cancer au cours de leur vie peut atteindre 80 %.

B. *La transposition et la recombinaison à un site spécifique*

À partir d'analyses purement génétiques, Barbara McClinbtock a montré, dès le début des années 50, que le type de panachure concernant la pigmentation des couches externes de l'albumen des grains de maïs, provenait de l'activité d'éléments génétiques qui devaient pouvoir se déplacer d'un locus à l'autre. Cette démonstration formelle n'a eu à l'époque qu'un retentissement limité, car la conception courante de la génétique d'alors était que les chromosomes et leurs gènes sont liés selon un ordre très stable. Presque 20 ans se sont écoulés avant la découverte que des éléments génétiques mobiles existaient aussi chez *E. coli*.

*On sait actuellement que des **éléments transposables,** ou **transposons,** sont trouvés fréquemment aussi bien chez les procaryotes que chez les eucaryotes ; à court terme, ils modifient par variation l'expression phénotypique et ils ont une importance évolutive à long terme. Un transposon possède normalement des gènes codant des enzymes spécifiques pour sa propre insertion dans l'ADN de son hôte.* La transposition est un événement de **recombinaison illégitime** parce qu'elle n'exige pas d'homologie entre l'ADN donneur et l'ADN receveur. Du fait du choix relativement aléatoire du site d'insertion, la transposition est un processus potentiellement dangereux ; l'insertion du transposon dans un gène important tuera la cellule en même temps que les transposons qu'elle abrite. C'est pourquoi la transposition est fortement régulée et sa fréquence n'est que de 10^{-5} à 10^{-7} événement de transposition par élément et par génération. On ne connaît pratiquement rien sur les évènements qui provoquent la transposition.

a. Les transposons procaryotiques

On a classé les transposons procaryotiques selon trois degrés de complexité :

1. Les transposons les plus simples et les premiers à avoir été caractérisés, ont été appelés **séquences d'insertion** ou **éléments IS.** Ils ont été appelés IS avec un numéro d'identification. Les éléments IS sont des constituants normaux des chromosomes bactériens et des plasmides. Par exemple, une souche banale de *E. coli* possède 8 copies de **IS1** et cinq copies de **IS2.** Les éléments IS ont moins de 2000 pb. Ils contiennent un gène pour une **transposase** et, dans certains cas, un gène régulateur, bordé par deux courtes

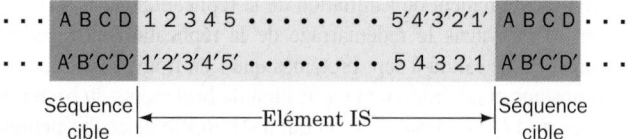

FIGURE 30-80 Structure des éléments IS. Les éléments IS, comme les autres transposons, possèdent des répétitions terminales inversées *(ici représentées par des chiffres)* et sont bordés par des répétitions directes en tandems provenant des séquences cibles de l'ADN de l'hôte *(en lettres).*

répétitions inversées (Fig. 30-80 et Tableau 30-6). Les répétitions inversées sont indispensables à la transposition ; en effet, celle-ci est bloquée lors de leur altération génétique. Un élément IS en place est aussi bordé par deux segments d'ADN de l'hôte en répétition non inversée (répétition directe) (Fig. 30-80). Ceci suggère que l'insertion a lieu grâce à deux coupures simple brin voisines dans chaque brin de l'ADN receveur, générant des extrémités libres simple brin qui seront colmatées après l'insertion (Fig. 30-81). La longueur de telles séquences cibles varie peu (5 à 9 pb) pour un IS donné, par contre, leur séquence est non spécifique.

2. *Les transposons d'un degré plus élevé de complexité possèdent des gènes non impliqués dans le processus de transposition, par exemple, des gènes conférant la résistance à des antibiotiques.* Ils sont appelés « Tn » avec un numéro d'identification. Par exemple, **Tn3** (Fig. 30-82) a une longueur de 4957 pb et possède des répétitions terminales inversées de 38 pb. La région centrale de Tn3 contient le code pour trois protéines : (1) une transposase appelée **TnpA,** de 1015 résidus ; (2) une protéine **TnpR** de 185 résidus, ayant une fonction de répresseur de l'expression de *tnpA* et de *tnpR,* mais aussi d'intermédiaire pour la réaction de reconnaissance spécifique d'un site, nécessaire à la transposition (voir ci-dessous) ; et (3) une β-**lactamase** capable d'inactiver l'ampicilline (Section 11-3B). La recombinaison site spécifique a lieu dans une région riche en AT appelée **site interne de résolution,** localisée entre *tnpA* et *tnpR.*

3. Les **transposons composites** (Fig. 30-83) possèdent une région centrale, contenant des gènes, encadrée par deux modules de type IS identiques ou presque, qui sont soit dans la même orientation, soit dans une orientation inverse l'un par rapport à l'autre. Il semble donc que les transposons composites soient formés par l'association de deux éléments IS auparavant indépendants. Comme les modules IS sont eux-mêmes bordés par des répétitions inversées, les extrémités de n'importe quel type de transposon composite sont forcément aussi des répétitions inversées. On peut démontrer expérimentalement que les transposons composites peuvent transposer n'importe quelle séquence d'ADN contenue dans leur région centrale.

TABLE 30-6   Propriétés de quelques éléments d'insertion

Eléments d'insertion	Longueur (bp)	Répétition Terminale inversée (bp)	Répétition directe au site (bp)	Nombre de copies dans le chromosome de *E. coli*
IS1	768	23	9	5–8
IS2	1327	41	5	5
IS4	1428	18	11–13	5
IS5	1195	16	4	1–2

Source: Principalement Lewin, B., *Genes VII*, p. 459, Oxford University Press (2000).

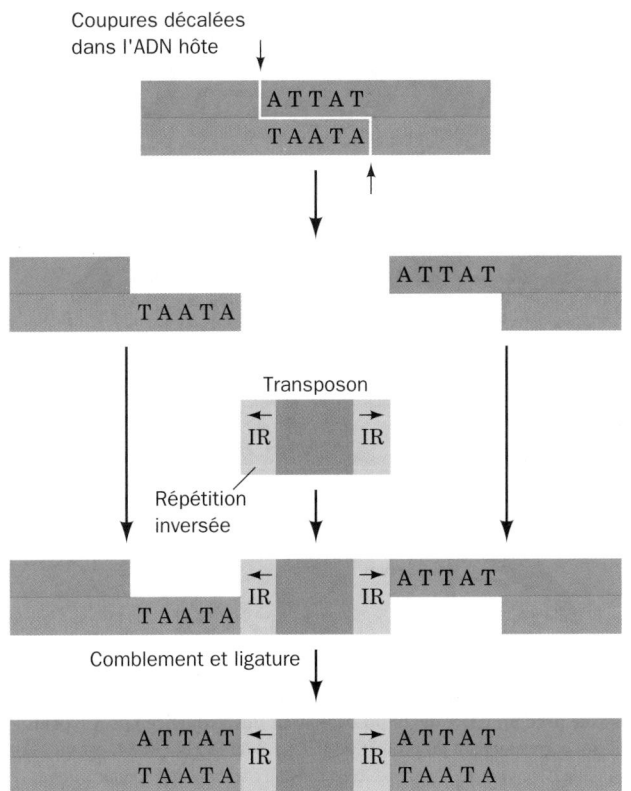

FIGURE 30-81 Modèle expliquant la formation des répétitions directes de la séquence cible lors de l'insertion d'un transposon.

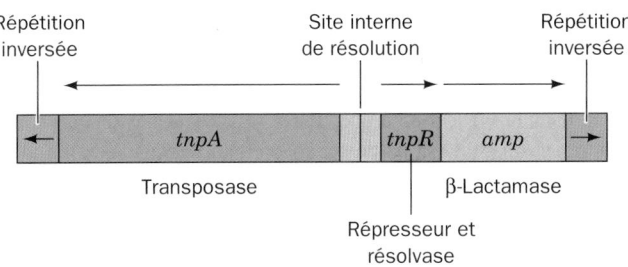

FIGURE 30-82 Carte du transposon Tn3.

(a)

(b)

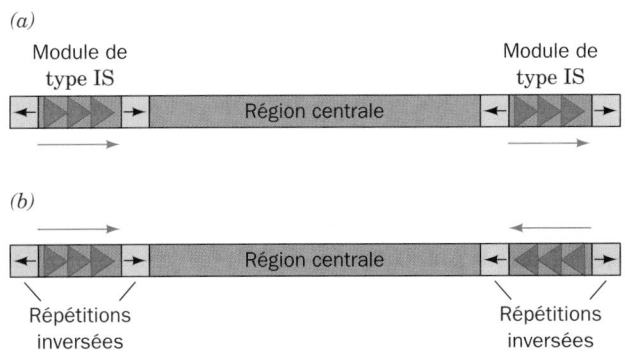

FIGURE 30-83 Un transposon composite. Cet élément est constitué de deux modules de type IS *(en vert)* identiques ou presque, bordant une région centrale contenant différents gènes. Les modules de type IS peuvent être disposés selon une orientation relative directe *(a)* ou inversée *(b)*.

Il y a deux modes de transposition : (1) la **transposition directe** dite **simple**, où le transposon, comme son nom l'indique, se déplace physiquement d'un site de l'ADN vers un autre ; et (2) la **transposition réplicative**, où le transposon reste à son site d'origine et où une copie de celui-ci s'insère au site cible. Nous allons voir que ces deux modes ont des caractéristiques identiques du point de vue des mécanismes et de fait, certains transposons utilisent les deux modes de déplacement.

b. La transposition directe de Tn5 utilise un mécanisme de type copier-coller

Tn5 est un transposon composite de 5,8 kb renfermant le gène qui code la **transposase Tn5** de 476 résidus et trois gènes de résistance à des antibiotiques. Il est bordé par des modules de séquences inversées de type IS se terminant par des séquences de 19 pb appelées séquences externes (OE, pour outside end sequences). Tn5 effectue la transposition directe par un mécanisme de type copier-coller élucidé en grande partie par William Reznikoff (Fig. 30-84) :

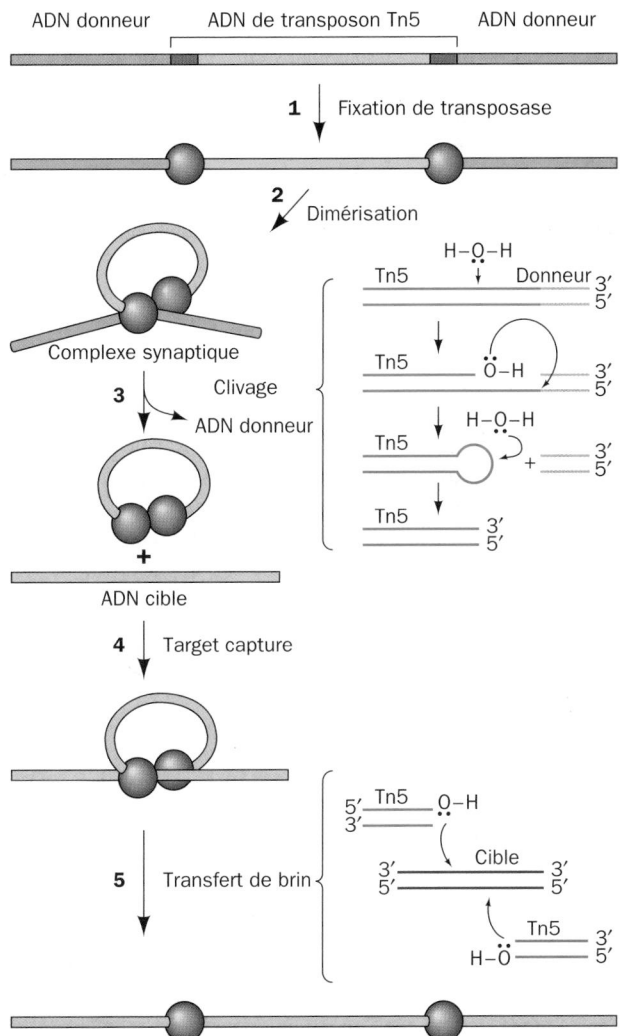

FIGURE 30-84 Le mécanisme de transposition de type copier-coller catalysé par la transposase Tn5. Les réactions correspondant aux étapes 3 et 5 sont indiquées en face des parenthèses à droite. [D'après Davies, D.R., Goryshin, I.Y., Reznikoff, W.S., and Rayment, I., *Science* **289**, 77 (2000).]

1. Un monomère de transposase Tn5 se lie à chacune des séquences externes de l'ADN donneur.

2. La transposase se dimérise et forme un **complexe synaptique** catalytique dans lequel le transposon est maintenu entre les deux sous-unités de transposase.

3. Chacune des sous-unités de transposase active une molécule d'eau qui fait une attaque nucléophile sur le nucléotide à l'extrémité de la séquence OE à laquelle elle est liée, avec production d'un groupement 3'-OH libre. Ce groupement 3'-OH est ensuite activé pour attaquer le brin opposé de l'ADN et former une structure en épingle à cheveux, ce qui excise le transposon de l'ADN. La structure en épingle à cheveux est alors hydrolysée pour donner un ADN double brin avec des extrémités franches aux deux bouts du transposon. Ainsi s'achève l'étape de coupure du mécanisme de transposition.

4. Le complexe synaptique se colle à sa cible sur l'ADN.

5. Les groupements 3'-OH du transposon font des attaques nucléophiles sur les deux brins de l'ADN cible mais décalées de 9 pb, cela permet de faire entrer le transposon au niveau du site cible. Il est remarquable que cette réaction et les trois réactions lytiques qui la précèdent sont toutes effectuées par le même site catalytique. La réparation des brèches simple brin de part et d'autre (Fig. 30-81) achève l'étape de collage du mécanisme copier-coller.

Bien que ne faisant pas partie, au sens strict, du processus de transposition, la cassure double brin dans l'ADN donneur, laissée par l'excision du transposon, doit être réparée si cet ADN doit être transmis à la descendance (dans les bactéries, l'ADN donneur est souvent un plasmide de sorte que sa perte a peu de conséquence pour la cellule car les plasmides sont souvent présents en plusieurs copies).

La structure par rayons X du complexe synaptique Tn5 (Fig. 30-85) a été déterminée par Reznikoff et Ivan Rayment. Elle fournit un modèle du complexe durant l'étape qui fait suite à l'excision de l'ADN donneur (le produit de l'étape 3 de la Fig. 30-84). Ce complexe a une symétrie d'ordre 2 et comporte un dimère de deux sous-unités de transposase Tn5 liées à deux fragments d'ADN de 20 pb qui renferment la séquence OE de 19 pb du transposon Tn5, l'extrémité de chaque séquence externe étant attachée à la protéine (*in vivo* les autres extrémités seraient reliées entre elles par la boucle que forme le transposon ; Fig. 30-84). Les deux sous-unités de transposase font de nombreuses liaisons avec chaque fragment d'ADN, cela explique pourquoi elles ne peuvent pas couper le fragment d'ADN auquel elles sont liées avant d'avoir formé le complexe synaptique. La protéine maintient l'ADN dans une conformation B déformée où les deux dernières paires de nucléotides à chaque extrémité sont désappariées. En effet, l'avant dernière base du brin non transféré est extirpée de la double hélice et se fixe dans une poche hydrophobe. Le groupement 3'-OH libre du brin transféré, qui occupe le site actif, est lié à proximité d'un groupe de trois résidus acides essentiels pour l'activité catalytique, appelé **motif DDE** et que l'on retrouve dans d'autres transposases. Dans la structure par rayons X, le motif DDE fixe un ion Mg^{2+}, mais il est probable que dans les conditions physiologiques il fixe 2 ions Mg^{2+}. Cela suggère que la transposase utilise un mécanisme catalytique activé par un ion métallique similaire à celui des ADN polymérases (Section 30-2A). La surface de la protéine que l'on

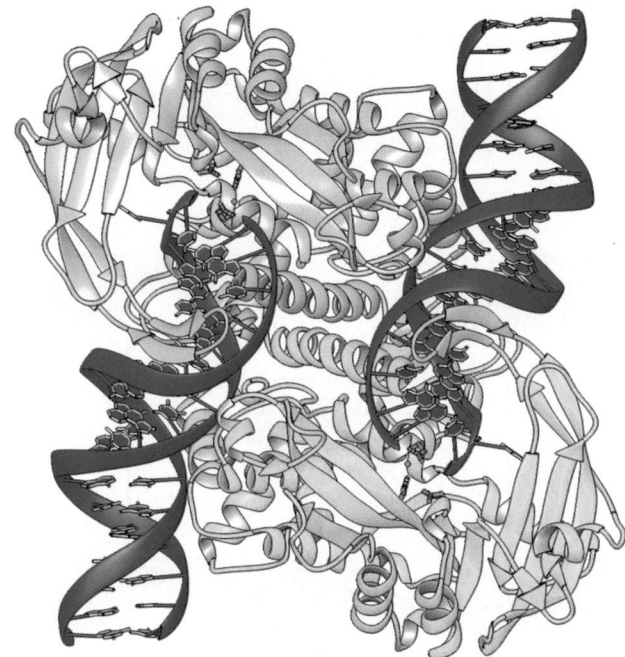

FIGURE 30-85   Structure par rayons X de la transposase Tn5 complexée avec un ADN de 20 pb contenant une séquence OE. Ce complexe, correspondant au produit de l'étape 3 de la Fig. 30-84, est vu selon son axe de symétrie d'ordre 2 avec ses deux sous-unités identiques en bleu clair et en jaune. Les trois résidus acides de chaque motif DDE sont représentés en modèle éclaté (en vert) et les ions Mn^{2+} qui y sont fixés sont représentés par des boules vertes. Le squelette sucre-phosphate de l'ADN est représenté par des rubans violets et les bases en modèle en bâtonnets gris. Les groupements 3'-OH réactifs de l'ADN se situent aux extrémités du brin interne au point de contact avec les motifs DDE. [Communiqué aimablement par Ivan Rayment, Université du Wisconsin. PDBid 1F31.]

voit dans la Fig. 30-85 a une charge positive et possède un sillon en relief, allant de sa partie supérieure gauche vers sa partie inférieure droite, qui constitue le site apparent de liaison de l'ADN cible.

La transposase Tn5 de type sauvage a une activité catalytique tellement faible qu'elle est indétectable *in vitro*. Cependant, celle de la structure par rayons X est une forme mutante hyperactive comportant les mutations E54K et L372P (il s'agit d'une situation inhabituelle puisqu'en général, on mute les enzymes pour les inhiber lors d'études de cristallographie, afin de les piéger à une étape particulière de la réaction). Le résidu Lys54 fait une liaison hydrogène avec le O4 d'une thymine sur le brin transféré. Dans la transposase sauvage, le résidu Glu54 présenterait probablement un phénomène défavorable de répulsion de charges avec un groupement phosphate voisin et cela explique l'activité accrue du mutant E54K. La mutation L372P introduit un désordre dans le segment peptidique entre les résidus 373 et 391 (ce fragment est bien ordonné dans la structure par rayons X de la transposase Tn5 de type sauvage à laquelle on a ôté les 55 résidus N-terminaux), cela suggère que cette mutation facilite un changement de conformation nécessaire à la liaison du substrat.

c. La transposition réplicative

Si un plasmide contenant un transposon ressemblant à Tn3 est introduit dans une cellule bactérienne porteuse d'un autre plasmide

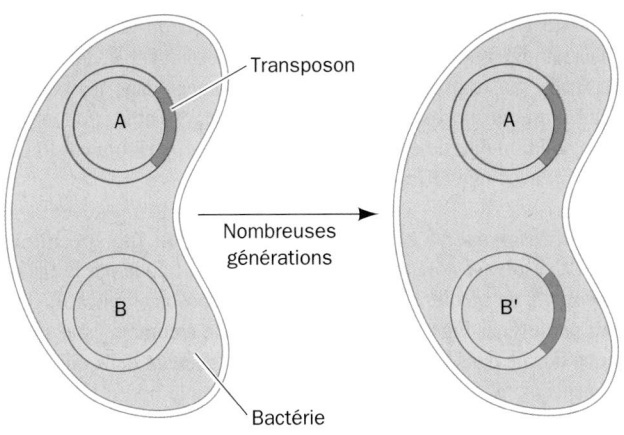

FIGURE 30-86 La transposition réplicative. Ce type de transposition entraîne l'insertion d'une copie du transposon au site cible alors qu'une autre copie persiste au site donneur.

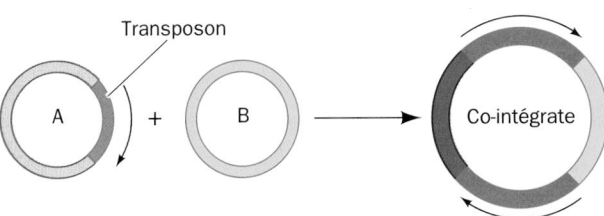

FIGURE 30-87 Un co-intégrat. Cette structure se forme par fusion entre deux plasmides, dont l'un est porteur d'un transposon, de telle façon que les jonctions entre les deux plasmides initiaux soient séparées par deux transposons ayant la même orientation *(flèches)*.

n'ayant pas ce transposon, on trouvera dans certaines cellules de sa descendance les deux types de plasmides contenant tous deux le transposon (Fig. 30-86). Il est clair, dans ce cas, que *la transposition implique un transfert réplicatif dans le plasmide receveur, c'est à dire sans perte du transposon par le donneur, plutôt qu'un simple transfert de donneur à receveur.*

Deux plasmides, dont l'un contient un transposon réplicatif, fusionnent parfois pour former un **co-intégrat** possédant deux copies du transposon orientées dans le même sens, aux deux points de recombinaison entre les deux plasmides (Fig. 30-87). Cependant, certaines cellules filles de la cellule contenant un co-intégrat, ne le possèdent plus et contiennent par contre les deux plasmides initiaux, ayant chacun une copie du transposon (Fig. 30-86). Il est donc clair que le co-intégrat est une structure intermédiaire au cours de la transposition.

Le mécanisme de la transposition n'est pas complètement élucidé. Cependant, un des modèles plausibles tenant compte des observations précédentes pourrait comporter les étapes suivantes (Fig. 30-88) :

1. Deux coupures simple brin, une sur chaque brin, éloignées de quelques bases (Fig. 30-81), sont pratiquées par la transposase codée par le transposon, sur la séquence cible du plasmide receveur de façon à créer des extrémités 3'-OH libres. Les mêmes coupures simple brin sont pratiquées sur les brins du plasmide donneur, de chaque côté du transposon. On notera que ces réactions ressemblent à celles catalysées par la transposase Tn5 (Fig. 30-84).

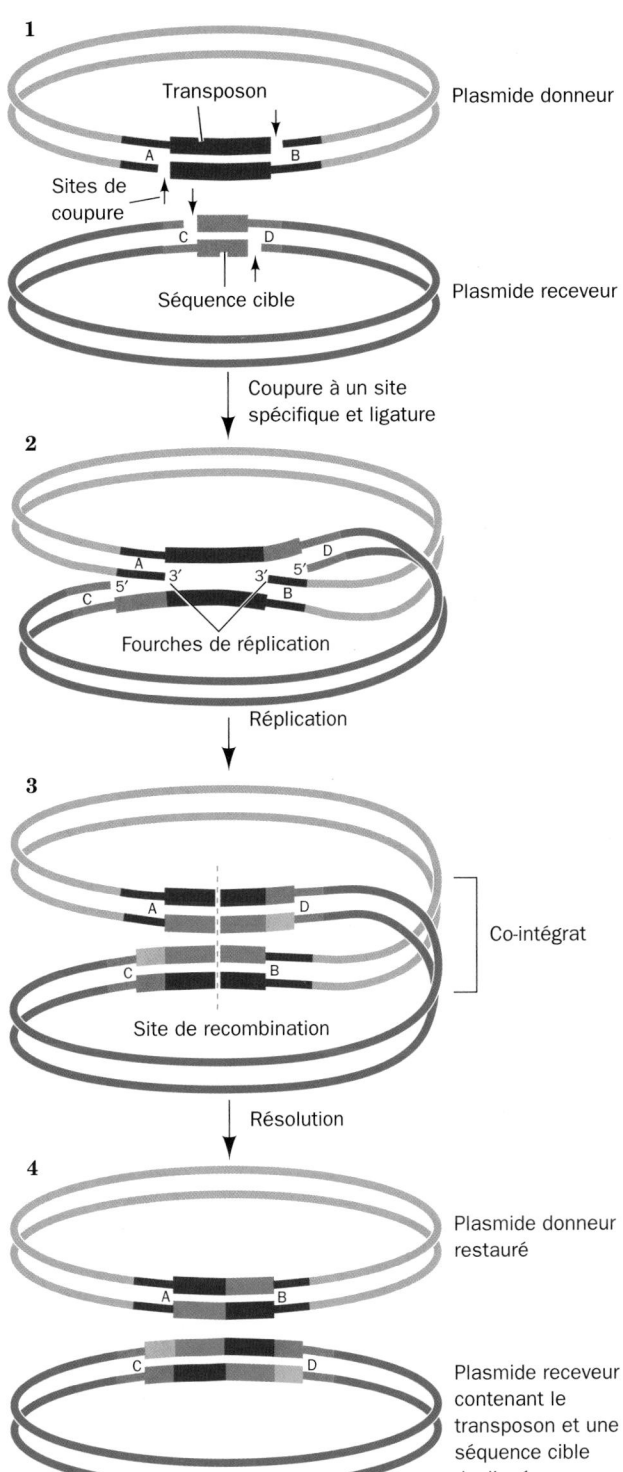

FIGURE 30-88 Modèle de transposition impliquant la formation d'un co-intégrat comme intermédiaire. Dans ce schéma, les ADN néosynthétisés au cours de la transposition sont représentés par des boîtes de couleurs plus vives. Dans ce schéma, les traits plus épais représentent de l'ADN néosynthétisé. [D'après Shapiro, J.A., *Proc. Natl. Acad. Sci.* **76**, 1934 (1979).]

2. Chaque extrémité libre du transposon est ligaturée avec la partie simple brin qui dépasse au site d'insertion. Il y a alors formation d'une fourche de réplication à chaque extrémité du transposon.

3. Le transposon est répliqué, ce qui provoque la formation du co-intégrat.

4. Grâce à une recombinaison site spécifique au site interne de résolution des deux transposons, le co-intégrat est réduit en ses deux plasmides initiaux, contenant maintenant un transposon cha-

cun. Ce type de recombinaison est catalysé non pas par RecA, mais par une **résolvase,** codée par le transposon (TnpR, dans le cas de Tn3). La transposition a lieu normalement dans les cellules *recA⁻*; un transposon contenant un gène mutant TnpR et/ou un site de résolution interne altéré, pourra cependant être résolu par RecA, bien qu'avec une efficacité très réduite.

d. La résolvase γδ catalyse la recombinaison site spécifique

La **résolvase** γδ est un homologue de TnpR codé par le **transposon** γδ, un membre de la famille de transposons réplicatifs dont fait partie Tn3, Fig. 30-82. Elle catalyse une recombinaison spécifique de site dans laquelle un co-intégrat contenant deux copies du transposon γδ est réduit via une coupure double brin de l'ADN, un échange de brin et une religature (la dernière étape de la Fig. 30-88), on obtient deux ADN double brin circulaires enchaînés, contenant chacun une copie du transposon γδ (la transposase est également son propre répresseur transcriptionnel comme dans le cas de TnpR). Le transposon γδ renferme un site *res* de 114 pb qui contient trois sites de liaison pour des dimères de résolvase γδ, chacun d'eux contient une répétition inversée de la séquence de reconnaissnce de 12 pb pour la résolvase γδ. La résolution du co-intégrat nécessite la fixation d'un homodimère de résolvase γδ à chacun des six sites de fixation dans le co-intégrat, trois pour chacun de ses deux transposons), comme on le voit dans la Fig. 30-89. La réaction se fait via la formation d'une liaison transitoire phosphoSer entre le résidu Ser 10 et le phosphate en 5' de chaque site de clivage.

La structure par rayons X de l'homodimère de résolvase γδ complexé avec un fragment d'ADN palindromique de 34 pb qui contient une répétition inversée de la séquence de reconnaissance de 12 pb séparée par 8 pb (Fig. 30-90) a été déterminée par Steitz. Chaque monomère de résolvase (183 résidus) comporte un domaine catalytique (résidus 1 à 120) dont la structure ressemble beaucoup à celle observée en l'absence d'ADN, un domaine C-terminal de liaison à l'ADN (résidus 148 à 183), et une partie droite (résidus 121 à 147) qui relie les domaines N- et C-terminal.

Les domaines N-terminaux dimérisés occupent une position centrale et viennent au contact de l'ADN du coté du petit sillon le long de l'axe de symétrie d'ordre 2 de la structure. Les domaines

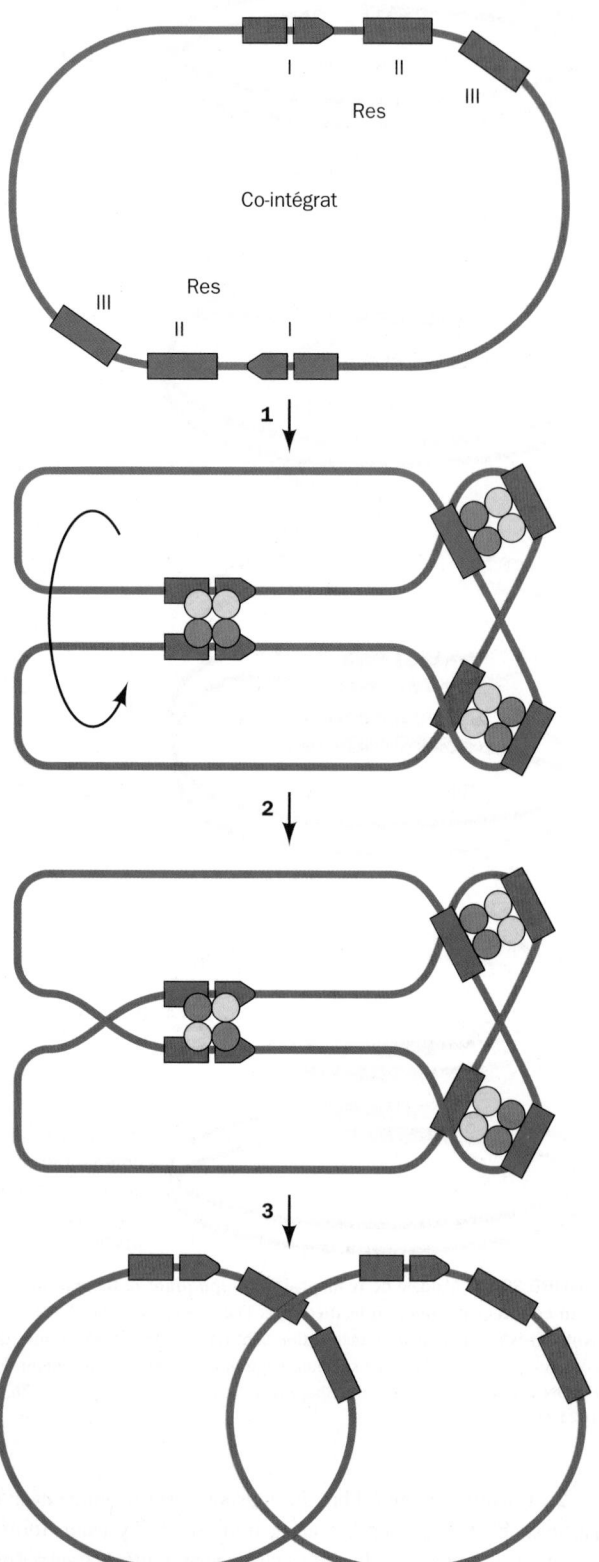

FIGURE 30-89 Un modèle de réduction d'un co-intégrat contenant deux transposons γδ avec formation de deux cerccles d'ADNdb enchaînés l'un à l'autre. (1) Six homodimères de la résolvase γδ se fixent à leur sites de liaisons, I, II et III présents dans chacun des deux sites *res* du co-intégrat (les cercles jaunes et verts représentent les monomères de résolvase γδ qui étaient liés au départ respectivement aux sites *res* rouges et bleus). Bien que ce ne soit pas directement montré, la paire de dimères fixée aux sites I s'associe aux paires de dimères fixés aux sites II et III pour former, comme on le voit au microscope électronique, une structure globulaire compacte appelée **synaptosome. (2)** Aux sites I, l'ADNdb subit à la fois une coupure décalée (de 2 pb) sur les deux brins via la formation transitoire de liaisons phosphoSer entre les résidus Ser 10 et les groupements 5'-phosphate aux sites de clivage. Les brins coupés changent alors de position (crossing-over) selon un processus qui nécessite apparemment la rotation de l'une des paires de dimères de résolvase par rapport à l'autre, il y a finalement ligature. **(3)** La dissociation du synaptosome produit des cercles d'ADNdb enchaînés l'un à l'autre. [Communiqué aimablement par Gregory Mullen, Centre Sanitaire de l'Université du Connecticut.]

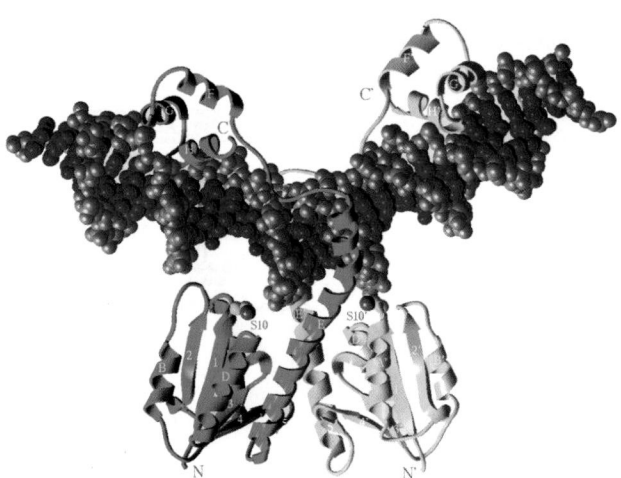

FIGURE 30-90 Structure par rayons X de l'homodimère de résolvase γδ complexé avec un ADN palindromique de 34 pb qui contient son site de fixation. L'ADN est représenté en modèle compact avec son squelette en violet et ses bases en bleu. Les groupements phosphates où se font les coupures sont colorés en rose vif. Les sous-unités protéiques sont en vert et en doré, les résidus Ser 10 sont représentés en modèle compact avec les atomes C en vert et les atomes O en rouge. Le complexe est vu avec son axe de symétrie d'ordre 2 quasiment vertical.

C-terminaux se lient chacun dans le grand sillon au niveau de leur séquence cible de l'autre coté de l'ADN par rapport au dimère des domaines N-terminaux, de sorte que les deux domaines C-terminaux sont à une distance de deux tours d'hélice l'un de l'autre. Le domaine droit qui relie les deux domaines parcourt plus ou moins le petit sillon de l'ADN. L'ADN, qui a par ailleurs la conformation B, fait un coude central d'environ 60° de façon à le plier en

direction de son grand sillon dans la direction opposée à celle du dimère des domaines N-terminaux. L'hélice située du coté C-terminal du domaine N-terminal (hélice E) se lie au dessus du petit sillon de l'ADN, de sorte que les deux hélices E du dimère saisissent l'ADN comme une paire de baguettes (le segment de l'hélice E qui est au contact de l'ADN n'est pas ordonné en l'absence d'ADN). L'hélice C-terminale (hélice H) se lie dans le grand sillon et forme, avec l'hélice qui la précède (hélice G), un motif **hélice-coude-hélice. HTH** est un motif courant reconnaissant une séquence spécifique d'ADN et que l'on trouve surtout dans les répresseurs et activateurs transcriptionnels procaryotiques (Section 31-3D). La structure est assymétrique, et le résidu Ser 10 du site actif de son monomère représenté en jaune dans la Fig. 30-90, est bien plus proche de l'ADN, que celui de son monomère représenté en vert, bien que tous deux soient à une bonne distance des liaisons de l'ADN à couper. Cela suggère que les deux réactions de coupure simple brin catalysées par le dimère pourraient se faire de façon séquentielle et nécessiteraient de toute façon d'importants changements de conformation. Bien sûr, une compréhension détaillée du mécanisme de la réaction catalysée par la résolvase γδ nécessitera de savoir quelle est la participation à la réaction, des six dimères de résolvase γδ qui forment le synaptosome (Fig. 30-89).

e. Les transposons réplicatifs entraînent de nombreux remaniements génétiques chez les procaryotes

En plus de leur faculté d'insertion dans l'ADN, *les transposons augmentent les fréquences d'inversions, de délétions et de réarrangement divers dans l'ADN de leur hôte*. Des inversions peuvent être produites lorsque l'ADN receveur contient deux copies d'un transposon dans une orientation inversée. En effet, la recombinaison entre ces deux transposons inversera la région qui les sépare (Fig. 30-91a). Par contre, si les deux transposons sont dans la

(a)

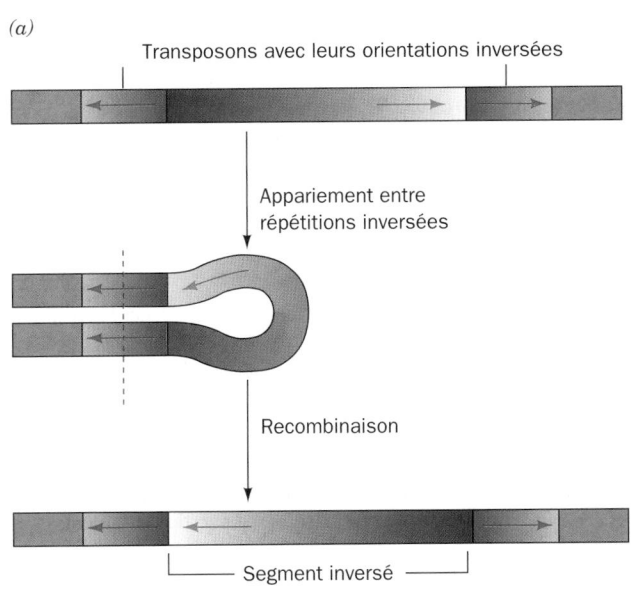

(b)

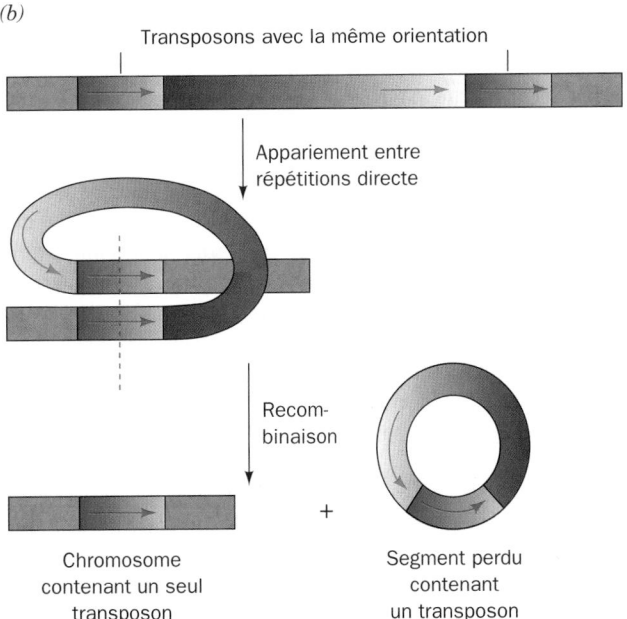

FIGURE 30-91 Réarrangement chromosomique par recombinaison.
(*a*) Inversion d'un segment d'ADN entre deux transposons identiques ayant une orientation inversée, (*b*) Délétion d'un segment d'ADN entre

deux transposons identiques à orientation semblable. Ce processus réparti les deux transposons entre chacun des deux segments d'ADN formés.

même orientation, la résolution de la structure de co-intégration provoque la délétion du segment qui était entre les deux transposons (Fig. 30-91*b*; de plus, si le segment libéré n'a pas d'origine de réplication, il ne sera pas maintenu). Si un segment de chromosome est délété de cette façon, puis intégré à un site différent, à la suite d'un nouvel événement de recombinaison, cela entraîne un réarrangement chromosomique.

La transposition est donc un mécanisme important pour l'évolution à l'échelle du chromosome ou du plasmide. Il a d'ailleurs été avancé que les transposons seraient les outils du génie génétique dans la nature. Par exemple, l'évolution rapide des plasmides conférant la résistance à plusieurs antibiotiques (Section 5-5B), depuis que ceux-ci sont utilisés couramment, est due à l'accumulation sur des plasmides, de transposons correspondant à telle ou telle résistance à un antibiotique. Les réarrangements produits par des transposons pourraient aussi avoir été responsables de la réorganisation des gènes initialement éloignés, pour former des opérons à régulation coordonnée. De même, on pourrait leur imputer la formation de protéines nouvelles résultant de la ligature de segments de gènes qui étaient indépendants. De plus, *la présence de transposons identiques dans des bactéries taxonomiquement éloignées, montre que le transfert d'information génétique entre organismes via les transposons, n'est pas limité à des espèces proches, au contraire des transferts génétiques réalisés grâce à la recombinaison homologue.*

f. La variation de phase est provoquée par une transposition

Il arrive que chez les bactéries, l'expression d'un caractère soit régulée par un mécanisme de transposition site spécifique. Par exemple, certaines souches de *Salmonella typhimurium* peuvent produire de manière exclusive, deux formes antigéniques de la **flagelline** (protéine majeure composant le flagelle en forme de fouet, permettant la mobilité des bactéries; Section 35-3G), appelées **Hl** et **H2**. Il n'y a expression que d'une des deux formes à la fois, mais, environ une division cellulaire sur 1000 voit une **variation de phase.** Une cellule peut donc modifier de manière stable le type de flagelline qu'elle-même et ses descendantes vont synthétiser. Il est admis que cette variation permet aux salmoneiles d'échapper aux défenses immunitaires de l'hôte.

Comment se fait ce changement de phase? Les deux gènes de flagelline sont localisés dans différentes régions du chromosome bactérien. *H2* est liée au gène *rh1,* qui code un répresseur de l'expression de *H1* (Fig. 30-92; *rh1, H2* et *H1* sont aussi nommés *fljA, fljB* et *fljC* respectivement). Il s'ensuit que si *H2-rh1,* formant une seule unité de transcription, est exprimé, la synthèse de H1 est réprimée; sinon, c'est H1 qui est exprimée. Melvin Simon a montré que l'expression de l'unité *H2-rh1* est fonction de l'orientation d'un segment de 995 pb situé en amont de *H2* (Fig. 30-92) et contenant les éléments suivants:

1. Un promoteur de l'expression de *H2-rh1.*

2. Le gène *hin,* codant une **Hin ADN invertase** de 190 résidus. Hin entraîne l'inversion du segment d'ADN comme dans la Fig. 30-91*a*. Hin a près de 40 % d'identité de séquence avec la résolvase γδ, ce qui suggère fortement que ces protéines ont des structures similaires.

3. Deux sites très semblables de 26 pb, appelés *hixL* et *hixR,* formant les bornes du segment et contenant les sites de coupure.

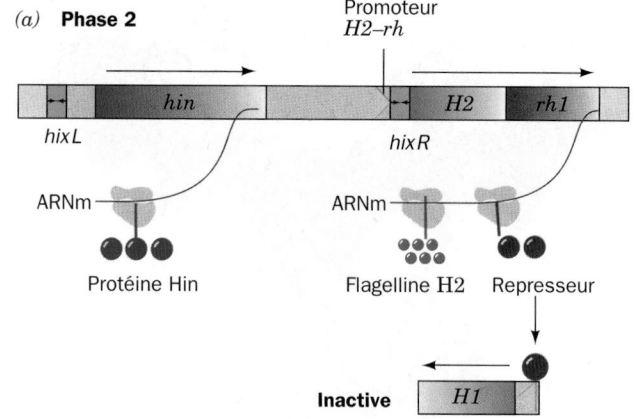

(a) **Phase 2**

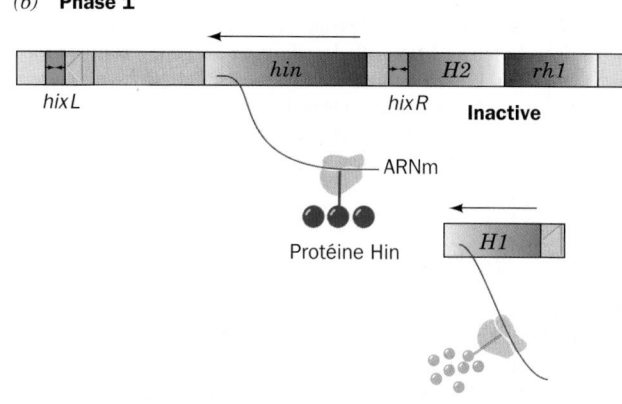

(b) **Phase 1**

FIGURE 30-92 Le mécanisme de variation de phase chez *Salmonella*. *(a)* Dans les bactéries en phase 2, le promoteur *H2-rh1* est orienté de telle façon que la flagelline H2 et un répresseur sont synthétisés. Ce répresseur se lie au gène *H1*, empêchant donc son expression, *(b)* Dans les bactéries en phase 1, le segment qui précède l'unité de transcription *H2-rh1* a été inversé par rapport à l'orientation qu'il a en phase 2. Il en résulte que l'unité de transcription ne peut pas être exprimée parce qu'il n'y a pas de promoteur. Ceci lève la répression sur *H1* et entraîne la synthèse de la flagelline Hl. L'inversion du segment en amont de l'unité de transcription *H2~rh1* est contrôlée par la protéine Hin, résultant de l'expression du gène *hin,* qui peut se faire dans les deux orientations.

Ces deux sites sont chacun constitués par deux répétitions imparfaites inversées de 12 pb, séparées par 2 pb.

Dans l'orientation coïncidant avec la phase 2 (Fig. 30-92*a*), le promoteur est correctement orienté en amont de *H2*; il permet l'expression de *H2* et de *rhl*, et la répression de *Hl*. Dans les bactéries en phase 1 (Fig. 30-92*b*), ce segment est inversé. Il en résulte que *H2* et *rhl* ne peuvent pas être exprimés faute de promoteur, et Hl peut être synthétisé.

g. la recombinaison site spécifique commandée par la protéine Cre, utilise un intermédiaire 3'-phosphotyr

Les bactériophages, comme nous l'avons vu (Fig. 1-31), se répliquent dans la cellule de leur hôte bactérien et dans la plupart des cas finissent par la lyser pour libérer leur descendance.

Ce type de cycle vital est de ce fait dit **lytique**. Cependant, certains bactériophages peuvent adopter un autre type de cycle non destructeur, le mode **lysogénique**, dans lequel ils installent leur ADN en général dans le chromosome de l'hôte via une recombinaison site spécifique, de sorte que l'ADN du phage est répliqué de façon passive en même temps que l'ADN de l'hôte. Cependant, si l'hôte bactérien est soumis à des conditions qui rendent sa survie improbable, l'ADN du phage est excisé du chromosome bactérien par une réaction inverse de celle de la recombinaison site spécifique et il entre en mode lytique pour échapper à son hôte condamné. Les facteurs génétiques qui maintiennent l'équilibre entre les modes lytique et lysogénique du bactériophage λ sont présentés dans la Section 33-3.

Les enzymes responsables des réactions de recombinaison site spécifique appartiennent à la famille des intégrases λ (λ **Int** ou encore **tyrosine recombinase**), comportant plus de 100 membres connus, tant chez les procaryotes que chez les eucaryotes. Cela comprend les protéines **XerC** et **XerD** de *E. coli* qui œuvrent ensemble pour désenchaîner les deux produits d'ADN circulaire double brin issus de la recombinaison homologue (Fig. 30-66*g*, à gauche), ainsi que les topoisomérases de type 1B (Section 29-3C).

Le membre de la famille des intégrases λ dont la structure est la mieux caractérisée est la **recombinase Cre** du **bactériophage P1** de *E. coli*. En phase lysogénique, le bactériophage P1 est un plasmide circulaire simple copie (plutôt qu'un prophage inséré dans le chromosome de l'hôte comme dans le cas du phage λ). Par contre dans la tête du phage (en phase lytique), l'ADN de P1 est un ADN double brin linéaire avec un site *loxP* de 34 pb à chaque extrémité. La fonction principale de Cre, qui est codée par le phage P1, est de permettre la recombinaison site spécifique entre ces sites *loxP* de façon à circulariser l'ADN linéaire (Fig. 30-93).

Le site *loxP* est un palindrome à l'exception de sa région de recombinaison centrale de 8 pb, qui donne son orientation au site. Lorsqu'elles effectuent la réaction de recombinaison, les sous-unités de Cre (343 résidus) forment un tétramère qui s'attachent à deux sites *loxP* en orientation antiparallèle, chaque sous-unité de Cre se fixant sur une moitié de site *loxP*. Puis, comme le montre la Fig. 30-94, les sous-unités de Cre diamétralement opposées catalysent les coupures simple brin sur un des brins de chacun des ADN double brins, du coté 5' de la région d'échange. Cela résulte d'une attaque nucléophile par le résidu Tyr 324, conservé au cours de l'évolution, des sous-unités actives de Cre sur la liaison phosphodiester de l'ADN à couper. Il y a production d'un intermédiaire 3'-phosphoTyr d'un coté de la coupure et d'un groupement 5'-OH de l'autre coté (comme cela se passe dans les réactions catalysées par les topoisomérases de type 1B ; Section 29-3C). Chacun des groupements 5'-OH libérés fait alors une attaque nucléophile sur le groupement 3'-phosphotyr de l'autre duplex situé à l'opposé pour former une structure de Holliday, ce qui libère les résidus Tyr. La structure de Holliday est résolue pour donner deux ADN double brin recombinants lorsque les deux sous unités de Cre qui n'ont pas encore participé à la réaction opèrent le même type de clivage et de réaction d'échange de brins sur les deux simple brin qui n'ont pas encore participé à la réaction. Cette dernière étape ne se fait qu'après un réarrangement de la structure (isomérisation) du tétramère de Cre qui positionne les résidus Tyr catalytiques

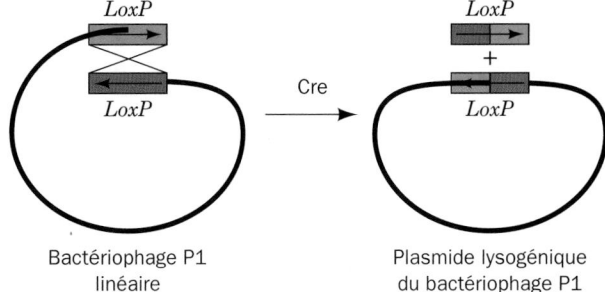

FIGURE 30-93 Circularisation de l'ADN linéaire du bactériophage P1. Elle fait appel à une recombinaison à spécificité de site, sous le contrôle de Cre, entre deux sites *loxP* (en rouge et en vert), et produit le plasmide lysogénique.

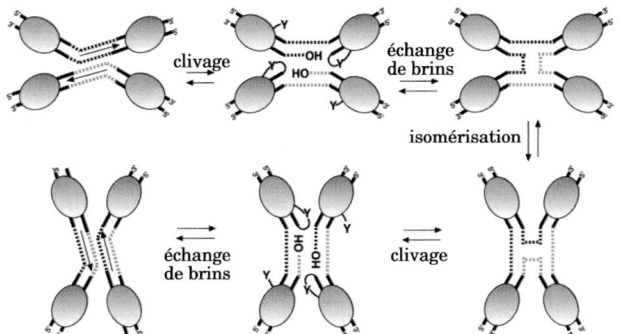

FIGURE 30-94 Mécanisme de la recombinaison à spécificité de site Cre-*loxP*. Les lignes en pointillés représentent les régions non palindromiques, de crossing-over des sites LoxP. Les sous-unités de Cre en vert et en rose ont une activité de clivage respectivement dans les parties supérieure et inférieure du schéma. L'échange des rôles se fait lors de l'étape d'isomérisation. Noter que ce mécanisme ne nécessite pas de migration du nœud de la structure de Holliday intermédiaire.

de la deuxième paire de sous-unités pour qu'ils participent à la réaction, tandis que ceux de la première paire de sous-unités sont retirés du théâtre des opérations.

La structure par rayons X de tétramère de Cre complexé avec plusieurs ADN modèles correspondant à *loxP* a été déterminée par Gregory Van Duyne et a aidé à élucider le mécanisme de la réaction. Lorsque l'ADN présente une coupure simple brin après le second nucléotide à partir de l'extrémité 5' de la région d'échange, la coupure catalysée par Cre produit un nucléotide libre (un CMP) qui est perdu par diffusion dans le milieu. Du fait que ce nucléotide renferme le groupement 5'-OH réactif, l'intermédiaire 3'-phosphoTyr se trouve piégé de façon irréversible, Cre ne peut donc pas effectuer la réaction d'échange de brins de la Fig. 30-94 (cet ADN avec une brèche constitue un substrat suicide pour Cre ; Section 28-3B). La structure par rayons X de cet ADN ayant une brèche et complexé à Cre, a confirmé la présence de l'intermédiaire 3'-phosphoTyr et montré, par modélisation, que le groupement 5'-OH

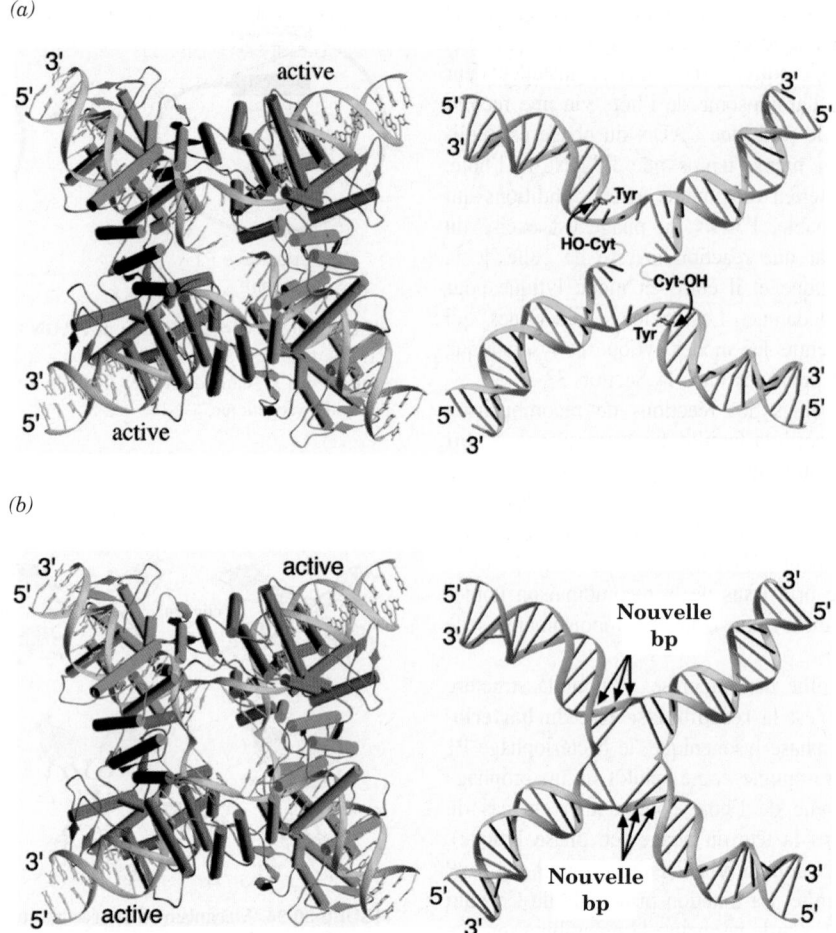

FIGURE 30-95 Structure par rayons X de l'homotétramère de Cre complexé avec des ADN modèles de *loxP*. (*a*) Deux ADNdb homologues présentant une coupure après le deuxième nucléotide à partir de l'extrémité 5' de la région de crossing-over. (*b*) Structure de Holliday immobilisée. Les dessins de gauche montrent les complexes ADN-Cre vus selon leurs axes de symétrie d'ordre 2 et de pseudo-symétrie d'ordre 4 ; la sous-unité active est verte, la sous-unité inactive est rose (comme dans la Fig. 30-94), l'ADN est en doré. Les dessins de droite ne montrent que l'ADN tel qu'il apparaît dans la structure par rayons X, mais vu par en dessous par rapport aux dessins de gauche. Dans le dessin de droite de la partie *a*, le résidu Tyr du site actif, qui est lié de façon covalente au groupement 3'-OH du brin d'ADN coupé, est montré sous forme de bâtonnets (en rouge). Ce modèle montre la position des groupements 5'-OH des CMP clivés, qui sont en position pour l'attaque nucléophile du groupement 3'-phosphoTyr sur l'ADNdb opposé (*flèches courbe*). Dans le dessin de droite de la partie *b*, les trois paires de bases qui se forment à la suite de l'échange de brins sont indiquées. Noter que les brins verticaux des crossing over, au contraire des brins horizontaux, sont franchement coudés en leur centre. [Communiqué aimablement par Gregory Van Duyne, École de Médecine de l'Université de Pennsylvanie. PDBid 2CRX, 3CRX, 4CRX et 5CRX.]

qui devrait se trouver sur le résidu CMP perdu se trouverait dans une position idéale pour effectuer une attaque nucléophile de la liaison 3'-phosphoTyr sur le brin opposé (Fig. 30-95*a*). Il faut noter que ce complexe a une symétrie d'ordre 2 alors que les quatre sous-unités de Cre et l'ADN présentent pour l'essentiel une pseudosymétrie d'ordre 4 dans laquelle les simples brins qui ont effectué un transfert sont fortement coudés en leur centre. Ces structures montrent que les changements de conformation nécessaires pour effectuer les réactions d'échange de brins et d'isomérisation (Fig. 30-94) nécessitent des mouvements remarquablement faibles de la part des sous-unités de Cre et que seules les chaînes sucre-phosphate des nucléotides des brins échangés ont besoin de se déplacer pour former la structure de Holliday.

h. Chez les eucaryotes, la plupart des transpositions se font *via* un intermédiaire ARN

Des transposons analogues à ceux des procaryotes existent chez des eucaryotes aussi distants l'un de l'autre que la levure, le maïs, la drosophile et l'homme. Ainsi, environ 3 % du génome humain est constitué par des ADN de type transposon, bien que dans la plupart des cas, des mutations de leur séquence les aient rendus inactifs ; il s'agit donc de fossiles de l'évolution. Cependant, beaucoup de transposons eucaryotiques n'ont que peu de similitudes avec ceux des procaryotes. La similarité entre les séquences de bases de beaucoup de transposons encaryotiques et celles de génomes de rétrovirus, toutes deux divergentes des transposons bactériens, suggère que ces transposons sont des rétrovirus dégénérés. Ils sont, pour cette raison, appelés **rétrotransposons** ou simplement **rétroposons.** Les retroposons sont transposés suivant un mécanisme en trois étapes :(1) leur transcription en ARN, (2) la copie de cet ARN en ADNc grâce à la transcriptase réverse (Section 30-4C), et (3) l'insertion aléatoire de cet ADN dans le génome de l'organisme hôte grâce à des enzymes de type **intégrases** (catalysant des réactions similaires à la réaction copier-coller des ADN transposases et qui leur ressemblent de point de vue de leur structure).

La présence d'un ARN dans la transposition d'un rétroposon a été montrée de façon astucieuse par Gerald Fink. Il a recomposé l'élément mobile le plus fréquent chez la levure, **Ty1** *(« Transposon Yeast » ;* il y a environ 35 copies de cet élément de 6.3 kb qui représentnte à peu près 13 % de ce génome de 1700 kb). Il y a incorporé un intron de levure (une séquence qui est excisée du transcrit ARN primaire et n'est donc plus présente dans l'ARN mature ; Section 5-4A) précédé d'un promoteur de levure sensible au galactose. Lorsqu'il est inséré dans un génome de levure, le taux de transposition de cet élément Ty remodelé change en fonction de la concentration du milieu en galactose, et les éléments transposés ne possèdent plus l'intron, montrant que la transposition se fait via un ARN.

Les génomes rétroviraux (Fig. 30-96a) possèdent à leurs extrémités de longues répétitions terminales (LTR) de 250 à 600 pb, et contiennent les gènes codants pour trois polyprotéines : **gag**, qui par clivage donne les protéines du noyau viral (Fig. 15-34), **pol**, dont le clivage produit la transcriptase réverse mentionnée plus haut et l'intégrase, ainsi que la protéase responsable de ces clivages, et finalement **env**, dont le clivage produit les protéines de l'enveloppe virale externe. Ty1 (Fig. 30-96b) possède aussi des LTR (de 330 pb) mais il n'exprime que deux polyprotéines : **TYA** et **TYB**, les équivalents de gag et pol. De plus, TYA et TYB forment avec l'ARN Ty1 des particules ressemblant à des virus dans le cytoplasme de la levure. Pourtant, Ty1 n'a pas d'équivalent du gène *env*. Ty1 est donc un virus endogène qui ne peut que se répliquer à l'intérieur d'un génome à un taux extrêmement faible si on le compare à celui d'infections virales réelles. *Copia* (du latin abondance), est le rétroposon le plus abondant du génome de *Drosophila*, qui en contient 20 à 60 copies, et il ressemble à TY1.

Les LTR des rétrovirus et des rétroposons comme TY1 et *copia,* sont des éléments indispensables de la transcription et donc de la transposition. Il existe cependant dans le génome des vertébrés des rétroposons dépourvus de LTR et de ce fait incapables

d'être transcrits à la façon des rétrovirus. Les éléments **LINE** (**long interspersed nuclear elements**) de 1 à 7 kb de long constituent une famille répandue de ces **rétroposons non viraux.** Chaque élément contient deux cadres de lecture : *ORF1,* qui contient des séquences similaires à celle de *gag* et *ORF2* qui contient des séquences similaires à celle codant la transcriptase réverse. Un mécanisme putatif de la transposition des éléments LINE est illustré dans la Fig. 30-97.

Différents types de transposons prédominent selon les organismes, à savoir ceux de type ADN pur, de type rétroviral et de type

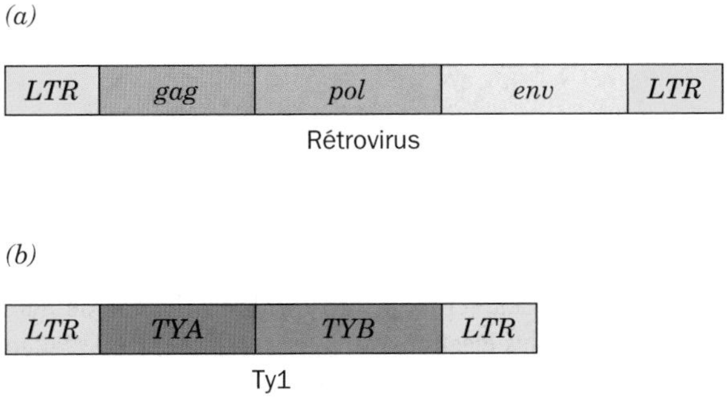

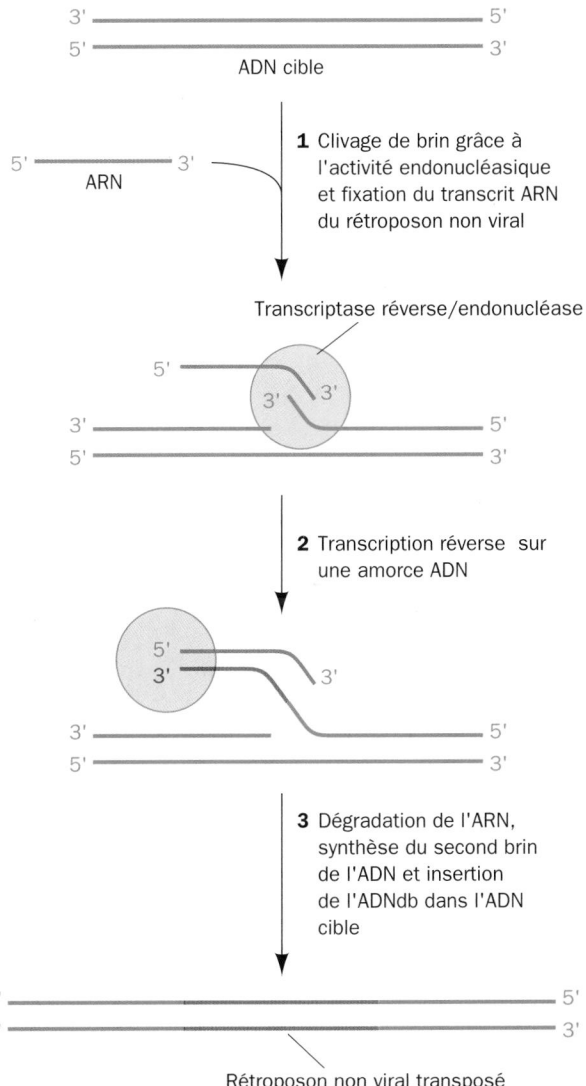

FIGURE 30-97 Proposition de mécanisme de la transposition des rétroposons non viraux. (1) La transcriptase réverse/ endonucléase codée par le rétroposon coupe un des brins de sa cible dans l'ADN puis amène le transcrit ARN du rétroposon à ce site. **(2)** Transcription réverse de l'ARN du rétroposon grâce à une amorce ADN. **(3)** L'ARN est dégradé et il y a synthèse du second brin d'ADN en utilisant le premier brin comme matrice (il s'agit d'une réaction de transcription réverse normale ; Section 30-4C). Le rétroposon non viral obtenu est finalement inséré dans l'ADN cible selon un processus encore mal compris.

(a)

LTR	gag	pol	env	LTR

Rétrovirus

(b)

LTR	TYA	TYB	LTR

Ty1

FIGURE 30-96 Succession des gènes dans : (*a*) les rétrovirus et (*b*) le rétroposon Ty1.

non viral. Ainsi, nous avons vu que les bactéries contiennent presque exclusivement des transposons de type ADN pur, les levures ont surtout des rétroposons viraux, la drosophile présente les trois types et chez l'homme les éléments LINE sont prédominants. En fait, on estime que le génome humain contient 1,4 millions de LINE ou de fragments de LINE qui constituent environ 20 % des 3,2 milliards de paires de bases du génome humain (l'organisation génomique est traitée dans la Section 34-2). La grande majorité de ces parasites moléculaires a subi tellement de mutations qu'ils sont inactifs mais certains semblent encore capables de transposition. Plusieurs maladies héréditaires sont effectivement causées par l'insertion d'1 élément LINE dans un gène. Plusieurs autres types de rétroposons constituent également une partie significative du génome humain comme nous le verrons dans la section 34-2.

7 ■ LA METHYLATION DE L'ADN ET L'EXPANSION DES RÉPÉTITIONS DE MOTIFS DE TROIS NUCLÉOTIDES

Les résidus A et C de l'ADN peuvent être méthylés selon un mode spécifique de chaque espèce, pour former les résidus N^6-**méthyladénine** (**m⁶A**), N^4-**méthylcytosine** (**m⁴C**) et **5-méthyl-cytosine** (**m⁵C**).

Résidu
N^6-**méthyladénine (m⁶A)**

Résidu
N^4-**méthylcytosine (m⁴C)**

Résidu
5-méthylcytosine (m⁵C)

Ce sont les seules modifications auxquelles l'ADN est soumis chez les organismes unicellulaires. Les résidus C de l'ADN des phages T à indice pair sont tous convertis en résidus **5-hydroxy-méthyl-cytosine,**

Résidu

qui peuvent ensuite être glycosylés. Ces groupements méthyles sont accessibles par le grand sillon de l'ADN-B, où ils peuvent interagir avec les protéines affines de l'ADN. Dans la plupart des cellules, seul un faible pourcentage des bases méthylables est méthylé ; par contre, chez certaines espèces végétales, ce taux s'élève à plus de 30 % des résidus C.

Les ADN des bactéries sont méthylés sur leurs propres sites de restriction, ce qui empêche leurs endonucléases de restriction de dégrader leur propre ADN (Section 5-5A). Ces systèmes de restriction-modification n'expliquent toutefois que partiellement la méthylation des ADN bactériens. Chez *E. coli,* la méthylation est majoritairement catalysée par les produits des gènes *dam* et *dcm*. La **Dam méthyl-transférase (Dam MTase)** méthyle les résidus A dans toutes les séquences GATC ; la **Dcm MTase** méthyle les deux résidus C dans tout motif CC(A/T)GG sur la position C5. Ces deux séquences sont palindromiques. Nous avons vu que *E. coli* utilise la méthylation par la Dam MTase pour distinguer l'ADN parental de l'ADN néosynthétisé lors de la réparation des mésappariements (Section 30-5C) et pour limiter le nombre de réplications de l'ADN à oriC à une par génération par un mécanisme de séquestration (Section 30-3C).

a. La réaction de méthylation utilise un intermédiaire covalent dans lequel la base à méthyler sort de l'hélice

Les Dam et Dcm MTases utilisent toutes, la S-adénosylméthionine (SAM) comme donneur de méthyle. De plus, toutes les m⁵C-MTases ont en commun une série de motifs de séquences conservés. Daniel Santi a fait l'hypothèse que le mécanisme catalytique des m⁵C-MTases (Fig. 30-98) est semblable à celui de la thymidylate synthase (Fig. 28-19), car les deux enzymes transfèrent des groupements méthyl sur les atomes C5 des pyrimidines, par une réaction qui commence par une attaque nucléophile d'un groupement Cys-thiolate sur le C6 de la pyrimidine. Le C5 est alors activé sous forme d'un carbanion, stabilisé en résonnance, pour pratiquer l'attaque nucléophile du donneur du groupe méthyle, pour former un intermédiaire avec une liaison covalente (chez la thymidylate synthase, le donneur de méthyle est le N⁵-N¹⁰-méthylène-THF et non la SAM). Cet intermédiaire se décompose ensuite grâce à l'enlèvement du substituant protoné en C5 et l'élimination de l'enzyme. Le groupement nucléophile Cys-thiolate est un des composants d'un dipeptide Pro-Cys, qui est invariant dans toutes les m⁵-MTases connues et dans les thymidylate synthases.

A l'appui de cette proposition, il y a le fait que l'action des m⁵-MTases sur un résidu **5-fluorocytosine (f⁵C)**

Résidu 5-fluorocytosine (f⁵C)

séquestre irréversiblement l'intermédiaire covalent, et inactive donc l'enzyme, car celle-ci ne peut pas enlever l'atome de fluor, élément beaucoup plus électronégatif, en tant qu'ion F⁺ (le 5-fluorodésoxyuridylate est un substrat suicide qui inactive la thymidylate synthase de la même manière ; Section 28-3B). Les principes de la chimie structurale permettent de prédire que le groupe thio-

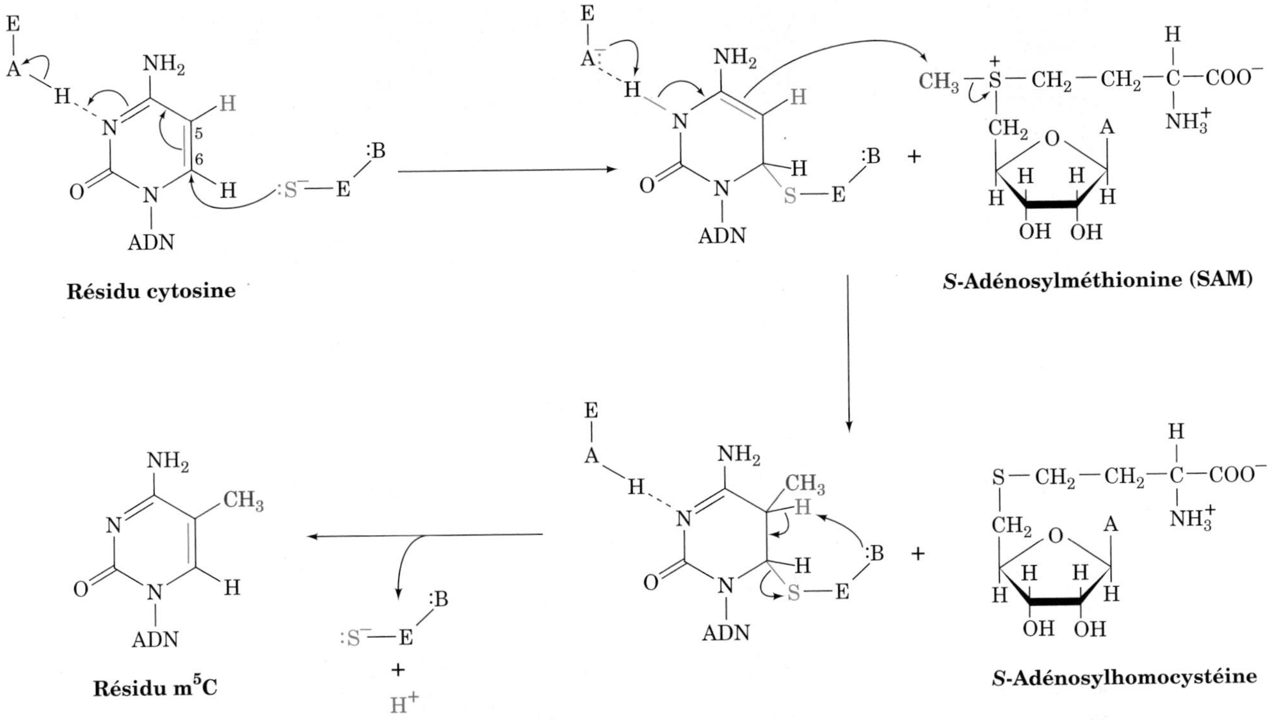

FIGURE 30-98 Mécanisme catalytique des 5-méthylcytosine méthyl-transférases (m⁵C-MTases). Le groupement méthyle est fourni par la SAM, qui devient alors la S -adénosylhomocystéine. Dans M.Hhal, le groupement thiolate ⁻S—E, site actif, est sur le résidu Cys 81 ; la fonction acide de l'enzyme, E—A, est le résidu Glu 119, et la fonction basique, EB, n'a pas été identifiée. [D'après Verdine, G.L., *Cell* **76**, 198 (1994).

late à Cys de l'enzyme ne peut pratiquer l'attaque nucléophile du C5 de la cytosine qu'au dessus ou en dessous du cycle ; cela est rendu possible, comme nous allons le voir ci-dessous, parce que l'enzyme fait glisser la cytosine à méthyler hors de la double hélice d'ADN.

L'ADN MTase de *Haemophilus haemolyticus* (**M.Hhal**), monomère de 327 résidus, est une composante du système de restriction-modification de cette bactérie. M.Hhal méthyle sa séquence de reconnaissance, 5'-GCGC-3' dans l'ADN duplex, pour former le motif 5'-G-m⁵C-GC-3'. Richard Roberts et Xiao-dong Cheng ont déterminé par rayons X la structure du complexe M.Hhal-ADN, inactivé par incubation de l'enzyme avec la séquence auto-complémentaire d(TGATA**G-f⁵C-GC**TATC)(la séquence de reconnaissance de l'enzyme est en gras) en présence de la SAM. L'ADN se lie à l'enzyme comme dans une grande pince formée par ses deux domaines de taille inégale (Fig.30-99). L'observation la plus déterminante sur cette structure est le glisse-ment de la f⁵C à l'extérieur du petit sillon, alors que le reste de l'hélice de l'ADN-B n'est aucunement déformé et qu'elle est insé-rée dans le site actif de l'enzyme. La f⁵C a réagi avec la SAM pour former l'adénosylhomocystéine (la SAM sans son groupe méthyle) et l'intermédiaire méthylé lié de manière covalente à la Cys81. La chaîne latérale, au site Gln237, comble le vide créé dans l'ADN duplex par l'extraction de la f⁵C, en se liant par liaison hydrogène avec la base G opposée à f⁵C. Une comparaison de cette structure avec celle de M.Hhal complexée seulement avec la SAM, montre que la boucle de la protéine possédant le site actif (résidus 80-99) se retourne, d'au moins 25 Å, pour entrer en contact avec

l'ADN. Presque toutes les interactions spécifiques des bases ont lieu dans le grand sillon, grâce à deux boucles riches en Gly (rési-dus 233-240 et 250-257), appelées les boucles de reconnaissance. En plus, cette protéine établit de nombreux contacts non spéci-fiques de la séquence, avec les groupements phosphate de l'ADN.

Le glissement de base a été observé pour la première fois dans la structure par rayons X décrite ci-dessus. Cependant, il est clair aujourd'hui d'après les structures des deux autres MTases et celles de différentes enzymes de réparation de l'ADN (cf. Sections 30-5A et 30-5B), que le glissement de base est un mécanisme courant par lequel les enzymes arrivent à accéder aux bases dans l'ADN duplex sur lequel elles effectuent des réactions chimiques.

b. La méthylation de l'ADN chez les eucaryotes peut avoir une fonction dans la régulation de l'expression génique

La 5-méthylcytosine est la seule base méthylée de l'ADN chez beaucoup d'eucaryotes, y compris les vertébrés. Cette modification a lieu généralement dans les motifs CG des séquences palindro-miques. Le dinucléotide CG a une fréquence d'à peine un cin-quième de sa fréquence attendue dans le génome des vertébrés, si les bases successives étaient équiprobables. Les régions amont de nombreux gènes ont cependant des fréquences normales de CG ; on les appelle des **îlots CpG**.

Le degré de méthylation de l'ADN eucaryotique et sa répar-tition sont évalués simplement en comparant des membranes traitées selon Southern (Section 5-5D), couvertes d'ADN coupé par les endonucléases de restriction *HpaII* (qui coupe CCGG mais non Cm⁵CGG) avec celles d'ADN coupé par *MspI* (qui

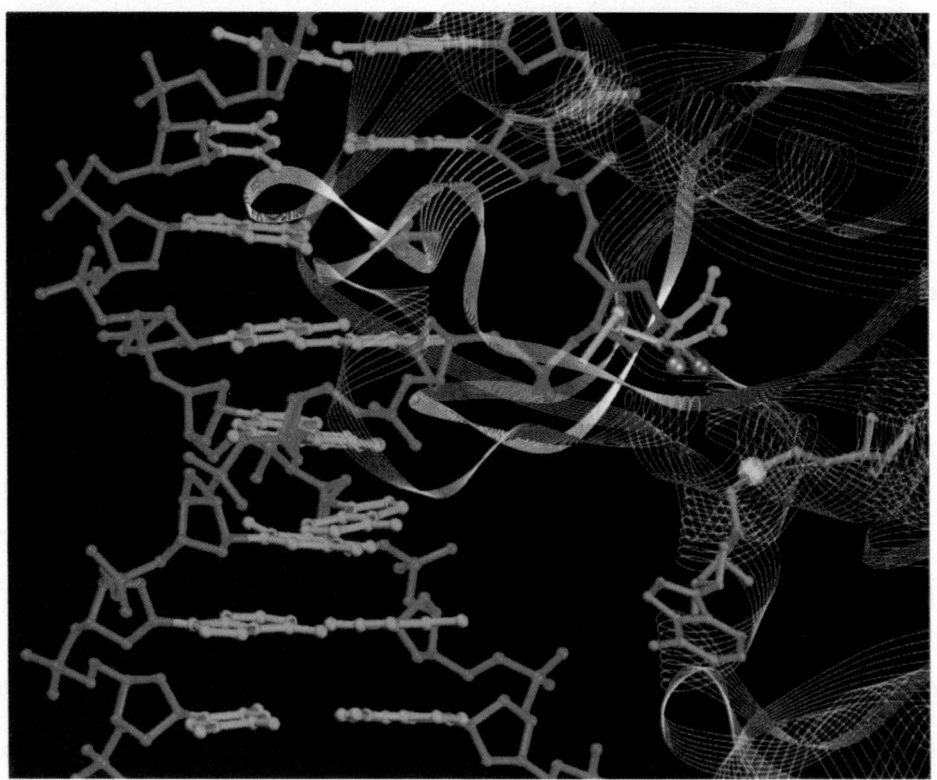

FIGURE 30-99 Structure par rayons X de M.Hhal complexée avec la S-adénosylhomocystéine et un ADN 13-mère duplex qui contient un résidu f⁵C méthylé au site cible pour l'enzyme. L'ADN est représenté sous forme éclatée avec les bases en vert et le squelette sucre-phosphate en violet. Le squelette protéique est représenté sous forme d'un ruban de lignes parallèles oranges avec la boucle correspondant au site actif (résidus 80 à 89) en bleu clair et les deux boucles du site permettant la reconnaissance (résidus 233-240 et 250-257) en blanc. Celles-ci interagissent avec la séquence cible de l'ADN par son grand sillon, à l'arrière-plan du dessin. Le résidu f⁵C a été éjecté hors de l'ADN dans le site actif de l'enzyme en forme de poche, où son C6 forme une liaison covalente avec l'atome S du résidu Cys 81 *(en jaune)*. Le groupement méthyle, ainsi que l'atome F substituant du C5 de la base f⁵C, sont représentés par des sphères argentées parce que la structure par rayons X ne peut pas les différencier avec certitude. La base f⁵C qui a été éjectée, est remplacée dans la double hélice d'ADN par la chaîne latérale du résidu Gln 237 *(en rose)* qui établit des liaisons hydrogène avec la guanine devenue « orpheline ». L'adénosylhomocystéine *(en rouge)* est dessinée en modèle éclaté avec son atome de S, le donneur de méthyle de la SAM qui a méthylé la f⁵C, représenté par une sphère jaune. [D'après une structure par rayons X déterminée par Richard Roberts, New England Biolabs, Beverly, Massachusetts et par Xiaodong Cheng, Laboratoire de Cold Spring Harbor, Cold Spring Harbor, New York.]

coupe les deux motifs). On peut constater par de telles expériences, que la méthylation de l'ADN eucaryotique varie selon l'espèce, le tissu et même la localisation sur les chromosomes. Il est facile d'identifier les résidus m⁵C dans un fragment d'ADN par **séquençage au bisulfite**, dans lequel on traite l'ADN avec des **ions bisulfite** (HSO₃⁻), qui désaminent uniquement les résidus C (et pas m⁵C) en U. On fait ensuite une amplification par PCR (Section 5-5F), qui recopie ces U en T et les m⁵C en C. La comparaison entre la séquence de l'ADN amplifié et celle de l'ADN non traité (établie par la méthode de terminaison de chaîne ; Section 7-2A) révèle quels sont les C méthylés dans l'ADN traité.

Il y a de nombreux exemples qui montrent *que la méthylation de l'ADN bloque l'expression de gènes eucaryotiques, notamment quand elle a lieu dans les régions des promoteurs, en amont des séquences transcrites*. Par exemple, des gènes de globine sont moins méthylés dans les cellules d'érythrocytes qu'elles ne le sont dans les autres cellules. En réalité, la méthylation spécifique dans la région de contrôle d'un gène de globine transfecté et recombiné, inhibe sa transcription dans les cellules transfectées. Une preuve supplémentaire de l'effet inhibiteur de la méthylation de l'ADN réside dans l'observation que la **5-azacytosine (5-azaC)**,

NH₂
5-Azacytosine
(5-azaC)

un analogue de base ne pouvant pas être méthylé à sa position N5 et qui inhibe les ADN MTases, stimule la synthèse de plusieurs protéines et modifie le mode de différenciation cellulaire de cellules eucaryotes en culture. Le fait que les séquences répétitives parasites intragéniques telles que les éléments LINE soient fortement méthylées dans les tissus somatiques a donné lieu à l'hypothèse selon laquelle la méthylation des îlots CpG chez les mammifères s'est mise en place pour empêcher l'initiation de la transcription malencontreuse de ces transposons.

La manière selon laquelle la méthylation de l'ADN empêche l'expression génique est mal comprise. Mais dans bien des cas, la méthylation de l'ADN est reconnue par une famille de protéines qui possèdent un domaine conservé, de liaison au méthyl-CpG (MBD). Comme les groupes méthyl des résidus se trouvent dans le grand sillon de la double hélice d'ADN, le domaine MBD peut s'y lier sans perturber la structure de la double hélice. Les protéines qui contiennent un domaine MBD inhibent la transcription des promoteurs méthylés des gènes auxquels elles se lient en recrutant des complexes protéiques qui induisent, localement, l'altération de la structure du chromosome en empêchant la transcription des gènes qui s'y trouvent (la structure des chromosomes eucaryotes est traitée dans la Section 34-1). Une autre possibilité intéressante émerge à la suite de l'observation que la méthylation de poly(GC) synthétique stabilise la conformation sous forme d'ADN-Z. Il est possible que l'acquisition de la conformation en ADN-Z, détectable *in vivo* (Section 29-1B), arrête l'expression génique, cette conformation jouant le rôle d'interrupteur.

c. La méthylation de l'ADN est auto-entretenue chez les eucaryotes

La nature palindromique des sites de méthylation chez les eucaryotes fait que le schéma de méthylation d'un brin parental d'ADN impose le même schéma sur le brin néosynthétisé (Fig. 30-100). Une telle **méthylation auto-entretenue** permettrait la transmission stable d'un schéma de méthylation à une lignée cellulaire, et donnerait donc à ces cellules le même phénotype différencié. On qualifie ces modifications du génome d'**épigénétiques** (du grec : *epi* : par dessus) parce qu'il ajoutent un niveau d'information supplémentaire qui spécifie quand et où des régions particulières du génome, par ailleurs inchangé, sont exprimées (une modification épigénétique que nous avons déjà rencontrée est l'allongement des télomères dans les cellules germinales ; Section 30-4A). Les caractéristiques épigénétiques n'obéissent pas aux lois de l'hérédité mendélienne ainsi que nous allons le voir.

Il y a de nombreux résultats expérimentaux en faveur de l'existence d'une **méthylation auto-entretenue**, y compris la constatation qu'un ADN viral méthylé artificiellement maintient, après sa transfection dans des cellules eucaryotes, son schéma de méthylation pendant au moins 30 générations cellulaires. Le maintien de la méthylation chez les mammifères semble être principalement dû à la protéine DNMT1, dont les substrats de méthylation préférés sont les ADN hémiméthylés. Au contraire, Les ADN Mtases procaryotiques telles que M.HhaI ne font pas la distinction entre les ADN substrat hémiméthylés et ceux complètement méthylés. L'importance de l'entretien de la méthylation est prouvé par le fait que des souris ayant une délétion homozygote du gène *DNMT1* meurent au début du développement embryonnaire.

Le schéma de méthylation chez les mammifères change au cours du développement embryonnaire précoce. Le niveau de méthylation de l'ADN est élevé dans les gamètes matures (spermatozoïde et ovule) mais presque nul lorsque l'œuf fécondé atteint le stade du **blastocyste** (qui est une balle creuse de cellules ; c'est le stade de l'implantation de l'embryon dans la paroi utérine ; le développement embryonnaire est traité dans la section 34-4A). Mais après ce stade, le niveau de méthylation de l'ADN de l'embryon va augmenter globalement jusqu'au stade **gastrula**, où il a atteint le niveau de l'adulte auquel il se maintiendra durant toute la vie de l'animal. Cette méthylation *de novo* (nouvelle) semble

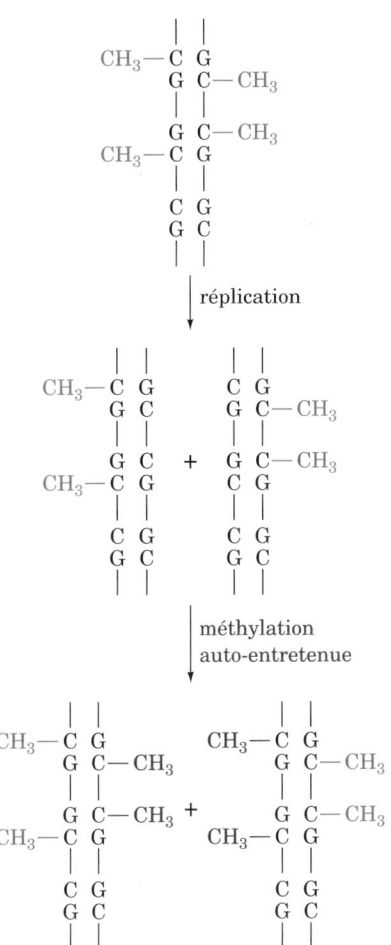

FIGURE 30-100 Maintien de l'état de méthylation. Le schéma de méthylation d'un brin parental induit le même schéma de méthylation dans le brin complémentaire. De cette façon, un schéma stable de méthylation peut être maintenu dans une lignée cellulaire.

due à deux ADN MTases distinctes de DNMT1 appelées **DNMT3a** et **DNMT3b**. Il existe une exception importante à ce processus de reméthylation puisque les ilöts CpG des cellules de la lignée germinale (celles qui donneront naissance aux spermatozoïdes et aux ovules) demeurent non méthylés. Cela permet la transmission fidèle des ilöts CpG à la génération suivante vu la forte pression mutagène que représente la désamination de m^5C (qui donne un T, sachant que la réparation des mésappariement échoue parfois dans la réparation de cette mutation).

Le changement des niveaux de méthylation (reprogrammation épigénétique) durant le développement embryonnaire suggère que le schéma d'expression génique est différent dans les cellules embryonnaires par rapport aux cellules somatiques. Cela explique les taux élevés d'échecs dans les tentatives de clonage des mammifères (mouton, souris, bovins, etc.) où l'on transfère le noyau d'une cellule adulte dans un ovocyte énucléé (œuf immature). Peu de ces animaux survivent jusqu'à la naissance et beaucoup de ceux qui naissent meurent peu après. La plupart des quelque 1 % qui survivent ont toutes sortes d'anomalies, dont la plus évidente est une taille exagérée. Cependant, le fait que quelques embryons survivent indique que l'ovocyte a la capacité remarquable d'effectuer la reprogrammation épigénétique de chromosomes de cellules somatiques (bien qu'il n'y réussisse que rarement parfaitement). Cela indique également que les embryons de mammifères sont relativement tolérants vis-à-vis des anomalies épigénétiques. Il est probable que le clonage d'êtres humains à partir de noyaux de cellules adultes aboutirait à des anomalies similaires et ne devrait de ce fait pas être tenté (il existe de plus des interdits sociaux et éthiques).

d. L'empreinte parentale est due à une méthylation différentielle de l'ADN

Cela fait des milliers d'années que l'on sait que l'hérédité paternelle et maternelle peuvent être différentes. Par exemple, un mulet (le petit d'une jument et d'un âne) et un bardot (le petit d'un étalon et d'une ânesse) ont des caractéristiques physiques qui diffèrent de façon évidente, le bardot ayant des oreilles plus courtes, une crinière et une queue plus épaisse et des pattes plus fortes qu'un mulet. Cela vient du fait qu'une particularité des mammifères, est que certains gènes s'expriment différemment selon qu'ils sont fournis par le père ou la mère, on appelle ce phénomène **l'empreinte parentale.** Les gènes soumis à l'empreinte parentale sont, comme l'a montré Rudolph Jaenish, méthylés de façon différentielle chez les deux parents durant la gamétogenèse et ces schémas de méthylation différents résistent à la vague de déméthylations qui a lieu durant la formation du blastocyste et aux deux vagues de méthylation *de novo* qui ont lieu par la suite.

L'importance de l'empreinte parentale est prouvée par le fait qu'un embryon obtenu par transplantation de deux pronuclei mâles ou de deux pronuclei femelles dans un ovocyte énucléé ne se développe pas (les pronuclei sont les noyaux du spermatozoïde ou de l'ovule mature avant qu'ils ne fusionnent durant la fécondation). Une empreinte parentale incorrecte est également associée à certaines maladies. Par exemple, le **syndrome de Prader-Willi** (**PWS**), qui se caractérise par un retard de développement de l'enfant, des petites mains et des petits pieds, une obésité marquée et un retard mental variable, est provoqué par une délétion de plus de 5000 kb dans une région particulière du chromosome 15 hérité du père. Au contraire, le **syndrome d'Angelman** (**AS**), qui se manifeste par un retard mental sévère, un défaut de coordination des mouvements de la marche et des éclats de rire incontrôlés est causé par la délétion de la même région chromosomique mais sur le chromosome 15 hérité de la mère. Ces syndromes s'observent aussi chez les rares individus qui héritent leurs deux chromosomes 15 de leur mère dans les cas de PW ou de leur père dans les cas de AS. Il est clair que certains gènes situés dans la région absente du chromosome doivent provenir du père pour éviter un PWS et de la mère pour éviter un AS. Plusieurs autres maladies humaines sont également associées à une transmission soit maternelle, soit paternelle, soit à un défaut de cette transmission.

e. La méthylation de l'ADN est associée au cancer

La mutation d'un résidu m^5C en T (et la mutation associée d'un G en A dans le brin complémentaire) est de loin la mutation la plus fréquente dans les cancers humains. Ces mutations transforment en général des protooncogènes en oncogènes (Section 19-3B) ou inactivent des suppresseurs de tumeurs (Fig. 34-4C). De plus, l'hypométhylation de protooncogènes et l'hyperméthylation de gènes codant pour des suppresseurs de tumeurs sont associées aux cancers bien qu'il ne soit pas évident de savoir si cela initie ou renforce le phénotype malin.

f. Plusieurs maladies neurologiques sont corrélées avec une expansion de répétitions de motifs trinucléotidiques

Le syndrome dit **de l'X fragile,** caractérisé par un retard mental et un visage typiquement allongé et étroit avec de grandes oreilles, affecte 1 homme sur 4500 et une femme sur 9000. Son nom vient du fait que chez les individus atteints, l'extrémité du bras long du chromosome X est reliée au reste du chromosome par une région très fine facilement rompue. L'hérédité de ce syndrome est bizarre. Les grand-pères maternels des individus atteints du syndrome de l'X fragile peuvent n'exprimer aucun symptôme, aussi bien du point de vue clinique que cytogénétique. Leurs filles sont aussi sans symptôme mais les enfants de leurs filles, garçons ou filles, peuvent exprimer le syndrome. Il apparaît clairement que le défaut dû à l'X fragile est activé par son passage *via* un individu féminin. De plus, la probabilité qu'un enfant présente le syndrome de l'X fragile et la gravité de la maladie augmente à chaque génération, on qualifie ce phénomène d'**anticipation génétique.**

FMR1 (pour fragile X mental retardation 1), le gène touché dans le syndrome de l'X fragile, code une protéine de 632 résidus qui se fixe à l'ARN. Elle est appelée FMRP (pour FMR protein), et sa fonction semble être le transport de certains ARNm du noyau vers le cytoplasme (Section 34-3C), où elle régule probablement leur traduction. FMRP qui est très conservée au cours de l'évolution des vertébrés, est exprimée dans la plupart des tissus mais surtout dans les neurones du cerveau, où un ensemble de données indique qu'elle est nécessaire pour la formation correcte des synapses, et/ou pour leur fonctionnement.

Dans l'ensemble de la population, la région 5' non traduite de *FRM1* contient une séquence $(CCG)_n$ polymorphe, avec n pouvant aller de 6 à 60 et souvent ponctuée d'une ou deux interruptions de type AGG. Cependant, chez certains individus ne présentant pas le syndrome de l'X fragile, *n* est passé de 60 à 200, cela constitue ce qu'on appelle une prémutation que les hommes transmettent telle quelle à leurs filles (ils ne transmettent pas de chromosome X à leurs fils mais un chromosome Y). Chez les enfants de leurs filles, environ 80% des enfants qui héritent d'un gène *FMR1* prémuté présentent une surprenante expansion (amplification) de la répétition de triplets et *n* va de plus de 200 à plusieurs milliers. Ils présentent aussi les symptômes de la maladie, on parle de mutation complète. La taille de ces répétitions de triplets est différente au sein d'une fratrie et il peut même y avoir une hétérogénéité au sein d'un individu, cela suggère une origine somatique.

Ces mutations dynamiques, plus sujettes à l'expansion qu'à une contraction, se produisent probablement par glissement de la matrice ADN durant la réplication. On pense que le glissement a lieu par formation de boucles non appariées (Fig. 30-101), soit sur le brin néosynthétisé (causant une expansion), soit sur le brin matrice (causant une contraction). Du fait que le brin retardé est davantage sous forme simple brin, que le brin avancé, il y a plus de chance d'avoir un glissement durant la synthèse du brin retardé. Comme on s'y attend, la fréquence des glissements augmente en fonction du nombre de répétitions. La fréquence plus faible et la moindre gravité du syndrome de

(a)

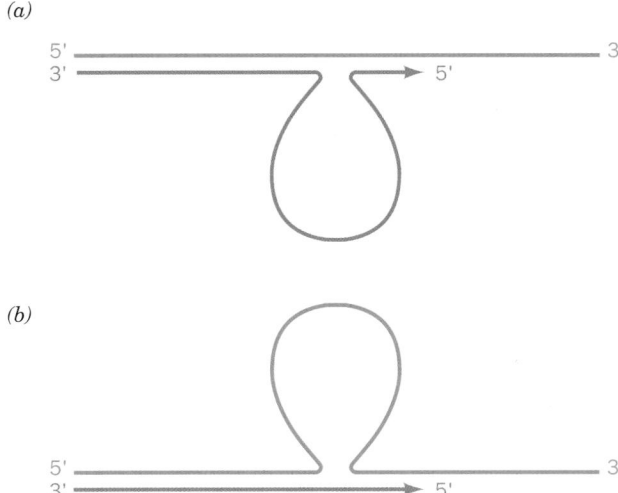

(b)

FIGURE 30-101 Mécanisme modifiant le nombre de répétitions consécutives d'un triplet dans l'ADN par formation d'une boucle sur un des brins, lors de la réplication. Le brin matrice est ici en rouge et le brin fils (néosynthétisé) en bleu. Au niveau de longues séries de séquences répétées, la probabilité de former une boucle augmente du fait que les séquences voisines restent appariées. (*a*) Si le brin fils forme une boucle, le nombre de répétitions augmente. (*b*) Si le brin matrice forme une boule, le nombre de répétitions diminue.

l'X fragile chez les filles par rapport aux garçons vient du fait qu'elles ont deux chromosomes X, dont l'un n'est probablement pas muté.

On connaît treize autres exemples de pathologies dues à l'expansion d'un trinucléotide riche en GC, ce sont toutes des maladies neurologiques dont voici quelques exemples :

1. La **dystrophie myotonique (DM)** est la forme de **dystrophie musculaire** la plus fréquente chez l'adulte, avec une fréquence de 1 sur 8000. C'est une anomalie complexe autosomique dominante qui se caractérise par un affaiblissement et une dégradation musculaires progressifs. Les symptômes sont de plus en plus sévères et l'âge auquel apparaissent les premières manifestations s'abaissent au fil des générations successives (ce phénomène s'appelle **l'anticipation génétique).** La forme la plus sévère, la DM néonatale, est transmise par voie exclusivement maternelle. La DM provient d'une expansion de trinucléotides dans la région 3' non traduite du gène codant une protéine kinase, **MDPK** (pour myotonic dystrophy protein kinase) qui s'exprime dans les neurones affectés par la DM. Le triplet répétitif $(CAG)_{rt}$ est présent en 5 à 30 copies dans le gène MDPK chez les individus normaux mais est amplifié jusqu'à au moins 50 copies chez les individus affectés de manière minimale et à plus de 2000 chez les individus affectés sévèrement.

2. La **maladie de Huntington (HD ;** auparavant appelée **chorée de Huntington)** est une maladie neurodégénérative très destructrice, caractérisée par des mouvements désordonnés des patients (chorée), une perte des connaissances et des troubles émotionnels évoluant en moyenne sur 18 ans, et dont l'issue est fatale. Ce syndrome est hérité comme un caractère dominant et affecte environ une personne sur 10000. L'âge auquel la maladie apparaît est de 40 ans environ. Elle résulte de la perte de certains groupes précis de neurones dans le cerveau. Le gène *HD* code un polypeptide de 3145 résidus appelé **huntingtine,** ce gène contient une répétition trinucléotidique polymorphe, *(CAG)_n* dans la séquence codant le polypeptide. Les gènes *HD* isolés de 150 familles non apparentées affectées par HD contiennent tous entre 37 et 86 unités de répétitions, tandis que le gène normal a entre 11 et 34 répétitions. De plus, la longueur des répétitions *de HD* est instable : plus de 80 % des gènes transmis pas méiose présentent une augmentation ou une diminution, les accroissements les plus importants ayant lieu par transmission paternelle (empreinte parentale). Le nombre de répétitions chez les individus affectés est en corrélation inverse avec l'âge de l'apparition de la maladie HD.

CAG est le codon du résidu Gln (Tableau 5-3) la huntingtine mutée contient donc une longue série de résidus Gln (polyGln). Les polyGln de synthèse s'agrègent pour former des feuillets β reliés par des liaisons hydrogène mettant en jeu aussi bien les groupements amides de leur chaîne principale que ceux de leurs chaînes latérales. Effectivement, les noyaux des neurones atteints de HD contiennent des inclusions constituées probablement d'agrégats d'huntingtine ou de ses produits de dégradation. Ce sont ces inclusions, comme l'a dit Max Perutz, qui semblent tuer les neurones qui les renferment, bien que le mécanisme responsable soit inconnu. La longue période d'incubation avant l'apparition des symptômes est attribuée à la longue période de nucléation pour la formation des agrégats, tout à fait comme nous l'avons vu dans le cas de la formation de fibrilles amyloïdes (Section 9-5A).

3. L'ataxie **spinocérébelleuse de type 1** (SCA) est une maladie neurodégénérative progressive, dont l'apparition survient normalement à la troisième ou la quatrième décennie de la vie, mais elle présente le phénomène d'anticipation génétique. Comme pour la HD, elle résulte d'une perte sélective de neurones et elle est associée à une amplification d'une répétition CAG dans une région codante ; il s'agit ici d'une protéine neuronale appelée **ataxine-1**. Le nombre de répétitions va de environ 28 à entre 43 et 81 copies, et donne une série poly(Gln) d'une longueur croissante et qui a tendance à l'agrégation . Quatre maladies similaires, **SCA de type 2, 3, 6 et 7** sont causées par des expansions CAG dans différentes protéines neuronales.

■ RÉSUMÉ DU CHAPITRE

1 et 2 ■ La réplication de l'ADN L'ADN est répliqué dans le sens 5' → 3' par l'apport de désoxynucléosides triphosphates en face d'un ADN matrice complémentaire. La réplication commence par la production d'amorces ARN courtes ; chez *E. coli,* cette production est dépendante de l'ARN polymérase et de la primase. L'ADN est ensuite produit à partir des extrémités des amorces grâce à l'action de l'ADN polymérase (Pol 111 chez *E. coli)*. Le brin avancé est synthétisé à la fourche de réplication de manière tout à fait continue, tandis que le brin retardé est synthétisé de manière discontinue sous forme de fragments d'Okazaki. Les amorces ARN restant sur l'ADN néosynthétisé sont excisées et remplacées par de l'ADN, grâce à l'activité de déplacement sur les trous simple brin avec polymérisation, catalysée chez *E. coli* par la Pol I. Les coupures simple brin sont alors ligaturées par l'ADN ligase. Les erreurs d'appariement faites au cours de la synthèse d'ADN sont corrigées par la fonction exonucléasique de 3' $\rightarrow$ 5' de Pol I et de Pol III. Le fragment de Klenow de Pol I et d'autres polymérases dont la structure est connue, a la forme d'une main droite où le site actif est situé sur le domaine dela paume. Pol I reconnaît le nucléotide qui se présente d'après la forme de la paire de bases qu'il forme avec la base de la matrice et catalyse la formation d'une liaison phosphodiester par un mécanisme impliquant deux ions métalliques. La synthèse d'ADN chez *E. coli* exige la participation de nombreuses protéines auxiliaires dont : l'ADN gyrase, l'hélicase DnaB les protéines affines de l'ADN simple brin (SSB), la primase, la pince coulissante β2 et l'ADN ligase.

3 ■ La réplication chez les procaryotes La synthèse d'ADN commence à certains sites spécifiques appelés origines de réplication. Lors de la synthèse du brin (-) chez le bactériophage Ml 3 sur la matrice brin (+), l'origine est reconnue et l'ARN polymérase commence la synthèse de l'amorce. Le processus analogue chez le bactériophage φX174, de même que chez *E. coli*, est catalysé par un complexe particulaire comprenant la primase, appelé le primosome. Les brins (+) de φX174 sont synthétisés selon le mode de réplication en cercle tournant avec boucle sur les brins (-) matrices qui sont la forme réplicative. Ce processus est dépendant de la protéine produit du gène *A*, spécifique du virus.

Le chromosome de *E. coli* est répliqué d'une manière bidirectionnelle selon le mode θ à partir d'une seule origine, *oriC*, qui est reconnue par la protéine DnaA. La synthèse du brin avancé est probablement amorcée conjointement par l'ARN polymérase et la primase, alors que les fragments d'Okazaki sont amorcés par la primase au sein du primosome. L'initiation incontrôlée de la réplication de l'ADN est empêchée par la séquestration de la séquence *oriC*, (qui vient d'être synthétisée et qui se trouve donc sous forme hémiméthylée), par la protéine SeqA associée à la membrane et qui empêche la méthylation complète de *oriC* sur ses nombreux sites GATC. La pince coulissante β2, qui est responsable de la processivité de pol III, est chargée sur l'ADN par le chargeur γ₃δδ' selon un mécanisme consommateur d'ATP. La sous-unité δ, une fois démasquée par la liaison d'ATP aux sous-unités γ, agit comme un levier moléculaire qui ouvre la pince coulissante pour permettre l'insertion d'un ADN matrice simple brin. La protéine Tus facilite l'arrêt de la réplication en se liant à un site *Ter*, si celui-ci est orienté de manière correcte, ce qui stoppe le mouvement de la fourche de réplication par une liaison avec l'hélicase DnaB. Il semble que la complexité très grande de ce processus de réplication augmente fortement le degré de fidélité nécessaire pour maintenir l'intégrité du génome.

4 ■ La réplication chez les eucaryotes La progression du cycle cellulaire eucaryotique est assurée par des cyclines associées à leur kinase dépendante d'une cycline (Cdk). La réplication de l'ADN chromosomique est amorcée par la polα/primase, qui synthétise une amorce terminée par une courte séquence d'ADN. Puis, le facteur de réplication C (RFC), qui est le chargeur de la pince eucaryotique permet un échange de polymérase. Pol δ, complexée avec PCNA, qui est l'équivalent de la pince coulissante eucaryotique, synthétise alors avec une grande processivité aussi bien les brins avancé que retardé

L'ADN chromosomique eucaryotique est synthétisé à partir de multiples replicons qui sont des segments d'ADN renfermant une ori-

gine. Cependant l'ADN chromosomique n'est synthétisé qu'une seule et unique fois par cycle cellulaire. La re-réplication de l'ADN est empêchée parce que l'initiation n'est validée qu'en phase G₁ du cycle cellulaire par la formation du complexe pré-réplicatif (pré-RC), mais la synthèse de l'ADN n'aura lieu qu'en phase S à la suite de l'activation des complexes pré-RC. Un complexe pré-RC s'assemble en phase G₁ grâce à la fixation sur une origine, d'un complexe de reconnaissance de l'origine (ORC), qui recrute Cdc6/Cdc8 et Cdt1 puis le complexe MCM, qui est l'hélicase de la réplication. L'activation du complexe pré-RC débute en phase S par l'addition de Mcm 10 suivie de la phosphorylation de diverses sous-unités du complexe pré-RC par des Cdk et DdK. On a ensuite formation d'un complexe d'initiation activé par la fixation d'abord de Cdc45, puis de la pol Iα/primase, de la polε, de PCNA, et de la protéine de réplication A (RPA) qui est un équivalent de SSB. La re-réplication est empêchée par l'action des Cdk, qui provoquent l'élimination de Cdc6/Cdc8 et inhibent l'activité hélicase du complexe MCM . Dans les cellules de métazoaires, la re-réplication est aussi empêchée par la fixation de géminine sur Cdt1.

L'ADN mitochondrial se réplique en formant une boucle D grâce à la polymérase γ. Les rétrovirus synthétisent de l'ADN à partir d'un ARN matrice selon une séquence de réactions catalysées par la transcriptase réverse. L'ADN télomérique, constitué de répétitions d'un octamère riche en G sur son brin terminé par une extrémité 3' est synthétisé par la télomérase, une enzyme contenant de l'ARN, qui est active dans les cellules germinales et inactive dans les cellules somatiques. Ce phénomène semble être au moins partiellement responsable de la sénescence cellulaire et du vieillissement. Le fait que la télomérase soit active dans presque toutes les cellules cancéreuses suggère que l'inactivation de la télomérase est un mécanisme de défense contre le développement d'un cancer. Les extrémités libres de l'ADN des télomères ont une coiffe qui leur évite d'activer les points de contrôle des lésions de l'ADN. La protéine de liaison aux extrémités des télomères (TEBP) de *O. nova,* se lie aux deux brins de l'ADN télomérique ainsi qu'à un dimère renfermant une quartette de G, l'homme et la levure possèdent une protéine Pot1, de liaison aux télomères sans parenté avec la précédente. L'ADN télomérique forme des boucles T, dues à l'intrusion, grâce à TRF2, de l'extrémité télomérique 3' non appariée dans l'ADNdb répétitif en formant une boucle D.

5 ■ La réparation de l'ADN Les cellules possèdent une grande diversité de mécanismes de réparation de l'ADN. Les lésions de l'ADN peuvent être directement effacées, comme dans le processus de photoréactivation des dimères de pyrimidines induits par les UV, ou lors de la réparation des lésions de type O⁶-alkylguanine, où le groupement alkyl incriminé est transféré à la protéine de réparation. Les dimères de pyrimidines peuvent aussi, comme de nombreux autres types de lésions, être enlevés par la réparation par excision (NER), celle-ci met en jeu le système UvrABC chez *E. coli*. La maladie héréditaire humaine xeroderma pigmentosum est caractérisée par des changements important de la peau induits par les UV et par une plus grande incidence de cancers. Elle est due à des défauts dans un des sept groupes de complémentation qui jouent un rôle dans la réparation par excision de nucléotides (NER). Dans le cas de la réparation de bases par excision (BER), les ADN glycosylases enlèvent de manière spécifique les bases correspondant à leur spécificité, qui sont altérées chimiquement, y compris l'uracile par un mécanisme de glissement de base, il en résulte des sites AP. Il va y avoir un clivage par l'endonucléase AP d'un coté du site AP, puis élimination du site AP et des résidus adjacents par une nucléase. Le remplacement se fait par l'action d'une ADN polymérase et d'une ADN ligase. La réparation des mésappariements (MMR), permet de corriger les erreurs d'appariements de bases dues à des erreurs de réplication. Dans le MMR chez *E. coli*, MutS et MutL se lient au site du mésappariement où ils identifient le brin fils, qui contient l'erreur, en repérant le brin non méthylé au niveau du palindrome

GATC hémiméthylé le plus proche de la lésion. MutH coupe alors ce brin, qui est excisé au delà de la lésion puis remplacé.

Une lésion sur l'ADN entraîne l'induction de la réponse SOS, un processus mettant en jeu LexA et RecA dans lequel les ADN polymérases productrices d'erreurs Pol IV et Pol V répliquent une matrice d'ADN endommagée même quand celle-ci ne fournit aucune information sur la base à incorporer. La réparation des cassures double brin (DSB) par soudure d'extrémités non homologues (NHEJ) est permise par la protéine Ku, qui maintient deux ADNdb ensemble en vue de leur ligature par l'ADN ligase IV complexée avec Xrcc4. La corrélation élevée existant entre pouvoir mutagène et pouvoir cancérigène autorise la détection des molécules cancérigènes par le test de Ames.

6 ■ La recombinaison et les éléments génétiques mobiles L'information génétique peut être échangée entre des séquences homologues d'ADN grâce à la recombinaison homologue. Ce mécanisme suit le modèle de Holliday et il est catalysé chez *E coli* par RecA après que RecBCD ait effectué les brèches simple brin auxquelles RecA va se fixer. Le déplacement du nœud est dû à RuvAB, composée d'un homotétramère (ou un homooctamère) de RuvA, et qui se fixe à la fois à la structure de Holliday et à deux hexamères de RuvB situés de part et d'autre de RuvA. Selon un processus dépendant de l'hydrolyse d'ATP, les hexamères de RuvB tournent en sens inverse pour attirer l'ADNdb vers le centre de RuvA, accrochée au nœud de la structure de Holliday. C'est là que les bases des deux brins d'un ADNdb changent de partenaires d'appariement en s'engageant dans deux nouveaux duplex qui sont repoussés vers l'extérieur du complexe. La structure de Holliday est finalement résolue par RuvC et libère les ADNdb qui la compose.

La principale fonction de la recombinaison homologue est la réparation des fourches de réplication endommagées lorsque le réplisome rencontre une lésion non réparée sur un des brins ou des cassures. Les DSB peuvent être ressoudées par un processus de réparation par recombinaison appelé soudure d'extrémités homologues.

Les chromosomes et les plasmides peuvent aussi subir des réarrangements à cause de l'intervention des transposons. Ces segments d'ADN portent des gènes codant des protéines jouant un rôle dans la transposition, à côté d'autres gènes. La transposase Tn5 catalyse la transposition de type copier-coller du transposon Tn5. La transposition réplicative se fait par l'intermédiaire de co-intégrats, qui sont réduits par l'action d'enzymes telle que la résolvase γδ. La transposition est certainement importante pour l'évolution des chromosomes et des plasmides. Elle est impliquée dans le contrôle de l'expression phénotypique comme, par exemple, l'alternance de phases chez *Salmonella,* catalysée par l'ADN invertase Hin, un homologue de la résolvase γδ. Les membres de la famille des intégrases λ, telle que la recombinase Cre, insèrent des fragments d'ADNdb dans leur site cible via une structure de Holliday dans laquelle des liaisons covalentes transitoires se forment entre les chaînes latérales de résidus Tyr du site actif et les groupements 3'-OH des sites de clivage. Les rétroposons se transposent à l'aide d'un intermédiaire ARN. Beaucoup de transposons, comme Ty1 de levure, sont des rétrovirus endogènes, qui ne peuvent se répliquer qu'à l'intérieur d'un génome. Les rétroposons non viraux tels que les éléments LINE, qui sont les transposons majoritaires dans le génome humain, ont un autre mécanisme de transposition.

7 ■ La méthylation de l'ADN et les expansions de répétitions de trinucléotides L'ADN procaryotique peut être méthylé sur les bases A et C. La méthylation empêche l'action des endonucléases de restriction et permet aussi la réparation correcte des mésappariements sur l'ADN néorépliqué. Chez la plupart des eucaryotes, la méthylation de l'ADN, qui a lieu principalement dans les îlots CpG, se fait en formant de la m^5C. Cette méthylation est impliquée dans le contrôle de l'expression des gènes et, grâce à sa persistance, dans le phénomène de l'empreinte parentale.

Plusieurs maladies génétiques neurodégénératives, comprenant le syndrome de l'X fragile, la dystrophie myotonique et la maladie de Huntington sont caractérisées par l'amplification de segments répétés de triplets riches en GC. Lorsque cette expansion de triplets se produit dans la région amont non codante d'un gène, sa méthylation anormale, pouvant venir de l'empreinte parentale, peut conduire à l'extinction transcriptionnelle du gène. Si par contre, la longue répétition se manifeste par une série poly(Gln) dans une protéine, cette protéine est susceptible de former des agrégats qui vont tuer le neurone dans lequel ils se produisent.

■ RÉFÉRENCES

GÉNÉRALITÉS

Adams, R.L.P., Knowler, J.T., and Leader, D.P., *The Biochemistry of the Nucleic Acids* (11th ed.), Chapters 6 and 7, Chapman & Hall (1992).

Kornberg, A., *For Love of Enzymes: The Odyssey of a Biochemist,* Harvard University Press (1989). [A scientific autobiography.]

Kornberg, A. and Baker, T.A., *DNA Replication* (2nd ed.), Freeman (1992). [A compendium of information about DNA replication whose first author is the founder of the field.]

Lewin, B., *Genes VII,* Chapters 12–17 and 33–36, Oxford University Press (2000).

RÉPLICATION DE L'ADN PROCARYOTIQUE

Baker, T.A. and Wickner, S.H., Genetics and enzymology of DNA replication in *Escherichia coli, Annu. Rev. Genet.* **26,** 447–477 (1992).

Beese, L.S., Derbyshire, V., and Steitz, T.A., Structure of DNA polymerase I Klenow fragment bound to duplex DNA, *Science* **260,** 352–355 (1993).

Benkovic, J.J., Valentine, A.M., and Salinas, F., Replisome-mediated DNA replication, *Annu. Rev. Biochem.* **70,** 181–208 (2001).

Carr, K.M. and Kaguni, J.M., Stoichiometry of DnaA and DnaB protein in initiation at the *Escherichia coli* chromosomal origin, *J. Biol. Chem.* **276,** 44919–44925 (2001).

Caruthers, J.M. and McKay, D.B., Helicase structure and mechanism, *Curr. Opin. Struct. Biol.* **12,** 123–133 (2002).

Crooke, E., Regulation of chromosomal replication in *E. coli:* sequestration and beyond, *Cell* **82,** 877–880 (1995).

Davey, M.J., Jeruzalmi, D., Kuriyan, J., and O'Donnell, M., Motors and switches: AAA^+ machines within the replisome, *Nature Rev. Mol. Cell Biol.* **3,** 1–10 (2002).

Doublié, S., Sawaya, M.R., and Ellenberger, T., An open and closed case for all polymerases, *Structure* **7,** R31–R35 (1999). [Reviews the mechanisms of DNA polymerases.]

Frick, D.N. and Richardson, C.C., DNA primases, *Annu. Rev. Biochem.* **70,** 39–80 (2001).

Guckian, K.M., Krugh, T.R., and Kool, E.T., Solution structure of a DNA duplex containing a replicable difluorotoluene–adenine pair, *Nature Struct. Biol.* **5,** 954–959 (1998); *and* Moran, S., Ren, R.X.-F., and Kool, E.T., A thymine triphosphate shape analog lacking Watson–Crick pairing ability is replicated with high sequence specificity, *Proc. Natl. Acad. Sci.* **94,** 10506–10511 (1997).

Jeruzalmi, D., O'Donnell, M., and Kuriyan, J., Clamp loaders and sliding clamps, *Curr. Opin. Struct. Biol.* **12,** 217–224 (2002); Jeruzalmi, D., Yurieva, O., Zhao, Y., Young, M., Stewart, J., Hingorani, M., O'Donnell, M., and Kuriyan, J., Mechanism of processivity clamp opening by the delta subunit wrench of the clamp loader complex of *E. coli* DNA polymerase III, *Cell* **106,** 417–428 (2001); Jeruzalmi, D., O'Donnell, M., and Kuriyan, J., Crystal structure of the processivity clamp loader gamma (γ) complex of *E. coli* DNA polymerase III, *Cell* **106,** 429–441 (2001); *and* Podobnik, M., Weitze, T.F., O'Donnell, M., and Kuriyan, J., Nucleotide-induced conformational change in an isolated *Escherchia coli* DNA polymerase III clamp loader subunit, *Structure* **11,** 253–263 (2003).

Johnson, K.A., Conformational coupling in DNA polymerase fidelity, *Annu. Rev. Biochem.* **62,** 685–713 (1993).

Kamada, K., Horiuchi, T., Ohsumi, K., Shimamoto, N., and Morikawa, K., Structure of a replication–terminator protein complexed with DNA, *Nature* **383,** 598–603 (1996).

Keck, J.L., Roche, D.D., Lynch, A.S., and Berger, J.M., Structure of the RNA polymerase domain of *E. coli* primase, *Science* **287,** 2482–2486 (2000); *and* Podobnik, M., McInerney, P., O'Donnell, M., and Kuriyan, J., A TOPRIM domain in the crystal structure of the catalytic core of *Escherichia coli* primase confirms a structural link to DNA topoisomerases, *J. Mol. Biol.* **300,** 353–362 (2000).

Kelman, Z. and O'Donnell, M., DNA polymerase III holoenzyme: Structure and function of a chromosomal replicating machine, *Annu. Rev. Biochem.* **64,** 171–200 (1995).

Kiefer, J.R., Mao, C., Braman, J.C., and Beese, L.S., Visualizing DNA replication in a catalytically active *Bacillus* DNA polymerase crystal, *Nature* **391,** 304–307 (1998).

Kong, X.-P., Onrust, R., O'Donnell, M., and Kuriyan, J., Three-dimensional structure of the β subunit of *E. coli* DNA polymerase III holoenzyme: A sliding DNA clamp, *Cell* **69,** 425–437 (1992).

Kool, E.T., Active site tightness and substrate fit in DNA replication, *Annu. Rev. Biochem.* **71,** 191–219 (2002); *and* Hydrogen-bonding, base stacking, and steric effects in DNA replication, *Annu. Rev. Biophys. Biomol. Struct.* **30,** 1–2 (2001).

Korolev, S., Hsieh, J., Gauss, G.H., Lohman, T.M., and Waksman, G., Major domain swiveling revealed by the crystal structures of complexes of *E. coli* Rep helices bound to single-stranded DNA and ADP, *Cell* **90,** 635–647 (1997).

Kunkel, T.A. and Bebenek, K., DNA replication fidelity, *Annu. Rev. Biochem.* **69,** 497–529 (2000).

Lee, J.Y., Chang, C., Song, H.K., Moon, J., Yang, J.K., Kim, H.-K., Kwon, S.-T., and Suh, S.W., Crystal structure of NAD⁺-dependent DNA ligase: modular architecture and functional implications, *EMBO J.* **19,** 1119–1129 (2000).

Li, Y., Korolev, S., and Waksman, G., Crystal structures of open and closed forms of binary and ternary complexes of the large fragment of *Thermus aquaticus* DNA polymerase I: structural basis for nucleotide incorporation, *EMBO J.* **17,** 7514–7525 (1998).

Naktinis, V., Turner, J., and O'Donnell, M., A molecular switch in the replication machine defined by internal competition for protein rings, *Cell* **84,** 137–145 (1996).

Patel, S.S. and Picha, K.M., Structure and function of hexameric helicases, *Annu. Rev. Biochem.* **69,** 651–697 (2000).

Raghunathan, S., Kozlov, A.G., Lohman, T.M., and Waksman, G., Structure of the DNA binding domain of *E. coli* SSB bound to ssDNA, *Nature Struct. Biol.* **7,** 648–652 (2000).

Singleton, M.R., Sawaya, M.R., Ellenberger, T., and Wigley, D.B., Crystal structure of T7 gene 4 ring helicase indicates a mechanism for sequential hydrolysis of nucleotides, *Cell* **101,** 589–600 (2000).

Soultanas, P. and Wigley, D.B., Unwinding the 'Gordian knot' of helicase action, *Trends Biochem. Sci.* **26,** 47–54 (2001).

Steitz, T.A., DNA polymerases: structural diversity and common mechanisms, *J. Biol. Chem.* **274,** 17395–17398 (1999).

Watson, J.D. and Crick, F.H.C., Genetical implications of the structure of deoxyribonucleic acid, *Nature* **171,** 964–967 (1953). [The paper in which semiconservative DNA replication was first postulated.]

RÉPLICATION DE L'ADN EUCARYOTIQUE

Allsopp, R.C., Vaziri, H., Patterson, C., Goldstein, S., Younglai, E.V., Futcher, A.B., Greider, C.W., and Harley, C.B., Telomere length predicts replicative capacity of human fibroblasts, *Proc. Natl. Acad. Sci.* **89,** 10114–10118 (1992).

Arezi, B. and Kuchta, R.D., Eukaryotic DNA primase, *Trends Biochem. Sci.* **25,** 572–576 (2000).

Bell, S.P. and Dutta, A., DNA replication in eukaryotic cells, *Annu. Rev. Biochem.* **71,** 333–374 (2002).

Blackburn, E.H., Telomerases, *Annu. Rev. Biochem.* **61,** 113–129 (1992).

Blackburn E.H., Switching and signaling at the telomere, *Cell* **106,** 661–673 (2001); *and* Telomere states and cell fates, *Nature* **408,** 53–56 (2000).

Blow, J.J. and Hodgson, B., Replication licensing—defining the proliferative state? *Trends Cell Biol.* **12,** 72–78 (2002).

Cech, T.R., Life at the end of the chromosome: Telomeres and telomerase, *Angew. Chemie* **39,** 34–43 (2000).

Clayton, D.A., Replication and transcription of vertebrate mitochondrial DNA, *Annu. Rev. Cell Biol.* **7,** 453–478 (1991).

Davies, J.F., II, Almassey, R.J., Hostomska, Z., Ferre, R.A., and Hostomsky, Z., 2.3 Å crystal structure of the catalytic domain of DNA polymerase β, *Cell* **76,** 1123–1133 (1994).

DePamphilis, M.L., Replication origins in metazoan chromosomes: fact or fiction, *BioEssays* **21,** 5–16 (1999).

Diffley, J.F.X., DNA replication: Building the perfect switch, *Curr. Biol.* **11,** R367–R370 (2001).

Ding, J., Das, K., Hsiou, Y., Sarafianos, S.G., Clark, A.D., Jr., Jacobo-Molina, A., Tantillo, C., Hughes, S.H., and Arnold, E., Structure and functional implications of the polymerase active site region in a complex of HIV-1 RT with a double-stranded DNA template-primer and an antibody Fab fragment at 2.8 Å resolution, *J. Mol. Biol.* **284,** 1095–1111 (1998); *and* Jacobo-Molina, A., Ding, J., Nanni, R.G., Clark, A.D., Jr., Lu, X., Tantillo, C., Williams, R.L., Kamer, G., Ferris, A.L., Clark, P., Hizi, A., Hughes, S.H., and Arnold, E., Crystal structure of human immunodeficiency virus type 1 reverse transcriptase complexed with double-stranded DNA at 3.0 Å resolution shows bent DNA, *Proc. Natl. Acad. Sci.* **90,** 6320–6324 (1993).

Franklin, M.C., Wang, J., and Steitz, T.A., Structure of the replicating complex of a pol α family DNA polymerase, *Cell* **105,** 657–667 (2001).

Gilbert, D.M., Making sense out of eukaryotic DNA replication origins, *Science* **294,** 96–100 (2001).

Griffith, J.D., Comeau, L., Rosenfield, S., Stansel, R.M., Bianchi, A., Moss, H., and de Lange, T., Mammalian telomeres end in a large duplex loop, *Cell* **97,** 503–514 (1999).

Hahn, W.C., Counter, C.M., Lundberg, A.S., Beijersbergen, R.L., Brooks, M.W., and Weinberg, R.A., Creation of human tumour cells with defined genetic elements, *Nature* **400,** 464–468 (1999).

Horvath, M.P. and Schultz, S.C., DNA G-quartets in a 1.86 Å resolution structure of an *Oxytricha nova* telomeric protein–DNA complex, *J. Mol. Biol.* **310**, 367–377 (2001).

Hübscher, U., Maga, G., and Spadari, S., Eukaryotic DNA polymerases, *Annu. Rev. Biochem.* **71**, 133–163 (2002); *and* Hübscher, U., Nasheuer, H.-P., and Syväoja, J.E., Eukaryotic DNA polymerases. A growing family, *Trends Biochem. Sci.* **25**, 143–147 (2000).

Jäger, J. and Pata, J.D., Getting a grip: polymerases and their substrate complexes, *Curr. Opin. Struct. Biol.* **9**, 21–28 (1999).

Kelleher, C., Teixeira, M.T., Förstemann, K., and Lingner, J., Telomerase: Biochemical considerations for enzyme and substrate, *Trends Biochem. Sci.* **27**, 572–579 (2002).

Kelly, T.J. and Brown, G.W., Regulation of chromosome replication, *Annu. Rev. Biochem.* **69**, 829–880 (2000).

Kohlstaedt, L.A., Wang, J., Friedman, J.M., Rice, P.A., and Steitz, T.A., Crystal structure at 3.5 Å resolution of HIV-1 reverse transcriptase complexed with an inhibitor, *Science* **256**, 1783–1790 (1992).

McEachern, M.J., Krauskopf, A., and Blackburn, E.H., Telomeres and their control, *Annu. Rev. Genet.* **34**, 331–358 (2000).

Neidle, S. and Parkinson, G., Telomere maintenance as a target for anticancer drug discovery, *Nature Rev. Drug Discov.* **1**, 383–393 (2002); *and* The structure of telomeric DNA, *Curr. Opin. Struct. Biol.* **13**, 275 (2003).

Schultze, P., Smith, F.W., and Feigon, J., Refined solution structure of the dimeric quadruplex formed from the *Oxytricha* telomeric oligonucleotide d(GGGGTTTTGGGG), *Structure* **2**, 221–233 (1994).

Takisawa, H., Mimura, S., and Kubota, Y., Eukaryotic DNA replication: from pre-replication complex to initiation complex, *Curr. Opin. Cell Biol.* **12**, 690–696 (2000).

Tye, B.K. and Sawyer, S., The hexameric eukaryotic MCM helicase: building symmetry from nonidentical parts, *J. Biol. Chem.* **275**, 34833–34836 (2000); *and* Tye, B.K., MCM proteins in DNA replication, *Annu. Rev. Biochem.* **68**, 649–686 (1999).

Urquidi, V., Tarin, D., and Goddison, S., Role of telomerase in cell senescence and oncogenesis, *Annu. Rev. Med.* **51**, 65–79 (2000).

Waga, S. and Stillman, B., The DNA replication fork in eukaryotic cells, *Annu. Rev. Biochem.* **67**, 721–751 (1998).

RÉPARATION DE L'ADN

Ames, B.N., Identifying environmental chemicals causing mutations and cancer, *Science* **204**, 587–593 (1979).

Beckman, K.B. and Ames, B.N., Oxidative decay of DNA, *J. Biol. Chem.* **272**, 19633–19636 (1997).

Devoret, R., Bacterial tests for potential carcinogens, *Sci. Am.* **241**(2), 40–49 (1979).

Friedberg, E.C., Wagner, R., and Radman, M., Specialized DNA polymerases, cellular survival, and the genesis of mutations, *Science* **296**, 1627–1630 (2002).

Friedberg, E.C., Walker, G.C., and Siede, W., *DNA Repair and Mutagenesis*, ASM Press (1995).

Goodman, M.F., Error-prone repair DNA polymerases in prokaryotes and eukaryotes, *Annu. Rev. Biochem.* **71**, 17–50 (2002).

Hall, J.G., Genomic imprinting: Nature and clinical relevance, *Annu. Rev. Med.* **48**, 35–44 (1997).

Harfe, B.D. and Jinks-Robertson, S., DNA mismatch repair and genetic instability, *Annu. Rev. Genet.* **34**, 359–399 (2000).

Hopfner, K.-P., Putnam, C.D., and Tainer, J.A., DNA double-strand break repair from head to tail, *Curr. Opin. Struct. Biol.* **12**, 115–122 (2002).

Jaenisch, R., DNA methylation and imprinting: why bother? *Trends Genet.* **13**, 322–329 (1997).

Jiricny, J., Replication errors: cha(lle)nging the genome, *EMBO J.* **17**, 6427–6436 (1998). [A review of mismatch repair.]

Kenyon, C.J., The bacterial response to DNA damage, *Trends Biochem. Sci.* **8**, 84–87 (1983).

Lalande, M., Parental imprinting and human disease, *Annu. Rev. Genet.* **30**, 173–195 (1997).

Lindahl, T., Instability and decay of the primary structure of DNA, *Nature* **363**, 709–715 (1993).

Lindahl, T. and Wood, R.D., Quality control by DNA repair, *Science* **286**, 1897–1905 (1999). [A review.]

Ling, H., Boudsocq, F., Woogate, R., and Yang, W., Crystal structure of a Y-family DNA polymerase in action: A mechanism for error-prone and lesion-bypass replication, *Cell* **107**, 91–102 (2001).

Marra, G. and Schär, P., Recognition of DNA alterations by the mismatch repair system, *Biochem. J.* **338**, 1–13 (1999).

McCullough, A.K., Dodson, M.L., and Lloyd, R.S., Initiation of base excision repair: glycosylase mechanism and structures, *Annu. Rev. Biochem.* **68**, 255–285 (1999).

Mitra, S. and Kaina, B., Regulation of repair of alkylation damage in mammalian genomes, *Prog. Nucleic Acid Res. Mol. Biol.* **44**, 109–142 (1993).

Modrich, P., Mismatch repair in replication fidelity, genetic recombination, and cancer biology, *Annu. Rev. Biochem.* **65**, 101–133 (1996).

Mol, C.D., Parikh, S.S., Putnam, C.D., Lo, T.P., and Tainer, J.A., DNA repair mechanism for the recognition and removal of damaged DNA bases, *Annu. Rev. Biophys. Biomol. Struct.* **28**, 101–128 (1999).

Moore, M.H., Gulbis, J.M., Dodson, E.J., Demple, B., and Moody, P.C.E., Crystal structure of a suicidal DNA repair protein: Ada O^6-methylguanine-DNA methyltransferase from *E. coli*, *EMBO J.* **13**, 1495–1501 (1994).

Myers, L.C., Verdine, G.L., and Wagner, G., Solution structure of the DNA methyl triester repair domain of *Escherichia coli* Ada, *Biochemistry* **32**, 14089–14094 (1993).

Parikh, S.S., Mol, C.D., Slupphaug, G., Bharati, S., Krokan, H.E., and Tainer, J.A., Base excision repair initiation revealed by crystal structures and binding kinetics of human uracil–DNA glycosylase with DNA, *EMBO J.* **17**, 5214–5226 (1998).

Park, H.-W., Kim, S.-T., Sancar, A., and Diesenhofer, J., Crystal structure of DNA photolyase from *Escherichia coli*, *Science* **268**, 1866–1872 (1995).

Pegg, A.E., Dolan, M.E., and Moschel, R.C., Structure, function, and inhibition of O^6-alkylguanine–DNA alkyltransferase, *Prog. Nucleic Acid Res. Mol. Biol.* **51**, 167–223 (1995).

Pham, P., Rangarajan, S., Woodgate, R., and Goodman, M.F., Roles of DNA polymerases V and II in SOS-induced error-prone and error-free repair in *Escherichia coli*, *Proc. Natl. Acad. Sci.* **98**, 8350–8354 (2001); *and* Goodman, M.F., Coping with replication 'train wrecks' in *Escherichia coli* using Pol V, Pol II, and RecA proteins, *Trends Biochem. Sci.* **25**, 189–195 (2000).

Sancar, A., DNA excision repair, *Annu. Rev. Biochem.* **65**, 43–81 (1996).

Scriver, C.R., Beaudet, A.L., Sly, W.S., and Valle, D. (Eds.), *The Metabolic & Molecular Bases of Inherited Disease* (8th ed.), Chaps. 28 and 32, McGraw-Hill (2001). [Discussions of xeroderma pigmentosum, Cockayne syndrome, and hereditary nonpolyposis colorectal cancer.]

Sutton, M.D., Smith, B.T., Godoy, V.G., and Walker, G.C., The SOS response: recent insights into *umuDC*-dependent mutagenesis and DNA damage tolerance, *Annu. Rev. Genet.* **34**, 479–497 (2000).

Tainer, J.A. and Friedberg, E.C. (Eds.), *Biological Implications from Structures of DNA Repair Proteins, Mutation Research* **460**, 139–335 (2000). [A series of authoritative reviews.]

Walker, J.R., Corpina, R.A., and Goldberg, J., Structure of the Ku heterodimer bound to DNA and its implications for double-strand break repair, *Nature* **412,** 607–614 (2001).

Wood, R.D., Nucleotide excision repair in mammalian cells, *J. Biol. Chem.* **272,** 23465–23468 (1997); *and* DNA repair in eukaryotes, *Annu. Rev. Biochem.* **65,** 135–167 (1996).

Yang, W., Damage repair DNA polymerases Y, *Curr. Opin. Struct. Biol.* **13,** 23–30 (2003).

RECOMBINAISON ET ÉLÉMENTS GÉNÉTIQUES MOBILES

Ariyoshi, M., Nishino, T., Iwasaki, H., Shinagawa, H., and Morikawa, K., Crystal structure of the Holliday junction DNA in complex with a single RuvA tetramer, *Proc. Natl. Acad. Sci.* **97,** 8257–8262 (2000).

Changela, A., Perry, K., Taneja, B., and Mondragón, A., DNA manipulators: caught in the act, *Curr. Opin. Struct. Biol.* **13,** 15–22 (2003).

Cox, M.M., Recombinational DNA repair of damaged replication forks in *Escherichia coli:* questions, *Annu. Rev. Genet.* **35,** 53–82 (2001); *and* Recombinational DNA repair in bacteria and the RecA protein, *Prog. Nucleic Acid Res. Mol. Biol.* **63,** 311–366 (2000).

Cox, M.M., Goodman, M.F., Kreuzer, K.N., Sherratt, D.J., Sandler, S.J., and Marians, K.J., The importance of repairing stalled replication forks, *Nature* **404,** 37–41 (2000).

Craig, N.L., Target site selection in transposition, *Annu. Rev. Biochem.* **66,** 437–474 (1997).

Craig, N.L., Craigie, R., Gellert, M., and Lambowitz, A.M. (Eds.), *Mobile DNA II,* ASM Press (2002). [A compendium of authoritative articles.]

Davies, D.R., Gorshin, I.Y., Reznikoff, W.S., and Rayment, I., Three-dimensional structure of the Tn5 synaptic complex transposition intermediate, *Science* **289,** 77–85 (2000); *and* Reznikoff, W.S., Bhasin, A., Davies, D.R., Gorshin, I.Y., Mahnke, L.A., Naumann, T., Rayment, I., Steiniger-White, M., and Twining, S.S., Tn5: a molecular window on transposition, *Biochem. Biophys. Res. Commun.* **266,** 729–734 (1999).

Egelman, E.H., What do X-ray crystallographic and electron microscopic structural studies of RecA protein tell us about recombination? *Curr. Opin. Struct. Biol.* **3,** 189–197 (1993).

Eichman, B.F., Vargason, J.M., Mooers, B.H.M., and Ho, P.S., The Holliday junction in an inverted repeat DNA sequence: sequence effects on the structure of four-way junctions, *Proc. Natl. Acad. Sci.* **97,** 3971–3976 (2000).

Feng, J.-A., Dickerson, R.E., and Johnson, R.C., Proteins that promote DNA inversion and deletion, *Curr. Opin. Struct. Biol.* **4,** 60–66 (1994).

Haber, J.E., Partners and pathways. Repairing a double-strand break, *Trends Genet.* **16,** 259–264 (2000); *and* DNA recombination: the replication connection, *Trends Biochem. Sci.* **24,** 271–275 (1999).

Haren, L., Ton-Hoang, B., and Chandler, M., Integrating DNA: transposases and retroviral integrases, *Annu. Rev. Microbiol.* **53,** 245–281 (1999).

Ho, P.S. and Eichman, B.F., The crystal structures of Holliday junctions, *Curr. Opin. Struct. Biol.* **11,** 302–308 (2001).

Kuzminov, A., Recombinational repair of DNA damage in *Escherichia coli* and bacteriophage λ, *Microbiol. Mol. Biol. Rev.* **63,** 751–813 (1999).

Lusetti, S.L. and Cox, M.M., The bacterial RecA protein and the recombinational DNA repair of stalled replication forks, *Annu. Rev. Biochem.* **71,** 71–100 (2002).

Marians, K.J., PriA-directed replication fork restart in *Escherichia coli, Trends Biochem. Sci.* **25,** 185–189 (2000).

Rice, P.A. and Baker, T.A., Comparative architecture of transposase and integrase complexes, *Nature Struct. Biol.* **8,** 302–307 (2001).

Roe, S.M., Barlow, T., Brown, T., Oram, M., Keeley, A., Tsaneva, I.R., and Pearl, L.H., Crystal structure of an octameric RuvA–Holliday junction complex, *Molecular Cell* **2,** 361–372 (1998).

Simon, M., Zieg, J., Silverman, M., Mandel, G., and Doolittle, R., Phase variation: evolution of a controlling element, *Science* **209,** 1370–1374 (1980).

Story, R.M., Weber, I.T., and Steitz, T.A., The structure of the *E. coli recA* protein monomer and polymer, *Nature* **355,** 318–325 (1992); *and* the erratum for this paper, *Nature* **355,** 367 (1992). [These two papers should be read together.]

Van Duyne, G.D., A structural view of Cre–*loxP* site-specific recombination, *Annu. Rev. Biophys. Biomol. Struct.* **30,** 87–104 (2001).

Yamada, K., Kunishima, N., Mayanagi, K., Ohnishi, T., Nishino, T., Iwasaki, H., Shinagawa, H., and Morikawa, K., Crystal structure of the Holliday junction migration motor protein RuvB from *Thermus thermophilus* HB8, *Proc. Natl. Acad. Sci.* **98,** 1442–1447 (2001).

West, S.C., Processing of recombination intermediates by the RuvABC proteins, *Annu. Rev. Genet.* **31,** 213–244 (1997).

Yang, W. and Steitz, T.A., Crystal structure of the site-specific recombinase γδ resolvase complexed with a 34 bp cleavage site, *Cell* **82,** 193–207 (1995).

LA MÉTHYLATION DE L'ADN ET LES EXPANSIONS DE RÉPÉTITIONS DE TRINUCLÉOTIDES

Bowater, R.P. and Wells, R.D., The intrinsically unstable life of DNA repeats associated with human hereditary disorders, *Prog. Nucleic Acid Res. Mol. Biol.* **66,** 159–202 (2001).

Cheng, X., Structure and function of DNA methyltransferases, *Annu. Rev. Biophys. Biomol. Struct.* **24,** 293–318 (1995).

Cummings, C.J. and Zoghbi, H.Y., Trinucleotide repeats: mechanisms and pathophysiology, *Annu. Rev. Genomics Hum. Genet.* **1,** 281–328 (2002); *and* Zoghbi, H.Y. and Orr, H.T., Glutamine repeats and neurodegeneration, *Annu. Rev. Neurosci.* **23,** 217–247 (2000).

Goodman, J. and Watson, R.E., Altered DNA methylation: a secondary mechanism involved in carcinogenesis, *Annu. Rev. Pharmacol. Toxicol.* **42,** 501–525 (2002).

Jones, P.A. and Baylin, S.B., The fundamental role of epigenetic events in cancer, *Nature Rev. Genet.* **3,** 415–428 (2002); *and* Jones, P.A. and Takai, D., The role of DNA methylation in mammalian epigenetics, *Science* **293,** 1068–1070 (2001).

Klimasauskas, S., Kumar, S., Roberts, R.J., and Cheng, X., HhaI methyltransferase flips its target base out of the DNA helix, *Cell* **76,** 357–369 (1994).

Marinus, M.G., DNA methylation in *Escherichia coli, Annu. Rev. Genet.* **21,** 113–131 (1987).

O'Donnell, W.T. and Warren, S.T., A decade of molecular studies of fragile X syndrome, *Annu. Rev. Neurosci.* **25,** 315–338 (2002).

Perutz, M.F. and Windle, A.H., Causes of neural death in neurodegenerative diseases attributable to expansion of glutamine repeats, *Nature* **12,** 143–144 (2001); *and* Perutz, M.F., Glutamine repeats and neurodegenerative diseases: molecular aspects, *Trends Biochem. Sci.* **24,** 58–63 (1999).

Reik, W., Dean, W., and Walter, J., Epigenetic reprogramming in mammalian development, *Science* **293,** 1089–1093 (2001).

Rideout, W.M., III, Eggan, K., and Jaenisch, R., Nuclear cloning and epigenetic reprogramming of the genome, *Science* **293,** 1093–1098 (2001).

Roberts, R.J. and Cheng, X., Base flipping, *Annu. Rev. Biochem.* **67,** 181–198 (1998).

Scriver, C.R., Beaudet, A.L., Sly, W.S., and Valle, D. (Eds.), *The Metabolic & Molecular Bases of Inherited Disease* (8th ed.),

Chaps. 64, 223, and 226, McGraw-Hill (2001). [Discussions of fragile X syndrome, Huntington's disease, and the spinocerebellar ataxias.]

Szyf, M. and Detich, N., Regulation of the DNA methylation machinery and its role in cellular transformation, *Prog. Nucleic Acid Res. Mol. Biol.* **69,** 47–79 (2001).

■ PROBLÈMES

1. Expliquer comment certaines formes mutantes de Pol I peuvent manquer totalement d'activité ADN polymérase tout en conservant des niveaux presque normaux d'activité exonucléase 5' → 3'.

2. Pourquoi n'a-t-on pas trouvé de mutants de Pol I totalement dépourvus d'activité 5' → 3' à toutes températures ?

3. Pourquoi les topo-isomérases de Type I ne sont-elles pas nécessaires à la réplication de l'ADN ?

4. L'activité exonucléase 3' → 5' de Pol T consiste à exciser seulement les nucléotides 3'-terminaux non appariés de l'ADN, alors que l'activité de pyrophosphorolyse de la même enzyme n'enlève que les nucléotides 3'-terminaux appariés correctement. Discuter d'une manière mécaniste ce que signifie ce phénomène pour la fonction polymérase

5. Vous venez d'isoler chez *E. coli* des mutations thermosensibles dans les gènes qui suivent. Quels sont leurs phénotypes au dessus des températures restrictives ? Répondre cas par cas. (a) *dnaB*, (b) *dnaE*, (c) *dnaG*, (d) *lig*, (e) *polA*, (f) *rep*, (g) *ssb*, et (h) *recA*.

6. Environ combien de fragments d'Okazaki *E. coli* synthétise-t-il en répliquant une fois son chromosome ?

*7. Quels sont les nombres minimum et maximum de fourches de réplication pouvant se former sur le chromosome de cellules *E. coli* qui se divisent toutes les 25 min ; toutes les 80 min ?

8. Pour représenter l'appareil de réplication de *E. coli* à l'échelle humaine, imaginons d'agrandir le diamètre de l'ADN-B, de 20 Å à 1 m. En conservant la même échelle, chaque holoenzyme d'ADN polymérase III aurait la taille approximative d'un camion de taille moyenne. À cette échelle : (a) Quelle serait la vitesse de déplacement de chaque réplisome ? (b) Quelle distance parcourrait chaque réplisome pour effectuer un cycle complet de réplication , (c) Quelle serait la longueur d'un fragment d'Okazaki ? (d) Quelle serait la distance moyenne parcourue par le réplisome entre deux erreurs qu'il commettrait ? Donnez vos réponses en km/h et en km.

9. Pourquoi les ADN duplex linéaires, comme celui que possède le bactériophage T7, ne peuvent-ils pas être répliqués complètement seulement grâce aux protéines codées dans *E coli* ?

*10. Quelle est la demi-vie d'une base purique particulière dans le génome humain, si l'on suppose qu'elle n'est soumise qu'à la dépurination spontanée ? Quelle proportion des bases puriques du génome humain peut être dépurinée au cours d'une seule génération (supposée de 25 ans) ? Des ADN de momies égyptiennes datant de ~4000 ans ont été séquences. En supposant que la momification n'a pas ralenti la vitesse de dépurination, en quelle proportion les bases puriques présentes à l'origine de la momie seraient-elles intactes de nos jours ?

11. Pourquoi la méthylation de l'ADN formant 0^6-méthylguanine est-elle mutagène ?

12. Lorsqu'une fourche de réplication rencontre une lésion sur un des brins elle peut soit se dissocier, soit laisser derrière elle une brèche sur un des brins. Cette dernière possibilité est plus probable pour ce qui est de la synthèse du brin retardé que pour celle du brin avancé. Expliquez en la raison.

13. Le génome de *E. coli* contient 1009 séquences Chi. La répartition de ces séquences est-elle aléatoire ? Sinon, quel est l'écart par excès ou par défaut par rapport à cette distribution aléatoire ?

14. *Deinococcus radiodurans*, que le livre des records, *Guiness records*, a qualifiée de bactérie la plus résistante au monde, tolère des doses de rayons ionisants environ 3000 fois plus fortes que la dose létale pour l'homme (on l'a découverte pour la première fois dans une boîte de conserve de viande qui avait été stérilisée par irradiation). Elle semble avoir développé plusieurs stratégies pour réparer les lésions de l'ADN provoquées par des rayons (de fortes doses de ceux-ci cassent l'ADN en nombreux fragments). Cette bactérie possède notamment un nombre particulièrement élevé de gènes codant des protéines impliquées dans la réparation de l'ADN et renferme 4 à 10 copies de son génome par cellule, celui-ci étant constitué de deux chromosomes circulaires et de deux plasmides circulaires. Cependant, ces stratégies ne suffisent pas à elles seules pour expliquer l'énorme résistance aux rayonnements. En fait, une stratégie complémentaire consiste à organiser les copies multiples de ses ADN circulaires en paquets, dans lesquels on pense que les gènes identiques des différents cercles sont alignés côte à côte. En quoi cette dernière stratégie aide-t-elle *D. radiodurans* à réparer efficacement son ADN fragmenté ?

15. Les îlots CpG ont une fréquence dans le génome des eucaryotes qui est environ un cinquième de celle qu'on attendrait si leur fréquence résultait d'une répartition aléatoire. Proposez un processus évolutif (mutationnel) qui éliminerait les îlots CpG.

16. Expliquer pourquoi l'exposition d'une lignée de cellules eucaryotiques en culture pendant un temps court à la 5-azacytosine entraîne des changements phénotypiques permanents pour ces cellules.

17. Expliquer pourquoi les structures en chi, telles que celles présentées Fig.30-67*b*, ont toujours deux bras d'égales longueurs.

*18. Les ADN circulaires simple brin qui contiennent un transposon possèdent une structure caractéristique avec une tige et deux boucles, comme celle présentée à la Fig. 30-102. Quelle est l'explication physique de cette structure ?

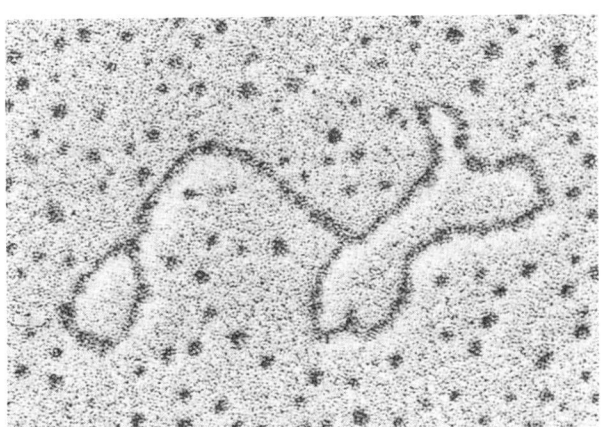

FIGURE 30-102

19. Un transposon composite intégré dans un plasmide circulaire entraîne parfois la transposition de l'ADN constituant le plasmide originel, plutôt que celle de la région centrale du transposon. Expliquer comment ceci est possible.

*20. La recombinase Cre, outre sa fonction de circularisation de l'ADNdb P1 (Fig. 30-93), possède une autre fonction. Elle est nécessaire pour réduire les dimères de plasmides P1 résultant de leur réparation par recombinaison au cours de la réplication, elle permet ainsi au deux cellules filles d'hériter une copie du plasmide P1. A l'aide de schémas simples, représentez la façon dont ces deux plasmides se dimérisent et comment Cre les réduit en deux monomères circulaires.

Chapitre
31

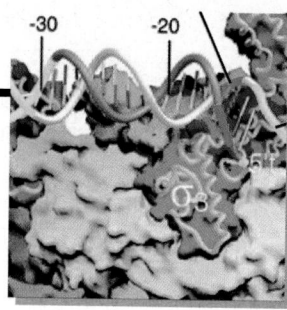

Transcription

Il existe trois classes principales d'ARN, qui participent tous à la synthèse protéique : les **ARN ribosomiaux (ARNr)**, les **ARN de transfert (ARNt)** et les **ARN messagers (ARNm)**. Tous ces ARN sont synthétisés sous la direction de matrices d'ADN, un mécanisme appelé **transcription.**

L'intervention de l'ARN dans la synthèse protéique est apparue évidente à la fin des années 1930 grâce aux travaux de Torbjom Caspersson et de Jean Brachet. Grâce à des observations au microscope, Caspersson s'aperçut que l'ADN est confiné presque exclusivement dans le noyau des cellules d'eucaryotes, alors que l'ARN se trouve **essentiellement** dans le cytosol. **Brachet,** qui avait mis au point des techniques de séparation des organites intracellulaires, arriva aux mêmes conclusions par des analyses chimiques directes. De plus, il trouva que les particules cytosoliques qui contiennent l'ARN sont également riches en protéines. Ces deux chercheurs remarquèrent que la concentration de ces particules ribonucléoprotéiques (appelées plus tard les ribosomes) est corrélée au taux de la synthèse protéique d'une cellule, impliquant une relation entre l'ARN et la synthèse protéique. Brachet suggéra même que *les particules ribonucléoprotéiques sont le siège de la synthèse protéique.*

La suggestion de Brachet fut vérifiée dans les années 1950, avec l'apparition des acides aminés radioactifs. Peu de temps après l'injection d'un acide aminé marqué à un rat, l'essentiel de la radioactivité incorporée dans les protéines est associé aux ribosomes. Cette expérience montra également que *la synthèse protéique n'est pas sous la dépendance directe de l'ADN car, du moins chez les eucaryotes, l'ADN et les ribosomes ne sont jamais en contact.*

En 1958, Francis Crick résuma les relations, encore floues à l'époque, entre l'ADN, l'ARN et les protéines dans un schéma d'enchaînement qu'il appela le dogme central de la biologie moléculaire : *l'ADN dirige sa propre réplication et sa transcription en ARN qui, à son tour, dirige sa traduction en protéines (Fig. 5-21). L'utilisation insolite du mot « dogme », qui selon une de ses définitions, désigne une doctrine religieuse dont le vrai croyant ne peut douter, vient d'un malentendu. Lorsque Crick formula le dogme central, il pensait que dogme signifiait « une idée qui n'est pas étayée par des preuves rationnelles. »*

Nous commencerons par décrire les expériences qui ont conduit à la découverte du rôle central de l'ARNm dans la biosynthèse protéique. Nous étudierons ensuite le mécanisme de la transcription et son contrôle chez les procaryotes. Enfin, dans la dernière section, nous étudierons la maturation post-transcriptionnelle des ARN chez les procaryotes et les eucaryotes. La traduction sera étudiée dans le Chapitre 32. Notez que ces thèmes ont été esquissés dans la Section 5-4. Nous allons y revenir plus en détails.

1 ■ LE RÔLE DE L'ARN DANS LA SYNTHÈSE PROTÉIQUE

Les protéines sont spécifiées par l'ARNm et synthétisées sur les ribosomes. Cette idée a germé lors de l'étude du mécanisme de l'**induction enzymatique**, phénomène dans lequel les bactéries modulent les vitesses de synthèse d'enzymes spécifiques en réponse à des changements de leur environnement. Nous allons étudier dans cette section les expériences classiques qui ont expliqué les bases de l'induction enzymatique et révélé l'existence de l'ARNm. Nous verrons que l'induction enzymatique est une conséquence de la régulation de la synthèse de l'ARNm par des protéines qui se lient spécifiquement aux matrices ADN des ARNm.

A. *Induction enzymatique*

La bactérie *E. coli* peut synthétiser environ 4300 polypeptides différents. Cependant, il y a d'énormes variations dans les quantités produites de ces différents polypeptides. Par exemple, les différentes protéines ribosomiales peuvent se trouver chacune présentes en plus de 10.000 copies par cellule, alors que certaines protéines régulatrices (voir ci-dessous) se trouvent normalement à moins de 10 copies par cellule. De nombreuses enzymes, en particulier celles impliquées dans des fonctions d'« entretien » cellulaire de base, sont synthétisées à une vitesse plus ou moins constante ; on les appelle **enzymes constitutives**. D'autres enzymes, appelées enzymes **adaptatives** ou **inductibles**, sont synthétisées à des taux qui changent en fonction des conditions dans lesquelles se trouve la cellule.

a. Les enzymes du métabolisme du lactose sont inductibles

Les bactéries, on le sait depuis 1900, s'adaptent à leur environnement en ne synthétisant des enzymes qui métabolisent certains nutriments que si ces substances sont présentes, c'est le cas du lactose par exemple. *E. coli* cultivée en l'absence de lactose est, de prime abord, incapable de métaboliser ce disaccharide. Pour ce faire, deux protéines doivent être présentes : la β-galactosidase, qui catalyse l'hydrolyse du lactose en ses deux monosaccharides,

et la **galactoside perméase** (appelée aussi **lactose perméase** ; Section 20-4B), qui transporte le lactose dans la cellule. *E. coli* cultivée en l'absence de lactose ne contient que quelques molécules (<5) de ces protéines. Toutefois, quelques minutes après l'introduction de lactose dans le milieu de culture, *E. coli* augmente de ~1000 fois la vitesse à laquelle elle synthétise ces protéines, de sorte que la β-galactosidase peut représenter jusqu'à 10 % des protéines solubles de la cellule, et maintient cette vitesse jusqu'à épuisement du lactose. La vitesse de synthèse revient alors à sa valeur infime initiale (Fig. 31-1). *Cette possibilité de ne synthétiser certaines enzymes que si les substances qu'elles métabolisent sont présentes, permet aux bactéries de s'adapter à leur environnement, sans avoir à synthétiser de manière inconsidérée ces substances en grande quantité et de façon permanente, lorsqu'elles sont inutiles.*

Le lactose ou l'un de ses produits métaboliques doit, d'une manière ou d'une autre, déclencher la synthèse des protéines ci-

dessus. Une telle substance est appelée un **inducteur**. L'inducteur physiologique du système lactose, l'isomère du lactose, le **1,6-allolactose,**

1,6-Allolactose

est formé par la transglycosylation occasionnelle du lactose par la β-galactosidase. Cependant, c'est avec l'isopropylthiogialactoside (IPTG),

Isopropylthiogalactoside (IPTG)

un inducteur puissant de structure analogue à celle de l'allolactose mais qui n'est pas dégradé par la β-galactosidase, que la plupart des études sur le système lactose ont été faites.

Les inducteurs du système lactose induisent aussi la synthèse de la **thiogalactoside transacétylase,** une enzyme qui, *in vitro*, catalyse le transfert d'un groupe acétyl de l'acétyl-CoA sur le groupe C6-OH d'un β-thiogalactoside comme l'IPTG. Le métabolisme du lactose ne nécessitant pas de thiogalactoside transacétylase, le rôle physiologique de cette enzyme reste inconnu.

b. Les gènes du système *lac* constituent un opéron

Les gènes codant les formes sauvages de la β-galactosidase, de la galactoside perméase et de la thiogalactoside transacétylase sont désignés respectivement par Z^+, Y^+ et A^+. L'établissement de la carte génétique des mutants déficients Z^-, Y^- et A^- a montré que

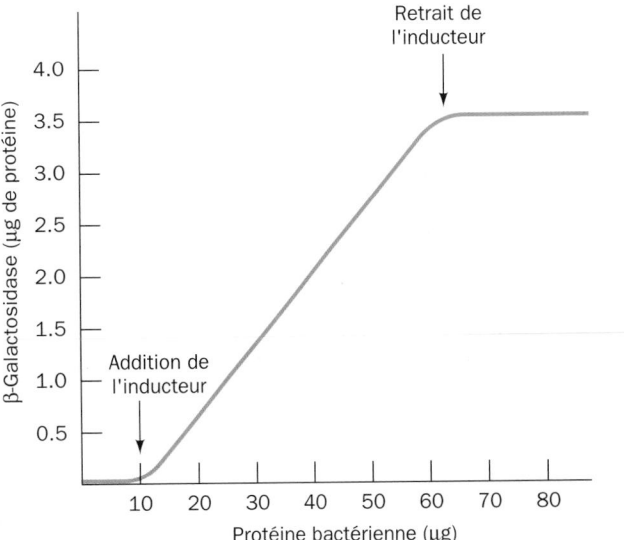

FIGURE 31-1 Cinétique de l'induction de la β-galactosidase chez *E. coli. [D'après Cohn, M., *Bacteriol. Rev.* **21**, 156 (1957).]

ces **gènes de structure** *lac* (gènes codant les polypeptides) sont contigus sur le chromosome de *E. coli* (Fig. 31-2). *Ces gènes, associés aux éléments de contrôle P et O, constituent une unité génétique appelée* **opéron**, *et dans ce cas précis,* **opéron lac**. La nature des éléments de contrôle est étudiée ci-dessous. Le rôle des opérons dans l'expression des gènes de procaryotes est étudié dans la Section 31-3.

c. Les bactéries peuvent transmettre des gènes par conjugaison

Un indice important pour comprendre comment *E. coli* synthétise ses protéines a été fourni par une mutation qui entraîne la synthèse massive des protéines de l'opéron *lac* en l'absence d'inducteur. Cette mutation, appelée mutation constitutive affecte un gène, appelé *I*, différent des gènes codant les enzymes *lac* quoique étroitement lié à eux (Fig. 31-2). Quelle est la nature du produit codé par le gène *I* ? Cette énigme a été résolue par une expérience ingénieuse réalisée par Arthur Pardee, François Jacob et Jacques Monod, elle est connue sous le nom d'**expérience de PaJaMo**. Afin de comprendre cette expérience, il nous faut d'abord étudier la **conjugaison bactérienne**.

La conjugaison bactérienne est un processus, découvert en 1946 par Josua Lederberg et Edward Tatum, par lequel certaines bactéries peuvent transférer de l'information génétique à d'autres. La capacité de conjuguer (s'accoupler) est conférée à une bactérie quelconque par un **plasmide** nommé **facteur F** (pour *fertilité*). Les bactéries possédant un facteur F (appelées F⁺ ou mâles) sont couvertes de prolongements faisant penser à des cheveux et appelés **pili F**. Ceux-ci se lient à des récepteurs de la surface de bactéries

qui ne possèdent pas le facteur F (F⁻ ou femelle), et il se forme un pont cytoplasmique entre ces cellules (Fig. 31-3). Le facteur F se réplique alors, et au fur et à mesure que le nouvel ADN simple brin est répliqué, il passe par le pont cytoplasmique vers la cellule F⁻ dans laquelle le brin complémentaire sera synthétisé (Fig . 31-4). La cellule F⁻ devient ainsi F⁺, le facteur F se comporte donc comme un agent infectieux (d'une maladie vénérienne bactérienne ?).

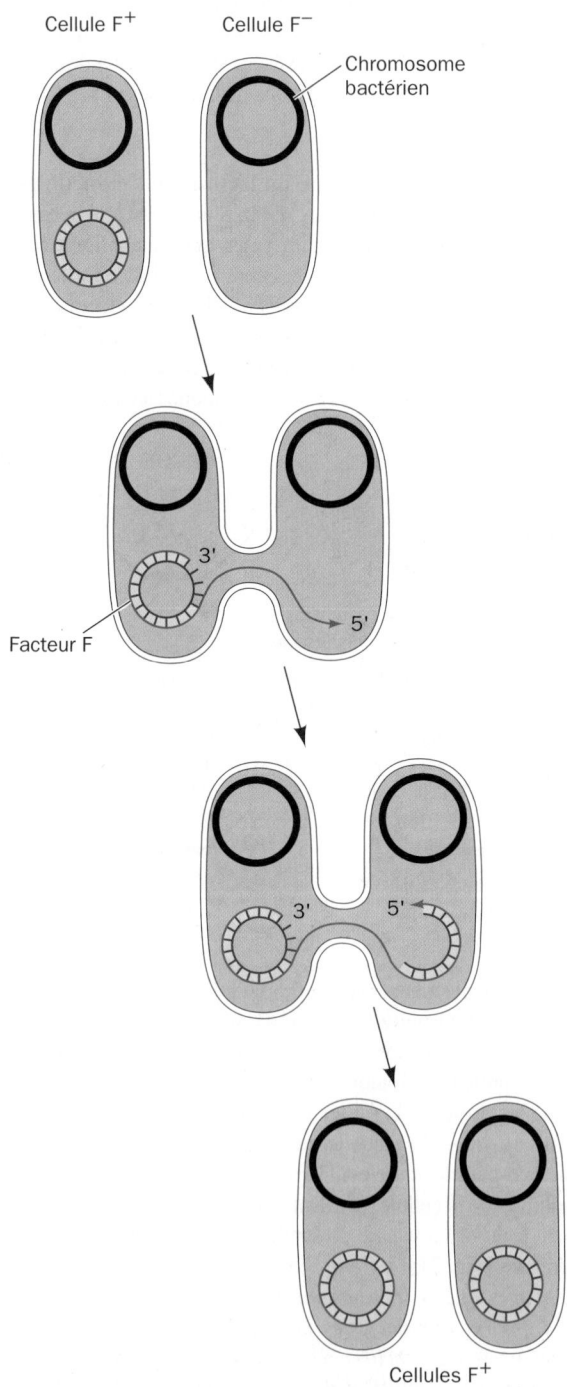

FIGURE 31-4 Schéma du mode d'acquisition du facteur F d'une cellule F⁺ par une cellule F⁻. Un seul brin du facteur F est répliqué, par le mécanisme en cercle tournant (Section 30-3B), puis il est transféré dans la cellule F⁻, où son brin complémentaire sera synthétisé pour former un nouveau facteur F.

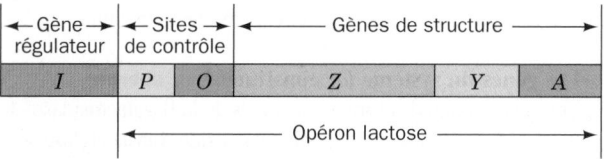

FIGURE 31-2 Une carte génétique de l'opéron *lac* de *E. coli*. Cette carte montre les gènes codant les protéines intervenant dans le métabolisme du lactose et les sites génétiques qui contrôlent leur expression. Les gènes *Z, Y,* et *A* spécifient respectivement la β-galactosidase, la galactoside perméase, et la thio-galactoside transacétylase.

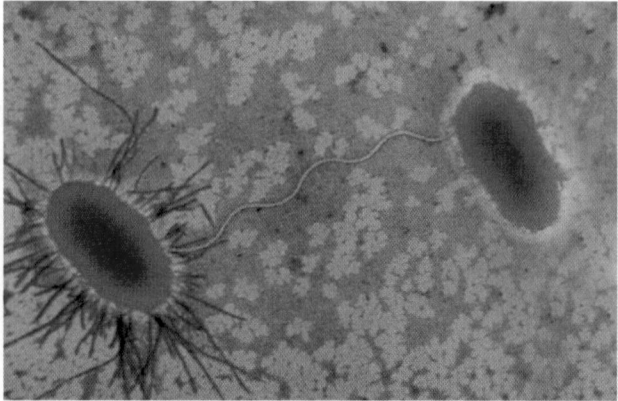

FIGURE 31-3 Conjugaison bactérienne. Cette micrographie électronique montre des cellules F⁺ (*à gauche*) et F⁻ (*à droite*) de *E. coli*, en cours de conjugaison. [Dennis Kunkel/Phototake.]

Il arrive parfois que le facteur F s'intègre spontanément dans le chromosome de la cellule F⁺. Dans les cellules **Hfr** qui en résultent (pour *haute fréquence de recombinaison*), le facteur F a à peu près le même comportement que lorsqu'il est autonome. Sa réplication démarre à un site interne spécifique situé dans le facteur F, et la partie répliquée passe par un pont cytoplasmique dans une cellule F⁻, où le brin complémentaire est synthétisé. Dans ce cas cependant, le chromosome de la bactérie Hfr est également répliqué et transmis à la bactérie F⁻ (Fig. 31-5). Les gènes bactériens sont transférés à partir de la cellule Hfr vers la cellule F⁻ dans un ordre précis. Cela est dû au fait que le facteur F d'une souche Hfr donnée est intégré à un site précis du chromosome bactérien, et

que un seul des brins de l'ADN du chromosome Hfr est répliqué et transféré vers la cellule F⁻. En général, une partie seulement du chromosome bactérien Hfr est transmis lors de la conjugaison, du fait que le pont cytoplasmique casse presque toujours au cours du temps de ~90 min requis pour un transfert complet. Dans le **mérozygote** obtenu (bactérie partiellement diploïde), le fragment chromosomique ne possède pas de facteur F complet, il ne confère pas le phénotype Hfr à la cellule F⁻ et il ne sera pas répliqué ultérieurement. Cependant, le fragment de chromosome transféré se recombine avec le chromosome de la cellule F⁻ (Section 30-6A), et confère ainsi, de façon permanente, certains caractères de la souche Hfr à la cellule F⁻.

Il arrive que le facteur F intégré dans une cellule Hfr s'excise spontanément en produisant une cellule F⁺. Parfois, l'excision de ce facteur F se fait de façon anormale et entraîne l'incorporation de l'ADN chromosomique adjacent dans ce facteur F à réplication autonome. Les bactéries porteuses de ce type de facteur, appelé **facteur F′**, sont en permanence diploïde pour les gènes bactériens concernés.

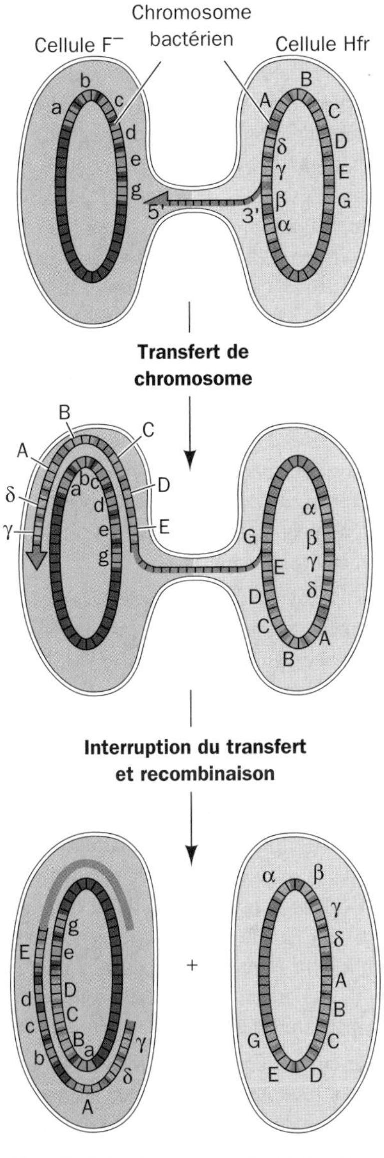

d. Le répresseur *lac* inhibe la synthèse des protéines de l'opéron *lac*

Dans l'expérience de PaJaMo, des bactéries Hfr de génotype *I⁺Z⁺* ont été conjuguées avec une souche F⁻ de génotype *I⁻Z⁻* en l'absence d'inducteur, puis l'activité β-galactosidase de la culture a été suivie dans le temps (Fig, 31-6). Au départ, comme prévu, il

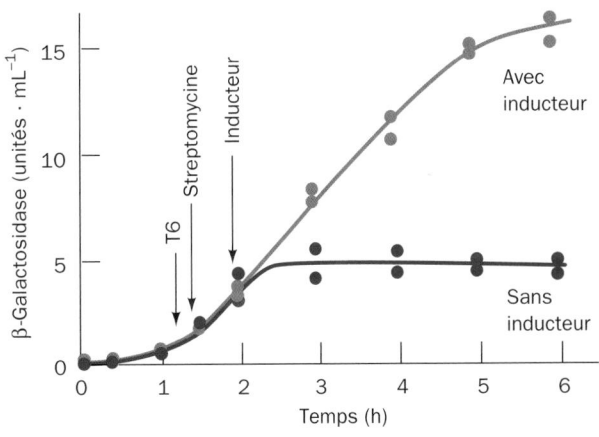

FIGURE 31-6 L'expérience de PaJaMo. Cette expérience démontre l'existence du répresseur *lac* par l'apparition de la β-galactosidase dans les mérozygotes transitoires (diploïdes partiels) obtenus par conjugaison de donneurs Hfr *I⁺Z⁺* avec des receveurs *I⁻Z⁻F⁻*. La souche *F⁻* est résistante à la fois au **bactériophage T6** et à la **streptomycine**, alors que la souche Hfr est sensible à ces agents. Les deux types de cellules sont cultivés et conjugués en l'absence d'inducteur. Après un temps suffisant pour permettre le transfert des gènes *lac*, les cellules Hfr sont tuées sélectivement par addition de phage T6 et de streptomycine. En l'absence d'inducteur (*courbe inférieure*), la synthèse de β-galactosidase commence à peu près au moment où les gènes *lac* entrent dans les cellules *F⁻* mais s'arrête après ~1h. Si l'inducteur est ajouté peu de temps après que les donneurs Hfr aient été tués (*courbe supérieure*), la synthèse de l'enzyme continue sans faiblir. Ceci montre que l'arrêt de la synthèse de la β-galactosidase dans les cellules non induites n'est pas dû à la perte intrinsèque de l'aptitude à synthétiser cette enzyme mais à la production d'un répresseur spécifique par le gène *I⁺* [D'après Pardee, A.B., Jacob, F., et Monod, J., *J. Mol. Biol.* **1**, 173 (1959).]

FIGURE 31-5 Transfert du chromosome bactérien d'une cellule Hfr vers une cellule F⁻, suivi d'une recombinaison avec le chromosome F⁻. Les lettres grecques représentent les gènes du facteur F, les lettres en caractères latins majuscules représentent les gènes du chromosome bactérien de la cellule Hfr, les mêmes lettres minuscules représentent les allèles correspondants de la cellule F⁻. Du fait que le transfert chromosomique, qui commence à l'intérieur du facteur F, est rarement complet, il est rare que le facteur F soit transféré dans sa totalité, la cellule réceptrice reste donc en général F⁻.

n'y a pas d'activité β-galactosidase car les donneurs Hfr n'ont pas d'inducteur et les receveurs F⁻ sont incapables de produire une enzyme active (seul l'ADN passe à travers le pont cytoplasmique des bactéries en conjugaison). Cependant, environ 1h après le début de la conjugaison, quand les gènes I^+Z^+ viennent d'entrer dans les cellules F⁻, La synthèse de β-galactosidase commence, pour s'arrêter environ une heure après. L'explication de ces observations est la suivante : le gène donné Z^+, dès son entrée dans le cytoplasme de la cellule F⁻, dirige la synthèse de la β-galactosidase de manière constitutive. Ce n'est que lorsque le gène I^+ introduit, a eu assez de temps pour s'exprimer qu'il peut réprimer la synthèse de la β-galactosidase. *Le gène I^+ doit donc donner naissance à un produit diffusible, le répresseur lac, qui inhibe la synthèse de la β-galactosidase (et des autres protéines lac).* Des inducteurs comme l'IPTG inactivent momentanément le **répresseur** *lac,* alors que les cellules I⁻ synthétisent les enzymes *lac* de manière constitutive car elles n'ont pas de répresseur fonctionnel. Le répresseur *lac,* comme nous le verrons dans la Section 31-3B, est une protéine.

B. *L'ARN messager*

La nature de la molécule cible du répresseur *lac* a été déduite, en 1961, d'une analyse génétique perspicace de Jacob et Monod. Un deuxième type de mutation constitutive du système lactose, désigné par O^c (pour **opérateur constitutif**), est indépendante du gène *I,* comme l'ont montré des analyses de complémentation (Section 1-4C), et situé entre les gènes *I* et *Z* dans la carte génétique (Fig. 31-2). Dans la souche F′ partiellement diploïde O^cZ^-/F O^+Z^+, l'activité β-galactosidase est inductible par l'IPTG alors que la souche O^cZ^+/F O^+Z^- synthétise cette enzyme de manière constitutive. *Un gène O^+ ne peut donc contrôler l'expression d'un gène Z que sur le même chromosome.* Il en est de même des gènes Y^+ et A^+.

Ces observations de Jacob et Monod les ont conduits à conclure que les protéines sont synthétisées selon un mécanisme en deux étapes :

1. Les gènes de structure sur l'ADN sont transcrits **en ARN messagers (ARNm)** sous la forme de brins complémentaires.

2. Les ARNm s'associent transitoirement avec les ribosomes, qui dirigent la synthèse polypeptidique.

Cette hypothèse explique le fonctionnement du système lac que nous avons déjà abordé dans la Section 5-4A (Fig. 5-25 ; voir l'exploration guidée 2 : Régulation de l'expression génique par le système de l'expression de *lac*). *En l'absence de l'inducteur, le répresseur lac se lie spécifiquement au gène O (l'opérateur) bloquant physiquement la transcription enzymatique de l'ARNm. Après liaison de l'inducteur, le répresseur se dissocie de l'opérateur, permettant ainsi la transcription et la traduction subséquente des enzymes lac.* Le système opérateur-répresseur-inducteur joue donc le rôle d'un commutateur moléculaire, de sorte que l'opérateur *lac* ne peut contrôler que l'expression des enzymes *lac* sur le même chromosome. Les mutants O^c synthétisent les enzymes *lac* de manière constitutive car ils sont incapables de se lier au répresseur. L'expression **coordonnée** (simultanée) des trois enzymes *lac* contrôlée par un seul site opérateur est due, comme Jacob et Monod l'ont prévu théoriquement, à ce que l'opéron *lac* est transcrit sous forme d'un seul **ARNm polycistronique** qui dirige la

synthèse ribosomiale de chacune de ces protéines (le terme de cistron est un synonyme quelque peu archaïque de gène). Ce mécanisme de contrôle transcriptionnel est approfondi dans la Section 31-3. [Les séquences d'ADN se trouvant sur la même molécule d'ADN sont dites « en cis » (du latin : de ce côté), alors que celles se trouvant sur des molécules d'ADN différentes sont dites « en trans » (du Latin : de l'autre côté). Les séquences de contrôle, comme le gène *O,* qui ne sont actives que sur la même molécule d'ADN que les gènes qu'elles contrôlent, sont appelées éléments **cis-régulateurs.** On dit de celles qui, comme le gène *lacI,* codent la synthèse de produits diffusibles et peuvent donc être localisées sur une molécule d'ADN différente des gènes qu'elles contrôlent, qu'elles régulent la synthèse protéique par des **facteurs trans-régulateurs.**]

a. Les ARNm ont les propriétés qu'on espérait

La cinétique de l'induction enzymatique, comme on peut le voir, par exemple, dans les Fig. 31-1 et 31-6, implique que l'ARNm hypothétique soit rapidement synthétisé et rapidement dégradé. En fait, un ARN ayant un turnover aussi rapide avait déjà été observé dans des cellules de *E.coli* infectées par le phage T2. De plus, la composition en bases de cet ARN ressemblait à celle de l'ADN viral et non à celle de l'ARN bactérien (rappelons que les techniques de séquençage ne seront mises au point que ~15 ans plus tard). L'ARN ribosomial, qui représente jusqu'à 90 % de l'ARN cellulaire total, a un turnover beaucoup plus lent que celui de l'ARNm. Les ribosomes ne sont donc pas continuellement engagés dans la synthèse d'une protéine particulière (hypothèse courante jadis). *Plus exactement, les ribosomes sont des synthétiseurs de protéines non spécifiques qui forment le polypeptide spécifié par l'ARNm avec lequel ils sont transitoirement associés.* Ainsi, une bactérie peut répondre en quelques minutes à des modifications de son environnement.

Des preuves en faveur du modèle de Jacob et Monod s'accumulèrent rapidement. Sydney Brenner, Jacob et Matthew Meselson firent des expériences afin de caractériser l'ARN que synthétise *E. coli* après l'infection par le phage T4. Ils cultivèrent *E. coli* dans un milieu contenant ¹⁵N et ¹³C afin de marquer tous les constituants de la cellule avec ces isotopes lourds. Puis les cellules furent infectées avec des phages T4 et transférées immédiatement dans un milieu sans marqueurs (ne contenant que les isotopes légers ¹⁴N et ¹²C), de sorte que les constituants cellulaires synthétisés avant et après infection par le phage ont pu être séparés par ultracentrifugation sur gradient de densité à l'équilibre dans une solution de CsCl (Section 6-5B). Aucun ribosome « léger » n'a été observé, ce qui indique, en accord avec les résultats déjà mentionnés obtenus avec le phage T2, qu'aucun nouveau ribosome n'a été synthétisé après infection par le phage.

Le milieu de culture contenait aussi du ³²P ou du ³⁵S afin de marquer aussi bien les nouveaux ARN que les nouvelles protéines, présumés spécifiques du phage. Beaucoup des ARN marqués par le ³²P se trouvaient associés, comme prévu pour l'ARNm, avec les ribosomes « lourds » pré-existants (Fig. 31-7). De même, les protéines marquées par le ³⁵S se trouvaient transitoirement associées avec ces ribosomes, et donc synthétisées par eux.

En 1961, Sol Spiegelman mit au point la technique d'hybridation ARN-ADN (Section 5-3C) afin de caractériser l'ARN synthétisé par *E. coli* infecté par T2. Il trouva que cet ARN dérivé du

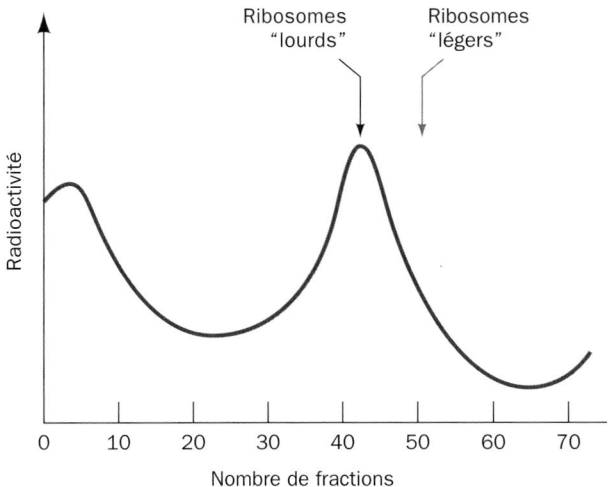

FIGURE 31-7 Distribution sur gradient de densité en CsCl, de l'ARN marqué au ^{32}P, synthétisé par *E. coli* après infection par le phage T4. L'ARN libre étant relativement dense, forme une bande dans le fond de la cellule de centrifugation (*à gauche*). Cependant, beaucoup d'ARN est associé aux ribosomes « lourds » marqués par ^{15}N et ^{14}C, synthétisés avant l'infection par le phage. La position normale de ribosomes « légers » non marqués, qui ne sont pas synthétisés par les cellules infectées par le phage, est aussi indiquée. [D'après Brenner, S., Jacob, F., et Meselson, M., *Nature* **190**, 579 (1961).]

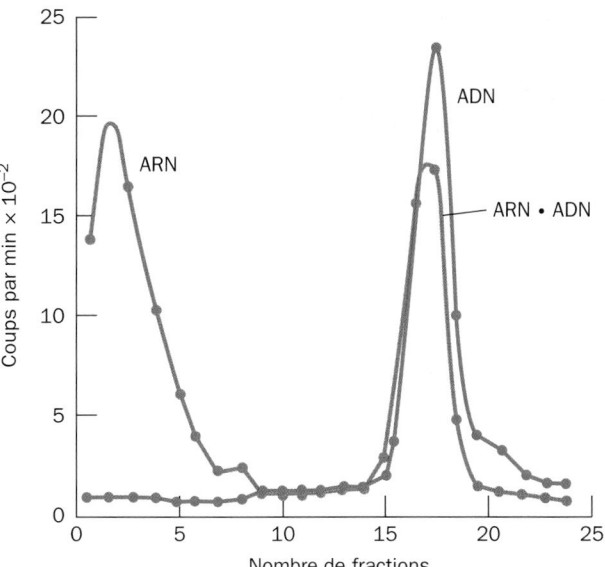

FIGURE 31-8 Hybridation entre l'ARN marqué au ^{32}P produit par *E. coli* infecté par T2 et l'ADN de T2, marqué par ^{3}H. Par désintégration radioactive, ^{32}P et ^{3}H émettent des particules b ayant des énergies caractéristiques différentes ce qui permet de détecter indépendamment ces isotopes. Bien que l'ARN libre (*à gauche*) dans un gradient de CsCl soit plus dense que l'ADN, beaucoup de l'ARN co-migre avec l'ADN (*à droite*). Ceci indique que les deux polynucléotides se sont hybridés, ce qui signifie qu'ils ont des séquences complémentaires. [D'après Hall, B.D. et Spiegelman, S., *Proc. Natl. Acad. Sci.* **47**, 141 (1961).]

phage s'hybride avec l'ADN de T2 (Fig. 31-8) mais ne s'hybride ni avec les ADN de phages non apparentés ni avec l'ADN de *E. coli* non infecté. Cet ARN doit donc être complémentaire de l'ADN de T2 en accord avec les prévisions de Jacob et Monod ; autrement dit, l'ARN spécifique du phage est un ARN messager. Les études par hybridation ont également montré que des ARNm de *E. coli* non infecté sont complémentaires de certaines régions de l'ADN de *E. coli*. En fait, d'autres ARN, comme les ARN de transfert et les ARN ribosomiaux, ont des séquences complémentaires correspondantes sur l'ADN du même organisme. Ainsi, *tous les ARN cellulaires sont transcrits à partir de matrices d'ADN.*

2 ■ L'ARN POLYMÉRASE

L'ARN polymérase (RNAP), l'enzyme responsable de la synthèse de l'ARN dirigée par l'ADN, a été découverte indépendamment en l960 par Samuel Weiss et Jerard Hurwitz. L'enzyme réunit les ribonucléosides triphosphates ATP, CTP, GTP et UTP, sur des matrices d'ADN au cours d'une réaction entraînée par la formation de PP_t suivie de son hydrolyse.

$$(ARN)_{n\ \text{résidus}} + NTP \rightleftharpoons (ARN)_{n+1\ \text{résidus}} + PP_i$$

Toutes les cellules contiennent de l'ARN polymérase. Chez les bactéries, un seul type de cette enzyme catalyse la synthèse de tous les ARN cellulaires exceptés les petites amorces d'ARN nécessaires à la duplication de l'ADN (Section 30-1D). Plusieurs bactériophages synthétisent des ARN polymérases qui ne synthétisent que les ARN spécifiques du phage. Les cellules eucaryotiques contiennent quatre ou cinq ARN polymérases qui synthétisent chacune une classe différente d'ARN. Dans cette section, nous nous intéresserons plus particulièrement à l'ARN polymérase bactérienne, nous parlerons ensuite des enzymes d'eucaryotes.

Ce qu'on appelle l'holoenzyme de l'ARN polymérase de *E. coli* est une protéine de 449 kD environ qui présente la composition en sous-unités $\alpha_2\beta\beta'\omega\sigma$ (Tableau 31-1), où les sous-unités β et β' contiennent plusieurs fragments homologues ayant le même arrangement. Cependant, une fois que la synthèse d'ARN a été amorcée, la sous-unité σ (appelée aussi facteur σ ou σ^{70} car sa masse moléculaire est de 70 kD) se dissocie du cœur de l'enzyme, $\alpha_2\beta\beta'\omega$, qui assure le véritable processus de polymérisation (voir ci-dessous).

TABLEAU 31-1. Composants de l'holoenzyme de l'ARN polymérase de *E. coli*

Sous-unité	Nombre de résidus	Gène structural
α	329	*rpoA*
β	1342	*rpoB*
β'	1407	*rpoC*
ω	91	*rpoZ*
σ^{70}	613	*rpsD*

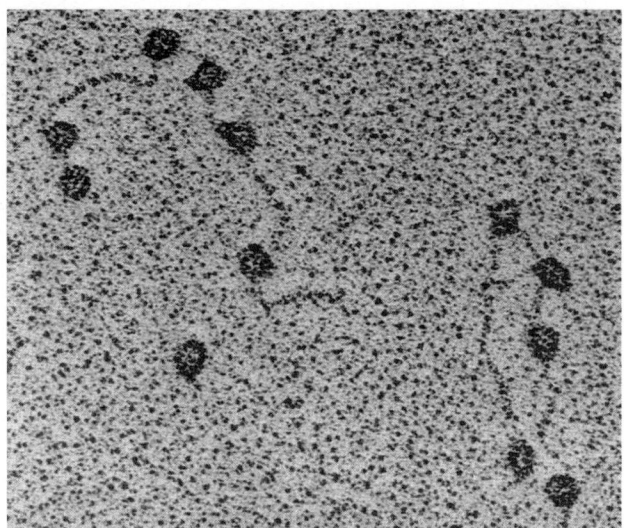

FIGURE 31-9 Micrographie électronique de l'holoenzyme ARN polymérase (RNAP) de *E. coli* liée à différents sites promoteurs sur l'ADN du phage T7. RNAP est l'une des plus grandes enzymes solubles connues. [D'après Williams, R.C., *Proc. Natl, Acad. Sci.* **74**, 2313 (1977).]

Des micrographies électroniques (Fig. 31-9) montrent clairement que l'ARN polymérase, qui a une taille imposante caractéristique, se lie à l'ADN sous forme de protomère. Cette grande taille résulte probablement de ce que l'holoenzyme assure plusieurs fonctions complexes dont (1) la liaison à la matrice, (2) l'initiation de la chaîne d'ARN, (3) l'élongation de la chaîne, et (4) la terminaison de la chaîne. Nous allons étudier ces différentes fonctions ci-dessous.

A. *Liaison à la matrice*

La synthèse de l'ARN ne débute normalement qu'à des sites spécifiques de la matrice d'ADN. Ceci fut montré pour la première fois grâce à des études d'hybridation entre l'ADN du bactériophage φX174 et l'ARN produit par *E. coli* infecté par φX174. Le bactériophage φX174 présente un ADN à un seul brin appelé le brin (+) « plus ». Une fois dans la cellule de *E. coli*, le brin « plus » dirige la synthèse du brin (−) « moins » complémentaire avec lequel il s'associe pour former un ADN double-brin circulaire appelé forme réplicative (Section 30-3B). L'ARN produit par *E. coli* infecté par φX174, ne s'hybride pas avec l'ADN de phages intacts mais s'hybride avec la forme réplicative. Par conséquent, seul le brin « moins » de l'ADN de φX174, appelé **brin antisens**, est transcrit, c'est-à-dire qu'il sert de matrice ; le brin « plus », ou brin sens (appelé ainsi car il a la même séquence que l'ARN transcrit), n'assure pas ce rôle. Des études identiques ont montré que dans les phages plus grands, comme T4 et λ, les deux brins de l'ADN viral sont les brins antisens (matrices) selon les gènes. Il en est de même pour les organismes cellulaires.

a. L'holoenzyme se lie spécifiquement aux promoteurs

*L'ARN polymérase se lie à ses sites d'initiation par l'intermédiaire de séquences de bases appelées **promoteurs**, qui sont reconnues par le facteur σ correspondant.* L'existence de pro-

moteurs a été révélée pour la première fois par des mutations qui augmentent ou diminuent la vitesse de transcription de certains gènes, dont ceux de l'opéron *lac*. *Le repérage sur des cartes génétiques de telles mutations a montré que le promoteur correspond à une séquence de ~40 pb située sur le côté 5′ du point de départ de la transcription.* [Par convention, la séquence de l'ADN matrice est représentée par son brin sens (le brin non matrice) si bien qu'il a la même orientation que l'ARN transcrit. Une paire de bases dans une région promotrice est affectée d'un nombre négatif ou positif qui indique sa position, en amont ou en aval par rapport au sens de déplacement de l'ARN polymérase, à compter du premier nucléotide transcrit en ARN ; ce point de départ est +1 et il n'y a pas de 0]. Comme nous allons le voir, l'ARN est synthétisé dans le sens 5′ → 3′ (Section 31-2C). Par conséquent, le promoteur se trouve en « amont » du nucléotide +1 de l'ARN. Des études de séquençage ont montré que le promoteur *lac* (*P lac*) recouvre l'opérateur *lac* (Fig, 31-2).

L'holoenzyme forme des complexes très stables avec les promoteurs (constante de dissociation $K \sim 10^{-14}M$) protégeant ainsi de la digestion par l'ADNase I, les segments d'ADN liés. La région qui va de −20 à +20 environ, se trouve très bien protégée contre une dégradation par l'ADNase I. La région qui se trouve en amont, jusqu'à environ −60, se trouve également protégée mais à un moindre degré, sans doute parce qu'elle se lie moins fortement à l'holoenzyme.

Des déterminations de séquences des régions protégées de nombreux gènes de *E. coli* et de phages ont révélé la séquence « consensus » des promoteurs de *E coli* (Fig. 31-10). *Leur séquence la mieux conservée est un hexamère centré plus ou moins sur la position −10, appelée **boîte de Pribnow** (du nom de David Pribnow qui montra son existence en 1975). Elle a une séquence consensus TATAAT dans laquelle le TA initial et le T final sont très conservés. Plus en amont, des séquences autour de la position −35 présentent une autre conservation de séquence, TTGACA, particulièrement évidente dans les promoteurs forts.* Le nucléotide +1, qui est presque toujours A ou G, se trouve au centre d'une séquence faiblement conservée, CAT ou CGT. La plupart des séquences promotrices varient fortement par rapport à la séquence consensus (Fig. 31-10). Cependant, une mutation qui affecte l'une des régions partiellement conservées, peut augmenter ou diminuer fortement l'efficacité d'initiation d'un promoteur. Richard Gourse a montré que certains gènes fortement exprimés contiennent un segment riche en A + T entre les positions −40 et −60, appelé **élément promoteur amont** (**UP** pour « upstream promoter element »), qui se fixe au domaine C-terminal des sous-unités α de l'ARN polymérase (αCTD ; Section 31-3C). Parmi les gènes renfermant un élément UP, on trouve ceux des ARN ribosomiaux, les gènes *rrn* (voir Fig. 31-10) , qui sont responsables collectivement de 60 % des ARN synthétisés par *E. coli*. *Les vitesses de transcription de ces gènes, qui varient d'un facteur 1000, sont directement proportionnelles à la vitesse à laquelle leurs promoteurs forment des complexes d'initiation stables avec l'holoenzyme.* Les mutations des promoteurs qui augmentent ou diminuent la vitesse de transcription des gènes correspondants sont respectivement appelées **mutations up** (d'augmentation) et **mutations down** (réductrices).

```
Opéron              Région −35                           Région −10        Site d'initiation
                                                      (boîte de Pribnow)        (+1)

lac       ACCCCAGGCTTTACACTTTATGCTTCCGGCTCGTATGTTGTGTGGAATTGTGAGCGG
lacI      CCATCGAATGGCGCAAAAACCTTTCGCGGTATGGCATGATAGCGCCCGGAAGAGAGTC
galP2     ATTTATTCCATGTCACACTTTTCGCATCTTTGTTATGCTATGGTTATTTCATACCAT
araBAD    GGATCCTACCTGACGCTTTTTATCGCAACTCTCTACTGTTTCTCCATACCCGTTTTT
araC      GCCGTGATTATAGACACTTTTGTTACGCGTTTTTGTCATGGCTTTGGTCCCGCTTTG
trp       AAATGAGCTGTTGACAATTAATCATCGAACTAGTTAACTAGTACGCAAGTTCACGTA
bioA      TTCCAAAACGTGTTTTTTGTTGTTAATTCGGTGTAGACTTGTAAACCTAAATCTTTT
bioB      CATAATCGACTTGTAAACCAAATTGAAAAGATTTAGGTTTACAAGTCTACACCGAAT
tRNATyr   CAACGTAACACTTTACAGCGGCGCGTCATTTGATATGATGCGCCCCGCTTCCCGATA
rrnD1     CAAAAAAATACTTGTGCAAAAAATTGGGATCCCTATAATGCGCCTCCGTTGAGACGA
rrnE1     CAATTTTTCTATTGCGGCCTGCGGAGAACTCCCTATAATGCGCCTCCATCGACACGG
rrnA1     AAAATAAATGCTTGACTCTGTAGCGGGAAGGCGTATTATGCACACCCCGCGCCGCTG
```

	Région −35		Région −10		Site d'initiation
Séquence consensus:	T T G A C A	...16–19 bp...	T A T A A T	...5–8 bp...	A 51 / C 55 / T 48 / G 42
	69 79 61 56 54 54		77 76 60 61 56 82		

FIGURE 31-10 Les séquences du brin sens (non codant) de quelques promoteurs de *E. coli*. Une région de 6 pb centrée autour de la position −10 (*ombrée en rouge*) et une séquence de 6 pb autour de la région −35 (*ombrée en bleu*) sont toutes deux conservées. Les sites d'initiation de la transcription (+1), qui, pour la plupart des promoteurs sont un seul nucléotide purique sont ombrés en vert. La ligne du bas donne la séquence consensus de 298 promoteurs de *E. coli*, les nombres en dessous de chaque base indiquant son pourcentage de participation dans la séquence. On peut voir la partie aval des éléments UP des gènes *rrn*. [D'après Rosenberg, M, et Court, D., *Annu. Rev. Genet. 13*, 321-323 (1979). Séquence consensus d'après Lisser, S., et Margalit, H., *Nucleic Acids Res.* **21**,1512 (1993).]

b. L'initiation nécessite la formation d'un complexe ouvert

On a pu identifier les régions du promoteur en contact avec l'holoenzyme, en déterminant où l'enzyme modifie la sensibilité de l'ADN à l'alkylation par des agents comme le sulfate de diméthyl (DMS), une technique appelée technique des **empreintes au DMS** (« footprinting » ; Section 34-3B). Ces expériences ont montré que l'holoenzyme n'est en contact avec le promoteur qu'autour de ses régions −10 et −35. Ces sites protégés se trouvent tous les deux du même côté de la double-hélice de l'ADN-B que le site d'initiation, ce qui suggère que l'ARN polymérase ne se lie que d'un seul côté du promoteur.

Le DMS, méthyle les résidus G en N7, les résidus A en N1 et N3, et C en N3. Cependant, puisque les atomes N1 de A et N3 de C participent aux interactions qui permettent les appariements de bases, ils ne peuvent réagir avec le DMS que dans le cas de l'ADN simple brin. Cette méthylation différente selon que l'ADN est simple ou double brin, est mise à profit pour suivre la séparation des brins de l'ADN ou « fusion ». Des analyses par la technique des empreintes montrent que la liaison de **l'holoenzyme** fait « fondre » le promoteur dans une région de ~14 pb, qui part du centre de la région −10 et va un peu au-delà du site d'initiation. La nécessité de former ce « complexe ouvert » explique pourquoi l'efficacité du promoteur diminue avec le nombre de paires G·C dans la région −10. Il s'ensuit probablement une difficulté accrue à ouvrir la double-hélice comme le demande l'initiation de la chaîne (rappelons que les paires G·C sont plus stables que les paires A·T).

Le cœur de l'enzyme, qui ne se lie pas spécifiquement au promoteur (sauf s'il possède un élément UP), se lie fortement à l'ADN double brin (la constante de dissociation du complexe, $K =$ 5×10^{-12} M et sa durée de demi-vie est ~60 min). À l'inverse, l'holoenzyme se lie faiblement à l'ADN non promoteur ($K = 10^{-7}$ M et sa durée de demi-vie est < 1 s). Manifestement, la sous-unité σ permet à l'holoenzyme de se déplacer rapidement le long du brin d'ADN en quête d'un promoteur correspondant à la sous-unité σ. Une fois que la transcription est initiée et que la sous-unité σ s'est dissociée, la liaison solide du cœur de l'enzyme à l'ADN stabilise le complexe ternaire enzyme-ADN-ARN.

B. *Initiation de la chaîne*

La base en position 5′ terminale des ARN de procaryotes est presque toujours une base purique, A **étant** plus fréquent que G. La réaction initiatrice de la transcription est le couplage entre deux **nucléosides** triphosphates selon cette réaction :

$$\text{pppA} + \text{pppN} \rightleftharpoons \text{pppApN} + \text{PP}_i$$

on voit que contrairement à la réplication de l'ADN, il n'y a pas besoin d'une amorce. Les ARN bactériens ont donc des groupes 5′-triphosphates, comme on l'a montré en rendant un ARN radioactif, quand celui-ci est synthétisé en présence de [γ-^{32}P]ATP. Seule l'extrémité en 5′ de l'ARN est marquée, car les groupes phosphodiesters internes de l'ARN proviennent des groupes α-phosphates des nucléosides triphosphates.

La difficulté de formation d'un complexe ouvert se traduit par le fait que la synthèse de l'ARN, s'arrête fréquemment après que généralement 2 ou 3, mais parfois jusqu'à 9 nucléotides aient été assemblés. Cependant, l'holoenzyme ne se détache pas du promoteur, mais il réinitie la transcription. Finalement, le complexe ouvert se forme et la synthèse continue de l'ARN commence. À ce stade, le facteur **σ** se dissocie du complexe cœur de l'enzyme-ADN-ARN pour s'associer à un autre cœur de l'enzyme et former un autre complexe d'initiation. Ainsi, l'addition du cœur de l'enzyme à un mélange réactionnel de transcription qui contient initialement l'holoenzyme, se traduit par un démarrage brutal de la transcription.

a. L'ARN polymérase a une structure très complexe

La structure par rayons X de l'ARN polymérase de *E. coli* n'a pas été déterminée. Cependant, Seth Darst a élucidé les structures par rayons X de protéines très voisines : le cœur de l'ARN polymérase et l'holoenzyme de *Thermus aquaticus* (*Taq*). La structure par rayons X du cœur de l'enzyme *Taq*, est cohérente avec les études de microscopie électronique de l'ARN polymérase de *E. coli*. La forme générale est celle d'une pince de crabe dont les deux branches sont formées par les sous-unités β et β′ (Fig. 31-11*a*). La protéine a une longueur de 150 Å (parallèlement à la pince), 115 Å de hauteur et 110 Å de profondeur et un canal (plutôt une caverne) entre les deux branches de la pince d'un diamètre de 27 Å. Un grand segment interne de la sous-unité β′ ainsi que les domaines C-terminaux des deux sous-unités α sont désordonnés. Les sous-unités β et β′ ont de nombreux contacts entre elles, notamment à la base du canal où se trouve l'ion Mg^{2+} du site actif, c'est aussi l'endroit où convergent leurs segments homologues. La sous-unité β′ fixe l'ion Mg^{2+} par quatre de ses résidus Cys qui sont conservés chez les procaryotes, mais pas chez les eucaryotes.

La structure par rayons X de l'holoenzyme *Taq* montre que sa sous-unité σ (σ^A) est constituée de trois domaines liés de façon flexible, σ^2, σ^3 et σ^4, qui s'étendent en travers du sommet de l'ho-

loenzyme (Fig. 31-11*b*). La fixation de σ^A provoque le rapprochement des branches de la pince du cœur de l'enzyme, ce qui rétrécit le canal entre elles de 10 Å. La surface externe de l'holoenzyme a une charge négative presque uniforme, tandis que les surfaces supposées interagir avec les acides nucléiques, notamment les parois internes du canal principal sont positivement chargées.

La structure par rayons X de l'holoenzyme *Taq* complexée avec ce qu'on appelle un fragment de « jonction en fourche d'ADN de promoteur » (Fig. 31-12*a*) montre que l'ADN repose en travers d'une des faces de l'holoenzyme, complètement en dehors du canal du site actif (Fig. 31-12*b*). Tous les contacts avec une séquence spécifique entre l'holoenzyme et l'ADN (avec les régions −10 et −35 mais aussi celle que l'on appelle l'extension de la région −10, juste en amont de la région −10) se font avec la sous-unité σ^A via des résidus conservés. Cette structure ressemble probablement au complexe fermé.

Les structures par rayons X que nous venons de voir, ainsi que les données des techniques d'empreinte ont conduit Darst à construire des modèles des complexes fermé (RP_c) et ouvert (Rp_o) (Fig. 31-13). RP_c (Fig. 31-13*a*) ressemble au complexe holoenzyme-ADN (Fig. 31-12*b*) mais avec une plus grande longueur d'ADNdb (de −60 à +25). L'extrémité amont de cet ADN est coudée autour de l'enzyme de façon à ce que l'élément UP de l'ADN soit au contact des domaines des 80 résidus C-terminaux des sous-unités a (qui sont désordonnés dans la structure par rayons X évoquée plus haut). Dans Rp_o (Fig. 31-13*b*), le brin matrice de la bulle de transcription a glissé dans un tunnel formé par les sous-unités σ^A, β et β′, celui-ci est bordé de résidus basiques universellement conservés. Ce tunnel dirige le brin matrice vers le canal du site actif, où il va s'apparier avec les ribonucléotides initiateurs aux sites *i* et *i* + 1 près de l'ion Mg^{2+}.

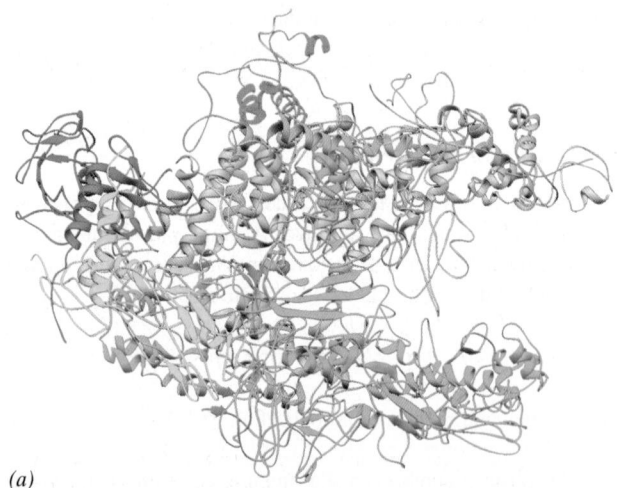

(a)

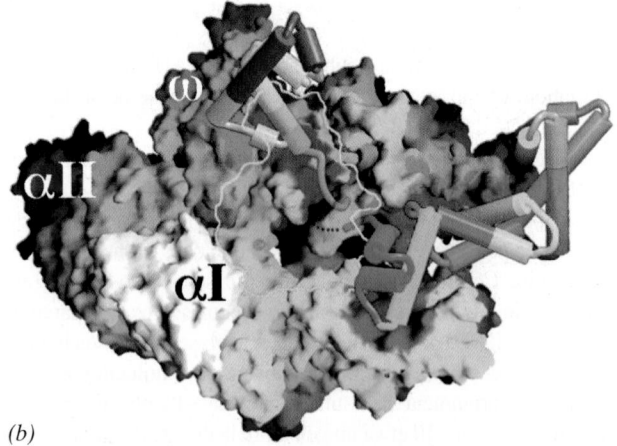

(b)

FIGURE 31-11 Structure par rayons X de la RNAP *Taq*. (*a*) Cœur de l'enzyme dans lequel les deux sous-unités a sont en jaune et en vert, la sous-unité β est en bleu clair, la sous-unité β′ est en rose, et la sous-unité ω est en gris. Les ions Mg^{2+} et Zn^{2+} fixés sont respectivement représentés par des sphères rouge et orange. Remarquez que les résidus 156 à 452 de la sous-unité β′ de 1524 résidus, qui partent de la pointe de sa « pince », sont désordonnés et ne sont donc pas visibles. (*b*) L'holoenzyme, vue de la même façon que dans la partie *a*. La partie cœur de l'enzyme est représentée par sa surface moléculaire, les sous-unités α et ω étant en gris, la sous-unité β en

bleu-vert et la sous-unité β′ en rose. La sous-unité σ^A est représentée par le squelette des C_α, avec des cylindres pour les hélices, les différents segments conservés ont des couleurs propres et l'extrémité N-terminale se situe à droite. Une partie de la sous-unité β, qui est surlignée en jaune, a été effacée pour laisser voir la connexion avec la sous-unité σ^A. Les portions des sous-unités β et β′ situées à moins de 4 Å de la sous-unité σ^A sont colorées respectivement en vert et en rouge. L'ion Mg^{2+} du site actif est représenté par une sphère rose. [Partie *a* d'après une structure par rayons X et partie *b* avec l'aimable autorisation de Seth Darst, Université Rockfeller.]

(a)

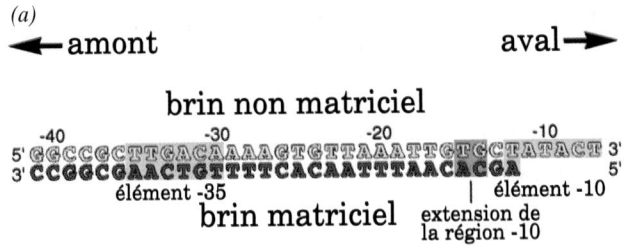

← **amont**   **aval** →

brin non matriciel

```
         -40        -30         -20        -10
5' GGCCGCTTGACAAAAGTGTTAAATTGTGCTATACT 3'
3' CCGGCGAACTGTTTTCACAATTTAACACGA 5'
```

élément -35   élément -10
brin matriciel   extension de
                     la région -10

FIGURE 31-12 Structure par rayons X de l'holoenzyme *Taq*, complexée avec un fragment de « jonction en fourche d'ADN de promoteur ». (*a*) Séquence de la fourche d'ADN, où les chiffres indiquent la position des bases par rapport au site d'initiation de la transcription, +1. (*b*) Structure du complexe holoenzyme-ADN de la fourche, vu du même coté que dans la Fig. 31-11 après une rotation anti-horaire de 45° autour d'un axe perpendiculaire à la page. L'ADN est représenté comme une échelle où le brin matrice est en vert et le brin non matrice (brin sens) est en jaune-vert, à part ses éléments −35 et −10 qui sont en jaune et l'extension de la région −10 qui est en rouge. L'holoenzyme est représentée par sa surface moléculaire colorée selon les sous-unités : αI, αII et ω en gris, β en vert pâle, β′ en rose et σ^A en orange partiellement transparent, pour apercevoir son squelette σ^A. Les portions de l'holoenzyme situées à moins de 4 Å de l'ADN (ce qui n'est vrai que pour σ^A) sont colorées en vert foncé. [Avec l'aimable autorisation de Seth Darst, Université Rockfeller. PDBid 1L9Z.]

(b)

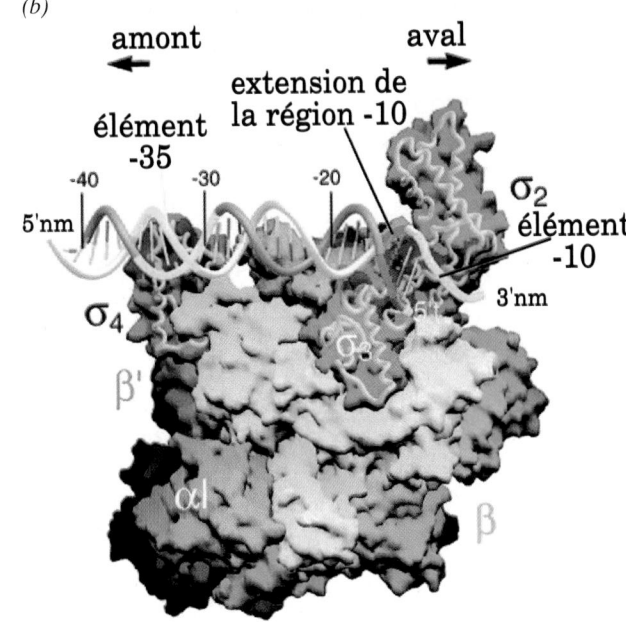

← **amont**   **aval** →

**extension de
la région -10**

**élément
-35**

élément
-10   σ$_2$

σ$_4$

β′   β

αI

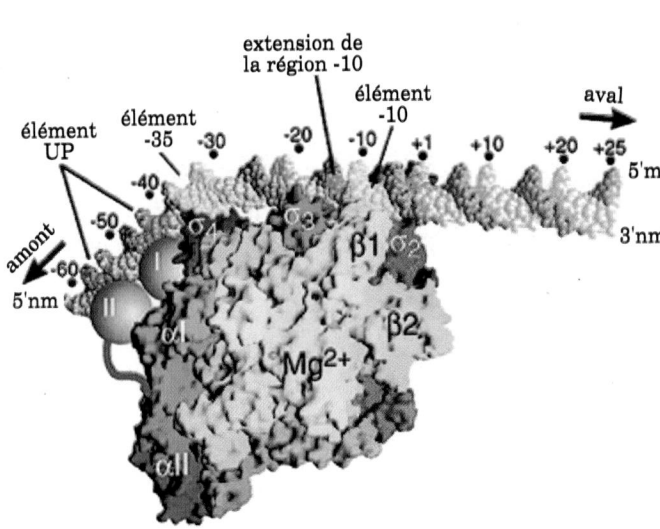

(a)

FIGURE 31-13 Modélisation des complexes fermé (RP$_c$) et ouvert (Rp$_o$) de la RNAP *Taq* avec un ADN contenant un promoteur allant des positions −60 à +25. (*a*) Un modèle de RP$_c$ dans lequel la protéine est représentée comme dans la Fig. 31-12*b*, mais après une rotation de 65° autour de l'axe horizontal et où la sous-unité β est partiellement transparente pour montrer la position de l'ion Mg^{2+} du site actif (sphère rose). L'ADNdb est représenté en modèle éclaté avec son brin matrice (m) en vert et son brin non matrice (nm) en vert pâle sauf pour les éléments −35 et −10 qui sont en jaune, et : l'élément UP, l'extension de l'élément −10 et le site d'initiation de la transcription (+1), qui sont en rouge. L'élément UP se courbe autour de l'enzyme pour interagir avec le domaine C-terminal des sous-unités α (sphères

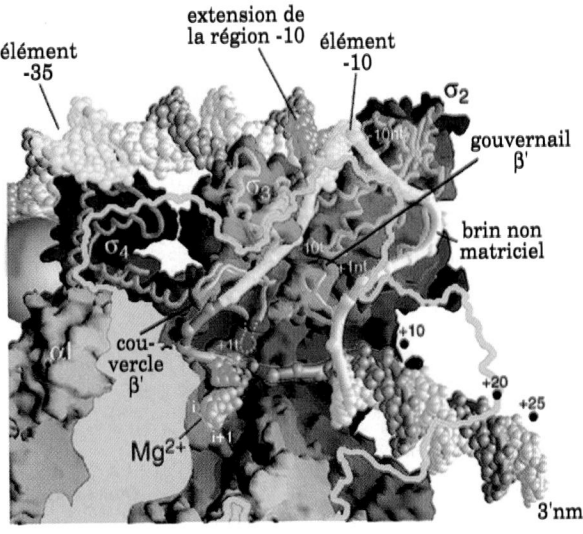

(b)

grises annotées I et II). Il n'y a cependant pas de preuve que le segment aval de l'ADNdb interagisse avec la protéine et donc on représente cet ADN comme se séparant de la protéine. (*b*) Un modèle de RP$_o$ agrandi par rapport à la partie *a*, la sous-unité β a été retirée (on a laissé une partie de son ombre et de son contour matérialisé par une ligne vert pâle) pour montrer la bulle de transcription et ses interactions avec le site actif. Les portions simple brin de l'ADN sont représentées par les atomes P reliés entre-eux. Les ribonucléotides initiateurs des positions *i* et *i + 1* sont représentés en modèle compact (en rouge et en orange). *Remarquez comment le segment aval de l'ADNdb émerge de l'extrémité du canal du site actif. [Avec l'aimable autorisation de Seth Darst, Université Rockfeller.]*

b. Les rifamycines inhibent l'initiation de la transcription chez les procaryotes

Deux antibiotiques voisins, la **rifamycine B**, produite par *Streptomyces méditerranei,* et son dérivé hémisynthétique, la **rifampicine**

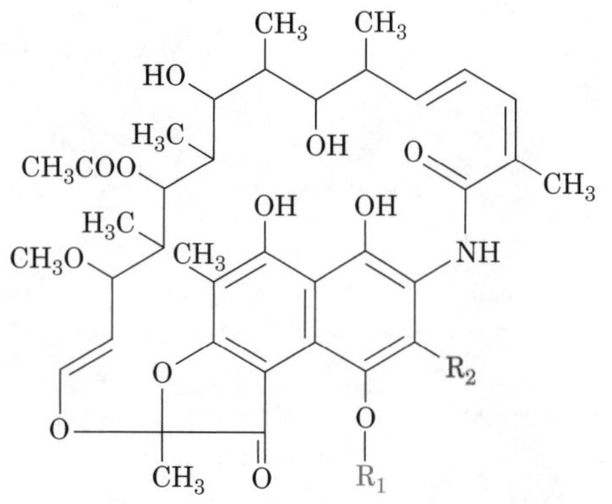

Rifamycine B $R_1 = CH_2COO^-$; $R_2 = H$

Rifampicine $R_1 = H$; $R_2 = CH = \overset{+}{N} \underset{}{\bigcirc} N—CH_3$

inhibent spécifiquement la transcription des ARN polymérases des procaryotes, mais sont sans effet sur celles des eucaryotes. Cette sélectivité et leur fort pouvoir inhibiteur (l'ARN polymérase bactérienne est inhibée a 50 % par de la rifampicine $2 \times 10^{-8\,M}$) en ont fait des agents bactéricides utiles contre des bactéries gram positives et la tuberculose. Il y a effectivement peu d'autres antibiotiques efficaces contre la tuberculose, qui prend des proportions d'épidémie dans certaines parties du monde.

L'isolement de mutants résistants à la rifamycine dont les sous-unités β ont des mobilités électrophorétiques modifiées, indique que cette sous-unité contient le site de liaison de la rifamycine. Les rifamycines n'inhibent ni la liaison de l'ARN polymérase au promoteur, ni la formation de la première liaison phosphodiester, mais elles empêchent l'élongation ultérieure de la chaîne. L'ARN polymérase inactivée reste liée au promoteur, bloquant ainsi son initiation par l'enzyme non inhibée. Cependant, une fois que l'initiation est faite, les rifamycines n'ont pas d'effet sur le processus d'élongation ultérieur. Les rifamycines sont des outils de recherche utiles car elles permettent de disséquer le processus de la transcription en ses phases d'initiation et d'élongation.

La structure par rayons X du cœur de l'enzyme *Taq* complexé avec la rifampicine révèle comment cet antibiotique inhibe l'ARN polymérase. La rifampicine se lie avec une très bonne complémentarité et peu de changements conformationnels dans une poche de la sous-unité β située dans le canal principal de l'ADN-ARN, à une distance de ~12 Å de l'ion Mg^{2+} du site actif. La construction de modèles montre que la rifampicine fixée serait en interférence stérique avec le transcrit ARN, des positions −2 à −5 de la bulle de transcription. Donc, comme on a pu l'observer, la rifampicine ne devrait pas interférer avec l'initiation de la transcription mais constituer un obstacle mécanique à l'extension du transcrit ARN. Les résidus bordant la poche dans laquelle se fixe la rifampicine sont très conservés chez les procaryotes mais pas chez les eucaryotes, ce qui explique pourquoi la rifampicine n'inhibe que les ARN polymérases des procaryotes.

C. *Élongation de la chaîne*

Dans quelle direction se fait l'élongation de la chaîne ? Les nucléotides s'incorporent-ils à l'extrémité 3′ de la chaîne d'ARN en formation (synthèse dans le sens 5′ → 3′ ; Fig. 31-14a) ou à l'extrémité 5′ (synthèse dans le sens 3′ → 5′ ; Fig. 31-14b). On a obtenu la réponse à cette question en déterminant la vitesse à laquelle la

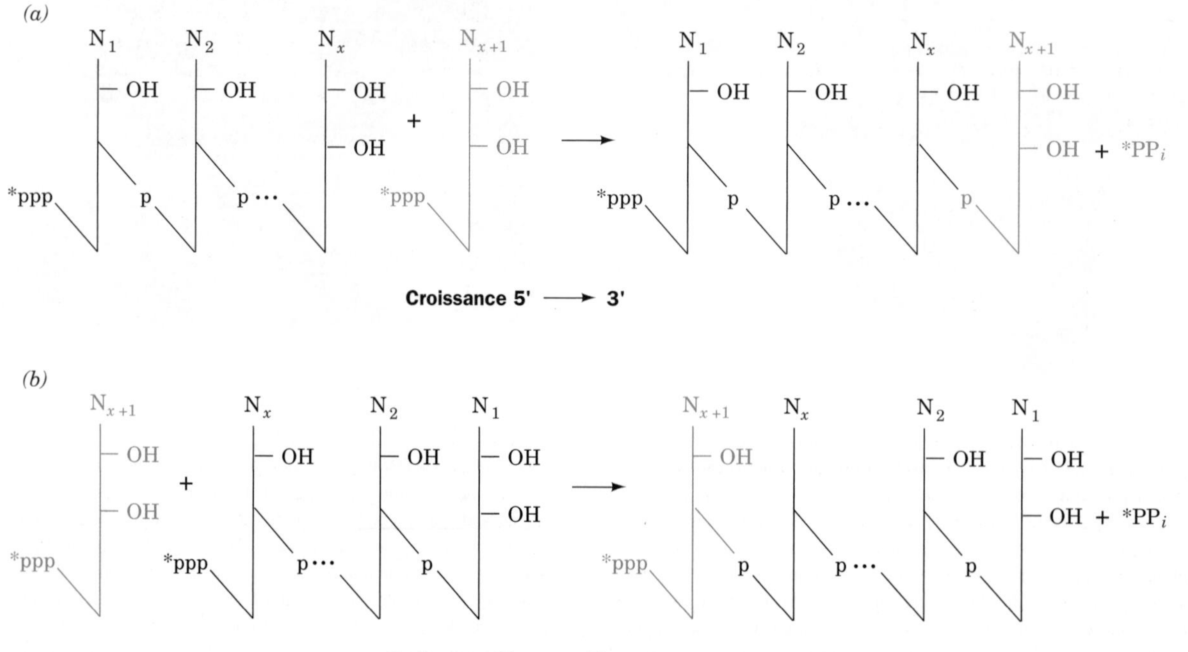

FIGURE 31-14 Les deux possibilités de croissance de la chaîne d'ARN. La croissance peut se faire (*a*) par l'addition de nucléotides à l'extrémité 3′ et (*b*) par l'addition de nucléotides à l'extrémité 5′. L'ARN polymérase catalyse la première réaction.

radioactivité apportée par le [γ-^{32}P]GTP est incorporée dans l'ARN. Si l'élongation se fait dans le sens $5' \rightarrow 3'$, le γ-P en $5'$ reste marqué définitivement, et donc, le taux de radioactivité de la chaîne ne doit pas changer après remplacement du GTP marqué par du GTP non marqué. Par contre, si l'élongation se fait dans le sens $3' \rightarrow 5'$ le γ-P en $5'$ est remplacé à l'addition de chaque nouveau nucléotide de sorte qu'après remplacement du GTP marqué par du GTP non marqué, les chaînes naissantes d'ARN doivent perdre leur radioactivité. C'est la première hypothèse qui s'est avérée exacte. *L'allongement de la chaîne se fait donc dans le sens $5' \rightarrow 3'$ (Fig. 31-14a).* Cette conclusion a été corroborée par l'observation que l'antibiotique **cordycépine**,

$$NH_2$$

**Cordycépine
(3'-désoxyadénosine**

un analogue de l'adénosine dépourvu de groupe $3'$-OH, inhibe la synthèse d'ARN chez les bactéries. Son incorporation à l'extré-mité $3'$ de l'ARN, comme prévu pour une croissance dans le sens $5' \rightarrow 3'$, empêche l'élongation ultérieure de la chaîne d'ARN. La cordycépine n'aurait pas cet effet si la croissance de la chaîne se faisait en sens opposé car elle n'aurait pu s'incorporer à une extrémité $5'$ d'ARN.

a. La transcription entraîne la formation de supertours de l'ADN

L'élongation de l'ARN implique que la matrice double brin de l'ADN s'ouvre là où a lieu la synthèse d'ARN afin que le brin anti-sens soit transcrit en brin d'ARN complémentaire. Ce faisant, la chaîne d'ARN ne forme un hybride double brin transitoire que sur une longueur restreinte, comme l'indique l'observation qu'après transcription on retrouve d'une part la matrice double brin intacte et d'autre part l'ARN simple brin. La « bulle » non appariée de l'ADN du complexe d'initiation ouvert se déplace apparemment le long de l'ADN avec l'ARN polymérase. Il y a deux possibilités pour ce faire (Fig. 31-15) :

1. Si l'ARN polymérase suit le brin matrice dans son trajet hélicoïdal autour de l'ADN, celui-ci ne formera pas beaucoup de supertours car l'ADN double brin ne devra se dérouler que d'un tour au maximum. Toutefois, l'ARN transcrit s'enroulera autour de l'ADN à chaque tour d'ADN double brin. Ce mécanisme paraît invraisemblable car on voit mal comment l'ADN et l'ARN pourraient se démêler facilement. L'ARN ne pourrait se dérouler spontanément de l'ADN long et souvent circulaire en un temps raisonnable et on ne connaît aucune topoisomérase qui accélérerait ce processus.

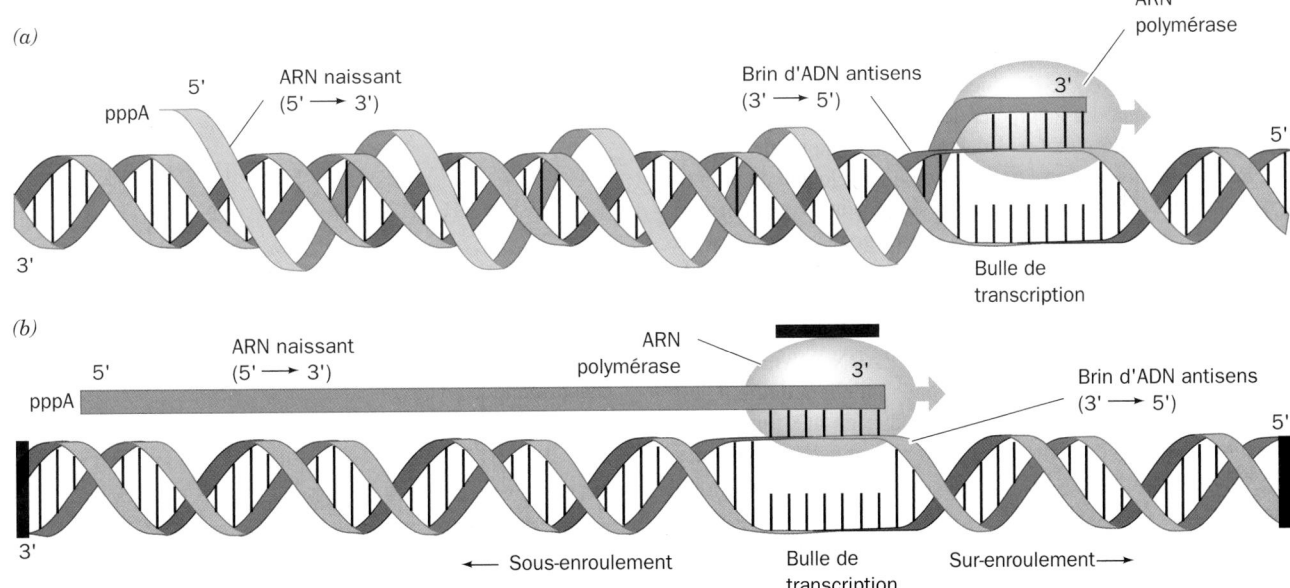

(a)

(b)

FIGURE 31-15 Elongation de la chaîne d'ARN par l'ARN polymérase. Dans la région en cours de transcription, la double hélice de l'ADN est déroulée sur un tour environ pour permettre au brin sens de l'ADN de former un court segment hybride de double hélice ADN-ARN, avec l'extrémité $3'$ de l'ARN. Au fur et à mesure que l'ARN polymérase progresse le long de la matrice d'ADN (ici vers la droite), l'ADN se déroule en avant de l'extrémité $3'$ de l'ARN en formation et se réenroule derrière elle, provoquant ainsi le détachement de l'ARN nouvellement synthétisé du brin matrice (anti-sens). (*a*) Une possibilité serait que l'ARN polymérase suive le brin matrice autour de la double hélice de l'ADN, ce qui provoquerait l'enroulement du transcrit autour de l'ADN une fois par tour de double hélice. (*b*) Une autre possibilité, plus probable, serait que l'ARN polymérase se déplace en ligne droite tandis que l'ADN tourne sur lui-même en dessous d'elle. Dans ce cas, l'ARN ne s'enroulerait pas autour de l'ADN mais l'ADN serait plus enroulé en amont de la bulle de transcription en mouvement et moins enroulé en aval (imaginez ce qui se passerait si vous placiez votre doigt entre les brins enroulés de l'ADN dans ce modèle et en le déplaçant vers la droite). Le modèle suppose que les extrémités de l'ADN et de l'ARN polymérase ne peuvent tourner sur elles-mêmes à cause de liaisons à l'intérieur de la cellule (*traits noirs*). [D'après Fut-cher, B., *Trends Genet.* **4**, 271. 272 (1988).]

2. Si l'ARN polymérase se déplace en ligne droite alors que l'ADN tourne sur lui-même, l'ARN et l'ADN ne s'emmêleront pas. Dans ce cas, les tours d'hélice de l'ADN sont poussés en avant de la bulle de transcription qui progresse, enroulant plus fortement l'ADN en avant de la bulle (ce qui crée des supertours positifs) alors que l'ADN derrière la bulle se déroule d'autant (ce qui crée des supertours négatifs, bien que le nombre d'enlacements de l'ADN reste inchangé). Ce modèle est conforté par le fait que la transcription de plasmides dans *E. coli* entraîne la formation de supertours positifs dans des mutants de la gyrase (qui ne peuvent éliminer leurs supertours positifs ; Section 29-3C) et de supertours négatifs dans les mutants de la topoisomérase I (qui ne peuvent éliminer des supertours négatifs). Kazuhiko Kinosita a effectivement pu démontrer par microscopie de fluorescence que les molécules isolées d'ADN tournent dans le sens attendu au cours de la transcription. Il a utilisé pour cela des techniques analogues à celles permettant de montrer que l'ATPase-F_1F_0 est un moteur rotatif ; Section 22-3C). Il a accroché l'ARN polymérase à une surface en verre et lui a fait transcrire un ADN préalablement marqué par un fluorochrome à l'une de ses extrémités

Pourtant, une superhélicité inappropriée de l'ADN en cours de transcription bloque sa transcription (Section 29-3C). Il est possible que la tension de torsion dans l'ADN résultant de la présence de supertours négatifs derrière la bulle de transcription soit nécessaire pour aider le processus de transcription, alors que trop de tension empêche l'ouverture et le maintien de la bulle de transcription.

b. La transcription se fait rapidement et avec précision

La vitesse de la transcription *in vivo* est de 20 à 50 nucléotides incorporés par seconde à 37 °C comme l'indique la vitesse à laquelle *E. coli* incorpore des nucléosides tritiés dans l'ARN (les cellules ne peuvent pas incorporer des nucléosides triphosphates à partir du milieu de culture). Une fois qu'une molécule d'ARN polymérase a initié la transcription et qu'elle s'éloigne du promoteur, une autre molécule d'ARN polymérase peut se positionner à son tour. La synthèse d'ARN nécessaires en grandes quantités, les ARN ribosomiaux par exemple, est initiée aussi souvent que cela est stériquement possible, environ une fois par seconde (Fig. 31-16).

L'ARN polymérase, au contraire de l'ADN polymérase, ne peut plus se refixer sur un polynucléotide qu'elle a quitté. C'est pourquoi la synthèse de l'ARN doit se faire en une fois, même dans le cas des gènes eucaryotiques les plus grands (ils font plus de 2000 kb). Pourtant, l'ARN polymérase n'a pas d'activité exonucléase pour corriger ses erreurs comme le font de nombreuses ADN polymérases. Cela explique que la fréquence d'erreurs

observée dans la synthèse d'ARN, d'après les analyses de transcrits de matrices simples comme poly[d(AT)]·poly[d(AT)], soit d'une base erronée pour environ 10^4 bases transcrites, alors que par exemple, Pol I de *E.coli* incorpore une base incorrecte sur 10^7 (Section 30-2A). Cette fréquence est tolérable compte tenu des points suivants : (1) la transcription est répétée pour la plupart des gènes, (2) le code génétique contient de nombreux synonymes (Tableau 5-3), (3) les substitutions d'acides aminés dans les protéines sont souvent sans incidence sur la fonction, et (4) de grandes parties de nombreux transcrits eucaryotes sont excisées lors de la maturation de l'ARNm (excision des introns ; Section 31-4A).

c. Des agents intercalants inhibent aussi bien les ARN que les ADN polymérases
L'**actinomycine D**,

La structure de l'actinomycine D est présentée ci-dessous, avec ses composants : Méthyl-Val, Sarcosine, Pro, D-Val, Thr, et le Système du cycle phénoxazone.

Actinomycine D

un agent anticancéreux utile, produit par *Streptomyces antibioti-*

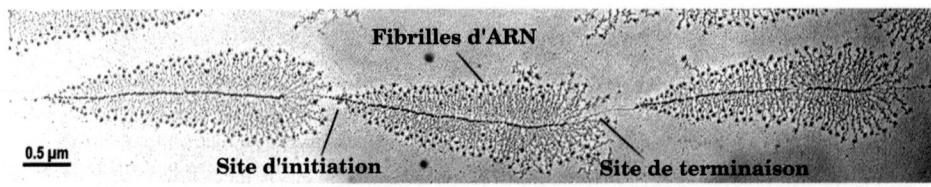

FIGURE 31-16 Micrographie électronique de trois gènes ribosomiaux adjacents d'ovocytes de la salamandre *Pleurodeles waltl* en cours de transcription. Les structures en « pointes de flèches » sont dues aux longueurs croissantes des chaînes d'ARN naissantes synthétisées par les molécules d'ARN polymérase depuis le site d'initiation jusqu'au site de terminaison sur l'ADN. [Avec l'aimable autorisation d'Ulrich Scheer, Université de Würzburg, RFA.]

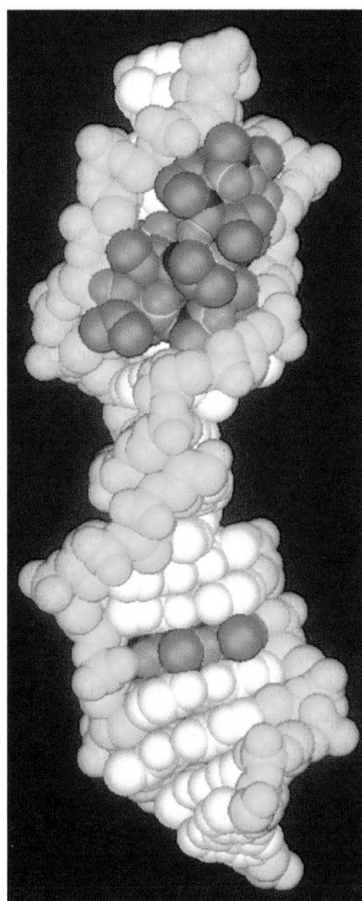

FIGURE 31-17 La structure par rayons X de l'actinomycine D complexée à un ADN double brin de séquence auto complémentaire d(GAAGCTTC). Le complexe est représenté en modèle compact avec le squelette sucre-phosphate de l'ADN en jaune, ses bases en blanc ; l'actinomycine D est colorée selon ses atomes, C en vert, N en bleu et O en rouge. Les deux molécules d'ADN symétriques montrées sont disposées verticalement pour former une hélice pseudo-continue. L'ADN supérieur est vu par son petit sillon dans lequel les deux depsipeptides de son actinomycine D liée sont fortement encastrés. L'ADN inférieur (qui est tourné de 180° autour de l'axe de son hélice par rapport a l'ADN supérieur) est vu par son grand sillon, dans lequel le cycle phénoxazone de l'actinomycine D liée, qui s'est intercalé, s'y projette à partir du côté du petit sillon. [D'après une structure aux rayons X de Fusao Takusagawa, Université du Kansas. PDBid 172D.]

cus, se lie fortement à l'ADN double brin et, ce faisant, inhibe fortement la transcription et la réplication de l'ADN, probablement en interférant avec le déplacement de l'ARN polymérase et de l'ADN polymérase. La structure par rayons X de l'actinomycine D complexée à de l'ADN double brin formé par deux brins de l'octamère auto-complémentaire d(GAAGCTTC), montre que l'ADN prend une conformation de type B dans laquelle le **système du cycle phenoxazone**, comme cela a déjà été montré, s'intercale entre les paires de bases G · C centrales de l'ADN (Fig. 31-17), En conséquence, la double hélice de l'ADN est déroulée de 23° au site d'intercalation et les paires de bases centrales G · C sont séparées de 7 Å. L'hélice de l'ADN est fortement déformée par rapport à la conformation de l'ADN-B, si bien que son petit sillon est large et peu profond, ressemblant ainsi à l'ADN-A. Les deux **depsipeptides** cycliques de l'actinomycine D (qui présentent des liaisons peptidiques et des liaisons esters) chimiquement identiques mais qui prennent des conformations différentes, se projettent en sens contraire depuis le site d'intercalation le long du petit sillon de l'ADN. Le complexe est stabilisé par l'établissement de liaisons hydrogène entre les bases et le peptide, et entre le cycle phénoxasone et le squelette sucre-phosphate, ainsi que par des interactions hydrophobes, ce qui explique la liaison préférentielle de l'actinomycine D à l'ADN, son cycle phénoxasone s'intercalant entre les paires de bases d'une séquence 5'-GC-3'. On connaît beaucoup d'autres agents intercalants, parmi lesquels l'éthidium et la proflavine (Sections 6-6C et 29-3A), qui inhibent également la synthèse des acides nucléiques, probablement par des mécanismes similaires.

D. *Terminaison de la chaîne*

Des micrographies électroniques comme celle de la Fig. 31-16, suggèrent que l'ADN présente des sites spécifiques où s'arrête la transcription. Les séquences de terminaison de la transcription de nombreux gènes de *E. coli* ont deux caractéristiques communes (Fig. 31-18a) :

1. Une série de 4 à 10 A · T consécutifs, les A étant sur le brin matrice. L'ARN transcrit se termine au niveau **de** cette séquence ou juste après.

2. Une région riche en G + C ayant une séquence palindromique (symétrique d'ordre deux) juste avant la série de A · T.

(a)

	Région riche en G · C	Région riche en A · T	
5′ ···	NNAAGCGCCGNNNNC	CGGCGCTTTTTTNNN	··· 3′
3′ ···	NNTTCGCGGCNNNNG	GCCGCGAAAAAAANNN	··· 5′ Matrice d'ADN

5′ ··· NNAAGCGCCGNNNNCCGGCGCUUUUUU—OH 3′ Transcrit d'ARN

FIGURE 31-18 Un site de terminaison hypothétique fort (efficace) de *E. coli*. La séquence des bases a été déduite des séquences de plusieurs transcrits, *(a)* La séquence d'ADN avec son ARN correspondant. Les séquences riches en A · T et G · C sont représentées respectivement en bleu et en rouge. L'axe de symétrie d'ordre deux (*symbole lenticulaire*) relie les segments latéraux ombrés qui forment des séquences répétées inversées, *(b)* La structure en épingle à cheveux et la queue de poly(U) qui déclenchent l'arrêt de ta transcription. [D'après Pribnow, D., dans Goldberger, R.F. (Éd.), *Biological Regulation and Development,* Vol. 1, p. 253, Plenum Press (1979).]

(b)

```
          N
        ╱   ╲
       N     N
       |     |
       N     C
        ╲   ╱
```
G · C
C · G
C · G
G · C
C · G
G · C
A · U
A · U
···NNNN   UUUU—OH 3′

Le transcrit d'ARN de cette région peut donc former une structure « en épingle à cheveux » auto-complémentaire qui se termine par plusieurs résidus U (Fig. 31-18*b*).

La stabilité de l'épingle à cheveux terminale riche en G + C et l'appartement fragile de sa queue oligo(U) à la matrice d'ADN semblent être des facteurs importants pour que la terminaison de la chaîne se fasse correctement. Effectivement, des études avec des modèles ont montré que l'oligo(dA · rU) forme une hélice hybride particulièrement instable bien que l'oligo(dA · dT) forme une hélice de stabilité normale. La formation de l'épingle à cheveux riche en G + C entraîne l'arrêt de quelques secondes de l'ARN polymérase au site de terminaison. Il s'ensuivrait un changement conformationnel de l'ARN polymérase, permettant au brin non codant de l'ADN de détacher du brin matrice, la queue oligo(U) faiblement liée, d'où l'arrêt de la transcription. Des mutations qui modifient les forces de ces associations réduisent, et souvent annulent, l'efficacité de la terminaison de la chaîne, résultats qui confortent l'explication précédente. La terminaison est également diminuée quand la transcription *in vitro* est faite en présence d'**inosine triphosphate (ITP)** à la place de GTP.

Inosine triphosphate (ITP)

Les paires I · C sont plus faibles que les paires G · C, car la base hypoxanthine de I, qui n'a pas de groupe aminé en *C2* de G, ne peut former que deux liaisons hydrogène avec C, diminuant ainsi la stabilité de l'épingle à cheveux.

Malgré ce qui vient d'être dit, des expériences réalisées par Michael Chamberlin, dans lesquelles des segments de terminaison très efficaces ont été échangés par les techniques de l'ADN recombinant, montrent que l'épingle à cheveux terminale de l'ARN et la queue en 3' riche en U ne fonctionnent pas de façon indépendante de leurs régions adjacentes situées en amont et en aval. En fait, des sites de terminaison dépourvus du segment riche en U peuvent être très efficaces quand ils sont unis à la séquence appropriée située immédiatement en aval du site de terminaison. De plus, des mutations de la sous-unité b de l'ARN polymérase peuvent aussi bien augmenter que diminuer l'efficacité de la terminaison. Cela a conduit à un nouveau modèle de la terminaison dans lequel le transcrit ARN est lié de façon stable à l'ARN polymérase via des interactions avec deux sites de liaison à l'ARN spécifiques de l'ARN simple brin. La terminaison serait due à la formation d'une épingle à cheveux d'ARN stable qui diminue la fixation de l'ARN à l'un des sites de fixation à l'ARN. Dans ce dernier modèle, la terminaison peut se faire aussi bien sur des matrices simple brin que double brin.

Pour faire la distinction entre ces deux modèles, Chamberlin a construit un système dans lequel la terminaison a lieu sur une matrice simple brin. Du fait que l'ARN polymérase ne peut initier la transcription que sur de l'ADN double brin, l'expérience a été réalisée en laissant l'ARN polymérase initier la transcription sur un ADNdb contenant un site d'initiation et un site de terminaison. La progression de l'ARN polymérase à partir du site d'initiation jusqu'à un site précis, situé en amont du terminateur, a été contrôlée par l'ajout et la suppression de mélanges appropriés de NTP. À la suite de quoi, l'ajout d'exonucléase III (une exonucléase de polarité de digestion 3' → 5' spécifique des doubles brins), permet de digérer les brins matrice et non matrice depuis leur extrémité 3' jusqu'à la position où l'ARN polymérase est bloquée. L'exonucléase a alors été retirée et des NTP ont été ajoutés, ainsi l'ARN polymérase a pu reprendre la transcription sur la matrice, à présent simple brin. Du fait que le terminateur se trouve à une certaine distance de l'extrémité 5' de la matrice, les transcrits se terminant normalement au site terminateur devraient être plus courts que des transcrits n'ayant pas subi la terminaison mais ayant simplement atteint le bout de la matrice. Le résultat de ces expériences, en se servant de trois terminateurs différents, a montré que la terminaison est pratiquement aussi efficace sur des matrices simple brin que sur des matrices double brin. Il est clair que ni le brin non matrice, ni la bulle de transcription, ne sont nécessaires pour la terminaison par l'ARN polymérase de *E. coli*.

a. La terminaison nécessite souvent l'aide du facteur Rho

Les séquences de terminaison ci-dessus entraînent la terminaison spontanée de la transcription. Cependant, la moitié environ des sites de terminaison ne présentent pas de similitudes évidentes avec les précédents et sont incapables de former des épingles à cheveux solides ; *ils nécessitent la participation d'une protéine appelée **facteur Rho** pour terminer la transcription.* C'est en constatant que des transcrits *in vivo* sont souvent plus courts que les transcrits *in vitro* correspondants, qu'on a supposé l'existence du facteur Rho. Le facteur Rho, un hexamère de sous-unités identiques de 419 résidus, augmente l'efficacité de la terminaison de transcrits qui se terminent spontanément ou non spontanément.

Plusieurs observations clés ont conduit au modèle de la terminaison Rho-dépendante :

1. Le facteur Rho est une hélicase qui catalyse le déroulement des doubles hélices ARN-ADN et ARN-ARN. Ce processus est entraîné par l'hydrolyse de nucléosides triphosphates (NTP) en nucléosides diphosphates + P_i sans beaucoup de préférence quant à la nature de la base. L'activité NTPase est indispensable pour la terminaison Rho-dépendante comme le démontre son inhibition *in vitro* quand on remplace les NTP par leurs analogues β,γ-imido,

β,γ-Imido nucléoside triphosphate

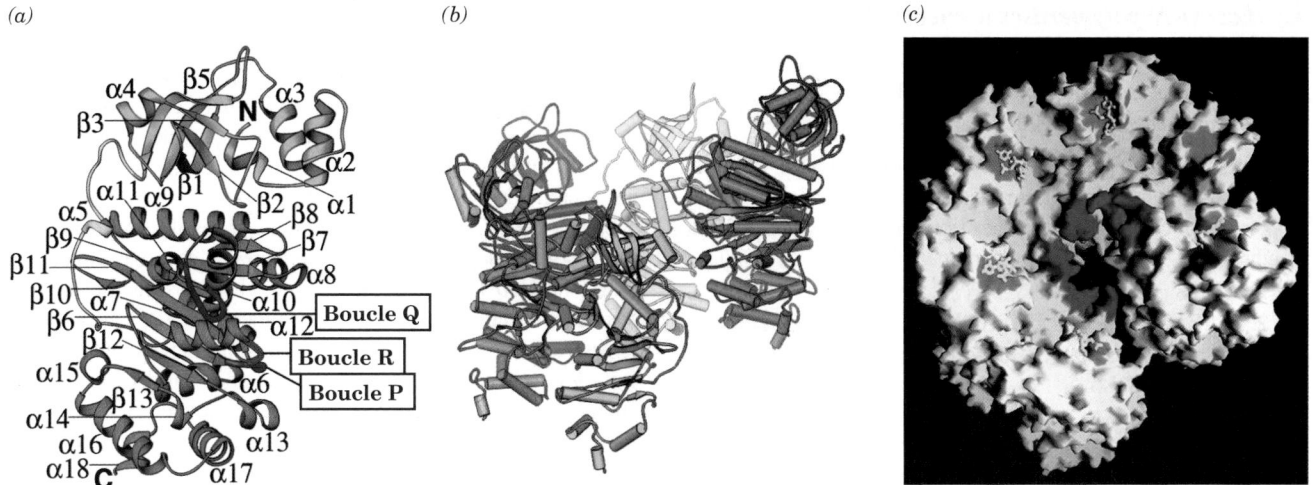

(a) *(b)* *(c)*

FIGURE 31-19 Structure par rayons X du facteur Rho complexé à l'ARN. *(a)* Le protomère Rho avec son domaine N-terminal en bleu clair, son domaine C-terminal en rouge et son domaine de jonction en jaune. La boucle P (*en bleu*), la boucle Q (*en violet*) et la boucle R (*en vert*) auraient un rôle dans la fixation de l'ARN et dans la translocation ainsi que dans la fixation des NTP. *(b)* L'hexamère de Rho, ses six sous-unités, dessinées avec des couleurs propres, forment un anneau hexagonal ouvert par une encoche. La sous-unité jaune est vue sous le même angle que dans la partie a. *(c)* Surface accessible aux solvants de l'hexamère de Rho, vu du dessus par rapport à la partie b. Les sites primaires de liaison à l'ARN, qui se trouvent dans le domaine N-terminal, sont en bleu clair et les domaines secondaires de liaison à l'ARN, qui se trouvent dans le domaine C-terminal, sont en violet. L'ARN, représenté en modèle éclaté, est fixé aux sites de liaison primaire. Il n'est que partiellement visible dans la structure par rayons X. [Avec l'aimable autorisation de James Berger, Université de Californie, Berkeley. PDBid 1PVO.]

substances qui sont des substrats de l'ARN polymérase, mais qui ne peuvent pas être hydrolysées par le facteur Rho.

2. Des manipulations génétiques ont montré que la terminaison Rho-dépendante nécessite la présence d'une séquence spécifique de reconnaissance sur l'ARN naissant en amont du site de terminaison. La séquence de reconnaissance doit se trouver sur l'ARN néosynthétisé plutôt que sur l'ADN comme le prouve le fait que Rho ne puisse pas terminer une transcription en présence d'ARNase A pancréatique. Les principales caractéristiques de ce site de terminaison ne sont pas encore bien élucidées ; la construction de sites de terminaison synthétiques montre qu'il est constitué de 80 à 100 nucléotides sans structure secondaire stable, et qu'il contient de multiples régions riches en C et pauvres en G.

Ces observations suggèrent que le facteur Rho s'attache à l'ARN naissant au niveau de sa séquence de reconnaissance puis qu'il se déplace le long de l'ARN dans le sens 5′ → 3′ jusqu'à ce qu'il rencontre une ARN polymérase arrêtée au site de terminaison (sans cet arrêt, Rho ne pourrait peut-être pas rattraper l'ARN polymérase). À ce stade, Rho déroule le duplex ARN-ADN qui forme la bulle de transcription, libérant ainsi l'ARN transcrit. Les transcrits terminés par le facteur Rho ont des extrémités 3′ qui varient d'un ordre de grandeur de 50 nucléotides. Cela suggère que, d'une certaine manière, Rho détache l'ARN de sa matrice d'ADN au lieu d'« appuyer sur un bouton » de départ de l'ARN.

Chaque sous-unité de Rho comporte deux domaines que l'on peut séparer par protéolyse. Son domaine N-terminal se lie aux polynucléotides simple brin et son domaine C-terminal, qui est l'homologue des sous-unités α et β de l'ATPase-F_1 (Section 22-3C), fixe un NTP. La structure par rayons X de Rho complexé avec l'ADPNP et un ARN de 8 nt $(UC)_4$, a été déterminée par James Berger. Elle montre que le domaine N-terminal comporte un fagot de 3 hélices surmontant un tonneau de 5 brins β parallèles pris en sandwich entre plusieurs hélices (Fig. 31-19*a*). Rho forme l'hexamère auquel on s'attend, mais contrairement à la forme en anneau de l'ATPase-F_1, il a une forme d'hélice en boucle ouverte de 120 Å de diamètre avec un trou central de 30 Å de diamètre et dont la première et la sixième sous-unité sont séparées par un espace de 12 Å et sont décalées d'une hauteur de 45 Å le long de l'axe de l'hélice (Fig. 31-19*b*). L'ARN, qui n'est que partiellement visible dans la structure, se fixe sur ce qu'on appelle les sites de liaison primaire à l'ARN situés sur les domaines N-terminaux, sur la face intérieure de l'hélice, où se trouvent aussi les sites de liaison à l'ARN des domaines C-terminaux que l'on appelle sites secondaires et auxquels on a attribué un rôle dans la translocation et le déroulement de l'ARNm (Fig. 31-19*c*). Du fait que les images de microscopie électronique montrent aussi bien des anneaux hexamériques fermés que des anneaux avec une encoche, il est probable que la structure par rayons X représente l'état ouvert, prêt à se lier à l'ARNm qui est entré dans sa cavité centrale par l'encoche. On pense que la fixation de l'ARNm provoque la fermeture de l'anneau. Les cycles d'hydrolyse d'ATP qui s'ensuivent, avec les changements de conformation qui les accompagnent, doivent propulser Rho le long de l'ARNm dans la direction 5′ → 3′.

E. *Les ARN polymérases d'eucaryotes*

Les noyaux des eucaryotes contiennent trois types d'ARN polymérases, découvertes par Robert Roeder et William Rutter, qui synthétisent différents types d'ARN :

1. L'ARN polymérase I **(RNAP I aussi appelée Pol I et RNAP A),** localisée dans les nucléoles (corps granulaires denses du noyau qui contiennent les gènes ribosomiaux ; Section 31-4B), synthétise les précurseurs de la plupart des ARN ribosomiaux (ARNr).

2. L'ARN polymérase II **(RNAP II aussi appelée Pol II et RNAP B),** que l'on trouve dans le nucléoplasme, synthétise les précurseurs des ARNm.

3. L'ARN polymérase III **(RNAP III aussi appelée Pol III et RNAP C),** qui **se** trouve aussi dans le nucléoplasme, synthétise les précurseurs de l'ARN ribosomial 5S, les ARNt et différents autres petits ARN nucléaires et cytosoliques.

Les ARN polymérases nucléaires sont caractérisées par des compositions en sous-unités d'une complexité bien plus grande que celles des procaryotes. Ces enzymes ont des masses moléculaires allant jusqu'à 600 kD, et comme l'indique le Tableau 31-2, chacune contient deux « grandes » (> 120 kD) sous-unités différentes responsables de ~65 % de sa masse et homologues des sous-unités RNAP β et β' des procaryotes. Elles comportent en outre jusqu'à 12 petites (<50 kD) sous-unités, dont deux qui sont homologues de la protéine procaryotique RNAP α, et une qui est homologue de la protéine procaryotique RNAP ω. Parmi ces petites sous-uni-

tés, cinq sont identiques au sein des trois RNAP eucaryotiques, et deux autres (les homologues des RNAP α) sont identiques dans RNAP I et RNAP III. Deux des sous-unités de RNAP II, Rbp4 et Rbp7, ne sont pas indispensables pour l'activité et ne sont effectivement pas présentes dans RNAP II en quantités stoechiométriques. (Curieusement, Rbp7 a un segment de 102 résidus qui a une identité de 30 % avec une partie de σ70, le facteur σ le plus abondant chez *E. coli*). 10 des 12 sous-unités de RNAP II sont donc, soit identiques, soit très similaires à des sous-unités de RNAP I et RNAP III (Tableau 31-2). De plus, les séquences de ces sous-unités sont très conservées (identiques à ~50 %) chez différentes espèces de la levure jusqu'à l'homme (et à moindre titre entre les eucaryotes et les bactéries). En effet, sur dix cas qui ont été testés, on a chaque fois pu remplacer une sous-unité de RNAP II humaine par sa contrepartie chez la levure, sans perte de viabilité cellulaire.

Rpb1, l'homologue de β' dans RNAP II, possède un domaine C-terminal (CTD) très particulier. Chez les mammifères, il contient 52 répétitions bien conservées de l'heptade PTSPSYS (26 répétitions chez la levure et des valeurs intermédiaires chez les autres eucaryotes). Cinq des sept résidus de ces répétitions particulièrement hydrophiles portent des groupements hydroxyl et au moins 50 d'entre eux, principalement ceux portés par les résidus Ser font l'objet d'une phosphorylation réversible par les CTD kinases et les CTD phosphatases. La RNAP II n'initie la transcription que lorsque son domaine CTD n'est pas phosphorylé mais ne commence l'élongation que lorsque son domaine CTD a été phosphorylé, ce qui suggère que ce processus entraîne la conver-

TABLEAU 31-2. **Sous-unités des ARN polymérase**[a]

S. cerevisiae RNAP I (14 sous-unités)	*S. cerevisiae* RNAP II (12 sous-unités)	*S. cerevisiae* RNAP III (15 sous-unités)	*E. coli* Cœur de la RNAP (5 sous-unités)	Classe[b]
Rpa1 (A190)	Rbp1 (B220)	Rpc1 (C160)	β'	Cœur
Rpa2 (A135)	Rbp2 (B150)	Rpc2 (C128)	β	Cœur
Rpc5 (AC40)	Rpb3 (B44.5)	Rpc5 (AC40)	α	Cœur
Rpc9 (AC19)	Rpb11 (B13.6)	Rpc9 (AC19)	α	Cœur
Rbp6 (ABC23)	Rbp6 (ABC23)	Rpb6 (ABC23)	ω	Cœur /commune
Rpb5 (ABC27)	Rpb5 (ABC27)	Rpb5 (ABC27)		Commune
Rpb8 (ABC14.4)	Rpb8 (ABC14.4)	Rpb8 (ABC14.4)		Commune
Rbp10 (ABC10β)	Rpb10 (ABC10β)	Rpb10 (ABC10β)		Commune
Rbp12 (ABC10α)	Rpb12 (ABC10α)	Rpb12 (ABC10α)		Commune
Rpa9 (A12.2)	Rpb9 (B12.6)	Rpc12 (C11)		
Rpa8 (A14)[c]	Rpb4 (B32)	—		
Rpa4 (A43)[c]	Rpb7 (B16)	Rpc11 (C25)		
+2 autres[d]		+4 autres[d]		

[a]Les sous-unités homologues sont sur une même ligne. Dans la dénomination alternative des sous-unités (entre parenthèses) les lettres indiquent la RNAP dont chaque sous-unité fait partie (A, B, et C pour les RNAP I, II et III) et le numéro indique sa masse moléculaire approximative en kD.

[b]Cœur : désigne les séquences partiellement homologues dans toutes les RNAP; commune : indique qu'on les trouve dans toutes les RNAP eucaryotiques.

[c]Homologues potentiels de Rbp4 et Rbp7.

[d]Rpa3 (A49) et Rpa5 (A34,5) dans RNAP I et Rpc3 (C74), Rpc4 (C53), Rpc6 (C34) et Rpc8 (C31) dans RNAP III.

Source: Principalement Cramer, P., *Curr. Opin. Struct. Biol.* **12**, 89 (2002).

sion du complexe d'initiation de la RNAP II en son complexe d'élongation. Des répulsions entre les charges des groupements phosphates proches doivent permettre la projection du domaine CTD fortement phosphorylé à une distance allant jusqu'à 500 Å de la partie globulaire de RNAP II. Nous verrons qu'en fait le domaine CTD phosphorylé possède des sites de liaison pour de nombreux facteurs auxiliaires ayant des rôles essentiels dans le processus de la transcription.

Au contraire des holoenzymes des ARN polymérases procaryotiques, quelque peu plus petites, les ARN polymérases eucaryotiques ne peuvent pas se fixer de façon indépendante à leur cible dans l'ADN. Au contraire, comme nous le verrons dans la Section 34-3B, elles sont recrutées sur leur promoteur cible par l'intermédiaire de complexes de facteurs de transcription et de protéines accessoires qui, dans le cas des gènes transcrits par RNAP II, sont aussi gros et compliqués que l'ensemble de RNAP II qui fait figure de nain à coté.

En plus de ces enzymes nucléaires, dont il vient d'être question, les cellules eucaryotes contiennent des ARN polymérases mitochondriales et (dans les plantes) chloroplastiques. Ces petites (~100 kD) ARN polymérases à une seule sous-unité, qui ressemblent à celles codées par certains bactériophages, sont beaucoup plus simples que les ARN polymérases nucléaires, bien qu'elles catalysent la même réaction.

a. La structure par rayons X de RNAP II de levure montre un complexe de transcription

Par un véritable tour de force, Roger Kornberg a déterminé la structure par rayons X de RNAP II de levure (*S. cerevisiae*) dépourvue de ses deux sous-unités Rpb4 et Rpb7 (Fig. 31-20). Cette enzyme, comme on pouvait s'y attendre, ressemble à l'ARN polymérase *Taq* (Fig. 31-1), par sa forme générale en pince de crabe et par les positions et les repliements du cœur de leurs sous-unités homologues, bien que RNAP II soit plus grande et ait plusieurs sous-unités sans contrepartie dans l'ARN polymérase *Taq*. RNAP II fixe deux ions Mg^{2+} à son site actif (bien qu'un des deux semble faiblement fixé et ne soit de ce fait que faiblement visible dans la structure par rayons X; il est possible qu'il accompagne l'ATP entrant au site), à proximité de cinq résidus acides observés. Cela suggère que les ARN polymérases catalysent l'élongation de l'ARN via un mécanisme à deux ions métalliques similaire à celui employé par les ADN polymérases (Section 30-2A). Comme dans le cas de l'ARN polymérase *Taq*, la surface de RNAPII est presque entièrement négativement chargée, à l'exception de la fente de fixation de l'ADN et de la région autour du site actif, qui sont positivement chargées.

Bien que, comme nous l'avons déjà dit, RNAP II n'initie normalement pas la transcription par elle-même, Kornberg a découvert qu'elle peut le faire sur un ADNdb dont l'un des cotés comporte une queue simple brin terminée par une extrémité 3'. Par

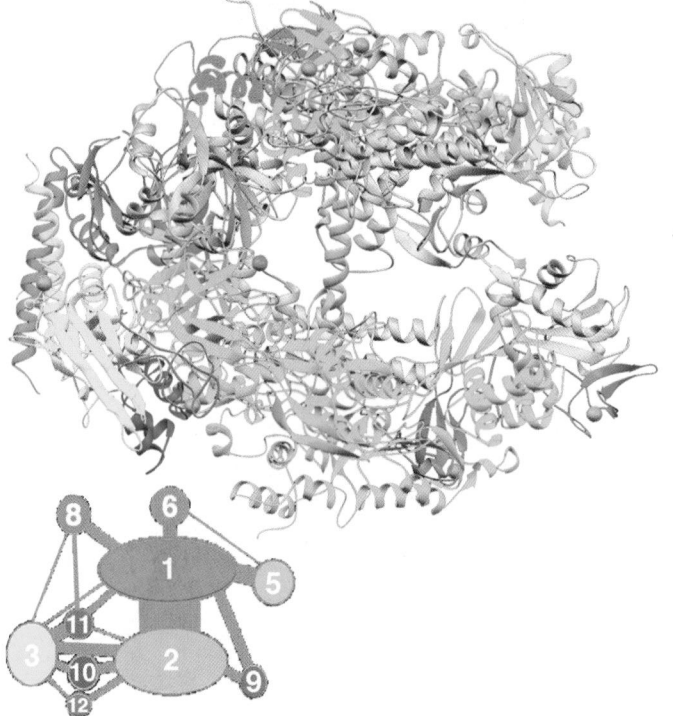

(a)

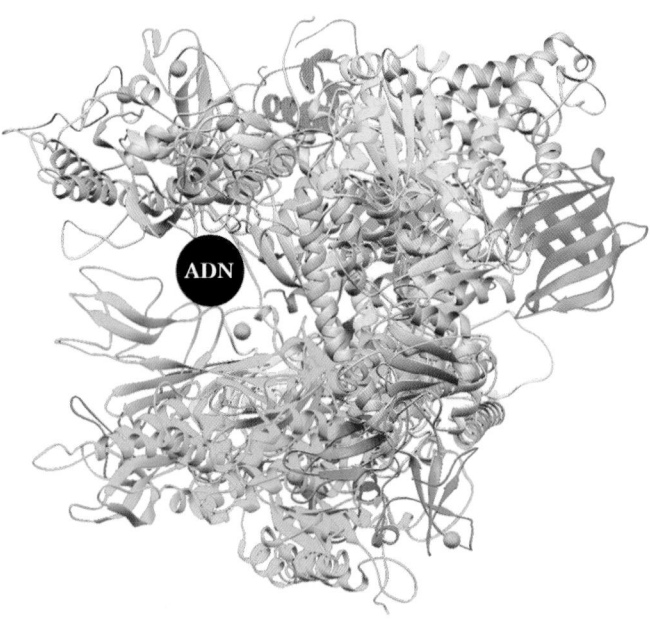

(b)

FIGURE 31-20 Structure par rayons X de la RNAP II de levure dépourvue de ses sous-unités Rpb4 et Rpb7. (*a*) L'enzyme est orientée de la même façon que la RNAP *Taq* dans la Fig. 31-11, et ses sous-unités sont colorées comme l'indique le schéma ci-dessus, les sous-unités homologues de celles de la RNAP *Taq* ont gardé les mêmes couleurs. L'ion Mg^{2+} fortement lié (Mg^{2+} physiologique), marqueur du site actif, est représenté par une sphère rouge alors que les 8 ions Mg^{2+} de l'enzyme sont représentés par des sphères de couleur orange. Le domaine

C-terminal de Rpb1 (CTD) n'est pas visible à cause du désordre. Dans le schéma ci-dessus, les surfaces des différents ovales numérotés sont proportionnelles à la taille des sous-unités correspondantes et la largeur de chaque trait gris reliant une paire de sous-unités est proportionnelle à la surface de leur interface. (*b*) Enzyme de la partie a vue par la droite, on voit sa fente de liaison à l'ADN. Le cercle noir a approximativement le diamètre de l'ADN-B. [D'après une structure par rayons X de Roger Kornberg. PDBid 1I50.]

conséquent, en incubant RNAP II avec l'ADN montré dans la Fig. 32-21*a* et les différents NTP mais en omettant l'UTP, on obtient l'hélice hybride ADN · ARN, dessinée dans la figure 31-21*a*, attachée à RNAP II. La structure par rayons X de ce complexe de transcription bloqué a révélé, comme attendu, que l'ADNdb s'était fixé dans la fente de l'enzyme (Fig. 31-21*b* et *c*, la transcription reprend si l'on trempe les cristaux dans l'UTP, montrant ainsi que le complexe cristallisé était actif). Par comparaison avec la structure par rayons X de RNAP II isolée, une partie massive (~50 kD) de Rbp1 et Rbp2 appelée « la pince » a basculé vers le

bas, par dessus l'ADN qui se trouve piégé dans la fente, ce qui explique en grande partie la processivité quasi infinie de l'enzyme. Le mouvement essentiellement rigide de la pince est provoqué par des changements conformationnels au niveau de cinq régions dites commutatrices, à la base de la pince. Trois de ces commutateurs sont en état désordonné dans la structure de RNAP II isolée mais sont ordonnés dans le complexe en train de transcrire.

L'ADN se déroule sur une longueur de trois bases avant d'entrer au site actif (qui se trouve sur Rpb1). Au delà de ce point, cependant, une portion de Rpb2 surnommée « le mur », dirige le

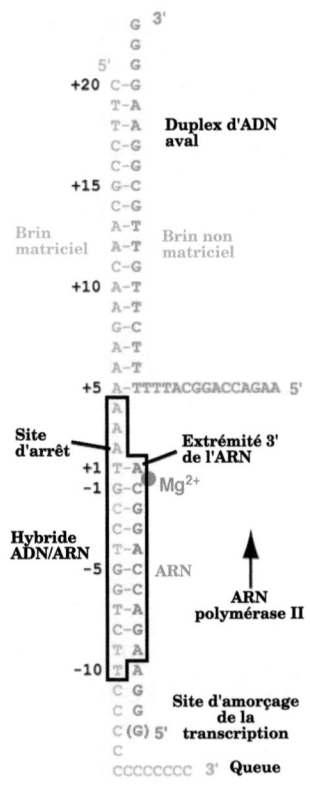

(a)

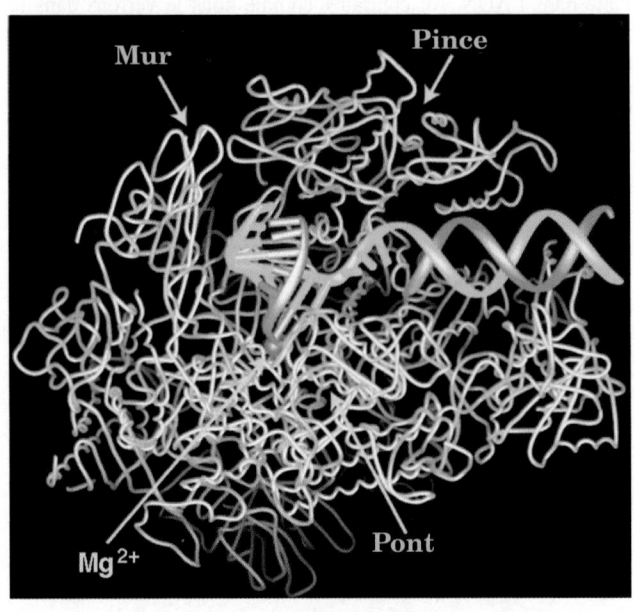

(b)

FIGURE 31-21 Structure par rayons X d'un complexe d'élongation de RNAP II. (*a*) Complexe ARN · ADN présent dans la structure. L'ADN matrice est en bleu clair, l'ADN non matrice en vert et l'ARN néosynthétisé en rouge. Le point rose annoté Mg^{2+} représente l'ion métallique fortement lié au site actif. Le cadre noir contient les portions du complexe qui sont bien visibles dans la structure ; la portion double brin de l'ADN notée « duplex d'ADN aval » est mal ordonnée et les autres parties du complexe sont désordonnées. (*b*) Le complexe en cours de transcription, vu par derrière par rapport à la Fig. 31-20*a*. Les parties de Rpb2 qui forment le coté droit de la fente ont été enlevées pour exposer le complexe ARN · ADN fixé. On a représenté le squelette de la protéine, la pince refermée sur le duplex d'ADN aval est en jaune, l'hélice du pont est en vert et les autres parties de la protéine sont en gris. L'ADN et l'ARN sont colorés comme dans la partie a, leurs parties bien ordonnées sont représentées sous forme d'échelle, on ne voit que le squelette de leurs parties moins ordonnées. L'ion Mg^{2+} du site actif est représenté par une sphère rose. (*c*) Représentation schématique, en coupe, du complexe en cours de transcription de la partie b dans lequel les parties coupées de la protéine sont en gris clair et le reste des surfaces est en gris foncé, plusieurs des caractéristiques structurales importantes pour la fonction sont annotées. L'ADN, l'ARN et l'ion Mg^{2+} du site actif sont colorés comme dans la partie a, les parties de l'ADN et de l'ARN qui ne sont pas visibles dans la structure par rayons X sont représentées par des lignes pointillées. Le site de fixation de l'α-amanitine est marqué d'un point orange. [Adapté d'après des schémas de Roger Kornberg, Université de Stanford. PDBid 1I6H.]

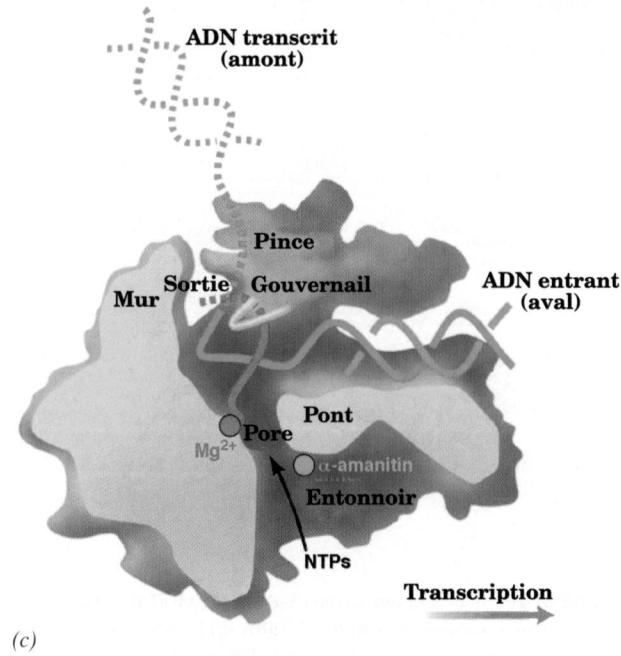

(c)

brin matrice hors de la fente en lui imprimant un angle de ~90°. Ainsi, la base matricielle du site actif (+1) pointe vers le plancher de la fente pour lui permettre d'être lue par le site actif. Cette base s'apparie avec le ribonucléotide à l'extrémité 3′ de l'ARN, qui se situe au-dessus d'un « pore » au bout d'un « entonnoir » vers l'extérieur de la protéine, par lequel on pense que les NTP parviennent au site actif, qui n'a pas d'autre ouverture. L'hélice hybride ARN · ADN adopte une conformation inhabituelle, intermédiaire entre celles des ADN-A et -B, où l'enroulement est plus faible que dans la structure par rayons X de l'hélice hybride ARN · ADN isolée (Fig. 29-6). Presque tous les contacts établis entre les protéines et l'ADN ou l'ARN, se font avec les squelettes sucre-phosphate, aucun ne se fait avec les cotés des bases. La spécificité de l'enzyme pour un ribonucléotide au lieu d'un désoxyribonucléotide est attribuée au fait que l'enzyme reconnaisse aussi bien le ribose entrant que l'hélice hybride ARN · ADN. Après environ un tour d'hélice hybride, une boucle partant de la pince, appelée le « gouvernail », sépare le brin d'ARN du brin d'ADN de la matrice, permettant ainsi à la double hélice d'ADN de se reformer tandis qu'elle ressort de l'enzyme (quoique dans la structure par rayons X, la queue 5′ non appariée du brin non matriciel et la queue 3′ du brin matriciel ne soient pas structurées). Ces modèles de complexe de transcription de RNAP II et de complexe ouvert de l'holoenzyme de l'ARN polymérase *Taq* diffèrent surtout par le positionnement du segment aval de l'ADNdb (comparez les Fig. 31-13*b* et 31-21*c*). Bien sûr, pour donner un complexe de transcription, le complexe ouvert *Taq* doit d'abord se délester de sa sous-unité σ, à laquelle le segment aval de l'ADNdb est lié.

Comment l'ARN polymérase effectue-t-elle la translocation de l'assemblage d'ARN-ADN qui lui est fixé pour se préparer à un nouveau cycle de synthèse ? Le fragment hélicoïdal très conservé de Rpb1, surnommé « le pont » parce qu'il fait un pont entre les deux cotés de la pince qui constitue la fente de l'enzyme (Fig. 31-20 et 31-21), fait des contacts non spécifiques avec la base de l'ADN matriciel à la position +1. Bien que cette hélice soit droite dans toutes les structures par rayons X de RNAP II déterminées jusqu'à présent, elle est coudée dans celle de l'ARN polymérase *Taq* (Fig. 31-11*a*). Si l'hélice du pont, passait d'une conformation droite à une conformation coudée, elle se déplacerait de 3 à 4 Å. Kornberg a donc émis l'hypothèse que la translocation se fait grâce au fléchissement de l'hélice du pont, de façon à pousser les nucléotides appariés de la position +1 à la position −1 (Fig. 31-22). Le retour de l'hélice du pont à sa conformation droite laisserait un site vide en position +1 pour que le NTP suivant y entre, l'enzyme se trouve ainsi prête pour un nouveau cycle d'addition de nucléotide.

b. Les amatoxines inhibent spécifiquement les ARN polymérases II et III

Le champignon vénéneux *Amanita phalloïdes*, qui est responsable de la plupart des empoisonnements mortels dus aux champignons, contient plusieurs types de substances toxiques, dont une série d'octapeptides bicycliques insolites appelés **amatoxines**. L'α-amanitine,

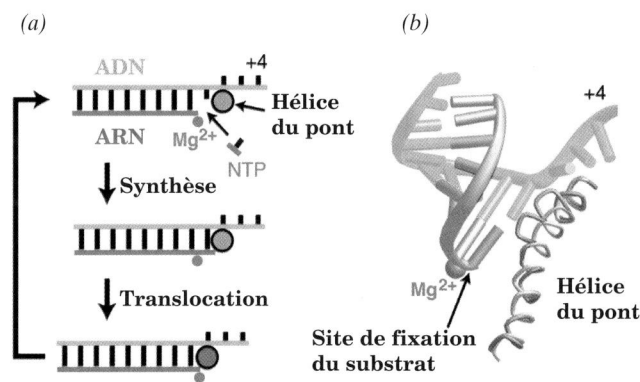

α-Amanitine

qui fait partie des amatoxines, forme un complexe 1:1 très solide avec l'ARN polymérase II $(K = 10^{-8}M)$ et un complexe moins solide avec l'ARN polymérase III $(K = 10^{-6}M)$. Sa fixation ralentie la vitesse de synthèse d'ARN par une ARN polymérase, de plusieurs milliers à seulement quelques nucléotides par minute. L'α-amanitine est donc un outil très utile pour étudier le mécanisme de ces enzymes. L'ARN polymérase I ainsi que les ARN polymérases mitochondriale, chloroplastique et de procaryotes sont insensibles à l'α-amanitine.

La structure par rayons X de RNAPII complexée avec l'α-amanitine, également déterminée par Kornberg, a montré que l'α-amanitine se fixe dans l'entonnoir près de l'hélice du pont de la protéine (Fig. 31-21*c*), de sorte qu'elle interagit presque exclusivement avec les résidus de l'hélice du pont et la partie adjacente, de Rpb1. Le fait que des mutations de RNAP II qui affectent l'inhibition par l'α-amanitine soient localisées à ce même site montre que ce mode de fixation n'est pas un simple artéfact de cristallisation. Le site de fixation de l'α-amanitine est situé trop loin du site actif de l'enzyme pour interférer directement avec l'entrée des NTP ou avec la synthèse de l'ARN, et cela s'accorde bien avec les

FIGURE 31-22 Modèle hypothétique du cycle de transcription et du mécanisme de la translocation de la RNAP. (*a*) Cycle d'addition d'un nucléotide où le site actif de l'enzyme est marqué par son ion Mg^{2+} fortement lié (*en rose*). On pense que la translocation du complexe ARN · ADN en cours de transcription est provoqué par un changement de conformation de l'hélice du pont, d'abord droite (*cercle gris*) puis courbée (*cercle violet*). Le retour de l'hélice à sa position droite compléterait le cycle en laissant un site de fixation de NTP vide au site actif. (*b*) Le complexe ARN · ADN dans la RNAP II, vu de la même façon et avec les mêmes couleurs que dans la Fig. 31-21*b*. L'hélice du pont de la RNAP II est en gris ; on a superposé l'hélice (courbée) du pont de la polymérase *Taq*, colorée en violet. Les chaînes latérales partant de l'hélice courbée entreraient en collision stérique avec la paire de base de l'hybride à la position +1. [Avec l'aimable autorisation de Roger Kornberg, Université de Stanford.]

expériences montrant que l'α-amanitine n'a pas d'influence sur l'affinité de RNAP II pour les NTP. Le plus vraisemblable est que l'α-amanitine gène le changement conformationnel de l'hélice du pont sensée être à la base de l'étape de translocation de l'ARN polymérase (Fig. 31-22), cela renforce d'ailleurs la vraisemblance de ce mécanisme.

Malgré la très forte toxicité des amatoxines (5 à 6 mg, qui sont contenus dans ~40 g de champignons frais, sont suffisants pour tuer un homme adulte), elles agissent lentement. La mort due généralement à un dysfonctionnement du foie, ne survient que plusieurs jours après l'ingestion des champignons (et après guérison des effets des autres toxines du champignon). Cela traduit, en partie, la faible vitesse de turnover des ARNm et des protéines chez les eucaryotes.

c. L'ARN polymérase I de mammifères a un promoteur en deux parties

Puisque, comme nous le verrons dans la Section 31-4B, les nombreux gènes d'ARNr d'une cellule d'eucaryote donnée ont des séquences essentiellement identiques, son ARN polymérase I ne reconnaît qu'un seul promoteur. Cependant, contrairement aux ARN polymérases II et III, les ARN polymérases I sont spécifiques de l'espèce, ce qui veut dire qu'une ARN polymérase I ne reconnaît que son propre promoteur et ceux d'espèces voisines. Ceci, parce que seules des espèces très voisines présentent des identités de séquences reconnaissables à proximité des sites d'amorçage transcriptionnels de leurs gènes d'ARNr. Les promoteurs des ARN polymérases I ont donc pu être identifiés en étudiant les effets d'une série de délétions de plus en plus grandes, se rapprochant du site d'amorçage depuis le côté amont ou le côté aval, sur la vitesse de transcription des gènes d'ARNr. Ces études ont montré, par exemple, que les ARN polymérases I de mammifères nécessitent la présence d'un élément promoteur central, qui s'étend entre les positions −31 et +6 et qui chevauche donc la région transcrite. Cependant, pour que la transcription soit efficace, il faut un **élément promoteur amont**, situé entre les résidus −187 et −107. Ces éléments qui sont riches en G + C et identiques à 85 % fixent des facteurs de transcription spécifiques, qui recrutent ensuite l'ARN polymérase I sur le site d'initiation de la transcription.

d. Les promoteurs de l'ARN polymérase II sont complexes et variés

Les promoteurs reconnus par l'ARN polymérase II sont beaucoup plus longs et plus variés que ceux des gènes des procaryotes mais n'ont pas encore été totalement décrits. Les gènes de struc-

ture exprimés dans tous les tissus, ce qu'on appelle les « gènes d'entretien », dont on pense qu'ils sont transcrits de manière constitutive, présentent une ou plusieurs copies de la séquence GGGCGG ou son complément (la boîte GC) située(s) en amont de leurs sites d'amorçage de la transcription. L'analyse des conséquences de délétions ou de mutations ponctuelles dans des virus d'eucaryotes comme SV40 montre que les boîtes GC jouent un rôle identique à celui des promoteurs de procaryotes. D'un autre côté, des gènes de structure qui ne sont exprimés spécifiquement que dans certains types de cellules, sont souvent dépourvus de ces séquences riches en GC. Par contre, *ils présentent souvent une séquence conservée riche en AT située 25 à 30 pb en amont de leurs sites d'amorçage de la transcription (Fig. 31-23)*. Notez, que cette boîte TATA, comme on l'appelle, ressemble à la région −10 des promoteurs de procaryotes (TATAAT) même si leurs localisations par rapport au site d'initiation de la transcription sont différentes (−27 au lieu de −10). Cependant, les rôles de ces deux éléments promoteurs ne sont pas exactement les mêmes, car la délétion de la boîte TATA n'entraîne pas obligatoirement l'absence de transcription. Des délétions ou des mutations dans la boîte TATA entraînent plutôt une hétérogénéité du site d'amorçage de ta transcription, ce qui .signifie que la boîte TATA participe au choix de ce site.

La région du gène allant de −50 à −110 contient aussi des éléments promoteurs. Par exemple, de nombreux gènes de structure d'eucaryotes, y compris ceux qui codent les différentes globines, ont des séquences conservées, de consensus CCAAT (la **boîte CCAAT**), situées environ entre −70 et −90, et dont la modification diminue fortement la vitesse de transcription du gène. Les gènes de globine ont, en plus, une **boîte CACCC** conservée en amont de la boîte CCAAT, qui est également impliquée dans l'initiation de la transcription. Manifestement, les séquences promotrices en amont de la boîte TATA constituent les sites de liaison initiaux sur l'ADN, de l'ARN polymérase II et des autres protéines impliquées dans l'amorçage de la transcription (voir ci-dessous).

e. Les amplificateurs sont des activateurs de la transcription ayant des localisations et des orientations variables

Le point sans doute le plus surprenant des éléments de contrôle de la transcription chez les eucaryotes est que certains de ces éléments n'ont pas besoin de localisations ni d'orientations précises par rapport aux séquences transcrites correspondantes. Par exemple, le génome de SV40, dans lequel de tels éléments ont été découverts pour la première fois, présente deux séquences répétées

Ovalbumine de poule	GAGGCTATATA**T**TCCCCAGGGCTCAGCCAGTGTCTGTA**C**A
Adénovirus tardif	GGGGCTATA**A**AAGGGGGTGGGGGCGCGTTCGTCCTC**A**CTC
Globine β de lapin	TTGGGCATA**A**AAGGCAGAGCAGGGCAGCTGCTGCTA**A**CACT
Globine β majeure de souris	GAGCATATA**A**GGTGAGGTAGGATCAGTTGCTCCTC**A**CATTT

$$T_{82}A_{97}T_{93}A_{85}\frac{A_{63}}{T_{37}}A_{83}\frac{A_{50}}{T_{37}}$$

FIGURE 31-23 Les séquences promotrices de quelques gènes structuraux d'eucaryotes. Le segment homologue, ou boîte TATA, est ombré en rouge avec la base en position −27 soulignée. Le premier nucléotide transcrit (+1) est ombré en vert. La ligne inférieure donne la séquence consensus de plusieurs de ces promoteurs, les indices indiquant le pourcentage de participation de la base correspondante [D'après Gannon, F. *et al.*, *Nature* **278**, 433 (1978).]

de 72 pb chacune, situées en amont du promoteur de gènes d'expression précoce. La transcription n'est pas affectée si l'une de ces deux séquences est délétée, mais elle est pratiquement abolie si les deux sont absentes. L'étude d'une série de mutants SV40, ne contenant que l'une de ces deux séquences, a montré que sa capacité à stimuler la transcription depuis son promoteur correspondant est indépendante de sa position et de son orientation. De fait, la transcription n'est pas diminuée quand ce segment se trouve à plusieurs milliers de paires de bases en amont ou en aval du site d'amorçage de la transcription. Les segments de gène pourvus de telles propriétés sont appelés **amplificateurs** (**enhancers** en anglais) pour signifier qu'ils sont différents des promoteurs avec lesquels ils doivent être associés, pour déclencher l'initiation de la transcription spécifique d'un site et d'un des brins (bien que l'étude de nombreux promoteurs et amplificateurs montre que leurs propriétés fonctionnelles sont semblables). Les amplificateurs se trouvent aussi bien dans les gènes viraux que dans les gènes cellulaires.

Les amplificateurs sont nécessaires pour que les activités de leurs promoteurs soient totales. On a tout d'abord pensé que les amplificateurs constituent des sortes de points d'entrée sur l'ADN, pour l'ARN polymérase II (peut-être grâce à une modification locale de la conformation de l'ADN, ou par une absence d'affinité de liaison pour les histones qui recouvrent normalement l'ADN des eucaryotes ; Section 34-1A). Mais il est clair maintenant que les amplificateurs sont reconnus par des facteurs de transcription

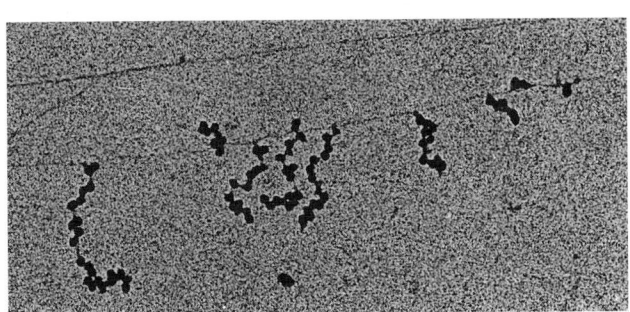

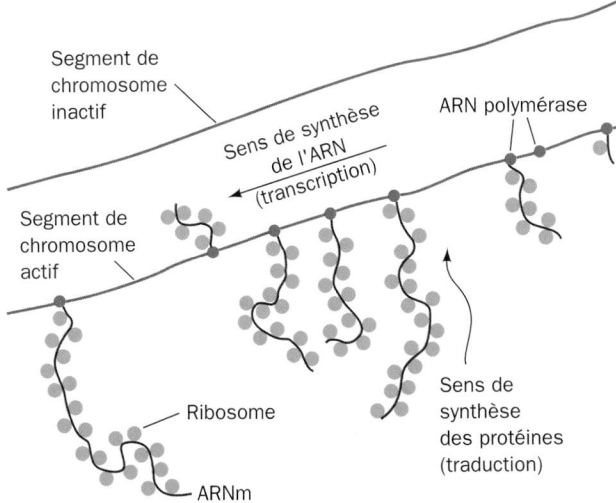

FIGURE 31-24 Micrographie électronique et dessin interprétatif montrant la transcription et la traduction simultanées d'un gène de *E. coli.* Les molécules d'ARN polymérase sont en train de transcrire l'ADN de la droite vers la gauche tandis que les ribosomes traduisent les ARN naissants (pour la plupart de bas *en* haut). [Avec l'aimable autorisation de Oscar L. Miller, Jr. et Barbara Hamkalo, Université de Virginie.]

spécifiques, qui stimulent la fixation de l'ARN polymérase II à un promoteur correspondant, même si celui-ci est éloigné. Cela nécessite que l'ADN, entre l'amplificateur et le promoteur, fasse une boucle qui permette au facteur de transcription d'être simultanément au contact de l'amplificateur et de l'ARN polymérase II, et/ou des protéines qui lui sont associées sur le promoteur. La plupart des amplificateurs cellulaires sont associés à des gènes exprimés de façon sélective dans des tissus particuliers. Il semble donc, comme nous l'étudierons dans la Section 34-3B, que *les amplificateurs contrôlent pour l'essentiel l'expression sélective des gènes chez les eucaryotes.*

f. Les promoteurs de l'ARN polymérase III peuvent être situés en aval de leurs sites d'amorçage de la transcription

Les promoteurs des gènes transcrits par l'ARN polymérase III peuvent être entièrement situés à l'intérieur des régions transcrites du gène. Donald Brown l'a montré en construisant une série de mutants par délétion du gène de l'ARN 5S de *Xenopus borealis.* Des délétions de séquences de bases dont le début se situe à l'extérieur de l'une ou l'autre des extrémités de la région transcrite du gène de l'ARN 5S n'empêchent la transcription que si elles se prolongent à l'intérieur du segment entre les nucléotides +40 et + 80. En fait, un segment du gène de l'ARN 5S constitué des nucléotides 41 à 87, quand il est cloné dans un plasmide bactérien, est suffisant pour diriger l'initiation spécifique par l'ARN polymérase III sur un site en amont. Ceci est dû, comme on l'a démontré par la suite, à ce que la séquence contient le site de liaison de facteurs de transcription qui stimulent la liaison en amont, de l'ARN polymérase III. Cependant, d'autres travaux ont montré que les promoteurs d'autres gènes transcrits par l'ARN polymérase III peuvent se trouver totalement en amont de leurs sites d'amorçage. Ces sites situés en amont fixent de même des facteurs de transcription qui recrutent l'ARN polymérase III.

3 ■ CONTRÔLE DE LA TRANSCRIPTION CHEZ LES EUCARYOTES

Les procaryotes réagissent à des variations soudaines de leur environnement, comme l'arrivée de nouveaux nutriments, en induisant la synthèse des protéines appropriées. Ce processus ne prend que quelques minutes car, chez les procaryotes, la transcription et la traduction sont étroitement couplées : *les ribosomes commencent la traduction près de l'extrémité 5′ d'un ARNm naissant, peu après qu'il émerge de l'ARN polymérase (Fig. 21-24).* De plus, *la majorité des ARNm de procaryotes sont dégradés enzymatiquement entre 1 et 3 minutes après leur synthèse,* évitant ainsi le gaspillage dû à la synthèse de protéines inutiles du fait d'un changement de conditions (la dégradation des protéines est étudiée dans la Section 32-6). En fait, les extrémités 5′ de certains ARNm sont dégradées avant même que leurs extrémités 3′ n'aient été synthétisées.

Par contre, l'induction de la synthèse de nouvelles protéines dans les cellules des eucaryotes demande fréquemment des heures ou des jours, en raison, du moins en partie, de ce que la transcription a lieu dans le noyau et que les ARNm résultants doivent être transportés dans le cytoplasme où se déroule la traduction. Cependant, les cellules eucaryotiques, en particulier celles des organismes pluricellulaires, ont des environnements relativement stables ; des modifications importantes de leurs schémas transcriptionnels n'interviennent que durant la différenciation cellulaire.

Dans cette section, nous étudierons quelques-uns des mécanismes mis en jeu pour réguler l'expression des gènes chez les procaryotes, par l'intermédiaire du contrôle de la transcription. Les eucaryotes étant des organismes beaucoup plus complexes que les procaryotes, ils ont un système de contrôle transcriptionnel corrélativement plus sophistiqué, dont les grandes lignes commencent à se clarifier. Nous reportons par conséquent l'étude du contrôle de la transcription chez les eucaryotes à la Section 34-3B, pour pouvoir l'aborder à la lumière de ce que nous savons à propos de l'organisation du chromosome des eucaryotes.

A. *Les promoteurs*

En présence de fortes concentrations d'inducteur, l'opéron *lac* est transcrit rapidement. Par contre, le gène *lac I* est transcrit à une vitesse si lente qu'une cellule de *E. coli* classique contient moins de 10 molécules du répresseur *lac.* Pourtant, le gène *I* n'a pas de répresseur. Par contre, il a un promoteur si peu efficace (Fig. 31-10) qu'il est transcrit en moyenne une fois par génération de bactérie. *Les gènes qui sont transcrits à grande vitesse ont des promoteurs efficaces.* En général, plus le promoteur est efficace, plus sa séquence ressemble à la séquence consensus correspondante.

a. L'expression des gènes peut être contrôlée par une succession de facteurs σ

Les processus de développement et de différenciation impliquent l'expression ordonnée dans le temps de séries de gènes, selon des programmes spécifiés génétiquement. Les infections par des phages sont parmi les exemples les plus simples de processus de développement. Classiquement, seul un sous-ensemble du génome du phage, souvent appelé gènes *précoces,* est exprimé dans l'hôte immédiatement après l'infection. Quelque temps après, les gènes *intermédiaires* commencent à s'exprimer tandis que les gènes *précoces* et les gènes bactériens sont « éteints ». Dans les dernières étapes de l'infection par le phage, les gènes *intermédiaires* cèdent la place aux gènes *tardifs.* Bien entendu, certains phages expriment plus de trois sortes de gènes et certains gènes peuvent être exprimés durant plus qu'une seule phase.

Un des moyens permettant à des familles de gènes de s'exprimer successivement, fait intervenir des « cascades » de facteurs σ ». Par exemple, dans l'infection de *Bacillus subtilis* par le bactériophage SP01, les promoteurs des gènes *précoces* sont reconnus par l'holoenzyme de l'ARN polymérase bactérienne. Parmi ces gènes *précoces* se trouve le gène 28, dont le produit est une nouvelle sous-unité σ, appelée σ^{gp28}, qui détache la sous-unité σ bactérienne du cœur de l'enzyme. Cette holoenzyme reconstituée ne reconnaît que les promoteurs des gènes *intermédiaires* du phage, qui ont tous des régions −35 et −10 semblables entre elles, mais ayant peu de ressemblance avec les régions correspondantes des gènes bactériens et celles des gènes *précoces* du phage. Les gènes *précoces* deviennent alors inactifs une fois que les ARNm qui leur correspondent ont été dégradés. Dans les gènes *intermédiaires* du phage se trouvent les gènes 33 et 34, qui codent ensemble un nouveau facteur σ, $\sigma^{gp33/34}$, qui, à son tour, ne permet que la transcription des gènes tardifs du phage.

Plusieurs bactéries, dont *E. coli* et *B. subtilis,* ont pareillement plusieurs facteurs σ différents. Ceux-ci ne sont pas nécessairement utilisés de manière séquentielle. Par contre, ceux qui diffèrent du facteur σ majeur, ou primaire (σ^{70} chez *E. coli*), contrôlent la transcription de groupes de gènes spécialisés qui s'expriment de façon coordonnée, et dont les promoteurs sont très différents de ceux reconnus par le facteur σ majeur. Par exemple, la sporulation de *B. subtilis* est un processus de division asymétrique dans lequel le contenu de la cellule bactérienne est reparti en deux compartiments asymétriques, la préspore (qui deviendra la **spore**, la cellule de la lignée germinale d'où sera issue la descendance) et la **cellule mère** (qui synthétise la paroi cellulaire protectrice de la spore avant d'être éliminée). La sporulation est régie par cinq facteurs σ en plus de celui de la cellule **végétative** (non sporulante) ; l'un est actif avant la séparation de la cellule, deux autres sont actifs l'un après l'autre dans la préspore, et les deux derniers sont actifs l'un après l'autre dans la cellule mère. Une régulation croisée de ces facteurs σ compartimentés permet à la préspore et à la cellule mère de coordonner étroitement ce processus de différenciation.

B. *Le répresseur lac, I : liaison à l'ADN*

En 1966, Beno Müller-Hill et Waller Gilbert isolèrent le répresseur *lac* en utilisant sa propriété de se lier au ^{14}C-IPTG et démontrèrent sa nature protéique. Il s'agissait d'un travail extrêmement délicat dans la mesure où le répresseur *lac* ne représente que ~0,002 % des protéines de *E. coli* de type sauvage. Toutefois, on peut maintenant préparer le répresseur *lac* en grande quantité grâce aux techniques de clonage moléculaire (Section 5-5G).

a. Le répresseur *lac* trouve son opérateur en glissant le long de l'ADN

Le répresseur *lac* est un tétramère de sous-unités identiques de 360 résidus, dont chacune peut fixer une molécule d'IPTG avec une constante de dissociation $K = 10^{-6}M$. En l'absence d'inducteur, le répresseur tétramérique se lie de façon non spécifique a l'ADN double brin avec une constante de dissociation $K \sim 10^{-4}M$. Cependant, il se lie spécifiquement à l'opérateur *lac* avec une affinité très supérieure : $K \sim 10^{-13}M$. La protéolyse ménagée du répresseur *lac,* par de la trypsine, a montré que chaque sous-unité est formée de deux domaines fonctionnels : son peptide N-terminal de 58 résidus, qui se lie à l'ADN mais pas à l'IPTG, et le « tétramère central » restant, qui ne se lie qu'à l'IPTG.

La constante de vitesse mesurée de la liaison du répresseur *lac* à l'opérateur *lac* est $k_l \sim 10^{10}M^{-1} \, s^{-1}$. Cette valeur de « *k on* » *est très supérieure à celle calculée pour le processus de diffusion contrôlée en solution :* $k_f = 10^7 M^{-1} \, s^{-1}$ *pour des molécules de la taille du répresseur lac.* Comme il est impossible qu'une réaction se fasse à une vitesse plus rapide que sa vitesse de diffusion contrôlée, le répresseur *lac* ne doit pas rencontrer l'opérateur selon une recherche au hasard dans trois dimensions. Il semble plutôt que *le répresseur lac trouve l'opérateur en se liant de façon non spécifique à l'ADN puis en diffusant le long de celui-ci selon un processus de recherche beaucoup plus efficace, à une seule dimension.*

b. L'opérateur *lac* a une séquence presque palindromique

La disponibilité de grandes quantités de répresseur *lac* a permis de caractériser l'opérateur *lac.* L'ADN de *E. coli* a été sonique (traité aux ultra-sons) en petits fragments qui ont été mélangés au

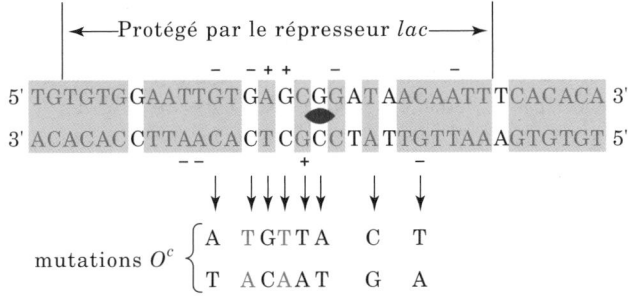

FIGURE 31-25 La séquence des bases de l'opérateur *lac*. Les régions symétriquement reliées (*rouge*), représentent 28 de ses 35 pb. Un « + » indique les positions où la liaison du répresseur augmente la méthylation par le sulfate de diméthyl (qui méthyle G en N7 et A en N3) et un « − » indique les positions où cette réaction des empreintes est inhibée. La ligne du bas donne les positions et la nature des différentes mutations ponctuelles qui empêchent la liaison du répresseur *lac* (mutants *O^c*). Celles en rouge augmentent la symétrie de l'opérateur. [D'après Sobell, H.M., *dans* Goldberger, R.F (Éd.), *Biological Régulation and Development*, Vol. 1, p. 193, Plenum Press (1979).]

répresseur *lac* puis filtrés sur une feuille de nitrocellulose. La protéine, avec ou sans ADN lié, est retenue par la nitrocellulose, alors que l'ADN double brin seul, passe au travers du filtre. L'ADN a été détaché de la protéine liée au filtre en le lavant avec une solution d'IPTG, puis il a été recombiné avec le répresseur *lac*, et le complexe résultant a été traité par de l'ADNase I. Le fragment d'ADN que le répresseur *lac* a protégé de l'action de l'ADNase est formé d'une suite de 26 pb intégrée dans une séquence de 35 pb avec deux moitiés presque symétriques (Fig. 31-25 *en haut*). Ce type de symétrie palindromique est caractéristique des régions de l'ADN qui se lient spécifiquement à des protéines ; rappelez-vous que les sites de reconnaissance des endonucléases de restriction sont aussi palindromiques (Section 5-5A).

Nous avons vu que les séquences d'ADN palindromiques se fixent à des protéines avec une symétrie correspondante d'ordre 2. Cependant, des expériences de protection par méthylation ne confirment pas totalement cette hypothèse, dans le cas du système répresseur lac-opérateur. Il y a une répartition asymétrique des différences de sensibilité des bases à la réaction avec le **DMS** entre le répresseur libre et le répresseur lié à l'opérateur (Fig. 31-25). De plus, des mutations ponctuelles dans l'opérateur, qui le rendent constitutif (*O^c*), et qui invariablement affaiblissent la liaison du répresseur à l'opérateur, peuvent tout aussi bien augmenter que diminuer la symétrie d'ordre deux de l'opérateur (Fig. 31-25).

c. Le répresseur *lac* empêche l'ARN polymérase de former un complexe d'initiation fonctionnel

L'opérateur occupe les positions −7 à +28 de l'opéron *lac* par rapport au site de départ de la transcription (Fig. 31-26). Rappelons que des études de protection contre la nucléase ont montré que, dans le complexe d'initiation, l'ARN polymérase se lie fortement à l'ADN entre les positions −20 à +20 (Section 31-2B). Par conséquent, *les sites opérateur et promoteur de l'opéron lac se recouvrent*. On a donc pensé pendant de nombreuses années, que le répresseur *lac* empêchait physiquement la liaison de l'ARN polymérase au promoteur *lac*. Cependant, on sait que le répresseur *lac* et l'ARN polymérase peuvent se lier simultanément à l'opéron *lac* ; cela signifie que le répresseur *lac* doit, d'une certaine façon, interférer avec le processus d'initiation. Des recherches plus poussées ont révélé qu'en présence de répresseur *lac* lié, l'holoenzyme de l'ARN polymérase synthétise encore des oligonucléotides abortifs, mais qu'ils ont tendance à être plus courts que ceux synthétisés en l'absence de répresseur. Manifestement, *le répresseur lac relève d'une certaine manière la barrière cinétique, déjà élevée, que doit franchir l'ARN polymérase pour former le complexe ouvert et commencer l'élongation continue.*

Nous étudierons la structure du répresseur *lac* et les autres aspects de l'organisation de l'opérateur *lac* dans la Section 31-3F.

C. *Répression catabolique : un exemple d'activation de gène*

Le glucose est le métabolite préféré de E. coli ; la disponibilité de quantités suffisantes de glucose empêche l'expression totale de gènes codant des enzymes impliquées dans la fermentation de nombreux autres catabolites, dont le lactose (Fig. 31-27), l'arabinose et le galactose, même quand ils sont présents en fortes

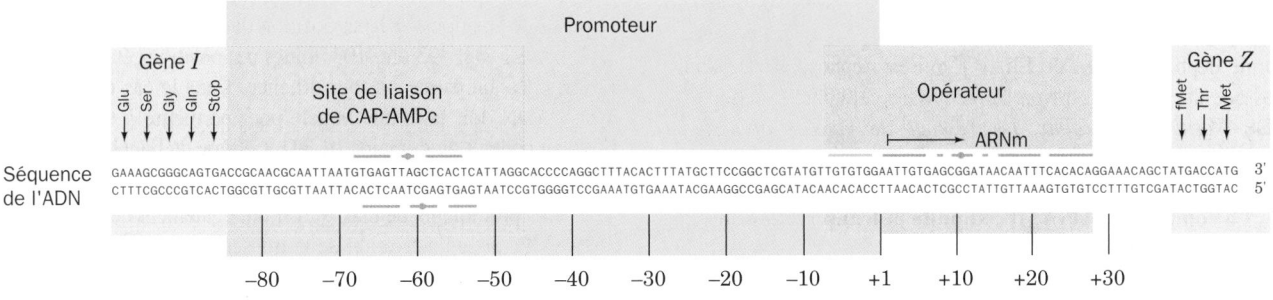

FIGURE 31-26 La séquence en nucléotides de la région promoteur-opérateur *lac* de E. coli. Cette région s'étend de la région C-terminale de *lacI* (à *gauche*) jusqu'à la région N-terminale de *LacZ* (à *droite*). Les séquences palindromiques de l'opérateur et le site de liaison de la protéine CAP (Section 31-3C) sont surlignées ou soulignées. [D'après Dickson, R.C., Abelson, J., Barnes, W.M., et Reznikoff, W.A., *Science* **187**, 32 (1975).]

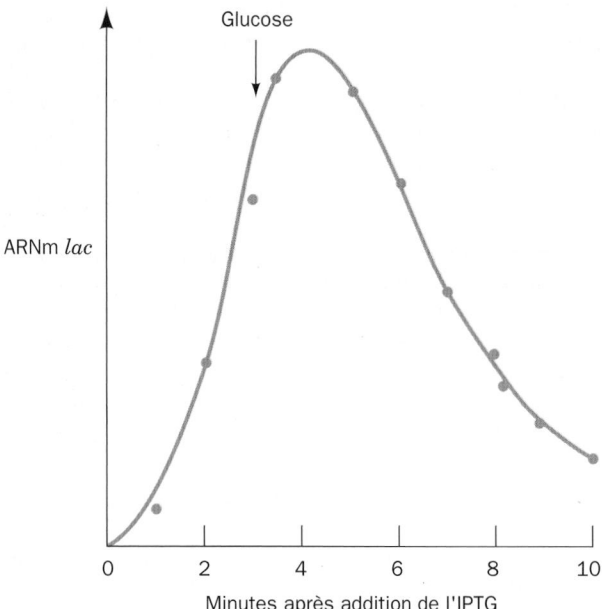

FIGURE 31-27 La cinétique de la synthèse de l'ARNm de l'opéron
***lac,* après induction par l'IPTG, et la cinétique de sa dégradation,**
après addition de glucose. Les bactéries *E. coli* sont cultivées dans un
milieu contenant du glycérol comme seule source de carbone et de l'uridine tritiée. L'IPTG est ajouté au milieu de culture au début de l'expérience pour induire la synthèse des enzymes *lac*. Après trois minutes, du glucose est ajouté pour bloquer la synthèse. La quantité d'ARN *lac* tritié est déterminée par hybridation avec de l'ADN contenant les gènes *lacZ* et *lacY*. [D'après Adesnik, M. et Levinthal, C. *Cold Spring Harbor Symp. Quant. Biol.* **35**, 457 (1970).]

concentrations. Ce phénomène, appelé **répression catabolique**, évite le gaspillage dû à la duplication de systèmes enzymatiques producteurs d'énergie.

a. L'AMPc signale l'absence de glucose

Le premier indice concernant le mécanisme de la répression catabolique a été la constatation que lorsque *E. coli* est en présence de glucose, la concentration en AMPc, qui joue le rôle de second messager dans les cellules animales (Section I8-3E), est fortement diminuée. On constata ensuite que l'addition d'AMPc à des cultures de *E. coli* empêchait la répression catabolique par le glucose. Rappelez-vous que, dans *E. coli,* l'adénylate cyclase est activée par l'enzyme phosphorylée EIIA^glc (ou au contraire inactivée par la forme déphosphorylée de EIIA^glc), qui est déphosphorylée après passage du glucose à travers la membrane cellulaire (Section 20-3D). *Normalement, donc, la présence de glucose abaisse la concentration en AMPc dans E. coli.*

b. Le complexe CAP-AMPc stimule la transcription des opérons réprimés par un catabolite

Certains mutants de *E. coli,* pour lesquels l'absence de glucose n'empêche pas la répression par un catabolite, sont dépourvus d'une protéine de liaison à l'AMPc appelée soit **protéine activatrice de gènes du catabolisme** (**CAP**, pour « catabolite gene activator protein ») soit **protéine réceptrice d'AMPc** (**CRP**), pour

cAMP **receptor protein**). CAP est une protéine dimérique de sous-unités identiques de 210 résidus, qui subit un profond changement de conformation après liaison à l'AMPc. Sa fonction a été élucidée par Ira Pastan, qui montra que *le complexe CAP-AMPc, à l'inverse de la CAP seule, se lie à l'opéron lac (parmi d'autres) et stimule la transcription depuis son opérateur, normalement peu efficace en l'absence de répresseur.* CAP est donc un **régulateur positif** (il met la transcription en marche), à l'inverse du répresseur, qui est un **régulateur négatif** (il arrête la transcription).

La structure par rayons X de CAP-AMPc complexé avec un segment de duplex d'ADN palindromique de 30 pb, dont la séquence ressemble à celle du site de fixation de CAP (Fig. 31-26) a été réalisée par Thomas Steitz. Elle révèle que l'ADN subit une courbure de ~90° autour de la protéine (Fig. 31-28*a*). La courbure est due à deux coudes de ~45° dans l'ADN entre les cinquième et sixième bases en partant de l'axe de symétrie d'ordre 2 du complexe dans chacune des deux directions. Cette distorsion entraîne la fermeture du grand sillon et un énorme élargissement du petit sillon au niveau de chaque coude.

Pourquoi le complexe CAP-AMPc est-il nécessaire pour stimuler la transcription de ses opérons cibles ? Et comment fait-il ? L'opéron *lac* a un promoteur faible (peu efficace) ; ses séquences −10 et −35 (TATGTT et TTTACA ; Fig. 31-10) sont significativement différentes des séquences consensus des promoteurs forts (TATAAT et TTGACA ; Fig. 31-10). Des promoteurs si faibles ont besoin d'aide pour un amorçage efficace de la transcription.

Richard Ebright a montré que CAP interagit directement avec l'ARN polymérase via le domaine C-terminal de la sous-unité α de 85 résidus (αCTD) de celle-ci, et que cela stimule l'initiation de la transcription par l'ARN polymérase à un site promoteur voisin. La sous-unité αCTD se fixe aussi à l'ADNdb de façon non spécifique mais elle se fixe par contre avec une meilleure affinité sur les sites riches en A + T comme ceux des éléments UP (Section 32-2A). La liaison entre ce domaine C-terminal et le reste de la sous-unité α est souple et on ne le voit donc pas cette structure désordonnée dans la structure par rayons X de l'ARN polymérase *Taq* (Fig. 31-11).

Trois classes de promoteurs dépendants de CAP ont été caractérisées :

1. Les promoteurs de classe I, comme ceux de l'opéron *lac*, n'ont besoin que de CAP-AMPc pour l'activation de la transcription. Le site de fixation de CAP sur l'ADN peut se trouver à une distance variable du promoteur, pourvu que CAP et l'ARN polymérase se fixent du même coté de l'hélice. Ainsi, CAP-AMPc activera la transcription de l'opéron *lac* si son site de fixation est centré près des positions −62 (sa position dans le type sauvage ; Fig. 31-26), −72, −83, −93 ou −103, toutes ces positions étant séparées les unes des autres par un tour d'hélice. Dans le cas des derniers cités, l'ADN doit faire une boucle pour permettre à CAP-AMPc d'être au contact du domaine αCTD. Ce type de boucle est probablement favorisé par la courbure de l'ADN autour de CAP-AMPc.

2. Les promoteurs de classe II n'ont également besoin que de CAP-AMPc pour l'activation de la transcription. Cependant, chez eux, le site de fixation à CAP se trouve toujours à une position fixe qui chevauche le site de fixation de l'ARN polymérase, remplaçant apparemment la région −35 du promoteur. CAP interagit alors avec l'ARN polymérase, aussi bien avec le domaine αCTD qu'avec le domaine N-terminal de sa sous-unité α.

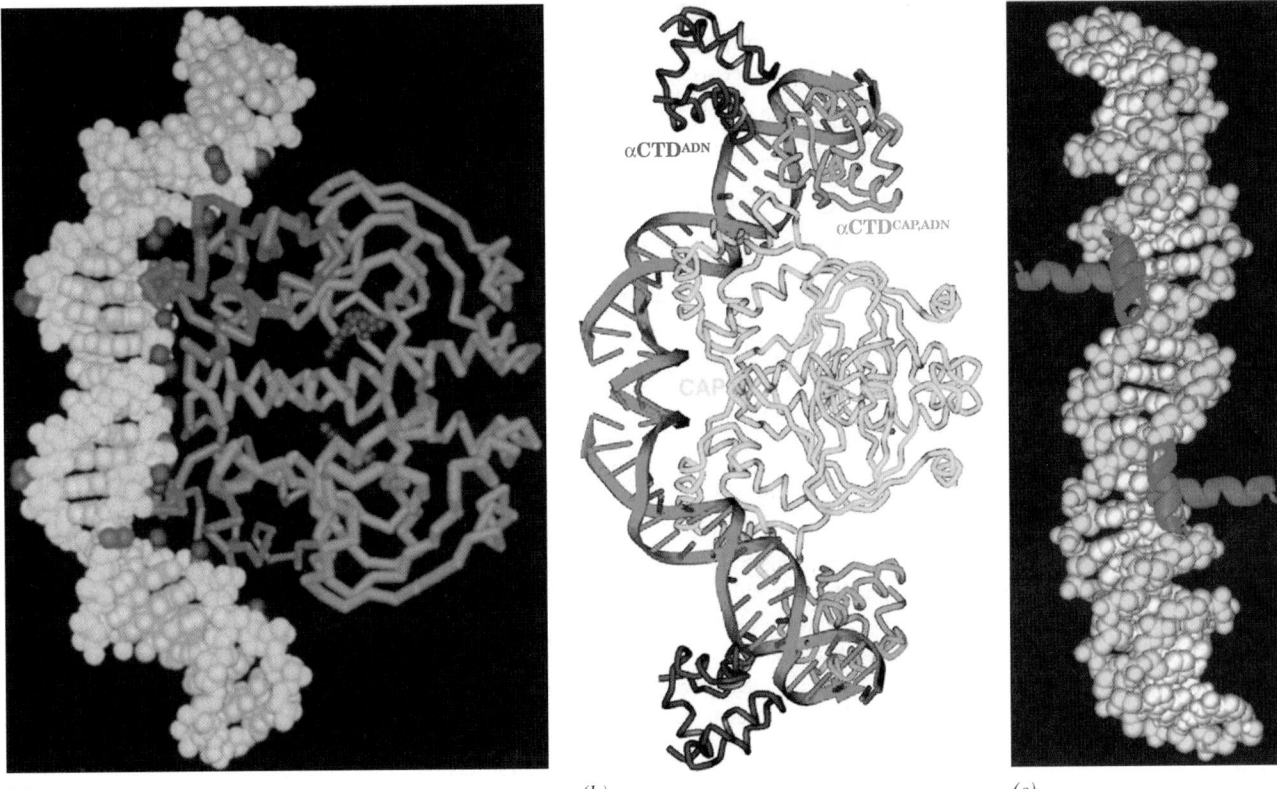

(a)   *(b)*   *(c)*

FIGURE 31-28 Structure par rayons X de complexes contenant CAP-AMPc. (*a*) CAP-AMPc complexé à un ADN double brin palindromique de 30 pb. Le complexe est vu avec son axe de symétrie moléculaire d'ordre deux horizontal. La protéine est représentée par son squelette de C_α, avec son domaine N-terminal de liaison à l'AMPc en bleu et son domaine C-terminal de liaison à l'ADN en violet. L'ADN est représenté en modèle compact avec son squelette sucre-phosphate en jaune et ses bases en blanc (les atomes sont représentés en dimensions légèrement inférieures à leurs rayons de van der Waals). Les phosphates de l'ADN, dont l'éthylation interfère avec la liaison de la CAP, sont en rouge. Ceux du complexe qui sont très sensibles à l'ADNase I sont en bleu (ces derniers phosphates relient par un pont les courbures induites par la CAP et se trouvent donc aux endroits où le petit sillon a été fortement élargi, ce qui semble augmenter leur sensibilité à la digestion par l'ADNase). Les AMPc sont représentés en modèle éclaté en rouge. (*b*) CAP-AMPc complexé à un ADN palindromique de 44 pb, le domaine αCTD est orienté

comme dans la partie *a*. L'ADN est représenté sous forme d'échelle, en rouge (il contient deux interruptions symétriques, d'un phosphate, séparées par 4 pb). On voit le squelette des protéines ; le dimère de CAP est en bleu-vert, chaque domaine αCTD^{CAP,ADN} est en vert clair et chaque domaine αCTD^{CAP} en vert foncé, l'AMPc est en représentation filiforme en rouge. (*c*) La même structure que dans la partie *a* montrant la liaison des deux motifs hélice-boucle-hélice (HTH) du dimère de la CAP dans les grands sillons successifs de l'ADN. L'hélice N-terminale du motif HTH est bleue et son hélice de reconnaissance C-terminale est rouge. Le complexe est vu le long de l'axe moléculaire d'ordre deux et a subi, par rapport à la représentation a, une rotation de 90° autour de son axe vertical. [Partie *a*, avec l'aimable autorisation de, et Partie *c*, d'après une structure par rayons X de Thomas Steitz, Université de Yale. PDBid 1CGP. Partie *b* avec l'aimable autorisation de Helen Berman et de Richard Ebright, Université Rutgers. PDBid 1LB2.]

3. Les promoteurs de classe III nécessitent de nombreux activateurs pour avoir une stimulation maximale de la transcription. Il peut s'agir de deux complexes CAP-AMPc voire davantage, mais aussi d'un complexe CAP-AMPc agissant de concert avec des activateurs spécifiques d'un promoteur comme dans le cas de l'opéron *araBAD* (Section 31-E3).

La structure par rayons X de CAP-AMPc complexé avec le domaine αCTD de l'ARN polymérase de *E. coli* et un ADN palindromique de 44 pb contenant les 22 pb du site de liaison de CAP-AMPc et la séquence 5′-AAAAAA-3′ à chaque extrémité a été déterminée par Helen Berman et Ebright. Elle montre comment ces composés interagissent (Fig. 31-28*b*). Le complexe CAP-AMPc-αCTD, à symétrie d'ordre 2, contient deux paires de domaines αCTD de localisations différentes. Chaque membre de la paire appelée αCTD^{CAP,ADN} se lie aussi bien à CAP qu'à

l'ADN. Les protéines CAP et αCTD^{CAP,ADN} interagissent sur une surface étonnamment petite qui ne met en jeu que 6 résidus de chaque protéine, ceux-ci étaient déjà connus par des expériences précédentes de mutagenèse. Les protéines αCTD^{CAP,ADN} interagissent aussi avec le sillon mineur d'un segment de 6 pb de l'ADN (5′-AAAAAG-3′) dont le centre se trouve à 19 pb du milieu de l'ADN. Chaque membre de l'autre paire de domaines αCTD, appelés αCTD^{ADN}, interagit avec le sillon mineur d'une séquence ressemblant à un élément UP (5′-GAAAAA-3′), présente de façon fortuite dans l'ADN, ces protéines n'ont cependant pas de contact avec d'autres molécules protéiques. Les parties communes des deux complexes CAP représentés dans la Fig. 31-28*a* et *b* sont pratiquement superposables, ce qui montre que la conformation de CAP et son interaction avec l'ADN ne sont pas modifiées de façon significative lors de son association avec le domaine αCTD. Il est clair que le complexe CAP-AMPc active la transcription par l'ARN polymérase, via un mécanisme de simple « adhésion » qui facilite et/ou stabilise son interaction avec l'ADN du promoteur. La structure des domaines αCTD^{CAP,ADN} et αCTD^{ADN} et leurs interactions avec l'ADN sont quasiment identiques, cela suggère donc que celles-ci soient représentatives de l'interaction d'un domaine αCTD avec un élément UP.

D. *Interactions protéine-ADN spécifiques de séquences*

Puisque l'expression génétique est contrôlée par des protéines comme CAP ou le répresseur *lac* il est important, pour l'étude de la régulation des gènes, de comprendre comment ces protéines reconnaissent leurs séquences de bases spécifiques sur l'ADN. Généralement, les protéines qui se lient à l'ADN au niveau de séquences spécifiques ne perturbent pas les paires de bases de l'ADN double brin auquel elles se lient. Par conséquent, ces protéines ne peuvent distinguer les quatre paires de bases (A·T, T·A, G·C, et C·G) qu'en fonction des groupes fonctionnels de ces paires de bases qui se projettent dans les grand et petit sillons de l'ADN. Un examen de la Fig. 5-12 révèle que les groupes exposés dans le grand sillon sont plus variables, quant à leur nature et leurs dispositions, que ceux exposés dans le petit sillon. En effet, les positions des accepteurs des liaisons hydrogène dans le grand sillon varient en fonction aussi bien de l'identité que de l'orientation de la paire de bases, tandis que dans le sillon mineur elles sont essentiellement indépendantes de la séquence. De plus, le petit sillon de l'ADN-B idéal, large de ~5 Å et profond de ~8 Å, est trop étroit pour accueillir des éléments structuraux protéiques comme une hélice α, tandis que le grand sillon, large de ~12 Å et profond de ~8 Å peut assurer cette fonction. Ainsi, en l'absence de changements conformationnels majeurs de l'ADN-B, on peut penser que des protéines feront plus facilement la distinction entre les séquences de bases de son grand sillon qu'entre celles de son petit sillon. Nous allons voir qu'il en est bien ainsi.

a. Le motif hélice-boucle-hélice est un élément de reconnaissance courant de l'ADN chez les procaryotes

Les deux hélices F symétriques de la protéine CAP dimérique font saillie à la surface de la protéine, de sorte qu'elles s'insèrent dans les grands sillons successifs de l'ADN-B (Fig. 31-28). *Les hélices E et F de CAP forment un motif hélice-boucle-hélice (HTH) (structure supersecondaire) qui a une conformation analogue à des motifs HTH de nombreux autres répresseurs de procaryotes de structure par rayons X et RMN connue,* dont le répresseur *lac*, le **répresseur *trp*** de E. *coli* (Section 31-3F) et les **répresseurs cI** et les **protéines Cro** des **bactériophages λ et 434** (Section 33-3D). Les motifs HTH sont des segments polypeptidiques de ~20 résidus qui forment deux hélices qui se croisent à ~120° (Fig. 31-28*c*). On les trouve comme composants de domaines qui ont, par ailleurs, des structures très fluctuantes, bien que tous se lient à l'ADN. Notez que les motifs HTH ne sont stables que s'ils font partie de protéines de grande taille.

Les structures par rayons X et RMN de nombreux complexes protéine-ADN (voir ci-dessous) montrent que *les protéines qui se lient à l'ADN ont un motif HTH associé à leurs paires de bases cibles grâce essentiellement aux chaînes latérales qui se projettent de la deuxième hélice du motif HTH. appelée l'*hélice de reconnaissance* (les hélices F dans CAP, E dans le répresseur *trp*, et α3

dans les protéines du phage). Par exemple, si on remplace les résidus dirigés vers l'extérieur de l'hélice de reconnaissance du répresseur du phage 434 par les résidus correspondants du **bactériophage P22** qui lui est apparenté, on obtient un répresseur hybride qui se lie aux opérateurs du phage P22 mais non à ceux du phage 434. De plus, les motifs HTH dans toutes ces protéines ont des séquences d'acides aminés qui se ressemblent entre elles ainsi qu'à celles d'autres segments polypeptidiques de nombreuses autres protéines de liaison à l'ADN de procaryotes, dont le répresseur *lac*. Manifestement, *ces protéines sont reliées sur le plan de l'évolution et se lient à leur ADN cible de manière identique.*

Comment l'hélice de reconnaissance reconnaît-elle sa séquence cible ? Puisque chaque paire de bases présente une combinaison différente et facilement reconnaissable de groupements pouvant faire des liaisons hydrogène dans le grand sillon de l'ADN, il paraît vraisemblable qu'il pourrait y avoir une simple correspondance, analogue à l'appariement des bases de Watson-Crick, entre les résidus d'acides aminés de l'hélice de reconnaissance et les bases qu'ils contactent en formant des associations spécifiques de séquence. Cependant, les structures par rayons X ci-dessus montrent que cette idée est fausse. En fait, la reconnaissance d'une séquence de bases est due à des interactions structurales complexes. Par exemple :

1. Les structures par rayons X très semblables du domaine N-terminal du répresseur du phage 434 (résidus 1 à 69) et de la protéine Cro complète (71 résidus) du phage 434, complexés avec le même ADN cible de 20 pb (l'expression du phage 434 est régulée par les liaisons différentielles de ces protéines aux mêmes segments d'ADN ; Section 33-3D) ont été déterminées toutes les deux par Stephen Harrison. Les deux protéines dimériques, comme nous l'avons déjà vu pour CAP (Fig. 31-28), s'associent à l'ADN, en formant un complexe de symétrie d'ordre deux avec leurs hélices de reconnaissance liées dans des tours successifs du grand sillon de l'ADN (Fig. 31-29 et 31-30). Dans les deux complexes, la protéine s'adapte étroitement à la surface de l'ADN et interagit avec ses bases appariées et les chaînes sucre-phosphate grâce à des réseaux de liaisons hydrogène sophistiqués, des ponts salins, et des interactions de van der Waals. Cependant, les géométries détaillées de ces associations sont significativement différentes. Dans le complexe répresseur-ADN (Fig. 31-29), l'ADN se courbe autour de la protéine en formant un arc de ~65° de rayon qui comprime le petit sillon de ~2,5 Å près de son centre (entre les deux monomères de la protéine) et l'élargit de ~2,5 Å vers ses extrémités. Par contre, l'ADN complexé avec Cro (Fig. 31-30), bien que courbé, est presque droit en son centre et son petit sillon est moins comprimé (comparez les Fig. 31-29*a* et 31-30*a*). Ceci explique pourquoi le remplacement simultané de trois résidus dans l'hélice de reconnaissance par ceux que l'on trouve dans Cro, ne permet pas à la protéine hybride résultante de se lier à l'ADN avec l'affinité de Cro : *les conformations de l'ADN, différentes dans les complexes avec le répresseur et avec Cro, empêchent toute chaîne latérale particulière d'interagir de façon identique avec l'ADN dans les deux complexes.*

2. Paul Sigler a déterminé la structure par rayons X du répresseur *trp* de E. *coli* complexé avec un ADN contenant un palindrome de 18 pb (TGT<u>ACTAGTTA</u><u>ACTAGT</u>AC, où la séquence cible du répresseur *trp* est soulignée) qui ressemble étroitement à l'opérateur *trp* (Section 31-3F). Les hélices de reconnaissance de

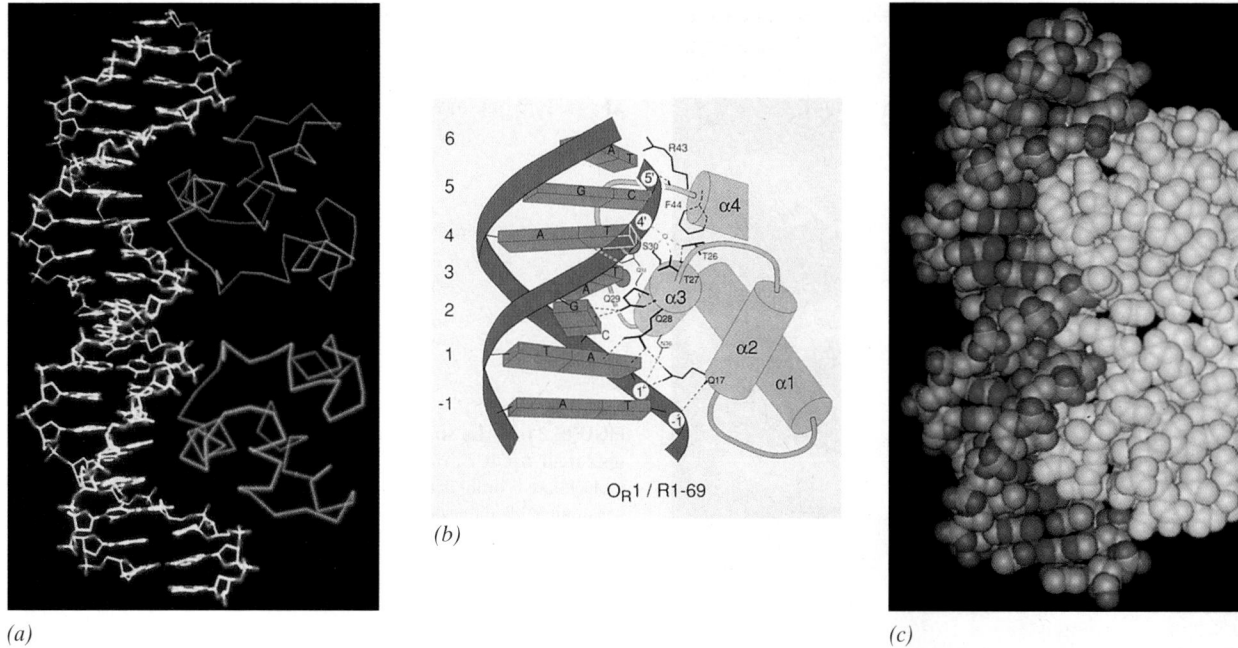

(a)

(b)

(c)

FIGURE 31-29 Structure par rayons X du fragment des 69 résidus N-terminaux du répresseur du phage 434 en complexe avec un fragment de 20 pb de sa séquence cible. Un des brins de l'ADN (*à gauche*) a la séquence d(TATACAAGAAAGTTTGTACT). Le complexe est vu perpendiculairement à son axe de symétrie d'ordre deux. (*a*) Un modèle squelettique avec les deux sous-unités identiques de la protéine (on voit uniquement le squelette des C_α) représentées en rouge et en bleu. On ne voit que les 63 premiers résidus de la protéine. (*b*) Un dessin schématique montrant comment le motif hélice-boucle-hélice, qui englobe les hélices $\alpha 2$ et $\alpha 3$, interagit avec son ADN cible. Des petites barres éma-

nant de la chaîne polypeptidique représentent les groupements NH peptidiques, les liaisons hydrogène sont représentées par des lignes en pointillés, et les phosphates de l'ADN par des cercles numérotés. Le petit cercle est une molécule d'eau. (*c*) Un modèle compact correspondant à la Partie *a*. Les atomes de l'ADN sont colorés de la façon suivante : C en gris, N en bleu, O en rouge et P en vert. Tous les atomes de la protéine, autres que les atomes d'hydrogène, sont en jaune. [Avec l'aimable autorisation d'Aggarwal, John Anderson et Stephen Harrison. Université de Harvard. PDBid 2OR1.]

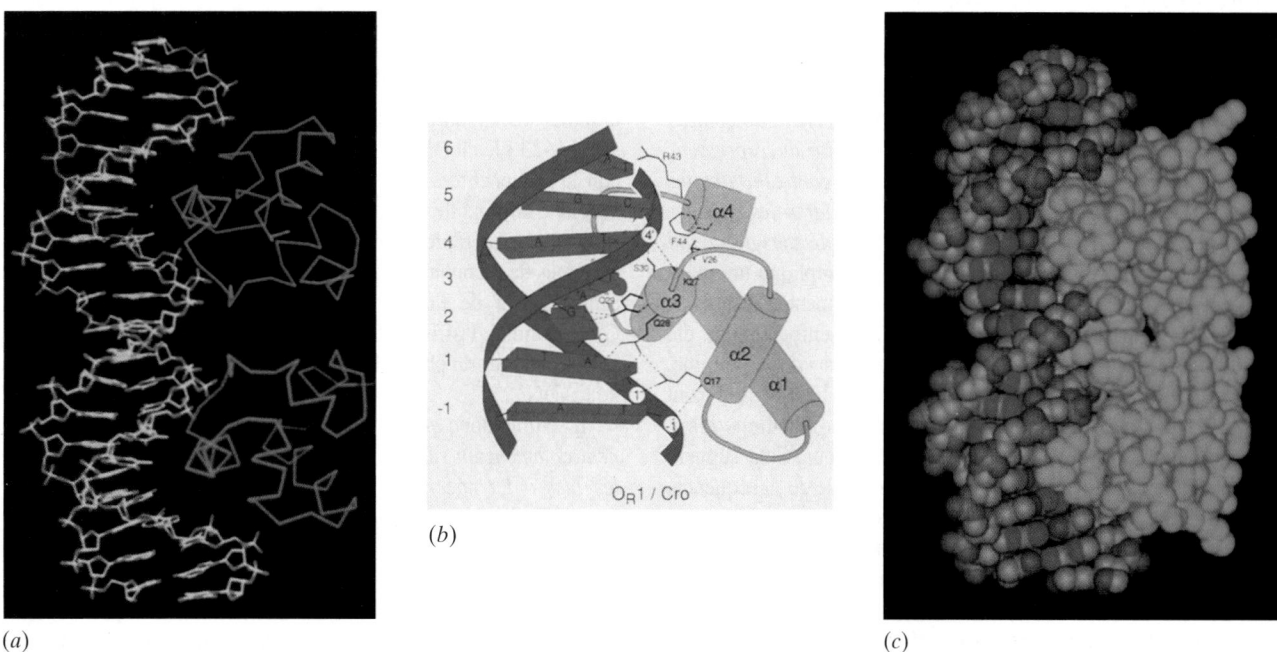

(a)

(b)

(c)

FIGURE 31-30 Structure par rayons X de la protéine Cro du phage 434, de 72 résidus, en complexe avec le même ADN que celui de la Fig. 29-23. Le complexe est vu perpendiculairement à son axe de symétrie d'ordre deux. On ne voit que les 64 premiers résidus de la protéine. Les représentations *a*, *b* et *c* correspondent a celles de

la Fig. 31-29. La protéine en *c* étant représentée en bleu clair. Remarquez la correspondance étroite entre les deux structures qui ne sont pourtant pas identiques. [Avec l'aimable autorisation d'Alfonso Mondragón, Cynthia Wolberger et Stephen Harrison, Université de Harvard. PDBid 3CRO.]

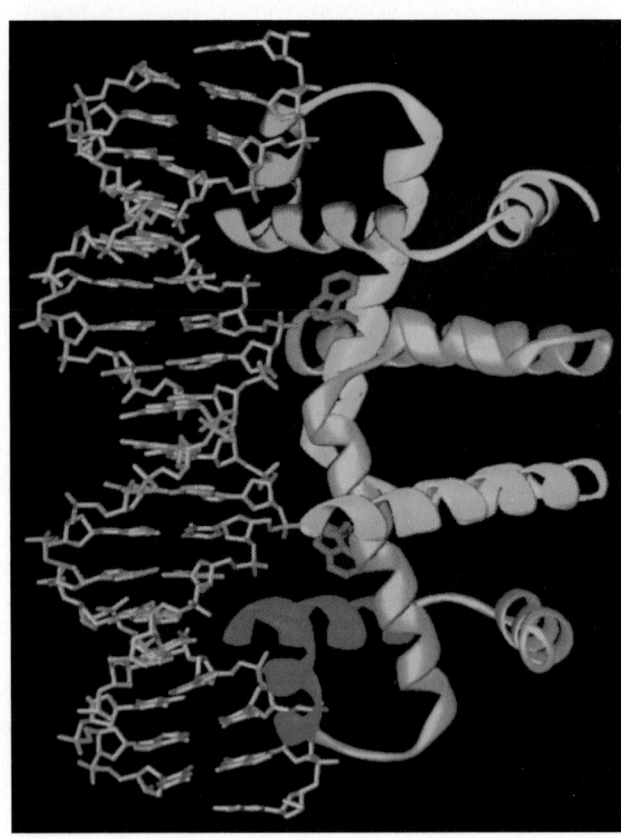

FIGURE 31-31 La structure par rayons X d'un complexe répresseur-opérateur *trp* **de** *E. coli.* Le complexe est vu avec son axe de symétrie moléculaire d'ordre deux horizontal dans le plan de la figure. Les deux sous-unités identiques de la protéine sont représentées en ruban vert et bleu avec les motifs HTH (les hélices D et E) plus foncées. L'ADN auto-complémentaire de 18 pb est en jaune. Le répresseur *trp* ne se lie à l'opérateur que quand le L-tryptophane *(en rouge)* est également lié. Notez que les hélices de reconnaissance (E) se lient, comme prévu, dans des grands sillons successifs de l'ADN mais se projettent presque perpendiculairement à l'axe de l'ADN double-brin. Par contre, les hélices de reconnaissance du répresseur 434 et des protéines Cro sont pratiquement parallèles aux grands sillons de leurs ADN liés (Fig. 31-29 et 31-30), alors que celles de la CAP prennent une orientation intermédiaire (Fig. 31-28). [D'après une structure par rayons X de Paul Sigler, Université de Yale. PDBid 1TRO.]

la protéine dimérique se lient, comme prévu, dans des grands sillons successifs de l'ADN, chacune en contact avec un demi-site de l'opérateur (ACTAGT ; Fig. 31-31). Il y a de nombreux contacts par liaisons hydrogène entre le répresseur *trp* et les atomes d'oxygène des groupes phosphates non esterifiés de son ADN lié. *Cependant, il n'y a pas de liaison hydrogène directe ni de contact non polaire susceptible d'expliquer la spécificité du répresseur pour son opérateur, ce qui est incroyable. Par contre, toutes les interactions par liaisons hydrogène des chaînes latérales avec les bases, sauf une, se font par l'intermédiaire de molécules d'eau qui forment des ponts* (la seule interaction directe implique une base qui peut être mutée sans que cela affecte fortement l'affinité de liaison du répresseur). Ces molécules d'eau enfouies ont été décrites comme des chaînes latérales « bénévoles » de la protéine. De plus, l'opérateur contient plusieurs paires de bases qui ne sont pas en contact avec le répresseur mais dont les mutations diminuent fortement l'affinité de liaison du répresseur. Cela suggère que l'opérateur prend une conformation spécifique de sa séquence, qui permet l'établissement de contacts favorables avec le répresseur. En effet, la comparaison de la structure par rayons X d'un ADN non complexé de 10 pb auto-complémentaires contenant le demi-site de l'opérateur *trp* (CCACTAGTGG) avec celle de l'ADN dans le complexe répresseur trp-opérateur révèle que le demi-site ACTAGT prend des conformations propres, pratiquement identiques, et des motifs d'hydratation identiques dans les deux structures. Cependant, l'hélice de l'ADN-B, qui est droite dans l'ADN de 10 pb, se courbe d'environ 15° vers le grand sillon dans chaque demi-site de l'opérateur du complexe répresseur-opé-

rateur. D'autres séquences d'ADN pourraient, théoriquement, prendre la conformation de l'opérateur lié au répresseur, mais à des coûts énergétiques trop élevés pour former un complexe stable avec le répresseur (on a mesuré que l'affinité du répresseur *trp* pour son opérateur est 10^4 fois supérieure à celle qu'il a pour d'autres ADN, soit une différence de leurs énergies libres de liaison de ~23 kJ·mol^{-1}). Ce phénomène, par lequel une protéine perçoit la séquence des bases d'un ADN d'après la conformation du squelette et/ou la flexibilité de l'ADN est appelé « **reconnaissance indirecte** ». Le répresseur du phage 434 semble utiliser aussi des systèmes de reconnaissance indirecte : le remplacement de la paire centrale A·T de l'opérateur, représenté dans la Fig. 31-29 par G·C, diminue l'affinité de liaison du récepteur de 50 fois, même si le répresseur du phage 434 n'est pas en contact avec cette région de l'ADN.

Il semble donc *qu'il n'y ait pas de règles simples qui déterminent comment un résidu d'acide aminé particulier interagit avec les bases. La spécificité de séquence s'explique plutôt par un ensemble d'interactions mutuellement favorables entre une protéine et son ADN cible.*

b. Le répresseur met présente un feuillet β antiparallèle à deux brins qui se lie dans le grand sillon de son ADN cible

Le répresseur *met* de *E. coli,* lorsqu'il est complexé avec la S-adénosylméthionine (SAM ; Fig. 26-18), réprime la transcription de son propre gène et de ceux codant la synthèse des enzymes impliquées dans la synthèse de la méthionine (Fig. 26-

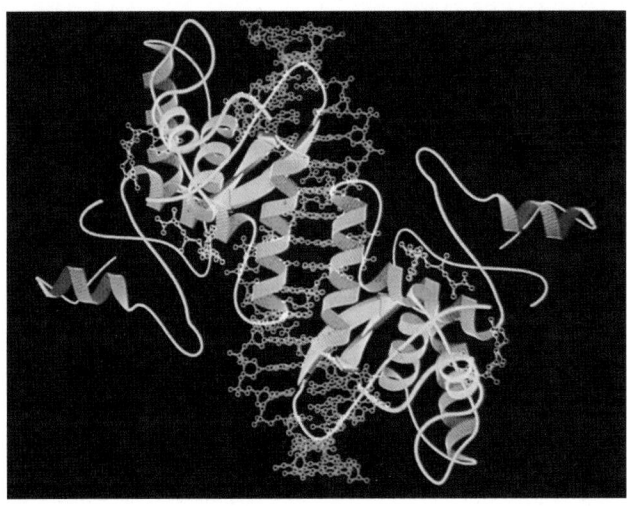

(a)

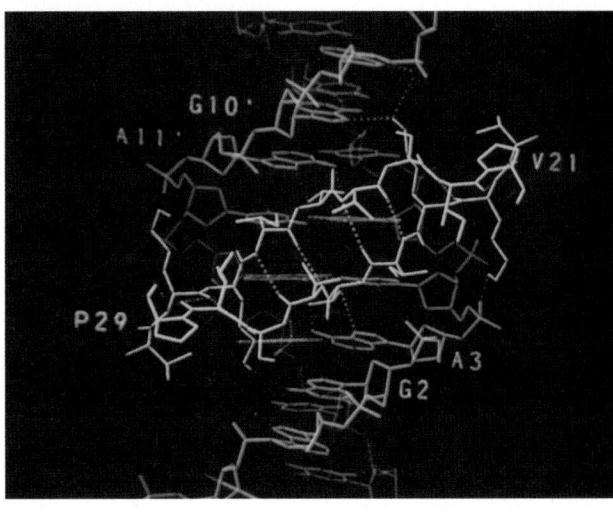

(b)

FIGURE 31-32 La structure par rayons X du complexe répresseur *met*-SAM-opérateur de *E.coli*. (*a*) Structure générale du complexe, vue le long de son axe de symétrie d'ordre deux. Les sous-unités de 104 résidus du répresseur sont de couleur jaune d'or. L'ADN auto-complémentaire de 19 pb et la SAM qui doivent être liés au répresseur pour qu'il se lie à l'ADN sont figurés en modèle éclaté avec l'ADN en bleu et la SAM en vert. Notez qu'il y a quatre sous-unités du répresseur liées à l'ADN ; des paires de sous-unités forment des dimères symétriques, dans lesquels chaque sous-unité fournit un brin du ruban b antiparallèle à deux brins,

qui s'insère dans le grand sillon de l'ADN *(en haut à gauche et en bas à droite)*. Ces deux dimères s'associent à travers l'axe d'ordre deux du complexe grâce à leurs hélices N-terminales antiparallèles, qui entrent en contact au-dessus du petit sillon de l'ADN. (*b*)Vue détaillée du ruban β antiparallèle à deux brins *(en jaune,* les résidus 21-29) inséré dans le grand sillon de l'ADN *(en bleu)*. Les liaisons hydrogène sont indiquées par des lignes en pointillés. [Avec l'aimable autorisation de Simon Phillips, Université de Leeds, Leeds, G.B. PDBid 1CMA.]

60) et de la SAM. La structure par rayons X du complexe répresseur met-SAM-opérateur (Fig. 31-32), déterminée par Simon Phillips, se présente sous la forme d'un homodimère symétrique de monomères entrelacés, sans motif HTH. Le répresseur *met* se lie en fait à la séquence palindromique de son ADN cible, grâce à une paire symétrique de feuillets β antiparallèles à deux brins (appelés rubans β), qui s'insèrent dans deux grands sillons successifs de l'ADN. Chaque ruban β établit des contacts spécifiques de séquence avec son ADN cible par l'intermédiaire de liaisons hydrogène et probablement par « reconnaissance indirecte ».

Phillips a été le premier à déterminer la structure par rayons X du répresseur *met* en l'absence d'ADN. Des études par modélisation, afin d'élucider comment le répresseur *met* se lie à la séquence palindromique de son ADN cible, supposaient que les axes de symétrie d'ordre deux des deux molécules coïncidaient, comme c'est le cas de tous les complexes protéine-ADN de procaryotes connus. Deux possibilités s'offraient alors : (1) La protéine peut s'arrimer à l'ADN grâce aux deux paires de ruban β décrits ci-dessus, qui s'insèrent dans deux grands sillons successifs ; ou (2) une paire d'hélices α symétriques, faisant saillie du côté opposé de la protéine, assure cette association, à la manière d'hélices de reconnaissance à motifs HTH interagissant avec l'ADN. Plusieurs critères d'ordre structural suggéraient que les hélices α établissent de meilleurs contacts avec l'ADN, que les rubans β. Aussi, lorsqu'on eut la preuve que ce sont, en définitive, les rubans β qui se lient à l'ADN, on en tira un enseignement important : *les résultats obtenus par modélisation doivent être traités avec un maximum de précautions.* Ceci parce que notre compréhension imparfaite de l'énergétique des interactions intermoléculaires (Sections 8-4 et

29-2) nous empêche de prévoir avec certitude comment des macromolécules qui s'associent s'adaptent l'une à l'autre. Dans le cas du répresseur Met, des accommodations structurales imprévisibles entre la protéine et l'ADN ont entraîné une interface plus grande que celle qui avait été prévue par le simple arrimage du répresseur Met à un modèle d'ADN-B idéal.

Les nombreux répresseurs de procaryotes de structures connues présentent un motif HTH ou des paires de rubans β comme le répresseur *met* (bien que de nombreuses protéines procaryotiques se liant à l'ADN, y compris CAP, contiennent un motif dérivé du motif HTH connu sous le nom d'**hélice ailée,** dans lequel deux boucles protéiques, dont l'une établit un contact avec le petit sillon de l'ADN, encadrent l'hélice HTH de reconnaissance comme les ailes d'un papillon). De plus, la plupart de ces protéines sont des homodimères qui se fixent à des séquences d'ADN cibles palindromiques ou pseudo-palindromiques. Toutefois, les facteurs de transcription des eucaryotes, comme nous le verrons dans la Section 34-3B, font appel à une palette beaucoup plus variée de motifs structuraux pour se lier à leurs ADN cibles, dont beaucoup ne présentent pas de symétrie,

E. *L'opéron araBAD : contrôle positif et négatif par la même protéine*

Le sucre d'origine végétale **L**-arabinose n'est ni métabolisé ni absorbé au niveau de l'intestin par l'homme. Aussi, *E. coli* qui se trouve normalement dans le tube digestif de l'homme est périodiquement conviée à un festin de ce pentose. Trois des cinq enzymes de *E. coli* qui métabolisent le **L**-arabinose sont des produits de l'opéron *araBAD* à répression catabolique (Fig. 31-33).

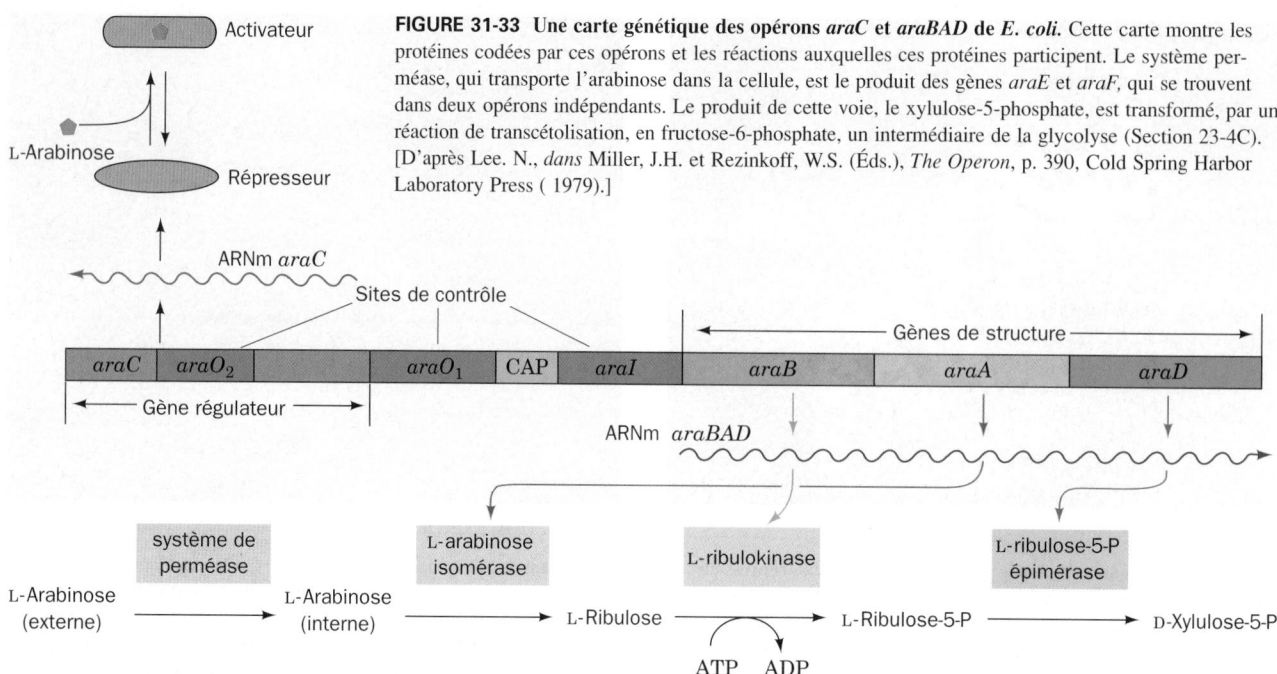

FIGURE 31-33 Une carte génétique des opérons *araC* et *araBAD* de *E. coli*. Cette carte montre les protéines codées par ces opérons et les réactions auxquelles ces protéines participent. Le système perméase, qui transporte l'arabinose dans la cellule, est le produit des gènes *araE* et *araF,* qui se trouvent dans deux opérons indépendants. Le produit de cette voie, le xylulose-5-phosphate, est transformé, par une réaction de transcétolisation, en fructose-6-phosphate, un intermédiaire de la glycolyse (Section 23-4C). [D'après Lee. N., *dans* Miller, J.H. et Rezinkoff, W.S. (Éds.), *The Operon,* p. 390, Cold Spring Harbor Laboratory Press (1979).]

L'opéron *araBAD,* comme l'a montré Robert Schleif, présente, en se déplaçant vers l'amont à partir de son site d'amorçage de la transcription, les sites de contrôle *araI, araO$_1$,* et *araO$_2$* (Fig. 31-34a). Le site *araI* (*I* pour inducteur) est constitué de deux sous-sites identiques de 17 pb, *araI$_1$* et *araI$_2$* qui sont des séquences répétées directes, séparées par 4 pb, disposées de sorte que *araI$_2$,* qui recouvre la région −35 du promoteur *araBAD,* est en aval de *araI$_1$.* De même, *araO$_1$* est constitué de demi-sites en répétitions directes O_{1L} et $O_{1R.}$ Curieusement, *araO$_2$* n'est constitué que d'un seul demi-site qui est situé dans une région non codante en amont du gène *araC,* en position -270 par rapport au site d'amorçage de *araBAD.*

La transcription de l'opéron *araBAD* est régulée par le complexe CAP-AMPc et par la protéine de liaison au **L**-arabinose, **AraC.** Chacune des sous unités de 292 résidus de cette protéine dimérique possède un domaine N-terminal (résidus 1 à 170) de dimérisation, qui fixe l'arabinose et qui est relié par une connexion souple avec un domaine C-terminal de liaison à l'ADN (résidus 178 à 292). La régulation de l'opéron *araBAD* se fait de la façon suivante (Fig. 31-34).

1. En l'absence de AraC, l'ARN polymérase commence la transcription du gène *araC* en direction opposée de celle de son voisin en amont, *araBAD.* L'opéron *araBAD* est transcrit à son niveau de base.

2. Quand AraC est présente, mais qu'il n'y a ni arabinose ni complexe CAP-AMPc (parce que le taux en glucose est élevé), AraC se lie à *araO$_2$* et *araI$_1$.* La liaison de AraC à *araI$_1$* empêche l'ARN polymérase d'amorcer la transcription de l'opéron *araBAD* (contrôle négatif). Une série de mutations par délétion a montré que la présence de *araO$_2$,* est également nécessaire à la répression de *araBAD.* La longue distance de 211 pb qui sépare *araO* de *araI$_1$* suggère que l'ADN qui les sépare forme une boucle, de sorte qu'un dimère de la protéine AraC puisse se lier simultanément à *araO$_2$* et *araI$_1$.* Ceci est corroboré par le fait que l'insertion de 5 pb

(un demi tour) d'ADN entre ces deux sites diminue fortement le niveau de la répression, *araO$_2$* se retrouvant du côté opposé de l'ADN par rapport à *araI$_1$,* dans la boucle présumée. De plus, l'insertion de 11 pb (un tour) d'ADN ne produit pas cet effet. Finalement, la boucle ne se forme que lorsque l'ADN est super-enroulé, ce super-enroulement sert probablement de moteur au processus de formation de la boucle. Le dimère de AraC se fixe aussi sur *araO$_1$,* l'opérateur du gène *araC,* et bloque ainsi la transcription de *araC* mais uniquement pour de fortes concentrations en AraC. Ainsi, il est vraisemblable que la boucle formée par l'ADN suffise à bloquer la transcription de *araC.* Dans d'autres situations l'expression de *araC* constitue un processus **autorégulé.**

3. Quand le **L**-arabinose est présent, il induit, par interaction allostérique, les sous-unités d'AraC liées à *araO$_2$,* à se déplacer sur *araI$_2$.* Il s'ensuit l'activation de l'ARN polymérase qui transcrit les gènes *BAD* (contrôle positif). Quand la concentration en AMPc est élevée (taux de glucose faible), le complexe CAP-AMPc, dont la présence est nécessaire pour atteindre le niveau maximum d'activation de la transcription, se lie sur un site entre *araO$_1$* et *araI$_1$,* facilitant ainsi l'élimination de la boucle entre *araO$_2$* et *araI$_1$* tout en augmentant l'affinité d'AraC pour *araI$_2$.* L'orientation de *araO$_1$* par rapport à *araC* est inverse de celle de *araI* par rapport à *ara-BAD,* la fixation du complexe AraC-arabinose sur *araO$_1$* bloque donc la liaison de l'ARN polymérase sur le promoteur de *araC* et l'expression de AraC se trouve réprimée.

Si l'affinité de AraC pour le sous-site *araI$_2$* est augmentée par suite de mutation, le **L**-arabinose n'est plus nécessaire à l'activation de la transcription. Ce résultat peut signifier que le **L**-arabinose n'induit pas la transformation conformationnelle de AraC pour en faire un activateur, mais qu'il diminue plutôt son affinité de liaison pour *araO$_2$.* Si le site *araI* est mis en sens contraire ou si on le déplace en amont de sorte que *araI$_2$* ne chevauche plus le promoteur *araBAD,* AraC ne stimule plus la transcription. Manifestement, *AraC active l'ARN polymérase par l'intermédiaire* *(a)* **Quand AraC est absente, *araC* est transcrit et *araBAD* est transcrit à son niveau de base**

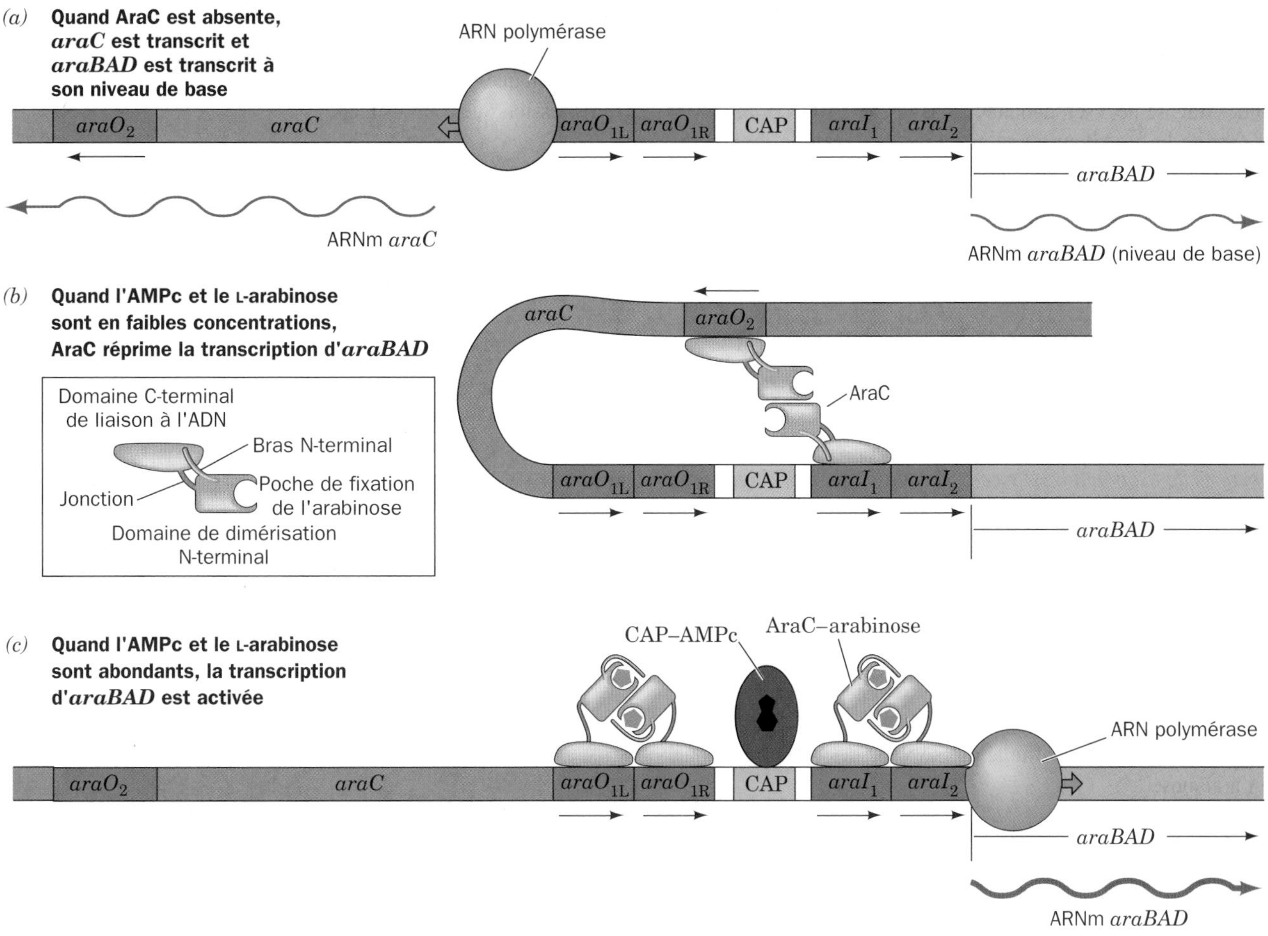

ARN polymérase

| $araO_2$ | $araC$ | | $araO_{1L}$ | $araO_{1R}$ | CAP | $araI_1$ | $araI_2$ | |

ARNm $araC$

$araBAD$

ARNm $araBAD$ (niveau de base)

(b) **Quand l'AMPc et le L-arabinose sont en faibles concentrations, AraC réprime la transcription d'*araBAD***

$araC$ $araO_2$

AraC

Domaine C-terminal de liaison à l'ADN

Bras N-terminal

Jonction

Poche de fixation de l'arabinose

Domaine de dimérisation N-terminal

| $araO_{1L}$ | $araO_{1R}$ | CAP | $araI_1$ | $araI_2$ |

$araBAD$

(c) **Quand l'AMPc et le L-arabinose sont abondants, la transcription d'*araBAD* est activée**

CAP–AMPc   AraC–arabinose

ARN polymérase

| $araO_2$ | $araC$ | | $araO_{1L}$ | $araO_{1R}$ | CAP | $araI_1$ | $araI_2$ | |

$araBAD$

ARNm $araBAD$

FIGURE 31-34 Mécanisme de la régulation de l'opéron *araBAD*.
(a) En l'absence de AraC, l'ARN polymérase débute la transcription de *araC*. *araBAD* est aussi exprimé, mais à un faible niveau (niveau basal). *(b)* Quand AraC est présent, mais qu'il n'y a ni L-arabinose, ni AMPc, AraC se lie à *araO₂* et à *araI₁*, formant une boucle d'ADN, ce qui réprime *araC* et *araBAD*. *(c)* Quand AraC et le L-arabinose sont tous deux présents et que l'AMPc est abondant, le complexe AraC-arabinose qui se forme quitte *araO₂* et se lie plutôt à *araI₂*, stimulant ainsi la transcription *de araBAD*. Ce processus est facilité par le complexe CAP-AMPc. La transcription de *araC* reste réprimée.

d'interactions protéine-protéine spécifiques et relativement rigides.

La structure par rayons X du domaine N-terminal de AraC (résidus 2 à 178) a été déterminée par Schleif et Cynthia Wolfberger, aussi bien en présence qu'en absence d'arabinose. En présenc d'arabinose, ce domaine forme un tonneau β à 8 brins suivi de deux hélices α antiparallèles (Fig. 31-35). Deux domaines de ce type s'associent, de sorte que les hélices de leurs domaines C-terminaux forment une interface de dimérisation en spire enroulée antiparallèle. Une molécule d'arabinose se fixe dans une poche de chacun des tonneaux β par un réseau de liaisons hydrogène, soit directes soit par l'intermédiaire de molécules d'eau, avec les chaînes latérales qui bordent la poche. Les résidus 7 à 18 du bras N-terminal sont situés en travers de l'entrée de la poche de fixation du sucre (Les résidus 2 à 6 ne sont pas ordonnés), l'arabinose se trouve donc totalement enfermé. La structure du domaine N-terminal en l'absence d'arabinose est en grande partie superposable à celle du complexe avec l'arabinose, sauf que le bras N-terminal n'est pas ordonné, on pouvait s'y attendre, si l'on considère qu'il interagit avec l'arabinose fixé via toute une série de liaisons hydrogène.

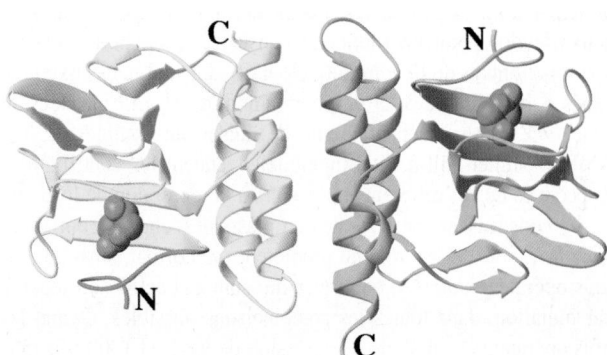

FIGURE 31-35 Structure par rayons X de AraC de *E. coli* complexée avec le L-arabinose. La protéine homodimérique est vue selon son axe de symétrie d'ordre 2 avec ses sous-unités en bleu clair et en jaune, sauf pour ce qui est des bras N-terminaux qui sont en orange et en rose. L'arabinose est en représentation compacte, avec les atomes C en vert et O en rouge. [D'après une structure par rayons X de Robert Schleif et Cynthia Wolfberger, Université John Hopkins. PDBid 2ARC.]

Comment la fixation de l'arabinose induit-elle la liaison de la sous-unité de AraC à *araO*$_2$ au lieu de *araI*$_2$? Plusieurs faits expérimentaux indiquent qu'en l'absence d'arabinose, le bras N-terminal de AraC se lie à son domaine de fixation à l'ADN d'une façon qui facilite la formation d'une boucle : (1) L'ablation du bras N-terminal au-delà de son sixième résidu fait que AraC se comporte comme quand l'arabinose est présent. (2) Des mutations des résidus à la surface du domaine de fixation à l'ADN qui sont sensés empêcher sa liaison avec le bras N-terminal activent également AraC de façon permanente. (3) L'effet des mutations dans le domaine de fixation à l'ADN, qui affaiblissent la fixation de l'arabinose à la protéine, probablement en renforçant la liaison au bras N-terminal, peut être supprimé par une deuxième mutation dans le bras N-terminal ou par une délétion de ses cinq résidus N-terminaux. Il est clair que, *la liaison des bras N-terminaux aux domaines de fixation à l'ADN en l'absence d'arabinose rigidifie le dimère de AraC de sorte qu'il ne puisse pas se lier en même temps aux séquences directement répétées araI$_1$ et araI$_2$ pour induire la transcription de araBAD.* Cela est corroboré par les faits suivants : (1) Si l'on relie deux domaines de fixation à l'ADN de AraC par un polypeptide flexible on obtient des protéines se comportant comme AraC en présence d'arabinose. (2) Une construction comportant deux demi-sites *araI*$_1$ d'ADNdb reliés de façon souple entre eux par un segment de 24 nt d'ADNsb se fixe à la protéine AraC sauvage avec une affinité qui ne varie pas quand on ajoute de l'arabinose.

F. *Le répresseur lac, II : structure*

Nous allons nous intéresser au répresseur lac en nous appuyant sur les concepts développés dans les Sections 31-3C, D et E.

a. La formation d'une boucle est également importante pour l'expression de l'opéron *lac*

Le rôle de la formation de boucles d'ADN, dont on connaît de nombreux exemples chez les procaryotes et les eucaryotes, permet probablement à plusieurs protéines régulatrices et/ou à des sites régulateurs d'une même protéine d'influencer simultanément l'initiation de la transcription par l'ARN polymérase. En réalité, *le répresseur lac a trois sites de liaison sur l'opéron lac :* l'opérateur principal (Fig. 31-25), appelé maintenant O_1, et ce qu'on appelle deux pseudo-opérateurs (dont on a pensé qu'ils étaient des fossiles non fonctionnels de l'évolution), O_2 et O_3, qui sont respectivement situés à 401 pb en aval et 92 pb en amont de O_1 (à l'intérieur du gène *lacZ* et chevauchant le site de liaison du complexe CAP-AMPc). Müller-Hill a déterminé quelles étaient les contributions respectives de ces différents opérateurs à la répression de l'opéron *lac* en construisant une série de huit plasmides, chacun contient le gène *lacZ* sous le contrôle du promoteur *lac* normal, ainsi que les trois opérateurs *lac* (O_1, O_2 et O_3), qui sont soit actifs soit inactifs par mutation, dans toutes les combinaisons possibles. Quand les trois opérateurs sont actifs, l'expression de *lacZ* est 1300 fois plus réprimée que lorsque les trois opérateurs sont inactifs. L'inactivation de O_1 seulement, entraîne l'absence presque totale de répression alors que l'inactivation de O_2 ou de O_3 ne provoque qu'une diminution de 50 % de la répression. Cependant, quand O_2 et O_3 sont inactifs tous les deux, la répression est diminuée de ~70 fois. Ces résultats suggèrent qu'une répression efficace exige la formation d'une boucle d'ADN entre O_1 et O_2 ou O_3. Il semble en effet

que la formation de cette boucle et/ou la liaison coopérative du répresseur qui en résulte, soit d'une plus grande efficacité pour la répression que la seule liaison du répresseur à O_1, qui ne multiplie la répression que d'un facteur 19.

b. Le répresseur lac est un dimère de dimères

Ponzy Lu et Mitchell Lewis ont déterminé les structures par rayons X du répresseur *lac* isolé, ainsi que de son complexe avec l'IPTG et de son complexe avec un segment d'ADNdb de 21 pb, dont la séquence est un palindrome de la moitié gauche de O_1 (Fig. 31-25). Chaque sous-unité de répresseur est constituée de cinq unités fonctionnelles (Fig. 31-6) : (1) Un domaine N-terminal de fixation à l'ADN (résidus 1 à 49) appelé fragment de tête à cause de la possibilité de le séparer par protéolyse du cœur restant de la protéine encore sous forme de tétramère. (2) Une hélice charnière (résidus 50 à 56) qui se fixe aussi à l'ADN. (3 et 4) Un domaine de fixation au sucre (résidus 62 à 333), qui est divisé en un sous-domaine N-terminal et un sous-domaine C-terminal. (5) Une hélice C-terminale de tétramérisation (résidus 340 à 360).

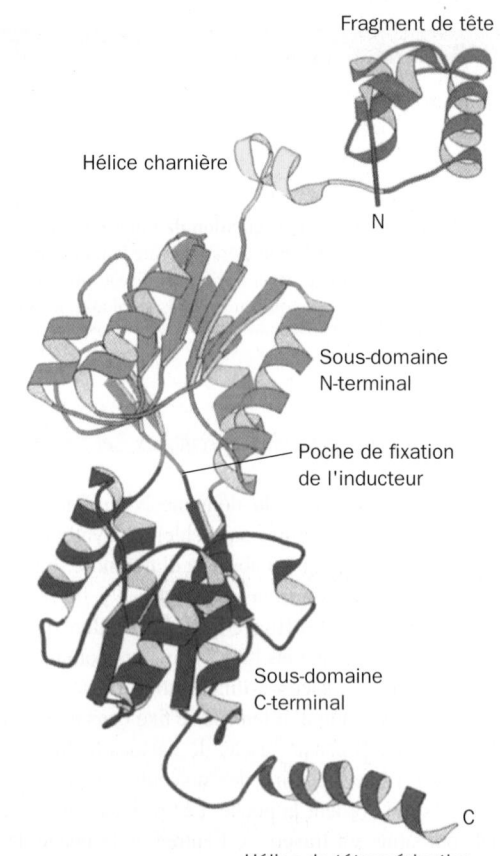

FIGURE 31-36 Structure par rayons X d'une sous-unité du répresseur *lac*. Le domaine de fixation à l'ADN (fragment de tête), qui contient le motif HTH, est en rouge, l'hélice charnière de liaison à l'ADN est en jaune, le sous-domaine de fixation au sucre, de la région N-terminale, est en bleu clair, le domaine C-terminal est en bleu foncé, et l'hélice de tétramérisation est en violet. [Avec l'aimable autorisation de Ponzy Lu et Mitchell Lewis, Université de Pennsylvanie. PDBid 1LBI.]

Le répresseur lac a une structure quaternaire inhabituelle (Fig. 31-37*a*). Alors que presque toutes les protéines non membranaires homotétramériques dont la structure est connue ont une symétrie de type D_2 (trois axes de symétrie d'ordre deux perpendiculaires les uns aux autres, Fig. 8-64*b*), le répresseur *lac* est une protéine en forme de V à symétrie simple d'ordre 2. Chaque coté du V est constitué d'un dimère, à symétrie locale, de sous-unités de répresseur étroitement associées. Deux dimères de ce type s'associent de façon assez lâche mais selon une symétrie d'ordre 2 à la base du V, formant ainsi un dimère de dimères.

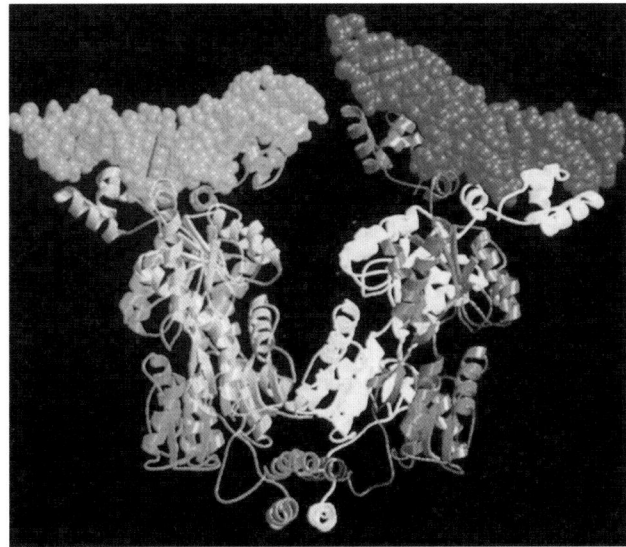

(a)

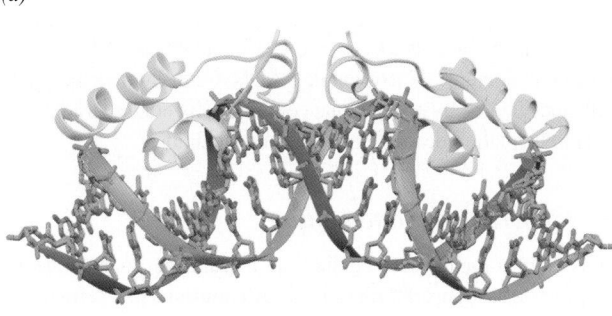

(b)

FIGURE 31-37 Structure du répresseur lac complexé à l'ADN.
(*a*) Structure par rayons X du tétramère de répresseur *lac* fixé à deux segments symétriques de 21 pb, d'ADN de l'opérateur *lac*. Les monomères protéiques sont en vert, en rose, en jaune et en rouge. Les segments d'ADN, en représentation compacte, sont bleu clair et bleu foncé. [Avec l'aimable autorisation de Ponzy Lu et Mitchell Lewis, Université de Pennsylvanie. PDBid 1LBG.] (*b*) La structure par RMN d'un ADN symétrique de 22 pb, de l'opérateur *lac* complexé à deux segments du répresseur *lac*, à savoir : son domaine de fixation à l'ADN et son hélice charnière. Les deux sous-unités protéiques sont bleu clair et jaune d'or. L'ADN est en modèle éclaté et coloré selon ses atomes (C en vert, N en bleu, O en rouge et P en rose), son squelette sucre-phosphate est représenté par des rubans rouge et bleu. L'axe d'ordre 2 du complexe est vertical. Notez que les deux motifs HTH du dimère s'insèrent dans des grands sillons successifs à la périphérie du complexe et que l'insertion des deux hélices charnières dans le petit sillon élargit et aplatit considérablement celui-ci en courbant l'ADN vers le bas. [D'après une structure par RMN de Robert Kaptein, Université d'Utrecht, Pays-bas. PDBid 1CJG.]

Dans la structure où le répresseur *lac* est isolé et celle où il est complexé à l'IPTG, le domaine de fixation à l'ADN n'est pas visible, apparemment du fait que la région charnière qui forme un lien lâche avec le reste de la protéine, est désordonnée. Par contre, pour ce qui est du complexe avec l'ADN, dans lequel un duplex d'ADN se lie à chacun des deux dimères formant le tétramère de répresseur, le domaine de liaison à l'ADN forme un globule compact comportant trois hélices, dont les deux premières forment un motif hélice-boucle-hélice (HTH). Les deux domaines de fixation à l'ADN qui partent de chaque dimère de répresseur (au sommet de chaque coté du V) se fixent dans deux grands sillons successifs de la molécule d'ADN via leurs motifs HTH, tout à fait comme on le voit dans le cas des complexes du répresseur du phage 434 et du répresseur *trp* avec leurs ADN cibles respectifs (Fig. 31-29 et 31-31). La fixation du répresseur lac déforme l'ADN de l'opérateur, qui s'écarte du domaine de fixation à l'ADN selon un rayon de courbure de ~60 Å, à cause d'un coude de ~45° centré sur l'opérateur. Le petit sillon s'élargit ainsi de plus de 11 Å et sa profondeur se réduit à moins de 1 Å. Ces déformations permettent à l'hélice charnière, qui est maintenant ordonnée, de se fixer dans le petit sillon et d'être en contact avec l'hélice charnière de l'autre sous-unité du même dimère, qui se trouve liée de la même façon qu'elle. Les structures par RMN de Robert Kaptein ont montré que les domaines de fixation à l'ADN, lorsqu'on les coupe du répresseur, se fixent à l'opérateur *lac* sans déformer l'ADN. Pourtant, le domaine de liaison à l'ADN, ainsi que l'hélice charnière forment un complexe avec l'opérateur lac, dans lequel l'hélice charnière se fixe dans le petit sillon déformé de l'ADN (Fig. 31-37*b*) tout comme dans la structure par rayons X. Il semble donc que la fixation de deux hélices charnières à l'opérateur *lac* soit nécessaire pour déformer l'ADN. Les deux duplexes d'ADN qui sont fixés à chaque tétramère de répresseur, sont à 25 Å l'un de l'autre et n'interagissent pas entre eux.

Le domaine de fixation du sucre comporte deux sous-domaines de topologies similaires, reliés par un pont de trois segments polypeptidiques (Fig. 31-36). Les deux domaines de fixation du sucre d'un dimère, ont de nombreux contacts entre eux (Fig 31-37*a*). L'IPTG se fixe à chaque domaine de fixation du sucre entre leurs sous-domaines. Cela ne produit pas de changement de conformation de ces sous-domaines mais cela change l'angle entre eux. Bien que l'hélice charnière ne soit pas visible dans le complexe avec l'IPTG, des constructions de modèles indiquent que, du fait que les deux hélices charnières des dimères s'étendent à partir des domaines de fixation du sucre, ce changement de conformation déplace ces hélices charnières de 3,5 Å, de sorte qu'elles et les motifs HTH qui leur sont liés ne peuvent plus se fixer simultanément aux demi-sites de leur opérateur. Par conséquent, la fixation de l'inducteur, par effet allostérique sur le dimère (elle a un effet homotropique positif ; Section 10-4B), relâche fortement la prise du répresseur sur l'opérateur.

Les hélices C-terminales de chaque sous-unité, qui sont localisées à l'extrémité opposée de chaque sous-unité par rapport à la partie fixatrice de l'ADN (à la pointe du V), s'associent pour former un faisceau de quatre hélices qui maintiennent les deux dimères de répresseur ensemble, pour former le tétramère (Fig. 31-37*a*). Les effets allostériques de la fixation de l'inducteur dans chacun des dimères, ne sont apparemment pas transmis à l'autre dimère. De plus, le **répresseur purine** (**PurR**) de *E. coli* qui est homologue du répresseur *lac* mais qui n'a pas d'hélice C-termi-

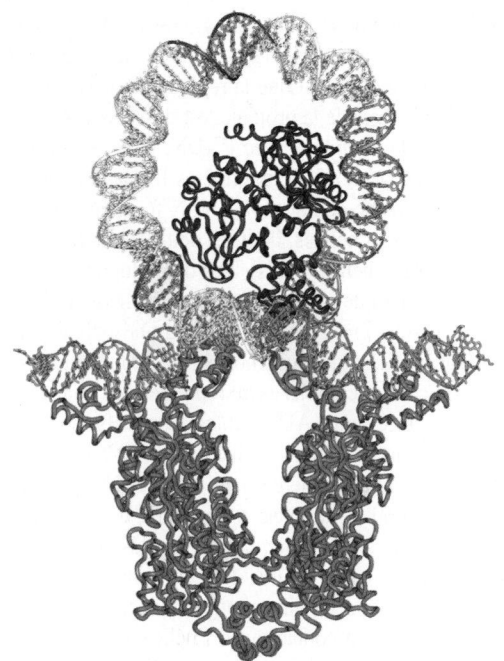

FIGURE 31-38 Modèle de la boucle d'ADN de 93 pb formée par la fixation du répresseur *lac* à O_1 et O_3. Les protéines sont représentées par l'enchaînement des C_α et l'ADN est dessiné en modèle en bâtonnets avec la chaîne des sucres et des phosphates en rubans hélicoïdaux. Ce modèle a été construit à partir de structures par rayons X du répresseur *lac* (*en rose*) complexé avec deux segments de 21 pb d'ADN de l'opérateur (*en rouge*) et de la structure par rayons X de CAP-AMPc (*en bleu*) complexée avec son ADN cible de 30 pb (*en bleu clair*, Fig. 31-28). Le reste de la boucle d'ADN a été généré en appliquant une légère courbure à l'ADN-B canonique (*en blanc*). Les régions −10 et −35 du promoteur *lac* apparaissent en couleur verte. [Avec l'aimable autorisation de Ponzy Lu et Mitchell Lewis, Université de Pennsylvanie.]

polymérase l'empêcherait donc de se lier complètement au promoteur dans ce complexe en boucle, expliquant une répression maximale.

c. La combinaison des études génétiques et structurales du répresseur lac *met en évidence ses résidus importants du point de vue de l'allostérie*

Les phénotypes de 4042 mutations ponctuelles du répresseur lac, englobant la quasi-totalité de ses 360 résidus (faisant du répresseur lac la protéine la mieux caractérisée du point de vue mutationnel), ont été cartographiés sur la structure par rayons X. Les mutations correspondant à un phénotype I⁻ (Des répresseurs *lac* incapables de se fixer à l'opérateur *lac*, de sorte que la β-galactosidase est synthétisée en permanence), se situent soit à l'interface de fixation du répresseur lac à l'ADN, soit à l'interface de dimérisation, soit à des résidus internes du domaine du cœur fixateur de l'inducteur. Les résidus dont la mutation entraîne un phénotype Iˢ (S pour super-réprimé ; des répresseurs lac qui continuent de réprimer la synthèse de la β-galactosidase, même en présence de l'inducteur) sont de deux types : (1) des résidus en contact direct avec l'inducteur, dont l'altération interfère avec la fixation de l'inducteur, et (2) des résidus de l'interface de dimérisation situés à plus de 8 Å du site de fixation de l'inducteur (et donc pas à son contact direct). Ces dernières observations mettent en évidence des résidus qui sont responsables du mécanisme allostérique du répresseur lac, plutôt que de la liaison à l'ADN ou à l'inducteur. La plupart des résidus importants du point de vue allostérique sont situés à l'interface de dimérisation et font partie du sous-domaine N-terminal du domaine du cœur, qui relie les sites de fixation de l'inducteur aux sites de fixation à l'ADN de l'opérateur. Cela est cohérent avec le fait que la fixation de l'inducteur provoque une flexion relative et un déplacement de ce sous-domaine N-terminal, ce mouvement se propage d'ailleurs à l'hélice charnière et au domaine de fixation de l'ADN. Cette étude démontre la puissance de l'analyse génétique combinée aux études structurales dans l'élucidation des relations structure-fonction.

G. *L'opéron trp : atténuation*

Nous allons maintenant étudier un mécanisme sophistiqué de contrôle de la transcription, appelé **atténuation**, qui permet aux bactéries de réguler l'expression de certains opérons impliqués dans la biosynthèse d'acides aminés. Ce mécanisme a été découvert en étudiant l'**opéron *trp*** de E. coli (Fig. 31-39), qui code cinq polypeptides, dont trois enzymes qui assurent la synthèse du tryptophane à partir de chorismate (Section 26-5B). Charles Yanofsky a montré que les gènes de l'opéron *trp* sont exprimés de façon coordonnée sous le contrôle du répresseur trp, une protéine dimérique de sous-unités identiques de 107 résidus, produit du gène *trptR* (qui constitue un opéron indépendant). *Le répresseur trp se lie au L-tryptophane, produit final de la voie, pour former un complexe qui se lie spécifiquement à l'opérateur trp (trpO ; Fig. 31-40) diminuant ainsi de 70 fois la vitesse de transcription de l'opéron trp.* La structure par rayons X du complexe répresseur trp-opérateur (Section 31-3D) montre que la liaison du tryptophane oriente allostériquement les deux «têtes de lecture de l'ADN» hélice-boucle-hélice symétriques du répresseur, ce qui leur permet de se lier simultanément au *trpO* (Fig, 31-31). De plus, le tryptophane lié établit une liaison hydrogène avec un groupe phosphate de

nale, cristallise sous forme de dimère dont la structure par rayons X ressemble étroitement à celle du dimère de répresseur *lac*. Quel est donc le rôle de la tétramérisation du répresseur lac ?

Des études de construction de modèles suggèrent que lorsque le tétramère de répresseur *lac* se fixe simultanément aux opérateurs O_1 et O_3, le segment d'ADN de 93 pb qui les contient forme une boucle de ~80 Å de diamètre (Fig. 31-38). En outre, le site de fixation du complexe CAP-AMPc se trouve exposé à la face interne de la boucle. L'addition du complexe CAP-AMPc à sa position de fixation dans ce modèle, montre que la courbure de ~90° que ce complexe impose à l'ADN (Fig. 31-28), se fait dans la bonne direction et qu'elle a la bonne amplitude pour permettre de stabiliser la boucle d'ADN. Le complexe hypothétique CAP-AMPc-répresseur lac-ADN s'en trouverait donc stabilisé. Il peut sembler paradoxal que la fixation du complexe CAP-AMPc, qui est un activateur transcriptionnel, stabilise le complexe répresseur-ADN, mais lorsque le glucose et le lactose sont tous deux en quantité limitée, il est important que la bactérie abaisse le niveau basal d'expression de l'opéron lac pour économiser de l'énergie. Le site de fixation (promoteur) de l'ARN polymérase est aussi situé sur la face interne de la boucle. La grande taille de la molécule d'ARN

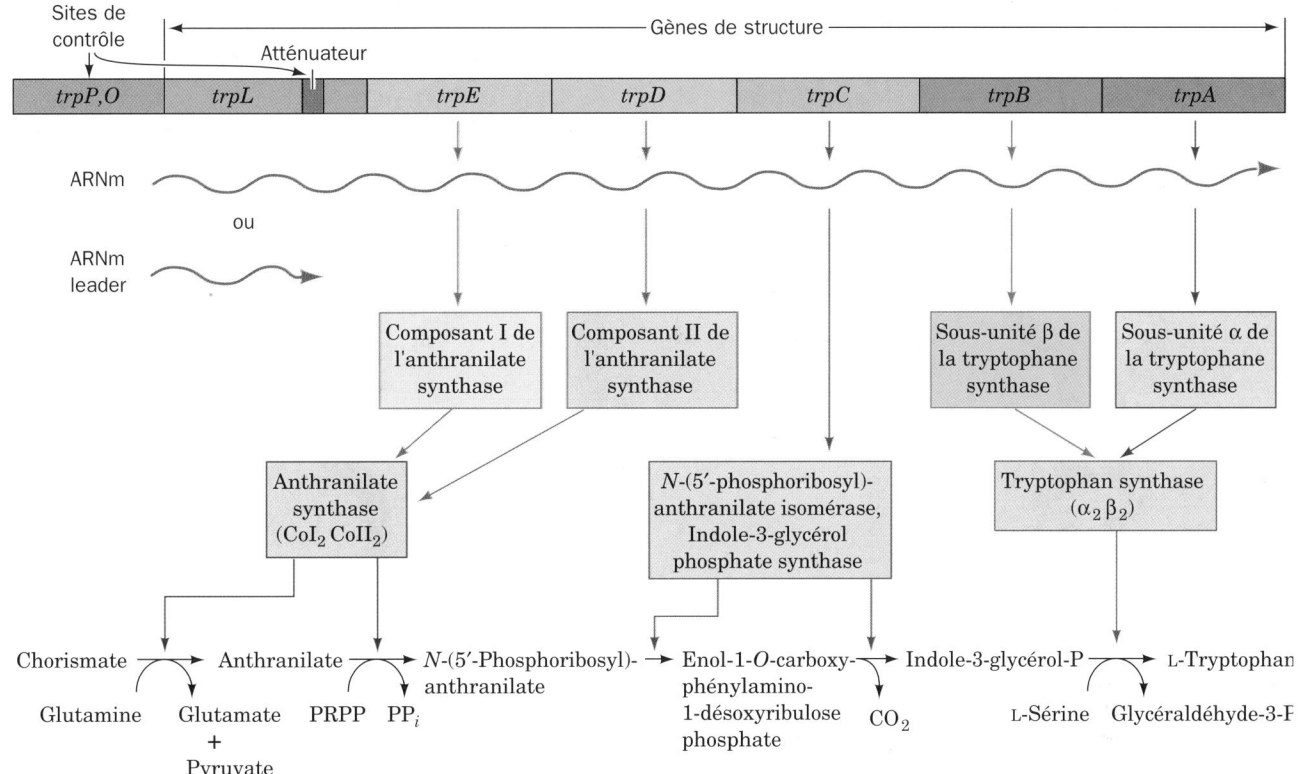

FIGURE 31-39 Carte génétique de l'opéron *trp* de *E. coli* montrant les enzymes qu'il code et les réactions catalysées. Le produit du gène *trpC* catalyse deux réactions successives dans la synthèse du tryptophane. [D'après Yanofsky, C., *J. Am. Med. Assoc.* **218**, 1027 (1971).]

l'ADN, ce qui renforce l'association répresseur-opérateur. Le tryptophane joue donc le rôle d'un **corépresseur** ; sa présence empêche toute synthèse superflue de tryptophane (le SAM joue un rôle identique de corépresseur avec le répresseur *met* ; Fig. 31-32*a*). Le répresseur *trp* contrôle aussi l'expression d'au moins deux autres opérons : l'**opéron *trpR*** et l'**opéron *aro*H** (qui code l'une des trois isoenzymes qui catalysent la réaction initiale de la biosynthèsc du chorismate : Section 26-5B).

a. La biosynthèse du tryptophane est aussi régulée par atténuation

On crut d'abord que le système répresseur trp-opérateur était seul responsable de la régulation de la biosynthèse du tryptophane. Cependant, la découverte de mutants *trp*, par délétions situées en aval du *trpO,* qui multiplient par six l'expression de l'opéron *trp,*

fit soupçonner l'existence d'un élément supplémentaire de contrôle de la transcription. L'analyse de séquence montra que *trpE,* le premier gène de structure de l'opéron *trp* est précédé d'une séquence de 162 nucléotides, la séquence leader *(trpL).* Il s'est avéré que le nouvel élément de contrôle est situé dans *trpL,* environ 30 à 60 nucléotides en amont de *trpE* (Fig. 31-39).

Quand il y a peu de tryptophane, il y **a** transcription polycistronique totale de l'ARNm *trp* de 6720 nucléotides, y compris la séquence *irpL*. Au fur et à mesure que la concentration en tryptophane augmente, la vitesse de transcription de l'opéron *trp* diminue en raison de la concentration de plus en plus élevée du complexe répresseur-corépresseur. Cependant, une proportion croissante de l'ARNm transcrit ne consiste qu'en un segment de 140 nucléotides correspondant à l'extrémité 5′ de *trpL. Autrement dit, la disponibilité en tryptophane se traduit par la terminaison prématurée de la transcription de l'opéron trp.* L'élément de contrôle responsable de ce résultat est, pour cette raison, appelé un **atténuateur.**

b. La séquence de terminaison de transcription de l'atténuateur est masquée quand il y a peu de tryptophane

Quel est le mécanisme de l'atténuation ? Le transcrit de l'atténuateur présente quatre segments complémentaires qui peuvent prendre deux conformations en épingles à cheveux mutuellement exclusives par appartement de bases (Fig. 31-41). *Les segments 3*

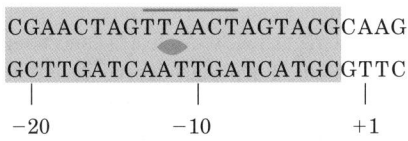

FIGURE 31-40 La séquence des bases de l'opérateur *trp*. La séquence presque palindromique est encadrée et sa région −10 est surlignée.

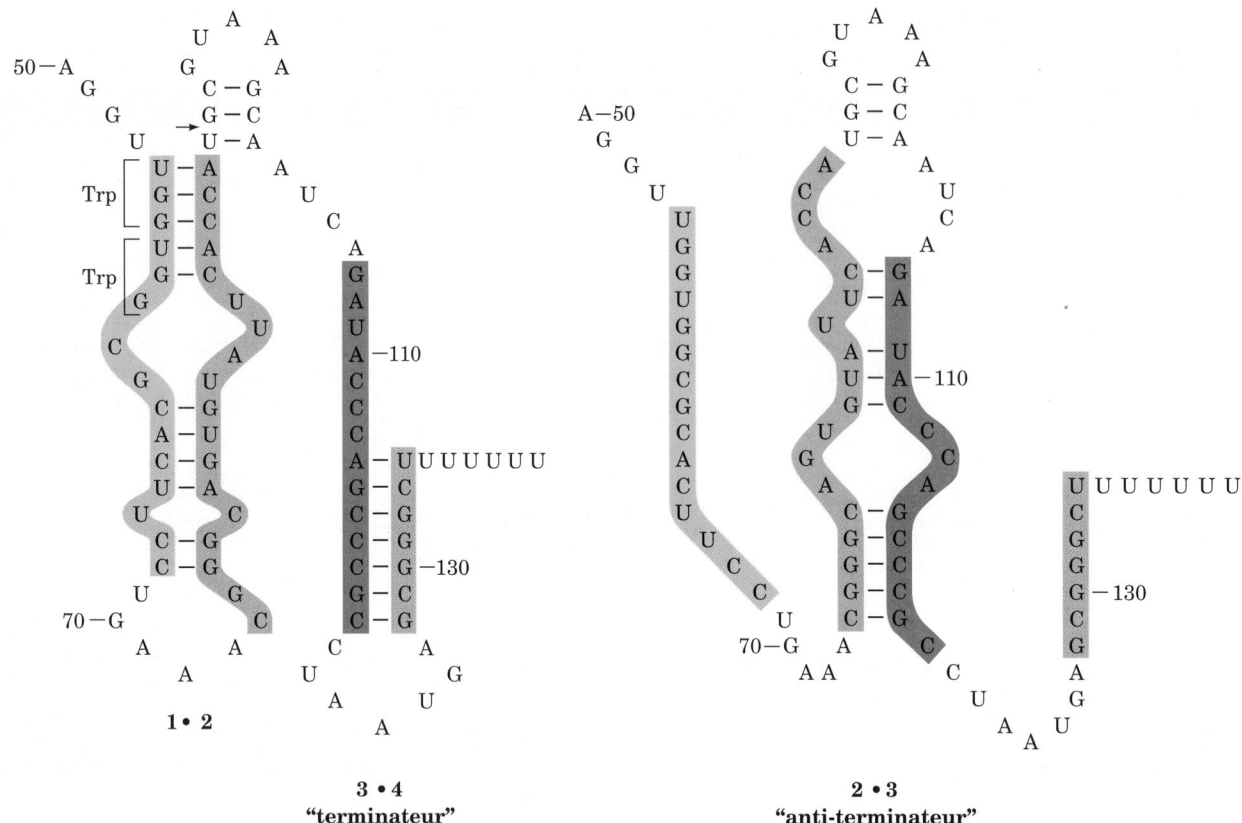

FIGURE 31-41 Les structures secondaires alternatives de l'ARNm *trpL*. La formation (*à droite*) de l'épingle à cheveux 2 · 3 (« anti-terminateur ») empêche la formation *(à gauche)* des épingles à cheveux 1 · 2 et 3 · 4 (« terminateur ») et *vice versa*. L'atténuation provient de l'arrêt prématuré de la transcription, immédiatement après le nucléotide 140, quand

l'épingle à cheveux 3 · 4 s'est formée. La flèche montre le site de l'ARN après lequel l'ARN polymérase stagne en attendant l'approche d'un ribosome actif. [D'après Fisher, R.F. et Yanofsky, C., *J. Biol. Chem.* **258**, 8147 (1983).]

et 4 associés aux résidus qui les suivent constituent un signal « terminateur » de transcription Rho-indépendant normal (Section 31-2E): une séquence riche en G + C qui peut former une épingle à cheveux auto-complémentaire suivie de plusieurs résidus U (comparez avec la Fig. 31-18). *La transcription ne peut que rarement aller au-delà de ce site « terminateur » à moins que le tryptophane ne soit en faible concentration.*

Une partie de la séquence leader, qui inclut le segment 1 de l'atténuateur, est traduite en un polypeptide de 14 résidus qui contient deux résidus Trp consécutifs (Fig. 31-41, *à gauche*). La position de ce dipeptide particulièrement rare (~1 % des résidus des protéines de *E. coli* sont du Trp) fournit un indice important pour la compréhension du mécanisme de l'atténuation. Un autre point essentiel de ce mécanisme est que les ribosomes commencent la traduction d'un ARNm de procaryote peu après la synthèse de son extrémité 5′.

En fonction de ces données, Yanofsky expliqua l'atténuation de la manière suivante (Fig. 31-42). Une ARN polymérase non soumise à la répression débute la transcription de l'opéron *trp*. Peu après que le site d'initiation ribosomiale du gène *trpL* ait été transcrit, un ribosome s'y attache et commence la traduction du peptide leader. Quand il y a beaucoup de tryptophane, et donc beaucoup de **tryptophanyl-ARNt^Trp** (l'ARN de transfert spécifique de Trp lié à un résidu Trp ; Section 32-2C), le ribosome progresse juste

derrière l'ARN polymérase en train de transcrire, empêchant ainsi stériquement la formation de l'épingle à cheveux 2-3. De fait, l'ARN polymérase s'arrête après le nucléotide 92 du transcrit et ne reprend la transcription qu'à l'approche d'un ribosome, ce qui assure la proximité de ces deux entités à cette position critique. L'impossibilité de former l'épingle à cheveux 2-3 permet la formation de l'épingle à cheveux 3-4, le site d'arrêt de la transcription, ce qui entraîne la fin de la transcription (Fig. 31-42*a*). Cependant, quand il y a peu de tryptophane, le ribosome s'arrête au niveau des deux codons UGG (les trois nucléotides successifs qui spécifient Trp ; Tableau 5-3) en raison de l'absence de tryptophanyl-ARNt^Trp. La transcription continuant, les segments 2 et 3 nouvellement synthétisés forment une épingle à cheveux car le ribosome à l'arrêt empêche la formation, compétitive autrement, de l'épingle a cheveux 1-2 (Fig. 31-42*b*), La formation de l'épingle à cheveux 3-4, signal « terminateur » de transcription, est donc suspendue pendant un temps suffisant pour permettre à l'ARN polymérase de transcrire la totalité de l'opéron *trp*. La cellule possède donc un mécanisme régulateur sensible à la concentration en **tryptophanyl-ARNt^Trp** qui, à son tour, dépend de la vitesse de synthèse protéique ainsi que de la disponibilité en tryptophane.

Beaucoup d'arguments sont en faveur de ce modèle de l'atténuation. Le transcrit *trpL* est résistant à une digestion ménagée par l'ARNase T1, ce qui signifie qu'il a un fort pourcentage de struc-

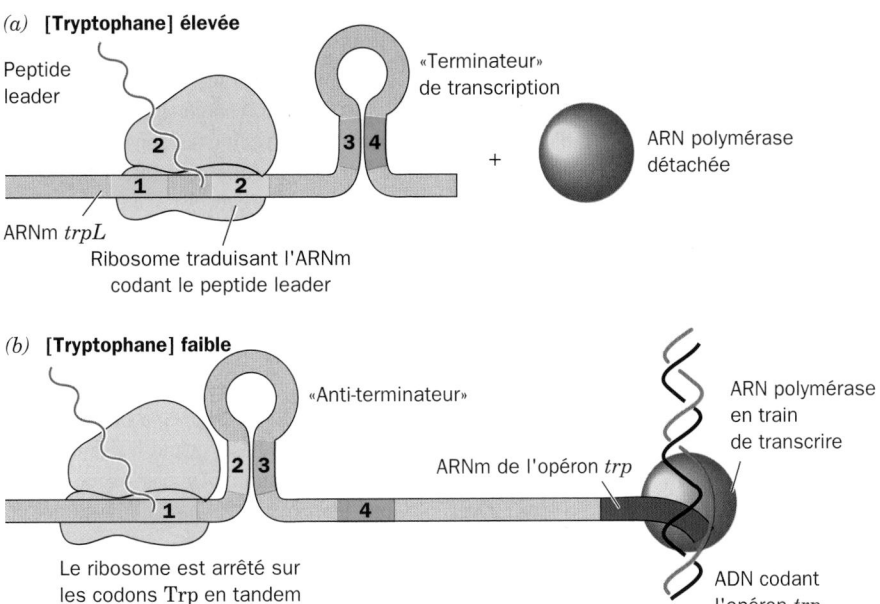

FIGURE 31-42 **L'atténuation dans l'opéron *trp*.** (*a*) Quand le tryplo-phanyl-ARNt^{Trp} est abondant, le ribosome traduit l'ARNm *trpL*. La présence du ribosome sur le segment 2 empêche la formation de l'épingle à cheveux 2·3. L'épingle à cheveux 3·4, un élément essentiel du « terminateur » transcriptionnel, peut alors se former, d'où l'arrêt prématuré de la transcription. (*b*) Quand le tryptophanyl-ARNt^{Trp} est rare, le ribosome stagne sur les codons Trp successifs du segment 1. Cette situation permet la formation de l'épingle à cheveux 2·3, ce qui empêche la formation de l'épingle à cheveux 3·4. L'ARN polymérase peut alors transcrire l'ensemble de l'opéron *trp* en franchissant ce site « terminateur » non formé.

ture secondaire. L'importance des deux codons Trp dans le transcrit *trpL* est corroborée par leur présence dans des régions leader *trp* d'autres espèces bactériennes. De plus, les peptides leader des cinq autres opérons qui biosynthétisent des acides aminés, connus pour être régulés essentiellement par atténuation, sont tous riches en résidus d'acides aminés correspondants (Tableau 31-3). Par exemple, **l'opéron *his*** de *E. coli,* qui code les enzymes de synthèse de l'histidine (Fig. 26-65), a sept résidus His consécutifs dans son peptide leader, tandis que l'opéron *ilv,* qui code les enzymes participant à la synthèse de l'isoleucine, de la leucine et de la valine (Fig. 26-61), présente cinq résidus Ile, trois résidus Leu et six résidus Val dans son peptide leader. Enfin, les transcrits leader de ces opérons ressemblent à celui de l'opéron *trp* par leur capacité à for-mer deux structures secondaires alternatives, dont l'une contient une structure « terminateur ».

H. *Régulation de la synthèse des ARN ribosomiaux : la réponse « stringente »*

Les cellules de *E. coli* cultivées dans des conditions optimales se divisent toutes les vingt minutes. Ces cellules peuvent contenir jusqu'à 70000 ribosomes et doivent donc synthétiser environ 35000 ribosomes par cycle de division cellulaire. Cependant, l'ARN polymérase ne peut commencer la synthèse d'un ARNr qu'environ une fois par seconde. Si le génome de *E. coli* ne contenait qu'une copie des gènes de chacun des trois ARNr (soit pour les ARN 23S,

TABLEAU 31-3. **Séquences en acides aminés de quelques peptides leader d'opérons contrôlés par atténuation**

Opéron	Séquence en acides aminés[a]
trp	Met-Lys-Ala-Ile-Phe-Val-Leu-Lys-Gly-TRP-TRP-Arg-Thr-Ser
pheA	Met-Lys-His-Ile-Pro-PHE-PHE-PHE-Ala-PHE-PHE-PHE-Thr-PHE-Pro
his	Met-Thr-Arg-Val-Gln-Phe-Lys-HIS-HIS-HIS-HIS-HIS-HIS-HIS-Pro-Asp
leu	Met-Ser-His-Ile-Val-Arg-Phe-Thr-Gly-LEU-LEU-LEU-LEU-Asn-Ala- Phe-Ile-Val-Arg-Gly-Arg-Pro-Val-Gly-Gly-Ile-Gln-His
thr	Met-Lys-Arg-ILE-Ser-THR-THR-ILE-THR-THR-THR-ILE-THR-ILE-THR- THR-Gln-Asn-Gly-Ala-Gly
ilv	Met-Thr-Ala-LEU-LEU-Arg-VAL-ILE-Ser-LEU-VAL-VAL-ILE-Ser-VAL-VAL- VAL-ILE-ILE-ILE-Pro-Pro-Cys-Gly-Ala-Ala-Leu-Gly-Arg-Gly-Lys-Ala

[a]Les résidus en majuscules sont synthétisés par la voie catalysée par les produits des gènes de l'opéron.

Source: Yanofsky, C., *Nature* **289**, 753 (1981).

16S et 5S ; voir Section 32-3A), les cellules en croissance rapide ne contiendraient pas plus de 1200 ribosomes environ. Cependant, *le chromosome de E. coli contient sept opérons d'ARNr séparés, qui contiennent tous une copie presque identique de chaque type de gène d'ARN.* De plus les cellules en croissance rapide contiennent plusieurs copies de leur chromosome en cours de réplication, ce qui rend compte de la vitesse de synthèse des ARNr observée.

Les cellules ont la propriété remarquable de coordonner les vitesses auxquelles leurs milliers de composants sont synthétisés. Par exemple, *E. coli* ajuste son contenu en ribosomes pour pouvoir adapter la vitesse de la synthèse protéique aux conditions ambiantes de croissance. La vitesse de synthèse des ARNr est donc proportionnelle à la vitesse de la synthèse protéique. Le mécanisme qui permet cet ajustement est appelé la **réponse « stringente »** : *une pénurie de l'un des aminoacyl-ARNt (due généralement à de mauvaises conditions de croissance, conditions « stringentes »), qui limite la vitesse de synthèse protéique, déclenche un réajustement rapide du métabolisme.* Un des résultats principaux de ce changement est une diminution très rapide d'un facteur de 10 à 20 fois de la vitesse de synthèse des ARNr et des ARNt. De plus, ce contrôle « stringent » ralentit fortement de nombreux processus métaboliques (dont la réplication de l'ADN et la biosynthèse des glucides, des lipides, des nucléotides, des protéoglycanes et des intermédiaires de la glycolyse) tout en en stimulant d'autres (la biosynthèse des acides aminés par exemple). La cellule se trouve ainsi prête à résister à une pénurie nutritionnelle.

a. Le (p)ppGpp est un intermédiaire dans la réponse « stringente »

*La réponse « stringente » est accompagnée d'une accumulation intracellulaire rapide de deux nucléotides inhabituels, **ppGpp** et **pppGpp** [appelés collectivement **(p)ppGpp**], et de leur dégradation rapide sitôt que les acides aminés redeviennent disponibles.* Le fait que des mutants, appelés *relA⁻*, qui ne manifestent pas de réponse « stringente » (on dit qu'ils ont un contrôle relâché), ne forment pas de (p)ppGpp suggère que ces substances entraînent la réponse « stringente ». Cette hypothèse a été corroborée par des expériences *in vitro* qui montrent, par exemple, que le (p)ppGpp inhibe la transcription des gènes d'ARNr, mais stimule la transcription des opérons *trp* et *lac* tout comme dans le cas de la réponse « stringente » *in vivo*. Il semble donc que d'une certaine manière, le (p)ppGpp modifie la spécificité de l'ARN polymérase, vis-à-vis de promoteurs d'opérons à contrôle « stringent ». Cette hypothèse a été confirmée par l'isolement de mutants de l'ARN polymérase qui ont des réponses diminuées au ppGpp. De plus, le (p)ppGpp augmente la fréquence à laquelle les ARN polymérases engagées dans l'élongation s'arrêtent de transcrire, ce qui diminue la vitesse de transcription.

La protéine codée par le gène sauvage *relA,* appelée le **facteur de « stringence » (RelA)**, catalyse la réaction

$$\text{ATP} + \text{GTP} \rightleftharpoons \text{AMP} + \text{pppGpp}$$

Et à un taux moindre

$$\text{ATP} + \text{GDP} \rightleftharpoons \text{AMP} + \text{ppGpp}$$

Cependant, plusieurs protéines ribosomiales convertissent pppGpp en ppGpp, de sorte que ppGpp est l'effecteur habituel de la réponse « stringente ». Le facteur de « stringence » n'est actif que s'il est associé à un ribosome en train de traduire. La synthèse de (p)ppGpp a lieu à une vitesse maximale, quand un ribosome se lie à un ARNt non chargé (qui n'est pas lié à un acide aminé) mais qui est celui spécifié par son ARNm. La liaison d'un ARNt spécifié et chargé diminue fortement la vitesse de synthèse du (p)ppGpp. *Le ribosome semble indiquer la pénurie d'un acide aminé en stimulant la synthèse de (p)ppGpp qui, à la manière d'un second messager intracellulaire, modifie les vitesses de transcription d'un grand nombre d'opérons.*

La dégradation du (p)ppGpp est catalysée par le produit du gène *spoT.* Chez des mutants *spoT⁻* la concentration en (p)ppGpp augmente normalement en cas de manque en acides aminés mais la dégradation du (p)ppGpp pour que sa concentration revienne à son niveau de base, quand les acides aminés sont à nouveau disponibles, est anormalement longue. Les mutants *spoT⁻* reviennent donc lentement à la normale après une réponse « stringente ». *Le taux de (p)ppGpp semble être régulé par les activités réciproques du facteur de « stringence » et du produit du gène spoT.*

4 ■ MATURATIONS POST-TRANSCRIPTIONNELLES

Les produits immédiats de la transcription, les **transcrits primaires**, ne sont pas nécessairement des entités fonctionnelles. Pour devenir biologiquement actifs, beaucoup d'entre eux doivent être modifiés de différentes façons : (1) par élimination exo- et/ou endonucléasique de segments polynucléotidiques ; (2) par l'addition de séquences nucléotidiques à leurs extrémités 3′ et 5′ ; et (3) par la modification de nucléosides spécifiques. Les trois principales classes d'ARN : les ARNm, les ARNr et les ARNt sont modifiées de façons différentes chez les procaryotes et les eucaryotes. Dans cette section nous passerons en revue ces processus de modifications post-transcriptionnelles.

A. *Maturation de l'ARN messager : Coiffe, queue et épissage*

Chez les procaryotes, la majorité des transcrits primaires d'ARNm sont traduits sans aucune modification. De fait, comme nous l'avons vu, les ribosomes des procaryotes commencent en général la traduction des ARNm naissants. Chez les eucaryotes cependant, les ARNm sont synthétisés dans le noyau et traduits dans le cytosol. Les transcrits d'ARNm d'eucaryotes peuvent donc subir une intense maturation post-transcriptionnelle tant qu'ils sont dans le noyau.

a. Les ARNm d'eucaryotes sont « coiffés »

*Les ARNm d'eucaryotes présentent une structure originale ajoutée enzymatiquement en 5′ du transcrit initial, appelée **coiffe** (« cap » en anglais) qui est un résidu 7-méthylguanosine attaché au transcrit par une liaison 5′-5′ triphosphate (Fig. 31-43).* La coiffe, qui est ajoutée au transcrit naissant avant qu'il n'ait plus de 30 nucléotides de long, définit le site d'initiation de la traduction chez les eucaryotes (Section 32-3C). La coiffe peut être 0²′-méthylée, soit sur le premier nucléoside du transcrit (coiffe-1, la forme de coiffe prédominante chez les organismes pluricellullaires), soit sur ses deux premiers nucléosides (coiffe-2), soit sur aucun d'entre

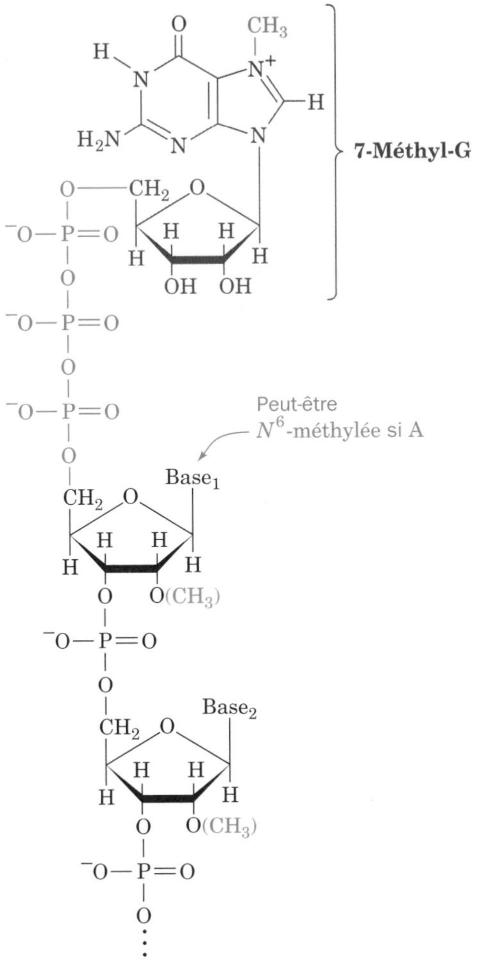

FIGURE 31-43 La structure de la coiffe en 5′ des ARNm des eucaryotes. On parle de coiffe-0, coiffe-1 et coiffe-2 respectivement : lorsqu'il n'y a pas d'autres modifications que l'ajout du 7-méthyl-G, lorsque le premier nucléoside du transcrit est également $O^{2'}$-méthylé, et lorsque les deux premiers nucléosides sont $O^{2'}$-méthylés.

eux (coiffe-0, la coiffe prédominante chez les eucaryotes unicellulaires). Si le premier nucléoside est de l'adénosine, (c'est généralement une purine), il peut aussi être N^6-méthylé.

La mise en place de la coiffe nécessite plusieurs réactions enzymatiques : (1) l'ablation par une **ARN triphosphatase**, du premier des trois groupements phosphate du groupement triphosphate en 5′ de l'ARNm ; (2) la guanylation de l'ARNm par l'**enzyme de coiffage**, qui nécessite du GTP et produit la liaison 5′—5′ triphosphate ainsi que du PP_i ; (3) la méthylation de la guanine par la **guanine 7-méthyltransférase**, le groupement méthyl étant fourni par la S-adénosylméthionine (SAM) ; et, de façon non systématique, (4) la $O^{2'}$-méthylation du premier et éventuellement du deuxième nucléotide par la **2′-O-méthyltransférase** dépendante de la SAM. L'enzyme de coiffage et la guanine 7-méthyltransférase, se fixent toutes deux au domaine CTD phosphorylé de l'ARN polymérase II (Section 31-2E). Il est donc probable que le coiffage signe la transition de RNAP II entre la phase d'initiation et celle d'élongation de la transcription.

b. Les ARNm d'eucaryotes ont des queues de poly(A)

Contrairement aux ARNm de procaryotes, les ARNm d'eucaryotes sont toujours monocistroniques. Cependant, les séquences signalant l'arrêt de la transcription chez les eucaryotes ne sont pas encore identifiées. Ceci vient en grande partie du fait que la terminaison ne se fait pas de façon précise, c'est-à-dire que les transcrits primaires d'un gène structural donné ont des séquences 3′ hétérogènes. Toutefois, les ARNm matures d'eucaryotes ont des extrémités 3′ bien définies : *chez les mammifères, presque tous ont en 3′ des queues de poly(A) de ~250 nucléotides (~80 chez la levure).* Les queues de poly(A) sont ajoutées enzymatiquement aux transcrits primaires grâce à deux réactions réalisées par un complexe de 500 à 1000 kD constitué d'au moins six protéines.

1. Un transcrit est clivé, avec production d'une extrémité 3′-OH libre, 15 à 25 nucléotides après une séquence AAUAAA, et à moins de 50 nucléotides d'une séquence moins conservée riche en U ou en G + U située plus en aval. La séquence AAUAAA est très conservée chez les eucaryotes supérieurs (pas chez la levure) et sa mutation empêche le clivage et la polyadénylation. La précision de la réaction de clivage a, semble-t-il, éliminé le besoin d'un signal précis de terminaison de la transcription. Néanmoins, l'identité de la nucléase qui coupe l'ARN reste incertaine, bien que les facteurs de clivage I et II (CFI et CFII) soient nécessaires pour ce processus.

2. La queue de poly(A) est ensuite formée à partir d'ATP grâce à l'action séquentielle de la **poly(A) polymérase (PAP)**. Cette enzyme, qui par elle-même ne se fixe que faiblement à l'ARN, est recrutée par le **facteur de spécificité de clivage et de polyadénylation (CPSF)** après que cette protéine hétérotétramérique ait reconnu la séquence AAUAAA, ce qu'elle fait sans pratiquement tolérer la moindre variation dans la séquence. L'élément riche en G + U situé en aval est reconnu par le **facteur de stimulation du clivage**, hétérotrimérique (**CstF**), qui augmente l'affinité de liaison de CPSF à la séquence AAUAAA. Une fois que la queue de poly(A) a atteint la taille de ~10 nucléotides, la séquence AAUAAA n'est plus nécessaire pour l'élongation ultérieure de la chaîne. Il est possible que le CPSF se dissocie de son site de reconnaissance tout comme le facteur σ est libéré du site d'amorçage de la transcription chez les procaryotes, une fois que le processus d'élongation de l'ARNm a commencé (Section 31-2C). La longueur finale de la queue de poly{A) est contrôlée par la protéine PAB II [(protéine affine du poly(A)], dont de multiples copies se fixent sur des segments successifs de la queue poly(A). La protéine PAB II augmente également la processivité de la PAP.

CPSF et CstF se fixent toutes deux au domaine CTD phosphorylé de RNAP II (Section 31-2E) ; l'ablation du domaine CTD inhibe la polyadénylation. Il est évident que le domaine CTD couple la polyadénylation à la transcription.

La PAP est une ARN polymérase indépendante d'une matrice, qui allonge une amorce d'ARNm possédant un groupement 3′-OH libre. La structure par rayons X des PAP de levure et de bovin, complexées avec du 3′-dATP (cordycépine), ont été respectivement déterminées par Andrew Bohm et par Sylvie Doublié. Elles montrent que ces protéines monomériques assez semblables, comportent toutes deux trois domaines qui forment une pince en forme de U de 20×25 Å (Fig. 31-44). Elles semblent donc avoir, en gros, un arrangement en forme de main de leurs domaines comme les ADN polymérases (Section 30-2A). En effet, le domaine N-termi-

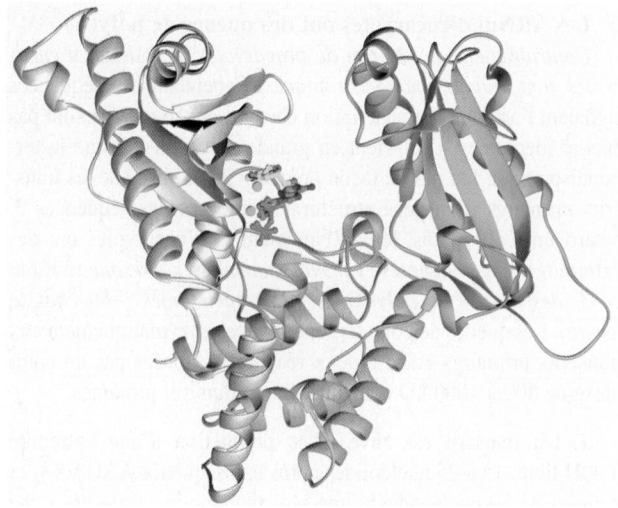

FIGURE 31-44 Structure par rayons X de la poly(A) polymérase de levure (PAP, 568 résidus) complexée avec deux molécules de 34-dATP. Le domaine N-terminal (la paume) est rose pâle, le domaine central (les doigts) est orange et le domaine C-terminal est bleu pâle. Les molécules de 3′-dATP sont représentées en vue éclatée et colorées selon leurs atomes (C du nucléotide entrant en vert, C de l'extrémité 3′ de l'ARNm en jaune, N en bleu, O en rouge et P en rose vif). Les deux ions Mn^{2+} fixés au site actif sont représentés par des sphères bleu cyan. [D'après une structure par rayons X de Andrew Bohm, École de médecine de l'Université de Tufts. PDBid 1FA0.]

nal de la PAP, qui contient le site actif de l'enzyme a une structure homologue de celle du domaine de la paume de l'ADN polymérase β, bien qu'il constitue un coté de la pince plutôt que sa base. Le domaine central de la PAP, qui forme la base de la pince est l'analogue fonctionnel des domaines en forme de doigts de la polymérase, en ce qu'il interagit avec les phosphates β et γ du nucléotide entrant (qui se présente). Par contre, le domaine C-terminal ne présente aucune ressemblance avec un domaine du pouce. Au contraire, il a une topologie semblable à celle du domaine RRM (« RNA-recognition motif », motif de reconnaissance de l'ARN), que l'on trouve dans plus de 200 protéines différentes se fixant à l'ARN (voir plus bas). La PAP de levure fixe deux molécules de 3′-dATP ; l'une occupe la position du nucléotide entrant et l'autre, dont on ne voit pas le groupement triphosphate, est supposée mimer l'extrémité 3′ de l'amorce d'ARNm, en se basant sur la ressemblance avec la structure par rayons X de l'ADN polymérase β. La base entrante interagit avec la protéine d'une façon qui permet de différencier l'adénine des autres bases, alors que dans les polymérases utilisant une matrice, la base entrante n'établit de contact qu'avec la matrice (Section 30-2A).

Des études *in vitro* ont montré que la queue de poly(A) n'est pas nécessaire à la traduction de l'ARNm. Par contre, on s'est aperçu que la queue de poly(A) d'un ARNm se raccourcit en fonction du temps passé dans le cytosol et que des ARNm non adénylés ont des durées de vie cytosoliques raccourcies, ce qui suggère que les queues poly(A) ont un rôle de protection. En fait, les seuls ARNm matures qui n'ont pas de queue poly(A), comme ceux des histones (qui à quelques exceptions près, n'ont pas le signal AAUAAA de clivage-polyadénylation), ont des durées de vie inférieures à 30 min dans le cytosol, alors que la majorité des autres ARNm y restent des heures voire des jours. Les queues de poly(A) forment un complexe spécifique dans le cytosol avec la **protéine de liaison au poly(A)** (**PABP**, pour poly(A) binding protein, qui n'est pas apparentée à PAB II), qui agence les ARNm polyadénylés en particules ribonucléoprotéiques. On pense que la PABP empêche les ARNm d'être dégradés, comme le suggère le fait que l'addition de PABP à un système acellulaire qui contient des ARNm et des ARNases ralentit fortement la vitesse de dégradation des ARNm et celle du raccourcissement de leurs queues poly(A).

Toutes les PABP connues contiennent une série de quatre motifs de reconnaissance de l'ARN (RRM) très conservés, suivie d'un segment C-terminal riche en proline moins bien conservé, de longueur variable. Un certain nombre de données laisse penser que les deux premiers RRM sont responsables de la plupart des fonctions biochimiques de la PABP complète. La structure par rayons X des deux premiers RRM de la PABP humaine (RRM1/2 ; constitué des 190 résidus N-terminaux de cette protéine de 636 résidus) complexée avec un polymère A_{11}, a été déterminée par Stephen Burley. Elle montre que RRM1/2 a une surface continue en forme de cuvette, dans laquelle le poly(A) se fixe sous forme linéaire par des interactions avec des résidus conservés (Fig. 31-45). Chaque RRM, comme on le voit également dans la structure de différentes autres protéines se liant à l'ARN, forme un globule compact constitué d'un feuillet de 4 brins anti-parallèles, qui forme la surface de liaison à l'ADN adossée à deux hélices.

c. Les gènes des eucaryotes sont formés d'une alternance de séquences exprimées et non exprimées

La différence la plus frappante entre les gènes de structure des eucaryotes et des procaryotes vient de ce que les séquences codantes de la plupart des gènes d'eucaryotes sont séparées par des régions non codantes. Les premières recherches sur la transcription des gènes de structure d'eucaryotes ont montré, fait surprenant, que la longueur des transcrits primaires est très hétérogène (de ~2000 à plus de 20000 nucléotides) et très supérieure à la taille prévue d'après les longueurs connues des protéines d'eucaryotes. Des expériences de marquage bref montrèrent qu'une petite partie de ce qu'on appelle l'**ARN nucléaire hétérogène** (**ARNnh**) est transportée dans le cytosol ; la plus grande partie est rapidement dégradée dans le noyau. Toutefois, les coiffes et les queues de poly(A) des ARNnh se retrouvent finalement dans les ARNm cytosoliques. *L'explication la plus simple de ces observations, à savoir que les pré-ARNm sont maturés par excision de séquences internes, paraissait si insolite, que ce fut une énorme surprise lorsqu'en 1977 Phillip Sharp et Richard Roberts montrèrent, chacun de leur côté, que c'est bien ainsi que sont formés les ARNm des eucaryotes.* En fait, un pré-ARNm contient en moyenne huit séquences intercalées (pour intervening sequences, ou **introns**) non codantes dont la longueur totale représente en moyenne quatre à dix fois celle des séquences exprimées (**exons**) adjacentes. Cette disposition est représentée schématiquement dans la Fig. 31-46, qui est une micrographie électronique de

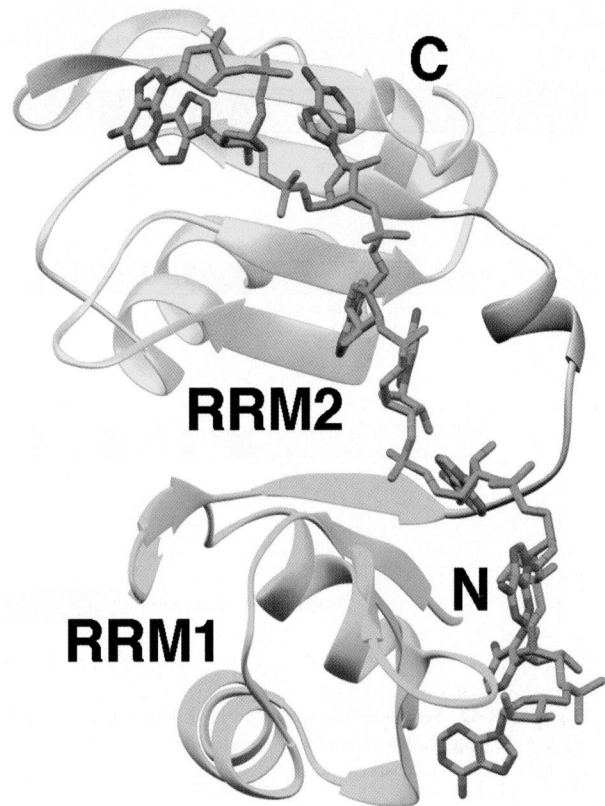

FIGURE 31-45 Structure par rayons X des deux motifs de reconnaissance de l'ARN (RRM) de la PABP humaine complexée avec l'oligonucléotide A$_{11}$. RRM1 est en bleu clair, RRM2 en jaune d'or et leur segment de jonction est en violet pâle. Le poly(A) dont on ne voit que neuf nucléotides est représenté en modèle en bâtonnets avec les atomes C en vert, N en bleu, O en rouge et P en rose vif. [D'après une structure par rayons X de Stephen Burley, Université Rockfeller. PDBid 1CVJ.]

l'ARNm de l'**ovalbumine** de poule hybridé au brin antisens du gène de l'ovalbumine (l'ovalbumine est le principal constituant protéique du blanc d'œuf).

Les exons ont des longueurs allant de 17106 nt (dans le gène codant la **titine**, une protéine musculaire de 29926 résidus, la plus longue chaîne protéique simple connue; Section 35-3A) mais la plupart ont moins de 300 nt (la moyenne chez l'homme est de 150 nt). Les introns sont par contre, en général, beaucoup plus long, avec des longueurs moyennes de ~3500 nt mais pouvant aller jusqu'à 2,4 millions de nucléotides (dans le gène codant la dystrophine, une protéine musculaire; Section 35-3A), et sans périodicité évidente. De plus, les introns correspondants de gènes homologues chez deux espèces de vertébrés peuvent être de longueur et

de séquence extrêmement variables si bien qu'ils ne se ressemblent pas beaucoup. Le nombre moyen d'introns dans un gène est de 7,8 dans le génome humain et va de zéro à 234 (ce dernier chiffre représentant également le gène de la titine).

La formation des ARNm d'eucaryotes commence par la transcription d'un gène de structure en entier, y compris les introns, ce qui donne un pré-ARNm (Fig. 31-47). Puis, après l'addition de la coiffe, les introns sont excisés et leurs exons adjacents sont réunis par un processus appelé **épissage**, qui est souvent cotranscriptionnel. *Le plus étonnant dans ce processus est sa précision; si un nucléotide en plus ou en moins était excisé, l'ARNm ne serait pas traduit correctement (Section 32-1B). Par ailleurs, les exons ne sont jamais intervertis; l'ordre dans lequel ils se trouvent dans*

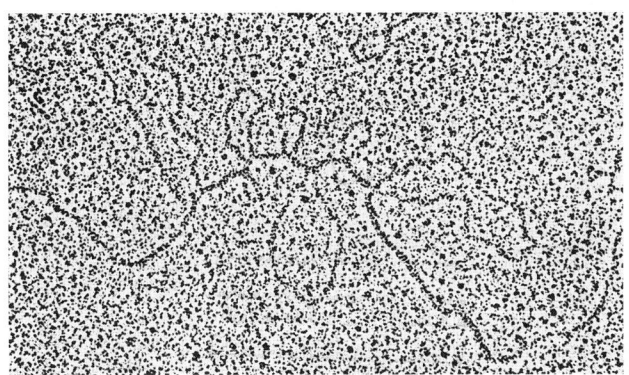

FIGURE 31-46 Micrographie électronique et son dessin interprétatif d'un hybride entre le brin antisens du gène de l'ovalbumine de poule, et son ARNm correspondant. Les segments complémentaires de l'ADN (*ligne violette sur le dessin*) et de l'ARNm (*ligne en pointillés*

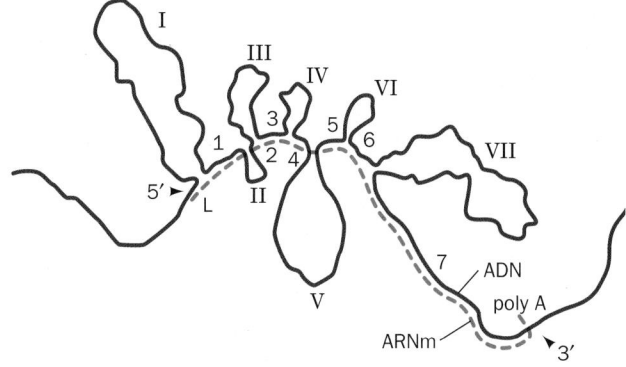

rouges) sont appariés, ce qui montre les positions des exons (*L*, 1-7). Les segments en forme de boucle (I-VII), qui n'ont pas de séquence complémentaire dans l'ARNm, sont les introns. [D'après Chambon, P., *Sci. Am.* **244** (5), 61 (1981).]

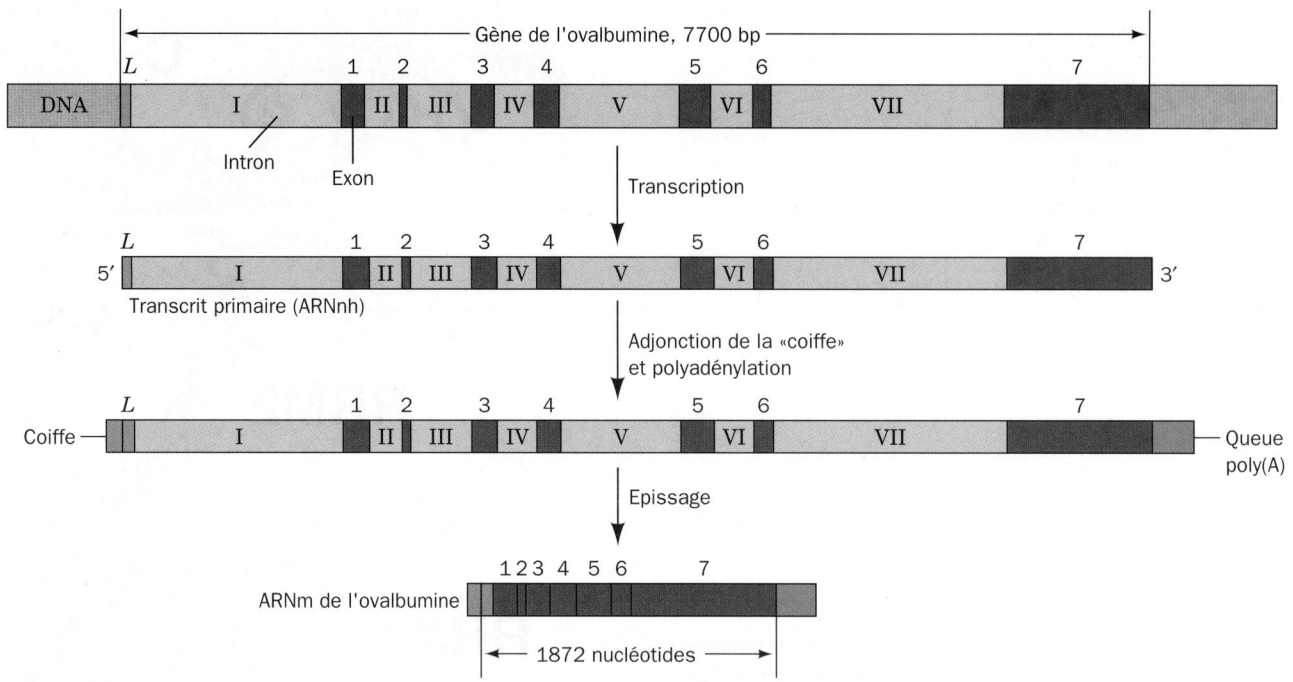

FIGURE 31-47 Séquence des étapes de la production d'un ARNm mature, le gène de l'ovalbumine de poule étant pris comme exemple. Après la transcription, le transcrit primaire est « coiffé » et polyadénylé. Les introns sont alors excisés et les exons réunis pour former l'ARNm mature. L'épissage peut également être co-transcriptionnel.

l'ARNm mature correspond exactement à celui qu'ils ont dans le gène dont ils proviennent.

d. Les exons sont excisés grâce à une réaction en deux étapes

Les comparaisons de séquences au niveau des jonctions exon-intron de différents groupes d'eucaryotes ont montré que ces séquences ont un degré d'homologie très marqué (Fig. 31-48), avec, comme Richard Breathnach et Pierre Chambon l'ont remarqué pour la première fois, *une séquence GU conservée à la frontière 5′ de l'intron et une séquence AG conservée à son extrémité 3′. Ces séquences sont nécessaires et suffisantes pour définir un site d'épissage*, des mutations qui modifient ces séquences perturbent l'épissage, alors que des mutations qui transforment une séquence ordinaire en séquence de type consensus peuvent faire apparaître un nouveau site d'épissage.

Des recherches menées d'une part sur des systèmes d'épissage acellulaires et d'autre part *in vivo* par Agiris Efstradiadis, Tom Maniatis, Michael Rosbash et Sharp ont montré que l'excision d'un intron fait intervenir deux réactions de transestérification remarquablement semblables de la levure jusqu'à l'homme (Fig. 31-49) :

1. dans la première réaction, il y a formation d'une liaison 2′,5′-phosphodiester entre un résidu adénosine d'un intron et son groupe phosphate 5′-terminal avec libération concomitante du groupement 3′-OH de l'exon en 5′, *l'intron prend ainsi une structure en forme de lasso*. Le résidu adénosine qui se trouve au point de branchement du lasso est chez la levure le dernier A de la séquence UACUAAC très conservée, chez les vertébrés ce A se trouve dans une séquence équivalente mais plus variable, YNCURAY [où R est une purine (A ou G) et Y est une pyrimidine (C ou U), N représentant un nucléotide indifférent]. Chez la levure et chez les vertébrés, ce point de branchement se trouve respectivement entre ~50 et 18 à 40 nucléotides en amont du site 3′ d'épissage associé. Chez la levure, qui possède relativement peu d'introns, des mutations qui affectent ce résidu A du point de branchement rendent l'épissage à ce site impossible. Par contre chez les eucaryotes supérieurs, la mutation ou la suppression d'un point de branchement active souvent ce qu'on appelle un **site cryptique de branchement**, qui se trouve également à proximité du site 3′ d'épissage. Il est clair que le site de branchement sert à identifier le site 3′ d'épissage le plus proche, qui va servir de cible pour la jonction avec le site 5′ d'épissage.

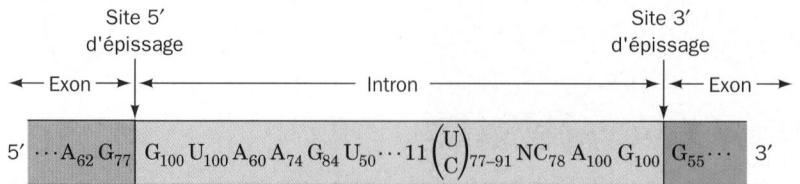

FIGURE 31-48 Les séquences consensus aux jonctions exon-intron des pré-ARNm d'eucaryotes. Les indices donnent le pourcentage de pré-ARNm dans lesquels se trouve la base indiquée. Notez que le site 3′ d'épissage est précédé par un segment de 11 nucléotides où prédominent les nucléotides pyrimidiques. [D'après Padgett, R.A., Grabowski, P.J., Konarska, M.M., Seiler, S.S., et Sharp, P.A., *Annu. Rev. Biochem.* **55**, 1123 (1986).]

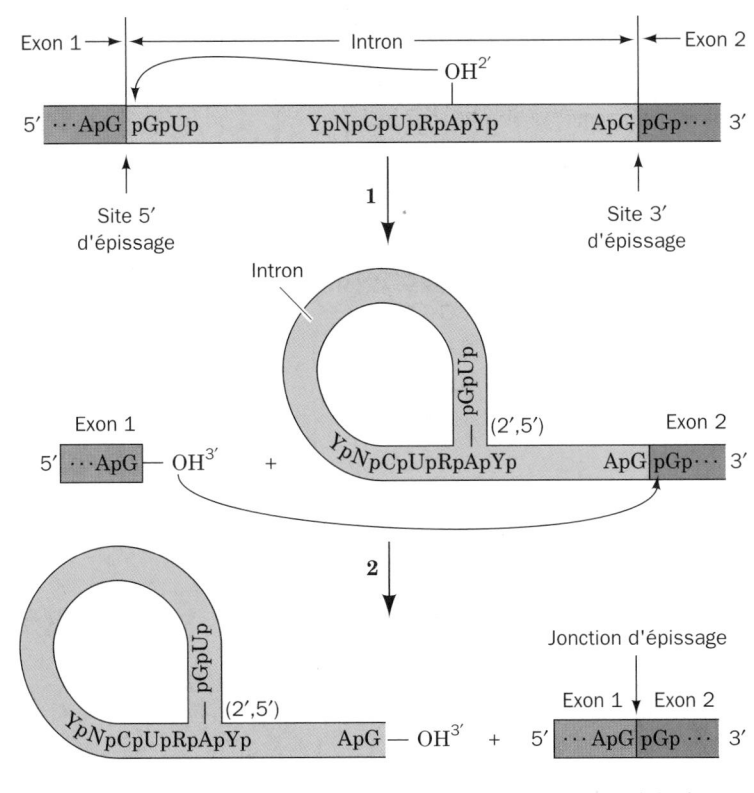

FIGURE 31-49 La séquence des réactions de transestérification qui assurent l'épissage des exons des pré-ARNm d'eucaryotes. Les exons et les introns sont en bleu et en orange, R et Y représentent respectivement des résidus puriques et pyrimidiques. (1) Le groupe 2'-OH d'un résidu A spécifique de l'intron effectue une attaque nucléophile sur le phosphate en 5' du nucléotide à la frontière en 5' de l'intron, et forme une liaison 2',5'-phosphodiester inhabituelle et donc une structure en lasso. (2) Le groupe 3'-OH libre forme une liaison 3'.5'-phosphodiester avec le résidu de l'extrémité 5' de l'exon 3', épissant ainsi les deux exons et libérant l'intron sous forme d'un lasso.

2. Le groupe 3'-OH, devenu libre, de l'exon en 5' établit une liaison phosphodiester avec le phosphate 5'-terminal de l'exon en 3', réunissant ainsi les deux exons. L'intron est donc éliminé sous sa forme en lasso avec un groupement 3'-OH libre. L'intron en lasso est alors débranché (linéarisé) et, *in vivo,* il est rapidement dégradé. Des mutations qui modifient la séquence AG conservée au site 3' d'épissage, bloquent cette seconde étape bien qu'elles n'interfèrent pas avec la formation du lasso.

Notez que le mécanisme d'épissage se fait sans apport d'énergie libre ; ses réactions de transestérification conservent l'énergie libre de chaque liaison phosphodiester hydrolysée grâce à la formation concomitante d'une nouvelle liaison phosphodiester.

Les séquences nécessaires pour l'épissage sont les petites séquences consensus des sites 3' et 5' d'épissage et du site de branchement. Pourtant, ces séquences ont un faible degré de conserva-

tion. Il existe en fait d'autres petits éléments de séquence dans les exons, appelés activateurs exoniques d'épissage (**ESE** pour « exonic sequence enhancer »), qui jouent également un rôle important dans la sélection des sites d'épissage, bien que leurs caractéristiques soient encore mal connues (même les programmes d'ordinateur très sophistiqués n'arrivent à prédire les sites réels d'épissage qu'avec une fiabilité de ~50 % par rapport à de bons candidats apparents mais qui ne sont pas des sites d'épissage). Par contre, on peut déléter de grandes parties de la plupart des introns sans gêner l'épissage.

e. Certains gènes eucaryotiques ont des transcrits auto-épissables

On admet actuellement qu'il existe huit types d'introns différents, dont sept se retrouvent chez les eucaryotes (Tableau 31-4). Les **introns de groupe I** se trouvent dans les noyaux, les mito-

TABLEAU 31-4. Les différents types d'introns

Type de l'intron	Localisation
Intron GU–AG	Pré-ARNm nucléaire d'eucaryote
Intron AU–AC	Pré-ARNm nucléaire d'eucaryote
Groupe I	Pré-ARNm nucléaire d'eucaryote, ARN d'organite, quelques ARN bactériens
Groupe II	ARN d'organite, quelques ARN de procaryotes
Groupe III	ARN d'organite
Twintron (intron composé d'au moins) deux introns de groupe II ou III	ARN d'organite
Intron de pré-ARNt	Pré-ARNt nucléaire d'eucaryotes
Intron d'archée	Divers RARN

Source: Brown, T.A., *Genomes* (2ᵉ éd.), Wiley-Liss, p. 287 (2002).

chondries et les chloroplastes de divers eucaryotes (pas chez les vertébrés) et même chez certaines bactéries. Les travaux de Thomas Cech pour comprendre comment les introns de groupe I sont épissés chez le protozoaire cilié *Tetrahymena thermophila*, ont conduit à la découverte surprenante qu'*un ARN peut se comporter comme une enzyme. Si l'on incube le pré-ARNr de cet organisme avec un nucléotide guanylique libre (GMP, GDP ou GTP) mais en l'absence de protéine, son unique intron de 421 nucléotides s'auto-excise et il y a réunion par épissage des deux exons qui l'encadrent, cet ARNr est donc auto-épissable.* La séquence des trois étapes de cette réaction (Fig. 31-50) ressemble à celle de l'épissage de l'ARNm :

1. Le groupement 3'-OH de la guanosine forme une liaison phosphodiester avec l'extrémité 5' de l'intron, ce qui libère l'exon en 5'.

2. Le groupement 3'-OH de l'extrémité de l'exon en 5' qui vient d'être libéré forme une liaison phosphodiester avec le phosphate de l'extrémité 5' de l'exon en 3', il y a ainsi épissage des deux exons ensemble et libération de l'intron.

3. Le groupement 3'-OH de l'extrémité de l'intron forme une liaison phosphodiester avec le phosphate du nucléotide situé à 15 nucléotides de l'extrémité 5' de l'intron, on obtient donc ce petit fragment terminal et le reste de l'intron sous forme circularisée.

Ce processus d'auto-épissage est constitué d'une série de transestérification et ne requiert donc pas d'apport d'énergie libre. Cech a établi les propriétés enzymatiques de l'intron de *Tetrahymena*, qui sont probablement dues à sa structure tridimensionnelle, en démontrant qu'il catalyse in vitro le clivage de poly(C) qui se trouve augmenté d'un facteur 10^{10} par rapport à sa vitesse de lyse spontanée. Cet ARN catalyseur a effectivement une cinétique obéissant aux lois de Michaelis-Menten (K_M = 42 µ*M* et k_{cat} = 0,033 s^{-1} pour le substrat C$_5$). Ces ARN enzymatiques ont été appelés **ribozymes**.

Bien que l'idée qu'un ARN puisse avoir des propriétés de catalyseur puisse paraître peu orthodoxe, il n'y a pas de raison fondamentale qui empêche un ARN ou toute autre macromolécule d'avoir une activité catalytique (rappelons nous qu'au départ on avait aussi généralement admis que les acides nucléiques n'avaient pas une complexité suffisante pour porter l'information héréditaire ; Section 5-2). Bien entendu, pour être un catalyseur efficace, une macromolécule doit pouvoir avoir une structure stable, mais, comme nous allons le voir ci-dessous et dans les sections 32-2B et 32-3A, les ARN, y compris les ARNt et les ARNr ont cette propriété. [On connaît aussi des ADNsb synthétiques qui ont des pro-

priétés catalytiques mais ce type de « désoxyribozymes » reste inconnu en biologie.]

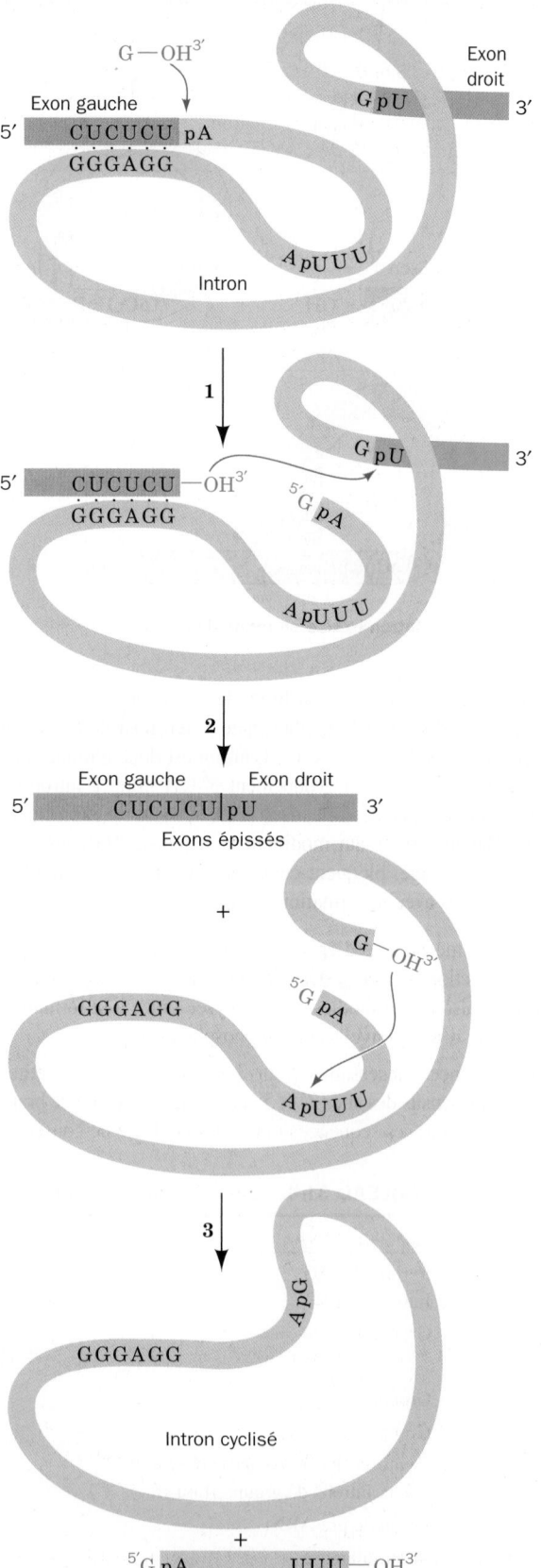

FIGURE 31-50 Séquence des réactions de l'auto-épissage de l'intron auto-épissable de groupe I de *Tetrahymena*. (1) Le groupe 3'OH d'un nucléotide guanylique attaque le phosphate 5'-terminal de l'intron pour former une liaison phosphodiester et libérer l'exon en 5'. **(2)** Le nouveau groupe 3'-OH de l'exon en 5' attaque le phosphate de l'extrémité 5' de l'exon en 3v, provoquant ainsi l'épissage des deux exons et libérant l'intron. **(3)** le groupe 3'-OH de l'intron attaque le phosphate du nucléotide situé à 15 résidus de l'extrémité 5' afin de cycliser l'intron et de libérer son fragment 5' terminal. Durant ce processus, l'ARN conserve une conformation repliée, avec des liaisons hydrogène internes qui permettent l'excision précise de l'intron.

Les **introns de groupe II**, que l'on trouve dans les mitochondries de champignons et de plantes, mais qui englobent aussi la plupart des introns de chloroplastes, sont également auto-épissables. Ils utilisent pour leur réaction d'épissage un intermédiaire en lasso et ne font pas appel à un nucléotide extérieur. Ce processus ressemble beaucoup à l'épissage des pré-ARNm nucléaires (Fig. 31-49). Nous allons voir plus loin que l'épissage nucléaire des pré-ARNm est effectué par des particules ribonucléoprotéiques complexes appelées **spliceosome**. Les ressemblances chimiques entre les réactions d'épissage des pré-ARNm et celles des introns de groupe II, font penser que les spliceosomes sont des systèmes de type ribozyme dont les composants ARN ont évolué à partir d'ARN primordiaux auto-épissables et dont les composants protéiques serviraient surtout à ajuster finement la structure du ribozyme et sa fonction. De même, les composants ARN des ribosomes, qui comportent deux tiers d'ARN et un tiers de protéines, ont une fonction catalytique évidente en plus des rôles de structure et de reconnaissance qu'on leur attribue généralement (Section 32-3). C'est ainsi qu'un certain nombre de constatations qui sont : que d'une part les acides nucléiques peuvent diriger leur propre synthèse alors que les protéines en sont incapables, que d'autre part, les cellules contiennent toutes sortes d'enzymes protéiques pour manipuler l'ADN,

alors qu'elles en contiennent peu pour la maturation de l'ARN, et que finalement beaucoup de coenzymes sont des ribonucléotides (par ex. ATP, NAD⁺ et CoA), ont conduit à l'hypothèse que les ARN ont été les premiers catalyseurs biologiques avant l'apparition des cellules (le **monde de l'ARN**) et que les protéines, plus variées du point de vue chimique, sont apparues relativement tard dans l'évolution des macromolécules (Section 1-5C).

f. La structure par rayons X d'un ribozyme de groupe I

La séquence de l'intron de groupe I de *Tetrahymena*, ainsi que des comparaisons phylogénétiques, montrent qu'il renferme neuf segments en double hélice qui sont désignés par les codes P1 à P9 (Fig. 31-51a). Ce type d'analyse montre en outre que le cœur catalytique conservé des introns de groupe I, est constitué de jeux d'hélices tassées de façon coaxiale, séparées par des boucles internes et organisées en trois domaines, P1-P2, P4-P6 et P3-P9.

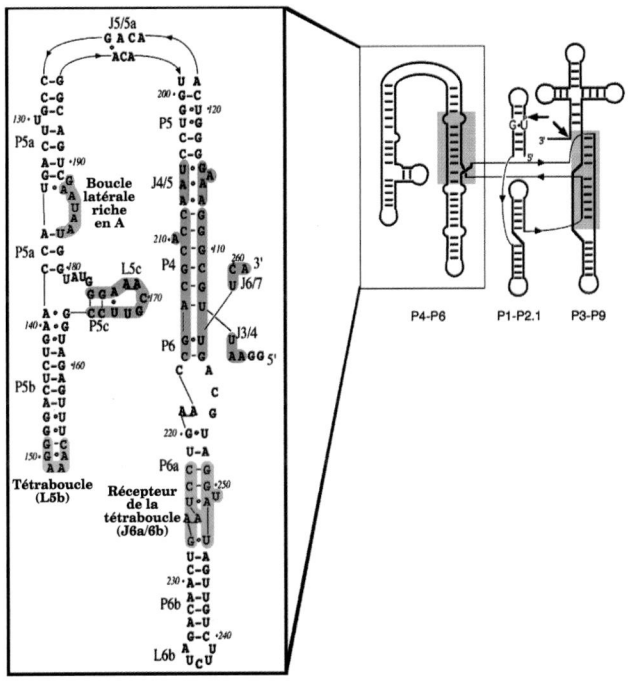

(a)

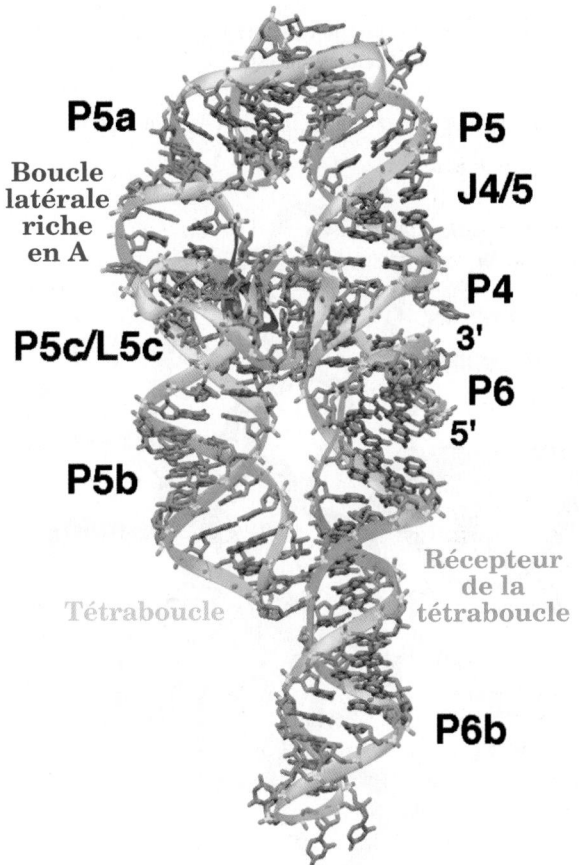

(b)

FIGURE 31-51 L'intron auto-épissable de groupe I de *Tetrahymena thermophila*. (*a*) La structure secondaire de tout l'intron de 413 nt est montrée sur la droite ; le cœur catalytique présentant une conservation phylogénétique est ombré en bleu-gris. Les régions hélicoïdales sont numérotées dans l'ordre le long de la séquence intronique avec des lettres, où P signifie région appariée, J, région de jonction, et L, région en boucle (« loop »), les flèches indiquent les sites 5′ et 3′ d'épissage. La séquence du domaine de 160 nt P4-P6, à repliement indépendant, est agrandie sur la gauche. Les segments d'intérêt fonctionnel sont mis en évidence comme suit : la tétraboucle GAAA est en bleu clair, le récepteur conservé de la tétraboucle est en rose, la boucle latérale riche en A, qui est nécessaire pour le repliement correct de P4-P6, est en bleu foncé, les segments conservés du cœur sont en vert pâle et en

rouge, et P5c est en bleu-gris. Les interactions par appariements de bases Watson-Crick et non-Watson-Crick sont représentées par de petits traits horizontaux et par de petits cercles. (*b*) La structure par rayons X de P4-P6 est vue sous le même angle qu'en a. La structure est représentée en modèle en bâtonnets avec les atomes C en vert, N en bleu, O en rouge et P en jaune. La chaîne sucre-phosphate est tracée comme un ruban, coloré de la même façon que dans la partie a pour ce qui est de la tétraboucle, du récepteur de la tétraboucle et de la boucle latérale riche en A, sinon, le reste est en jaune d'or. Notez les nombreuses interactions entre les différents segments de cette molécule d'ARN. [Partie a d'après un dessin de, et Partie b d'après une structure par rayons X de Jennifer Doudna, Université de Yale. PDBid 1GID.]

Des expériences de protection contre des modifications chimiques suggèrent que le domaine isolé P4-P6 de l'intron de groupe I de *Tetrahymena* se replie comme une unité indépendante. Si l'on combine ce domaine P4-P6 avec le reste de l'intron de *Tetrahymena* il forme un complexe à activité catalytique.

Jennifer Doudna et Cech ont déterminé la structure par rayons X du domaine P4-P6 de 160 nt de l'intron de groupe I de *Tetrahymena* (Fig. 31-51*b*). Lorsque cette structure a été publiée en 1997, elle faisait près du double de la taille de la plus grosse molécule d'ARN dont la structure avait été publiée auparavant, c'est-à-dire celle d'un ARNt de 76 nt (Section 32-2B). Pour l'essentiel, le domaine P4-P6 est constitué de deux jeux d'hélices d'ARN de type A tassées de façon coaxiale, l'un de 29pb et l'autre de 23 pb. Ses dimensions sont d'environ $25 \times 50 \times 110$ Å, les deux premières dimensions représentant respectivement les largeurs d'une des hélices d'ARN-A et celle des deux hélices d'ARN-A côte à côte.

Le domaine P4-P6 a été la première structure d'ARN connue, assez grande pour montrer le tassement d'hélices côte à côte. Un point particulièrement intéressant est ce qu'on nomme sa boucle latérale riche en A, une séquence de 7 nt le long du petit bras de cette macromolécule en forme de U, et la séquence de 6 nt au sommet du bras court du U, dont la séquence centrale GAAA a la conformation caractéristique appelée **tétraboucle** (« **tetraloop** »). Dans ces deux sous-structures, les bases sont tournées vers l'extérieur, ce qui les fait se presser les unes contre les autres et s'associer dans le petit sillon de segments spécifiques du grand bras du U, par des liaisons hydrogènes mettant aussi bien en jeu des résidus ribose que des bases. Dans l'interaction qui concerne la boucle latérale riche en U, l'entassement serré des phosphates d'hélices adjacentes est dû à des ions Mg^{2+} hydratés. Dans toute cette structure, les groupements 2′-OH, qui sont la caractéristique de l'ARN, servent à la fois de donneurs et d'accepteurs pour des liaisons hydrogène avec les phosphates, les bases et d'autres groupements 2′-OH.

Par après, Cech a conçu un autre ARN de 247 nt qui comprend en même temps les domaines P3-P6 et P3-P9 de l'intron de groupe I de *Tetrahymena*, auquel il a ajouté un G en 3′ qui joue le rôle de guanosine nucléophile interne. Cet ARN a une activité catalytique, il se fixe au domaine P1-P2 par des interactions tertiaires et grâce à son G catalytique en 3′, il clive P1 d'une façon semblable à celle de l'intron intact.

La structure par rayons X de ce ribozyme a été déterminée à une résolution de 5 Å (Fig. 31-52). À cette faible résolution, on peut tracer le squelette sucre-phosphate et les bases tassées apparaissent souvent comme des tubes de densité électronique continue, mais des caractéristiques à l'échelle atomique comme les interactions par liaisons hydrogène ne se voient pas. Dans cette structure, on ne voit apparemment pas de changement du domaine P4-P6 par rapport à quand il est isolé (Fig. 31-51*b*). Cette structure est également compatible avec un grand nombre de données biochimiques. Le tassement étroit des deux domaines forme une fente peu profonde qui semble capable de fixer la petite hélice qui contient le site 5′ d'épissage. Le site intronique de fixation de la guanosine est situé sur P7, dont la géométrie dévie assez fortement de la forme A de façon à créer un site de fixation bien adapté à son substrat qui est la guanosine. Il est clair que ce ribozyme est en grande partie préorganisé pour la fixation du substrat et la catalyse, tout comme dans le cas des enzymes protéiques.

g. Les ribozymes en tête de marteau catalysent une attaque nucléophile en ligne

Les ribozymes les plus simples et peut-être les mieux caractérisés que l'on connaît, font partie des ARN de certains virus de plantes, et sont appelés ribozymes en tête de marteau en raison de la vague ressemblance de la **représentation** habituelle de leurs structures secondaires avec un marteau de charpentier (Fig. 31-53*a*). Les ribozymes en tête de marteau ont trois tiges en duplex et un cœur conservé de deux segments non hélicoïdaux.

Ces ribozymes catalysent une réaction de transestérification dans laquelle la liaison 3′,5′-phosphodiester entre les nucléotides C-17 et A-1.1, est hydrolysée en produisant un phosphodiester-2′,3′ cyclique sur le nucléotide C-17 avec une inversion de configuration de l'atome P, et un groupe 5′-OH libre sur le nucléotide A-1.1, tout à fait comme le produit intermédiaire de la réaction d'hydrolyse d'un ARN catalysée par l'ARNase A (Section 15-1A). Cela fait penser que cette réaction se fait par un mécanisme « en ligne », comme celui dessiné dans la Fig. 16-6*b*, dans lequel l'état de transition forme un intermédiaire trigonal bipyramidal où l'attaquant nucléophile, le groupement 2′-OH (Y dans la Fig. 16-6*b*) et le groupement partant, qui forme le groupement libre 5′-OH (X

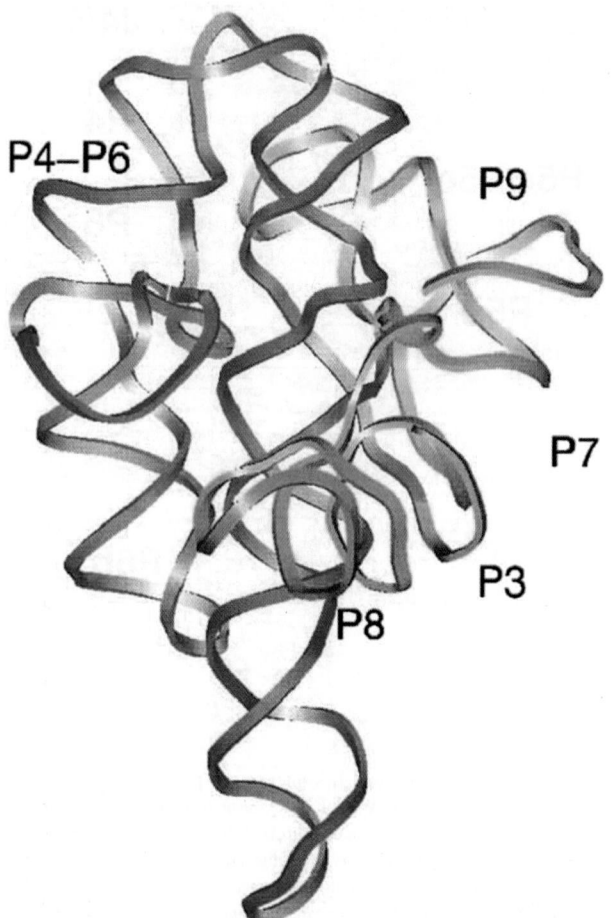

FIGURE 31-52 Structure par rayons X à basse résolution de l'intron de groupe I de *Tetrahymena* comprenant ses domaines P4-P6 (*en violet*) et P3-P9 (*en vert*). Le ribozyme, représenté par un ruban qui passe par ses groupements phosphates, est orienté de façon à voir son domaine P4-P6 comme dans la Fig. 31-51*b*. [Avec l'aimable autorisation de Thomas Cech, Université du Colorado. PDBid 1GRZ.]

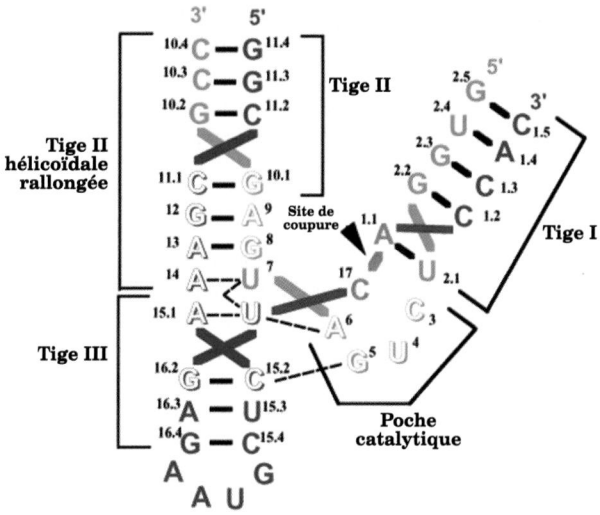

(a)

(b)

FIGURE 31-53 Structure par rayons X du ribozyme en tête de marteau. (*a*) Séquence et représentation schématique de la structure du ribozyme, avec son brin enzymatique de 16 nt en vert, et son brin substrat de 25 nt en bleu, cependant les nucléotides entourant le site de coupure (C-17 et A-1.1) sont en rouge. Les nucléotides essentiels et fortement conservés sont représentés par des lettres évidées, la numérotation correspond à la nomenclature universelle. Les interactions par appariements de

bases Watson-Crick ainsi que deux paires Hoogsteen G · A (Section 29-2C) sont indiquées par de simples traits noirs, les liaisons hydrogène simples entre les bases ou entre les bases et la chaîne des riboses sont indiquées par des lignes en pointillés. (*b*) Modèle en bâtonnets du ribozyme dans son état fondamental, coloré comme dans la Partie a . [Avec l'aimable autorisation de William Scott, Université de Californie, Santa Cruz. PDBid 1MME.]

dans la Fig. 16-6*b*), occupent les positions axiales. Dans les conditions physiologiques la réaction nécessite la présence de cations divalents, de préférence Mg^{2+} ou Mn^{2+}, en quantités millimolaires. Pourtant, le ribozyme peut fonctionner en l'absence de cations divalents si la concentration en cations monovalents est très forte (par ex. 4M Na^+, Li^+ ou NH_4^+). Cela suggère que les ions métalliques ont un rôle plus structural que catalytique dans les ribozymes en tête de marteau.

Afin de cristalliser un ribozyme en tête de marteau dans sa conformation native sans qu'il s'auto-détruise, William Scott et Aaron Klug l'ont synthétisé en remplaçant le résidu C-17 de son site de clivage par un 2′-méthoxy-C, ce qui bloque la formation du produit de réaction cyclique 2′-3′ à cette position. La structure par rayons X de cette forme du ribozyme, sans activité catalytique (Fig. 31-53*b*), montre qu'il a la structure secondaire attendue avec trois segments d'hélices A bien que sa forme générale ressemble davantage à un bréchet qu'à un marteau. Les nucléotides des tiges hélicoïdales forment des paires Watson-Crick normales, tandis que les nucléotides U-7 à A-9 forment des paires non Watson-Crick avec les nucléotides G-12 à A-14, dans lesquelles les atomes d'oxygène des riboses jouent le rôle de donneurs et d'accepteurs de liaisons hydrogène. Cela explique pourquoi la plupart des positions des hélices peuvent être occupées par n'importe quelle paire de bases Watson-Crick alors que peu de bases du cœur peuvent être changées sans une réduction de l'activité du ribozyme. La boucle tétranucléotidique totalement conservée GUGA forme une poche catalytique, dans laquelle la base du site de clivage, en l'occurrence C-17, s'insère.

La structure par rayons X de ce ribozyme dans cet état dit « fondamental » (Fig. 51-53*b*) montre que ses résidus C-17 et

A-1.1 ont la conformation d'un ARN-A normal, ce qui est incompatible avec une attaque en ligne de l'atome O2′ du résidu C-17 sur le groupe phosphate du site de coupure, pour former le produit 2′-3′ phosphodiester cyclisé (Fig. 31-54*a*). Pour piéger le ribozyme en tête de marteau dans une conformation capable de former

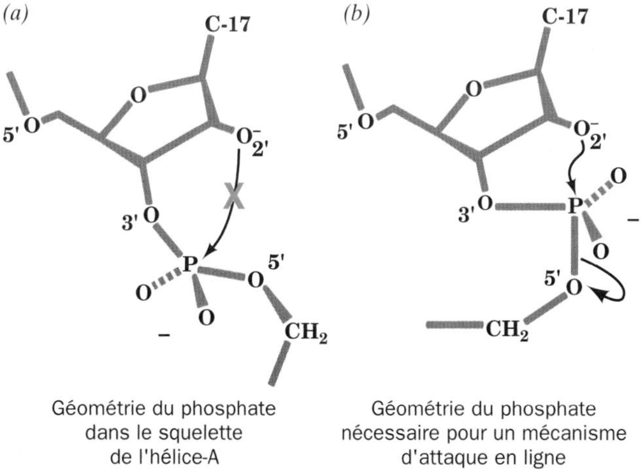

FIGURE 31-54 Conformation nécessaire pour une attaque nucléophile en ligne dans le ribozyme en tête de marteau. (*a*) Dans l'état fondamental du ribozyme, le résidu C-17 a la conformation de l'ARN-A idéal, son atome O2′ est donc à une distance angulaire de 90° par rapport à la position correcte pour une attaque en ligne du groupe phosphate du site de coupure. (*b*) Dans le ribozyme piégé cinétiquement dans sa conformation active, le groupement phosphate du site de coupure s'est mis dans la bonne position pour une attaque en ligne par l'atome O2′.

cet intermédiaire covalent, Scott l'a synthétisé sous forme modifiée, avec un 5′-*C*-méthyl-ribose sur le résidu A-1.1 :

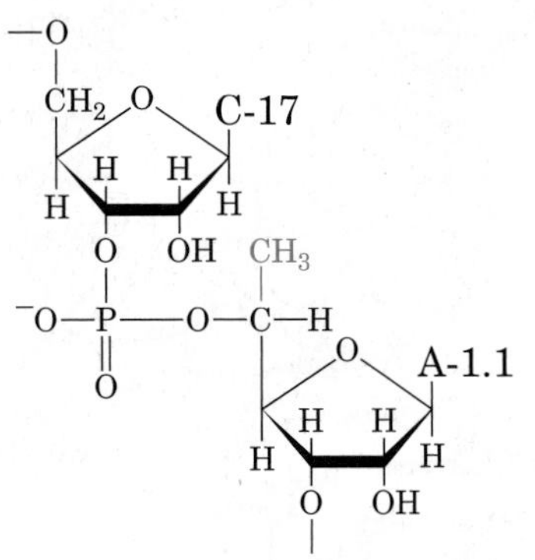

cela crée un goulet d'étranglement cinétique dans la réaction en stabilisant cette liaison qui devrait être clivée, cela est sans doute dû à la modification des propriétés électroniques du groupement partant. Un cristal de ce ribozyme modifié a été trempé dans un tampon à pH 8,5, contenant du Co^{2+}, pendant 30 min, avant sa congélation instantanée à des températures proches de celle de l'azote liquide ($-196\,°C$, où tous les mouvements moléculaires cessent). Sa structure par rayons X ne se distingue pas de celle de l'état fondamental du ribozyme. Cependant, la structure par rayons X d'un cristal obtenu après congélation instantanée et 2,5 heures de trempage présentait d'importants changements dans la région du site actif (Fig. 31-55). En particulier, la base et le ribose du résidu C-17 avaient subi une rotation de ~60°, ce qui provoque le tassement de la base sur celle du résidu A-6 (qui est elle-même tassée sur la base du résidu G-5). La base du résidu C-17 s'est ainsi déplacée de 8,7 Å. De plus l'oxygène du furanose du résidu A-1.1 s'est tassé sur la base du résidu C-17. Ce mouvement est le résultat d'un changement conformationnel au niveau du phosphate du site de coupure, qui le met en position d'alignement pour l'attaque nucléophile par l'atome O2′ du résidu C-17 (Fig. 31-54*b* et 31-55). En fait, des changements de conformation analogues avaient été prévus par des simulations de dynamique moléculaire sur le ribozyme en tête de marteau, en se basant sur la structure de son état fondamental.

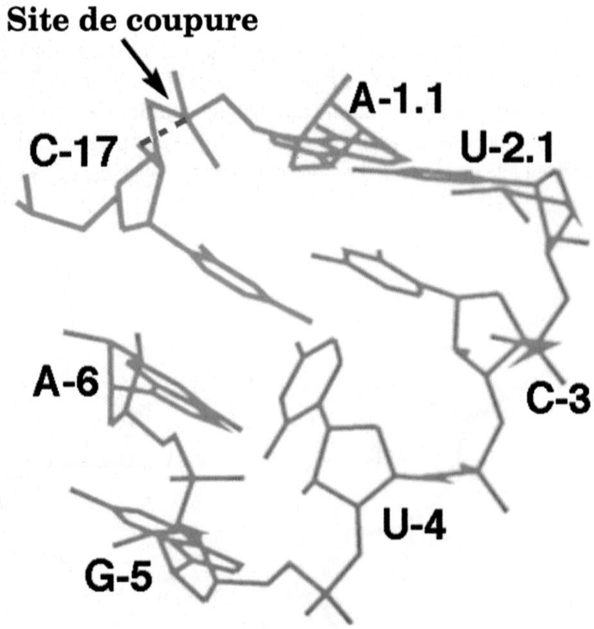

h. L'épissage se fait dans un spliceosome sous la dépendance de snRNP

Comment les sites d'épissage sont-ils reconnus et comment les deux exons qui doivent être réunis sont-ils rassemblés ? Une réponse partielle à cette question a été apportée par Joan Steitz en partant de l'hypothèse que la meilleure façon de reconnaître un acide nucléique est de le faire reconnaître par un autre acide nucléique. Le noyau des eucaryotes, on le sait depuis les années 1960, contient de nombreuses copies de plusieurs ARN très conservés de 60 à 300 nucléotides appelés **petits ARN nucléaires** (SnARN pour « Small nuclear »), qui forment des complexes protéiques appelés **petites particules ribonucléoprotéiques nucléaires** (snRNP ou « snurp »). Steitz s'aperçut que l'extrémité 5′ de l'un de ces SnARN, **le SnARN-U1** (appelé ainsi car membre d'une sous-famille de SnARN riches en U), est partiellement complémentaire de la séquence consensus des sites 5′ d'épissage. L'hypothèse selon laquelle *le SnARN-U1 reconnaît le site 5′ d'épissage* a été corroborée par le fait que l'épissage est inhibé par l'élimination sélective des séquences du SnARN-U1 complémentaires du site 5′ d'épissage ou par la présence d'anticorps anti-snRNP-U1 (produits par des malades souffrant de **lupus érythémateux**, une maladie auto-immune souvent fatale). Trois autres snRNP également impliquées dans l'épissage sont la snRNP-U2, la snRNP-U4-U6 (où les SnRNA-U4 et U6 s'associent par appariement de bases), et la snRNP-U5.

L'épissage a lieu dans une particule de ~45S encore mal caractérisée, surnommée le spliceosome (Fig. 31-56). Le spliceosome rassemble un pré-ARNm, les snRNP citées ci-dessus et différentes protéines se fixant au pré-ARNm. Notez que le spliceosome, constitué de 5 ARN et de ~65 polypeptides, a une taille et une complexité comparables à celles du ribosome (qui, chez *E. coli* est constituée de 3 ARN et de 52 polypeptides ; Section 32-3A). Il était généralement admis que les constituants du spliceosome s'assemblaient *de novo* sur chaque pré-ARNm substrat, mais John Abelson a récemment démontré que, du moins chez la levure, il s'agit d'un artefact dû à l'utilisation de fortes concentrations de sels non physiologiques. En fait, il semble que le spliceosome pré-assemblé s'associe d'un bloc avec le pré-ARNm. Le spliceosome est néanmoins une entité très dynamique dont les remaniements au cours de l'épissage sont consommateurs d'ATP. Par exemple, lors de la première réaction de transestérification qui produit la structure en lasso (Fig. 31-49), le spliceosome subit une série complexe de réarrangements qui sont schématisés dans la Fig. 31-57. De

FIGURE 31-55 Structure par rayons X de la poche catalytique de l'intermédiaire du ribozyme en tête de marteau piégé cinétiquement. Le segment tétranucléotidique CUGA invariable, du brin enzymatique qui forme la poche catalytique, est en vert et les résidus du brin substrat qui encadrent le groupement phosphate du site de coupure sont en rouge. La ligne pointillée bleue, qui marque la trajectoire que doit prendre l'atome O2′ du résidu C-17 pour effectuer l'attaque nucléophile de l'atome de phosphore, est en ligne avec la liaison qui attache cet atome de phosphore à l'atome O5′ du résidu A-1.1, le groupement partant. [D'après Murray, J.B., Terwey, D.P., Maloney, L., Karpeisky, A., Usman, N., Beigleman, L., et Scott, W.G., *Cell* **92**, 665 (1998). PDBid 379D.]

FIGURE 31-56 Micrographie électronique de spliceosomes en action.
Un gène de *Drosophila* de ~6kb de long entre par le coin supérieur
gauche de la micrographie et sort par le coin inférieur droit. La transcription commence près du point marqué par un astérisque. La chaîne naissante d'ARN forme des microfibrilles de longueurs croissantes qui partent de l'ADN. Les transcrits subissent un épissage cotranscriptionnel
comme le montre la formation progressive, puis la perte des boucles d'introns près de l'extrémité 5′ des ARN transcrits (flèches). Les billes à la
base de chaque boucle d'intron, de même que d'autres qui sont situées
sur les transcrits, sont des spliceosomes. La grande flèche pointe vers un
transcrit près de l'extrémité 3′ du gène qui n'est plus attaché à la matrice
d'ADN et qui semble donc être terminé depuis peu et avoir été libéré. La
barre d'échelle a une longueur de 200nm. [Avec l'aimable autorisation de
Ann Beyer et Yvonne Osheim, Université de Virginie.]

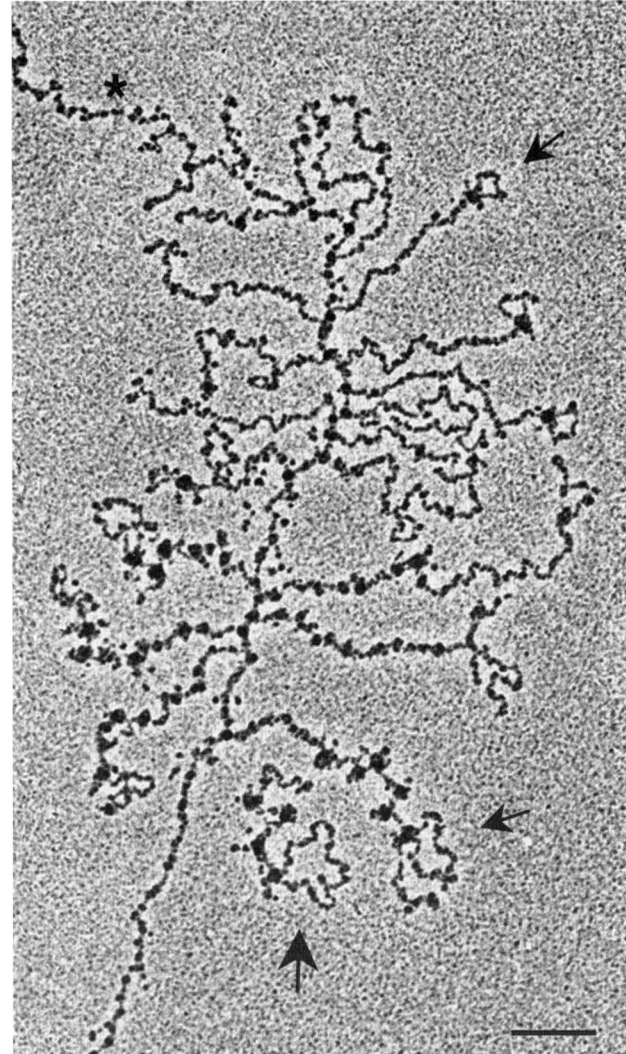

même, d'importants réarrangements sont nécessaires pour effectuer la deuxième réaction de transestérification et pour recycler le
spliceosome, en vue de réactions d'épissage ultérieures.

On avait pensé au départ que les réactions d'épissage étaient
catalysées par des protéines, mais leur ressemblance chimique
avec les réactions effectuées par les introns auto-épissables de
groupe II font penser, comme nous l'avons déjà dit plus haut,
que ce sont les SnARN qui catalysent l'épissage des pré-ARNm
(Les introns des pré-ARNm ont des séquences tellement
variables en dehors de leurs sites d'épissage et de leur site de
branchement, qu'il est peu probable qu'il jouent un rôle actif
dans l'épissage). En effet, James Manley a montré qu'en l'absence de protéines, des segments des SnARN-U2 et U6 catalysent une réaction dépendante de Mg^{2+}, qui ressemble à la première étape de transestérification, sur un ARN intronique
contenant un site de branchement.

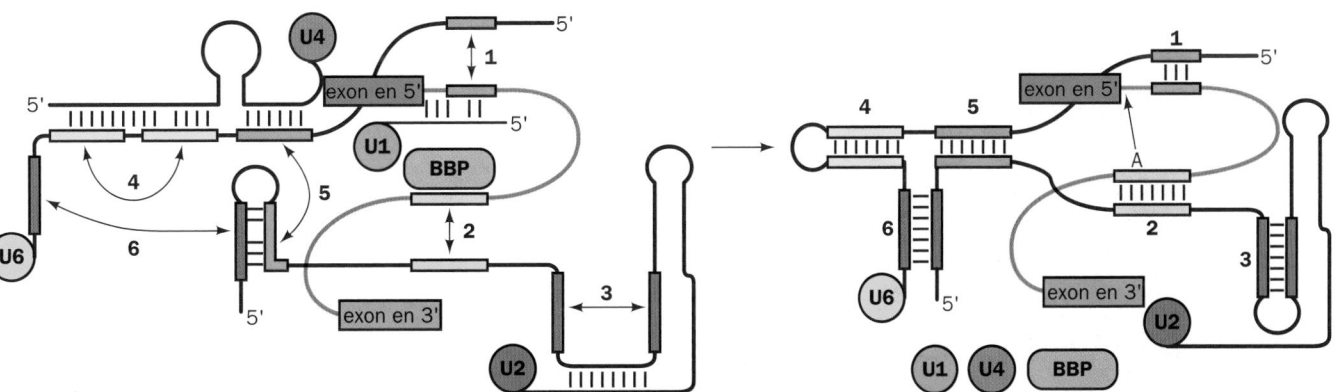

**FIGURE 31-57 Représentation schématique des six réarrangements
que doit subir le spliceosome lors de la première étape de transestérification de l'épissage d'un pré-ARNm.** L'ARN a un code couleur qui
indique les segments qui vont s'apparier. Les lignes noires et vertes
représentent les snARN et le pré-ARNm, BBP est la protéine de liaison
au point de branchement. U5, qui participe à la seconde réaction de transestérification a été laissé de coté pour plus de clarté. (1) Échange de U1
contre U6 qui s'apparie au site 5′ d'épissage de l'intron. (2) Échange de
BBP contre U2 qui se lie au site de branchement de l'intron. (3) Réarran-

gement intramoléculaire de U2. (4) Désappariement d'une tige appariée
entre U4 et U6 pour former une tige-boucle dans U6. (5) Désappariement
d'une deuxième tige entre U4 et U6 pour former une tige entre U2 et U6.
(6) Désappariement d'une tige de U2 pour former une deuxième tige
entre U2 et U6. L'ordre de ces réarrangements n'est pas clair. La réaction
de transestérification est représentée par une flèche allant du résidu A
dans le segment jaune du pré-ARNm (*schéma de droite*) vers l'extrémité
3′ de l'exon en 5′. [D'après Staley, J.P., et Guthrie, C., *Cell* **92**, 315
(1998).]

i. L'épissage nécessite aussi des facteurs d'épissage

Différentes protéines, appelées facteurs d'épissage, participent également à la réaction d'épissage mais ne sont pas des facteurs intrinsèques du spliceosome. Parmi elles, citons la **protéine de liaison au point de branchement** [**BBP**, aussi appelée **SF1** (splicing factor 1)] et la **protéine auxiliaire de la snRNP-U2** (**U2AF** pour « U2-snRNP auxiliary factor »), qui aide à la sélection du point de branchement de l'intron. U2AF se fixe à une séquence de polypyrimidines située en amont du site 3′ d'épissage (Fig. 31-49 et 31-57). La structure par RMN d'un complexe entre un fragment de 131 résidus se liant à l'ARN, issu de la protéine BBP de 638 résidus, et un ARN de 11 nucléotides contenant un point de branchement, a été déterminée par Michael Sattler. Elle montre que l'ARN a une conformation allongée et est en grande partie enfoui dans un sillon bordé de résidus aliphatiques et basiques (Fig. 31-58). L'adénosine du point de branchement, dont la mutation empêche la fixation de BBP, est profondément enfouie et se fixe à BBP par des liaisons hydrogène qui miment une paire de bases avec l'uracile.

D'autres facteurs d'épissage sont, par exemple, les protéines **SR** et d'autres membres de la famille des **ribonucléoprotéines nucléaires hétérogènes** (**hnRNP**). Les protéines SR ont toutes un ou plusieurs domaines RRM près de leur extrémité N-terminale et un domaine RS distinctif C-terminal riche en résidus Ser et Arg (SR) qui participe à des interactions protéine-protéine. Les protéines SR se fixent de façon spécifique à des activateurs exoniques d'épissage (ESE) pour recruter la machinerie d'épissage aux sites 5′ et 3′ d'épissage bordant cet exon. Les protéines des hnRNP sont des protéines très abondantes qui se fixent à l'ARN, elles n'ont pas de domaine RS, nous allons maintenant étudier leurs fonctions.

Une interprétation simpliste de la Fig. 31-49 laisserait penser que n'importe quel site 5′ d'épissage pourrait être joint à n'importe quel site 3′ d'épissage situé en aval de lui, ce qui entraînerait l'élimination de tous les exons situés entre eux deux, ainsi que des introns intercalés entre ces exons. Pourtant, il n'y a normalement pas de « **saut d'exon** » de ce type (voir cependant plus loin). En fait, tous les introns du pré-ARNm sont excisés individuellement selon un ordre qui semble en grande partie fixé et qui se fait plus ou moins dans une direction 5′ → 3′. Cela est dû, au moins en partie, au fait que l'épissage est co-transcriptionnel. Ainsi, lorsqu'un exon nouvellement synthétisé émerge de la RNAP II, les facteurs d'épissage s'y fixent, ceux-ci sont d'ailleurs également fixés au domaine C-terminal phosphorylé de la RNAP II (CTD ; Section 31-2E). L'exon, avec le spliceosome qui lui est associé, est ainsi arrimé au domaine CTD de façon à assurer son épissage avec l'exon suivant qui émergera de la RNAP II.

j. Les structures spliceosomiales

Les quatre snRNP impliquées dans l'épissage des pré-ARNm contiennent le même cœur de protéines appelé **cœur protéique snRNP**. Il comporte sept **protéines Sm** (appelées ainsi parce qu'elles réagissent avec des anticorps auto-immuns de sérotype Sm de patients atteints de lupus érythémateux systémique). On les nomme protéines **B/B′, D₁, D₂, D₃, E, F et G** [B et B′ sont les produits d'un seul gène à la suite d'un épissage alternatif (voir plus loin) et ne diffèrent l'une de l'autre que par leurs 11 résidus C-terminaux]. Chacune de ces protéines Sm contient deux segments constants, Sm1 et Sm2, séparés par un segment de jonction de longueur variable. Les sept protéines Sm se lient ensemble à une séquence conservée de l'ARN, le **motif d'ARN Sm**, que l'on trouve dans les snARN-U1, U2, U4 et U5, et dont la séquence simple brin est AAUUUGUGG. Cependant, en l'absence d'un snARN-U, les protéines Sm forment trois complexes stables constitués respectivement de D₁ et D₂, de D₃ et B/B′ et de E, F et

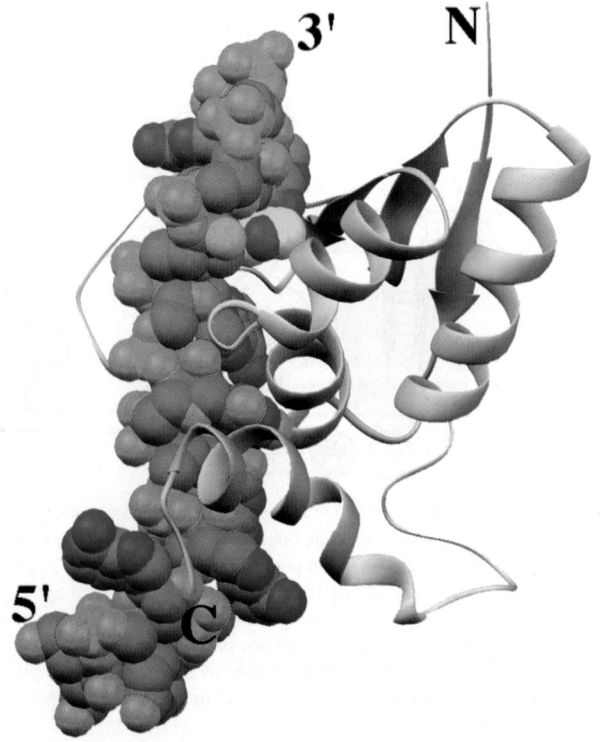

FIGURE 31-58 Structure par RMN de la partie de la protéine BBP humaine se fixant au point de branchement de l'ARN, complexée avec son ARN cible. L'ARN de 11 nt a la séquence 5′-UAUACUAA-CAA-3′, dans laquelle on a souligné la séquence du site de branchement, valable pour la levure et les vertébrés. L'ARN est en modèle compact avec les atomes C en vert, N en bleu foncé, O en rouge et P en rose, mais les atomes C de l'adénine du point de branchement sont en jaune et l'atome O2′ du point de branchement est en bleu clair. [D'après une structure par RMN de Michael Sattler, Laboratoire Européen de Biologie Moléculaire, Heidelberg, RFA. PDBid 1K1G.]

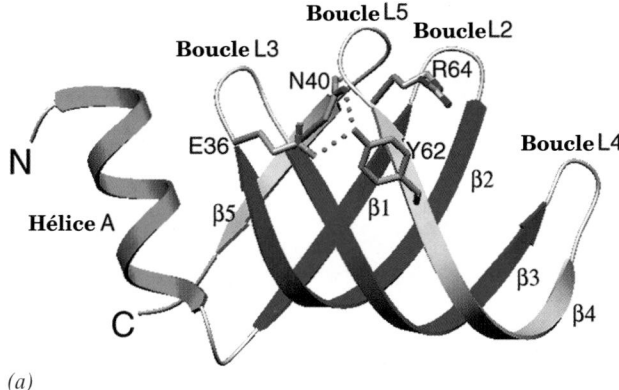

(a)

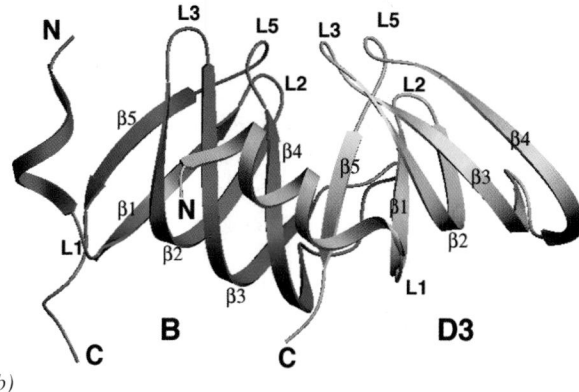

(b)

FIGURE 31-59 Structure par rayons X des protéines Sm. (*a*) Structure de la protéine D$_3$. L'hélice N-terminale et les brins β de son domaine Sm1 sont respectivement en rouge et en bleu, les brins β de son domaine Sm2 sont en jaune. Les protéines Sm B, D$_1$ et D$_2$ ont des structures similaires avec leurs boucles L4 et leurs segments N-terminaux, y compris l'hélice A, qui constituent leurs parties les plus variables. Plusieurs résidus fortement conservés sont montrés en modèle en bâtonnets

(avec C en gris, N en bleu et O en rouge). Un réseau conservé de liaisons hydrogène est représenté par des lignes vertes pointillées. (*b*) Le dimère D$_3$B avec D$_3$ en jaune d'or et B en bleu. Le brin b5 de D$_3$ s'associe avec le brin β4 de B pour former un feuillet β antiparallèle continu. Notez que les boucles correspondantes s'étendent dans des directions similaires. [Avec l'aimable autorisation de Kiyoshi Nagai, Laboratoire de Biologie Moléculaire MRC, Cambridge, G.B. PDBid 1D3B.]

G. Aucun de ces complexes ne se fixe seul à un snARN-U. En fait les complexes D$_1$D$_2$ et EFG forment un sous-cœur de snRNP avec

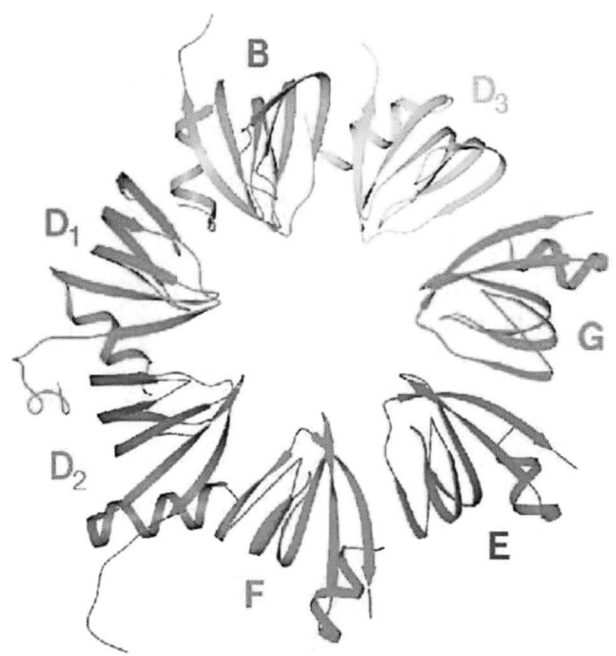

FIGURE 31-60 Un modèle du cœur protéique des snRNP. Ses sept protéines Sm, colorées de façon différente, ont été disposées sur un anneau heptamérique, en se basant sur les structures des composants D$_3$B et D$_1$D$_2$. Les autres interactions d'appariement sont déduites de données biochimiques et de données de mutagénèse. Cet anneau heptamérique a un diamètre externe de 70 Å et un trou central avec un diamètre de 20 Å, si l'on ne considère que les atomes des chaînes principales. [Avec l'aimable autorisation de Kiyoshi Nagai, Laboratoire de Biologie Moléculaire MRC, Cambridge, G.B.]

un snARN-U, auquel se fixe D$_3$B pour former le **domaine cœur Sm** complet.

La structure par rayons X des hétérodimères D$_3$B et D$_1$D$_2$ a été déterminée par Reinhard Lührmann et Kiyoshi Nagai. Elle montre que ces quatre protéines ont un repliement identique qui est constitué d'une hélice N-terminale suivi d'un feuillet de 5 brin β antiparallèles, dont la forte courbure ménage un cœur hydrophobe (Fig. 31-59*a*). Les sous-unités des deux dimères sont associées d'une manière similaire où la jonction entre les feuillets β est assurée par une association respective des brins β5 de D$_3$ et de D$_1$ avec les brins β4 de B et de D$_2$ (Fig. 31-59*b*).

Les structures des complexes D$_3$B et D$_1$D$_2$ suggèrent que les sept protéines Sm pourraient former un anneau heptamérique. Des données biochimiques et d'autres de mutagénèse indiquent que dans le complexe EFG, la protéine E est située au centre et se fixe au coté β5 de F et au coté β4 de G. De plus, des expériences de type double-hybride chez la levure (Section 19-3C) indiquent que D$_2$ et F interagissent à la façon de D$_3$ et G. On en a déduit le modèle du cœur protéique des SnRNP, qui est dessiné dans la Fig. 31-60. Le trou central en forme d'entonnoir est positivement chargé et suffisamment grand pour permettre le passage d'ARN simple brin, mais pas d'un double brin. Les boucles L2, L3, L4 et L5 de chacune des sept protéines font saillie dans le trou central où elles semblent prêtes à fixer des ligands. Ce modèle est corroboré par la structure par rayons X d'une protéine de type Sm de l'archae hyperthermophile *Pyrobaculum aerophilum*, déterminée par David Eisenberg, qui forme un anneau homoheptamérique similaire à celui du modèle. Cette structure est également à la base d'une hypothèse selon laquelle les sept protéines Sm des eucaryotes proviennent d'une série de duplications d'un gène de protéine de type Sm d'une archae.

La snRNP-U1 des mammifères contient le snARN-U1 et dix protéines : les sept protéines Sm communes à toutes les snPRNP ainsi que trois protéines spécifiques de la snRNP-U1, qui sont

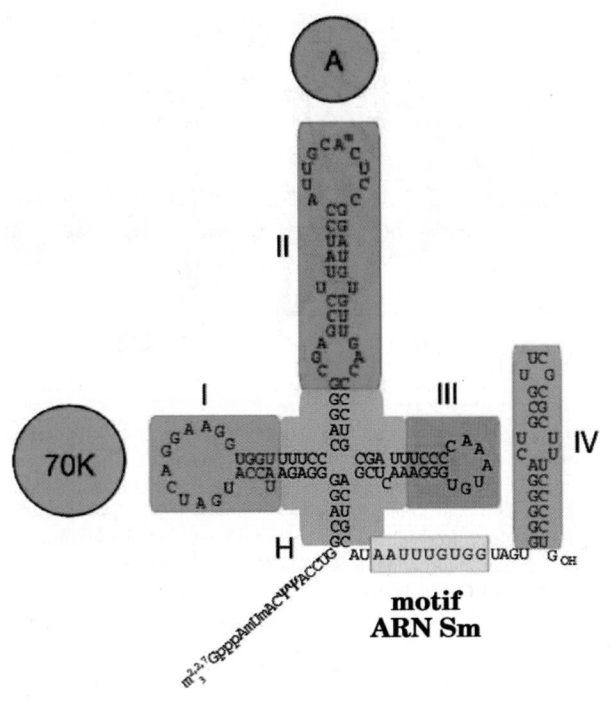

(a)

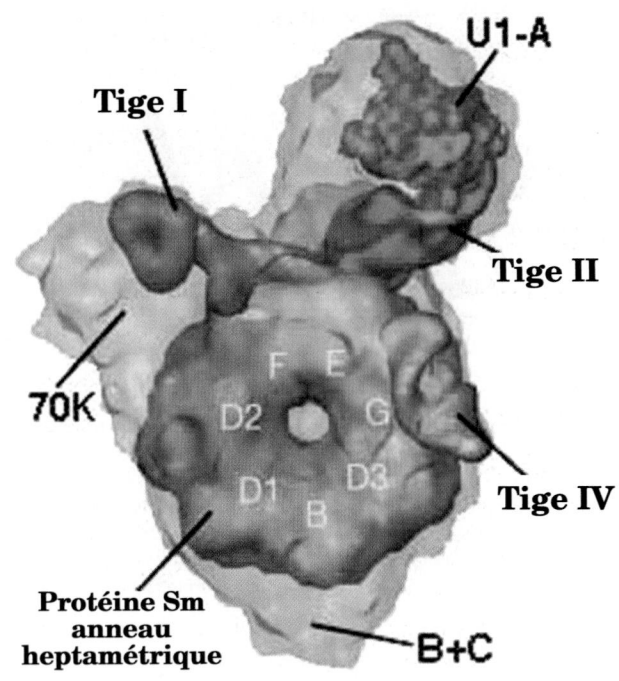

(b)

FIGURE 31-61 Structure de la snRNP-U1 à une résolution de 10 Å basée sur des données de microscopie électronique. (*a*) La structure secondaire présomptive du snARN-U1 avec les positions de fixation des protéines U1-70K et U1-A. (*b*) Silhouette de la snRNP-U1 en bleu pâle, avec le composant en anneau du cœur de protéines Sm en jaune (il est vu de l'autre coté par rapport à la Fig. 31-60) et le snARN-U1 coloré comme dans la partie *a*. (*c*) Le snARN-U1 coloré comme dans la partie *a*. [Avec l'aimable autorisation de Holgar Stark, Institut Max Planck de Chimie Biophysique, Göttingen, RFA.]

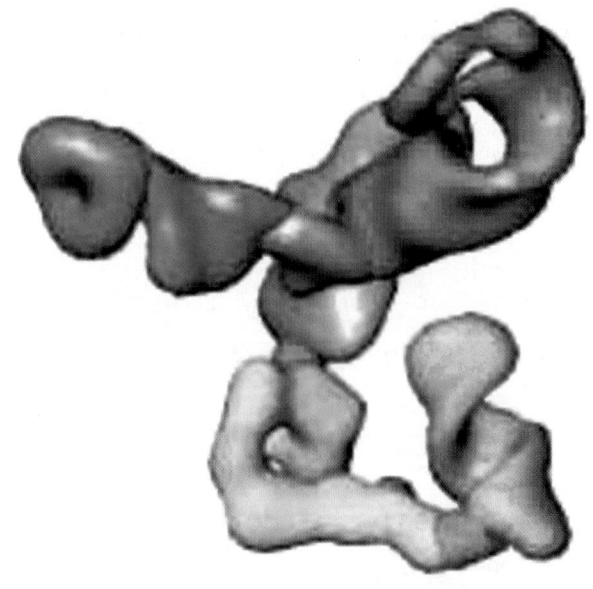

(c)

U1-70K, **U1-A** et **U1-C.** La structure secondaire prédite pour le snARN-U1 de 165 nt (Fig. 31-61*a*) contient cinq tiges en double hélice, dont quatre se rejoignent à un point de jonction en croix. Les protéines U1-70K et U1-A se fixent respectivement directement aux tiges boucles I et II de l'ARN, tandis que U1-C se fixe aux autres protéines.

L'image de la snRNP-U1 d'après des images de microscopie électronique à une résolution de 10 Å (Fig 31-61*a*) est due à Holgar Stark et Lührmann. Sa caractéristique la plus remarquable est un corps en forme d'anneau d'un diamètre de 70 à 80 Å percé au centre d'un trou en forme d'entonnoir qui correspond tout à fait au modèle du cœur de protéines Sm de la Fig. 31-60. La nature des protéines sur les différentes protubérances de la snRNP-U1 a été déduite d'expériences de fixation et de liaisons covalentes, ainsi que de micrographies électroniques de snRNP-U1 dépourvues des protéines U1-A ou U1-70K. Les positions des différents éléments structuraux du snARN-U1 (Fig. 31-61*c*), qui ont été déduites sur la base des interactions protéines-ARN connues, indiquent que le motif ARN-Sm, passe en fait à travers le trou central du cœur des protéines Sm.

k. L'importance de l'épissage des pré-ARNm

L'analyse de l'ensemble des séquences d'ADN connues montre que les introns sont rares dans les gènes structuraux des proca-

ryotes, qu'ils sont rares chez les eucaryotes inférieurs comme la levure (qui a en tout 239 introns dans ses ~6000 gènes et, à part deux exceptions, un seul intron par polypeptide codé), et qu'ils sont abondants chez les eucaryotes supérieurs (les seuls gènes structuraux des vertébrés sans introns sont ceux codant les histones et les protéines antivirales appelées interférons). Les introns des pré-ARNm peuvent, comme nous l'avons déjà vu, être fort long et beaucoup de gènes en contiennent un grand nombre. Par conséquent, les séquences non exprimées représentent ~80 % d'un gène structural quelconque de vertébré et plus de 99 % pour quelques uns d'entre eux.

L'argument selon lequel les introns ne seraient que des parasites moléculaires (junk DNA, « **ADN poubelle** ») ne semble pas tenir la route car on ne voit pas comment expliquer l'avantage évolutif qu'il y aurait à développer une machinerie complexe d'épissage plutôt que d'éliminer les gènes en morceaux. Quelle est alors la fonction de l'épissage ? Bien que depuis sa découverte la signification de l'épissage ait souvent fait l'objet de débats passionnés, deux rôles importants se sont dégagés : (1) c'est un facteur d'évolution rapide des protéines, et (2) grâce à l'épissage alternatif, un seul gène peut coder plusieurs protéines (parfois nombreuses), dont les fonctions peuvent être significativement différentes. Dans les prochains paragraphes, nous allons étudier ces aspects de l'épissage des pré-ARNm.

l. Beaucoup de protéines eucaryotiques sont constituées de modules que l'on retrouve dans d'autres protéines

Le récepteur des LDL est une protéine de la membrane plasmique de 839 résidus, qui sert à fixer les lipoprotéines de faible densité (LDL, pour low-density lipoprotein) à des puits tapissés de clathrine avant leur transport dans la cellule par endocytose (Section 12-5B). Le gène de 45 kb du LDL contient 18 exons, dont la plupart codent des domaines spécifiques de la protéine. *En outre, 13 de ces exons spécifient des segments polypeptidiques qui sont homologues de segments trouvés dans d'autres protéines :*

1. Cinq exons codent une heptade de répétitions d'une séquence de 40 résidus, que l'on retrouve en un exemplaire dans le facteur **C9 du complément** (une protéine du système immunitaire ; Section 35-2F).

2. Trois exons codent chacun une répétition de 40 résidus, semblable à celle que l'on trouve quatre fois dans le **facteur de croissance épidermique** (**EGF** ; Section 19-3C) et une fois dans

chacun des trois facteurs de coagulation sanguine : le **facteur IX**, le **facteur X** et la **protéine C** (Section 35-1).

3. Cinq exons codent une séquence de 400 résidus ayant 30 % d'identité avec un segment polypeptidique que l'on ne retrouve que dans EGF.

Il est clair que le récepteur des LDL a une construction modulaire, à partir d'exons qui ont aussi servi pour coder des portions d'autres protéines. Beaucoup d'autres protéines eucaryotiques sont constituées de façon similaire. Parmi elles, on trouve, comme nous l'avons vu, de nombreuses protéines servant à la transduction d'un signal (par ex. celles contenant des domaines SH2 et SH3 ; Chapitre 10). *Il semble donc que les gènes codant ces protéines modulaires sont apparus par le rassemblement successif d'une collection d'exons assemblés par recombinaison (aberrante) entre leurs introns voisins.*

m. L'épissage alternatif augmente substantiellement le nombre de protéines codées par les génomes eucaryotiques

L'expression de nombreux gènes cellulaires est modulée par la sélection de sites d'épissage alternatifs. C'est ainsi que certains exons dans un type cellulaire peuvent être des introns dans un autre type cellulaire. Chez le rat, par exemple, un gène unique code sept variants spécifiques de différents tissus, d'une protéine musculaire, l'α-tropomyosine (Section 35-3B), grâce à la sélection de sites d'épissage alternatifs (Fig. 31-62).

L'épissage alternatif existe chez tous les métazoaires et de façon particulièrement importante chez les vertébrés. En fait, on estime que jusqu'à 60 % des gènes structuraux humains feraient l'objet

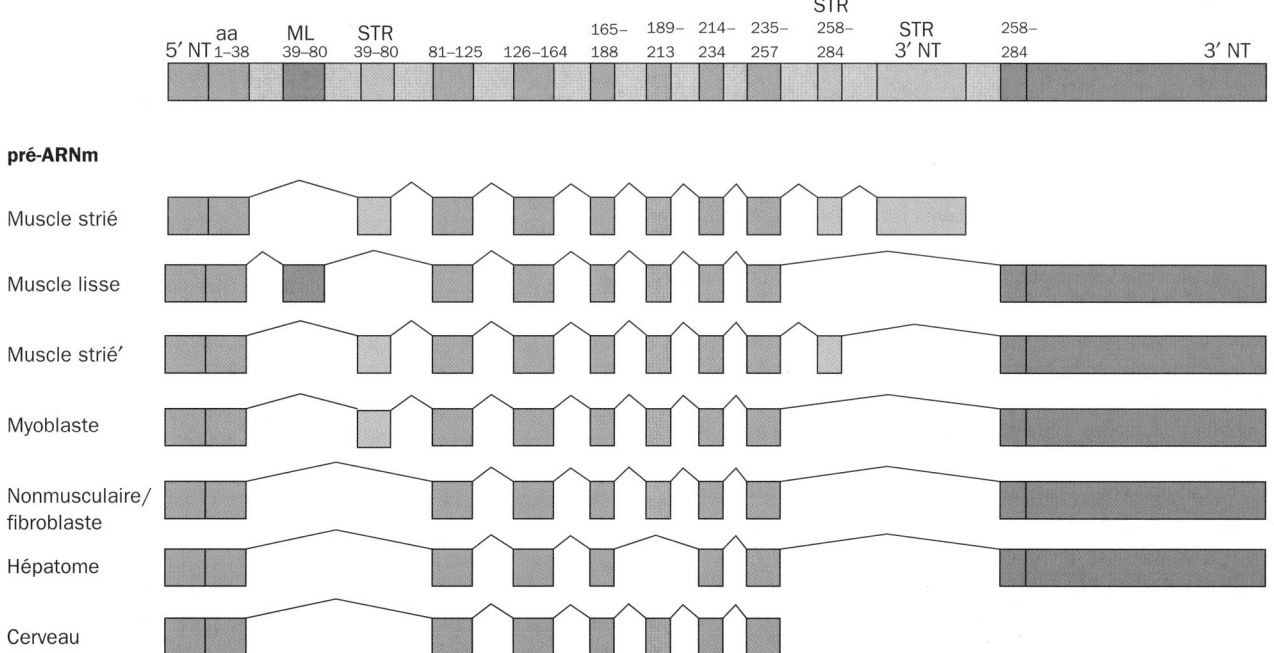

FIGURE 31-62 Organisation du gène de l'α-tropomyosine de rat avec les sept voies d'épissage alternatif qui génèrent les variants d'α-tropomyosine spécifiques d'un type cellulaire. Les traits fins indiquent la position occupée par les introns, avant leur excision lors de l'épissage pour former l'ARNm. Les exons spécifiques d'un tissu sont indiqués, tout comme les résidus d'acides aminés (aa) qu'ils codent. Les exons constitutifs (ceux présents dans tous les tissus) sont en vert, ceux exprimés seulement dans le muscle lisse (ML) sont en brun, Ceux exprimés seulement dans le muscle strié (STR) sont en violet, et ceux exprimés de façon variable sont en jaune. Notez que les exons des muscles lisse et strié, codant les résidus d'acides aminés 39 à 80, sont mutuellement exclusifs. Il existe de la même façon, des exons 3' non traduits (UT) alternatifs. [D'après Breitbart, R.E., Andreadis, A., et Nadal-Ginard, B., *Annu. Rev. Biochem.* **56**, 481 (1987).]

d'un épissage alternatif. C'est peut être une explication rationnelle de la distorsion entre les quelques 30 000 gènes identifiés dans le génome humain (Section 7-2B) et les estimations antérieures qui tablaient sur un contenu de 50 000 à 140 000 gènes structuraux.

La variation au niveau de l'ARNm peut prendre différentes formes. Des exons peuvent être retenus ou sautés dans un ARNm, les introns peuvent être excisés ou conservés, et les positions des sites 5′ et 3′ d'épissage peuvent être déplacées pour produire des exons plus courts ou plus longs. Des modifications du site d'initiation de la transcription et/ou du site de polyadénylation peuvent aussi contribuer à la diversité des ARNm transcrits à partir d'un seul gène. Un exemple particulièrement frappant est celui de la protéine **DSCAM** de *Drosophila*, qui sert au développement neuronal. Elle est codée par 24 exons dont 12 sont des variants mutuellement exclusifs de l'exon 4, 48 des variants mutuellement exclusifs de l'exon 6, 33 des variants mutuellement exclusifs de l'exon 9, et 2 des variants mutuellement exclusifs de l'exon 17 (on parle alors d'**exons cassettes**). On a ainsi un total de 38 016 variants possibles de cette protéine (à comparer aux ~13 000 gènes identifiés dans le génome de *Drosophila*). Bien qu'on ne sache pas si tous les variants possibles de DSCAM sont produits, des faits expérimentaux indiquent que le gène *Dscam* en exprime de nombreux milliers. Il est évident que le nombre de gènes du génome d'un organisme ne fournit pas à lui seul une estimation correcte de la diversité de ses protéines. On a en effet estimé que chaque gène structural humain coderait trois protéines différentes.

Au niveau des protéines exprimées, les types de changements dus à l'épissage alternatif concernent l'ensemble du spectre de leurs propriétés et de leurs fonctions. Il peut y avoir délétion ou insertion de domaines fonctionnels complets mais aussi d'un seul résidu d'acide aminé, il peut aussi y avoir insertion d'un codon d'arrêt qui tronque le polypeptide exprimé. Des variations d'épissage peuvent, par exemple, contrôler soit la nature soluble ou liée à une membrane, soit la possibilité d'être phosphorylé par une kinase donnée, soit la localisation subcellulaire où sera adressée la protéine, soit la possibilité pour un enzyme de fixer un effecteur allostérique particulier, soit enfin l'affinité avec laquelle un récepteur fixera un ligand. Des changements dans l'ARN, notamment dans les régions non codantes, peuvent aussi influencer sa vitesse de traduction et sa susceptibilité à être dégrader. Du fait que la sélection de sites alternatifs d'épissage est à la fois spécifique du tissu et du stade de développement, le choix des sites doit être étroitement régulé, aussi bien dans l'espace que dans le temps. En fait, ~15 % des maladies génétiques humaines sont causées par des mutations ponctuelles entraînant des défauts d'épissage du pré-ARNm. Certaines de ces mutations détruisent des sites fonctionnels, ce qui provoque l'activation de **sites cryptiques d'épissage** proches, préexistants. D'autres mutations génèrent de nouveaux sites d'épissage qui sont utilisés au lieu des sites normaux. De plus, la progression tumorale est corrélée avec des changements de concentration de protéines impliquées dans la sélection de sites alternatifs d'épissage.

Comment les sites alternatifs d'épissage sont-ils sélectionnés ? Les exemples les mieux compris de ce type de processus font partie des voies responsables de la détermination du sexe de *Drosophila*, nous allons en étudier deux :

1. L'exon 2 du pré-ARNm de *transformer* (*tra*) contient deux sites 3′ d'épissage alternatifs (à la fin de l'intron 1 qui sera excisé). Le site proximal (le plus près de l'exon 1) est utilisé chez les mâles

et le site distal (le plus loin de l'exon 1) est utilisé chez les femelles (Fig. 31-63*a*). La région entre ces deux sites contient un codon d'arrêt (UAG). Chez les mâles, le facteur d'épissage U2AF se fixe au site 3′ d'épissage proximal et on obtient un ARNm contenant ce codon d'arrêt prématuré, cet ARN dirige la synthèse d'une protéine **TRA** tronquée et donc non fonctionnelle. Chez les femelles, par contre, on a fixation sur ce site 3′ d'épissage proximal de la protéine **SXL**, produit du gène *sex-lethal* (*sxl*), qui n'est exprimé que chez les femelles. La protéine U2AF est ainsi empêchée de se fixer et va plutôt se fixer sur le site 3′ d'épissage distal, ce qui entraîne l'excision de la séquence contenant le codon UAG et induit la synthèse d'une protéine TRA fonctionnelle.

2. Dans le pré-ARNm de *doublesex* (*dsx*), les trois premiers exons sont épissés de façon constitutive (permanente) chez les mâles comme chez les femelles. Le site de branchement situé en amont de l'exon 4 a une séquence de polypyrimidines sous-optimale à laquelle la protéine U2AF ne se fixe pas (Fig. 31-63*b*). Ainsi, chez les mâles, l'exon 4 n'est pas inclus dans l'ARNm *dsx*, cela entraîne la synthèse d'une protéine **DSX-M** spécifique des mâles, qui sert de répresseur des gènes spécifiques des femelles. Par contre, chez les femelles, la protéine TRA est à l'origine de la fixation coopérative de la protéine SR **RBP1** et de la protéine ressemblant aux protéines SR, **TRA2** [le produit du gène *transformer 2* (*tra-2*)], sur six copies d'un activateur d'épissage exonique (ESE) situées dans l'exon 4. Ce complexe hétérotrimérique attire la machinerie d'épissage sur le site 3′ d'épissage en amont de l'exon 4 et entraîne son inclusion dans l'ARNm dsx. La protéine spécifique des femelles **DSX-F** que l'on obtient est un répresseur des gènes spécifiques des mâles.

Ainsi, la synthèse d'une protéine TRA fonctionnelle nécessite la répression d'un site d'épissage, tandis que la synthèse d'une protéine DSX-F, spécifique des femelles, nécessite l'activation d'un site d'épissage. Des mécanismes similaires de sélection des sites alternatifs d'épissage ont été identifiés chez les vertébrés.

n. Les introns AU-AC sont excisés par un nouveau spliceosome

Une petite fraction des introns (~0,3 %) commencent par un dinucléotide AU à leur extrémité 5′ plutôt que GU et se terminent en 3′ par AC plutôt que par AG, ils sont cependant excisés via une structure en lasso impliquant un nucléotide A interne de l'intron. Ces introns nommés **introns AU-AC** (ou encore **introns AT-AC** d'après leur séquence dans l'ADN), que l'on trouve chez des organismes aussi variés que *Drosophila*, les plantes ou l'être humain, sont excisés par un nouveau spliceosome appelé **spliceosome AU-AC** (ou **spliceosome AT-AC**), qui a la même snRNP-U5 que le spliceosome majeur (GU-AG) et trois autres snRNP : **U11**, **U12** et **U4atac-U6atac**, qui sont différentes de U1, U2 et U4-U6 mais de structure et de fonction analogues à celles-ci. Curieusement, tous les gènes qui contiennent des introns AU-AC contiennent aussi de nombreux exons de classe majeure. De plus, il n'y a pas de conservation de la longueur et de la position des introns AU-AC dans les gènes qui les contiennent. La signification fonctionnelle et évolutive du spliceosome et des introns AU-AC reste donc obscure.

o. Le trans-épissage

Les types d'épissage que nous avons étudiés jusqu'à présent se font dans une seule molécule d'ARN et sont donc qualifiés de **cis-**

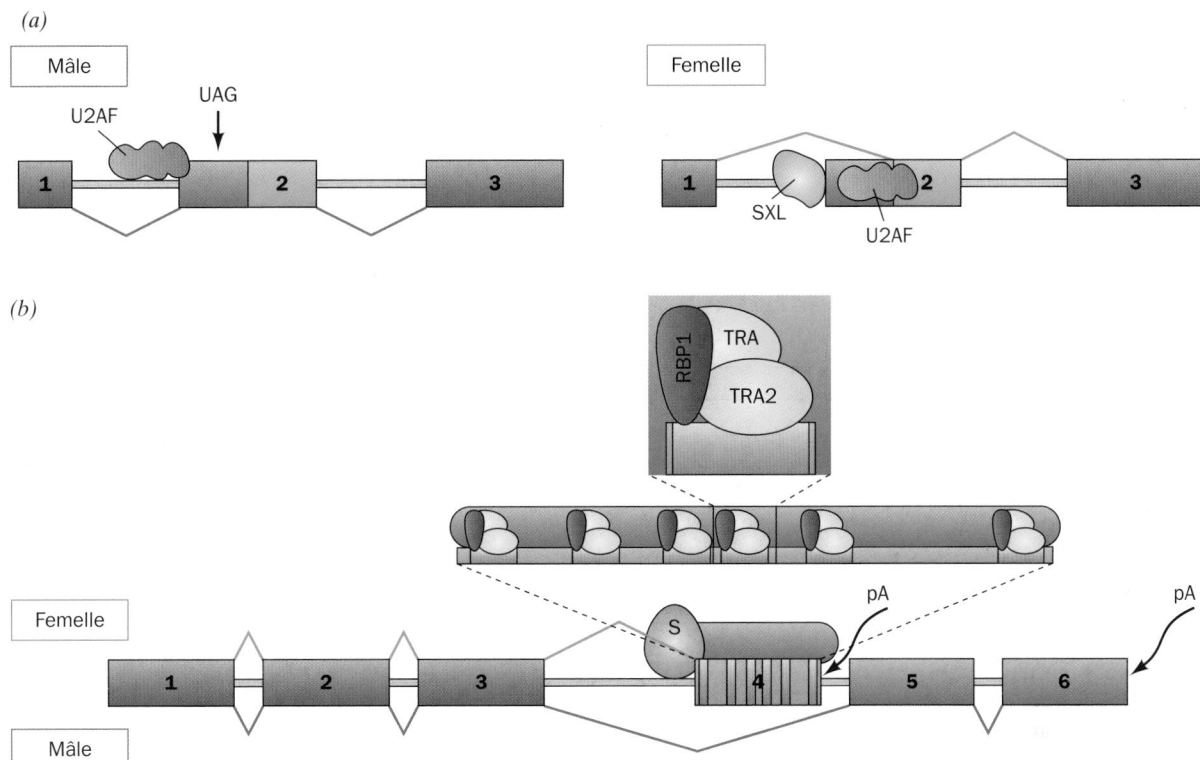

FIGURE 31-63 Mécanismes de sélection des sites d'épissage alternatifs dans les voies de détermination du sexe chez *Drosophila*, tels que décrits dans le texte. Dans toute la figure, les exons sont représentés par des rectangles colorés et les introns par des lignes gris pâle. (*a*) Épissage alternatif du pré-ARNm *tra*. UAG est un codon d'arrêt. (*b*) Épissage alternatif du pré-ARNm *dsx*. Les six ESE (activateurs exoniques d'épissage) de l'exon 4 sont indiqués par des rectangles verts et S représente la machinerie d'épissage. Chez les femelles, la polyadénylation (pA) de l'ARNm de *dsx* a lieu en aval de l'exon 4, tandis que chez le mâle elle se fait en aval de l'exon 6. [D'après un dessin de Maniatis, T. et Tasic, B., *Nature* **418**, 236 (2002).]

épissage (ou épissage en cis). La chimie du cis-épissage spliceosomal est cependant identique à ce qu'elle serait si les deux exons à rassembler résidaient initialement sur deux molécules d'ARN différentes, on parle alors de **trans-épissage** (ou épissage en trans). C'est ce qui se passe chez les trypanosomes (un protozoaire kinétoplastidé, responsable de la maladie du sommeil africaine). Les ARNm de trypanosome commencent tous par la même séquence de tête (leader sequence) non codante de 35 nt, bien que cette séquence soit absente des gènes correspondant à ces ARNm. En fait, cette séquence fait partie de ce qu'on appelle l'**ARN SL** (spliced leader), qui est transcrit à partir d'un gène indépendant. Le site 5′ d'épissage situé après la séquence de tête de l'ARN SL et le site de branchement ainsi que le site 3′ d'épissage qui précèdent la séquence de l'exon auquel l'ARN SL sera épissé ont les mêmes séquences consensus que celle trouvées dans les ARN épissés par le spliceosome majeur. Par conséquent, la séquence de tête de l'ARN SL et le pré-ARNm sont joints par une réaction d'épissage qui ressemble à la réaction de cis-épissage spliceosomial (Fig. 31-49) avec la différence que le produit de la première réaction de transestérification a forcément une forme de Y plutôt que de lasso (Fig. 31-64). Les trypanosomes, dont les pré-ARNm n'ont pas d'introns, possèdent néanmoins les snRNP U2 et U4-U6 mais pas de snRNP U1, ni U5. En fait, on pense que l'ARN SL se replie à la façon du snARN-U1, en formant trois structures en tige-boucle et un motif de type ARN Sm simple brin (Fig. 31-61*a*). Cette structure remplirait les fonctions du snARN-U1 lors de la réaction de trans-épissage.

On a montré que le trans-épissage existe aussi chez les nématodes (vers ronds ; par ex. *C. elegans*) et chez les plathelminthes. Ces organismes effectuent également le cis-épissage et font bien sûr les deux types d'épissage sur un même pré-ARNm. Il existe aussi plusieurs publications relatant l'existence du trans-épissage chez *Drosophila* et chez quelques vertébrés, mais même si cela se produit, cela se limite à quelques pré-ARNm et à un taux très faible.

p. L'ARNm est méthylé sur certains résidus adénylates

Pendant la synthèse des pré-ARNm de vertébrés, ou peu après celle-ci, ~0,1 % de leurs résidus A sont méthylés en N6. Ces m^6A se trouvent, pour la plupart, dans la séquence RRm^6ACX, où X est rarement G. Bien que la signification fonctionnelle de ces A méthylés soit inconnue, il faut remarquer que la plupart d'entre eux se retrouvent dans les ARNm matures.

q. Les protéines des hnRNP recouvrent l'ARN

Durant leur séjour dans le noyau, les hnARN (pré-ARNm) sont **étroitement** associés à de nombreuses protéines différentes, for-

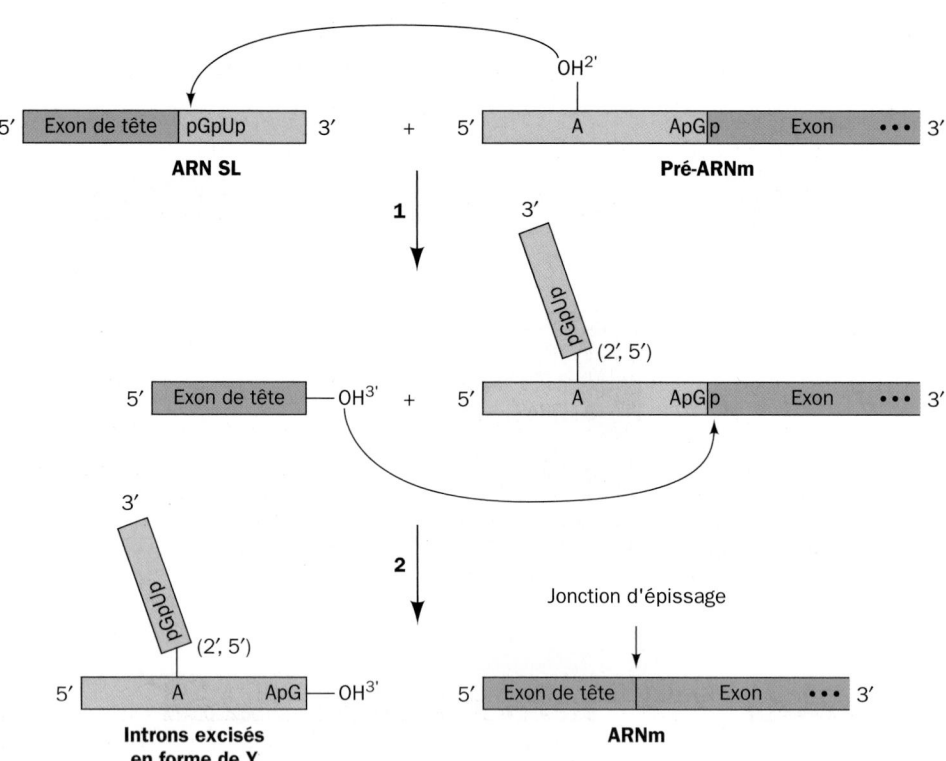

FIGURE 31-64 Séquence de réactions de transestérification lors du trans-épissage. Du point de vue chimique, les réactions sont très similaires de celles du cis-épissage du pré-ARNm (Fig. 31-49).

mant ainsi des **hnRNP.** Bien que les fonctions de ces protéines hnRNP soient encore mal connues, il est clair qu'elles facilitent la maturation des hnARN, que ce soit leur épissage constitutif ou alternatif qui ont été décrits plus haut, ou encore leur stabilité. Elles sont aussi impliquées dans leur transport dans différentes régions du noyau et finalement, dans le cytoplasme, où Gideon Dreyfuss a montré qu'elles régulent la localisation, et la vitesse d'utilisation des ARNm auxquels elles sont associées.

r. Modification de l'ARN par insertion ou délétion de nucléotides spécifiques

On s'est aperçu que certains ARNm de plusieurs organismes eucaryotiques diffèrent de leurs gènes correspondants de façon tout à fait inattendue, comme des remplacements C → U et U → C, l'insertion ou la délétion de résidus U, et l'insertion de nombreux résidus G ou C. On trouve les meilleurs exemples de ce phénomène dans les mitochondries de trypanosomes (dont l'ADN ne code que 20 gènes), où il peut y avoir des ARNm qui se voient ajouter ou enlever plusieurs centaines de résidus U avant d'être traductibles. Le processus par lequel un transcrit est ainsi modifié est appelé édition d'ARN (RNA editing) car on a d'abord pensé que les réactions enzymatiques responsables de ces modifications ne nécessitaient pas une matrice d'acide nucléique et violaient donc le dogme central de la biologie moléculaire (Figure 5-21). Finalement, une nouvelle catégorie de transcrits mitochondriaux appelés **ARN-guides (ARNg)** a été identifiée. Les ARNg, constitués de 50 à 70 nucléotides, ont des queues oligo(U) en 3′, un segment interne qui est exactement complémentaire de la région modifiée de l'ARNm non-édité (si l'on admet que des paires G·U sont complémentaires, ce qui est fréquent dans les ARN), et une courte

séquence de 10 à 15 nt, dite d'ancrage, proche de l'extrémité 5′ qui est fortement complémentaire, au sens de Watson-Crick, d'un segment de l'ARNm avant son édition édité.

Un transcrit non édité s'associe vraisemblablement à l'ARNg correspondant par sa séquence d'ancrage (Fig 31-65). Puis, par un processus sous la dépendance d'une machinerie enzymatique localisée dans une particule de ~20S appelée **éditosome,** le segment interne de l'ARNg sert de matrice pour « corriger » le transcrit, donnant ainsi l'ARNm édité. L'édition par insertion nécessite au moins trois activités enzymatiques, qui, de façon surprenante, sont codées par des gènes nucléaires (Fig. 31-66a), ce sont: (1) une endonucléase coupant au niveau d'un mésappariement entre l'ARNg et l'ARNm non-édité du coté 5′ du point d'insertion; (2) une **uridylyltransférase terminale (TUTase)** pour insérer les nouveaux résidus U; et (3) une ARN ligase pour ressouder l'ARN. La délétion requiert un appareil enzymatique similaire à ceci près, que l'endonucléase coupe l'ARN à éditer du coté 3′ du ou des résidus U à déléter et que la TUTase est remplacée par une **3′-U-exonucléase (3′-U-exo),** qui excise les résidus U au site de délétion (Fig. 31-66b). Un seul ARNg est responsable de l'édition d'un bloc de 1 à 10 sites. L'information génétique spécifiant un ARNm édité est donc issue d'au moins deux gènes. L'avantage fonctionnel de ce processus compliqué, pour les organismes actuels ou ancestraux, n'est pas évident.

s. Édition d'ARN par désamination de base

L'homme exprime deux formes d'**apolipoprotéine B (apoB):** l'**apoB-48,** synthétisée uniquement dans l'intestin grêle et qui intervient dans les chylomicrons pour transporter les triacylgly-

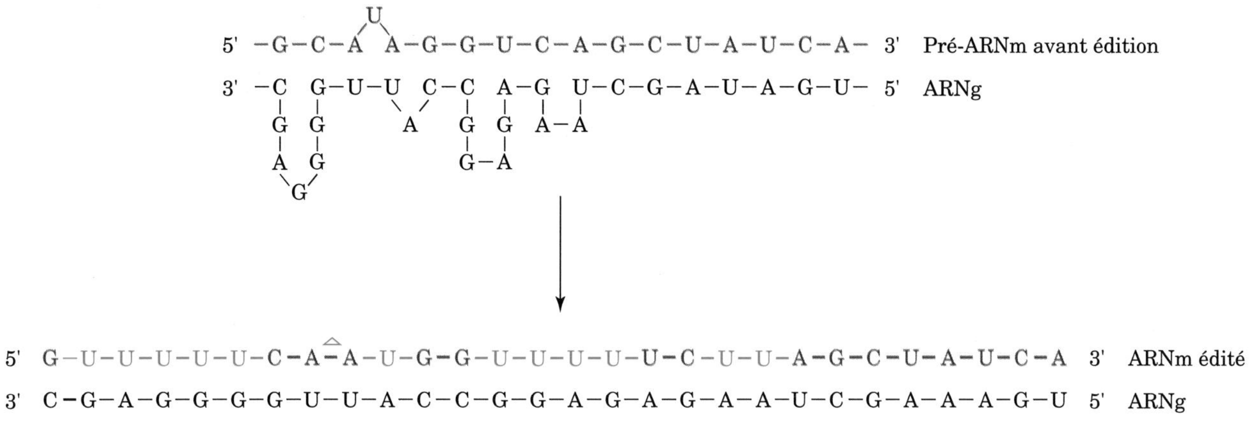

```
5'  –G–C–A   A–G–G–U–C–A–G–C–U–A–U–C–A–  3'   Pré-ARNm avant édition
             U
```
```
3'  –C  G–U–U  C–C  A–G  U–C–G–A–U–A–G–U– 5'   ARNg
        G  G      A    G  G  A–A
        A  G      G–A
         G
```

```
5'  G–U–U–U–U–U–C–A △ A–U–G–G–U–U–U–U–C–U–U–A–G–C–U–A–U–C–A  3'  ARNm édité

3'  C–G–A–G–G–G–G–U–U–A–C–C–G–G–A–G–A–G–A–A–U–C–G–A–A–A–G–U  5'  ARNg
```

FIGURE 31-65 Représentation schématique montrant comment l'ARNg dirige l'édition des pré-ARNm du trypanosome. Les résidus U en rouge dans l'ARNm édités sont des insertions et le triangle (Δ) indique une délétion. Plusieurs ARNg peuvent être nécessaires pour diriger l'édition des segments consécutifs d'un pré-ARNm à éditer. [D'après Bass, B.L., *dans* Gesteland, R.F et Alkins, J.F. (Éds.), *The RNA World,* p. 387, Cold Spring Harbor Laboratory Press (1993).]

cérols de l'intestin au foie et aux tissus périphériques et l'**apoB-100**, synthétisée uniquement dans le foie et qui fonctionne dans

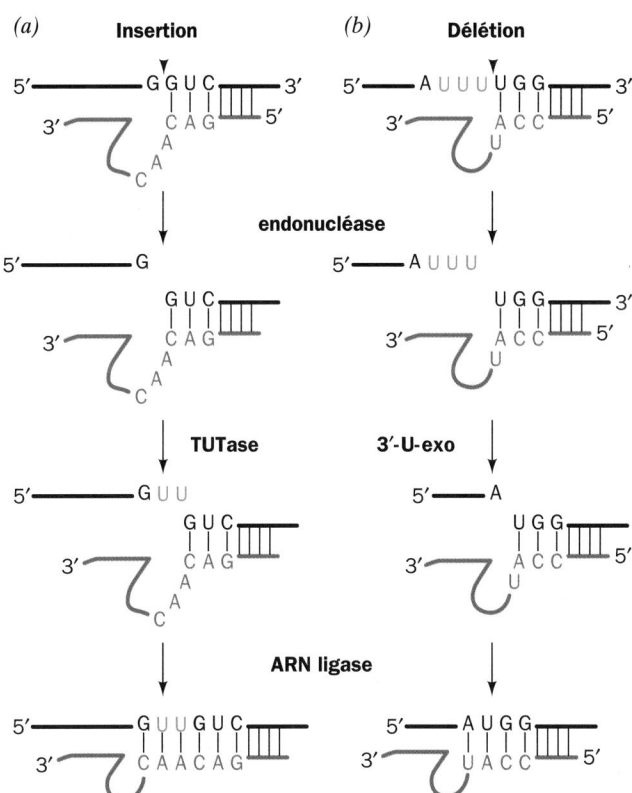

FIGURE 31-66 Voies d'édition des ARN de Trypanosome. Les ARN à éditer (*en noir*) sont montrés appariés aux ARNg (*en bleu*). On voit les U qui sont (*a*) insérés par la TUTase ou (*b*) délétés par la 3′-U-exo et qui sont représentés en rouge. Les pointes de flèches indiquent les positions qui sont coupées par l'endonucléase. [D'après Madison-Antenucci, S., Grams, J., and Hadjuk, S.L., *Cell* **108**, 435 (2002).]

les VLDL, les IDL et les LDL pour transporter le cholestérol du foie aux tissus périphériques (Sections 12-5A et 12-5B). L'apoB-100 est une énorme protéine de 4536 résidus, alors que l'apoB-48 est formée par les 2152 résidus de la partie N-terminale de l'apoB-100 et ne possède donc pas le domaine C-terminal de l'apoB-100 qui assure la liaison au récepteur des LDL.

Malgré ces différences, l'apoB-48 et l'apoB-100 sont codées par le même gène. Comment cela peut-il se faire ? La comparaison des ARNm codant les deux protéines montre qu'ils ne diffèrent que par une transformation C → U. Le codon (CAA) qui code le résidu Gln 2153 dans l'ARNm d'apoB-100 devient un codon d'arrêt (UAA) dans l'ARNm d'apoB-48. Cette transformation est catalysée par une protéine car elle est détruite par des protéases ou par des réactifs spécifiques des protéines alors que les nucléases sont sans effet. Si on soumet à l'édition *in vitro*, de l'ARNm de l'apoB qui a été synthétisé en présence de [α^{32}P]CTP, on a apparition d'un seul résidu [^{32}P]UMP au site d'édition. Par conséquent, l'activité de modification est très certainement une **cytidine désaminase** à spécificité de site. Ce type d'édition d'ARN diffère de celui des mitochondries de trypanosome, qui insère ou élimine de nombreux U dans les ARNm sous la direction d'ARN-guides. La modification de l'ARNm de l'apoB est donc une autre forme d'édition d'ARN, l'**édition par substitution**.

Les autres exemples connus d'éditions de pré-ARNm par substitution concernent tous des pré-ARNm codant des canaux ioniques et des récepteurs couplés aux protéines G dans le tissu nerveux. Parmi eux on trouve l'ARNm du récepteur du glutamate des vertébrés, qui subit une désamination de A en I [où I est l'inosine (une guanosine sans groupement 2-amino), qui sera lue comme un G par l'appareil de traduction]. Ainsi, il y a transformation d'un codon Gln (CAG) en un codon Arg (CIG au lieu de CGG normalement), ce résidu Arg est important du point de vue fonctionnel. Les enzymes qui catalysent cette édition A → I, ADAR1 (1200 résidus) et ADAR2 (729 résidus ; ADAR pour *adé*nosine *d*ésaminase *a*gissant sur l'A*R*N), ont curieusement besoin que les résidus A ciblés fassent partie de doubles hélices d'ARN qui se forment entre le site d'édition et une séquence complémen-

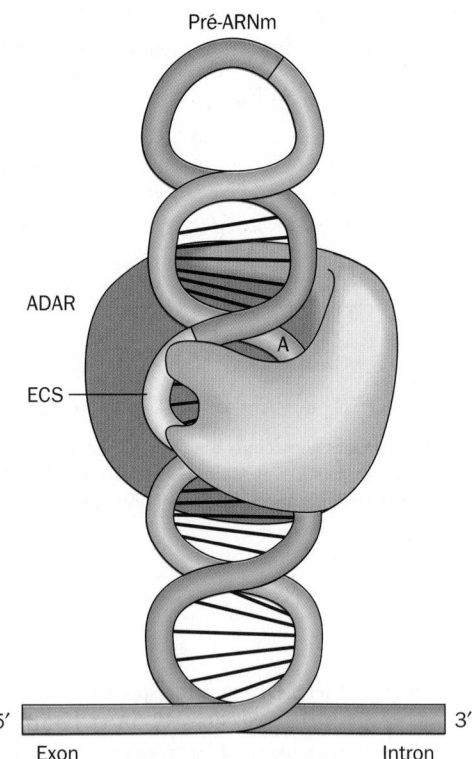

Pré-ARNm

ADAR

ECS

A

5′ 3′
Exon Intron

FIGURE 31-67 Reconnaissance des sites d'édition par ADAR. Aussi bien ADAR1 que ADAR2 se fixent à un ARN double brin de 9 à 15 pb qui se forme entre le site d'édition (*en orange*) sur un exon du pré-ARNm et une séquence complémentaire du site d'édition (ECS, *en rose*) qui est souvent située dans un intron en aval (*en brun*). A représente l'adénosine que ADAR (*en vert*) convertit en inosine. [D'après Keegan, L.P., Gallo, A., et O'Connell, M.A., *Nature Rev. Genet.* **2**, 869 (2001).]

taire en général située dans un intron en aval (Fig. 31-67). L'édition par les protéines ADAR doit donc précéder l'épissage.

L'édition par substitution peut contribuer à la diversité protéique. Par exemple, le pré-ARNm de *Drosophila cacophony* qui code pour une sous-unité d'un canal à Ca^{2+} voltage-dépendant, contient dix sites d'édition par substitution différents et a donc la possibilité de générer 1000 isoformes différentes en l'absence d'épissage alternatif.

L'épissage par substitution peut aussi générer des sites d'épissage alternatif. Par exemple, La protéine ADAR2 de rat édite son propre pré-ARNm en convertissant un dinucléotide intronique AA en AI, qui mime le dinucléotide AG que l'on trouve normalement aux sites 3′ d'épissage (Fig. 31-49). Le nouveau site d'épissage formé ajoute 47 nucléotides près de l'extrémité 5′ de l'ARNm de ADAR2, ce qui génère un nouveau site d'initiation de la traduction. L'isozyme ADAR2 qui en résulte a une activité catalytique mais il est produit en plus faible quantité que celui dû au transcrit non édité, peut-être parce que le site d'initiation de la traduction est moins efficace. Il semble donc que la protéine ADAR2 de rat régule son propre taux d'expression.

La protéine ADAR1 contient un domaine N-terminal de liaison à l'ADN-Z, Zab, qui est composé de deux sous-domaines, Zα et Zβ. Nous avons vu que dans la structure par rayons X de Zα complexé à de l'ADN-Z (Fig. 29-5), Zα se fixe à l'ADN-Z via des complémentarités de surface indépendantes de la séquence (Section 29-1B). Quelle est la fonction du domaine Zab ? Du fait que le superenroulement négatif de l'ADN, juste derrière l'ARN polymérase, stimule la formation transitoire d'ADN-Z (rappelons que l'ADN-Z est une hélice de pas à gauche), Alexander Rich a émis l'hypothèse que le domaine Zab dirige ADAR1 vers des gènes en cours de transcription. Cela faciliterait une édition A → I rapide, car elle doit avoir lieu avant que la réaction d'épissage n'ait eu lieu.

t. L'interférence d'ARN

Dans les dernières années, il est devenu de plus en plus évident que des ARN non codants peuvent jouer des rôles importants dans le contrôle de l'expression génique. L'une des premières indications de ce phénomène est apparue lorsque Richard Jorgensen a tenté de produire par génie génétique des pétunias d'un violet plus intense en introduisant des copies surnuméraires du gène qui dirige la synthèse du pigment violet. De façon surprenante, les plantes transgéniques obtenues avaient des fleurs panachées de blanc et souvent complètement blanches. Apparemment, quelque chose donnait aux gènes responsables de la couleur violette, la capacité de s'éteindre les uns les autres. De même, on sait bien qu'un **ARN antisens** (un ARN qui est complémentaire d'au moins une partie d'un ARNm) empêche la traduction de l'ARNm correspondant parce que le ribosome ne peut pas traduire un ARN double brin (Section 32-4E). Cependant, l'injection d'ARN sens (ARN ayant la même séquence qu'un ARNm) chez le nématode *C. elegans* bloque également la production de protéines. Du fait que l'ARN ajouté interfère d'une façon ou d'une autre avec l'expression du gène, ce phénomène est connu sous le nom d'**interférence d'ARN** [**ARNi**, **extinction de gène post-transcriptionnelle** (**PTGS**, post-transcriptional gene silencing) chez les plantes]. On sait maintenant que l'interférence d'ARN/PTGS existe chez tous les eucaryotes sauf, peut-être chez la levure.

Le mécanisme de l'interférence d'ARN a commencé à être compris en 1998, lorsque Andrew Fire et Craig Mello ont montré qu'un ARN double brin (ARNdb) était nettement plus efficace pour l'interférence d'ARN chez *C. elegans* que chacun des deux brins qui le compose. L'interférence d'ARN est induite par quelques molécules seulement d'ARNdb par cellule traitée, suggérant que le phénomène de l'interférence d'ARN est de nature catalytique plutôt que stœchiométrique. Des études ultérieures, en grande partie chez *Drosophila*, ont permis d'élucider les voies de l'interférence d'ARN décrites ci-dessous :

1. Phillip Zamore a découvert que l'ARNdb déclenchant le phénomène est découpé en fragments d'ARNdb de ~21 à 23 nt de long appelés **petits ARN interférents** (ARNsi). Chacun de leurs brins ayant une partie de 2 nt non appariés qui dépassent à l'extrémité 3′ et possédant un groupement phosphate à l'extrémité 5′. Cette réaction est due à une ARNase consommant de l'ATP que l'on appelle **Dicer**, c'est un homodimère de sous-unités de 2249 résidus appartenant à la famille des ARNase III qui sont des endonucléases spécifiques des ARN double brin.

2. Un ARNsi est transféré dans un complexe de 250 à 500 kD formé de nombreuses sous-unités et appelé **RISC** (« RNA-induced silencing complex », complexe d'extinction induit par l'ARN), qui contient une endoribonucléase distincte de la Dicer. Le brin antisens de l'ARNsi guide le complexe RISC vers un ARNm possédant la séquence complémentaire.

3. Le complexe RISC coupe l'ARNm, probablement en face de l'ARNsi qui lui est fixé. L'ARNm coupé est alors dégradé par les nucléases cellulaires, ce qui empêche sa traduction.

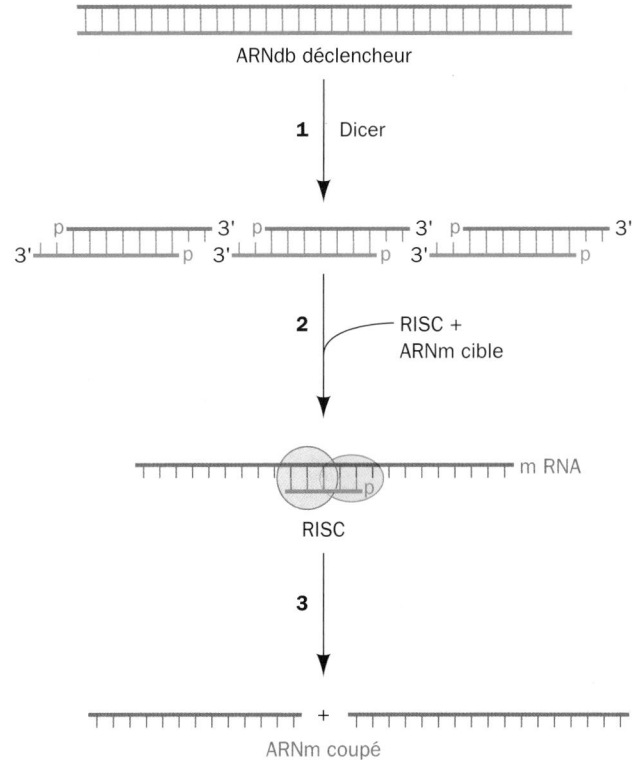

FIGURE 31-68 Modèle de l'interférence d'ARN (ARNi). Voir le texte pour les détails.

L'interférence d'ARN nécessite que l'ARNdb déclencheur soit copié pour permettre aux ARNsi d'atteindre des concentrations suffisantes pour couper leurs ARNm cibles. Ce processus d'amplification est effectué par une ARN polymérase dépendante de l'ARN (**RdRP** pour « RNA-dependent RNA polymerase »). De plus, un brin d'ARNsi peut servir d'amorce pour la synthèse catalysée par la RdRP d'un ARNdb déclencheur, celui-ci étant par après découpé pour donner des ARNsi secondaires (Fig. 31-69). Du fait que les ARNdb secondaires déclencheurs peuvent s'étendre au-delà de la séquence complémentaire de l'ARNdb d'origine, certains des ARNsi secondaires obtenus peuvent être complémentaires de segments d'autres ARNm qui n'ont aucune complémentarité avec aucune partie de l'ARNdb déclencheur initial, ce phénomène est appelé **interférence d'ARN transitive.**

La facilité de mise en œuvre de l'interférence d'ARN/PTGS en a fait une méthode de choix pour l'obtention de mutations phénotypiques complètes (null, knockout) de gènes spécifiques chez les plantes et les invertébrés, bien qu'il faille faire attention à ce que

FIGURE 31-69 Modèle de l'interférence d'ARN transitive. L'ARNsi produit par l'action de la Dicer sur l'ARNdb, est déroulé et se fixe à son ARNm cible. Il sert alors d'amorce pour une ARN polymérase dépendante d'un ARN (RpRP), qui allonge l'amorce selon la polarité 5′ → 3′ (comme toutes les polymérases d'ARN et d'ADN connues). L'ARNdb secondaire obtenu est secondairement coupée par la Dicer en donnant des ARNsi secondaires. Notez que les ARNsi secondaires qui contiennent des segments d'ARNm en aval de ceux qui sont complémentaires de l'ARNdb de départ sont capables d'éteindre des gènes ayant une similarité avec ces segments aval d'ARNm mais qui n'ont plus aucune séquence en commun avec l'ARNdb de départ.

l'interférence d'ARN transitive ne donne pas des résultats fallacieux. Il semble également que l'interférence d'ARN puisse s'utiliser de la même façon chez les mammifères, même si ceux-ci ne possèdent pas les mécanismes qui amplifient l'extinction, chez les plantes et les invertébrés. Les résultats de l'interférence d'ARN sont de ce fait transitoires chez les mammifères. Mais quelle est donc la fonction physiologique de l'interférence d'ARN/ PTGS ? Du fait que la plupart des virus eucaryotiques stockent et répliquent leur génome sous forme d'ARN (Chapitre 33), il semble vraisemblable que l'interférence d'ARN soit apparue en tant que mécanisme de défense contre les infections virales. En effet, beaucoup de virus de plantes contiennent des gènes nécessaires à la pathogenèse, qui servent à supprimer différentes étapes du mécanisme PTGS. L'interférence d'ARN/PTGS peut également inhiber la mobilité des rétroposons (Section 30-6B). Enfin, la très grande spécificité de l'interférence d'ARN pourrait permettre de prévenir des infections virales et de réprimer des gènes mutants causant des maladies comme les oncogènes.

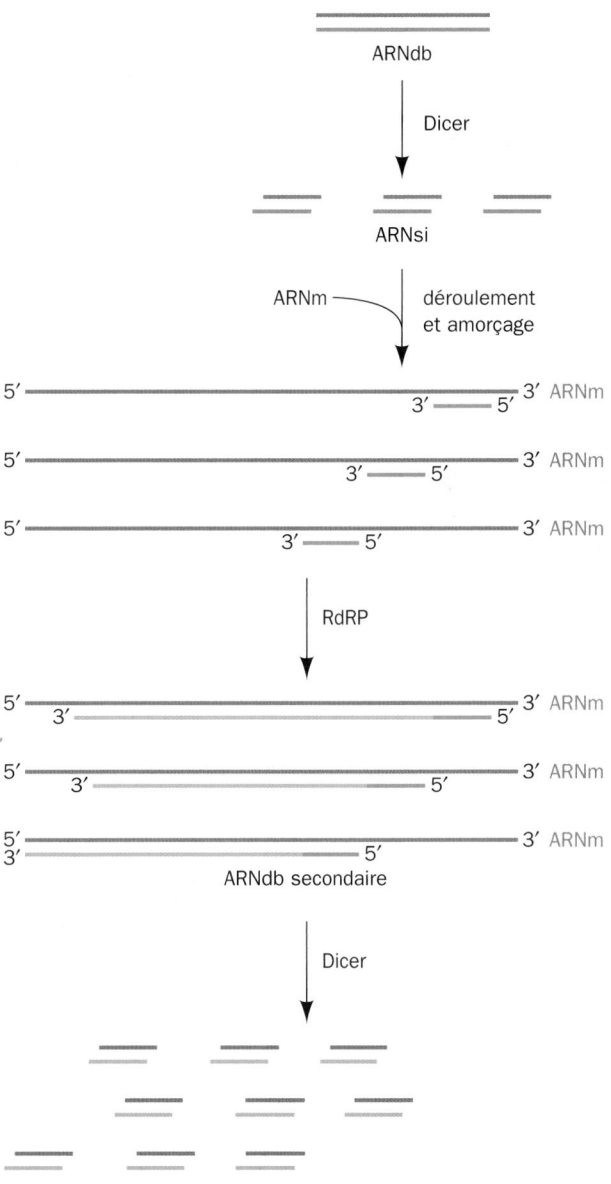

B. *Maturation des ARN ribosomiaux*

Les sept opérons d'ARNr *de E. coli* contiennent tous une copie (presque identique) de chacun des trois types de gènes d'ARNr (Section 32-3F). Leurs transcrits primaires polycistroniques, dont la longueur est supérieure à 5500 nucléotides, contiennent l'ARNr I6S à leurs extrémités 5′ suivi par les transcrits d'un ou deux ARNt, de l'ARNr 23S, de l'ARNr 5S et, dans quelques opérons d'ARNr, d'un ou deux autres ARNt à l'extrémité 3′ (Fig. 31-70). Les étapes de maturation de ces transcrits primaires en ARNr matures ont été élucidées grâce à des mutants déficients en une ou plusieurs enzymes de maturation.

La première étape de maturation, qui assure la formation de produits appelés **pré-ARNr**, débute alors que le transcrit primaire est en cours de synthèse. Elle consiste en plusieurs clivages endonucléasiques par l'**ARNase III**, l'**ARNase P**, l'**ARNase E**, et l'**ARNase F** aux sites indiqués dans la Fig. 31-70. La séquence des bases du transcrit primaire laisse supposer l'existence de plusieurs tiges formées par appartement de bases. Les clivages par l'AR-Nase III se font dans une tige formée de séquences complémentaires qui bordent les extrémités 5′ et 3′ du segment 23S (Fig. 31-71) et celles du segment I6S. Il est probable que certaines caractéristiques de ces tiges constituent des sites de reconnaissance par l'ARNase III.

Les extrémités 5′ et 3′ des pré-ARNr sont éliminées lors des étapes de maturation suivantes (Fig. 31-70) grâce aux **ARNases D, M16, M23** et **M5** pour donner les ARNr matures. Ces derniers clivages n'ont lieu qu'une fois que les pré-ARNr se sont associés avec des protéines ribosomiales.

a. Les ARNr sont méthylés

Durant l'assemblage du ribosome, les ARN I6S et 23S sont méthylés sur 24 nucléosides spécifiques, en tout. Les réactions de méthylation, qui utilisent la S-adénosylméthionine (Section 26-3E) comme donneur de méthyl, donnent des résidus N^6,N^6-diméthyla-dénines et $O^{2'}$-méthylriboses. On pense que les groupements $O^{2'}$-méthyls protègent les liaisons phosphodiester adjacentes contre l'action d'ARNases intracellulaires (le mécanisme de l'hydrolyse par les ARNases implique l'utilisation du groupement 2′-OH libre du ribose pour éliminer le substituant sur le groupement phosphoryle en 3′, par formation d'un intermédiaire **2′,3′**-phosphate cyclique ; Figures 5-3 et 15-3). Quoi qu'il en soit, le rôle de la méthylation des bases est inconnu.

b. La maturation des ARNr d'eucaryotes ressemble à celle des procaryotes

Normalement, le génome des eucaryotes présente plusieurs centaines de copies répétées en tandem des gènes des ARNr qui sont contenues dans des corpuscules foncés, appelés **nucléoles** (siège de la transcription et de la maturation des ARNr et de l'assemblage des sous-unités du ribosome ; Fig. 1-5, notez que les nucléoles ne sont pas enveloppés par une membrane). Le transcrit primaire de l'ARNr est un ARN 45S de ~7500 nucléotides qui contient, à partir de son extrémité 5′ les ARN 18S, 5,8S et 28S séparés par des séquences espaceurs (Fig. 31-72). Au début de la maturation, l'ARN 45S est méthylé spécifiquement sur un grand nombre de sites (106 chez l'être humain), ces sites se trouvent, pour la plupart, dans ses séquences d'ARNr. Près de 80 % de ces modifications donnent des résidus $O^{2'}$-mélhylriboses et le reste donne des bases méthylées comme la N^6,N^6-diméthyladénine et la 2-méthyIguanine. En plus, de nombreux résidus U des pré-ARNr (95 chez l'être humain) sont convertis en pseudo-uridines (?) (Section 30-5B), qui pourraient contribuer à la stabilité de la structure tertiaire des ARNr par des liaisons hydrogène mettant en jeu le groupement NH cyclique nouvellement acquis. Les clivages et éliminations subséquentes dont l'ARN 45S fait l'objet rappellent superficiellement ceux des ARNr des procaryotes. On trouve en effet chez les eucaryotes des enzymes qui ont des activités comparables à celles de l'ARNase III et l'ARNase P. L'ARN 5S des eucaryotes est maturé séparément selon un processus qui rappelle celui des ARNt (Section 31-4C).

Les sites de méthylation des ARNr eucaryotiques se trouvent exclusivement dans des domaines conservés, il est donc vraisemblable qu'ils participent à des processus ribosomiaux fondamentaux. En effet, les sites de méthylation se trouvent généralement dans des séquences qui ne varient pas de la levure aux invertébrés

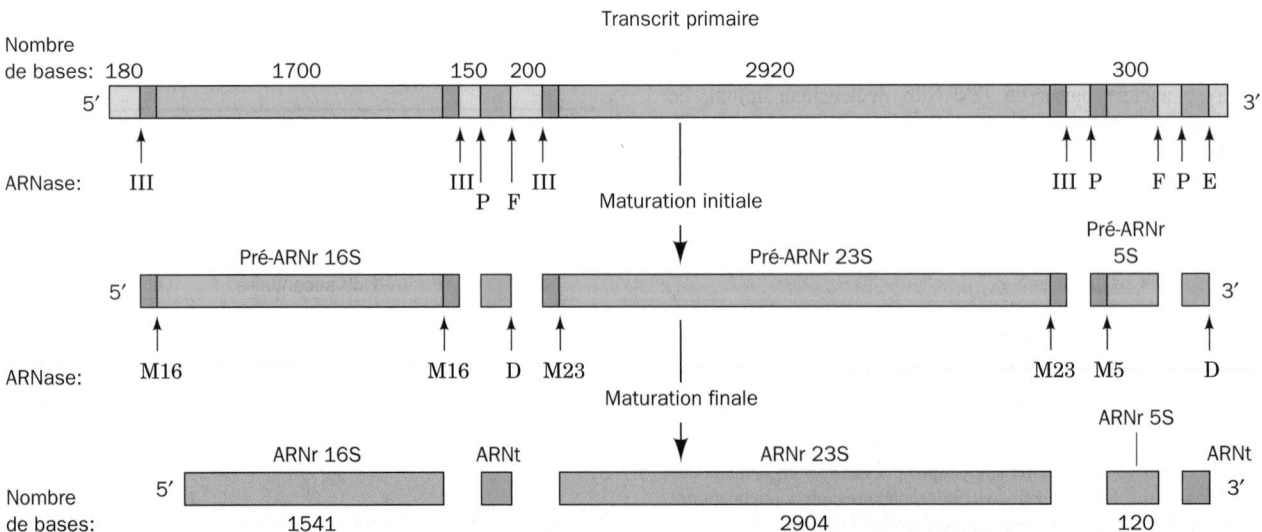

FIGURE 31-70 Maturation post-transcriptionnelle des ARNr de *E. coli.* La carte de transcription est donnée à peu près à l'échelle. Les flèches donnent les positions des différentes coupures nucléolytiques avec le nom des nucléases impliquées. [D'après Apiron, D., Ghora, B.K., Plantz, G., Misra, T.K., et Gegenheimer, P., *dans* Söll, D., Abelson, J.N., et Schimmel, P.R. (Éds.) *Transfer RNA : Biological Aspects*, p. 148, Cold Spring Harbor Laboratory Press (1980).]

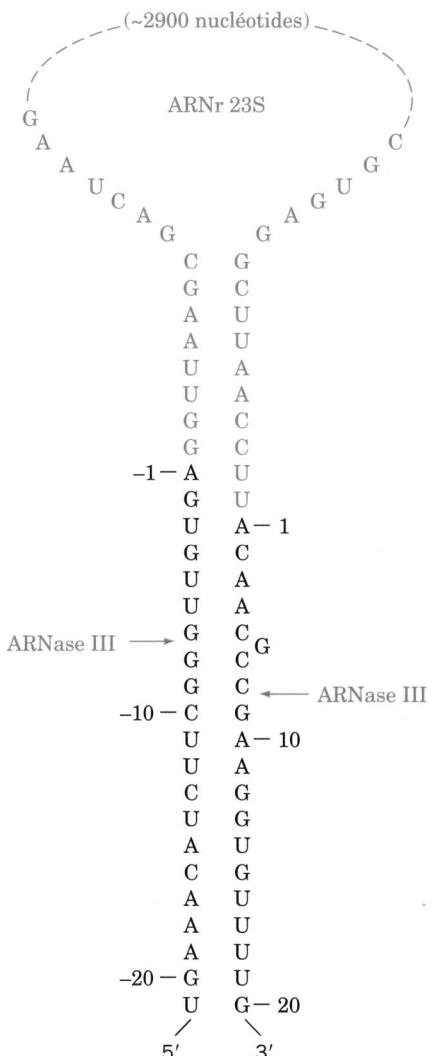

FIGURE 31-71 La structure secondaire en tige et boucle géante proposée dans la région 23S du transcrit primaire de l'ARNr de *E. coli.* Les sites de coupure de l'ARNase III sont indiqués. [D'après Young, R.R., Bram, R.J., et Steitz, *dans* Söll, D., Abelson, J.N., et Schimmel, P.R. (Éds.) *Transfer RNA : Biological Aspects*, p. 102, Cold Spring Harbor Laboratory Press (1980).]

bien que les méthylations elles-même ne soit pas toujours conservées. Ces sites de méthylation ne semblent pas avoir une structure consensus qui serait reconnue par une méthyltransférase unique. On peut alors se demander comment ils sont reconnus comme cible de méthylation.

Une réponse à cette question sur la sélection des sites de méthylation des ARNr est venue du fait que les pré-ARNr interagissent avec les membres d'une grande famille de **petits ARN nucléolaires** (**ARNsno** ; ~100 chez la levure et ~200 chez les mammifères). Ces ARNsno, d'une longueur de 70 à 100 nt, contiennent des segments de 10 à 21 nt qui sont totalement com-

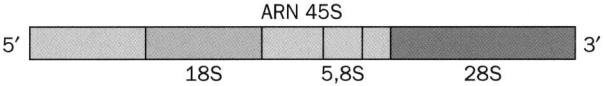

FIGURE 31-72 Organisation du transcrit primaire 45S de l'ARNr des eucaryotes.

plémentaires des segments des ARNr matures contenant les sites O2′ de méthylation. Ces segments de séquences complémentaires des ARNsno sont encadrés par des motifs de séquence conservés appelés boîte C (RUGAUGA) et boîte D (CUGA), qui sont situées respectivement de leurs cotés 5′ et 3′. Dans les organismes riches en introns, comme les vertébrés, la plupart des ARNsno sont codés par les introns de gènes structuraux, si bien que tous les introns excisés ne sont pas détruits.

Le nucléotide d'un ARNsno qui s'apparie avec le nucléotide destiné a la 2′O-méthylation est toujours situé exactement 5 nucléotides avant la boîte D. Il est évident que chacune de ces séquences, nommées **boîtes C/D ARNsno,** sert de guide pour la méthylation d'un site unique. Effectivement, lorsque deux résidus riboses contigus sont méthylés, on trouve deux boîtes C/D ARNsno dont les séquences se chevauchent. La méthylation est effectuée par un complexe d'au moins six protéines nucléolaires, qui sont : la **fibrillarine** (~325 résidus), la méthyltransférase adéquate, qui, avec une boîte C/D ARNsno, forme une snoRNP. De même, la conversion spécifique de certains résidus U en ψ est effectuée par un autre groupe d'ARNsno, les **ARNsno** à **boîtes H/ACA**, dont le nom vient de la présence d'un motif de séquence ACANNN à l'extrémité 3′ de l'ARNsno et d'une boîte H (ANANNA) à son extrémité 5′. Ces motifs encadrent une séquence qui s'apparie partiellement au segment d'ARNr contenant le résidu U à convertir en ψ. Les archae modifient aussi leurs ARNr en effectuant des méthylations guidées par des ARN et en convertissant des résidus U en ψ, par contre, il est intéressant de noter qui les eubactéries effectuent des réactions de modification du même type grâce à des enzymes protéiques dépourvues d'ARN guide.

C. Maturation des ARN de transfert

Comme nous le verrons dans la Section 32-2A, les ARNt sont constitués de ~80 nucléotides qui prennent une structure secondaire, appelée structure en feuille de trèfle (Fig. 31-73), présentant

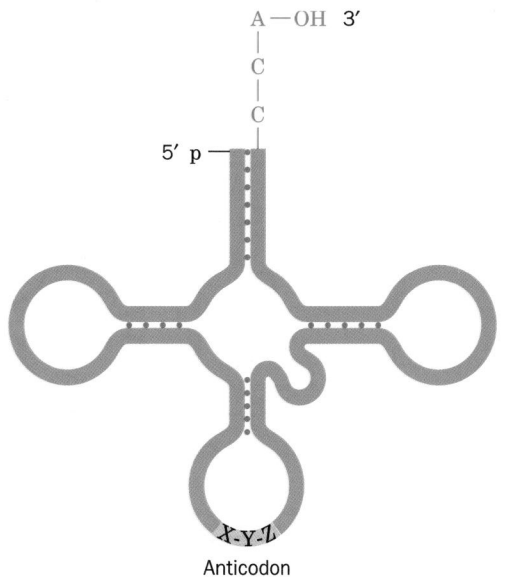

FIGURE 31-73 Représentation schématique de la structure secondaire en « feuille de trèfle » d'un ARNt. Chaque point indique un appariement de bases dans les tiges formées par des liaisons hydrogène. Les positions de l'anticodon et du —CCA en 3′-terminal sont indiquées.

quatre tiges dont les bases sont appariées. Tous les ARNt ont une proportion importante de bases modifiées (dont les structures, les fonctions et les synthèses sont aussi étudiées dans la Section 32-2A) et chacun présente une séquence —CCA 3′-terminale, à laquelle l'acide aminé correspondant est lié, ce qui donne l'aminoacyl-ARNt. L'**anticodon** (qui est complémentaire du codon qui spécifie l'acide aminé correspondant à l'ARNt) se trouve dans la boucle de la structure en feuille de trèfle à l'opposé de la tige contenant les nucléotides 5′ et 3′ terminaux.

Le chromosome de *E. coli* contient ~60 gènes d'ARNt. Certains d'entre eux font partie des opérons d'ARNr (Section 31-4B) ; les autres sont répartis, souvent en groupes, sur tout le chromosome. Les transcrits primaires d'ARNt, qui contiennent de une jusqu'à quatre ou cinq copies d'ARNt identiques, ont des nucléotides excédentaires aux extrémités 3′ et 5′ de chaque séquence d'ARNt. L'excision et l'élimination de ces séquences d'ARNt ressemblent à celles effectuées sur les ARNr de *E. coli* (Section 31-4B) car les deux processus font intervenir certaines nucléases identiques.

a. L'ARNase P est un ribozyme

L'ARNase P, qui assure la formation des extrémités 5′ des ARNt (Fig. 31-70), est une enzyme particulièrement intéressante car elle possède, chez *E. coli,* un composant ARN de 377 nucléotides (~125 kD contre 14 kD pour la sous-unité protéique de 119 résidus) indispensable à l'activité enzymatique, On pensa tout d'abord, ce qui est tout à fait compréhensible, que l'ARN de l'enzyme avait une fonction de reconnaissance du substrat ARN par appariement de hases, afin de guider ensuite la sous-unité protéique, supposée détenir la véritable activité nucléasique, jusqu'au site de clivage. Cependant, Sydney Altman a montré que *le com-*

posant ARN de l'ARNase P est, en fait, la sous-unité catalytique de l'enzyme, en démontrant que l'ARN de l'ARNase P exempt de protéine catalyse le clivage du substrat ARN, à fortes concentrations salines. Manifestement, le caractère basique de la protéine de l'ARNase P entraîne, aux concentrations salines physiologiques, la diminution des interactions répulsives entre le ribozyme polyanionique et les ARN substrats. L'idée que des quantités infimes restantes de la protéine de l'ARNase P seraient en fait responsables de l'activité catalytique de l'ARNase P a été écartée lorsqu'on a montré que l'ARN de l'ARNase P transcrit dans un système acellulaire, présente l'activité catalytique. L'activité ARNase P est trouvée chez les eucaryotes (noyaux, mitochondries et chloroplastes) ainsi que chez les procaryotes, mais les ARNases P eucaryotiques possèdent 9 à 10 sous-unités protéiques. L'ARNase P est donc responsable de l'une des activités ribozymatique que l'on trouve dans toutes les cellules vivantes, la deuxième étant associée aux ribosomes (Section 32-3D).

On pense que l'ARNase P de 400 résidus de *B. subtilis*, dont la séquence est très différente de celle de *E. coli*, forme deux domaines ayant une structure secondaire (Fig. 31-74*a*) : le domaine de spécificité, constitué des nucléotides 86 à 239, et le domaine catalytique correspondant au reste de la molécule. La structure par rayons X du domaine de spécificité a été déterminée par Alfonso Mondragón, elle présente une excellente cohérence avec les prédictions de structure secondaire (Fig. 31-74*b*). Elle comporte principalement deux faisceaux de tiges hélicoïdales tassées ensemble (P7-P10-P12 et P8-P9) qui se rejoignent à un point de jonction où les rejoint également un module au repliement inhabituel (J11/12-J12/11) qui relie les tiges P11 et P12. L'analyse de la séquence montre que beaucoup des résidus conservés de ce

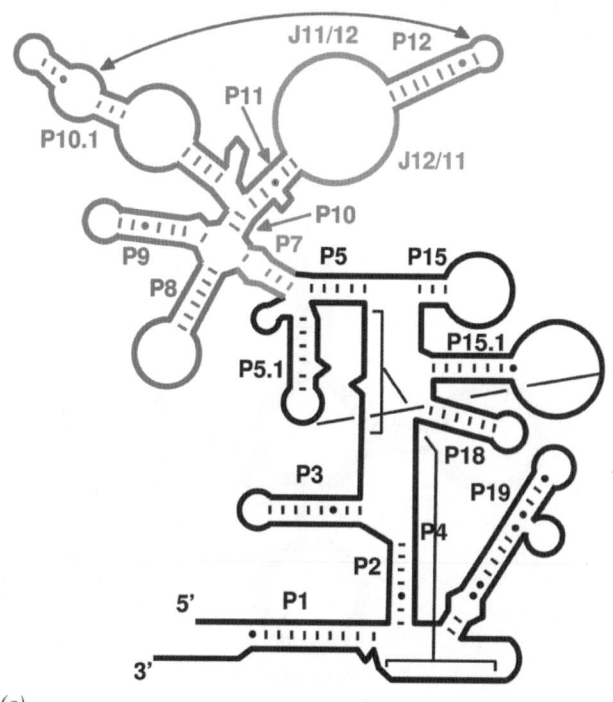

(a)

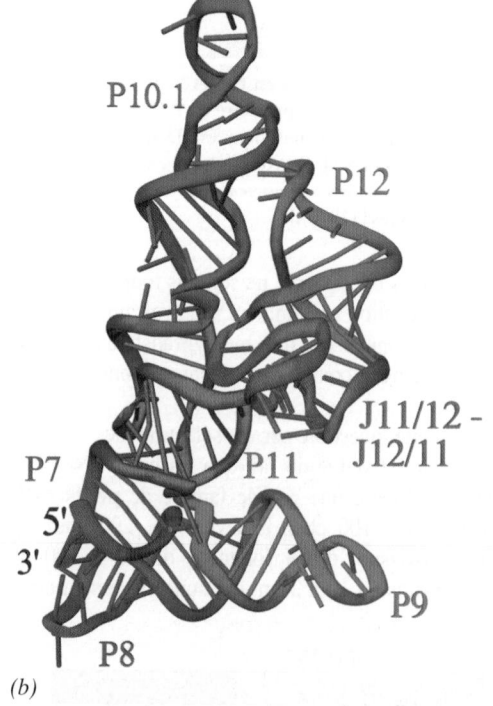

(b)

FIGURE 31-74 Structure de l'ARN de l'ARNase P de *B. subtilis*. (*a*) Sa structure secondaire présomptive dans laquelle le domaine de spécificité est dessiné de différentes couleurs et le domaine catalytique est en noir. (*b*) Structure par rayons X du domaine de spécificité, dans lequel les différents segments sont de la même couleur que dans la partie *a*. [Avec l'aimable autorisation d'Alfonso Mondragón, Université de Northwestern. PDBid 1NBS.]

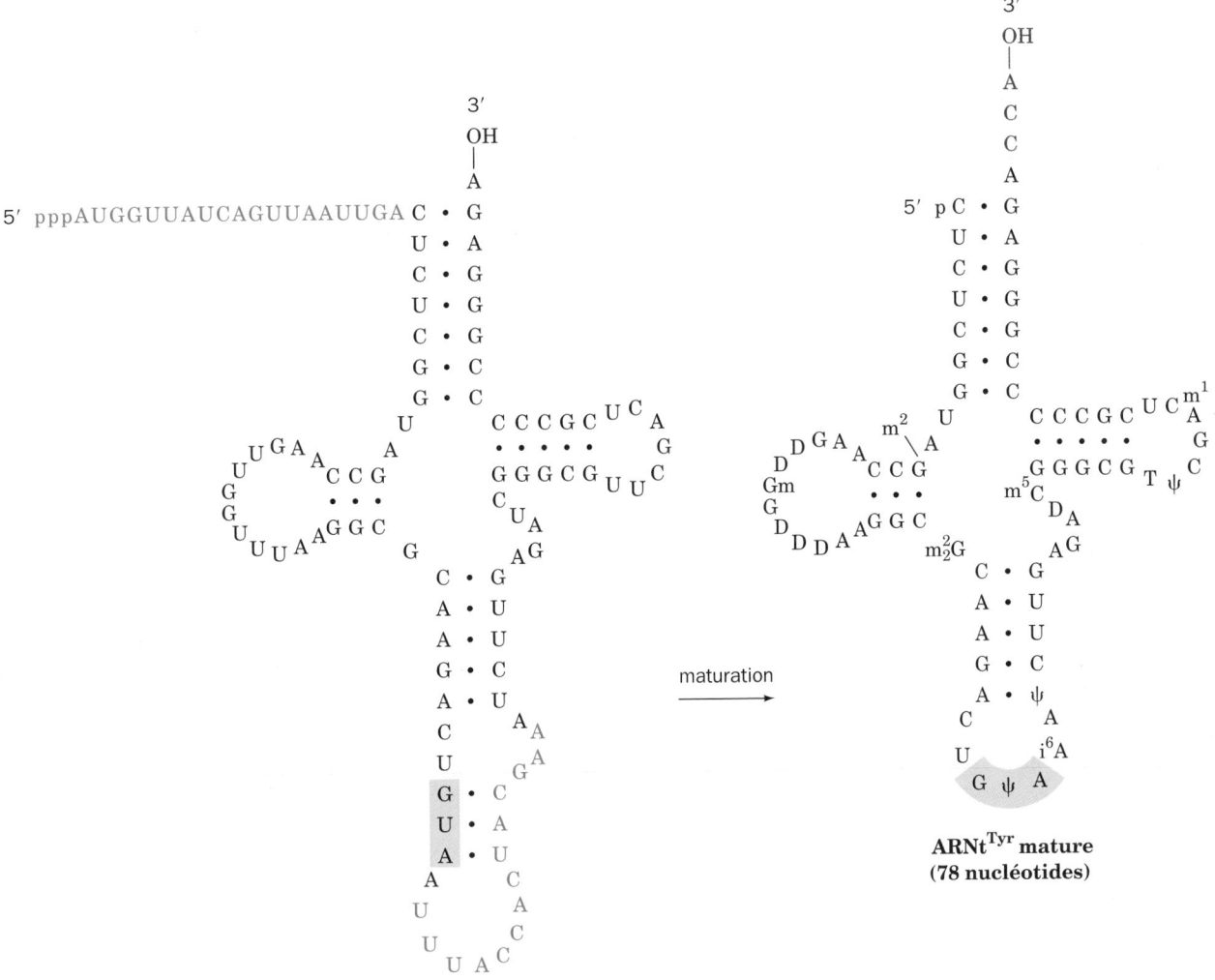

**Transcrit primaire de
l'ARNt^{Tyr} (108 nucléotides)**

FIGURE 31-75 Maturation post-transcriptionnelle de l'ARNt^{Tyr} de levure. Une séquence intercalée de 14 nucléotides et une séquence 5′-terminale de 19 nucléotides sont excisées du transcrit primaire, un —CCA est ajouté à l'extrémité 3′ et plusieurs bases sont modifiées (leurs symboles sont donnés dans la Fig. 32-13) pour donner l'ARNt mature. L'anticodon est ombré. [D'après DeRobertis, E.M. et Olsen, M.V., *Nature* **278**, 142 (1989).]

domaine de l'ARN participent à des interactions nécessaires à son repliement correct. Les expériences de modifications chimiques montrent que la liaison du pré-ARNt à l'ARNase P protège les bases empilées des résidus A130 et A230 qui font une saillie importante sur les tiges P9 et P11, ainsi que la base du résidu G220, qui dépasse de la tige J12/11. Cela permet d'identifier le coté du domaine de spécificité auquel se lie le substrat pré-ARNt comme étant celui qui fait face au lecteur dans la Fig. 31-74*b*.

b. De nombreux pré-ARNt d'eucaryotes contiennent des introns

Les génomes d'eucaryotes ont entre plusieurs centaines et plusieurs milliers de gènes d'ARNt. Beaucoup de transcrits primaires d'ARNt, par exemple celui de l'ARNt^{Tyr} (Fig. 31-75), contiennent un petit intron adjacent à leurs anticodons en plus de nucléotides

excédentaires à leurs extrémités 5′ et 3′. Notez qu'il est peu probable que cet intron perturbe la structure en feuille de trèfle de l'ARNt.

c. L'extrémité —CCA des ARNt eucaryotiques est ajoutée après leur transcription

Les transcrits d'ARNt d'eucaryotes sont dépourvus de la séquence —CCA obligatoire à leur extrémité 3′. Celle-ci est ajoutée aux ARNt non matures par l'**ARNt nudéotidyltransférase**, qui additionne successivement deux C et un A en utilisant le CTP et l'ATP comme substrats. On trouve aussi cette enzyme chez les procaryotes bien que, du moins chez *E. coli*, les gènes d'ARNt codent la séquence -CCA terminale. On pense donc que l'ARNt nucléotidyltransférase de *E. coli* assure la réparation d'ARNt endommagés.

RÉSUMÉ DU CHAPITRE

1 ■ Le rôle de l'ARN dans la synthèse protéique Selon le dogme central de la biologie moléculaire, « l'ADN fait l'ARN qui fait les protéines » (bien que l'ARN puisse aussi « faire » de l'ADN). Cependant, il y a d'énormes variations quant aux vitesses auxquelles les différentes protéines sont synthétisées. Certaines enzymes, comme celles de l'opéron *lac,* ne sont synthétisées que si les substances qu'elles métabolisent sont présentes. L'opéron *lac* est constitué des séquences de contrôle *lacP* et *lacO* suivies des gènes codant pour la β-galactosidase *(lacZ),* la galactoside perméase *(lacY),* et la thiogalactosidc transacétylase *(lacA).* En l'absence de l'inducteur physiologique, l'allolactose, le répresseur *lac,* produit du gène *lacI,* se lie à l'opérateur {*lacO)* afin d'empêcher la transcription de l'opéron *lac* par l'ARN polymérase. La liaison de l'inducteur provoque la dissociation du répresseur, de l'opérateur, permettant aux gènes de structure de l'opéron *lac* d'être transcrits en un seul ARNm polycistronique. L'ARNm s'associe transitoirement aux ribosomes pour leur faire synthétiser les polypeptides codés.

2 ■ L'ARN polymérase L'holoenzymc de l'ARN polymérase de *E. coli* présente la structure $\alpha_2\beta\beta'\omega\sigma$. Elle débute la transcription sur le brin antisens d'un gène à partir d'une position définie par son promoteur. La région la plus conservée du promoteur est centrée autour de la position −10 avec la séquence consensus TATAAT. La région −35 est aussi conservée dans les promoteurs efficaces. Des études de protection par méthylation ont montré que l'holoenzyme forme un complexe d'initiation « ouvert » avec le promoteur. L'holoenzyme de la RNAP Taq a la forme d'une pince de crabe avec la sous-unité σ allongée à son « sommet ». Dans le complexe fermé, l'ADN se fixe en travers du sommet de l'holoenzyme et tous les contacts spécifiques d'une séquence se font avec la sous-unité σ. Cela suggère un modèle du complexe fermé dans lequel la brin matrice de la bulle de transcription passe à travers un tunnel de la protéine vers le canal du site actif où il s'apparie avec les ribonucléotides entrant au site. Après initiation de la synthèse de l'ARN, la sous-unité σ se dissocie du cœur de l'enzyme, qui catalyse alors, de façon autonome, l'élongation de la chaîne dans la direction $5' \rightarrow 3'$. La synthèse de l'ARN est terminée par un segment du transcrit qui forme une épingle à cheveux riche en G + C, suivie d'une queue d'oligo(U) qui se dissocie spontanément de l'ADN. Les sites de terminaison qui n'ont pas ces séquences ont besoin de l'aide du facteur Rho pour une terminaison correcte de la chaîne.

Dans les noyaux des cellules eucaryotes, les ARN polymérases I, II et III synthétisent respectivement les précurseurs des ARNr, des ARNm et des ARNt + les ARN 5S. La structure de la RNAP II de levure ressemble à celle de la RNAP Taq mais elle est un peu plus grande avec davantage de sous-unités. La structure du complexe en cours de transcription montre la présence d'un segment d'un tour d'hélice hybride ADN · ARN dans le site actif et qui est en contact avec le solvant par un pore aboutissant à un entonnoir par lequel les nucléotides sont supposés passer. Le plus petit promoteur de l'ARN polymérase I s'étend des nucléotides −31 à +6. De nombreux promoteurs d'ARN polymérase II présentent une séquence conservée TATAAAA. la boîte TATA, localisée autour de la position −27. Les amplificateurs sont des activateurs de la transcription qui ont des positions et des orientations variables par rapport au site d'amorçage de la transcription. Les promoteurs de l'ARN polymérase III sont situés à l'intérieur des régions transcrites de leur gène entre les positions +40 et +80.

3 ■ Le contrôle de la transcription chez les procaryotes Les procaryotes peuvent s'adapter rapidement à des changements de leur environnement, en partie parce que la traduction de l'ARNm commence pendant la transcription et que la majorité de leurs ARNm

sont dégradés entre 1 et 3 minutes après leur synthèse. L'expression échelonnée dans le temps de séries de gènes chez quelques bactériophages et bactéries est contrôlée par des facteurs σ successifs. Le répresseur *lac* est une protéine tétramérique de sous-unités identiques qui, en l'absence d'inducteur, se lie de façon non spécifique à l'ADN double brin mais plus fortement à l'opérateur *lac.* La séquence opérateur protégée par le répresseur *lac* contre la digestion par des nucléases, présente une symétrie presque palindromique. Cependant, des protections par méthylation et des études de mutation montrent que le répresseur n'est pas lié symétriquement à l'opérateur, Le répresseur *lac* empêche l'ARN polymérase d'initier correctement la transcription au niveau du promoteur *lac.*

La présence de glucose réprime la transcription des opérons spécifiant certaines enzymes cataboliques par l'intermédiaire d'AMPc. Après liaison de l'AMPc, qui n'est synthétisé qu'en l'absence de glucose, la protéine activatrice de gènes du catabolisme (CAP) se lie aux promoteurs de certains opérons, comme l'opéron *lac,* activant ainsi leur transcription grâce à sa liaison avec le domaine C-terminal de la sous-unité α de l'ARN polymérase (αCTD). Deux domaines symétriques de liaison à l'ADN de la protéine CAP se fixent dans le grand sillon de leur ADN cible par un motif hélice-boucle-hélice (HTH) que l'on trouve dans de nombreux répresseurs procaryotiques. La liaison entre ces répresseurs et leur ADN cible est due à des associations mutuellement favorables entre ces macromolécules, plutôt qu'à des interactions spécifiques entre des bases particulières et les chaînes latérales des acides aminés qui mimeraient des appariements de type Watson-Crick. Des interactions spécifiques de séquences entre le répresseur *met* et son ADN cible s'établissent grâce à un ruban β antiparallèle de symétrie d'ordre deux, que cette protéine insère dans le grand sillon de l'ADN. La transcription de l'opéron *araBAD* est sous le contrôle de la concentration en arabinose et de CAP-AMPc grâce à un complexe remarquable de la protéine AraC avec deux sites de liaison, $araO_2$ et $araI_1$, qui entraîne la formation d'une boucle inhibitrice de l'ADN. Après liaison de L-arabinose et quand le complexe CAP-AMPc est lié juste à côté, AraC se dissocie de $araO_2$ et se lie plutôt à $araI_2$, ce qui détruit la boucle et active la transcription de l'opéron *araBAD* par l'ARN polymérase. L'expression de l'opéron *lac* est aussi partiellement contrôlée par la formation d'une boucle de l'ADN. Le répresseur *lac* est un dimère de dimères, dont l'un se fixe à l'opérateur $lacO_1$ et l'autre à l'un des opérateurs $lacO_2$ ou $lacO_3$ pour former une boucle d'ADN capable d'interférer avec la fixation de l'ARN polymérase sur le promoteur *lac.* La fixation d'un inducteur comme l'IPTG au domaine cœur du dimère de répresseur change l'angle entre les deux domaines de fixation à l'ADN de sorte qu'ils ne puissent plus se lier simultanément à l'opérateur *lac,* ce qui affaiblit la fixation du répresseur à l'ADN.

L'expression de l'opéron *trp* de *E. coli* est régulée à la fois par atténuation et par répression. Après liaison du tryptophane, son corépresseur, le répresseur *trp* se lie à l'opérateur *trp,* bloquant ainsi la transcription de l'opéron *trp.* Quand du tryptophane est disponible, une proportion importante du transcrit *trp* qui a échappé à la répression est prématurément terminée au niveau de la séquence *trpL* car son transcrit contient un segment qui forme une structure de terminaison normale. Quand le tryptophanyl-ARN^{Trp} est rare, les ribosomes stagnent au niveau de deux codons Trp consécutifs du transcrit. Cela permet à l'ARN nouvellement synthétisé de former une tige et une boucle par appariement de bases qui empêche la formation de la structure de terminaison. Plusieurs autres opérons sont aussi régulés par atténuation. La réponse « stringente » est un autre mécanisme par lequel *E. coli* adapte la vitesse de transcription à la disponibilité en ARNt chargés. Lorsqu'un ARNt chargé spécifié devient rare, le facteur de « stringence » associé à des ribosomes actifs synthétise du ppGpp, qui inhibe la transcription d'ARNr et de quelques ARNm, tout en stimulant la transcription d'autres ARNm.

4 ■ Les maturations post-transcriptionnelles La plupart des transcrits d'ARNm de procaryotes ne nécessitent pas de maturation supplémentaire. Par contre, les ARNm des eucaryotes portent une coiffe en 5′ et, dans la majorité des cas, une queue de poly(A), ces deux appendices étant synthétisés enzymatiquement. De plus, les introns des transcrits primaires des ARNm d'eucaryotes (hnARN) sont excisés de façon précise via un intermédiaire en lasso et leurs exons adjacents sont épissés ensemble pour donner l'ARNm mature. Les introns de groupe I et II sont auto-épissables, c'est-à-dire que leurs ARN sont des ribozymes (ARN enzyme). Les ribozymes comme le pré-ARNr de *Tetrahymena* et les ribozymes en tête de marteau, ont des structures complexes avec plusieurs tiges de bases appariées. Les pré-ARNm sont épissés par des grosses particules complexes, appelées spliceosomes, constituées de quatre petites ribonucléoprotéines nucléaires différentes (snRNP), qui sont assistées par la participation d'un grand nombre de facteurs d'épissage protéiques. De nombreuses protéines eucaryotiques sont constituées de modules que l'on retrouve aussi dans d'autres protéines, elles semblent donc avoir évolué par rassemblement progressif d'exons grâce à des événements de recombinaison. L'épissage alternatif des prè-ARNm augmente beaucoup la diversité des protéines exprimées par les génomes

eucaryotiques. Certains ARNm subissent une édition, qui peut se faire soit par remplacement, insertion ou suppression de bases spécifiques, selon un processus dirigé par des ARN guides (ARNg), soit par substitution grâce à des cytidine désaminases ou des adénosine désaminases. Dans l'interférence d'ARN (ARNi), un ARNdb est découpé par l'endonucléase Dicer en petits ARN interférents (ARNsi) qui guident le clivage hydrolytique de leur ARNm complémentaire par le complexe RISC (RNA induced silencing complex), empêchant ainsi la traduction de l'ARNm.

Les transcrits primaires des ARNr de *E. coli* contiennent les trois ARNr ainsi que quelques ARNt. Ils sont excisés et élagués par des endonucléases et exonucléases spécifiques. Les ARNr d'eucaryotes 18S, 5,8S et 28S sont également transcrits sous forme d'un précurseur 45S, qui est maturé selon un processus rappelant celui des ARNr de *E. coli*. Les ARNr d'eucaryotes sont aussi d'une part modifiés par méthylation de nucléosides spécifiques, comme le sont ceux de certains procaryotes, d'autre part par la conversion de certains résidus U en pseudo-uridines (ψ). Ces processus sont guidés par des petits ARN nucléolaires (ARNsno). Les ARNt de procaryotes sont excisés de leurs transcrits primaires puis élagués comme les ARNr. Dans l'ARNase P, l'une des enzymes impliquées dans ce processus, la sous-unité catalytique est un ARN. Les transcrits des ARNt d'eucaryotes nécessitent aussi l'excision d'un petit intron et l'addition enzymatique de la séquence —CCA à l'extrémité 3′ pour donner l'ARNt mature.

RÉFÉRENCES

GÉNÉRALITÉS

Adams, R.L.P., Knowler, J.T., et Leader, D.P., *The Biochemistry of the Nucleic Acids* (11ᵉ éd.), Chapitres 9–11, Chapman and Hall (1992).

Brown, T.A., *Genomes* (2ᵉ éd.), Chapitre 10, Wiley-Liss (2002).

Gesteland, R.F., Cech, T.R., et Atkins, J.F. (Éds.), *The RNA World* (2ᵉ éd.), Cold Spring Harbor Laboratory (1999). [A series of authoritative articles on the nature of the prebiotic "RNA world" as revealed by the RNA "relics" in modern organisms.]

Hodgson, D.A. et Thomas, C.M. (Éds.), *Signals, Switches, Regulons and Cascades : Control of Bacterial Gene Expression*, Cambridge University Press (2002).

Lewin, B., *Genes VII*, Chapitres 5, 9, 10, et 20, Oxford (2000).

LE RÔLE GÉNÉTIQUE DE L'ARN

Brachet, J., Reminiscences about nucleic acid cytochemistry and biochemistry, *Trends Biochem. Sci.* **12**, 244–246 (1987).

Brenner, S., Jacob, F., et Meselson, M., An unstable intermediate carrying information from genes to ribosomes for protein synthesis, *Nature* **190**, 576–581 (1960). [The experimental verification of mRNA's existence.]

Crick, F., Central dogma of molecular biology, *Nature* **227**, 561–563 (1970).

Hall, B.D. et Spiegelman, S., Sequence complementarity of T2-DNA and T2-specific RNA, *Proc. Natl. Acad. Sci.* **47**, 137–146 (1964). [The first use of RNA–DNA hybridization.]

Jacob, F. et Monod, J., Genetic regulatory mechanisms in the synthesis of proteins, *J. Mol. Biol.* **3**, 318–356 (1961). [The classic paper postulating the existence of mRNA and operons and explaining how the transcription of operons is regulated.]

Pardee, A.B., Jacob, F., et Monod, J., The genetic control and cytoplasmic expression of « inducibility » in the synthesis of β-galactosidase by *E. coli*, *J. Mol. Biol.* **1**, 165–178 (1959). [The PaJaMo experiment.]

Thieffry, D., Forty years under the central dogma, *Trends Biochem. Sci.* **23**, 312–316 (1998).

L'ARN POLYMÉRASE ET L'ARNM

Campbell, E.A., Korzheva, N., Mustaev, A., Murakami, K., Nair, S., Goldfarb, A., et Darst, S.A., Structural mechanism for rifampicin inhibition of bacterial RNA polymerase, *Cell* **104**, 901–912 (2001).

Cramer, P., Multisubunit RNA polymerases, *Curr. Opin. Struct. Biol.* **12**, 89–97 (2002).

Cramer, P., Bushnell, D.A., et Kornberg, R.D., Structural basis of transcription : RNA polymerase at 2.8 Å resolution, *Science* **292**, 1863–1876 (2001) ; et Gnatt, A.L., Cramer, P., Fu, J., Bushnell, D.A., et Kornberg, R.D., Structural basis of transcription: An RNA polymerase II elongation complex at 3.3 Å resolution, *Science* **292**, 1876–1882 (2001).

Dahmus, M.E., Reversible phosphorylation of the C-terminal domain of RNA polymerase II, *J. Biol. Chem.* **271**, 19009–19012 (1996).

Darst, S.A., Bacterial RNA polymerase, *Curr. Opin. Struct. Biol.* **11**, 155–162 (2001).

Das, A., Control of transcription termination by RNA-binding proteins, *Annu. Rev. Biochem.* **62**, 893–930 (1993).

DeHaseth, P.L., Zupancic, M.L., et Record, M.T., Jr., RNA polymerase-promoter interactions : the comings and goings of RNA polymerase, *J. Bacteriol.* **180**, 3019–3025 (1998).

Erie, D.A., Yager, T.D., et von Hippel, P.H., The single nucleotide addition cycle in transcription, *Annu. Rev. Biophys. Biomol. Struct.* **21**, 379–415 (1992).

Estrem, S.T., Gaal, T., Ross, W., et Gourse, R.L., Identification of an UP element consensus sequence for bacterial promoters, *Proc. Natl. Acad. Sci.* **95**, 9761–9766 (1998).

Futcher, B., Supercoiling and transcription, or vice versa ? Trends Genet. 4, 271–272 (1988).

Gannan, F., O'Hare, K., Perrin, F., LePennec, J.P., Benoist, C., Cochet, M., Breathnach, R., Royal, A., Garapin, A., Cami, B., et Chambon, P., Organization and sequences of the 59 end of a cloned complete ovalbumin gene, *Nature* **278**, 428–434 (1979).

Geiduschek, E.P. et Tocchini-Valentini, G.P., Transcription by RNA polymerase III, *Annu. Rev. Biochem.* **57**, 873–914 (1988).

Harada, Y., Ohara, O., Takatsuki, A., Itoh, H., Shimamoto, N., et Kinosita, K., Jr., Direct observation of DNA rotation during transcription by *Escherichia coli* RNA polymerase, *Nature* **409**, 113–115 (2001).

Huffman, J.L. et Brennan, R.G., Prokaryotic transcriptional regulators : more than just the helix-turn-helix motif, *Curr. Opin. Struct. Biol.* **12**, 98–106 (2002).

Kamitori, S. et Takusagawa, F., Crystal structure of the 2:1 complex between d(GAAGCTTC) and the anticancer drug actinomycin D, *J. Mol. Biol.* **225**, 445–456 (1992).

Khoury, G. et Gruss, P., Enhancer elements, *Cell* **33**, 313–314 (1983).

Murikami, K.S., Masuda, S., et Darst, S., Structural basis of transcription initiation : RNA polymerase at 4 Å resolution, *Science* **296**, 1280–1284 (2002) ; Murikami, K.S., Masuda, S., Campbell, E.A., Muzzin, O., et Darst, S., Structural basis of transcription initiation : An RNA polymerase holoenzyme-DNA complex, *Science* **296**, 1285–1290 (2002) ; et Marakami, K.S. et Darst, S.A., Bacterial RNA polymerases : the whole story, *Curr. Opin. Struct. Biol.* **13**, 31–39 (2003).

Reynolds, R., Bermúdez-Cruz, R.M., et Chamberlin, M.J., Parameters affecting transcription termination by *Escherichia coli* RNA. I. Analysis of 13 rho-independent terminators, *J. Mol. Biol.* **224**, 31–51 (1992) ; et Reynolds, R. et Chamberlin, M.J., Parameters affecting transcription termination by *Escherichia coli* RNA. II. Construction of hybrid terminators, *J. Mol. Biol.* **224**, 53–63 (1992).

Richardson, J.P., Transcription termination, *Crit. Rev. Biochem. Mol. Biol.* **28**, 1–30 (1993).

Richardson, J.P., Structural organization of transcription termination factor rho, *J. Biol. Chem.* **271**, 1251–1254 (1996).

Shilatifard, A., Conway, R.C., et Conway, J.W., The RNA polymerase II elongation complex, *Annu. Rev. Biochem.* **72**, 693–715 (2003).

Skordalakes, E. et Berger, J.M., The structure of Rho transcription terminator : Mechanism of mRNA recognition and helicase loading, *Cell.* **114**, 135–146 (2003).

Uptain, S.M., Kane, C.M., et Chamberlin, M.J., Basic mechanisms of transcription elongation and its regulation, *Annu. Rev. Biochem.* **66**, 117–172 (1997).

Willis, I.M., RNA polymerase III, *Eur. J. Biochem.* **212**, 1–11 (1993).

Zhang, G., Campbell, E.A., Minakhin, L., Richter, C., Severinov, K., et Darst, S.A., Crystal structure of Thermus aquaticus core RNA polymerase at 3.3 Å resolution, *Cell* **98**, 811–824 (1999).

LE CONTRÔLE DE LA TRANSCRIPTION

Anderson, J.E., Ptashne, M., et Harrison, S.C., The structure of the repressor–operator complex of bacteriophage 434, *Nature* **326**, 846–852 (1987).

Bell, C.E. et Lewis, M., The Lac repressor: a second generation of structural and functional studies, *Curr. Opin. Struct. Biol.* **11**, 19–25 (2001).

Bennoff, B., Yang, H., Lawson, C.L., Parkinson, G., Liu, J., Blatter, E., Ebright, Y.W., Berman, H.M., et Ebright, R.H., Structural basis of transcription activation : The CAP-aCTD-DNA complex, *Science* **297**, 1562–1566 (2002).

Busby, S. et Ebright, R.H., Transcription activation by catabolite activator protein (CAP), *J. Mol. Biol.* **293**, 199–213 (1999).

Gallant, J.A., Stringent control in *E. coli*, *Annu. Rev. Genet.* **13**, 393–415 (1979).

Gartenberg, M.R. et Crothers, D.M., Synthetic DNA bending sequences increase the rate of *in vitro* transcription initiation at the *Escherichia coli* lac promoter, *J. Mol. Biol.* **219**, 217–230 (1991).

Gilbert, W. et Müller-Hill, B., Isolation of the lac repressor, *Proc. Natl. Acad. Sci.* **56**, 1891–1898 (1966).

Harmor, T., Wu, M., et Schleif, R., The role of rigidity in DNA looping–unlooping by AraC, *Proc. Natl. Acad. Sci.* **98**, 427–431 (2001).

Kolb, A., Busby, S., Buc, H., Garges, S., et Adhya, S., Transcriptional regulation by cAMP and its receptor protein, *Annu. Rev. Biochem.* **62**, 749–795 (1993).

Kolter, R. et Yanofsky, C., Attenuation in amino acid biosynthetic operons, *Annu. Rev. Genet.* **16**, 113–134 (1982).

Lamond, A.I. et Travers, A.A., Stringent control of bacterial transcription, *Cell* **41**, 6–8 (1985).

Lee, J. et Goldfarb, A., lac repressor acts by modifying the initial transcribing complex so that it cannot leave the promoter, *Cell* **66**, 793–798 (1991).

Lewis, M., Chang, G., Horton, N.C., Kercher, M.A., Pace, H.C., Schumacher, M.A., Brennan, R.G., et Lu, P., Crystal structure of the lactose operon repressor and its complexes with DNA and inducer, *Science* **271**, 1247–1254 (1996).

Lobel, R.B. et Schleif, R.F., DNA looping and unlooping by AraC protein, *Science* **250**, 528–532 (1990).

Luisi, B.F. et Sigler, P.B., The stereochemistry and biochemistry of the trp repressor-operator complex, *Biochim. Biophys. Acta* **1048**, 113–126 (1990).

McKnight, S.L. et Yamamoto, K.R. (Éds.), *Transcriptional Regulation*, Cold Spring Harbor Laboratory Press (1992). [A two-volume compendium that contains authoritative articles on many aspects of prokaryotic transcriptional control.]

Mondragón, A. et Harrison, S.C., The phage 434 Cro/O$_R$1 complex at 2.5 Å resolution, *J. Mol. Biol.* **219**, 321–334 (1991) ; et Wolberger, C., Dong, Y., Ptashne, M., et Harrison, S., Structure of phage 434 Cro/DNA complex, *Nature* **335**, 789–795 (1988).

Oehler, S., Eismann, E.R., Krämer, H., et Müller-Hill, B., The three operators of the lac operon cooperate in repression, *EMBO J.* **9**, 973–979 (1990).

Pace, H.C., Kercher, M.A., Lu, P., Markiewicz, P., Miller, J.H., Chang, G., et Lewis, M., Lac repressor genetic map in real space, *Trends Biochem. Sci.* **22**, 334–339 (1997).

Reeder, T. et Schleif, R., AraC protein can activate transcription from only one position and when pointed in only one direction, *J. Mol. Biol.* **231**, 205–218 (1993).

Rogers, D.W. et Harrison, S.C., The complex between phage 434 repressor DNA-binding domain and operator site O$_R$3 : structural differences between consensus and non-consensus half-sites, *Structure* **1**, 227–240 (1993).

Schleif, R., DNA looping, *Annu. Rev. Biochem.* **61**, 199–223 (1992).

Schleif, R., Regulation of the L-arabinose operon of *Escherichia coli*, *Trends Genet.* **16**, 559–565 (2000).

Schultz, S.C., Shields, G.C., et Steitz, T.A., Crystal structure of a CAP-DNA complex : The DNA is bent by 908, *Science* **253**, 1001–1007 (1991).

Shakked, Z., Guzikevich-Guerstein, G., Frolow, F., Rabinovich, D., Joachimiak, A., et Sigler, P.B., Determinants of repressor/operator recognition from the structure of the trp operator binding site, *Nature* **368**, 469–473 (1994).

Soisson, S.M., MacDougall-Shackleton, B., Schleif, R., et Wolberger, C., Structural basis for ligand-regulated oligomerization of AraC, *Science* **276**, 421–425 (1997). [The X-ray structure of AraC alone and in complex with arabinose.]

Somers, W.S. et Phillips, S.E.V., Crystal structure of the met repressor-operator complex at 2.8 Å resolution reveals DNA recognition by β-strands, *Nature* **359**, 387–393 (1992).

Spronk, C.A.E.M., Bonvin, A.M.J.J., Radha, P.K., Melacini, G., Boelens, R., et Kaptein, R., The solution structure of Lac repressor headpiece 62 complexed to a symmetrical lac operator, *Structure* **7**, 1483–1492 (1999).

Steitz, T.A., Structural studies of protein–nucleic acid interaction: the sources of sequence-specific binding, *Quart. Rev. Biophys.* **23**, 205–280 (1990). [Also published as a book of the same title by Cambridge University Press (1993).]

Yanofsky, C., Transcription attenuation, *J. Biol. Chem.* **263**, 609–612 (1988); et Attenuation in the control of expression of bacterial operons, *Nature* **289**, 751–758 (1981).

MATURATIONS POST-TRANSCRIPTIONNELLES

Apiron, D. et Miczak, A., RNA processing in prokaryotic cells, *BioEssays* **15**, 113–119 (1993).

Bachellerie, J.-P. et Cavaillé, J., Guiding ribose methylation of rRNA, *Trends Biochem. Sci.* **22**, 257–261 (1997).

Bard, J., Zhelkovsky, A.M., Helmling, S., Earnest, T.N., Moore, C.L. et Bohm, A., Structure of yeast poly(A) polymerase alone and in complex with 39-dATP, *Science* **289**, 1346–1349 (2000); et Martin, G., Keller, W., et Doublié, S., Crystal structure of mammalian poly(A) polymerase in complex with an analog of ATP, *EMBO J.* **19**, 4193–4203 (2000).

Bass, B.L., RNA editing by adenosine deaminases that act on RNA, *Annu. Rev. Biochem.* **71**, 817–846 (2002).

Black, D.L., Mechanism of alternative pre-messenger RNA splicing, *Annu. Rev. Biochem.* **72**, 291–336 (2003).

Brantl, S., Antisense regulation and RNA interference, *Biochim. Biophys. Acta* **1575**, 15–25 (2002).

Cate, J.H., Gooding, A.R., Podell, E., Zhou, K., Golden, B.L., Kundrot, C.E., Cech, T.R., et Doudna, J.A., Crystal structure of a group I ribozyme domain: principles of RNA packing, *Science* **273**, 1678–1690 (1996); Cate, J.H., Gooding, A.R., Podell, E., Zhou, K., Golden, B.L., Szewczak, A.A., Kundrot, C.E., Cech, T.R., et Doudna, J.A., RNA tertiary mediation by adenosine platforms, *Science* **273**, 1696–1699 (1996); et Cate, J.H. et Doudna, J.A., Metal-binding sites in the major groove of a large ribozyme domain, *Structure* **4**, 1221–1229 (1996).

Cech, T.R., Self-splicing of group I introns, *Annu. Rev. Biochem.* **59**, 543–568 (1990).

Chambon, P., Split genes, *Sci. Am.* **244**(5), 60–71 (1981).

Davis, R.E., Spliced leader RNA trans-splicing in metazoa, *Parasitology Today* **12**, 33–40 (1996).

Decatur, W.A. et Fournier, M.J., RNA-guided nucleotide modification of ribosomal and other RNAs, *J. Biol. Chem.* **278**, 695–698 (2003).

Denli, A.M. et Hannon, G.J., RNAi: An evergrowing puzzle, *Trends Biochem. Sci.* **28**, 196–201 (2003).

Doherty, E.A. et Doudna, J.A., Ribozyme structures and mechanisms, *Annu. Rev. Biophys. Biomol. Struct.* **30**, 457–475 (2001); et *Annu. Rev. Biochem.* **69**, 597–615 (2000).

Dreyfuss, G., Kim, V.N., et Kataoka, N., Messenger-RNA-binding proteins and the messages they carry. *Nature Rev. Cell Biol.* **3**, 195–205 (2002); et Shyu, A.-B. et Wilkinson, M.F., The double lives of shuttling mRNA binding proteins, *Cell* **102**, 135–138 (2000).

Ehretsmann, C.P., Carpousis, A.J., et Krisch, H.M., mRNA degradation in prokaryotes, *FASEB J.* **6**, 3186–3192 (1992).

Frank, D.N. et Pace, N.R., Ribonuclease P: unity and diversity in a tRNA processing ribozyme, *Annu. Rev. Biochem.* **67**, 153–180 (1998).

Gerber, A.P. et Keller, W., RNA editing by base deamination: more enzymes, more targets, new mysteries, *Trends Biochem. Sci.* **26**, 376–384 (2001).

Golden, B.L., Gooding, A.R., Podell, E.R., et Cech, T.R., A preorganized active site in the crystal structure of the Tetrahymena ribozyme, *Science* **282**, 259–264 (1998).

Gopalan, V., Vioque, A., et Altman, S., RNase P: variations and uses, *J. Biol. Chem.* **277**, 6759–6762 (2002).

Gott, J.M. et Emeson, R.B., Functions and mechanisms of RNA editing, *Annu. Rev. Genet.* **34**, 499–531 (2000).

Hannon, G.J., RNA interference, *Nature* **418**, 244–251 (2002).

Grosjean, H. and Benne, R. (Éds.), *Modification and Editing of RNA*, ASM Press (1998).

Kambach, C., Walke, S., Young, R., Avis, J.M., de la Fortelle, E., Raker, V.A., Lührmann, R., et Nagai, K., Crystal structures of two Sm protein complexes and their implications for the assembly of the spliceosomal snRNPs, *Cell* **96**, 375–387 (1999).

Keegan, L.P., Gallo, A., et O'Connell, M.A., The many roles of an RNA editor, *Nature Rev. Genet.* **2**, 869–878 (2001).

Krämer, A., The structure and function of proteins involved in mammalian pre-mRNA splicing, *Annu. Rev. Biochem.* **65**, 367–409 (1996).

Krasilnikov, A.S., Yang, X., Pan, T., et Mondragón, A., Crystal structure of the specificity domain of ribonuclease P, *Nature* **421**, 760–764 (2003).

Li, Y. et Breaker, R.R., Deoxyribozymes: new players in an ancient game of biocatalysis, *Curr. Opin. Struct. Biol.* **9**, 315–323 (1999).

Liu, Z., Luyten, I., Bottomley, M.J., Messais, A.C., Houngninou-Molango, S., Sprangers, R., Zanier, K., Krämer, A., et Satler, M., Structural basis for recognition of the intron branch site RNA by splicing factor 1, *Science* **294**, 1098–1102 (2001).

Maas, S., Rich, A., et Nishikura, K., A-to-I RNA editing: Recent news and residual mysteries, *J. Biol. Chem.* **278**, 1391–1394 (2003); et Blanc, V. and Davidson, N.O., C-to-U RNA editing: Mechanisms leading to genetic diversity, *J. Biol. Chem.* **278**, 1395–1398 (2003).

Madison-Antenucci, S., Grams, J., et Hajduk, S.L., Editing machines: the complexities of trypanosome editing, *Cell* **108**, 435–438 (2002).

Maniatis, T. et Tasic, B., Alternative pre-mRNA splicing and proteome expansion in metazoans, *Nature* **418**, 236–243 (2002).

McManus, M.T. et Sharp, P.A., Gene silencing in mammals by small interfering RNAs, *Nature Rev. Genet.* **3**, 737–747 (2002).

Mura, C., Cascio, D., Sawaya, M.R., et Eisenberg, D.S., The crystal structure of a heptameric archaeal Sm protein: Implication for the eukaryotic snRNP core, *Proc. Natl. Acad. Sci.* **98**, 5532–5537 (2001).

Nishikura, K., A short primer on RNAi: RNA-directed RNA polymerase acts as a key catalyst, *Cell* **107**, 415–418 (2001).

Proudfoot, N., Connecting transcription to messenger RNA processing, *Trends Biochem. Sci.* **25**, 290–293 (2000); et Proudfoot, N.J., Furger, A., et Dye, M.J., Integrating mRNA processing with transcription, *Cell* **108**, 501–512 (2002).

Rio, D.C., RNA processing, *Curr. Opin. Cell Biol.* **4**, 444–452 (1992).

Scott, W.G., Biophysical and biochemical investigations of RNA catalysis in the hammerhead ribozyme, *Quart. Rev. Biophys.* **32**, 241–284 (1999); Murray, J.B., Terwey, D.P., Maloney, L., Karpeisky, A., Usman, N., Beigleman, L., et Scott, W.G., The structural basis of hammerhead ribozyme self-cleavage, *Cell* **92**, 665–673 (1998); et Scott, W.G., Murray, J.B., Arnold, J.R.P., Stoddard, B.L., et Klug, A., Capturing the structure of a catalytic RNA intermediate: the hammerhead ribozyme, *Science* **274**, 2065–2069 (1996).

Sharp, P.A., Split genes and RNA splicing, *Cell* **77**, 805–815 (1994).

Smith, C.W.J. et Valcárcel, J., Alternative pre-mRNA splicing: the logic of combinatorial control, *Trends Biochem. Sci.* **25**, 381–388 (2000).

Staley, J.P. et Guthrie, C., Mechanical devices of the spliceosome: motors, clocks, springs, and things, *Cell* **92**, 315–326 (1998).

Stark, H., Dube, P., Lührmann, R., et Kastner, B., Arrangement of RNA and proteins in the spliceosomal U1 small nuclear ribonucleoprotein particle, *Nature* **409**, 539–543 (2001).

Stevens, S.W., Ryan, D.E., Ge, H.Y., Moore, R.E., Young, M.K., Lee, T.D., et Abelson, J., Composition and functional characterization of the yeast spliceosomal penta-snRNP, *Molec. Cell* **9**, 31 – 44 (2002).

Tanaka Hall, T.M., Poly(A) tail synthesis and regulation: recent structural insights, *Curr. Opin. Struct. Biol.* **12**, 82 – 88 (2002).

Tarn, W.-Y. et Steitz, J.A., Pre-mRNA splicing: the discovery of a new spliceosome doubles the challenge, *Trends Biochem. Sci.* **22**, 132 – 137 (1997).

Valadkhan, S. et Manley, J.L. Splicing-related catalysis by protein-free snRNAs, *Nature* **413**, 701 – 707 (2001).

Wahle, E. et Kühn, U., The mechanism of cleavage and polyadenylation of eukaryotic pre-RNA, *Prog. Nucl. Acid Res. Mol. Biol.* **57**, 41 – 71 (1997); et Wahle, E. et Keller, W., The biochemistry of polyadenylation, *Trends Biochem. Sci.* **21**, 247 – 250 (1996).

Weinstein, L.B. et Steitz, J.A., Guided tours: from precursor to snoRNA to functional snoRNP, *Curr. Opin. Cell Biol.* **11**, 378 – 384 (1999).

Xiao, S., Scott, F., Fierke, C.A., et Enelke, D.R., Eukaryotic ribonuclease P: A plurality of ribonucleoprotein enzymes, *Annu. Rev. Biochem.* **71**, 165 – 189 (2002).

Zamore, P.D., Ancient pathways programmed by small RNAs, *Science* **296**, 1265 – 1269 (2002); et Hutvágner and Zamore, P.D., RNAi: Nature abhors a double strand, *Carr. Opin. Genet. Dev.* **12**, 225 – 232 (2002).

PROBLÈMES

1. Indiquez les phénotypes des diploïdes partiels de *E. coli* suivants en fonction de l'inductibilité et des enzymes actives synthétisées.

a. $I^- P^+ O^+ Z^+ Y^- / I^+ P^- O^+ Z^+ Y^+$

b. $I^- P^+ O^c Z^+ Y^- / I^+ P^+ O^+ Z^- Y^+$

c. $I^- P^+ O^c Z^+ Y^+ / I^- P^+ O^+ Z^+ Y^+$

d. $I^- P^- O^c Z^+ Y^+ / I^- P^+ O^c Z^- Y^-$

2. Des mutants **super-réprimés**, I^S, codent des répresseurs *lac* qui se lient à l'opérateur mais qui sont insensibles à la présence de l'inducteur. Indiquez les phénotypes des génotypes suivants en fonction de l'inductibilité et de la production d'enzyme.

a. $I^S O^+ Z^+$ b. $I^S O^c Z^+$ c. $I^+ O^+ Z^+ / I^S O^+ Z^+$

3. Pourquoi des mutants *E. coli* lacZ⁻ ne présentent-ils pas d'activité **galactoside** perméase après addition de lactose en l'absence de glucose ? Pourquoi des mutants *lac* Y⁻ n'ont-ils pas d'activité β-galactosidase dans les mêmes conditions ?

4. Quel est l'avantage expérimental d'utiliser l'IPTG plutôt que le 1,6-allolactose comme inducteur de l'opéron *lac* ?

5. Indiquez la région −10, la région −35, et le nucléotide de départ sur le brin sens du promoteur de l'ARNt de *E. coli* représenté ci-dessous :

5′ CAACGTAACACTTTACAGCGGCGCGTCATTTGATATGATGCGCCCCGCTTCCCGATA 3′

3′ GTTGCATTGTGAAATGTCGCCGCGCAGTAAACTATACTACGCGGGGCGAAGGGCTAT 5′

6. Pourquoi les *E. coli* diploïdes pour la résistance et pour la sensibilité à la rifamycine *(rif^R/rif^S)* sont-ils sensibles à la rifamycine ?

7. Quelle est la probabilité pour qu'une séquence d'ADN de 4026 nucléotides codant pour la sous-unité β de l'ARN polymérase de *E. coli* soit transcrite avec la séquence de bases correcte ? Faites vos calculs avec les probabilités de 0,0001, 0,001, et 0,01 que chaque base soit transcrite de façon incorrecte.

8. Lorsqu'un activateur transcriptionnel (enhancer) se trouve dans un plasmide et que le promoteur qui lui correspond se trouve dans un deuxième plasmide, qui est enchaîné (lié) au premier, l'initiation de la transcription est presque aussi efficace que lorsque l'activateur et le promoteur sont sur le même plasmide. Par contre, comment expliquez vous que l'initiation n'ait pas lieu quand les deux plasmides ne sont pas liés ?

9. Quelle est la probabilité pour que la symétrie de l'opérateur *lac* soit purement accidentelle ?

10. Pourquoi l'inhibition de l'ADN gyrase de *E. coli* inhibe-t-elle l'expression des opérons sensibles aux catabolites ?

11. Décrivez la transcription de l'opéron *trp* en l'absence de ribosomes actifs et de tryptophane.

12. Pourquoi la transcription chez les eucaryotes ne peut-elle pas être régulée par atténuation ?

13. Charles Yanofsky et ses collaborateurs ont synthétisé un ARN de 15 nucléotides complémentaire du segment 1 de l'ARNm de la région *trpL* (mais seulement partiellement complémentaire au segment 3), Quel est son effet sur la transcription *in vitro* de l'opéron *trp* ? Quel est son effet si la région *trpL* présente une mutation dans le segment 2 qui déstabilise la tige 2·3 et sa boucle ?

14. Pourquoi les mutants *relA⁻* ne peuvent-ils pas assurer la transcription *in vivo* des opérons *his* et *trp* ?

15. Pourquoi les transcrits primaires des ARNr ne sont-ils pas observés dans la souche sauvage de *E. coli* ?

16. Pourquoi les ribozymes en tête de marteau ne peuvent-ils pas catalyser le clivage d'ARNsb ?

Chapitre

32   Traduction

Ce chapitre sera consacré à l'étude de la **traduction,** c'est-à-dire à la biosynthèse des polypeptides dirigée par l'ARNm. Bien que la formation d'une liaison peptidique soit une réaction chimique relativement simple, la complexité du mécanisme de la traduction, qui implique la participation coordonnée de plus de 100 macromolécules, provient de la nécessité de réunir 20 résidus d'acides aminés différents avec précision dans l'ordre spécifié par un ARNm donné. Rappelons que ce processus a été esquissé dans la Section 5-4B.

Nous commencerons par l'étude du **code génétique,** qui établit la correspondance entre les séquences des acides nucléiques et les

séquences polypeptidiques. Ensuite, nous étudierons les structures et les propriétés des **ARNt,** les entités porteuses des acides aminés qui participent au processus de traduction. Après quoi, nous verrons la structure et la fonction des **ribosomes,** les machines moléculaires complexes qui catalysent la formation de la liaison peptidique entre les acides aminés spécifiés par l'ARNm. Cependant, la formation de liaisons peptidiques ne conduit pas forcément à la synthèse d'une protéine fonctionnelle ; de nombreux polypeptides doivent d'abord subir des modifications post-traductionnelles comme nous le verrons dans la section suivante. Enfin, nous étudierons comment les cellules dégradent les protéines, un processus qui doit s'équilibrer avec la synthèse protéique.

1 ■ LE CODE GÉNÉTIQUE

Comment l'ADN code-t-il l'information génétique ? D'après l'hypothèse un gène/un polypeptide, le message génétique dicte la séquence en acides aminés des protéines. Puisque la séquence des bases de l'ADN est le seul élément variable de ce polymère répétitif par ailleurs monotone, la séquence en acides aminés d'une protéine doit d'une certaine façon être spécifiée par la séquence des bases du segment d'ADN correspondant.

Une séquence de bases d'ADN pourrait théoriquement spécifier une séquence d'acides aminés selon plusieurs manières. Avec seulement 4 bases pour coder 20 acides aminés, un groupe de plusieurs bases, appelé un **codon,** est nécessaire pour spécifier un acide aminé donné. Un code à triplets, c'est-à-dire un code avec 3 bases par codon, est le minimum requis puisqu'il y a $4^3 = 64$ triplets de base différents, alors qu'il ne peut y avoir que $4^2 = 16$ doublets, ce qui est insuffisant pour spécifier tous les acides aminés. Avec un code à triplets, on peut avoir jusqu'à 44 codons qui ne codent pas d'acide aminé, à moins que plusieurs acides aminés ne soient spécifiés par plus d'un codon. Un tel code, selon un terme emprunté aux mathématiques, est dit **dégénéré.**

Autre mystère : comment la machine qui synthétise les polypeptides regroupe-t-elle la séquence continue de bases de l'ADN en codons ? Par exemple, le code pourrait être chevauchant ; ainsi, dans la séquence

ABCDEFGHIJ···

ABC pourrait coder pour un acide aminé, BCD pour un second, CDE pour un troisième, *etc.* Autre possibilité : le code ne serait pas chevauchant, de sorte que ABC spécifie un acide aminé, DEF un second, GHI un troisième, *etc.* Le code pourrait avoir aussi une

« ponctuation » interne, comme dans le code à triplets non chevauchant

ABC,DEF,GHI,···

où les virgules représentent des bases particulières ou des séquences de bases. D'autre part, comment le code génétique spécifie-t-il le début et la fin d'une chaîne polypeptidique ?

On sait maintenant que le code génétique est un code à triplets, non chevauchant, sans virgules et dégénéré. Dans la section qui suit, nous allons voir comment cela a été déterminé et comment le dictionnaire du code génétique a été élucidé.

A. *Mutagénèse chimique*

C'est en utilisant des **mutagènes chimiques** que l'on a pu établir que le code génétique est un code à triplets. Aussi, avant d'étudier le code génétique allons-nous étudier ces substances. On distingue deux catégories principales de mutations :

1. Les **mutations ponctuelles,** dans lesquelles une paire de bases en remplace une autre. Celles-ci se subdivisent en :

   (a) Transitions, dans lesquelles une purine (ou une pyrimidine) est remplacée par une autre.

   (b) Transversions, dans lesquelles une purine est remplacée par une pyrimidine et vice versa.

2. Mutations par insertion/délétion, dans lesquelles une ou plusieurs paires nucléotidiques sont soit insérées dans l'ADN, soit délétées de l'ADN.

Une mutation de l'une ou l'autre de ces catégories peut être inversée par une mutation ultérieure de la même catégorie mais pas d'une autre catégorie

a. Les mutations ponctuelles sont obtenues par des bases modifiées

Les mutations ponctuelles peuvent provenir du traitement d'un organisme par des analogues de bases ou par des substances qui modifient chimiquement certaines bases. Par exemple, l'analogue de base **5-bromouracile (5BU)** ressemble stériquement à la thymine (5-méthyluracile) mais, en raison de l'électronégativité de son atome de Br, elle prend fréquemment une forme tautomère qui s'apparie avec la guanine au lieu de l'adénine (Fig. 32-1). Par conséquent, quand du 5BU est incorporé dans l'ADN à la place de la thymine, comme c'est souvent le cas, il induit parfois une transition $A \cdot T \rightarrow G \cdot C$ lors des réplications ultérieures de l'ADN. Parfois, il arrive que le 5BU soit incorporé dans l'ADN à la place de la cytosine, ce qui donne la transition $G \cdot C \rightarrow A \cdot T$.

L'analogue de l'adénine, **2-aminopurine (2AP),** s'apparie normalement avec la thymine (Fig. 32-2*a*) mais forme parfois une paire de base non déformée à une seule liaison hydrogène avec la cytosine (Fig. 30-2*b*). Ainsi, la 2AP est à l'origine de transitions $A \cdot T \rightarrow G \cdot C$.

En solutions aqueuses, **l'acide nitreux** (HNO_2) désamine par oxydation les amines primaires aromatiques, si bien qu'il transforme la cytosine en uracile (Fig. 32-3a) et l'adénine en **hypoxanthine,** proche de la guanine (qui forme deux des trois liaisons hydrogène de la guanine avec la cytosine (Fig. 32-3*b*). Ainsi, si

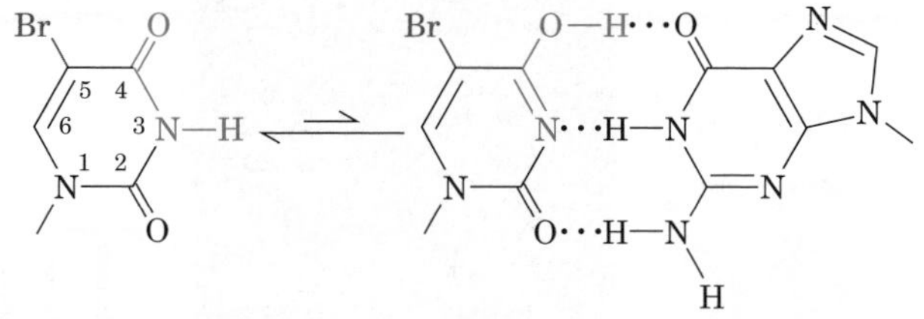

5-Bromouracil (5BU)   **5BU**
(tautomère céto)   **(tautomère énol)**   **Guanine**

FIGURE 32-1 Le 5-Bromouracile (5BU). La forme céto du 5-bromouracile (*à gauche*) est sa forme tautomère la plus courante. Cependant, il prend souvent la forme énol *(à droite)*, qui s'apparie avec la guanine.

l'on traite l'ADN avec l'acide nitreux, ou avec des composés comme les **nitrosamines**

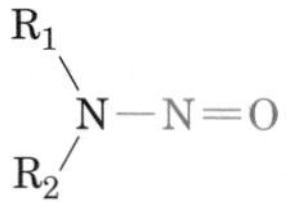

Nitrosamines

qui réagissent pour former de l'acide nitreux, on obtient les deux transitions $A \cdot T \rightarrow G \cdot C$ et $G \cdot C \rightarrow A \cdot T$.

Le nitrite, la base conjuguée de l'acide nitreux, a longtemps été utilisé comme conservateur de viandes préparées, comme les saucisses de Francfort. Cependant, le fait que de nombreux mutagènes soient des cancérigènes (Section 30-5E) suggère que la consommation de viande contenant du nitrite est dangereuse pour l'homme. Les tenants de l'utilisation de nitrite comme conservateur ont cependant répliqué que ne plus utiliser de nitrite entraînerait des conséquences beaucoup plus graves, ceci parce que l'absence d'un tel traitement augmenterait

(a)

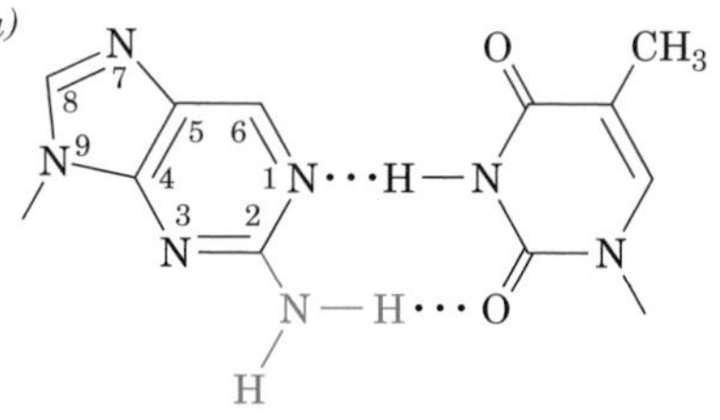

2-Aminopurine (2AP)   **Thymine**

(b)

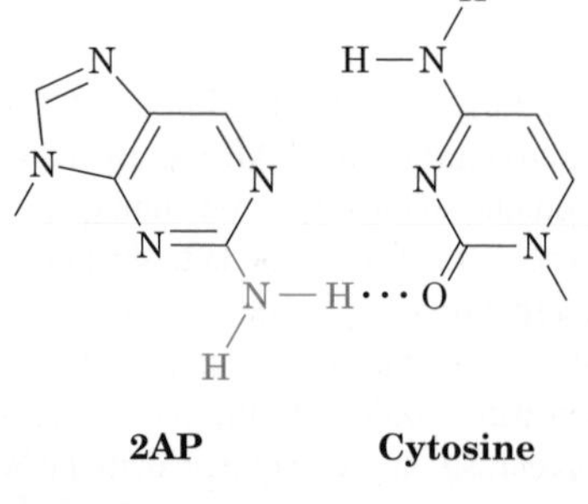

2AP   **Cytosine**

FIGURE 32-2 Appariement de base avec la 2-aminopurine, analogue de l'adénine. L'analogue de l'adénine, la 2-aminopurine, s'apparie normalement avec *(a)* la thymine mais parfois avec *(b)* la cytosine.

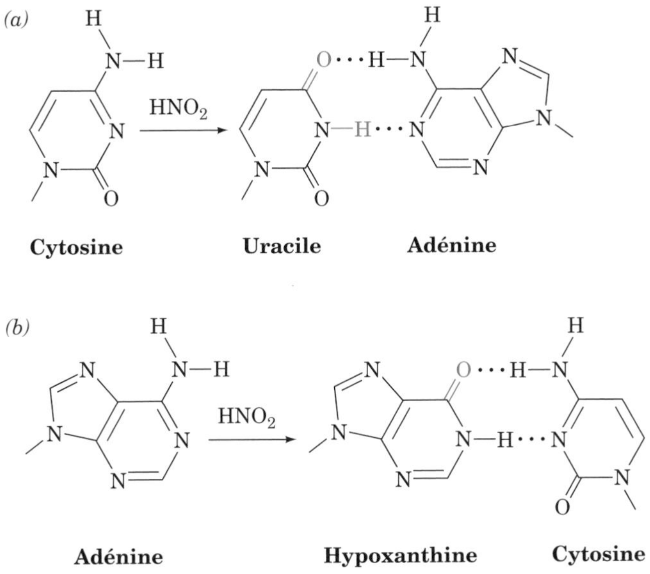

(a)

Cytosine   **Uracile**   **Adénine**

(b)

Adénine   **Hypoxanthine**   **Cytosine**

FIGURE 32-3 Désamination oxydative en présence d'acide nitreux.
(a) La cytosine est transformée en uracile, qui s'apparie avec l'adénine.
(b) L'adénine est transformée en hypoxanthine, un dérivé de la guanine
(il lui manque le groupe 2-amino de la guanine) qui s'apparie avec la
cytosine.

les possibilités de **botulisme,** intoxication alimentaire souvent fatale
provoquée par l'ingestion de neurotoxines protéiques sécrétées par la
bactérie anaérobie *Clostridium botulinum* (Section 12-4D).

L'hydroxylamine (NH$_2$OH) induit aussi des transitions $G \cdot C \rightarrow$
$A \cdot T$ en réagissant spécifiquement avec la cytosine pour la transformer en un composé qui s'apparie avec l'adénine (Fig. 32-4).

L'utilisation d'agents alkylants comme le diméthyl sulfate, la
moutarde azotée, et **l'éthylnitrosurée**

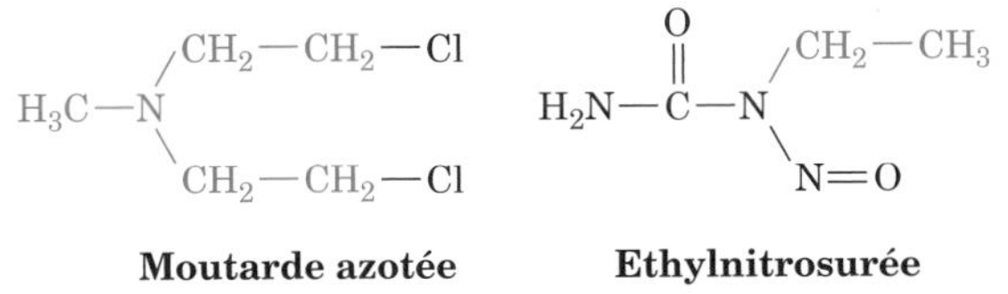

Moutarde azotée   **Ethylnitrosurée**

provoque souvent des transversions. L'alkylation de la position N7
d'un nucléotide purique entraîne sa dépurination ultérieure. La
brèche résultante est comblée par un système de correction producteur d'erreurs (Section 30-5D). Si le nucléotide purique manquant est remplacé par un nucléotide pyrimidique, il y a transver-
sion. La réparation de l'ADN endommagé par les rayons UV peut
aussi être à l'origine de transversions.

**b. Les mutations par insertion/délétion sont causées par
des agents intercalants**
Les mutations par délétion/insertion peuvent être obtenues en
traitant l'ADN par des agents intercalants comme l'acridine
orange ou la proflavine (Section 6-6C). La distance entre deux
paires de bases consécutives est multipliée par deux après interca-
lation d'une telle molécule entre elles. La réplication de cet ADN

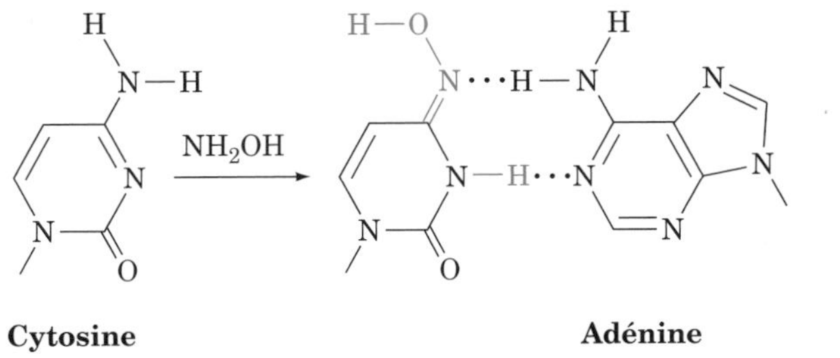

Cytosine   **Adénine**

**FIGURE 32-4 En présence d'hydroxylamine, la cytosine est transfor-
mée en un dérivé qui s'apparie avec l'adénine.**

déformé amène parfois l'insertion ou la délétion d'un ou de plusieurs nucléotides dans le nouveau polynucléotide synthétisé. Les
insertions ou délétions de longs segments d'ADN résultent généralement de crossing-over aberrants ; Section 34-2C).

B. *Les codons sont des triplets*

En 1961, Francis Crick et Sydney Brenner, en faisant des
recherches génétiques sur le caractère alors inconnu des mutations
induites par la proflavine, démontrèrent que les codons sont des triplets. Dans le bactériophage T4, une mutation particulière provoquée par la proflavine, appelée *FC*0, apparaît dans le cistron *rIIB*
(Section 1-4E). La croissance de ce phage mutant sur un hôte permissif *(E. coli* B) provoquait parfois l'apparition spontanée de
phages à phénotype sauvage comme le démontrait leur faculté à
croître sur un hôte restrictif *[E. coli* K12(λ) ; rappelez vous que les
mutants *rIIB* forment de grandes plaques caractéristiques sur
E. coli B mais qu'ils ne peuvent lyser *E. coli* K12(λ) ; Section 1-4E]. Cependant, ces phages doublement mutés n'ont pas le
génotype sauvage ; l'infection simultanée d'un hôte permissif par
l'un d'entre eux et par un vrai phage de type sauvage donne des
descendants recombinants qui ont soit la mutation *FC*0, soit une
nouvelle mutation appelée *FC*1. Ainsi, le phage à phénotype sauvage est, en fait, un double mutant qui porte *FC*0 et *FC*1. *Ces deux*
gènes sont donc **suppresseurs** *l'un de l'autre ; en d'autres termes,*
ils annulent réciproquement leurs propriétés de mutant. De plus,
comme ils se trouvent tous les deux dans le cistron rIIB, ce sont
des **suppresseurs intragéniques** mutuels (suppresseurs dans le
même gène).

On obtient des résultats semblables en traitant *FC*1 de manière
identique à celle décrite pour *FC*0 : on a apparition d'un nouveau
mutant, *FC*2, qui est un suppresseur intragénique pour FC1. En
répétant cette technique de nombreuses fois, Crick et Brenner
obtinrent une série de mutants *rIIB* différents, *FC*3, *FC*4, *FC*5,
etc., où chaque mutant *FC*(n) est un suppresseur intragénique de
son prédécesseur *FC*(n − 1). De plus, des études de recombinaison
montrèrent que des mutations à nombre impair sont des suppresseurs intragéniques de mutations à nombre pair, mais que ni des
associations de mutations différentes à nombre impair ni des associations de mutations différentes à nombre pair ne se suppriment.
Cependant, des recombinants porteurs de trois mutations à nombre
impair ou de trois mutations à nombre pair ont tous le phénotype
sauvage.

Pour expliquer ces résultats, Crick et Brenner firent les hypothèses suivantes :

1. La mutation *FC0* provoquée par la proflavine est soit une insertion soit une délétion d'une paire de nucléotides du cistron *rIIB*. Si c'est une délétion, *FC1* est donc une insertion, *FC2* une délétion, *etc.,* et vice versa.

2. *Le code est lu de manière séquentielle depuis une origine dans le gène.* L'insertion ou la délétion d'un nucléotide déplace le **cadre** dans lequel les nucléotides successifs sont lus comme codons (les insertions ou délétions de nucléotides sont aussi appelées **mutations de décalage du cadre de lecture**). Le code n'a donc pas de ponctuation interne qui définit le cadre de lecture ; autrement dit, *le code n'a pas de virgules.*

3. *Le code est un code à triplets.*

4. Tous, ou presque tous les 64 triplets codent pour un acide aminé ; donc, *le code est dégénéré*

Ces principes sont illustrés par l'analogie suivante. Soit une phrase (un gène) dans laquelle les mots (les codons) ont tous trois lettres (les bases).

THE   BIG   RED   FOX   ATE   THE   EGG

(Les espaces entre les mots n'ont pas de signification physique ; ils indiquent seulement le cadre de lecture). La délétion de la 4e lettre, qui déplace le cadre de lecture, change la phrase :

THE   IGR   EDF   OXA   TET   HEE   GG

si bien que tous les mots après la délétion n'ont aucun sens (ils spécifient des acides aminés erronés). L'insertion de n'importe quelle lettre, disons X en 9ème position,

THE   IGR   EDX   FOX   ATE   THE   EGG

rétablit le cadre de lecture original. Par conséquent, seuls les mots entre les deux modifications (les mutations) sont différents. Comme dans cet exemple, une telle phrase peut encore avoir un sens (le gène peut encore coder une protéine fonctionnelle), notamment si les modifications sont proches. Deux délétions ou deux insertions, quelles que soit leur proximité, ne se supprimeront pas mais déplaceront le cadre de lecture. Toutefois trois insertions, disons X, Y et Z respectivement en 5ème, 8ème et en 12ème positions modifieront la phrase d'une façon

THE   BXI   GYR   EDZ   FOX   ATE   THE   EGG

qui, après la troisième insertion, retrouve le cadre de lecture original. Il en serait de même après trois délétions. Comme précédemment, si les trois modifications sont suffisamment proches, la phrase peut conserver un sens.

Crick et Brenner ne purent prouver de façon certaine que le code génétique est un code à triplets car ils n'avaient aucune certitude que leurs insertions et délétions n'impliquaient que des nucléotides seuls. Pour être précis, ils montrèrent qu'un codon est formé de *3r* nucléotides où r est le nombre de nucléotides dans une insertion ou une délétion. Bien qu'à l'époque, on admît que $r = 1$,

la preuve de cette assertion dut attendre l'élucidation du code génétique (Section 32-1C).

C. *Décryptage du code génétique*

On devrait pouvoir en principe déterminer le code génétique par la simple comparaison entre la séquence des bases d'un ARNm avec la séquence en acides aminés du polypeptide qu'il code. Cependant, dans les années 1960, les techniques d'isolement et de séquençage des ARNm n'étaient pas encore au point. L'élucidation du code génétique s'est donc avérée être une tache difficile.

a. UUU spécifie Phe

La principale avancée pour déchiffrer le code génétique est survenue en 1961 lorsque Marshall Nirenberg et Heinrich Matthaei démontrèrent que UUU est le codon qui spécifie Phe. Pour cela, ils montrèrent que l'addition de poly(U) à un système de synthèse protéique acellulaire ne stimulait que la synthèse de poly(Phe). Le système de synthèse protéique acellulaire était préparé en broyant doucement *E. coli* en présence d'alumine en poudre puis en centrifugeant les cellules ouvertes pour éliminer les parois et membranes cellulaires. L'extrait obtenu contenait l'ADN, les ARNm, les ribosomes, les enzymes et d'autres constituants cellulaires indispensables à la synthèse protéique. Supplémenté avec de l'ATP, du GTP et des acides aminés, le système synthétise de petites quantités de protéines. Ainsi, si l'on incube le système avec des acides aminés marqués par du ^{14}C, après précipitation des protéines par de l'acide trichloracétique et centrifugation, on récupère un précipité radioactif.

Un système de synthèse protéique acellulaire produit, naturellement, des protéines spécifiées par l'ADN de la cellule. Cependant, après addition d'ADNase, la synthèse protéique s'arrête en quelques minutes car le système ne peut plus synthétiser d'ARNm, et les ARNm présents au début de l'expérience sont rapidement dégradés. Nirenberg s'aperçut que des fractions grossières contenant des ARNm d'autres organismes stimulent fortement la synthèse protéique par un système de synthèse protéique traité à l'ADNase. Ce système est tout aussi capable d'utiliser des ARNm synthétiques.

Les ARNm synthétiques utilisés par Nirenberg dans des expériences qui ont suivi étaient synthétisés par l'enzyme **polynucléotide phosphorylase** d''*Azotobacter vinelandii*. Cette enzyme, découverte par Severo Ochoa et Marianne Grunberg-Manago, unit des nucléotides selon la réaction,

$$(RNA)_n + NDP \rightleftharpoons (RNA)_{n+1} + P_i$$

où NDP symbolise un ribonucléotide diphosphate. Contrairement à l'ARN polymérase, la polynucléotide phosphorylase n'a pas besoin de matrice. Au lieu de cela, elle réunit au hasard les NDP disponibles si bien que la composition en bases de l'ARN formé reflète celle du mélange en NDP de départ.

Nirenberg et Matthaei montrèrent que le poly(U) provoque la synthèse de poly(Phe) en incubant le poly(U) et un mélange de 20 acides aminés, dont 1 radioactif, dans un système de synthèse protéique traité à l'ADNase. Une radioactivité significative ne fut décelée dans le précipité de protéines que quand la phénylalanine était marquée. *UUU est donc le codon spécifiant Phe.* Dans des

TABLEAU 32-1 **Incorporation d'acides aminés stimulée par un copolymère irrégulier de U et de G dans un rapport molaire 0,76:0,24**

Codon	Probabilité d'incorporation	Incidence[a] relative	Acide aminé	Quantité relative d'acide aminé incorporé
UUU	0,44	100	Phe	100
UUG	0,14	32	Leu	36
UGU	0,14	32	Cys	35
GUU	0,14	32	Val	37
UGG	0,04	9	Trp	14
GUG	0,04	9		
GGU	0,04	9	Gly	12
GGG	0,01	2		

[a]L'incidence relative est égale, dans ce cas, à 100 × probabilité d'incorporation/0,44.

Source : Matthaei, J.H., Jones, O.W., Martin, R.G., et Nirenberg, M., *Proc. Natl. Acad. Sci.* **48**, 666 (1962).

expériences semblables réalisées avec du poly(A) et du poly(C), on trouva respectivement de la poly(Lys) et de la poly(Pro) synthétisées. Donc, *AAA spécifie* Lys *et CCC spécifie* Pro. [Le poly(G) ne peut être utilisé comme messager synthétique car même dans des conditions dénaturantes, il forme des agrégats d'hélices à 4 brins (Section 30-4D). Un ARNm doit être simple brin pour diriger sa traduction ; Section 32-2D.]

Nirenberg et Ochoa, chacun de leur côté, utilisèrent des copolymères nucléotidiques pour continuer l'élucidation du code génétique. Par exemple, dans un poly(UG) avec 76 % de U et 24 % de G, la probabilité pour qu'un triplet donné soit UUU est 0,76 × 0,76 × 0,76 = 0,44. De même, la probabilité pour qu'un triplet formé de 2U et de 1G (soit, UUG, UGU, ou GUU) est 0,76 × 0,76 × 0,24 = 0,14. L'utilisation du poly(UG) comme ARNm indique par conséquent les compositions en bases, mais pas les séquences des codons spécifiant plusieurs acides aminés (Tableau 32-1). Grâce à l'utilisation de copolymères contenant 2, 3 et 4 bases, on peut déduire les compositions en bases des codons spécifiant chacun des 20 acides aminés . De plus, *ces expériences démontrèrent que le code génétique est dégénéré car, par exemple, le poly(UA), le poly(UC) et le poly(UG) dirigent tous l'incorporation de Leu dans un polypeptide.*

b. Le code génétique a été élucidé par des mesures de liaison de triplets et par l'utilisation de polyribonucléotides de séquences connues

En l'absence de GTP, indispensable à la synthèse protéique, les trinucléotides mais pas les dinucleotides, sont presque aussi efficaces que l'ARNm pour provoquer la liaison d'ARNt spécifiques au ribosome. Ce phénomène, découvert par Nirenberg et Philip Leder en 1964, permit d'identifier les différents codons par une simple mesure de liaison. Les ribosomes, associés à leurs ARNt, sont retenus par un filtre de nitrocellulose alors que les ARNt libres ne le sont pas. L'ARNt lié a été identifié en utilisant des mélanges d'ARNt chargés dans lesquels seul un des

acides aminés lié est radioactif. Par exemple, comme prévu, on trouva que UUU ne stimule la liaison au ribosome que de Phe-ARNt[Phe]. De la même façon, UUG, UGU et GUU stimulent respectivement la liaison au ribosome des ARNt-Leu, Cys et Val. Ce qui indique que UUG, UGU et GUU doivent être les codons qui spécifient respectivement Leu, Cys et Val. De cette manière, les acides aminés spécifiés par ~50 codons furent identifiés. Pour les codons restants, la mesure de liaison était soit négative (pas d'ARNt lié) soit ambiguë.

L'élucidation du code génétique fut achevée et les précédents résultats confirmés grâce à la synthèse par H. Gobind Khorana de polyribonucléotides à séquences répétées spécifiées (Section 7-6A). Dans un système de biosynthèse de protéines acellulaire, UCUCUCUC · · ·, par exemple, est lu

$$\text{UCU} \quad \text{CUC} \quad \text{UCU} \quad \text{CUC} \quad \text{UCU} \quad \text{C}\cdots$$

donc, il spécifie une chaîne polypeptidique de deux résidus d'acides aminés alternant. Effectivement, cet ARNm permet la synthèse de

$$\text{Ser}-\text{Leu}-\text{Ser}-\text{Leu}-\text{Ser}-\text{Leu}-\cdots$$

cela indique que soit UCU, soit CUC, spécifie Ser et l'autre codon spécifie Leu. Ce résultat, associé aux données des expériences de liaison d'ARNt, permit d'affirmer que UCU code Ser et CUC code Leu. Ces résultats prouvent aussi que les codons sont formés d'un nombre impair de nucléotides, balayant ainsi toute incertitude résiduelle quant au nombre de nucléotides d'un codon : qui est de trois, et non pas six.

Des séquences alternatives de trois nucléotides, comme le poly(UAC), spécifient trois homopolypeptides différents car les ribosomes peuvent commencer la synthèse polypeptidique sur ces ARNm synthétiques en utilisant n'importe lequel des trois cadres de lecture possibles (Fig. 32-5). L'analyse des polypeptides spécifiés par différentes séquences alternatives de deux ou trois nucléotides confirma l'identité de nombreux codons et remplit les cases vides du code génétique.

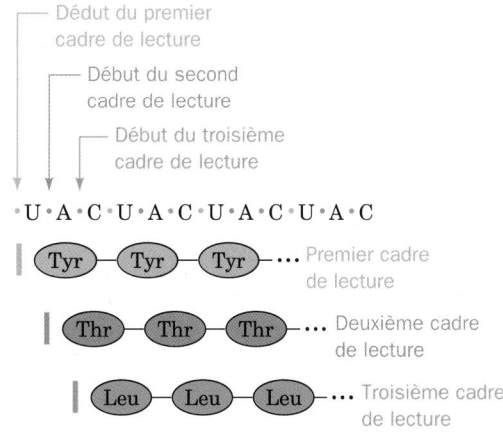

FIGURE 32-5 Les trois phases de lecture possibles d'un ARNm. Chacune des trois phases de lecture possibles conduirait à un polypeptide différent.

c. Les ARNm sont lus dans le sens 5′ ? 3′

En utilisant des tétranucléotides répétés on a déterminé le sens de lecture du code et la nature des codons de terminaison de la chaîne. Le poly(UAUC) spécifie, comme prévu, un polypeptide avec un tétrapeptide répété :

$$5'\ \text{UAU} \quad \text{CUA} \quad \text{UCU} \quad \text{AUC} \quad \text{UAU} \quad \text{CUA} \cdots^{3'}$$

$$\text{Tyr} - \text{Leu} - \text{Ser} - \text{Ile} - \text{Tyr} - \text{Leu} - \cdots$$

La séquence en acides aminés de ce polypeptide indique que l'extrémité 5′ de l'ARNm correspond à l'extrémité N-terminale du polypeptide ; autrement dit, l'*ARNm est lu dans le sens 5′ → 3′.*

d. UAG, UAA ET UGA sont des codons d'arrêt

Contrairement aux résultats ci-dessus, le poly(AUAG) ne donne que des dipeptides et des tripeptides. Ceci est dû à ce que *UAG est un signal d'arrêt de synthèse protéique pour le ribosome :*

$$\text{AUA} \quad \text{GAU} \quad \text{AGA} \quad \text{UAG} \quad \text{AUA} \quad \text{GAU} \cdots$$

$$\text{Ile} - \text{Asp} - \text{Arg} \quad \text{Stop} \quad \text{Ile} - \text{Asp} - \cdots$$

De même, le poly(GUAA) donne des dipeptides et des tripeptides car UAA est aussi un signal d'arrêt de synthèse

$$\text{GUA} \quad \text{AGU} \quad \text{AAG} \quad \text{UAA} \quad \text{GUA} \quad \text{AGU} \cdots$$

$$\text{Val} - \text{Ser} - \text{Lys} \quad \text{Stop} \quad \text{Val} - \text{Ser} - \cdots$$

UGA est un troisième signal d'arrêt. Ces codons d'arrêt, dont l'existence a d'abord été déduite d'expériences de génétique, sont appelés, d'un terme quelque peu inapproprié, **codons non-sens,** car ce sont les seuls codons qui ne spécifient pas d'acides aminés. UAG, UAA et UGA sont souvent appelés respectivement codons *ambre, ocre* et *opale.* [Suite à une plaisanterie de laboratoire : le mot allemand pour ambre est « bernstein », nom d'un chercheur qui aida à découvrir les mutations *ambre* (des mutations qui changent certains codons en UAG ; *ocre* et *opale* ne sont que des jeux de mot faits à partir *d'ambre.*]

e. AUG et GUG sont des codons d'initiation de la chaîne

Les codons AUG et, moins fréquemment GUG, font partie de la séquence d'initiation de la chaîne (Section 32-3C). Cependant, ils spécifient aussi respectivement les résidus d'acides aminés Met et Val, à l'intérieur des chaînes polypeptidiques. (Si Nirenberg et Matthaei ont pu montrer que UUU spécifie le résidu Phe c'est parce que les ribosomes débutent sans discernement la synthèse polypeptidique sur un ARNm quand la concentration en Mg^{2+} est très supérieure à la concentration physiologique, ce qui était le cas, de manière fortuite, dans leurs expériences).

D. *La nature du code*

Le code génétique, tel qu'il a été élucidé par les méthodes ci-dessus, est donné dans le Tableau 32-2 ainsi que dans le tableau 5-3. L'examen de ce tableau montre que le code génétique a quelques caractéristiques remarquables :

1. *Le code est très dégénéré.* Trois acides aminés, Arg, Leu et Ser sont chacun spécifiés par six codons, et la plupart des autres

TABLEAU 32-2   Le code génétique «standard»[a]

Première position (extrémité 5′)	Deuxième position				Troisième position (extrémité 3′)
	U	**C**	**A**	**G**	
U	UUU Phe UUC UUA Leu UUG	UCU UCC Ser UCA UCG	UAU Tyr UAC UAA Arrêt UAG Arrêt	UGU Cys UGC UGA Arrêt UGG Trp	U C A G
C	CUU CUC Leu CUA CUG	CCU CCC Pro CCA CCG	CAU His CAC CAA Gln CAG	CGU CGC Arg CGA CGG	U C A G
A	AUU AUC Ile AUA AUG Met[b]	ACU ACC Thr ACA ACG	AAU Asn AAC AAA Lys AAG	AGU Ser AGC AGA Arg AGG	U C A G
G	GUU GUC Val GUA GUG	GCU GCC Ala GCA GCG	GAU Asp GAC GAA Glu GAG	GGU GGC Gly GGA GGG	U C A G

[a]Les résidus d'acides aminés non polaires sont brun clair, les résidus basiques sont bleus, les résidus acides sont rouges, et les résidus polaires non chargés sont violets.

[b]AUG fait partie des signaux d'initiation tout en codant pour les résidus Met internes.

sont spécifiés par quatre, trois ou deux codons. Seuls Met et Trp, deux des acides aminés les moins courants dans les protéines (Tableau 4-1), ne sont représentés que par un codon. Les codons qui spécifient un même acide aminé sont appelés **synonymes.**

2. *L'arrangement du tableau du code n'est pas le fait du hasard.* La plupart des synonymes occupent la même case dans le Tableau 32-2 ; autrement dit, ils ne diffèrent que par leur troisième nucléotide. Les seules exceptions sont Arg, Leu et Ser qui, ayant six codons chacun, doivent occuper plus d'une case. XYU et XYC spécifient toujours le même acide aminé, tout comme XYA et XYG sauf dans deux cas. De plus, des changements de la première position du codon tendent à spécifier des acides aminés qui se ressemblent (même s'ils ne sont pas identiques), tandis que des codons avec des pyrimidines en deuxième position codent essentiellement des acides aminés hydrophobes (beige clair dans le Tableau 32-2), et ceux qui ont des purines en deuxième position codent surtout des acides aminés polaires (bleu, rouge et violet dans le Tableau 32-2). Il semble que *le code ait évolué afin de minimiser les effets nuisibles des mutations.*

De nombreuses mutations qui entraînent des substitutions d'acides aminés dans une protéine peuvent s'expliquer, d'après le code génétique, par une seule mutation ponctuelle. *Cependant, compte tenu du caractère dégénéré du code génétique, de nombreuses mutations ponctuelles en troisième position d'un codon sont phénotypiquement silencieuses : le codon muté spécifie le même acide aminé que le codon sauvage. La dégénérescence peut* expliquer jusqu'à 33 % de la variabilité de la teneur en G + C comprise entre 25 et 75 % dans les ADN de différents organismes (Section 5-1B). Un nombre important d'Arg, Ala, Gly et Pro s'accompagne d'un taux élevé de G + C, alors qu'un nombre important de Asn, Ile, Lys, Met, Plie et Tyr s'accompagne d'une faible valeur de ce nombre.

a. Certains segments d'ADN de phage contiennent des gènes se chevauchant avec différents cadres de lecture

Puisque toute séquence polynucléotidique peut avoir trois cadres de lecture, il est possible, du moins en principe, qu'un polynucléotide code deux, voire trois polypeptides différents. Cependant, on ne croyait pas vraiment à cette hypothèse car il semblait que les contraintes s'exerçant, même sur deux gènes ayant des cadres de lecture différents, seraient trop grandes pour qu'ils puissent évoluer en spécifiant chacun une protéine fonctionnelle. Ce fut donc une grande surprise lorsqu'en 1976, Frederick Sanger montra que le bactériophage φX174 de 5386 nucléotides (qui, à l'époque, était l'ADN séquencé le plus grand) contient deux gènes qui se trouvent complètement à l'intérieur de gènes plus grands avec des cadres de lecture différents (Fig. 32-9). De plus, la fin des gènes chevauchant D et E contient la séquence de contrôle de l'initiation ribosomiale pour le gène J, si bien que ce court segment d'ADN joue un triple rôle. On trouve également de tels systèmes économiques chez les bactéries : la séquence d'initiation ribosomiale pour un gène d'un ARNm polycistronique chevauche souvent l'extrémité du gène précédent. Néanmoins, des gènes qui se chevauchent complètement n'ont été trouvés que dans des phages à petits ADN simple brin, qui doivent sans doute utiliser au maximum le peu d'ADN qu'ils peuvent contenir dans leurs capsides.

b. Le code génétique « standard » est très répandu mais il n'est pas universel

Pendant de nombreuses années on a pensé que le code génétique « standard » (celui donné dans le Tableau 32-2) était universel. Cette hypothèse était en partie fondée sur le fait qu'une espèce d'organisme (par ex. *E. coli*), peut traduire avec précision les gènes d'organismes tout à fait différents (de l'homme par ex.). Ce phénomène est, en fait, le fondement du génie génétique. Une fois le code génétique « standard » établi, probablement durant l'évolution prébiotique (Section 1-5B), toute mutation modifiant la manière dont le code est traduit devait entraîner de nombreuses modifications de séquences protéiques, souvent nuisibles. De telles mutations ont, sans aucun doute, été fortement écartées par sélection. Les études de séquençage de l'ADN en 1981 révélèrent cependant que *les codes génétiques de certaines mitochondries (les mitochondries contiennent leurs propres gènes et les systèmes de synthèse protéique qui produisent 10 à 20 protéines mitochondriales ; Section 12-4E) sont des variantes du code génétique « standard » (Tableau 32-3).* Par exemple, dans les mitochondries de mammifères, AUA, tout comme AUG, est un codon Met/initiateur ; UGA spécifie Trp au lieu d'« Arrêt » ; et AGA et AGG sont des codons « Arrêt » au lieu de spécifier Arg. Notez que tous les codes génétiques mitochondriaux excepté ceux des plantes, simplifient le code « standard » en accentuant sa dégénérescence. Par exemple, dans le code mitochondrial des mammifères, chaque acide aminé est spécifié par au moins deux codons qui ne diffèrent que par leur troisième nucléotide. Il semble que les contraintes qui empêchent des modifications du code génétique soient diminuées

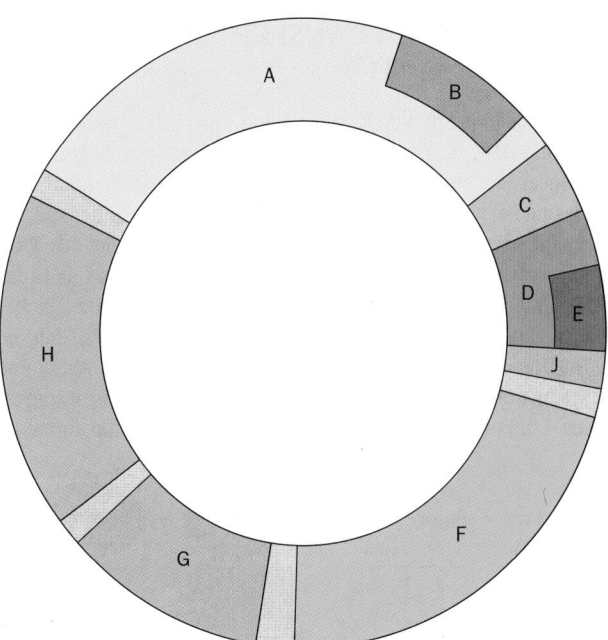

FIGURE 32-6 Carte génétique du bactériophage φX174 déterminée par analyse de la séquence de l'ADN. Les gènes sont désignés par A, B, C, etc. Notez que le gène B est entièrement contenu dans le gène A et que le gène E est entièrement contenu dans le gène D. Ces paires de gènes sont lues dans des cadres de lecture différents et spécifient donc des protéines non apparentées. Les régions sans lettre correspondent à des séquences de contrôle non traduites.

en raison de la petite taille des génomes mitochondriaux. Cependant, des études plus récentes ont montré que chez les protozoaires ciliés, les codons UAA et UAG spécifient Gln au lieu d'un « Arrêt ». Peut-être que ces deux codons étaient suffisamment rares chez les ciliés primitifs (que les études de phylogénie moléculaire font diverger très tôt dans l'évolution des eucaryotes) pour permettre cette modification du code sans effets nuisibles inacceptables. Quoi qu'il en soit, *bien que très largement utilisé, le code génétique « standard » n'est pas universel.*

TABLEAU 32-3 Variations mitochondriales par rapport au code génétique "Standard"

Mitochondrie	UGA	AUA	CUN[a]	AG^A_G	CGG
Mammifère	Trp	Met[b]		Arrêt	
Levure de boulangerie	Trp	Met[b]	Thr		
Neurospora crassa	Trp				
Drosophila	Trp	Met[b]		Ser[c]	
Protozoaire	Trp				
Plantes					Trp
Code « standard »	Arrêt	Ile	Leu	Arg	Arg

[a]N représente n'importe lequel des quatre nucléotides.
[b]Agit aussi comme élément de signal d'initiation.
[c]AGA seulement ; il n'y a pas de codons AGG dans l'ADN mitochondrial de *Drosophila*.

Source : Mainly Breitenberger, C.A. et RajBhandary, U.L., *Trends Biochem. Sci.* **10**, 481 (1985).

2 ■ L'ARN DE TRANSFERT ET SON AMINO-ACYLATION

Le rôle génétique de l'ADN étant établi, on a pris conscience que la cellule doit, d'une certaine façon, « traduire » le langage des séquences de bases en langage polypeptidique. Cependant, les acides nucléiques semblaient a priori incapables de se lier spécifiquement aux acides aminés [on a pu récemment produire des ARN aptamères spécifiques d'un acide aminé ; les aptamères sont des acides nucléiques qui sont sélectionnés pour leur capacité à se lier à des ligands spécifiques (Section 7-6C)]. En 1955, Crick, dans ce qu'on appelle **l'hypothèse de l'adaptateur,** émit l'hypothèse que la traduction se fait par l'intermédiaire de molécules « adaptatrices ». Il postula que chaque adaptateur porte un acide aminé lié

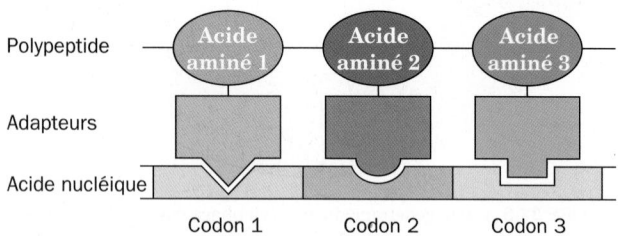

Polypeptide — Acide aminé 1 — Acide aminé 2 — Acide aminé 3

Adapteurs

Acide nucléique — Codon 1 — Codon 2 — Codon 3

FIGURE 32-7 L'hypothèse de l'adaptateur. Elle stipule que le code génétique est lu par des molécules qui reconnaissent un codon particulier et qui transportent l'acide aminé correspondant.

enzymatiquement, et qu'il reconnaît le codon correspondant (Fig. 32-7). Crick suggéra que ces adaptateurs contiennent de l'ARN car la reconnaissance des codons pouvait alors se faire par appariement de bases complémentaires. À peu près à cette époque, Paul Zarnecnik et Mahlon Hoagland découvrirent que durant la synthèse protéique, des acides aminés marqués par ^{14}C se liaient transitoirement à une fraction d'ARN de faible masse moléculaire. Des recherches ultérieures montrèrent que ces ARN, appelés d'abord « ARN solubles » ou « ARNs » mais qu'on appelle maintenant **ARN de transfert (ARNt),** sont, en fait, les molécules adaptatrices présumées de Crick.

A. *Structures primaires et secondaires des ARNt*

En 1965, après 7 ans d'effort, Robert Halley publia la première séquence de bases connue d'un acide nucléique biologiquement important, celle de **l'ARNt de l'alanine (ARNt^{Ala} ; Fig. 32-8) de levure. Pour y arriver, Holley dut surmonter plusieurs difficultés majeures :

1. Tous les organismes contiennent de nombreuses sortes d'ARNt (au moins un pour chacun des 20 acides aminés) qui, en raison de leurs propriétés presque identiques (voir ci-dessous), sont difficiles à séparer. Des techniques préparatives ont dû être mises au point pour obtenir environ un gramme d'ARNt^{Ala} pur de levure, dont Holley avait besoin pour déterminer sa séquence.

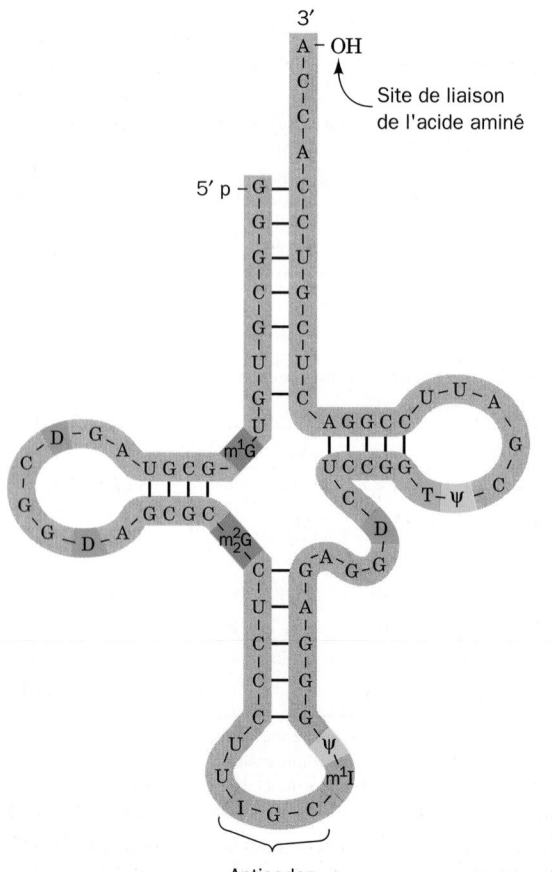

Anticodon

FIGURE 32-8 La séquence des bases de l'ARNt^{Ala} de levure selon la représentation en feuille de trèfle. Les symboles des nucléosides modifiés (en couleur) sont expliqués dans la Fig. 32-10.

Section 32-2. L'ARN de transfert et son amino-acylation **1293**

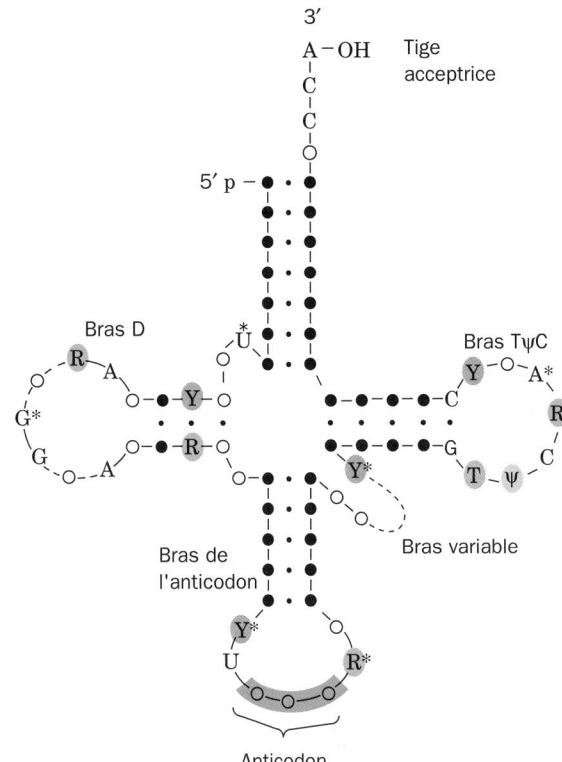

FIGURE 32-9 La structure secondaire en feuille de trèfle d'un ARNt. Les cercles pleins reliés par des points représentent des appartements classiques de Watson-Crick, et des cercles ouverts dans les régions en double hélice indiquent des appariements non classiques. Les positions conservées sont indiquées : R et Y désignent respectivement des purines et des pyrimidines conservées et Ψ symbolise le pseudo-uracile. Les nucléosides avec un astérisque sont souvent modifiés. Les régions ombrées dans la boucle D et le bras variable contiennent des nombres de nucléotides différents selon les ARNt.

2. Holley dut inventer les techniques utilisées initialement, pour séquencer l'ARN (Section 7-2).

3. Dix des 76 bases de l'ARNt[Ala] sont des bases modifiées (voir ci-dessous). Leurs structures chimiques ont dû être élucidées à partir des quantités disponibles qui n'excédaient pas quelques milligrammes.

Depuis 1965, les techniques de purification et de séquençage d'ARNt se sont considérablement améliorées. On peut maintenant séquencer un ARNt en quelques jours à partir de ~1 μg de matériel. Actuellement, les séquences de plus de 4000 ARNt de plus de 200 organismes et d'organites sont connues (la plupart à partir de leurs séquences d'ADN correspondantes). Leurs tailles varient de 54 à 100 nucléotides (18-28 kD) la plupart ayant ~76 nucléotides.

La majorité des ARNt connus, comme Holley fut le premier à s'en apercevoir, peuvent être disposées schématiquement selon la structure secondaire dite « en feuille de trèfle » (Fig. 32-9). Partant de l'extrémité 5′, ils présentent en commun :

1. Un groupe phosphate 5′-terminal.

2. Une tige de 7 pb qui comprend le nucléotide 5′-terminal et qui peut présenter des appariements de paires de bases différents de ceux de Watson-Crick comme G · U. Cette partie de l'ARNt est appelée **tige acceptrice** ou **tige de l'acide aminé** car le résidu d'acide aminé porté par l'ARNt est lié à son groupe 3′-OH terminal (Section 32-2C).

3. Une tige de 3 ou 4 pb se terminant par une boucle qui contient fréquemment la base modifiée **dihydrouracile** (D ; voir ci-dessous). L'ensemble tige-boucle est donc appelé le **bras D**.

4. Une tige de 5 pb se terminant par une boucle qui contient l'**anticodon,** le triplet de bases complémentaire du codon spécifiant l'ARNt. Cet ensemble est appelé **bras de l'anti-codon**.

5. Une tige de 5 pb se terminant par une boucle qui présente généralement la séquence TψC (où ψ est le symbole de la **pseudo-uridine** ; voir ci-dessous).Cette structure est appelée la **bras TψC** ou **bras T.**

6. Tous les ARNt se terminent par la séquence CCA avec un groupe 3′-OH libre. Le –CCA peut être spécifié génétiquement ou greffé enzymatiquement à l'ARNt non mature (Section 31-4C).

7. Il y a 15 positions **conservées** (elles ont toujours la même base) et 8 positions **semi-invariantes** (où l'on trouve soit une purine soit une pyrimidine) qui se trouvent essentiellement dans les régions en boucle. Ces régions présentent aussi des **positions conservées corrélées,** c'est-à-dire, des paires de nucléotides qui ne sont pas dans des tiges mais qui sont appariées dans tous les ARNt. La base purique en 3′ de l'anticodon est toujours modifiée. La signification de ces caractéristiques est étudiée dans la Section 32-2B.

Le site de plus grande variabilité parmi les ARNt connus se trouve dans ce qu'on appelle le **bras variable.** Il est formé de 3 à 21 nucléotides et peut présenter une tige formée de 7 pb maximum. La boucle D varie aussi en longueur de 5 à 7 nucléotides.

a. Les ARNt ont de nombreuses bases modifiées

L'une des caractéristiques les plus étonnantes des ARNt est la présence en proportion élevée, jusqu'à 25 %, de bases modifiées, voire hypermodifiées post-transcriptionnellement. On a caractérisé

Dérivés de l'uracile

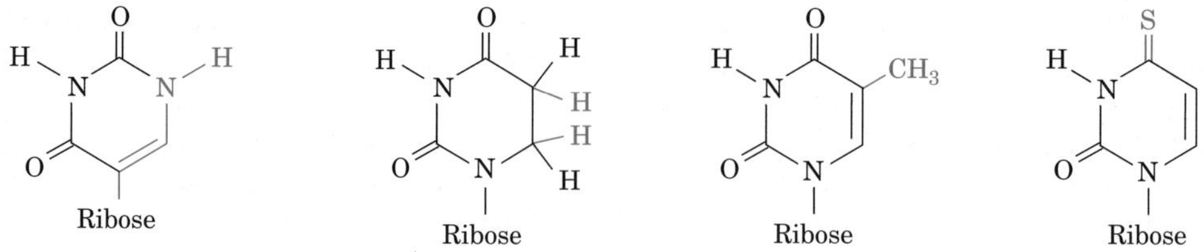

Pseudouridine (ψ) **Dihydrouridine (D)** **Ribothymidine (T)** **4-Thiouridine (s^4U)**

Dérivés de la cytosine

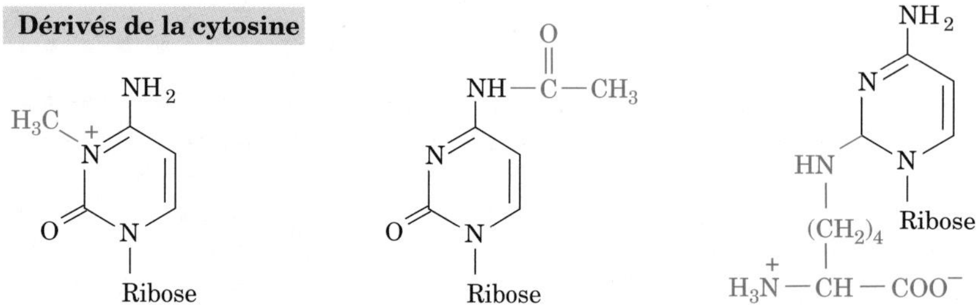

3-Méthylcytidine (m^3C) ***N*⁴-Acétylcytidine (ac^4C)** **Lysidine (L)**

Dérivés de l'adénine

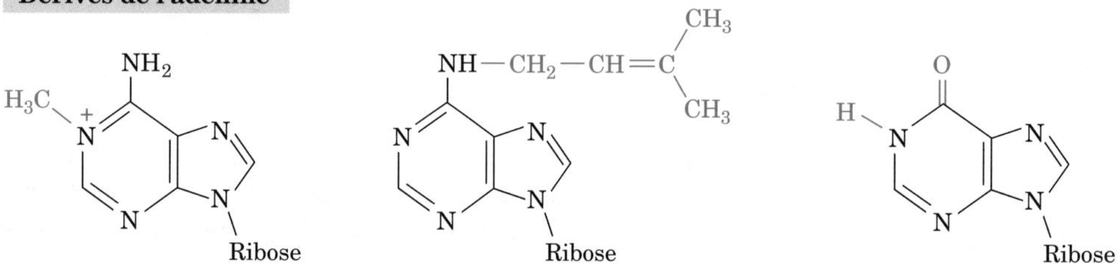

1-Méthyladénosine (m^1A) **N^6-Isopenténessyladénosine (i^6A)** **Inosine (I)**

Dérivés de la guanine

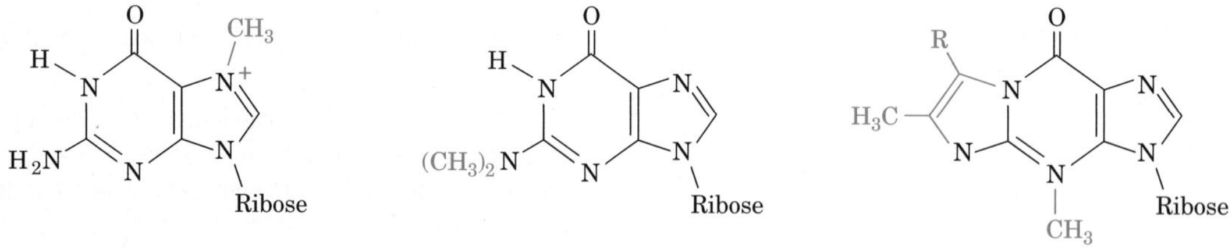

N^7-Méthylguanosine (m^7G) **N^2,N^2-Diméthylguanosine (m^2_2G)** **R = H** **Wyosine (Wyo)**

$R = CH_2CH_2CH(\overset{O}{\overset{\|}{C}}OCH_3)_2$ Y

FIGURE 32-10 Exemples de nucléosides modifiés que l'on trouve dans les ARNt avec leurs abréviations courantes. Notez que l'inosine, bien que chimiquement proche de la guanosine, dérive biochimiquement de l'adénosine. Les nucléosides peuvent aussi être méthylés en 2′ sur leur ribose pour donner des résidus symbolisés, par exemple, par Cm, Gm et Um.

près de 80 bases de la sorte dans plus de 60 positions différentes d'ARNt. Quelques-unes de ces bases sont représentées, avec leur abréviation standard, dans la Fig. 32-10. Les nucléosides hyper-modifiés, comme i^6A, sont généralement adjacents au nucléotide en 3′ de l'anticodon quand celui-ci est A ou U. Leurs faibles polarités renforcent probablement les appariements, faibles sans cela, de ces bases avec le codon, augmentant ainsi la fidélité de la traduction. Réciproquement, certaines méthylations s'opposent à l'appariement, évitant ainsi l'élaboration de structures incorrectes. Certaines de ces modifications constituent d'importants éléments de reconnaissance pour l'enzyme effectuant la liaison de l'acide aminé correct sur son ARNt (Section 32-2C). Néanmoins, aucune de ces modifications n'est indispensable au maintien de l'intégrité de la structure d'un ARNt (voir ci-dessous) ou pour sa liaison au ribosome. Quoi qu'il en soit, des mutants de bactéries incapables de fabriquer certaines bases modifiées sont très défavorisés par rapport aux bactéries correspondantes normales.

B. Structure tertiaire des ARNt

Les premières recherches physicochimiques sur l'ARNt ont montré qu'il avait une conformation bien définie. Toutefois, malgré de nombreuses études hydrodynamiques, spectroscopiques et de pontages chimiques, sa structure tridimensionnelle est restée une énigme jusqu'en 1974. Cette année-là, la structure cristallographique par rayons X à une résolution de 2,5 Å de l'**ARNt**^Phe de

levure a été élucidée indépendamment par Alexander Rich en collaboration avec Sung Hou Kim et par Aaron Klug à partir de formes cristallines différentes. *La molécule présente une conformation en forme de L où l'une des jambes du L est formée par la tige acceptrice et la tige T, qui forment une double hélice continue de type ARN A (Section 29-1B), l'autre jambe étant pareillement constituée de la tige D et de la tige de l'anticodon* (Fig. 32-11). Chaque jambe du L a ~60 Å de long et les sites anticodon et accepteur d'acide aminé sont aux extrémités opposées de la molécule, distants de ~76 Å. La faible largeur, de 20 à 25 Å de l'ARNt est essentielle à son rôle biologique : lors de la biosynthèse protéique, deux molécules d'ARNt doivent se lier côte à côte en face de codons adjacents de l'ARNm (Section 32-3D).

a. La structure complexe de l'ARNt est stabilisée par des liaisons hydrogène et par des interactions de compactage

La complexité structurale de l'ARNt^Phe de levure rappelle celle d'une protéine. Bien que 42 de ses 76 bases se trouvent dans des tiges en double hélice, *71 d'entre elles participent à des associa-*

(a)

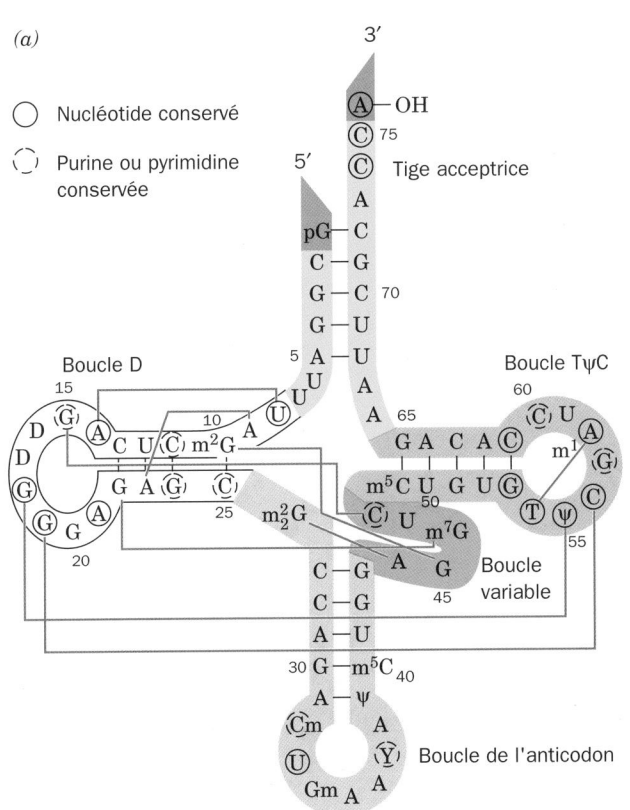

(b)

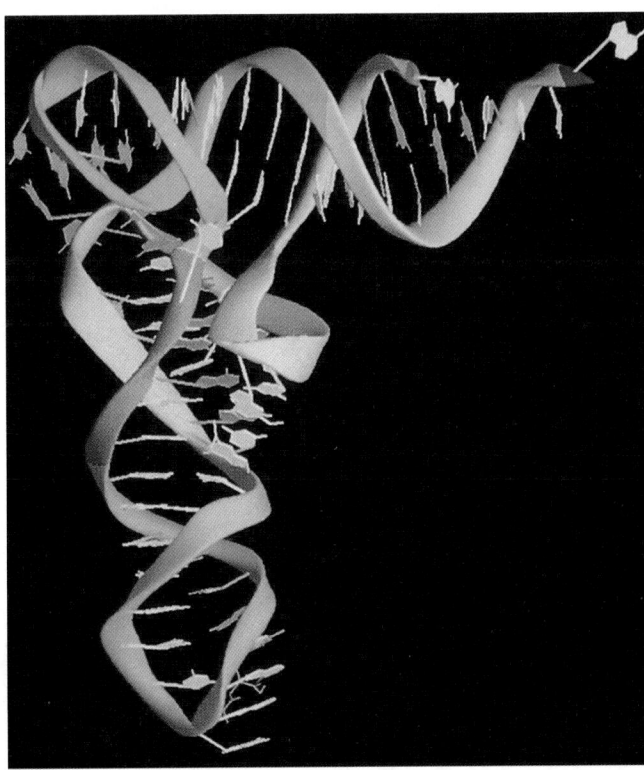

FIGURE 32-11 Structure de l'ARNt^Phe **de levure.** *(a)* La séquence de bases représentée en feuille de trèfle. Les interactions tertiaires sont représentées par des traits fins rouges qui relient les bases participantes. Les bases conservées ou semi-conservées dans tous les ARNt sont encerclées respectivement par des traits pleins et en pointillés. L'extrémité 5′ est en vert foncé, la tige acceptrice est jaune, le bras D est en blanc, le

bras de l'anticodon est vert pâle, le bras variable est orange, la boucle TψC est bleu clair et l'extrémité 3′ est rouge. *(b)* La structure par rayons X dessinée pour montrer comment les tiges appariées sont disposées pour donner une molécule en forme de L. Le squelette sucre-phosphate est représenté en ruban, en respectant les couleurs de *a*. [Avec la permission de Mike Carson, Université d'Alabama, Birmingham. PDBid 6TNA].

tions de compactage (Fig. 32-12). La structure présente aussi 9 appariements de bases qui renforcent la structure tertiaire (Fig. 32-11a et 32-12). Ce qui est remarquable, c'est que toutes ces interactions tertiaires, sauf une, qui semblent être le fondement de la structure moléculaire, ne sont pas des associations de type Watson-Crick. De plus, la plupart des bases impliquées dans ces interactions sont soit conservées, soit semi-conservées. Cela suggère fortement que tous les ARNt ont des conformations semblables (voir ci-dessous). La structure est également stabilisée par plusieurs liaisons hydrogène inhabituelles entre des bases et, soit des groupes phosphates, soit les groupes 2′-OH de résidus riboses.

La structure compacte de l'ARNt^{Phe} de levure est due au grand nombre de ses associations intramoléculaires, rendant la majorité de ses bases inaccessibles au solvant. Parmi les exceptions il faut noter les bases de l'anticodon et celles qui portent l'acide aminé, l'extrémité —CCA. Il ne fait aucun doute que ces deux groupes doivent être accessibles pour pouvoir assurer leurs rôles biologiques.

Le fait que les structures moléculaires de l'ARNt^{Phc} de levure sous des formes cristallines différentes soient essentiellement identiques, est tout à fait en faveur de l'hypothèse d'une ressemblance étroite entre sa structure cristalline et sa structure en solution. Malheureusement, des ARNt autres que l'ARNt^{Phe} de levure se sont avérés très difficile à cristalliser. À ce jour, n'ont été publiées que les structures par rayons X de trois autres ARNt non complexés alors que les structures par rayons X de nombreux ARNt liés aux enzymes qui fixent leurs acides aminés correspondants, ou liés à des ribosomes sont connues (Sections 32-2C et 32-3D). Les principales différences structurales entre eux proviennent d'une souplesse apparente de la boucle de l'anticodon et de l'extrémité —CCA, ainsi que d'une mobilité de type charnière entre les deux jambes du L qui confère, par exemple à l'**ARNt^{Asp}** de levure une forme de boomerang. Ces observations sont en accord avec l'hypothèse de la localisation de tous les ARNt dans les mêmes cavités ribosomiales.

C. *Les aminoacyl-ARNt synthétases*

La traduction précise implique deux étapes de reconnaissance d'égale importance : (1) le choix de l'acide aminé correct qui va être lié par covalence à l'ARNt ; et (2) la sélection de l'aminoacyl-ARNt spécifié par l'ARNm. Au cours de la première de ces

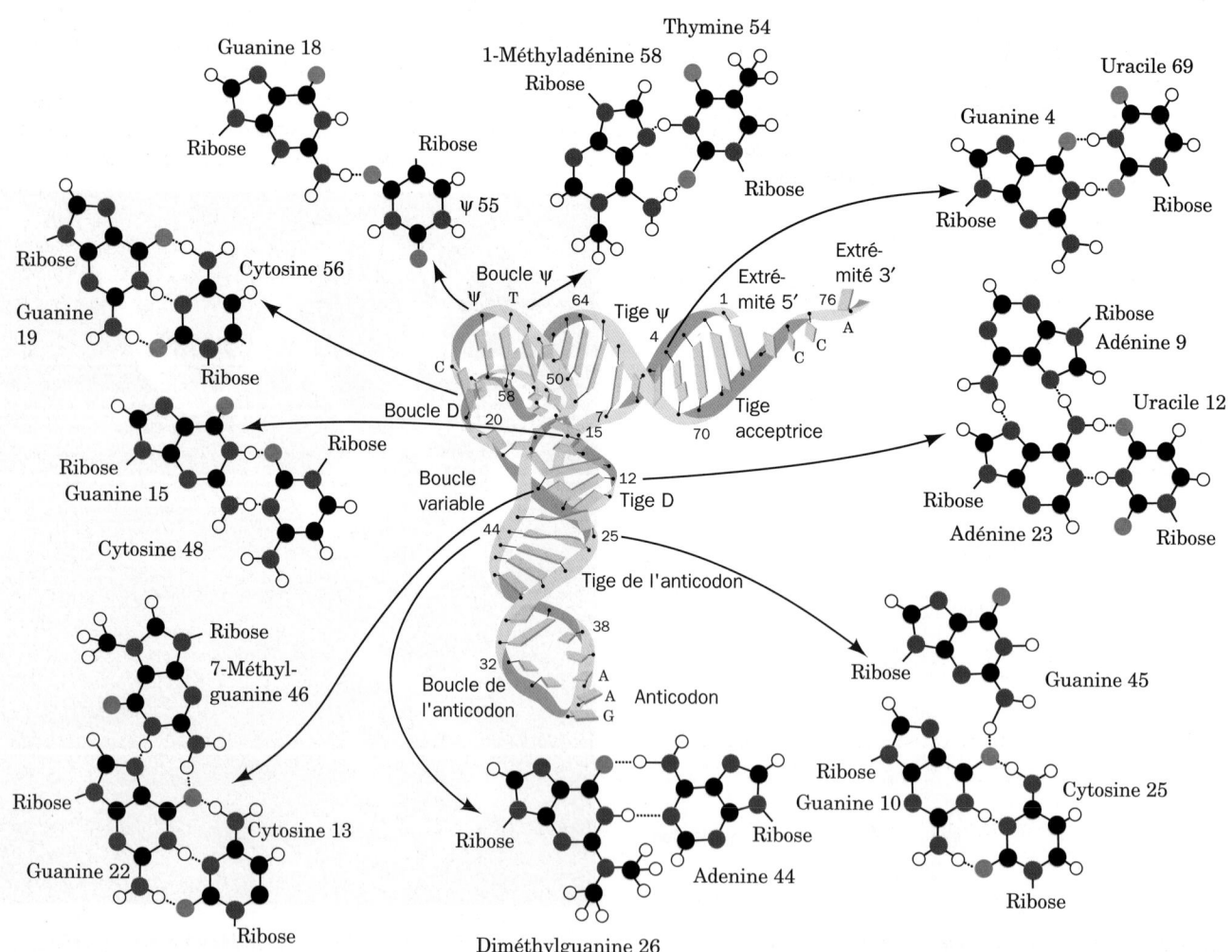

FIGURE 32-12 Les neuf interactions par appariements tertiaires dans l'ARNt^{Phe} de levure. Notez que toutes, sauf une, impliquent des appariements non Watson-Crick et qu'elles sont toutes localisées près de l'angle du L. [D'après Kim, S.H., *dans* Schimmel, P.R., Söll, D., et Abel-son, J.N. (Éds.), *Transfer RNA : Structure, Properties and Recognition*, p. 87, Cold Spring Harbor Laboratory (1979). L'ARNt a été dessiné par Irving Geis.]

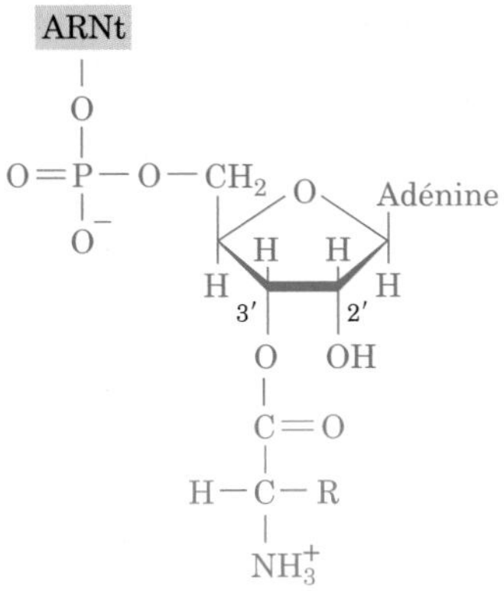

ARNt
|
O
|
O=P—O—CH₂ O   Adénine
|
O⁻

$$\text{ARNt} - \text{O} - \overset{\displaystyle O}{\underset{\displaystyle O^-}{\overset{\|}{\underset{|}{P}}}} - \text{O} - \text{CH}_2$$

Aminoacyl–ARNt

FIGURE 32-13 Un aminoacyl-ARNt. Dans les aminoacyls-ARNt, le résidu aminoacide estérifie l'hydroxyle en 2′ ou 3′ (3′ dans cette représentation) du ribose de l'adénosine en 3′-terminal de l'ARNt.

étapes, catalysée par des enzymes spécifiques des acides aminés appelées **aminoacyl-ARNt synthétases (aaRS),** un acide aminé est fixé au résidu ribose 3′-terminal de son ARNt spécifique pour former un **aminoacyl-ARNt** (Fig. 32-13). Ce processus normalement défavorable est entraîné par l'hydrolyse de l'ATP lors de deux réactions successives catalysées par une seule enzyme.

1. L'acide aminé est d'abord « activé » lors d'une réaction en présence d'ATP pour former un **aminoacyl-adénylate :**

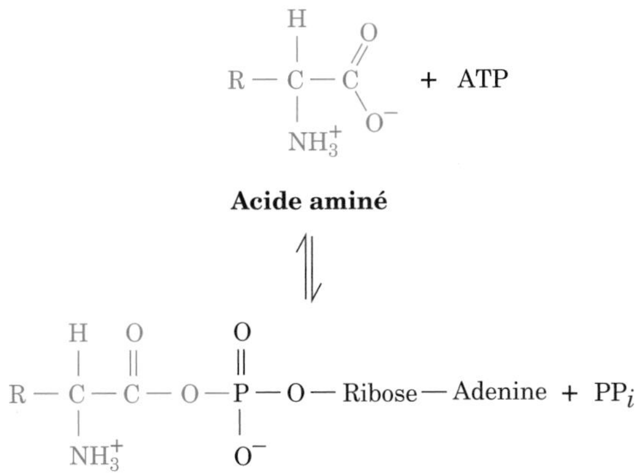

Acide aminé

**Aminoacyl–adénylate
(aminoacyl–AMP)**

qui, à l'exception de trois aaRS, peut être assurée en l'absence d'ARNt. Cet intermédiaire peut être isolé bien que normalement il soit fortement lié à l'enzyme.

2. Cet anhydride mixte réagit ensuite avec l'ARNt pour donner l'aminoacyl-ARNt :

Aminoacyl-AMP + ARNt ⇌ aminoacyl-ARNt + AMP

Certaines aaRS fixent exclusivement l'acide aminé au groupe 2′-OH de leur ARNt spécifique alors que d'autres le fixent sur le groupe 3′-OH. On a montré cette sélectivité en utilisant des ARNt chimiquement modifiés auxquels il manquait le groupe 2′- ou 3′-OH à leur résidu ribose 3′-terminal. L'utilisation de ces dérivés

était indispensable car, en solution, le groupe aminoacyl s'équilibre rapidement entre les positions 2′ et 3′. Le bilan global de la réaction d'aminoacylation est

Acide aminé + ARNt + ATP ⇌ aminoacyl-ARNt + AMP + PP$_i$

Ces étapes réactionnelles sont facilement réversibles car les énergies libres d'hydrolyse des liaisons formées dans l'aminoacyl-adénylate et dans l'aminoacyl-ARNt sont voisines de celle de l'hydrolyse de l'ATP. La réaction globale est rendue irréversible suite à l'hydrolyse du PP$_i$ (formé dans la première réaction) par la pyrophosphatase inorganique. Du point de vue chimique, l'activation d'un acide aminé ressemble par conséquent à celle d'un acide gras (Section 25-2A) ; la différence principale entre ces deux processus, élucidés tous les deux par Paul Berg, est que l'ARNt est l'accepteur d'acyl dans l'activation de l'acide aminé, alors que c'est le CoA qui joue ce rôle dans l'activation d'un acide gras.

a. On connaît deux classes d'aminoacyl-ARNt synthétases

La plupart des cellules possèdent une aaRS pour chacun des 20 acides aminés. La similitude des réactions catalysées par ces enzymes et la ressemblance structurale entre tous les ARNt suggèrent que toutes les aaRS sont issues d'un ancêtre commun et devraient donc avoir des structures apparentées. Ce n'est pourtant pas le cas, en vérité, *les aaRS constituent un groupe varié d'enzymes.* Sur plus de 1000 enzymes caractérisées à ce jour, chacune présente l'un des quatre types de structure différents, en sous-unités, α, α_2 (la forme prédominante), α_4 et ($\alpha_2\beta_2$, les tailles des sous-unités connues allant de 300 à 1200 résidus. De plus, il y a peu d'identité de séquence entre synthétases spécifiques d'acides aminés différents. Il est tout à fait possible que les aaRS soient apparues très tôt dans l'évolution, avant le développement des éléments de la machinerie de synthèse protéique actuelle, exceptés les ARNt.

Les comparaisons détaillées de séquences et de structure des aaRS par Dino Moras montrent que ces enzymes forment deux familles non apparentées, appelées **aaRS** de **Classe I** et de **Classe II,** dont on trouve les mêmes 10 membres chez presque tous les organismes. Les enzymes de Classe I, bien que de séquences très différentes, partagent deux segments polypeptidiques homologues, absents dans d'autres protéines, ayant les séquences consensus His-Ile-Gly-His (HIGH), et Lys-Met-Ser-Lys-Ser (KMSKS). La structure par rayons X des enzymes de Classe I montre que ces deux segments font partie d'un pli de liaison à des dinucléotides (pli de Rossmann, que l'on trouve aussi dans de nombreuses protéines qui se lient à l'ATP ou au NAD⁺ ; Section 8-3B), ils participent à la liaison de l'ATP, et sont impliqués dans la catalyse. Les synthétases de Classe II sont dépourvues des séquences précédentes mais ont trois autres séquences en commun. Leurs structures par rayons X montrent que ces séquences se trouvent dans un motif appelé « signature », un repliement que l'on ne trouve que dans les enzymes de Classe II, formé par un feuillet β antiparallèle à 7 segments flanqué de 3 hélices et qui constitue le cœur de leurs domaines catalytiques.

Beaucoup d'aaRS de Classe I doivent reconnaître l'anticodon pour fixer leur acide aminé sur leurs ARNt spécifiques. Inversement, plusieurs enzymes de Classe II, dont la **AlaRS** et la **SerRS,** n'interagissent pas avec l'anticodon de leur ARNt. De fait, plusieurs aaRS de Classe II amino-acylent fidèlement des

TABLEAU 32-4   Caractéristiques des aminoacyl-ARNt synthé-tases bactériennes

Acide aminé	Structure quaternaire	Nombre de résidus
Classe I		
Arg	α	577
Cys	α	461
Gln	α	553
Glu	α	471
Ile	α	939
Leu	α	860
Met	α, α_2	676
Trp	α_2	325
Tyr	α_2	424
Val	α	951
Classe II		
Ala	α, α_4	875
Asn	α_2	467
Asp	α_2	590
Gly	$\alpha_2\beta_2$	303/689
His	α_2	424
Lys	α_2	505
Pro	α_2	572
Phe	$\alpha_2\beta_2, \alpha$	327/795
Ser	α_2	430
Thr	α_2	642

Source : Principalement Carter, C.W., Jr., *Annu. Rev. Biochem.* **62**, 715 (1993).

« microhélices » qui ne sont issues que des tiges des bras accepteurs de leurs ARNt spécifiques. Une autre différence entre les synthétases de Classe I et de Classe II est que toutes les enzymes de Classe I amino-acylent le groupe 2′-OH à l'extrémité 3′ terminale de leurs ARNt liés, alors que les enzymes de Classe II, à l'exception de la **PheRS**, chargent leur groupe 3′-OH. Les acides aminés pris en charge par les synthétases de Classe I ont tendance à être plus volumineux et plus hydrophobes que les acides aminés spécifiques des synthétases de Classe II. Finalement, comme le montre le Tableau 32-4, Les aaRS de classe I sont surtout des monomères, alors que la plupart des aaRS de classe II sont des homodimères.

La LysRS avait été classée comme aaRS de classe II. Cependant, une étude de la séquence génomique de *Methanococcus janaschii* et de *Methanobacterium thermoautotrophicum* n'a révélé aucune LysRS de ce type. Cela a conduit à la découverte que les LysRS exprimées par ces archaebactéries sont des enzymes de classe I et non de classe II. Cela pose la question intéressante de savoir comment la LysRS de classe I est apparue.

Les aaRS de procaryotes fonctionnent comme des protéines individuelles. Cependant, chez les eucaryotes supérieurs (p. ex. *Drosophila* et les mammifères), 9 aaRS, certaines de chaque classe, s'associent pour former une particule multi-enzymatique où les activités glutamyl- et prolyl-ARNt synthétases sont réunies en un seul polypeptide appelé **GluProRS**. On ne connaît pas les avantages de ce système.

b. Les caractéristiques structurales reconnues par les aminoacyl-ARNt synthétases peuvent être élémentaires

Comme nous le verrons dans la Section 32-2D, les ribosomes ne sélectionnent les aminoacyl-ARNt que grâce aux interactions codon-anticodon, et non en fonction de la nature de leurs groupes aminoacyls. *Une traduction fidèle nécessite donc, non seulement que chaque ARNt soit amino-acylé par son aaRS spécifique mais aussi qu'il ne soit pas amino-acylé par l'une ou l'autre de ses 19 aaRS non spécifiques.* Des travaux considérables ont donc été entrepris, notamment par LaDonne Schulman, Paul Schimmel, Olke Uhlenbeck et John Abelson, afin d'élucider comment les aaRS réalisent cet exploit, compte tenu des similitudes structurales étroites entre tous les ARNt. Parmi les méthodes utilisées, citons l'utilisation de fragments d'ARNt spécifiques, d'ARNt modifiés par mutation, d'agents formant des liaisons covalentes, de comparaisons de séquences par ordinateur et la cristallographie par rayons X. Les sites de contact de la synthétase les plus fréquents avec l'ARNt se situent sur la face interne (concave) du L. En dehors de ceux-là, il semble qu'il n'y ait pas de règle quant à la manière dont les ARNt sont reconnus par leurs synthétases respectives. En fait, comme nous allons le voir, certaines aaRS ne reconnaissent que la tige acceptrice de leur ARNt spécifique, alors que d'autres interagissent avec la région de son anticodon. D'autres régions de l'ARNt peuvent aussi être reconnues.

Par manipulations génétiques, Schimmel a montré que les caractéristiques de l'ARNt reconnues par au moins un type d'aaRS sont d'une simplicité surprenante. De nombreuses modifications de séquence de l'ARNt^{Ala} de *E. coli* n'affectent pas vraiment sa capacité à être aminoacylé par l'alanine. Cependant, la plupart des substitutions de bases dans la paire G3·U70 située dans la tige acceptrice de l'ARNt (Fig. 32-14a) diminuent fortement cette réaction. De plus, l'introduction d'une paire G·U en position analogue dans l'**ARNt^{cys}** et dans l'ARNt^{phe} fait que ces ARNt sont aminoacylés par Ala bien qu'il n'y ait que peu d'identité de séquence entre ces ARNt mutants et l'ARNt^{Ala} (cf. Fig. 32-15). De fait, l'AlaRS de *E. coli* amino-acyle de façon efficace même une « microhélice » de 24 nucléotides qui ne correspond qu'à la tige acceptrice contenant la paire G3·U70 de l'ARNt^{Ala} de *E. coli*. Sachant que les seuls ARNt de *E. coli* qui ont normalement cette paire de base G3·U70 sont les ARNt^{Ala}, et que cette paire de bases se trouve aussi dans les ARNt^{Ala} de nombreux organismes, dont la levure (Fig. 32-8), l'observation précédente suggère fortement que *la paire* G3·U70 *est une caractéristique majeure reconnue par l'AlaRS.* Il est probable que ces enzymes reconnaissent la configuration déformée de la paire G3·U70 (Fig. 32-12), idée corroborée par le fait que les changements de base au niveau de G3·U70 qui affectent le moins la nature de l'accepteur de l'ARNt^{Ala}, sont des paires de bases qui ressemblent par leur structure à G3·U70.

Les éléments de trois autres ARNt, reconnus par leurs aaRS respectives, sont indiqués dans la Fig. 32-14. Comme dans le cas de l'ARNt^{Ala} ces motifs d'identification ne semblent concerner que quelques bases. Notez que l'anticodon est l'un de ces éléments pour deux de ces ARNt. Un autre exemple de motif d'identification trouvé dans l'anticodon est fourni par l'**ARNt^{Ile}** de *E. coli* spécifique du codon AUA et qui reconnaît l'anticodon LAU, où L est la **lysidine,** une cytosine modifiée dont le groupe 2-céto est remplacé par la lysine (Fig. 32-10). Dans ce contexte, L s'apparie avec A plutôt qu'avec G, un cas rare où une modification de base entraîne un changement de spécificité d'appariement de bases. Le

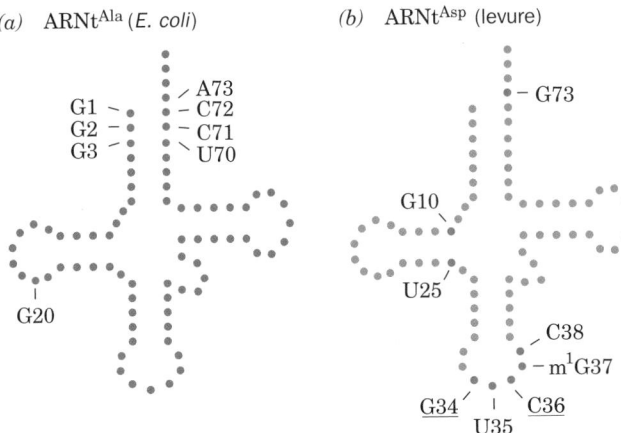

(a) ARNt^{Ala} (*E. coli*)

(b) ARNt^{Asp} (levure)

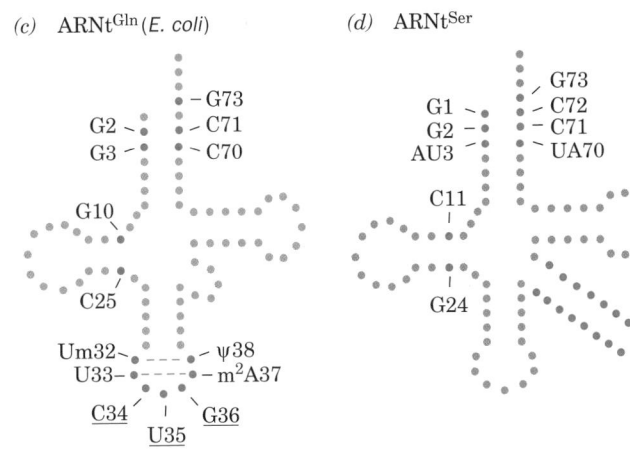

(c) ARNt^{Gln} (*E. coli*)

(d) ARNt^{Ser}

FIGURE 32-14 Principaux éléments d'identification pour quatre ARNt. Chaque base d'ARNt est représentée par un cercle plein. Les cercles rouges indiquent les positions dont on a montré qu'elles étaient des éléments d'identification pour que l'ARNt soit reconnu par son aminoacyl-ARNt synthétase spécifique. Les bases de l'anticodon qui sont des éléments d'identification sont soulignées. Dans tous les cas, des éléments d'identification supplémentaires peuvent être découverts. La base à la position 73, qui est un élément d'identification pour les quatre ARNt montrés ici, est appelée **base de discrimination.**

remplacement de ce L par un C non modifié donne, comme prévu, un ARNt qui reconnaît le codon AUG de Met (la liaison des codons aux anticodons est antiparallèle). Curieusement cependant, cet ARNt^{Ile} modifié est aussi un bien meilleur substrat pour la **MetRS** que pour la **IleRS.** Ainsi, une simple modification post-transcriptionnelle de cet ARNt change, et la spécificité du codon, et celle de l'acide aminé. La N¹-méthylation de G37 dans l'ARNt^{Asp} de levure (Fig. 32-14*b*) fournit un autre exemple de modification de base constituant un élément de reconnaissance. En l'absence du groupement N¹-méthyl, l'ARNt^{Asp} est reconnu par

l'ArgRS, surtout grâce à ses nucléotides C36 et G37, tandis que l'ArgRS ne reconnaît normalement que l'ARNt^{Arg}, via ses nucléotides C35 et U36.

Les données expérimentales disponibles ont situé les éléments d'identification des différents ARNt dans la tige acceptrice et dans la boucle de l'anticodon (Fig. 32-16). La structures par rayons X

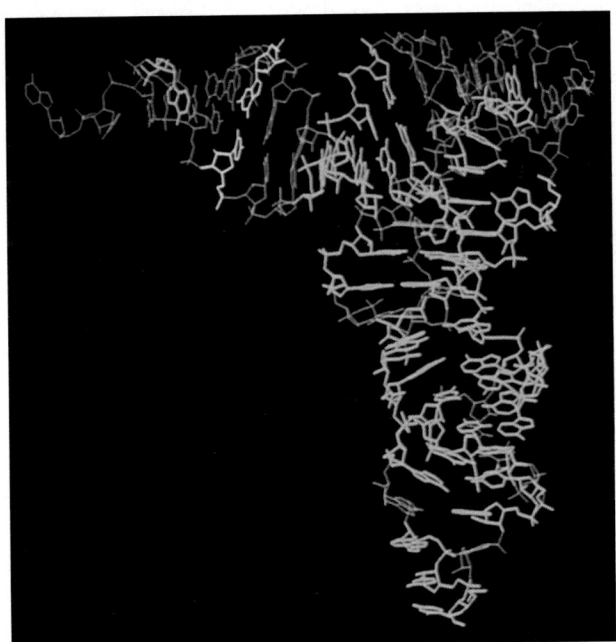

FIGURE 32-15 Un modèle de structure à trois dimensions de l'ARNt^{Ala} de *E. coli*. Ce modèle est établi d'après la structure par rayons X de l'ARNt^{Phe} de levure (Fig. 32-11*b*) dans laquelle les nucléotides qui sont différents dans l'ARNt^{Cys} de *E. coli* sont en bleu pâle et la paire G3 ·U70 est de couleur ivoire. [Avec la permission de Ya-Ming Hou, MIT.]

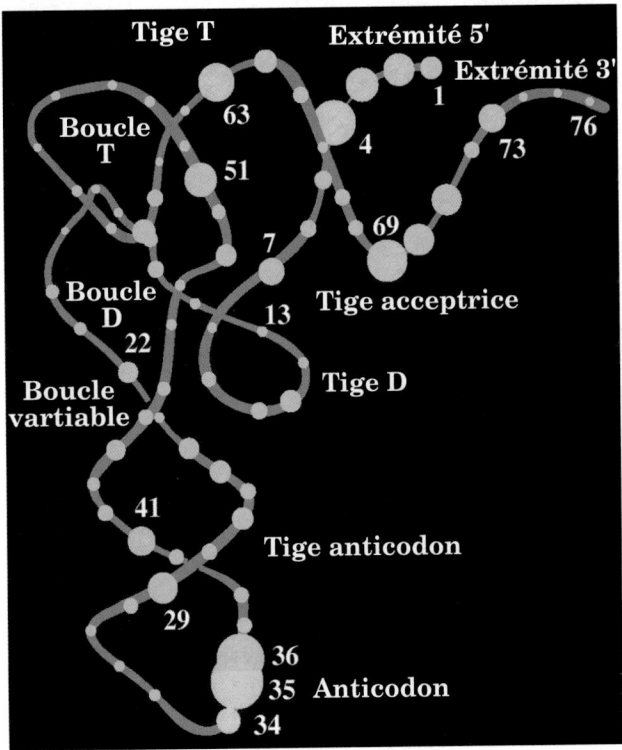

FIGURE 32-16 Les éléments d'identification des ARNt déterminés expérimentalement. Le squelette de l'ARNt est bleu et chacun de ses nucléotides est représenté par un cercle jaune dont le diamètre est proportionnel à sa fréquence dans les 20 types d'ARNt en tant qu'élément d'identification d'après les données expérimentales. [Avec la permission de William McClain, Université du Wisconsin.]

de plusieurs complexes aaRS · ARNt, dont nous allons parler maintenant, ont fourni une explication d'ordre structural à ces observations.

c. La structure par rayons X de GlnRS · ARNt^{Gln}, un complexe de Classe I

Les structures par rayons X de toutes les aaRS spécifiques des 20 acides aminés différents, à l'exception de 2 d'entre eux (Ala et Leu), ont été déterminées, dont beaucoup en complexe avec : de l'ATP, leur acide aminé spécifique ou des analogues. Ces structures montrent que le site actif de ces enzymes fixe l'ATP et l'acide aminé dans des positions optimales pour le déplacement nucléophile (Section 16-2B) direct, lors de l'activation de l'acide aminé, et que la spécificité d'une aaRS pour son acide aminé cible est déterminée par des contacts propres à chaque enzyme avec la chaîne latérale de celui-ci.

Les structures par rayons X de 12 aaRS différentes, complexées avec leurs ARNt spécifiques, ont déjà été publiées. La première structure qui a été connue est celle de la GlnRS de *E. coli,* une synthétase de Classe I, complexée avec **l'ARNt^{Gln}** et l'ATP (Fig. 32-17), déterminée par Thomas Steitz. L'ARNt^{Gln} prend une conformation en L qui ressemble à celle des autres ARNt de structures connues (cf. Fig. 32-11*b*). La GlnRS, une pro-

téine monomérique de 553 résidus, formée de quatre domaines qui confèrent un aspect allongé à la molécule, interagit avec l'ARNt sur toute la surface interne du L, de sorte que l'anticodon est lié près d'une extrémité de la protéine et la tige acceptrice est liée à l'autre extrémité.

Des données génétiques et biochimiques, ont montré que les éléments d'identification de l'ARNt^{Gln} sont rassemblés essentiellement dans la boucle de l'anticodon et dans la tige acceptrice (Fig. 32-14*c*). La tige du bras de l'anticodon de l'ARNt^{Gln} est allongée par deux nouveaux appariements de bases non Watson-Crick (2'-*O*-méthyl-U32 · ψ38 et U33 · m^{2}A37), décompressant ainsi les bases de l'anticodon ce qui leur permet de se lier dans des poches de reconnaissance distinctes de la GlnRS. Ces données structurales suggèrent que la GlnRS utilise les sept bases de la boucle de l'anticodon pour faire la distinction entre les ARNt. Effectivement, des changements de n'importe laquelle des bases situées entre les résidus C34 et ψ38 donnent des ARNt dont les valeurs de k_{cat}/K_M pour l'aminoacylation par la GlnRS diminuent d'un facteur compris entre 70 et 28.000.

La séquence GCCA de l'extrémité 3' de l'ARNt^{Gln} fait un tournant en épingle à cheveux vers l'intérieur du L au lieu de prolon-

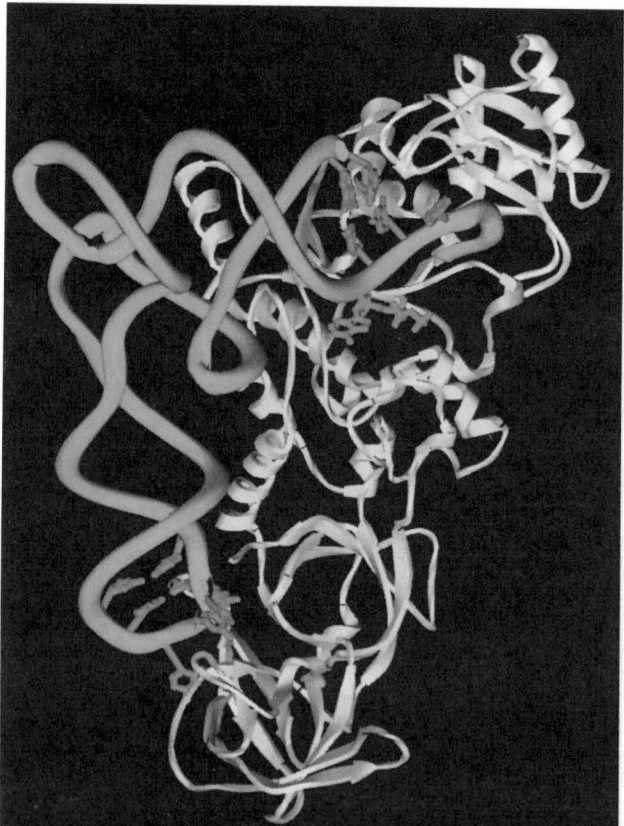

(a)

(b)

FIGURE 32-17 Structure par rayons X du complexe GlnRS · ARNt-^{Gln} · ATP de *E. coli.* (a) L'ARNt et l'ATP sont représentés en modèles squelettiques, le squelette sucre-phosphate de l'ARNt en vert, ses bases en rose, et l'ATP en rouge. La protéine est en bleu translucide et en modèle compact qui révèle les parties enfouies de l'ARNt et de l'ATP. Notez que l'extrémité 3' de l'ARNt *(en haut à droite)* et les bases de son anticodon *(en bas)* sont insérées dans des poches profondes de la protéine. *(b)* Une représentation en ruban du complexe vu comme dans *a*. Le squelette sucre-phosphate de l'ARNt est représenté en vert et les bases constituant ses éléments d'identification (Fig. 32-14*c*) sont en rose. Les quatre domaines de la protéine sont de couleurs différentes, le pli de liaison à dinucléotide est en doré et le reste du domaine catalytique qui le contient est en jaune. L'ATP est représenté en forme squelettique *(rouge).* [D'après une structure par rayons X de Thomas Steitz, Université de Yale. PDBid 1GSG.]

ger l'hélice tout droit (comme le fait la séquence ACCA à l'extrémité 3′ de la structure par rayons X de l'ARNt^{phe} ; Fig. 32-11*b*). Ce changement de conformation est facilité par l'insertion d'une chaîne latérale de Leu entre les extrémités 5′ et 3′ de l'ARNt, ce qui désapparie la première paire de bases de la tige acceptrice (Ul · A72). La réaction catalysée par la GlnRS est donc relativement insensible à des changements de bases dans ces deux dernières positions, sauf si l'appariement de bases est renforcé par la transformation en Gl · C72. La séquence GCCA terminale de l'ARNt^{Gln} s'enfonce profondément dans une poche de la protéine qui lie également les substrats ATP et glutamine de l'enzyme. Trois « doigts » protéiques s'insèrent dans le petit sillon de la tige acceptrice pour établir des interactions spécifiques de séquence avec les paires de bases G2 · C71 et G3 · C70 [rappelez-vous qu'un ARN en double hélice a une structure de type ADN A (Section 29-1B) dont

le petit sillon, large, accueille facilement des protéines alors que le grand sillon est normalement trop étroit pour cela].

Le domaine de la GlnRS qui lie la glutamine, l'ATP et l'extrémité GCCA de l'ARNt^{Gln}, ce qu'on appelle le domaine catalytique, présente comme nous l'avons déjà dit, un pli de liaison aux dinucléotides. Une grande partie de ce domaine est presque superposable, et donc apparenté du point de vue de l'évolution, avec les domaines correspondants d'autres aaRS de classe I.

d. La structure par rayons AspRS · ARNt^{Asp}, un complexe de Classe II

La AspRS de levure, une synthétase de Classe II, est un dimère α_2 de sous-unités de 557 résidus. Sa structure par rayons X en complexe avec l'ARNt^{Asp}, déterminée par Moras, montre que la protéine se lie symétriquement à deux molécules d'ARNt

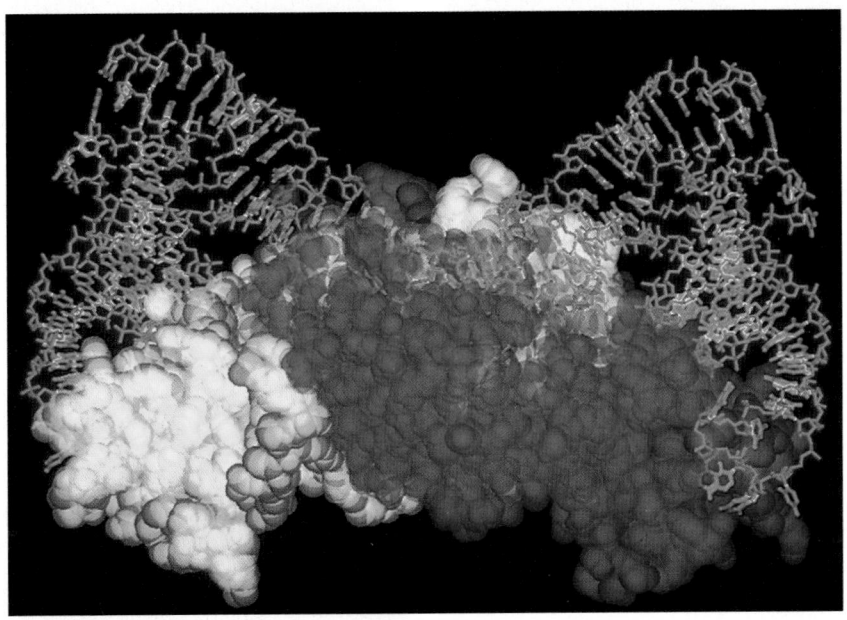

(a)

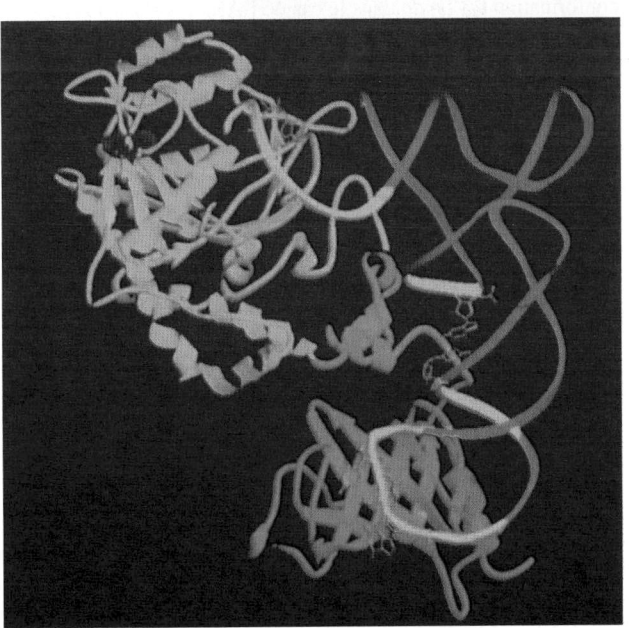

(b)

FIGURE 32-18 La structure par rayons X du complexe AspRS · ARNt^{Asp} · ATP de levure. *(a)* L'enzyme homodimérique avec ses deux ARNt liés symétriquement est vue avec son axe de symétrie d'ordre deux pratiquement vertical. Les ARNt sont représentés en forme squelettique avec leur squelette sucre-phosphate en vert et leurs bases en rose. Les deux sous-unités de l'enzyme sont représentées en modèles compacts, jaune et bleu translucides, cela fait apparaître les parties enfouies des ARNt. *(b)* Représentation en ruban du monomère AspRS · ARNt^{Asp} · ATP. Les zones de contact de l'ARNt avec la protéine sont en jaune et ses éléments d'identification sont représentés en modèle éclaté en rouge, tout comme l'ATP. Le domaine N-terminal de la protéine est en bleu-vert, le domaine central est en bleu clair, et le domaine catalytique C-terminal est orange avec ses deux motifs « signatures » (le feuillet β antiparallèle à 7 segments flanqué de trois hélices, caractéristique des aaRS de Classe II) en blanc. [La partie *a* d'après une structure par rayons X et la partie *b,* avec la permission de Dino Moras, CNRS/INSERM/ULP, Illkirch, France. PDBid 1ASY.]

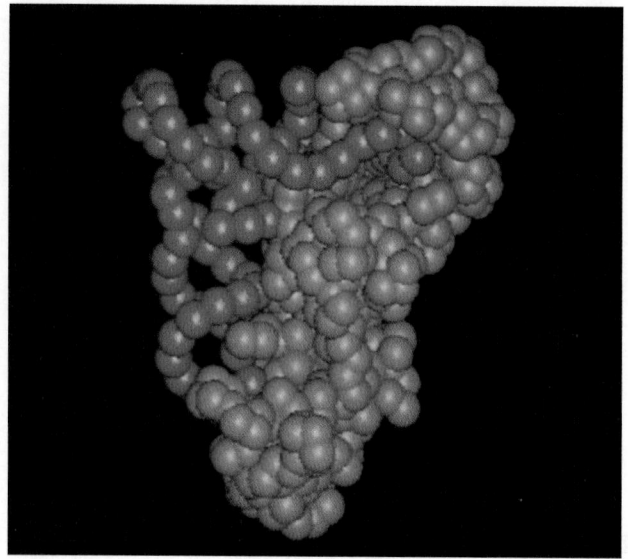

(a)

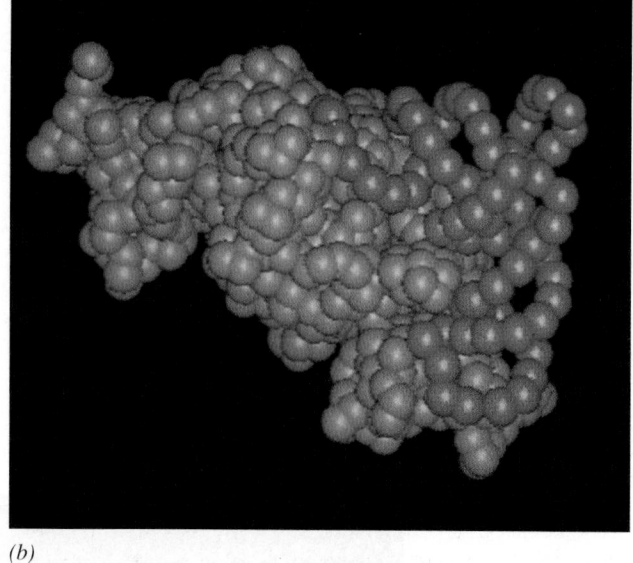

(b)

FIGURE 32-19 Comparaison des modes de liaison de la GlnRS et de l'AspRS à leurs ARNt respectifs. Les protéines et les ARNt sont représentés respectivement par des sphères bleues et rouges indiquant les positions de leurs atomes Cα et P. Notez que la GlnRS *(a)*, une synthétase de Classe I, se lie à l'ARNt^{Gln} depuis le côté du petit sillon de sa tige acceptrice, ce qui fait prendre à son extrémité 3′ une forme en épingle à cheveux en se liant au site actif de l'enzyme. À l'inverse, AspRS *(b)*, une synthétase de Classe II, se lie à l'ARNt^{Asp} depuis le côté du grand sillon de sa tige acceptrice ce qui permet à son extrémité 3′ de conserver sa conformation hélicoïdale en entrant dans le site actif. [Avec l'aimable autorisation de Dino Moras, CNRS/INSERM/ULP, Illkirch, France. PDBid.]

(Fig. 32-18). Comme dans le cas de la GlnRS, la AspRS établit principalement des contacts avec l'extrémité de la tige acceptrice et avec la région de l'anticodon de son ARNt lié. Cependant, les contacts avec ces deux enzymes sont très différents dans leur nature (Fig. 32-19) : bien que les deux ARNt s'approchent de leurs synthétases respectives par l'intérieur de leur L, l'ARNt^{Gln} y parvient depuis le petit sillon de la tige de son bras accepteur, alors que l'ARNt^{Asp} y arrive depuis son grand sillon. La séquence GCCA à l'extrémité 3′ de l'ARNt^{Asp} conserve donc sa structure hélicoïdale tout en s'enfonçant dans le site catalytique de l'AspRS, alors que, nous venons de le voir, l'extrémité GCCA de l'ARNt^{Gln} se courbe vers l'arrière en formant une épingle à cheveux qui fait s'ouvrir la première paire de bases (Ul · A72) de la tige de son bras accepteur. Bien que le grand et profond sillon d'une hélice d'ARN A soit normalement trop étroit pour accueillir des groupes de taille supérieure à celle de molécules d'eau (Section 29-1B), le grand sillon à l'extrémité de la tige acceptrice dans le complexe AspRS · ARNt^{Asp} est suffisamment élargi pour permettre à ses paires de bases d'interagir avec une boucle protéique.

Le bras de l'anticodon de l'ARNt^{Asp} forme une courbure de 20 Å vers l'intérieur du L comparé à sa structure par rayons X lorsqu'il n'est pas complexé, et les bases de son anticodon sont assez libres. Le point charnière de cette courbure est une paire de base G30 · U40 qui se trouve dans la tige du bras anticodon qui, dans presque tous les autres ARNt, est une paire de bases Watson-Crick. Les bases de l'anticodon de l'ARNt^{Gln} ne sont pas tassées non plus lors du contact avec la GlnRS mais la conformation du squelette est différente de celle de l'ARNt^{Asp}. Manifestement, la conformation d'un ARNt complexé avec sa synthétase spécifique semble davantage être dictée par ses interactions avec la protéine (configuration induite) que par sa séquence.

Des études structurales des complexes AspRS · ARNt^{Asp} avec l'ATP et l'acide aspartique, et GlnRS · ARNt^{Gln} avec l'ATP ont permis d'établir indépendamment des modèles de ces enzymes complexées avec l'aminoacyl-AMP. La comparaison de ces modèles montre que les résidus A de l'extrémité 3′ des ARNt^{Gln} et ARNt^{Asp} (auxquels les groupes aminoacyls sont liés ; Fig. 32-13) se trouvent sur les côtés opposés de l'intermédiaire enzyme-aminoacyl-AMP (Fig. 32-20). Les résidus ribose 3′-terminaux présentent la conformation C2′-*endo* dans le cas de l'ARNt^{Asp} et la conformation *C3′-endo* dans le cas de l'ARNt^{Gln} ; voir Fig. 29-10) si bien que le groupe 2′-OH de l'ARNt^{Gln} (Classe I) se trouve en position pour attaquer le groupe carboxylate de l'aminoacyl-AMP, alors que dans le cas de l'ARNt^{Asp} (Classe II), seul le groupe hydroxyl en 3′ est en position pour cette réaction. Cela explique clairement les spécificités d'aminoacylation différentes des aaRS de Classe I et de Classe II.

e. Des « corrections » augmentent la fidélité de liaison de l'acide aminé à son ARNt

La charge d'un ARNt avec son acide aminé spécifique est un processus remarquablement précis, le taux d'erreur global d'une aaRS est de 1 pour 10000. Nous avons vu qu'une aaRS ne se fixe qu'à son ARNt spécifique grâce à une série complexe de contacts spécifiques. Mais comment font-elles pour distinguer les différents acides aminés, dont certains sont très similaires ?

Des expériences ont montré, par exemple, qu'en présence de concentrations égales en isoleucine et en valine, l'IleRS transfère ~40.000 isoleucines sur l'**ARNt^{Ile}** pour une valine transférée. Toutefois, Linus Pauling a été le premier à montrer que *les différences structurales entre les résidus Val et Ile sont insuffisantes pour expliquer un tel degré de précision de la formation directe de ces* *aminoacyl-ARNt*. La structure par rayons X de la IleRS de *Thermus thermophilus*, une aaRS monomérique de classe I, en complexe avec l'isoleucine, a été déterminée par Shigeyuki Yokoyama et Schimmel. Elle montre que l'isoleucine s'adapte très précisément à son site de liaison dans le domaine de l'enzyme en pli de Rossmann, et que par conséquent, la forme de ce site ne conviendrait pas à une leucine, ni à des acides aminés plus grands. D'un autre côté, la valine, qui ne diffère de l'isoleucine que par un groupe méthylène en moins, s'insère dans le site de liaison de l'isoleucine. L'énergie libre de liaison d'un groupe méthylène est de l'ordre de 12 kJ · mol⁻¹. L'équation [3.16] indique que le rapport/des constantes d'équilibre, K_1 et K_2, qui caractérisent les liaisons de deux substrats à un site de liaison donné est :

$$f = \frac{K_1}{K_2} = \frac{e^{-\Delta G_1^{\circ\prime}/RT}}{e^{-\Delta G_2^{\circ\prime}/RT}} = e^{-\Delta \Delta G^{\circ\prime}/RT} \qquad [32.1]$$

où $\Delta \Delta G^{\circ\prime} = \Delta G_1^{\circ\prime} - \Delta G_2^{\circ\prime}$ est la différence entre les énergies libres de liaison des deux substances. On estime ainsi que l'isoleucyl-ARNt synthétase ne pourrait faire la distinction entre l'isoleucine et la valine que d'un facteur ~100 au maximum.

Berg a résolu ce paradoxe manifeste en montrant qu'en présence d'ARNt^Ile, la IleRS catalyse l'hydrolyse quantitative du valyl-adénylate en valine + AMP au lieu de former le Val-ARNt^Ile. De plus ; les quelques molécules de Val- ARNt^Ile qui se forment sont hydrolysées en Val + ARNt^Ile. Ainsi, *l'isoleucyl-ARNt synthétase soumet les aminoacyl-adénylates à une* **épreuve de correction** *ou d'***édition** *(proofreading) dont on a montré qu'elle se faisait sur*

un site catalytique séparé. Ce site lie les résidus Val mais exclut les résidus Ile qui sont plus grands. *La sélectivité globale de l'enzyme résulte donc des sélectivités de ses étapes d'adénylation et de correction, ce qui rend compte de la très grande fidélité de la traduction. Notez que dans ce mécanisme de* **double contrôle***, la correction implique l'hydrolyse de l'ATP, c'est le prix thermodynamique à payer pour cette haute fidélité (on gagne un ordre de grandeur).*

La structure par rayons X de la IleRS de *Staphylococcus aureus* complexée avec l' ARNt^Ile et un antibiotique d'usage clinique, la mupirocine

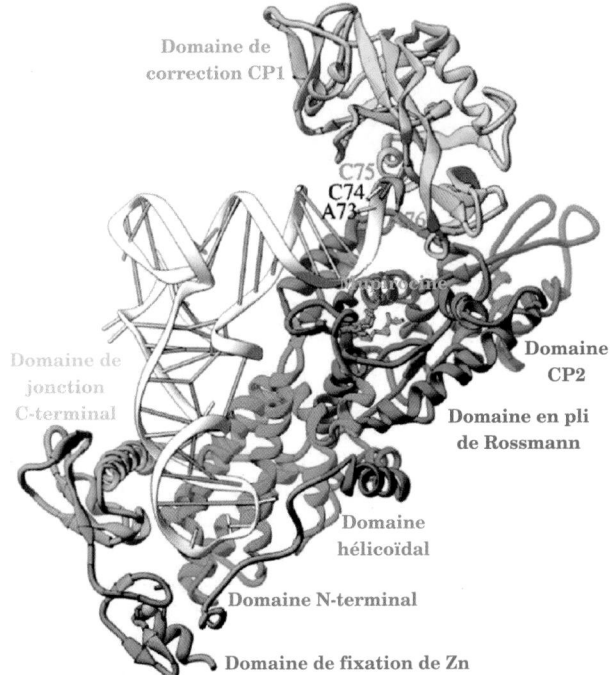

Mupirocine

(produite par *Pseudomonas fluorescens* et agissant en se liant spécifiquement à la IleRS bactérienne, ce qui inhibe la synthèse protéique), a été déterminée par Steitz et suggère la façon dont la IleRS réalise son processus de correction. La structure par rayons X (Fig 32-21) montre que ce complexe ressemble au complexe GlnRS · ARNt^Gln · ATP (Fig. 32-17), à ceci près que la IleRS a un domaine de correction supplémentaire (encore appelé CP1 pour « *c*onnective *p*eptide1 ») qui est inséré dans son domaine en pli de Rossmann. Les deux résidus 3′ terminaux de l'ARNt^Ile, C75

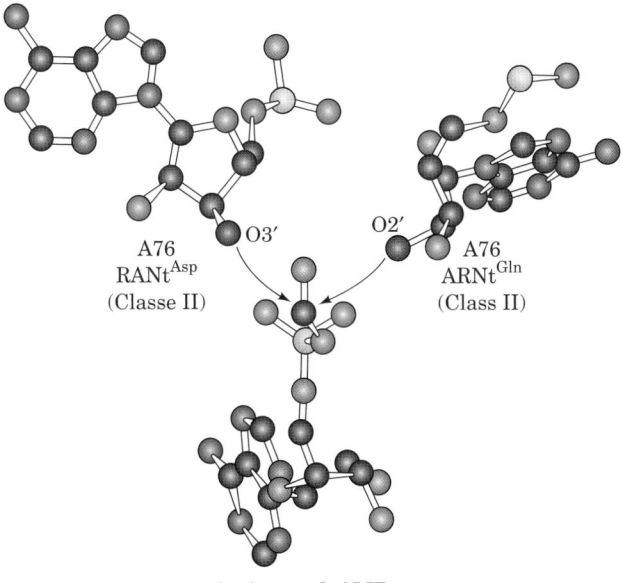

Aminoacyl–AMP

FIGURE 32-20 Stéréochimie comparée de l'aminoacylation par les aaRS de classe I et II. Les positions des résidus adénosine 3′-terminaux (A76) de la AspRS (Classe II, *à gauche)* et de la GlnRS (Classe I, *à droite)* par rapport à celle du complexe enzyme · aminoacyl-AMP *(en bas* ; seul le groupe carbonyle de son résidu aminoacyl est montré). Remarquez que seuls les atomes O3′ de l'ARNt^Gln et O2′ de l'ARNt^Asp sont en position correcte pour attaquer le groupe carbonyle du résidu aminoacyl et transférer ainsi le résidu aminoacyl à l'ARNt. [D'après Caravelli J., Eriani, G., Rees, B., Ruff, M., Boeglin, M., Mitschler, A., Martin, F., Gangloff, J. Thierry, J.-C., et Moras, D., *EMBO J.* **13**, 335 1994).]

FIGURE 32-21 Structure par rayons X de l'isoleucyl-ARNt synthétase de *T. thermophilus* complexée avec l'ARNt^ILe et la mupirocine. L'ARNt est en blanc, les domaines de la protéine ont chacun une couleur propre et la muciporine, en vue éclatée, est rose. [Avec l'aimable autorisation de Thomas Steitz, Université de Yale. PDBid 1QU2.]

(a)

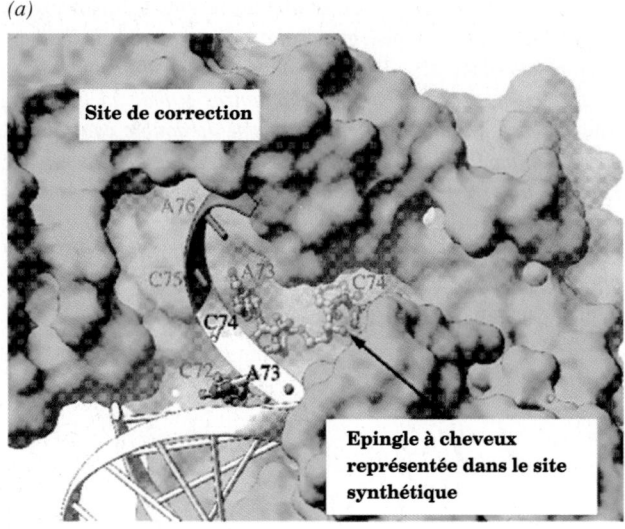

FIGURE 32-22 Comparaison des modes d'aminoacylation et de correction présomptifs dans le complexe IleRS · ARNt^Ile. *(a)* Superposition de l'ARNt^Ile et de la surface accessible aux solvants de la IleRS (en vert pale), dans les deux modes de liaison. Le brin accepteur de l'ARNt^Ile en mode correction, tel qu'il est observé dans la structure par rayons X du complexe IleRS · ARNt^Ile · mupirocine (Fig. 32-21), est représenté en ruban blanc avec ses positions C75 et A76 en rouge. Cela positionne l'extrémité 3′ de l'ARNt^Ile dans le site de correction. Au contraire, quand on positionne les trois résidus 3′-terminaux de l'ARNt^Ile, représentés ici en modèle éclaté (C en jaune, N en bleu, O en rouge et P en rose), en se basant sur la structure par rayons X du complexe GlnRS · ARNt^Gln · ATP (Fig. 32-17), cela place l'extrémité 3′ de l'ARNt dans le site synthétique (d'aminoacylation), à 34 Å de sa position dans le site de correction. Notez qu'une fente parcourt l'espace entre les sites et que l'extrémité 3′ de l'ARNt est dans le prolongement de l'hélice-A dans le mode correction, mais qu'elle prend une forme d'épingle à cheveux dans le mode synthétique. *(b)* Schéma comparant les positions de l'extrémité 3′ de l'ARNt^Ile complexé à la IleRS en mode synthétique *(à gauche)* et en mode correction *(à droite)*. [pour *a*, avec l'aimable autorisation de Thomas Steitz et *b*, d'après un dessin de Thomas Steitz, Université de Yale.]

(b)

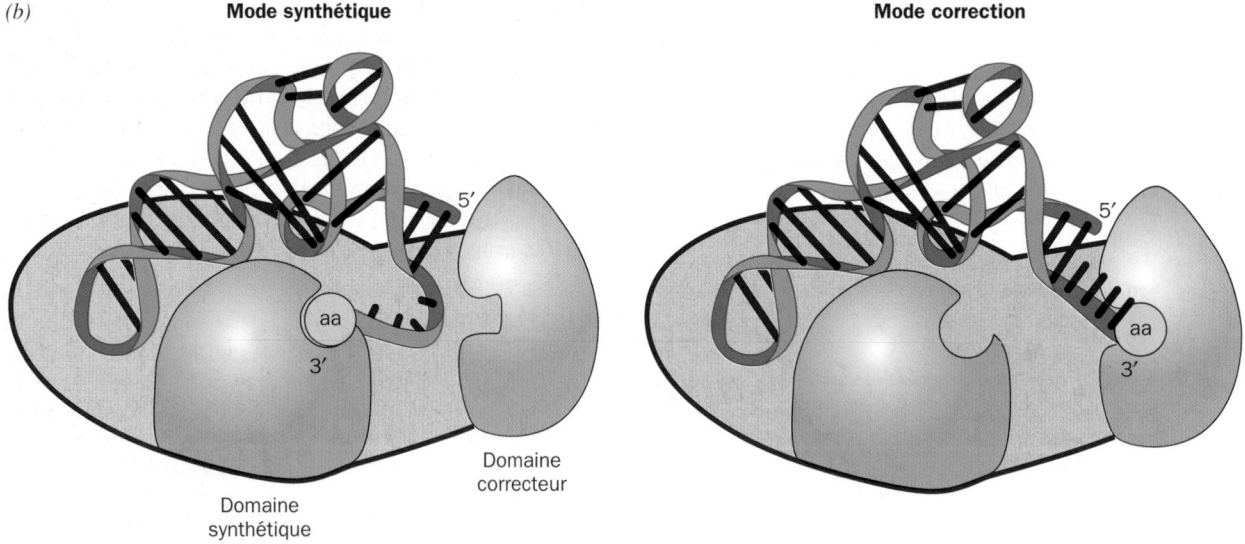

et A76, sont désordonnés mais si on les modélise en les empilant dans le prolongement de la tige acceptrice sous forme d'une hélice A, ils aboutissent dans une fente du domaine de correction dont on pense que c'est le site hydrolytique (Fig. 32-22*a*, *à gauche*). Ce complexe de IleRS semble donc ressembler à un « complexe de correction » plus qu'à un « complexe de transfert » comme celui que montre la structure de la GlnRS. Cependant, un complexe de transfert pourrait se former si le segment de l'extrémité 3′ de l'ARNt^Ile prend une forme d'épingle à cheveux (Fig. 32-22*a*, *à droite*) semblable à celle dans la structure de la GlnRS (Fig. 32-17*b*; rappelons que la IleRS et la GlnRS sont toutes deux des aaRS de classe I). Steitz a de ce fait proposé que le groupement aminoacyl est transféré du site d'aminoacylation au site de correction de la IleRS par un changement de conformation de ce type (Fig. 32-22*b*). Ce processus ressemble du point de vue fonctionnel à celui également élucidé par Steiz, concernant la façon dont la polymérase corrige le brin néosynthétisé (Section 30-2A).

La **ValRS** est une aaRS monomérique de classe I qui ressemble à la IleRS. La structure par rayons X du complexe formé par la

ValRS de *T. thermophilus*, l'**ARNt^Val** et le **5′-*O*′-[*N*-(L-valyl)sulfamoyl]adénosine (Val-AMS),** un analogue non hydrolysable du **valyl-aminoacyl-adénylate**

5′-*O*-[*N*-(L-valyl)sulfamoyl]adénosine (Val-AMS)

Valyl-aminoacyl–adénylate

a été déterminée par Yokoyama. Elle montre que le Val-AMS se fixe dans la poche d'aminoacylation du domaine en pli de Rossmann, qui peut accueillir les entités isostériques Val et Thr mais exclue l'Ile trop encombrante. Les études de modélisation basées sur la structure du complexe IleRS · ARNt^{Ile} · mupirocine montrent que la chaîne latérale du résidu Thr pourrait s'adapter dans la poche de correction de la ValRS. L'hydrogène du groupement hydroxyl de sa chaîne latérale serait attaché à la chaîne latérale du résidu Asp 279 de la ValRS qui fait saillie dans la poche contrairement à ce que fait le résidu correspondant, Asp 328 de la IleRS. Par conséquent, une chaîne latérale d'un résidu Val serait exclue de la poche de correction de la ValRS parce qu'elle ne peut pas établir ce type de liaison hydrogène, c'est pourquoi cette poche de correction hydrolyse le **thréonyl-aminoacyl-adénylate** et le Thr-ARNt^{Val} mais pas les molécules dérivées de Val correspondantes. La structure du complexe ValRS · ARNt^{Val} montre aussi que la ValRS et l'ARNt^{Val} forment ensemble un tunnel qui relie la poche d'aminoacylation de la ValRS et sa poche de correction. Un thréonyl-aminoacyl-adénylate, qui s'est formé à tort, serait conduit par ce tunnel vers la poche de correction pour y être hydrolysé, cela explique pourquoi l'ARNt^{Val} doit se lier à la ValRS pour que cette réaction de transfert préalable à la correction ait lieu. On pense que le valyl-aminoacyl-adénylate est canalisé dans un complexe IleRS · ARNt^{Ile} similaire pour être hydrolysé.

La ThrRS, un homodimère de classe II, présente le problème inverse de celui de la ValRS : elle doit synthétiser le Thr-ARNt^{Thr} mais pas de Val-ARNt^{Thr}. La structure par rayons X de la ThrRS de *E. coli,* dont on a enlevé le domaine N-terminal mais qui conserve son activité catalytique, a été déterminée en complexe avec soit la thréonine, soit l'analogue de thréonyl-aminoacyl-adénylate, la **Thr-AMS**, par Moras. Elle montre que la poche d'aminoacylation de la ThrRS contient un ion Zn^{2+} en liaison de coordinence avec les groupements hydroxyl et amine de la chaîne latérale du résidu thréonyl ainsi qu'avec trois chaînes latérales de la protéine. La valine, bien qu'isostérique, ne pourrait pas faire ce type de liaisons de coordinence avec l'ion Zn^{2+} et ne subit pas l'adénylation par la ThrRS. Pourtant, qu'est ce qui empêche la ThrRS de synthétiser le Ser-ARNt^{Thr} ? En fait, la ThrRS tronquée synthétise le Ser-ARNt^{Thr} à un taux représentant plus de 50 % de celui de la synthèse de Thr-ARNt^{Thr}. Cela montre que le domaine N-terminal de la protéine sauvage ThrRS contient le site de correction de l'enzyme. L'étude de mutations dans la ThrRS a permis de localiser ce site de correction dans une fente du domaine N-terminal de la ThrRS sauvage, dont la structure par rayons X a aussi été déterminée par Moras dans un complexe avec l'ARNt^{Thr}. Dans

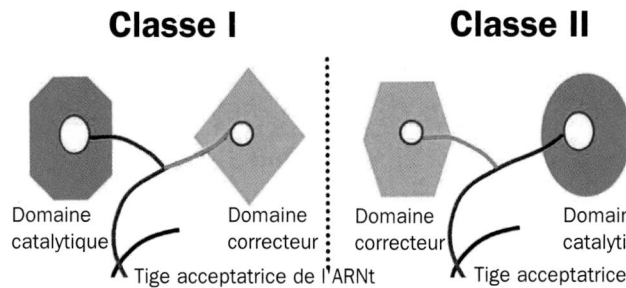

Classe I   **Classe II**

Domaine catalytique   Domaine correcteur   Domaine correcteur   Domaine catalyti

Tige acceptatrice de l'ARNt   Tige acceptatrice

FIGURE 32-23 Représentation schématique des mécanismes d'aminoacylation et de correction des aaRS de classe I et II mettant en relief la symétrie d'image dans un miroir de leurs mécanismes généraux. Dans le cas des aaRS de classe I (*à gauche* ; par ex. IleRS), l'extrémité 3' de la tige acceptatrice de l'ARNt fixé, prend une forme d'épingle à cheveux, en mode synthétique, et une conformation en hélice, en mode correction, tandis que c'est l'inverse pour les aaRS de classe II (*à droite* ; par ex · ThrRS). [Avec l'aimable autorisation de Dino Moras, CNRS/INSERM/ULP, Illkirch, France.]

cette dernière structure, l'extrémité 3' de l'ARNt suit un trajet hélicoïdal régulier semblable à celui observé dans la structure par rayons X du complexe AspRS · ARNtAsp · ATP (Fig. 32-18), cela lui permet de pénétrer dans le site d'aminoacylation. Cependant, si l'extrémité 3' de l'ARNt^{Thr} fixé prenait une conformation en épingle à cheveux semblable à celle observée dans la structure par rayons X pour l'ARNt^{Gln} complexé avec la GlnRS (une enzyme de classe I) et l'ATP (Fig. 32-17), l'aminoacyl lié à lui de façon covalente, pénètrerait dans le site de correction. On voit là une curieuse symétrie, comme dans un miroir (Fig. 32-23) : dans les aaRS de classe I douées d'une activité de correction en deux étapes, lorsqu'elles ont fixé leur ARNt spécifique, l'extrémité 3' de celui-ci prend la forme d'une épingle à cheveux pour entrer dans le site d'aminoacylation et une forme en hélice pour entrer dans le site de correction, tandis que l'inverse est vrai dans le cas des aaRS de classe II. Finalement, La ThrRS ne semble pas effectuer de correction avec transfert préalable (elle n'hydrolyse pas le séryl-aminoacyl-adénylate), et, effectivement, le complexe ThrRS · ARNt^{Thr} ne possède pas de canal reliant ses sites d'aminoacylation et de correction tel qu'on le voit dans le complexe ValRS · ARNt^{Val}.

Les synthétases qui ont une sélectivité suffisante pour leur acide aminé spécifique ne possèdent pas de fonction de correction. Ainsi, par exemple, le site d'aminoadénylylation de la TyrRS distingue la tyrosine de la phénylalanine grâce à des liaisons hydrogène avec le groupement —OH de la tyrosine. Les autres acides aminés de la cellule, que ce soient les acides aminés standards ou non standards, ressemblent tous encore moins à une tyrosine, cela explique l'absence d'activité correctrice de la TyrRS.

f. Le Gln-ARNt^{Gln} possède une autre voie de synthèse alternative

Bien que l'on ait longtemps pensé que chacun des 20 acides aminés standards est lié de façon covalente à un ARNt par son aaRS spécifique, il est maintenant évident que les bactéries à gram positif, les archaebactéries, les cyanobactéries, les mitochondries et les chloroplastes sont tous dépourvus de GlnRS. Il y a en fait liaison de glutamate à l'ARNt^{Gln} par la même GluRS que celle qui synthétise le **Glu-ARNt^{Glu}**. Le **Glu-ARNt^{Gln}** formé est ensuite transaminé en Gln-ARNt^{Gln} par l'enzyme **Glu-ARNt^{Gln}amido-transférase (Glu-AdT),** selon une réaction dépendante de l'ATP,

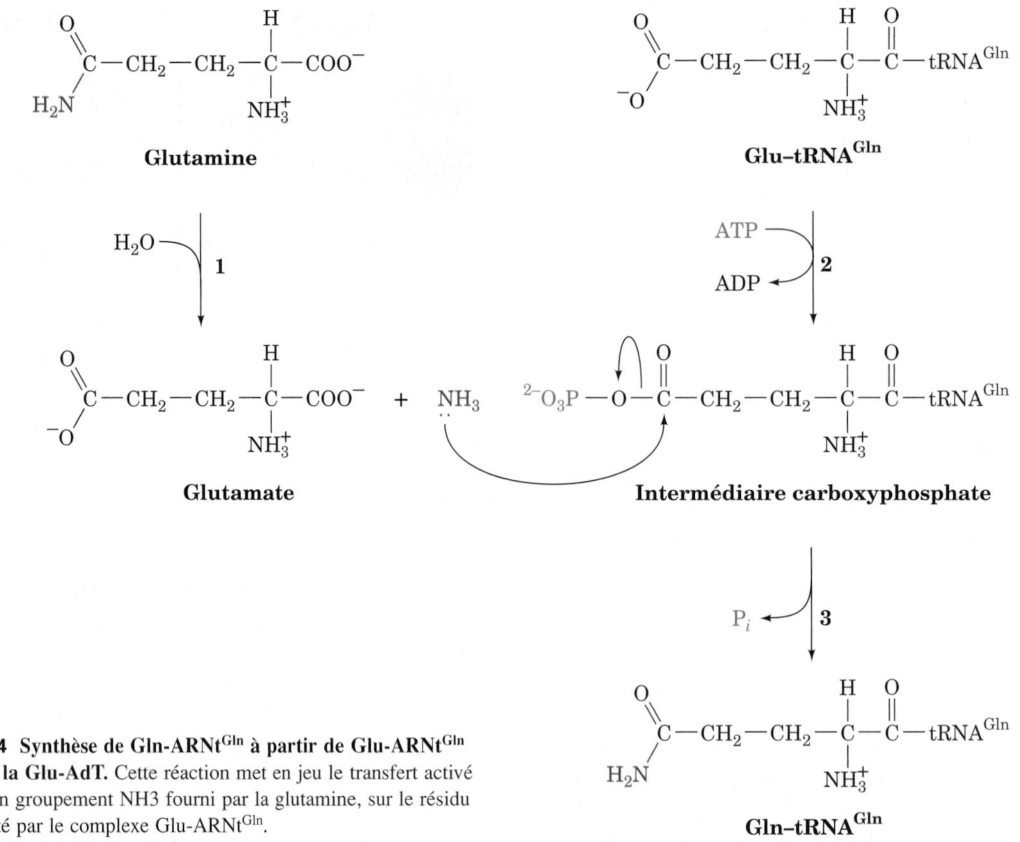

FIGURE 32-24 Synthèse de Gln-ARNt^Gln à partir de Glu-ARNt^Gln catalysée par la Glu-AdT. Cette réaction met en jeu le transfert activé par l'ATP, d'un groupement NH3 fourni par la glutamine, sur le résidu glutamate porté par le complexe Glu-ARNt^Gln.

dans laquelle la glutamine est le donneur d'amide. Certains micro-organismes utilisent une voie de transamidation semblable pour synthétiser le Asn-ARNt^Asn à partir du Asp-ARNt^Asn.

La réaction catalysée dans son ensemble par la Glu-AdT, comporte trois étapes (Fig. 32-24) : (1) La glutamine est hydrolysée en glutamate et le NH3 obtenu reste piégé ; (2) L'ATP réagit avec la chaîne latérale du résidu Glu de Glu-ARNt^Gln en produisant un intermédiaire activé acylphosphate qui réagit avec le NH₃ pour donner Gln-ARNt^Gln + Pi. La Glu-Adt de *Bacillus subtilis*, qui a été caractérisée par Söll, est une protéine hétérotrimérique, dont aucune des sous-unités ne présente de similitude de séquence significative avec la GlnRS. Les gènes codant ces sous-unités, *gatA*, *gatB* et *gatC*, forment un seul opéron dont la destruction est létale ; cela montre que *B. subtilis* ne possède pas d'autre voie de synthèse pour produire la Gln-ARNt^Gln. La sous-unité **GatA** de la Glut-AdT catalyse l'activation de la chaîne latérale carboxylique de l'acide glutamique, cette réaction ressemble à celle catalysée par la carbamoyl phosphate synthétase (Section 26-2A). Néanmoins, GatA ne présente aucune similitude de séquence avec d'autres glutamine amidotransférases connues (membres des familles triad ou Ntn ; Section 26-5A). Le rôle de la sous-unité **GatB** serait la sélection du bon ARNt substrat. Le rôle de la sous-unité **GatC** n'est pas évident, bien que le fait que sa présence soit nécessaire à l'expression de GatA chez *E. coli*, suggère qu'elle participe à la modification, au repliement et/ou à la stabilisation de GatA.

Puisqu'il n'y a aucune incorporation erronée de Glu à la place de Gln dans se protéines de *B. subtilis*, c'est que le produit de la réaction d'aminoacylation décrite plus haut n'est pas transporté au ribosome. Il est probable que cela ne se fasse pas, comme on a pu le montrer dans les chloroplastes, parce que **EF-Tu**, le facteur d'élongation qui fixe et transporte la plupart des aminoacyl-ARNt au ribosome, selon un processus dépendant du GTP (Section 32-3D), ne se fixe pas au Glu-ARNt^Gln. On ne comprend pas pourquoi il existe deux voies indépendantes de synthèse du Gln-ARNt^Gln.

g. Certaines archaebactéries n'ont pas de vraie CysRS

Le génome de certaines archaebactéries comme *M. janaschii* n'ont pas de gène reconnaissable de CysRS. Cela est dû au fait que l'enzyme qui synthétise le Pro-ARNt^Pro de ces organismes synthétise également le Cys-ARNt^Cys. Fait intéressant, cette enzyme, que l'on appelle ProCysRS ne synthétise ni Pro-ARNt^Cys, ni Cys-ARNt^Pro. Bien que la ProCysRS synthétise le cystéinyl-aminoacyl-adénylate uniquement en présence de l'ARNt^Cys, elle synthétise le prolyl-aminoacyl-adénylate en l'absence d'ARNt^Pro. La fixation de l'ARNt^Cys à la ProCysRS bloque l'activation de la proline, de sorte que seule la cystéine puisse être activée. Inversement, l'activation de la proline facilite la fixation de l'ARNt^Pro tout en empêchant la fixation de l'ARNt^Cys. Cependant, le mécanisme qui permet à la ProCysRS d'effectuer ces synthèses mutuellement exclusives est inconnu. Quoi qu'il en soit, il est évident que certains organismes peuvent s'accommoder de seulement 17 aaRS différentes ; ils peuvent se passer de GlnRS, de AspRS et d'une CysRS séparée.

D. *Interactions codon-anticodon*

Dans la synthèse protéique, ce ne sont que les interactions codon-anticodon qui assurent le choix correct de l'ARNt ; le groupe aminoacyl n'intervient pas dans ce processus. Ceci a été démontré de la manière suivante. Du Cys-ARNt^Cys, dans lequel le résidu Cys est marqué par du ^{14}C, est désulfuré par réduction en présence de nickel de Raney afin de transformer le résidu Cys en résidu Ala :

$$HS-CH_2-\underset{\underset{NH_3^+}{|}}{\overset{\overset{H}{|}}{C}}-\overset{\overset{O}{\|}}{C}-O-ARNt^{Cys} \quad + \quad Ni(H)_x$$

Cys–ARNt^{Cys}   **Nickel de Raney**

$$H-CH_2-\underset{\underset{NH_3^+}{|}}{\overset{\overset{H}{|}}{C}}-\overset{\overset{O}{\|}}{C}-O-ARNt^{Cys} \quad + \quad H_2S \quad + \quad Ni$$

Ala–ARNt^{Cys}

L'Ala-ARNt^{Cys} hybride résultant, marqué par du ^{14}C est incubé dans un système de synthèse protéique acellulaire extrait de réticulocytes de lapin. Le seul peptide trypsique radioactif obtenu par digestion de la chaîne α de l'hémoglobine est celui qui normalement contient l'unique résidu Cys de la sous-unité α. Aucune radioactivité n'est trouvée dans les peptides qui contiennent normalement Ala mais pas de Cys. *Ceci prouve que seuls les anticodons des aminoacyl-ARNt sont impliqués dans la reconnaissance des codons.*

a. La dégénérescence du code génétique fait intervenir des interactions variables codon-anticodon en troisième position

On aurait pu penser naïvement que chacun des 61 codons spécifiant un acide aminé serait lu par un ARNt différent. Toutefois, même si la plupart des cellules ont plusieurs groupes d'ARNt isoaccepteurs (des ARNt différents spécifiques d'un même acide aminé), de nombreux ARNt se lient à deux ou trois des codons spécifiant leurs acides aminés respectifs. Par exemple, l'ARNt^{Phe} de levure, dont l'anticodon est GmAA, reconnaît les codons UUC et UUU (rappelez-vous que l'appariement codon-anticodon est antiparallèle),

```
              3'               5'    3'               5'
Anticodon:   —A — A — Gm —        —A — A — Gm —
              ⋮   ⋮    ⋮   3'       ⋮   ⋮    ⋮   3'
              5'                    5'
Codon:       —U — U — C —          —U — U — U —
```

et l'ARNt^{Ala} de levure, dont l'anticodon est IGC, reconnaît les codons GCU, GCC et GCA,

```
              3'              5'    3'              5'
Anticodon:   —C — G — I —         —C — G — I —
              ⋮   ⋮    ⋮   3'      ⋮   ⋮    ⋮   3'
              5'                   5'
Codon:       —G — C — U —         —G — C — C —
```

```
                          3'              5'
           Anticodon:    —C — G — I —
                          ⋮   ⋮    ⋮   3'
                          5'
           Codon:        —G — C — A —
```

Il semble donc que des appariements différents des appariements de Watson-Crick puissent se faire en troisième position du codon-

anticodon (par définition, la première position de l'anticodon est son nucléotide en 3'), le site de dégénérescence de la plupart des codons (Tableau 32-2). Notez aussi que la troisième (5') position de l'anticodon contient souvent une base modifiée comme Gm ou I.

b. L'hypothèse du flottement rend compte structuralement de la dégénérescence des codons

En associant les données structurales et la déduction logique, Crick suggéra, dans ce qu'il appela **l'hypothèse du flottement** (the **wobble hypothesis**), comment un ARNt peut reconnaître plusieurs codons dégénérés. Selon lui, les deux premiers appariements entre codon-anticodon sont normaux (de type Watson-Crick). Les contraintes structurales qui en résultent au niveau du troisième appariement entre codon-anticodon font que sa conformation ne s'éloigne pas exagérément de celle d'une paire Watson-Crick. Crick suggéra qu'il pouvait y avoir une légère marge de flottement dans la troisième position du codon, permettant ainsi des ajustements conformationnels limités dans sa géométrie d'appariement. D'où la possibilité de formation de paires différentes des paires Watson-Crick classiques telles que U·G et I·A (Fig. 32-25a). Ces

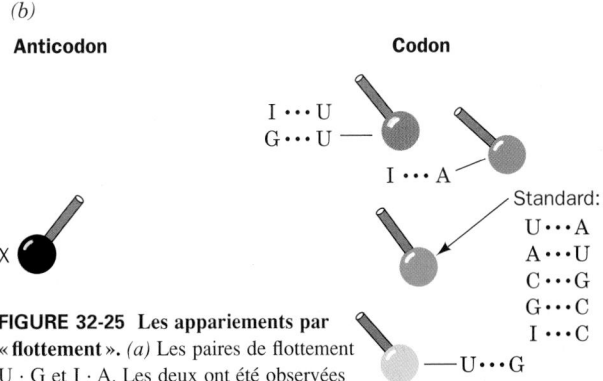

FIGURE 32-25 Les appariements par « flottement ». *(a)* Les paires de flottement U·G et I·A. Les deux ont été observées dans des structures par rayons X. *(b)* La géométrie de l'appariement par flottement. Les sphères et les liaisons qui leur sont attachées représentent les positions des atomes C1' de ribose, impliqués dans leurs liaisons glycosidiques. X *(à gauche)* désigne le nucléoside à l'extrémité 5' de l'anticodon (ARNt). Les positions sur la droite sont celles du nucléoside en 3' du codon (ARNm) dans les appariements par flottement indiqués. [D'après Crick, F.H.C., *J. Mol. Biol.* **19**, 552 (1966).]

TABLEAU 32-5 **Combinaisons d'appariement par flotteùent permises en troisième position codon-anticodon**

Base en 5′ de l'anticodon	Base en 3′ du codon
C	G
A	U
U	A ou G
G	U ou C
I	U, C, ou A

appariements de « flottement » permis sont indiqués dans la Fig. 32-25*b*. Puis, s'appuyant sur les types d'appariement connus, Crick en déduisit les combinaisons d'appariement les plus plausibles au niveau de la troisième position codon-anticodon (Tableau 32-5). Ainsi, un anticodon avec C ou A en troisième position ne peut s'apparier qu'avec son codon complémentaire en paires Watson-Crick normales. Si U, G ou I occupe la troisième position de l'anticodon, deux ou trois codons sont reconnus respectivement.

Tous les ARNt cytoplasmiques connus de procaryotes ou d'eucaryotes participent à des appariements avec flottement. Cependant, aucun exemple d'ARNt ayant A en troisième position de son anticodon n'est connu, ce qui suggère que l'appariement U · A correspondant n'est pas permis. Même s'il est clair que le flottement est conditionné par des modifications de bases, l'origine structurale du flottement est encore mal comprise.

Compte tenu des différentes possibilités de flottement, 31 ARNt au minimum sont nécessaires pour traduire les 61 codons triplets du code génétique (en fait 32 ARNt au minimum, en comptant l'ARNt spécial nécessaire à l'initiation de la traduction ; Section 32-3C). La plupart des cellules ont plus de 32 ARNt, certains ayant des anti-codons identiques. En réalité, les cellules de mammifères ont plus de 150 ARNt. Néanmoins, *tous les ARNt isoaccepteurs d'une cellule ne sont reconnus que par une seule aminoacyl-ARNt synthétase.*

c. Certains ARNt mitochondriaux ont davantage d'appariements permissifs par flottement que les autres ARNt

Les possibilités de reconnaissance des ARNt mitochondriaux doivent refléter le fait que les codes génétiques mitochondriaux sont des variantes du code génétique « standard » (Tableau 32-3). Par exemple, le génome mitochondrial humain, qui n'est constitué que de 16.569 pb, code 22 ARNt (ainsi que 2 ARNr et 13 protéines). Quatorze de ces ARNt lisent chacun une des paires de codons synonymes indiquées dans les Tableaux 32-2 et 32-3 (MNX, où X est soit C ou U, soit encore A ou G) en accord avec les règles du flottement pour G · U : les ARNt ont un G ou un U modifié en troisième position de leur anticodon ce qui leur permet de s'apparier respectivement avec les codons ayant X = C ou U ou encore X = A ou G. Les 8 ARNt restants, qui, contrairement aux règles du flottement, reconnaissent chacun 1 des groupes des 4 codons synonymes (MNY ou Y = A, C, G ou U), ont tous des anticodons avec U en troisième position. Ou bien cet U peut s'apparier, vaille que vaille, avec n'importe quelle des 4 bases, ou ces ARNt ne lisent que les deux premières positions d'un codon et ignorent la troisième. Ainsi, et ce n'est pas une surprise, de nombreux ARNt mitochondriaux ont des structures originales dans les-

quelles, par exemple, la séquence GT?CRA (Fig. 32-9) est absente, ou, dans le cas le plus extrême, un ARNt^{Ser} est complètement dépourvu du bras D.

d. Les codons les plus fréquents sont complémentaires des types d'ARNt les plus abondants

L'analyse des séquences de bases de plusieurs gènes de structure fortement exprimés de *S. cerevisiae,* a révélé un biais remarquable dans l'usage de leurs codons. Seuls 25 des 61 codons sont utilisés couramment. *Les codons préférés sont ceux qui sont le plus complémentaires, au sens Watson -Crick du terme, des anticodons des types les plus abondants de chaque série d'ARNt isoaccepteurs.* De plus, les codons qui se lient à des anticodons avec deux paires consécutives G · C ou trois paires A · U sont évités de sorte que les complexes codon-anticodon préférés ont tous approximativement les mêmes énergies libres de liaison. On a retrouvé la même chose chez *E. coli,* même si plusieurs de ses 22 codons préférés ne sont pas les mêmes que ceux de la levure. La fréquence des codons préférés dans un gène donné est fortement corrélée, dans les deux organismes, au taux d'expression du gène (les taux mesurés de sélection des aminoacyl-ARNt chez *E. coli* vont de 1 à 25). On a suggéré qu'ainsi, les ARNm des protéines fortement demandées sont synthétisés rapidement et en douceur.

e. La sélénocystéine est portée par un ARNt particulier

Bien qu'il soit bien établi, même dans ce livre, que les protéines sont synthétisées à partir des 20 acides aminés « standard », c'est-à-dire ceux qui sont spécifiés par le code génétique « standard », certains organismes, comme l'a découvert Theresa Stadtman, utilisent en fait, un 21ème acide aminé, la **sélénocystéine** (**Sec**, ou **SeCys**), pour la synthèse de quelques-unes de leurs protéines.

$$
\begin{array}{l}
| \\
NH \\
| \\
CH{-}CH_2{-}Se{-}H \\
| \\
C{=}O \\
|
\end{array}
$$

Le résidu sélénocystéine

Le sélénium, un oligoélément biologique essentiel, se trouve dans plusieurs enzymes aussi bien chez les procaryotes que chez les eucaryotes. Parmi elles : la thiorédoxine réductase (Section 28-3A) et les déiodinases de l'hormone thyroïdienne (impliquées dans la synthèse de l'hormone thyroïdienne ; Section 19-1D) chez les mammifères et trois formes de formiate déshydrogénases chez *E. coli*, contiennent toutes des résidus Sec. Les résidus Sec sont incorporés dans ces protéines au niveau des ribosomes grâce à un ARNt unique, **l'ARNt^{Sec},** dont l'anticodon UCA est spécifié (dans l'ARNm) par un codon UGA particulier (UGA est normalement un codon d'arrêt *opale*). Le Sec-ARNt^{Sec} est synthétisé par aminoacylation de l'ARNt^{Sec} par la L-serine grâce à la même SerRS que celle qui charge l'ARNt^{Ser}, suivie de la sélénylation enzymatique du résidu Ser formé.

Comment les ribosomes distinguent-ils les codons UGA spécifiant la Sec des codons normaux d'arrêt *opale* ? Comme nous l'avons vu dans le cas du Glu-ARNt^{Gln} (Section 32-2C), EF-Tu, le facteur d'élongation qui apporte la plupart des aminoacyl-ARNt au ribosome selon un processus dépendant du GTP, ne se fixe pas au

Sec-ARNt^{Sec}. Cet ARNt se fixe plutôt à un facteur d'élongation spécifique nommé SELB, qui, en présence de GTP, reconnaît une structure en épingle à cheveux du coté 3' d'un codon UGA spécifiant Sec, dans un ARNm fixé à un ribosome.

E. *Suppressions non-sens*

Les mutations non-sens sont généralement létales lorsqu'elles entraînent l'arrêt prématuré de la synthèse d'une protéine indispensable. Un organisme porteur d'une telle mutation peut néanmoins être « sauvé » par une deuxième mutation dans une autre partie du génome. Durant plusieurs années après leur découverte, l'existence de ces **suppresseurs intergéniques** est restée énigmatique. Cependant, on sait maintenant qu'ils proviennent de mutations dans un gène d'ARNt qui entraîne cet ARNt à reconnaître un codon d'arrêt. Cet ARNt **suppresseur** lie son acide aminé (le même que celui de l'ARNt correspondant de type sauvage) au polypeptide en formation, mais en réponse au codon d'arrêt qu'il reconnaît, empêchant ainsi l'arrêt prématuré de la synthèse de la chaîne. Par exemple, le suppresseur *ambre* de E. coli appelé *su3* est un ARNt^{Tyr} dont l'anticodon a muté du type sauvage GUA (qui lie les codons Tyr UAU et UAC) en CUA (qui reconnaît le codon d'arrêt *ambre* UAG). Un mutant E. coli su3$^+$ porteur d'une mutation *ambre,* normalement létale, dans un gène codant une protéine essentielle, sera viable si le remplacement de l'acide aminé du type sauvage par Tyr n'inactive pas la protéine.

On connaît plusieurs exemples bien caractérisés de supresseurs *ambre* (UAG), *ocre* (UAA), et *opale* (UGA) chez E. coli (Tableau 32-6). Pour la plupart, comme prévu, les anticodons sont mutés. Cependant, l'ARNt UGA-1 ne diffère du type sauvage que par une mutation G → A dans la tige de son bras D, ce qui change une paire G·U en une paire plus solide A·U. Cette mutation semble modifier la conformation de l'anticodon CCA de l'ARNt, ce qui lui permet d'établir un appariement par flottement inhabituel avec UGA ainsi qu'avec son codon normal, UGG. On trouve aussi des suppresseurs non-sens chez la levure.

a. Les ARNt suppresseurs sont des mutants d'ARNt mineurs

Comment les cellules peuvent-elles tolérer une mutation qui élimine un ARNt normal et empêche la terminaison de la synthèse d'un polypeptide ? Elles survivent parce qu'en général, l'ARNt muté est un membre mineur d'une série d'ARNt isoaccepteurs et parce que les ARNt suppresseurs de codon d'arrêt entrent en compétition avec les codons d'arrêt pour les facteurs protéiques qui assurent la terminaison de la synthèse polypeptidique (Section 32-3E). Par conséquent, la proportion de protéines actives synthétisées grâce à des suppresseurs, malgré des mutations non-sens UAG ou UGA, excède rarement 50 % de ce que l'on aurait pour la protéine sauvage, alors que des mutants avec UAA, le codon d'arrêt le plus fréquent, ont des efficacités de suppression inférieures à 5 %. De plus, de nombreux ARNm ont deux codons d'arrêt successifs en tandem si bien que même si le premier codon d'arrêt est supprimé, la terminaison se fera grâce au deuxième. Néanmoins, beaucoup de mutants sauvés par suppresseur croissent relativement lentement car ils ne peuvent synthétiser une protéine, qui devrait se terminer prématurément autrement, aussi efficacement que les cellules sauvages.

On connaît aussi d'autres types d'ARNt suppresseurs. Les **suppresseurs faux-sens,** qui agissent à la façon des suppresseurs de codon d'arrêt, en substituant un acide aminé à un autre. Les **suppresseurs par déphasage du cadre de lecture** ont huit nucléotides dans les boucles de leur anticodon au lieu de sept normalement. Ils lisent un codon à quatre bases au-delà d'une insertion de base, restaurant ainsi le cadre de lecture du type sauvage.

TABLEAU 32-6 Quelques suppresseurs non-sens chez E. coli

Nom	Codon supprimé	Acide aminé inséré
*su*1	UAG	Ser
*su*2	UAG	Gln
*su*3	UAG	Tyr
*su*4	UAA, UAG	Tyr
*su*5	UAA, UAG	Lys
*su*6	UAA	Leu
*su*7	UAA	Gln
UGA-1	UGA	Trp
UGA-2	UGA	Trp

Source : Körner, A.M., Feinstein, S.I., et Altman, S., *in* Altman, S. (Éd.), *Transfer RNA*, p. 109, MIT Press (1978).

3 ■ LES RIBOSOMES ET LA SYNTHÈSE POLYPEPTIDIQUE

Les ribosomes ont été observés pour la première fois dans des homogénats cellulaires par microscopie sur fond noir à la fin des années 1930 par Albert Claude qui les appela « microsomes ». Ce n'est qu'à la moitié des années 1950 que George Palade les observa dans des cellules par microscopie électronique, mettant ainsi fin à l'idée qu'il s'agissait de simples artefacts dus à l'éclatement des cellules. Le nom de ribosome vient du fait que ces particules sont constituées chez E. coli d'environ 2/3 d'ARN et de 1/3 de protéines. (Les **microsomes** désignent maintenant des vésicules artefactuelles formées à partir du réticulum endoplasmique après rupture des cellules. On les isole facilement par centrifugation différentielle et elles sont riches en ribosomes). La corrélation entre la quantité d'ARN dans une cellule et la vitesse à laquelle celle-ci synthétise les protéines fit soupçonner que les ribosomes sont le siège de la biosynthèse protéique. Cette hypothèse fut confirmée par Paul Zamecnik en 1955, qui montra que des acides aminés marqués par du ^{14}C s'associent de façon transitoire aux ribosomes avant qu'ils n'apparaissent dans les protéines libres. Des recherches plus poussées montrèrent que la synthèse polypeptidique comporte trois phases distinctes : (1) l'initiation de la chaîne, (2) l'élongation de la chaîne, et (3) la terminaison de la chaîne.

Dans cette section nous allons étudier la structure des ribosomes, puis nous esquisserons le mécanisme d'intervention des ribosomes dans la synthèse polypeptidique. Ce faisant, nous comparerons les propriétés des ribosomes de procaryotes à celles des ribosomes des eucaryotes

A. *Structure des ribosomes*

Le ribosome de E coli, dont la masse particulaire est de ~2,5 × 10^6 D et le coefficient de sédimentation est de 70S, est une particule sphéroïde qui a ~250 Å dans sa plus grande dimension.

TABLE 32-7   Composants des ribosomes de *E. coli*

	Ribosome	Petite sous-unité	Grande sous-unité
Coefficient de sédimentation	70S	30S	50S
Mases (kD)	2520	930	1590
ARN			
Principal		16S, 1542 nucléotides	23S, 2904 nucléotides
Secondaire			5S, 120 nucléotides
Masse de l'ARN (kD)	1664	560	1104
Pourcentage de la masse	66 %	60 %	70 %
Protéines		21 polypeptides	31 polypeptides
Masse protéique (kD)	857	370	487
Pourcentage de la masse	34 %	40 %	30 %

Comme le découvrit James Watson, il peut être dissocié en deux sous-unités de taille inégale (Tableau 32-7). La petite sous-unité (30S) est formée d'un ARNr 16S et de 21 polypeptides différents, alors que la grande sous-unité (50S) contient un ARNr 5S et un ARNr 23S associés à 31 polypeptides différents. Une cellule de *E. coli* contient jusqu'à 20.000 ribosomes ce qui représente ~80 % de sa teneur en ARN et ~10 % de sa teneur en protéines.

Les études de la structure du ribosome ont débuté peu après sa découverte par microscopie électronique. Les structures tridimensionnelles (3D) du ribosome et de ses sous-unités à faible résolution (~50 Å) ont été obtenues pour la première fois dans les années 1970 par les techniques de reconstruction d'image, inventées par Aaron Klug, où les micrographies électroniques d'une simple particule ou de rangées de particules ordonnées prises sous différents angles, sont combinées pour reconstituer son image 3D. La petite sous-unité est une particule en forme de moufle, alors que la grande sous-unité est sphéroïde avec trois protubérances sur l'un de ses côtés (Fig. 32-26).

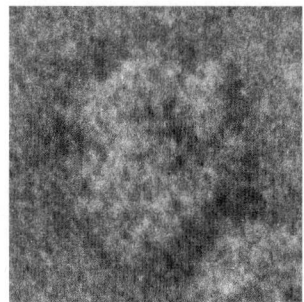
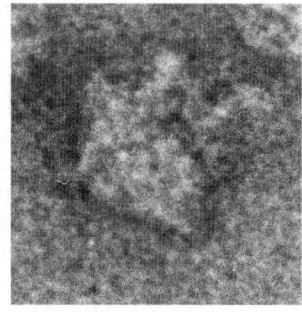

(a)

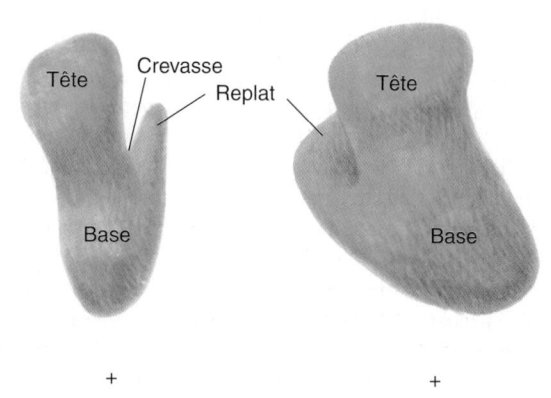

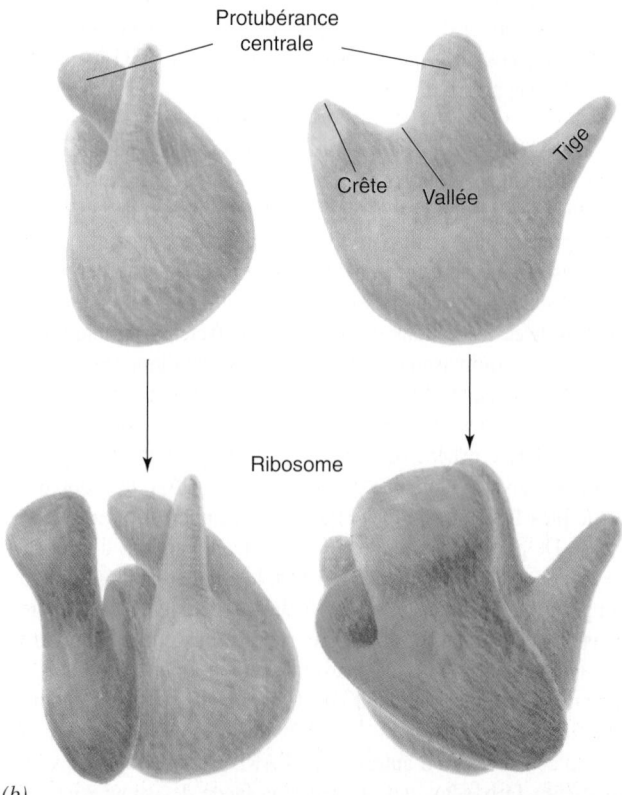

FIGURE 32-26 Le ribosome de *E. coli* à faible résolution. *(a)* Micrographie électronique de transmission, de ribosomes en coloration négative. Pour cette technique de coloration négative, la particule dont on veut une image est incluse dans des sels de métaux lourds absorbant les électrons, il y a ainsi un contraste entre les particules assez transparentes aux électrons et le fond. [Avec l'aimable autorisation de James Lake, UCLA.]. *(b)* Modèle à trois dimensions du ribosome de *E. coli,* déduit par le calcul à partir d'une série de micrographies électroniques comme celles de la partie *a,* prises sous différents angles. Ce procédé est appelé **reconstruction d'images**. La petite sous-unité *(en haut)* s'associe avec la grande sous-unité *(au centre)* pour former le ribosome complet *(en bas).* Les deux représentations du ribosome entier correspondent bien aux micrographies électroniques données en *a.*

(b)

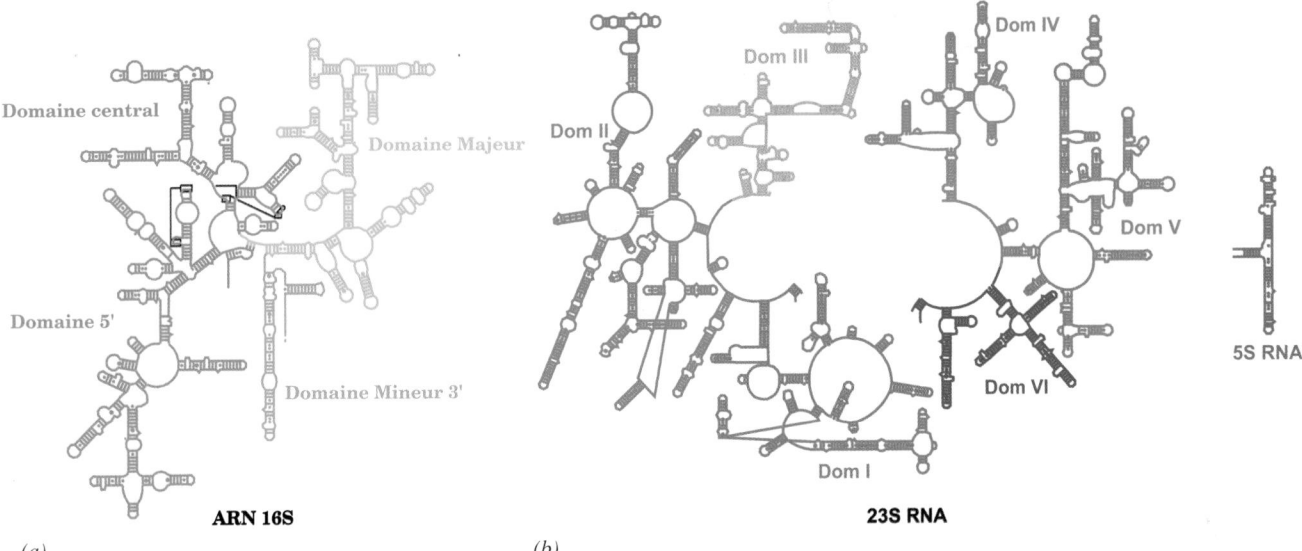

(a)   *(b)*

FIGURE 32-27 Structures secondaires des ARN ribosomiaux de *E. coli*. *(a)* ARN 16S et *(b)* ARN 23S et 5S. Les différents domaines des ARNr sont représentés par des couleurs propres, les petits traits à l'intérieur des tiges représentent les paires de bases Watson-Crick, les petits points, les paires de bases G · U, et les gros points, d'autres paires de bases non Watson-Crick. Notez la forme en fleur des tiges et des boucles formant chaque domaine [Avec l'aimable autorisation de V. Ramakrishnan, Laboratoire MRC de Biologie Moléculaire, Cambridge, U.K., et Peter Moore, Université de Yale, d'après des schémas disponibles à http://www.rna.icmb.utexas.edu.]

a. Les ARNr ont des structures secondaires compliquées

L'ARNr 16S de *E. coli,* qui a été séquencé par Harry Noller, est formé de 1542 nucléotides. Une recherche assistée par ordinateur de segments hélicoïdaux stables dans cette séquence a fourni plusieurs structures secondaires plausibles mais souvent mutuellement exclusives. Cependant, la comparaison des séquences d'ARNr 16S de plusieurs procaryotes, à supposer que leurs structures se soient conservées durant l'évolution, a conduit à la structure secondaire en forme de fleur représentée dans la Fig. 32-27*a*. Cette structure à quatre domaines, appariée à 54 %, est en accord raisonnable avec les résultats de digestion par des nucléases et d'études de modifications chimiques. Ses tiges en double hélice sont courtes (<8 pb) et beaucoup d'entre elles sont imparfaites. Curieusement, les micrographies électroniques de l'ARNr 16S ressemblent à celles de la sous-unité 30S complète, ce qui suggère que la forme générale de la sous-unité 30S est essentiellement déterminée par l'ARNr 16S. Les ARNr 5S et 23S de la grande sous-unité du ribosome, formés respectivement de 120 et de 2904 nucléotides, ont aussi été séquencés. Comme dans le cas de l'ARNr 16S, ils présentent un fort taux de structures secondaires.

b. Les protéines ribosomiales ont été caractérisées en partie

Les protéines ribosomiales sont difficiles à séparer car la plupart d'entre elles sont insolubles dans des tampons classiques. Par convention, les protéines ribosomiales des petite et grande sous-unités sont désignées respectivement avec les préfixes S (pour « small », petite) et L (pour « large », grande), suivis par un nombre qui indique leur position, depuis le côté gauche supérieur jusqu'au côté droit inférieur, dans un électrophorégramme en gel à deux dimensions (soit grossièrement dans l'ordre décroissant de leur masse moléculaire ; Fig. 32-28). Seule la protéine S20/L26 est commune aux deux sous-unités. Une des protéines de la grande sous-unité est partiellement acétylée à son extrémité N-terminale, si bien qu'elle donne deux taches électrophorétiques (L7/L12). On trouve quatre exemplaires, un dimère de dimères, de cette protéine dans la grande sous-unité. De plus, ces quatre exemplaires de L7/L12 s'agrègent avec L10 pour donner un complexe stable dont on a pensé initialement que c'était une seule protéine, « L8 ». Toutes les autres protéines ribosomiales ne sont présentes qu'en un seul exemplaire par sous-unité.

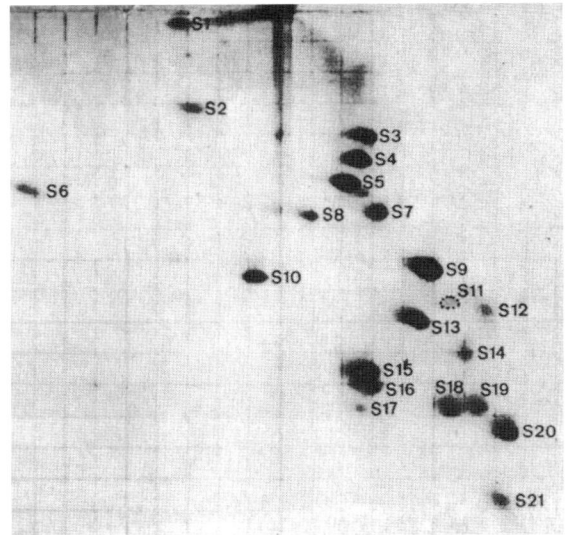

FIGURE 32-28 Electrophorégramme d'un gel à deux dimensions des protéines de petites sous-unités ribosomiales de *E. coli*. Première dimension (verticale) : 8 %, d'acrylamide pH 8,6 ; deuxième dimension (horizontale) : 18 % d'acrylamide pH 4-6. [D'après Kaltschmidt , E. et Wittmann, H.G., *Proc. Natl. Acad. Sci.* **67**, 1277 (1970).]

Les séquences en acides aminés des 52 protéines ribosomiales de *E. coli* ont été déterminées, principalement par Heinz-Günter Wittmann et Brigitte Wittmann-Liebold. Leur taille va de 46 résidus pour L34 à 557 résidus pour S1. La plupart de ces protéines, qui présentent peu de similitude de séquence entre elles, sont riches en acides aminés basiques Lys et Arg et contiennent peu de résidus aromatiques, comme prévu pour des protéines en association étroite avec des molécules d'ARN polyanioniques.

Les structures par rayons X ou par RMN d'environ la moitié des protéines ribosomiales ou de leurs fragments ont été déterminées de façon indépendante. Ces protéines ont une grande variété de motifs structuraux mais la plupart de ceux-ci se retrouvent dans d'autres protéines de structure connue. Environ un tiers de ces protéines ribosomiales contient le **motif de reconnaissance de l'ARN** (**RRM**, pour « RNA-recognition motif » ; Fig. 32-29), que l'on trouve dans plus de 200 protéines qui se fixent à l'ARN, dont la protéine rho (le facteur de terminaison de la transcription, qui contient quatre de ces motifs ; Section 31-2D), la poly(A) polymérase, la protéine de liaison au poly(A) (PABP), plusieurs protéines participant à l'épissage des ARNm (Section 31-4A) et le facteur d'initiation de la traduction **eIF-4B** (Section 32-3C). Toutes ces protéines sont probablement issues d'une protéine de liaison à l'ARN ancestrale.

c. Les sous-unités ribosomiales s'auto-assemblent

Les sous-unités ribosomiales se forment, dans des conditions bien définies, à partir de mélanges de leurs nombreux constituants macromoléculaires. *Les sous-unités ribosomiales sont donc des entités qui s'auto-assemblent.* Masayasu Nomura a déterminé comment se faisait cet auto-assemblage, par des expériences de reconstitution partielle. Si un composants macromoléculaires est enlevé d'un mélange de protéines et d'ARN qui, autrement, s'auto-

assemblent, les composants qui ne peuvent plus se lier à la sous-unité partiellement assemblée, doivent, d'une manière ou d'une autre, interagir avec le composant manquant. En faisant une série de telles expériences de reconstitutions partielles, Nomura a construit une carte d'assemblage de la petite sous-unité (30S) (Fig. 32-30). Cette carte montre que les premières étapes de l'assemblage de la petite sous-unité sont assurées par des liaisons indépendantes de six protéines dites primaires (S4, S7, S8, S15, S17 et S20). Les intermédiaires formés constituent un échafaudage moléculaire pour la liaison de protéines secondaires, qui créent à leur tour des sites d'ancrage pour des protéines tertiaires. À un certain stade du processus d'assemblage, une particule intermédiaire doit subir un changement conformationnel important afin que le processus d'assemblage se poursuive. La grande sous-unité s'auto-assemble selon un processus identique. Le fait que l'on trouve des intermédiaires d'assemblage identiques *in vitro* et *in vivo* suggère que les processus d'assemblage *in vivo* et *in vitro* sont très voisins.

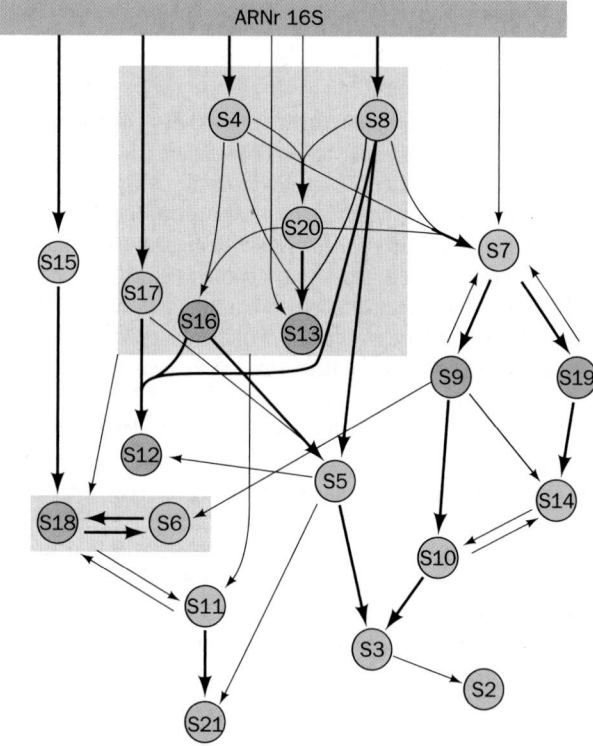

FIGURE 32-30 Plan d'assemblage de la petite sous-unité de *E. coli*. Les protéines à liaison primaire, secondaire et tertiaire sont respectivement représentées par des cercles verts, bleus et rouges. Les flèches épaisses ou fines correspondent respectivement à une grande ou faible facilité de liaison. Ainsi, la flèche épaisse de l'ARN 16S vers S15 indique que S15 se lie directement à l'ARN 16S en l'absence d'autres protéines, il s'agit donc d'une protéine à liaison primaire. La flèche épaisse de S15 vers S18 indique que S18 est une protéine à liaison secondaire et la flèche entre S18 et, S6 et S11, indique que S6 et S11 sont des protéines à liaison tertiaire. Les flèches entre les boîtes ombrées et S11 indiquent que les protéines dans ces boîtes se lient en bloc à S11. [D'après Held, W.A., Ballou, B., Mizushima, S., et Nomura, M., *J. Biol. Chem.* **249**, 3109 (1974).]

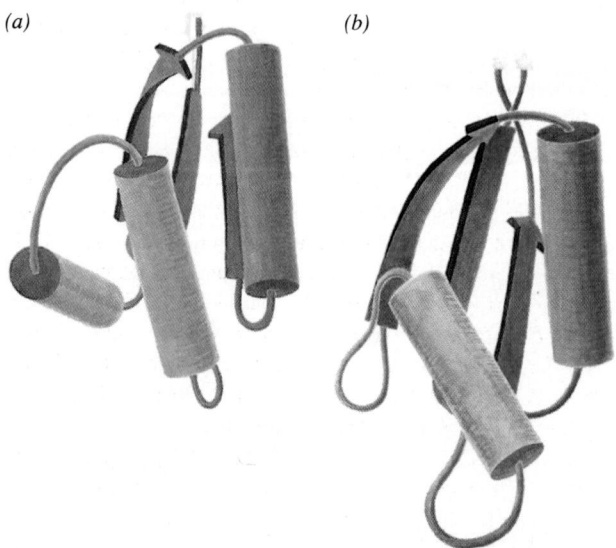

(a)   *(b)*

FIGURE 32-29 Structure par rayons X de deux protéines ribosomiales. (a) Fragment contenant les 74 résidus C-terminaux de L7/L12 de *E.coli*. (b) L30 de *Bacillus stearothermophilus* (61 résidus). Les deux molécules protéiques sont orientées de façon à montrer la grande similitude de leurs motifs de reconnaissance de l'ARN (RRM, représenté ombré) [D'après Leijonmarck, M., Appelt, K., Badger, J., Liljas, A., Wilson, K.S., et White, S.W., *Proteins* **3**, 244 (1988).]

d. L'élucidation de la structure atomique du ribosome procaryotique a été un travail de longue haleine

L'élucidation de la structure atomique du ribosome a constitué une longue quête sur plus de quatre décennies de lents progrès, ponctués parfois de progrès plus important grâce à des avancées technologiques. Tout a commencé dans les années 1960 par des micrographies de microscopie électronique de transmission, telles que dans la Fig. 32-26*a,* qui ne donnaient que des formes vagues en 2D. Des modèles de faible résolution en 3D ont suivi dans les années 1970 grâce aux techniques de reconstruction d'image (Fig. 32-26*b*). Ultérieurement, au cours des années 1970, les sites de fixation de nombreuses protéines ribosomiales ont été déterminés par James Lake et Georg Stöffler par **immuno-microscopie électronique.** Des anticorps dirigés contre une protéine ribosomiale spécifique, servent à marquer sa position dans des micrographies électroniques où l'anticorps est complexé à une sous-unité ribosomiale. Ces résultats ont été confirmés et améliorés dans les années 1980 par des mesures de diffraction de neutrons des sous-unités 30S réalisées par Donald Engleman et Peter Moore. Elles ont montré les distances entre les centres de masse des protéines constitutives et donc leur distribution dans l'espace. Ces études structurales ont été complétées par divers travaux de pontage covalent et de transfert de fluorescence pour vérifier la proximité spatiale de différents constituants ribosomiaux.

La structure moléculaire du ribosome procaryotique a commencé à se préciser dans les années 1990 grâce au développement de la **cryomicroscopie électronique (cryo-ME)**. Pour cette technique, l'échantillon est refroidi à la température approximative de l'azote liquide (−196 °C) assez vite (quelques millisecondes) pour que l'eau de l'échantillon n'ait pas le temps de cristalliser mais qu'elle reste à l'état visqueux (comme le verre). Ainsi, l'échantillon reste hydraté et conserve donc mieux sa forme native que dans la microscopie électronique conventionnelle (dans laquelle l'échantillon est deshydraté par le vide). Ces études, conduites en grande partie par Joachim Frank, ont montré les sites de fixation des ARNt et de l'ARNm ainsi que ceux de nombreux facteurs protéiques solubles, sur le ribosome (Fig. 32-31). Le niveau maximum de résolution des ribosomes obtenu par cryo-ME s'est progressivement amélioré au cours des années pour atteindre environ 10 Å.

Les sous-unités ribosomiales ont été cristallisées pour la première fois par Ada Yonath en 1980 mais elles diffractaient mal les rayons X. Cependant, au fil des ans, la qualité de ces cristaux a augmenté jusqu'à ce qu'en 1991 Yonath publie des cristaux de la sous-unité 50S diffractant les rayons X avec une résolution de 3 Å. Ce n'est pourtant que plus tard dans les années 1990, que la technologie a été à même de déterminer les structures par rayons X de ces complexes moléculaires gigantesques. En 2000, l'*annus mirabilis* (l'année du miracle) de la ribosomiologie, Moore et Steitz ont publié la structure par rayons X de la sous-unité ribosomiale 50S de la bactérie halophile (aimant le sel) *Haloarcula marismortui* à résolution quasi-atomique (2,4 Å) et que Ramakrishnan et Yonath publièrent indépendamment l'un de l'autre la structure par rayons X de la sous-unité 30S de *T. thermophilus* avec une résolution de ~3 Å. En 2001, Noller a publié la structure du ribosome entier de *T. thermophilus* avec une résolution de 5,5 Å. Dans le paragraphe suivant nous allons étudier les propriétés fondamentales de ces structures. Nous nous intéresserons aux implications fonctionnelles à partir de la section 32-3C.

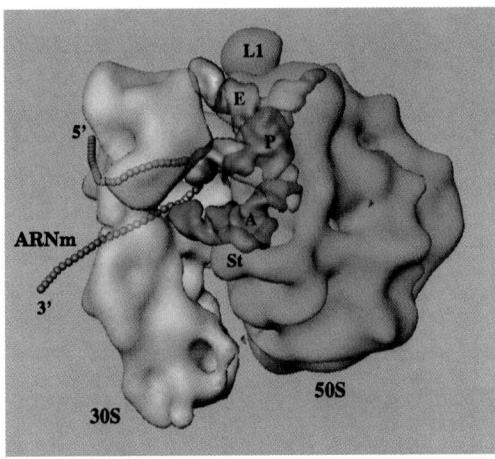

FIGURE 32-31 Image du ribosome de *E. coli* à ~25Å de résolution d'après des études de Cryo-électromicroscopie. Dans ce modèle en trois dimensions semi-transparent, la sous-unité 30S (en jaune) est à gauche et la sous-unité 50S (en bleu) est à droite. Les ARNt qui occupent les sites A, P et E sont colorés respectivement en rose, en ver et en doré. Le trajet qu'on en déduit pour l'ARNm est représenté par une chaîne de perles oranges dans laquelle les six nucléotides au contact des sites A et P sont colorés respectivement en bleu et en violet. On voit une partie du tunnel (au centre à droite) de la sous-unité 50S par lequel la chaîne polypeptidique sort. Le symboles L1 et St indiquent les positions de la protéine L1 et la tige dans la sous-unité 50S (Fig. 32-26*b*). [Avec l'aimable autorisation de Joachim Frank, Université de l'état de New York, Albany.]

e. L'architecture du ribosome

On peut établir quelques généralités concernant l'architecture du ribosome en se basant sur les structures des sous-unités 30S et 50S :

1. Les deux ARNr 16S et 23S sont des assemblages d'éléments hélicoïdaux reliés par des boucles, dont la plupart sont des extensions irrégulières d'hélices (Fig. 32-32). Ces structures qui se recouvrent assez bien avec les anciennes prédictions de structures secondaires (Fig. 32-27), sont stabilisées par des interactions entre les hélices comme des accolements petit sillon contre petit sillon, qu'on a aussi observé dans la structure des introns de groupe I (Section 31-4A ; rappelez-vous que la forme A de l'ARN a un sillon mineur très peu profond). Il y a insertion dans les sillons mineurs, de crêtes des phosphates, et d'adénines espacées dans la séquence mais dont la position relative est souvent très conservée. Bien que la détermination de la structure des sous-unités ribosomiales 30S et 50S ait augmenté le nombre de structures d'ARN connues à résolution atomique d'environ un facteur 10, presque tous les motifs de structures secondaires trouvés dans le ribosome se retrouvent ailleurs dans la structure d'ARN plus petits. Cela suggère que le répertoire de motifs de structures secondaires des ARN est limité.

2. Chacun des quatre domaines de l'ARN 16S, qui s'étendent à partir d'un point central de jonction (Fig. 32-27*a*) forme une partie morphologiquement distincte de la sous-unité 30S (Fig. 32-32*a*) : le domaine 5' forme la plus grande partie du corps (Fig. 32-26*b*), le domaine central forme la plate-forme, le domaine 3' majeur forme la totalité de la tête et le domaine 3' mineur, qui ne comporte que deux hélices, est situé à l'interface entre les sous-

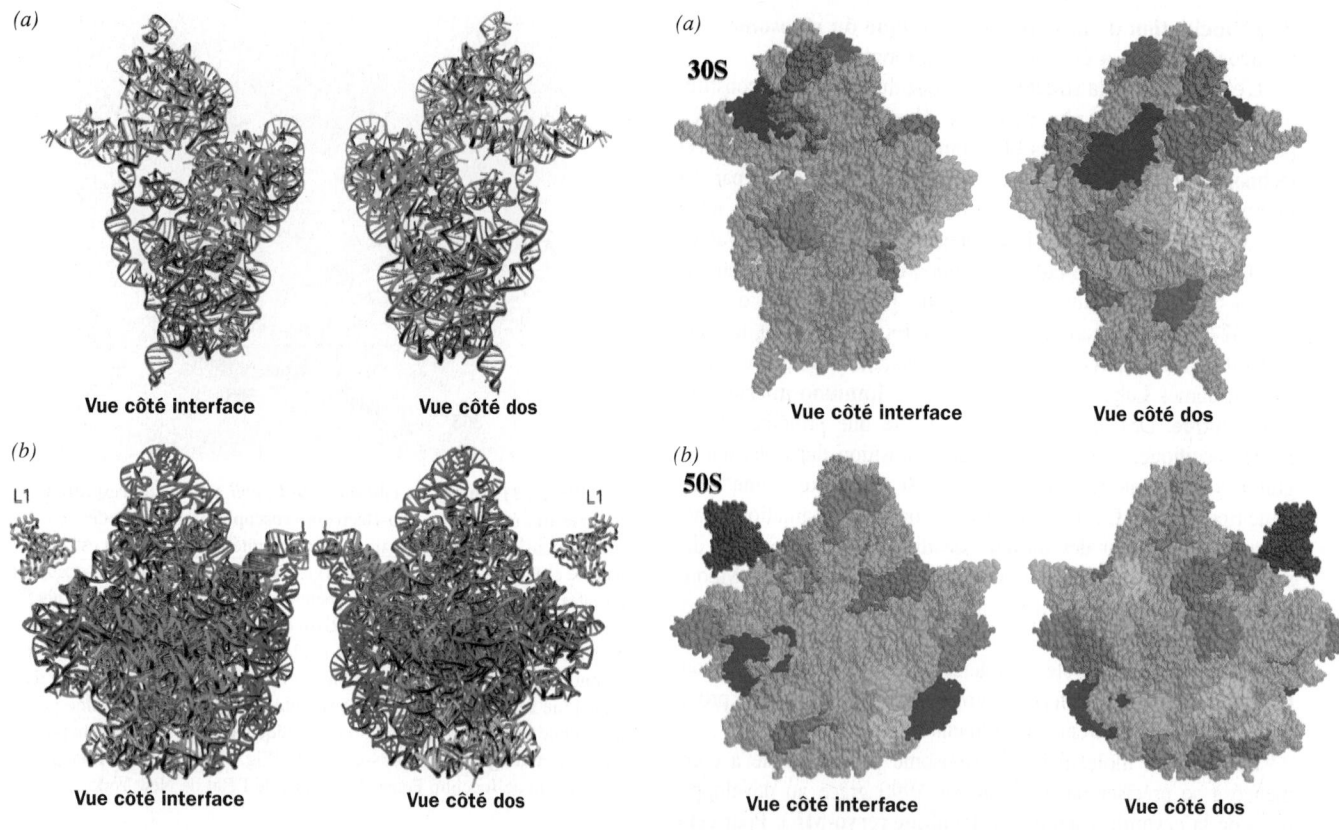

FIGURE 32-32 Structure tertiaire des ARN ribosomiaux. *(a)* ARNr 16S de *T. thermophilus*. *(b)* ARNr 23S de *H. marismortui*. Les couleurs des domaines des ARNr correspondent à celles de la Fig. 32-27. La vue de l'interface des sous-unités ribosomiales *(à gauche)* sont celles de la surface associée à l'autre sous-unité dans le ribosome complet la vue de dos *(à gauche)* est celle du coté exposé aux solvants. Notez que les domaines de structure secondaire de l'ARNr 16S se replient comme des entités indépendantes dans la structure tertiaire, alors que dans l'ARNr 23S, les domaines de structure secondaire sont imbriqués. [Avec l'aimable autorisation de V. Ramakrishnan, Laboratoire MRC de Biologie Moléculaire, Cambridge, U.K., et Peter Moore, Université de Yale. PDBid 1J5E et 1JJ2.]

FIGURE 32-33 Répartition des protéines et des ARN dans les sous-unités ribosomiales. *(a)* ARNr 16S de *T. thermophilus*. *(b)* ARNr 23S de *H. marismortui*. Les sous-unités sont représentées en modèle compact avec leurs ARN en gris et leurs protéines de différentes couleurs. Notez que le coté de l'interface de chaque sous-unité est quasi-libre de protéines, notamment dans les régions d'interaction avec l'ARNm et les ARNt. [Partie *a* d'après une structure par rayons X de V. Ramakrishnan, Laboratoire MRC de Biologie Moléculaire, Cambridge, U.K. Partie *b* d'après une structure par rayons X de Peter Moore et Thomas Steitz, Université de Yale. PDBid 1J5E et 1JJ2.]

unités 30S et 50S. Au contraire, les six domaines de l'ARN 23S (Fig. 32-27*b*), sont étroitement imbriqués dans la sous-unité 50S (Fig. 32-32*b*). Le fait que les protéines ribosomiales soient noyées dans l'ARN (voir ci-dessous) suggère que les domaines de la sous-unité 30S peuvent bouger les uns par rapport aux autres durant la synthèse protéique, alors que la sous-unité 50S semble être rigide.

3. La répartition des protéines dans les deux sous-unités ribosomiales n'est pas uniforme (Fig. 32-33). La grande majorité des protéines ribosomiales se situe sur le dos et les cotés des sous-unités. Par contre, la face de chaque sous-unité formant l'interface entre les deux sous-unités, notamment les régions de liaison aux ARNt et à l'ARNm (voir ci-dessous), est pratiquement dépourvue de protéines.

4. La plupart des protéines ribosomiales comportent un domaine globulaire qui est, pour l'essentiel, situé à la surface d'une sous-unité (Fig. 32-33) et un long segment pratiquement sans structure secondaire et exceptionnellement riche en acides aminés basiques, qui s'insère entre les hélices d'ARN à l'intérieur de la sous-unité (Fig. 32-34). Il y a effectivement peu de protéines

ribosomiales sans domaine globulaire (par ex. L39[e] dans la Fig. 32-34*b*). Les protéines ribosomiales font bien moins d'interactions avec des bases spécifiques que d'autres protéines de liaison à l'ARN connues. Elles ont tendance à interagir avec l'ARN grâce à des ponts salins entre leurs chaînes latérales positivement chargées et les atomes d'oxygène des groupements phosphates négativement chargés. Il y a ainsi neutralisation des interactions de répulsion de charges entre des segments d'ARN voisins. Cela cadre bien avec l'hypothèse selon laquelle le ribosome primitif aurait été constitué uniquement d'ARN (dans un monde d'ARN) et que les protéines ont été finalement acquises parce qu'elles stabilisaient sa structure et réglaient son fonctionnement avec précision.

La structure par rayons X du ribosome entier de *T. thermophilus* complexé avec trois ARNt et un fragment d'ARNm de 36 nt a été déterminée par Noller à une résolution de 5,5 Å. À cette faible résolution, on peut tracer de façon fiable les squelettes des ARN et positionner correctement les protéines dont la structure est connue. Les diagrammes en relief de cette énorme machinerie moléculaire

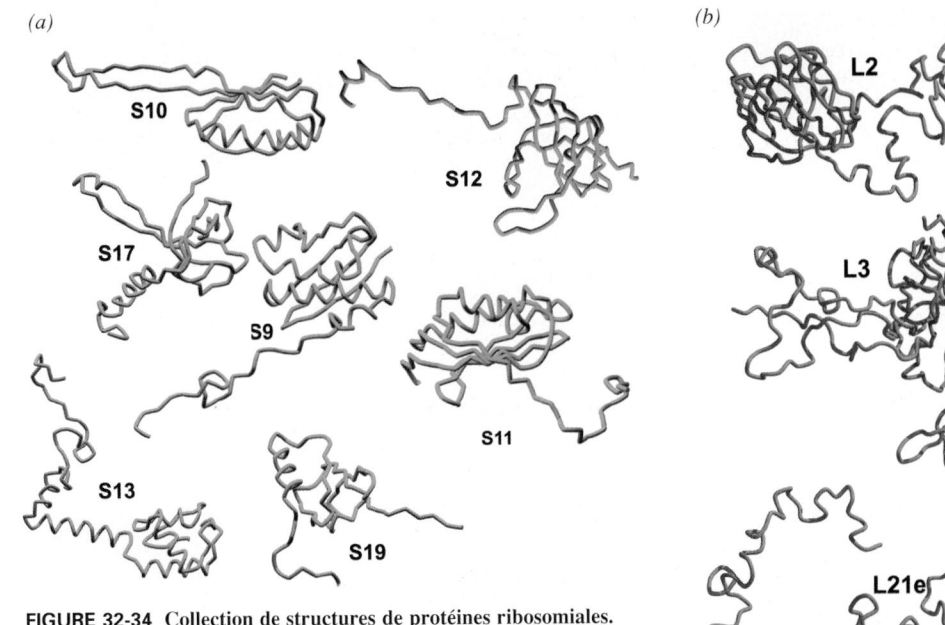

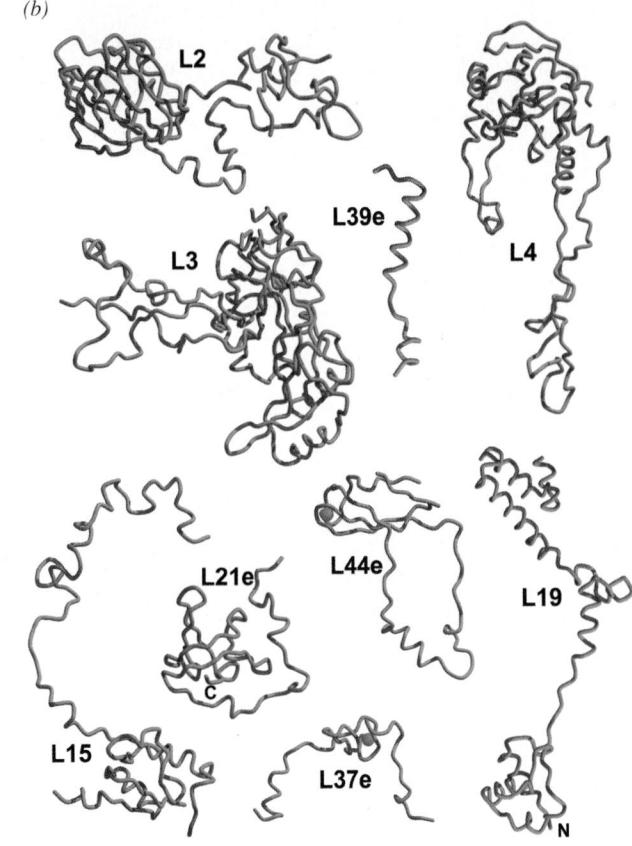

FIGURE 32-34 Collection de structures de protéines ribosomiales.
Protéines de : *(a)* la sous-unité 30S, *(b)* la sous-unité 50S. On a représenté le squelette des protéines avec leurs parties globulaires en vert et leurs segments allongés en rouge. Les parties globulaires sont exposées à la surface de leurs sous-unités respectives (Fig. 32-33), tandis que les segments allongés sont surtout enfouis dans l'ARN. Les ions Zn2+ fixés par L37e et L44e apparaissent comme des sphères roses. [Avec l'aimable autorisation de V. Ramakrishnan, Laboratoire MRC de Biologie Moléculaire, Cambridge, U.K., et Peter Moore, Université de Yale.]

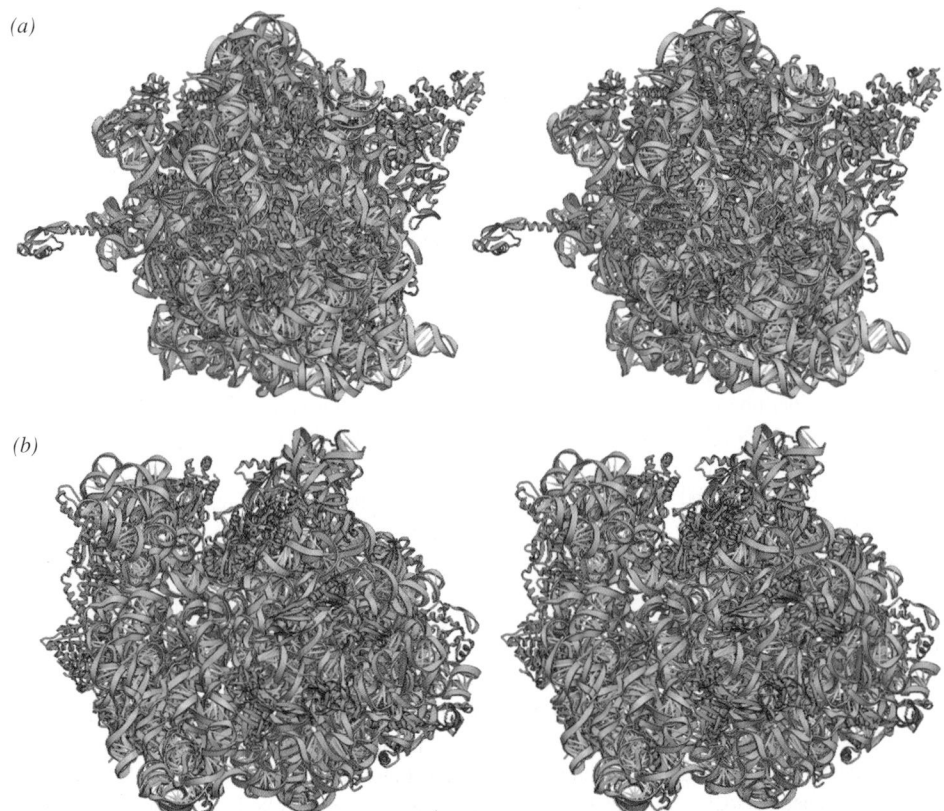

FIGURE 32-35 Structure par rayons X du ribosome 70S de *T. thermophilus* complexé avec trois ARNt et un fragment d'ARNm.
Dans ces dessins en 3D (stéréogrammes, dont l'utilisation est expliquée dans l'annexe du Chapitre 8), l'ARN 16S est en bleu clair, l'ARN 23S en gris et l'ARN 5S en bleu pâle. Les protéines de la petite sous-unité sont en bleu foncé et celles de la grande sous-unité en violet. Les ARNt fixés aux sites A, P et E (qui sont en grande partie cachés) sont respectivement en doré, en orange et en rouge. (a) Vue identique à celle de droite en bas de la Fig. 32-26*b*, dans laquelle la sous-unité est devant la grande sous-unité. (b) Une vue après rotation de 90° autour d'un axe vertical par rapport à la partie *a*, qui ressemble à celle de la Fig. 32-31. Ici, l'ARNt du site A est plus facile à voir au fond d'un entonnoir dans lequel se fixent les facteurs d'élongation (Section 32-3D). [Avec l'aimable autorisation de Harry Noller, Université de Californie, Santa Cruz. PDBid 1GIX et 1GIY.].

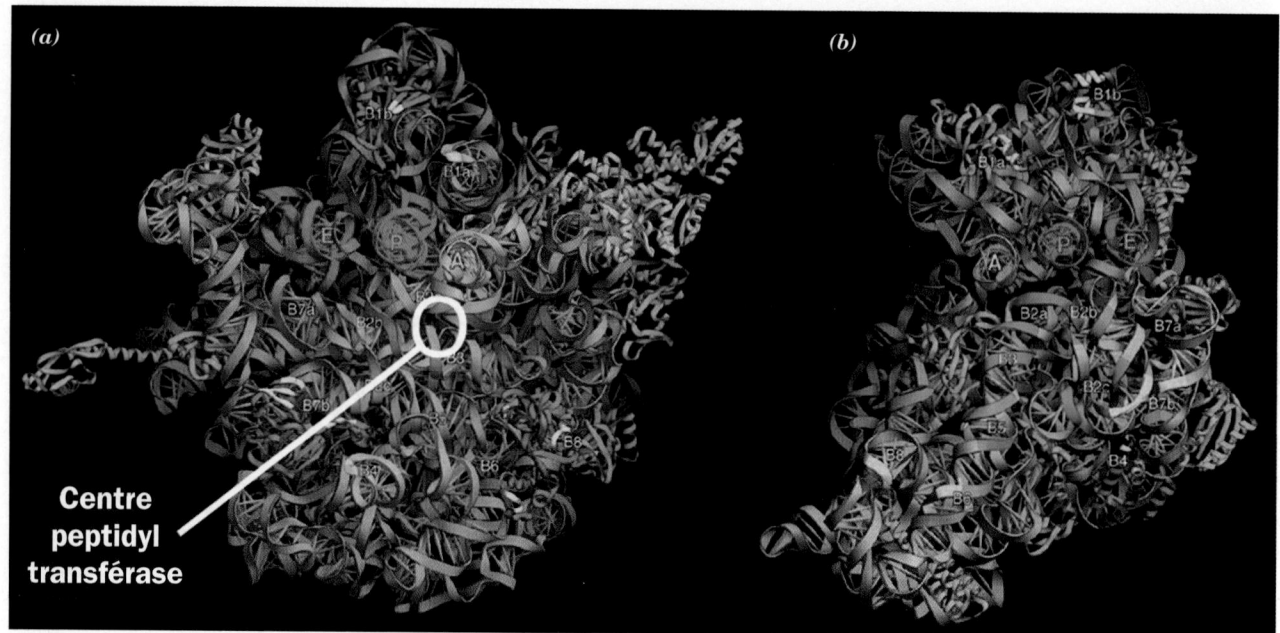

Centre peptidyl transférase

FIGURE 32-36 Les sous-unités ribosomiales dans la structure par rayons X du ribosome 70S de *T. thermophilus* complexé avec trois ARNt et un fragment d'ARNm. *(a)* vue de l'interface de la grande sous-unité (comme dans la Fig. 32-33*b*, à gauche). *(b)* vue de l'interface de la petite sous-unité (comme dans la Fig. 32-33*a*, à gauche). Ici l'ARN est en gris et ses segments impliqués dans des contacts entre sous-unités sont représentés en rose. Les protéines sont en bleu et leurs segments impliqués dans des contacts entre sous-unités en jaune. Les ARNt fixés aux sites A, P et E sont respectivement en doré, en orange et en rouge. [Avec l'aimable autorisation de Harry Noller, Université de Californie, Santa Cruz. PDBid 1GIX et 1GIY.]

sont représentés dans la Fig. 32-35. Les structures des sous-unités 30S et 50S associées ensemble ressemble étroitement à celles des sous-unités prises isolément bien qu'il y ait plusieurs régions à l'interface entre les sous-unités, qui présentent des changements de conformation significatifs (entre 3,5 et 10 Å). Cela suggère que ces changements sont la conséquence de l'association entre les sous-unités. De plus, plusieurs parties, qui sont désordonnées dans la sous-unité 50S de *H. marismortui*. sont ordonnées dans le ribosome intact de *T. thermophilus*, encore que ceci puisse être une conséquence de la plus grande thermostabilité de ce dernier.

Les deux sous-unités du ribosome intact ont 12 points de contact l'une avec l'autre via des ponts ARN-ARN, protéine-protéine et ARN-protéine (Fig. 32-36). Ces ponts entre les sous-unités sont distribués de façon particulière : les ponts ARN-ARN sont situés au centre, à coté des trois ARNt fixés, tandis que les ponts protéine-protéine et ARN-protéine, sont situés à la périphérie, à l'écart des sites fonctionnels du ribosome. Les contacts ARN-ARN consistent essentiellement en interactions entre deux sillons mineurs bien qu'il existe aussi des contacts au niveau du grand sillon, de boucles et du squelette sucre-phosphate. Dans le cas des ponts ARN-protéine, les protéines établissent des contacts avec quasiment tous les types d'éléments de l'ARN : le grand sillon, le petit sillon, le squelette et les boucles.

Les ribosomes, comme nous le verrons dans la Section 32-3B, ont trois sites de liaison distincts pour les ARNt appelés sites A, P et E. Le ribosome fixe les trois ARNt de la même façon ; la tige-boucle de l'anticodon se fixe à la sous-unité 30S et les autres parties : la tige D, le coude et la tige acceptrice, se lient à la sous-unité 50S. Ces interactions, qui consistent surtout en contacts ARN-

ARN, se font avec des segments universellement conservés de l'ARNt, ceci permet au ribosome de fixer les différentes sortes d'ARNt de la même façon. Cependant, les trois ARNt ont des conformations légèrement différentes. L'ARNt du site A ressemble beaucoup à l'ARNt^{Phe} cristallisé (Fig. 32-11*b*), l'ARNt au site P est légèrement plié au niveau de la jonction des tiges D et anticodon de façon à pencher la boucle de l'anticodon vers le site A, et l'ARNt au site E est encore plus déformé, l'angle de son coude est davantage ouvert et la boucle de son anticodon tourne de façon exceptionnellement brusque.

Nous étudierons le cheminement de l'ARNm et sa façon d'interagir avec les ARNt dans la Section 32-3D. Nous y verrons que la grande sous-unité sert surtout à effectuer des tâches biochimiques comme catalyser les réactions d'élongation du polypeptide, tandis que la petite sous-unité est le principal acteur des processus de reconnaissance du ribosome que ce soit pour le liaison de l'ARNm ou celle des ARNt (bien que nous ayons vu que la grande sous-unité participe aussi à la liaison des ARNt). Nous verrons aussi que l'ARNr occupe le rôle majeur dans le fonctionnement des processus ribosomiaux (rappelons que l'ARN présente des propriétés catalytiques ; Sections 31-4A et 31-4C).

f. Les ribosomes d'eucaryotes sont plus grands et plus complexes que les ribosomes de procaryotes

Bien que les ribosomes d'eucaryotes et de procaryotes se ressemblent, tant du point de vue structural que fonctionnel, ils diffèrent sur presque tous les points. Les ribosomes d'eucaryotes ont une masse particulière comprise entre 3,9 et $4,5 \times 10^6$ D et un coefficient de sédimentation nominal de 80S. Ils se dissocient en deux

TABLEAU 32-8 **Composants des ribosomes cytoplasmiques de foie de rat**

	Ribosome	Petite sous-unité	Grande sous-unité
Coefficient de sédimentation	80S	40S	60S
Masse (kD)	4220	1400	2820
ARN			
Principal		18S, 1874 nucléotides	28S, 4718 nucléotides
Secondaires			5.8S, 160 nucléotides
			5S, 120 nucléotides
Masse d'ARN (kD)	2520	700	1820
Pourcentage de la masse	60 %	50 %	65 %
Protéines		33 polypeptides	49 polypeptides
Masse protéique (kD)	1700	700	1000
Pourcentage de la masse	40 %	50 %	35 %

sous-unités inégales, qui ont des compositions assez différentes de celles des procaryotes (Tableau 32-8 ; comparez avec le Tableau 32-7). La petite sous-unité (**40S**) du ribosome cytoplasmique de foie de rat, qui est de loin le ribosome d'eucaryote le mieux caractérisé, est formée de 33 polypeptides uniques et d'un **ARNr 18S.** Sa grande sous-unité (**60S**) contient 49 polypeptides différents et trois ARNr, 28S, 5.8S et 5S. On pense que la plus grande complexité des ribosomes eucaryotiques, par comparaison aux ribosomes procaryotiques, est due à des fonctions supplémentaires du ribosome eucaryotique. Son mécanisme d'initiation de la traduction est plus complexe (Section 32-3C), il doit être transporté du noyau où il se forme, vers le cytoplasme où la traduction a lieu, en outre, la machinerie dont il fait partie dans les voies de sécrétion est plus compliquée (Section 12-4B).

Des comparaisons de séquence des ARNr correspondants de différentes espèces montrent que l'évolution a plutôt conservé leurs structures secondaires que leurs séquences de bases (Fig. 32-27a et 32-37). Par exemple, une paire G · C d'une tige appariée de l'ARNr 16S de *E. coli* a été remplacée par une paire A · U dans la tige correspondante de l'ARNr 18S de la levure. L'**ARNr 5,8S,** que l'on trouve dans la grande sous-unité des eucaryotes, en complexe par appariements de bases avec l'**ARN 28S,** a une homologie de séquence avec l'extrémité 5′ de l'ARNr 23S des procaryotes. Il semble que l'ARNr 5,8S se soit formé à la suite de mutations qui ont modifié la maturation post-transcriptionnelle de l'ARNr, aboutissant à un quatrième ARNr. L'image établie d'après des études de cryo-ME du ribosome 80S de levure (Fig 32-28) a été déterminée par Andrej Sali, Günter Blobel et Frank avec une

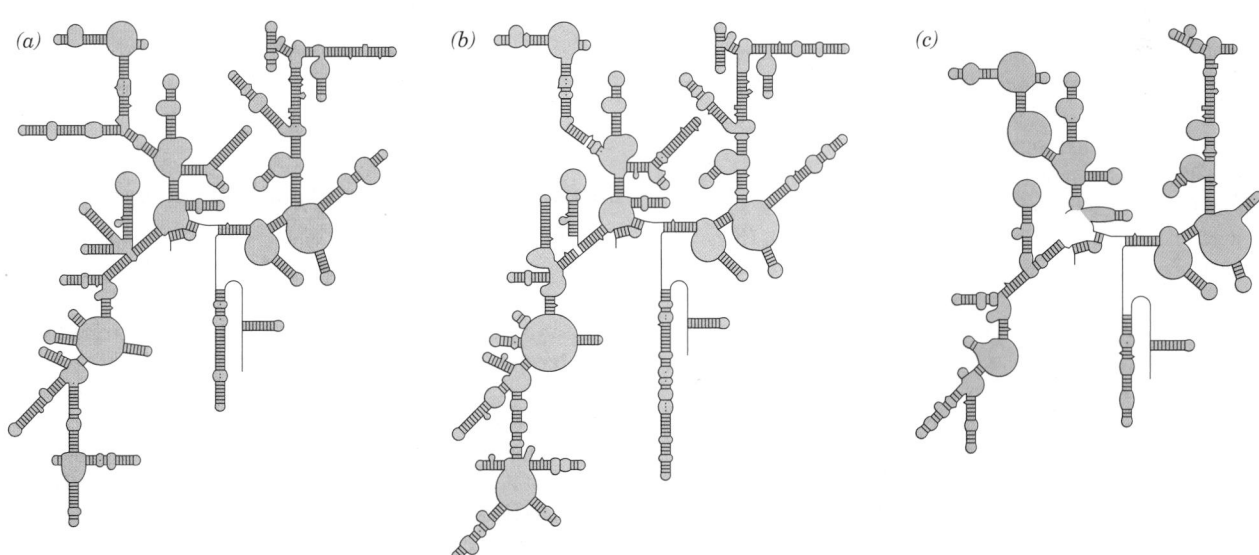

FIGURE 32-37 Les structures secondaires proposées d'ARNr de type 16S éloignés sur le plan de l'évolution. *(a)* Archaebactéries *(Halobacterium volcanii), (b)* Eucaryotes *(S. cerevisiae). (c)* Mitochondries de mammifères (bovin). Comparez ces structures avec la structure secondaire proposée pour l'ARN 16S d'eubactéries *(E. coli)* dans la Fig. 32-27a. Notez les similitudes étroites entre ces assemblages ; ils diffèrent essen- tiellement par des insertions et des délétions de structures en tige et en boucle. Les ARN de type 23S de différentes espèces présentent, de la même manière, des structures secondaires semblables. [D'après Gutell, R.R., Weiser, B., Woese, C.R., et Noller, H.F., *Prog. Nucleic Acid Res. Mol. Biol.* **32**, 183 (1985).]

(a)

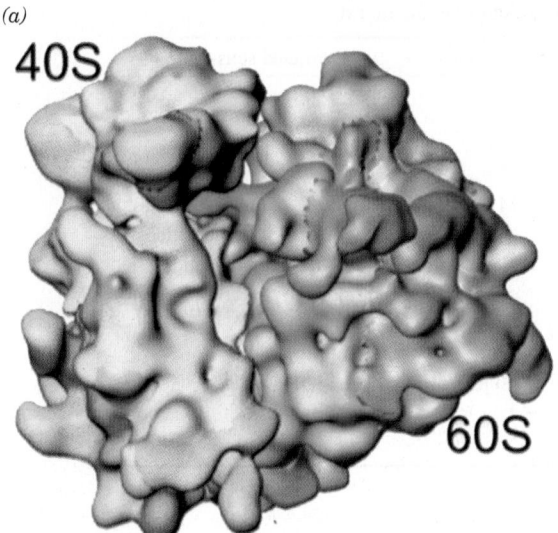

(b)

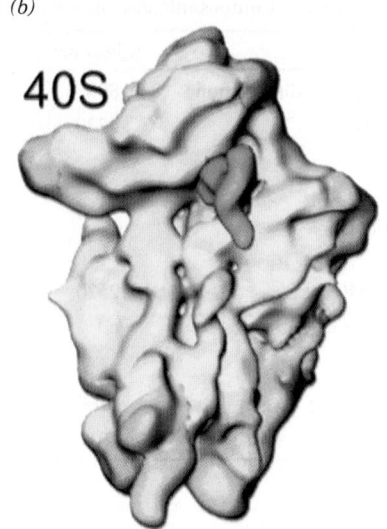

(c)

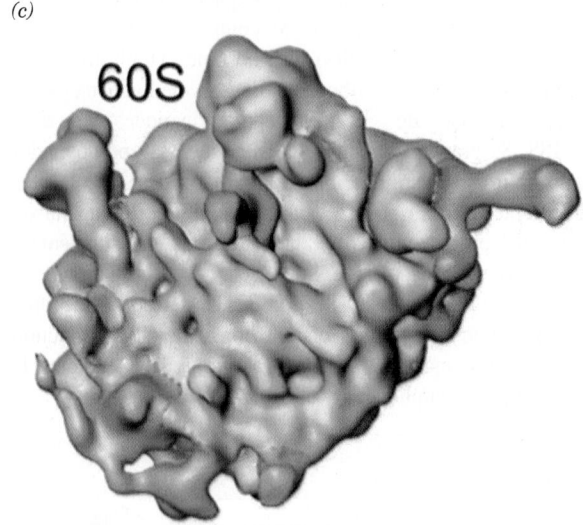

FIGURE 32-38 Image du ribosome 80S de levure à une résolution de 15 Å d'après des études de Cryo-ME. *(a)* Le ribosome est vu de coté comme le ribosome de *E. coli* dans la Fig. 32-31. La petite sous-unité (40S) est en jaune, la grande (60S), en bleu, l'ARNt fixé au site P est en vert. Les portions de ce ribosome qui ne sont pas homologues d'ARN ou de protéines du ribosome de *E. coli* sont en doré pour la petite sous-unité et en rose pour la grande sous-unité. *(b)* Image calculée de la petite sous-unité isolée, vue par l'interface comme dans la partie de gauche de la Fig. 32-33*a*. *(c)* Image calculée de la grande sous-unité isolée, vue par l'interface comme dans la partie de gauche de la Fig. 32-33*b*. [Avec l'aimable autorisation de Joachim Frank, Université de l'état de New York, Albany.]

résolution de 15 Å. Elle montre qu'il y a un fort degré de conservation structurale entre les ribosomes eucaryotiques et procaryotiques. Bien que la sous-unité 40S de levure (qui renferme un ARNr 18S de 1798 nt et 32 protéines) contienne 256 nt d'ARN et 11 protéines de plus que la sous-unité 30S de *E. coli* (Tableau 32-8 ; 15 des protéines de *E. coli* sont des homologues de celles de la levure), elles présentent toutes deux la même subdivision avec une tête, un cou, un corps et une plate-forme (Fig. 32-38*b* versus Fig. 32-26*b* et 32-33*a*). Beaucoup des différences entre ces deux petites sous-unités ribosomiales sont dues à l'ajout d'ARN et aux protéines supplémentaires, bien que les parties similaires présentent également plusieurs différences de conformation indépendantes. De même, la sous-unité 60S de levure (Fig. 32-38*c* ; elle est constituée d'un agrégat de 3671 nt et de 45 protéines) ressemble par sa structure à la sous-unité 50S procaryotique (Fig. 32-26*b* et 32-33*b*), bien plus petite qu'elle (Tableau 32-7). Le ribosome de levure présente 16 ponts entre les deux sous-unités, dont 12 correspondent aux 12 ponts observés dans la structure par rayons X du ribosome de *T.thermophilus* (Fig. 32-26). Cette remarquable conservation au cours de l'évolution montre l'importance de ces ponts. De plus, l'ARNt qui occupe le site P du ribosome de levure a une conformation qui ressemble davantage à celle de l'ARNt du site P dans le ribosome de *T. thermophilus* qu'à celle de l'ARNt^{Phe} cristallisé.

B. *La synthèse polypeptidique : vue d'ensemble*

Avant d'étudier en détails la synthèse polypeptidique, il nous semble utile d'en dégager les principales caractéristiques.

a. La synthèse polypeptidique se fait depuis l'extrémité N-terminale vers l'extrémité C-terminale

Le sens de la synthèse polypeptidique ribosomiale a été déterminé en 1961 par Howard Dintzis, par des expériences de marquage radioactif. Il exposa des réticulocytes en train de synthétiser activement de l'hémoglobine à de la leucine marquée par ^{3}H pendant des périodes inférieures au temps nécessaire pour synthétiser un polypeptide entier. Le degré de marquage des peptides trypsiques obtenus à partir de molécules d'hémoglobine solubles achevées augmentait en fonction de leur proximité de l'extrémité C-terminale (Fig. 30-37). Les nouveaux acides aminés doivent donc être incorporés à l'extrémité C-terminale du polypeptide en formation ; autrement dit, *la synthèse polypeptidique se fait dans le sens N-terminal → C-terminal*.

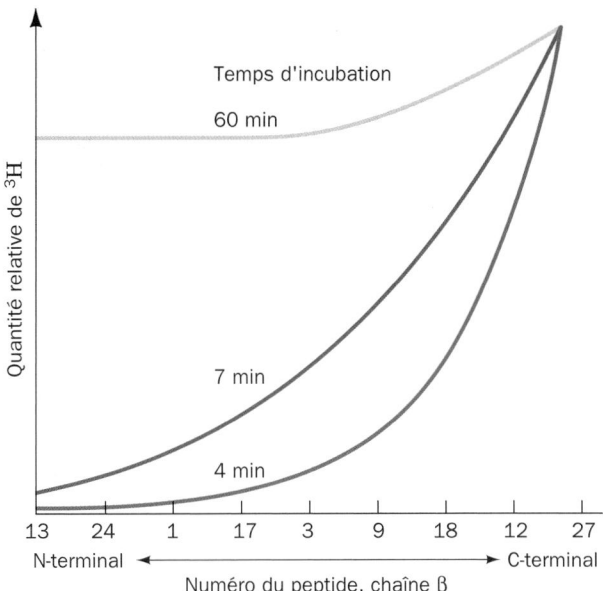

FIGURE 32-39 Démonstration que la synthèse polypeptidique progresse de l'extrémité N-terminale vers l'extrémité C-terminale. Des réticulocytes de lapin ont été incubés avec [³H]Leu. Les courbes représentent la distribution de I³H]Leu parmi les peptides trypsiques de la sous-unité β de l'hémoglobine soluble de lapin après incubation de réticulocytes de lapin avec [³H]Leu pendant les temps indiqués. Les nombres croissants sur l'axe des abcisses représentent l'ordre des peptides de l'extrémité N-terminale vers l'extrémité C-terminale. [D'après Dintzis, H.M., *Proc. Natl. Acad. Sci.* **47**, 255 (1961).]

b. Les ribosomes lisent l'ARNm dans le sens 5′ → 3′

On a déterminé le sens dans lequel le ribosome lit l'ARNm en utilisant des systèmes de synthèse protéique acellulaires où l'ARNm est un poly(A) avec un C à l'extrémité 3′

$$5'\ A—A—A—\cdots—A—A—A—C\ \ 3'$$

Ce système synthétise un poly(Lys) avec un résidu Asn en C-terminal.

$$\overset{+}{H_3N}—Lys—Lys—Lys—\cdots—Lys—Lys—Asn—COO^-$$

Ce résultat, sachant que AAA et AAC codent pour Lys et Asn et que la synthèse polypeptidique se fait dans le sens N-terminal ? C-terminal, montre que *le ribosome lit l'ARNm dans le sens 5′ → 3′*. Le fait que l'ARNm soit synthétisé dans le sens 5′ → 3′ explique pourquoi, chez les procaryotes, les ribosomes commencent la traduction sur des ARNm naissants (Section 31-3).

c. La traduction active se fait sur des polyribosomes

Des micrographies électroniques ont permis à Rich de montrer que les ribosomes engagés dans la synthèse protéique sont disposés les uns derrière les autres sur l'ARNm comme des perles sur un fil (Fig. 32-40 et 31-24). Les ribosomes dans ces **polyribosomes (polysomes)** sont séparés par des espaces de 50 à 150 Å et ont ainsi une densité maximale sur l'ARNm de ~1 ribosome pour 80 nucléotides. Les polysomes se forment car dès qu'un ribosome actif a quitté son site d'initiation, un deuxième ribosome peut se fixer à son tour sur le site libéré.

d. L'élongation de la chaîne est assurée par liaison du polypeptide en formation au nouveau résidu aminoacyl porté par son ARNt

Pendant la synthèse polypeptidique, les résidus d'acides aminés sont ajoutés successivement à l'extrémité C-terminale de la chaîne polypeptidique naissante, liée au ribosome. Si le polypeptide en formation est détaché du ribosome par traitement avec une solution concentrée en sels, son résidu C-terminal se trouve tou-

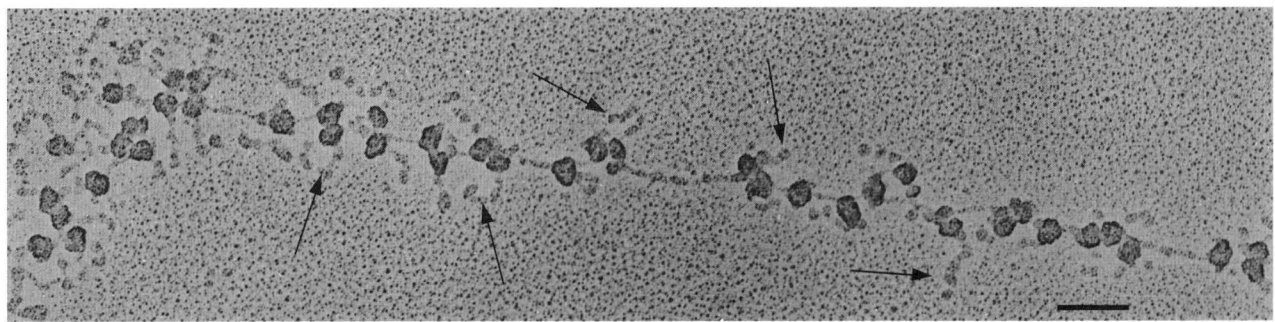

FIGURE 32-40 Micrographies électroniques de polysomes de cellules de glande séricigène du ver à soie *Bombyx mori*. L'extrémité 3′ de l'ARNm est à gauche. Les flèches indiquent les polypeptides de fibroïne. La barre correspond à 0,1 μm. [Avec la permission d'Oscar L. Miller, Jr. Et Steven L. McKnight, Université de Virginie.]

jours estérifié à une molécule d'ARNt sous forme d'un **peptidyl-ARNt** :

ARNt
|
O
|
O=P—O—CH₂ O Adénine

H   H
H   H
O   OH
|
C=O
|
CH—R_n
|
NH
|
C=O
|
CH—R_{n-1}
|
NH
⋮
⋮
C=O
|
CH—R_1
|
NH₃⁺

Peptidyl–ARNt

Le polypeptide naissant doit donc s'allonger en étant transféré depuis le peptidyl-ARNt au nouvel aminoacyl-ARNt pour former un peptidyl-ARNt avec un résidu en plus (Fig. 32-41). Apparemment, le ribosome a au moins deux sites de liaison pour des ARNt : le site **peptidyl** ou **site P,** où se lie le peptidyl-ARNt, et le site **aminoacyl** ou **site A,** où se lie l'aminoacyl-ARNt nouveau (Fig. 32-41). Par conséquent, après formation de la liaison peptidique,

l'ARNt du site P qui vient d'être désacylé doit s'en aller pour être remplacé par le peptidyl-ARNt nouvellement formé du site A, permettant ainsi un nouveau cycle de formation de liaison peptidique. La découverte par Knud Nierhaus que chaque ribosome peut lier jusqu'à trois ARNt désacylés mais seulement deux aminoacyl-ARNt montre cependant que le ribosome a un troisième site de liaison pour un ARNt : le **site exit** ou **site E,** qui lie transitoirement l'ARNt sortant. Nous verrons que les trois sites s'étendent sur les deux sous-unités ribosomiales.

Les détails du mécanisme d'élongation de la chaîne sont étudiés dans la Section 32-3D. Les mécanismes d'initiation et de terminaison de la chaîne, qui sont des processus particuliers, sont étudiés respectivement dans les Sections 32-3C et 32-3E. Dans toutes ces sections nous étudierons d'abord le mécanisme tel qu'il se déroule chez *E. coli* puis nous le comparerons avec ce qui se passe chez les eucaryotes.

C. *Initiation de la chaîne*

a. **fMet est le résidu N-terminal des polypeptides chez les procaryotes**

La constatation que presque la moitié des protéines de *E. coli* commencent par l'acide aminé Met, plutôt rare autrement, a suggéré que l'initiation de la traduction nécessite un codon spécial, identifié depuis comme étant AUG (et occasionnellement GUG chez les procaryotes). Puis on découvrit l'existence d'une forme insolite de Met-ARNt^Met dans laquelle le résidu Met est N-formylé :

S—CH₃
|
CH₂
|
O   CH₂   O
‖ | ‖
HC—NH—CH—C—O—tRNA_f^{Met}

***N*-Formylméthionine–ARNt_f^Met**
(fMet–ARNt_f^Met)

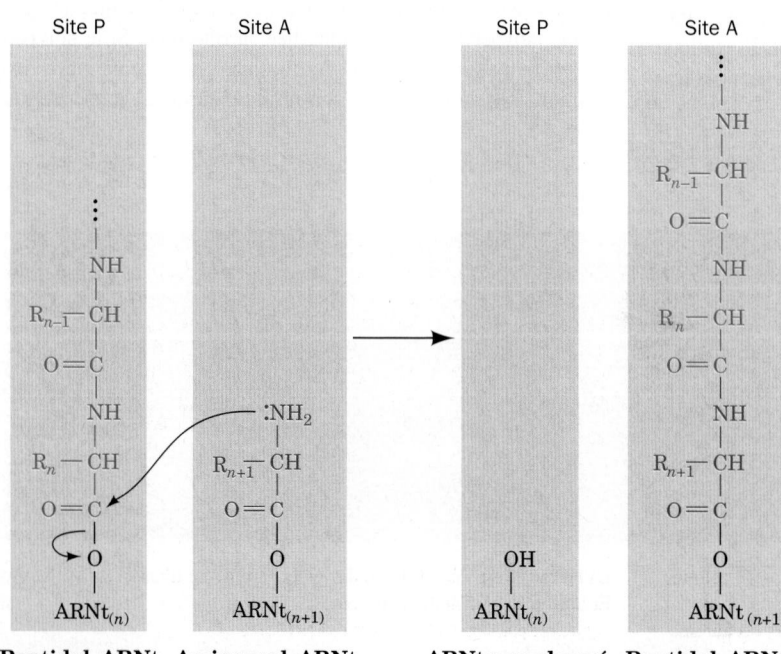

Site P   Site A   Site P   Site A

⋮
|
NH
|
R_{n-1}—CH
|
O=C
|
NH
|
R_n—CH
|
O=C
|
⋮   NH
| |
NH   R_{n+1}—CH
| :NH₂ |
R_{n-1}—CH | O=C
| R_{n+1}—CH |
O=C | OH   O
| O=C | |
NH | ARNt_(n)   ARNt_(n+1)
| O
R_n—CH |
| ARNt_(n+1)
O=C
|
O
|
ARNt_(n)

Peptidyl–ARNt Aminoacyl–ARNt   ARNt non chargé Peptidyl–ARNt

FIGURE 32-41 La réaction de la peptidyl transférase ribosomiale conduisant à la formation d'une liaison peptidique. Le ribosome catalyse l'attaque nucléophile de la liaison ester du peptidyl–ARNt du site P par le groupement amino de l'aminoacyl–ARNt du site A, formant ainsi une nouvelle liaison peptidique en transférant le polypeptide naissant sur l'ARNt du site A, tout en déplaçant l'ARNt du site P.

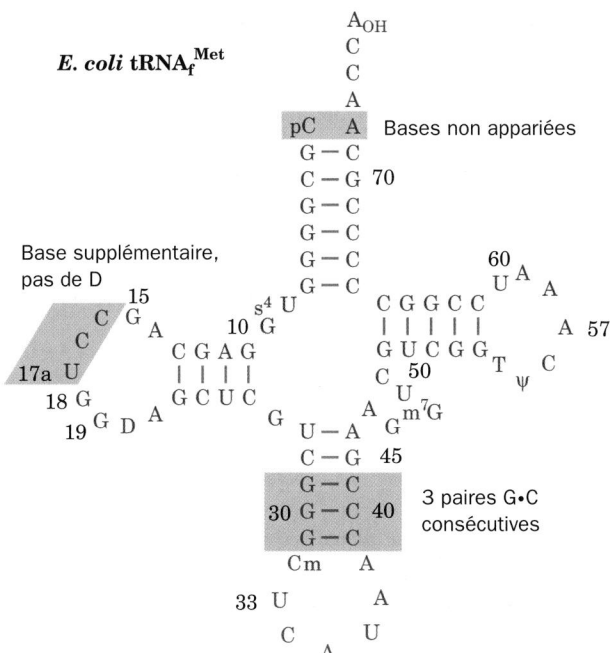

E. coli tRNA_f^{Met}

FIGURE 32-42 **Séquence nucléotidique de l'ARNt_f^{Met} d'E. *coli* selon la représentation en feuille de trèfle.** Les boîtes ombrées signalent les différences significatives entre cet ARNt initiateur et les ARNt non initiateurs comme l'ARNt^{Ala} de levure (Fig. 32-8). [D'après Woo, N.M., et al., *Nature* **286,** 346 (1980).]

Le résidu *N*-**formylméthionine (fMet),** qui a déjà une liaison amide, ne peut donc être que le résidu N-terminal d'un polypeptide. De fait, des polypeptides synthétisés dans un système de synthèse protéique acellulaire de *E. coli* présentent tous un résidu fMet en premier. *Par conséquent, fMet est le résidu d'initiation chez E. coli.*

L'ARNt qui reconnaît le codon d'initiation, **ARNt_f^{Met}** (Fig. 32-42) diffère de l'ARNt qui transporte les résidus Met internes, **ARNt_m^{Met}**, bien que les deux ARNt reconnaissent le même codon.

Chez *E. coli*, l'ARNt_f^{Met} non chargé (désacylé) est d'abord aminoacylé par la méthionine par la même MetRS que celle qui charge l'ARNt_m^{Met}. Ce **Met-ARNt_f^{Met}** est spécifiquement formylé pour donner le **fMet-ARNt_f^{Met}** grâce à une réaction enzymatique qui utilise le N¹⁰-formyltétrahydrofolate (Section 26-4D) comme donneur de groupe formyl. L'enzyme de formylation ne reconnaît pas le Met-ARNt_m^{Met}. Les structures par rayons X de l'ARNt_f^{Met} de *E. coli* et de l'ARNt^{Phe} de levure (Fig. 32-11*b*) sont très semblables mais différent dans la conformation des tiges de leurs bras accepteurs et des boucles de leurs anticodons. Il est possible que ces différences d'ordre structural permettent à l'ARNt_f^{Met} d'être distingué de l'ARNt_m^{Met} lors des réactions d'initiation et d'élongation de la chaîne (voir Section 32-3D).

Les protéines de E. coli sont modifiées post-traductionnellement par la déformylation de leur résidu fMet et, dans beaucoup de protéines, par le départ qui s'en suit du résidu Met N-terminal résultant. Ces modifications ont lieu généralement sur la chaîne polypeptidique naissante, ce qui explique que toutes les protéines matures de *E. coli* sont dépourvues de fMet.

b. Un appariement de bases entre l'ARNm et l'ARNr 16S permet de sélectionner le site d'initiation de la traduction

AUG code pour des résidus Met internes et pour le résidu Met d'initiation d'un polypeptide. De plus, les ARNm présentent généralement plusieurs AUG (et GUG) dans différents cadres de lecture. Il est clair *qu'un site d'initiation de traduction doit être spécifié par autre chose qu'un seul codon.* Il y a deux façons de le faire : (1) en masquant les AUG autres que le codon d'initiation par des structures secondaires de l'ARNm, et (2) par des interactions entre l'ARNr 16S et l'ARNm qui sélectionnent le codon AUG d'initiation comme nous allons le voir maintenant.

L'ARNr 16S présente une séquence riche en pyrimidines à son extrémité 3'. Cette séquence, comme John Shine et Lynn Dalgarno l'ont montré en 1974, est partiellement complémentaire d'un segment riche en purines long de 3 à 10 nucléotides, la **séquence de Shine-Dalgarno,** centrée environ 10 nucléotides en amont du codon d'initiation de presque tous les ARNm de procaryotes connus (Fig. 32-43). *Il semble que des interactions par apparie-*

	Codon d'initiation
araB	– U U U G G A U G G A G U G A A A C G A U G G C G A U U –
galE	– A G C C U A A U G G A G C G A A U U A U G A G A G U U –
lacI	– C A A U U C A G G G U G G U G A U U G U G A A A C C A –
lacZ	– U U C A C A C A G G A A A C A G C U A U G A C C A U G –
Réplicase du phage Qβ	– U A A C U A A G G A U G A A A U G C A U G U C U A A G –
Protéine A du phage φX174	– A A U C U U G G A G G C U U U U U U A U G G U U C G U –
Protéine de l'enveloppe du phage R17	– U C A A C C G G G G U U U G A A G C A U G G C U U C U –
S12 ribosomiale	– A A A A C C A G G A G C U A U U U A A U G G C A A C A –
L10 ribosomiale	– C U A C C A G G A G C A A A G C U A A U G G C U U U A –
trpE	– C A A A A U U A G A G A A U A A C A A U G C A A A C A –
trp leader	– G U A A A A A G G G U A U C G A C A A U G A A A G C A –

extrémité 3' de l'ARN 16S   3' _{HO}A U U C C U C C A C U A G – 5'

FIGURE 32-43 **Exemples de séquences d'initiation de la traduction reconnues par les ribosomes *de E. coli*.** Les ARNm sont alignés sur la base de leurs codons d'initiation *(ombrage bleu).* Leurs séquences de Shine-Dalgarno *(ombrage rouge)* sont complémentaires, en incluant les paires G · U, à une séquence de l'extrémité 3' de l'ARNr 16S *(en bas).* [D'après Steitz, J.A., *dans* Chambliss, G., Craven, G.R., Davies, J., Davis, K., Kahan, L., et Nomura, M. (Éds.), *Ribosomes. Structure, Function and Genetics,* pp. 481-482, University Park Press (1979).]

ment de bases entre la séquence de Shine-Dalgarno d'un ARNm et l'ARNr I6S permettent au ribosome de sélectionner le codon d'initiation correct. Ainsi des ribosomes dont les séquences anti-Shine-Dalgarno ont été modifiées par mutation ont souvent une capacité fortement réduite pour reconnaître des ARNm naturels, alors qu'ils traduisent efficacement des ARNm dont les séquences de Shine-Dalgarno ont été rendues complémentaires aux séquences anti-Shine-Dalgarno modifiées. De plus, si l'on traite des ribosomes par de la **colicine E3** (une protéine produite par des souches de *E. coli* porteuses du plasmide E3), qui détache spécifiquement un fragment de 49 nucléotides de l'extrémité 3' de l'ARNr 16S, ces ribosomes ne peuvent plus commencer la synthèse de nouveaux polypeptides mais peuvent achever la synthèse d'une chaîne déjà commencée.

La structure par rayons X du ribosome 70S montre, et concorde en cela avec la Fig. 32-31, qu'un segment d'environ 30 nt est enroulé dans un sillon qui fait le tour du cou de la sous-unité 30S (Fig. 32-44). Les codons de l'ARNm dans les sites A et P sont exposés au niveau de l'interface sur le coté de la sous-unité 30S, tandis que les extrémités 5' et 3' sont fixées dans des tunnels com-

posés d'ARN et de protéine. La séquence de Shine-Dalgarno de l'ARNm qui se situe près de l'extrémité 5', est appariée par ses bases, comme on s'y attend, avec la séquence anti-Shine-Dalgarno de l'ARNr 16S, qui se trouve près du site E. Le segment de double hélice qui en résulte se loge dans une fente formée par des éléments de l'ARN 16S et éléments protéiques de la tête, du cou et de la plate-forme de la petite sous-unité.

c. L'initiation est un processus en trois étapes qui nécessite la participation de facteurs d'initiation protéiques solubles

Des ribosomes intacts ne se lient pas directement à un ARNm pour commencer la synthèse polypeptidique. En fait, *l'initiation est un processus complexe dans lequel les deux sous-unités du ribosome et le fMet-ARNt$_f^{Met}$ s'assemblent sur un ARNm disposé correctement pour former un complexe capable de commencer l'élongation de la chaîne. Ce processus d'assemblage nécessite aussi la participation de **facteurs d'initiation** protéiques qui ne sont pas associés en permanence aux ribosomes.* Chez *E. coli*, l'initiation implique trois facteurs d'initiation appelés **IF-1, IF-2, et IF-3** (**IF** pour « Initiation factor » ; Tableau 32-9). On découvrit leur existence quand on s'aperçut qu'en lavant les petites sous-uni-

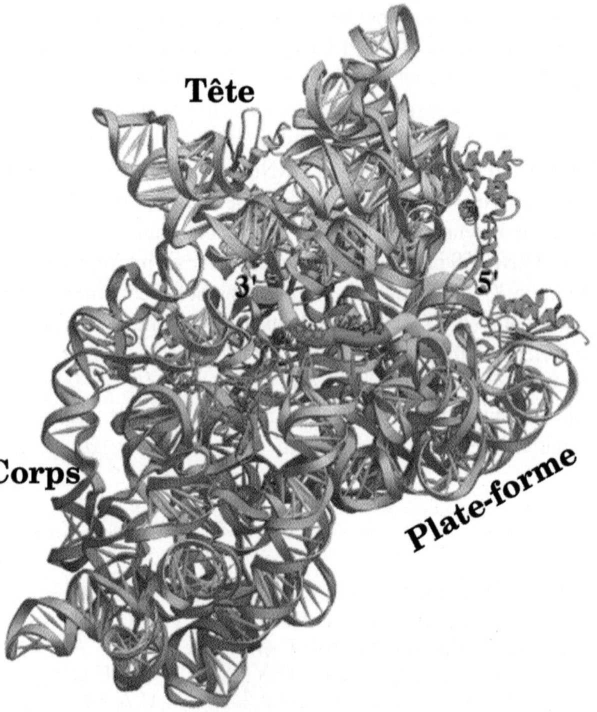

FIGURE 32-44 Trajet de l'ARNm à travers la sous-unité 30S, vu par le côté de l'interface. L'ARN 16S est en bleu clair. L'ARNm est sous forme d'un cylindre jaune avec ses codons aux sites A et P respectivement en orange et en rouge. L'hélice de Shine-Dalgarno (qui inclue un segment de l'ARN 16S) est en rose. Les protéines S3, S4 et S5 sont en vert, les protéines S7, S11 et S12 en violet et les autres protéines ribosomiales sont absentes pour plus de clarté. Les protéines S3, S4 et S5, qui forment en partie l'entonnoir par lequel l'ARNm entre dans le ribosome, doit fonctionner comme une hélicase qui enlève les structures secondaires de l'ARNm qui interféreraient sans cela avec la fixation de l'ARNt. [Avec l'aimable autorisation de Gloria Culver, Université d'état de l'Iowa. D'après une structure Par rayons X de Harry Noller, Université de Californie, Santa Cruz. PDBid 1JGO.]

TABLEAU 32-9 Les facteurs protéiques solubles de la synthèse protéique d'*E. coli*

Facteur	Nombre de résidus[a]	Fonction
Facteurs d'initiation		
IF-1	71	Aide la liaison d'IF-3
IF-2	890	Se lia à l'ARNt initiateur et au GTP
IF-3	180	Libère l'ARNm et l'ARNt de la sous-unité 30S recyclée et aide la liason d'un nouvel ARNm
Facteurs d'élongation		
EF-Tu	393	Se lie a l'aminoacyl–ARNt et au GTP
EF-Ts	282	Déplace le GDP Ed'F-Tu
EF-G	703	Provoque la translation par fixation et hydrolyse de GTP
Facteurs de libération		
RF-1	360	Reconnaît les codons d'arrêt UAA et UAG
RF-2	365	Reconnaît les codons d'arrêt UAA et UAG
RF-3	528	Stimule la libération de RF-1/RF-2 en hydrolysant du GTP
RRF	185	Avec EF-G induit la dissociation du ribosome en ses deux sous-unités

[a]Tous les facteurs de traduction de *E. coli* sont des protéines monomériques.

tés du ribosome avec une solution de chlorure d'ammonium 1*M*, qui enlève les facteurs d'initiation mais pas les protéines ribosomiales « permanentes », l'initiation n'a plus lieu.

La séquence d'initiation chez *E. coli* comporte trois étapes (Fig. 32-45) :

1. Après avoir achevé un cycle de synthèse polypeptidique, les sous-unités 30S et 50S restent associées sous forme de ribosomes 70S inactifs (Section 32-3^E). IF-3 se lie à la sous-unité 30S, ce qui entraîne la dissociation des sous-unités. La structure par rayons X

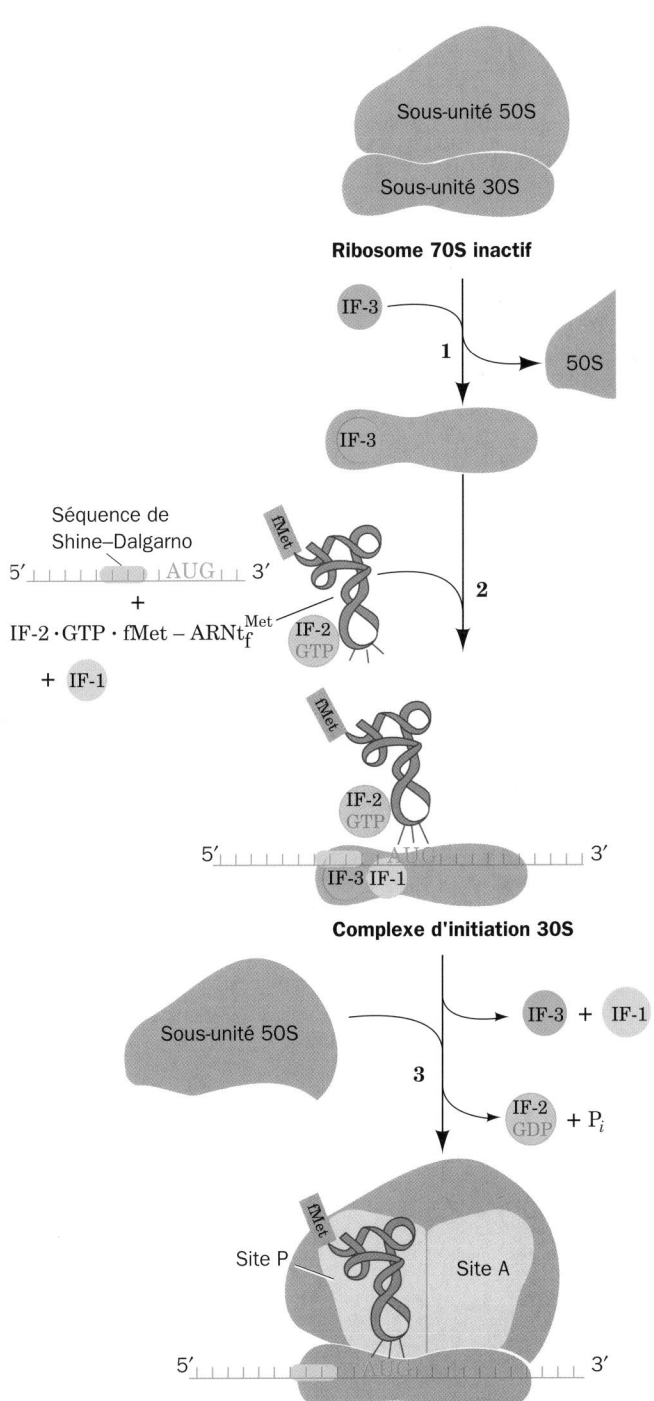

Ribosome 70S inactif

Séquence de Shine–Dalgarno

$5'$ |||||||||| AUG ||| $3'$

+

IF-2·GTP·fMet – ARNt$_f^{Met}$

+ IF-1

$5'$ ||||||||||||| AUG |||| $3'$

Complexe d'initiation 30S

$5'$ ||||||||||| AUG ||||| $3'$

Site P   Site A

Complexe d'initiation 70S

de la sous-unité 30S complexée avec le domaine C-terminal de IF3 (qui suffit à empêcher l'association entre les sous-unités 30S et 50S) a été déterminée par Yonath et François Franceschi. Elle montre que IF-3 se fixe sur le bord supérieur de la plate-forme (Fig. 32-26) du coté exposé au solvant (l'arrière). La fonction de IF-3 ne consiste donc pas à créer un obstacle physique à la liaison de la sous-unité 50S.

2. L'ARNm et IF-2, sous forme d'un complexe ternaire avec GTP et fMet-ARNt$_f^{Met}$, qui est associé à IF-1, se lient ensuite à la sous-unité 30S dans un ordre indifférent. Donc, la reconnaissance de fMet-ARNt$_f^{Met}$ n'est pas dépendante d'une interaction codon-anti-codon ; c'est le seul exemple d'association ARNt-ribosome qui n'en a pas besoin. Cependant, cette interaction facilite la liaison de fMet-ARNt$_f^{Met}$ au ribosome. IF-1 se fixe dans le site A où sa fonction serait d'empêcher la fixation inappropriée ou prématurée d'un ARNt. IF-3 participe aussi à cette étape du processus d'initiation : il déstabilise la fixation des ARNt qui ne présentent pas les trois paires G · C dans la tige anticodon que l'on a dans l'ARNt$_f^{Met}$ (Fig. 32-42) et aide à distinguer si l'interaction d'appariement codon-anticodon est parfaite ou s'il y a mésappariement.

3. Enfin, dans un processus précédé du départ de IF-1 et IF-3, la sous-unité 50S s'unit au complexe d'initiation 30S de façon à stimuler l'hydrolyse par IF-2 du GTP qui lui est fixé, en GDP et P$_i$. Cette réaction irréversible modifie la conformation de la sous-unité 30S et libère IF-2 qui pourra participer à d'autres réactions d'initiation.

IF-2 est un membre de la super-famille des GTPases régulatrices telles que Ras, c'est donc une protéine-G (Section 19-2A). Le complexe d'initiation 30S constitue donc sa GAP (« GTPase-activating-protein » ; Section 19-3C).

L'initiation se traduit par la formation d'un complexe ribosome · ARNm · fMet-ARNt$_j^{Met}$ dans lequel le fMet-ARNt$_f^{Met}$ occupe le site P du ribosome tandis que son site A est prêt pour accepter un aminoacyl-ARNt entrant (une situation analogue à celle trouvée à la fin d'un cycle d'élongation ; Section 32-3D). Cette disposition a été mise en évidence en utilisant l'antibiotique **puromycine** comme nous le verrons dans la Section 32-3D. Notez que l'ARNt$_f^{Met}$ est le seul ARNt qui se fixe directement sur le site P. Tous les autres ARNt doivent d'abord passer par le site A au cours de l'élongation de la chaîne (Section 32-3D).

d. La phase d'initiation des eucaryotes est bien plus compliquée que celle des procaryotes

La phase d'initiation chez les eucaryotes ressemble au processus global des procaryotes mais elle est en fait bien plus compliquée. Tandis que l'initiation procaryotique nécessite le concours de trois facteurs d'initiation monomériques seulement, celle des eucaryotes implique la participation d'au moins 11 facteurs d'initiation (désignés par eIF*n* ; « e » pour eucaryotique) constitués d'au moins

FIGURE 32-45 Les étapes de l'initiation de la traduction chez *E. coli*.

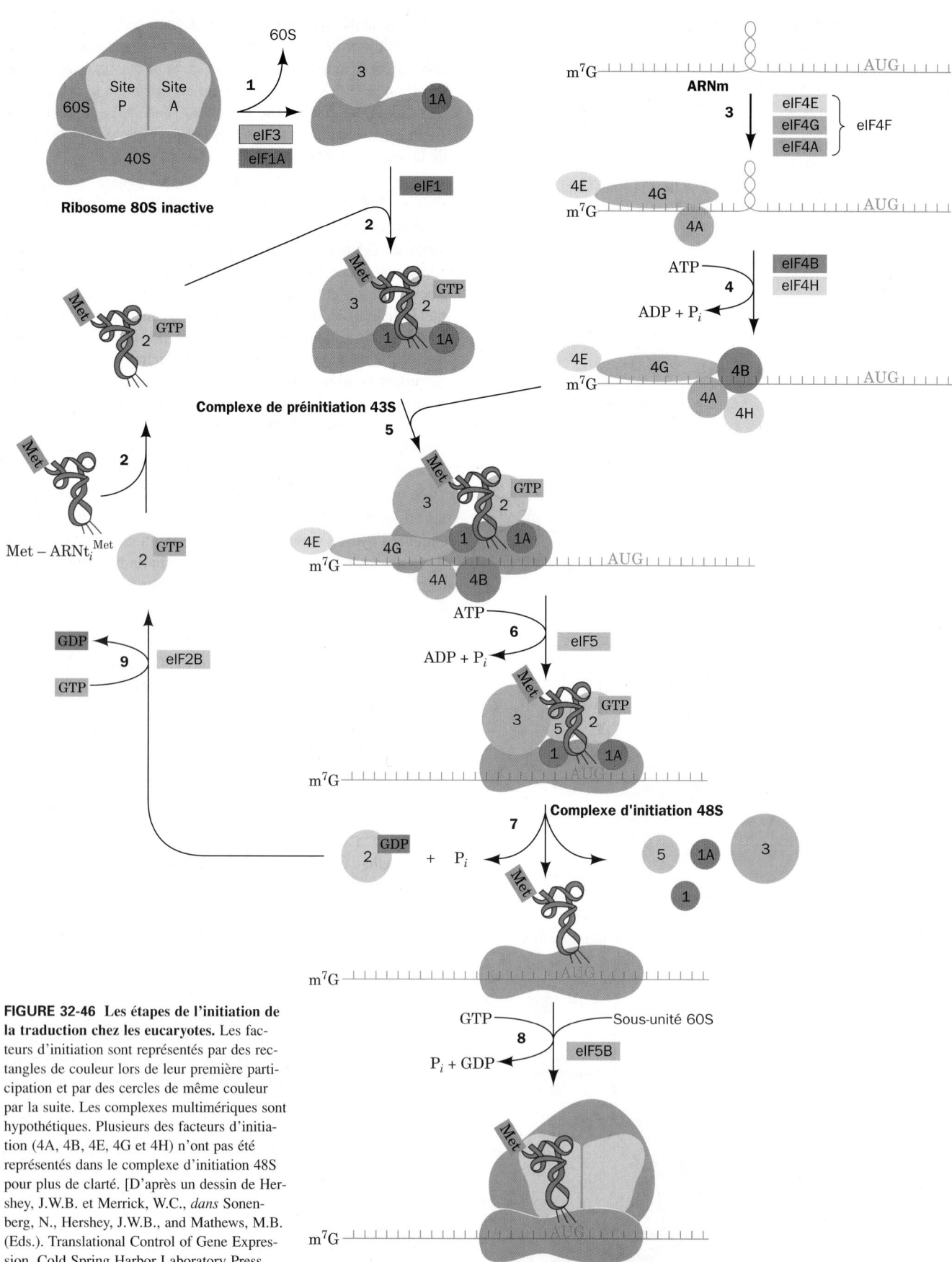

FIGURE 32-46 Les étapes de l'initiation de la traduction chez les eucaryotes. Les facteurs d'initiation sont représentés par des rectangles de couleur lors de leur première participation et par des cercles de même couleur par la suite. Les complexes multimériques sont hypothétiques. Plusieurs des facteurs d'initiation (4A, 4B, 4E, 4G et 4H) n'ont pas été représentés dans le complexe d'initiation 48S pour plus de clarté. [D'après un dessin de Hershey, J.W.B. et Merrick, W.C., *dans* Sonenberg, N., Hershey, J.W.B., and Mathews, M.B. (Eds.). Translational Control of Gene Expression, Cold Spring Harbor Laboratory Press (2000).]

26 chaînes polypeptidiques. L'initiation eucaryotique se fait de la façon suivante (Fig. 32-46) :

1. Le processus commence par la fixation de **eIF3** (qui comporte 11 sous-unités différentes) et de **eIF1A** (un monomère homologue de IF-1 bactérien) à la sous-unité 40S dans un ribosome 80S inactif (qui a terminé l'élongation d'un polypeptide), ainsi la sous-unité se détache.

2. Le complexe ternaire contenant **eIF2** (un hétérotrimère), le GTP et **Met-ARNt_i^Met** se fixe à la sous-unité ribosomiale 40S assisté par **eIF1** (un monomère) et forme le complexe de préinitiation 43S. L'indice « i » sur l'**ARNt_i^Met** fait la distinction entre l'ARNt d'initiation des eucaryotes, dont le résidu Met fixé n'est jamais *N*-formylé, et celui des procaryotes ; cependant, les deux types sont tout à fait interchangeables *in vitro*.

3. Les ARNm d'eucaryotes n'ont pas l'équivalent de la séquence de Shine-Dalgarno des procaryotes pour se fixer à l'ARNr 18S. Ils ont en fait un mécanisme totalement différent de reconnaissance du codon d'initiation AUG de l'ARNm. *Les ARNm eucaryotiques ont presque tous une coiffe m^7G et une queue poly(A) (Section 31-4A). Ils sont toujours mono-cistroniques, et leur traduction débute presque toujours à leur premier AUG.* Cet AUG, qui se trouve à la fin d'une région 5′-non-traduite de 50 à 70 nt, se trouve au sein de la séquence consensus GCCRC-CAUGG. Les changements de la purine (R), située 3nt avant le codon AUG et du G qui suit immédiatement l'AUG réduisent l'efficacité de la traduction de ~10 fois chacun, d'autres changements ont des effets moins marqués. De plus, la structure secondaire (tige-boucle) de l'ARNm en amont du site d'initiation peut diminuer l'efficacité de l'initiation. La reconnaissance du site d'initiation commence par la liaison de **eIF4F** à la coiffe m^7G. Le facteur eIFAF est un complexe hétérotrimérique composé de eIF4E, eIF4G et eIF4A (tous des monomères). Le facteur eIF4E (la protéine de liaison à la coiffe, CBP pour « cap-binding protein ») reconnaît la coiffe m^7G de l'ARNm, eIF4G sert de système de jonction entre eIF4E et eIF4A. Les structures par rayons X et par RMN de eIF4E complexé avec le **m^7G** ont été déterminées par Nahun Sonenberg, Stephen Burley et par Sonenberg et Gerhard Wagner. Elles montrent que la protéine fixe la base m^7G en l'intercalant entre deux résidus Trp très conservés (Fig. 32-47*a*), dans une région adjacente à une fente positivement chargée constituant le site probable de fixation de l'ARNm (Fig. 32-47*b*). La base m^7G est reconnue spécifiquement grâce à des liaisons hydrogène avec des chaînes latérales de la protéine d'une façon qui rappelle une paire de base G · C. Le facteur eIF4G se fixe aussi à la protéine de liaison à la queue poly(A) (PABP ; Section 31-4A) qui est attachée à la queue poly(A) de l'ARNm, il y a donc circularisation de l'ARNm (non montré dans la Fig. 32-46). Bien que cela explique la synergie entre la coiffe m^7G et sa queue poly(A) dans l'activation de l'initiation de la traduction, le rôle de cette circularisation

(a)

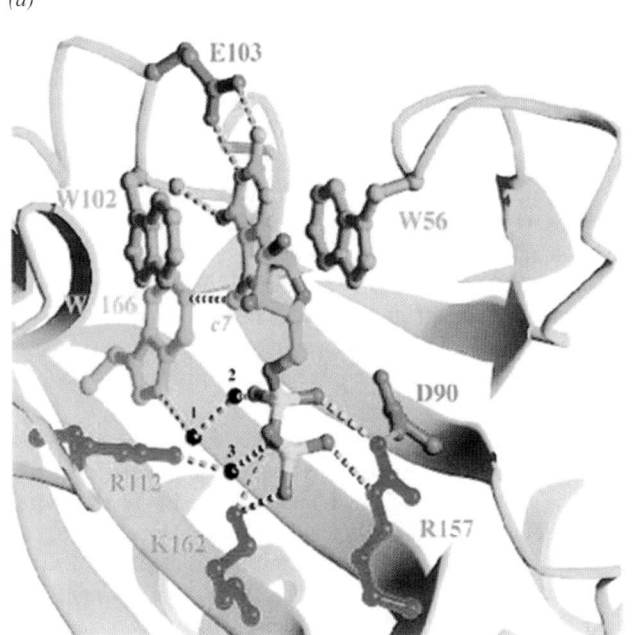

(b)

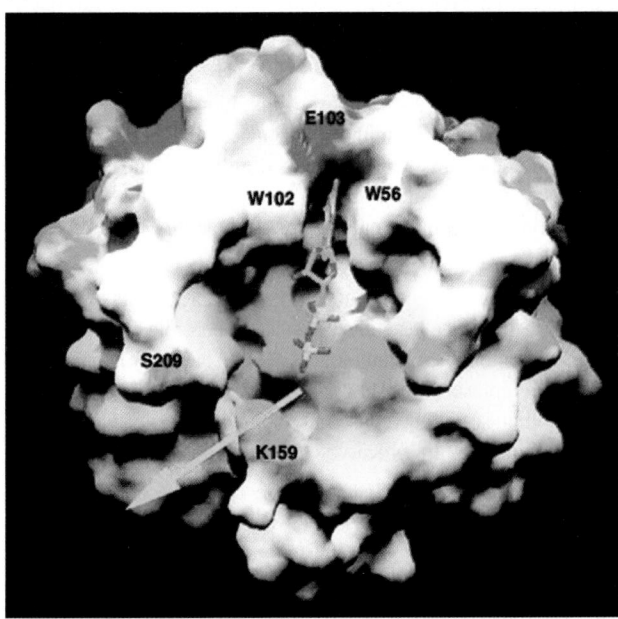

FIGURE 32-47 Structure par rayons X du facteur eIF4E murin complexé avec m^7GDP, un analogue de la coiffe m^7G. *(a)* Le site de fixation de m^7GDP, dans lequel m^7GDP et les chaînes latérales qui s'y fixent, sont représentés en vue éclatée. Les atomes de m^7GDP sont colorés en fonction de leur nature (C en vert, N en jaune sombre, O en rouge et P en jaune vif). Les chaînes latérales des protéines avec lesquelles m^7GDP interagit sont représentées de différentes couleurs. Les liaisons hydrogène, les ponts salins et les interactions de van der Waals sont représentés par des lignes pointillées, les molécules d'eau qui les pontent sont représentées par des perles noires. La base m^7G est intercalée entre les noyaux indoles des résidus Trp 56 et Trp 102, où elle interagit spécifiquement,

avec les chaînes latérales des protéines, par des liaisons hydrogène et des interactions de van der Waals. Le groupement phosphate du GDP interagit directement et indirectement avec trois chaînes latérales basiques. *(b)* Surface accessible aux solvants de eIF4E vue approximativement comme en *a* et colorée en fonction de son potentiel électrostatique (négatif en rouge, positif en bleu, proche de la neutralité en blanc). Le m^7GDP est représenté en vue éclatée et coloré comme en *a*. On pense que l'ARNm se fixe dans la fente positivement chargée (flèche jaune) qui est adjacente au site de liaison de m^7G et qui passe entre les résidus Lys 159 et Ser209. [Avec l'aimable autorisation de Nahum Sonenberg, Université McGill, Montréal, Québec, Canada. PDBid 1EJ1.]

n'est pas évident. Mais une hypothèse intéressante est qu'elle permet à un ribosome qui a terminé la traduction de l'ARNm de réinitier la traduction sans nécessité d'un désassemblage puis d'un réassemblage. Une autre possibilité est que cela empêche la traduction d'ARN incomplets (cassés).

4. Les facteurs eIF4B (un homodimère contenant un motif RRM) et eIF4H (un monomère) s'unissent au complexe eIF4F-ARNm pour stimuler l'activité ARN-hélicase de eIF4A qui va dérouler les segments en hélice de l'ARNm en consommant de l'ATP. On pense que cela détache aussi les protéines accrochées à l'ARNm (Section 32-4A). Le facteur eIF4A est le prototype de la famille de protéines à **boîte DEAD**, dont le nom vient d'un motif de séquence contenu dans les divers membres de cette famille, qui ont tous une activité NTPase.

5. Le complexe eIF4F-ARNm-eIF4B-eIF4H se lie au complexe de pré-initiation 43S par une interaction protéine-protéine entre eIF4G et eIF3 qui est attaché à la sous-unité 40S. C'est assez différent du processus correspondant chez les procaryotes (Fig. 32-45) où l'ARNm se lie à la sous-unité ribosomiale 30S via des associations entre des molécules d'ARN (qui impliquent la séquence de Shine-Dalgarno et l'interaction codon-anticodon).

6. eIF5 (un monomère) s'ajoute au complexe. Le complexe de pré-initiation 43S se déplace alors le long de l'ARNm, selon un processus dépendant de l'ATP appelé **balayage** (scanning), jusqu'à ce qu'il rencontre le codon d'initiation AUG de l'ARNm où il forme le **complexe d'initiation 48S**. La reconnaissance de AUG se fait principalement par l'appariement de bases avec l'anticodon CUA porté par **Met-ARNt$_i^{Met}$**, comme l'a démontré le fait que la mutation de cet anticodon entraîne la reconnaissance d'un nouveau codon capable de s'apparier, à la place de AUG.

7. La formation du complexe d'initiation 48S induit l'hydrolyse par eIF2 du GTP qui lui est attaché en GDP + P$_i$, cela entraînant la libération de tous les facteurs d'initiation, mais Met-ARNt$_i^{Met}$ reste dans le site P de la petite sous-unité. La réaction d'hydrolyse est stimulée par l'action de type GAP de eIF5 (Section 19-3C).

8. La sous-unité 60S s'attache au complexe Met-ARNt$_i^{Met}$–sous-unité 40, cette réaction est sous le contrôle de la GTPase eIF5B (un monomère homologue de IF2 bactérien), on obtient ainsi le complexe d'initiation ribosomiale 80S. L'initiation de la traduction eucaryotique consomme donc deux molécules de GTP au lieu d'une chez les procaryotes (Fig. 32-45).

9. Il ne reste plus qu'à recycler le complexe eIF2 · GDP en échangeant son GDP contre du GTP. Cette réaction est réalisée par eIF2B (un hétéropentamère), qui est ici le facteur d'échange de nucléotide guanylique de eIF2 GEF; Section 19-3C).

Beaucoup de facteurs d'initiation eucaryotes sont soumis à des réactions de phosphorylation/déphosphorylation et sont donc susceptibles de participer au contrôle de la traduction eucaryotique, nous étudierons ce point dans la Section 32-4.

Bien que les sites d'initiation de la plupart des ARNm eucaryotiques soient identifiés à l'aide du mécanisme décrit ci-dessus, quelques ARNm ont un site d'entrée interne des ribosomes (**IRES** pour « internal ribosome entry site ») auquel la sous-unité 40S s'attache directement, rappelant en cela l'initiation procaryotique. Mais on sait encore peu de choses sur l'initiation à un IRES, en

fait, il est évident qu'ils ne possèdent pas de séquences consensus faciles à identifier.

D. *Élongation de la chaîne*

Les ribosomes allongent la chaîne polypeptidique selon un cycle de trois réactions qui additionnent les résidus d'acides aminés à l'extrémité C-terminale d'un polypeptide en cours de synthèse (Fig. 32-48) :

1. Le **décodage**, au cours duquel le ribosome sélectionne et fixe un aminoacyl-ARNt dont l'anticodon est complémentaire du codon de l'ARNm présent dans le site A.

2. La **transpeptidation**, au cours de laquelle le groupement peptidyl de l'ARNt du site P est transféré au groupement aminoacyl dans le site A par la formation d'une liaison peptidique (Fig. 32-41).

3. La **translocation**, au cours de laquelle les ARNt du site A et du site P sont respectivement transférés au site P et au site E accompagnés de l'ARNm auquel ils sont liés, c'est-à-dire que l'ARNm, portant les ARNt liés à lui par des paires de bases, avance d'un codon dans le ribosome.

Ce processus, qui se fait à la vitesse de 10 à 20 résidus incorporés par seconde, implique la participation de plusieurs protéines non ribosomiales appelées **facteurs d'élongation** (Tableau 32-9). Nous allons décrire ce processus dans les paragraphes suivants.

a. Le décodage

Lors de l'étape de décodage du cycle d'élongation chez *E. coli,* un complexe binaire formé de GTP et du facteur d'élongation **EF-Tu** (aussi appelé **EF1A**) s'associe avec un aminoacyl-ARNt. Le complexe ternaire résultant se lie au ribosome et, au cours d'une réaction qui s'accompagne de l'hydrolyse de GTP en GDP + P$_i$, l'aminoacyl-ARNt se lie, grâce au complexe codon-anticodon, au site A du ribosome avec libération du complexe EF-Tu · GDP + P$_i$. À la fin de cette étape, le GDP fixé sur EF-Tu est remplacé par du GTP, cette réaction est effectuée par le facteur d'élongation **EF-Ts** (aussi appelé **EF1B**). EF-Tu, ainsi que plusieurs facteurs ribosomiaux fixant le GTP, est une protéine-G, le ribosome est sa GAP et EF-Ts est son GEF.

Les aminoacyl-ARNt peuvent se fixer dans le site A du ribosome en l'absence de EF-Tu mais à un taux trop faible pour permettre la croissance cellulaire. L'importance de EF-Tu est montrée par le fait qu'il s'agit de la protéine la plus abondante chez *E. coli* où il y en a environ 100000 copies par cellule (plus de 5 % des protéines cellulaires), c'est à peu près le nombre de molécules d'ARNt dans la cellule. Par conséquent, *la quasi-totalité des aminoacyl-ARNt de la cellule est séquestrée par EF-TU.*

b. La forme de EF-Tu l'empêche de se fixer à l'ARNt initiateur

La structure par rayons X du complexe ternaire Phe-ARNt^{Phe} · EF-Tu · GDPNP (GDPNP est un analogue non hydrolysable du GTP; Section 19-3C) a été déterminé par Brian Clark et Jens Nyborg. Elle montre que ces deux macromolécules s'associent pour former un complexe en forme de tire-bouchon dans lequel EF-TU et la tige acceptrice de l'ARNt forment une sorte de

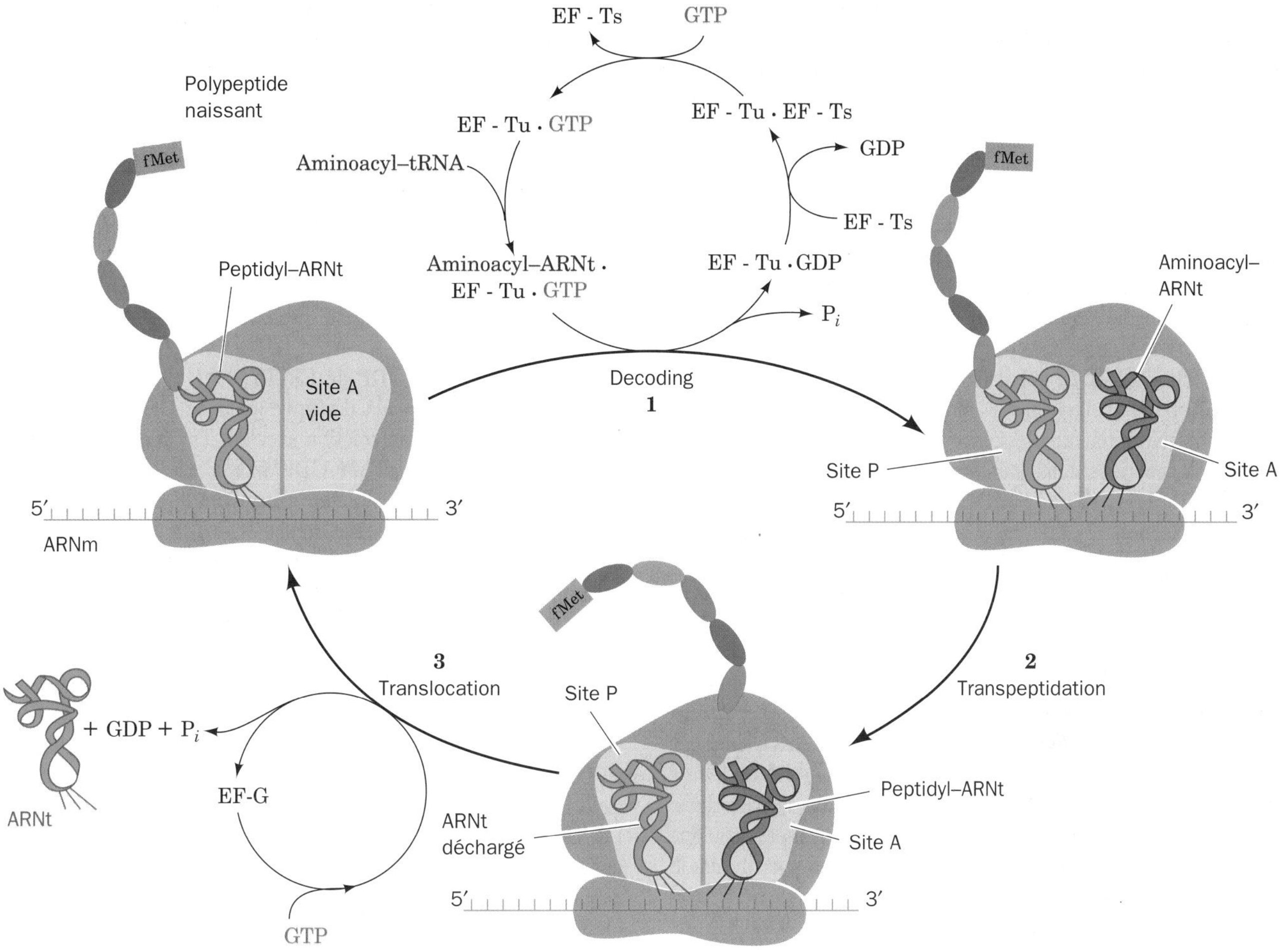

EF - Ts · GTP

Polypeptide
naissant

EF - Tu · GTP

EF - Tu · EF - Ts

Aminoacyl–tRNA

GDP

Aminoacyl–ARNt ·
EF - Tu · GTP

EF - Ts

fMet

EF - Tu · GDP

Aminoacyl–
ARNt

Peptidyl–ARNt

P_i

Site A
vide

Decoding
1

Site P

Site A

5′ ———————————— 3′

5′ ———————————— 3′

ARNm

fMet

3
Translocation

Site P

2
Transpeptidation

+ GDP + P_i

EF-G

ARNt
déchargé

Peptidyl–ARNt

ARNt

Site A

5′ ———————————— 3′

GTP

FIGURE 32-48 Le cycle d'élongation des ribosomes de *E. coli.* Le site E, où sont transférés les ARNt déchargés avant d'être remis en solution, n'est pas montré. Le cycle d'élongation chez les eucaryotes est semblable, mais EF-Tu et EF-Ts sont remplacés par une seule protéine oligomérique, eEF-1, et EF-G est remplacé par eEF-2.

poignée et la tige de l'anticodon de l'ARNt forme la vis (Fig. 32-49). La conformation de l'ARNt^{Phe} ressemble étroitement à celle de la molécule libre (Fig. 32-11*b*). Le facteur EF-Tu se replie en trois domaines distincts reliés par des peptides flexibles à la façon de perles enfilées sur un fil. Le domaine 1, N-terminal, qui fixe les nucléotides guanyliques et catalyse l'hydrolyse du GTP a une structure semblable à celle d'autres protéines-G connues.

L'association assez ténue entre les deux macromolécules se fait par quatre régions principales : (1) le segment CCA-Phe à l'extrémité 3′ de Phe-ARNt^{Phe} se fixe dans une fente entre les domaines 1 et 2 de EF-Tu (en rouge et en vert dans la Fig. 32-49), qui aboutit dans une poche assez grande pour contenir n'importe quel acide aminé, (2) le groupement 5′ phosphate de l'ARNt se fixe dans un creux à la jonction des trois domaines de EF-Tu, et (3) un des cotés de la tige TψC de l'ARNt est au contact de la chaîne principale et de chaînes latérales du domaine 3 de EF-Tu (en bleu dans la Fig. 32-49). L'association étroite entre le groupement aminoacyl et EF-Tu semble augmenter fortement l'affinité de EF-Tu pour l'ARNt dont la fixation est assez lâche par ailleurs. Cela explique pourquoi EF-Tu ne se fixe pas aux ARNt non chargés d'acides aminés.

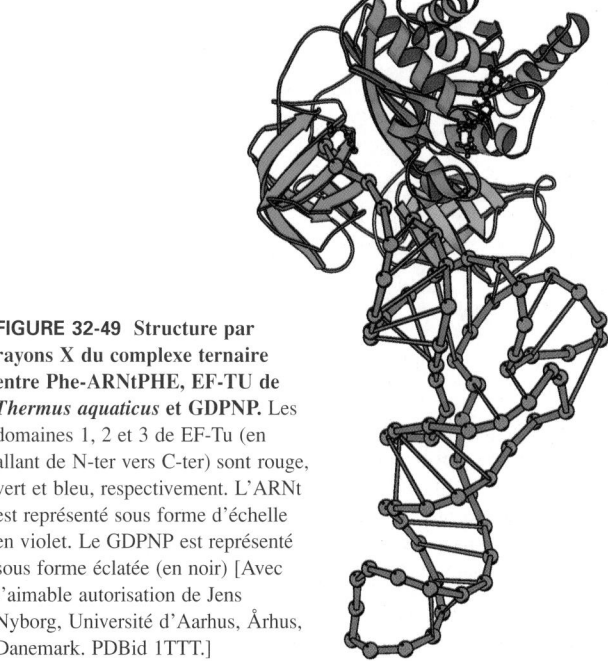

FIGURE 32-49 Structure par rayons X du complexe ternaire entre Phe-ARNtPHE, EF-TU de *Thermus aquaticus* et GDPNP. Les domaines 1, 2 et 3 de EF-Tu (en allant de N-ter vers C-ter) sont rouge, vert et bleu, respectivement. L'ARNt est représenté sous forme d'échelle en violet. Le GDPNP est représenté sous forme éclatée (en noir) [Avec l'aimable autorisation de Jens Nyborg, Université d'Aarhus, Århus, Danemark. PDBid 1TTT.]

EF-Tu ne se lie ni aux aninoacyl-ARNt formylés, ni à Met-ARNt$_i^{Met}$ bien qu'il ne soit pas formylé. C'est pourquoi l'ARNt initiateur ne lit jamais des codons internes AUG ou GUG. La première paire de bases de l'ARNt$_i^{Met}$ est mésappariée (Fig. 32-42) et cet ARNt d'initiation a de ce fait un prolongement de 5 nt en 3' au lieu des 4 nt habituels pour un ARNt d'élongation. Il paraît probable que la conjonction de ce mésappariement et du groupement formiate empêche fMet-ARNt$_i^{Met}$ de se fixer à EF-Tu. En effet, EF-Tu se fixe à l'ARNt$_i^{Met}$ de *E. coli* dont le résidu C 5'-terminal a été désaminé par un traitement au bisulfite (Section 30-7), cela rétablit la paire manquante par la formation d'une paire U · A. De même Sec-ARNt^{Sec} qui ne se fixe pas non plus à EF-Tu mais plutôt à SELB (Section 32-2D) a 8pb dans la tige de son bras accepteur au lieu des 7 pb habituelles dans les autres ARNt d'élongation. Pourtant, des ARNt initiateurs de sources diverses possèdent des tiges totalement appariées dans leur bras accepteur et par ailleurs la paire de base U1 · A72 de l'ARNt^{Gln} s'ouvre lors de la fixation à la GlnRS (Section 32-2C).

c. EF-Tu subit des changements conformationnels importants en hydrolysant le GTP

Morten Kjeldgaard et Jens Nyborg ont déterminé les structures par rayons X de EF-Tu de *T. aquaticus* (405 résidus) complexé avec le GDPNP (un analogue du GTP à hydrolyse lente) et de EF-Tu de *E. coli* (393 résidus) complexé à du GDP ; ils sont identiques à 70 %. La conformation de EF-Tu complexé au GDPNP ressemble beaucoup à celle qu'il a dans le complexe ternaire avec Phr-ARNt^{Phe} et le GDPNP (Fig. 32-49). Mais la comparaison des complexes avec le GDPNP et le GDP montre qu'en hydrolysant le

GTP, EF-Tu fait l'objet d'une réorganisation structurale importante. Le plus grand changement local de conformation concerne les régions switch I et switch II du domaine 1, qui dans toutes les protéines-G signalent l'état du nucléotide fixé aux partenaires d'interaction (Section 19-2B ; ici il s'agit des domaines 2 et 3). Switch I passe d'une forme d'épingle à cheveux β à une petite hélice α et l'hélice α de switch II se décale de 4 résidus en direction de l'extrémité C-terminale. De ce fait, cette dernière hélice se réoriente de 42°, induisant ainsi le domaine 1 à modifier son orientation par rapport aux domaines 2 et 3 par une importante rotation de 91° environ. Cela supprime le site de liaison à l'ARNt.

d. EF-Ts détache le GDP de EF-Tu

EF-Tu a 100 fois plus d'affinité pour le GDP que pour le GTP. C'est pourquoi l'interaction avec EF-Ts est nécessaire pour faciliter le remplacement du GDP fixé à EF-Tu par du GTP (Fig. 32-48, *en haut*). La structure par rayons X du complexe EF-Tu · EF-Ts a été déterminée par Stephen Cruzack et Reuben Leberman. Elle révèle que EF-Tu a une conformation qui ressemble à celle qu'il adopte lorsqu'il est complexé au GDP (Fig. 32-51) mais où ses domaines 2 et 3 se sont écartés du domaine 1 d'un angle de ~18°. EF-Ts est une molécule allongée qui se fixe le long du coté droit de EF-Tu comme on le voit dans la Fig. 32-51. Elle est ainsi en contact avec les domaines 1 et 3 de EF-Tu. Les interactions des chaînes latérales de EF-Ts avec l'intérieur de la poche de liaison au GDP de EF-Tu désorganisent le site de liaison de l'ion Mg^{2+}. Cela diminue l'affinité de EF-Tu pour le GDP et facilite donc l'échange contre du GTP (une fois que EF-Ts se sera dissocié), dont la concentration intracellulaire est 10 fois plus forte que celle du GDP (le segment de Sos qui contient le GEF interfère de la même façon avec la fixation de Mg^{2+} et par conséquent avec la fixation des nucléotides guanyliques sur Ras ; Section 19-3C). Après la fixation d'un ARNt d'élongation chargé sur EF-Tu, son affinité pour le GTP augmente.

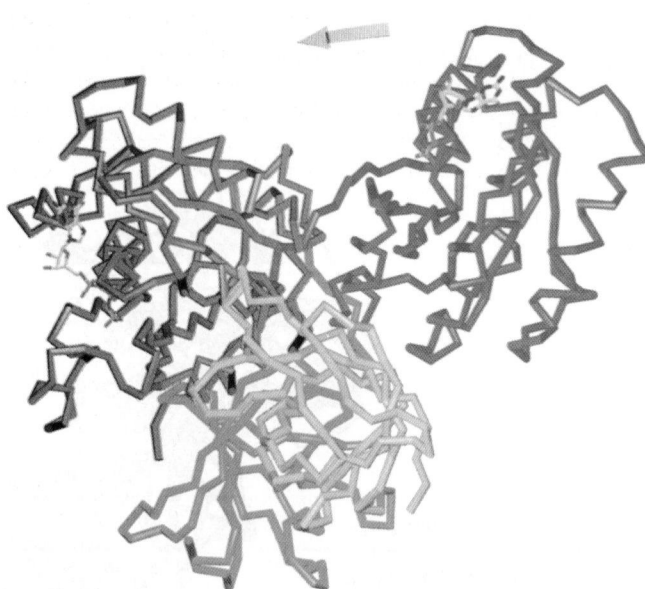

FIGURE 32-50 Comparaison des structures par rayons X de EF-TU complexé soit au GDP, soit à GDPNP. On a représenté le squelette carboné de la protéine. Le domaine 1 de fixation au GTP est représenté en violet dans le complexe avec GDP et en rouge dans le complexe avec GDPNP. Les domaines 2 et 3 qui ont la même orientation dans les deux complexes sont en vert et en bleu. Les GDP et GDPNP fixés sont en modèle éclaté avec : C en jaune, N en bleu, O en rouge et P en vert. [Avec l'aimable autorisation de Morten Kjeldgaard et Jens Nyborg, Université d'Aarhus, Århus, Danemark. PDBid 1EFT.]

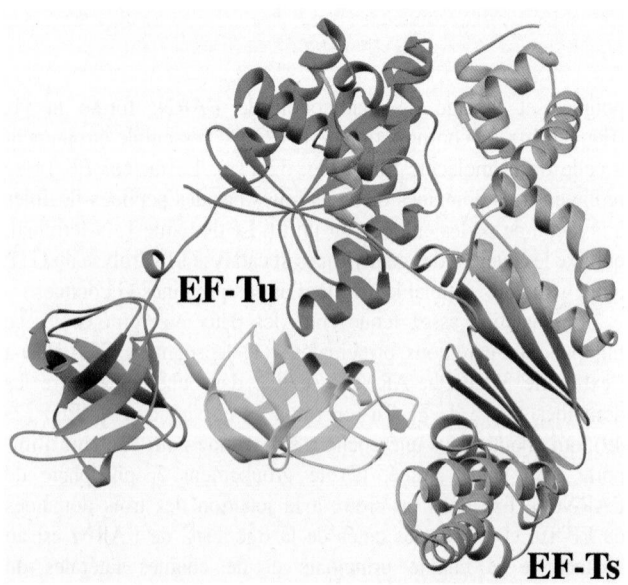

FIGURE 32-51 Structures par rayons X du complexe EF-Tu · EF-TS de *E.coli*. Les domaines 1, 2 et 3 de EF-Tu sont respectivement rose, vert et bleu clair, EF-TS est orange. [D'après une structure par rayons X de Stephen Cusack et Reuben Leberman, EMBL, Grenoble, France. PDBid 1EFU.]

e. La transpeptidation

Dans l'étape de transpeptidation du cycle d'élongation (Fig. 32-48), la liaison peptidique est formée grâce au déplacement nucléophile de l'ARNt du site P par le groupe amino de l'aminoacyl lié en 3′ à l'ARNt du site A (Fig. 32-41). La chaîne polypeptidique naissante s'allonge donc d'un résidu par son extrémité C-terminale et est transférée sur l'ARNt du site A, un processus appelé **transpeptidation.** La réaction se fait sans nécessiter de cofacteurs activateurs comme l'ATP car la liaison ester entre le polypeptide naissant et l'ARNt au site P est une liaison « riche en énergie ». Le centre **peptidyl transférase** qui catalyse la formation de la liaison peptidique appartient entièrement à la grande sous-unité, comme le montre le fait qu'en présence de fortes concentrations en solvant organique comme l'éthanol, la grande sous-unité isolée catalyse la formation de la liaison peptidique. Il semble que le solvant organique déforme la grande sous-unité d'une manière comparable à l'effet de la liaison de la petite sous-unité.

f. La puromycine est un analogue d'un aminoacyl-ARNt

Le cycle d'élongation ribosomiale a été caractérisé initialement, grâce à l'utilisation de l'antibiotique **puromycine** (Fig. 32-52). Cette substance extraite de *Streptomyces alboniger*, qui ressemble à l'extrémité 3′ d'un Tyr-ARNt, entraîne l'arrêt prématuré de la synthèse de la chaîne polypeptidique. La puromycine, en compétition avec l'aminoacyl-ARNt spécifié par l'ARNm mais sans le besoin des facteurs d'élongation, se lie au site A du ribosome qui, à son tour, catalyse une réaction de transpeptidation normale pour former un peptidyl-puromycine. Cependant, le ribosome ne peut catalyser la réaction de transpeptidation du cycle d'élongation suivant car le « résidu amino-acide » de la puromycine est lié à son « ARNt » par une liaison amide et non une liaison ester. La synthèse polypeptidique avorte donc et le peptidyl-puromycine est libéré. En l'absence du facteur d'élongation EF-G (voir plus loin), un ribosome actif ne peut lier la puromycine car son site A est, du moins en partie, occupé par un peptidyl-ARNt. Cependant, un ribosome qui vient d'être « initié » viole cette règle ; il catalyse la formation de fMet-puromycine. *Ces observations*

démontrent l'existence fonctionnelle des sites ribosomiaux A et P et prouvent que le fMet-ARNt$_i^{Met}$ se lie directement au site P, alors que les autres aminoacyl-ARNt doivent passer d'abord par le site A.

g. Le ribososome est un ribozyme

Quelle est la nature du centre peptidyl transférase, est-il composé d'ARN ou de protéine, ou encore des deux ? Du fait que toutes les protéines, y compris celles qui sont associées aux ribosomes, sont synthétisées par les ribosomes, le ribosome primitif a dû être antérieur aux premières protéines et n'être constitué que d'ARN. Malgré cet argument évolutionniste qui nous paraît aujourd'hui de simple bon sens, l'idée que l'ARN puisse avoir un rôle catalytique n'a pas eu de réel succès avant la découverte que l'ARN peut effectivement agir comme catalyseur (Section 31-4A). Plusieurs autres observations confirment que le ribososome est un ribozyme :

1. On peut enlever toutes les protéines de la sous-unité 50S sauf trois d'entre-elles (L2, L3 et L4) sans qu'il perde sa fonction peptidyl transférase.

2. Les ARNr sont mieux conservés au cours de l'évolution que les protéines ribosomiales.

3. La plupart des mutations qui confèrent la résistance à des antibiotiques inhibiteurs de la synthèse protéique ont lieu dans des gènes codant les ARNr plutôt que dans ceux des protéines ribosomiales.

Cependant, la preuve définitive de la fonction catalytique de l'ARNr dans la synthèse des polypeptides s'est avérée très difficile à établir. Noller a réussi à montrer que la grande sous-unité ribosomiale de *T. Thermophilus,* dont 95 % des protéines avaient été retirées par traitement au SDS et à la **protéinase K** suivi d'une extraction au phénol (qui dénature les protéines, Section 6-6A), conserve plus de 80 % de son activité peptidyl transférase dans un modèle de réaction. Cependant, du fait que la partie protéique restante était composée de protéines ribosomiales intactes (on pense

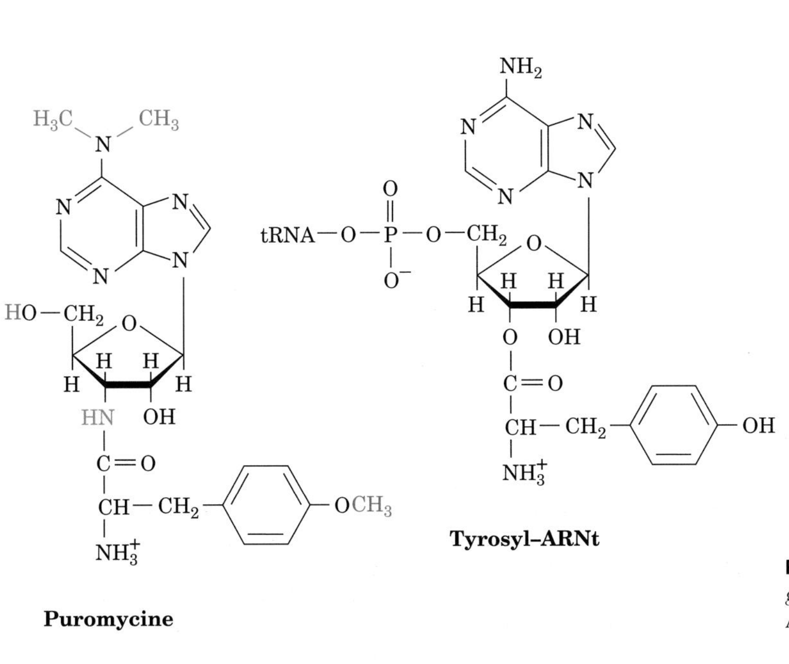

Puromycine

Tyrosyl–ARNt

FIGURE 32-52 La puromycine. Cet antibiotique *(à gauche)* ressemble à l'extrémité 3′-terminale du tyrosyl-ARNt *(à droite).*

qu'elles sont enfouies à l'intérieur de l'ARN 23S), on pouvait argumenter que ces protéines sont suffisantes pour la fonction catalytique du ribosome. Cela peut paraître raisonnable en considérant que les protéines et les ARN ribosomiaux ont évolués ensemble pendant plus de 3,5 milliards d'années.

La nature du centre peptidyl transférase a été révélée sans ambiguïté par son identification dans la structure par rayons X de la sous-unité 50S. La formation de la liaison peptidique est supposée ressembler à la réaction inverse de l'hydrolyse d'une liaison peptidique, telle qu'elle est catalysée par une protéase à sérine (Section 15-3C). Pour mimer l'intermédiaire de réaction tétraédrique ribosomial (Fig. 32-53*a*), Michael Yarus a synthétisé un composé constitué du trinucléotide CcdA lié à la puromycine par un groupement phosphoramidite (Fig. 32-53*b*). Ce composé, appelé **CCdA-p-Puro**, se lie fortement au ribosome et inhibe son activité peptidyl transférase. La structure par rayons X de la sous-unité 50S complexée avec le **CCdA-p-Puro** montre que cet inhibiteur se fixe au fond d'une fente profonde (Fig. 32-36*a*) à l'entrée du canal de sortie du polypeptide, de 100 Å de long, qui passe à travers le dos de la sous-unité (Fig 12-50*b*). Ainsi, l'inhibiteur est totalement enveloppé dans l'ARN sans chaîne latérale protéique qui s'approche à moins de ~18 Å du groupement phosphoramidite de l'inhibiteur. On notera de plus que tous les nucléotides au contact du CcdA-p-Puro ont un taux de conservation de plus de 95 % dans les trois règnes des êtres vivants. Il est donc évident que la réaction de transpeptidation ribosomiale est catalysée par l'ARN.

Comment le ribosome catalyse-t-il la réaction de transpeptidation ? Il est certain que le rôle catalytique principale du ribosome consiste, comme c'est le cas pour toute enzyme, à positionner cor-rectement son substrat pour la réaction. En outre, l'examen du site actif peptidyl transférase montre que le seul couple acide-base dans un rayon de 5 Å autour du groupement phosphoramidite du CcdA-Puro fixé, est l'atome N3 de la base conservée A2486 de l'ARNr (A2451 chez *E. coli*). Elle est à ~3Å de l'oxygène du groupement phosphoramidite et donc liée à lui par une liaison hydrogène qui correspond à l'oxyanion de l'intermédiaire tétraédrique. Moore et Steitz ont de ce fait émis l'hypothèse que A2486-N3 joue le rôle de la base dans la réaction de la peptidyl transférase (Fig. 32-54). Il faut pour cela que A2486-N3 ait un p*K* d'au moins 7 (rappelons que les transferts de protons entre deux groupements liés par liaison hydrogène ne se font à un taux significatif du point de vue physiologique que si le p*K* de l'accepteur de proton ne se situe pas à plus de 2 ou 3 unités de pH en dessous de celui du donneur de proton ; Section 15-3D). Or le pK de N3 dans l'AMP est <3,5. Cependant, puisque le pH des cristaux de sous-unités 50S est de 5,8, A2486-N3 ne pourrait former une liaison hydrogène avec l'oxygène du groupement phosphoramidite que si son pK est >6. De plus, des études cinétiques sur les ribosomes 70S ont identifié par titration un groupement ayant un pK de 7,5 qui influence la catalyse, et qui disparaît si l'on mute A2486 en U. Cette mutation diminue le taux de formation de la liaison peptidique d'un facteur 130. Il semble que le pK de A2486-N3 soit augmenté de façon importante dans son environnement ribosomial. On pense que cela est dû à un système de relais de charge dans lequel le groupe phosphate de A2485, l'un des groupes phosphate le plus inaccessible aux solvants dans la sous-unité 50S, augmente par effet électrostatique le pK de A2486-N3 par un réseau de liaisons hydrogène mettant en jeu le résidu G2482 très conservé (Fig. 32-55).

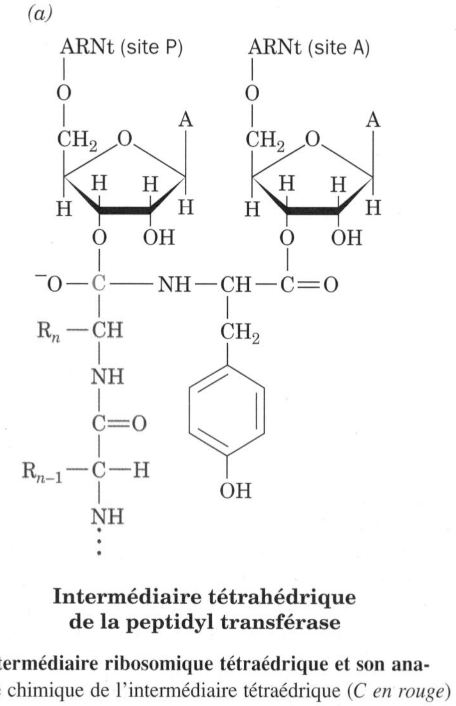

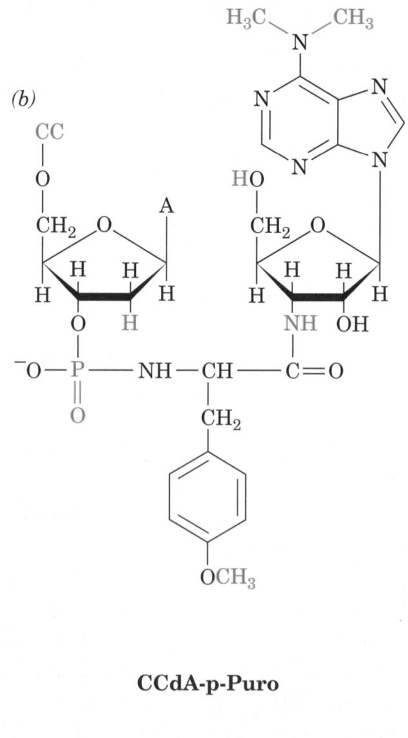

Intermédiaire tétrahédrique de la peptidyl transférase

CCdA-p-Puro

FIGURE 32-53 Intermédiaire ribosomique tétraédrique et son ana-logue. *(a)* Structure chimique de l'intermédiaire tétraédrique (*C en rouge*) dans la formation de la liaison peptidique par le ribosome, lorsque le résidu aminoacyl du site A est Tyr.

(b) CCdA-p-Puro, l'analogue structural de l'état de transition de l'inter-médiaire tétraédrique de la partie *a*, produit en fixant le groupement 3′ de CCdA au groupement amino du résidu *O*-méthyltyrosine de la puromy-cine via un groupement phosphoryl.

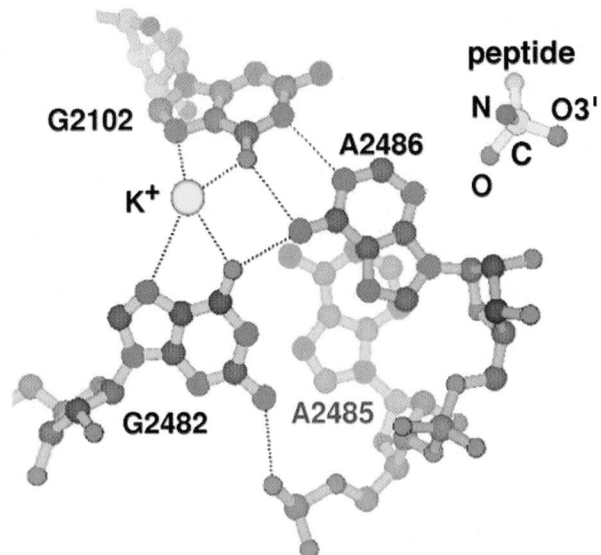

FIGURE 32-54 Mécanisme proposé pour la synthèse peptidique ribosomiale. La réaction est en partie catalysée par la capture d'un proton du groupement amino réactif par A2486-N3 (base générale de la catalyse) dans l'étape 1 et le don de ce proton à l'intermédiaire tétraédrique (acide général de la catalyse) dans l'étape 2.

Les structures par rayons X de la sous-unité 50S, complexée avec différents substrats, ou avec un intermédiaire de réaction ou encore des analogues de produits, ont conduit à un modèle réactionnel qui débute avec le complexe réactif qu'on voit dans la Fig. 32-56. L'atome 2′O du résidu A76 de l'ARNt du site P sert à orienter correctement par une liaison hydrogène, le groupement amine en position d'attaque. En effet, un substrat au site P avec un résidu désoxyribose en position A76 n'est pas réactif (c'est pourquoi on a synthétisé l'inhibiteur CCdA-p-Puro avec un dA plutôt qu'un A). Mais ce modèle montre aussi que l'intermédiaire de réaction, oxyanion, est orienté à l'opposé de A2486-N3 par lequel il ne peut donc pas être stabilisé (Fig. 32-54). La liaison hydrogène entre A2486-N3 et l'oxyanion du phosphoramidite du CCdA-p-Puro se forme parce que cet inhibiteur prend une conformation dans la sous-unité 50S qui ne serait pas possible du point de vue stéréochimique si son résidu dA était remplacé par un ribo-A,

FIGURE 32-55 Appareil catalytique au site actif de la peptidyl transférase. Les atomes sont colorés selon leur nature : C en gris, N en bleu, O en rouge et P en rose. Un ion K⁺ apparaît comme une sphère jaune et les liaisons hydrogène comme des traits pointillés. Notez que le groupe phosphate enfoui de A2485 fait une liaison hydrogène avec la base G2482, qui de même est liée par liaison hydrogène à la base A2486. On pense que ce sont ces interactions qui servent à relayer la charge électronique du groupe phosphate anionique jusqu'à l'atome A2486-N3, permettant d'augmenter nettement le pK de ce dernier pour qu'il puisse jouer le rôle de base générale. [Avec l'aimable autorisation de Peter Moore et Thomas Steitz, Université de Yale.]

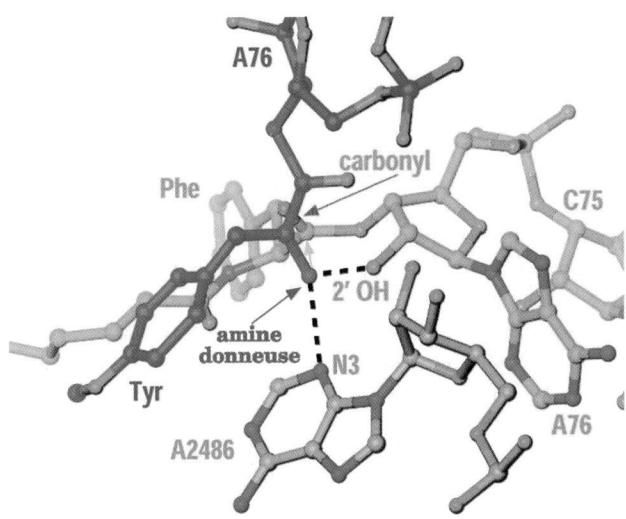

FIGURE 32-56 Modélisation du complexe substrat-sous-unité 50S ribosomiale.
Les atomes sont colorés selon leur nature : les C et P du substrat du site A sont en violet, ceux du substrat du site P sont en vert. Pour l'ARNr 23S, C et P sont en orange, N en bleu et O en rouge. Le groupe réactif amino du résidu aminoacyl du site A est positionné pour une attaque nucléophile (flèche bleu clair) sur le carbonyle de l'ester d'aminoacyl, par des liaisons hydrogène (lignes pointillées noires) avec l'atome A2486N3 et le 2′-O du résidu A76 du site P. [Avec l'aimable autorisation de Peter Moore et Thomas Steitz, Université de Yale.]

comme on le trouve dans tous les ARNt. Ainsi, vu l'apparente flexibilité de conformation du ribosome et les nombreuses difficultés pour identifier un groupement enzymatique responsable d'un pK observé, le modèle catalytique courant devrait faire l'objet de réserves.

h. La translocation

Lors de l'étape de translocation du cycle d'elongation, l'ARNt du site P, qui se trouve momentanément déchargé (en premier l'ARNt$_f^{Met}$ puis les autres ARNt non initiateurs,) est transféré au site E (non montré dans la Fig. 32-48), son occupant précédent ayant été expulsé au préalable (voir ci-dessous). Simultanément, selon un processus appelé **translocation,** *le peptidyl-ARNt qui se trouve au site A, en même temps que son ARNm lié, se déplace au site P.* Le ribosome se trouve donc prêt pour un nouveau cycle d'élongation. Le maintien de l'association codon-anticodon du peptidyl-ARNt n'est plus nécessaire pour la spécification de l'acide aminé. On pense plutôt qu'elle permet au ribosome de progresser de trois nucléotides le long de l'ARNm afin de préserver le cadre de lecture. Effectivement, le fait que les ARNt suppresseurs du cadre de lecture induisent une translocation de quatre nucléotides (Section 32-2E) indique que le mouvement de l'ARNm est directement couplé à celui de l'ARNt.

i. EF-G a une structure qui mime celle du complexe EF-Ts · ARNt

Le processus de translocation nécessite la participation d'un facteur d'élongation, **EF-G** (aussi appelé EF2), qui se lie au ribosome avec du GTP et qui n'est libéré qu'après hydrolyse du GTP en GDP + P$_i$. Le départ de EF-G est indispensable pour que débute un nouveau cycle d'élongation car EF-G et EF-Tu ont le même site de liaison sur le ribosome et leur liaison au ribosome est donc mutuellement exclusive.

La structure par rayons X de EF-G de *Thermus thermophilus*, complexé au GDP, a été déterminée par Steitz et Moore. Elle montre une protéine monomérique en forme de têtard, formée de cinq domaines (Fig. 32-57). Ses deux premiers domaines, en partant de l'extrémité N-terminale, forment la tête du têtard et ressemblent davantage à la disposition relative de ces deux domaines dans le complexe EF-Tu · GDPNP qu'à celle dans le complexe EF-Tu · GDP (Fig. 32 -50). Cette constatation est peut être liée au fait que ces deux facteurs d'élongation ont des rôles inverses : EF-Tu · GTP facilite le passage du ribosome de son état post- à son état pré-translocationnel, alors qu'EF-G · GTP facilite le passage inverse. Cette idée est confortée par le fait intéressant que les complexes Phe-ARNt^{Phe} · EF-Tu · GDPNP et EF-G · GDP ont un aspect quasi-identique ; les trois domaines C-terminaux de EF-G (en rose dans la Fig. 32-57), sans contrepartie dans EF-Tu ressemblent étonnamment à la forme de l'ARNt lié à EF-Tu, c'est un cas remarquable de **mimétisme macromoléculaire**.

EF-G contrairement aux autres protéines de liaison au GTP, n'a pas de facteur de libération des nucléotides guanyliques (GEF). Cependant, son domaine N-terminal de liaison au GTP contient un sous-domaine unique en hélice α (en bleu foncé dans la Fig. 32-57) en contact avec le cœur conservé du domaine par des sites analogues à ceux par lesquels EF-Tu interagit avec EF-Ts. Il est possible que ce sous-domaine soit un GEF interne.

FIGURE 32-57 Structure par rayons X de EF-G complexé au GDP. Le domaine 1 est en rouge, et son insert en hélice α, en bleu sombre. Le domaine 2 est vert et les domaines 3, 4 et 5 sont roses. Le GDP est en modèle éclaté en noir. Un segment de 25 résidus du domaine 1 de EF-G n'est pas visible dans cette structure par rayons X et le domaine 3 et mal résolu, ce qui explique qu'on en voit plusieurs segments peptidiques dans ce modèle. Notez la remarquable ressemblance de forme entre cette structure et celle observée dans le complexe Phe-ARNt^{Phe} · EF-Tu · GDPNP (Fig. 32-49). [Avec l'aimable autorisation de Peter Moore et Thomas Steitz, Université de Yale. PDBid 2EFG.]

j. La translocation fait intervenir des états intermédiaires

Des études par la technique des empreintes (Sections 31-2A) réalisées par Noller montrent que certaines bases de l'ARNr 16S sont protégées par les ARNt liés aux sites A et P ribosomiaux et que certaines bases de l'ARNr 23S sont protégées par les ARNt liés aux sites A, P et E. Pratiquement toutes ces bases protégées sont absolument conservées dans l'évolution et beaucoup d'entre elles sont impliquées dans la fonction ribosomiale d'après des études biochimiques et génétiques.

Des modifications dans le profil des empreintes au cours du cycle d'élongation ainsi que des études plus récentes par rayons X et par cryo-ME indiquent que la translocation de l'ARNt fait intervenir plusieurs étapes distinctes (Fig. 32-58) :

1. Considérons, pour commencer, le ribosome à l'**étape post-translocationnelle** : un ARNt désacétylé est fixé aux deux demi-sites E des sous-unités 30S et 50S (l'état de liaison E/E). un peptidyl-ARNt fixé aux deux demi-site P des deux sous-unités (état P/P), le site A est vide. Un aminoacyl-ARNt (aa-ARNt) dans un complexe ternaire avec EF-Tu et le GTP se fixe au site A tandis que l'ARNt du site E est libéré (voir aussi ci-dessous). Cela donne un complexe dans lequel l'aa-ARNt entrant est fixé au demi-site A de la sous-unité 30S via une interaction codon-anticodon (rappe-

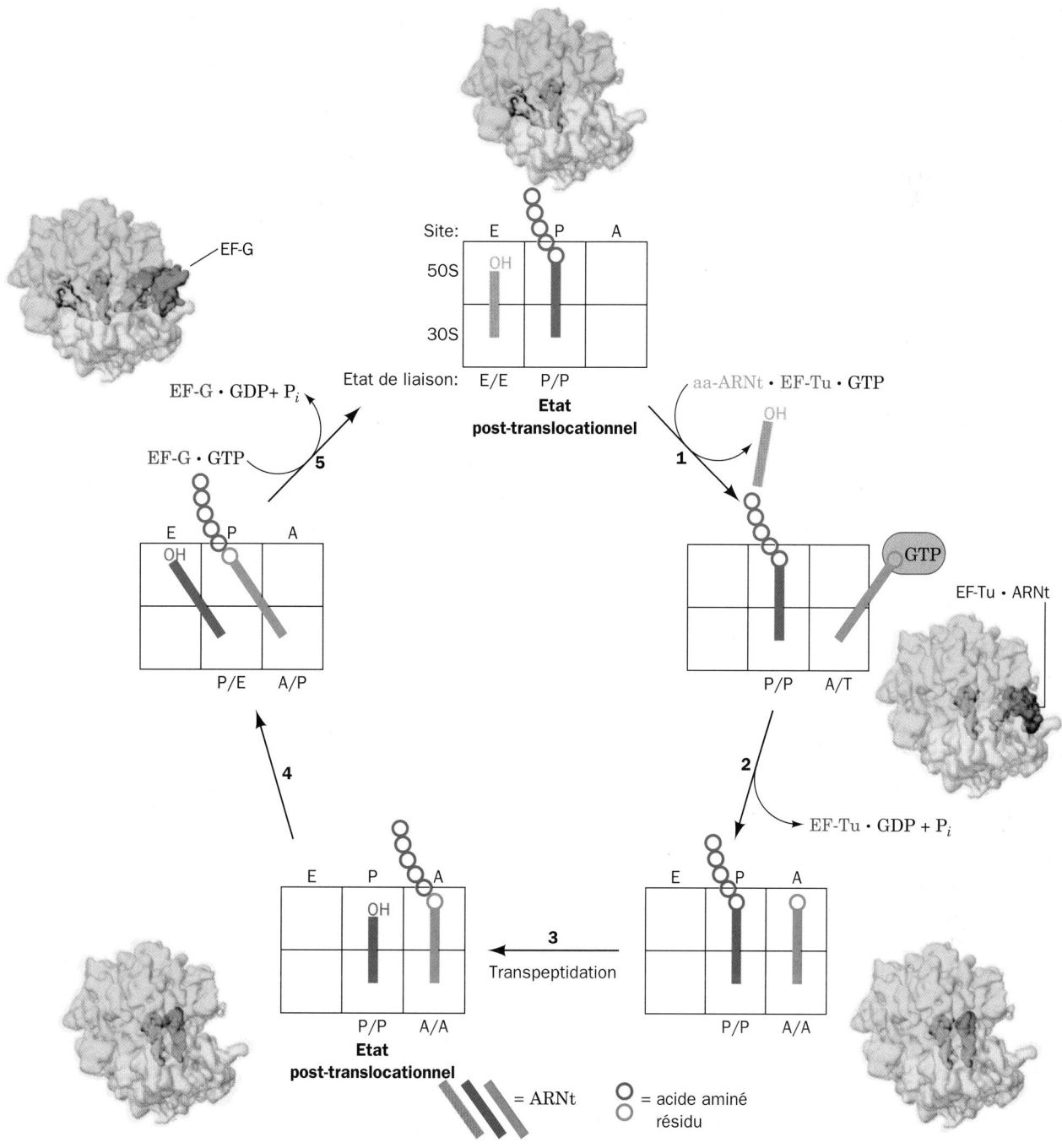

FIGURE 32-58 Les états de liaison ribosomiaux au cours du cycle d'élongation. Notez que ce schéma précise le cycle d'élongation classique représenté dans la Fig. 32-48. Les dessins sont accompagnés d'images provenant d'études de cryo-ME à une résolution de 17 Å du ribosome 70S de *E. coli* dans les états de liaisons respectifs. La petite sous-unité est en jaune transparent, la grande en bleu transparent, les ARNt et les facteurs d'élongation ont les mêmes couleurs que dans les dessins à coté. [Les images de cryo-EM ont été gracieusement fournies par Knud Nierhaus, Institut Max-Planck de Génétique Moléculaire, Berlin, RFA, et Joachim Frank, Centre Wadsworth, Université de l'état de New York, Albany.]

lons que l'ARNm est fixé à la sous-unité 30S), mais EF-Tu empêche l'extrémité aminoacylée de l'ARNt d'entrer dans le demi-site A de la sous-unité 50S, on parle d'état A/T (T pour EF-Tu).

2. EF-Tu hydrolyse son GTP en GDP + P$_i$ puis il est libéré du ribosome, cela permet la liaison complète de l'aa-ARNt au site A (état A/A), on qualifie ce processus d'**accommodation**.

3. Il y a réaction de transpeptidation, et on arrive à l'état **prétranslocationnel**.

4. L'extrémité acceptrice du nouveau peptidyl-ARNt glisse du demi-site A au demi-site P de la sous-unité 50S alors que son extrémité qui porte l'anticodon reste associée au demi-site A de la petite sous-unité (formant ce qu'on appelle un état de liaison hybride A/P). L'extrémité acceptrice de l'ARNt nouvellement désacylé se déplace simultanément du demi-site P au demi-site E de la grande sous-unité tandis que son anticodon reste associé au demi-site P de la petite sous-unité (l'état de liaison P/E).

5. La liaison au ribosome du complexe EF-G · GTP avec hydrolyse subséquente du GTP, oblige les extrémités porteuses des anticodons de ces ARNt, en même temps que l'ARNm qui leur est associé, à se déplacer par rapport à la petite sous-unité ribosomiale afin que le peptidyl-ARNt occupe les demi-sites P des deux sous-unités ribosomiales (l'état de liaison P/P) et que l'ARNt désacylé occupe le site E des deux sous-unités (état E/E, post-transloca-tionnel). Ainsi s'achève le cycle d'élongation.

Nierhaus a montré que la liaison de l'ARNt aux sites A et E se caractérise par une coopérativité allostérique négative. Au stade pré-translationnel, le site E lie le nouvel ARNt désacylé avec une forte affinité, alors que le site A, qui se trouve vide, n'a qu'une faible affinité pour l'aminoacyl-ARNt. Mais au stade post-transloca-tionnel, le ribosome subit un changement conformationnel qui augmente l'affinité du site A et diminue celle du site E, ce qui entraîne le départ de l'ARNt désacylé alors qu'on a liaison d'aa-ARNt · EF-Tu · GTP au site A. Le site E n'est donc pas un simple site de rétention passive des ARNt utilisés mais il remplit une fonc-tion essentielle dans la translocation. L'hydrolyse de GTP par les facteurs d'élongation EF-Tu et EF-G ainsi que la réaction de trans-peptidation servent apparemment à diminuer les barrières d'acti-vation entre ces états conformationnels. Le flux unidirectionnel de l'ARNt dans l'ordre A?P?E à travers les sites du ribosome s'en trouve facilité.

Certains aspects de ce mécanisme ne sont pas encore totale-ment résolus. Ainsi, Noller a émis l'hypothèse que l'ARNt du site E ne quitte pas le ribosome avant l'étape 4 de la figure 32-58 où il est déplacé par l'ARNt précédent. Ce modèle là repose en grande partie sur la structure par rayons X du ribosome 70S com-plexé avec trois ARNt (Fig. 32-35 et 32-36). Cependant, Nierhaus et Frank objectent que ce complexe a été cristallisé en présence d'une concentration en ARNt supérieure à la concentration phy-siologique et, du fait que les sites des ARNt ne sont que partielle-ment occupés, la structure par rayons X est susceptible de repré-senter la superposition de différents états de liaison des ARNt (c'est-à-dire E/E + P/P et P/P + A/A). Quoi qu'il en soit, il est clair que les changements des états de liaison entraînent des mouve-ments des ARNt de grande amplitude, parfois >50 Å. De plus, des études de cryo-ME montrent que lors de la fixation de EF-G · GDP(CH₂)P (semblable à GDPNP mais avec un groupe-ment CH_2 au lieu d'un groupement NH reliant ses phosphates β et γ), la sous-unité 30S tourne de 6° dans le sens horaire par rapport à la sous-unité 50S, quand on regarde la petite sous-unité par son coté exposé au solvant. Il en résulte un déplacement maximum de ~19Å à la périphérie du ribosome. Cette rotation s'accompagne de changements conformationnels de moindre amplitude dans les deux sous-unités, notamment dans les régions vers l'entrée et la sortie du canal de l'ARNm. Il est clair que nous commençons seu-lement à comprendre la façon dont le ribosome travaille au niveau moléculaire.

k. Le cycle d'élongation des eucaryotes ressemble à celui des procaryotes

Le cycle d'élongation des eucaryotes ressemble étroitement à celui des procaryotes. Chez les eucaryotes, les fonctions de EF-Tu

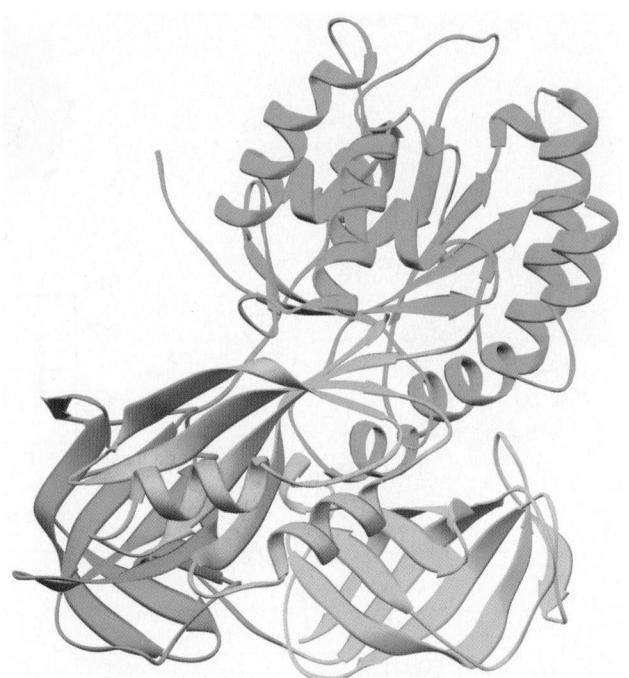

FIGURE 32-59 Structure par rayons X du complexe de levure eIF1A · eIF1Bα. Les domaines 1, 2 et 3 de eIF1 sont respectivement en rose, vert et bleu clair, eIF1Bα est orange. Le complexe est orienté de façon à voir la ressemblance de structure entre eEF1A et EF-Tu coloré de la même façon dans son complexe avec EF-TS (Fig. 32-51). Notez l'ab-sence de ressemblance entre eIF1Bα et EF-Ts. [D'après une structure par rayons X de Morten Kjeldgaard et Jens Nyborg, Université d'Aarhus, Århus, Danemark. PDBid 1F60.]

et de EF-Ts sont assurées par les facteurs d'élongation des euca-ryotes **eEF1A** et **eEF1B**. Chez la levure eEF1B comporte deux sous-unités : eEF1Bα, qui catalyse l'échange de nucléotides et eEF1Bγ, dont la fonction est inconnue (chez les eucaryotes supé-rieurs, eEF1B contient une troisième sous-unité, eEF1Bβ, qui pos-sède une activité d'échange de nucléotides similaire à celle de eEF1Bα). De même, eEF2 fonctionne à la façon de EF-G. Cepen-dant, les facteurs d'élongation de procaryotes et d'eucaryotes cor-respondants ne sont pas interchangeables.

La structure par rayons X du complexe eEF1A · eEF1Bα de levure (Fig. 32-59) a été déterminée par Kjelgaard et Nyborg. Elle montre que eEF1A ressemble par sa structure à son homologue EF-Tu (Fig. 32-51), tandis que eEF1Bα ne présente pas de res-semblance avec EF-Ts, ni par sa séquence, ni par sa structure. Cependant, l'interaction fonctionnelle entre eEF1Bα et eEF1A ressemble tout à fait à celle de EF-Ts avec EF-Tu ; les deux GEF s'associent avec leur protéine-G en perturbant le site de liaison au Mg^{2+} associé au nucléotide guanylique fixé.

E. Terminaison de la chaîne

La synthèse polypeptidique dirigée par des ARNm synthétiques comme poly(U) s'achève par un peptidyl-ARNt associé au ribo-some. Cependant, *la traduction d'ARNm naturels, qui portent les*

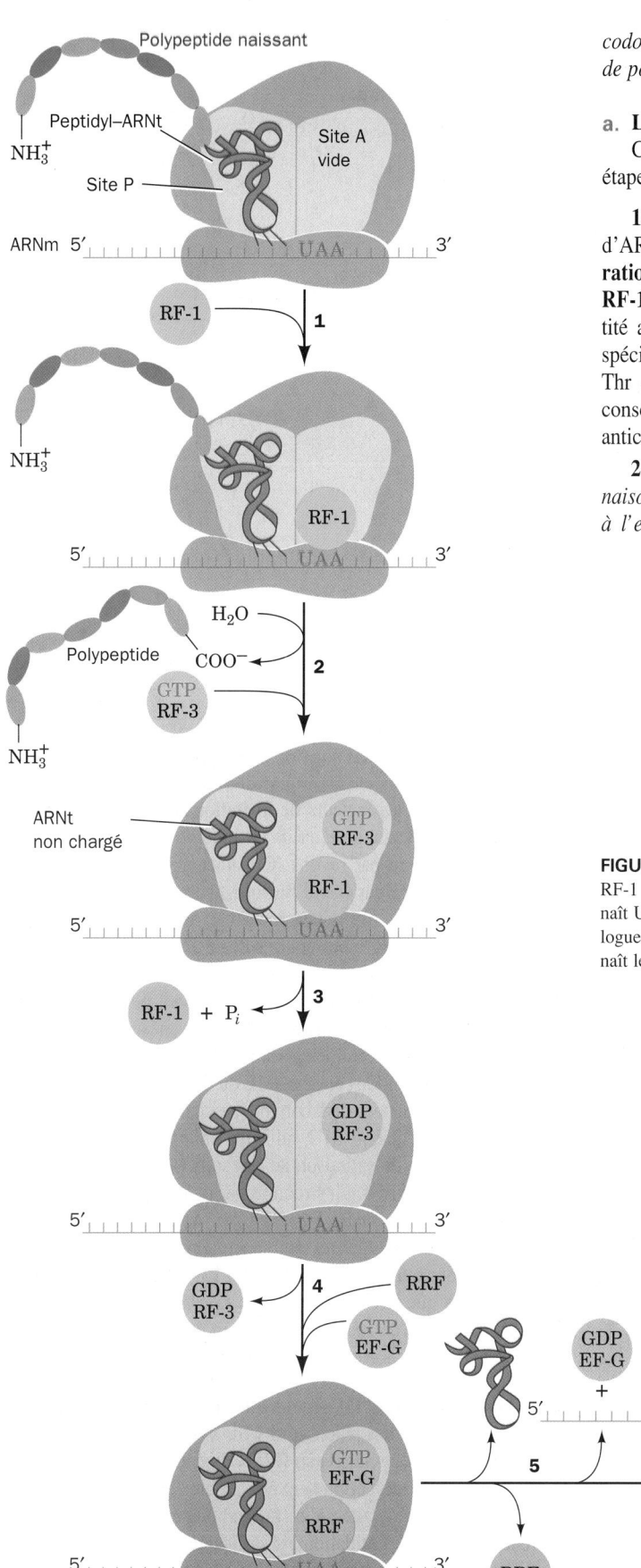

Polypeptide naissant

Peptidyl–ARNt

NH_3^+

Site P

Site A vide

ARNm 5′ ⊢⊢⊢⊢⊢⊢ UAA ⊢⊢⊢ 3′

RF-1

1

NH_3^+

RF-1

5′ ⊢⊢⊢⊢⊢⊢ UAA ⊢⊢⊢ 3′

H_2O

Polypeptide

COO^-

2

GTP
RF-3

NH_3^+

ARNt
non chargé

GTP
RF-3

RF-1

5′ ⊢⊢⊢⊢⊢⊢ UAA ⊢⊢⊢ 3′

RF-1 + P_i

3

GDP
RF-3

5′ ⊢⊢⊢⊢⊢⊢ UAA ⊢⊢⊢ 3′

GDP
RF-3

RRF

4

GTP
EF-G

5′ ⊢⊢⊢ 3′

GDP
EF-G

+

GTP
EF-G

RRF

5

Sous-unité 50S

Sous-unité 30S

5′ ⊢⊢⊢⊢⊢⊢ UAA ⊢⊢⊢ 3′

RRF

Ribosome 70S inactif

codons de terminaison UAA, UGA et UAG, aboutit à la production de polypeptides libres.

a. La terminaison procaryotique

Chez *E. coli*, la terminaison de chaîne se fait en plusieurs étapes (Fig. 32-60).

1. Les codons de terminaison, les seuls codons qui n'ont pas d'ARNt correspondants, sont reconnus par des **facteurs de libération** protéiques (RF, pour « **releasing factors** » ; Tableau 32-9) : **RF-1** reconnaît UAA et UAG, tandis que **RF-2**, qui a 39 % d'identité avec RF-1, reconnaît UAA et UGA. On peut inverser leurs spécificités de reconnaissance en permutant un tripetide Pro-Ala-Thr (PAT) conservé de RF1 et un tripetide Ser-Pro-Phe (SPF) conservé de RF-2. Cela suggère que ces tripeptides miment un anticodon (mais voir ci-dessous).

2. *La liaison d'un facteur de terminaison au codon de terminaison approprié induit le transfert du groupe peptidyl de l'ARNt à l'eau plutôt qu'à un autre aminoacyl-ARNt, libérant ainsi le*

FIGURE 32-60 La phase de terminaison des ribosomes *de E. coli*. RF-1 reconnaît les codons d'arrêt UAA cl UAG, alors que RF-2 reconnaît UAA et UGA. La terminaison chez les eucaryotes suit une voie analogue mais ne nécessite qu'un seul facteur de libération, eRF1, qui reconnaît les trois codons d'arrêt.

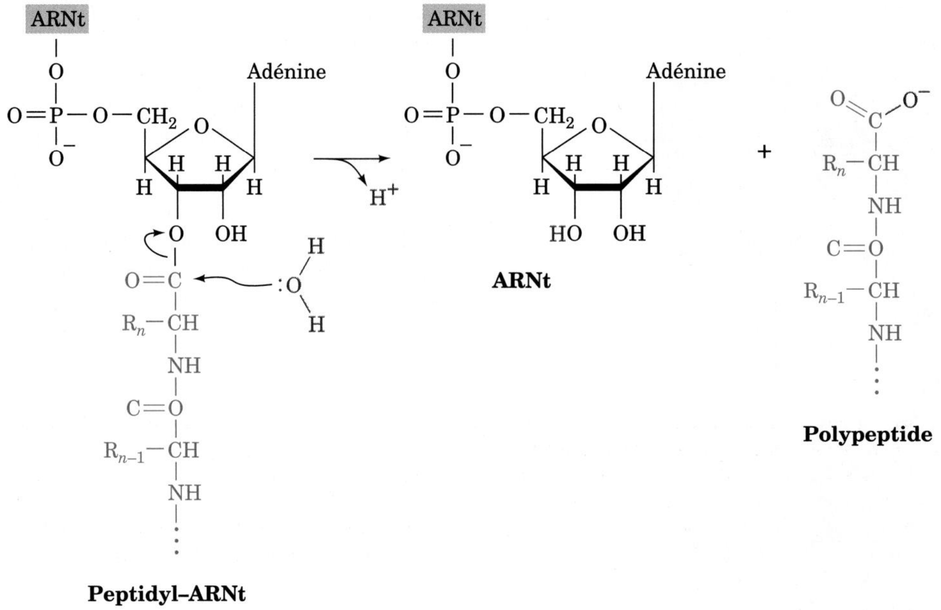

FIGURE 32-61 Le ribosome catalyse l'hydrolyse du peptidyl-ARNt pour donner le polypeptide et l'ARNt libre.

polypeptide achevé (Fig. 32-61). Les facteurs de classe I agissent au site A du ribosome. Cela a été montré par le fait qu'ils entrent en compétition avec les ARNt suppresseurs pour les codons de terminaison et qu'ils ne peuvent pas se fixer au ribosome en même temps que EF-G.

3. Après la libération par le ribosome du polypeptide nouvellement synthétisé, le facteur de libération de classe II, **RF-3,** une protéine-G complexée au GTP, se fixe au ribosome. En hydrolysant son GTP en GDP + P_i, il induit la libération par le ribosome du facteur de libération de classe I qui y est fixé. RF-3 n'est pas nécessaire pour la viabilité des cellules, bien qu'il soit nécessaire pour un taux de croissance maximum.

4. Le facteur de recyclage des ribosomes (RRF) se fixe au site A suivi du complexe EF-G · GTP. RRF, qui a été caractérisé en grande partie par Akira Kaji, est indispensable pour la viabilité des cellules.

5. EF-G hydrolyse son GTP, provoquant la translocation de RRF dans le site P et la libération des ARNt des sites P et E (ce n'est pas montré dans la Fig. 32-60). Finalement, le RRF et ensuite EF-G · GDP et l'ARNm sont libérés et on obtient un ribosome 70S inactif prêt pour la réinitiation (Fig. 32-45).

b. La terminaison eucaryotique

Chez les eucaryotes, la terminaison ressemble à celle des procaryotes mais ne demande qu'un seul facteur de libération de classe I, **eRF,** qui reconnaît les trois codons de terminaison. Il n'a pas de parenté de séquence avec RF-1 et RF-2, mais le facteur de libération de classe II, eRF3, ressemble à RF-3, tant par sa séquence que par sa fonction, ce facteur est cependant indispensable à la viabilité des cellules eucaryotiques.

c. RF-2, eRF1 et RRF sont des équivalents structuraux d'un ARNt sans en avoir la fonction

La façon dont les facteurs de libération de classe I miment la fonction des ARNt suggère qu'ils en imitent la structure. Effectivement, la structure par rayons X du facteur eRF1 humain (Fig. 32-62*a*), déterminée par David Barford, et celle du facteur RF-2 de *E. coli* (Fig. 32-62*b*), déterminée par Richard Buckingham, Nyborg et Kjeldgaard, montrent que ces deux protéines non apparentées ont toutes deux une structure qui ressemble à un ARNt. Par contre, le tripeptide SPF de RF-2 dont on avait pensé qu'il mime un anticodon (voir plus haut) est situé dans un autre domaine de RF-2 que celui sensé mimer la boucle de l'anticodon (Fig. 32-62*b*). De plus, des études en cryo-ME du ribosome de *E. coli* complexé avec RF2, menées de façon indépendante par Frank et Marin van Heel, montrent que RF2 subit un important changement de conformation lors de sa liaison au ribosome de sorte qu'il ne ressemble plus à un ARNt. La structure par rayons X du facteur RRF de *Thermagota maritima* (Fig. 32-62*c*), déterminée par Kaji et Anders Liljas, révèle une ressemblance apparente avec un ARNt. Cependant, des études d'empreintes où RRF est fixé au ribosome 70S montrent que RRF se fixe au site A selon une orientation qui est très différente de toutes celles observées précédemment pour un ARNt. Il est clair que les apparences sont trompeuses.

d. L'hydrolyse du GTP accélère les processus ribosomiaux

Quel est le rôle des réactions d'hydrolyse du GTP assurées par différents facteurs de liaison au GTP (1F-2, EF-Tu, EF-G, et RF-3 chez *E. coli*) ? La traduction peut être assurée en l'absence de GTP mais à une très faible vitesse, ce qui indique que l'énergie libre de la réaction de transpeptidation est suffisante pour entraîner le processus de la traduction en entier. De plus, aucune des réactions d'hydrolyse ne conduit à la formation d'un intermédiaire covalent « riche en énergie » comme c'est le cas avec l'hydrolyse de l'ATP

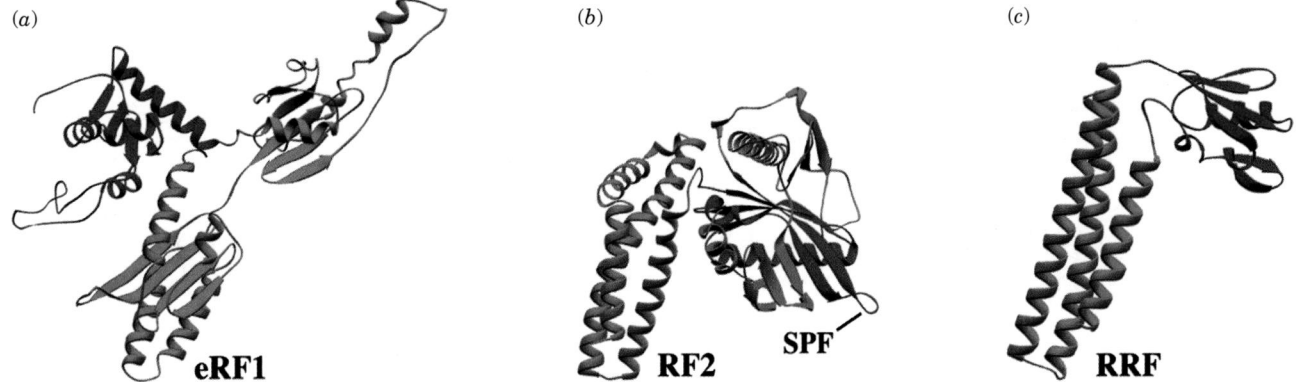

FIGURE 32-62 Structure par rayons X de structures hypothétiques mimétiques d'un ARNt participant à la terminaison de la traduction. *(a)* eRF1 humain. *(b)* RF-2 de *E. coli*. *(c)* RRF de *T. maritima*. Les différents domaines de ces protéines ont des couleurs propres et ceux mimant la tige anticodon de l'ARNt sont en rouge. La position du tripeptide SPF de RF-2 est indiquée. Comparez ces structures aux Fig. 32-49 et 32-57. [Communiqué aimablement par V. Ramakrishnan, Laboratoire MRC de Biologie Moléculaire, Cambridge, U.K. Partie *a*, d'après une structure par rayons X de David Barford, Institut de Recherches sur le Cancer, Londres, U.K . Partie *b*, d'après une structure par rayons X de Richard Buckingham, CNRS, Paris, France, et Jens Nyborg et Morten Kjeldgaard, Université d'Aarhus, Århus, Danemark. Partie *c* d'après une structure par rayons X de Akira Kaji, Université de Pennsylvanie et Anders Liljas, Université de Lund, Lund, Suède, PDBid *(a)* 1DT9, *(b)* 1GQE et *(c)* 1DD5.]

lors de nombreuses réactions de biosynthèse. On pense donc que la liaison au ribosome d'un facteur de liaison au GTP (protéine-G) complexé au GTP, induirait des changements conformationnels de type allostérique de composants ribosomiaux, ce qui faciliterait certains processus particuliers comme la fixation de l'ARNt (ex., Fig. 32-50). Ce changement conformationnel catalyserait aussi l'hydrolyse du GTP qui, à son tour, permettrait au ribosome de revenir à sa conformation initiale avec libération concomitante des produits dont GDP + P_i (avec l'aide de EF-Ts dans le cas de EF-Tu). *La vitesse élevée et l'irréversibilité de la réaction d'hydrolyse du GTP assurent aux différents processus ribosomiaux complexes auxquels elle est couplée, initiation, élongation et terminaison, de se dérouler eux-mêmes à vitesse élevée et de façon irréversible.* Les complexes protéine-G · GTP agissent à la façon d'un petit démon de Maxwell qui piège le ribosome dans des conformations productives du point de vue fonctionnel. Le ribosome utilise donc l'énergie libre de l'hydrolyse du GTP pour atteindre un état plus ordonné (d'entropie plus basse) et non pas un état de plus haute énergie comme c'est souvent le cas dans les processus dépendant de l'ATP. De même, L'hydrolyse du GTP facilite la précision de la traduction (cf. ci-dessous).

F. *Précision de la traduction*

Le code génétique est normalement traduit avec une fidélité remarquable. Nous avons déjà vu que la transcription et l'aminoacylation des ARNt se font avec une grande précision (Sections 31-2C et 32-2C). La précision du décodage de l'ARNm par le ribosome a été évaluée en mesurant le taux d'erreur d'incorporation de ^{35}S-Cys dans la **flagelline** très purifiée, une protéine de *E. coli* (Section 35-3G) qui normalement, ne présente pas de résidu Cys. Ces mesures indiquent que ce taux d'erreur est de ~10^{-4} par codon. Ce taux d'erreur augmente fortement en présence de **streptomycine,** un antibiotique qui augmente le taux d'erreur de lecture par le ribosome (Section 32-3G). Connaissant le type d'erreurs de lecture induites par la streptomycine, on en a conclu que les erreurs de tra-

duction viennent essentiellement de la confusion entre les codons Arg, CGU et CGC, et les codons Cys, UGU et UGC. Le taux d'erreur observé est donc essentiellement dû à des erreurs de décodage par les ribosomes.

Les aminoacyl-ARNt sont sélectionnés par le ribosome uniquement en fonction de leur anticodon. Cependant, la perte en énergie de liaison résultant d'un seul mauvais appariement de bases dans une interaction codon-anticodon est de l'ordre de 12 kJ · mol^{-1}, ce qui, d'après l'équation [32.1], ne peut rendre compte d'une précision de décodage ribosomiale inférieure à ~10^{-2} erreurs par codon. De plus, on s'attendrait naïvement à ce que l'appariement de bases entre le codon UUU de Phe et l'anticodon GAA de l'ARNt^{Phe} soit moins stable que l'appariement incorrect entre le codon UGC de Ser et l'anticodon GCG de l'ARNt^{Arg}. En effet, ces deux interactions ont une paire de bases G · U, mais dans la première, les deux interactions correctes restantes sont des paires de bases A · U, qui sont plus faibles que les deux interactions incorrectes du deuxième exemple qui sont des paires de bases G · C. Sans aucun doute, le ribosome dispose-t-il d'un mécanisme de correction de lecture qui augmente sa précision globale de décodage.

a. Le ribosome vérifie la formation d'un complexe codon-anticodon correct

Comme nous l'avons vu (Fig. 32-58), le complexe ternaire aminoacyl-ARNt · EF-Tu · GTP commence par se lier au ribosome dans l'état de liaison A/T. L'ARNt parvient à l'état de liaison complète A/A (accommodation) après l'hydrolyse du GTP et la libération par le ribosome du complexe EF-G · GDP. On pense que ces deux états permettent au ribosome une double vérification du complexe codon-anticon formé entre l'ARNm et l'ARNt qui se présente.

La structure par rayons X de la sous-unité 30S de *T. thermophilus* complexée avec un hexanucléotide U$_6$ représentant un ARNm et un ARN de 17 nt qui forme la tige-boucle de l'anticodon de l'ARNt^{Phe} (Fig. 32-11, bien que ses nucléotides soient

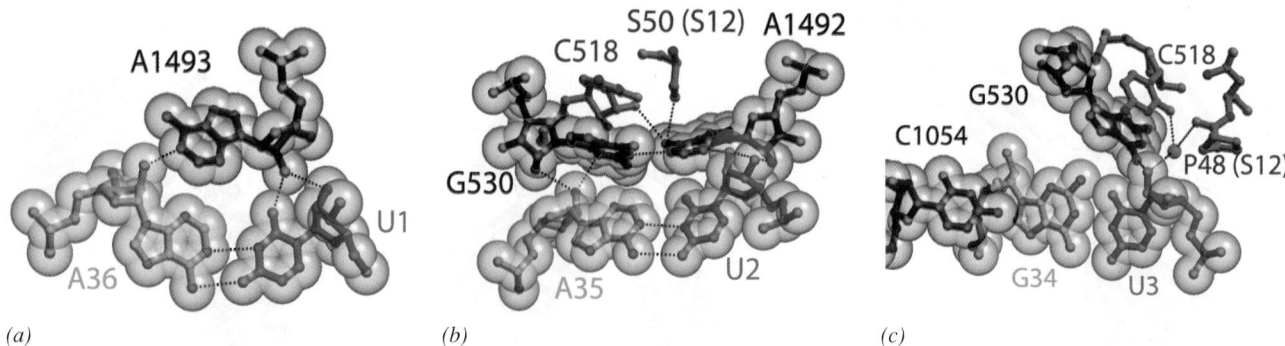

(a)   *(b)*   *(c)*

FIGURE 32-63 Interactions codon-anticodon dans le ribosome.
(a) Première, *(b)* deuxième et *(c)* troisième paire de bases codon-anticodon, telles qu'elles apparaissent dans la structure par rayons X de la sous-unité 30S de *T. thermophilus* complexée avec U$_6$ (comme modèle d'ARNm) et 17nt de la tige-boucle anticodon de l'ARNt^{Phe} (dont l'anticodon est GAA). Les structures sont vues en modèles éclatés inclus dans leurs surfaces de van der Waals. Les codons sont en violet, les anticodons en jaune et l'ARNt en brun ou e gris avec ses atomes autres que les C colorés selon leur nature (N en bleu, O en rouge et P en vert). Les segments de protéines sont en gris et les ions Mg^{2+} sont représentés par des sphères roses. [Avec l'aimable autorisation de V. Ramakrishnan, Laboratoire MRC de Biologie Moléculaire, Cambridge, U.K. PDBid 1IBM.]

modifiés), a été déterminée par Ramakrishnan. Elle montre comment un ARNt spécifié par l'ARNm se fixe au ribosome. L'association codon-anticodon est stabilisée par son interaction avec trois bases ribosomales universellement conservées : A1492, A1493 et G530 (Fig. 32-63).

1. La première paire de bases codon-anticodon, celle entre le U1 de l'ARNm et le A36 de l'ARNt, est stabilisée par la liaison de la base A1493 de l'ARNr dans le petit sillon de cette paire de bases (Fig. 32-63a).

2. La seconde paire de bases codon-anticodon, celle entre le U2 de l'ARNm et le A35 de l'ARNt, repose sur un coussin formé par les bases 41492 et G530, qui se lient toutes deux au niveau du sillon mineur de cette paire de bases (Fig. 32-6 3b).

3. La troisième paire de bases codon-anticodon (la paire flottante ; Section 32-2D), celle entre le U3 de l'ARNm et le G34 de l'ARNt, est renforcée par la liaison au sillon mineur de G530 (Fig. 32-63c). Cette dernière interaction semble bien moins stricte que celles avec les deux premières positions codon-anticodon, ce qui est cohérent avec la nécessité pour le troisième appariement codon-anticodon de tolérer des paires non Watson-Crick (Section 32-2D).

La comparaison de cette structure avec celle de la sous-unité 30S isolée révèle que les nucléotides de l'ARNr dont il est question subissent des changements de conformation lors de la formation du complexe codon-anticodon (Fig. 62-64). En l'absence d'ARNt, les bases A1492 et A149 sont tassées à l'intérieur d'une boucle de l'ARN mais elles glissent à l'extérieur de cette boucle pour former le complexe codon-anticodon, tandis que la base G530 passe de la conformation syn à la conformation anti (Section 29-2a). Ces interactions permettent au ribosome de vérifier si un ARNt qui se présente correspond bien au codon dans le site A puisqu'une paire non Watson-Crick ne pourrait pas se lier à ces bases ribosomiales de la même façon. De fait, toute mutation de A1492 ou de A1493 est létale parce que des pyrimidines, à ces positions, ne seraient pas assez longues pour interagir avec le complexe codon-anticodon, ou avec G530 et parce qu'un G dans l'une de ces deux positions serait incapable de former les liaisons hydrogène nécessaires et que son N2 créerait des problèmes stériques de collisions. Un codon-anti-

codon incorrect ne fournit pas assez d'énergie libre pour la fixation de l'ARNt au ribosome et quand il s'en dissocie, il est donc encore sous la forme de complexe ternaire avec EF-Tu et le GTP.

b. L'hydrolyse de GTP par EF-Tu est un préalable nécessaire, du point de vue thermodynamique, à la vérification par le ribosome

Une étape de vérification doit être entièrement indépendante de l'étape initiale de sélection. C'est la condition indispensable pour que la probabilité globale d'erreur soit égale au produit des probabilités d'erreur sur chacune des étapes de sélection. Nous avons vu que les ADN polymérases et les aminoacyl-ARNt synthérases assurent l'indépendance de leurs deux étapes de sélection en les effectuant dans des sites actifs séparés (Sections 30-2A et 32-2C). Mais le ribosome ne reconnaît l'aminoacyl-ARNt qui se présente que d'après la complémentarité de son anticodon avec le codon situé au site A. Par conséquent, le ribosome doit examiner cette interaction codon-anticodon de deux façons indépendantes.

La formation d'un complexe codon-anticodon correct induit l'hydrolyse par EF-Tu de son GTP, bien qu'on ne sache pas vraiment comment cela se fait (notez que le domaine GTPase de EF-Tu est lié à la sous-unité 50S, et comme on a observé que l'hydrolyse du GTP requiert un ARNt intact, cela suggère que le signal pour l'hydrolyse est au moins en partie transmis par l'ARNt). Le changement de conformation de EF-Tu qui en résulte (Fig. 32-50) fait probablement basculer l'ARNt qui lui est lié dans l'état A/A. Dans ce processus, l'interaction codon-anticodon est soumise à un deuxième examen qui n'autorise que l'entrée d'un ARNt correct dans le site peptidyl transférase. La réaction irréversible catalysée par la GTPase doit précéder cette étape de vérification parce qu'autrement la dissociation d'un ARNt incorrect (le départ de son anticodon, du codon) ne serait que la réaction inverse de l'étape de liaison initiale et ferait donc partie de l'étape initiale de sélection plutôt que d'une étape de vérification. L'hydrolyse du GTP réalise ainsi le nouveau contexte nécessaire pour la vérification ; elle est le prix à payer du point de vue de l'entropie du système pour permettre une sélection fidèle de l'ARNt. De nouvelles études structurales à haute résolution seront nécessaires pour mieux comprendre ce qui se passe.

(a)

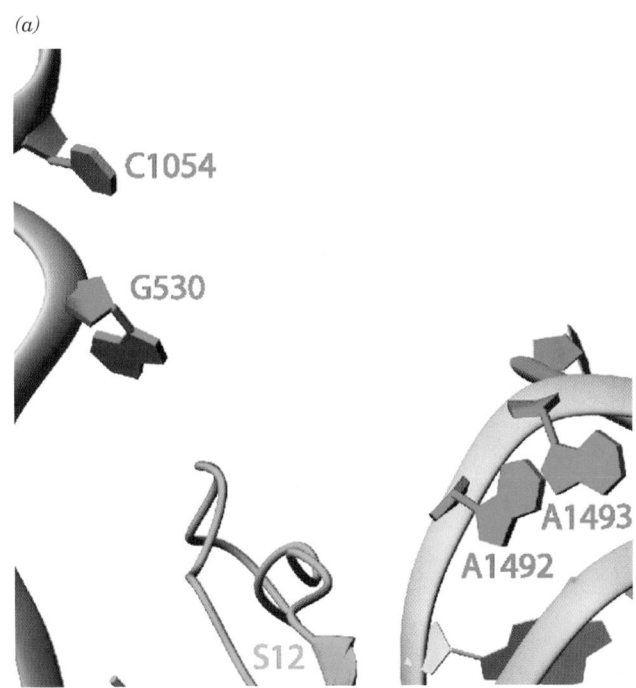

(b)

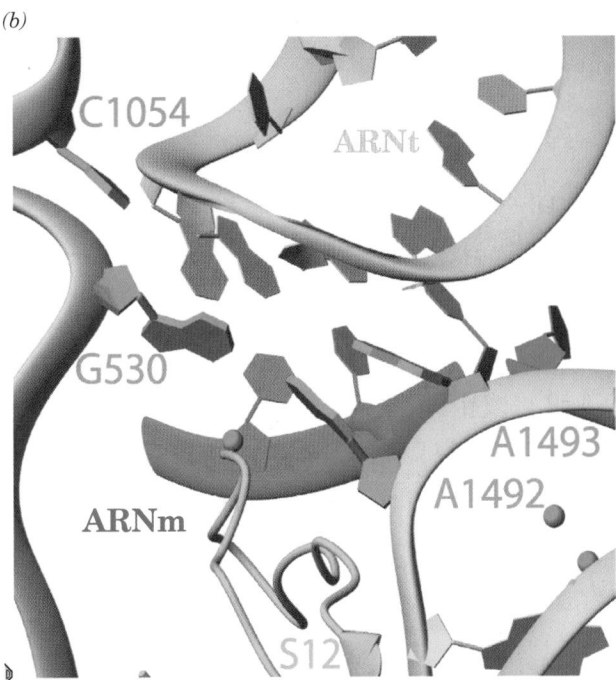

FIGURE 32-64 Site de décodage du ribosome. Structure par rayons X de la sous-unité 30S de *T. thermophilus (a)* isolée et *(b)* dans son complexe avec U₆ et la tige-boucle anticodon de 17nt de l'ARNt^Phe. Les ARN sont représentés en rubans avec leurs nucléotides sous forme aplatie, l'ARNt est en doré, l'ARNm du site A est en violet, celui du site P, est en vert, l'ARNr est en gris et les nucléotides subissant des changements

de conformation sont en rouge. La protéine S12 en ocre et les ions Mg²⁺ sont représentés par des sphères rouges. Comparez la partie *b* avec la Fig. 32-63. [Avec l'aimable autorisation de V. Ramakrishnan, Laboratoire MRC de Biologie Moléculaire, Cambridge, U.K. PDBid *(a)* 1FJF et *(b)* 1IBM.]

G. *Certains antibiotiques sont des inhibiteurs de la synthèse protéique*

Les antibiotiques sont des substances produites par des bactéries ou des champignons qui inhibent la croissance d'autres organismes. On sait que les antibiotiques inhibent de nombreux processus biologiques essentiels, dont la réplication de l'ADN (ex. la ciprofloxacine, Section 29-3C), la transcription (ex. la rifamycine B, Section 31-2B), et la synthèse des parois bacté-

riennes (ex. la pénicilline ; Section 11-3B). Cependant, *la majorité des antibiotiques connus, dont de nombreuses substances utilisées en thérapeutique, bloquent la traduction.* Cet état de fait est sans doute une conséquence de la complexité considérable de la machinerie de traduction, qui la rend vulnérable à des perturbations de toutes sortes. Les antibiotiques ont aussi été utiles dans l'analyse des mécanismes ribosomiaux car, comme nous l'avons vu avec la puromycine (Section 32-3D), le blocage d'une fonction spécifique permet souvent sa dissection biochimique en ses différentes étapes.

TABLEAU 32-10   Quelques inhibiteurs ribosomiaux

Inhibiteur	Action
Chloramphénicol	Inhibe la peptidyl transférase sur la grande sous-unité des procaryotes
Cycloheximide	Inhibe la peptidyl transférase sur la grande sous-unité des eucaryotes
Erythromycine	Inhibe la translocation au niveau de la grande sous-unité des procaryotes
Acide fusidique	Inhibe l'élongation chez les procaryotes en se liant à EF-G GDP, ce qui interdit sa dissociation de la grande sous-unité
Paromycine	Augmente le taux d'erreur du ribosome
Puromycine	Un analogue d'un aminoacyl-ARNt qui provoque l'arrêt prématuré de la chaîne chez les procaryotes et les eucaryotes
Streptomycine	Provoque une lecture erronée de l'ARNm et inhibe l'initiation de la chaîne chez les procaryotes
Tétracycline	Inhibe la liaison des aminoacyl-ARNt à la petite sous-unité des procaryotes
Toxine diphtérique	Inactive catalytiquement eEF-2 par ADP-ribosylation
Ricine/abrine/α-sarcine	La ricine et l'abrine sont des glycosidases végétales toxiques qui inactivent catalytiquement la grande sous-unité des eucaryotes par dépurination hydrolytique spécifique d'un résidu A très conservé de l'ARN 28S, situé dans ce qu'on appelle la boucle sarcine-ricine qui constitue une partie essentielle du centre ribosomial de fixation de facteurs. L'α-sarcine est une protéine fongique qui coupe une liaison phosphodiester spécifique dans la boucle sarcine-ricine

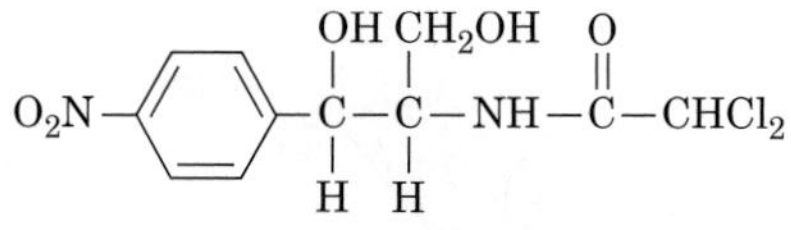

Chloramphénicol

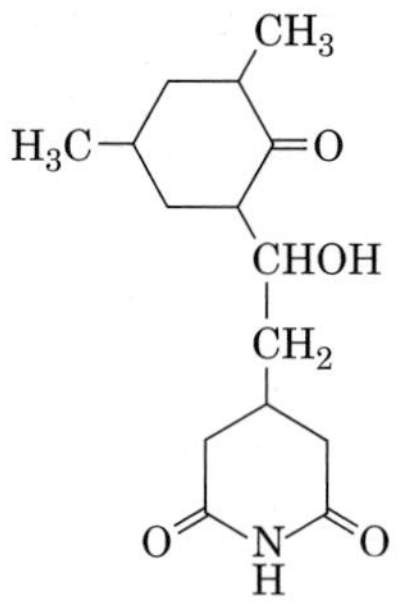

Cycloheximide

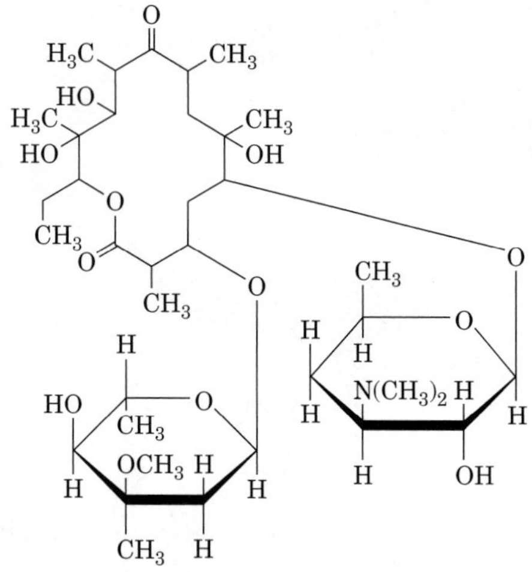

Erythromycine

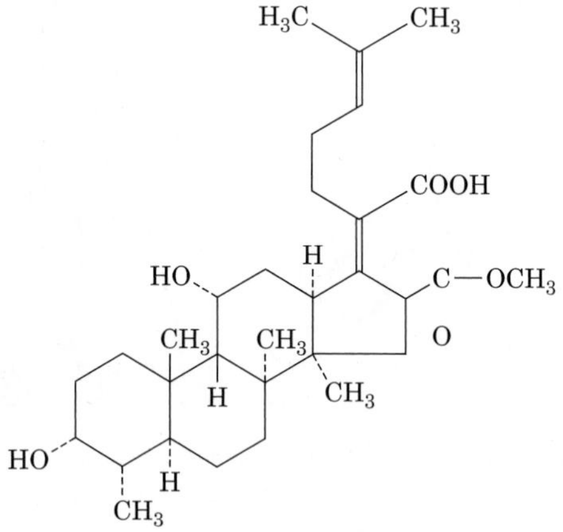

Acide fusidique

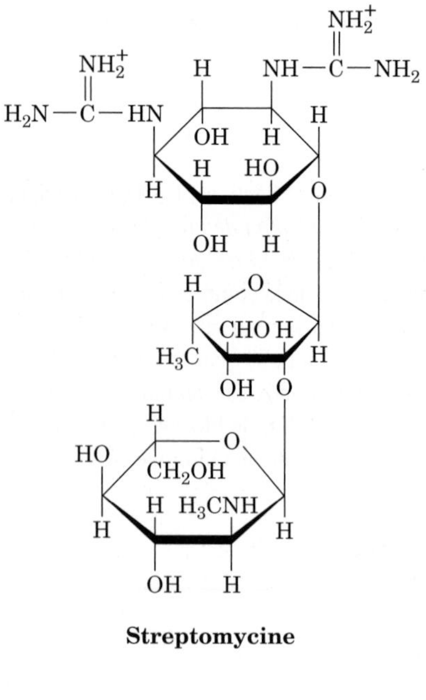

Streptomycine

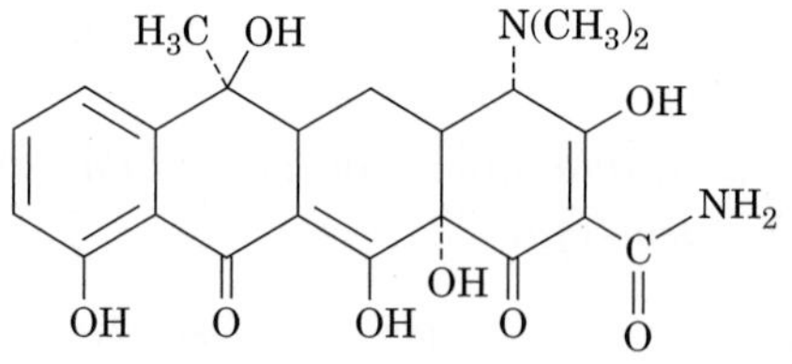

Tétracycline

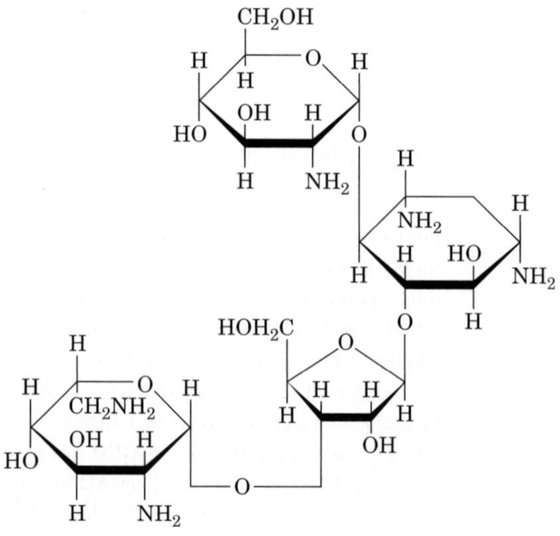

Paromomycine

FIGURE 32-65 Différents antibiotiques inhibiteurs de la traduction.

Le Tableau 32-10 et la Fig. 32-65 présentent plusieurs inhibiteurs de la traduction utilisés en médecine et en biochimie. Nous allons étudier les mécanismes d'action de quelques-unes de ces substances parmi les mieux caractérisées.

a. La streptomycine

La streptomycine, découverte en 1944 par Selman Waksman, est un membre médicalement important d'une famille d'antibiotiques, appelés **aminoglycosides,** qui inhibent les ribosomes de procaryotes de différentes manières. À faibles concentrations, la streptomycine provoque la lecture erronée de l'ARNm par les ribosomes : une pyrimidine peut être prise à la place de l'autre dans les première et deuxième positions du codon et l'une ou l'autre des pyrimidines peut être prise à la place de l'adénine en première position. Les cellules sensibles ont une croissance inhibée mais elles ne sont pas tuées. Pour des concentrations plus élevées, la streptomycine empêche une initiation correcte de la chaîne et il s'ensuit la mort de la cellule.

Certains mutants résistants à la streptomycine (str^R) ont des ribosomes dont la protéine S12 est modifiée par rapport à celle de bactéries sensibles à la streptomycine (str^S). Curieusement, un changement dans la base C912 de l'ARNr 16S (qui se trouve dans la boucle centrale dans la Fig. 32-27a) confère aussi la résistance à la streptomycine. (Certains mutants bactériens ne sont pas seulement résistants à la streptomycine mais en sont dépendants ; ils en ont besoin pour leur croissance). Chez des bactéries partiellement diploïdes qui sont hérérozygotes pour la résistance à la streptomycine (str^R/str^S), la sensibilité à la streptomycine est dominante. Cette observation étonnante s'explique du fait qu'en présence de streptomycine, les ribosomes str^S restent liés aux sites d'initiation, excluant ainsi les ribosomes str^R de ces sites. De plus, les ARNm dans ces complexes bloqués sont dégradés après quelques minutes, ce qui permet aux ribosomes str^S de se lier également à des ARNm nouvellement synthétisés.

b. Le chloramphénicol

Le chloramphénicol, le premier des antibiotiques à « large spectre », inhibe l'activité peptidyl transférase sur la grande sous-unité des ribosomes de procaryotes. Cependant, son utilisation en médecine est réservée à des infections graves en raison de ses effets secondaires toxiques qui sont dus, au moins en partie, à la sensibilité des ribosomes mitochondriaux au chloramphénicol. Le fait que certains mutants de l'ARN 23S soient résistants au chloramphénicol montre son implication dans la liaison du chloramphénicol. En effet, des études par rayons X montrent que le chloramphénicol se lie à la grande sous-unité, dans le tunnel de sortie du polypeptide, à proximité du site A. Cela explique pourquoi le chloramphénicol est en compétition avec l'extrémité 3′ des aminoacyl-ARNt et avec la puromycine (dont le site de fixation au ribosome déborde sur celui du chloramphénicol) mais pas avec les peptidyl-ARNt. Ces observations suggèrent que le chloramphénicol inhibe le transfert du groupe peptidyl en interférant avec les interactions des ribosomes avec les aminoacyl-ARNt liés au site A.

c. La paromycine

La **paromycine,** un antibiotique de type aminoglycoside utilisé en médecine, augmente le taux d'erreurs ribosomial. La structure par rayons X de la sous-unité 30S complexée avec la paromycine (Fig. 32-66) montre qu'elle se fixe à l'intérieur de la boucle

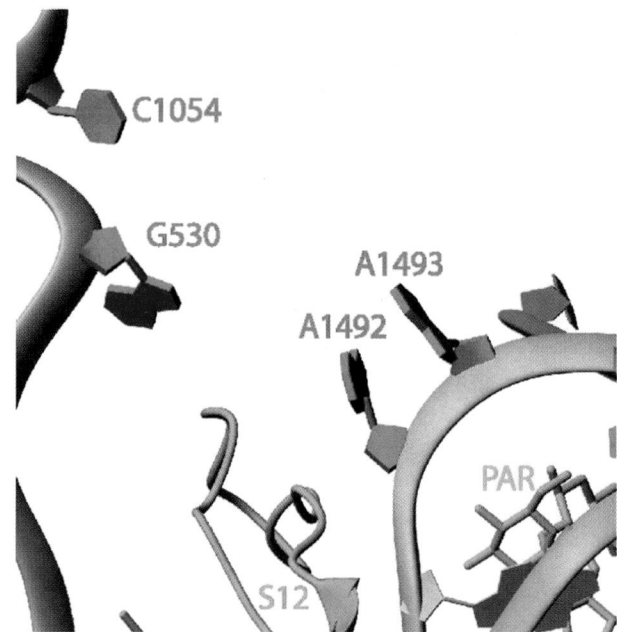

FIGURE 32-66 Structure par rayons X de la sous-unité 30S du ribosome complexée à la paromycine. L'angle de vue et les couleurs sont les mêmes que dans la Fig. 32-64. La paromycine (PAR) est en modèle éclaté en vert clair. [Avec l'aimable autorisation de V. Ramakrishnan, Laboratoire MRC de Biologie Moléculaire, Cambridge, U.K. PDBid 1IBK]

d'ARN dans laquelle les bases A1492 et 1493 sont normalement empilées (Fig. 32-64a). Cela provoque le glissement de ces bases hors de la boucle et leur fait prendre une conformation proche de celle observée dans le complexe codon-anticodon de la sous-unité 30S (Fig. 32-64b). De fait, ce complexe codon-anticodon-sous-unité 30S n'est que peu perturbé par la fixation de paromycine. Comme nous l'avons vu dans la Section 32-3F, la sous-unité 30S se sert des bases A1492 et A1493 pour vérifier que les deux premières paires de bases du complexe codon-anticodon sont des paires de bases Watson-Crick et donc, que l'ARNt qui se présente correspond bien au codon présent dans le site A. Pour les ARNt incorrects l'énergie de leur liaison codon-anticodon n'est normalement pas suffisante pour faire glisser les bases A1492 et A1493 hors de la boucle et ils sont donc rejetés par le ribosome. Cependant, la liaison de la paromycine à la sous-unité 30S correspond au prix énergétique pour faire glisser ces bases. Cela facilite l'acceptation par le ribosome (en stabilisant leur liaison) d'aminoacyl-ARNt proches de celui qui serait le bon et permet l'incorporation erronée de leur résidu acide aminé dans le polypeptide en cours de synthèse.

d. La tétracycline

La **tétracycline** et ses dérivés sont des antibiotiques à large spectre qui se lient à la petite sous-unité des ribosomes de procaryotes, où ils inhibent la liaison des aminoacyl-ARNt. Une structure par rayons X de la tétracycline complexée avec la sous-unité 30S a révélé que la tétracycline se fixe surtout dans une fente entièrement située dans le domaine 3′ principal de l'ARN 16S (Fig. 32-

27*a*) et qui est située au niveau du cou de la sous-unité 30S juste au dessus du site A. Cela permet le début de la vérification de l'aminoacyl-ARNt mais constitue un blocage physique à son accommodation dans le site peptidyl transférase (A/A) après l'hydrolyse du GTP par EF-Tu, avec pour conséquence la libération de l'ARNt. Ainsi, en plus d'empêcher la synthèse protéique, la liaison de la tétracycline entraîne l'hydrolyse inutile de GTP, et du fait que cela se produit chaque fois qu'un aminoacyl-ARNt correct se fixe au ribosome, il y a une énorme perte d'énergie pour la cellule. Les nucléotides formant le site de fixation de la tétracycline sont peu conservés dans les ribosomes eucaryotiques, cela explique la spécificité de la tétracycline pour les bactéries.

La tétracycline bloque aussi la réponse stringente (Section 31-3H) en inhibant la synthèse de (p)ppGpp. Cela signifie que l'ARNt désacylé doit se lier au site A afin d'activer le facteur de stringence. Des souches bactériennes résistantes à la tétracycline sont devenues très fréquentes, ce qui cause un problème médical important. Cependant, dans la plupart des cas, la résistance est due à une diminution de la perméabilité de la membrane cellulaire bactérienne à la tétracycline plutôt qu'à une modification de composants ribosomiaux.

e. La toxine de la diphtérie

La **diphtérie** est une maladie due à l'infection bactérienne par *Corynebacterium diphteriae* qui abrite le phage **corynéphage β.** La diphtérie était une des causes principales de mortalité chez les enfants jusqu'à la fin des années 1920 quand la vaccination s'est répandue. Bien que l'infection bactérienne ne concerne généralement que les voies respiratoires supérieures, la bactérie sécrète une protéine codée par le phage appelée **toxine diphtérique,** responsable des effets létaux de la maladie. *La toxine diphtérique inactive spécifiquement le facteur d'élongation des eucaryotes eEF2, inhibant ainsi la biosynthèse protéique des eucaryotes.*

On découvrit dans les années 1880 que les effets pathogènes de la diphtérie sont prévenus par immunisation par le **toxoïde,** une forme de toxine inactivée par le formaldéhyde. Les personnes atteintes de diphtérie sont traitées avec l'antitoxine de sérum de cheval, qui se lie à la toxine diphtérique en l'inactivant, ainsi que par des antibiotiques pour combattre l'infection bactérienne.

La toxine diphtérique est un membre d'une famille de toxines bactériennes dont font partie la toxine du choléra et la toxine pertussique (Section 19-2C). C'est une protéine monomérique de 535 résidus qui est facilement hydrolysée par la trypsine ou des enzymes apparentées à la trypsine, après les résidus Arg190, 192 et 193. Cette hydrolyse a lieu à peu près au moment où la toxine diphtérique arrive sur sa cellule cible, donnant ainsi deux fragments A et B, qui restent néanmoins réunis par un pont disulfure. Le domaine C-terminal du fragment B se lie à un récepteur spécifique sur la membrane plasmique des cellules sensibles, ce qui induit la capture de la toxine diphtérique dans un endosome (Fig. 12-79) par endocytose dépendante d'un récepteur (Section 12-5B, le fragment A seul est dépourvu d'activité toxique). Le faible pH de 5 dans l'endosome induit un changement de conformation dans le domaine N-terminal du fragment B qui s'insère alors dans la membrane de l'endosome et permet l'entrée du fragment A dans le cytoplasme. Le pont disulfure réunissant les fragments A et B est alors coupé du fait de l'environnement cytoplasmique réducteur.

Dans le cytosol, le fragment A catalyse la réaction **d'ADP-ribosylation** de eEF2 par le NAD⁺

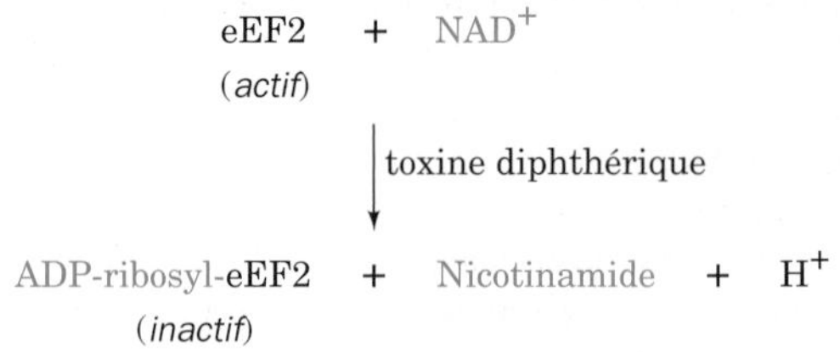

$$eEF2 \quad + \quad NAD^+$$
(*actif*)

$$\downarrow \text{toxine diphthérique}$$

$$\text{ADP-ribosyl-eEF2} \quad + \quad \text{Nicotinamide} \quad + \quad H^+$$
(*inactif*)

inactivant ainsi ce facteur d'élongation. Le fragment A étant un catalyseur, *une molécule est suffisante pour ADP-ribosyler l'ensemble des facteurs eEF2 d'une cellule, ce qui bloque la synthèse protéique et tue la cellule.* Ainsi, il suffit de quelques microgrammes de toxine diphtérique pour tuer une personne non immunisée.

La toxine diphtérique ADP-ribosyle un résidu His modifié sur eEF2 appelé **diphtamide :**

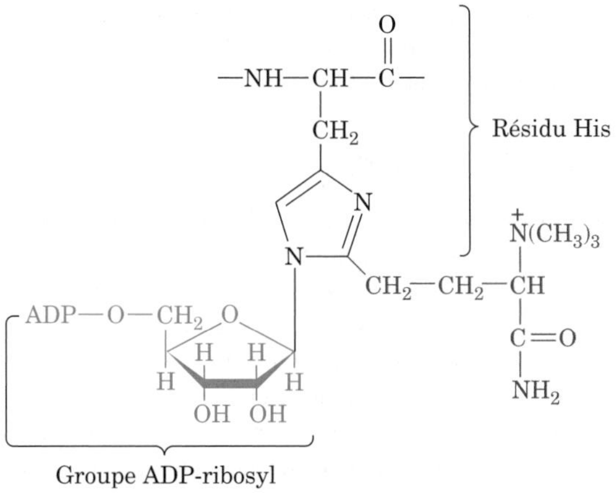

Diphthamide ADP-ribosylé

On ne trouve le diphtamide que sur eEF2 (même pas sur sa contrepartie bactérienne EF-G), ce qui rend compte de la spécificité de la toxine diphtérique qui modifie exclusivement eEF2 (rappelons que la toxine cholérique ADP-ribosyle un résidu Arg spécifique de G_{sa} et que la toxine pertussique ADP-ribosyle un résidu Cys spécifique de G_{ia} ; Section 19-2C). Puisque l'on trouve du diphtamide dans tous les eEF2 d'eucaryotes, il est probablement indispensable à l'activité d'eEF2. Cependant, certaines cellules animales mutantes en culture, qui assurent pourtant la synthèse protéique normalement, n'ont pas les enzymes qui catalysent la modification post-traductionnelle du résidu His en diphtamide (pourtant si l'on remplace par mutation le résidu His diphtamide par Asp, Lys ou Arg, on inactive la traduction). Il est possible que le résidu diphtamide assure une fonction de régulation.

4 ■ CONTRÔLE DE LA TRADUCTION CHEZ LES EUCARYOTES

Les vitesses d'initiation ribosomiale sur les ARNm de procaryotes varient de facteurs qui peuvent atteindre 100. Par exemple, les protéines spécifiées par l'opéron *lac de E. coli,* la β-galactosidase, la galactoside perméase et la thiogalactoside transacétylase, sont synthétisées dans des rapports molaires de 10:5:2. Ces différences sont dues, sans doute, à ce que leurs séquences de Shine-Dalgarno sont différentes. Ou alors, les ribosomes ne peuvent se lier à l'ARNm *lac* qu'au niveau du gène de la β-galactosidase pour s'en détacher éventuellement en réponse à la présence d'un signal de terminaison de chaîne (ce qui expliquerait la diminution des vitesses de traduction le long de l'opéron). Quoi qu'il en soit, il n'est pas prouvé que les vitesses de traduction chez les procaryotes s'adaptent à des changements de l'environnement. *L'expression génétique chez les procaryotes est donc essentiellement contrôlée au niveau de la transcription (Section 31-3).* De toute façon, la durée de vie de leurs ARNm n'étant que de quelques minutes, on peut penser que des contrôles au niveau de la traduction sont sans objet.

Il est par contre clair que les cellules eucaryotiques répondent à leurs besoins, du moins en partie, par l'intermédiaire du contrôle de la traduction. Cela est faisable dans la mesure où la durée de vie des ARNm d'eucaryote s'estime en heures ou en jours. Dans cette section, nous étudierons comment la traduction est régulée par la phosphorylation/déphosphorylation de eIF2 et de eIF4E. Nous étudierons ensuite le phénomène de masquage de l'ARNm et de la polyadénylation cytoplasmique, puis terminerons par l'étude des oligonucléotides antisens.

A. *Régulation de eIF2*

Quatre voies importantes de régulation de la traduction des eucaryotes font appel à la phosphorylation du résidu conservé Ser 51 de la sous-unité α de eIF2 (**eIF2α**, rappelons que eIF2 est un trimère αβγ qui apporte Met-ARNt$_i^{Met}$ à la sous-unité 40S du ribosome, le complexe formé parcourt l'ARNm qui lui est lié à la recherche du codon AUG d'initiation pour former le complexe d'initiation 48S ; Section 32-3C). Les kinases eIF2α responsables de cette réaction ont toutes le même domaine kinase mais des domaines de régulation propres.

a. Contrôle de la traduction par l'hème

Les réticulocytes synthétisent des protéines, il s'agit presque exclusivement de l'hémoglobine, à une vitesse extrêmement élevée, ce qui en fait des cellules de choix pour étudier la traduction chez les eucaryotes. La synthèse de l'hémoglobine dans des lysats de réticulocytes fraîchement préparés se déroule normalement durant plusieurs minutes pour s'arrêter brutalement en raison de l'inhibition de l'initiation de la traduction et de la désagrégation conséquente des polysomes. Cet arrêt est évité par addition d'hème [un produit mitochondrial (Section 26-4A) que ce système *in vitro* ne peut synthétiser], ce qui indique que *la synthèse de globine est régulée par la disponibilité en hème*. L'inhibition de l'initiation de la traduction de la globine est aussi levée par l'addition du facteur d'initiation d'eucaryote eIF2 et par des concentrations élevées de GTP.

En l'absence d'hème, les lysats de réticulocytes accumulent une eIF2α-kinase, appelée l'inhibiteur régulé par l'hème [HRI, encore appelé le **répresseur contrôlé par l'hème (HCR)**]. HRI est un homodimère dont les sous-unités de 629 résidus contiennent chacune de sites de fixation à l'hème. Quand l'hème est abondant, ces deux sites sont occupés et la protéine, qui s'autophosphoryle sur plusieurs résidus Ser et Thr, est inactive. Par contre, en cas de raréfaction de l'hème, un des sites perd l'hème qui y est lié, cela active HRI qui va s'autophosphoryler à de nouveaux sites supplémentaires et phosphoryler le résidu Ser51 de eIF2α.

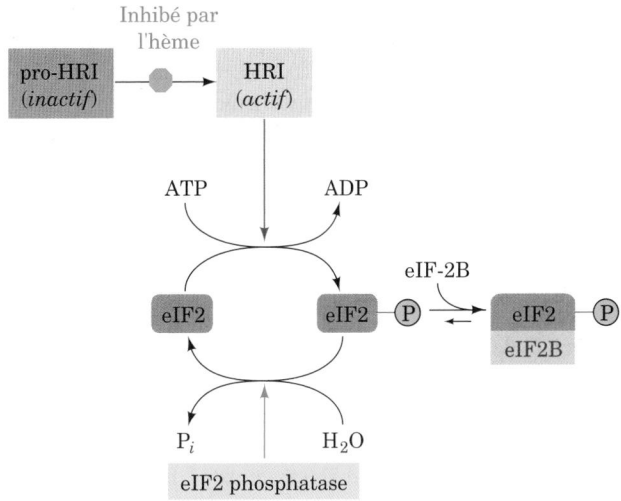

FIGURE 32-67 **Modèle du contrôle de la synthèse protéique par l'hème dans des réticulocytes.**

Or la forme phosphorylée de eIF2 peut participer au processus d'initiation ribosomiale de la même manière que la forme déphosphorylée. Ce mystère fut éclairci lorsqu'on s'aperçut que le GDP ne se dissocie pas spontanément de eIF2 phosphorylé à la fin de l'initiation comme c'est le cas avec eIF2 grâce à une réaction sous la dépendance d'un autre facteur d'initiation, **eIF-2B,** qui joue le rôle d'un GEF (Fig. 32-46). Il s'est avéré que la forme phosphorylée de eIF-2 forme un complexe beaucoup plus stable avec eIF2B que la forme déphosphorylée. Il s'ensuit une séquestration de eIF2B (Fig. 32-67), qui se trouve en plus faibles quantités que eIF2, ce qui empêche la régénération du complexe eIF2·GTP nécessaire pour l'initiation de la traduction. La présence d'hème inverse ce processus en inhibant HRI, suite à quoi les molécules de eIF2 phosphorylées sont réactivées par l'action d'une eIF2 phosphatase, qui est insensible à l'hème. Le réticulocyte peut ainsi faire une synthèse coordonnée de globine et d'hème.

b. Les interférons protègent contre une infection virale

*Les **interférons** sont des cytokines sécrétées par des cellules de vertébrés infectées par un virus. Après s'être liés aux, récepteurs de surface d'autres cellules, les interférons les transforment dans un état antiviral, ce qui diminue la réplication d'une grande variété d'ARN et d'ADN viraux.* En fait, on a découvert les interférons dans les années 1950 quand on s'est aperçu que des personnes infectées par un virus résistent à l'infection par un deuxième type de virus.

On distingue trois familles d'interférons : le **type α** ou **interféron des leucocytes** (165 résidus, les leucocytes sont une variété de globules blancs), le **type β** ou **interféron des fibroblastes** (166 résidus, les fibroblastes sont des cellules du tissu conjonctif), et le **type γ** ou **interféron des lymphocytes** (146 résidus ; les lymphocytes sont des cellules du système immunitaire). *La synthèse d'interféron est induite par l'ARN double brin [ARNdb, qui est formé pendant l'infection, aussi bien par des virus à ADN que par des virus à ARN, ainsi que par l'ARNdb synthétique poly(I)·poly(C)].* Les interférons sont des agents antiviraux efficaces à des concentrations aussi faibles que $3 \times 10^{-14} M$, ce qui en fait des substances biologiques parmi les plus puissantes connues. De plus, ils ont des spécificités beaucoup plus larges que les anticorps dirigés contre un virus particulier. Ils suscitent donc un intérêt thérapeutique considérable, en particulier pour certains cancers induits par des virus (Section 19-3B). Ils sont effectivement utilisés en médecine contre des tumeurs et contre des infections virales. Ces traitements sont rendus possibles grâce à la production de grandes quantités de ces protéines, normalement en très faibles quantités dans la cellule, par l'utilisation des techniques de clonage moléculaire (Section 5-5D).

Les interférons empêchent la prolifération virale essentiellement en inhibant la synthèse protéique dans les cellules infectées (l'interféron des lymphocytes module également la réponse immunitaire). Cette inhibition peut s'exercer de deux manières indépendantes (Fig. 32-68) :

1. Les interférons induisent la production d'une kinase eIF2α, la **protéine kinase activée par l'ARNdb** (**PKR**, aussi nommée **DAI,** pour **double-stranded RNA-activated inhibitor**, de 551

(a)

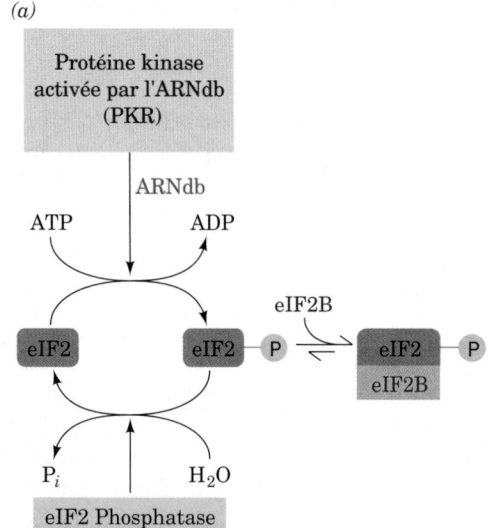

Inhibition de la traduction

(b)

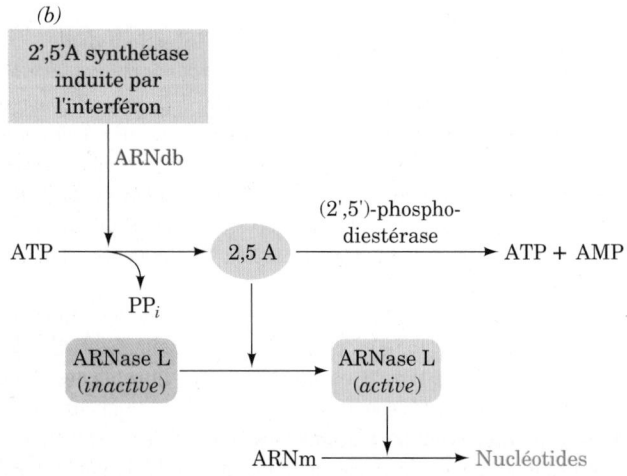

Dégradation de l'ARNm

FIGURE 32-68 Le mode d'action de l'interféron. Dans les cellules traitées par l'interféron, la présence d'ARNds, qui provient normalement d'une infection virale, entraîne *(a)* l'inhibition de l'initiation de la traduction, et *(b)* la dégradation de l'ARNm, bloquant ainsi la traduction et empêchant la réplication du virus.

résidus). Lors de sa liaison à l'ARNdb, elle se dimérise et s'autophosphoryle sur son résidu Ser 51, inhibant ainsi l'initiation ribosomiale et donc la prolifération du virus dans les cellules infectées. L'importance de PKR dans la défense antivirale des cellules est montrée par le fait que de nombreux virus expriment des inhibiteurs de PKR .

2. Les interférons induisent aussi la synthèse de la **(2′,5′)-oligoadénylate synthétase (2,5A synthétase.** En présence d'ARNdb, cette enzyme catalyse la synthèse à partir d'ATP de l'oligonucléotide inhabituel **pppA(2′p5′A)$_n$** où n = 1 à 10. *Ce composé, le 2,5-A, active une endonucléase préexistante, l'ARNase L, qui dégrade l'ARNm, inhibant ainsi la biosynthèse protéique.* Le 2,5-A est lui-même rapidement dégradé par une enzyme appelée **(2′,5′)-phosphodiestérase** si bien qu'il doit être synthétisé en permanence pour maintenir son effet.

L'indépendance de ces deux systèmes est démontrée par la levée de l'effet du *2,5-A* sur la synthèse protéique par l'addition d'ARNm mais pas par l'addition de eIF2. [rappelons que l'interférence d'ARN (ARNi, Section 31-4A) constitue un autre mécanisme de défense antiviral utilisant l'ARNdb.]

c. PERK empêche la formation de protéines non repliées dans le RE

La protéine kinase du réticulum endoplasmique apparentée à PKR (PERK) est une protéine transmembranaire de 1087 résidus insérée dans la membrane du réticulum endoplasmique (RE) de tous les eucaryotes pluricellulaires. Elle est réprimée lors de sa fixation à la chaperonne BiP située dans le RE (Section 12-4B). Lorsque le RE contient un excès de protéines non repliées (à cause de stress divers comme, par exemple, de hautes températures), BiP se détache de PERK qui va phosphoryler eIFa sur son résidu Ser 51, ce qui inhibe la traduction. La fonction de PERK est donc de protéger la cellule des dommages irréversibles dus à l'accumulation de protéines non repliées dans le RE.

Le **syndrome de Wolcott-Rallison** est une maladie génétique qui se caractérise principalement par un diabète insulino-dépendant (type I) apparaissant dans la petite enfance (le diabète de type I débute normalement au cours de l'enfance ; Section 27-3B). Il est dû à des mutations dans le domaine catalytique de la PERK, cela entraîne la mort des cellules β du pancréas, dans lesquelles la PERK est particulièrement abondante. Il y a par la suite de nombreux désordres systémiques parmi lesquels l'**ostéoporose** (diminution de la masse osseuse) et un retard de croissance.

d. GCN2 régule la biosynthèse des acides aminés

GCN2 (1590 résidus), l'unique kinase de eIF2α chez la levure, est un activateur transcriptionnel du gène codant GCN4 qui est lui-même un activateur transcriptionnel de nombreux gènes de levure, parmi lesquels beaucoup codent des enzymes participant aux voies de biosynthèse des acides aminés. Le domaine C-terminal de GCN2, qui ressemble à l'histidyl-ARNt synthétase (HisRS), a une affinité préférentielle pour les ARNt non chargés (leur présence indiquant une carence en acides aminés). La fixation d'un ARNt non chargé au domaine ressemblant à HisRS active le domaine kinase adjacent de eIF2 α et, ce faisant, inhibe l'initiation de la traduction même si cet effet reste limité.

Par opposition à cet effet d'inhibition de la synthèse protéique chez la levure, GCN2 induit l'expression de GCN4. Alan

Hinnebusch a démontré que cette propriété apparemment paradoxale de GCN2, vient du fait que l'ARNm de GCN4 contient quatre petites phases ouvertes de lecture appelées uORF1 à uORF4 (**uORF**, pour « upstream open reading frame ») dans la région de tête située en 5′ de la séquence codant GCN4. En conditions normales de disponibilité en nutriments, où GCN2 est inactif, le ribosome se fixe à l'ARNm au niveau de sa coiffe en 5′ et le « balaye » à la recherche du codon d'initiation AUG le plus proche (c'est celui de uORF1). Il y a alors formation du complexe d'initiation 48S (Fig. 32-46) et démarrage de la traduction de uORF1 (Section 32-3C). Au moment de la terminaison de la traduction au codon de terminaison de uORF1, la présence d'une séquence riche en A + U à ce niveau provoque la reprise du balayage à la recherche du codon AUG suivant, où il y a initiation de la traduction de uORF2. Ce processus se répète jusqu'au moment où le ribosome arrive au codon de terminaison à la fin de uORF4. L'environnement de ce codon est riche en G + C et provoque le départ du ribosome de l'ARNm. Ainsi, le niveau de base d'expression de GCN4 est minimum. Par contre, lorsque les nutriments viennent à manquer et que eIF2α est phosphorylé par GCN2 sur son résidu Ser 51, le faible niveau de complexe ternaire eIF2 · Met-ARNt$_i^{Met}$ · GTP qui en résulte fait que la sous-unité, lors du balayage, doit parcourir des distances plus longues avant de pouvoir former un complexe d'initiation 48S. Ainsi, ~50 % des ribosomes dépassent uORF2, uORF3 et uORF4 lors de la phase de balayage et ne démarrent la traduction qu'au codon AUG de GCN4 dont le niveau de traduction sera alors élevé (on peut éliminer par mutation uORF2 et uORF3, sans effet significatif sur le contrôle de la traduction).

Les homologues de GCN2 chez les mammifères sont activés lors de carences en acides aminés. Cela suggère que le processus que nous venons de décrire a été conservé au cours de l'évolution des eucaryotes.

B. *Régulation de eIF4*

eIF4E (la protéine de liaison à la coiffe, CBP pour « cap binding protein ») se fixe à la coiffe m⁷G des ARNm des eucaryotes et participe à l'initiation de la traduction en aidant à l'identification de codon d'initiation AUG (Section 32-3C). Lorsque l'on traite des cellules de mammifère avec des hormones, des cytokines, des mitogènes (substances induisant la mitose), et/ou des facteurs de croissance, le résidu Ser 209, dans le cas de eIF4E humain, est phosphorylé via une cascade de MAP kinases activée par Ras (Section 19-3C et 19-3D). Cela augmente l'affinité de eIF4E pour les ARNm possédant une coiffe et stimule donc l'initiation de la traduction. Le résidu Ser 209 occupe une position à la surface de eIF4E adjacente au site de liaison du groupe phosphate β de m7GDP et juste à coté de la fente supposée servir à la liaison de l'ARNm (Fig. 32-47*b*). La structure de eIF4E suggère que le groupe phosphoryl du résidu Ser 209 phosphorylé, forme un pont salin avec le résidu Lys 159, qui occupe l'autre coté de cette fente de liaison présomptive à l'ARNm, formant ainsi une pince qui pourrait aider à stabiliser la fixation de l'ARNm. L'importance de cette régulation de l'activité de eIF4E est démontré par des observations montrant que la surexpression de eIF4E provoque la transformation maligne de lignées de cellules de rongeurs et qu'il y a une augmentation de l'expression de eIF4E dans plusieurs cancers humains.

Plusieurs protéines homologues d'environ 120 résidus, connues sous le nom de **4E-BP1**, **4E-BP2** et **4E-BP3** [BP pour « binding protein » (protéine de liaison), on appelle aussi les deux premières **PHAS-I** et **PHAS-II**] inhibent la traduction dépendante de la coiffe. Elles le font en se fixant sur eIF4E sur le coté opposé à son site de liaison à l'ARNm, probablement au niveau d'un ensemble de sept résidus très conservés situés en surface, il n'y a donc pas d'empêchement de la fixation de eIF4E à la coiffe. Il y a plutôt blocage de la liaison de eIF4E à eIF4G et donc interférence avec la formation du complexe eIF4F qui positionne le Met-ARNt$_i^{Met}$ qui est fixé à la sous-unité 40S du ribosome sur le codon AUG initiateur de l'ARNm (Section 32-3C). En effet, aussi bien les 4E-BP que eIF4G possèdent le motif de séquence YXXXXLφ (où φ est un résidu aliphatique, le plus souvent L mais aussi M ou F) par lequel ils se fixent à eIF4E.

Le traitement de cellules insulino-sensibles par de l'insuline ou divers autres facteurs de croissance protéiques provoque la dissociation entre les facteurs 4E-BP et eIF4E. En fait, la présence de ces hormones induit la phosphorylation des 4E-BP sur six résidus Ser/Thr via la voie du transduction du signal mettant en jeu P13K, PKB et mTOR (Fig. 19-64). Il est clair que la phosphorylation de eIF4E et celle des facteurs 4E-BP a des effets similaires voire synergiques sur la régulation hormonale de la traduction chez les eucaryotes.

C. *Masquage de l'ARNm et polyadénylation cytoplasmique*

On sait depuis le 19ᵉ siècle que le développement embryonnaire précoce chez des animaux comme les oursins, les insectes et les grenouilles est sous la dépendance presque exclusive de l'information présente dans l'ovocyte (œuf) avant la fécondation. Par exemple, des embryons d'oursin incubés avec assez d'actinomycine D (Section 31-2C) pour inhiber la synthèse d'ARN sans bloquer la synthèse d'ADN se développe normalement pendant les premiers stades, sans qu'il y ait de modification dans leur programme de synthèse protéique. Cela est dû en partie à ce qu'un œuf non fécondé contient de grandes quantités d'ARNm « masqué » par des protéines associées à lui pour former des particules ribonucléoprotéiques, ce qui empêche l'association des ARNm avec les ribosomes qui sont aussi présents. Après fécondation, cet ARNm est « démasqué » de manière contrôlée, éventuellement par déphosphorylation des protéines associées, et il commence à diriger la synthèse protéique. Le développement de l'embryon peut donc commencer immédiatement après la fécondation, sans avoir à attendre la génération d'ARNm spécifiés par le père. Ainsi l'expression génique des premiers stades de développement est entièrement contrôlée au niveau traductionnel, le contrôle transcriptionnel ne prend de l'importance qu'avec l'initiation de la transcription.

a. La polyadénylation cytoplasmique

Un autre mécanisme de contrôle de la traduction dans les ovocytes et les embryons précoces met en jeu la polyadénylation des ARNm dans le cytoplasme (la polyadénylation se fait généralement dans le noyau avant l'exportation de l'ARNm dans le cytoplasme, Section 31-4A). Un nombre important d'ARN d'origine maternelle des ovocytes ont des queues poly(A) assez courtes (20 à 40 nt au lieu de la longueur habituelle de ~250 nt). La région 3′

non traduite de ces ARNm contient d'une part le signal de poly-adénylation AAUAAA (nécessaire pour la polyadénylation nucléaire, Section 31-4A), d'autre part un élément de polyadény-lation cytoplasmique appelé **CPE** (pour appelé **CPE** « cytoplasmic polyadenylation element »), dont la séquence consensus est UUUUUAU. Le CPE est reconnu par la protéine de liaison au CPE (CPEB), qui contient deux motifs de reconnaissance de l'ARN (RRM) ainsi qu'un doigt à zinc (Fig. 9-27a), qui contribuent à sa liaison à l'ARNm. Joel Richter a montré que CEBP recrute une protéine de 931 résidus, appelée maskine, qui se lie à eIF4E (la protéine de liaison à la coiffe) qui est fixée à la coiffe en 5′ de l'ARNm (Fig. 32-69a). La maskine contient le même motif YXXXXLφ que celui par lequel les 4E-BP et eIF4G se fixent à eIF4E (Section 32-4B), il y a donc blocage de la liaison entre eIF4G et eIF4E et impossibilité de former le complexe d'initiation 48S (Fig. 32-46).

Lors de la maturation des ovocytes de *Xenopus laevis*, c'est-à-dire au cours du processus qui précède la fécondation et qui est stimulé par la progestérone, une hormone stéroïdienne, (Section 19-11), il y a activation de la traduction d'un certain nombre d'ARNm y compris ceux codant plusieurs cyclines (elles partici-pent au contrôle du cycle cellulaire, Section 30-4A). Peu après l'exposition à la progestérone, une protéine kinase appelée **aurora** phosphoryle la protéine CPEB fixée à l'ARNm sur son résidu Ser 174. Cela augmente l'affinité de CPEB pour le facteur de spé-cificité de clivage et de polyadénylation (CPSF, Section 31-4A), qui va se fixer alors sur la séquence AAUAAA de l'ARNm où il recrute la poly(A) polymérase (PAP) pour rallonger la queue poly(A) de l'ARNm (Fig. 32-69b).

L'initiation de la traduction et la polyadénylation cytoplas-mique se font en même temps, cela suggère que ces processus sont liés. En effet, Richter a montré que cela se fait grâce à la liaison de la protéine de liaison au poly(A) (PABP ; Section 31-4A) à la queue poly(A), nous avons vu que celle-ci (Section 32-3C) se fixe également à eIF4G et circularise l'ARNm. Dans ce complexe, eIF4G va enlever la maskine de eIF4E, permettant ainsi la forma-tion du complexe d'initiation 48S et donc la traduction de l'ARNm (Fig. 32-69b).

Les cellules de mammifères possèdent aussi une polyadénylation cytoplasmique des ARNm, dépendante de la phase du cycle cellu-laire. Cela suggère que le contrôle de la traduction par la polyadé-nylation est un caractère général des cellules animales.

D. *Oligonucléotides antisens*

Puisque les ribosomes ne peuvent traduire ni un ARN double brin, ni un ARN hybridé dans une hélice ADN-ARN, la traduction d'un ARNm donné peut être inhibée par un segment d'ARN ou d'ADN complémentaire de sa séquence, c'est-à-dire par un **ARN antisens, ou un oligodésoxynucléotide antisens,** communément appelés **oligonucléotides antisens.** Il existe d'ailleurs une ARNase H endogène (enzyme qui coupe le brin ARN d'un duplex ARN-ADN ; Section 31-4C), qui coupe le brin ARNm d'un duplex ARNm-oligonucléotide en laissant intact l'oligonucléotide anti-sens qui pourra se fixer à un autre ARNm. Il y a aussi des ARN antisens qui forment un ribozyme capable de détruire son ARNm cible (Section 31-4A).

Le génome humain comporte environ 3,2 milliards de paires de bases, un oligonucléotide d'environ 15 nt (facile à synthétiser ; Section 7-6A) a la taille suffisante pour reconnaître de façon unique un segment cible dans le génome humain. Grâce à cette extrême spécificité, l'administration ou l'expression d'un oligonu-cléotide antisens dans un tissu ou un organisme donné offre donc un énorme potentiel biomédical et biotechnologique. Il faut cepen-dant prendre garde à ce que l'oligonucléotide antisens n'élimine pas également d'autres ARNm que la cible visée.

Les méthodes d'administration d'oligonucléotides antisens d'intérêt thérapeutique n'en sont qu'à leurs débuts. Cela est dû en grande partie à la dégradation rapide des oligonucléotides par les nombreuses nucléases présentes dans un organisme et à leur rela-tive incapacité à franchir les membranes cellulaires. De plus, il se peut qu'un ARNm cible soit associé à des protéines cellulaires et ne soit pas disponible pour la fixation d'autres molécules. On peut augmenter la résistance des oligonucléotides aux nucléases par des modifications, par exemple en remplaçant un oxygène non liant de chaque groupement phosphate par un groupement méthyl ou un

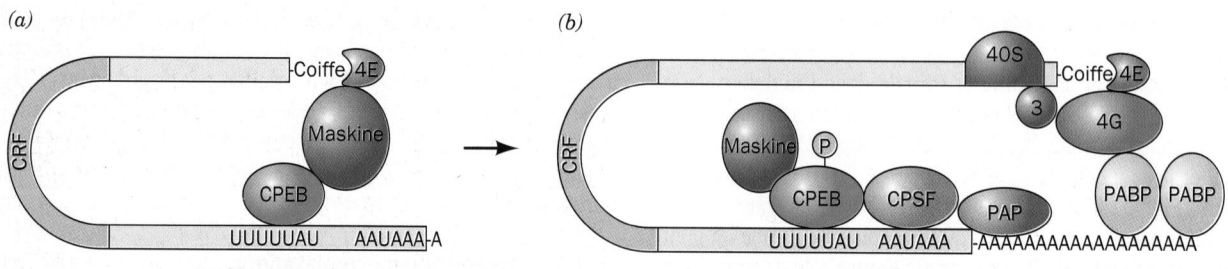

(a) **Non traduit**   (b) **Traduit**

FIGURE 32-69 Contrôle de la traduction par CPEB. *(a)* Dans les ovocytes immatures de *Xenopus*, un ARNm contenant le signal CPE (UUUUUAU) se fixe à CPEB, qui fixe la maskine, qui fixe à son tour eIF4E. Cela empêche la fixation de eIF4G et maintient l'ARNm dans un état non traduit (masqué). *(b)* Lors du processus de maturation, CPEB est phosphorylée par la protéine kinase aurora. La forme phosphorylée de CPEB se lie à CPSF, qui recrute la PAP, qui elle-même rallonge la queue poly(A) de l'ARNm, qui était courte jusque là. Les protéines PABP se fixent à la queue poly(A) qui vient d'être allongée et se fixent simultané-ment à eIF4G qui déplace la maskine. Cela permet l'assemblage du com-plexe d'initiation 48S et donc la traduction de l'ARNm. [D'après un des-sin de Mendez, R. et Richet, J.D., *Nature Rev. Mol. Cell Biol.* **2**, 521 (2001).]

atome S. On obtient ainsi un oligonucléotide **méyhylphosphonate** ou **phosphothiorate**, mais cela réduit son activité d'antisens. L'expression des oligonucléotides antisens, directement dans les tissus contournerait évidemment les difficultés d'administration, mais on est confronté alors à tous les problèmes de la thérapie génique (Section 5-5H).

Malgré ce qu'on vient de dire, la technologie antisens commence à remporter des succès. Le **Fomivirsen** (le nom commercial est **Vitravene**) est un oligonucléotide phosphothiorate de 21 nt complémentaire d'un ARNm exprimé par le **cytomégalovirus (CMV)**, qui est efficace dans le traitement de la rétinite ou inflammation de la rétine causée par l'infection par le CMV chez les personnes atteintes du SIDA (le CMV est un pathogène opportuniste qui infecte rarement les personnes dont le système immunitaire est intact). L'usage de ce médicament chez l'homme a été autorisé en 1998 par la FDA, il s'agissait du premier médicament de ce type. De plus, de nombreux oligonucléotides antisens, dirigés principalement contre des gènes spécifiquement surexprimés dans certains cancers ou dans des maladies autoimmunes ou encore lors d'autres infections virales sont en phase II ou III d'essai clinique.

La technologie antisens connaît aussi quelques succès dans le domaine des biotechnologies. Par exemple, dans les tomates et les autres fruits, l'enzyme polygalacturonidase (PG), qui est exprimée au cours du mûrissement, dépolymérise la pectine (composée principalement d'acide polygalacturonique) de la paroi cellulaire. Les tomates deviennent alors molles de sorte que les tomates bien mûres (dont le goût est meilleur) supportent mal la brutalité du transport et qu'il faut les cueillir avant maturité. Par les techniques de manipulation génétiques, on a introduit un gène exprimant l'ARN antisens de la PG dans une tomate et obtenu ainsi la tomate dite Flavr Savr ayant un taux de PG nettement réduit et restant ferme après mûrissement.

5 ■ MODIFICATIONS POST-TRADUCTIONNELLES

Pour devenir des protéines matures, les peptides doivent se replier dans leur conformation native, les ponts disulfures, s'il y en a, doivent se former et, dans le cas de protéines multimériques, les sous-unités doivent s'assembler correctement. De plus, comme nous l'avons vu tout au long de ce livre, beaucoup de protéines sont modifiées par des réactions enzymatiques, responsables du clivage protéolytique de certaines liaisons peptidiques et/ou de la modification spécifique de certains de leurs résidus. Dans cette section nous allons passer en revue certaines de ces modifications post-traductionnelles.

A. *Coupures protéolytiques*

Le clivage protéolytique est le type le plus courant de modification post-traductionnelle. Toutes les protéines matures ont probablement été modifiées de la sorte, ne serait-ce que par l'élimination par protéolyse de leur résidu Met (ou fMet) N-terminal peu après sa sortie du ribosome. Beaucoup de protéines impliquées dans des processus biologiques variés sont synthétisées sous forme de précurseurs inactifs pour être activées dans des conditions définies par protéolyse limitée. Parmi les exemples déjà vus, citons la transformation du trypsinogène et du chymotrypsinogène en leurs formes

actives par clivage trypsique de liaisons peptidiques spécifiques (Section 15-3E), et la formation d'insuline active à partir de proinsuline à 84 résidus par l'excision de la chaîne C interne de 33 résidus (Section 9-1A). Des protéines inactives activées par élimination de polypeptides sont appelées **proprotéines** et les peptides excisés sont appelés **propeptides.**

a. Des propeptides dirigent l'assemblage du collagène

La biosynthèse du collagène illustre de nombreuses facettes de la modification post-traductionnelle. Rappelez-vous que le collagène, un constituant extracellulaire majeur des tissus conjonctifs, est une protéine fibreuse en triple hélice dont les polypeptides ont chacun la même séquence en acides aminés (Gly-X-Y)$_n$ où X est souvent Pro, et où Y est souvent la 4-hydroxy-proline (Hyp), et n ~340 (Section 8-2B). Les polypeptides du **procollagène** (Fig. 32-70) diffèrent de ceux de la protéine mature par la présence de propeptides de ~100 résidus, aux extrémités N- et C-terminales, dont les séquences n'ont, pour l'essentiel, rien à voir avec celles du collagène mature. Les polypeptides du procollagène s'assemblent rapidement, aussi bien *in vitro qu'in vivo,* pour donner la triple hélice du collagène. Par contre, les polypeptides extraits du collagène mature ne s'assembleront qu'après plusieurs jours, ou ne s'assembleront pas. *Les propeptides du collagène semblent nécessaires au repliement correct du procollagène.*

Les propeptides N- et C-terminaux du procollagène sont enlevés respectivement par des **amino-** et des **carboxyl-procollagène peptidases** (Fig. 32-71), qui peuvent aussi être spécifiques pour les différents types de collagène. Une anomalie héréditaire d'une

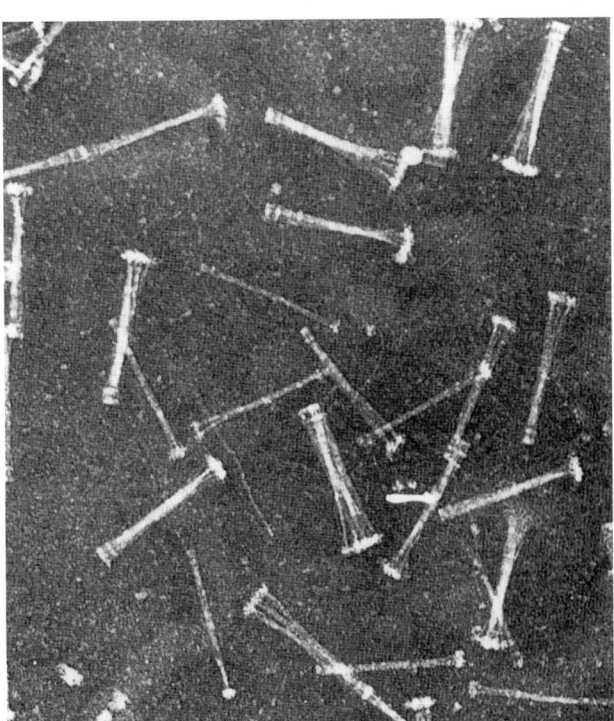

FIGURE 32-70 Une micrographie électronique d'agrégats de procollagène qui ont été sécrétés dans l'espace extracellulaire. [Avec l'aimable autorisation de Jérôme Gross, Hôpital général du Massachusetts, École de Médecine de Harvard.]

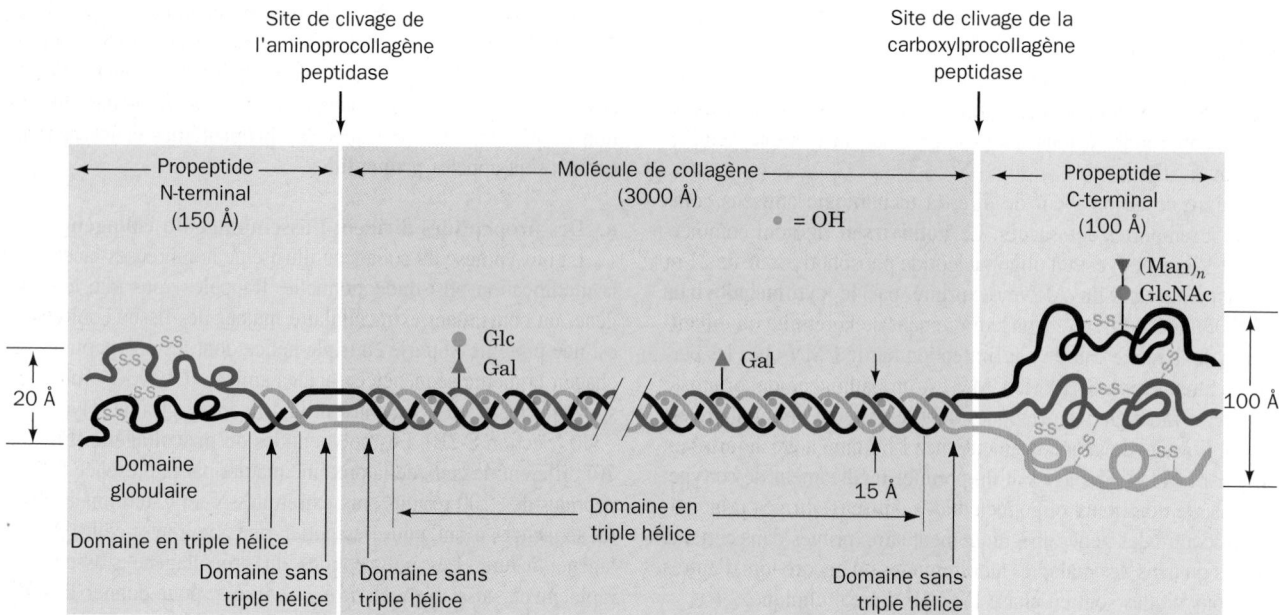

FIGURE 32-71 Représentation schématique de la molécule de procollagène. Gal, Glc, Glc, Nac et Man désignent respectivement des résidus galactose, glucose, N-acétylglucosamine et mannose. Notez que le propeptide N- terminal a des ponts disulfures intracaténaires tandis que le propeptide C-terminal a, à la fois, des ponts disulfures intra- et intercaténaires. [D'après Prockop, D.J., Kivirikko, K.I., Tuderman, L., et Guzman, N.A., *New Engl. J. Med.* **301**, 16 (1979).]

amino-procollagène peptidase qui affecte les bovins et les ovins est à l'origine d'une maladie étrange, le **dermatosparaxis,** qui se caractérise par une peau extrêmement fragile. Une maladie analogue chez l'homme, le **syndrome VII d'Ehlers-Danlos,** est due à une mutation dans l'un des polypeptides du procollagène, qui inhibe l'élimination enzymatique de son amino-propeptide. Normalement, les molécules de collagène se rassemblent spontanément pour former les fibrilles de collagène (Fig. 8-31 et 8-32). Cependant, des micrographies électroniques de peau de dermatosparaxiques montrent des fibrilles de collagène dispersées et désorganisées. *Le maintien des amino-propeptides du collagène semble perturber la formation correcte de la fibrille.* (Le gène du dermatosparaxis a été introduit dans certains troupeaux de bovins car les hétérozygotes ont une chair plus tendre).

b. Les peptides-signaux sont enlevés des protéines naissantes par une peptidase du signal

Beaucoup de protéines transmembranaires ou de protéines destinées à la sécrétion sont synthétisées avec un **peptide-signal** N-terminal de 13 à 36 résidus essentiellement hydrophobes. Selon l'hypothèse **du signal** (Section 12-4B), un peptide signal est reconnu par une **particule de reconnaissance de la séquence-signal (SRP).** La SRP va accrocher un ribosome en train de synthétiser un peptide-signal à un récepteur membranaire [du réticulum endoplasmique rugueux (RER) chez les eucaryotes et de la membrane plasmique chez les bactéries] et diriger le peptide-signal et le polypeptide naissant qui le prolonge à travers cette membrane.

Les protéines porteuses d'un peptide-signal sont appelées **pré-protéines** ou, si elles contiennent aussi des propeptides, **pré-pro-protéines.** Une fois que le signal a traversé la membrane, il est spécifiquement excisé du polypeptide naissant par une **peptidase du signal** liée à la membrane. L'insuline et le collagène sont des protéines sécrétées et sont donc synthétisés avec des peptides signaux N-terminaux sous forme de **préproinsuline** et de **préprocollagène.** Ces protéines et beaucoup d'autres subissent par conséquent trois clivages protéolytiques successifs : (1) la délétion de leur résidu Met initiateur, (2) l'excision de leurs peptides-signaux, et (3) l'excision de leurs propeptides

c. Les polyprotéines

Certaines protéines sont synthétisées en tant que segments de **polyprotéines,** c'est-à-dire des polypeptides contenant les séquences de deux protéines ou plus. Citons comme exemples la plupart des hormones polypeptidiques (Section 34-3C), les protéines synthétisées par beaucoup de virus, dont le virus de la polio (Section 33-2C) et celui du SIDA, ainsi que **l'ubiquitine,** une protéine d'eucaryote très conservée et impliquée dans la dégradation des protéines (Section 32-6B). Après la traduction, des protéases spécifiques clivent les polyprotéines en leurs protéines constituantes, probablement grâce à la reconnaissance de séquences de sites de clivage spécifiques. Certaines de ces protéases se sont conservées durant l'évolution depuis des périodes remarquablement longues. Par exemple, l'ubiquitine est synthétisée sous forme de plusieurs tandems répétés (la **polyubiquitine**) que *E. coli* clive correctement bien que les procaryotes n'aient pas d'ubiquitine. D'autres protéases reconnaissent des séquences de clivage plus particulières. Ainsi, les chimistes ont conçu et synthétisé de nombreux inhibiteurs de la **protéase du VIH** (qui catalyse une étape essentielle dans le cycle de la vie du virus) dans le but de ralentir, le développement du SIDA, à défaut de guérison (Section 32-6B).

B. *Modifications covalentes*

Les protéines peuvent subir des modifications chimiques, soit sur les groupes fonctionnels de leurs chaînes latérales, soit à leurs extrémités N- et C-terminales. On connaît plus de 150 types différents de modifications de chaînes latérales, touchant toutes les chaînes latérales exceptées celles des résidus Ala, Gly, Ile, Leu, Met et Val (Section 4-3A). Parmi elles, citons des acétylations, des glycosylations, des hydroxylations, des méthylations, des nucléotidylations, des phosphorylations et des ADP-ribosylations ainsi que de multiples autres modifications.

Certaines modifications de protéines, comme la phosphorylation de la glycogène phosphorylase (Section 18-1 A) et l'ADP-ribosylation de eEF-2 (Section 32-3G), modifient l'activité de la protéine. Plusieurs modifications de chaînes latérales assurent la liaison covalente de cofacteurs aux enzymes, sans doute pour augmenter leur efficacité. Parmi les exemples rencontrés, citons la N^ε-lipoyllysine dans la dihydrolipoyl transacétylase (Section 21-2A) et la 8α-histidylflavine dans la succinate déshydrogénase (Section 21-3F). La liaison de motifs oligosaccharidiques, d'une variété de structures quasi infinie, modifie les propriétés structurales des protéines et constitue des marqueurs de reconnaissance pour différentes formes de ciblage et pour les interactions cellule-cellule (Sections 11-3C, 12-3E et 23-3B). Des modifications qui forment des liaisons covalentes entre protéines, comme celles que l'on trouve dans le collagène (Section 8-2B), stabilisent les agrégats supramoléculaires. Cependant, le rôle de la plupart des modifications de chaînes latérales reste énigmatique.

a. L'assemblage du collagène nécessite des modifications chimiques

La biosynthèse du collagène (Fig. 32-72) illustre le mécanisme de la maturation protéique grâce à des modifications chimiques. Au fur et à mesure que les polypeptides naissants de procollagène progressent dans le RER des fibroblastes qui les synthétisent, les résidus Pro et Lys sont hydroxylés en Hyp, en 3-hydroxy-Pro, et en 5-hydroxy-Lys (Hy1). Les enzymes responsables de ces réactions reconnaissent des séquences spécifiques : la **prolyl 4-hydroxylase**

et la **lysyl hydroxylase** n'agissent que sur les résidus Y des séquences Gly-X-Y, tandis que la **prolyl-3-hydroxylase** n'agit que sur les résidus X, à condition que Y soit un Hyp. La glycosylation, qui a lieu également dans le RER, attache ensuite des résidus de sucre aux résidus Hy1 (Section 8-2B). Le repliement des trois polypeptides pour donner la triple hélice du collagène doit se faire après les hydroxylations et glycosylations car les hydroxylases et les glycosyl transférases n'agissent pas sur des substrats en hélice. De plus, la triple hélice du collagène se dénature à des températures en dessous des températures physiologiques à moins d'être stabilisée par des interactions à liaisons hydrogène impliquant des résidus Hyp (Section 8-2B). Le repliement est aussi précédé par la formation de ponts disulfure intercaténaires spécifiques, entre les propeptides C-terminaux. Cette observation confirme que les propeptides du collagène aident à sélectionner et à aligner les trois polypeptides du collagène pour que le repliement soit correct, comme nous l'avons vu précédemment.

Les molécules de procollagène transitent par l'appareil de Golgi, où elles sont empaquetées dans des **granules de sécrétion** (Sections 12-4C, 12-4D et 23-3B), pour être sécrétées dans l'espace extracellulaire du tissu conjonctif. Les amino-propeptides sont excisés aussitôt après que le procollagène ait quitté la cellule et les carboxyl-propeptides sont enlevés peu de temps après. Les molécules de collagène s'assemblent alors spontanément en fibrilles, ce qui suggère qu'un rôle important des propeptides est d'empêcher la formation de fibrilles intracellulaires. Enfin, après l'intervention de la lysyl oxydase, enzyme extracellulaire, les molécules de collagène dans les fibrilles établissent des liaisons covalentes (Fig. 8-33).

C. *Épissage des protéines : intéines et extéines*

L'**épissage des protéines** est un processus de modification post-traductionnel par lequel un segment interne d'une protéine (**intéine**) s'excise lui-même des segments externes de la protéine qui l'entoure et qu'il ligature pour former l'**extéine** mature. Les parties situées des cotés N- et C-terminaux de l'intéine avant épissage sont appelées **N-extéine** et **C-extéine**. On a déjà identifié plus

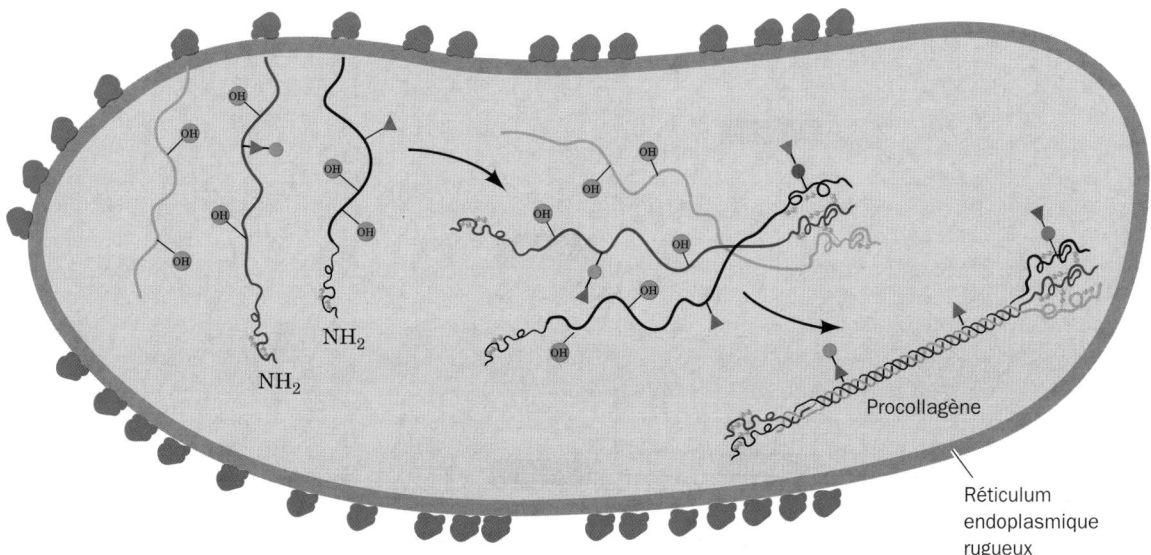

FIGURE 32-72 Représentation schématique de la biosynthèse du procollagène. Le départ des peptides-signaux n'est pas figuré. [D'après Prockop, D.J., Kivirikko, K.I., Tuderman, L., et Guzman, N.A., *New Engl. J. Med.* **301**, 18 (1979).]

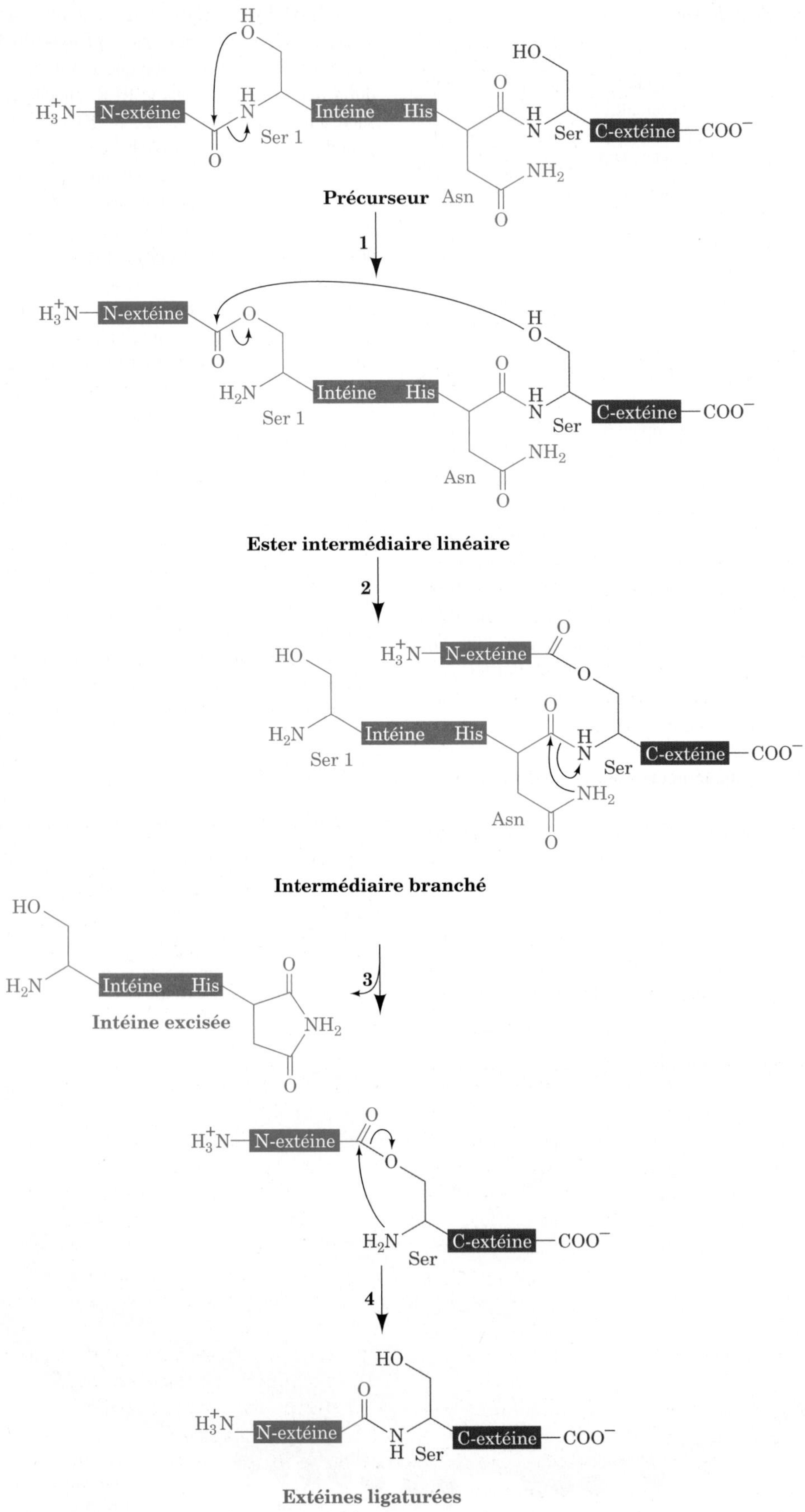

FIGURE 32-73 Suite des réactions catalysées par les intéines pour leur auto-excision d'une chaîne polypeptidique.

de 130 intéines potentielles, de tailles allant de 134 à 600 résidus, chez les archaebactéries, les eubactéries et les eucaryotes unicellulaires (elles sont répertoriées dans la banque de données des intéines à l'adresse http://www.ncb/inteins.html/). Les différentes extéines contenant ces intéines ne présentent pas de similitude de séquence significative, on peut, en fait, les remplacer par d'autres polypeptides, cela montre que les extéines ne renferment pas d'élément catalytique responsable de l'épissage des protéines. Au contraire, les éléments épissables de ~150 résidus des intéines présentent entre eux une similitude de séquence significative. Ils ont tous quatre résidus de jonction d'épissage conservés : (1) un résidu Ser/Thr/cys à l'extrémité N-terminale de l'intéine, et (2 et 3) un dipeptide His-Asn/Gln à l'extrémité C-terminale de l'intéine qui est immédiatement suivi de (4) un résidu Ser/Thr/Cys à l'extrémité N-terminale de la C-extéine.

L'épissage des protéines se fait selon une séquence de réactions qui met en jeu quatre déplacements nucléophiliques successifs, les trois premiers étant catalysés par l'intéine (Fig. 32-73), ces réactions sont :

1. L'attaque par le résidu N-terminal de l'intéine (Ser, Thr ou Cys ; représenté par Ser dans la Fig. 32-73) du groupement carbonyl qui le précède pour former un intermédiaire (thio)ester linéaire.

2. Une réaction de transestérification où le groupement –OH ou –SH du résidu N-terminal de la C-extéine (représenté par Ser dans la figure 32-73) attaque la liaison (thio)ester ci-dessus, avec formation d'un intermédiaire branché dans lequel la N-extéine a été transférée à la C-extéine.

3. Clivage de la liaison amide reliant l'intéine à la C-extéine par cyclisation du résidu C-terminal de l'intéine Asn ou Gln (Asn dans la Fig. 32-73).

4. Réarrangement spontané de la liaison (thio)ester entre les extéines ligaturées pour former la liaison peptidique, qui est plus stable.

La structure par rayons X de l'intéine GyrA (198 résidus) de *Mycobactérium xenopi*, a été déterminée par James Sacchetini. Elle montre comment l'intéine catalyse la réaction d'épissage décrite ci-dessus. Le résidu N-terminal de l'intéine, Cys 1 avait été remplacé par un dipeptide Ala-Ser en espérant que la protéine mutante ressemblerait à l'état de l'intéine avant épissage (le nouveau résidu N-terminal, Ala 0 est sensé représenter le résidu C-terminal de la N-extéine). La structure par rayons X montre que cette protéine monomérique est surtout constituée de feuillets β, dont deux qui tournent autour de la périphérie de la protéine pour lui donner la forme globale d'un sabot de cheval aplati (Fig. 32-74. Le site catalytique de l'intéine est situé au fond d'une fente large et profonde près du centre de cette structure appelée **sabot de cheval-β**, dans laquelle les résidus des extrémités N-terminale et C-terminale de l'intéine sont très proches l'un de l'autre. La liaison peptidique Ala 0-Ser 1, qui est coupée dans la Réaction 1 du processus d'épissage de la protéine (Fig. 32-73) est en conformation cis (Fig. 8-2), une conformation de haute énergie assez rare (sauf dans le cas où un résidu Pro fait suite à la liaison peptidique) et qui déstabilise cette liaison. Il y a une liaison hydrogène qui relie l'atome d'azote de son amide et la chaîne latérale du résidu His 75 très conservé. Le résidu His 75 se trouve donc bien placé pour donner un proton et entraîner la résolution de l'intermédiaire tétraédrique de la Réaction 1. Les deux chaînes latérales des résidus Thr 72 et Asn 74 semblent en bonne position pour stabiliser cet

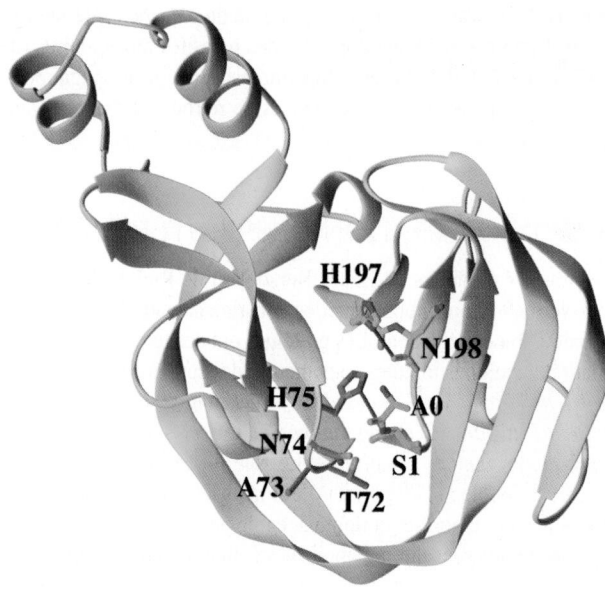

FIGURE 32-74 Structure par rayons X de l'intéine Gyr A de *M. xenopi*, dans laquelle le résidu Cys 1 a été remplacé par un dipeptide Ala 0-Ser1. La protéine est représentée sous forme de rubans où le dipeptide N-terminal Ala 0-Ser 1 et le dipeptide C-terminal His 197-Asn 198, ainsi que les chaînes latérales des résidus 72 à 75 sont en modèle éclaté avec leurs atomes colorés en fonction de leur nature (C en rose pour les résidus 0 et 1, en vert pour les résidus 72 à 75, et en bleu clair pour les résidus 197 et 198, N en bleu et O en rouge). Les liaisons hydrogène sont représentées par de fines barres grises. [D'après une structure par rayons X de James Sacchetini, Texas Université A&M. PDBid 1AM2.]

intermédiaire tétraédrique d'une façon qui fait penser au trou de l'oxanion des protéases à sérine (Section 15-3D). La position du résidu Ser 1 et celle d'un résidu Thr modélisé à l'extrémité C-terminale de l'intéine sont cohérentes avec la Réaction 2 du processus d'épissage. Il y a une liaison hydrogène entre le groupement carboxyl du résidu C-terminal Asn 197 et la chaîne latérale du résidu invariable His 197, qui met cette chaîne en position de protoner la liaison peptidique coupée dans la Réaction 3.

a. La plupart des intéines codent une endonucléase d'écotaxie

Quelle peut être le rôle biologique des intéines ? Les intéines contiennent presque toutes des inserts polypeptidiques formant ce qu'on appelle les **endonucléases d'écotaxie** (ou d'insertion ciblée ou « **homing** ») . Ce sont des endonucléases spécifiques d'un site, effectuant une coupure double brin dans des gènes homologues de ceux de l'extéine qui leur correspond quand ceux-ci ne renferment pas encore d'intéine. La coupure induit la réparation par recombinaison des cassures double brin de l'ADN (Section 30-60A). Du fait que le gène renfermant l'intéine a de fortes chances d'être le seul autre gène de la cellule à contenir les séquences homologues de l'extéine ciblée, le gène de l'intéine est recopié dans cette unique coupure. Ainsi, la plupart des intéines contrôlent une transposition très spécifique appelée « écotaxie » (homing) visant des gènes qui les insèrent à des sites similaires. Les activités protéase et nucléase d'une intéine ont une relation de nature apparemment symbiotique ; l'activité protéasique retire l'intéine de la protéine de l'hôte, évitant ainsi les effets néfastes pour l'hôte, tandis que l'activité endonucléasique permet la mobilité du gène de l'intéine. Les gènes d'intéines semblent donc être des parasites moléculaires (de l'ADN égoïste), dont la seule fonction est son auto-propagation et de fait les endonucléases écotaxiques se retrouvent dans certains types d'introns.

6 ■ DÉGRADATION DES PROTÉINES

Les travaux pionniers de Henry Borsook et de Rudolf Schoenheimer vers 1940 ont montré que les constituants cellulaires sont en perpétuel renouvellement. Les protéines ont des temps de demi-vie allant de quelques minutes seulement à des semaines voire davantage. *De toute façon, Les cellules synthétisent continuellement des protéines à partir d'acides aminés et en dégradent d'autres en leurs acides aminés constitutifs.* Le rôle de ce processus dispendieux est double : (1) il permet d'éliminer les protéines anormales dont l'accumulation serait dommageable pour la cellule, (2) il permet la régulation du métabolisme cellulaire en éliminant les enzymes et les protéines régulatrices superflues. En effet, comme la concentration d'une enzyme dépend autant de son taux de dégradation que de son taux de synthèse, *il est aussi important pour l'économie cellulaire de contrôler son taux de dégradation que celui de sa synthèse.* Dans cette section nous allons étudier les processus de la dégradation intracellulaire des protéines et leurs conséquences.

A. *Spécificité de la dégradation*

Les cellules dégradent sélectivement les protéines anormales. Par exemple, l'hémoglobine synthétisée avec l'analogue de la valine **α-amino-β-chlorobutyrate**

α-Amino-β-Chlorobutyrate   **Valine**

a un temps de demi-vie dans les réticulocytes de ~10 minutes, alors que l'hémoglobine normale dure pendant les 120 jours de la vie du globule rouge (ce qui en fait peut-être la protéine cytoplasmique à la vie la plus longue). De la même façon, des hémoglobines mutantes instables sont dégradées aussitôt après leur synthèse, ce qui, pour des raisons données dans la Section 10-3A, entraîne des anémies hémolytiques caractéristiques de ces agents de maladies moléculaires. Les bactéries dégradent aussi sélectivement leurs protéines anormales. Par exemple, les mutants *ambre* et *ocre* de la β-galactosidase ont des demi-vies de quelques minutes seulement chez *E. coli,* alors que l'enzyme de type sauvage est pratiquement indéfiniment stable. Cependant, la plupart des protéines anormales proviennent sans doute de modifications chimiques et/ou de la dénaturation spontanée de ces molécules fragiles dans l'environnement cellulaire réactif plutôt que de mutations ou de rares erreurs dans la transcription ou la traduction. *La capacité d'éliminer sélectivement des protéines endommagées constitue donc un mécanisme de recyclage essentiel qui empêche l'accumulation de substances qui, sans cela, interféreraient avec des processus cellulaires.*

TABLEAU 32-11   Demi-vies de quelques enzymes de foie de rat

Enzyme	Demi-vie (h)
Enzymes à vie courte	
Ornithine décarboxylase	0,2
ARN polymérase I	1,3
Tyrosine aminotransférase	2,0
Sérine déshydratase	4,0
PEP carboxylase	5,0
Enzymes à vie longue	
Aldolase	118
GAPDH	130
Cytochrome *b*	130
LDH	130
Cytochrome *c*	150

Source : Dice, J.F. et Goldberg, A.L., *Arch. Biochem. Biophys.* **170**, 214 (1975).

Les protéines intracellulaires normales sont éliminées à des vitesses qui dépendent de leur nature. Une protéine donnée est éliminée selon une cinétique d'ordre un ce qui signifie que les molécules dégradées sont choisies au hasard et non en fonction de leur âge. Les demi-vies de différentes enzymes dans un tissu donné varient de façon importante, comme l'indique le Tableau 32-11 pour le foie de rat. Ce qui est remarquable, *c'est que ce sont les enzymes qui occupent des points de contrôle importants qui sont dégradées le plus rapidement, alors que les enzymes relativement stables ont des activités catalytiques à peu près constantes quelles que soient les conditions physiologiques. Les aptitudes des enzymes à être dégradées ont évidemment évolué avec leurs propriétés catalytiques et allostériques de sorte que les cellules puissent répondre efficacement à des changements dans leur environnement et à des besoins métaboliques.* Les critères de sélection des protéines natives destinées à être dégradées sont donnés dans la Section 32-6B.

La vitesse de dégradation protéique dans une cellule varie aussi avec son état nutritionnel et hormonal. En cas de carence nutritionnelle, la dégradation des protéines intracellulaires est accélérée afin de fournir les nutriments nécessaires aux processus métaboliques essentiels. Le mécanisme qui augmente les vitesses de dégradation chez *E. coli* est la réponse « stringente » (Section 31-3H). Un mécanisme similaire peut intervenir chez les eucaryotes car, comme dans le cas de *E. coli,* des augmentations des vitesses de dégradation sont empêchées par les antibiotiques qui bloquent la synthèse protéique.

B. *Mécanismes de la dégradation*

Les cellules eucaryotes disposent de deux systèmes de dégradation des protéines : par l'intermédiaire des lysosomes et par l'intermédiaire de mécanismes cytoplasmiques ATP-dépendants. Nous allons étudier ces deux mécanismes.

a. Les lysosomes dégradent les protéines principalement de façon non sélective

Les lysosomes sont des organites limités par une membrane (Section 1-2A) qui contiennent ~50 enzymes hydrolytiques, dont plusieurs protéases appelées **cathepsines.** Le lysosome maintient un pH interne d'environ 5 et ses enzymes ont des activités optimales à pH acide. Cette situation protège vraisemblablement la cellule contre une fuite accidentelle d'enzymes lysosomiales car celles-ci sont pratiquement inactives aux pH cytosoliques.

Les lysosomes recyclent les constituants intracellulaires en fusionnant avec des fractions de cytoplasme enfermées à l'intérieur d'une membrane, et appelées **vacuoles autophagiques,** dont ils dégradent ensuite le contenu. Ils dégradent de la même manière des substances que la cellule récupère par endocytose (Section 12-5B). L'existence de ces processus a été démontrée en utilisant des inhibiteurs lysosomiaux. Par exemple la **chloroquine,** drogue antipaludéenne,

$$Cl\text{—}\overset{N}{\underset{\text{quinoléine}}{\bigcirc\bigcirc}}$$

$$NH\text{—}CH\text{—}CH_2\text{—}CH_2\text{—}CH_2\text{—}N(C_2H_5)_2$$
$$|$$
$$CH_3$$

Chloroquine

est une base faible qui, sous sa forme non chargée, pénètre librement dans le lysosome pour s'y accumuler sous forme chargée, augmentant ainsi le pH intralysosomial et inhibant le fonctionnement du lysosome. Si l'on traite des cellules par de la chloroquine, la vitesse de dégradation des protéines diminue. Des résultats identiques sont obtenus si l'on traite des cellules avec des inhibiteurs des cathepsines comme l'**antipaïne,** un antibiotique polypeptidique.

$$^-OOCCHNH\text{—}\overset{O}{\overset{\|}{C}}\text{—}NHCHC\overset{O}{\overset{\|}{}}\text{—}NHCHC\overset{O}{\overset{\|}{}}\text{—}NHCHC\overset{O}{\overset{\|}{}}\text{—}H$$
$$\underset{\text{Phe}}{|}\qquad\underset{\text{Arg}}{|}\qquad\underset{\text{Val}}{|}\qquad\underset{\text{Arg}}{|}$$

Antipain

La dégradation des protéines lysosomiales dans des cellules bien nourries ne semble pas être sélective. Les inhibiteurs lysosomiaux n'affectent pas la dégradation rapide de protéines anormales ou d'enzymes à durée de vie courte. Par contre, ils empêchent l'accélération de la dégradation non sélective de protéines lors d'un jeûne. En fait, la dégradation non sélective continuelle de protéines dans des cellules en état de jeûne conduirait rapidement à un manque intolérable en acides aminés indispensables et en protéines régulatrices. Les lysosomes ont donc aussi une voie sélective de dégradation, qui n'est activée qu'après un jeûne prolongé, et qui capture et dégrade les protéines contenant le pentapeptide Lys-Phe-Glu-Arg-Gln (KFERQ) ou une séquence proche. Ces protéines KFERQ sont perdues sélectivement, chez des animaux qui jeûnent, par des tissus qui s'atrophient en réponse au jeûne (ex. le foie et les reins) mais pas par les tissus qui ne s'atrophient pas (ex. le cerveau et les testicules). Les protéines KFERQ se lient spécifiquement dans le cytosol, avant d'être livrées aux lysosomes, à une **protéine de reconnaissance du peptide** de 73 kD (**prp73**), membre de la famille des protéines de choc thermique de 70 kD (Hsp70; Section 9-2C).

Beaucoup de processus normaux et pathologiques s'accompagnent d'une activité lysosomiale accrue. Le **diabète sucré** (Sec-

tion 27-3B) stimule la dégradation des protéines par les lysosomes. De même, la déperdition musculaire due à un manque d'activité, à une dénervation ou à une blessure traumatisante résulte d'une augmentation d'activité lysosomial. La régression de l'utérus après l'accouchement, au cours de laquelle cet organe musculaire passe de 2 kg à 50 g en 9 jours, est un exemple frappant de ce processus. De nombreuses maladies inflammatoires chroniques, comme l'**arthrite rhumatoïde,** font intervenir la libération extracellulaire d'enzymes lysosomiales qui dégradent les tissus environnants.

b. L'ubiquitine marque les protéines destinées à être dégradées

Pendant longtemps, on a pensé que la dégradation protéique dans les cellules des eucaryotes était avant tout un processus lysosomial. Cependant, les réticulocytes qui n'ont pas de lysosomes dégradent sélectivement les protéines anormales. Le fait que la dégradation protéique soit inhibée dans des conditions anaérobies a conduit à la découverte d'un système protéolytique ATP-dépendant cytosolique, qui est indépendant du système lysosomial. Ce phénomène était thermodynamiquement imprévisible puisque l'hydrolyse peptidique est un processus exergonique.

L'analyse d'un extrait acellulaire de réticulocytes de lapin a montré que l'**ubiquitine** (Fig. 32-75) est nécessaire pour cette dégradation protéique ATP-dépendante. *Cette protéine monomérique de 76 résidus, appelée ainsi car elle est ubiquitaire et abondante chez les eucaryotes, est la protéine la plus conservée connue.* Elle est identique chez des organismes aussi différents que l'homme, le crapaud, la truite et *Drosophila* et ne diffère que de trois résidus entre l'homme et la levure. Manifestement, l'ubiquitine doit accomplir un processus cellulaire essentiel.

Les protéines destinées à être dégradées sont marquées en se liant par covalence à l'ubiquitine. Ce processus, qui rappelle celui de l'activation des acides aminés (Section 32-2C), se fait selon une

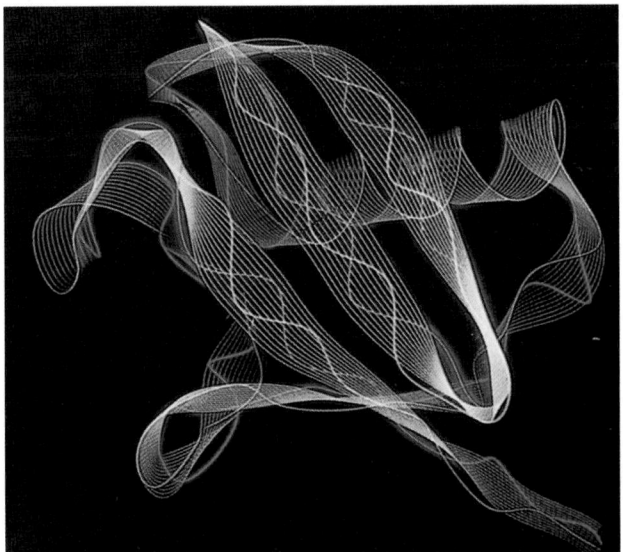

FIGURE 32-75 La structure par rayons X de l'ubiquitine. Le ruban blanc représente le squelette polypeptidique et les courbes rouges et bleues indiquent respectivement les directions des groupes carbonyles et amides. [Avec la permission de Michael Carson, Université d'Alabama, Birmingham. La structure par rayons X a été déterminée par Charles Bugg.f, Université d'Alabama, Birmingham. PDBid 1UBQ.]

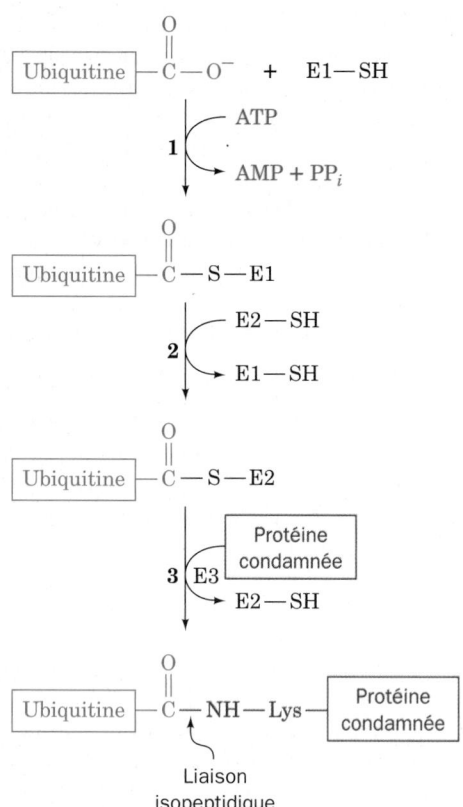

FIGURE 32-76 Réactions impliquées dans la liaison de l'ubiquitine à une protéine. En premier lieu, le groupe carboxylate terminal de l'ubiquitine est réuni, grâce à une liaison thioester, à El dans une réaction qui nécessite l'hydrolyse de l'ATP. L'ubiquitine activée est ensuite transférée à un groupe sulfhydryle d'une protéine E2 puis, dans une réaction catalysée par une protéine E3, transférée à un groupe ε-amine d'un résidu Lys d'une protéine condamnée, signalant ainsi la protéine destinée à être protéolysée par le protéosome 26S.

FIGURE 32-77 Structure par rayons X d'une protéine E2 de *Arabidopsis thaliana*. Les hélices α sont en bleu, le segment hélicoïdal 3_{10} est en violet, les brins β sont en vert et le reste de la molécule est en bleu clair. La chaîne latérale du résidu Cys 88, auquel l'ubiquitine est liée de façon covalente, est représentée en modèle éclaté, en jaune. [Avec l'aimable autorisation de William Cook, Université d'Alabama, Birmingham. PDBid 2AAK.]

voie en trois étapes élucidée en particulier par Avram Hershko et Aaron Ciechanover (Fig. 32-76):

1. Lors d'une réaction nécessitant de l'ATP, le groupe carboxylate terminal de l'ubiquitine est conjugué, par l'intermédiaire d'une liaison thioester, à **l'enzyme activatrice de l'ubiquitine (EI),** un homodimère de ~1050 résidus. La plupart des organismes, y compris la levure et l'homme ne possèdent qu'un type de protéine E1.

2. L'ubiquitine est ensuite transférée sur le groupe sulfhydryle d'un résidu Cys spécifique d'une des nombreuses protéines appelées **enzymes de conjugaison à l'ubiquitine (E2**; 11 chez la levure et plus de 20 chez les mammifères). Les différentes E2 sont caractérisées par des cœurs catalytiques de ~150 résidus contenant le résidu Cys du site actif, et elles ont au moins 25 % d'identité de séquence; elles se distinguent, entre autres, par la présence ou l'absence de prolongements N- et/ou C-terminaux qui ont peu d'identités de séquence entre eux. La comparaison des structures par rayons X de différentes sortes de E2 révèle que leurs cœurs catalytiques ont tous une structure α/β assez similaire (ex. Fig. 32-77) dans laquelle la plupart des résidus identiques sont regroupés dans une surface proche du résidu Cys accepteur de l'ubiquitine, on en a déduit que cette zone comprend le site de liaison à l'ubiquitine et à E1.

3. L'ubiquitine-protéine ligase (E3) transfère l'ubiquitine activée, de E2 à un groupe ε-amino d'un résidu Lys d'une protéine cible préalablement fixée, formant ainsi une **liaison isopeptidique.** Les cellules contiennent un grand nombre de protéines E3, dont chacune permet l'ubiquitinylation (ou ubiquitination) spécifique d'un petit ensemble de protéines qui seront marquées pour être dégradées. Chaque protéine E3 est la cible d'une ou de quelques protéines E2 spécifiques. Les protéines E3 connues, appartiennent à deux familles sans lien de parenté entre elles: celles des protéines E3 contenant un domaine **HECT** (HECT pour homologue au domaine C-ter de *E6*AP) et celles des protéines E3 contenant un domaine **RING** finger (doigt RING; RING pour « *r*eally *int*eresting *n*ew *g*ene »); notons cependant que certaines protéines E2 peuvent réagir avec des membres de ces deux familles. Les protéines E3 à domaine HECT sont faites de modules et possèdent un domaine N-terminal particulier qui interagit avec ses protéines cibles par l'intermédiaire de ce qu'on appelle les signaux d'ubiquitination (en général de petits segments polypeptidiques, voir ci-dessous) et un domaine HECT de ~350 résidus responsable de la fixation de E2 et qui catalyse la réaction d'ubiquitination. Le domaine en doigt RING, qui est impliqué dans la reconnaissance du signal d'ubiquination de la protéine substrat, est un motif de 40 à 60 résidus qui fixe deux ions Zn^{2+}. Ces derniers, nécessaires à la structure mais sans rôle catalytique, sont fixés par un total de 8 résidus Cys et His contenus dans une séquence consensus caractéristique (tout à fait comme pour les motifs de doigts à zinc de certaines protéines de liaison à l'ADN; Section 34-3B). Les protéines E3 contenant un domaine en doigt RING, sont constituées soit d'une seule sous-unité, soit de plusieurs sous-unités, dont une seule porte le domaine en doigt RING. Les protéines E3 à doigt RING permettent le transfert direct de l'ubiquitine, de E2 sur un résidu Lys de la protéine substrat, tandis que les protéines E3 de type HECT transfèrent d'abord l'ubiquitine de E2 vers E3, sur un résidu Cys catalytique indispensable situé à environ 35 résidus de l'extrémité N-terminale du domaine HECT.

Pour qu'une protéine cible soit dégradée de façon efficace, il faut qu'elle soit attachée à une chaîne d'au moins quatre molécules d'ubiquitine liées en tandem, dans laquelle le résidu Lys 48 de chaque ubiquitine établit une liaison isopeptidique avec le

(a)

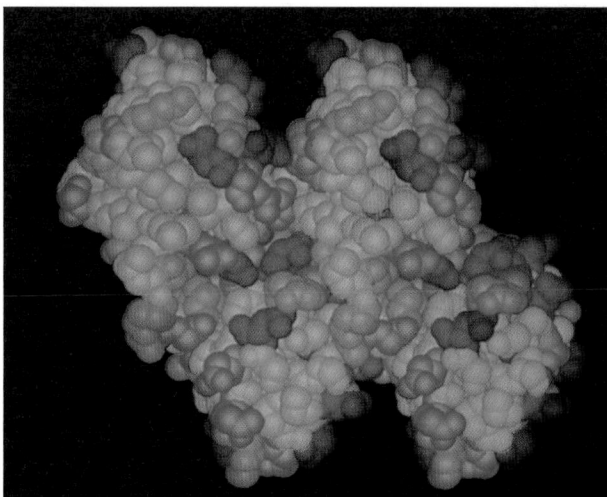

(b)

FIGURE 32-78 Structure par rayons X de la tétra-ubiquitine. *(a)* Représentation en rubans, où les liaisons isopeptidiques reliant les molécules d'ubiquitine successives, par les chaînes latérales de leurs résidus Lys, sont en orange. Toutefois, comme la liaison entre les ubiquitines 2 et 3 n'est pas visible dans la structure par rayons X, elle est représentée sous forme d'un bâtonnet (l'existence de cette liaison isopeptidique a cependant été prouvée par l'électrophorèse SDS-PAGE avec des protéines provenant de cristaux dissous). Il semble probable que les unités monomériques dans une chaîne de polyubiquitine, quelle que soit sa longueur, auront l'agencement observé dans la structure de la tétra-ubiquitine. *(b)* Modèle compact, vu sous le même angle que en *a*, et dont les résidus basiques (Arg, Lys, His) sont en bleu, les résidus acides (Asp, Glu) en rouge, les résidus polaires non chargés (Gly, Ser, Thr, Asn, Gln) en violet et les résidus hydrophobes (Ile, Leu, Val, Ala, Met, Phe, Tyr et Pro) en vert. Notez la taille exceptionnellement importante de la surface exposée au solvant qui est occupée par des résidus hydrophobes. [Avec l'aimable autorisation de William Cook, Université d'Alabama, Birmingham. PDBid 1TBE.]

groupe carboxylate terminal de l'ubiquitine suivante (Fig. 32-78). Ces chaînes de polyubiquitine (polyUb), qui peuvent atteindre une longueur de 50 molécules d'ubiquitine voire davantage, sont fabriquées par les protéines E3, mais on ne connaît pas le mécanisme qui permet de passer du transfert de l'ubiquitine sur une protéine substrat à la synthèse efficace d'une chaîne de polyubiquitine.

c. Les protéines ubiquitinées sont dégradées dans le protéasome

Une protéine ubiquitinée est dégradée par protéolyse en petits peptides, grâce à un processus ATP-dépendant qui met en jeu un complexe multiprotéique (2000 kD, 26S), appelé le **protéasome 26S** *(ou parfois protéosome), qui, selon les études par microscopie électronique, a la forme d'une barrique creuse à deux couvercles (Fig. 32-79).* La protéolyse a lieu à l'intérieur de la barrique, ce qui permet à ce processus d'être complet et efficace tout en évitant des dommages protéolytiques non spécifiques à d'autres constituants cellulaires. Les chaînes polyUb constituent le signal qui dirige une protéine vers le protéasome, la nature même de la protéine a peu d'influence sur l'efficacité de sa dégradation dans le protéasome, cependant le protéasome ne dégrade pas les molécules d'ubiquitine, elles sont recyclées vers la cellule. La taille et la complexité de l'ensemble de ce système protéolytique que l'on trouve aussi bien dans le noyau que dans le cytoplasme, rivalisent avec celles du ribosome (Section 32-3) ou du spliceosome (Section 31-4A) et sont significatives de son rôle prépondérant dans la dégradation correcte des protéines. Nous allons maintenant étudier la structure et la fonction du protéasome 26S.

d. Beaucoup de protéines E3 ont des structures modulaires complexes

Le produit du proto-oncogène **c-Cbl** (906 résidus) est une protéine E3 monomérique à doigt RING qui sert à ubiquitiner certains récepteurs tyrosine kinase activés (RTK ; Section 19-3A), pour mettre fin au signal qu'ils transduisent. Nikola Pavlevich a déterminé la structure par rayons X de la moitié N-terminale de c-Cbl (des résidus 47 à 447) en complexe ternaire avec la protéine E2 **UbcH7** (qui comporte un peu plus que les ~150 résidus du cœur catalytique de E2) et un peptide de 11 résidus contenant le signal d'ubiquitination d'une protéine kinase non-récepteur (NRTK)

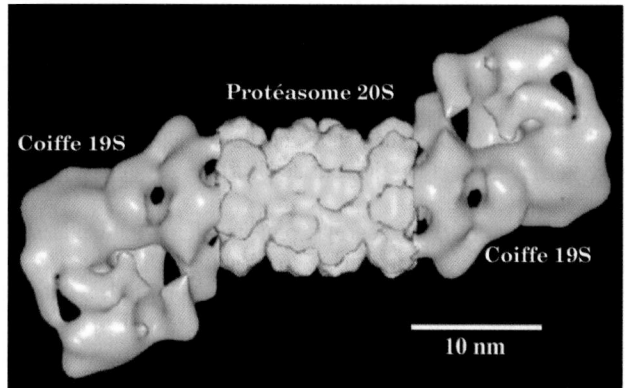

FIGURE 32-79 Image du protéasome 26S de *Drosophila melanogaster* d'après des études de microscopie électronique. Le complexe a une taille approximative de 450×190 Å. La partie centrale (*en jaune*) de ce complexe multiprotéique à symétrie d'ordre 2, appelé protéasome 20S, est composée de 4 anneaux de 7 sous-unités chacun qui forment une barrique creuse dans laquelle a lieu la protéolyse des protéines liées à l'ubiquitine. Les coiffes 19S (*en bleu*), qui peuvent s'attacher à l'une des extrémités du protéasome 20S, ou aux deux, contrôlent l'accès des protéines condamnées, au protéasome 20S (voir plus loin). [Avec l'aimable autorisation de Wolfgang Baumeister, Institut de Biochimie Max Planck, Martinsried, RFA.]

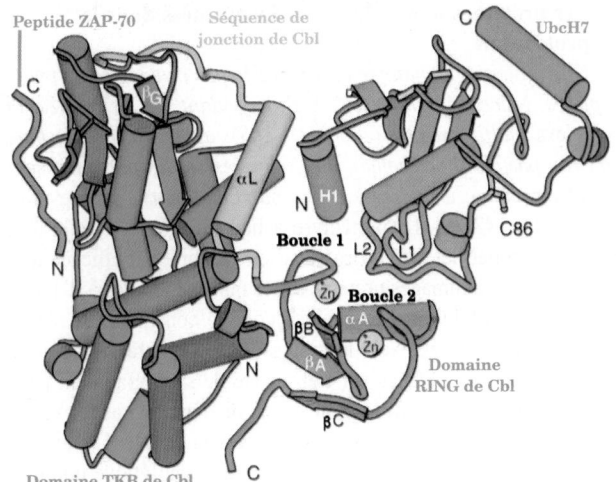

FIGURE 32-80 Structure par rayons X du complexe peptidique ternaire humain c-Cbl-UbcH7-ZAP-70. UbcH7, une protéine E2 composée presqu'exclusivement du cœur catalytique des protéines E2, est en bleu avec le résidu Cys 86 de son site actif en modèle éclaté (*en jaune*). Le site d'ubiquitination de la protéine RTK ZAP-70, comportant 11 résidus, est en rose. La protéine c-Cbl (en fait, les résidus 47-447 de cette protéine de 903 résidus), qui est une protéine E3 monomérique à doigt RING, a des couleurs propres pour ses différents domaines. Le domaine à doigt RING est en rouge, le domaine TKB en vert et le domaine qui fait la jonction entre ces deux domaines est en jaune. Les deux ions Zn^{2+} fixés au domaine à doigt RING, sont représentés par des sphères grises. [Avec l'aimable autorisation de Nikola Pavletich. Centre Anticancéreux à la mémoire de Sloan-Kettering, New York, New York. PDBid 1FBV.]

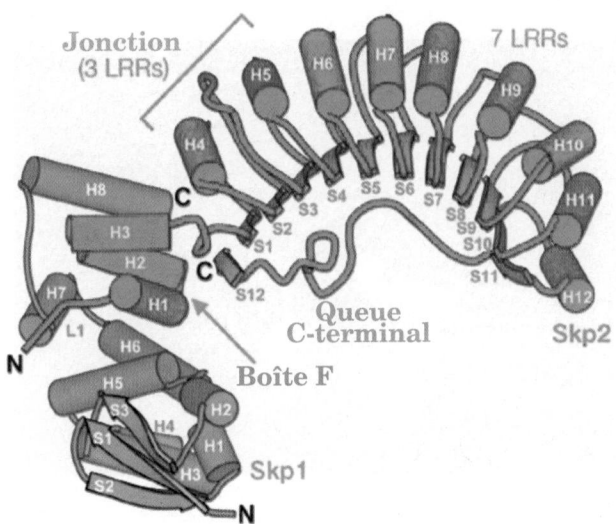

FIGURE 32-81 Structure par rayons X du complexe humain Skp1-Skp2. Skp1 est en bleu, Skp2, en rouge. Skp2 comporte une boîte-F N-terminale formant trois hélices, suivies de 3 répétitions non canoniques de ce qu'on appelle des répétitions riches en leucines (LRR). Celles-ci sont contiguës à sept LRR qui avaient pu être prédites sur la base de leurs séquences d'acides aminés, on a ainsi en tout 10 LRR. Après le dixième LRR, la queue C-terminale de ~30 résidus de Skp2 s'étend le long des LRR, en revenant sur elle-même jusqu'au-delà du premier LRR, en passant sous la surface concave de ce domaine LRR. [Avec l'aimable autorisation de Nikola Pavletich. Centre Anticancéreux à la mémoire de Sloan-Kettering, New York, New York. PDBid 1FQB.]

appelée **ZAP-70** (Fig. 19-42). La structure (Fig. 32-80) montre que UbcH7, et les domaines de c-Cbl en doigt RING ainsi que celui de type SH2, de liaison à la tyrosine kinase (TKB), interagissent les uns avec les autres par de multiples interfaces, en formant une structure compacte et apparemment rigide. Le domaine en doigt RING est composé de feuillets β à 3 brins, d'une hélice α et de deux grandes boucles tenues ensemble par les deux ions Zn^{2+} en coordinence tétraédrique. UbcH7 a le repliement α/β caractéristique des autres protéines E2 de structure connue (Fig. 32-77). Le peptide ZAP-70 est fixé de l'autre coté du domaine TKB par rapport au résidu Cys 86 du site actif de UbcH7 et se trouve à ~60 Å de celui-ci.

Les complexes **SCF** sont des protéines E3 multimériques à doigt RING, comportant **Cul1** (776 résidus ; un membre de la famille des **cullines**), **Rbx1** (108 résidus ; qui contient le domaine en doigt RING de ce complexe), **Skp1** (163 résidus), et un membre de la famille des **protéines à boîte-F** (~430 à plus de 1000 résidus ; SCF voulant dire Skp1-culline-F-box). Rbx1 et Cul1 forment le cœur catalytique du complexe qui se lie à E2. Les protéines à boîte-F comportent une **boîte-F** de ~40 résidus, qui se lie à Skp1, suivie de modules d'interaction protéine-protéine tels que des **répétitions riches en leucines** (**LRR**) ou des répétitions WD40 (Section 19-2C), qui fixe la protéine substrat, Skp1 fonctionnant comme un adaptateur qui relie la boîte-F à Cul1. Les cellules contiennent de nombreuses protéines à boîte-F différentes (au moins 38 chez l'homme) qui doivent permettre l'ubiquitination spécifique d'une grande diversité de protéines substrats (voir plus loin).

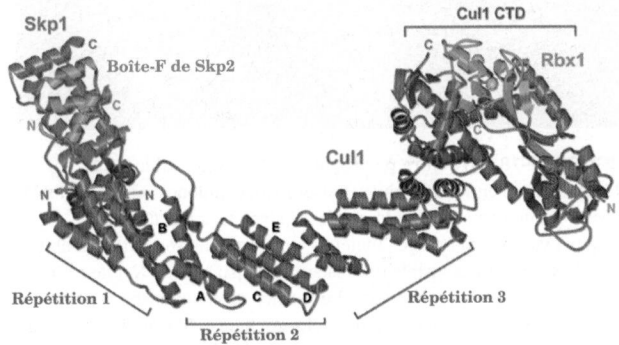

FIGURE 32-82 Structure par rayons X du complexe quaternaire humain Cul1-Rbx1-Skp1-Boîte-F^{Skp2}. Cul1, Rbx1, Skp1 et la boîte-F de Skp2 sont respectivement colorés en vert, en rouge, en bleu et en rose. Les trois répétitions cullines de Cul1 sont indiquées, et les cinq hélices de la deuxième répétition sont étiquetées de A à E. Les ions Zn^{2+} fixés à Rbx1 sont représentés par des sphères jaunes. [Avec l'aimable autorisation de Nikola Pavletich. Centre Anticancéreux Memorial Sloan-Kettering, New York, New York. PDBid 1LDK.]

Pavlevich a également déterminé la structure par rayons X de deux segments du complexe **SCF^{Skp2}** (le nom en exposant indique la protéine à boîte-F du complexe, ici **Skp2** de 436 résidus). La structure du complexe Skp1-Skp2 (Fig. 32-81) révèle qu'elle a une forme de faux où Skp1 et les 3 hélices de la boîte-F forment le manche et les 10 LRR (de ~26 résidus chacun) forme la lame incurvée. La structure du complexe quaternaire Cul1-Rbx1-Skp1-boîte-F^{Skp2} (Fig. 32-82) montre que Cul1 est une protéine allongée composée d'une longue tige formée de trois répétitions d'un nou-

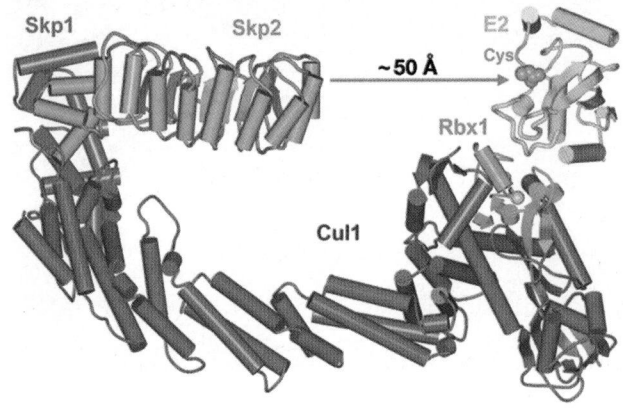

FIGURE 32-83 Modélisation de complexe SCF ^{Skp2}**-E2.** Ce modèle, basé sur les structures par rayons X des Fig. 32-80, 32-81 et 32-82, est coloré de la même façon et vu selon le même angle que dans la Fig. 32-82. La protéine E2 est en jaune, et le résidu Cys, de son site actif, auquel l'ubiquitine peut se lier de façon covalente est représenté en modèle compact, en bleu. Les ions Zn^{2+} fixés au domaine à doigt RING de Rbx1 sont représentés par des sphères jaunes. La flèche grise indique l'espace de 50 Å entre la pointe du domaine LRR de Skp2 et le site actif de E2. [Avec l'aimable autorisation de Nikola Pavletich. Centre Anticancéreux Memorial Sloan-Kettering, New York, New York.]

veau motif à cinq hélices , appelé répétition de la culline (cullin repeat), suivie d'un domaine globulaire se liant à Rbx1. Il semble que Cul1 serve d'échafaudage rigide qui organise le complexe des protéines Skp1-boîte-F^{Skp2} et Rbx1 de façon à les maintenir écartés de 100 Å. Le domaine à doigt RING de Rbx1 contient une insertion de 20 résidus qui forme le site de fixation d'un troisième ion Zn^{2+} en liaison de coordinence tétraédrique.

L'apparente rigidité des trois structures décrites précédemment a permis à Pavletich de construire un modèle du complexe SCF^{Skp2}-E2 entier en superposant Skp1-Skp2 et Cul1-Rbx1-Skp1-boîte-F^{Skp2} et en collant la protéine E2 UbcH7 sur le doigt RING de Rbx1, en s'aidant de la structure de cCbl-UbcH7 (Fig. 32-83). Ce modèle indique que la protéine E2 et le domaine de Skp2 contenant les éléments LRR sont du même coté du complexe SCF mais séparés par une distance de 50 Å. Cela suggère que le rôle de la longue tige de Cul1 est de séparer le site du complexe fixant le substrat, du site catalytique de façon à pouvoir accommoder des substrats de différentes tailles et ayant des distances variables entre leurs résidus Lys ubiquitinés et leur signal d'ubiquitination.

e. Le système de l'ubiquitine a en même temps un rôle d'entretien et de régulation

Jusqu'au milieu des années 1990, il semblait que le système de l'ubiquitine avait surtout un rôle d'entretien (housekeeping), servant à maintenir un équilibre entre les protéines du métabolisme en éliminant les protéines endommagées. Les caractéristiques structurales qui président à la sélection des protéines natives condamnées à la dégradation, peuvent être très simples. *Comme l'a découvert Alexander Varshavsky, la demi-vie de nombreuses protéines cytoplasmiques, varie selon la nature de leur résidu N-terminal (Tableau 32-12).* Ainsi, sur 208 protéines cytoplasmiques, dont on sait qu'elles ont une durée de vie longue, toutes ont un résidu N terminal « stabilisateur » comme Met, Ser, Ala, Thr, Val ouGly. Cette règle dite **règle du N-terminal** s'applique aux euca-

TABLEAU 32-12 Les demi-vies d'enzymes cytoplasmiques selon leurs résidus N-terminaux

Résidu N-Terminal	Demi-vie
Stabilisateur	
Met	>20 h
Ser	
Ala	
Thr	
Val	
Gly	
Déstabilisateur	
Ile	~30 min
Glu	
Tyr	~10 min
Gln	
Très déstabilisateur	
Phe	~3 min
Leu	
Asp	
Lys	
Arg	~2 min

Source : Bachmair, A., Finley, D., et Varshavsky, A., *Science* **234**, 180 (1986).

ryotes et aux procaryotes, ce qui suggère que le système qui choisit les protéines vouées à la dégradation est conservé chez les eucaryotes et les procaryotes, même si les procaryotes n'ont pas d'ubiquitine.

La règle du N-terminal résulte de l'action de la sous-unité monomérique **E3α** (~1950 résidus ; aussi appelée **Ubr1**) de la protéine E3 à doigt RING, dont le signaux d'ubiquination sont les résidus déstabilisateurs N-terminaux du Tableau 32-12. Il est cependant clair maintenant que le système de l'ubiquitine est beaucoup plus sophistiqué qu'un simple système d'élimination des déchets. Ainsi la liste croissante des protéines E3 présente une grande variété de signaux d'ubiquitination que l'on ne retrouve souvent que sur une quantité très limitée de protéines cibles, dont beaucoup ont des fonctions de régulation. Par exemple, le facteur de transcription **NF-κB** (NF pour facteur nucléaire), qui joue un rôle central dans les réponses inflammatoire et immunitaire, est maintenu dans un état inactif dans le cytoplasme par sa liaison à l'inhibiteur **IκBα** (Fig. 12-38) de façon à ce que la petite séquence basique interne qui permet l'importation nucléaire de NF-κB (son signal de localisation nucléaire ou **NLS**) soit masquée. Cependant, la stimulation de récepteurs de la surface cellulaire par certaines cytokines est à l'origine de la transduction d'un signal par une cascade de kinases (Section 19-3D), qui phosphoryle IκBα lié à NF-κB sur les deux résidus Ser de la séquence DSGLDS. Cette séquence phosphorylée sert de signal d'ubiquitination pour le complexe SCF contenant la protéine à boîte-F, **β-TrCP** (605 résidus), qui est responsable de l'ubiquitination de la forme phosphorylée de IκBα. La destruction de IκBα qui s'ensuit découvre le NLS de NF-κB, ce dernier est transporté dans le noyau où il active la transcription de ses gènes cibles (Section 34-3B).

On sait depuis longtemps que les protéines ayant des segments riches en résidus Pro (P), Glu (E), Ser (S), et Thr (T), appelées

protéines PEST, sont rapidement dégradées. On comprend maintenant que ces éléments PEST contiennent souvent des sites de phosphorylation qui désignent ces protéines comme cible d'une ubiquitination.

Le système de l'ubiquitination joue également un rôle essentiel dans la progression du cycle cellulaire. Le cycle cellulaire, comme nous l'avons vu dans la Section 30-4 et l'étudierons plus en détails dans la Section 34-4D, est régulé par une série de protéines appelées cyclines. Une cycline donnée est exprimée juste avant et/ou durant une phase particulière du cycle cellulaire, elle se lie à une kinase dépendante d'une cycline (Cdk), qui lui correspond et qui phosphoryle alors ses protéines cibles pour les activer de façon à ce qu'elles effectuent les processus caractéristiques de cette phase du cycle cellulaire. De plus, un certain nombre de cyclines inhibent également la transition vers la phase suivante du cycle cellulaire (par ex. la réplication de l'ADN ou la mitose). Ainsi, pour qu'il y ait progression d'une phase du cycle cellulaire vers la suivante, il faut éliminer la ou les cycline(s) qui gouvernent cette phase. Cela se fait grâce à l'ubiquination spécifique de cette cycline, qui la condamne à la destruction dans le protéasome. Les protéines E3 responsables de ce processus sont les complexes SCF contenant des protéines à boîtes-F dirigées contre la cycline en question et un complexe multimérique appelé **complexe promoteur d'anaphase** (**APC** ou encore **cyclosome**). APC est une particule de ~1500 kD contenant un doigt RING, et qui, chez la levure, comporte 11 sous-unités, il ubiquitine spécifiquement les protéines qui contiennent une séquence consensus de 9 résidus, RTALGDIGN, appelée boîte de destruction et située près de leur extrémité N-terminale.

Certains virus détournent le système d'ubiquitination. Les formes oncogéniques du virus humain du papillome (HPV), agent causal de presque tous les cancers de col de l'urérus (une cause majeure de décès chez les femmes des pays en voie de développement), code la **protéine E6** (~150 résidus) qui se combine avec la protéine cellulaire de 875 résidus appelée **E6AP** (pour E6 associated protein, la première des protéines E3 à domaine HECT connue), pour ubiquitiner la protéine **p53**, ce marquage la destinant à être détruite. La protéine p53 est un facteur de transcription qui vérifie l'intégrité du génome, elle joue donc un rôle important pour empêcher la transformation maligne et la prolifération des cellules cancéreuses (Section 34-4C), c'est donc un **suppresseur de tumeurs** (une protéine dont la perte de fonction entraîne le cancer). Par conséquent, HPV provoque la division incontrôlée des cellules qu'il infecte, assurant ainsi sa propre prolifération. La fonction normale de E6AP est l'ubiquitination de certains membres de la famille Src, des protéines tyrosine kinases (Section 19-3B), y compris Src elle même. La perte du segment du chromosome 15 qui contient le gène de E6AP entraîne le syndrome d'Angelman, qui est, comme nous l'avons vu dans la Section 30-7, caractérisé par un sévère retard mental et hérité uniquement du coté maternel à cause d'un phénomène d'empreinte parentale.

BRCA1 est un suppresseur de tumeurs, beaucoup de ses mutations augmentent énormément la prédisposition pour différents cancers, notamment ceux du sein et de l'ovaire (Section 30-6A ; BRCA pour « breast cancer », cancer du sein). Environ 20 % des mutations de BRCA1 qui ont une importance médicale ont lieu dans les 100 résidus N-terminaux de cette protéine de 1863 résidus, on trouve dans cette région un domaine en doigt RING. BRCA1 forme un hétérodimère avec la protéine à domaine en doigt RING BARD1 (pour « *BRCA1-associated Ring domain*

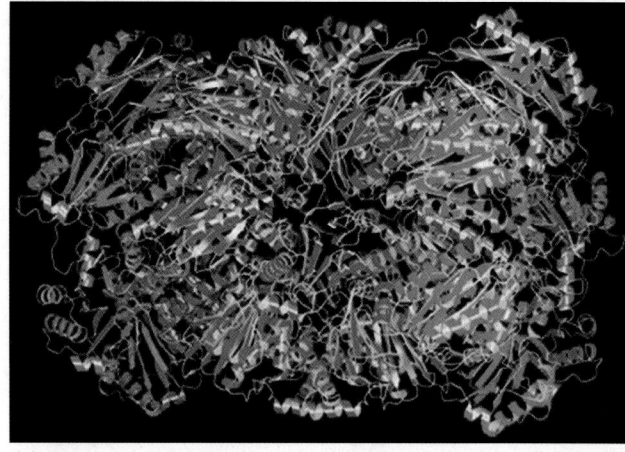

(a)

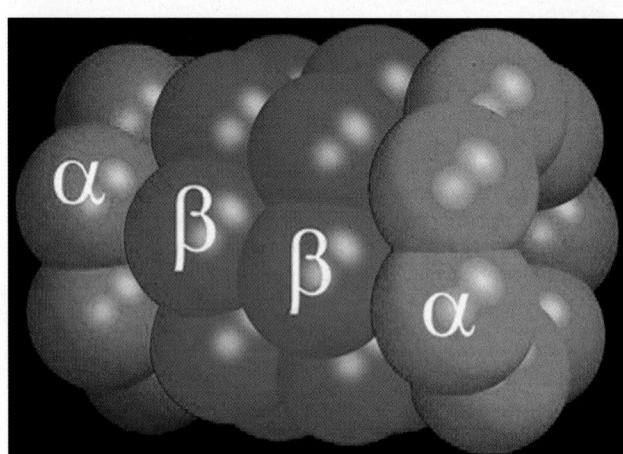

(b)

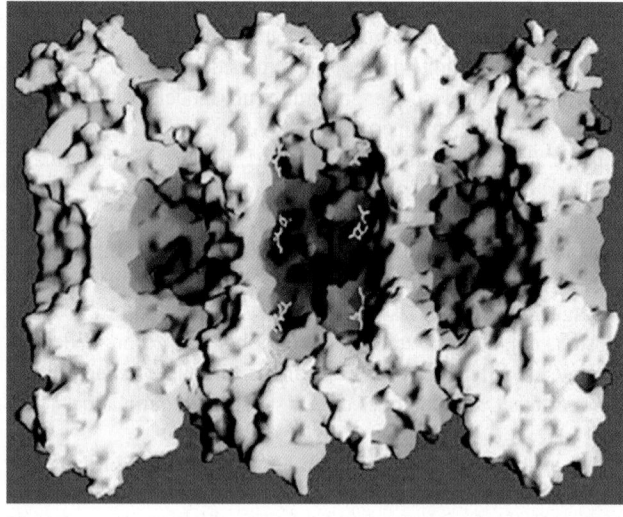

(c)

FIGURE 32-84 Structure par rayons X du protéasome 20S de *T. acidophilum*. *(a)* Représentation en rubans , dans laquelle les sous-unité α sont en rouge et les sous-unités β en bleu. L'axe de symétrie d'ordre 2 est penché vers la gauche et celui d'ordre 7 est horizontal. Seules les sous-unités pointant vers l'avant sont représentées pour plus de clarté. *(b)* Ici les sous-unités sont représentées par des sphères toutes de même taille, vues selon le même angle, et colorées de la même façon qu'en *a*. *(c)* Vue en coupe de la surface accessible aux solvants, où l'on voit les trois cavités internes. Les sites actifs sur les sous-unités b sont rendus visibles, par l'inhibiteur LLnL qui y est fixé, et qui est représenté en jaune, en vue éclatée. [Avec l'aimable autorisation de Robert Huber, Institut de Biochimie Max Planck, Martinsried, RFA. PDBid 1PMA.]

protein » 1 ; 777 résidus), elles ont à elles deux une fonction d'ubiquitine-protéine ligase (E3), dont l'enzyme de conjugaison à l'ubiquitine (E2) correspondante, qui est UbcH5c, ne se fixe qu'au domaine en doigt RING de BRCA1. Tous les cancers connus associés à des mutations du domaine en doigt RING de BRCA1 suppriment l'activité de l'hétérodimère E3 *in vitro*.

f. Le protéasome 20S catalyse la protéolyse à l'intérieur de la barrique creuse

Le protéasome 26S (Fig. 32-79) est une protéine multimérique de ~2100 kD qui catalyse l'hydrolyse ATP-dépendante de protéines liées à l'ubiquitine. Il en résulte des oligopeptides d'une taille moyenne de 7 à 9 résidus qui sont ensuite dégradés en leurs acides aminés constitutifs par les exopeptidases cytosoliques. Le protéasome 26S comporte le **protéasome 20S** (~670 kD), qui est le cœur catalytique en forme de barrique du protéasome 26S, et ses **coiffes 19S** (~700 kD, appelés **PA700** ou **régulateur 19S**), qui s'associent aux extrémités du protéasome 20S et stimulent son activité (PA veut dire activateur de protéasome). Le protéasome 20S n'hydrolyse que les protéines dépliées en consommant de l'ATP, le rôle des coiffes 19S est d'identifier et de déplier les substrats protéiques ubiquitinés.

On trouve le protéasome 20S dans le noyau et dans le cytoplasme de toutes les cellules eucaryotes ainsi que dans toutes les archaebactéries examinées jusqu'à présent. Par contre, les seules eubactéries chez lesquelles on le trouve sont la classe des Actinomyces (Fig. 1-4), suggérant qu'elles l'ont acquis par transfert horizontal de gène à partir d'un autre organisme.

Le protéasome 20S de *Thermoplasma acidophilum* (une archaebactérie) comporte 14 copies de chacune des deux sous-unités α et β (233 et 203 résidus). Les études en microscopie électronique montrent qu'il a une forme de barrique de 150 Å de long et de 110 Å de diamètre, dans laquelle les sous-unités forment quatre anneaux empilés (comme on le voit bien dans la partie centrale du protéasome 26S dans la Fig. 32-79). Les sous-unités α et β ont une identité de séquences de 26 % sauf pour le segment des ~35 résidus N-terminaux de la sous-unité α, qui sont absents de la sous-unité β. Les protéasomes 20S eucaryotiques sont plus complexes car ils comportent 7 sous unités de type α différentes et 7 sous-unités de type β différentes au lieu d'une seule de chaque type dans le cas du protéasome 20S de *T. acidophilum*.

La structure par rayons X du protéasome 20S de *T. acidophilum* a été déterminée par Wolfgang Baumeister et Robert Huber. Elle révèle que les deux anneaux internes comportent chacun 7 sous-unités α arrangées selon une symétrie d'ordre 7 (Fig. 32-84). La structure générale du protéasome 20S ressemble donc à celle de la chaperonine moléculaire GroEL qui ne lui est pas apparentée (Section 9-2C). Les structures des sous-unités α et β sont remarquablement similaires (Fig. 32-85) sauf, bien sûr, pour ce qui est du segment N-terminal des sous-unités α qui est en contact avec le segment N-terminal de la sous-unité α adjacente. Cela rend compte du fait que les sous-unités α isolées s'assemblent spontanément pour former des anneaux de 7 protéines (cette propriété est abolie par la suppression des 35 résidus N-terminaux), au contraire, les sous-unités β restent monomériques.

Le canal central du protéasome 20S de *T. acidophilum*, dont le diamètre maximum vaut 53 Å, comporte trois grandes chambres (Fig. 32-84*c* ; deux d'entre elles se trouvent aux interfaces entre les anneaux de sous-unités α et β, la troisième, la plus grande, est située au centre, entre les deux anneaux de sous-unités β). Les

(a)

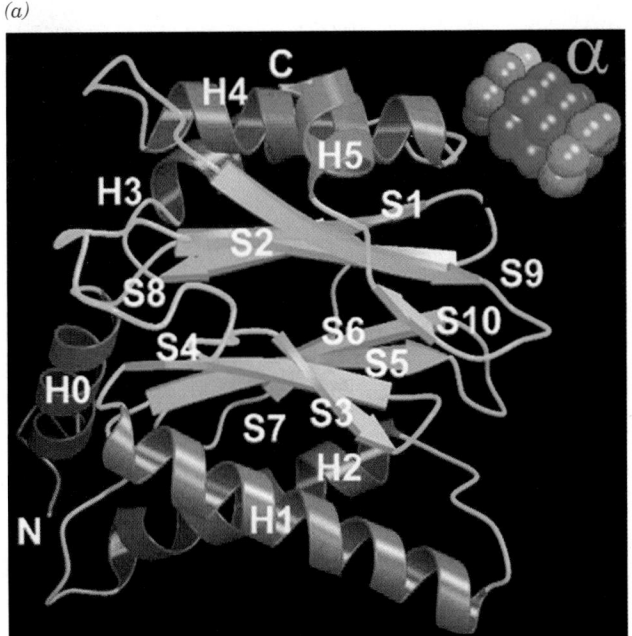

(b)

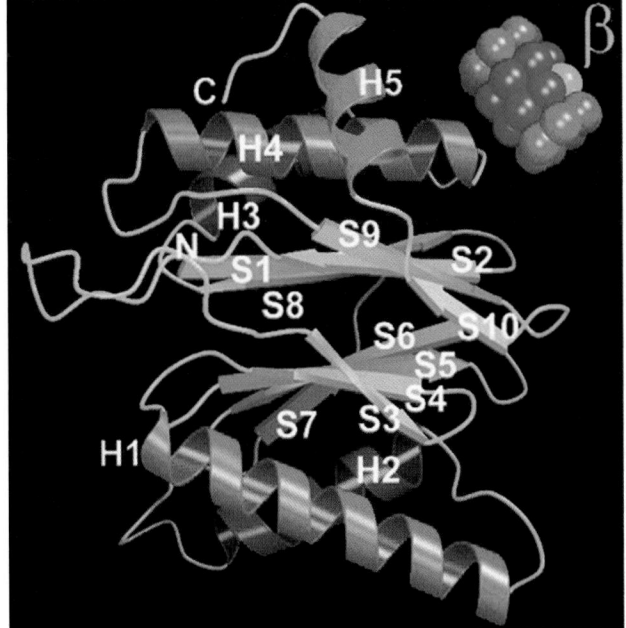

FIGURE 32-85 Structure par rayons X des sous-unités du protéasome 20S de *T. acidophilum.* (a) La sous-unité α colorée selon sa structure secondaire, avec les hélices en rouge, les brins β en bleu et les autres segments en jaune. L'hélice N-terminale, H0, se situe à l'extrémité du protéasome. La sous-unité qui a la même orientation est représentée par la boule jaune, insérée dans le dessin de la sous-unité 20S entière (*en haut à droite*). **(b)** La sous-unité β colorée et orientée de la même façon. [Avec l'aimable autorisation de Robert Huber, Institut de Biochimie Max Planck, Martinsried, RFA. PDBid 1PMA.]

substrats polypeptidiques dépliés semblent entrer dans la chambre centrale de la barrique (où se trouvent les sites actifs du protéasome ; voir ci-dessous) par des orifices de 13 Å de diamètre situées dans l'axe des anneaux α et qui sont bordés de résidus hydrophobes. Ainsi, seules des protéines dépliées peuvent entrer dans la chambre, les protéines correctement repliées sont donc protégées d'une dégradation non discriminative, par cette machinerie omnivore qui démantèle les protéines.

La structure par rayons X du protéasome 20S de levure a également été déterminée par Huber, elle montre que ses anneaux externes et internes sont respectivement constitués de 7 sous-unités de type α différents et de 7 sous-unités de type β différents, chacune ayant un agencement propre (Fig. 32-86). Les sous-unités de type α ont des repliements qui se ressemblent entre eux et qui ressemblent à celui trouvé dans le protéasome 20S de *T. acidophilum*, il en est de même pour les sous-unités β. Par conséquent, ce complexe protéique de 6182 résidus et 28 sous-unités a une symétrie de révolution d'ordre 2 par rapport à ses deux paires d'anneaux mais seulement une pseudo symétrie de révolution d'ordre 7 quant à ses sous-unités dans chaque anneau. Les étroites ouvertures dans les anneaux α par lesquelles il est pratiquement sûr que les protéines entrent dans la chambre hydrolytique dans le protéasome 20S de *T. acidophilum* (Fig. 32-84c) sont obturées dans le protéasome 20S de levure (Fig. 32-86c) par un bouchon formé par l'interdigitation des queues N-terminales de ses sous-unités α. Cela suggère que les coiffes 19S du protéasome 26S, dont on a vu qu'elles activaient le protéasome 20S, contrôleraient son accès en induisant des changements de conformation des anneaux α. La structure par rayons X du protéasome 20S de bovin, déterminée par Tomitake Tsukihara, a révélé un arrangement des sept sous-unités de type α et des sept sous-unités de type β similaire à celui de la levure.

g. Le protéasome catalyse l'hydrolyse des peptides via un nouveau mécanisme

La structure par rayons X du protéasome 20S de *T. acidophilum* complexé avec l'inhibiteur aldéhydique acétyl-Leu-Leu-norleucinal (LLnL)

$$CH_3-\overset{\overset{\displaystyle O}{\|}}{C}-Leu-Leu-NH-\overset{\overset{\displaystyle (CH_2)_3}{|}\ \overset{\displaystyle CH_3}{|}}{CH}-\overset{\overset{\displaystyle O}{\|}}{CH}$$

Acétyl-Leu-Leu-norleucinal (LLnL)

montre que ses sites actifs sont sur les surfaces internes de ses anneaux de sous-unités β, la fonction aldéhyde du LLnL se trou-

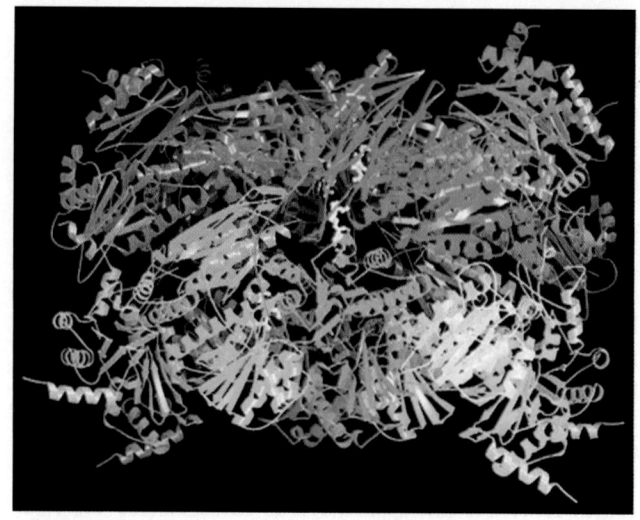

(a)

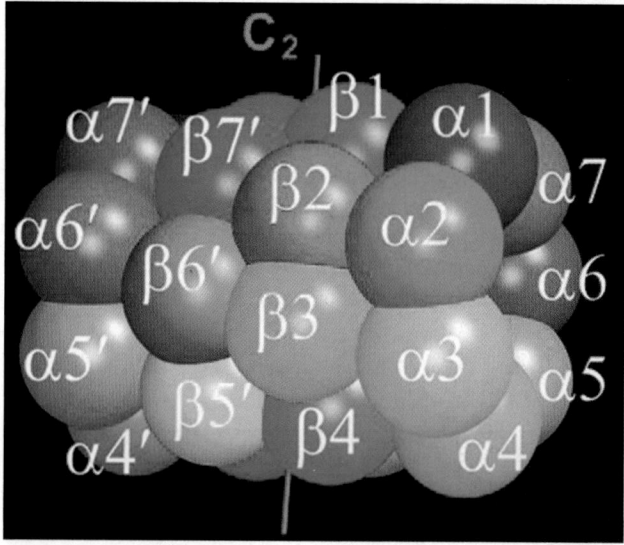

(b)

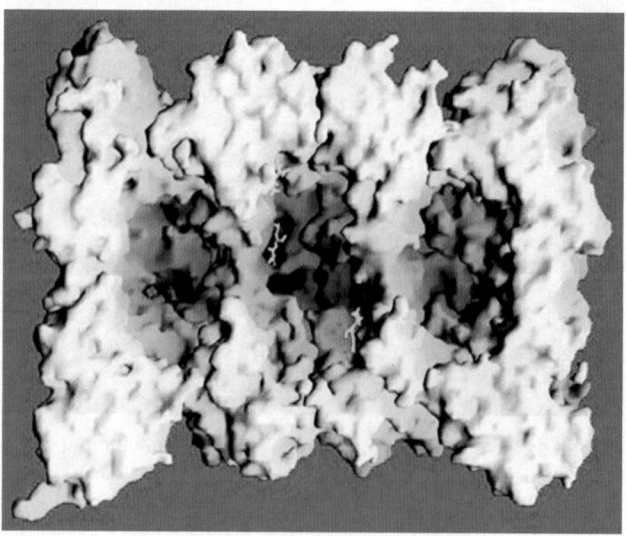

(c)

FIGURE 32-86 Structure par rayons X du protéasome 20S de levure. *(a)* Représentation en rubans, dans laquelle les différentes sous-unités ont des couleurs propres. L'axe de symétrie d'ordre 2 est penché vers la gauche et celui d'ordre 7 est horizontal. Seules les sous-unités pointant vers l'avant sont représentées pour plus de clarté. *(b)* Ici les sous-unités sont représentées par des sphères toutes de même taille, vues selon le même angle, et colorées de la même façon qu'en *a*. *(c)* Vue en coupe de la surface accessible aux solvants, où l'on voit les trois cavités internes. Les sites actifs des sous-unités β1, β2 et β3 sont rendus visibles, par l'inhibiteur LLnL qui y est fixé, et qui est représenté en jaune, en vue éclatée. Comparez ces dessins avec ceux de la Fig. 32-84. [Avec l'aimable autorisation de Robert Huber, Institut de Biochimie Max Planck, Martinsried, RFA. PDBid 1RYP.]

vant près de la chaîne latérale du résidu Thr1β très bien conservé. La délétion de ce résidu Thr ou sa mutation en résidu Ala produit des protéasomes 20S correctement assemblés, mais totalement inactifs. Il est clair que le protéasome 20S catalyse l'hydrolyse peptidique par un mécanisme nouveau, dans lequel le groupement hydroxyl de son résidu Thr 1β est l'attaquant nucléophile. On sait maintenant que ce mécanisme encore mal compris, dans lequel l'action du groupement amino de l'extrémité N-terminale semblerait être d'accroître le caractère nucléophile de la chaîne latérale hydoxyle, est employé par d'autres hydrolases (par ex. la glutamate synthétase ; Section 26-5A), que l'on appelle collectivement la famille des hydrolases à extrémité **N-terminale nucléophile** (**Ntn**). Les sous-unités β de *T. acidophilum* coupent préférentiellement les polypeptides après les résidus hydrophobes. Pourtant, dans les protéasomes 20S de levure et de bovin, seules les sous-unités β1, β2 et β5 ont une activité catalytique. Leurs préférences respectives de coupure concernent les résidus acides, basiques (activité de type trypsine), et hydrophobes (activité de type chymotrypsine). Ces préférences s'expliquent par le caractère respectivement basique, acide et non polaire des poches fixant la chaîne latérale du résidu précédant la liaison peptidique à couper. Les fonctions des quatre sous-unités β différentes non catalytiques est inconnue, bien que la modification par mutagénèse d'une sous-unité β inactive puisse abolir l'activité catalytique d'une sous-unité β active.

h. Les coiffes 19S contrôlent l'accès des protéines ubiquitinées au protéasome 20S

Il est probable que le protéasome 20S n'existe pas à l'état isolé *in vivo*, il est le plus souvent sous forme de complexe avec deux coiffes 19S dont la fonction est de reconnaître les protéines ubiquitinées, de les déplier et de les faire entrer dans le protéasome 20S selon un mécanisme consommateur d'ATP (il peut aussi être associé à d'autres complexes régulateurs ; voir plus loin). La coiffe 19S, qui est constituée de ~18 sous-unités différentes, est mal caractérisée, en grande partie à cause de sa grande instabilité intrinsèque. Son complexe de base, comme on l'appelle, est constitué de 9 sous-unités différentes, dont 6 sont des ATPases qui forment un anneau qui est contigu à l'anneau α du protéasome 20S (Fig. 32-79). Chacune de ces ATPases contient un module **AAA** de ~230 résidus (AAA pour ATPase *a*ssociée à diverses *a*ctivités, cette famille de protéines très diverses est aussi appelés **AAA+**). Cécile Pickart a montré par des expériences de liaisons croisées que l'une de ces ATPases, appelée **S6'** (ou encore **Rpt5**), entre en contact avec le signal polyUb qui sert à adresser une protéine condamnée vers le protéasome 26S. Cela suggère que la reconnaissance de la chaîne polyUb ainsi que le déploiement de la protéine substrat sont des processus dépendant de l'ATP. De plus, l'anneau d'ATPase doit servir à ouvrir les ouvertures axiales du protéasome 20S qui sont normalement fermées, pour permettre l'entrée du substrat protéique déplié.

Huit autres sous-unités forment ce qu'on appelle le complexe du couvercle, la portion de la coiffe 19S la plus distale (distante) par rapport au protéasome 20S. Les fonctions des sous-unités du couvercle sont en grande partie inconnues, bien qu'un protéasome 26S tronqué, dont les sous-unités du couvercle sont absentes, soit incapable de dégrader les substrats polyubiquitinés. Plusieurs autres sous-unités peuvent s'associer de façon transitoire avec la coiffe 19S et/ou avec le protéasome 20S.

i. Les enzymes de désubiquitination remplissent plusieurs fonctions

Les enzymes qui coupent par hydrolyse les liaisons isopeptidiques entre les unités successives d'ubiquitine dans la polyUb sont appelées **enzymes de désubiquitination** (**DUB**). Les cellules contiennent un nombre étonnamment grand de DUB (au moins 17 chez la levure et près de 100 chez l'homme). Presque toutes les DUB connues sont des protéases à cystéine, des enzymes dont le mécanisme catalytique ressemble à celui des protéases à sérine (Section 15-3C) mais donc l'attaquant nucléophile est $Cys–S^-$ au lieu de Ser–OH.

Les DUB sont capables de détacher les chaînes polyUb d'une protéine condamnée en une fois, ou de détacher les unités d'ubiquitine une à une à partir de l'extrémité de la chaîne. Une hypothèse serait que ce dernier processus constituerait une minuterie pour déclencher le processus de dégradation des protéines. Si une chaîne polyUb est raccourcie à moins de quatre unités d'ubiquitine avant le début de sa dégradation, la protéine qui lui est attachée a des chances d'échapper à la destruction. Cela économiserait des protéines qui ont été marquées à tort avec seulement une petite chaîne polyUb.

La sous-unité du couvercle 19S des mammifères, nommée **POH1** (**Rpn11** est la sous-unité de levure qui lui est identique à 65 %), semble responsable de la désubiquitination des protéines cibles avant leur dégradation ; son inactivation empêche la dégradation des protéines cibles. Curieusement, cette DUB est une protéase dépendante de Zn^{2+} (comme la carboxypeptidase A ; Fig. 15-42) et non pas une protéase à cystéine.

Certaines DUB servent à démembrer les chaînes polyUb qui ont été détachées de leur protéine substrat en détachant les unités d'ubiquitine de façon séquentielle de l'extrémité de la chaîne qui était la plus proche de la protéine substrat (celle qui a une extrémité C-ter libre). Ces DUB ne peuvent donc pas enlever des unités d'ubiquitine de chaînes polyUb lorsqu'elles sont encore attachées à leur protéine substrat, cela empêche leur élimination prématurée.

Les cellules expriment l'ubiquitine sous forme de polyprotéines contenant soit plusieurs unités d'ubiquitine soit l'ubiquitine fusionnée à certaines sous-unités ribosomiale (il n'existe pas de gène codant une unité unique d'ubiquitine). Ces polyprotéines sont rapidement transformées par des DUB non encore identifiées de façon à produire de l'ubiquitine libre.

j. Le régulateur 11S forme une barrique heptamérique pour l'ouverture du protéasome 20S

Les eucaryotes supérieurs possèdent un régulateur 11S qui sert à ouvrir le canal dans le protéasome 20S selon un mécanisme ATP-dépendant pour laisser entrer les polypeptides (mais pas les protéines repliées). Le régulateur 11S des mammifères, qui sert à la production des peptides destinés à la présentation au système immunitaire (Section 35-2E), est appelé **REG** (ou **PA28**). C'est un complexe hétéro-heptamérique de deux sous-unités de ~245 résidus, **REGα** et **REGβ**, présentant ~50 % d'identité de séquences entre elles excepté pour un segment interne très variable de 18 résidus dont on pense qu'il confère des propriétés spécifiques à chaque sous-unité. En fait, des protéines REGα seules, forment un heptamère dont les propriétés biochimiques sont similaires à celles de REG (bien qu'in vivo la présence des deux sous-unités soit nécessaire).

Le trypanosome *Trypanosoma brucei*, qui n'a pas de coiffe 19S, exprime un régulateur 11S homo-heptamérique appelé **PA26,** homologue à seulement 14 % de REGα humain. Pourtant ces différents régulateurs 11S sont capables d'activer le protéasome 20S d'espèces très éloignées du point de vue taxonomique. Ainsi, le protéasome de rat est activé par PA26 et le protéasome de levure est activé par REGα humain bien que la levure ne possède pas de régulateur 11S.

La structure par rayons X de PA26 complexé avec le protéasome 20S de levure a été déterminée par Christopher Hill, elle montre que chaque monomère PA26 est constitué d'un faisceau de 4 hélices antiparallèles. Ces monomères forment une barrique heptamérique à symétrie d'ordre 7 ayant un diamètre de 90 Å, une longueur de 70 Å, dont le pore central a un diamètre de 33 Å (Fig. 32-87*a*) et dont la structure ressemble beaucoup à celle précédemment déterminée par rayons X, de REGα. Les deux barriques PA26 ont une association coaxiale avec le protéasome 20S, l'une d'elle coiffant chaque extrémité (Fig. 32-87*b*). La conformation du protéasome 20S dans ce complexe est pour l'essentiel très semblable à celle du protéasome 20S isolé (Fig. 32-86). Cependant, les queues C-terminales des sous-unités PA26 s'insèrent dans des poches des sous-unités α du protéasome, de sorte à induire des changements de conformation de leurs queues N-terminales. Cela libère le passage, autrement bloqué, vers l'ouverture centrale du protéasome 20S, les polypeptides dépliés peuvent alors entrer dans la chambre centrale du protéasome.

k. Les bactéries contiennent diverses protéases auto-compartimentées

La quasi totalité des eubactéries est dépourvue de protéasome 20S. Elles ont cependant des complexes protéolytiques ATP-dépendants, qui possèdent la même structure en forme de barrique que celui-ci et exercent des fonctions analogues. Par exemple, on connaît deux protéines chez *E. coli*, **Lon** et **Clp**, responsables de la dégradation de près de 80 % des protéines, elles sont aidées en cela par au moins trois autres protéines, dont la protéine de choc thermique, **HslUV** (pour heat shock locus UV). Il semble donc que toutes les cellules contiennent des protéases dont les sites actifs ne

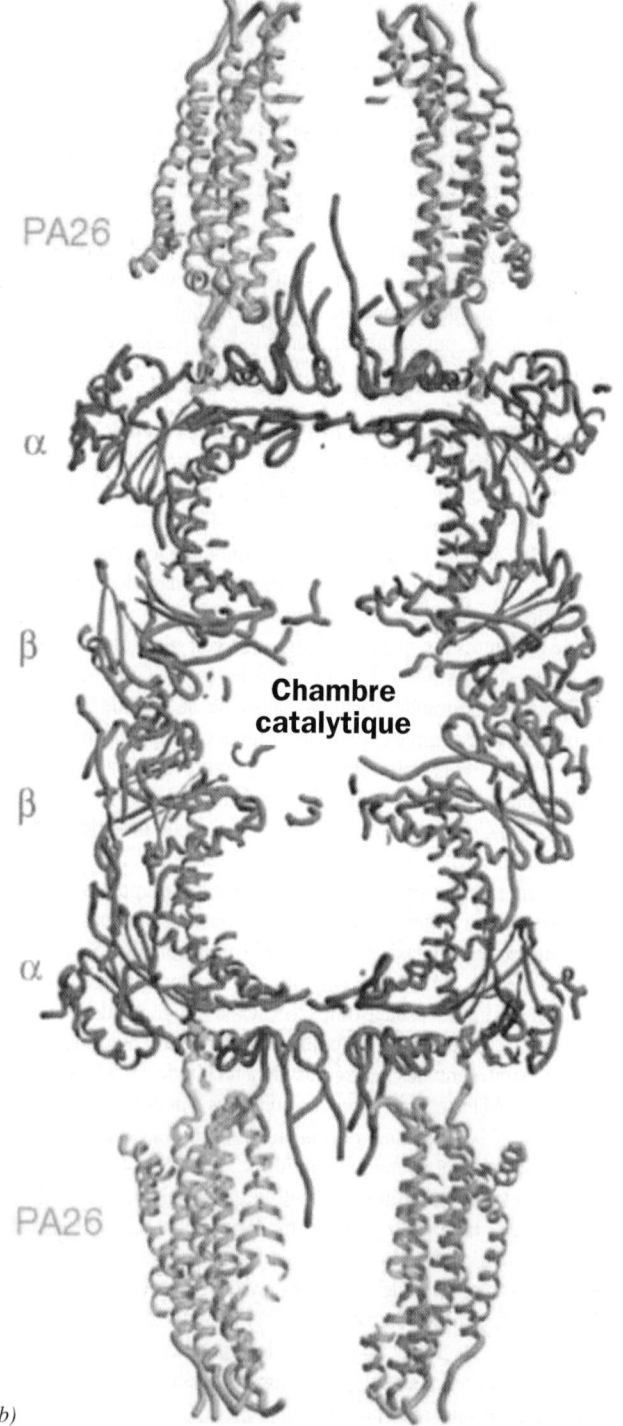

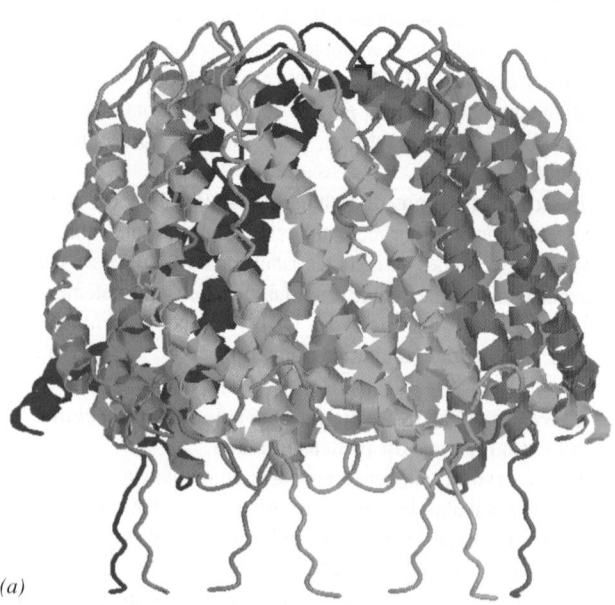

(a)

FIGURE 32-87 Structure par rayons X de PA26 de *T.brucei* complexé au protéasome 20S de levure. *(a)* L'heptamère PA26 avec son axe de symétrie d'ordre 7 vertical. Chaque sous-unité a sa propre couleur. *(b)* Vue en coupe du complexe entier, avec son axe de symétrie d'ordre 7 vertical. Le complexe PA26 est en jaune, les sous-unités α et β du protéasome 20S sont respectivement en rose et en bleu, et son petit anneau α est en vert. Ses segments N-terminaux ordonnés sont en rouge et ceux qui sont partiellement désordonnés sont en rose. [Partie *a* d'après une structure par rayons X et partie *b* avec l'aimable autorisation de Christopher Hill, Université de l'Utah. PDBid 1FNT.]

(b)

sont accessibles que par l'intérieur de la cavité d'une particule creuse dont l'accès est contrôlé. Ces **protéases** dites **auto-compartimentées,** semblent être apparues tôt dans l'histoire de la vie des cellules, avant l'apparition des organites limités par une membrane des eucaryotes, tels que le lysosome. Ce dernier est aussi capable d'effectuer des processus de dégradation d'une façon qui protège le contenu cellulaire de destructions non discriminatives.

La protéase Clp comporte deux composants : **Clp** qui possède l'activité catalytique et une ATPase parmi plusieurs possibles, qui sont **ClpA** et **ClpX** dans le cas de *E. coli*. La structure par rayons X de Clp, déterminée par John Flanagan, a montré qu'elle s'oligomérise en formant une large barrique creuse de ~90 Å de long composée de deux anneaux adossés l'un à l'autre, à symétrie d'ordre 7 et faits de sous-unités de 193 résidus. Elles ont donc la même symétrie d'ordre 7 que le protéasome 20S (Fig. 32-88). Cependant, les sous-unités de Clp ont un nouveau repliement totalement différent de celui des sous-unités α et β de fonction homologue dans le protéasome 20S. Le site actif de Clp, qui n'est exposé qu'à la face interne de la barrique, contient une triade catalytique composée des résidus Ser 97, His 122 et Asp 171, il s'agit donc d'une protéase à sérine (Section 15-3B).

La protéase HslUV semble être un hybride entre Clp et le protéasome 26S. Ses sous-unités HslV chez *E. coli* (145 résidus) ont une identité de 18 % avec les sous-unités β du protéasome 20S de *T. acidophilum*, tandis que ses coiffes régulatrices, HslU (443 résidus), ont une activité ATPase et sont homologues de la protéine

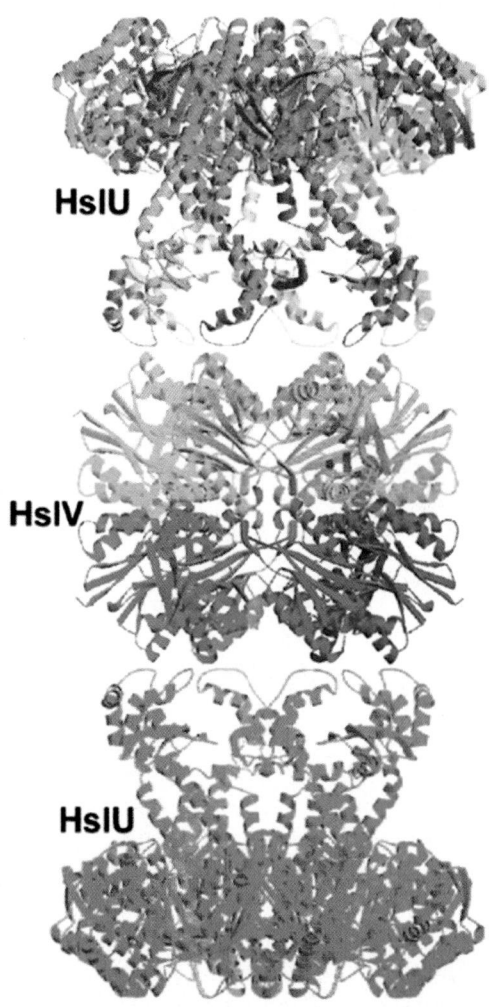

(a)

(b)

FIGURE 32-88 Structure par rayons X de ClpP de *E.coli*. *(a)* Le complexe heptamérique vu selon son axe de symétrie d'ordre 7. Chaque sous-unité a sa propre couleur. *(b)* Vue selon l'axe de symétrie d'ordre 2 (après rotation de 90° autour de l'axe horizontal par rapport à la partie *a*). [D'après une structure par rayons X de John Flannagan, Laboratoire National de Brookhavenn, Upton, New York. PDBid 1TYF.]

FIGURE 32-89 Structure par rayons X de HslVU de *E.coli*. Le complexe de 820 kD est vu selon son axe de symétrie d'ordre 2, celui d'ordre 6 étant vertical. Le dodécamère de sous-unités HslV à symétrie d'ordre 6, est lié de façon coaxiale aux deux extrémités du complexe héxamérique HslU à symétrie d'ordre 6. Le complexe ainsi formé a une symétrie globale d'ordre 6. [Avec l'aimable autorisation de Robert Huber, Institut de Biochimie Max Planck, Martinsried, RFA. PDBid 1E94.]

(a)

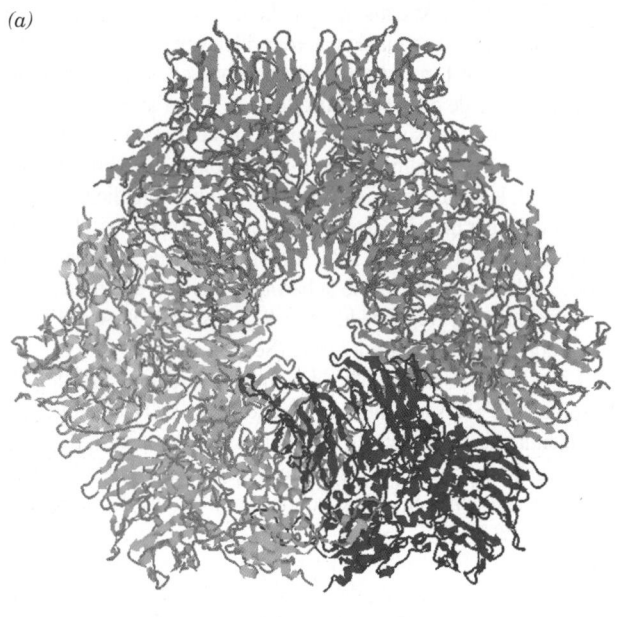

(b)

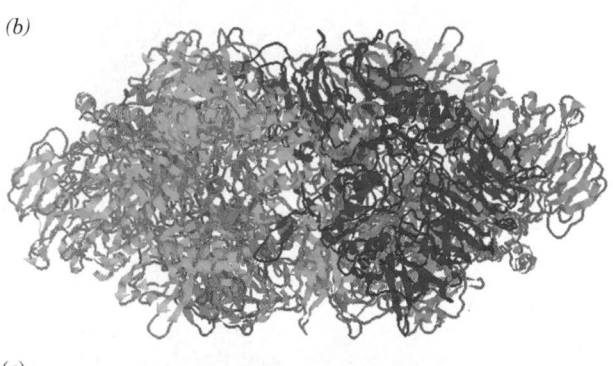

(c)

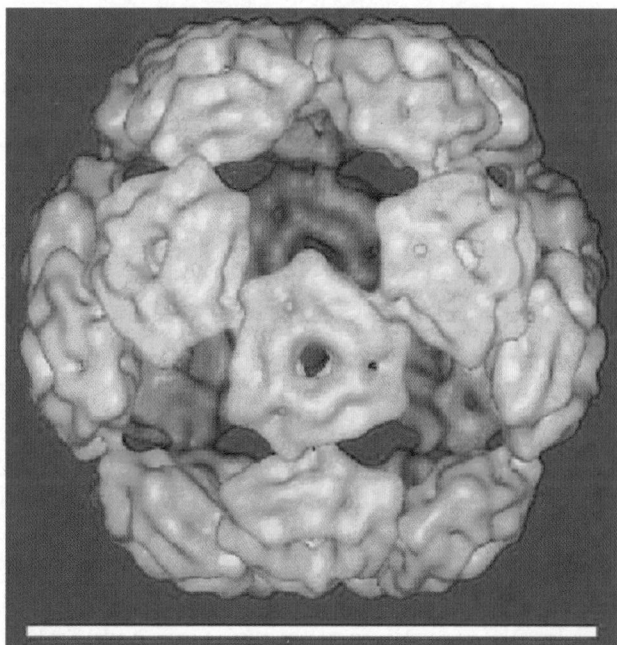

ClpX de *E. coli*. La structure par rayons X de HslUV, déterminée par Huber, montre que HslV forme un dimère d'anneaux hexamériques, et non pas heptamériques (Fig. 32-98). Néanmoins, tant le

FIGURE 32-90 Structure de la protéase tricorne. *(a)* Structure par rayons X du complexe héxamérique vu selon son axe de symétrie d'ordre 3, les sous-unités ont des couleurs propres. *(b)* Vue selon l'axe de symétrie d'ordre 2 (après rotation de 90° autour de l'axe horizontal par rapport à la partie *a*). *(c)* Image du complexe eicosaédrique d'après des données de cryo-ME. Chacune des « plaques » qui le composent correspond à un hexamère comme celui des parties *a* et *b*. Notez comment les plaques voisines présentent à la fois une symétrie d'ordre 3 (dont les axes coïncident avec ceux des complexes hexamériques) et d'ordre 5. [Partie *a* et *b* d'après une structure par rayons X de Robert Huber, Institut de Biochimie Max Planck, Martinsried, RFA. PDBid 1K12. Partie *c* avec l'aimable autorisation de Wolfgang Baumeister, Institut de Biochimie Max Planck, Martinsried, RFA.]

repliement que les contacts entre les sous-unités de HslV sont très semblables à ceux des sous-unités β du protéasome 20S. De plus, elles ont toutes deux des résidus Thr N-terminaux. HslV peut donc être considérée comme l'homologue eubactérien des protéasomes 20S des archaebactéries et des eucaryotes.

T. acidophilum contient un autre complexe protéolytique de grande taille, qui n'est pas apparenté au protéasome. La structure par rayons X de cette protéase (Fig. 32-90*a*, *b*), déterminée par Huber, montre qu'elle forme un anneau toroïde hexamérique de 730 kD à symétrie d'ordre 3 ayant une forme triangulaire particulière rappelant celle d'un tricorne (un chapeau dont le rebord est relevé sur trois cotés) ; on l'a donc appelée **protéase tricorne**. Les études de cryo-ME montrent que 20 de ces héxamères en tricorne s'associent pour former un eicosahèdre creux de 14600 kD (Fig. 32-90*c* ; la Fig . 8-64*c* montre un icosaèdre), il s'agit, de loin, du plus grand complexe enzymatique homo-oligomérique connu (il est même plus grand que certaines particules virales, dont un certain nombre ont également une symétrie icosaédrique ; Section 33-2A).

I. Les modificateurs ressemblant à l'ubiquitine participent à différents processus de régulation

Les cellules eucaryotiques expriment plusieurs protéines dont la séquence est apparentée à celle de l'ubiquitine et qui, de la même manière, sont conjuguées à d'autres protéines. Ces **modificateurs de type ubiquitine (Ubl)**, qui participent à divers processus cellulaires fondamentaux, ont chacun l'équivalent d'une enzyme d'activation (E1), d'au moins une enzyme de conjugaison (E2), et dans de nombreux cas, d'une ou de plusieurs ligases (E3), qui servent à la liaison des Ubl à leur(s) protéine(s) cible(s) d'une façon très proche de ce qu'on connaît pour l'ubiquitine.

Deux des protéines Ubl, qui ont été les plus étudiées, sont **SUMO** (pour « *s*mall *u*biquitine related *mo*difier » ; ayant une identité de 18 % avec l'ubiquitine) et **RUB1** (« *r*elated-to-*ub*iquitine » 1 ; appelée **NEDD8** chez les vertébrés, et ayant une identité de 50 % avec l'ubiquitine), ces protéines sont extrêmement conservées de la levure jusqu'à l'homme. L'une des protéines cibles de SUMO est IκBα, qui se fixe au facteur de transcription NF-κB pour masquer son signal de localisation nucléaire (voir plus haut). IκBα est sumoylé sur le même résidu Lys 21 que celui où il est ubiquitiné, il y a donc impossibilité de l'ubiquitiner, et donc de le dégrader par la suite, la translocation de NF-kB vers le noyau est aussi empêchée. Il est évident qu'il y a un jeu complexe de régulations entre l'ubiquitination et la sumoylation de IκBα. SUMO modifie également deux transporteurs du glucose chez les mammifères, GLUT1 et GLUT4 (Section 20-2E), il augmente ainsi la disponibilité en GLUT4 mais diminue celle en GLUT1.

Toutes les cibles connues de RUB1 sont des cullines, qui sont toutes des sous-unités de complexes SCF, les protéines E3 multi-

mériques à doigt RING (voir plus haut). En fait, β-TrCP, la protéine E3 responsable de l'ubiquitination de IκBα, doit être conjuguée à RUB1 avant d'effectuer cette réaction, augmentant ainsi encore la complexité du contrôle de NF-κB.

RÉSUMÉ DU CHAPITRE

1 ■ Le code génétique Les mutations ponctuelles sont causées soit par des analogues de bases qui ne s'apparient pas durant la réplication de l'ADN, soit par des substances qui réagissent avec des bases pour former des produits qui ne peuvent s'apparier. Des mutations par insertion/délétion (décalage du cadre de lecture) sont provoquées par des agents intercalants qui déforment la structure de l'ADN. L'analyse d'une série de mutations de décalage du cadre de lecture, qui se supriment entre-elles, a permis d'établir que le code génétique est un code à triplets sans ponctuation. Dans un système de synthèse protéique acellulaire, le poly(U) dirige la synthèse de poly(Phe), montrant ainsi que le codon UUU spécifie Phe. Le code génétique a été élucidé en utilisant des polynucléotides de composition connue mais de séquence aléatoire, grâce à la propriété de codons définis d'induire la liaison au ribosome, d'ARNt chargés en acides aminés spécifiques, et par l'utilisation d'ARNm synthétiques de séquences alternées connues. Ces dernières investigations ont montré aussi que l'extrémité 5′ d'un ARNm correspond à l'extrémité N-terminale du polypeptide qu'il spécifie, et ont permis d'établir les séquences des codons d'arrêt. Les codons dégénérés diffèrent principalement par la nature de leur troisième base. De petits ADN simple brin de phages comme ϕX174 contiennent des gènes chevauchant dans différents cadres de lecture. Le code génétique des mitochondries diffère en plusieurs points du code génétique « standard ».

2 ■ L'ARN de transfert et son aminoacylation Les ARN de transfert sont formés de 54 à 100 nucléotides qui peuvent être disposés en une structure secondaire dite « en feuille de trèfle ». Un ARNt peut compter jusqu'à 10 % de bases modifiées. L'ARNt^{phe} de levure a une structure tridimensionnelle étroite en forme de L qui ressemble à celle des autres ARNt. La plupart des bases sont impliquées dans le compactage et dans les appariements parmi lesquels neuf interactions, qui renforcent la structure tertiaire et qui semblent essentielles pour maintenir la molécule dans sa conformation native. Les acides aminés sont accrochés à leurs ARNt respectifs grâce à une réaction en deux étapes catalysée par l'aminoacyl-ARNt synthétase correspondante (aaRS). Il existe deux classes d'aaRS, de dix membres chacune. Les aaRS de Classe I ont deux motifs de séquence conservés qui se trouvent dans le pli de Rossmann, commun au domaine catalytique de ces enzymes. Les aaRS de Classe II ont trois autres motifs de séquence conservés qui se trouvent dans un repliement constituant le cœur du domaine catalytique et qui forment un feuillet β antiparallèle à 7 segments. Lors de la liaison à leurs ARNt respectifs, les aaRS reconnaissent un nombre limité de bases qui leurs sont propres (éléments d'identité), ils sont le plus souvent, localisés dans les tiges anticodon et acceptrice. La grande précision qui caractérise la charge des ARNt vient de la vérification effectuée par certaines aaRS sur l'acide aminé lié, via un mécanisme de double filtrage aux dépens de l'hydrolyse de l'ATP.

Beaucoup d'organismes et d'organites n'ont pas de GlnRS et synthétisent en fait le Gln-ARNt^{Gln}, réaction catalysée par la GluRS qui charge l'ARNt^{Gln} avec du glutamate dont la transamidation sera assurée par l'utilisation du groupement amide de la glutamine dans une

réaction catalysée par la Glu-ARNt^{Gln} amido transférase (Glu-Adt). Les ribosomes ne sélectionnent les ARNt que sur la base de leurs anticodons. Plusieurs codons dégénérés sont lus par un seul ARNt grâce à un appariement par flottement. Le codon UGA, qui est normalement le codon de terminaison *opale*, peut, selon son contexte dans l'ARNm, spécifier un résidu sélénoCys (Sec), qui est porté par un ARNt particulier (ARNt^{Sec}), et entraîner la formation d'une sélénoprotéine. Des mutations non-sens peuvent être supprimées par des ARNt dont les anticodons reconnaissent un codon d'arrêt à la suite d'une mutation.

3 ■ Les ribosomes et la synthèse polypeptidique Le ribosome est constitué d'une petite et d'une grande sous-unité dont les formes complexes ont été déterminées par cryo-microscopie électronique et par cristallographie par rayons X. Les trois ARN et les 52 protéines que comportent les ribosomes *d'E. coli* s'auto-assemblent lorsque les conditions sont favorables. Les deux sous-unités comportent un cœur d'ARN dans lequel les protéines sont enchâssées, surtout sous la forme de domaines globulaires sur le dos et les cotés de la particule, avec de longs segments polypeptidiques qui s'insèrent entre les hélices d'ARN pour neutraliser leurs charges anioniques. Les ribosomes eucaryotiques sont plus grands et plus complexes que ceux des procaryotes.

La synthèse polypeptidique ribosomiale procède par addition des résidus d'acides aminés à l'extrémité C-terminale du polypeptide naissant. L'ARNm est lu dans le sens 5′ → 3′. Les ARNm sont généralement traduits simultanément par plusieurs ribosomes, formant des polysomes. Le ribosome a trois sites de liaison pour les ARNt : le site A, qui lie l'aminoacyl-ARNt rentrant ; le site P, qui lie le peptidyl-ARNt ; et le site E, qui lie transitoirement l'ARNt désacétylé sortant. Lors de la synthèse polypeptidique, le polypeptide naissant est transféré sur l'aminoacyl-ARNt, ce qui allonge ainsi le polypeptide naissant d'un résidu. L'ARNt désacétylé est transféré au site E et le nouveau peptidyl-ARNt, avec son codon associé, subit une translocation qui l'introduit au site P. Chez les procaryotes, les sites d'initiation sur l'ARNm sont reconnus grâce à la séquence de Shine-Dalgarno et à leurs codons d'initiation. Les codons d'initiation des procaryotes spécifient le fMet-ARNt$_f^{Met}$. L'initiation fait intervenir trois facteurs d'initiation qui entraînent l'assemblage des sous-unités ribosomiales avec l'ARNm et le fMet-ARNt$_f^{Met}$ dans le site P. L'initiation des eucaryotes est bien plus complexe et nécessite au moins 11 facteurs d'initiation. Le système s'attache à la coiffe en 5′ de l'ARNm et balaye l'ARNm jusqu'à trouver son codon AUG d'initiation (c'est en général le premier AUG de l'ARNm), grâce à des interactions codon-anticodon avec l'ARNt d'initiation, Met-ARNt^{Mct}.

Les polypeptides s'allongent selon un cycle en trois étapes, liaison de l'aminoacyl-ARNt, transpeptidation, et translocation, ce qui nécessite la participation de facteurs d'élongation et l'hydrolyse de GTP qui rend le processus irréversible. EF-Tu, dont la fonction est d'apporter les aminoacyl-ARNt au site A du ribosome, subit un changement important de conformation lors de l'hydrolyse de son GTP. La structure par rayons X de la sous-unité 50S montre clairement que le centre peptidyl transférase est à l'écart de toute protéine et que donc, le ribosome est un ribozyme. Le nucléotide A2486 semble bien positionné et activé pour occuper la fonction de base générale de la réaction de trans-peptidation. La translocation est démarrée lorsque EF-G hydrolyse le complexe GTP · EF-G · GDP qui se fixe au même site ribosomal que le complexe aminoacyl-ARNt · EF-Tu · GTP dont il est un analogue structural. La translocation passe par des états intermédiaires, les états A/P et P/E, dans lesquels le peptidyl-ARNt néoformé et l'ARNt qui vient d'être désacétylé sont respectivement fixés aux sous-sites A et P de la sous-unité 30S et aux sous-sites P et E de la sous-unité 50S, EF-G hydrolyse alors son GTP, faisant passer ces ARNt dans les états P/P et E/E. Les codons d'arrêt se lient à des facteurs de libération qui induisent la peptidyl transférase à hydrolyser la liaison peptidyl-ARNt. L'élongation et la terminaison eucaryotiques ressemblent à celles des procaryotes.

Le ribosome sélectionne au départ un aminoacyl-ARNt dont l'anticodon correspond au codon lié dans le site A, grâce à des interactions mettant en jeu trois bases universellement conservées de la sous-unité 30S alors que l'ARNt est dans l'état de liaison A/T. l'interaction codon-anticodon est alors vérifiée par un processus indépendant après l'hydrolyse du GTP fixé à EF-Tu, et qui a lieu alors que l'ARNt est passé dans l'état de liaison A/A. Les inhibiteurs des ribosomes, dont beaucoup sont des antibiotiques, sont médicalement importants et très utiles en biochimie pour élucider les fonctions ribosomiales. La streptomycine provoque une lecture erronée de l'ARNm et inhibe l'initiation de la chaîne chez les procaryotes, le chloramphénicol inhibe la peptidyl transférase des procaryotes, la paromycine cause des erreurs de lecture de codons, la tétracycline inhibe la liaison de l'aminoacyl-ARNt à la petite sous-unité des procaryotes, et la toxine diphtérique provoque l'ADP-ribosylation de eEF-2.

4 ■ Le contrôle de la traduction eucaryotique Plusieurs mécanismes de contrôle de la traduction ont été élucidés chez les eucaryotes. La kinase de eIF2α catalyse la phosphrylation de eIF2α qui se lie alors fortement à eIF2B pour l'empêcher d'échanger le GDP fixé à eIF2 contre du GTP et inhiber ainsi l'initiation de la traduction. Parmi les kinases de eIF2α on trouve : (1) l'inhibiteur régulé par l'hème (HRI), qui sert à coordonner la synthèse de globine à la quantité d'hème disponible, (2) la protéine kinase activée par l'ARNdb (PKR), (3) une protéine induite par l'interféron permettant d'inhiber la prolifération virale, (4) une kinase du réticulum endoplasmique ressemblant à PKR (PERK), servant à protéger la cellule des dommages irréversibles dus à l'accumulation de protéines mal repliées dans le RE. GCN2, par contre, est une kinase de eIF2a qui, lors d'une carence en acides aminés, stimule la traduction de l'activateur transcriptionnel GCN4 en obligeant la sous-unité ribosomiale 40S à franchir quatre phases de lecture ouvertes (uORF) situées dans l'ARNm de GCN4, en amont de son codon d'initiation, ainsi le ribosome peut initier la traduction de la séquence codant GCN4. La phosphorylation de eIF4E (protéine de liaison à la coiffe) par une cascade de MAP- kinases augmente son affinité pour les ARN ayant une coiffe, ce qui stimule l'initiation de la traduction. La liaison de protéines 4E-BP à eIF-4E empêche ce dernier de fixer eIF4G et empêche donc l'initiation. Par contre, la phosphorylation de protéines 4E-BP induite par l'insuline provoque leur dissociation de eIF4E. Les ARNm de certains ovocytes d'animaux sont masqués par des protéines qui s'y accrochent, pour empêcher leur traduction.

Beaucoup d'ARNm d'ovocytes ont des queues poly(A) très courtes précédées d'un élément de polyadénylation cytoplasmique (CPE) auquel se fixe la protéine de liaison au CPE (CPEB). CPEB fixe la maskine qui fixe eIF4E pour inhiber l'initiation de la traduction. Cependant, quand CPEB est phosphorylée, elle recrute la poly(A) polymérase (PAP), qui allonge la queue poly(A) de l'ARNm pour lui permettre de fixer la protéine de liaison au poly(A) (PABP). PABP se fixe ensuite à eIF4G, qui déplace la maskine pour permettre la traduction de l'ARNm. Les ARN antisens peuvent être utilisés pour inhiber la traduction de leurs ARNm complémentaires. Bien qu'il se soit avéré

difficile de faire parvenir un oligonucléotide antisens jusqu'à son site d'action, leur utilisation commence à connaître quelques succès en médecine et en biotechnologie.

5 ■ Les modifications post-traductionnelles Les protéines peuvent être modifiées de plusieurs manières après traduction. Les clivages protéolytiques, généralement sous la dépendance de protéases spécifiques, activent les proprotéines. Les peptides-signaux des préprotéines sont enlevés par des signal-peptidases. Les diverses modifications covalentes de nombreuses chaînes latérales modulent les activités catalytiques des enzymes, fournissent des marqueurs de reconnaissance et stabilisent les structures protéiques. L'épissage des protéines est dû à l'auto-excision de l'intéine située entre une N-extéine et une C-extéine, accompagnée de la ligature de ces extéines par liaison peptidique. La plupart des intéines contiennent une endonucléase d'insertion ciblée (homing) qui fait une coupure des deux brins dans un gène similaire à celui codant les extéines de cette intéine. Il y a alors enclenchement du processus de réparation par recombinaison des cassures double brin de l'ADN, qui copie le gène codant l'intéine au niveau de la coupure. Les intéines semblent donc être des molécules parasites.

6 ■ La dégradation des protéines Les protéines dans les cellules vivantes sont renouvelées en permanence. Ainsi, le contrôle de la concentration des enzymes régulatrices et l'élimination de protéines anormales qui perturberaient les processus cellulaires sont assurés. Les protéines sont dégradées par les lysosomes selon un processus non spécifique, ainsi que par un processus spécifique pour les protéines KFERQ, qui est activé en cas de jeûne. Un système cytosolique ATP-dépendant dégrade aussi bien les protéines normales qu'anormales par un processus qui marque ces protéines par attachement covalent de chaînes de polyubiquitine à leurs résidus Lys. Ce processus est réalisé par trois enzymes agissant en série : l'enzyme d'activation de l'ubiquitine (E1), l'enzyme de conjugaison de l'ubiquitine (E2) et la ligase fixant l'ubiquitine à sa protéine substrat (E3). La plupart des cellules possèdent une sorte de E1, plusieurs sortes de E2 et de nombreuses sortes de E3, dont chacune n'est reconnue que par une ou quelques E2. La protéine polyubiquitinée subit la protéolyse dans le protéasome 26S.

Les protéines E3 ont des modules de structure compliqués, dont chacun a une spécificité particulière pour une protéine cible. Les complexes SCF, dont l'une des nombreuses sous-unités contient un doigt RING, sont particulièrement élaborés. La protéine E3 à doigt RING appelée E3a sert à ubiquitiner les protéines qui se conforment à la règle du N-terminal. La transcription par le facteur NF-kB est activée par l'ubiquitination suivie de la destruction du facteur inhibiteur qui lui est normalement lié IkBa, elle est due à SCF β-TrCP, qui est activé par phosphorylation via une cascade de transduction d'un signal. Les cyclines, qui contrôlent le cycle cellulaire, sont détruites de façon programmée par ubiquination due à leurs protéines E3 respectives, dont l'une est le complexe promoteur d'anaphase (APC).

Le protéasome 26S est constitué d'une barrique protéique creuse formée de deux anneaux de sept sous-unités b appelé protéasome 20S auquel est fixé à chaque extrémité une coiffe 19S constituée de ~18 sous-unités. Les sites actifs des sous-unités β, qui appartiennent à la famille des hydrolases à extrémité N-terminale nucléophile (Ntn), se trouvent à l'intérieur de la barrique. Les protéines ubiquitinées sont sélectionnées par les coiffes 19S, qui les déroulent en consommant de l'ATP et les font entrer dans le protéasome par le canal situé dans son axe.

Les chaînes de polyubiquitine (polyUb) sont détachées de la protéine condamnée, par des enzymes de désubiquitination associées au protéasome (DUB), tandis que d'autres DUB démantèlent les chaînes de polyUb en ubiquitine élémentaire, pour les recycler. Le régulateur 11S est un complexe heptamérique qui se lie à une extrémité du protéasome 20S pour provoquer l'ouverture de son canal axial de façon

ATP-dépendante, et permettre ainsi aux polypeptides d'entrer dans le protéasome 20S tout en excluant les protéines repliées. Les eubactéries, dont pratiquement aucune n'a de protéasome, expriment cependant diverses protéases auto-compartimentées, parmi lesquelles : Clp, HslUV, et la protéase tricorne, qui permettent l'élimination protéolytique de leurs protéines cellulaires. Les modificateurs de type ubiquitine (Ubl) comme SUMO et RUB1, participent à de nombreux processus de régulation.

RÉFÉRENCES

GÉNÉRALITÉS

Adams, R.L.P., Knowler, J.T., et Leader, D.P., *The Biochemistry of the Nucleic Acids* (11ᵉ éd.), Chapitre 12, Chapman & Hall (1992).

Lewin, B., *Genes VII,* Chapitres 5–7, Wiley (2000).

LE CODE GÉNÉTIQUE

Attardi, G., Animal mitochondrial DNA : an extreme example of genetic economy, *Int. Rev. Cytol.* **93,** 93–145 (1985).

Benzer, S., The fine structure of the gene, *Sci. Am.* **206**(1), 70–84 (1962). *The Genetic Code, Cold Spring Harbor Symp. Quant. Biol.* **31** (1966). [A collection of papers describing the establishment of the genetic code. See especially the articles by Crick, Nirenberg, et Khorana.]

Crick, F.H.C., The genetic code, *Sci. Am.* **207**(4), 66–74 (1962) [The structure of the code as determined by phage genetics] ; *et* The genetic code: III, *Sci. Am.* **215**(4), 55–62 (1966). [A description of the nature of the code after its elucidation was almost complete.]

Crick, F.H.C., Burnett, L., Brenner, S., et Watts-Tobin, R.J., General nature of the genetic code for proteins, *Nature* **192,** 1227–1232 (1961).

Fox, T.D., Natural variation in the genetic code, *Annu. Rev. Genet.* **21,** 67–91 (1987).

Judson, J.F., *The Eighth Day of Creation,* Expanded Edition, Part II, Cold Spring Harbor Laboratory Press (1996). [A fascinating historical narrative on the elucidation of the genetic code.]

Khorana, H.G., Nucleic acid synthesis in the study of the genetic code, *Nobel Lectures in Molecular Biology, 1933–1975,* pp. 303–331, Elsevier (1977).

Knight, R.D., Freeland, S.J., et Landweber, L.F., Selection, history and chemistry : the three faces of the genetic code, *Trends Biochem. Sci.* **24,** 241–247 (1999).

Nirenberg, M., The genetic code, *Nobel Lectures in Molecular Biology, 1933–1975,* pp. 335–360, Elsevier (1977).

Nirenberg, M.W., The genetic code : II, *Sci. Am.* **208,** 80–94 (1963). [Discusses the use of synthetic mRNAs to analyze the genetic code.]

Nirenberg, M. et Leder, P., RNA code words and protein synthesis, *Science* **145,** 1399–1407 (1964). [The determination of the genetic code by the ribosomal binding of tRNAs using specific trinucleotides.]

Nirenberg, M.W. et Matthaei, J.H., The dependence of cell-free protein synthesis in *E. coli* upon naturally occurring or synthetic polyribonucleotides, *Proc. Natl. Acad. Sci.* **47,** 1588–1602 (1961). [The landmark paper reporting the finding that poly(U) stimulates the synthesis of poly(Phe).]

Singer, B. et Kusmierek, J.T., Chemical mutagenesis, *Annu. Rev. Biochem.* **51,** 655–693 (1982).

L'ARN DE TRANSFERT ET SON AMINOACYLATION

Alexander, R.W. et Schimmel, P., Domain–domain communication in aminoacyl–tRNA synthetases, *Prog. Nucleic Acid Res. Mol. Biol.* **69,** 317–349 (2001).

Björk, G.R., Ericson, J.U., Gustafsson, C.E.D., Hagervall, T.G., Jösson, Y.H., et Wikström, P.M., Transfer RNA modification, *Annu. Rev. Biochem.* **56,** 263–287 (1987).

Böck, A., Forschhammer, K., Heider, J., et Baron, C., Selenoprotein synthesis : an expansion of the genetic code, *Trends Biochem. Sci.* **16,** 463–467 (1991).

Carter, C.W., Jr., Cognition, mechanism, and evolutionary relationships in aminoacyl–tRNA synthetases, *Annu. Rev. Biochem.* **62,** 715–748 (1993).

Crick, F.H.C., Codon–anticodon pairing : the wobble hypothesis, *J. Mol. Biol.* **19,** 548–555 (1966).

Cusack, S., Aminoacyl–tRNA synthetases, *Curr. Opin. Struct. Biol.* **7,** 881–889 (1997).

Fukai, S., Nureki, O., Sekine, S., Shimada, A., Tao, J., Vassylyev, D.G., et Yokoyama, S., Structural basis for double-sieve discrimination of L-valine from L-isoleucine and L-threonine by the complex of tRNA^Val and valyl–tRNA synthetase, *Cell* **103,** 793–803 (2000).

Geigé, R., Puglisi, J.D., et Florentz, C., tRNA structure and aminoacylation efficiency, *Prog. Nucleic Acid Res. Mol. Biol.* **45,** 129–206 (1993). [A detailed review.]

Gesteland, R.F., Weiss, R.B., et Atkins, J.F., Recoding : Reprogrammed genetic coding, *Science* **257,** 1640–1641 (1992). [Discusses contextual signals in mRNA that alter the way the ribosome reads certain codons.]

Hatfield, D.L., Lee, B.J., et Pirtle, R.M. (Éds.), *Transfer RNA in Protein Synthesis,* CRC Press (1992). [Contains articles on such subjects as the role of modified nucleosides in tRNAs, variations in reading the genetic code, patterns of codon usage, and tRNA identity elements.]

Hou, Y.-M., Discriminating among the discriminator bases of tRNAs, *Chem. Biol.* **4,** 93–96 (1997).

Ibba, M. et Söll, D., Aminoacyl–tRNA synthesis, *Annu. Rev. Biochem.* **69,** 617–650 (2000).

Ibba, M., Becker, H.D., Stathopoulos, C., Tumbula, D.L., et Söll, D., The adaptor hypothesis revisited, *Trends Biochem. Sci.* **25,** 311–316 (2000).

Ibba, M., Morgan, S., Curnow, A.W., Pridmore, D.R., Vothknecht, U.C., Gardner, W., Lin, W., Woese, C.R., et Söll, D., A euryarchaeal lysyl–tRNA synthetase: Resemblance to class I synthetases, *Science* **278,** 1119–1122 (1997).

Jacquin-Becker, C., Ahel, I., Ambrogelly, A., Ruan, B., Söll, D., et Stathopoulos, C., Cysteinyl–tRNA formation and prolyl-tRNA synthetase, *FEBS Lett.* **514,** 34–36 (2002).

Kim, S.H., Suddath, F.L., Quigley, G.J., McPherson, A., Sussman, J.L., Wang, A.M.J., Seeman, N.C., et Rich, A., Three-dimensional tertiary structure of yeast phenylalanine transfer RNA, *Science* **185,** 435–440 (1974) ; *et* Robertus, J.D., Ladner, J.E., Finch, J.T., Rhodes, D., Brown, R.S., Clark, B.F.C., et Klug, A., Structure of yeast phenylalanine tRNA at 3 Å resolution, *Nature* **250,** 546–551 (1974). [The landmark papers describing the high-resolution structure of a tRNA.]

McClain, W.H., Rules that govern tRNA identity in protein synthesis, *J. Mol. Biol.* **234,** 257–280 (1993).

Moras, D., Structural and functional relationships between aminoacyl–tRNA synthetases, *Trends Biochem. Sci.* **17,** 159–169 (1992). [Discusses Class I and Class II enzymes.]

Nureki, O., Vassylyev, D.G., Tateno, M., Shimada, A., Nakama, T., Fukai, S., Konno, M., Hendrickson, T.L., Schimmel, P., et Yokoyama, S., Enzyme structure with two catalytic sites for double-sieve selection of substrate, *Science* **280**, 578–582 (1998). [The X-ray structures of IleRS in complexes with isoleucine and valine.]

Rould, M.A., Perona, J.J., et Steitz, T.A., Structural basis of anticodon loop recognition by glutaminyl–tRNA synthetase, *Nature* **352**, 213–218 (1991).

Ruff, M., Krishnaswamy, S., Boeglin, M., Poterszman, A., Mitschler, A., Podjarny, A., Rees, B., Thierry, J.C., et Moras, D., Class II aminoacyl transfer RNA synthetases : Crystal structure of yeast aspartyl–tRNA synthetase complexed with tRNA^Asp, *Science* **252**, 1682–1689 (1991).

Saks, M.E., Sampson, J.R., et Abelson, J.N., The transfer identity problem: A search for rules, *Science* **263**, 191–197 (1994).

Sankaranarayanan, R., Dock-Bregeon, A.-C., Rees, B., Bovee, M., Caillet, J., Romby, P., Francklyn, C.S., et Moras, D., Zinc ion-mediated amino acid discrimination by threonyl–tRNA synthetase, *Nature Struct. Biol.* **7**, 461–465 (2000); *et* Dock-Bregeon, A.-C., Sankaranarayanan, R., Romby, P., Caillet, J., Springer, P., Rees, B., Francklyn, C.S., Ehresmann, C., et Moras, D., Transfer RNA-mediated editing in threonyl–tRNA synthetase : the Class II solution to the double discrimination problem, *Cell* **103**, 877–884 (2000).

Schimmel, P., Giegé, R., Moras, D., et Yokoyama, S., An operational RNA code for amino acids and possible relationship to genetic code, *Proc. Natl. Acad. Sci.* **90**, 8763–8768 (1993).

Schulman, L.H., Recognition of tRNAs by aminoacyl–tRNA synthetases, *Prog. Nucleic Acid Res. Mol. Biol.* **41**, 23–87 (1991).

Silvian, L.F., Wang, J., et Steitz, T.A., Insights into editing from an Ile-tRNA synthetase structure with tRNA^Ile and mupirocin, *Science* **285**, 1074–1077 (1999).

Söll, D. et RajBhandary, U.L. (Éds.), *tRNA : Structure, Biosynthesis, and Function,* ASM Press (1995).

Stadtman, T.C., Selenocysteine, *Annu. Rev. Biochem.* **65**, 83–100 (1996).

Steege, D.A. et Söll, D.G., Suppression, *in* Goldberger, R.F. (Éd.), *Biological Regulation and Development,* Vol. 1, pp. 433–485, Plenum Press (1979).

LES RIBOSOMES ET LA SYNTHÈSE POLYPEPTIDIQUE

Agrawal, R.K., Spahn, C.MT., Penczek, P., Grassuci, R.A., Nierhaus, K.H., et Frank, J., Visualization of tRNA movements in the *Escherichia coli* 70S ribosome during the elongation cycle, *J. Cell Biol.* **150**, 447–459 (2000).

Ban, N., Nissen, P., Hansen, J., Moore, P.B., et Steitz, T., The complete atomic structure of the large ribosomal subunit at 2.4 Å resolution, *Science* **289**, 905–920 (2000).

Bell, C.E. et Eisenberg, D.E., Crystal structure of diphtheria toxin bound to nicotinamide adenine dinucleotide, *Biochemistry* **35**, 1137–1149 (1996).

Brodersen, D.E., Clemons, W.M., Jr., Carter, A.P., Morgan-Warren, R.J., Wimberly, B.T., et Ramakrishnan, V., The structural basis for the action of the antibiotics tetracycline, pactamycin, and hygromycin B on the 30S ribosomal subunit, *Cell* **103**, 1143–1154 (2000).

Czworkowski, J., Wang, J., Steitz, J.A., et Moore, P.B., The crystal structures of elongation factor G complexed with GDP, at 2.7 Å resolution; *and* Ævarsson, A., Brazhnikov, E., Garber, M., Zheltonosova, J., Chirgadze, Yu., Al-Karadaghi, S., Svensson, L.A., and Liljas, A., Three-dimensional structure of the ribosomal translocase : elongation factor G from *Thermus thermophilus, EMBO J.* **13**, 3661–3668 *and* 3669–3677 (1994).

Dintzis, H.M., Assembly of the peptide chains of hemoglobin, *Proc. Natl. Acad Sci.* **47**, 247–261 (1961). [The determination of the direction of polypeptide biosynthesis.]

Fersht, A., *Structure and Mechanism in Protein Science,* Chapitre 13, Freeman (1999). [A discussion of enzymatic specificity and editing mechanisms.]

Frank, J., Single-particle imaging of macromolecules by cryo-electron microscopy, *Annu. Rev. Biophys. Biomol. Struct.* **31**, 303–319 (2002).

Frank, J. et Agrawal, R.K., A ratchet-like inter-subunit reorganization of the ribosome during translocation, *Nature* **406**, 318–322 (2000).

Gingras, A.-C., Raught, B., et Sonnberg, N., eIF4 initiation factors: effectors of mRNA recruitment to ribosomes and regulators of translation, *Annu. Rev. Biochem.* **68**, 913–963 (1999).

Green, R. et Lorsch, J.R., The path to perdition is paved with protons, *Cell* **110**, 665–668 (2002). [Discusses the difficulties in characterizing the catalytic mechanism of the ribosomal peptidyl transferase.]

Hansen, J., Schmeing, T.M., Moore, P.B., et Steitz, T., Structural insights into peptide bond formation, *Proc. Natl. Acad. Sci.* **99**, 11670–11675 (2002); *et* Nissen, P., Hansen, J., Ban, N., Moore, P.B., et Steitz, T., The structural basis of ribosome activity in peptide bond synthesis, *Science* **289**, 920–930 (2000).

Held, W.A., Ballou, B., Mizushima, S., et Nomura, M., Assembly mapping of 30S ribosomal proteins from *Escherichia coli, J. Biol. Chem.* **249**, 3103–3111 (1974).

Jenni, S. et Ban, N., The chemistry of protein synthesis and voyage through the ribosomal tunnel, *Curr. Opin. Struct. Biol.* **13**, 212–219 (2003).

Kawashima, T., Berthet-Colominas, C., Wulff, M., Cusack, S., et Leberman, R., The structure of the *Escherichia coli* EF-Tu · EF-Ts complex at 2.5 Å resolution, *Nature* **379**, 511–518 (1996).

Kisselev, L.L. et Buckingham, R.H., Translation termination comes of age, *Trends Biochem. Sci.* **25**, 561–566 (2000).

Kjeldgaard, M. et Nyborg, J., Refined structure of elongation factor EF-Tu from *Escherichia coli, J. Mol. Biol.* **223**, 721–742 (1992); *et* Kjeldgaard, M., Nissen, P., Thirup, S., et Nyborg, J., The crystal structure of elongation factor EF-Tu from *Thermus aquaticus* in the GTP conformation, *Structure* **1**, 35–50 (1993).

Lake, J.A., Evolving ribosome structure : domains in archaebacteria, eubacteria, eocytes and eukaryotes, *Annu. Rev. Biochem.* **54**, 507–530 (1985).

Lancaster, L., Kiel, M.C., Kaji, A., et Noller, H.F., Orientation of ribosome recycling factor in the ribosome from directed hydroxyl radical probing, *Cell* **111**, 129–140 (2002).

Marcotrigiano, J., Gingras, A.-C., Sonenberg, N., et Burley, S.K., Cocrystal structure of the messenger RNA 5′ cap-binding protein (eIF4E) bound to 7-methyl-GDP, *Cell* **89**, 951–961 (1997).

Moazed, D. et Noller, H.F., Intermediate states in the movement of transfer RNA in the ribosome, *Nature* **342**, 142–148 (1989).

Moore, P.B. et Steitz, T.A., The involvement of RNA in ribosome function, *Nature* **418**, 229–235 (2002); After the ribosome : How does peptidyl transferase work, *RNA* **9**, 155–159 (2003); *et* The structural basis of large ribosomal subunit function, *Annu. Rev. Biochem.* **72**, 813–850 (2003).

Nakamura, Y., Ito, K., et Ehrenberg, M., Mimicry grasps reality in translation terminator, *Cell* **101**, 349–352 (2000).

Nissen, P., Kjeldgaard, M., Thirup, S., Polekhina, G., Reshetnikova, L., Clark, B.F.C., et Nyborg, J., Crystal structure of the ternary complex of Phe–tRNA^Phe, EF-Tu, and a GTP analog, *Science* **270**, 1464–1472 (1995).

Noller, H.F., Hoffarth, V., et Zimniak, L., Unusual resistance of peptidyl transferase to protein extraction procedures, *Science* **256**, 1416–1419 (1992); *et* Noller, H.F., Peptidyl transferase : protein, ribonucleoprotein, or RNA ? *J. Bacteriol.* **175**, 5297–5300 (1993).

Nollar, H.F., Yusupov, M.M., Yusupova, G.Z., Baucom, A., et Cate, J.H.D., Translocation of tRNA during protein synthesis, *FEBS Lett.* **514**, 11–16 (2002).

Ogle, J.M., Brodersen, D.E., Clemons, W.M., Jr., Tarry, M.J., Carter, A.P., et Ramakrishnan, V., Recognition of cognate transfer RNA by the 30S ribosomal subunit, *Science* **292**, 897–902 (2001); *et* Ogle, J.M., Carter, A.P., et Ramakrishnan, V., Insights into the decoding mechanism from recent ribosome structures, *Trends Biochem. Sci.* **28**, 259–266 (2003).

Pioletti, M., et al., Crystal structure of complexes of the small ribosomal subunit with tetracycline, edeine and IF3, *EMBO J.* **20,** 1829–1839 (2001).

Poole, E. et Tate, W., Release factors and their role as decoding proteins: specificity and fidelity for termination of protein synthesis, *Biochim. Biophys. Acta* **1493,** 1–11 (2000).

Ramakrishnan, V., Ribosome structure and the mechanism of translocation, *Cell* **108,** 557–572 (2002). [A detailed and incisive review.]

Ramakrishnan, V. et Moore, P.B., Atomic structure at last: the ribosome in 2000, *Curr. Opin. Struct. Biol.* **11,** 144–154 (2001).

Rané, H.A., Klootwijk, J., et Musters, W., Evolutionary conservation of structure and function of high molecular weight ribosomal RNA, *Prog. Biophys. Mol. Biol.* **51,** 77–129 (1988).

Rawat, U.B.S., Zavialov, A.V., Sengupta, J., Valle, M., Grassuci, R.A., Linde, J., Vestergaard, B., Ehrenberg, M., et Frank, J., A cryo-electro microscopic study of ribosome-bound termination factor RF2; *et* Klaholz, B.P., Pape, T., Zavialov, A.V., Myasnikov, A.G., Orlova, E.V., Vestergaard, B., Ehrenberg, M., et van Heel, M., Structure of Escericia coli ribosomal termination complex with release factor 2, *Nature* **421,** 87–90 and 90–94 (2003).

Rodnina, M.V. et Wintermeyer, W., Ribosome fidelity: tRNA discrimination, proofreading and induced fit, *Trends Biochem. Sci.* **26,** 124–130 (2001); Fidelity of aminoacyl–tRNA selection on the ribosome: kinetic and structural mechanisms, *Annu. Rev. Biochem.* **70,** 415–435 (2001); *et* Peptide bond formation on the ribosome: Structure and mechanism, *Curr. Opin. Struct. Biol.* **13,** 334–340 (2003).

Schluenzen, F., Tocilj, A., Zarivach, R., Harms, J., Gluehmann, M., Janell, D., Bashan, A., Bartels, H., Agmon, I., Franceschi, F., et Yonath, A., Structure of functionally activated small ribosomal subunit at 3.3 Å resolution, *Cell* **102,** 615–623 (2000).

Selmer, M., Al-Karadaghi, S., Hirokawa, G., Kaji, A., et Liljas, A., Crystal structure of *Thermatoga maritima* ribosome recycling factor: a tRNA mimic, *Science* **286,** 2349–2352 (1999).

Sonenberg, N. et Dever, T.E., Eukaryotic translation initiation factors and regulators, *Curr. Opin. Struct. Biol.* **13,** 56–63 (2003).

Song, H., Mugnier, P., Das, A.K., Webb, H.M., Evans, D.R., Tuite, M.F., Hemmings, B.A., et Barford, D., The crystal structure of human eukaryotic release factor eRF1—Mechanism of stop codon recognition and peptidyl–tRNA hydrolysis, *Cell* **100,** 311–321 (2000).

Spahn, C.M.T., Beckmann, R., Eswar, N., Penczek, P.A., Sali, A., Blobel, G., et Frank, J., Structure of the 80S ribosome from *Saccharomyces cerevisiae*—tRNA-ribosome and subunit-subunit interactions, *Cell* **107,** 373–386 (2001).

Spirin, A.S., Ribosome as a molecular machine, *FEBS Lett.* **514,** 2–10 (2002). [Discusses the role in GTP hydrolysis in ribosomal processes.]

Steitz, J.A. et Jakes, K., How ribosomes select initiator regions in mRNA: base pair formation between the 3′ terminus of 16S RNA and the mRNA during initiation of protein synthesis in *Escherichia coli, Proc. Natl. Acad. Sci.* **72,** 4734–4738 (1975).

The Ribosome, Cold Spring Harbor Symposium on Quantitative Biology, Volume LXVI, Cold Spring Harbor Laboratory Press (2001). [The latest "bible" of ribosomology.]

Vestergaard, B., Van, L.B., Andersen, G.R., Nyborg, J., Buckingham, R.H., et Kjeldgaard, M., Bacterial polypeptide release factor RF2 is structurally distinct from eukaryotic eRF1, *Mol. Cell* **8,** 1375–1382 (2001).

Wimberly, B.T., Broderson, D.E., Clemons, W.M., Jr., Morgan-Warren, R., von Rhein, C., Hartsch, T., et Ramakrishnan, V., Structure of the 30S ribosomal subunit, *Nature* **407,** 327–339 (2000); *et* Broderson, D.E., Clemons, W.M., Jr., Carter, A.P., Wimberly, B.T., et Ramakrishnan, V., Crystal structure of the 30S ribosomal subunit from *Thermus thermophilus:* Structure of the proteins and their interactions with 16S RNA, *J. Mol. Biol.* **316,** 725–768 (2002).

Yonath, A., The search and its outcome: High resolution structures of ribosomal particles from mesophilic, thermophilic, and halophilic bacteria at various functional states, *Annu. Rev. Biophys. Biomol. Struct.* **31,** 257–273 (2002).

Yusupova, G.Z., Yusupov, M.M., Cate, J.D.H., et Noller, H.F., The path of messenger RNA through the ribosome, *Cell* **106,** 233–241 (2001).

LE CONTRÔLE DE LA TRADUCTION

Branch, A.D., A good antisense molecule is hard to find, *Trends Biochem. Sci.* **23,** 45–50 (1998).

Calkhoven, C.F., Müller, C., et Leutz, A., Translational control of gene expression and disease, *Trends Molec. Med.* **8,** 577–583 (2002).

Chen, J.-J., et London, I.M., Regulation of protein synthesis by heme-regulated eIF-2α kinase, *Trends Biochem. Sci.* **20,** 105–108 (1995).

Clemens, M.J., PKR—A protein kinase regulated by double-stranded RNA, *Int. J. Biochem. Cell Biol.* **29,** 945–949 (1997).

Dever, T.E., Gene-specific regulation by general translation factors, *Cell* **108,** 545–556 (2002).

Gray, N.K. et Wickens, M., Control of translation initiation in animals, *Annu. Rev. Cell Dev. Biol.* **14,** 399–458 (1998).

Hershey, J.W.B., Translational control in mammals, *Annu. Rev. Biochem.* **60,** 717–755 (1991).

Kozak, M., Regulation of translation in eukaryotic systems, *Annu. Rev. Cell Biol.* **8,** 197–225 (1992).

Lawrence, J.C., Jr. et Abraham, R.T., PHAS/4E-BPs as regulators of mRNA translation and cell proliferation, *Trends Biochem. Sci.* **22,** 345–349 (1997).

Lebedeva, I. et Stein, C.A., Antisense oligonucleotides: promise and reality, *Annu. Rev. Pharmacol. Toxicol.* **41,** 403–419 (2001).

Mendez, R. et Richter, J.D., Translational control by CPEB: a means to the end, *Nature Rev. Mol. Cell Biol.* **2,** 521–529 (2001).

Phillips, M.I. (Éd.), *Antisense technology: Part A. General Methods, Methods of Delivery, and RNA Studies*; et *Part B. Applications, Meth. Enzymol.* **313** *et* **314** (2000).

Sen, G.C. et Lengyel, P., The interferon system, *J. Biol. Chem.* **267,** 5017–5020 (1992).

Sheehy, R.E., Kramer, M., et Hiatt, W.R., Reduction of polygalacturonase activity in tomato fruit by antisense RNA, *Proc. Natl. Acad. Sci.* **85,** 8805–8809 (1988).

Sonenberg, N., Hershey, J.W.B., et Mathews, M.B., *Translational Control of Gene Expression,* Cold Spring Harbor Laboratory Press (2000). [A compendium of authoritative articles.]

Tafuri, S.R. et Wolffe, A.P., Dual roles for transcription and translation factors in the RNA storage particles of *Xenopus* oocytes, *Trends Cell. Biol.* **3,** 94–98 (1993).

Tamm, I., Dörken, B., et Hartmann, G., Antisense therapy in oncology: new hope for an old idea? *Lancet* **358,** 489–497 (2001).

Weiss, B., Davidkova, G., et Zhou, L.-W., Antisense RNA therapy for studying and modulating biological processes, *Cell. Mol. Life Sci.* **55,** 334–358 (1999).

LES MODIFICATIONS POST-TRADUCTIONNELLES

Fessler, J.H. et Fessler, L.I., Biosynthesis of procollagen, *Annu. Rev. Biochem.* **47,** 129–162 (1978).

Harding, J.J., et Crabbe, M.J.C. (Eds.), *Post-Translational Modifications of Proteins,* CRC Press (1992).

Klabunde, T., Sharma, S., Telenti, A., Jacobs, W.R., Jr., et Sacchetini, J.C., Crystal structure of Gyr A protein from *Mycobacterium xenopi* reveals structural basis of splicing, *Nature Struct. Biol.* **5,** 31–36 (1998).

Liu, X.-Q., Protein-splicing intein: genetic mobility, origin, and evolution, *Annu. Rev. Genet.* **34,** 61–76 (2000).

Noren, C.J., Wang, J., et Perler, F.B., Dissecting the chemistry of protein splicing and its applications, *Angew. Chem. Int. Ed.* **39,** 450–466 (2000).

Wold, F., In vivo chemical modification of proteins, *Annu. Rev. Biochem.* **50,** 783–814 (1981).

Wold, F. et Moldave, K. (Éds.), Posttranslational Modifications, Parts A and B, *Methods Enzymol.* **106** and **107** (1984). [Contains extensive descriptions of the amino acid "zoo."]

LA DÉGRADATION DES PROTÉINES

Bochtler, M., Ditzel, L., Groll, M., Hartmann, C., et Huber, R., The proteasome, *Annu. Rev. Biophys. Biomol. Struct.* **28**, 295–317 (1999).

Brandstetter, H., Kim, J.-S., Groll, M., et Huber, R., Crystal structure of the tricorn protease reveals a protein disassembly line, *Nature* **414**, 466–470 (2001); Walz, J., Tamura, T., Tamura, N., Grimm, R., Baumeister, W., et Koster, A.J., Tricorn protease exists as an icosahedral supermolecule *in vivo*, *Mol. Cell* **1**, 59–65 (1997); *et* Walz, J., Koster, A.J., Tamura, T., et Baumeister, W., Capsids of tricorn protease studied by cryo-microscopy, *J. Struct. Biol.* **128**, 65–68 (1999).

Cook, W.J., Jeffrey, L.C., Kasperek, E., et Pickart, C.M., Structure of tetraubiquitin shows how multiubiquitin chains can be formed, *J. Mol. Biol.* **236**, 601–609 (1994).

Cook, W.J., Jeffrey, L.C., Sullivan, M.L., et Vierstra, R.D., Three-dimensional structure of a ubiquitin-conjugating enzyme (E2), *J. Biol. Chem.* **267**, 15116–15121.

Deshaies, R.J., SCF and cullin/RING H2-based ubiquitin ligases, *Annu. Rev. Cell Dev. Biol.* **15**, 435–467 (1999).

Dice, F., Peptide sequences that target cytosolic proteins for lysosomal proteolysis, *Trends Biochem. Sci.* **15**, 305–309 (1990).

Ferrell, K., Wilkinson, C.R.M., Dubiel, W., et Gordon, C., Regulatory subunit interactions of the 26S proteasome, a complex problem, *Trends Biochem. Sci.* **25**, 83–88 (2000).

Glickman, M.H. et Ciechanover, A., The ubiquitin-proteasome proteolytic pathway: destruction for the sake of construction, *Physiol. Rev.* **82**, 373–428 (2002).

Goldberg, A.L., et Rock, K.L., Proteolysis, proteasomes and antigen presentation, *Nature* **357**, 375–379 (1992).

Hartmann-Petersen, R., Seeger, M., et Gordon, C., Transferring substrates to the 26S proteasome, *Trends Biochem. Sci.* **28**, 26–31 (2003).

Hershko, A. et Ciechanover, A., The ubiquitin system, *Annu. Rev. Biochem.* **67**, 425–479 (1998).

Jentsch, S. et Pyrowalakis, G. Ubiquitin and its kin: how close are the family ties, *Trends Cell Biol.* **10**, 335–342 (2003). [Discusses Ubls.]

Lam, Y.A., Lawson, T.G., Velayutham, M., Zweier, J.L., et Pickart, C.M., A proteasomal ATPase subunit recognizes the polyubiquitin degradation signal, *Nature* **416**, 763–767 (2002).

Laney, J.D. et Hochstrasser, M., Substrate targeting in the ubiquitin system, *Cell* **97**, 427–430 (1999).

Löwe, J., Stock, D., Jap, B., Zwicki, P., Baumeister, W., et Huber, R., Crystal structure of the 20S proteasome from the archeon *T. acidophilum* at 3.4 Å resolution, *Science* **268**, 533–539 (1995); *et* Groll, M., Ditzel, L., Löwe, J., Stock, D., Bochtler, M., Bartunik, H.D., et Huber, R.,

Structure of 20S proteasome from yeast at 2.4 Å resolution, *Nature* **386**, 463–471 (1997).

Page, A.M. et Hieter, P., The anaphase-promoting complex: new subunits and regulators, *Annu. Rev. Biochem.* **68**, 583–609 (1999).

Pickart, C.M., Mechanisms underlying ubiquitination, *Annu. Rev. Biochem.* **70**, 503–533 (2001); *et* Ubiquitin in chains, *Trends Biochem. Sci.* **25**, 544 (2000).

Schwartz, A.L. et Ciechanover, A., The ubiquitin-proteasome pathway and the pathogenesis of human disease, *Annu. Rev. Med.* **50**, 57–74 (1999).

Senahdi, V.-J., Bugg, C.E., Wilkinson, K.D., et Cook, W.J., Three-dimensional structure of ubiquitin at 2.8 Å resolution, *Proc. Natl. Acad. Sci.* **82**, 3582–3585 (1985).

Song, H.K., Hartmann, C., Ramachandran, R., Bochtler, M., Behrendt, R., Moroder, L., et Huber, R., Mutational studies on HslU and its docking mode with HsIV, *Proc. Natl. Acad. Sci.* **97**, 14103–14108 (2000).

Unno, M., Mizushima, T., Morimoto, Y., Tomisugi, Y., Tanaka, K., Yasuoka, N., et Tsukihara, T., The structure of the mammalian proteasome at 2.75 Å resolution, *Structure* **10**, 609–618 (2002).

VanDemark, A.P. et Hill, C.P., Structural basis of ubiquitylation, *Curr. Opin. Struct. Biol.* **12**, 822–830 (2002).

Varshavsky, A., Turner, G., Du, F., et Xie, Y., The ubiquitin system and the N-end rule, *Biol. Chem.* **381**, 779–789 (2000); *et* Varshavsky, A., The N-end rule, *Cell* **69**, 725–735 (1992).

Voges, D., Zwickl, P., et Baumeister, W., The 26S proteasome: a molecular machine designed for controlled proteolysis, *Annu. Rev. Biochem.* **68**, 1015–1068 (1999).

Wang, J., Hartling, J.A., et Flanagan, J.M., The structure of ClpP at 2.3 Å resolution suggests a model for ATP-dependent proteolysis, *Cell* **91**, 447–456 (1997).

Whitby, F.G., Masters, E.I, Kramer, L., Knowlton, J.R., Yao, Y., Wang, C.C., et Hill, C.P., Structural basis for the activation of 20S proteasomes by 11S regulators, *Nature* **408**, 115–120 (2000).

Yao, T. et Cohen, R.E., A cryptic protease couples deubiqitin-ation and degradation by the proteasome, *Nature* **419**, 403–407 (2002); et Verma, R., Aravind, L., Oania, R., McDonald, W.H., Yates, J.R., III, Koonin, E.V., et Deshaies, R.J., Role of Rpn11 metalloprotease in deubiquitination and degradation by the 26S proteasome, *Science* **298**, 611–615 (2002).

Zheng, N., et al., Structure of the Cul1–Rbx1–Skp1–F-box^{Skp2} SCF ubiquitin ligase complex, *Nature* **41**, 703–709 (2002); Schulman, B.A., et al., Insights into SCF ubiquitin ligases from the structure of the Skp1–Skp2 complex, *Nature* **408**, 381–386 (2000); *et* Zheng, N., Wang, P., Jeffrey, P.D., et Pavletich, N.P., Structure of a c-Cbl–UbcH7 complex: RING domain function in ubiquitin-protein ligases, *Cell* **102**, 533–539 (2000).

Zwickl, P., Seemüller, E., Kapelari, B., et Baumeister, W., The proteasome: A supramolecular assembly designed for controlled proteolysis, *Adv. Prot. Chem.* **59**, 187–222 (2002).

PROBLÈMES

1. Quel produit obtient-on en faisant réagir la guanine avec l'acide nitreux? La réaction est-elle mutagène? Expliquez.

2. Quel est le polypeptide spécifié par le brin d'ADN antisens suivant? Supposez que la traduction commence après le premier codon d'initiation.

5'-TCTGACTATTGAGCTCTCTGGCACATAGCA-3'

* **3.** Le fingerprint d'une protéine extraite d'un mutant du bactériophage T4 révertant phénotypiquement indique la présence d'un peptide trypsique

modifié par comparaison au type sauvage. Les peptides du type sauvage et du mutant ont les séquences suivantes:

Type sauvage	Cys-Glu-Asp-His-Val-Pro-Gln-Tyr-Arg
Mutant	Cys-Glu-Thr-Met-Ser-His-Ser-Tyr-Arg

Indiquez comment le mutant a pu se former et donnez les séquences des bases, aussi longue que possible, des ARNm spécifiant les deux peptides. Quelle pourrait être la fonction du peptide au sein de la protéine?

4. Expliquez pourquoi les différentes classes de mutation peuvent permettre la réversion d'une mutation de la même classe mais pas de classe différente.

5. Quels sont les acides aminés spécifiés par des codons, qui peuvent être changés en codon *ambre* après une seule mutation ponctuelle ?

6. L'ARNm spécifiant la chaîne α de l'hémoglobine humaine contient la séquence de bases

···UCCAAAUACCGUUAAGCUGGA···

Le tétrapeptide C-terminal de la chaîne α normale, qui est spécifié par une partie de cette séquence est

-Ser-Lys -Tyr-Arg

Dans l'hémoglobine Constant Spring, la région correspondante de la chaîne α a la séquence

-Ser-Lys-Tyr-Arg-Gln-Ala-Gly-····

Précisez la mutation responsable de l'hémoglobine Constant Spring.

7. Expliquez pourquoi il faut un minimum de 32 ARNt pour traduire le code génétique « standard ».

8. Donnez les représentations d'appariement par flottement non représentés dans la Fig. 32-25a.

9. Une de vos collaboratrices prétend qu'en exposant *E. coli* à HNO_2 elle a muté un ARNt^{Gly} en suppresseur *ambre*. Croyez-vous cette affirmation ? Expliquez.

*10. Déduisez les séquences des anticodons de tous les suppresseurs donnés dans le Tableau 32-6 sauf UGA-1 et indiquez quelles sont les mutations qui les ont provoqués.

11. Combien y a-t-il de types de macromolécules différentes au minimum dans un système de biosynthèse protéique acellulaire de *E. coli* ? Considérez chaque type de composant ribosomial comme une macromolécule différente.

12. Pourquoi des oligonucléotides contenant la séquence de Shine-Dalgarno inhibent-ils la traduction chez les procaryotes ? Pourquoi ne le font-ils pas chez les eucaryotes ?

13. Pourquoi le m^{7}GTP inhibe-t-il la traduction chez les eucaryotes ? Pourquoi ne le fait-il pas chez les procaryotes ?

14. Quelle serait la distribution de la radioactivité dans les chaînes d'hémoglobine terminées, après exposition des réticulocytes à de la leucine tritiée pendant un temps bref, suivie d'une chasse par de la leucine froide ?

15. Élaborez un ARNm, ayant les sites de contrôle des procaryotes nécessaires, qui code pour l'octapeptide Lys-Pro-Ala-Gly-Thr-Glu-Asn-Ser.

16. Indiquez les sites de contrôle de la traduction et la séquence en acides aminés spécifiée par l'ARNm de procaryote suivant

5′-CUGAUAAGGAUUUAAAUUAUGUGUCAAUCACGAAUG-CUAAUCGAGGCUCCAUAAUAACACUUCGAC-3′

17. Quel est le coût énergétique, en ATP, pour la synthèse par *E. coli* d'une chaîne polypeptidique de 100 résidus en partant des acides aminés et d'ARNm ? On admettra qu'il n'y a pas de pertes énergétiques pour cause de correction.

*18. On a prétendu que la Gly-ARNt synthétase n'a pas besoin de système de correction. Pourquoi ?

19. Un antibiotique appelé fixmycine, que vous auriez isolé d'un champignon qui pousse sur le fruit de la passion mûr, permet la guérison de plusieurs maladies vénériennes. En étudiant le mécanisme d'action de la fixmycine, vous avez trouvé que c'est un inhibiteur de la traduction chez les bactéries, qui se lie exclusivement à la grande sous-unité des ribosomes de *E.coli*. L'initiation de la synthèse protéique en présence de fixmycine donne une série de dipeptides qui restent associés aux ribosomes. Suggérez un mécanisme d'action de la fixmycine.

20. L'hème inhibe la dégradation des protéines dans les réticulocytes en régulant allostériquement l'enzyme activateur de l'ubiquitine (El). Quel rôle physiologique cela pourrait-il avoir ?

21. Genbux Inc., une firme d'ingénierie génétique, a cloné dans *E. coli* le gène codant une enzyme intéressante pour l'industrie de sorte que l'enzyme est produite en grandes quantités. Cependant, la firme souhaitant produire des tonnes de cette enzyme, le coût de son isolement serait fortement réduit si l'on pouvait faire en sorte que la bactérie sécrète l'enzyme. En tant qu'expert-consultant, quel conseil d'ordre général donneriez-vous pour résoudre ce problème ?

Chapitre

33

Les virus : des modèles pour comprendre le fonctionnement à l'échelle cellulaire

*Les **virus** sont des particules parasites, formées d'un acide nucléique entouré d'une capside protectrice ; ils se multiplient grâce à l'équipement enzymatique des cellules capables de les héberger.* Le fait que les virus ne possèdent pas de système métabolique les a fait considérer comme extérieurs au monde vivant (ceci relève plutôt de la sémantique que de la science). L'échelle de leur complexité va de génomes ne codant qu'une seule protéine comme celui du **virus satellite du virus de la nécrose du tabac (STNV ; Section 33-2B),** à celui du **virus de la chlorelle de *Paramecium bursaria* (PBCV** ; Section 33-2G) qui code 377 protéines. [On peut comparer ces valeurs au plus petit génome d'organisme à vie libre, *Mycoplasma genitalium* (Tableau 7-3), qui code 470 protéines].

Les virus ont été définis à la fin du 19ᵉ siècle comme des agents infectieux pouvant traverser des filtres qui retiennent les bactéries. Par ailleurs, il ne fait pas de doute que les maladies virales, dont la gravité varie, du rhume à la rage, en passant par la variole, ont causé de nombreux ennuis à toute l'humanité, avant même l'époque historique. On sait maintenant que des virus infectent les plantes, les bactéries et les animaux. Chaque espèce de virus a un **spectre d'hôtes** très étroit ; cela signifie qu'il ne peut se reproduire qu'aux dépens d'un petit groupe d'espèces très apparentées.

Une particule virale intacte est appelée un **virion** ; elle est formée d'une molécule d'acide nucléique enfermée dans une **capside** de nature protéique. Chez certains virus plus complexes, la capside est entourée par une **enveloppe** constituée d'une double couche lipidique et de glycoprotéines, elle est dérivée de la membrane cellulaire de l'hôte. Comme Francis Crick et James Watson l'avaient envisagé en 1957, la petite taille de l'acide nucléique viral doit être nettement limitante pour le nombre de protéines pouvant être codées par ce génome ; la capside doit donc être construite à partir d'une seule, ou de très peu de sous-unités protéiques différentes, qui se mettent en place d'une manière symétrique ou presque symétrique. Cet assemblage peut se faire de deux manières :

1. Chez les **virus hélicoïdaux** (Section 33-1), les sous-unités protéiques de la capside s'associent pour former des tubes hélicoïdaux.

2. Chez les **virus sphériques** (Section 33-2), les protéines de la capside s'agrègent pour former des coques polyédriques fermées.

Dans les deux cas, l'acide nucléique viral est localisé dans l'espace central de la capside. Chez de nombreux virus, les sous-unités protéiques de la capside peuvent être « décorées » par d'autres protéines, formant ainsi des capsides garnies de spicules et, chez les grands bactériophages, d'une queue assez compliquée. Ces structures participent au mécanisme de reconnaissance de la cellule hôte et à l'injection de l'acide nucléique dans celle-ci. La figure 33-1 présente une série de virus de tailles variables et de formes diverses.

La grande simplicité des virus, quand on les compare aux cellules, en fait d'une part des outils de grande valeur, pour chercher à comprendre la structure et la fonction du gène, et d'autre part des modèles très précis pour comprendre les phénomènes d'assemblage des structures biologiques. Bien que tous les virus utili-

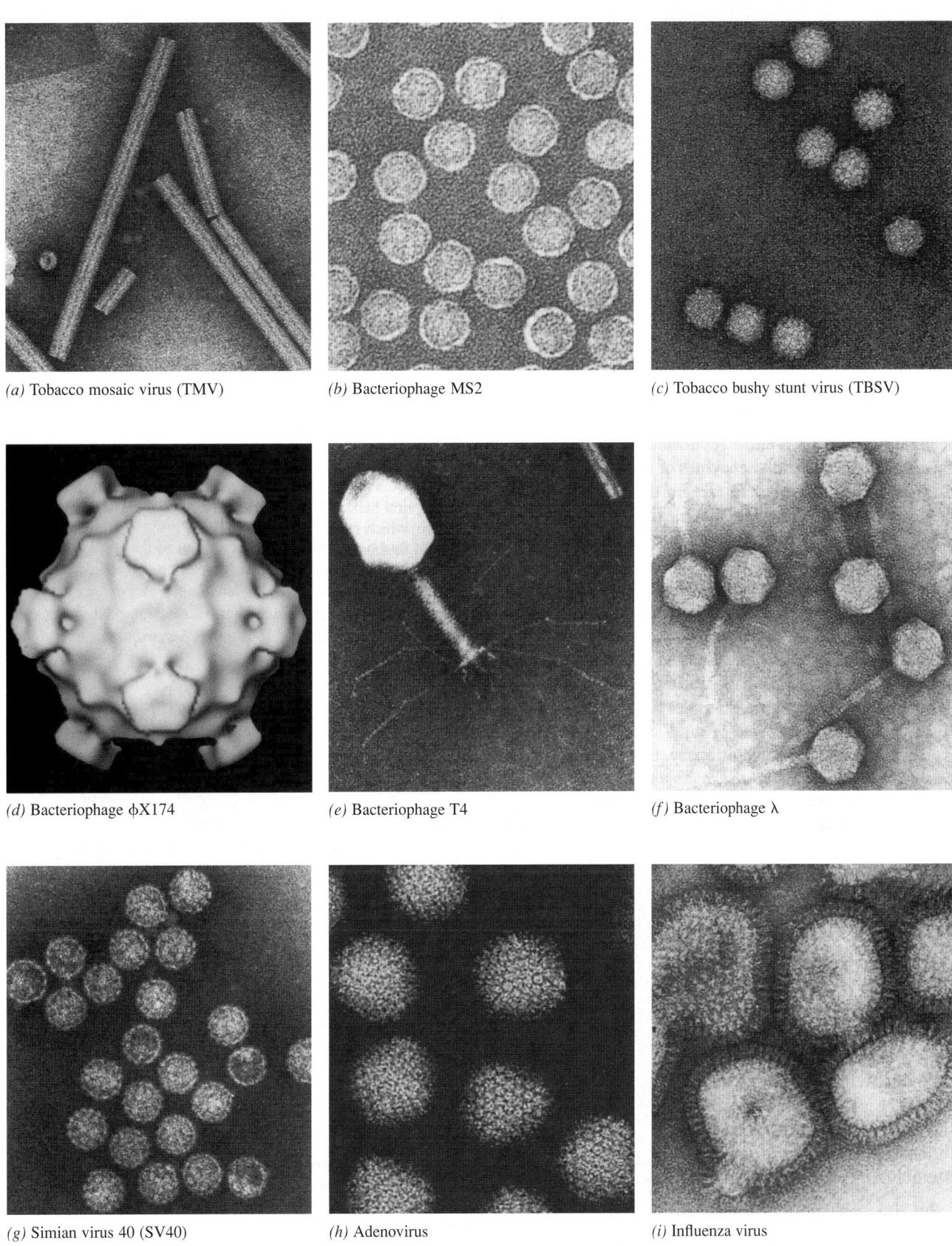

(a) Tobacco mosaic virus (TMV)

(b) Bacteriophage MS2

(c) Tobacco bushy stunt virus (TBSV)

(d) Bacteriophage φX174

(e) Bacteriophage T4

(f) Bacteriophage λ

(g) Simian virus 40 (SV40)

(h) Adenovirus

(i) Influenza virus

FIGURE 33-1 Micrographies électroniques de quelques virus choisis. Les TMV, MS2, TBSV et le virus de la grippe, sont des virus à ARN simple brin ; φX174 est un virus à ADN simple brin ; λ, T4, SV4O et l'adénovirus sont des virus à ADN double brin. Le bactériophage M13, est un coliphage filamenteux, à ADN simple brin ; on peut l'observer sur la Fig. 5-45. [Les parties *a* à *c* et *f* à *i* ont été aimablement fournies par Robley Williams, Université de Californie à Berkeley et Harold Fisher, Université de Rhode Island ; la partie *d*, par Michael Rossmann, Université Purdue ; la partie *e* par John Finch, Université de Cambridge.]

sent les ribosomes et les autres facteurs biochimiques de l'hôte pour synthétiser leurs protéines d'après leur ARN, les modes de réplication de leurs génomes sont beaucoup plus variés que ceux des cellules. Au contraire des cellules, dans lesquelles les molécules de l'hérédité sont toujours des ADN double brin, les virus contiennent soit un ADN simple brin ou double brin, soit un ARN. Chez les virus à ARN, l'ARN viral peut, soit être répliqué directement, soit servir de matrice pour la synthèse d'un ADN. L'ARN de virus à ARN simple brin peut être soit le brin plus (qui est alors l'ARNm) soit le brin moins (il est alors le brin complémentaire de l'ARNm). L'ADN viral peut se répliquer de manière autonome, ou être inséré dans le chromosome de l'hôte pour être répliqué comme l'ADN de l'hôte. L'ADN des virus d'eucaryotes est répliqué et transcrit, soit dans le noyau de la cellule, grâce aux enzymes cellulaires, soit dans le cytoplasme, grâce à des enzymes codées par le génome viral. En fait, dans le cas de virus à ARN (–), les enzymes responsables de la transcription doivent être codées dans le virion, puisque la majorité des cellules n'ont pas la propriété de transcrire de l'ARN.

Dans ce chapitre, seront exposées les structures et la biologie de quelques virus. Il sera question, principalement, du **virus de la mosaïque du tabac (TMV pour tomato mosaic virus)**, virus hélicoïdal à ARN, de plusieurs **virus sphériques**, du **bactériophage λ**, un bactériophage à ADN pourvu d'une queue, et du **virus de l'influenza,** ou virus de la grippe, un virus à enveloppe. Ces exemples ont été choisis pour illustrer les aspects importants de la structure du virion, de l'assemblage, de la génétique moléculaire du virus et de sa stratégie évolutive. *Une grande partie de ces informations seront utiles à la compréhension de phénomènes correspondants au niveau de la cellule.*

1 ■ LE VIRUS DE LA MOSAÏQUE DU TABAC

Le virus de la mosaïque du tabac est la cause de tachetures sur les feuilles et de décoloration, chez le tabac et beaucoup d'autres

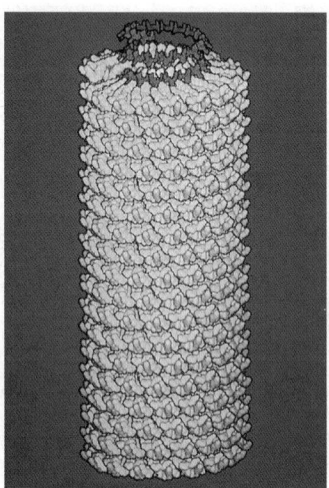

FIGURE 33-2 Modèle du TMV illustrant l'arrangement hélicoïdal des protéines de capside et de la molécule d'ARN. L'ARN est représenté par la chaîne rouge qui dépasse au sommet de l'hélice du virion. On ne voit que 18-tours (415 Å) de l'hélice, ce qui représente ~14 % du bâtonnet du TMV. [Avec l'aimable autorisation de Gerald Stubbs et Keiichi Namba, Université Vanderbilt, et Donald Caspar, Université Brandeis.]

plantes. Il a été le premier virus découvert (par Dmitri Iwanowsky, en 1892), le premier virus à avoir été isolé (par Wendell Stanley, en 1935), et encore actuellement, il reste un des plus étudiés et un des mieux connus du point de vue de sa structure et de son assemblage. Dans cette section, il sera question du TMV sous ces différents aspects.

A. *Structure*

Le TMV est une particule en forme de bâtonnet (Fig. 33-1*a*) qui a environ 3000 Å de long, un diamètre de 180 Å, et une masse de 40 millions de Da. Les ~2130 copies identiques de sa protéine de capside (158 résidus d'acides aminés ; 17,5 kD) sont arrangés en hélice dextre pourvue d'une lumière centrale ; elle a 161/3 sous-unités par tour, un pas de 23 Å, et un diamètre de la cavité centrale de 40 Å (Fig. 33-2). L'ARN simple brin du TMV (~6400 nt ; 2 millions de Da) est enroulé de manière coaxiale avec les tours de l'hélice de protéines du manteau, de telle manière que 3 nt sont liés à chaque sous-unité protéique (Fig. 33-2).

a. La protéine de capside du TMV s'agrège pour former des bâtonnets hélicoïdaux semblables au virus complet

L'étape d'agrégation de la protéine de capside du TMV dépend à la fois du pH et de la force ionique (Fig. 33-3). À pH légèrement alcalin et à force ionique faible, la protéine de capside ne forme que des ensembles de quelques sous-unités. À force ionique plus élevée, cependant, les sous-unités s'associent pour former un disque double-couche de 17 sous-unités par couche ; ce nombre est

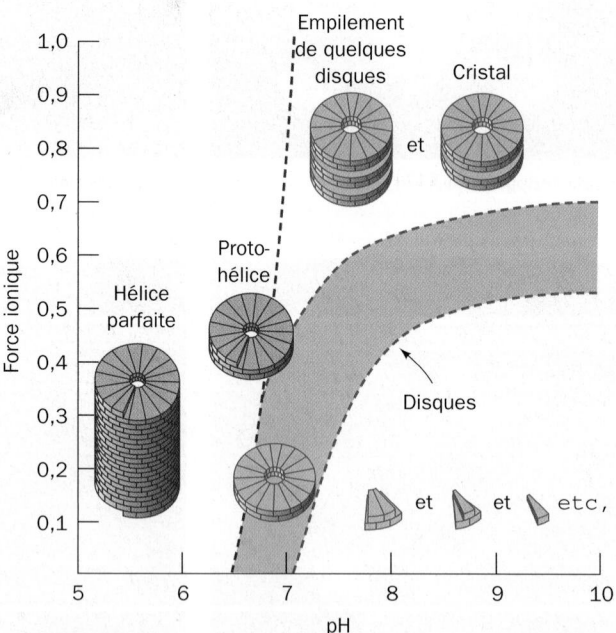

FIGURE 33-3 Stades d'agrégation des protéines de capside du TMV, en fonction du pH et de la force ionique. En conditions basiques, les sous-unités forment des petits agrégats. Autour de la neutralité et à force ionique élevée, la protéine forme des doubles disques avec 34 sous-unités. En conditions acides et à force ionique faible, les sous-unités forment des protohélices qui se tassent l'une sur l'autre pour former des hélices allongées. À pH neutre et à force ionique faible, conditions voisines des conditions physiologiques, la protéine forme des hélices seulement en présence de l'ARN viral. [D'après Durham, A.C.H., Finch, J.T., et Klug, A., *Nature New Biol.* **229**, 38 (1971).]

pratiquement égal au nombre de sous-unités par tour d'hélice dans le virion complet. À pH neutre et force ionique faible, les sous-unités forment des éléments d'hélices d'un peu plus de deux tours (39 ± 2 sous-unités) appelés protohélices (on les appelle aussi « lockwashers », c'est à dire « joints de robinets »). Si le pH est alors décalé vers la valeur 5, les protohélices s'empilent de manière imparfaite en plus longs segments qui se mettent ensuite bout à bout pour former des bâtonnets hélicoïdaux de longueur indéterminée qui ressemblent aux virions complets alors qu'ils

n'ont pas intégré d'ARN (Fig. 33-4). Ces observations, comme on va le voir ci-après, ont permis de comprendre les premières étapes de l'assemblage du virus.

b. La protéine de capside du TMV et l'ARN viral ont gardé toute leur flexibilité pour interagir

Les études du TMV au moyen des rayons X ont été réalisées selon deux approches. Le virus ne forme pas de cristaux mais une sorte de gel par l'orientation nettement parallèle de ses bâtonnets.

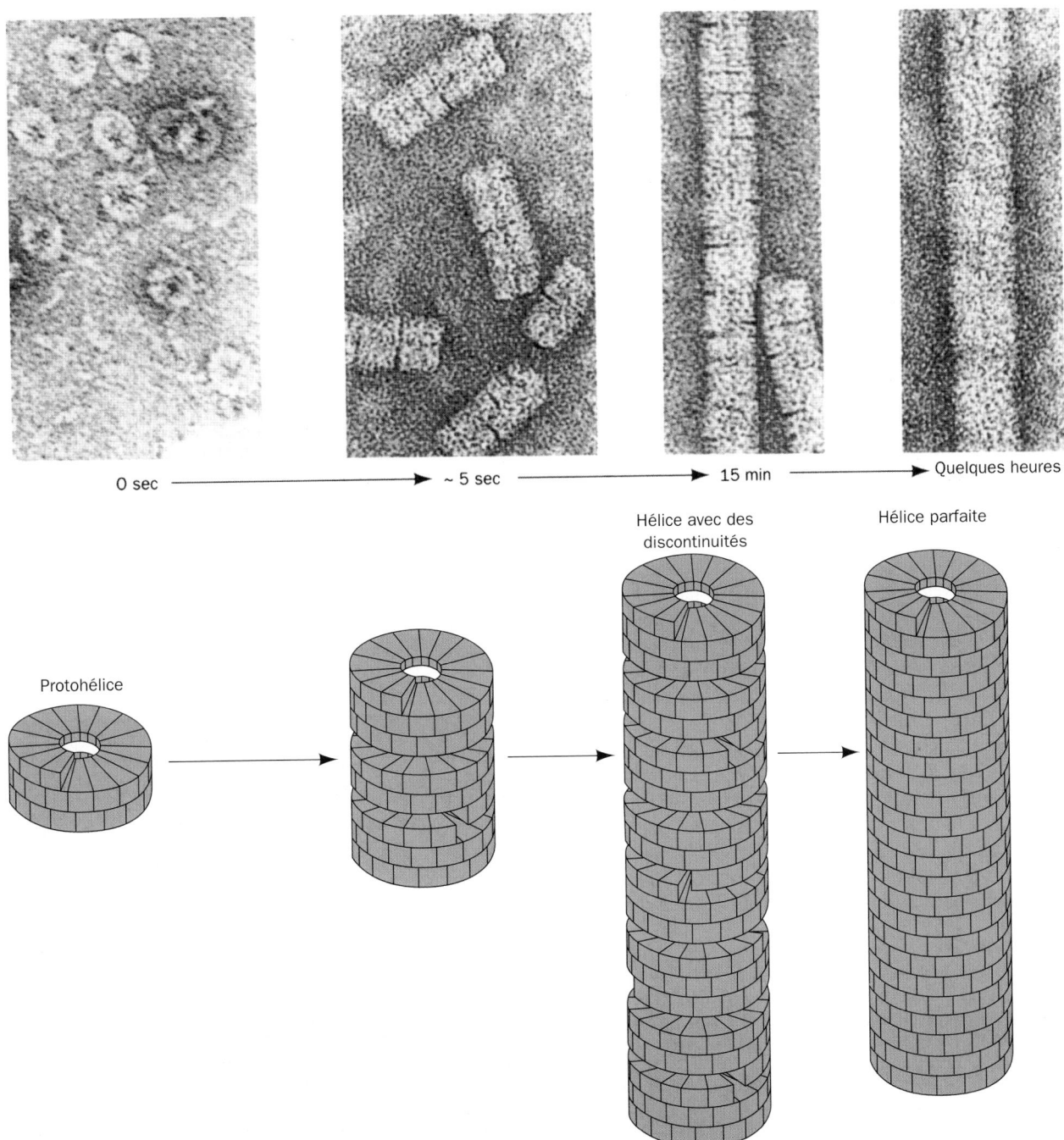

O sec ⟶ ~ 5 sec ⟶ 15 min ⟶ Quelques heures

Hélice avec des discontinuités   Hélice parfaite

Protohélice

FIGURE 33-4 Croissance des bâtonnets de protéine de capside du TMV. Micrographies électroniques *(au dessus)* et un diagramme interprétatif *(en bas)* d'agrégats de la protéine du TMV, au cours d'un changement rapide de pH de 7 à 5, à force ionique faible. Cet abaissement de pH a

comme effet la formation par les protohélices, d'hélices avec des vides, imparfaitement empilées, qui, en quelques heures, vont s'arranger correctement en bâtonnets hélicoïdaux continus. [Avec l'aimable autorisation de Aaron Klug, Laboratoire de Biologie Moléculaire MRC, Cambridge G.-B.]

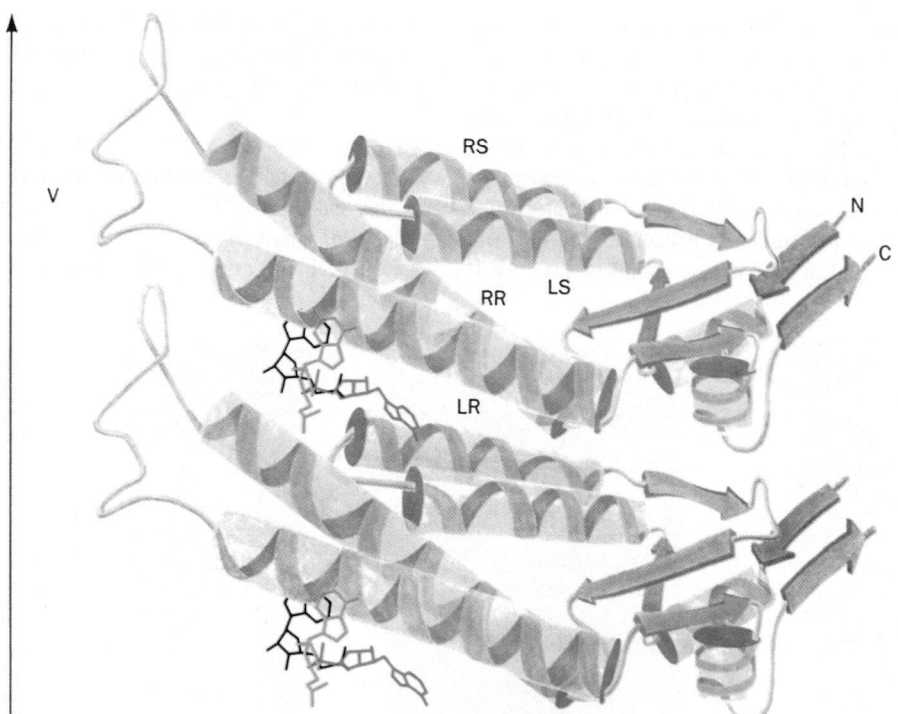

FIGURE 33-5 Structure par rayons X de deux sous-unités de TMV empilées verticalement. La structure est vue perpendiculairement à l'axe de l'hélice du virus *(la flèche verticale, à gauche)*. Chaque sous-unité a quatre hélices qui s'étendent plus ou moins radialement (LR, RR, LS et RS), ainsi qu'un petit segment vertical (V), qui comprend une partie de la boucle flexible dans la structure des disques (les lignes en pointillés dans la Fig. 33-7). On voit deux tours successifs de l'ARN passant par ses sites de liaison. Chaque sous-unité se lie à trois nucléotides, représentés ici par GAA avec trois couleurs différentes, de telle façon que leur trois bases soient aplaties contre l'hélice LR comme pour la pincer à la façon d'une tenaille. [D'après Namba, K., Pattanayek, R., et Stubbs, G., *J. Mol Biol.* **208,** 314 (1989). PDBid 2TMV.]

L'analyse de ce gel par les rayons X, faite par Kenneth Holmes et Gerald Stubbs révèlent une structure assez résolutive (à 2,9 Å) dans laquelle la protéine et l'ARN sont enroulés l'un avec l'autre (Fig. 33-5 et 33-6). Cette étude a été complétée par celle de Aaron Klug, qui a déterminé la structure cristalline par rayons X, du disque de 34 unités de protéine de capside avec une résolution de 2,8 Å (Fig. 33-7).

La partie majoritaire de chaque sous-unité est constituée par un faisceau d'hélices a alternativement parallèles et antiparallèles, orientées plus ou moins radialement à partir de l'axe du virus (Fig. 33-5 et 33-7). À l'intérieur du disque, une des connexions entre les hélices α, une boucle de 24 résidus (résidus 90-113 ; sous forme de ruban interrompu dans la Fig. 33-7), n'est pas visible, apparemment parce qu'elle reste très mobile. Les études par RMN montrent que cette boucle flexible est aussi présente dans la protohélice. Dans la forme virale, la boucle prend cependant une conformation stable avec une série de tours négatifs réalisés de telle façon que l'orientation générale de ce segment polypeptidique

FIGURE 33-6 Vue du dessus de 17 sous-unités du TMV, soit un peu plus qu'un tour d'hélice, complexées avec un segment d'ARN de 33 nucléotides. La protéine est représentée par ses atomes C_α, vus comme des baguettes hélicoïdales jaunes reliées entre elles. Les chaînes latérales à résidus acides (Asp et Glu) sont représentées sous forme de boules rouge, et les chaînes latérales à résidus basiques (Arg et Lys) sous forme de boules bleues. Les groupements phosphate de l'ARN sont en vert et les bases sont en rose. Il est à noter que les chaînes latérales acides forment une hélice de 25 Å de rayon, qui longe la cavité interne du virion, et que les chaînes latérales basiques forment une hélice de 40 Å de rayon, qui interagit avec la chaîne anionique sucre-phosphate de l'ARN. [Fourni aimablement par Gerald Stubbs et Keiichi Namba, Université Vanderbilt, et Donald Caspar, Université Brandeis. PDBid 2TMV.]

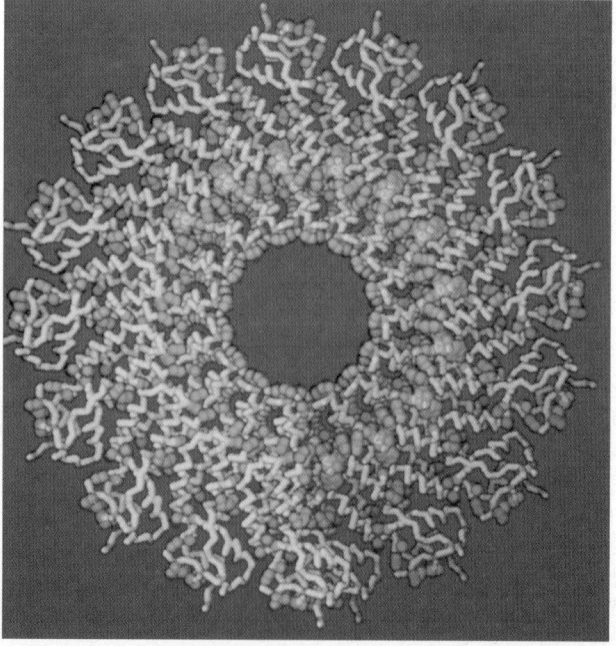

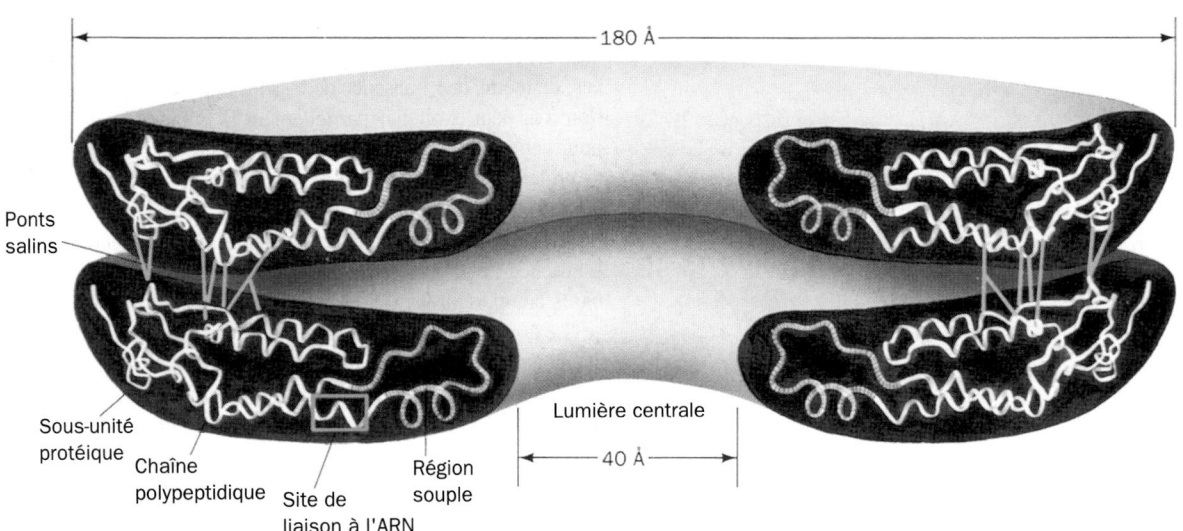

FIGURE 33-7 Structure du disque de protéines du TMV en coupe axiale, montrant ses chaînes polypeptidiques dessinées sous forme de rubans. Les courbes en pointillés représentent les boucles non ordonnées de la chaîne polypeptidique qui, à cause de cela, ne sont pas visibles dans la structure par rayons X. Les anneaux de protéines empilés interagissent par leurs bords extérieurs grâce à des liaisons ioniques *(lignes en rouges)*. [D'après Butler, P.J.G. et Klug, A., *Sci. Am.* **239 (5)** : 67 (1978). Copyrighted 1978 par Scientific American, Inc.]

devient pratiquement parallèle à l'axe du virus (segment noté V dans la Fig. 33-5). Ce changement de conformation est important pour l'assemblage du virus, comme on va le voir.

Au sein du virion, l'ARN est enveloppé entre les sous-unités de protéine de capside, distantes entre elles de ~40 Å. Des triplets de bases se connectent à chaque sous-unité pour former une structure en pince autour d'une des hélices orientées radialement (LR dans la Fig. 33-5). Chaque base y occupe une poche hydrophobe, dans laquelle elle s'aplatit contre LR. Les résidus Arg 90 et 92, invariants dans plusieurs souches connues de TMV et qui font partie de la boucle restée souple aussi bien dans le disque que dans la protohélice, ainsi que le résidu Arg 41, forment des liaisons ioniques avec les groupements phosphate de l'ARN.

B. *Assemblage*

Comment le virion du TMV s'assemble-t-il à partir de ses composants, l'ARN et les sous-unités protéiques de capside ? *Généralement, l'assemblage de n'importe quel agrégat moléculaire de grande taille, tel qu'un cristal ou un virus, se fait en deux étapes : (1) une « **nucléation** », germe de cristallisation, dans laquelle une agrégation aléatoire de sous-unités forme un complexe assez stable, qui est presque toujours le facteur déterminant de la vitesse de la réaction d'assemblage ; (2) une « **croissance** » par addition de sous-unités, selon un processus coopératif et ordonné, au complexe de nucléation ; ce phénomène est souvent assez rapide.* Chez le TMV, on pourrait s'attendre à ce que le complexe de nucléation associe au moins l'ARN viral à 17 à 18 sous-unités, ce qui est un minimum pour former un tour d'hélice stabilisé, qui pourrait ainsi s'allonger par addition de sous-unités aux deux extrémités de l'hélice. La formation d'un complexe de nucléation à partir de sous-unités séparées est compliquée et a une probabilité faible. Il faut en effet une durée de 6 heures pour réaliser *in vitro* une telle réaction d'assemblage. Par contre, l'assemblage *in vivo* du TMV est

probablement beaucoup plus rapide. Une indication sur la nature de la réaction *in vivo* a été fournie par l'observation que le mélange avec l'ARN, de protohélices, plutôt que de sous-unités séparées, forme des virions en 10 min. D'autres ARN ne permettent pas cette réaction. Il semble donc évident que *le complexe de nucléation in vivo, lors de l'assemblage du TMV, est bien l'association d'une protohélice avec un segment spécifique de l'ARN de TMV.* (On avait supposé d'abord que c'était le disque à deux couches de protéines plutôt qu'une protohélice, qui formait le complexe de nucléation. Mais des expériences montrent bien que le disque ne se forme pas dans les conditions physiologiques et que sa vitesse de conversion en protohélice dans ces conditions est trop lente pour expliquer la vitesse d'assemblage du TMV. D'autres expériences suggèrent cependant que le disque est la forme majoritaire à pH 7,0 et qu'elle est celle permettant l'assemblage le plus rapide de la protéine et de l'ARN. Il faut donc considérer que la question de savoir si le TMV s'assemble à partir de protohélices, comme nous le décrivons, ou bien à partir de disques à deux couches seulement, n'est pas définitivement résolue.)

a. L'assemblage du TMV se fait par étapes d'additions de protohélices

La région spécifique de l'ARN du TMV qui amorce la croissance des particules de virus a été isolée par la technique, devenue classique, de protection contre l'activité nucléasique. L'ARN est mélangé avec une petite quantité de protéine de capside pour former un complexe de nucléation qui ne peut plus s'agrandir faute de protéine de capside. Les parties de l'ARN non protégées par la protéine de capside sont alors digérées par l'ARNase, qui laisse intacte la séquence d'initiation. Ce fragment d'ARN forme une boucle en épingle à cheveux dont la séquence apicale de 18 nucléotides, AGAAGAAGUUGUUGAUGA possède un G tous les trois résidus (chaque protéine de capside se lie à trois nucléotides) mais il n'y a pas de C (Fig. 33-8). Des expériences de mutagenèse

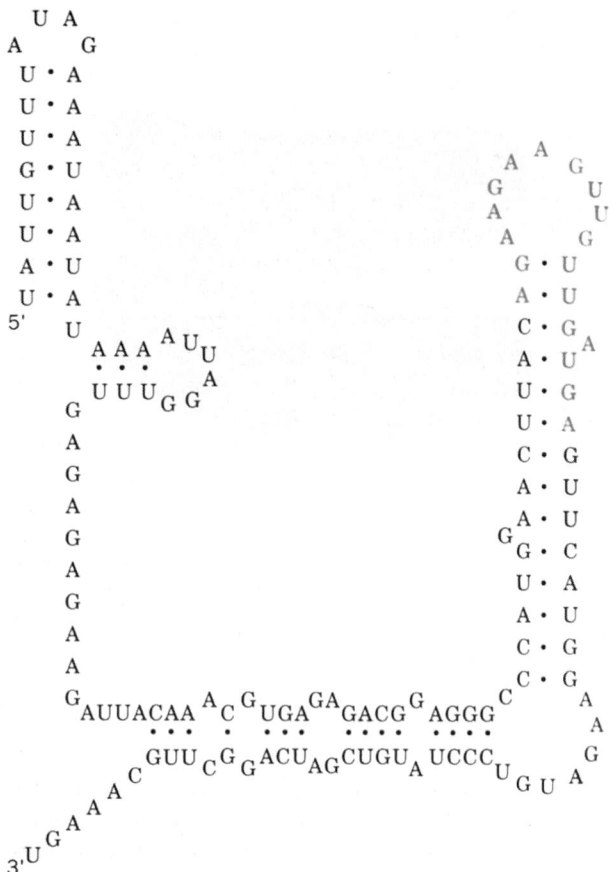

FIGURE 33-8 Le segment d'initiation de l'ARN du TMV. Il forme probablement une épingle à cheveux avec quelques bases appariées, comme sur le dessin, qui sont supposées commencer l'assemblage du TMV en se liant spécifiquement à une protohélice de protéines de capside. Noter que cette région de l'ARN en forme de boucle, possède un segment *(en rouge)* de 18 nt avec un G tous les trois résidus (chaque protéine de capside se lie à trois nucléotides), mais il n'y a pas de C.

ciblée ont confirmé que cette séquence d'initialisation suffit à organiser l'assemblage du TMV et que les G régulièrement espacés, de même que l'absence de C, sont importants pour cette fonction. On peut expliquer partiellement la grande affinité du TMV pour cette séquence d'initiation, par le fait que les sous-unités de la protéine de capside se lient tous les trois nucléotides, sous la conformation inhabituelle syn et que G assure mieux que n'importe quel autre nucléotide cette conformation (Section 29-2A). L'absence de C empêche sans doute la formation de paires de bases comportant les G.

Le complexe d'initiation décrit ci-dessus est localisé à environ 1000 nucléotides de l'extrémité 3′ de l'ARN viral. Ainsi, un modèle trop simple d'assemblage du virus dans lequel l'ARN serait entouré de manière séquentielle depuis une extrémité jusqu'à l'autre ne peut pas être juste. L'épingle à cheveux dans l'ARN servant à l'initiation, doit s'insérer elle-même entre les couches protéiques de la protohélice, à partir dans la lumière centrale (Fig. 33-9a). La liaison avec l'ARN, pour les raisons expliquées ci-après, induit le placement correct de la boucle souple, ce qui piège l'ARN (Fig. 33-9b). La croissance se fait ensuite par la répétition séquentielle de ce processus au sommet du complexe, ce qui pousse l'ARN par saccades par le côté 5′, à travers la cavité centrale de l'hélice virale en formation (Fig. 32-9c).

Le modèle d'assemblage présenté ci-dessus a été conforté par plusieurs expériences :

1. Les micrographies électroniques montrent que les bâtonnets partiellement achevés (Fig. 33-10) laissent deux queues d'ARN dépasser à une des extrémités.

2. La longueur de la queue la plus longue, que l'on peut supposer être l'extrémité 5′, décroît linéairement en fonction de la longueur du bâtonnet, tandis que la queue la plus courte garde une longueur à peu près constante.

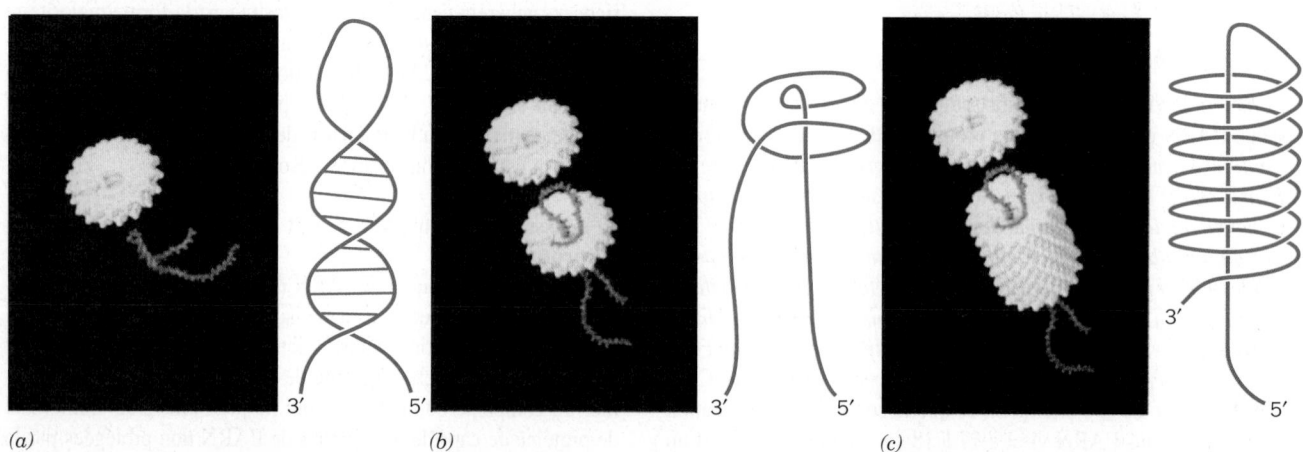

(a)   *(b)*   *(c)*

FIGURE 33-9 L'assemblage du TMV. *(a)* Le processus commence par l'insertion de la boucle en épingle à cheveux formée par la séquence d'initiation de l'ARN viral, dans la cavité centrale de la protohélice, *(b)* L'ARN s'intercale ensuite entre les couches de la protohélice, ce qui met en ordre la boucle non ordonnée et piège l'ARN. *(c)* L'élongation se poursuit par une addition de protohélices, une par une, au sommet du bâtonnet. La liaison de l'ARN à chaque protohélice se poursuit, ce qui convertit les protohélices en hélice, et pousse l'extrémité 5′ de l'ARN à travers la cavité centrale d'un diamètre de 40 Å, formant une boucle mobile à l'extrémité du bâtonnet en cours d'allongement. [Les images du virus ont été fournies aimablement par Hong Wang et Gerald Stubbs, Université Vanderbilt.]

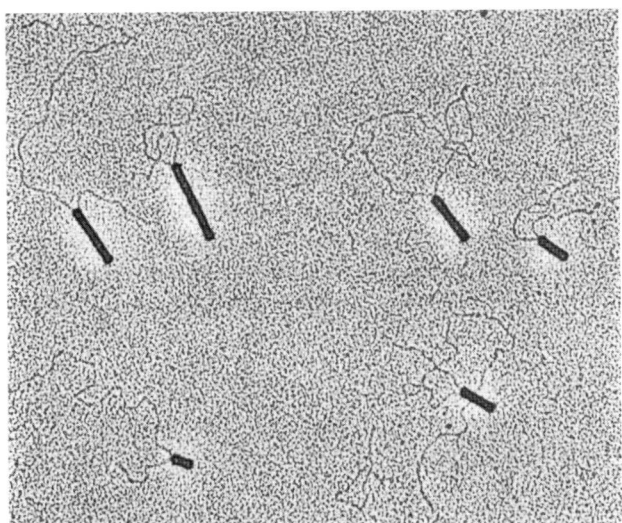

FIGURE 33-10 Micrographie électronique de particules de TMV reconstituées, montrant que les deux extrémités de l'ARN dépassent du même côté du bâtonnet de virus en cours d'allongement. Une observation fine de ces particules montre que la longueur de l'une des queues, probablement l'extrémité 3′, reste constante (720 ± 80 nucléotides), tandis que l'autre est inversement proportionnelle à la longueur du bâtonnet encore inachevé. [Communiquée aimablement par K.E. Richards, CNRS, France.]

3. Les expériences de digestion à la nucléase sur des bâtonnets inachevés, montrent que l'ARN est protégé par accroissements de ~100 nucléotides, conformément à la longueur attendue si l'élongation du bâtonnet se fait par pas d'une protohélice.

L'habillage de l'extrémité 3′ de l'ARN est un processus plus lent que pour l'extrémité 3′ et se fait probablement par l'addition successive de sous-unités individuelles. Il a été montré que l'ARN, qui possède la fonction d'ARNm viral, contient le gène codant la protéine de capside très près de l'extrémité 3′. Cette disposition permet peut-être la synthèse de la protéine de capside pendant pratiquement tout l'assemblage sauf les dernières étapes, ce qui permet d'achever totalement la fabrication des virions.

b. Des forces électrostatiques de répulsion et des interactions stériques empêchent la formation d'hélice en absence de l'ARN

Quel est le mécanisme empêchant la formation des hélices de protéines de capside du TMV en l'absence d'ARN viral tout en stimulant l'assemblage du virus en sa présence (et inversement, comment le TMV se désagrège-t-il lorsque l'infection commence)? Si on raisonne en termes de structure, cela peut être dû au fait que la boucle souple à l'intérieur de la sous-unité de la protéine de capside empêche la protohélice de s'allonger. De plus, comme on l'a vu (Fig. 33-3), le mode d'agrégation de la protéine de capside change avec le pH. Des expériences de titration montrent que chaque sous-unité a deux ionisations, dont le pK est voisin de 7, ce qui peut être attribué à des groupes carboxyles anormalement basiques, car la protéine de capside ne possède pas de résidu His. Les deux sites les plus plausibles pour ces carboxyles anormalement basiques sont les deux groupes carboxyles appariant deux sous-unités : Glu 95-Glu 106, placés dans la boucle flexible, là où ils interagissent de part et d'autre de l'interface entre deux sous-

unités voisines dans l'hélice ; et Glu 50-Asp 77, qui interagissent dans l'interface entre deux sous-unités situées l'une au-dessus de l'autre. De plus, Asp 116 est proche d'un groupement phosphate de l'ARN. Les répulsions électrostatiques entre ces charges négatives proches l'une de l'autre, stimulent la formation de la boucle flexible et favorisent donc la conformation en protohélice. Il semble que la liaison de la séquence d'initiation de l'ARN à la protéine fournisse une énergie libre suffisante pour contrebalancer ces forces de répulsion, ce qui stimule la formation de l'hélice (c'est une réaction qui protonise les groupes carboxyle anormalement basiques ; revoir les changements de conformation corrélés aux changements du pK dans l'effet Bohr pour l'hémoglobine ; Section 10-2E). Par ailleurs, la mutagenèse dirigée sur Glu → Gln ou Asp 77 → Asn accroît la stabilité des virions et décroît leur infectivité (on peut penser que c'est en inhibant la désagrégation du virus). Une croissance prolongée du bâtonnet viral peut se faire sur des segments d'ARN qui ne possèdent pas cette séquence, grâce aux interactions supplémentaires permettant la liaison entre des protohélices adjacentes. *Il est donc clair que, dans les conditions physiologiques, les groupements carboxyles agissent comme effecteurs négatifs de la formation d'une hélice de protéines en l'absence d'ARN.*

2 ■ LES VIRUS SPHÉRIQUES

Les **virus sphériques** les plus simples sont des assemblages uniformes de molécules et cristallisent pratiquement de la même manière que les protéines. Les techniques de la cristallographie par les rayons X peuvent donc être utilisées pour déterminer les structures virales. Dans cette section, seront passés en revue les résultats de ces études.

A. *Architecture*

Les ressources génomiques très limitées des virus les plus simples les obligent dans de nombreux cas, à n'avoir qu'un type de protéine de capside. Comme ces sous-unités protéiques de capside sont identiques chimiquement, elles doivent toutes avoir la même, ou presque la même conformation, et avoir des interactions semblables avec leurs voisines. Quelles contraintes géométriques, cette limitation impose-t-elle à l'architecture du virus ?

On a déjà remarqué que le virus TMV a résolu ce problème en prenant une géométrie en bâtonnet hélicoïdal (Fig. 33-2). Les sous-unités de la protéine de capside constituant cette hélice allongée de longueur bien déterminée, peuvent être distinguées les unes des autres, alors qu'elles sont dans un environnement virtuellement identique, à l'exception des sous-unités des extrémités de l'hélice. Ces sous-unités sont appelées **quasi-équivalentes** pour signaler qu'elles ne sont pas complètement identiques, comme elles le seraient si elles constituaient un volume dont tous les éléments auraient entre eux une relation de symétrie exacte.

a. Les virus sphériques forment des capsides icosaédriques

Le deuxième type d'arrangement possible entre sous-unités équivalentes devant encapsider un acide nucléique est celui d'un polyèdre. Il n'y a que trois types de symétries dans lesquelles tous les éléments sont indistincts l'un de l'autre : celle du tétraèdre, celle du cube et celle de l'icosaèdre (Fig. 8-64c). Les capsides possédant l'une de ces symétries auraient ainsi 12, 24 ou 60 sous-uni-

(a)

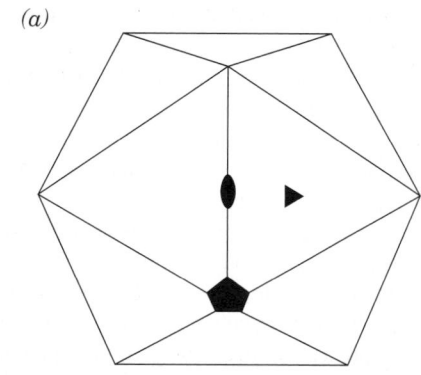

(b)

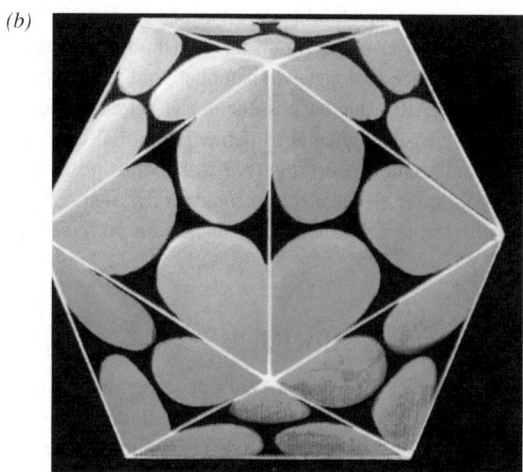

FIGURE 33-11 Un icosaèdre. (*a*) Ce polyèdre régulier possède 12 sommets, 20 faces en triangles équilatéraux de taille identique et 30 arêtes. Il possède un axe de symétrie d'ordre cinq à chaque sommet, un axe d'ordre trois passant par le centre de chaque face, et un axe d'ordre deux passant par le milieu de chaque arête (voir aussi la Fig. 8-64*c*). (*b*) Dessin de 60 sous-unités identiques (lobées) arrangées selon la symétrie icosaédrique. [Dessin par Irving Geis/Geis, archives Trust, copyright Institut de Médecine Howard Hughes. Reproduit avec autorisation]

(a)

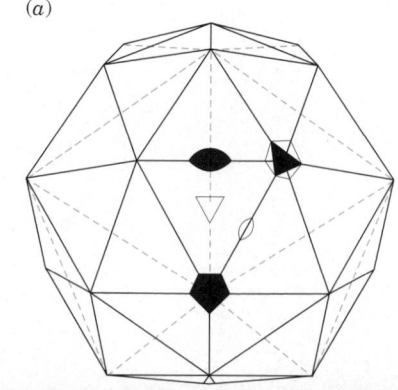

(b)

FIGURE 33-12 Icosadeltaèdre de *T* = 3. (*a*) Ce polyèdre possède la symétrie axiale exacte de l'icosaèdre *(symboles en noir)* avec en plus, des axes de symétrie localisés d'ordre six, trois et deux *(symboles en clair).* Noter que les arêtes de l'icosaèdre inscrit *(traits rouges en pointillés),* ne sont pas les arêtes de ce polyèdre et que ses axes d'ordre six coïncident avec ses axes exacts d'ordre trois, (*b*) Dessin d'un icosadeltaèdre de *T = 3 montrant son arrangement de trois ensembles quasi-équivalents de 60 sous-unités* (lobées) reliées comme dans l'icosaèdre. Les lobes A *(en orangé)* se groupent sur les axes exacts d'ordre cinq de l'icosadeltaèdre, tandis que les lobes B et C *(en bleu et en vert)* alternent sur les axes localisés d'ordre six. Les sous-unités de la protéine de capside de TBSV, chimiquement identiques, sont arrangées de cette manière. [Dessin par Irving Geis/Geis, archives Trust, copyrighted, Institut de Médecine Howard Hughes. Reproduit avec autorisation]

tés identiques réparties sur la surface d'une sphère. Par exemple, un icosaèdre (Fig. 33-11*a*) a 20 faces triangulaires, chacune de symétrie d'ordre trois, pour un total de 20 × 3 = 60 positions équivalentes (chacune représentée par un lobe dans la Fig. 33-11*b*). Parmi les polyèdres, l'icosaèdre enferme le volume maximal par sous-unité. En fait, les observations des virus appelés sphériques (tels que ceux de la Fig. 33-1*b-h*) au microscope électronique, a montré que *tous possèdent la symétrie icosaédrique.*

b. Les capsides virales ressemblent à des dômes géodésiques

S'il faut qu'un acide nucléique viral soit protégé de manière efficace dans les environnements hostiles, il faut qu'il soit complètement recouvert par des protéines de capside. Mais beaucoup d'acides nucléiques viraux occupent un volume si grand que les sous-unités protéiques devraient être beaucoup trop grandes s'il fallait limiter le nombre de sous-unités de leur capside à 60, qui est le nombre théorique pour avoir une symétrie icosaédrique exacte. La réalité est que presque toutes les capsides virales contiennent beaucoup plus que 60 sous-unités chimiquement identiques. Comment est-ce possible ?

Donald Caspar et Aaron Klug ont proposé une solution à cette énigme. *Les faces triangulaires d'un icosaèdre peuvent être subdivisées en un nombre entier de triangles équilatéraux de surface égale (ex. Fig. 33-12a).* Le polyèdre ainsi divisé, devient un **icosadeltaèdre,** et possède des symétries élémentaires localisées relativement à ses sous-unités (les lobes dans la Fig. 33-12*b*), en plus de sa symétrie exacte icosaédrique. Ces symétries localisées signifient que la symétrie n'est qu'approximative en ce sens qu'elle ne se poursuit pas sur des distances plus grandes, contrairement à la symétrie exacte. Ainsi, les sous-unités (les lobes), dans la Fig. 33-12*b*, qui sont placées exactement le long des arêtes de chaque triangle, forment des groupes avec les sous-unités voisines de symétrie axiale d'ordre six. Les sous-unités adjacentes dans ces groupes ne sont pas exactement équivalentes ; elles sont quasi-

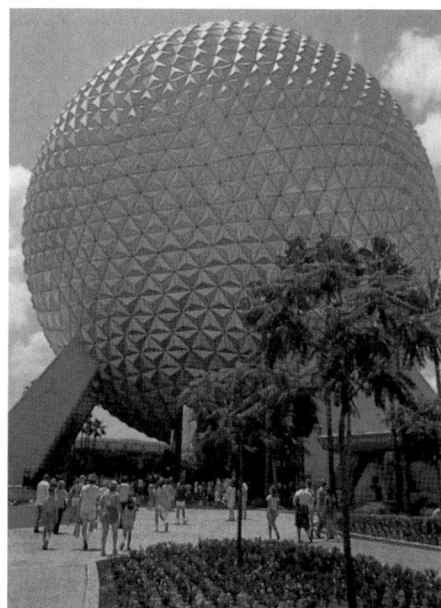

FIGURE 33-13 Dôme géodésique construit comme un icosadeltaèdre de *T = 36*. Deux de ses sommets pentagonaux sont visibles sur cette photographie. [Stanley Schoenberger/Grant Heiman.]

équivalentes. Par contre, les sous-unités groupées autour des 12 axes de symétrie d'ordre cinq de symétrie icosaédrique sont exactement équivalentes. Les interactions entre les sous-unités groupées autour des axes localisés d'ordre six sont donc des distorsions de celles qui sont établies autour des axes de symétrie exacte d'ordre cinq. Il en résulte que *les sous-unités de n'importe quelle capside de symétrie icosadeltaédrique possèdent la capacité de réaliser deux types d'associations entre sous-unités, et possèdent suffisamment de souplesse dans leur conformation pour subir les distorsions que cela exige.*

En fait, les icosadeltaèdres correspondent à des figures familières. La surface à facettes d'un ballon de football est un icosadeltaèdre. Les **dômes géodésiques** (Fig. 33-13) qui ont été conçus par Buckminster Fuller, sont des parties d'icosadeltaèdres. C'est en fait la réalisation de Fuller qui a inspiré Caspar et Klug. *Les dômes géodésiques sont des structures rigides de par leur forme refermée ; ils sont construits à partir de quelques éléments identiques, dont la conformation est prévue pour garantir un assemblage facile et rapide. On peut supposer que l'évolution des virus à capside sphérique est basée sur ces principes.*

Le nombre de sous-unités d'un icosadeltaèdre est de 60*T*, dans lequel *T* est le **nombre de triangulation** (on peut démontrer que les valeurs possibles de *T* sont $T = h^2 + hk + k^2$, où *h* et *k* sont des nombres entiers positifs). L'icosaèdre est le plus simple des icosadeltaèdres ; il a *T = 1 (h = 1, k = 0)* et possède donc 60 sous-unités. *L'icosadeltaèdre ayant le niveau de complexité immédiatement supérieur, a la valeur* T = 3 *(h = 1, k = 1)*, *et possède donc 180 sous-unités* (Fig. 33-12). Une capside qui possède cette géométrie possède trois types de relations icosaédriques entre sous-unités qui sont quasi-équivalentes l'une à l'autre (les lobes A, B et C dans la Fig. 33-12*b*). On a déterminé par rayons X la structure de virus dont la capside forme des icosadeltaèdres ayant *T = 1, 3, 4, 7 et 13. Certains virus polyédriques plus grands peuvent même former des icosadeltaèdres à nombre de triangulation plus élevé (on a montré cependant que plusieurs d'entre eux réalisent l'assemblage*

selon des principes un peu différents, comme on le verra dans la Section 33-2D). On pense que les valeurs T, pour une capside particulière, dépendent de la courbure de la sous-unité à l'état natif.

B. *Le virus du rabougrissement buissonneux de la tomate*

Le **virus du rabougrissement buissonneux de la tomate** (**TBSV** « tomato bushy stunt virus » ; virus responsable de la formation de balais de sorcière chez la tomate) (Fig. 33-1*c*) est un virus sphérique avec *T = 3, dont le rayon est de ~175 Å. Il possède 180 sousunités identiques d'une protéine de capside de 43 kD, ayant chacune 386 résidus, qui entourent une molécule d'ARN de ~4800 nt (1500 kD ; chaîne +, servant d'ARNm) et un seul exemplaire d'une protéine de ~85 kD. La structure par rayons X du TBSV est la première à avoir été déterminée à haute résolution ; elle a été publiée par Stephen Harrison en 1978. La protéine de capside du TBSV possède trois domaines (Fig. 33-14) : le domaine C-terminal P, qui dépasse à l'extérieur du virus ; S, qui forme la coque protéique ; et R, l'extrémité N-terminale tournée vers l'intérieur, et qui se rattache au domaine S par une connexion en forme de bras. Le domaine S est presque totalement constitué par un tonneau β de 8 brins antiparallèles, que l'on retrouve dans les protéines de capside chez presque tous les virus sphériques de structure connue.*

a. Les sous-unités identiques du TBSV s'associent par contacts non identiques

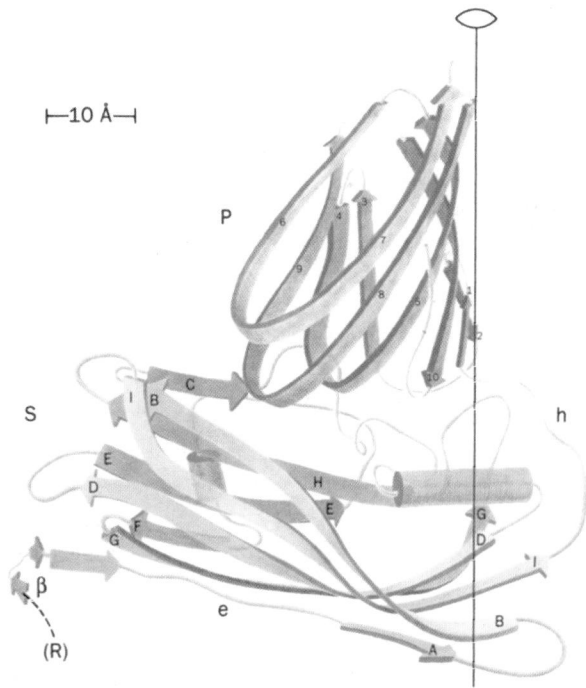

FIGURE 33-14 Structure par rayons X de la protéine de capside du TBSV. Elle possède trois domaines : P, extérieur à la surface du virion (*en violet*) ; S, qui forme la capside (*en vert*) et R, qui s'étend en dessous de la surface de la capside, où il participe à la liaison avec l'ARN viral. Le domaine S se compose surtout d'un tonneau β de huit brins antiparallèles, dont la forme en rouleau ressemble à celle d'un biscuit roulé (Section 8-3B). Le domaine P est aussi essentiellement constitué d'un feuillet β antiparallèle, tandis que le domaine R n'est pas visible dans la structure par rayons X, de sorte que sa structure tertiaire reste inconnue.[D'après Olsen, A.J., Bricogne, G., et Harrison, S.C., *J. Mol. Biol.* **171**, 78 (1983). PDBid 2TBV.]

Les sous-unités chimiquement identiques de la protéine de capside du TBSV sont placées de trois manières distinctes appelées A, B et C (Fig. 33-15). Comment la protéine établit-elle les différents contacts pour réaliser ces différentes associations analogues mais non identiques ? La structure du TBSV permet de montrer que *les contacts analogues entre sous-unités varient, à la fois en établissant au choix trois types alternés d'interaction et par des distorsions de conformation dans chaque type d'interaction.* L'interaction la plus remarquable est l'interdigitation des bras reliant les domaines R et S de sous-unités de mode C. Ces bras s'allongent en direction de chaque axe icosaédrique d'ordre trois (quasi d'ordre six) dans les fentes formées entre les sous-unités adjacentes de mode C ou B et forment ensuite une spirale vers le bas autour de l'axe à symétrie d'ordre trois, dont les feuillets de type b se referment l'un dans l'autre comme les bords repliés d'un emballage en carton : la chaîne 1 sur la chaîne 2, la 2 sur la 3, et la 3 sur la 1 (Fig. 32-16*a*). Cette interaction, ainsi qu'une association forte entre les sous-unités voisines C traversant l'axe icosaédrique à symétrie d'ordre deux (Fig. 33-15), permettent de placer les 60 sous-unités de type C selon un réseau régulier (Fig. 32-16*b*) qui fixe le nombre de triangulation de la capside du TBSV : *on peut alors concevoir la capside comme une coque icosaédrique de T = 1, formée par les sous-unités C, avec les vides comblés par les sous-unités de types A et B.* Les conformations adoptées par les trois ensembles de sous-unités sont alors quelque peu différentes : la sorte de charnière de quatre résidus qui connecte les domaines S et P (h dans la Fig. 33-14) fait un angle dièdral de ~30° plus grand dans les sous-unités A et B que dans les sous-unités C (Fig. 33-15, *à droite*). Ceci permet alors des interactions identiques entre les domaines P dans les dimères AB et CC, ce qui fait ressortir les dimères en forme de boutons dans la Fig. 33-15. Chez le TBSV, il est clair que les associations entre les différents domaines de sous-unités différentes sont plus fortes que celles qui ont lieu à l'intérieur des sous-unités.

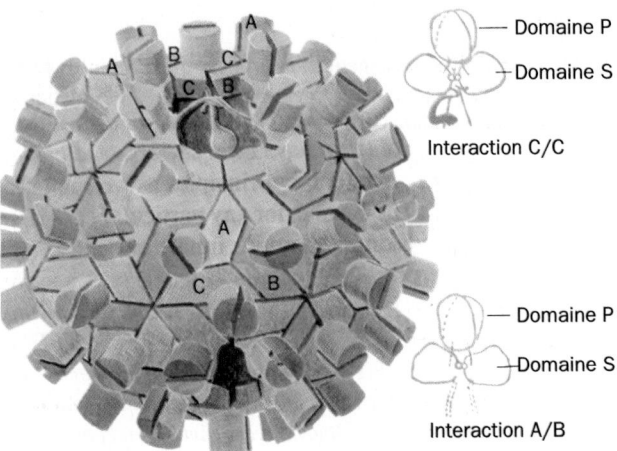

FIGURE 33-15 Arrangement icosadeltaédrique de *T = 3* des sous-unités de la capside du TBSV. Les sous-unités se placent dans trois situations quasi-équivalentes, A, B et C. Les sous-unités A sont placées autour des axes de symétrie exacte d'ordre cinq (en orangé), tandis que les sous-unités B (en bleu) alternent avec les C (en vert), autour des axes de symétrie exacte d'ordre trois (axes localisés d'ordre six). Les sous-unités C sont aussi disposées autour des axes exacts d'ordre deux, tandis que les sous-unités A et B sont mises en relation par les axes localisés d'ordre deux. Les sous-unités répondent aux exigences de conformation de leurs trois positions quasi-équivalentes, grâce à la flexibilité possible de la région charnière entre leurs domaines S et P (*à droite, à part*). Comparer ce dessin à la Fig. 33-12. [D'après Harrison, S.C, *Trends Biochem. Sci.* **9**, 348, 349 (1984).]

b. La cavité centrale du TBSV contenant l'ARN n'est pas ordonnée

Le bras entier connectant les domaines R et S dans les sous-unités A et B, de même que les quelques premiers résidus dans les sous-unités C, ne sont pas visibles dans la structure par rayons X du TBSV. Ceci indique que ces segments polypeptidiques n'ont pas une conformation fixe. Les domaines R sont donc allongés d'une manière flexible vers les domaines S de sorte qu'ils sont aussi

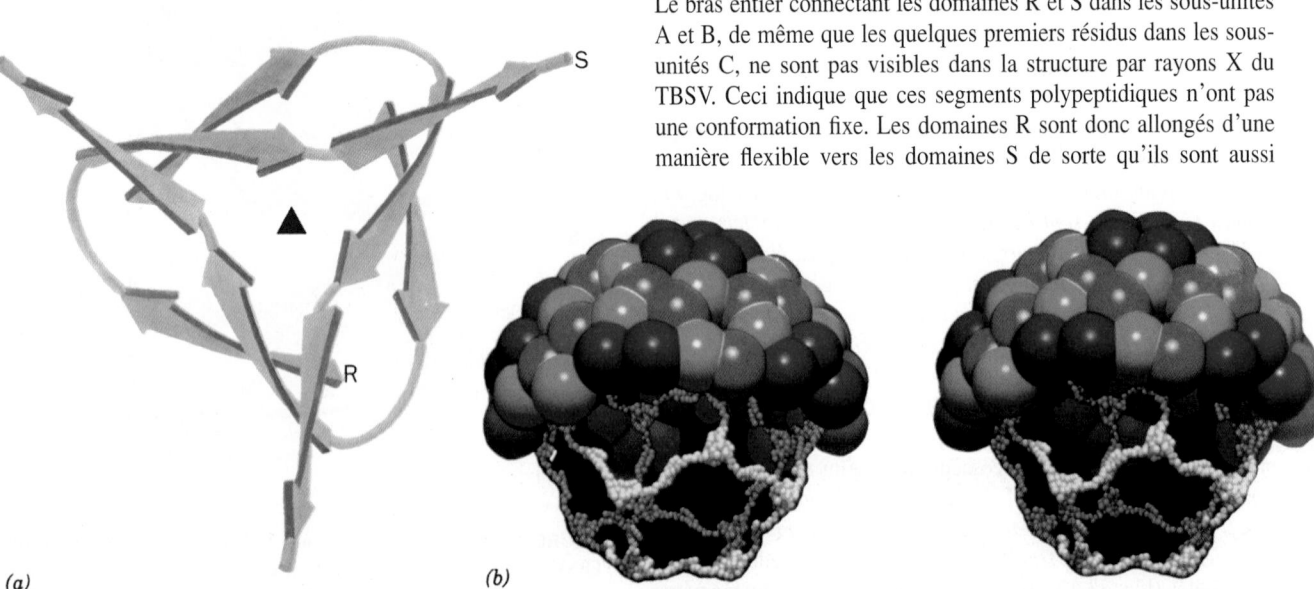

(a)   *(b)*

FIGURE 33-16 Architecture de la capside du TBSV. (*a*) Les bras des sous-unités C de la protéine du TBSV s'empilent autour des axes *(triangle)* de symétrie exacte d'ordre trois, et s'associent en feuillets β. C'est ce qu'on verrait de l'extérieur de la capside. (*b*) Dessin en coupe stéréoscopique montrant l'échafaudage des bras internes des sous-unités de type C. Les sous-unités identiques A *(en bleu foncé)*, B *(en bleu clair)* et C *(en rouge)* sont représentées par de grandes sphères, tandis que les résidus constituant les bras des sous-unités C sont représentés par des petites sphères jaunes. Les bras des sous-unités C s'associent pour former un réseau icosaédrique de *T = 1*, qui semble jouer un rôle majeur dans la cohésion de la capside. *Les instructions pour voir les dessins en relief sont données dans l'appendice du Chapitre 8.* [*Partie a,* d'après un dessin de Jane Richardson, Université Duke. Partie *b* communiquée aimablement par Arthur Olson, Institut de Recherches Scripps, La Jolla, Californie. PDBid 2TBV.]

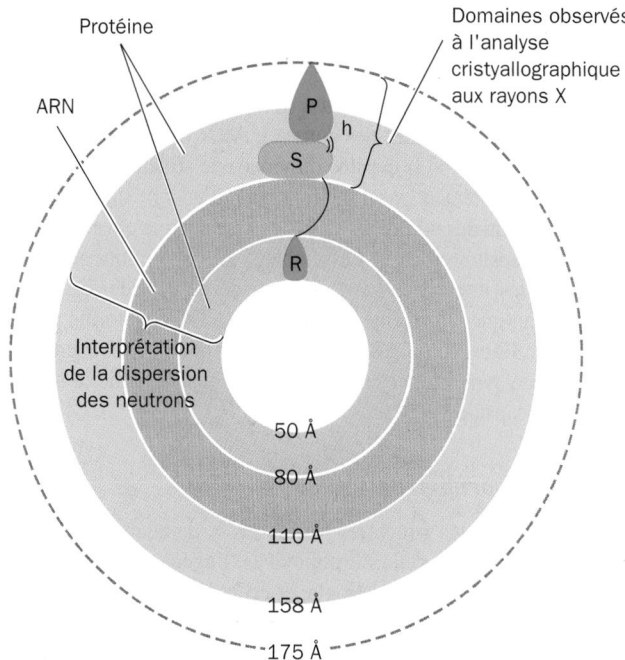

Protéine

ARN

P

S

h

R

Domaines observés à l'analyse cristyallographique aux rayons X

Interprétation de la dispersion des neutrons

50 Å

80 Å

110 Å

158 Å

175 Å

FIGURE 33-17 **Organisation radiaire du TBSV, montrant la distribution des composants protéiques et de l'ARN.** Les domaines R sont localisés par déduction, à partir de la longueur connue de leur chaîne polypeptidique. Seulement environ la moitié des domaines R font partie de la couche protéique interne. [D'après Harrison, S.C., *Biophys. J.* **32**, 140 (1980).]

absents de la structure par rayons X, même si ces domaines ont probablement une conformation fixe. Des études par dispersion de neutrons suggèrent cependant que la couche protéique qui est constituée, sans doute de la moitié des domaines R, forme la couche interne de la coque, d'un rayon de 50 à 80 Å. On pense que les domaines R restants sont extrudés vers l'espace entre les couches interne et externe.

L'ARN viral est lui aussi absent de la structure par rayons X. Ceci indique qu'il est aussi sans ordre. Les études par dispersion de neutrons montrent que l'ARN est emprisonné entre les couches protéiques interne et externe du virus (Fig. 33-17). Les contraintes en volume dans une telle disposition exigent que l'ARN soit très fortement compacté. Le compactage est rendu possible par la neutralisation de la plupart des charges négatives des groupements phosphate de l'ARN, par les nombreux résidus Arg et Lys, chargés positivement, des domaines R des faces internes des domaines S, et des bras qui les relient l'un à l'autre.

c. Beaucoup d'autres virus présentent une ressemblance remarquable avec le TBSV

Les structures de plusieurs autres virus à ARN de plantes ont été déterminées, y compris celles du **SBMV** («**southern bean mosaïc virus**» **ou virus de la mosaïque du haricot méridional)** par Michael Rossmann, et celle du **STMV (virus satellite du virus de la mosaïque du tabac)** par Alexander McPherson. Le SBMV est un virus de *T = 3 ; il ressemble de près au TBSV par*

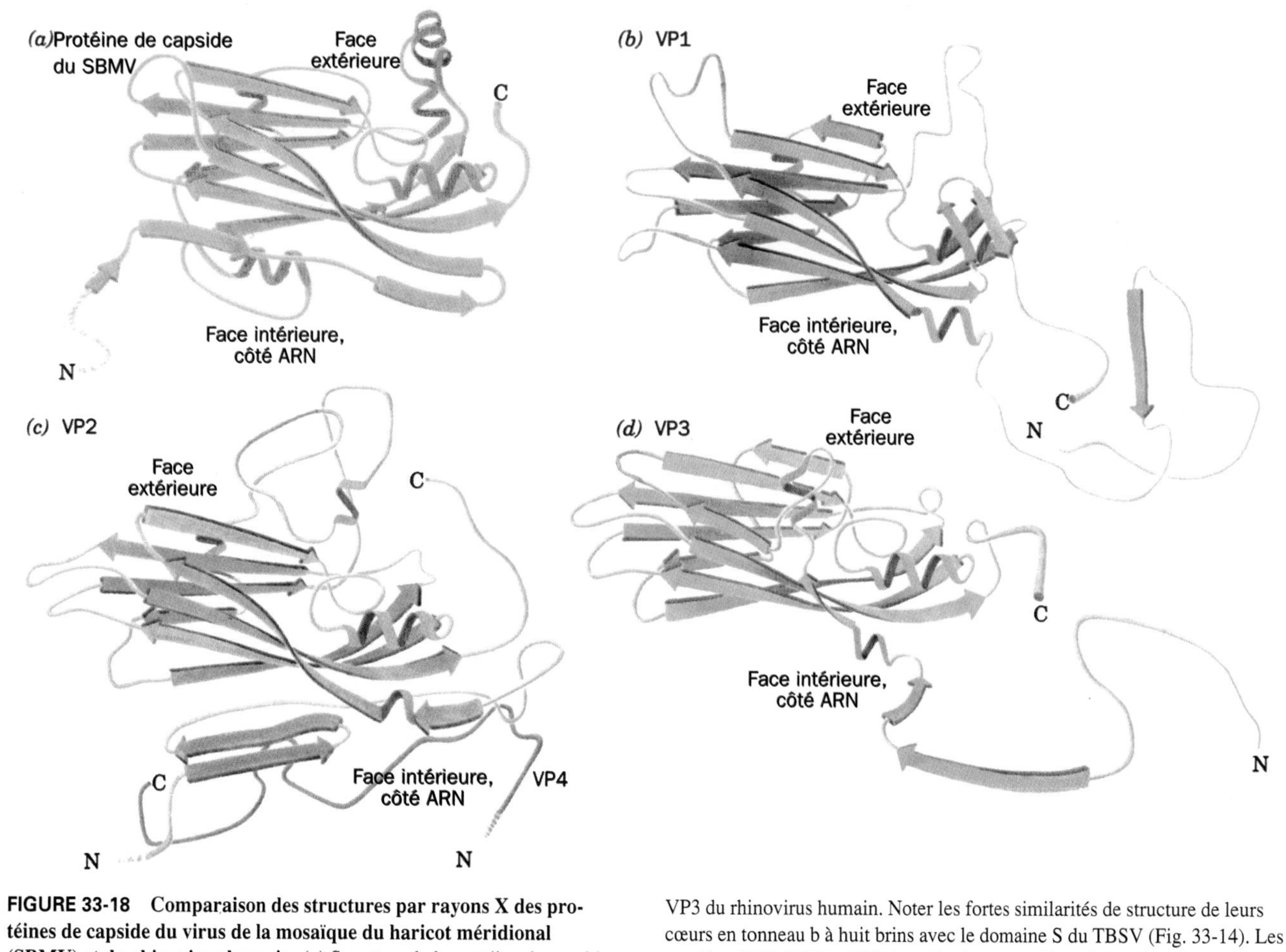

(a) Protéine de capside du SBMV

Face extérieure

C

Face intérieure, côté ARN

N

(b) VP1

Face extérieure

Face intérieure, côté ARN

C

N

(c) VP2

Face extérieure

C

Face intérieure, côté ARN

VP4

C

N

N

(d) VP3

Face extérieure

Face intérieure, côté ARN

C

N

FIGURE 33-18 **Comparaison des structures par rayons X des protéines de capside du virus de la mosaïque du haricot méridional (SBMV) et du rhinovirus humain.** (*a*) Structure de la protéine de capside du SBMV, (*b*) de la protéine VP1, (*c*) de la protéine VP2 (liée à VP4), et (*d*)

VP3 du rhinovirus humain. Noter les fortes similarités de structure de leurs cœurs en tonneau b à huit brins avec le domaine S du TBSV (Fig. 33-14). Les protéines VP1, VP2 et VP3 du poliovirus se replient de la même façon. [D'après Rossmann, et al., *Nature* **317**, 148 (1985). PDBid 4BSV et 4RHV.]

*sa structure quaternaire. De plus, la sous-unité de la protéine de capside du SBMV, de 260 résidus, bien qu'elle ne possède pas de domaine P, possède le domaine S, dont le motif polypeptidique se superpose presqu'exactement à celui du TBSV (Fig. 33-18*a). Comme chez le TBSV, l'ARN du SBMV n'est pas ordonné.

La structure quaternaire du STMV diffère de celle du TBSV ou du SBMV : c'est un virus à ARN de $T = 1$. Son diamètre fait 172 Å ; il fait partie des plus petits virions connus ; il renferme un ARN de 1058 nt qui ne code qu'une protéine : la protéine de capside contenant 196 résidus (le STMV ne peut se multiplier que dans des cellules co-infectées avec le TMV, plus complexe ; c'est le seul exemple connu de relation parasitaire entre un virus sphérique et un virus en bâtonnet). Cependant, la protéine de capside du STMV, qui n'a pas de domaine P, possède un domaine S, dont la structure ressemble à celle du SBMV et du TBSV. Il semble donc bien que ces virus pourtant assez dissemblables au plan biochimique, proviennent d'un ancêtre commun.

d. Une partie importante de l'ARN du STMV est visible

L'aspect le plus frappant de la structure du STMV est que près de 80 % de son ARN est visible (Fig. 33-19). Cet ARN contient 30 segments ordonnés d'un ARN en double hélice disposés sur les axes de symétrie d'ordre 2 et qui sont reliés par des régions en simple brin désordonnées. Des études par ordinateur permettent de prédire que jusqu'à 68 % des bases forment des paires de bases. La formation d'une structure unique ayant des appariements de bases nombreux et non répétitifs entre des bases éloignées dans la séquence primaire pour permettre un repliement compatible avec la symétrie icosaédrique du STMV semble improbable. Il semble plutôt que les fragments de double hélice que l'on voit dans la Fig. 33-19 soient une série de structures en tige-boucle locales légèrement différentes les unes des autres. L'ARN du STMV prendrait donc, à l'intérieur de la capside du virus, une structure qui ne correspond probablement pas à son minimum d'énergie libre. Il adopterait en fait un des nombreux états de basse énergie qui se forment de façon transitoire durant l'assemblage du virus et qui se trouve piégé par les interactions avec la protéine de capside. Effectivement, le fait que la protéine de capside du STMV ne forme pas de capside en l'absence d'ARN, laisse penser que l'ARN, bien qu'il n'ait pas de symétrie icosaédrique, dirige quand même la formation de la capsule virale icosaédrique.

C. *Les picornavirus*

On a déterminé les structures par rayons X de deux virus pathogènes de l'homme : celle du **poliovirus,** l'agent de la **poliomyélite,** déterminée par James Hogle, et celle du **rhinovirus,** causant les **rhinites infectieuses** (le rhume), déterminée par Rossmann. Ces deux agents pathogènes sont des **picornavirus,** représentant une grande famille de virus animaux qui regroupent aussi les agents de **l'hépatite A** humaine et de la **fièvre aphteuse.** Les picornavirus (de pico, petit + *arn*) sont à compter parmi les plus petits virus à ARN des animaux : ils sont sous forme de particules d'une masse de $\sim 8,5 \times 10^6$ D, dont ~ 30 % est un ARN simple brin de ~ 7500 nucléotides. Leur coque protéique icosaédrique, d'un diamètre de ~ 300 Å, contient 60 protomères, chacun formé de 4 protéines de structure, **VP1, VP2, VP3** et **VP4.** Ces quatre protéines sont synthétisées par la cellule infectée sous forme d'une seule **polyprotéine,** qui est clivée en ses sous-unités lors de l'assemblage des virions. Les picornavirus peuvent être très spécifiques des cellules qu'ils infectent ; par exemple, le poliovirus se lie à des récepteurs qui ne sont présents que sur certains types cellulaires chez les primates.

Les structures du poliovirus, du rhinovirus et du **virus de la fièvre aphteuse (FMDV** pour foot-and-mouth disease virus ; déterminée par David Stuart) se ressemblent énormément, et présentent aussi des similitudes avec le TBSV et le SBMV. Bien que les protéines VP1, VP2 et VP3 des picornavirus n'aient pas de similarité de séquence l'une avec l'autre, ni avec les protéines de capside du TBSV et du SBMV, ces protéines ont toutes une similitude de structure très surprenante (Fig. 33-14 et 33-18 ; VP4 est beaucoup plus petite que les autres sous-unités et se présente en fait comme une extension N-terminale de VP2). Les sous-unités VP1, VP2 et VP3, chimiquement distinctes des picornavirus, présentent une pseudo- symétrie commune, due à des axes de pseudo-symétrie d'ordre trois, passant par le centre de chaque face triangulaire du virion icosaédrique de *T = 1, qui possède donc une pseudo-symétrie de* T = 3 (Fig. 33-20). Les sous-unités, identiques chimiquement, mais distinctes quant à leur conformation A, B ou C, des virus de plantes à $T = 3$, sont aussi en relation quasi-symétrique, grâce à des axes localisés de symétrie d'ordre trois (Fig. 33-15). Ces similitudes de structure suggèrent que les picornavirus et les virus de plantes sphériques auraient tous divergé à partir d'un ancêtre commun.

Les protéines de capside des poliovirus, des rhinovirus et du FMDV forment une coque vide qui emprisonne le centre de la par-

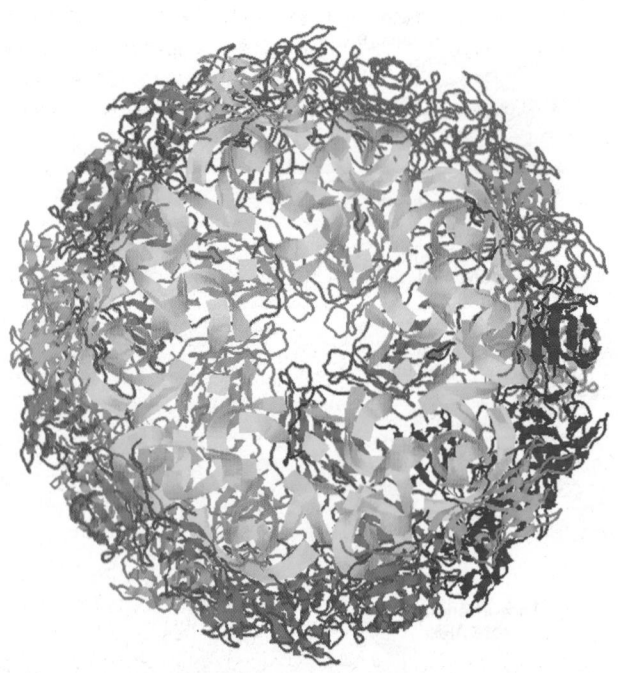

FIGURE 33-19   La structure par rayons X du virus satellite du virus de la mosaïque du tabac (STMV). On voit le virion de T = 1 en coupe selon un de ses axes icosaédriques d'ordre 5. Les sous-unités protéiques de la capside qui forment une coque comprise entre les rayons 57 à 86 Å, sont représentées de différentes couleurs, tandis que les 30 segments d'ARN, principalement en double hélice, situés sur les axes icosaédriques d'ordre 2 sont en jaune. [D'après une structure par rayons X de Alexander McPherson, Université de Californie, Irvine. PDBid 1A34.]

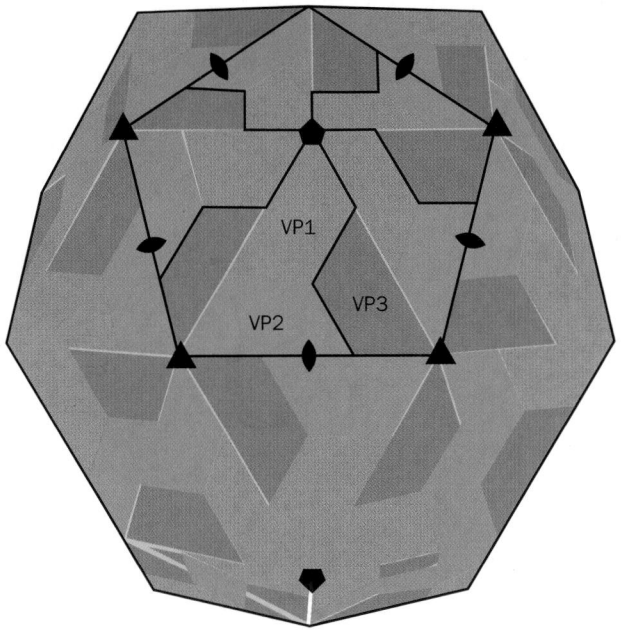

FIGURE 33-20 Arrangement des 60 trimères *(triangles)* **de sous-unités pseudo-équivalentes VP1, VP2 et VP3 de la capside icosaédrique du rhinovirus humain.** Cet arrangement ressemble à celui du TBSV, par le fait que les 180 sous-unités chimiquement identiques sont reliées par des quasi-symétries, pour former un icosadeltaèdre de *T = 3 (Fig. 33-12 et 33-15). Les positions des axes de symétrie exacte de l'icosaèdre, d'ordre 5, 3 et 2 sont notées par les symboles noirs.* [D'après Rossmann, M.G., *et al., Nature* **317,** 147 (1985).]

ticule. Celui-ci, contenant l'ARN et quelques protéines, reste désorganisé ; c'est le cas chez les virus sphériques de plantes. Cette organisation est illustrée de manière frappante par la Fig. 33-21, où l'on voit à la fois l'intérieur et l'extérieur de la capside du poliovirus. On remarque bien que VP4 s'insère profondément à l'intérieur de la capside ; on remarque de même la topographie assez rugueuse de la surface externe de la capside. Certaines crevasses correspondent aux sites de liaison du récepteur, par lesquels le virus reconnaît spécifiquement certaines cellules.

D. *Le virus simien SV40*

Le **virus simien SV40** est un **polyomavirus,** classe la plus simple des virus à ADN double brin. Ce virus sphérique a un diamètre externe de ~500 Å (Figure 33-1*g*) ; il peut transférer entre cellules, de noyau à noyau, un « minichromosome » circulaire de 5243 pb (un ADN complexé avec des histones dans des particules de **nucléosomes** ; Section 34-1B). La capside virale est formée par 360 copies d'une seule protéine de 361 résidus, **VP1,** qui sont dis-

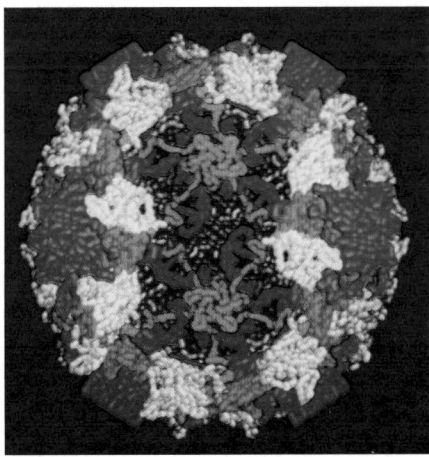
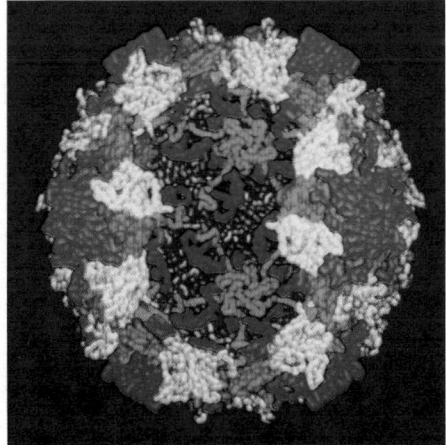

FIGURE 33-21 Diagramme stéréoscopique de la capside du poliovirus, dans laquelle la surface interne est dévoilée par l'omission de deux faces pentagonales. La chaîne polypeptidique est représentée ici par un tube replié, qui fait approximativement le volume de la protéine ; il est en bleu pour VP1, en jaune pour VP2, en rouge pour VP3 et en vert pour VP4. Les sous-unités VP4, qui longent la surface interne de la cap-side, s'associent autour des axes de symétrie d'ordre cinq pour former un réseau similaire, bien que géométriquement distinct, à celui formé par les bras des sous-unités C du TBSV (Fig. 33-16). [Fourni aimablement par Arthur Olson, Institut de Recherches Scripps, La Jolla, Californie. D'après une structure par rayons X de James Hogle, École de Médecine de Harvard. PDBid 2PLV.]

(a)   *(b)*   *(c)*

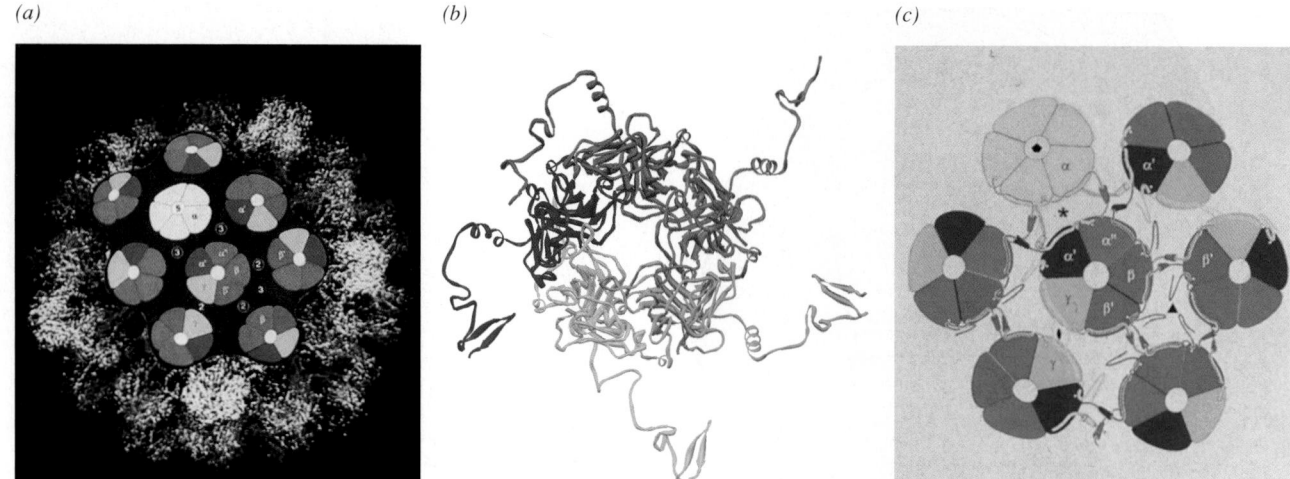

FIGURE 33-22   Structure par rayons X du virus simien 40 (SV40).
(a) Le virion SV40 est formé de 360 copies de VP1 organisées en 72 pentamères dont 12 *(en blanc)* sont arrangés par 5, et 60 *(en couleur)* sont arrangés par 6. On a représenté trois types de groupements de pentamères sur le schéma qui accompagne le dessin : les sous-unités en blanc (α), en violet (α′) et en vert (α») forment une interaction à trois (3) ; celles en rouge (β) et en bleu clair (β′) forment un type d'association à deux (2) ; les sous-unités en jaune (γ), un second type d'association à deux (2). Les axes de symétrie icosaédriques sont indiqués par les chiffres 5, 3, et 2. *(b)* Pentamère faisant partie d'une coordination par six, comme il serait vu de l'extérieur du virion. Les sous-unités VP1, représentées par leurs chaînes C_α, sont colorées comme en *a*. Noter les bras C-terminaux qui sont projetés à l'extérieur de chaque sous-unité. *(c)* Schéma montrant comment les bras C-terminaux relient les pentamères les uns aux autres. Les bras C-terminaux sont représentés par des traits et des petits cylindres (hélices). Les axes de symétries d'ordres 5, 3 et 2 de la particule icosaédrique sont représentés par les symboles conventionnels, tandis que l'astérisque indique un axe localisé d'ordre deux, mettant en relation des pentamères coordonnés par cinq et par six. [Parties *a* et *c* fournies aimablement, et Partie *b* d'après une structure par rayons X de Stephen Harrison, Université de Harvard. PDBid 1SVA.]

posées selon la symétrie icosaédrique. Cependant, un tel nombre de sous-unités ne peut pas prendre la disposition icosadeltaédrique, vue chez le TBSV, par exemple, parce que la valeur $T = 360/60 = 6$ ne suit pas la règle des icosadeltaèdres (où $T = h^2 + hk + k^2$). VP1 forme plutôt des pentamères pouvant prendre jusqu'à deux positions non équivalentes (Fig. 33-22*a*), comme Caspar l'a montré par des études des **polyomavirus** par rayons X à faible résolution.

La capside du SV40 comporte donc 72 pentamères de protéine VP1 centrés sur les arêtes des faces d'un icosadeltaèdre de valeur $T = 7$. Douze pentamères se trouvent sur les 12 axes de symétrie axiale d'ordre cinq, chacun étant entouré par 5 pentamères d'une classe géométrique différente. Les 60 pentamères de cette dernière classe (qui devraient être des hexamères dans un vrai icosadeltaèdre dont la valeur $T = 7$), sont chacun entourés par 6 pentamères, 5 de la même classe qu'eux, et un de la classe précédente. Il s'ensuit que chaque capside contient 6 classes de symétrie non équivalentes à partir de sous-unités VP1, chimiquement identiques. Quelles modifications de conformation les sous-unités doivent-elles subir pour former une telle structure et comment une structure pentamérique peut-elle se disposer en coordination avec six autres pentamères ?

La structure par rayons X du SV40 a été déterminée par Harrison. Elle montre que VP1 est formée de trois modules : (1) un bras N-terminal qui s'étend à l'intérieur du pentamère par dessous la sous-unité voisine, dans le sens des aiguilles d'une montre (en regardant depuis l'extérieur) ; les 15 premiers résidus n'en sont pas visibles (probablement parce qu'ils s'allongent vers l'intérieur pour interagir avec le minichromosome qui n'est pas non plus visible) ; (2) un tonneau de brins β antiparallèles, selon la même topologie que chez les virus à ARN des plantes et chez les picor-

navirus (Fig. 33-14 et 33-18), bien qu'il soit orienté plutôt radialement que tangentiellement par rapport à la capside ; (3) un bras C-terminal allongé de 45 à 50 résidus, site de la seule variation importante de conformation parmi les 6 ensembles de sous-unités VP1 de symétries non-équivalentes. Les bras C-terminaux établissent les principaux contacts entre les pentamères, en s'allongeant à partir de leur pentamère de départ, pour aller s'insérer dans un pentamère voisin (Fig. 32-22*b* et 32-22*c*). Chaque pentamère intègre donc cinq bras, provenant des pentamères adjacents, alors qu'il en émet cinq. *Les différents modes d'échange des bras C-terminaux entre les différents pentamères déterminent alors la façon selon laquelle ils vont s'associer pour former la capside.* Comme les bras C-terminaux d'un pentamère libre sont sans doute flexibles et déstructurés, les pentamères sont comparables à des éléments d'un jeu de construction, assemblés par des cordages, plutôt que cimentés les uns aux autres par leurs surfaces complémentaires. En effet, la perte des bras C-terminaux par des sous-unités VP1 recombinantes n'empêche pas leur association en pentamères mais compromet l'assemblage de ces pentamères en coques ayant la forme de virions.

Un certain nombre d'autres virus dont la structure est connue contiennent ce tonneau de 8 brins b antiparallèles. Parmi eux, le bactériophage ϕX174 de valeur $T = 1$ (un virus à ADN simple brin ; Section 30-3B, Fig. 33-1*d*), deux virus à ARN simple brin dont la valeur $T = 3$ qui sont le **virus Norwalk** (responsable de plus de 96 % des gastroentérites non bactériennes aux États-Unis) et le « **black beetle virus** », le « **Nudaurelia Capensis ω virus** » (un virus à ARN simple brin d'insecte) dont la valeur $T = 4$, et le **virus de la fièvre catarrhale du mouton** (« bluetongue virus » ; Section 33-2F) de valeur $T = 13$. On accède à l'information concernant les virus sphériques dont la structure par rayons X est connue au site Web de Virus Particule ExploreR (VIPER) à l'adresse : http://mmtsb.scripps.edu/viper/.

E. *Le bactériophage MS2*

Le bactériophage à ARN MS2 n'infecte que les *E. coli* F⁺ (mâles) (Section 31-1A) car l'infection commence par une fixation du virus sur les F pili bactériens. Le virion MS2 a un diamètre de 275 Å. Il est formé d'une capside de 180 sous-unités identiques de 129 résidus, arrangées selon la symétrie icosadeltaédrique de $T = 3$, entourant une molécule d'ARN simple brin de 3569 nt. Le virion contient aussi, en un seul exemplaire, une protéine A de 44 kD ; on pense qu'elle est responsable de la fixation du virus aux F pili et elle est donc exposée à la surface du phage.

La structure par rayons X du MS2 a été déterminée par Karin Valegård et Lars Liljas. Elle montre que la coque protéique est formée par 60 protomères triangulaires icosaédriques, chacun d'entre eux étant formé par trois sous-unités chimiquement identiques prenant une conformation légèrement différente, de manière très semblable au TBSV (Fig. 33-15). La protéine de capside du MS2 ne contient cependant pas le tonneau β à 8 brins antiparallèles, présent dans tous les autres virus sphériques étudiés auparavant. Chaque sous-unité contient par contre un feuillet β de 5 brins antiparallèles, à la face intérieure de la particule, surmonté par une courte épingle à cheveux β et deux hélices α tournées vers l'extérieur du virus (Fig. 33-23). Cette structure ressemble à celles de plusieurs autres protéines de capside de bactériophages.

E. *Le virus de la fièvre catarrhale du mouton*

Le **virus de la fièvre catarrhale du mouton** fait partie du genre des orbivirus et de la famille des **Réoviridés**, qui est l'une des plus grandes familles de virus. Les membres de cette famille sont responsables d'une importante mortalité infantile dans les pays en voie de développement (due au rotavirus provoquant des diarrhées), ils causent aussi différentes maladies des animaux et des plantes ayant un impact économique important. Les orbivirus ont une structure icosaédrique et une capside composée de deux coques, une externe faite des protéines virales **VP2** et **VP5**, qui est perdue lors de l'entrée dans la cellule, et un cœur à activité transcriptionnelle qui est libéré dans le cytoplasme. Le cœur présente deux couches, une coque interne de $T = 2$ comportant 120 copies de la protéine VP3(T2) de 100 kD et une coque externe de $T = 13$ comportant 780 copies de la protéine VP7(T13) de 38 kD. La capside renferme un ARN agrégé de ~20 kD, c'est un ARNdb ayant, en général, 10 segments différents codant chacun une seule protéine. Au cours de l'infection, l'ARNdb est maintenu dans le cœur parce que sa libération dans la cellule déclencherait l'arrêt de la traduction par l'interféron (Section 32-4A), ce qui empêcherait la prolifération virale. Par conséquent, le cœur contient également de nombreuses copies de protéines codées par le virus, qui sont : une **ARN polymérase dépendante de l'ARNdb [VP1(Pol)]**, une hélicase **[VP6(Hel)]**, et une enzyme de coiffage **[VP4(Cap)]**. Elles sont associées à chacun des segments d'ARNdb pour former des complexes de transcription actifs. Les ARNm synthétisés sortent dans le cytoplasme de la cellule hôte, où ils dirigent la synthèse ribosomiale des protéines virales. Les ARNm sont également encapsidés dans des cœurs en croissance, où ils servent de matrice

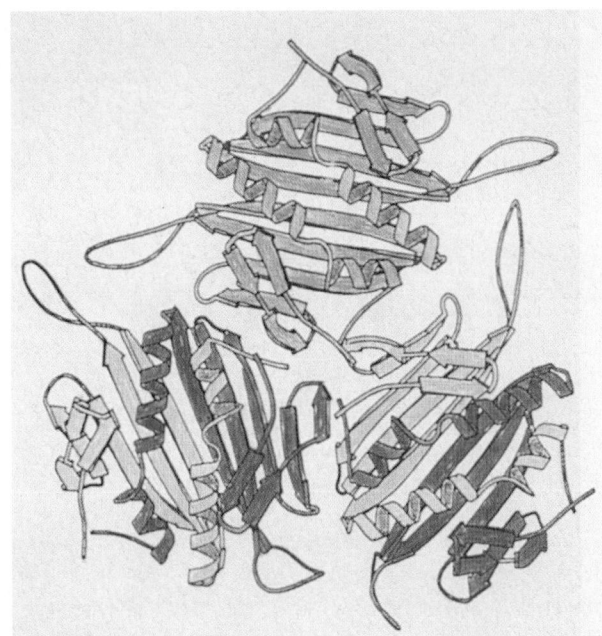

FIGURE 33-23 Structure par rayons X du bactériophage MS2, montrant trois dimères, disposés selon l'axe de quasi-symétrie d'ordre trois de la particule icosadeltaédrique de $T = 3$. Les sous-unités A, B et C, définies comme dans la Fig. 33-12*b*, sont respectivement en jaune, rouge et orangé (celles de la Fig. 33-12*b* sont cependant d'une autre couleur). Les deux monomères C sont placés selon l'axe de symétrie exacte d'ordre deux de la particule, tandis que les monomères A et B, associés étroitement, sont placés selon des axes de quasi-symétrie d'ordre deux. Dans tous les cas, le feuillet β à cinq brins antiparallèles de chaque monomère, s'allonge en franchissant l'axe d'ordre deux, et ses hélices s'entrelacent avec celles du dimère voisin. Noter le manque de ressemblance entre les structures des sous-unités de MS2 et celles des feuillets β à huit brins antiparallèles en tonneau, qui forment les protéines de capside de presque tous les virus sphériques dont la structure est connue. (Fig. 33-14 et 33-18). [Fournie aimablement par Karin Valegård, Université D'Uppsala, Suède. PDBid 2MS2.]

pour la synthèse des segments d'ARN négatif, pour constituer les ARNdb fils. On ne sait pourtant pas comment chaque cœur est encapsidé avec précisément une copie de chaque segment d'ADNdb.

Le virus de la fièvre catarrhale du mouton (**BTV** pour « blue tongue virus ») infecte les ongulés (comme le mouton), il est transmis par certains insectes hémophages. Son nom en anglais lui vient de la couleur cyanosée de la langue (à cause du gonflement) que présentent de nombreux animaux infectés par le BTV. La structure par rayons X du cœur du BTV a été déterminée par Stuart. Elle montre les deux couches de la particule de ~700 Å de diamètre et de 50000 kD, BTV est ainsi la plus grosse particule dont la structure par rayons X est connue (toutefois le ribosome constitue la plus grande construction assymétrique dont la structure par rayons X est connue ; Section 32-3A). La partie assymétrique de la coque externe comporte 13 copies indépendantes de VP7(T13) disposées en cinq trimères distincts, P, Q, R, S et T (Fig. 33-24*a*). La protéine VP7(T13), de 349 résidus, comporte deux domaines

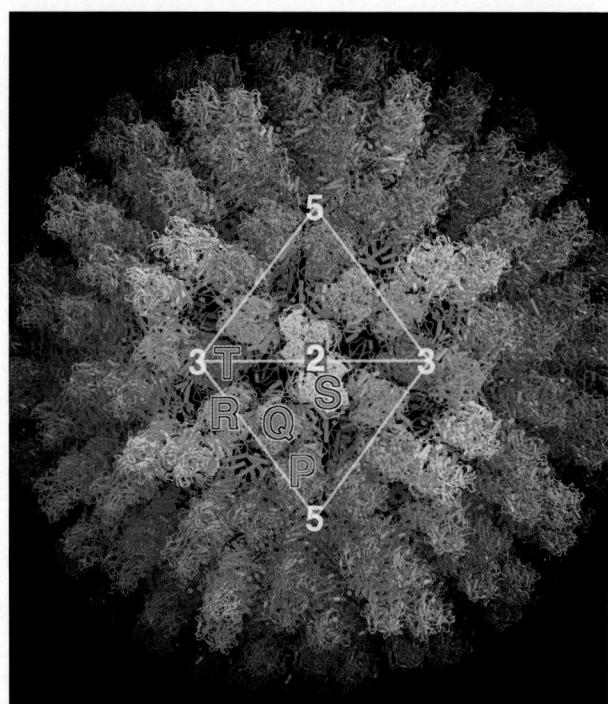

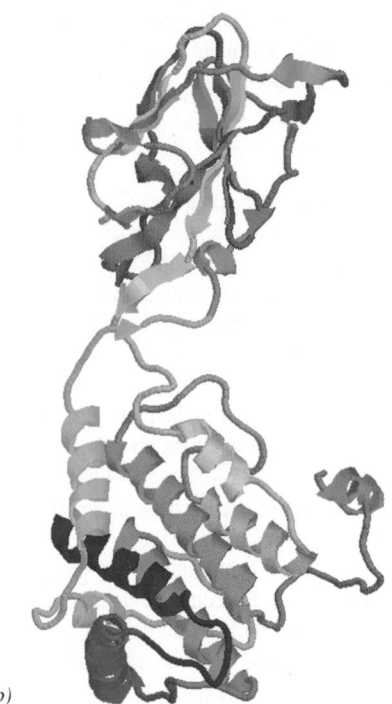

(a)

(b)

FIGURE 33-24 Structure par rayons X du cœur du virus de la fièvre catarrhale du mouton. (*a*) Sa coque externe de *T = 3. L'unité icosaédrique triangulaire asymétrique, dont les bords* (lignes blanches) relient les axes de symétrie de l'icosaèdre, renferme 13 copies de VP7 arrangées en cinq trimères P, Q, R, S et T, qui sont colorés en rouge, en orange, en vert, en jaune et en bleu respectivement. Le trimère T se trouve sur un axe de symétrie d'ordre 3 de l'icosaèdre et fournit ainsi un monomère à l'unité asymétrique. (*b*) La structure de VP7, qui est colorée dans l'ordre des couleurs de l'arc en ciel de son extrémité N-terminale (*en bleu*) à son extrémité C-terminale (*en rouge*). Le domaine en tonneau β à 8 brins antiparallèles (*en haut*) correspond aux parties qui se projettent hors du cœur du virus, alors que le domaine hélicoïdal (*en bas*) forme la coque externe. [Partie *a* avec l'aimable autorisation et Partie *b* d'après une structure par rayons X de David Stuart, Université d'Oxford, G.-B. PDBid 2BTV.]

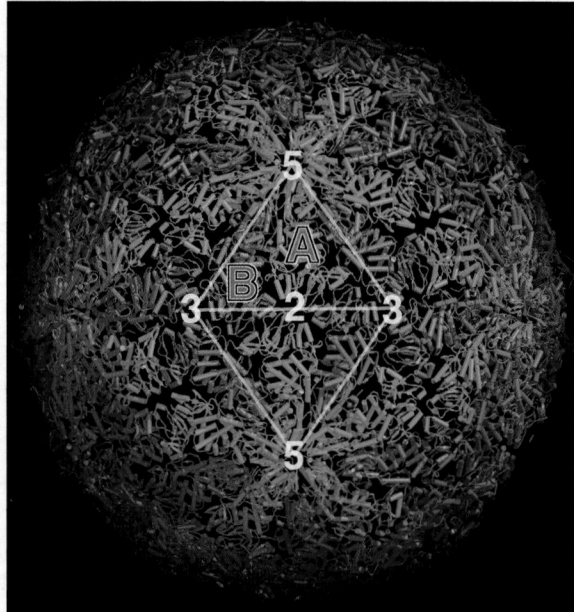

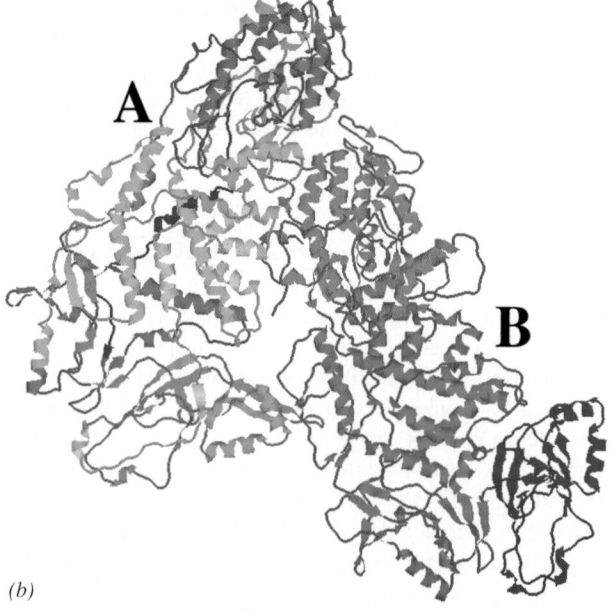

(a)

(b)

FIGURE 33-25 Structure par rayons X du cœur du virus de la fièvre catarrhale du mouton. (*a*) Sa coque interne de *T = 3. Elle est formée d'homodimères de sous-unités VP3 disposés selon une symétrie isocaédrique de* T = 1, de sorte que les deux sous-unités formant l'homodimère, A (en vert) et B (en rouge), ne sont pas des équivalents symétriques. L'unité triangulaire icosaédrale asymétrique est représentée (*lignes blanches*). Comparer cette structure avec celle de la coque externe de *T* = 13 (Fig. 33-24*a*). (*b*) Structure du dimère asymétrique de VP3. Sa sous-unité A est colorée dans l'ordre des couleurs de l'arc en ciel de son extrémité N-terminale (*en bleu*) à son extrémité C-terminale (*en rouge*) et sa sous-unité B est colorée en fonction de ses domaines. Le domaine apical est en rouge, le domaine de la carapace est en vert, et le domaine de dimérisation (au niveau de l'axe de symétrie d'ordre 2) est en bleu. Remarquez les conformations quelque peu différentes et les situations structurales très différentes de ces deux sous-unités chimiquement identiques. [Partie *a* avec l'aimable autorisation et Partie β d'après une structure par rayons X de David Stuart, Université d'Oxford, G.-B. PDBid 2BTV.]

(Fig. 33-24*b*) : premièrement un tonneau β à 8 brins antiparallèles, commun à de nombreux virus sphériques, qui correspond aux parties du cœur dirigées vers l'extérieur (il est responsable de l'apparence hérissée) et qui établit probablement des contacts avec la couche externe du virus, deuxièmement, un domaine hélicoïdal formant la coque externe du cœur. Notez que dans la plupart des virus sphériques que nous avons décrits, le domaine en tonneau β forme la coque virale (Section 33-2B). Les différentes copies de géométries différentes, de VP7(T13), ont des conformations quasi-identiques, avec des déviations maximales entre les paires de C_α de position équivalente de seulement 0,3 Å, bien qu'il existe des différences significatives dans le mode de contact entre les sous-unités voisines.

La coque interne du BTV est constituée de 60 homodimères asymétriques de sous-unités de VP3(T2), A et B, disposées selon une symétrie icosaédrique ($T = 1$) (Fig. 33-25*a*). La protéine VP3(T2) de 901 résidus comporte 3 domaines (Fig. 33-25*b*) : premièrement un domaine apical, qui contient 11 hélices et 10 brins b dans la sous-unité A et 10 hélices et 11 brins β dans la sous-unité B, deuxièmement un domaine de carapace, qui contient 20 hélices dans la sous-unité A et 21 dans la sous-unité B, et troisièmement un domaine de dimérisation qui contient 5 hélices et 13 brins β dans la sous-unité A et 4 hélices et 14 brins β dans la sous-unité B. La coque interne est relativement lisse et renferme peu de résidus chargés. Elle a des pores d'une largeur de 9 Å aux sommets d'ordre 5 de l'isocaèdre. Ces pores alignés avec des résidus Arg conservés, sont trop étroits pour permettre la sortie de l'ARNm, mais en présence de Mg^{2+} ils s'ouvrent suffisamment à cet effet (voir plus bas).

Les coques externe et interne du cœur du BTV interagissent par des surfaces assez plates et principalement hydrophobes. La différence de symétrie entre ces deux coques nécessite qu'elles aient 13 séries de contacts différents, ce qui rend les conformations très similaires des 13 sous-unités de VP7(T13) distinctes du point de vue de leur géométrie d'autant plus remarquables. Les protéines VP3(T2) s'auto-assemblent pour former un sous-cœur, alors que VP7(T13), bien qu'elle forme des trimères en solution, ne s'auto-assemble pas pour former une coque icosaédrique. Il est donc probable que la coque interne forme une armature permanente sur laquelle 260 trimères de VP7(T13) cristallisent dans deux dimensions pour former la coque externe.

La structure par rayons X du BTV montre aussi le cheminement de près de 80 % de son ARNdb de 19219 pb (Fig. 33-26*a*).

FIGURE 33-26 Agencement de l'ARN dans le BTV. (*a*) Empaquetage de l'ARNdb, dans la coque interne du cœur du BTV d'après la structure par rayons X. La vue est représentée selon un axe de symétrie d'ordre 5 de l'icosaèdre et on ne voit que l'hémisphère inférieur du cœur. La densité électronique assez mal résolue a été modélisée sous la forme d'un ARN-A. Celui qui est empaqueté autour de l'axe d'ordre 5 central est représenté en bleu, ceux empaquetés autour des autres axes d'ordre 5 sont représentés en orange. Les sous-unités A et B de VP3(T2), formant la coque interne du cœur sont en vert et en rouge. (*b*) Représentation imagée de l'agencement de l'ARN (en bleu) dans le cœur du BTV. L'ARNdb est dessiné comme une spirale entourée autour du complexe de transcription auquel il est associé (en vert). Les queues d'ARNm nouvellement synthétisées sont représentées comme sortant par les pores aux sommets d'ordre 5. Notez que chaque complexe de transcription est associé à un sommet d'ordre 5. [Avec l'aimable autorisation de David Stuart, Université d'Oxford, G.-B.]

L'ARNdb se révèle partiellement ordonné selon les axes d'ordre 5 de l'icosaèdre grâce à des interactions avec l'intérieur de la coque de protéines VP3(T2) (Noter cependant que l'ADNdb, dont les 10 segments ont des tailles allant de 822 à 3954 pb, ne peut pas avoir

(*a*)

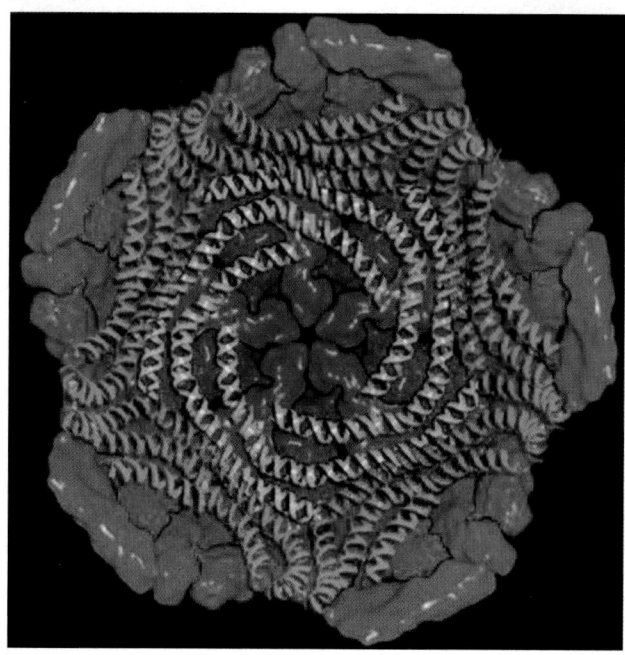

(*b*)

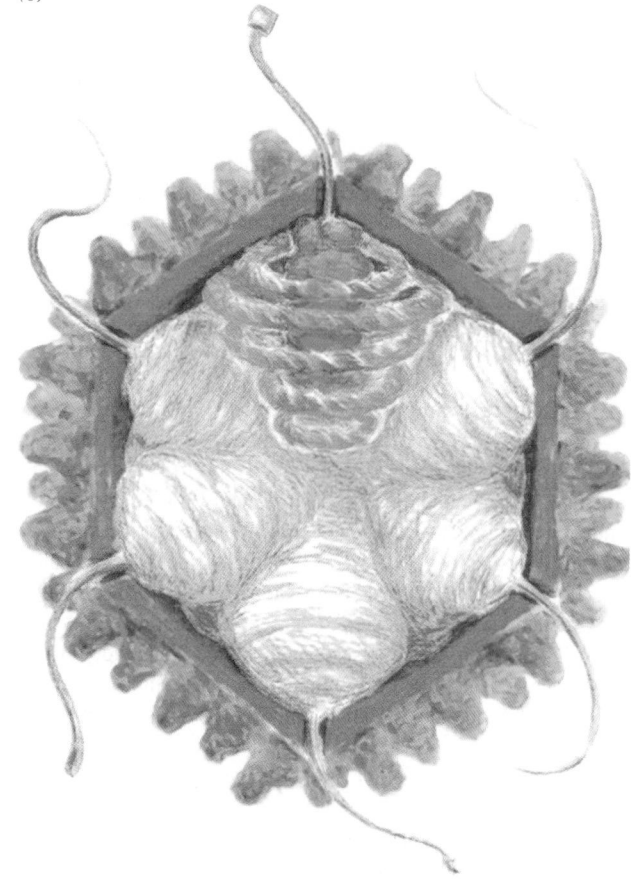

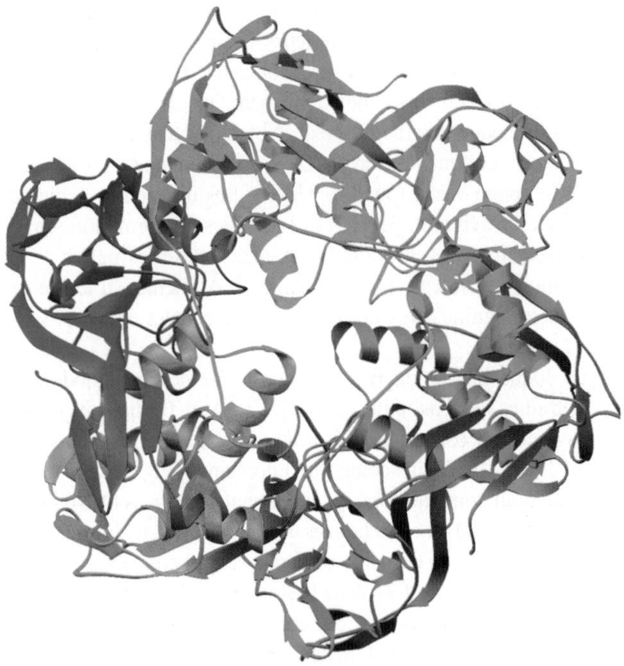

(b)

(a)

FIGURE 33-27 Structure de la capside du PBCV-1. (*a*) Modèle quasi-atomique réalisé en ajustant la structure par rayons X de VP54 sur l'image en cryo-Me de la capside. Les pentasymétrons sont en jaune et les trisymétrons sont de différentes couleurs. (*b*) Structure par rayons X de l'homotrimère de Vp54 vu selon son axe de symétrie d'ordre 3. Le domaine N-terminal en tonneau β de la sous-unité la plus à gauche est en rouge, son tonneau β C-terminal est en bleu et les autres monomères sont en vert et en rose. [Partie *a* avec l'aimable autorisation, Partie *b* d'après une structure par rayons X de Michael Rossmann, Université Purdue. PDBid 1M4X.]

de véritable arrangement à symétrie icosaédrique). On peut supposer que chaque complexe de transcription est organisé autour d'un axe d'ordre 5 près de la surface interne du cœur, son segment d'ADNdb associé s'enroulant en spriale en direction du centre du cœur. En effet, la structure par rayons X des cristaux de BTV que l'on a trempés dans des solutions contenant des oligonucléotides de 20 nt montre une densité électronique à partir du cœur viral le long de ses axes de symétrie d'ordre 5 dont on pense qu'elle mime la situation des ARNm néosynthétisés (Fig. 33-26*b*).

G. *Le virus de la chlorelle de* Paramecium bursaria

Les virus du genre **chlorovirus** sont parmi les plus grands et les plus complexes des virus sphériques connus. Ces virus ont une structure en couches contenant de l'ADNdb entouré d'un cœur protéique, d'une membrane lipidique et enfin d'une coque protéique icosaédrique. Le **virus de la chlorelle de** *Paramecium bursaria* **de type 1 (PBCV-1)** infecte certaines algues de type chlorelle. Il s'attache à sa cellule hôte et, grâce à des enzymes virales lui permettant de digérer la paroi de la cellule autour du point d'attache, il injecte son ADNdb dans la cellule, la capside vide restant à la surface de la cellule. PBCV-1 qui a une masse moléculaire de 10^9 D, a un génome de 331 kb codant 377 protéines et 10 ARNt. Sa protéine majeure de capside, Vp54 (une glycoprotéine de 437 résidus) compose 40 % de la masse protéique du virion.

Une image du PBCV-1 établie par cryo-ME (Fig. 33-27*a*), obtenue par Timothy Baker et Rossman, montre que sa coque externe est un icosadeltaèdre de 1900 Å de diamètre, de $T = 169$ ($h = 7$, $k = 8$). Cette énorme capside est construite à partir de 20 unités triangulaires appelées trisymétrons et de 12 capsules pentagonales appelées pentasymétrons, composés respectivement de réseaux pseudohexagonaux de 66 et de 30 trimères de Vp54. Il y a au total 1680 trimères et donc 5040 monomères de Vp54 dans la capside (voir plus bas). Les trisymétrons ne correspondent pas aux faces icosaédriques de la capside. Au contraire, ils se courbent le long des arêtes de l'icosaèdre en laissant des ouvertures aux sommets des axes de symétrie d'ordre 5, qui sont obturés par les pentasymétrons. Chaque pentasymétron contient aussi un pentamère d'une autre protéine au sommet de l'axe de symétrie d'ordre 5.

La structure par rayons X de Vp54 (Fig. 33-27*b*) montre qu'elle forme un trimère cyclique dans lequel chaque monomère comporte deux tonneaux β antiparallèles semblables à ceux des autres virus sphériques. Les deux tonneaux β du monomère Vp54 sont reliés par une rotation de 53° autour de l'axe d'ordre 3 du trimère, le trimère a donc une pseudosymétrie hexagonale. Ces trimères ont été ajustés sur l'image de cryo-ME de la capside du PBCV-1, permettant d'obtenir un modèle quasi-atomique (Fig. 33-27*a*).

3 ■ LE BACTÉRIOPHAGE λ

Le **bactériophage λ** (Fig. 33-1*f* et 33-28), est un coliphage de taille moyenne (58 millions de Da) ; il a une tête icosaédrique de 55 nm de diamètre et une longue queue flexible de 15 à 135 nm, terminée par une fibre très fine. Le virion contient une molécule linéaire d'ADN-B double hélice, de séquence entièrement connue de 48 502 pb. Le phage λ est actuellement un des virus complexes

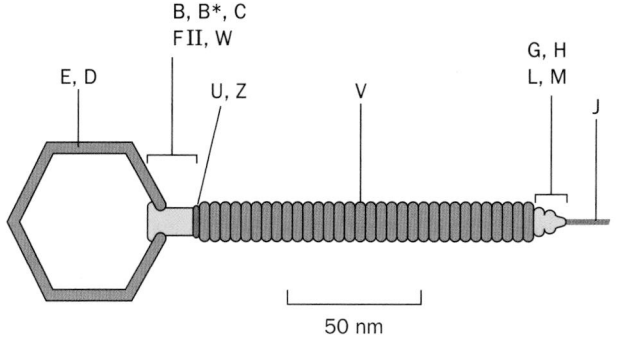

B, B*, C
F II, W

E, D

U, Z

V

G, H
L, M

J

50 nm

FIGURE 33-28 Croquis du bactériophage λ, montrant la localisation des composants protéiques. Les lettres se rapportent à des protéines spécifiques (produits de gènes ; voir le texte). Le trait représente 50 nm. [D'après Eiserling, F.A., *dans* Fraenkel-Conrat, H. et Wagner, R.R. (Eds), *Comparative Virology,* Vol. 13, p. 550, Plenum (1979).]

les mieux connus, notamment quant à sa biologie moléculaire. Nous allons, en effet, voir dans cette section que *c'est l'un des meilleurs modèles de la régulation génétique, pour comprendre le contrôle du développement chez les organismes supérieurs, et que l'assemblage de ce virion est un des exemples les mieux caractérisés de morphogenèse d'une structure biologique.*

Le bactériophage λ se fixe sur *E coli* grâce à une interaction spécifique entre la fibre de l'extrémité de la queue et une protéine de transport du maltose (produite par le gène *lamB* de *E. coli),* qui est un des composants de la membrane externe de la bactérie. Cet événement induit un processus complexe et mal compris, par lequel l'ADN du phage est injecté *via* la queue du virus à l'intérieur de la cellule hôte. Dès que l'ADN λ est entré, il se circularise grâce à ses deux extrémités simple brin, complémentaires l'une de l'autre, de douze nucléotides (extrémités cohésives) ; il est ligaturé par liaison covalente et superenroulé, par l'ADN ligase et l'ADN gyrase de l'hôte (Fig. 33-29, étapes 1 et 2).

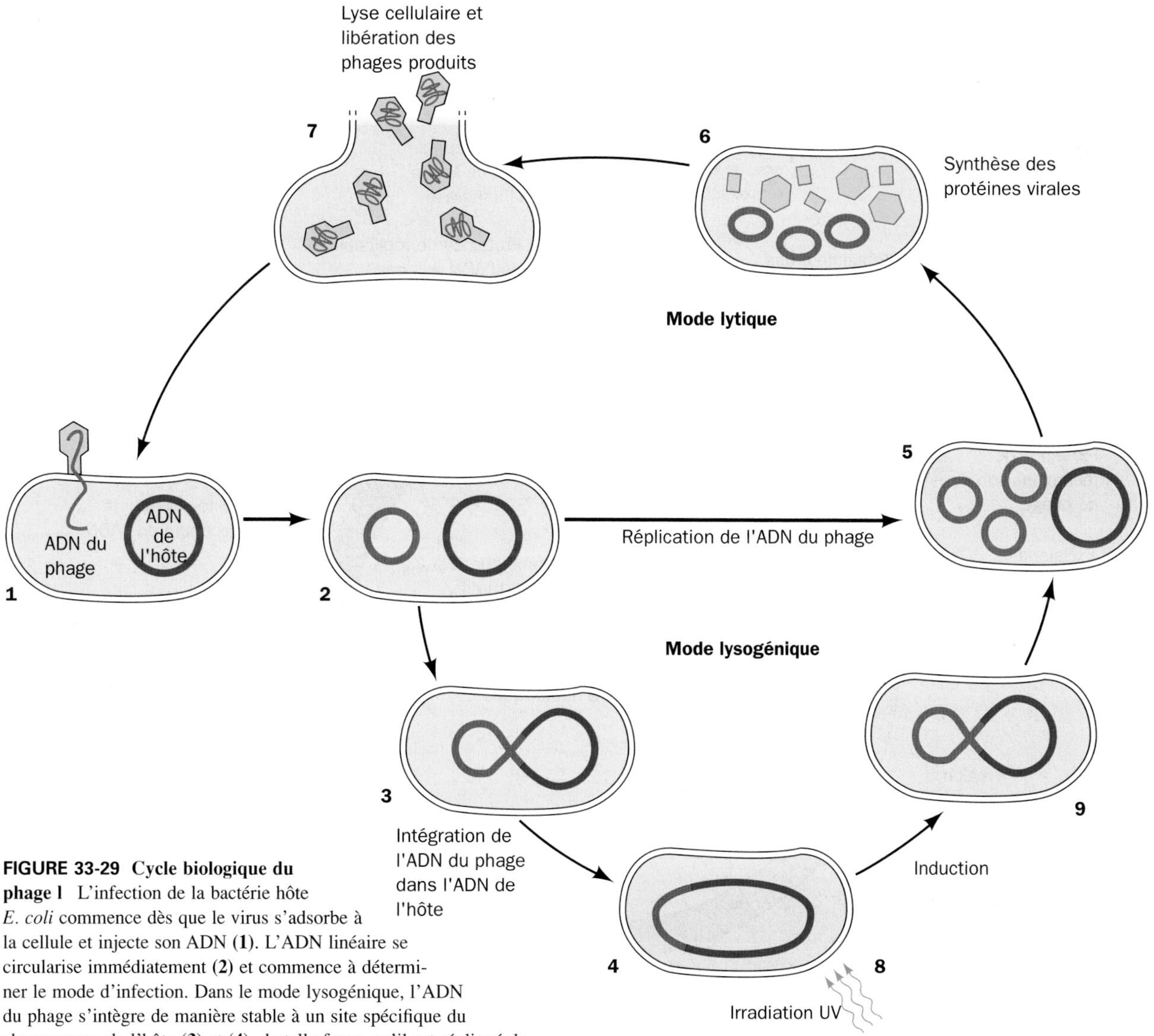

Lyse cellulaire et libération des phages produits

7

6

Synthèse des protéines virales

Mode lytique

5

Réplication de l'ADN du phage

1

ADN du phage

ADN de l'hôte

2

Mode lysogénique

3

Intégration de l'ADN du phage dans l'ADN de l'hôte

9

4

8

Induction

Irradiation UV

FIGURE 33-29 Cycle biologique du phage λ L'infection de la bactérie hôte *E. coli* commence dès que le virus s'adsorbe à la cellule et injecte son ADN (**1**). L'ADN linéaire se circularise immédiatement (**2**) et commence à déterminer le mode d'infection. Dans le mode lysogénique, l'ADN du phage s'intègre de manière stable à un site spécifique du chromosome de l'hôte (**3**) et (**4**), de telle façon qu'il est répliqué de manière passive avec l'ADN bactérien. Le mode alternatif, lytique, conduit le phage à diriger sa propre réplication (**5**), ainsi que la production des protéines virales (**6**), ce qui entraînera la lyse de la cellule hôte et la libération de ~100 phages (**7**). Les lésions de l'ADN, provoquées

par exemple, par le rayonnement UV (**8**), induisent l'excision de l'ADN du prophage hors du chromosome de la bactérie lysogène (**9**) et entraînent le phage à adopter le mode lytique.

À ce stade, le virus a le choix entre deux modes de survie (Fig. 33-29) :

1. Il peut poursuivre le mode **lytique** habituel, dans lequel le phage est répliqué par l'hôte, de telle façon que ~100 phages descendants soient libérés par la lyse de la cellule. Ceci prend 45 min à 37°C.

2. *Le phage peut amorcer le mode de vie appelé **lysogénique**, dans lequel son ADN est inséré à un site spécifique du chromosome de l'hôte, de telle manière que le phage soit répliqué en même temps que l'ADN de l'hôte. Cependant, même après de nombreuses générations bactériennes, si les conditions l'imposent, l'ADN du phage sera excisé de l'ADN de l'hôte pour commencer un cycle lytique. Ce processus s'appelle **induction**.*

Les conditions du choix entre les modes lytique et lysogénique seront traitées dans la Section 33-3D.

L'ADN du phage engagé dans le cycle lysogénique est appelé un **prophage,** tandis que son hôte est dit **lysogène.** Une propriété étonnante des bactéries lysogènes est qu'elles ne peuvent pas être réinfectées par des phages du type de celui avec lequel elles ont été lysogénisées : *elles sont devenus **immunes** à la superinfection.*

Un bactériophage qui peut suivre, soit le cycle lytique soit le cycle lysogénique, est appelé un **phage tempéré,** tandis que ceux qui n'ont que la possibilité du cycle lytique sont dits **virulents.** On dit que les bactériophages qui suivent la voie lytique sont en **croissance végétative.**

Plus de 90 % des milliers de types de phages connus sont tempérés et, inversement, beaucoup de bactéries sont naturellement lysogènes. De plus, la présence de prophages est souvent passée inaperçue parce qu'ils affectent très peu le phénotype de l'hôte. Par exemple, la souche K12 de *E. coli,* qui a pourtant fait l'objet de recherches intensives pendant plus de 20 ans avant 1951, a été identifiée comme lysogène pour le bacériophage l par Ester Lederberg (C'est l'événement qui a permis la découverte de ce phage et du phénomène de lysogénie).

L'avantage de la lysogénie est évident. Un parasite qui peut former une association stable avec son hôte a une chance de survie meilleure à long terme, qu'un parasite qui détruit toujours son hôte. Un phage virulent se multiplie de manière astronomique quand il rencontre une colonie formée par son hôte bactérien. Cependant, dès que la colonie a disparu, il peut se passer beaucoup de temps avant qu'un des phages produits ne rencontre à nouveau

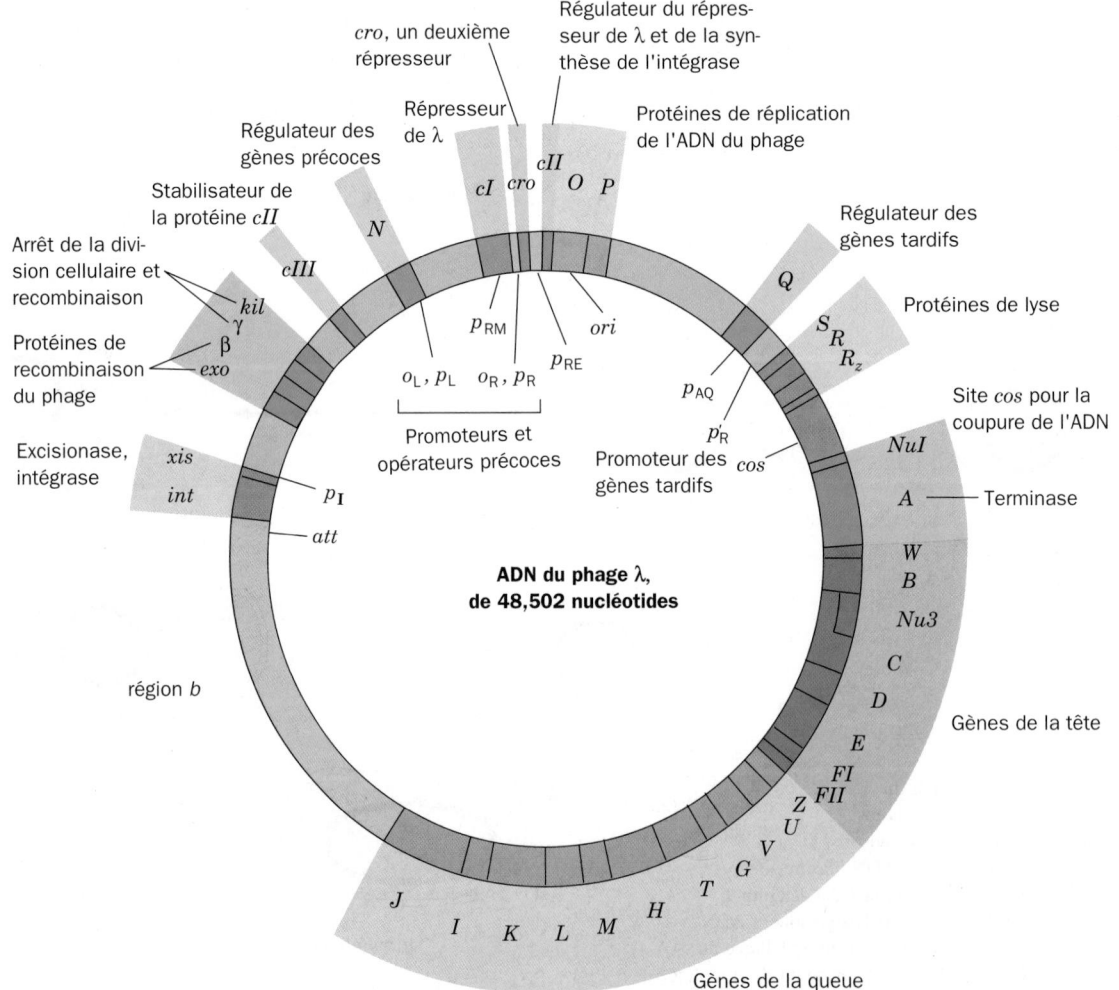

FIGURE 33-30 Carte génétique du bactériophage λ. On voit la localisation de la plupart des gènes de structure (indiqués à l'extérieur du cercle) et des sites de contrôle (à l'intérieur du cercle). Les gènes codant des protéines régulatrices sont colorés en rouge. Lors de l'empaquetage dans la tête, le concatémère est coupé aux sites *cos,* ce qui fait rentrer un ADN linéaire.

un hôte qui lui convient, surtout dans un environnement défavorable. Par contre, un prophage va pouvoir se multiplier indéfiniment avec son hôte aussi longtemps que l'hôte survit. Mais que se passe-t-il si l'hôte subit une lésion fatale ? Le parasite va-t-il mourir avec son hôte ? Dans le cas du bactériophage λ, ce sont justement les lésions dues à une exposition à des agents endommageant l'ADN de l'hôte ou bloquant sa réplication, qui induisent la phase lytique. On a décrit ce phénomène comme un « sauve qui peut » : le prophage peut échapper au destin tragique de l'hôte en formant des particules virales infectieuses qui auront une chance de survie. Inversement, la lysogénie est favorisée par les mauvaises conditions de nutrition pour l'hôte (les phages ne peuvent se répliquer par la voie lytique que dans un hôte en phase de croissance) ou dans le cas où un grand nombre de phages infectent la même cellule hôte (ce qui semble être le signal, que les phages sont sur le point d'éliminer l'hôte).

On décrira dans cette section le mécanisme génétique de contrôle et la formation de particules phagiques dans le mode lytique, ainsi que le mécanisme de régulation permettant aux bactériophages λ de choisir et de se maintenir dans un des deux modes de vie. *On pense que des mécanismes analogues permettent d'expliquer de nombreux processus cellulaires.*

A. *La voie lytique*

Le génome du bactériophage λ, comme l'indique la carte génétique (Fig. 33-30), possède ~50 gènes codant des polypeptides et contient de nombreux sites de contrôle. L'organisation du chromosome est à remarquer : les gènes sont groupés selon leurs fonctions. Par exemple, les gènes concernés par la synthèse de la queue du phage sont arrangés en tandem (Fig. 33-30, *en bas)*. Cette organisation, comme on va le voir, permet aux gènes d'être transcrits ensemble, c'est à dire comme un opéron. Les fonctions de beaucoup de ces gènes de λ et celles des sites de contrôle, tout comme les gènes importants de l'hôte pour le fonctionnement du phage, sont cités dans le Tableau 33-1.

Dans la réplication en mode lytique du phage λ, tout doit être parfaitement organisé et minuté. L'ADN doit être répliqué en quantité suffisante, pour être empaqueté dès que les particules de phages sont produites, et cet empaquetage doit être terminé avant que la cellule hôte ne soit lysée par voie enzymatique. La transcription du génome de λ, qui est assurée par l'ARN polymérase de l'hôte, est contrôlée, tant en mode lytique que lysogénique, par des gènes régulateurs représentés en rouge dans la figure 33-30.

a. Le mode lytique se divise en trois phases : précoce, intermédiaire et tardive

Le programme de transcription en mode lytique comprend trois phases (Fig. 33-31) :

1. Une phase précoce *Aussitôt après l'infection par le phage ou son induction, l'ARN polymérase de E. coli commence à transcrire l'ADN du phage de droite à gauche à partir du promoteur p_L, et de gauche à droite à partir des promoteurs p_R et p'_R, sur l'autre brin (Fig. 33-31a) :*

(i) Le transcrit gauche, Ll, qui s'arrête au site d'arrêt t_{L1}, comprend celui du gène *N*.

TABLEAU 33-1 **Gènes et sites importants pour le bactériophage λ**

Gène ou site	Fonction
Gènes du phage	
cI	Répresseur de λ ; mise en place et maintien de la lysogénie
cII, cIII	Mise en place de la lysogénie
cro	Répresseur de *cI* et des gènes précoces
N, Q	Antiterminateurs des gènes de la phase précoce et de la 2ème phase précose
O, P	Reconnaissance de l'origine de réplication de l'ADN
γ	Inhibition de RecBCD de l'hôte
int	Intégration et excision du prophage
xis	Excision du prophage
B, C, D, E, W, Nu3, FI, FII	Assemblage de la tête
G, H, I, J, K, L, M, U, V, Z	Assemblage de la queue
A, NuI	Empaquetage de l'ADN
R, R_z, S	Lyse de l'hôte
b	Région génétique accessoire
Sites du phage	
*att*P	Site d'attachement pour l'intégration du prophage
*att*L, *att*R	Sites d'excision du prophage
cos	Sites des extrémités cohésives dans l'ADN duplex
o_L, o_R	Opérateurs
$p_I, p_L, p_R, p_{RM}, p_{RE}, p'_R$	Promoteurs
$t_{L1}, t_{R1}, t_{R2}, t_{R3}, t'_R$	Sites d'arrêt de la transcription
*nut*L, *nut*R	Site d'utilisation de *N*
qut	Site d'utilisation de *Q*
ori	Origine de réplication de l'ADN
Gènes de l'hôte[a]	
lamB	Protéine de reconnaissance de l'hôte
dnaA, dnaB	Initiation de la réplication de l'ADN
lig	ADN ligase
gyrA, gyrB	ADN gyrase
rpoA, rpoB, rpoC	Cœur de l'enzyme ARN polymérase
rho	Facteur d'arrêt de la transcription
nusA, nusB, nusE	Nécessaires pour la fonction de gp*N*
groEL, groES	Assemblage de la tête
himA, himD	Facteur de l'hôte pour l'intégration
hflA, hflB	Dégradation de gpc*II*
cap, cya	Système de répression catabolique
*att*B	Site d'intégration du prophage
recA	Induction du mode lytique

[a]Les gènes codant : l'ARN polymérase I, les sous-unités de l'ARN polymérase III (Tableau 30-2) et le primosome (Tableau 30-4) sont aussi nécessaires.

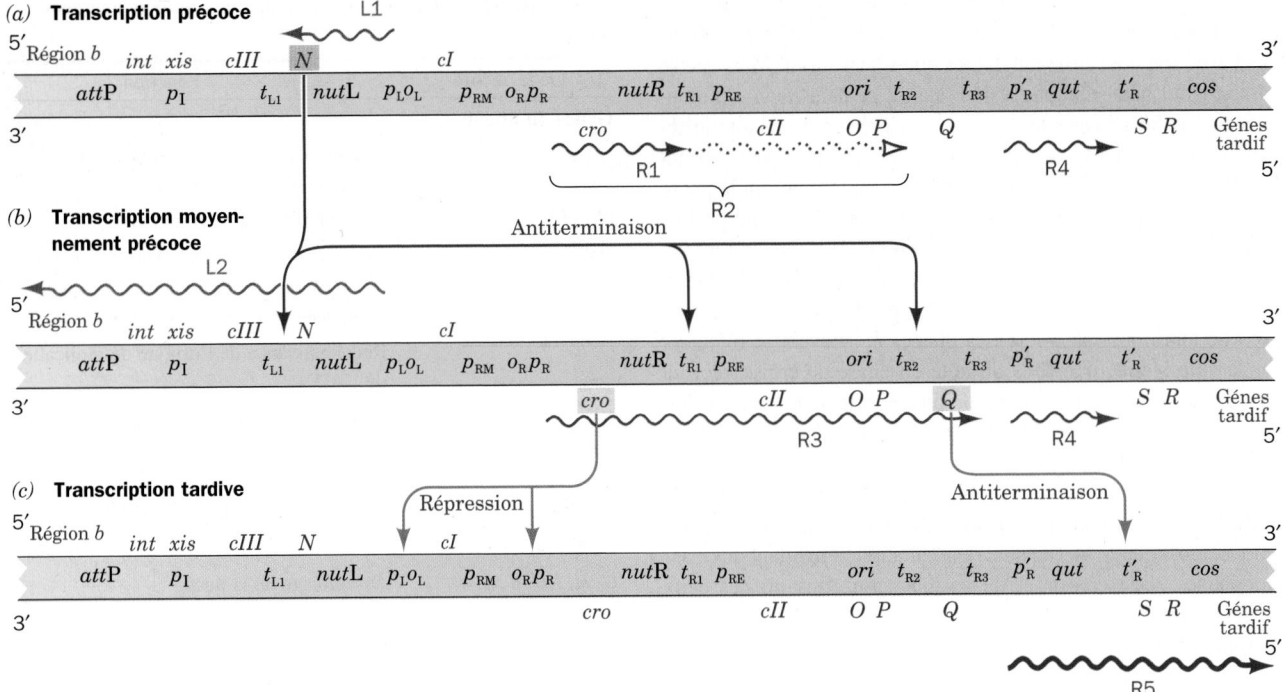

FIGURE 33-31 Expression des gènes au cours du cycle lytique du phage l. Les gènes codant des protéines, qui sont transcrits vers la gauche ou vers la droite, sont respectivement indiqués au-dessus et en dessous du chromosome du phage. Les sites de contrôle sont indiqués entre les brins de l'ADN. La carte génétique n'est pas représentée à l'échelle, ni tous les gènes, ni tous les sites ne sont indiqués. Les transcrits sont représentés par des lignes ondulées dans le sens de l'élongation de l'ARN ; le rôle des protéines de régulation est suggéré par des flèches pointées sur les sites que chaque protéine de régulation contrôle. Le cycle lytique comprend trois phases : (*a*) la transcription précoce, (*b*) la transcription moyennement précoce, et (*c*) la transcription tardive. L'expression des gènes dans chacune des trois phases est régulée par des protéines synthétisées au cours de la phase précédente, comme cela est expliqué dans le texte. [D'après Arber, W., *dans* Hendrix, R.W., Roberts, J.W., Stahl, F.W., et Weisberg, R.A. (Éds), *Lambda II,* p. 389, Cold Spring Harbor Laboratory (1983).]

(ii) La transcription à droite à partir de p_R s'arrête pour ~50 % à t_{R1}, pour former le transcrit R1, et à t_{R2}, pour former le transcrit R2. R1 ne contient que le transcrit du gène ***cro***, tandis que R2 contient en plus ceux des gènes ***cII, O*** et ***P***.

(iii) La transcription à droite à partir de p'_R s'arrête à t'_R, pour former un petit transcrit, R4, qui ne code aucune protéine.

L1, R1 et R2 sont traduits par les ribosomes de l'hôte pour produire les protéines dont les fonctions seront décrites ci-après.

2. La deuxième phase de transcription commence dès qu'une quantité significative de la protéine gp*N* (gp, pour produit du gène) est présente. *Cette protéine agit comme **antiterminateur de transcription** aux sites d'arrêt* t_{L1}, t_{R1} et t_{R2} (Fig. 33-31*b*), de la manière suivante :

(i) Le transcrit de gauche Ll est allongé pour former L2, qui contient en plus les transcrits des gènes ***cIII, xis*** et ***int*** (ils codent des protéines impliquées dans la commutation entre les modes lytique et lysogénique ; Section 33-3C et D), ainsi que les transcrits des gènes de la **région** *b* (codant les **protéines** dites **accessoires,** parce qu'elles accroissent l'efficacité de production du cycle lytique sans être indispensables).

(ii) Le transcrit R2 est également rallongé pour former R3, qui code aussi un deuxième antiterminateur, **gp*Q***, dont la fonction sera décrite plus loin. La traduction sans discontinuité, de R2 et ensuite de R3, pour former **gp*Q*** et **gp*P***, protéines nécessaires à la réplication de l'ADN λ, stimule la production de l'ADN viral. De la même manière, la traduction de R1 et, plus tard, de R3, produit la **protéine Cro (gp*cro*),** qui est un répresseur, aussi bien des gènes lus vers la droite que vers la gauche (cf. plus loin : *cro* vient de *c*ontrol of *r*epressor and *o*ther things).

À ce stade, soit ~15 min après l'infection, la protéine Cro s'est accumulée en quantité suffisante pour se lier aux opérateurs O_L *et* O_R*, ce qui stoppe le départ de la transcription à partir de* p_L *et de* p_R. Ceci plus qu'une simple économie de ressources ; la surexpression des gènes précoces, qui a lieu chez les phages λ*cro⁻*, est toxique au moment de la phase tardive du cycle lytique.

3. La phase tardive La phase finale de transcription (Fig. 33-31*c*), est amorcée par *l'action de l'antiterminateur gpQ, permettant la transcription d'un transcrit R4 plus long, en franchissant* t'_R*, pour former le transcrit R5.* L'effet de dose des gènes produit par les quelques 30 copies de l'ADN phagique, accumulées dès le début de cette étape, entraîne une synthèse d'une grande quantité de protéines de capside (qui sont toutes codées par des gènes tardifs ; leur assemblage en particules complètes de phages est décrit dans la Section 33-3B), ainsi que de **gpR, gpR$_z$** et **gpS,** qui catalysent la lyse de la cellule hôte [gp*R* est une transglycosidase, qui clive les liaisons entre NAG et NAM dans les peptidoglycanes de la paroi de la cellule hôte (Section 11-3B) ; gp*R$_z$* est une endopeptidase qui hydrolyse une liaison peptidique dans les peptidoglycanes ; gp*S* produit des pores dans la membrane cellulaire, permettant ainsi à gp*R* et gp*R$_z$* d'arriver près de leur substrat peptidoglycane]. La première particule de phage est terminée ~22 min après l'infection.

b. Plusieurs protéines sont nécessaires à l'antiterminaison

Le contrôle de la transcription, dans le mode lytique, est assuré par l'antiterminaison provoquée par gpN et gpQ, plutôt que par la liaison d'un répresseur à un site opérateur, comme c'est le cas, par exemple, pour la régulation de l'expression de l'opéron *lac* (Section 31-1.B). gp*N* (107 résidus) a une action aux deux sites d'arrêt, dont l'un est dépendant de rho et l'autre indépendant *(t$_{L1}$* et *t$_{R1}$* sont dépendants de rho, et sont d'ailleurs les premiers sites où on a identifié rho, tandis que *t$_{R2}$* est indépendant de rho ; l'arrêt de la transcription est étudié dans la Section 31-2D). De plus, gp*N* n'agit pas à n'importe quel site d'arrêt de la transcription. En effet, l'analyse génétique de mutants du phage, défectifs pour l'antiterminaison, a montré l'existence de deux sites appelés *nut* (pour l'*u*tilisation de *N),* nécessaires pour entraîner l'antiterminaison : *nutL,* localisé entre *p$_L$* et *N,* et **nutR,** entre *cro* et *t$_{R1}$* (Fig. 33-31). Ces sites possèdent des séquences très semblables avec deux éléments, les *boxB,* dont les transcrits forment des boucles avec épingles à cheveux par liaisons hydrogène, et *boxA* (Fig. 33-32*a*).

Quel est le mécanisme de l'antiterminaison provoqué par gp*N* ? Des mutants de *E. coli* défectifs en antiterminaison ont été obtenus et localisés dans le gène *rpoB* (qui code la sous-unité β de l'ARN

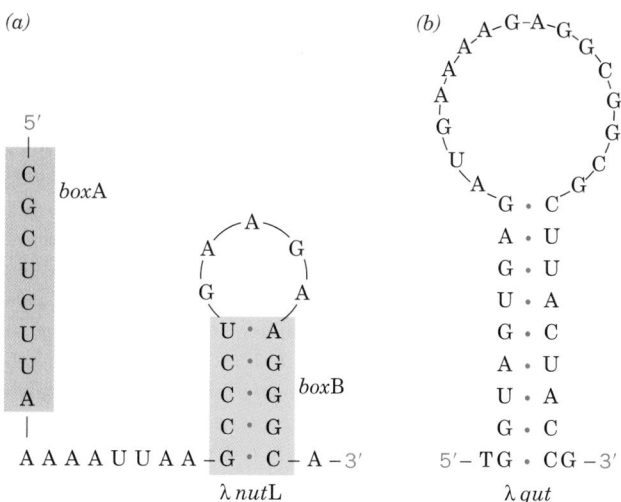

FIGURE 33-32 Les séquences en ARN des sites de contrôle du phage l. (*a*) *nutL,* qui ressemble fortement à *nutR,* et (*b*) *qut.* Chacun de ces sites de contrôle est supposé former une épingle à cheveux par appariement de bases

polymérase). Ceci suggère que gp*N* agit aux sites *nut* pour rendre l'ARN polymérase (dépourvue de son facteur σ) résistante au signal d'arrêt. En effet, l'ARN polymérase associée à gp*N* passe outre de nombreux sites d'arrêt, naturels ou mis en place expérimentalement. Plusieurs résultats, y compris le fait que l'antiterminaison est inhibée si le site *nut* sur l'ARN est entré dans les ribosomes, indiquent que gp*N* reconnaît ce site sur l'ARN et non sur l'ADN.

D'autres analyses génétiques ont montré que l'antiterminaison fait intervenir d'autres facteurs de l'hôte, appelés protéines **Nus**

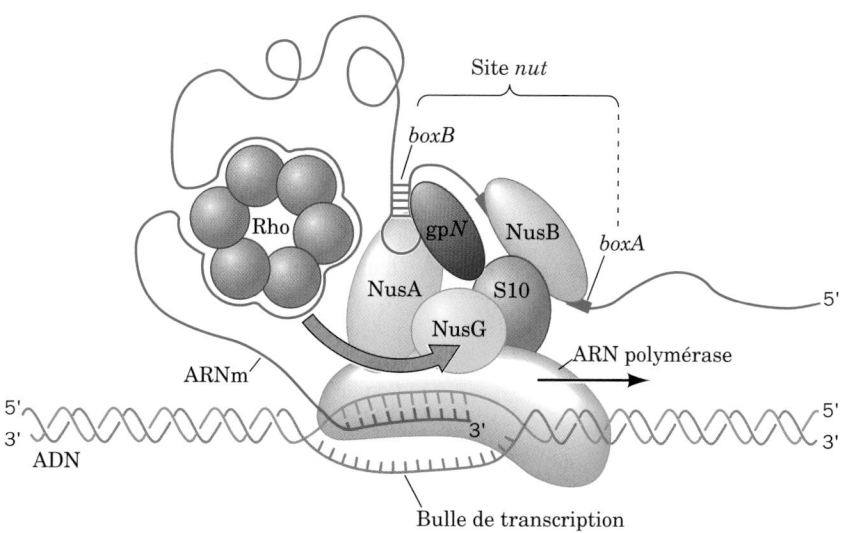

FIGURE 33-33 Modèle schématique du complexe d'antiterminaison, formé par l'ARN polymérase en cours d'activité, gpN et les protéines Nus. GpN et les protéines Nus forment un complexe sur un site *nut* de l'ARN néosynthétisé, qui se lie à l'ARN polymérase active, à un site un peu plus éloigné le long de la boucle d'ARN libéré. Ce complexe empêche l'ARN polymérase de s'arrêter à un site d'arrêt de transcription, ce qui peut empêcher le facteur rho de rattraper l'ARN polymérase, et de libérer le transcrit. Une autre possibilité d'explication serait que la libération du transcrit puisse être inhibée par une interaction directe modulée par *gpN,* entre NusG et le facteur rho *(flèche courbe).* [D'après Greenblatt, J., Nodwell, J.R., et Mason, S.W., *Nature* **364**, 402 (1993).]

(pour *N* utilisation substance) (Fig. 33-33) : **NusA,** qui se lie de manière spécifique à la fois à gp*N* et à l'ARN polymérase ; **NusE** (qui est la protéine ribosomiale S10) et **NusG,** qui se lient toutes deux à l'ARN polymérase ; et **NusB,** qui se lie à S10. Lorsqu'il rencontre un site *nut,* gp*N* forme un complexe avec les protéines Nus et l'ARN polymérase ; ce complexe se déplace avec l'enzyme durant l'élongation et l'empêche de s'arrêter aux sites d'arrêt. Aux sites d'arrêt indépendants de rho, cela empêche le transcrit de se libérer au niveau du segment poly(U), faiblement associé au site d'arrêt, tandis que dans les sites d'arrêt dépendants de rho, cela peut empêcher le facteur rho de rejoindre l'ARN polymérase, ce qui arrête son mouvement tournant et libère le transcrit au niveau de la bulle de transcription. L'autre possibilité, puisqu'on a montré que NusG se lie directement à rho, est que l'interaction modulée par gp*N* empêche rho de libérer le transcrit.

L'ARN *boxB* est reconnu par gp*N*, par ses ~18 derniers résidus du segment N-terminal, riche en arginine. La structure par RMN de l'épingle à cheveux des 15 nt de *boxB* du **bactériophage lambdoïde P22** (poussant sur *Salmonella typhimurium*), en complexe avec le fragment des 20 résidus N-terminaux de sa protéine gp*N* a été déterminée par Dinshaw Patel. Elle montre que le peptide forme une hélice qui se lie du coté du sillon majeur de l'épingle à cheveux de *boxB* par des liaisons électrostatiques et hydrophobes (Fig. 33-34). On pense que cela oriente le coté opposé de l'ARN favorablement pour interagir avec des facteurs de l'hôte.

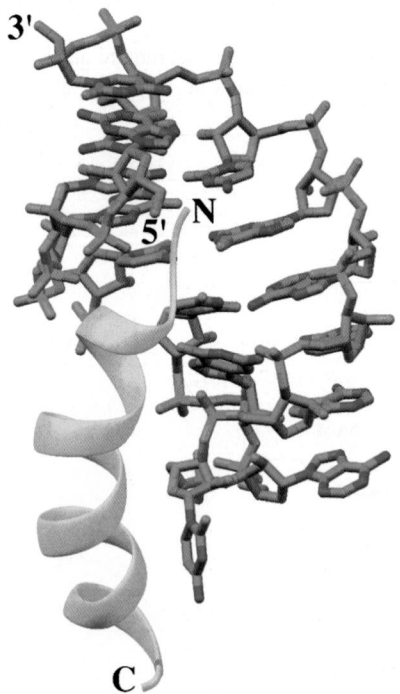

FIGURE 33-34 Structure par RMN de l'ARN *boxB* du bactériophage P22 complexé avec le segment N-terminal riche en résidus Arg de sa protéine gp*N*. Le peptide est représenté par un ruban jaune d'or, l'ARN est en modèle en bâtonnets, colorés selon le type d'atome (C en vert, N en bleu, O en rouge et P en rose). [D'après une structure par RMN de Dinshaw Patel, Centre Anticancéreux Memorial Sloan Kettering, New York, New York. PDBid 1A4T.]

Le phénomène d'antiterminaison de la transcription n'est pas une propriété exclusive de certains bactériophages. En effet, chez *E. coli*, l'hôte de λ, les 7 opérons ribosomiaux (*rrn*) (qui spécifient ses ARN 5S, 16S et 23S ; Section 31-4B), contiennent un élément semblable à *boxA,* qui intervient dans l'antiterminaison au site *rrn,* avec les protéines Nus (ce qui explique probablement pourquoi S10 a une fonction Nus). Cela suggère que *boxA* de λ pourrait être une forme détective de *boxA rrn,* qui a besoin de gp*N* liée à *boxB* en plus des protéines Nus, pour que la terminaison soit inhibée.

Gp*Q* (207 résidus), qui passe outre t'_R pour autoriser la forme tardive de transcription, agit sur un site *qut* (analogue aux sites *nut),* localisé 20 pb en aval de p'_R, et qui forme une épingle à cheveux sur l'ARN, semblable à celles des sites *nut* (Fig. 33-32*b*). Il est cependant curieux que l'antiterminaison provoquée par gp*Q* se fasse *via* un mécanisme assez différent de celui de gp*N*. En effet, gp*Q* se lie de manière spécifique au site *qut* de l'ADN, et non à l'ARN ; il se lie alors avec NusA à l'ARN polymérase qui s'arrête à p'_R durant la phase d'initiation, ce qui va accélérer sa sortie de la région promotrice et sauter le site d'arrêt de la transcription à t'_R.

c. gp*O* et gp*P* jouent un rôle dans la réplication de l'ADN de λ

Les étapes de la réplication de l'ADN chez le phage λ sont représentées dans la Fig. 33-35. Les études en microscopie électronique indiquent que la réplication de l'ADN λ se fait au cours des premiers stades de l'infection selon le mode bidirectionnel en θ (Section 30-1 A), à partir d'une seule origine de réplication *(ori).* Cependant, à un stade plus tardif du programme lytique, après la synthèse de ~50 cercles d'ADN, il y a une commutation complète de la réplication, par un mécanisme inconnu, probablement après épuisement de l'une ou de plusieurs des protéines nécessaires de l'hôte. À ce moment, commence la réplication selon le mode en cercle roulant (en σ) (Section 30-3B), avec synthèse associée du brin complémentaire. La protéine RecBCD (Section 30-6A), nucléase qui fragmenterait très vite les concatémères d'ADN duplex linéaire (unités identiques liées en tandem) formés par ce mode de réplication, est inactivée par la **protéine γ** du phage.

Avant la fin du processus d'assemblage du phage (Fig. 33-3B), le concatémère d'ADN est clivé de manière spécifique à ses sites *cos* (pour « *co*hesive-end *s*ites ») pour former des duplex linéaires possédant des extrémités simple brin de 12 nt, qui vont persister dans les particules de phages matures. La coupure double brin décalée est assurée par la **terminase,** complexe formé par les protéines du phage **gp*A*** (641 résidus) et ***gpNu1*** (181 résidus).

L'ADN du phage λ, est répliqué par l'équipement de réplication de l'ADN de l'hôte (Sections 30-1, 2 et 3) avec la participation de deux protéines du phage seulement, gp*O* (333 résidus) et gp*P* (233 résidus). Gp*O* se lie, probablement sous forme de dimère, spécifiquement à quatre segments palindromiques répétés, localisés dans la région *ori* de l'ADN phagique, tandis que gp*P* interagit à la fois avec gp*O* et la protéine DnaB du primosome de l'hôte. On pense que gp*O* et gp*P* agissent de manière analogue à celle des protéines DnaA et DnaC de l'hôte, qui sont nécessaires à l'initiation et à la réplication de l'ADN de *E. coli* (Section 30-3C). DnaA est d'ailleurs nécessaire la réplication de l'ADN λ. Il semble que gp*O* et gp*P* aient une fonction de reconnaissance du site *ori* de λ, qui est curieusement localisé à l'intérieur même du gène *O*.

B. *Assemblage du virus*

La tête du phage λ, une fois formée contient deux protéines majeures : **gp*E*** (341 résidus), qui forme la coque polyédrique, et **gp*D*** (110 résidus), qui forme le motif de surface. L'observation en microscopie électronique montre que ces deux protéines sont présentes en nombres égaux et qu'elles sont placées à la surface d'un icosadeltaèdre de *T* = 7. Cependant, la tête du λ contient aussi quatre autres protéines importantes, **gp*B*, gp*C*, gp*FII*** et **gp*W*,** formant une structure cylindrique qui fixe la queue à la tête. Ce connectif se place sur un des axes de symétrie d'ordre cinq de la tête, et annule donc la symétrie icosaédrique. Il en résulte qu'il y a un peu moins de 420 copies par phage de gp*E* et gp*D*, ce qui serait le nombre attendu pour un icosadeltaèdre parfait de *T* = 7.

La queue est un tube formé par 32 anneaux hexagonaux de **gp*V*** (246 résidus) empilés ; elle contient en tout 192 sous-unités. La queue commence à se former à partir d'un complexe où 5 protéines différentes s'associent : **gp*G*, gp*H*, gp*L*, gp*M*** et **gp*J*** ; ensuite s'ajoutent **gp*U*** et **gp*Z*** (Fig. 33-28).

La conviction que la connaissance de l'assemblage d'un virus complexe fournirait les bases d'une bonne compréhension de l'assemblage des organites cellulaires, a motivé la recherche sur ce modèle. L'assemblage du phage a été étudié selon plusieurs approches, comprenant la génétique, la biochimie et la microscopie électronique, développées par Robert Edgar et William Wood. Des mutants conditionnels ont été induits (ils sont soit thermosensibles, avec un phénotype normal à basse température et un phénotype mutant à température plus élevée, soit « ambre » et sensibles à des suppresseurs, Section 32-2E) ; ils bloquent l'assemblage du phage à différents stades dans les conditions dites non permissives. On peut ainsi arriver à faire accumuler des produits intermédiaires ou des produits auxiliaires de la réaction d'assemblage. Ces produits peuvent être isolés, et leur structure caractérisée en microscopie électronique. La protéine mutante peut être identifiée par un procédé appelé la **complémentation *in vitro*** (par analogie avec la complémentation génétique *in vivo* ; Section 1-4C), en mélangeant des extraits acellulaires contenant ces intermédiaires, avec une ou l'autre des protéines normales, pour rendre les particules infectieuses.

L'assemblage du bactériophage λ *se fait selon deux parcours parallèles, l'un formant les têtes et l'autre les queues, qui se joignent ensuite en virions complets.*

a. Assemblage de la tête du phage

L'assemblage de la tête du phage λ se fait en cinq étapes (Fig. 33-36, à *droite*) :

1. Deux protéines du phage, gp*B* (533 résidus) et **gp*Nu3*,** avec deux protéines chaperones venant de l'hôte, GroEL et GroES, interagissent pour former un complexe d'initiation dans lequel 12 copies de gp*B* sont arrangées en un anneau. Ce précurseur du connectif de la tête à la queue dans le phage complet (Fig. 33-28), semble être l'organisateur de la formation de la tête du phage. On peut rappeler que GroEL et GroES garantissent une protection qui facilite le repliement et l'assemblage corrects de protéines et des complexes protéiques comme le précurseur du connectif (Sec-

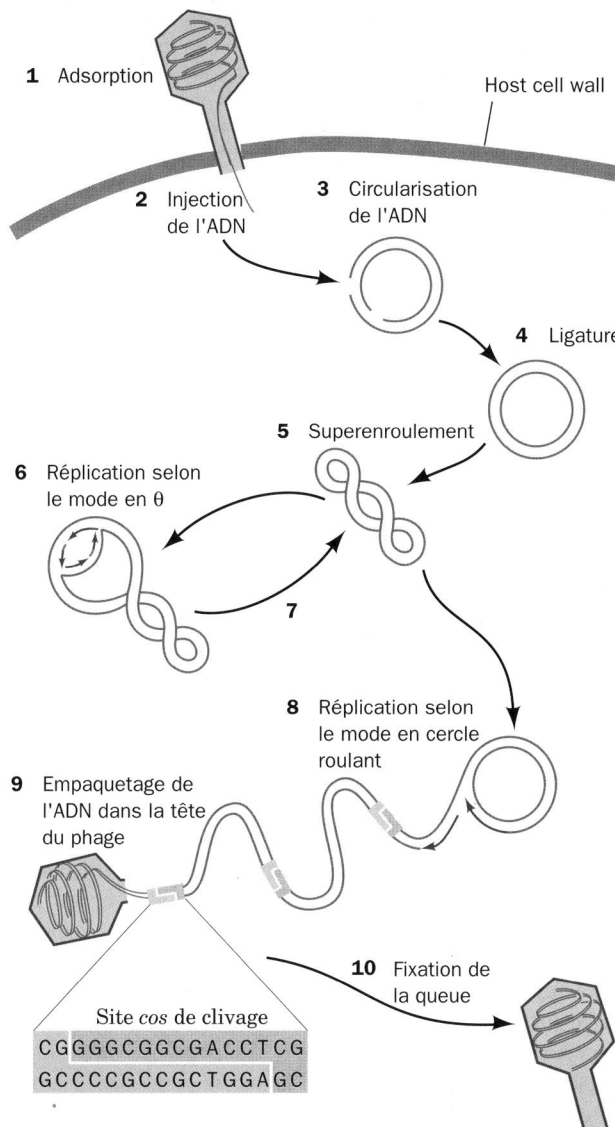

FIGURE 33-35 Réplication de l'ADN dans le mode lytique du bactériophage λ. La particule phagique s'adsorbe sur la cellule hôte (**1**) et injecte son chromosome d'ADN duplex linéaire. (**2**) L'ADN se circularise par l'appariement de ses extrémités complémentaires simple brin. (**3**) Le cercle ainsi formé est scellé par une liaison covalente (**4**) et superenroulé (**5**) par l'action pas à pas de l'ADN ligase de l'hôte et de l'ADN gyrase de l'hôte. La réplication de l'ADN commence par le mode bidirectionnel en θ (**6**) et (**7**) en même temps que le mode en cercle tournant (**8**) ; mais au cours du stade tardif de l'infection, elle se fait exclusivement par le mode en cercle roulant. Les flèches courbes bleues correspondent à l'ADN le plus récemment synthétisé à la fourche de réplication, et les têtes de flèches sont orientées vers l'extrémité 3', dans le sens de l'allongement des chaînes d'ADN. L'ADN concatémérique produit par le mode en cercle roulant, est clivé de manière spécifique à ses sites *cos* (*rectangles ombrés en couleur*) pour être empaqueté dans les têtes de phage (**9**). La jonction avec la queue (**10**) complète l'assemblage en particules matures, qui sont toutes capables de recommencer un nouveau cycle d'infection. [D'après Furth, M.E. et Wickner, S.H., *dans* Hendrix, R.W., Roberts, J.W., Stahl, F.W., et Weisberg, R.A. (Éds), *Lambda II*, p. 146, Cold Spring Harbor Laboratory (1983).]

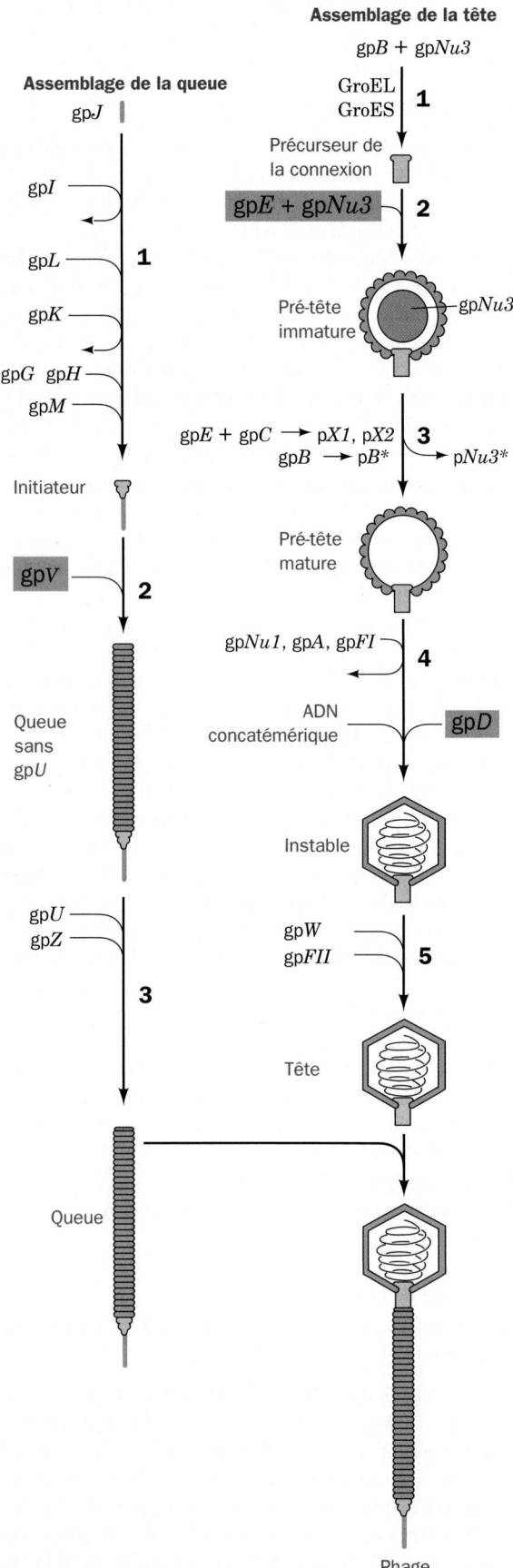

Assemblage de la queue

Assemblage de la tête

FIGURE 33-36 L'assemblage du bactériophage λ. Les têtes et les queues sont assemblées séparément, avant de se fixer l'une à l'autre pour former les particules matures de phage. Dans chaque voie d'assemblage, les réactions successives doivent se faire dans un ordre strict pour aboutir à un assemblage correct. gpE, gpNu3, gpD et gpV sont mises en évidence par des rectangles en couleur rouge, pour montrer qu'il faut des quantités relativement importantes de ces protéines pour réussir l'assemblage du phage. Les étapes sont numérotées conformément au texte.

tion 9-2C). En réalité, ces chaperonines ont été découvertes grâce au rôle qu'elles jouent dans l'assemblage chez λ. On va voir que gpNu3 a aussi une fonction de chaperon moléculaire en ce sens qu'elle n'a qu'un rôle transitoire dans l'assemblage de la tête du phage.

2. gpE et une copie supplémentaire de gpNu3 s'associent pour former une structure appelée la **pré-tête** immature. Si gpB, GroEL, ou GroES sont défectifs ou absents, quelques gpE s'assemblent pour former des structures en spirale ou en tube, ce qui montre qu'il faut les protéines manquantes pour organiser correctement la formation de la coque. L'absence de gpNu3 entraîne la formation de quelques coques seulement, qui ne contiennent que gpE. Il est donc évident que gpNu3 facilite une construction correcte de la coque et qu'il augmente l'association de gpE avec gpB.

3. Au cours de la formation de la pré-tête immature, les 22 résidus N-terminaux de ~75 % des gpB sont clivés pour former **gpB***; gpNu3 est alors dégradé et quitte donc la structure; 10 copies de gpC (439 résidus) participent alors à une réaction de fusion et clivage avec 10 copies supplémentaires de gpE, pour former les protéines hybrides **pX1** et **pX2** (p pour protéine). Celles-ci forment un collier qui semble maintenir le connectif en place. Ce processus de maturation n'utilise que des produits de gènes du phage qui sont déjà dans la pré-tête immature; il faut que tous les composants de la pré-tête soient présents sous une forme fonctionnelle; dans ce cas, la pré-tête immature sera assemblée correctement et l'assemblage pourra continuer. On n'a pas encore identifié le ou les enzymes qui catalyse(nt) ce processus.

4. Le concatémère d'ADN viral est empaqueté dans la tête du phage et clivé selon le processus décrit par la suite. Pendant ce temps, les protéines de la capside changent de conformation, ce qui donne à la tête du phage un volume deux fois plus grand (cette réaction se fait en absence d'ADN dans de l'urée 4*M*). gpD s'attache alors à des sites devenus accessibles sur gpE, ce qui stabilise au moins partiellement la structure agrandie de la capside.

5. Le stade final de l'assemblage de la tête du phage consiste à ajouter successivement gpW (68 résidus) et gpFII (117 résidus), ce qui stabilise la tête et forme le site de liaison avec la queue.

Ces étapes dans l'assemblage de la tête du phage, comme les réactions qui les permettent, doivent se réaliser obligatoirement dans l'ordre, pour que l'assemblage soit correct. Il est important de remarquer que *les composants de la tête mature ne sont pas tout à fait capables de s'assembler tout seuls, comme le sont, par exemple, ceux du TMV (Section 33-1B) et les ribosomes (Section 32-3A).* En effet, les protéines groEL et groES de *E. coli*, facilitent, comme cela a été vu, l'assemblage du connectif de la tête avec la queue. De plus, il est clair que gpNu3, présent à raison de

~200 copies dans la pré-tête immature, mais qui disparaît dans la pré-tête mature, joue un rôle d'échafaudage protéique pour permettre à gp*E* de former correctement la tête du phage. Enfin, *l'assemblage du phage nécessite plusieurs réactions protéolytiques, cela montre en plus qu'il se réalise via des réactions catalysées par des enzymes.*

b. L'empaquetage comprime l'ADN dans la tête du phage

Une question intéressante est de savoir comment, au cours de l'assemblage du phage λ, une tête de 55 nm de diamètre peut empaqueter une molécule d'ADN duplex assez rigide, de 16 500 nm de long. Des observations en cryo-microscopie électronique de têtes de **bactériophages T7** (un coliphage avec une queue) semblent apporter une réponse. Les images de ces têtes de phages sont en vue axiale (selon la droite qui passe par le centre de la particule et par le sommet de la capside où est ancré le connectif entre la tête et la queue). On y voit une disposition surprenante d'au moins 10 anneaux concentriques, l'anneau extérieur, qui est un peu plus épais que les autres, correspondant à la coque protéique (Fig. 33-37*a*). Au contraire les vues latérales de ces têtes de phages ne présentent que des images ponctuées (présentant des points ou des taches) avec par endroits des dessins en forme de lignes. La modélisation par ordinateur montre que ces dessins peuvent être attribués à l'enroulement de l'ADN en couches concentriques autour de l'axe à travers le connectif (Fig. 33-37*b*). Il faut six de ces couches pour faire tenir la totalité des 40 kb d'ADN de T7 dans sa tête de 55 nm de diamètre. Cela n'est pas en contradiction avec le fait qu'on observe au moins neuf anneaux concentriques d'ADN, car dans les différentes couches, l'enroulement de l'ADN est plus serré vers les pôles de la tête du phage et son apparence en projection dans un plan est donc celle de multiples anneaux de rayons plus petits. Le fait que l'ADN entre sous forme linéaire dans la pré-tête du phage, à travers le connectif queue-tête (voir ci-dessous), permet de proposer qu'il s'enroule d'abord, à cause de son manque de souplesse, contre la paroi interne de la coque protéique rigide, et qu'il finit par s'enrouler vers l'intérieur, de manière concentrique, comme si on enroulait une pelote de ficelle à l'envers. Cependant, la façon de s'enrouler peut varier d'une particule à l'autre quant aux détails, comme semble l'indiquer l'observation que lorsqu'on provoque des liaisons covalentes entre l'ADN empaqueté et la capside, celles-ci se répartissent sur toute la longueur de l'ADN.

c. L'ADN est attiré dans la tête du phage au prix de l'hydrolyse d'ATP

L'empaquetage de l'ADN l commence dès que la terminase (gp*A* + gp*Nul*) reconnaît au hasard sa séquence de reconnaissance *cos* de ~200pb et se lie avec elle. Elle forme alors un complexe avec la pré-tête, de manière à y introduire l'ADN par le trou de 20 Å de diamètre dans le connectif tête-queue. L'extrémité gauche du chromosome rentre d'abord dans la pré-tête, comme le montre l'expérience dans laquelle cette extrémité est seule à être empaquetée lorsque l'on cherche à empaqueter *in vitro* des fragments de restriction de l'ADN λ. On ne sait pas si la coupure du site *cos* initial précède ou suit le début de l'empaquetage. Au moins *in vitro*, le processus exige cependant l'établissement d'une liaison entre des protéines de type histone, de *E. coli*, connues sous le nom de **IHF** (pour « intégration host factor », **facteur d'intégration issu de l'hôte**). IHF se lie spécifiquement à certaines

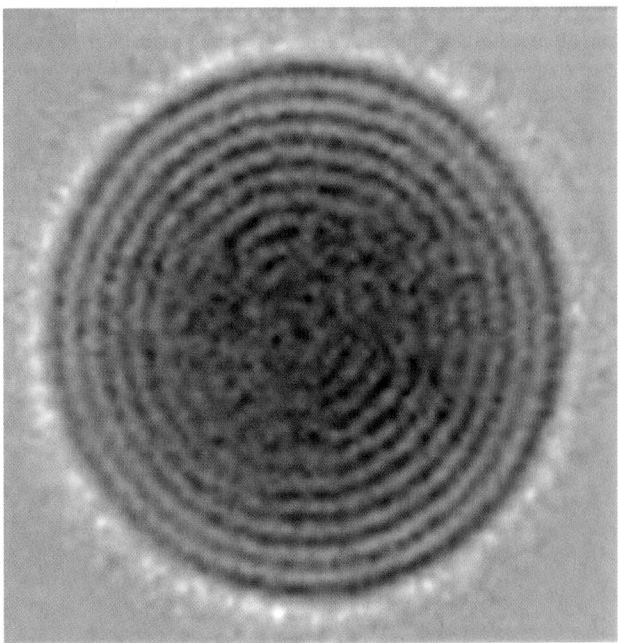

(*a*)

(*b*)

FIGURE 33-37 Compactage de l'ADN double brin dans la tête du phage T7. (*a*) Image par cryo-ME d'une tête de phage T7 pleine d'ADNdb, vue selon une ligne allant du connectif tête-queue au centre de la particule. L'anneau extérieur, un peu plus épais, représente la capside protéique du phage, les neufs anneaux internes, dont l'espacement est de 2,5 nm, représentent l'ADNdb en spirale. [Avec l'aimable autorisation de Alasdair Steven, NIH, Bethesda, Maryland.] (*b*) Dessin du modèle en couches concentriques dans lequel l'ADN est enroulé vers l'intérieur comme une pelote de ficelle autour de l'axe longitudinal du phage. [D'après Harrison, S.C., *J. Mol. Biol*. **171**, 579 (1983).]

séquences d'ADN duplex, enveloppe celui-ci et l'oblige à se plier nettement (voir plus bas).

L'empaquetage de l'ADNdb dans la tête d'un phage est une réaction défavorable à l'enthalpie comme à l'entropie, à cause de la rigidité de l'ADN duplex et de ses charges intramoléculaires qui se repoussent. La démonstration que l'empaquetage nécessite de l'ATP suggère nettement que l'ADN est pompé de manière active dans la tête du phage par la consommation d'ATP. L'injection de l'ADN l dans la bactérie hôte à partir d'un phage est certainement un processus dépendant de l'énergie libre accumulée dans l'ADN compacté.

La structure du connectif tête-queue du bactériophage λ n'est pas connue. Cependant, Baker et Rossmann ont déterminé la structure par rayons X du connectif du **bactériophage φ29** (un phage à queue avec un ADNdb, qui infecte *Bacillus subtilis*), l'ADN de ce phage passe également par ce connectif pour entrer à l'intérieur, puis sortir de la tête du phage. La structure montre que le connectif tête-queue de φ29 est constitué d'un dodécamère cyclique en forme d'entonnoir de sous-unités identiques de 309 résidus. L'entonnoir a une hauteur de 75 Å, une largeur maximale de 69 Å, et un canal central dont le diamètre vaut 36 Å du coté étroit et 60 Å du coté le plus large (Fig. 33-38). Deux segments peptidiques riches en arginine de chaque sous-unité dépassent dans le canal central et sont désordonnés, ils sont de ce fait supposés interagir de façon souple avec l'ADNdb anionique lors de son transit par le canal.

Les études en cryo-ME de φ29 montrent que le connectif est monté sur un des sommets pentagonaux de la pré-tête du phage, son extrémité étroite faisant saillie vers l'extérieur. De plus, la pré-tête contient un ARN de 174 nt codé par le virus appelé **ARNp** (p pour pré-tête), dont la présence est nécessaire pour l'encapsidation de l'ADN, mais qu'on ne retrouve pas dans le virion mature. Les études de cryo-ME montrent que l'ARNp forme un homopentamère cyclique qui entoure l'extrémité étroite du connectif tête-queue dodécamérique (Fig. 33-39), et font également penser que l'ATPase virale qui dirige l'encapsidation de l'ADN est associée avec la pointe pentagonale de la pré-tête. Cela a conduit Baker et Rossmann à émettre l'hypothèse que tout cet assemblage, y compris l'ADN en train d'être pompé dans la pré-tête constitue un moteur rotatif où le complexe pré-tête-ARNp-ATPase joue le rôle de stator (la partie fixe d'une machine rotative), le connectif tête-queue joue le rôle de roulement à bille (une gorge dans laquelle une bille de maintien glisse), et l'ADNdb joue le rôle d'arbre rotatif. Dans ce modèle, les cinq ATPases autour du stator fonctionnent successivement pour créer une vague progressive de changements conformationnels au niveau du connectif, qui a pour effet de le faire avancer le long des sillons hélicoïdaux de l'ADNdb. Cela permet à l'ADN de passer à travers le connectif pour entrer dans la pré-tête (un mécanisme qui rappelle celui proposé pour les hélicases hexagonales comme l'hélicase/primase du gène 4 de T7 ; Section 30-2C). L'ADN se déplacerait d'un cinquième de son pas d'hélice par ATP hydrolysé, ce qui représente deux paires de bases, pour un ADN-B idéal (ayant 10 pb par tour), cette valeur coïncide avec la quantité d'ATP consommée mesurée durant l'encapsida-

(a)

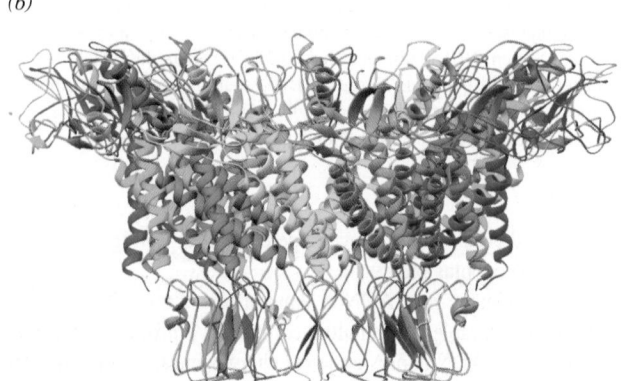

(b)

FIGURE 33-38 Structure par rayons X du connectif tête-queue du bactériophage φ29. La protéine dodécamérique est représentée en forme de ruban avec ses sous-unités identiques de différentes couleurs. (*a*) Vue selon l'axe de symétrie d'ordre 12. (*b*) Vue perpendiculaire à celle de la Partie **a**. [D'après une structure par rayons X de Timothy Baker et Michael Rossmann, Université Purdue. PDBid 1FOU.]

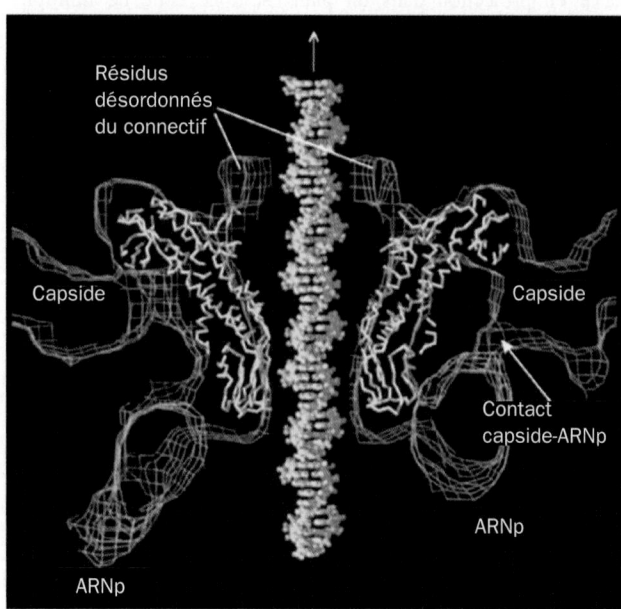

FIGURE 33-39 Vue en coupe de la pré-tête du bactériophage φ29 d'après la densité électronique observée en cryo-ME. La capside (*réseau de lignes rouges*) est ajustée au squelette des C_α du connectif tête-queue (*en jaune*) et à l'ARNp (*réseau de lignes vertes*). Un ADN-B idéal est placé au centre du canal du connectif. Les positions des segments peptidiques en désordre partiel et fortement basiques (résidus 229-246 et 287-309), dont on pense qu'ils sont au contact de l'ADN, sont indiquées. [Avec l'aimable autorisation de Timothy Baker et Michael Rossmann, Université Purdue.]

tion de ɸ29. Le moteur de l'encapsidation de l'ADN du bactériophage λ fonctionne très probablement selon un mécanisme semblable, bien que ɸ29 et ses proches parents soient les seuls phages connus ayant un ARNp.

L'étape finale dans l'empaquetage est la reconnaissance et le clivage du site *cos* suivant sur le concatémère par la terminase (Fig. 33-35), peut-être avec l'aide de **gpFI**. Le phage λ contient donc un segment unique d'ADN (au contraire d'autres phages, dont la capacité d'empaquetage est limitée par une coupure non spécifique dès que la capside est pleine; elle contient alors un morceau d'ADN d'une longueur un peu plus grande que celle du génome). En réalité, le système du λ peut empaqueter avec succès un ADN dont la longueur varie de 75 à 105 % de celle de l'ADN du phage λ sauvage, qui code les gènes accessoires, que l'on peut enlever et remplacer par d'autres séquences, ce qui a fait de λ un vecteur de clonage très utilisé (Section 5-5B).

d. Assemblage de la queue

L'assemblage de la queue se fait indépendamment de celui de la tête (Fig. 33-28 et 33-36). Il commence par la mise en place de la fibre de 200 Å de long, et se poursuit vers l'extrémité qui se reliera à la tête. Il s'agit d'une série de réactions ordonnées de manière stricte, en trois étapes (Fig. 33-36, *à gauche*):

1. La mise en place d'un complexe d'initiation, qui sert de germe de fixation, nécessite l'activité de gp*J* (la protéine de la fibre de la queue) et les produits des gènes *I, L, K, G, H* et *M*, dans l'ordre. Parmi ceux-ci, deux seulement, **gpI** et **gpK** ne sont pas des constituants de la queue mature.

2. L'initiateur forme un germe de polymérisation de gp*V*, la protéine constitutive de la queue; celle-ci forme une pile de 32 anneaux hexamériques. On pense que c'est gp*H* (853 résidus) qui limite la longueur de la queue en croissance, en s'allongeant dans le sens de sa longueur. Il semble que la longueur de la queue, chez λ, soit déterminée d'une manière très semblable à celle de la longueur de la capside hélicoïdale du TMV (Section 33-1B), à ceci près que chez le TMV, le facteur de régulation est une molécule d'ARN et non une protéine.

3. Au cours du stade d'achèvement et de maturation de l'assemblage de la queue, **gpU** se fixe sur la queue en croissance, l'empêchant de continuer à s'allonger. La queue est encore immature; elle a la même longueur qu'après maturation, et peut s'attacher à la tête. Toutefois, pour former les particules infectieuses, il faut que la queue immature soit activée par **gpZ** avant de se relier à la tête.

La queue, une fois terminée, s'attache spontanément à une tête de phage mature pour former une particule infectieuse du virus l (Fig. 33-36, *en bas*).

e. L'assemblage d'autres phages à ADN double brin ressemble à celui de λ

Les assemblages d'autres bactériophages à ADN double brin ont été étudiés en détail, en particulier ceux des coliphages **T4** (Fig. 33-1*e*), T7 et P22). Ces phages ont un système d'assemblage très semblable à celui de λ. Par exemple, les assemblages de la tête suivent des séquences de réactions ordonnées, à partir d'une étape d'initiation: l'assemblage de la pré-tête avec un échafaudage; un empaquetage de l'ADN couplé à l'hydrolyse d'ATP avec un entas-

sement très serré de l'ADN et avec expansion de la pré-tête; et finalement, stabilisation de l'ensemble. Les phages complets sont ensuite formés par la fixation des queues, assemblées à part, sur les têtes remplies d'ADN.

C. *Le mode lysogénique*

La lysogénie s'établit par l'intégration de l'ADN viral dans le chromosome de l'hôte; elle s'accompagne d'une absence totale d'expression des gènes lytiques. Chez λ, l'intégration a lieu grâce à un site spécifique de recombinaison; celle-ci ne diffère de la recombinaison générale (Section 30-6A) que par le fait qu'elle n'a lieu qu'entre les sites chomosomiques appelé *att*P sur le phage et *att*B sur la bactérie hôte (Fig. 33-40). Ces deux sites d'« attachement » ont une homologie de 15 pb (Fig. 33-41); on peut les représenter comme ayant des séquences POP′ pour *att*P et BOB′ pour

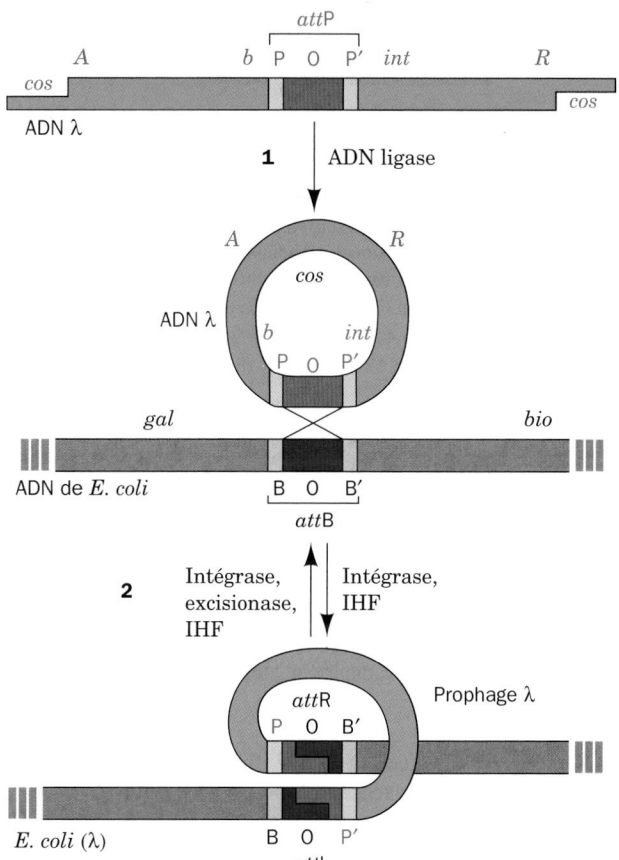

FIGURE 33-40 Recombinaison à spécificité de site chez le bactériophage λ. Schéma montrant: **(1)** la circularisation de l'ADN linéaire du phage λ, par appariement des bases de ses extrémités complémentaires *cos*; ou **(2)** l'intégration/excision de cet ADN dans/hors du chromosome de *E. coli* par une recombinaison spécifique entre les sites *att*P du phage et *att*B de la bactérie. Les régions colorées de manière foncée dans les sites *att* représentent les séquences simple brin identiques de 15 pb échangées par crossing-over (O), tandis que les régions plus claires symbolisent les séquences uniques de la bactérie (B et B′) et du phage (P et P′) avant l'échange. [D'après Landy, A. et Weisberg, R.A., *dans* Hendrix, R.W., Roberts, J.W., Stahl, F.W., et Weisberg, R.A. (Éds), *Lambda II*, p. 212, Cold Spring Harbor Laboratory (1983).]

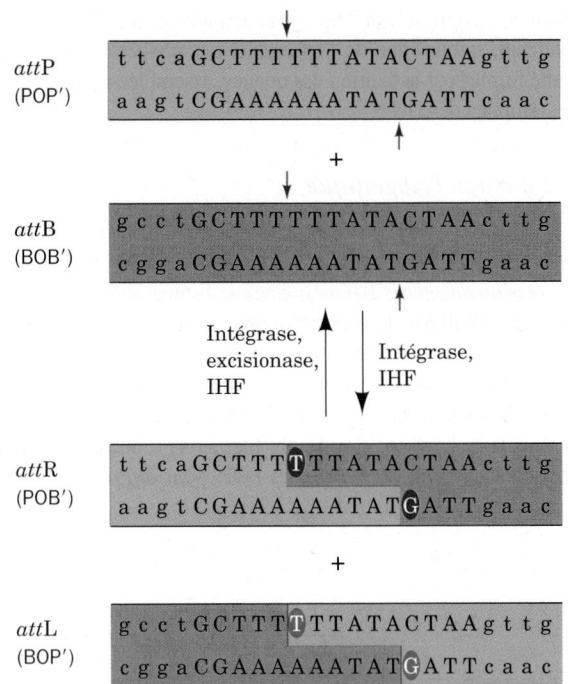

FIGURE 33-41 Processus de recombinaison spécifique d'un site, qui insère ou excise l'ADN du phage λ, dans ou hors du chromosome de la bactérie hôte *E. coli*. L'échange a lieu entre le site *att*P du phage *(en rouge)* et le site *att*B de la bactérie *(en bleu)* pour l'insertion, et les sites *att*L et *att*R du prophage pour l'excision. Les cassures des simples brins ont lieu aux positions approximatives indiquées par les petites flèches bleues. L'appartenance des bases colorées plus intensément est incertaine. Les symboles des bases en majuscules représentent les bases de la région O, communes au phage et à la bactérie, tandis que les bases en lettres minuscules correspondent à celles des sites de bordure B, B′, P et P′.

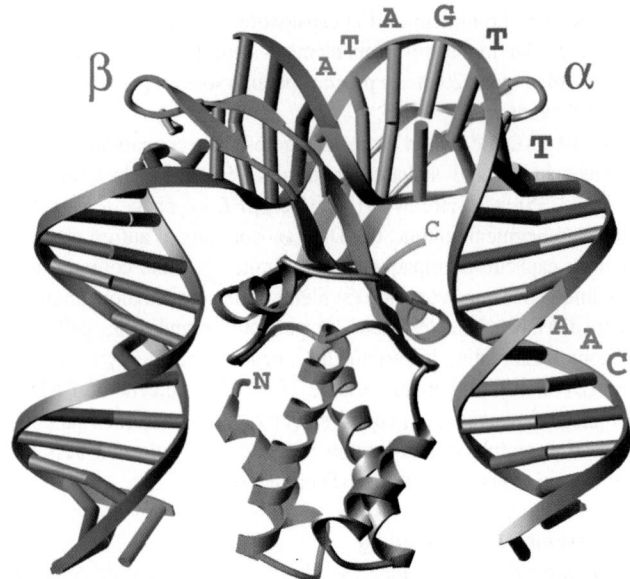

FIGURE 33-42 Structure par rayons X du facteur d'intégration de l'hôte (IHF) complexé avec un ADN cible de 35 pb. La structure est vue avec son axe de pseudo-symétrie vertical. La sous-unité α de IHF est en gris et sa sous-unité β en rose. Le brin « du haut » de l'ADNdb du site *att*, représenté sous forme d'échelle, a été synthétisé en deux fragments. La séquence consensus à laquelle IHF se fixe est colorée en vert, elle interagit principalement avec le bras en ruban β de la sous-unité α ainsi qu'avec le corps de la sous-unité β. Les chaînes latérales des résidus Pro, près du bout de chaque bras, qui s'intercalent entre les paires de bases pour courber l'ADN, sont dessinées en jaune. [Avec l'aimable autorisation de Phoebe Rice, Université de Chicago. PDBid 1IHF.]

*att*B, O désignant la séquence commune. L'intégration du phage entraîne la formation de bordures BOP′ à gauche (le site *att*L) et POB′ à droite (le site *att*R ; Fig. 33-40). Le fait qu'il s'agit d'un crossing-over a été démontré en recombinant de l'ADN bactérien marqué au ^{32}P, avec de l'ADN du phage non marqué. Il y a un site d'échange différent sur chaque brin, décalés l'un par rapport à l'autre, formant donc un duplex recombinant étalé sur quelques bases (Fig. 33-41).

a. L'intégration est catalysée par l'intégrase, tandis qu'il faut en plus, une excisionase pour exciser l'ADN λ

L'intégration du phage est catalysée par une **intégrase,** spécifique du phage, produit du gène λ *int,* dont l'action est corrélative de celle de IHF. L'intégrase de λ est l'homologue de la recombinase Cre du bactériophage P1, dont la structure et le mécanisme d'action sont exposés dans la Section 30-6B, comme elle, elle catalyse une réaction de recombinaison à spécificité de site. Ces arguments, ainsi qu'une série de données biochimiques et génétiques, indiquent que l'intégrase de λ a un mécanisme de fonctionnement similaire. IHF, est un hétérodimère de deux sous-unités de 99 et 94 résidus identiques à 30 %, dont on n'a pas démontré l'activité endonucléase ni topoisomérase mais qui se lie spécifiquement aux ADN possédant différentes séquences *att*. La structure par rayons X de IHF complexé avec son ADN cible de 35 pb

a été déterminée par Phoebe Rice et Howard Nash. Elle montre que cette protéine avec une pseudo-symétrie d'ordre 2 enroule l'ADN autour d'elle avec un angle de courbure de plus de 160° (Fig. 33-42). Cette courbure est majoritairement due à deux coudes principaux, espacés de 9 pb formés par l'intercalation, entre deux paires de bases consécutives, de la chaîne latérale d'une proline fortement conservée. On pense que IHF facilite l'action de l'intégrase de λ en courbant l'ADN en forme de U pour rapprocher étroitement les deux segments d'ADN d'un site *att* auxquels elle se fixe. [La protéine bactérienne **HU** (Section 30-3C) est étroitement apparentée à IHF, aussi bien par sa séquence que par sa structure, mais en diffère du point de vue fonctionnel par sa liaison à l'ADNdb de façon non spécifique.]

Comme l'intégration du virus ne consomme pas d'énergie, on peut se demander pourquoi elle n'est pas spontanément réversible. L'excision requiert, en fait, la participation d'une **excisionase** (72 résidus ; produit du gène **λ** *xis),* en plus de l'intégrase, de IHF, et de **Fis** (une protéine affine de l'ADN, qui stimule par ailleurs l'inversion de gène catalysée par Hin ; Section 30-6B). Il semble que l'asymétrie dans ce processus de recombinaison garantit une stabilité de l'état lysogène, résultant de l'intégration. Le mécanisme exact par lequel l'excisionase entraîne la réversibilité n'est pas connu ; toutefois, on a montré que cette protéine se lie spécifiquement à POB′ et qu'elle induit une forte torsion sur l'ADN à cet endroit.

b. Les quantités relatives de la protéine Cro et du répresseur cI déterminent le type de cycle biologique du phage

L'établissement de la lysogénie chez le phage λ *dépend de la présence de* **gpcII** *à concentration élevée (cf ci-dessous).* Ce produit de gène précoce stimule la transcription vers la gauche à partir des promoteurs p_I (I, pour intégrase), et p_{RE} (RE pour «*repressor* establishment», mise en place du répresseur) ; Fig. 33-43a) :

1. La transcription commence à p_I, localisé dans le gène *xis* ; elle entraîne la production de l'intégrase mais pas de l'excisionase. Il s'ensuit que l'ADN λ est intégré dans le chromosome de l'hôte, sous forme de prophage.

2. Le transcrit qui a débuté à p_{RE} comprend celui du gène *cI*, dont le produit est appelé le *répresseur de* λ ou *cI.* répresseur de λ, qui, comme la protéine Cro (Section 33-3A), se lie aux opérateurs O_L et O_R, ce qui bloque la transcription respectivement à partir de p_L, et de p_R (Fig. 43-33 ; remarquer que ces opérateurs sont en amont de leur promoteur respectif, contrairement à l'opéron *lac,* où le promoteur est en aval ; Fig. 31-2). *Les deux répresseurs bloquent donc la synthèse de produits précoces, y compris celle de la protéine Cro et de gpcII.*

gpcII n'a qu'une demi-vie de ~1 min (voir plus loin) ; il est donc instable du point de vue métabolique ; la transcription de cI s'arrête donc rapidement à partir de p_{RE}. Le répresseur de λ, lié à O_R, ce n'est pas le cas de la protéine Cro, stimule la transcription vers la gauche de cI à partir de p_{RM} (RM pour «*repressor maintenance*», maintien de production de répresseur ; Fig. 33-43b). On peut donc dire que *la protéine Cro réprime toute synthèse d'ARNm, tandis que le répresseur de* λ *stimule la transcription de son propre gène, alors qu'il réprime la synthèse de tous les autres ARNm. Cette différence, simple quant à son concept, entre le rôle du répresseur de* λ *et la protéine Cro, est à la base d'un mécanisme de commutation génétique qui maintient le phage de manière stable soit dans le mode lytique, soit dans le mode lysogénique.* Le mécanisme moléculaire de cette commutation est étudié dans la Section 33-3D. Dans la sous-section ci-dessous, sera

décrite la manière suivant laquelle cette commutation bascule d'un état vers l'autre. On peut déjà voir qu'*une fois que la commutation est tournée sur le cycle lytique, donc lorsque la protéine Cro occupe les sites O_L et O_R, le phage est engagé de manière irréversible dans au moins une génération de mode lytique.*

c. gpcII est activé lorsqu'il y a abondance de phages et lorsque les conditions de nutrition sont mauvaises

La concentration élevée en gpcII nécessaire pour établir la lysogénie, est due au fait que ce produit génique précoce peut stimuler la transcription plus tardive à partir de p_I et de p_{RE}, seulement s'il est sous forme d'oligomère. Cette explication rend bien compte du phénomène d'induction de la lysogénie observée lorsque le nombre de phages infectants par bactérie est élevé (≥10 ; «**multiplicité de l'infection**), car dans ces conditions, l'effet de dose du nombre de gènes *cII* entraîne une surproduction de gpcII.

Par ailleurs, gpcII est métaboliquement instable car il est lysé spécifiquement par des protéines de l'hôte, notamment **gphflA** et **gphflB**. Néanmoins, gpcIII protège gpcII de l'action de *gphflA*, c'est pourquoi sa présence favorise la lysogénisation (Fig. 33-43a). L'activité de *gphflA* dépend du système de répression catabolique de l'hôte activé par l'AMPc (Section 31-3C) ; ceci est démontré par le fait que les mutants de *E. coli* défectifs pour ce système sont moins efficacement lysogénisés. De plus, si ces souches mutantes sont aussi *hflA*⁻, elles se lysogénisent à fréquence plus élevée que la normale. Il semble donc que le système de répression catabolique de *E. coli*, connu comme régulateur de la transcription de nombreux gènes bactériens, contrôle l'activité *hflA*, sans doute en réprimant directement la synthèse de sa protéine à concentration élevée en AMPc. *Ceci explique pourquoi, en mauvaises conditions de nutrition, qui font augmenter la concentration en AMPc, la lysogénisation est favorisée.*

Dès qu'un prophage a été intégré dans le chromosome de l'hôte, la lysogénie est maintenue de manière stable par le répresseur de λ, pendant un nombre indéterminé de générations bactériennes. Cette stabilité résulte de la synthèse toujours stimulée par lui-même, du répresseur de λ, à un taux suffisant pour maintenir la lysogénie dans toutes les cellules filles, par répression de tous les autres gènes

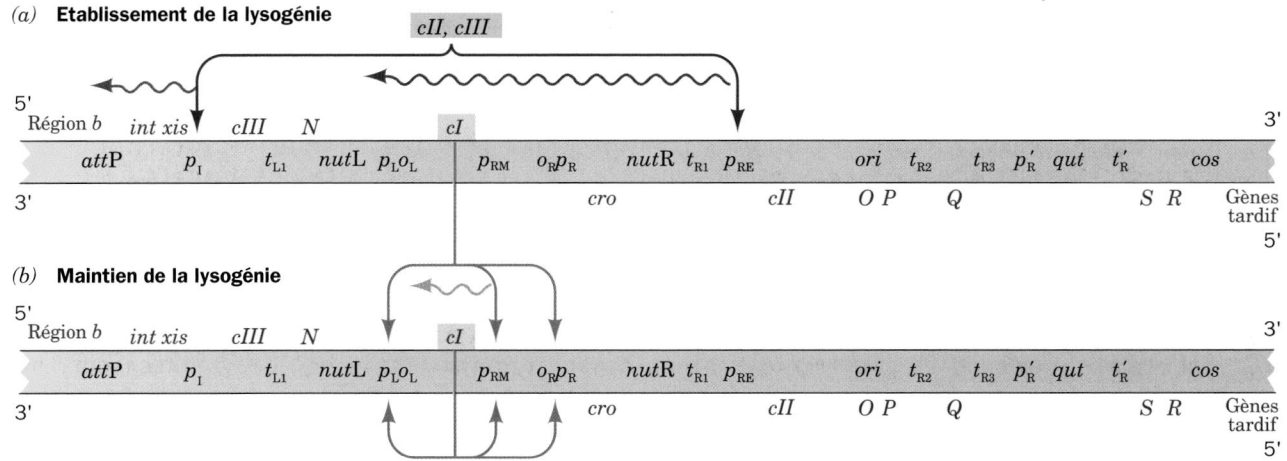

FIGURE 33-43 Contrôle de l'expression des gènes du bactériophage λ. (*a*) L'établissement et (*b*) le maintien de la lysogénie par le bactériophage λ. Les symboles utilisés sont décrits dans la légende de la Fig. 33-

31. [D'après Arbcr, W., *dans* Hendrix, R.W., Roberts, J.W., Stahl, F.W., and Weisbcrg, R.A. (Eds), *Lambda II, p. 389*, Cold Spring Harbor Laboratory (1983).]

du phage. En réalité, *le répresseur de λ est synthétisé en excès, de façon à réprimer aussi la transcription de phages λ surinfectants, ce qui explique aussi le phénomène de l'immunité.* Nous allons étudier maintenant comment se fait l'induction.

D. *Mécanisme de la commutation chez λ*

Le cycle lysogénique est très stable en ce qui concerne la réplication du phage λ ; dans les conditions normales, les bactéries lysogènes ne sont induites spontanément qu'environ une fois pour 10^5 divisions cellulaires. Cependant, une exposition transitoire à des conditions inductives met en route le cycle lytique dans presque toutes les cellules d'une culture de bactéries lysogènes. Le mécanisme entraînant une commutation génétique aussi efficace alors que le cycle lytique est fortement réprimé, sera décrit dans cette section. Il a été mis en évidence surtout par Mark Ptashne.

a. O_R est partagé entre trois sites palindromiques homologues

Deux des opérateurs auxquels le répresseur de λ et la protéine Cro se lient sont partagés en trois sous-sites (Fig. 33-44). Ils sont appelés O_{L1}, O_{L2} *et* O_{L3} *pour* O_L, *et* O_{R1} O_{R2} *et* O_{R3} *pour* O_R. *Chacun de ces sites élémentaires est formé par un segment homologue de 17 pb de symétrie presque palindromique. Cependant, les éléments de* O_L *ne jouent qu'un rôle mineur dans la commutation par rapport à ceux de* O_R.

b. Le répresseur de λ et la protéine Cro ont des structures semblables à celles d'autres répresseurs

Le répresseur de λ se présente sous la forme d'un dimère dont la symétrie d'ordre deux est bien adaptée aux sites ADN élémentaires de l'opérateur avec lequel il se lie. La chaîne monomérique de 236 résidus est repliée en deux domaines de tailles subégales, connectés ensemble par un segment de ~30 résidus qui peut être facilement clivé par des enzymes protéolytiques. Le domaine N-terminal isolé garde son aptitude à se lier spécifiquement à des opérateurs (bien qu'avec une énergie de liaison deux fois plus faible que celle du répresseur complet) mais il ne peut plus constituer de dimère. Les domaines C-terminaux peuvent toujours former des dimères, mais n'ont plus la capacité de se lier à l'ADN. Il est donc clair *que le domaine N-terminal du répresseur est celui qui se lie à l'opérateur, tandis que le domaine C-terminal possède les zones de contact pour former les dimères.*

Bien que le répresseur entier de λ n'ait pas été cristallisé, son domaine N-terminal comprenant les résidus 1 à 92, excisable par la **papaïne,** protéase extraite du papayer, a été cristallisé. La structure de cette partie, seule ou en complexe avec un ADN de 20 pb contenant la séquence O_{L1} a été déterminée par rayons X par Cari Pabo. Le domaine N-terminal cristallise comme un dimère symétrique, avec chaque sous-unité pourvue d'un bras N-terminal et cinq hélices α (Fig. 33-45a). Deux de ces hélices, α2 et α3, forment un motif HTH, très semblable à ceux formés par d'autres répresseurs procaryotiques dont la structure est connue (Section 31-3D). L'hélice α3 est l'hélice de reconnaissance, elle dépasse à l'extérieur de la surface de la protéine, de telle façon que les deux hélices α3 du dimère se placent correctement dans deux grands sillons successifs de l'ADN de l'opérateur. On observe dans les structures par rayons X du fragment N-terminal très apparenté du **répresseur du bactériophage 434,** une association similaire, lorsqu'il forme un complexe avec un ADN de 20 pb contenant la séquence opérateur qui lui correspond (Fig. 31-29). La structure par rayons X du domaine C-terminal (résidus 132 à 236) du répresseur de λ a été déterminée par Mitchell Lewis. Elle montre comment ce domaine se dimérise (Fig. 33-45b). On pense que le répresseur λ intact se dimérise sur son ADN cible de la façon représentée dans la Fig. 33-45c.

La protéine Cro forme aussi des dimères. Cependant, contrairement au répresseur de λ ou celui du phage 434, ce polypeptide de 66 résidus ne forme qu'un domaine, qui contient à la fois son site de reconnaissance de l'opérateur et les points de contact pour former un dimère. La structure a été déterminée par rayons X par Brian Matthews ; le complexe, avec un ADN opérateur de 17 pb très fortement lié, montre que ce dimère contient aussi deux motifs HTH (Fig. 33-46), mais ils se lient à l'ADN en le faisant plier de 40° à l'endroit de la protéine. La spécificité de séquence de la liaison prédite par une telle conformation est cohérente avec les études génétiques, réalisées par Robert Sauer, qui montrent que les souches mutantes pour Cro, dont les résidus formant les contacts ont été changés, sont incapables de liaison avec l'opérateur. De plus, cette structure ressemble fortement à celle de la **protéine Cro du phage 434,** très apparentée, lorsqu'elle forme un complexe avec sa séquence opérateur de 20 pb (Fig. 31-30).

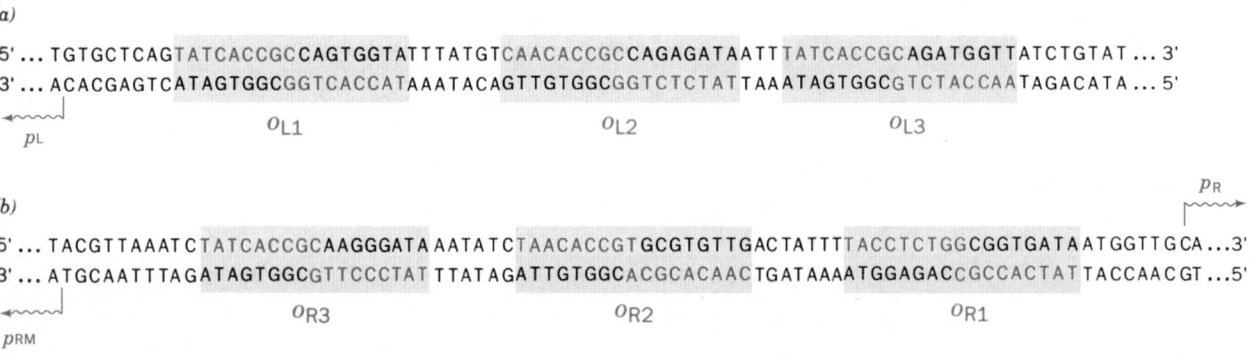

FIGURE 33-44 Séquences des bases des régions de l'opérateur du chromosome du phage λ. (*a*) la région O_L et (*b*) O_R, du chromosome du phage λ. Chacun de ces opérateurs comprend trois sites élémentaires de 17 pb, séparés par de petits espaceurs riches en AT. Chaque site élémentaire possède une symétrie palindromique (d'ordre deux) imparfaite, comme le montre la comparaison des deux ensembles de lettres rouges dans chaque site élémentaire. Les flèches ondulées marquent les sites d'initiation, et la direction de la transcription, pour le promoteur indiqué à côté de chacune d'elles.

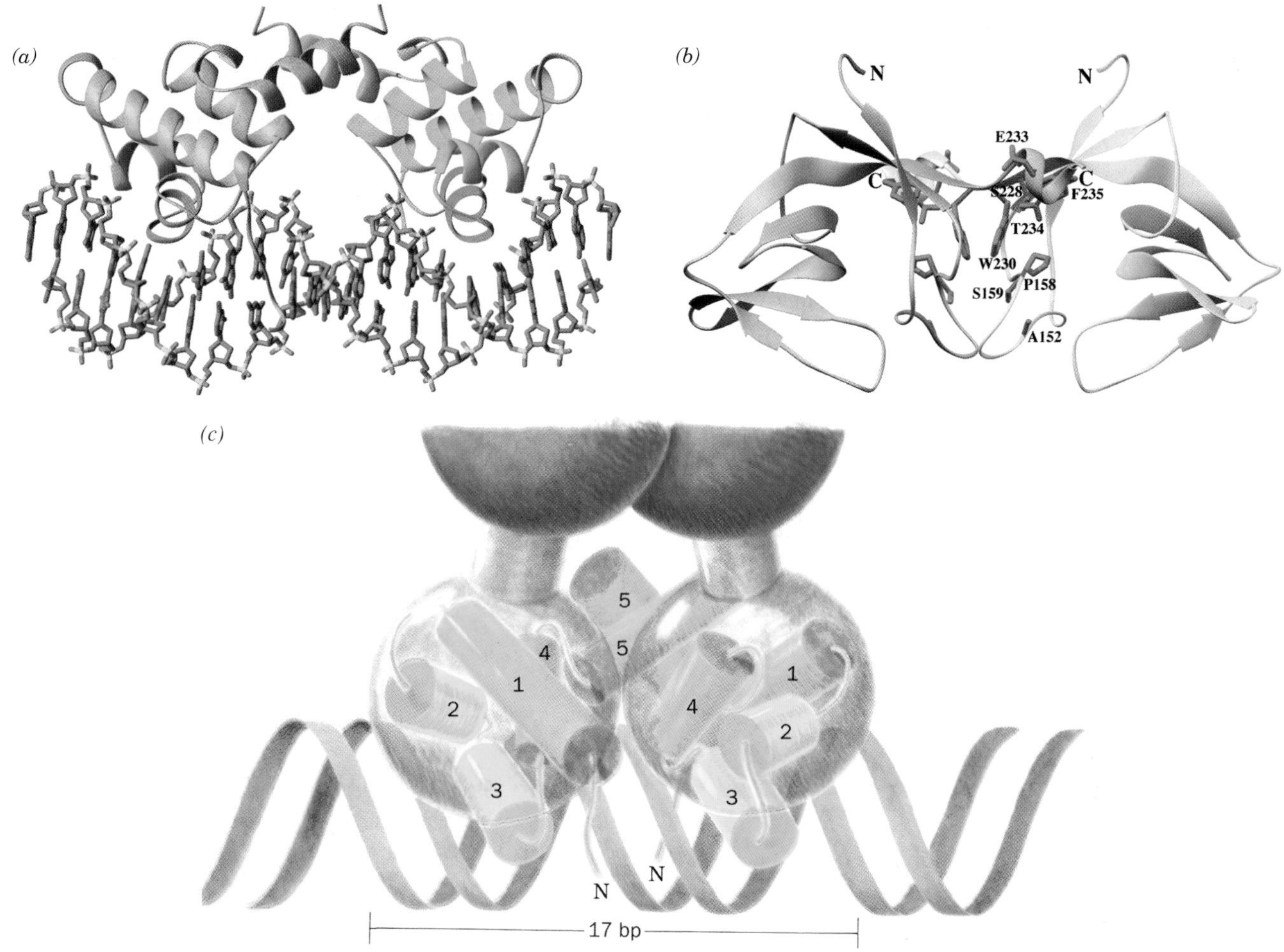

(a)

(b)

E233
S228   C
C   F235
T234
W230
P158
S159
A152
N   N

(c)

5
4
5
1
2   1
4
2
3   3
N   N
N

|←————— 17 bp —————→|

FIGURE 33-45 Structure du répresseur de λ. (*a*) Structure par rayons X d'un dimère des domaines N-terminaux du répresseur de λ, complexés avec l'ADN-B. L'ADN est dessiné en modèle en bâtonnets colorés selon le type d'atome (C en vert, N en bleu, O en rouge et P en jaune). Les deux sous-unités protéiques sont sous forme de rubans orange et bleu clair avec leurs hélices de reconnaissance en rose. Noter que les bras N-terminaux de la protéine embrassent l'ADN. Ceci rend compte du fait que les résidus G situés dans le grand sillon sur le côté opposé du complexe répresseur-opérateur sont protégés contre la méthylation, seulement lorsque ces bras N-terminaux sont intacts. [D'après une structure par rayons X de Cari Pabo, Université John Hopkins. PDBid 1LMB.] (*b*) Structure par rayons X du dimère de domaines C-terminaux. La mutation des résidus représentés en modèle éclaté (qui sont étiquetés sur la sous-unité en vert) interfère avec la dimérisation. [D'après une structure par rayons X de Mitchell Lewis, Université de Pennsylvanie. PDBid 1F39.] (*c*) Dessin interprétant comment les contacts entre les domaines C-terminaux du répresseur (*les lobes du haut*) maintiennent le caractère dimérique de la protéine intacte. Le répresseur de l, se lie aux sites opérateurs élémentaires de 17 pb, O_L et O_R, sous forme de dimères symétriques, avec le domaine N-terminal de chaque sous-unité se liant spécifiquement à un demi-site élémentaire. Noter comment les hélices de reconnaissance α3 des unités HTH α2-α3 symétriques, (*en jaune clair*) se placent bien dans le grand sillon de l'ADN, à deux tours successifs. [D'après Ptashne, M., *A Genetic Switch* (2ᵉ éd.), p. 38, Cell Press & Blackwell Scientific Publications (1992).] Voir les exercices interactifs

FIGURE 33-46 Structure par rayons X du dimère de protéine Cro en complexe avec l'ADN-B. Noter que le répresseur de λ (Fig. 33-45), bien qu'assez dissemblable, contient aussi des unités HTH qui se lient sur deux tours successifs du grand sillon de l'ADN. [D'après Ptashne, M., *A Genetic Switch* (2ᵉ éd.), p. 40, Cell Press & Blackwell Scientific Publications (1992).] Voir les exercices interactifs

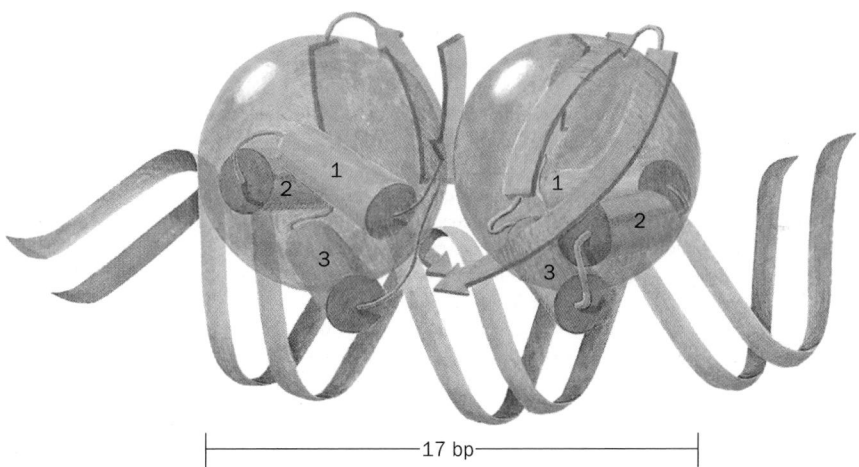

|←————— 17 bp —————→|

c. Le répresseur de λ stimule sa propre synthèse et réprime tous les autres gènes de λ

Des expériences de protection contre des agents chimiques et contre les nucléases indiquent que le répresseur de λ, a des affinités intrinsèques pour les sites élémentaires de O_R, dans l'ordre suivant (Fig. 33-47) :

$$O_{R1} > O_{R2} > O_{R3}$$

En dépit de cette décroissance, O_{R1} et O_{R2} sont garnis presqu'en même temps, parce que *le répresseur de λ, lié à O_{R1} aide à la liaison d'un répresseur à O_{R2}, en associant leurs domaines C-terminaux (Fig. 33-47c)*. O_{R1} et O_{R2} sont ainsi garnis même à faible concentration en répresseur de λ, tandis que O_{R3} n'est garni qu'à des concentrations plus élevées.

La liaison du répresseur de λ, à O_R, comme indiqué plus haut, empêche la transcription à partir de p_R et stimule celle à partir de p_{RM} (Fig. 33-47c). A des concentrations plus élevées en répresseur de λ, la transcription à partir de p_{RM} est cependant réprimée aussi (Fig. 33-47d). Ces mécanismes ont été clairement démontrés à partir de la construction d'une série d'opérons hybrides qui ont permis d'étudier en fonction des conditions de régulation, les effets du répresseur de λ sur un promoteur. Ce système expérimental a deux composantes (Fig. 33-48) :

1. Un plasmide possédant le gène *lacI* (codant le répresseur lac ; Section 31-1 A) et la séquence opérateur-promoteur du gène *lac* fusionnée avec le gène *cI*. Cette construction permet de contrôler directement par variation de la concentration en IPTG, inducteur de l'opéron *lac,* la quantité de répresseur de λ produite (Section 31-1 A).

2. Un prophage contenant O_R et soit p_{RM}, comme le montre la Fig. 33-48, soit p_R, fusionnés avec le gène *lacZ*. La quantité de produit formé par *lacZ,* la β- galactosidase, peut être mesurée précisément, et elle correspond à l'activité de p_{RM} ou de p_R.

Les expériences ainsi réalisées ont montré qu'à des concentrations intermédiaires de répresseur de λ (lorsque O_{R1} et O_{R2} sont alors occupés), la transcription à partir de p_R est réprimée tandis que

FIGURE 33-47 Liaison du répresseur de λ aux trois sites élémentaires de O_R. (*a*) En l'absence du répresseur, l'ARN polymérase commence la transcription de manière intensive à partir de p_R (*à droite*), et à un niveau plancher à partir *de p_{RM}*. (*b*) Le répresseur a ~10 fois plus d'affinité pour O_{R1} que pour O_{R2} ou O_{R3}. Le dimère du répresseur se lie donc d'abord à O_{R1}, bloquant la transcription à partir de p_R. (*c*) Un deuxième dimère du répresseur ne se lie à O_{R2} qu'à des concentrations un peu plus élevées en répresseur, à cause des liaisons spécifiques entre les domaines C-terminaux des répresseurs voisins. Dans ces conditions, il stimule intensivement l'initiation de la transcription par l'ARN polymérase à partir *de p_{RM} (à gauche)*, (*d*) Aux concentrations élevées en répresseur, celui-ci se lie aussi à $O_{R3,}$ ce qui bloque la transcription à partir de p_{RM}. Notez que bien que les Parties *c* et *d* soient dessinées avec des contacts entre les domaines C-terminaux de deux monomères seulement de répresseur de chacun des dimères, cette interaction peut se faire par des contacts entre les domaines C-terminaux des quatre monomères de répresseur. (D'après Ptashne, M., *A Genetic Switch* (2ᵉ éd.), p. 23, Cell Press & Blackwell Scientific Publications (1992).]

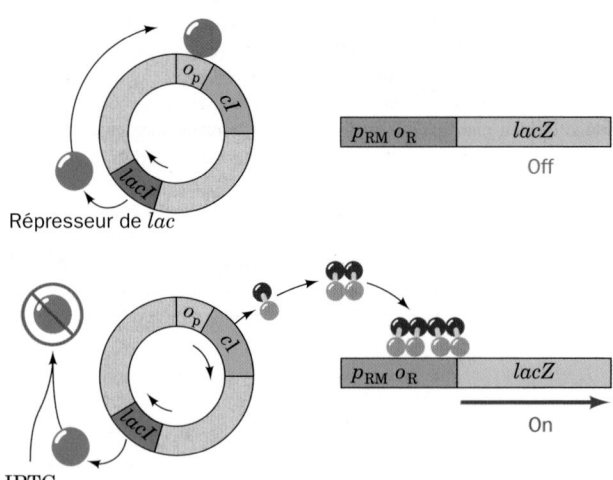

FIGURE 33-48 Système génétique utilisé pour étudier les effets du répresseur de λ sur p_{RM}. La bactérie doit comporter deux opérons hybrides. Le premier (*à gauche*) est un plasmide contenant l'opérateur-promoteur de *lac (Op)* fusionné avec le gène λ *cI*, de manière à fournir le répresseur cI. Le gène *lacI*, qui code le répresseur de *lac*, est incorporé au plasmide pour que le niveau de répresseur de λ dans la bactérie, puisse être contrôlé par la concentration en inducteur de *lac,* l'IPTG. Le deuxième opéron (*à droite*) est porté par le prophage qui contient le promoteur p_{RM} fusionné avec le gène *lacZ*. Le niveau de β-galactosidase (*gplacZ*) dans ces cellules, reflétera donc l'activité de p_{RM}. En vue d'expériences semblables, le gène *cro* a été substitué par λ *cI*, et/ou p_{RM} a été remplacé par p_R. [D'après Ptashne, M., *A Genetic Switch* (2ᵉ éd.), p. 89, Cell Press & Blackwell Scientific Publications (1992).]

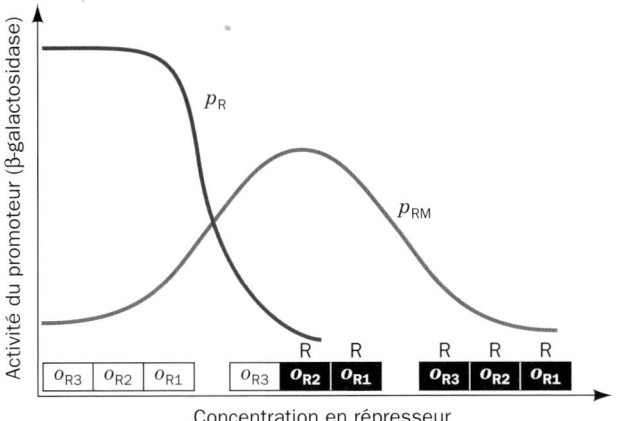

FIGURE 33-49 La réponse de p_{RM} et *de* p_R à la concentration du répresseur de λ. La courbe pour p_{RM} a été obtenue à partir du système expérimental présenté Fig. 33-48, tandis que la courbe pour p_R a été obtenue avec un système semblable, dans lequel p_R a été fusionné avec *lacZ* au lieu de p_{RM}. La quantité de répresseur de λ donnant une stimulation maximale de p_{RM}, est approximativement celle que l'on trouve dans les λ lysogènes. Il faut au moins cinq fois plus de répresseur pour réprimer p_R à 50 % du maximum. Les rectangles représentent l'état d'occupation des différents sous-sites O_R par le répresseur. [D'après Ptashne, M., *A Genetic Switch* (2ᵉ éd.), p. 90, Cell Press & Blackwell Scientific Publications (1992).]

celle de p_{RM} est stimulée (Fig. 33-49). La transcription à partir de p_{RM} n'est réprimée qu'à des concentrations élevées du répresseur de λ, (lorsque O_{R3} est également occupé). La stimulation de la transcription à partir de p_{RM} est abolie si des mutations de O_{R2} entraînent l'impossibilité de liaison au répresseur, tandis que sa répression aux concentrations élevées en répresseur est relâchée par les mutations dans O_{R3}. Donc, *si O_{R2} est occupé par le répresseur de λ, la transcription est stimulée à partir de p_{RM}, tandis que si O_{R3} est occupé aussi, celle-ci est inhibée (Fig. 33-47c et d). De la même manière, si O_{R1} est occupé, ou O_{R1} et O_{R2}, cela empêche la transcription à partir de p_R.* Ainsi, le répresseur de λ empêche la synthèse de tous les produits géniques du phage sauf lui-même. Pourtant, à concentrations élevées en répresseur, sa synthèse est réprimée aussi, ce qui maintient la concentration en répresseur dans des limites compatibles avec son efficacité.

D'où vient la propriété remarquable du répresseur de λ d'inhiber la transcription à partir d'un promoteur, tandis qu'il peut la stimuler à partir d'un autre ? Les tailles connues et les formes du répresseur et de l'ARN polymérase, de même que leurs positions sur l'ADN, identifiées par des expériences de protection chimique, montrent que le répresseur placé sur O_{R2} et l'ARN polymérase au site p_{RM} se touchent (Fig. 33-50). Il est clair que *le répresseur stimule l'activité ARN polymérase par leur liaison coopérative avec l'ADN.* Ce modèle est conforté par l'étude des effets de répresseurs mutants qui se lient normalement ou presque, aux opérateurs, mais qui sont incapables de stimuler la fixation de l'ARN polymérase : tous leurs sites mutants portent soit sur des résidus dans l'hélice α2 *soit* dans son connectif avec l'hélice α3, et se retrouvent sur la surface de la protéine, là où elle est supposée être en face du site de liaison de l'ARN polymérase (Fig. 33-50).

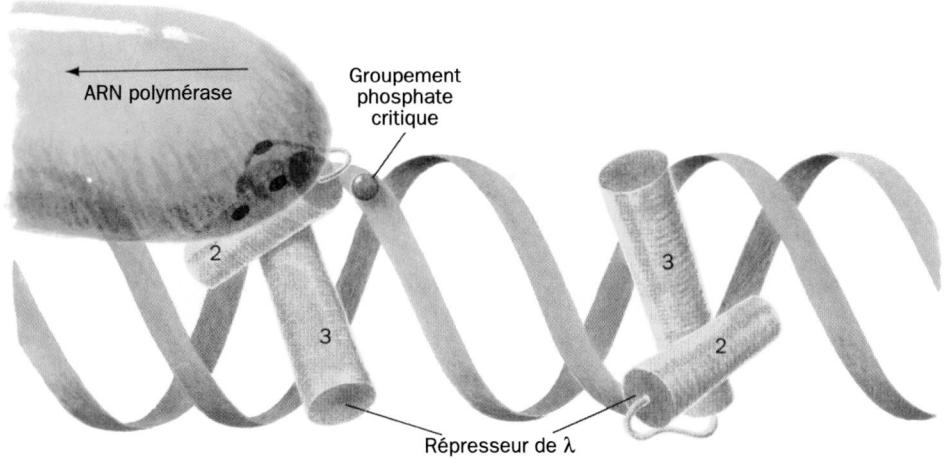

FIGURE 33-50 Interactions entre le répresseur de λ et l'ARN polymérase. On pense que lorsque le répresseur est lié à O_{R2}, il stimule la transcription à partir de p_{RM} grâce à une association spécifique avec l'ARN polymérase, qui facilite la liaison de celle-ci avec le promoteur. Ce modèle est conforté par l'altération de résidus (*les taches en bleu*) à trois sites localisés dans le répresseur, qui ne modifient pas la liaison à O_{R2}, mais qui annulent la stimulation de la transcription à partir de p_{RM}. Les positions relatives du répresseur et de l'ARN polymérase ont été établies par la localisation d'un groupement phosphate (*sphère en orangé*), dont l'éthylation interfère à la fois avec les liaisons sur l'ADN du répresseur et de la polymérase. Pour que le dessin reste clair, on a représenté seulement les unités HTH α2-α3 du dimère de répresseur.

d. La protéine Cro liée à O_R réprime tous les gènes de λ

La protéine Cro se lie aux sites élémentaires de O_R selon une affinité inversée par rapport à celle du répresseur de λ (Fig. 33-51) :

$$O_{R3} > O_{R2} \approx O_{R1}$$

Ces liaisons ne sont pas de type coopératif. Grâce à des expériences semblables à celle représentées Fig. 33-48, où *cro* remplacerait *cI,* on a montré que la liaison de la protéine Cro à O_{R3} inhibait toute transcription à partir de p_{RM}. La liaison d'autres protéines Cro à O_{R2} et/ou à O_{R1}, empêche la transcription à partir de p_R.

e. La réponse SOS induit le clivage du répresseur de λ sous l'action de RecA

Un dernier élément permet de comprendre comment se fait la commutation chez λ. *La phase lytique est induite par des agents qui endommagent l'ADN de l'hôte, ou qui inhibent sa réplication.* Ce sont exactement les conditions permettant l'induction de la réponse SOS chez *E. coli :* les fragments d'ADN simple brin produits activent la protéine RecA, ce qui entraîne l'autoclivage de la protéine LexA, qui est le répresseur des gènes SOS, à une liaison Ala-Gly (Section 30-5D). *La protéine RecA activée stimule aussi le clivage auto-catalytique de la liaison Ala 111-Gly 112 du monomère du répresseur de λ (qui se trouve dans le segment polypeptidique qui relie les deux domaines du répresseur).* La capacité du répresseur de se lier d'une manière coopérative à O_{R2} est alors perdue (Fig. 33-52*a* et *b*) ; les domaines C-terminaux peuvent encore former les dimères, mais ils ne sont plus capables de se lier à l'ADN par les domaines N-terminaux). Il s'ensuit une réduction de la concentration en monomères libres intacts, ce qui déplace l'équilibre monomère-dimère de telle façon que les dimères liés aux opérateurs se dissocient en monomères, et sont clivés sous l'influence de RecA avant qu'ils ne retrouvent leur site cible.

En l'absence de répresseur sur le site O_R, les gènes précoces de λ sont transcrits, y compris *cro* (Fig. 33-52*c*). Lorsque Cro s'accumule, elle se fixe d'abord à O_{R3} et bloque toute expression du répresseur de λ (Fig. 33-52*d*). *Comme il n'y a pas de mécanisme pour inactiver Cro de manière sélective, le phage entre dans le mode lytique :* la commutation, une fois enclenchée, est irréversible. Le prophage est ensuite excisé du chromosome de l'hôte par l'intégrase et l'excisionase, produites vers la fin de la phase précoce (Fig. 33-31).

f. La capacité de réponse du phage λ par commutation aux conditions d'induction résulte d'interactions coopératives entre les composants du système

La complexité de ce mécanisme de commutation lui donne une sensibilité que ne donneraient pas des mécanismes plus simples. Le degré de la répression de p_R est fonction étroite de la concentration en répresseur (Fig. 33-53, *à droite*) : la répression de p_R dans une bactérie lysogène est normalement complète à 99,7 %, mais elle chute de moitié si le répresseur est inactivé à 90 %. Cette courbe sigmoïde de forte pente résulte de l'affinité beaucoup plus grande des dimères de répresseur, par rapport aux monomères. Cette dynamique résulte du fait que l'équilibre monomère-dimère est de type coopératif, qu'il y a liaison d'un dimère à l'opérateur et association des dimères liés à O_{R1} et O_{R2} pour former un tétramère. En fait cet effet coopératif est encore accentué par la liaison analogue de tétramères de répresseur à O_{L1} et O_{L2}, qui, grâce à la formation d'une boucle d'ADN, forme un octamère avec le tétramère de répresseur fixé sur O_{R1} et O_{R2} (cela augmente aussi la répression de p_L). Par contre, pour avoir un promoteur réprimé à 99,7 %, contrôlé par une liaison stable avec un répresseur oligomérique, lié à un seul site opérateur, comme c'est le cas dans le système *lac,* il faut une inactivation à 99 % du répresseur, pour avoir une réduction de l'expression à 50 % (Fig. 33-53, *à gauche*). *Le double fait que l'oligomérisation du répresseur de λ est de type coopératif, et qu'il se lie à plusieurs sites de l'opérateur, est donc responsable de la capacité remarquable de λ de répondre par commutation au mauvais état de sa cellule hôte.*

4 ■ LE VIRUS DE LA GRIPPE

La **grippe** (ou « influenza ») est l'une des rares maladies infectieuses humaines banales que la médecine d'aujourd'hui ne maîtrise pas bien. Hippocrate signalait déjà une épidémie de grippe en

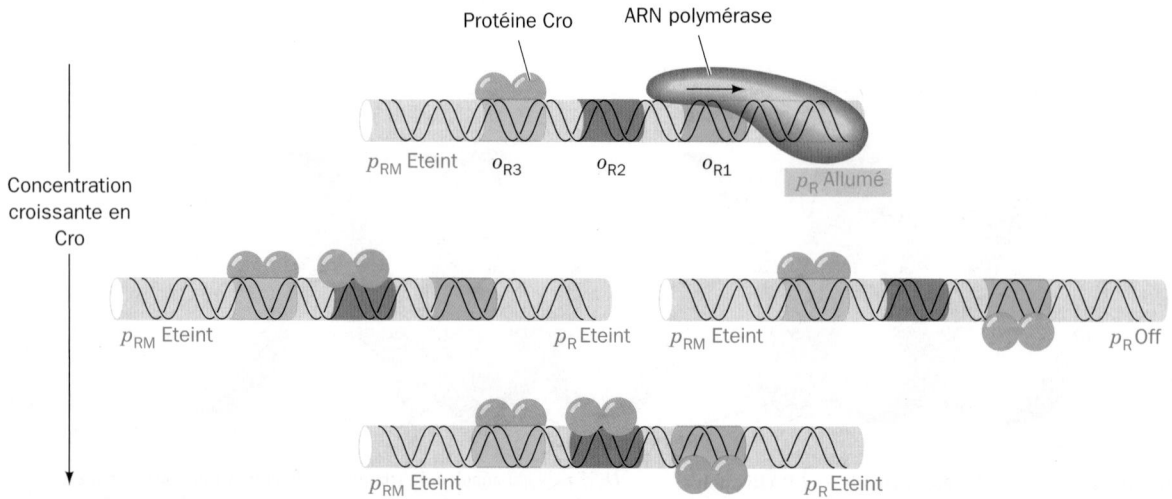

FIGURE 33-51 Liaison de la protéine Cro aux trois sites élémentaires de O_R. O_{R3} se lie ~10 fois plus fort à Cro que O_{R1} et O_{R2}. Le dimère de Cro se fixe donc d'abord sur O_{R3} Un second dimère se fixe ensuite, soit à O_{R1} soit à O_{R2} et, dans chaque cas, bloque la transcription à partir de p_R. Aux concentrations en Cro élevées, les trois sites élémentaires sont occupés. Comparer cette succession de fixations avec celle du répresseur de λ (Fig. 33-47). [D'après Ptashne, M., *A Genetic Switch* (2ᵉ éd.), p. 27, Cell Press & Blackwell Scientific Publications (1992).]

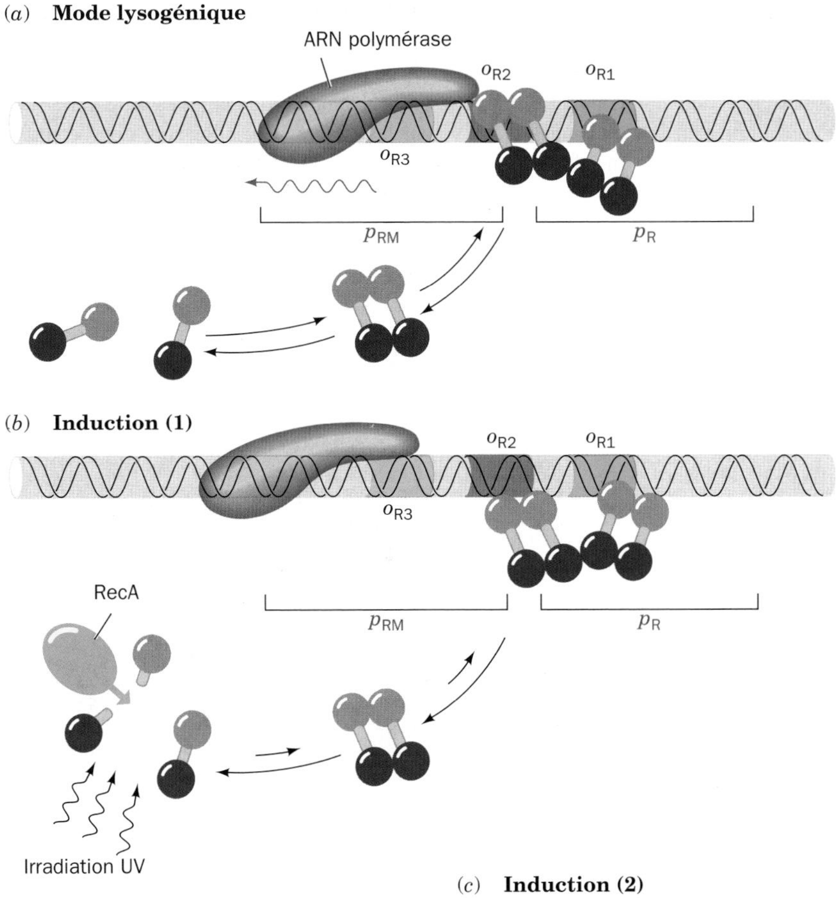

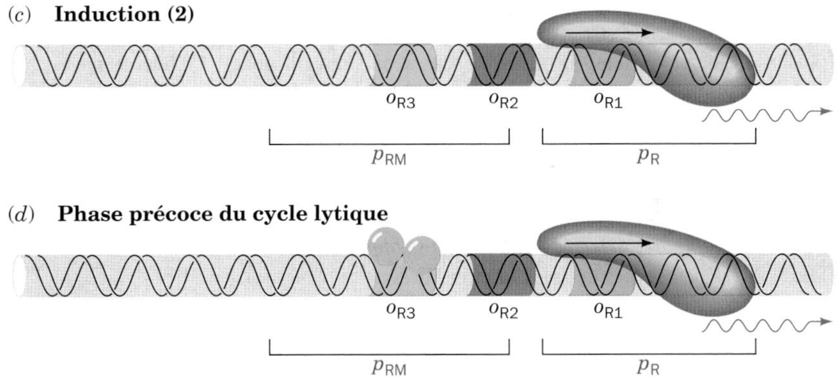

(a) Mode lysogénique

ARN polymérase

o_{R2} o_{R1}

o_{R3}

p_{RM} p_R

(b) Induction (1)

o_{R2} o_{R1}

o_{R3}

p_{RM} p_R

RecA

Irradiation UV

(c) Induction (2)

o_{R3} o_{R2} o_{R1}

p_{RM} p_R

(d) Phase précoce du cycle lytique

o_{R3} o_{R2} o_{R1}

p_{RM} p_R

FIGURE 33-52 La commutation de λ. (a) Dans le mode lysogénique, deux molécules de répresseur de λ se lient, de manière coopérative, à O_{R1} et O_{R2}, grâce à l'association de leurs domaines C-terminaux. Ceci bloque l'accès de l'ARN polymérase à p_R. Cependant, le répresseur lié à O_{R2} s'associe, par son domaine N-terminal, à l'ARN polymérase au site p_{RM}, ce qui induit la transcription de *cI*, le gène pour le répresseur de l, à partir de ce promoteur (*flèche ondulée*). (*b*) Les lésions de l'ADN de l'hôte, causées, par exemple, par l'irradiation UV, activent la protéine RecA de l'hôte, qui stimule alors l'auto-clivage des monomères de répresseur λ à une liaison spécifique Ala-Gly, entre les deux domaines, (*c*) La dégradation des monomères de répresseur qui s'ensuit, provoque un déplacement de l'équilibre en faveur de la libération des sites O_{R1} et O_{R2}, les rendant accessibles à l'ARN poymérase. Ceci provoque la transcription des gènes précoces (Fig. 33-31), y compris *cro*, à partir de p_R (*flèche ondulée*). (*d*) La protéine Cro est ensuite synthétisée et elle se lie à O_{R3}, ce qui bloque maintenant la transcription de *cI* à partir de p_{RM}. La croissance lytique est alors induite de manière irréversible.

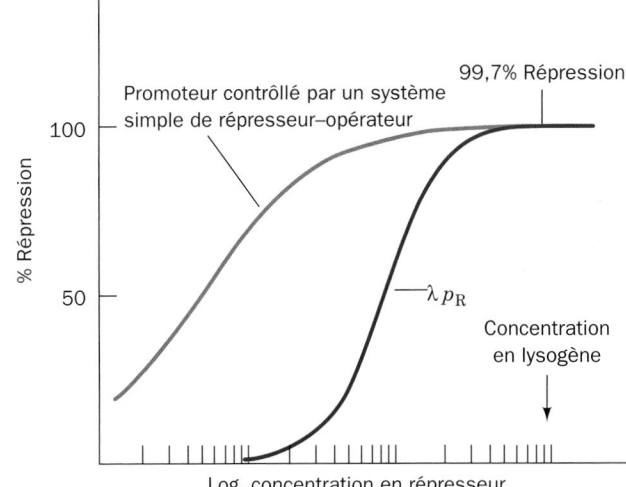

FIGURE 33-53 Courbe théorique de la répression pour λ p_R (*à droite*), comparée à celle d'un système répresseur-opérateur simple, comme dans le cas de l'opéron *lac* (*à gauche*). Noter la sensibilité plus grande du système de λ à une chute de concentration en répresseur. [D'après Johnson, A.D., Poteete, A.R., Lauer, G., Sauer, R.T., Ackers, G.K., and Ptashne, M *Nature* **294**, 221 (1981).]

–412. Les épidémies sont annuelles et parfois se transforment en pandémies graves infectant 20 à 40 % de la population mondiale. Ainsi, la pandémie de grippe de l'année 1918, la fameuse grippe espagnole, a tué 40 à 50 millions de personnes (des personnes souvent jeunes et en bonne santé auparavant, cela représentait presque 2 % de la population mondiale de l'époque). Elle a été la pire pandémie jamais enregistrée (elle a diminué l'espérance de vie de 10 ans aux États-Unis). Depuis cette époque, il y a eu trois autres pandémies moins graves, la grippe dite « asiatique » en 1957, la grippe de Hong Kong en 1968 et la grippe russe en 1977 (les données historiques nous permettent de supposer qu'il y a eu 12 pandémies au cours des 400 dernières années). Ces pandémies sont liées à l'émergence d'une nouvelle souche de virus à laquelle la population humaine offre peu de résistance et contre laquelle les vaccins antigrippe préexistants sont inefficaces. De plus, pendant la période entre deux pandémies, l'antigénicité du virus grippal varie graduellement, ce qui abaisse aussi graduellement la résistance immunitaire à de nouvelles infections. Même durant les années où il n'y a pas de pandémie, le virus de la grippe est responsable de la mort d'un demi million à un million de personne, principalement des personnes âgées, il s'agit d'une des dix causes majeures de mortalité aux États-Unis. Quelles sont les caractéristiques de ce virus qui lui permettent d'échapper aux défenses immunitaires ? Le problème est exposé dans cette section qui décrit aussi la structure et le cycle biologique du virus.

A. *Structure et cycle biologique du virus*

Des micrographies électroniques du virus de la grippe (Fig. 33-1*i*) montrent une variété de particules subsphériques d'environ 100 nm de diamètre, dont les surfaces sont abondamment ponctuées de protubérances radiales appelées spicules. Le virion se forme par bourgeonnement de la membrane plasmique de la cellule infectée (Fig. 33-54) ; c'est un **virus enveloppé**. *Son enveloppe extérieure est constituée par une bicouche lipidique d'origine cellulaire, percée par des glycoprotéines intrinsèques à la membrane cellulaire spécifiées par le virus, appelées les « spicules ».* Il y a deux types de spicules (Fig. 33-55) :

1. Un type en forme de bâtonnet composé **d'hémagglutinine (HA)**, appelée ainsi car elle agglutine les érythrocytes. HA intervient dans la reconnaissance cellulaire par le virus, en se liant spécifiquement à des récepteurs de la surface cellulaire (la glycophorine A, dans les érythrocytes ; Section 12-3A) qui se terminent par des résidus N-acétylneuraminique (acide sialique ; Fig. 11-11). Chaque virion porte ~500 copies de HA.

2. Un type en forme de chapeau de champignon fait de **neuraminidase (NA),** catalysant l'hydrolyse de la jonction entre un résidu terminal d'acide sialique avec un résidu D-galactose ou D-galactosamine. Il est probable que NA facilite le déplacement du virus, d'abord vers le site d'infection, ensuite à travers la mucine (mucus), et qu'il empêche l'agrégation du virus. Chaque virion comporte ~100 copies de NA.

L'enveloppe externe contient en outre de petites quantités de **protéine de matrice 2 (M2).**

Juste sous l'enveloppe virale se trouve une couche protéique de 6 nm d'épaisseur, composée d'environ 3000 copies de la **protéine matricielle (M1),** la plus abondante des protéines virales. M1

interagit avec la **protéine d'exportation nucléaire [NEP** : anciennement appelée **protéine non structurale 2 (NS2)**].

Le génome du virus de la grippe est particulier par le fait qu'il contient 8 segments d'ARN simple brin de tailles différentes. Ces molécules d'ARN sont les chaînes (-) ; elles sont donc complémentaires des ARNm du virus. Ces ARN se trouvent au centre de la particule virale, complexés avec 4 protéines différentes : la **pro-**

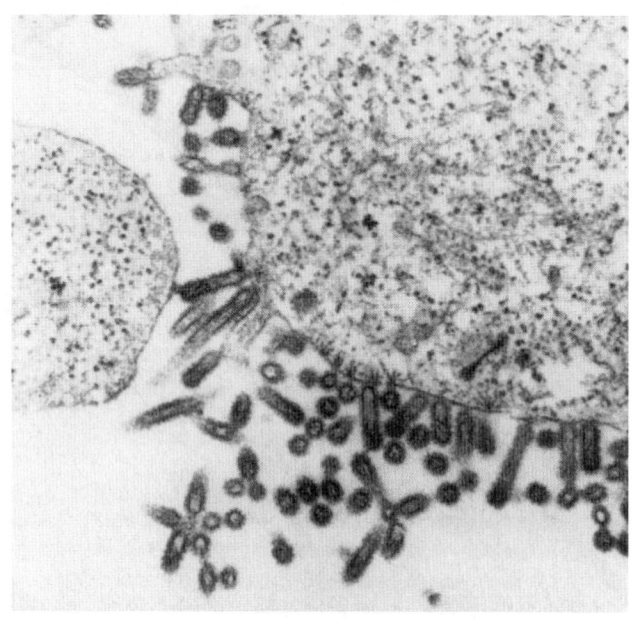

FIGURE 33-54 Micrographie électronique de virus de la grippe, bourgeonnant à partir de cellules infectées d'embryons de poulet. [De Sanders, F.K., *The Growth of Viruses*, p. 15, Oxford University Press (1975).]

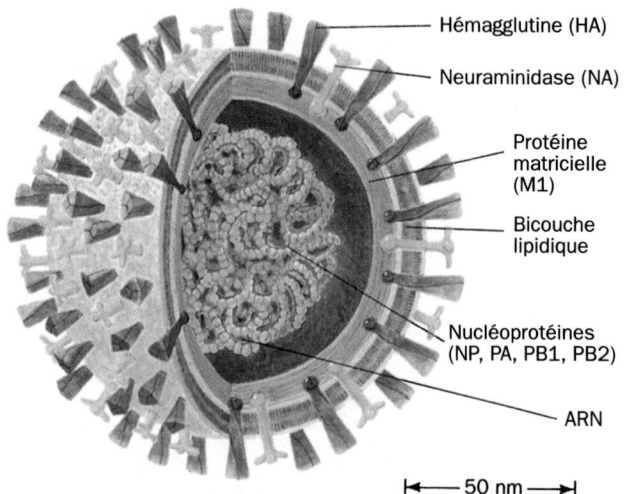

FIGURE 33-55 Diagramme en coupe d'un virion de la grippe. Les spicules HA et NA sont enfoncés dans une bicouche lipidique qui forme l'enveloppe extérieure du virus. La protéine matricielle M1 tapisse le côté intérieur de cette membrane. La cavité du virus contient les huit segments d'ARN simple brin que comprend le génome viral, complexés avec les protéines NP, PA, PB1 et PB2, formant des structures hélicoïdales appelées nucléocapsides. [D'après Kaplan, M.M., et Webster, R.G., *Sci. Am.* **237** (6) : 91 (1977). Copyrighted par Scientific American, Inc.]

téine de la nucléocapside (**NP**), en ~1000 copies, et trois protéines : **PA (protéine polymérase acide)**, **PB1 (protéine polymérase basique 1)** et **PB2 (protéine polymérase basique 2)**, chacune à raison de 30 à 60 copies. Les **nucléocapsides** ont finalement la forme de baguettes flexibles.

Les huit ARN viraux, d'une longueur de 890 à 2341 nucléotides, ont été séquencés. Ils codent les neuf protéines de structure du virus (HA, NA, M1, M2, NEP, NP, PA, PB1 et PB2) et la protéine non structurale (**NS1**), qui ne s'observe que dans les cellules infectées. Les longueurs des ARN et des protéines sont reprises dans le Tableau 33-2. Environ 10 % des ARNm viraux sont maturés par la machinerie d'épissage de la cellule hôte pour produire, à partir des ARNm de M1 et NS1, des ARNm plus petits codant respectivement M2 et NEP, mais dans des cadres ouverts de lecture différents.

a. Cycle biologique du virus

L'infection d'une cellule réceptive au virus de la grippe commence par l'adsorption du virus grâce aux spicules HA sur des récepteurs spécifiques de la surface cellulaire. Il y a ensuite endocytose du virus (Section 12-5B) puis fusion entre la vésicule d'endocytose et un endosome (Fig. 12-79). Au pH acide (pH ~5) de l'intérieur de l'endosome, la protéine virale M2, qui est un canal à protons, laisse entrer des protons dans le virion, ce qui entraîne la séparation entre la nucléocapside et M1. La membrane virale et celle de l'endosome fusionnent alors, un processus décrit dans la Section 33-4C. Le contenu du virus est libéré ensuite dans le cytoplasme. Au cours des 20 min après l'infection, grâce à la protéine NP, les nucléocapsides restent intactes et sont véhiculées vers le noyau cellulaire, où commence la transcription de l'ARN viral (**ARNv**). Les enzymes cellulaires ne peuvent pas catalyser une telle synthèse d'ARN sur une matrice ARN. Celle-ci est assurée par le système viral à ARN transcriptase, constitué par les protéines de la nucléocapside.

La transcription du génome viral de la grippe s'arrête si les cellules infectées sont traitées par des inhibiteurs de l'ARN polymérase II (enzyme qui synthétise l'ARN précurseur des ARNm cellulaires ; Section 31-2E), notamment par l'actinomycine D ou

l'α-amanitine. Cependant, aucun de ces agents n'arrête la transcription virale *in vitro*. L'explication de ce paradoxe apparent est que la synthèse *in vivo* d'ARNm viral est amorcée par des fragments néosynthétisés d'ARNm cellulaires pourvus d'une coiffe 7-méthylG (Section 31-4A), au bout d'une chaîne de 10 à 13 nt se terminant par A ou G (Fig. 33-56, *au dessus, à gauche)*. Les ARNm viraux, comme beaucoup d'ARNm matures, portent des queues poly(A) accrochées à l'extrémité 3′ par la machinerie de polyadénylation cellulaire (Section 31-4A).

La synthèse des ARNm viraux se termine 16 à 17 nt avant l'extrémité 5′ de leur matrice d'ARNv grâce à la présence d'une séquence de 5 à 7 U dans l'ARNv. Les ARNm viraux ne peuvent donc pas servir de matrice pour répliquer l'ARNv. Pour cette réplication, une transcription de type différent commence environ 30 min après l'infection et des ARN complémentaires de l'ARNv sur toute sa longueur sont synthétisés (**ARNc**). Leur synthèse ne nécessite pas d'amorce ; elle commence à l'extrémité 5′ avec un pppA et le produit n'a pas de queue poly(A) (Fig. 33-56 ; *en bas*). De cette façon, l'ARNc, contrairement à l'ARNm viral, ne s'associe pas aux ribosomes cellulaires. La synthèse d'ARNc, contrairement à celle de l'ARNm viral, nécessite la présence de NS1 qui inhibe la maturation des pré-ARNm cellulaires et gène la synthèse

TABLEAU 33-2 Génome du virus de la grippe

Segment d'ARN	Longueur (nt)	Polypeptide codé
1	2341	PB2
2	2341	PB1
3	2233	PA
4	1778	HA
5	1565	NP
6	1413	NA
7	1027	M1, M2
8	890	NS1, NEP

Source : Lamb, R.A. et Choppin, P.W., *Annu. Rev. Biochem.* **52**, 473 (1983).

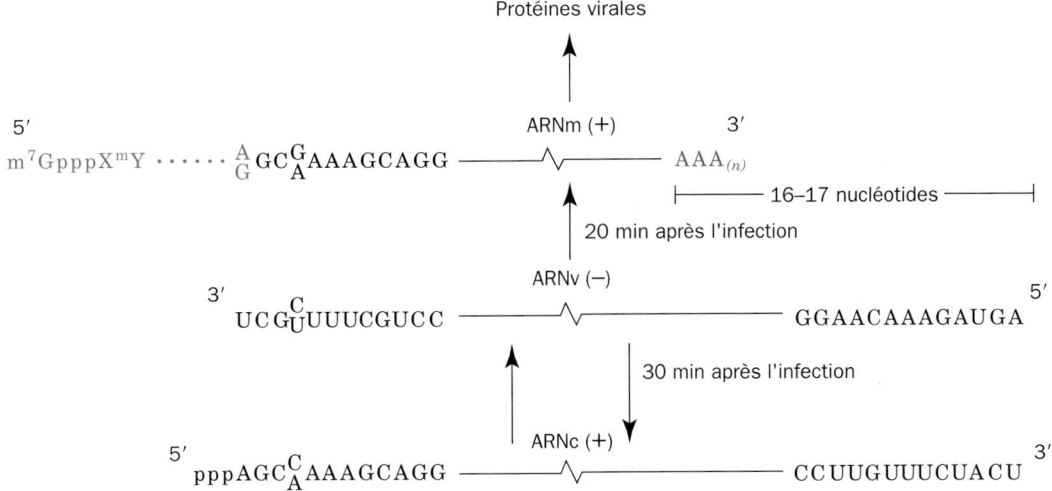

FIGURE 33-56 Biosynthèse de l'ARNv, de l'ARNm et de l'ARNc du virus de la grippe. Les nucléotides conservés aux extrémités des segments d'ARN viral sont indiqués avec leurs symboles en toutes lettres. Les extrémités de l'ARNm viral, dérivées de l'hôte, sont indiquées en rouge pour la coiffe 5′ et en vert pour la queue poly(A). [D'après Lamb, R.A. and Choppin, P.W., *Annu. Rev. Biochem.* **52**, 490 (1983).]

des queues poly(A). Les ARNc servent ensuite de matrice pour synthétiser l'ARNv. L'ARNdb produit devrait normalement induire un état antiviral activé par l'interféron dans la cellule infectée (Section 32-4A), mais NS1 est un antagoniste d'interféron et permet donc la prolifération virale.

Le complexe de transcription du virus de la grippe est un trimère composé de PB1, PB2 et PA, qui se fixe à la matrice ARN en même temps que NP. PB1 est la polymérase qui catalyse l'initiation et l'élongation du transcrit ARN. PB2 se fixe à la coiffe en 5′ des ARNm cellulaires, mais la fonction endonucléase qui détache les amorces coiffées de ces ARNm semble portée par PB1. Des expériences de mutagenèse montrent que PA est nécessaire pour la

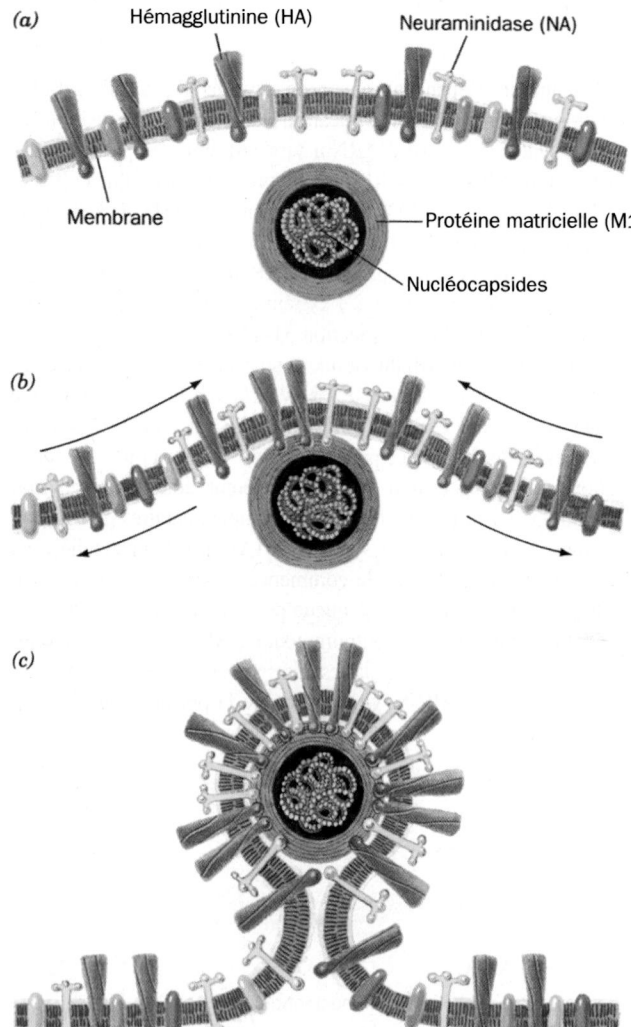

synthèse d'ARNv, mais qu'elle n'a aucun rôle dans la synthèse d'ARNm ; son rôle dans la synthèse d'ARNv reste mal compris. La présence abondante de NP suggère qu'elle joue un rôle structural dans la nucléocapside, bien qu'elle soit impliquée aussi dans le processus d'antiterminaison, rendu nécessaire pour synthétiser les ARNc plutôt que les ARNv.

Le mécanisme d'assemblage du virus de la grippe n'est pas encore très bien connu. Les glycoprotéines en spicules, HA et NA, sont synthétisées sur les ribosomes du réticulum endoplasmique rugueux, elles continuent leur maturation dans l'appareil de Golgi (Section 12-4B), puis sont transportées, probablement *via* des vésicules recouvertes de clathrine, en des sites spécifiques de la membrane plasmique contenant des radeaux lipidiques (Section 12-4D). Elles s'y agrègent en nombre suffisant pour exclure les protéines de l'hôte (Fig. 33-57a et b). Dans le noyau, les ARNv se combinent avec PA, PB1 et PB2 pour former les nucléocapsides, qui interagissent ensuite avec la protéine M1. La protéine d'exportation nucléaire (NEP), comme son nom l'indique, assure la sortie des nucléocapsides hors du noyau, aidée en cela par M1 et un facteur cellulaire d'exportation nucléaire. M1 forme alors une coque enfermant les nucléocapsides qui se lie à HA et NA du côté interne de la membrane plasmique (Fig. 33-57b). Cette liaison entraîne l'ensemble à former un bourgeon à la surface cellulaire, ce qui libérera le virion mature (Fig. 33-57c). Le cycle complet prend de ~8 à 12 h.

Une des étapes inconnues de l'assemblage du virus de la grippe, est la manière dont chaque virion intègre un ensemble complet des huit ARNv. Il n'y a pas d'élément montrant que les nucléocapsides néoformées soient reliées physiquement entre elles. Au contraire, la réassociation de segments génomiques peut être obtenue à fréquence élevée, en réalisant une coinfection avec plusieurs variants du virus. On a donc suggéré que les nucléocapsides seraient sélectionnées au hasard et que chaque virion contiendrait néanmoins des effectifs suffisants d'ARNv pour garantir une probabilité élevée d'infectivité à chaque particule. Cette hypothèse est en accord avec l'observation d'une infectivité accrue des agrégats de virus de la grippe, résultant sans doute de la complémentation entre différents ARNv. L'hypothèse alternative est que les huit ARNv seraient sélectionnés de manière ordonnée ; cette dernière hypothèse est soutenue par l'analyse des virus matures, qui, au contraire des cellules infectées, contiennent une quantité pratiquement équimolaire de chaque ARNv.

B. *Mécanisme de la variation antigénique*

Les virus de la grippe sont groupés en trois types immunologiques, A, B et C, selon les propriétés antigéniques des nucléoprotéines et des protéines de la matrice. Le virus de type A est responsable de toutes les grandes pandémies chez l'homme ; il a donc été plus étudié que les virus de types B et C. Les virus de types B et C infectent essentiellement les êtres humains, alors que le virus de type A infecte différentes espèces parmi les mammifères ou les oiseaux, en plus de l'homme. On pense, en effet, que des oiseaux migrateurs (et plus récemment les avions de ligne) sont les principaux vecteurs des virus de type A de la grippe. La spécificité d'une souche particulière de virus pour une espèce donnée provient sans doute de la liaison spécifique des motifs HA avec des glycolipides de la surface cellulaire.

FIGURE 33-57 Bourgeonnement du virus de la grippe à partir de la membrane de la cellule hôte. (*a*) Des glycoprotéines HA et NA s'insèrent dans la membrane plasmique de la cellule hôte et la protéine matricielle, M1, forme la coque contenant les nucléocapsides. (*b*) La liaison de la protéine matricielle aux domaines cytoplasmiques de HA et NA entraîne un rapprochement de ces glycoprotéines qui exclue les protéines membranaires cellulaires (*flèches*). (*c*) Ce processus conduit la membrane cellulaire à envelopper la coque de protéines matricielles pour former un bourgeon qui devient le virion mature, après son excision de la membrane cellulaire. [D'après Wiley, D.C., Wilson, L.A., et Skehel, J.J., *dans* Jurnak, F.A., et McPherson, A. (Éds), *Biological Macromolecules and Assemblies,* Vol. 1 : *Virus Structures,* Wiley (1984).]

a. Des changements de résidus de HA sont responsables de la plupart des variations antigéniques des virus de la grippe

HA, la protéine de surface majoritaire du virus de la grippe, est le facteur principal stimulant la production d'anticorps capables de neutraliser le virus. Il en résulte que les différents sous-types du virus émergent principalement par variation de HA. La variation antigénique de NA, l'autre protéine de surface du virus, a lieu aussi, mais elle a moins de conséquences immunologiques.

On distingue deux mécanismes de variation antigénique chez les virus de type A de la grippe :

1. Le remplacement de l'antigène, dans lequel le gène entier codant un type HA est remplacé par un autre. Ce remplacement peut ou non être accompagné d'un remplacement de NA. On pense que de telles souches virales nouvelles émergent grâce à la réassociation de gènes de virus de grippes animales et humaines. *Le remplacement d'antigène cause les pandémies de grippe parce que les populations humaines, même immunes contre les souches de virus préexistantes, ne le sont pas contre la nouvelle souche.* Ces virus ont dû conserver les caractéristiques génétiques (non identifiées à ce jour) leur conférant la virulence pour l'homme.

2. La dérive de l'antigène, qui se produit par des mutations ponctuelles successives accumulées dans le gène HA, aboutissant à atténuer l'immunité de l'hôte, à la suite de changements d'acides aminés accumulés. Cette évolution répond à la pression de sélection due à l'immunisation des populations humaines aux souches virales déjà existantes. La variation de HA se fait ainsi à raison de 3,5 acides aminés par an.

Les virus de type A de la grippe sont classés en sous-types en fonction des similitudes de leurs protéines HA et NA. On connaît 15 sous-types de HA (H1 à H15) et 9 de NA (N1 à N9) que l'on trouve chez les mammifères et les oiseaux. Les sous-types de virus aviaires existent dans presque toutes les combinaisons, tandis que l'on ne trouve que quelques combinaisons chez les êtres humains. Ainsi, les virus de type A de la grippe humaine qui étaient répandus avant 1957, étaient appelés H1N1, ceux de la pandémie de 1957 ont été appelés H2N2, ceux de la pandémie de 1968 étaient H3N2 et ceux de la pandémie de 1977 étaient à nouveau H1N1 (et ont donc principalement touché des gens jeunes qui n'avaient pas été exposés aux virus d'avant 1918). Depuis 1977, il y a co-occurrence de virus H3N2 et H1N1.

Les êtres humains sont rarement infectés par des virus de grippe aviaire et ces virus ne se transmettent pas d'un être humain à l'autre. Pourtant, des études phylogénétiques montrent que les porcs et les oiseaux peuvent se transmettre des virus de la grippe et que de même le porc et l'homme peuvent se transmettre des virus. Cela ferait des porcs, des vecteurs de recombinaison pour la création de nouveaux virus de grippes pandémiques. Cela expliquerait en outre pourquoi l'Asie du sud-est, où les humains, les porcs et les oiseaux vivent en promiscuité, est l'endroit où le plus grand nombre de pandémies semblent prendre naissance.

Ainsi, à Fort Dix, dans le New Jersey, il y eut émergence, au début de 1976, d'une souche de virus de la grippe portant un type HA H1N1, connu dans le virus de la grippe porcine. On a pensé que ce sous-type viral a causé la grande pandémie de 1918 (le virus de la grippe n'a été isolé qu'en 1933 : pourtant, on avait montré que les individus qui avaient eu la grippe pendant cette pandémie avaient dans leur sérum des anticorps contre le virus de la grippe porcine). Le séquençage en 1999, par Ann Reid et Jeffrey Taubenberger, du gène HA isolé de tissus préservés, de personnes mortes de la grippe de 1918, a confirmé que ce gène HA ressemble à celui de la grippe porcine). Si cette nouvelle souche avait été virulente, aucun individu, de moins de 50 ans à l'époque, n'aurait été immunisé contre elle. Il y avait donc un risque élevé qu'une pandémie mortelle de grippe n'apparaisse bientôt. Cette situation conduisit à la mise en place d'un programme de prévention, consistant à vacciner contre la grippe porcine plus d'un million de personnes à haut risque (comme les femmes enceintes et les gens âgés). Heureusement, la grippe porcine ne fut pas virulente en 1976 : elle ne s'est pas étendue au-delà de Fort Dix.

b. HA est une glycoprotéine allongée, trimérique et transmembranaire

L'hémagglutinine du virus de la grippe joue un rôle primordial dans l'infection, ainsi que dans les réactions de défense immunitaire de l'hôte et dans les réactions de réponse du virus en tant que parasite. Ceci justifie les efforts entrepris pour comprendre la base structurale des propriétés de HA. HA est un trimère de sous-unités identiques de 550 résidus, contenant une proportion de 19 % en masse, de glucides. La protéine comporte trois domaines (Fig. 33-58) :

1. Un grand domaine hydrophile comprenant des glucides. Il est situé à la surface externe de l'enveloppe virale et contient le site de fixation de l'acide sialique.

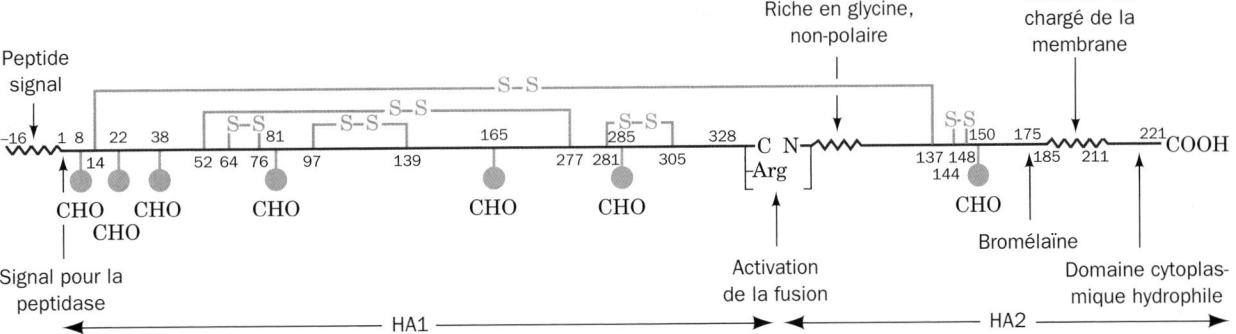

FIGURE 33-58 Séquence des acides aminés de l'hémagglutinine du virus de la grippe de Hong Kong de 1968. Le domaine externe (la totalité de HA1, et HA2 jusqu'au résidu 185), le domaine d'ancrage à la membrane (185 à 211 de HA2) et le domaine cytoplasmique (212 à 221 de HA2), sont indiqués. On voit aussi les positions des séquences « signal » de l'insertion de la protéine dans la membrane, les ponts S-S, les sites d'attachement des sucres (CHO), le site de l'activation de la fusion, et le site de clivage par la bromélaïne. [D'après Wilson, LA., Skehel, J.J., et Wiley, D.C., *Nature* **289,** 367 (1981).]

2. Un domaine intrinsèque hydrophobe de 24 à 28 résidus transmembranaire, assez proche de l'extrémité C-terminale.

3. Un domaine hydrophile qui se trouve du côté interne de la membrane, formé par les 10 résidus C-terminaux de la protéine.

HA est synthétisée sous forme d'un seul polypeptide appelé HA0 qui est clivé après la traduction, par des protéases sécrétées par l'hôte. Il y a excision du résidu Arg 329 et formation de deux chaînes HA1, et HA2, réunies par une liaison disulfure. Ce clivage n'affecte pas l'affinité de HA pour le récepteur mais il est nécessaire à la fusion du virus avec la cellule hôte et il active ainsi l'infectivité du virus (voir ci-après). En effet, la capacité de cliver HA est un des principaux facteurs de virulence des virus de la grippe.

HA peut être extraite du virion par traitement détergent mais la protéine ainsi préparée n'a pas pu être cristallisée. Cependant, le traitement de HA provenant d'un virus de type Hong Kong

(H3 ; les sous-types de virus de la grippe prennent le nom de l'endroit où ils ont été découverts) avec la **bromélaïne,** protéase extraite de l'ananas, qui clive le polypeptide 9 résidus avant le segment transmembranaire, libère une protéine soluble dans l'eau appelée **BHA,** qui a pu être cristallisée. L'analyse par rayons X, faite par John Skehel et Don Wiley, a révélé une structure très inhabituelle (Fig. 33-59). Le monomère est formé d'une longue tige fibreuse, qui s'étend à partir de la surface membranaire, sur laquelle est accrochée une région globulaire. La fibre est formée par des segments de HA1 et HA2 ; elle possède aussi une hélice α, remarquable par ses 76 Å de longueur et ses 53 résidus sur 14 tours. La région globulaire ne comprend que des résidus HA1 ; elle comprend un feuillet β de huit brins antiparallèles (une sorte de tonneau en forme de biscuit roulé ; Section 8-3B), qui forment une sorte de poche pour la liaison avec l'acide sialique.

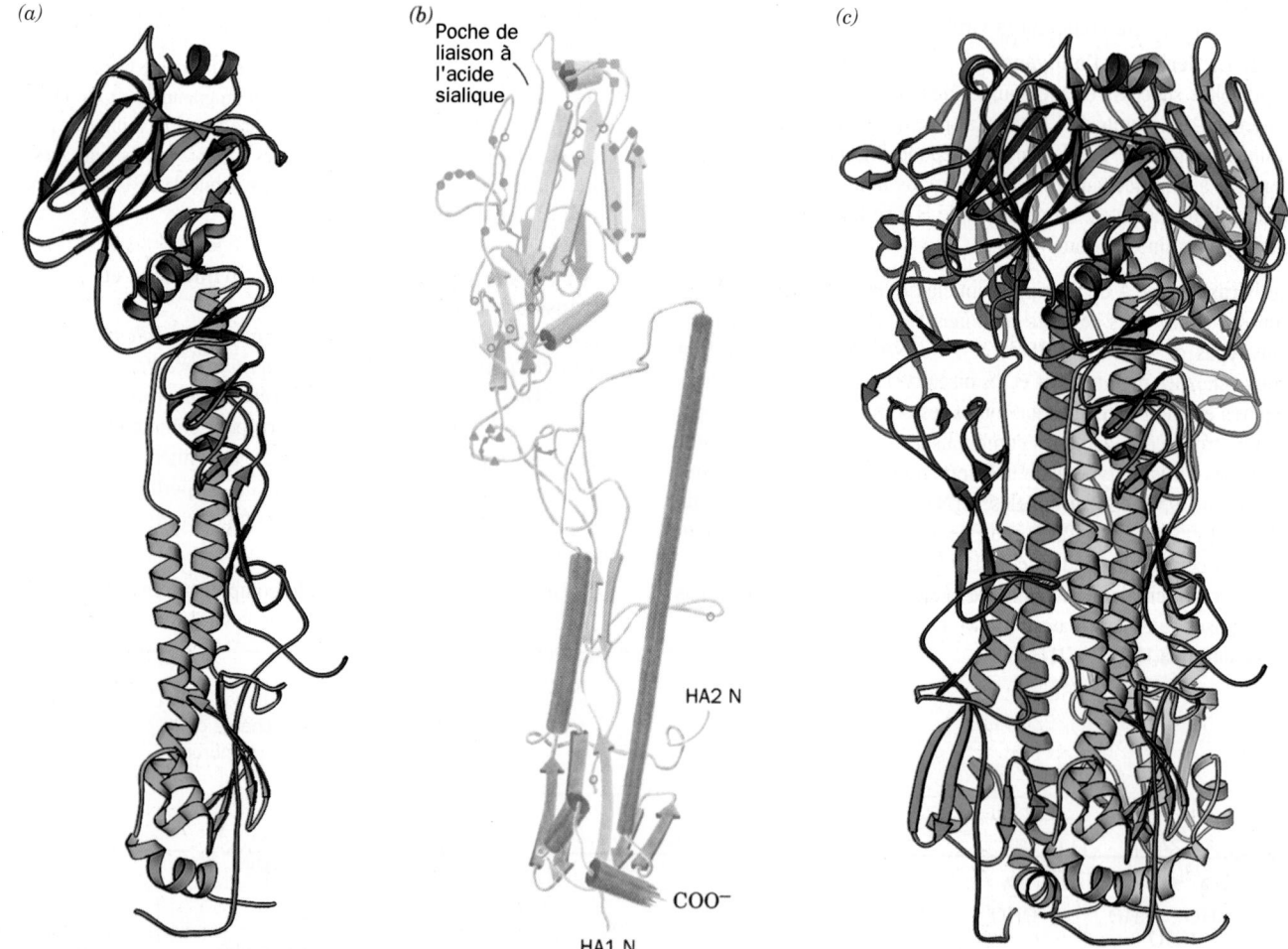

FIGURE 33-59 Structure par rayons X de l'hemagglutinine de virus de la grippe. (*a*) Le squelette polypeptidique du monomère est dessiné comme un ruban. HA1 est en vert et HA2 en bleu. (*b*) Diagramme à partir d'un autre point de vue qu'en *a* mais avec les mêmes couleurs. Les petits groupes de deux cercles en plein, reliés entre eux, représentent les ponts disulfure. Les positions des résidus mutés aux quatre sites antigéniques sont indiquées par des cercles, des carrés, des triangles et des losanges en plein. Les symboles évidés représentent des résidus dont la mutation est neutre sur le plan antigénique. Noter la position de la poche de liaison à l'acide sialique. (*c*) Diagramme en ruban du trimère de HA. Chaque chaîne HA1, et HA2, est de couleur différente. L'orientation des molécules HA1 verte et HA2 bleu clair est la même que dans la Partie *a*. [Parties *a* et *c,* fournies aimablement par Michael Carson, Université de l'Alabama à Birmingham ; Partie *b* d'après un dessin de Hidde Ploegh, *dans* Wilson, I.A., Skehel, J.J., et Wiley, D.C., *Nature* **289**, 366 (1981). PDBid 4HMG.]

L'interaction importante créant la stabilité de la structure trimérique du BHA est la torsade d'hélices à trois chaînes formée des hélices α de 76 Å de chaque sous-unité (Fig. 33-59 *c*). Le trimère BHA est ainsi une molécule allongée, de 135 Å environ, de section transversale triangulaire, dont le rayon varie de 15 à 40 Å. Les chaînes glucidiques sont attachées à chacune des sous-unités par des liaisons *N*-glycosidiques, à chacune des sept séquences Asn-X-Thr/Ser (Section 11-3C) ; elles sont presque entièrement localisées le long des surfaces latérales du trimère. Le rôle des glucides n'est pas très clair, bien qu'ils couvrent environ 20 % de la surface de la protéine. Cependant, la formation par mutation de nouveaux sites d'attachement pour les oligosaccharides, bloque la liaison des anticorps avec HA ; ceci suggère que les glucides modulent l'antigénicité de HA.

c. La variation antigénique est due à des modifications de résidus situés en surface

Les sites antigéniques de HA ont été identifiés en cartographiant les changements de la séquence de HA sur la structure tridimensionnelle de la protéine. Les résidus de HA qui ont muté de façon significative dans le virus de Hong Kong au cours de la période de 1968 à 1977, sont indiqués sur la Fig. 33-59*b*. *Ces résidus sont tous à la surface de la protéine, souvent dans des boucles polypeptidiques, où leur variation par mutation change les propriétés de surface de la protéine, sans doute sans modifier la stabilité de la structure globale. Les résidus variables sont groupés en quatre sites entourant la poche réceptrice de HA, celle-ci est formée de résidus d'acides aminés, qui sont très conservés dans les nombreuses souches de virus grippal.* Les souches responsables de la grande épidémie de grippe entre 1968 et 1975 portent au moins une mutation à chacun de ces 4 sites antigéniques. Une telle fréquence de variation permet de réinfecter avec succès des individus infectés auparavant par le même type de virus. Il est clair que *les anticorps dirigés même contre des résidus conservés dans la poche de HA, fixant le récepteur, sont rendus inopérants à cause de variations antigéniques produites dans leur environnement (les interactions anticorps-antigènes sont étudiées dans la Section 35-2B).*

d. NA est une glycoprotéine transmembranaire tétramérique

La neuraminidase (NA) du virus de la grippe est une glycoprotéine tétramérique de sous-unités identiques de 469 résidus. Elle a une tête globulaire en forme de boîte fixée à un filament allongé ancré à l'enveloppe virale. Une digestion par la pronase clive NA avant le résidu 74 ou le résidu 77, après le site d'attachement à la membrane, laissant intacte l'activité enzymatique de la protéine tout en la rendant cristallisable. La structure de cette protéine par rayons X (Fig. 33-60), déterminée par Peter Colman et Graeme Laver, montre qu'elle a une symétrie d'ordre quatre. Chaque monomère se compose de six feuillets β, de quatre brins antiparallèles, topologiquement identiques, arrangés comme les pales d'une hélice d'avion. Cette hélice β rappelle la structure de la turbine β à 7 pales de la chaîne lourde de la clathrine (Fig. 12-56*b*) ou de la sous-unité G_β des protéine G (Fig. 19-18*b*). Des résidus glucidiques sont liés à la protéine NA sur quatre de ses cinq sites de N-glycosylation potentiels Asn-X-Ser/Thr.

Le site se liant à l'acide sialique est localisé dans la grande poche au sommet de chaque monomère (représenté par l'étoile sur le côté supérieur droit de la sous-unité, dans la Fig. 33-60). Le résidu d'acide sialique interagit *via* un réseau dense de liaisons hydrogène, dû au maintien de 16 résidus polaires dans toutes les séquences connues de NA (au contraire de HA, qui n'a que 2 résidus polaires dans son site de liaison à l'acide sialique). Les changements de séquence se situent chez les variants de NA dans 7 segments enchaînés formant une surface presque continue et encerclant le site catalytique (les sites sont représentés par des carrés dans la sous-unité en bas à droite sur la Fig. 33-60) comme dans le cas du site de HA se liant au récepteur. Entre 1968 et 1975, on a trouvé le même nombre de changements de résidus chez NA que chez HA, dans la zone présomptive des déterminants antigéniques. Les anticorps contre NA ne neutralisent pourtant pas l'infectivité ; ils réduisent plutôt le nombre élevé de cycles de réplication virale, ce qui atténue probablement la gravité de la maladie.

La découverte que la structure du site catalytique de NA ne dépend pas de la souche ainsi que la connaissance de la structure par rayons X de NA complexée avec l'acide sialique ont conduit à la conception d'inhibiteurs de NA efficaces du point de vue médical (La conception de médicament assistée par ordinateur (drug design ; est étudiée dans la Section 15-4). Le **Zanamivir** (nom commercial, **Relenza**),

Zanamivir (Relenza)

Acide *N*-acétylneuraminique (acide sialique)

mime la structure d'un acide sialique. C'est un puissant inhibiteur de NA ($K_1 = 0{,}1$ nm), et un agent antiviral efficace, aussi bien en culture de tissus, qu'administré par voie orale. L'utilisation de zanamivir n'empêche pas l'infection par le virus de la grippe, mais lorsqu'on l'administre dans les deux jours qui suivent l'apparition des symptômes de la grippe, il diminue nettement la longueur et la gravité de ces symptômes. Il réduit aussi les cas d'infections bactériennes secondaires.

C. *Mécanisme de la fusion avec la membrane*

Une infection par le virus de la grippe commence par la liaison de HA à son récepteur à la surface de la cellule. Le virus lié est

FIGURE 33-60 Structure par rayons X du tétramère de neuraminidase du virus de la grippe. Vue selon l'axe de symétrie d'ordre 4 de la protéine homotétramérique, en regardant vers la membrane virale. Dans chaque monomère, chacun des six feuillets β, topologiquement équivalents, à 4 brins antiparallèles, est coloré de manière différente. Les positions des liaisons disulfure sont indiquées dans l'unité supérieure gauche. Dans la sous-unité inférieure gauche, les quatre sites d'attachement des sucres sont marqués par des cercles plein violets, et les résidus Asp se liant au ions Ca²⁺, sont représentés par des flèches rouges. Dans le monomère supérieur droit, les cercles plein rouges et les triangles bleus représentent respectivement les résidus conservés, acides et basiques, entourant le site de l'enzyme, où se lie l'acide sialique ; ce site est représenté par une étoile rouge. Dans le monomère inférieur droit, les carrés pleins bruns marquent les positions des résidus mutés dans les variants antigéniques de NA. [D'après Varghese, J.N., Laver, W.G., et Colman, RM., *Nature* **303**, 35 (1983). PDBid 1NN2.]

alors englobé par endocytose grâce à l'action du récepteur (Section 12-4B) ; cette étape comporte une fusion de l'enveloppe virale avec la membrane de la cellule, ce qui libère les nucléocapsides dans le cytosol. Quel est le mécanisme de cette fusion de membranes ?

La fusion des membranes est catalysée par HA mais seulement après son exposition à pH ~5,0 dans la vésicule d'endocytose (Fig. 12-79). Plusieurs expériences ont permis de montrer qu'un segment hydrophobe conservé de ~25 résidus à l'extrémité N-terminale de HA2 est impliqué ; c'est le peptide dit de fusion, qui catalyse la fusion membranaire en s'insérant dans la membrane cellulaire. Pourtant, la structure du BHA, obtenue par rayons X, montre que le peptide de fusion est enfoui dans la profondeur hydrophobe de la protéine, à ~100 Å du site de liaison au récepteur, au sommet de la protéine, région la plus proche de la membrane cellulaire. Cela suppose que HA doive subir un changement important de conformation avant qu'elle ne puisse provoquer la fusion membranaire.

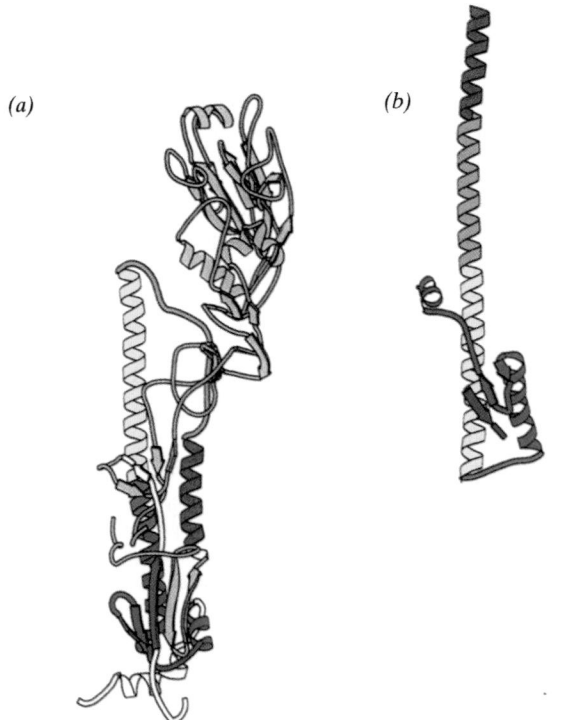

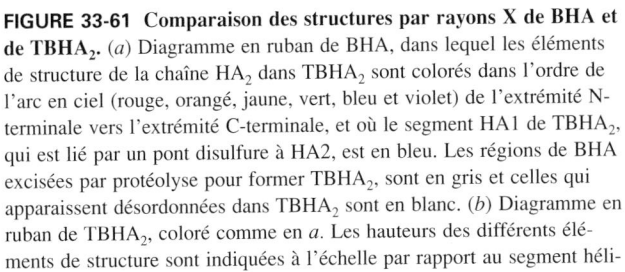

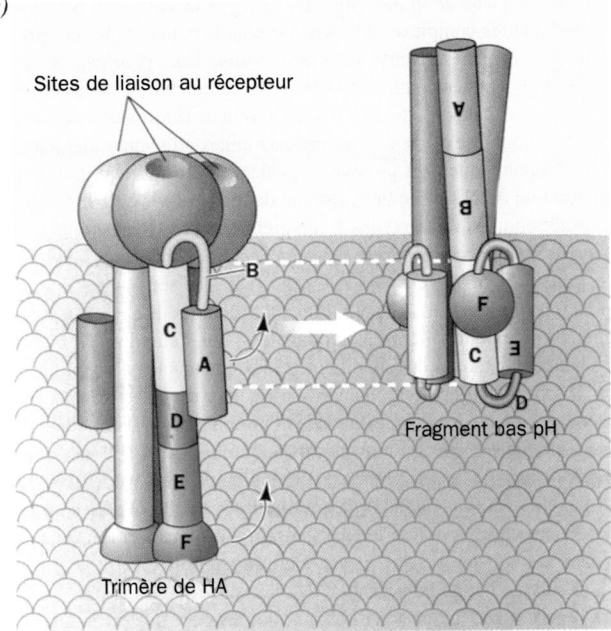

FIGURE 33-61 Comparaison des structures par rayons X de BHA et de TBHA₂. (*a*) Diagramme en ruban de BHA, dans lequel les éléments de structure de la chaîne HA₂ dans TBHA₂ sont colorés dans l'ordre de l'arc en ciel (rouge, orangé, jaune, vert, bleu et violet) de l'extrémité N-terminale vers l'extrémité C-terminale, et où le segment HA1 de TBHA₂, qui est lié par un pont disulfure à HA2, est en bleu. Les régions de BHA excisées par protéolyse pour former TBHA₂, sont en gris et celles qui apparaissent désordonnées dans TBHA₂ sont en blanc. (*b*) Diagramme en ruban de TBHA₂, coloré comme en *a*. Les hauteurs des différents éléments de structure sont indiquées à l'échelle par rapport au segment héli-coïdal en jaune, semblable dans BHA et dans TBHA₂. (*c*) Schéma montrant les positions et les hauteurs des éléments de la structure de TBHA₂, dépassant de la membrane virale dans le trimère HA, et dans le fragment formé à bas pH. Les éléments de la structure sont colorés selon le même code de couleurs qu'en *a* et en *b*. Dans le fragment à bas pH, le peptide de fusion (non visible) serait éjecté et étalé au dessus des têtes se liant au récepteur, où l'on pense qu'il s'insère lui-même dans la membrane cellulaire. [Parties *a* et *b* fournies aimablement par Don Wiley, Université de Harvard. PDBid 4HMG et 1HTM.]

À pH 5,0, BHA subit effectivement un changement de conformation, mais il est tel que cela provoque son agrégation, ce qui en empêche l'étude en cristallographie. Cependant, la digestion de BHA à pH 5,0, successivement par la trypsine et la thermolysine (Tableau 7-2), fournit un fragment cristallisable de la protéine, appelé **TBHA₂**, gardant les résidus 1 à 27 de HA₁, et les résidus 38 à 175 de HA₂, qui restent associés par liaison disulfure.

La structure par rayons X, due à Skehel et Wiley, montre que cette protéine s'est fortement repliée par rapport à BHA, d'une manière qui implique des changement importants dans les caractères déterminant, aussi bien sa structure secondaire que tertiaire (Fig. 33-61). Ainsi, les segments A et B de l'extrémité N-terminale de TBHA₂ (Fig. 33-61*c* ; les segments en rouge et en orangé dans la Fig. 33-61) subissent un mouvement de retournement en coup de fouet, sur ~100 Å, de façon à allonger le sommet de l'hélice d'encore 10 tours vers la membrane cellulaire [bien que l'hélice se soit raccourcie par la base, par un retournement semblable, mais moins important du fragment D (en vert sur la Fig. 33-61), de façon à remplacer partiellement l'hélice À qui s'est

projetée au dehors]. Ce changement de conformation est irréversible (HA ne revient pas à sa forme initiale si le pH augmente), c'est pourquoi on dit de lui que c'est un mécanisme de « mise à feu ». Les réarrangements des segments A et B avaient été prévus par Peter Kim, qui avait remarqué que les segments A, B et C avaient les caractéristiques des répétitions de type heptade (par sept) des torsades d'hélices (Section 8-2A). De tels changements de conformation dans une HA intacte devraient déplacer le peptide de fusion (qui s'étendrait au delà de l'extrémité N-terminale de TBHA2, au sommet du segment A) d'au moins 100 Å, par rapport à sa position dans BHA. Il pourrait ainsi établir un pont entre les membranes virale et cellulaire, et faciliter leur fusion, d'une manière analogue à ce qui est proposé dans le cas des complexes SNARE (Section 12-4D). Le changement de conformation serait au moins en partie stimulé par la protonation, à pH 5,0, des six chaînes latérales des résidus Asp présents dans le segment B de 19 résidus, ce qui réduit les forces électrostatiques de répulsion, qui empêcheraient ce segment de former une torsade d'hélices à des pH plus élevés.

◼ RÉSUMÉ DU CHAPITRE

1 ◼ Le virus de la mosaïque du tabac Les virus sont des entités moléculaires complexes qui expriment un certain nombre des propriétés des systèmes vivants. On a donc utilisé leurs propriétés structurales et génétiques comme modèles pour comprendre l'organisation des fonctions analogues des cellules. Le virion de la mosaïque du tabac (TMV) se compose d'une capside de sous-unités protéiques identiques et donc topologiquement presque équivalentes, disposées en hélice et entourant un ARN simple brin, enroulé de manière coaxiale avec elle. Les études du TMV par rayons X montrent que cet ARN est attaché à raison de trois nucléotides par sous-unité, entre les sous-unités de l'hélice protéique. En l'absence d'ARN du TMV, les sous-unités s'agrègent à force ionique élevée, pour former des doubles disques, et à force ionique faible pour former des protohélices, qui s'empilent en bâtonnets hélicoïdaux, dans des conditions acides. La boucle polypeptidique qui se trouve à l'intérieur du virus n'est pas disposée de manière ordonnée, ni dans les disques ni dans la protohélice. L'assemblage du virus commence dès qu'une protohélice (mais peut-être aussi un double disque) se lie à la séquence d'initiation de l'ARN du TMV, qui se trouve à ~1000 nucléotides de l'extrémité 3' de l'ARN. Ce sont les interactions entre l'ARN et la protohélice qui déclenchent l'ordonnancement des boucles, ce qui convertit la protohélice en forme hélicoïdale. L'élongation de la particule virale se poursuit ensuite par l'addition, successive, de protohélices ou de disques à l'extrémité du système, de façon à pousser l'extrémité 5' de l'ARN à travers la lumière centrale de l'hélice virale en train de croître.

2 ◼ Les virus sphériques Les capsides virales sont formées avec un seul ou très peu de types de sous-unités de protéine de capside. Celles-ci doivent être arrangées soit en hélices comme dans le TMV, soit de manière quasi-équivalente dans une coque polyédrique, qui renfermera l'acide nucléique. Les protéines de capside de nombreux virus sphériques sont arrangées en icosadeltaèdres de $60T$ unités, où T est le nombre de triangulation. La protéine de capside du virus du rabougrissement buissonneux de la tomate (TBSV) est disposée selon un icosadeltaèdre de $T = 3$, de telle façon que chaque sous-unité puisse occuper trois positions, distinctes mais symétriques. Les sous-unités doivent donc s'associer selon des types de contacts entre elles qui ne sont pas identiques. Quelques domaines R forment une couche interne désordonnée du point de vue structural. L'ARN viral est fortement tassé avec les domaines R restants, dans l'espace laissé entre les couches protéiques interne et externe. D'autres virus sphériques de plantes, le SBMV (virus de la mosaïque du haricot méridional) et le STMV (virus satellite du virus de la mosaïque du tabac), possèdent des structures tertiaire et quaternaire nettement apparentées à celles du TBSV. L'ARN simple brin du STMV s'avère former une série de structures en tiges-boucles avec la capside virale. Les protéines VP1, VP2 et VP3, de structure similaire et formant la capside du poliovirus, du rhinovirus et du virus de la fièvre aphteuse (FMDV) sont aussi disposées en icosaèdre. Cependant, la capside du virus simien 40 (SV40) est formée de 72 pentagones de sous-unités identiques, dans deux positions différentes, qui sont associées l'une à l'autre par des arrangements différents, de leurs bras C-terminaux, ce qui forme une structure non icosadeltaédrique. Bien que les protéines de capside de la plupart des virus sphériques soient constituées surtout par des tonneaux β de 8 brins antiparallèles, celle du bactériophage MS2, virion de $T = 3$, n'a pas de structure apparentée. Parmi les grands virus sphériques de structure connue, citons : premièrement le virus de la fièvre catarrhale du mouton (BTV), qui a une coque externe de $T = 13$ et une coque interne $T = 2$ enveloppant son génome d'ARNdb en grande partie visible, deuxièmement le virus de la chlorelle de *Paramecium bursaria* de type 1 (PBCV-1), de $T = 169$ et dont la coque externe est composée de 1680 trimères de Vp54.

3 ◼ Le bactériophage λ Le cycle lytique du bactériophage λ dans *E. coli*, est contrôlé par des synthèses séquentielles d'antiterminateurs, qui inhibent à la fois les terminateurs de la transcription, rho-indépendants et rho-dépendants. Ainsi, gp*N*, qui est synthétisé précocement, permet la synthèse de gp*Q*, au cours de la phase intermédiaire. gp*Q*, à son tour, permet la synthèse des protéines de capside au cours de la phase tardive. La transcription des gènes précoces est réprimée pendant la phase intermédiaire par la protéine Cro. La réplication de l'ADN commence en phase précoce ; elle est assurée par le système de réplication de l'ADN de l'hôte, avec l'aide des protéines du phage gp*O* et gp*P*. La synthèse de l'ADN se déroule d'abord à la fois selon les modes en θ et en cercle roulant (σ) mais elle bascule ensuite totalement vers le mode en cercle roulant.

Les têtes et les queues du virion de λ sont assemblées séparément. L'assemblage de la tête suit un processus complexe, nécessitant la participation de nombreux produits géniques du phage, dont certains ne constitueront pas le virion. Les têtes de phages ne se font pas par auto-assemblage, en ce sens que leur formation est gouvernée par des chaperones de l'hôte, et par une protéine virale constituant un échafaudage, et qu'elle nécessite plusieurs réactions de modification des protéines catalysées par des enzymes. La tête mature du phage est un icosadeltaèdre de $T = 7$ de gp*E*, ornementé par un nombre égal de sous-unités gp*D*. Tout juste avant le stade ultime de l'assemblage, la tête du phage est remplie par l'ADN linéaire double brin, au prix de l'hydrolyse d'ATP. L'ADN encapsidé est enroulé comme une pelote de l'extérieur vers l'intérieur. L'assemblage de la queue se fait par étapes, à partir de la fibre de la queue jusqu'à l'extrémité qui se liera avec la tête. Le fourreau de la queue se forme par empilement d'anneaux hexamériques de gp*V*. Les têtes et les queues, une fois terminées, se rejoignent spontanément pour former les virions matures.

La lysogénie s'établit par une recombinaison spécifique entre le site *att*P du phage et les sites *att*B de la bactérie, catalysée par l'intégrase (gp*int*) du phage et le facteur d'intégration (IHF) de l'hôte. L'induction, due au processus inverse, nécessite en plus l'action de l'excisionase (gp*xis*) du phage. La lysogénie est stabilisée par un niveau élevé de gp*cII*, qui stimule la transcription de *int* et du gène *cI*, codant le répresseur de λ. Le répresseur, comme le fait Cro, se lie aux opérateurs O_L et O_R, pour faire cesser toute transcription des gènes précoces, y compris celle de *cro* et de *cII*. Les deux protéines sont dimériques et contiennent, comme d'autres répresseurs, dont la structure est connue, deux unités hélice-boucle-hélice (HTH), placées d'une manière symétrique, qui se lient au grand sillon de l'ADN-B, au niveau de deux tours successifs. Le répresseur de λ, au contraire de Cro, induit sa propre synthèse à partir du promoteur p_{RM} en se liant à O_{R2}, pour interagir avec l'ARN polymérase. L'induction de la synthèse du répresseur bascule donc la commutation génétique en faveur du maintien du phage à l'état lysogénique, pour plusieurs générations bactériennes. Cependant, s'il y a une lésion dans l'ADN de l'hôte, celle-ci stimule la protéine RecA de l'hôte pour aboutir au clivage du répresseur de λ, ce qui détache celui-ci de O_L et de O_R. La synthèse des produits des gènes précoces est alors possible, y compris celle de gp*int*, et de gp*xis* à partir de p_L et de p_R : c'est l'induction. Si une quantité suffisante de protéine Cro est synthétisée pour réprimer la synthèse du répresseur, le phage est engagé sans retour dans le cycle lytique, pour au moins une génération. L'arrangement en trois parties de O_R, le site de la commutation chez λ, ainsi que la nature coopérative de la liaison du répresseur à O_R, donnent à la commutation du λ, une sensibilité remarquable vis-à-vis de l'état de santé de l'hôte.

4 ◼ Le virus de la grippe La membrane qui enveloppe le virion de la grippe est hérissée de protéines en forme de spicules, qui sont l'hémagglutinine (HA), qui catalyse la reconnaissance de l'hôte, et la neuraminidase (NA), qui facilite l'entrée du virus au point d'infection. À l'intérieur de la membrane, il y a une couche de protéines matricielles qui entoure la nucléocapside, contenant les huit ARN simple brin du génome du virus, chacun d'entre eux étant complexé, à part, avec des protéines. Ces ARNv sont les matrices pour la transcription des ARNm, catalysée par les protéines de la nucléocapside. Ce processus est amorcé par des fragments d'ARNm de l'hôte coiffés de 7-méthylG. Les ARNm viraux ont des queues poly(A) mais n'ont pas les séquences complémentaires des extrémités 5′ des ARNv. Cependant, les ARNv sont aussi les matrices pour la transcription d'ARNc qui, à leur tour, servent de matrice pour la synthèse d'ARNv. Le virus est assemblé juste sous la membrane plasmique, et se forme par bourgeonnement vers l'extérieur de la surface cellulaire.

Le virus de la grippe peut infecter différents mammifères en plus de l'homme, et aussi de nombreux oiseaux. La principale responsable des sous-types de virus de la grippe est la variation du caractère antigénique de HA. Ces variations résultent soit d'un changement total de l'antigène, le gène HA d'un virus animal remplaçant celui d'un virus humain, soit d'une dérive antigénique, qui résulte d'une suite de mutations ponctuelles dans le gène HA. NA peut varier d'une manière semblable. HA est une glycoprotéine allongée et trimérique. Sa surface a quatre sites antigéniques entourant une poche où se lie l'acide sialique ; c'est dans cette poche que tous les virus qui ont causé les épidémies les plus graves de la grippe entre 1968 et 1975, ont muté au moins une fois. NA est une glycoprotéine tétramérique en forme de champignon à chapeau. Ses variations antigéniques ont lieu sur une surface qui entoure aussi son site actif. HA catalyse la fusion entre la membrane du virus et celle de l'endosome en opérant un changement de conformation important, qui déplace les peptides de fusion vers la membrane endosomiale dans laquelle ils s'insèrent.

RÉFÉRENCES

GÉNÉRALITÉS

Cann, A.J., *Principles of Modern Virology,* Academic Press (1993).

Chiu, W., Burnett, R.M., et Garcea, R.L. (Eds.), *Structural Biology of Viruses,* Oxford University Press (1997).

Dimmock, N.J., Easton, A.J., et Leppard, K.N., *Introduction to Modern Virology* (5ᵉ éd.), Blackwell Science (2001).

Levine, A.J., *Viruses,* Scientific American Library (1992).

Radetsky, P., *The Invisible Invaders. The Story of the Emerging Age of Viruses,* Little, Brown and Co. (1991).

Voyles, B.A., *The Biology of Viruses,* Mosby (1993).

LE VIRUS DE LA MOSAÏQUE DU TABAC

Bloomer, A.C., Champness, J.N., Bricogne, G., Staden, R., et Klug, A., Protein disk of tobacco mosaic virus at 2.8 Å showing the interactions within and between subunits, *Nature* **276,** 362–368 (1978).

Butler, P.J.G., Self-assembly of tobacco mosaic virus : The role of an intermediate aggregate in generating both specificity and speed, *Phil. Trans. R. Soc. Lond.* **B354,** 537–550 (1999).

Butler, P.J.G., Bloomer, A.C., et Finch, J.T., Direct visualization of the structure of the "20 S" aggregate of coat protein of tobacco mosaic virus, *J. Mol. Biol.* **224,** 381–394 (1992). [Evidence indicating that the TMV coat protein double-layered disk predominates over the protohelix at pH 7.0.]

Butler, P.J. et Klug, A., The assembly of a virus, *Sci. Am.* **239**(5) : 62–69 (1978).

Klug, A., The tobacco mosaic virus particle: Structure and assembly, *Phil. Trans. R. Soc. Lond.* **B354,** 531–535 (1999).

Lomonosoff, G.P. et Wilson, T.M.A., Structure and in vitro assembly of tobacco mosaic virus, *in* Davis, J.W. (Éd.), *Molecular Plant Virology,* Vol. I, pp. 43–83, CRC Press (1985).

Namba, K., Pattanayek, R., et Stubbs, G., Visualization of protein–nucleic acid interactions in a virus. Refined structure of intact tobacco mosic virus at 2.9 Å by X-ray fiber diffraction, *J. Mol. Biol.* **208,** 307–325 (1989).

Raghavendra, K., Kelly, J.A., Khairallah, L., et Schuster, T.M., Structure and function of disk aggregates of the coat protein of tobacco mosaic virus, *Biochemistry* **27,** 7583–7588 (1988). [Evidence indicating that the TMV coat protein disks do not convert to the protohelices that nucleate TMV assembly.]

Stubbs, G., Molecular structures of viruses from the tobacco mosaic group, *Sem. Virol.* **1,** 405–412 (1990).

Stubbs, G., Tobacco mosaic virus particle structure and the initiation of disassembly, *Phil. Trans. R. Soc. Lond.* **B354,** 551–557 (1999).

LES VIRUS SPHÉRIQUES

Abad-Zapetero, C., Abdel-Meguid, S.S., Johnson, J.E., Leslie, A.G.W., Rayment, I., Rossmann, M.G., Suck, D., et Tsukihara, T., Structure of southern bean mosaic virus at 2.8 Å resolution, *Nature* **286,** 33–39 (1980).

Acharya, R., Fry, E., Stuart, D., Fox, G., et Brown, F., The three-dimensional structure of foot-and-mouth disease virus at 2.9 Å resolution, *Nature* **337,** 709–716 (1989).

Arnold, E. et Rossmann, M.G., Analysis of the structure of a common cold virus, human rhinovirus 14, refined at a resolution of 3.0 Å, *J. Mol. Biol.* **211,** 763–801 (1990) ; *et* Rossmann, M.G., et al., Structure of a human common cold virus and relationship to other picornaviruses, *Nature* **317,** 145–153 (1985).

Caspar, D.L.D. et Klug, A., Physical principles in the construction of regular viruses, *Cold Spring Harbor Symp. Quant. Biol.* **27,** 1–24 (1962). [The classic paper formulating the geometric principles governing the construction of icosahedral viruses.]

Dokland, T., Freedom and restraint: Themes in virus capsid assembly, *Structure* **8,** R157–R162 (2000).

Grimes, J.M., Burroughs, J.N., Gouet, P., Diprose, J.M., Malby, R., Ziéntara, S., Mertens, P.P.C., et Stuart, D.I., The atomic structure of the bluetongue virus core, *Nature* **395,** 470–478 (1998) ; Gouet, P., Diprose, J.M., Grimes, J.M., Malby, R., Burroughs, J.N., Ziéntara, S., Stuart, D.I., et Mertens, P.P.C., The highly ordered double-stranded RNA genome of bluetongue virus revealed by crystallography, *Cell* **97,** 481–490 (1999) ; *et* Diprose, J.M., et al., Translocation portals for the substrates and products of a viral transcription complex: the bluetongue virus core, *EMBO J.* **20,** 7229–7239 (2001).

Harrison, S.C., Common features in the structures of some icosahedral viruses: a partly historical view, *Sem. Virol.* **1,** 387–403 (1990).

Harrison, S.C., The familiar and unexpected in structures of icosahedral viruses, *Curr. Opin. Struct. Biol.* **11,** 195–199 (2001).

Harrison, S.C., Olson, A.J., Schutt, C.E., Winkler, F.K., et Bricogne, G., Tomato bushy stunt virus at 2.9 Å resolution, *Nature* **276,** 368–373 (1978). [The first report of a high-resolution virus structure.]

Hogle, J.M., Chow, M., et Filman, D.J., The structure of poliovirus, *Sci. Am.* **256**(3): 42–49 (1987) ; *et* Three-dimensional structure of poliovirus at 2.9 Å resolution, *Science* **229**, 1358–1365 (1985).

Hurst, C.J., Benton, W.H., et Enneking, J.M., Three dimensional model of human rhinovirus type 14, *Trends Biochem. Sci.* **12**, 460 (1987). [A "paper doll"-type cutout with accompanying assembly directions for constructing an icosahedral model of human rhinovirus. This useful learning device may also be taken as a $T = 3$ icosadeltahedron.]

Larson, S.B. et McPherson, A., Satellite tobacco mosaic virus RNA: structure and implications for assembly, *Curr. Opin. Struct. Biol.* **11**, 59–65 (2001) ; *et* Larson, S.B., Day, J., Greenwood, A., et McPherson, A., Refined structure of satellite tobacco mosaic virus at 1.8 Å resolution, *J. Mol. Biol.* **277**, 37–59 (1998).

Munshi, S., Liljas, L., Cavarelli, J., Bomu, W., McKinney, B., Reddy, V, et Johnson, J.E., The 2.8 Å structure of a $T = 4$ animal virus and its implications for membrane translocation of RNA, *J. Mol. Biol.* **261**, 1–10 (1996). [The X-ray structure of Nudaurelia ω Capensis virus.]

Nandhagopal, N., Simpson, A.A., Gurnon, J.R., Yan, X., Baker, T.S., Graves, M.V., Van Etten, J.L., et Rossmann, M.G., The structure and evolution of the major capsid protein of a large, lipid-containing DNA virus, *Proc. Natl. Acad. Sci.* **99**, 14758–14763 (2002) ; *et* Yan, X., Olson, N.H., Van Etten, J.L, Bergoin, M., Rossmann, M.G., et Baker, T.S., Structure and assembly of large lipid-containing dsDNA viruses, *Nature Struct. Biol.* **7**, 101–103 (2000). [The structure of PBCV-1.]

Rossmann, M.G. et Johnson, J.E., Icosahedral RNA virus structure, *Annu. Rev. Biochem.* **58**, 533–573 (1989).

Stehle, T., Gamblin, S.J., Yan, Y., et Harrison, S.C., The structure of simian virus 40 refined at 3.1 Å, *Structure* **4**, 165–182 (1996) ; *et* R.C., Yan, Y., Moulai, J., Sahli, R., Benjamin, T.L., et Harrison, S.C., Structure of simian virus 40 at 3.8-Å resolution, *Nature* **354**, 278–284 (1991).

Valegård, K., Liljas, L., Fridborg, K., et Unge, T., The three-dimensional structure of the bacterial virus MS2, *Nature* **345**, 36–41 (1990) ; *and* Golmohammadi, R., Valegård, K., Fridborg, K., and Liljas, L., The refined structure of bacteriophage MS2 at 2.8 Å resolution, *J. Mol. Biol.* **234**, 620–639 (1993).

LE BACTÉRIOPHAGE λ

Albright, R.A. et Matthews, B.W., Crystal structure of λ-Cro bound to a consensus operator at 3.0 Å resolution, *J. Mol. Biol.* **280**, 137–151 (1998) ; *et* Brennan, R.G., Roderick, S.L., Takeda, Y., et Matthews, B.W., Protein–DNA conformational changes in the crystal structure of λ Cro–operator complex, *Proc. Natl. Acad. Sci.* **87**, 8165–8169 (1990).

Azaro, M.A. et Landy, A., λ Integrase and λ Int family, *in* Craig, N.L., Craigie, R., Gellert, M. et Lambowitz, A.M. (Éds.), *Mobile DNA II,* 118–148, ASM Press (2002).

Beamer, L.J. et Pabo, C.O., Refined 1.8 Å crystal structure of the λ repressor–operator complex, *J. Mol. Biol.* **227**, 177–196 (1992) ; *and* Jordan, S.R. and Pabo, C.O., Structure of the lambda complex at 2.5 Å resolution: details of the repressor–operator interactions, *Science* **242**, 893–899 (1988).

Bell, C.E., Frescura, P., Hochschild, A., et Lewis, M., Crystal structure of the λ repressor C-terminal domain provides a model for cooperative operator binding, *Cell* **101**, 801–811 (2000).

Brüssow, H. et Hendrix, R.W., Phage genomics: Small is beautiful, *Cell* **108**, 13–16 (2002).

Cai, Z., Gorin, A., Frederick, R., Ye, X., Hu, W., Majumdar, A., Kettani, A., et Patel, D.J., Solution structure of P22 transcriptional antitermination N peptide–box B RNA complex, *Nature Struct. Biol.* **5**, 203–212 (1998) ; *et* Legault, P., Li, J., Mogridge, J., Kay, L.E., et Greenblatt, J., NMR structure of the bacteriophage λ N peptide/*boxB* RNA complex: Recognition of a GNRA fold by an arginine-rich motif, *Cell* **93**, 289–299 (1998).

Cerritelli, M.E., Cheng, N., Rosenberg, A.H., McPherson, C.E., Booy, F.P., et Steven, A.C., Encapsidated conformation of bacteriophage T7 DNA, *Cell* **91**, 271–280 (1997).

Echols, H., Bacteriophage λ development: temporal switches and the choice of lysis or lysogeny, *Trends Genet.* **2**, 26–30 (1986).

Greenblatt, J., Nodwell, J.R., et Mason, S.W., Transcriptional antitermination, *Nature* **364**, 401–406 (1993).

Hendrix, R.W., et Garcea, R.L., Capsid assembly of dsDNA viruses, *Sem. Virol.* **5**, 15–26 (1994).

Hendrix, R.W., Roberts, J.W., Stahl, F.W., et Weisberg, R.A. (Éds.), *Lambda II,* Cold Spring Harbor Laboratory (1982). [A compendium of review articles on many aspects of bacteriophage λ.]

Murialdo, H., Bacteriophage lambda DNA maturation and packaging, *Annu. Rev. Biochem.* **60**, 125–153 (1991).

Oppenheim, A.B., Kornitzer, D., et Altuvia, S., Posttranscriptional control of the lysogenic pathway in bacteriophage lambda, *Prog. Nucleic Acid Res. Mol. Biol.* **46**, 37–49 (1993).

Pabo, C.O. et Lewis, M., The operator-binding domain of λ repressor: structure and DNA recognition, *Nature* **298**, 443–447 (1982).

Ptashne, M., *A Genetic Switch* (2nd ed.), Cell Press & Blackwell Scientific Publications (1992). [An authoritative review of the λ switch.]

Rice, P.A., Yang, S., Mizuuchi, K., et Nash, H., Crystal structure of an IHF-DNA complex : A protein-induced DNA turn, *Cell* **87**, 1295–1306 (1996) ; *et* Rice, P.A., Making DNA do a U-turn: IHF and releated proteins, *Curr. Opin. Struct. Biol.* **7**, 86–93 (1997).

Roberts, J.W., RNA and protein elements of *E. coli* and λ transcription antitermination complexes, *Cell* **72**, 653–655 (1993).

Simpson, A.A., et al., Structure of the bacteriophage φ29 DNA packaging motor, *Nature* **409**, 745–750 (2000).

Taylor, K. et Wegrzyn, G., Replication of coliphage lambda DNA, *FEMS Microbiol. Rev.* **17**, 109–119 (1995).

LE VIRUS DE LA GRIPPE

Air, G.M. et Laver, W.G., The molecular basis of antigenic variation in influenza virus, *Adv. Virus Res.* **31**, 53–102 (1986).

Bullough, P.A., Hughson, F.M., Skehel, J.J., et Wiley, D.C., Structure of influenza haemagglutinin at the pH of membrane fusion, *Nature* **371**, 37–43 (1994).

Carr, C.M., et Kim, P.S., A spring-loaded mechanism for the conformational change of influenza hemagglutinin, *Cell* **73**, 823–832 (1994).

Colman, P., Influenza virus neuraminidase : Structure, antibodies, and inhibitors, *Protein Sci.* **3**, 1687–1696 (1994).

Colman, P.M., Neuraminidase inhibitors as antivirals, *Vaccine* **20**, S55–S58 (2002).

Cox, N.J. et Subbaro, K., Global epidemiology of influenza: Past and present, *Annu. Rev. Med.* **51**, 407–421 (2000).

Eckert, D.M. et Kim, P.S., Mechanisms of viral membrane fusion and its inhibition, *Annu. Rev. Biochem.* **70**, 777–810 (2001).

Kolata, G.B., *Flu : The Story of the Great Influenza Pandemic of 1918 and the Search for the Virus that Caused It,* Farrar, Straus and Giroux (1999).

Nicholson, K.G., Webster, R.G., et Hay, A.J., *Textbook of Influenza,* Blackwell Science (1998).

Potter, C.W. (Éd.), *Influenza,* Elsevier (2002).

Skehel, J.J. et Wiley, D.C., Receptor binding and membrane fusion in virus entry: The influenza hemagglutinin, *Annu. Rev. Biochem.* **69**, 531–569 (2000).

Skehel, J.J., Stevens, D.J., Daniels, R.S., Douglas, A.R., Knossow, M., Wilson, I.A., et Wiley, D.C., A carbohydrate-side chain on hemagglutinins of Hong Kong influenza viruses inhibits recognition by a monoclonal antibody, *Proc. Natl. Acad Sci.* **81**, 1779–1783 (1984).

Varghese, J.N., Laver, W.G., et Colman, P.M., Structure of the influenza virus glycoprotein antigen neuramimidase at 2.9 Å resolution, *Nature*

303, 35–40 (1983) ; *et* Colman, P.M., Varghese, J.N., et Laver, W.G., Structure of the catalytic and antigenic sites in influenza virus neuraminidase, *Nature* **303,** 41–44 (1983).

Varghese, J.N., McKimm-Breschkin, J.L., Caldwell, J.B., Kortt, A.A., et Colman, P.M., The structure of the complex between influenza virus neuraminidase and sialic acid, the viral receptor, *Proteins* **14,** 327–332 (1992).

Webster, R.G., Laver, W.G., Air, G.M., et Schild, G.C., Molecular mechanisms of variation in influenza viruses, *Nature* **296,** 115–121 (1982).

Weis, W., Brown, J.H., Cusack, S., Paulson, J.C., Skehel, J.J., et Wiley, D.C., Structure of the influenza virus haemagglutinin complexed with its receptor, sialic acid, *Nature* **333,** 426–431 (1988).

Wilson, I.A., Skehel, J.J., et Wiley, D.C., Structure of the haemagglutinin membrane glycoprotein of influenza virus at 3 Å resolution, *Nature* **289,** 366–373 (1981) ; *et* Wiley, D.C., Wilson, I.A., et Skehel, J.J., Structural identification of the antibody-binding sites of Hong Kong influenza haemagglutinin and involvement in antigenic variation, *Nature* **289,** 373–378 (1981).

PROBLÈMES

1. Comment expliquer qu'une chute de pH de 7 à 5, à faible force ionique, conduise les doubles disques protéiques du TMV, à s'agréger en bâtonnets hélicoïdaux ?

2. Un acide nucléique peut-il coder une protéine monomérique assez grande pour l'enfermer ? Expliquer.

*3. Expliquer pourquoi le nombre d'arrêtes d'un icosadeltaèdre se termine toujours par le chiffre 2 (par ex. 12 pour $T = 1$).

4. Faire un croquis d'un icosadeltaèdre de $T = 9$.

5. Les pentagones de protéines de capside de SV40 sont placés à des arrêtes d'un icosadeltaèdre de $T = 7$. Cependant, le virion SV40 ne peut pas avoir de symétrie icosadeltaédrique. Pourquoi ?.

6. Pourquoi est-il nécessaire de travailler avec des mutations létales conditionnelles plutôt qu'avec des mutations létales en toutes conditions, pour étudier l'assemblage du phage ?

7. Comparer le volume que renferme une tête de phage avec celui de l'ADN de λ.

8. Les phages virulents forment des plages de lyse claires sur un tapis bactérien, tandis que les bactériophages λ forment des plages troubles. Expliquer.

9. Quelle est la séquence consensus commune aux demi-sites élémentaires dans O_L et dans O_R ?

10. Le répresseur de λ se lie de manière coopérative à O_{R1} et O_{R2}, mais de manière indépendante à O_{R3}. Cependant, si O_{R1} est altéré par une mutation de façon à ce qu'il ne puisse plus se lier au répresseur, alors le répresseur se lie de manière coopérative avec O_{R2} et O_{R3}. Pourquoi ?

11. Le bactériophage 434 est un phage lambdoïde qui possède un répresseur et une protéine Cro. On a construit un répresseur hybride où l'hélice α3 du répresseur 434, est remplacée par celle de la protéine Cro. Comparer les types de contacts que fait cette protéine hybride avec son opérateur, comme l'indiquent les expériences de protection chimique, avec ceux du répresseur natif 434, et ceux de la protéine Cro native.

12. Quelle est la probabilité qu'un virion de la grippe possède son complément de huit ARN différents, s'il n'a de la place que pour huit nucléocapsides et qu'il les assemble au hasard ?

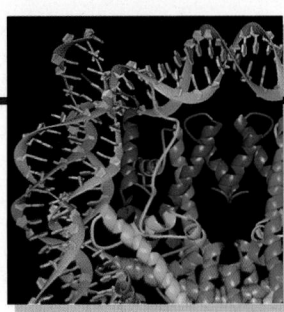

Chapitre
34

L'expression des gènes eucaryotiques

Comment un œuf fécondé donne-t-il naissance à un organisme multicellulaire hautement différencié ? Cette question n'est bien sûr, que la version sophistiquée de celle que tout enfant a un jour posée : d'où est-ce que je viens ? Les biologistes ont essayé d'y répondre dès la fin du 19e siècle, et depuis, ont assemblé une somme impressionnante de connaissances concernant les grandes lignes de la différenciation cellulaire et du développement d'un organisme. Cependant nous n'avons acquis les moyens techniques d'étudier l'embryologie au niveau moléculaire qu'au cours des 30 dernières années.

Afin de comprendre la différenciation cellulaire, nous devons d'abord savoir comment fonctionnent les cellules des eucaryotes.

Les cellules des eucaryotes sont, pour la plupart d'entre elles, plus grandes et de loin plus complexes que les cellules des procaryotes (Section 1-2). Cependant, *la différence fondamentale entre ces deux types de cellules réside dans le fait que les cellules des eucaryotes ont une membrane nucléaire qui sépare leurs chromosomes de leur cytoplasme, découplant ainsi le processus de la transcription de celui de la traduction.* À l'inverse, le chromosome des cellules des procaryotes est noyé dans le cytoplasme, permettant l'initiation de la synthèse des protéines sur les ARNm en cours de transcription. Les processus du contrôle de la transcription et de la traduction chez les eucaryotes sont donc fondamentalement différents de ceux des procaryotes. Cette situation est illustrée à la fois par le compactage et l'organisation des gènes de l'ADN eucaryotique en comparaison de celui des procaryotes. Nous commencerons donc ce chapitre par une description de l'anatomie du chromosome eucaryotique. Ensuite, nous examinerons comment le génome eucaryotique est organisé et comment il est exprimé. Enfin, nous étudierons la différenciation cellulaire et son aberration, le cancer, nous verrons comment le cycle cellulaire est contrôlé, et enfin nous étudierons la mort cellulaire programmée. Sur tous ces points, nous verrons que notre connaissance est encore assez fragmentaire. Cependant, la biologie moléculaire des eucaryotes fait l'objet d'études minutieuses et des avancées importantes dans sa compréhension sont faites presque quotidiennement. Ainsi, plus peut-être que pour d'autres sujets étudiés dans ce livre, il est important que le lecteur complète le contenu de ce chapitre par des publications biochimiques récentes.

1 ■ STRUCTURE DES CHROMOSOMES

Les chromosomes des eucaryotes, formés d'un complexe d'ADN, d'ARN et de protéines appelé **chromatine,** sont des entités dynamiques dont l'état varie énormément en fonction de la phase du cycle cellulaire. Les chromosomes individuels ne prennent leur forme familière condensée (Fig. 1-18 et 34-1) que pendant la division cellulaire (phase M du cycle cellulaire ; Section 30-4A). Pendant l'interphase, le reste du cycle cellulaire, quand l'ADN chromosomique est transcrit et dupliqué, les chromosomes de la plupart des cellules sont alors si diffus qu'ils ne peuvent pas être discernés individuellement (Fig. 34-2). Les cytologistes ont distingué depuis longtemps deux sortes de chromatine dispersée : une variété moins dense appelée **euchromatine** et une variété plus compacte dénommée **hétérochromatine** (Fig. 33-2). Ces deux

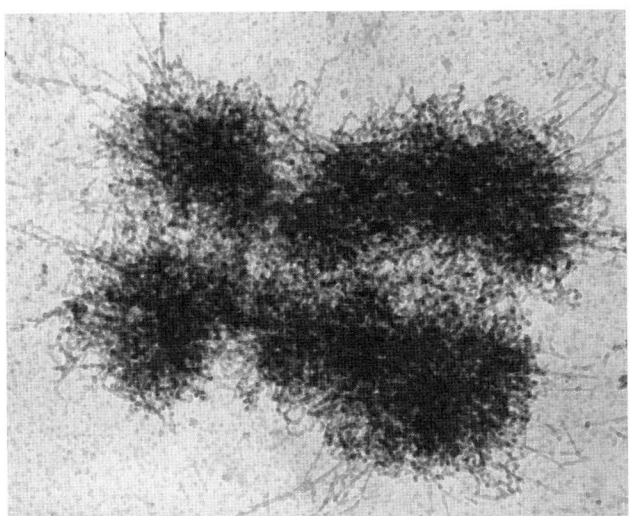

FIGURE 34-1 Micrographie électronique d'un chromosome humain en métaphase. Il comporte deux chromatides sœurs (identiques) assemblées au niveau de leurs centromères (la partie rétrécie du coté de l'extrémité gauche du chromosome). [Avec la permission de Gunther Bahr, Institut de Pathologie des forces armées.]

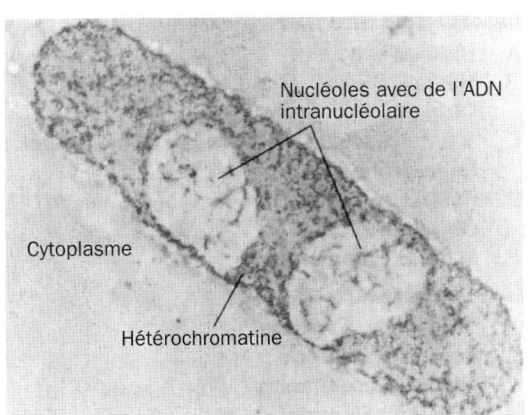

FIGURE 34-2 Coupe mince à travers un noyau cellulaire traité avec le réactif de Feulgen (qui réagit avec l'ADN en donnant une coloration rouge intense). L'hétérochromatine apparaît en foncé près du nucléole et de la membrane nucléaire. Le matériel plus clair correspond à l'euchromatine. [Avec la permission de Edmond Puvion, CNRS, France.]

sortes de chromatine diffèrent, comme nous le verrons ; l'euchromatine est exprimée génétiquement, tandis que l'hétérochromatine ne l'est pas.

Les 46 chromosomes d'une cellule humaine contiennent chacune 44 à 246 millions de paires de bases, de sorte que leurs ADN, qui sont continus (Section 5-3D), ont des longueurs de 1,5 à 8,4 cm (3,4 Å/pb). Néanmoins, en métaphase, où ils sont le plus condensé (Fig. 34-1), ces chromosomes atteignent une longueur de 1,3 à 10 μm. *L'ADN chromosomique a donc un rapport de compactage (rapport de sa longueur à sa taille apparente) supérieur à 8000.* Comment l'ADN parvient-il à un tel degré de condensation dans la chromatine ? Des études structurales ont révélé qu'il existe trois niveaux de repliement. Nous étudierons ces niveaux plus loin, en débutant par le niveau inférieur. Nous commençons, cependant, par étudier les protéines responsables de la plupart de ces types de repliement.

A. *Les histones*

*Le composant protéique de la chromatine, qui représente plus de la moitié environ de sa masse, est constitué principalement d'**histones***, qui ont été découvertes en 1884 par Albrecht Kossel, et dont on a cru pendant de nombreuses années qu'elles étaient, en fait, le matériel génétique. Ces protéines sont réparties en cinq classes principales, les **histones H1, H2A, H2B, H3** et **H4,** toutes ayant une large proportion de résidus chargés positivement (Arg et Lys ; Tableau 34-1). Ces protéines établissent donc des liaisons de type ionique avec les groupements phosphates de l'ADN chargés négativement. En effet, les histones peuvent être extraites de la chromatine par du NaCl 0,5 M, une solution saline de concentration suffisante pour perturber ces interactions électrostatiques.

a. Les histones sont conservées au cours de l'évolution

Les séquences en acides aminés des histones H2A, H2B, H3 et H4 ont une stabilité remarquable du point de vue de l'évolution (Tableau 34-1). Par exemple, les histones H4 des bovins et du petit-pois, espèces qui ont divergé il y a 1,2 milliard d'années, ne diffèrent que par deux changements de résidus (Fig. 34-3), ce qui fait de l'histone H4 la plus conservée des protéines connues (Section 7-3B). *Une telle stabilité au cours de l'évolution implique que ces quatre histones ont des fonctions essentielles pour lesquelles leurs structures sont si bien adaptées qu'elles ne tolèrent aucun changement.* La cinquième histone, l'histone H1, varie plus que les autres histones ; nous verrons plus loin que son rôle diffère de celui des autres histones.

TABLEAU 34-1 Histones de thymus de veau

Histone	Nombre de résidus	Masse (kD)	% Arg	% Lys	UEP[a] ($\times 10^{-6}$ année)
H1	215	23,0	1	29	8
H2A	129	14,0	9	11	60
H2B	125	13,8	6	16	60
H3	135	15,3	13	10	330
H4	102	11,3	14	11	600

[a]Unité de période évolutive («Unit evolutionary period») : Temps nécessaire à une séquence en acides aminés d'une protéine pour changer de 1% après divergence de deux espèces (Section 7-3B).

Ac—Ser—Gly—Arg—Gly—Lys—Gly—Gly—Lys—Gly—Leu—10
Gly—Lys—Gly—Gly—Ala—Lys—Arg—His—Arg—Lys—20
Val—Leu—Arg—Asp—Asn—Ile—Gln—Gly—Ile—Thr—30
Lys—Pro—Ala—Ile—Arg—Arg—Leu—Ala—Arg—Arg—40
Gly—Gly—Val—Lys—Arg—Ile—Ser—Gly—Leu—Ile—50
Tyr—Glu—Glu—Thr—Arg—Gly—Val—Leu—Lys—Val—60
Phe—Leu—Glu—Asn—Val—Ile—Arg—Asp—Ala—Val—70
Thr—Tyr—Thr—Glu—His—Ala—Lys—Arg—Lys—Thr—80
Val—Thr—Ala—Met—Asp—Val—Val—Tyr—Ala—Leu—90
Lys—Arg—Gln—Gly—Arg—Thr—Leu—Tyr—Gly—Phe—100
Gly—Gly   102

FIGURE 34-3 Séquence en acides aminés de l'histone H4 de thymus de veau. Les 25 résidus Arg et Lys de la protéine, constituée de 102 résidus, sont en rouge. L'histone H4 de graine de pois diffère de celle de thymus de veau par les substitutions phénotypiquement neutres des deux résidus en grisé : Val 60→Ile et Lys 77→Arg. Les résidus soulignés sont l'objet de modifications post-traductionnelles : Ser 1 est invariablement *N*-acétylé et peut être aussi *O*-phosphorylé, les résidus Lys 5, 8, 12 et 16 peuvent être *N*-acétylés, et Lys 20 peut être mono- ou di-*N*-méthylé. [D'après DeLange, R.J., Fambrough, D.M., Smith, E.L., et Bonner, J., *J. Biol Chem.* **244**, 5678 (1969).]

b. Les histones peuvent être modifiées

Les histones font l'objet de modifications post-traductionnelles telles que méthylations, acétylations, et phosphorylations des chaînes latérales de résidus spécifiques Arg, His, Lys, Ser et Thr. Toutes ces modifications, réversibles pour la plupart, diminuent les charges positives des histones, altérant ainsi de manière significative les interactions histone-ADN. Cependant, malgré la grande stabilité des histones au cours de l'évolution, leur degré de modification varie énormément selon les espèces, le tissu et la phase du cycle cellulaire. Une modification insolite est le fait que 10 % des H2A ont une liaison isopeptidique entre le groupement ε-aminé de leur résidu Lys 119 et le groupement carboxyl terminal de l'ubiquitine. Quoiqu'une telle ubiquitination, en fait une polyubiquitination, marque les protéines cytoplasmiques destinées à être dégradées par les protéases cellulaires (Section 32-6B), ça n'est pas le cas de H2A. Cette ubiquitination, ainsi que les autres modifications des histones, sert à moduler l'expression de gènes eucaryotiques.

Beaucoup, sinon tous les eucaryotes possèdent des sous-types d'histones H1, H2A, H2B et H3 génétiquement distincts, dont les synthèses sont mises en marche ou arrêtées pendant certaines phases spécifiques de l'embryogenèse et du développement de certains types de cellules. Les variations de séquence de ces sous-types sont limitées à quelques résidus dans H2A, H2B et H3, mais sont plus importantes dans Hl. En effet, les cellules érythroïdes d'embryons de poulet contiennent une variante de H1 qui diffère tellement des autres H1 qu'elle est appelée **histone H5** (les érythrocytes aviaires, contrairement à ceux des mammifères, ont des noyaux). Cette synthèse alternative d'histone semble être liée à la différenciation cellulaire, mais la nature de cette relation est inconnue.

B. *Les nucléosomes : premier niveau d'organisation de la chromatine*

Le premier niveau d'organisation de la chromatine a été mis en évidence par Roger Kornberg en 1974 par un faisceau de preuves :

1. La chromatine contient un nombre à peu près égal de molécules d'histones H2A, H2B, H3 et H4, et les molécules d'histones H1 sont deux fois moins nombreuses.

2. Les études de diffraction des rayons X indiquent que les fibres de chromatine ont une structure régulière qui se répète environ tous les 10 nm dans le sens des fibres. Le même profil de diffraction des rayons X est observé quand l'ADN purifié est mélangé à des quantités équimolaires de toutes les histones, excepté pour l'histone Hl.

3. Les micrographies électroniques (Fig. 33-4) révèlent que la chromatine est formée de particules de diamètre d'environ 10 nm, reliées par de fins brins d'ADN apparemment nu qui rappellent des perles sur un collier. Ces particules sont en accord avec le profil aux rayons X précédent.

4. La digestion limitée de chromatine par la **nucléase micrococcale** (qui clive l'ADN double brin) clive l'ADN entre certaines des particules décrites ci-dessus (Fig. 34-5*a*) ; apparemment, les particules empêchent l'ADN qui leur est associé étroitement d'être digéré par la nucléase. L'électrophorèse sur gel indique que chaque particule du *n*-mère contient environ 200 n pb d'ADN (Fig. 33-5*b*).

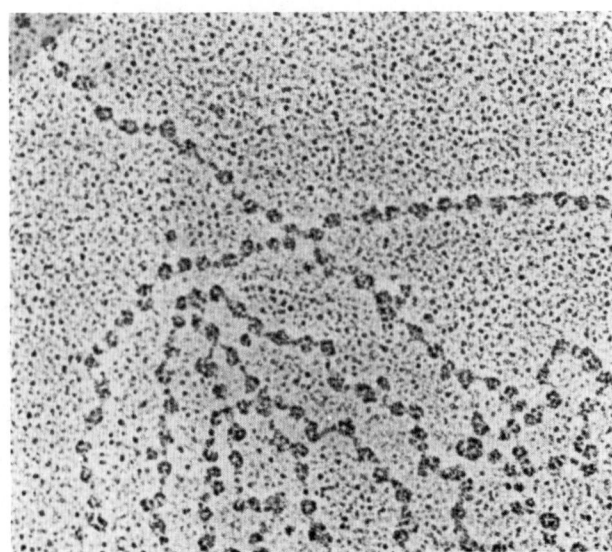

FIGURE 34-4 Micrographie électronique de chromatine de *D. melanogaster* montrant que ses fibres de 10 nm sont des chapelets de nucléosomes. [Avec la permission d'Oscar L. Miller, Jr., Université de Virginie.]

(a)

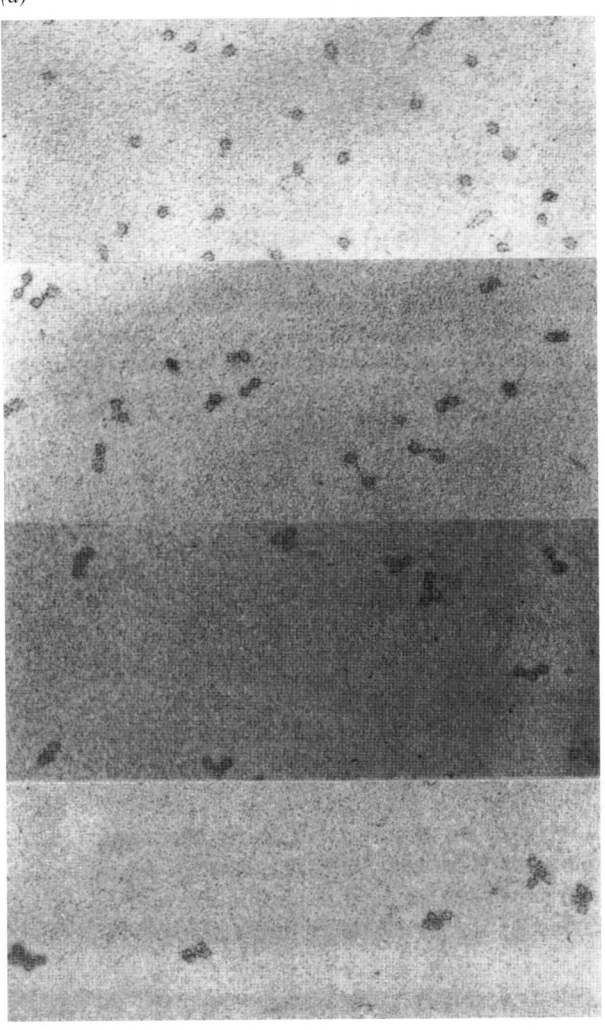

(b)

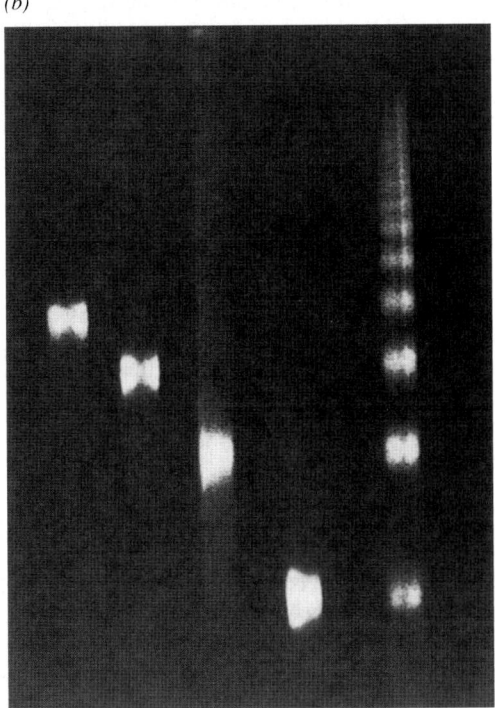

FIGURE 34-5 Fragments de chromatine de thymus de veau de longueurs fixes obtenus par ultracentrifugation sur gradient de densité de saccharose, de chromatine ayant été au préalable partiellement digérée par la nucléase micrococcale. (*a*) Micrographie électronique de fractions de gradient de densité de saccharose contenant, de haut en bas, des monomères, des dimères, des trimères et des tétramères de nucléosomes. (*b*) Gel d'électrophorèse d'ADN extrait de multimères de nucléosomes indiquant qu'ils correspondent à des multiples d'environ 200 pb. Le dépôt le plus à droite contient l'ADN « digéré » par la nucléase, mais non fractionné. [Avec la permission de Roger Kornberg, École de Médecine de l'Université de Stanford.]

5. Des expériences de pontage, comme celles décrites dans la Section 8-5C, indiquent que les histones H3 et H4 s'associent pour former le tétramère $(H3)_2(H4)_2$ (Fig. 34-6).

Ces observations ont conduit Komberg à proposer que *les particules de chromatine, appelées **nucléosomes**, correspondent à un octamère $(H2A)_2(H2B)_2(H3)_2(H4)_2$ en association avec environ 200 pb d'ADN*. La cinquième histone, H1, est supposée être associée d'une certaine façon à l'extérieur du nucléosome (voir ci-après).

a. L'ADN s'enroule autour d'un octamère d'histones pour former la particule centrale du nucléosome

La nucléase micrococcale décrite ci-dessus dégrade d'abord la chromatine en nucléosomes simples, associés à l'histone H1 (particules appelées **chromatosomes).** Après une digestion prolongée, l'ADN de certains chromatosomes est dégradé, ce qui entraîne la libération de l'histone H1. Ceci donne la **particule centrale du nucléosome de 205 kD,** constituée d'un brin d'ADN de 145 à 147 pb associé à l'octamère d'histones décrit ci-dessus. L'ADN éliminé par cette digestion, qui reliait préalablement les nucléo-

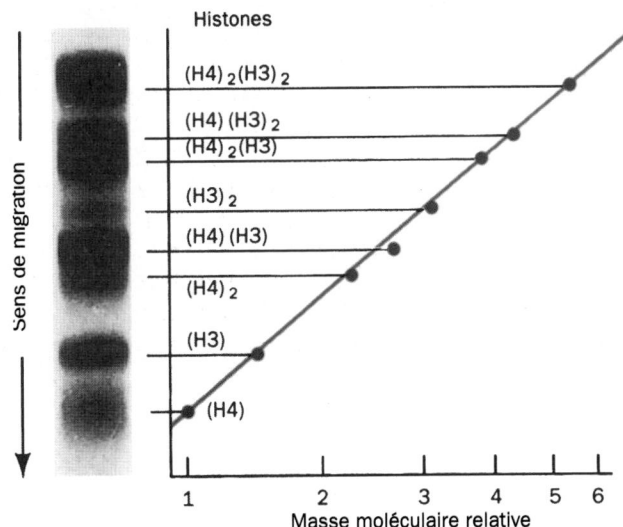

FIGURE 34-6 Gel d'électrophorèse en présence de SDS d'un mélange d'histones H3 et H4 de thymus de veau, pontées par du diméthylsubérimidate. L'électrophorégramme présente toutes les bandes attendues pour un tétramère $(H3)_2(H4)_2$. [Avec la permission de Roger Kornberg, École de Médecine de l'Université de Stanford.]

somes voisins, est appelé **ADN de liaison.** Sa taille varie de 8 à 114 pb selon l'organisme et le tissu, bien qu'elle soit habituellement d'environ 55 pb.

Les structures par rayons X de particules centrales de nucléosomes renfermant des ADN palindromiques de 146 ou 147 pb, de séquence définie, ainsi que des histones de *X. laevis*, de poulet ou de *S. cerevisiae*, ont été déterminées respectivement par Timothy Richmond, Gérard Bunick et Karolin Luger. Ces structures montre que le cœur du nucléosome est un disque en forme de coin avec une symétrie de quasi-ordre 2, dont le diamètre est ~110 Å pour une épaisseur maximale de ~60 Å. L'ADN est sous forme B et enroulé autour de l'octamère à raison de 1,65 tour d'une superhélice de pas à gauche (Fig. 34-7). On a là, l'origine du superenroulement de l'ADN eucaryotique.

Malgré une faible similitude de séquences, les quatre histones de l'octamère présentent un repliement commun, appelé domaine structuré des histones ou « histone fold », d'environ 70 résidus près des extrémités C-terminales, dans lequel une longue hélice centrale est flanquée de chaque côté par une boucle et une hélice plus courte (Fig. 34-8). Des paires de ces domaines histone fold s'engrènent en arrangement tête-bêche pour former des hétérodimères H2A-H2B et H3-H4 en forme de croissant, dont chacun se lie à 2,5 tours (27-28 pb) de duplex d'ADN qui subit une courbure formant un arc de 140° autour de lui. Les arcs successifs sont reliés par des segments de 3 ou 4 pb. Les paires H3-H4 interagissent via un faisceau de quatre hélices des deux histones H3, pour former un tétramère (H3-H4)$_2$ avec lequel chaque paire H2A-H2B inter-

agit, via un faisceau similaire de quatre hélices entre H2B et H4, formant ainsi l'octamère d'histones (Fig. 34-7*b*).

Les histones n'ont de liaison qu'avec la face interne de l'ADN, principalement avec la chaîne sucre-phosphate, par des liaisons hydrogène, des liaisons ioniques et des liaisons dues aux dipôles des hélices (avec leurs extrémités N-terminales positivement chargées), il s'agit dans tous les cas d'interactions avec les atomes d'oxygène des groupements phosphates. On a aussi des interactions hydrophobes avec les cycles des désoxyriboses. Il y a peu de contacts entre les histones et les bases, ce qui s'accorde bien avec le manque de spécificité des histones pour une séquence particulière. Cependant, une chaîne latérale d'un résidu Arg est insérée dans le petit sillon de l'ADN presque à chacune des 14 positions (10 sur 14) où il se trouve face à l'octamère d'histones. La superhélice d'ADN a un rayon moyen de 42 Å et un pas (élévation par tour) de 26 Å. Cependant, l'ADN ne forme pas une superhélice uniforme, au contraire, il tourne assez brusquement en plusieurs endroits à cause de protubérances du cœur d'histones. De plus, la double hélice d'ADN présente une importante variabilité de conformation sur sa longueur, et sa torsion, par exemple, va de 7,5 à 15,2 pb/tour pour une valeur moyenne de 10,4 pb/tour (l'ADN B en solution a 10,4 pb/tour). Environ 75 % de la surface de l'ADN est accessible aux solvants et semble donc disponible pour des interactions avec les protéines affines de l'ADN.

Les histones du cœur des nucléosomes ont des queues N-terminales qui dépassent du domaine central replié (Fig. 34-8) et dont la longueur va de 23 à 43 résidus (cela représente ~25 % de la

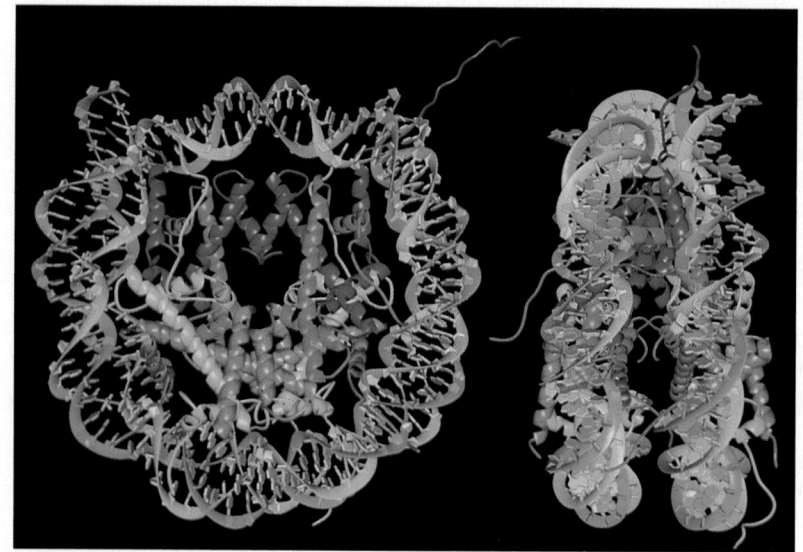
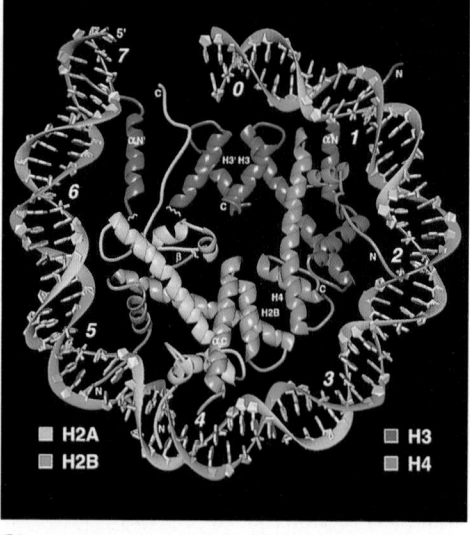

(a)   *(b)*

FIGURE 34-7 Structure par rayons X du cœur de la particule nucléosomale. (*a*) Le cœur entier de la particule est vu (à gauche) selon son axe superhélicoïdal et (à droite) après une rotation de 90° autour d'un axe vertical. Les protéines de l'octamère d'histones sont représentées sous forme de rubans où H2A est en jaune, H2B en rouge, H3 en bleu et H4 en vert. Les squelettes sucre-phosphate de l'ADN de 146 pb sont dessinés sous forme de rubans beige et bleu turquoise, les bases qui y sont attachées sont sous forme de polygones de couleurs identiques. Dans les deux vues, l'axe de pseudo-symétrie d'ordre 2 est vertical et passe par le centre de l'ADN, au sommet.

(*b*) Moitié supérieure de la particule cœur du nucléosome vue comme en *a*, *à gauche*, et colorée de la même façon. Les nombres 0 à 7 disposés le long de la face intérieure de la superhélice de 73 pb d'ADN indiquent les positions successives correspondant à un tour de double hélice. Les histones représentées en entier sont associées essentiellement à ce segment d'ADN, tandis que seuls des fragments de H3 et H2B de l'autre moitié de la particule sont montrés. Les deux faisceaux de quatre hélices représentés sont notés H3' H3 et H2B H4. [Avec l'aimable autorisation de Timothy Richmond, École Technique Fédérale, Zürich, Suisse. PDBiD 1AOI.]

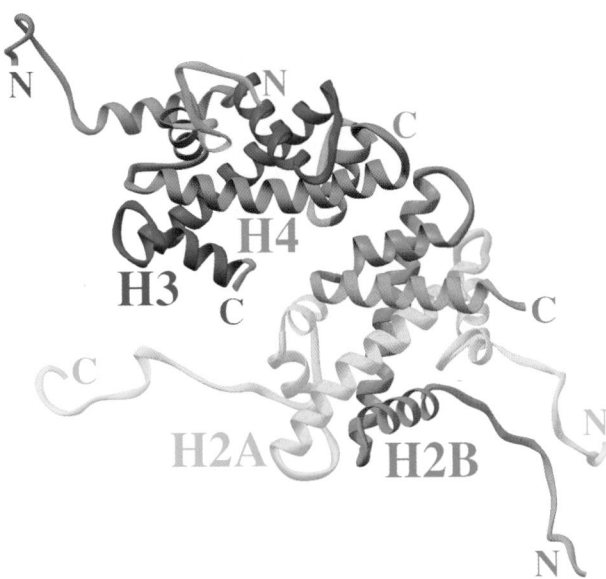

FIGURE 34-8 Structure par rayons X d'un octamère d'histones au sein du cœur d'un nucléosome. Les portions des histones H2A, H2B, H3 et H4 qui forment le domaine histone fold (domaine structuré des histones), sont respectivement en jaune, en rouge, en bleu et en vert, leurs queues N et C-terminales sont en couleurs plus pâles. [D'après une structure par rayons X de Gérard Bunick, Université du Tenessee et Laboratoire National de Oak Ridge, Oak Ridge, Tenessee. PDBid 1EQZ.]

masse de ces histones). Ces fragments polypeptidiques à forte charge positive, conformément à des études biochimiques antérieures, dépassent à l'extérieur de l'ADN ; ils sortent du nucléosome entre les tours de la superhélice d'ADN. Ceux des histones H2B et H3 émergent ainsi de canaux formés par deux sillons mineurs alignés sur une même verticale. Ces portions des queues N-terminales qui dépassent de l'ADN sont très peu structurées, en fait, elles n'ont pas de structure secondaire et de grandes parties de leurs segments N-terminaux sont désordonnées. Pourtant, l'une des queues N-terminales de H4 établit de nombreuses liaisons hydrogène et ioniques avec une région à forte charge négative d'un des dimères H2A-H2B d'un nucléosome adjacent dans la structure cristalline. De plus, la queue N-terminale d'une histone H2A d'un nucléosome interagit aussi bien avec l'ADN, qu'avec la queue N-terminale d'une histone H2A d'un nucléosome voisin. Des études en solution montrent de surcroît que les queues N-terminales interagissent avec l'ADN de jonction internucléosomique. Nous verrons dans la Section 34-3B qu'il existe une modulation de ces interactions, par des modifications post-traductionnelles nombreuses et variées des queues N-terminales dont la liste vient d'être donnée ci-dessus. Ces modifications permettent de faciliter le dépliement de la chromatine pour rendre les composants de l'ADN accessibles et leur permettre de participer aux processus essentiels que sont la transcription, la réplication de l'ADN, la recombinaison et la réparation de l'ADN. Parmi les histones dont nous avons parlé, seule H2A a une grande queue N-terminale (39 résidus), et pourtant, celle-ci est entièrement contenue dans le corps du cœur du nucléosome, il est donc improbable qu'elle participe à des liaisons internucléosomiques.

L'archée *Methanothermus fervidus* exprime deux protéines fortement apparentées qui forment un complexe sphéroïde avec l'ADN, et sert probablement à empêcher la dénaturation thermique de l'ADN de cette hyperthermophile. Ces protéines ont à peu près 30 % d'identité de séquence avec le domaine structuré histone fold de l'octamère d'histones mais ne présentent pas les queues N- et C-terminales. Il est évident que ces queues se sont ajoutées au domaine structuré des histones plus tard au cours de l'évolution.

b. L'histone H1 « scelle » le nucléosome

Pendant la digestion des nucléosomes par la nucléase micrococcale, l'ADN d'environ 200 pb est d'abord dégradé pour atteindre 166 pb. Puis il y a un arrêt le temps que l'histone H1 soit libérée et l'ADN est ensuite raccourci à 146 pb. La symétrie d'ordre deux de la particule centrale suggère que la réduction de longueur de l'ADN de 166 pb résulte de l'élimination de 10 pb à chacune de ses extrémités. Puisque l'ADN de 146 pb de la particule centrale fait 1,8 tour superhélicoïdal, l'intermédiaire de 166 pb devrait pouvoir faire deux tours superhélicoïdaux complets, ce qui rapprocherait au maximum ses deux extrémités. Aaron Klug a donc proposé que l'histone H1 se lie à l'ADN nucléosomique dans une cavité formée par le segment central de son ADN et les segments qui entrent et sortent de la particule centrale (Fig. 34-9). À l'appui de ce modèle, on a observé que dans les filaments de chromatine contenant H1, l'ADN entre et sort du nucléosome du même côté (Fig. 34-10*a*), tandis que dans la chromatine dépourvue de H1, les points d'entrée et de sortie sont distribués de façon plus aléatoire et ont tendance à se trouver sur les côtés opposés du nucléosome (Fig. 34-10*b*). Le modèle suggère aussi que la longueur de l'ADN de liaison est contrôlée par la sous-espèce de l'histone H1 qui y est attachée, on donne à ces histones le nom générique d'**histones de liaison**.

L'histone H5 est une variante de l'histone H1 qui présente plusieurs substitutions Lys → Arg et qui lie la chromatine plus étroitement. Le fait que l'histone H5 dans des cellules de sarcome de rat inhibe la réplication de l'ADN, stoppant ainsi les cellules en phase G1 du cycle cellulaire, et que l'histone H5 ressemble plus à

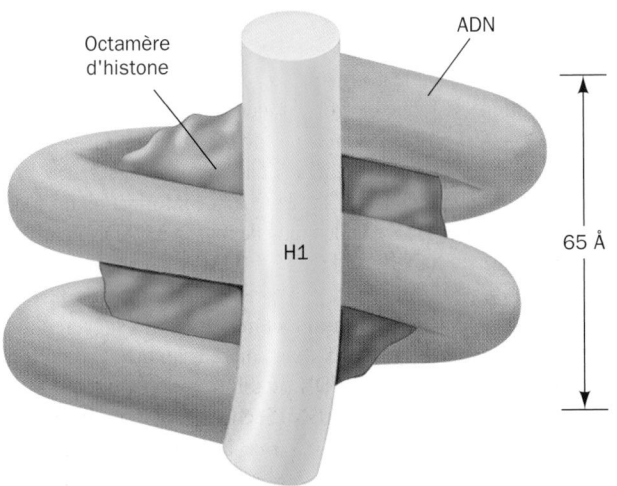

FIGURE 34-9 Modèle représentant l'interaction de l'histone H1 avec l'ADN de 166 pb du chromatosome. Les deux tours complets de la superhélice d'ADN permettent à H1 de se lier aux deux extrémités et au milieu de l'ADN. Ici l'octamère d'histone est représenté par le sphéroïde central (*en vert*) et la molécule Hl par le cylindre (*en jaune*).

(a)   (b)

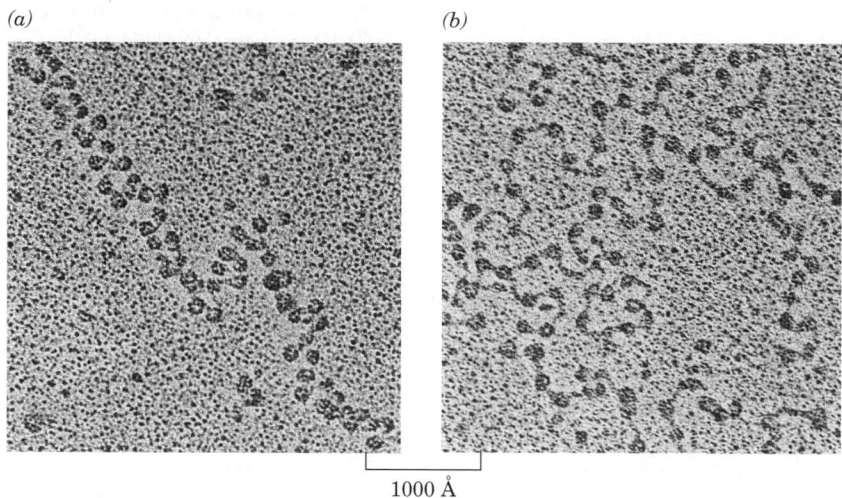

1000 Å

FIGURE 34-10   Micrographies électroniques de chromatine. (*a*) Chromatine contenant H1 (*b*) Chromatine sans Hl, toutes deux dans une solution saline de 5 à 15 mM. [Aimablement fourni par Fritz Thoma, École Technique Fédérale, Zürich, Suisse.]

l'histone H1° (une histone variante qui se trouve dans les cellules en phase terminale de différenciation) qu'à l'histone H1 elle-même, suggère que l'histone H5 est associée à la chromatine inactive du point de vue de la réplication et de la transcription.

Les histones de liaison se composent d'un domaine globulaire hautement conservé et résistant à la trypsine, flanqué de deux bras N- et C- terminaux déployés, riches en résidus basiques. Ces bras basiques, qui représentent plus de la moitié de la protéine intacte, interagiraient donc probablement avec l'ADN de liaison réunissant les nucléosomes adjacents, même si c'est le domaine globulaire qui est requis pour lier l'histone H1 au nucléosome.

c. Le domaine globulaire de l'histone H5 ressemble structurellement à la protéine CAP

V. Ramakrishnan a déterminé la structure par rayons X de **GH5,** un polypeptide de 89 résidus qui contient le domaine globulaire de 81 résidus de l'histone H5 (bien que ses 5 résidus côté N-terminal et ses 11 résidus côté C-terminal ne soient pas observables car probablement en structures désordonnées). La chaîne polypeptidique se replie en trois hélices en faisceau compact avec deux feuillets β plissés à son extrémité C-terminale (Fig. 34-11). Cette structure, et en particulier l'ensemble compact des trois hélices, est remarquablement similaire à la conformation du motif hélice-tour-hélice (HTH) du domaine de liaison à l'ADN de la protéine activatrice catabolique de *E. coli* (CAP, « catabolite activator protein » ; Fig. 31-28). Ainsi, même si les séquences de GH5 et CAP sont peu identiques, leurs structures similaires suggèrent que GH5 et CAP se lient à l'ADN de manière analogue. En effet, un modèle de complexe GH5-ADN, établi d'après la structure par rayons X du complexe CAP-ADN (Section 31-3C), positionne les chaînes latérales extrêmement conservées des résidus Lys 69, Arg 73 et Lys 85 de GH5 afin qu'elles interagissent avec l'ADN (Fig. 34-11). Ces résidus, qui ont tous des contreparties dans CAP, sont protégés contre les modifications chimiques dans la chromatine. De plus, GH5 contient un groupe de quatre résidus basiques conservés sur le côté opposé de la protéine par rapport à son « hélice de reconnaissance », qui pourrait interagir avec un second

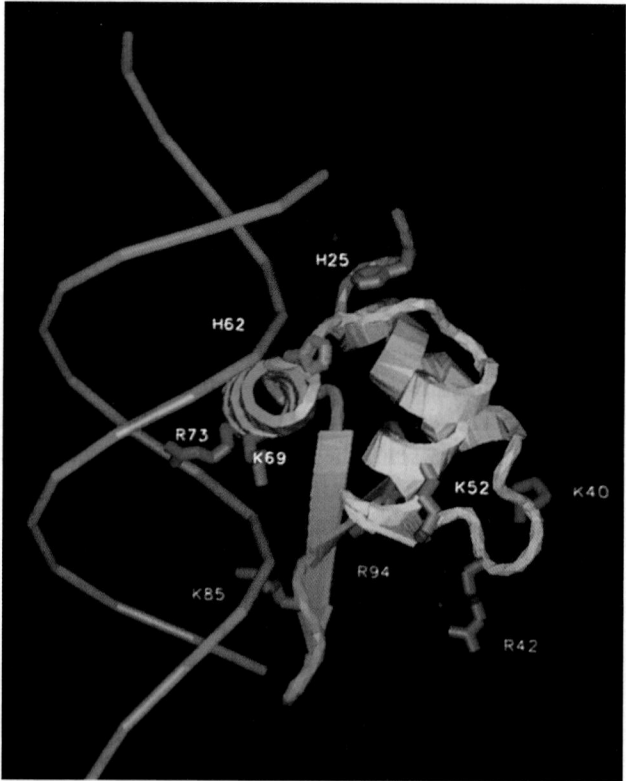

FIGURE 34-11 Structure par rayons X de GH5 montré sous forme de complexe hypothétique avec l'ADN. Ce modèle a été construit : par superposition de la structure de GH5 sur celle de CAP dans la structure CAP-ADN (Fig. 31-28*a*). Afin d'éviter toute spéculations sur la nature de l'ADN, il a été représenté sous la forme d'un ADN-B idéal, avec son squelette sucre-phosphate (*en rouge*), alors qu'il est courbé lorsqu'il est en association avec CAP. GH5 est montré sous la forme d'un ruban et coloré dans un camaïeu allant du rouge au bleu, de son extrémité N-terminale à son extrémité C-terminale. Les résidus basiques conservés, tout comme les deux résidus His qui ont été pontés à l'ADN, sont représentés en modèle éclaté (*en bleu*). [Avec la permission de V. Ramakrishnan, Laboratoire MRC de Biologie Moléculaire, Cambridge, G.-B. PDBid 1HST.]

segment de l'ADN double brin, car des preuves expérimentales indiquent que GH5 se lie simultanément à deux ADN double brin.

d. Les nucléosomes parentaux sont transférés aux doubles brins fils après réplication de l'ADN

La réplication *in vivo* de l'ADN eucaryotique s'accompagne de sa compaction en chromatine ; en fait, c'est la chromatine qui est réellement répliquée. Que deviennent alors les octamères d'histones associés primitivement à l'ADN parental ? Il y a plusieurs possibilités : les octamères « parentaux » peuvent rester associés soit au brin avancé, soit au brin retardé, ou ils peuvent être partagés entre les deux ADN double brin fils, soit au hasard, soit de façon systématique. Des expériences pour répondre à cette question ont amené des résultats contradictoires. Cependant, il est évident maintenant que les octamères parentaux sont distribués au hasard entre les doubles brins fils. De plus, les octamères parentaux restent associés à l'ADN pendant le processus de réplication au lieu de se dissocier de l'ADN parental et plus tard de se réassocier aux doubles brins fils. Ainsi, ou bien les nucléosomes s'ouvrent pour permettre le passage de la fourche de réplication, ou bien les octamères d'histones parentaux qui précèdent immédiatement une fourche de réplication en progression sont, d'une manière ou d'une autre, transférés dans les complexes double brin fils immédiatement derrière la fourche de réplication.

e. L'assemblage du nucléosome est facilité par des chaperons moléculaires

Comment les nucléosomes se forment-ils *in vivo* ? *In vitro,* à des concentrations salines élevées, les nucléosomes s'assemblent spontanément à partir d'un mélange ad hoc d'ADN et d'histones. En fait, quand H3, H4 et l'ADN sont seuls présents, le mélange forme des particules ressemblant aux nucléosomes et contenant chacune un tétramère $(H3)_2(H4)_2$. Les noyaux des nucléosomes sont probablement formés par addition de dimères H2A-H2B à ces particules.

À des concentrations salines physiologiques, l'assemblage *in vitro* du nucléosome se produit beaucoup plus lentement qu'à des concentrations salines élevées, et, à moins que les concentrations en histones ne soient bien définies, il s'accompagne d'une précipitation très importante d'histones. Cependant, en présence de **nucléoplasmine,** une protéine acide isolée des noyaux des ovocytes de *X. laevis*, et de topoisomérase I (Section 29-3C), l'assemblage du nucléosome se produit rapidement sans précipitation des histones. La nucléoplasmine se lie aux histones, mais jamais à l'ADN ni aux nucléosomes. Manifestement, *la nucléoplasmine fonctionne comme chaperon moléculaire (Section 9-2C) pour réunir les histones et l'ADN de manière contrôlée, et de cette façon prévient leur agrégation non spécifique due à leurs fortes interactions électrostatiques.* Manifestement, la topoisomérase I fournit au nucléosome l'ADN avec son degré préférentiel de surenroulement.

C. Les filaments de 30 nm : deuxième niveau d'organisation de la chromatine

L'ADN nucléosomique de 166 pb a un rapport de compactage d'environ 7 (sa longueur de 560 Å est repliée en une superhélice d'environ 80 Å de haut). En clair, le filament de nucléosomes de

10 nm, qui apparaît à des forces ioniques basses (et qui a donc peu de chances d'existence autonome *in vivo*), représente seulement le premier niveau du compactage de l'ADN chromosomique. Le niveau suivant d'organisation chromosomique n'apparaît qu'à des forces ioniques physiologiques.

Quand la concentration saline est augmentée, le filament de nucléosomes contenant H1 prend initialement une conformation en zigzag (Fig. 34-10*a*) dont l'aspect suggère que les nucléosomes interagissent par contacts entre leurs molécules H1. Puis, lorsque la concentration saline approche de la valeur physiologique, la chromatine forme un filament de 30 nm d'épaisseur dans lequel les nucléosomes sont visibles en microscopie électronique (Fig. 34-12). Selon Klug, le filament de 30 nm est construit par l'enroulement du filament de nucléosomes de 10 nm en un solénoïde ayant environ 6 nucléosomes par tour et un pas de 110 Å (le diamètre d'un nucléosome ; Fig. 34-13). Le solénoïde est stabilisé par les molécules H1 dont les bras N- et C-terminaux relativement variables et allongés (absents dans GH5 ; Fig. 34-11) entrent probablement en contact avec les nucléosomes adjacents, en interagissant au moins en partie tête-bêche avec les H1 voisines. Ce modèle, conforme au modèle obtenu après étude par diffraction des rayons X des filaments de 30 nm, a un rapport de compactage d'environ 40 (6 nucléosomes, chacun avec environ 200 pb d'ADN, correspondant à une élévation de 110 Å). Cependant, plusieurs autres modèles plausibles de filament de chromatine de 30 nm ont été également formulés. En effet, Kensad van Holde pense que le filament de 30 nm n'a pas une structure régulière, à cause des longueurs variables des ADN de liaisons, supposés droits et rigides, entre les cœurs des nucléosomes. On aurait une structure hélicoïdale irrégulière dont la modélisation suggère qu'elle forme un filament d'un diamètre moyen de 30 nm. Cela expliquerait la difficulté que l'on a à déterminer expérimentalement la structure du

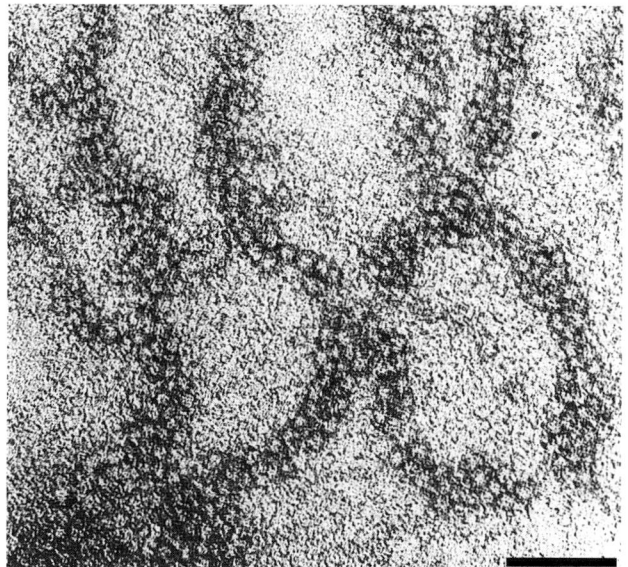

FIGURE 34-12 Micrographie électronique des filaments de chromatine de 30 nm. Notez que les filaments on un diamètre correspondant à deux ou trois nucléosomes. La barre représente 1000 Å. [Avec la permission de Jérôme B. Rattner, Université de Calgary, Canada.]

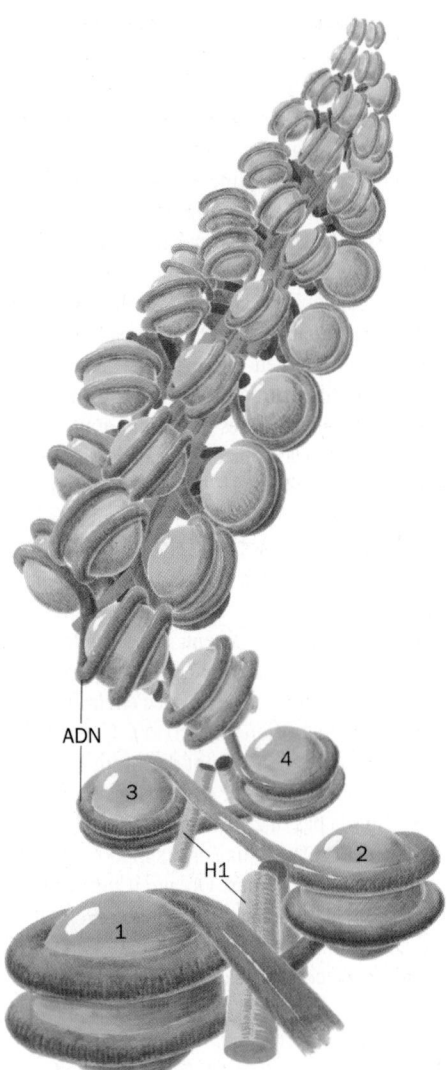

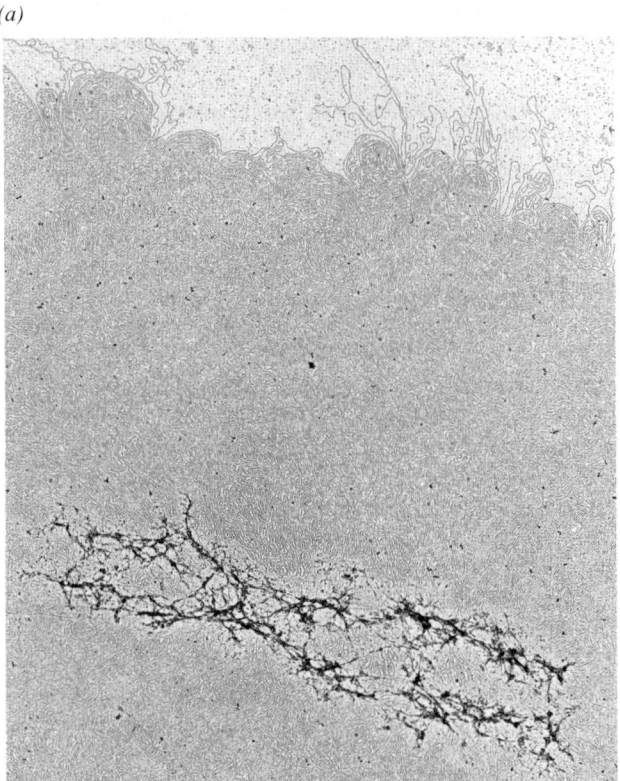

(a)

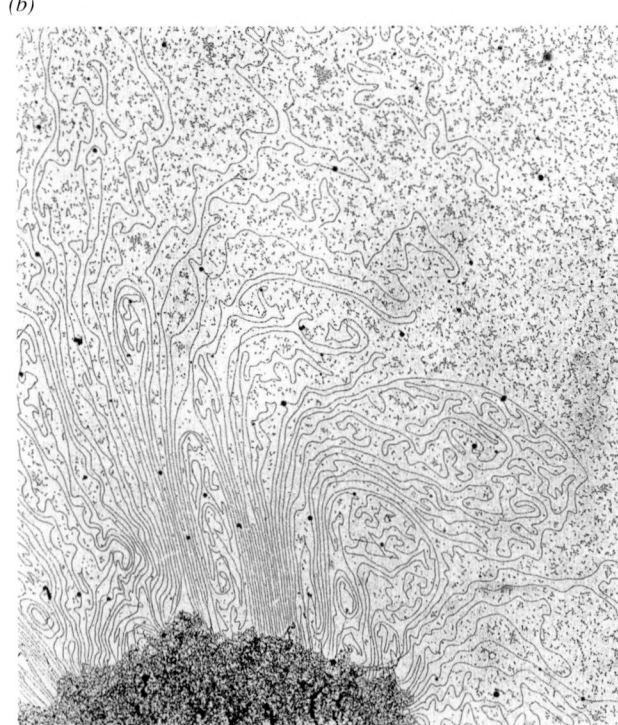

(b)

FIGURE 34-13 Modèle proposé pour le filament de chromatine de 30 nm. Le filament est représenté (*de bas en haut*) selon la forme qu'il pourrait avoir en présence de concentrations salines croissantes. L'aspect en zigzag des nucléosomes (*1,2,3,4*) forme presque un solénoïde avec environ 6 nucléosomes par tour. Les molécules Hl (*cylindres jaunes*), qui stabilisent la structure, sont supposées former un polymère hélicoïdal situé au centre du solénoïde.

filament de 30 nm malgré les nombreux essais pour y arriver au cours de trois décennies.

D. *Les boucles radiales : troisième niveau d'organisation de la chromatine*

Les chromosomes en métaphase dont on a enlevé les histones présentent un « échafaudage » central ou matrice de protéine fibreuse, entouré d'un large halo d'ADN (Fig. 34-14*a*). On a pu observer que les brins d'ADN forment des boucles qui entrent et sortent de l'échafaudage à peu près au même endroit (Fig. 34-14*b*). La plupart de ces boucles mesurent de 15 à 30 nm (ce qui correspond à 45-90 kb), si bien que, condensées en filaments de 30 nm, elles auraient environ 0,6 μm de long. Les micrographies électroniques de chromosomes en section transversale, comme dans la

FIGURE 34-14 Micrographies électroniques d'un chromosome humain en métaphase, débarassé de ses histones. (*a*) La matrice protéique centrale (échafaudage) sert à ancrer l'ADN environnant. (*b*) Un plus fort grossissement permet d'observer que l'ADN est attaché en boucles à l'échafaudage. [Avec la permission d'Ulrich Laemmli, Université de Genève, Suisse.]

Fig. 34-15*a*, suggèrent fortement que les fibres de chromatine des chromosomes en métaphase sont disposées de façon radiale. Si les boucles observées sont ces fibres radiales, chacune d'elles correspondrait à 0,3 µm du diamètre du chromosome (une fibre doit se replier sur elle-même pour former une boucle). En tenant compte de la largeur de l'échafaudage (0,4 µm), ce modèle prédit que le diamètre du chromosome en métaphase serait de 1,0 µm, ce qui est conforme aux observations (Fig. 34-15*b*). Un chromosome humain typique, contenant environ 140 millions pb, aurait donc environ 2000 boucles radiales d'environ 70 kb. L'échafaudage de 0,4 µm de diamètre d'un tel chromosome a une superficie suffisante avec ses 6 µm de longueur pour porter ce nombre de boucles

(a)

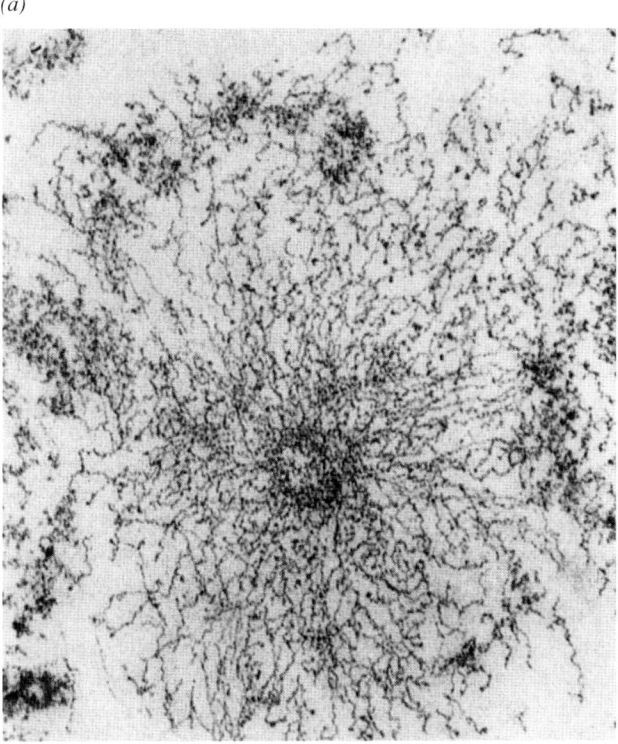

(b)

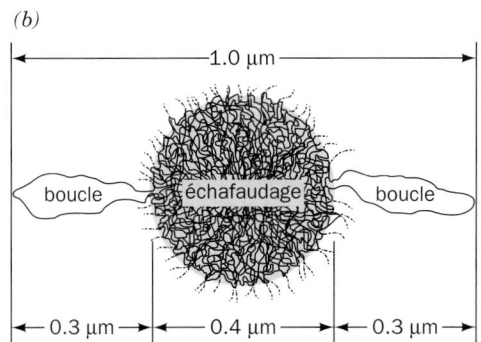

FIGURE 34-15 Organisation de l'ADN dans un chromosome métaphasique. (*a*) Micrographie électronique d'une section transversale d'un chromosome humain en métaphase. Notez la masse des fibres de chromatine rayonnant en étoile autour de l'échafaudage central. [Aimablement fourni par Ulrich Laemmli, Université de Genève, Suisse.] (*b*) Diagramme d'interprétation indiquant comment les boucles radiales de 0,3 mm de long sont supposées se combiner avec l'échafaudage de 0,4 µm de large pour former un chromosome en métaphase de 1,0 µm de diamètre.

radiales. Ainsi, le modèle de boucles radiales rend compte du rapport de compactage observé pour l'ADN dans les chromosomes en métaphase.

Les boucles radiales sont attachées à la matrice par des **régions d'association à la matrice (MAR, aussi appelées SAR pour « scaffold attachement region »,** région d'ancrage à l'échafaudage) riches en A-T. On qualifie aussi ces boucles radiales de **domaines structuraux.** On ne sait cependant pas grand chose sur la composition de la matrice, ni sur la façon dont les boucles radiales sont organisées, ni sur le mécanisme responsable du passage des chromosomes en métaphase, aux chromosomes en interphase beaucoup plus dispersés. Il est certain que les **protéines non histones,** dont des milliers de variétés constituent environ 10 % des protéines chromosomiques, sont impliquées dans ces processus. De plus, du fait que la machinerie protéique qui contrôle l'expression génique d'un domaine structural particulier a peu de chance d'affecter directement l'expression d'un domaine structural voisin tout porte à croire que les domaines structuraux sont les unités transcriptionnelles chromosomiques.

E. *Les chromosomes polytènes*

La structure diffuse de la plupart des chromosomes en interphase (Fig. 34-2) ne permet pas de les caractériser au niveau de gènes individuels. Cependant, la nature a beaucoup aidé à clarifier cette situation en produisant des chromosomes géants à larges bandes dans certaines cellules sécrétrices de mouches diptères (à une paire d'ailes) ne se divisant pas (Fig. 34-16). Ces chromosomes, ceux des glandes salivaires de larves de *Drosophila melanogaster* étant particulièrement étudiés, sont produits par réplications multiples d'une paire diploïde reliée (unie en parallèle) dans laquelle les formes répliquées restent associées entre elles et en registre. Chaque paire diploïde peut se répliquer neuf fois de cette manière, de sorte que le **chromosome polytène** final contient jusqu'à $2 \times 2^9 = 1024$ brins d'ADN. On ne connaît pas la fonction des chromosomes polytènes, il est possible que cela permette un taux de transcription accru de certains gènes.

Les quatre chromosomes géants de *D. melanogaster* ont une longueur d'environ 2 mm, de sorte que dans ces chromosomes, le génome haploïde de $1,37 \times 10^8$ pb a un rapport moyen de compactage de presque 25. Près de 95 % de cet ADN se trouvent concentrés dans les bandes chromosomiques (Fig. 34-17). Ces bandes (plus exactement, les **chromomères**), visualisées au microscope après coloration, ont un profil qui est caractéristique de chaque souche de *D. melanogaster*. En effet, les modifications chromosomiques telles que duplications, délétions et inversions, aboutissent à un changement correspondant dans le profil de bandes. *Le profil de bandes d'un chromosome polytène forme donc une carte cytologique parallèle à sa carte génétique.*

Le profil des bandes caractéristique de chaque chromosome polytène suggère que les molécules d'ADN qui le composent sont alignées de façon précise. Cette hypothèse a été corroborée par l'utilisation de **l'hybridation *in situ*** (sur le site). Dans cette technique mise au point par Mary Lou Pardue et Joseph Gall, une préparation immobilisée de chromosomes est traitée avec NaOH pour dénaturer son ADN ; puis elle est hybridée avec une espèce pure et spécifique d'un ARNm marqué radioactivement (ou son ADNc correspondant), et le site de liaison chromosomique de la sonde radioactive est déterminé par autoradiographie. Un ARNm donné

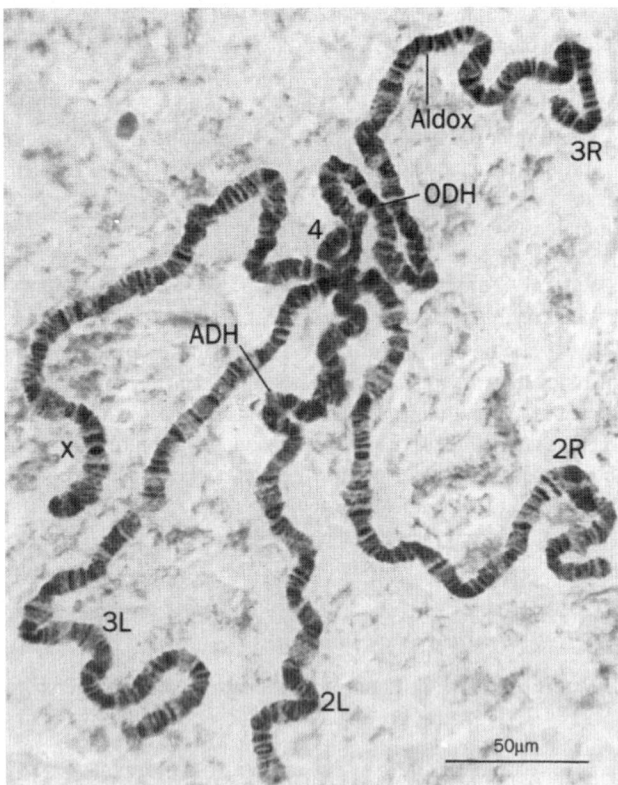

FIGURE 34-16 Micrographie photonique de chromosomes polytènes colorés, de glande salivaire de *D. melanogaster*. Ces chromosomes présentent des bandes foncées séparées par des régions plus claires. Les quatre chromosomes d'une cellule sont reliés entre eux par leurs centromères. Les positions chromosomiques des gènes codant l'alcool déshydrogénase (ADH), l'aldéhyde oxydase (Aldox) et l'octanol déshydrogénase (ODH) sont indiquées. [Avec la permission de B.P. Kaufmann, Université du Michigan.]

s'hybride avec une, ou tout au plus quelques bandes chromosomiques (Fig. 34-18).

Les quatre chromosomes polytènes de *D. melanogaster* ont un ensemble de 5000 bandes environ. Au départ, il a semblé que le

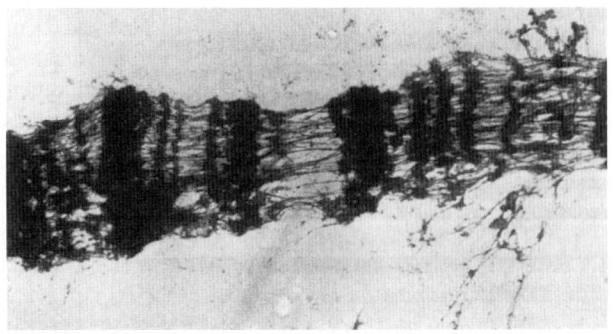

FIGURE 34-17 Micrographie électronique d'un segment de chromosome polytène de *D. melanogaster*. Notez que les régions entre les bandes correspondent à des fibres de chromatine plus ou moins parallèles à l'axe du chromosome, alors que les bandes, qui contiennent environ 95 % de l'ADN chromosomique, sont beaucoup plus condensées. [Avec la permission de Gary Burkholder, Université du Saskatchewan, Canada.]

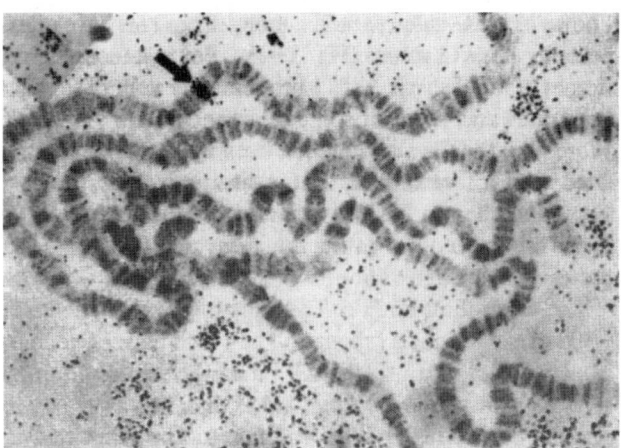

FIGURE 34-18 Autoradiographie d'un chromosome polytène de *D. melanogaster* après hybridation *in situ* avec l'ADNc de protéine de vésicule vitelline. Les grains sombres (*flèches*) identifient la localisation chromosomique du gène de la protéine du vitellus. [Avec la permission de Barnett, T., Pachl, C., Gergen, J.P., and Wensink, P.C., *Cell* **21**, 735 (1980) copyright (c), 1980, Cell Press.]

nombre de gènes de *D. melanogaster* était grossièrement égal au nombre de bandes et on a donc pensé que chaque bande correspondait à un seul gène. Cependant, la séquence récemment déterminée du génome de *D. melanogaster* montre qu'il comporte environ 13 000 gènes, environ trois fois plus que le nombre de bandes. On a en fait pu montrer que les gènes se situent aussi bien dans les bandes que dans les régions qui les séparent, certaines bandes pouvant d'ailleurs contenir plusieurs gènes alors que d'autres n'en contiennent aucun. Il est donc vraisemblable que le motif des bandes des chromosomes polytènes est la conséquence des différents niveaux d'expression génique causés par des variations de la structure de la chromatine (voir Section 34-3B). Les gènes situés dans les régions relativement ouvertes situées entre les bandes seraient probablement plus exprimés que ceux situés dans des bandes plus condensées et de ce fait moins accessibles.

2 ■ ORGANISATION DES GÉNOMES

Les organismes supérieurs contiennent une grande variété de cellules qui diffèrent non seulement par leur aspect morphologique (voir Fig. 1-10), mais aussi par les protéines qu'elles synthétisent. Les cellules pancréatiques acineuses, par exemple, synthétisent de grandes quantités d'enzymes digestives, dont la trypsine et la chymotrypsine, mais pas l'insuline, tandis que les cellules pancréatiques β voisines, produisent de grandes quantités d'insuline, mais pas d'enzymes digestives. Chacun de ces types cellulaires différents exprime évidemment des gènes différents. Cependant, la plupart des cellules somatiques d'un organisme multicellulaire contiennent la même information génétique que l'œuf fécondé dont elles descendent (un phénomène appelé **totipotence**). Cela a été démontré, par exemple, par la possibilité d'obtenir un mammifère comme un mouton, une vache ou une souris à partir d'un ovocyte énucléé dans lequel on avait inséré le noyau d'une cellule adulte. De même une seule cellule de plante est capable de redonner une plante entière normale. Il est clair que ces cellules ont une énorme souplesse d'expression. Et pourtant, seule une petite fraction de l'ADN des génomes eucaryotiques est exprimée. Quelle est la nature des séquences non exprimées restantes, ont-elles d'ailleurs une fonction ? Dans cette section, nous décrivons l'organisation génétique du chromosome eucaryotique. Le contrôle de cette expression génétique fait l'objet de la Section 34-3.

A. *Le paradoxe de la valeur C*

On pouvait raisonnablement s'attendre à ce que la complexité morphologique d'un organisme soit approximativement corrélée avec la quantité d'ADN de son génome haploïde, appelée sa **valeur C.** Après tout, la complexité morphologique d'un organisme doit refléter une complexité génétique sous-jacente. Toutefois, dans ce que l'on appelle le **paradoxe de la valeur C,** beaucoup d'organismes ont des valeurs C anormalement élevées (Fig. 34-19). Par exemple, les génomes de poissons pulmonés sont 10 à 15 fois plus grands que ceux des mammifères, et ceux de certaines salamandres sont encore plus grands. D'ailleurs, le paradoxe de la valeur C s'applique même à des espèces très proches ; par exemple, les valeurs C de plusieurs espèces de *Drosophila* varient jusqu'à 2,5 fois. L'ADN « supplémentaire » dans les génomes plus grands a-t-il un rôle, et sinon, pourquoi est-il conservé de génération en génération ?

Le génome de *E. coli* de 4,6 millions pb est supposé coder environ 4300 protéines. À l'opposé, le génome haploïde humain de 3,2 milliards pb, qui est plus de 700 fois plus grand que celui de *E. coli*, est supposé coder environ 30 000 protéines ; autrement dit, les humains n'ont qu'environ 7 fois plus de gènes structuraux que *E. coli*. Le contrôle de l'expression génétique des eucaryotes doit être certainement un processus beaucoup plus élaboré que celui des procaryotes. Cependant, est-ce que tout l'ADN non exprimé du génome humain, au moins 98 % de l'ADN total, intervient dans le contrôle de l'expression génétique ? Les déterminations récentes de la séquence de génomes eucaryotes et celles qui sont en cours commencent à apporter des réponses aux questions précédentes.

a. L'analyse des courbes $C_o t$ montre la complexité de l'ADN

La vitesse à laquelle l'ADN se renature est révélatrice des longueurs de ses séquences uniques. Si l'ADN est morcelé en fragments réguliers de 300 à 10 000 pb (Section 5-3D), puis dénaturé, et conservé à une concentration basse de sorte que les effets de l'enchevêtrement mécanique soient minimes, l'étape déterminant la vitesse de renaturation est la rencontre de séquences complémentaires. Une fois que les séquences complémentaires se sont retrouvées par diffusion au hasard, elles s'hybrident rapidement

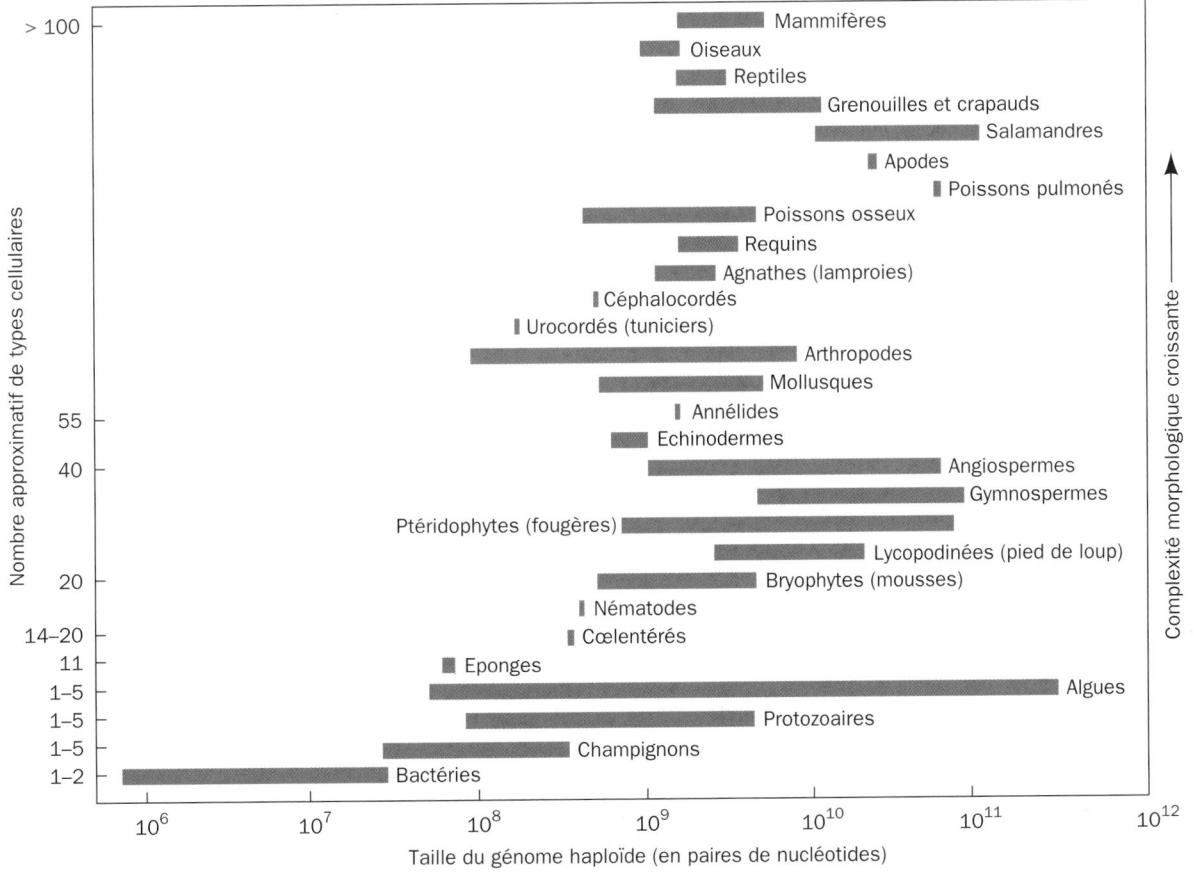

FIGURE 34-19 Tailles comparées des génomes haploïdes de différentes catégories d'organismes mettant en évidence le paradoxe de la valeur C. La complexité morphologique des organismes, estimée par le nombre de types cellulaires, est croissante du bas de la figure vers le haut. [D'après Raff, R.A. et Kaufman, T.C. *Embryos,, Genes, and Evolution*, p. 314, Macmillan (1983).]

pour former des molécules double brin. La vitesse de renaturation de l'ADN dénaturé est alors exprimée par

$$\frac{d[A]}{dt} = -k[A][B] \qquad [34.1]$$

où A et B représentent les séquences complémentaires simple brin et k une constante de vitesse de second ordre (Section 14-1B). Puisque [A] = [B] pour l'ADN double brin, l'intégration de l'équation [34.1] donne,

$$\frac{1}{[A]} = \frac{1}{[A]_0} + kt \qquad [34.2]$$

où $[A]_0$ est la concentration initiale de A.

Il est facile de mesurer la fraction f de brins non appariés :

$$f = \frac{[A]}{[A]_0} \qquad [34.3]$$

En combinant les équations [34.2] et [34.3], on obtient

$$f = \frac{1}{1 + [A]_0 kt} \qquad [34.4]$$

Les termes de la concentration dans ces équations s'appliquent aux séquences uniques puisque la rencontre de séquences non complémentaires ne conduit pas à la renaturation. Ainsi, si C_0 est la concentration initiale des paires de bases en solution, on a,

$$[A]_0 = \frac{C_0}{x} \qquad [34.5]$$

où x est le nombre de paires de base dans chaque séquence unique et est appelé **complexité** de l'ADN. Par exemple, la séquence répétée $(AGCT)_n$ a une complexité de 4, alors qu'un chromosome de *E. coli,* qui consiste en une séquence non répétitive de 4,7 millions pb, a une complexité de 4,7 millions. En combinant les équations [34.4] et [34.5], on obtient,

$$f = \frac{1}{1 + C_0 kt/x} \qquad [34.6]$$

Quand la moitié des molécules de l'échantillon est renaturée, $f = 0,5$ de sorte que

$$C_0 t_{1/2} = \frac{x}{k} \qquad [34.7]$$

où $t_{1/2}$ est le temps de demi-renaturation. La constante k est caractéristique de la vitesse à laquelle les brins simples se rencontrent en solution dans les conditions utilisées, aussi est-elle indépendante de la complexité de l'ADN et, pour les fragments d'ADN raisonnablement courts, de la longueur d'un brin. En conséquence, *dans des conditions données, la valeur $C_0 t_{1/2}$ ne dépend que de la complexité x de l'ADN.* Ceci apparaît dans la Fig. 34-20 qui est une série de tracés de f en fonction de $C_0 t$, de différents ADN. On appelle ces tracés, courbes de $C_0 t$ (prononcer cot). Les complexités des ADN dans la Fig. 34-20 varient de 1 pour le poly(A) · poly(U) synthétique double brin à environ 3×10^9 pour certaines fractions d'ADN de mammifères. Leurs valeurs correspondantes de $C_0 t_{1/2}$ varient de la même façon.

La vitesse et la sensibilité de l'analyse de la courbe $C_0 t$ sont fortement augmentées par le fractionnement sur hydroxyapatite de l'ADN en cours de renaturation. Rappelons que (Section 6-6B) l'hydroxyapatite se lie à l'ADN double brin à une concentration en phosphate supérieure à celle où elle se lie à l'ADN simple brin. Les ADN simple brin et double brin dans une solution d'ADN en renaturation peuvent donc être séparés par chromatographie sur hydroxyapatite et leurs quantités peuvent être mesurées. La renaturation de l'ADN simple brin peut être poursuivie ultérieurement et le processus peut être répété. Le marquage radioactif de l'ADN en renaturation permet de détecter des quantités d'ADN beaucoup plus petites que par spectroscopie. Donc, par chromatographie sur hydroxyapatite d'ADN marqué radioactivement, l'analyse de la

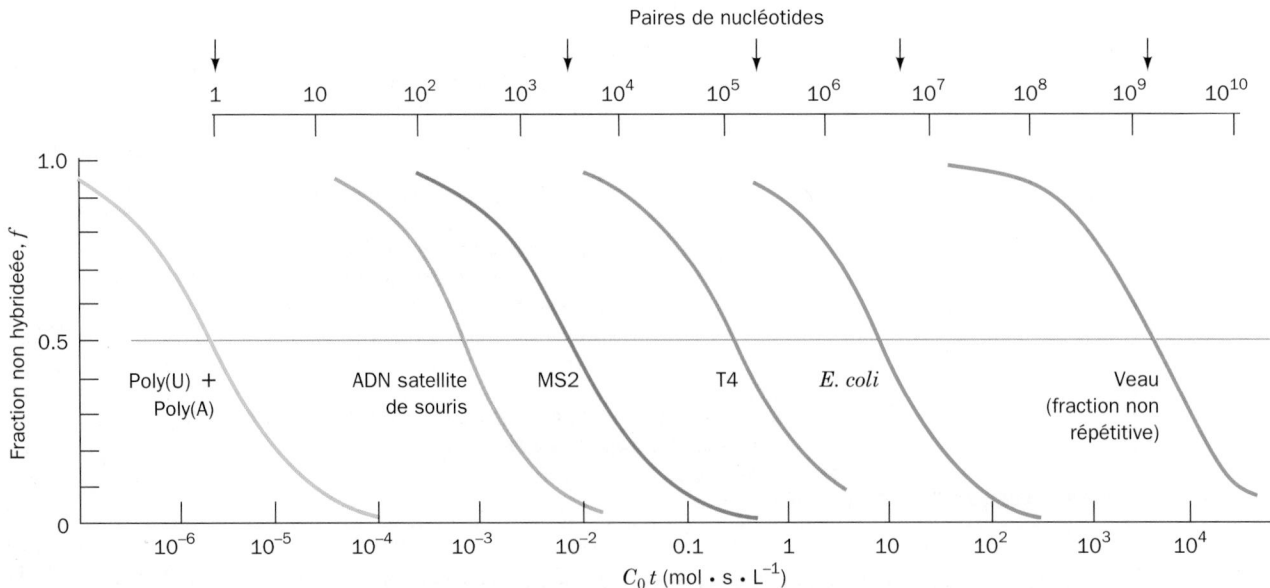

FIGURE 34-20 Courbes de réassociation ($C_0 t$) d'ADN double brin de différentes origines. L'ADN est dissout dans une solution saline contenant du Na$^+$ 0,18 M et cassé en morceaux d'une longueur moyenne de 400 pb. L'échelle supérieure indique les tailles des génomes pour certains ADN (**MS2** et **T4** sont des bactériophages). [D'après Britten, R.J. et Kohne, D.E. *Science* **161**, 530 (1968).]

courbe de C_0t d'un ADN d'une complexité telle que son $t_{1/2}$ est égal à des jours ou des semaines peut cependant être effectuée facilement sur des temps plus courts.

B. *Les séquences répétées*

Considérons un échantillon d'ADN constitué de séquences de complexités variables. Sa courbe de C_0t, par exemple Fig. 34-21, est la somme des courbes de C_0t spécifiques de chaque classe d'ADN de complexité différente. *L'analyse de la courbe de C_0t (et plus récemment le séquençage) a démontré que les ADN viraux et procaryotiques ont peu, voire pas, de séquences répétées (cf. Fig. 34-20 pour MS2, T4 et E. coli). Par contre, les ADN eucaryotiques présentent des courbes de C_0t compliquées (cf. Fig. 34-22)* dues à la présence de segments d'ADN de complexités différentes.

Les courbes de C_0t d'ADN eucaryotique peuvent être attribuées à la présence de cinq classes d'ADN définies quelque peu arbitrairement : (1) les **répétitions inversées,** (2) les **séquences hautement répétées** (>10^6 copies par génome haploïde), (3) les **séquences moyennement répétées** (<10^6 copies par génome haploïde), Les duplications de segments (blocs de 1 à 200 kb qui ont été recopié dans une ou plusieurs régions du génome, pouvant se trouver sur le même chromosome ou sur d'autres ; ils constituent environ 5 % du génome humain), (5) les **séquences uniques** (~1 copie par génome haploïde). La séquence et la distribution chromosomique de ces segments d'ADN varient selon l'espèce, si bien qu'une description unique de leurs arrangements ne peut pas être faite. Toutefois, plusieurs généralisations sont possibles comme nous le verrons ci-après.

a. Les répétitions inversées forment des structures repliées

L'ADN eucaryotique se réassociant le plus rapidement, représentant jusqu'à 10 % de certains génomes, se renature avec des cinétiques de premier ordre. Manifestement, cet ADN contient des séquences inversées (auto-complémentaires) proches l'une de l'autre, qui peuvent se replier sur elles-mêmes pour former des

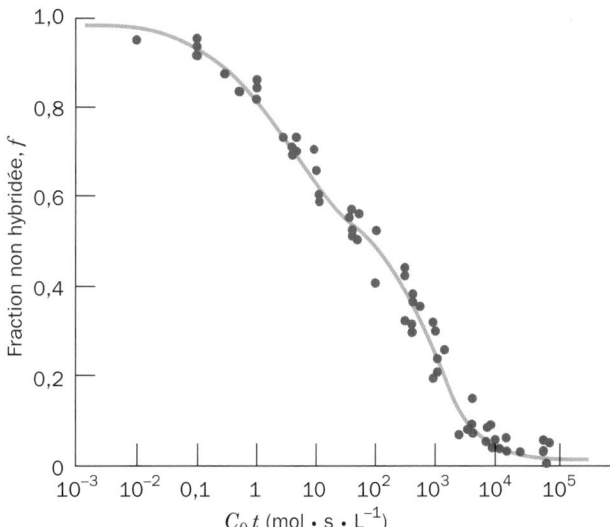

FIGURE 34-22 Courbe de C_0t de l'ADN de *Strongylocentrolus purpuratus* (un oursin). [D'après Galau, G.A., Britten, R.J., et Davidson, E.H., *Cell* **2**, 11 (1974).]

structures repliées comme des épingles à cheveux pour de très faibles valeurs de C_0t (Fig. 34-23a). Les séquences inversées peuvent être isolées par adsorption de l'ADN double brin sur hydroxyapatite, puis en éliminant sa boucle simple brin et ses extrémités par la **nucléase S1** (une endonucléase d'*Aspergillus oryzae* qui clive de préférence les simple brins). Les répétitions inversées obtenues ont des longueurs s'échelonnant de 100 à 1000 pb, tailles beaucoup trop importantes pour être le fruit du hasard. Des études d'hybridation *in situ* de chromosomes en métaphase utilisant ces séquences répétées inversées comme sondes, indiquent qu'elles sont réparties dans des sites chromosomiques multiples.

La fonction des quelque 2 millions de répétitions inversées présentes dans le génome humain est inconnue. Cependant, puisque les structures en forme de croix formées par les structures repliées appariées (Fig. 34-23b) ne sont que légèrement moins stables que l'ADN double brin normal correspondant, on pense que les répétitions inversées agissent dans la chromatine comme une sorte de commutateur moléculaire.

b. L'ADN hautement répété est rassemblé au niveau des centromères

L'ADN hautement répété est formé de courtes séquences répétées, soit parfaitement, soit imparfaitement, en tandem, des milliers de fois. De tels **ADN de séquence simple** (SSR ; pour « simple sequence repeats »), également appelées **petites répétitions en tandem** (**STR** ; pour short tandem repeats) peuvent souvent être séparés de l'ensemble de l'ADN chromosomique par dégradation mécanique suivie d'une ultracentrifugation sur gradient de densité de CsCl, puisque leurs compositions particulières les amènent à former des « satellites » de la principale bande d'ADN (Fig. 34-24 ; rappelez-vous que la densité de flottaison de l'ADN dans CsCl augmente avec son contenu G + C ; Section 6-6D). Les séquences de ces ADN SSR, appelés aussi **ADN satellites,** sont spécifiques des espèces (les SSR ayant une petite unité répétée de $n = 1$ à 13 nt sont souvent appelés **microsatellites**, tandis que ceux où $n = 14$ à 500 sont souvent appelés **minisatellites**). Par exemple, le crabe *Cancer borealis* possède un ADN de

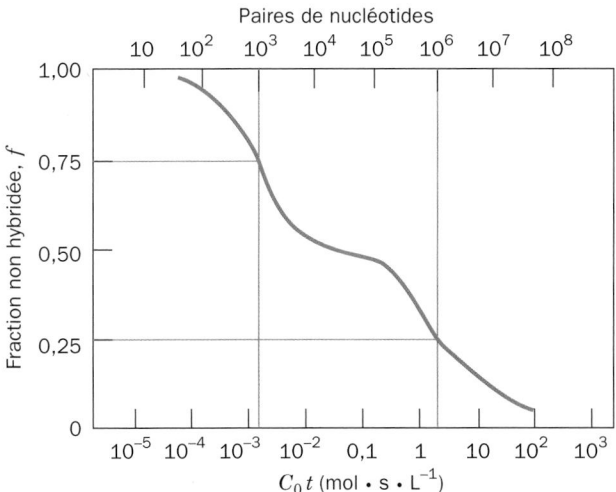

FIGURE 34-21 Courbe de C_0t d'une molécule d'ADN hypothétique. Avant fragmentation, cet ADN de 2 millions pb, était formé d'une séquence unique de 1 million pb et de 1000 copies d'une séquence de 1000 pb. Notez la nature biphasique de la courbe.

(a)

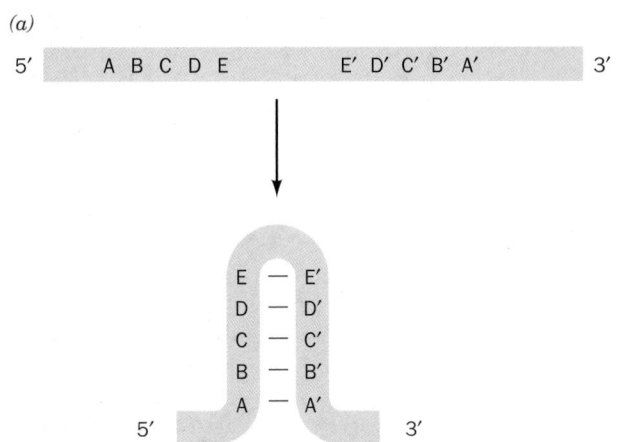

(b)

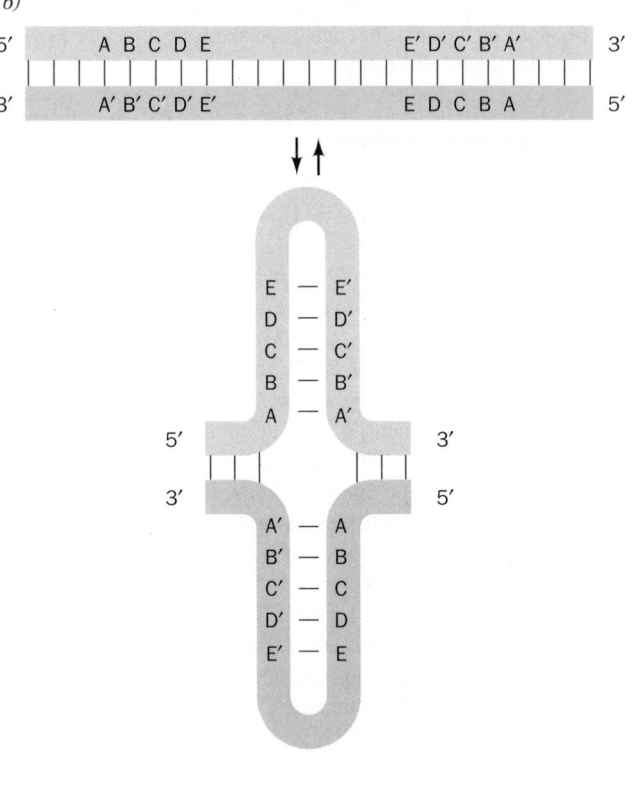

FIGURE 34-23 Structures repliées dans l'ADN. *(a)* L'ADN simple brin contenant une répétition inversée, dans des conditions de renaturation, forme une boucle appariée appelée structure repliée. A est complémentaire de A′, B est complémentaire de B′, etc. *(b)* Une répétition inversée dans un ADN double brin peut prendre une conformation cruciforme formée par deux structures repliées, opposées. La stabilité de cette structure sera moindre que celle du double brin correspondant, en raison de la perte de l'énergie due à l'absence d'appariement entre les boucles de bases non appariées.

séquence simple, SSR, représentant 30 % de son génome, dans lequel l'unité répétée est le dinucléotide AT. L'ADN de *Drosophila virilis* présente trois bandes satellites (Fig. 34-24) formées chacune d'une séquence heptanucléotidique répétée, différente bien que très proche des deux autres :

$$5'-\text{ACAAACT}-3'$$
$$3'-\text{TGTTTGA}-5'$$
Satellite I

$$5'-\text{ATAAACT}-3'$$
$$3'-\text{TATTTGA}-5'$$
Satellite II

$$5'-\text{ACAAATT}-3'$$
$$3'-\text{TGTTTAA}-5'$$
Satellite III

Celles-ci correspondent à 25, 8 et 8 % du génome composé de $3,1 \times 10^8$ pb de *D. virilis,* si bien que ces séquences sont répétées respectivement 11, 3,6 et 3,6 millions de fois.

Les télomères, comme nous l'avons vu (Section 30-4D) sont constitués de SSR riches en G. de plus, l'hybridation *in situ* de chromosomes de souris avec de l'ARN marqué avec ^{3}H, synthétisé à partir de matrices d'ADN de type SSR de souris, a montré que cet ADN est concentré dans la région hétérochromatique associée au centromère chromosomique [Fig. 34-25 ; le centromère est le segment étranglé du chromosome où se rejoignent les chromatides (Fig. 34-1) et par lequel les chromosomes s'attachent au fuseau mitotique (Fig. 1-19)]. Cette observation suggère que l'ADN SSR centromérique, non transcrit *in vivo,* assure l'alignement des chromosomes homologues pendant la méiose (Fig. 1-20) et/ou facilite leur recombinaison. Le fait que les ADN satellites soient fortement, voire totalement éliminés dans les cellules somatiques de nombreuses espèces eucaryotiques (qui ne sont donc plus totipotentes), mais pas dans les cellules de la lignée germinale, conforte cette hypothèse.

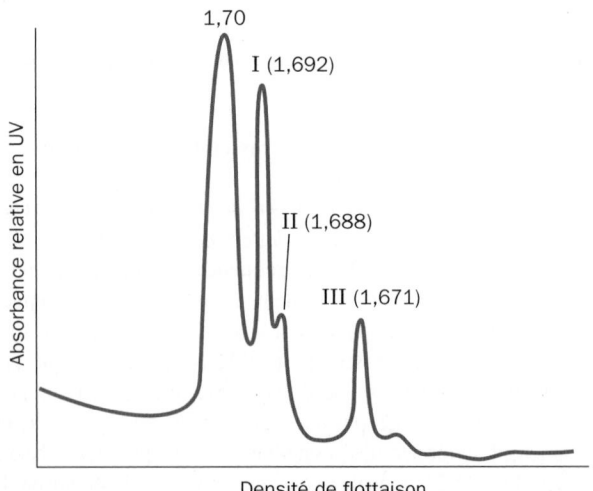

FIGURE 34-24 Profil de densité de flottaison de l'ADN de *Drosophila virilis* centrifugé à l'équilibre dans du CsCl neutre. On peut observer 3 pics d'ADN satellite (ρ = 1,692, 1,688 et 1,671 g/cm^3) en plus du pic de l'ADN principal (ρ = 1,70 g/cm^3). [D'après Gall, J.G., Cohen, E.H., et Atherton, D.D., *ColdSpring Harbor Symp. Quant. Biol.* **38**, 417 (1973).]

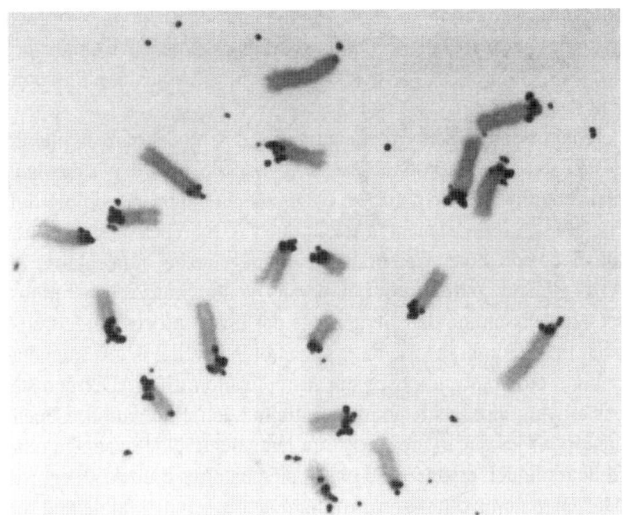

FIGURE 34-25 Autoradiographie de chromosomes de souris montrant par hybridation *in situ* la localisation centromérique de leurs ADN satellites SSR. Notez que les centromères des chromosomes de souris se situent à une des extrémités du chromososome (il n'y a pas de gène au delà des centromères chez la souris). Dans les chromosomes humains et ceux de levure, par contre, les centromères sont en positions plus centrales (par ex. Fig. 34-1), chez *D. melanogaster* il existe des chromosomes des deux types. [Avec la permission de Joseph Gall, Institution Carnegie de Washington.]

Les SSR constituent environ 3 % du génome humain, la plus grande partie (0,5 %) étant due à des répétitions de dinucléotides, le plus souvent $(CA)_n$ et $(TA)_n$. Il semble que les SSR proviennent de décalages de la matrice durant la réplication de l'ADN. Cela a lieu plus souvent avec les petites répétitions, c'est la raison pour laquelle elles ont un fort degré de polymorphisme de longueur dans la population humaine. De ce fait, les marqueurs génétiques basés sur la longueur des SSR, particulièrement les répétitions $(CA)_n$ ont été d'une grande utilité dans les études de génétique humaine (Section 5-5F).

c. Les ADN moyennement répétés sont dispersées dans le génome

Les ADN moyennement répétés se présentent en segments de 100 à plusieurs milliers de pb séparés par des blocs de plus grande taille d'ADN de séquence unique. Quelques uns de ces ADN répétés sont des groupes répétés en tandem, de gènes qui codent les produits dont les cellules ont besoin en grandes quantités, tels que les ARNr, les ARNt et les histones. L'organisation de ces gènes répétés est étudiée dans la Section 34-2D.

Près de 42 % du génome humain est constitué par des rétroposons (éléments transposables se propageant par la synthèse d'un intermédiaire ARN ; Section 30-6B). Trois types principaux de rétroposons se trouvent dans le génome humain (Tableau 34-2) :

1. Les longs élements dispersés (**LINE** pour « long interspersed nuclear elements »), qui constituent 20,4 % du génome humain, sont des segments de 6 à 8 kb codant les protéines responsables de leur transposition (Section 30-6B), cependant, la grande majorité (>99 %) des LINE ont accumulé des mutations qui ne leur permettent plus de se transposer. Les LINE dérivent de produits de transcription par l'ARN polymérase II et sont dispersés dans le génome de tous les mammifères, cela suggère que l'ancêtre des LINE s'est retrouvé associé avec le génome des mammifères à une étape très précoce de son évolution. L'élément LINE prépondérant du génome humain, **LINE-1 (L1)**, fait environ 6,1 kb,

TABLEAU 34-2   Séquences moyennement répétées du génome humain[a]

Type de répétition	Nombre de copies ($\times$ 1000)	Nombre total de nucléotides (Mb)	Fraction génomique représentée par cette séquence (%)
LINEs	868	559	20,4
L1	516	462	16,9
L2	315	88	3,2
L3	37	8	0,3
SINEs	1558	360	13,1
Alu	1090	290	10,6
MIR	393	60	2,2
MIR3	75	9	0,3
LTR de rétrotransposons	443	227	8,3
ERV classe I	112	79	2,9
ERV(K) classe II	8	8	0,3
ERV(L) classe III	83	40	1,4
MaLR	240	100	3,6
Transposons à ADN	294	78	2,8
Groupe HAT	195	42	1,6
Groupe Tc-1	75	32	1,2
Non classé	22	3,2	0,1
Total		1227	44,8

[a] Les chiffres sont approximatifs et probablement sous-estimés.

Source : International Human Genome Sequencing Consortium, *Nature* **409**, 880 (2001).

il comporte une région 5′ non traduite (UTR), deux cadres ouverts de lecture (ORF), dont le second contient le gène de la transcriptase inverse, et enfin, une région 3′ UTR se terminant par une queue poly(A). La longueur moyenne des éléments L1 n'est en fait que d'environ 900 bp parce qu'ils ne sont que des versions tronquées du rétroposon complet. On trouve deux autres éléments LINE dans le génome humain, **L2** et **L3** qui ont une parenté distante avec L1. L1 est cependant le seul qui soit encore capable de transposition dans le génome humain.

2. Les **courtes répétitions dispersées** (**SINE** pour « short interspersed nuclear elements »), qui constituent 13,1 % du génome humain, sont des éléments de 100 à 400 pb dérivant de transcrits synthétisés par l'ARN polymérase III. Les éléments SINE contiennent un promoteur de l'ARN polymérase III mais, contrairement aux éléments LINE, ils ne codent pas de protéine ; ils sont en fait propagés grâce aux enzymes codées par les éléments LINE. Les éléments SINE les plus abondants du génome humain sont des membres de la **famille *Alu***, des éléments d'environ 300 pb, dont le nom vient de ce que la plupart d'entre eux contiennent un site de clivage pour l'endonucléase de restriction *AluI* (Tableau 5-4). Les éléments *Alu* sont constitués de deux répétitions imparfaites en tandem dont la séquence a environ 90 % d'identité avec des parties de l'ARN 7S des particules de reconnaissance de signaux d'adressage (SRP ; Section 12-4B). Cependant chacune des deux moitiés de l'élément *Alu* se termine par des segments poly(A) absents de l'ARN 7S de la SRP. On ne trouve les éléments *Alu* que chez les primates, ce qui montre leur origine récente, mais on trouve des éléments apparentés aux éléments *Alu* (« *Alu*-like ») chez des organismes très distants du point de vue de l'évolution, comme : les myxomycètes plasmodiaux, les échinodermes, les amphibiens et les oiseaux. Tous les autres éléments SINE dérivent de séquences d'ARNt.

3. Les **rétroposons à LTR**, contenant de longues répétitions terminales (LTR), qui encadrent les gènes *gag* et *pol*, sont propagés par des particules cytoplasmiques ressemblant à des rétrovirus (Section 30-6B). Ils constituent 8,3 % du génome humain. Seuls les **rétrovirus endogènes** (**ERV** pour « endogenous retrovirus »), spécifiques des vertébrés, semblent avoir été actifs dans le génome des mammifères.

Le génome humain contient, en outre, des transposons ADN (Tableau 34-2) ressemblant aux transposons bactériens (Section 30-6B). Ils constituent 2,8 % du génome humain. Le génome humain est donc constitué pour environ 45 % d'éléments transposables dispersés et presque totalement inactifs.

d. Les ADN moyennement répétés sont probablement des parasites égoïstes

Étant donné leurs longueurs diverses et leur nombre de copies, il semble que les ADN moyennement répétés non exprimés ont plusieurs fonctions. Cependant, peu d'expériences ont corroboré les diverses propositions avancées. Selon l'explication la plus crédible, les ADN moyennement répétés fonctionnent comme des séquences de contrôle qui activent de façon coordonnée les gènes voisins. Une autre possibilité serait que certaines familles d'ADN moyennement répétés agiraient comme origine de réplication de l'ADN, étant donné que l'ADN *Alu* contient un segment homologue à l'origine de réplication du **papovavirus.** Un troisième rôle présomptif des ADN moyennement répétés serait qu'ils augmen-

teraient la variation évolutive des génomes eucaryotiques en facilitant les réorganisations chromosomiques et/ou en formant des réserves où seraient recrutées de nouvelles séquences fonctionnelles.

Étant donnée l'énorme quantité d'ADN répété dans la plupart des génomes eucaryotiques et le manque de faits expérimentaux pour conforter les hypothèses ci-dessus, une autre possibilité doit être étudiée sérieusement, à savoir que l'ADN répété n'a pas d'utilité pour son hôte. Ce serait plutôt un parasite moléculaire, un ADN **égoïste** ou **dépotoir,** qui, depuis de nombreuses générations, se serait disséminé dans le génome par divers processus de transposition. Selon la théorie de la sélection naturelle, la charge métabolique croissante imposée par la réplication d'un ADN égoïste, par ailleurs inoffensif, pourrait entraîner son élimination. Cependant, pour les eucaryotes croissant lentement, le désavantage relatif de répliquer, disons 1000 pb supplémentaires d'un ADN égoïste dans un génome d'environ 1 milliard de pb, serait si faible que son taux d'élimination serait contrebalancé par sa vitesse de propagation. Le paradoxe de la valeur C pourrait alors indiquer simplement qu'une partie significative, voire la grande majorité, de chaque génome eucaryotique, est de l'ADN égoïste.

C. *La répartition des gènes*

Le principal objectif du projet de séquençage du génome humain est d'établir un catalogue de tous les gènes humains et des protéines qu'ils codent. Même actuellement, en disposant de la séquence terminée, cette tâche n'est en aucun cas facile. Pour les organismes à petit génome comme les bactéries et la levure, l'identification des gènes est évidente parce que ces génomes contiennent une faible proportion d'ADN non exprimé. Par contre, les séquences exprimées ne constituent que 1,1 à 1,4 % du génome humain, environ 24 % du génome étant des introns et 75 % des séquences intergéniques (des séquences non transcrites situées entre les gènes). Par conséquent, notre connaissance imparfaite des caractéristiques permettant à la cellule de reconnaître les gènes, s'ajoutant au fait que les gènes humains sont constitués d'exons relativement petits (en moyenne environ 150 nt) séparés par des introns bien plus longs (en moyenne environ 3500 nt et souvent beaucoup plus longs), augmente énormément la difficulté d'identifier les gènes (le rapport signal-bruit étant très faible). De ce fait, les programmes de reconnaissance assistée par ordinateur n'ont eu qu'un succès limité. Les algorithmes de prédiction de gènes reposent de ce fait sur les alignements de séquences avec des **marqueurs de séquences exprimées** (**EST** pour « expressed sequence tag » ; des ADNc obtenus par transcription inverse des ARNm ; Section 7-2B), ainsi que sur des alignements avec des gènes connus d'autres organismes (qui marche bien pour les gènes fortement conservés mais moins bien pour les gènes à évolution rapide).

Un indicateur performant de la présence d'un gène est fourni par la présence d'un **îlot CpG.** Nous avons vu (Section 30-7) que les résidus 5-Méthylcytosine (m^5C) sont fréquents dans les dinucléotides CG de différentes séquences palindromiques eucaryotiques, et qu'ils sont impliqués dans l'extinction de l'expression de gènes. Du fait que la désamination spontanée de m^5C produit un résidu normal et entraîne donc fréquemment une mutation CG → TA, la fréquence du dinucléotide CG dans le génome humain n'est que le tiers de sa fréquence théorique

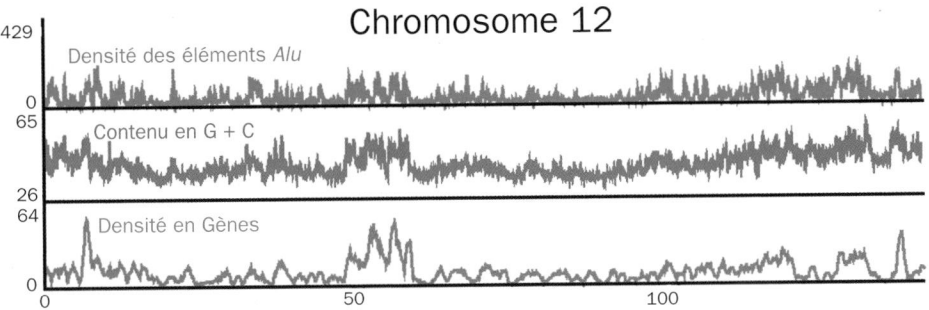

FIGURE 34-26 Densité de différentes caractéristiques structurales le long du chromosome 12 humain. La densité de gènes (*en orange*) dans ce chromosome de 133 Megapaires de bases (**Mb**) est calculée par fenêtres de 1 mb, le pourcentage G + C (*en vert*) est calculé par fenêtres de 100 kb, et la densité des éléments Alu (*en rose*) est calculée par fenêtres de 100 kb. [Avec l'aimable autorisation de Craig Venter, Celera Genomics, Rockville, Maryland.]

attendue sur la base d'une répartition aléatoire (puisque l'ADN humain comporte 42 % de G + C, on attendrait 0,21 × 0,21 × 100 = 4 % de dinucléotides CG). Pourtant, le génome humain comporte autour de 29 000 régions d'environ 1 kb appelées îlots CpG dans lesquelles le dinucléotide CG non méthylé a à peu près la fréquence théorique attendue. Environ 56 % des gènes humains sont associés à des îlots CpG, qui commencent dans les régions promotrices de ces gènes et peuvent s'étendre sur une distance allant jusqu'à 1 kb de leurs régions codantes. La présence d'un îlot CpG est donc un bon indicateur de la présence d'un gène qui lui est associé.

On a identifié environ 30 000 gènes présomptifs dans le génome humain. Le décalage entre ce chiffre et les estimations antérieures de 50 000 à 140 000 gènes est pour l'essentiel attribué à une plus grande prévalence de l'épissage alternatif que ce qu'on avait supposé (Section 31-4A). La densité de gènes le long des différents chromosomes est extrêmement variable. Ainsi, bien que la fréquence moyenne dans le génome humain soit d'environ 1 gène pour 100 kb d'ADN, cette valeur va de 0 à 64 gènes pour 100 kb (voir Fig. 34-26).

On peut distinguer deux classes de gènes : ceux qui codent des protéines (gènes structuraux) et ceux qui sont transcrits en ARN non traduits. On appelle ces derniers ARN non codants (ARNnc), ce sont les ARNt, les ARNr, les petits ARN nucléaires (ARNsn, qui sont des constituants des spliceosomes ; Section 31-4A), les petits ARN nucléolaires (ARNsno, qui participent à la maturation nucléolaire des ARN et aux modifications de bases ; Section 31-4B), ainsi que de nombreux ARN de toutes sortes parmi lesquels les ARN faisant partie : des particules de reconnaissance de signaux (Section 12-4B), de l'ARNaseP (Section 31-4B), ou encore de la télomérase (Section 30-4D).

Au total, 26 383 gènes de structures ont été prédits dans le génome humain et classés selon des fonctions moléculaires basées sur des comparaisons de séquences au niveau de familles de protéines ou de domaines (Fig. 34-27). On notera que près de 42 % d'entre eux sont classés comme étant de fonction inconnue. Il en

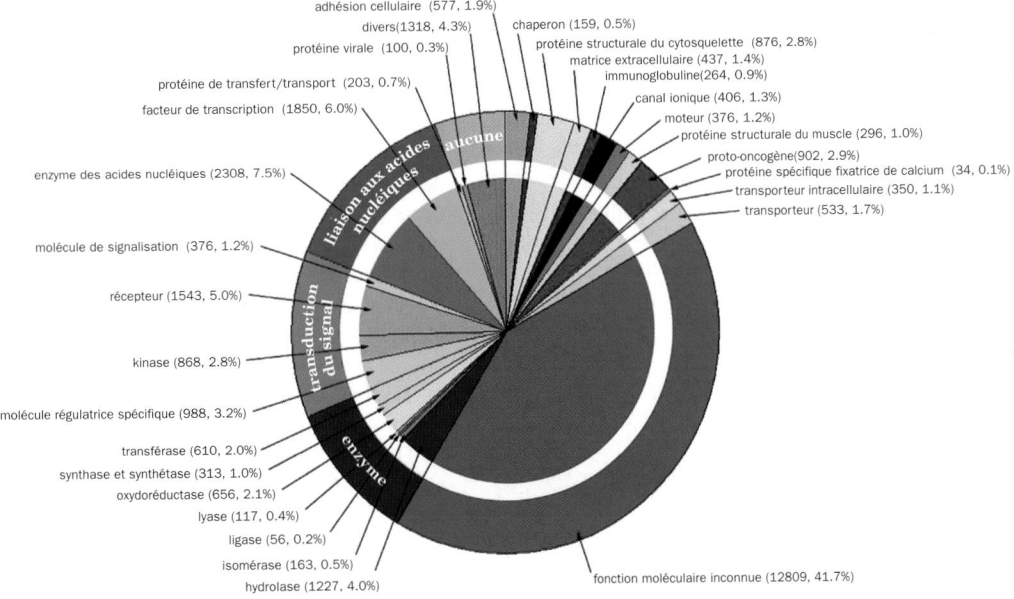

FIGURE 34-27 Répartition des fonctions moléculaires de 26383 gènes codant des protéines dans le génome humain. Pour chaque secteur de ce diagramme circulaire, sont indiqués, entre parenthèses, le nombre et le pourcentage de gènes correspondant à cette fonction moléculaire. Le cercle externe indique la catégorie fonctionnelle au sens large, tandis que le cercle intérieur fournit une subdivision plus détaillée de ces catégories. [Avec l'aimable autorisation de Craig Venter, Celera Genomics, Rockville, Maryland.]

va d'ailleurs de même pour la plupart des autres génomes dont la séquence est connue, y compris ceux des procaryotes. On peut voir dans la Fig. 34-27 que les fonctions moléculaires les plus fréquentes concernent les facteurs de transcription, mais aussi les protéines responsables du métabolisme des acides nucléiques (les enzymes des acides nucléiques) et enfin les récepteurs. Les autres fonctions répandues sont : les kinases, les hydrolases (dont la plupart sont des protéases), les proto-oncogènes (Section 19-3B) et les protéines régulatrices spécifiques (des protéines participant à la transduction des signaux). La comparaison des gènes structuraux du génome humain avec ceux des génomes de *D. melanogaster* et du ver nématode *Caenorhabditis elegans* montre que les plus grandes expansions de familles de gènes ont eu lieu dans celles codant les protéines impliquées dans la régulation du développement (Section 34-4B), dans la structure et le fonctionnement neuronal, dans l'hémostase (coagulation sanguine et processus associés ; Section 35-1), les réponses immunes acquises (Section 35-2), et la complexité du cytosquelette.

D. *Les groupes de gènes en tandem*

La plupart des gènes ne sont présents qu'en un seul exemplaire dans le génome haploïde d'un organisme. C'est suffisant, y compris pour des gènes codant des protéines nécessaires en grandes quantités, grâce à l'accumulation de leurs ARNm correspondants. Cependant, la grande demande cellulaire en ARNr (qui représentent à peu près 80 % des ARN cellulaires) et en ARNt, qui appartiennent tous deux aux ARNnc, ne peut être satisfaite que par l'expression de copies multiples de gènes les spécifiant. Dans les paragraphes suivants, nous étudierons l'organisation des gènes codant les ARNr et les ARNt. Nous examinerons aussi l'organisation des gènes d'histones, les seuls gènes codant des protéines et présents en copies multiples et identiques.

a. Les gènes d'ARNr sont organisés en ensembles répétés

Nous avons vu dans les Sections 31-4B et C que même le génome de *E. coli,* qui par ailleurs est constitué de séquences uniques, contient des copies multiples des gènes d'ARNr et d'ARNt. Chez les eucaryotes, les gènes spécifiant les ARNr 18S, 5,8S et 28S sont toujours disposés dans cet ordre, en lisant le brin d'ARN de 5′ vers 3′, et sont séparés par de petits espaceurs transcrits pour former une seule unité de transcription d'environ 7500 pb (Fig. 34-28). (Pour mémoire, le transcrit primaire de ce groupe de gènes est un ARN 45S dont sont dérivés les ARNr matures par clivage post-transcriptionnel ; Section 31-4B). *En effet, cette organisation des gènes d'ARNr est universelle car l'ex-*

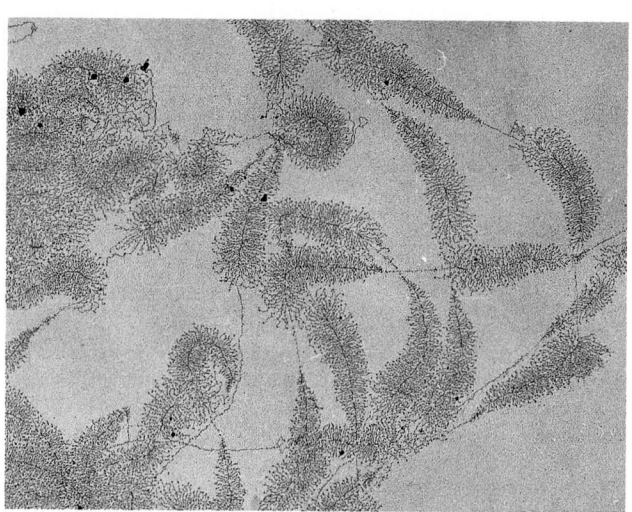

FIGURE 34-29 **Micrographie électronique de séries en tandem de gènes d'ARNr 18S, 5,8S et 28S, en cours de transcription, issus de noyaux de triton** *Notophtalmus viridescens.* Les fibres axiales sont l'ADN. Les matrices fibrillaires en « sapin de Noël », qui sont des brins d'ARN néo-synthétisé associés à des protéines, délimitent chaque unité transcriptionnelle. Notez que les branches ribonucléoprotéiques les plus longues de chaque « sapin de Noël » ne représentent qu'environ 10 % de la longueur du brin de l'ADN correspondant. Apparemment, les brins d'ARN sont compactés par des interactions de structure secondaire et/ou par des associations avec des protéines. Les espaceurs non transcrits correspondent aux segments d'ADN matrice libre. [Avec la permission d'Oscar L. Miller Jr, et Barbara R. Beatty. Université de Virginie.]

trémité 5′ de l'ARNr 23S procaryotique est homologue de celle de l'ARNr 5,8S eucaryotique (Section 32-3A).

Des micrographies électroniques (Fig. 34-29) montrent que *les blocs de gènes d'ARNr eucaryotiques transcrits sont organisés en tandems répétés séparés par des espaceurs non transcrits (Fig. 34-28).* Ces tandems répétés ont généralement environ 12 000 pb de longueur, bien que la longueur de l'espaceur non transcrit varie selon les espèces, et, dans une moindre mesure, d'un gène à l'autre. Les mesures des quantités d'ARNr marqué radioactivement pouvant s'hybrider avec l'ADN nucléaire correspondant (**ADNr**), et plus récemment le séquençage de génomes, indiquent que ces gènes d'ARNr, pouvant être disséminés dans plusieurs chromosomes, varient, pour un génome haploïde, de moins de 50 à plus de 10 000 copies selon les espèces. Les êtres humains, par exemple, ont de 150 à 200 blocs d'ADNr répartis sur 5 chromosomes.

b. Le nucléole est le siège de la synthèse de l'ARNr et de l'assemblage du ribosome

Dans un noyau cellulaire en interphase, l'ADNr se condense pour former un nucléole (Fig. 1-5). Là, comme le suggère la Fig. 34-29, ces gènes sont rapidement et continuellement transcrits par l'ARN polymérase I (Section 31-2E). D'après des expériences de marquage radioactif, le nucléole est aussi l'endroit où ces ARNr subissent des modifications post-transcriptionnelles et s'unissent aux protéines ribosomiales synthétisées dans le cytoplasme pour former des sous-unités ribosomiales immatures. L'assemblage final des sous-unités ribosomiales n'a lieu que lorsqu'elles sont

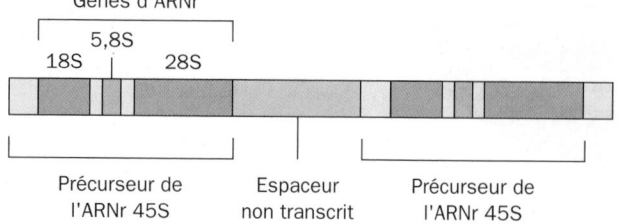

Gènes d'ARNr

5,8S

18S   28S

Précurseur de l'ARNr 45S   Espaceur non transcrit   Précurseur de l'ARNr 45S

FIGURE 34-28 **Les gènes des ARNr 18S, 5,8S et 28S sont organisés en tandems répétés dans lesquels les séquences codant le précurseur de l'ARNr 45S sont séparées par des espaceurs non transcrits.**

transférées dans le cytoplasme, ce qui probablement empêche la traduction prématurée des ARNm partiellement matures (hnARN) dans le noyau.

c. Les gènes ARNr 5S et l'ARNt forment de nombreux ensembles de gènes groupés

Les gènes codant les ARNr 5S de 120 nucléotides, comme les autres gènes d'ARNr, sont réunis en groupes qui contiennent plusieurs centaines, voire plusieurs centaines de milliers de répétitions en tandem, réparties dans un ou plusieurs chromosomes. Chez *X. laevis*, par exemple, l'unité répétitive est constituée du gène de l'ARNr 5S, d'un **pseudogène** proche (un segment de 101 pb du gène de l'ARNr 5S qui, curieusement, n'est pas transcrit), et d'un espaceur non transcrit de longueur variable mais d'une moyenne d'environ 400 pb (Fig. 34-30). Les gènes de l'ARNr 5S sont transcrits à l'extérieur du nucléole par l'ARN polymérase III (Section 31-2E). L'ARNr 5S doit donc être transporté dans le nucléole pour être incorporé dans la grande sous-unité ribosomiale.

Les 497 gènes d'ARNt qui ont été identifiés dans le génome humain sont également transcrits par l'ARN polymérase III. Ils sont aussi fortement répétés et regroupés, plus de 25 % d'entre eux se trouvant dans une région de 4 Mb du chromosome 6 et la plus grande partie du reste formant des regroupements sur de nombreux chromosomes mais pas sur tous les chromosomes.

d. Les gènes d'histones sont répétés

Les ARNm d'histones ont des temps de vie cytoplasmique relativement courts, car ils sont dépourvus des terminaisons poly(A) qui sont attachées aux autres ARNm eucaryotiques (Section 31-4A). Cependant, les histones doivent être synthétisées en grandes quantités pendant la phase S du cycle cellulaire (quand l'ADN est synthétisé). *Ce processus est rendu possible par la répétition multiple des gènes d'histones, qui, chez la plupart des organismes, sont les seuls gènes répétés identiques qui codent des protéines.* On pense que cette organisation permet un contrôle sensible de la synthèse d'histones par la transcription coordonnée de séries de gènes d'histones. De plus, ceux-ci diffèrent de presque tous les autres gènes eucaryotiques par l'absence d'introns. Aucune explication n'est apportée à cette observation.

Il y a peu de rapport entre la taille d'un génome et le nombre total de ses gènes d'histones. Par exemple, les oiseaux et les mammifères possèdent 10 à 20 copies de chacun des 5 gènes d'histones, *Drosophila* en a environ 100 et les oursins plusieurs centaines. Cela laisse à penser que l'efficacité de l'expression d'un gène d'histone varie selon les espèces. Chez beaucoup d'organismes, les gènes d'histones sont organisés en quintettes répétées en tandem

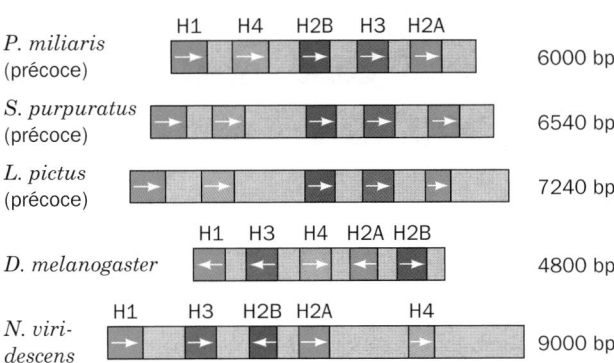

FIGURE 34-31 Organisation et longueurs des unités répétées de groupes de gènes d'histone chez différents organismes. Les régions codantes sont en couleur et les espaceurs en gris. Les flèches indiquent la direction de la transcription. (Les 3 premiers organismes sont des espèces d'oursins éloignées les unes des autres).

constituées d'un gène qui code chacune des différentes histones, et séparées par des espaceurs non transcrits (Fig. 34-31). L'ordre des gènes et le sens de la transcription de ces quintettes sont conservés sur de grandes périodes de l'évolution. Les séquences correspondant aux espaceurs varient largement selon les espèces et, dans une moindre mesure, selon les quintettes répétées à l'intérieur du génome. Chez les oiseaux et les mammifères, cette organisation répétitive a disparu ; leurs gènes d'histones sont regroupés, mais sans ordre particulier.

e. Les séquences répétées peuvent être engendrées et conservées par des recombinaisons inégales et/ou par conversion génique

Comment les gènes répétés conservent-ils leur identité ? Le mécanisme habituel de la sélection darwinienne semblerait inefficace dans ce cas, puisque des mutations nuisibles dans quelques membres d'un ensemble de gènes identiques répétés de façon multiple auraient peu de conséquences phénotypiques. En vérité, beaucoup de mutations n'affectent pas la fonction d'un produit génétique et sont donc sélectivement neutres. Les ensembles de gènes répétés doivent donc conserver leur homogénéité par un autre mécanisme. Deux mécanismes semblent plausibles :

1. Dans le mécanisme de **recombinaison inégale** (Fig. 34-32*a*), la recombinaison a lieu entre des segments homologues de chromosomes mal alignés, excisant ainsi un segment de l'un des chromosomes pour l'ajouter à l'autre. Des simulations par ordinateur montrent que ce type d'allongements et de raccourcissements répétés de chromosomes produiront, par des processus aléatoires, un groupe de séquences répétées issu d'un groupe ancestral beaucoup plus petit. On pense aussi que la recombinaison inégale est le mécanisme produisant des duplications de segments (Section 34-2B).

2. Dans le mécanisme de **conversion génique** (Fig. 34-32*b*), l'un des membres du groupe de gènes répétés « corrige » un variant situé à proximité par un processus ressemblant à une réparation par recombinaison (Section 30-6A).

Puisque les mutations ponctuelles sont des événements rares, en comparaison des crossing-over, ce mécanisme entraînera finale-

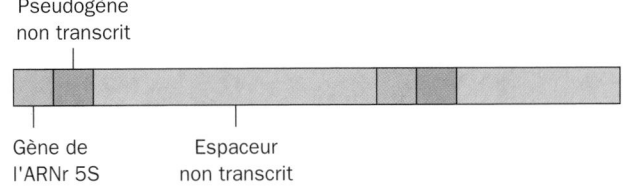

FIGURE 34-30 Organisation des gènes de l'ARN 5S de *Xenopus laevis*. Chacune des unités répétées en tandem (~750 nt) est formée d'un gène d'ARNr 5S suivi d'un espaceur non transcrit dans lequel un pseudogène suit de près le gène de l'ARN 5S.

(a) Recombinaison inégale

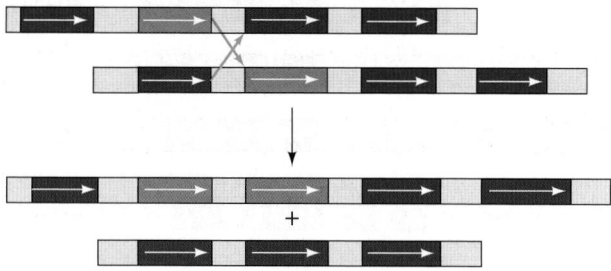

(b) Réparation par recombinaison

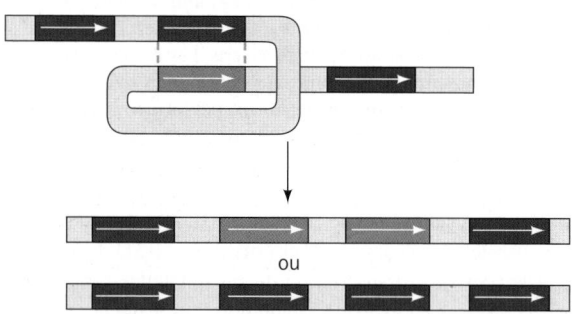

ou

FIGURE 34-32 Deux mécanismes possibles pour maintenir l'homogénéité d'une famille multigénique organisée en tandem. (*a*) La recombinaison inégale entre des gènes, mal alignés mais similaires, aboutit à un segment d'ADN non apparié soustrait d'un chromosome et ajouté à un autre. (*b*) La conversion génique « corrige » un membre d'une série en tandem par rapport à l'autre membre, par un mécanisme de réparation par recombinaison. Les cycles répétés de chaque processus peuvent soit éliminer un gène « variant », soit le propager dans la série complète en tandem

ment soit l'élimination du nouveau variant d'une séquence répétée, soit le remplacement du groupe entier par ce nouveau variant. Une mutation, concentrée par ce mécanisme, si elle est nuisible à la santé sera éliminée par la sélection darwinienne. À l'opposé, des espaceurs différents, qui ne sont pas soumis à une pression de sélection, seraient éliminés plus lentement. L'existence d'ensembles réitérés de gènes identiques séparés par des espaceurs quelque peu hétérogènes peut par conséquent être attribuée raisonnablement à l'un ou l'autre modèle.

E. *L'amplification de gènes*

La réplication sélective d'un ensemble particulier de gènes, processus appelé **amplification de gènes**, ne se produit normalement qu'à des stades spécifiques du cycle de vie de certains organismes. Dans les paragraphes suivants, nous verrons ce que l'on sait de ce phénomène.

a. Les gènes d'ARNr sont amplifiés pendant l'ovogenèse

La vitesse de synthèse protéique pendant les premiers stades de la croissance embryonnaire est si importante que, chez quelques espèces, l'équipement génomique normal de gènes d'ARNr ne peut pas satisfaire la demande en ARNr. Chez ces espèces, en particulier chez certains insectes, des poissons et des amphibiens, l'ADNr est répliqué de façon différentielle dans les ovocytes en développement (cellule œuf immature). L'un des exemples les plus spectaculaires

de ce processus est celui de l'ADNr d'ovocytes de *X. laevis,* amplifié d'environ 1500 fois par rapport à sa teneur dans les cellules somatiques pour produire quelque 2 millions d'ensembles de gènes d'ARNr représentant environ 75 % de l'ADN cellulaire total. L'ADNr amplifié se présente sous la forme de cercles extrachromosomiques, chacun d'eux contenant une ou deux unités transcriptionnelles organisées en centaines de nucléoles (Fig. 34-33). Les ovocytes matures de *Xenopus* contiennent donc environ 10^{12} ribosomes, soit 200 000 fois le nombre de ceux qui se trouvent dans la plupart des cellules larvaires. Il y en a tellement que les zygotes (ovules fécondés) mutants, qui sont dépourvus de nucléoles (et donc incapables de synthétiser de nouveaux ribosomes; les nucléoles supplémentaires de l'ovocyte étant détruits pendant la première division méiotique), survivent jusqu'au stade têtard en se contentant des ribosomes fournis initalement par leur mère.

Quel est le mécanisme de cette amplification d'ADNr ? Un indice important est que les espaceurs non transcrits d'un nucléole extrachromosomique donné ont tous la même longueur, alors que nous avons vu que les espaceurs chromosomiques correspondants ont des longueurs très hétérogènes. Cette observation suggère que les ADNr d'un nucléole particulier sont tous issus d'un seul gène chromosomique. On a montré que l'amplification de gènes se produit en deux phases : un faible niveau d'amplification dans la première phase, suivi d'une amplification massive dans la seconde phase. Par conséquent, il semble que dans la première phase, seuls quelques gènes d'ARNr chromosomiques soient répliqués par un mécanisme inconnu et que les brins fils soient libérés sous forme de cercles extrachromosomiques. Puis, dans la seconde phase, ces cercles sont multipliés par réplication par le mécanisme du cercle roulant (Section 30-3B). Cette hypothèse est étayée par des micrographies électroniques de gènes amplifiés montrant les structures « en lasso » supposées être les intermédiaires dans le mécanisme du cercle roulant (Fig. 30-25).

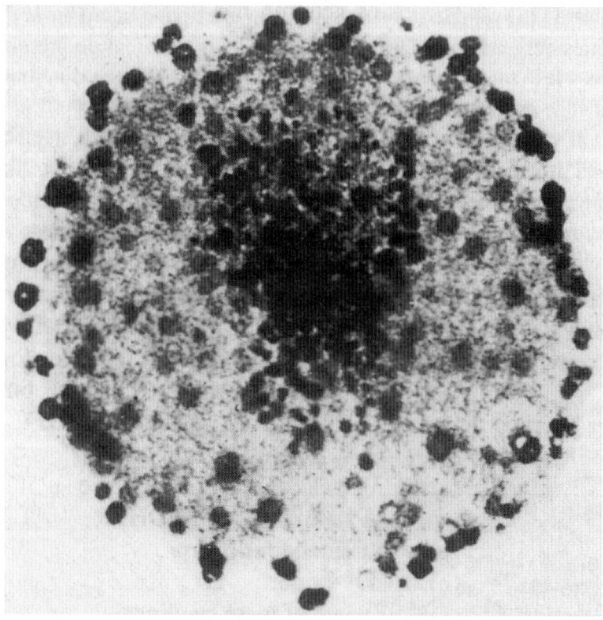

FIGURE 34-33 Micrographie d'un noyau isolé d'ovocyte de *X. laevis.* Les taches sombres sont ses nucléoles (plusieurs centaines), contenant les gènes d'ARNr amplifiés. [Avec la permission de Donald Brown, Institution Carnegie de Washington.]

b. Les gènes du chorion sont amplifiés

Le seul autre exemple connu d'amplification génique programmée est celui des gènes de cellules folliculaires ovariennes de *D. melanogaster* qui codent les **protéines** du **chorion** (enveloppe de l'œuf) (les cellules folliculaires ovariennes entourent et nourrissent l'œuf pendant sa maturation). Préalablement à la synthèse du chorion, le génome haploïde entier de chaque cellule folliculaire ovarienne est répliqué 16 fois. Ce processus est suivi d'une réplication sélective (~10 fois) qui ne concerne que les gènes du chorion, pour former une structure à branches multiples (en partie polytène) dans laquelle les gènes amplifiés du chorion continuent de faire partie du chromosome (Fig. 34-34). Il est intéressant de noter que l'amplification des gènes du chorion n'a pas lieu dans les ovocytes de bombyx. Au lieu de cela, le génome de cet organisme a des copies multiples des gènes du chorion.

c. La résistance aux médicaments peut résulter d'une amplification génique

Dans la chimiothérapie du cancer, on observe généralement que l'administration continue de médicaments cytotoxiques transforme une tumeur sensible aux médicaments en une tumeur de plus en plus résistante, au point que ces médicaments perdent leur efficacité thérapeutique. La surproduction d'enzymes qui sont la cible des médicaments est un procédé par lequel une lignée cellulaire peut acquérir une telle résistance. On peut observer ce processus, par exemple, en exposant des cellules animales en culture au méthotrexate, un analogue du dihydrofolate. Cette substance, rappelons-le, se fixe de façon quasi-irréversible à la dihydrofolate réductase (DHFR) et inhibe donc la synthèse de l'ADN (Section 28-3B). L'augmentation lente des doses de méthotrexate produit des cellules survivantes qui contiennent finalement jusqu'à 1000 copies du gène de la DHFR et sont alors capables de produire cette enzyme de façon phénoménale, démonstration évidente, en laboratoire, de la sélection selon Darwin. Certaines de ces lignées cellulaires contiennent des éléments extrachromosomiques appelés **mini-chromosomes surnuméraires** (« **double minute** ») qui portent chacun une ou plusieurs copies du gène de la DHFR, tandis que dans les autres lignées cellulaires, les gènes supplémentaires de la DHFR sont intégrés dans le chromosome. Le mécanisme de l'amplification des gènes dans l'un ou l'autre de ces types cellulaires n'est pas bien compris, mais il est important de noter que ce phénomène n'est connu que dans les cellules cancéreuses. Les deux sortes de gènes amplifiés sont génétiquement instables ; une croissance cellulaire poursuivie sans méthotrexate entraîne la perte progressive des gènes supplémentaires de la DHFR.

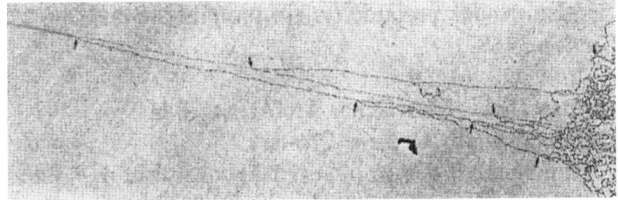

FIGURE 34-34 Micrographie électronique d'un brin de chromatine contenant le gène de protéine de chorion d'une cellule folliculaire d'ovocyte de *D. melanogaster.* Le brin a subi plusieurs cycles de réplication partielle (*flèches aux fourches de réplication*) pour donner une structure à fourches multiples contenant plusieurs copies en parallèle des gènes de protéine de chorion. [Avec la permission d'Oscar L. Miller Jr et d'Yvonne Osheim. Université de Virginie.]

F. Les familles de gènes regroupés ; organisation des gènes de l'hémoglobine

Peu de protéines dans un organisme donné sont vraiment uniques. En fait, comme les enzymes digestives, trypsine, chymotrypsine et élastase (Section 15-3), ou les différents collagènes (Section 8-2B), elles sont généralement membres de familles de protéines apparentées par leur structure et leur fonction. Dans de nombreux cas, les familles de gènes codant de telles protéines sont rassemblées dans une même région chromosomique. Dans les paragraphes suivants, nous étudierons l'organisation de deux des familles de gènes regroupés les mieux caractérisées, celles codant les deux types de sous-unités de l'hémoglobine humaine. Les familles de gènes regroupés qui codent les protéines du système immunitaire sont étudiées dans la Section 35-2C.

a. Les gènes de l'hémoglobine humaine sont organisés en deux groupes en relation avec le développement

L'hémoglobine de l'être humain adulte (HbA) est un tétramère $\alpha_2\beta_2$ dans lequel les sous-unités α et β présentent des analogies structurales. Cependant, la première hémoglobine fabriquée dans le fœtus humain est un tétramère $\xi_2\varepsilon_2$ (**Hb Gower** 1) dans lequel les sous-unités ξ et ε sont respectivement apparentées aux sous-unités α et β (Fig. 34-35). Aux environs de 8 semaines suivant la conception, les sous-unités embryonnaires ont été remplacées (dans les érythrocytes nouvellement formés) par la sous-unité α et par la sous-unité γ apparentée à la sous-unité β, pour former l'hémoglobine fœtale (HbF) $\alpha_2\gamma_2$ (Les hémoglobines présentes durant la période de transition, $\alpha_2\varepsilon_2$ et $\xi_2\gamma_2$ sont appelées respectivement **Hb Gower 2** et **Hb Portland**). Quelques semaines avant la naissance, la sous-unité γ est graduellement supplantée par β. Le sang

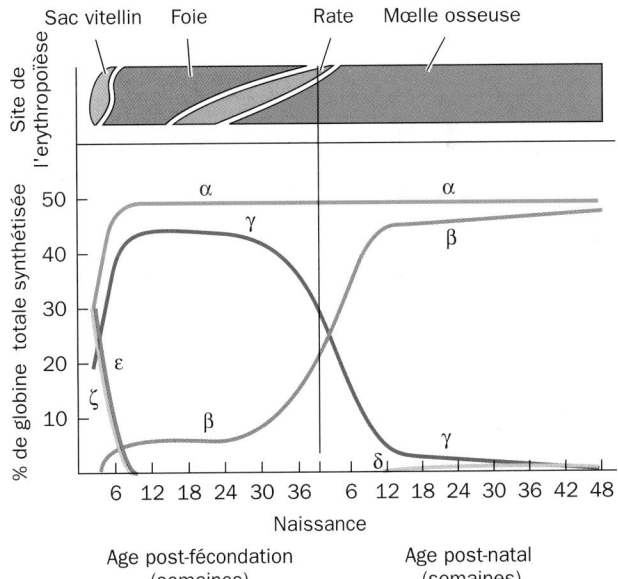

FIGURE 34-35 Évolution de la synthèse de la chaîne de la globine humaine au cours du développement embryonnaire et fœtal. Chaque globule rouge ne contient qu'un type de chacune des sous-unités de type α et β. L'évolution dans les sites d'érythropoïèse (formation des globules rouges), indiquée dans la partie supérieure, correspond approximativement aux grands changements des types d'hémoglobine. [D'après Weatherall, D.J. et Clegg, J.B., *The Thalassaemia Syndromes* (3e éd.), p. 64, Blackwell Scientific Publications (1981).]

Gènes de type α

Gène actif   Pseudogène (ψ)   Séquence *Alu*

Chromosome 16   5′ ━━━━━━━━━━━━━━━━━━━━━━━━━━━━━━ 3′

ζ   ψζ ψα2   ψα1   α2   α1   ψθ

Gènes de type β

                                                                                    L1

Chromosome 11   5′ ━━━━━━━━━━━━━━━━━━━━━━━━━━━━━━━━━━ 3′

ε   ᴳγ   ᴬγ   ψβ   δ   β

FIGURE 34-36 Organisation des gènes de la globine humaine sur leurs brins codants respectifs. Les parties rouges représentent les gènes actifs ; les parties vertes, les pseudogènes ; les parties jaunes, les séquences L1, les flèches indiquant leur orientation relative. Les triangles représentent les éléments *Alu* dans leurs orientations relatives. [D'après Karlsson, S. et Nienhuis, A.W., *Annu. Rev. Biochem.* **54**,1074 (1985).]

adulte contient normalement environ 97 % de HbA, 2 % de **HbA₂** ($\alpha_2\delta_2$ dans laquelle δ est une variante de β) et 1 % de HbF.

Chez les mammifères, les gènes spécifiant les sous-unités de l'hémoglobine apparentées à α et β forment deux groupes différents de gènes situés sur des chromosomes séparés. Chez l'homme, comme chez de nombreux autres mammifères, les gènes de globine de chaque groupe sont orientés dans le sens 5′ → 3′ sur les brins codants, dans l'ordre de leur expression au cours du développement (Fig. 34-36). Cet ordre est courant chez les mammifères, mais pas universel ; par exemple, dans les groupes de gènes β de souris, les gènes adultes précèdent les gènes embryonnaires.

Le groupe des gènes de globine β (Fig. 34-36), qui s'étend sur plus de 100 kb, contient cinq gènes fonctionnels : le gène embryonnaire ε, deux gènes fœtaux ᴳγ et ᴬγ (gènes dupliqués codant des polypeptides qui ne diffèrent que par la présence d'un résidu qui est soit Gly soit Ala à la position 136), et les deux gènes adultes δ et β. Le groupe des gènes de la globine β contient aussi un **pseudogène**, ψβ (une relique non transcrite issue de la duplication d'un ancien gène, qui présente environ 75 % d'homologie avec le gène β), huit copies d'éléments *Alu*, et deux copies d'éléments L1 (Section 34-2B).

Le groupe des gènes de la globine α (Fig. 34-36), qui s'étend sur environ 28 kb, contient trois gènes fonctionnels : le gène embryonnaire ξ et deux gènes α légèrement différents, α1 et α2, qui codent des polypeptides identiques. Le groupe α contient aussi quatre pseudogènes, ψξ, ψα2, ψα1 et ψθ, et trois éléments *Alu*.

b. Tous les gènes d'hémoglobine ont la même structure exon-intron

Les séquences codant les protéines représentent moins de 5 % de chaque groupe de gènes de globine. Cette situation est en grande partie la conséquence de l'ensemble hétérogène d'espaceurs non transcrits séparant les gènes dans chaque groupe. De plus, *tous les gènes connus de globine des vertébrés, dont ceux de la myoglobine et la plupart des pseudogènes de l'hémoglobine, sont formés de trois exons placés de façon presque identique, séparés par deux introns quelque peu variables (Fig. 34-37).* Il semble que cette structure de gène soit apparue assez précocement dans l'histoire des vertébrés, il y a bien plus de 500 millions d'années. En effet, cette structure était présente avant la divergence des plantes et des animaux. La structure du gène codant la leghémoglobine (une globine de plante qui est présente dans les légumineuses pour protéger la nitrogénase de l'empoisonnement par O_2 ; Section 26-6) ne diffère de celle des vertébrés que par le fait que l'exon central des globines des vertébrés est coupé par un troisième intron dans le gène de la leghémoglobine. Il est tout à fait possible que l'exon central de la globine de vertébré soit apparu à la suite de la fusion des deux exons internes d'un gène ancestral apparenté à celui de la leghémoglobine.

c. Les polymorphismes de l'ADN permettent d'établir des généalogies

Les séquences non exprimées qui sont l'objet d'une faible pression de sélection évoluent beaucoup plus vite que les séquences

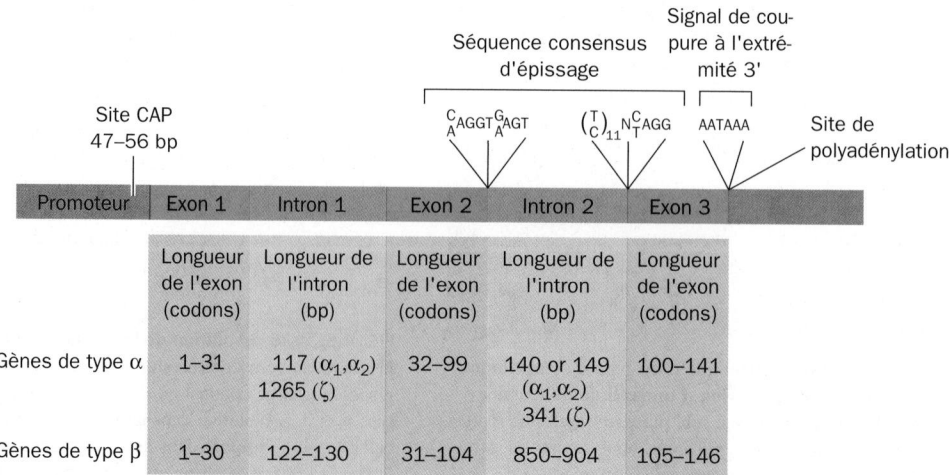

	Longueur de l'exon (codons)	Longueur de l'intron (bp)	Longueur de l'exon (codons)	Longueur de l'intron (bp)	Longueur de l'exon (codons)
Gènes de type α	1–31	117 (α_1,α_2) 1265 (ζ)	32–99	140 or 149 (α_1,α_2) 341 (ζ)	100–141
Gènes de type β	1–30	122–130	31–104	850–904	105–146

FIGURE 34-37 Structure du gène prototype de l'hémoglobine. On a indiqué les séquences conservées aux frontières exon-intron (séquences d'épissage) et à l'extrémité 3′ du gène (site de polyadénylation). L'ordre de longueur de chaque exon est donné en codons et celui de chaque intron en paires de bases. [D'après Karlsson, S. et Nienhuis, A.W., *Annu. Rev. Biochem.* **54**, 1079 (1985).]

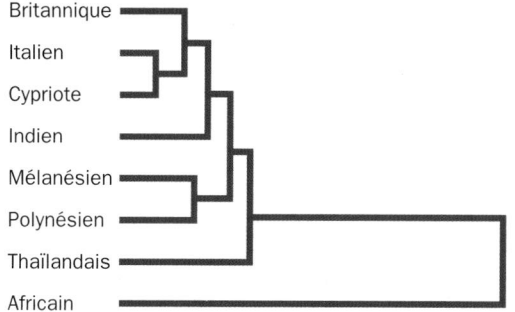

FIGURE 34-38 Arbre généalogique montrant les lignées de descendants de huit groupes de populations humaines. L'arbre de ces populations a été tracé à partir de la distribution de 5 polymorphismes de longueur de fragments de restriction (RFLP) de leurs groupes de gènes de globine β. La longueur de l'axe horizontal est proportionnelle à la distance génétique entre des populations apparentées, et donc au temps écoulé depuis leurs divergences. [D'après Wainscoat, J.S., Hill, H.V.S., Boyce, A.L., Flint, J., Hernandez, M., Thein, S.L., Old, J.M., Lynch, J.R., Falusi, A.G., Weatherall, D.J., et Clegg, J.B., *Nature* **319**, 493 (1986).]

exprimées, et accumulent donc chez une même espèce un nombre significatif de séquences **polymorphes** (variables). Par conséquent, les relations évolutives des populations chez une même espèce peuvent être établies en déterminant comment une série de séquences d'ADN polymorphe est répartie parmi ces populations. Par exemple, la généalogie de diverses populations humaines a été déduite de la présence ou de l'absence de certains sites de restriction [polymorphismes de longueur de fragments de restriction (RFLP, Restriction Fragments Length Polymorphism) ; Section 5-65A)] dans cinq segments des groupes de gènes de globine β. Cette étude a conduit à la construction d'un « arbre généalogique » (Fig. 34-38) qui indique que les populations non africaines (eurasiennes) sont beaucoup plus liées entre elles qu'elles ne le sont aux populations africaines. Des preuves paléontologiques indiquent que l'homme actuel, du point de vue anatomique, est apparu en Afrique il y a environ 100 000 ans et qu'il s'est dispersé rapidement sur le continent. Cet arbre généalogique suggère donc que toutes les populations eurasiennes descendent d'une « population fondatrice » étonnamment petite (peut-être quelques centaines d'individus seulement) qui ont quitté l'Afrique il y a environ 50 000 ans. Une analyse similaire indique que le variant « cellules en faucille » du gène b est apparu à au moins trois occasions différentes dans des régions d'Afrique géographiquement distinctes.

G. *Les thalassémies : désordres génétiques de la synthèse de l'hémoglobine*

L'étude des mutants de l'hémoglobine (Section 10-3) a apporté des informations précieuses sur les relations structure-fonction des protéines. De même, l'étude des altérations de l'expression de l'hémoglobine a grandement facilité notre compréhension de l'expression des gènes eucaryotiques.

La classe la plus courante de maladies héréditaires humaines résulte de la diminution de la synthèse des sous-unités de l'hémoglobine. Ces anémies sont appelées **thalassémies** (du grec *thalassa,* mer) parce que rencontrées communément dans les régions autour de la mer Méditerranée (bien qu'elles soient aussi répandues en Afrique centrale, en Inde et en Extrême Orient). L'observation que la malaria est ou était endémique dans ces mêmes

régions (Fig. 7-20) fait admettre que les individus hétérozygotes pour des gènes thalassémiques (qui semblent normaux ou seulement légèrement anémiés : un état appelé **thalassémie mineure**) résistent à la malaria. Donc, comme nous l'avons vu dans notre étude de l'anémie falciforme (Section 10-3B), les mutations qui sont gravement débilitantes ou même létales chez les homozygotes (qui souffrent alors de **thalassémie majeure**) offriraient suffisamment d'avantages sélectifs aux hétérozygotes pour assurer la propagation du gène muté.

Les thalassémies peuvent apparaître à la suite de mutations nombreuses et différentes, chacune d'elles provoquant un état pathologique caractérisé par sa gravité. Dans les thalassémies α^0 et β^0, la chaîne de globine correspondante est absente, alors que dans les thalassémies α^+ et β^+, les sous-unités de globines normales sont synthétisées en quantité réduite. Dans les paragraphes suivants, nous étudierons les thalassémies illustrant différents types de lésions génétiques.

a. Les thalassémies α

La plupart des thalassémies α sont causées par la délétion de l'un ou des deux gènes de globine α dans un groupe de gènes α (Fig. 34-36). Nombre de ces mutations ont été répertoriées. En l'absence d'un nombre équivalent de chaînes α, les chaînes fœtales γ et les chaînes adultes β forment des homotétramères : **Hb de Bart** (γ_4) et **HbH** (β_4). Ces tétramères ne montrent ni coopérativité, ni effet Bohr (Sections 10-1C et D) ; ceci leur donne une si haute affinité pour l'oxygène qu'ils ne peuvent pas le libérer dans les conditions physiologiques. En conséquence, la thalassémie α^0 présente quatre niveaux de gravité selon que le malade a 1, 2, 3 ou 4 gènes de globine α manquants :

1. Le stade porteur asymptomatique : la perte d'un gène α est une condition asymptomatique. Le taux d'expression des gènes α restants compense amplement le gène α manquant, de sorte que, à la naissance, le sang ne contient qu'environ 1 à 2 % d'Hb de Bart.

2. La thalassémie α caractérisée : Avec deux gènes α manquants (soit un absent dans chacun des deux groupes de gènes α, soit les deux délétés dans un même groupe), seuls des symptômes d'anémie mineurs apparaissent. Le sang contient environ 5 % d'Hb de Bart à la naissance.

3. La maladie de l'hémoglobine H : Trois gènes α manquants conduisent à une anémie faible à modérée. Les individus affectés peuvent vivre normalement ou presque.

4. L'anasarque fœto-placentaire (hydrops fetalis) : L'absence des quatre gènes est toujours létale. Malheureusement, la synthèse de la chaîne embryonnaire ξ continue bien après les 8 semaines suivant la conception, alors que, normalement, elle cesse (Fig. 34-35), le fœtus survit donc en général jusqu'à la naissance.

Les thalassémies α causées par des mutations qui ne sont pas des délétions sont relativement peu communes. L'une des lésions de ce type les mieux caractérisées est le changement du codon stop UAA du gène de la globine α2 en CAA (codon de Gln), de telle manière que la synthèse protéique continue encore 31 codons en aval jusqu'au codon UAA suivant. **L'Hb Constant Spring** résultante n'est produite qu'en petite quantité parce que, pour des raisons inconnues, son ARNm est dégradé rapidement dans le cytoplasme. Une autre mutation ponctuelle dans le gène α2 change le résidu Leu H8(125)α en résidu Pro, qui, immanquablement, détruit l'hélice H. La thalassémie α^+ qui en résulte se traduit par une dégradation rapide de cette **Hb Quong Sze,** anormale.

b. Les thalassémies β

Les hétérozygotes pour les thalassémies β sont habituellement asymptomatiques. Cependant, les homozygotes subissent une anémie tellement sévère que sitôt que leur production de HbF a diminué, beaucoup d'entre eux nécessitent des transfusions sanguines fréquentes pour les maintenir en vie, et tous en ont besoin pour prévenir des déformations graves du squelette causées par une dilatation de la moelle osseuse. L'anémie est due non seulement à l'absence de chaînes b, mais aussi au surplus de chaînes α. Ces dernières forment des précipités insolubles endommageant les membranes et provoquant la destruction prématurée des globules rouges (Section 10-3A). La présence simultanée d'une thalassémie α tend donc à diminuer la gravité de la thalassémie β majeure.

Dans la thalassémie β, il peut y avoir une production accrue de chaînes δ et γ d'où la présence des hémoglobines HbA_2 et HbF supplémentaires pouvant compenser un tant soit peu l'HbA manquante. Dans les **thalassémies** $\delta\beta$, les gènes voisins δ et β ont tous les deux été délétés, si bien que seule une production accrue de la chaîne γ est possible. Néanmoins, beaucoup des thalassémiques $\delta\beta$ adultes, pour des raisons encore inconnues, produisent tellement de HbF qu'ils sont asymptomatiques. On dit de tels individus qu'ils ont une **hémoglobine fœtale héréditaire persistante (HPFH,** Hereditary Persistance of Fetal Hemoglobin). Cet état présente donc un intérêt médical parce qu'il peut aussi rendre anodins les symptômes de thalassémie β et d'anémie falciforme.

La forme d'HPFH appelée grecque est associée à une mutation G $\rightarrow$ A à la position –117 du gène de la globine γ (dans la région promotrice). Dans le but de vérifier si la mutation provoque réellement l'HPFH, le gène muté de la globine γ a été introduit dans des souris. Les animaux transgéniques fœtaux et adultes obtenus synthétisent la globine γ en grandes quantités avec une diminution concomitante de l'expression du gène de la globine β. Ces changements dans l'expression génique sont corrélés à la perte de la liaison du facteur de transcription **GATA-1** au promoteur de la globine γ, suggérant donc que cette protéine est un régulateur négatif de l'expression du gène de la globine γ chez l'adulte humain normal (les facteurs de transcription sont étudiés dans la Section 34-3B).

Les délétions provoquent très rarement des thalassémies β^0, au contraire des thalassémies α^0. Ceci est dû probablement aux longues séquences répétées dans lesquelles les gènes de la globine α sont enfouis, les rendant plus enclins à une recombinaison inégale que le gène de la globine β. Toutefois, une lésion thalassémique β causant la production de l'**Hb Lepore** est un exemple particulièrement clair de ce mécanisme de délétion. Cette lésion, conséquence d'une délétion s'étendant de l'intérieur du gène δ à la position correspondante de son gène β voisin, conduit à une sous-unité hybride δ/β. De telles délétions sont dues presque certainement à des recombinaisons inégales entre le gène β d'un chromosome et le gène δ d'un autre (Fig. 34-39 ; les deux gènes ont une séquence identique à 93 %). Le deuxième produit de telles recombinaisons, un chromosome contenant un hybride β/δ flanqué des gènes δ et β normaux (Fig. 34-39), est appelé **Hb anti-Lepore.** Les homozygotes pour Hb Lepore présentent des symptômes similaires à ceux des thalassémies β majeures, alors que les homozygotes pour Hb anti-Lepore, qui ont l'équipement entier des gènes de globine normale, ne présentent pas de symptômes et n'ont été détectés que par des tests sanguins.

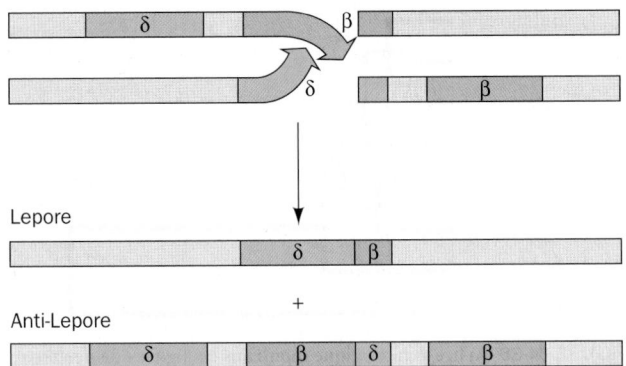

FIGURE 34-39 Formation de Hb Lepore et Hb anti-Lepore. Elle se fait par recombinaison inégale entre le gène de la globine β sur un chromosome et le gène de la globine δ sur son homologue.

La plupart des thalassémies β sont causées par toutes sortes de mutations ponctuelles qui affectent la production des chaîne β, comme :

1. Des mutations non sens qui convertissent des codons normaux en codon stop UAG.

2. Des mutations du cadre de lecture qui insèrent ou enlèvent une ou plusieurs paires de bases dans un exon.

3. Des mutations ponctuelles dans la région promotrice du gène β, soit dans sa boîte TATA, soit dans sa boîte CACCC (Section 31-2E). Ces mutations atténuent l'initiation de la transcription.

4. Des mutations ponctuelles qui altèrent la séquence à la jonction exon/intron (Section 31-4A). Elles diminuent ou arrêtent l'épissage et/ou activent un **site d'épissage cryptique** (caché ; une séquence similaire à la jonction exon-intron mais qui normalement n'est pas épissée) pour s'associer à l'extrémité non altérée de l'intron altéré.

5. Une mutation ponctuelle qui altère le site de branchement du lasso d'un intron (Section 31-4A). Cela active un site d'épissage 3′ cryptique en amont du site original, conduisant à l'excision d'un intron plus court que la normale.

6. Des mutations ponctuelles qui créent de nouveaux sites d'épissage. Ceux-ci, peuvent soit entrer en compétition avec les sites d'épissage normaux voisins, soit s'associer à un site d'épissage cryptique voisin.

7. Une mutation ponctuelle qui altère le signal de clivage AAUAAA à l'extrémité 3′ de l'ARNm (Section 31-4A).

L'étude des effets de ces mutations, en particulier de celles impliquant l'épissage de gène, a confirmé et approfondi notre compréhension de l'organisation et de l'expression des gènes eucaryotes.

3 ■ CONTRÔLE DE L'EXPRESSION GÉNIQUE

L'élucidation des mécanismes contrôlant l'expression des gènes des eucaryotes était en retard d'au moins 20 ans sur celle des procaryotes. Outre la complexité beaucoup plus grande des systèmes eucaryotiques, cela était aussi en grande partie dû au fait que les analyses génétiques qui avaient été si utiles dans la caractérisation des systèmes procaryotiques (qui exigent la détection d'événements très rares) sont impossibles dans les organismes multicellulaires animaux en raison de leurs vitesses de reproduction beaucoup plus faibles. Les difficultés pour sélectionner des mutations dans les gènes essentiels aggravent ce problème ; le produit manquant d'une enzyme défectueuse dans un organisme multicellulaire ne peut généralement pas être remplacé par la simple addition d'un produit dans la nourriture, comme c'est souvent possible avec, par exemple, *E. coli*. Cette dernière difficulté peut être partiellement contournée par le travail plutôt laborieux qui consiste à faire croître les cellules d'un organisme multicellulaire en **culture de tissu.** Cependant, puisque les cellules somatiques ne subissent pas de recombinaison génétique, les manipulations génétiques ne peuvent pas être conduites en culture de tissu comme elles le sont dans des cultures de bactéries.

Dans les années 1970, les techniques de clonage moléculaire ont rendu possible les manipulations génétiques des systèmes eucaryotiques (Section 5-5). Le gène codant une protéine eucaryotique particulière peut être identifié par Southern blotting dans des banques génomiques ou d'ADNc (Section 5-5D) ou par PCR (Section 5-5F) en utilisant une sonde oligonucléotidique ou une amorce dont la séquence code un segment de la protéine (processus appelé « génétique inverse » Section 7-2C). On peut aussi, lorsque le génome de l'organisme a été séquencé, identifier le gène *in silico* (par ordinateur). On peut ensuite modifier ce gène, par mutagenèse dirigée, par exemple, (Section 5-5G), puis analyser les effets de la modification à l'aide d'un vecteur d'expression chez *E.coli* ou chez la levure, ou encore l'analyser *in vitro*.

L'expression de gènes étrangers dans un organisme multicellulaire animal (acquisition de fonction) a été rendue possible par le développement d'un processus dans lequel l'ADN est micro-injecté dans le noyau d'un ovule fécondé (Fig. 5-59). Souvent cet ADN s'intègre dans un chromosome du zygote résultant, qui effectue alors un développement normal pour former un individu **transgénique** dont toutes les cellules contiennent les gènes étrangers (chez *Xenopus,* ceci implique simplement de laisser l'œuf transfecté éclore, alors que chez les souris, l'ovule fécondé doit être implanté dans l'utérus d'une femelle porteuse préparée à le recevoir ; voir Fig. 5-5 pour un exemple concret de souris transgénique). De façon alternative, un gène normal peut être inactivé de façon sélective (perte de fonction, knock-out) par l'utilisation d'ADN spécifiant le gène défectueux, lequel se recombine avec le gène normal. Le génome d'organismes multicellulaires peut être altéré par une technique très prometteuse pour la thérapie génique : l'utilisation de rétrovirus défectueux (incapables de se reproduire) qui contiennent les gènes à transférer (Section 5-5H). Par conséquent, le génome des organismes animaux pluricellulaires peut être manipulé, quoique très maladroitement. Cependant, très rapidement, nous sommes devenus plus habiles dans ces manipulations, en comprenant beaucoup mieux l'organisation et l'expression des chromosomes eucaryotiques.

Les eucaryotes unicellulaires, en particulier les levures constituent des exceptions par rapport à ce qui vient d'être dit, puisqu'on peut les cultiver et les manipuler essentiellement de la même façon que des bactéries. En effet, la plus grande partie de nos connaissances de la biologie moléculaire des eucaryotes a été obtenue par des analyses génétiques sur la levure de boulanger (*Saccharomyces cerevisiae*). Dans ce chapitre, à moins que le contraire ne soit spécifié, le terme « levure » désigne *S. cerevisiae*.

Dans cette section, nous étudierons les bases moléculaires de cette énorme variation d'expression montrée par les cellules eucaryotiques, en commençant par la nature de la chromatine active en transcription. Ensuite, nous verrons comment l'expression génétique des eucaryotes est régulée principalement par le contrôle de l'initiation de la transcription, et finalement nous étudierons les

autres moyens par lesquels les eucaryotes contrôlent l'expression génétique. Nous verrons que la régulation des gènes eucaryotiques est un processus extrêmement complexe qui requiert la participation de bien plus de 100 polypeptides qui forment des complexes dont la masse moléculaire est de plusieurs millions de daltons. Dans la section suivante, nous présenterons ce qui est connu des bases moléculaires de la différenciation cellulaire normale, ou de celles de son aberration, le cancer, et pour finir de la mort cellulaire programmée.

A. *L'activation et l'inactivation chromosomique*

La chromatine en interphase peut être classée en deux catégories : l'hétérochromatine fortement condensée et transcriptionnellement inactive (Section 34-1), et l'euchromatine diffuse et active transcriptionnellement ou activable (Fig. 34-2). On distingue deux sortes d'hétérochromatine :

1. L'hétérochromatine constitutive, condensée en permanence dans toutes les cellules, est formée essentiellement de séquences hautement répétées regroupées vers les centromères des chromosomes (Section 34-2B) et les télomères (Section 30-4D). L'hétérochromatine constitutive est donc trancriptionnellement inerte.

2. L'hétérochromatine facultative varie de façon spécifique au tissu. On pense que la condensation de l'hétérochromatine facultative inactive transcriptionnellement de larges portions chromosomiques.

a. La plupart des cellules de mammifères ont un seul chromosome X actif

Les cellules des femelles de mammifères contiennent deux chromosomes X alors que les cellules des mâles ont un chromosome X et un chromosome Y. *Les cellules somatiques de femelles maintiennent cependant un seul de leurs chromosomes X dans un état transcriptionnellement actif.* De ce fait, les mâles et les femelles produisent à peu près les mêmes quantités des produits des gènes codés par le chromosome X, on appelle ce phénomène compensation de l'effet de dosage génique. Le chromosome X inactif est visible durant l'interphase sous forme d'une structure d'hétérochromatine appelée **corpuscule de Barr** (Fig. 34-40). Chez les marsupiaux (mammifères à poche), le corpuscule de Barr est toujours le chromosome X hérité du père, par régulation épigénétique (Section 30-7). Chez les mammifères placentaires, par contre, un chromosome X sélectionné au hasard dans chaque cellule somatique est inactivé quand l'embryon n'est constitué que de quelques cellules. La descendance de chacune de ces cellules maintient le même chromosome X inactif. *Les femelles des mammifères placentaires sont donc des mosaïques composées de groupes clonaux de cellules dans lesquels le chromosome X actif est soit hérité du père soit hérité de la mère.* Cette situation est particulièrement évidente chez les femmes hétérozygotes pour la **dysplasie anhidrotique de l'ectoderme,** déficience congénitale des glandes sudoripares liée au chromosome X. La peau de ces femmes présente des régions dépourvues de glandes sudoripares où seul le chromosome X contenant le gène muté est actif, alternant avec des régions normales où seul l'autre chromosome X est actif. De manière similaire, les chats bigarrés, écaille de tortue, dont la fourrure présente des régions noires et fauves, sont presque toujours des femelles dont les deux chromosomes X portent des allèles des fourrures noire et fauve.

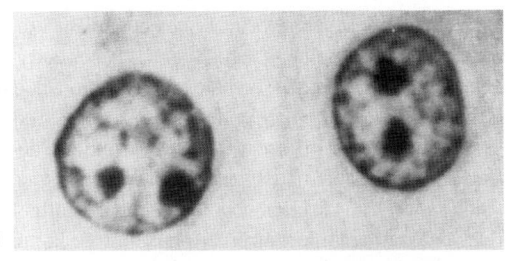

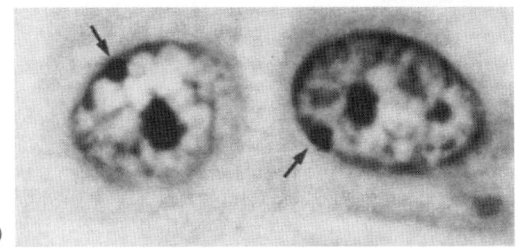

FIGURE 34-40 Micrographies de noyaux colorés de cellules épithéliales de la cavité buccale humaine. (*a*) Chez un homme normal XY ne montrant pas de corpuscule de Barr. (*b*) Chez une femme normale XX montrant un seul corpuscule de Barr (*flèche*). La présence des corpuscules de Barr permet la détermination rapide du sexe chromosomique d'un individu. [D'après Moore, K.L. et Barr, M.L., *Lancet* **2**, 57 (1955).]

Le mécanisme de l'inactivation du chromosome X commence seulement à être compris. L'inactivation semble déclenchée par la transcription du gène *Xist,* exclusivement sur le chromosome inactif. L'ARN *Xist* produit « décore » le chromosome X inactif sur toute sa longueur, mais ne se lie pas au chromosome X actif. Cet ARN *Xist* localisé recrute, par une suite de changements mal compris, des protéines affines de l'ADN qui répriment la transcription (Section 34-3B), ainsi que des variants d'histones, notamment le variant macroH2A1 de l'histone H2A, qui possède un grand domaine C-terminal globulaire, absent de H2A. L'inactivation du X vient aussi de la modification des histones du cœur des nucléosomes qui lui sont associées, notamment de la méthylation du résidu Lys 4 de H3, de la déméthylation du résidu Lys 9 de H3 et de l'hypoacétylation des histones H3 et H4 (La méthylation et l'acétylation des histones sont étudiées dans la section 34-3B). De plus, l'ADN du gène *Xist* du chromosome actif fait l'objet d'une méthylation, tandis que le gène *Xist* actif sur le chromosome X inactif par ailleurs, demeure non méthylé (La méthylation de l'ADN est traitée dans la Section 30-7). Inversement, les îlots CpG dans les promoteurs de nombreux gènes du chromosome X inactif se voient méthyler tandis que ceux du chromosome X actif restent non méthylés. Certains de ces changements, sinon tous, sont indispensables pour l'inactivation du chromosome X et il est de plus presque sûr qu'ils sont responsables de l'empreinte épigénétique permettant le maintien de l'état d'inactivation du chromosome X inactivé dans les générations ultérieures de cellules.

b. Les renflements des chromosomes et les chromosomes en écouvillon sont actifs transcriptionnellement

L'état condensé de l'hétérochromatine facultative la rend probablement inactive transcriptionnellement en empêchant les protéines assurant la transcription d'accéder à son ADN. À l'inverse, *la chromatine active transcriptionnellement doit avoir une structure relativement accessible.* Une telle chromatine décondensée se

trouve dans les **renflements des chromosomes** (« puffs ») qui émanent de simples bandes des chromosomes géants polytènes (Fig. 34-41). Ces renflements se forment et régressent de manière reproductible dans le cadre du développement larvaire normal (Fig. 33-41) et en réponse à des stimuli physiologiques comme des hormones et la chaleur. Des études par autoradiographie avec de l'uridine tritiée et des études d'immunofluorescence en utilisant des anticorps dirigés contre l'ARN polymérase II démontrent clairement que *ces renflements sont les sites principaux de la synthèse des ARN dans les chromosomes polytènes.*

La décondensation analogue des chromosomes non polytènes se produit d'une manière encore plus évidente dans les chromosomes appelés **chromosomes en écouvillon** d'ovocytes d'amphibiens (Fig. 34-42). Durant leur prophase I méiotique prolongée (Fig. 1-20), ces chromosomes précédemment condensés forment des segments d'ADN en boucles transcriptionnellement actifs, qui, comme l'indiquent les micrographies électroniques (Fig. 34-43), sont souvent des unités simples de transcription.

B. *La régulation de l'initiation transcriptionnelle*

Les observations précédentes laissent penser que la transcription sélective est principalement responsable de la synthèse protéique différente dans les différents types cellulaires d'un même organisme. Cependant, ce n'est qu'en 1981 que James Darnell l'a démontré de la manière suivante : il a obtenu les quantités de gènes exprimés dans le foie de souris, nécessaires à l'expérimentation, en insérant des ADNc d'ARNm de foie de souris (dont 95 % sont cytoplasmiques) dans des plasmides et en les répliquant pour les amplifier dans *E. coli* (Section 5-5B). En hybridant les ADNc clonés obtenus avec les ARNm marqués radioactivement de différents types cellulaires de souris, les colonies de *E. coli* contenant des

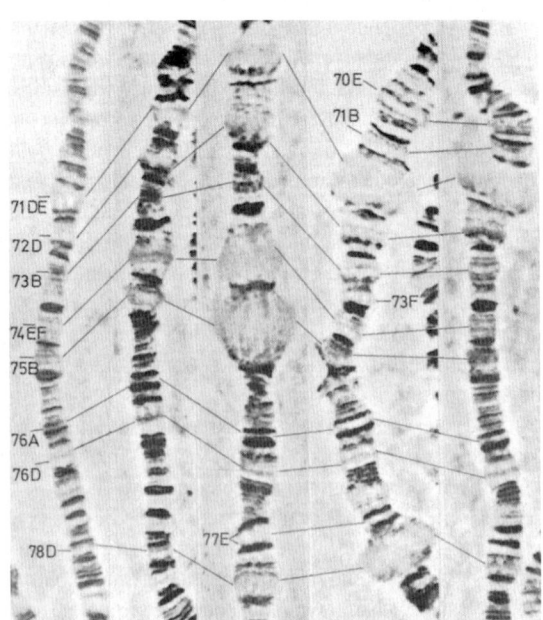

FIGURE 34-41 Formation et régression des renflements chromosomiques (*lignes*) dans un chromosome polytène de *D. melanogaster* après une période de développement larvaire de 22 h. Les très gros renflements dans cette série de micrographies sont connus sous le nom **d'anneaux de Balbiani.** [Avec la permission de Michael Ashburner, Université de Cambridge.]

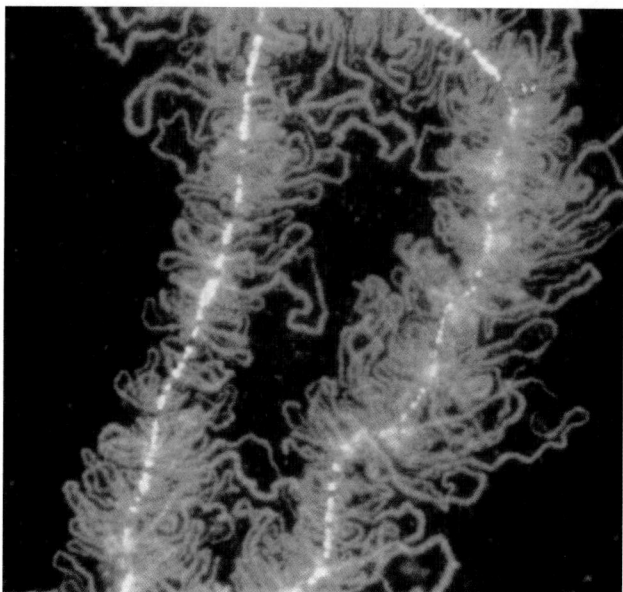

FIGURE 34-42 Micrographie en immunofluorescence d'un chromosome en écouvillon d'un noyau d'ovocyte de triton *Notophthalmus viridescens*. Les nombreuses boucles en transcription active de ce chromosome lui ont donné le nom « d'écouvillon » (du nom de l'instrument utilisé autrefois pour nettoyer les lampes au kérosène). [D'après Roth, M.B. et Gall, J.G., *J. Cell Biol.* **105**, 1049 (1987). Copyright (c), 1987, Rockefeller University Press.]

gènes spécifiques du foie ont été différenciées des colonies contenant les gènes communs à la plupart des autres cellules de souris. Douze clones d'ADNc spécifiques du foie et trois clones d'ADNc communs ont été obtenus ainsi. La question qui se posait alors était de savoir si une cellule eucaryotique transcrit seulement les gènes codant les protéines qu'elle synthétise, ou si elle transcrit tous ses gènes, mais ne mature correctement que les transcrits qu'elle traduit. La réponse a été apportée en hybridant les gènes de souris clonés avec des ARN non matures (hnARN) fraîchement synthétisés, obtenus à partir de noyaux de cellules de foie, de rein et de cerveau de souris (Fig. 34-44). Seuls les ARN extraits de noyaux de foie s'hybrident avec les 12 ADNc spécifiques du foie, utilisés comme sondes. Cependant, les ARN des trois autres types cellu-

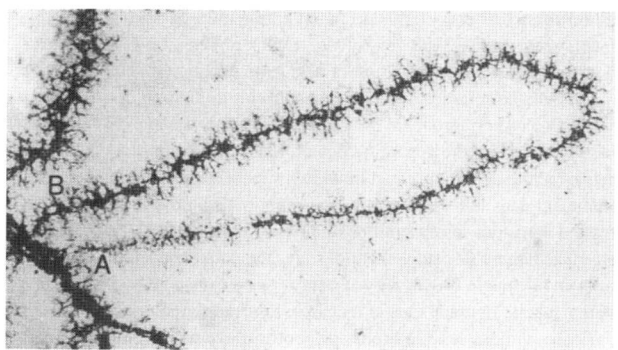

FIGURE 34-43 Micrographie électronique d'une boucle d'un chromosome en écouvillon. La matrice ribonucléoprotéique recouvrant la boucle s'épaissit de l'extrémité (A) jusqu'à l'extrémité (B), ce qui indique que la boucle ne contient qu'une seule unité transcriptionnelle. [Avec la permission d'Oscar L. Miller.Ir, Université de Virginie.]

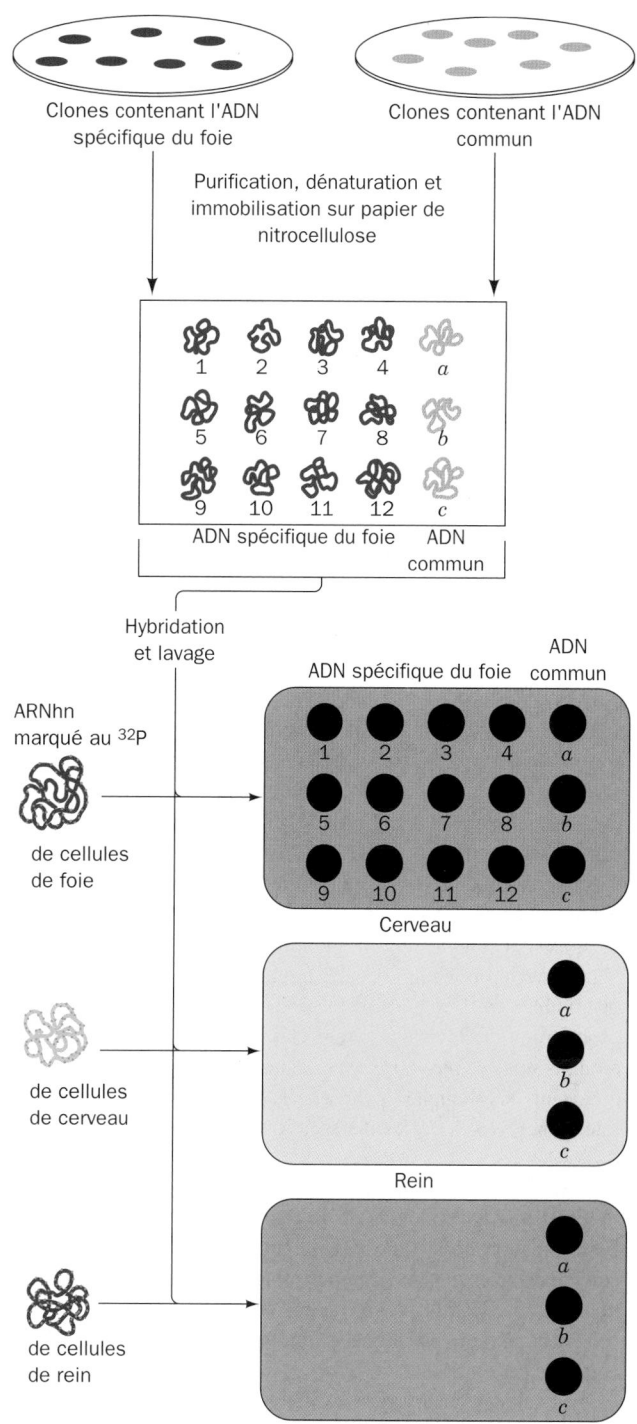

FIGURE 34-44 Détermination du rôle essentiel de la transcription sélective dans le contrôle de l'expression des gènes eucaryotiques. Elle a été établie de la façon suivante. Des ADNc clonés et codant d'une part 12 protéines spécifiques de foie de souris (1-12) et d'autre part 3 autres protéines communes à la plupart des cellules de souris (*a-c*) ont été purifiés, dénaturés et déposés sur un filtre en papier (*en haut*). Les ADN ont été hybridés avec des ARN nouvellement formés, donc des ARN non matures marqués radioactivement, provenant de noyaux de foie, de rein ou de cerveau de souris (*en bas à gauche*). L'autoradiographie montre que les ARN de foie s'hybrident aux 12 ADNc spécifiques du foie et aux 3 ADNc communs, mais que les ARN de rein et de cerveau ne s'hybrident qu'aux ADNc communs (*à droite*).

laires s'hybrident avec l'ADN des trois clones contenant les gènes communs de souris. Manifestement, *les gènes spécifiques du foie ne sont pas transcrits par les cellules de cerveau ou de rein. Ceci suggère fortement que le contrôle de l'expression génétique chez les eucaryotes s'exerce principalement au niveau de la transcription.*

Plus récemment, l'utilisation de la technique des microalignements d'ADN (puces à ADN ; Section 7-6B) a énormément accru le nombre de gènes dont on peut simultanément suivre le niveau de transcription, tout en diminuant l'effort nécessaire pour le faire. Prenons par exemple, l'hépatocarcinome (HCC), le cancer du foie le plus fréquent, qui figure parmi les cinq causes principales de décès par cancer dans le monde et qui est étroitement associé aux infections chroniques par les virus des hépatites B et C, même si la nature de cette association reste peu claire. David Botstein et Patrick Brown ont caractérisé les profils d'expression génique des tumeurs de type HCC et de tissus de foie sain en isolant leurs ARNm pour les rétrotranscrire en ADNc avant de les coupler à un colorant fluorescent. Ces ADNc marqués ont ensuite été hybridés à des microalignements d'ADN renfermant environ 17 000 gènes humains. Le niveau de transcription de chacun de ces gènes dans un échantillon de tissu a été déterminé par l'intensité de fluorescence à la position correspondante du microalignement par rapport à la fluorescence à cette même position du microalignement, mais correspondant à l'ADNc de référence marqué avec un fluorochrome d'une autre couleur. Les résultats de cette analyse exhaustive sont présentés dans la Fig. 34-45, ils montrent de façon évidente que les tumeurs HCC ont un profil d'expression génique différent de celui des tissus du foie sain. Curieusement, cependant, différents nodules HCC du même patient présentent des profils d'expression génique dont la similitudes entre eux n'est pas supérieure à celle observée pour des tumeurs issues de patients différents. Quoi qu'il en soit, certains gènes sont toujours fortement exprimés dans toutes les tumeurs HCC et de ce fait, ceux dont les produits sont sécrétés ou associés à la membrane peuvent servir de marqueurs sérologiques pour la détection précoce de cancer du foie et/ou servir de cibles thérapeutiques potentielles.

a. L'initiation de la transcription des gènes structuraux implique trois classes de facteurs de transcription

L'initiation de la transcription chez les eucaryotes a été très étudiée dans les gènes codant les protéines, c'est-à-dire les gènes transcrits par l'ARN polymérase II (**ARNPII**). Dans le reste de cette section, nous nous concentrerons sur les principales découvertes de ces études.

Les cellules eucaryotiques différenciées ont une remarquable capacité à exprimer sélectivement des gènes spécifiques. Les vitesses de synthèse d'une protéine particulière dans deux cellules d'un même organisme peuvent différer jusqu'à un facteur de 10^9, ce qui fait que des gènes eucaryotiques non exprimés sont complètement silencieux. À l'inverse, les systèmes procaryotiques simplement répressibles, comme l'opéron *lac* de *E. coli* (Section 31-3B), ne montrent pas une différence de plus de 1000 dans leurs taux de transcription car ils ont des niveaux minimum de transcription non négligeables. Néanmoins, nous verrons plus loin que *le mécanisme de base du contrôle de l'expression chez les eucaryotes ressemble à celui des procaryotes, c'est-à-dire que la liaison sélective des protéines à des séquences de contrôle génétique spécifiques module la vitesse de l'initiation de la transcription.*

FIGURE 34-45 Activités transcriptionnelles relatives des gènes de tumeurs d'hépatocarcinome (HCC) déterminées avec des micro-alignements d'ADN. Les données sont représentées sous forme de matrice, où chaque colonne représente un des 156 échantillons de tissus (82 tumeurs HCC et 74 tissus de foie non tumoral), chaque ligne représente un gène parmi 3180 gènes (ceux qui, parmi environ 17400 gènes du micro-alignement d'ADN ont la plus forte variation d'activité transcriptionnelle au sein des différents échantillons de tissus). Les données sont disposées en regroupant les gènes et les tissus d'après des similitudes, de façon à faire apparaître des profils d'expression. La couleur de chaque cellule de la matrice indique le niveau d'expression du gène correspondant dans le tissu considéré par rapport à son niveau moyen d'expression dans tous les échantillons de tissus. Le rouge vif, le noir et le vert vif indiquent respectivement des niveaux correspondant à 4 fois, 1 fois et 1/4 fois le niveau moyen pour le gène considéré (comme l'indique l'échelle figurant sous la matrice). Le dendrogramme au-dessus de la matrice, indique les similitudes de profils d'expression entre les différents échantillons de tissus. [Avec l'aimable autorisation de David Botstein et Patrick Brown, École de Médecine de l'Université de Stanford.]

L'ARNP II, à l'inverse de l'holoenzyme de l'ARN polymérase procaryotique (Section 31-2), n'a qu'une petite, voire aucune capacité intrinsèque à se lier à son promoteur. En fait, trois classes différentes de ce que l'on appelle **facteurs de transcription** sont impliquées dans la régulation de l'initiation de la transcription par l'ARNP II, ce sont :

1. Les facteurs généraux de la transcription (GTF = general transcription factor, appelés aussi **facteurs de base),** qui sont nécessaires à la synthèse de tous les ARNm, sélectionnent le site d'initiation de la transcription et permettent à l'ARNP II de s'y fixer, formant donc un complexe qui initie la transcription à un niveau « basal ».

2. Les facteurs de transcription en amont sont des protéines qui se lient à des séquences d'ADN spécifiques en amont du site d'initiation pour stimuler ou réprimer l'initiation de la transcription par l'ARNP II complexée aux GTF. La liaison de facteurs de transcription en amont, à l'ADN, n'est pas régulée, ce qui fait qu'ils se lient à n'importe quel ADN disponible contenant leur séquence cible. Ceux qui sont présents dans une cellule varient avec le stade de développement et les besoins de la cellule ; leur synthèse est régulée également.

3. Les facteurs de transcription inductibles fonctionnent de la même façon que les facteurs de transcription en amont, mais doivent être activés (ou inhibés) soit par phosphorylation, soit par des ligands spécifiques pour pouvoir se lier à leurs sites d'ADN cibles et moduler l'initiation de la transcription. Ils sont synthétisés et/ou activés dans des tissus spécifiques à des moments précis et régulent donc l'expression génique de manière spécifique dans le temps et dans l'espace.

Nous verrons ces facteurs de transcription plus loin.

b. Le complexe de préinitiation est un assemblage compliqué et de grande taille

Des recherches poussées de nombreux laboratoires ont révélé que *l'initiation correcte de la transcription de la plupart des gènes structuraux nécessite la présence de sept GTF, dont beaucoup sont des complexes multiprotéiques nommés* **TFIIA, TFIIB, TFIID, TFIIE, TFIIF et TFIIH** (Tableau 34-3 ; TF pour facteur de transcription et **II** pour **gènes de classe II,** ceux qui sont transcrits par l'ARNP II). Ces GTF se combinent de façon ordonnée avec l'ARNP II et l'ADN contenant le promoteur proche du site de départ de la transcription pour former ce qui est appelé le **complexe de préinitiation (CPI),** qui permet un niveau de base de la transcription. Le promoteur basal des gènes structuraux est en grande partie en amont du site de départ de la transcription et contient une **boîte TATA,** un segment sur le brin sens (le brin d'ADN qui a la même séquence que l'ARNm correspondant ; Section 31-2A) qui est centré aux alentours de la position -27 et dont la séquence consensus est TATAa/tAa/t (Fig. 31-23). Les motifs de séquence d'un promoteur basal typique sont indiqués dans la Fig. 34-46. Les autres parties du promoteur, sur lesquelles divers facteurs de transcription vont se fixer en fonction de leurs propriétés, sont nommées séquences d'activation en amont (UAS pour « upstream activation sequences »). Un promoteur eucaryotique complet s'étend en moyenne sur plus de 100 pb.

*L'assemblage du complexe de préinitiation (Fig. 34-47) commence par la liaison de la « **protéine de liaison à la boîte TATA** » (**TBP = TATA box binding protein**) à la boîte TATA, permettant d'identifier le site de départ de la transcription* (rappelons que l'élimination de la boîte TATA ne supprime pas forcément la transcription, mais entraîne une hétérogénéité dans le site de départ de la transcription ; Section 31-2E). *TBP est ensuite rejointe par une série d'environ 10 **facteurs associés à TBP** (**TAF** = TBP associated factor, auparavant appelés TAF$_{II}$ pour indiquer qu'ils sont associés à des gènes de classe II) pour former le complexe multiprotéique TFIID d'environ 700 kD.* TFIIA se lie ensuite au complexe TFIID-ADN et le stabilise, suivi par TFIIB. TFIIF accompagne alors l'ARNP II jusqu'au promoteur d'une manière qui fait penser à la façon dont les facteurs σ interagissent avec le cœur de l'ARN polymérase chez les bactéries (Section 31-2A et B). En

TABLEAU 34-3   Propriétés des facteurs généraux de transcription

Facteur	Nombre de sous-unité uniques chez la levure	Masse chez la levure (kD)	Nombre de sous-unité uniques chez l'être humain	Masse chez l'être humain (kD)	Fonctions
TFIIA	2	46	3	69	Stabilise la liaison de TBP et des TAF
TFIIB	1	38	1	35	Stabilise la liaison de TBP ; recrute l'ARNP II ; influence la sélection du point d'initiation
TFIID					Reconnaît la boîte TATA ; recrute
TBP	1	27	1	38	TFIIA et TFIIB ; fonctions régulatrices
TAFs	14	~1050	≥12[a]	≥960	positives et négatives
TFIIE	2	184	2	165	Hétérotétramère $\alpha_2\beta_2$; recrute TFIIH et stimule son activité hélicase ; facilite la séparation des brins du promoteur
TFIIF	3	156	2	87	Facilite le ciblage du promoteur, stimule l'élongation
TFIIH	9	518	9	470	Contient une hélicase dépendante de l'ATP, sert à la séparation des brins du promoteur et à la clairance

[a]Bien que seules 12 TAF humains aient été identifiés contre 14 chez la levure, l'étroite correspondance entre chaque TAF humain connu et un des TAF de levure laisse penser qu'il reste deux TAF de plus à identifier chez l'être humain.

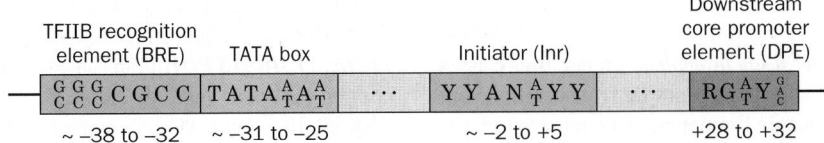

FIGURE 34-46 Séquence des éléments d'un promoteur de classe II typique. Les positions approximatives des différents éléments par rapport au site d'initiation de la transcription (+1), sont indiquées en bas. Notez que chacun de ces éléments peut être absent dans un promoteur de classe II donné.

effet, la plus petite des deux sous-unités de TFIIF humaine montre une certaine homologie de séquence avec σ^{70} (le facteur σ bactérien prédominant), et de plus, peut interagir spécifiquement avec les ARNP bactériennes (quoiqu'elle ne participe pas à la reconnaissance du promoteur). Finalement, TFIIE et TFIIH s'assemblent, dans cet ordre, pour former le CPI. Une fois ce complexe formé, une étape d'activation dépendante de l'ATP, probablement catalysée par la fonction hélicase de TFIIH, pour séparer les brins du promoteur, est nécessaire pour initier la transcription à la vitesse de base. Noter que le CPI humain, incluant exclusivement les ~12 sous-unités d'environ 600 kD de l'ARNP II, possède au moins 25 sous-unités qui s'assemblent en une masse d'environ 1600 kD. En fait, de nombreuses protéines du CPI sont les cibles de régulateurs de la transcription.

c. La TBP déforme profondément l'ADN lié à la boîte TATA

La TBP est formée d'un domaine C-terminal hautement conservé (81 % d'identité entre la levure et l'homme) de 180 résidus qui contient deux répétitions directes de 66 ou 67 résidus identiques avec environ 40 % d'homologie, séparées par un segment fortement basique. Par contre, le domaine N-terminal de TBP varie fortement aussi bien en longueur qu'en séquence, et n'est en fait pas nécessaire à la fonction de TBP *in vitro*. Curieusement, le domaine N-terminal humain contient une suite ininterrompue de 38 résidus Gln, alors que celui de *D. melanogaster* contient deux ensembles de 6 et 8 résidus Gln séparés par 32 résidus, et que les levures n'ont pas ces séquences. Peut-être que les domaines N-terminaux de TBP ont évolué de façon à s'adapter aux fonctions spécifiques des espèces.

Les structures par rayons X de TBP de levures (le domaine C-terminal seulement) et de la plante à fleurs *Arabidopsis thaliana* (dont le domaine N-terminal n'est formé que de 18 résidus), déterminées par Kornberg et Stephen Burley, révèlent une molécule en forme de selle (Fig. 34-48*a*) formée de deux domaines de structure similaire et de topologie identique, composés chacun de l'une des répétitions directes. Ils sont organisés selon une symétrie de pseudo-ordre deux de telle manière que la protéine est constituée d'un feuillet β à 10 brins antiparallèles, 5 brins de chaque domaine, flanqués à chaque extrémité de deux hélices α et d'une boucle qui fait penser à un étrier accroché à la « selle » de la protéine. La courbure de la selle en forme de feuillet β plissé est ainsi faite que TBP, en accord avec les démonstrations biochimiques et génétiques, pourrait chevaucher l'ADN. Cependant, les structures par rayons X des complexes avec l'ADN donnent une explication assez différente.

Deux structures très similaires par rayons X des complexes TBP-ADN ont été déterminées : l'une, par Paul Siegler : TBP de levure associée à un ADN de 27 nt qui forme une tige de 11 pb contenant la boîte TATA dont les extrémités sont réunies par une boucle de 5 nt ; et l'autre, par Burley : TBP d'*Arabidopsis* associée à un ADN double brin de 14 pb contenant la boîte TATA. L'ADN se lie à la surface concave de TBP, mais avec l'axe du double brin presque perpendiculaire plutôt que parallèle à l'axe « cylindrique » de la selle (Fig. 34-48*b*). L'ADN subit une courbure d'environ 45°

FIGURE 34-47 Assemblage du complexe de préinitiation (CPI) sur le promoteur contenant la boîte TATA. (1) TFIID se joint à la boîte TATA en commençant par la fixation de la « protéine de liaison à la boîte TATA » (TBP) sur la boîte TATA. **(2)** TFIIA et TFIIB se lient ensuite au complexe en formation. **(3)** Ensuite, TFIIF se lie à l'ARNP II et l'accompagne jusqu'au complexe. **(4)** Enfin, TFIIE et TFIIH s'unissent séquentiellement au complexe, formant ainsi le CPI. [D'après Zawel, L. et Reinberg, D., *Curr. Opin. Cell Biol.* **4**, 490 (1992).]

(a)

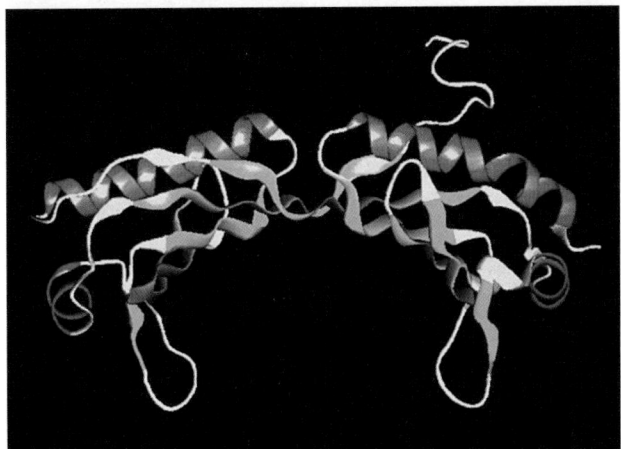

(b)

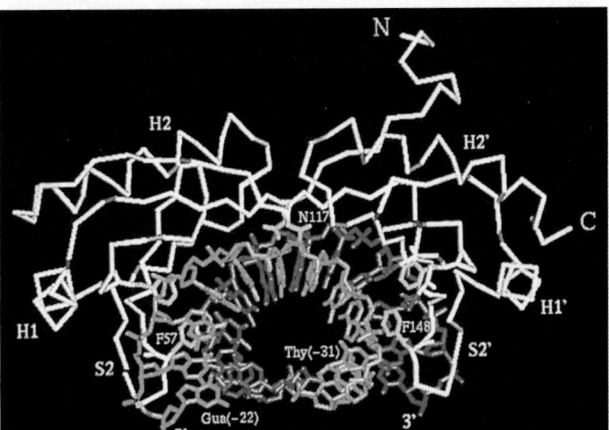

FIGURE 34-48 Structure par rayons X de la protéine de liaison à la boîte TATA (TBP) d'*Arabidopsis thaliana*. (*a*) Représentation en ruban de la protéine sans ADN, dans laquelle les hélices a sont en rouge, les brins β en bleu, et le reste du squelette polypeptidique en blanc. Le pseudo-axe de symétrie d'ordre 2 de la protéine est vertical. Notez que la protéine semble avoir précisément la taille et la forme nécessaires pour chevaucher un cylindre d'ADN B de 20 Å de diamètre. Cela ne correspond cependant pas vraiment à la réalité. (*b*) TBP (vu comme dans la partie *a*) associé à un segment de 14 pb contenant la boîte TATA du promoteur tardif majeur de l'adénovirus (de séquence simple brin GCTATAAAAGGGCA, avec sa boîte TATA en gras). La protéine est représentée par son squelette C_α (*en blanc*), avec les chaînes latérales des résidus Phe 57, 74, 148 et 165 (*en jaune*), lesquels induisent des coudes

aigus de l'ADN. Les résidus Asn 27 et 117 (*aussi en jaune*) font des liaisons hydrogène dans le petit sillon, et Ile 152 et Leu 163 (*en bleu*) sont impliqués dans la reconnaissance spécifique de l'ADN. L'ADN est représenté sous forme de bâtonnets avec les brins sens et antisens respectivement en vert et en rouge. L'ADN B entre dans son site de liaison avec l'extrémité 5′ de son brin sens, sous la selle à droite, et en sort à gauche avec son axe hélicoïdal presque perpendiculaire à la page (les deux dernières paires de bases ont été supprimées pour plus de clarté). L'ADN est partiellement déroulé entre les coudes localisés à chaque extrémité de la boîte TATA, et les 8 feuillets centraux du feuillet β anti-parallèle à 10 brins de la protéine s'insèrent alors dans le petit sillon très élargi de l'ADN. [Avec la permission de Stephen Burley, Structural GenomiX, Inc., San Diego, Californie.]

entre les deux premières et les deux dernières paires de bases de l'élément TATA de 8 pb. Entre ces courbures, l'ADN est fortement, quoique régulièrement, courbé avec un rayon de courbure d'environ 25 Å et est déroulé d'environ 1/3 de tour. Ceci permet au feuillet β antiparallèle de la protéine de se lier dans le petit sillon de l'ADN, très élargi et moins profond, par des liaisons hydrogène et des interactions de van der Waals (la protéine n'est pas en contact avec le grand sillon de l'ADN). L'aspect extraordinaire de cette remarquable structure est que chaque courbure d'ADN se trouve calée par deux chaînes latérales de résidus Phe s'étendant depuis l'étrier adjacent qui soulèvent les paires de bases qui encadrent la courbure, depuis le côté du petit sillon et déforment fortement la paire de bases interne. Comme résultat de cette distorsion sans précédent de l'ADN (la protéine ne subit que des ajustements légers de conformation en se liant à l'ADN), il y a un angle d'environ 100° et un déplacement latéral de 18 Å entre les axes de l'hélice et l'ADN de forme B entrant dans, et quittant le site de liaison de TBP, donnant ainsi une forme de manivelle à l'ADN. L'ADN maintient cependant une structure appariée de type Watson et Crick normale tout au long de cette région déformée.

d. TFIIA et TFIIB se fixent tous deux à l'ADN et à TBP

La structure par rayons X de complexes ternaires entre TFIIA de levure, TBP et un ADN de promoteur contenant une boîte TATA a été déterminée de façon indépendante par Richmond et Sigler. Celle de complexes ternaires entre TFIIB humaine, et soit la TBP humaine, soit celle d'*Arabidopsis*, et un ADN de promoteur contenant une boîte TATA a été déterminée de façon indépendante par

Sigler et par Robert Roeder et Burley. Les complexes entre l'ADN et TBP sont assez semblables dans tous les complexes binaires et ternaires qui précèdent. Un modèle plausible du complexe quaternaire TFIIA-TFIIB-TBP-ADN a alors été construit en superposant les complexes TBP-ADN présents dans les complexes ternaires contenant soit TFIIA, soit TFIIB (Fig. 34-49). TFIIA, qui est un hétérodimère chez la levure, est constitué d'un tonneau β à 6 brins et d'un faisceau de 4 hélices, qui ont ensemble une forme de bateau. Le domaine en forme de tonneau de TFIIA se lie au domaine N-terminal de TBP en forme d'étrier, allongeant le feuillet β de TBP qui forme un feuillet β continu de 16 brins. De plus, le tonneau β de TFIIA se lie à l'ADN sur son grand sillon par des liaisons ioniques entre quatre chaînes latérales de ses résidus Lys et Arg et des groupements phosphate de l'ADN. TFIIB, est un monomère constitué de deux domaines semblables en hélice α ayant subi une rotation de 90° l'un par rapport à l'autre pour former une pince qui saisit le domaine C-terminal en étrier de TBP. TFIIB se lie à l'ADN avec ses deux domaines par plusieurs liaisons ioniques avec les groupements phosphate de l'ADN mais aussi par des contacts de bases spécifiques dans le grand et le petit sillon avec la séquence consensus G/CG/CG/CCGCC, qui se trouve juste en amont de la boîte TATA de beaucoup de promoteurs de base (Fig. 34-46). La formation de ces interactions nécessite des distorsions imposées à la structure de l'ADN lors de la liaison à TBP. Il existe donc une synergie entre la liaison de TFIIB et celle de TBP. Comme on a montré que la nature pseudosymétrique de TBP lui permettait de se lier à la boîte TATA dans les deux orientations, il semble que les interactions de TFIIB avec des bases spécifiques du promoteur au niveau de ce qu'on appelle **élément de reconnaissance de TFIIB**

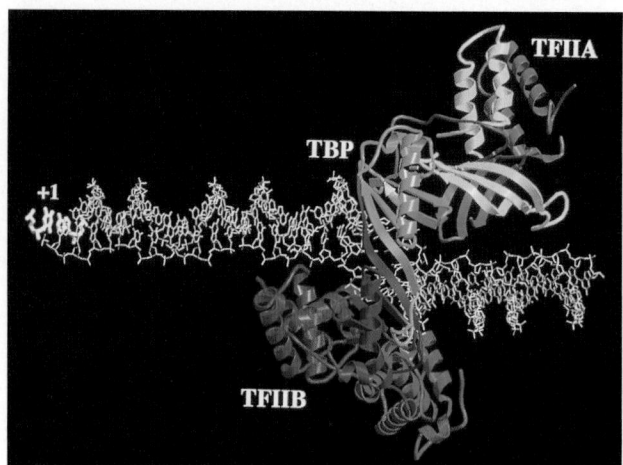

FIGURE 34-49   Modèle du complexe quaternaire de TFIIA-TFIIB-TBP avec un ADN renfermant une boîte TATA. La disposition des protéines (*en rubans*) et de l'ADN (*modèle en bâtonnets blancs*) est basée sur des structures par rayons X, déterminées de façon indépendante, de complexes ternaires TFIIA-TFIIB-ADN et TFIIB-TBP-ADN. Dans ce modèle, l'ADN a été mis sous forme étendue des deux côtés de la boîte TATA, le point d'initiation de la transcription (+1) étant sur la gauche. Les domaines N et C-terminal de TBP, reliés par une relation de pseudo-symétrie, sont en bleu clair et en violet. Les deux sous-unités de TFIIA sont en jaune et en vert, les domaines similaires N et C-terminaux de TFIIB sont en rouge et en rose. TBP se lie à la fois à TFIIA et à TFIIB et les trois protéines se fixent à l'ADN sur des sites indépendants. [Avec l'aimable autorisation de Stephen Burley, Structural GenomiX, Inc., San Diego, Californie. PDBid 1YTF et 1VOL.]

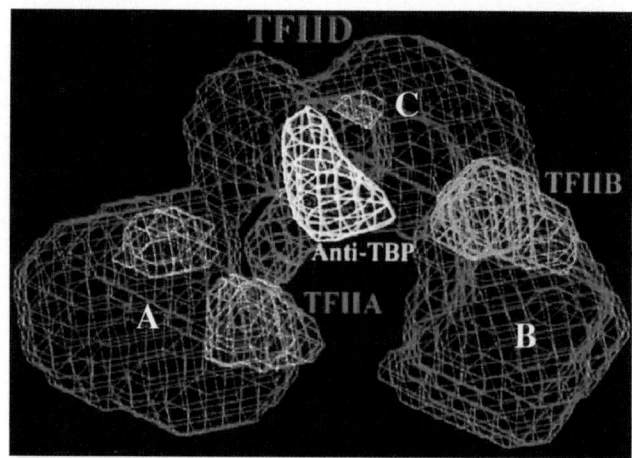

FIGURE 34-50   Image du complexe humain TFIID-TFIIA-TFIIB à une résolution de 35 Å d'après des données de ME. Le treillis de lignes bleues dessine les contours du complexe ternaire dans sa globalité. Il est constitué de trois domaines, A, B et C disposés en forme de sabot de cheval et ayant approximativement une largeur de 200 Å, une hauteur de 135 Å et une épaisseur de 110 Å. Les treillis rouge et vert indiquent les positions de TFIIA et de TFIIB telles que déterminées par comparaison avec des images de ME, du complexe TFIID-TFIIA et de TFIID seul. Le treillis jaune indique la position de fixation d'un anticorps anti-TBP. Les différences de forme de TFIIA entre cette figure et la Fig. 34-49, sont probablement dues au fait que dans la Fig. 34-49, TFIIA ne comporte que les résidus 56 à 209 de cette protéine de 286 résidus. [Avec l'aimable autorisation de Eva Norgales, Université de Californie, Berkeley.]

(**BRE** ; Fig. 34-46), servent à positionner TFIIB pour orienter correctement TBP sur le promoteur. Le modèle du complexe quaternaire (Fig. 34-49) indique que chacune de ses trois protéines de fixent à l'ADN en amont du site de démarrage de la transcription. Cela laisse largement de la place pour les interactions supplémentaires protéine-ADN et protéine-protéine qui régulent la fréquence de recrutement de l'ARNP II sur le promoteur.

e.   TFIIID est un complexe en forme de sabot de cheval contenant probablement un octamère apparenté aux histones

La structure par microscopie électronique du complexe humain TFIID-TFIIA-TFIIB a été déterminée à une résolution de 35 Å par Robert Tjian et Eva Nogales. TFIID est un complexe trilobé en forme de sabot de cheval, auquel TFIIA et TFIIB sont fixés sur les lobes opposés qui encadrent la cavité centrale (Fig. 34-50). Ces observations ainsi que le modèle précédent du complexe quaternaire TFIIA-TFIIB-TBP-ADN (Fig. 34-49), suggèrent fortement que TBP est située au sommet de la cavité, où elle peut entrer en contact avec TFIIA et TFIIB. L'ADN du promoteur basal passe à travers la cavité pour s'y lier à TBP, TFIIA et TFIIB. En effet, l'image en microscopie électronique d'un anticorps anti-TBP complexé à TFIID montre que cet anticorps se fixe à TFIID dans la position que l'on avait prédite (Fig. 34-50).

Les différents TAF sont très bien conservés entre la levure et l'être humain. De plus, 9 des 14 espèces connues de TAF sont homologues des histones du cœur des nucléosomes. Ainsi, les segments contenant les résidus 17 à 86 du facteur **dTAF9** (268 résidus ; d pour *Drosophila*, appelé auparavant **dTAF$_{II}$42**, où le

nombre indique sa masse moléculaire nominale en kD) et les résidus 1 à 70 de **dTAF6** (592 résidus ; auparavant appelée **dTAF$_{II}$60**) sont respectivement homologues des histones H3 et H4. La structure par rayons X du complexe dTAF9(17-86-dTAF6(1-70) a été déterminée par Roeder et Burley. Elle montre que chacun de ces deux segments polypeptidiques a le repliement des histones (Fig. 34-51a) avec deux hélices courtes encadrant une longue hélice centrale (Fig. 34-8). En fait, TAF9(17-86) et TAF6(1-70) s'associent de façon assez similaire à celle de H3 et H4 dans le nucléosome (Fig. 34-7) pour former un hétérotétramère $\alpha_2\beta_2$ (Fig. 34-51*a*). De plus, hTAF12(57-128) (h pour humain ; **hTAF12** a 161 résidus et s'appelait auparavant **hTAF$_{II}$20**), qui est homologue à l'histone H2B forme un complexe avec hTAF4(870-943) (**hTAF4** a 11083 résidus et s'appelait auparavant **hTAF$_{II}$135**), qui est homologue à H2A. La structure par rayons X de ce complexe a été déterminée par Dino Moras. Elle révèle qu'il forme un homo-dimère comme celui des histones (Fig. 34-51*b*) mais pas de tétra-mère comme celui des histones. TAF11 et TAF13 forment également un hétérodimère ressemblant à celui des histones.

La chromatographie de filtration sur gel et les mesures de coefficients de sédimentation (Section 6-3B et 6-5A) effectuées par Stephen Buratowski et Song Tan indiquent que l'hétérotétramère de yTAF6 (y pour yeast « levure ») et de yTAF9 s'associe avec deux hétérodimères de yTAF12 et de yTAF4 pour former un hétéro-octamère. La mutation du résidu fortement conservé Leu 464 de yTAF12 en résidu Ala ou Tyr empêche la formation de cet octamère (ce résidu est l'homologue du résidu Leu 77 de H2B, situé près de l'extrémité C-terminale de la longue hélice centrale de cette histone et qui occupe donc le cœur hydrophobe du fais-

(a)   *(b)*

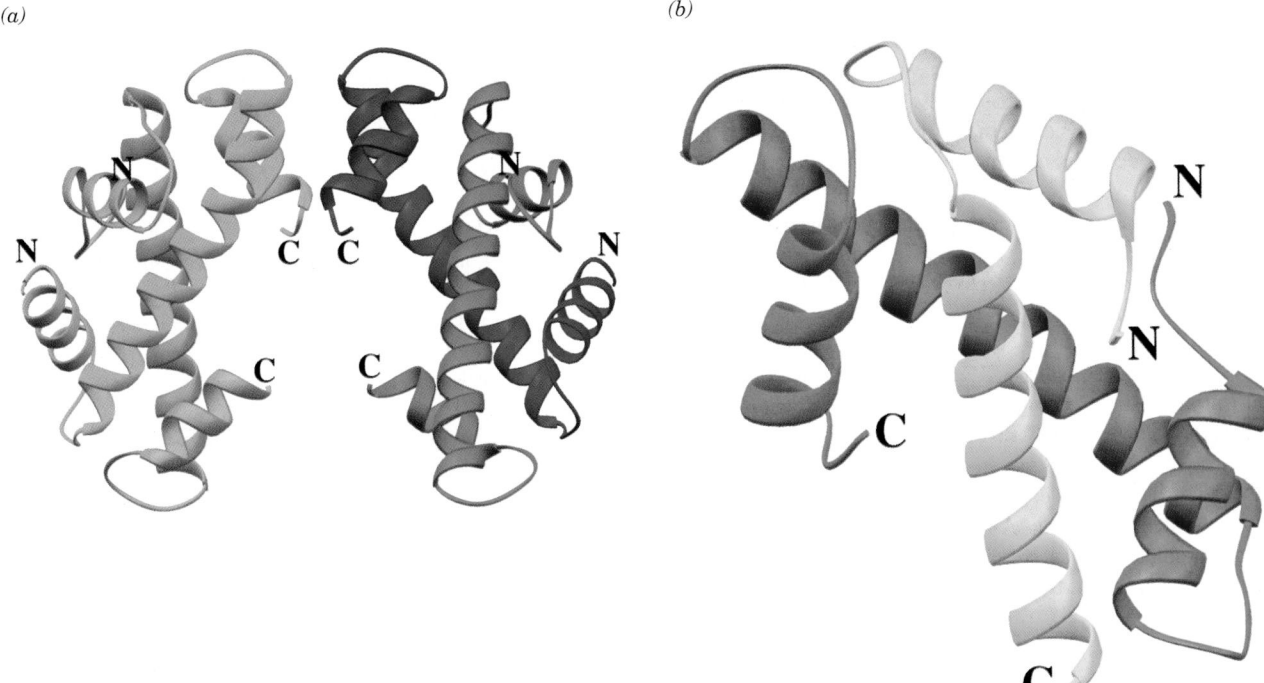

FIGURE 34-51 Structure par rayons X de protéines TAF formant des complexes semblables à ceux des histones. *(a)* Vue de l'hétérotétramère dTAF9(17-86)-dTAF6(1-70)$\alpha_2\beta_2$, avec son axe de symétrie d'ordre 2 vertical. Notez que les segments de type H3 de TAF9 (*en bleu foncé et en bleu clair*) et les segments de type H4 de TAF6 (*en vert clair et en vert foncé*) adoptent tous le repliement de type histone (histone-fold). Notez aussi comment les paires TAF9-TAF6 s'engrènent tête-bêche pour former des hétérodimères, et comment les deux segments TAF9 interagissent via un faisceau de quatre hélices pour former l'hétérotétramère, tout à fait à la façon des histones H3 et H4 dans le cœur des nucléosomes (Fig. 34-7 et 34-8). [D'après une structure par rayons X de

Robert Roeder et Stephen Burley, Université Rockefeller PDBid 1TAF.] *(b)* Hétérodimère hTAF12(57-128)-hTAF4(870-943). Notez comment le segment de type H2B de TAF12 (*en rouge*) a un repliement régulier de type histone alors que le segment de type H2A de TAF4 (*en jaune d'or*) n'a ni la boucle, ni l'hélice C-terminales du repliement des histones. Cela vient du désordre des résidus 918 à 943 de TAF4. Cependant, les deux sous-unités s'engrènent pour former un hétérodimère, tout à fait à la manière de H2B et H2A dans le cœur des nucléosomes (Fig. 34-8). [D'après une structure par rayons X de Dino Moras, CNRS/INSERM/ULP, Illkirch, France. PDBid 1H3O.]

ceau de quatre hélices de H4-H2B ; Fig. 34-8). Cela laisse supposer que l'octamère est maintenu assemblé par des faisceaux de quatre hélices, entre yTAF6 et yTAF12, qui ressemblent à ceux entre H4 et H2B que l'on trouve dans le nucléosome (Fig. 34-7*b* et 34-8). En effet, un modèle de cette interface, construit à partir des structures par rayons X vues précédemment, suggère que son faisceau présomptif de 4 hélices est remarquablement similaire à celui de l'interface H4-H2B. Pourtant, il semble improbable que cet octamère présomptif de TAF soit enroulé dans l'ADN dans le complexe de pré-initiation à la façon de l'octamère d'histones dans le nucléosome. Cela découle du fait que la plupart des résidus des histones établissent des liaisons déterminantes avec l'ADN dans le nucléosome n'ont pas été conservés dans les TAF dont nous venons de parler. Beaucoup de ces résidus ont, au contraire, été remplacés par des résidus acides biens conservés entre les différents TAF, il s'ensuivrait une répulsion de l'ADN anionique.

f. Beaucoup de promoteurs de classe II n'ont pas de boîte TATA

Les promoteurs de base de 65 % des gènes de la classe II n'ont pas de boîte TATA. Il s'agit surtout de gènes d'entretien, gènes exprimés dans toutes les cellules et à une vitesse relativement faible. Comment l'ARNP II peut-elle correctement initier la transcription avec ces promoteurs sans boîte TATA ? Des recherches ont

montré que les promoteurs sans boîte TATA contiennent souvent un élément appelé **initiateur (Inr),** allant des positions –6 à +11, renfermant la séquence de consensus faible YYANA/TYY, où Y est une pyrimidine (C ou T), N un nucléotide quelconque, et A le nucléotide du site de démarrage (+1) (Fig. 34-46). La présence de l'élément Inr est suffisante pour diriger l'ARNP II vers le site correct de démarrage. Ces systèmes nécessitent la participation de beaucoup de GTF qui sont les mêmes que ceux qui initient la transcription des promoteurs à boîte TATA. De façon plus inattendue cependant, ils nécessitent aussi TBP. Cela suggère que dans le cas de promoteurs sans boîte TATA, Inr recrute TFIID de sorte que TBP, qui en fait partie, se fixe à la région –30 de façon indépendante de la séquence. De fait, dans les promoteurs contenant la séquence Inr, mais également une boîte TATA, les deux éléments agissent en synergie pour permettre l'initiation de la transcription. Il faut pourtant signaler qu'un mutant de TBP incapable de se lier à la boîte TATA, même s'il permet l'initiation de la transcription à certains promoteurs dépourvus de boîte TATA, en est incapable sur d'autres promoteurs. On peut donc penser que les premiers promoteurs ne nécessitent pas une interaction stable avec TBP. Certains promoteurs dépourvus de boîte TATA possède ce qu'on appelle un **élément promoteur en aval (DPE** pour « downstream core promoter element »), sa séquence consensus est RGA/TYG/A/C, où R est une purine (A ou G), cet élément se trouve précisément entre +28 et +32 (Fig. 34-46). Ce qui vient d'être dit suggère qu'il existe des variants d'au moins certains des GTF et des TAF. En effet, le génome humain contient de nombreuses séquences apparentées à des sous-unités de TFIIA et TFIID, ainsi que des gènes alternatifs pour plusieurs TAF. Certains de ces variants de gènes ne sont exprimés que dans certains types cellulaires et/ou seulement à certains stades du développement. Les facteurs de transcription qu'ils codent reconnaissent probablement des éléments alternatifs du cœur des promoteurs et/ou sont responsables d'interactions sélectives avec des facteurs de transcription fixés en amont.

g. Les gènes des classes I et III nécessitent aussi TBP pour l'initiation de la transcription

L'ARN polymérase I (**ARNP I**, qui synthétise la plupart des ARNr) et l'ARN polymérase III (**ARNP III**, qui synthétise les ARNr 5S et les ARNt) nécessitent chacune un ensemble de GTF propre et différent de celui l'ARNP II, pour initier la transcription à leurs promoteurs respectifs. Ceci n'est pas surprenant étant donné les organisations très différentes de ces trois classes de promoteurs (Section 31-2E). En effet, les promoteurs reconnus par l'ARNP I (promoteurs de classe I) et presque tous ceux reconnus par l'ARNP III (promoteurs de classe III) n'ont pas de boîte TATA. La surprise fut donc grande quand il a été démontré que *TBP est nécessaire aux ARNP I et ARNP III, pour l'initiation*. Elle agit en se combinant à différents ensembles de TAF pour former les GTF **SL1** (avec les promoteurs de classe I) et **TFIIIB** (avec les promoteurs de la classe III). Comme avec certains promoteurs sans boîte TATA de la classe II, un mutant de TBP incapable de se lier à une boîte TATA, est toujours capable de permettre l'initiation de la transcription *in vitro* à la fois par l'ARNP I et par l'ARNP III. Il est clair que TBP, seul facteur de transcription universel connu, est une protéine inhabituellement polyvalente.

h. Des facteurs de transcription en amont, spécifiques de cellules, liés à des éléments du promoteur et des activateurs, interviennent dans l'initiation de la transcription des gènes de la classe II

Le clonage moléculaire a permis de démontrer que *des éléments promoteurs et activateurs eucaryotiques sont responsables de l'expression de gènes spécifiques de cellules* (rappelons qu'un activateur est une séquence de gène nécessaire pour l'activation complète du promoteur qui lui est associé, mais qui peut avoir des positions et des orientations variables vis-à-vis du promoteur ; Section 31-2E). Par exemple, William Rutter a lié les régions flanquantes en 5′ soit du gène de l'insuline, soit du gène de la chymotrypsine, à la séquence codant la **chloramphénicol acétyltransférase (CAT)**, une enzyme facilement détectable et normalement absente dans les cellules eucaryotes. Un plasmide contenant le gène de l'insuline recombinant (avec le promoteur de l'insuline dirigeant le gène CAT) n'induit l'expression du gène CAT que lorsqu'il est introduit dans des cellules en culture qui produisent normalement de l'insuline. De la même manière, les recombinants chymotrypsine ne sont actifs que dans les cellules produisant de la chymotrypsine. La dissection de la séquence qui contrôle l'insuline indique que le segment entre les positions −103 et −333 contient un activateur : il stimule la transcription du gène CAT uniquement dans les cellules produisant de l'insuline, la position et l'orientation de l'activateur par rapport au promoteur n'ont pas grande importance.

Ce qui précède indique que les cellules contiennent des facteurs de transcription spécifiques, les facteurs de transcription en amont, qui reconnaissent les promoteurs et les activateurs dans les gènes qu'ils transcrivent. Par exemple, Robert Tjian a isolé une protéine, **Sp1** (protéine-1 de spécificité), de cellules humaines en culture, qui multiplie de 10 à 50 fois la transcription de gènes viraux et cellulaires contenant au moins une boîte GC correctement positionnée [GGGCGG (Section 31-2E) ; Fig. 34-52]. Cette protéine se lie, par exemple, à la région flanquante en 5′ des gènes précoces du virus SV40 où elle protège ses boîtes GC de la digestion par l'ADNase (Fig.34-53a ; empreintes à l'ADNase I) et de la méthylation par le sulfate de diméthyle (Fig. 33-50b ; empreinte au DMS). De même, Sp1 interagit spécifiquement avec les quatre boîtes GC dans la région en amont du gène de la dihydrofolate réductase de souris et avec les boîtes GC uniques dans les promoteurs des **métallothionéines I$_A$ et II$_A$** humaines (les métallothionéines sont des protéines de liaison aux ions métalliques, impliquées dans les processus de détoxification des ions métalliques lourds, et dont la synthèse est déclenchée par ces mêmes ions).

Les facteurs de transcription en amont sont des participants indispensables au contrôle de l'expression différentielle des différents gènes de globine chez l'embryon, le fœtus et l'adulte humains (Section 34-2F). Un promoteur typique de gène de globine β possède, en plus de sa boîte TATA, deux éléments agissant positivement : une boîte CCAAT proche de la région −70 à −90 et un motif CACCC à des endroits variables, mais souvent proche des positions de −95 à −120 (Section 31-2E). Leur importance est démontrée par le fait que les personnes portant des mutations ponctuelles dans leurs éléments TATA ou CACCC ont des niveaux réduits de globine β. Ces éléments promoteurs fixent de façon spécifique des facteurs de transcription en amont. La boîte CCAAT fixe le facteur de transcription ubiquitaire **CP1** et l'élément CACCC fixe Sp1 qui se lie aussi à d'autres séquences du promoteur globine ressemblant à des séquences de liaison consensus de Sp1. Quatre facteurs de transcription en amont, spécifiques des cellules érythroïdes, sont aussi impliqués dans l'expression des gènes de la globine : **GATA-1** (il se lie à des séquences qui

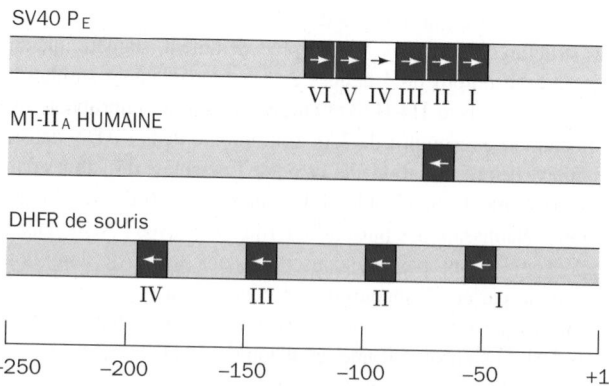

FIGURE 34-52 Organisation et orientations relatives des boîtes GC dans trois promoteurs. Chaque flèche représente l'orientation de la boîte GC, dont la séquence est NGGGCGGNNN. Les rectangles bleus représentent les sites de liaison à Sp1 ; la boîte GC IV de SV40 est représentée en blanc parce que la liaison d'un facteur Sp1 à la boîte GC V empêche ce facteur de transcription de se lier efficacement à la boîte GC IV. Le site de début de la transcription est désigné par +1. DHFR = dihydrofolate réductase ; MT = métallothionéine. [D'après Kadonaga, J.T., Jones, K.A., et Tijan, R., *Trends Biochem. Sci.* **11**, 21 (1986).]

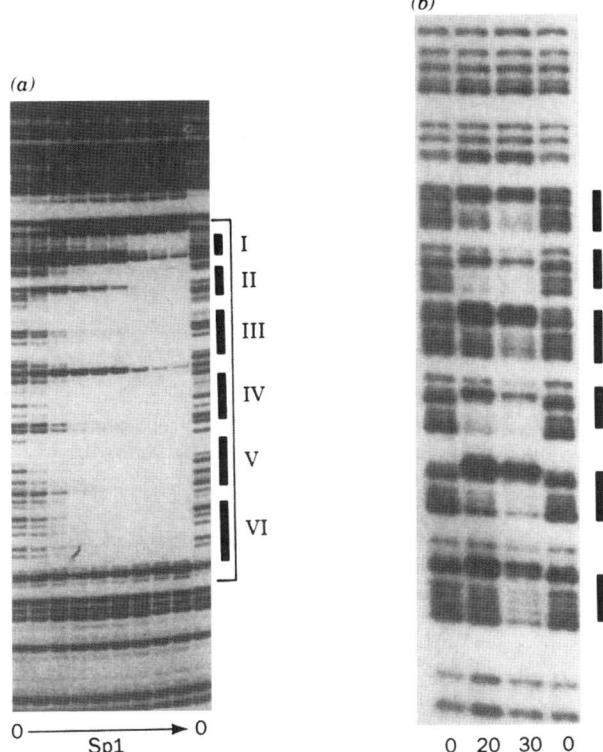

(b)

VI

V

IV

III

II

I

0 20 30 0

FIGURE 34-53 Identification des sites de liaison de Spl dans le promoteur précoce de SV40. (*a*) L'ADNase I pancréatique est une endonucléase assez peu spécifique. Dans la technique des empreintes à l'ADNase I, un segment d'ADN marqué au ^{32}P à l'extrémité d'un de ses brins est incubé avec une protéine de liaison à l'ADN avant d'être digéré dans des conditions ménagées par l'ADNase I, de telle sorte que, en moyenne, chaque brin marqué n'est coupé qu'une seule fois. L'ADN est ensuite dénaturé, les fragments marqués obtenus sont séparés suivant leur taille par électrophorèse sur un gel de séquençage (Section 7-2A) et détectés par autoradiographie. L'ADN non protégé est coupé plus ou moins au hasard et apparaît donc comme une « échelle » de bandes, chacune d'elles représentant une augmentation de taille d'un nucléotide supplémentaire (comme dans l'échelle de séquençage ; Fig. 7-14 et 7-15). Au contraire, au niveau des séquences d'ADN que la protéine protège des coupures à l'ADNase I, il n'y a pas de bandes correspondantes. Dans l'empreinte ci-dessus, les colonnes marquées « 0 » correspondent au profil de digestion à l'ADNase I en l'absence de Spl, et dans les autres pistes, la quantité de Spl augmente de gauche à droite. Les frontières de l'empreinte sont indiquées par le crochet et les positions des boîtes GC I à VI de SV40 sont indiquées également. [D'après Kadonaga, J.T., Jones, K.A., et Tijan, R., *Trends Biochem. Sci.* **11**, 21 (1986). Copyright (c), 1986, Elsevier Biomedical Press.] (*b*) Le sulfate de diméthyle (DMS) méthyle les résidus G de l'ADN sur leur position N7. Un traitement faiblement basique excise alors les nucléosides G méthylés de l'ADN, entraînant la cassure du squelette sucre-phosphate. Dans les empreintes au DMS, un segment d'ADN, marqué à son extrémité et associé à une protéine, est traité modérément avec le DMS de façon à ne provoquer qu'une coupure en moyenne par brin marqué. Les fragments obtenus sont séparés par électrophorèse sur un gel de séquençage d'ADN et détectés par autoradiographie. Les régions d'ADN que la protéine protège de la méthylation ne sont pas coupées par ce procédé et n'apparaissent donc pas dans « l'échelle » des G qui en résulte. Dans l'autoradiogramme ci-dessus, le nombre sous chaque piste indique la quantité croissante, en µL, d'une fraction de Spl ajoutée à une quantité fixe du promoteur précoce de l'ADN de SV40. Les positions de ses boîtes GC sont indiquées. [D'après Gidoni, D., Katonaga, J.T., Barrera-Saldana, H. Takahashi, K., Chambon, P., et Tijan, R., *Science* **230**, 516 (1985). Copyright (c), 1985, American Society for the Advancement of Science.]

contiennent le motif central GATA), NF-E2, un facteur nucléaire érythroïde (NF-E pour *n*uclear *f*actor-*e*rythroid), NF-E3 et **NF-E4** (GATA-1 était précédemment dénommé NF-E1).

L'analyse de la persistance héréditaire de l'hémoglobine fœtale (HPFH), un syndrome caractérisé par une expression inappropriée de gènes γ chez l'adulte humain (Section 34-2G), a donné des informations importantes sur les bases de l'expression de la globine à des stades spécifiques. Il existe plusieurs variants de HPFH qui ne diffèrent de l'état normal que par une mutation ponctuelle dans le promoteur du gène γ. De telles mutations pourraient entraîner soit une fixation plus forte du facteur de transcription à effet positif, soit une liaison plus faible du régulateur négatif. Ainsi, une mutation HPFH en position −117, située dans la partie la plus en amont des deux boîtes CCAAT du gène γ, augmente la ressemblance de ce site avec la séquence de liaison consensus de CP1, et entraîne une liaison deux fois plus forte de CP1 au site muté. De même, une mutation HPFH dans une région riche en GC proche de la position − 200 entraîne une liaison plus forte de Spl.

i. Les facteurs de transcription en amont coopèrent entre eux et avec le CPI

Comment les facteurs de transcription en amont stimulent-ils (ou inhibent-ils) la transcription ? *Il est clair que quand ces protéines se lient à leurs sites d'ADN cible à proximité d'un CPI (ou dans certains cas à plusieurs milliers de bases de distance), ils activent (ou répriment) d'une manière ou d'une autre, l'initiation de la transcription par l'ARNP II.* Des facteurs de transcription peuvent se lier entre eux de façon coopérative et/ou au CPI d'une façon semblable à la liaison des deux dimères du répresseur λ et de l'ARN polymérase à l'opérateur O_R du bactériophage λ (Section 33-3D), stimulant ainsi (ou réprimant) de manière synergique l'initiation de la transcription. En effet, les expériences de clonage moléculaire indiquent que beaucoup d'activateurs (enhancers), et de répresseurs (**silencers** ; des analogues d'activateurs dont la fonction est de réprimer la transcription des gènes auxquels ils sont associés) sont constitués de segments (modules) dont la délétion individuelle réduit, mais n'élimine pas la fonction d'activation/répression. On pense que de telles organisations complexes permettent aux systèmes de contrôle de la transcription de répondre à toute une variété de stimuli d'une manière progressive. Toutefois, dans certains cas, plusieurs facteurs de transcription s'assemblent de façon coopérative avec des **protéines architecturales** sur un activateur d'environ 100 pb pour constituer un enhanceosome, dans lequel l'absence de n'importe laquelle de ses sous-unités supprime totalement sa capacité à stimuler l'initiation de la transcription du promoteur qui lui est associé. Cet enhanceosome fonctionne donc davantage comme un commutateur, que de façon progressive. Le rôle des protéines structurales est de courber et/ou de déformer par un autre moyen l'activateur pour permettre l'assemblage des autres protéines de l'enhanceosome. Les enhanceosomes peuvent aussi contenir des coactivateurs et/ou des corepresseurs, qui sont des protéines ne se fixant pas à l'ADN mais interagissant plutôt avec des protéines, qui se fixent quant à elles, à l'ADN pour activer ou réprimer la transcription.

Les propriétés fonctionnelles de nombreux facteurs de transcription en amont sont étonnamment simples. Ils semblent avoir (au moins) deux domaines :

1. Un domaine de liaison à l'ADN qui se lie à la séquence cible de l'ADN de la protéine (et dont les propriétés structurales sont étudiées plus loin).

2. Un domaine contenant la fonction d'activation du facteur de transcription. L'analyse de séquence indique que nombre de ces **domaines d'activation** (également appelés domaines de transactivation à cause du mode d'action en trans par rapport aux gènes qu'ils contrôlent) ont des régions à surface acide bien mises en évidence, dont la charge négative, lorsqu'elle est augmentée ou diminuée par mutation, entraîne respectivement une augmentation ou une diminution de l'activité des facteurs de transcription. Manifestement, les associations entre ces facteurs de transcription et le CPI sont assurées par des interactions électrostatiques relativement peu spécifiques, plutôt que par des interactions conformationnelles exigeant plus de liaisons hydrogène. D'autres types de domaines d'activation ont également été caractérisés, dont ceux possédant des régions riches en résidus Gln, comme dans Sp1, et ceux possédant des régions riches en résidus Pro.

Les fonctions de liaison à l'ADN et d'activation de l'ADN par les facteurs de transcription eucaryotiques peuvent être séparées physiquement (c'est pourquoi on pense qu'elles sont localisées dans des domaines différents). Ainsi, une protéine hybride créée par génie génétique, contenant le domaine de liaison à l'ADN d'un facteur de transcription et le domaine d'activation d'un second, active les mêmes gènes que le premier facteur de transcription. En fait, il y a très peu de différence fonctionnelle, que le domaine d'activation soit placé du côté N-terminal, ou du côté C-terminal du domaine de liaison à l'ADN. Cette liberté géométrique dans la liaison entre le domaine d'activation et sa protéine cible est confirmée aussi par la grande insensibilité des facteurs de transcription aux orientations et positions de leurs activateurs par rapport au site de départ de la transcription [Section 31-2E ; c'est aussi la base du système double-hybride servant à identifier les protéines interagissant *in vivo* (Section 19-3C)].). Bien sûr, *l'ADN doit faire une boucle entre l'activateur et son site éloigné de début de transcription pour permettre au facteur de transcription fixé sur l'activateur d'interagir avec le CPI fixé sur le promoteur (Fig. 31-2E).*

La synergie (coopérativité) de nombreux facteurs de transcription lors de l'initiation de la transcription peut se comprendre d'après un simple modèle de recrutement. Admettons qu'un facteur de transcription fixé à un activateur augmente l'affinité de liaison d'un CPI au promoteur qui est associé à cet activateur, de sorte que la fréquence d'initiation par ce CPI à ce promoteur soit augmenté d'un facteur 10. Si alors un autre facteur de transcription, qui se lie à un autre sous-site du même activateur, augmente de même le taux d'initiation d'un facteur 20, l'action simultanée des deux facteurs augmentera le taux d'initiation d'un facteur 200. *Ainsi, un nombre limité de facteurs de transcription peut permettre un plus grand nombre de profils de transcription.* D'après ce modèle, l'activation de la transcription est essentiellement un effet d'action de masse. La fixation d'un facteur de transcription à un activateur augmente la concentration réelle de ce facteur de transcription au niveau du promoteur associé (l'ADN maintien le facteur de transcription à proximité du promoteur), la conséquence en est l'augmentation de la vitesse de fixation du CPI au promoteur. Cela explique pourquoi un facteur de transcription qui n'est pas lié à l'ADN (et qui peut d'ailleurs ne pas avoir de domaine de liaison à l'ADN) inhibe l'initiation de la transcription. Ces facteurs de transcription non liés à l'ADN sont en compétition avec les facteurs de transcription liés à l'ADN pour l'occupation des mêmes sites cibles, ce qui réduit la vitesse de recrutement du CPI sur le promoteur associé. Ce phénomène, que l'on appelle inhibition réciproque ou **squelching**, expliquerait pourquoi les facteurs de

transcription dans le noyau sont presque toujours fixés à des inhibiteurs en dehors des moments où ils participent activement à l'initiation de la transcription.

j. Les récepteurs des stéroïdes sont des exemples de facteurs de transcription inductibles

Les cellules eucaryotiques expriment beaucoup de protéines spécifiques de cellules, en réponse à des stimuli hormonaux variés. Beaucoup de ces hormones sont des **stéroïdes** (Section 25-6C), des dérivés du cholestérol qui permettent une grande variété de réponses à des situations physiologiques et au cours du développement (Section 19-1G). Par exemple, l'administration d'**œstrogènes** (hormones sexuelles femelles) tel que **le β-œstradiol,** entraîne dans les oviductes de poulet une augmentation du taux d'ARNm de l'ovalbumine de 10 à 50 000 molécules environ par cellule, et la quantité d'ovalbumine qu'ils produisent représente la quasi-totalité des protéines nouvellement synthétisées, alors que

β-Estradiol

Ecdysone

cette valeur était à peine décelable avant cette administration. De même, l'**ecdysone**, hormone stéroïde des insectes, est impliquée dans différents aspects du développement larvaire (la formation et la disparition des renflements de chromosomes, montrées dans la 34-41, peuvent être induites par l'administration d'ecdysone).

Les hormones stéroïdes, qui sont des molécules non polaires, diffusent spontanément à travers la membrane plasmique de leurs cellules cibles pour aller dans le cytoplasme où elles se lient à leurs récepteurs correspondants. En l'absence de leur ligand stéroïdien spécifique, ces récepteurs sont liés dans de grands complexes multiprotéiques qui renferment des protéines chaperonnes comme Hsp90 et Hsp70 ainsi que des immunophilines (Sections 9-2B et 9-2C), dont on pense qu'elles servent à maintenir le récepteur dans sa conformation native, afin qu'il soit prêt à reconnaître son ligand. Selon l'identité du récepteur, ces complexes sont soit principalement nucléaires, soit principalement cytoplasmiques. La fixation du stéroïde détache les récepteurs de ces complexes pour leur permettre de se dimériser. Dans le cas de récepteurs à localisation cytoplasmique, la liaison des stéroïdes serait également responsable du démasquage de leur signal de localisation nucléaire caché auparavant, (NLS ; Section 32-6B), ce qui entraîne le transport dans le noyau des complexes stéroïde-récepteur. [La plupart des

NLS sont constitués d'un segment de 48 résidus principalement basiques ou de deux segments de ce type séparés par un élément de jonction de 8 à 12 résidus dont la nature est indifférente comme le montrent les expériences de mutation ; la localisation précise d'un NLS dans un polypeptide est sans importance, contrairement à d'autres peptides signaux (Section 12-4).]

*Les complexes stéroïde-récepteur, une fois dans le noyau, se lient à des segments spécifiques d'activateurs chromosomiques, appelés **éléments de réponse aux hormones (HRE)**, d'où ils induisent, ou dans certains cas répriment, la transcription de leurs gènes associés.* Par exemple, les récepteurs aux **glucocorticoïdes** (une classe de stéroïdes qui modifient le métabolisme des glucides ; Section 19-1G) se lient de façon spécifique aux **éléments de réponse aux glucocorticoïdes** de **15 pb** (GRE = « glucocorticoid response élément ») dans les régions en amont de nombreux gènes, dont ceux des métallothionéines. Les récepteurs stéroïdiens eucaryotiques sont donc des facteurs de transcription inductibles. Leurs actions ressemblent à celles des régulateurs transcriptionnels procaryotiques tel que le complexe CAP-AMPc de *E. coli* (Section 31-3C). Cependant, les systèmes eucaryotiques sont beaucoup plus complexes. Par exemple, différents types cellulaires peuvent avoir le même récepteur à une hormone stéroïde donnée et pourtant synthétiser différentes protéines en réponse à l'hormone. Apparemment, seuls quelques gènes inductibles par un stéroïde donné sont susceptibles d'être activés dans chaque type de cellules sensibles à cette hormone. Par conséquent, un régulateur eucaryotique se fixant sur une séquence cible spécifique peut être activateur ou répresseur selon la nature des protéines avec lesquelles il va interagir. Les structures des récepteurs stéroïdiens sont étudiées plus loin.

k. Les facteurs de transcription des eucaryotes ont une grande variété de motifs de liaison à l'ADN

Comment un facteur de transcription se liant à l'ADN reconnaît-il des séquences d'ADN cible ? Chez les procaryotes, nous avons vu (Section 31-3D) que la plupart des répresseurs et des activateurs agissent par des motifs hélice-tour-hélice (HTH), et, dans certains cas, par des motifs en ruban β. Les eucaryotes, comme nous le verrons, utilisent une panoplie beaucoup plus variée de motifs de liaison à l'ADN dans leurs facteurs de transcription. Le reste de cette section sera consacré à l'étude des structures des motifs les plus courants et à leur mode de liaison à leurs ADN cibles.

I. Les motifs de liaison à l'ADN en doigt à zinc

Le premier des motifs prédominants de liaison à l'ADN chez les eucaryotes a été découvert par Aaron Klug dans le **facteur de transcription IIIA (TFIIIA)** de *Xenopus*,, cette protéine se lie aux séquences de contrôle interne du gène de l'ARNr 5S (Section 31-2E). Ce complexe se lie ensuite de façon séquentielle à TFIIIB (qui contient TBP), à **TFIIIC** et à l'ARN polymérase III qui, finalement, permet l'initiation de la transcription du gène d'ARNr 5S. Le facteur TFIIIA de 344 résidus contient 9 modules similaires d'environ 30 résidus, répétés en tandem, chacun d'eux contenant deux résidus Cys invariants, deux résidus His invariants et quelques résidus hydrophobes conservés (Fig. 34-54a). Chacune de ces unités se lie à un ion Zn^{2+}, dont les mesures d'absorption des rayons X indiquent qu'il est lié de façon tétraédrique par les résidus Cys et His invariants. Les analyses de séquence ont révélé ensuite que le nombre de ces « **doigts à zinc** » va de 2 à plus de 60 exemplaires dans de nombreux facteurs de transcription eucaryotiques parmi lesquels on trouve Sp1, différents régulateurs du développement chez *D. melanogaster* (Section 34-4B), certaines protéines protooncogéniques (protéines dont les formes mutantes induisent le développement de cancers ; Section 19-3B), et dans la protéine UvrA de *E. coli* (Section 30-5B). On pense en fait qu'environ 1 % des protéines de mammifères contiendraient des doigts à zinc. Dans certains doigts à zinc, les deux résidus His se liant à Zn^{2+} sont remplacés par deux résidus Cys, alors que d'autres doigts ont six résidus Cys se liant à deux ions Zn^{2+}. En vérité, nous verrons que cette diversité structurale est une caractéristique de ces protéines à doigts à zinc. Cependant, dans tous les cas, les ions

(a)

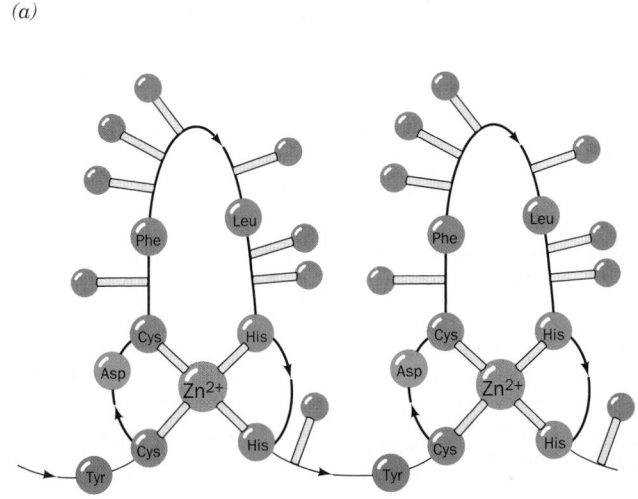

(b)

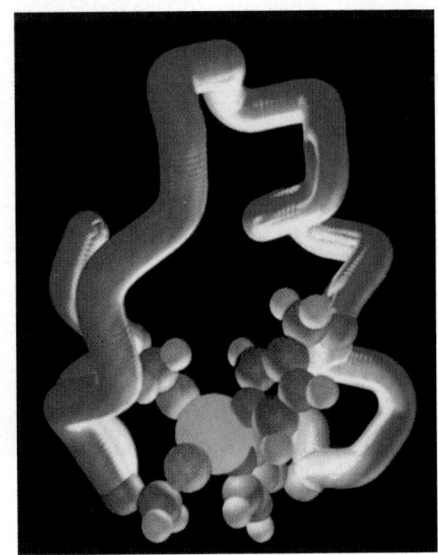

FIGURE 34-54 Doigts à zinc. (*a*) Diagramme schématique de motifs en doigts à zinc répétés en tandem montrant leurs ions Zn^{2+} liés au centre d'un tétraèdre. Les résidus des acides aminés conservés sont marqués. Les boules grises représentent des chaînes latérales se liant très probablement à l'ADN. [D'après Klug A. et Rhodes D., *Trench Biochem. Sci.* **12**, 465 (1988).] (*b*) Structure par RMN d'un doigt à zinc isolé de la protéine Xfin de *Xenopus*. L'ion Zn^{2+} et les atomes de ses ligands His et Cys sont représentés par des sphères avec Zn en bleu clair, C en gris, N en bleu foncé, S en jaune et H en blanc. [Avec la permission de Michael Pique, Institut de Recherche Scripps, La Jolla, Californie. Basé sur une structure par RMN de Peter E. Wright, Institut de Recherche Scripps. PDBid 1ZNF.]

Zn^{2+} paraissent relier entre eux des domaines globulaires relativement petits et suppriment donc le besoin de noyaux hydrophobes beaucoup plus grands (voir également la Section 9-3C).

m. Les protéines Xfin et Zif268 ont des doigts à zinc de type Cys_2-His_2

La première structure en doigt à zinc, publiée par Pete Wright, a été une structure par RMN du 31ème des 37 doigts à zinc de la **protéine Xfin** de *Xenopus*. Il a montré que ce peptide de 25 résidus forme un globule compact contenant un feuillet b antiparallèle à deux brins et une hélice α (une unité ββα), maintenus ensemble par l'ion Zn^{2+} lié et situé au centre d'un tétraèdre (Fig. 34-54*b*). Puis Cari Pabo a déterminé la structure par rayons X d'un segment de 72 résidus de la protéine de souris **Zif268** qui inclut les trois doigts à zinc de la protéine, complexés à un segment d'ADN de 9 pb contenant la séquence de liaison consensus à la protéine. Les structures des trois motifs en doigts à zinc de Zif268 (Fig. 34-55*a*) sont pratiquement superposables et sont presque identiques à celle du doigt à zinc de Xfin (Fig. 34-54*b*). Les trois doigts à zinc de Zif268 constituent des domaines séparés avec une structure en forme de C qui s'encastre parfaitement dans le grand sillon de l'ADN (Fig. 34-55*b*). Chaque doigt à zinc interagit selon une conformation identique avec des segments successifs d'ADN de 3 pb, essentiellement grâce à des liaisons hydrogène entre l'hélice α du doigt à zinc et un brin de l'ADN (ici avec un brin riche en G). Chaque doigt à zinc établit des contacts spécifiques par liaisons hydrogène avec deux bases dans le grand sillon. Il est intéressant de noter que cinq de ces six associations impliquent des interactions entre des résidus Arg et des résidus G. En plus de ces interactions spécifiques de séquence, chaque doigt à zinc se lie par liaison hydrogène aux groupements phosphate de l'ADN par l'intermédiaire de résidus conservés Arg et His.

Le doigt à zinc Cys_2-His_2 ressemble largement au motif HTH procaryotique, tout comme la plupart des autres motifs de liaison à l'ADN que nous rencontrerons (dont d'autres types de modules en doigt à zinc), *car tous ces motifs de liaison à l'ADN fournissent une structure de base pour l'insertion d'une hélice α dans le grand sillon de l'ADN B*. Cependant, ces protéines à doigt à zinc Cys_2-His_2, contrairement à celles qui contiennent d'autres motifs de liaison à l'ADN, possèdent des modules protéiques répétés qui contactent des segments successifs d'ADN. Un tel système modulaire peut reconnaître de grandes séquences de bases, asymétriques.

n. Les domaines de liaison à l'ADN du récepteur aux glucocorticoïdes et du récepteur aux œstrogènes sont des doigts à zinc de type Cys_2-Cys_2

La **superfamille des récepteurs nucléaires**, que l'on trouve dans les organismes animaux allant des vers jusqu'à l'être humain, comporte plus de 150 protéines qui se fixent à toutes sortes d'hormones parmi lesquelles on trouve les différentes hormones stéroïdiennes (les glucocorticoïdes, les minéralcorticoïdes, la progestérone, les oestrogènes et les androgènes ; Section 19-1G), les hormones thyroïdiennes (Section 19-1D), la vitamine D (Section 19-1E), et les **rétinoïdes** (Section 34-4B). Pourtant, leurs ligands, pour peu qu'ils en aient un, sont encore inconnus pour bon nombre des membres de cette superfamille et c'est pourquoi on parle de **récepteurs orphelins**. Ces protéines récepteurs, dont beaucoup activent des ensembles de gènes distincts, mais se recoupant partiellement, ont une organisation modulaire commune. De leur extrémité N-terminale vers leur extrémité C-terminale on trouve : un domaine de transactivation assez mal conservé, un domaine de liaison à l'ADN très conservé, une région charnière de jonction, et un domaine pour la liaison du ligand. Le domaine de liaison à l'ADN contient 8 résidus Cys qui, par groupes de quatre,

(a)

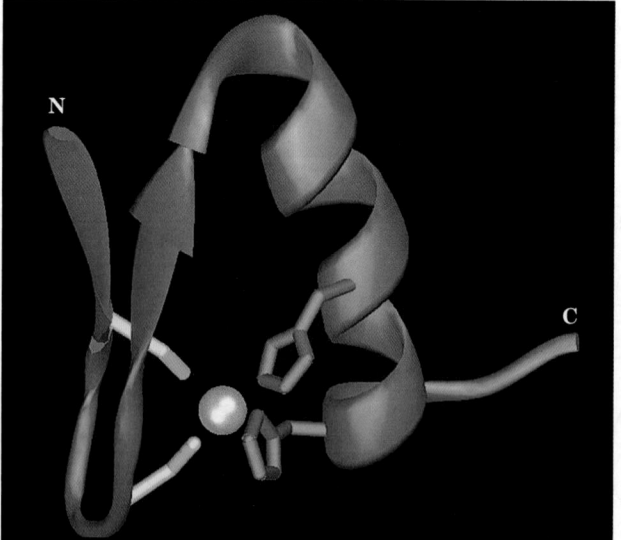

(b)

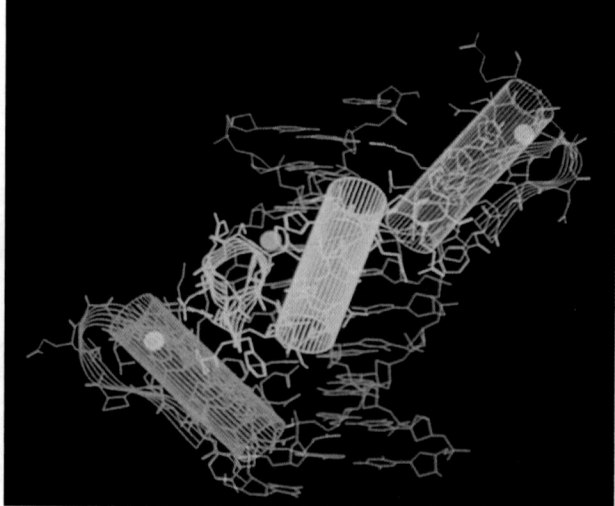

FIGURE 34-55 Structure par rayons X d'un segment contenant trois doigts à zinc de Zif268 associé à un ADN de 10 pb. (*a*) Diagramme en ruban d'un motif isolé de doigt à zinc (doigt 1) avec les chaînes latérales, de ses résidus His (*en bleu clair*) et Cys (*en jaune*) représentées en modèle éclaté et se liant de façon tétraédrique à son ion Zn^{2+}, représenté par une sphère argentée. (*b*) Association du segment protéique entier avec l'ADN. La protéine et l'ADN sont représentés en modèle éclaté avec des

cylindres superposés et des rubans indiquant les hélices α et les feuillets β de la protéine. Le doigt 1 est en orange ; le doigt 2, en jaune ; le doigt 3, en violet ; l'ADN est en bleu et les ions Zn^{2+} sont représentés par des sphères bleu clair. Notez comment l'extrémité N-terminale de chaque hélice du doigt à zinc s'étend dans le grand sillon de l'ADN au contact de trois paires de bases. [Partie *a* basée sur une structure par rayons X, et Partie *b* avec la permission de Carl Pabo, MIT. PDBid 1ZAA.]

(a)

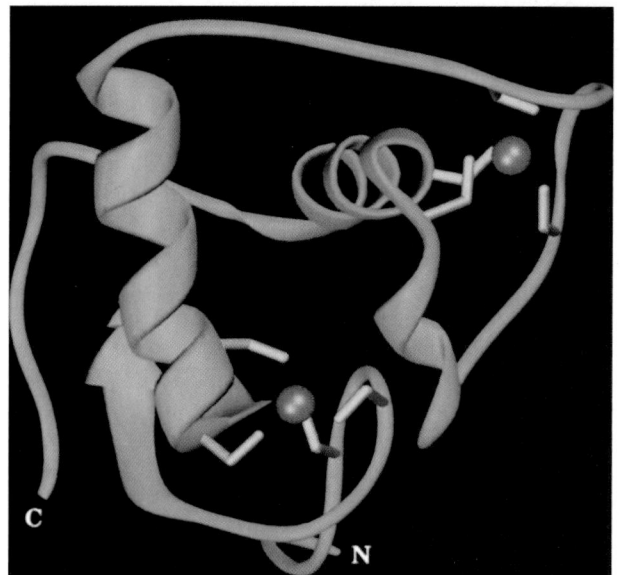

(b)

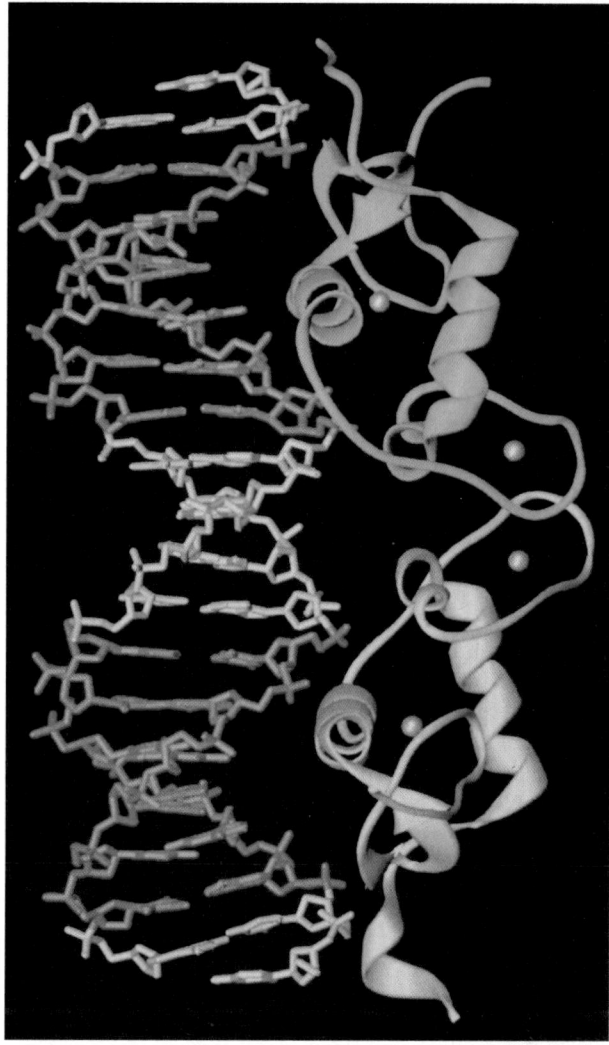

FIGURE 34-56 Structure par rayons X du domaine de liaison à l'ADN du récepteur dimérique aux glucocorticoïdes (GR) en association avec un ADN de 18 pb. L'ADN contient deux demi-sites symétriques en répétitions inversées de l'élément de réponse aux glucocorticoïdes (GRE) de 6 pb (5′-AGAACA-3′) séparés par un espaceur de 4 pb (GRE$_{4S}$). *(a)* Diagramme en ruban montrant une seule sous-unité de GR avec ses deux ions Zn^{2+} représentés par des sphères argentées et les chaînes latérales des résidus Cys (représentées en modèle éclaté, *en jaune*) formant un complexe tétraédrique avec les ions. Comparez cette structure avec celle de la Fig. 34-55a. *(b)* Association de la protéine dimérique avec l'ADN contenant GRE$_{4S}$, montrée avec son axe moléculaire de pseudo-symétrie d'ordre 2 horizontal dans le plan de la figure. La protéine est représentée en ruban avec ses deux sous-unités colorées différemment et ses ions Zn^{2+} liés représentés par des sphères argentées. L'ADN est représenté en modèle éclaté avec ses deux demi-sites GRE de 6 pb en violet et le reste en bleu clair. Notez comment les deux hélices N-terminales de GR sont insérées dans deux grands sillons adjacents de l'ADN. Cependant, seule la sous-unité supérieure (*en vert*) se lie à une séquence spécifique d'ADN, la sous-unité inférieure (*en jaune* d'or) se lie à l'ADN palindromique avec un décalage d'une paire de bases en direction du centre de la molécule d'ADN par rapport à la sous-unité supérieure, et n'a donc pas de contacts spécifiques de séquence avec l'ADN. [Basé sur une structure par rayons X de Paul Sigler, Université de Yale. PDBid 1GLU.]

se lient par coordinance à deux ions Zn^{2+} placés au centre d'un tétraèdre. Beaucoup de membres de la superfamille de récepteurs nucléaires reconnaissent des éléments de réponse aux hormones dont la séquence consensus pour chaque demi-site est 5′-AGAACA-3′ dans le cas des récepteurs des stéroïdes, et 5′AGGTCA-3′ pour les autres récepteurs nucléaires. Ces séquences peuvent être disposées de plusieurs façons : en répétitions directes ($\rightarrow n \rightarrow$), en répétitions inverse ($\rightarrow n \leftarrow$), ou en répétitions éversées ($\leftarrow n \rightarrow$), où n représente un espaceur de 0 à 8 pb (en général 1 à 5 pb), cette longueur étant un critère de spécificité pour un récepteur donné. Les récepteurs des stéroïdes se lient à leur éléments de réponse sous forme d'homodimères, tandis que les autres récepteurs nucléaires se fixent soit comme homodimères, soit comme hétérodimères, et parfois comme monomères. Paul Sigler et Keith Yamamoto ont déterminé les structures par rayons X de deux segments d'ADN apparentés, associés au domaine de liaison à l'ADN de 86 résidus du **récepteur des glucocorticoïdes (GR)** de rat. Un segment, appelé GRE$_{4S}$, contient deux éléments de réponse parfaits aux glucocorticoïdes (GRE) de 6 pb, formés de deux demi-sites disposés en répétition inverse autour d'un espaceur de 4 pb (non naturel, $n = 4$), alors que l'autre ADN, le GRE$_{3S}$ diffère du GRE$_{4S}$ par le fait que son espaceur a la longueur de n = 3 pb, que l'on trouve normalement. Dans les deux complexes, la protéine forme un dimère symétrique impliquant des contacts protéine-protéine alors qu'elle ne montre pas de tendance à se dimériser en l'absence d'ADN (les mesures par RMN indiquent que la région de contact est souple en solution).

La structure par rayons X du domaine de liaison à l'ADN de la sous-unité GR associée à l'ADN ressemble à celle obtenue par RMN en l'absence d'ADN. Elle est constituée de deux modules de structures distinctes, possédant chacun un centre de coordination Zn^{2+}, qui s'associent étroitement pour former un repliement globulaire compact (Fig. 34-56a). Le module C-terminal fournit la totalité de l'interface nécessaire à la dimérisation, de même qu'il assure plusieurs contacts avec les groupements phosphate du squelette de l'ADN. Le module N-terminal, qui est aussi accroché au squelette phosphate, assure toutes les interactions spécifiques de la séquence, que GR fait avec GRE, par l'intermédiaire de trois chaînes émergeant de l'hélice α N-terminale, ou hélice de reconnaissance, qui s'insère dans le grand sillon du GRE.

Dans le complexe GRE$_{3S}$, une sous-unité du domaine de liaison à l'ADN de GR se lie à chaque demi-site du GRE d'une manière structuralement identique, établissant des contacts spécifiques de séquence, même si le nombre impair de paires de bases de son espaceur, avec lequel la protéine n'a pas de contact, rend la séquence d'ADN non palindromique. Cependant, dans le complexe GRE$_{4S}$ (Fig. 34-56*b*), le dimère protéique conserve une structure essentiellement identique à celle du complexe GRE$_{3S}$, si bien qu'une seule de ses sous-unités peut se lier au demi-site GRE de façon analogue à celle du complexe GRE$_{3S}$. L'autre sous-unité est décalée d'une paire de bases par rapport à la séquence GRE et ne peut donc établir que des contacts non spécifiques avec l'ADN. Les interactions à l'intérieur du dimère sont apparemment plus fortes que les interactions protéine-ADN, découverte surprenante étant donné l'impossibilité pour la protéine de se dimériser en l'absence d'ADN. Donc, les deux sous-unités et l'ADN s'associent de façon coopérative, ce qui favorise la liaison du récepteur des glucocorticoïdes aux cibles présentant des demi-sites correctement espacés.

L'**élément de réponse aux estrogènes (ERE)**, segment d'ADN sur lequel le **récepteur aux œstrogènes** (**ER**, «estrogen receptor») se fixe spécifiquement, ne diffère du GRE que par des changements dans les deux paires de bases centrales dans leurs demi-sites identiques de 6 pb. La structure par rayons X du domaine de liaison de ER à l'ADN, associé à un segment d'ADN contenant un ERE, déterminée par Daniela Rhodes, ressemble étroitement à celle du complexe GR-GRE. Cependant, les chaînes latérales qui établissent des contacts spécifiques avec les bases de chaque demi-site ERE sont disposées d'une façon tout à fait différente de celles qui sont en contact avec les demi-sites GRE$_{4S}$. Manifestement, la distinction d'une séquence de demi-site n'est pas seulement une question de simple substitution d'un ou de plusieurs résidus d'acides aminés différents dans un cadre commun, mais implique plutôt une réorganisation considérable des chaînes latérales.

Les membres de la superfamille des récepteurs nucléaires reconnaissent souvent des éléments de réponse ayant des séquences de demi-sites similaires, voire même identiques, mais avec des orientations et/ou des espacements différents. Les observations précédentes apportent une base structurale pour expliquer les affinités graduelles de ces récepteurs pour leurs différents gènes cibles.

o. Le domaine de liaison de GAL4 à l'ADN est un doigt à zinc de type Cys$_6$ (ou binucléé)

La protéine de levure **GAL4** est un activateur de la transcription de différents gènes codant des protéines du métabolisme du galactose. Cette protéine de 881 résidus se lie à un segment d'ADN de 17 pb sous forme d'un homodimère. Les résidus 1 à 65, qui contiennent six résidus Cys se liant ensemble à deux ions Zn^{2+} (Fig. 34-57), sont impliqués dans la liaison à l'ADN. Les résidus 65 à 94 participent à la dimérisation (nous verrons cependant que les résidus 50 à 64 sont également un peu impliqués dans la dimérisation). Les résidus 94 à 106, 148 à 196 et 768 à 881 fonctionnent comme régions acides activant la transcription. Mark Ptashne, Ronen Mamorstein et Stephen Harrison ont déterminé la structure cristalline par rayons X du fragment N-terminal de 65 résidus de GAL4 complexé avec un ADN symétrique de 19 pb contenant une séquence consensus palindromique de 17 pb.

La protéine se lie à l'ADN sous forme d'un dimère symétrique (Fig. 34-57*a*), bien qu'en l'absence d'ADN, elle reste monomérique. Chaque sous-unité se replie en trois modules distincts : un domaine compact de liaison à Zn^{2+}, qui se lie de façon spécifique à des séquences d'ADN (résidus 8 à 40), un espaceur allongé (résidus 41 à 49) et un élément de dimérisation hélicoïdal court (résidus 50 à 64). Dans le module liant Zn^{2+} (Fig. 34-57*b* et *en haut* et *en bas* de la Fig.34-57*a*), les deux ions Zn^{2+} sont chacun coordinés au centre d'un tétraèdre par quatre des six résidus Cys, deux de ces résidus se liant aux deux ions métalliques (Zn^{2+}), formant ainsi un groupe binucléé. La chaîne polypeptidique de ce module forme deux courtes hélices α reliées par une boucle, pour que le module et les ions Zn^{2+} liés aient une symétrie de pseudo-ordre 2. L'hélice N-terminale est insérée dans le grand sillon de l'ADN, établissant donc des contacts spécifiques de séquence avec une séquence CCG hautement conservée à chaque extrémité de la séquence consensus. La conformation de l'ADN est très peu différente de celle d'un ADN B idéal.

Les hélices de dimérisation (au centre de la Fig. 34-57*a*) s'associent pour former un segment court de torsade d'hélices parallèles dans lequel la région de contact entre les hélices composant la torsade d'hélices est stabilisée par hydrophobicité grâce à trois paires de résidus Leu et à une paire de résidus Val (une organisation similaire à ce qui est appelé **fermeture à leucine**, «leucine zipper», qui sera vue plus loin). La torsade d'hélices est positionnée sur le petit sillon de l'ADN de telle façon que l'axe de sa superhélice coïncide avec l'axe d'ordre deux de l'ADN. Les régions reliant la torsade aux modules de liaison à l'ADN s'enroulent autour de l'ADN, en suivant largement son petit sillon, tout en faisant plusieurs contacts non spécifiques avec les groupements phosphates de l'ADN jusqu'à l'endroit où elles rejoignent le module de liaison à l'ADN et où elles glissent dans le grand sillon de l'ADN. Les deux modules de liaison à l'ADN, reliés de façon symétrique, s'approchent donc du grand sillon de l'ADN par les côtés opposés de l'hélice d'ADN, en étant séparés d'environ 1,5 tour d'hélice, plutôt que par le même côté de l'ADN en étant séparés d'environ un tour d'hélice, comme le font par exemple les motifs HTH et le récepteur des glucocorticoïdes. La structure relativement ouverte qui en résulte pourrait permettre à d'autres protéines de se lier simultanément à l'ADN.

p. Les «fermetures» à leucine permettent la dimérisation de facteurs de transcription

L'activation de la transcription nécessite, comme nous l'avons vu, l'association coopérative de plusieurs protéines qui se lient à des séquences spécifiques sur l'ADN. Steven McKnight a découvert une des façons dont sont assurées ces associations. Nous avons vu (Section 8-2A) que les hélices α avec la séquence pseudorépétitive à 7 résidus (*a-b-c-d-e-f-g*)$_n$, dans lesquelles les résidus *a* et *d* sont hydrophobes, ont une bande hydrophobe sur un de leurs côtés, laquelle induit leur dimérisation, afin de former une hélice superenroulée, ou torsade d'hélices. McKnight a remarqué que le facteur de transcription de foie de rat nommé **C/EBP** (CCAAT/enhancer binding protein ; protéine de liaison à l'activateur CCAAT) qui se lie spécifiquement à la boîte CCAAT (Section 31-2E), possède un résidu leucine toutes les 7 positions d'un segment de 28 résidus dans son domaine de liaison à l'ADN. Ce même type de répétition d'heptades existe dans plusieurs protéines dimériques de liaison à l'ADN connues, dont l'activateur de la transcription de levure **GCN4** et plusieurs protéines de liaison à

(a)

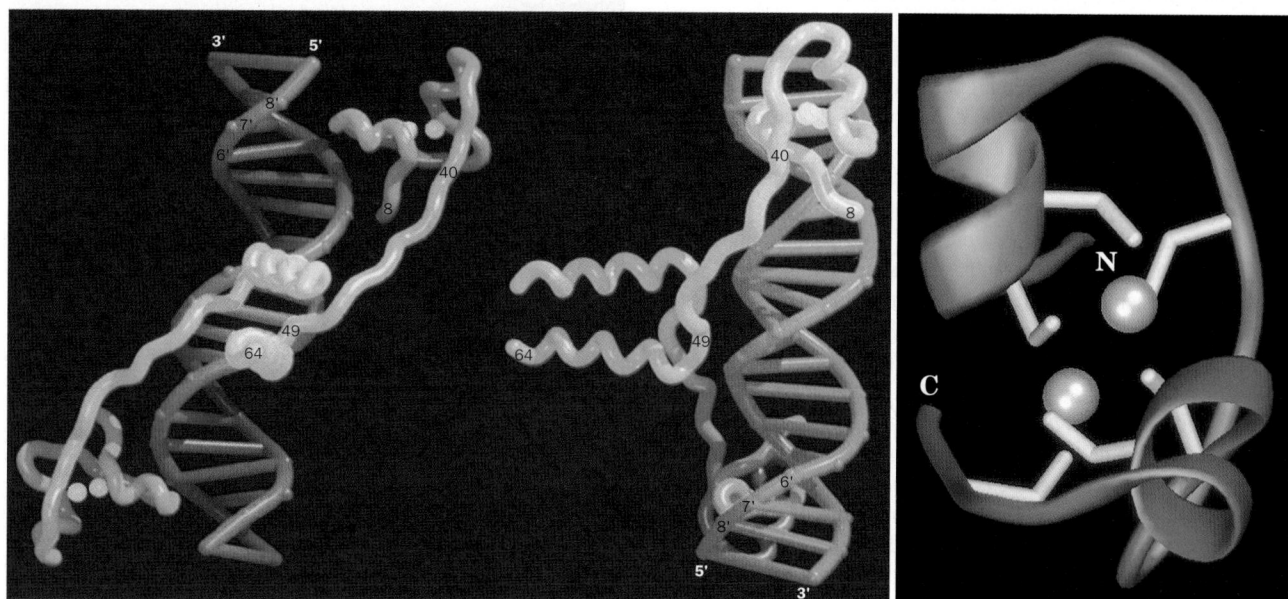

FIGURE 34-57 Structure par rayons X du domaine de liaison à l'ADN de GAL4 associé à un ADN palindromique (sauf la paire de bases centrale) de 19 pb, qui contient la séquence de liaison consensus à la protéine. (*a*) L'association de la protéine dimérisée avec l'ADN est montrée sous forme de cylindres, avec l'ADN en rouge, le squelette protéique en bleu clair, et l'ion Zn^{2+} sous forme de sphères jaunes. Vues selon l'axe d'ordre 2 du complexe (*à gauche*) et après rotation de 90° par rapport à l'axe horizontal d'ordre 2 (*à droite*). Notez comment l'extrémité C-termi-

nale de chaque hélice côté N-terminal des sous-unités s'étend jusque dans le grand sillon de l'ADN. (*b*) Diagramme en ruban du domaine protéique en doigt à zinc (résidus 8 à 40) avec les chaînes latérales des résidus Cys du complexe $Zn_2^{2+}Cys_6$ représentées en modèle éclaté (*en jaune*) et ses ions Zn^{2+} représentés par des sphères argentées. Comparez cette structure avec celles des Fig. 34-55*a* et 34-56*a*. [Partie *a* avec la permission de, et Partie *b* basée sur une structure par rayons X de Stephen Harrison et Ronen Mamorstein, Université de Harvard. PDBid 1D66.]

l'ADN codées par des proto-oncogènes (Section 34-4C). McKnight a émis l'hypothèse que ces protéines forment des torsades d'hélices dans lesquelles les chaînes latérales de résidus Leu sont imbriquées comme les dents d'une fermeture éclair. Il a donc appelé ce motif « **fermeture éclair** » **à leucine.** La fermeture éclair

à leucine, comme nous le verrons, permet l'homodimérisation et l'hétérodimérisation de protéines de liaison à l'ADN (mais noter qu'elle n'est pas, par elle-même, un motif de liaison à l'ADN).

Peter Kim et Thomas Alber ont déterminé la structure par rayons X du polypeptide de 33 résidus correspondant à la ferme-

(a)

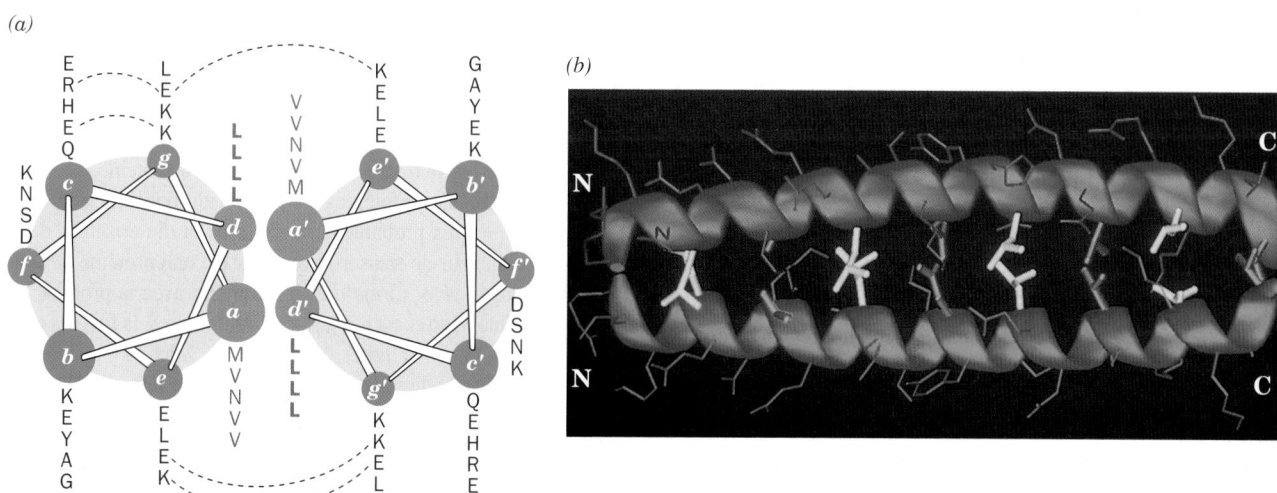

FIGURE 34-58 Motif de GCN4 en fermeture éclair à leucine. (*a*) Projection en roue hélicoïdale des deux hélices du motif vues depuis leurs extrémités N-terminales. Les séquences des résidus à chaque position sont indiquées dans la colonne adjacente en code à une lettre. Les résidus qui forment des paires ioniques dans la structure cristalline sont reliés par des pointillés. Notez que tous les résidus en positions *d* et *d'* sont Leu (L), ceux en positions *a* et *a'* sont essentiellement Val (V), et ceux dans les autres positions sont principalement polaires. [D'après O'Shea, E.K.,

Klemm, J.D., Kim, P.S., et Albert, T., *Science* **254**, 540 (1991).] (*b*) Structure par rayons X, vue de côté, dans laquelle les hélices sont montrées en ruban. Les chaînes latérales sont représentées en modèle éclaté avec les résidus Leu se touchant aux positions *d* et *d'* en jaune et les résidus aux positions *a* et *a'* en vert. [Basé sur une structure par rayons X de Peter Kim, MIT, et Tom Alber, École de Médecine de l'Université d'Utah. PDBid 2ZTA.]

ture éclair à leucine de GCN4 de 281 résidus. Les 30 premiers résidus, qui contiennent ~3,6 répétitions d'heptades (Fig. 34-58a), s'enroulent en une hélice a d'environ 8 tours qui se dimérise comme McKnight l'avait prédit, pour former une hélice superenroulée parallèle, de pas à gauche d'environ 1/4 de tour (Fig. 34-58b). Le dimère ressemble à une échelle torsadée dont les côtés sont formés par les squelettes des hélices et les barreaux par les chaînes latérales hydrophobes interagissant entre elles. Les résidus Leu conservés occupant les positions *d* de l'heptade, qui apparaissent un barreau sur deux, ne sont pas imbriqués comme McKnight l'avait initialement suggéré ; en fait, ils établissent des contacts entre chaînes latérales. De même, les barreaux alternant sont constitués des résidus *a* de l'heptade répétée (qui sont le plus souvent des résidus Val) en contact par leurs cotés. Chaque chaîne latérale Leu en position *d,* en plus de sa liaison à la chaîne latérale Leu symétrique *d'* de l'autre polypeptide, se tasse contre la chaîne latérale du résidu suivant *e'*. De la même façon, chaque chaîne latérale en position *a* se tasse contre son symétrique *a'* et contre le résidu précédent, *g'*. Ces deux ensembles de couches alternées forment donc une interface hydrophobe importante entre les composantes hélicoïdales de l'hélice superenroulée.

q. Le domaine de liaison de GCN4 à l'ADN est un motif bZIP

Dans beaucoup, mais pas dans toutes les protéines à fermeture à leucine, la région de liaison à l'ADN, qui est riche en résidus basiques, se trouve immédiatement du côté N terminal de la fermeture à leucine. Des comparaisons de séquence de **11** de ces **protéines à fermeture à leucine à région basique (bZIP)** révèlent que la séquence basique de 16 résidus se termine toujours 7 résidus avant le résidu Leu N-terminal de la fermeture à leucine. De plus, toutes ces régions basiques, de même que le segment de 6 résidus les reliant à la fermeture à leucine, sont dépourvues des deux résidus déstabilisant le plus fortement une hélice, à savoir Pro et Gly (Section 9-3A), suggérant donc que chaque polypeptide bZIP est entièrement en hélice α.

Les 56 résidus C-terminaux de GCN4 constituent son élément bZIP. Harrison et Kevin Struhl ont déterminé la structure par rayons X de ce segment polypeptidique associé à un ADN double brin de 19 pb dont les 9 pb centrales constituent la séquence cible symétrique de GCN4 (Fig.34-59). L'élément bZIP forme un dimère symétrique dans lequel chaque sous-unité est constituée presque entièrement d'une hélice a continue. Les 25 résidus C-terminaux de deux de ces hélices s'associent par l'intermédiaire d'une fermeture à leucine dont la géométrie ressemble étroitement à celle de l'élément de 33 résidus de la fermeture à leucine isolée de GCN4 (Fig. 34-58b). Après quoi, les deux hélices α divergent progressivement pour se lier dans le grand sillon de l'ADN sur des côtés opposés de l'hélice, tenant donc l'ADN dans une sorte de tenaille. L'ADN, dont l'axe de l'hélice est presque perpendiculaire à celui de la torsade d'hélices, conserve en gros une conformation B qui est droite et non déformée. Les résidus de la région basique conservés dans les protéines bZIP établissent donc de nombreux contacts à la fois avec les bases, et avec les oxygènes des phosphates de la séquence d'ADN cible.

r. Le domaine de liaison de Max à l'ADN est un motif bHLH

Le **motif basique hélice-boucle-hélice (bHLH)**, qui se retrouve dans de nombreux facteurs de transcription eucaryotiques, contient une région de liaison à l'ADN basique et conservée. Celle-

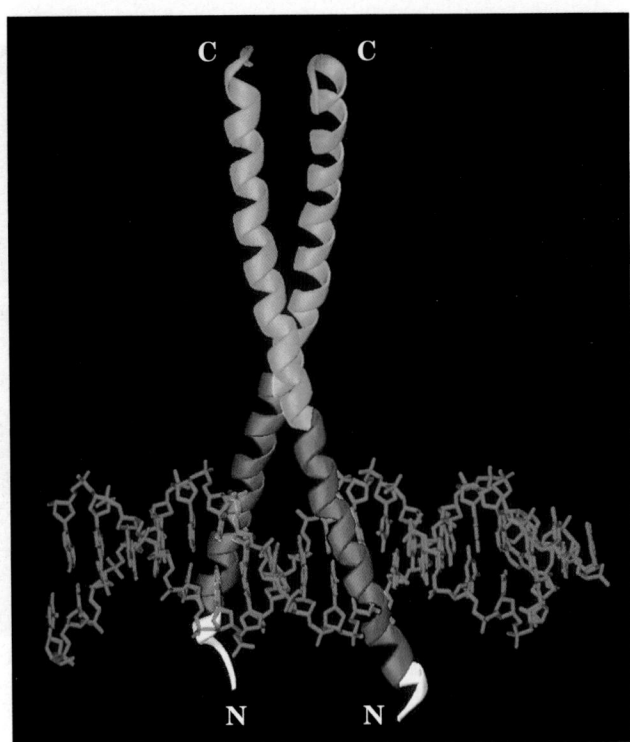

FIGURE 34-59 Structure par rayons X de la région GCN4 bZIP associée à sa cible d'ADN. L'ADN (*en rouge*), est représenté en modèle éclaté et vu avec son axe de symétrie moléculaire d'ordre deux, vertical. Il est formé d'un segment de 19 pb avec un nucléotide surplombant à chaque extrémité, il contient la séquence cible de 7 pb de la protéine (palindromique sauf pour la paire de bases centrale). Les deux sous-unités identiques, montrées sous forme de ruban, contiennent chacune une hélice α continue de 52 résidus. Elles s'associent à leurs extrémités C-terminales (*en jaune*), en torsade d'hélices parallèles (fermeture éclair à leucine). Au niveau de leurs régions basiques (*en vert*), elles se séparent progressivement pour s'engager, chacune, dans le grand sillon de l'ADN, au niveau de leur séquence cible. Les extrémités N-terminales sont en blanc. [Basé sur une structure par rayons X de Stephen Harrison, Université de Harvard. PDBid 1YSA.]

ci est immédiatement suivie de deux hélices amphipatiques reliées par une boucle qui permet la dimérisation de la protéine. Le motif bHLH de nombreuses protéines est suivi d'un motif à fermeture à leucine (Z) qui, très probablement, favorise la dimérisation de la protéine. Le facteur de transcription **Max** est une protéine de type **bHLH/Z** qui, *in vivo,* forme un hétérodimère avec la protéine du proto-oncogène **Myc** et est nécessaire pour induire à la fois ses activités normales et ses activités cancérogènes. Max est capable par lui-même de s'homodimériser facilement et de se lier à l'ADN avec une haute affinité, contrairement à Myc.

Edward Ziff et Burley ont déterminé la structure par rayons X d'une version tronquée de Max de 160 résidus, Max (22-113), qui contient les éléments de fermeture à leucine et du bHLH de la protéine parentale, en association avec un ADN presque palindromique de 22 pb contenant l'élément de reconnaissance central de 6 pb de Max. Chaque sous-unité de cette protéine homodimérique est formée de deux longues hélices α reliées par une boucle pour former un nouveau repliement protéique (Fig. 34-60). L'hélice α N-terminale (b/H1) contient les résidus de la région basique de la protéine (b) suivis sans interruption par ceux de l'hélice de tête du motif HLH (H1). L'hélice α C-terminale (H2/Z), composée de la

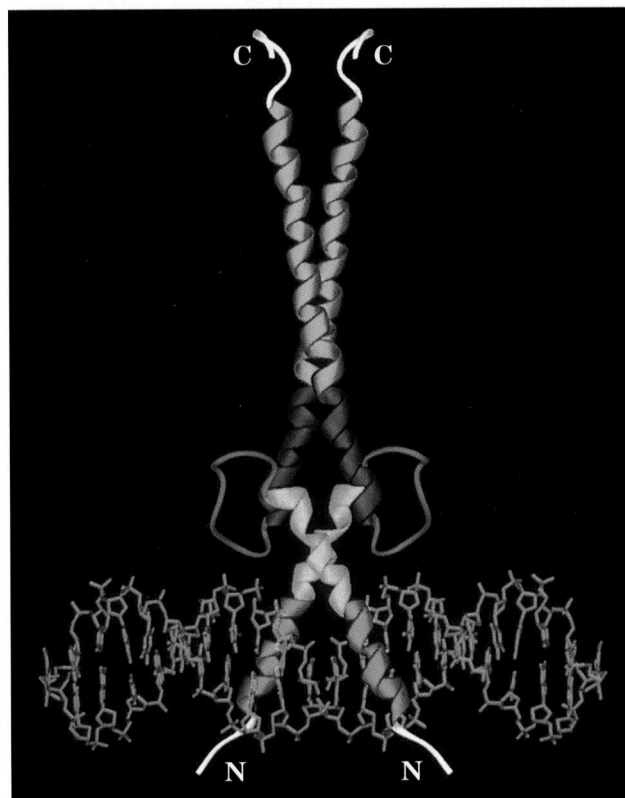

FIGURE 34-60 Structure par rayons X du dimère Max(22-113) associé à l'ADN de 22 pb contenant la séquence cible palindromique de 6 pb de la protéine. L'ADN (*en rouge*) est représenté en modèle éclaté et la protéine homodimérique est représentée sous forme de ruban. La région basique N-terminale de la protéine (*en vert*) forme une hélice α qui s'associe à sa séquence cible dans le grand sillon de l'ADN et se continue ensuite progressivement par l'hélice Hl (*en jaune*) du motif hélice-boucle-hélice (HLH). Après la boucle (*en rose*), les deux hélices H2 (*en violet*) de la protéine du motif HLH forment un faisceau de quatre hélices de pas à gauche parallèle avec les deux hélices Hl. Chaque hélice H2 se continue ensuite doucement par le motif en fermeture éclair à leucine (Z) (*en bleu clair*) pour former une torsade d'hélices parallèles. Les extrémités N- et C-terminales de la protéine sont en blanc. [Basé sur une structure par rayons X de Stephen Burley, Université Rockefeller. PDBid 1AN2.]

deuxième hélice HLH (H2) et de la fermeture à leucine (Z), assure l'homodimérisation de la protéine par la formation d'une hélice superenroulée parallèle de pas à gauche similaire à celle du GCN4 (Fig. 34-59). Chacune des deux hélices b/H1 du dimère sort du faisceau de 4 hélices parallèles pour s'engager dans l'ADN, d'une façon qui fait penser à une paire de pinces, en se liant dans le grand sillon des côtés opposés de l'hélice (de la même façon que GCN4 pour prendre sa cible d'ADN en tenaille, bien que l'élément bZIP de GCN4 ne soit constitué que de deux hélices alors qu'il y en a quatre dans le cas de Max). L'hélice d'ADN est essentiellement droite avec seulement de petites déviations par rapport à la structure idéale d'ADN B. Chaque région basique établit différentes interactions spécifiques de séquence, avec les bases de l'élément de reconnaissance de l'ADN de 6 pb, ainsi que de nombreux contacts avec les groupements phosphate. Les chaînes latérales de la boucle et de l'extrémité N-terminale de l'hélice H2 établissent aussi des contacts avec les groupements phosphate de l'ADN.

s. La liaison de NF-κB à l'ADN diffère de celle des autres facteurs de transcription

Le facteur nucléaire κB (**NF-κB**) est un facteur de transcription identifié au départ par une activité nucléaire inductible se fixant à la séquence κB de l'activateur transcriptionnel du gène de la chaîne légère de l'immunoglobuline κ (les gènes d'immunoglobulines sont étudiés dans la Section 35-2). Ce facteur est présent dans presque toutes les cellules animales, bien que son rôle soit particulièrement important dans le système immunitaire. *In vivo*, il se présente principalement sous la forme d'un hétérodimère se liant à l'ADN, composé des protéines **p50** et **p65** (ou **RelA**) (p pour protéine ; le nombre indiquant la masse moléculaire nominale en kD). Ces deux protéines renferment un segment d'environ 300 résidus appelé **région d'homologie Rel (RHR)** parce qu'on la trouve également dans le produit codé par l'oncogène *rel*. En fait, p50 et p65 peuvent aussi former des homodimères se liant à l'ADN. Les régions RHR, responsables de la dimérisation et de la liaison à l'ADN, et qui contiennent les signaux de localisation nucléaire (NLS), sont présents dans de nombreuses protéines servant de régulateurs dans les mécanismes de défense de la cellule contre le stress, les blessures et les pathogènes externes, mais aussi dans la différenciation. De plus, certains virus, parmi lesquels le VIH, ont détourné le RHR pour activer l'expression de leurs gènes. On distingue deux classes de **protéines Rel** : d'une part celles comme p65, **c-Rel** et les protéines morphogènes de *Drosophila* (protéines responsables du développement ; Section 34-4B) **Dorsal** et **Dif**, dont les domaines N-terminaux contiennent un RHR et dont les domaines C-terminaux hypervariables sont de forts activateurs transcriptionnels, d'autre part celles comme p50 et p52, qui est très prochede p50, qui sont générées par le clivage protéolytique de précurseurs plus longs et qui sont dépourvues des domaines de transactivation de sorte que leurs homodimères ont principalement une fonction de répresseurs.

L'activité de NF-κB est en grande partie régulée par des protéines appelées **inhibiteurs de κB (IκB)**, Qui masque le NLS d'un facteur NF-κB en se liant à lui, de sorte que le complexe IκB -NF-κB reste dans le cytoplasme. Les facteurs IκB contiennent de nombreuses répétitions ankyrine (Section 12-3D) par lesquelles ils se lient aux facteurs NF-κB. La présence dans le milieu extracellulaire de stimuli externes remarquablement variés, parmi lesquels on trouve certains produits bactériens ou viraux, différentes cytokines (Section 19-1L), des esters de phorbol (Section 19-4C), et des stress oxydatifs ou physiques (par exemple des radicaux libres ou des radiations UV), va entraîner, par l'intermédiaire de cascades de transduction, la phosphorylation des facteurs IκB par une **IκB kinase (IKK)**. Cela va alors induire l'ubiquination des facteurs IκB puis leur dégradation par le protéasome (Section 32-6B). NF-κB ainsi libéré va alors être transféré dans le noyau où il permet l'initiation de la transcription en se liant à des segments d'ADN κB de 10 pb dont la séquence consensus est GGGRNNYYCC. Une spécificité accrue peut être obtenue par l'interaction synergique de NF-κB avec d'autres facteurs de transcription fixés à l'ADN comme Sp1. Ce processus d'activation est autorégulé par le fait que la transcription du gène codant la protéine IκB la plus courante, **IκBα,** (dont la structure par rayons X est montrée dans la Fig. 12-38), est induite par la fixation de NF-κB aux sites κB du promoteur de ce gène. La protéine IκBα nouvellement synthétisée entre dans le noyau où elle détache NF-κB complexé à l'ADN et entraîne son exportation vers le cytoplasme.

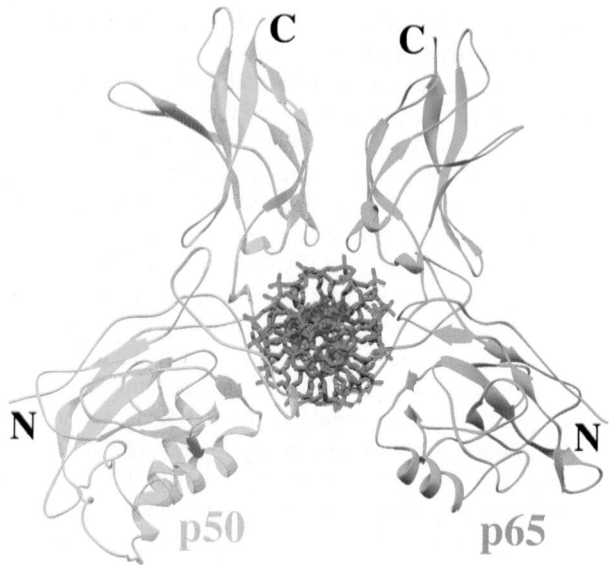

FIGURE 34-61   Structure par rayons X de l'hétérodimère NF-κBp50-p65 de souris associé à l'ADN κB de l'activateur transcriptionnel de l'interféron. La structure est vue selon l'axe de l'ADN dont les deux brins ont les séquences 5′-TGGGAAATTCCT-3′ et 5′-AAGGAATTTCCC-3′ (Le duplex d'ADN fait 11 pb et possède 1 nt surplombant à chaque extrémité). L'ADN est en modèle en bâtonnets coloré selon le type des atomes (C en vert, N en bleu, O en rouge et P en rose). La protéine est sous forme de rubans, p50 (résidus 39 à 364 sur 435 résidus) est en jaune d'or et p65 (résidus 19 à 291 sur 549 résidus) en bleu clair. [D'après une structure par rayons X de Gourisankar Ghosh, Université de Californie, San Diego. PDBid 1LE5.]

Dans un mode apparenté d'activation de NF-κB, p50 est synthétisé en tant que domaine N-terminal de **p105**, une protéine dont le domaine C-terminal est un IκB. Le domaine IκB de p105 empêche à la fois sa localisation nucléaire et sa liaison à l'ADN tout comme dans le cas d'autres protéines contenant un RHR. Les stimuli externes cités plus haut accélèrent également la maturation protéolytique de p105. Cela produit un NF-κB libre et le domaine C-terminal de p105, contenant IκB qui comme nous l'avons dit plus haut va être phosphorylé et subir une dégradation protéolylique.

La structure par rayons X de l'hétérodimère de p50 et p65 de souris associé au segment κB de l'activateur transcriptionnel de l'interféron-β a été déterminée par Gourisankar Ghosh. Elle ressemble fortement à un papillon, dont les sous-unités homologues de la protéine seraient les ailes déployées et dont l'ADN serait le thorax (Fig. 34-61). Les deux sous-unités protéiques ont des structures similaires, leurs domaines C-terminaux formant l'interface de dimérisation et les deux domaines interagissant avec l'ADN. Les domaines N et C-terminaux ont un repliement de type immunoglobuline (un sandwich de 2 feuillets b antiparallèles, l'un à 3 brins, l'autre à 4 brins ; Section 35-2B) et ils interagissent avec l'ADN uniquement au niveau de 10 boucles, 5 de chaque sous-unité qui relient leurs feuillets β et remplissent le grand sillon de l'ADN. Les protéines p50 et p65 se fixent respectivement à deux sous-sites de 5 pb et 4 pb aux extrémités 5′ et 3′ de la séquence consensus, les deux sous-sites étant séparés par une seule paire de bases. La surface de liaison à l'ADN de la protéine est bien plus grande que celle d'autres facteurs de transcription, cela explique l'affinité exceptionnellement élevée des facteurs NKκB pour leurs séquences cibles. Cela explique également pourquoi la mutagenèse de délétion ne permet pas de localiser la région de liaison à l'ADN de NKκB, car

des changements n'importe où dans sa structure sont susceptibles de modifier la disposition de ses boucles de liaison à l'ADN.

La comparaison des structures par rayons X de l'hétérodimère p50-p65 fixé à des segments d'ADN de séquences différentes, toutes déterminées par Ghosh, ont révélé des différences de structure petites mais significatives entre ces différents complexes. Cela est principalement dû aux différents degrés de courbure des différents ADN κB ainsi qu'aux interactions différentes des protéines avec les différentes séquences de bases. Toutes entraînent de petites différences de conformation des protéines, par ailleurs identiques du point de vue chimique, dans ces complexes. Cela explique sans doute pourquoi lorsqu'on substitue l'élément κB d'un activateur par un autre élément κB on n'obtient pas le même niveau de transcription, même lorsque l'affinité de liaison de NFκB à ces segments κB isolés est la même. Il est clair que la façon dont NFκB interagit avec d'autres protéines fixées sur l'activateur (comme par exemple le récepteur des glucocorticoïdes, qui interagit avec p65) modifie sa capacité d'activation et ajuste ainsi précisément le niveau d'expression de ses gènes cibles.

t. Le complexe médiateur fournit l'interface entre les activateurs de la transcription et l'ARNP II

Les génomes eucaryotiques peuvent coder plusieurs milliers de régulateurs transcriptionnels des gènes de classe II (par ex. Fig. 34-27). Comment la fixation de ces différents régulateurs à leurs activateurs/extincteurs influence-t-elle le taux d'initiation de la transcription par l'ARNP II ? Des études génétiques ont montré le rôle de TFIIB, TFIID et TFIIH dans ce processus *in vivo*. Néanmoins les activateurs ne sont pas capables de stimuler la transcription par un CPI reconstitué *in vitro*. Il est clair que cela nécessite un facteur supplémentaire. *De fait, des études génétiques sur la levure, faites par Kornberg, lui avaient permis de découvrir un complexe d'environ 1000 kD pour environ 20 sous-unités, appelé **médiateur**, dont la présence est nécessaire pour la transcription à partir de presque tous les promoteurs des gènes de classe II de levure.* Le médiateur, considéré de ce fait comme un coactivateur, se fixe au domaine C-terminal (CTD) de la sous-unité b de l'ARNP II (Section 31-2E), formant ainsi l'**holoenzyme ARNP II.** La poursuite des recherches a révélé que les métazoaires contiennent plusieurs complexes à nombreuses sous-unités fonctionnant d'une manière analogue à celle du médiateur de levure. On y trouve des complexes appelés **CRSP, NAT, ARC/DRIP, TRAP/SMCC, mMED,** et **PC2** qui ont de nombreuses sous-unités en commun. De plus, beaucoup de leurs sous-unités sont apparentées bien que de façon éloignée à celles du médiateur de levure. *Les médiateurs servent apparemment d'adaptateurs pour faire un pont entre les régulateurs transcriptionnels liés à l'ADN et l'ARNP II, pour influencer (en l'induisant ou en l'inhibant) la formation d'un CPI au promoteur associé. Ils servent donc à intégrer les différents signaux correspondant à la fixation de ces régulateurs transcriptionnels à leurs ADN cibles.* On suppose que les différents médiateurs de métazoaires relayent les signaux de différents ensembles de régulateurs transcriptionnels.

Kornberg et Francisco Asturias ont déterminé la structure à basse résolution (30-35 Å) par microscopie électronique du médiateur de levure et du complexe TRAP humain (Fig. 34-62). Les deux particules ont une forme similaire avec des domaines « tête » et « corps-queue » presque à angle droit. L'image en ME de l'holoenzyme ARNP II de levure (Fig. 34-63) montre que le médiateur a pris une forme plus allongée dans laquelle les domaines « corps » et « queue » sont nettement séparés. Le domaine tête est en contact

(a)   (b)

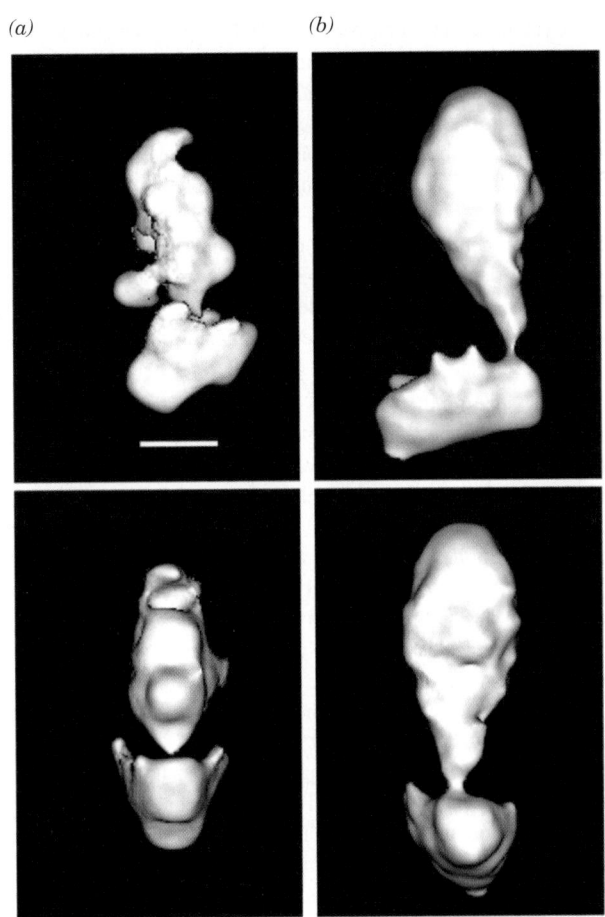

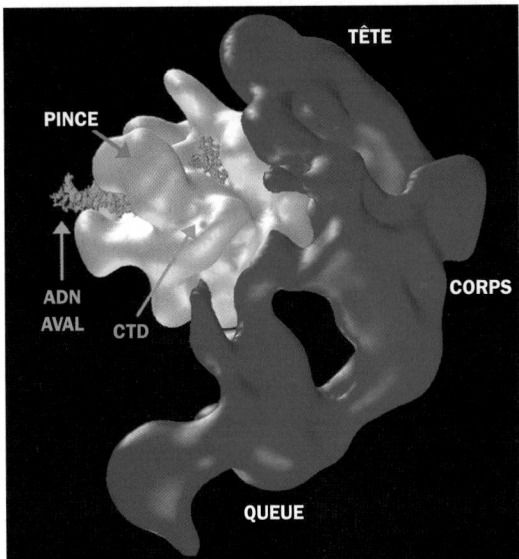

FIGURE 34-63 Vue en projection d'après des données de ME de l'holoenzyme ARNP II de levure à une résolution de 35 Å. Le complexe médiateur (*en bleu*) adopte une conformation plus allongée que dans la Fig. 34-62*a*, de sorte que les domaines tête, corps et queue sont clairement distincts. La structure de l'ARNP II de levure, déterminée par des images de ME de façon indépendante (*en blanc*), est orientée de façon à l'adapter au mieux à la densité observée dans l'image de l'holoenzyme, à plus faible résolution. L'ADN du promoteur (*en orange*) a été intégré au modèle, en se basant sur la structure du complexe d'élongation de l'ARNP II de levure (Fig. 31-21*b*). Notez que la fente de liaison à l'ADN de l'ARNP II reste totalement accessible dans le complexe de l'holoenzyme. [Avec l'aimable autorisation de Francisco Asturias, Institut de Recherche Scripps, La Jolla, Californie et de Roger Kornberg, École de Medecine de l'Université de Stanford.]

FIGURE 34-62 Structures d'après des données de ME des complexes (*a*) médiateur de levure et (*b*) TRAP humain. Les orientations des complexes entre la ligne du haut et celle du bas ont subi une rotation de 90° autour d'un axe vertical. La partie inférieure de chaque image constitue le domaine « tête » du complexe, qui est presque perpendiculaire à la partie supérieure, le domaine « corps et queue ». La barre a une longueur de 100 Å. [Avec l'aimable autorisation de Francisco Asturias, Institut de Recherche Scripps, La Jolla, Californie.]

étroit avec l'ARNP II, même si plus de 75 % de la surface de l'ARNP II reste accessible pour interagir avec d'autres composants du CPI. Par contre, le domaine queue ne semble avoir aucun contact avec l'ARNP II.

Dans son ensemble, la machinerie de transcription des gènes de classe II comporte près de 60 polypeptides d'une masse moléculaire cumulée de près de 3 millions de daltons. Cependant, comme nous allons le voir, cet assemblage de la taille d'un ribosome (le ribosome eucaryotique a une masse moléculaire d'environ 4,2 millions ; Tableau 32-8) ne peut pas se passer de l'aide d'autres grands complexes macromoléculaires pour accéder à l'ADN dans la chromatine.

u. La chromatine transcrite activement est sensible à la digestion par les nucléases

Les premières recherches sur les mécanismes de la transcription eucaryotique ont, en grande partie, fait abstraction de l'influence de la chromatine. Pourtant, comme nous l'avons vu (Section 34-2A), c'est l'euchromatine, et non l'hétérochromatine qui est active du point de vue transcriptionnel. Effectivement, les recherches de la dernière décennie ont révélé que les cellules euca-

ryotiques contiennent des systèmes élaborés qui participent au contrôle de l'initiation de la transcription en modifiant la structure de la chromatine. Dans les paragraphes suivants nous allons étudier la nature de ces systèmes.

On pense que la structure ouverte de la chromatine transcriptionnellement active permet à la machinerie transcriptionnelle d'accéder aux gènes actifs. Cette hypothèse est corroborée par la démonstration de Harold Weintraub qui prouve que *la chromatine transcriptionnellement active est environ 10 fois plus sensible à la digestion par l'ADNase I que la chromatine transcriptionnellement inactive*. Par exemple, les gènes de globine des érythrocytes de poulet (les globules rouges aviaires sont nucléés) sont plus sensibles à la digestion par l'ADNase I que ceux d'oviducte de poulet (dans lequel les œufs sont formés), comme l'indique la perte de capacité de ces gènes à s'hybrider avec une sonde d'ADN complémentaire après traitement de la chromatine par l'ADNase I. À l'inverse, le gène codant **l'ovalbumine** (la protéine majeure du blanc d'œuf) d'oviducte est plus sensible à l'ADNase I que celui des érythrocytes. La sensibilité à nucléase semble donc définir des **domaines fonctionnels** de la chromatine, même si leur relation avec les domaines structuraux de la chromatine (Section 34-3A) reste obscure. Néanmoins, la sensibilité à la nucléase reflète la potentialité de transcription d'un gène plutôt que la transcription elle-même. En effet, la sensibilité à l'ADNase I du gène d'ovalbumine de l'oviducte ne dépend pas du fait que l'oviducte ait été ou non stimulé par une hormone pour produire l'ovalbumine.

Les variations de l'activité transcriptionnelle d'un gène donné selon la cellule dans laquelle il se trouve indiquent que des protéines chromosomiques participent au processus d'activation du gène. Cependant, l'abondance chromosomique des histones et leur uniformité indiquent qu'elles n'ont pas la spécificité requise pour ce rôle. Parmi les protéines non histones les plus courantes, on trouve les membres du **groupe à grande mobilité (HMG, « high mobility group »),** appelés ainsi en raison de leur grande mobilité électrophorétique en gel de polyacrylamide (peut-être aussi à cause de leur découverte par H.M. Goodwin). Ces protéines hautement conservées, de faible masse moléculaire (< 30 kD), ont une composition inhabituelle en acides aminés avec près de 25 % de chaînes latérales basiques et 30 % de chaînes latérales acides, elles sont assez abondantes avec environ 1 molécule de HMG pour 10 à 15 nucléosomes. On peut extraire les protéines HMG de la chromatine d'érythrocytes de poulet avec du NaCl 0,35*M* sans modification importante de la structure des nucléosomes. Ce traitement supprime la sensibilité préférentielle à la nucléase des gènes de globine des érythrocytes.

v. Les protéines HMG sont des protéines de structure participant à la régulation de l'expression génique

Les protéines HMG comportent trois superfamilles, **HMGB, HMGA** et **HMGN** ayant les propriétés suivantes :

1. Les protéines HMGB de mammifères, **HMGB1** et HMGB2 (environ 210 résidus ; appelées auparavant **HMG1** et **HMG2**), se fixent à l'ADN sans spécificité de séquence. Chacune de ces protéines est constituée de deux **boîtes HMG** d'environ 80 résidus en tandem, appelées A et B, suivies d'une queue acide d'environ 30 (pour HMGB1) ou 20 (pour HMGB2) résidus consécutifs Asp ou Glu. Cependant, les protéines **HMG-D** de *Drosophila* et **NHP6A** de levure ne contiennent toutes deux qu'une boîte HMG, qui est très semblable au domaine B de HMGB1. La structure par RMN de NHP6A associée à un ADN de 15 pb, a été déterminée par Juli Feigon. Elle montre que, conformément aux structures de plusieurs autres protéines contenant une boîte HMG, la boîte HMG est constituée de trois hélices disposées en forme de L, la face interne du L étant insérée dans le petit sillon de l'ADN (Fig. 34-

64). Ceci induit une courbure de l'ADN vers son grand sillon, allant jusqu'à 130°. Il semble que les protéines nucléaires HMGB aient un rôle architectural qui induit la fixation d'autres protéines à l'ADN, parmi lesquelles différents récepteurs des stéroïdes, cela facilitant l'assemblage de complexes nucléoprotéiques. En effet, NHP6A et HMG-D peuvent remplacer la fonction de la protéine bactérienne HU courbant l'ADN bien que les protéines HMGB et HU n'aient aucune similitude ni de structure, ni de séquence (HU est étudiée dans la Section 33-3C). On trouve aussi des boîtes HMG dans plusieurs facteurs de transcription spécifiques d'une séquence, parmi lesquels le facteur de mammifère, de détermination du sexe mâle SRY (Section 19-1G).

2. La superfamille HMGA comporte quatre protéines : les variants d'épissage de 107, 96 et 179 résidus, **HMGA1a, HMGA1b** et **HMGA1c** (auparavant nommés **HMG-1**, **HMG-Y** et **HMG-I/R**) et la protéine homologue, de 109 résidus, **HMGA2** (auparavant nommée **HMG-C**). Chacune de ces protéines renferme trois boîtes similaires appelées boîtes AT ayant une séquence cœur invariable Arg-Gly-Arg-Pro encadrée par des résidus chargés positivement, et qui se fixe à des séquences d'ADN riches en AT. Le spectre RMN d'une forme tronquée de HMGA1a qui ne contient que ses deuxième et troisième crochets AT (résidus 51 à 90) indique qu'on a une hélice aléatoire. Pourtant, Angela Gronenborn et Marius Clore ont déterminé la structure par RMN de cette protéine HMGA1a tronquée, associée à un ADN de 12 pb contenant un segment riche en AT de l'activateur de l'interféron β. Elle montre que chacun des crochets AT se fixe sous forme allongée dans le sillon mineur d'une molécule d'ADN séparée (Fig. 34-65). Bien qu'il n'y ait pas de distorsion importante de l'ADN dans cette structure, on a pu montrer que la protéine HMGA non tronquée peut courber, déplier ou détordre l'ADN et induire la formation de boucle dans de l'ADNdb. On pense que les protéines HMGA ont un rôle dans la régulation de la transcription de nombreux gènes. Les protéines HMGA1, par exemple, recrutent les facteurs de transcription NF-κB et c-Jun (Section 34-4C) dans l'enhanceosome sur l'activateur de l'interféron β grâce à une combinaison de courbure de l'ADN et d'interactions protéine-protéine.

3. Les protéines HMGN, **HMGN1** et **HMGN2** (de 98 et 89 résidus, nommées auparavant **HMG14** et **HMG17**), existent chez les mammifères mais pas chez *Drosophila* ou la levure. Elles ont 60 % d'identité de séquence entre elles et comportent trois motifs fonctionnels : un signal de localisation nucléaire bipartite (NLS ; voir plus haut), un **domaine de liaison au nucléosome (NBD, « nucleosome binding domain »)** conservé et positivement chargé, d'environ 30 résidus, et un **domaine de dépliement de la chromatine (CHUD, « chromatin-unfolding domain »).** Le domaine NBD d'environ 30 résidus positivement chargés, comme son nom l'indique, permet au protéines HMGN de se fixer sur le cœur des particules nucléosomiques sous forme d'homodimères de HMGN1 ou de HMGN2 (mais pas sous forme d'hétérodimères), sans aucune préférence par rapport à la séquence d'ADN sous jacente. Il y a ainsi stabilisation du cœur de la particule nucléosomique par pontage entre les deux brins d'ADNdb adjacents. Pourtant, les protéines HMGN augmentent le taux de transcription et de réplication de l'ADN, probablement parce qu'elles relâchent la structure des fibres de chromatine. Cela semble dû à l'interaction des domaines CHUD avec la queue N-terminale des histones H3 (voir plus loin) et au fait que les protéines HMGN fixées au nucléosome entrent en compétition avec l'histone H1 pour son site de fixation nucléo-

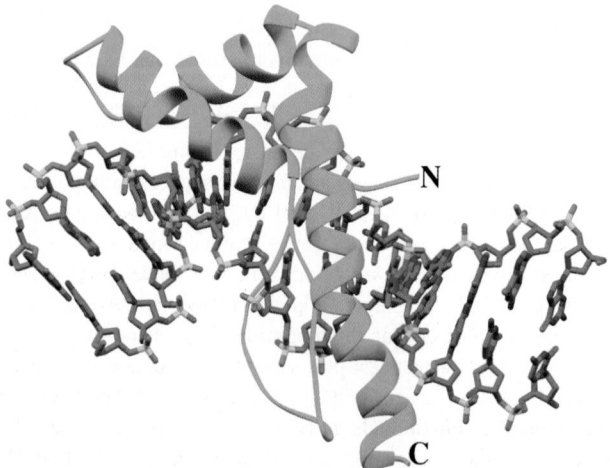

FIGURE 34-64 Structure par RMN de la protéine NHP6A de levure associée à un ADN de 15 pb. La protéine est représentée sous forme de ruban (en bleu clair), l'ADN est sous forme de bâtonnets colorés selon le type des atomes (C en vert, N en bleu, O en rouge et P en jaune). La boîte HMG en forme de L de NHP6A se lie dans le petit sillon de l'ADN et le courbe ainsi d'environ 70° du coté de son grand sillon. [D'après une structure par RMN de Juli Feigon, Université de Californie, Los Angeles. PDBid 1J5N.]

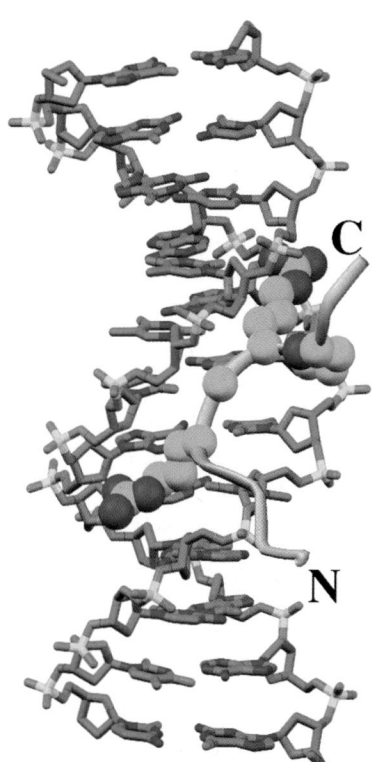

FIGURE 34-65 Structure par RMN d'une protéine HMGA1a tronquée, comportant uniquement ses second et troisième crochets AT, associée à un ADN de 12 pb riche en AT. La protéine est dessinée sous forme de ruban (*en rose pâle*), ses chaînes latérales et les atomes C_α du cœur invariable de la séquence des crochets AT, Arg-Gly-Arg-Pro, sont en modèle éclaté avec les atomes C en bleu clair et N en bleu. L'ADN est en modèle éclaté coloré selon le type des atomes (C en vert, N en bleu, O en rouge et P en jaune). Les deux crochets AT à 10 résidus de la protéine se fixent à deux dodécamères distincts d'ADN. Cependant, un seul ensemble de résonances a été observé pour l'ADN, indiquant que les deux structures crochet AT-ADN sont très semblables. Le segment peptidique qui relie deux crochets AT n'est pas observable et doit donc avoir une grande mobilité. Par conséquent, seule la structure présentée ici a pu être observée. Notez que le crochet AT se lie dans le petit sillon de l'ADN mais ne provoque pas de courbure. [D'après une structure par RMN de Angela Gronenborn et Marius Clore, NIH, Bethesda, Maryland. PDBid 2EZF.]

somique. Les nucléosomes contenant HMGN se présentent sous la forme de groupes d'une moyenne de six nucléosomes contigus, ce qui confirme qu'ils modifient la structure internucléosomique. La chromatine probablement décondensée de ces groupes, pourrait fournir des portes d'entrée par lesquelles des protéines régulatrices ont accès à leur ADN cible.

w. Les cœurs des nucléosomes sont écartés lors de la progression de l'ARN polymérase

Puisque les nucléosomes se lient à leur ADN d'une manière forte et très stable, comment une ARN polymérase qui transcrit activement l'ARN, à peu près de la taille d'un nucléosome, et qui doit séparer les brins de l'ADN double brin pour le transcrire, a-t-elle accès à l'ADN ? Deux propositions ont été faites : (1) soit l'ARN polymérase se déplaçant induit un changement de conformation dans le nucléosome permettant à son ADN d'être transcrit en restant associé au nucléosome, (2) soit elle déplace le nucléosome de l'ADN. Ces propositions ont été étudiées par Gary Fel-

senfeld pour les départager de la manière suivante : un cœur unique de nucléosome a été assemblé sur un court segment d'ADN de séquence définie. Ensuite, dans les conditions où les cœurs de nucléosomes sont stables (ils ne se décomposent ni ne se déplacent) en l'absence de transcription, l'assemblage obtenu a été ligaturé dans un plasmide entre un promoteur et des terminateurs de l'ARN polymérase du **bactériophage SP6,** l'ADN entre ces deux sites a alors été transcrit par cette enzyme. Ce traitement entraîne le mouvement du nucléosome vers un autre site de ce plasmide, avec une petite préférence pour la région non transcrite précédant le promoteur. Cependant, l'utilisation d'une très courte matrice d'ADN (227 pb) contenant le promoteur SP6 et un nucleosome lié a révélé que le transfert du nucléosome ne se produit que vers la même molécule matrice entre 40 à 95 pb en amont de son site original, même en présence d'un large excès d'ADN compétiteur. Il est clair que l'octamère d'histone reste d'une manière ou d'une autre proche de l'ARN polymérase en transcription, de façon à se transférer sur un segment proche, du même ADN. Pour Felsenfeld, ceci a lieu par l'intermédiaire d'un mécanisme de boucle d'ADN dans lequel l'octamère d'histones se rembobine dans une nouvelle position derrière l'ADN polymérase qui avance lorsque la polymérase enlève l'octamère de sa position originale (Fig. 34-66).

Comment l'ARN polymérase déplace-t-elle les nucléosomes de l'ADN ? L'ARN polymérase SP6, étant une enzyme de phage, ne peut pas avoir évolué pour interagir avec les histones, mais néanmoins elle semble pouvoir le faire. D'autres ARN polymérases procaryotiques peuvent aussi transcrire en présence de nucléosomes. Ce phénomène pourrait être facilité par le surenroulement de l'ADN induit par la transcription. Rappelons qu'une bulle de transcription se déplaçant (Section 31-2c) génère dans l'ADN des supertours positifs devant elle et des supertours négatifs derrière elle. Cependant, l'ADN nucléosomique entoure son cœur d'histones selon un enroulement de pas à gauche, il est donc surenroulé négativement (Section 29-3A). Par conséquent, une molécule d'ARN polymérase avançant déstabiliserait les nucléosomes en aval, facilitant l'assemblage des nucléosomes dans son sillage ; c'est précisément ce qui est observé (mais nous allons voir plus loin que la cellule a plusieurs méthodes pour relâcher la prise des nucléosomes sur l'ADN). Les recherches ultérieures ont montré que l'ARN polymérase III de levure, qui est nettement plus grosse que l'ARN polymérase SP6, interagit avec les nucléosomes d'une manière similaire.

x. Des gènes actifs ont des sites de contrôle hypersensibles à la nucléase

Une très légère digestion de la chromatine active transcriptionnellement par l'ADNase I et d'autres nucléases a révélé la présence de **sites hypersensibles à l'ADNase I,** qui sont environ 10 fois plus sensibles à la coupure par l'ADNase I que les sites normalement sensibles à cette enzyme. Ces segments d'ADN spécifiques de 100 à 200 pb sont surtout localisés dans les régions 5′ flanquant les gènes actifs ou ceux activables transcriptionnellement, ainsi que dans les séquences impliquées dans la réplication et la recombinaison. Les sites hypersensibles à la nucléase sont apparemment les « fenêtres ouvertes » qui permettent à la machinerie de transcription d'accéder aux séquences de contrôle de l'ADN. Ceci est dû au fait que *les segments de gènes hypersensibles à l'ADNase I sont dénués de nucléosomes.* Par exemple, dans les cellules infectées par SV40, aucun des ~24 nucléosomes complexés à l'ADN circulaire de 5,2 kb du virus (Fig. 34-67) ne

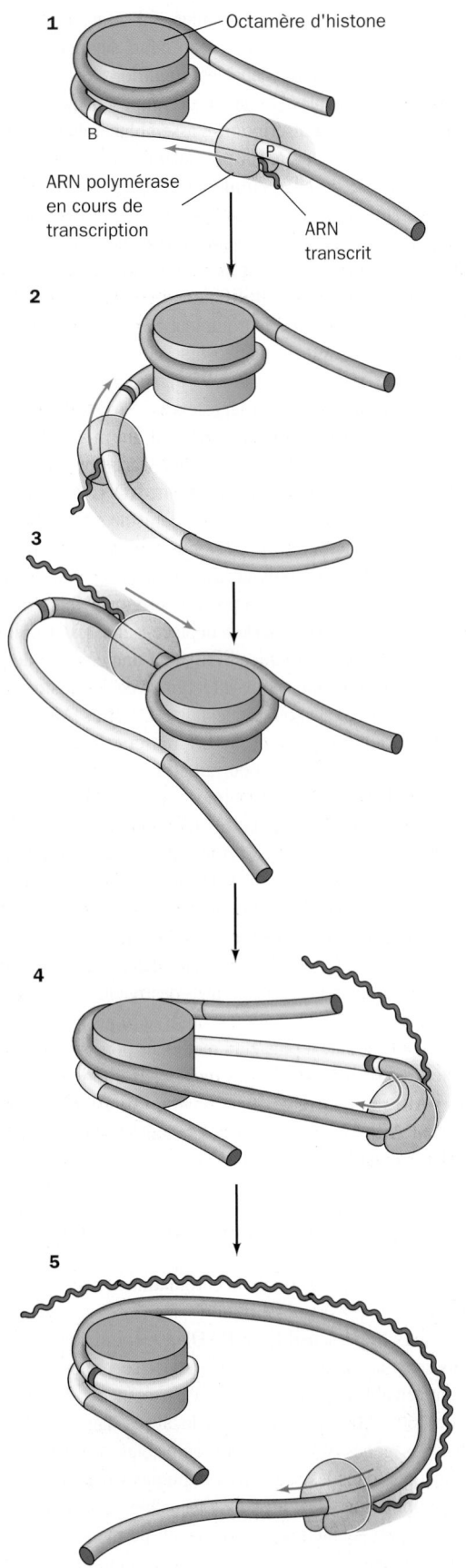

1 — Octamère d'histone

B

ARN polymérase en cours de transcription

P

ARN transcrit

2

3

4

5

FIGURE 34-66 Modèle « en bobine » de la transcription au niveau d'un nucléosome. (1) L'ARN polymérase commence la transcription au promoteur P, B indique le bord du nucléosome. (2) Lorsque l'ARN polymérase s'approche du nucléosome, elle induit la dissociation de l'ADN proximal (le plus proche), exposant ainsi en partie la surface de l'octamère d'histone. (3) La surface de l'histone exposée se lie à l'ADN derrière l'ARN polymérase en formant une boucle. Notez que cette boucle est topologiquement isolée du reste de l'ADN, elle est par conséquent soumise à la contrainte de surenroulement que l'ARN polymérase provoque en se déplaçant (voir le texte). (4) Au fur et à mesure que l'ARN polymérase avance, l'ADN situé devant elle (en aval) se détache de l'octamère d'histone alors que l'ADN derrière elle (en amont), s'enroule autour. (5) Le nucléosome se reconstitue ainsi derrière l'ARN polymérase et la transcription peut se poursuivre. [D'après Studitsky V.M., Clark, D.J., et Felsenberg, G., *Cell* **76**, 379 (1994).]

recouvre le site d'initiation de la transcription virale (~250 pb), rendant donc ce site hypersensible à la nucléase.

Néanmoins, puisque l'ADN nu n'est pas hypersensible à l'ADNase I, les propriétés particulières de la chromatine hypersensible à la nucléase doivent venir de la liaison de protéines à une séquence spécifique qui exclut les nucléosomes.

Le groupe des gènes de globines β humain (Section 34-2F) possède cinq sites hypersensibles à la nucléase dans une région de 6 à 22 kb du côté 5′ du gène ε de même qu'il y a un site hypersensible à 20 kb du côté 3′ du gène β (Fig. 34-68). Ces sites hypersensibles semblent indiquer les limites d'un long segment de chromatine active transcriptionnellement. Les individus présentant une délétion importante en amont qui élimine les sites hypersensibles en 5′, la délétion dite hispanique, bien qu'ayant des gènes β normaux, ont une **thalassémie-(γδβ)^0** (synthèse réduite des globines γ, δ et β). De même, des souris transgéniques pour le gène humain de globine β comprenant ses sites locaux de régulation, n'expriment que très peu, voire pas du tout de globine β humaine. Une explication plausible de cette dernière observation est qu'un segment d'ADN qui est inséré au hasard dans un génome se trouvera le plus souvent dans l'hétérochromatine inactive transcriptionnellement, on appelle cela l'**effet de position**. Au contraire des souris transgéniques pour la région complète du groupe des glo-

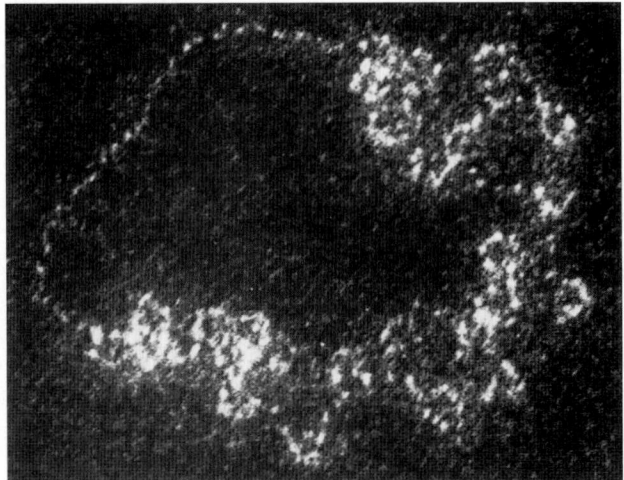

FIGURE 34-67 Micrographie électronique d'un minichromosome de SV40 qui montre un segment d'ADN sans nucléosome. [Avec la permission de Moshe Yaniv, Institut Pasteur, Paris, France.]

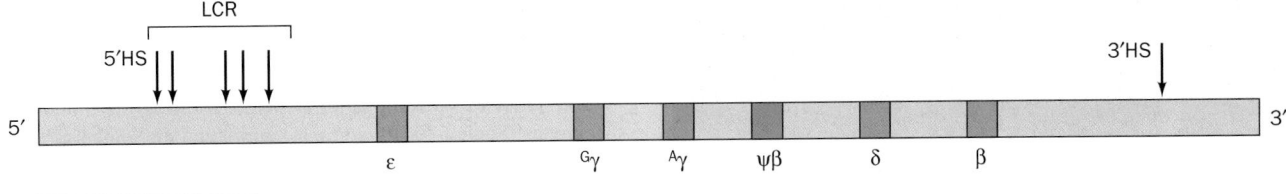

FIGURE 34-68 Le groupe des gènes de globine-β montrant les positions (flèches) de ses gènes et les sites hypersensibles (HS) à l'ADNase I. Les sites hypersensibles du coté 5′ des gènes de globine-ε (5′HS) forment la région de contrôle du locus (LCR pour « locus control region »),

leur présence est nécessaire pour l'expression des gènes de type β. La délétion de la région LCR, comme c'est le cas dans la délétion dite hispanique, élimine totalement l'expression des gènes de type β. Les produits du groupe des gènes de globine-β sont étudiés dans la Section 34-2F.

bines β humaines, entre ses sites hypersensibles, expriment de grandes quantités de globine β humaine dans les tissus hématopoïétiques. Les sites en 5′ du groupe des gènes de globines β humaines, appelés **régions de contrôle de locus (LCR, « locus control region »)**, servent donc à supprimer les effets de position sur de grandes distances (par ex. les quelques 100 kb de longueur du groupe des gènes de globines β).

Les LCR semblent être activés par des protéines qui ne sont exprimées que dans des lignées cellulaires spécifiques (par ex. dans les cellules erythroïdes pour ce qui est des gènes contrôlés par le LCR de la globine β) et qui, d'une manière ou d'une autre rendent les gènes sous le contrôle du LCR susceptible d'être activé par des facteurs de transcription. Pour alimenter ce débat, il a été montré que des gènes autres que ceux des globines ayant été mis sous le contrôle du LCR du groupe des gènes de globines β sont exprimés dans les cellules erythroïdes, mais pas dans les cellules non erythroïdes. On trouve des LCR dans un nombre croissant de gènes de mammifères. Cependant la façon dont ils permettent l'expression des gènes sous leur contrôle reste largement spéculative.

γ. Les isolateurs isolent les gènes des éléments régulateurs éloignés

Nous avons vu que les activateurs ont une action qui ne dépend ni de leur position, ni de leur orientation Mais alors, qu'est-ce qui empêche un activateur de modifier la transcription de tous les gènes situés sur le même chromosome que lui ? Inversement, la formation d'hétérochromatine s'avère capable d'autonucléation. Qu'est-ce qui empêche l'hétérochromatine de se propager dans les segments voisins d'euchromatine et d'empêcher la transcription des gènes qui la composent ? Dans bien des cas cela semble être la tâche de petites (<2 kb) séquences d'ADN appelées **isolateurs** ou **insulateurs** qui définissent ainsi les frontières des domaines fonctionnels.

Parmi les isolateurs les mieux caractérisés, se trouvent les séquences **scs** et **scs′** de *Drosophila* (scs pour structure spécialisée de chromatine), qui encadrent normalement deux gènes consécutifs de choc thermique *hsp70*. Quand on transforme une Drosophile avec le gène *white* (qui produit des yeux de couleur blanche ; Section 1-4C) avec un promoteur minimum, on obtient des lignées de mouches avec une couleur d'œil variable, à cause de l'effet de position. Alors que lorsque la construction est encadrée de scs et scs′, on n'obtient que des mouches avec des yeux blancs. Il est évident que ces isolateurs surmontent l'effet de position. De plus, l'insertion de scs ou de scs′ entre un gène et ses séquences régulatrices en amont, supprime l'influence de ces séquences sur l'expression de ce gène. Plusieurs autres isolateurs ont été caractérisés, aussi bien chez *Drososphila* que chez les vertébrés.

Ce qui précède indique que les isolateurs ressemblent à des LCR puisqu'ils suppriment les effets de position. Cependant, contrairement aux LCR, les isolateurs n'ont aucune propriété positive d'activateur ou négative de répresseur sur l'expression des gènes qu'ils contrôlent. *En fait, la seule fonction des isolateurs et d'empêcher des éléments régulateurs situés à l'extérieur de la région qu'ils isolent, d'influencer l'expression des gènes situés à l'intérieur de cette région.* Les LCR n'ont pas cette propriété, ils ne protègent pas les gènes auxquels ils sont associés de l'influence de séquences de contrôle situées en amont du LCR. En fait, en amont du groupe des gènes de globine b de poulet, il y a un isolateur appelé **HS4** (site hypersensible 4) qui empêche les éléments régulateurs situés plus en amont d'influencer l'expression de ce groupe de gènes.

Le mode d'action des isolateurs reste énigmatique. On pense que ce ne sont pas les isolateurs par eux-mêmes, mais les protéines qui s'y fixent qui constituent les éléments isolateurs actifs. Par exemple, chez *Drosophila*, l'insertion de l'élément transposable *gypsy* entre le promoteur du gène *yellow* (qui donne des mouches avec un corps jaune pâle plutôt que le brun-jaune de type sauvage) et son activateur en amont empêche cet activateur d'activer *yellow*, mais reste sans effet sur les activateurs situés en aval. La protéine à 12 doigts à zinc appelée **Su(Hw)** (pour « *s*uppressor of *h*airy *w*ing » ; suppresseur d'ailes poilues) se fixe spécifiquement à gypsy, et elle est nécessaire pour ses propriétés de blocage de l'activateur. Su(Hw) se fixe aussi à la protéine **Mod(mdg4)** (*mod*ificateur de *mdg4*), elles se fixent ensemble à la **matrice nucléaire** (l'équivalent nucléaire du cytosquelette). Les études d'immunocytochimie de Victor Corces ont montré que Su(Hw) et Mod(mdg4) sont localisées ensemble sur plusieurs centaines de sites des chromosomes polytènes de *Drosophila* (Fig. 34-69) et qu'elles ont une répartition ponctiforme dans la matrice nucléaire. Une distribution analogue a été observée pour la protéine **BEAF-32** (pour « boundary element associated factor of 32 kD », facteur de 32 kD associé aux éléments frontière), qui se fixe spécifiquement à scs′ mais pas à scs. Ces observations laissent penser que ces protéines se fixent chacune à de nombreux sites isolateurs des chromosomes de *Drosophila*, ce qui suggère en retour que les isolateurs ont une fonction de régions d'ancrage à la matrice (MAR ; Section 34-1D) pour former des domaines structuraux. Ces protéines pourraient empêcher les activateurs situés en dehors d'un tel domaine structural d'influencer l'expression des gènes situés à l'intérieur et pourraient de plus inhiber l'empiètement de l'hétérochromatine sur ce domaine, ce qui inactiverait la capacité transcriptionnelle du domaine. De même, le blocage de l'activateur du groupe des gènes de globine β de poulet est corrélé à la fixation de la protéine à 11

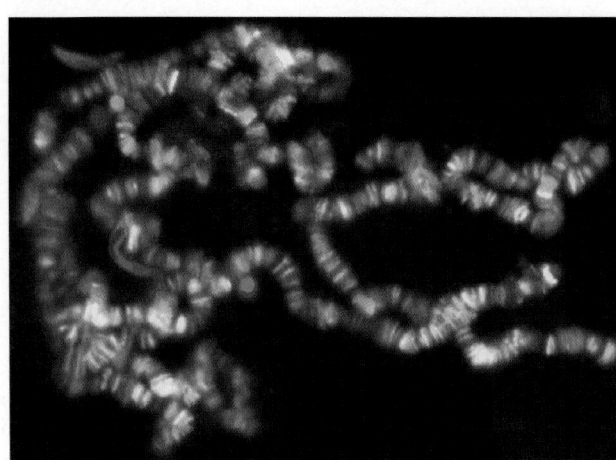

FIGURE 34-69 Colocalisation des protéines Su(Hw) et Mod(mdg4) sur les chromosomes polytènes de larves de *Drosophila*. L'ADN a été coloré en bleu tandis que les protéines ont été colorées par réaction immunochimique de sorte que les sites contenant Su(Hw) apparaissent en vert, et ceux contenant Mod(mdg4) apparaissent en rouge ; ainsi les sites où les deux protéines sont colocalisées apparaissent en jaune. [Avec l'aimable autorisation de Victor Corces, Université John Hopkins.]

doigts à zinc **CTCF** à HS4 et en plus, les sites de fixation de CTCF sont répartis dans tout le génome.

z. L'immunoprécipitation de chromatine met en évidence les sites de fixation des protéines sur l'ADN

Dans ce paragraphe, nous allons étudier les séquences d'ADN, auxquelles se fixent des protéines spécifiques dans la chromatine. Dans de nombreux cas ces séquences d'ADN ont été identifiées grâce à une méthode appelée **immunoprécipitation de chromatine (ChIP)**. Cette technique ChIP comprend plusieurs étapes :

1. Les cellules vivantes sont traitées au formaldéhyde, qui ponte rapidement les groupements amine et imine des résidus Arg, His et Lys aux groupements amine voisins (dans un rayon d'environ 2Å) des bases, principalement ceux de l'adénine et de la cytosine, tout en, préservant la structure de la chromatine :

$$R_1-NH_2 \quad + \quad \underset{\textbf{Formaldéhyde}}{\overset{\displaystyle O}{\underset{H}{\overset{\|}{\underset{}{C}}}\underset{H}{}} \quad + \quad H_2N-R_2$$

$$\Downarrow$$

$$R_1-NH-CH_2-HN-R_2$$

2. Les cellules sont lysées et la partie de chromatine ayant subi des pontages est découpée par sonication en fragments manipulables d'environ 500 pb.

3. Les fragments de chromatine sont incubés avec des anticorps (Section 35-2B) dirigés contre les protéines d'intérêt (ça peut être une histone présentant une modification particulière telle une acétylation ou une méthylation sur un site particulier ; voir plus loin). Le mélange est ensuite adsorbé sur des billes de gel d'agarose auxquelles a été couplée la **Protéine A** de *Staphylococcus aureus* (Section 6-3C). La protéine A se fixe aux anticorps, mais seulement quand ils sont fixés à leur antigène cible, cela permet d'isoler uniquement les fragments de chromatine dans lesquels l'ADN est ponté à la protéine fixée à son anticorps.

4. L'ADN est détaché de la protéine à laquelle il est ponté, par acidification, il y a ainsi réversion de la réaction de pontage par le formaldéhyde et l'ADN est isolé.

5. L'ADN est identifié soit par PCR en utilisant des amorces spécifiques (Section 5-5F), soit par hybridation de Southern (Section 5-5D), soit encore par hybridation à un micro-alignement d'ADN (Section 7-6B). On peut ainsi connaître la nature des segments d'ADN à laquelle la protéine étudiée se fixe.

aa. La modification des histones et le remodelage jouent un rôle essentiel dans l'activation de la transcription

L'ADN emballé dans la chromatine doit être accessible à la machinerie de transcription pour qu'elle puisse l'exprimer. Comme nous allons le voir, cela repose sur deux types de mécanismes agissant en synergie : (1) la modification post-traductionnelle des histones du cœur du nucléosome, principalement sur leurs queues N-terminales, et (2) le remodelage de la chromatine, par un changement de la position et/ou des propriétés de ses nucléosomes, sous le contrôle d'un mécanisme consommateur d'ATP.

Les modifications post-traductionnelles que subissent les histones cœur comprennent l'acétylation/désacétylation de chaînes latérales de résidus Lys et Arg spécifiques, la phosphorylation/déphosphorylation des chaînes latérales de résidus Ser spécifiques et parfois de résidus Thr, et également l'ubiquitination des chaînes latérales de résidus Lys spécifiques (Fig. 34-70). Les chaînes latérales des résidus Lys peuvent être mono, di ou triméthylées tandis que les chaînes latérales des résidus Arg peuvent être

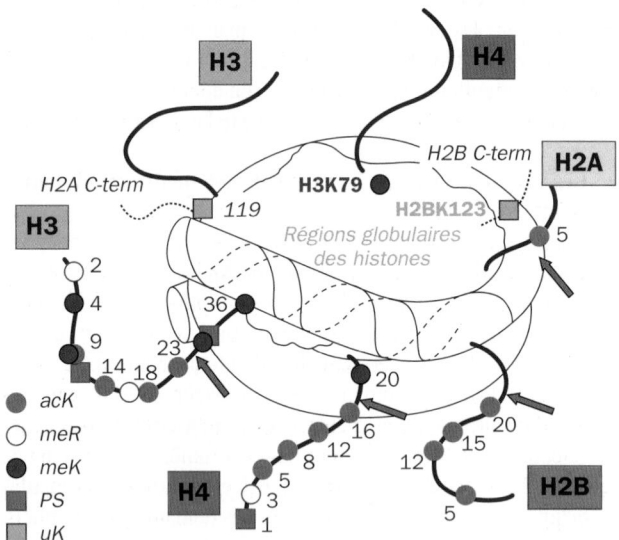

FIGURE 34-70 Modifications des histones du cœur de la particule nucléosomique. Les sites de modifications post-traductionnelles sont indiqués par le numéro du résidu et un symbole de couleur expliqué en bas à gauche (*acK* = acétyl-Lys, *meR* = méthyl-Arg, *meK* = méthyl-Lys, PS = phospho-Ser et *uK* = Lys ubiquitinée). Notez que le résidu Lys 9 de l'histone H3 peut être soit méthylé, soit acétylé. Les modifications des queues N-terminales ne sont indiquées que sur l'une des copies des histones H3 et H4, et une seule molécule de H2A comme de H2B est montrée. Les queues C-terminales d'une molécule H2A et d'une molécule H2B sont représentées par des lignes pointillées. Les flèches vertes indiquent les sites des nucléosomes intacts, susceptibles d'une coupure par la trypsine. Ce dessin est une synthèse des résultats correspondant à différents organismes, certains pouvant ne pas présenter l'une ou l'autre modification. [Avec l'aimable autorisation de Bryan Turner, École de Médecine de l'Université de Birmingham, G.-B.]

monométhylé, ou encore diméthylés, soit de façon symétrique, soit de façon assymétrique. Les queues N-terminales des histones cœur, comme nous l'avons vu (Section 34-1B), participent à la stabilisation de la structure du cœur des nucléosomes ainsi qu'à une stabilisation d'une structure d'ordre supérieur de la chromatine. Toutes ces modifications, sauf les méthylations, réduisent (en la rendant plus négative) la charge électronique des chaînes latérales sur lesquelles elles se produisent. Elles sont donc susceptibles d'affaiblir les interactions histone-ADN et de promouvoir une décondensation de la chromatine, bien que, comme nous allons le voir, ce ne soit pas toujours le cas. Les groupements méthyl, par contre, augmentent le caractère basique et hydrophobe des chaînes latérales qui les portent et tendent donc à stabiliser la structure de la chromatine. Les queues d'histones modifiées interagissent également avec des protéines non histones spécifiques, associées à la chromatine, d'une manière qui change l'accessibilité transcriptionnelle des gènes correspondants.

La caractérisation de différentes modifications des queues des histones a conduit David Allis à émettre l'hypothèse qu'*il existerait un « code des histones » dans lequel des modifications spécifiques suscitent certaines réactions de la chromatine, ces modifications agiraient de façon séquentielle ou combinatoire pour produire une réponse biologique unique.* Par exemple, la chromatine décondensée et donc active du point de vue transcriptionnel est associée à l'acétylation des résidus H3Lys9 et 14 et H4Lys5, ainsi qu'à la méthylation des résidus H3Lys4 et H4Arg3. La chromatine condensée, et donc inactive du point de vue transcriptionnel, est associée à l'acétylation des résidus H4Lys12, et à la méthylation des résidus H3Lys9. Le déplacement d'un nucléosome est associé à la phosphorylation des résidus H3Ser10 et 28. On peut voir dans la Fig. 34-70 qu'il existe un grand nombre de combinaisons de modifications des histones.

La croissance d'un organisme multicellulaire nécessite une prolifération des cellules dans ses différents tissus, conservatrice de l'identité de chaque tissu (Le mécanisme par lequel les cellules acquièrent de façon progressive et irréversible leur identité, ce que l'on appelle différenciation, est traité dans la Section 34-4). Un type cellulaire donné est en grande partie défini par son profil caractéristique d'expression génique. Puisque la plupart des cellules d'un organisme pluricellulaire ont le même complément d'ADN, comment ces cellules peuvent-elles maintenir leur identité (leur profil d'expression génique), d'une génération de cellules à l'autre ? On voit bien que les modifications des histones sont en grande partie conservées d'une génération à l'autre, il s'agit donc de marquages épigénétiques, tout comme les profils de méthylation de l'ADN (Section 30-7). On ne sait pas comment une cellule transmet le marquage épigénétique de ses histones à sa descendance, mais il est presque certain que cela met en jeu le recrutement d'enzymes modificatrice des histones au niveau des nucléosomes nouvellement assemblés sur l'ADN qui vient d'être répliqué.

bb. Les histones acétyltransférases (HAT) font partie de coactivateurs transcriptionnels multimériques

Vincent Allfrey a découvert à la fin des années 1960 que l'acétylation et la désacétylation des histones sont respectivement corrélées à l'activation et la répression transcriptionnelles. Ce n'est pourtant que vers le milieu des années 1990 Que les protéines responsables de l'acétylation et de la désacétylation des histones ont été identifiées et caractérisées. Les chaînes latérales des résidus Lys des histones sont acétylées, selon une séquence de réactions

spécifiques, par des enzymes appelées **histone acétyltransférases (HAT),** qui utilisent l'acétyl-CoA (Fig. 21-2) comme groupement donneur d'acétyl :

$$CoA-S-\overset{\overset{O}{\|}}{C}-CH_3 \quad + \quad Lys-(CH_2)_4-\overset{+}{N}H_3$$

Acétyl-CoA · · · · · · · · · · **Histone Lys**

$$\downarrow \text{HAT}$$

$$CoA-SH \quad + \quad Lys-(CH_2)_4-NH-\overset{\overset{O}{\|}}{C}-CH_3$$

Histone Acétyl-Lys

Les nombreuses HAT connues se répartissent en cinq familles : (1) la **famille GNAT** (apparentée à la *G*cn5 *N-a*cétyl*t*ransférase ; **Gcn5** a été découvert chez la levure, il est l'une des HAT les mieux caractérisées). On trouve dans cette famille, Gcn5, son homologue Gcn5L (pour *Gcn5-l*ike protein) et PCAF [pour *p*300/*C*BP-*a*ssociated *f*actor, **p300** et **CBP** (pour « *c*AMP response element *b*inding protein », protéine se liant aux éléments de réponse à l'AMPc), qui sont des coactivateurs homologues de la transcription], et **Hat1** (qui acétyle les histones dans le cytoplasme avant leur importation dans le noyau) ; (2) la **famille MYST** (du nom de ses premiers membres découverts, **MOZ, Ybf2/Sas3, Sas2** et **Tip60**) ; (3) la **famille TAF1** (TAF1, la plus grande sous-unité de TFIID s'appelait auparavant **TAF$_{II}$250**) ; et (4) la **famille SRC** (pour « *s*teroid *r*eceptor *c*oactivator »). La plupart des HAT en dehors de Hat1 sont des coactivateurs ou des corépresseurs mais certaines sont impliquées dans la régulation de la progression du cycle cellulaire, dans la régulation de l'ADN et dans l'élongation transcriptionnelle.

In vivo, la plupart de ces HAT, sinon toutes, font partie de complexes souvent très grands de nombreuses sous-unités (10 à 20), dont beaucoup ont été caractérisés initialement comme régulateurs transcriptionnels. Parmi eux : SAGA (pour « *s*pt/*A*da/*G*cn5/*a*cétyltransférase »), le **complexe PCAF** très similaire (qui contient PCAF), **STAGA** (« *s*pt3/*TAF/G*cn5L *a*cétyltransférase » ; dont la HAT est Gcn5L), **ADA** (« transcriptionnel *ada*ptator »), TFIID (qui contient TAF1), **TFTC** (« *T*BP-*f*ree *TAF c*ontaining complex », un complexe sans TBP, contenant des TAF), **NuA3** et **NuA4** (*nu*cléosome *a*cétyltransférase de H*3* et H*4*).

Beaucoup de complexes HAT ont des sous-unités communes. Ainsi, trois des quatre sous-unités de ADA, Gcn5, **Ada2** et **Ada3** sont communes avec le complexe SAGA de 14 sous-unités. De même, SAGA et NuA4 contiennent tous deux **Tra1,** un homologue des phosphoinositide-3 kinases (Section 19-4D), qui interagissent avec des activateurs transcriptionnels spécifiques, parmi lesquels **Myc** (Section 34-4C). Curieusement, plusieurs complexes HAT, à part TFIID et TFTC, contiennent des TAF. Ainsi, SAGA contient **TAF5,** TAF6, TAF9, **TAF10** et TAF12, tout comme le complexe PCAF, excepté que TAF5 et TAF6 sont remplacés dans ce complexe par des homologues très proches, **PAF65β** et **PAF65α** (*P*AF pour « *P*CAF *a*ssociated *f*actor »). TAF6, TAF9 et TAF12, comme nous l'avons dit plus haut, sont des homologues structuraux respectifs des histones H3, H4 et H2B. Par conséquent, ces TAF s'associent probablement pour former un élément architectural commun à TFIID, à SAGA et au complexe PCAF, il est donc vraisemblable que ces complexes interagissent avec TBP d'une façon similaire.

On pense que les différents complexes HAT dirigent leurs HAT respectives vers les promoteurs des gènes actifs. De plus, ils modifient les spécificités de ces HAT. Par exemple, les HAT ont la propriété générale, bien qu'elles soient capables d'acétyler au moins un type d'histone à l'état libre, de ne pouvoir acétyler les histones dans des nucléosomes que si elles sont elles-même membre d'un complexe HAT. Ainsi, Gcn5 isolée acétyle les résidus H3 Lys 14 et plus faiblement H4 Lys 8 et 16. Cependant, lorsque Gcn5 est dans SAGA, il étend sa spécificité pour H3, aux résidus Lys 9, 14 et 18 et acétyle aussi H2B, tandis que Gcn5 dans ADA acétyle H3 sur ses résidus Lys 14 et 18, ainsi que H2B. Aucun de ces complexes n'acétylant H4.

Les structures par rayons X de plusieurs HAT ont été déterminées. Celle de domaine HAT de Gcn5 de *Tetrahymena thermophila* (résidus 48 à 210 de la protéine de 418 résidus) complexé avec un inhibiteur de type bisubstrat a été déterminée par Ronen Marmorstein. L'inhibiteur bisubstrat (Fig. 34-71*a*) consiste en un CoA dont l'atome S est lié de façon covalente, par un groupement isopropionyl (qui mime un groupement acétyl) à la chaîne latérale du résidu Lys 14 du segment des 20 résidus N-terminaux de l'histone H3. La structure (Fig. 34-71*b*) montre que l'enzyme a une fente profonde et qu'il contient une région cœur commune à toutes les HAT de structure connue (en rose vif dans la Fig. 34-71*b*), elle comporte un feuillet β antiparallèle à trois brins relié par une hélice α à un quatrième brin β ayant une interaction parallèle avec le feuillet β. Seuls six résidus de la queue de l'histone, de Gly 12 à Arg 17, sont visibles dans la structure par rayons X. La molécule de CoA se fixe dans la fente de l'enzyme de telle façon qu'il est surtout en contact avec des résidus du cœur de l'enzyme.

La comparaison de cette structure avec d'autres structures contenant Gcn5 indique que la fente s'est refermée autour de CoA.

cc. Les bromodomaines recrutent les coactivateurs sur les résidus Lys acétylés des queues des histones

Les différents profils d'acétylation des histones nécessaires pour remplir différentes fonctions (le code des histones) suggère que la fonction de l'acétylation des histones est de nature plus complexe qu'une simple atténuation des interactions entre les charges des queues N-terminales cationiques des histones et l'ADN anionique. En effet, de plus en plus de données montrent que les profils spécifiques d'acétylation sont reconnus par des modules protéiques de coactivateurs transcriptionnels d'une façon assez semblable à la reconnaissance de séquences phosphorylées spécifiques par des modules protéiques comme les domaines SH2 et PTB, qui permettent la transduction du signal via des cascades de protéines-kinases (Section 19-3). De fait, presque tous les coactivateurs transcriptionnels associés à une HAT contiennent des modules d'environ 110 résidus appelés **bromodomaines** qui se fixent spécifiquement à des résidus Lys acétylés des histones. Gcn5, par exemple, est essentiellement constitué de son domaine HAT suivi d'un bromodomaine, tandis que TAF1 consiste essentiellement en un domaine kinase N-terminal suivi d'un domaine HAT et de deux bromodomaines en tandem.

La structure par rayons X du double bromodomaine de la protéine TAF1 humaine (résidus 1359 à 1638 de la protéine de 1872

(a)

Peptide N-terminal de l'histone H3

Ac—A$_1$—R—T—K—Q$_5$—T—A—R—K—S$_{10}$—T—G—G—K—A$_{15}$—P—R—K—Q—L$_{20}$—COO$^-$

$$| \\ CH_2 \\ | \\ CH_2 \\ | \\ CH_2 \\ | \\ CH_3 \quad O \quad CH_2 \\ | \quad \quad \| \quad | \\ CoA—S—CH—C—NH$$

Groupement
isopropionyl

(b)

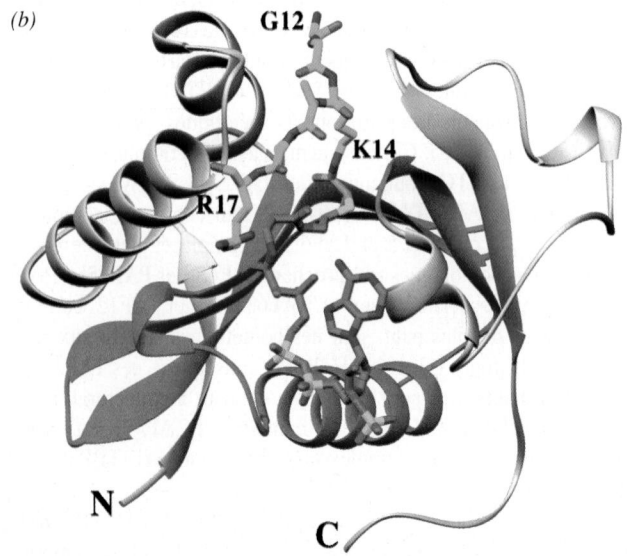

FIGURE 34-71 *Structure par rayons X de GCN5 de* **Tetrahymena** *associé à un inhibiteur bisubstrat.* (*a*) L'inhibiteur bisubstrat, un conjugué peptide-CoA, est constitué de CoA lié de façon covalente par son atome S, via un groupement isopropyl à la chaîne latérale du résidu Lys 14 du segment N-terminal de 20 résidus de l'histone H3. (*b*) La protéine est représentée sous forme d'un ruban de couleur rose pâle avec sa région centrale en rose vif. Le conjugué peptide-CoA est représenté sous forme de bâtonnets colorés selon le type des atomes (C des histones en vert, C du groupement isopropionyl en orange, C du CoA en vert, N en bleu, O en rouge, S en jaune vif et P en jaune d'or). [La partie *b* est basée sur une structure par rayons X de Ronen Marmorstein, Institut Wistar, Philadelphie, Pennsylvanie. PDBid 1M1D.]

résidus) a été déterminée par Tijan. Elle montre qu'il est constitué de deux faisceaux de 4 hélices antiparallèles presque identiques (Fig. 34-72). Différentes données, y compris des structures par RMN de bromodomaines isolés complexés à leurs peptides cibles contenant un résidu Lys acétylé, indiquent que le site de liaison au résidu Lys acétylé de chaque bromodomaine se trouve dans une profonde poche hydrophobe située au bout du faisceau de 4 hélices à l'opposé de ses extrémités N et C-terminales. Les deux poches de liaison du bromodomaine double sont distantes d'environ 25 Å, cela les met en position idéale pour se fixer à deux résidus Lys acétylés séparés par 7 à 8 résidus. En fait, la queue de l'histone H4 contient des résisus Lys aux positions 5, 8, 12 et 16 (Fig. 34-70), leur acétylation est corrélée à une augmentation de l'activité transcriptionnelle. De plus, le peptide des 36 résidus N-terminaux de l'histone H4, lorsqu'il est entièrement acétylé, se fixe au double bromodomaine de TAF1 dans un rapport 1/1 avec une affinité 70 fois plus grande que ne le font des bromodomaines simples, mais il ne peut pas se fixer lorsque le peptide n'est pas acétylé.

La structure que nous avons vue précédemment laisse penser que les bromodomaines de TAF1 servent à diriger TFIID vers des promoteurs situés soit dans des nucléosomes, soit près d'eux (cela s'oppose à la notion couramment répandue que TFIID dirigerait les CPI vers des régions libres de nucléosomes). Aussi Tijan a-t-il émis l'hypothèse que le processus d'initiation de la transcription pourrait débuter par le recrutement d'un complexe contenant une HAT, par une protéine se fixant à l'ADN en amont (Fig. 34-73).

La protéine HAT pourrait alors acétyler les queues N-terminales des histones des nucléosomes voisins, ceux-ci recruteraient TFIID sur un promoteur correctement placé via la fixation des bromodomaines de son composant TAF1 à des résidus Lys acétylés. De plus, l'activité HAT de TAF1 permettrait d'acétyler d'autres nucléosomes proches, ce qui aurait pour effet de démarrer une cascade d'événements d'acétylation qui rendraient la matrice ADN compétente pour l'initiation de la transcription.

dd. Les histones désacétylases (HDAC)

L'acétylation des histones est un processus réversible. Les enzymes qui enlèvent les groupements acétyl des histones, les **histones désacétylases (HDAC)**, entraînent la répression transcriptionnelle et l'extinction des gènes. Les cellules eucaryotiques,

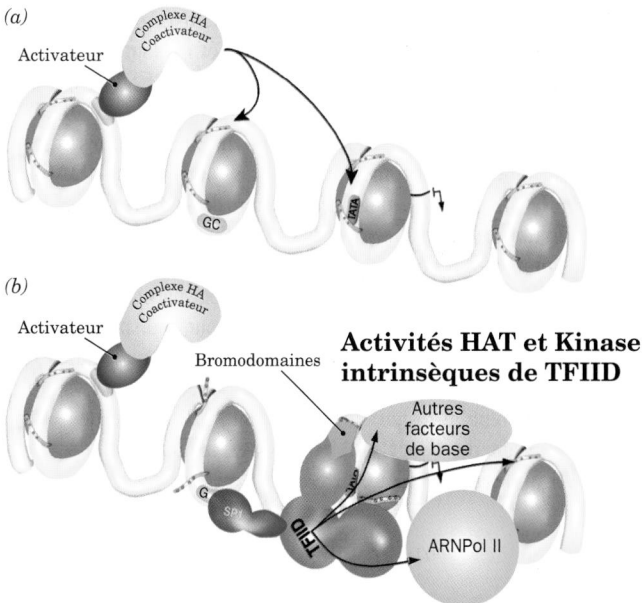

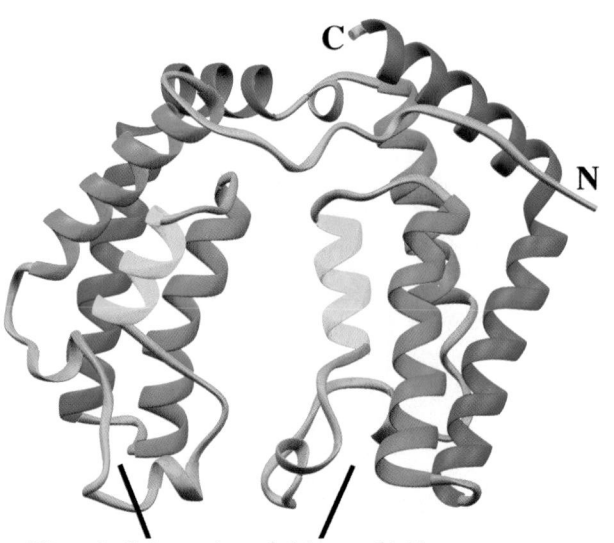

FIGURE 34-72 Structure par rayons X du double bromodomaine de TAF1 humain. Chaque bromodomaine est constitué d'un faisceau de quatre hélices antiparallèles, ses hélices sont colorées, en allant de l'extrémité N-terminale vers l'extrémité C-terminale, en rouge, en jaune, en vert et en bleu, les parties restantes étant en orange. Les deux faisceaux de quatre hélices sont reliés par une rotation d'environ 108° autour d'un axe qui est presque parallèle à l'axe principal du faisceau de quatre hélices (les verticales dans ce dessin). Les sites de liaison des résidus acétyl-Lys occupent de profondes poches hydrophobes à l'extrémité de chaque faisceau de quatre hélices, du coté opposé à leurs extrémités N et C-terminales. [D'après une Structure par rayons X de Robert Tijan, Université de Californie, Berkeley. PDBid 1EQF.]

FIGURE 34-73 Modèle simplifié de l'assemblage d'un complexe d'initiation de la transcription sur une matrice liée à de la chromatine. L'ADN est représenté ici comme un serpent jaune les octamères d'histones autour desquels l'ADN s'enroule pour former les nucléosomes sont montrés sous forme de sphères rouges. Les queues N-terminales des histones sont dessinées sous forme de petits bâtonnets bleu clair, où les points rouges et verts représentent respectivement les résidus Lys non acétylés, et acétylés. Le site d'initiation de la transcription est représenté par l'anneau noir autour de l'ADN d'où part la flèche courbée à angle droit, pointant vers le bas. (*a*) Le processus commence par le recrutement d'un complexe coactivateur de la transcription contenant une HAT (en jaune) grâce à ses interactions avec une protéine activatrice se fixant à l'ADN (en violet) qui est fixée à un activateur transcriptionnel en amont (en bleu clair). La HAT coactivatrice se trouve ainsi en position d'acétyler la queue N-terminale des nucléosomes voisins (flèches courbes). (*b*) la liaison des bromodomaines de TAF1 aux queues acétylées des histones pourrait ensuite aider au recrutement de TFIID (en rose vif) sur une boîte TATA proche (tache orange). Une acétylation additionnelle des queues des histones voisines par le domaine HAT de TAF1 pourrait faciliter le recrutement d'autres facteurs de base (en bleu clair) et de l'ARNP II (en orange) sur le promoteur, stimulant ainsi la formation du CPI. Notez que ce modèle n'exclut pas d'autres voies d'activation comme la fixation de SP1 liée à un activateur (en violet) sur TFIID. [Avec l'aimable autorisation de Robert Tijan, Université de Californie, Berkeley.]

depuis la levure jusqu'aux cellules humaines, contiennent un grand nombre de HDAC différentes ; on en a identifié 10 chez la levure et 17 chez l'être humain. Les HDAC constituent trois familles de protéines : la classe I qui, chez l'être humain, contient **HDAC1, 2, 3 et 8** ; la classe II qui, chez l'être humain, contient **HDAC4 à 7, 9 et 10** ; et la classe III qui, chez l'être humain, contient les protéines nommées **sirtuines**, **SIRT1 à 7** (SIR pour « *s*ilent *i*nformation *r*egulator », régulateur de l'extinction). La plupart, sinon toutes les HDAC de classe I font partie de complexes de nombreuses sous-unités. Ainsi HDAC1 et HDAC2 constituent le cœur catalytique de trois complexes, **Sin3**, **NuRD** (« nucleosome remodeling histone deacetylase », histone désacétylase remodelant le nucléosome) et de **CoREST** (« *co*repressor to *RE*1 *s*ilencing *t*ranscription factor »). HDAC3, quant à lui, est le cœur catalytique de **N-Cor** (« *n*uclear hormone receptor *co*repressor ») et de **SMRT** (« *s*ilencing *m*ediator of retinoid and *t*hyroid hormone receptor »). Ces complexes servent de **corépresseurs transcriptionnels** pour de nombreux répresseurs transcriptionnels et ils sont capables de coopérer entre eux. Par exemple, le répresseur **REST** (« neuron-*rest*rictive repressor »), en se fixant à son site cible dans l'ADN, recrute CoREST et Sin3, qui répriment ensemble la transcription au niveau des nucléosomes voisins. La plupart des HDAC de classe II, sinon toutes, ont une fonction de corépresseurs de la transcription, bien qu'il semble que peu d'entre elles fassent partie de complexes à nombreuses sous-unités.

Les HDAC de classe III, les sirtuines, sont particulière, du fait qu'elles contiennent NAD$^+$ comme cofacteur indispensable. Au lieu de simplement hydrolyser la liaison amide qui attache les groupements acétyl aux chaînes latérales de leur résidu Lys cible, elles transfèrent ce résidu au groupement ADP-ribosyl de NAD$^+$, en produisant du *O*-**acétyl-ADP-ribose**, du nicotinamide et un résidu Lys désacétylé :

Une seule structure par rayons X d'une HDAC eucaryotique a pour l'instant été élucidée, il s'agit de SIRT2, un composant de la chromatine transcriptionnellement inactive, nécessaire à l'extinction des gènes. Cette structure, déterminée par Nikola Pavletich, révèle que le cœur catalytique de 323 résidus de ce monomère de 389 résidus comporte un domaine N-terminal de liaison au NAD$^+$ en pli de Rossmann et un domaine C-terminal plus petit constitué d'un module hélicoïdal et d'un module de fixation de Zn^{2+}

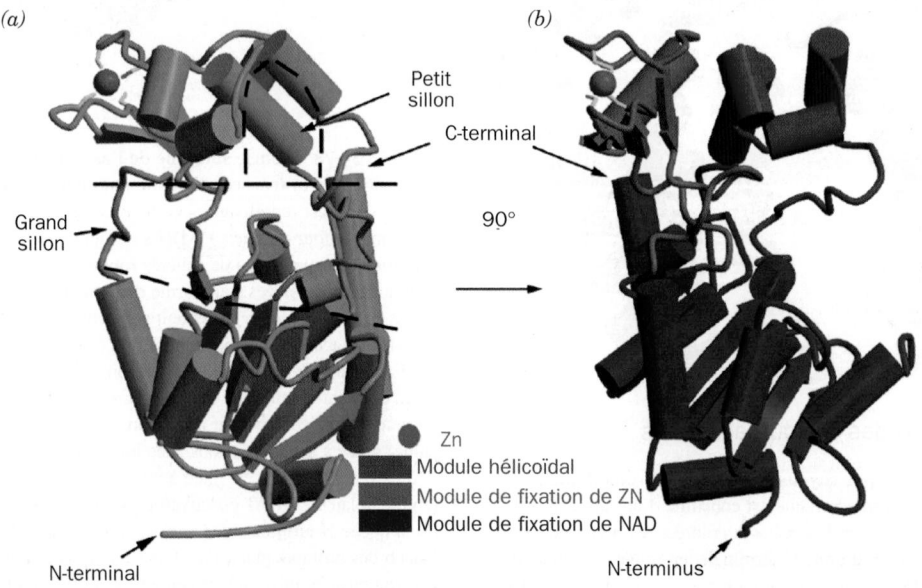

FIGURE 34-74 Structure par rayons X de la sirtuine humaine SIRT2. (*a*) vue de la protéine avec ses brins b en vert, les hélices et la plupart des boucles en bleu clair, les boucles formant les principaux éléments structuraux du grand sillon sont en beige, l'ion Zn^{2+} fixé est représenté par une sphère rose vif, et les quatre chaînes latérales des résidus Lys auxquelles il est lié sont sous forme de bâtonnets jaunes. La position du grand sillon qui forme le site catalytique de l'enzyme est indiquée, tout comme celle d'un petit sillon. (*b*) Une vue de la protéine après rotation de 90° autour d'un axe vertical par rapport à la vue en *a*. Le domaine de fixation du NAD est en bleu, le module hélicoïdal est en rouge, le module de fixation de Zn^{2+} est en gris. [Avec l'aimable autorisation de Nikola Pavletich, Centre anticancéreux Sloan-Kettering, New York, New York. PDBid 1J8F.]

(Fig. 34-74). Des études de mutagenèse indiquent que le site catalytique probable de l'enzyme est un grand sillon, bordé de résidus hydrophobes conservés, entre les deux domaines.

ee. La méthylation des histones

La méthylation des histones sur les chaînes latérales des résidus Lys et Arg des queues N-terminales des histones H3 et H4 (Fig. 34-70) tend à éteindre les gènes associés en induisant la formation d'hétérochromatine. Les enzymes responsables de ces méthylations, les **histone méthyltransférases (HMT)**, utilisent toutes la *S*-adénosylméthionine (SAM, Section 26-3E) comme donneur de méthyl. Ainsi, la lysine HMT, la mieux caractérisée des HMT catalyse la réaction suivante :

Histone Lys   **S-Adénosylméthionine**

lysine méthyltransférase

S-Adénosylhomocystéine

Ces enzymes possèdent toutes un domaine appelé **domaine SET** [*Su*(var)3-9, *E*(Z), *Trithorax*], qui contient leur site catalytique.

La lysine HMT humaine appelée SET7/9 monométhyle le résidu Lys 4 de l'histone H3. Steven Gamblin a déterminé la structure par rayons X du domaine SET de SET7/9 (résidus 108 à 366 de cette protéine de 366 résidus) complexé à la SAM et au décapeptide N-terminal de l'histone H3 dont le résidu Lys 4 est monométhylé. De façon intéressante, la SAM et le peptide substrat se fixent sur des cotés opposés de la protéine (Fig. 34-75). Pourtant, il existe un étroit tunnel à travers la protéine, dans lequel s'insère la chaîne latérale du résidu Lys 4 de sorte que son groupement amine se trouve en position favorable pour être méthylé par la SAM. L'arrangement des accepteurs de liaisons hydrogène pour le groupement amine du résidu Lys stabilise la chaîne latérale du résidu méthyl-Lys dans l'orientation où on la voit autour de la liaison C_ε–N_ζ, ce qui crée une contrainte stérique empêchant le groupement méthyl-Lys de prendre une conformation dans laquelle la SAM pourrait le méthyler davantage.

Malgré d'intenses recherches, on n'a pas trouvé d'enzyme qui déméthyle les histones. On peut donc penser que la méthylation des histones serait irréversible. Pourtant on connaît plusieurs situations dans lesquelles il semble y avoir déméthylation, même si c'est à un faible niveau. Par exemple, chez la levure, Le résidu

Lys 4 de H3 est triméthylé dans les promoteurs actifs alors qu'il est diméthylé dans les promoteurs inactifs, cela indique que les histones peuvent modifier leur état de méthylation de façon réversible. Cette déméthylation pourrait être effectuée par une déméthylase qui reste à caractériser, il pourrait aussi y avoir remplacement d'histone méthylée par une histone non modifiée ou y avoir excision protéolytique d'une queue d'histone méthylée, cela pouvant être la première étape du remplacement de l'histone.

Les histones méthylées sont reconnues par ce qu'on appelle les **chromodomaines**. Par exemple, le résidu Lys 9 de H3 se lie à la **protéine hétérochromatique** 1 (HP1), qui contient un chromodomaine. Celle-ci recrute alors des protéines qui contrôlent la structure de la chromatine et l'expression génique. Natalia Murzina et Earnest Lau ont déterminé la structure par RMN du chromodomaine de la protéine HP1 de souris (résidus 8 à 80 de cette protéine de 185 résidus) complexé avec les 18 résidus N-terminaux de la queue de l'histone H3 dans laquelle les résidus Lys 4 et 9 sont diméthylés (Fig. 34-76). On voit que la queue de H3, en conformation allongée de type brin β< se fixe dans un sillon de la surface de HP1 (Fig. 34-76). La chaîne latérale du résidu Lys 9 de H3 est enfoui dans le chromodomaine (mais pas celle du résidu Lys 4 de H3), de sorte que ses deux groupements méthyl se trouvent dans une boîte hydrophobe formée de trois résidus aromatiques conservés. Au contraire, la queue de H3 lorsqu'elle n'est pas méthylée, ne se fixe pas à HP1.

Comme cela a déjà été mentionné, l'hétérochromatine a tendance à se propager, éteignant ainsi les nouveaux gènes inclus dans cette hétérochromatine. L'une des voies de ce mécanisme serait via la fixation de HP1 aux nucléosomes dont les résidus Lys 9 de l'histone H3 ont été méthylés (cela étant corrélé à une chromatine inactive du point de vue transcriptionnel). HP1, une fois fixée, recrute la protéine HMT **Suv39h**, qui méthyle les nucléosomes voisins sur les résidus Lys 9 de leurs histones H3, ce qui entraîne le recrutement de davantage de HP1, etc. Cette expansion de l'hétérochromatine, comme nous l'avons étudié plus haut, est empêchée par la présence d'un isolateur. L'isolateur HS4 du groupe des gènes de globine β de poulet recrute des HAT qui acétylent les résidus Lys 9 des histones H3 sur les nucléosomes voisins (cela étant corrélé à un état transcriptionnellement actif), il y a ainsi blocage de leur méthylation. Notons que cette activité est distincte de la fonction de blocage des activateurs de HS4, ce processus faisant appel à la fixation de CTCF à un autre sous-site de HS4 que celui auquel se fixent les HAT.

ff. L'ubiquitination des histones sert à réguler la transcription

Bien que l'ubiquitination serve surtout à marquer les protéines destinées à être détruites dans le protéasome (Section 32-6B), elle est aussi impliquée dans le contrôle de la transcription. Chez la levure, par exemple, la monoubiquitination du résidu Lys 123 de H2B (qui s'oppose à la polyubiquitination, qui marque les protéines destinées à la destruction), qui est due à l'enzyme de conjugaison à l'ubiquitine (E2) **Rad6** et à l'ubiquitine protéine ligase contenant un doigt RING (E3) **Bre1**, est un préalable nécessaire à la méthylation des résidus Lys 4 et 79 de l'histone H3. Ces différentes modifications sont impliquées dans l'extinction des gènes situés près des télomères. L'hypothèse a donc été émise que l'ubiquitination de H2B servirait de commutateur général contrôlant le profil de méthylation à des sites spécifiques des histones respon-

(a)

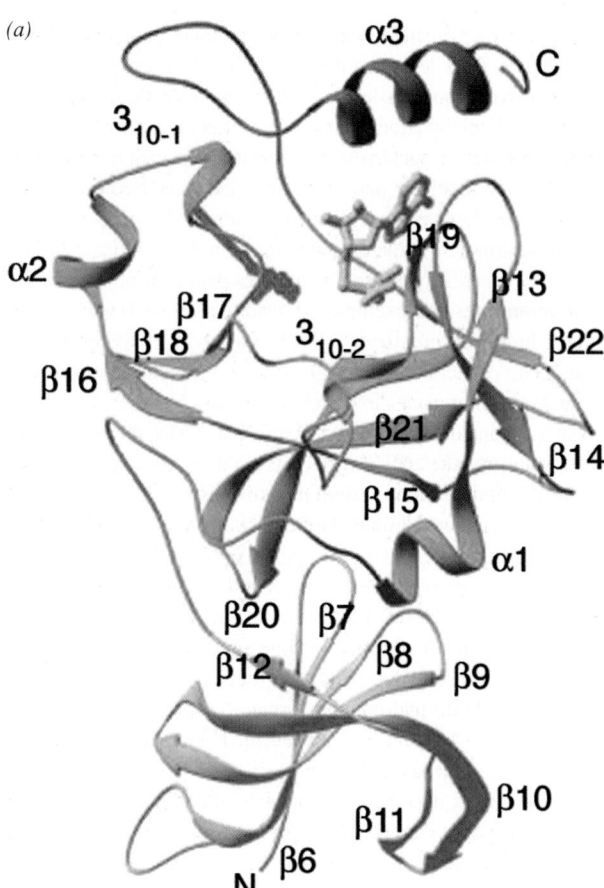

(b)

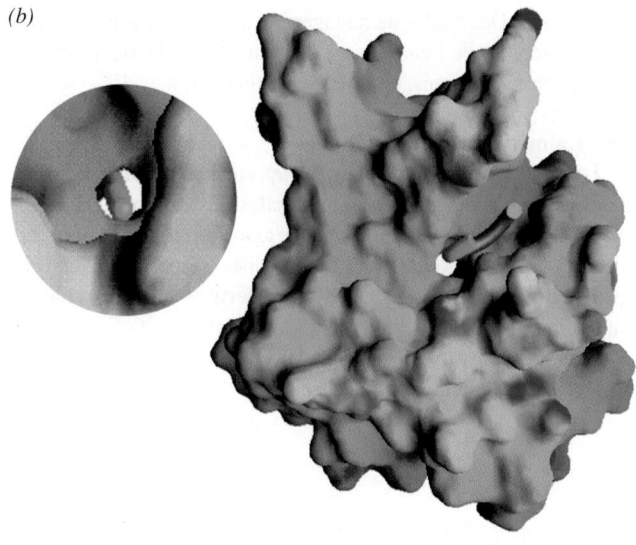

domaine SET est en bleu et le segment C-terminal est en gris. Le déca-peptide N-terminal de l'histone H3 avec son résidu Lys 4 méthylé est en vert. Le cofacteur SAM est en modèle éclaté en jaune. *(b)* Représentation de la surface de la protéine vue par la face arrière par rapport à la Partie a. La surface de la protéine est colorée en fonction de sa charge (du plus positif , en bleu, au plus négatif, en rouge, le gris correspondant à la neutralité), le décapeptide de H3 est représenté par un ruban vert. Notez l'étroit tunnel à travers la protéine, dans lequel la chaîne latérale du résidu méthyl-Lys est inséré. La cartouche sur la gauche montre une vue de détail de ce canal d'accès pour le résidu Lys contenant la chaîne latérale du résidu méthyl-Lys (*en vert*), vue depuis le site de fixation de la SAM. Notez que la chaîne latérale diméthylée du résidu Lys 9 est liée à la protéine, alors que celle du résidu Lys 4 ne l'est pas. [Avec l'aimable autorisation de Steven Gamblin, Institut National de la Recherche Médi-cale, Londres, G.-B.]

FIGURE 34-75 Structure par rayons X de l'histone méthyl transfé-rase humaine SET7/9 complexée avec la SAM et le décapeptide N-terminal de l'histone H3 dont le résidu Lys 4 est monométhylé. *(a)* Dessin en ruban dans lequel le domaine N-terminal est en rose, le

sable de l'extinction des gènes dans les télomères. On sait aussi que la sous-unité TAF1 de TFIID, qui monoubiquitine H1, a une fonction à la fois de type E1, d'enzyme d'activation de l'ubiqui-tine, et de type E2. Cette modification post-traductionnelle est nécessaire pour l'expression des gènes, dans le bon ordre, au cours du développement de *Drosophila*. Inversement, une enzyme de désubiquination des histones (DUB) est associée au complexe SAGA, de modification de la chromatine. Ainsi, bien que la lumière commence à peine à se faire sur le rôle de l'ubiquitination des histones, il est évident qu'il s'agit d'un régulateur essentiel de la transcription.

gg. Les complexes de remodelage de la chromatine

Les protéines qui se fixent à des séquences spécifiques de l'ADN doivent avoir accès à leur ADN cible avant de pouvoir s'y fixer. Pourtant, la quasi-totalité de l'ADN eucaryotique est séques-trée par les nucléosomes quand ce n'est pas dans une structure d'ordre supérieur de la chromatine. Comment les protéines qui se fixent à des segments d'ADN ont-elles alors accès à leur ADN cible ? La réponse, qui n'est devenue évidente que depuis le milieu des années 1990, est que *la chromatine contient des complexes, dont le moteur est l'ATP, qui remodèlent les nucléosomes*, c'est-à-dire qu'ils vont d'une façon ou d'une autre interrompre les inter-actions entre les histones et l'ADN dans les nucléosomes pour rendre l'ADN plus accessible. Cela provoquerait le glissement de

l'octamère d'histones le long du brin d'ADN vers un nouveau site (transfert en cis) ou permettrait sa relocalisation sur un autre ADN (transfert en trans). *Ces **complexes de remodelage de la chroma-tine** imposent donc un état « fluide » à la chromatine qui maintient l'état global d'empaquetage de son ADN, mais qui expose de façon transitoire des séquences particulières à l'interaction avec des fac-teurs.*

Les complexes de remodelage de la chromatine sont constitués de nombreuses sous-unités. Le premier à avoir été caractérisé est le complexe **SWI/SNF** de levure, dont le nom vient de la décou-verte, lors d'un criblage génétique, de son rôle essentiel pour l'ex-pression du gène *HO*, lequel est nécessaire pour la croissance sur saccharose (SNR, pour *s*accharose *n*on *f*ermenteur). SWI/SNF, un complexe de 1150 kD comportant 11 types différents de sous-uni-tés, n'est indispensable que pour l'expression d'environ 3 % des gènes de levure et n'est pas indispensable à la viabilité cellulaire. Cependant, un complexe apparenté nommé **RSC** (pour *r*emodèle la *s*tructure de la *c*hromatine) est environ 100 fois plus abondant chez la levure et il est nécessaire à la viabilité cellulaire. RSC a deux unités communes avec SWI/SNF et beaucoup de leurs autres sous-unités sont des homologues, y compris leurs sous-unités ATPase, qui s'appellent **Swi2/Snf2** dans SWI/SNF et **Sth1** dans RSC. L'ATPase Swi2/Snf2, ainsi que deux des sous-unités de RSC, contiennent des bromodomaines qui facilitent vraisembla-blement la fixation de leurs complexes aux histones acétylées.

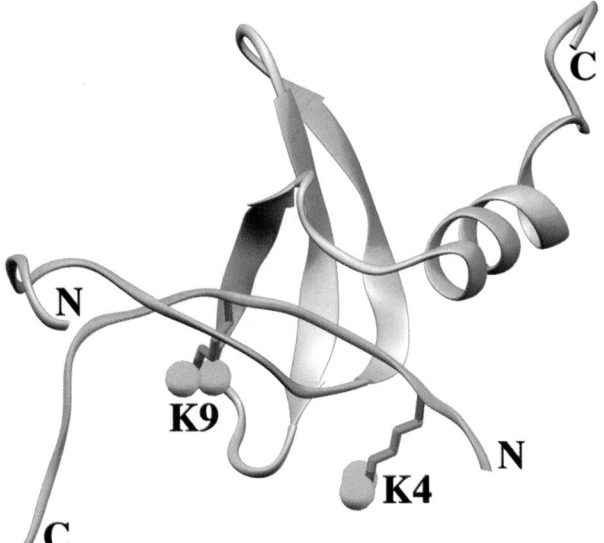

FIGURE 34-76 Structure par rayons X du chromodomaine de HP1 de souris complexé avec les 18 résidus N-terminaux de la queue de l'histone H3 dans laquelle les résidus Lys 4 et Lys 9 sont diméthylés. Le chromodomaine de 80 résidus est en rose, la queue N-terminale de l'histone H3 et en orange et les deux chaînes latérales de ses résidus Lys diméthylés sont représentées en modèle éclaté avec les atomes C en vert, N en bleu et leurs groupements méthyl représentés par des sphères bleu clair. La chaîne latérale du résidu Lys 9 de l'histone H3 est enfouie dans le chromodomaine, au contraire de celle du résidu Lys 4 de l'histone H3. [D'après une Structure par rayons X de Natalia Murzina et Earnest Laue, Université de Cambridge, G.-B. PDBid 1GUW.]

un nucléosome sans lui faire perdre les histones qui lui sont associées.

Le relâchement simultané de toutes les interactions qui maintiennent l'ADN sur un octamère d'histones nécessiterait un énorme apport d'énergie libre, il est donc improbable. Comment fonctionnent alors les complexes de remodelage de la chromatine ? Leurs différentes sous-unités ATPase ont une région d'homologie avec les hélicases (Section 30-2C), bien qu'elles n'aient pas d'activité hélicase. Néanmoins, il semble plausible que, comme les hélicases, les complexes de remodelage de la chromatine se « promènent » le long des brins de l'ADN, le moteur étant l'hydolyse d'ATP. Si un tel complexe était directement ou indirectement attaché à une histone, cela créerait une contrainte de torsion sur l'ADN du nucléosome, diminuant ainsi localement son surenroulement (Le superenroulement de l'ADN est traité dans la Section 29-3A). La zone de diminution de torsion pourrait alors diffuser le long de l'ADN enroulé autour du nucléosome, diminuant ainsi transitoire-

(a)

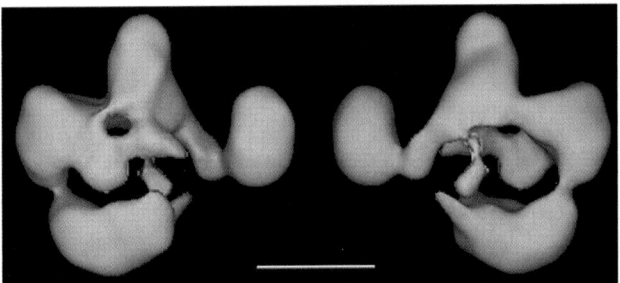

(b)

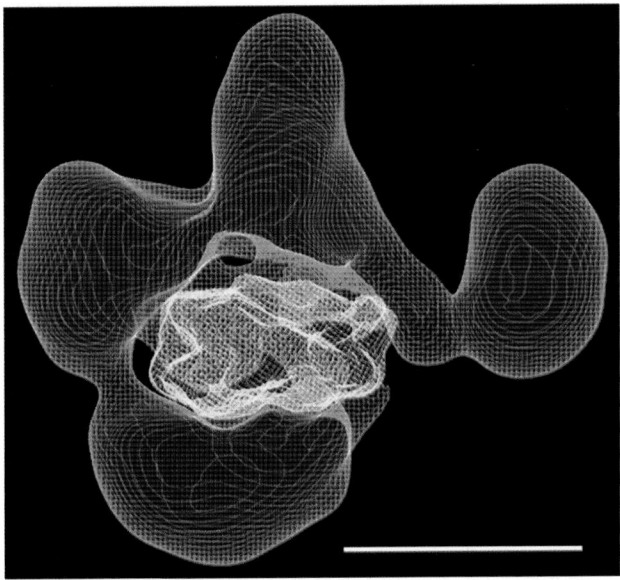

FIGURE 34-77 Image de RSC de levure basée sur des données de ME. (*a*) deux vues de la structure (*de face et de dos*), à une résolution d'environ 28 Å, montrent qu'elle comporte quatre modules entourant une cavité centrale. (*b*) Modèle réalisé en ajustant à la main, la structure par rayons X du cœur du nucléosome (Fig. 34-7) ramenée à une résolution de 25 Å, dans la cavité centrale de la structure de RSC de la Partie **a**. Les contours du complexe sont représentés en treillis, avec RSC en rouge et le nucléosome, vu par la tranche, en jaune. Le nucléosome s'adapte exactement dans la cavité sans collision stérique. La barre d'échelle des deux parties représente 100 Å. [Avec l'aimable autorisation de Francisco Asturias, Institut de Recherche Scripps, La Jolla, Californie.]

Tous les eucaryotes contiennent de nombreux complexes de remodelage de la chromatine. Ils ont été classés en trois groupes principaux sur la base de la similitude des sous-unités ATPase qu'ils contiennent : (1) Les complexes SWI/SNF, dont les ATPases sont homologues à Swi/Snf2 de levure et qui comprennent RSC de levure, **Brahma** de *Drosophila* et **BRM** humaine (*Brahma* protein homolog) et **BRG1** (*Brahma related gene* 1). (2) Les complexes **ISWI** (pour *imitation switch*), dont les ATPases sont homologues de **ISW1** de levure et qui comprennent les complexes **ISW1** et **ISW2** de levure, **ACF** de *Drosophila* (*ATP-utilizing chromatin assembly and remodeling factor*), **CHRAC** (*chromatin accessibility complex*), **NURF** (*nucleosome-remodeling factor*) et **RSF** humain (*remodeling and spacing factor*). (3) Les complexes **Mi-2**, dont les ATPases sont homologues du complexe *Mi-2* de *Xenopus*. Ils comprennent NuRD humain (qui, nous l'avons dit plus haut, contient aussi HDAC1 et HDAC2). Beaucoup de ces complexes contiennent des bromodomaines, des chromodomaines, et/ou des crochets AT dont on pense qu'ils recrutent les complexes sur leurs gènes cibles. De plus, certains complexes sont liés à des activateurs transcriptionnels spécifiques.

Une image de RSC de levure, basée sur des résultats de microscopie électronique, déterminée par Asturias et Kornberg, à une résolution d'environ 28Å, montre qu'il comprend quatre modules autour d'une cavité centrale (Fig. 34-77*a*). Des études biochimiques indiquent que RSC se lie fortement aux nucléosomes dans un rapport 1:1. En effet, la taille et la forme de la cavité centrale de RSC semblent adaptées à la liaison d'une unique particule cœur de nucléosome, comme le montre la Fig. 34-77*b*. Cela expliquerait comment, en présence d'ATP, RSC pourrait relâcher l'ADN dans

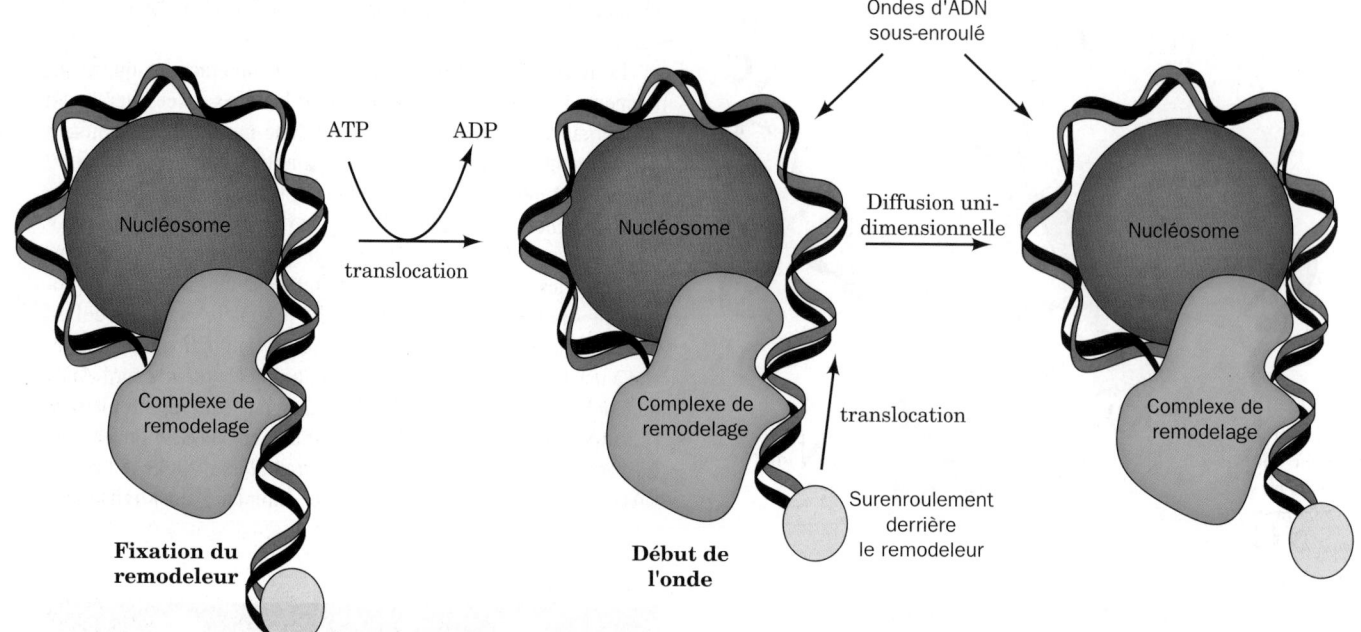

FIGURE 34-78 Modèle du remodelage du nucléosome par les complexes de remodelage de la chromatine. Le complexe de remodelage de la chromatine (en vert) couple la libération d'énergie par l'hydrolyse de l'ATP à la translocation et à la torsion simultanée de l'ADN dans le nucléosome (*en bleu*, on a représenté une seule moitié pour plus de clarté), on observe le mouvement d'un point fixe sur l'ADN (*ellipsoïde jaune*).

Le contact entre les histones et l'ADN est localement interrompu. La position où l'ADN est sous-enroulé et/ou en saillie sur le nucléosome, se propage autour du nucléosome selon une onde unidirectionnelle qui libère transitoirement l'ADN de l'histone sur son passage, et fournit ainsi l'accès vers l'ADN aux facteurs se liant à celui-ci. [D'après un dessin de Saha, A., Wittmeyer, J., et Cairns, B.R., *Genes Dev.* **16**, 2120 (2002).]

ment l'emprise des octamères d'histone sur un segment de l'ADN. La contrainte de torsion pourrait aussi être partiellement absorbée par un coude, qui écarterait un segment de l'ADN de la surface du nucléosome. Dans les deux cas, la distorsion produite dans l'ADN pourrait diffuser autour du nucléosome selon une vague relâchant localement et de façon transitoire, l'ADN du nucléosome sur son passage (Fig. 34-78), et permettant ainsi à l'ADN de se lier aux facteurs affines de l'ADN qui lui correspondent. Ce dernier mécanisme ressemble à celui proposé pour le passage des ARN polymérases à travers les nucléosomes (Fig. 34-66). Notons que des cycles répétés d'hydrolyse d'ATP enverraient des vagues multiples de relâchement autour du nucléosome, faisant ainsi glisser le nucléosome le long de l'ADN.

hh. Épilogue

Comme nous l'avons vu, l'initiation de la transcription chez les eucaryotes, est un processus étonnamment complexe qui met en jeu la participation synergique de nombreux complexes multimériques comprenant plusieurs centaines de polypeptides interagissant de manière souvent lâche ou séquentielle (à savoir : des histones de différents types et sous-types, le CPI, les complexes de type médiateur, différents facteurs de transcription, des facteurs architecturaux, des coactivateurs et des corépresseurs qui forment dans certains cas des enhanceosomes, différents types de complexes de modification des histones, et des complexes de remodelage de la chromatine), cette initiation implique aussi de grands segments d'ADN. Des recherches intenses dans de nombreux laboratoires durant les deux dernières décennies ont, comme nous l'avons étudié, identifié beaucoup de ces complexes, caractérisé les polypeptides qui les composent, et, dans bien des cas, élucidé leurs

grandes fonctions. Nous n'avons pourtant encore qu'une compréhension très rudimentaire de la façon dont ces composants interagissent *in vivo* pour ne transcrire que les gènes nécessaires à la cellule où ils se trouvent et pour produire, en fonction des circonstances, les quantités adéquates de produit au bon moment. Cela nécessitera vraisemblablement plusieurs décennies supplémentaires de recherches pour arriver à une compréhension détaillée de la façon dont cette remarquable machinerie moléculaire fonctionne.

C. Autres mécanismes de contrôle de l'expression

La plupart des gènes eucaryotiques ne sont régulés de façon spécifique que par le contrôle de l'initiation de la transcription. Cependant, beaucoup de gènes viraux et de gènes cellulaires répondent à d'autres types de contrôle. Les différents mécanismes employés par ces systèmes secondaires sont décrits ci-dessous.

1. Choix des sites d'initiation alternatifs : *L'expression de quelques gènes eucaryotiques est contrôlée en partie par le choix de sites alternatifs d'initiation de la transcription.* Par exemple, des molécules identiques d'amylase α sont produites par le foie et les glandes salivaires de souris, mais les ARNm correspondants, synthétisés par ces deux organes, diffèrent à leurs extrémités 5′. La comparaison des séquences de ces ARNm avec celles de leurs ADN génomiques correspondants indique que les différents ARNm sont formés à partir de sites d'initiation séparés d'environ 2,8 kb (Fig. 34-79). Donc, après avoir été épissés, les ARNm de l'amylase α de foie et de glande salivaire ont des séquences 5′ non traduites différentes, mais les mêmes séquences codantes. On

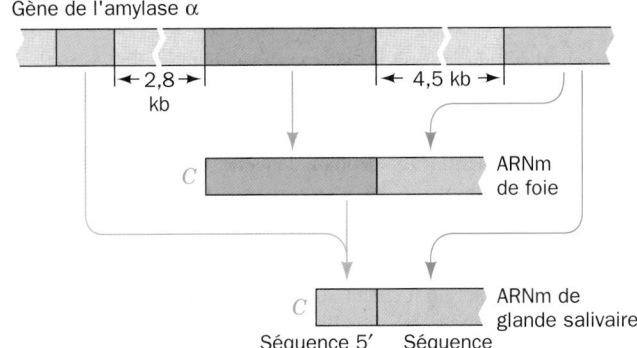

Gène de l'amylase α

|← 2,8 →| kb |← 4,5 kb →|

C   ARNm de foie

C   ARNm de glande salivaire

Séquence 5′ non réduite   Séquence codante

FIGURE 34-79 Le point de départ de la transcription du gène de l'α-amylase de souris fait l'objet d'une sélection spécifique du tissu pour donner des ARNm avec différentes séquences 5′ non traduites, segment coiffe (C) ou 5′ leader, mais avec les mêmes séquences codantes. [D'après Young, R.A., Hagenbüchle, O., et Schibler, U., *Cell* **23**, 454(1981).]

pense que les deux sites d'initiation permettraient des vitesses d'initiation différentes. Cette hypothèse concorde avec l'observation que l'ARNm de l'amylase a correspond à 2 % des ARNm polyadénylés dans la glande salivaire, mais à seulement 0,02 % dans le foie.

2. Choix de sites alternatifs d'épissage : Comme nous l'avons vu (Section 31-4A), de nombreux gènes cellulaires font l'objet d'un épissage alternatif. Ainsi, certains exons dans un type cellulaire peuvent devenir des introns dans un autre type cellulaire par ex. Fig. 31-62).

3. Contrôle du passage dans le cytoplasme : L'observation selon laquelle ~5 % seulement des ARN nucléaires passent dans le cytoplasme, soit une quantité moindre que celle attendue après l'épissage, suggère que la vitesse de translocation dans le cytoplasme, différente selon les ARNm, peut être un mécanisme de contrôle important de l'expression chez les eucaryotes. Il a été prouvé que c'était bien le cas. L'ARN cellulaire n'est jamais « nu », mais plutôt toujours associé à de nombreuses protéines (Section 31-4A). Curieusement, les ARNm nucléaires et cytoplasmiques sont associés à des ensembles différents de protéines, indiquant qu'il y a échange de protéines au cours du déplacement de l'ARN hors du noyau.

4. Contrôle de la dégradation des ARNm : Les vitesses de dégradation des ARNm eucaryotiques dans le cytoplasme sont très variables. Alors que la plupart ont des demi-vies de quelques heures à quelques jours, certains sont dégradés dans les 30 minutes suivant leur entrée dans le cytoplasme. Un ARNm donné peut être l'objet d'une dégradation différentielle. Par exemple, la **vitellogénine,** protéine majeure du jaune d'œuf, est synthétisée dans le foie de poulet en réponse aux œstrogènes (aussi bien chez le coq que chez la poule) et transportée vers l'oviducte par la circulation sanguine. Des expériences de marquage radioactif ont montré que la stimulation par les œstrogènes augmentait de plusieurs centaines de fois le taux de transcription de l'ARNm de la vitellogénine, et que cet ARNm a une demi-vie cytoplasmique de 480 h. Quand l'œstrogène est retiré, la synthèse de l'ARNm de la vitellogénine retrouve son niveau de base et sa demi-vie cytoplasmique tombe à 16 h.

Les queues de poly(A), apanages de presque tous les ARNm eucaryotiques, les aident apparemment à se protéger de la dégra-

dation (Section 31-4A). Par exemple, les ARNm d'histones qui sont dépourvus de queues de poly(A) ont des demi-vies beaucoup plus courtes que la plupart des autres ARNm. Les histones, à l'opposé de la plupart des protéines cellulaires, sont abondamment synthétisées durant la phase S relativement courte du cycle cellulaire parce qu'elles sont nécessaires en quantités massives pour la réplication de la chromatine (les petites quantités d'histones synthétisées durant le reste du cycle cellulaire le sont probablement pour être utilisées pour des réparations). Les courtes demi-vies des ARNm d'histones permettent d'assurer que la synthèse des histones suit la vitesse de transcription de leurs gènes.

La présence de certaines séquences riches en AU dans les segments 3′ non traduits est une particularité structurale qui augmente la vitesse de dégradation de l'ARNm. Lorsqu'on greffe ces séquences sur des ARNm qui n'en possèdent pas, le temps de vie cytoplasmique des ARNm est diminué. Dans l'ensemble cependant, la nature des signaux par lesquels les ARNm sont sélectionnés pour la dégradation est mal connue, en partie sans doute parce que les nucléases impliquées n'ont pas été identifiées.

5. Contrôle des vitesses d'initiation de la traduction : Les vitesses d'initiation de la traduction des ARNm chez les eucaryotes (Section 32-4) sont sensibles à la présence de certaines substances, comme l'hème (dans les réticulocytes) et l'interféron, ainsi qu'au masquage des ARNm.

6. Choix de voies alternatives de maturation post-traductionnelles : Aussi bien chez les procaryotes que chez les eucaryotes, les polypeptides synthétisés sont l'objet de clivages protéolytiques et de modifications covalentes (Section 32-5). Ces étapes de maturations post-traductionnelles sont d'importants régulateurs d'activité enzymatique (par ex. Section 15-3E), et dans le cas des glycosylations, sont des déterminants majeurs pour la destination cellulaire finale d'une protéine (Sections 12-4C et 23-3B). La dégradation sélective des protéines (Section 30-6) est aussi un facteur important dans l'expression des gènes eucaryotiques.

De plus, la plupart des hormones polypeptidiques eucaryotiques (dont les fonctions sont étudiées dans la Section 19-1) sont synthétisées sous forme de segments de précurseurs polypeptidiques plus grands appelés **polyprotéines.** Celles-ci sont clivées post-traductionnellement pour donner plusieurs hormones polypeptidiques pas nécessairement différentes. *Le profil de clivage d'une polyprotéine particulière peut varier selon les tissus, de sorte que le même produit d'un gène peut donner différents ensembles d'hormones polypeptidiques.* Par exemple, la polyprotéine **pro-opiomélanocortine (POMC)** qui, chez le rat, est synthétisée à la fois dans les lobes antérieur et intermédiaire de l'hypophyse, contient sept hormones polypeptidiques différentes (Fig. 34-80). Dans ces deux lobes qui sont des glandes fonctionnellement distinctes, la maturation post-traductionnelle de la POMC conduit à un fragment N-terminal, à **l'ACTH,** et à la **LPH-β.** La maturation dans le lobe antérieur cesse à ce stade. Dans le lobe intermédiaire cependant, le fragment N-terminal est à nouveau coupé pour donner la **MSH-γ,** l'ACTH est convertie en **MSH-α** et en **CLIP,** alors que LPH-β est coupée en **LPH-β** et en **END-β** (Fig.34-80). Toutes ces hormones ont des activités différentes, ce qui distingue physiologiquement les produits des lobes antérieur et intermédiaire de l'hypophyse.

La plupart des sites de clivage de la POMC et d'autres polyprotéines sont constitués de paires de résidus d'acides aminés

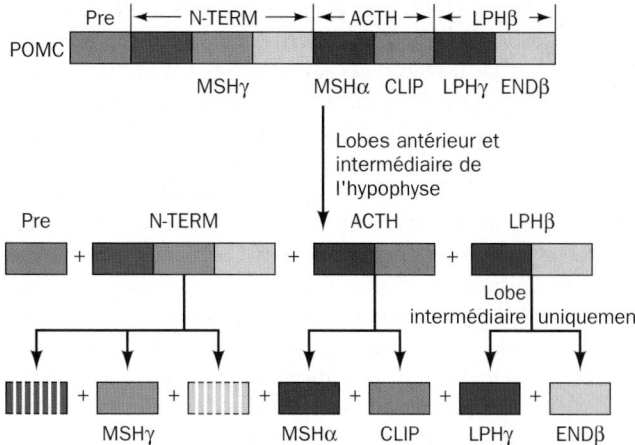

FIGURE 34-80 Maturation post-transcriptionnelle spécifique de tissus de la POMC donnant différentes hormones polypeptidiques. Dans les lobes antérieur et intermédiaire de la glande hypophysaire, la POMC est clivée par protéolyse pour donner son fragment N-terminal (N-TERM), **l'hormone adrénocorticotrope (ACTH)** et **la lipotropine β (LPH-β)**. Dans le lobe intermédiaire uniquement, ces hormones polypeptidiques sont coupées ultérieurement pour donner : **l'hormone stimulant les mélanocytes γ (MSH-γ)**, la MSH-α, le peptide du lobe intermédiaire apparenté à la corticotropine (CLIP), la LPH-γ et l'endorphine β (END-β ; Section 19-K). [D'après Douglass, J., Civelli, O., et Herbert, E., *Annu. Rev. Biochem.* **53**, 698 (1984).]

basiques, Lys-Arg par exemple, ce qui laisse penser que le clivage est assuré par des enzymes ayant une activité de type trypsine. En effet, les enzymes qui maturent la POMC activent aussi d'autres prohormones comme la proinsuline. De plus, l'observation selon laquelle une protéase de levure, dont les fonctions normales sont d'activer une prohormone de levure, mature correctement la POMC, suggère que les enzymes de maturation des prohormones ont été conservées au cours de l'évolution.

4 ■ DIFFÉRENCIATION CELLULAIRE ET CROISSANCE

En Biologie, l'événement qui inspire le plus de respect est la croissance et le développement d'un œuf fécondé pour former un organisme multicellulaire extrêmement différencié. Aucune instruction externe n'est nécessaire pour cela ; *les œufs fécondés contiennent toutes les informations nécessaires pour former des organismes multicellulaires complexes tels que les êtres humains.* On sait que, contrairement aux croyances des premiers « microscopistes », les zygotes ne contiennent pas les structures miniatures d'un adulte, ces structures doivent d'une façon ou d'une autre être générées par la spécification génétique. Dans cette section, nous commençons par décrire le développement des embryons, puis nous étudierons l'un des exemples le mieux compris de l'embryologie du développement ; celui de l'établissement du schéma corporel chez *Drosophila*. Nous étudierons ensuite les bases génétiques du cancer, un groupe de maladies causées par la prolifération des cellules qui ont perdu certaines de leurs contraintes de développement. Nous terminerons par l'étude du contrôle du cycle cellulaire et de la façon dont des cellules inutiles ou ayant subit des dégâts irréparables se suicident par mort cellulaire programmée.

A. *Le développement embryonnaire*

On peut distinguer quatre stades se chevauchant partiellement, qui permettent la formation des organismes multicellulaires animaux (Fig. 34-81) :

1. La segmentation, pendant laquelle le zygote entreprend une série de mitoses rapides pour arriver à de nombreuses petites cellules agencées en une balle creuse appelée **blastula.**

2. La gastrulation, durant laquelle la blastula, par une réorganisation structurale incluant son invagination, forme une structure triploblastique (à trois feuillets) à symétrie bilatérale appelée **gastrula.** L'ensemble de la segmentation et de la gastrulation prend quelques heures à quelques jours selon les organismes.

3. L'organogenèse. où les structures du corps sont formées selon un processus nécessitant la migration de différents groupes de cellules en prolifération qui migrent d'une partie de l'embryon à une autre, selon une chorégraphie compliquée mais reproductible. L'organogenèse dure de quelques heures à quelques semaines.

4. La maturation et la croissance, pendant lesquelles les structures embryonnaires atteignent leur taille définitive et leurs capacités fonctionnelles. Cette étape peut se prolonger à l'âge adulte voire se poursuivre durant toute cette période également

a. Des signaux de développement provoquent la différenciation cellulaire

Lorsqu'un embryon se développe, ses cellules sont engagées progressivement et irréversiblement dans les lignées spécifiques du développement. Cela signifie que ces cellules subissent des séquences de changements internes qui s'auto-perpétuent et qui les différencient, elles et leurs descendantes, des autres cellules. Une cellule et ses descendantes « se rappellent » donc leurs changements intervenus au cours du développement, même quand elles sont placées dans un nouvel environnement. Par exemple, l'ectoderme (couche extérieure) dorsal (supérieur) d'un embryon d'amphibien (Fig. 34-82) est normalement destiné à donner du tissu cérébral alors que l'ectoderme ventral (inférieur) deviendra l'épiderme. Si un morceau d'ectoderme dorsal précoce de gastrula est excisé et échangé avec un morceau de l'ectoderme ventral, les deux morceaux se développent en fonction de leur nouvelle localisation pour donner un adulte normal. Cependant, si cette expérience est faite en fin de gastrulation, les tissus transplantés se différencient comme ils l'auraient fait dans leur emplacement d'origine, donnant un cerveau et des tissus epidermiques en position anormale (ectopique). Manifestement, les ectodermes dorsaux et ventraux sont programmés pour former les tissus cérébraux et épidermiques à un moment précis entre les étapes précoce et tardive de la gastrulation.

Comment les changements au cours du développement sont-ils déclenchés ? C'est-à-dire, quels sont les signaux qui induisent deux cellules ayant des génomes identiques à suivre des voies de développement différentes ? D'abord, le zygote n'a pas une symétrie sphérique. Son vitellus, comme d'autres substances, est concentré à une extrémité. Par conséquent, pendant les étapes précoces de segmentation, les différentes cellules héritent de différents déterminants cytoplasmiques commandant apparemment le développement ultérieur. Des démonstrations ont prouvé que, même dans un embryon précoce de huit cellules, le potentiel de développement de certaines de ses cellules est différent par rapport

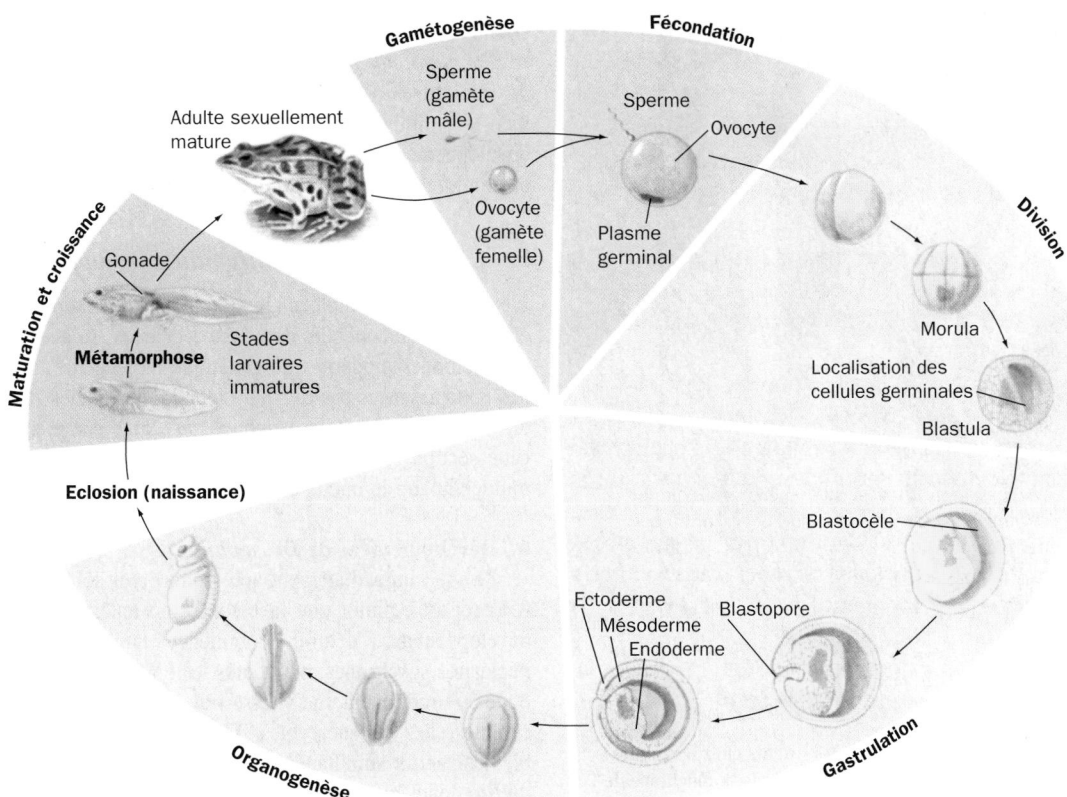

FIGURE 34-81   **Exemple d'embryogenèse chez un animal, la grenouille.**

à celui d'autres cellules. Cependant, comme les expériences de transplantation précédentes l'ont indiqué, les cellules dans les stades tardifs de développement reçoivent aussi des directives selon leurs positions dans l'embryon.

Les cellules peuvent recevoir des informations spatiales de deux façons :

1. Par des interactions intercellulaires directes.

2. À partir de gradients de substances diffusibles appelées **morphogènes**, libérées par d'autres cellules.

Dans la plupart des programmes de développement, les tissus interagissant doivent être en contact direct, mais ce n'est pas tou-

jours le cas. Par exemple, l'ectoderme de souris destiné à devenir le cristallin des yeux ne le deviendra qu'en présence du mésenchyme (tissu embryonnaire qui donne le muscle, le squelette et le tissu conjonctif), mais ce processus a encore lieu si les tissus interagissant sont séparés par un filtre poreux. Le développement du cristallin doit donc être assuré par des substances diffusibles.

Les signaux de développement peuvent être reconnus sur des périodes évolutives importantes. Par exemple, l'épiderme provenant du dos d'embryon de poulet, grâce aux interactions avec le derme sous-jacent, forme des bourgeons de plumes disposés selon un schéma hexagonal caractéristique. Si l'épiderme embryonnaire de poulet est associé avec le derme d'une région prédestinée aux moustaches du museau d'embryon de souris, l'épiderme de poulet forme toujours des bourgeons de plumes, mais disposés selon le schéma de moustaches de souris.

Même si les mammifères et les oiseaux ont divergé il y a environ 300 millions d'années, les inducteurs de souris sont capables d'activer les gènes appropriés de poulet sans pour autant modifier les produits que ces gènes codent. En voici un exemple étonnant : la combinaison de l'épithélium de la région formant la mâchoire d'un embryon de poulet avec le mésenchyme de la molaire d'un embryon de souris induit le tissu de poulet à former des dents qui sont différentes de celles des mammifères (Fig. 34-83). Apparemment, les poulets, dont les ancêtres sont sans dents depuis environ 60 millions d'années (l'oiseau primitif, l'*Archeopteri,* possédait des dents), ont gardé leur potentiel génétique pour former des dents, même s'ils ont perdu la capacité d'activer ces gènes au cours du développement. Cette observation corrobore l'hypothèse selon laquelle l'évolution des organismes procède largement par des mutations qui altèrent les programmes de développement, plu-

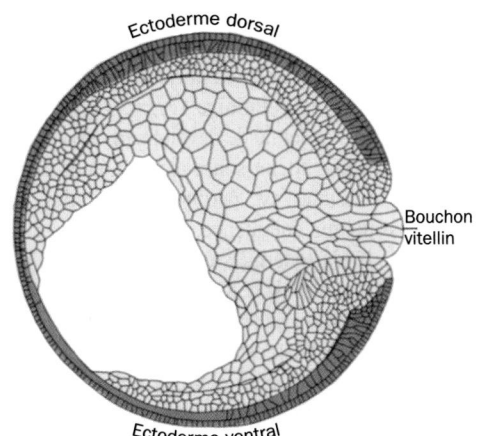

FIGURE 34-82   **L'ectoderme dorsal et ventral d'un embryon d'amphibien.**

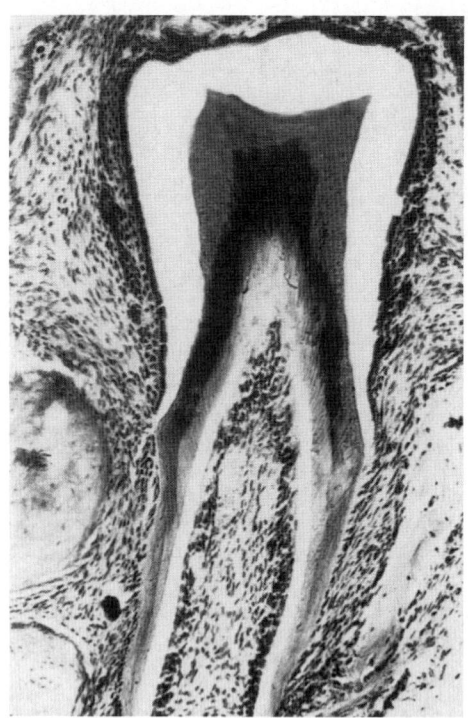

FIGURE 34-83 Comment faire pousser des « dents chez les poules » (comme dans le proverbe), ici, dans l'épithélium de la mâchoire de l'embryon de poulet, sous l'influence du tissu mésenchymateux de molaire d'embryon de souris. [Avec la permission d'Edward Kollar, Université du Centre de Recherche sur la Santé du Connecticut.]

tôt que les gènes de structure dont ces programmes contrôlent l'expression (Section 7-3B).

b. Des signaux de développement agissent par combinaison

Un stimulus de développement supplémentaire sur une cellule déjà programmée modulera son état de développement, mais ne l'inversera pas. Regardons, par exemple, ce qui se passe dans un embryon de poulet si un tissu indifférencié de la base d'un bourgeon de patte, qui donne normalement une partie de la cuisse, est transplanté près de l'extrémité d'un bourgeon d'aile, qui donne normalement le bout d'une aile semblable à une main. Le transplant ne devient pas le bout d'une aile, ni même un tissu de cuisse mal placé ; au contraire, il forme un pied (Fig. 34-84). Apparemment, le stimulus qui permet à l'extrémité d'un bourgeon d'aile de former le bout d'une aile permet à un tissu qui est déjà orienté pour être une partie de patte de former un pied morphologiquement équivalent à un bout d'aile. Bien sûr, les tissus nombreux et différents d'un organisme supérieur ne se forment pas tous en réponse à un

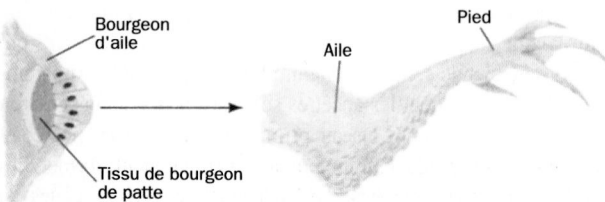

FIGURE 34-84 Du tissu présomptif de cuisse, d'un bourgeon de patte de poulet, donne un pied mal placé quand il est implanté juste en dessous de l'extrémité d'un bourgeon d'aile de poulet.

stimulus du développement spécifique du tissu. *Un tissu donné résulte plutôt des effets d'une combinaison particulière de stimuli du développement relativement non spécifiques.* Cette situation, bien sûr, diminue fortement le nombre de stimuli différents du développement, nécessaires pour former un organisme complexe, et simplifie donc la régulation du processus de développement.

B. Les bases moléculaires du développement

L'étude des bases moléculaires de la différenciation cellulaire n'a été possible au cours des dernières décennies, qu'avec l'avènement des méthodes modernes de génétique moléculaire. La plupart de nos connaissances sur ce sujet viennent des études sur la mouche du vinaigre *Drosophila melanogaster*. Nous commencerons donc cette section par un rappel de l'embryogenèse de cet organisme multicellulaire le mieux caractérisé génétiquement.

a. Développement de *Drosophila*

Presque immédiatement après que l'œuf soit pondu (Fig. 34-85a) (ce qui, plutôt que la fécondation antérieure, déclenche le développement), celui-ci commence une série de divisions nucléaires synchrones, une toutes les 6 à 10 minutes. L'ADN doit donc être répliqué à une vitesse fulgurante, l'une des plus rapides connues chez les eucaryotes. Tous ses réplicons sont très probablement actifs simultanément (Section 30-4B). Le processus de division nucléaire est inhabituel car il n'est pas accompagné de la formation de nouvelles membranes cellulaires. Les noyaux continuent à partager le même cytoplasme pour former ce que l'on appelle un **syncytium** (Fig. 34-85b), qui facilite le rythme rapide des divisions nucléaires, car il n'y a pas de nécessité d'augmenter la masse cellulaire. Après la 8ᵉ série de divisions nucléaires, les quelque 256 noyaux commencent à migrer vers le cortex (couche externe) de l'œuf, où, aux alentours de la 11ᵉᵐᵉ division nucléaire, ils forment une monocouche entourant le centre riche en vitellus, formant ce qu'on appelle le **blastoderme syncytial** (Fig. 34-85c). À ce stade, le cycle mitotique tend à s'allonger dans le temps, alors que les gènes nucléaires, qui ont été jusqu'ici complètement engagés dans la réplication de l'ADN, deviennent actifs transcriptionnellement (un œuf nouvellement fécondé contient une réserve énorme d'ARNm qui a été fourni, à travers des ponts cytoplasmiques, par les 15 cellules « nourricières » entourant l'ovocyte en développement). Pendant le 14ᵉ cycle de divisions nucléaires, qui dure environ 60 minutes, la membrane plasmique de l'œuf s'invagine autour de chacun des 6000 noyaux environ, pour donner une monocouche cellulaire autour du cœur riche en vitellus, on appelle ce stade, le **blastoderme cellulaire** (Fig. 34-85d). À ce stade, après environ 2 heures et demie de développement, l'activité transcriptionnelle du génome atteint son maximum dans l'embryon, la synchronisation mitotique est perdue, les cellules deviennent mobiles et la gastrulation commence.

Jusqu'à ce que le blastoderme soit formé, la plupart des noyaux de l'embryon sont capables de coloniser n'importe quelle partie du cytoplasme cortical et donc de former n'importe quelle partie de la larve ou de l'adulte, sauf les cellules germinales [les précurseurs des cellules germinales, les cinq **cellules polaires** (Fig. 34-85c), s'individualisent après la 9ᵉ division nucléaire]. *C'est donc la localisation d'un noyau dans le syncitium qui détermine le type de cellules de sa future descendance. Une fois le blastoderme cellulaire formé, les cellules s'engagent progressivement dans des voies de*

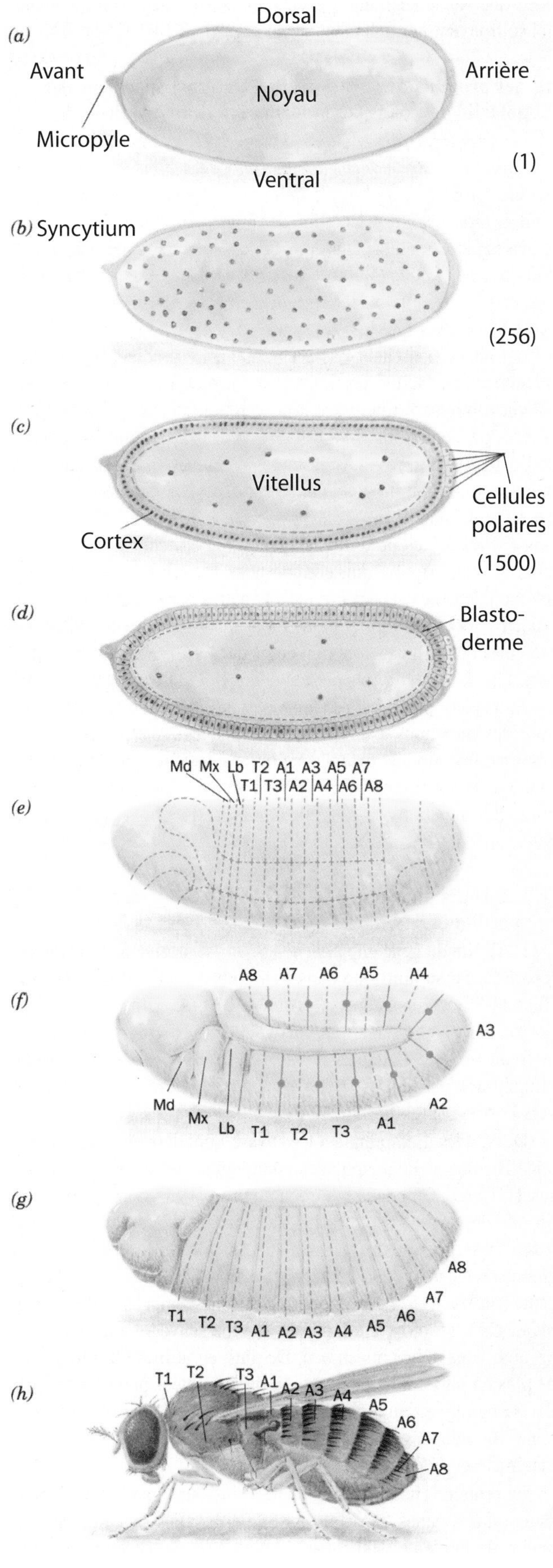

(a)

Dorsal

Avant — Noyau — Arrière

Micropyle

Ventral

(1)

(b) Syncytium

(256)

(c)

Vitellus

Cortex

Cellules polaires

(1500)

(d)

Blasto-derme

(e)

Md Mx Lb T2 A1 A3 A5 A7
T1 T3 A2 A4 A6 A8

(f)

A8 A7 A6 A5 A4

A3

Md Mx Lb T1 T2 T3 A1 A2

(g)

A8
A7
T1 T2 T3 A1 A2 A3 A4 A5 A6

(h)

T1 T2 T3 A1 A2 A3 A4 A5 A6 A7 A8

FIGURE 34-85 **Développement chez *Drosophila*.** Les différents stades sont expliqués dans le texte. Notez que les embryons et les larves nouvellement écloses sont tous de la même taille, ~0,5 mm de long. L'adulte, bien sûr, est beaucoup plus grand. Le nombre approximatif de cellules dans les étapes précoces du développement est donné entre parenthèses.

développement de plus en plus étroites. Ceci a été démontré, par exemple, en suivant la destinée de petites masses de cellules par leur excision ou leur ablation (destruction) avec un microfaisceau laser et en caractérisant la malformation résultante.

Pendant les quelques heures suivantes, l'embryon effectue la gastrulation et l'organogenèse. Un aspect surprenant de ce remarquable processus, chez *Drosophila* aussi bien que chez les animaux supérieurs, est la division de l'embryon en une série de segments correspondant à l'organisation de l'organisme adulte (Fig. 34-85*e*). L'embryon de *Drosophila* a trois segments qui vont fusionner pour former la tête (Md, Mx et Lb pour mandibulaire, maxillaire et labial), trois segments thoraciques (T1 à T3) et huit segments abdominaux (A1 à A8). Alors que le développement continue, l'embryon s'allonge et certains segments abdominaux se replient sur les segments thoraciques (ce qui leur permet de tenir dans l'enveloppe de l'œuf ; Fig. 34-85*f*). Chaque segment se subdivise alors en compartiment antérieur (avant) et postérieur (arrière). L'embryon est ensuite raccourci et se déplie sous forme d'une larve constituée d'environ 40 000 cellules qui éclot environ 20 h après le début de son développement (Fig. 34-85*g*). Durant les 5 jours qui suivent, la larve se nourrit, grandit, mue deux fois, se transforme en pupe et commence sa métamorphose pour former un adulte (**imago** ; Fig. 34-85*h*). Lors de ce dernier stade, l'épiderme de la larve est presque entièrement remplacé par la croissance de morceaux d'épithélium larvaire apparemment indifférenciés, appelés **disques imaginaux,** dont le destin de développement est fixé dès le stade du blastoderme cellulaire. Ces structures, qui conservent les séparations segmentaires de la larve, forment les

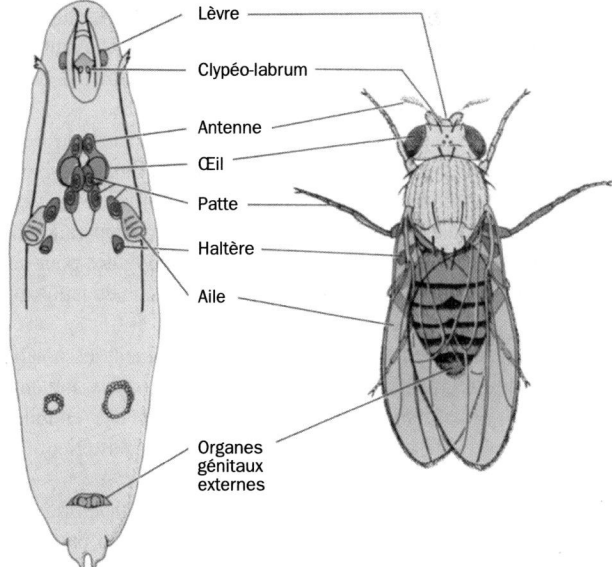

Lèvre

Clypéo-labrum

Antenne

Œil

Patte

Haltère

Aile

Organes génitaux externes

FIGURE 34-86 **Localisations et destinées embryologiques, chez *Drosophila*, des disques imaginaux (à *gauche*), poches de tissu larvaire qui forment les structures externes de l'adulte.** [D'après Fristrom, J.W., Petri, W., et Stewart, D., *dans* Hanly, E.W. (Éd.), *Problems in Biology : RNA in Development*, p. 382, University of Utah Press (1970).]

pattes adultes, les ailes, les antennes, les yeux, etc. (Fig. 34-86). Dix jours environ après le début du développement, l'adulte apparaît, et dans les heures suivantes, il va commencer un nouveau cycle de reproduction.

b. Les profils de développement sont sous dépendance génétique

Quel est le mécanisme de formation du plan de l'embryon ? Dans ce qui suit, nous allons étudier uniquement le système de différenciation antéropostérieur (de la tête à la queue). Retenons cependant que *Drososphila* a aussi un système qui commande la différenciation dorso-ventrale.

Beaucoup de nos connaissances sur la formation du plan antéropostérieur proviennent de l'analyse génétique d'une série de mutations bizarres dans trois classes de gènes de *Drosophila,* qui codent normalement des régions de plus en plus fines de la spécialisation cellulaire de l'embryon en développement :

1. *Les gènes à effet maternel définissent la polarité de l'embryon,* c'est-à-dire son axe antéropostérieur. Des mutations de ces gènes altèrent globalement le plan du corps de l'embryon, quel que soit le génotype paternel. Par exemple, les femelles homozygotes pour la mutation **bicéphale** (deux têtes) pondent des œufs qui se développent en monstres non viables à deux têtes. Ce sont des embryons avec deux extrémités antérieures pointant dans des directions opposées et complètement dépourvus de structures postérieures. De la même manière, les mutations **bicaudales** (deux queues) et **serpent** donnent des embryons à symétrie de miroir avec deux abdomens (Fig. 34-87a).

2. *Les gènes de segmentation assurent le nombre correct et la polarité des segments du corps de l'embryon.* Les travaux de Christiane Nüsslein-Volhard et d'Eric Wieschaus ont permis de les classer de la façon suivante :

a. Les **gènes gap,** les premiers à être transcrits dans un embryon en développement, divisent l'embryon en plusieurs grandes régions. Ils sont appelés ainsi parce que leurs mutations entraînent des lacunes dans le profil de segmentation des embryons. Par exemple, les embryons ayant des gènes défectueux **hunchback (hb)** perdent des parties de la bouche et des structures thoraciques.

b. Les **gènes « pair-rule »** déterminent la division en segments, des grands domaines de l'embryon. Ces gènes sont appelés ainsi parce que leurs mutations détruisent souvent des portions d'un segment sur deux. Ceci apparaît, par exemple, chez les embryons qui sont homozygotes pour les mutations du gène *fushi tarazu (ftz* ; traduction du japonais, pour segments manquants) (Fig. 34-87b).

c. Les **gènes de polarité segmentaire** déterminent les polarités des segments en développement. Ainsi, les mutants homozygotes **engrailed (en** ; dentelés avec des entailles courbes) sont dépourvus du compartiment postérieur de chaque segment.

3. *Les gènes sélecteurs homéotiques assurent la nature des segments* ; les mutations homéotiques transforment une partie du corps en une autre. Par exemple, les mutants **Antennapedia** (**antp,** antenne-pied) ont des pattes à la place des antennes (Fig. 34-87c et d) alors que les mutations **bithorax (bx), antérobithorax (abx)** et **postbithorax (pbx)** transforment des segments d'haltères (ailes vestigiales devenues des balanciers) qui n'apparaissent normale-

ment que sur le segment T3, en segments d'ailes correspondants qui se trouvent normalement sur le segment T2 (Fig. 34-87e).

c. Les produits des gènes à effet maternel spécifient la polarité de l'œuf par la formation d'un gradient

Les propriétés des mutants des gènes à effet maternel suggèrent que ces gènes codent des morphogènes dont la distribution dans le cytoplasme de l'œuf définit le système de coordination spatiale du futur embryon. En effet, des études d'immunofluorescence réalisées par Christiane Nüsslein-Volhard ont démontré que le produit du gène **bicoïde (bcd)** est distribué selon un gradient qui diminue vers l'extrémité postérieure de l'embryon normal (Fig. 34-88 et 34-89a), alors que les embryons provenant d'une mère où *bcd* est détruit ne possèdent pas ce gradient. Le gradient, dont l'établissement est facilité par l'absence de frontières cellulaires dans le syncytium, se forme grâce à la sécrétion, par les cellules nourricières ovariennes, de l'ARNm de *bcd* dans l'extrémité antérieure de l'ovocyte durant l'ovogenèse et à sa traduction dans l'embryon précoce. L'ARNm du gène **nanos** est déposé de manière similaire dans l'œuf, mais il est localisé près du pôle postérieur de l'œuf (Fig. 34-89a). Les produits des gènes *bcd* et *ncuios* sont des facteurs de transcription qui, comme nous le verrons, régulent l'expression de gènes gap spécifiques. D'autres gènes à effet maternel, qui participent à la formation de l'axe antéro-postérieur codent des protéines qui ont pour fonction de piéger les ARNm pour les localiser dans la région où ils ont été déposés. Ceci explique pourquoi les embryons précoces produits par des femelles homozygotes pour des mutations à effet maternel, peuvent souvent être « sauvés » par injection de cytoplasme ou, quelquefois, par de l'ARNm seul provenant d'embryons de type sauvage précoce. Pour certaines des mutations de ce type, la polarité de l'embryon sauvé est déterminée par le site de l'injection.

d. Les gènes gap sont exprimés dans des régions spécifiques

L'ARNm du gène gap *hunchback (hb)* d'origine maternelle, est réparti de façon uniforme dans l'ensemble d'un œuf non fécondé (Fig. 34-89a). Cependant, la **protéine Bicoïde** active la transcription du gène embryonnaire *hb,* alors que la **protéine Nanos** inhibe la traduction de l'ARNm de *hb.* En conséquence, la **protéine Hunchback** est répartie selon un gradient décroissant de l'avant vers l'arrière (Fig. 34-89b).

Des études d'empreinte à l'ADNase I ont démontré que la protéine Bicoïde se lie à cinq sites homologues (de séquence consensus TCTAATCCC) dans la région du promoteur en amont du gène *hb.* Nùsslein-Volhard a démontré la capacité de la protéine Bicoïde à activer le gène *hb* en réalisant une fusion du promoteur *hb* en amont du gène rapporteur CAT (Section 34-3B) et en injectant cette construction plasmidique à de jeunes embryons de *Drosophila.* CAT est alors produit dans le type sauvage, mais pas dans les embryons déficients en *bcd.* De plus, en utilisant des segments de plus en plus courts de la région du promoteur provenant de *hb,* il a été montré qu'au moins trois des cinq sites de liaison de la protéine Bicoïde devaient être présents pour obtenir l'expression maximale de CAT.

La protéine Hunchback contrôle à son tour l'expression de plusieurs autres gènes gap (Fig. 34-89c et d) : des quantités importantes de protéine Hunchback induisent l'expression du gène

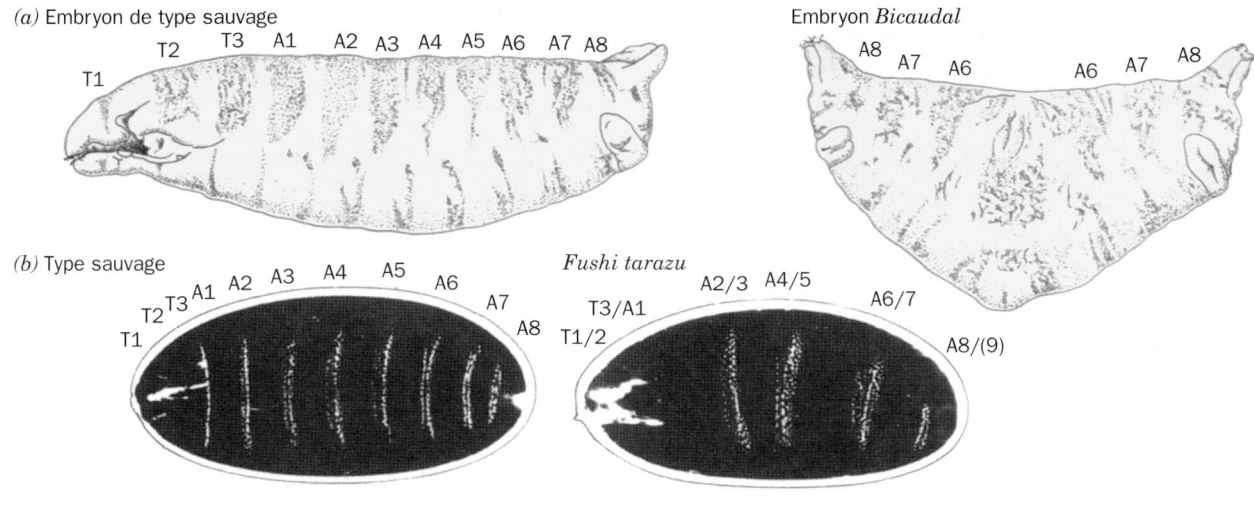

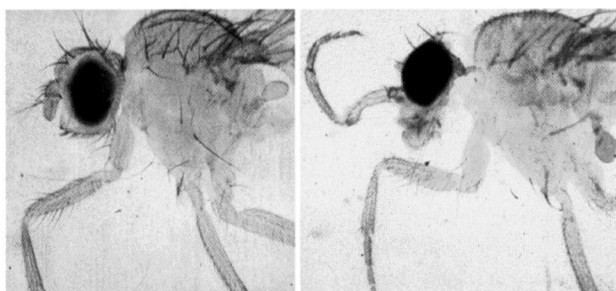

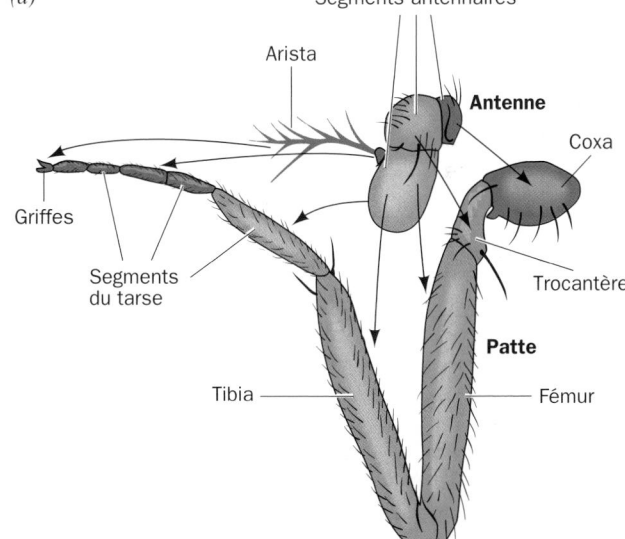

FIGURE 34-87 Développement de mutants de *Drosophila*. (*a*) Les motifs de la cuticule d'embryons de type sauvage (*à gauche*) montrent 11 segments, T1 à T3 et A1 à A8 (les segments de la tête sont rétractés dans le corps et ne sont donc pas visibles ici). À l'opposé, les « monstres » non viables produits par des mutants femelles homozygotes *bicaudal* (*à droite*) ne développent que des segments abdominaux à symétrie de miroir. [D'après Gergen, P.J., Coulter, D., et Weischaus, E., *dans* Gall, J.G., *Gametogenesis and the Early Embryo, p.* 200, Liss (1986).] (*b*) Dans l'embryon de type sauvage (*à gauche*), le bord antérieur de chacun des 11 segments abdominaux et thoraciques présente une série de minuscules excroissances appelées denticules (qui aident les larves à ramper), qui apparaissent dans ces micrographies comme des rayures blanches. Les mutants *Fushi tarazu* (*à droite*) perdent des seg-

ments tous les deux fragments et les segments restants fusionnent (ex : A2/3), produisant un embryon non viable avec la moitié seulement du nombre normal de séries de denticules. [Avec la permission de Walter Gehring, Université de Bâle, Suisse.] (*c*) Tête et thorax d'une mouche adulte de type sauvage (*à gauche*) et celle d'un homozygote pour la mutation du gène homéotique *Antennapedia (antp)* (*à droite*). Le gène mutant est exprimé de façon inappropriée dans les disques imaginaux qui devraient normalement former les antennes (alors que le gène normal *antp* n'est pas exprimé) de sorte que les disques imaginaux développent des pattes, qui apparaissent normalement dans le segment T2, au lieu de former des antennes. [Avec la permission de Walter Gehring, Université de Bâle, Suisse.] (*d*) Correspondance (*flèches*) entre les antennes et les pattes transformées par la mutation *Antp* (D'après Postlethwait, J.H. et Schneiderman, H.A., *Devel. Biol.* **25**, 622 (1971).] (*e*) *Drosophila* à quatre ailes (elle a normalement deux ailes ; Fig. 34-86) résultant de trois mutations dans le complexe bithorax, *abx. bx* et *pbx*. Au lieu du développement normal d'haltères, ces mutations entraînent le développement d'ailes sur le segment T3 comme celles qui sont normalement sur le segment T2. Ce changement surprenant d'architecture peut refléter l'histoire évolutive : *Drosophila* aurait évolué à partir d'insectes plus primitifs qui avaient quatre ailes. [Avec la permission d'Edward B. Lewis. Caltech.]

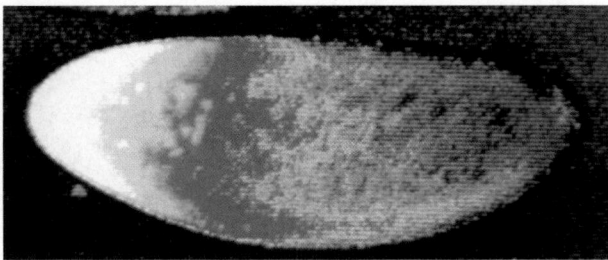

**FIGURE 34-88 Répartition de la protéine bicoïde dans un blasto-
derme syncytial de *Drosophila* révélée par immunofluorescence.** Les
fortes concentrations de la protéine sont en jaune, les plus faibles en
rouge et les parties noires marquent l'absence de la protéine. [Avec la
permission de Christiane Nüsslein-Volhard, Institut de Biologie du Développement Max-Planck, RFA.]

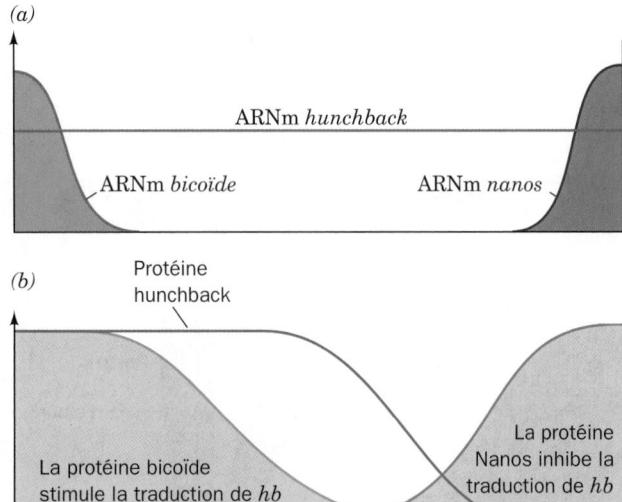

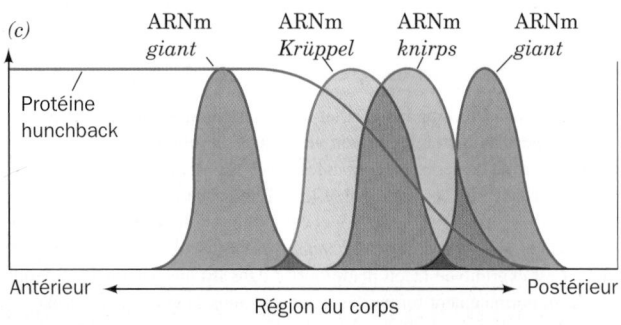

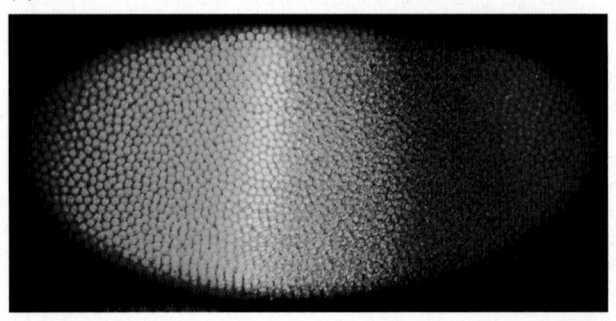

giant ; le gène ***Krüppel*** (de l'allemand, estropié) est exprimé
quand le niveau de la protéine Hunchback commence à diminuer ;
le gène ***knirps*** (de l'allemand, pygmée) est exprimé à des niveaux
encore plus bas de la protéine Hunchback ; et *giant* est à nouveau
activé dans les régions où la protéine Hunchback est indécelable.
Bien que les localisations originales des protéines codées par ces
derniers gènes gap soient fonction des concentrations appropriées
de la protéine Hunchback, ces localisations sont stabilisées et
maintenues grâce à leurs interactions mutuelles. Ainsi, la **protéine
Krüppel** se lie aux promoteurs du gène *hb* qu'elle active et du
gène *knirps* qu'elle réprime. À l'inverse, la **protéine Knirps**
réprime le gène *Krüppel*. Cette répression mutuelle est considérée
comme responsable de la séparation nette entre les différents
domaines gap.

e. Les gènes pair-rule sont exprimés en « rayures de zèbre »

Les gènes pair-rule sont exprimés par ensembles de 7 bandes,
chacune d'elle de la largeur de quelques noyaux, le long de l'axe
antéro-postérieur de l'embryon. De ce fait, l'embryon (qui, à ce
stade, commence seulement à former des cellules) est divisé en
15 domaines (Fig. 34-90). Ces profils d'expression en « rayures de
zèbre » des différents gènes pair-rule sont décalés les uns par rapport aux autres.

Les produits des gènes gap sont des facteurs de transcription
contrôlant directement trois **gènes pair-rule primaires : *hairy*,
even-skipped (*eve*)** et ***runt***. Le profil d'expression en bandes apparaît car les régions de contrôle de la plupart des gènes pair-rule primaires contiennent une série de modules activateurs, chacun d'eux
induisant leur expression génique dans une bande particulière
(Fig. 34-91*a*). Ainsi, la transfection d'un embryon par un gène rapporteur *lacZ* précédé d'un module activateur du gène *eve* entraîne
la transcription de *lacZ* dans la bande 1 uniquement (Fig. 34-91*b*),
alors qu'avec un autre module activateur, la transcription se fait
dans la bande 5 uniquement (Fig. 34-91*c*). Lorsque ces deux
modules activateurs sont utilisés ensemble, il y a production du
transcrit *lacZ* dans les bandes 1 et 5 (Fig. 34-91*d*). Chacun de ces
modules présente une disposition particulière de sites de liaison,
activateurs et inhibiteurs pour les différentes protéines des gènes

**FIGURE 34-89 Formation et effets du gradient de la protéine Hunch-
back dans les embryons de *Drosophila*.** (*a*) Les œufs non fécondés
contiennent, respectivement aux pôles antérieur et postérieur, les ARNm
nanos et *bicoïde* d'origine maternelle, et ils ont une distribution homogène des ARNm *hunchback*. (*b*) Après fécondation, les trois ARNm sont
traduits. Les protéines Bicoïde et Nanos, contrairement à leurs ARNm, ne
sont pas fixées au cytosquelette, elles ont donc une localisation moins
étroite que leurs ARNm, et leurs gradients sont donc plus étendus. La
protéine Bicoïde stimule la transcription du gène *hunchback*, alors que la
protéine Nanos inhibe sa traduction, provoquant un gradient de protéine
Hunchback qui diminue de manière non linéaire, de l'avant vers l'arrière.
(*c*) Des concentrations spécifiques de la protéine Hunchback induisent la
transcription des gènes *giant. Krüppel* et *knirps*. Le gradient de la protéine Hunchback détermine donc les positions dans lesquelles ces derniers ARNm sont synthétisés. (*d*) Photomicrographie d'un embryon de
Drosophila (*extrémité antérieure gauche*) avec marquage par immunofluorescence des protéines Hunchback (*en vert*) et Krüppel (*en rouge*). La
région dans laquelle ces protéines se chevauchent est en jaune. [Parties *a,
b* et *c* d'après Gilbert, S.F., *Developmental Biology* (4e éd.), p. 543,
Sinauer Associates (1994) ; partie *d* avec la permission de Jim Langeland,
Steve Paddock et Sean Carroll. Institut Médical Howard Hughes, Université de Wisconsin-Madison.]

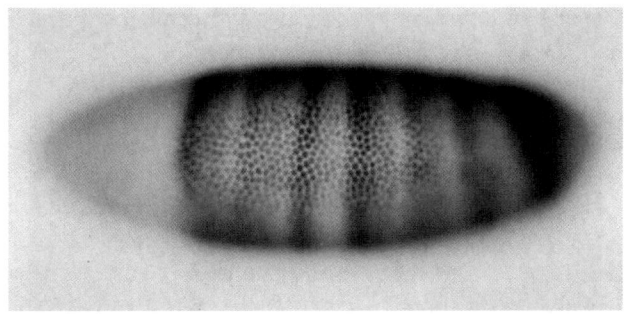 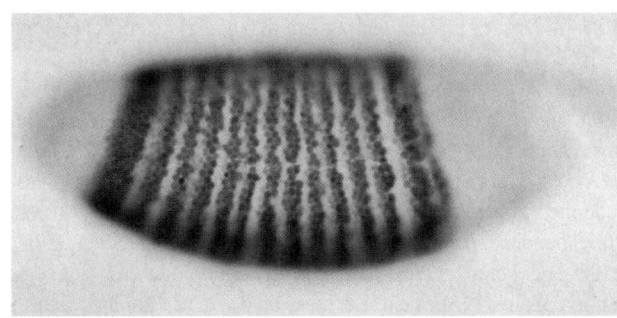

FIGURE 34-90 Embryons de *Drosophila* dont les protéines ont été colorées : Ftz *(en brun)* et Eve *(en gris)*. Ces protéines sont exprimées chacune dans sept bandes, d'abord relativement floues *(à gauche)* mais devenant rapidement très nettes *(à droite)*. [Avec la permission de Peter Lawrence, Laboratoire de Biologie Moléculaire MRC, G.-B.]

gap, afin de permettre l'expression des gènes pair-rule associés, en fonction de la combinaison particulière des différentes protéines de gènes gap présentes dans la bande correspondante. Ainsi dans les embryons déficients pour le gène *giant*, le bord postérieur de la bande 5 est absent (Fig. 34-91*e*). De même qu'avec les gènes gap,

les profils d'expression des gènes pair-rule primaires se stabilisent par interactions entre eux.

Les produits des gènes gap primaires induisent ou inhibent aussi l'expression de cinq **gènes pair-rule secondaires,** dont *ftz*. Walter Gehring a démontré que les transcrits *ftz* apparaissent

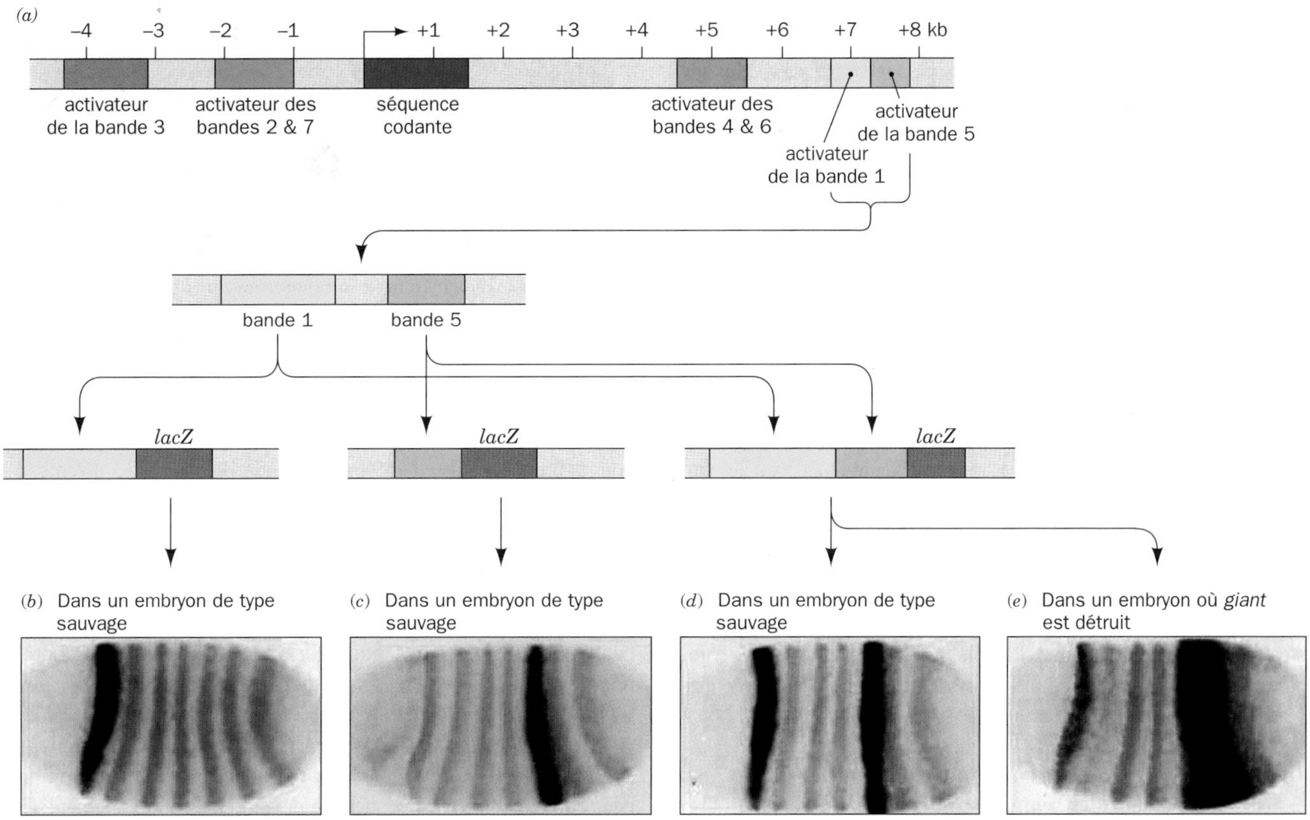

(a)

```
        -4    -3    -2    -1         +1    +2    +3    +4    +5    +6    +7    +8 kb
```

activateur
de la bande 3

activateur des
bandes 2 & 7

séquence
codante

activateur des
bandes 4 & 6

activateur
de la bande 5

activateur
de la bande 1

bande 1   bande 5

lacZ   *lacZ*   *lacZ*

(b) Dans un embryon de type
sauvage

(c) Dans un embryon de type
sauvage

(d) Dans un embryon de type
sauvage

(e) Dans un embryon où *giant*
est détruit

FIGURE 34-91 Expression du gène even-skipped (*eve*) selon un motif à sept bandes dans l'embryon de Drosophila. (*a*) Diagramme du gène *eve*, il contient une série de modules activateurs, certains en amont de la région codante (*en bleu*), d'autres en aval. La fixation, sur ces activateurs, de combinaisons particulières de produits des gènes gap, présents dans leurs bandes respectives, induit l'expression de *eve* dans cette bande. On a indiqué les positions en kb, de différents éléments du gène, par rapport au point d'initiation de la transcription (flèche courbée à angle droit). Le gène rapporteur *lacZ* (en rose vif) a été placé sous le contrôle de l'activateur, soit (*b*) de la bande 1(*en jaune*), soit (*c*) de la bande 5 (*en bleu clair*), soit (*d*) des activateurs des bandes 1 et 5 simultanément. Ces constructions ont été injectées dans des ovocytes de *Drosophila* de type

sauvage. Les embryons obtenus ont été hybridés *in situ* avec un ARN *lacZ* antisens marqué par un colorant permettant une coloration bleue aux endroits où *lacZ* avait été transcrit, puis les embryons ont été colorés par des anticorps anti-Eve (*en orange*). On voit que *lacZ* n'est exprimé que dans les bandes correspondant aux constructions injectées. (*e*) Lorsqu'un ovocyte dépourvu du gène gap *giant* est injecté avec la construction où lacZ est sous le contrôle des activateurs des bandes 1 et 5, la bande 1 est normale, alors qu'il manque le bord postérieur de la bande 5. Cela indique que la protéine Giant sert normalement à inhiber l'expression de *eve* au delà de la fin de la bande 5. [Partie *a* d'après un dessin de Scott Gilbert, Swarthmore College. Parties *b, c, d* et *e* avec l'aimable autorisation de James Jaynes, Université Thomas Jefferson.]

d'abord dans les noyaux qui bordent le cytoplasme cortical durant le 10e cycle de divisions nucléaires de l'embryon. Le taux d'expression de *ftz* augmente au cours du développement de l'embryon jusqu'au 14e cycle de division où se forment le blastoderme cellulaire. À ce stade, comme le marquage immunochimique l'a montré, *ftz* est exprimé selon un profil de 7 « ceintures » autour du blastoderme, larges chacune de 3 à 4 cellules (Fig. 34-90) qui correspondent précisément aux régions manquantes chez les embryons homozygotes *ftz⁻*. Ensuite, alors que les segments embryonnaires se forment, l'expression de *ftz* va diminuer jusqu'à un niveau indécelable (bien qu'elle soit réactivée ultérieurement durant la différenciation de cellules nerveuses spécifiques où elle est indispensable pour déterminer un « branchement » correct). Évidemment, le gène *ftz* doit être exprimé dans des sections alternées de l'embryon pour que se produise la segmentation normale.

f. Les gènes de polarité segmentaire définissent les limites des parasegments

L'expression de huit gènes de polarité segmentaire connus est initiée par les produits des gènes pair-rule. Par exemple, aux alentours du 13e cycle de divisions nucléaires, comme Thomas Kornberg l'a démontré, les transcrits *engrailed (en)* peuvent être détectés, mais sont distribués plus ou moins régulièrement dans tout le cortex embryonnaire. Cependant, puisque *en* est exprimé dans les noyaux contenant de fortes concentrations des protéines **Eve** ou **Ftz** (Fig. 34-90), aux alentours du 14e cycle ils forment des profils étonnants de 14 bandes autour du blastoderme (d'étendue moitié moindre que celles correspondant à l'expression de *ftz*). La poursuite du développement révèle que ces bandes sont localisées dans le compartiment postérieur primordial de chaque segment (Fig. 34-92), ce sont justement ces compartiments qui manquent dans les embryons homozygotes *en⁻*. Ainsi, comme nous l'avons vu pour *ftz*, le produit du gène *en* induit le développement de la moitié postérieure de chaque segment d'une manière différente de la moitié antérieure.

Un autre gène de polarité segmentaire, ***wingless (wg)***, est exprimé en même temps que *en*, mais en bandes fines, sur le côté antérieur de la plupart des bandes *en* (Fig. 34-93). Les cellules exprimant les gènes *en* et *wg* définissent donc les limites de ce que l'on appelle les **parasegments,** régions embryonnaires constituées de la partie postérieure d'un segment et de la partie antérieure du segment précédent. Les parasegments ne deviennent pas des unités morphologiques, ni chez la larve, ni chez l'adulte. Cependant, on peut les considérer comme les véritables unités de développement chez l'embryon.

g. Les gènes sélecteurs homéotiques dirigent le développement des segments individuels du corps

Les composants structuraux des parties du corps qui se développent de façon analogue, comme les antennes et les pattes chez *Drosophila,* sont presque identiques ; seule leur organisation diffère (Fig. 34-87*d*). *Par conséquent, le rôle des gènes du développement est de contrôler le profil d'expression des gènes structuraux plutôt que d'activer ou d'inhiber ces gènes.* Comme nous l'avons vu pour les gènes de segmentation, l'expression des gènes structuraux caractéristiques d'un tissu donné doit être contrôlée par un réseau complexe de gènes régulateurs. **Les** gènes sélecteurs homéotiques, comme nous allons le voir, sont les gènes « maîtres » des réseaux de contrôle dirigeant la différenciation segmentaire.

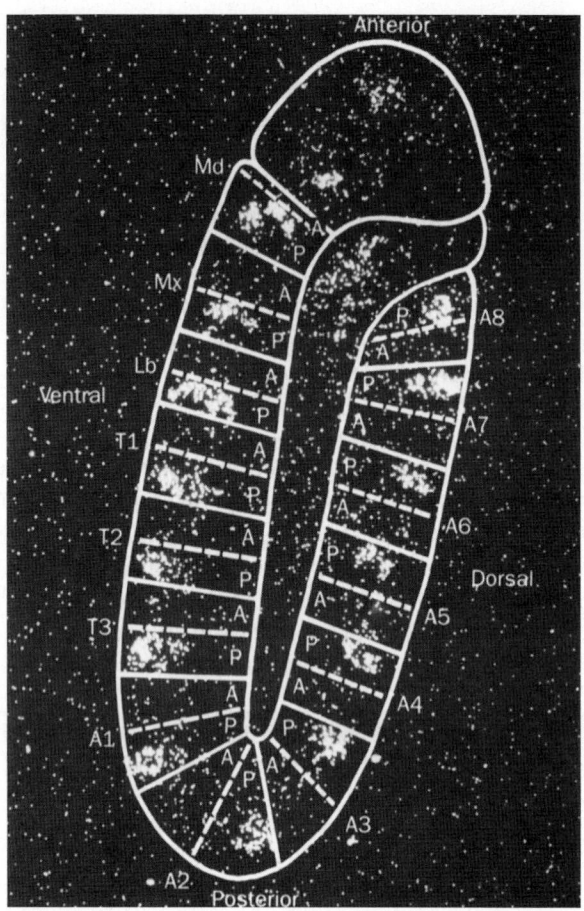

FIGURE 34-92 Hybridation *in situ* montrant que le gène *engrailed* de *Drosophila* est exprimé dans le compartiment postérieur de chaque segment embryonnaire. [Avec la permission de Walter Gehring. Université de Bâle. Suisse.]

La plupart des mutations homéotiques chez *Drosophila* (décrites pour la première fois en 1894 par William Bateson qui a inventé le terme « homéosis » pour désigner le fait que quelque chose a été changé en prenant l'apparence d'autre chose) correspondent à huit gènes apparentés qui se répartissent en deux groupes qui fonctionnent comme un seul groupe : le **complexe bithorax *(BX-C)*,** qui contrôle le développement des segments thoraciques et abdominaux, et le **complexe antennapedia *(ANT-C)*,** qui affecte en premier les segments de la tête et du thorax. *Des mutations récessives dans BX-C, lorsqu'elles sont homozygotes, provoquent le développement d'un ou de plusieurs segments d'une façon qui correspond à celle de segments plus antérieurs.* Ainsi, les mutations combinées ***bx, abx*** et ***pbx*** provoquent le développement du segment T3 comme si c'était le segment T2 (Fig. 34-87*e*). De même, la délétion complète de *BX-C* fait ressembler à T2, tous les segments postérieurs à T2 ; apparemment, T2 correspond à un niveau minimum du développement de ces 10 segments. On pense que l'évolution de telles familles de gènes a permis l'apparition des arthropodes (le phylum incluant les insectes) à partir des annélides plus primitifs (vers segmentés) chez lesquels tous les segments sont presque identiques.

Une analyse génétique détaillée de *BX-C* a conduit Edward B. Lewis à formuler un modèle de différenciation segmentaire (Fig. 34-94). Selon Lewis, *BX-C* contient au moins un gène pour

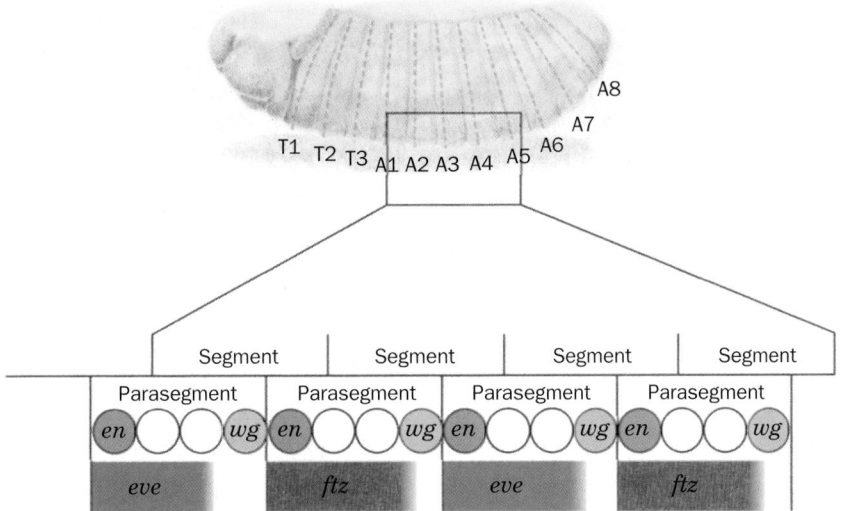

FIGURE 34-93 Les protéines pair-rule Eve et Ftz régulent l'expression des gènes de polarité segmentaire *engrailed (en)* **et** *wingless (wg).* Lorsque soit Eve, soit Ftz est présente, le gène *en* est exprimé, alors que lorsque les deux protéines sont absentes, le gène *wg* est exprimé. Les frontières des parasegments sont ainsi définies. On pense que d'autres protéines pair-rule inhibent l'expression des gènes *en* et *wg* au centre des parasegments, mais non à leurs frontières.

chaque segment de T3 à A8, qui, pour simplifier, ont été numérotés de 0 à 8 dans la Fig. 34-94. Ces gènes, pour des raisons inconnues, sont disposés dans un ordre de « gauche » à « droite » qui est le même que celui de l'avant vers l'arrière des segments qu'ils influencent. En partant de T3, les segments les plus postérieurs expriment progressivement plus de gènes *BX-C* jusqu'au segment A8, où tous ces gènes sont exprimés. Le destin d'un segment au cours du développement est donc déterminé par sa position dans l'embryon.

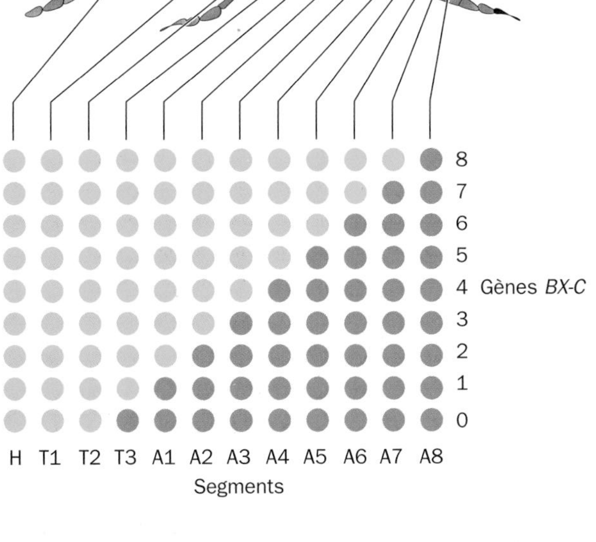

L'analyse de séquence de la région *BX-C* pose un problème par rapport au modèle de Lewis : *BX-C* ne contient que trois gènes codant des protéines, ***Ultrabithorax (Ubx), Abdominal A (Abd-A)*** ***et Abdominal B (Abd-B).*** Cependant, des analyses ultérieures ont montré, par exemple, que des mutations telles que *bx, abx* et *pdx,* dont on pensait qu'elles se produisaient sur des gènes séparés, sont en fait des mutations d'éléments activateurs qui permettent l'expression spécifique du gène *Ubx* en fonction de la position. Ainsi, les neuf « gènes » du modèle de Lewis se sont révélés être des éléments activateurs des trois gènes *BX-C*.

h. Les gènes du développement ont des séquences communes

En caractérisant le gène ***Antennapedia (Antp),*** Gehring et Matthew Scott, chacun de son côté, ont découvert que l'ADNc de *Antp* s'hybride à la fois au gène *Antp* et au gène *ftz*, et donc, que *ces gènes ont une séquence de base commune.* Cette observation étonnante a rapidement permis de découvrir que *le génome de Drosophila contient nombre de ces séquences dont beaucoup sont présentes dans les complexes de gènes homéotiques ANT-C et BX-C.* Le séquençage de l'ADN de ces gènes a révélé que chacun

8
7
6
5
4 Gènes *BX-C*
3
2
1
0

H T1 T2 T3 A1 A2 A3 A4 A5 A6 A7 A8
Segments

FIGURE 34-94 Modèle de la différenciation des segments embryonnaires chez *Drosophila,* **dirigée par les gènes du complexe bithorax** ***(BX-C).*** Les segments T2, T3 et A1-8 de l'embryon, comme indiqué au bas de la figure, sont caractérisés chacun par une combinaison unique de « gènes » *BX-C* actifs (*en violet*) ou inactifs (*en jaune*). Ces « gènes » (dont les analyses de séquence ultérieures ont montré qu'il s'agit en réalité d'éléments activateurs), numérotés de 0 à 8, sont probablement activés séquentiellement de l'avant vers l'arrière de l'embryon si bien que le segment T2, segment le plus primitif en ce qui concerne le développement, n'a pas de gène *BX-C* actif, alors que dans le segment A8, ils sont tous actifs. Un tel profil d'expression génique peut résulter d'un gradient de concentration d'un répresseur de *BX-C* qui diminue de l'avant vers l'arrière de l'embryon. [D'après Ingham, P., *Trends Genet.* 1,113 (1985).]

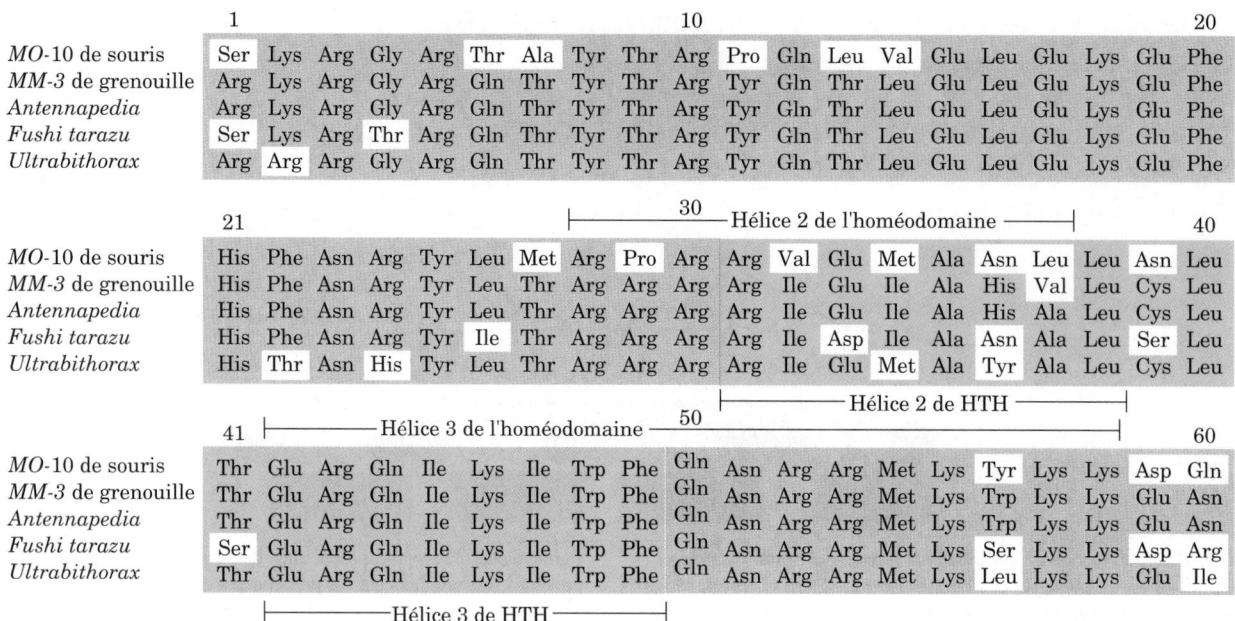

FIGURE 34-95 **Séquence en acides aminés des polypeptides codés par les homéodomaines de 5 gènes de souris, de *Xenopus* et de *Drosophila* (*Ultrabithorax* est un gène de *BX-C*).** Les parties divergentes entre les polypeptides codés par la boîte homéotique *Antp* et ceux des autres gènes ne sont pas colorées. Chaque polypeptide possède un segment de 19 résidus (*en rouge*) homologue au motif de repliement HTH de liaison à l'ADN des répresseurs des procaryotes. Les positions des hélices observées par analyse par rayons X et par RMN des homéodomaines, ainsi que celles des hélices HTH des protéines de procaryotes sont indiquées.

contient une séquence de 180 pb appelée **homéodomaine** ou **boîte homéotique (homeobox)**. Ces séquences ont une homologie de 70 à 90 % et elles codent des segments polypeptidiques de 60 résidus, encore plus homologues (Fig. 34-95).

Des études d'hybridation ultérieures, en utilisant des sondes d»homéodomaines, ont conduit à la découverte vraiment étonnante que *des copies multiples de l'homéodomaine sont également présentes dans les génomes des animaux segmentés, des annélides aux vertébrés tels que Xenopus, les souris ou les êtres humains.* Dans certaines de ces séquences, le degré d'homologie est remarquablement élevé ; par exemple, l'homéodomaine du gène *Antp* de *Drosophila* et celui du **gène *MM3*** de *Xenopus* codent des polypeptides qui ont 59 acides aminés sur 60 en commun (Fig. 34-95).

i. Le motif de liaison à l'ADN de l'homéodomaine ressemble à un motif hélice-tour-hélice

Puisque les vertébrés et les invertébrés ont divergé il y a plus de 600 millions d'années, il est probable que le produit génique de l'homéodomaine a une fonction essentielle. Quelle peut être cette fonction ? Le contenu d'environ 30 % en résidus Arg + Lys des polypeptides des homéodomaines suggérait qu'ils se lient à l'ADN. Plus tard, des comparaisons de séquence et des études par RMN ont montré que ces segments polypeptidiques forment des motifs hélice-tour-hélice (HTH) ressemblant à ceux des régulateurs géniques des procaryotes tels que le répresseur *trp* de *E. coli* (Section 31-3D) et la protéine Cro du phage l (Section 33-3D). En effet, le polypeptide codé par l'homéodomaine du gène *engrailed* de *Drosophila* se lie de façon spécifique à des séquences d'ADN juste en amont des sites de départ de la transcription des gènes *en* et *ftz*. De plus, la fusion de la séquence en amont du gène *ftz* à

d'autres gènes impose à l'expression de ces gènes dans les embryons de *Drosophila,* le profil de bandes correspondant à *ftz* (Fig. 34-90). *Ces observations suggèrent, en accord avec l'idée que les produits des gènes du développement agissent comme régulateurs de l'expression d'autres gènes, que les gènes contenant des homéodomaines codent des facteurs de transcription.* En fait, toutes les protéines codées par les homéodomaines ne sont pas impliquées dans la régulation du développement. L'homéodomaine est apparemment un motif génétique largement répandu qui code les segments de liaison à l'ADN d'un grand nombre de protéines.

Thomas Kornberg et Pabo ont déterminé la structure par rayons X de l'homéodomaine de 61 résidus de la protéine Engrailed de *Drosophila,* associée à un ADN de 21 pb (Fig. 34-96). Deux copies de la protéine se lient à l'ADN, l'une près du centre de l'ADN, l'autre près d'une extrémité, où elle est aussi en contact avec une seconde molécule d'ADN qui, cristallisée, forme une hélice pseudo-continue avec la première. Les conformations des deux molécules de protéines et leurs contacts avec l'ADN sont presque identiques. Les deux homéodomaines ne sont pas en contact, et contrairement à d'autres motifs de liaison à l'ADN de structure connue, *ils se lient à leur cible d'ADN sous forme de monomères.* La structure par rayons X est tout à fait conforme à la structure par RMN de l'homéodomaine d'*Antennapedia* associé à un ADN de 14 pb, déterminée par Gehring et Kurt Wüthrich.

L'homéodomaine est constitué en grande partie, de trois hélices α dont les deux dernières, comme les comparaisons de séquences l'avaient suggéré, forment un motif HTH qui est étroitement superposable aux motifs HTH des répresseurs de procaryotes, comme celui du répresseur λ (Fig. 33-45*a*). Cependant, bien que l'hé-

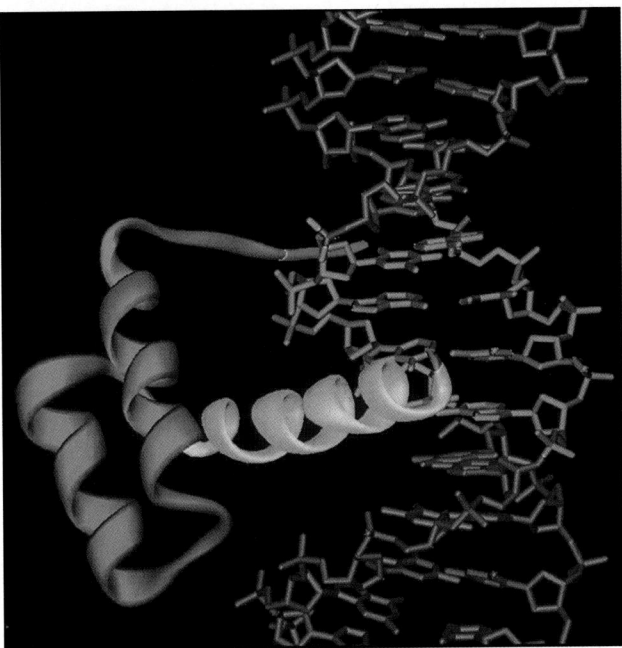

FIGURE 34-96 Structure par rayons X de l'homéodomaine de la protéine Engrailed associé à un ADN de 21 pb contenant sa séquence cible. La protéine de 60 résidus est montrée sous l'orme d'un ruban (*en vert*) avec son hélice de reconnaissance (Hélice 3, résidus 42 à 58 ; *en jaune d'or*) liée dans le grand sillon de l'ADN. L'ADN est représenté en modèle éclaté (*en bleu clair*) avec des paires de bases incluant son sous-site TAAT en rose vif. Un deuxième homéodomaine qui se lie à l'extrémité inférieure de l'ADN d'une manière presque identique, mais qui n'est pas en contact avec l'homéodomaine représenté ici, a été omis pour plus de clarté. Notez comment le segment N-terminal (*en rouge*, résidus 3 à 5 ; les résidus 1et 2 sont en désordre) se lie dans le petit sillon de l'ADN. [Basé sur une structure par rayons X par Carl Pabo. MIT. PDBid 1HDD.]

lice 3, hélice de reconnaissance du motif HTH, entre dans le grand sillon de son ADN cible, elle le fait de manière très différente dans les deux complexes. Par exemple, dans le complexe du répresseur λ, l'extrémité N-terminale de l'hélice de reconnaissance est insérée dans le grand sillon de l'ADN, alors que dans le complexe de l'homéodomaine, l'ADN est déplacé vers l'extrémité C-terminale de l'hélice, qui est plus longue que celle du répresseur λ (elle va des résidus 42 à 58 dans la Fig. 34-95). En conséquence, la façon dont la première hélice du motif HTH (hélice 2 ; résidus 28 à 37 dans la Fig. 34-95) est en contact avec l'ADN diffère aussi entre ces deux complexes.

La plupart des sites de liaison des **homéodomaines** ont des sous-séquences TAAT. On voit par rayons X que l'hélice de reconnaissance établit des liaisons hydrogène spécifiques avec cette sous-séquence dans le grand sillon de l'ADN grâce à des résidus très conservés dans l'homéodomaine des eucaryotes supérieurs. Il semble donc que le rôle de ces interactions est d'assurer l'alignement de l'homéodomaine avec les autres bases qu'il contacte. De plus, deux résidus Arg conservés et localisés dans la queue N-terminale de l'homéodomaine établissent des liaisons hydrogène spécifiques avec les bases de la séquence TAAT dans le petit sillon de l'ADN. Ainsi, la protéine prend en tenaille la séquence TAAT des deux côtés. Noter que peu d'autres protéines à liaison spécifique de séquence à l'ADN établissent des contacts avec les bases dans

le petit sillon. Enfin, l'homéodomaine établit de nombreux contacts avec le squelette de l'ADN qui, pense-t-on, jouent aussi un rôle important dans sa liaison et sa reconnaissance.

j. Les gènes des homéodomaines fonctionnent de manière analogue chez les vertébrés et chez *Drosophila*

L'ensemble des gènes codant des homéodomaines sont appelés **gènes *Hox*.** Chez les vertébrés, ils sont organisés en quatre groupes de 9 à 11 gènes, chacun étant localisé sur un chromosome séparé et s'étendant sur plus de 100 kb. En revanche, *Drosophila,* comme nous l'avons vu, a un groupe ***Hox*** scindé en deux, alors que les nématodes (vers ronds), qui sont encore plus primitifs que les insectes sur le plan de l'évolution, n'ont qu'un groupe *Hox* non scindé. Les gènes du complexe *Hox* primitif sont probablement apparus dans un organisme primitif ancestral par une série de duplications de gènes, comme par la suite les quatre groupes *Hox* des vertébrés. Comme chez *Drosophila,* chez les vertébrés les gènes de chaque groupe ***Hox*** sont activés dans le même ordre, de gauche à droite, et sont exprimés de l'extrémité antérieure vers l'extrémité postérieure de l'embryon. Peut-être que cette disposition est nécessaire pour que les gènes d'homéodomaines soient activés dans un ordre correct, bien que chez *Drosophila,* les protéines gap et pair-rule soient toujours capables d'agir sur les régions de contrôle de *Hox* qui ont été transplantées dans d'autres parties du génome. Quoiqu'il en soit, les différents groupes de gènes ***Hox,*** de même que les gènes qui les constituent, sont certainement apparus à la suite d'une série de duplications et de diversifications de gènes dont le point de départ a été un seul gène ***Hox*** chez un organisme primitif ancestral.

Les gènes ***Hox*** de vertébrés, comme ceux de *Drosophila,* sont exprimés selon des profils spécifiques et à des stades précis de l'embryogenèse. La plupart des gènes ***Hox*** sont exprimés au cours de la gestation quand l'organogenèse prévaut. Le fait que les gènes *Hox* codent directement la nature et la destinée des cellules embryonnaires, c'est-à-dire qu'ils sont de caractère homéotique, a été montré, par exemple, par l'expérience suivante : des embryons de souris ont été rendus transgéniques pour le gène *Hox-1.1* qui a été placé sous le contrôle d'un promoteur actif dans toutes les parties du corps, bien que le gène ***Hox-1.1*** ne soit normalement exprimé que postérieurement au cou. Les souris obtenues présentaient des anomalies craniofaciales importantes telles qu'une fente palatine, une vertèbre supplémentaire et un disque intervertébral à la base du crâne. Certaines avaient aussi une paire de côtes supplémentaires dans la région du cou. Donc, ce gène *Hox* à « fonctionnement accru » a induit une mutation homéotique, c'est-à-dire un changement du profil de développement, analogue à ceux observés chez *Drosophila.*

Les souris homozygotes résultant du remplacement de la séquence codante de leur gène ***Hox-3.1*** par celle du gène *lacZ* dans des cellules souches embryonnaires naissent vivantes, mais meurent habituellement dans les jours qui suivent. Elles présentent des déformations du squelette dans les régions du tronc dans lesquelles certains segments squelettiques sont transformés en segments ressemblant aux segments plus antérieurs. Le profil d'activité β-galactosidase (Fig. 34-97), (détecté par coloration bleue après utilisation de X-Gal ; Section 5-5C), montre aussi bien chez les homozygotes que chez les hétérozygotes, que la perte du gène *Hox-3.1* modifie la nature, mais pas la position des cellules embryonnaires qui expriment normalement *Ho.x-3.1.*

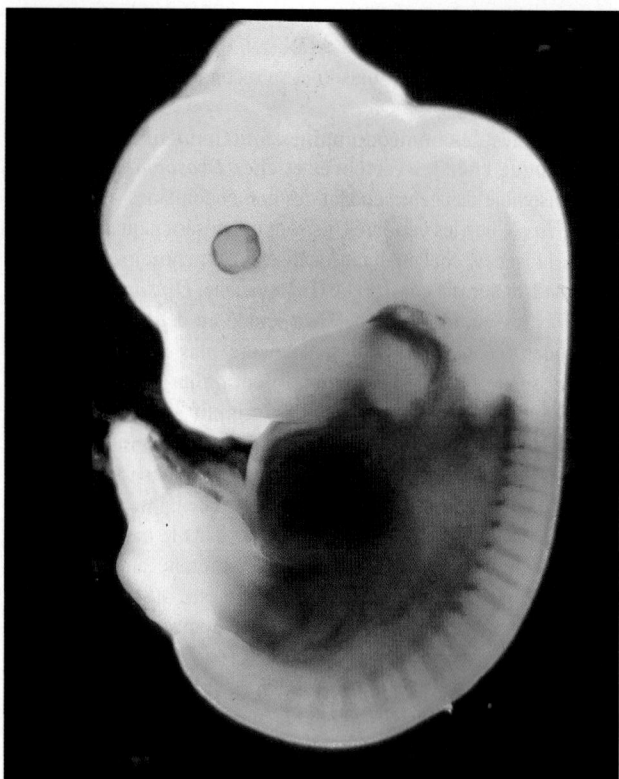

FIGURE 34-97 Profil d'expression du gène *Hox3.1* d'un embryon de souris de 12 jours et demi. La portion du gène *Hox-3.1* embryonnaire codant la protéine a été remplacée par le gène *lacZ*. Les régions de cet embryon transgénique dans lequel *Hox-3.1* est exprimé sont révélées par la couleur bleue qui se développe lorsqu'on baigne l'embryon dans un tampon contenant le substrat X-Gal. [Avec la permission de Philippe Brûlet, Collège de France et Institut Pasteur, France.]

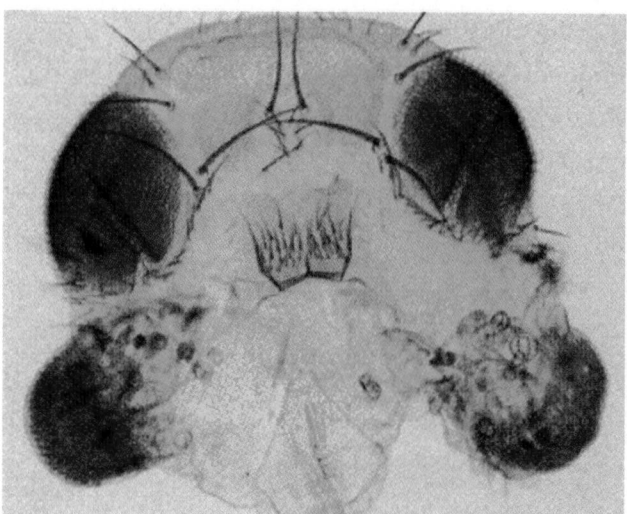

FIGURE 34-98 Yeux ectopiques dus à l'expression ciblée du gène *ey* de *Drosophila* dans les primordia de ses disques imaginaux. On voit ici la cuticule d'une tête de *Drososphila* adulte dans laquelle les deux antennes ont formé des structures oculaires qui présentent la morphologie et la pigmentation rouge des yeux normaux. On est parvenu à exprimer ce type de structures oculaires de façon semblable sur les ailes et les pattes. [Avec l'aimable autorisation de Walter Gehring, Université de Bâle, Suisse.]

k. L'expression du gène *eyeless* de *Drosophila* induit la formation d'yeux ectopiques

Les mutations dans le gène *eyeless* (*ey*) de *Drosophila* ont été décrite en 1915 pour la première fois, les mouches obtenues ont des yeux dont les composants sont soit de taille réduite, soit complètement absents. L'expression de *ey* qui contient un homéodomaine est d'abord détectée dans le système nerveux de l'embryon puis, plus tard, dans les ébauches embryonnaires de l'œil. Dans les stades larvaires suivants, il est exprimé dans les disques imaginaux en développement de l'œil. Des formes mutantes de quatre autres gènes de *Drosophila*, produisant un phénotype semblable, n'affectent pas l'expression du gène *ey*, montrant que l'action de *ey* est antérieure à celle de ces gènes. Ces observations ont conduit à l'hypothèse que le gène *ey* est un gène maître qui contrôle le développement de l'œil.

Des études de Gehring, utilisant le génie génétique, ont confirmé cette hypothèse. Par l'expression ciblée d'ADNc de *ey* dans différents primordia de disques imaginaux de *Drosophila*, il y a eu induction de la formation de constituants ectopique (en position anormale) de l'œil sur les ailes, les pattes et les antennes (Fig. 34-98) des différentes mouches. De plus, dans de nombreux cas, ces yeux avaient une morphologie apparemment normale. Ils étaient constitués d'ommatidies (l'œil élémentaire constituant des yeux composés) avec un ensemble complet de cellules photoréceptrices qui se révélèrent avoir une activité électrique quand on les illuminait (on ne sait cependant pas si les mouches peuvent voir

avec ces yeux ectopiques, c'est-à-dire si ces yeux ont établi des connections nerveuses correctes avec le cerveau).

Le gène de souris *Small eye* (*Sey* ou *Pax-6*) et le gène humain *Aniridia* ont une séquence très similaire à celle du gène *ey* de *Drosophila*, ils sont également exprimés durant la morphogenèse. Des souris porteuses de mutations dans l'un de leurs deux gènes *Sey* ont des yeux atrophiés, tandis que la mutation des deux gènes *Sey* entraîne l'absence d'yeux. De même, les êtres humains hétérozygotes pour un gène *Aniridia* défectueux ont des défauts de l'iris, du cristallin, de la cornée et de la rétine. Il est clair que les gènes *ey*, *Sey* et *Aniridia* sont tous trois des gènes maîtres qui contrôlent la formation de l'œil dans leurs organismes respectifs. Ce résultat est surprenant si l'on considère les énormes différences morphologiques entre les yeux d'insectes et de mammifères. Ainsi, malgré les 500 millions d'années écoulées depuis la divergence entre les insectes et les mammifères, leurs mécanismes de contrôle du développement se révèlent étroitement apparentés.

l. L'acide rétinoïque est un morphogène chez les vertébrés

L'acide rétinoïque (RA), un dérivé de la **vitamine A (rétinol)**,

X = COOH: **Acide rétinoïque (RA)**

X = CH₂OH: **Rétinol (vitamine A)**

a un gradient de concentration dans les membres de poulet en développement et est donc considéré comme un morphogène. L'administration systématique de RA pendant l'embryogenèse de la souris entraîne des malformations graves, surtout des déformations du squelette, qui semblent dues à des déplacements vers l'avant ou vers l'arrière par rapport aux caractéristiques normales. Plusieurs preuves suggèrent que l'expression des gènes *Hox* fournit l'information de positionnement que RA perturbe. Les gènes *Hox* sont activés différemment par RA selon leur position dans les groupes *Hox*. Ceux localisés à l'extrémité 3′ d'un groupe sont activés au maximum pour des concentrations de RA aussi faibles que 10^{-8} *M*, ceux proches de l'extrémité 5′ nécessitent une concentration de RA de 10^{-5} *M*, et ceux qui sont à l'extrémité 5′ sont insensibles à RA. De plus, une concentration de RA de 10^{-5} *M* active séquentiellement les gènes *Hox* de l'extrémité 3′ vers l'extrémité 5′ d'un groupe, dans le même ordre donc que celui trouvé dans leur profil d'expression lors du développement des systèmes axiaux, comme le squelette et le système nerveux central.

Ces données expliquent pourquoi un analogue de RA, l'**acide 13-cis-rétinoïque**, qui, pris oralement, a des bienfaits incalculables dans le traitement de l'**acnée cystique aiguë**, provoque des malformations congénitales s'il est utilisé par des femmes enceintes. Les profils caractéristiques de déformations crâniennes chez ces enfants sont analogues à ceux induits chez des embryons de souris qui ont été exposés à de faibles concentrations (2×10^{-6} *M*) de cette substance, ce qui indique que sa présence modifie l'expression de gènes *Hox* très tôt pendant la gestation (~1 mois après la fécondation chez l'homme, et ~9 jours chez la souris).

C. *Les bases moléculaires du cancer*

Le cancer, l'un des problèmes majeurs de santé humaine, a fait l'objet de recherches biomédicales considérables au cours des dernières décennies. Environ 100 types différents de cancers humains sont répertoriés, des méthodes de détection et de traitement des cancers se sont fortement développées, et l'épidémiologie des cancers a été largement caractérisée. Pourtant, nous sommes encore loin d'une compréhension totale des bases biochimiques de cet ensemble de maladies. Dans la Section 19-3B nous avons étudié les traits généraux du cancer, ses causes et la façon dont les virus tumorigènes provoquent le cancer. Dans cette Section nous présenterons les altérations génétiques qui provoquent le cancer.

a. La malignité peut provenir d'altérations génétiques spécifiques

Bien que beaucoup de nos connaissances sur les oncogènes aient pour origine l'étude des oncogènes rétroviraux (Section 19-3B), peu de cancers humains sont causés par des rétrovirus. Cependant, *il est probable que tous les cancers sont causés par des altérations génétiques*. Robert Weinberg a démontré qu'il en était bien ainsi dans le cas de fibroblastes de souris qui avaient été transformés par un cancérigène connu. Des fibroblastes normaux de souris en culture sont transformés après transfection par de l'ADN provenant des cellules transformées. De plus, ces cellules nouvellement transformées, inoculées à des souris, provoquent des tumeurs. Des recherches semblables indiquent que les ADN d'un large éventail de tumeurs malignes ont également une activité transformante.

Quelles sortes de changements génétiques peuvent déclencher un cancer ? Plusieurs types de changements ont été observés :

1. Protéines altérées : *Nous avons vu qu'un oncogène peut donner un produit protéique ayant une activité anormale par rapport à celle du proto-oncogène correspondant.* Ceci peut même résulter d'une simple mutation ponctuelle. Par exemple, Weinberg, Michael Wigler et Mariano Barbacid ont montré que l'oncogène

ras isolé d'un **carcinome** (une tumeur maligne apparaissant dans les tissus épithéliaux) de vessie humaine diffère du proto-oncogène correspondant par la mutation du codon Gly 12 (GCC) en codon Val (GTC). Le changement d'acide aminé qui en résulte diminue l'activité GTPase de la protéine Ras (Section 19-3C), sans toutefois modifier sa capacité à stimuler la phosphorylation de protéines, mais en prolongeant le temps pendant lequel la protéine G reste activée. De fait, les comparaisons effectuées par Soung-Hou Kim, par rayons X, des structures de la protéine Ras humaine normale et de sa forme oncogénique (Gly 12 → Val), toutes deux associées au GDP, indiquent que la mutation affecte principalement la structure de la protéine normale au voisinage de sa fonction GTPase. La plupart des autres mutations activant l'oncogène *ras* changent des résidus également proches de ce site. Ras, qui joue un rôle central dans les cascades des MAP kinases (Fig. 19-38), est, comme on pouvait s'y attendre, l'un des proto-oncogènes le plus fréquemment impliqué dans les cancers humains.

2. Séquences régulatrices altérées : *La transformation maligne peut résulter de l'expression anormalement élevée d'une protéine cellulaire normale.* Par exemple, le proto-oncogène *c-fos*, qui code le facteur de transcription **Fos** (qui est activé par des cascades de MAP kinases ; Fig. 19-38), diffère de l'oncogène rétroviral *v-fos* essentiellement par ses séquences régulatrices : *v-fos* a un activateur efficace, alors que *c-fos* possède un segment de 67 nucléotides riches en AT à son extrémité 3′ terminale non codante qui, lorsqu'il est transcrit, entraîne une dégradation rapide de l'ARNm (Section 33-3C). Donc, *c-fos* peut être transformé en oncogène par délétion de son extrémité 3′, et en ajoutant l'activateur de *v-fos*.

3. Perte de signaux de dégradation : *Une protéine oncogénique qui est dégradée plus lentement que la protéine cellulaire normale correspondante peut entraîner une transformation maligne par sa concentration anormalement élevée dans la cellule.* Le facteur de transcription **c-Jun**, par exemple, (qui est aussi activé par des cascades de kinases ; Fig. 19-38), mais pas **v-Jun**, est efficacement multi-ubiquitiné et donc dégradé par protéolyse par la cellule (Section 32-6B). Ceci est dû au fait que v-Jun a perdu un fragment de 27 résidus qui est présent dans c-Jun. Des expériences de mutagenèse indiquent que ce fragment est nécessaire pour l'**ubiquitination** efficace de c-jun, même si ce fragment ne contient pas les sites principaux d'attachement de l'ubiquitine à la protéine.

4. Réorganisations chromosomiques : *Un oncogène peut être transcrit de manière inappropriée quand il se trouve placé sous le contrôle d'une séquence régulatrice étrangère suite à une réorganisation chromosomique.* Par exemple, Carlo Croce a trouvé que le cancer humain appelé **lymphome de Burkitt** (un lymphome est dû à la malignité de cellules du système immunitaire), est caractérisé par un échange de segments chromosomiques dans lequel le proto-oncogène *c-myc* est déplacé de sa position normale (à l'extrémité du chromosome 8) jusqu'à l'extrémité du chromosome 14, à coté de certains gènes d'immunoglobulines. Le gène *c-myc* mal placé se trouve alors sous le contrôle transcriptionnel des séquences régulatrices très actives (dans les cellules du système immunitaire) des immunoglobulines. Il en résulte une surproduction du produit normal du gène *c-myc* (un facteur de transcription qui est aussi activé par des cascades de MAP kinases et dont l'augmentation transitoire est normalement corrélée avec le début de la division cellulaire). Il peut aussi y avoir production de protéine Myc à un moment inapproprié du cycle cellulaire, ce qui semble être un facteur majeur de la transformation cellulaire

5. Amplification génique : *La surexpression d'un oncogène peut aussi avoir lieu lorsque l'oncogène est répliqué de multiples fois, soit sous forme de copies chromosomiques répétées séquentiellement, soit sous forme de particules extrachromosomiques.* L'amplification du gène *c-myc* a, par exemple, été observée dans différents types de cancers humains. L'amplification génique est en général un état génétique instable qui ne peut être maintenu que sous une forte pression de sélection comme celle conférée par des molécules cytotoxiques (Section 34-2D). On ne sait pas pourquoi l'amplification de l'oncogène est maintenue de façon stable.

6. Insertion virale dans un chromosome : *L'expression inappropriée d'un oncogène peut être due à l'insertion d'un génome viral dans un chromosome cellulaire de façon à ce que le proto-oncogène soit placé sous le contrôle transcriptionnel d'une séquence régulatrice virale.* Par exemple, le **virus de la leucose aviaire,** un rétrovirus qui ne possède pas d'oncogène mais qui peut néanmoins induire des lymphomes chez les poulets, a un site d'insertion chromosomique près de *c-myc*. Certains virus tumoraux à ADN peuvent aussi transformer les cellules de cette façon.

7. Inactivation ou activation inappropriée d'enzymes de modification de la chromatine : Les hétérozygotes portant un défaut d'un gène *CBP*, dont le produit active le complexe PCAF HAT (Section 34-3B), présentent un **syndrome de Rubinstein-Tabi,** condition qui les prédispose au cancer. Un exemple apparenté concerne le récepteur de l'acide rétinoïque (RAR), qui est important pour la différenciation des tissus myéloïdes (tissus sanguins). Il aide au recrutement des complexes HDAC comme Ncor et SMRT (Section 34-3B) sur les **éléments de réponse à l'acide rétinoïque (RARE),** mais après fixation de son ligand il libère ces complexes. Cependant, dans la **leucémie promyélocytique,** une translocation chromosomique produit un RAR défectueux qui se fixe sur les RARE et recrute les HDAC, mais qui est incapable de répondre à la présence de rétinoïdes.

8. Perte ou inactivation de gènes suppresseurs de tumeur : Les cas nombreux de cancers particuliers dans certaines familles font penser à l'existence de prédispositions génétiques pour ces maladies. Un exemple particulièrement clair concerne le **rétino-blastome,** un cancer de la rétine en développement, qui n'affecte donc que les nouveaux nés et les jeunes enfants. Chez les descendants des victimes ayant survécu à un rétinoblastome il y a une forte incidence de cette maladie, ainsi que de certains autres types de cancers. En fait, le rétinoblastome est associé à la transmission d'une copie du chromosome 13 dont un segment particulier a été détruit. Le rétinoblastome se développe, comme Alfred Knudson a été le premier à l'expliquer, suite à une mutation somatique dans un **rétinoblaste** (une cellule précurseur de la rétine) qui altère le même segment de la deuxième copie, jusqu'alors normale, du chromosome 13. *Le segment chromosomique modifié contient normalement un gène, le **gène Rb,** qui code un facteur qui restreint la prolifération de cellules non inhibées ; le produit du gène Rb, **pRb,** est donc un **suppresseur de tumeur** (appelé aussi protéine **anti-oncogénique**).* Le gène *Rb* est effectivement fréquemment muté dans de nombreux types de cancers humains. Nous allons étudier ci-dessous plus en détails la structure et la fonction de pRb.

Plusieurs suppresseurs de tumeur ont été caractérisés, dont (1) **p53,** qui est codée par le gène le plus fréquemment altéré dans les cancers humains (**~50** % des cancers présentent une mutation

de p53 et de nombreuses autres mutations oncogéniques ont lieu dans des gènes codant des protéines qui interagissent directement ou indirectement avec p53, la structure et la fonction de p53 sont étudiées plus en détails dans la Section 34-4D). (2) La protéine de la **neurofibromatose de type 1 (NF1),** dont l'altération cause des tumeurs bénignes des nerfs périphériques, comme celle du célèbre « homme éléphant » de l'Angleterre victorienne), et qui occasionnellement peuvent devenir malignes. (3) BRCA1, qui constitue une partie d'une ubiquitine protéine ligase (E3) et dont l'altération prédispose aux cancers du sein et de l'ovaire (Section 32-6B). (4) **BRCA2** est une protéine de liaison à l'ADN, participant à la réparation des cassures double brin et dont le défaut prédispose aux cancers du sein et de l'ovaire. (5) PTEN est une inositol polyphosphate 3-phosphatase, dont la structure et la fonction sont étudiées dans la Section 19-4E.

Les mutations modifiant les produits de gènes normaux, causant des réorganisations et des délétions chromosomiques, et peut-être l'amplification de gènes, peuvent toutes résulter de l'action de cancérigènes, sur l'ADN cellulaire. Ainsi, les cellules normales portent donc les « graines » de leur propre cancer. À ce jour, plus de 100 oncogènes viraux et cellulaires, et suppresseurs de tumeur ont été identifiés.

b. La protéine pRb fonctionne en se liant à certains facteurs de transcription

La pRb est une protéine de liaison à l'ADN de 928 résidus localisée dans le noyau de cellules normales de la rétine, mais absente dans les cellules de rétinoblastomes. C'est une phospho-protéine qui est phosphorylée lors du cycle cellulaire comme cela est étudié dans la Section 34-4D. Des formes hypophosphorylées de pRb s'associent à certains facteurs de transcription, dont **E2F,** qui régule l'expression de plusieurs gènes cellulaires et viraux. E2F a d'abord été identifié comme un facteur cellulaire impliqué dans la régulation du gène précoce *E2* de **l'adénovirus** par le produit **E1A** de l'oncogène adénoviral, bien que des recherches supplémentaires aient révélé que le produit du gène *E4* de l'adénovirus participait aussi à ce processus. La protéine E1A, qui ne se lie pas à l'ADN, lorsqu'elle s'associe à pRb, induit la dissociation de pRb et de E2F. Elle libère ainsi la protéine E2F, qui se combine à la **protéine E4** sur le promoteur *E2* de l'adénovirus, pour stimuler la transcription du gène *E2*. Ces observations suggèrent que *l'interaction de pRb avec E2F et avec d'autres facteurs de transcription auxquels elle se lie joue un rôle important dans la suppression de la prolifération cellulaire,* et que la dissociation de ce complexe explique au moins en partie comment El A inactive la fonction de pRb. Donc, *une autre façon pour l'oncogène de causer un cancer est l'inactivation des produits de gènes suppresseurs de tumeur dans les cellules normales.* Nous continuons notre étude de pRb ci-dessous.

D. *La régulation du cycle cellulaire*

Le cycle cellulaire, comme nous l'avons vu dans la Section 30-4A, est la séquence des évènements importants qui ont lieu durant la vie d'une cellule eucaryotique. On le divise en quatre phases (Fig. 30-38) : la phase M, pendant laquelle ont lieu la mitose et la division cellulaire, la phase G1, qui est la principale phase de croissance cellulaire, la phase S, durant laquelle l'ADN est synthétisé et la phase G2, qui est l'intervalle où la cellule se prépare à la phase M suivante. La progression à travers le cycle cellulaire est régulée aussi bien par des signaux externes qu'internes à la cellule. La cellule a un point de régulation appelé **START,** situé vers la fin de la phase G1, à partir duquel elle est programmée pour entrer en phase S, c'est-à-dire pour répliquer son ADN. Pourtant, lorsque la quantité de nourriture est insuffisante ou lorsque la cellule n'a pas atteint une taille minimale requise, le cycle cellulaire s'arrête au point START et la cellule fait une pause jusqu'à ce que ces critères soient satisfaits. Les cellules animales ont un point de décision analogue en G1 appelé **point de restriction,** mais qui répond principalement à la présence extracellulaire de mitogènes appropriés, ce sont des facteurs de croissance protéiques qui donnent un signal prolifératif à la cellule. Le cycle cellulaire possède aussi une série de **points de contrôle (checkpoints)** qui contrôlent son déroulement et/ou l'état de santé de la cellule, et qui arrêtent le cycle cellulaire lorsque certaines conditions ne sont pas remplies. Ainsi, il y a en G2 un point de contrôle qui empêche le début de la phase M tant que tout l'ADN de la cellule n'a pas été répliqué, c'est l'assurance que les deux cellules filles recevront un lot d'ADN complet. De même, un point de contrôle en phase M bloque la mitose tant que tous les chromosomes ne sont pas correctement attachés au fuseau mitotique. Des points de contrôle en G1, en S et en G2 arrêtent également le cycle cellulaire en réponse à des altérations de l'ADN, de façon à donner le temps à la cellule de les réparer (Section 30-5). Dans les cellules des organismes multicellulaires, lorsqu'au bout d'un certain temps les critères du point de contrôle n'ont pas été satisfaits, il existe la possibilité de diriger la cellule vers un suicide, c'est ce qu'on nomme **apoptose** (Section 34-4E). Cela empêche la prolifération d'une cellule porteuse de dommages génétiques irréparables et par conséquent dangereuse (par ex. cancéreuse). Cependant, les eucaryotes unicellulaires comme la levure ne possèdent pas ce mécanisme, probablement parce que, dans ce cas, la survie de la cellule est préférable à sa mort (au sens Darwinien).

a. L'activation de Cdk1 déclenche la mitose

Quels sont les évènements moléculaires qui entraînent et coordonnent le cycle cellulaire ? Le premier indice concernant ce processus est venu d'études sur les embryons d'oursins de mer par Tim Hunt. Elles ont révélé une classe de protéines, appelées **cyclines**, qui s'accumulent régulièrement tout au long du cycle cellulaire pour disparaître brutalement juste avant l'étape de l'anaphase de la mitose (Fig. 1-19). Des homologues de ces protéines ont été depuis découverts dans toutes les cellules eucaryotiques examinées. En effet, les mammifères codent au moins 20 cyclines différentes, dont toutes ne participent cependant pas au contrôle du cycle cellulaire. Les cyclines forment une famille de protéines variées qui ont une similitude de 30 à 50 % au niveau d'un segment d'environ 100 résidus appelé **boîte cycline** (cyclin box).

D'autres indications sur le mode de contrôle du cycle cellulaire sont venues d'expériences dans lesquelles des cellules humaines à différents stades du cycle cellulaire ont été fusionnées en une seule cellule à deux noyaux. Lorsqu'une cellule en phase G1 est fusionnée à une cellule en phase S, le noyau en phase G1 entre immédiatement en phase S, tandis que le noyau en phase S continue de répliquer son ADN. Par contre, lorsque des cellules en phase S et en phase G2 sont fusionnées, le noyau en phase S continue de répliquer son ADN alors que le noyau en phase G2 reste en phase G2. De même, lorsque l'on fusionne des cellules en phases G1 et G2, le noyau en phase G1 entre en phase S conformément à sa destinée et le noyau en phase G2 reste en phase G2. Il est clair que les

cellules en phase S contiennent un activateur diffusible de la réplication de l'ADN, que seules les cellules en phase G1 peuvent démarrer la réplication et que les cellules qui ont franchi la phase S sont incapable de répliquer une deuxième fois leur ADN sans avoir franchi une phase M.

Beaucoup des protéines qui participent à la régulation du cycle cellulaire ont été identifiées dans les années 1970 par Lee Hartwell grâce à ses études de mutants thermosensibles de *S. cerevisiae* (la levure bourgeonnante de boulanger) présentant des défauts dans la progression du cycle cellulaire, et Paul Nurse qui a fait des études analogues sur *Schizosaccharomyces pombe* (la levure cloisonnée). Pendant la partie du cycle cellulaire qui est peut-être la mieux caractérisée, l'induction de la phase M, la **cycline B** s'associe avec **Cdc2** (Cdc pour *cycle de division cellulaire*), dont la séquence indique clairement qu'elle appartient à la famille des Ser/Thr protéines kinases (Section 19-3C) et qui est fortement conservée des levures jusqu'à l'être humain. *Cdc2 est le régulateur central du cycle cellulaire chez les espèces allant des levures jusqu'à l'être humain. Elle joue son rôle en phosphorylant différentes protéines nucléaires parmi lesquelles l'histone H1, plusieurs protéines oncogènes (voir plus bas) et des protéines jouant un rôle dans le désassemblage du noyau, le réarrangement du cytosquelette, l'assemblage du fuseau mitotique, la condensation des chromosomes et la fragmentation de l'appareil de Golgi. C'est le point de départ d'une cascade d'évènements cellulaires dont le point culminant est la mitose.*

La liaison de la cycline B à Cdc2 forme un complexe activé que l'on appelle aussi **protéine kinase 1 dépendante des cyclines** (**Cdk1** ; cyclin-dependent protein kinase 1) et **facteur promoteur de maturation** (**MPF** ; maturation promoting factor). L'histoire de cette activation ne s'arrête en aucune façon ici. Cdc2 est une phosphoprotéine qui peut être phosphorylée sur ses résidus Tyr 15, Thr 161 et, chez les eucaryotes supérieurs, Thr 14. Cdk1 n'est active que lorsque les deux résidus Thr 14 et Tyr 15, qui occupent tous deux la région du site de liaison à l'ATP, sont déphosphorylés tandis que le résidu Thr 161 est phosphorylé. De plus, la phosphorylation du résidu Tyr 15 nécessite la présence de la cycline B. La mitose est donc déclenchée par la série des évènements suivants :

1. La cellule entre en phase G1, la cycline B est absente, Cdc2 est présente à un niveau constant tout le long du cycle cellulaire et à ce moment elle est déphosphorylée. La kinase activatrice de Cdk (CAK ; Cdk-activating kinase) phosphoryle ensuite le résidu Thr 161 de Cdc2. Curieusement, CAK qui est constitué de l'hétérodimère Cdk7-cycline H, est aussi un composant du facteur général de transcription TFIIH (Section 34-3B), dans lequel sa fonction n'est pas connue.

2. En phase S, la cycline B nouvellement synthétisée se fixe à Cdc2, suite à quoi son résidu Tyr 15 est phosphorylé par **Wee1** (son nom Wee, c'est-à-dire minuscule, vient de ce que, chez la levure cloisonnée, son inactivation provoque l'entrée prématurée en mitose malgré une taille inhabituellement petite). Le résidu Thr 14 est phosphorylé par l'homologue de Wee1, **Myt1**, qui est aussi capable de phosphoryler le résidu Tyr 15. Le complexe cycline B-Cdc2 formé, triplement phosphorylé, n'a pas d'activité enzymatique parce que les résidus Thr 14 et Tyr 15 empêchent Cdc2 de fixer de l'ATP. Tout ce système semble donc servir à maintenir Cdc2 dans un état inactif pendant l'accumulation progressive de la cycline B durant la phase S.

3. À la limite entre les phases G2/M du cycle cellulaire, les résidus Thr 14 et Tyr 15 de Cdc2 sont rapidement et spécifique-

FIGURE 34-99 Régulation de l'activité de Cdk1 au cours du cycle cellulaire animal. Les explications sont données dans le texte. [D'après Norbury, C. et Nurse, P., *Annu. Rev. Biochem.* **61**, 451 (1992).]

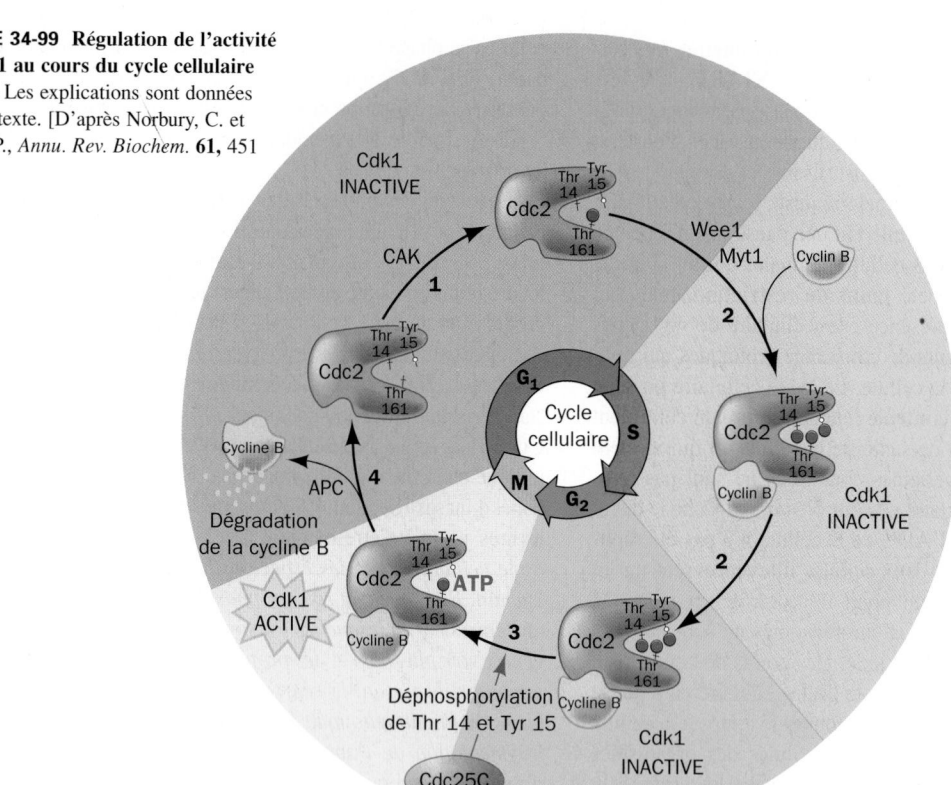

ment déphosphorylés par Cdc25C, une protéine tyrosine phosphatase à double spécificité (PTP ; Section 19-3F), Cdk1 est alors activée et cela déclenche la mitose (phase M). Ce processus est déclenché par une phosphorylation activatrice de Cdc25C due à **plk1** (pour *polo-like k*inase 1 ; dont le nom vient de ce qu'elle est l'homologue de la kinase polo de *Drosophila*). La protéine cdk1 activée qui en résulte, active également Cdc25C, de sorte que par l'intermédiaire de Cdc25, Cdk1 s'autoactive de façon explosive. De plus, Cdk1 inhibe sa propre inactivation en phosphorylant Wee1 et Myt1, ce qui les inactive.

4. La cycline B subit une protéolyse rapide par le protéasome par la voie de l'ubiquitine, E3 étant un complexe multimérique **appelé complexe promoteur d'anaphase** (**APC**, anaphase-promoting complex ; Section 32-6B), puis il y a déphosphorylation rapide du résidu Thr 161 de Cdc2. Cela inactive Cdk1, et la cellule qui s'est divisée revient en phase G1. APC, qui est inactif durant les phases S et G2, est activé, en partie au moins, par Cdk1, qui est donc responsable de la destruction de son composant cycline B.

Il existe d'autres combinaisons de Cdk et de cyclines qui commandent de la même façon d'autres parties du cycle cellulaire, en voici quelques unes (Fig. 34-100) : **Cdk4** ou son isoforme très proche **Cdk6**, qui complexée avec les cyclines de type D (**cyclines D1, D2 et D3**) dirige les événements de la phase G1 ; **Cdk2** et la **cycline E** qui sont nécessaires pour franchir la frontière G1/S et pour démarrer la synthèse de l'ADN ; et Cdk2 et la **cycline A**, qui contrôlent le passage par la phase S. *Les complexes Cdk-cycline constituent donc les moteurs des différents processus du cycle cellulaire et des pendules responsables du minutage du cycle.*

b. La structure par rayons X de Cdk2 ressemble à celle de la PKA

Cdk2, qui est très similaire à Cdc2, est activée par la fixation d'une cycline A, qui est très similaire à la cycline B, il y a alors phosphorylation du résidu Thr 160 catalysée par CAK. Cdk2 est

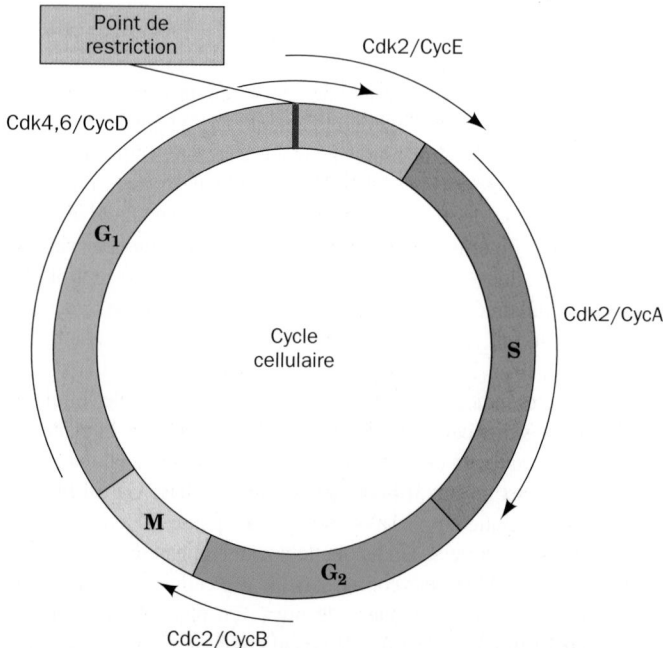

FIGURE 34-100 Complexes de kinases dépendantes des cyclines (Cdk) et de cyclines (Cyc) qui permettent le franchissement des points clefs du cycle cellulaire.

(a)

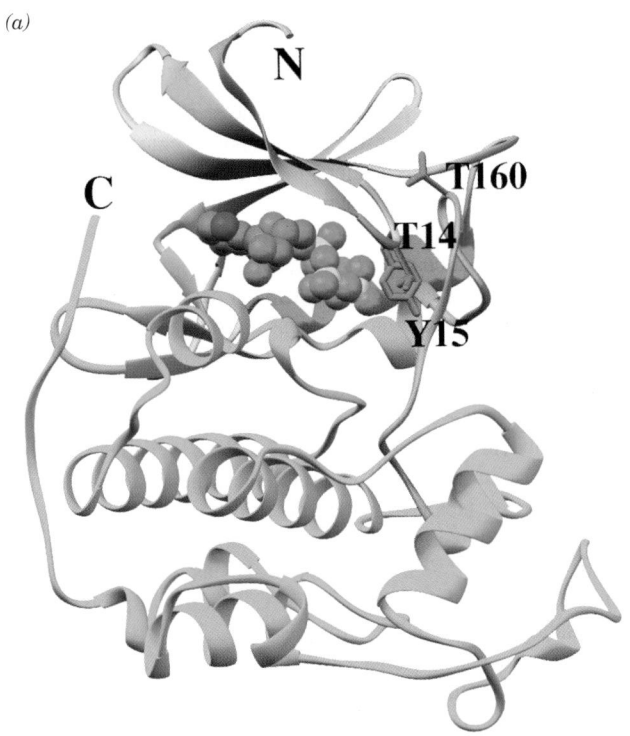

(b)

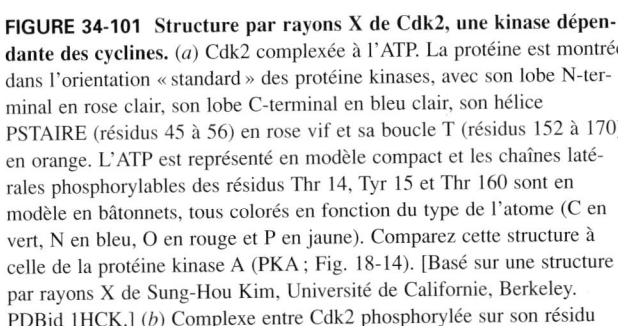

FIGURE 34-101 Structure par rayons X de Cdk2, une kinase dépendante des cyclines. (*a*) Cdk2 complexée à l'ATP. La protéine est montrée dans l'orientation « standard » des protéine kinases, avec son lobe N-terminal en rose clair, son lobe C-terminal en bleu clair, son hélice PSTAIRE (résidus 45 à 56) en rose vif et sa boucle T (résidus 152 à 170) en orange. L'ATP est représenté en modèle compact et les chaînes latérales phosphorylables des résidus Thr 14, Tyr 15 et Thr 160 sont en modèle en bâtonnets, tous colorés en fonction du type de l'atome (C en vert, N en bleu, O en rouge et P en jaune). Comparez cette structure à celle de la protéine kinase A (PKA ; Fig. 18-14). [Basé sur une structure par rayons X de Sung-Hou Kim, Université de Californie, Berkeley. PDBid 1HCK.] (*b*) Complexe entre Cdk2 phosphorylée sur son résidu

T160, la cycline A et l'ATP. Cdk2 et l'ATP sont représentés comme dans la Partie a et vus de la même façon. La cycline A est en vert clair avec sa boîte cycline (résidus 206 à 306) en vert foncé. Le groupement phosphoryl du résidu phospho-Thr 160 de Cdk2 est représenté en modèle compact. Notez comment la fixation de la cycline A et la phosphorylation du résidu Thr 160 de Cdc2 ont causé une réorganisation structurale importante de la boucle T ainsi que des ajustements conformationnels significatifs du lobe N-terminal de Cdk2, y compris de son hélice PSTAIRE. Notez également les conformations différentes du groupement triphosphate de l'ATP dans les deux structures. [D'après une structure par rayons X de Nikola Pavletich, Centre anticancéreux Sloan-Kettering, New York, New York. PDBid 1JST.]

aussi régulée négativement par la phosphorylation de son résidu Tyr 15, et à un niveau moindre, de son résidu Thr 14.

La structure par rayons X de Cdk2 associée à l'ATP (Fig. 34-101*a*), établie par Sung-Hou Kim, indique que cette Ser/Thr protéine kinase monomérique de 298 résidus ressemble étroitement à la sous-unité catalytique de la protéine kinase A (PKA ; Section 18-3C), une protéine dont la séquence est à 24 % identique à celle de Cdk2. Cependant, il y a des différences structurales et fonctionnelles significatives entre ces deux kinases :

1. La position relative des groupements phosphate β et γ de l'ATP dans Cdk2 doit réduire fortement la réactivité du groupe phosphate γ par rapport à celle qu'il a dans le complexe ATP-PKA (contrôle stéréo-électronique), expliquant donc, en partie, pourquoi Cdk2 prise isolément, n'a pas d'activité catalytique alors que la sous-unité catalytique isolée de PKA a une activité catalytique. L'accès des substrats protéiques au groupe phosphate γ de l'ATP lié à Cdk2, semble être bloqué par une boucle de 19 résidus (résidus 152 à 170) de la protéine, appelée la « boucle T » parce qu'elle contient le résidu Thr 160.

2. La structure par rayons X explique aussi pourquoi la phosphorylation du résidu Thr 14 inactive Cdk2 ; le groupement

hydroxyle de cette chaîne latérale est proche du groupe phosphate γ de l'ATP, de sorte que la phosphorylation du résidu Thr 14 détruit probablement la conformation des groupements phosphate de l'ATP. Par contre, on ne sait pas comment la phosphorylation du résidu Tyr 15 affecte l'activité de Cdk2.

c. La fixation de la cycline A et la phosphorylation du résidu Thr 160 réorganisent la conformation de Cdk2

La structure par rayons X de la protéine Cdk2 humaine phosphorylée sur son résidu Thr 160, complexée avec de l'ATP et la partie C-terminale de la cycline A humaine (résidus 173 à 432) a été déterminée par Pavletich, elle montre que la cycline A se fixe sur la face « arrière » de Cdk2 (Fig. 34-101*b*). Elle interagit là avec les deux lobes de Cdk2, en formant une interface protéine-protéine étendue et continue. La cycline A est principalement constituée d'un faisceau de 12 hélices a (aucun feuillet β) dans lequel la boîte cycline forme les hélices 2 à 6. De façon intéressante, les hélices 7 à 11 forment un faisceau qui est presque superposable a celui de la boîte cycline bien que ces deux motifs ne présentent que peu de similitude de séquence. La comparaison des structures par rayons X de la cycline A libre et de sa forme complexée avec cdk2 indique que la cycline A ne subit aucun changement important de conformation en se fixant à cdk2. Par contre, la fixation de la cycline A provoque un changement significatif de la conformation de cdk2 dans la région autour de sa fente catalytique. En particulier, l'hélice a N-terminale de Cdk2, qui contient le motif de séquence PSTAIRE, caractéristique de la famille Cdk, tourne de 90° autour de son axe et se déplace de plusieurs angströms dans la fente catalytique par rapport à sa position dans cdk2 libre, cette hélice est alors au contact du segment de la cycline A contenant la boîte cycline. Ce mouvement amène le résidu Glu 51 (le E de PSTAIRE) de sa position exposée au solvant à l'extérieur de la fente catalytique dans Cdk2 libre, à une position à l'intérieur de la fente catalytique, où il forme une liaison ionique avec le résidu Lys 33. Dans le cas de Cdk2 libre ce résidu forme plutôt une liaison ionique avec le résidu Asp 145. Ces trois chaînes latérales (Lys 33, Glu 51 et Asp 145), qui sont conservées dans toutes les protéines kinases eucaryotiques, participent à la coordinance du phosphate de l'ATP et de l'ion Mg^{2+}. Leur réorientation conformationnelle lors de la fixation de la cycline A les place apparemment dans une disposition active du point de vue catalytique.

La fixation de la cycline A induit aussi une réorganisation importante de la conformation de la boucle T de Cdk2 avec des déplacements des positions atteignant 21 Å, de sorte que la boucle T, qui est maintenant également au contact de la boîte cycline, adopte une conformation de son squelette qui ressemble étroitement à la région analogue de PKA dans sa forme catalytiquement active. Ces mouvement augmentent grandement l'accès d'un substrat protéique à l'ATP, fixé au fond de la fente, qui a pris une conformation plus réactive que dans Cdk2 libre. Le groupement phosphate du résidu Thr 160 s'ajuste exactement dans une poche positivement chargée composée des trois résidus Arg et qui se forme en partie lors de la fixation de la cycline A. En fait, la comparaison de cette structure avec celle dans laquelle le résidu Thr 160 n'est pas phosphorylé indique que la phosphorylation du résisu Thr 160 induit des changements de conformation activateurs dans la fente catalytique du complexe cycline A-Cdk2 tout en contribuant à la réorganisation de la boucle T.

d. Les inhibiteurs de Cdk permettent d'arrêter le cycle cellulaire

En plus de leur contrôle par phosphorylation/déphosphorylation et par la fixation de la cycline appropriée, l'activité des Cdk est régulée par des **inhibiteurs de kinases dépendants des cyclines** (**CKI**, cyclin-dependent kinase inhibitor), *qui induisent l'arrêt du cycle cellulaire en réponse à des signaux antiprolifératifs tels que le contact avec d'autres cellules, des dégâts de l'ADN, la différenciation terminale, et la sénescence (pour laquelle l'arrêt du cycle est définitif).* Les CKI connues ont été regroupées d'après leurs séquences et leurs similitudes fonctionnelles en deux familles : (1) la **famille Kip/Cip** (*k*inase *i*nteracting *p*rotein/*c*yto-kine-*i*nducible *p*rotein), dont les membres inhibent la plupart des complexes Cdk-cycline (mais pas Cdk4/6-cycline D) et peuvent se lier à des Cdk ou des cyclines isolées, même si c'est avec une affinité moindre que dans le cas des complexes Cdk-cycline ; et (2) la **famille INK4** (*in*hibitor of C*dk4* and Cdk6), dont les membres inhibent spécifiquement Cdk4 et Cdk6 (qui avec la cycline D permettent la progression du cycle cellulaire à travers la phase G1 ; Fig. 34-100) et peuvent se fixer soit aux Cdk isolées soit à leur complexe avec la cycline D. L'importance des CKI est indiquée par leur fréquente altération dans les cancers. Par exemple,

p16[INK4a] est mutée dans environ un tiers de tous les cancers humains, p21[Cip1] bloque le cycle cellulaire sous la direction de p53 (voir plus loin), et p27[Kip1] (aussi appelée p27[Cip2]) est susceptible d'être dégradée dans plusieurs types de cancers et son faible niveau est corrélé avec un mauvais pronostic clinique. De plus, certains virus d'herpes, y compris le **virus herpétique associé au sarcome de Kaposi**, expriment une cycline de type D oncogénique appelée **cycline K** qui se fixe à Cdk4/6 pour l'inactiver, contribuant ainsi à la dérégulation du cycle cellulaire.

Les membres de la famille Kip/Cip ont des segments N-terminaux homologues d'environ 65 résidus qui sont nécessaires et suffisant pour la fixation et l'inhibition des complexes Cdk/cycline, tandis que leurs segments C-terminaux sont divergents tant par leurs longueurs, que par leurs séquences et leurs fonctions. p27[Kip1] est un inhibiteur de Cdk2 que l'on trouve dans les cellules qui ont été traitées avec la protéine antimitotique appelée **TGFβ** (transforming growth factor β, facteur de croissance transformant β). La structure par rayons X du domaine inhibiteur N-terminal (résidus 25-93) de p27[Kip1] humain de 198 résidus, fixé au complexe humain cycline A-Cdk2, dans lequel Cdk2 est phosphorylée sur son résidu Thr 160, a été déterminée par Pavletich (Fig. 34-102). Le domaine inhibiteur de P27 est drapé en travers de Cdk2 et de la cycline A, sous forme allongée, il ne possède pas de cœur hydrophobe propre et ses éléments de structure secondaire n'interagissent pas les uns avec les autres. L'extrémité N-terminale de p27 interagit avec la cycline A, dont la conformation n'est pour ainsi dire pas affectée par cette interaction. Par contre, la fixation du segment C-terminal du domaine inhibiteur de p27 à Cdk2 provoque d'importants changements de conformation dans Cdk2, qui déstabilisent vraisemblablement sa liaison à l'ATP. Mieux encore, ce segment C-terminal s'étend dans la fente du site actif de Cdk2, où la chaîne latérale de son résidu Tyr 88 conservé mime la fixation de la molécule d'adénine de l'ATP aussi bien par sa position

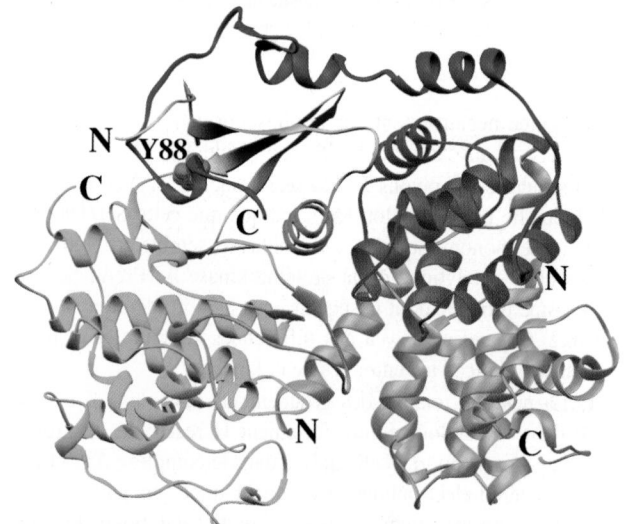

FIGURE 34-102 Structure par rayons X du complexe ternaire Cdk2-Cycline A-p27^{Kip1}. Cdk2 et la cycline A sont colorées comme dans la Fig.34-101 et p27[Kip1] est en bleu. Le complexe est vu selon l'axe de l'hélice PSTAIRE de Cdk2 (approximativement depuis la droite de la Fig. 34-101). La chaîne latérale du résidu Tyr 88 de p27[Kip1], qui est dessinée en modèle compact avec les atomes C en vert et O en rouge, occupe le site de fixation du groupement adénine de l'ATP. [D'après une structure par rayons X de Nikola Pavletich, Centre Anticancéreux Sloan-Kettering, New York, New York. PDBid 1JSU.]

que par les contacts qu'elle établit avec les groupements du site actif. Toute possibilité de fixer l'ATP se trouve ainsi éliminée. Finalement, l'extrémité N-terminale de P27 occupe le sillon de fixation de peptides de la boîte cycline de la cycline A , qui est probablement un site d'ancrage (de docking) pour la liaison efficace de nombreux substrats du complexe cycline A-Cdk2. Il y a ainsi réduction de la capacité de liaison des substrats et réversion des effets des changements conformationnels induits par la fixation de p27.

Les protéines INK4 peuvent se fixer à la forme monomérique de Cdk4/Cdk6, empêchant ainsi son association avec la cycline D. Elles peuvent aussi se fixer à un complexe binaire Cdk4/6-cyclineD pour former un complexe ternaire catalytiquement inactif. *In vivo*, les complexes binaires INK4-Cdk4/6 sont plus abondants que les complexes ternaires INK4-Cdk4/6-cycline D, ce qui suggère que la fixation de INK4 augmente la vitesse de dissociation de la cycline, du complexe ternaire. La structure par rayons X du complexe ternaire **p18^{INK4c}**, Cdk6 humaine et cycline K (Fig. 34-103) a été déterminée par Pavletich. Elle montre que p18^{INK4c} se fixe au complexe Cdk6-cycline K d'une manière totalement différente de celle dont P27^{Kip1} se fixe au complexe Cdk2-cycline A (Fig. 34-102). La protéine p18^{INK4c}, de 160 résidus, qui comporte 5 répétitions ankyrine (qui participent aux interactions protéine-protéine ; Section 12-3E), se fixe à la protéine Cdk6 de 301 résidus, dans la région de son site de fixation de l'ATP, là où elle interagit avec les lobes N et C-terminaux de Cdk6 via les deuxième et troisième répétitions ankirine de p18^{INK4c}. Cela entraîne une rotation de 13° du lobe N-terminal, par rapport au lobe C-terminal relativement à leurs orientations dans le complexe Cdk2-cycline A (Fig. 34-101*b*). Cela crée une distorsion du site de fixation de l'ATP de Cdk6 et un mauvais alignement de ses résidus catalytiques. De plus, la fixation de p18^{INK4c} crée une distorsion du site de fixation de la cycline de Cdk6 de sorte qu'il y a réduction d'environ 30 % de l'aire de leur interface. La boîte

cycline de la cycline K, de 253 résidus, se fixe au lobe N-terminal de Cdk6, de façon centrée sur le motif de séquence PSTAIRE (qui a ici la séquence PLSTIRE), mais contrairement à ce qu'on a dans la structure du complexe Cdk2-cycline A (Fig. 34-101b et 34-102), il n'y a pas de contacts significatifs entre le lobe C-terminal de Cdk6 et la cycline K. Apparemment, La fixation de INK4 réduit la stabilité DE l'interface Cdk-cycline.

e. L'arrêt du cycle cellulaire au point de contrôle de G2 est contrôlé par une cascade de phosphorylation/déphosphorylation

Comment y-a-t-il arrêt du cycle cellulaire lorsqu'un point de contrôle n'est pas satisfait ? Dans le cas du point de contrôle de G2, le processus est initié, comme le schématise la Fig. 34-104, par au moins six **protéines senseurs** mal caractérisées. Elles ont été identifiées par des mutations dans les gènes **rad1, rad3, rad9, rad17, rad26** et **hus1**, qui présentent des défauts des points de contrôle de la réparation et de la réplication. Les protéines senseurs se fixent à de l'ADN endommagé ou non répliqué, elles activent alors deux grandes protéines kinases apparentées (~3000 résidus) appelées **ATM** et **ATR** [ATM pour *a*taxia *t*elangectasia *m*utated, muté dans l'ataxie telangiectasique (l'**ataxie telangiectasique** est une maladie génétique rare caractérisée par une perte progressive du contrôle moteur, un retard mental, des défauts du système immunitaire, un vieillissement prématuré et un risque fortement accru de cancer) ; ATR pour ATM and Rad3-related (**Rad3** est l'homologue de ATR chez *S. pombe*]. ATM et ATR activés phosphorylent, pour les activer, respectivement **Chk2** et **Chk1** (Chk pour checkpoint kinase). Ces dernières protéines kinases phosphorylent Cdc25C qui, rappelons le, sert à activer Cdk1 en déphosphorylant les résidus Thr14 et Tyr 15 de Cdc2. Cette phosphorylation, qui se fait sur le résidu Ser 216 de Cdc25C, n'inactive pas cette protéine phosphatase. Elle constitue plutôt un site de fixation pour les membres de la famille 14-3-3 de protéines adaptateurs (qui se fixent à certains motifs phosphorylés dans de diverses protéines phosphorylées ; le nom 14-3-3 leur vient de leurs propriétés de fractionnement sur colonne et de mobilité électrophorétique), le complexe formé est alors séquestré dans le cytoplasme hors de

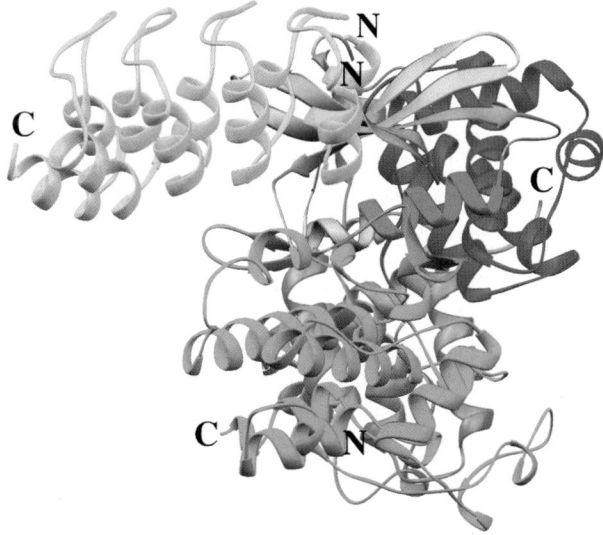

FIGURE 34-103 Structure par rayons X du complexe ternaire Cdk6-Cycline K-p18^{INK4c}. Cdk6 et la cycline K sont colorées comme leurs homologues dans les Fig. 34-101 et 34-102, et p18^{INK4c} est en jaune d'or. La structure est vue avec Cdk6 dans l'orientation « standard » des protéine kinases comme dans la Fig. 34-101. [D'après une structure par rayons X de Nikola Pavletich, Centre Anticancéreux Sloan-Kettering, New York, New York. PDBid 1G3N.]

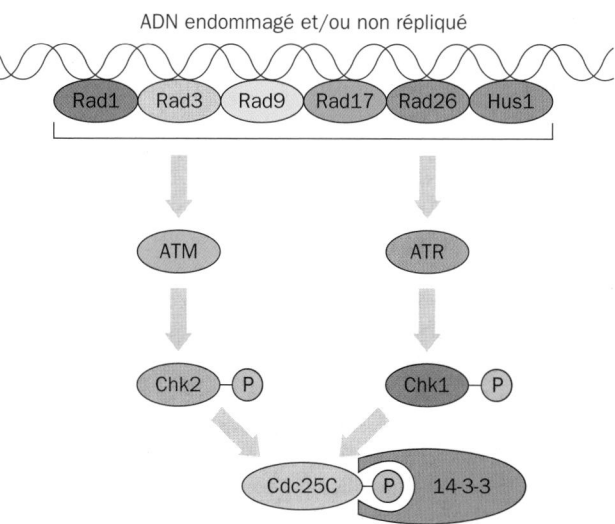

FIGURE 34-104 La cascade de phosphorylation/déphosphorylation du point de contrôle de G2 qui entraîne l'arrêt du cycle cellulaire. Les détails se trouvent dans le texte.

contact avec Cdk1 qui est dans le noyau. Comme Cdk1 est la protéine kinase qui active la méiose, la cellule reste en G2 jusqu'à ce que l'ADN soit réparé et/ou qu'il soit totalement répliqué.

f. p53 est un activateur transcriptionnel qui arrête le cycle cellulaire en phase G2

L'idée que p53 est un suppresseur de tumeur découle de la découverte que des mutations dans la lignée germinale du gène *p53* se produisaient souvent chez des individus présentant une particularité héréditaire rare, appelée **syndrome de Li-Fraumeni,** qui les rend sujets à diverses tumeurs malignes, en particulier au cancer du sein qu'ils développent souvent avant leur 30e anniversaire. Le fait que p53 est bien un suppresseur de tumeur a été clairement démontré chez des souris dans lesquelles le gène *p53* avait été inactivé. Des souris homozygotes pour cet allèle inactif (souris knockout ou ko) présentent un développement normal, mais sont prédisposées au développement spontané d'un éventail de tumeurs dès l'âge de 6 mois. La protéine p53 a le rôle d'un « gendarme » moléculaire qui contrôle l'intégrité du génome. Lorsqu'elle détecte de l'ADN endommagé, p53 bloque le cycle cellulaire jusqu'à ce que les dégâts soient réparés, et si c'est impossible, elle induit l'apoptose.

Malgré le rôle central de p53 dans la prévention de la formation des tumeurs, son mode de fonctionnement n'a été mis en lumière que progressivement. Ce suppresseur de tumeur se lie spécifiquement à l'analogue humain de la **protéine Mdm2** de souris. Le gène *mdm2* est l'oncogène transformant dominant, présent dans les minichromosomes (chromosomes *double-minute)* de souris (segments d'ADN extrachromosomiques amplifiés ; Section 34-2E). La protéine Mdm2 est une ubiquitine-protéine ligase (E3) qui ubiquitine spécifiquement p53, ce marquage la destine à être dégradée par protéolyse dans le protéasome. Par conséquent, l'amplification du locus *mdm2*, que l'on trouve dans plus de 35 % des **sarcomes** humains (dont aucun n'a de mutation du gène *p53* ; les sarcomes sont des tumeurs malignes des tissus conjonctifs comme les muscles, les tendons et les os), entraîne un accroissement de la vitesse de dégradation de p53, prédisposant ainsi les cellules à la transformation maligne. De même, comme nous l'avons vu (Section 32-6B), la protéine E6 du virus du papillome humain, qui est la cause de la plupart des cancers du col de l'utérus, a comme fonction d'ubiquitiner p53. Certaines oncoprotéines de virus oncogènes à ADN, comme l'**antigène grand T** du virus SV40 et la **protéine EB1** de l'adénovirus, inactivent p53 en se fixant à lui de façon spécifique. Les oncogènes ont donc une autre façon de provoquer le cancer, qui consiste à inactiver des suppresseurs de tumeurs normaux.

La protéine p53 est un puissant activateur transcriptionnel. En effet, toutes les formes à mutation ponctuelle de p53 impliquées dans un cancer ont perdu la propriété de se lier à leur séquence spécifique sur l'ADN. Mais pourquoi alors p53 est-elle un suppresseur de tumeur ? Un indice pour la résolution de cette énigme vient des observations selon lesquelles le traitement des cellules par des rayons ionisants qui altèrent l'ADN, induit une accumulation de p53 normale. Cela a conduit à la découverte que ATM et Chk2 phosphorylent p53, empêchant ainsi Mdm2 de s'y fixer avec pour effet d'augmenter la concentration nucléaire, habituellement faible, de cette protéine. Bien que p53 ne soit pas à l'origine de l'arrêt du cycle cellulaire en phase G2, sa présence est nécessaire pour prolonger cet arrêt. Le mécanisme passe par l'activation de la transcription du gène codant CKIp21^{Cip1}, qui se fixe à différents complexes Cdk-cycline, de façon à inhiber aussi bien la transition G1/S, que G2/M. La protéine p21^{Cip1} se fixe aussi à PCNA, l'anneau coulissant homotrimérique de la réplication de l'ADN (Section 30-4B), qui ne peut plus participer à la réplication de l'ADN mais reste capable de participer à sa réparation. Ainsi, p21^{Cip1} a un rôle double dans l'arrêt du cycle cellulaire en bloquant sa progression et en inhibant la réplication de l'ADN des cellules en phase S.

La protéine p53 induit aussi la transcription du gène codant un membre de la famille 14-3-3, la protéine **14-3-3σ,** qui se fixe à Cdk1 et la confine ainsi dans le cytoplasme. De plus, le complexe 14-3-3σ-Cdk1 se fixe à la protéine kinase wee1 (qui, comme nous l'avons dit plus haut, inactive Cdk1 en phosphorylant son composant Cdc2 sur son résidu Tyr15), Il est ainsi sûr que Cdk1 reste dans son état inactif. Ainsi, la destruction du gène codant 14-3-3σ est fatale pour les cellules qui présentent de l'ADN endommagé. Chk2 phosphoryle également Wee1 et cela inhibe sa dégradation par le protéasome. Par conséquent, les mutations du gène *chk2* dans la lignée germinale, sont également associées à un syndrome de Li-Fraumeni. Des quantités excessives de p53 sont toxiques, cela explique pourquoi, chez la souris, la perte du gène *mdm2* est létale, sauf si le gène *p53* est également muté à l'état homozygote. En l'absence d'activation de p53, les cellules contrôlent le niveau de p53 par un mécanisme de boucle de contrôle dans lequel p53 stimule la transcription du gène *mdm2*.

Dans les cellules qui ont subi des dommages irréparables p53 induit leur suicide par apoptose (Section 34-4E), empêchant ainsi la prolifération de cellules potentiellement cancéreuses. Le rôle de p53 est en fait de transactiver l'expression de plusieurs protéines qui participent à l'apoptose (Section 34-4E) et de réprimer l'expression d'autres qui inhibent ce processus.

g. La structure par rayons X de p53 explique la nature oncogénique de ses mutations

La protéine p53 est un tétramère de sous-unités identiques de 393 résidus. Chaque sous-unité est constituée de quatre domaines : un domaine N-terminal de transactivation (résidus 1 à 99), un domaine central de liaison à l'ADN spécifique d'une séquence cible (résidus 100 à 300, qui se fixe à deux demi-sites décamériques de séquence consensus palindromique RRRA/TT/AGYYY, qui sont séparées par 0 à 13 nt et qui fixent chacun un dimère de p53), un domaine de tétramérisation (résidus 301 à 356), et un domaine de fixation non spécifique à l'ADN (résidus 357 à 393, qui se fixe à toutes sortes d'ADN comme de petits morceaux de simple brin, de l'ADN irradié, des structures de Holliday et des insertions/délétions). Bien que la protéine entière n'ait pu être cristallisée à ce jour, Pavletich a déterminé la structure par rayons X du noyau de liaison à l'ADN (résidus 102 à 313) associé à un segment d'ADN de 21 pb contenant sa séquence cible de 5 pb (AGACT). *La grande majorité des plus de 1000 mutations de p53 qui ont été trouvées dans les tumeurs humaines se produisent dans ce noyau central.*

La structure du domaine central de liaison à l'ADN de p53 (Fig. 34-105) contient un « sandwich » de deux feuillets β plissés antiparallèles, l'un avec quatre brins et l'autre avec cinq brins, et un motif boucle-feuillet-hélice qui s'appuie contre un bord du sandwich β. Ce bord du sandwich β contient aussi deux grandes boucles passant entre les deux feuillets β qui sont maintenus ensemble grâce à un ion Zn^{2+} qui établit un complexe de coordinance tétraédrique avec une chaîne latérale de résidu His et trois chaînes latérales de résidus Cys.

Le motif de liaison à l'ADN de p53 ne ressemble à aucun de ceux ayant déjà été caractérisés. L'hélice et la boucle du motif

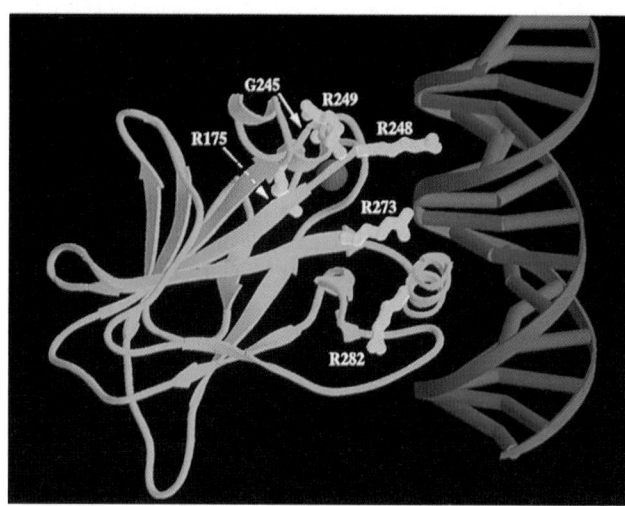

FIGURE 34-105 Structure par rayons X du domaine de liaison à l'ADN de la protéine p53 humaine associée à sa cible d'ADN. La protéine est montrée en ruban (*en bleu clair*), l'ADN, en forme d'échelle, avec ses bases représentées par des cylindres (*en bleu foncé*). L'ion Zn²⁺ lié au centre d'un tétraèdre est représenté par une sphère rouge et les chaînes latérales des résidus les plus fréquemment mutés dans les tumeurs humaines, sont en modèle en bâtonnets (*en jaune*) et identifiées par leur code à une lettre. [Avec la permission de Nikola Pavletich. Centre Anticancéreux Sloan-Kettering, New York, New York. PDBid 1TSR.]

boucle-feuillet-hélice sont insérées dans le grand sillon de l'ADN où elles établissent des contacts spécifiques de séquence avec les bases (Fig. 34-105, en bas à droite). L'une des plus grandes boucles présente une chaîne latérale (Arg 248) qui s'emboîte dans le petit sillon (Fig. 34-105. en haut à droite). La protéine est aussi en contact avec le squelette de l'ADN entre le petit sillon et le grand sillon dans cette région (en particulier par l'intermédiaire du résidu Arg 273).

La caractéristique la plus étonnante de cette structure est *son motif de liaison à l'ADN, constitué de régions conservées qui incluent les résidus les plus fréquemment mutés dans les variants de p53 trouvés dans les tumeurs.* Parmi eux, il y a un résidu Gly et cinq résidus Arg (en jaune dans la Fig. 34-105) dont les mutations représentent globalement plus de 40 % des variants de *p53* dans les tumeurs. Les deux résidus les plus fréquemment mutés, Arg 248 et Arg 273, sont, comme nous l'avons vu, en contact direct avec l'ADN. Les quatre autres résidus « points chauds de mutation » semblent jouer un rôle crucial dans la stabilisation structurale de la surface de liaison à l'ADN de p53. La structure secondaire relativement éparpillée des segments polypeptidiques formant cette surface (une hélice et trois boucles) entre en ligne de compte dans cette forte sensibilité aux mutations. Son intégrité structurale dépend principalement des interactions spécifiques de type chaîne latérale-chaîne latérale et chaîne latérale-squelette.

h. p53 est un senseur qui intègre l'information de plusieurs voies

La protéine p53 peut être activée par plusieurs autres voies. Ainsi, des signaux de croissance aberrants comme ceux générés par des variants oncogéniques des composants de la cascade des MAP kinases tel Ras, stimulent l'expression de différents facteurs de transcription (Fig. 19-38). Beaucoup d'entre eux sont les produits de proto-oncogènes . L'un d'entre eux, **Myc**, active la trans-

cription du gène codant **p19ᴬᴿᶠ** (chez la souris ; chez l'être humain **p14ᴬᴿᶠ**), qui code également **p16ᴵᴺᴷ⁴ᵃ**. En fait, ces deux protéines, qui n'ont pas de similitude de séquence sont exprimées par épissage alternatif de leurs premiers exons, qui sont traduits dans des phases de lecture différentes pour les deux protéines (ARF pour « *a*lternative *r*eading *f*rame protein », protéine d'une autre phase de lecture), il s'agit d'un exemple sans précédent d'économie d'information génomique chez les eucaryotes supérieurs, alors que ce phénomène est fréquent chez les bactériophages (Section 32-1D). La protéine p19ᴬᴿᶠ se fixe à Mdm2, dont elle inhibe l'activité, empêchant ainsi la dégradation de p53 et déclenchant donc les programmes de transcription dépendants de p53 qui aboutissent à l'arrêt du cycle cellulaire ou à l'apoptose (Section 34-4E). Il est évident que p19ARF agit en tant que constituant d'un système de sécurité dépendant de p53, qui contrecarre les signaux hyperprolifératifs.

Une troisième voie d'activation pour p53 est induite par toutes sortes d'agents chimiothérapeutiques qui altèrent l'ADN, par des inhibiteurs de protéine kinases et par les rayons UV. Il y a activation de ATR qui phosphoryle p53, réduisant ainsi son affinité pour Mdm2, plus ou moins de la même façon que dans le cas de ATM et Chk2.

La protéine p53 fait aussi l'objet de diverses modifications post-traductionnelles réversibles qui ont une influence marquée sur l'expression de ses gènes cibles. Il y a ainsi, acétylation de plusieurs résidus Lys, glycosylation, ribosylation et sumoylation (Section 32-6B), mais aussi phosphorylation sur de nombreux résidus Ser/Thr et ubiquitination. La protéine p53 ne se fixe à de petits fragments d'ADN qui contiennent ses sites cibles, que si son domaine C-terminal a été soit enlevé soit modifié par phosphorylation et/ou acétylation. Pourtant les données de RMN indiquent que le domaine C-terminal n'interagit pas avec les autres domaines de p53. Cela laisse penser que les domaines C-terminal et central de p53 sont en compétition pour leur fixation à l'ADN tant que le domaine C-terminal n'a pas été modifié.

Nous avons à peine entrevu le grand nombre de signaux intracellulaires que reçoit la protéine p53, et comment, en retour, elle contrôle l'activité d'un grand nombre de régulateurs en aval d'elle. Une façon de comprendre l'action de ce réseau très complexe et interconnecté est son analogie avec l'Internet. Dans l'Internet (la cellule), un petit nombre de serveurs fortement connectés ou centres (protéines « maîtres ») transmettent de l'information venant de, ou allant vers un grand nombre d'ordinateurs ou nœuds (autres protéines) qui interagissent directement avec seulement quelques autres nœuds (protéines). Dans un tel réseau, la performance globale n'est pratiquement pas affectée par l'inactivation d'un des nœuds (autres protéines). Cependant, l'inactivation d'un centre (protéine « maître ») aura un gros impact sur la performance du système. La protéine p53 est une protéine « maître », c'est-à-dire qu'elle est l'analogue d'un centre. L'inactivation de l'une des nombreuses protéines qui influencent ses performances ou de l'une des nombreuses protéines dont elle influence l'activité, n'a en général que peu d'effet sur les évènements cellulaires, à cause de la redondance et du haut degré d'interconnexion des composants du système. Par contre, l'inactivation de p53 ou de plusieurs des protéines qui lui sont le plus étroitement associées (par ex. Mdm2) interrompt les réponses cellulaires aux altérations de l'ADN et aux stress prédisposant aux tumeurs. Néanmoins, une compréhension quantitative du fonctionnement et des dysfonctionnements du réseau de p53 nécessitera une description complète de toutes les protéines avec lesquelles p53 interagit directement ou indirectement et de la façon dont elles interagissent dans les conditions réalisées dans la cellule, nous en sommes bien sûr encore loin. Ainsi, dans le proche futur, serons nous limités à des descriptions qualitatives du fonctionnement du réseau de p53. Notre compréhension d'autres systèmes cellulaires de transduction de signaux est tout aussi vague (Section 19-4F).

i. La protéine pRb régule la transition G1/S du cycle cellulaire

Le suppresseur de tumeur pRb (protéine associée au *retino*blastome) est un monomère de 928 résidus, localisé dans le noyau des cellules animales normales mais qui est défectueux ou absent dans les cellules de rétinoblastome (Section 34-4C). C'est un régulateur important de la transition G1/S du cycle cellulaire, c'est-à-dire du passage par le point de restriction. Les effets de pRb sont pour beaucoup dus aux interactions avec les membres de la famille de facteurs de transcription **E2F**, qui, en l'absence de pRb, forment un complexe avec un membre de la famille **DP** (pour E2F *d*imerization *p*artner) activant ainsi leurs promoteurs cibles. La famille E2F des mammifères comporte six membres d'environ 440 résidus, dont E2F-1 à E2F-4 qui interagissent avec pRb via un segment polypeptidique conservé de 18 résidus inclu dans leur domaine C-terminal de transactivation qui fait environ 70 résidus. La famille des facteurs DP de mammifères comporte deux membres d'environ 430 résidus, **DP-1** et **DP-2**. Les hétérodimères E2F-DP induisent la transcription de différents gènes codant des protéines nécessaires pour l'entrée en phase S (par ex. Cdc2, Cdk2 et les cyclines A et E) et pour la synthèse d'ADN [par ex. l'ADN polymérase α (pol α ; Section 30-4B), Orc1 et plusieurs protéines Mcm (qui participent à l'initiation de la réplication de l'ADN ; Section 30-4B), la ribonucléotide réductase (Section 28-3A), la thymidylate synthétase et la dihydrofolate réductase (Section 28-3B)].

Comment pRb permet-elle la progression du cycle cellulaire ? pRb, qui est synthétisée durant tout le cycle cellulaire, est une phosphoprotéine pouvant être phosphorylée sur 16 de ses résidus Ser/Thr par le complexe Cdk4/6-cycline D, du milieu à la fin de la phase G1, par le complexe Cdk2-cycline E, à la fin de la phase G1, par le complexe Cdk2-cycline A, en phase S et par Cdk1 (Cdc2-cyline B), en phase M. Ces différents complexes Cdk-cycline phosphorylent des ensembles de sites différents sur pRb. *La protéine pRb hypophosphorylée, contrairement à sa forme hyperphosphorylée, se fixe au domaine transactivateur de E2F qu'elle empêche ainsi d'activer la transcription au promoteur auquel il est lié.* Dans les cellules qui ne sont pas en phase de prolifération (celles au début de la phase G1), pRb reste hypophosphorylée parce que, sauf si ces cellules reçoivent des signaux mitogènes, les cyclines de type D, très instables (elles ont des demi-vies d'environ 10 min), ne s'accumulent pas à un niveau suffisant pour engendrer des quantités significatives de complexes Cdk4/6-cycline D (les mitogènes déclenchent des cascades de MAP kinases qui stimulent l'expression des cyclines de type D). De plus, comme la forme hypophosphorylée de pRb empêche le complexe E2F-DP d'activer l'expression de Cdk2 et des cyclines E et A, les complexes Cdk2-cycline E et Cdk2-cycline A ne s'accumulent pas à des niveaux suffisants pour hyperphosphoryler pRb. En fait, les petites quantités de complexes Cdk2-cycline E et Cdk2-cycline A présents, sont inhibés par p27^{Kip1}, qui se trouve en concentration importante dans les cellules en phase G1 avant le point de restriction.

Les mitogènes stimulent aussi l'expression de p27^{Kip1} et de p21^{Cip1} qui, contrairement à ce qu'on pouvait attendre, n'inhibent pas les complexes Cdk4/6-cycline D, mais au contraire, stimulent leur activité en accélérant leur assemblage et en promouvant leur importation dans le noyau. Les signaux mitogènes interrompent donc le blocage de la progression du cycle cellulaire imposé par pRb, en induisant la formation de complexes Cdk4/6-cycline D-p27^{Kip1}/p21^{Cip1} qui amorcent la phosphorylation de pRb. Il s'ensuit une libération d'une petite quantité de facteur E2F, qui va alors induire l'expression de Cdk2 et des cyclines E et A. Les complexes Cdk4/6-cycline D séquestrent aussi p27^{Kip1} et p21^{Cip1}, permettant au complexe Cdk2/cycline E obtenu de catalyser une seconde vague de phosphorylation de Rb et son importation nucléaire [cependant, lorsque de grandes quantités de p21^{Cip1} sont produites sous l'influence de p53 activée (voir plus haut), cela inhibe les complexes Cdk2-cycline E et il y a arrêt de la transition G1/S]. Il y a alors libération de grandes quantités de E2F, qui entraîne une vague de transcription des gènes promoteurs de la progression du cycle cellulaire. Au cours de la progression du cycle cellulaire, pRb est de plus en plus phosphorylée, tout d'abord par le complexe Cdk2-cycline A puis par Cdk1, jusqu'à l'issue de la phase M, où pRb est brusquement déphosphorylée, probablement par la protéine-Ser/Thr phosphatase PP1 (Section 19-3F), pRb est ainsi à nouveau capable d'arrêter la progression du cycle cellulaire en inhibant E2F.

Diverses protéines contenant le motif de séquence LXCXE se fixent à pRb. Parmi elles, plusieurs protéines cellulaires, incluant les cyclines de type D, qui reconnaîtraient ainsi pRb et certaines oncoprotéines virales, dont la fixation à pRb empêche cette dernière de se fixer à E2F (qui ne possède pas de motif LXCXE mais se fixe à pRb, comme nous l'avons vu plus haut, via une séquence de 18 résidus). En fait, E2F a tout d'abord été identifié (d'où son nom) comme un facteur cellulaire impliqué dans la régulation du gène précoce *E2* de l'adénovirus, par le produit oncogénique **E1A** de l'adénovirus. Des études ultérieures ont en fait montré que le produit du gène *E4* de l'adénovirus participe également à ce processus. E1A, qui ne se fixe pas à l'ADN, se fixe à pRb via son motif LXCXE. Cela provoque la libération par pRb de E2F qui lui est fixé, E2F peut alors, en se combinant avec **E4**, activer la transcription du gène E2 à partir du promoteur *E2* de l'adénovirus. Le facteur E2F libéré dirige aussi les cellules infectées vers la phase S, ce qui facilite la réplication de l'ADN de l'adénovirus. L'antigène grand T du virus SV40 et la protéine **E7** du virus du papillome humain, qui contiennent aussi des motifs LXCXE, activent E2F d'une manière similaire. Plus de 100 protéines capables de se fixer à pRb ont été décrites, mais elles le font dans la plupart des cas autrement que via des motifs LXCXE. Le rôle de ces interactions reste largement inconnu.

j. E2F et le motif LXCXE se fixent à des sites distincts du domaine en poche de pRb

Le domaine en poche de pRb forme un domaine de fixation pour E2F et pour le motif LXCXE, il est aussi le principal site des altérations génétiques dans les tumeurs. Le domaine en poche est constitué de ses boîtes A et B conservées (résidus 379 à 572 et 646 à 772), reliées par un espaceur peu conservé, mais lorsque cet espaceur est excisé, les boîtes A et B s'associent quand même de façon non covalente.

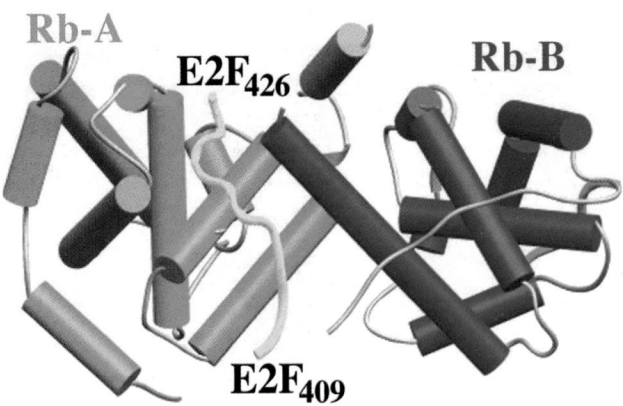

FIGURE 34-106 Structure par rayons X du domaine de la poche de pRb associé avec le peptide de 18 résidus, de E2F, se liant à la protéine pRb. Les hélices des boîtes A et B sont respectivement représentées sous forme de cylindres rouges et bleus, et la chaîne principale du peptide de E2F est représentée sous la forme d'un serpent jaune d'or. La structure d'un segment nonapeptidique, contenant la séquence LXCXE, de la protéine E7 du virus du papillome humain, telle qu'elle apparaît dans son complexe avec le domaine de la poche de la protéine pRb, a été superposée sous la forme d'un serpent vert. [Avec l'aimable autorisation de Steven Gamblin, Institut National de la Recherche Médicale, Londres, G.-B. PDBid 1O9K et 1GUX.]

La structure par rayons X du domaine en poche de pRb sans son espaceur, associé avec le peptide de 18 résidus de E2F se liant à pRb, a été déterminée de façon indépendante par Marmorstein et Gambin et par Yunje Cho. Elle montre que le peptide de 18 résidus de E2F se fixe dans une conformation en forme de boomerang à l'interface hautement conservée entre les boîtes A et B, qui contiennent toutes deux le repliement à cinq hélices trouvé dans les cyclines (Fig. 34-106). Mais la structure par rayons X du domaine en poche de Rb associé à un peptide de 9 résidus de la protéine E7 de virus du papillome humain contenant le motif LXCXE, qui a été déterminée par Pavletich, montre que le peptide LXCXE de E7 se fixe sous forme étendue dans un sillon étroit sur la boîte B à une distance d'environ 30 Å du site de fixation de E2F (Fig. 34-106). Ce dernier site de fixation, qui est formé par des résidus très conservés, ressemble étroitement au site primaire de fixation de Cdk2 sur la cycline A (Fig. 34-101*b*) et site de fixation de TBP sur TFIIB dont l'identité avec le présent site est de 20 % (Fig 34-49). La partie correspondante de la boîte A contribue à former l'interface A-B.

k. La protéine pRB réprime aussi la transcription en recrutant les homologues HDAC et SWI/SNF

Des expériences de fixation montrent que pRb est associée avec les histones désacétylases HDAC1 et HDAC2, qui contiennent toutes deux un motif de séquence LXCXE (en fait IXCXE). Par conséquent, la présence de la protéine E7 du virus du papillome humain tout comme les mutations qui cassent le domaine en poche de pRb abolissent la fixation de ces HDAC à pRb. Ces observations font penser que pRb sert aussi à recruter HDAC1 et HDAC2 sur E2F fixé à l'ADN, facilitant ainsi la désacétylation des histones et donc l'inactivation transcriptionnelle de la chromatine contenant les gènes cibles de E2F. Cela explique pourquoi on a observé que pRb réprime la transcription des promoteurs auquel on la fixe artificiellement par un domaine de fixation à l'ADN différent de celui

de E2F. HDAC3 s'associe aussi à pRb, bien qu'il n'ait pas de motif LXCXE.

Les homologues humains de SWI/SNF, BRM et BRG1, qui ont tous deux un motif LXCXE, se fixent également à pRb. BRM et BRG1, rappelons le (Section 34-3B), sont des ATPases dépendantes de l'ADN qui font partie des complexes de remodelage de l'ADN. Ainsi, le fait que pRb puisse se lier simultanément à BRG1 et à une HDAC (alors qu'ils ont tous deux un motif LXCXE) fait penser que pRb recrute les complexes de remodelage de la chromatine pour faciliter l'action des HDAC au niveau des promoteurs sous le contrôle de E2F.

E. *L'apoptose : mort cellulaire programmée*

L'adage qui dit que la mort fait partie de la vie est encore davantage vrai au niveau cellulaire qu'à celui de l'organisme. La **mort cellulaire programmée** ou **apoptose** (du grec : chute, comme dans le cas des feuilles d'un arbre), qui a été tout d'abord décrite par John Kerr à la fin des années 1960, fait partie du développement normal, mais ausi de l'entretien et de la défense de l'organisme animal adulte. Ainsi, dans le ver nématode, *Caenorhabditis elegans*, un organisme transparent dont le devenir des différentes cellules a été élucidé par des études microscopiques, il y a exactement 131 de ses 1090 cellules somatiques qui subissent l'apoptose au cours de la formation de l'organisme adulte. Chez de nombreux vertébrés, les doigts des mains et des pieds en formation sont au départ reliés par du tissu qui est éliminé par mort cellulaire programmée (Fig. 34-107), tout comme le sont les queues des têtards et les tissus larvaires des insectes durant leur métamorphose en adultes (Fig. 34-81 et 34-86). L'apoptose est particulièrement intense au cours de la formation du système nerveux des mammifères, dans lequel environ trois fois trop de neurones sont produits. Pourtant, seuls les neurones faisant des connections synaptiques adéquates seront conservés, les autres sont éliminés par apoptose (Fig. 34-108).

Dans l'organisme humain adulte, qui est composé de près de 10^{14} cellules, on estime que 10^{11} cellules sont éliminées chaque jour par mort cellulaire programmée (c'est à peu près le nombre de nouvelles cellules produites par mitose). En fait, la masse totale de cellules que nous perdons chaque année de cette façon est voisine de celle de notre corps. Une manifestation particulièrement visible de ce phénomène est l'élimination mensuelle des cellules utérines lors de la menstruation (Section 19-11). De même, les cellules du système immunitaire appelées lymphocytes T (cellules T) subissent l'apoptose dans le thymus lorsque les récepteurs de cellules T qu'elles produisent reconnaissent des antigènes normalement présents dans le corps, ou dans le cas où ces récepteurs sont mal formés (Sections 35-2A et 35-2D), environ 95 % des cellules T immatures sont éliminées de cette façon. Les maladies autoimmunes comme l'arthrite rhumatoïde et le diabète insulino-dépendant (Section 27-3B) apparaissent lorsque ce processus se dérègle. L'apoptose est aussi un rouage essentiel des systèmes de défense de l'organisme. Le système immunitaire élimine les cellules infectées par les virus, en partie en induisant leur apoptose, ce qui empêche la réplication virale. Les cellules qui présentent de l'ADN endommagé de façon irréparable et risquent donc une transformation maligne subissent l'apoptose, l'organisme se trouve ainsi protégé contre le cancer. *L'une des caractéristiques qui définit les cellules malignes est effectivement leur capacité à éviter l'apoptose.* Les cellules qui se trouvent détachées de leur position

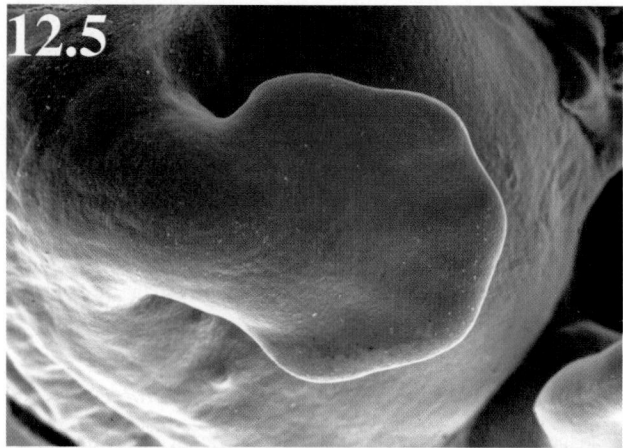

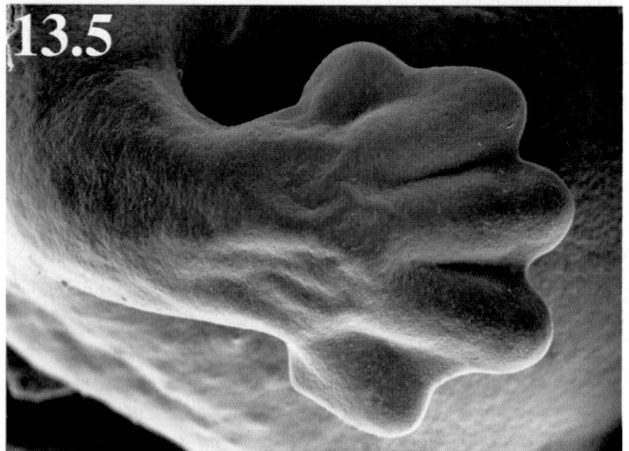

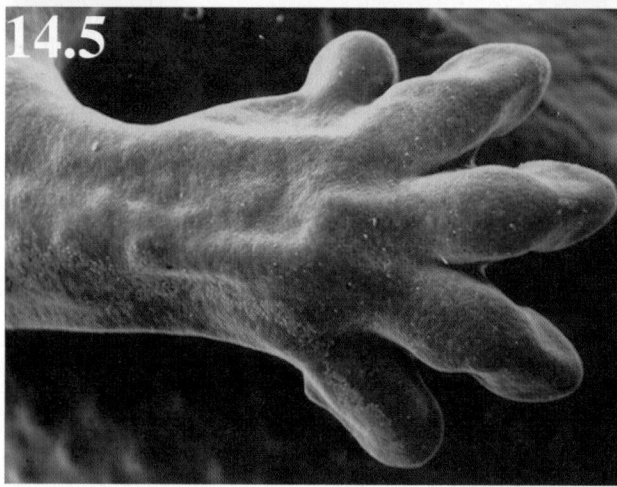

FIGURE 34-107 Mort cellulaire programmée dans la patte de l'embryon de souris. Au stade 12,5 jours du développement, les doigts sont complètement soudés par du tissu interdigital. Au stade 13,5 jours le tissu a commencé à mourir. Au stade 14,5 jours, le processus apoptotique est achevé. [Aimablement communiqué par Paul Martin, Collège de l'Université de Londres, G.-B.]

normale dans l'organisme vont de même se suicider. Comme Martin Raff l'a énoncé, *l'apoptose semble être le choix par défaut des cellules de métazoaires ; à moins qu'elles ne reçoivent en permanence des signaux externes hormonaux et/ou nerveux qui les empêchent de se suicider, elle le feront.* Ainsi les organes adultes maintiennent une taille constante en compensant la prolifération

(a) (b)

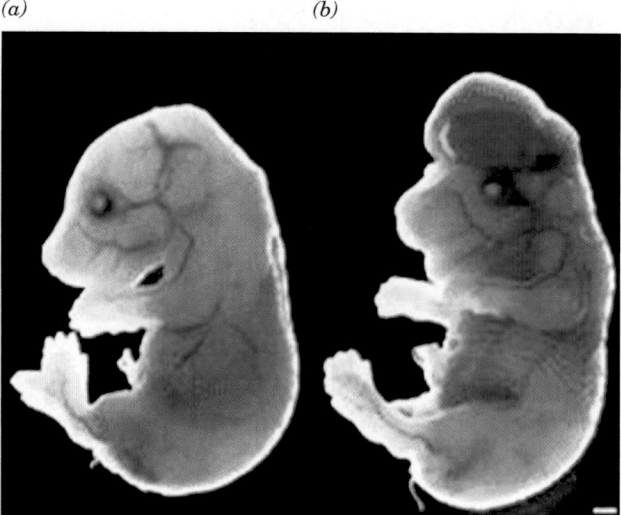

FIGURE 34-108 Développement du cerveau dans des embryons de souris du stade 16,5 jours. (*a*) Un embryon de type sauvage. (*b*) Un embryon chez lequel la **caspase-9**, une enzyme responsable de l'apoptose, a été rendue inactive par mutation homozygote. Notez la forme protubérante et anormale du cerveau de l'embryon muté, à la suite d'une prolifération des neurones du cerveau. [Aimablement communiqué par Richard Flavell, École de Médecine de l'Université de Yale.]

cellulaire par l'apoptose. Il n'est donc pas surprenant qu'une apoptose inappropriée soit en cause dans plusieurs maladies neurodégénératives comme la maladie d'Alzheimer (Section 0-5B), la maladie de Parkinson (Section 26-4B) et la maladie de Huntington (Section 30-7), mais aussi dans les dégâts en cas d'attaques et d'infarctus. Par conséquent, les systèmes de signalisation responsables de l'apoptose sont devenus les cibles d'interventions thérapeutiques. De fait, beaucoup d'agents de chimiothérapie actuellement utilisés ne tuent pas directement leurs cellules cancéreuses cibles, elles les endommagent plutôt et cela induit leur apoptose.

L'apoptose est qualitativement différente de la **nécrose**, qui correspond à la mort cellulaire à la suite d'un traumatisme (par ex. un manque d'oxygène, des températures extrêmes et des blessures mécaniques). Les cellules qui subissent la nécrose, explosent en quelque sorte, la cellule ainsi que les organites entourés de membranes gonflent tandis que l'eau les envahit à travers leurs membranes abîmées. Il y a alors libération d'enzymes lytiques qui digèrent le contenu cellulaire jusqu'à la lyse de la cellule qui déverse ses constituants dans son environnement (Section 22-4B). Les cytokines que la cellule libère induisent souvent une réponse inflammatoire (qui peut endommager les cellules environnantes), qui attire les **cellules phagocyteuses** (des cellules comme les globules blancs, appelées **macrophages**, qui ingèrent des particules étrangères et les déchets) pour qu'ils nettoient les débris cellulaires. Au contraire, l'apoptose débute par la perte de contacts intercellulaires d'une cellule apparemment saine, suivie de son flétrissement, de la condensation de sa chromatine à la périphérie du noyau, de l'effondrement de son cytosquelette, de la dissolution de son enveloppe nucléaire, de la fragmentation de son ADN et de violentes boursouflures de sa membrane plasmique. Finalement, la cellule se désagrège en nombreux **corps apoptotiques** entourés d'une membrane, qui sont phagocytés par les cellules voisines

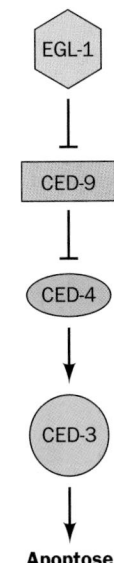

FIGURE 34-109 Voie de déclenchement de l'apoptose chez
C. elegans. Les flèches indiquent une activation alors que les lignes terminées en T indiquent une inhibition.

ainsi que par les phagocytes circulant sans que le contenu des cellules ne se répande et donc, sans induire de réponse inflammatoire.

a. L'apoptose est induite par des cascades de signalisation

La première voie d'apoptose à avoir été élucidée chez *C. elegans,* par les études génétiques de John Sulston et Robert Hotrvitz,
met en jeu les produits de trois gènes appelés ced (pour « *c*ell *d*eath
*a*bnormal », anomalie de la mort cellulaire ; Fig. 34-109). La protéase **CED-4** active la protéase **CED-3**, qui est à l'origine de la
destruction de la cellule, **CED-9** sert à inactiver CED-4. Des mutations qui inactivent CED-9, entraînent dans de nombreuses cellules
qui devraient normalement survivre dans l'organisme adulte, l'activation inappropriée de leurs protéases CED-3 et CED-4 qui
entraîne leur mort, il y a alors mort de l'embryon. Inversement,
lorsque CED-9 est exprimée à un taux anormalement élevé, ou que
CED-3 ou CED-4 est inactivé, des cellules normalement destinées
à mourir vont survivre (cela a curieusement peu d'effet apparent

sur la santé de l'organisme adulte). Des études ultérieures ont
montré qu'une quatrième protéine, **EGL-1**, sert à inhiber CED-9,
sa surexpression induit donc l'apoptose.

Les voies de l'apoptose des mammifères sont beaucoup plus
complexes que chez *C. elegans*. Néanmoins, les protéines CED et
EGL ont toutes des équivalents dans les voies apoptotiques des
mammifères :

1. CED-3 est le prototype d'une famille de protéases appelées
caspases (pour « cysteinyl aspartate-specific proteases », protéases
spécifiques d'une liaison cystéinyl aspartate) car ce sont des protéases à cystéines [dont le mécanisme ressemble à celui des protéases à sérine (Section 15-3C) mais où un résidu Cys remplace le
résidu Ser actif], qui coupent après un résidu Asp. Leurs sites de
coupure sont principalement déterminés par ce résidu Asp et les
trois résidus qui le précèdent.

2. CED-4 est une protéine architecturale jouant un rôle essentiel dans l'activation des caspases. Sa contrepartie chez les mammifères est appelée Apaf-1 (pour *a*poptotic *p*rotease-*a*ctivating *f*ac-
tor-*1*).

3. CED-9 est un membre de la famille Bcl-2 (son nom vient
du membre fondateur, Bcl-2 a d'abord été caractérisé comme un
gène impliqué dans le lymphome des cellules B, « *B c*ell *l*ym-
phoma »). Certains des membres de cette grande famille, dont
CED-9 fait partie, protègent la cellule de la mort et sont de ce fait
dits **anti-apoptotiques**. D'autres sont promoteurs de la mort cellulaire et sont donc dits **pro-apoptotiques**.

4. EGL-1 est un memebre pro-apoptotique de la famille Bcl-2.

b. Les différentes caspases ont des structures très semblables

Les caspases sont des hétérotétramères $\alpha 2\beta 2$ constitués de
deux grandes sous-unités α (~300 résidus) et de deux petites sous-
unités β (~100 résidus). Elles sont exprimées sous formes de
zymogènes (**procaspases**) qui ont trois domaines (Fig. 34-110) :
un domaine N-terminal, qui est coupé par protéolyse lors de l'activation, suivi de séquences contenant les sous-unités actives α et
β de l'enzyme active ; elles sont séparées par clivage protéolytique
lors de l'activation. Les sites de clivage pour l'activation sont tous
situés après des résidus Asp et sont en fait des cibles de caspases
(la seule autre protéase eucaryotique connue pour couper après un

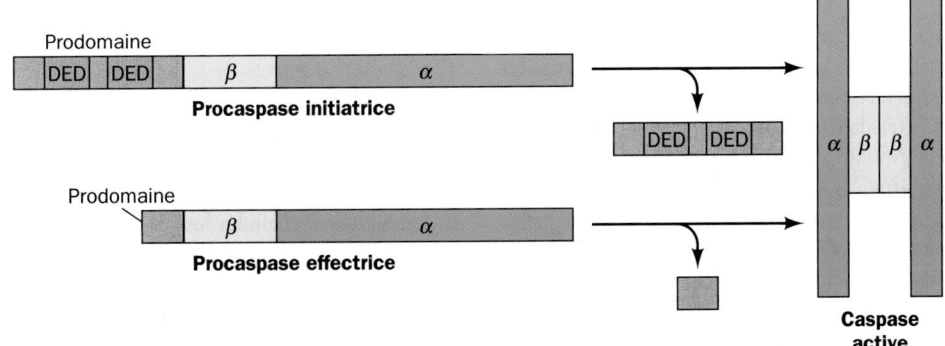

**FIGURE 34-110 La structure des domaines des caspases et leur
activation.** Les zymogènes des caspases initiatrices ont de longs prodomaines N-terminaux, qui contiennent dans plusieurs cas, deux
domaines effecteurs de mort (DED), tandis que les zymogènes des cas-

pases effectrices n'ont que de courts prodomaines. Les procaspases
sont activées par des clivages protéolytiques qui excisent leurs prodomaines et séparent leurs sous-unités α et β pour aboutir aux caspases
actives $\alpha_2\beta_2$.

résidu Asp est le **granzyme B**, une protéase à sérine de type chymotrypsine exprimée par les cellules cytotoxiques T servant à induire l'apoptose dans les cellules tumorales et dans les cellules infectées par des virus ; Section 35-2A). L'activation des caspases peut donc être, comme nous allons le voir, soit autocatalytique, soit catalysée par une autre caspase.

Les êtres humains expriment onze caspases, dont six participent exclusivement à l'apoptose [les autres sont impliquées principalement dans l'activation des cytokines et donc dans le contrôle de l'inflammation. Le membre fondateur, la **caspase-1** est aussi appelée **interleukin-1β-converting-enzyme (ICE)** parce qu'elle active par protéolyse la cytokine **interleukine-1β** (Section 35-2A)]. IL existe deux classes de caspases apoptotiques (Fig. 34-110) :

1. Les caspases initiatrices (caspase-8, 9 et 10) se caractérisent par de longs prodomaines (129 à 219 résidus) qui ciblent leurs zymogènes vers des protéines structurales promotrices de leur auto-activation. Les prodomaines des caspases 8 et 10 contiennent chacun deux **domaines de mort** (« **death effector domain** » ; **DED**) d'environ 80 résidus, par lesquels elles se fixent à un domaine DED sur leurs protéines adaptateurs cibles (voir plus bas). Le prodomaine de la caspase 9 contient quant à lui un domaine d'environ 90 résidus, de structure similaire, le **domaine de recrutement des caspases** (**CARD**, caspase recruitment domain) qui est le promoteur de l'interaction de cette caspase avec certaines protéines architecturales ou régulatrices.

2. Les caspases effectrices (caspase-3, 6 et 7) ont de petits prodomaines (~25 résidus) et sont activées par les caspases initiatrices. Les caspases effectrices activées, qui ont été décrites comme les exécuteurs de la cellule, coupent diverses protéines cellulaires (voir plus bas) et cela entraîne l'apoptose.

La structure par rayons X de la caspase-7 (Fig. 34-111), déterminée par Keith Wilson et Paul Charifson, ressemble étroitement à celle de plusieurs autres caspases dont les structures par les rayons X sont connues. Chaque hétérodimère αβ de cet hétérotétramère α2β2 à symétrie d'ordre 2 contient un feuillet β à six brins, dont cinq sont parallèles et qui est bordé de cinq hélices α, deux d'un coté et trois de l'autre, qui sont approximativement parallèles aux brins β. Le feuillet β se poursuit à travers l'axe de symétrie d'ordre 2 de la protéine et forme un feuillet β tordu à 12 brins. Chaque hétérodimère αβ contient un site actif localisé aux extrémités C-terminales de ses brins β parallèles et qui reconnaît un tétrapeptide du coté N-terminal du site de clivage Asp-X. Les structures des différentes caspases diffèrent surtout par la conformation des quatre boucles qui forment leur site actif. La comparaison de la structure par rayons X de la caspase-7 et de la **procaspase-7** (dont le résidu Cys 186 du site actif est muté en Ser pour éviter son autoactivation), déterminées de façon indépendante par Weigon Shi et Wolfram Bode, montre que bien que ces deux protéines soient par ailleurs étroitement superposables, les quatre boucles du site actif de la procaspase-7 ont subi de grands changements de conformation par rapport à ce qui existe dans la caspase-7, entraînant une quasi oblitération du site actif. On voit notamment que la boucle qui contient le résidu Cys catalytique essentiel et le site de clivage entre les sous-unités α et β permettant l'activation, effectue un changement d'orientation de 90° après cette coupure. Il y a ainsi exposition et positionnement correcte du résidu Cys catalytique qui était enfoui auparavant.

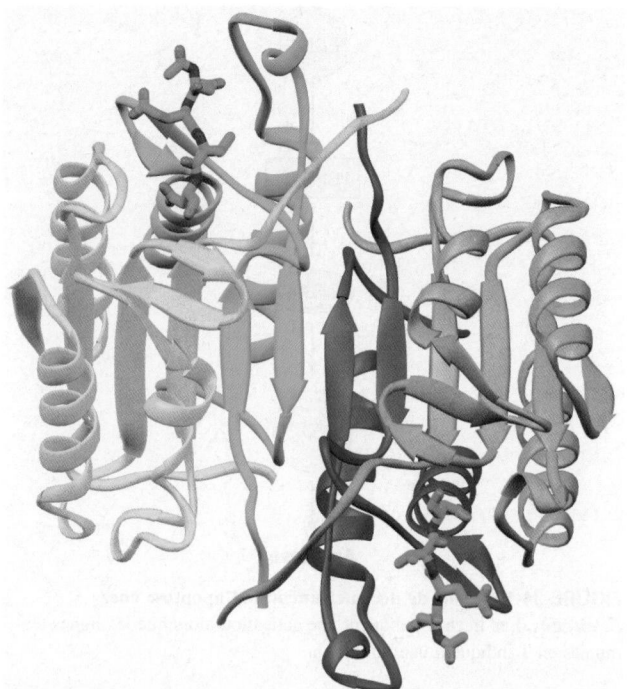

FIGURE 34-111 Structure par rayons X de la caspase-7 complexée avec l'aldéhyde de tétrapeptide inhibiteur, acétyl-Asp-Glu-Val-Asp-CHO (Ac-DEVD-CHO). L'enzyme hétérotétramérique $\alpha_2\beta_2$ est vue selon son axe de symétrie d'ordre 2 avec sa grande sous-unité (α) en orange et en jaune d'or, et sa petite sous-unité (β) en bleu turquoise et en bleu. L'inhibiteur Ac-DEVD-CHO est dessiné en modèle en bâtonnets avec les atomes C en vert, N en bleu et O en rouge. [D'après une structure par rayons X de Keith Wilson et Paul Charifson, Vertex Pharmaceuticals, Cambridge, Massachusetts. PDBid 1F1J.]

c. Les caspases clivent un grand nombre de protéines et activent la dégradation de l'ADN chromosomique

Plus de 60 protéines cellulaires substrats des caspases ont été identifiées. Cela inclut des protéines du cytosquelette [par ex. les actines (Section 35-3E) et les **lamines** (des filaments intermédiaires qui forment un feutrage longeant la face interne de l'enveloppe nucléaire)], des protéines impliquées dans la régulation du cycle cellulaire (par ex. la cycline A, Wee1, p21^{Cip1}, ATM et pRb ; Section 34-4D), des protéines qui participent à la réplication de l'ADN [par ex. la topoisomérase I (Section 29-3C) et Mcm3 (Section 30-4B)], des facteurs de transcription (par ex. Sp-1 et NF-κB ; Section 34-3B), et des protéines qui participent à la transduction de signaux [par ex. RasGAP (Section 19-3C) et la protéine kinase C (Section 19-4C)]. Cependant, la façon dont le clivage de ces nombreuses protéines cause les changements morphologiques que subissent les cellules lors de l'apoptose n'est pas claire.

L'induction de l'apoptose cause aussi la dégradation rapide de l'ADN chromosomique. L'ADN chromosomique est attaché à la matrice protéique du chromosome à des intervalles d'environ 70 kb via des régions d'ancrage à la matrice riches en AT (MAR ; Section 34-1D). Durant l'apoptose, l'**ADNase activée par les caspases** (**CAD**, pour « *c*aspase-*a*ctivated *D*nase ») coupe l'ADN chromosomique à ces sites, puis il y a souvent coupure entre les nucléosomes qui produit une série de fragments dont les longueurs sont des multiples de 200 pb. CAD est exprimée de façon ubiquitaire dans tous les tissus, en complexe avec son inhibiteur **ICAD** (*i*nhibitor of *CAD*), qui lors de l'induction de l'apoptose, est clivé par les caspases 3 et 7, ce qui libère CAD sous forme active. ICAD sert aussi de chaperonne dont la présence est nécessaire lorsque le ribosome synthétise CAD pour que CAD se replie dans sa conformation native. Cela permet que CAD sous sa forme native forme toujours un complexe avec ICAD pour éviter une coupure inappropriée de l'ADN. Bien que le clivage de l'ADN chromosomique d'une cellule soit probablement de nature à entraîner sa mort, des cellules contenant une forme mutante de ICAD subissent l'apoptose alors même que leur ADN chromosomique reste intact. Cela suggère que le rôle du clivage de l'ADN au cours de l'apoptose serait d'empêcher que les cellules qui phagocytent les corps apoptotiques, ne soient transformées par de l'ADN viral intact ou par de l'ADN chromosomique endommagé que ces corps apoptotiques ne manqueraient pas de contenir.

d. Le complexe inducteur du signal de mort active l'apoptose

L'apoptose d'une cellule donnée peut être induite soit par des signaux venus de l'extérieur, dans ce qu'on appelle la **voie extrinsèque** (mort sur commande), soit par l'absence de signaux externes permettant d'inhiber l'apoptose par ce qu'on appelle la **voie intrinsèque** (mort par défaut). La voie extrinsèque est enclenchée par l'association d'une cellule destinée à l'apoptose avec une cellule qui l'a choisi pour l'y obliger. Dans l'un des exemples de cette voie le mieux caractérisé peut-être (Fig. 34-112), une protéine de 281 résidus à un seul domaine transmembranaire, appelée **ligand de** Fas (FasL), qui dépasse de la membrane plasmique de la cellule inductrice, et qui constitue ce qu'on appelle un **ligand de mort**, se lie à une protéine de 335 résidus, à un seul domaine transmembranaire appelé Fas (ou CD9 ou Apo1), qui dépasse de la membrane plasmique de la cellule apoptotique et constitue ce qu'on appelle un récepteur de mort. FasL est une cytokine principalement exprimée par certaines cellules du système immunitaire, parmi lesquelles les cellules T activées (bien que l'association entre la cellule apoptotique et la cellule du système immunitaire soit surtout assurée par des complexes contenant un antigène ; Section 35-2E). FasL appartient à la famille du **facteur nécrosant des tumeurs** (**TNF**, tumor necrosis factor ; dont le nom vient du membre fondateur, TNFα, caractérisé au départ comme cytokine tuant les cellules tumorales en induisant leur apoptose, et non pas leur nécrose).

FasL est une protéine homotrimérique, dont les domaines C-terminaux extracellulaires s'associent avec les domaines N-terminaux extracellulaires de trois molécules de Fas pour former un complexe à symétrie d'ordre 3, ce qui entraîne la trimérisation des domaines cytoplasmiques de Fas. C'est l'événement déclencheur de la voie extrinsèque ; on peut aussi l'induire par pontage des molécules de Fas à l'aide d'anticorps. Fas, qui est fortement exprimée dans divers tissus, fait partie de la famille des **récepteurs de TNF** (**TNFR**, TNF receptor). Par conséquent, il est très probable que l'arrangement du complexe FasL-Fas ressemble à celui observé dans la structure par rayons X du trimère **TNFβ** associé aux domaines extracellulaires de trois molécules de **récepteur 1 du TNF** (**TNFR1**, TNF receptor 1), qui a été déterminée par David Banner (Fig. 34-113). Le domaine cytoplasmique C-terminal de Fas est essentiellement constitué du **domaine de mort** d'en-

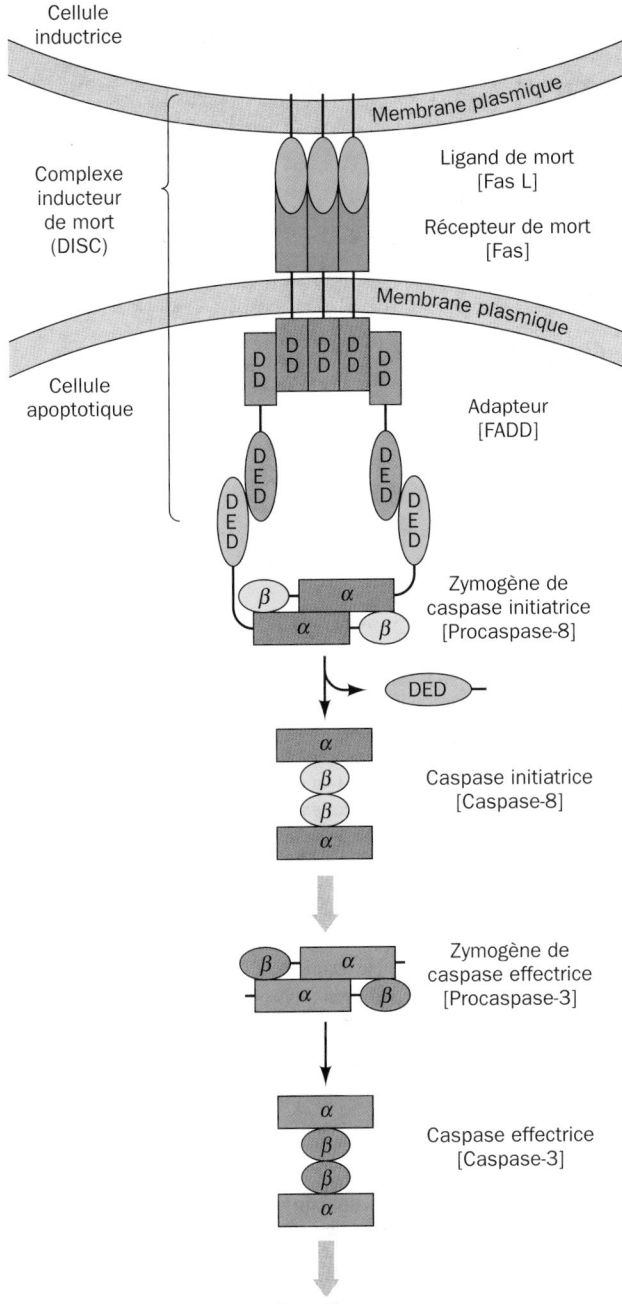

FIGURE 34-112 La voie extrinsèque de l'apoptose. Les flèches larges indiquent une activation. La fixation d'un ligand de mort tétramérique (par ex. FasL), situé sur la cellule inductrice, au récepteur de mort (par ex. Fas) de la cellule apoptotique, provoque la trimérisation des domaines de mort cytoplasmiques (DD) du récepteur de mort. Il y a alors recrutement d'adaptateurs (par ex. FADD), qui s'attachent, via leurs domaines DD, aux domaines DD du récepteur de mort. Les adaptateurs recrutent à leur tour des caspases initiatrices (par ex. la procaspase-8) via des interactions entre les domaines effecteurs de mort (DED) des adaptateurs, et ceux des procaspases initiatrices. Cela induit l'auto-activation des caspases initiatrices, qui vont former les caspases initiatrices hétérotétramériques correspondantes (par ex. la caspase-8). Les caspases initiatrices activent alors, par protéolyse, les caspases effectrices (par ex. la procaspase-3), pour produire les caspases effectrices hétérotétramériques (par ex. la caspase-3), qui catalyse les clivages protéolytiques aboutissant à l'apoptose.

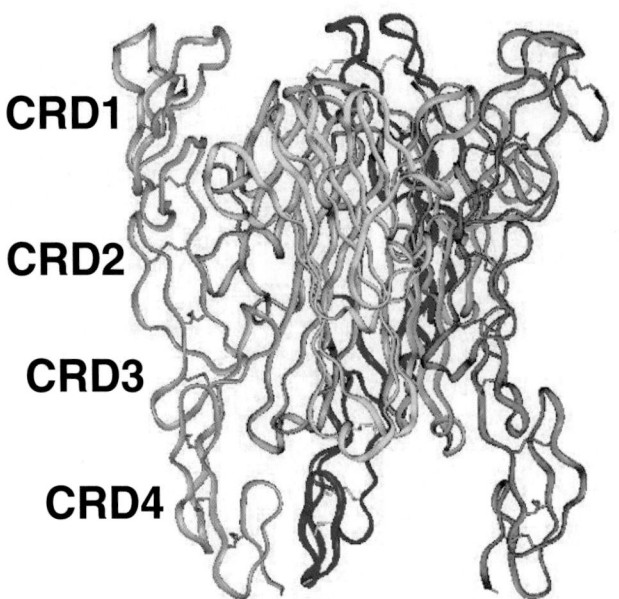

CRD1

CRD2

CRD3

CRD4

FIGURE 34-113 Structure par rayons X de l'homotrimère de TNFβ complexé aux domaines extracellulaires de trois molécules de TNFR1. Les unités de TNFβ, en position centrale, sont en orange, en jaune et en vert. Les domaines de TNFR1, situés à la périphérie, sont en rouge, en bleu et en rose. Les domaines de TNFR1 sont constitués de quatre pseudo-répétitions d'environ 40 résidus appelées **domaines riches en cystéines** (**CRD** pour cysteine-rich domain). Chacun de ces domaines contient trois ponts disulfure formés par six résidus Cys représentés ici en modèle en bâtonnets (en gris). Les domaines allongés de TNFR1 se fixent chacun à une interface entre deux sous-unités de TNFβ. On pense que ce complexe, dont la formation induit l'apoptose, ressemble à celui qui existe entre les domaines extracellulaires des protéines homologues FasL et Fas (dont les domaines extracellulaires ne renferment que trois domaines CRD. [Avec l'aimable autorisation de Stephen Fesik, Laboratoires Abbott, Abbott Park, Illinois. D'après une structure par rayons X de David Banner, F. Hoffmann-La Roche Ttd., Bâle, Suisse. PDBid 1TNR.]

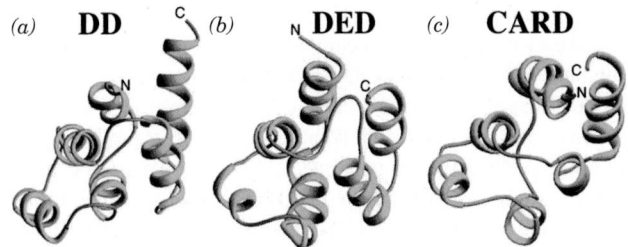

(a) **DD**   *(b)* **DED**   *(c)* **CARD**

FIGURE 34-114 Structure par RMN des modules transduisant le signal de mort. (*a*) Le domaine de mort (DD) de Fas. (*b*) Le domaine effecteur de mort (DED) de FADD. (*c*) le domaine de recrutement des caspases (CARD) de **RAIDD**, une protéine adaptatrice similaire à FADD. Chacun de ces domaines est constitué d'un faisceau de six hélices α antiparallèles qui s'associe à un domaine du même type mais pas à un domaine de type différent. Cependant, les similitudes de leurs structures et de leurs fonctions laissent penser que ces domaines sont de lointains parents. [Avec l'aimable autorisation de Stephen Fesik, Laboratoires Abbott, Abbott Park, Illinois. Partie *c* d'après une structure par RMN de Gerhard Wagner, Université de Harvard. PDBid 1DDF, 1A1Z et 3CRD.]

activent alors la caspase effectrice (exécutrice), la caspase-3, dont les actions causent l'entrée en apoptose de la cellule.

Les cellules expriment aussi une protéine appelée **c-FLIP** [pour « *c*ellular *FL*ICE *i*nhibitory *p*rotein » ; **FLICE** (pour *F*ADD-*like ICE*) est un autre nom pour procaspase-8] qui ressemble à la caspase-8 mais n'a pas d'activité enzymatique. Elle s'associe avec FADD via ses deux domaines DED, inhibant ainsi l'autoactivation des caspases 8 et 10. Il semble que FLIP serve à amortir la réponse cellulaire à Fas de façon à éviter une apoptose inappropriée. Certains virus d'herpès et poxvirus codent des v-FLIP dont le fonctionnement est semblable à celui de c-FLIP et empêche l'apoptose, le virus peut ainsi se propager dans la cellule infectée.

e. La voie intrinsèque est commandée par les protéines de la famille Bcl2

La plupart des cellules de métazoaires baignent en permanence dans une soupe extracellulaire, générée en partie par les cellules voisines. Celle-ci contient toutes sortes de cytokines qui régulent la croissance de la cellule, sa différenciation, son activité et sa survie. La suppression de ce support chimique de sa survie, ou la perte des interactions cellule-cellule directes, induit l'entrée en apoptose de la cellule via la voie intrinsèque. La première étape de cette voie (Fig. 34-115) semble être l'activation d'une ou plusieurs des protéines cellulaires membres de la famille pro-apoptotique Bcl-2.

Les 15 membres connus de la famille de Bcl-2 (~180 résidus) ont été classés en trois groupes (Fig. 34-116) :

1. Le groupe I dont les membres, entre autres Bcl-2 et **Bcl-x$_L$**, ont tous quatre courtes régions d'homologie, **BH1** à **BH4** (BH, pour *B*cl-2 *h*omology region), et un segment C-terminal hydrophobe qui s'insère dans la membrane externe de la mitochondrie, ou moins fréquemment dans le réticulum endoplasmique, laissant la plus grande partie de cette protéine du coté du cytoplasme. Tous les membres du groupe I de la famille Bcl-2 sont anti-apoptotiques.

viron 80 résidus (**DD**, death domain), que l'on trouve dans les six récepteurs de mort connus des mammifères (l'un d'eux étant TNFR1), qui appartiennent tous à la famille TNFR. Le domaine DD est constitué de six hélices a antiparallèles amphipatiques disposées de façon inhabituelle et dont la structure ressemble à celle du domaine effecteur de mort (DED, death effector domain) et du domaine de recrutement des caspases (CARD), comme le montre la Fig. 34-114).

Fas sous forme trimérique recrute trois molécules de la protéine adaptateur de 208 résidus appelée **FADD** (pour Fas associating death domain-containing protein ; aussi appelée **MORT1** pour mediator of receptor induced toxicity 1) via des interactions entre le domaine DD C-terminal de FADD et celui de Fas. La partie restante de FADD est pratiquement entièrement contituée d'un domaine DED qui quant à lui, recrute les procaspases 8 et 10 via les domaines DED de leurs prodomaines (Fig. 34-110) formant ainsi le complexe **DISC** (« death-inducing signal complex », générant un signal inducteur de mort). Cette agglomération des molécules de procaspases 8 et 10 entraîne leur autoactivation protéolytique, qui produit les caspases 8 et 10. Ces caspases initiatrices

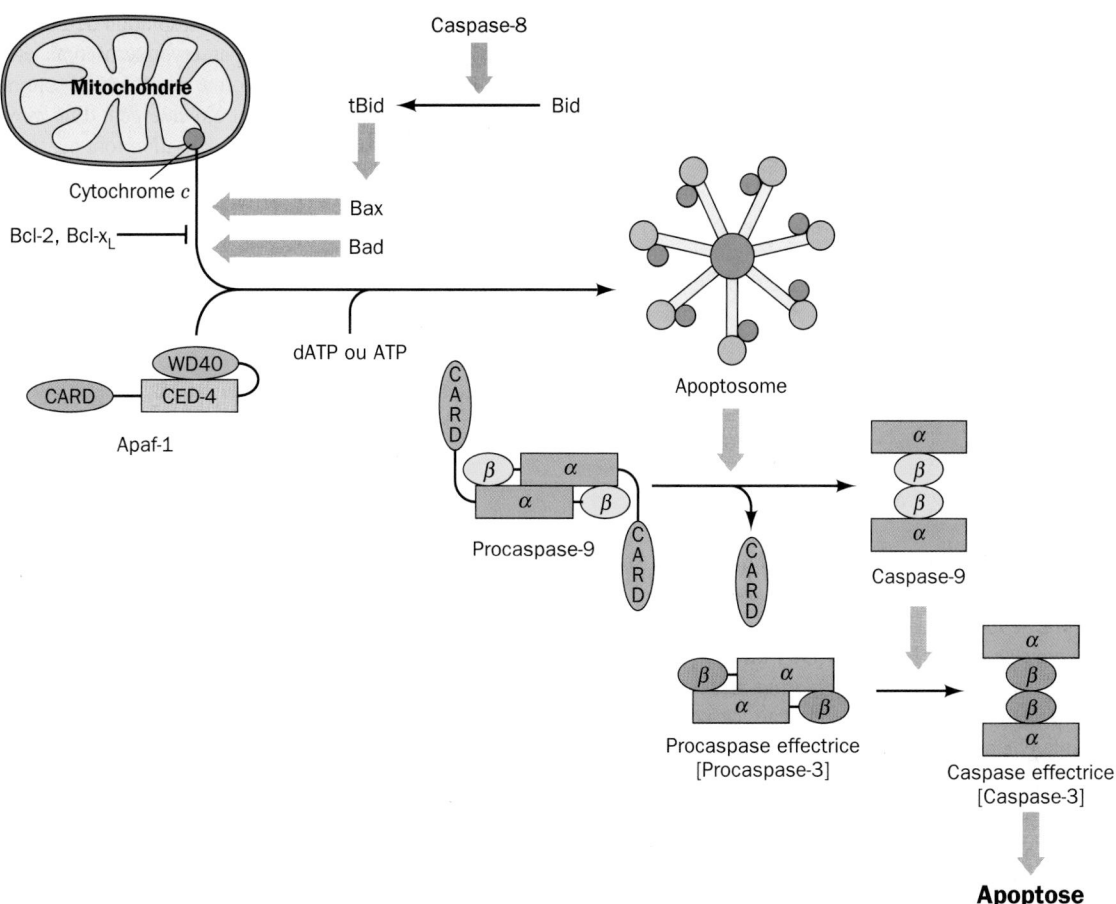

FIGURE 34-115 La voie intrinsèque de l'apoptose. Les flèches larges indiquent une activation alors que les lignes terminées en T indiquent une inhibition. Différents stimuli ou l'absence de stimulus provoquent la libération par la mitochondrie du cytochrome c à partir de son espace intermembranaire. Ce processus est induit par l'activation des membres pro-apoptotiques de la famille Bcl-2, tels que Bid, une fois que celui-ci a subi une coupure protéolytique par la caspase-8 pour produire tBid ou Bad déphosphorylée. Ce processus est inhibé par les membres anti-apoptotiques de la famille Bcl-2 comme Bcl-2 et Bcl-x$_L$. Le cytochrome c libéré se fixe à Apaf-1, qui après avoir en outre fixé du dATP ou de l'ATP, forme l'apoptosome heptamérique en forme de roue de gouvernail. L'apoptosome fixe la procaspase-9, qu'il active pour qu'elle clive les procaspases effectrices (par ex. la procaspase-3) afin de produire les caspases effectrices correspondantes (par ex. la caspase-3). Celles-ci catalyseront les clivages protéolytiques entraînant l'apoptose.

2. Le groupe II, dont les membres, par exemple, **Bax** et **Bak**, ressemblent aux protéines du groupe I mais sont dépourvus de la région BH4. Tous les membres du groupe II sont pro-apoptotiques.

3. Le groupe III, dont les membres, par exemple, **Bad, Bid, Bik, Bim** et **Blk** (et la protéine EGL-1 de *C. elegans*), possèdent tous une seule région BH, la région BH3 d'environ 15 résidus, et

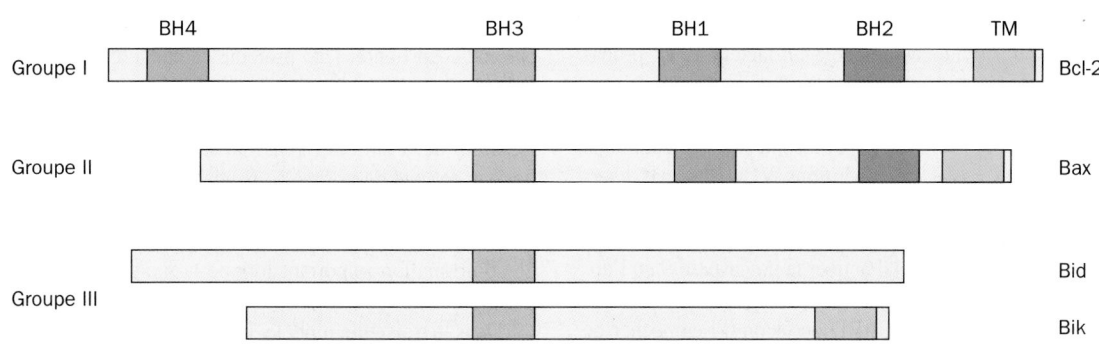

FIGURE 34-116 Comparaison des séquences des membres de la famille des protéines Bcl-2. Les régions d'homologie BH1 à BH4 sont respectivement en bleu, en violet, en rouge et en vert, la région hydrophobe transmembranaire (TM) est en jaune. Les protéines du groupe I sont anti-apoptotiques, tandis que les protéines du groupe II et du groupe III sont pro-apoptotiques. [D'après un dessin de Michael Hengartner, *Nature* **407**, 770 (2000).]

n'ont aucune autre ressemblance de séquence avec Bcl-2. Ces protéines de type BH3-seulement sont toutes pro-apoptotiques.

Les activités des différentes protéines BH3-seulement sont contrôlées par des modifications post-traductionnelles spécifiques. Par exemple, Bad est phosphorylée sur deux résidus Ser par la protéine kinase A (PKA ; Section 18-3C), par la MAP kinase (mitogen-activated kinase ; Section 19-3D), et par Akt (Section 19-4D) (qui sont elles-mêmes activées par des voies du transduction complexes de signaux). Cette phosphorylation crée un site de fixation pour les protéines 14-3-3 qui séquestrent alors Bad dans le cytoplasme. En cas de stimulation efficace, la calcineurine et PP1 (Section 19-3F) déphosphorylent Bad, lui permettant d'interagir avec la mitochondrie, où elle amorce l'apoptose (voir ci-dessous). Au contraire, Bid est activée par un clivage protéolytique catalysé par la caspase-8, formant tBid forme *t*ronquée de Bid), on a ici un lien entre les voies extrinsèque et intrinsèque de l'apoptose.

f. Le cytochrome *c* est un participant essentiel de la voie intrinsèque

L'association de membres pro-apoptotiques de la famille Bcl-2 avec la mitochondrie provoque la libération du cytochrome c de l'espace intermembranaire dans le cytoplasme. Là, comme Xiaodong Wang l'a découvert de façon inattendue, ce composé bien caractérisé de la chaîne mitochondriale de transport des électrons (Section 22-2C) sert à induire l'apoptose. Il y parvient en se combinant avec Apaf-1 et du dATP ou de l'ATP pour former un complexe d'environ 1100 kD appelé **apoptosome** (Fig. 34-115). L'apoptosome fixe plusieurs molécules de procaspase 9, de sorte à induire leur auto-activation et produire la caspase-9, qui reste fixée à l'apoptosome. Cette caspase-9 active alors la procaspase-3 pour provoquer la mort de la cellule.

g. L'apoptosome a la forme d'une roue de gouvernail

Apaf-1, une protéine de 1248 résidus est le composant principal de l'apoptosome, dont elle est l'échafaudage. Elle comporte un domaine N-terminal de recrutement des caspases (CARD), un domaine central de fixation des nucléotides, homologue de CED-4, et un domaine C-terminal qui comporte sept répétitions WD40 (Section 25-6B), une petite jonction et encore six répétition WD40. La procaspase-9 se fixe au domaine CARD de Apaf-1 dans l'apoptosome, via son propre domaine CARD, plusieurs molécules de procaspase-9 se trouvent ainsi très proches l'une de l'autre et peuvent donc s'activer l'une l'autre par protéolyse. Un effet plus important encore est que l'association de la caspase-9 à l'apoptosome augmente son activité catalytique d'un facteur 1000, probablement par un mécanisme d'allostérie. En effet, un mutant de procaspase-9 (D315A) qui ne peut pas être clivé entre ses domaines α et β, quand il est complexé avec l'apoptosome, active néanmoins efficacement la procaspase-3. Les répétitions WD40 de Apaf-1 servent à fixer le cytochrome *c* (Les répétitions WD40 participent en général aux interactions protéine-protéine) ; si on les excise de Apaf-1 cela lui permet de fixer et d'activer la procaspase-9 en l'absence de cytochrome c. Cela suggère que les répétitions WD40 de Apaf-1 se fixent à son domaine CARD de façon à l'empêcher de se lier à la procaspase-9 pour se lier plutôt au cytochrome c et libérer alors le domaine CARD. Le cytochrome c a probablement été sélectionné au cours de l'évolution pour remplir cette fonction parce qu'il est normalement absent du cytoplasme.

La structure de l'apoptosome à une résolution de 27 Å a été déterminée par Christopher Akey par cryomicroscopie électronique. Elle révèle un assemblage en forme de roue avec sept rayons, terminés chacun par deux lobes, et qui émergent d'un moyeu central (Fig. 34-117*a*). Des études de modélisation font penser que le plus grand et le plus petit de ces deux lobes sont respectivement constitués d'hélices b à 7 et 6 pales (Les répétitions WD40 forment des hélices β de différentes tailles ; voir par ex. Fig 19-18*b*) qui sont pontées par une molécule de cytochrome *c*, le domaine CARD de Apaf-1 occupe la région du moyeu de l'apoptosome de sorte que le domaine de fixation des nucléotides doit former au moins le bras des rayons. L'image d'après les données de cryomicroscopie électronique de l'apoptosome associé au mutant non clivable D315A de la procaspase-9 révèle la présence d'un dôme au dessus du centre du moyeu que l'on ne voyait pas auparavant, il s'agit probablement de la procaspase-9 fixée (Fig. 34-117*b*). Pourtant ce dôme est trop petit pour contenir sept monomères de procaspase-9, cela suggère que la procaspase-9 de ce complexe est partiellement désordonnée, probablement à cause d'un lien flexible entre ses domaines CARD et α.

h. Plusieurs mécanismes ont été proposés pour la libération du cytochome *c* mitochondrial

Le mécanisme de libération du cytochrome *c* mitochondrial par les membres pro-apoptotiques de la famille Bcl-2 est encore obscur. Pourtant sur la base d'arguments souvent indirects, trois modèles, non mutuellement exclusifs, ont été proposés. Le premier modèle est basé sur la ressemblance structurale du membre anti-apoptotique de la famille Bcl-2, Bcl-x$_L$, avec des toxines bactériennes qui s'insèrent dans la membrane, comme la toxine de la diphtérie (Fig. 34-118, ; le mécanisme d'action de la toxine diphtérique est étudié dans la Section 32-3G). Cela suggère qu'une ou plusieurs molécules de Bcl-x$_L$ et/ou ses homologues pourraient s'insérer dans la membrane externe de la mitochondrie pour former un pore. En effet, Bcl-x$_L$, Bcl-2 et Bax se sont avérées capables de former des pores dans des bicouches lipidiques synthétiques. De plus, la cible de tBid est la mitochondrie, où il déclenche l'oligomérisation de Bax et son insertion dans la membrane mitochondriale externe. On ne sait pourtant pas si les pores formés sont assez grands pour permettre le passage du cytochrome c. De plus, on ne sait pas comment des pores formés par des protéines anti-apoptotiques comme Bcl-x$_L$ pourraient inhiber l'apoptose.

Dans le second modèle, Les membres de la famille Bcl-2 induisent la formation par des protéines préexistante de la membrane externe des mitochondries, des canaux par lesquels le cytochrome c est libéré. Une protéine candidat attrayante est le **canal anionique voltage-dépendant** (**VDAC**, voltage-dependent anion channel, ou encore porine mitochondriale) parce que plusieurs membres de la famille Bcl-2 sont capables de s'y fixer et de modifier son activité de porine. Cependant, la taille connue du canal de VDAC est trop petite pour permettre le passage du cytochrome c, si bien que ce modèle nécessite que VDAC subisse un changement de conformation important lors de la fixation des membres de la famille Bcl-2.

Dans le troisième modèle, les membres de la famille Bcl-2 perturbent ou stabilisent les pores préexistants à travers lesquels l'ATP et l'ADP sont échangés entre la matrice mitochondriale et le cytoplasme. Ce mécanisme d'échange est assuré par le translocateur ATP-ADP de la membrane mitochondriale interne

(a)

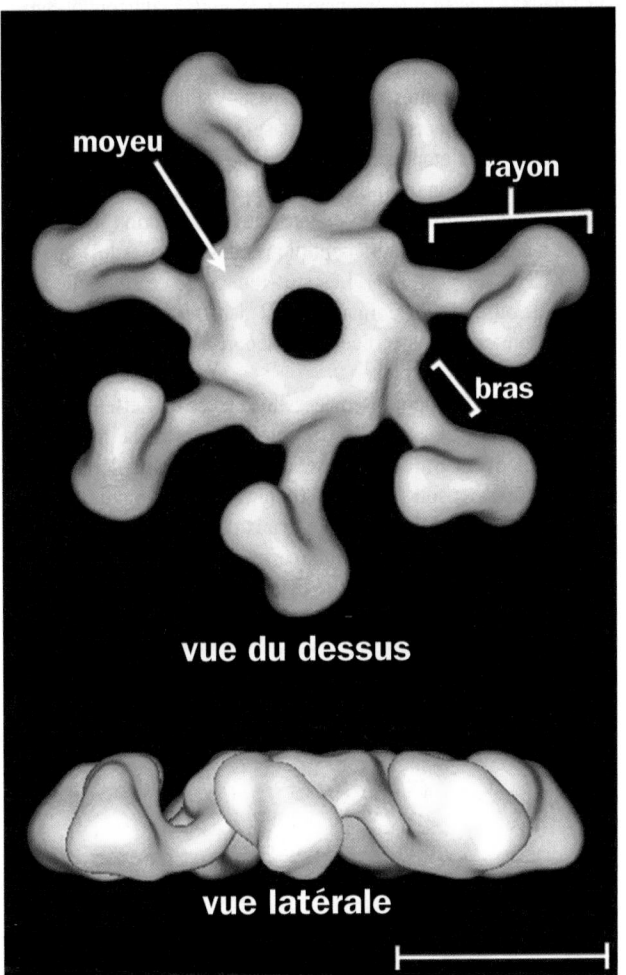

(b)

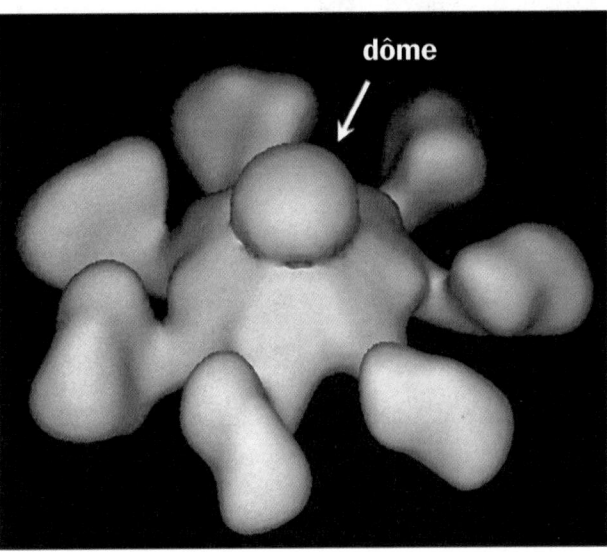

FIGURE 34-117 Images de l'apoptosome basées sur des données de Cryo-électromicroscopie à une résolution de 27 Å. (*a*) L'apoptosome libre. Cette vue du dessus montre la particule selon son axe de symétrie d'ordre 7. La vue latérale montre que cette particule en forme de roue de gouvernail est plate. La barre d'échelle représente 100 Å. (*b*) L'apoptosome complexé à un mutant non clivable de la procaspase-9 en vue supérieure oblique. Notez la structure en forme de dôme au-dessus du moyeu central, elle représente probablement la procaspase-9 fixée. [Avec l'aimable autorisation de Christopher Akey, École de Médecine de l'Université de Boston.]

(Section 20-4C) et par VDAC dans la membrane mitochondriale externe. On pense que l'ouverture de ces pores entraînerait un équilibre chimique entre le cytoplasme et la matrice, qui provoquerait le gonflement osmotique de la matrice à cause de sa forte concentration jusqu'à ce qu'il y ait rupture de la membrane externe (dont la surface est nettement moins grande que celle de la membrane mitochondriale interne à cause des replis de cette dernière ; Section 22-1A), cela entraîne la libération du cytochrome c dans le cytoplasme. Pour appuyer ce modèle, signalons que l'atractyloside et l'acide bongkrégique (Section 20-4C), qui sont deux inhibiteurs du translocateur ATP-ADP qui assurent respectivement l'ouverture et la fermeture de son pore, sont respectivement capable d'induire et d'inhiber l'apoptose. Cependant, la rupture de la membrane mitochondriale externe a rarement été observée dans des cellules subissant l'apoptose.

La façon dont les membres anti-apoptotiques de la famille Bcl-2 ont une action antagoniste des membres pro-apoptotiques de la

famille est plus claire. Les membres de cette classe aux effets opposés forment facilement des homodimères, dans lesquels la région BH3 de la protéine pro-apoptotique, qui forme une hélice a amphipatique, se lie dans un sillon hydrophobe situé sur la protéine anti-apoptotique. On trouve ce type d'agencement dans la structure par RMN, déterminée par Fesik, de Bcl-x$_L$ associée avec un segment de 16 résidus de la région BH3 de la protéine pro-apoptotique de la famille Bcl-2, Bak (Fig. 34-119). Comme les régions BH3 des protéines Bcl-2 pro-apoptotiques sont nécessaires et probablement suffisantes pour l'activité apoptotique, la séques-

(a)   *(b)*

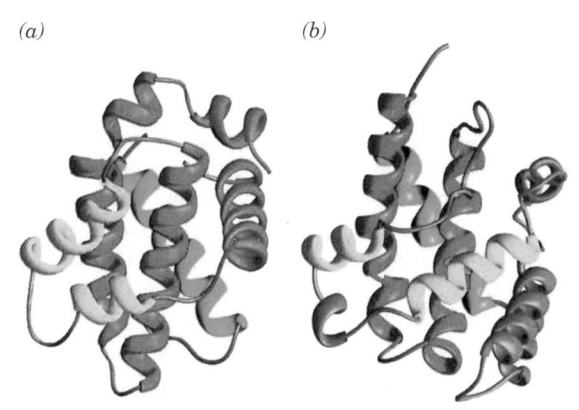

FIGURE 34-118 Comparaison des structures de (*a*) **Bcl-x$_L$ et** (*b*) **du domaine responsable de la formation du pore de la toxine diphtérique.** Dans ces deux protéines, les deux hélices centrales hydrophobes (*en rouge*) sont entourées par des hélices a amphipatiques. [Avec l'aimable autorisation de Stephen Fesik, Laboratoires Abbott, Abbott Park, Illinois. Partie *b* d'après une structure par rayons X de David Eisenberg, UCLA. PDBid 1LXL et 1DDT.]

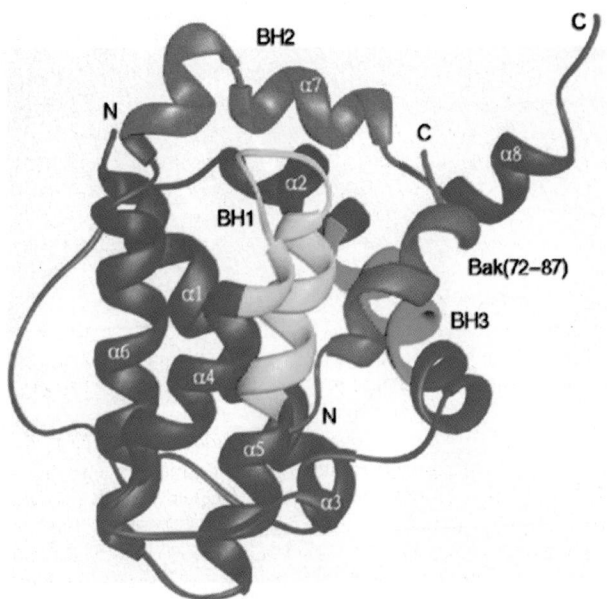

FIGURE 34-119   Structure par RMN de Bcl-x$_L$ complexée avec les 16 résidus de la région BH3 de la protéine Bak. Les régions BH1, BH2 et BH3 de Bcl-x$_L$ sont respectivement en jaune, en rouge et en vert. Le peptide de Bak est en violet. [Avec l'aimable autorisation de Stephen Fesik, Laboratoires Abbott, Abbott Park, Illinois. PDBid 1BXL.]

tration de ces régions BH3 par des protéines Bcl2 anti-apoptotiques explique au moins partiellement leurs propriétés anti-apoptotiques.

i.   Les IAP régulent l'apoptose en inhibant les caspases

Comme on peut s'y attendre, les cellules ont mis au point des systèmes qui empêchent une apoptose à mauvais escient. Nous avons auparavant étudié comment les protéines Bcl-2 anti-apoptotiques exercent un contrôle sur leurs cousines pro-apoptotiques, et comment c-FLIP inhibe l'activation des caspases 8 et 10 par le complexe DISC (complexe du signal induisant la mort). En outre, les membres de la famille de protéines **IAP** (pour *i*nhibiteurs d'*ap*optose), qui sont conservées de *Drosophila* jusqu'à l'être humain, régulent l'apoptose par une inhibition directe des caspases. L'être humain exprime huit IAP, dont la longueur va de 236 à 4829 résidus.

Toutes les IAP ont de un à trois domaines **BIR** d'environ 70 résidus (pour « *b*aculovirus *I*AP *r*epeat », répétition IAP du baculovirus, le nom vient de leur découverte dans la protéine p35 du baculovirus, ce domaine sert à inhiber l'apoptose des cellules hôte durant l'infection virale). Les domaines BIR contiennent une séquence signature caractéristique, $CX_2CX_{16}HX_6C$, qui forme un nouveau motif de fixation au Zn^{2+}. En plus, de nombreux IAP (cinq chez l'être humain) ont un domaine C-terminal de type doigt RING [d'ubiquitine ligase (E3); Section 32-6B]. **BIR2** [le deuxième domaine BIR de la protéine humaine **XIAP** (pour « *X*-linked *IAP* », IAP liée au chromosome X) avec les régions qui l'entourent se fixent spécifiquement aux caspases effectrices 3 et 7 pour les inhiber, tandis que BIR3 et les régions qui l'entourent se fixent à la caspase initiatrice 9, qu'elles inhibent. La fonction de BIR1 n'est pas connue. Une protéine IAP possédant un domaine en doigt RING est aussi capable d'ubiquitiner la caspase qui lui est fixée, la destinant ainsi à la destruction par le protéasome.

La structure par rayons X de la caspase-3 associée au domaine BIR2 de XIAP avec une extension de 38 résidus du coté N-terminal, a été déterminée par Fesik, Robert Liddington et Guy Salvesen. Elle montre, de façon inattendue, que le domaine BIR2 n'a que des contacts limités avec la caspase-3 (Fig. 34-12*a*). En fait, la plupart des contacts avec la caspase-3 se font avec l'extension N-terminale qui s'étend sur le site actif de l'enzyme et bloque stériquement la fixation du substrat. Curieusement, l'extension N-terminale s'étend en travers de ce site actif en direction inverse par rapport à celle d'inhibiteurs peptidiques des caspases tels que Ac-DEVD-CHO (Fig. 34-111). Les structures, que ce soit celle de la caspase-3, ou celle du domaine BIR2 dans ce complexe ne sont pour l'essentiel pas perturbées par rapport à leur structure quand ils ne sont pas en complexe.

L'induction de l'apoptose nécessite la levée de l'effet inhibiteur des IAP sur les caspases. C'est le rôle d'une protéine homodimérique appelée soit **Smac** (pour *s*econd *m*itochondria-derived *a*ctivator of *c*aspases) soit **DIABLO** (pour *d*irect *IAP*-*b*inding protein with *lo*w pI). Smac/DIABLO se fixe aux domaines BIR des IAP et les empêche ainsi de se fixer aux caspases, il est libéré des mitochondries en même temps que le cytochrome c, ce qui permet à la voie intrinsèque de l'apoptose de générer des caspases actives.

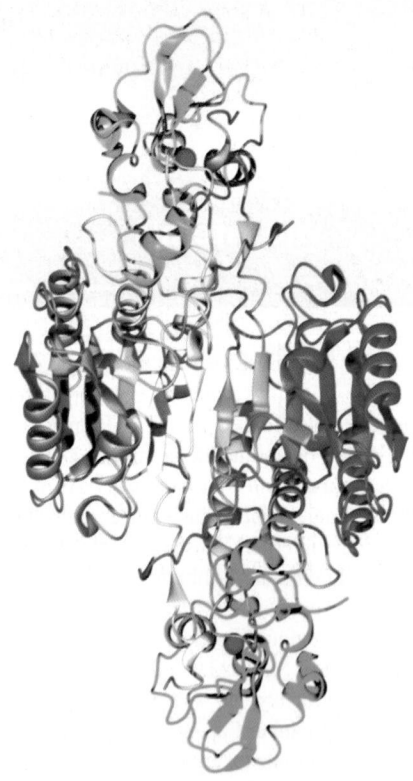

FIGURE 34-120   Structure par rayons X de la caspase-3 complexée avec le domaine BIR2 de la protéine XIAP et l'extension N-terminale de cette dernière. Le complexe est vu selon son axe de symétrie d'ordre 2 (comme la caspase-7 de la Fig. 34-111). Les deux protomères αβ de la caspase-3 hétérotétramérique sont en bleu et en violet, les sous-unités β étant plus fortement ombrées que les sous-unités α. Les domaines globulaires BIR2 sont en vert et les ions Zn^{2+} qui y sont fixés sont représentés par des sphères roses. Chaque extension N-terminale, qui commencent par une hélice α, est fixée en travers de la face portant le site actif d'un des protomères de caspase, elle bloque donc la fixation de protéines substrat. [Avec l'aimable autorisation de Guy Salvesen, Institut Burnham, La Jolla, Californie. PDBid 1I3O.]

RÉSUMÉ DU CHAPITRE

1 ■ Structure des chromosomes Il existe deux types de chromatines chez les eucaryotes : l'euchromatine capable d'activité transcriptionnelle et l'hétérochromatine, empaquetée de façon plus dense, qui est transcriptionnellement inactive. La chromatine est constituée d'ADN et de protéines dont la majorité sont des histones très conservées. La structure de la chromatine est hiérarchisée. Au premier niveau d'organisation de la chromatine, environ 200 pb d'ADN s'enroulent deux fois autour d'un octamère d'histones, $(H2A)_2(H2B)_2(H3)_2(H4)_2$, pour former un nucléosome. Chaque nucléosome est associé à une molécule d'histone Hl. Le passage de l'ARN polymérase en cours de transcription entraîne la dissociation des nucléosomes de l'ADN, puis ils se réassocient selon un processus qui semble dépendre du surenroulement. La réplication de l'ADN entraîne la redistribution au hasard des nucléosomes parentaux entre les doubles brins fils. L'assemblage des nucléosomes à partir de leurs composants est assuré par une molécule chaperonne appelée nucléoplasmine. Au deuxième niveau d'organisation de la chromatine. les filaments de nucléosomes s'enroulent pour former des filaments de 30 nm d'épaisseur contenant probablement six nucléosomes par tour. Au troisième et dernier niveau d'organisation, les filaments de 30 nm d'épaisseur forment des boucles radiales de 15 à 30 mm de long qui se projettent hors de l'axe du chromosome en métaphase. Ceci est en accord avec le rapport de compactage de l'ADN >8000, dans le chromosome en métaphase. Les larves de certains diptères tels que *Drosophila* contiennent des chromosomes polytènes présentant des bandes, ils sont formés de jusqu'à 1024 brins identiques d'ADN alignés en parallèle.

2 ■ Organisation des génomes La complexité d'un échantillon d'ADN peut être déterminée par sa vitesse de renaturation grâce à l'analyse des courbes de C_0t. Les ADN des eucaryotes présentent des courbes de C_0t complexes qui résultent de la présence de séquences uniques, d'autres moyennement répétées ou encore hautement répétées, ainsi que de séquences répétées inversées. La fonction des répétitions inversées qui forment des structures repliées sur elles-mêmes est inconnue. Les séquences hautement répétées qui se trouvent dans les régions hétérochromatiques proches des centromères chromosomiques permettent probablement l'alignement des chromosomes homologues durant la méiose et/ou elles facilitent leur recombinaison. Les séquences moyennement répétées sont, pour la plupart, des rétroposons inactifs, principalement de type LINE ou SINE, ils constituent environ 42 % du génome humain. Ils sont pour la plupart de fonctions inconnues ; beaucoup d'entre elles pourraient simplement être de l'ADN égoïste. Les séquences exprimées constituent 1,1 à 1,4 % du génome humain, cela a compliqué l'identification des gènes, mais on trouve souvent des îlots CpG associés aux extrémités 5′ des gènes.

Environ 30 000 gènes présomptifs ont été identifiés dans le génome humain. Certains sont transcrits en ARN non codants. Les gènes du génome humain codant des protéines ont été classés selon leur fonction, grâce à des comparaisons de séquence. Environ 42 % d'entre eux n'ont pas de fonction connue. Les gènes codant les ARNr et les ARNt sont organisés en groupes de tandems répétés. L'ADNr se condense pour former les nucléoles, sièges de la transcription des ARNr par l'ARN polymérase I et de l'assemblage partiel des ribosomes. Les ARN 5S et les ARNt sont transcrits par l'ARN polymérase III à l'extérieur des nucléoles. Les gènes codant les histones, qui ne sont nécessaires en grande quantité que pendant la phase S du cycle cellulaire, sont les seuls gènes codant des protéines, à être répétés. L'identité des différents membres d'une série de gènes répétés est probablement assurée par une recombinaison inégale et/ou une conversion de gènes. Certains gènes sont amplifiés, comme dans le cas des gènes d'ARNr de *Xenopus* au cours de l'ovogenèse, des gènes du chorion de *Drosophila*, ou des gènes cibles d'une chimiothérapie anticancéreuse.

De nombreuses familles de gènes codant des protéines apparentées forment des groupes de familles de gènes. Chez les mammifères, les groupes de gènes codant les sous-unités de type α et β des hémoglobines se trouvent sur des chromosomes différents. Néanmoins, tous les gènes de globines de vertébrés ont la même structure exon-intron : trois exons séparés par deux introns. Les thalassémies sont des maladies génétiques héréditaires causées par l'altération génétique de la synthèse de l'hémoglobine. La plupart des thalassémies α sont causées par la délétion d'un ou de plusieurs gènes de la globine α, alors que la plupart des thalassémies β sont dues à des mutations ponctuelles qui affectent la transcription ou la maturation post-transcriptionnelle des ARNm de la globine β.

3 ■ Contrôle de l'expression L'hétérochromatine peut être classée en hétérochromatine constitutive, qui n'est jamais active transcriptionnellement, et en hétérochromatine facultative, dont l'activité varie de manière spécifique en fonction des tissus. Dans les cellules de mammifères femelles, les corpuscules de Barr constituent une forme commune de l'hétérochromatine facultative. Un des deux chromosomes X de chaque cellule est condensé en permanence via la fixation de l'ARN *Xist* et confère son état inactif à sa descendance, grâce à une modification des histones et à une méthylation de l'ADN. À l'inverse, la ehromatine active a une structure relativement ouverte qui la rend accessible à la machinerie de transcription. Deux exemples bien caractérisés de chromatine active transcriptionnellement sont les renflements des chromosomes qui émanent des bandes individualisées dans les chromosomes polytènes, et les chromosomes en écouvillon d'ovocytes d'amphibiens.

La synthèse différentielle des protéines, caractéristique des cellules d'un organisme multicellulaire, est largement due à la transcription sélective des gènes exprimés. La première étape de l'initiation de la transcription des gènes transcrit par l'ARNP II est souvent la fixation de la protéine de liaison à la boîte TATA (TBP) à la boîte TATA du promoteur, boîte qui se situe en position −27. Il s'ensuit l'addition de facteurs associés à TBP (TAF) pour former le facteur de transcription IID (TFIID), qui, avec les facteurs généraux de transcription (GTF) et l'ARNP II forment le complexe de préinitiation (CPI), qui permet un taux de base de transcription. Plusieurs TAF ont un repliement de type histone et s'associent entre eux dans TFIID, à la façon des histones en octamère. TBP, avec d'autres GTF est aussi nécessaire à l'initiation transcriptionnelle des gènes de classe I et III. Les promoteurs des gènes de classe II qui n'ont pas de boîte TATA contiennent souvent une séquence initiatrice (Inr) qui englobe le site de démarrage de la transcription et qui peut aussi posséder un élément promoteur en aval (DPE).

L'expression des gènes spécifiques de cellules données est assurée par des promoteurs et des activateurs de gènes. Par conséquent, les cellules doivent contenir des facteurs de transcription en amont spécifiques qui reconnaissent ces éléments génétiques. Par exemple, Spl se lie à la boîte GC qui précède de nombreux gènes. De même, les hormones stéroïdes se lient à leurs récepteurs qui se lient alors à des séquences activatrices spécifiques de façon à moduler l'activité transcriptionnelle des gènes associés. La fixation coopérative de plusieurs facteurs de transcription à leur promoteur cible et aux sites de séquences activatrices stimule le CPI associé et augmente la vitesse d'initiation de la transcription du gène associé. La fixation de facteurs de transcription à un extincteur transcriptionnel réprime la transcription du gène associé. Plusieurs facteurs de transcription peuvent se fixer à un activateur transcriptionnel et s'associer à des facteurs architecturaux et des coactivateurs pour former un enhanceosome. Beaucoup de facteurs de transcription ont deux domaines, un domaine de liaison à l'ADN qui reconnaît une séquence spécifique, et un domaine d'activation, lequel interagit avec le CPI d'une manière essentiellement non spécifique, souvent par l'intermédiaire d'une région dont la surface est chargée négativement. Les facteurs de transcription des eucaryotes ont une grande variété de motifs de liaison à l'ADN, comme certains types en doigts à zinc, le motif bZIP et le motif bHLH/Z. De nombreux facteurs de transcription, dont ceux possédant ces deux derniers motifs, se dimérisent en formant une fermeture à leucine. Le facteur nucléaire κB (NF-κB) est activé dans le cytoplasme par la destruction de l'inhibiteur IκB qui lui est lié, suite à quoi NF-κB est transporté dans le noyau, où il se fixe à un segment d'ADN κB pour activer le gène associé. Le médiateur est un complexe d'environ 20 sous-unités chez la levure, qui se fixe au domaine C-terminal de la sous-unité β′ de l'ARNP II (CTD), où il influence l'activité de l'ARNP II en se fixant à des régulateurs transcriptionnels liés à l'ADN. Les métazoaires contiennent plusieurs complexes de type médiateur supposés servir de relais aux signaux des différents ensembles d'activateurs transcriptionnels.

Les gènes destinés à être transcrits et ceux activement transcrits contiennent des sites hypersensibles aux nucléases que l'on trouve dans des régions de l'ADN libres de nucléosomes. L'hypersensibilité à la nucléase est conférée à l'ADN par la liaison de protéines spécifiques qui, pense-t-on, rendent les gènes accessibles à des protéines impliquées dans l'initiation de la transcription. Il s'agit principalement des protéines non-histones capables de se fixer à l'ADN, du groupe des protéines à forte mobilité (HMG), qui sont des protéines architecturales servant à activer l'expression des gènes par décondensation de la chromatine et recrutement de facteurs de transcription. L'ARN polymérase transcrit à travers les nucléosmes en faisant tourner autour d'elle les octamères d'histone qu'elle rencontre. Les régions LCR (de contrôle de locus), qui sont des sites hypersensibles à l'ADNase I servant à supprimer les effets de position, c'est à dire l'empiètement de l'hétérochromatine, sont activés par des protéines qui ne sont exprimées que dans des lignées cellulaires particulières comme les cellules érythroïdes. Les isolateurs sont des segments d'ADN qui, par la fixation de protéines spécifiques, inhibent l'expansion de l'hétérochromatine dans les segments voisins d'euchromatine, ils empêchent les éléments régulateurs situés à l'extérieur de la région contrôlée par l'isolateur d'influencer l'expression des gènes situés à l'intérieur de cette région.

La machinerie transcriptionnelle a accès à l'ADN emballé dans la chromatine grâce à la modification post-traductionelle des queues N-terminales des histones du cœur des nucléosomes et au remodelage, par des mécanismes consommateurs d'ATP, de la chromatine. Les modifications concernant les queues N-terminales des histones comportent l'acétylation/désacétylation des chaînes latérales de résidus Lys spécifiques, la méthylation des chaînes latérales de résidus Lys et Arg spécifiques, la phosphorylation/déphosphorylation des chaînes latérales de résidus Ser spécifiques et l'ubiquitination des chaînes latérales de résidus Lys spécifiques. Il semble qu'il y ait un code des histones dans lequel des modifications spécifiques, agissant de façon successive ou en combinaison, entraînent certaines fonctions assurées par la chromatine qui ont un effet biologique unique, telle que l'activation ou l'extinction de la transcription. De plus, certaines de ces modifications d'histones pourraient servir de marqueurs épigénétiques, par lesquels les cellules confèrent leur identité à leur descendance. L'acétylation des histones est catalysée par des histone acétyltransférases (HAT) qui font partie d'activateurs transcriptionnels multimériques comme SAGA, PCAF et TFIID, tous contenant des TAF proches des histones. Presque tous les coactivateurs associés aux HAT contiennent des bromodomaines qui se fixent spécifiquement aux résidus lysines acétylés des histones et recrutent donc probablement des HAT sur les queues N-terminales acétylées des nucléosomes voisins. Les histones désacétylases (HDAC), dont beaucoup font également partie de complexes multimériques, servent de corépresseurs transcriptionnels. La méthylation des histones, qui est en grande partie, sinon totalement, irréversible, est catalysée par des histones méthyltransférases (HMT),

qui servent souvent de corépresseurs transcriptionnels. Les histones méthylées sont reconnues par des chromodomaines comme ceux de la protéine 1 de l'hétérochromatine (HP1). L'expansion de l'hétérochromatine semble, au moins en partie, due au recrutement par HP1 de la protéine HMT Suv39, qui méthyle les nucléosomes voisins de sorte que davantage de protéine HP1 puisse s'y lier, etc. La monoubiquitination des histones a un rôle essentiel de régulateur de la transcription. Les complexes de remodelage de la chromatine, comme les complexes SWI/SNF et RSC de levure, contiennent des ATPases proches des hélicases, qui, semble-t-il, se « promènent » le long de l'ADN dans un nucléosome en diminuant sa torsion hélicoïdale. La distorsion de l'ADN résultante, est sensée diffuser en une vague autour du nucléosome libérant de façon locale et transitoire l'ADN de l'octamère d'histones pour permettre au nucléosome de glisser le long de l'ADN et libérer l'accès des séquences cibles pour des activateurs transcriptionnels, alors qu'elles sont auparavant séquestrées par le nucléosome.

D'autre formes sélectives d'expression de gènes chez les eucaryotes impliquent l'utilisation de sites alternatifs d'initiation dans un gène donné, la sélection de sites alternatifs d'épissage, l'éventuelle régulation du passage de l'ARNm à travers la membrane nucléaire, le contrôle de la dégradation de l'ARNm, le contrôle des vitesses d'initiation de la traduction, et la sélection de voies de maturation post-traductionnelles alternatives.

4 ■ Différenciation cellulaire et croissance L'embryogenèse se réalise en quatre étapes : la segmentation, la gastrulation, l'organogenèse, puis la maturation et la croissance. L'une des caractéristiques les plus étonnantes du développement embryonnaire est le fait que les cellules s'engagent progressivement et irréversiblement dans des lignées à développement spécifiques. Les signaux qui déclenchent les changements au cours du développement, et qui sont reconnus sur de grandes périodes de l'évolution, peuvent être transmis par des contacts cellulaires directs ou grâce à des gradients de substances, appelées morphogènes, produits par d'autres cellules embryonnaires. Les signaux du développement agissent de manière combinée, c'est-à-dire que la programmation d'un tissu spécifique au cours du développement est déterminée par des stimuli du développement, pas nécessairement uniques. Chez *Drosophila,* le développement embryonnaire précoce est contrôlé par des gènes sous dépendance maternelle dont la répartition impose à l'embryon un système spatial coordonné. Ces gènes codent des facteurs de transcription qui régulent l'expression de gènes gap, qui, à leur tour, régulent l'expression de gènes pair-rule, qui à leur tour régulent l'expression de gènes de polarité segmentaire. Les domaines plus précis du corps de l'embryon sont ainsi définis de façon à déterminer le nombre et la polarité des segments de la larve et de l'adulte. Les gènes sélecteurs homéotiques, ou gènes *Hox,* dont les mutations transforment une partie du corps en une autre, régulent ensuite la différenciation des segments individuels. Ces gènes régulateurs qui se trouvent dans deux groupes de gènes sont, comme les gènes précédents, exprimés sélectivement dans les tissus embryonnaires dont ils contrôlent le développement. Ils ont des séquences de bases étroitement reliées qui codent des segments polypeptidiques d'environ 60 résidus appelés homéodomaines, qui se lient à des séquences d'ADN cible d'une manière similaire, mais distincte, à celle du module HTH qui leur est homologue. Chez les vertébrés, les gènes *Hox* se répartissent en quatre groupes et contrôlent le développement de la même manière.

Le cancer est le résultat d'altérations génétiques particulières des cellules. Différents types d'altérations génétiques confèrent un phénotype malin, ils incluent : l'apparition de protéines modifiées comme les variants de Ras dépourvus d'activité GTPase ; l'altération de séquences qui entraînent, par exemple, la surexpression d'un facteur de transcription clef ; la perte de signaux de dégradation qui font qu'une protéine oncogène comme Jun, par exemple, sera dégradée de façon anormalement lente ; des réarrangements chromosomiques qui mettent des proto-oncogènes comme c-*myc*, par exemple, sous le contrôle de séquences activatrices de la transcription inappropriées ; l'amplification de gènes qui entraîne la surexpression d'un proto-oncogène ; l'insertion d'un virus dans un chromosome de sorte qu'un proto-oncogène se trouve placé sous le contrôle de séquences régulatrices du virus ; l'activation ou l'inactivation inappropriée d'enzymes de modification de la chromatine comme les HAT et les HDAC ; ou encore la perte ou l'activation de gènes suppresseurs de tumeur comme ceux qui codent p53 et pRb. Les mutations causant l'altération de ces gènes sont souvent dues à l'action de produits cancérigènes sur l'ADN cellulaire.

La progression d'une cellule dans le cycle cellulaire est régulée principalement par la présence des mitogènes appropriés et une série de points de contrôle pour vérifier l'état de santé de la cellule et la façon dont elle progresse dans le cycle. Les points de contrôle arrêtent le cycle cellulaire jusqu'à ce que les conditions pour sa poursuite soient remplies, il faut, par exemple, que la réplication de l'ADN aient été complètement terminée et que celui-ci ne soit pas endommagé. Le cycle cellulaire se caractérise par l'accumulation de cyclines, qui disparaissent brusquement à la fin de la mitose. Ainsi, la phase M est induite lorsque la cycline B se combine avec Cdc2 pour former la kinase 1 dépendante des cyclines (Cdk1), auparavant, il y avait phosphorylation de Cdc2 sur le résidu Thr 161 par une kinase activatrice de Cdk (CAK) et après cela Cdc2 est inactivée par phosphorylation de ses résidus Thr 14 et Tyr 15 par Wee1 et Myt1. À la frontière G2/M, les résidus Thr 14 et Tyr 15 sont rapidement déphosphorylés par Cdc25C, ce qui produit une protéine Cdk1 active, qui va phosphoryler diverses protéines nucléaires. Les structures des Cdk ressemblent à celles d'autres protéines kinases, la fixation d'une cycline à une Cdk et sa phosphorylation sur le résidu Thr 160 réorganise la conformation de son site actif. Les membres de la famille Kip/Cip , comme p21^{Cip1}, inhibent la plupart des complexes Cdk/cycline, à l'exception du complexe Cdk4/6-cyclineD, tandis que les membres de la famille INK4, comme p16^{INK4a}, inhibent le complexe Cdk4/6-cycline D. L'arrêt du cycle cellulaire au point de contrôle de G2 est déclenché par des protéines senseurs qui se fixent sur l'ADN endommagé et sur l'ADN non répliqué. Cela active ATM et ATR qui vont phosphoryler respectivement Chk2 et Chk1, qui vont alors phosphoryler Cdc25C, ce qui fournit un site de fixation pour les protéines 14-3-3, de sorte que Cdc25C est séquestrée dans le cytoplasme, où il ne peut plus déphosphoryler Cdc2 et donc plus l'activer.

La protéine p53, un suppresseur de tumeur impliqué dans 50 % des cancers humains, est la cible où se fixe Mdm2, qui l'ubiquitine et la marque ainsi pour qu'elle soit détruite dans le protéasome. La cellule a donc normalement un faible niveau de p53, cependant, lorsque p53 est phosphorylée par ATM ou Chk2, Mdm2 ne peut plus s'y fixer et elle transactive alors l'expression de p21^{Cip1}, qui se fixe à plusieurs complexes Cdk-cycline et à PCNA. Cela inhibe aussi bien la transition G1/S que G2/Met la réplication de l'ADN. Lorsque la cellule est irrémédiablement endommagée, p53 l'induit à subir l'apoptose, de façon à empêcher la prolifération de cellules potentiellement cancéreuses. La structure par rayons X du cœur de liaison à l'ADN de p53 complexé à son ADN cible montre que beaucoup de ses résidus qui participent à la fixation de l'ADN sont fréquemment mutés dans les tumeurs. La protéine p53 est aussi activée par différentes voies comme les cascades de kinases, ou par l'activation de ATR par les agents endommageant l'ADN, ou encore par diverses modifications post-traductionnelles. Ainsi, p53 est le récepteur de nombreux signaux intracellulaires et active divers régulateurs en aval d'elle.

Le suppresseur de tumeurs pRb est un régulateur de la transition G1/S du cycle cellulaire qui sert à inhiber E2F, un facteur de transcription pour de nombreuses protéines nécessaire à l'entrée en phase S. pRb est une phosphoprotéine phosphorylée sur de nombreux sites Ser/Thr par différents complexes Cdk/cycline. Elle doit être sous forme hypophosphorylée pour se fixer à E2F. Diverses protéines possédant un motif de séquence LXCXE se fixent à pRb sur un site dif-

férent de celui de E2F, sur le domaine en poche de pRb, qui est un site majeur des altérations génétiques des tumeurs. Des protéines virales ayant un motif LXCXE, parmi lesquelles la protéine E1A de l'adénovirus et E7 de virus du papillome, provoque la libération deE2F fixé à pRb, cela fait entrer les cellules infectées en phase S et facilite la réplication de l'ADN viral. Les histone désacétylases HDAC1 et HDAC2 contiennent toutes deux un motif LXCXE, cela suggère que pRb servirait à recruter ces protéines sur les promoteurs cibles de E2F, pour les désactiver. Les homologues de SWI/SNF, BRM et BRG1, qui ont tous deux des motifs LXCXE, peuvent se fixer à pRb en même temps que les HDAC, on peut donc penser que ces complexes de remodelage de la chromatine seraient recrutés sur les promoteurs répondant à E2F, où ils facilitent l'action des HDAC.

L'apoptose (mort cellulaire programmée) se produit naturellement durant l'embryogenèse et dans beaucoup de processus à l'age adulte. En fait, il s'agit d'une option par défaut pour les cellules de métazoaire. Une apoptose insuffisante est la cause de maladies auto-immunes et du cancer, tandis qu'une apoptose inappropriée est responsable de plusieurs maladies neurodégénératives et de la plupart des dommages en cas d'attaques et d'infarctus du myocarde. Lors de l'apoptose, les cellules se démantèlent elles-mêmes selon un programme ordonné pour produire des corps apoptotiques entourés d'une membrane, qui sont phagocytés par les cellules environnantes sans induire de réponse inflammatoire. Dans l'apoptose, les exécuteurs sont des protéases à cystéines appelées caspases qui coupe des polypeptides spécifiquement après des résidus Asp. Les caspases sont synthétisées sous forme de zymogènes appelés procaspases qui sont activées par protéolyse via les voies apoptotiques, qui se terminent par l'activation de caspases initiatrices qui activent des caspases effectrices, qui vont alors cliver toutes sortes de protéines cellulaires. Parmi celles-ci on trouve ICAD, qui est un inhibiteur de l'ADNase activée par les caspases (CAD), qui en l'absence de ICAD sert à fragmenter l'ADN cellulaire.

Dans la voie extrinsèque de l'apoptose (mort sur commande), une cytokine transmembranaire trimérique de la famille du facteur nécrosant de tumeurs (TNF), comme le ligand de Fas (FasL), que l'on trouve sur une cellule inductrice, se fixe à ce qu'on appelle un récepteur de mort transmembranaire de la famille TNFR, comme Fas par exemple, qui se trouve sur la cellule apoptotique. La fixation du ligand trimérique à un récepteur de mort provoque la trimérisation des domaines cytoplasmiques de mort (DD), trimère auquel se fixent trois molécules de la protéine adaptateur FADD via leurs domaines DD. FADD va alors recruter les procaspases 8 et 10 via des interactions entre les domaines effecteurs de mort (DED) des deux protéines, ce qui forme le complexe DISC produisant le signal inducteur de mort. Cela entraîne l'autoactivation protéolytique des procaspases 8 et 10 fixées, celles-ci activant alors la procaspase-3, une caspase effectrice. Dans la voie intrinsèque (mort par défaut), les membres pro-apoptotiques de la famille Bcl-2 sont activés par différentes voies, parmi lesquelles : la suppression de cytokines ou du contact avec d'autres cellules, il y a alors induction de la libération du cytochrome c de la mitochondrie. Le cytochrome c se fixe sur la protéine architecturale Apaf-1 pour former un complexe heptamérique en forme de roue de gouvernail appelé apoptosome. L'apoptosome fixe plusieurs molécules de procaspase-9 par interactions entre les domaines CARD des deux protéines, qui activent la procaspase-9 afin qu'elle active la procaspase-3. Les membres pro-apoptotique de la famille Bcl-2 sont gardés sous contrôle par hétérodimérisation avec les membres anti-apoptotiques de la famille Bcl-2. De plus, les membres de la famille IAP inhibent l'apoptose en se fixant directement aux caspases de façon à bloquer leurs sites actifs. Dans certains cas, elles les ubiquitinent également et les marquent ainsi pour qu'elles soient détruites dans le protéasome. La protéine Smac/DIABLO est libérée de la mitochondrie en même temps que le cytochrome c et inverse cette inhibition en se fixant aux IAP, ce qui permet le démarrage de l'apoptose.

RÉFÉRENCES

GÉNÉRALITÉS

Alberts, B., Johnson, A., Lewis, J., Raff, M., Roberts, K., et Walter, P., *Molecular Biology of the Cell* (4ᵉ éd.), Chapitres 4, 7, 17, 21, et 23, Garland Publishing (2002).

Brown, T.A., *Genomes 2*, Chapitres 1, 2, 8, 9, et 12, Wiley-Liss (2002).

Elgin, S.C.R. et Workman, J.L. (Éds.), *Chromatin Structure and Gene Expression* (2ᵉ éd.), Oxford University Press (2000).

Lewin, B., *Genes VII*, Chapitres 18–21, Oxford (2000).

Lodish, H., Berk, A., Zipursky, S.L., Matsudaira, P., Baltimore, D., et Darnell, J., *Molecular Cell Biology* (4ᵉ éd.), Chapitres 9, 10, 13, et 14, Freeman (2000).

Sumner, A.T., *Chromosomes, Organization and Function*, Blackwell Science (2003).

Wolffe, A., *Chromatin, Structure and Function*, Academic Press (1998).

STRUCTURE DES CHROMOSOMES

Bustin, M., Chromatin unfolding and activation by HMGN chromosomal proteins, *Trends Biochem. Sci.* **26**, 431–437 (2001).

Carey, M. et Smale, S.T., *Transcriptional Regulation in Eukaryotes. Concepts, Strategies, and Techniques*, Cold Spring Harbor Laboratory Press (2000). [A comprehensive guide to the methods used in analyzing transcriptional regulatory mechanisms.]

Cohen, D.E. et Lee, J.T., X-Chromosome inactivation and the search for chromosome-wide silencers, *Curr. Opin. Genet. Dev.* **12**, 219–224 (2002).

Earnshaw, W.C., Large scale chromosome structure and organization, *Curr. Opin. Struct. Biol.* **1**, 237–244 (1991).

Felsenfeld, G. et McGhee, J.D., Structure of the 30 nm chromatin fiber, *Cell* **44**, 375–377 (1986).

Hansen, J.C., Conformation dynamics of the chromatin fiber in solution: Determinants, mechanisms, and functions, *Annu. Rev. Biophys. Biomol. Struct.* **31**, 361–392 (2002).

Harp, J.M., Hanson, B.L., Timm, D.E., et Bunick, G.J., Asymmetries in the nucleosome core particle at 2.5 Å resolution, *Acta Cryst.* **D56**, 1513–1534 (2000).

Kornberg, R.D., Chromatin structure: a repeating unit of histones and DNA, *Science* **184**, 868–871 (1974). [The classic paper first indicating the constitution of nucleosomes.]

Kornberg, R.D. et Lorch, Y., Twenty-five years of the nucleosome, fundamental particle of the eukaryotic chromosome, *Cell* **98**, 285–295 (1999).

Locker, J. (Éd.), *Transcription Factors*, Academic Press (2001).

Luger, K., Mäder, A.W., Richmond, R.K., Sargent, D.F., et Richmond, T.J., Crystal structure of the nucleosome particle at 2.8 Å resolution, *Nature* **389**, 251–260 (1997); Davey, C.A., Sargent, D.F., Luger, K., Maeder, A.W., et Richmond, T.J., Solvent mediated interactions in the structure of the nucleosome core particle at 1.9 Å resolution, *J. Mol. Biol.* **319**, 1097–1113 (2002); et Davey, C.A. et Richmond, T.J., The structure of DNA in the nucleosome core, *Nature* **423**, 145–150 (2003).

Luger, K., Structure and dynamic behaviour of nucleosomes, *Curr. Opin. Genet. Dev.* **13**, 127–135 (2003); et Akey, C.W. et Luger, K., Histone chaperones and nucleosome assembly, *Curr. Opin. Struct. Biol.* **13**, 6–14 (2003).

Masse, J.E., Wong, B., Yen, Y.-M., Allain, F.H.-T., Johnson, R.C., et Feigon, J., The *S. cerevisiae* architectural HMGB protein NHP6A complexed with DNA: DNA and protein conformational changes upon binding, *J. Mol. Biol.* **323**, 263–284 (2002).

Merika, M. et Thanos, D., Enhanceosomes, *Curr. Opin. Genet. Dev.* **11**, 205–208 (2001).

Ramakrishnan, V., Histone structure, *Curr. Opin. Struct. Biol.* **4**, 44–50 (1994).

Ramakrishnan, V., Finch, J.T., Graziano, V., Lee, P.L., et Sweet, R.M., Crystal structure of globular domain of histone H5 and its implications for nucleosome binding, *Nature* **362**, 219–223 (1993); et Ramakrishnan, V., Histone H1 and chromatin higher-order structure, *Crit. Rev. Euk. Gene Exp.* **7**, 215–230 (1997).

Reeves, R. et Beckerbauer, L., HMGI/Y proteins: flexible regulators of transcription and chromatin structure, *Biochim. Biophys. Acta* **1519**, 13–29 (2001).

Thomas, J.O. et Travers, A.A., HMG1 and 2, and related 'archi-tectural' DNA-binding proteins, *Trends Biochem. Sci.* **26**, 167–174 (2001).

van Holde, K. et Zlatanova, J., Chromatin higher order structure: Chasing a mirage? *J. Biol. Chem.* **270**, 8373–8376 (1995). [Presents the arguments that the 30-nm chromatin filament has an irregular structure.]

Weatherall, D.J., Clegg, J.B., Higgs, D.R., et Wood, W.G., The hemoglobinopathies, *in* Scriver, C.R., Beaudet, A.L., Sly, W.S., et Valle, D. (Éds.), *The Metabolic & Molecular Bases of Inherited Disease* (8ᵉ éd.), pp. 4571–4636, McGraw-Hill (2001). [Contains a discussion of the thalassemias.]

White, C.L., Suto, R.K., et Luger, K., Structure of the yeast nucleosome core particle reveals fundamental changes in internucleosome interactions, *EMBO J.* **20**, 5207–5218 (2001).

Widom, J., Structure, dynamics, and function of chromatin in vitro, *Annu. Rev. Biophys. Biomol. Struct.* **27**, 285–327 (1998).

ORGANISATION GÉNOMIQUE

Berry, M., Grosveld, F., et Dillon, N., A single point mutation is the cause of the Greek form of hereditary persistence of fetal hemoglobin, *Nature* **358**, 499–502 (1992).

Craig, N.L., Craigie, R., Gellert, M., et Lambowitz, A.M., *Mobile DNA II*, Chapitres 35, 47, 48, et 49, ASM Press (2002). [Discussions of transposable elements in eukaryotic genomes.]

Deininger, P.L., Batzer, M.A., Hutchinson, C.A., III, et Edgell, M.H., Master genes in mammalian repetitive DNA amplification, *Trends Genet.* **8**, 307–311 (1992).

Hamlin, J.L., Leu, T.-H., Vaughn, J.P., Ma, C., et Dijkwel, P.A., Amplification of DNA sequences in mammalian cells, *Prog. Nucleic Acid Res. Mol. Biol.* **41**, 203–239 (1991).

International Human Genome Sequencing Consortium, Initial sequencing and analysis of the human genome, *Nature* **409**, 860–921 (2001); et Venter, J.C., et al., The sequence of the human genome, *Science* **291**, 1304–1351 (2001). [The landmark papers describing the base sequence of the human genome. They contain descriptions of repeating elements and gene distributions in the human genome.]

Kafatos, F.C., Orr, W., et Delidakis, C., Developmentally regulated gene amplification, *Trends Genet.* **1**, 301–306 (1985).

Li, W.-H., Gu, Z., Wang, H., et Nekrutenko, A., Evolutionary analysis of the human genome, *Nature* **409**, 847–849 (2001). [A survey of repetitive elements in the human genome.]

Mandal, R.K., The organization and transcription of eukaryotic ribosomal RNA genes, *Prog. Nucleic Acid Res. Mol. Biol.* **31**, 115–160 (1984).

Maxson, R., Cohn, R., et Kedes, L., Expression and organization of histone genes. *Annu. Rev. Genet.* **17**, 239–277 (1983).

Orgel, L.E. et Crick, F.H.C., Selfish DNA: the ultimate parasite, *Nature* **284**, 604–607 (1980).

Orr-Weaver, T.L., *Drosophila* chorion genes: Cracking the eggshell's secrets, *BioEssays* **13**, 97–105 (1991).

Saccone, C. et Pesole, G., *Handbook of Comparative Genomics. Principles and Methods,* Wiley-Liss (2003).

Schimke, R.T., Gene amplification in cultured cells, *J. Biol. Chem.* **263,** 5989–5992 (1988).

Stamatoyannopoulos, G., Majerus, P.W., Permutter, R.M., et Varmus, H., (Éds.), *The Molecular Basis of Blood Diseases* (3e éd.), Chapitres 2–5, Elsevier (2001). [Discusses hemoglobin genes and their normal and thalassemic expression.]

Südhof, T.C., Goldstein, J.L., Brown, M.S., et Russell, D.W., The LDL receptor gene: a mosaic of exons shared with different proteins, *Science* **228,** 815–828 (1985).

Wainscoat, J.S., Hill, A.V.S., Boyce, A.L., Flint, J., Hernandez, M., Thein, S.L., Old, J.M., Lynch, J.R., Falusi, A.G., Weatherall, D.J., et Clegg, J.B., Evolutionary relationships of human populations from an analysis of nuclear DNA polymorphisms, *Nature* **319,** 491–493 (1986).

CONTRÔLE DE L'EXPRESSION

Adams, C.C. et Workman, J.L., Nucleosome displacement in transcription, *Cell* **72,** 305–308 (1993).

Andel, F., III, Ladurner, A.G., Inouye, C., Tjian, R., et Nogales, E., Three-dimensional structure of the human TFIID–IIA–IIB complex, *Science* **286,** 2153–2156 (1999).

Andres, A.J. et Thummel, C.S., Hormones, puffs and flies: the molecular control of metamorphosis by ecdysone, *Trends Genet.* **8,** 132–138 (1992).

Ashburner, M., Puffs, genes, and hormones revisited, *Cell* **61,** 1–3 (1990).

Asturias, F.J., Chung, W-H., Kornberg, R.D., et Lorch, Y., Structural analysis of the RSC chromatin-remodeling complex, *Proc. Natl. Acad. Sci.* **99,** 13477–13480 (2002).

Bach, I. et Ostendorff, H.P., Orchestrating nuclear functions: Ubiquitin sets the rhythm, *Trends Biochem. Sci.* **28,** 189–195 (2003); et Muratani, M. et Tansey, W.P., How the ubiquitin–proteasome system controls transcription, *Nature Rev. Mol. Cell Biol.* **4,** 192–201 (2003).

Becker, P.B. et Hörz, W., ATP-dependent nucleosome remodeling, *Annu. Rev. Biochem.* **71,** 247–273 (2002); Flaus, A. et Owen-Hughes, T., Mechanisms for ATP-dependent chromatin remodeling, *Curr. Opin. Genet. Dev.* **11,** 148–154 (2001); et Fry, C.J. et Peterson, C.L., Chromatin remodeling enzymes: Who's on first? *Curr. Biol.* **11,** R185–R197 (2001).

Bell, A.C., West, A.G., et Felsenfeld, G., Insulators and boundaries: Versatile regulatory elements in the eukaryotic genome, *Science* **291,** 447–450 (2001).

Berger, S., Histone modifications in transcriptional regulation, *Curr. Opin. Genet. Dev.* **12,** 142–148 (2002).

Buratowski, S., The basics of basal transcription by RNA polymerase II, *Cell* **77,** 1–3 (1994).

Burgess-Beusse, B., Farrell, C., Gaszner, M., Litt, M., Mutskov, V., Recillas-Targa, F., Simpson, M., West, A., et Felsenfeld, G., The insulation of genes from external enhancers and silencing chromatin, *Proc. Natl. Acad. Sci.* **99,** 16433–16437 (2002).

Branden, C. et Tooze, J., *Introduction to Protein Structure* (2e éd.), Chapitres 9 et 10, Garland Publishing (1999).

Carey, M. et Smale, S.T., *Transcriptional Regulation in Eukaryotes. Concepts, Strategies, and Techniques,* Cold Spring Harbor Laboratory Press (2000).

Chasman, D.I., Flaherty, K.M., Sharp, P.A., et Kornberg, R.D., Crystal structure of yeast TATA-binding protein and model for interaction with DNA, *Proc. Natl. Acad. Sci.* **90,** 8174–8178 (1993); et Nikolov, D.B., Hu, S.-H., Lin, J., Gasch, A., Hoffmann, A., Horikoshi, M., Chua, N.-H., Roeder, R.G., et Burley, S.K., Crystal structure of TFIID TATA-box binding protein, *Nature* **360,** 40–46 (1992).

Chen, F.E. et Ghosh, G., Regulation of DNA binding by Rel/NF-κB transcription factors: structural view, *Oncogene* **18,** 6845–6852 (1999); et Berkowitz, B., Huang, D.-B., Chen-Park, F.E., Sigler, P.B., et Ghosh, G., The X-ray crystal structure of the NF-κB p50·p65 heterodimer bound to the interferon β-κB site, *J. Biol. Chem.* **277,** 24694–24700 (2002).

Chen, X., et al., Gene expression patterns in human liver cancers, *Mol. Biol. Cell* **13,** 1929–1939 (2002).

Conway, R.C. et Conway, J.W., General initiation factors for RNA polymerase II, *Annu. Rev. Biochem.* **62,** 161–190 (1993).

Dotson, M.R., Yuan, C.X., Roeder, R.G., Myers, L.C., Gustafsson, C.M., Jiang, Y.W., Li, Y., Kornberg, R.D., et Asturias, F.J., Structural organization of yeast and mammalian mediator complexes, *Proc. Natl. Acad. Sci.* **97,** 14307–14310 (2000); et Davis, J.A., Takagi, Y., Kornberg, R.D., et Asturias, F.J., Structure of the yeast RNA polymerse II holoenzyme: Mediator conformation and polymerase interaction, *Mol. Cell* **10,** 409–415 (2002).

Elgin, S.C.R., The formation and function of DNase I hypersensitive sites in the process of gene activation. *J. Biol. Chem.* **263,** 19259–19262 (1988).

Ellenberger, T.E., Getting a grip on DNA recognition: structures of the basic region leucine zipper, and the basic region helix-loop-helix DNA-binding domains, *Curr. Opin. Struct. Biol.* **4,** 12–21 (1994).

Ellenberger, T.E., Brandl, C.J., Struhl, K., et Harrison, S.C., The GCN4 basic region leucine zipper binds DNA as a dimer of uninterrupted α helices: Crystal structure of the protein–DNA complex, *Cell* **71,** 1223–1237 (1992).

Evans, R.M., The steroid and thyroid hormone receptor superfamily, *Science* **240,** 889–895 (1988).

Ferré-d'Amaré, A.R., Prendergast, G.C., Ziff, E.B., et Burley, S.K., Recognition by Max of its cognate DNA through a dimeric b/HLH/Z domain, *Nature* **363,** 38–45 (1993).

Finnin, M.S., Donigian, J.R., et Pavletich, N.P., Structure of the histone deacetylase SIRT2, *Nature Struct. Biol.* **8,** 621–625 (2001).

Funder, J.W., Glucocorticoid and mineralocorticoid receptors: Biology and clinical relevance, *Annu. Rev. Med.* **48,** 231–240 (1997).

Gangloff, Y.-G., Romier, C., Thuault, S., Werten, S., et Davidson, I., The histone fold is a key structural motif of transcription factor TFIID, *Trends Biochem. Sci.* **26,** 250–257 (2001).

Garvie, C.W. et Wolberger, C., Recognition of specific DNA complexes, *Mol. Cell* **8,** 937–946 (2001).

Geiger, J.H., Hahn, S., Lee, S., et Sigler, P.B., Crystal structure of the yeast TFIIA/TBP/DNA complex, *Science* **272,** 830–836 (1996); et Tan, S., Hunziker, Y., Sargent, D.F., et Richmond, T.J., Crystal structure of a yeast TFIIA/TBP/DNA complex, *Nature* **381,** 127–134 (1996).

Grewal, S.I.S. et Moazed, D., Heterochromatin and epigenetic control of gene expression, *Science* **301,** 798–802 (2003).

Gross, D.S. et Garrard, W.T., Nuclease hypersensitive sites in chromatin, *Annu. Rev. Biochem.* **57,** 159–197 (1988).

Gustafsson, C.M. et Samuelsson, T., Mediator—a universal complex in transcription regulation, *Mol. Microbiol.* **41,** 1–8 (2001).

Huth, J.R., Bewley, C.A., Nissen, M.S., Evans, J.N.S., Reeves, R., Gronenborn, A.M., et Clore, G.M., The solution structure of an HMG-I(Y)–DNA complex defines a new architectural minor groove binding motif, *Nature Struct. Biol.* **4,** 657–665 (1997).

Iizuka, M. et Smith, M.M., Functional consequences of histone modifications, *Curr. Opin. Genet. Dev.* **13,** 154–160 (2003).

Jacobson, R.H., Ladurner, A.G., King, D.S., et Tjian, R., Structure and function of the human TAF$_{II}$250 double bromodomain module, *Science* **288,** 1422–1425 (2000).

Khorasanizadeh, S. et Rastinejad, F., Nuclear-receptor interactions on DNA-response elements, *Trends Biochem. Sci.* **26,** 384–390 (2001).

Kim, Y., Geiger, J.H., Hahn, S., et Sigler, P.B., Crystal structure of a yeast TBP/TATA-box complex; Kim, J.L., Nikolov, D.B., et Burley, S.K., Co-crystal structure of TBP recognizing the minor groove of a TATA element, *Nature* **365**, 512–520 *et* 520–527 (1993); *et* Nikolov, D.B. et Burley, S.K., 2.1 Å resolution refined structure of TATA box-binding protein (TBP), *Nature Struct. Biol.* **1**, 621–637 (1994).

Klug, A. et Rhodes, D., 'Zinc fingers': a novel protein motif for nucleic acid recognition, *Trends Biochem. Sci.* **12**, 464–469 (1987).

Kouzarides, T., Histone methylation in transcriptional control, *Curr. Opin. Genet. Dev.* **12**, 198–209 (2002); *et* Bannister, A.J., Schneider, R., et Kouzarides, T., Histone methylation: Dynamic or static, *Cell* **109**, 801–806 (2002).

Lee, T.I. et Young, R.A., Transcription of eukaryotic protein-coding genes, *Annu. Rev. Genet.* **34**, 77–137 (2000).

Lemon, B. et Tjian, R., Orchestrated response: A symphony of transcription factors for gene control, *Genes Devel.* **14**, 2551–2569 (2000); *et* Näär, A.M., Lemon, B.D., et Tjian, R., Transcriptional coactivator complexes, *Annu. Rev. Biochem.* **70**, 475–501 (2001).

Li, Q., Peterson, K.R., Fang, X., and Stamatoyannopoulos, G., Locus control regions, *Blood* **100**, 3077–3086 (2002).

Locker, J. (Éd.), *Transcription Factors,* Academic Press (2001).

Luisi, B.F., Xu, W.X., Otwinowski, Z., Freedamn, L.P., Yamamoto, K.R., et Sigler, P.B., Crystallographic analysis of the interaction of the glucocorticoid receptor with DNA, *Nature* **352**, 497–505 (1991).

Malik, S. et Roeder, R.G., Transcriptional regulation through mediator-like coactivators in yeast and metazoan cells, *Trends Biochem. Sci.* **25**, 277–283 (2000).

Marmorstein, R., Structure and function of histone acetyltransferases, *Cell. Mol. Life Sci.* **58**, 693–703 (2001); Marmorstein, R., Protein modules that manipulate histone tails for chromatin regulation, *Nature Rev. Mol. Cell. Biol.* **2**, 422–432 (2001); *et* Marmorstein, R. et Roth, S.Y., Histone acetyltransferases: function, structure, and catalysis, *Curr. Opin. Genet. Dev.* **11**, 155–161 (2001).

Marmorstein, R., Structure of histone deacetylases: Insights into substrate recognition and catalysis, *Structure* **9**, 1127–1133 (2001).

Marmorstein, R., Carey, M., Ptashne, M., et Harrison, S.C., DNA recognition by GAL4: structure of a protein–DNA complex, *Nature* **356**, 408–414 (1992).

Marmorstein, R. et Fitzgerald, M.X., Modulation of DNA-binding domains for sequence-specific DNA recognition, *Gene* **304**, 1–12 (2003).

Martin, G.M., X-Chromosome inactivation in mammals, *Cell* **29**, 721–724 (1982).

McKnight, S.L. et Yamamoto, K.R. (Éds.), *Transcriptional Regulation,* Cold Spring Harbor Laboratory Press (1992). [A two-volume compendium.]

Myers, L.C. et Kornberg, R.D., Mediator of transcriptional regulation, *Annu. Rev. Biochem.* **69**, 729–749 (2000).

Nielsen, P.R., Nietlspach, D., Mott, H.R., Callaghan, J., Bannister, A., Kouzarides, T., Murzin, A.G., Murzin, N.V., et Laue, E.D., Structure of the HP1 chromodomain bound to histone H3 methylated at lysine 9, *Nature* **416**, 103–107 (2002).

Nikolov, D.B., Chen, H., Halay, E.D., Usheva, A.A., Hisatake, K., Lee, D.K., Roeder, R.G., et Burley, S.K., Crystal structure of a TFIIB–TBP–TATA-element ternary complex, *Nature* **377**, 119–128 (1995); *et* Tsai, F.T.F. et Sigler, P.B., Structural basis of preinitiation complex assembly on human Pol II promoters, *EMBO J.* **19**, 25–36 (2000).

Orlando, V., Mapping chromosomal proteins *in vivo* by formaldehyde-crosslinked-chromatin immunoprecipitation, *Trends Biochem. Sci.* **25**, 99–104 (2000).

O'Shea, E.K., Klemm, J.D., Kim, P.S., et Alber, T., X-Ray structure of the GCN4 leucine zipper, a two-stranded, parallel coiled coil, *Science* **254**, 539–544 (1991).

Patikoglou, G. et Burley, S.K., Eukaryotic transcription factor-DNA complexes, *Annu. Rev. Biophys. Biomol. Struct.* **26**, 289–325 (1997); *et* Burley, S.K. et Kamada, K., Transcription factor complexes, *Curr. Opin. Struct. Biol.* **12**, 225–230 (2002).

Pavletich, N.P. et Pabo, C.O., Zinc finger–DNA recognition: Crystal structure of a Zif268-DNA complex at 2.1 Å, *Science* **252**, 809–817 (1991).

Pelz, S.W., Brewer, G., Bernstein, P., Hart, P.A., et Ross, J., Regulation of mRNA turnover in eukaryotic cells, *Crit. Rev. Euk. Gene Express.* **1**, 99–126 (1991); *et* Atwater, J.A., Wisdom, R., et Verma, I.M., Regulated mRNA stability, *Annu. Rev. Genet.* **24**, 519–541 (1990).

Poux, A.N., Cebrat, M., Kim, C.M., Cole, P.A., et Marmorstein, R., Structure of the GCN5 histone acetyltransferase bound to a bisubstrate inhibitor, *Proc. Natl. Acad. Sci.* **99**, 14065–14070 (2002).

Ptashne, M. et Gann, A., *Genes & Signals,* Cold Spring Harbor Laboratory Press (2002). [Discusses mechanisms of genetic regulation.]

Pugh, B.F., Control of gene expression through the regulation of the TATA-binding protein, *Gene* **255**, 1–14 (2000).

Raghow, R., Regulation of messenger RNA turnover in eukaryotes, *Trends Biochem. Sci.* **12**, 358–360 (1987).

Riggs, A.D. et Pfeifer, G.P., X-chromosome inactivation and cell memory, *Trends Genet.* **8**, 169–174 (1992).

Roth, S.Y., Denu, J.M., et Allis, C.D., Histone acetyltransferases, *Annu. Rev. Biochem.* **70**, 81–120 (2001).

Schmiedeskamp, M. et Klevit, R.E., Zinc finger diversity, *Curr. Opin. Struct. Biol.* **4**, 28–35 (1994).

Schwabe, J.W.R., Chapman, L., Finch, J.T., et Rhodes, D., The crystal structure of the estrogen receptor DNA-binding domain bound to DNA: How receptors discriminate between their response elements, *Cell* **75**, 567–578 (1993).

Schwabe, J.W.R. et Klug, A., Zinc mining for protein domains, *Nature Struct. Biol.* **1**, 345–349 (1994). [Discusses the varieties of zinc finger proteins.]

Smale, S.T. et Kadonaga, J.T., The RNA polymerase II core promoter, *Annu. Rev. Biochem.* **72**, 449–479 (2003).

Stamatoyannopoulos, G. et Nienhuis, A.W. (Éds.), *The Regulation of Hemoglobin Switching,* The Johns Hopkins University Press (1991).

Strahl, B.D. et Allis, C.D., The language of covalent histone modifications, *Nature* **403**, 41–45 (2000); *et* Rice, J.C. et Allis, C.D., Histone methylation versus histone acetylation: New insights into epigenetic regulation, *Curr. Opin. Cell Biol.* **13**, 263–273 (2001).

Struhl, K., Duality of TBP, the universal transcription factor, *Science* **263**, 1103–1104 (1994); Rigby, P.W.J., Three in one and one in three: It all depends on TBP, *Cell* **72**, 7–10 (1993); *et* White, R.J. et Jackson, S.P., The TATA-binding protein: a central role in transcription by RNA polymerases I, II, and III, *Trends Genet.* **8**, 284–288 (1992).

Studitsky, V.M., Clark, D.J., et Felsenfeld, G., A histone octamer can step around a transcribing polymerase without leaving the template, *Cell* **76**, 371–382 (1994); Studitsky, V.M., Kassavetis, G.A., Geiduschek, E.P., et Felsenfeld, G., Mechanism of transcription through the nucleosome by eukaryotic RNA polymerase, *Science* **278**, 1960–1965 (1997); *et* Felsenfeld, G., Clark, D., et Studitsky, V., Transcription through nucleosomes, *Biophys. Chem.* **86**, 231–237 (2000).

Tora, L., A unified nomenclature for TATA box binding protein (TBP)-associated factors (TAFs) involved in RNA polymerase II transcription, *Genes Dev.* **16**, 673–675 (2002).

Tsai, M.J. et O'Malley, B., Molecular mechanisms of action of steroid/thyroid receptor superfamily members, *Annu. Rev. Biochem.* **63**, 451–486 (1994).

Turner, B.M., Cellular memory and the histone code, *Cell* **111**, 285–291 (2002).

Veenstra, G.J.C. et Wolffe, A.P., Gene-selective developmental roles of general transcription factors, *Trends Biochem. Sci.* **26**, 665–671 (2001).

Wolffe, S.A., Nekludova, L., et Pabo, C.O., DNA recognition by Cys$_2$His$_2$ zinc finger proteins, *Annu Rev. Biophys. Biomol. Struct.* **3**, 183–212 (1999).

Xiao, B., et al., Structure and catalytic mechanism of the human histone methyltransferase SET7/9, *Nature* **421**, 652–656 (2003).

Xie, X., Kokubo, K., Cohen, S.L., Mirza, U.A., Hoffmann, A., Chait, B.T., Roeder, R.G., Nakatani, Y., et Burley, S.K., Structural similarities between TAFs and the heterotetrameric core of the histone octamer, *Nature* **380**, 316–322 (1996); Selleck, W., Howley, R., Fang, Q., Podolny, V., Fried, M.G., Buratowski, S., et Tan, S., A histone fold TAF octamer within the yeast TFIID transcriptional coactivator, *Nature Struct. Biol.* **8**, 695–700 (2001); et Werten, S., Mitschler, A., Romier, C., Gangloff, Y.-G., Thuault, S., Davidson, I., et Moras, D., Crystal structure of a subcomplex of human transcription factor TFIID formed by TATA binding protein-associated factors hTAF4 (hTAF$_{II}$135) and hTAF12 (hTAF$_{II}$20), *J. Biol. Chem.* **277**, 45502–45509 (2002).

Yang, X.-J. et Seto, E., Collaborative spirit of histone deacetyl-ases in regulating chromatin structure and gene expression, *Curr. Opin. Genet. Dev.* **13**, 143–153 (2003).

DÉVELOPPEMENT

Bate, M. et Arias, A.M. (Éds.), *The Development of Drosophila melanogaster*, Cold Spring Harbor Laboratory Press (1993).

Blau, H.M., Differentiation requires continuous active control, *Annu. Rev. Biochem.* **61**, 1213–1230 (1992).

Fujioka, M., Emi-Sarker, Y., Yusibova, G.L., Goto, T., et Jaynes, J.B., Analysis of an *even-skipped* rescue transgene reveals both composite and discrete neuronal and early blastoderm enhancers and multistripe positioning by gap gene repressor gradients, *Development* **126**, 2527–2538 (1999).

Gehring, W.J., Affolter, M., et Bürglin, T., Homeodomain proteins, *Annu. Rev. Biochem.* **63**, 487–526 (1994); et Gehring, W.J., Qian, Y.Q., Billeter, M., Furukobu-Tokunaga, K., Schier, A.F., Resendez-Perez, D., Affolter, M., Otting, G., et Wüthrich, K., Homeodomain–DNA recognition, *Cell* **78**, 211–223 (1994).

Gilbert, S.F., *Developmental Biology* (7th ed.), Sinauer Associates (2003).

Gossler, A. et Balling, R., The molecular and genetic analysis of mouse development, *Eur. J. Biochem.* **204**, 5–11 (1992).

Gurdon, J.B., The generation of diversity and pattern in animal development, *Cell* **68**, 185–199 (1992).

Halder, G., Callaerts, P., et Gehring, W.J., Induction of ectopic eyes by targeted expression of the *eyeless* gene in *Drosophila*, *Science* **267**, 1788–1792 (1995).

Kenyon, C., If birds can fly, why can't we? Homeotic genes and evolution, *Cell* **78**, 175–180 (1994).

Kissinger, C.R., Liu, B., Martin-Blanco, E., Kornberg, T.B., et Pabo, C.O., Crystal structure of an engrailed homeo-domain–DNA complex at 2.8 Å resolution: A framework for understanding homeodomain–DNA interactions, *Cell* **63**, 579–590 (1990).

Krumlauf, R., *Hox* genes in development, *Cell* **78**, 191–201 (1994).

Lawrence, P.A., *The Making of a Fly*, Blackwell Scientific Publications (1992).

Lawrence, P.A. et Morata, G., Homeobox genes: Their function in Drosophila segmentation and pattern formation, *Cell* **78**, 181–191 (1994).

Le Mouellic, H., Lallemand, Y., et Brûlet, P., Homeosis in the mouse induced by a null mutation in the *Hox-3.1* gene, *Cell* **69**, 251–264 (1992).

Mann, R.S. et Morata, G., The developmental and molecular biology of genes that subdivide the body of *Drosophila*, *Annu. Rev. Cell Dev. Biol.* **16**, 243–271 (2000).

Mavilio, F., Regulation of vertebrate homeobox-containing genes by morphogens, *Eur. J. Biochem.* **212**, 273–288 (1993).

Nüsslein-Volhard, C., Axis determination in the *Drosophila* embryo, *Harvey Lect.* **86**, 129–148 (1992); et St. Johnston, D. et Nüsslein-Volhard, C., The origin of pattern and polarity in the *Drosophila* embryo, *Cell* **68**, 201–219 (1992). [Detailed reviews.]

Nüsslein-Volhard, C., The identification of genes controlling development in flies and fishes (Nobel lecture); et Wieschaus, E., From molecular patterns to morphogenesis—The lessons from studies on the fruit fly *Drosophila* (Noble lecture), *Angew. Chem. Int. Ed. Engl.* **35**, 2177–2187 et 2189–2194 (1996).

Scott, M.P., Development: The natural history of genes, *Cell* **100**, 27–40 (2000).

CANCER ET RÉGULATION DU CYCLE CELLULAIRE

Adams, P.D., Regulation of the retinoblastoma tumor suppressor protein by cyclin/cdks, *Biochim. Biophys. Acta* **1471**, M123– M133 (2001).

Cho, Y., Gorina, S., Jeffrey, P.D., et Pavletich, N.P., Crystal structure of a p53 tumor suppressor–DNA complex: Understanding tumorigenic mutations, *Science* **265**, 346–355 (1994).

Cooper, G.M. et Hausman, R.E., *The Cell. A Molecular Approach* (3rd ed.), Chapter 14, ASM Press (2004).

De Bondt, H.L., Rosenblatt, J., Jancarik, J., Jones, H.D., Morgan, D.O., et Kim, S.-H., Crystal structure of cyclin-dependent kinase 2, *Nature* **363**, 595–602 (1993); Jeffrey, P.D., Russo, A.A., Polyak, K., Gibbs, E., Hurwitz, J., Massagu, J., et Pavletich, N.P., Mechanism of CDK activation revealed by the structure of a cyclin A–CDK2 complex, *Nature* **376**, 313–320 (1995); Russo, A.A., Jeffrey, P.D., Patten, A.K., Massagué, J., et Pavletich, N.P., Crystal structure of the p27^{Kip1} cyclin-dependent-kinase inhibitor bound to the cyclin A–Cdk2 complex, *Nature* **382**, 325–331 (1996); et Russo, A.A., Jeffrey, P.D., et Pavletich, N.P., Structural basis of cyclin-dependent kinase activation by phosphorylation, *Nature Struct. Biol.* **3**, 696–700 (1996).

Donehower, L.A., Harvey, M., Slagle, B.L., McArthur, M.J., Montgomery, C.A., Jr., Butel, J.S., et Bradley, A., Mice deficient for p53 are developmentally normal but susceptible to spontaneous tumours, *Nature* **356**, 215–221 (1992).

Haluska, F.G., Tsujimoto, Y., et Croce, C.M., Oncogene activation by chromosome translocation in human malignancy, *Annu. Rev. Genet.* **21**, 321–345 (1987).

Harbour, J.W. et Dean, D.C., The Rb/E2F pathway: expanding roles and emerging paradigms, *Genes Dev.* **14**, 2393–2409 (2000).

Harper, J.W. et Adams, P.D., Cyclin-dependent kinases, *Chem. Rev.* **101**, 2511–2526 (2001).

Hickman, E.S., Moroni, M.C., et Helin, K., The role of p53 and pRB in apoptosis and cancer, *Curr. Opin. Genet. Dev.* **12**, 60–66 (2002).

Hunter, T. and Pines, J., Cyclins and cancer, *Cell* **66**, 1071–1074 (1991).

Jeffrey, P.D., Tong, L., et Pavletich, N.P., Structural basis of inhibition of CDK-cyclin complexes by INK4 inhibitors, *Genes Dev.* **14**, 3115–3125 (2000).

Johnson, D.G. et Walker, C.L., Cyclins and cell cycle checkpoints, *Annu. Rev. Pharmacol Toxicol.* **39**, 295–312 (1999).

Johnstone, R.W., Histone-deacetylase inhibitors: Novel drugs for the treatment of cancer, *Nature Rev. Drug Disc.* **1**, 287–299 (2002).

Lee, E.Y.-H., Chang, C.-Y., Hu, N., Wang, Y.-C.J., Lai, C.-C., Herrup, K., Lee, W.-H., et Bradley, A., Mice deficient for Rb are nonviable and show defects in neurogenesis and haematopoiesis, *Nature* **359**, 288–394 (1992).

Morgan, D.O., Cyclin-dependent kinases: Engines, clocks, and microprocessors, *Annu. Rev. Cell Dev. Biol.* **13**, 261–291 (1997).

Morris, E.J. et Dyson, N.J., Retinoblastoma protein partners, *Adv. Cancer Res.* **82**, 1–54 (2001).

Nigg, E.A., Mitotic kinases as regulators of cell division and its checkpoints, *Nature Rev. Mol. Biol.* **2**, 21–32 (2001).

Norbury, C. et Nurse, P., Animal cell cycles and their control, *Annu. Rev. Biochem.* **61,** 441–470 (1992); et Forsburg, S.L. et Nurse, P., Cell cycle regulation in the yeasts *Saccharomyces cerevisiae* and *Schizosaccharomyces pombe, Annu. Rev. Cell Biol.* **7,** 227–256 (1991).

Pavletich, N.P., Mechanisms of cyclin-dependent kinase regulation: Structures of Cdks, their cyclin activators, and Cip and INK4 inhibitors, *J. Mol. Biol.* **287,** 821–828 (1999).

Pollard, T.D. et Earnshaw, W.C., *Cell Biology,* Chapitres 43–47 et 49, Saunders (2002).

Russell, P., Checkpoints on the road to mitosis, *Trends Biochem. Sci.* **23,** 399–402 (1998).

Russo, A.A., Jeffrey, P.D., Patten, A.K., Massagué, J., et Pavletich, N.P., Crystal structure of the p27Kip1 cyclin-dependent-kinase inhibitor bound to the cyclin A–Cdk2 complex, *Nature* **382,** 325–331 (1996).

Sherr, C.J. et Weber, J.D., The ARF/p53 pathway, *Curr. Opin. Genet. Dev.* **10,** 94–99 (2000).

Vogelstein, B. et Kinzler, K.W., The multistep nature of cancer, *Trends Genet.* **9,** 138–140 (1993).

Volgelstein, B., Lane, D., et Levine, A.J., Surfing the p53 network, *Nature* **408,** 307–310 (2000). [Discusses how p53 integrates the various signals that control cell life and death.]

Xiao, B., Spencer, J., Clements, A., Ali-Khan, N., Mittnacht, S., Broceño, C., Burghammer, M., Parrakis, A., Marmorstein, M., et Gamblin, S.J., Crystal structure of the retinoblastoma tumor suppressor protein bound to E2F and the molecular basis of its regulation, *Proc. Natl. Acad. Sci.* **100,** 2363–2368 (2003); et Lee, C., Chang, J.H., Lee, H.S., et Cho, Y., Structural basis for the recognition of the E2F transactivation domain by the retinoblastoma tumor suppressor, *Genes Dev.* **16,** 3199–3212 (2002).

APOPTOSE

Acehan, D., Jiang, X., Morgan, D.G., Heuser, J.E., Wang, X., et Akey, C.W., Three-dimensional structure of the apoptosome: Implications for assembly, procaspase-9 binding, and activation, *Mol. Cell* **9,** 423–432 (2002).

Chai, J., Wu, Q., Shiozaki, E., Srinivasula, S.M., Alnemri, E.S., et Shi, Y., Crystal structure of a procaspase-7 zymogen: Mechanisms of activation and substrate binding, *Cell* **107,** 399–407 (2001); et Riedl, S.J., Fuentes-Prior, P., Renatus, M., Kairies, N., Krapp, S., Huber, R., Salvesen, G.S., et Bode, W., Structural basis for the activation of human procaspase-7, *Proc. Natl. Acad. Sci.* **98,** 14790–14795 (2001).

Desagher, S. et Martinou, J.C., Mitochondria as the central control point of apoptosis, *Trends Cell Biol.* **10,** 369–377 (2000).

Earnshaw, W.C., Martins, L.M., et Kaufmann, S.H., Mammalian caspases: Structure, activation, substrates, and functions during apoptosis, *Annu. Rev. Biochem.* **68,** 383–424 (1999); et Grütter, M.G., Caspases: key players in programmed cell death, *Curr. Opin. Struct. Biol.* **10,** 649–655 (2000).

Fesik, S.W., Insights into programmed cell death through structural biology, *Cell* **103,** 272–282 (2000).

Hengartner, M.O., The biochemistry of apoptosis, *Nature* **407,** 770–776 (2000).

Jacobson, M.D. et McCarthy, N. (Eds.), *Apoptosis,* Oxford (2002).

Nagata, S., Fas ligand-induced apoptosis, *Annu. Rev. Genet.* **33,** 29–55 (1999).

Riedl, S.J, Renatus, M., Schwarzenbacher, R., Zhou, Q., Sun, C., Fesik, S.W., Liddington, R.C., et Salvesen, G.S., Structural basis for the inhibition of caspase-3 by XIAP, *Cell* **104,** 791–800 (2001).

Strasser, A., O'Connor, L., et Dixit, V.M., Apoptosis signaling, *Annu. Rev. Biochem.* **69,** 217–245 (2000).

Wei, Y., Fox, T., Chambers, S.P., Sinchak, J., Coll, J.T., Golec, J.M.C., Swenson, L., Wilson, K.P., et Charifson, P., The structures of capsases-1, -3, -7, and -8 reveal the basis for substrate and inhibitor selectivity, *Chem. Biol.* **7,** 423–432 (2000).

Yin, X.M. et Dong, Z. (Éds.), *Essentials of Apoptosis,* Humana Press (2003).

PROBLÈMES

1. Quel est le rapport de compactage maximum d'un segment d'ADN de 10^6 pb; et d'un segment d'ADN de 10^9 pb? On considère l'ADN comme un cylindre de 20 Å de diamètre avec un espace de 3,4 Å entre les paires de base.

2. Quand un minichromosome de SV40 (ADN double brin circulaire fermé associé aux nucléosomes) est relâché pour former un cercle non torsadé, et est ensuite déprotéinisé, l'ADN quasi circulaire résultant présente 1 tour superhélicoïdal négatif pour chaque nucléosome qu'il avait à l'origine. Expliquez la discordance entre cette observation et le fait que dans chaque nucléosome, l'ADN s'enroule environ deux fois autour de ses octamères d'histone dans le sens d'une superhélice de pas à gauche.

3. Expliquez pourquoi des polypeptides acides comme le poly-glutamate facilitent l'assemblage *in vitro* des nucléosomes.

4. Soit une molécule d'ADN d'1 million de pb possédant 1500 répétitions en tandem de 400 pb, le reste étant constitué de séquences uniques. Dessinez la courbe C_0t de cet ADN quand il est coupé en morceaux d'environ 1000 pb de long, et quand ces morceaux ont 100 pb.

5. Pourquoi des structures isolées et repliées sur elles-mêmes, lorsqu'elles sont traitées par une endonucléase coupant seulement l'ADN simple brin, avant de les dénaturer, conduisent-elles à des courbes de C_0t complexes?

6. Durant les 2 mois de leur maturation, les ovocytes de *Xenopus* synthétisent environ 10^{12} ribosomes. Il en résulte une vitesse considérable de la synthèse de l'ARNr qui n'est possible que grâce à l'amplification d'environ 1500 fois du complément génomique de l'ADNr. (a) Pourquoi n'est-il pas nécessaire d'amplifier de la même manière les gènes codant les protéines ribosomiales? (b) Si l'on admet que l'amplification des gènes d'ARNr se fait rapidement juste au début de la période de maturation, quel serait le temps d'ovogenèse nécessaire si l'ADNr n'était pas amplifié?

7. L'Hb Kenya est une thalassémie-β dans laquelle le groupe des gènes de globine-β montre une délétion entre un point du gène de la globine-γ^A et la position correspondante du gène de la globine-β. Décrivez le mécanisme le plus probable de l'apparition de cette mutation.

8. Le daltonisme, défaut de vision du rouge et du vert est causé par un défaut génétique récessif lié au chromosome X. De ce fait, les femmes ont rarement le phénotype daltonien, mais elles peuvent être porteuses de gènes défectueux. Lorsque l'on projette un mince faisceau de lumière rouge ou verte sur certains secteurs de la rétine de telles femmes porteuses, elles peuvent mal distinguer les deux couleurs alors qu'en éclairant d'autres secteurs elles y arrivent parfaitement. Expliquez ce phénomène.

9. La figure 34-53*a* montre une bande unique juste au-dessus de la région entre crochets, qui augmente en densité lorsque la concentration en Sp1 augmente. Quelle est l'origine de cette bande ?

10. Pourquoi les rares cas de chats mâles bigarrés écaille de tortue ont-ils tous le génotype anormal XXY ?

11. Chez *Drosophila*, un homozygote *esc⁻* se développe normalement à moins que sa mère ne soit aussi homozygote *esc⁻*. Expliquez pourquoi.

12. La fusion de cellules cancéreuses avec des cellules normales supprime souvent l'expression du phénotype tumorigène. Expliquez pourquoi.

Index des chapitres 1 à 28

Pour des raisons de délais de fabrication, nous avons placé, dans ces pages, l'index américain relatif aux deux ouvrages traduits et rassemblés en un seul. Dès le mois d'octobre, vous pourrez télécharger, gratuitement, la version française complète de cet index en vous rendant à l'adresse www.deboeck.com, sur la fiche de l'ouvrage Biochimie.

Les références des pages en gras se réfèrent à une discussion importante concernant l'entrée. Les désignations de positions et de configurations dans les noms chimiques (comme 3-, *N*-, etc.) sont ignorées dans le classement alphabétique.

Index des chapitres 28 à 33